S0-BSP-624

E . B É N É Z I T

DICTIONNAIRE
critique et documentaire
DES PEINTRES SCULPTEURS DESSINATEURS ET GRAVEURS

E. BÉNÉZIT

DICTIONNAIRE
critique et documentaire
DES PEINTRES SCULPTEURS DESSINATEURS ET GRAVEURS

de tous les temps et de tous les pays
par un groupe d'écrivains spécialistes
français et étrangers

•

NOUVELLE ÉDITION
entièrement refondue
sous la direction de Jacques BUSSE

•

TOME 8
KÖSTER- MAGAND

GRÜND
1999

GARANTIE DE L'ÉDITEUR

Malgré tous les soins apportés à sa fabrication,
il est malheureusement possible que cet ouvrage comporte un défaut
d'impression ou de façonnage. Dans ce cas, il vous sera échangé sans frais.
Veuillez à cet effet le rapporter au libraire qui vous l'a vendu ou nous écrire
à l'adresse ci-dessous en nous précisant la nature du défaut constaté.
Dans l'un ou l'autre cas, il sera immédiatement fait droit à votre réclamation.

Éditions Gründ - 60, rue Mazarine - 75006 Paris

Éditions précédentes: 1911-1923, 1948-1955, 1976

ISBN: 2-7000-3010-9 (série classique)
ISBN: 2-7000-3018-4 (tome 8)

ISBN: 2-7000-3025-7 (série usage intensif)
ISBN: 2-7000-3033-8 (tome 8)

ISBN: 2-7000-3040-0 (série prestige)
ISBN: 2-7000-3048-6 (tome 8)

Dépôt légal mars 1999

NOTES CONCERNANT LES PRIX

Tous les prix atteints en ventes publiques par les œuvres des artistes répertoriés dans le Bénézit sont indiqués :

- dans la monnaie du pays où a eu lieu la vente (*cf* abréviations ci-dessous) ;
- dans la monnaie au jour de la vente.

Afin de permettre au lecteur d'évaluer ce que représentent en valeur actualisée les transactions précitées, nous donnons dans le tome 1 :

- un tableau retraçant l'évolution du pouvoir d'achat du franc depuis 1901 (page 8) ;
- un tableau donnant les cours à Paris du dollar américain et de la livre sterling depuis la même année (page 10).

Ainsi pourra-t-on estimer par un double calcul la valeur d'une transaction effectuée par exemple à Londres en 1937, à New York en 1948, etc., et par une simple lecture à Paris en 1955.

DÉSIGNATION DES MONNAIES SELON LA NORME ISO

ARS	Peso argentin	**HKD**	Dollar de Hong Kong
ATS	Schilling autrichien	**HUF**	Forint (Hongrie)
AUD	Dollar australien	**IEP**	Livre irlandaise
BEF	Franc belge	**ILS**	Shekel (Israël)
BRL	Real (Brésil)	**ITL**	Lire (Italie)
CAD	Dollar canadien	**JPY**	Yen (Japon)
CHF	Franc suisse	**NLG**	Florin ou Gulden (Pays-Bas)
DEM	Deutsche Mark	**PTE**	Escudo (Portugal)
DKK	Couronne danoise	**SEK**	Couronne suédoise
EGP	Livre égyptienne	**SGD**	Dollar de Singapour
ESP	Peseta (Espagne)	**TWD**	Dollar de Taïwan
FRF	Franc français	**USD**	Dollar américain
GBP	Livre sterling	**UYU**	Peso uruguayen
GRD	Drachme (Grèce)	**ZAR**	Rand (Afrique du Sud)

Jusqu'aux années 1970, les prix atteints lors des ventes en Angleterre étaient indiqués indifféremment en livres sterling ou en guinées. Lorsque tel a été le cas, l'abréviation GNS a été conservée.

PRINCIPALES ABRÉVIATIONS UTILISÉES

Rubrique muséographique

Les abréviations correspondent au mot indiqué et à ses accords.

Acad. Académie
Accad. Accademia
Assoc. Association
Bibl. Bibliothèque
BN Bibliothèque nationale
Cab. Cabinet
canton. cantonal
CNAC Centre national d'Art contemporain
CNAP Centre national des Arts plastiques
coll. collection
comm. communal
Contemp. Contemporain, contemporary...
dép. départemental
d'Hist. d'Histoire
Fond. Fondation
FNAC Fonds national d'Art contemporain
FRAC Fonds régional d'Art contemporain
Gal. Galerie, Gallery, Galleria...
hist. historique
Inst. Institut, Institute
Internat. International
Libr. Library
min. ministère
Mod. Moderne, Modern, Moderna, Moderno...
mun. municipal
Mus. Musée, Museum
Nac. Nacional
Nat. National
Naz. Nazionale
Pina. Pinacothèque, Pinacoteca...
prov. provincial
région. régional
roy. royal, royaux

Rubrique des ventes publiques

abréviations des techniques

/ sur
acryl. acrylique
alu. aluminium
aquar. aquarelle
aquat. aquatinte
attr. attribution
cart. carton
coul. couleur
cr. crayon
dess. dessin
esq. esquisse
fus. fusain
gche gouache
gché gouaché
gchée gouachée
gchées gouachées
gches gouaches
grav. gravure
h. huile
h/cart. huile sur carton
h/pan. huile sur panneau
h/t huile sur toile
inox. inoxydable
isor. Isorel
lav. lavis
linograv. linogravure
litho. lithographie
mar. marouflé, marouflée...
miniat. miniature
pan. panneau
pap. papier
past. pastel
peint. peinture
photo. photographie
pb plomb
pl. plume
reh. rehaussé, rehaut, rehauts...
rés. résine
sculpt. sculpture
sérig. sérigraphie
synth. synthétique
tapiss. tapisserie
techn. technique
temp. tempera
t. toile
vinyl. vinylique

KÖSTER Karl Georg
Né le 13 février 1812 à Hambourg. Mort le 3 mars 1893 à Düsseldorf. XIXe siècle. Allemand.
Peintre de paysages.
Il fut élève des Académies de Leipzig et de Dresde. Il travailla à Munich, Brême, Düsseldorf.
Ventes Publiques : Cologne, 6 juin 1973 : *Paysage d'hiver* : **DEM 4 000** – Cologne, 18 mars 1977 : *Paysage romantique ; h/p* (24,5x33,5) : **DEM 4 000** – Amsterdam, 22 avr. 1992 : *Paysage montagneux et rocheux avec des paysans sur un sentier le long d'un torrent*, h/t (79x66) : **NLG 5 175**.

KÖSTER Paul
Né le 24 septembre 1855 à Brême. Mort en 1931. XIXe-XXe siècles. Allemand.
Peintre de paysages, paysages animés.
Il fut élève de son père Karl Georg Köster, et, à l'Académie des Beaux-Arts de Munich, de Ferdinand Barth. Il se fixa à Düsseldorf.
Ventes Publiques : Cologne, 22 nov. 1971 : *Paysage au soir couchant* 1879 : **DEM 2 900** – Cologne, 26 juin 1981 : *Le Vieux Moulin*, h/t (60x80) : **DEM 5 000** – Londres, 29 mai 1985 : *Personnages devant une fontaine au Caire*, h/t (46x30) : **GBP 1 600** – Bruxelles, 19 déc. 1989 : *Paysage campagnard animé*, h/t (43x60) : **BEF 140 000** – Lokeren, 20 mars 1993 : *Paysage fluvial en Hollande ; Moulin*, h/t, une paire (chaque 30x24) : **BEF 65 000**.

KÖSTER Peter
Né en 1621. Mort le 23 juin 1669 à Hanovre. XVIIe siècle. Allemand.
Sculpteur.
Il travailla pour les églises de Hanovre. On lui doit un grand nombre de monuments funéraires.

KOSTER Simon de
Né le 22 août 1767 à Middelbourg. Mort le 24 juin 1831 à Londres. XVIIIe-XIXe siècles. Hollandais.
Peintre de portraits et d'ornements.
Élève de l'Académie de peinture de Middelbourg, puis de Thomas Gaal. Il s'établit à Londres en 1788. Il peignit surtout des portraits.
Ventes Publiques : Bruxelles, 1865 : *Portrait d'un vieillard coiffé d'un bonnet de fourrure* : **FRF 150**.

KOSTIENKO Éléna
Née en 1926 à Leningrad. XXe siècle. Russe.
Peintre de portraits, figures, paysages animés.
Elle étudia à l'Académie des Beaux-Arts (Institut Répine) de Leningrad, et fut élève de Viktor Orechnikov. Membre de l'Association des Peintres de Leningrad. Le premier prix de l'exposition *Les Peintres du Peuple* lui est décerné en 1964. Dès 1950, ses œuvres sont exposées collectivement à Moscou et à Leningrad. Internationalement, elle participe à Tokyo de 1975 à 1982 à six expositions collectives *L'Art Soviétique*, en 1990 à Helsinki et à Madrid aux manifestations consacrées à la *Peinture de Leningrad*. Sa première exposition personnelle a lieu à Leningrad en 1980, une autre à Belgorod en 1981 puis à nouveau à Leningrad en 1986. Elle traite des sujets quotidiens et optimistes dans une technique académique. *Voir aussi KOSTENKO Éléna Mikhaïlovna.*
Musées : Kalinine – Krasnodar – Moscou (Mus. du min. de la Culture) – Saint-Pétersbourg (Mus. Russe) – Saint-Pétersbourg (Mus. de l'Acad. des Beaux-Arts) – Saint-Pétersbourg (Mus. d'Hist.) – Soumsk.
Ventes Publiques : Paris, 11 juin 1990 : *La petite fille en robe d'été* 1953, h/t (32x26) : **FRF 12 500** – Paris, 18 fév. 1991 : *Grégori et la locomotive*, h/cart. (67x48) : **FRF 7 500** ; *Les jeunes joueurs de hockey* 1974, h/t (142x150) : **FRF 25 000** – Paris, 26 avr. 1991 : *La lecture*, h/t (33x58,5) : **FRF 6 200** – Paris, 10 juin 1991 : *Autoportrait*, h/t (47x37) : **FRF 4 250** – Paris, 16 juin 1991 : *Ninotchka*, h/t (27x35) : **FRF 4 500**.

KOSTIENKO Lubov
Né en 1948. XXe siècle. Russe.
Peintre de compositions à personnages.
Membre de l'Union des Peintres de Leningrad. Il a travaillé avec le groupe T.E.I.I. et participé à de nombreuses expositions non-officielles tant en URSS qu'à l'étranger.
Ventes Publiques : Paris, 8 déc. 1990 : *Le trompettiste* 1980, h/t (65x70) : **FRF 7 500**.

KOSTINSKI Piotr
Né en 1916 à Maikop. XXe siècle. Russe.
Peintre de compositions à personnages, paysages.
C'est sa mère qui l'initia au dessin, puis il étudia à l'École des Beaux-Arts de Rostov-sur-le-Don, dans les ateliers de A. Tchernykh, M. Neifeld et M. Orechkine, jusqu'en 1939. De 1941 à 1945, il décore les maisons de l'Armée Rouge. En 1950 il adhère à l'Union des Peintres de l'U.R.S.S. À partir de cette date, il participe à des expositions nationales et également à l'étranger : Japon, Suède, Canada, Allemagne. De ses œuvres figurent dans différents musées nationaux et internationaux.
Il utilise dans ses paysages des gammes chromatiques d'une rare douceur. Épris de la nature, il observe attentivement ses phénomènes, aspirant à de nouvelles découvertes artistiques. P. Kostinski est un représentant typique de l'école de Moscou. Peintre de compositions, il s'est plié aux impératifs institutionnels, célébrant *Lénine et Gorki*, *Lénine parmi des enfants*.
Bibliogr. : In : Catalogue de la vente *Tableaux soviétiques*, Salle Drouot, Paris, 3 oct. 1990.
Ventes Publiques : Paris, 3 oct. 1990 : *Esquisse pour le tableau Lénine et Gorki* 1951, h/cart. (50x80) : **FRF 15 500** – Paris, 11 avr. 1992 : *Partie de pêche sous la glace*, h/t (98x140) : **FRF 8 800**.

KOSTIOUKHINE Georges
Né en 1905. XXe siècle. Russe.
Peintre.
Appartient au mouvement avancé de l'art russe contemporain.

KOSTKA Josef
Né en 1912 à Stupava (Slovaquie). XXe siècle. Tchécoslovaque.
Sculpteur.
Peut-être identique au sculpteur KOSTKI.
Musées : Prague (Gal. Nat.) : *un bronze*.

KOSTKI
XXe siècle. Tchécoslovaque.
Sculpteur.
Avec Dvoralz, Gutfreund, Landa, Sturza, il appartient à l'école de sculpture tchécoslovaque influencée par les recherches plastiques dont le cycle s'est ouvert à la mort de Rodin.

KOSTTRZEVSKY Franciszek ou **Kosttrzievsky**
Né le 19 avril 1826 à Varsovie. Mort en 1911 à Varsovie. XIXe-XXe siècles. Polonais.
Peintre de genre, peintre humoriste.
Il fit ses études à l'École de peinture de Varsovie avec les professeurs Hadzievisch, Kanievski et Pivarski.
Musées : Cracovie : *Un cabaret*.
Ventes Publiques : Monaco, 18-19 juin 1992 : *La Vistule près de Varsovie* 1863, h/t (60x92) : **FRF 31 080**.

KOSTUWICZKY Ivan Cyril
Né en 1867 à Varsovie. XIXe siècle. Polonais.
Peintre de paysages.
Vint à Paris à l'âge de vingt ans, travailla au Louvre et suivit la leçon des Impressionnistes. Il parcourait l'Italie, la Grèce, la Palestine, exposant dans les grandes villes d'Europe, lorsque éclata la guerre de 1914. Engagé dans la Légion Polonaise, il fut blessé grièvement et dut longuement apprendre à se servir de sa main gauche avant de pouvoir exposer de nouveau.

KOSUTH Joseph
Né le 31 janvier 1945 à Toledo (Ohio). XXe siècle. Américain.
Créateur d'installations. Conceptuel.
Il fut élève du Museum School of Design de Toledo de 1955 à 1962, du Cleveland Art Institute dans la section peinture de 1963 à 1964, de la School of Visual Art de New York de 1965 à 1967, y organisant des cours et des expositions sur Ad Reinhardt, Don Judd et Sol LeWitt. En 1964, il réside quelque temps à Paris. Depuis 1969, il voyage fréquemment en Europe et à partir de 1971 entreprend des études de philosophie et d'anthropologie à la New School for Social Research de New York. En 1969, il devient membre de la rédaction de *Art&Langage Press* en Grande-Bretagne et rédacteur américain de la revue du groupe, et est membre fondateur en 1971 du comité de l'*Art&Langage* en Grande-Bretagne. Présentant un travail cohérent, participant activement, au sein de cette revue en particulier, à la diffusion de l'art conceptuel, Kosuth a rapidement acquis une grande renommée. Il enseigne à l'académie des beaux-arts de Stuttgart. Il vit et travaille à New York.
Il participe à de très nombreuses expositions collectives, en particulier à celles consacrées à l'art conceptuel : 1967 The Museum of Normal Art à New York ; 1969 *Quand les attitudes deviennent forme* à la Kunsthalle de Berne ; 1969, 1977, 1979 Museum of

Contemporary Art de Chicago ; 1969, 1979, 1982 Stedelijk Museum d'Amsterdam ; 1969, 1980 Institute of Contemporary Art à Londres, 1970, 1974, 1980 Museum of Modern Art de New York ; 1972, 1982 Documenta de Kassel ; 1974, 1976 Art Institute de Chicago ; 1977 Guggenheim Museum de New York ; 1987 Biennale du Whitney Museum de New York ; 1987, 1988 Kunstmuseum de Lucerne ; 1987 Moderna Museet de Stockholm ; 1988 Capc musée d'Art contemporain de Bordeaux ; 1989-1990 *L'Art conceptuel, une perspective* au musée d'Art moderne de la Ville de Paris ; 1996 musée des beaux-arts de Montréal. Depuis 1967, il montre ses œuvres dans des expositions personnelles : 1967 Museum of Normal Art à New York ; 1969 Saint Martin's School of Art à Londres et Museum of Contemporary Art de Chicago ; 1970 Art Museum de Pasadena ; 1971, 1972, 1975, 1979, 1982, 1985, 1986, 1988 galerie Leo Castelli de New York ; 1973 Kunstmuseum de Lucerne ; 1978 Van Abbemuseum d'Eindhoven ; 1979 musée de Chartres, 1980 P.S.1 à l'Institute for Art&Urbain Ressources à New York ; 1981 Staatsgalerie de Stuttgart ; 1985 Centre d'art contemporain de Genève ; 1988-1989 musée de Capodimonte à Naples ; 1989 MUHKA et ICC d'Anvers ; 1994 Camden Art Centre de Londres ; 1996 galerie Yvon Lambert à Paris ; 1997 MIT List Visual Arts Centre de Boston, musée d'Art moderne de Dublin.

Il a réalisé pour la ville de Figeac un hommage à Jean François Champollion, installant au sol une reproduction de la pierre de Rosette en granit noir agrandie à l'échelle de la place, au fond d'une cave une carte du Delta du Nil et la traduction française gravée du texte égyptien, et au-dessus de la place un jardin composé des essences d'arbres caractéristiques de l'Égypte. En 1995, il a réalisé *Les Aventures d'Ulysse* dans le parc de stationnement de la gare de Lyon La Part-Dieu.

D'emblée son travail s'est situé dans ce que l'on nomme l'art conceptuel, donnant pour sous-titre à ses tableaux *Art as idea as idea*. Plutôt que d'utiliser les moyens et techniques traditionnels propres aux arts plastiques, il se tourne vers la linguistique, emprunte au dictionnaire, de langue anglaise, française, italienne, allemande, pour mettre en scène le problème de la représentation. Dès 1965, il compose des mots et des phrases sur des plaques de verre ou avec des tubes de néon fixés au mur (thème repris par de nombreux artistes). Il présente aussi à la même époque les *blow-up*, reproductions agrandies de définitions de dictionnaires ou de lexiques bilingues. Il a ensuite réalisé des assemblages où il juxtaposait un objet usuel (chaise, verre, marteau, boîte) à côté de la photo de cet objet (photo prise sur le lieu d'exposition) et de sa définition, chaque élément renvoyant à l'ensemble dans une correspondance image/écriture. Puis, sous le terme *Investigations*, il a proposé une mise en relation plus globale de divers éléments de réflexion sur l'écriture, la langue et le langage, choisi dans le Thésaurus de Roget, notant les différences géographiques, philosophiques, sociologiques, graphiques, que sous-tendent la langue d'un pays. Voulant rompre toute association possible avec la peinture, il remplace le photostat par l'utilisation d'espaces de journaux ou de périodiques.

À partir du langage, Kosuth ne recherche, dans l'œuvre d'art, pas seulement une connaissance de l'objet ou de la réalité, mais une connaissance de son fonctionnement en tant qu'œuvre d'art. Sa démarche tend à proposer une définition de l'œuvre d'art non seulement comme « objet de connaissance » mais encore comme une connaissance de son objet. On en arrive à la conception d'un art tautologique où le langage ne renvoie qu'à lui-même. Le discours remplace l'objet, néanmoins devant une chaise, une photographie, un texte imprimé, l'on peut encore ressentir l'aspect plastique de l'œuvre. ■ L. L., J. B.

Bibliogr. : Catalogue de l'exposition *Joseph Kosuth*, Mus. d'Art Mod. de la Ville de Paris, 1974 – Catalogue de l'exposition *Joseph Kosuth*, Staatsgal. Stuttgart, 1981 – Nicolas Bourriaud : *Joseph Kosuth, entre les mots*, Artstudio, n° 15, hiver 1989 – in : Catalogue de l'exposition : *L'Art conceptuel, une perspective*, musée d'Art moderne de la Ville, Paris, 1989-1990 – in : *L'art du xxe s.*, Larousse, 1991 – in : *Diction. de l'art mod. et contemp.*, Hazan, Paris, 1992 – Eleanor Heartney : *Joseph Kosuth. L'Art, générateur de conscience*, Artpress, n° 223, Paris, avr. 1997.

Musées : Eindhoven (Van Abbemuseum) : *Deuxième investigation, Synopsis of Category* 1968 – Épinal (Mus. départ. des Vosges) : *Four Words – Four Adjectives* 1965 – Londres (Tate Gal.) : *Clock (one and five) English/Latin* 1965 – Lyon (Mus. d'Art Contemp.) : *Zero&non* 1985 – Montréal (Mus. d'Art Contemp.) : *Cathexis n° 48* 1982 – New York (Mus. of Mod. Art) : *À droite, en haut* – Paris (Mus. Nat. d'Art Mod.) : *One and Three Chairs* 1965.

Ventes Publiques : Londres, 7 déc. 1977 : *Puzzle – art as idea as idea*, reprod. photo./pan. (122x122) : **GBP 1 500** – Rome, 24 mai 1979 : *Meaning* 1967, report photo. (120x120) : **ITL 2 200 000** – Rome, 11 juin 1981 : *Instrument n°1*, report photo. (120x120) : **ITL 3 000 000** – Milan, 15 mars 1983 : *Art as idea as idea* 1968, report photo./cart. mar./isor. (90x90) : **ITL 2 000 000** – Paris, 16 avr. 1989 : *Four colors, Four words* 1965, quatre pièces en néon de couleur violet, rouge, bleu et vert avec transformateur actuellement branché sur 110 volts (0.9x140) : **FRF 320 000** – New York, 9 nov. 1989 : *Un et trois triangles* 1965, triangle de bois, sa photo. et trois définitions de dictionnaire relatives au triangle sur alu. (61x70,5 ; 71x80 ; 71x80) : **USD 49 500** – Paris, 20 jan. 1990 : *Neither would I be against this conection*, néon et bromure (13x127) : **FRF 270 000** – Milan, 23 oct. 1990 : *Art as idea is idea* 1967, report photographique/cart. (118,5x118,5) : **ITL 28 000 000** – Londres, 17 oct. 1991 : *Art as idea is idea*, report photographique (127x121,9) : **GBP 3 520** – New York, 17 nov. 1992 : *Mots, phrases, paragraphes (Z.+N.)* 1986, photo. et néon (183,5x228,6) : **USD 55 000** – New York, 11 nov. 1993 : *Art as idea as idea* 1968, photostat/cart. (119,4x119,4) : **USD 16 100** – New York, 5 mai 1994 : *Cathexis 37* 1981, impression de gelatine argent et ruban adhésif (123,2x142,2) : **USD 20 700** – Paris, 17 oct. 1994 : *Art avec un timbre de caoutchouc et signé Joseph Kosuth* 1968, tampon/pap. (37x27) : **FRF 12 500** – Paris, 1er juil. 1996 : *Answer en français* 1967, épreuve photographique/pan. (100x100) : **FRF 50 000** – Paris, 27 déc. 1996 : *Omission without substitution is found in the following exemple* 1987, néon et bromure (193x11) : **FRF 62 000** – New York, 19 nov. 1996 : *The square root of minus one 2*, encre/verre, émulsion photo./verre/plaque alu., trois panneaux (panneau gauche 213,2x182,8 et panneau droit 6x30,5) : **USD 8 050**.

KÖSZEGI-BRANDL Gusztav

Né le 6 novembre 1862 à Odenburg. Mort le 21 mars 1908 à Budapest. xixe siècle. Hongrois.

Peintre.

Il travailla à Munich avant d'aller s'établir à Budapest.

KOSZKOL Jeno

Né le 30 avril 1868 à Dorog. xixe-xxe siècles. Hongrois.

Peintre de paysages, aquarelliste.

On cite ses vues de Dalmatie et d'Afrique du Nord.

Ventes Publiques : Londres, 20 juin 1985 : *Vues de Tunis*, aquar., une paire (66x50) : **GBP 1 500** – New York, 20 jan. 1993 : *Scène de marché arabe*, aquar. et cr./pap. (40x50,8) : **USD 489**.

KOSZTA Josef

Né en 1861 ou 27 avril 1864 à Kronstadt. Mort en 1949. xixe-xxe siècles. Hongrois.

Peintre de figures, portraits, paysages animés.

Il a vécu à Budapest. Il commença ses études à Munich, pour les achever à Paris. En 1900, il a participé au Salon de Paris, à l'occasion de l'Exposition Universelle, recevant une mention honorable.

Il se rattachait à la catégorie dite des « peintres de la grande plaine ». Il vivait surtout à la campagne et s'intéressait à la vie des paysans. Sa matière picturale rappelle l'émail des anciens carreaux décorés de l'artisanat populaire. Il s'est exprimé à travers des clair-obscurs, des effets de contraste entre les murs éblouissants des bâtiments de fermes et le bleu foncé noyant les perspectives du paysage. Il a peint aussi de nombreux portraits des paysans eux-mêmes.

Bibliogr. : Gérald Schurr, in : *Les Petits Maîtres de la peinture 1820-1920, valeur de demain*, Les Éditions de l'Amateur, t. VII, Paris, 1989.

Musées : Budapest (Gal. Nat. de Hongrie) : *La récolte du maïs*.

KOSZTKA Mihaly Tivadar. Voir **CSONTVARY**

KOTAI Tamas

Né en 1959 à Mako. xxe siècle. Hongrois.

Peintre, technique mixte. Abstrait.

Il suivit une formation de dessinateur-industriel. Il a bénéficié de la bourse d'étude Derkovits. Depuis 1986, il est membre de l'Atelier des Jeunes Artistes, avec lequel il expose collectivement. En 1989, le Musée de Vac lui a consacré une exposition personnelle. Bien qu'abstraite, sa peinture incite à y trouver des correspondances de sensations.

KOTANYI-POLLAK Hilda

Née le 2 novembre 1875 à Vienne. xxe siècle. Autrichienne.

Peintre de genre. Postimpressionniste.

KOTARBINSKI Guillaume

xixe siècle. Polonais.

Peintre.
Imita Siemiradzki mais sa peinture se fige en un académisme empesé.

KOTARBINSKI Milosz
Né en 1854 dans la région de Lublin. XIXe siècle. Polonais.
Peintre de sujets de genre.
Il fut élève de l'Académie de Saint-Pétersbourg. Il imita Ziemiradzki mais avec les mêmes défauts que son frère.
Musées : Saint-Pétersbourg (Mus. russe).
Ventes Publiques : Paris, 16 mai 1973 : *La sieste* : **FRF 7 300** – Paris, 19 juin 1989 : *Jeunes femmes effeuillant la fleur*, h/t (72x58) : **FRF 22 500**.

KOTARSKI
XVIIIe-XIXe siècles. Polonais.
Peintre d'histoire et paysagiste.
Élève de Bacciarelli. L'Université de Varsovie conserve de lui : *Portrait de Adam Stanislas Narouchevitch*.

KOTASZ Karoly, dit aussi **Charles**
Né le 4 novembre 1872 à Budapest. Mort en 1941. XIXe-XXe siècles. Hongrois.
Peintre de scènes typiques.
Il obtint une bourse pour entrer à l'École des Beaux-Arts de sa ville natale, puis devint l'assistant du graveur sur bois, Gusztav Morelli, fut élève à l'École des Beaux-Arts de Munich et, enfin, de Jean-Paul Laurens à celle de Paris. Après des voyages en Italie, Belgique, Allemagne, il revint se fixer à Budapest en 1906. Cinq ans plus tard, il vécut retiré loin des centres d'art, dans un petit village où le confinait la maladie. Il a pourtant beaucoup produit et connu un succès alors international.
Il a surtout peint des scènes inspirées de la vie populaire hongroise.

Bibliogr. : Gérald Schurr, in : *Les Petits Maîtres de la peinture 1820-1920, valeur de demain*, Les Éditions de l'Amateur, t. IV, Paris, 1979.
Ventes Publiques : Paris, 14 fév. 1945 : *Paysanne hongroise parmi les fleurs* : **FRF 1 800**.

KOTCHAR Ervand
Né en 1899. XXe siècle. Français (?).
Peintre de figures, paysages, peintre à la gouache, sculpteur.
Il n'apparaît que dans les annuaires de ventes publiques.
Ventes Publiques : Paris, 20 juin 1941 : *Figure* 1930, gche : **FRF 310** – Paris, 18 nov. 1946 : *Figure* 1929, peint./cuivre dans l'espace : **FRF 10 000** – Londres, 30 avr. 1969 : *Les Toits de Paris* : **GBP 650** – Londres, 4 juil. 1974 : *Les Toits de Paris* : **GBP 2 100** – Paris, 7 déc. 1976 : *Personnage dans un espace* 1931, h/t (90x72) : **FRF 7 500** – Enghien-les-Bains, 15 nov. 1981 : *La Femme et le coq* 1930, gche (51x73) : **FRF 25 000** – Enghien-les-Bains, 21 mars 1982 : *Visages et silhouettes* 1930, tôle et verre polychrome (H. 78) : **FRF 20 000**.

KOTCHEGURA Vladimir
Né en 1904 à Dniepropetrovsk. Mort en 1970. XXe siècle. Russe.
Peintre de portraits, paysages.
Il fit ses études à l'Institut des Arts Plastiques de Leningrad. Il fut membre de l'Union des Peintres d'URSS.
Musées : Moscou (Mus. Lénine) – Oulianovsk (Mus. de la ville) – Saint-Pétersbourg (Mus. de l'Inst. des Beaux-Arts) – Sverdlovsk (Mus. Beaux-Arts).
Ventes Publiques : Paris, 24 sep. 1991 : *Vue de Minvodi*, h/t (48x35) : **FRF 4 500** – Paris, 9 oct. 1995 : *Les enfants près de la fenêtre*, aquar. (40x28) : **FRF 6 200**.

KO TCHENG-K'I. Voir **GE ZHENGQI**

KÔTEI Asaoka, surnom : **Sanjirô,** noms de pinceau : **Heishû, Sanraku**
Né en 1800. Mort en 1856. XIXe siècle. Actif à Edo (actuelle Tokyo). Japonais.
Peintre.
Élève de son père, Isen-in, il fait partie de l'école Kanô. Il est auteur du *Koga-bikô*, fameux dictionnaire biographique des peintres de l'époque Edo (1639-1867).

KÖTHE Fritz
Né en 1916 à Berlin. XXe siècle. Allemand.
Peintre, peintre à la gouache, graveur, illustrateur. Surréaliste, puis pop'art.
Il fut élève de l'Académie des Beaux-Arts de Leipzig, de 1936 à 1938. À partir de 1939, de nouveau à Berlin, où, pendant la guerre, il n'avait aucune possibilité d'exposer. Il participa aux premières expositions berlinoises de l'après-guerre. De 1952 à 1960, il eut une activité dans la publicité. En 1967, il a figuré à l'exposition *Nouveau réalisme* à Berlin ; à l'exposition *Fétiches* à Cologne ; à l'exposition *Figurations* à Stuttgart. Il montre des ensembles de ses œuvres dans des expositions personnelles : 1964 Berlin et Vienne ; 1965 Wesel et Cologne ; 1966 Düsseldorf ; 1967 Cologne et Francfort ; 1968 Copenhague et Cologne ; etc.
Lors de son retour à Berlin et pendant les années de guerre, il peignait des paysages urbains et des compositions à contenu social. Il fut influencé par les artistes de la Neue Sachlichkeit (La Nouvelle Objectivité). Dans ses premières participations de l'après-guerre, il exposa des peintures et dessins d'inspiration surréaliste. En 1961, ses thèmes surréalistes se détachèrent de la réalité apparente. Ultérieurement, au contraire, il revint à une description scrupuleuse d'instruments mécaniques de la vie contemporaine quotidienne, par exemple : toute une partie des engrenages d'une motocyclette, un peu à la façon dont le Suisse Stämpfli procède avec des éléments d'automobiles, l'Allemand Klapheck avec la machine à coudre, l'Allemand de Paris Klasen avec des portes blindées, dégageant, par l'insolite de la mise en page, de l'angle de vision, de l'agrandissement du détail, l'étrange à partir du réel, démarche qui caractérise un certain courant issu du Pop'art. ■ J. B.

Bibliogr. : Lucy R. Lippard, in : *Pop'Art*, Praeger, New York, 1966.
Ventes Publiques : Munich, 26 nov. 1974 : *Hot Rod*, temp. : **DEM 7 800** – Munich, 28 nov. 1977 : *Fire power* 1973, acryl./t. (100x75) : **DEM 2 750** – Munich, 7 juin 1982 : *Carole* 1965, h. et temp. (85x65) : **DEM 7 800** – Munich, 1er juin 1987 : *Racing* 1968, temp./t. (100x75) : **DEM 5 500** – Zurich, 21 avr. 1993 : *Sans titre* 1966, temp./t. (70,5x100) : **CHF 4 000** – Copenhague, 21 sep. 1994 : *K* 1975, h/t (36x30) : **DKK 10 000**.

KOTIK Jan
Né en 1916 à Turnov. XXe siècle. Tchécoslovaque.
Peintre, graveur, illustrateur, peintre de cartons de vitraux, céramiste. Postcubiste, puis abstrait lyrique.
Il fut élève de l'École des Arts et Métiers de Prague, de 1935 à 1941. Depuis sa formation en 1942 jusqu'à sa dissolution en 1948, il a participé à toutes les activités du *Groupe 42*. Il a eu continuement un rôle théorique, notamment par ses écrits, auprès de la jeune peinture tchécoslovaque. Il participe à de nombreuses expositions collectives, dont : 1937 à l'Exposition Internationale de Paris, obtenant une distinction ; 1958 à l'Exposition Universelle de Bruxelles, obtenant un diplôme d'honneur ; 1969 Salon de Mai de Paris ; etc. Il a montré des ensembles de ses peintures dans des expositions personnelles : à Prague en 1946, 1957, 1959, 1960, etc. ; en Italie en 1959... En 1969, il émigra à Berlin.
Ses premières peintures se rattachaient à l'esprit du *Groupe 42*, attaché aux thèmes urbains et mécaniques de la vie moderne, très influencées par le cubisme synthétique de Picasso, auquel il apportait un sens de l'organisation de l'espace et une note expressionniste personnels, et ses dons de coloriste. Surtout après 1948 et son rapprochement avec le groupe de Karel Teige, sa peinture a comporté des éléments de la poétique surréaliste, en particulier des sortes de robots anthropomorphiques. Puis, à partir de 1955, il a évolué radicalement en direction d'un expressionnisme-abstrait très spontané, assez proche de l'automatisme pictural qui fondait théoriquement les débuts du groupe Cobra. Son évolution lui a fait expérimenter infatigablement des domaines contemporains très divers, proches de l'art-brut, de l'utilisation de lettres et de signes, des graffitis matiéristes, de la peinture spatiale, de l'abstraction pure, du collage, de l'assemblage dans l'espace de panneaux peints. Dans sa période berlinoise, il reprit surtout ces problèmes d'assemblages dans l'espace. L'ensemble de l'œuvre de ce peintre, homme de culture, témoigne d'un évident éclectisme intellectuel, qui a su préserver la vigueur de son tempérament d'origine. ■ J. B.
Bibliogr. : In : *Peintres contemp.*, Mazenod, Paris, 1964 – in :

Catalogue de l'exposition *50 ans de peint. tchécoslovaque, 1918-1968*, in : Musées de Tchécoslovaquie, 1968 – in : *Diction. Univers. de la Peint.*, Le Robert, Paris, 1975 – in : *L'Art du xxe siècle*, Larousse, Paris, 1991.
Musées : Prague (Mus. Nat.) : *La Terrasse* 1947 – *Deukalion* 1960.

KOTIK Pravoslav
Né en 1889 à Slabcich-Rakovnik. Mort en 1970 à Prague. xxe siècle. Tchécoslovaque.
Peintre, graveur. Postcubiste, puis abstrait.
Il fut élève de l'École des Arts et Métiers de Prague, de 1908 à 1912. Il fit de nombreux voyages à travers l'Europe. Au début des années vingt, il créa le *Groupe social*. À partir de 1927, il a montré des ensembles de peintures dans des expositions personnelles, à Prague et dans de nombreuses villes de Tchécoslovaquie.
À l'époque du *Groupe social*, dans une manière populiste-primitive, il traita des thèmes relatifs à la vie quotidienne dans les milieux ouvriers. Il fut ensuite l'un des cubistes tchèques des années vingt, s'inspirant plutôt du cubisme humaniste et tempéré de l'École de Paris de l'entre-deux-guerres, teinté d'expressionnisme, puis, dans les années cinquante, il évolua vers une abstraction décorative en arabesques rythmées découpant des plans colorés, également influencée par celle de la même École de Paris, moins radicale que celle des précurseurs. Dans ses dix dernières années, il revint à une figuration à contenu social caustique.
Bibliogr. : In : Catalogue de l'exposition *50 ans de peint. tchécoslovaque, 1918-1968*, in : Musées de Tchécoslovaquie, 1968 – in : *L'Art du xxe siècle*, Larousse, Paris, 1991.
Musées : Prague (Mus. Nat.) : *La Banlieue* 1925.

KOTIN Al
Né en 1907 à Minsk. xxe siècle. Actif et naturalisé aux États-Unis. Russe.
Peintre de compositions murales.
Arrivé aux États-Unis dès sa petite enfance, il fut élève de l'Art Student's League, de la National Academy, de Charles Hawthorne par qui il fut influencé. Il suivit aussi des cours de sculpture à l'Institut des Beaux-Arts de New York. À Paris, il fréquenta les Académies de la Grande-Chaumière, Julian et Colarossi. Il a participé à de nombreuses expositions collectives, et montré ses peintures dans des expositions personnelles, depuis la première en 1951.
Pendant les années de récession en Amérique, il reçut plusieurs commandes du Federal Art Project pour la réalisation de peintures murales. Il travailla aussi sous la direction de Hans Hofmann.
Bibliogr. : In : *Peintres contemp.*, Mazenod, Paris, 1964.

KOTIOUJANSKI Yakov ou **Kotujanski**
Né en 1908 à Moscou. xxe siècle. Russe.
Peintre de paysages, natures mortes. Réaliste-socialiste.
Il termina en 1942 le cycle d'études de l'Institut des Beaux-Arts Sourikov de Moscou. Il est membre de l'Union des Peintres de l'URSS depuis 1942. Il a participé à la guerre de 1941-1945 et a été décoré à plusieurs reprises. Il participe à de nombreuses expositions collectives nationales et internationales.
Il pratique la technique académique qui a caractérisé une grande part de l'École de Moscou des années cinquante, soixante.
Bibliogr. : In : Catalogue de la vente *Tableaux soviétiques*, Salle Drouot, Paris, 3 oct. 1990.

KOTLAREVSKY Paul
Né en 1885 à Eketerinburg (Oural). Mort en 1950. xxe siècle. Actif depuis 1913 en France. Russe.
Peintre de compositions à personnages, figures, portraits, peintre de collages, dessinateur. Cubo-futuriste.
Il est né à Eketerinburg dans l'Oural où ses parents étaient négociants en bois. En 1913 il entreprit un voyage en Europe et se trouvait à Paris au moment de la déclaration de la guerre. Il s'engagea dans l'armée française et la Révolution russe l'empêcha de rejoindre son pays.
Toutes ses peintures connues, surtout des portraits, prouvent une élégante maîtrise picturale, avec un dessin synthétique et dans des coloris forts. Il avait un sens rigoureux de la composition, certes marquée par le cubisme, mais empreinte d'un dynamisme typiquement futuriste.
Ventes Publiques : Paris, 4 nov. 1987 : *Buste de femme* 1913, h/t double-face (55x46) : **FRF 20 000** – Paris, 29 juin 1987 : *Nature morte* 1913, h/t (38x48) : **FRF 23 000** – Paris, 22 mars 1988 : *Nature morte à la guitare* 1913, cr. coul. (15,5x23,5) : **FRF 6 800** ; *Portrait d'homme*, h/t (80x60) : **FRF 9 500** ; *Une Blanchisseuse en Russie* 1912 ?, h/t (93x58) : **FRF 3 800** – Londres, 6 avr. 1989 : *Autoportrait*, collage (33x25,4) : **GBP 2 530** – Londres, 23 mai 1990 : *Officier assis*, h/t (120x85) : **GBP 16 500** – New York, 30 juin 1993 : *Moisson*, h/t (64,8x101,6) : **USD 12 075**.

KOTN Van den
xvie siècle. Actif en 1520. Éc. flamande.
Peintre.
On cite de lui *La Mort de Marie* (à l'Hôpital Saint-Jean à Bruxelles).

KOTORBINSKY V.-A.
Né en 1854. xixe siècle. Russe.
Peintre de genre.
Musées : Moscou (Mus. Roumiantzeff) : *Sérénade* – Moscou (Gal. Tretiakov) : *Le Denier de la veuve* – Saint-Pétersbourg (Mus. russe) : *L'Orgie*.
Ventes Publiques : Versailles, 8 déc. 1974 : *Belle Romaine étendue et l'esclave aux colombes* : **FRF 12 200** – Amsterdam, 19-20 fév. 1997 : *Rabbin lisant*, h/pan. (21x15) : **NLG 1 268**.

KOTSCH Theodor
Né le 6 janvier 1818 à Hanovre. Mort le 27 novembre 1884 à Munich. xixe siècle. Allemand.
Peintre de paysages.
Il étudia dans sa ville natale, puis de 1839 à 1845 à Munich. Il se fixa ensuite une dizaine d'années à Hanovre d'où il se rendit à Karlsruhe pour occuper un poste à l'École des Beaux-Arts de cette ville.
Musées : Hanovre : *Le Walzmoun avec le lac du roi, le soir* – *Muhlsturzhorn près du lac Hinter* – *Paysage boisé avec cascade* – *Paysage boisé* – *Un bord du ruisseau*.
Ventes Publiques : Cologne, 15 oct. 1988 : *Vaste paysage boisé avec un lac*, h/t (95x133) : **DEM 10 000**.

KOTSCHENREITER Hugo
Né le 6 janvier 1854 à Hof. Mort le 22 avril 1908 à Munich. xixe siècle. Allemand.
Peintre de genre, paysages, illustrateur.
Il fréquenta l'École des Beaux-Arts de Nuremberg et l'Académie de Munich.

Musées : Munich (Pina.) : *Au pays latin* – *Au jeu*.
Ventes Publiques : New York, 21-22 jan. 1909 : *Retour du marché* : **USD 135** – New York, 14-17 mars 1911 : *Tyrolien* : **USD 200** – Paris, 17 déc. 1942 : *Le Fumeur* : **FRF 4 200** – New York, 12 jan. 1974 : *Les vieux cochers* : **USD 2 400** – Londres, 11 fév. 1976 : *La bouteille cassée* 1874, h/t (53x45) : **GBP 500** – New York, 30 mai 1980 : *Moine débarrassant la table* 1891, h/t (50,2x35,6) : **USD 3 000** – New York, 29 mai 1981 : *Le Fumeur de pipe* ; *Le Joueur de trompette* 1896, h/t, une paire (chaque 29,2x22,2) : **USD 8 000** – Chester, 7 oct. 1983 : *Un moment de tranquillité* 1890, h/t (39,5x30,5) : **GBP 4 900** – Vienne, 20 mars 1985 : *Confidences* 1890, h/t (39,5x30,5) : **ATS 180 000** – Munich, 10 mai 1989 : *Un moine jovial* 1887, h/pan. (32x23,5) : **DEM 7 700** – Munich, 31 mai 1990 : *Repos devant le poêle*, h/t (49x38,5) : **DEM 39 600** – New York, 15 oct. 1993 : *Un homme rassemblant ses souvenirs*, h/t (48,9x25,4) : **USD 3 450** – Munich, 7 déc. 1993 : *Le chevreuil tué*, h/t (47,5x32) : **DEM 6 900** – New York, 16 fév. 1995 : *Une bonne pipe* 1896, h/t, une paire (29,2x22,2) : **USD 6 900** – Munich, 25 juin 1996 : *Le Tailleur désespéré* 1890, h/t (49x33,5) : **DEM 9 600** – Londres, 31 oct. 1996 : *Le Chasseur* ; *A la taverne*, h/t, une paire (28x22) : **GBP 3 910**.

KÖTSCHET Achille
Né le 18 juin 1862 à Saint-Imier. Mort le 4 novembre 1895 à Camiers. xixe siècle. Suisse.
Paysagiste.
Élève de Wallingre et, à Paris de J. Lefebvre et Boulanger. En 1886, il fut admis dans l'atelier d'Harpignies. En 1889 il fit un voyage en Afrique où son coloris gagna de la souplesse et de la puissance. Il succomba à la suite d'un refroidissement qu'il prit à Camiers. Son œuvre a été vendue aux enchères à Paris le 28 mars 1896.
Ventes Publiques : Paris, 4 déc. 1978 : *Les terrasses d'Alger* 1890, h/t (38x55) : **FRF 5 000**.

KOTSIS Alexandre
Né le 3 mai 1836 à Loudviow près Cracovie. Mort le 7 août 1877 à Podgorze. xixe siècle. Polonais.

Peintre.
De 1853 à 1860, il étudia à l'École des Beaux-Arts de Cracovie avec Stattler et, comme boursier, à l'Académie de Vienne de 1860 à 1862. Le Musée de Cracovie conserve de lui : *Portrait d'auteur, Le montagnard devant une toile, Marchand de veaux, Une femme de montagnard avec ses enfants à l'intérieur d'une chambre, Un montagnard dans une chambre, Une famille de montagnards, Dans une cuisine, Un Portrait de femme.*

KOTTENKAMP Paul
Né le 3 septembre 1883. XXe siècle. Allemand.
Peintre de scènes typiques, paysages, graveur.
Il était actif à Bielefeld, dont il a peint les paysages et les scènes de genre de ses habitants.

KOTTERBA Carl
Né le 4 octobre 1800 à Teschen. Mort le 6 avril 1859 à Vienne. XIXe siècle. Autrichien.
Graveur.
Il grava des sujets d'histoire, d'après Raphaël, Palma Vecchio, Angelica Kaufmann, ainsi que des portraits.

KÖTTGEN Gustav Adolf
Né le 9 mai 1805 à Langenberg. Mort le 10 novembre 1882 à Düsseldorf. XIXe siècle. Allemand.
Peintre de portraits.
Le Musée de Düsseldorf possède un *Autoportrait* de cet artiste.

KOTTIS Yannis
XXe siècle. Grec.
Peintre de paysages, fleurs, technique mixte.
En 1995, la galerie Zoumboulakis a montré un ensemble de ses œuvres à la Foire internationale d'art contemporain à Paris.
Il peint des paysages et des fleurs dans des tons pastels sur fond blanc, sur un support qui s'apparente à de petits panneaux de plâtre, représentations qui se présentent dans un naïveté de conception.
Ventes Publiques : Paris, 30 jan. 1989 : *Paysage Ekphrasis* 1988, acryl./pap. (120x120) : **FRF 6 100.**

KOTTMANN Franz Jacob Anton
Né le 10 mars 1783 à Schongau. Mort le 2 avril 1844 à Marseille (Bouches-du-Rhône). XIXe siècle. Suisse.
Peintre de sujets militaires et portraitiste.
Il vint à Paris apprendre la peinture et fut élève de Schall et de Renean. De retour dans son pays il s'adonna au portrait, puis en décembre 1807 il devint cadet dans un régiment suisse, prit part à la guerre d'Espagne où il fut fait prisonnier à Beylen. Délivré le 8 octobre suivant il devint peintre militaire de l'armée française et obtint le grade de capitaine en 1810. En 1816 il est capitaine de grenadiers, en 1830 il se distingua dans la défense des Tuileries.

KOTTULA Dominik
XVIIIe-XIXe siècles. Actif à Prague. Tchécoslovaque.
Peintre.
Il peignait surtout des imitations de grisaille. On lui doit aussi des scènes de genre et des tableaux d'inspiration religieuse.

KOTZ Daniel
Né le 21 mars 1848 près de South Bend (Indiana). XIXe siècle. Américain.
Peintre.
Élève de Henry F. Spread. Membre du Salmagundi Club. C'est un peintre paysagiste.

KOTZEBUE August Alexander von
Né le 9 juin 1815 à Konisberg. Mort le 24 février 1889 à Munich. XIXe siècle. Allemand.
Peintre de batailles.
Fils du poète allemand de ce nom, fut destiné à l'armée russe. Étudia à l'École des Cadets à Saint-Pétersbourg. Puis s'adonna à la peinture lorsqu'il était officier de la garde russe. Il travailla à l'Académie de Saint-Pétersbourg et vint se perfectionner à Paris en 1846. Visita la Belgique, la Hollande, l'Italie. Il travailla quelque temps à Munich, fut médaillé à Paris (1867) et à Saint-Pétersbourg. Ses œuvres se trouvent dans les galeries russes.
Ventes Publiques : New York, 18 déc. 1968 : *La mort du général Koupryanoff à Sébastopol* : **USD 2 200.**

KOTZEBUE Wilhelm Van
Né le 22 mai 1864 à Munich. XIXe siècle. Allemand.
Peintre.
Fils d'Alexander. Il vécut à Traunstein et se spécialisa dans la peinture religieuse.

KOUAN CHAN-YUE. Voir **GUAN SHANYUE**

KOUANG LEANG. Voir **GUANG LIANG**

KOUAN-HIEOU. Voir **GUANXIU**

KOUAN HI-NING. Voir **GUAN XINING**

KOUAN HUAI. Voir **GUANHUAI**

KOUAN LEANG. Voir **GUAN LIANG**

KOUAN SHAN-YUE. Voir **HUXIAN peintres paysans**

KOUAN SSEU. Voir **GUAN SI**

KOUAN TAO-CHENG. Voir **GUAN DAOSHENG**

KOUAN T'ONG. Voir **GUAN TONG**

KOUC Pierre ou **Coeck**
Mort en 1550. XVIe siècle.
Architecte, écrivain et peut-être peintre.
Il travailla beaucoup pour Charles Quint et fut l'un des maîtres de Breughel l'Ancien.

KOU CHAN-YEOU. Voir **GU SHANYOU**

KOUCHAREVSKY A.
XIXe siècle. Actif à Pétersbourg. Russe.
Peintre.
Le Musée russe, à Saint-Pétersbourg, conserve de cet artiste : *Vue de la Bourse à Saint-Pétersbourg.*

KOU CHE-K'I. Voir **GU SHIQI**

KOU CHOUEN. Voir **GU SHUN**

KOUDELKA Pauline von Schmerling von, baronne
Née le 8 septembre 1806 à Vienne. Morte le 30 juillet 1840 à Vienne. XIXe siècle. Autrichienne.
Peintre de fleurs.
Le Musée de Vienne conserve de cette artiste : *Guirlande de fleurs autour d'un bas-relief.*
Ventes Publiques : Vienne, 18 sept 1979 : *Bouquet de fleurs* 1831, h/pan. (25,5x21,5) : **ATS 120 000** – Londres, 18 juin 1980 : *Nature morte aux roses* 1832, h/pan. (36x23) : **GBP 8 000** – Vienne, 4 déc. 1986 : *Nature morte au panier de fleurs* 1826, h/t (32x40) : **ATS 160 000.**

KOUDRIACHOV Iwan A. Voir **KUDRIASHEV**

KOUDRIACHOV Oleg ou **Koudrjachov**
Né en 1932 à Moscou. XXe siècle. Russe.
Peintre, aquarelliste, graveur.
Le fait que ses gravures sont dénuées de tout caractère particulier, lui a valu de prendre place dans l'art officiel russe de l'ère stalinienne.
Bibliogr. : In : Catalogue de l'exposition *L'Art russe des Scythes à nos jours,* Gal. Nat. du Grand-Palais, Paris, 1967.

KOUEI MING-YONG. Voir **GUI MINGYONG**

KOUEI TCH'ANG-CHE. Voir **GUI CHANGSHI**

KOUEI TCHOUANG. Voir **GUI ZHUANG**

KOUEI TSOUO-MING. Voir **GUI ZHUANG**

K'OUEN-TS'AN. Voir **KUNCAN**

KOU FANG. Voir **GU FANG**

KOU FOU. Voir **GU FU**

KOU FOU-TCHEN. Voir **GU FUZHEN**

KOU HAO-K'ING. Voir **GU HAOQING**

KOU HONG-TCHONG. Voir **GU HONGZHONG**

KOUINDCHY Archipe ou **Kouindji**
Né en 1842. Mort en 1910. XIXe-XXe siècles. Russe.
Peintre de paysages.
Paysagiste impressionniste très apprécié en Russie, il fut longtemps professeur à l'Académie des Beaux-Arts de Pétrograd et donna dans cette ville son nom à une Société artistique. La Galerie Tretiakov, à Moscou, possède un paysage de cet artiste : *Coucher de soleil en forêt. Voir aussi KUINDSHI.*

KOU I-TO. Voir **GU YIDE**

KOU K'AI-TCHE. Voir **GU KAIZHI**

KOUKEWITSH
XIXe siècle. Russe.
Peintre de genre et de scènes militaires.
Élève de Sauerweid.

KOU-KIA. Voir **GUJIA**

KOU K'IAO. Voir **GU QIAO**

KOU KIEN-LONG. Voir **GU JIANLONG**

KOU K'I-FANG. Voir **GU QIFANG**

KOUKISSA Léopold

XXe siècle. Français.

Peintre de figures. Nouvelles figurations.

Il participe à des expositions collectives à Paris, dont : 1984 *Et dans 10 ans* à l'Espace Pierre Cardin, 1985 dans le contexte des visites d'ateliers du *Génie de la Bastille*, ainsi qu'à Tokyo en 1986 et 1987, à Osaka en 1987.

Il peint à l'acrylique, mêlant technique photographique et abstraction informelle.

KOUKLINE Vassili

Né en 1924. XXe siècle. Russe.

Peintre de compositions à personnages, de natures mortes.

Il fit ses études à l'École des Beaux-Arts de Nijni Novgorod et fut élève de Anatoli Samsonov. Il est Peintre émérite d'URSS.

Ventes Publiques : Paris, 23 mars 1992 : *Le pilote Valery Tchkalov entouré d'enfants*, h/t (101x149) : **FRF 9 000**.

KOU K'OUEI. Voir **GU KUI**

KOUKRYNISKY, groupe composé de trois artistes : Porphyri KRYLOV, né en 1902 ; Michel KOUPRIANOV né en 1903 ; Nicola SOKOLOV, né en 1903

XXe siècle. Russes.

Peintres de portraits, paysages, caricatures, dessinateurs, illustrateurs.

Ils travaillent ensemble depuis 1924. Ils firent leurs études ensemble aux *Vhutemas-Vhutein* de Moscou, en 1928, 1929. Ils sont devenus membres de l'Académie des Arts de l'U.R.S.S. en 1947, ont été lauréats de cinq Prix Staline de 1942 à 1951, et du Prix Lénine en 1965. Outre les faveurs officielles, ils ont été l'objet d'une grande popularité.

Ils font surtout des illustrations et caricatures politiques, allant, leurs distinctions officielles le confirment, très auto-programmés dans le sens de la demande sociale institutionnelle, c'est-à-dire dans le sens du réalisme-socialiste obligé. Ils ont aussi illustré des ouvrages littéraires dans un style plus retenu, et peint des compositions ambitieuses sur des évènements de l'histoire de la Russie soviétique : *La Fuite des fascistes de Novgorod* de 1944-1946. Isolément, ils sont peintres de portraits et paysages. Nicola Sokolov a un œuvre personnel plus important (Voir ce nom).

Bibliogr. : In : Catalogue de l'exposition *L'Art russe des Scythes à nos jours*, Gal. Nat. du Grand-Palais, Paris, 1967-68 – in : *Diction. de l'Art Mod. et Contemp.*, Hazan, Paris, 1992.

Ventes Publiques : Paris, 5 nov. 1992 : *Sur la véranda* 1949, h/t/cart., signé de P. Krylov (49x60) : **FRF 11 000** ; *Abramtcevo*, h/t/cart., signé M. Kouprianov (23x31) : **FRF 6 800** – Paris, 4 mai 1994 : *Sur la véranda* 1949, h/t/cart., signé de P. Krylov (49x60) : **FRF 6 500**.

KOUKUT. Voir **COCHUT Thierri**

KOULBINE Nikolai Ivanovitch

Né en 1868 à Saint-Pétersbourg. Mort en 1917 à Pétrograd. XIXe-XXe siècles. Russe.

Peintre.

En 1892, ayant terminé ses études à l'Académie Militaire de Médecine, il fut affecté comme médecin au quartier général de l'armée russe. Il ne reçut aucune formation artistique. Il a participé à l'organisation et aux expositions : en 1908 des Tendances Contemporaines en Art ; en 1909, 1910 du Triangle ; seulement en tant qu'exposant : en 1909, 1910 au Salon Izdebsky à Odessa, Kiev, Riga, Saint-Pétersbourg ; en 1910, 1911 à Odessa. Des ensembles de ses œuvres ont fait l'objet d'expositions personnelles à Saint-Pétersbourg : en 1912, et à titre posthume en 1918.

Dans les années de l'immédiat avant-guerre, il est considéré comme ayant été d'entre les premiers artistes de la clandestinité non-conformiste.

Bibliogr. : In : Catalogue de l'exposition *Paris-Moscou*, Centre Beaubourg, Paris, 1979.

KOULICHE Michel

Né en 1922 à Paris. XXe siècle. Français.

Peintre de paysages animés. Expressionniste.

Il s'est formé dans les cours du soir de dessin des écoles de la Ville de Paris. Il a reçu les conseils de Kisling et Mané-Katz. Pendant l'occupation allemande, il a combattu dans les Forces Françaises Libres, est titulaire de la Médaille Militaire, de la Croix de Guerre, a été fait chevalier de la Légion d'honneur en 1988. Il expose régulièrement à Paris, au Salon des Indépendants dont il est sociétaire depuis 1952, et au Salon Comparaisons. Il montre des ensembles de peintures dans des expositions personnelles, à Paris, Luxembourg, Montréal, Bruxelles, Toronto, New York.

Il peint dans une matière généreuse et vivement colorée. Son expressionnisme allusif est parfois proche d'une abstraction paysagiste.

KOU LIEN. Voir **GU LIAN**

KOULIK Igor

Né en 1956. XXe siècle. Russe.

Peintre de compositions à personnages, intérieurs, paysages, peintre à la gouache, aquarelliste.

Ancien élève de l'école des Beaux-Arts de Leningrad. Membre de l'Association des Architectes de Leningrad. Depuis 1986, il participe d'une manière constante à de nombreuses expositions, d'abord à Moscou et à Leningrad. À partir de 1989, il est présent dans différentes manifestations à Helsinki, Madrid, New York et Tokyo.

Il semble pratiquer des techniques différentes, d'un réalisme méticuleux pour certains intérieurs, presque naïve dans certains paysages. Il se distingue du réalisme académique ambiant obligé, parfois par une facture particulière, comme brumeuse. Le caractère onirique et comme l'expression d'une angoisse de certaines de ses compositions peuvent alors les faire rapprocher de celles du Yougoslave Dado.

Bibliogr. : In : Catalogue de la vente *L'École de Leningrad*, Drouot, Paris, 19 nov. 1990.

Musées : Moscou (min. de la Culture) – Saint-Pétersbourg (Mus. d'Hist.) – Tokyo (Gal. d'Art Guekosso).

Ventes Publiques : Paris, 11 juin 1990 : *Photographe en reportage* 1986, h/t (50x50) : **FRF 7 500** – Paris, 19 nov. 1990 : *La danse*, temp./cart. (50x61) : **FRF 6 300**.

KOULIKOV Victor

Né en 1924 à Klioutchérévo (Mordovie). XXe siècle. Russe.

Peintre de paysages.

Il a participé à la guerre de 1941-1945 et a été décoré à plusieurs reprises. À Moscou, il a terminé en 1952 le cycle d'études de l'École des Beaux-Arts *Mémoire de 1905*, et en 1958 celui de l'Institut des Beaux-Arts Sourikov. Il a aussi étudié la scénographie. Depuis 1958, il participe aux expositions nationales et enseigne à l'École des Beaux-Arts pour les Enfants de Moscou. Depuis 1963, il est membre de l'Union des Peintres de l'URSS, qui lui a décerné des diplômes.

Bibliogr. : In : Catalogue de la vente *Tableaux soviétiques*, Salle Drouot, Paris, 3 oct. 1990.

Musées : Moscou – Saint-Pétersbourg (Mus. de l'Acad. des Beaux-Arts) : *Esquisses pour la pièce La Mort d'Ivan le Terrible*.

KOULL Gilbert

Né en 1927 à Genève. XXe siècle. Suisse.

Peintre de paysages, décorateur de théâtre.

Il s'est formé à la peinture en travaillant comme peintre de décors de théâtre. Il anime lui-même un théâtre de marionnettes.

Il se dit influencé par De Staël ; sa gamme colorée y ajoute une touche bonnardisante.

KOU LOUO. Voir **GU LUO**

KOU-LUNG SHUANG. Voir **GOULONG SHUANG**

KOU MEI-CHENG. Voir **GU MEISHENG**

KOUNELLIS Jannis ou **Gianni**

Né le 23 mars 1936 au Pirée (Athènes). XXe siècle. Actif depuis 1956 en Italie. Grec.

Sculpteur d'assemblages, peintre. Arte povera.

Ayant quitté la Grèce à l'âge de vingt ans, après y avoir suivi un début d'enseignement artistique, il vit et travaille à Rome depuis 1956, où il suivit les cours de l'Académie des Beaux-Arts, et où il découvrit les œuvres d'Alberto Burri et de Lucio Fontana, et l'avant-garde internationale, avec Yves Klein, Piero Manzoni. Il exposait depuis 1960, à Rome principalement. Vers 1967, l'apparition et surtout l'immédiate reconnaissance par les médias de la mouvance de l'Arte povera en Italie, simultanément avec celle autour de Beuys en Allemagne, attira l'attention sur Kounellis. Entre 1967 et 1970, il participa à toutes les expositions consacrées à l'Art pauvre. Il participe également à la Biennale de Venise dès 1967, et de nombreuses fois ensuite ; en 1969 à

Lucerne, Berne, Londres, à l'exposition repère *Quand les attitudes deviennent formes* ; etc. Dans des périodes ultérieures : en 1972, il a participé à Documenta V de Kassel ; 1981, *A new Spirit in painting* à la Royal Academy de Londres ; 1982, à l'exposition *Choix pour Aujourd'hui* aux Galeries contemporaines du Musée National d'Art Moderne de Paris ; 1985 Nouvelle Biennale de Paris ; 1986 *Qu'est-ce que la sculpture moderne ?* au Centre Beaubourg de Paris ; 1987 *L'Époque, la Mode, la Morale, la Passion* au Centre Beaubourg de Paris ; 1991 à *La sculpture contemporaine après 1970* à la Fondation Daniel Templon de Fréjus ; etc. Conjointement, il montre des ensembles de ses réalisations ponctuelles dans des expositions personnelles, qui se multiplient à travers le monde, depuis la première à la galerie La Tartuga de Rome en 1960, puis à Milan, Rome, Turin, Paris, et notamment d'entre lesquelles : 1980 rétrospective à l'ARC (Art, Recherche, Confrontation) du Musée d'Art Moderne de la Ville de Paris ; 1981 au Stedelijk Van Abbemuseum d'Eindhoven ; 1981, 1983, 1985 galerie Durand-Dessert de Paris ; 1983 rétrospective du Musée d'Art Contemporain de Rimini, Galerie Durand-Dessert de Paris, Galerie Christian Stein à Turin ; 1984 Galerie Schellman et Kluser de Munich, Musée Haus Esters à Krefeld, Galerie Sonnabend de New York, Galerie Hugo Ferranti de Rome, Galerie Lucio Amelio de Naples ; 1985 Städtische Galerie im Lembachhaus de Munich, Musée d'Art Contemporain (CAPC) de Bordeaux ; 1986 rétrospective du Museum of Contemporary Art à Chicago ; 1988-1989 Castello di Rivoli à Turin ; 1989 galerie Daniel Lelong à Paris, Fondation J. F. Kostopoulos à Athènes ; 1994 galerie Daniel Lelong à Paris ; 1995 Château de Plieux ; 1997 musée national Reina Sofia Santa Isabel à Madrid...

Il s'est donc fait connaître en Italie, dans le contexte de l'Arte povera. Ses œuvres ne s'ordonnent pas tellement dans le temps selon des périodes bien délimitées et définies, mais plutôt en raison des hasards : « ... il y a aujourd'hui beaucoup moins de certitudes dans le *faire* et dans la perspective de ce *faire*, c'est une des raisons de la fragmentation, c'est une des impossibilités d'avoir un style parce que les certitudes sont occasionnelles... » Dans sa première période, de 1958 à 1963, avec de la peinture-émail noire il peignait sur des supports divers des ensembles de lettres de différents alphabets, de chiffres, signes, symboles mathématiques, de sigles de la signalisation urbaine, qui peuvent être appréhendés en tant que symboliques de la dispersion du tissu urbain et social moderne, ces signes faisant éventuellement au cours de performances l'objet d'une « récitation chantée ». Après 1963, il peignit en couleurs des mots simples du quotidien, par exemple les jours de la semaine, et des fragments de partitions musicales. De 1965 à 1967, il marqua un arrêt dans sa production, provoqué par la prise de conscience de l'inadéquation de la peinture, qu'il pratiquait jusqu'ici, à exprimer l'éclatement de la société. Ensuite, il a réalisé des assemblages d'objets extrêmement disparates, combinant l'organique et l'inorganique : récipients de charbon, laine enroulée sur des bâtons, sacs de café, cactus, oiseaux empaillés, fleurs, toujours utilisés pour leur fonction symbolique. Dans une brève période, ses réalisations opposaient, dans un fonctionnement dialectique, espace urbain-espace rural, public-privé, sacré-profane. Contrairement aux idées reçues concernant l'Art pauvre, expositions de déchets bruts sans autre intervention, Kounellis ne veut pas donner une image brutale et agressive des éléments de la réalité qu'il exploite et expose. Il est parvenu à créer un espace où la nature entre dans sa dimension vivante, un espace où ses mises en scène apparaissent comme une extrapolation de mythes. Dans ses manifestations, personnelles ou collectives, il présente des environnements de plantes vertes, fait entrer des chevaux dans les galeries (en 1969, douze chevaux à la galerie L'Attico), intègre un perroquet vivant multicolore sur fond de métal inerte gris. À partir de 1969 également, il a développé des propositions ayant leur origine dans le feu : projections de flammes, de traces de fumées sur des fragments d'objets cassés, de morceaux de moulages d'après l'Antique, confirmant la fugacité du temps et la fragilité des choses. Il a présenté ces fragments dans des mises en scène diverses, souvent alignés sur des stèles superposées. À la fin des années soixante, consécutivement aux soulèvements sociaux de mai 1968, Kounellis participa de la contestation généralisée par des actions éphémères : à plusieurs reprises, depuis 1969, il mura l'entrée de la galerie où il était sensé exposer, manifestation radicale d'une mise en cause de l'art et de son statut commercial, de l'esthétique et du marché. Ensuite, il répéta ce thème de l'enfermement d'un espace ou de l'obturation d'une ouverture, dans des lieux divers, notamment à Berlin encore en 1982, avec l'exposition *Zeitgeist* (L'esprit du temps), et en 1985 au Musée d'Art Contemporain de Bordeaux. Dans les années soixante-dix, plus résolument ancré entre la réalité vivante et l'art, il a « exposé » des ballets et des concerts. Devant d'immenses toiles figurant des portées et partitions, il a fait exécuter musique et pas de danse. Ultérieurement et, semble-t-il, durablement, revenu au principe de l'assemblage, avec une technique rigoureuse, une finition parfaite, proche parfois du géométrique, il articule ensemble de nouveau des matériaux divers, fer, plomb, bois, cordages, cheveux, objets manufacturés, etc, sur des surfaces désormais murales : matériaux récupérés de ses actions de portes murées ou de brûlage de framents d'objets, présentés sur des étagères. Depuis 1990, il est revenu à des assemblages à portée symbolique : présentation de quartiers de bœuf ensanglantés, d'urnes remplies d'eau de mer dont une de sang, de couvertures et matelas renvoyant à des évènements tragiques.

À l'opposé du discours conceptuel, Kounellis, qui s'est toujours dit peintre, construit tout son œuvre à partir du « sensible », tandis que des considérations esthétiques et éthiques lui interdisent de continuer à soumettre son expression à la « structure » conventionnelle du tableau. Par la diversité renouvelée des initiatives que fonde sa quête à travers la culture et la société, par la poésie naturelle qui fonde sa mythologie de la fragmentation, de l'éclatement, de la dispersion, et aussi par le soin qu'il apporte à la réalisation matérielle de toutes ses propositions, qu'il aligne des cactus en 1967, « expose » douze chevaux en 1969, s'intègre dans une mise en scène masqué en Apollon en 1973, présente un porte-manteau sur le fond doré de la peinture byzantine en 1975, construit dans une galerie une cheminée d'usine qui fume en 1976, occulte d'assemblages disparates des fenêtres en 1982, empile des sacs de jute en 1985, aligne des plaques d'acier contre le mur comme une nostalgie du tableau proscrit en 1988, il s'est habilement démarqué d'un mouvement, qu'il a pour beaucoup contribué à créer, et dont les manifestations souvent sommaires ne justifient que trop leur appellation d'Art pauvre.

■ Jacques Busse

Bibliogr. : Catalogue de l'exposition *Jannis Kounellis*, ARC du Mus. d'Art Mod. de la Ville de Paris, 1980 – G. Celant : *Jannis Kounellis*, Mazotta, Milan, 1983 – divers : Catalogue de l'exposition *Jannis Kounellis*, Mus. of Contempor. Art, Chicago, 1986 – Jean Frémon : *Jannis Kounellis*, Repères n° 60, Daniel Lelong, Paris, 1989 – in : *Diction. de la Peint. italienne*, Larousse, Paris, 1989 – Maiten Bouisset : *Jannis Kounellis, le voleur de feu*, in Artstudio, n° 13, Paris, été 1989 – Jean-Marc Poinsot : *Jannis Kounellis, constructeur de l'imaginaire*, in Art Press, Paris, 1989-90 ? – Jorg Schellmann : *Jannis Kounellis. Verzeichnis der druckgraphischen Arbeiten von 1972-1990*, Galleria Sprovieri, Rome, 1992 – Clarisse Hahn : *Jannis Kounellis*, Art Press, n° 197, Paris, déc. 1994.

Musées : Amsterdam (Stedelijk Mus.) – Bordeaux (Mus. d'Art Contemp.) : *Sans titre* 1985 – Eindhoven – Londres (Tate Gal.) – Montréal (Mus. d'Art Contemp.) : *Sans Titre* 1982, matériaux divers – Nîmes – Paris (Mus. Nat. d'Art Mod.) : *Sans Titre* 1969, métal et cheveux – Rochechouart (Mus. départ. d'Art Contemp.) : *Sans titre* 1981 – Rotterdam – Schaffhouse (coll. Crex) – Strasbourg (Mus. d'Art Mod.).

Ventes Publiques : Milan, 5 déc. 1974 : *Giallo* : **ITL 9 000 000** – Rome, 18 mai 1976 : *4 più freccia* 1961, gche/cart. entoilé (68x100) : **ITL 1 900 000** – Milan, 5 avr. 1977 : *Composition* 1961, h/t (159x205) : **ITL 7 500 000** – Milan, 13 juin 1978 : *Flèches* 1962/63, collage et temp. noire/cart. (70x100) : **ITL 1 600 000** – Londres, 30 juin 1981 : *Sans titre* 1961, gche (69x99) : **GBP 1 500** – Milan, 4 avr. 1984 : *Apollinaire Apollinaire* 1977, cr. gras et temp. (34x24) : **ITL 1 300 000** – Milan, 5 avr. 1984 : *Symboles* 1960, collage et encre/cart. (70x100) : **ITL 3 800 000** – Milan, 11 déc. 1986 : *Sans titre* 1960, techn. mixte/pap. (70x100) : **ITL 10 000 000** – Londres, 22 oct. 1987 : *Sans titre* 1978, cr. et mine de pb (22,7x32,5) : **GBP 1 500** – Rome, 7 avr. 1988 : *Sans titre* 1961, vernis/pap. (72x100) : **ITL 19 000 000** – Rome, 15 nov. 1988 : *Sans titre* 1961, vernis/pap./t. (70x100) : **ITL 21 000 000** – New York, 3 mai 1989 : *Sans titre* 1984, bois, acier et h/t (195,6x252,7) : **USD 148 500** – New York, 8 nov. 1989 : *Sans titre* 1983, construction d'acier et de bois avec une lampe à pétrole (96,5x66x19,2) : **USD 132 000** – Paris, 17 déc. 1989 : *Sans titre* 1983, acryl. et collage /pap. (97x128) : **FRF 370 000** – Londres, 22 fév. 1990 : *Sans titre* 1978, cr./pap. (24x34) : **GBP 6 050** – Milan, 27 mars 1990 : *Sans titre* 1961, temp. /cart. (70x100) : **ITL 72 000 000** – New York, 9 mai 1990 : *Sans titre* 1983, peint. et bois sur construction métallique (123,8x69,8x15,2) : **USD 88 000** – New York, 7 nov. 1990 : *Sans titre* 1986, pb, acier et liège avec des scarabées, quatre panneaux numérotés V1-V4 (V1 à V3 : 100x69,8x8,6 et V4 : 200x179x11,1) : **USD 242 000** – New York, 1er mai 1991 : *Sans titre*, acier et liège avec des scarabées, sept panneaux de plomb (199,8x365,8x11,4) : **USD 198 000** – New York, 12 nov. 1991 : *Sans titre* 1989, t. d'emballage et acier, relief mural en sac (200x183,5x26,6) : **USD 110 000** – Paris, 16 fév. 1992 : *Sans titre* 1961, encre de Chine/pap. (70x99,5) : **FRF 80 000** – Milan, 14 avr. 1992 : *Sans titre* 1974, acryl./cart. (100x70) : **ITL 15 000 000** – New York, 8 oct. 1992 : *Sans titre* 1961, temp./pap. (69,2x90,9) : **USD 24 200** – New York, 3 mai 1993 : *Sans titre* 1961, h/pap./tissu (142,2x200,7) : **USD 63 000** – New York, 10 nov. 1993 : *Sans titre* 1986, émail, acier, bois récupéré et ressort de sommier, relief mural (200,8x362,3x12) : **USD 85 000** – Rome, 19 avr. 1994 : *Projet de porte pour l'exposition de Bordeaux* 1985, techn. mixte/pap. (32x24) : **ITL 4 140 000** – Paris, 17 oct. 1994 : *Sans titre* 1962, peint./pap. (69x100) : **FRF 63 000** – Londres, 1er déc. 1994 : *Sans titre* 1986, acier, objets trouvés de bois peints, relief mural (99,6x69,8x15,2) : **GBP 24 150** – Milan, 12 déc. 1995 : *Sans titre* 1960, h/pap. (70x100) : **ITL 20 700 000** – New York, 9 mai 1996 : *Sans titre* 1984, h/pap. (95,9x126,4) : **USD 11 500** – Londres, 23 mai 1996 : *Sans titre (CQS)* 1960, encre de Chine/pap. (29,5x47) : **GBP 14 950** – New York, 19 nov. 1996 : *Sans titre* 1982, mine de pb/pap. (41,9x55,3) : **USD 3 450** – New York, 21 nov. 1996 : *Reliefs* 1989, acier et pb (204x184x21) : **USD 59 700** – Londres, 25 juin 1997 : *Sans titre* 1965, acryl./lin (207x207,7) : **GBP 78 500** – Londres, 23 oct. 1997 : *Sans titre (Fugue de Bach)* 1972, h/t (170x160) : **GBP 144 500**.

KOU NGAN. Voir **GU AN**

KOU NGAN-JEN. Voir **GU ANREN**

KOU NING-YUAN. Voir **GU NINGYUAN**

KÔUN Kôtari, surnom : **Zen-Emon,** noms de pinceau : **Yûsan, Jôan**
xviie siècle. Actif vers 1670. Japonais.
Peintre. École Kanô.
Élève de Kanô Tannyû (1602-1674), il travaille au service du Seigneur Uesugi.

KÔUNSAI, de son vrai nom : **Takeda Seisei,** surnom : **Iganokami,** noms de pinceau : **Kôunsai** et **Jo-Un**
Né en 1803. Mort en 1865. xixe siècle. Japonais.
Peintre.
Peintre amateur, royaliste du clan de Mito.

KOUO HI. Voir **GUO XI**

KOUO HIU. Voir **GUO XU**

KOUO JO-HIU. Voir **GUO RUOXU**

KOUO K'IEN-YU. Voir **GUO QIANYU**

KOUO KING-YEN. Voir **GUO JINGYAN**

KOUO MIN. Voir **GUO MIN**

KOUO PI. Voir **GUO BI**

KOUO SSEU. Voir **GUO SI**

KOUO TCHONG-CHOU. Voir **GUO ZHONGSHU**

KOUO TIEN. Voir **GUO DIAN**

KOUO TSONG-MAO. Voir **GUO ZONGMAO**

KOUO WAN. Voir **GUO WAN**

KOUO YING-TCHONG. Voir **GUO YINGZHONG**

KOU PAO-WEN. Voir **GU BAOWEN**

KOUPER
xixe siècle. Actif à Londres vers 1821. Russe.
Graveur au pointillé.
Il a gravé des portraits. On cite de lui : *Michel, archevêque de Novgorod.*

KOUPETSIAN Aram
Né en 1928 à Prikoumsk (près de Stavropol). xxe siècle. Russe.
Peintre d'intérieurs, paysages, natures mortes.
En 1950 à Moscou, il a terminé le cycle d'études de l'Institut Pédagogique Lénine, puis fut élève de l'Académie des Beaux-Arts jusqu'en 1955. Depuis 1954, il participe à des expositions collectives nationales, et à l'étranger : Allemagne, Italie, Japon, France, États-Unis, Angleterre, Finlande, etc.

Il s'est intéressé aux œuvres de Matisse et Picasso.
Bibliogr. : In : Catalogue de la vente *Tableaux soviétiques*, Salle Drouot, Paris, 3 oct. 1990.
Ventes Publiques : Paris, 1er juin 1994 : *Violon*, h/t (55x38) : **FRF 4 500**.

KOU PING. Voir **GU BING**

KOUPREIANOV Nikolai Nikolaevitch ou **Kupreianoff**
Né le 16 juillet 1894 à Vlotslavsk (Wlocawek, Pologne). Mort en 1933 à Moscou. xxe siècle. Russe.
Graveur, dessinateur, illustrateur, multimédia.
Il suivit des formations diverses à Saint-Pétersbourg, de 1912 à 1917, y compris le cursus de la Faculté de Droit. À partir de 1922, il vécut à Moscou, où il participait aux expositions de la Société des Skankovistes. Graphiste, illustrateur, il a participé à des expositions : en 1924 à Venise, 1925 Paris, 1927 Leipzig, Florence et Milan, 1929 New York, Amsterdam. En 1928, il avait visité l'Allemagne et l'Italie. De 1918 à 1920, il avait enseigné à l'Institut Supérieur de la Photographie à Petrograd ; en 1922 aux ateliers *Vhutemas*.
Bibliogr. : In : Catalogue de l'exposition *Paris-Moscou*, Centre Beaubourg, Paris, 1979.
Musées : Moscou (Mus. Pouchkine) : *La Repasseuse* 1921, xylographie – *L'Aurore* 1922, xylographie – Moscou (Gal. Tretiakov) : *Le Soir au travail* 1926, encre de Chine/pap. – *La Plaque tournante* 1926, encre de Chine/pap.

KOUPRIANOV Michel. Voir **KOUKRYNISKY**

KOUPRINE Alexandre Vassilievitch ou **Kuprin**
Né en 1880 à Borissoglebsk. Mort en 1960 à Moscou. xxe siècle. Russe.
Peintre de natures mortes. Postcézannien.
Il commença ses études artistiques en 1902 à Saint-Pétersbourg, les poursuivit, après 1904 à Moscou, notamment, de 1906 à 1910, à l'Institut de Peinture, Sculpture, Architecture. En 1910, il fut l'un des fondateurs de la Société du Valet de Carreau. Il fut membre de l'Association des Peintres de Moscou, de la Société des Artistes de Moscou. Il a enseigné dans les institutions d'art de Moscou et Nijni-Novgorod. *Voir aussi KUPRIN.*
Bibliogr. : In : Catalogue de l'exposition *L'Art russe des Scythes à nos jours*, Gal. Nat. du Grand Palais, Paris, 1967-68 – in : Catalogue de l'exposition *Paris-Moscou*, Centre Beaubourg, Paris, 1979.
Musées : Moscou (Gal. Tretiakov) : *Nature morte au plateau bleu* 1914 – *Nature morte au potiron et bocal de pinceaux* 1917 – *Fleurs roses sur fond noir* 1918 – Saint-Pétersbourg (Mus. Russe) : *Nature morte à la bouteille noire* 1917.

KOUPTSOV Wassily
Né en 1899. Mort en 1935. xxe siècle. Russe.
Peintre.
Peintre et graphiste, il fut proche de Filonov et membre des Maîtres de la peinture analytique.
Il s'inspira de l'iconographie soviétique, notamment manifestations révolutionnaires, machines volantes symbole du progrès industriel.
Bibliogr. : In : Catalogue de l'exposition *Les Années trente en Europe. Le temps menaçant*, musée d'Art moderne de la ville, Paris musées, Flammarion, Paris, 1997.
Musées : Saint-Pétersbourg (Mus. Russe) : *ANT 20, le Maxime Gorki* 1934.

KOURA Bernard
Né en 1923 en Seine-Maritime. xxe siècle. Français.
Peintre de compositions murales. Expressionniste-abstrait.
Il expose régulièrement à Paris, en 1960, 1962, 1964, 1966, 1971, 1973, 1974, etc. Il a également exposé à Bruxelles en 1970, 1974, dans diverses villes de province, notamment au Musée du Mans en 1972. Il a reçu le Prix Othon Friesz et le Prix de la Critique.
Jusqu'en 1959, il se consacrait exclusivement à l'art monumental, et n'a abordé la peinture de chevalet qu'à cette date. Dans sa peinture, le lyrisme du geste est apparent.

KOURAKIN A. S.
xxe siècle. Russe.
Peintre.
Il a travaillé à Oulianovsk.
Ventes Publiques : Paris, 7 nov. 1988 : *Automne* 1988 (43x55) : **FRF 6 500**.

KOURA Naboru
Né en 1949. xxe siècle. Japonais.
Graveur, peintre de collages.
Dès 1973, il expose avec l'Association Japonaise de Gravure. En 1974, il a figuré à l'exposition *L'Art Japonais d'Aujourd'hui*, au Musée d'Art Contemporain de Montréal.

KOURDOFF Valentin
Né en 1906 à Perm. xxe siècle. Russe.
Peintre, illustrateur, créateur d'affiches.
Il fut élève de l'École des Beaux-Arts de Petrograd. Il a collaboré à des journaux pour la jeunesse, réalisé des affiches.
Surtout illustrateur, il a illustré *Où les écrevisses passent l'hiver* de Bianky, et est connu pour son album *La Mer Rouge*.

KOURDUKOV Vladimir
Né en 1955 à Donetsk. xxe siècle. Russe.
Peintre de paysages.
Il est diplômé de l'École des Beaux-Arts Sourikov de Moscou. Il expose régulièrement en Russie, apparemment sans être agréé par les associations corporatives.
Son art n'est pas inféodé à l'académisme prôné par les instances officielles. Il a une vision synthétique des paysages qu'il peint de façon poétique, dans une transposition rythmée du dessin simplifié et orchestrée de la couleur, où des jaunes, roses, violets clairs et discrets animent par contraste un accord général de bruns sombres. Sa conception de la peinture semble se sourcer à partir des nabis, de Valloton peut-être.

KOURITSINE Wladimir. Voir **KURIZIN Wladimir**

KOUROV Vadim
Né en 1947 à Kazan. xxe siècle. Russe.
Peintre de compositions à personnages, figures, nus, pastelliste.
Il fit ses études à l'Institut Mukhina de Leningrad. Il est membre de l'Association des Peintres de Leningrad. Depuis 1980 il expose à Moscou, Leningrad et d'autres villes d'URSS. Trois expositions personnelles ont été organisées à Leningrad en 1984, 1986 et 1988.
Il pratique une peinture de notations légères, dans une manière mieux appropriée à l'illustration.
Musées : Moscou (min. de la Culture) – Saint-Pétersbourg (Mus. du Théâtre).
Ventes Publiques : Paris, 8 déc. 1990 : *Romance du soir*, h/t (65x54) : **FRF 4 200**.

KOUSK Ida
xixe-xxe siècles. Hongroise.
Peintre.
Exposa à Paris en 1900 (Exposition Universelle).

KOUSNETZOFF Constantin
Né en 1863 à Jolino-sur-l'Oka (Nijni-Novgorod). Mort le 30 décembre 1936 à Paris. xixe-xxe siècles. Actif depuis 1900 en France. Russe.
Peintre de compositions animées, portraits, paysages, paysages urbains, marines, illustrateur. Postimpressionniste.
Venu à Paris dès 1897, au cours d'un voyage entrepris en 1896 à travers l'Europe, Londres, Rome, Florence, il y fut élève de Fernand Cormon de 1897 à 1899, et s'y fixa définitivement en 1900, faisant son dernier voyage en Russie en 1913. Depuis 1902, il exposait régulièrement à Paris, au Salon de la Société Nationale des Beaux-Arts, depuis 1903 au Salon d'Automne dont il devint sociétaire, depuis 1905 et jusqu'en 1932 au Salon des Indépendants. En 1907, 1908, 1909, il exposa à Pittsburgh (Pennsylvanie). En 1923, il exposa à Londres, avec un groupe d'artistes russes de l'ancien groupe du *Monde de l'Art*. Outre ces participations, il ne montra aucune exposition personnelle de ses œuvres. En 1930 fut publié le *Viy* de Gogol avec ses illustrations. Après sa mort, le Salon d'Automne lui organisa un Hommage en 1937. De 1937 à 1964, on cessa totalement de montrer ses peintures, le sortant de son isolement avec deux expositions d'ensemble en 1965 et 1968 à la galerie Katia Granoff, avec des préfaces de Waldemar-George et Maurice Genevoix ; une en 1966 à la Mairie du IXe arrondissement ; en 1980 et ensuite participations aux expositions de l'Association des Peintres et Sculpteurs Russes de France, à Paris, Villandry, Fontevraud, et Aubonne en Suisse ; en 1984 au Musée Carnavalet de Paris ; en 1986 une rétrospective pour le cinquantième anniversaire de sa mort à la Mairie du XVIe arrondissement de Paris ; 1987 exposition personnelle au Musée de Pont-Aven ; 1992 exposition personnelle à la Mairie du VIe arrondissement, et participation à l'exposition *La Mer et les Jours* au château de La Roche-Jagu (Côtes-d'Armor) ; en 1993 participation à la rétrospective *Peintres et Sculpteurs Russes à Paris. Présence d'un Siècle 1893-1993* à la Mairie du IXe arrondissement.
Dans une première période, il peignit des compositions à personnages d'un caractère symboliste. Puis, essentiellement paysagiste, sauf quelques portraits, tout au long de sa vie en France jusqu'en 1927, dans la tradition impressionniste, parfois assez proche de Monet ou avec des effets lumineux rappelant Turner, il peignit dans la campagne française, surtout sur les côtes bretonnes, ainsi qu'en Normandie, les falaises et des marines à Étretat en 1910, à Pourville en 1924. Après 1919-1920, il s'est fait connaître par ses vues de Paris, souvent nocturnes, peintes dans un style plus large : les rives de la Seine, Notre-Dame, l'ancien Trocadéro. ■ J. B.
Bibliogr. : Waldemar-George : Catalogue de l'exposition *Kousnetzoff*, gal. Katia Granoff, Paris, 1965 – Maurice Genevoix : Préface de l'exposition *Kousnetzoff*, gal. Katia Granoff, Paris, 1968 – Monique Vivier-Branthomme : *Constantin Kousnetzoff, un peintre russe à Paris*, mémoire à l'École du Louvre, Paris, 1974 – Monique Vivier-Branthomme : *C. Kousnetzoff. 1863-1936. Un artiste russe en France*, Presses bretonnes, Saint-Brieuc, 1992.
Musées : La Haye – Honfleur (Mus. Eugène Boudin) – Paris (Mus. Nat. d'Art Mod.) – Paris (Mus. d'Art Mod. de la Ville) – Paris (Mus. Carnavalet) – Pont-Aven (Mus. Municip.).
Ventes Publiques : Paris, 29 oct. 1926 : *Vue de Paris* : **FRF 1 000** – Zurich, 25 mai 1979 : *La Seine à Paris*, h/t (73x100) : **CHF 2 400** – Paris, 15 fév. 1986 : *Notre-Dame, soir d'orage*, h/t (50x61) : **FRF 8 000** – Bernay, 2 déc. 1991 : *Notre-Dame, le chevet*, h/t (81x100) : **FRF 48 500** – Paris, 24 mars 1995 : *Port de Belle-Île-en-Mer*, h/t (73x100) : **FRF 9 000**.

KOUSNETZOV Paul. Voir **KOUZNETSOV Pawel**

KOUSNETZOW Nicolas
Né en 1850. xixe siècle. Vivant à Odessa en 1900. Russe.
Peintre de genre, portraits.
Médailles d'argent aux Expositions Universelles de 1889 et 1900.
Musées : Moscou (Gal. Tretiakov) : *Le tour du propriétaire – La fête – Un garçon – En congé – Troupeau de cochons – Après le dîner – Femme de charge – Le peintre V. M. Vasnetzoff – Echaïkouskh* – Saint-Pétersbourg (Mus. Russe) : *L'académicien Kovalvsky*.

KOUSTODIEV Boris Mikhaïlovitch. Voir **KUSTODIEV**

KOU TA-CHEN. Voir **GU DASHEN**

KOUTACHY Joseph
Né le 10 juin 1907 en Yougoslavie. xxe siècle. Français.
Peintre de compositions animées, figures, portraits, paysages, fleurs.
À Paris, depuis 1942, il participait régulièrement au Salon des Artistes Français, où il reçut des distinctions. Il a aussi exposé au Venezuela et au Japon. On cite de lui : *Danse, La Princesse Aurore, Carnaval*.

KOU TA-TCH'ANG. Voir **GU DACHANG**

KOUTATELADZÉ
Né en Géorgie. xxe siècle. Russe.
Peintre de compositions animées, portraits. Réaliste-socialiste.
On cite son *Staline en visite chez sa mère*.

KOU TA-TIEN. Voir **GU DAQIAN**

KOU TCHENG-I. Voir **GU ZHENGYI**

KOU TCHEN-I. Voir **GU ZHENYI**

KOU TÔ-HOUEI. Voir **GU DEHUI**

KOU TÔ-K'IEN. Voir **GU DEQIAN**

KOUVARAS Nikiforos
Né en 1940 à Athènes. xxe siècle. Actif depuis 1966 en France. Grec.
Sculpteur. Abstrait.
Il fut élève en sculpture des écoles des Beaux-Arts d'Athènes et de Paris dans l'atelier d'Étienne-Martin. Il participe à des expositions collectives, dont : 1971 VIIe Biennale de Paris, 1978 pre-

mière Triennale Européenne de Sculpture, 1979 Exposition Internationale de Sculpture au Vaudreuil, 1981 Biennale Européenne de Sculpture à Jouy-sur-Eure, 1983 *Espace et Matière* à l'Université de Paris VI, 1984 IIe Biennale Européenne de Sculpture de Jouy-sur-Eure, etc. Il participe aussi à des symposiums : en 1976 à Hecho en Espagne, en 1980 et 1982 à Carrare, et régulièrement aux Salons de la Jeune Sculpture, Grands et Jeunes d'Aujourd'hui de Paris, Sculpture Contemporaine à Fontenay-sous-Bois. En 1981 la Maison de la Grèce à Paris lui a consacré une exposition personnelle. Depuis 1981, il est enseignant-plasticien à l'Unité Pédagogique d'Architecture de Nanterre.
De volumes sobres et purs, sa sculpture s'inscrit dans le courant de l'abstraction internationale monumentale, issue de Brancusi et d'un classicisme synthétique.
Bibliogr. : In : Catalogue de la *IIe Biennale Européenne de Sculpture de Normandie*, Centre d'Art Contemp., Jouy-sur-Eure, 1984.
Musées : Athènes (Pina. Nat.) – Huesca, Espagne (Mus. d'Art Mod.) – Legnano-Milan (Mus. Pagani).

KOUVENBERG Willem de ou **Kouwenberg**, appelé aussi **Froide-Montagne**
Né vers 1647 à Paris. Mort le 12 novembre 1685 à Paris. xviie siècle. Français.
Peintre de paysages.
Reçu académicien le 1er février 1676.
Ventes Publiques : Paris, le 2 déc. 1954 : *Vase de fleurs*, deux pendants : **FRF 400 000**.

KOUVERZNEFF P. Th.
Mort en 1877. xixe siècle. Russe.
Peintre de genre.
On voit de lui à Moscou à la Galerie Tretiakov : *Les Premiers pas* et *A la morgue*.

KOUW Casper Marinus Leendert
Né le 16 septembre 1865 à Rilland-Bath. xixe siècle. Vivant à Duivendrecht. Hollandais.
Peintre de paysages, graveur, lithographe.
Il représenta des sites des environs d'Amsterdam et d'Haarlem.

KOUWENBERG Willem de, appelé aussi **Froide-Montagne**. Voir **KOUVENBERG**

KOUWENBURG Maerten
xviie siècle. Hollandais.
Peintre.
De 1636 à 1642, dans la gilde de Haarlem et à Middelbourg en 1658 ou 1659. L'un de ses portraits fut gravé par Willem Hondius.

KOUWENHORN Pieter ou **Couwenhorn, Kouwerhoven**
xviie siècle. Actif à Leyde en 1636. Hollandais.
Peintre verrier.
Il fut le premier maître de Gérard Dou.

KOUWENHOVEN G. Van
xixe siècle. Active à La Haye et à Rotterdam vers 1850. Hollandaise.
Peintre de fleurs.
Fille du paysagiste Jacob Van Kouwenhoven.

KOUWENHOVEN Jacob Van
Mort le 5 mai 1825 à Rotterdam. xviiie-xixe siècles. Actif à Rotterdam en octobre 1777. Hollandais.
Peintre de paysages.
Élève de P. B. Ommeganck.

KOU WEN-YUAN. Voir **GU WENYUAN**

KOU YIN. Voir **GU YIN**

KOU YING. Voir **GU DEHUI**

KOU YING-T'AI. Voir **GU YINGTAI**

KOU YUAN. Voir **GU YUAN**

KOU YUN. Voir **GU YUN**

KOUZMINA Véra
Née en 1902 à Morkvachi. xxe siècle. Russe.
Peintre de portraits, paysages, natures mortes. Post-impressionniste.
Elle fut élève de l'École des Beaux-Arts de Samara après 1920. À Moscou, elle a fréquenté les ateliers artistiques et techniques (Bkhoutemas). Elle poursuivit sa formation à Petrograd, puis, en 1936, à l'Institut des Beaux-Arts Sourikov de Moscou. En 1940, elle est devenue membre de l'Union des Peintres de l'URSS. Après la guerre, elle reçut les conseils de Robert Falk. Depuis 1930, elle participe à de nombreuses expositions collectives nationales. Des expositions personnelles lui ont été consacrées, depuis la première en 1930 à Moscou, puis en 1968 à Gagry, et à Moscou de nouveau en 1971, 1978, 1985, 1990.
Bibliogr. : In : Catalogue de la vente *Tableaux soviétiques*, Salle Drouot, Paris, 3 oct. 1990.

KOUZNETSOV Alexi
Né en 1920. xxe siècle. Russe.
Peintre de paysages. Réaliste-onirique.
Il fréquenta l'Institut Sourikov de la Faculté des Arts Plastiques de Moscou. Il est Membre de l'Association des Peintres d'URSS. Il participe à des expositions nationales : à Moscou en 1960 ; 1966 Odessa ; 1967 Moscou *L'URSS notre patrie* ; 1984 Moscou *La Terre et les Hommes*.
Souvent dans des effets de nuit, il peint des aspects féeriques de Moscou ou de Saint-Pétersbourg du temps de Pierre le Grand.
Ventes Publiques : Paris, 18 mars 1991 : *La beauté secrète de Moscou*, h/t (89x62) : **FRF 9 000**.

KOUZNETSOV Pawel Varfolomeievitch, ou **Pavel, Paul** ou **Kousnetzov, Kusnezoff**
Né en 1878 à Saratov. Mort en 1968 à Moscou. xxe siècle. Russe.
Peintre de genre, paysages, natures mortes. Symboliste.
De 1891 à 1896, il s'initia à la peinture auprès de la Société des Amateurs d'Art de Saratov. De 1897 à 1904, il fut élève de l'Institut de Peinture, Sculpture, Architecture de Moscou. En 1906, au cours d'un séjour à Paris, il y fréquenta les académies libres. Dès avant 1910, il séjourna dans les steppes de l'Asie centrale et dans le Caucase, où il trouva des sources d'inspiration durables et dénuées de tout orientalisme primaire. Il a participé à des expositions collectives : en 1902 du groupe du Monde de l'Art, dont il était membre, et où il fréquenta les peintres Isaac Lévitan et Valentin Serov ; en 1905 de l'Union des Artistes Russes et de la Société des Artistes de Moscou ; en 1906, grâce à l'appui de Serov, à l'exposition rétrospective d'art russe, organisée par Serge de Diaghilev au Salon d'Automne de Paris, dont il fut nommé membre à vie, et auquel il continua de participer ainsi qu'à d'autres Salons de Paris, où il se rendit à plusieurs reprises avant 1914 ; en 1907, il fut l'un des organisateurs de l'exposition du groupe de la Rose bleue, avec Martiros Sarian ; en 1908 à l'exposition franco-russe de la Toison d'Or à Moscou ; de 1924 à 1931 en tant que président de la Société des Arts ; en 1967-1968 à l'exposition d'art russe au Grand-Palais de Paris. En 1907, il avait organisé une exposition d'ensemble de ses peintures dans sa propre maison. De 1916 à 1937, il a enseigné au *Vhutemas*, l'Institut de Peinture, Sculpture, Architecture de Moscou.
Contre l'académisme de la fin du xixe siècle, se constitua l'association *Mir Izkousstva* (Le Monde de l'art), qui se subdivisa en deux autres groupes : le *Valet de carreau*, d'où sortit l'école abstraite et constructiviste, et la *Rose bleue*, réunissant les figuratifs postimpressionnistes et expressionnistes attachés à la peinture d'après nature, dont Kouznetsov fut un des membres actifs. Au cours de son séjour à Paris, il découvrit l'œuvre de Gauguin, qui devait l'influencer profondément dans ses propres paysages. Son œuvre se divise en deux périodes : jusqu'en 1905, les fontaines bleues ; puis les sujets orientaux. Après 1910, sous l'influence de Gauguin, puis de Matisse, son dessin devint plus elliptique, synthétique ; il abandonna la perspective pour un « espace-couleur » en deux dimensions. Son style évolua encore, inspiré de l'art persan et mongol. Si, durant la longue domination jdanovienne sur l'art, il dut concéder quelques thèmes aux directives du pouvoir politique, n'ayant pas adhéré à l'opportunité « productiviste », et refusant l'académisme du réalisme-socialiste, il constitua son œuvre dans une quasi clandestinité. Toutefois, par son enseignement, il contribua à la diffusion d'un art moderne, puis, avec le temps, il fut considéré comme un des artistes russes importants du xxe siècle. ■ J. B.
Bibliogr. : In : Catalogue de l'exposition *L'Art russe, des Scythes à nos jours*, Gal. Nat. du Grand Palais, Paris, 1967-68 – in : *Les Muses*, Grange Batelière, Paris, 1971 – A. Roussakova : *Pavel Kouznetsov*, Leningrad, 1977 – in : Catalogue de l'exposition *Paris-Moscou*, Centre Beaubourg, Paris, 1979 – in : *Diction. de l'Art Mod. et Contemp.*, Hazan, Paris, 1992.
Musées : Moscou (Gal. Trétiakov) : *L'Endormie* – *Le Mirage* 1912 – *Dans la steppe* – *Le Minaret* – *Le Kichlak* – *Les Marchands* 1923,

feuillets de l'album - *Le Turkestan - Miskhor* 1925 - SAINT-PÉTERSBOURG (Mus. Russe) : *Le Marché aux oiseaux* 1913 - *Le Harem* - SARATOV (Mus. Radichtchev) : *Dans la steppe* 1911.

KOUZNETSOV Youri

Né en 1930 à Gorokhovets (région de Vladimir). XXe siècle. Russe.

Peintre de genre, compositions animées, nus.

De 1947 à 1950, il étudia à l'École des Beaux-Arts de Vladimir. À partir de 1954, il a travaillé à l'Atelier Artistique de Podolsk jusqu'à son départ pour Moscou en 1968. Admis en 1961 à l'Union des Peintres d'U.R.S.S., qui lui a décerné des diplômes d'honneur. Depuis 1961 également, il participe à de nombreuses expositions dans son pays. En 1961, 1972 et 1985, des expositions personnelles lui ont été organisées à Moscou.

Les premiers travaux de Y. Kouznetsov ont été exécutés dans le style réaliste propre aux peintres des années soixante. Certaines de ses peintures bénéficient d'une facture plus libre, assez largement brossées.

BIBLIOGR. : In : Catalogue de la vente *Tableaux soviétiques*, Salle Drouot, Paris, 3 oct. 1990.

VENTES PUBLIQUES : PARIS, 3 oct. 1990 : *Attente* 1957, h/cart. (50x35) : **FRF 13 000**.

KOUZNIETSOV Boris

Né en 1916. XXe siècle. Russe.

Peintre de portraits, de paysages animés.

Ancien élève de l'École des Beaux Arts de Riazan. Il devint Artiste du Peuple.

VENTES PUBLIQUES : PARIS, 23 mars 1992 : *L'heure de la traite*, h/t (71x130) : **FRF 6 800** - PARIS, 7 oct. 1992 : *Retour des champs*, h/t (52x78) : **FRF 4 500**.

KOVACEVIC Anton

Né en 1848 à Belgrade. Mort le 22 août 1883 à Belgrade. XIXe siècle. Yougoslave.

Peintre de décors.

Il travailla au Théâtre national de Belgrade.

KOVACEVIC Ferdo

Né le 8 avril 1870 à Agram. XIXe siècle. Yougoslave.

Peintre.

Prit part à l'Exposition Universelle de 1900.

KOVACHEVA Nina

Née le 19 décembre 1960 à Sofia. XXe siècle. Active depuis 1994 en France. Bulgare.

Sculpteur d'installations, graveur, dessinateur, créateur de livres d'artiste.

En 1985, elle termine ses études à l'Académie des Beaux-Arts de Sofia. En 1992, elle obtient une bourse de *Kultur Kontakt*, à Vienne en Autriche. Dès 1994, elle habite Paris.

Elle participe à des expositions collectives : 1993 Varna, VIIe Biennale Internationale de la gravure ; Sofia, *Œuvres en papier*, Galerie Ata-ray ; Ljubljana, Slovénie, XXe Biennale Internationale de l'art graphique ; Maastricht, Hollande, Ire Biennale Internationale Graphique ; Gyor, Hongrie, IIe Biennale Internationale de l'Art ; Sofia, *Objet*, Galerie Chipka 6 ; 1994, Budapest, *Artexpo* ; Philadelphie, *Gravures contemporaines*, The Print club ; Belgrade, Yougoslavie, IIIe Biennale Internationale de la gravure ; Sofia, *N-formes ?*, exposition annuelle de la *Fondation Soros* ; 1995 Sofia, Ire Triennale Internationale de la Gravure ; Varna, VIIIe Biennale de la Gravure ; Paris, Salon du Livre 95 ; Furumachi Nigata, Japon, Galerie Hitsuji Goro ; 1996 Paris, *Montmartre en Europe*, Mairie du XVIII ; Washington, *Le livre comme objet d'art*, The National Museum of Woman in the Arts.

Elle montre des ensembles de ses œuvres dans des expositions personnelles, dont : 1990 Sapporo, Japon, Galerie NDA ; Tokyo, Japon, Galerie Dodenzaka ; 1991 Sapporo, Japon, Galerie NDA ; Le Locle, Suisse, Musée des Beaux-Arts ; 1992 Auvers-sur-Oise, France, Galerie Nord-Est ; Sapporo, Japon, Galerie NDA ; 1993 Sozopol, Bulgarie, *Apollonia 93*, Festival des Arts ; 1994 Sofia, Galerie Ata-ray ; Plovdiv, Galerie Ancienne Plovdiv ; Paris, Galerie Nord-Est ; 1996 Paris, *Ordre d'Émotions*, Galerie de la Cité internationale des Arts.

Nina Kovacheva travaille dans le domaine des dessins, de la gravure et de l'installation. Elle crée des livres-objets de caractère unique dans lesquels, à part les dessins graphiques, elle insère des objets évoquant des histoires de la vie quotidienne. L'artiste rédige un journal de son vécu assez bizarre, où s'entremêlent l'élan artistique et le côté le plus intime de sa vie.

■ Boris Danaïlov

BIBLIOGR. : In : Catalogue *N-formes ? Reconstructions et interprétations*, Sofia, 1994.

KOVACHEVICH Thomas

Né en 1942 à Detroit (Michigan). XXe siècle. Américain.

Sculpteur technique mixte. Conceptuel.

Il expose depuis 1971, notamment : en 1972 à la Documenta V de Kassel, 1973 Musée des Beaux-Arts de Grenoble, et 8e Biennale de Paris, etc.

Situées dans les avant-gardes des années soixante-soixante-dix, certaines de ses manipulations rappellent les jeux de tressage ou de nœuds de cordes du groupe Support-Surface, d'autres l'Arte povera italien, lorsque l'acte créateur recherche plus une poétique du comportement qu'un fait esthétique. Il ne s'y agit en fait ni véritablement de sculpture, ni de peinture, mais de menus objets réalisés comme autant de fétiches d'une croyance individuelle. Par tout ce qu'il y a d'affectif, de sensuel, dans leur production, s'ils ne s'analysent pas en termes esthétiques, du moins laissent-ils se libérer une expression quasi mythologique. Formellement, l'assemblage de papier, gaze, sparadrap ou leucoplast, évoque inévitablement quelque pansement, d'où quelque malaise, et cette expression d'une fragilité, d'une vulnérabilité, est sans doute délibérée.

■ D'après P. F., J. B.

KOVACIC Mijo

Né en 1935 à Gornja-Suma-sur-la-Drau (Croatie). XXe siècle. Yougoslave.

Peintre de paysages animés, aquarelliste. Naïf.

Paysan et éleveur, il commença à dessiner et peindre à l'aquarelle en 1953. Il alla à Hlebine pour rencontrer Generalic, qui lui apprit les techniques de la peinture à l'huile et de la peinture fixée sous verre. Il commença à exposer en 1954.

Naïf populaire, mais néanmoins très formé à l'école de Generalic, il peint des scènes très complètes : paysages aux plans multipliés et aux lointains brumeux, avec des effets de perspective, premiers plans détaillés, animés de personnages et d'animaux.

BIBLIOGR. : Oto Bihalji-Merin, in : *Les Peintres naïfs*, Delpire, Paris, s. d.

MUSÉES : ZAGREB (Gal. d'Art Primitif) : *Vache au pâturage* 1954.

VENTES PUBLIQUES : MUNICH, 2 juin 1987 : *Soir d'hiver* 1979, h. fixé sous verre (60x60) : **DEM 8 500** - AMSTERDAM, 1er juin 1994 : *Paysage* 1977, verre églomisé (76x70) : **NLG 3 105**.

KOVACS Attila

Né en 1938 à Budapest. XXe siècle. Actif en Allemagne. Hongrois.

Peintre, dessinateur. Abstrait-néo-constructiviste.

En 1977, il était représenté à l'exposition du Musée d'Art Moderne de la Ville de Paris *Aspects historiques du Constructivisme et de l'Art concret*.

KOVACS Ferenc

Né le 4 octobre 1934 à Keszthely. XXe siècle. Actif depuis 1956 aussi en France. Hongrois.

Sculpteur. Abstrait.

Il expose à Paris, notamment au Salon de la Jeune Sculpture.

Les formes de ses sculptures, abstraites, sont dépouillées, et il apporte un soin particulier à la qualité du matériau.

KOVACS François

Né en 1920 à Zepce. XXe siècle. Actif en Belgique. Hongrois.

Sculpteur. Abstrait.

En 1937, il fit des études artistiques à Budapest. Il fut aussi étudiant en médecine. En 1967, il devint élève de l'École des Beaux-Arts d'Ixelles.

Son œuvre comporte plusieurs périodes. Ses études médicales, en biologie, zoologie, furent à l'origine d'une série de formes organiques. Ensuite, il créa des sculptures en aluminium et colorées. Il évolua, avec des marbres blancs et noirs, à des créations plus construites.

BIBLIOGR. : In : *Diction. biogr. illustré des Artistes en Belgique depuis 1830*, Arto, Bruxelles, 1987.

KOVACS Laszlo

Né en 1944. XXe siècle. Hongrois.

Peintre, technique mixte. Figuratif.

Il a bénéficié de la bourse d'études Derkovits. Il est Membre du Studio des Jeunes Artistes avec lequel il a exposé plusieurs fois. En 1989, la Vigado Galerie de Budapest a organisé une exposition personnelle de ses travaux.

Il peint souvent sur des panneaux de plâtre.

VENTES PUBLIQUES : PARIS, 14 oct. 1991 : *Saint Georges*, plâtre peint (103x103) : **FRF 4 000**.

KOVACS Margit
Née en 1902. XXe siècle. Hongroise.
Sculpteur, céramiste.
Elle a étudié à Vienne, Munich, Copenhague, Paris. Nommée Artiste éminent, elle a remporté le Prix Kossuth ; un diplôme d'honneur à l'Exposition Internationale de Paris de 1937 ; un Grand Prix à l'Exposition Universelle de Bruxelles de 1958.
BIBLIOGR. : In : *Hongrie 1968*, Pannonia, Budapest, 1968.

KOVACS Mihaly
Né le 25 juillet 1818 à Tisza-Abad-Szalok. Mort le 3 août 1892 à Budapest. XIXe siècle. Hongrois.
Peintre de genre, portraits.
Il fut élève de l'Académie de Vienne, puis se perfectionna à Venise et à Rome. Il visita la France, l'Angleterre, la Hollande et l'Espagne où il devint en 1877 membre de l'Académie des Beaux-Arts de San Fernando, à Madrid.
MUSÉES : VIENNE : *Portrait du peintre Karl Meyer – Portrait de l'artiste par lui-même.*
VENTES PUBLIQUES : COPENHAGUE, 16 mars 1976 : *Paysage*, h/t (26x52) : **DKK 3 500**.

KOVACS Peter
Né en 1943 à Budapest. XXe siècle. Hongrois.
Peintre de figures, technique mixte.
Bénéficiaire de la bourse d'études Derkovits, il fréquenta l'École des Beaux-Arts de Budapest. À partir de 1977, il participe à de nombreuses expositions nationales et européennes : Festival de Peinture de Cagnes-sur-Mer (1977), Stockholm (1983), Neufchâtel (1984), Grand Palais à Paris (1988).
Ses personnages en mouvement sont sans doute influencés par Velickovic.
VENTES PUBLIQUES : PARIS, 14 oct. 1991 : *Mouvement* 1990, techn. mixte/pan. (160x100) : **FRF 17 000**.

KOVATS Edgar
Né le 27 septembre 1849 à Karatczeu. XIXe siècle. Polonais.
Peintre, architecte.
Il vécut à Zurich, à Vienne et à Lwow. On lui doit des tableaux de fleurs et des scènes de folklore paysan polonais.

KOVATSCH Joseph
Né le 22 avril 1799 à Vienne. Mort le 7 juin 1839 près de Saint-Veit. XIXe siècle. Autrichien.
Graveur.
Élève de Stoeber et de l'Académie de Vienne. Il a gravé des sujets de genre et des sujets d'histoire, d'après le Guerchin, Téniers, Raph, Mengs.

KÖVER Gyula
Né le 14 mars 1883 à Verpelet. XXe siècle. Hongrois.
Peintre, graveur.
Il fut à Paris en 1907 et 1908 l'élève d'Henri Martin. On lui doit des paysages de style impressionniste.

KOVNER Théodore
Né le 25 février 1895 à Odessa. XXe siècle. Actif depuis 1923 en France. Russe.
Peintre de portraits, nus, paysages.
Il entra en 1912 à l'École des Beaux-Arts de Saint-Pétersbourg, mais fut interrompu dans ses études d'abord par la guerre, puis par la révolution. Ayant quitté la Russie, il se fixa en France en 1923. Il exposa une première fois au Salon des Surindépendants en 1929, puis, à partir de 1933, participa régulièrement à divers Salons : d'Automne, des Indépendants, des Tuileries, Comparaisons.
Dans sa peinture, il unit l'austérité du dessin et de la construction, à la sensualité de la couleur.

KOVTOUN Viktor
Né en 1958. XXe siècle. Russe.
Peintre de paysages animés, de natures mortes.
Il fréquenta l'École des Beaux-Arts de Kharkov et fut élève de Alexandre Khmelnitsky. Il fut nommé Peintre émérite d'URSS.
VENTES PUBLIQUES : PARIS, 9 déc. 1991 : *Bouquet d'automne*, h/t (100x85) : **FRF 4 200** – PARIS, 23 mars 1992 : *La plage d'Odessa*, h/cart. (24x34) : **FRF 6 000**.

KOWALCZEWSKI Karl
Né le 31 décembre 1876 à Schwarzenau. XXe siècle. Actif à Berlin. Allemand.
Sculpteur.
Prit part à l'Exposition de Berlin de 1909.
VENTES PUBLIQUES : LOKEREN, 19 oct. 1985 : *Guerrier de Sparte*, bronze patiné (H. 47) : **BEF 160 000**.

KOWALEWSKY Pawel Ossipovitch
Né le 4 août 1843 à Kazan. Mort le 7 mars 1903 à Saint-Pétersbourg. XIXe siècle. Actif à Kiew. Russe.
Peintre d'histoire, de genre.
Élève de l'Académie de Saint-Pétersbourg, professeur puis académicien. Médaille de deuxième classe à Paris, 1878 (Exposition Universelle). Médaille d'or à Berlin en 1886.
MUSÉES : LOUVIERS : *L'orpheline*, qui nous paraît être de la main de cet artiste – MOSCOU (Roumianzeff) : *Abreuvoir – Caucase – Dans les montagnes* – MOSCOU (Gal. Tretiakov) : *Un Circassien* – SAINT-PÉTERSBOURG (Mus. Russe) : *Fouilles à Rome – Chasseurs – Général à cheval.*
VENTES PUBLIQUES : PARIS, 1898 : *Cosaques* : **FRF 210** – LONDRES, 19 avr. 1978 : *Le retour des champs* 1884, h/t (76x105) : **GBP 600**.

KOWALSKI Ivan Ivanovitch
XXe siècle. Actif en France. Russe.
Peintre de paysages, aquarelliste, pastelliste.
Il vivait et travaillait à Paris. Il s'est montré sensible aux changements des saisons, et affectionnait les paysages d'eau.
VENTES PUBLIQUES : PARIS, 30 avr. 1919 : *Paysage d'hiver*, past. : **FRF 100** – PARIS, 11 mars 1925 : *Petit cours d'eau sous bois* : **FRF 380** – PARIS, 12 mai 1944 : *Ruisseau sous bois* 1910, past. : **FRF 1 250** – PARIS, 4 mars 1988 : *Bord de rivière* 1908, past. (48x63) : **FRF 3 500** – PARIS, 13 avr. 1988 : *Fin d'Automne en forêt*, h/t (54x73) : **FRF 2 000**.

KOWALSKI Léopold François. Voir **KOWALSKY**

KOWALSKI Piotr
Né le 2 mars 1927 à Lvov (Ukraine). XXe siècle. Actif depuis 1955 et naturalisé en France. Polonais.
Sculpteur. Conceptuel-scientifique.
Dès l'adolescence, il se passionna pour la logique des sciences. Après avoir, après la guerre à l'âge de dix-neuf ans, émigré en Suède, puis en France, il fit un séjour de peinture de paysages au Brésil, à la suite duquel, en 1947, il arriva aux États-Unis, où il fit des études de mathématiques, physique et architecture au Massachusetts Institute of Technology de Cambridge, la plus célèbre « usine à cerveaux » des États-Unis, et devint architecte en 1952, spécialiste des structures tendues et des matériaux plastiques. Il s'installa à New York, devenant un collaborateur de I. M. Pei. Invité par Marcel Breuer à participer au projet du siège de l'UNESCO, il arriva à Paris, y ouvrant son propre cabinet en 1955. Vers 1957, il décida d'abandonner l'architecture, pour se consacrer à la conception et à la réalisation de sortes de sculptures, dans lesquelles se conjugueraient ses acquis scientifiques et son imaginaire expérimental fertile. Établi à Montrouge près de Paris, les opportunités l'amènent à aller travailler souvent aux États-Unis, en Allemagne, au Japon.
Depuis qu'il a choisi le statut d'artiste, Kowalski participe à de nombreuses manifestations collectives, et notamment, à Paris, au Salon de Mai, dont il fut membre du comité ; en 1968 à la Biennale de Venise ; 1972 à la Documenta de Kassel ; 1995 Biennale de Lyon (consacrée à l'art vidéo), etc. Surtout, son activité créatrice se produit dans des expositions personnelles : 1963 Kunsthalle de Berne ; 1966 Museu de Arte de São Paulo ; 1967, 1969, 1970, dans des galeries privées de Paris ; 1969 à l'ARC (Art-Recherche-Confrontation) du Musée d'Art Moderne de la Ville de Paris ; 1970 Stedelijk Museum d'Amsterdam ; 1971 Moderne Museet de Stockholm, et Kunsthalle de Leverkusen ; 1981 Musée National d'Art Moderne de Paris ; 1991 sur l'*Espace Art* de La Défense à Paris ; etc. Il a été nommé professeur à l'École des Beaux-Arts de Paris.
Aucune évocation formelle générale de l'œuvre de Kowalski n'est possible, d'abord parce que, sauf exception, la forme de ses œuvres n'est que celle, fonctionnelle, de l'appareillage nécessaire à une démonstration scientifique, ensuite parce que la forme du matériel de chacune de ses expériences est totalement différente des autres, enfin parce que, parfois, l'impossibilité de réunir les conditions matérielles de certaines de ces expérimentations, qui mettent le plus souvent en jeu des techniques coûteuses, l'a réduit à dessiner seulement, en ingénieur, le matériel de l'expérience projetée et son déroulement théorique, apparentant alors la démarche de Kowalski à l'art conceptuel. Les commentateurs de son œuvre, percevant cette difficulté, sont amenés à énumérer successivement ses créations : 1960 *Transformateur électrique* de Fresnes ; 1961-1963 la *Machine pseudo-didactique*, humoristique et iconoclaste ; 1966 *Sphères* et *Cubes* ; 1967-1969 *Dressage d'un cône* ; 1967-1973 la sculpture flottante pour Électricité de France à Orléans-La Source ; 1972-

1973 la tour lumineuse pour le théâtre Jean Vilar de Vitry-sur-Seine ; 1979 la minuscule et magique *Flèche de sable* ; 1979 *Times Machines I et II* présentées, en 1981, au Centre Beaubourg et qui lui valurent le Grand Prix National de Sculpture ; 1987-1989 la *Montagne des dix mille pixels* ; 1988 la *Place des degrés* sous les tours I.B.M. de La Défense ; 1990-1991 *La Vague* pour la Place des Degrés sur l'Esplanade de la Défense. Renouant avec son métier d'architecte, il s'est aussi investi dans des projets traitant de grands espaces : 1978-1981 pour un Jardin des Halles de Paris ; 1983 pour Saint-Quentin-en-Yvelines ; 1986 pour Marne-la-Vallée.

Pour ses fins diverses, Kowalski utilise tous les matériaux appropriés, et surtout les techniques les plus complexes, mathématiques pures, géométrie non-euclidienne, théorie de la relativité, théorie des quanta, électronique, holographie, etc., qui lui permettent d'intervenir sur la perception de l'espace, du temps, de la lumière, des champs. En exigeant l'interaction du visiteur, l'incitant à pénétrer dans ses appareillages et à en manipuler lui-même les composants, Kowalski lui fait prendre une nouvelle conscience de la nature de l'espace, par exemple de la déformation d'un espace clos donné selon le point qu'on y occupe (*Cube électronique*) ou bien de la réalité concrète des champs magnétiques qui délimitent des parois, invisibles tant que les champs ne sont pas traités à travers des appareils-transfert (*Mesures à prendre*). Si Kowalski a utilisé, par exemple, les tubes de néon, seulement dans leur capacité à mettre en évidence des phénomènes physiques en principe invisibles, il n'est en rien réductible au lumino-cinétisme. Les techniques scientifiques qu'il maîtrise avec le concours d'ingénieurs spécialisés dont il partage le vocabulaire : électronique, mécanique des fluides, propagation des ondes de choc, dilatation des gaz, etc., privilège qui n'est pas forcément partagé par l'historien chargé de lui consacrer une notice, ne sont pas mises en pratique pour elles-mêmes, mais seulement en tant qu'outils « modernes ». De même que ses investigations très diversifiées sont assimilables à une véritable recherche scientifique, et non au bricolage cinétique de Pol Bury, à l'exploitation, astucieuse mais limitée, d'électro-aimants par Sarkis, aux mécanismes programmés par l'électronique de Nicolas Schoeffer. Pour Kowalski, à l'écoute scientifique de l'univers, l'art est moyen de connaissance et de pouvoir sur le monde, de dépasser les connaissances acquises, en même temps que moyen de « distribuer » cette connaissance, distribuer dans le sens de faire partager ce pouvoir, et non communiquer dans le sens d'informer sans réel partage. Cette distribution du pouvoir sur le monde n'est possible efficacement que si le message scientifique inclus, incompréhensible pour la plupart, se manifeste par les codes propres à l'art. Pour Kowalski, l'art est de la « philosophie pratique, c'est-à-dire une philosophie exercée avec d'autres moyens... Une œuvre d'art n'est ni didactique, ni philosophique, mais ambiguë... » Toute découverte d'une nouvelle façon d'appréhender le monde coïncide avec ce qu'on sait des démarches poétiques ; il apparaît que Kowalski, dans la mesure où il échappe lui-même à l'ambiguïté d'être un scientifique pour les artistes et un artiste pour les scientifiques, rend public un nouveau champ de l'investigation poétique, encore mal partagé en tant que poétique des mathématiques pures, qu'il ne fait surtout pas confondre avec une éventuelle poésie de l'invention technologique utilitaire. Kowalski pratique une expérimentation inventive des techniques les plus prospectives, dans la perspective de la science considérée comme une poétique, c'est-à-dire un jeu et un art, et surtout pas dans sa trompeuse vocation de servir au progrès matériel de l'humanité. Le thème qu'on trouve le plus fréquemment développé à travers ses entreprises diverses, est celui de la perception de l'espace, et l'on retrouve ici l'un des objets de la réflexion de Pierre Francastel, pour qui à chaque forme de société correspond une perception particulière de l'espace, symbolique de son ordonnance sociale. Pour Kowalski, à notre degré d'évolution scientifique correspond fatalement une appréhension particulière de l'espace, qu'il s'agit d'approfondir par des moyens d'investigation nouveaux. Bien plutôt qu'il ne les destine à une contemplation d'ordre esthétique, Kowalski situe résolument ses réalisations en réaction contre les valeurs culturelles de la tradition bourgeoise. Pourtant, on ne peut ignorer dans certaines, par exemple dans le *Piège à soleil* de l'Université de Long Beach, un évident prolongement poético-esthétique au parcours démonstratif de cet objet qui accompagne le soleil dans sa course du Levant au Couchant. Par une démarche scientifique rigoureuse, il met en évidence l'apriorisme erroné des mécanismes de notre perception, abolissant les distinctions cartésiennes entre réalité et imaginaire, art et science, tendant à une modification profonde des perceptions et des catégories intellectuelles de l'esprit humain, devant l'entraîner à une remise en question de son ordre social.

■ Jacques Busse

Bibliogr. : Georges Charbonnier : *Piotr Kowalski*, in : Connaissance des Arts, n° 139, Paris, sep. 1963 – Harald Szeemann : Catalogue de l'exposition *Kowalski*, Kunsthalle, Berne, 1963 – Frank Popper : *Piotr Kowalski*, in : Opus International, n° 8, Paris, oct. 1968 – x. : *Kowalski, un laboratoire d'idées illogiques*, in : Chroniques de l'Art vivant, Paris, mai 1969 – H. Szeemann : *Interview de Kowalski, 1969-1970*, in : Catalogues des expositions du Stedelijk Mus. d'Amsterdam 1970, et du Mod. Mus. de Stockholm 1971 – Jean-Marc Poinsot : *Kowalski*, in : Chroniques de l'Art vivant, Paris, 1971 – Catalogue de l'exposition *Piotr Kowalski, Time Machine + Projects*, Mus. Nat. d'Art Mod., Paris, 1982 – in : Catalogue de l'exposition *L'Art Moderne à Marseille. La Collection du Musée Cantini*, Mus. Cantini, Marseille, 1988 – Jean-Christophe Bailly : *Piotr Kowalski*, Hazan, Paris, 1988 – Patrick Talbot, Piotr Kowalski : Entretien, Art Press, Paris, 3e trimestre 1991 – Jean-Christophe Bailly : Catalogue de l'exposition *Piotr Kowalski*, galerie Art 4, Paris-La Défense, 1991 – in : *Diction. de l'Art Mod. et Contemp.*, Hazan, Paris, 1992.

Musées : Marseille (Mus. Cantini) : *Sphère N°1* 1966 – Paris (Fonds région. d'Île-de-Fr) : *Système de symétrie d'un cube* 1975.

Ventes Publiques : Paris, 18 mars 1972 : *Cube N°10*, acier inox. et plexiglas fumé : **FRF 2 000** – Paris, 6 déc. 1986 : *Manipulateur n° 7* 1970, plateau plexiglas noir et trois boules en verre (100x50x13) : **FRF 13 000** – Paris, 20 mars 1988 : *Sphères dans un cube* 1972, sculpt. en acier inox. (50x50x50) : **FRF 20 000** – Paris, 7 mars 1990 : *La flèche de sable* 1979, bronze (16x23,5x8,5) : **FRF 27 000** – Paris, 3 juin 1991 : *Sphères* 1966, inox (51x51x51) : **FRF 29 500**.

KOWALSKI-WIERUSZ Alfred von, dit aussi **Wierusz-Kowalski**

Né le 11 octobre 1849 à Suwalki. Mort le 16 février 1915 à Munich. xixe-xxe siècles. Polonais.

Peintre d'histoire, de genre.

Commença ses études à Varsovie et à Dresde, puis fut élève d'Alexandre Wagner et de Joseph Brandt. Devint professeur à Munich. Obtint, dans cette ville, une mention honorable en 1890, des médailles en 1883 et 1892 ; médaille à Vienne en 1892.

Musées : Francfort-sur-le-Main : *Attelage polonais* – Kaliningrad, ancien. Königsberg : *Déjeuner de chasseur* – Montréal : *Le chasseur* – Munich : *Le baron de Lutz à la chasse au chamois* – *En février*.

Ventes Publiques : Francfort-sur-le-Main, 1894 : *Joyeux retour* : **FRF 4 375** – New York, 1895 : *Après les noces* : **FRF 5 000** – New York, 26-28 fév. 1902 : *Chevauchée pour la vie* : **USD 650** – New York, 12-13 mars 1902 : *Mariage* : **USD 800** – New York, 1er-2 déc. 1904 : *Chasse à la fin du jour* : **USD 770** – New York, 19 jan. 1906 : *En route pour la chasse* : **USD 1 525** – New York, 27 jan. 1911 : *Course émouvante* : **USD 285** – Londres, 21 juin 1929 : *Au repos* : **GBP 47** – Paris, 15 juin 1934 : *Cavalier sous-bois* : **FRF 2 700** – Paris, oct. 1945-juil. 1946 : *Paysage animé*, sous la désignation : Kowalsky W. : **FRF 26 000** – Londres, 18 déc. 1957 : *Attelage polonais* : **GBP 280** – Lucerne, 30 nov. 1959 : *Paysage en hiver* : **CHF 2 750** – Londres, 7 juin 1970 : *Le traîneau* : **GBP 600** – Los Angeles, 28 fév. 1972 : *Chasseur à cheval et ses chiens* : **USD 5 000** – New York, 14 juin 1973 : *Traîneau dans un paysage de neige* : **USD 4 900** – Düsseldorf, 13 nov. 1973 : *Traîneaux dans un paysage de neige* : **DEM 15 000** – Londres, 21 juil. 1976 : *Retour du marché*, h/t (71,5x118) : **GBP 11 000** – Londres, 4 mai 1977 : *Le départ du chasseur*, h/t (46,5x61) : **GBP 7 000** – New York, 12 oct 1979 : *Paysage d'hiver à la tombée du jour*, h/t (73,5x119,5) : **USD 57 000** – Zurich, 15 mai 1981 : *Les Joies de l'hiver*, h/t (57x44,5) : **CHF 25 000** – Munich, 15 sep. 1983 : *Le Départ pour la chasse*, h/t (73x119,5) : **DEM 80 000** – New York, 31 oct. 1985 : *Traîneau tiré par trois chevaux dans un paysage de neige*, h/t (71x119) : **USD 37 500** – New York, 24 mai 1989 : *Le châtelain*, h/t (76,9x102,9) : **USD 28 600** – New York, 25 oct. 1989 : *Jument et son poulain dans un paysage*, h/t (46x60,2) : **USD 9 350** – Paris, 6 avr. 1990 : *L'arrivée des cavaliers*, h/t (52x74) : **FRF 32 000** – Londres, 30 mars 1990 : *La promenade en traîneau*, h/t (53,3x73,7) : **GBP 19 800** – New York, 22 mai 1991 : *Le tombereau*, h/pan. (50,2x38,7) : **USD 20 900** – Cologne, 28 juin 1991 : *Cavalier avec trois chiens dans la campagne polonaise en hiver*, h/pan. (50,5x65,5) : **DEM 30 000** – New York, 17 fév. 1993 : *Le gardien* *du col*, h/pan. (34,9x26,4) : **USD 19 550** – Londres, 16 juin 1993 : *Départ pour le marché*, h/t (72x118) : **GBP 16 100** – Londres, 21 mars 1997 : *Labourage du champ* vers 1910-1915, h/t (94,5x124) : **GBP 22 425** – New York, 12 fév. 1997 : *Le Cosaque*, h/pan. (34,3x26,7) : **USD 23 000**.

KOWALSKY Anton Hermann
Né le 4 avril 1813 à Dresde. XIXe siècle. Allemand.
Peintre de genre, animaux.
Il vécut surtout à Munich et à Vienne. On lui doit aussi des paysages.

KOWALSKY Léopold François ou **Kowalski Léopold Franz**
Né le 8 décembre 1856 à Paris. Mort le 13 juillet 1931 à Cocherel (Eure). XIXe-XXe siècles. Français.
Peintre de paysages, paysages animés, portraits, dessinateur. Postimpressionniste.
Il fut élève de J. Pillard et d'Henri Lehmann à l'École des Beaux-Arts de Paris. Il a exposé régulièrement à Paris, à partir de 1881, au Salon des Artistes Français, dont il devint membre en 1893, après avoir obtenu une mention honorable en 1890, et médaille de troisième classe 1891. En 1912, il se fixa dans l'Eure, où il resta jusqu'à sa mort, en compagnie de sa femme et de sa fille, desquelles il a laissé de beaux portraits.
Ses paysages de la campagne normande sont souvent d'une bonne veine postimpressionniste, avec des qualités de lumière changeante et de reflets. Il fut surtout remarqué pour avoir situé dans le paysage des scènes de genre ou plus simplement familiales et familières.
Ventes Publiques : Paris, 16 oct. 1946 : *Jeunes femmes en robes blanches au bord d'une rivière* : **FRF 1 020** – Bruxelles, 15 juin 1976 : *La joueuse de badminton*, h/t (185x120) : **BEF 34 000** – Paris, 20 jan. 1984 : *Femme à la fontaine*, h/t (205x79) : **FRF 6 500** – Londres, 19 mars 1986 : *Automne, la promenade en barque*, h/t (80x98,5) : **GBP 21 000** – Paris, 24 fév. 1988 : *Rêverie près de la fenêtre*, h/t (55x65) : **FRF 18 000** ; *La lecture*, h/cart. (35x26,5) : **FRF 28 500** ; *Le chapeau aux fleurs rouges*, h/cart. (35x27) : **FRF 20 000** ; *La Baigneuse*, h/cart. (27x35) : **FRF 7 200** – Londres, 14 nov. 1988 : *Le fourrage des chèvres*, h/t (50x61) : **GBP 308** – Paris, 21 nov. 1988 : *Le chignon*, h/pan. (34,5x26,5) : **FRF 3 300** ; *Couture au jardin*, h/cart. (35x27) : **FRF 6 700** ; *Chignon vu de dos*, h/cart. (35x27) : **FRF 12 500** – New York, 22 fév. 1989 : *La main chaude*, h/t (144,7x221) : **USD 132 000** – New York, 28 fév. 1990 : *Matinée d'été*, h/t (180x255,5) : **USD 77 000** – Paris, 26 avr. 1990 : *Pont sur la rivière*, h/pan. (26,5x35) : **FRF 4 500** – Paris, 14 nov. 1990 : *Nature morte aux bouteilles*, h/t (80x49,5) : **FRF 8 000** – Paris, 19 jan. 1992 : *Jeunes femmes dans la forêt*, h/t (73x60) : **FRF 35 000** – Paris, 27 avr. 1994 : *La cueillette des fleurs*, h/t (100x82) : **FRF 70 000** – New York, 12 oct. 1994 : *Jeunes filles cueillant des fleurs*, h/t (101x81,9) : **USD 15 525** – Londres, 16 nov. 1994 : *Ronde de jeunes filles*, h/t (104x160) : **GBP 10 350**.

KOWANZ Brigitte
Née en 1957. XXe siècle. Autrichienne.
Peintre, sculpteur. Abstrait.
Elle vit et travaille à Vienne, où elle expose, ainsi qu'à Gand.
Dans une première période, avec Franz Graf, elle pratiqua une peinture néo-figurative, caractéristique de la fin des années soixante-dix, dans laquelle elle utilisait déjà lumière noire et couleurs phosphorescentes. Comme Michel Verjux, elle constitue des tableaux de lumière, mais dont le faisceau de la projection est volontairement dispersé.
Bibliogr. : Catalogue de l'exposition *Brigitte Kowanz*, Gal. Krinzinger, Vienne, 1988 – in : Art Press, n° 157, Paris, avr. 1991.

KOWARSKI Felicjan Szczesny
Né en 1890. Mort en 1947 ou 1948. XXe siècle. Polonais.
Peintre de compositions à personnages, paysages animés, lithographe.
Après avoir fait ses études artistiques à Odessa, puis à Saint-Pétersbourg, il revint en Pologne, où il devint professeur, en 1923 à l'Académie des Beaux-Arts de Cracovie, en 1929 à celle de Varsovie.
Son œuvre est tout entier tourné vers l'homme, qu'il regarde avec un amour teinté de désespoir, et dont il fait le symbole du monde de l'esprit et de la vérité. Ses paysages tristes et peuplés de figures désolées, et à la fin de sa vie ses scènes du martyre du peuple juif, sont traités dans une écriture sobre et rigoureuse, un style monumental et typiquement néo-classique, qui peuvent rappeler Puvis de Chavannes, Maurice Denis.
Bibliogr. : In : *Diction. Univers. de la Peint.*, Le Robert, Paris, 1975.

KOWARZIK Joseph
Né le 1er mars 1860 à Vienne. Mort le 13 mars 1911 à Cannes. XIXe-XXe siècles. Autrichien.
Sculpteur.
Il vécut longtemps à Francfort-sur-le-Main où il enseigna la sculpture et exécuta plusieurs tombeaux et monuments.

KOWARZIK Max
Né le 5 mai 1875 à Berlin. Mort le 9 mai 1918, dans un hôpital du front. XXe siècle. Allemand.
Peintre de genre.
Prit part à l'Exposition de Berlin en 1909.

KOWARZIK Rudolf
Né le 13 mars 1871 à Vienne. XIXe-XXe siècles. Autrichien.
Sculpteur, sculpteur de médailles.
Il fut longtemps professeur de sculpture à Pforzheim et Bade.

KOWNACKA Marie Gabrielle, née **Krahnass**
Née au XIXe siècle à Poitiers (Vienne). XIXe siècle. Française.
Peintre de genre.
Élève de Mme Leguay de Poitevin et Chaplin. Débuta au Salon en 1876.

KOWNATZKI Hans
Né le 26 novembre 1886 à Königsberg. Mort en 1947. XXe siècle. Actif aux États-Unis. Allemand.
Peintre, sculpteur.
Il fut élève de Alfred (?) Heide, de Max Koner à l'Académie des Beaux-Arts de Berlin, et de Jules Lefebvre à Paris. En 1929, il obtint un premier Prix de sculpture à Washington.
Ventes Publiques : New York, 25 mars 1997 : *Frère et sœur* 1910, h/t (167,6x116,8) : **USD 2 300**.

KÔYA. Voir **KANÔ KÔYA**

KOYAMA Keizow
Né le 11 août 1898 à Komoro. XXe siècle. Actif aussi en France. Japonais.
Peintre.
À Paris, il fut élève de Charles Guérin, et y a exposé régulièrement au Salon d'Automne.

KOYAMA SHÔTARÔ, nom de pinceau : **Senraku**
Né en 1857. Mort en 1916. XIXe-XXe siècles. Actif à Tokyo. Japonais.
Peintre.
Élève de Kawakami Kan (1827-1881), il s'adonne à la peinture occidentale. Il étudiera aussi à l'École technique des Beaux-Arts sous la direction de Antonio Fontanesi. Il fondera une école privée, Fudôsha, où il formera de nombreux artistes. Il fait partie du comité d'accrochage du Salon du ministère de la Culture (Bunten).

KOYANAGUI Sei
Né le 30 mars 1896 à Sappon. XXe siècle. Actif en France. Japonais.
Peintre de figures, nus, portraits, animalier, paysages, fleurs.
Il s'est imposé, par ses thèmes agréablement traités, au public parisien. Il exposait régulièrement aux Salons de Paris, des Indépendants, d'Automne, des Tuileries, ainsi qu'à Londres et en Allemagne.
Ventes Publiques : Paris, 13 mars 1926 : *Jeune femme aux colombes* : **FRF 210** – Paris, 3 mai 1930 : *Corbeille de tulipes* : **FRF 300** – Paris, 11 mai 1942 : *Fleurs* : **FRF 1 300** – Paris, 14 mai 1943 : *Pékinois* : **FRF 1 300** – Paris, 26 mai 1945 : *Femme nue dans un lit* : **FRF 500** – Paris, 30 avr. 1947 : *Un chat* : **FRF 1 600** ; *Cyclamen* : **FRF 1 150** – Bourg-en-Bresse, 4 mars 1979 : *Bouquet au fauteuil*, h/t (81x100) : **FRF 11 000** – Paris, 27 juin 1983 : *Femme nue allongée*, h/t (33x55) : **FRF 13 000** – Versailles, 2 mars 1986 : *Buste de femmme au collier vert* 1928, h/t (100x80) : **FRF 29 000** – Lyon, 21 oct. 1987 : *Jeune fille à la toilette*, h/t (100x81) : **FRF 30 000** – L'Isle-Adam, 31 jan. 1988 : *Kiki de Montparnasse*, h/t (32x40) : **FRF 26 000** – Paris, 16 mai 1988 : *Nu allongé au petit chien*, h/t (24x41) : **FRF 15 000** – Paris, 3 juin 1988 : *Biche et son faon*, h/cart. (78x63) : **FRF 12 000** – Paris, 18 juin 1989 : *Fleurs dans un vase*, h/t (65x54) : **FRF 25 000** – Paris, 21 juin 1989 : *Le cerf et la biche*, h/t (75x55) : **FRF 50 000** – Paris, 20 fév. 1990 : *Le vase de fleurs*, h/t (81x65) : **FRF 35 000** – La Varenne-Saint-Hilaire, 20 mai 1990 : *Bouquet de fleurs*, h/t (81x65) : **FRF 103 000** – Paris, 18 juil. 1990 : *La huppe*, h/t

(117x73) : **FRF 35 000** – Paris, 5 déc. 1990 : *Le cerf et la biche*, h/t (73x54) : **FRF 25 000** – Paris, 6 avr. 1993 : *Les gazelles*, h/t (92x73) : **FRF 18 000** – Calais, 12 déc. 1993 : *Le chat*, h/t (33x42) : **FRF 7 000** – Paris, 13 nov. 1996 : *Nu au collier* vers 1925, h/t (81x100) : **FRF 80 000** – Paris, 27 oct. 1997 : *Le Cerf et la biche*, h/t (74x54) : **FRF 5 000**.

KÔYÔ Nakayama ou **Nakayama Kiyoshi**, surnoms : **Jogen** et **Seimon,** noms de pinceau : **Kôyô, Suiboku-Sanjin, Gansei-Dôjin** et **Shôsekisai**

Né en 1717 à Tosa (préfecture de Kôchi). Mort en 1780. xviiie siècle. Japonais.

Peintre. École Nanga (peinture de lettré).

Il serait l'élève de Hyakusen (1697-1752), il s'installe à Edo (actuelle Tokyo) pour étudier la calligraphie et la peinture. Il est lié avec quelques calligraphes bien connus tels Kinga et Tôkô. C'est un spécialiste de paysages et de personnages.

KÔYU

xiiie siècle. Actif à Kamakura, dans la seconde moitié du xiiie siècle. Japonais.

Sculpteur.

Son style dérive de l'École Kei de Nara, de l'influence de la dynastie chinoise des Song (960-1279) et de caractères locaux de la région de Kamakura. Il laisse les *Emma Jô-ô* (Dix Juges des Enfers) au temple Ennô-ji de Kamakura ; d'après l'inscription trouvée dans la statue de *Shôkô Ô* (l'un des dix juges), le groupe date du huitième mois 1251.

KOZAKIEWICZ Anton

Né le 13 juin 1841 à Cracovie. Mort en 1929. xixe-xxe siècles. Polonais.

Peintre de genre, aquarelliste.

En 1859, il entra comme élève à l'École des Beaux-Arts de Cracovie et y travailla jusqu'en 1868. À Vienne, il étudia avec Engerthe. Boursier de l'État, il partit pour Munich, en 1872. Il fut médaillé aux Expositions de Londres et Lemberg, Munich (diplôme d'honneur) ; obtint une médaille d'argent à Londres en 1887. Il figura à l'Exposition Universelle de 1900, à Paris.

Musées : Cracovie : *Un marché à Vielitchka* – Vienne : une aquarelle.

Ventes Publiques : Paris, 12 déc. 1892 : *Mendiante* : **FRF 512** – Londres, 19 jan. 1973 : *Jour de pluie* : **GNS 900** – New York, 14 jan. 1977 : *Retour du marché*, h/pan. (20x33) : **USD 1 700** – Londres, 20 juin 1980 : *La couseuse*, h/pan. (17,1x12,6) : **GBP 600** – New York, 25 fév. 1988 : *Badinage champêtre*, h/pan., deux pendants (20,3x15,2) : **USD 5 500** – Montréal, 30 oct. 1989 : *L'aiguiseur de couteaux* 1885, h/pan. (32x44) : **CAD 10 450** – Londres, 7 avr. 1993 : *Artiste travaillant dans la nature*, h/pan. (37x57) : **GBP 3 910** – Munich, 7 déc. 1993 : *Artiste peignant un cheval*, h/pan. (36,5x56,5) : **DEM 10 350** – Londres, 14 juin 1995 : *Scène de marché* 1909, aquar. (30x45,5) : **GBP 1 380**.

KOZAKIEWICZ Lukacz

Né le 17 octobre 1778 à Cracovie. Mort le 19 juillet 1845 à Cracovie. xixe siècle. Polonais.

Peintre.

Il étudia à Cracovie. il fut décorateur du Théâtre de Cracovie pendant plusieurs années.

KOZARIC Ivan

Né en 1921 à Petrinja. xxe siècle. Yougoslave.

Sculpteur de figures. Expressionniste.

Il fut élève de l'École des Beaux-Arts de Zagreb. Après un premier séjour à Paris, il commença à produire ses œuvres élaborées à partir de 1953. Il a exposé : en 1956 à Zagreb, Dubrovnik, en Allemagne ; 1957 Belgrade, et Biennale de Carrare ; 1959 Paris, où il fit un nouveau séjour ; 1967 symposium de sculpture en marbre à Arandjelovac ; etc.

Il travaille la terre, le plâtre, le bois, le fer, rarement la pierre, le marbre. Dans la suite, il a utilisé le fibreglas, matériau translucide ou polychromé. Ses œuvres s'appuyaient dans un premier temps sur une réalité déformée : *Chemin de croix* de l'église de Sen, *Sportif* à Zagreb. Il s'écarta ensuite de plus en plus de la réalité.

Bibliogr. : Denys Chevalier, in : *Nouveau diction. de la sculpture mod.*, Hazan, Paris, 1970.

KOZEL Hans Eduard

Né le 13 mai 1875 à Vienne. xxe siècle. Actif aux États-Unis. Autrichien.

Peintre, dessinateur, illustrateur.

Il fut, à Paris, élève de l'Académie Julian. Il s'établit ensuite à New York, comme illustrateur de journaux.

KOZELL Mikhaïl

Né en 1911 à Pétersbourg. xxe siècle. Russe.

Peintre de paysages. Postimpressionniste.

Il fit ses études à l'Académie des Beaux-Arts de Leningrad (Institut Répine). Il a une vision poétique des paysages, d'entre lesquels il marque une prédilection pour les paysages typiques de l'hiver et de l'enneigement.

Musées : Saint-Pétersbourg (Mus. Russe).

Ventes Publiques : Paris, 29 nov. 1990 : *Il fait très froid* 1979, h/t (46x62) : **FRF 4 000**.

KOZELUCH Eduard

Né le 18 mai 1840 à Vienne. xixe siècle. Autrichien.

Graveur.

On cite de lui les illustrations de monographies sur les châteaux impériaux.

KOZICZ Ferenc

Né le 2 janvier 1864 à Pétersbourg. Mort le 2 octobre 1900 à Munich. xixe siècle. Allemand.

Peintre, illustrateur.

On lui doit des tableaux historiques et des œuvres illustrant des récits romancés ou légendaires.

Ventes Publiques : Copenhague, 25 avr 1979 : *Paysage*, h/t (68x40) : **DKK 10 500** – Londres, 14 jan. 1981 : *Féerie*, h/t (66x38,5) : **GBP 1 500**.

KOZIK Georg Torsten

Né en 1948 à Hildburghausen. xxe siècle. Allemand.

Peintre, technique mixte, sculpteur. Abstrait.

Il fut élève de l'Académie des Beaux-Arts de Leipzig. En 1992, la galerie Hugieia de Bruges a présenté un ensemble important de ses dessins, peintures, sculptures.

Il dessine et peint sur les supports les plus divers, dans un esprit abstrait-informel évoquant l'action d'une corrosion naturelle. Ses sculptures, constituées de plusieurs éléments distincts, mettent en jeu des notions de dépendance et d'équilibre entre ces éléments.

KOZINA Sandor

Né le 13 mars 1808 à Felso-Sag. Mort le 6 septembre 1873 à Felso-Pulya. xixe siècle. Hongrois.

Peintre.

Après des études à Vienne il voyagea en Italie, séjourna à Paris, puis se fixa aux États-Unis, après un nouveau voyage vers le Mexique il retourna finir ses jours en Hongrie. on lui doit des portraits et des tableaux d'histoire.

KOZLINSKI Vladimir Ivanovitch

Né en 1891 à Cronstadt. Mort en 1967 à Moscou. xxe siècle. Russe.

Peintre de compositions animées, figures, paysages, graveur. Postimpressionniste.

En 1907, il commença sa formation à l'École pour l'Encouragement des Arts à Saint-Pétersbourg, la poursuivit auprès de divers artistes, dont Léon Bakst, puis, de 1911 à 1917, à l'Institut Supérieur d'Art de l'Académie de Saint-Pétersbourg. En 1918, il devint membre de l'Association de l'Union de la Jeunesse. Il a participé à des expositions collectives : en 1909 du groupe Triangle à Saint-Pétersbourg ; 1909-1910 à l'exposition des Impressionnistes à Vilno ; 1912 de la Peinture contemporaine à Ékaterinodar ; 1918 le Paysage Russe à Petrograd ; 1919 Première Exposition Libre à Petrograd ; 1928 exposition pour le dixième anniversaire de la Révolution d'Octobre à Moscou.

Bibliogr. : In : Catalogue de l'exposition *Paris-Moscou*, Centre Beaubourg, Paris, 1979.

Musées : Saint-Pétersbourg (Mus. Russe) : *La Manifestation* 1919, linogravure – *Le Marin* 1919, linogravure.

KOZLOV Engels

Né en 1926 à Troitsko-Petchorskoyé. xxe siècle. Russe.

Peintre de compositions à personnages, portraits, paysages animés, natures mortes.

Il commença ses études à l'École des Beaux-Arts de Yaroslavl, puis fréquenta l'Académie des Beaux-Arts et l'Institut Répine de Leningrad sous la direction de Y. M. Neprintsev. Il était Membre de l'Union des Peintres de l'URSS. Depuis 1956, il a participé à de nombreuses expositions à Leningrad mais aussi en Finlande, Allemagne et au Japon. Son style académique se renforce parfois d'accents post-cézanniens.

Ventes Publiques : Paris, 18 fév. 1991 : *Portrait de Natacha* 1989, h/t (70x60) : **FRF 7 000** ; *Le caricaturiste* 1954, h/t (63x97) : **FRF 10 000**.

KOZLOVSKAIA Marina
Née en 1925 à Leningrad. xxe siècle. Russe.
Peintre de genre, figures, intérieurs, paysages, natures mortes.
Elle fut élève de l'Académie des Beaux-Arts (Institut Répine) de Leningrad, et travailla sous la direction de B. V. Ioganson. Membre de l'Association des Peintres de Leningrad. Elle participe depuis 1948 à de nombreuses expositions nationales à Moscou, Leningrad, Tallin. À Tokyo, entre 1974 et 1980, ses œuvres figurent dans huit expositions collectives de *L'Art Soviétique*.
Elle travaille dans un style et une technique neutres, académiques.
Musées : Moscou (min. de la Culture) – Moscou (Mus. de la Littérature) – Saint-Pétersbourg (Mus. de l'Acad. des Beaux-Arts).
Ventes Publiques : Paris, 11 juin 1990 : *Les lilas* 1956, h/t (48x63) : **FRF 12 500** – Paris, 18 fév. 1991 : *La passerelle*, h/t (60x53) : **FRF 4 500**.

KOZLOVSKY Michel
Né en 1753. Mort en 1802. xviiie siècle. Russe.
Sculpteur.
La Galerie Tretiakov de Moscou, conserve de lui un *Jeune pâtre*, de tradition classique.
Bibliogr. : Catalogue de l'exposition *L'art russe, des Scythes à nos jours*, Grand Palais, Paris, 1967-1968.

KOZLOWSKI Jaroslaw
Né en 1945 à Srem (Poznan). xxe siècle. Polonais.
Artiste technique mixte. Conceptuel.
Il fit ses études à Poznan, diplômé en 1969 de l'école Supérieure d'Arts Plastiques. Enseignant dans cette même École, il fonda la galerie expérimentale *Akumulatory 2* à Poznan. En 1985, il reçut une bourse Daad pour un séjour à Berlin. Il expose à Varsovie, Cracovie, Londres, 1990 Berlin, 1991 Copenhague, 1992 Lyon.
Dans le but d'une approche de la réalité, il pratique un art de réflexion et d'interrogation, à partir de repérages sur images photographiques et de définitions. Dans les années quatre-vingt, il a orienté sa réflexion sur l'histoire du dessin, sa fonction, son exécution, notamment sur les murs des galeries, et sur le statut de l'art, le degré d'illusion de l'art de la représentation.
Bibliogr. : Interview de Jaromir Jedlinski par Anka Ptaszkowska : *Lodz : un musée itinérant, comme un théâtre*, in : Art Press, n° 168, avr. 1992 – in : *Diction. de l'Art mod. et contemp.*, Hazan, Paris, 1992.

KOZMA VON KEZDI-SZENTELEK Erzsebet
Né le 30 mai 1879 à Neumarkt. xxe siècle. Hongrois.
Sculpteur.
Il travailla à Budapest et pour des châteaux de ses environs.

KOZO, pseudonyme de **Inoué Kozo**
Né le 18 juin 1937 à Osaka. xxe siècle. Actif depuis 1961 aussi en France. Japonais.
Peintre, peintre de décorations murales, de lavis, sérigraphe.
À Tokyo, après ses études classiques, il passa un diplôme d'esthétique et histoire de l'art en 1960. Il travaillait en même temps la peinture avec M. Tasaki et commençait à exposer au Salon *I Soui Kai*. Il arriva à Paris en 1960, où il travailla à l'Académie de la Grande Chaumière, dans l'atelier de Busse et Gillet, constituant un groupe avec quelques camarades. Depuis lors, il a figuré dans des expositions collectives, dont : de 1963 à 1968 Salon de Mai de Paris ; 1968 Salon d'Art Japonais au Centre Culturel International de Paris, *Japon* à la Maison des Siècles à Fontainebleau, *Werngroep September* à Hilversum ; 1969 *Arts plastiques du Japon* à Poitiers ; 1970 *International Graphic* en Allemagne, Musée de Chartres, *Japan Art Festival* à Tokyo, Milan, États-Unis ; 1971 Exposition d'Art Contemporain, au Japon, dont il remporta le Prix ; etc. Toutefois, il se manifeste beaucoup plus dans de très nombreuses expositions personnelles, essentiellement de tirages de sérigraphies et quelques-unes de lavis, dont : 1960 Osaka ; 1966 Tokyo ; 1968 Paris ; 1969 Tokyo, Paris ; 1970 Paris, Marseille, Monaco ; 1971 Paris, Belgique, Musée d'Art Contemporain de Kobe ; 1972 Tokyo, Liège, Paris ; 1973 Paris, Musée de Chartres, Tokyo ; 1974 Paris, Tokyo, Rome, Osaka ; 1975 Ostende, Bordeaux ; 1976 Paris, Venise ; 1978 pour la première fois galerie La Hune Paris ; 1982 pour la première fois Artcurial Paris ; 1983 galerie Harmonie d'Orléans, galerie d'art contemporain à Limoges ; galerie J.-M. Cupillard de Grenoble ; etc. Outre estampes et lavis, Kozo a réalisé un grand nombre de décorations murales, d'entre lesquelles : Agence de Publicité Mash Paris, Société Total Paris, Hôtel Méridien Paris et Nice, E.D.F. Menton, Cité scolaire de Montereau, Banque de Dresde à Francfort-sur-le-Main, Centre culturel Senven City à Tokyo, Restaurant Villars Palace Paris, Banque de Dresde Tokyo, Hôpital Bretonneau Tours, Villas présidentielles Bagdad, Daichi Hôtel Nagoya, Hôtel Okura Amsterdam, etc. Kozo a été lauréat de plusieurs Prix : 1969 Grand Prix de Sérigraphie Paris, 1971 Grand Prix du Contemporary Art Exhibition of Japan Tokyo, 1980 mention spéciale du jury au Festival International de Peinture Cagnes-sur-Mer.
Dans sa recherche des constituants de la peinture occidentale, à Paris, après les premières études de nus et de natures mortes, après une incursion dans l'abstraction influencée directement par Busse, après la période des *Ateliers*, Kozo s'aperçut bientôt que l'influence de ses maîtres lui faisait perdre le contact avec sa propre nature et ses racines ethniques et culturelles. S'isolant alors, de 1962 à 1965, dans son atelier parisien, il y entreprit un dialogue austère avec quelques objets simples sur lesquels il observait le cheminement de la lumière, tendant à la spiritualité d'un graphisme synthétique et aigu, sur lequel agissait sans doute l'immédiat voisinage des frères Giacometti, puis l'amitié d'André Marfaing qui l'initia à la gravure, l'encouragement cordial du sculpteur César. Au bout de ce cheminement, dans un premier temps, il en tira la conclusion qu'il pouvait se passer de la représentation de la réalité sans que son expression en fût amoindrie, renouant avec la sévère économie des moyens de l'Extrême-Orient, dans un registre plastique de formes tendues, pleines et monolithiques, où s'égarait déjà parfois gaiement l'évocation d'une foliole printanière, matérialisées en quelques aplats de couleurs proches, particulièrement aptes à la sérigraphie. Ce fut peu ensuite, autour de 1968, que, d'une part, il adopta la sérigraphie comme moyen d'expression privilégié, et que, d'autre part, il revint, sans doute définitivement, à la figuration, à une figuration heureuse de la nature au quotidien : la fleur, le roseau ou bambou, les légumes familiers, la branche et la feuille dans le vent, le clapot sur la rivière, le retour des saisons, sont désormais les thèmes simples dont il développe les infinies variations. Toute son expression se fonde sur le constat très Zen que la rareté, ici l'économie de la forme et de la couleur, exalte la beauté : « Dans les cathédrales, l'accumulation de beaucoup de choses parvient à exprimer une seule chose. Chez nous, à travers une seule chose, nous tâchons d'exprimer beaucoup de choses... On montre une seule chose, et, le reste, on le laisse imaginer à celui qui regarde ». Outre les tirages d'estampes qui ont fait connaître à travers le monde le sens poétique de Kozo et son incomparable technique sérigraphique en savants dégradés entrecroisés, il réalise régulièrement, en été dans sa maison au bord du Lot, des séries de lavis sur les thèmes des feuillages à contre-jour et des reflets du soleil sur la rivière, pour lesquels il retrouve et renouvelle la technique traditionnelle du *Suiboku-Ga*, de la peinture à l'encre de Chine. Même s'il y a adapté quelques tours de sa technique sérigraphique, Kozo n'a jamais abandonné la peinture, dont il réserve la pratique aux très nombreuses animations murales qui lui sont demandées, en France, au Japon, en Allemagne, aux États-Unis. Avec ces environnements muraux de grandes dimensions dans des lieux publics, il trouve un contact direct avec ceux qui y vivent ou qui y passent, pour leur apporter jusque sur leurs lieux de travail ou de détente, le reflet de son propre regard. Pour chaque commande, il se soucie de connaître et de respecter le site naturel, l'espace architectural, et surtout le type psycho-sociologique des usagers. À l'inverse des grands solitaires qu'il respecte, il assume pleinement les servitudes du principe de la commande : il conçoit ses créations en fonction des conditions circonstantielles, « en professionnel ». Pour Kozo, la communication n'est pas à sens unique. Sa conception personnelle de l'art est qu'il permet à l'artiste de trouver sa vérité dans l'harmonie et de la communiquer aux autres pour les éveiller au merveilleux de la vie.

■ Jacques Busse

Bibliogr. : *Kozo Inoué*, Nouvelles Images, Paris, 1969 – Kozo, divers : *L'Été 81*, Paris, 1981, avec autobiographie – Bernard Gheerbrant, Shun Eto : *Kozo. lavis*, Traces, Paris, 1983, bonne documentation – divers : *The Works of Kozo*, Abe, Japon, 1989.
Musées : Berlin (Mus. Nat.) – Bruxelles (Bibl. roy.) – Calcutta (Mus. d'Art Mod.) – Chartres – Osaka – Ostende – Paris (Mus. d'Art Mod. de la Ville) – Paris (Mus. Carnavalet) – Paris (BN).

KOZTOVSKI Jan
xviiie siècle. Polonais.
Peintre.
En 1780, il décora l'église à Broza.

KOZUBEK
XIXe siècle. Polonais.
Sculpteur.
Sculpteur romantique.

KOZURU Koichi
Né le 4 mai 1948 à Fukuoka. XXe siècle. Japonais.
Peintre. Abstrait-géométrique.
En 1972, il fut diplômé de l'École Supérieure des Beaux-Arts de Musashino à Tokyo. De 1974 à 1978, il fut élève de l'École des Beaux-Arts de Paris. Depuis 1982, il participe à des expositions collectives, en France et notamment à Paris aux Salons de la Société Nationale des Beaux-Arts, Comparaisons, d'Automne, Grands et Jeunes d'Aujourd'hui, des Réalités Nouvelles ; en 1983 avec le *Groupe 13* à Toulouse, à l'exposition *Arte Concreta* à Cesena ; 1984 *Aspects de l'art programmé* à Brescia, et *Groupe 13* à Paris ; 1985 *Jeune Japon* à Lyon ; *Groupe 13* à Tokyo ; dans plusieurs pays d'Europe, aux États-Unis ; etc. Il se manifeste aussi dans des expositions personnelles : 1980 à Tokyo et au Musée de Fukuoka ; 1981 à Brescia ; 1983 Milan ; 1985 au Mée (Seine-et-Marne).

KRAAHT Constantin
Né le 22 avril 1868 à Moscou. XIXe-XXe siècles. Russe.
Sculpteur.
Il exposa à partir de 1905 au Salon d'Automne et depuis cette époque vécut à Paris.

KRABACHER Franz Anton
Né le 10 juin 1759 à Donzdorf. Mort le 4 décembre 1811 à Gmünd. XVIIIe-XIXe siècles. Allemand.
Peintre, dessinateur.
Le Musée de Gmünd (Wurtemberg) possède plusieurs portraits de cet artiste.

KRABANSKY Gustave
Né à Roubaix. XIXe siècle. Actif de 1876 à 1897. Français.
Peintre de genre, portraits.
Il débuta au Salon de Paris en 1876.
Ventes Publiques : New York, 28 fév. 1990 : *Brodeuses*, h/pan. (32x41) : **USD 10 450**.

KRABBE Hendrik Maarten
Né le 4 mai 1868 à Amsterdam. Mort en 1931. XIXe-XXe siècles. Hollandais.
Peintre de genre, aquarelliste, graveur.
Il fut élève de August Allebé et de l'Académie des Beaux-Arts d'Amsterdam. Il obtint une médaille de bronze à l'Exposition Universelle de Paris en 1900, et figura à la grande Exposition de Bruxelles de 1910.
Ventes Publiques : Amsterdam, 24 avr 1979 : *Scène d'intérieur*, h/t (57x43) : **NLG 3 800** – Amsterdam, 5-6 fév. 1991 : *Paysanne dans une cuisine préparant le café*, h/t (92,5x69) : **NLG 2 760** – Amsterdam, 5-6 nov. 1991 : *Le centre d'attraction*, aquar. (62,5x48,5) : **NLG 2 645** – Amsterdam, 20 avr. 1993 : *Mère et enfant dans un intérieur*, h/pan. (40x27) : **NLG 3 450** – Amsterdam, 11 avr. 1995 : *Les deux sœurs*, h/t (79x60) : **NLG 3 540** – Amsterdam, 16 avr. 1996 : *Fillette de Volendam avec son chat*, h/t (51x41) : **NLG 4 012** – Amsterdam, 27 oct. 1997 : *Enfants jouant avec des chatons*, aquar. (42,5x31) : **NLG 4 956**.

KRABBES Karl Hermann
Né le 17 mai 1840 à Leipzig. Mort le 30 mai 1920 à Karlsruhe. XIXe-XXe siècles. Allemand.
Peintre de paysages, d'architectures, aquarelliste.
Il fit ses premières études à Munich, revint dans sa ville natale en 1867 et devint élève de Karl Werner. En 1870 il est à Vienne élève de Zimmermann. A partir de 1871 il habita de nouveau Leipzig. Il poussa ses voyages d'études à travers le Tyrol, l'Italie et la Tunisie. Il fut médaillé à Berlin en 1888. Le Musée de Leipzig conserve de lui : *Jardin de la Villa d'Este à Tivoli* et *Intérieur de Saint-Marc de Venise* (aquarelles).
Ventes Publiques : Amsterdam, 31 oct 1979 : *Les Bulles de savon*, h/pan. (21,5x30,5) : **NLG 5 000** – Cologne, 27 mars 1987 : *Soir d'été* 1870, h/t (56x69) : **DEM 5 000**.

KRABBES Katharina
Née le 27 décembre 1881 à Dresde. XXe siècle. Allemande.
Peintre de paysages, graveur.
Elle fit ses études à Dresde et à Weimar, et revint s'établir à Dresde.

KRABETH. Voir **CRABETH** et **CRABBE**

KRACHBELZ Johann Peter
Baptisé à Biel le 24 septembre 1743. Mort le 1er février 1811 à Colombier. XVIIIe-XIXe siècles. Suisse.
Graveur en taille-douce.
Il se maria en 1766.

KRACHT Yvonne
Née en 1931 à Rotterdam. XXe siècle. Hollandaise.
Sculpteur, graveur. Abstrait-géométrique.
Elle fut élève des Académies des Beaux-Arts de La Haye et d'Anvers. En 1972, elle a participé à la Biennale de Cracovie. Elle se manifeste aussi dans des expositions personnelles : 1968 Amsterdam, 1969 La Haye, 1971 Amsterdam.
Ses sculptures sont fondées sur des variations géométriques.

KRACKER
XVIIIe siècle. Actif à Prague. Éc. de Bohême.
Peintre d'histoire.
Le Musée de Budapest conserve de lui une *Sainte Cène*.

KRACKER Johann
Né le 20 octobre 1823 à Nuremberg. Mort le 5 septembre 1879 près de Munich. XIXe siècle. Allemand.
Graveur.
La reine Victoria lui donna une médaille d'or en 1873.

KRACKER Johann Lucas
Né le 3 mars 1717. Mort le 1er décembre 1779 à Erlau. XVIIIe siècle. Tchécoslovaque.
Peintre.
Né en Bohême, il travailla d'abord dans la région de Prague, puis voyagea en Hongrie et en Autriche. Il fut surtout un décorateur d'églises.

KRACKER Tobias
XVIIe siècle. Actif à Vienne. Autrichien.
Sculpteur.
Il travailla pour des églises et des abbayes viennoises.

KRACZYNA Swietlan
Né en 1940. XXe siècle. Polonais.
Peintre, graveur, dessinateur. Expressionniste.
D'abord réfugié en Allemagne, il fit ensuite ses études aux États-Unis, puis, depuis 1964, il a vécu à Florence. Aux États-Unis, il a exposé en 1962 et 1964, à Florence depuis 1966. En 1968 et 1969, il a aussi exposé à New York.
Sa peinture est surtout la retranscription de rêves violents et tourmentés.

KRAEK Jan ou **Kartorus, Carrach, Carracka**, appelé aussi **Giovanni Caragua** ou **Isidor Caracca**
Mort en 1607 à Turin. XVIe-XVIIe siècles. Hollandais.
Peintre.
En 1568, peintre de la cour du duc Emmanuel-Philibert de Savoie, puis de Charles-Emmanuel ; il eut pour élève H. Cornelissen Vroom à Turin. Ses œuvres sont probablement au Musée de Chambéry. Il était le beau-père de Frederick Zustris.

KRAEN Adrien J. Voir **CRAEN**

KRAËR Charles François Valentin
Né en 1822 à Milan, d'origine allemande. Mort le 4 septembre 1878 à Lausanne. XIXe siècle. Suisse.
Peintre de paysages et d'intérieurs d'églises.
Élève de l'Académie de Venise, plus tard professeur de dessin à Lausanne. A pris part à l'Exposition de la Société des Beaux-Arts, à Zurich, en 1850.

KRAER Johann Georg
Mort vers 1772 à Ratisbonne. XVIIIe siècle. Actif à Ratisbonne. Allemand.
Peintre, graveur.
On connaît plusieurs paysages de cet artiste, certains avec un troupeau.

KRAEY Jan ou **Kray**
Né le 21 mars 1730 à Hoorn. Mort le 1er avril 1806. XVIIIe siècle. Hollandais.
Peintre.
Élève de Anthony Hengstenburg à Hoorn. Il peignit des fleurs et des insectes.

KRAFFT
Né en 1800 à Holstein. Mort en 1836. XIXe siècle. Allemand.
Peintre d'histoire, de genre.

KRAFFT Adam
Né vers 1460 à Nuremberg. Mort sans doute en décembre 1508. XVe-XVIe siècles. Allemand.
Sculpteur de compositions religieuses, figures.
Cet artiste au talent vigoureux, d'inspiration réaliste fut l'un des fondateurs de l'école de Nuremberg. L'église Saint-Sebald à Nuremberg possède de lui le célèbre *Tombeau de la famille Schreyer*, d'un naturalisme cruel et émouvant. Ce tombeau est orné de quatre bas-reliefs qui reproduisent une peinture ; c'est la raison pour laquelle ils présentent des similitudes avec l'art de Rogier Van der Weyden, de Bouts, Schongauer, et ont un caractère maladroit dans la représentation des fonds de paysage. On cite encore de lui le *Tabernacle du Saint-Sacrement* à l'église Saint-Laurent, dont il a dû créer également l'architecture ; le *Chemin de croix* du cimetière Saint-Jean, qui montre un art épuré. On lui doit aussi plusieurs *Vierges* dont la grâce détonne au sein d'une œuvre généralement rude. Après sa mort nombre d'élèves imitèrent sa technique et répandirent son style à travers l'Allemagne.

KRAFFT Adam
Suédois.
Peintre d'histoire, compositions religieuses.
Musées : Stockholm : *La Vierge au pied de la Croix – Madeleine – Tête de femme – Saint Jean.*

KRAFFT Barbara, née **Steiner**
Née le 1er avril 1764 à Iglau. Morte le 28 septembre 1825 à Bamberg. XVIIIe-XIXe siècles. Autrichienne.
Peintre d'histoire, de portraits, de genre.
Fille et élève de Johann Nep Steiner, elle travailla successivement à Prague, Salzbourg, Bamberg. Elle fut membre de l'Académie de Vienne. On cite d'elle, outre les portraits des empereurs d'Autriche Joseph II, Léopold II, François II, un tableau d'autel dans l'église d'Oweneez près Prague.
Ventes Publiques : Amsterdam, 18 juin 1997 : *Portrait d'un garçon, de trois quarts, assis, portant une veste marron clair, un bonnet en dentelles et un chapeau noir et, tenant un lapin sur ses genoux*, h/t (60x48) : **NLG 21 910**.

KRAFFT Carl
Né le 15 février 1875 à Schleswig. XXe siècle. Allemand.
Peintre de paysages, marines.
Il fit ses études à Kassel et Berlin, où il s'établit.
Il a peint des vues du port de Hambourg et de la campagne de Thuringe.

KRAFFT Carl R.
Né le 23 août 1884 à Reading (Oklahoma). Mort en 1938. XXe siècle. Américain.
Peintre de paysages.
Il fut élève de l'Institut d'Art de Chicago. En 1921, il obtint une médaille d'argent de la Société des Artistes de Chicago. Il obtint d'autres nombreuses distinctions.
Ventes Publiques : Los Angeles, 8 nov. 1977 : *Paysage* 1921, h/t (71,2x76,2) : **USD 1 800** – New York, 21 nov. 1980 : *Paysage de neige ensoleillé* 1935, h/t (61,6x68,6) : **USD 1 600** – San Francisco, 21 juin 1984 : *Le dernier changement* 1936, h/t (76x102) : **USD 3 250** – New York, 15 mars 1986 : *Coucher de soleil* 1927, h/t (101,2x129) : **USD 2 500** – New York, 14 fév. 1990 : *Ombres bleues*, h/t (51x61) : **USD 4 620** – New York, 10 juin 1992 : *Chariot traversant un ruisseau*, h/t (61x68,9) : **USD 2 640** – New York, 12 sep. 1994 : *Paysage*, h/t (61,6x68,6) : **USD 920**.

KRAFFT Christoph
XVIIe siècle. Actif dans la région de la Forêt Noire vers 1650. Allemand.
Peintre.
Il peignit des tableaux religieux et travaillait dans des églises et des monastères de la région de Gmünd, d'Oberndorf, de Saint-Blasien.

KRAFFT David von
Né en 1655 à Hambourg. Mort le 20 septembre 1724 à Stockholm. XVIIe-XVIIIe siècles. Suédois.
Peintre de portraits, miniaturiste.
Ayant peint le portrait de Charles XII à Luno en 1716 sur l'ordre de la sœur du monarque, depuis la reine Ulrica Eleonora, le souverain fut si mécontent de voir son effigie qu'il coupa le visage d'un coup de canif. L'artiste a consigné le fait sur la toile même. Cette œuvre a été gravée à différentes reprises.
Musées : Helsinki : *Charles XII* – Stockholm : *Le comte Adam Lewenhaupt*, miniat. – *Fréderic IV de Holstein-Gottorp* – Versailles : *Charles XII de Suède.*
Ventes Publiques : Londres, 12 nov. 1941 : *Charles XII, roi de Suède* : **GBP 120** – Stockholm, 22 avr. 1986 : *Portrait de Charles XII*, h/t, de forme ovale (80x67) : **SEK 90 000** – Stockholm, 14 nov. 1990 : *Portrait de la Reine Eleonora assise devant une draperie rouge*, h/t (146x120) : **SEK 40 000** – Stockholm, 10-12 mai 1993 : *Portrait de Charles XII en buste portant un manteau bordé de fourrure sur un plastron d'armure*, h/t (82x63) : **SEK 21 000**.

KRAFFT Emil
XIXe siècle. Actif à Berlin. Allemand.
Peintre, lithographe.
On lui doit surtout des copies entre autres d'après le Corrège et Raphaël.

KRAFFT Finn Carl Tresckow
Né le 9 mai 1895 à Oslo. XXe siècle. Norvégien.
Peintre de décorations murales.
Au lendemain de la première guerre mondiale, il exécuta de grandes peintures murales dans des restaurants et des demeures privées d'Oslo.

KRAFFT Gustav
Né le 21 janvier 1861 à Strasbourg. XIXe siècle. Français.
Peintre de paysages.
Le Musée de Strasbourg conserve de lui *Aix-les-Bains* et *Le Lac du Bourget*. Il est plus connu comme architecte.
Ventes Publiques : Paris, 15 mai 1933 : *Vue de Riquewihr*, aquar. : **FRF 285** ; *Strasbourg, vue de la cathédrale*, aquar. : **FRF 260**.

KRAFFT Hélène
Née le 27 décembre 1867 à Aigle. XIXe siècle. Suisse.
Pastelliste, aquarelliste.
Diaconesse de Saint-Loup. Élève de B. Menn et de Th. Bischoff. A exposé à Lausanne en 1893 et 1894.

KRAFFT Jan Lodewyk ou **Lauwryn** ou **Louis** ou **Kraft**
Né le 10 novembre 1694 à Bruxelles. Mort après 1762. XVIIIe siècle. Éc. flamande.
Dessinateur, graveur, aquafortiste.
On cite de lui : *Schat der Fabels, Job sur le fumier*, d'après Rubens, *Christ et Nicodème*, d'après Rubens, *Christ donne la clef à Pierre*, d'après Rubens, *Saint Martin partageant son manteau*, d'après Van Dyck, *Danaé*, d'après Rubens, *Vénus et Amour*, d'après Rubens, *Le gardeur de chèvres*, d'après Teniers, *Homme et dame avec un paysan devant sa hutte* (pendant), *Le naufrage*, d'après Teniers, *Première et seconde vues en Flandre*, d'après Teniers, *Paysage avec le berger conduisant un homme et une femme*, d'après Teniers, *Les membres de la maison d'Autriche*.
Ventes Publiques : Versailles, 23 juil. 1980 : *Les joueurs autour du tonneau*, h/bois (21,5x29) : **FRF 18 000**.

KRAFFT Jean-Jacques
Né le 6 septembre 1910 à Paris. XXe siècle. Français.
Sculpteur de sujets religieux.
Autodidacte. Il expose à Paris, de 1941 à 1960 au Salon des Indépendants, depuis 1943 au Salon des Artistes Français, dont il a reçu une médaille d'or.

KRAFFT Johann August
Né en 1792 à Vienne. XIXe siècle. Autrichien.
Peintre, lithographe.
Il séjourna à Bamberg et à Munich. On lui doit surtout des œuvres s'inspirant de sujets religieux et historiques.

KRAFFT Johann August
Né le 28 avril 1798 à Altona. Mort le 19 décembre 1829 à Rome. XIXe siècle. Allemand.
Peintre de genre.
Il était de famille riche et d'une santé délicate. Le phrénologiste Gall prédit qu'il deviendrait un homme remarquable. Il commença ses études à Hambourg, travailla ensuite à l'Académie de Copenhague, à Dresde, avec Harhmann à Munich, puis à Vienne et voyagea ensuite en Hongrie. En 1826 il était à Rome et se plut à traduire la vie du peuple. Ce fut un habile peintre de l'enfance. Il peignit surtout des scènes populaires. On cite notamment de lui *Le Carnaval de Rome*, au Musée Thorwaldsen, dont il fit lui-même la gravure.
Musées : Copenhague : *Le mendiant – Même sujet – Scène de rue – Prêtre entouré d'enfants – Jeune Italien.*

KRAFFT Johann Peter
Né le 15 septembre 1780 à Hanau-sur-le-Main. Mort le 28 octobre 1856 à Vienne. XIXe siècle. Autrichien.
Peintre d'histoire, scènes de genre, portraits, paysages, compositions murales, graveur à l'eau-forte.

Élève de l'Académie des Beaux-Arts de Vienne, il alla ensuite étudier à Paris, où il eut Gérard et David pour maîtres. De retour à Vienne en 1805, il voyagea en Italie. Membre de l'Académie des Beaux-Arts de Vienne en 1813 et 1815, il y fut nommé, en 1823, professeur et, en 1828, directeur de la Galerie impériale du Belvédère.
Il a souvent représenté des épisodes de la guerre napoléonienne. Entre 1826 et 1833, il a décoré de peintures murales, faites à l'encaustique, la salle de la Hofburg à Vienne, retraçant les *Épisodes de la vie de l'empereur François*. Il a gravé des sujets de genre.

Bibliogr. : In : *Diction. de la peint. allemande et d'Europe centrale*, coll. Essentiels, Larousse, Paris, 1990.
Musées : Chantilly : *La princesse de Salerne à 17 ans* – Vienne (Österr. Gal.) : *L'adieu du soldat* – *Le retour du soldat* – *Arnidal et Daura* – *Sortie de Niklas Zriny à la défense du fort Szigetti, 1566* – *Baptême de Clorinde* 1810.

KRAFFT Joseph
Né en 1787 à Hanau (Hesse). Mort le 23 juin 1828 à Neustiff. XIXe siècle. Allemand.
Peintre de portraits, miniaturiste, peintre sur émaux.
Il est le frère de Johann Peter Krafft. Il fit des miniatures sur ivoire. Il exécuta les portraits de plusieurs souverains et grands personnages de la cour d'Autriche.
Ventes Publiques : Lokeren, 21 mars 1992 : *Vieille femme*, temp./ivoire (ovale 12x9) : **BEF 44 000**.

KRAFFT Karl Rudolph
Né en 1884. Mort en 1938. XXe siècle. Allemand.
Peintre de genre, graveur.
Il était actif à Charlottenburg. Il a pris part à l'Exposition de Berlin de 1909.
Ventes Publiques : San Francisco, 3 oct. 1981 : *The Cliffs at mornang, Ozarks*, h/t (71x76) : **USD 5 500**.

KRAFFT Laurence
Née à Neuilly. XIXe siècle. Française.
Peintre de paysages.
Élève de Mme Flocon et de Feyen-Perrin et Krug. Débuta au Salon en 1881.

KRAFFT Maria, plus tard Mme **Troll**
Née le 23 janvier 1812 à Vienne. Morte le 7 septembre 1885 à Villach. XIXe siècle. Autrichienne.
Peintre de portraits, paysages.
Élève de son père Peter Johann Krafft pour le portrait et de Thomas Ender pour le paysage. Son œuvre se compose surtout de portraits. Elle peignait surtout à la miniature.

KRAFFT Marie-Hélène
Née le 4 janvier 1926 à Paris. XXe siècle. Française.
Peintre de paysages, fleurs.
De 1948 à 1953, elle fut élève de l'Académie Julian à Paris, où elle expose aux Salons d'Automne et des Indépendants.

KRAFFT Per, l'Ancien, dit **le Suédois**
Né le 16 janvier 1724 à Arboga. Mort le 7 novembre 1793 à Stockholm. XVIIIe siècle. Suédois.
Peintre de portraits.
Il fut professeur des Beaux-Arts de Stockholm. Pendant son séjour à la cour royale de Pologne, il fit plusieurs portraits qui firent partie de la galerie du roi Stanislas Auguste. On cite parmi ses œuvres principales : *Princesse Marie-Thérèse Poniatovska, Princesse Isabelle Loubomirska, Princesse Isabelle Craztoryska, Comte Ignace Kracieki*.
Musées : Stockholm : *Mme E. Ahlgren* – *Wilhelmine, petite-fille du peintre* – *Gustave-Adolphe IV, adolescent*.
Ventes Publiques : Paris, 31 mai 1919 : *Portrait de femme* : **FRF 2 020** – Göteborg, 3 nov. 1982 : *Portrait de Katarina von Stockenstrom* 1770, h/t, de forme ovale (63x53) : **SEK 35 000** – Stockholm, 30 oct. 1984 : *Portrait de Claes Alstromer ; Portrait de Sara Alstromer née Sahlgren*, h/t, une paire de forme ovale (68x53) : **SEK 29 000** – Stockholm, 22 avr. 1986 : *Portrait d'homme* 1791, h/t, de forme ovale (71x59) : **SEK 23 000**.

KRAFFT Per, le Jeune
Né le 11 février 1777 à Stockholm. Mort le 11 décembre 1863 à Stockholm. XIXe siècle. Suédois.
Peintre d'histoire, batailles, portraits.
Élève de David, il subit mal l'influence de son maître, et sa manière s'en trouva desséchée. Il résida à Paris de 1796 à 1806. Quand il revint en Suède, il peignit des tableaux de batailles. Il exécuta, en 1828, une série de peintures représentant le couronnement du roi en 1818.
Musées : Stockholm : *Portrait de jeune homme*.
Ventes Publiques : Copenhague, 8 mai 1973 : *Portrait d'Axel Pontus von Rosen* : **DKK 6 000** – Stockholm, 14 nov. 1990 : *Portrait du Conseiller Anders Rejmers en buste*, h/t (72x62) : **SEK 8 500**.

KRAFFT Peter von
Né le 18 septembre 1861 à Düsseldorf. XIXe siècle. Allemand.
Peintre de genre, de marines, aquarelliste, dessinateur.
On lui doit la décoration du plafond du Théâtre municipal de Düsseldorf.

KRAFFT Wilhelm
XIXe siècle. Actif à Berlin vers 1836. Allemand.
Peintre de genre, de portraits.
Élève de l'Académie de Düsseldorf.

KRAFFT Wilhelmina, pseudonyme **Noreus**
Née en 1778 à Stockholm. Morte en 1828 à Norrköping. XIXe siècle. Suédoise.
Miniaturiste.
Fille de Per l'Ancien, elle travailla plutôt dans la manière de Bossi et de Bolinder.

KRAFT. Voir aussi **KRAFFT**

KRAFT Frederick Carl Julius ou **Krafft**
Né le 8 octobre 1823 à Copenhague. Mort le 25 octobre 1854 à Copenhague. XIXe siècle. Danois.
Peintre de paysages. Néoclassique.
Plusieurs de ses œuvres ont été présentées à l'exposition *Chefs-d'œuvre du Belvédère de Vienne* qui a eu lieu en 1994 au musée Marmottan à Paris.
Il appartient aux peintres Biedermeier viennois.
Musées : Copenhague : *Paysage* – Vienne (Mus. du Belvédère).
Ventes Publiques : Copenhague, 6 déc. 1990 : *Septembre dans la région de Dyrehaveplainen avec vue de Hveen* 1849, h/t (65x91) : **DKK 19 000** – Copenhague, 6 mars 1991 : *Panorama depuis Gerano* 1855, h/t (54x75) : **DKK 22 000** – Londres, 17 mai 1991 : *Gerano*, h/t (54x75) : **GBP 6 380** – Copenhague, 10 fév. 1993 : *Journée de septembre à Dyrehaveplainen avec vue de Hveen* 1849, h/t (65x91) : **DKK 21 000**.

KRAFT Joseph et **Martin**
XVIIe siècle. Actifs à Lucerne entre 1600 et 1610. Suisses.
Peintres sur verre.

KRAFT Tymon ou **Tyman Arentsz** ou **Craft**
Né à Worner ou Wormer. Mort à La Haye. XVIIe siècle. Hollandais.
Peintre d'histoire.
Vécut à Rome au service du pape pendant huit ans. Fut reçu en 1631 dans la corporation de Saint-Luc.

KRÄGEN G. C.
Né en 1784. Mort en 1839. XIXe siècle. Allemand.
Peintre, graveur.
Il vécut et travailla à Dessau. On lui doit des paysages, des scènes de chasse et des vues de Dessau.

KRAGER G. C.
Né en 1824. XIXe siècle. Allemand.
Peintre de paysages.
Le Musée de Hanovre conserve une toile de lui.

KRAGH Johannes
Né le 9 mai 1870 à Bisserup. Mort en 1946. XIXe-XXe siècles. Danois.
Peintre de figures, portraits.
Il a exposé à Paris, à l'occasion de l'Exposition Universelle de 1900, y remportant une mention honorable.
Ventes Publiques : Amsterdam, 5-6 nov. 1991 : *Jeux d'enfants* 1912, h/t (81x133) : **NLG 8 050**.

KRAGH-JACOBSEN Bamse
XXe siècle. Danois.
Peintre de compositions animées. Expressionniste.
Il était membre du groupe Linien, avec Blask, Albert Mertz, R. Winther, duquel découla le groupe Hellesten pendant les années de guerre, et d'où est issu Asger Jorn, qui en fut l'un des animateurs, avant d'être un des cofondateurs de COBRA.
Du temps de Linien, les peintres danois qui composaient le

groupe se référaient plutôt aux avant-gardes françaises, les allemandes et russes étant alors dispersées à travers le monde.
Ventes Publiques : Copenhague, 21-22 mars 1990 : *Composition* 1946, h/t (86x75) : **DKK 4 000.**

KRAGULY Radovan
Né en 1935. xxe siècle. Yougoslave.
Peintre. Abstrait.
En 1989, le Musée d'Art Moderne de la Ville de Paris a montré un ensemble de ses peintures.
Il pratique une abstraction qu'on peut dire de synthétisation. En effet, après avoir épuisé le thème du lapin à la fin des années soixante-dix, il a traité celui de la vache normande noire et blanche, en se supposant devant tout un troupeau de cette sorte, et en en déduisant la synthèse abstraite dans des peintures composées de taches noires et blanches.
Ventes Publiques : Lokeren, 21 mars 1992 : *Lapin* 1979, cr. (65x50) : **BEF 26 000.**

KRAHE Lambert
Né le 15 mars 1712 à Düsseldorf. Mort le 11 février 1790 à Düsseldorf. xviiie siècle. Allemand.
Peintre d'histoire, graveur.
Élève de Subleyras et de Benefiali. Ce fut surtout par l'étude de Raphaël et de Carraci qu'il forma son style. Il était venu en Italie à la suite du comte de Plettenberg, mais la mort subite de son patron le laissa sans ressources. Il trouva des travaux et fut dans la suite professeur à l'Académie de Saint-Luc à Rome, puis à l'Académie de Florence. La protection du cardinal Valentin lui valut le poste de directeur de l'Académie de Düsseldorf. Il aida puissamment à la fondation du Musée de cette ville, dont plus tard il fut nommé conservateur. On lui doit notamment la première des frises de la Bibliothèque de Mannheim.

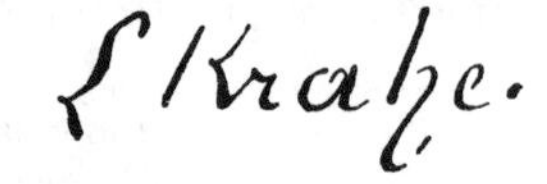

KRAHE Peter Joseph
Né le 8 avril 1758 à Mannheim. Mort le 7 octobre 1840 à Brunswick. xviiie-xixe siècles. Allemand.
Peintre, architecte.
Il fut nommé professeur de perspective à l'Académie de Düsseldorf en 1780.

KRAICOVA Viera
Née le 5 juillet 1920 à Modre. xxe siècle. Tchécoslovaque.
Peintre. Abstrait.
De 1940 à 1944, elle fit ses études à Bratislava, puis, de 1945 à 1950, fut élève de l'Académie des Beaux-Arts de Prague. Depuis 1959, elle expose surtout à Bratislava, où elle réside, ainsi qu'à Prague.
Sa peinture, abstraite, se réfère à Miro par sa spontanéité gaie.
Bibliogr. : In : Catalogue de l'exposition *50 ans de peinture tchécoslovaque 1918-1968*, Musées tchécoslovaques, 1968.

KRAIEWSKI Damian
xixe-xxe siècles. Actif à Cracovie. Polonais.
Peintre.
Il travailla et exposa aussi à Munich.

KRAIN Willibad
Né le 11 décembre 1886 à Breslau. xxe siècle. Allemand.
Peintre, dessinateur. Symboliste.
Il fut élève de l'Académie des Beaux-Arts de Munich.

KRAITOR Ivan
Né à la fin du xixe siècle en Russie. xixe siècle. Travaille à Paris. Russe.
Peintre, restaurateur de tableaux.

KRAJCBERG Frans
Né le 12 avril 1921 à Kozienice. xxe siècle. Depuis 1948 actif, puis naturalisé au Brésil. Polonais.
Peintre, sculpteur, photographe.
De 1940 à 1941, il fréquenta l'École des Beaux-Arts de Vitebsk, puis celle de Leningrad, faisant parallèlement des études d'ingénieur. En 1945, alors que sa famille, en tant que juive, avait été éliminée en camps de concentration, il fuit son pays pour l'Allemagne, où il fréquenta, alors en peinture, l'Académie des Beaux-Arts de Stuttgart de 1945 à 1947, rencontra Baumeister, découvrit le Bauhaus et les grands mouvements de l'art moderne. Il se rendit au Brésil en 1948, où il travailla avec Mario Zanini, Volpi, et Cordeiro qui sera l'un des fondateurs du concrétisme en 1952. En 1958, il vint à Paris, rencontra Chagall, Braque, Sonia Delaunay, Dubuffet, Giacometti, et fréquenta les Nouveaux Réalistes, en particulier le critique Pierre Restany, avec qui il voyagera par la suite en Amazonie et qui réalisera le *Manifeste du Naturalisme intégral ou Manifeste du Rio Grande*. En 1964, non entièrement réconcilié avec l'espère humaine, il retourna au Brésil, partageant son temps entre ses expositions à travers le monde et la maison qu'il s'est construite, dans sa recherche de communion avec la nature, dans un arbre géant, au sud de Bahia.
Il participe à des expositions collectives depuis 1950 : de 1951 à 1954 Salon d'Art moderne de São Paulo ; depuis 1952 régulièrement à la Biennale de São Paulo, dont il obtint le Premier Prix de Sculpture en 1957 ; de 1961 à 1968 Salon Comparaisons à Paris ; 1964 Biennale de Venise ; depuis 1962 aux expositions consacrées aux artistes d'Amérique latine au musée national d'Art moderne de Paris ; 1969 *Art et matière* à Montréal et Salon de Mai à Paris ; 1976 musée d'Art et d'Industrie de Saint-Étienne ; 1983 à la FIAC (Foire Internationale d'Art Contemporain) ; 1992 Kunsthaus de Zurich. Il montre ses œuvres dans de nombreuses expositions personnelles : 1952 musée d'Art moderne de São Paulo ; 1960, 1962 à Paris ; 1965, 1974, 1984, 1992 musée d'Art moderne de Rio ; 1969 musée de Jérusalem ; 1975 Centre national d'Art contemporain à Paris ; 1992 musée d'Art moderne de Salvador de Bahia ; 1996 Grande Halle de la Villette à Paris.
Après des débuts figuratifs expressionnistes en peinture, peut-être influencés par Chagall, de 1952 à 1956 au contact de la forêt brésilienne, il fut un des peintres latino-américains à évoluer à une abstraction-lyrique, alors que la plupart avaient opté pour une des voies de l'abstraction géométrique. Puis, il évolua, dans l'esprit des Nouveaux Réalistes fédérés par Pierre Restany, passant à un stade d'appropriation du réel en lieu de sa représentation, réalisant, en 1958, ses premières empreintes directes de bois, feuilles, par compression sur papier humidifié. À Ibiza, l'année suivante, il fait ses premiers tableaux de pierre et premiers tableaux de terre, et, en 1964, ses premières sculptures à partir de bois morts ramassés. Dès lors, tout un travail à partir du bois se développe, en accord avec un souci écologique : assemblages de bois naturels avec les *Muraux monochromes à ombres découpées*, de 1967 à 1982, *Bois polis* 1972, les *Bois brûlés* à partir de 1987. Puisant ses sources de création dans la forêt, sur les plages, il crée inlassablement des œuvres voulant montrer toutes les possibilités qu'offre la nature, mais aussi la menace de destruction que l'homme fait peser sur elle. Lors de son exposition de 1996 à Paris, dans le cadre de la manifestation « pour l'environnement Villette-Amazone », il a installé dans la Grande Halle de la Villette, cent quarante sculptures monumentales, sortes de totems faits de troncs de palmiers, de palmes géantes dressées, de lianes tordues et calcinées, ensemble représentatif et synthétique de ses diverses productions à partir du bois, dans leurs dimensions symboliques de splendeur et de mort, qu'il illustre aussi par son travail de photographe. ■ J. B.
Bibliogr. : Denys Chevalier, in : *Nouveau diction. de la sculpt. mod.*, Hazan, Paris, 1970.
Ventes Publiques : Paris, 23 mai 1984 : *Composition*, tableau sculpt. composé d'éléments naturels (162x73x40) : **FRF 9 500** – Paris, 26 oct. 1988 : *Fleurs* 1967, sculpt. en bois peint (H. 87) : **FRF 20 000** ; *Ibiza* 1963, h. et matières/t. (100x65) : **FRF 72 500** – Paris, 19 juin 1996 : *Feuilles* vers 1980, pigments, sable et collage/pan. (120x110) : **FRF 11 000.**

KRAJEWSKI Juliusz
Né en 1905 à Zolkwi. xxe siècle. Polonais.
Peintre de compositions à personnages, figures, natures mortes.
Il fut diplomé de l'Académie des Beaux-Arts de Varsovie en 1935. Il exposait au Salon de Varsovie. Engagé politiquement il fut le leader du mouvement Social-Réaliste et membre fondateur du *Groupe des Peintres Réalistes* de Varsovie.
Musées : Dresde – Minsk – Rostock – Saint-Pétersbourg – Varsovie.
Ventes Publiques : Paris, 29 mai 1991 : *Étude pour Les juifs*, h/t (73x54) : **FRF 4 500.**

KRAJINOVIK Gordana
Née à Belgrade. xxe siècle. Yougoslave.
Peintre de paysages.
De formation architecte-ingénieur, elle est autodidacte en peinture.

KRAKAUER Léopold
Né le 29 mars 1890 à Vienne. Mort en 1954. xxe siècle. Actif depuis 1924 en Israël. Autrichien.

Peintre de paysages, dessinateur.
En 1971, une importante exposition rétrospective de son œuvre a été montrée à Jérusalem.
Surtout connu comme architecte, avec Ticho, Bornstein, Sima, Levanon, il a donné une interprétation moderne des paysages de la Palestine, en constituant un fonds de dessins au fusain des petits villages arabes tapis parmi les pierres et les oliviers.
Bibliogr. : In : *Diction. Univers. de la Peint.*, Le Robert, Paris, 1975.
Ventes Publiques : Tel-Aviv, 4 mai 1980 : *Paysage* 1952, fus. (54x74) : **ILS 21 000** – Tel-Aviv, 16 mai 1983 : *Collines de Judée* 1936, fus. (45,5x58,5) : **ILS 43 050** – Tel-Aviv, 17 juin 1985 : *Paysage à l'olivier* 1937, fus. (41x54,5) : **ILS 800 000** – Tel-Aviv, 3 jan. 1990 : *Maisons à flanc de montagne*, fus. (42,5x52,5) : **USD 3 300** – Tel-Aviv, 19 juin 1990 : *Les collines de Jérusalem*, fus. (48x62,5) : **USD 2 640** – Tel-Aviv, 1er jan. 1991 : *Les collines de Judée* 1942, fus./pap. bleu (49x43,5) : **USD 2 860** – Tel-Aviv, 12 juin 1991 : *Les collines de Judée* 1933, fus. (473,5x55) : **USD 1 650** – Tel-Aviv, 6 jan. 1992 : *Maisons à flanc de colline*, fus. (42,5x52,5) : **USD 3 520.**

KRAKAUER-WOLF Grete
Née en 1899. Morte en 1970. xxe siècle. Active depuis 1924 en Israël. Autrichienne.
Peintre.
Elle était la femme de Léopold Krakauer.

KRAKEN C. C.
xixe siècle. Actif vers 1810. Allemand.
Peintre de genre.
Le Musée de Hanovre conserve de cet artiste une copie d'après Jacob Ruysdael datée de 1810.

KRAKOWIAK Casimir
Né en 1931 à Raismes (Nord). xxe siècle. Français.
Sculpteur, peintre. Expressionniste.
Il passa par l'École des Beaux-Arts de Valenciennes et par l'Académie de la Grande Chaumière à Paris.
Se souvenant de ses origines slaves, il s'exprime dans des images expressionnistes et vivement colorées.

KRAL Jaroslav
Né en 1883 à Malesov. Mort en 1942 à Osvetim, en camp de concentration. xxe siècle. Tchécoslovaque.
Peintre de compositions à personnages, scènes typiques. Postcézannien.
Il fut élève de l'École des Arts Décoratifs de 1901 à 1904, puis de l'Académie des Beaux-Arts de Prague de 1904 à 1909. Il a surtout exposé à Brno, en 1930, 1931, 1932, 1934. En 1941, il fut arrêté par la Gestapo allemande.
Il a représenté des scènes de la vie des paysans, dans une manière austère, les personnages hiératiquement simplifiés à la façon de ceux des peintres de Paris ayant retenu quelques principes constructifs du cubisme.
Bibliogr. : In : Catalogue de l'exposition *50 ans de peinture tchécoslovaque 1918-1968*, Musées tchécoslovaques, 1968.
Musées : Prague (Gal. Nat.).
Ventes Publiques : Londres, 19 mars 1997 : *Paysanne* 1930, h/t (63x51) : **GBP 9 775** ; *Nature morte au verre* 1930, h/t (44,5x58,5) : **GBP 5 750.**

KRAL Josef
Né le 16 août 1859 à Planina. Mort le 30 octobre 1910 à Vienne. xixe-xxe siècles. Tchécoslovaque.
Peintre.
Il travailla surtout à Vienne et à Prague. On cite de lui : *Renaud et Armide, Le Christ avec Marie et Marthe.*

KRALJ Franz
Né le 26 septembre 1895 à Zagorica. Mort en 1960. xxe siècle. Yougoslave.
Peintre de compositions religieuses, portraits, sculpteur. Expressionniste.
Il exposa à partir du lendemain de la première guerre mondiale, à Belgrade, Prague, Berlin. Il fut le fondateur et principal représentant du courant expressionniste slovène. Il y représenta en Tchécoslovaquie la *Neue Sachlichkeit* (Nouvelle Objectivité) de Dix et Grosz.

KRALJEVIC Miroslav
Né en 1885 à Gospic (Croatie). Mort en 1913. xxe siècle. Yougoslave.
Peintre de portraits, paysages, graveur. Postimpressionniste.
Après des études de droit, il fut élève de l'Académie des Beaux-Arts de Munich, puis vint à Paris, où il remarqua surtout les peintures de Courbet et Manet, et dont il peignit des vues caractéristiques.
Il saisit personnages et choses dans leurs aspects instantanés. Il peint en pleine pâte, faisant contraster valeurs sombres et claires.
Bibliogr. : In : *Diction. Univers. de la Peint.*, Le Robert, Paris, 1975.
Musées : Zagreb (Mod. Gal.) : *Le Jardin du Luxembourg* 1912.

KRALS Anton
Né le 23 août 1900 à Zagorica. xxe siècle. Yougoslave.
Peintre de compositions mythologiques, sujets religieux, graveur, sculpteur.
Il travailla surtout à Prague et à Ljubljana.

KRAMBS Johann Valentin. Voir **GRAMBS**

KRÄMER Albert
Né le 1er septembre 1889 à Francfort-sur-le-Main. xxe siècle. Allemand.
Sculpteur de bustes.
Il travailla à Berlin.

KRAMER Arnold
Né le 17 mai 1863 à Wolfenbüttel. Mort le 9 mai 1918 à Brunswick. xixe-xxe siècles. Allemand.
Sculpteur.
Il fit ses études à Brunswick et à Dresde. On lui doit surtout des statues pour des églises de Dresde et de cette région.

KRAMER Charles
Né à Cologne. xixe siècle. Allemand.
Peintre de genre, paysages.

KRAMER Christoph
Né à Dresde. Mort vers 1580. xvie siècle. Allemand.
Sculpteur.
Il décora des églises à Dresde, à Pirna et aussi à Königswald et dans d'autres petites villes de Bohême.

KRAMER Eugen Van
xixe siècle. Actif à Munich en 1889. Allemand.
Peintre d'animaux, sujets de chasse.

KRÄMER Georg Wilhelm
Né le 13 décembre 1773 à Ausbach. xviiie-xixe siècles. Allemand.
Dessinateur, graveur.
On lui doit des vues de villes et de monuments.

KRAMER Hans
Mort en 1607 à Greifswald. xvie-xviie siècles. Allemand.
Peintre.
Il travailla pour différentes églises de cette ville.

KRAMER Harry
Né en 1925 à Lingen. xxe siècle. Actif depuis 1956 aussi en France. Allemand.
Sculpteur d'assemblages. Cinétique.
Après la seconde guerre mondiale, il fut d'abord acteur et danseur professionnel, se produisant dans différentes villes d'Allemagne. En 1956, il se fixa à Paris. En 1965, il a mis au point un système de production industrielle de sculptures. Il a ensuite enseigné à l'Académie des Beaux-Arts de Hambourg, en section d'art cinétique. Puis, il fit un séjour de plusieurs mois à Las Vegas. Depuis 1962, il a participé aux expositions importantes d'art cinétique. Il a aussi exposé avec le groupe des *Mythologies quotidiennes*, présenté à Paris en 1964 par Gérald Gassiot-Talabot ; au Salon de Mai de Paris en 1968. Des expositions personnelles lui ont été organisées : 1960 Kunsthalle de Baden-Baden ; 1962 à Paris ; 1969 Kunsthalle de Mannheim. Cinéaste, il a aussi réalisé des courts-métrages.
Il commença ses premières expérimentations plastiques et cinétiques en fabriquant les personnages d'un *Théâtre mécanique*, spectacle en treize scènes, montré pour la première fois en 1952 ou 1955 à Berlin, dont les marionnettes sans fil étaient montées sur roulettes et se déplaçaient en cercle. Ensuite, en 1958, il introduisit souvent un moteur dans ses animations, particulièrement dans ses *Structures automobiles*, en bois et métal, entreprises à partir de son installation à Paris, œuvres influencées d'abord par les réalisations de Tinguely, accentuant le côté dérisoire de l'univers mécanisé. Cependant, ses propres œuvres sont ensuite très personnelles dans leur forme, en ce que déjà

par leurs dimensions il semble qu'on ait affaire avec des objets cinétiques sortis des mains délicates de patients lilliputiens ; tous les éléments, sphères, colonnes, pyramides, en sont construits alors en treillis de fil de fer, comme une toile d'araignée en métal léger d'une grande minutie, et sont animés de mouvements très divers, et souvent comiques, par le jeu de petites poulies et de courroies de transmission minuscules, le cliquetis qui en résulte étant souvent accompagné de bruits de sonnettes. Après environ 1970, il a laissé le mouvement pour réaliser des assemblages de formes simples en bois, délicatement colorées, que le spectateur peut démonter et recomposer à son gré. Après son retour de Las Vegas, changeant radicalement d'échelle, il crée des sculptures en éléments modulaires de bois ou de polyester colorés, interchangeables par imbrication réciproque, destinées à l'intégration architecturale et à l'environnement. ■ J. B.

Bibliogr. : Frank Popper, in : *Naissance de l'art cinétique*, Gauthier-Villars, Paris, 1967 – Catalogue de l'exposition *Harry Kramer*, Kunsthalle, Mannheim, 1969 – Herta Wescher, in : *Nouveau diction. de la sculpt. mod.*, Hazan, Paris, 1970 – in : *Diction. de l'Art Mod. et Contemp.*, Hazan, Paris, 1992.

Ventes Publiques : New York, 26 oct. 1972 : *3 M 12*, construction en fils de fer motorisée : **USD 1 200**.

KRAMER Hermann ou **Kraemer**

Né en 1808 à Berlin. XIXe siècle. Allemand.

Peintre de paysages, graveur au burin.

Élève de Le Poittevin. Il a gravé des sujets religieux.

Ventes Publiques : Berlin, 1898 : *Paysage avec ruines* : FRF 243.

KRAMER Jacob

Né en 1892 en Ukraine. Mort en 1962. XXe siècle. Actif depuis 1900 et naturalisé en Angleterre. Russe.

Peintre de figures typiques, fleurs. Groupe Vorticiste.

Il naquit en Ukraine, mais sa famille émigra à Leeds en Angleterre, alors qu'il n'avait que huit ans. Grâce à la Société d'Aide à l'Éducation Juive, il put poursuivre ses études à la Slade School of Art, où il entra en 1912. Il y rencontra David Bomberg, Mark Gerther, William Roberts et Christopher R. W. Nevinson, qui devaient marquer l'art britannique du XXe siècle. Bien que vivant à Leeds, en 1915, il exposa à Londres, avec le groupe des Vorticistes de Windham Lewis, et avec le London Group.

De même que pour les artistes du groupe vorticiste, la peinture de Jacob Kramer est marquée d'une influence cubiste.

Bibliogr. : Millie Kramer : *Jacob Kramer*, Leeds, 1969.

Musées : Leeds (Gal. mun.) : un ensemble d'œuvres.

Ventes Publiques : Londres, 17 oct. 1980 : *Portrait de Sarah, sœur de l'artiste* 1918, fus./pap. beige (37x27) : **GBP 480** – Londres, 13 nov. 1985 : *Anna Pavlova* 1910, h/t (132x80) : **GBP 8 000** – Londres, 14 nov. 1986 : *Étude pour Le Juif* 1917, past. (48,3x34,5) : **GBP 4 200** – Londres, 3-4 mars 1988 : *Portrait d'un mendiant* vers 1913-1915, h/t (32,5x27,5) : **GBP 1 980** – Tel-Aviv, 26 mai 1988 : *Adam* 1921, past. (81,5x70,5) : **USD 8 250** – Londres, 12 mai 1989 : *Bouquet de fleurs rouges et jaunes*, h/t (75x50) : **GBP 2 640** – Londres, 10 nov. 1989 : *La Juive* 1923, h/t (75x62,3) : **GBP 6 050** – Londres, 9 mars 1990 : *Fleurs d'été*, h/t (61x50,8) : **GBP 4 620** – Londres, 20 sep. 1990 : *Portrait d'une jeune gitane* 1917, h/t (76x61) : **GBP 4 400** – Tel-Aviv, 26 sep. 1991 : *Rabbin debout*, h/t (82x61,5) : **USD 9 900** – Londres, 20 juil. 1994 : *Autoportrait, tête et épaules*, h/t (29,5x23) : **GBP 621** – Tel-Aviv, 26 avr. 1997 : *Le Rabbin* 1919, h/t (81,5x61,5) : **USD 28 750**.

KRAMER Johann Helferich

XVIIIe siècle. Depuis 1765 actif aussi en Angleterre. Allemand.

Peintre de portraits, paysages.

En 1753, il était à Kassel l'élève de G. Desmarées. Actif à Londres à la fin du XVIIIe siècle, il exposa quelquefois à la Society of Artists, à la Free Society et à la Royal Academy entre, 1765 et 1775.

Musées : Kassel : plusieurs œuvres.

KRAMER Johann Leonhard

XVIIe-XVIIIe siècles. Actif à Nuremberg. Allemand.

Peintre d'histoire, portraits.

On connaît plusieurs gravures d'après des portraits de bourgeois de Nuremberg dus à cet artiste.

KRÄMER Johann Viktor

Né le 24 août 1861 à Vienne. Mort en 1949. XIXe-XXe siècles. Autrichien.

Peintre d'histoire, portraits, nus, scènes de genre, paysages, aquarelliste.

Il fut élève de Léopold Müller à l'Académie des Beaux-Arts de Vienne. En 1888, il obtint le Prix Reichel. En 1894, il voyagea en Italie, en compagnie de Josef Engelhart et de Theodor von Hörmann. Il fut l'un des membres fondateurs de la Sécession de Vienne, et participa à ses expositions de 1898 à 1903. Le Salon de mai-juin 1901 lui fut entièrement consacré, honneur dont il fut le seul à bénéficier, à l'exception de Gustav Klimt. Il a exposé à Paris en 1900, à l'occasion de l'Exposition Universelle, obtenant une médaille d'argent.

Ventes Publiques : Londres, 8 oct. 1986 : *Un jardin de Taormina* vers 1894, h/t (93x93) : **GBP 14 000** – Londres, 10 fév. 1988 : *Nu assis dans un jardin* 1895, h/t (59x49,5) : **GBP 3 300** – Berne, 30 avr. 1988 : *Arbres fruitiers en fleurs*, h/t (57x49) : **CHF 3 800** – New York, 29 oct. 1992 : *Autour du puits*, h/t (215,9x397,5) : **USD 22 000** – Amsterdam, 21 avr. 1993 : *Doux farniente un soir à Taormina*, h/t (50,5x100,5) : **NLG 6 900** – Londres, 16 nov. 1994 : *Les cèdres du Liban*, aquar. (27x48) : **GBP 2 070**.

KRAMER Joseph von

Né le 26 mai 1841 à Augsbourg. Mort le 28 mai 1908 à Munich. XIXe-XXe siècles. Allemand.

Sculpteur.

On lui doit entre autres la décoration du Musée de l'Industrie à Kaiserslautern.

KRAMER Konrad. Voir **CRAMER**

KRÄMER Ludwig

XVIe-XVIIe siècles. Actif à Lucerne. Suisse.

Peintre verrier.

KRAMER Ludwig von

Né le 25 mai 1840 à Augsbourg. Mort le 7 janvier 1908 à Munich. XIXe-XXe siècles. Allemand.

Peintre de genre, illustrateur.

Travaille à Munich. Le Musée de Strasbourg conserve de lui : *Alsatia Antiqua*.

KRAMER Martinus

Né le 3 août 1860 à La Haye. Mort le 14 août 1918 à La Haye. XIXe-XXe siècles. Hollandais.

Peintre, graveur.

Exposa notamment à Paris en 1900 (Exposition Universelle) et à Bruxelles en 1910 (Exposition Universelle).

KRAMER Michael

Né en 1951 à Berlin. XXe siècle. Allemand.

Artiste d'installations, technique mixte.

De 1971 à 1980, il fut élève en architecture de l'École des Beaux-Arts de Berlin. Il obtint des bourses pour des séjours à New York et au Japon. Il vit à Bergisch-Gladbach. Il expose depuis 1979, surtout à Berlin, et à New York. En 1982, il figurait dans la sélection pour l'exposition franco-allemande *Germinations* d'étudiants d'écoles des Beaux-Arts, montrée à Paris et à Berlin. Le Goethe Institut de Paris lui a consacré une exposition en 1982. Ses installations consistent à mettre en relation des objets très différents dans un même espace.

KRÄMER Peter

Né le 24 juillet 1823 à Zweibrücken. Mort le 30 juillet 1907 à Brooklyn. XIXe-XXe siècles. Allemand.

Peintre de genre.

Élève de l'Académie de Munich, il travailla en Amérique de 1847 à 1871, puis à Munich.

Ventes Publiques : Vienne, 11 mars 1980 : *Le Musicien ambulant*, h/pan. (16x12) : **ATS 90 000** – Los Angeles, 16 mars 1981 : *Les Dégustateurs de vin*, h/pan. (15x12,5) : **USD 4 750** – Vienne, 14 mars 1984 : *Les Musiciens* 1884, h/t (41x33) : **ATS 50 000** – Vienne, 19 mars 1987 : *Un bûcheron*, aquar. (22x16) : **ATS 30 000**.

KRAMM Christian

Né le 18 avril 1797 à Utrecht. Mort le 21 mai 1875 à Utrecht. XIXe siècle. Hollandais.

Peintre d'histoire, scènes de genre, portraits, miniaturiste, architecte.

Élève de P.-C. Wonder. Visita l'Angleterre, la France, la Belgique et l'Allemagne. Directeur de l'Académie d'architecture à Utrecht, membre de l'Académie d'Amsterdam et correspondant de l'Institut Néerlandais. Biographe, il a publié un ouvrage sur la vie et l'œuvre des peintres, sculpteurs, graveurs et architectes hollandais et flamands.

KRAMMER Franz
Né en 1797 à Vienne. Mort en 1834 à Vienne. XIXe siècle. Allemand.
Peintre d'histoire, genre, paysages.
Élève de l'Académie de Vienne. On lui doit beaucoup de portraits de la noblesse viennoise et de scènes de l'histoire contemporaine.

KRAMMER Gabriel, dit **Gabriel de Zurich**
XVIe-XVIIe siècles. Actif à Zurich vers 1590. Suisse.
Peintre, graveur.
Les œuvres de cet artiste sont aujourd'hui très rares. A la bibliothèque municipale de Zurich on en voit cependant deux dont l'une représente l'*Architecture* entourée de cinq colonnes dorique, ionienne, corinthienne, etc. Parmi ses œuvres beaucoup ne portent pas son monogramme. On croit qu'il mourut vers 1608.

KRAMMER Josef
Né en 1793 à Vienne. XIXe siècle. Autrichien.
Peintre d'histoire, portraits, lithographe.
Il exposa à partir de 1830.

KRAMOLIN Joseph
Né le 11 avril 1730 à Nimburg. Mort en 1802 à Carlsbad. XVIIIe siècle. Tchécoslovaque.
Peintre.
Frère lai chez les Jésuites, il exécuta des travaux de décoration pour son ordre.

KRAMOLIN Wenzel
Mort en 1799 à Nimburg. XVIIIe siècle. Actif à Nimburg. Tchécoslovaque.
Peintre.
Jeune frère de Joseph Kramolin.

KRAMP Louis Josef
Né en 1804 à Strasbourg. Mort le 26 février 1871 à Offenbach. XIXe siècle. Français.
Dessinateur, lithographe.
Élève à Paris de J.-R. Lemercier il se fixa encore jeune à Offenbach. On cite ses lithographies d'après *Didon et Énée* de Guérin et le *Portrait de Napoléon dans son cabinet de travail*, de David.

KRAMPF Matthäus
Né le 24 novembre 1798 à Herbstadt. Mort le 3 novembre 1858 à Francfort-sur-le-Main. XIXe siècle. Allemand.
Sculpteur.
On lui doit surtout des sculptures religieuses en bois ou en pierre.

KRAMSKOY Ivan Nicolaievitch
Né le 8 juin 1837 à Novaïa Ssotnia. Mort le 6 avril 1887 à Saint-Pétersbourg. XIXe siècle. Russe.
Peintre d'histoire, portraits, graveur, dessinateur.
Cet artiste, qui occupa une place considérable comme portraitiste en Russie, obtint une médaille de troisième classe à l'Exposition Universelle de 1878. Élève de l'Académie des Beaux-Arts, de 1857 à 1863, il refusa, avec treize de ses condisciples, de concourir pour la médaille d'or sur un sujet de mythologie scandinave ; contestation qui ne l'empêcha pas d'entrer à l'Académie en 1869. Critique d'art aussi, il fut l'un des fondateurs de l'Union des Artistes de Saint-Pétersbourg et de l'Association des « Ambulants ». Il fut essentiellement peintre de portraits et peintre d'histoire. Professeur de dessin à la Société d'Encouragement des Beaux-Arts de Saint-Pétersbourg, de 1863 à 1868, il influença de nombreux peintres, parmi lesquels I. Répine. On voit de lui dans les Musées russes diverses toiles et études.
Musées : Moscou (Gal. Tretiakov) : *Petite cour de village en France – Tête de paysan – Portrait du peintre Jarochenka – Portrait du peintre Victor Michalovictch Vasnetzoff – Portrait de l'artiste – Portrait du peintre Pépin – Portrait du peintre Veretchaguine* – Moscou (Mus. Roumianzeff) : *Portrait de A. P. Volynsky – Portrait du comte G. P. Chernicheff – Portrait du général Miniche – Portrait du prince Kouranine – Portrait du comte Osterman – Portrait de l'Impératrice Joannovna – Portrait de l'ingénieur Serdukoff – Portrait du baron Luberasse – Portrait de l'Helman Ivan Mazeppa – Portrait du Feld marechal J. V. Brinss – Portrait du baron P. P. Chaproff – Portrait du comte P. A. Tolstoï – Portrait du poète E. G. Schevtchenko – Portrait du paysagiste Vorobieff – Portrait du sculpteur J. P. Martosse – Portrait du compositeur M. J. Glinka – Portrait de l'empereur Alexandre II – Portrait du comte Feld marechal P. P. Zassy – Portrait de Th. J. Saïmonoff, de l'historien Tatitcheff – Portrait du Feld-Maréchal amiral Ch. A. Golovine – Portrait du prince Th. Dolgoroukoff, favori de Pierre Ier – Portrait du Feld marechal comte P. J. Schouvaloff – Portrait du comte S. G. Tchernicheff – Portrait de l'auteur E. G. Volkoff – Portrait du fondateur de l'Académie des Beaux-Arts J. J. Schouvaloff – Portrait de Frediakovsty – Portrait de l'architecte directeur de l'Académie des Beaux-Arts Kokorin – Portrait de l'Impératrice Catherine II – Portrait du général G. G. Orloff – Portrait du comte A. G. Orloff Tchermentsky – Portrait du comte P. J. Panine – Portrait du prince G. A. Potemkin-Favritchesky – Portrait de N. J. Panin – Portrait du prince A. A. Besborodko, J. H. Betzky – Portrait du comte P. A. Rouminzeff-Zadonnaisky – Portrait du prince Dolgoroukoff – Portrait de l'amiral G. A. Spiridoff – Portrait de l'amiral A. J. Nagaieff – Portrait de G. J. Chelechoff – Portrait de A. J. Bikiroff – Portrait de Kropakin – Portrait du prince I. N. J. Saltinof – Portrait du comte Z. E. Siverse – Portrait du comte A. S. Stroganeff, amateur d'art – Portrait du comte S. R. Wrontzoff – Portrait du comte Mordvinoff – Portrait du savant A. A. Nartoff – Portrait de la duchesse favorite de Catherine II, C. R. Dachkova – Portrait de P. S. Pallasse – Portrait de A. V. Chrapovitzy, secrétaire de Catherine II – Portrait de Mouravief – Portrait de Moussin-Pouchkin – Portrait de von Visin – Portrait de A. P. Melgounoff – Portrait du comte J. E. Ferense – Portrait du comte N. P. Cheremeteff – Portrait du philosophe Djon Govarde – Portrait du métropolite Platon – Portrait de l'archevêque A. Zertiste-Kamensky – Portrait de l'archevêque G. Konissky – Portrait de P. A. Zouloff, favori de Catherine II – Portrait du prince A. B. Kourakine – Portrait du comte A. J. Morkoff – Portrait de Th. V. Rostoptchine – Portrait de A. S. Schichkoff – Portrait du comte Mordvinoff – Portrait du sculpteur Gallerg – Portrait de N. M. Karamsine – Portrait du tragédien V. A. Oseroff – Portrait de l'écrivain J. J. Dmitrieff – Portrait du poète Davidoff – Portrait de Olemin – Portrait de l'empereur Nicolas Ier – Portrait du comte J. J. Rostovzeff – Portrait du constructeur A. S. Greigne – Portrait du défenseur de Sébastopol, P. S. Nachimoff – Portrait du vice-amiral V. A. Kormloff – Portrait de Th. P. Litke – Portrait d'Ermak Timoffeievitch – Portrait du patriarche Nikan – Portrait du boyard Alexis M. A. S. Matveieiff – Portrait du prince A. D. Menchikoff – Portrait du comte B. P. Cheremeleff – Portrait du général comte A. J. Roumianzeff – Portrait de l'Hetman des Cosaques Bogdon Chmelnitzky – Portrait de l'empereur Pierre Ier – Portrait de l'amiral F. J. Lefort, favori de Pierre le Grand* – Saint-Pétersbourg (Mus. russe) : *Chagrin inconsolable – Étude de tête d'une vieille femme – Portrait de V. G. Peroff – Portrait de l'académicien Nikitenko – Portrait de Gontcharoff – Portrait de Govarsky – Portrait de la fille de l'artiste – Portrait du Philosophe Solovieff – Tête du Dieu Savaoph.*
Ventes Publiques : Londres, 10 oct. 1990 : *Portrait d'un général assis sur un banc* 1882, h/t (77,5x57) : **GBP 11 000** – Londres, 14 déc. 1995 : *Portrait de Madame A. Suvorina* 1887, h/t, de forme ovale (61x50) : **GBP 12 650**.

KRAMSKY S. S.
Né en 1837. Mort en 1887. XIXe siècle. Russe.
Peintre d'histoire.
Le Musée Roumianzeff à Moscou conserve de lui : *Judas à la Cène*.

KRAMSTA Gottlob Heinrich
Né à Fribourg-en-Brisgau (Bade-Wurtemberg). Mort le 9 juillet 1929 à Munich. XXe siècle. Allemand.
Peintre d'histoire.
Élève de Wach à Berlin.

KRAMSTYK Romain
Né le 18 août 1885 à Varsovie. Mort en 1942. XXe siècle. Actif aussi en France. Polonais.
Peintre de portraits, compositions animées, paysages.
Depuis 1912, il a exposé régulièrement à Paris, aux Salons des Indépendants et d'Automne.
Il a peint, entre autres, les portraits du peintre Eugène Zak et du sculpteur Matéo Hernandez.
Musées : Katowice : *Concert* – Stockholm : *Joueur de flûte* – Varsovie : *Le Poète*.
Ventes Publiques : Paris, 28 fév. 1930 : *Paysage à Saint-Tropez* : **FRF 1 030** – Paris, 24 mars 1930 : *À ma vie* : **FRF 880** – Versailles, 19 fév. 1984 : *Le repos du modèle*, h/t (100x81) : **FRF 8 000** – New York, 23 fév. 1994 : *Nature morte au violon*, h/t/rés. synth. (73x90) : **USD 8 050**.

KRANE Josef Hermann
Né le 23 juillet 1849 à Paderborn. Mort le 28 janvier 1901 à Paderborn. XIXe siècle. Allemand.

Sculpteur.
Après des études à Munich il revint s'établir à Paderborn et exécuta des bustes et quelques monuments pour cette ville.

KRANECKE
XIXe siècle.
Peintre de portraits.
On voit de cet artiste au Musée de Limoges : *Portrait du général Dupuy.*

KRANEVELT N.
XVIIe siècle. Hollandais.
Peintre de paysages.
Contemporain et compagnon d'Ant. Waterloo.

KRANEWITTER Josef
Né en 1756 à Imst. Mort en 1825 à Bozen. XVIIIe-XIXe siècles. Allemand.
Peintre.
On lui doit des portraits et des tableaux d'histoire.

KRANGER N.
XIXe siècle.
Peintre de paysages.
C'est à Vienne qu'il fit ses études. Cité par Florence Levy.
Ventes Publiques : New York, 1900 : *Matin brumeux* : **USD 320.**

KRANTZ J. F.
XVIIe siècle. Actif dans la seconde moitié du XVIIe siècle à Marbach en Wurtemberg. Allemand.
Sculpteur.
On cite ses travaux à l'église de Munster près de Gaildorf.

KRANTZ Martin Nicolas
Né en 1774 à Nancy. XVIIIe-XIXe siècles. Français.
Peintre de genre, paysages, décorateur.
Établi à Épinal ; on trouve des tableaux de lui dans cette ville.

KRANTZ Moritz
Né le 8 août 1812 à Dresde. Mort le 16 mai 1869 à Dresde. XIXe siècle. Allemand.
Dessinateur, lithographe.
On lui doit surtout des portraits des notabilités de Dresde.

KRANTZ Nils Michael Hyld
Né le 9 juin 1886 à Mosjöen. XXe siècle. Norvégien.
Peintre de paysages, paysages urbains, architectures.
Il travailla surtout à Bergen et a représenté le plus souvent des aspects de la ville et de ses environs.

KRANTZ Vladimir
Né en 1913 à Mozdok (Ossétie du Nord). XXe siècle. Russe.
Peintre de paysages.
De 1945 à 1951, il fut élève de l'Institut de Construction civile de Leningrad, section architecture. Il travailla sous la direction de Nikolaï Tirsa. En 1972 il fut admis dans la section de Leningrad de l'Union des Peintres de l'URSS et à partir de cette date figura dans les expositions des peintres russes, notamment au Japon. Dans une technique académique héritée du XIXe siècle, il peint des paysages conventionnels, montrant une prédilection pour les effets de neige.
Ventes Publiques : Paris, 27 jan. 1992 : *L'arrivée du printemps,* h/t (79,6x100,2) : **FRF 13 000** – Paris, 13 mars 1992 : *Le mois d'avril,* h/cart. (69,7x105) : **FRF 9 000** – Paris, 13 avr. 1992 : *Le traîneau,* h/cart. (33x41) : **FRF 10 000** ; *Sous la neige,* h/cart. (50x70) : **FRF 6 800** – Paris, 3 juin 1992 : *Le printemps bleu,* h/t (80,5x116,5) : **FRF 10 000** – Paris, 23 nov. 1992 : *Automne,* h/t (50x69,5) : **FRF 6 200** – Paris, 13 déc. 1993 : *Les pêcheurs lettons,* h/t (50x69) : **FRF 5 500.**

KRANZ Kurt
Né en 1910 à Emmerich. XXe siècle. Allemand.
Peintre de collages, peintre à la gouache, aquarelliste, lithographe, graphiste.
Après un apprentissage de lithographe, il fut étudiant au Bauhaus, de 1930 à 1933, passant du cours basique de Josef Albers dans les ateliers de Klee et Kandinsky. En 1950, à Hambourg où il vivait, il fut professeur à la Landeskunstschule, puis, en 1960 à la Kunsthochschule.
De sa formation au Bauhaus, il a gardé le sens et le goût des processus créatifs programmés : développements analytiques du point, de la ligne, de la surface, variations séquentielles d'une figure, jeu des transparences, collage, assemblage, frottage, etc. Son œuvre offre une diversité séduisante, mais pâtit toutefois de ne guère s'écarter de son statut de reflet d'un enseignement dont la richesse initiale écrasa souvent les aspirations des disciples.
Bibliogr. : Max Bense : *Kurt Kranz,* Hambourg, 1960 – Werner Hofmann : *Kurt Kranz. Das unendliche Bild,* Hambourg, 1990.
Musées : Caen (FRAC Basse Normandie) : *Série des mains et des bouches* 1931.
Ventes Publiques : Munich, 2 juin 1980 : *Dehors et dedans* 1972, aquar./trait de cr. (54x75) : **DEM 3 500** – Amsterdam, 31 mai 1994 : *Marionnettes,* cr., fus., collage, aquar. et encre/pap. (60x46) : **NLG 14 950.**

KRANZ Wilhelm
Né le 16 novembre 1853 à Brunswick. XIXe siècle. Allemand.
Peintre, illustrateur.
Il travailla à Genève et à Berlin.

KRANZBERGER Joseph ou **Kransperger**
Né le 10 juillet 1814 à Ratisbonne. Mort le 26 novembre 1844 à Athènes. XIXe siècle. Allemand.
Peintre d'histoire.
Il fut remarqué par Cornelius à Munich. En 1840 il se rendit à Athènes en compagnie de quelques autres artistes et y peignit des fresques pour le palais royal et l'église Saint-Louis. On cite de lui un *Ensevelissement du Christ,* à Ratisbonne, et un tableau d'autel pour la cathédrale de la même ville.

KRANZL Johann
Né le 4 décembre 1813 à Unterseebarn. Mort le 3 octobre 1876 à Horn. XIXe siècle. Allemand.
Peintre, dessinateur.
On lui doit surtout des paysages, des tableaux de genre et des peintures religieuses comme sa décoration de l'église de Krems.

KRAPIVNITSKI
XXe siècle. Russe.
Peintre. Abstrait.
Abstrait, il n'était pas reconnu par l'Union des Artistes de l'URSS, et à peu près inconnu du public, les expositions officielles lui préférant les images académiques des tenants du réalisme-socialiste.
Le manque d'informations sur le contexte artistique international, rendait ses tentatives, ainsi que celles des autres artistes progressistes plus ou moins clandestins, timides, ce qui ne retire rien au courage de sa démarche.

KRASINSKI Edward
Né en 1925 à Luck. XXe siècle. Polonais.
Peintre, sculpteur d'assemblages, installations, environnements, artiste de happenings. Conceptuel.
Depuis 1963, il participe à des expositions internationales, dont : 1967 Exposition Internationale de Sculpture au Musée Guggenheim de New York ; 1970 Biennale de Tokyo, 3e Salon International des Galeries Pilotes au Musée Cantonal de Lausanne, Musée d'Art Moderne de la Ville de Paris ; etc. Depuis 1965, quelques expositions personnelles lui ont été organisées en Pologne, notamment en 1991 au Musée Sztuki de Lodz. Il a réalisé des happenings, notamment en 1969 à la galerie Foksal de Varsovie, où il se manifeste souvent.
Après une période de peinture, il commença à développer une conception du dépérissement maximal de la forme, en même temps que l'élargissement de sa portée. Une sorte de minimalisme coexiste chez lui avec la tendance à créer de l'action et à la prolonger dans l'espace et dans des situations réelles. Il s'est voué à des compositions spatiales, dont la majorité est effectuée avec des barres de métal souples, des tuyaux, des cylindres ; la répartition de ces éléments, l'accentuation de la lumière sur les points de leurs contacts, les jointures et les intervalles, contribuent à fixer des limites linéaires à l'espace immédiat, en le transperçant de vecteurs dynamiques, tout en le dotant d'une qualité lumineuse conçue comme un des éléments créateurs. Depuis 1970, il colle, sur tous les supports, en tous lieux possibles, notamment en 1970 sur les fenêtres de plusieurs galeries parisiennes, à un mètre trente de hauteur, du scotch bleu, ainsi devenu la marque de son passage ou bien peut devenir itinéraire pour guider le spectateur-visiteur dans un labyrinthe construit par lui dans une galerie, par exemple en 1988 dans la galerie Donguy de Paris. Il a renoncé à créer des assemblages indépendants, pour se consacrer à l'investissement complet des lieux qui lui sont proposés.
Bibliogr. : In : Catalogue de l'exposition *Peinture moderne polonaise. Sources et recherches,* Mus. Galliera, Paris, 1969 – Urszula Czartoryska : *Esward Krasinski, ce que la ligne dit,* in : Art Press, n° 168, Paris, avr. 1992.

KRASNER Lee ou **Krassner Lenore**
Née en 1908 ou 1912 à Brooklyn (New York). Morte le 20 juin 1984 à New York. xxᵉ siècle. Américaine.
Peintre, peintre de collages. Abstrait.
Sa famille était d'origine russe, venue d'Odessa. Elle fut élève de la Woman's Art School of the Cooper Union de New York, de la National Academy of Design. Elle fut très impressionnée par l'exposition *Phantastic Art Dada and Surrealism* du Musée d'Art Moderne de New York. Comme de très nombreux jeunes artistes américains de l'époque de la grande crise, elle travailla pour le W.P.A. Federal Art Project. À ce moment, elle admirait spécialement Picasso et Matisse. De 1938 à 1940, elle suivit les cours du soir de Hans Hofmann. Elle fut un des premiers membres du groupe des American Abstract Artists. Dans les réunions d'artistes de Greenwich Village, elle se lia avec Arshile Gorky, John Graham, et devint la compagne de Jackson Pollock qu'elle rencontra en 1942. Ils se marièrent en 1945 et s'établirent à Springs, dans l'East Hampton. Lorsqu'ils se connurent, ce fut elle, qui lui communiqua son vif intérêt pour Picasso et Matisse.
Elle a participé à de très nombreuses expositions collectives de la jeune peinture américaine, aux États-Unis, en Angleterre, France, Italie, au Japon, etc., et notamment : 1944 *Art Abstrait et Surréalisme en Amérique* à New York ; 1962 *XVᵉ Exposition annuelle de Pennsylvania Academy of Fine Arts* à Philadelphie ; etc. Elle a aussi fait des expositions personnelles, surtout à New York : 1950, 1955, 1958, 1960, 1962... En 1983, le Museum of Fine Arts de Houston et le Museum of Modern Art de New York lui consacrèrent une exposition rétrospective commune. Le Musée de Berne a consacré une exposition en 1989 au couple Pollock-Krasner.
Lee Krasner fut proche de l'expressionnisme-abstrait, ses peintures proches de celles de Pollock. Durant les quatorze années de leur vie commune, elle ne peignit pas beaucoup et se manifesta encore moins publiquement. Toutefois, à partir de 1953, elle continua la pratique du collage, qu'elle tenait de ses admirations pour les avant-gardes historiques européennes. En 1955, elle et Pollock ont fait ensemble un collage, *L'Aigle déplumé*, avec une peinture d'elle et les morceaux d'un dessin de Pollock. Après la mort accidentelle de Pollock, elle réalisa de grandes peintures gestuelles, en blanc et terre. Ensuite, elle peignit des sortes de motifs floraux colorés, aux découpes nettes rappelant Matisse. En 1976, elle revint à la technique du collage, découpant ses peintures anciennes et les associant à des taches de couleurs vives. ■ J. B.
Bibliogr. : In : *Peintres contemp.*, Mazenod, Paris, 1964 – Barbara Rose : Catalogue de l'exposition *Lee Krasner*, Mus. of Mod. Art, New York, et Mus. of Fine Arts, Houston, 1983 – S. Kuthy, E. G. Landau : Catalogue de l'exposition *Krasner-Pollock*, Mus. de Berne, 1989 – in : *L'Art du xxᵉ siècle*, Larousse, Paris, 1991 – in : *Diction. de l'Art Mod. et Contemp.*, Hazan, Paris, 1992.
Musées : Buffalo (Albright-Knox Art Gal.) : *Milkweed* 1955, collage – New York (Whitney Mus. of Art) – Philadelphie (Mus. of Art).
Ventes Publiques : New York, 27 mai 1976 : *Desert moon* 1955, h/pap. mar./t. (149x111) : **USD 3 000** – New York, 12 mai 1981 : *Le Printemps* 1964, h/t (109,5x165) : **USD 23 000** – New York, 20 mai 1983 : *Sans titre* 1965, gche (56,5x76) : **USD 7 000** – New York, 9 mai 1984 : *Feathering* 1959, h/t (177,8x148,5) : **USD 45 000** – New York, 6 nov. 1985 : *Bird's parasol* 1964, h/t (155x117,5) : **USD 65 000** – New York, 8 fév. 1986 : *Sans titre* 1954, collage pap. et gche/pap. (76,2x57,1) : **USD 14 000** – New York, 4 mai 1987 : *Right Bird Left* 1965, h/t (177,8x345,5) : **USD 150 000** – New York, 3 mai 1989 : *Sans titre* 1965, gche/pap. (56,5x76) : **USD 25 300** – New York, 27 fév. 1990 : *Etude de nu* 1938, fus./pap. (62,8x48,2) : **USD 16 500** – New York, 15 fév. 1991 : *Équation* 1957, h/t (99x147,3) : **USD 71 500** – New York, 7 mai 1993 : *Sans titre* 1975, h., cr. de coul. et collage de pap./pap. (49,5x66,5) : **USD 5 750** – New York, 3 nov. 1994 : *Sans titre*, h. et vernis/t. (55,8x43,2) : **USD 61 900** – New York, 3 mai 1995 : *Au travers du bleu* 1963, h/t (191,8x147,3) : **USD 173 000** – New York, 21 nov. 1996 : *Le Futur antérieur* 1976, fus., collage pap. et h/t (127x190,5) : **USD 13 800** – New York, 7 mai 1997 : *Collage en Amérique* 1955, collage pap., h. et t., et clous/masonite (121,9x71,2) : **USD 134 500**.

KRASNO Henri
Né à Paris. xixᵉ siècle. Français.
Peintre de paysages, aquarelliste.
Élève de Rubé et Chaperon. Débuta au Salon en 1878.

KRASNO Rodolfo ou **Rudolpho**
Né en 1926 à Chivilocy. Mort le 10 juin 1982 à Villebon-sur-Yvette (Essonne). xxᵉ siècle. Actif depuis 1959 en France. Argentin.
Peintre, graveur, sculpteur. Tendance abstraite.
Il fut élève de l'Académie des Beaux-Arts de Buenos Aires, de 1942 à 1959. Plus tard, il y fut professeur à l'École d'Arts Visuels, y organisant ses premières expositions personnelles. Une bourse de l'État français lui permit le voyage pour Paris, où il se fixa en 1959, faisant un séjour en Espagne en 1960. Il a participé à des expositions collectives, dont : à Paris, Salons Comparaisons, de Mai ; 1970 exposition *Itinéraires blancs* au Musée de Saint-Étienne. Il a montré des ensembles de travaux dans des expositions personnelles : 1960 Paris, galerie Bellechasse ; 1963, 1967 Paris, galerie La Hune.
Pendant son séjour en Espagne, il peignit une série de paysages, à la limite de l'abstraction, mêlant de la terre aux couleurs. Il s'est ensuite surtout investi dans les techniques de la gravure, auxquelles il s'est initié par lui-même. De 1961 à 1963, avec ses « néo-gravures », il a commencé à pratiquer de la gravure en taille profonde, travaillant la plaque de métal ou la planche qu'il sculpte et grave comme un bas-relief, et qui, sous la presse, avec des papiers appropriés et bien humidifiés, produit des « gaufrages », c'est-à-dire le moulage du même bas-relief mais en creux. Avec cette technique, mais à partir de 1963 sans couleurs ni encrage, en 1964-1965, il a créé, avec les poésies de Jean-Clarence Lambert, le « livre-objet » *Les Embellissements*. Il a également produit de ces livres-objets avec le poète Octavio Paz. Après 1967, poussant le procédé à ses limites, toujours avec du papier, mais dont il fabriquait lui-même la pâte, la coulant sur une matrice où elle séchait et en épousait les reliefs, il a produit ce qu'il a appelé des « néo-fossiles », gravures, presque sculptures, en relief d'une épaisseur ou profondeur extrême, dont les formes simples évoquent en effet des fossiles, des œufs. À partir du même matériau et de la même technique, il a aussi réalisé des sculptures, d'inspiration surréaliste, par exemple : des mains sortant d'un œuf. ■ J. B.
Bibliogr. : In : *Diction. Univers. de la Peint.*, Le Robert, Paris, 1975.

KRASNODEVSKI Peter
Né en 1876 à Borszyno (près de Kalisz). xxᵉ siècle. Polonais.
Peintre de sujets militaires, paysages, natures mortes.
Il fit ses études à Cracovie, puis travailla à Lwow et à Saint-Pétersbourg.

KRASNOPEVTSEV Dimitri
Né en 1925 à Moscou. xxᵉ siècle. Russe.
Peintre de natures mortes, graveur.
Il fut élève de l'École des Beaux-Arts et fut diplômé en 1955 de l'Institut d'Arts Sourikov de Moscou, où il vit. Peintre non-officiel, parce que refusant les directives des instances, il n'exposa que peu en URSS. Il devint tout de même membre de l'Union des Artistes Soviétiques, en 1982. Sa participation en Occident à quelques expositions consacrées à une peinture nouvelle russe, l'y a fait un peu connaître.
Il a commencé à peindre en 1941. Il peint des natures mortes figuratives, très stylisées, parfois en clair-obscur à la façon des gravures en manière noire. Il s'entoure d'objets simples et cherche à en exprimer le « statisme », leur équilibre, leur sérénité, par la rigueur de la forme et la monochromie. Il a aussi abordé le paysage dans de nombreuses eaux-fortes.
Ventes Publiques : Moscou, 7 juil. 1988 : *Trois amphores* 1984, h/rés. synth. (77x62) : **GBP 8 250** – Paris, 14 mai 1990 : *Nature morte aux bouteilles* 1970, h/isor. (61x51) : **FRF 13 200**.

KRASNOV Alexeï
Né en 1923. xxᵉ siècle. Russe.
Peintre de compositions à personnages.
Il commença ses études à l'École des Beaux-Arts de Penza et les termina à l'Académie des Beaux-Arts de Leningrad, où il fut élève de M. Avilov et de Y. Néprintsev. Il vit à Tambov.
Il traite les thèmes recommandés par les instances officielles, mais, par une facture large et énergique échappe à l'académisme ambiant.
Musées : Tambov (Mus. des Beaux-Arts) : *Les Semeurs*.
Ventes Publiques : Paris, 29 nov. 1990 : *Les semeurs*, h/t (89x94) : **FRF 6 500**.

KRASNOWOLSKI
xixᵉ siècle. Polonais.
Peintre.
Fit partie de l'École de Cracovie. Prit à la nature ce qui convenait à sa sensibilité et à sa vision intérieure.

KRASNY Yuri
Né en 1925 à Moscou. XXe siècle. Actif depuis 1972 en Israël. Russe.
Peintre de compositions à personnages, figures, illustrateur.
De 1946 à 1950, il fut élève et diplômé de l'Institut d'Art de Moscou. De 1950 à 1953, il fut déporté en Asie centrale, et revint à Moscou en 1954-1955, après la mort de Staline. En 1957, il devint membre de l'Union des Artistes. En 1972, il émigra en Israël. Il participe à des expositions collectives, entre autres : 1973 à Tel-Aviv, Düsseldorf ; 1974 Bâle. Il montre surtout des ensembles de ses travaux dans des expositions personnelles : 1956 Moscou à la Maison des Artistes ; 1963 Moscou ; 1967 Moscou au « Manège » ; 1968 Moscou Maison des Artistes ; 1969 Moscou au « Manège » ; 1970 Moscou à l'Association des Artistes ; 1974 Bruxelles, Jérusalem ; etc.
Il a surtout une activité d'illustrateur d'ouvrages littéraires : Anatole France, Selma Lagerlof, Émile Zola, les *Satires* de Lucien, les *Comédies* de Plaute, Dostoïevski, Érasme, etc. Il a aussi travaillé pour des films d'animation. Ses peintures, d'un dessin synthétique, aux lignes et volumes simplifiés, d'une facture lisse aux dégradés légèrement ombrés, représentent des personnages caricaturaux, aux formes rebondies, boursoufflées, rappelant ceux de Botéro, ornés ridiculement de moustaches pour les hommes, de chapeaux et bouquets de fleurs pour les dames aux poitrines opulentes, souvent posant en groupes comme pour une photo de famille et dans des paysages naïfs.
Musées : Moscou (Mus. Pouchkine) – Saint-Pétersbourg (Mus. Russe).
Ventes Publiques : Bruxelles, 5 oct. 1976 : *Amusement de filles*, gche (59x57) : **BEF 22 000**.

KRASSAVINE Alexeï
Né en 1956. XXe siècle. Russe.
Peintre de compositions à personnages.
Il fut élève de l'École des Beaux-Arts de Moscou. Il appartint au groupe « 6+2 ». Il participa à Moscou à l'exposition « Art érotique ». À l'étranger il a exposé en Inde.
Il trouve son inspiration dans les activités des danseuses, du théâtre.
Musées : Odessa (Mus. Art Contemp.).
Ventes Publiques : Paris, 16 juin 1991 : *Dans les coulisses*, h/t (73x51) : **FRF 4 500**.

KRASSNOSSELISKY Alexander Andreievitch
XIXe siècle. Actif à Saint-Pétersbourg. Russe.
Peintre.
On cite surtout ses portraits.

KRASTINA Sandra
Née en 1957. XXe siècle. Russe-Lettone.
Peintre de compositions à personnages.
Elle étudia de 1976 à 1986, à l'Académie des Beaux-Arts de Riga. Elle devint membre de l'Union des Artistes. Elle a participé à de nombreuses expositions tant nationales à Riga, Vilnius, Moscou qu'internationales en Pologne, Allemagne, Inde, Roumanie, Tchécoslovaquie.
Musées : Cologne (Mus. Ludwig d'Art Mod.) – Moscou (Gal. Tretiakov) – Riga (Fonds des Beaux-Arts) – Riga (Mus. de Lettonie).

KRASZEWSKI Ignaz
Né le 28 juillet 1812 à Varsovie. Mort le 19 mars 1887 à San Remo. XIXe siècle. Polonais.
Peintre, graveur, littérateur.
C'est à Wilna qu'il fit ses premières études ; par la suite il séjourna à Dresde, puis se fixa en Italie. Les Musées de Cracovie et de Posen possèdent des vues de ruines de cet artiste.

KRATINA Joseph
Né le 26 février 1872 à Prague. XIXe-XXe siècles. Tchécoslovaque.
Sculpteur.
À Paris, il fut élève de l'École des Beaux-Arts et de l'Académie Julian.

KRATINA Radoslav
Né le 2 décembre 1928 à Brno. XXe siècle. Tchécoslovaque.
Peintre, mosaïste. Abstrait.
De 1943 à 1948, il fut élève de plusieurs Écoles d'Art de Brno, puis de Prague. Il participe aux expositions collectives des jeunes artistes tchécoslovaques. Il a montré des ensembles d'œuvres dans des expositions personnelles en 1966, 1967.

KRATKÉ Charles Louis
Né en 1848 à Paris. Mort en 1921. XIXe-XXe siècles. Français.
Peintre d'histoire, genre, portraits, animaux, graveur, dessinateur.
Il fut élève de Gérôme et de Waltner. Il figura, à partir de 1868, au Salon de Paris, puis Salon des Artistes Français. Il obtint une médaille de troisième classe en 1887, une médaille de bronze à l'Exposition Universelle de 1889, une médaille d'argent à l'Exposition Universelle de 1900, pour une eau-forte d'après Constable. Kratké occupa une place importante parmi les graveurs reproducteurs.

LOUIS KRATKE

Ventes Publiques : New York, 12-13 mars 1903 : *Le Bataillon carré à Waterloo* : **USD 400** – New York, 29 et 30 mars 1905 : *Corot à Ville-d'Avray* : **USD 450** – Londres, 30 nov. 1908 : *Oiseaux* 1873 : **GBP 16** – New York, 6 et 7 avr. 1911 : *Vive l'Empereur* : **USD 320** – Paris, 18 jan. 1926 : *Napoléon à Waterloo* : **FRF 365** – Paris, 29 oct. 1926 : *Trois chiens de chasse devant l'âtre*, fusain : **FRF 320** – Paris, 6 juin 1947 : *Voltigeur à cheval* 1900 : **FRF 1 250** – Paris, 7 fév. 1951 : *Les Incroyables* : **FRF 14 500** – New York, 9 oct. 1974 : *L'éducation d'un roi* : **USD 2 700** – New York, 28 avr. 1977 : *Bonaparte à cheval* 1899, h/t (58,5x74) : **USD 2 300** – Tokyo, 15 fév. 1980 : *Le Jardin des Tuileries animé de nombreux personnages* 1876, h/pan. (31,5x44,5) : **JPY 1 000 000** – San Francisco, 3 oct. 1981 : *La Cage des singes* 1875, h/t (56x46) : **USD 4 250** – Londres, 3 juin 1983 : *Élégant personnage sur une terrasse* 1874, h/t (74,2x99) : **GBP 2 000** – New York, 13 fév. 1985 : *Le Marchand de violettes*, h/pan. (40x31,7) : **USD 2 600** – Londres, 29 mai 1987 : *Le Galant Entretien* 1878, h/pan. (31,7x24,2) : **GBP 1 800** – New York, 24 mai 1988 : *Arrestation d'émigrés* 1883, h/t (65,3x81,2) : **USD 4 950** – Copenhague, 21 fév. 1990 : *Napoléon inspectant un champ de bataille en Russie* 1895, peint./bois (53x72) : **DKK 30 000** – Versailles, 25 nov. 1990 : *La partie d'échecs* 1879, h/pan. (20x25,5) : **FRF 20 000** – Monaco, 6 déc. 1991 : *Le retour du voyage de noces* 1882, h/t (72x94) : **FRF 24 420** – New York, 13 oct. 1993 : *Napoléon et Joséphine*, h/pan. (33x40,6) : **USD 6 900** – New York, 20 juil. 1995 : *Le thé de l'après-midi* 1874, h/pan. (26,7x19,4) : **USD 2 415**.

KRATKÉ Marthe
Née le 13 octobre 1884 à Paris. XXe siècle. Française.
Peintre de fleurs.
Elle exposait à Paris, au Salon des Artistes Français, dont elle était sociétaire.
Ventes Publiques : New York, 29 oct. 1992 : *Nature morte de marguerites près d'un vase oriental*, h/t (38x51,3) : **USD 550**.

KRATKY Emanuel
Né en 1824 à Kuttenberg. Mort le 11 novembre 1901 à Vienne. XIXe siècle. Tchécoslovaque.
Peintre d'histoire.
Élève de Führich à Vienne. Il travailla ensuite à Düsseldorf. On cite les œuvres qu'il exécuta pour le couvent de Littau.

KRATOCHWIL Siegfried
Né en 1916 à Vienne. XXe siècle. Actif en Hollande. Autrichien.
Peintre de scènes typiques. Naïf.
Fabricant d'outils, il donne une bonne part de son temps à la peinture.
Comme beaucoup de naïfs, il décrit surtout les scènes de la vie quotidienne qu'il observe autour de lui : marchand de fleurs, le jardin zoologique, les canaux dans Amsterdam, des paysages de la campagne hollandaise si caractéristiques. La fraîcheur du dessin et des couleurs fait la qualité de sa poésie intime.
Bibliogr. : Dr. L. Gans, in : *Catalogue de la Collection de Peintures Naïves Albert Dorne*, Pays-Bas, s. d.

KRATSCHKOWSKI Iossif Jevstafievitch
Né en 1854. Mort le 25 avril 1914. XIXe-XXe siècles. Russe.
Peintre de genre, paysages.
Membre de l'Académie de Saint-Pétersbourg.
Musées : Moscou (Gal. Tretiakov) : *La Smedova, près de Doulebovo* – Saint-Pétersbourg (Mus. russe) : *Avant l'orage* – *Paysage* – *Printemps en Crimée* – *Vue d'automne*.
Ventes Publiques : Paris, 5 nov. 1926 : *Pêchers en fleurs* : **FRF 200** – Stockholm, 10 avr. 1985 : *Bord de mer* 1892, h/t (47x36) : **SEK 18 000**.

KRATTNER Karl
Né le 7 janvier 1862 à Prague. Mort le 10 décembre 1926 à Prague. XIXe-XXe siècles. Tchécoslovaque.
Peintre.
Professeur de peinture à Prague, il exécuta des portraits, des paysages, des œuvres de genre et des tableaux d'église. Il était également écrivain.

KRATZ Anne
Née le 26 mai 1951 à Monticello (Illinois). XXe siècle. Active depuis 1973 aussi en France. Américaine.
Peintre de compositions à personnages. Réaliste-photographique.
Elle fut élève de l'Université de l'Illinois, de 1968 à 1973. À Paris, elle travailla dans un atelier privé, en 1973 et 1974. En 1979, elle obtint une licence en Art et Archéologie, préparant à une maîtrise. Elle participe à des expositions collectives, notamment au Salon Figuration Critique à Paris, depuis 1984. Elle expose individuellement : 1984, 1986 galerie Liliane François à Paris ; 1985 à Lausanne.
Dans une technique de peinture, dont le dessin est à peine teinté, très proche de l'hyperréalisme, elle représente des personnages dans des espaces clos et dans des situations surréalisantes, leurs vêtements, les draps d'un lit, des tentures étranges lui donnant prétexte à développer sa technique minutieusement photographique.

KRATZ Benjamin
Né le 2 décembre 1829 à Brunswick. Mort le 14 janvier 1869 à l'asile d'aliénés de Neustadt-Eberswald. XIXe siècle. Allemand.
Peintre de genre, acteur.
D'après le *Bryan's Dictionary*, Kratz fut élève de Christian Böttcher à l'Académie de Düsseldorf. On cite de lui une série de peintures dites *Scènes du temps des perruques*.
Ventes Publiques : Paris, 30 mai 1924 : *Portrait d'homme en buste* : **FRF 100**.

KRATZ Max
Né en 1921 à Remscheid. XXe siècle. Allemand.
Sculpteur de figures, bas-reliefs.
De 1941 à 1951, il fut élève de l'École des Ars et Métiers de Krefeld et de l'École des Beaux-Arts de Düsseldorf. Il vit et travaille à Düsseldorf. En 1962, il participa à l'exposition *Artistes de Düsseldorf* au Musée d'Ostende.

KRATZ Paul
Né le 1er mai 1884 à Coblence. XXe siècle. Allemand.
Sculpteur, animaux.
Ventes Publiques : Munich, 28 nov. 1980 : *Ours assis*, bronze (H. 13) : **DEM 2 200**.

KRATZENBERG Albert
Né le 8 avril 1890 à Clerf. XXe siècle. Luxembourgeois.
Sculpteur de sujets religieux.
Il se forma à Karlsruhe. Résidant à Walferdingen, il a travaillé surtout pour la cathédrale et les églises de Luxembourg.

KRATZENSTEIN-STUB Christian Gottlieb
Né le 15 août 1783 à Copenhague. Mort le 24 juillet 1816. XIXe siècle. Danois.
Peintre d'histoire, sujets allégoriques, portraits, intérieurs, miniaturiste, copiste, dessinateur.
Son père était officier de la marine danoise du nom de Stub. L'artiste, en embrassant la carrière artistique, prit le nom de son grand-père maternel. Il travailla d'abord avec Abridgaard et continua ensuite ses études seul. Il visita Paris, Rome où Thorvaldsen lui donna des conseils. Il revint en Danemark en 1811 et en 1813 fut nommé membre de l'Académie de Copenhague. Kratzenstein travailla un peu dans tous les genres, mais il paraît avoir affectionné particulièrement les sujets idylliques et légendaires.
Musées : Stockholm : une copie d'après un tableau du Musée de Copenhague – *Scènes des chants d'Ossian*, miniature.
Ventes Publiques : Copenhague, 1er mai 1991 : *Intérieur avec une jeune fille jouant de la harpe*, h/t (64x50) : **DKK 30 000**.

KRATZER Karl Edler von
Né le 9 février 1827 à Vienne. Mort le 21 février 1903 à Vienne. XIXe siècle. Autrichien.
Peintre de genre, paysages.
Élève de l'Académie de Vienne. Il exposa à partir de 1857.
Ventes Publiques : Vienne, 6 mai 1980 : *Vue du Dachstein* 1894, h/t (139,5x93,5) : **ATS 16 000**.

KRATZMANN Eduard
Né le 29 avril 1847 à Prague. XIXe siècle. Tchécoslovaque.
Peintre verrier.
Il exécuta les vitraux d'églises de Vienne, de Budapest et de Prague.

KRATZMANN Gustav Philipp
Né en 1812 à Kratzau. Mort le 29 juin 1902 à Teplits. XIXe siècle. Tchécoslovaque.
Peintre d'histoire.
Il exposa régulièrement à Prague, Dresde, Vienne et Paris à partir de 1840.
Ventes Publiques : Genève, 18 mai 1973 : *Nature morte* : **CHF 7 000**.

KRÄTZSCHMER Franz Friedrich Adolph
Né en 1806 à Wurzen. Mort en 1886. XIXe siècle. Allemand.
Dessinateur, lithographe.
On cite ses vues de Strasbourg et de Leipzig.

KRAUEL Heinrich
Né le 23 novembre 1873 à Güstrow. Mort vers 1920 à Berlin. XIXe-XXe siècles. Allemand.
Peintre de paysages.
Il prit part à l'Exposition de Berlin de 1909.

KRAUER Hans Georg ou **Krauwer**
Mort entre 1720 et 1730. XVIIIe siècle. Travaillant à Lucerne. Suisse.
Peintre.
Fils d'un orfèvre habile il se destina à la peinture sous l'influence de son père. A 20 ans, il alla se perfectionner en Italie. De retour, il se maria à Lucerne, mais habita une partie de l'année à Lunéville.

KRAUER Heinrich
Né le 3 janvier 1833 à Ratisbonne. Mort le 8 décembre 1876. XIXe siècle. Allemand.
Peintre de portraits.
Élève de l'Académie de Munich de 1851 à 1855. Il travailla à Ratisbonne, Zurich et Bâle.

KRAUER Joseph
Originaire de Lucerne. XVIIe siècle. Suisse.
Peintre.
Servit à Rome comme soldat de la garde en 1689 et se consacra à cette époque à l'étude de la peinture.

KRAUGERUD Ragnar
Né en 1909. Mort en 1987. XXe siècle. Actif vers 1937. Norvégien.
Peintre de paysages animés.
Ventes Publiques : Londres, 15 juin 1994 : *Personnages dans un paysage*, h/t (46x61) : **GBP 1 265**.

KRAUL Karl Franz
Né en 1754 à Francfort-sur-le-Main. Mort le 16 mars 1796, dans un asile d'aliénés. XVIIIe siècle. Allemand.
Peintre de paysages, dessinateur.
On cite ses copies de Jacob Ruysdael.

KRAUMANN Alexander
Né le 26 mai 1870 à à Budapest. XIXe-XXe siècles. Allemand.
Sculpteur.
Il vécut surtout à Francfort-sur-le-Main. Il prit part à l'Exposition de Berlin de 1909.

KRAUS
XVIIIe siècle. Français.
Peintre de genre.
Il exposa à l'Exposition du Colisée en 1776.

KRAUS Adolph F. A.
Né le 5 août 1850 à Zeulenroda (Allemagne). Mort le 7 novembre 1901 à Denver (États-Unis). XIXe siècle. Allemand.
Sculpteur.
Il obtint le grand prix de Rome, puis vint s'établir en Amérique en 1881. D'importants travaux lui furent confiés, notamment les monuments de Théodore Parker, et le *Cripsus Attucks*. Il fut employé à la décoration sculpturale du Palais de l'Exposition de Chicago en 1893. Devenu fou, il dut être interné et mourut dans un asile d'aliénés.

KRAUS Anton
Né en 1838 à Bamberg. Mort le 30 juillet 1872 à Glevano. XIXe siècle. Allemand.
Peintre d'histoire, graveur, lithographe.
Se fixa à Munich à partir de 1861. Visita l'Italie.

KRAUS August
Né le 29 janvier 1852 à Erding. Mort le 3 mars 1917 à Munich. XIXe-XXe siècles. Allemand.
Peintre de genre, restaurateur.
Il a peint des scènes humoristiques de la vie dans les couvents.
Ventes Publiques : New York, 12 mai 1978 : *Le retour du marché*, h/t (38x45,5) : **USD 2 300** – Munich, 27 juin 1984 : *Un bon verre* 1889, h/pan. (46x37) : **DEM 8 000**.

KRAUS August
Né le 9 juillet 1868 à Ruhrort. XIXe-XXe siècles. Allemand.
Sculpteur de figures.
Il a travaillé à Rome, puis à Berlin. En 1907, il obtint une médaille d'or à Berlin.
Musées : Berlin : *Le Lanceur de boules* – Düsseldorf : *Femme aux sandales*.
Ventes Publiques : Berlin, 30 mai 1991 : *Nu féminin debout* 1926, terre cuite (H. 67) : **DEM 3 885**.

KRAUS Axel Emil. Voir **KRAUSE**

KRAUS Emil
Né le 17 avril 1897 à Sankt-Pölten. XXe siècle. Autrichien.
Peintre.
Au lendemain de la première guerre mondiale, il voyagea en Hollande et en Italie. Il exposait à Gratz.

KRAUS Etienne
Né à Bemsberg. XIXe siècle. Allemand.
Peintre de portraits.

KRAUS Franz
Né le 14 juin 1872 à Bâle. XIXe-XXe siècles. Suisse.
Peintre de paysages.
Il fut élève des écoles des Beaux-Arts de Bâle, Karlsruhe, et de l'Académie Julian à Paris.

KRAUS Friedrich
Né le 27 mai 1826 à Krottingen près Memel. Mort le 28 septembre 1894 à Berlin. XIXe siècle. Allemand.
Peintre de genre, portraits, dessinateur.
Il commença ses études avec Rosenfelder à l'Académie des Beaux-Arts de Königsberg et les poursuivit à Paris avec Couture. Il vécut à Rome jusqu'en 1855, date à laquelle il vint se fixer à Berlin. Il fut membre de l'Académie de cette ville en 1855 et y obtint une médaille d'or en 1886.
Musées : Berlin : *Laveuse* – Cologne : *Ramasseur de bois*.
Ventes Publiques : New York, 6 et 7 avr. 1909 : *Contentement*, dess. : **USD 150** – Londres, 17 juil. 1911 : *Intérieur et famille de paysans et trois autres dessins* : **GBP 10** – Berne, 1er mai 1980 : *Peintre et son modèle*, h/t (81x65) : **CHF 6 000** – Londres, 17 mars 1995 : *Repos des moissonneuses*, h/t (73x103) : **GBP 7 475**.

KRAUS Fritz
Né le 24 mai 1874 à Ruhrort. Mort en avril 1918, sur le front. XIXe-XXe siècles. Allemand.
Sculpteur de monuments.
Sans doute parent de August Kraus. Il reçut sa formation à Strasbourg et à Berlin. Il exécuta plusieurs monuments à Berlin et à Kiel.

KRAUS Georg Melchior
Né le 26 juillet 1737 à Francfort-sur-le-Main (Hesse). Mort le 5 novembre 1806 à Weimar. XVIIIe siècle. Allemand.
Peintre d'histoire, sujets de genre, portraits, paysages, graveur, dessinateur.
Il travailla d'abord à Kassel avec Tischbein. Il vint à Paris au mois de novembre 1762, fut élève de Greuze, de Fr. Boucher. J.-G. Wille, qui parle fréquemment de lui dans ses mémoires, lui donna aussi des conseils. Au mois d'octobre 1766 il quitta Paris pour l'Allemagne et y acquit une réputation honorable. Il vécut à Francfort, à Mayence, fréquemment employé par les grands seigneurs allemands. En 1768 il fut nommé membre de l'Académie de Vienne et plus tard de celle de Berlin. En 1776 le duc de Weimar le nomma peintre de sa cour et en 1778 le poste de directeur de l'Académie lui était confié.
Kraus traita tous les genres ; on cite notamment de lui le *Portrait de Goethe* et divers sujets empruntés à l'*Oberon* de Wieland. Comme graveur on lui doit des paysages des environs de Weimar, traités avec esprit et d'une pointe alerte et *Savetier caressant une jeune fille*.

Musées : Francfort-sur-le-Main : *Portrait* – *Auberge* – *Repas à la campagne* – Leipzig : *Mère avec son nourrisson* – Orléans : *Jeune fille à l'oiseau* – *Jeune fille à la chaufferette* – Semur-en-Auxois : *La leçon de musique* – *Le concert* – Weimar : *Portrait d'homme*.
Ventes Publiques : Paris, 1er déc. 1930 : *La partie de musique* : **FRF 26 000** – Paris, 18 mai 1951 : *Le jeune vannier* : **FRF 7 500** – Munich, 29 mai 1976 : *Portrait de jeune femme* vers 1770, past., de forme ovale (35x28) : **DEM 1 800** – New York, 14 mars 1980 : *Jeune femme à la vielle*, h/t (28x21,5) : **USD 4 000** – Londres, 9 déc. 1982 : *Ponte del Castelvecchio, Verona*, cr., pl. et aquar. (36,2x48,5) : **GBP 580** – Paris, 15 juin 1984 : *Les jeunes espiègles*, h/pan. (37x29,5) : **FRF 52 000** – Londres, 24 juin 1988 : *Isola Bella dans le Lac Majeur*, cr. et aquar. (33,7x61) : **GBP 770** – Rome, 23 mai 1989 : *Intérieur d'une taverne* ; *Scène de marché*, h/cuivre, une paire (30x41) : **ITL 12 500 000** – New York, 13 oct. 1989 : *Portrait d'une jeune femme accoudée sur une vielle*, h/t (28x23) : **USD 8 250** – Monaco, 22 juin 1991 : *L'usurière*, h/pan. (64,5x55) : **FRF 83 250**.

KRAUS Gerhard Franz
Né le 6 avril 1871 en Courlande. Mort en septembre 1910 à Saint-Pétersbourg. XIXe-XXe siècles. Russe.
Sculpteur.
Il fut à Paris l'élève de Jules Aurèle L'Homeau.

KRAUS Gustav Wilhelm
Né en 1804 à Passau (Bavière). Mort en 1852 à Munich. XIXe siècle. Allemand.
Peintre de paysages, d'architectures.
On lui doit surtout des paysages et des vues de monuments.
Ventes Publiques : Munich, 28 juin 1983 : *Ausstellung der Königlich Bayerischen Truppen auf dem Wittelbacher Platz in München*, cr. (21,2x34,9) : **DEM 4 500**.

KRAUS Hans
XVe siècle. Actif à Bamberg en 1480. Allemand.
Peintre.
Dürer connut, semble-t-il, cet artiste qui travailla peut-être également à Würzburg, à Salzbourg et à Vienne.

KRAUS Jan
Né vers 1760. XVIIIe siècle. Polonais.
Peintre.
On connaît de lui une *Scène historique de l'année 1794*. Une copie de ce tableau à l'encre de Chine se trouvait à Cracovie chez M. Paula vers 1910, signée en français : *Dédié au conseil suprême par son très humble et très obéissant serviteur Jean Kraus*.

KRAUS Johann Thomas
Né vers 1696. Mort le 17 avril 1775. XVIIIe siècle. Actif à Augsbourg. Allemand.
Miniaturiste, dessinateur, graveur.
On cite surtout de lui un plan de la ville d'Augsbourg et des vues de cette ville.

KRAUS Johann Ulrich
Né le 23 juin 1655 à Augsbourg. Mort le 16 juillet 1719 à Augsbourg. XVIIe-XVIIIe siècles. Allemand.
Graveur, marchand d'estampes.
Beau-fils et élève de Melchior Küsel ; il imita Sébastien Le Clerc et copia Albert Dürer et Lucas de Leyde. Il grava des vues, des sujets bibliques, et travailla pour les libraires. Le Blanc se trompe évidemment en donnant comme date de naissance 1737 et 1806 comme date de mort alors que dans l'œuvre de l'artiste il mentionne des ouvrages datés de 1685, 1694, 1700, etc.

KRAUS Matthis
Né à Schweidnitz (Silésie). XVIe siècle. Actif dans la seconde moitié du XVIe siècle. Allemand.

Sculpteur.
Il travailla surtout à Stuttgart et au château de Lichtenstein.

KRAUS Philippe Joseph ou **Krauss**
Né le 10 novembre 1789 à Bamberg. Mort le 16 janvier 1864 à Bamberg. XIXe siècle. Allemand.
Peintre de paysages.
Son activité principale fut la peinture de portraits à la miniature.

KRAUS Valentin
Né le 23 août 1873 à Mulhouse. XIXe-XXe siècles. Allemand.
Sculpteur.
Il participa à l'Exposition de Munich de 1909. Il décora surtout des églises de la région de Munich.

KRAUS Wenzel
Né le 28 février 1791 à Kahn. Mort en 1849 à Vienne. XIXe siècle. Autrichien.
Peintre de miniatures.
Il fut élève au couvent d'Ossen et en 1812 il alla poursuivre ses études à l'Académie de Prague. Un moment il se livra à des travaux de mathématiques spéciales et s'occupa de métallurgie. Il revint bientôt à l'art et prit place parmi les bons miniaturistes de son temps. Il travailla à Teplitz, Karlsruhe, Salzbourg et surtout à Vienne. Le Musée de cette ville conserve de lui un portrait de femme.

KRAUSE Axel Emil ou **Kraus**
Né le 14 avril 1871 à Copenhague. Mort en 1945. XIXe-XXe siècles. Danois.
Peintre de compositions religieuses, scènes de genre, portraits, graveur.
Il exécuta plusieurs peintures pour l'église catholique de Copenhague.

VENTES PUBLIQUES : CHESTER, 7 oct. 1983 : *Le Port de Liverpool*, h/t (58,5x90) : **GBP 1 100** – LONDRES, 10 mai 1985 : *Conway Castle* 1906, h/t (59,6x105,5) : **GBP 1 500** – LONDRES, 17 mai 1991 : *La récréation* 1924, h/t (103x137) : **GBP 3 300**.

KRAUSE Bernhard
Né le 12 janvier 1743 à Frankenstein. Mort le 29 juillet 1803 à Frankenstein. XVIIIe siècle. Allemand.
Peintre d'histoire, sujets religieux, paysages, aquarelliste, copiste, dessinateur.
On cite surtout de lui des copies d'après Rembrandt, Rubens, Van Dyck, le Guide, etc. Il a peint également une *Madeleine* et *La Femme de Putiphar*. Il a été parfois considéré comme l'un des meilleurs peintres allemands du XVIIIe siècle.
VENTES PUBLIQUES : MUNICH, 10 mai 1989 : *Le jardin de Sanssouci* 1860, aquar. et cr. (16x23,5) : **DEM 2 200**.

KRAUSE Carl August
Né vers 1724. Mort le 5 mars 1764 à Paris. XVIIIe siècle. Allemand.
Peintre.
Né sans doute à Dresde, il s'établit à Paris où il fut membre de l'Académie de Saint-Luc.

KRAUSE Erich
Né le 18 décembre 1886 à Karlsruhe. XXe siècle. Allemand.
Peintre.
Il voyagea en Hollande, en France, en Scandinavie, en Italie et en Afrique du Nord.

KRAUSE Félix
Né le 16 février 1873 à Berlin. XIXe-XXe siècles. Allemand.
Peintre de marines, dessinateur.
À Paris, il fut élève de Jules Lefebvre et Tony Robert-Fleury, à l'Académie Julian. Il participa à l'Exposition de Berlin de 1909.

VENTES PUBLIQUES : NEW YORK, 27 mai 1983 : *Nature morte aux fleurs*, h/pan. (33x24,7) : **USD 1 400**.

KRAUSE Franz
Né le 3 février 1773 à Frankenstein. Mort le 20 octobre 1811 à Breslau. XVIIIe-XIXe siècles. Allemand.
Peintre d'histoire, portraits.
Élève de son oncle Fr. Krause l'Ancien, de Füger, puis de Maurer à Vienne. Il travailla à Breslau. On connaît de lui des copies d'après Raphaël.

KRAUSE Franz
Né le 31 mars 1823. Mort le 18 mars 1878 à Leitmeritz. XIXe siècle. Allemand.
Peintre de paysages.
Il a peint surtout de grands paysages italiens.
VENTES PUBLIQUES : LONDRES, 29 mai 1985 : *Scène de port*, h/t (62,5x50) : **GBP 1 600**.

KRAUSE Franz Emil
Né vers 1836 à Nieder-Schönhausen. Mort le 18 février 1900 à Conwau (Pays de Galles). XIXe siècle. Allemand.
Peintre de paysages, marines.
Il exposa à Berlin en 1870.
VENTES PUBLIQUES : ZURICH, 12 nov. 1976 : *Paysage d'Italie*, h/t (50,5x71) : **CHF 4 000** – LINDAU, 7 oct. 1987 : *Paysage fluvial au coucher du soleil*, h/t (20,5x33) : **DEM 10 000** – COLOGNE, 18 mars 1989 : *Paysage de montagne en été*, h/t (40x61) : **DEM 2 800** – COLOGNE, 29 juin 1990 : *Paysage romantique de montagnes*, h/t (42x58) : **DEM 3 500** – MONTRÉAL, 23-24 nov. 1993 : *Barques de pêche s'éloignant du port*, h/t (55,8x91,5) : **CAD 1 300**.

KRAUSE Hans
Né le 17 février 1864 à Rummelsburg. XIXe-XXe siècles. Allemand.
Peintre d'histoire, d'animaux, paysages.
Élève de Paul Meyerheim. Fut chargé de décorer de fresques le château du comte de Bulow à Holstein. Prit part à l'Exposition de Berlin en 1909.
VENTES PUBLIQUES : BERLIN, 30 sep. 1977 : *Lion et lionceau* 1896, h/t (39x54) : **DEM 2 750**.

KRAUSE Joseph
XXe siècle. Américain.
Peintre.
Sélectionné vers 1945, aux expositions de la Fondation Carnegie.

KRAUSE Lina
Née le 17 août 1857 à Berlin. XIXe siècle. Allemande.
Peintre de natures mortes, fleurs.
VENTES PUBLIQUES : VIENNE, 18 mai 1976 : *Nature morte aux fleurs*, h/t (41,5x31,5) : **ATS 13 000** – LUCERNE, 2 juin 1981 : *Nature morte aux fleurs*, h/pan. (42x31) : **CHF 8 500** – NEW YORK, 21 mai 1991 : *Nature morte de fleurs sur un entablement*, h/pan. (19x15,4) : **USD 3 960** – NEW YORK, 26 mai 1992 : *Nature morte de fleurs dans un vase*, h/pan. (45,7x36,8) : **USD 935**.

KRAUSE Max Reinhold
Né le 5 octobre 1875 à Filehne. Mort le 13 novembre 1920 à Berlin. XXe siècle. Allemand.
Sculpteur.
Il travailla à Berlin, Bruxelles, New York. Il travailla pour les hôtels de ville de Charlottenburg et Allenstein.

KRAUSE Mici
Née le 15 avril 1884 à Budapest. XXe siècle. Hongroise.
Peintre de portraits.
Elle reçut sa formation à Munich, puis à Paris.
D'entre ses portraits, sont cités ceux qu'elle exécuta pour la famille ducale de Saxe-Cobourg-Gotha.

KRAUSE Robert
Né le 23 avril 1813 à Saint-Pétersbourg. Mort le 8 décembre 1885 à Munich. XIXe siècle. Allemand.
Peintre de paysages.
Il peignit des paysages italiens. Il voyagea aussi longuement en Amérique du Nord et en Amérique du Sud et en rapporta des paysages.
VENTES PUBLIQUES : COPENHAGUE, 14 avr. 1970 : *Le départ des pêcheurs, Capri* : **DKK 4 500** – BERNE, 7 mai 1982 : *Paysage romain avec ruines* 1848, h/t (64x95) : **CHF 5 000**.

KRAUSE Theodor
XIXe siècle. Actif à Weimar à la fin du XIXe siècle. Allemand.
Peintre de genre, nus.
Il fut élève de Pauwels à l'Académie des Beaux-Arts de Dresde, puis médaillé dans cette ville en 1890 et 1891.

Ventes Publiques : Londres, 25 mars 1988 : *Nu féminin assis, de dos*, h/t (105,5x83,7) : **GBP 2 750**.

KRAUSE Wilhelm August Léopold Christian
Né le 27 février 1803 à Dessau. Mort le 8 janvier 1864 à Berlin. XIXe siècle. Allemand.
Peintre de marines, paysages.
Élève de Kolbe et de Wach. En 1821 on le trouve à Dresde, en 1824 à Berlin où, en même temps qu'il se perfectionnait dans la peinture, il était ténor dans un théâtre de la ville. Ce fut avec Wach qu'il peignit des marines sans avoir jamais vu la mer. Il fit de rapides progrès et se décida à voyager en Norvège. De retour à Berlin, il est membre de l'Académie des Beaux-Arts en 1832. Le Musée de Königsberg conserve de lui : *Pêcheurs dans une ville hollandaise*.
Ventes Publiques : Londres, 15 oct. 1969 : *Pêcheurs sur la plage* : **GBP 480** – Cologne, 26 nov. 1970 : *Marine* : **DEM 4 200** – Londres, 8 fév. 1985 : *Léopards dans un zoo*, h/t (70,5x99) : **GBP 1 600** – Cologne, 22 mai 1986 : *Scène de bord de mer* 1837, h/t (83,5x130,5) : **DEM 9 500** – Cologne, 19 nov. 1987 : *Paysage au lac* 1826, h/pan. (58x78) : **DEM 5 000**.

KRAUSE William
Né le 18 novembre 1875 à Dresde. Mort le 30 juin 1925 à Dresde. XXe siècle. Allemand.
Peintre de genre.
Prit part à l'Exposition de Berlin en 1909.

KRAUSE-CARUS Arthur
Né le 12 août 1883 à Freistadt. XXe siècle. Allemand.
Aquarelliste, illustrateur.
Il travaillait à Berlin, où il exposa entre 1914 et 1920.

KRAUSE-WICHMANN Eduard
Né le 30 mars 1864 à Stettin-Poelitz. XIXe siècle. Allemand.
Peintre de marines.
Les Musées de Stettin et d'Elbing possèdent des œuvres de cet artiste.

KRAUSKOPF Bruno
Né le 9 mars 1892 à Marienburg. Mort en 1960 ou 1962 à Berlin. XXe siècle. Allemand.
Peintre de figures, nus, portraits, paysages, peintre à la gouache, aquarelliste.
Il travaillait à Berlin, où il commença à exposer en 1914.

Ventes Publiques : New York, 18 nov. 1964 : *Paysage avec maison* : **USD 1 600** – Munich, 8 juin 1988 : *Les baigneurs*, aquar. et gche (59,7x45,2) : **DEM 3 080** ; *Nu féminin*, h/t (89x71) : **DEM 10 450** – Munich, 26 oct. 1988 : *Femme assise*, h/t (93x71,5) : **DEM 6 600** ; *Port*, h/cart. (45,7x61) : **DEM 10 450** – Munich, 7 juin 1989 : *Trois personnages*, h/t (89x71) : **DEM 6 600** – Munich, 13 déc. 1989 : *Mère et enfant*, h/t (117x66,5) : **DEM 19 800** – Munich, 31 mai 1990 : *Vue de la fenêtre de l'artiste*, h/t (80x100,5) : **DEM 30 800** – Berlin, 30 mai 1991 : *Paysage boisé*, h/cart. (49,7x69,2) : **DEM 16 650** – Berlin, 29 mai 1992 : *Portrait de la première femme de l'artiste*, h/bois (45x34) : **DEM 10 170** – New York, 10 nov. 1992 : *Nu allongé*, h/cart. (55,8x71) : **USD 5 280** – New York, 22 fév. 1993 : *Barques sur une plage*, encre noire et gche/pap. (49,8x65) ; *Arbres au bord d'un lac*, gche et aquar./pap. (50,5x68,3) : **USD 3 850** – New York, 8 nov. 1994 : *Paysage*, h/rés. synth. (78,5x99) : **USD 6 900** – New York, 10 oct. 1996 : *Femme assise*, h/t (88,9x69,2) : **USD 7 475**.

KRAUSKOPF Rudolf
Né le 23 février 1867 à Königsberg. XIXe-XXe siècles. Allemand.
Peintre de paysages, fleurs.
Il resta toute sa vie en Prusse-Orientale.

KRAUSKOPF Wilhelm
Né le 30 juin 1847 à Zerbst. XIXe siècle. Allemand.
Graveur.
Études à l'Académie de Munich. Voyages en Italie.

KRAUSNICK Johanna. Voir **BUDCZIES**

KRAUSS Emil, Gisbert Wilhelm
Né le 6 octobre 1830 à Breslau. Mort le 14 ou 24 août 1866 à Breslau. XIXe siècle. Allemand.
Peintre de paysages.
Élève de König à Breslau. En 1856 voyage en Westphalie et dès 1860 habite Düsseldorf. Traita surtout sur ses toiles des paysages montagneux. On voit de lui au Musée de Breslau : *La Moisson* et *La Fenaison*.

KRAUSS François ou **Krause**
Né le 19 février 1705 à Soflinen près Ulm. Mort le 30 juin 1752 à Einsiedeln (Suisse). XVIIIe siècle. Allemand.
Peintre de portraits, de genre, décorateur.
Travailla d'abord comme ouvrier peintre à Augsbourg, puis il se rendit à Venise où il fut élève de Piazetta. Il vint à Paris, mais n'y obtenant aucun succès, il voyagea dans les provinces françaises visitant successivement Langres, Lyon, Dijon, où il exécuta de nombreux portraits au crayon. Il peignit à Dijon plusieurs tableaux, notamment une *Madeleine chez Simon le Pharisien*, considéré comme son chef-d'œuvre. A Lyon il travailla pour l'église La Sainte-Croix. Il se rendit ensuite en Suisse où il décora entièrement l'église de Notre-Dame-des-Ermites.

Musées : Dijon : *Jésus et les disciples d'Emmaüs* – *Décollation de saint Jean* – *Retour de l'enfant prodigue* – *Résurrection de Lazare*, deux fois – *Parabole des ouvriers de la vigne* – une esquisse.

KRAUSS Franz
Né le 14 juin 1872 à Bâle. Mort en 1967. XIXe-XXe siècles. Suisse.
Peintre de paysages.
Élève des écoles d'Art de Bâle et de Karlsruhe et de l'Académie Julian à Paris.

KRAUSS Hans
Né le 27 juin 1865 à Stuttgart. XIXe siècle. Allemand.
Peintre de portraits.
Travaille à Rome. Le Musée de Stuttgart conserve une copie de son portrait du pape Pie X, dont l'original est au Palais Pitti, à Florence.

KRAUSS Jodocus Egidius
XVIIIe siècle. Actif à Leipzig. Allemand.
Graveur.
Il a peint des portraits des ingénieurs, des médecins, des érudits de Leipzig.

KRAUSS Karl
Né le 14 mai 1859 à Munich. Mort le 30 novembre 1906 à Aix-la-Chapelle. XIXe siècle. Allemand.
Sculpteur.
On cite ses bustes de *Moltke, Bismarck* et de l'*empereur Guillaume II*.

KRAUSS Marianne Walpurgis
Née en 1765 à Buchen. Morte en 1838 à Erbach. XVIIIe-XIXe siècles. Allemande.
Peintre.
Le Château d'Erbacher contient une collection de vues des environs de Rome dues à cet artiste.

KRAUSS Simon Andreas ou **Krausz**
Né le 26 août 1760 à La Haye. Mort le 16 février 1825 à La Haye. XVIIIe-XIXe siècles. Hollandais.
Peintre, graveur.
Élève de Léonard Defrance. Ses œuvres, paysages et animaux, intérieurs, sont à La Haye. Il s'inspira de Ruysdael, à qui on a attribué une de ses peintures : *Le moulin*. Le Musée communal de La Haye conserve de lui : *Canard courant* et *Paysage*.
Ventes Publiques : Paris, 1881 : *Le Moulin* : **FRF 920** – Paris, 1886 : *Moulin* : **FRF 370**.

KRAUSS-PABST Amélie
Née le 11 mars 1805 à Erbach. Morte le 9 juillet 1883 à Darmstadt. XIXe siècle. Allemande.
Peintre, miniaturiste.
Elle fut à Erbach, élève de Christian Kehrer. On lui doit des portraits à l'huile et surtout à la miniature.

KRAUSSE Alfred
Né le 12 février 1829 à Lössnitz. Mort le 20 août 1894 à Leipzig. XIXe siècle. Allemand.

Graveur.
Il fut à Karlsruhe élève d'Henry Winkles. On cite de lui des *Portraits de Bismarck, Moltke, Liszt, Wagner*, etc.

KRAUSSE Isidor Robert
Né le 28 juillet 1834 à Weimar. Mort le 5 novembre 1903 à Dresde. XIXe siècle. Allemand.
Peintre d'histoire, de portraits.
Élève de l'Académie de Leipzig et de Jager. Passa quelques années à Munich, alla en Hollande étudier les œuvres de Rubens et de Van Dyck, et en Italie. Médaillé à Leipzig 1863. Travaillait à Dresde en 1890.
Ventes Publiques : Lindau, 12 oct. 1977 : *La lettre*, h/pan. (21x16) : **DEM 3 900**.

KRAUSSER Johann Konrad
Né le 31 mars 1815 à Nuremberg. Mort le 25 janvier 1873 à Nuremberg. XIXe siècle. Allemand.
Sculpteur.
On cite de lui l'autel de l'église de Rottweil et les statuettes en bronze des vingt personnages les plus célèbres de la ville de Nuremberg.

KRAUSZ Wilhelm Victor
Né le 21 mars 1878 à Neutra. Mort en 1959. XXe siècle. Hongrois.
Peintre de portraits.
Il vécut surtout à Vienne. En 1900, il prit part à l'Exposition de Berlin, et à l'Exposition Universelle de Paris, où il obtint une mention honorable.
Ventes Publiques : Vienne, 17 mars 1976 : *Portrait de femme*, h/t (50x39) : **ATS 8 000** – Londres, 7 juin 1989 : *Un regard sur l'artiste travaillant dans une cour*, h/t (117x98) : **GBP 1 650**.

KRAUT Julius
Né le 17 juin 1859. XIXe siècle. Allemand.
Peintre de portraits.
Il travailla à Düsseldorf et Munich, puis se fixa à Berlin. On cite ses portraits du *Roi Albert de Belgique*, du *Roi et de la Reine de Roumanie*, du *Prince et de la Princesse héritiers de Prusse*.

KRAUTH Jakob
Né le 4 juillet 1833 à Mannheim. Mort le 30 décembre 1890 à Meran. XIXe siècle. Allemand.
Sculpteur.
Il travailla dès sa jeunesse aux châteaux d'Heidelberg, Karlsruhe et Mannheim.

KRAUTH Jean-Marie
Né le 16 décembre 1944 à Haguenau (Bas-Rhin). XXe siècle. Français.
Sculpteur d'installations, technique mixte.
Il fut élève de l'École des Arts Décoratifs de Strasbourg. Il vit et travaille à Haguenau. Il participe à des expositions collectives, dont : 1980 *Après le classicisme* Musée de Saint-Étienne ; 1984 *Ateliers 84* au Musée d'Art Moderne de la Ville de Paris ; 1988 *Construction. Image* au Musée d'Art Moderne de la Ville de Paris. Il expose aussi à titre individuel : 1982 *Entreposition* au Musée d'Art Moderne de Strasbourg, 1984 Nouveau Musée de Villeurbanne, 1986 à Nantes, 1988 à La Criée de Rennes.
Il s'est fait une spécialité de la sculpture monumentale en fer, forgé et martelé, et réalise des assemblages d'esprit géométrique, qu'il traite avec une certaine sensualité. Il dispose aussi des personnages, animaux, jouets, minuscules, coulés en plomb, sur des supports de dimensions considérables, établissant un rapport d'espace entre les uns et les autres.
Bibliogr. : Christian Bernard : *Circulez, il n'y a rien à voir*, in : Catalogue de l'exposition *Jean-Marie Krauth*, Mus. d'Art Mod., Strasbourg, 1982.
Musées : Paris (FNAC) : *Il se mit en route le lendemain matin* 1987 – *Lieu pour un Arc-en-ciel* 1987.

KRAUTHAUF Ferdinand
Né en 1830 à Vienne. Mort en 1893 à Gratz. XIXe siècle. Autrichien.
Peintre.
Le Musée de Gratz conserve deux paysages de lui.

KRÄUTLE Karl August
Né le 12 juin 1833 à Schramberg. Mort le 17 mai 1912 à Stuttgart. XIXe-XXe siècles. Allemand.
Graveur.
On lui doit des peintures religieuses et mythologiques et particulièrement de grandes décorations.

KRAUZE Perla
XXe siècle. Mexicaine.
Peintre. Tendance abstraite.
Dans ses peintures, une figuration décriptable s'accommode d'une stricte composition abstraite aux coloris clairs et heureux.
Bibliogr. : Damian Bayon, Roberto Pontual, in : *La peint. de l'Amérique latine au XXe siècle*, Mengès, Paris, 1990.

KRAVTCHENKO
Né en Ukraine. XXe siècle. Russe.
Peintre.
Peintre d'inspiration soviétique. On cite de cet artiste : *Première alerte*, scène de la guerre 1941-1944. Peut-être identique avec l'un des deux suivants.

KRAVTCHENKO Alexei Iliitch
Né en 1889 à Pokrovskoe-sur-la-Volga. Mort en 1940 à Nikolina-Gora. XXe siècle. Russe.
Peintre de paysages, graphiste, graveur, illustrateur, décorateur.
De 1904 à 1910, il fut élève de l'Institut de Peinture, Sculpture, Architecture de Moscou. Il a participé à des expositions collectives : 1909 des Indépendants ; 1911 de la Création Libre, et du Monde de l'Art ; 1912 de la Peinture Contemporaine ; 1913 de la Société des Artistes de Moscou, en tant que membre ; 1916 de la Société des Peintres Ambulants ; 1923 de l'Armée Rouge à Moscou ; 1925 des Quatre Arts, en tant que membre. Il fut aussi membre du Salon de Moscou, de la Société des Amateurs d'Art, des Peintres de Moscou. En 1925, il a figuré à l'Exposition Internationale des Arts Décoratifs de Paris ; en 1927 à l'Exposition Internationale de l'Art du Livre à Leipzig ; en 1928 à l'Exposition de l'Art Soviétique à New York. Il a également montré des ensembles de ses travaux dans des expositions personnelles : 1924 à Kazan, 1927 Paris, 1930 Kiev. En peinture, il a surtout rapporté des paysages de ses voyages, en Italie, aux Indes.
Bibliogr. : In : Catalogue de l'exposition *Paris-Moscou*, Centre Beaubourg, Paris, 1979.
Musées : Moscou (Gal. Tretiakov) : *Vue de Paris, sur la Seine* 1926, dess. – Moscou (Mus. Pouchkine) : *Paris, les bouquinistes* 1926, xylographie en coul. – *Frontispice de L'Île des pingouins d'A. France* 1930, xylographie – Saint-Pétersbourg (Mus. Russe) : *Illustration pour Les Dieux ont soif d'A. France* 1929, xylographie en coul. – *Illustration pour Le Crime de Sylvestre Bonnard d'A. France* 1929, xylographie – *Illustration pour Jocaste et le chat maigre* 1929, xylographie.

KRAVTCHENKO Nikolai Ivanovitch
XIXe-XXe siècles. Russe.
Peintre, dessinateur.
Il fit ses études artistiques à Odessa, puis à Saint-Pétersbourg. À partir de 1892, il exposa à Paris.

KRAVTSOV Eygueni
Né en 1965. XXe siècle. Russe.
Peintre de paysages, marines animés. Postimpressionniste.
Il fréquenta l'Académie des Beaux-Arts de Moscou et travailla sous la direction de Ilia Glazounov.
Sa touche elliptique, grasse et sensuelle rappelle, très tardivement, la technique accélérée des Boudin ou Manet.
Ventes Publiques : Paris, 4 mai 1994 : *Sur la pelouse*, h/t (50x65) : **FRF 4 200** – Paris, 1er juin 1994 : *Jour de pluie*, h/t (27x46) : **FRF 5 000** – Paris, 1er déc. 1994 : *Nu au tabouret*, h/t (61x50) : **FRF 6 100**.

KRAY Christoph
Né vers 1658 à Königsberg. Mort le 7 juillet 1730 à Dantzig. XVIIe-XVIIIe siècles. Allemand.
Peintre.
On lui doit de grandes compositions historiques.

KRAY Johann Michael
Né à Biberach. XIXe siècle. Actif à Augsbourg au début du XIXe siècle. Allemand.
Peintre de paysages.

KRAY Wilhelm
Né le 29 décembre 1828 à Berlin. Mort le 29 juillet 1889 à Munich. XIXe siècle. Allemand.
Peintre d'histoire, compositions mythologiques, sujets de genre, portraits, paysages.
Il fut d'abord orfèvre ; puis alla étudier la peinture à Paris et en

Italie. Il visita Venise, Vienne ; se fixa en Bavière, où il devint professeur.

Musées : Cologne : *Ondine* – Graz : *Le Rêve du pêcheur.*
Ventes Publiques : New York, 1899 : *Vénus Aphrodite* : **FRF 8 500** – New York, 3 fév. 1904 : *Lorelei* : **USD 400** – New York, 7 mars 1911 : *Sirène* : **USD 400** – New York, 7 oct. 1977 : *La romance du pêcheur* 1871, h/t (80x104) : **USD 1 600** – Berne, 1er mai 1980 : *Mère et enfant dans un intérieur* 1875, h/t (50x45) : **CHF 7 000** – Vienne, 17 mars 1981 : *La Jeunesse sans souci*, h/t (135x265) : **ATS 45 000** – New York, 24 mai 1984 : *Enfant au bord de la mer*, h/t (43,8x75) : **USD 8 000** – New York, 29 oct. 1986 : *Une nymphe au bord de la mer*, h/t (112,4x76,2) : **USD 8 000** – Stockholm, 29 avr. 1988 : *Cléopâtre près du corps d'Antoine dans son sarcophage* 1878, h/t (185x234) : **SEK 20 000** – New York, 29 oct. 1992 : *Maternité*, h/t (50,2x45,1) : **USD 3 850** – Londres, 12 fév. 1993 : *Les baigneurs*, h/t (132x96) : **GBP 5 500.**

KRAYN Hugo
Né le 5 février 1885 à Berlin. Mort le 25 janvier 1919 à Berlin. xxe siècle. Allemand.
Peintre de compositions à personnages, paysages.
Il peignit d'abord des paysages, puis des œuvres de propagande sociale, représentant la misère prolétarienne.

KRAZEISEN Karl
Né le 27 octobre 1794 à Castellaun près de Trarbach. Mort le 25 janvier 1878 à Munich. xixe siècle. Allemand.
Peintre de portraits, paysages.
Officier bavarois, devint général. Auteur de scènes militaires et de paysages à l'aquarelle.
Ventes Publiques : Londres, 8 nov. 1984 : *Soldats grecs luttant parmi les ruines*, h/t (28x22,5) : **GBP 5 000.**

KRBEC Rosemonde
Née à Genève. xxe siècle. Suisse.
Sculpteur, peintre de figures, lithographe, sérigraphe. Expressionniste.
Elle fut élève de l'École des Beaux-Arts de Genève, diplômée, ayant obtenu distinctions et bourses. Elle pratiqua la sculpture jusqu'en 1964, la peinture sur cuivre jusqu'en 1972, puis la peinture sur toile. Elle participe à des expositions collectives et montre individuellement des ensembles de ses peintures, depuis 1965, à Genève, Berne, Lausanne, ainsi qu'à Barcelone, Francfort, Bruxelles, etc.
Des personnages qu'elle peint, spontanément, fébrilement, inachevés, érodés ou tuméfiés, il a été dit qu'ils procédaient d'un art « viscéral ».
Bibliogr. : *Rosemonde Krbec*, Édit. Rosepierre, Genève, s. d., après 1980.

KREBBER Michael
Né en 1954 à Cologne. xxe siècle. Allemand.
Peintre, dessinateur.
Il a exposé à Paris, à la galerie Sylvana Lorenz, en 1997 à la Villa Arson à Nice. Il puise ses références dans la culture française.

KREBS Adolf
Né le 12 mars 1849 à Tschugg (Canton de Berne). xixe siècle. Suisse.
Peintre.
Il fit des études à Zurich et à Munich, puis en Italie. On lui doit surtout des décorations d'églises.

KREBS Franz Xaver
Né le 20 février 1770 à Fribourg-en-Brisgau. Mort en décembre 1845 à Rome. xviiie-xixe siècles. Allemand.
Peintre.
On cite de cet artiste plusieurs copies d'après Rubens et un autoportrait à la miniature.

KREBS Frederick Christian
Né le 24 août 1845 à Rheinbeck près d'Hambourg. xixe siècle. Allemand.
Peintre de portraits.
L'Université de Lund possède plusieurs portraits de cet artiste qui travailla surtout à Copenhague et à Lund.

KREBS Friedrich Anton
Mort en 1774. xviiie siècle. Actif à Mayence. Allemand.
Graveur.
Héritier d'un fond d'éditions il se fit souvent l'illustrateur des ouvrages qu'il éditait lui-même.

KREBS Georges Daniel
Né en février 1894 ou 1897 à Brumath (Bas-Rhin). xxe siècle. Français.
Peintre de décorations.
Il a surtout travaillé en Alsace. Il exposait aussi à Paris, aux Salons des Artistes Français, des Indépendants et d'Automne. À l'Exposition des Arts Décoratifs de 1925 à Paris, il a obtenu une médaille d'or.

KREBS Hans
Mort en 1623. xviie siècle. Actif à Salzbourg. Autrichien.
Peintre.
On lui doit la décoration du grand autel de Mattsee, et des travaux importants pour l'église Saint-Pierre à Salzbourg.

KREBS Hulda
xxe siècle. Allemande.
Sculpteur.
Elle vivait à Marienhöhe. Elle a participé à l'Exposition de Berlin de 1909.

KREBS Johannes Cathrine
Née le 21 avril 1848 à Lasso. Morte le 1er avril 1924. xixe-xxe siècles. Danoise.
Peintre de portraits, de genre.
Mention honorable à Paris 1900 (Exposition Universelle). Elle exposa pour la première fois à Charlottenberg en 1880. Elle voyagea beaucoup à travers l'Europe.

KREBS Karl Friedrich
Né le 30 janvier 1880 à Fribourg. Mort le 28 août 1914. xxe siècle. Allemand.
Peintre de compositions religieuses, paysages. Post-cézannien.
Comme Cézanne l'avait été lui-même, à travers celui-ci Krebs fut influencé par l'œuvre du Gréco.

KREBS Otto Albert Christian
Né le 22 juillet 1870 à Laupen. xixe-xxe siècles. Suisse.
Peintre, graveur.
Il vivait et travaillait à Bâle. Il a surtout gravé des ex-libris.

KREBS Rockne
xxe siècle. Américain.
Sculpteur. Minimal art.
Ses sculptures sont constituées de formes géométriquement simples, dénuées a priori de tout pouvoir expressif.

KREBS Walter
Né le 17 mars 1900 à Starrkirch. Mort en 1965 à Berne. xxe siècle. Suisse.
Peintre de compositions à personnages, paysages, peintre de techniques mixtes, à la gouache, aquarelliste.
Il était un dessinateur scrupuleux. Il fut un peintre d'inspiration mystique et philosophique, l'idée de la mort est présente dans nombre de ses compositions : *Les trois cavaliers, Le Carillonneur dans la Schöllenen, Symphonie de la mort, La Lumière dans le village.*
Ventes Publiques : Lucerne, 30 mai 1979 : *La Fuite*, h/pan. (99x109,5) : **CHF 2 200** – Berne, 7 mai 1982 : *Le Gitan*, h/cart. (62x75) : **CHF 1 900** – Berne, 6 mai 1983 : *Le Retour* 1946, h/isor. (72x82) : **CHF 3 100** – Berne, 4 mai 1985 : *Dorftreppe mit Marktfrauen* 1943, aquar., encre de Chine et temp. (55x52) : **CHF 2 700** – Berne, 9 mai 1987 : *Bateaux de pêche en mer*, h/pan. (74x65) : **CHF 7 000** – Berne, 26 oct. 1988 : *Le Retour*, techn. mixte (24x31) : **CHF 1 900** – Berne, 12 mai 1990 : *Paysage d'Afrique du Nord* 1930, gche et aquar. (51x63) : **CHF 900.**

KREBS Xavier
Né en 1923 à Quimperlé (Finistère). xxe siècle. Français.
Peintre, céramiste. Abstrait.
Il vit et travaille à Saint-Martin d'Urbens (Tarn). Depuis 1950, il se consacre à la peinture et à la céramique. Depuis 1961, il participe à des expositions collectives, surtout à Paris : Salon Comparaisons, en 1987 et 1992 Salon des Réalités Nouvelles, etc. De 1961 à 1971, il exposait à la galerie de Beaune de Paris, dirigée par Suzanne de Coninck. Il exposa alors également à Londres, Istanbul, Madrid, Rome, avec le groupe d'artistes de la galerie. De 1971 à 1985, il a exposé à Paris, Lausanne, Tours, au musée des Sables-d'Olonne, à Montauban, à l'abbaye de Beaulieu, à Lyon, en 1992 à la galerie Étienne de Causans de Paris, et au

Temple de Caussade, en 1994 de nouveau à la galerie Étienne de Causans... Il a réalisé des peintures murales à Scaër, Quimper, Muzillac. En 1964, il a illustré un recueil de poésies de Marcel Beaulu.
Sa peinture a été abstraite dès ses débuts chez Suzanne de Coninck. Elle a d'abord consisté en petits signes abstraits, d'une grande nervosité et d'un lyrisme très contenu. Elle a évolué ensuite, parfois proche de la « peinture de champs », en larges plages et bandes modulées en tons rapprochés, de gris et de roses éteints qu'anime parfois une bande rouge. Des traces, comme effacées par le temps, de caractères linguistiques subsistant de civilisations oubliées, des *empreintes* parsèment toujours les bandes verticales parallèles. Tous les commentaires s'accordent à voir ici un art de contemplation, inspiré de l'Orient, qui associe l'apparente simplicité des moyens et la profondeur d'une pensée intériorisée.
Bibliogr. : Geneviève Bonnefoi, et H. L. C. : Catalogue de l'exposition *Krebs*, Temple de Caussade, 1992, bonne documentation.
Musées : Lyon (Mus. des Beaux-Arts) – Paris (FNAC) – Paris (Mus. d'Art Mod. de la Ville) – Les Sables d'Olonne (Mus. de l'abbaye Sainte-Croix).

KREBSBACH
Mort en 1744 à Mannheim. XVIIIe siècle. Allemand.
Peintre.
On lui doit des tableaux des genres les plus divers, du portrait aux scènes de batailles et de la peinture historique à la peinture d'animaux.

KREDER Paul Eugène
Né à la fin du XIXe siècle à Belfort. XIXe-XXe siècles. Français.
Peintre.
Membre des Artistes Français depuis 1889. Chevalier de la Légion d'honneur.

KREFELD Johann Heinrich
Né en 1699 à Hambourg. Mort le 1er février 1755 à Bruchsal. XVIIIe siècle. Allemand.
Peintre.
Il fut longtemps au service du prince évêque de Speyer. On lui doit aussi la décoration de châteaux comme ceux d'Altenburg et Diedesheim.

KREFTING Ruth
XXe siècle. Travaille vers 1937. Norvégienne.
Peintre.

KRÉGAR Stane
Né en 1905 à Sent-Vid (près de Zapouje, Slovénie). XXe siècle. Yougoslave.
Peintre de figures. Polymorphe.
De 1930 à 1935, il fut élève de l'Académie des Beaux-Arts de Prague, où il prit contact avec les artistes progressistes d'Europe centrale, très actifs alors dans la ville. Il voyagea en Tchécoslovaquie, France, Italie, Suisse. Il participa à des expositions collectives : 1957 *Guggenheim International Award* à New York, IIe Biennale Méditerranéenne d'Alexandrie ; 1959 Ve Biennale de São Paulo ; etc. Il a exposé individuellement : 1933 Prague, 1935 Ljubljana, 1951 Trieste, 1954 Belgrade, 1955 Berlin.
Il a été connu pour ses figures féminines : *La Dame en gris*. Il a subi tour à tour des influences post-cubistes, surtout surréalistes : *Fantaisie sur la terrasse* de 1936, puis n'échappa pas au réalisme-socialiste, avant, en antidote, au lendemain de la deuxième guerre mondiale, de passer à l'abstraction, dont il a pratiqué à la fois la tendance lyrique et la géométrique. Dans ses diverses périodes, il s'est toujours montré un coloriste, ayant surtout fondé sa période abstraite sur les fonctions dynamiques de la couleur.
Bibliogr. : In : *Peintres contemp.*, Mazenod, Paris, 1964 – in : *Diction. Univers. de la Peint.*, Le Robert, Paris, 1975.
Musées : Ljubljana (Mus. d'Art Mod.) : *Fantaisie sur la terrasse* 1936.

KREGTEN Johannes Aurelius Fedor Van
Né en 1871. Mort en 1937. XIXe-XXe siècles. Hollandais.
Peintre de scènes animées, paysages ruraux, animaux.
Ventes Publiques : Amsterdam, 19 sep. 1989 : *L'heure de la traite des bêtes*, h/t (40x60) : **NLG 1 840** – Amsterdam, 5 juin 1990 : *Jeunes veaux dans la cour de la ferme*, h/t (60x80) : **NLG 1 955** – Amsterdam, 24 avr. 1991 : *Barque amarrée au bord d'une rivière bordée de peupliers en hiver*, h/t (40x60) : **NLG 3 220** – Amsterdam, 5-6 nov. 1991 : *Berger et son troupeau*, h/t (64x86) : **NLG 2 070** – Amsterdam, 21 avr. 1993 : *Berger et son troupeau sur un chemin sablonneux*, h/t (104,5x145,5) : **NLG 1 840** – Amsterdam, 9 nov. 1993 : *Deux veaux dans une prairie*, h/t (59x88) : **NLG 2 185** – Amsterdam, 16 avr. 1996 : *Paysage estival avec des vaches*, h/t (51x71) : **NLG 2 183** – Amsterdam, 5 nov. 1996 : *Le Bercail*, h/t (91x141) : **NLG 2 714**.

KREHBIEL Albert H.
Né à Chicago (Illinois). XXe siècle. Américain.
Peintre de compositions murales.
Il fut élève de Frederick Richardson à Chicago, et de Jean-Paul Laurens à Paris.
Son œuvre maîtresse est la décoration murale de la Cour Suprême de Springfield (Illinois).

KREIDOLF Ernst Konrad Theophil
Né le 9 février 1863 à Tägerwilen. Mort le 12 août 1956 à Berne. XIXe-XXe siècles. Suisse.
Peintre de paysages, aquarelliste, graveur, illustrateur.
Il fut apprenti en lithographie à Constance, puis il fut élève de Gabriel von Hackl et Ludwig von Löfftz à l'Académie des Beaux-Arts de Munich. Ensuite, il poursuivit sa formation avec l'étude de la nature dans la campagne bavaroise, qu'il parcourut pendant quelques années. Il était membre du groupe d'artistes suisses *Die Walze* et participa à des expositions à Munich, Düsseldorf, Zurich, Venise.
Outre ses paysages en peinture, il fut un habile illustrateur de livres pour enfants, à base d'animaux et de fleurs, de recueils de poésies, d'ouvrages littéraires et scientifiaues, d'entre lesquels : 1900 *Le Fouet*, poème de Dehmel ; 1901 *Les Arbres endormis* ; 1902 *Les Nains de la prairie* ; 1904 *Bavardages* ; et encore le *Livre d'images sans images* de H. C. Andersen ; etc.

Bibliogr. : Marcus Osterwalder : *Diction. des illustrateurs 1800-1914*, Ides et Calendes, Neuchâtel, 1989.
Ventes Publiques : Berne, 18 mai 1973 : *Paysage* : **CHF 2 200** – Berne, 22 nov 1979 : *Vue de Berne* 1910, aquar. (19,5x24,5) : **CHF 2 100** – Berne, 2 mai 1980 : *La patrie du poète*, encre de Chine aquarellée (27,8x22,9) : **CHF 1 900** – Zurich, 14 mai 1983 : *Fleurs dans un vase* 1943, h/t (64x50) : **CHF 3 400** – Zurich, 26 mai 1984 : *Stiefmütterchen*, aquar./traits de cr. (25,1x34,2) : **CHF 1 900** – Berne, 26 oct. 1988 : *Pot de cinéraire* 1937, h/t (58x49) : **CHF 5 000** – Zurich, 8 déc. 1994 : *Chanteurs de Noël* 1908, cr. et aquar./pap. (19,5x30) : **CHF 4 600**.

KREINS Hilaire Antoine
Né en 1806 à Luxembourg. Mort en 1862 à Bruxelles. XIXe siècle. Luxembourgeois.
Dessinateur de paysages, lithographe.
Il illustra les *Fables* de La Fontaine.

KREIPEL Georg
XVIIIe siècle. Actif à Vienne. Autrichien.
Peintre.
On lui doit des tableaux d'inspiration religieuse.

KREISS Marcus
XXe siècle.
Artiste, créateur d'installations, dessinateur.
Il a exposé en 1995 à la Maison Billaud à Fontenay-le-Comte. Il s'agissait de dessins représentant des intérieurs et des tours-immeubles. Sans souci de projection spatiale « conforme », les lignes sont un peu tordues, la perspective est décentrée, ces dessins sont des projets d'architecture et le point de départ d'installations.

KREITAN Wilhelm Ferdinand
Né en 1833 à Friedrichshamm. XIXe siècle. Finlandais.
Sculpteur.
Il travailla à Saint-Pétersbourg où il suivit les cours de l'Académie. On lui doit des œuvres d'inspiration mythologique et des bustes.

KREITMAYER Johann Baptist ou **Kreitmayr**
XIXe siècle. Allemand.
Peintre de paysages.
Il travailla surtout à Munich, Augsbourg et Karlsruhe.

KREITMAYER Katharine
Née en 1646. Morte le 28 février 1726. XVIIe-XVIIIe siècles. Allemande.

Miniaturiste.
Religieuse au monastère d'Altomünster, près d'Aichach. Une de ses œuvres était chaque année envoyée au pape, le 1er janvier.

KREITZ Willy
Né en 1903 à Anvers. Mort en 1982 à Uccle. xxe siècle. Belge.
Sculpteur.
Il fut élève de l'Académie des Beaux-Arts d'Anvers, puis de l'Institut Supérieur. En 1932, il remporta le Prix de Rome. Il est devenu professeur à l'Académie d'Anvers.
Bibliogr. : In : *Diction. biogr. illustré des Artistes en Belgique depuis 1830*, Arto, Bruxelles, 1987.

KREJKAR Anton
xxe siècle. Autrichien.
Peintre, dessinateur. Réaliste-fantastique.
Derrière la première génération de l'école spécifiquement viennoise du réalisme fantastique, avec Hutter, Lehmden, Brauer, Fuchs, Hausner, eux-mêmes disciples d'Albert Paris Gutherslohh, Anton Krejkar fait partie de la seconde génération de ce courant. À ce titre, il figurait, en 1970, à l'exposition consacrée à cette école à Paris.
Se rappelant les procédés d'Arcimboldo, il invente des paysages, où les vagues de la mer supportent d'étranges vaisseaux ; il peint d'étonnants assemblages de fleurs ou encore des femmes-fleurs étendues sur le sable.

KREKELS Ignace
Né le 10 février 1965 à Brasschaat. xxe siècle. Belge.
Peintre de natures mortes, paysages. Réaliste-photographique, trompe-l'œil.
Il fit ses premières études classiques à Anvers, tout en commençant très jeune à dessiner et à peindre, fréquentant l'Académie de Dessin du collège Saint-Michel où il était élève. Il revint ensuite à Bresschaat, où il fut élève de l'École de Commerce. En 1981, âgé de seize ans, il fit une première exposition personnelle à la Chapelle Saint-Joseph de Bresschaat.
Outre quelques paysages moins convaincants, il peint essentiellement des natures mortes, composées de cruches, vases, pots, bouteilles, verres, chandeliers, de livres, fermés et ouverts, lettres, fruits, etc., qu'il traite dans une technique à l'ancienne, minutieusement fidèle, qu'on peut dire photographique, utilisant parfois des prodédés issus du trompe-l'œil, comme quelques feuillets de lettres accrochés au mur par un clou.
Bibliogr. : Catalogue de l'exposition *Ignace Krekels*, chapelle Saint-Joseph, Brasschaat, 1981.

KRELING August von
Né le 23 mai 1819 à Osnabrück. Mort le 23 avril 1876 à Nuremberg. xixe siècle. Allemand.
Peintre d'histoire, portraits, sculpteur.
Il fut élève de Cornelius. Nommé directeur de l'École des Beaux-Arts de Nuremberg en 1853, il devint membre honoraire de l'Académie de Munich en 1876.
Ventes Publiques : New York, 15 oct. 1976 : *Anthony Van Dyck dans son atelier*, h/t (119x102) : **USD 1 000.**

KRELING Wilhelm
Né le 27 avril 1855 à Nuremberg. xixe siècle. Allemand.
Peintre de genre.
Travailla à Munich. Exposa à partir de 1880. Il était fils d'August.

KRELL Hans
Mort vers 1586 à Leipzig. xvie siècle. Allemand.
Peintre.
Cet artiste était au service du roi Louis II de Hongrie. Il travailla surtout à Prague ; mais en 1533 il recevait droit de cité à Leipzig. On lui doit beaucoup de portraits et entre autres ceux des familles régnantes de Hongrie et de Saxe. Le Musée de Dresde possède un tableau de lui.
Ventes Publiques : Londres, 8 déc. 1972 : *Portrait d'homme barbu* : **GNS 7 500** – Londres, 30 nov 1979 : *Portrait d'homme, âgé de 22 ans* 1522, h/pan. (48,2x33,8) : **GBP 17 000.**

KREMBERG Jakob
Mort en 1641. xviie siècle. Actif à Lund. Danois.
Sculpteur.
Il est surtout connu pour les travaux très variés qu'il exécuta pour différentes églises au premier rang desquelles la cathédrale de Lund.

KRÉMÈGNE Pinchus
Né le 21 juillet 1890 à Zaloudock (près de Vilno). Mort le 5 avril 1981 à Céret (Pyrénées-Orientales). xxe siècle. Depuis 1912 actif en France. Russe-Lituanien.
Peintre de figures, portraits, nus, intérieurs, paysages, natures mortes, fleurs et fruits. Postcézannien, puis expressionniste.
Aîné de Soutine, il connut celui-ci à l'École des Beaux-Arts de Vilno, dont il fut élève à partir de 1909. Kikoïne fut aussi élève de la même école. Arrivé à Paris en 1912, un an avant que Soutine ne le rejoigne, Krémègne fit des débuts de sculpteur, mais se voua à la peinture à partir de 1915. Habitant la célèbre construction de Vaugirard, dite « La Ruche » à cause de sa forme, toujours en compagnie de Soutine, il découvrit le Louvre, les impressionnistes, et les œuvres des Fauves et des cubistes. À Montparnasse, il fut l'ami de Chagall, de Léger ; Modigliani fit son portrait. Après un séjour en Scandinavie dès 1927, il fit de fréquents voyages, soit en Corse et Provence, en Touraine, dans le Roussillon, soit à l'étranger, notamment en Israël. Pendant la deuxième guerre mondiale et l'occupation allemande, Krémègne, juif, dut se cacher en Corrèze, sans peindre. À son retour à Paris, il ne retrouva pas l'audience d'antan, d'autant que lui-même se renferma dans un total mutisme.
Il a exposé dans les principaux Salons de Paris : des Indépendants dès 1913 en tant que sculpteur, d'Automne, des Tuileries. Il a surtout montré ses peintures dans de très nombreuses expositions personnelles : régulièrement à Paris depuis 1923, à Londres, Philadelphie, etc. En 1998 à Paris, la galerie Aittouarès a réuni une exposition d'un ensemble de ses peintures.
Finalement, après les hésitations de ses années de formation et quelques peintures à tendance symboliste, ce fut à Van Gogh et à Cézanne qu'il se référa afin d'en tenter la synthèse dans des peintures où il dit son tourment intérieur au travers de formes impassibles, personnages figés, paysages engourdis, natures mortes muettes. Autour de 1915, il peignit quelques toiles caractéristiques de cette double influence : *La Femme assise* peinte par touches carrées, la *Petite nature morte à la lampe, Les Géraniums*, la *Nature morte aux harengs*, la *Femme au fauteuil* de 1917, qui manifeste la même absence obsédante que certains portraits de Cézanne. Vers 1916, influencé par Derain et Vlaminck, Krémègne peignit une série de *Nus rouges*, dont le graphisme était aussi véhément que la coloration, ce qui fit émettre à leur endroit le qualificatif de « fauves ». À cette époque rouge appartiennent aussi quelques paysages et natures mortes. Il partage avec Cézanne l'admiration pour le Gréco ; à cette influence on peut attribuer le *Portrait d'homme*, en demi-figure, de 1923, ainsi que des natures mortes claires qu'il ne peignit qu'en 1930. Du voyage en Scandinavie de 1927, il rapporta de robustes portraits de paysans. À cette époque, il séjourna à plusieurs reprises à Cagnes-sur-Mer ; ce qu'on appelle son époque provençale constitue une sorte de halte sereine dans son œuvre : il inonde d'un délire de couleurs les paysages heureux qu'avait parcourus Renoir. Depuis 1920, mais surtout depuis 1924, Krémègne peignait de grandes natures mortes, qui constitueront une part importante de sa production jusqu'en 1939 : *Violon à l'étui rouge* de 1925. De ses voyages, il rapportait des paysages : *Paysage en Touraine* de 1953, *Vieux pont à Céret* de 1955, *La Tourelle à Noyère* de 1957, *Arbres à Céret* de 1959. Ayant atteint la maturité de ses moyens, il continua de donner quelques portraits, tel son *Autoportrait* de 1953, quelques scènes d'intérieur, et surtout de ces natures mortes solides qui ont assuré sa place dans l'école de Paris, parmi les artistes de sa génération.
Même alors qu'il introduisait dans ses natures mortes des volailles plumées ou des trophées de chasse, il s'est définitivement éloigné du sens du tragique propre à Soutine, son ami de jeunesse.
Pour Krémègne, la peinture a été avant tout un « fait plastique », pour reprendre le terme de Cézanne, et le sujet de la peinture seulement un prétexte, ainsi dans la *Nature morte à la brioche* de 1928 ou encore plus nettement dans la *Nature morte au plat de viande saignante* de 1930. Il y attribue une égale importance à chaque moindre objet présent dans l'ensemble, à chaque moindre parcelle de la surface peinte. Dans la suite de son parcours, s'il a rejoint les peintres d'Europe centrale qui ont introduit dans l'École de Paris un courant expressionniste, ce fut en y manifestant pour sa part un « expressionnisme sublimé ».
■ Jacques Busse

Kremegne
Kremegne

Bibliogr. : Gustave Coquiot, in : *Les Peintres indépendants*, Paris – Catalogue de l'exposition *Krémègne*, gal. Jacques Chalom, Paris, 1962 – Waldemar-George : *L'humble et colossal Krémègne*, in : Catalogue de l'exposition *Krémègne*, galerie Durand-Ruel, Paris, 1959 – in : *Diction. Univers. de la Peint.*, Le Robert, Paris, 1975 – Gaston Diehl, Gérard Miller : *Krémègne, l'expressionnisme sublimé*, Navarin-Seuil, Paris, 1990.
Musées : Céret – Moscou – Paris – Tel-Aviv.
Ventes Publiques : Paris, 7 fév. 1927 : *Portrait de femme* : **FRF 500** – Paris, 10 nov. 1928 : *Nu couché* : **FRF 2 750** – Paris, 24 nov. 1928 : *Fleurs et fruits* : **FRF 2 500** – Paris, 28 fév. 1930 : *Nus dans un intérieur* : **FRF 3 400** – Paris, 30 avr. 1945 : *Nature morte aux poissons* : **FRF 11 000** – Paris, 25 juin 1945 : *Fleurs dans un pot de grès* : **FRF 25 000** – Paris, 27 nov. 1946 : *Vase de Chine* : **FRF 4 300** – Paris, 30 mars 1949 : *L'Homme en gris* : **FRF 12 000** – Paris, 27 juin 1955 : *Le Village en Suède* : **FRF 62 000** – Londres, 1er juil. 1960 : *Route boisée avec personnages près d'une maison* : **GBP 577** – Paris, 3 déc. 1969 : *Le Village* : **FRF 10 200** – Genève, 13 juin 1970 : *Violon* : **CHF 11 000** – Paris, 27 juin 1973 : *Bord de rivière* : **FRF 24 000** – Versailles, 26 mai 1974 : *Paysage à Noyers* : **FRF 30 000** – Versailles, 5 déc. 1976 : *Le village au pied des collines*, h/isor. (53x72) : **FRF 13 000** – Paris, 27 jan. 1977 : *Rue de village*, h/t (81x65) : **FRF 12 000** – Zurich, 23 nov. 1978 : *Nu assis* vers 1918, h/t mar./cart. (64,5x53,5) : **CHF 13 000** – New York, 18 mai 1979 : *Pyrénées Orientales*, h/t (61x74,3) : **USD 4 000** – Versailles, 8 nov. 1981 : *Paysage de Corse près de la mer* vers 1920, h/t (46x65) : **FRF 17 000** – Paris, 29 nov. 1984 : *Les lavandières*, h/t (60x73) : **FRF 60 000** – Zurich, 8 nov. 1985 : *Nature morte aux grenades et aux pommes*, h/pan. (52,8x72,9) : **CHF 14 000** – Paris, 27 nov. 1987 : *Paysage fauve*, h/t (54x76) : **FRF 50 000** – Versailles, 13 déc. 1987 : *Place à Céret* 1960, h/t (54x65) : **FRF 46 000** – Paris, 22 juin 1987 : *Nature morte*, aquar. (31x47) : **FRF 14 000** – La Varenne-Saint-Hilaire, 6 mars 1988 : *Composition aux fruits*, h/cart. (27x35) : **FRF 25 000** – Versailles, 20 mars 1988 : *Intérieur à la coupe de fruits*, h/t (54x65) : **FRF 40 000** – Paris, 20 mars 1988 : *Nature morte aux deux citrons*, h/t (61x46) : **FRF 39 000** ; *Les instruments de musique* 1959, h/t (81x65) : **FRF 35 000** ; *Intérieur au vase fleuri*, h/t (64x52) : **FRF 42 000** – New York, 7 avr. 1988 : *Paysage*, h/t (58,6x71,3) : **USD 3 080** – Paris, 4 mai 1988 : *Les collines*, h/t (65x92) : **FRF 32 000** – Tel-Aviv, 26 mai 1988 : *Autoportrait* 1960, h/t (65x49) : **USD 4 400** – La Varenne-Saint-Hilaire, 29 mai 1988 : *Composition au verre et aux fleurs* 1938, h/t (65x54) : **FRF 35 500** – Paris, 12 juin 1988 : *Paysage d'Automne*, h/t (65x100) : **FRF 55 000** – La Varenne-Saint-Hilaire, 23 oct. 1988 : *Promeneuse près du pont de pierre*, h/t (49x63) : **FRF 41 000** – Paris, 20 nov. 1988 : *Nature morte au pichet* vers 1925, h/t (46x55) : **FRF 50 000** – Paris, 14 déc. 1988 : *La fontaine Fels à Céret*, h/t (65x92) : **FRF 38 000** – Tel-Aviv, 2 jan. 1989 : *Nature morte de fruits et de fleurs*, h/t (33x41) : **USD 2 090** – New York, 16 fév. 1989 : *Paysage*, h/t (54,4x64,8) : **USD 9 900** – Paris, 3 mars 1989 : *Élégante au collier* vers 1930, h/t (73x54) : **FRF 23 000** – Paris, 16 avr. 1989 : *L'académie de peinture*, h/t (100x73) : **FRF 110 000** – La Varenne-Saint-Hilaire, 21 mai 1989 : *Paysage du Midi* 1957, h/t (46x61) : **FRF 48 000** – Tel-Aviv, 30 mai 1989 : *Deux femmes se coiffant* 1915, h/t (59x72) : **USD 9 900** – Paris, 22 oct. 1989 : *Bouquet de fleurs dans un vase*, h/t (61x46) : **FRF 54 000** – Le Touquet, 12 nov. 1989 : *Vue de village*, h/t (44x54) : **FRF 55 000** – Tel-Aviv, 3 jan. 1990 : *Vase de fleurs sur un tabouret*, h/t (65,5x46,5) : **USD 8 800** – Paris, 8 avr. 1990 : *Portrait de femme*, h/t (72x53) : **FRF 62 000** – Amsterdam, 10 avr. 1990 : *Nu féminin*, h/pan. (51x37) : **NLG 5 520** – Paris, 30 mai 1990 : *Village*, h/t (50x73) : **FRF 125 000** – Tel-Aviv, 31 mai 1990 : *L'Atelier de l'artiste à La Ruche* 1920, h/t (110,5x78,5) : **USD 33 000** – Versailles, 6 juin 1990 : *Les Oliviers*, h/t (65x81,5) : **FRF 101 000** – Paris, 17 oct. 1990 : *Paysage provençal*, h/t (54,5x65,5) : **FRF 70 000** – Tel-Aviv, 1er jan. 1991 : *Nature morte*, h/t (50x65) : **USD 7 700** – New York, 7 mai 1991 : *Le Pont de Céret*, h/t (38x45,8) : **USD 11 000** – Tel-Aviv, 12 juin 1991 : *Autoportrait* 1960, h/t (65x49) : **USD 7 150** – Neuilly, 23 fév. 1992 : *Nature morte aux fruits*, h/t (33x40) : **FRF 25 000** – New York, 25-26 fév. 1992 : *Nature morte aux fruits*, h/t (50,8x61) : **USD 15 400** – Le Touquet, 8 juin 1992 : *Le Peintre dans son atelier*, h/t (77x57) : **FRF 55 000** – Paris, 23 juin 1993 : *Les Rochers, Corse* 1924, h/t (65x50) : **FRF 57 000** – New York, 23 fév. 1994 : *Un coin de mansarde*, h/t (50x61) : **USD 7 475** – Paris, 25 mars 1994 : *Intérieur de l'atelier*, h/t (65x81) : **FRF 33 000** – Le Touquet, 22 mai 1994 : *Le Violon* 1957, h/t (61x85) : **FRF 39 000** – Saint-Germain-en-Laye, 5 juin 1994 : *Paysage de Céret*, h/t (60x73) : **FRF 53 000** – Tel-Aviv, 11 oct. 1995 : *Paysage de Céret*, h/t (67x129) : **USD 32 200** – Paris, 13 oct. 1995 : *La Ruche*, h/t (81x45) : **FRF 48 000** – Paris, 24 mars 1996 : *Nu rouge*, h/t (73x54,5) : **FRF 48 000** – Neuilly, 9 mai 1996 : *Village de Provence* 1930, h/t (50x65) : **FRF 30 000** – Paris, 20 juin 1996 : *Paysage de Provence*, h/t (65x80) : **FRF 25 500** – New York, 12 nov. 1996 : *Nature morte au lapin*, h/t (91,5x60) : **USD 4 830** – Paris, 13 déc. 1996 : *Nature morte au violon*, h/t (81x100) : **FRF 110 000** – New York, 10 oct. 1996 : *Paysage de village*, h/t (46,4x55,3) : **USD 3 162** – Paris, 16 mars 1997 : *Maisons sur la butte*, h/t (61x73) : **FRF 32 000** – Paris, 19 oct. 1997 : *Paysage à Céret, la maison blanche* vers 1918-1920, h/t (54x73) : **FRF 40 000** – Paris, 27 oct. 1997 : *Maison dans les arbres, le Capucin, Céret* 1943, h/cart. (27x45,5) : **FRF 10 000**.

KREMER Alfred
Né en 1895. Mort en mars 1965. XXe siècle. Allemand.
Peintre, dessinateur. Tendance abstraite.
Ses œuvres, constituées de hiéroglyphes, de signes à la fois graphiques et signifiants, bien que se référant au surréalisme fantastique, se rattachent plutôt à l'abstraction.
Bibliogr. : Marcel Brion, in : *La Peinture Allemande*, Tisné, Paris, 1959.
Ventes Publiques : Londres, 24 oct. 1996 : *La Mort* 1964, encre/pap. (18,8x24,6) : **GBP 1 380**.

KREMER Hans
Mort en 1567. XVIe siècle. Actif à Nuremberg. Allemand.
Sculpteur.
Le Musée de Nuremberg possède des hauts-reliefs en bois qu'on doit peut-être attribuer à cet artiste.

KREMER Johann Jacob
XVIIe siècle. Allemand.
Graveur à la manière noire.
Élève du comte Theodor Caspar von Furstenberg. Il a gravé des portraits.

KREMER Josef
Mort vers 1770. XVIIIe siècle. Actif à Innsbruck. Autrichien.
Peintre.
Il travailla longtemps en Italie puis décora des églises en Autriche ainsi à Schönbühel, Fiecht ou Stams.

KREMER Joseph
XVIIIe siècle. Actif à Anvers. Éc. flamande.
Peintre.
Élève de l'Académie d'Anvers en 1776.

KREMER Joseph
Né à Tromborn. Mort avant 1909. XIXe-XXe siècles. Français.
Sculpteur.
Élève de Poitevin. Débuta au Salon en 1867. Exposa à la Royal Academy à Londres en 1872 et fut médaillé à Munich en 1883.

KREMER Nicolaus
Mort en 1553 à Ottersweier (Bade). XVIe siècle. Allemand.
Peintre.
Il travaille longtemps à Strasbourg.

KREMER Petrus
Né le 9 mai 1801 à Anvers. Mort le 20 août 1888 à Anvers. XIXe siècle. Éc. flamande.
Peintre d'histoire, genre, portraits.
Élève de Herreyns et Van Bree, il visita, en 1838, l'Allemagne, la France et l'Italie ; ses œuvres sont à Bruges.

Musées : Montréal : *L'atelier de Jean Brueghel*.
Ventes Publiques : Londres, 13 fév. 1909 : *Marché* : **GBP 9** – Londres, 5 déc. 1941 : *L'Artiste devant son chevalet* : **GBP 42** – Londres, 22 oct. 1971 : *Le peintre de fleurs* 1857 : **GNS 400** – Londres, 13 juin 1974 : *Rachel Ruysch dans un intérieur* : **GNS 950** – New York, 26 mai 1992 : *Un marché en plein air* 1850, h/pan. (78,1x62,2) : **USD 3 850** – Amsterdam, 20 avr. 1993 : *Rubens dans l'atelier du peintre Daniel Seghers*, h/t (118x103) : **NLG 25 300**.

KREMLICKA Rudolf
Né le 19 juin 1886 à Kolin (près de Prague). Mort le 3 juin 1932 à Prague. XXe siècle. Tchécoslovaque.
Peintre de figures, paysages, graveur. Postimpressionniste.

De 1907 à 1912, il fut élève de l'Académie des Beaux-Arts de Prague. Il fit des voyages d'études en France, Hollande, Italie, à Petrograd. De 1916 à 1925, il fut membre de l'Association artistique Manès. Il a participé à de nombreuses expositions collectives, dont : dès 1918, celles du groupe des *Obstinés*, qui réunissait alors, avec l'autre groupe des *Huit*, les artistes progressistes de Tchécoslovaquie ; en 1968 *50 ans de peinture tchécoslovaque, 1918-1968*, dans les musées de Tchécoslovaquie. De nombreuses expositions personnelles lui furent aussi consacrées, dont des rétrospectives posthumes, à Prague en 1944, 1958.
De sa *Jeune fille au corsage blanc* de 1915, de *À la table* de 1917, peintures de genre dans des tonalités sombres, encore débitrices envers les Flamands et Hollandais, à la *Danseuse allongée* de 1920, à *La Toilette* et l'*Actrice dans sa loge* de 1922, au *Bain* de 1924, à *Devant le miroir* de 1926, au *Bain des femmes* de 1927 ; de la *Gare de Prague* de 1915, aux paysages heureux : *Le Port de Duino* et *Le Chemin de Fiesole* de 1927, les *Barques au bord de la mer* de 1931, et aux natures mortes des dernières années, il a évolué de la peinture de genre à un postimpressionnisme lumineux, enfin à une plastique formelle épanouie, d'un dessin et d'un modelé élégants et rigoureux. Il a traité divers sujets, d'entre lesquels domine celui de la femme, aux formes généreuses et sensuelles : *Avant le coucher, Laveuses, Après le bal, Loge d'artiste.* ■ J. B.

Bibliogr. : In : Catalogue de l'exposition *50 ans de peinture tchécoslovaque, 1918-1968*, Musées tchécoslov., 1968 – in : *Diction. Univers. de la Peint.*, Le Robert, Paris, 1975.

Musées : Paris (Mus. d'Orsay) : *Femme se lavant* – Prague (Gal. Nat.) : *Nana* 1918.

KREMSER-SCHMIDT. Voir **SCHMIDT Martin Joachim** ou **Johann**

KREN Matej
xxe siècle. Tchécoslovaque.
Sculpteur d'assemblages. Conceptuel.
En 1992, la galerie Lara Vincy de Paris, a présenté une exposition d'un ensemble de ses réalisations.
Par exemple, en écho aux imaginations de Jorge Luis Borgès, il a réalisé *Idiom*, une sorte d'empilement, allant du sol au plafond, de miroirs et de livres, que désormais seuls les miroirs pourraient lire.

KRENDOVSKY Jevgraf Fiodorovitch
Né en 1810. xixe siècle. Russe.
Peintre de paysages, portraits.
On voit de lui à Moscou : *Place d'une petite ville de province* (à la Galerie Tretiakov) et *Petite-Russienne* (au Musée Roumianzeff).

KRENEK Carl
Né le 7 septembre 1880 à Vienne. Mort en 1948. xxe siècle. Autrichien.
Peintre de genre, paysages, peintre à la gouache, graveur.
Il se spécialisa dans les scènes de la vie paysanne.
Ventes Publiques : Vienne, 16 mars 1979 : *Jeune femme avec chapeau de voyage*, h/t (46x42,5) : **ATS 28 000** – Londres, 10 fév. 1988 : *La garden-party*, gche, projet d'affiche (12,5x9) : **GBP 880.**

KRENN Edmund Frédéric Arthur
Né le 24 avril 1846 à Vienne. Mort le 13 février 1902 à Zurich. xixe siècle. Autrichien.
Peintre de genre, paysages, architectures, aquarelliste, dessinateur.
Il fut élève de Jakob Muller et de l'Académie des Beaux-Arts de Vienne. Au Palais impérial on voyait son *Laboureur le jour du marché*. Ses dernières années se passèrent en Suisse.
Musées : Vienne : un grand nombre d'aquarelles et de dessins.
Ventes Publiques : Vienne, 14 sep. 1976 : *Vue de Vienne* 1890, aquar. (50x64) : **ATS 20 000** – Vienne, 15 mai 1979 : *Klosterneuburg* 1881, aquar. (30x43,5) : **ATS 20 000** – Londres, 30 mars 1990 : *La porte des Bosari à Vérone* 1891, aquar. (62x50) : **GBP 660** – Amsterdam, 30 oct. 1991 : *Il m'aime..., un peu...* 1876, h/t (52,5x42) : **NLG 12 650** – New York, 29 oct. 1992 : *Les Soins du bébé*, h/pan. (38x28) : **USD 2 640** – Stockholm, 10-12 mai 1993 : *Un repos bien gagné, homme assis dans un intérieur*, h/t (41,5x34) : **SEK 24 000** – Londres, 21 nov. 1996 : *Les Plaisirs du harem* 1973, h/t (113x133,5) : **GBP 20 700.**

KRENN Hans
xxe siècle. Allemand.
Peintre de scènes animées. Pop'art.
Il expose, entre autres, à Cologne.
Ses compositions sont très inspirées du courant européen du Pop'art, mettant en œuvre la machinerie exaspérée du monde contemporain, dans un graphisme de bande dessinée, vivement colorié.

KRENZER Oskar
Né le 24 septembre 1876 à Strasbourg (Bas-Rhin). xxe siècle. Français.
Peintre de sujets religieux et mythologiques.
Il fit ses études artistiques à Munich.

KREPP Friedrich
xixe siècle. Actif à Vienne de 1852 à 1865. Autrichien.
Peintre de genre, portraits.
On cite de lui entre autres un *Portrait de l'empereur François Joseph.*
Ventes Publiques : Amsterdam, 21 avr. 1993 : *Portrait d'une dame en buste portant une rose dans ses cheveux* 1853, h/t (47,5x38) : **NLG 1 840.**

KREPP Ignaz
Né le 19 juillet 1801 à Vienne. Mort le 4 juin 1853 à Vienne. xixe siècle. Autrichien.
Graveur au burin.
Élève de B. Hœfel. Il a gravé des portraits et des sujets religieux et allégoriques, d'après le Corrège, le Titien, Rubens, D. Teniers, etc.

KREPP Lucas
xixe siècle. Actif à Vienne. Autrichien.
Peintre.
Ce moine vécut surtout au couvent de Lambach qu'il décora.

KREPS Dorothea
xixe siècle. Active au début du xixe siècle. Hollandaise.
Peintre de natures mortes.
Elle exposa à Utrecht en 1846 des aquarelles représentant des fleurs.

KRESLNER Auguste
xixe siècle.
Peintre.
Il travailla vers 1829 ; cité par Ris-Paquot.

KRESMAN Johann Jakob. Voir **GRÄSMAN**

KRESS Michael
Né le 3 juin 1845 à Würzburg. Mort le 1er septembre 1915 à Würzburg. xixe-xxe siècles. Allemand.
Peintre de natures mortes.
Élève de Ferd. Keller à l'École des Beaux-Arts de Karlsruhe.
Ventes Publiques : Londres, 18 jan. 1980 : *Trophées de chasse* 1880, h/t (136,109,3) : **GBP 1 200** – Munich, 30 juin 1983 : *Nature morte* 1876, h/t (72x88) : **DEM 3 500.**

KRESS VON KRESSENSTEIN Georg Ludwig
Né en 1797 à Wetzlar. Mort le 28 décembre 1877 à Mögeldorf près de Nuremberg. xixe siècle. Allemand.
Peintre, graveur.
Après avoir travaillé à Ehrbach et Offenbach, il séjourna quelque temps en Russie puis s'établit à Francfort. On lui doit des paysages, mais surtout des gravures d'après d'autres peintres.

KRESS VON KRESSENSTEIN Gustav Karl Christoph
Né le 30 décembre 1838 à Offenbach. Mort le 20 juillet 1898 à Francfort. xixe siècle. Allemand.
Sculpteur.
Il travailla à l'Académie de Karlsruhe, puis à Francfort-sur-le-Main dans l'atelier de son père Georg Ludwig.

KRESSE Oswald
Né le 8 décembre 1858 à Craasa. xixe siècle. Allemand.
Peintre de genre, graveur sur bois.
Prit part à l'Exposition Universelle de 1900 et à l'Exposition de Berlin en 1909.

KRESTIN Lazar
Né le 10 septembre 1868 à Kovno. xixe siècle. Russe.
Peintre.
Né en Lituanie, cet artiste fit ses études à Wilna puis travailla à Munich et à Vienne avant de s'établir à Odessa et enfin en Palestine.
Ventes Publiques : New York, 31 oct. 1980 : *La maison de prière*

1913, h/t (96,5x87) : **USD 28 000** – New York, 25 juin 1985 : *Portrait d'un jeune homme*, h/t (25,4x20,3) : **USD 6 000** – Londres, 22 nov. 1996 : *Un rabbin lisant*, h/t (54,6x44,5) : **GBP 6 670**.

KRESTOVSKY Vassili ou **Basile**

Né le 4 octobre 1889 à Saint-Pétersbourg. Mort en décembre 1914 à Craonnelle (Aisne), pour la France. xxe siècle. Actif depuis 1911 en France. Russe.

Peintre, sculpteur.

Il n'est pas né à Tachkent, mais y fut emprisonné pour ses idées politiques. Il émigra en France en 1911, où, à Paris, il fut élève ou reçut les conseils, de Maurice Denis, Paul Sérusier et Jean-Paul Laurens. Il fut élève d'Antoine Bourdelle, à l'Académie de la Grande-Chaumière, qui l'initia à la sculpture. Marié à Paris avec Lydia Alexandrovna Ratner, philosophe esthéticienne, il y eut un fils, né le 3 août 1914 ; ce même jour il décida de s'engager dans l'armée française. Après sa mort, son fils Igor fut adopté par Lounartcharsky, qui écrivit un commentaire sur les lettres qu'il avait écrites du front et qui furent publiées en 1915 à Kiev.

En 1913, son carton pour un projet de vitrail *L'Apocalypse*, fut accepté au Salon des Indépendants. ■ Nicola Baudo

Bibliogr. : Lydie Krestovsky : *Vassili Krestovsky*, avec préface et dessins d'A. Bourdelle, J. Povolozky, Paris, 1922.

KRETHLOW Johann Ferdinand

Né en 1767 près de Berlin. Mort en 1842 à Varsovie. xviiie-xixe siècles. Allemand.

Graveur au burin.

Il grava des sujets d'histoire et surtout des portraits de 1793 à 1814.

KRETSCHMANN Carl Clemens

xviie siècle. Actif à Nuremberg. Allemand.

Dessinateur et graveur à la manière noire.

Il a gravé des portraits.

KRETSCHMANN-WINCKELMANN Frieda

Née le 23 octobre 1870 à Berlin. xixe-xxe siècles. Allemande.

Sculpteur, graveur de portraits.

Elle séjourna à Paris et Londres, puis elle exposa à Munich et Berlin.

KRETSCHMAR Johann Carl Heinrich

Né le 7 octobre 1769 à Brunswick. Mort le 2 mars 1847 à Berlin. xviiie-xixe siècles. Allemand.

Peintre d'histoire et de portraits.

Élève de l'Académie de Berlin en 1789, visita l'Italie en 1803. Membre de l'Académie en 1806, y fut professeur en 1817 et fut membre du Sénat en 1825. Le Musée de Berlin conserve de lui un *Portrait du peintre Wach, jeune*.

Ventes Publiques : Madrid, 14 mars 1985 : *Portrait de femme* 1809, h/t (75x58) : **ESP 420 000**.

KRETSCHMER Albert

Né le 27 février 1825 à Burghof. Mort le 11 juillet 1891 à Berlin. xixe siècle. Allemand.

Peintre de genre.

Élève de l'Académie des Beaux-Arts de Berlin. Il était le frère de Robert Ketschmer.

KRETSCHMER Johann Heinrich

Né en 1723. Mort en 1790 à Stuttgart. xviiie siècle. Allemand.

Graveur.

Il illustra des ouvrages sur l'histoire du duché de Wurtemberg.

KRETSCHMER Karl

xxe siècle. Allemand.

Sculpteur.

Il vivait à Berlin, où il participa à l'Exposition de 1909.

KRETSCHMER Robert

Né le 29 janvier 1818 à Burghof. Mort le 28 mai 1872 à Leipzig. xixe siècle. Allemand.

Peintre d'animaux et dessinateur.

Commença ses études à Breslau avec Koska, puis alla travailler dans l'atelier de Kolbe à l'Académie de Berlin. Il travailla beaucoup pour l'illustration. On cite particulièrement ses très remarquables aquarelles. A la suite du duc Ernest de Saxe-Cobourg Gotha, il visita l'Égypte et l'Abyssinie.

KRETZ Leodegar, Père

Né le 21 décembre 1805 à Schongau. Mort le 28 mars 1871 à Sarnen. xixe siècle. Suisse.

Peintre, dessinateur.

Il entra au couvent de Muri, au noviciat, en 1832. En même temps il commença à travailler le dessin et la peinture et acquit un réel talent. Il a réalisé dans son couvent des Bénédictions des fresques dans la chapelle et au dôme. Devenu membre de l'ordre de Saint-Benoît, il fut curé d'Altendorf en 1843, de Kellers en 1846, de Marling en 1856, de Bünzen en 1863, et laissa dans ces villes un certain nombre d'œuvres de sa main.

KRETZ Léopold

Né le 4 février 1907 à Lwow. Mort le 16 avril 1990 à Paris. xxe siècle. Actif depuis 1931 et depuis 1948 naturalisé en France. Polonais.

Sculpteur de figures, nus, bustes, monuments, dessinateur. Expressionniste.

Il fut d'abord élève, en dessin et peinture, d'Académies privées, puis, en 1926, en sculpture, de l'École des Beaux-Arts de Cracovie, enfin, en 1931, de l'École des Beaux-Arts de Paris. Pendant la Seconde Guerre mondiale, il vécut dans la clandestinité, et se lia avec Brancusi. Il fut professeur à l'Académie de la Grande-Chaumière à Paris jusqu'en 1951, puis en 1951 à l'École des Beaux-Arts de Reims, en 1975 à l'École des Beaux-Arts de Paris.

Il a participé à de très nombreuses expositions collectives, dont, à Paris : régulièrement les Salons d'Automne et des Tuileries dont il était sociétaire depuis 1937, au Salon de Mai en 1945 et puis à celui de la Jeune Sculpture, des Peintres Témoins de leur Temps, etc., et en dehors de Paris : en 1966 *Vingt-deux sculpteurs témoignent de l'homme* au Musée de Saint-Denis, en 1967 premier Festival de sculpture contemporaine au château de Saint-Ouen, en 1970 *Grands sculpteurs contemporains* au Musée de Narbonne, etc. Il montrait ses œuvres dans des expositions personnelles à Paris : en 1933 à la galerie Simonson, 1945 galerie Jeanne Castel, 1949 galerie des Beaux-Arts, 1958 galerie Coard, 1959 galerie Bernheim, 1961 galerie de La Tournelle, 1982 galerie Colette Blétel. En 1951, il reçut le Prix des Vikings.

Lié avec Carton, Couturier, Yencesse, il reçut d'abord les influences de Rodin, Rude, puis Despiau. Il avait d'abord travaillé la pierre, notamment pour des sculptures monumentales à Poitiers et à Reims. Après la guerre, il travailla plutôt en fonte de bronze, qui lui permettait de conserver la fraîcheur du modelage de la terre. Au cours de sa carrière, il a exécuté de nombreux bustes, dont ceux de Maurice Ravel, André Gide, Darius Milhaud, et des médailles, Georges Auric, Jorge Luis Borges. Il est l'auteur du monument de la Libération de Crest en 1951 ; du monument commémoratif de la catastrophe minière de Marcinelle en 1956. En 1960, il participa à la décoration du Pont de Soissons. Durant toute sa carrière il resta fidèle à la figuration et à la figure humaine. Essentiellement sculpteur de nus, les nécessités de l'intégration architecturale l'ont toutefois amené à quelques intrusions en direction de l'abstraction.

Bibliogr. : Denys Chevalier, in : *Diction. de la sculpt. mod.*, Hazan, Paris, 1960 – in : Catalogue de l'exposition *Grands sculpteurs contemporains*, Musée de Narbonne, 1970.

Musées : Paris (Mus. Nat. d'Art Mod.) : *Vénus debout* – Paris (Mus. d'Art Mod. de la Ville) – Poitiers.

Ventes Publiques : Paris, 10 mars 1984 : *Femme marchant*, bronze patiné, cire perdue (H. 50) : **FRF 7 800** – Paris, 9 mars 1990 : *Jeunesse* 1947, pierre (H 159) : **FRF 73 000** – Paris, 14 avr. 1991 : *Nature morte à la statuette*, h/t/cart. (45x55) : **FRF 12 000** – Paris, 17 mai 1992 : *Nature morte au guéridon*, h/isor. (61x50) : **FRF 6 000** – Paris, 3 juil. 1992 : *Femme assise*, h/pap./t. (73x50) : **FRF 6 500** – Paris, 15 fév. 1995 : *Jeune femme*, bronze cire perdue (H. 60, L. 20, prof. 24) : **FRF 9 000**.

KRETZINGER Clara Joséphine

Née en 1883 à Chicago (Illinois). xxe siècle. Américaine.

Peintre.

Elle fut élève de l'Art Institute de Chicago, et de Jules Lefebvre, Tony Robert-Fleury, Jean-Paul Laurens à Paris, où elle a exposé au Salon des Artistes Français, mention honorable en 1908. Elle était membre de la Fédération Américaine des Arts.

KRETZSCHMAR Bernhard

Né le 29 décembre 1889 à Döbeln (Saxe). Mort en 1967 ou 1972 à Dresde. xxe siècle. Allemand.

Graveur de paysages, scènes de genre, lithographe.

Il reçut sa première formation à Döbeln. Il fut actif à Dresde. En 1929, il figurait à l'exposition des peintres-graveurs allemands de la Bibliothèque Nationale de Paris.

Graveur, il pratiquait surtout la pointe-sèche. Il s'est surtout attaché à représenter la vie de la petite bourgeoisie locale.

Bibliogr. : Fritz Löffler : *Bernhard Kretzschmar*, VEB Verlag, Dresde, 1985.

Ventes Publiques : Hambourg, 13 juin 1981 : *Jeune Fille assise* 1921, cr. (44,8x21,3) : **DEM 1 600** – Cologne, 5 juin 1985 : *Gottsucher* 1932, eau-forte (39,8x51,8) : **DEM 1 800** – Heidelberg, 12 oct. 1991 : *Village de montagne* 1924, pointe-sèche (20,7x24,2) : **DEM 1 600** – Heidelberg, 3 avr. 1993 : *Chez le barbier*, pointe-sèche (24,9x32,3) : **DEM 2 650** – Heidelberg, 15-16 oct. 1993 : *Rue de Gostritz en hiver* 1923, pointe-sèche (23,4x40,6) : **DEM 1 100** – Heidelberg, 5-13 avr. 1994 : *Chez les Gast à Döbeln* 1923, h/t (106x141) : **DEM 39 500** – Heidelberg, 8 avr. 1995 : *À la boucherie* 1921, pointe-sèche (26,5x29,7) : **DEM 1 800.**

KRETZSCHMAR Eduard
Né le 21 mars 1807 à Leipzig. Mort le 7 juillet 1858 à Leipzig. XIXe siècle. Allemand.
Graveur sur bois.
Élève de Fried. Unzelmann à Berlin. Il a gravé des sujets d'histoire.

KRETZSCHMAR Fritz
Né le 9 septembre 1863 à Plauen. Mort en 1915 à Dresde. XIXe-XXe siècles. Allemand.
Sculpteur.
Il exposa à Berlin entre 1893 et 1912. On lui doit des bustes, des sculptures de genre et surtout d'animaux.
Ventes Publiques : Stockholm, 22 avr. 1986 : *Le Tambour à dos de chameau* 1906, bronze patiné (H. totale 43) : **SEK 15 500.**

KRETZSCHMAR Johann Joachim
Né à Zittau. Mort en 1740. XVIIIe siècle. Allemand.
Sculpteur.
Il travailla pour l'église Saint-Wolfgang à Schneeberg.

KRETZSCHMER Johann Hermann
Né le 28 octobre 1811 à Anclam. Mort le 5 février 1890 à Berlin. XIXe siècle. Allemand.
Peintre de genre, d'histoire et graveur.
Élève de Wach. Médaille d'or à Berlin en 1862. Voyagea beaucoup en Italie, en Sicile, en Grèce, Turquie, Égypte. Vécut quelques années à Düsseldorf. Puis revint à Berlin. Il a gravé des sujets de genre. On voit de lui au Musée de Hanovre : *Tempête dans le désert* et à celui de Leipzig : *Le Simoun dans le désert* (1844).
Ventes Publiques : Amsterdam, 1886 : *L'Achat du berceau* : **FRF 765** – Berlin, 7 juil. 1971 : *La sortie de la classe* : **DEM 16 000** – New York, 28 mai 1982 : *La leçon de musique*, h/t (68,5x55,9) : **USD 5 000.**

KRETZSCHMER Wilhelm
Né en 1806 à Hambourg. Mort le 3 avril 1897 à Hanovre. XIXe siècle. Allemand.
Peintre de portraits et de paysages.
On connaît de lui des intérieurs d'églises.

KREUGER Nils
Né le 11 octobre 1858 à Kalmar. Mort en 1930. XIXe-XXe siècles. Suédois.
Peintre de paysages animés, aquarelliste, dessinateur. Impressionniste.
Il fit un séjour de formation à Paris. Il peut être considéré comme le disciple de Nordström, avec lequel, et avec Sven Richard Bergh, ils formèrent l'École de Varberg.
Il peignit des études de plein air, à la manière des impressionnistes français. Sa spécialité fut les petits dessins à l'encre de Chine rehaussés de couleurs. Il peignit surtout des paysages, animés de bétail, avec des effets saisonniers, de printemps, été, automne, hiver, d'aube ou de crépuscule. Il peignit aussi quelques figures dans des intérieurs. Pour l'École de l'Ouest à Stockholm, il exécuta deux peintures murales.

Nils Kreuger

Musées : Göteborg – Helsinki – Stockholm.
Ventes Publiques : Stockholm, 11 oct. 1950 : *Troupeau* : **SEK 2 800** – Stockholm, 3 avr. 1957 : *Vache dans une prairie* : **SEK 4 450** – Stockholm, 31 mars 1971 : *Troupeau sur la grève* : **SEK 8 000** – Göteborg, 8 nov. 1978 : *Travaux des champs* 1908, h/t (110x175) : **SEK 7 000** – Stockholm, 30 oct 1979 : *La route* 1917, h/pan. (58x60) : **SEK 19 800** – Stockholm, 26 oct. 1982 : *Vue d'un parc* 1887, h/t (29x74) : **SEK 23 500** – Stockholm, 11 avr. 1984 : *Cheval sur la plage*, cr. (25x35) : **SEK 12 300** – Stockholm, 30 oct. 1984 : *Cheval dans un paysage d'été* 1915, h/t (101x142) : **SEK 85 000** – Stockholm, 17 avr. 1985 : *Troupeau au pâturage*, aquar. (25x35) : **SEK 8 000** – Stockholm, 4 nov. 1986 : *Soir d'été* 1900, craies coul. (44x61) : **SEK 19 000** – Stockholm, 4 nov. 1986 : *La Charrette de foin* 1885, h/t (40x88) : **SEK 305 000** – Stockholm, 20 oct. 1987 : *Paysage de Hollande* 1893, craies de coul. et encre de Chine (30x45) : **SEK 16 000** – Londres, 24 mars 1988 : *Cavalier, vu de dos*, h/pan. (49,5x61,2) : **GBP 2 530** – Stockholm, 15 nov. 1988 : *Sur la route de la carrière* 1883, h. (139-193) : **SEK 500 000** – Stockholm, 19 avr. 1989 : *Route bordée de peupliers en été* 1917, h/pan. (25x35) : **SEK 27 000** – Göteborg, 18 mai 1989 : *Jeune fille près d'une fenêtre dans un intérieur obscur* 1887, h/t (31x34) : **SEK 11 000** – Paris, 18 juin 1989 : *Paysage sous la neige*, h/t (61x46) : **FRF 60 000** – Stockholm, 15 nov. 1989 : *Le château de Kalmar dans la brume*, h. (11x16,5) : **SEK 30 000** – Stockholm, 16 mai 1990 : *Les chantiers de Katarinahissen à Stockholm* 1891, h/pan. (23x14) : **SEK 31 000** – Stockholm, 14 nov. 1990 : *Paysage estival près de Södra Vallgatan*, craie et aquar. (24x35) : **SEK 11 000** – Stockholm, 29 mai 1991 : *Une ferme en hiver* 1887, h/t (81x116) : **SEK 125 000** – Stockholm, 19 mai 1992 : *Le port de Varberg au crépuscule*, h/pan. (20x13) : **SEK 52 000** – Stockholm, 5 sep. 1992 : *L'automne près de Kastellholmen*, h/pan. (61x99) : **SEK 35 000.**

KREUL Johann Friedrich Carl
Né le 2 août 1804 à Ansbach. Mort le 12 mars 1867 à Nuremberg. XIXe siècle. Allemand.
Peintre de genre et de portraits.
Fils du peintre Johann Lorenz Kreul. Il fréquenta l'École des Beaux-Arts de Nuremberg et l'Académie de Munich. Le Musée de cette ville conserve de lui : *Chez le boulanger.*

Kreul

Ventes Publiques : Berne, 21 et 30 mai 1964 : *Portrait de la Duchesse de Kent avec sa fille la Princesse Victoria* : **CHF 9 200** – Munich, 28 nov. 1974 : *Jeune fille dans un intérieur rustique* : **DEM 10 000.**

KREUL Johann Lorenz
Né en 1765 à Erlach. Mort le 15 septembre 1840 à Nuremberg. XVIIIe-XIXe siècles. Allemand.
Portraitiste et peintre d'histoire.
Élève de Zwinger à Nuremberg. Son *Portrait de Jean Paul* a été lithographié par Winterhalter. Il fit surtout des pastels.

KREUTER Elias, l'Ancien. Voir **GREUTER**

KREUTER Johann
XVIe siècle. Actif à Schneeberg. Allemand.
Peintre.
Élève de Lucas Cranach le jeune. Il travailla aussi à Bautzen.

KREUTZ Heinz
Né le 31 décembre 1923 à Francfort-sur-le-Main. XXe siècle. Allemand.
Peintre, aquarelliste, pastelliste, graveur, peintre de cartons de vitraux, tapisseries, céramiques. Abstrait-paysagiste.
Après ses études classiques, il apprit d'abord les techniques photographiques. Appelé au service militaire en 1940, il fut grièvement blessé aux combats de Stalingrad. Pendant ses années d'hôpital, il s'initia lui-même au dessin et à la peinture. En 1951, il obtint une bourse pour passer une demi-année à Paris. En 1960, il fit un nouveau séjour à Paris, et, en 1967, il obtint une nouvelle bourse pour un séjour à la Cité Internationale des Arts de Paris. De 1971 à 1973, il fut responsable d'un enseignement à l'École Supérieure de Formation de Offenbach-sur-le-Main, portant sur l'histoire des théories de la couleur. En 1974, il partit de Francfort pour se fixer à Seeshaupt sur le Lac de Starnberg.
En 1951, la Zimmergalerie Franck de Francfort commença à montrer ses œuvres parisiennes. En 1952, la même galerie exposa le groupe *Quadriga*, composé de Karl Otto Götz, Otto Greis, Bernard Schultze et Heinz Kreutz, qui se référaient d'un « néo-expressionnisme ». Ce fut la première exposition de peintres allemands « tachistes ». Depuis, il figure dans de très nombreuses expositions collectives, et montre des ensembles d'œuvres en expositions personnelles, dans de nombreuses villes d'Allemagne dont : 1961 Neues Museum de Wiesbaden ; 1962 Kunsthalle de Brême ; nombreuses à Francfort, notamment depuis 1966 galerie Appel et Fertsch ; 1981 Stätische Kunsthalle de Mannheim ; 1989 Galerie Heseler à Munich ; ainsi que : 1957 et 1960 galerie La Roue à Paris ; 1957 Schiedam-Rotterdam.

Ses premiers thèmes furent le paysage et des sujets bibliques. Il évolua à l'abstraction à partir de 1948. Il resta attaché à sa manière, qu'il appelait « tachisme-lyrique » jusqu'en 1959. Lors de son second séjour à Paris, il peignit essentiellement des aquarelles et réalisa ses premières gravures sur bois, qui furent son moyen d'expression privilégié jusqu'en 1963. En 1964 et 1965, il produisit de nombreuses aquarelles et dessins aux craies de couleur. En 1966, il conçut une « Théorie des couleurs ». De nouveau à Paris, pendant six mois de 1967, il réalisa une série de peintures géométriques en bandes de couleurs, qu'il poursuivit, à partir de 1968, jusqu'aux « peintures en carrés », rigoureusement calculées et constituées de carrés colorés collés sur des supports de carton ou de toile, série qui se multiplia jusqu'en 1973. En 1974, recherchant de nouvelles combinaisons, il réalisa les « figures colorées », formées de bandes de couleur, disposées les unes au-dessus et au-dessous des autres. Depuis 1987, il travaille de nouveau à l'huile, sans abandonner les autres techniques. Dans cette nouvelle période, il exploite sa connaissance approfondie des harmonies chromatiques dans des peintures tout en transparences d'une rare délicatesse, souvent composées en triptyques ou polyptyques, abstraites certes, mais étonnamment évocatrices de jeux changeants de la lumière sur des jardins et paysages de rêve : *Chant du papillon ; Dans la salle du trône du roi de la lumière ; Un jour dans la vie de Pan ; Petit jardin des Hespérides.* ■ J. B.

Bibliogr. : Divers : Catalogue de l'exposition *Heinz Kreutz*, Gal. Heseler, Munich, 1989, abondante documentation.

Ventes Publiques : Amsterdam, 19 mai 1992 : *Nuit* 1957, h/t (45,2x65) : **NLG 8 050.**

KREUTZ Johann

Né le 13 septembre 1803 à Vienne. Mort vers 1880. XIXe siècle. Autrichien.

Peintre et graveur.

On cite ses vues de la basilique Saint-Marc à Venise.

KREUTZ Ulrich

XVIe siècle. Actif à Kaaden. Tchécoslovaque.

Sculpteur.

Il travailla pour les églises de Bohême.

KREUTZBERGER Charles

Né en 1829 à Guebwiller. XIXe siècle. Français.

Peintre de genre, portraits, paysages.

Il fut élève de Eugène Lavieille. Il débuta au Salon de Paris en 1863.

Ventes Publiques : Paris, 20 mars 1996 : *Jeune femme dans un intérieur* 1864, h/t (130x97) : **FRF 18 000.**

KREUTZER Alexandre Ferdinand

Né à Caracas, de parents français. XIXe siècle. Vivant à Paris. Français.

Peintre de paysages.

Il fut élève de Jean Paul Laurens. Membre de la Société des Artistes Français de Paris, il obtint une médaille de bronze en 1889, pour l'Exposition Universelle.

Ventes Publiques : Cologne, 20 oct. 1989 : *Littoral de Mondschein* 1882, h/t (40x60) : **DEM 1 000.**

KREUTZER Félix

Né en 1835 à Düsseldorf. Mort le 7 avril 1876 à Düsseldorf. XIXe siècle. Allemand.

Peintre de paysages.

Il fut élève de l'Académie des Beaux-Arts de Düsseldorf. Il peignit avec succès les scènes de forêt et les clairs de lune.

Ventes Publiques : New York, 9 et 10 mars 1911 : *Clair de Lune* : **USD 50** – New York, 14 jan. 1977 : *Patineurs au coucher du soleil*, h/t (76x117) : **USD 2 400** – Cologne, 11 juin 1979 : *Paysage fluvial à Dordrecht*, h/t (67,5x97,5) : **DEM 10 000** – Londres, 8 oct. 1986 : *Paysage d'hiver animé de personnages*, h/t (74,5x115,5) : **GBP 2 400** – Cologne, 15 oct. 1988 : *Soirée d'hiver* 1867, h/t (55x65,5) : **DEM 8 000.**

KREUTZER Joseph

XVIIIe siècle. Actif à Vienne. Autrichien.

Graveur.

Il a gravé des sujets d'histoire et surtout des portraits.

KREUTZER Léandre

Né en 1884 à Strasbourg. Mort en 1967. XXe siècle. Français.

Peintre de portraits, paysages, compositions murales, aquarelliste, affichiste. Postimpressionniste.

Après une formation à l'École des Arts Décoratifs de Strasbourg, il participa à quelques expositions collectives à Mulhouse, Altkirch, Davos, Cannes, Berlin, mais n'a jamais fait d'exposition personnelle.

Ses paysages de haute montagne, de grands espaces, prennent un caractère dramatique, bien qu'ils soient baignés d'une lumière notée à petites touches impressionnistes. En dehors des paysages traités à l'huile, au pastel, à l'aquarelle ou au fusain, il peint des portraits, fait des affiches publicitaires, notamment entre 1914 et 1918, et exécute des peintures murales, dont de grands panneaux à l'Orphelinat de Neudorf.

Bibliogr. : Gérald Schurr, in : *Les Petits Maîtres de la peinture 1820-1920, valeur de demain*, Les Éditions de l'Amateur, t. VI, Paris, 1985.

KREUTZFELD Carl Timotheus Friedrich

Né en 1757 à Hambourg. Mort le 15 décembre 1791 à Hambourg. XVIIIe siècle. Allemand.

Peintre.

Il fut d'abord peintre sur porcelaine. Le Musée de Kiel possède des œuvres de lui.

KREUTZFELDER Johann. Voir **CREUTZFELDER**

KREUTZINGER Joseph ou **Kreuzinger**

Né le 10 janvier 1757 à Vienne. Mort le 14 juillet 1829 à Vienne. XVIIIe-XIXe siècles. Autrichien.

Peintre de portraits, miniaturiste et graveur.

Peintre de la chambre impériale, il fit les portraits de Marie-Thérèse, de l'archiduc Charles, de François Ier dont il peignit les portraits en miniature et les grava.

KREUZER Adolf

Né le 17 mars 1843 à Furtwangen. Mort le 4 septembre 1915 à Zurich. XIXe-XXe siècles. Suisse.

Peintre verrier.

Élève de son père et du peintre verrier Rottinger à Zurich. Se perfectionna à Munich et à Nuremberg. Ses œuvres les plus grandioses sont la fenêtre du chœur de la cathédrale de Bonn sur le Rhin, les fenêtres de la chapelle du comte Almeida à Lisbonne, et un nombre considérable de vitraux des églises de la Suisse. Médaille d'argent à l'Exposition universelle de 1889 à Paris et médaille d'or à l'Exposition de Chicago en 1895.

KREUZER Ernst August

Né le 15 janvier 1862 à Furtwangen. XIXe siècle. Suisse.

Peintre verrier.

On cite ses vitraux de l'église Saint-Antoine à Francfort.

KREUZER Franz

Né le 12 novembre 1819 à Salgen. Mort le 25 janvier 1872 à Munich. XIXe siècle. Allemand.

Peintre et graveur.

On lui doit surtout des paysages de Bavière.

KREUZER G.

Né à Marbourg. XIXe siècle. Actif vers 1842. Allemand.

Peintre d'histoire.

KREUZER Konrad

Né le 8 décembre 1810 à Graz. Mort le 6 mars 1861 à Graz. XIXe siècle. Autrichien.

Peintre de paysages.

On lui doit des paysages et des panoramas de Graz, peints à l'huile ou dessinés.

Ventes Publiques : Vienne, 22 mai 1982 : *Maria Grün bei Graz*, aquar. (29,7x52) : **ATS 40 000.**

KREUZER Vinzenz

Né le 8 mars 1809 à Graz. Mort le 6 mai 1888 à Graz. XIXe siècle. Autrichien.

Peintre de paysages, architectures, natures mortes.

Il est le frère de Konrad Kreuzer. On lui doit des paysages et des vues de monuments.

Ventes Publiques : Lucerne, 3 déc. 1965 : *Nature morte aux fleurs* : **CHF 9 500** – Londres, 30 nov. 1977 : *Paysage d'hiver avec patineurs*, h/t (60x83) : **GBP 2 050** – Vienne, 19 sep. 1978 : *La maison de campagne dans un paysage montagneux*, h/t (28x35) : **ATS 60 000** – Londres, 18 jan. 1980 : *Nature morte aux fruits*, h/t (47x38,6) : **GPB 1 500** – Vienne, 19 jan. 1982 : *Voyageur au bord d'une cascade* 1837, h/pan. (34,5x25) : **ATS 28 000** – Brême, 11 juin 1983 : *Bouquet de fleurs*, h/pan. (51,5x36,5) : **DEM 3 800** – Cologne, 21 nov. 1985 : *Nature morte aux fleurs*, h/t (56x39) : **DEM 5 500** – Paris, 14 avr. 1989 : *Nature morte au bocal de poisson et aux fruits*, h/pan. (22,5x29,5) : **FRF 190 000** – Londres, 19 juin 1991 : *Paysage boisé avec des oiseaux sauvages* 1881, h/cart., quatre panneaux (chaque 70x58) : **GBP 4 950** – PARIS, 12 déc. 1995 : *Nature morte aux raisins, pommes, prunes et châtaignes*, h/cuivre (21x27,5) : **FRF 115 000**.

KREUZFELDER Johann. Voir **CREUTZFELDER**

KREUZNACH-FABER Conrad de ou **Creuznach**. Voir **FABER Conrad**

KREVEL Johann Hilarius
Né en 1776 à Bonn. Mort le 22 avril 1846 à Cologne. XIXe siècle. Allemand.
Portraitiste.
Élève de Maurer, il travailla tantôt à Bonn, tantôt à Cologne. On cite de lui un *Portrait de l'Archevêque de Cologne*.

KREVEL Ludwig
Né le 10 septembre 1801 à Brunswick. Mort le 14 mai 1876 à Trèves. XIXe siècle. Allemand.
Peintre de portraits.
Élève de l'École française au cours d'un séjour de six ans à Paris. Il s'établit ensuite à Cologne.

KREYBICH Edmond
XIXe siècle. Actif vers 1842. Éc. flamande.
Peintre de paysages.

KREYDER Alexis
Né le 21 octobre 1839 à Andlau (Bas-Rhin). Mort le 18 mars 1912 à Paris. XIXe-XXe siècles. Français.
Peintre de genre, paysages, natures mortes, fleurs et fruits.
Élève de Louis Français et d'Eugène Laville, il débuta au Salon de Paris en 1863. Membre de la Société des Artistes Français et de la Société nationale des Beaux-Arts, il obtint une première médaille en 1867, une médaille de deuxième classe en 1884, une médaille d'argent à l'Exposition Universelle de 1889, et participa à celle de 1900. Chevalier de la Légion d'honneur en 1889.
Il aime opposer le velouté d'un fruit à la matière brillante d'un cuivre ou d'une céramique.

A. Kreÿder

BIBLIOGR. : Gérald Schurr, in : *Les Petits Maîtres de la peinture 1820-1920, valeur de demain*, Les Éditions de l'Amateur, t. III, Paris, 1976.
MUSÉES : AUCH : *Panier en fleurs* – ÉPINAL : *Paysage* – MULHOUSE : *Coin de parc* – 6 tableaux de fleurs – *Prunes* – PARIS (Mus. du Louvre) : *Offrande à Bacchus* – STRASBOURG : *Fleurs*.
VENTES PUBLIQUES : PARIS, 1886 : *Pavots et cerises* : **FRF 2 600** – NEW YORK, 23-24 avr. 1903 : *Fruits* : **USD 150** – PARIS, 26 nov. 1928 : *Corbeille de pêches et de raisins* : **FRF 1 020** – PARIS, 20 oct. 1944 : *Fleurs* : **FRF 8 000** – PARIS, 10 mars 1949 : *Bouquet* : **FRF 11 000** – PARIS, 5 juil. 1955 : *Les raisins* : **FRF 25 000** – PARIS, 28 nov. 1977 : *Bouquet de fleurs*, h/t (82x65) : **FRF 7 100** – LONDRES, 20 avr 1979 : *Panier de prunes*, h/t (64x79,5) : **GBP 850** – NEW YORK, 9 déc. 1982 : *Nature morte aux raisins*, h/t (73x101) : **USD 1 700** – NEW YORK, 19 oct. 1984 : *Nature morte aux fleurs*, h/t (146x111,8) : **USD 6 250** – LONDRES, 18 juin 1986 : *Nature morte aux fleurs*, h/t (103x80) : **GBP 14 000** – NEW YORK, 25 fév. 1987 : *Roses trémières*, h/t (39,7x78,8) : **USD 6 000** – SAINT-DIÉ, 16 oct. 1988 : *Nature morte au panier de raisins*, h/t (35x45) : **FRF 13 000** – PARIS, 10 nov. 1988 : *Bouquet de roses au vase d'argent*, h/t (55,5x46,5) : **FRF 32 000** – SAINT-DIÉ, 12 fév. 1989 : *Vase de fleurs* (56x46) : **FRF 30 000** – NEW YORK, 23 mai 1990 : *Le champ de blé*, h/t (134,3x164,5) : **USD 16 500** – NANCY, 24 juin 1990 : *Nature morte aux raisins*, h/t : **FRF 45 000** – NEW YORK, 19 juil. 1990 : *Nature morte de fleurs dans un vase*, h/t (57,2x48,1) : **USD 6 600** ; *Nature morte de raisin*, h/t (81,4x99,1) : **USD 11 000** – VERSAILLES, 25 nov. 1990 : *Bouquet de roses*, h/t (81,5x60,5) : **FRF 38 500** – PARIS, 27 nov. 1991 : *Fleurs et fruits*, h/t (79x104) : **FRF 95 000** – NEW YORK, 20 fév. 1992 : *Bouquet de roses dans un vase bleu*, h/t (72,4x54) : **USD 24 750** – SAINT-JEAN-CAP-FERRAT, 16 mars 1993 : *Bouquet de fleurs*, h/t (63x38) : **FRF 32 000** – STOCKHOLM, 10-12 mai 1993 : *Nature morte de fruits dans une corbeille*, h/t (71x91) : **SEK 51 000** – NEW YORK, 16 fév. 1994 : *Nature morte aux coquelicots et fleurs des champs dans un vase de Chine*, h/t (111,1x76,8) : **USD 57 500** – PARIS, 16 oct. 1994 : *Bouquet de chrysanthèmes*, h/t (89x63) : **FRF 22 500** – LONDRES, 31 oct. 1996 : *L'Époque de la floraison*, h/t (27,5x55,5) : **GBP 1 897**.

KREYENBUHL Alexander
Originaire de Meinberg. XVIe siècle. Actif à Lucerne vers 1551. Suisse.
Peintre verrier.
Peut-être le même que Hans Kreynbuhl, inscrit dans la gilde à la même époque.

KREYFELT Julius Van
XXe siècle. Allemand.
Peintre.
Il vivait à Kleinsassen. Il prit part à l'Exposition de Berlin de 1909.

KREYHER Otto
Né le 2 juin 1836 à Landsberg. Mort le 3 mai 1905 à Breslau. XIXe siècle. Allemand.
Portraitiste et peintre d'histoire.
Élève de Konig à Breslau et en 1853 de l'Académie de Berlin. Le Musée de Breslau conserve de lui : *Portrait de Karl von Hollei*.

KREYSSIG Hugo
Né le 9 janvier 1873 à Cologne. Mort en 1939. XIXe-XXe siècles. Allemand.
Peintre.
Prit part à l'Exposition de Munich en 1909.

H. Kreyssig

KRIBBE Melchior
Mort en 1635. XVIIe siècle. Actif à Munster. Allemand.
Sculpteur.
Il travailla entre autres pour la cathédrale et pour l'église Saint-Martin de Munster.

KRICHELDORF Carl
Né le 25 mai 1863 à Celle. XIXe siècle. Allemand.
Peintre de genre et de paysages.
Il travailla quelque temps en Angleterre, mais surtout comme portraitiste.
VENTES PUBLIQUES : NEW YORK, 25 et 26 jan. 1911 : *Paysanne* : **USD 60** – NEW YORK, 26 fév. 1997 : *À la taverne*, h/t/masonite (101,6x87,9) : **USD 3 680**.

KRICHELDORF Hermann Gottlieb
Né le 1er octobre 1867 à Celle. XIXe siècle. Allemand.
Peintre de natures mortes.
Médaille à Munich en 1901. Il exposa aussi à Berlin et à Düsseldorf.
VENTES PUBLIQUES : NEW YORK, 11 mars 1909 : *Nature morte* : **USD 190** – NEW YORK, 27 jan. 1911 : *Nature morte* : **USD 70**.

KRICHELDORF Wilhelm
Né le 4 novembre 1865 à Celle. XIXe siècle. Allemand.
Peintre de portraits.
Élève de Raab, Lœfftz et Hœcker à l'Académie de Munich.

KRICKE Norbert
Né le 30 novembre 1922 à Düsseldorf. Mort en 1984 à Düsseldorf. XXe siècle. Allemand.
Sculpteur. Abstrait.
Il fut brièvement élève de l'Académie des Beaux-Arts de Berlin. Après avoir fait l'expérience de la guerre, il aurait refait un court séjour à l'Académie de Berlin. Il revint à Düsseldorf en 1947, où il aurait été élève de l'Académie, puis, après un séjour aux États-Unis, nommé professeur, et il entreprit de nombreux voyages, en France, Espagne, Italie, s'informant des aspects de la sculpture contemporaine, nouant des amitiés, surtout dans les milieux artistiques de Paris. En 1958 lui fut attribué le Prix de la Graham Foundation for Advanced Studies de Chicago. Il fut alors invité par Gropius à la Harvard University. Il a dirigé l'Académie des Beaux-Arts de Düsseldorf, de 1972 à 1981.
Il participa à de nombreuses expositions collectives, dont : 1957 Salon des Réalités Nouvelles à Paris ; Biennale d'Anvers ; Biennale d'Arnheim ; Documenta de Kassel ; 1963 Kunsthalle de Recklinghausen ; 1967 Fondation Maeght à Saint-Paul-de-Vence ; etc. ; et fréquemment dans des musées de Krefeld et Düsseldorf. Il montrait ses réalisations dans des expositions personnelles, d'entre lesquelles : 1953 Munich ; 1955 Kunsthalle de Düsseldorf ; 1957, 1959 Paris ; 1963 Musée de Hagen ; 1964 Biennale de Venise... En 1980, la Städtische Galerie de Francfort-sur-le-Main lui a consacré une grande exposition rétrospective.
À son retour à Düsseldorf, en 1949 il commença à ériger dans l'espace des signes en trois dimensions, sortes de nœuds souples ou au contraire, selon les époques, faisceaux aigus, de rubans métalliques, tiges, tubes ou autres, en étain, cuivre, nickel, acier, métal peint, limitant tôt l'utilisation du fil métallique caractéristique des œuvres de Pevsner, toutes œuvres qui manifestent une

recherche de l'aérien, du vol, de l'immatériel, bien qu'il ne titre ses réalisations que de leurs composants : *Fils d'acier* 1957. Ensuite, il a privilégié l'usage des seuls nickel et acier. Dans cette perspective générale, il a réalisé des œuvres monumentales : lors de son séjour de 1958 aux États-Unis, invité par Gropius, il conçut un projet de fontaine pour l'Université de Bagdad ; puis réalisa des structures spatiales : plusieurs aux États-Unis ; pour la Société Mannesmann de Düsseldorf ; à Reux (Calvados) ; un réseau de tubes d'acier parallèles pour la façade du Théâtre de Gelsenkirchen. À partir de 1959, en collaboration avec Gropius, il a délaissé le métal pour créer des jeux d'eau monumentaux : *Forêt d'eau* de 1964 pour une banque de Düsseldorf ; *Mur d'eau* à Cologne en 1976 ; qui évoquent évidemment les œuvres de Kosice dans son utilisation de l'eau comme matériau de base. Dans les quelques années quatre-vingt qui ont précédé sa mort, il a repris l'édification de ses *Raumplastik* (Structures spatiales), avec de simples tiges courbées, plus simples que ses premières constructions spatiales, dont elles sont l'aboutissement minimaliste logique. ■ J. B.

Bibliogr. : Catalogue de l'exposition *Norbert Kricke*, Kunsthalle, Recklinghausen, 1963 – Herta Wescher, in : *Nouveau diction. de la sculpt. mod.*, Hazan, Paris, 1970 – in : *L'Art du xxe siècle*, Larousse, Paris, 1991 – in : *Diction. de l'Art mod. et contemp.*, Hazan, Paris, 1992.

Musées : Düsseldorf – Krefeld.

Ventes Publiques : Cologne, 7 déc. 1984 : *Composition* 1950, acier (H. avec socle 30,5) : **DEM 10 000**.

KRIEBEL Anton Maria Ludwig

Né le 24 juillet 1823 à Dresde. Mort le 3 mai 1890 à Dresde. XIXe siècle. Allemand.

Peintre d'histoire et de portraits.

Élève de Bendemann à Dresde. Il vécut tour à tour à Munich, Anvers et Paris et devint professeur en 1866 à l'Académie de Dresde.

KRIEBEL Georg

Né à Magdebourg. XVIIe siècle. Allemand.

Sculpteur.

Il travailla en 1614 pour l'église Saint-Thomas à Leipzig.

KRIEG Dieter

Né en 1937 à Lindau. XXe siècle. Allemand.

Peintre. Expressionniste.

Il a participé à des expositions collectives, dont, à Paris, la Biennale des Jeunes artistes. Il montre des ensembles d'œuvres dans des expositions personnelles, notamment à Cologne, Munich. Il s'est fait connaître pour des œuvres réalistes, dont les déformations, voire ressortissant au monstrueux (au sens propre) : vieillards décrépits, aux extrémités boursoufflées gigantesques, avachis en loques sur des mobiliers hospitaliers sordides, accusent le caractère expressionniste, accentué par une palette indigente de tons éteints et de rose sale. Délaissant ensuite ces peintures de la déchéance humaine, il peint des objets, dont la présence muette n'en reste pas moins inquiétante.

Bibliogr. : In : *Diction. Univers. de la Peint.*, Le Robert, Paris, 1975.

Ventes Publiques : Munich, 26 nov. 1984 : *TFC 7.7.68* 1968, acryl./t. (140x150) : **DEM 4 200**.

KRIEG Elisabeth

Née le 22 août 1876 à Sagan. XXe siècle. Allemande.

Peintre.

Elle fit ses études à Paris, où elle exposa aux Salons des Indépendants et d'Automne. Établie, en 1919, à Munich, elle alla ensuite fréquemment peindre en Algérie.

Ventes Publiques : Paris, 18 fév. 1980 : *Cimetière algérien*, h/t (84x84) : **FRF 850**.

KRIEG Hans

Né vers 1590 à Speichersdorf. Mort vers 1645. XVIIe siècle. Allemand.

Peintre et dessinateur.

Il travailla à Königsberg et peignit surtout des paysages de Prusse Orientale.

KRIEG Karl

Mort le 9 mai 1711 à Lübeck. XVIIIe siècle. Allemand.

Peintre.

On cite ses travaux pour l'Hôtel de Ville et l'église Notre-Dame, à Lübeck.

KRIEGEL Many

XXe siècle. Française.

Peintre de compositions animées. Naïf.

Elle participe à des expositions collectives, au Salon International d'Art Naïf de Paris. Individuellement, elle a exposé pour la première fois en 1975, à la galerie Hélène Appel.

À la façon de Louis Vivin, elle aime marquer les quadrillages de pierres des édifices. Il lui arrive de situer ses vues animées de quelques personnages, dans un Paris disparu : *Le Pêcheur du Pont-au-double*.

KRIEGEL Willy

Né le 23 février 1901 à Dresde. XXe siècle. Allemand.

Peintre de portraits.

KRIEGELSTEIN Christian Ludwig

XVIIIe siècle. Actif à Hanovre. Hollandais.

Peintre.

Élève de Johann-Georg Ziesenits. Il fut peintre de la Cour de Hanovre. Il faisait partie, en 1769, de la Confrérie de La Haye.

KRIEGER Bela Gyula

Né en 1861 à Cassovie. XIXe siècle. Hongrois.

Graveur.

Mention honorable à Paris, en 1891. Prit part à l'Exposition universelle de 1900.

KRIEGER Carl Friedrich

Travaillant à Nuremberg. Allemand.

Graveur.

Il grava quelques-unes des têtes figurant dans un album intitulé : *Icones Virorum omnium ordinum*, et contenant des portraits de savants.

KRIEGER Cristoforo. Voir **GUERRA**

KRIEGER Franz Xaver

Né le 17 mars 1861 à Munich. Mort le 9 novembre 1907 à Francfort-sur-le-Main. XIXe siècle. Allemand.

Sculpteur.

Il exposa en 1899 un *Saint Georges* au Glaspalast de Munich.

KRIEGER Friedrich Christian ou **Krüger**

Né le 23 mai 1774 à Zeucha. Mort le 13 juin 1832 à Dresde. XVIIIe-XIXe siècles. Allemand.

Peintre de portraits et pastelliste.

Il fut d'abord apprenti coutelier. En 1800, il vint à Dresde et devint peintre de portraits, à l'huile et au pastel. Il travailla dans diverses villes d'Allemagne et revint enfin se fixer définitivement à Dresde où il fut professeur. Il décora l'église de Lenkinsk.

KRIEGER Joseph

Né le 10 mars 1848 à Salzbourg. Mort le 10 mars 1914 à Zurich. XIXe-XXe siècles. Allemand.

Peintre de portraits, paysages.

Il exposa à partir de 1879.

Ventes Publiques : Cologne, 28 juin 1991 : *Famille de lapons dans les Lofotens* 1887, h/t (100x175) : **DEM 6 600**.

KRIEGER Melchior

XVIIIe siècle. Actif à Nuremberg. Allemand.

Peintre.

Il peignit des portraits et des tableaux religieux.

KRIEGER Melchior Balthasar

Né le 14 octobre 1656 à Altdorf. XVIIe siècle. Allemand.

Peintre.

Il résidait à Nuremberg et se consacra surtout au négoce des tableaux.

KRIEGER Wilhelm

Né le 2 juin 1877. XXe siècle. Allemand.

Sculpteur animalier.

Il travaillait à Herrsching, près de Munich.

Ventes Publiques : Zurich, 7 juin 1984 : *Vautour*, bronze patiné (H. 50) : **CHF 1 800**.

KRIEGHOFF Cornelius

Né le 19 juin 1815 à Amsterdam. Mort le 4 mars 1872 à Chicago. XIXe siècle. Canadien.

Peintre de genre, portraits, paysages, natures mortes.

Né à Amsterdam, il arrive avant l'âge de cinq ans à Düsseldorf, puis passe son enfance à Mainburg, près de Schweinfurt. On a souvent pensé et écrit qu'avant 1837 il avait étudié la peinture et la musique en Bavière, à Rotterdam et à Düsseldorf, et qu'il avait vécu ensuite en voyageant à travers l'Europe comme musicien et peintre ambulant, mais, plus de cent ans après sa mort, on n'est toujours pas en mesure de dire si cette formation musicale et picturale et si ce métier ne relèvent pas totalement de la légende.

Quoi qu'il en soit, on sait qu'il arrive en Amérique en 1837 et qu'il s'engage le 5 juillet 1837 dans l'Armée américaine pour aller combattre les Indiens séminoles en Floride. Libéré en 1840, il est fait état dans les registres militaires de sa qualité de peintre topographique. On le retrouve en 1846 à Toronto, et des documents signalent qu'en 1847 il participe à une exposition à Montréal. On sait aussi qu'il a séjourné à Longueuil (Québec), puis est revenu à Montréal où il est peintre de paysages et de portraits. En 1853, il part à Québec où il s'installe. Commence alors la période la plus féconde et la plus réussie de son œuvre. En 1854 il fait un séjour de quelques mois en Europe et prend sans doute contact avec des graveurs et lithographes allemands et anglais pour la reproduction de ses œuvres. De retour à Québec il connaît le succès et peint beaucoup. Si différents points restent obscurs dans sa vie, son œuvre en revanche est bien connue, et on en a répertorié les thèmes. Les Indiens y occupent une place majeure, Indiens appartenant essentiellement à trois tribus : les Indiens des Caughnawaga, ceux de Memphremagog et ceux de Lorette. La plupart des toiles les décrivent en campement, en halte, lorsque, en même temps que leurs occupations, le peintre peut saisir le paysage qui les environne. D'une manière générale, même lorsqu'il ne s'agit pas d'Indiens, on sent dans l'œuvre de Krieghoff une attirance pour la description et l'étude de mœurs des petites gens, et pour la peinture de paysages. Peintre populaire, il a réalisé une série complète, reprenant souvent les mêmes sujets, avec des différences très minimes, consacrée aux divers métiers, renouant ainsi avec la tradition flamande. Il a bien saisi la réalité canadienne dans ses paysages ; deux saisons semblent particulièrement le fasciner : l'automne, dont il aime rendre les couleurs heurtées, et l'hiver où il s'attache à respecter les effets de nuages (le ciel a toujours une place de choix dans la plupart des tableaux), et à faire scintiller les reflets de la glace. Peintre des mœurs, son œuvre reste un témoignage sur les habitudes du Canada de 1850. Krieghoff s'est plu à situer une auberge dans la forêt au clair de lune, ou un campement d'Indiens au bord du lac, et il décrivait avec la même minutie le bateau de la poste se frayant un passage sur la rivière encombrée de glace, que la barrière de péage sous la neige. Krieghoff a peint la vie, celle du menu peuple. Portraitiste, il a en définitive rarement peint les notables, et jamais les ecclésiastiques (les prêtres étaient pourtant les meilleurs « sujets » des portraitistes québécois), mais il leur préférait les Indiens et surtout ces têtes burinées, ces fumeurs de pipe aux trognes bourgeonnantes que, par la suite, les détracteurs de Krieghoff assuraient être ses compagnons de beuverie. Tout aussi critiqué qu'apprécié depuis sa mort, Krieghoff a néanmoins connu le succès de son vivant, à tel point que l'on suppose que les quelques paysages russes, italiens ou suisses qu'il proposait à la vente, étaient exécutés d'après de simples gravures pour satisfaire le goût de ses clients. Malgré ce succès, on perd sa trace vers 1863 ; certains supposent quelques voyages en Europe, d'autres le disent installé aux U.S.A., mais rien n'explique vraiment qu'il se trouve à Chicago, en 1872, même si l'on a supposé qu'il y ait rejoint sa fille Emily. ■ P. F.

Bibliogr. : Raymond Vezina : *Cornelius Krieghoff*, Édition du Pélican, Ottawa, 1972.

Musées : Fredericton (Beaverbrook Art Gal.) : *Coming storm at the portage* 1859 – *Merrymaking* 1860 – Montréal (Mus. des Beaux-Arts) : *Les chutes de Montmorency en hiver* – *Nature morte avec fleurs, fruits et épi de maïs* 1846 – Montréal (Mus. Mc Cord) – Ontario (roy. Mus.) – Ottawa (Nat. Gal. of Canada) : *The ice bridge at Longueuil* – *Paysage d'hiver* – *Autoportrait* 1855 – *Owl's head, Lake Memphremagog* – Ottawa (Arch. Pub.) – Québec – Toronto (Art Gal. of Ontario) : *The Blacksmith shop.*

Ventes Publiques : Londres, 29 avr. 1935 : *Le Canoë* – *Sports d'hiver* – *Traîneau* – *Sur la piste* : **GBP 257** – Londres, 23 avr. 1937 : *Traineaux* : **GBP 141** – Londres, 25 fév. 1938 : *Sir Robert* : **GBP 115** – Londres, 8 juil. 1940 : *Caribou et indiens* : **GBP 105** – Londres, 15 déc. 1943 : *Scène d'hiver* : **GBP 70** – Londres, 19 déc. 1945 : *Scène canadienne en hiver* : **GBP 85** – Londres, 2 juil. 1947 : *Sur la rivière* : **GBP 57** – Londres, 2 fév. 1951 : *Deux Peaux-Rouges en canoë poursuivant un daim ; Deux Peaux-Rouges dans un paysage visant un cerf*, deux pendants : **GBP 525** – Londres, 24 juil. 1957 : *Couple d'Indiens conversant sur une rivière gelée* : **GBP 550** – Londres, 1er nov. 1957 : *Rivière boisée* : **GBP 1 260** – Londres, 19 mars 1958 : *Le retour du trappeur* : **GBP 2 100** – Londres, 22 avr. 1959 : *Indiens de la Baie d'Hudson au port, dans une végétation d'automne* : **GBP 2 100** – Londres, 15 juil. 1959 : *Course dans la neige en forêt* : **GBP 1 000** – Londres, 26 oct. 1960 : *Trois Indiens* : **GBP 1 800** – Londres, 26 juil. 1961 : *Caribou chassant en hiver* : **GBP 1 800** – Londres, 2 mai 1962 : *Un camp indien* : **GBP 2 000** – Londres, 29 mai 1963 : *Paysage d'hiver* : **GBP 5 000** – Londres, 25 mars 1966 : *Le traîneau* : **GNS 6 500** – Londres, 13 fév. 1969 : *Le camp indien* : **GBP 6 000** – Londres, 18 fév. 1970 : *Indiens dans un paysage d'hiver* : **GBP 2 100** – New York, 28 oct. 1971 : *Quatre Indiens dans un paysage* : **USD 19 000** – New York, 25 oct. 1973 : *Chasseurs indiens campant* : **USD 30 000** – Toronto, 21 oct. 1974 : *Trois personnages dans un canoë* : **CAD 29 000** – Toronto, 17 mai 1976 : *Trophée de chasse* 1862, h/t (63,5x76,5) : **CAD 20 000** – Crewkerne (Angleterre), 17 mars 1977 : *The Tollgate* 1861, h/pan. ovale (33x46) : **GBP 19 500** – Toronto, 5 nov 1979 : *La Course des traîneaux sur le Saint-Laurent entre Québec et Levi* 1866, h/t mar./cart. (35x50) : **CAD 62 000** – Londres, 28 mai 1981 : *Dans le jardin des Caribous, Quebec l'hiver*, h/t (53,5x47) : **GBP 62 000** – New York, 8 déc. 1983 : *Habitants riding a horse drawn sleigh*, h/t (31,8x40,7) : **USD 37 000** – Toronto, 28 mai 1985 : *Le courrie royal traversant la glace à Quebec*, h/t (52,5x45,6) : **CAD 50 000** – Toronto, 3 juin 1986 : *Two habitants driving a sleigh in winter*, aquar. (12,7x19,1) : **CAD 7 250** – Toronto, 28 mai 1987 : *Automne sur la rivière Saint-Anne* 1865, h/t (39,4x34,3) : **CAD 55 000** – New York, 30 nov. 1990 : *Promenade en traineau* 1856, h/t (33,2x46) : **USD 33 000** – Amsterdam, 19 avr. 1994 : *Troïka dans la neige* 1863, h/pap./cart. (30x40) : **NLG 13 800**.

KRIEGHOFF Johann Karl Christian

Né le 7 juin 1838. xixe siècle. Actif à Hambourg. Allemand.

Sculpteur.

Visita le Chili en 1885. Professeur à Zurich. Prit part aux expositions suisses.

KRIEGHOFF William G.

Né le 31 août 1875 à Philadelphie. xxe siècle. Américain.

Peintre.

Il fut élève de William M. Chase.

KRIEGSTEIN Melchior

xvie siècle. Actif à Augsbourg en 1530. Allemand.

Graveur sur bois et imprimeur.

KRIEHUBER Fritz

Né en 1836 à Vienne. Mort le 12 octobre 1871 à Vienne. xixe siècle. Autrichien.

Peintre de portraits, dessinateur, lithographe.

Fils de Josef Kriehuber, on lui doit un grand nombre de portraits lithographiés.

Ventes Publiques : New York, 26 oct. 1990 : *Portrait de deux dames*, cr. et reh. de blanc/pap. (41,9x55,2) : **USD 3 025**.

KRIEHUBER Josef

Né en 1800 à Vienne. Mort le 30 mai 1876 à Vienne. xixe siècle. Autrichien.

Peintre de portraits, paysages animés, paysages de montagne, aquarelliste, dessinateur. Romantique.

Il fut élève de l'Académie des Beaux-Arts de Vienne. Il accompagna comme peintre le prince Sangusko en Galicie, il en rapporta des études intéressantes. Il fut membre de l'Académie de Vienne.

On lui doit divers paysages de montagnes abruptes, enserrant des torrents furieux.

Musées : Vienne : *Bords du Danube au Prater, à Vienne* – *Paysage d'orage* – *Portrait de jeune homme.*

Ventes Publiques : Vienne, 26 sep. 1950 : *Paysage boisé*, aquar. : **ATS 2 200** – Vienne, 18 sep. 1974 : *Bords du Danube* : **ATS 180 000** – Vienne, 14 juin 1977 : *Paysage orageux*, h/t (52,5x66) : **ATS 140 000** – Vienne, 13 juin 1978 : *Paysage à la rivière vers* 1862, h/t (109x142) : **ATS 80 000** – New York, 11 fév. 1981 : *Méditation dans la cour de l'église* 1844, h/pan. (49,5x42) : **USD 7 000** – Vienne, 23 mars 1983 : *Portrait de jeune fille* 1854, fus. et reh. de blanc (52x41) : **ATS 22 000** – Vienne, 16 nov. 1983 : *Bords du Danube*, h/pan. (41,5x56,5) : **ATS 180 000** – Berne, 21 juin 1984 : *Portrait de jeune femme* 1827, aquar. sur traits de cr. reh. de blanc (24,3x19) : **CHF 2 500** – Vienne, 20 juin 1985 : *Portrait de l'archiduchesse Sophie* 1844, aquar. (33x25) : **ATS 40 000** – Vienne, 19 mars 1987 : *La Jeune Impératrice en robe blanche* 1863, aquar. (41x32) : **ATS 45 000** – Paris, 7 mars 1989 : *Portrait d'un jeune homme aux cheveux bouclés et en habit bleu* 1825 (20x17) : **FRF 6 000** – Munich, 29 nov. 1989 : *Le prince Auguste de Württemberg* 1847, aquar. (20,5x17) : **DEM 7 150** – Munich, 22 juin 1993 : *L'Archiduchesse Sophie* 1844, cr. et aquar. (33,5x26) : **DEM 8 050** – Londres, 10 fév. 1995 : *Baigneuses dans un paysage arcadien* 1847, h/pan. (19x23,2) : **GBP 1 035**.

KRIENEN Heinrich
Né à Xanten. XIXe siècle. Allemand.
Peintre d'histoire.
Il exposa à Düsseldorf en 1835 et 1837.

KRIER Étienne Auguste
Né le 11 février 1875 à Mareuil-sur-Ay (Marne). XXe siècle. Français.
Peintre.
Il fut élève de Léon Bonnat à l'École des Beaux-Arts de Paris. Il exposait à Paris, au Salon des Artistes Français, où il obtint une médaille en 1924.

KRIER-LAMBRETTE Marcelle Françoise
Née en avril 1899 à Limoges (Hte-Vienne). XXe siècle. Française.
Peintre de fleurs.
Elle fut élève de Luc-Olivier Merson, pour lequel elle peignit plus tard des fleurs en bordures de ses tapisseries. Elle exposait à Paris, au Salon des Artistes Français, où elle obtint médailles et Prix.

KRIESCH Laura ou **Nagy-Kriesch**
Née en 1879 à Budapest. XXe siècle. Hongroise.
Peintre de natures mortes, fleurs.
Elle était la femme de Sandor Nagy.

KRIESMANN Eduard Wilhelm
XIXe siècle. Actif à Berlin au milieu du XIXe siècle. Allemand.
Peintre de portraits.
Il fut élève de J.-G. Brücke.

KRIESTER Rainer
Né en 1935 à Plauen. XXe siècle. Allemand.
Sculpteur de figures.
Il a d'abord commencé des études de médecine à Leipzig, puis s'est inscrit à l'Académie des Beaux-Arts de Berlin, où il fut élève de Ulfert (?) Janssen. Il participe à des expositions collectives à Cologne, Stuttgart, Hambourg, Mannheim, Bâle. Individuellement, il exposa pour la première fois en 1967 à Berlin, puis ensuite régulièrement, ainsi qu'à Munich, Venise, Milan.
Ses sculptures traitent essentiellement du corps humain, le traduisant dans un esprit un peu carnavalesque, avec parfois des allusions surréalistes.

KRIETE Karl
Né le 24 juin 1887 à Fahr (près de Brême). XXe siècle. Allemand.
Peintre de compositions murales, graveur, dessinateur.
Il fut professeur de dessin à Essen. Il se fit surtout connaître pour ses gravures et croquis à la plume.

KRIGAR Heinrich
Né le 7 mai 1806 à Berlin. Mort le 7 juillet 1838 à Berlin. XIXe siècle. Allemand.
Peintre de genre et d'histoire.
Élève de l'Académie de Berlin et de Wach. Visita la Hollande et la France. A Paris fut élève de Delaroche. Il visita aussi la Hollande et la Belgique.

KRIGITZKY Constantin ou **Kryschizkï, Kryzhitsky**
Né en 1858 à Kiev. Mort le 17 avril 1911 à Saint-Pétersbourg. XXe siècle. Russe.
Peintre de paysages et de marines.
Il était actif à Saint-Pétersbourg en 1900. Il exposa à Berlin en 1886 et 1891. Il prit part aux Expositions Universelles de Paris en 1889 et, où il reçut une médaille de bronze, en 1900.
MUSÉES : MOSCOU (Gal. Tretiakov) : *Marais – Avant l'orage* – SAINT-PÉTERSBOURG (Mus. russe) : *La neige en septembre – Avant midi – Éclaircie – L'automne*, aqu.
VENTES PUBLIQUES : NEW YORK, 1er mai 1969 : *Paysage de neige avec traîneaux* : **USD 2 000** – LINDAU, 5 oct. 1983 : *Marine* 1906, h/t (51x57,5) : **DEM 4 200** – LONDRES, 19 déc. 1996 : *Ruisseau dans les bois*, h/t (54x36) : **GBP 2 070**.

KRIJEVSKI Jan
Né en 1948 à Oufen (Oural). XXe siècle. Russe.
Peintre.
Il est membre de l'Union des Artistes depuis 1975. De 1975 à 1982 il a participé aux principales manifestations artistiques nationales et internationales. En 1976, il obtint le 1er prix des jeunes artistes d'URSS.
Il expose sa théorie du *Transréalisme* qui se rapporte aux conceptions cosmiques de Filonov et à l'avant-garde du début du siècle.
MUSÉES : MOSCOU (Gal. Trétiakov).
VENTES PUBLIQUES : PARIS, 8 déc. 1990 : *Printemps à la Fontanka*, h/t (135x165) : **FRF 7 000**.

KRIKHAAR Anthony G.M. ou **Tonny**
Né en 1939 à Almelo. XXe siècle. Actif depuis 1959 en Angleterre. Hollandais.
Peintre de figures, paysages, natures mortes. Expressionniste-abstrait.
En 1959, il partit pour Londres afin d'y faire ses études artistiques, et s'y fixa. Il participe à des expositions collectives, notamment à Paris, en 1988 à la FIAC (Foire Internationale d'Art Contemporain), en 1989, 1990 à la galerie Artuel, et en 1991 au Salon Découvertes. Il montre aussi des ensembles de peintures dans des expositions personnelles, notamment en 1992 à la galerie Artuel de Paris. Il expose aussi à Londres, Amsterdam, New York, Los-Angeles, Miami, Bruxelles, etc.
Dans une première période, il créait des sculptures informelles, composées de débris de verre. Autour de 1966, il a opté pour la peinture à l'huile, expérimentant des techniques diverses. Il pratique une technique gestuelle, de larges empâtements fougueux de couleurs crues.

KRIKHAAR Herman
Né en 1930. XXe siècle. Hollandais.
Peintre de scènes animées, paysages, technique mixte. Tendance onirique.
VENTES PUBLIQUES : AMSTERDAM, 22 mai 1990 : *Sous le réverbère* 1956, h/t (84x130) : **NLG 4 600** – AMSTERDAM, 12 déc. 1990 : *Champ de lavande* 1987, h/t (184,5x144,5) : **NLG 25 300** – AMSTERDAM, 11 déc. 1991 : *Mon jardin* 1984, h/t (120x60) : **NLG 23 000** – AMSTERDAM, 12 déc. 1991 : *Le pays des rêves* 1959, h. et gche/pap. (63,5x48,5) : **NLG 8 050** – AMSTERDAM, 10 déc. 1992 : *Danse vers les cieux* 1986, h. et sable/t. (115x79) : **NLG 13 800** – AMSTERDAM, 31 mai 1994 : *Route ensoleillée* 1986, h/t (145x187) : **NLG 28 750** – AMSTERDAM, 6 déc. 1995 : *Nature morte grotesque*, h/t (130x162) : **NLG 10 925**.

KRIKI
Né en 1965. XXe siècle. Français.
Peintre de compositions animées, figures, peintre de techniques mixtes, collages, sculpteur. Nouvelles figurations.
Il a fondé le groupe de peintres *Nuklé-art* à Paris en 1984. Il a exposé à Paris en 1985, 1988 et 1991 à la FIAC (Foire Internationale d'Art Contemporain) ; en 1987 à la Maison des Arts et Musée du Château de Belfort, à New York, à *Histoire de Rockers* à La Villette, et participé à la Biennale de Jeune Peinture à Cannes ; en 1995 au Salon International d'Art Contemporain de Strasbourg avec des *Œuvres pornographiques*.
Ses personnages aux contours cernés en zigzags, parfois soulignés par un large cerne, qui tiennent plus des robots que d'humains, sont imbriqués dans des espaces et décors très complexes de bandes dessinées.
BIBLIOGR. : *Kriki – Peintures/Sculptures*, Ed. Navarra/Loft, 1991.
VENTES PUBLIQUES : PARIS, 13 avr. 1988 : *La Vente aux enchères*, acryl./t. (162x130) : **FRF 8 000** ; *Le Môme à la plage* 1987, acryl./t. (90x130) : **FRF 7 000** – PARIS, 12 fév. 1989 : *Saison de reproduction*, acryl. ind./t. découpée + K7 (130x162) : **FRF 14 000** ; *Les Galipettes de Creen Fuzz*, acryl. ind./polyuréthane (60x30x50) : **FRF 9 200** – PARIS, 25 juin 1991 : *La Fameuse Danse des Cyclopes* 1986, acryl./t. (120x120) : **FRF 11 000** – PARIS, 9 déc. 1991 : *Combat de chars* 1989, acryl./t. (81x100) : **FRF 8 000** – PARIS, 3 juin 1992 : *Tête de keupon* 1990, rés. de polyester peinte (65x28x48) : **FRF 5 100** – PARIS, 29 sep. 1993 : *Guitariste punk* 1990, acryl./t. découpée et clous (195x130) : **FRF 30 000** – PARIS, 19 mars 1997 : *Strip-teaseuse*, sculpt. en bois (180x100x40) : **FRF 10 000**.

KRILOV Andrei
Né en 1923. XXe siècle. Russe.
Peintre de genre.
Il fit ses études à l'École des Beaux-Arts de V. Sourikov à Moscou et fut élève de Vassili Iefanov. Il reçut le titre de Peintre Émérite d'URSS.
VENTES PUBLIQUES : PARIS, 5 nov. 1992 : *L'écuyère* 1961, h/t/cart. (70x50) : **FRF 4 500** – PARIS, 16 nov. 1992 : *Sur le sable* 1954, h/cart. (48x67) : **FRF 5 800** – PARIS, 12 déc. 1992 : *Au bazar*, h/cart. (39x65) : **FRF 4 800** – PARIS, 20 mars 1993 : *Le petit déjeuner* 1956, h/t (73x56) : **FRF 9 000** – PARIS, 18 oct. 1993 : *Mon père en étude* 1947, h/cart. (20x27) : **FRF 4 800** – PARIS, 4 mai 1994 : *L'inspiration du peintre* 1953, h/t (29x37) : **FRF 4 000** – PARIS, 1er

déc. 1994 : *Au musée de Polenovo* 1946, h/cart. (46x33) : **FRF 5 100**.

KRILOV Iwan
XIXe-XXe siècles. Russe.
Peintre de portraits, paysages.
Il figura à l'Exposition Universelle de Paris en 1900.
Musées : Moscou (Mus. Roumianzeff) : *Portrait de la tzarine Natalie Kirillovna.*

KRILOV Parfirii
Né en 1902. Mort en 1990. XXe siècle. Russe.
Peintre de paysages.
Il fit ses études à l'École des Beaux-Arts de Moscou (Vkhutemas) et travailla sous la direction de Alexandre Kordovskii. Il formait avec ses amis Kouprianov et Nikolai Sokolov un groupe travaillant sous le pseudonyme collectif de « Koukriniksi ». Il fut nommé membre de l'Union des Artistes de l'URSS et Artiste du Peuple.
Ventes Publiques : Paris, 15 mai 1991 : *Gourzouff en Crimée* 1948, h/t (34,8x49) : **FRF 9 500** – Paris, 9 déc. 1991 : *Port de pêche* 1959, h/t (23x35) : **FRF 6 000**.

KRIMMEL Johann Ludwig ou **John Lewis**
Né en 1787 à Ebingen (Wurtemberg). Mort le 15 juillet 1821 à Philadelphie (Pennsylvanie). XIXe siècle. Actif en Amérique. Allemand.
Peintre de genre.
Il se rendit en 1810 en Amérique et se forma en autodidacte, copiant des gravures représentant des œuvres des grands maîtres européens. Il devint membre de l'Académie de Philadelphie et président de la Société des Artistes américains. Il mourut en se noyant au cours d'une baignade.
Une importante composition : *Le Débarquement de William Penn* marqua ses débuts. Il se fit une grande réputation en tant que peintre de sujets de genre, évoquant la vie populaire des États-Unis.
Bibliogr. : In : *Diction. de la peinture anglaise et américaine*, coll. Essentiels, Larousse, Paris, 1991.
Musées : Philadelphie (Pennsyl. Acad. of Fine Arts) : *The country wedding* 1814.
Ventes Publiques : New York, 8 déc. 1983 : *Dance in a country tavern* vers 1820, aquar./pap./cart. (21x28) : **USD 7 000**.

KRIMOFF Nicolaï Petrovitch ou **Krimov, Krymoff, Krymov**
Né le 5 mai 1884 à Moscou. Mort en 1958 à Moscou. XXe siècle. Russe.
Peintre de portraits, paysages, décorateur.
Il fut élève de l'Institut de peinture, de sculpture et d'architecture de Moscou chez V. Serov et K. Korovine. Il participa à de nombreuses expositions, notamment en 1910 à l'Exposition de Bruxelles, en 1919 au Salon de la Toison d'Or. Membre des artistes de l'U.R.S.S. de 1910 à 1923, il participa à leurs manifestations. On vit une de ses œuvres à l'exposition *Paris-Moscou* au musée national d'Art moderne de Paris, en 1979. En 1926, il réalisa les décors pour les spectacles du théâtre d'art de Moscou.
Bibliogr. : Catalogue de l'exposition : *Paris-Moscou*, Éditions du Centre Georges Pompidou, Paris, 1979.
Musées : Moscou (Gal. Tretiakov) : *Journée ensoleillée de juin – Paysage de Moscou, arc-en-ciel* 1917 – Moscou (Mus. Roumianzeff) : *Portrait de l'impératrice Marie Alexandrovna – Portrait du professeur M.T. Kalchenovsky.*
Ventes Publiques : Londres, 14 déc. 1995 : *Étude d'un tas de bois à la campagne*, h/pan. (22,5x34,5) : **GBP 862**.

KRINER Joseph
Né à Presbourg. Mort vers 1770 à Vienne. XVIIIe siècle. Autrichien.
Peintre.
Il décora en 1755 le château d'Altdöbern.

KRINGS Hugo
Né le 12 juillet 1878 à Mönchen-Gladbach. XXe siècle. Allemand.
Peintre.
Il participa à l'Exposition de Berlin de 1909.

KRINOS Pierre A.
Né à Syros. XIXe-XXe siècles. Actif en France. Grec.
Sculpteur.
Il fut élève de Lazaros Sochos. Il participa à l'Exposition Universelle de Paris en 1900, obtenant une mention honorable.

KRIOUKOFF J. E.
Né en 1823. Mort en 1851. XIXe siècle. Russe.
Peintre de genre et de portraits.
On voit de lui à la Galerie Tretiakov, à Moscou : *Portrait d'Agata Campioni* et *Étude d'Italienne.*

KRISCHER Otto
Né le 7 mai 1899 à Bendorf. XXe siècle. Allemand.
Sculpteur de bustes, statuettes.

KRISHNA Ropp
Né à Lahore (Penjab). XXe siècle. Indien.
Peintre, aquarelliste.
Il a exposé à Paris, au Salon des Indépendants.

KRISMAYR Anton
Né le 4 avril 1810 à Telfs (Tyrol). Mort le 27 juillet 1841 à Albano. XIXe siècle. Autrichien.
Sculpteur.
Le Musée d'Innsbruck possède plusieurs œuvres de cet artiste qui fut à Munich élève de Schwanthaler.

KRIST Heinrich
XVIe siècle. Actif à Hammelburg. Allemand.
Sculpteur.
Il fut à Würzburg, élève de Peter Dell l'Ancien.

KRISTAPS
Né en 1962. XXe siècle. Russe-Letton.
Peintre de compositions à personnages. Cubo-expressionniste.
Il commença ses études artistiques à l'École Rozental de Riga, puis entra à l'Académie des Beaux-Arts de Lettonie. Encore très jeune, il devint membre de l'Union des Artistes. Dès 1979, il participe à des expositions nationales et en 1990 il expose à Paris. Sa peinture confirme l'impression générale que les artistes lettons ont échappé au dogme du réalisme-socialiste, et qu'ils ont été informés des divers courants issus du début du siècle dans l'Europe de l'Ouest. Kristaps disloque dynamiquement formes, espace et volume, et peint franchement coloré et par larges coups de brosse affirmés.
Musées : Riga (Fonds des B.A.).
Ventes Publiques : Paris, 11 juil. 1990 : *Pianiste*, h/t (145x105) : **FRF 3 200** – Paris, 14 jan. 1991 : *Danse*, h/t (104x104) : **FRF 6 000**.

KRISTL Vlado ou **Kristen**
XXe siècle. Yougoslave.
Peintre. Abstrait, lumino-cinétique.
En 1951, fut fondé, à Zagreb, le groupe *Exat SI*, atelier expérimental, qui, en réaction contre le réalisme-socialiste, reprenait à son compte l'héritage du constructivisme russe et du Bauhaus. Ce groupe, dix ans plus tard, devenait *Tendances nouvelles de Zagreb*, pour s'orienter plus nettement dans la recherche d'effets optiques insolites, cinétiques et lumineux, tendant à accorder la production artistique avec le cadre de la civilisation industrielle, en créant une beauté objective et fonctionnelle.
Pour sa part, Kristl a réalisé des œuvres variables, en fil de fer, en bois ou en papier.
Bibliogr. : In : Catalogue de l'exposition *L'art en Yougoslavie, de la Préhistoire à nos jours*, Gal. Nat. du Grand Palais, Paris, 1971.

KRISTO Béla de, pseudonyme de **Kristofy Béla de**
Né le 15 mai 1920 en Hongrie. XXe siècle. Depuis 1947 actif en France. Hongrois.
Peintre, graveur, illustrateur, décorateur. Postcubiste.
Il fut élève de l'École des Beaux-Arts de Budapest. Arrivé à Paris, il fréquenta Vertès, Survage, Lambert-Rucki, André Lhote, Chapelain-Midy. Depuis 1948, il exposa à la galerie Raymond Duncan.
Ventes Publiques : Paris, 10 mars 1997 : *L'Accordéoniste*, h/cart. (47x33) : **FRF 6 800** – Paris, 26 mai 1997 : *Les Deux Amies*, h/pan. (30x28) : **FRF 5 200** – Paris, 19 oct. 1997 : *Scène de plage à Dinard*, h/cart. (45x32) : **FRF 8 200**.

KRIUKOFF Ivan Jefimovitch
Né en 1823. Mort le 29 septembre 1857. XIXe siècle. Russe.
Peintre d'histoire.
D'abord peintre de sujets religieux, il fut restaurateur au Musée de l'Ermitage, à Saint-Pétersbourg, et peignit des portraits.

KRIUKOFF Lieff Dmitriievitch
Né en 1783. Mort le 13 mai 1843 à Kazan. XIXe siècle. Russe.
Peintre et miniaturiste.
On lui doit les illustrations de plusieurs ouvrages dont une description de la Russie, des paysages, des tableaux religieux et surtout quelques portraits peints à la miniature.

KRIUKOFF Valerian Stepanovitch
Né en 1838 à Pétersbourg. XIXe siècle. Russe.
Peintre.
Il exécuta surtout des portraits et des tableaux de genre.

KRIVITSKI
XXe siècle. Russe.
Peintre de figures, portraits.
Dans une technique académique, ses personnages tendent à la peinture de genre de la fin du XIXe siècle.
VENTES PUBLIQUES : PARIS, 29 nov. 1990 : *Les pensées* 1956, h/t (100x80) : **FRF 4 600**.

KRIVOCHEINE Xénia
XXe siècle. Active en France. Russe.
Peintre de paysages, natures mortes. Naïf.
Elle expose à Paris, au Salon International d'Art Naïf. Elle crée aussi des bijoux.

KRIVOS Rudolf
Né le 16 novembre 1933 à Tisovci. XXe siècle. Tchécoslovaque.
Peintre. Tendance expressionniste-abstrait.
Il vit à Bratislava, où il reçut sa formation artistique, de 1951 à 1956. Il a exposé à la Biennale de Paris en 1961, 1965 ; à la Biennale de São Paulo en 1963 ; ainsi que à Bratislava en 1963, 1964 ; à Naples, Bochum, Baden-Baden en 1965 ; à Budapest, Berlin, Munich, Augsbourg, Anvers, au Mexique en 1967, etc.
Il fait partie de la nouvelle génération, qui a réussi à rejeter toutes les contraintes du réalisme-socialiste. Ses œuvres ressortissent à un expressionnisme à tendance abstraite, caractérisé par la recherche de matières pigmentaires expressives.
BIBLIOGR. : In : Catalogue de l'exposition *L'Art Tchécoslovaque, 1918-1968*, Mus. de Tchécoslovaquie, 1968.

KRIVOUTZ Wladimir
Né le 30 avril 1904 à Pétrograd. XXe siècle. Actif en France, depuis 1946 au Brésil. Russe.
Peintre de portraits, figures, paysages, compositions murales, décors de théâtre et de cinéma.
Il fut élève de l'École des Beaux-Arts de Pétrograd, de Sergéï Soudéikine et Léon Bakst en particulier, ainsi que de l'École des Beaux-Arts de Paris. Il travailla à Paris, il exposa à Paris depuis 1925, des portraits au Salon des Artistes Français, des maquettes de décors de théâtre au Salon d'Automne, où il fit aussi une exposition personnelle des peintures. Il fit une exposition à Biarritz et exposa à Rio de Janeiro.
Il rapporta de nombreuses peintures d'un long voyage en Chine, Indochine où il peignit le *Portrait de l'empereur d'Annam*, et aux Indes. Il peignit aussi le *Portrait d'Irène Némirovsky*, et brossa les décors du *Prince Igor* de Borodine. Encore durant son séjour en France, il créa des tissus imprimés, souvent diffusés par le couturier Paul Poiret.
Il émigra au Brésil en 1946, où il poursuivit une carrière féconde de portraitiste de la société, des grandes familles, dignitaires, artistes, etc. Il a aussi réalisé de grandes décorations, notamment pour la cathédrale Saint-Paul de São Paulo, et pour d'autres édifices religieux.
En tant que peintre de tableaux, ses sujets de prédilection étaient les scènes de pluie, de neige, la description de la misère, les enfants malheureux.

KRIWER Josef
Né le 21 décembre 1871 à Brody. XIXe-XXe siècles. Polonais.
Peintre, graveur, illustrateur.
Il fut élève des Académies des Beaux-Arts de Vienne et de Munich. Par la suite, il a exposé à Berlin.

KRIWET Ferdinand
Né en 1942 à Düsseldorf. XXe siècle. Allemand.
Peintre, graphiste. Poésie-visuelle, Lettres et signes.
L'activité de Kriwet se situe à la jonction peinture-écriture. Manipulant les mots, il en tire non des images verbales, mais un langage visuel, voulant donner au regard le privilège de voir sans rester attaché au sens littéral. Il travaille à partir de l'écriture, usant souvent des diverses possibilités de la typographie, et disposant les mots en motifs qui souvent créent des rapports tautologiques entre écriture et image. Il occupe une place importante dans le courant international, connu sous le nom de Poésie-visuelle.

KRIZEK Jan
Né à Dobromerice (près de Poltava). XXe siècle. Actif depuis 1947 en France. Tchécoslovaque.
Sculpteur.
En 1938, il fut élève de l'Académie des Beaux-Arts de Prague. Il n'obtint son diplôme qu'en 1946, après la guerre, faisant un premier séjour à Paris la même année, avant de s'y fixer l'année suivante. En 1948, il figurait, de façon inattendue, à l'exposition de *L'art brut* à Paris, où il exposa encore en 1956.
Tout son œuvre est inspiré, non sans maniérisme, des arts archaïques, sumérien, grec, crétois, précolombien.

KRIZMAN Tomislav
Né le 21 juillet 1883 à Vodostaï (Croatie). XXe siècle. Yougoslave.
Peintre, graveur.
Il fit ses études à Agram et à Vienne. Il vint à Paris, où il exposa aux Salons de la Société Nationale des Beaux-Arts et d'Automne.

KRIZMANIC-PAULIC Anka
Né le 10 mars 1896 à Omilie. XXe siècle. Yougoslave.
Peintre de portraits, graveur.
Il travailla à Agram, et jusqu'à Dresde.

KROBSHOFER Oswald von
Né le 15 décembre 1883 à Prague. XXe siècle. Tchécoslovaque.
Peintre de compositions animées, paysages, graveur.
Il fut élève de Karl von Marr, à l'Académie des Beaux-Arts de Munich. Il exposait à Dresde et à Munich.

KROCK Hendrik
Né le 21 juillet 1671 à Flensburg. Mort le 18 novembre 1738 à Copenhague. XVIIe-XVIIIe siècles. Allemand.
Peintre de compositions religieuses, paysages animés.
Il commença ses études à Husum et vers 1688 alla travailler à Copenhague. En 1693 il se rendit en Italie à la suite du comte Gyldenlowe. Il étudia avec Carlo Maratti, Cignani, Sacchi et Loth. Il fit aussi plusieurs voyages en France.
Krock décora plusieurs églises et habitations seigneuriales au Danemark. On cite notamment de lui un *Jugement dernier* à la chapelle Palna, à Copenhague.
MUSÉES : COPENHAGUE : *Rencontre de Jacob et de Rachel*.
VENTES PUBLIQUES : STOCKHOLM, 14 nov. 1990 : *Paysans avec leur bétail au bord d'une rivière au pied de ruines*, h/pan. (18x25) : **SEK 8 500** – COPENHAGUE, 21 mai 1997 : *L'Adoration* 1708, h. (64x48) : **DKK 9 050**.

KROCKOW VON WICKERODE Oscar von, comte
Né le 9 mars 1826 à Thine. Mort le 12 novembre 1871 à Berlin. XIXe siècle. Allemand.
Peintre animalier, scènes de chasse.
Étudia à Berlin dans l'atelier de Krause. En 1849 il est à Munich et travaille avec A. Zimmermann, et de 1856 à 1859 à Paris. Visita le Tyrol, la Suisse, l'Italie et une partie de la Russie. Ce fut surtout un peintre de chasse et il passa près d'une année dans la forêt de Bielowicz pour y étudier les mœurs des animaux sauvages, particulièrement celles des buffles. On cite de lui plusieurs remarquables tableaux de chasse à l'ours.

KRODEL Martin
XVIe siècle. Actif à Schneeberg. Allemand.
Peintre.
En 1539 il travailla pour l'église Saint-Wolfgang à Schneeberg.

KRODEL Matthias, l'Ancien
Mort le 6 avril 1605 à Schneeberg. XVIe siècle. Allemand.
Peintre de portraits.
Élève de Cranach l'Ancien, et de son père Martin Krodel. Il travailla pour la cour de Saxe, entre 1586 et 1591. Le Musée de Dresde, conserve de lui un *Portrait de vieillard* signé M. K. 1591.

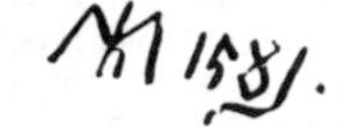

KRODEL Matthias, le Jeune
XVIe siècle. Actif à Schneeberg au début du XVIe siècle. Allemand.

Peintre.
Il travaillait en 1593 pour la cathédrale de Wurzen.

KRODEL Wolfgang, l'Ancien
Né vers 1500. XVIe siècle. Actif à Schneeberg. Allemand.
Peintre.
Frère de Martin et oncle de Mathias Krodel. Il travailla entre 1528 et 1561.
Musées : Breslau, nom all. de Wroclaw : *Adam et Ève* – Vienne : *David et Bethsabée* – *Loth et ses filles*.
Ventes Publiques : Paris, 14 déc 1979 : *Le banquier galant* 1541, h/bois (23x35) : **FRF 42 000**.

KRODEL Wolfgang, le Jeune
Né le 4 septembre 1575 à Schneeberg. Mort le 1er juillet 1623. XVIIe siècle. Allemand.
Peintre.
Il était le fils de Matthias Krodel l'Ancien.
Ventes Publiques : New York, 19 jan. 1984 : *Amours inégaux*, h/pan., une paire (34x24) : **USD 12 000**.

KROECH Barthold
Mort vers 1619. XVIIe siècle. Actif à Cologne. Allemand.
Peintre.
Il travaillait déjà en 1579.

KROEF Hans Van der
Né en 1946 à Gouda. XXe siècle. Hollandais.
Peintre de compositions à personnages, figures, paysages animés. Réaliste-fantastique.
Bibliogr. : In : Catalogue de l'expos. *Une patience d'ange*, gal. Lieve Hemel, Amsterdam, 1995.
Ventes Publiques : Amsterdam, 4 juin 1997 : *Hollands Glorie* 1987, h/t (80x95) : **NLG 10 995**.

KROES Lenaert
Né probablement à Anvers. XVIe siècle. Éc. flamande.
Peintre de paysages et de figures.
Van Mander le cite comme ayant été le second maître de Gilles van Coninxloo.

KROESS Johann
Mort vers 1607. XVIe siècle. Actif à Münster. Allemand.
Sculpteur.
Il travailla pour les différents édifices religieux de Munster en particulier pour les églises Saint-Lambert et Saint-Pierre.

KROFFEUS Battista. Voir **GRAPHEUS**

KROGER Peter Severin. Voir **KROYER Peder Severin**

KROGH Charlotte Sofie Christiane Rosine von
Née le 4 février 1827 à Husum. Morte en 1914 à Hadersleben. XIXe-XXe siècles. Danoise.
Peintre.
Après des études à Karlsruhe et Düsseldorf elle cherche à exprimer la poésie de la nature dans des toiles d'inspirations très variées.

KRÖH Heinrich Reinhard
Né le 7 mai 1841 à Darmstadt. XIXe siècle. Allemand.
Peintre.
Il fut peintre de la Cour du Grand Duc Louis III de Hesse Darmstadt et eut ainsi l'occasion d'exécuter un grand nombre de portraits. On lui doit aussi des paysages.
Ventes Publiques : Munich, 21 sep. 1978 : *Idylle champêtre* 1867, h/t (106x84) : **DEM 6 000**.

KROH Heinz
Né le 12 septembre 1881 à Cologne. XXe siècle. Allemand.
Peintre de paysages.
Il peignit des paysages de Hollande et d'Allemagne, notamment de la Forêt-Noire.

KROHG Christian
Né le 13 août 1852 à Aker (près d'Oslo). Mort le 16 octobre 1925 à Oslo. XIXe-XXe siècles. Norvégien.
Peintre de genre, portraits, sujets typiques, aquarelliste.
Il fut élève de Johan Fredrik Eckersberg dans son école de peinture privée. Il étudiait simultanément le droit, qu'il finit par abandonner. Il partit pour Karlsruhe en 1873, et y fut élève de Hans Gude et Karl Gussow. Il se lia d'amitié avec Max Klinger, partageant les mêmes idées socialistes. Revenu en Norvège en 1878, il se rendit plusieurs fois à Skagen, au nord du Danemark. À Paris, où, à partir de 1879, il fit de fréquents séjours, il fréquenta Manet, Bastien-Lepage et Caillebotte. Il y exposa au Salon, notamment en 1889 obtenant une médaille de bronze, et en 1900 pour l'Exposition Universelle. Il dirigea l'Académie Colarossi avant 1914. Il fut également médaillé à Munich en 1901. À Oslo, il dirigea une école de peinture, avec Hans Heyerdahl et Erik Werenskiold. En 1909, il fut nommé directeur de l'Académie des Beaux-Arts d'Oslo. La littérature tenait également un place dans sa vie comme auteur de nouvelles, et comme journaliste.
Il était le contemporain de F. Thaulow et de E. Diriks. Dès 1878, il traitait des sujets réalistes, en réaction contre les romantisme et symbolisme finissants. Il peignait des scènes de la vie courante et de la vie des pêcheurs avec une certaine emphase, mais composées d'une manière non conventionnelle, par touches souples et lumineuses, qui témoignaient de ses contacts avec l'impressionnisme.
Musées : Copenhague : *La Couturière* – *Matin du Dimanche* – *Dans le bain* – Oslo (Nasjonalgall.) : *Jeune fille malade* 1880 – *La Lutte pour la vie* – *La Pêche du mousse* – *Portrait*.
Ventes Publiques : Copenhague, 26-27 oct. 1966 : *Vieille femme lisant* : **DKK 10 000** – Göteborg, 29 mars 1973 : *Portrait d'un vieux pêcheur*, aquar. : **SEK 7 700** – Copenhague, 24 avr 1979 : *L'église au bord de la mer*, h/t (70x90) : **DKK 28 000** – Göteborg, 7 nov. 1984 : *Pa lo baug* 1885, h/t (133x200) : **SEK 220 000** – Göteborg, 9 avr. 1986 : *Le Livre d'images* 1883, h/t (38x50) : **SEK 130 000** – Londres, 25 mars 1987 : *Jeune fille admirant une rose* 1876, h/t (31x26) : **GBP 5 000** – Londres, 23 mars 1988 : *Le Marché aux poissons, vu de la Pension-de-Famille de Othilie Hansen à Bergen*, h/t (58,5x40) : **GBP 52 800** – Londres, 16 mars 1989 : *Homme agé dans un intérieur*, h/t (93,7x36,2) : **GBP 5 720** – Londres, 27-28 mars 1990 : *Gros temps*, h/t (92,5x111) : **GBP 52 800** – New York, 23 oct. 1990 : *Marin grimpé dans les haubans pour fixer une voile*, h/t (99,1x87,6) : **USD 68 750** – Copenhague, 6 déc. 1990 : *Intérieur avec l'épouse de l'artiste écrivant sur un guéridon*, h/t (42x50) : **DKK 185 000** – Londres, 19 nov. 1993 : *Au bord de l'eau*, h/t (57x44) : **GBP 10 350** – Copenhague, 14 fév. 1996 : *La mère du peintre assise sur un sofa*, cr. (23x19,5) : **DKK 4 500** – Copenhague, 21 mai 1997 : *Pêcheur en bateau* (60x71) : **DKK 62 000**.

KROHG Guy
Né le 27 juillet 1917 à Oslo. XXe siècle. Norvégien.
Peintre de compositions murales.
Fils de Per Krohg. Il a séjourné à Paris, où il fut élève de son père, et exposa en 1945 au Salon des Indépendants, en 1946 au Salon d'Automne.
Il a peint des tableaux de chevalet, et surtout des décors et compositions murales, notamment de grandes fresques à Stavanger.

KROHG Oda, née **Lasson**
Née le 11 juin 1860 à Oslo. Morte en 1935. XIXe-XXe siècles. Norvégienne.
Peintre de portraits.
Elle était la femme de Christian Krohg, et la mère de Per.

Musées : Stockholm : *Portrait de Junnar Heiberg*.

KROHG Per Lasson
Né le 18 juin 1889 à Asgaardstrand. Mort en 1965 à Oslo. XXe siècle. Actif aussi en France. Norvégien.
Peintre de compositions animées, figures, nus, portraits, paysages, paysages urbains, peintre de compositions murales, illustrateur. Postcubiste, puis postcézannien.
Il était fils de Christian et de Oda Krohg. Lui-même fut le père de Guy Krohg. Il vécut longtemps à Paris, où il était arrivé avec ses parents à la fin du siècle. Son père, avant 1914, y dirigeait une académie privée de Montparnasse, l'Académie Colarossi, dont, dès l'âge de treize ans, il était le « massier ». Il fut donc précocement une figure du quartier. En 1903, il était élève de son père, puis de 1907 à 1909 d'Henri Matisse. Il exposa au Salon des Indépendants à partir de 1909. Revenu à Oslo, il enseigna à l'École de Dessin d'Oslo à partir de 1924, puis, après son retour définitif en 1933, il enseigna de 1934 à 1945 à l'École des Arts Appliqués, puis de 1946 à 1958 à l'Académie des Beaux-Arts, postes où son influence fut déterminante sur ses jeunes élèves.
Il subit d'abord des influences conjuguées surtout du cubisme, ainsi que du fauvisme, et certaines de ses œuvres d'alors préfiguraient par certains côtés le surréalisme : *Homme sortant de son volume*. À Paris, il peignit des vues de la ville. Ses œuvres

parisiennes sont volontiers expressionnistes par déformations appuyées et par la puissance des couleurs : *Kiki de Montparnasse* de 1928. Il a peint aussi quelques portraits, dont celui du romancier et voyageur *Maurice Bedel*, duquel il illustra *Jérôme 60° Latitude Nord*, et, dans la peinture de 1920 *Voyages de la pensée* celui de son fils Guy. Revenu à Oslo en 1933, il y occupa une situation quasi officielle, sans rien renier de sa dévotion à l'art moderne, pratiquant toutefois un art monumental plus paisible, avec les compositions murales de la Bibliothèque d'Oslo en 1939, et l'Hôtel de Ville en 1949. Il a réalisé encore de vastes peintures décoratives, notamment pour l'École Navale et pour le Théâtre d'Oslo. En 1952, il peignit une composition pour la salle du Conseil de Sécurité de l'ONU. à New York. Il aboutit enfin à un naturalisme très construit, sur des thèmes typiques de la vie quotidienne et angoissée dans le monde moderne, traités à la fois familièrement et avec un accent visionnaire : *Pêcheurs des Îles Lofoten ; L'Amie de l'accordéoniste ; Les Videurs de poissons.* ■ J. B.

Bibliogr. : In : *Diction. Univers. de la Peint.*, Le Robert, Paris, 1975.

Musées : Oslo (Nasjonalgall.) : *Kiki de Montparnasse* 1928.

Ventes Publiques : Paris, 22 mars 1926 : *Portrait de femme* : **FRF 500** – Paris, 29 oct. 1926 : *Paysage* : **FRF 7 200** – Paris, 21 déc. 1926 : *L'Accordéon* : **FRF 4 000** – Paris, 25 mars 1935 : *L'Amie de l'accordéoniste* : **FRF 500** – Paris, 11 mai 1942 : *Conversation de jeunes filles* : **FRF 3 900** – Stockholm, 24 avr. 1947 : *Nu de femme* : **SEK 3 610** – Paris, 13 juin 1947 : *Le Canapé* : **FRF 14 100** – Genève, 18 mai 1973 : *Marins en permission, Villefranche* : **CHF 2 600** – Copenhague, 6 avr. 1976 : *La famille heureuse* 1917, h/t (131x81) : **DKK 4 000** – Zurich, 20 mai 1977 : *Salon particulier* 1927, h/pan. (46x38) : **CHF 3 400** – Londres, 6 avr 1979 : *Vase de fleurs*, h/t (92x73) : **GBP 350** – Copenhague, 13 fév. 1985 : *Roses fanées* 1911, h/t (54x45) : **DKK 24 000** – Stockholm, 22 mai 1989 : *Paysage d'été avec une rivière bordée de saules* 1945, h/pan. (37x45) : **SEK 7 200** – Copenhague, 20 sep. 1989 : *Lassitude*, h/t (64x100) : **DKK 60 000** – Londres, 29 mars 1990 : *Le courtier en perles* 1928, h/t (81,2x65,5) : **GBP 30 800** – Copenhague, 9 mai 1990 : *Scène de rue à Paris*, h/t (40x64) : **DKK 20 000** – Zurich, 13 oct. 1993 : *Paris, place de la Concorde*, h/t (61x80) : **CHF 8 000** – Londres, 19 nov. 1993 : *Conversation*, h/t (100,4x81) : **GBP 14 950** – Copenhague, 13 avr. 1994 : *Promenade dans la campagne*, h/t (62x54) : **DKK 20 000** – Amsterdam, 1er juin 1994 : *Amants*, aquar./pap. (63,5x48) : **NLG 2 990**.

KROHN Hieronymus Christian

Né le 26 décembre 1843 à Hambourg. Mort le 27 juin 1910 à Hambourg. XIXe-XXe siècles. Danois.

Peintre de genre.

Il alla en Italie, passa quelques années à Hambourg et exposa à Berlin et à Dresde entre 1872 et 1876. Chevalier de la Légion d'honneur en 1889.

KROHN Inari

Née en 1945 à Helsinki. XXe siècle. Finlandaise.

Peintre de compositions à personnages. Populiste.

Elle vit à Helsinki. De 1965 à 1969, elle fut élève de l'Académie des Arts de Finlande.

Politiquement engagée, sa peinture se veut une expression de sentiments collectifs. Elle peint des masses populaires, dans un style assez naïf.

KROHN Pietro Köbke

Né le 23 janvier 1840 à Copenhague. Mort le 15 octobre 1905 à Copenhague. XIXe siècle. Danois.

Peintre, illustrateur et céramiste.

Il peignit des tableaux de genre et des paysages de Danemark et d'Italie.

KROJER Tom

XXe siècle. Danois.

Peintre de compositions animées, scènes de genre, figures, paysages, peintre à la gouache, sérigraphe.

Ventes Publiques : Copenhague, 30 nov. 1988 : *Composition* 1981, h/t (92x96) : **DKK 12 000** – Copenhague, 13-14 fév. 1991 : *Composition* 1970, temp./pan. (60x61) : **DKK 4 000** – Copenhague, 4 déc. 1991 : *Petite fille sous une giboulée* 1975, h/t (67x67) : **DKK 9 000** – Copenhague, 4 mars 1992 : *Jardin du Luxembourg* 1986, h/t (162x130) : **DKK 25 500** – Copenhague, 20 mai 1992 : *Composition* 1975, h/t (74x63) : **DKK 5 000** – Copenhague, 2-3 déc. 1992 : *Paysage* 1988, h/t (116x89) : **DKK 16 800** – Copenhague, 10 mars 1993 : *Composition* 1979, acryl. et peint. fluo./sérig. (150x90) : **DKK 9 000** – Copenhague, 6 sep. 1993 : *Composition* 1978, h/t (100x100) : **DKK 10 000** – Copenhague, 12 mars 1996 : *Oiseaux imaginaires* 1975, h/t (67x67) : **DKK 6 500**.

KROL Abram ou **Abraham**

Né le 22 janvier 1919 à Pabianice (Lodz). XXe siècle. Actif depuis 1938 en France. Polonais.

Peintre de compositions à personnages, compositions religieuses, figures, paysages, natures mortes, graveur, illustrateur.

En 1938, il vint en France pour poursuivre des études d'ingénieur civil. Il fut étudiant à l'Université de Caen. À la déclaration de guerre en 1939, il s'engagea dans la Légion Étrangère, et fut démobilisé à Avignon. Devant subvenir aux besoins quotidiens, il y travailla comme mécanicien dans un garage. Il suivit, le dimanche, des cours de sculpture à l'École des Beaux-Arts de la ville. En 1943, il s'initia à la peinture. Juif, muni d'une fausse identité, il arriva à Paris. Après la guerre, il travailla la gravure avec le buriniste Joseph Hecht. En 1946, la galerie Katia Granoff lui organisa une première exposition à Paris. En 1960, il fut invité à la Biennale de Venise. En 1958 lui fut décerné le Prix de la Critique ; il a aussi obtenu le Prix Fénéon et d'autres distinctions.

Par attachement à son enfance hassidique, il traite très souvent des épisodes bibliques. Il a illustré plus de vingt ouvrages littéraires, d'entre lesquels : en 1949 *Chant funèbre pour Ignacio Sanchez Mejias* de Lorca ; en 1950 *La Création* commentée par Robert Aron ; en 1951 *Les Causes célèbres* de Jean Paulhan, *Portraits I* de lui-même ; en 1952 le *Cantique des Cantiques* ; en 1953 *La Foire de Don Quichotte* de Bruno Durocher, *Un médecin de campagne* de Kafka ; en 1954 *L'Apocalypse* de Saint Jean, *Vie du Morosin* de Jean Cassou ; en 1955 *Bestiaire* présenté par Barthélémy de Glanvil ; en 1956 *Athalie* de Racine ; en 1959 *XXIV Fables* de La Fontaine ; en 1961 une *Liturgie juive* ; en 1962 *Hérodias* de Flaubert, *La Ballade de la geôle de Reading* d'Oscar Wilde ; en 1963 *Thésée* de Gide ; en 1964 *Agamemnon* d'Eschyle, *Le Cimetière marin* de Valéry ; etc. Il a gravé 187 burins pour le *Pentateuque*, auquel les *Cahiers bleus* de Troyes ont consacré un numéro spécial. Il a gravé une trentaine de médailles pour la Monnaie de Paris. Il a exécuté des décorations murales pour le lycée de Cosne-sur-Loire, le gymnase de l'école communale de Vigneux-sur-Seine, composé plusieurs tapisseries pour le Mobilier National, peint environ deux cents émaux. ■ J. B.

Bibliogr. : Béatrix Beck : *Krol*, Pierre Cailler, Lausanne, s.d – Abram Krol : *Dix années de livres*, Édit. Estienne, Paris, 1959 – Abram Krol : *De livre en livre*, Édit. Estienne, Paris, 1966 – *Catalogue raisonné de l'œuvre gravé de Krol 1948-1957*, Pierre Cailler, Lausanne, 1969 – *Livres, Suites, Estampes, Burins gravés de 1958 à 1978*, Paris, 1992 – Luc Monod, in : *Manuel de l'amateur de Livres Illustrés Modernes 1875-1975*, Ides et Calendes, Neuchâtel, 1992.

Musées : Épinal (Mus. départ. des Vosges) : *Toits de Paris* 1953.

KROLAU Emanuel

Né en octobre 1727 à Copenhague. Mort le 16 février 1802 à Altona. XVIIIe siècle. Danois.

Peintre.

Il travailla vingt ans à Hambourg et il se spécialisa dans les vues de villes, particulièrement des vues perspectives d'Hambourg et d'Altona.

KROLIKOWSKI Dobieslav

Né en 1859 à Varsovie. XIXe siècle. Polonais.

Peintre.

Après un séjour à Cracovie il revint dans sa ville natale et peignit des portraits, des tableaux de genre, et des peintures religieuses.

KROLIKOWSKI Janislaw

Né le 22 juin 1814 à Cracovie. Mort en 1889 à Varsovie. XIXe siècle. Polonais.

Peintre.
Il fut professeur de dessin à Kielce.

KROLIKOWSKI Jozef August, comte
Né en 1811 à Przybiszewa (Grand-duché de Posen). Mort en 1879 à Bruxelles. XIXe siècle. Allemand.
Peintre de genre et de natures mortes et de portraits.
Établi en Belgique à partir de 1831.

KROLL Abraham Léon, dit **Léon**
Né le 6 décembre 1884 à New York. Mort en 1974 ou 1975 à New York. XXe siècle. Américain.
Peintre de compositions à personnages, scènes de genre, figures, nus, portraits, paysages, fleurs, peintre de compositions murales. Néoclassique, puis postcézannien.
Il fut élève de John Henry Twachtman et de l'Art Students' League de New York. En 1918, au cours d'un séjour à Paris, il fut élève de Jean-Paul Laurens et de l'Académie Julian. Lors de ce séjour parisien, il découvrit l'art de Poussin, qui influencera sa première période. Revenu aux États-Unis en 1919, il devint membre de la Société des Artistes Indépendants, en 1927 de la National Academy of Design, ainsi que d'autres sociétés : National Art Club, New York Society of Etchers, Boston Art Club. Il a participé à de nombreuses expositions collectives, dont : 1913 l'Armory Show, puis à Cleveland, Saint Louis, Detroit, Baltimore, etc. Il a aussi exposé seul : en 1910 à la National Academy of Design, 1929 à l'Albright Museum de Buffalo, 1935 rétrospective au Carnegie Institute de Pittsburgh, 1937 à l'Art Museum de Worcester (Massachusetts), 1945 Institut d'Art de Cleveland. De 1915 à 1927, il remporta de nombreux Prix et distinctions, d'entre lesquels il obtint une mention honorable à l'Exposition internationale du Carnegie Institute de Pittsburgh en 1925, dont il remporta ensuite le premier prix en 1936. De 1911 à 1918, il fut professeur à la National Academy of Design ; de 1919 à 1923, à l'Institut d'Art du Maryland ; en 1924-1925 à l'Art Institute de Chicago.
Dans une première période réaliste, dans un style néoclassique, il peignit, largement brossées avec aisance, de nombreuses scènes urbaines, vues de New York, aspects de l'ère industrielle ou compositions de personnages situés dans une nature généreuse. Cet art de la composition ambitieuse l'amena, pendant la grande récession américaine, à exécuter, dans la cadre du WPA Federal Art Project, une décoration murale pour le Département de la Justice à Washington en 1937, et pour le Mémorial de Worcester en 1938-1941. Dans la période suivante, influencée par Cézanne, et à un moindre titre par Renoir, il peignit des portraits, pour lesquels il avait une réputation établie, et des natures mortes. ■ J. B.
Bibliogr. : N. Hale et F. Bowers : *Léon Kroll : La mémoire exprimée*, Charlottesville, 1983.
Musées : Minneapolis : *Mary at breakfast* 1926 – New York (Whitney Mus.).
Ventes Publiques : New York, 23 mars 1951 : *Tulipes* : **USD 750** – New York, 29 jan. 1964 : *Le Pont de Brooklyn* : **USD 1 500** – New York, 13 mai 1966 : *Nu lisant un journal* : **USD 2 000** – New York, 16 mars 1967 : *Matinée d'août* : **USD 3 200** – Los Angeles, 5 mars 1974 : *Jeune femme se faisant coiffer* : **USD 2 550** – New York, 3 fév. 1978 : *Paysage fluvial* 1916, h/t (82x66) : **USD 1 200** – Portland, 7 avr 1979 : *Autoportrait*, h/t (117x79,5) : **USD 7 500** – New York, 30 sep. 1982 : *Nu assis* 1917, h/t (81,3x66) : **USD 4 500** – Portland, 5 nov. 1983 : *Nu couché vu de dos*, past. et aquar. (32,5x57,5) : **USD 2 200** – New York, 28 sep. 1983 : *Couple d'amoureux dans un paysage de printemps*, h/t (91,8x122) : **USD 13 000** – New York, 31 mai 1985 : *Ballet dancer stretching*, gche, aquar. h. et fus. (47,2x35) : **USD 1 700** – New York, 14 mars 1986 : *A day in june* 1949, h/t mar./isor. (92,2x149,9) : **USD 38 000** – New York, 17 mars 1988 : *Rayon de soleil en forêt*, h/t (75x90) : **USD 3 025** – New York, 24 juin 1988 : *Portrait de femme*, fus. et past./pap. (35x25) : **USD 550** – New York, 30 sep. 1988 : *Manhattan Rythms*, h/t (122,5x92,1) : **USD 93 500** – New York, 23 mai 1990 : *Harbor Beach par une belle journée* 1902, h/t (66,6x81,5) : **USD 68 200** – New York, 26 sep. 1990 : *Le pont*, h/t (40,6x50,8) : **USD 6 600** – New York, 27 sep. 1990 : *Naomi*, h/t (61x51) : **USD 11 000** – New York, 30 nov. 1990 : *Niles Beach* 1913, h/t (66x81,5) : **USD 46 200** – New York, 17 déc. 1990 : *Laura dehors*, h/rés. synth. (49,4x28,6) : **USD 7 150** – New York, 14 mars 1991 : *Colline rocheuse* 1919, h/t (66x81,5) : **USD 16 500** – New York, 22 mai 1991 : *Le pont de Eddyville dans l'État de New York* 1919, h/t (87,6x101) : **USD 42 900** – New York, 28 mai 1992 : *Sur le chemin de la baie*, h/t (91,5x150) : **USD 132 000** – New York, 26 mai 1993 : *Nature morte sur un rebord de fenêtre*, h/t (63,2x76,2) : **USD 21 850** – New York, 29 nov. 1995 : *Bryant Park* 1916, h/t (81,3x66) : **USD 57 500** – New York, 30 oct. 1996 : *Nu allongé*, past./pap. bleu (29,9x40,3) : **USD 4 600** – New York, 3 déc. 1996 : *Isabel et Marie-Claude*, h/pap. (52,8x36,8) : **USD 5 750** – New York, 27 sep. 1996 : *Paysage* 1927, h/t (66,6x81,3) : **USD 23 000** – New York, 25 mars 1997 : *Idylle amoureuse à Central Park*, h/t (50,8x66) : **USD 4 312** – New York, 6 juin 1997 : *La Baignade* 1945, h/t (92,7x123,8) : **USD 51 750.**

KROLL Oskar
XIXe siècle. Actif à Berlin. Allemand.
Paysagiste.
Exposa à Berlin en 1870, 1877, 1878.

KROMBACH Paul
Né le 15 janvier 1867 à Munich (Bavière). XIXe-XXe siècles. Allemand.
Peintre de fleurs, animaux, genre, illustrateur.
Au début de sa vie, il peignit surtout des compositions religieuses. Par la suite, il représenta des fleurs et des animaux et exécuta des tableaux de genre.

KROMBERG Johann Heinrich
Mort vers 1795. XVIIIe siècle. Actif à Potsdam. Allemand.
Sculpteur.
Il exécuta des sculptures décoratives pour nombre de constructions dues à Frédéric le Grand.

KROMER Hans Adam
XVIIe siècle. Actif à Meerseburg vers 1600. Allemand.
Peintre.
Il travailla pour le couvent de Salem où il exécuta entre autres un *Saint Bernard de Clairvaux*.

KROMER Karl Maximilien
Né le 12 avril 1889 à Vienne. XXe siècle. Autrichien.
Peintre, graveur.
Il travailla surtout à Davos. Sous l'influence de ses maîtres J. Hoffmann et Kolo Moser, il s'intéressa à la peinture de théâtre et à la peinture religieuse puis élargit le champ de ses travaux.

KROMKA Frederico
Né en 1890. Mort en 1942. XXe siècle. Actif en France. Tchécoslovaque (?).
Peintre. Tendance cubiste.
On ne sait véritablement rien de ce peintre, sinon qu'il a vécu à Paris dans les années 1925, qu'il a produit des tableaux proches du cubisme, et qu'il est sans doute mort en déportation pendant la Seconde Guerre mondiale.

Ventes Publiques : Versailles, 5 mars 1972 : *L'Arlequin à la guitare* : **FRF 4 500** – Versailles, 25 nov. 1973 : *Opus 26* : **FRF 14 000** – Paris, 15 déc. 1976 : *Intermezzo* 1921, gche et collage (38x26) : **FRF 3 800** – Versailles, 28 juin 1981 : *Nocturne mécanique : Opus 18* 1917, h/t (46x55) : **FRF 14 000** – Versailles, 16 juin 1983 : *Médrano Circus* 1924, gche (25x31) : **FRF 5 200** – Paris, 21 déc. 1992 : *Rythmes colorés*, gche et encre de Chine (15x18) : **FRF 5 800.**

KRON Adolf
Né le 12 décembre 1884 à Bâle. XXe siècle. Suisse.
Peintre de paysages.
Il fut professeur à Bâle. En 1907, il voyagea en passant par Londres et par Paris.

KRON Jeno
Né le 1er mai 1882 à Szobranc. XXe siècle. Hongrois.
Graveur.
Il fut élève d'Olgyai à l'académie des beaux-arts de Budapest. On a vu de ses toiles dans des expositions à Paris, Londres, Leipzig, Zurich, San Francisco. Il réalisa de nombreuses lithographies.

KRON Margarete
Née le 21 janvier 1864 à Berlin. XIXe-XXe siècles. Allemande.
Peintre de portraits, natures mortes, fleurs.

KRÖN Paul ou **Kron**
Né le 18 mars 1869 à Besançon (Doubs). Mort le 17 janvier 1936 à Paris. XIXe-XXe siècles. Français.
Peintre de figures, animaux, paysages, marines, inté-

rieurs d'églises, natures mortes, fleurs, dessinateur. Postimpressionniste.

Il exposait enfant dans un magasin de nouveautés à Marseille des dessins humoristiques. Monticelli le remarqua et lui conseilla de n'avoir d'autre maître que la nature. René Huygue l'a situé avec Valtat dans ce courant qui joignit le fauvisme aux impressionnistes.

Par sa parfaite maîtrise du métier, il a traduit avec virtuosité la lumière propre à chaque élément. L'eau reflète et laisse transparaître à la fois. Le ciel ouvre véritablement sur l'espace. René Huyghe écrivait encore, en 1934 : « comme les impressionnistes, Paul Kron sait voir dans le monde livré à la lumière, les fêtes subtiles de l'impalpable ». Il est remarquable comme il a su allier, que ce soit dans les paysages, natures mortes, fleurs ou quelques figures, la pleine pâte aux glacis les plus légers, dans l'esprit de la dernière manière de Renoir. Dans son œuvre, citons particulièrement quatre panneaux sur Paris.

Musées : Paris (Mus. Nat. d'Art Mod.) : *Bateau au Pyla* – Paris (Mus. du Petit Palais) – Sceaux (Mus. de l'Ile-de-France).

Ventes Publiques : Paris, 8 déc. 1987 : *Intérieur d'église*, h/t (50x65) : **FRF 7 000** – Paris, 7 oct. 1988 : *La Sortie des voiliers*, h/t (92x65) : **FRF 14 000** – Paris, 14 fév. 1989 : *Marine*, h/t (48x63) : **FRF 15 000** – Neuilly, 5 déc. 1989 : *Paysage*, h/t (51x64) : **FRF 52 000** – Versailles, 22 avr. 1990 : *Chevaux dans la prairie*, h/t (27x35) : **FRF 6 500** – Paris, 29 mai 1991 : *Barque sur le lac*, h/t (50x65) : **FRF 8 000** – Neuilly, 12 déc. 1993 : *Hameau près du gros chêne*, h/t (50x65) : **FRF 10 000** – Paris, 6 oct. 1995 : *La Place du village*, h/t (54x65) : **FRF 9 500** – Paris, 16 oct. 1996 : *Honfleur, l'église Sainte-Catherine*, h/t (60x73) : **FRF 6 500** – Paris, 24 mars 1997 : *Paysage*, h/t (60x73) : **FRF 8 200**.

KRON-MEISEL Charlotte

Née le 24 mai 1889 à Berlin. xxe siècle. Allemande.

Peintre de portraits, compositions, graveur.

Elle est la fille de Margarete Kron. Elle suivit à Paris les cours de l'académie Colarossi et de la Grande Chaumière.

KRONBERG Julius Johann Ferdinand

Né le 11 décembre 1850 à Karlskrona. Mort le 17 octobre 1921 à Stockholm. xixe-xxe siècles. Suédois.

Peintre de genre, histoire.

Il étudia à Munich, puis se rendit en Italie où il étudia les peintures de la Renaissance. Il reçut une médaille à Munich, en 1905. Il fut inspiré par l'histoire de la Suède dans la première partie de sa carrière artistique. Il eut un pinceau vigoureux, le goût des teintes chatoyantes. Il suivit de près la vérité historique, mais avec une ardeur juvénile. Ensuite son style se révéla par le calme de la ligne, la largeur de la touche et la simplicité.

Kronberg

Musées : Stockholm : *Nymphe et jaunes* – *Amours* – *David et Saül*.

Ventes Publiques : Londres, 2 mai 1970 : *Tendres confidences* 1882 : **GBP 240** – Stockholm, 28 oct. 1980 : *Paysage d'été* 1870, h/t (53,5x74) : **SEK 14 000** – Stockholm, 21 avr. 1982 : *Diane chasseresse et ses chiens* 1882, h/t (45x32) : **SEK 24 000** – Göteborg, 13 avr. 1983 : *Natten* 1892, h/t, de forme ovale (68x48) : **SEK 16 500** – Stockholm, 30 oct. 1984 : *Fillette relaçant ses chaussures*, aquar. (48x37) : **SEK 32 000** – Stockholm, 22 avr. 1986 : *Idylle* 1895, h/t (50x97) : **SEK 200 000** – Stockholm, 15 nov. 1989 : *Walkyrie* 1917, h. (130x97) : **SEK 10 000** – New York, 16 juil. 1992 : *Le marchand d'oiseaux* 1876, aquar. et cr./pap. (46,4x54,6) : **USD 1 980**.

KRONBERG Louis

Né le 20 avril 1872 à Boston (Massachusetts). Mort en avril 1965 à Palm Beach (Floride). xixe-xxe siècles. Américain.

Peintre de compositions animées, figures.

Il fut élève de l'académie Julian à Paris, et de Laurens et de Benjamin Constant. Il fut membre du Salmagundi Club, dont il obtint le prix Shaw en 1919.

Il peignit surtout des danseuses.

Ventes Publiques : New York, 18 mai 1960 : *Au miroir*, past. : **USD 500** – Washington, 22 mai 1976 : *Nu assis au vase chinois* 1912, past./t. (49,5x39,5) : **USD 700** – New York, 27 oct. 1978 : *Nu au repos*, past./t. (75,6x63,5) : **USD 2 300** – New York, 25 oct 1979 : *Danseuse en blanc* 1913, past. (91,5x64,8) : **USD 3 250** – New York, 21 juin 1979 : *Ballerine à la barre* 1916, h/t (46,3x35,5) : **USD 1 400** – New York, 29 jan. 1981 : *Mademoiselle Regina* 1913, past./t. (91,5x64,8) : **USD 3 000** – New York, 3 déc. 1982 : *La ballerine* 1915, h/t (132,2x87,1) : **USD 5 000** – New York, 21 sep. 1984 : *L'éventail bleu*, past. (51,4x30) : **USD 950** – New York, 1er oct. 1987 : *Mademoiselle Regina* 1913, past./pap. (91,8x64,8) : **USD 1 800** – New York, 17 déc. 1990 : *Danseuse nouant ses cheveux* 1917, h/t (72,5x52,1) : **USD 3 080** – New York, 10 juin 1992 : *Beauté rousse* 1908, past./pap. (59,7x44,4) : **USD 2 090** – New York, 23 sep. 1992 : *Danseuse au tutu vert et à l'éventail* 1905, h/t (76x56) : **USD 9 900** – New York, 29 oct. 1992 : *Judith* 1906, h/t (154,9x101,6) : **USD 8 800** – New York, 4 mai 1993 : *Jeune ballerine tenant un perroquet* 1901, h/t (61x49,5) : **USD 4 600** – New York, 28 sep. 1995 : *Danseuse en violet*, h/t (101,6x76,2) : **USD 5 175**.

KRONBERGER Carl

Né le 7 mars 1841 à Freistadt. Mort le 27 octobre 1921 à Munich (Bavière). xixe-xxe siècles. Autrichien.

Peintre de genre, figures, paysages.

Il fut élève de Dyck, Anschütz et Hiltensperger à l'académie des beaux-arts de Munich. Il a travaillé dans cette ville et à Linz.

C Kronberger

Musées : Leipzig : *Le Sergent-Major de la ville* – Munich : *Amusement tranquille*.

Ventes Publiques : New York, 13-14 fév. 1900 : *La clef perdue* : **USD 400** – New York, 17 jan. 1902 : *Le vétéran* : **USD 200** – Londres, 30 avr. 1926 : *Le fumeur* ; *Venise, un canal*, deux toiles : **GBP 89** – Paris, 18 juin 1930 : *L'arrestation des vagabonds* : **FRF 1 050** – Londres, 13 avr. 1934 : *Matinée de dimanche* : **GBP 50** – New York, 13 fév. 1958 : *La main gagnante*, h/cart. : **USD 850** – Munich, 20 mars 1968 : *Le vieux gendarme* : **DEM 6 500** – Londres, 24 juil. 1971 : *Homme à sa table de travail* : **GNS 900** – New York, 9 oct. 1974 : *La clef perdue sous la neige* : **USD 2 600** – Londres, 11 fév. 1976 : *Les bonnes nouvelles*, h/pan. (18x13) : **GBP 3 400** – Londres, 30 nov. 1977 : *Jeune garçon sur sa luge*, h/pan. (37x27) : **GBP 2 600** – New York, 30 oct. 1980 : *Garnements réveillant grand-mère endormie* 1871, h/t (67x54) : **USD 17 000** – New York, 28 oct. 1982 : *Dévotion*, h/pan. (18x13) : **USD 4 500** – New York, 24 fév. 1983 : *Couple sous une tempête de neige*, h/pan. (35,5x29) : **USD 8 000** – Cologne, 25 oct. 1985 : *Le Départ pour l'école en hiver*, h/pan. (90x66) : **DEM 57 000** – Vienne, 21 jan. 1987 : *Le Fumeur de pipe*, h/pan. (25x18) : **ATS 35 000** – New York, 22 mai 1991 : *Le chasseur bavarois*, h/pan. (18,4x14,3) : **USD 12 650** – New York, 17 oct. 1991 : *Les voyageurs*, h/pan. (35,6x29,8) : **USD 8 800** – Amsterdam, 28 oct. 1992 : *Vieux paysan bavarois*, h/pan. (17,5x12,5) : **NLG 8 050** – Londres, 25 nov. 1992 : *Enfants dans une tempête de neige*, h/t, une paire (chaque 35x28,5) : **GBP 17 600** – New York, 27 mai 1993 : *Portrait d'un Tyrolien*, h/pan. (19x15,3) : **USD 12 650** – Munich, 21 juin 1994 : *Personne à la maison*, h/t (35,5x29,5) : **DEM 21 850** – Londres, 10 fév. 1995 : *Une bonne pipe*, h/pan. (15,9x12) : **GBP 2 760** – Londres, 12 juin 1996 : *Enfants jouant dans la neige*, h/pan. (37x27) : **GBP 11 500** – New York, 18-19 juil. 1996 : *Une bonne chope*, h/pan. (16,2x12,1) : **USD 4 312** – Vienne, 29-30 oct. 1996 : *Descente triomphante* ; *Mauvaise chute*, h/pan., une paire (33,5x25) : **ATS 707 000** – New York, 9 jan. 1997 : *Les militaires retraités*, h/t, une paire (19,1x13,7 et 22,9x17,2) : **USD 9 200** – New York, 26 fév. 1997 : *Personnages dans un intérieur éclairé à la bougie*, h/t (49,5x59,7) : **USD 14 950**.

KRONBURG Sascha, née **Hayek**

Née le 3 avril 1893 à Vienne. xxe siècle. Autrichienne.

Peintre, graveur, illustrateur.

Elle travailla surtout comme illustrateur pour des journaux et particulièrement des revues de mode. Elle illustra aussi beaucoup de livres.

KRONENBERG Josef P.

Né le 27 juillet 1890 à Mülheim. xxe siècle. Allemand.

Peintre de paysages, compositions animées.

Musées : Düsseldorf : *Adam et Ève chassés du paradis* – *Vue d'Allemberg*.

KRONENBERGH Steven

xvie siècle. Actif à La Haye. Hollandais.

Peintre.

Le Dr Wurzbach dit qu'il fut peut-être élève de Fr. Floris.

KRONENWITTER Hans

Mort en 1578 au cloître de Saint-Urbain (Lucerne). xvie siècle. Suisse.

Peintre.

KRÖNER Christian Johann
Né le 3 février 1861 à Rinteln. Mort le 16 octobre 1911 à Düsseldorf. XIXe-XXe siècles. Actif à Düsseldorf. Allemand.
Peintre de sujets de chasse, animaux, paysages animés, paysages.
Sur les conseils de L.-H. Becker, il alla à Düsseldorf pour faire de la peinture et étudia surtout d'après nature. D'abord décorateur, il se consacra au paysage, peignant de préférence les scènes de forêts et de montagnes. Il parcourut l'Allemagne, les côtes de la mer du Nord, visita Paris. Médaillé à Berlin en 1876 et 1879. Il a exposé à Paris en 1900 (Exposition Universelle); grande médaille à Londres en 1879 ; membre de l'Académie de Berlin. Kröner a fait des gravures sur bois et des eaux-fortes représentant des animaux. Son atelier était assidûment fréquenté.

Musées : Berlin : *Paysage d'automne* – Breslau, nom all. de Wroclaw : *Temps de neige – Deux paysages de forêt* – Düsseldorf : *Deux paysages* – Hambourg : *Auf den Brunfplatz* – Kaliningrad, ancien. Königsberg : *Chevreuil dans la forêt* – Leipzig : *Au temps de la passion* – Liège : *Cerf aux abois.*
Ventes Publiques : Cologne, 3 nov. 1950 : *Cerfs* : **DEM 3 500** – Cologne, 11 nov. 1964 : *Cerfs et biche fuyant* : **DEM 11 000** – Cologne, 17 oct. 1969 : *Sangliers dans une forêt enneigée* : **DEM 12 000** – Cologne, 27 mai 1971 : *Paysage d'automne* 1876 : **DEM 11 000** – Cologne, 24 mars 1972 : *Cerfs dans un paysage* : **DEM 13 000** – Cologne, 29 mars 1974 : *Cerf dans un paysage* : **DEM 8 000** – Cologne, 26 mars 1976 : *Sangliers dans un paysage de neige* 1899, h/t (65x63) : **DEM 13 000** – Londres, 30 nov. 1977 : *Cerf dans un sous-bois*, h/t (61x81) : **GBP 1 700** – Cologne, 17 mars 1978 : *Cerf dans un paysage*, gche (16x25) : **DEM 4 000** – Londres, 21 avr. 1978 : *Biches dans un paysage escarpé*, h/t (114x83) : **GBP 5 500** – Cologne, 22 nov 1979 : *Cerf dans un paysage* 1903, h/t (73x100) : **DEM 22 000** – Londres, 26 mars 1982 : *Cerf dans un paysage montagneux*, h/t (80x105) : **GBP 4 000** – Hanovre, 7 mai 1983 : *Chien de chasse attaquant un sanglier dans un paysage de neige*, aquar. (24x35) : **DEM 3 000** – Düsseldorf, 12 oct. 1983 : *Cerf bramant* 1903, h/t (60x80) : **DEM 11 400** – Londres, 21 mars 1986 : *Cerf à l'orée d'un bois* 1903, h/t (60x80) : **GBP 6 000** – Londres, 11 mai 1990 : *Dans la neige*, h/t (51x41,2) : **GBP 1 650** – Cologne, 29 juin 1990 : *Un cerf dans la forêt*, gche (14,5x19,5) : **DEM 2 600** – Londres, 17 mars 1995 : *Cerfs et sanglier dans un paysage boisé en hiver* 1891, h/t (105,2x140,5) : **GBP 7 590** – Vienne, 29-30 oct. 1996 : *Oie cendrée et faisan dans une clairière* 1902, h/t (80x60) : **ATS 195 500**.

KRÖNER Erwin
Né le 28 janvier 1889 à Düsseldorf (Rhénanie-Westphalie). XXe siècle. Allemand.
Peintre de fleurs, figures, paysages.
Il voyagea longuement dans les Balkans et en Russie méridionale.
Musées : Düsseldorf : *Adoration des rois.*

KRÖNER Karl
Né le 4 juillet 1887 à Zschopau (Saxe). XXe siècle. Allemand.
Peintre de paysages, graveur.
Fortement influencé par Cézanne, son admiration pour ce maître l'incita même à séjourner longtemps dans la région d'Aix-en-Provence.

KRONER Kurt
Né le 23 octobre 1885 à Breslau. XXe siècle. Allemand.
Sculpteur de bustes, statues.
Il séjourna à Paris, où il fut fortement influencé par Rodin, puis s'établit à Berlin. On cite ses bustes et aussi de grandes statues telles que *Adam* ou la *Victoire* d'un style nettement impressionniste.

KRONER Louise
Née à Bar-le-Duc (Meuse). XXe siècle. Française.
Peintre de paysages urbains.
Elle expose à Paris, au Salon d'Automne et avec les peintres du cirque et ceux du Paris moderne.
Peintre des effets de lumière, elle décrit Paris au soir ou son reflet dans la nuit.

KRÖNER Magda, née **Helmcke**
Née le 24 janvier 1854 à Rendsburg. XIXe siècle. Allemande.
Peintre de paysages, de genre et de natures mortes.
Elle exposa pour la première fois en 1884 à l'Académie de Berlin.

KRONES Ludwig
Né en 1785 à Prague. Mort sans doute vers 1830 à Venise. XIXe siècle. Tchécoslovaque.
Peintre de genre et graveur.
Élève de Bergler. On lui doit des paysages, des portraits et des peintures historiques.

KRONNEWETTER Franz ou **Hans**
XIXe siècle. Autrichien.
Peintre.
Il séjourna à Vienne en 1830 ; il est peut-être identique à Kronnowetter Carl.
Ventes Publiques : Paris, 8 avr. 1919 : *Portrait de femme*, miniat. : **FRF 750**.

KRONNOWETTER Carl
Né en 1795 à Vienne. Mort le 28 septembre 1837 à Saint-Pétersbourg. XIXe siècle. Autrichien.
Miniaturiste.
A partir de 1821 il s'établit à Saint-Pétersbourg où il devint l'un des portraitistes favoris de la cour impériale.
Ventes Publiques : Londres, 19 déc. 1996 : *Impératrice Maria Feodorovna* vers 1825, camée, de forme ovale (diam. 13,6) : **GBP 1 035**.

KRONPUSCH Christian Wilhelm
Né vers 1692 à Brieg. Mort le 17 juillet 1755 à Dantzig. XVIIIe siècle. Allemand.
Peintre de portraits et d'histoire.
Il reçut droit de cité à Dantzig en 1710. On cite de lui *Diane, Antiochus et les ambassadeurs de Scipion.*

KROP Hildo J.
Né le 26 février 1884 à Steenwyk. Mort en 1970. XXe siècle. Hollandais.
Sculpteur.
Il parcourut l'Europe en exerçant les métiers les plus divers. En 1907, il étudia la peinture à Londres, puis fut élève de J. P. Laurens, à l'académie Julian de Paris. En 1908, il fut élève de l'académie des beaux-arts d'Amsterdam, puis voyagea de nouveau, à Berlin, Rome, Paris. À partir de 1916, il fut nommé sculpteur de la ville d'Amsterdam et fournit d'innombrables travaux de collaboration avec des architectes, pour des bâtiments publiques divers.
Il poursuivit, à côté de ses autres activités, son œuvre personnel de tendance expressionniste, où il s'est penché sur l'humanité simple du monde ouvrier. Dans des œuvres de dimension modeste, il a évoqué, avec humour, les animaux, les clowns, les gens du petit monde, les matelots, etc. Son œuvre est aussi abondant qu'inégal et il finit par s'intéresser presqu'exclusivement à des problèmes de tissage.
Bibliogr. : W. Jos de Gruyter, in : *Diction. de la sculpture mod.*, Hazan, Paris, 1960.
Ventes Publiques : Amsterdam, 10 déc. 1992 : *Homme chantant*, bronze (H. 28,5) : **NLG 4 370**.

KROPFF Joop
Né en 1892. XXe siècle.
Peintre de compositions animées, paysages.
Ventes Publiques : Amsterdam, 30 août. 1988 : *Vue de Oude Haagse Brug à La Haye*, h/t (40x50,5) : **NLG 1 150** – Amsterdam, 19 sep. 1989 : *Bruges en Belgique*, h/t (60,5x35) : **NLG 1 035** – Amsterdam, 18 fév. 1992 : *Ramasseur de bois avec son tombereau à cheval*, h/t (60x100) : **NLG 1 725** – Amsterdam, 14-15 avr. 1992 : *Le quai aux harengs à Scheveningen*, h/t (48x59,5) : **NLG 2 300** – Amsterdam, 9 nov. 1993 : *Barque échouée*, h/t (29x49) : **NLG 2 530** – Amsterdam, 7 déc. 1995 : *Bruges*, h/t (70x65) : **NLG 4 012**.

KROPP Diedrich Samuel
Né le 11 décembre 1824 à Brême. Mort le 15 mai 1913 à Brême. XIXe-XXe siècles. Allemand.
Sculpteur.
Il travailla d'abord à la décoration des bateaux à Rostock et à Brême. Par la suite, il décora aussi des monuments de cette ville.

KROPP Ernest
Né le 7 août 1880 à Munich (Bavière). XXe siècle. Allemand.
Peintre de genre.
Il séjourna en 1901, à Paris et en Bretagne.

KROPPERT Antoine Joseph
XVIIIe siècle. Actif à Paris en 1764. Français.
Sculpteur.

KRÖPSCH Josef
Né en 1813 à Vienne. Mort en 1854. XIXe siècle. Autrichien.
Peintre animalier.
On lui doit aussi des paysages et des portraits.

KROSCHWALD Matthes
Mort vers 1683. XVIIe siècle. Actif à Freibery en Saxe. Allemand.
Sculpteur.
Sans doute était-il originaire de Dresde. Il travaillait à Freiberg dès 1669.

KROSSING Niels Brock
Né le 9 février 1795 à Copenhague. Mort le 6 juillet 1854 à Fredensborg. XIXe siècle. Danois.
Lithographe.
On lui doit surtout des lithographies de reproduction.

KROSTEWITZ Fritz
Né le 4 juillet 1860 à Berlin. Mort le 5 décembre 1913 à Berlin. XIXe-XXe siècles. Allemand.
Peintre, graveur.
On cite ses gravures d'après Millet, Dupré, Cazin...

KROTOV Youri Nikolaievitch
Né en 1964. XXe siècle. Russe.
Peintre de scènes animées, figures, nus. Postimpressionniste.
Il fit ses études à l'École des Beaux-Arts de V. Sourikov de Moscou, et travailla sous la direction de Piotr Litsinskii et de Ilia Glazounov. Il est devenu professeur à l'Académie des Beaux-Arts de Moscou.
Originaire du sud de la Russie il en garde le goût des couleurs et des contrastes d'éclairage intenses.

Ventes Publiques : Paris, 12 oct. 1992 : *Parmi les coquelicots*, h/t (50x61) : **FRF 28 000** – Paris, 16 nov. 1992 : *La Boîte à peinture*, h/t (46x38) : **FRF 7 200** – Paris, 12 déc. 1992 : *La Femme en noir*, h/t (65x54) : **FRF 26 500** – Paris, 20 mars 1993 : *La Robe blanche*, h/t (65x54) : **FRF 29 000** ; *Jeux de jardin*, h/t : **FRF 32 000** – Paris, 18 oct. 1993 : *Dans le hamac*, h/t (73x60) : **FRF 37 500** – Paris, 29 nov. 1993 : *Les régates*, h/t (60x73) : **FRF 40 000** – Paris, 4 mai 1994 : *Parmi les iris*, h/t (61x50) : **FRF 53 000** – Paris, 1er déc. 1994 : *Premier bain de mer*, h/t (73x54) : **FRF 25 000** – Paris, 5 déc. 1994 : *Les draps blancs*, h/t (61x50) : **FRF 40 000** – Paris, 7 juin 1995 : *La lecture*, h/t (61x50) : **FRF 31 000**.

KROUDACHEVSKI Louis
Né en 1817 à Zamosc (Pologne). Mort le 8 janvier 1850 à Varsovie. XIXe siècle. Polonais.
Portraitiste, peintre d'histoire et de fresques.
Il fit ses études à Varsovie avec les professeurs Joseph Glovacki et Antoine Sachetti. Il peignit pour l'église de Lovitch, pour celle de Varsovie. Il décora aussi les couloirs du couvent des Pères Missionnaires à Varsovie.

KROUK Emmanuel
Né en 1938 à Beyrouth. XXe siècle. Libanais.
Peintre de sujets divers. Tendance conceptuelle.
Il est à la fois diplômé de l'École des Beaux-Arts au Liban et de la Faculté des Sciences de Paris. Il poursuit simultanément des activités en mathématiques et en peinture et sculpture.
Depuis 1990, il participe à des expositions collectives ponctuelles et régionales, dont : 1992 Le Plessis-Robinson, *Bonjour, Monsieur Cézanne*, Centre Marie Lannelongue ; 1995 Paris, *Autoportaits et crânes ou l'émotion de la tête*, galerie Mantoux-Gignac, avec Henri Maccheroni. Il y présentait une série d'autoportraits sur papier journal. Il expose aussi individuellement, dont : 1997 Paris, *Comment peindre est-il encore possible ?*, galerie Mantoux-Gignac.
Son activité picturale semble essentiellement consister à s'interroger sur le statut de la peinture, notamment de la peinture moderne – ce qui n'est pas nouveau, et d'y répondre par la dérision – ce qui n'est pas nouveau non plus, mais réponse qui n'en demeure pas moins, comme à l'accoutumé, aussi insuffisante que suffisante.
Bibliogr. : Catherine Cazalé : *Comment peindre est-il encore possible ?*, in : Catalogue de l'exposition *Emmanuel Krouk*, galerie Mantoux-Gignac, Paris, 1997.

KROUTCHENYKH Alexej
Né en 1886 dans la province de Herson. Mort en 1968 à Moscou. XXe siècle. Russe.
Peintre de collages. Futuriste.
Poète et théoricien en matière de poésie phonétique, il entretint un lien étroit avec les arts plastiques, faisant illustrer ses textes par Larionov, Gontcharova, Malevitch. Il en vint lui-même à pratiquer le collage.
Bibliogr. : In : *Diction. de l'art mod. et contemp.*, Hazan, Paris, 1992.

KROUTHEN Johan Fredrik
Né le 2 novembre 1858 à Linkoping. Mort en 1932. XIXe-XXe siècles. Suédois.
Peintre de paysages animés, paysages.
Il obtint une médaille de bronze à l'Exposition Universelle de 1889 à Paris.

Musées : Stockholm : *Végétation aquatique*.
Ventes Publiques : Stockholm, 26-28 mars 1969 : *L'île* : **SEK 9 000** – Göteborg, 29 mars 1973 : *Paysage d'été* : **SEK 10 300** – Göteborg, 24 mars 1976 : *Paysage d'été*, h/t (50x75) : **SEK 29 500** – Göteborg, 9 nov. 1977 : *Paysage de printemps* 1918, h/t (80x110) : **SEK 31 000** – Stockholm, 30 oct 1979 : *Paysage aux arbres fruitiers* 1922, h/t (49x73) : **SEK 24 000** – Stockholm, 27 oct. 1981 : *Sous-bois* 1891, h/t (104x73) : **SEK 57 000** – Göteborg, 9 nov. 1983 : *Paysage d'été* 1912, h/t (49x74) : **SEK 60 500** – Stockholm, 10 déc. 1986 : *Paysage d'hiver* 1922, h/t (64x100) : **SEK 90 000** – Stockholm, 20 oct. 1987 : *Paysage d'été* 1920, h/t (148x99) : **SEK 200 000** – Londres, 23 mars 1988 : *Poules picorant sur une route ombragée* 1910, h/t (49x74) : **GBP 11 000** – Stockholm, 15 nov. 1988 : *Enfants cueillant des fleurs dans un bois au printemps* 1884, h/t (87x133) : **SEK 525 000** – Stockholm, 19 avr. 1989 : *Petite maison rouge à la campagne au printemps avec des poules picorant dans le chemin*, h/t (44x64) : **SEK 140 000** – Göteborg, 18 mai 1989 : *Petite maison rouge entourée d'arbres en fleurs par temps ensoleillé* 1924, h/t (50x75) : **SEK 193 000** – Stockholm, 15 nov. 1989 : *Maison rouge sous les pommiers en fleurs avec un lac au lointain* 1920, h/t (65x89) : **SEK 230 000** – Stockholm, 14 nov. 1990 : *Baignade à Falsterbo*, h/t (100x150) : **SEK 260 000** – Stockholm, 29 mai 1991 : *Allée du parc d'une propriété viticole en été*, h/t (45x60) : **SEK 50 000** – Londres, 19 juin 1991 : *Promenade au bord de la mer* 1915, h/t (79x108) : **GBP 7 150** – Stockholm, 19 mai 1992 : *Ferme suédoise avec une fillette gardant des oies* 1915, h/t (80x110) : **SEK 64 000** – Stockholm, 10-12 mai 1993 : *Paysage estival avec un verger fleuri et clos le long d'un chemin menant à un lac*, h/t (70x100) : **SEK 72 000** – Londres, 16 mars 1994 : *Sur le banc du jardin* 1915, h/t (79x109) : **GBP 4 830**.

KROYER Peder Severin ou **Kroger Peter**
Né le 24 juin 1851 à Stavanger. Mort le 20 novembre 1909 à Skagen. XIXe siècle. Danois.
Peintre de genre, portraits, paysages, marines, aquarelliste, graveur, sculpteur. Postimpressionniste.
Élève de l'Académie de Copenhague, il suivit aussi les cours de Léon Bonnat à Paris. Il fit un voyage d'étude à Madrid et en Andalousie et revint s'installer à Paris, où il retrouva la colonie de peintres scandinaves, dont Strinberg et Fritz Thaulow. Il séjourna un temps à Cernay-la-Ville, visita la Bretagne, Venise, Rome et Florence, puis retourna au Danemark, où il s'installa à Skagen. Il participa au Salon de Paris, obtenant une troisième médaille en 1881, une deuxième en 1884. Il reçut le Grand prix aux Expositions Universelles de 1889 et de 1900, et une médaille d'or pour la gravure en 1900, il fut également médaillé à Berlin et à Munich. Chevalier de la Légion d'honneur en 1888.
À la suite de ses en Europe, on distingue l'influence de la peinture espagnole dans ses travaux d'avant 1880. Après son instal-

lation à Skagen, sa palette s'éclaircit et ses recherches portent sur la lumière et l'atmosphère, dans la lignée impressionniste. Son évolution, concentrée sur la couleur et la forme, le mena jusque vers l'abstraction.

S Kroyer

Bibliogr. : Gérald Schurr, in : *Les Petits Maîtres de la peinture 1820-1920, valeur de demain*, Les Éditions de l'Amateur, t. V, Paris, 1981.

Musées : Copenhague : *Devant la maison d'une gitane à Grenade – Portrait de l'architecte F. Meldahl – Pêcheurs à Skagen – Un duo – Battage de blé dans les Abruzzes – Le baron Rosenorn Lehn – Soirée d'été – La forge de Mornbeok – Petite fille –* Quatre études – Munich : *Marine* – Oslo : *Musique dans l'atelier* – Stockholm : *Grieg accompagnant sa femme.*

Ventes Publiques : Copenhague, 6 déc. 1967 : *Autoportrait à la chasse* : **DKK 13 000** – Copenhague, 13 fév. 1973 : *Scène de plage* : **DKK 17 000** – Copenhague, 30 août 1977 : *Femme peintre à son chevalet au bord de la mer* 1882, h/t (32x52) : **DKK 96 000** – Copenhague, 25 avr 1979 : *Pêcheurs et barque sur la plage* 1891, h/t (126x226) : **DKK 120 000** – Copenhague, 3 juin 1980 : *Bord de mer au clair de lune* 1898, h/t (31,5x42) : **DKK 32 000** – Copenhague, 24 août 1982 : *Sankt Hans Blus* 1892, h/t (38x55) : **DKK 72 000** – Londres, 22 mars 1984 : *Les premières communiantes* 1886, past. (62,7x48,9) : **GBP 12 000** – Copenhague, 2 oct. 1984 : *La femme de l'artiste* 1899, h/t (94x66) : **DKK 2 500 000** – Copenhague, 27 fév. 1985 : *Le prof. Emil Poulsen avec sa femme* 1885, fus. et craie (54x66) : **DKK 30 000** – Copenhague, 27 fév. 1985 : *La femme de l'artiste dans une chaise longue, dans un jardin fleuri* 1893, h/t (68x76) : **DKK 3 100 000** – Copenhague, 12 nov. 1986 : *Portrait de Holger Drachmann, assis dans un jardin* 1902, past. (62x82) : **DKK 150 000** – Stockholm, 20 oct. 1987 : *Portrait de Betty Petre-Berg* 1901, craies de coul. (74x58) : **SEK 140 000** – Londres, 23 mars 1988 : *Portrait de Vibeke Kroyer, fille de l'artiste*, past. (49,5x37,5) : **GBP 10 450** – Stockholm, 15 nov. 1988 : *Prairie fleurie en été avec une maison au lointain*, h. (22x27) : **SEK 60 000** – Londres, 16 mars 1989 : *Le retour des pêcheurs à Skagen* 1885, h/t (150x114) : **GBP 132 000** – Copenhague, 5 avr. 1989 : *Le ressac à Skagen* 1886, h/t (18x26) : **DKK 36 000** – New York, 23 mai 1989 : *L'artiste et sa femme sur la plage de Skagen* 1899, h/t (95,2x66,3) : **USD 374 000** – Copenhague, 25 oct. 1989 : *Les murailles blanches d'un port italien* 1890, h/t (24x32) : **DKK 78 000** – Copenhague, 21 fév. 1990 : *Paysage de forêt* 1875, h/t (17x24) : **DKK 38 000** – Londres, 27-28 mars 1990 : *La remontée des filets* 1883, h/t (132x189) : **GBP 220 000** – Copenhague, 6 déc. 1990 : *Chien de chasse* 1898, h/t (42x32) : **DKK 48 000** – Copenhague, 1er mai 1991 : *Soleil couchant à Skagen* 1892, peint./bois (20x35) : **DKK 52 000** – Londres, 17 mai 1991 : *Gamins se baignant sur la plage de Skagen* 1899, h/pan. (32,4x43,2) : **GBP 35 200** – Stockholm, 29 mai 1991 : *Vue de Taormina et de l'Etna*, h/pan. (32x43) : **SEK 64 000** – New York, 17 oct. 1991 : *Les vendanges au sud Tyrol* 1901, h/t/pan. (90,2x120) : **USD 82 500** – Londres, 29 nov. 1991 : *Le départ de la flotte de pêche* 1894, h/t (135,9x224,8) : **GBP 154 000** – Copenhague, 6 mai 1992 : *Petite fille italienne jouant avec son chat* 1880, h/t (73x53) : **DKK 105 000** – Stockholm, 19 mai 1992 : *Brisants sur une plage de sable* 1903, h/pan. (32x42) : **SEK 45 000** – Copenhague, 10 fév. 1993 : *Adieux sur la côte de Skagen au soleil couchant*, past. (132x200) : **DKK 45 000** ; *Pêcheur italien* 1890, h/t (41x29) : **DKK 57 000** – Stockholm, 30 nov. 1993 : *Portrait d'une jeune femme espagnole*, past. (82x62) : **SEK 102 000** – Londres, 17 juin 1994 : *Dans les dunes* 1908, h/pan. (32,4x40,6) : **GBP 4 830** – Copenhague, 7 sep. 1994 : *Vue de Naples et du Vésuve*, peint./bois (21x33) : **DKK 38 000** – Copenhague, 14 fév. 1996 : *Portrait de l'architecte Ferdinand Meldahl* 1883, cr. fus. (36x29) : **DKK 5 000** – Copenhague, 10-12 sep. 1997 : *Forstavn* 1910, h/t (25,5x33,5) : **DKK 10 000** – Copenhague, 3-5 déc. 1997 : *Paysage de landes sous le soleil couchant*, h/t (28x42,5) : **DKK 38 000**.

KROYMANN Carl Friedrich

Né le 29 octobre 1781 à Eckernförde. Mort le 15 mars 1848 à Altona. XIXe siècle. Allemand.

Peintre de portraits, lithographe et graveur.

On lui doit des tableaux à l'huile et des miniatures. Il exécuta plusieurs portraits de *Luther* pour des églises, à Altona et Deezbüll.

KROZINGEN Hans von

XVIe siècle. Suisse.

Peintre.

On ne peut lui attribuer avec certitude aucune œuvre parce qu'il aurait eu deux monogrammes : *H. K.* au commencement de sa vie et plus tard *C. H.*

KRSINIC Frano

Né en 1897 à Lumbarda (Dalmatie). XXe siècle. Yougoslave.

Sculpteur de bustes, monuments, portraits, statues.

Il fut maçon jusqu'en 1912. Il fut ensuite élève de l'école des arts et métiers de Horice puis fréquenta l'académie des beaux-arts de Prague sous la direction de Mylsbek et Stursa. Il vécut à Belgrade jusqu'en 1924, avant de s'installer à Zagreb. Sa première exposition personnelle eut lieu en 1921 au Salon Ulrich à Zagreb. Il s'est spécialisé dans la représentation en marbre de femmes se reposant, se réveillant, se lavant, se coiffant, sortant du bain.

Musées : Londres (Tate Gal.) : *Girl* 1930.

KRSNIAVI Isidor

Né le 22 avril 1845 à Nasice. Mort le 3 février 1927 à Agram. XIXe-XXe siècles. Yougoslave.

Peintre et critique d'art.

Il fit ses études à Vienne et se spécialisa dans la peinture historique et religieuse. On cite ses travaux pour des églises de Slavonie. En même temps il était professeur d'histoire de l'art à l'Université d'Agram.

KRSTIC Djordje ou **Krstitch Georges**

Né le 19 avril 1851 à Stara Kanjiza. Mort le 17 octobre 1907 à Belgrade. XIXe siècle. Yougoslave.

Peintre d'histoire, compositions religieuses, scènes de genre, portraits, natures mortes.

Ayant obtenu une bourse en 1883, il alla faire ses études à l'Académie des Beaux-Arts de Munich, où l'influence de la peinture française commençait alors à se faire sentir. Médaille d'argent à l'Exposition Universelle de Paris en 1889, il figura à celle de 1900. Il travailla dans tous les domaines, depuis la peinture traditionnelle d'icônes, jusqu'à la peinture de paysages en plein air, dans la veine de l'école de Barbizon, en passant par les sujets de genre qui laissent paraître une influence réaliste de Courbet. Les influences de Manet et de Corot semblent apparaître dans certaines de ses œuvres, mais il reste, avant tout, réaliste. On l'a dit peintre de batailles, mais il fut surtout peintre des lieux les plus célèbres de Serbie, étant envoyé par le roi Milan à travers le pays pour les représenter.

Bibliogr. : In : *Diction. de la peint. allemande et d'Europe centrale*, coll. Essentiels, Larousse, Paris, 1990.

Musées : Belgrade : *Portrait de Josif Pancic – Sous le pommier – L'anatomiste – La noyée* 1879 – *À la fontaine* 1883 – *Cacak* 1884 – *Leskovac* 1886.

KRUCHEN Julius

Né le 10 octobre 1845 à Düsseldorf. Mort le 21 juin 1912 à Düsseldorf. XIXe-XXe siècles. Allemand.

Paysagiste.

On cite surtout ses vues des Alpes.

Ventes Publiques : Lucerne, 2 juin 1981 : *Paysage fluvial boisé*, h/t (95x75,5) : **CHF 6 500** – Zurich, 29 oct. 1983 : *Paysage alpestre*, h/t (95x76) : **CHF 3 600**.

KRUCHEN Médard

Né le 8 juin 1877 à Düsseldorf (Rhénanie-Westphalie). XXe siècle. Allemand.

Peintre de fleurs, natures mortes.

Il prit part à l'Exposition universelle de Berlin en 1909.

KRUCK Christian

Né en 1925 à Hambourg. Mort en 1985 à Francfort-sur-le-Main. XXe siècle. Allemand.

Peintre de paysages, aquarelliste.

Ventes Publiques : Heidelberg, 17 oct. 1987 : *Paysage d'Italie* 1974, aquar./t. (33,2x59,5) : **DEM 3 100** – Heidelberg, 15-16 oct. 1993 : *Pins au soleil couchant* 1968, aquar./t. (27x42,5) : **DEM 1 350** – Heidelberg, 5-13 avr. 1994 : *Venise*, aquar./t. (18,5x40) : **DEM 1 600** – Heidelberg, 15 oct. 1994 : *Vulcano* 1970, aquar./t. (18,3x31) : **DEM 1 500**.

KRÜCKEBERG Hans

Né le 12 mars 1878 à Treuenbritzen. XXe siècle. Allemand.

Sculpteur de statues.

Il exposa à Berlin dès 1911, des sculptures d'animaux, des bas-reliefs et des statues monumentales.

KRUCZEK Marian

Né en 1927. XXe siècle. Polonais.

Sculpteur.

Il fut élève de l'académie des beaux-arts de Cracovie, de 1949 à 1957. Il participa à de très nombreuses expositions collectives en Pologne et à l'étranger. Il montra ses œuvres dans des expositions personnelles notamment à Paris en 1970-1971.
Son art s'inscrit sans réserve dans la tradition populaire polonaise. Deux thèmes dominent dans l'œuvre divers de Kruczek : les « bonshommes » et les insectes, ces deux thèmes traduits dans deux techniques différentes : le bas-relief et la sculpture librement développée dans l'espace. Aux insectes, il faut ajouter toutes sortes d'animaux comiques qui envahissent facilement le sol, volontiers hérissés de plumes, d'antennes, proches parents des animaux de la première manière de César ou des imaginations des Lalanne. Quant à ses bonshommes qui se réservent le plus souvent la technique du bas-relief, faits de bouts de morceaux ingénieusement mosaïqués, ils ont quelque chose du comique grinçant, en plus volontairement esthétiques avec des effets de patine et de polychromie, des dignitaires de Baj ; toutes ces comparaisons à seule fin de donner une équivalence visuelle à ces créations que l'on a rarement l'occasion de rencontrer hors de Pologne. Il réalise aussi quelques compositions purement formelles, seule exploitation de l'espace, mais on peut penser que c'est dans l'expression du grotesque et de l'insolite qu'il est le plus à l'aise. On voit de lui une *Sculpture dans l'espace* dans le parc de Louwen-Bergen, et une *Composition dans l'espace* à Uppsala. ■ J. B.

Bibliogr. : Stefan Papp : Catalogue de l'exposition : *Marian Kruczek*, Galerie Lambert, Paris, 1970.

KRUDOVSKI François
Né en 1860 à Cracovie. XIXe siècle. Polonais.
Peintre.
Il fit ses études à l'Académie de Vienne avec le professeur Griepenkerle, et obtint le prix de Rome. Krudovski demeura dans cette ville jusqu'en 1893. Le Musée de Cracovie conserve de lui : *La Vierge de Douleurs*.

KRUEGER. Voir aussi **KRÜGER**

KRUEGER Jack A.
XXe siècle. Américain.
Artiste.
Il a participé à l'exposition *De Bonnard à Baselitz – Dix ans d'enrichissement du Cabinet des estampes 1978-1988* à la Bibliothèque nationale à Paris, en 1992.
Bibliogr. : In : Catalogue de l'exposition *De Bonnard à Baselitz – Dix ans d'enrichissements du Cabinet des estampes 1978-1988*, Bibliothèque nationale, Paris, 1992.
Musées : Paris (Cab. des Estampes).

KRUELL Gustav
Né en 1843 à Düsseldorf. Mort le 3 janvier 1907 à San Luis Olispo (États-Unis). XIXe-XXe siècles. Allemand.
Graveur sur bois.
Élève de Brendeamour à Düsseldorf. Venu en Amérique, il y acquit une rapide réputation et en 1881 il fondait la American Wood Engravers Society ; il en fut président. Ses portraits, notamment ceux de *Darwin, Lincoln, Lloyd Garrison*, furent très appréciés et réunis plus tard sous le titre de *A Portfolio of National Portraits*. Il obtint une mention honorable à Paris en 1889 et fut médaillé à Chicago en 1893, Buffalo en 1901, Saint Louis en 1904 (médaille d'or). Exposa aussi à Paris en 1900.

KRUG
XIXe siècle. Actif vers 1837. Allemand.
Peintre de paysages.

KRUG Bernhard Heinrich
Né vers 1661 à Breslau. Mort vers 1746 à Breslau. XVIIe-XVIIIe siècles. Allemand.
Peintre.

KRUG Édouard
Né en 1829 à Drubec (Calvados). Mort le 1er juillet 1901 à Paris. XIXe siècle. Français.
Peintre d'histoire et de portraits.
Élève de Léon Cogniet. Troisième médaille en 1880, médaille de bronze à l'Exposition Universelle de 1889. Chevalier de la Légion d'Honneur en 1897. Exposa en 1900 (Exposition Universelle). Le Musée de Caen conserve de lui : *Symphorose refusant d'abjurer la foi chrétienne, Portrait de Feyen-Perrin*, et le Musée de La Roche-sur-Yon : *Œdipe et Antigone*.
Ventes Publiques : Paris, 6 mai 1927 : *La mise au tombeau* : **FRF 480**.

KRUG Josef
Né le 17 mai 1810 à Bamberg. Mort le 26 février 1885 à Bamberg. XIXe siècle. Allemand.
Peintre.
Professeur de dessin et inspecteur des Musées de Bamberg ; il peignit surtout des paysages, mais aussi des tableaux religieux inspirés de Poussin.

KRUG Ludwig ou **Lukas** ou **Kruger**, dit **le Maître à la Cruche**
Né vers 1489 à Nuremberg. Mort en 1532 à Nuremberg. XVIe siècle. Allemand.
Peintre de compositions religieuses, graveur, orfèvre.
Comme beaucoup de graveurs allemands de son époque, Ludwig ou Lukas Krug était également orfèvre. On dit aussi qu'il était peintre et qu'il travaillait le marbre et l'acier. On sait fort peu de chose sur lui.
Ses estampes d'une extrême rareté sont gravées, au burin, dans le style de Lucas de Leyde. Mariette les note comme très recherchées. On cite de lui : *La Nativité* (1516) ; *L'Adoration des rois* (1516) ; *La Vierge et l'Enfant Jésus, La Vierge et sainte Anne ; L'homme de douleurs ; Jésus en Croix ; L'homme de douleurs assis ; L'homme de douleurs debout ; La Vierge immaculée ; Saint Jean dans l'île de Pathmos ; Saint Sébastien attaché à un arbre ; Deux femmes nues dont une tient une tête de mort.*

Ventes Publiques : Munich, 29 mai 1980 : *L'Adoration des Rois Mages* 1516, grav./cuivre : **DEM 2 000** – Paris, 22 mai 1985 : *Deux femmes nues*, burin : **FRF 23 000** – Heidelberg, 14 oct. 1988 : *L'Adoration des rois mages*, cuivre gravé (16,6x12,5) : **DEM 1 450** – Munich, 26-27 nov. 1991 : *Deux nus féminins avec un crâne*, cuivre : **DEM 2 300**.

KRUG Pierre. Voir **ESKRICH**

KRUG-LE FUSTEC Marie, née **Krug**
XIXe siècle. Active à Paris. Française.
Peintre.
Élève de C. Müller. On lui doit des portraits des tableaux de genre et de natures mortes qu'elle exposa au Salon des Artistes Français entre 1879 et 1899.

KRÜGEL Heinrich
Né à Stans. XVIIe siècle. Suisse.
Sculpteur.
Il travailla surtout à Lucerne. Il est cité comme expert dans un procès.

KRUGELL Lisa
Née le 29 décembre 1893 à Strasbourg (Bas-Rhin). XXe siècle. Française.
Peintre de paysages, natures mortes, portraits.
Elle fut élève de Ammann à Bâle et exposa d'abord à Zurich et à Bâle.

KRUGER
XVIIIe siècle. Actif à Paris. Français.
Peintre de genre.
Membre de l'Académie Saint-Luc. Il présenta des œuvres à l'Exposition de Saint-Luc en 1774.

KRÜGER Albert
Né le 6 juillet 1858 à Stettin. XIXe siècle. Allemand.
Graveur au burin et dessinateur.
Médaillé à Munich en 1892. Mention honorable à Paris en 1893, médaille d'argent à Paris en 1900 (Exposition Universelle). Il a exposé à Berlin.

KRÜGER Andreas
Né en 1719 à Neuendorf près de Potsdam. Mort en 1759 à Berlin. XVIIIe siècle. Allemand.
Peintre et architecte.
Cet architecte, qui travailla à Potsdam pour le roi de Prusse Frédéric Guillaume Ier, a peint des paysages et des ruines.

KRÜGER Andréas Ludwig
Né en 1743 à Potsdam. Mort vers 1805 à Berlin. XVIIIe siècle. Allemand.
Peintre et graveur au burin.
Élève de Bernhard Bode. Il devint membre de l'Académie de Berlin en 1788. Il a gravé des sujets d'histoire, des portraits et des vues. Il a notamment travaillé d'après J. Lievens et F. Bol.

KRÜGER Arthur
Né le 21 août 1866 à Berlin. XIXe-XXe siècles. Allemand.
Sculpteur de bustes, médailleur.
Il fut élève de O. Schultz et d'Uhlmann. Il est surtout connu comme médailleur.

KRÜGER August Hermann
Né le 6 octobre 1834 à Kottbus. Mort le 29 mai 1908 à Baden-Baden. XIXe siècle. Allemand.
Paysagiste.
Élève d'Adall Waagen à Munich et d'Albert Flamm à Düsseldorf. Il accompagna Oswald Achenbach en Italie à plusieurs reprises. Il a exposé à Berlin. On lui doit surtout des paysages et des vues d'Italie.

KRUGER Barbara
Née le 26 janvier 1945 à Newark (New Jersey). XXe siècle. Américaine.
Créatrice d'installations.
Elle vit et travaille à New York. Elle participe à de nombreuses expositions collectives, notamment : 1973, 1983, 1985, 1987 Biennale du Whitney Museum of American Art à New York ; 1982 et 1993 Biennale de Venise ; 1982 Art Institute de Chicago ; 1984 Institute of Contemporary Art de Londres ; 1985 et 1989 Institute of Contemporary Art de Los Angeles ; 1985 musée d'Art contemporain de Montréal, Museum für moderne Kunst à Vienne et musée d'Art moderne de la Ville de Paris ; 1986 et 1992 Museum of Art à Indianapolis ; 1986 Institute of Contemporary Art de Boston ; 1986 et 1990 The Israël Museum de Jérusalem ; 1987 Documenta VIII de Kassel et County Museum of Art de Los Angeles ; 1987, 1989 et 1990 musée national d'Art moderne de Paris ; 1988 Biennale de Sydney ; 1991 National Museum of Art d'Osaka ; 1992 *De Bonnard à Baselitz - Dix ans d'enrichissements du Cabinet des estampes 1978-1988* à la Bibliothèque nationale à Paris. Elle montre ses œuvres dans des expositions personnelles, régulièrement à la galerie Mary Boone de New York, ainsi que : 1983 Institute of Contemporary Art de Londres ; 1985 County Museum of Art de Los Angeles ; 1988 National Art Gallery de Wellington ; 1990 Kölnisher Kunstverein à Cologne ; 1992 Magasin - Centre national d'Art contemporain de Grenoble. Dans le cadre d'une commande publique, pour le tramway de Strasbourg, en 1994, elle a placé un frontispice photographique : « L'empathie peut changer le monde », à la place du panneau de la station « gare ».
Elle assemble photographies en noir et blanc (généralement) ou images publicitaires agrandies et recadrées, à des textes brefs sans lien direct le plus souvent avec l'image, interpellations, constats, injonctions. Placées dans un cadre rouge, pour attirer le regard, ses œuvres s'adressent directement au spectateur, utilisant le « we » and « you » (le « nous » et le « vous ») pour mieux le brusquer. Invitant à la réflexion, ces images forcent à s'interroger, à remettre en cause le statut de l'image-texte et à prendre parti sur des questions de société. Dans une installation de 1994, elle utilise des bandes enregistrées, pour apostropher directement le spectateur, dont le regard se trouve assailli d'images et de slogans. ■ L. L.
BIBLIOGR. : In : *L'Art du XXe s.*, Larousse, Paris, 1991 - in : *Diction. de l'art mod. et contemp.*, Hazan, Paris, 1992.
MUSÉES : PARIS (Mus. Nat. d'Art Mod.) : *Sans titre (What big muscles you have)* 1986 - PARIS (Cab. des Estampes).
VENTES PUBLIQUES : NEW YORK, 8 oct. 1988 : *We are ordered to enter the sphere of fixation* 1985, sérig./pap. (185,4x124,2) : **USD 17 600** - NEW YORK, 3 mai 1989 : *Vous nous donnez les yeux du diable* 1984, photo./cart. (122x193) : **USD 49 500** - NEW YORK, 5 oct. 1989 : *You are a captive audience* 1982, photo./cart. (311,5x245) : **USD 38 500** - NEW YORK, 23 fév. 1990 : *Sans titre (We will no longer be seen and not heard)*, montage de photo./cart. dans un encadrement peint (123,8x130,2) : **USD 28 600** - NEW YORK, 27 fév. 1990 : *Put your money where your mouth is* 1984, photo./cart. (182,8x121,9) : **USD 33 000** - NEW YORK, 8 mai 1990 : *Sans titre (Give me all you've got)* 1986, photo./cart. (122x152,4) : **USD 35 200** - NEW YORK, 2 mai 1991 : *Sans titre (Your glutton for punishment is on a diet)*, grav. dans un cadre de l'artiste (243,2x110,5) : **USD 26 400** - NEW YORK, 24 fév. 1993 : *Nous ne sommmes pas faits l'un pour l'autre* 1983, montage de photo. en noir et blanc dans un cadre (186,4x124,7) : **USD 16 500** - NEW YORK, 5 mai 1994 : *Je suis votre tranche de vie* 1981, photo. gélatine aux sels d'argent (123,8x98,4) : **USD 19 550** - PARIS, 27 mars 1996 : *Maintenant vous nous voyez, maintenant pas*, photo. (100x133) : **FRF 8 000** - NEW YORK, 21 nov. 1996 : *Sans titre (Je suis votre presque rien)* 1982, photo. noir et blanc (183x124,5) : **USD 9 775** - NEW YORK, 6-7 mai 1997 : *Sans titre (Votre regard frappe une partie de mon visage)* 1981, photo. noir et blanc (138,1x101,6) : **USD 70 700** - LONDRES, 27 juin 1997 : *Sans titre (Il y a une seule antidote à la souffrance mentale, c'est la douleur physique)*, grav. photo./magnésium en six parties (chaque 58,7x50,8x5,4) : **GBP 25 300**.

KRÜGER Carl
Né le 5 juin 1812 à Salzwedel. Mort le 30 janvier 1880 à Arendsee. XIXe siècle. Allemand.
Peintre et graveur à l'eau-forte.
Élève de Blechen et de Buchborn, à l'Académie de Berlin. Il visita l'Italie, puis se fixa à Dresde (où il travailla de 1850 à 1872) et ensuite à Arendsee. Il débuta vers 1832 et exposa depuis cette date à Berlin et à Dresde. Il a gravé des paysages.

KRÜGER Carl Ferdinand Wilhelm
Né vers 1800. XIXe siècle. Allemand.
Peintre de portraits et de genre.
Il exécuta des portraits à l'huile et en miniature.

KRÜGER Christian
Né vers 1645 à Dantzig. Mort en 1696. XVIIe siècle. Allemand.
Peintre d'histoire et de décorations.
Il décora une chapelle de l'église Notre-Dame à Dantzig.

KRÜGER Christian Josef
Né le 9 novembre 1759 à Dresde. Mort le 14 février 1814 à Dresde. XVIIIe-XIXe siècles. Allemand.
Sculpteur et médailleur.
Il travailla quelque temps à Riga, puis à Saint-Pétersbourg avant de revenir à Dresde. Là il grava surtout des portraits.

KRÜGER Dietrich
Né vers 1575. Mort le 23 janvier 1624 à Rome. XVIIe siècle. Allemand.
Graveur au burin.
Il a gravé *Naturae varios lusus et monstra videtis, etc., Johannes Wild*. Sa famille était originaire de Hambourg.

KRUGER E. F.
XIXe siècle. Actif à Amsterdam vers 1830. Hollandais.
Peintre de portraits, paysages.
Portraitiste, il a réalisé de nombreuses scènes au clair de lune.

KRÜGER Ephraim Gottlieb
Né le 20 juillet 1756 à Dresde. Mort le 9 janvier 1834 à Dresde. XVIIIe-XIXe siècles. Allemand.
Dessinateur et graveur.
Élève de l'Académie de Dresde et de G. Camerata. Membre de l'Académie en 1803, professeur extraordinaire en 1815. Il a gravé des sujets de genre et des sujets religieux d'après Bol, Jordaens, Guido Reni Solimena, Cranach.

KRÜGER Erna
Née le 1er mars 1883 à Wittenberg. XXe siècle. Allemande.
Peintre de portraits, paysages, graveur, pastelliste, aquarelliste.
On lui doit surtout des portraits d'enfants, dessinés au pastel, à l'aquarelle ou à l'huile, mais aussi des paysages.

KRUGER Eugen
Né le 26 décembre 1832 à Altona. Mort le 8 juillet 1876 à Düsternbrook. XIXe siècle. Allemand.
Peintre de batailles, scènes de chasse, animaux, paysages, lithographe.
Il étudia dans sa ville natale et à Vienne comme lithographe puis se consacra à la peinture et fut élève de Gurlett. Il travailla d'abord en Hongrie, puis à Düsseldorf où il se fit une réputation comme peintre des chasses. Ses voyages d'études le conduisirent en France où en 1870 il visita les principaux champs de bataille pour son *Album de la Guerre*. Puis en 1873 il visita l'Italie, la Sicile, l'Autriche. Il publia sous le titre de *Journal de voyage d'un peintre* une série de vues de ces divers pays et mourut peu de temps après son retour en Allemagne.
VENTES PUBLIQUES : MUNICH, 7 déc. 1993 : *Famille de cerfs au lever du jour*, h/t/cart. (70,5x90,5) : **DEM 6 900**.

KRUGER F.
XVIIe siècle. Hollandais.
Peintre de paysages.
Cité par Hoët le Jeune.

KRÜGER F. Conrad
XVIIIe siècle. Actif à Berlin. Allemand.

Dessinateur et graveur.
Il exécuta surtout des gravures d'après Raphaël, Battoni, Cipriani, Piazzetta.

KRÜGER Ferdinand Anton
Né le 1er août 1795 près de Dresde. Mort le 24 avril 1857 à Dresde. XIXe siècle. Allemand.
Graveur.
D'abord élève de son oncle Gottlieb Kruger, il vint ensuite à Stuttgart où il fut élève de Muller. Travailla aussi à Paris, à Rome en 1820, puis en 1824 à Milan où il eut pour maître Longhi. Devint professeur à l'Académie de Dresde en 1842, ou selon Bryan en 1829. Il a gravé des sujets de genre et des sujets religieux.
Ventes Publiques : Munich, 28 nov 1979 : *Portrait de jeune homme*, cr. (20,6x16,5) : **DEM 4 400**.

KRÜGER Franz, pseudonyme : **Pferde Krüger**
Né le 10 septembre 1797 à Radegast (Dessau). Mort le 21 janvier 1857 à Berlin. XIXe siècle. Allemand.
Peintre de batailles, scènes de chasse, portraits, chevaux, dessinateur.
Il fit des études artistiques à Berlin. Il devint peintre de la Cour et membre de l'Académie des Beaux-Arts de Berlin. Invité à Saint-Pétersbourg par le tzar Nicolas, il s'y rendit en 1844 et en 1850 et fit son portrait. Il fut médaillé à Berlin en 1848.
Cet artiste se fit surtout une réputation comme animalier ; comme graveur il produisit des eaux-fortes de chevaux, de chiens, de cavaliers.
Musées : Berlin : *Départ pour la chasse – Retour de la chasse – Écurie – Nicolas de Russie – Lapin mort – Auguste de Prusse – Sortie du prince Guillaume en compagnie de l'artiste – Cheval à l'écurie – Pony – Le Feldmaréchal comte Wraugel*, en collaboration avec Hellwig.
Ventes Publiques : Londres, 21 juin 1929 : *Alexandre II* : **GBP 105** – Zurich, 9 nov. 1973 : *La promenade du matin* : **CHF 25 000** – Londres, 30 jan. 1980 : *Portrait du duc d'Oldenburg*, h/t (45x36) : **GBP 500** – Munich, 29 juin 1982 : *Portrait de femme* 1833, craie reh. de blanc (25x20,5) : **DEM 2 000** – Zurich, 22 mai 1987 : *Gentilhomme à cheval* 1836, h/t (27x22) : **CHF 39 000** – Cologne, 20 oct. 1989 : *Militaires en manœuvres*, h/pan. (15x21) : **DEM 1 500** – Heidelberg, 9 oct. 1992 : *Portrait du comte Fr. Wilhelm von Redern*, craie (28,6x24,2) : **DEM 4 800** – Heidelberg, 3 avr. 1993 : *Portrait de dame*, craie/vélin (22,6x18,8) : **DEM 3 300** – Munich, 22 juin 1993 : *Le Tsar Nicolas Ier*, h/cart. (diam. 17,5) : **DEM 9 200**.

KRÜGER Franz August Otto
Né le 28 février 1868 à Gross-Debeleben. XIXe-XXe siècles. Allemand.
Peintre, graveur.
Musées : Londres (Victoria and Albert Mus.).

KRÜGER Franz Ludwig August
Né le 12 juillet 1849 à Berlin. Mort le 17 juillet 1912 à Francfort. XIXe-XXe siècles. Allemand.
Sculpteur.
Après avoir été élève d'Albert Wolff, il séjourna à Copenhague et à Paris et il voyagea à travers l'Italie. On lui doit des groupes monumentaux symboliques tels que : *Vérité et Poésie* ou *L'Art et la Nature*.

KRÜGER Friedrich Christian. Voir **KRIEGER**

KRÜGER Friedrich Heinrich
Né en 1749 à Dresde. Mort en 1815 à Dresde. XVIIIe-XIXe siècles. Allemand.
Sculpteur et médailleur.
On lui doit la statue destinée au prince Belosselky de *Pierre le Grand à cheval*, ainsi que celle de *Frédéric Auguste III de Saxe*.

KRÜGER Heinrich
Né le 11 juillet 1863 à Gumbinnen. Mort le 2 juillet 1901 à Rossitten. XIXe siècle. Allemand.
Peintre animalier.
Il fut élève de Trossien à l'Académie de Königsberg et se spécialisa dans les portraits de chevaux.

KRÜGER Hermann
Né le 10 août 1823 à Leipzig. Mort le 4 octobre 1909 à Liebertwolkwitz. XIXe siècle. Allemand.
Graveur sur bois.
Il travailla pour *Richter-Album* et *Bilder-Cronik*.

KRUGER J.
XIXe siècle. Travaillant à Amsterdam vers 1820. Hollandais.
Peintre de portraits, paysages animés.
Cité par le Dr Wurzbach.

KRÜGER Jacques
XVIIe siècle. Hollandais.
Peintre de paysages.
Cité par Hoët le Jeune.

KRUGER Jean Guillaume
XVIIIe siècle. Actif à Paris en 1775. Français.
Peintre et sculpteur.

KRÜGER Johann Conrad
Né le 6 janvier 1733 à Stettin. Mort le 25 avril 1791 à Berlin. XVIIIe siècle. Allemand.
Peintre et graveur.
Il étudia avec Kuber, puis se rendit à Dresde où il travailla avec Dietrict et Hutin. En 1756 il vint à Varsovie et il peignit plusieurs portraits. En 1768 il se rendit à Berlin et y fut nommé professeur de l'Académie des Beaux-Arts. Il travailla en Pologne et en Poméranie. On cite de lui un *Portrait de Catherine II de Russie*. Il a gravé des sujets religieux et des paysages.
Ventes Publiques : Zurich, 14 mai 1982 : *Portrait d'Agnes Eleonore von Thun ; Portrait de Joachim Friedrich von Thun*, 2 h/t (78x59) : **CHF 5 500**.

KRÜGER Johann Friedrich August
Né en 1754 à Berlin. XVIIIe siècle. Allemand.
Dessinateur et graveur au burin.
Élève de Siegmund. Il a gravé des paysages et des sujets religieux, d'après Carrache, Dietrich, etc.

KRÜGER Karl Albert
Né le 23 février 1803 à Potsdam. Mort le 19 juillet 1875 à Wesel. XIXe siècle. Allemand.
Architecte et peintre de monuments.
Il travailla entre 1826 et 1852 pour la ville de Merseburg et représenta, à l'aquarelle, des intérieurs d'église.

KRÜGER Matthäus ou **Crüger**
XVIIe siècle. Allemand.
Graveur.
Il semble qu'il travailla en Italie.

KRÜGER Paul
Né le 20 janvier 1886 à Sunna. XXe siècle. Allemand.
Peintre de paysages, portraits, graveur.
Il vécut à Essen et à Berlin.

KRÜGER Théodore
XIXe siècle. Actif à Berlin. Allemand.
Peintre de paysages.
Il exposa à l'Académie de Berlin entre 1828 et 1848.

KRÜGER Waldemar Friedrich
Né le 2 janvier 1808 à Kawa (Livonie). Mort le 5 janvier 1894 à Dorpat. XIXe siècle. Éc. de Livonie.
Peintre de paysages, d'histoire et de portraits.
Il fut à Dorpat élève du graveur C. A. Senff, puis il voyagea en Italie et séjourna à Rome. On cite surtout ses nombreuses vues de Dorpat.

KRÜGER VON SIVERS Clara. Voir **SIVERS Clara von**

KRUGLIKOWA Jelisaweta
Née le 19 janvier 1865 à Saint-Pétersbourg. XIXe-XXe siècles. Russe.
Graveur, dessinateur de portraits, paysages.
Elle fut à Paris, élève des académies Vitty et Colarossi, exposa au Salon d'Automne à Paris et au Monde de l'Art à Saint-Pétersbourg.
Elle a réalisé des paysages des différentes provinces françaises, mais surtout des dessins, véritables reportages sur les théâtres, terrasses de cafés, Grands-Boulevards, salles d'expositions, etc.

KRÜGNER Johann Gottfried
Né vers 1684. Mort le 25 février 1769 à Leipzig. XVIIIe siècle. Allemand.
Graveur au burin.
Il a gravé des *Portraits*. Il avait fait, semble-t-il, ses études à Dresde puis entra à l'Université de Leipzig.

KRUIF Henri Gilbert de
Né le 17 février 1882 à Grand Rapids (Michigan). Mort en 1944. XXe siècle. Américain.

Peintre de portraits, paysages, graveur, illustrateur.
Il a son atelier à Los Angeles (Californie). Il est membre de plusieurs sociétés d'art de cet État, et de l'Art Student's League de New York.
Ventes Publiques : New York, 27 sep. 1996 : *L'Orgue à Red Rock Canyon* 1926, h/t (63,5x76,2) : **USD 3 450**.

KRUIJSEN Anton ou **Kruysen**
Né le 4 mars 1898 à Boxtel (Brabant). Mort le 5 avril 1977 à Chartres (Eure-et-Loir). XXe siècle. Actif en France. Hollandais.
Peintre de paysages. Tendance expressionniste.
Fils de peintre, il fut élève de l'école des beaux-arts de Rotterdam, puis de Genève de 1920 à 1922. Il participa à des expositions collectives à Paris en 1929, au musée des Beaux-Arts de Chartres en 1949 et à Conches-en-Ouche en 1954. Il montra ses œuvres dans des expositions personnelles à Paris, Aix-en-Provence, Genève, Utrecht, Amsterdam, La Haye, Eindhoven. Ses œuvres aux teintes sourdes sont violemment tourmentées.
Musées : Chartres (Mus. des Beaux-Arts) – Grenoble – Lyon – Oslo – Paris (Mus. du Jeu de Paume) – Reims.
Ventes Publiques : Amsterdam, 9 déc. 1992 : *Forêt*, h/cart. (96x61) : **NLG 1 725** – Amsterdam, 8 déc. 1994 : *Village au printemps*, h/t (75x60) : **NLG 7 130** – Amsterdam, 7 déc. 1995 : *Culture de fleurs*, verre églomisé (59x38) : **NLG 4 130** – Amsterdam, 2-3 juin 1997 : *Ferme*, h/t (46,5x55,5) : **NLG 9 440**.

KRUIS Ferdinand
Né le 25 avril 1869 à Vienne. XIXe-XXe siècles. Autrichien.
Peintre de portraits, paysages, illustrateur, dessinateur.
D'abord portraitiste puis dessinateur de journaux, il s'intéressa aussi beaucoup, par la suite, à la peinture de paysages. Il réalisa également de nombreuses lithographies.

KRUK Mariusz
Né en 1952 à Poznan. XXe siècle. Polonais.
Sculpteur, créateur d'installations, aquarelliste.
Il fut élève de l'école nationale supérieure d'arts plastiques de Poznan, où il enseigne actuellement. Fondateur du groupe *Kolo Klipsa*, il a travaillé avec lui jusqu'en 1989. Il participe à de nombreuses expositions collectives en Pologne, ainsi qu'à l'étranger, notamment en 1988 *Polish realities* au Third Eye Center de Glasgow ; en 1991 et 1992 à *Kunst Europa* à Berlin, au Magasin – Centre national d'Art contemporain de Grenoble, à l'Elac de Lyon, à la Documenta de Kassel, au Kunstverein d'Arnsberg ; en 1993 à la galerie Froment-Puttman à Paris.
Il présente des objets de la vie quotidienne ayant déjà servis, mobilier, vaisselle, vêtements, qu'il place dans des situations insolites, chaises les pieds en l'air, couverts suspendus sur une table sans plateau, imperméable dressé en épouvantail. L'homme est absent dans la représentation, pourtant la marque de son passage est perceptible sur chaque objet, choisi avec amour ou répulsion.
Bibliogr. : In : *Lodz : un musée itinérant comme un théâtre*, Artpress, nº 168, Paris, avr. 1992.
Musées : Lodz (Mus. Sztuki).

KRUKOFF J. E.
Né en 1823. Mort en 1857. XIXe siècle. Russe.
Portraitiste.
Le Musée Roumianzeff, à Moscou, conserve de lui le *Portrait du père de l'artiste*.

KRUKOWSKI Lucian
Né en 1929. XXe siècle. Américain.
Peintre.
Sa manière est violente, très gestuelle.
Musées : San Francisco (Mus. of Mod. Art) : *Wednesday afternoon* 1959.

KRULL Christian Friedrich
Né le 11 avril 1748 en Hesse. Mort le 23 février 1787 à Brunswick. XVIIIe siècle. Allemand.
Sculpteur et médailleur.
On doit à ce médailleur qui pratiqua de temps en temps la sculpture des modèles pour les manufactures de porcelaine, quelques bustes et quelques tombeaux.

KRUMBHOLZ Ferdinand
Né le 7 mai 1810 à Hof. Mort le 11 janvier 1878 à Berne. XIXe siècle. Autrichien.
Peintre de genre, portraits.
Il étudia à l'Académie de Vienne, à Rome et vint se perfectionner à Paris d'où, avec la protection du duc de Nemours, il devint peintre de la cour de Portugal. Il se fixa à Lisbonne, puis retourna dans sa patrie. Il voyagea en Amérique, revint à Paris. Il exposa au Salon de Paris de 1836 à 1845. Il se maria en 1876 à Berne et mourut quelques semaines après sa petite fille. Son œuvre la plus connue est le portrait de *Don Pedro du Brésil*.
Musées : Berne – Toulon – Vienne (Belvédère) : *Portrait de Don Pedro du Brésil*.
Ventes Publiques : Monaco, 14-15 déc. 1996 : *Portrait de l'empereur du Brésil Pierre II* 1849, h./, de forme ovale (90,5x71,5) : **FRF 87 750**.

KRUMINS. Voir **SILZEMNIEKS Alberts**

KRUMLINDE Carl Olof Theodor, dit **Olof**
Né en 1856 à Angelholm. Mort en 1945 à Helsinki. XIXe-XXe siècles. Finlandais.
Peintre de compositions animées, paysages, marines.
Ventes Publiques : Copenhague, 2 juin 1976 : *Bord de mer* 1879, h/t (60x90) : **DKK 26 000** – Malmö, 2 mai 1977 : *Paysage d'été*, h/t (38x46) : **SEK 8 100** – Stockholm, 30 oct 1979 : *Paysage d'été*, h/t (57x71,5) : **SEK 10 200** – Göteborg, 31 mars 1982 : *Bord de mer* 1881, h/t (80x124) : **SEK 22 500** – Stockholm, 1er nov. 1983 : *Paysage*, h/t (90x120) : **SEK 11 500** – Stockholm, 12 nov. 1986 : *Paysage boisé à la ferme*, h/t (65x86) : **SEK 24 500** – Stockholm, 8 déc. 1987 : *Paysage au pont* 1883, h/t (98x148) : **SEK 140 000** – Stockholm, 15 nov. 1988 : *Paysage portuaire avec des voiliers ancrés le long de la jetée* 1876, h. (36x67) : **SEK 70 000** – Copenhague, 5 avr. 1989 : *Paysage avec un chemin passant devant une ferme en Suède*, h/t (48x59) : **DKK 20 000** – Stockholm, 19 avr. 1989 : *Prairie fleurie avec des montagnes à l'arrière-plan*, h/t (45x60) : **SEK 42 000** – Göteborg, 18 mai 1989 : *Paysage côtier*, h/t (47x40) : **SEK 25 000** – Stockholm, 15 nov. 1989 : *Vue depuis Björnekulla : fillette sur le chemin longeant un talus*, h. (65x97) : **SEK 42 000** – Stockholm, 16 mai 1990 : *Voiliers ancrés le long de la côte*, h/t (36x67) : **SEK 35 000** – Stockholm, 14 nov. 1990 : *Navigation de voiliers au large de Öresund*, h/t (50x75) : **SEK 10 500** – Stockholm, 29 mai 1991 : *Marine avec des voiliers ancrés le long de la côte à la nuit tombante*, h/t (36x67) : **SEK 20 000**.

KRUMM Martin
Baptisé à Berne le 11 octobre 1540. Mort après 1578. XVIe siècle. Suisse.
Peintre.
On cite des travaux de lui dès 1563.

KRUMM Sigmund
XVIe siècle. Actif à Berne. Suisse.
Dessinateur.
Son monogramme serait *S. K.*

KRUMMACHER Karl
Né le 8 avril 1867 à Elbersfeld. Mort en 1955. XIXe-XXe siècles. Allemand.
Peintre de genre, paysages. Postimpressionniste.
Il peignit selon la technique impressionniste, des paysages et des scènes de paysannerie.
Ventes Publiques : Brême, 16 oct. 1982 : *Paysan tirant une brouette*, h/cart. (56,4x69,5) : **DEM 8 000** – Brême, 20 avr. 1985 : *Paysage d'été*, h/cart. mar./pan. (44x59) : **DEM 6 000**.

KRUMPELMAN Hermanus
Né vers 1789 à Monnikendam. XIXe siècle. Hollandais.
Peintre de paysages et de villes.
Travailla à Edam encore en 1849. Son fils Erasmus fut peintre.

KRUMPIGEL Karl ou **Krumppigel, Krumpigl**
Né en 1805 à Prague. Mort en 1832 à Munich. XIXe siècle. Autrichien.
Paysagiste.
Élève de Pipenhagen. On cite de lui des esquisses de forêts avec chutes d'eau.

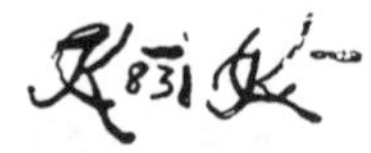

KRUMPPER Adam
Né vers 1540 à Weilheim. XVIe siècle. Allemand.
Sculpteur.
Il travailla entre autres pour le château de Dachau et pour l'église Saint-Michel à Munich.

KRUMPPER Thomas
XVIe siècle. Actif à Weilheim dans la première moitié du XVIe siècle. Allemand.

Sculpteur.
Il semble que ce soit cet artiste qui travailla à Polling, entre autres, pour l'église Saint-Jacob.

KRUPA-KRUPINSKY Émil
Né le 10 mars 1872 à Brême. Mort le 28 mai 1924 à Bonn. XIXe-XXe siècles. Allemand.
Peintre de portraits, genre.
Il fut le portraitiste pendant vingt-cinq ans de la haute bourgeoisie de Bonn.

KRUSE Bruno Friedrich Emil
Né le 1er juin 1855 à Hambourg. XIXe siècle. Allemand.
Sculpteur et médailleur.
Le Musée de Hambourg conserve de lui les *Portraits du docteur H.-A.-C. Weber* et *de G.-C. Schwabe* (marbres).

KRUSE Carl Max
Né le 14 avril 1854 à Berlin. XIXe siècle. Allemand.
Sculpteur.
Étudia d'abord l'architecture, puis étudia la sculpture de 1877 à 1881 avec Wolff et Fr. Schoper. Il alla en Italie en 1881 et 1882. S'établit à Berlin. Exposa à Berlin (médaille d'or 1899); Paris 1900 (médaille d'or Exposition Universelle).
Musées : Berlin : *Le messager de Marathon – La mère de l'artiste* – Hambourg : *Buste de Max Siebermann.*

KRUSE Christian
Né le 5 décembre 1876 à Horby. Mort en 1953. XXe siècle. Suédois.
Peintre de paysages, portraits, illustrateur.
Après avoir été élève de l'école technique de Stockholm, puis à Berlin, il fit des études artistiques à Paris, à l'académie Delécluse et à la Grande Chaumière. Il participa à diverses expositions internationales, dont la Sécession de Berlin en 1909, le Salon des Indépendants à Paris en 1912, à l'Exposition internationale de Paris en 1937.
Peintre de paysages et de portraits, il découpe très nettement les volumes par la lumière. Il fit également de nombreuses illustrations.
Musées : Avignon (Mus. Calvet) – Calais – Florence (Palais Pitti) – Laxa (Bruks et Hembygdmus.) – Pau (Mus. des Beaux-Arts) – Ravenne (Acad. di Belle Arti) – Rome (Mus. du Vatican) – Rome (Villa Malta) – Saint-Pétersbourg (Mus. de l'Ermitage) – Varsovie (Mus. Nat.) – Ystad (Konstmus.).

KRUSE Franz
Né le 9 avril 1862 à Berlin. XIXe-XXe siècles. Allemand.
Peintre de paysages, aquarelliste.
Il exposa à Berlin, à partir de 1891.

KRUSE Ole Waldemar
Né le 13 mai 1868 à Hadersleben. XIXe-XXe siècles. Danois.
Peintre de paysages, fresquiste, peintre de décorations murales.
Après avoir voyagé dans sa jeunesse à travers l'Europe et peint surtout des paysages, il s'établit dans la région de Göteborg, où il exécuta des fresques et des peintures décoratives.

KRUSE Willi
Né le 16 septembre 1910 à Herford (Westphalie). XXe siècle. Allemand.
Graveur.
Il fit ses études à l'académie des beaux-arts de Munich, jusqu'en 1940.
Ses gravures sur bois sont figuratives, volontiers expressionnistes et jouent des contrastes violents entre blanc et noir. Il a réalisé une série sur le cirque.

KRUSE-LITZENBURG Oskar
Né le 25 mai 1847 à Stettin. Mort le 10 août 1919. XIXe-XXe siècles. Allemand.
Peintre.
Il se fit d'abord connaître par ses paysages impressionnistes représentant Rome, Paris, Londres, Naples. On lui doit aussi des nombreuses vues du Mecklembourg.

KRUSEMAN Cornelis
Né le 25 septembre 1797 à Amsterdam. Mort le 14 novembre 1857 à Lisse. XIXe siècle. Hollandais.
Peintre d'histoire, compositions religieuses, genre, portraits, graveur.
Élève de C.-H. Hodges et de J.-A. Daiwaille, il travailla en Italie et se fixa à Lisse, près de Haarlem. Ses œuvres sont à Amsterdam, La Haye, Leyde. Il eut pour élèves David Bles et Herm. Ien Kate. Membre de l'Académie d'Amsterdam; il obtint une médaille d'or à l'Exposition de Bruxelles en 1851.

Musées : Amsterdam : *Vieille femme – Bonheur familial – Mme Brak – Sympathie commune – Philippe II quittant les Pays-Bas – Prière – Gerrit Carel Rombach – Le comte Jan Van den Bosch et sa femme* – La Haye (Mus. comm.) : *Louis-Henri Copes Van Cattenburch et sa femme* – Leyde : *Le docteur A. Cuypers.*
Ventes Publiques : Paris, 1850 : *Saint Jean Baptiste prêchant dans le désert* : **FRF 10 500** – Londres, 4 mai 1973 : *Chasseurs de rats hongrois* : **GNS 950** – Amsterdam, 19 mai 1981 : *Paysage d'hiver avec patineurs*, h/pan. (47x57) : **NLG 52 000** – Amsterdam, 10 fév. 1988 : *Vieille femme assise devant une maison tenant un seau de cuivre sur ses genoux*, h/pan. (33,5x26,5) : **NLG 4 370** – Amsterdam, 24 avr. 1991 : *Savoyards et Italiennes* 1840, h/t (130,5x147,5) : **NLG 48 300** – Amsterdam, 14 sep. 1993 : *Jeune Napolitaine en prière*, h/t (76x67) : **NLG 3 450**.

KRUSEMAN Frederik Marianus
Né le 17 juillet 1817 ou 1816 à Haarlem. Mort en 1882. XIXe siècle. Hollandais.
Peintre de paysages animés.
Neveu de Cornelis et J. Kruseman, il fut élève de J. Reckers, J. Van Ravensway, N.-J. Roosenboom, B.-C. Koekkoek.

FKruseman

Musées : Courtrai : *L'Été – L'Hiver.*
Ventes Publiques : Paris, 28 nov. 1923 : *Paysage d'été : la pêche* : **FRF 380** ; *L'hiver en Hollande* : **FRF 820** – Londres, 23 juin 1961 : *Paysage d'hiver* : **GBP 357** – Londres, 20 mars 1963 : *En bordure de la forêt* : **GBP 450** – Londres, 22 jan. 1964 : *Paysage d'hiver avec patineurs* : **GBP 480** – Amsterdam, 8 fév. 1966 : *Paysage d'hiver avec château* : **NLG 6 400** – Londres, 13 oct. 1967 : *Paysage d'hiver avec patineurs* : **GNS 2 000** – Londres, 14 nov. 1969 : *Paysage d'hiver* : **GNS 2 600** – Londres, 22 jan. 1971 : *Château au bord d'une rivière* 1857 : **GNS 3 500** – Londres, 14 juin 1972 : *Paysage avec rivière* : **GBP 3 200** – Londres, 2 nov. 1973 : *Paysage d'hiver* 1875 : **GNS 14 000** – Londres, 14 juin 1974 : *Paysage d'hiver avec patineurs* : **GNS 15 000** – Londres, 20 fév. 1976 : *Paysage fluvial boisé en hiver* 1850, h/t (54,5x76,5) : **GBP 6 000** – Cologne, 21 oct. 1977 : *Paysage d'hiver* 1839, h/t (53x67) : **DEM 17 000** – Londres, 5 oct 1979 : *Paysage d'hiver* 1876, h/t (48,2x68,5) : **GBP 15 000** – Londres, 19 juin 1981 : *Patineurs dans un paysage d'hiver* 1875, h/t (50,8x70,5) : **GBP 24 000** – Londres, 16 mars 1983 : *Paysage d'hiver à la chaumière animé de personnages* 1871, h/t (68,5x98,5) : **GBP 24 000** – Londres, 20 mars 1985 : *Patineurs dans un paysage d'hiver*, h/pan. (52x77,5) : **GBP 26 000** – New York, 29 oct. 1987 : *Paysage d'hiver avec patineurs* 1875, h/t (47,6x70,5) : **USD 30 000** – Londres, 26 fév. 1988 : *Paysage avec des personnages sur un chemin avec une ville à l'arrière-plan* 1846, h/pan. (29x42) : **GBP 5 720** – Cologne, 15 oct. 1988 : *Paysage romantique avec du bétail près d'un ruisseau, des ruines à l'arrière-plan*, h/pan. (41x57) : **DEM 36 000** – Amsterdam, 16 nov. 1988 : *Paysage d'hiver sur un canal hollandais avec des patineurs et une ferme fortifiée* 1868, h/t (50x70) : **NLG 224 250** – Amsterdam, 25 avr. 1990 : *Paysage d'hiver avec des patineurs et un château à l'arrière-plan* 1868, h/t (80x110) : **NLG 276 000** – Bruxelles, 12 juin 1990 : *Paysages animés*, h/pan., une paire (chaque 22x29) : **BEF 220 000** – Londres, 5 oct. 1990 : *Personnages sur une rivière gelée* 1842, h/t (47,3x60) : **GBP 7 700** – New York, 23 oct. 1990 : *Patinage dans les brumes de l'hiver* 187, h/t/rés. synth. (49,5x69,9) : **USD 55 000** – New York, 28 fév. 1991 : *Vaste paysage fluvial avec un château sur une colline à l'arrière-plan* 1865, h/pan. (38,1x52,2) : **USD 27 500** – Amsterdam, 23 avr. 1991 : *Patineurs sur un canal gelé dans un paysage hivernal* 1857, h/t (73x103) : **NLG 149 500** – Amsterdam, 24 avr. 1991 : *Femme et son enfant sur un sentier longeant un canal gelé au pied des murailles d'un château* 1849, h/pan. (19,5x24,5) : **NLG 32 200** – Londres, 19 juin 1991 : *Personnages se déplaçant sur un canal gelé près d'une tour*, h/pan. (32x45) : **GBP 5 500** – Amsterdam, 5-6 nov. 1991 : *Paysage estival avec des bergers au bord d'un ruisseau* 1876, h/t (62,5x92,5) : **NLG 69 000**

– Amsterdam, 2-3 nov. 1992 : *Ramasseurs de fagots près d'une église en ruines dans un paysage hivernal*, h/pan. (49x38) : **NLG 40 250** – Londres, 19 mars 1993 : *Paysage d'hiver avec des patineurs près d'une maison* 1868, h/t (70,5x100,7) : **GBP 106 000** – New York, 13 oct. 1993 : *Paysage d'été ; Paysage d'hiver* 1862, h/pan., une paire (chaque 29,5x40) : **USD 44 850** – Amsterdam, 19 avr. 1994 : *Gardiens de bœufs dans un paysage vallonné* 1845, h/pan. (43,5x56) : **NLG 50 600** – Londres, 16 nov. 1994 : *Paysage d'hiver en Hollande* 1871, h/pan. (62x99) : **GBP 89 500** – Paris, 12 juin 1995 : *Troupeau au bord du chemin*, h/t (52x65) : **FRF 18 000** – Édimbourg, 23 mai 1996 : *Paysage d'hiver en Hollande avec des personnages sur un canal gelé* 1864, h/t (69,8x100,3) : **GBP 111 500** – Amsterdam, 5 nov. 1996 : *Patineurs sur une rivière gelé dans un paysage d'hiver* 1843, h/pan. (65,5x84) : **NLG 35 400** – Londres, 21 nov. 1996 : *Paysage d'hiver avec des patineurs sur un lac gelé* 1859, h/t/pan. (78,8x110,5) : **GBP 43 300** – Londres, 21 mars 1997 : *Paysage avec bétail s'abreuvant à une rivière* 1869, h/t (50,2x70,5) : **GBP 20 700** – Londres, 13 juin 1997 : *Paysans dans un paysage d'hiver* 1842, h/t (80x99,5) : **GBP 12 650** – Londres, 21 nov. 1997 : *Voyageurs dans un paysage d'hiver* 1846, h/pan. (55x78) : **GBP 47 700** – Amsterdam, 27 oct. 1997 : *Paysage d'hiver avec des personnages près d'une auberge* 1852, h/pan. (28,5x38) : **NLG 31 860**.

KRUSEMAN Jan Adam Janszoon

Né le 12 février 1804 à Haarlem. Mort le 17 mars 1862 à Haarlem. XIXe siècle. Hollandais.

Peintre de portraits, paysages.

D'abord élève de Cornelis Kruseman, il travailla en 1822 à Bruxelles avec David et Navez et se rendit ensuite à Paris. Il revint à Amsterdam en 1825. Il y fut nommé directeur de l'Académie Royale de sculpture en 1831.

J A Kruseman f 1822

Musées : Amsterdam : *Elisée et la Sunamite – Jeune fille – Le cénacle littéraire de Minden – Adriaan Van der Hoop – Guillaume II – Rodolphe le chevalier – Catharina Annette Fraser – Guillaume Ier – Cornelis Hendrik à Roy – Gerrit Toclaer* – Harleem : *Homme assis – Laurens Coster au travail – Le même, imprimant chez lui – Fabricius Van Leyenburg – Simon Petrus, baron de Heemstra et sa femme* – La Haye (comm.) : *Le major R.-M. Van der Mey – Marie-Christine Themmen – Dame en costume frison* – Leipzig : Deux paysages.

Ventes Publiques : Londres, 3 fév. : *Paysage d'hiver* : **GNS 2 400** – Londres, 9 juin 1961 : *Vallée de rivière alpestre avec fleurs* : **GBP 294** – Londres, 7 oct. 1966 : *Paysage fluvial* : **GNS 600** – Versailles, 7 juin 1973 : *Manoir en bordure d'étang* : **FRF 4 700** – Amsterdam, 27 avr. 1976 : *Portrait de femme*, h/pan. à vue ovale (16x13,5) : **NLG 1 800** – Paris, 30 mars 1984 : *Portrait d'un jeune dessinateur* 1836, h/t (84x68) : **FRF 45 000** – Amsterdam, 25 avr. 1990 : *Portrait de Mr Hall* 1830, h/t (71x58) : **NLG 3 910** – Amsterdam, 24 avr. 1991 : *Portrait d'une femme élégante, peut-être Ignatia Van Heukelom-Vollenhoven, vêtue d'une robe verte et d'un chapeau blanc* 1836, h/t (90x77) : **NLG 9 200** – Amsterdam, 19 avr. 1994 : *Portrait d'une dame en robe pourpre ; Portrait d'un homme en habit noir* 1846, h/t, une paire (chaque 97x79) : **NLG 5 750** – Londres, 18 nov. 1994 : *Ésope récitant une fable*, h/t (124,5x173,4) : **GBP 3 910**.

KRUSEMAN Jan D.

Né le 15 août 1828 à Valkenswaard. Mort le 8 juin 1918 à La Haye. XIXe-XXe siècles. Hollandais.

Peintre, lithographe et aquafortiste.

Neveu de Cornelis. Élève de Jacobus Everardus Josephus Van den Berg. Il voyagea en Angleterre, en France, en Belgique, en Allemagne et en Italie.

KRUSEMAN Jan Theodor

Né le 7 novembre 1835 à Amsterdam. Mort en 1895. XIXe siècle. Hollandais.

Peintre de paysages et de marines.

Élève de W. Roelofs à Bruxelles et de L. Meyer à La Haye. Ses œuvres sont à La Haye. Il se fixa à Bruxelles et ne peignit plus guère, s'occupant d'histoire naturelle. Cependant, en 1884, on le signale à Scheveningen peignant des esquisses ou des croquis. Il était fils de Jan Adam Kruseman. Le Musée communal de La Haye conserve de lui : *Vue de la plage de Douvres*.

Ventes Publiques : Londres, 1er mars 1972 : *Paysage fluvial* : **GBP 400** – Londres, 16 juin 1982 : *Paysage d'Italie animé de personnages*, h/t (89,5x118,5) : **GBP 2 400**.

KRUSEMAN VAN ELTEN Elisabeth Frederica, épouse **Duprez**

Née en 1876 à New York. XXe siècle. Active en France. Américaine.

Peintre de portraits, paysages, genre.

Fille du paysagiste Hendrick Dirk, elle fut élève de G. Courtois et de R. Collin, où elle se maria et vécut.

KRUSEMAN VAN ELTEN Hendrik Dirk

Né le 14 novembre 1829 à Alkmaar. Mort le 12 juillet 1904 à Paris. XIXe siècle. Hollandais.

Peintre de paysages animés, paysages, paysages urbains, dessinateur.

Il fut élève de C. Lieste à Haarlem. Il passa plusieurs années à New York. Il travaillait à Paris en 1897.

Ventes Publiques : Paris, 1864 : *Vue d'une ville hollandaise : effet de neige* : **FRF 270** – Rotterdam, 1883 : *Paysage montagneux* : **FRF 525** – Los Angeles, 28 fév. 1972 : *Scène de ferme* : **USD 2 000** – New York, 14 mai 1976 : *Paysage au moulin sous un ciel d'orage*, h/t (36x56,5) : **USD 750** – New York, 4 mai 1979 : *La promenade à travers champs*, h/t (35,5x56,5) : **USD 1 700** – Los Angeles, 28 juin 1982 : *Troupeau dans un paysage fluvial*, h/t (31x51,5) : **USD 2 100** – San Francisco, 21 juin 1984 : *Troupeau dans un paysage*, h/cart. (55x79) : **USD 1 500** – Amsterdam, 15 avr. 1985 : *Moutons au pâturage*, h/t (78,5x105,5) : **NLG 13 000** – Berne, 26 oct. 1988 : *Paysage fluvial avec une vieille cité par temps d'orage*, h/t (37x59) : **CHF 1 200** – Amsterdam, 16 nov. 1988 : *Paysage d'hiver avec des paysans faisant avancer une péniche avec des perches*, h/pan. (25,5x37) : **NLG 3 680** – New York, 24 jan. 1989 : *Paysage avec une ferme au toit de chaume*, h/cart. (32,5x49,5) : **USD 2 750** – New York, 22 mai 1991 : *Un pique-nique dans le comté de Westchester*, h/t (68x106) : **USD 15 400** – Cologne, 28 juin 1991 : *Paysage de montagne avec une chapelle à flanc de colline*, h/t (33x55) : **DEM 3 000** – Amsterdam, 14-15 avr. 1992 : *Vue de Rijsoord*, h/cart. (30x45) : **NLG 1 380** – Amsterdam, 28 oct. 1992 : *Paysage boisé avec une paysanne, un enfant et une vache* 1854, h/pan. (32,5x49,5) : **NLG 9 200** – Amsterdam, 3 nov. 1992 : *Pêcheur au bord d'une rivière avec une ville au lointain*, h/t (34x51) : **NLG 2 415** – New York, 2 déc. 1992 : *Enfants pêchant sur un îlot*, h/rés. synth. (30,5x56,5) : **USD 1 980** – Amsterdam, 21 avr. 1993 : *Paysage boisé avec des paysans menant des ânes sur un sentier le long d'une rivière* 1866, h/t (68x105,5) : **NLG 9 200** – Amsterdam, 15 nov. 1994 : *Cerfs dans un parc* 1850, encre et lav./craie noire (29,4x38) : **NLG 2 760** – Amsterdam, 7 nov. 1995 : *Sur la lande*, h/t (57,5x85) : **NLG 24 780** – Amsterdam, 16 avr. 1996 : *Paysage hivernal avec un personnage dans une barque à rame*, h/t (43x65) : **NLG 1 652** – New York, 21 mai 1996 : *Rapace tôt le matin dans les Adirondacks*, h/t (59,7x51,5) : **USD 6 900** – New York, 4 déc. 1996 : *Ruisseau*, h/t (67x101,9) : **USD 13 800** – Amsterdam, 5 nov. 1996 : *Enfants et vaches sur la grève*, h/t (71,5x112) : **NLG 12 980**.

KRUSEMARK Max

Né le 10 août 1852 à Berlin. Mort le 29 décembre 1905 à Breslau. XIXe siècle. Allemand.

Peintre de genre et de portraits.

Visita l'Italie en 1880. Travailla à Berlin et à Breslau.

KRUSHENICK Nicholas

Né le 31 mai 1929 à New York. XXe siècle. Américain.

Peintre, peintre de décors de théâtre. Abstrait.

Il a étudié à l'Art Student's League de New York de 1948 à 1950, puis à la Hans Hoffman School de 1950 à 1951. Il vit et travaille à Ridgefield (Connecticut). Il a fait sa première exposition de groupe à New York, en 1956, a figuré dans les manifestations collectives de la jeune peinture américaine notamment en Allemagne, à Cologne et Munich, ainsi qu'à la Documenta de Kassel en 1968. Il a également eu plusieurs expositions personnelles à New York depuis 1957, à Paris en 1967, à Minneapolis au Walker Art Center en 1968, à Bâle en 1971, à Düsseldorf en 1973, à Portland en 1974, à Washington en 1978.

Son évolution l'a amené, en dehors des mouvements constitués, à un dessin au tire-ligne rehaussé d'aplats de couleurs, fondé soit sur une simple animation formelle et non figurative du plan ornemental, soit sur une traduction stylisée d'éléments naturels : par exemple, les lignes verticales de la pluie tombant de la surface dentelée d'un nuage ou bien les lignes obliques ou parallèles des tuiles d'un toit. Curieusement, les formes abstraites qu'il uti-

lise semblent sorties directement de l'univers pop art. Explorant les ressources de l'abstraction, il en vient à utiliser les *Shaped Canvas* (toile découpée). Il a également réalisé les costumes et décor de *The Man in the moon* (1967-1968).
Bibliogr. : In : *Diction. univer. de la peinture*, Le Robert, tome IV, Paris, 1975 – in : *Contemporary Artists*, Mac Millan Publishers, Londres, 1983.
Musées : Amsterdam (Stedelijk Mus.) – Dallas (Mus. of Fine Art) – Essen (Folkwang Mus.) – Los Angeles (County Mus.) – Minneapolis (Walker Art Center) – New York (Metropol. Mus) – New York (Mus. of Mod. Art) – New York (Whitney Mus.) – Paris (Cab. des Estampes) – Stuttgart (Staatsgal.) – Washington D. C. (Gal. of Mod. Art).
Ventes Publiques : New York, 14 mai 1970 : *The battle of Bull Run* : **USD 5 250** – New York, 26 oct. 1972 : *James Bond series 2* : **USD 3 000** – New York, 3 mai 1974 : *The big sky* : **USD 4 000** – New York, 13 mai 1977 : *Sans titre* 1973, acryl./t. (188x101,6) : **USD 3 000** – New York, 19 oct 1979 : *Honeysuckle* 1966, liquitex/t. (210x180) : **USD 3 000** – New York, 2 oct. 1980 : *Orange block Co* 1972, liquitex/t. (151,8x127,6) : **USD 3 500** – New York, 27 fév. 1981 : *Sheik d'Arabie* 1964, aquar. et collage/t. (120x95,2) : **USD 1 800** – New York, 10 nov. 1982 : *Knuck-Knuck* 1969, liquitex/t. (167,7x192) : **USD 3 500** – Londres, 26 juin 1984 : *Sans titre* 1966, acryl./t. (140x105) : **GBP 1 600** – New York, 9 mai 1989 : *Cinq chiens d'argent* 1969, acryl./t. (230,3x188,1) : **USD 3 080** – New York, 7 mai 1990 : *Lands end blau* 1970, acryl./t. (101,5x79,4) : **USD 4 180** – New York, 14 juin 1995 : *Sans titre* 1965, acryl./t. (71,1x55,9) : **USD 1 150**.

KRÜSI Hans
Né en 1920. xxe siècle. Suisse.
Peintre de compositions animées, paysages, technique mixte.
Ventes Publiques : Zurich, 18 oct. 1990 : *Paysan parmi ses vaches*, techn. mixte/pap. et collage (30x42) : **CHF 1 000** – Zurich, 7-8 déc. 1990 : *Téléphérique*, techn. mixte/pap. (25,2x35,3) : **CHF 1 000** – Zurich, 16 oct. 1991 : *Sans titre* 1980, aquar. et collage (16,7x16,3) : **CHF 1 400** – Zurich, 24 juin 1993 : *Paysage avec une maison et trois personnages*, acryl./contreplaqué (39,5x74) : **CHF 2 000** – Lucerne, 4 juin 1994 : *Père, mère et enfant* 1980, techn. mixte/pap. (35x25) : **CHF 1 500** – Zurich, 7 avr. 1995 : *Promeneur dans un bois*, techn. mixte/cart. (49,6x74,9) : **CHF 2 800** – Lucerne, 20 mai 1995 : *Grand téléphérique des Alpes* 1979, techn. mixte/cart. ondulé (88x127) : **BEF 33 500** – Lucerne, 8 juin 1996 : *Dans la maison et l'étable*, acryl./pap. fort (62x42) : **CHF 3 600** – Zurich, 12 nov. 1996 : *Ferme*, h./jute (56x96) : **CHF 4 000** – Lucerne, 23 nov. 1996 : *Sans titre* 1982, acryl.bois (40x95x2,5) : **CHF 2 200**.

KRÜSI Johann Jakob ou **Krüsli, Krüssli**
Né le 25 janvier 1593 à Lucerne. Mort le 25 janvier 1669 à Beromunster. xviie siècle. Suisse.
Sculpteur et peintre.
Travailla pour les églises de son pays et fit des crucifix sculptés et des peintures religieuses.

KRÜSI Oswald
Né le 27 septembre 1627 à Beromunster. Mort le 13 mars 1693. xviie siècle. Allemand.
Peintre et sculpteur.

KRUSKOPF Pehr Adolf
Né le 7 août 1805 à Saint-Pétersbourg. Mort le 30 mars 1852 à Möhla. xixe siècle. Finlandais.
Peintre.
Il enseigna le dessin à l'Université d'Helsinki où il travailla durant la plus grande partie de sa vie.

KRUSSENS Anton ou **Crusseus**
xviie siècle. Hollandais.
Dessinateur.
Cet artiste flamand cité par le Dr Wurzbach fut actif vers 1655.

KRUSZEWSKI Jozef
Né le 13 juin 1856 à Bruxelles. Mort avant 1900 à Cracovie. xixe siècle. Polonais.
Peintre.
Il fut à Lwow élève de J. Kossak et à Bruxelles celui de Portaels. On cite ses décorations pour le palais Manikowski à Cracovie.

KRUTILO Jan ou **Kruthilo, Krutile, Krutimol**
Né à Cracovie. xvie siècle. Polonais.
Peintre.
Il peignit pour l'église Saint-Marc de Cracovie.

KRUYDER Herman Justus ou **Kruijder**
Né en 1881 à Lage Vuursche (Utrecht). Mort en 1935 à Amsterdam. xxe siècle. Hollandais.
Peintre de scènes typiques, paysages, natures mortes, dessinateur, aquarelliste.
Peintre verrier et peintre en bâtiment, il suivit les cours de l'école des arts et métiers de Haarlem, de 1900 à 1904, et subit l'influence de l'expressionnisme allemand et du cubisme. Une rétrospective de son œuvre a été montrée au Singermuseum de Laren en 1980.
Il a peint de nombreuses scènes villageoises, usant d'une touche épaisse. Son style mêle symbolisme et naïveté, évoquant une époque révolue où la nature et l'homme communieraient encore et tend à la fin de sa vie vers un expressionnisme exacerbé.
Bibliogr. : In : *Diction. univer. de la peinture*, Le Robert, tome IV, Paris, 1975 – in : *L'Art du xxe s.*, Larousse, Paris, 1991 – in : Catalogue de l'exposition *Les Années trente en Europe. Le temps menaçant*, musée d'Art moderne de la ville, Paris musées, Flammarion, Paris, 1997.
Musées : Amsterdam (Stedelijk Mus.) : *Le Cavalier* 1933 – *Le Coq* 1933 – Eindhoven (Van Abbemus.) : *Le Tueur de cochon* 1923-1925 – *Ferme à Blaricum* 1928 – *Le Charron* 1931 – *Le Carrossier* 1932 – Groningen – Haarlem (Franz Halsmus.) : *Paradis II*.
Ventes Publiques : Amsterdam, 26 mai 1976 : *Scène de marché, Anvers*, aquar. (49x53) : **NLG 3 200** – Amsterdam, 5 déc. 1978 : *Nature morte*, h/pan. (48x36,5) : **NLG 3 800** – Amsterdam, 28 oct. 1980 : *Trois vaches dans un enclos*, h/cart. (17,5x27) : **NLG 2 800** – Amsterdam, 20 mai 1981 : *Nature morte*, h/t (31x24) : **NLG 6 400** – Amsterdam, 12 déc. 1990 : *Le Chien*, encre et cr./pap. (12,5x15) : **NLG 2 990** – Amsterdam, 11 déc. 1991 : *Nature morte de fleurs dans un vase*, cr., craie noire et aquar./pap. (42x47) : **NLG 7 475** – Amsterdam, 12 déc. 1991 : *Vue d'une ville*, h/t (70x50) : **NLG 4 830** – Amsterdam, 10 déc. 1992 : *Ferme dans un paysage*, h/cart. (22x40) : **NLG 18 400** – Amsterdam, 14 sep. 1993 : *Nature morte avec des tournesols et des pommes*, aquar./pap. (61,5x43,5) : **NLG 2 300** – Amsterdam, 9 déc. 1993 : *Nature morte avec des tulipes*, h/cart./pan. (40x64,5) : **NLG 9 200** – Amsterdam, 7 déc. 1994 : *Nature morte aux brioches*, h/cart. (26x34) : **NLG 8 625** – Amsterdam, 4 juin 1996 : *Paysage, Heemstede, Groenendal*, h/t/cart. (46x61,5) : **NLG 8 260** – Amsterdam, 2 déc. 1997 : *En de trieste maan* 1930, cr., fus. et past./pap. : **NLG 36 902** – Amsterdam, 2-3 juin 1997 : *Cour de ferme*, aquar./pap. (32,5x50) : **NLG 3 304** – Amsterdam, 4 juin 1997 : *Stilleven met tulpen en flacon* vers 1921, h/pan. (44x32) : **NLG 25 370**.

KRUYF Jacob
xviie siècle. Actif à Haarlem. Hollandais.
Peintre.
Il peignit des marines et des vues de monuments. En 1670 il vint travailler à Paris.

KRUYFF Anna Maria Storck
Née en 1870. Morte en 1946. xixe-xxe siècles.
Peintre de genre, animaux.
Ventes Publiques : Amsterdam, 7 nov. 1995 : *Scène de marché à Amsterdam*, h/cart. (57,5x41,5) : **NLG 1 062** – Amsterdam, 19-20 fév. 1997 : *Chatons*, h/pan. (14x31) : **NLG 4 612**.

KRUYFF Cornelis de ou **Kruys**
Né en 1771 à Amsterdam. Mort en 1854. xviiie-xixe siècles. Hollandais.
Peintre de paysages, paysages urbains, aquarelliste, graveur.
On cite surtout ses vues panoramiques de la ville d'Amsterdam.
Ventes Publiques : Londres, 26 et 27 avr. 1911 : *Vue d'une rue à Amsterdam, en été et en hiver*, deux aquarelles formant pendants : **GBP 16** – Amsterdam, 28 avr. 1976 : *Vue d'Amsterdam*, h/pan. (31x45) : **NLG 15 200** – Amsterdam, 16 avr. 1996 : *Travaux journaliers sur la place d'une ville*, h/t (56x70) : **NLG 18 880**.

KRUYS Cornelis ou **Cruys**
Mort avant 1660. xviie siècle. Hollandais.
Peintre de natures mortes.
Il fut membre de l'Académie Saint-Luc à Haarlem en 1644 et à Leyde le 26 mai 1649. On cite de ses œuvres dans le commerce et ses peintures de fleurs sont signalées dans des inventaires.
Ventes Publiques : Zurich, 28 mai 1976 : *Nature morte aux fruits*, h/pan. (87x115) : **CHF 81 000** – Amsterdam, 31 oct. 1977 : *Nature morte*, h/pan. (96,5x167,5) : **NLG 14 000** – Londres, 8 juil.

1983 : *Nature morte aux divers objets*, h/t (97,8x33,3) : **GBP 8 000** – ZURICH, 21 nov. 1986 : *Nature morte aux fruits, pain et verre*, h/t (74x107) : **CHF 45 000** – LONDRES, 9 déc. 1987 : *Nature morte aux fruits et divers objets sur une table*, h/pan. (59x84) : **GBP 23 000** – STRASBOURG, 11 mars 1989 : *Nature morte au jambon et verre de vin*, h/pan. (68x92) : **FRF 125 000** – LONDRES, 5 juil. 1989 : *Nature morte avec un verre à vin du Rhin, du pain, des olives dans une assiette sur un entablement drapé*, h/pan. (42,5x35,5) : **GBP 8 800** – NEW YORK, 2 juin 1989 : *Nature morte de raisin dans un compotier d'argent avec de l'orfèvrerie et des cristaux sur un entablement drapé*, h/pan. (70,5x58,5) : **USD 49 500** – PARIS, 9 avr. 1990 : *Nature morte au verre röhmer, jambon et fraises dans un porcelaine Wan-Li*, h./ pan. de chêne (48x64,5) : **FRF 420 000** – NEW YORK, 12 jan. 1995 : *Nature morte d'un déjeuner*, h/pan. (74x104,1) : **USD 46 000** – PARIS, 12 juin 1995 : *Nature morte aux pièces d'orfèvrerie, corbeille de raisin, plateau de pêches et crabe*, h/pan. (76x108,5) : **FRF 350 000** – AMSTERDAM, 7 mai 1996 : *Nature morte d'un röhmer, d'une boule de pain et d'huîtres sur un plat d'étain sur une table drapée*, h/pan. (42,8x35) : **NLG 161 000.**

KRUYSENBERGEN Adolf. Voir **CRUYSBERGEN Adolf**

KRUYT C.
XVIIIe siècle. Hollandais.
Peintre de batailles.
On cite aussi ses marines.

KRYCINSKI Walerian
Né le 14 avril 1852 à Karolinov. XIXe siècle. Polonais.
Peintre et céramiste.
Il travailla d'abord à Vienne puis à Cracovie et à Lwow. On cite ses paysages et ses compositions entre autres pour l'église Saint-Michel à Kolomyia.

KRYGEER A. C.
XIXe siècle. Actif vers 1820. Hollandais.
Peintre de vues de villes.
On lui doit aussi des intérieurs.

KRYLOFF Gury Assafovitch ou **Krylov**
Né en 1805. Mort en 1841. XIXe siècle. Russe.
Peintre de genre, portraits.
Originaire d'une famille de serfs, il suivit les cours de dessin de l'Académie des Beaux-Arts de Saint-Pétersbourg, comme auditeur libre. Affranchi en 1828, il entra à l'Académie de médecine et chirurgie de Saint-Pétersbourg, tout en continuant ses études artistiques. En 1833, il reçut le titre d'artiste libre et en 1839, celui d'académicien.
Il est capable de rendre avec beaucoup de vérité des intérieurs, sous de savants effets de lumière, à la manière des maîtres hollandais ou de leurs émules contemporains, comme Martin Drolling.
BIBLIOGR. : In : Catalogue de l'exposition : *La peinture russe à l'époque romantique*, Galeries nationales du Grand Palais, Paris, 1976-1977.
MUSÉES : SAINT-PÉTERSBOURG (Mus. Russe) : *Cuisine*.

KRYLOFF Michail Grigorievitch
Né le 3 juin 1786. Mort en 1850 à Saint-Pétersbourg. XIXe siècle. Russe.
Sculpteur.
Élève de l'Académie de Saint-Pétersbourg ; il séjourna quelque temps à Rome par la suite. De retour en Russie il exécuta entre autres par la suite un buste du *Tzar Nicolas Ier*.

KRYLOV Iwan. Voir **KRILOV Gury**

KRYLOV Nikifor
Né en 1802. Mort en 1831. XIXe siècle. Russe.
Peintre.
Ce peintre est célèbre pour avoir donné une base théorique à sa conception esthétique de la nature et du vrai, déclarant que rien de ce qui est vrai ne peut être laid, « il n'y a que des différences entre l'infinité des degrés de la grâce ». La Galerie Tretiakov, de Moscou, conserve de lui un *Paysage d'hiver*.
BIBLIOGR. : Catalogue de l'exposition *L'art russe, des Scythes à nos jours*, Grand Palais, Paris, 1967-68.

KRYLOV Porphyri. Voir **KOUKRYNISKY,** groupe

KRYMOV Nikolai Petrovitch ou **Krymow**. Voir **KRIMOFF**

KRYNS Everard ou **Evrard** ou **Krins Van der Maes**. Voir **MAES Everard Quirijnsz**

KRYSCHIZKÏ Constantin ou **Kryzhitsky**. Voir **KRIGITZKY Constantin**

KRYSZ-MECINA Jozef
Né en 1860 à Cracovie. XIXe siècle. Polonais.
Peintre.
Établi à Paris entre 1885 et 1893, il y fut élève de J.-P. Laurens. Par la suite, il voyagea à travers l'Europe et se fixa à Cracovie, puis à Posen. Ses tableaux illustrent généralement des sujets historiques ou symboliques.

KRZYSZTOF del Cieszyn ou **Kristoforo**
XVIIe siècle. Polonais.
Peintre.
On n'est pas absolument fixé sur le nom exact de cet artiste. il fut l'élève de Jean-Chrisostome Prochovski à Cracovie. Dans la collection de M. Zebrovski, à Cracovie, se trouvent, de ce peintre, deux dessins à la plume rehaussés d'aquarelle : *Trinité*, signé *Kristoforo Silesio*, *Le baptême de Constantin*, signé *del Kristoforo del Cieszyn*.

KRZYWINSKI Bjorn
Né en 1948 à Bergen. XXe siècle. Norvégien.
Peintre, technique mixte.
Il fut élève de 1966 à 1967 du College of Art de Cardiff, et de 1968 à 1969 du College of Art de Goldsmith. Il est membre du groupe Lyn, fondé en 1971.
Il participe aux expositions du groupe Lyn : 1972 Bergen et Stavanger ; 1974 Haugesund ; 1975 Oslo et Biennale de Paris.
BIBLIOGR. : *Catalogue de la Biennale de Paris*, Paris, 1975.

KRZYZANOWSKI Konrad
Né le 15 février 1872 à Krementchoug. Mort le 25 mai 1922 à Varsovie. XIXe-XXe siècles. Polonais.
Peintre de portraits, illustrateur.
Il étudia à Kiev, fréquenta l'académie des beaux-arts de Saint-Pétersbourg puis, fut, à Munich, élève de Holossy. Fondateur d'une école de peinture à Varsovie, il enseigna aussi à l'école des beaux-arts de cette même ville.
De tonalité sombre, souvent violentes, nombreux de ses œuvres se rattachent à l'expressionnisme.
BIBLIOGR. : In : *Diction. de la peinture allemande et d'Europe centrale*, Larousse, Paris, 1990.
MUSÉES : BYTOM : *Portrait de Mme Slonska avec sa fille* 1903 – POSEN – TORUN (Mus. région.) : *Portrait d'une artiste russe* 1897 – VARSOVIE : *Portrait de Mme Alina Glass* 1903.

KSELL Georg. Voir **GSELL**

KU AN. Voir **GU AN**

KUAN HSI-NING. Voir **GUAN XINING**

KUAN-HSIU. Voir **GUANXIU**

KUAN HUAI. Voir **GUAN HUAI**

KU AN-JEN. Voir **GU ANREN**

KUAN LIANG. Voir **GUAN LIANG**

KUAN SHAN-YUEH. Voir **GUAN SHANYUE**

KUAN SSÜ. Voir **GUAN SI**

KUAN TAO-SHÊNG. Voir **GUAN DAOSHENG**

KUAN T'UNG. Voir **GUAN TONG**

KUBA Ludvik
Né le 16 avril 1863 à Podebrady (Bohême). Mort en 1956. XIXe-XXe siècles. Tchécoslovaque.
Peintre de portraits.
Il étudia à Paris de 1893 à 1895. Il fut doyen de l'école tchèque, respecté de ses cadets les plus ardiments novateurs. Il participa à de nombreuses expositions à Vienne, Berlin, Londres, Rome, Venise. En 1990, quelques œuvres significatives figurant dans les collections de la galerie nationale de Prague furent prêtées pour l'exposition *L'Impressionisme en Europe* à Bologne.

MUSÉES : BUCAREST (Mus. Simu) : *Tête d'enfant* – PRAGUE (Gal. Nat.).
VENTES PUBLIQUES : BOLOGNE, 8-9 juin 1992 : *Dames au jardin*, h/pan. (65x52) : **ITL 46 000 000** – LONDRES, 22 fév. 1995 : *Scène villageoise*, h/t (48x75) : **GBP 2 185**.

KUBALL Mischa
XXe siècle. Allemand.
Artiste multimédia. Lumino-cinétique.

Il vit et travaille à Düsseldorf. Comme le Français Michel Verjux, il utilise des projecteurs de diapositives, qui projettent sur les murs des lieux d'exposition des diapositives préparées en découpes de silhouettes, dont les faisceaux de lumière blanche créent des images qui perturbent la perception des espaces du lieu.

KUBANEK Ludwig
Né le 3 février 1877 à Graz (Styrie). XXe siècle. Autrichien.
Sculpteur.
Il travailla, entre autres, à Munich, Donaueschingen et Ofingen.

KUBANYI Laios
Né le 5 mai 1855 à Also-Eszlergaly. Mort le 5 mai 1912 à Also-Eszlergaly. XIXe-XXe siècles. Hongrois.
Peintre.
Il travailla à Budapest où il exécuta des tableaux d'église et des portraits.

KUBEL Otto
Né le 31 août 1868 à Dresde. XIXe-XXe siècles. Actif à Fürstenfeldbruck. Allemand.
Peintre.
Exposa une esquisse à l'aquarelle à Berlin en 1909.

KUBEN Johannes
Né le 15 décembre 1697 à Habelschwerdt. Mort en 1770 à Oppeln. XVIIIe siècle. Allemand.
Peintre.
Il appartenait à la Compagnie de Jésus et décora plusieurs églises et, entre autres, l'Université jésuite Léopoldine à Breslau.

KUBICKI Christian Marian
Né en 1960 à Somain (Nord). XXe siècle. Français.
Dessinateur, graveur.
Il a participé à l'exposition *De Bonnard à Baselitz – Dix ans d'enrichissements du Cabinet des estampes 1978-1988*, à la Bibliothèque nationale à Paris, en 1992.
Bibliogr. : In : Catalogue de l'exposition *De Bonnard à Baselitz – Dix ans d'enrichissements du Cabinet des estampes 1978-1988*, Bibliothèque nationale, Paris, 1992.
Musées : Paris (Cab. des Estampes).

KUBICKI Stanislaw
Né en 1899 à Ziegenheim. Mort en 1934 à Berlin. XXe siècle. Actif en Allemagne. Polonais.
Artiste, dessinateur.
En 1980, l'on a pu voir de ses œuvres dans une exposition collective organisée à Wroclaw.
Marqué à ses débuts par l'expressionnisme, son travail se caractérise bientôt par une géométrisation des formes. Théoricien, il s'est principalement intéressé à l'art et son rôle social.
Bibliogr. : In : *Diction. de l'art mod. et contemp.*, Hazan, Paris, 1992.

KUBIERSCHKY Erich
Né le 10 juin 1854 à Frankenstein. Mort en 1944. XIXe-XXe siècles. Vivant à Munich. Allemand.
Peintre de paysages.
Élève de Gussow à l'Académie de Berlin ; il fit un voyage d'études en Allemagne. Professeur à l'Académie de Leipzig. Médaille à Munich en 1890. Diplôme à Dresde en 1892. Mention honorable à Paris en 1900 (Exposition Universelle).
Musées : Berlin : *Paysage en Silésie* – Breslau, nom all. de Wroclaw : *Inondation* – Leipzig : *Paysage printanier*.
Ventes Publiques : New York, 24 jan. 1980 : *Paysage à la tombée du jour* 1892, h/pan. (67,3x110) : **USD 6 500** – New York, 13 fév. 1985 : *Paysage à l'étang au crépuscule* 1892, h/pan. (67,2x111) : **USD 5 000** – Londres, 26 juin 1987 : *Vue d'un village de Bavière* 1896, h/pan. (19x28) : **GBP 5 500**.

KUBIN Alfred
Né le 10 avril 1877 à Leitmeritz (Bohême). Mort le 20 août 1959 à Zwickledt (Haute-Autriche). XXe siècle. Actif depuis 1906 en Autriche. Tchécoslovaque.
Peintre, dessinateur, graveur, illustrateur. Fantastique.
Son père, ancien officier de l'armée impériale, était géomètre, d'abord fixé à Salzbourg, puis à Zell-am-See. Sa mère étant morte alors qu'il n'avait que dix ans, son père se remaria par deux fois, ne lui manifestant que peu d'affection. Dès l'enfance, il ne s'intéressait qu'au dessin, y montrant d'emblée une imagination morbide, en tout cas, une attirance pour les sujets fantastiques. Il fut placé à l'école des arts appliqués de Salzbourg, mais il était sans doute de ces enfants qui s'accommodent difficilement d'une scolarité, quelle qu'elle soit, ainsi en fut-il renvoyé, en 1892. Il entra alors en apprentissage chez un parent photographe, à Klagenfurt, sans arriver à s'intéresser à cette activité et, en octobre 1896, il fit une tentative de suicide sur la tombe de sa mère. En 1897, au bout de trois mois de service militaire, il fut frappé d'une grave dépression nerveuse. Il pensa alors de nouveau devenir peintre, et s'inscrivit en 1898 dans l'atelier de Schmidt-Rottluff et à l'académie des beaux-arts de Munich, où il travailla jusqu'en 1901. En 1903, il vendit à un amateur une certaine quantité de ses dessins qui furent reproduits dans un album. Il était alors fiancé avec une jeune fille, dont la mort subite le replongea dans une crise morale du même ordre que celle qu'avait provoquée la mort de sa mère. En 1904, il rencontra une jeune veuve, Hedwig Gründler, avec qui il vivra jusqu'à sa mort en 1948. Cette union lui apporta quelque répit et il effectua des voyages en France, où il rencontra Odilon Redon, en 1906, à Paris, et en Italie. C'est à cette époque qu'il se fixa définitivement en Haute-Autriche à Zwickledt-bei-Wernstein, dans la région de Passau, choisissant de vivre à l'écart, à la campagne qui convenait mieux à ses humeurs sombres que les grands centres intellectuels et artistiques, comme Berlin, Munich, Vienne ou Prague. C'est en 1907, que la mort de son père, de qui il s'était rapproché, occasionna une rechute de ses troubles psychiques ; sous ce choc, il écrivit le roman fantastique autobiographique *Die andere Seite* (L'Autre Côté). Kandinsky, lorsqu'avec ses camarades russes et allemands, estima nécessaire de regrouper les forces vives et diverses de la jeune école munichoise, et fonda en 1909, la Nouvelle Association des artistes, y appela Kubin. En 1911, celui-ci fut appelé aussi à participer au nouveau groupe beaucoup plus restreint du Blaue Reiter (Cavalier bleu). Il fit un second voyage à Paris, en 1914, sans conséquences sur son évolution.
En 1902, une exposition de ses œuvres à Berlin passa inaperçue ; il participa ensuite à certaines manifestations publiques des artistes de son temps, notamment à celles de 1909 et 1910 organisées par la Nouvelle Association des artistes, en 1913 à l'historique premier *Erbstsalon*, Salon d'Automne de Berlin. Après la guerre de 1914-1918 eut lieu à Munich, une première exposition de son œuvre. L'Albertina de Vienne organisa une grande rétrospective, en 1937, pour son soixantième anniversaire. En 1952, à la Biennale de Venise, l'Autriche présenta une importante sélection de ses œuvres. Une intéressante exposition lui fut consacrée à Paris, en 1974. Il a reçu pour son œuvre gravé le Prix national autrichien des beaux-arts en 1951, et, en 1955, un autre prix à la Biennale de São Paulo. Il fut membre de l'académie bavaroise des beaux-arts, à partir de 1949.
Dès sa première période, il se consacrait surtout au dessin et à l'illustration et c'est bien en tant que tel qu'on le considère encore aujourd'hui. Il ne faudrait toutefois pas pour autant négliger son œuvre peint : vers 1900, il peignit à la tempera la série des *Jours de la création* ; de 1903 à 1908 datent d'autres tempera, parmi lesquelles *Spectres marins – Famine – La Steppe ensorcelée*. Il ne fut guère sensible à l'art de ses contemporains, à l'exception de Max Klinger, Munch, Aubrey Beardsley ; cherchant plutôt ses références auprès des maîtres allemands du passé, Mathias Grünewald, Dürer, Manuel Deutsch ou encore auprès de Goya, puis ensuite Odilon Redon, James Ensor ; il connaissait aussi sans doute Jacques Callot et les illustrateurs romantiques Daumier, Grandville, Félicien Rops. Ce fut probablement durant son exposition de 1902 que Thomas Mann le connut, puis le choisit en 1903, pour illustrer un choix de ses nouvelles. Dans la suite, sans doute à cause de l'aspect que l'on dit littéraire de son œuvre, les mouvements d'admiration qu'il rencontra vinrent très souvent de la part d'écrivains relevant plus ou moins du fantastique : dès 1912, Kafka parle dans son journal de ce peintre étrange, et il paraît assuré que le récit autobiographique *Die andere Seite* (L'Autre Côté) que Kubin rédigea en 1907 et qui fut traduit en français en 1964, eut une influence sur la propre écriture de Kafka ; ensuite André Breton et Jean Paulhan ne restèrent pas indifférents à son art visionnaire. Dans tous les pays de l'art germanique, il a suscité l'admiration d'un grand nombre d'écrivains. Indifférent à son époque, demeurant étranger aux préoccupations intellectuelles et plastiques des artistes de son temps, il vivait retiré dans un monde fantastique qui l'isolait, illustrant les écrivains du romantisme de l'étrange : Edgar Poe, Dostoïevsky (*Le Double* 1913), Oscar Wilde, Barbey d'Aurevilly (*Les Diaboliques* 1921), Balzac, Flaubert, Gérard de Nerval, H. C. Andersen, etc. L'art de Kubin n'exprimait aucune préoccupation formelle, comme celle se rattachant au cubisme

que l'on trouve dans l'œuvre de Feininger, au fauvisme comme chez Jawlenski, à l'orphisme de Delaunay chez Marc et Macke, à l'abstraction naissante chez Kandinsky et Klee ; au-delà de son imagination fantastique à travers laquelle il se libérait de ses souvenirs et hallucinations morbides, son œuvre restait fidèle à un traditionalisme formel plus prêt de Callot, Goya et de Georg Grosz. Ce qui caractérise les visions fantastiques et souvent macabres de Kubin est qu'il semble en surmonter l'angoisse, malgré ce que l'on sait de son propre état mental qui nécessita des internements à plusieurs reprises, et par l'introduction d'éléments puisés au robuste fonds de l'art populaire autrichien, et par une attitude humoristique de dérision envers ses phantasmes, ce qui lui donne une place très particulière entre les précurseurs de l'humour noir surréaliste. ■ Jacques Busse

AKubin

Bibliogr. : Doktor Karl Otte : *Kubin-Archiv*, Rowohlt, Hambourg, 1957 - Edouard Roditi : *Hommage à un voyant - Alfred Kubin*, Prisme des arts, n° 19, Paris, 1959 - Marcel Brion : *La Peinture allemande*, Tisné, Paris, 1959 - Michel Ragon : *L'Expressionnisme*, in : *Hre gle de la peinture*, Rencontre, tome XVII, Lausanne, 1966 - in : *Diction. univer. de la peinture*, Le Robert, tome IV, Paris, 1975 - in : *Diction. des illustrateurs 1800-1914*, Ides et Calendes, Neuchâtel, 1989 - in : *L'Art du XXe s.*, Larousse, Paris, 1991 - in : *Diction. de l'Art mod. et contemp.*, Hazan, Paris, 1992.

Musées : Düsseldorf (Kunstmus. der Stadt) - Linz (Landesmus.) - Mannheim (Kunsthalle) - Paris (Mus. Nat. d'Art Mod.) : *Nachtwandler* 1904 - Sarrebrück (Neuegal.) : *Le Charmeur de serpents* - Vienne (Oberösterreichisches Landesmus.) : *Sumpfpflanzen* 1903-1906 - Zurich (Kunsthaus).

Ventes Publiques : Munich, 20 oct. 1965 : *La Bible*, aquar., suite de 13 : **DEM 11 000** - Berne, 10 juin 1966 : *Don Quichotte*, temp. et h/t : **CHF 7 000** - Munich, 6 déc. 1967 : *Lions se désaltérant* : **DEM 4 400** - Berne, 14 juin 1968 : *Le Martien*, gche : **CHF 10 800** - Zurich, 9 juin 1972 : *Vue de Prague* : **CHF 22 000** - Londres, 28 mars 1973 : *Bords du Danube*, aquar. : **GBP 1 600** - Munich, 28 mai 1974 : *Animal fantastique*, gche : **DEM 21 000** - Hambourg, 3 juin 1976 : *La princesse* vers 1905, peint. à la colle/pap. (25x32,5) : **DEM 12 000** - Munich, 25 nov. 1976 : *La fenêtre* vers 1925, aquar. et pl. (30,5x19,5) : **DEM 5 000** - Munich, 26 mai 1977 : *Le Crucifié* vers 1910, pl. (22,5x16,5) : **DEM 6 400** - Munich, 25 nov. 1977 : *Le fiancé* 1908, techn. mixte (29x35,5) : **DEM 14 000** - Munich, 24 nov. 1978 : *Le sommeil* vers 1905, pl. et lav. (23x25) : **DEM 20 500** - Berne, 21 juin 1979 : *Mélancolie* vers 1908/09, pl. et encre de Chine (26,7x30) : **CHF 13 500** - Vienne, 16 mars 1979 : *La dernière aventure*, pl. et aquar. (14,5x19,2) : **ATS 50 000** - Munich, 28 mai 1979 : *Orchidée* avant 1910, aquar. et encre de Chine (22x26,2) : **DEM 29 000** - Zurich, 28 oct. 1981 : *Nature morte*, h/t (31x24) : **CHF 80 000** - Londres, 29 juin 1983 : *Le Chasseur d'ours* vers 1905, pl. (26x20,5) : **GBP 7 400** - Berne, 22 juin 1983 : *Le Jeune Garçon* vers 1910, aquar., gche et craies coul. (39,8x31) : **CHF 21 500** - Londres, 26 juin 1985 : *Ungemütliche Schlittenfahrt* vers 1898-1899, aquar. pl. et techn. mixte (15x27) : **GBP 11 500** - Munich, 24 nov. 1986 : *Ins Unbekannte* vers 1899, encre de Chine (22x30,6) : **DEM 145 000** - Londres, 27 juin 1986 : *Wunderblume, ou Der leuchtende Baum*, h. et encre noire/pap. (25x36,5) : **GBP 9 500** - Londres, 1er juil. 1987 : *Verfolgungswahn* vers 1903-1904, lav. de gris, pl. et encre de Chine reh. de gche (17x24) : **GBP 12 000** - Paris, 6 mai 1988 : *Port fluvial*, h/bois (23x35) : **FRF 8 000** - Heidelberg, 14 oct. 1988 : *Paysanne touillant dans une écuelle*, aquar. (15,1x10,8) : **DEM 1 200** ; *Deux animaux fabuleux* 1902, encre et aquar. (11,5x8,5) : **DEM 1 900** - Paris, 23 nov. 1989 : *Léda et le cygne*, dess. aquarellé (36,5x24) : **FRF 82 000** - Munich, 26 mai 1992 : *Sorcière au bûcher* 1934, encre et aquar. (31x25,5) : **DEM 13 800** - Heidelberg, 9 oct. 1992 : *Le sultan* 1924, litho./pap. Japon (27,8x32) : **DEM 1 450** - Munich, 1er-2 déc. 1992 : *Les Blasés*, encre (29x25) : **DEM 8 050** - Londres, 20 mai 1993 : *En souvenir d'un ami*, encre et lav./pap. (31,8x8,9) : **GBP 6 900** - Heidelberg, 15-16 oct. 1993 : *Conversation* 1954, encre (29,8x19,4) : **DEM 3 200** - Heidelberg, 5-13 avr. 1994 : *La Nouvelle Face* 1908, encre (16,2x21,6) : **DEM 4 800** - Londres, 30 nov. 1994 : *Nu sur une arête rocheuse*, encre et lav. (9,5x11,4) : **GBP 9 775** - Zurich, 2 déc. 1994 : *Couple au café*, cr. (37x30) : **CHF 1 200** - Berne, 20-21 juin 1996 : *Eva* vers 1915-1920, aquar./traits de pl. et encre de Chine (32,5x44) : **CHF 17 500** - Munich, 3 déc. 1996 : *Printemps dans le Wernstein*, encre noire et aquar./pap. (10,5x15) : **DEM 5 400** - Londres, 4 déc. 1996 : *Gloutonnerie et Résignation devant Satan*, pl. et encre/pap. (14x18) : **GBP 16 100** - Londres, 25 juin 1997 : *Homme au chapeau*, pl. et encre et aquar. et cr./pap. (18,5x13,5) : **GBP 16 100**.

KUBIN Otokar, ou **Ottokar,** ou **Otakar**. Voir **COUBINE Othon**

KUBINSKY Karl

Né le 3 août 1837 à Prague. Mort le 11 octobre 1889 à Munich. XIXe siècle. Allemand.

Peintre de paysages.

Il fut élève de Gude et Flamm à Düsseldorf, de Schleich et Lier à Munich.

Ventes Publiques : Amsterdam, 30 oct. 1990 : *Paysage fluvial au clair de lune avec des pêcheurs et un village au loin* 1872, h/t (29x53) : **NLG 6 325**.

KUBINYI VON DEMANFALVA Sandor

Né le 14 mars 1875 à Skoplie. XXe siècle. Hongrois.

Peintre de paysages, scènes de genre, graveur.

Il fut à Munich, élève d'Hollosy avant de s'établir à Budapest. On cite ses paysages et paysanneries.

KUBISTA Bohumil

Né en 1884 ou 1886 à Vlckovice (Bohême). Mort en 1918 à Prague. XXe siècle. Tchécoslovaque.

Peintre. Polymorphe. Groupe Osma (Les Huit).

Il voyagea en Italie en 1906, et en France, de 1909 à 1910, s'imprégnant des différentes tendances artistiques de l'époque. Pour subvenir à ses moyens, il s'engage dans l'armée austro-hongroise en 1913.

Dès 1907, 1908, il avait exposé avec le groupe *Osma* (Les Huit) de tendance expressionniste, qu'il avait co-fondé avec d'anciens camarades des Beaux-Arts. Il participa aux expositions du groupe d'avant-garde hongrois Nyolcak ainsi qu'à la Nouvelle Sécession de Berlin. Une importante rétrospective de ses œuvres a été organisée pour la première fois en 1993 à Prague au manège Valdstejn, depuis son exposition de 1960 à la galerie Manes à Prague.

Il a traversé toutes les tendances, impressionnisme, expressionnisme, fauvisme, cubisme et futurisme. Parti d'un expressionnisme qui ne devait pas ignorer la période des *Mangeurs de pommes de terre* de Van Gogh : *Hraci* (Le Repas) de 1909, il fut tôt attiré par les échos en Tchécoslovaquie des cubistes de Paris. Le mouvement cubiste eut d'ailleurs une importance tout à fait exceptionnelle à Prague, qui contrebalança, ce qui fut rare en Europe centrale, le fort courant expressionniste. Avec Filla, Prochazka, Capek, Kotik, Justitz, Muzika, sans parler de Kupka, que l'on préfère regarder comme l'un des précurseurs de l'abstraction, bien qu'il ait appartenu en propre au groupe cubiste de Paris, à qui l'on doit peut-être cette orientation de l'école pragoise, Kubista fut l'un des principaux représentants du groupe cubiste de Prague, à quoi le destinait son nom. Ainsi *Saint Sébastien*, de 1912, est directement influencé du cubisme analytique, tel qu'il fut compris et aménagé par La Fresnaye et Lhote.

Bibliogr. : *Catalogue de la galerie nationale de Prague, section art moderne*, Prague - in : *Diction. univer. de la peinture*, Le Robert, tome IV, Paris, 1975 - in : *L'Art du XXe s.*, Larousse, Paris, 1991 - in : *Diction. de l'art mod. et contemp.*, Hazan, Paris, 1992.

Musées : Brno : *Nature morte au café* 1909 - Prague (Gal. Nat.) : *Notre basse-cour* 1907 - *Saint Sébastien* 1912 - *Le Repas*.

KÜBLER

Né vers 1804, probablement d'origine alsacienne. Mort en 1846. XIXe siècle. Français.

Peintre de portraits.

Bibliogr. : In : Catalogue de l'exposition : *Les années romantiques, la peinture française de 1815 à 1850*, Musée des Beaux-Arts de Nantes, 1995-1996 et Galeries nationales du Grand Palais, Paris, 1996.

Musées : Strasbourg (Mus. des Beaux-Arts) : *Portrait d'un préfet* 1829 - *Portrait de Mme Schmitz* 1838 - *Portrait de femme* vers 1840 - *Portrait de Mme Le Béchu, née Koeberlé* vers 1846 - Strasbourg (Mus. histor.) : *Portrait d'Ambroise Burger* 1827 - *Portrait de François Schmitz* 1839 - *Portrait de Mlle Kübler à l'âge de 15 ans* 1841 - *Portrait de Georges Bauer* 1841.

KUBLER Ludwig

Mort après 1868. XIXe siècle. Autrichien (?).

Peintre de scènes animées, animaux.

Ventes Publiques : Vienne, 16 mars 1976 : *Chevaux poursuivis par des chiens*, h/t (55x69) : **ATS 10 000** – Vienne, 17 fév. 1981 : *Chevaux à l'écurie*, h/t (38x47,5) : **ATS 32 000**.

KÜBLER Werner ou **Werli**, l'Ancien
Né le 29 août 1555 à Schaffhouse. Mort en 1586 à Schaffhouse. xvie siècle. Suisse.
Dessinateur et peut-être peintre verrier.
Auteur d'un dessin à la plume, *Le Jugement de Salomon*, daté de 1586, conservé à Berlin.

KÜBLER Werner ou **Werli**, le Jeune
Né le 25 mars 1582 à Schaffhouse. Mort le 15 janvier 1621 à Schaffhouse. xviie siècle. Suisse.
Peintre verrier et dessinateur.
Ses œuvres sont disséminées dans les collections particulières. Quelques dessins de sujets religieux sont à Stuttgart. Son monogramme est *W. K.*

KUBO SHUNMAN. Voir **SHUNMAN**

KUBOTTA CARBAJAL Arturo
Né le 25 mars 1932 à Lima. xxe siècle. Péruvien.
Peintre.
Il a fait ses études à l'école nationale des beaux-arts de Lima entre 1953 et 1960, d'où il est sorti avec une médaille d'or et un grand prix d'honneur en 1960. De 1962 à 1964, il a complété ses études à l'école d'art de Chicago.

KUBOVSKY Eduard
Né le 24 novembre 1866 à Graz (Styrie). xixe-xxe siècles. Autrichien.
Sculpteur.
On cite ses travaux pour l'église franciscaine de Marburg.

KUCEROVA Alena
Née le 28 avril 1935 à Prague. xxe siècle. Tchécoslovaque.
Peintre, graveur, dessinatrice.
De 1950 à 1954, elle fut élève de l'école des arts graphiques de Prague, puis de 1954 à 1959, de l'école des arts appliqués. Elle vit et travaille à Prague. Elle participe aux expositions de la jeune école tchécoslovaque dans son pays et à l'étranger : 1964 Biennale de gravure au musée d'Art moderne de Tôkyô ; 1965 IVe Biennale de Paris au musée d'Art moderne de la Ville ; 1966 XXIIe Salon de mai à Paris ; 1966 *Graphistes de Prague* au Stedelijk museum d'Amsterdam. Elle a montré ses œuvres dans des expositions personnelles : 1965 Prague, 1967 Brno.
Elle procède par assemblage de tissus grossiers, dont elle met en valeur les textures rudes et diversifiées, les coutures y jouant le rôle de graphisme, préciosité du dénuement. Elle réalise également des eaux-fortes.
Bibliogr. : In : Catalogue de l'exposition *De Bonnard à Baselitz – Dix ans d'enrichissements du Cabinet des estampes 1978-1988*, Bibliothèque nationale, Paris, 1992.
Musées : Paris (Cab. des Estampes).

KUCHARSKI Alexander ou **Kokarski, Couaski**
Né le 18 mars 1741 à Varsovie. Mort le 5 novembre 1819 à Sainte-Périne à Paris. xviiie-xixe siècles. Actif en France. Polonais.
Peintre de portraits, pastelliste, miniaturiste.
Il fut tout d'abord page du dernier roi de Pologne. Il commença probablement ses études artistiques à Varsovie, dans l'atelier de Bacciarelli. Une bourse royale lui permit de venir à Paris, où s'accomplit toute sa carrière. De 1760 à 1769, il y suivit les cours de l'Académie Royale de Peinture, dans l'atelier de Vien, après en avoir été lauréat en 1760. Il fut ensuite au service des princes de Condé, de 1776 à 1778, et travailla ensuite essentiellement pour l'aristocratie française et polonaise, celle-ci assez nombreuse en France depuis l'alliance de Louis XV avec Marie Leczinska et le gouvernement de la Lorraine par son père, peignant de nombreux portraits, souvent au pastel, procédé à l'honneur au xviiie siècle. Ses pastels et miniatures le rendirent célèbre à la cour. Après le départ de Madame Vigée-Lebrun, en 1789, il devint peintre de la reine Marie-Antoinette, peignant son portrait et ceux de la princesse de Lamballe, du comte d'Artois, de l'impératrice Catherine II de Russie, une esquisse du dauphin, celle-ci étant conservée au Petit Trianon de Versailles. Il se trouva deux fois de service au Temple, alors que Marie-Antoinette y était détenue, et y exécuta un nouveau portrait, en 1793, qui se trouvait, en 1862, dans la galerie du prince d'Aremberg. Cette effigie figura à l'exposition d'œuvres de l'art français au xviiie siècle, à Berlin, en 1910, sous le nom de Kokarski.
Musées : Versailles (Mus. Lambinet) : esquisse du dauphin.
Ventes Publiques : Paris, 26 mars 1963 : *Portrait de Madame Royale, plus tard duchesse d'Angoulême* : **FRF 121 000** – Monte-Carlo, 20 juin 1987 : *Portrait de Louis XVI* 1789 ; *Portrait de Marie-Antoinette* 1790, h/t, une paire (70,5x55,5) : **FRF 100 000** – Londres, 26 oct. 1994 : *Portrait de la Comtesse Potocka vêtue de blanc, la tête et les épaules*, h/t (66x45) : **GBP 2 875**.

KUCHARSKI Andrzei
xviiie siècle. Polonais.
Peintre d'histoire.
Il fut l'élève de Bacciarelli. Il exécuta des travaux dans l'église de Krosno (Galicie).

KUCHEBECK Hans
xve siècle. Actif à Munich en 1493. Allemand.
Peintre.
Il exécuta des portraits pour le duc de Landshut.

KUCHEL Max
Né le 3 novembre 1859 à Altona. xixe siècle. Allemand.
Paysagiste.
Prit part à l'Exposition de Berlin en 1909.

KUCHEL Théodor
Né le 2 juin 1819 à Altona. Mort le 26 septembre 1885 à Altona. xixe siècle. Allemand.
Peintre.
On lui doit surtout des portraits et des paysages de Suisse et du Tyrol.

KUCHENBUCH Franz
Né le 4 septembre 1812 à Erfurt. Mort le 27 novembre 1896 à Muncheberg. xixe siècle. Allemand.
Peintre et lithographe.
On lui doit plusieurs peintures représentant la cathédrale d'Erfurt.

KU CHENG-I. Voir **GU ZHENGYI**

KU CHÊN-I. Voir **GU ZHENYI**

KÜCHENMEISTER Rainer
Né le 14 octobre 1926 à Ahlen (Westphalie). xxe siècle. Actif depuis 1952 aussi en France. Allemand.
Peintre, peintre de collages. Tendance abstraite.
Il a étudié à l'académie des beaux-arts de Berlin jusqu'en 1950 environ. Fixé à Paris depuis 1952, il y a exposé plusieurs fois en 1962, 1965, 1969, 1975 et a participé à divers Salons : de Mai, Comparaisons dans les années soixante, a été invité à la Biennale de Paris en 1961, à la Documenta de Kassel en 1964, à la Biennale de Venise en 1964, à celle de São Paulo en 1967. Il montre ses œuvres dans des expositions personnelles, notamment en 1992 à Munich, à la galerie Karl&Faber. Il a reçu en 1971 le Grand Prix de la ville de Berlin.
Ses peintures ne se situent pas dans les courants les plus actuels de l'évolution des langages artistiques. Abstraites, en dépit de quelques allusions, plus symboliques qu'imitatives, à une réalité anthropomorphique, elles se caractérisent par la richesse de la matière picturale, diversifiée et prolongée parfois de quelques collages. Quand un Georges Boudaille y voit : « la blanche façade qui s'entrouvre comme un sexe pour laisser apparaître une forme rosée qui, pour abstraite qu'elle soit, n'en est pas moins terriblement suggestive... Il s'en faudrait d'un rien pour que ces abstractions deviennent pornographiques », Catherine Millet plus réservée, écrit : « Rien n'est plus diaboliquement lucide que cette peinture contrôlant, réfrénant les cruautés et les violences de sa propre inspiration. »
Bibliogr. : In : *Diction. univer. de la peinture*, Le Robert, tome IV, Paris, 1975 – Catalogue de l'exposition *Rainer Küchenmeister*, Galerie Karl&Faber, Munich, 1992.
Ventes Publiques : Munich, 26 nov. 1974 : *Figure* : **DEM 6 500** – Cologne, 4 juin 1983 : *Une femme* 1963, h/pan. (124x110) : **DEM 7 000** – Londres, 22 fév. 1990 : *Le Pâle Capitaine* 1961, mélange et h/cart. (109,2x91,7) : **GBP 3 850** – Amsterdam, 2 déc. 1997 : *Ramsès* 1963, h/pan. (122x105) : **NLG 8 072**.

KU-CHIA. Voir **GUJIA**

KU CH'IAO. Voir **GU QIAO**

KU CHIEN-LUNG. Voir **GU JIANLONG**

KU CH'I-FANG. Voir **GU QIFANG**

KUCHLEIN Balthasar
Né vers 1570. xvie-xviie siècles. Actif à Gmünd. Allemand.

Peintre, graveur et dessinateur.
On cite de lui 239 planches dans le style d'Amman Jobst, ayant pour objet les fêtes du mariage du duc Jean-Frédéric de Wurtemberg-Eeck en 1609.

KÜCHLER Albert
Né le 2 mai 1803 à Copenhague. Mort le 16 février 1886 à Rome. XIXe siècle. Danois.
Peintre d'histoire, genre, portraits.
MUSÉES : COPENHAGUE : *La fruitière embarrassée* – *La mariée parée* – *Portrait*.
VENTES PUBLIQUES : COPENHAGUE, 11 avr. 1967 : *Grand-mère habillant son petit-fils* : **DKK 9 000** – COPENHAGUE, 10 mai 1973 : *Scène de cabaret* : **DKK 25 500** – COPENHAGUE, 27 sep. 1977 : *Deux Jeunes Italiennes sur une terrasse* 1837, h/t (43x36) : **DKK 16 000** – STOCKHOLM, 25 avr. 1984 : *Jeunes Italiennes au puits* 1836, h/t (66x79) : **SEK 50 000** – COPENHAGUE, 6 déc. 1990 : *Italiennes avec leurs enfants sur une terrasse à Capri*, h/t (44x34) : **DKK 13 000**.

KUCHLER Alfred G.
Né le 22 août 1891 à Wilhemshaven (Basse-Saxe). Mort le 11 juin 1924 à Hambourg. XXe siècle. Allemand.
Peintre de portraits, graveur.
Il fut à Kiel élève de Handorff. On lui doit surtout des portraits et des études de tête. Il réalisa aussi des lithographies.

KÜCHLER Balthasar
Mort le 24 octobre 1641 à Schwäbisch Gmünd. XVIIe siècle. Allemand.
Peintre et graveur.
On sait surtout qu'il fut un illustrateur de livres. Nagler connaît cependant des peintures et des dessins de cet artiste.

KÜCHLER Carl Gotthelf
Né le 14 octobre 1807 à Taubenheim. Mort en 1843 à Rome. XIXe siècle. Italien.
Dessinateur et graveur.
Il travailla pour le Prince Frédéric de Saxe. On cite ses dessins pour le *Roland Furieux* et des intérieurs d'églises.

KÜCHLER Rudolf
Né le 20 septembre 1867 à Vienne. XIXe-XXe siècles. Autrichien.
Sculpteur de bustes, monuments.
On lui doit le monument édifié à Halle à la mémoire des empereurs d'Allemagne Guillaume Ier et Frederic Ie.
VENTES PUBLIQUES : MONTE-CARLO, 24 sep. 1978 : *Nu debout* vers 1900, bronze (H. 39) : **FRF 6 500** – NEW YORK, 22-23 juil. 1993 : *Personnage féminin*, bronze (H. 38,1) : **USD 1 380**.

KÜCHLIN Jakob
Né le 28 avril 1820 à Diessenhofen. Mort le 14 février 1885 à l'hôpital de Winterthur. XIXe siècle. Suisse.
Peintre de paysages, peintre à la gouache.
Il a peint des chutes du Rhin, des clairs de lune, des panoramas.
VENTES PUBLIQUES : HEIDELBERG, 11 avr. 1992 : *Les îles Borromées*, gche (50,5x70) : **DEM 6 400**.

KUCK A.
XVIIe-XVIIIe siècles. Hollandais.
Peintre de natures mortes.
Le Musée de Stuttgart conserve un tableau (*Nature morte*) signé par cet artiste.

KUCK Gerrit Van
Hollandais.
Dessinateur.
Il n'est connu que par un lavis : *Le Christ et les disciples d'Emmaüs*.

KUCK Symon Van. Voir **KICK**

KUDARA NO KAWANARI. Voir **KAWANARI Kudara**

KUDER René
Né le 23 novembre 1882 à Villé (Bas-Rhin). Mort en 1962. XXe siècle. Français.
Peintre de compositions animées, sujets religieux, aquarelliste, peintre de cartons de vitraux.
Après avoir appris le métier de tourneur sur bois, il étudia à l'École des Arts Décoratifs de Strasbourg, où il obtint une bourse lui permettant d'étudier la peinture à Munich. Après son mariage en 1909, il passa quelques mois à Paris. Au moment de la guerre, il est envoyé en Prusse orientale dans un bataillon de « suspects », mais ses études sur la vie quotidienne au camp furent remarquées par le prince de Saxe qui organisa une exposition de ses œuvres à Munich en 1916. Il obtint une médaille de bronze au Salon des Artistes Français, en 1924, à Paris.
On lui doit les vitraux de l'église de Guebwiller. Il a peint des aspects d'Alsace, de Paris et d'Auvergne, sachant rendre l'instant fugitif entre deux actions.
BIBLIOGR. : Gérald Schurr, in : *Les Petits Maîtres de la peinture 1820-1920, valeur de demain*, Les Éditions de l'Amateur, t. VII, Paris, 1989.
MUSÉES : STUTTGART : *La Multiplication des pains*.

KUDO Kojin
Né le 8 août 1915 à Hirosaki (préfecture de Aomori). XXe siècle. Japonais.
Peintre. Surréaliste.
En 1934, il sort diplômé du département de peinture japonaise de l'école des beaux-arts Kawabata à Kyôto. Il devient alors élève de Toyoshiro Fukuda. Depuis 1964, il est membre de l'Association des jeunes artistes (Shinseisakukai). En 1962 et 1964, il participe à l'exposition d'art japonais contemporain à Tôkyô : il y recevra un prix.

KUDO Tetsumi
Né le 23 février 1935 à Osaka. Mort en 1990 à Osaka ou Tôkyô. XXe siècle. Actif depuis 1962 en France. Japonais.
Sculpteur, auteur de performances.
En 1958, il sort diplômé de l'académie des beaux-arts de Tôkyô. En 1962, il s'installe à Paris, et depuis lors, est une des personnalités marquantes des mouvements Objecteurs et Nouveaux Réalistes. Il participe alors à l'exposition des Artistes Indépendants organisée par le journal *Yomiuri*, avec *Propagation sans limite*, sculpture figurant un bouquet de corail, composée de milliers de nœuds enroulés autour de cadres de fer. En 1962, il reçoit le premier prix à l'Exposition des jeunes artistes d'Asie. Il participe à de nombreuses autres manifestations : 1963 Biennale de Paris, 1970 Kunstverein de Cologne, 1974 Kunsthalle de Düsseldorf, 1976 et 1979 musée d'Art moderne de Paris, 1977 Biennale de São Paulo, 1981 National Museum of modern Art de Tôkyô, 1992 *De Bonnard à Baselitz – Dix ans d'enrichissements du Cabinet des estampes 1978-1988* à la Bibliothèque nationale de Paris.
Ses séries de happenings, tels *Philosophie de l'impuissance* (1962) et *Harakiri de l'humanisme* (1963), tendent à mettre en acte ses propres pensées, tandis que *Votre Portrait* cherche à décrire le corps humain, rongé par l'acide, gonflé et grotesque, fragments épars retenus entre eux par des lambeaux de chair, avec comme contrepoids des objets usuels. Au premier abord, cela se présente comme des boîtes fermées ressemblant à des dés. Ouvertes, des sirènes se mettent à hurler, des yeux et des bouches s'ouvrent subitement, des membres se mettent en mouvement de sorte que le spectateur ressent une sorte d'agression brusque et impressionnante. Le fond des recherches de Kudo concerne la venue d'un homme nouveau, comme le prouve son attitude provocante vis-à-vis de la mort. Dans *Vous êtes une métamorphose* ou *Hommage à la jeune génération – Le Cocon ouvert*, il nous éclaire sur ses conceptions de la vie et de la mort. En 1971, il coopère avec Eugène Ionesco pour son film *La Boue* : il fait un moulage de Ionesco qu'il coupera en morceaux ultérieurement, le transformant en une série. Dans *Electro-circuit*, il se demande comment l'homme peut vivre à l'ère électronique, traduisant aussi son angoisse devant la mort de l'art. ■ J. B.
BIBLIOGR. : In : *Contemporary Artists*, Mac Millan Publishers, Londres, 1983 – in : *L'Art du XXe s.*, Larousse, Paris, 1991 – in : *Diction. de l'art mod. et contemp.*, Hazan, Paris, 1992.
MUSÉES : AMSTERDAM (Stedelijk Mus.) : *Portrait de Ionesco* – GAND (Mus. d'Art Contemp.) – HUMLEBAEK (Louisiana Mus.) – PARIS (Mus. Nat. d'Art Mod.) – PARIS (Cab. des Estampes) – TÔKYÔ (Hara Mus.).
VENTES PUBLIQUES : PARIS, 6 avr. 1973 : *Petit jardin avec miroir* : **FRF 5 250** – PARIS, 17 nov. 1977 : *Pollution, civilisation, nouvelle écologie* 1971-1973, assemblage de matériaux divers (67x56x15) : **FRF 3 500** – PARIS, 26 nov. 1984 : *Première boîte*, techn. mixte (95x95x92) : **FRF 11 500** – LONDRES, 25 juin 1986 : *Cage* 1968, métal et plastique (28x37x25) : **GBP 1 400** – PARIS, 17 juin 1988 : *Souvenirs*, métal, bois et plastique, sculpture (31x34x22) : **FRF 28 500** – PARIS, 21 mars 1992 : *Portrait d'artiste*, assemblage d'objets (25x27,5x18) : **FRF 29 000** – PARIS, 14 mai 1992 : *Cultivation, cage métallique à décor surréaliste* 1971, techn. mixte (20x13x23) : **FRF 10 000** – PARIS, 22 déc. 1992 : *Promenade dans les chromosomes de l'hérédité*, cage sculpt. (28x31x20) : **FRF 9 500** – PARIS, 7 juin 1994 : *Sans titre* 1973, sculpt. fleurs et

cactus (46x21x23) : **FRF 6 200** – PARIS, 10 juin 1996 : *Bouddha à Paris* 1977, techn. mixte dans une cage à oiseaux dans un emboîtage en Plexiglas (44x46x23) : **FRF 25 000** – PARIS, 1er juil. 1996 : *For your living-room for nostalgic purposes* vers 1966, objet peint suspendu dans une cage (22x25x16) : **FRF 26 000**.

KUDRIASHEV Ivan A. ou **Koudriachov, Kudrischov**
Né en 1896. Mort en 1972. XXe siècle. Russe.
Peintre, peintre à la gouache, aquarelliste, dessinateur, décorateur. Suprématiste.

Il fut élève de l'Institut de peinture, de sculpture et d'architecture de Moscou, de 1913 à 1917, puis de Malevitch aux ateliers d'Art libre de SVOMAS à Moscou, en 1918 et 1919. Il participa au mouvement suprématiste, aux côtés de Malevitch et Klioune. En 1919, représentant SVOMAS, il se rendit à Orenburg et figura à la première exposition d'État, proposant des panneaux suprématistes destinés à la décoration du premier théâtre soviétique en 1920, projet qui fut exposé en 1924 à Amsterdam. En 1922, il participa à la *Première Exposition d'Art Russe* à Berlin. Il participa à partir de 1925 et jusqu'en 1928 aux expositions de l'O.S.T. (Société des Peintres de chevalet) à Moscou. Après 1928, pendant l'ère stalinienne et les proscriptions culturelles, il cessa de peindre. En 1977, il était représenté à l'exposition du Musée d'Art Moderne de la Ville de Paris *Aspects historiques du Constructivisme et de l'Art concret*.
En tant que graphiste, il travailla à la propagande. Après des peintures cubo-futuristes de ses débuts, son œuvre personnel est essentiellement composé de gouaches et aquarelles, et entièrement marqué par l'abstraction suprématiste.
BIBLIOGR. : In : *Diction. Univers. de la Peint.*, Le Robert, Paris, 1975.
VENTES PUBLIQUES : LONDRES, 1er juil. 1970 : *Constructivisme*, aquar. et cr. : **GBP 700** – LONDRES, 3 déc. 1980 : *Composition constructiviste* 1924, aquar. (15,2x15,2) : **GBP 1 300** – LONDRES, 1er déc. 1987 : *Composition abstraite* vers 1920, gache et aquar. (22x36,5) : **GBP 4 600** – LONDRES, 18 mars 1988 : *Composition* 1920, gche et cr. (20,2x35) : **GBP 2 750** – LONDRES, 6 oct. 1988 : *Composition suprématiste*, aquar./pap. (23,9x35,5) : **GBP 4 180** ; *Composition suprématiste* 1920, aquar./pap. (20,5x35) : **GBP 2 200** – NEW YORK, 10 nov. 1992 : *Composition*, gche et aquar./pap. (18,5x35,5) : **USD 3 960** – MILAN, 10 nov. 1992 : *Composition suprématiste* 1920, cr., temp. et aquar. (26,5x37,5) : **ITL 5 000 000**.

KUDRIAWZEFF Michail Andreiewitch ou **Koudriavzeff**
Né le 13 novembre 1847 à Twerj. Mort le 10 octobre 1872. XIXe siècle. Russe.
Peintre de genre, aquarelliste.

Il exposa des aquarelles à Moscou à partir de 1868.
MUSÉES : MOSCOU (Gal. Tretiakov) : *Jeune paysan*.

KUDRREKOFF Jefim Matweiewitch
XIXe siècle. Actif à Moscou dans la première moitié du XIXe siècle. Russe.
Graveur.

On cite de lui : *Portraits du Tzar Alexandre Ier et de son épouse*.

KUECHLER Carl Hermann
Né le 6 mai 1866 à Ilmenau. Mort en 1903 à Berlin. XIXe siècle. Allemand.
Peintre de genre, dessinateur, illustrateur.

Il fut avant tout un dessinateur de presse.
VENTES PUBLIQUES : LONDRES, 5 oct. 1990 : *Aux courses*, h/cart. (30x24) : **GBP 3 520** – LONDRES, 19 juin 1991 : *Promenade*, h/cart. (37x60) : **GBP 4 400**.

KUEHL Gotthardt Johann, ou **Gottbardt** ou **Kühl**
Né le 28 novembre 1850 à Lübeck. Mort le 9 janvier 1915 à Dresde. XIXe-XXe siècles. Allemand.
Peintre de genre, paysages, paysages urbains, intérieurs.

Il commença ses études à l'Académie des Beaux-Arts de Munich avec Diez (1871-1879), puis vint passer plusieurs années à Paris où il reçut des conseils de Fortuny. En 1893, il fut l'instigateur de la création du groupe Sécession de Dresde. Il était professeur à l'Académie de Dresde. Il signait « Gottbardt Kuehl ».
Il prit une part active aux expositions de Paris et y obtint une mention honorable en 1884, une troisième médaille en 1888, hors concours en 1889 (E. U.), médaille d'or en 1900, Chevalier de la Légion d'honneur en 1900, il fut promu au grade d'officier en 1905. Il exposa également à Munich et y fut médaillé en 1888 et 1905 ; il fut aussi médaillé à Berlin en 1891 et 1896. Gottbardt Kuehl était membre honoraire de l'International Society of Painters, Sculptors and Gravers, de Londres, et de la Société Nationale des Beaux-Arts de Paris.
MUSÉES : BERLIN : *Maison de vieillards à Lübeck* – BRÊME : *Le pont d'Auguste à Dresde* – BUCAREST : *Vue de Dresde* – *Intérieur d'église* – KALININGRAD, ancien. Königsberg : *Pont à Dresde* – LEIPZIG : *Maison des orphelins à Dantzig* – MONTRÉAL (coll. Larmont) : *Les deux amis* – MUNICH : *Minuit le Dimanche en Hollande* – STRASBOURG : *Vieillard* – STUTTGART : *Intérieur d'église*.
VENTES PUBLIQUES : PARIS, 21 juin 1900 : *Chez le brasseur* : **FRF 1 080** – LONDRES, 3 avr. 1909 : *Lisant le journal* : **GBP 30** – LONDRES, 13 déc. 1909 : *Le Cireur de bottes* : **GBP 33** – PARIS, 13 juin 1923 : *Le chanteur* : **FRF 500** – LONDRES, 4 sep. 1941 : *Intérieur avec joueurs de cartes* : **GBP 47** – PARIS, 12 mars 1945 : *Le crieur de journaux* : **FRF 5 000** – LOS ANGELES, 27 mai 1974 : *La chorale de l'église* : **USD 6 500** – MUNICH, 29 mai 1976 : *Le réfectoire des jeunes filles* vers 1885, h/pan. (88x125) : **DEM 14 000** – MUNICH, 24 nov. 1977 : *Intérieur d'un palais*, h/t (68x57) : **DEM 2 400** – COLOGNE, 19 oct 1979 : *Le Menuisier*, h/t (95x77) : **DEM 16 500** – COLOGNE, 22 mars 1980 : *Intérieur d'église*, gche (54x47) : **DEM 2 200** – COLOGNE, 20 mars 1981 : *Chez l'antiquaire* 1881, h/bois (23,5x18) : **DEM 6 500** – LONDRES, 28 nov. 1985 : *La Présentation*, h/pan. : **GBP 4 100** – VIENNE, 24 sep. 1987 : *Vue de Dresde*, h/t mar. (92x68) : **ATS 100 000** – MUNICH, 18 avr. 1988 : *Dresde, vue de l'opéra et de la Hofkirche*, h/cart. (91x67,5) : **DEM 41 800** – COLOGNE, 20 oct. 1989 : *À l'église*, h/pan. (39,5x50) : **DEM 7 000** – MUNICH, 26-27 nov. 1991 : *Classe de jeunes filles*, gche (30x46) : **DEM 2 070** – NEW YORK, 26 mai 1994 : *Après-midi ensoleillé dans un parc* 1905, h/t (81,3x127) : **USD 19 550** – NEW YORK, 1er nov. 1995 : *Amoureux au café*, h/pan. (42,9x32,1) : **USD 31 050** – MUNICH, 25 juin 1996 : *Vue de Dresde*, h/cart. ovale (75,5x61) : **DEM 16 800**.

KUEHN Gary
Né à Plainfield (New Jersey). XXe siècle. Américain.
Sculpteur, peintre. Minimaliste.

Il participe à des expositions collectives : 1967 Herron Museum d'Indianapolis, 1968 Whitney Museum de New York, 1969 Kunsthalle de Berne, 1977 Documenta de Kassel, 1980 Allen Memorial Art Museum Oberlin College (Ohio). Il montre ses œuvres dans des expositions personnelles à New York depuis 1966, au Kunstverein de Cologne en 1967, à Turin, Copenhague, Los Angeles, Berlin, Stuttgart.
Par simplification radicale de la forme, il a participé au courant du minimal art. Il utilise pour ses constructions l'acier, le bois et la fibre de verre.
BIBLIOGR. : In : *Contemporary Artists*, Mac Millan Publishers, Londres, 1983.

KUEHNE Max. Voir **KÜHNE Max**

KUEI CH'ANG-SHIH. Voir **GUI CHANGSHI**

KUEI CHUANG. Voir **GUI ZHUANG**

KUEI MING-YUNG. Voir **GUI MINGYONG**

KUEI TSU-MING. Voir **GUI ZHUANG**

KUEN Franz Anton
XVIIIe siècle. Actif à Bregenz. Allemand.
Sculpteur et architecte.

Il fut chargé de travaux de décoration pour des églises, entre autres à Messkirch et à Weingarten. Est-ce le même Kuen, dont on voit des sculptures baroques, dans l'esprit de Braun et de Pacak, dans la Galerie Nationale de Braslav, près de Prague ?

KUEN Franz Martin
Né en 1719 à Weissenhorn. Mort le 30 janvier 1771 à Linz. XVIIIe siècle. Allemand.
Peintre de compositions religieuses, fresquiste. Rococo.

D'une famille de peintres de Weissenhorn, il fut élève de Johann Bergmüller à Augsbourg vers 1737. À la fin de sa vie, il fut appelé au poste de directeur de l'Académie de Prague.
Il devint l'un des meilleurs fresquistes de son temps en Allemagne du Sud. Il exécuta, en 1741, des décorations à la Wegerkirche d'Ulm, puis en 1744, à la coupole de la bibliothèque du couvent de Wiblingen. Il se rendit à Rome et à Venise en 1746, revint travailler à Baindt ainsi qu'à Roggenburg. Régulièrement ensuite, il peignit à fresque des décorations pour des églises du Sud de l'Allemagne : en 1750, Mindezell ; 1751, Illertissen et Matzenhofen ; 1752, Krumbach et Altenhofen ; 1753, Fischach ; 1760, Niederhausen ; 1764, Rennertshofen ; 1768, Erbach ; 1769, Scheppach. La fraîcheur de son coloris, l'envolée de ses compo-

sitions, son goût pour l'ornement, montrent combien il est représentatif du style rococo allemand.
Bibliogr. : In : *Diction. de la peint. allemande et d'Europe centrale*, coll. Essentiels, Larousse, Paris, 1990.
Musées : Augsbourg.

KUEN Johann Jakob
Né en 1681 à Weissenhorn. XVIIIe siècle. Allemand.
Peintre.
Décorateur d'églises, il travaillait dès 1707 à Illerbachen, mais reçut surtout des commandes dans sa ville natale.

KUENINCXLOO. Voir **CONINXLOO Pieter Van I**

KUESEL Johanna Christina ou **Küsel, Küssel**
Née le 21 juin 1665 à Augsbourg. XVIIe siècle. Allemande.
Dessinateur et graveur à l'eau-forte.
Fille de Melchior Küsel. Elle a gravé des paysages et des fleurs et 100 petites pièces, sujets de l'Ancien et du Nouveau Testament.

KUESEL Johanna Sibilla ou **Küsel** ou **Küssel**, Mme **Johann Ulrich Kraus**
Née vers 1650 à Augsbourg. Morte le 15 janvier 1717. XVIIe-XVIIIe siècles. Allemande.
Graveur au burin.
Fille et élève de Melchior Küsel, elle épousa le graveur Johann-Ulrich Kraus. Elle grava principalement des sujets mythologiques et des batailles. Elle signait *J. S. K.*

KUESEL Maria Magdalena ou **Küssel**
XVIIe-XVIIIe siècles. Active à Augsbourg. Allemande.
Graveur.
Fille de Melchior Küsel.

KUESEL Matthäus ou **Küsel, Küssel**
Né le 12 février 1629 à Augsbourg. Mort en 1681 à Munich. XVIIe siècle. Allemand.
Dessinateur et graveur à l'eau-forte et au burin.
Il a surtout gravé des portraits et des sujets religieux.

KUESEL Melchior ou **Küsel**
Né le 17 août 1626 à Augsbourg. Mort vers 1683. XVIIe siècle. Allemand.
Dessinateur et graveur à l'eau-forte et au burin.
Frère cadet de Matthäus Kuesel, il commença son éducation à Augsbourg, puis alla à Francfort travailler avec Mérian, dont il épousa la fille. Il eut trois filles, Sybilla, Christine et Magdalena, qui furent également graveurs.
Il se montra artiste accompli et ses œuvres ont un réel mérite. Son œuvre est important, on cite notamment 148 pièces gravées à l'eau-forte d'après les dessins de Williem Baur, désignées sous le titre de *Miniatures de l'Empereur* et représentant les scènes de la vie du Christ, des paysages d'Italie, des marines, des vues de villes et des allégories.

KUETNER Samuel
Né le 13 janvier 1747 à Wendischossig. Mort le 10 septembre 1828 à Mitau (nom allemand de Ielgava, Lettonie). XVIIIe-XIXe siècles. Allemand.
Graveur au burin.
Il a gravé des portraits et des sujets de genre.

KU FANG. Voir **GU FANG**

KÜFFER Johann Samuel Friederich
Né le 17 mai 1844 à Berne. XIXe siècle. Suisse.
Sculpteur.
Travailla à Berne, à Ammergau et à Genève. En 1886 il partit pour l'Amérique du Sud. On admira de lui à l'Exposition de 1866 à Berne un *Crucifix* en terre cuite.

KÜFFNER Abraham Wolfgang
Né sans doute le 2 février 1760 à Grafenberg. Mort en 1817 à Ingolstadt. XVIIIe-XIXe siècles. Allemand.
Peintre, dessinateur et graveur au burin.
Il a gravé des portraits, des sujets d'histoire et des paysages. Il travailla à Nuremberg presque exclusivement pour l'illustration. S'étant mêlé de fabrication de fausse monnaie, il fut emprisonné en 1807 à Rottenberg. Après sa libération il revint vivre à Nuremberg.

Ventes Publiques : Zurich, 20 mai 1977 : *Le sabbat des sorcières* 1790, h/t (31,5x25) : **CHF 2 400**.

KÜFNER Paul
Né sans doute en 1713 à Nuremberg. Mort le 12 juillet 1786 à Nuremberg. XVIIIe siècle. Allemand.
Graveur.
Il grava surtout des cartes géographiques et des plans de villes.

KU FU. Voir **GU FU**

KU FU-CHÊN. Voir **GU FUZHEN**

KUGA Janis
Né en 1878 à Ikskile. XXe siècle. Russe-Letton.
Peintre, peintre de décors de théâtre.
Il étudia à Saint-Pétersbourg et Paris, où il reçut les conseils de Van Dongen. Il accomplit sa carrière à Riga, où il peignit de nombreux décors de théâtre. Il fut professeur à l'académie des beaux-arts, dont il fut recteur à partir de 1934. À Paris, il figura en 1939, à l'exposition *Art de la Lettonie*.

KUGEL Georg
Né le 4 janvier 1848 à Erfurt. XIXe siècle. Allemand.
Sculpteur.
Il travailla à Nuremberg, à Munich et surtout à Eisenach. Il exécuta des commandes pour l'église Saint-Nicolas à Erfurt, pour l'Hôtel de Ville et la cathédrale de cette même cité.

KÜGELGEN Carl Ferdinand von
Né le 6 février 1772 à Bacharach. Mort le 9 janvier 1832 près de Reval. XVIIIe-XIXe siècles. Allemand.
Peintre de paysages.
Frère jumeau de Gérhard von Kugelgen. Élève de Schutz à Francfort-sur-le-Main et de Fesel à Würzburg. Protégé par l'Électeur de Cologne Maximilien, il partit pour Rome en 1791 et y séjourna plusieurs années. Voyagea en Russie et s'y établit en 1803. Membre des Académies de Saint-Pétersbourg et de Berlin.
Ventes Publiques : Cologne, 16 juin 1978 : *Vue d'Athènes avec l'Acropole*, h/t (47x68) : **DEM 16 000**.

KÜGELGEN Constantin von
Né le 18 janvier 1810 à Wolsk sur la Volga. Mort le 10 mai 1880 à Dorpat. XIXe siècle. Allemand.
Paysagiste.
Fils de Carl von Kugelgen. Peintre de la cour de Russie, il travailla en Russie et en Allemagne.

KÜGELGEN Erich von
Né le 30 décembre 1870 à Mulhausen (Thuringe). XIXe-XXe siècles. Allemand.
Peintre de paysages.
Il passa sa jeunesse à Dorpat, puis s'établit à Berlin.

KUGELGEN Franz Gerhard von
Né le 6 février 1772 à Bacharach. Mort le 27 mars 1820, assassiné. XVIIIe-XIXe siècles. Allemand.
Peintre d'histoire et de portraits.
La carrière de Franz-Gerhard et de son frère jumeau Carl-Ferdinand semble appartenir au domaine romanesque. Leur père était au service de l'Électeur de Cologne. Les deux jumeaux ayant commencé leurs études à Coblence avec Zich, le prince se chargea des frais de leur séjour à Rome pour y parfaire leur éducation. Gerhard s'adonna à la peinture d'histoire et au portrait tandis que Carl étudiait plus particulièrement le paysage. Gerhard, après avoir vécu quelque temps à Munich, se rendit à Riga et les deux frères allèrent à Pétersbourg. Les deux jumeaux épousèrent deux sœurs d'une noble famille de Courlande. Tandis que Carl demeurait en Russie où le tzar Paul l'avait nommé peintre de la Cour, Gerhard allait s'établir à Dresde et s'y installait parmi les maîtres ; en 1813 il était nommé professeur à l'Académie. Ses portraits, parmi lesquels il convient de citer ceux de Goethe, Wieland, Schiller, Herder et le sien propre, ont un mérite sérieux. Il fut assassiné par un soldat devenu voleur de grand chemin. On conserve de ses œuvres au Musée de l'Université en Russie, *l'Enfant prodigue* (à la Galerie de Dresde), *Moïse, Le Christ, Mahomet, Le conseiller Dorrieu* (à la Galerie de Leipzig).

Ventes Publiques : Paris, 13 nov. 1923 : *Portrait de jeune femme en buste*, miniat. : **FRF 720**.

KÜGELGEN Sally von
Née le 2 mars 1860 à Dorpat. XIXe siècle. Russe.

Peintre d'histoire et de portraits.
Elle travailla pour l'église Saint-Charles à Reval puis, à partir de 1890, s'établit à Rome.

KÜGELGEN Wilhelm von
Né le 20 novembre 1802 à Saint-Pétersbourg. Mort le 25 mai 1867 à Ballenstadt. XIXe siècle. Russe.
Peintre d'histoire.
Fils de Gerhard von Kugelgen, élève de Hartmann, il fit ses études à Dresde et à Rome ; il travailla en Russie de 1827 à 1830 et y peignit un *Crucifiement* pour une église de Revel. Il fut nommé peintre de la cour du duc Alexandre de Bernburg en 1839.

KUGGE Louis ou **Lucien Gaston**
XIXe siècle. Actif à Paris. Français.
Peintre.
Élève de Demay et de E. Vimont. Exposa au Salon. Mention honorable en 1899 ; médaille de bronze en 1900 (Exposition Universelle).

KUGLER Franz Theodor
Né le 19 janvier 1808 à Stettin. Mort le 18 mars 1858 à Berlin. XIXe siècle. Allemand.
Graveur et dessinateur.
Bien que dessinateur et graveur, ce fut comme critique d'art qu'il se fit une notoriété. Après la fondation de son journal artistique *Le Museum* (1833), il fut nommé professeur d'histoire de l'art et d'esthétique à l'Académie de Berlin. Comme graveur on cite de lui un livre de croquis à l'eau-forte publié en 1830 en collaboration avec le peintre Remick, et un volume illustré de chants allemands pour artistes (1833).

KUGLER Georg
Né à Bietigheim. XVe-XVIe siècles. Allemand.
Peintre.
A partir de 1510 il s'établit et travailla à Heilbronn.

KUGLER Hans
Né le 23 juillet 1840 à Berlin. Mort le 12 décembre 1873 à Munich. XIXe siècle. Allemand.
Peintre de paysages et de portraits.
Élève de Böcklin, à Weimar, il séjourna par la suite quelque temps à Rome.

KUGLER Louise
Née le 10 octobre 1811 à Stettin. Morte le 6 septembre 1884 à Brême. XIXe siècle. Allemande.
Peintre de portraits et de fleurs.
En 1849, elle s'établit à Brême et s'intéressa peu à peu à la peinture d'arabesques généralement aquarellées.

KUGLER Louise. Voir aussi **BOURDON**

KUGLER Pal Ferenc
Né le 11 mars 1836 à Oedenburg. Mort le 11 avril 1875 à Vienne. XIXe siècle. Autrichien.
Sculpteur.
Il travailla à Budapest et à Oedenburg. Les Musées et les églises de ces deux villes, surtout l'église Saint Michel d'Oedenburg, conservent des œuvres de cet artiste.

KU HAO-CH'ING. Voir **GUHAOQING**

KUHBEIL Carl Ludwig
Né en 1770. Mort le 18 avril 1823 à Berlin. XVIIIe-XIXe siècles. Allemand.
Peintre d'histoire, dessinateur et graveur.
Élève de l'Académie de Berlin. En 1811 il fut élu membre de cette Académie et en 1819 professeur et membre du conseil académique. Il visita Rome et Florence et peignit des tableaux d'histoire ; comme graveur, on cite de lui 57 planches d'études d'après les maîtres florentins dessinées et gravées par lui, et 12 vues des environs de Rome.

KÜHL Gotthardt. Voir **KUEHL Gotthardt Johann,** ou **Gottbardt**

KÜHL Karl
Né le 17 novembre 1864 à Altona. XIXe siècle. Allemand.
Sculpteur.
Il travailla surtout à Hambourg où il fut le collaborateur d'Aloys Denoth. Il se spécialisa dans les sculptures en bois.

KÜHLEMANN Carl Gottlob
Mort le 31 mars 1813 à Dresde. XIXe siècle. Allemand.
Dessinateur et graveur.
Il exécuta de nombreuses vues panoramiques et des plans de Dresde et de Meissen.

KÜHLEN Franz
Né à Munich (Bavière). XIXe siècle. Allemand.
Peintre et lithographe.
Il peignit des tableaux religieux dont certains copiés d'après les maîtres de la Renaissance italienne.

KÜHLENTHAL Ludwig
Né le 13 octobre 1805 à Rees. Mort le 31 décembre 1866 à Zofingen en Suisse. XIXe siècle. Allemand.
Peintre.
Étudia à Düsseldorf, puis voyagea en Italie. Se fixa à Coire pendant huit ans comme professeur de dessin et s'y maria. Se fixa ensuite à Zofingen. La mort le surprit dans un grand travail destiné à l'Hôtel de Ville de Zofingen : *Agis, mort* ! Il laissa dix enfants qui ont hérité du talent de leur père.

KÜHLES August
Né le 8 août 1859 à Würzburg. Mort le 14 décembre 1926 à Munich. XIXe-XXe siècles. Allemand.
Peintre.
Prit part à l'Exposition de Berlin en 1909.

KÜHLING Wilhelm
Né le 2 septembre 1823 à Berlin. Mort le 25 janvier 1886 à Berlin. XIXe siècle. Allemand.
Peintre de portraits, animaux, paysages animés, paysages.
Visita la Suisse, la France, l'Italie. Il peignit beaucoup de vues de Bavière. Il exposa à Berlin en 1876, *Portrait de la princesse Louise de Mecklembourg* (Berlin, Académie des Beaux-Arts), *Matin d'automne, Forêt, Le Retour* (Berlin, Académie des Beaux-Arts).
Musées : Cologne : *Laboureurs*.
Ventes Publiques : Cologne, 23 oct. 1981 : *Paysage fluvial alpestre*, h/pan. (20x27) : **DEM 7 000** – Vienne, 29-30 oct. 1996 : *Bétail dans un pré* 1876, h/t (70x103) : **ATS 69 000**.

KUHLMAN Walter
Né en 1918. XXe siècle. Américain.
Peintre.
Musées : San Francisco (Mus. of Mod. Art) : *No 5-1955* 1955.

KUHLMEY
XIXe siècle. Allemand.
Graveur.
On connaît de lui une estampe, représentant *Spandau en 1850*.

KÜHN Albin
Né le 2 septembre 1843 à Schlotheim. Mort le 5 décembre 1911 à Görlitz. XIXe-XXe siècles. Allemand.
Paysagiste et aquarelliste.
Professeur de dessin à Gorlitz. Il exposa à Berlin et à Dresde à partir de 1870.

KÜHN Bernhard
Né le 25 septembre 1850 à Cologne. Mort le 9 octobre 1902 à Berlin. XIXe siècle. Allemand.
Peintre et illustrateur.
Il travailla surtout à Munich où il peignit des portraits, des peintures militaires et des scènes de la vie en Égypte.

KUHN Caspar ou **Cun** ou **Kun**
XVIe siècle. Suisse.
Peintre verrier.
Travaillait à Rofingen.

KUHN Christoph, dit **Stöffi von Rieden**
Mort en 1792. XVIIIe siècle. Actif à Rieden près de Wallisellen (Zurich). Suisse.
Peintre de fresques et décorateur.
S'adonna à la peinture murale représentant surtout des batailles et des chasses. Il décora plusieurs châteaux en Suisse et on voit de lui deux toiles à l'huile au Musée de Zurich (*Chasse* et *Partie de luge*).

KÜHN Friedrich
Né le 26 février 1854 à Pauban (Silésie). XIXe siècle. Allemand.
Sculpteur.
Il exposa à la Royal Academy en 1885.

KUHN Friedrich
Né en 1926. Mort en 1972. XXe siècle. Suisse.
Peintre de figures, paysages, technique mixte.

Ventes Publiques : Zurich, 25 nov. 1977 : *Symphonie Scandinave pour prunier* 1968, h. et cr./t. (128x90) : **CHF 22 000** – Zurich, 26 mai 1978 : *Ananas* 1969, collage et h./pavatex (64x47) : **CHF 8 000** – Zurich, 30 mai 1981 : *Composition* 1969, cr. feutre (29x22,5) : **CHF 1 800** – Zurich, 20 mai 1981 : *Jeune fille à l'orgue de Barbarie*, collage (97x68) : **CHF 6 500** – Zurich, 6 juin 1984 : *Jour de pluie* 1952, h/t (69,5x56) : **CHF 5 500** – Zurich, 6 juin 1985 : *Composition* 1969, h. et fus./pap. (39x26) : **CHF 4 500** – Zurich, 20 nov. 1987 : *Amour des Alpes* 1968, h./pavatex (90x79) : **CHF 6 500** – Berne, 30 avr. 1988 : *Jour de pluie*, h/t (72x60) : **CHF 4 500** – Zurich, 25 oct. 1989 : *Composition* 1959, h/t (42x43) : **CHF 3 500** – Lucerne, 24 nov. 1990 : *Sans titre*, h/t (54x65) : **CHF 32 000** – Zurich, 21 avr. 1993 : *Jeune femme sous un palmier* 1968, techn. mixte/pap. (59x43,3) : **CHF 1 800** – Lucerne, 20 mai 1995 : *Chameau* 1968, techn. mixte, cr. noir et coul. temp. et collage/pap. (70x50) : **CHF 13 000** – Zurich, 17-18 juin 1996 : *Composition avec des figures*, aquar., encre de coul., pl. (29,5x23,5) : **CHF 3 400** – Zurich, 8 avr. 1997 : *La Maison jaune* 1955, h/t (91x72) : **CHF 11 000**.

KUHN Fritz
Né en 1910. Mort en 1967. xxe siècle. Allemand.
Sculpteur.
D'abord serrurier, puis maître forgeron, il créa, en 1937, dans la périphérie de Berlin un atelier de ferronnerie et de sculpture sur métal, dont la production rayonna après la guerre dans toute l'Europe.

KÜHN Gottlob Christian
Né le 16 juin 1780 à Dresde. Mort le 20 décembre 1828 à Dresde. xixe siècle. Allemand.
Sculpteur.
Il fut élève du sculpteur Franz S. Pettrich. Après un séjour prolongé en Italie, il revint à Dresde où il exécuta beaucoup de bustes, mais aussi des monuments, des bas-reliefs, des statues, à Bischofswerda, Lockwitz et Dresde.

KÜHN Gustav
Né le 11 septembre 1872 à Guben. xixe-xxe siècles. Allemand.
Peintre.
Il travailla à Rostock à partir de 1903 et peignit des paysages et aussi des peintures d'inspiration symbolique.

KUHN Hans
Né en 1905 à Baden-Baden (Bade-Wurtemberg). xxe siècle. Allemand.
Peintre. Abstrait.
Il fut élève, en 1924, de L. Meidner, puis, en 1925, de l'académie des beaux-arts de Berlin. Il séjourne à Paris, de 1926 à 1936, se fixe à Berlin en 1937. Après la guerre, il est membre du Deutscher Künstlerbund (Association des artistes allemands) ; en 1947, il est nommé à l'Institut des arts plastiques de Berlin, et prend part à de nombreuses expositions de la jeune peinture allemande. Il a montré plusieurs expositions personnelles en Allemagne.
Il abandonne tôt tout rappel de la réalité au profit d'un vocabulaire abstrait, conjuguant des taches fluides et laquées avec des signes graphiques simples mais néanmoins très définis dans la surface à animer, parfois ovale ou ronde.
Bibliogr. : *Peintres contemporains*, Mazenod, Paris, 1964.
Ventes Publiques : Cologne, 5 juin 1985 : *Reiher* 1968, temp. et sable/t. (76x93) : **DEM 4 000** – Cologne, 28 nov. 1987 : *Chevaux dans un paysage* 1943, aquar. (48,9x66,2) : **DEM 5 400**.

KUHN Hermann
Actif à Troyes. Français.
Sculpteur.
Le Musée de Troyes conserve de lui : *Henri Ier, comte de Champagne, Urbain IV, Frédéric Ier Barberousse* (médaillons plâtre).

KÜHN Ignaz
Mort en 1822 à Vienne. xixe siècle. Autrichien.
Graveur et lithographe.
On lui doit les illustrations d'un *Manuel de Peinture et de Dessin*.

KÜHN Josef, l'Ancien
Né le 19 octobre 1832 à Mannheim. Mort le 24 mars 1915 à Fribourg-en-Brisgau. xixe-xxe siècles. Allemand.
Peintre.
Surtout peintre de décors de théâtre, il exécuta aussi des paysages et des vues de monuments.

KÜHN Josef, le Jeune
Né le 24 octobre 1872 à Mannheim (Bade-Wurtemberg). xixe-xxe siècles. Allemand.
Peintre d'intérieurs.
Il vécut à Dunkelsbühl où il fut conservateur du musée municipal. Il rapporta de ses voyages en Allemagne du Sud un grand nombre de peintures d'intérieurs.

KUHN Justus Engelhardt
xviiie siècle. Actif entre 1708 et 1717. Américain.
Peintre.
D'origine allemande, il avait émigré à Annapolis. On connaît de lui les portraits d'*Eleanor Darnall* et de *Henry Darnall avec son serviteur noir*. Les personnages sont traités dans une manière plate, sur un fond aux effets baroques.

KÜHN Louise, plus tard Mme **Otto Tcherter**
Née le 29 décembre 1855 à Biel. xixe siècle. Suisse.
Paysagiste amateur.
Exposa à Biel en 1880.

KÜHN Ludwig
Né le 12 avril 1859 à Nuremberg. xixe siècle. Allemand.
Peintre de genre et graveur.
Élève de Raab et Lofftz à Munich. Travaille à Nuremberg. Médaille à Munich en 1891, diplôme d'honneur à Dresde en 1892. Il exposa à Paris en 1900 (Exposition Universelle) une eau-forte d'après Kaulbach, qui lui valut une médaille de bronze.
Ventes Publiques : Londres, 30 jan. 1980 : *Chèvres au pâturage* 1912, h/t (110,5x89) : **USD 500**.

KUHN Max
Né en 1838 à Munich. Mort en 1888 à Munich. xixe siècle. Allemand.
Peintre d'architectures et de paysages.
A travaillé à Weissenburg et à Munich. Le Musée de cette ville conserve de lui : *L'ancienne maison des cadets à Munich*.
Ventes Publiques : Munich, 4 juin 1987 : *Vue de Landshut* 1869, aquar./traits de cr. (51x42) : **DEM 3 200**.

KUHN Philipp
Né le 21 avril 1827 à Genève. Mort le 3 décembre 1905 à Genève. xixe siècle. Suisse.
Peintre de genre.
Le Musée Ariana, à Genève, conserve de cet artiste : *Jeune fille avec ses poules*.

KUHN Rudolf
Né le 17 août 1893 à Stuttgart. xxe siècle. Allemand.
Peintre.
Après avoir fait ses études à Stuttgart, il décora à la fresque l'église de Kirchenkirnberg.

KUHN Vinzenz ou **Zentz** ou **Cun** ou **Kun**
xvie siècle. Actif à Rofingen. Suisse.
Peintre verrier.
Travailla beaucoup pour le couvent de Saint-Urbain. On voit de lui quelques œuvres au Musée de Zurich.

KUHN Walt
Né le 27 octobre 1877 ou 1880 à Brooklyn. Mort en 1949. xxe siècle. Américain.
Peintre de compositions animées, figures, paysages, natures mortes, peintre à la gouache, dessinateur, graveur.
Il étudia à Paris, Munich, en Hollande et Italie. Il obtint une médaille d'argent à Munich, en 1905. Il fut l'un des fondateurs de l'Association américaine des peintres et sculpteurs. Il organisa en 1913, à New York, la célèbre Exposition internationale d'art moderne l'Armory Show, qui révolutionna les conceptions artistiques américaines.
Il a beaucoup représenté le monde du cirque. Il réalisa de nombreuses lithographies.
Bibliogr. : In : *Diction. univer. de la peinture*, Le Robert, tome IV, Paris, 1975 – P.R. Adams : *Walt Kuhn painter, his life and work*, Colombus, Ohio State University press, 1978.
Musées : Brooklyn : *La Loge* 1926 – New York (Whitney Mus. of American Art) : *Clown bleu* 1931.
Ventes Publiques : New York, 1er mai 1946 : *Cavalier sans selle* : **USD 650** – New York, 30 nov. 1960 : *Agréable soirée*, gche : **USD 650** – New York, 16 fév. 1961 : *Clown*, h/cart. : **USD 2 900** – New York, 21 nov. 1963 : *Étude pour Roberto*, mixed média/pap. : **USD 3 100** – New York, 16 mars 1967 : *Danseuse*, h/pap. mar./t. : **USD 5 000** – New York, 30 avr. 1969 : *Nature morte* : **USD 2 500** – New York, 14 oct. 1970 : *Le Clown* : **USD 2 000** – New York, 13 déc. 1972 : *Clown au chapeau haut de forme* : **USD 29 000** – New

York, 14 mars 1973 : *L'écuyère* : **USD 35 000** - New York, 23 mai 1974 : *Deux têtes de clowns* : **USD 6 000** - New York, 18 mars 1976 : *Nu*, aquar. (27x25,5) : **USD 3 250** - New York, 27 oct. 1977 : *Mary au foulard rouge* vers 1927, h/t (38,2x30,5) : **USD 3 750** - New York, 22 mars 1978 : *Lavender plumes* 1938, h/t mar./isor. (101,6x65,2) : **USD 32 500** - New York, 25 oct 1979 : *Acrobate en marron et bleu* 1938, h/t (61x50,8) : **USD 16 000** - New York, 25 avr. 1980 : *Roberto* 1946, aquar. et pl., étude (47,6x31) : **USD 11 500** - New York, 2 juin 1983 : *Clown en rouge et vert sur fond bleu* vers 1947, h/t mar./cart. (26,7x22,9) : **USD 7 000** - New York, 23 mars 1984 : *Nu couché* 1935, aquar. (23,5x31) : **USD 700** - Portland, 28 sep. 1985 : *Show girl* 1932, aquar. (35,6x27,8) : **USD 3 250** - New York, 30 mai 1986 : *Bust of a showgirl* 1942, bois (H. totale 32) : **USD 3 000** - New York, 5 déc. 1986 : *Clown* 1934, h/t (38,1x30,5) : **USD 28 000** - New York, 29 mai 1987 : *Fille dans le chapeau du Pierrot* 1940, h/t (102,7x76,5) : **USD 130 000** - New York, 26 mai 1988 : *L'Actrice* 1935, h/t (102,2x76,5) : **USD 50 600** - New York, 30 sep. 1988 : *Girl*, h/t (32,5x45,4) : **USD 4 620** - New York, 24 mai 1989 : *Ecuyère montant à cru* 1926, h/t (101,6 x76,2) : **USD 192 500** - New York, 28 sep. 1989 : *La danseuse aux plumes rouges*, gche/pap. (63,5x32,7) : **USD 8 800** - New York, 1er déc. 1989 : *Roses rouges dans un pichet jaune* 1934, h/t (76x63,5) : **USD 41 800** - New York, 24 jan. 1990 : *Talons hauts*, cr./pap. (28x21,5) : **USD 550** - New York, 14 fév. 1990 : *Le Printemps dans les rochers de Prescott dans l'Arizona* 1928, h/t (38x30,5) : **USD 4 950** - New York, 16 mars 1990 : *Nature morte de pommes et oranges* 1943, h/t (24x42) : **USD 15 400** - New York, 23 mai 1990 : *Pierrot et Pierrette*, h/t (51,3x61,5) : **USD 44 000** - New York, 29 nov. 1990 : *Portrait d'un jeune clown*, h/rés. synth. (20,4x17,2) : **USD 16 500** - New York, 15 mai 1991 : *Femme au chapeau*, aquar./pap. (62,2x36,2) : **USD 4 675** - New York, 23 mai 1991 : *Le Comédien harassé en guenilles* 1940, h/rés. synth. (29,2x20,3) : **USD 14 850** - New York, 27 mai 1992 : *Kansas (portrait de l'artiste déguisé en clown blanc)* 1932, h/t (81,3x55,9) : **USD 286 000** - New York, 23 sep. 1992 : *Femme en blanc allongée sur un rocher*, h/t (83,8x101,7) : **USD 27 500** - New York, 3 déc. 1992 : *La Corne d'abondance* 1937, aquar./pap. (52,1x32,4) : **USD 14 300** ; *Clown au tambour* 1942, h/t (152,4x101,6) : **USD 308 000** - New York, 10 mars 1993 : *Écuyère à cheval*, encre et cr./pap. (20,3x14) : **USD 1 150** - New York, 1er déc. 1994 : *Roses jaunes* 1934, h/t (76,2x63,5) : **USD 63 000** - New York, 21-22 mai 1996 : *Femme assise* 1929, aquar./pap. (54,6x33,6) : **USD 15 525** ; *Plumes couleur lavande* 1938, aquar./pap. (45,7x33) : **USD 11 500** - New York, 30 oct. 1996 : *La Plage* 1919, h/t (31,1x38,7) : **USD 13 800** - New York, 5 déc. 1996 : *Chico* 1943, h/t (76,2x63,5) : **USD 140 000** - New York, 27 sep. 1996 : *Dominique, clown* 1947, h/pan. toilé (25,7x20,4) : **USD 17 250** - New York, 25 mars 1997 : *Couché avec les chiens ; Un clown avec un cheval* 1940, pl. et encre et aquar./pap., une paire (18,4x25,4 et 24,1x30,5) : **USD 3 737**.

KUHN-REGNIER Joseph
Né le 10 décembre 1873. xixe-xxe siècles. Français.
Peintre de portraits, dessinateur, illustrateur.
Il exposa à Paris, au Salon d'Automne et en même temps collabora à la *Vie parisienne* et à *Fantasio*, avec des caricatures notamment. Il illustra, en 1932, les œuvres complètes d'Hippocrate.

KUHN-WEBER Marta
Née le 13 septembre 1913 à Sarrebruck. xxe siècle. Active depuis 1964 en France. Allemande.
Sculpteur, peintre, dessinateur.
Elle a appris la sculpture dans l'atelier de son père jusqu'en 1922. Elle va ensuite à l'école des beaux-arts de Karlsruhe en 1923 et à celle de Paris, de 1924 à 1926. Elle y fréquente alors les milieux avancés de l'art. Elle vit et travaille depuis 1964 à Paris. Elle fait une première exposition de peinture à Berlin, en 1932. Durant la période nazie, elle ne put exposer. Elle montre ses œuvres par la suite à Paris, en 1964, 1966 et 1970, ainsi qu'au musée Réattu à Arles, en 1965.
De retour en Allemagne, en 1928, elle y réalise ses premières poupées pour figurer dans des court-métrages. Elle continue son œuvre à la fois sculptée et filmée, œuvre entièrement détruite pendant la guerre. Après la guerre, après une période de peinture et de dessin, elle reprend la fabrication de ses poupées, véritables sculptures de chiffon souvent tragiques, parfois dérisoires.

KÜHNE, Miss. Voir **BEVERIDGE Kühne**

KÜHNE August
Né le 29 juillet 1845 à Königslutter. Mort le 15 août 1895 à Gratz. xixe siècle. Autrichien.
Sculpteur.
Surtout orfèvre et tapissier, il exécuta aussi des statuettes de genre.

KÜHNE Lebrecht
Né le 12 mars 1803 à Eisleben. xixe siècle. Allemand.
Paysagiste.
Élève de Matthäi à l'Académie de Dresde. Il visita l'Allemagne, la Suisse et l'Italie, passa quelque temps à Dresde et travailla probablement à Hambourg vers 1840.

KUHNE Max
Né en 1880 à New York. Mort en 1968. xxe siècle. Américain.
Peintre de paysages, de natures mortes.
Il fut élève de K. H. Miller et de W. M. Chase. Il fit des séjours d'études en Angleterre et en Espagne. Il se fixa à New York, en 1911.
Ventes Publiques : New York, 28 oct. 1976 : *Nature morte aux fleurs*, h/isor. (45,7x38) : **USD 750** - San Francisco, 8 nov. 1984 : *Vase de fleurs*, h/t (79x91,5) : **USD 6 000** - New York, 5 déc. 1985 : *Washington square*, h/t (63,5x76,2) : **USD 19 000** - New York, 24 juin 1988 : *Rue de Burgos en Espagne* 1923 (50x60) : **USD 550** - New York, 30 nov. 1989 : *Le port de Gloucester* 1912, h/t. cartonnée (49,5x61) : **USD 33 000** - New York, 16 mars 1990 : *Le port de Camden dans le Maine* 1921, h/t (51x61,5) : **USD 8 800** - New York, 30 mai 1990 : *Vue de Rockport Maine* 1921, h/t (61x76,3) : **USD 7 700** - New York, 27 sep. 1990 : *Un coin de la ville*, h/t (76,2x63) : **USD 5 500** - New York, 22 mai 1991 : *Nature morte aux anémones*, h/pan. (71x72) : **USD 19 800** - New York, 26 sep. 1991 : *La fenêtre ouverte*, h/rés. synth. (62,3x83,8) : **USD 14 300** - New York, 6 déc. 1991 : *La clôture bleue à Rockport*, h. et cr./rés. synth. (60,5x75,7) : **USD 13 200** - New York, 27 mai 1992 : *Vase de fleurs dans un salon*, h/rés. synth. (61x76,2) : **USD 11 000** - New York, 3 déc. 1992 : *Vue de Gloucester* 1925, h/t (51,4x61) : **USD 11 000** - New York, 4 déc. 1992 : *Nature morte devant un rideau*, h/rés. synth. (66,2x76,5) : **USD 18 700** - New York, 26 mai 1993 : *Intérieur avec une corbeille de fleurs et une chaise turquoise*, h. et cr./rés. synth. (87,2x102,2) : **USD 16 100** - New York, 21 sep. 1994 : *Nature morte : poires, raisin avec une théière bleue et blanche*, h/cart. (35,6x63,5) : **USD 6 325** - New York, 14 mars 1996 : *Scène de village italien*, h/t (50,8x55,2) : **USD 6 900** - New York, 30 oct. 1996 : *Chrysanthèmes*, temp. et or/masonite (66x121,9) : **USD 6 900** - New York, 3 déc. 1996 : *Nature morte de fleurs sauvages*, h/t (46x76) : **USD 3 450** - New York, 25 mars 1997 : *Nature morte florale* vers 1900, temp./pan. (88,9x73,7) : **USD 5 175**.

KÜHNE Walter
xxe siècle. Allemand.
Peintre, graveur.
Il vit et travaille à Berlin. Il prit part à l'Exposition de Berlin, en 1909.

KÜHNEL Friederich
Né en 1766 à Dippoldiswalde. Mort vers 1832 à Moscou. xviiie-xixe siècles. Allemand.
Peintre d'histoire et de portraits.
Élève de Schenau et de Casanova à Dresde. Peu après l'âge de vingt ans il émigra en Russie. Les Musées et les églises de Moscou possèdent des œuvres de lui.

KÜHNELT Hugo
Né le 4 octobre 1877 à Vienne. Mort le 8 septembre 1914, tombé au front. xxe siècle. Autrichien.
Sculpteur.
Après avoir été élève de Hellmer à l'académie des beaux-arts de Vienne, il voyagea en Italie.

KÜHNEN Hubertine, née **Beckers**
xixe siècle. Active vers 1850. Éc. flamande.
Peintre de paysages.
Femme et élève de Pieter Lodewyk Kühnen.
Ventes Publiques : Bruxelles, 23 oct 1979 : *Paysage avec couple et chemineau*, h/bois (23x31) : **BEF 42 000**.

KÜHNEN Pieter Lodewyk
Né le 14 février 1812 à Aix-la-Chapelle, et non en 1817. Mort le 25 novembre 1877 à Schaerbeck près de Bruxelles. xixe siècle. Belge.
Peintre de portraits, paysages, lithographe.

Il fut élève de J. Bastine, à Bruxelles, dès 1836. Sa femme, née Hubertine Beckers, fut peintre de paysages. Établi à Bruxelles, il eut pour élève la princesse Charlotte de Belgique. Il fut médaillé à Bruxelles en 1845, à Paris en 1846.

Musées : Aix-la-Chapelle : *Paysage* – Bruxelles : *Paysage*.

Ventes Publiques : Bruxelles, 23 oct 1979 : *Paysage fluvial avec embarcation et pêcheurs*, h/bois (55x70) : **BEF 400 000** – Cologne, 22 nov. 1984 : *Paysage romantique*, h/t (50x62,5) : **DEM 14 000** – Cologne, 27 juin 1986 : *Paysage romantique*, h/t (50,5x63) : **DEM 13 000** – Londres, 7 juin 1989 : *Une route de campagne*, h/pan. (57x78) : **GBP 4 180** – Amsterdam, 9 nov. 1993 : *Paysage avec trois hommes dans une barque*, h/pan. (22x27,5) : **NLG 5 175** – Paris, 11 déc. 1996 : *Chaumière dans un paysage*, h/pan. (37,5x34) : **FRF 23 000** – Londres, 26 mars 1997 : *Vue de ville*, h/pan. (37,5x34) : **GBP 4 140**.

KÜHNEN Simon Gerlach Léopold Victor

Né le 25 juin 1836 à Aix-La-Chapelle. XIXe siècle. Belge.

Peintre d'histoire et de portraits.

Fils de Lodewyk Kühnen.

Ventes Publiques : Londres, 21 oct. 1970 : *Le retour au crépuscule* : **GBP 1 000** – Bruxelles, 21 mai 1980 : *Canal à Bruges*, h/t (60x80) : **BEF 40 000**.

KUHNERT Wilhelm

Né le 28 septembre 1865 à Oppeln. Mort le 11 février 1926 à Flems. XIXe-XXe siècles. Allemand.

Peintre de genre, portraits, animaux, paysages.

Il fut élève de l'académie des beaux-arts de Berlin. Il fit un voyage d'études à travers l'Égypte, l'Arabie, l'Afrique orientale et l'Inde. Il reçut une médaille à Munich, en 1905.

wilh Kuhnert

Ventes Publiques : Londres, 28 juil. 1972 : *Éléphants fuyant devant le feu* : **GNS 7 500** – Cologne, 23 mars 1973 : *Lion et lionne*, gche : **DEM 13 000** – Berlin, 28 avr. 1974 : *Lions* : **DEM 9 000** – New York, 14 mai 1976 : *Cerfs à l'orée d'un bois*, h/t (93x129) : **USD 4 600** – Londres, 11 fév. 1977 : *Couple de lions*, h/t (39,5x58,5) : **GBP 3 400** – Londres, 14 févr 1979 : *Le marché au bétail à Ghiza*, h/t (109x169) : **GBP 9 000** – San Francisco, 24 juin 1981 : *Couple de lions*, h/t (44,5x70) : **USD 16 000** – Londres, 23 juin 1983 : *Perroquets au zoo*, aquar. et fus. reh. de blanc (26,5x18) : **GBP 2 400** – Londres, 22 juin 1983 : *Lions à l'affût*, h/t (75,5x139,5) : **GBP 19 500** – Cologne, 29 juin 1984 : *Buffle couché*, bronze (H. 15) : **DEM 12 000** – New York, 7 juin 1985 : *Buffle dans un paysage au clair de lune*, h/t (101,6x213,3) : **USD 25 000** – Londres, 25 mars 1987 : *Deux lions au pied d'un arbre* 1912, h/t (75,5x140) : **GBP 55 000** – Londres, 24 juin 1988 : *Buffles dans un paysage boisé*, h/t (81x106) : **GBP 7 700** – Cologne, 15 oct. 1988 : *Deux lièvres dans le sous-bois*, h/cart. (45x31) : **DEM 6 000** – Amsterdam, 16 nov. 1988 : *Un lion dans la savane*, h/pan. (18x24,5) : **NLG 28 750** – Cologne, 18 mars 1989 : *Lion sur les rochers*, h/t (45,5x75) : **DEM 50 000** – Londres, 21 juin 1989 : *Un renne dans un marécage en Suède* 1922, h/t (142x281) : **GBP 11 000** – Cologne, 20 oct. 1989 : *Nomade arabe à cheval*, h/cart. (40x50) : **DEM 7 500** – Londres, 24 nov. 1989 : *Couple de lions*, h/t (44x69,3) : **GBP 16 500** – Londres, 30 nov. 1990 : *Tigres guettant leur proie*, h/t (94,3x149,5) : **GBP 46 200** – Amsterdam, 24 avr. 1991 : *Le roi de la jungle*, h/pap./cart., étude (31x45) : **NLG 14 375** – Londres, 21 juin 1991 : *Lion et lionne à un point d'eau*, h/pan. (40x80) : **GBP 71 500** – Cologne, 28 juin 1991 : *Lion dans la savane*, aquar. (16x26) : **DEM 8 500** – Londres, 29 nov. 1991 : *Tigresse guettant une proie ; Couple de tigre au repos* 1913, h/pan., une paire (chaque 40,6x83,1) : **GBP 121 000** – New York, 20 fév. 1992 : *Lion flairant une proie*, h/pan. (23,5x35,9) : **USD 28 600** – Londres, 19 juin 1992 : *Tigre fairant une proie*, aquar. et gche/cart. (39,4x64,7) : **GBP 13 750** – Londres, 27 nov. 1992 : *Un buffle dans la savane*, h/t (38,5x64,5) : **GBP 24 200** – Munich, 22 juin 1993 : *Lion transportant une antilope morte* 1890, h/t (115x170) : **DEM 63 250** – New York, 3 juin 1994 : *Couple de lions*, h/t (43,8x69,2) : **USD 43 125** – Londres, 13 oct. 1994 : *Le bain des éléphants* 1908, h/t (80x129,6) : **GBP 100 500** – New York, 9 juin 1995 : *Lions africains*, h/t (162,6x127) : **USD 376 500** – Londres, 11 oct. 1995 : *Lion et lionne*, h/t (90,2x123,2) : **GBP 78 500** – Paris, 23 mai 1997 : *Tigre dévorant sa proie* 1889, aquar. (21,5x18) : **FRF 30 000** – Londres, 21 nov. 1997 : *Marché arabe*, h/t (61,5x98,5) : **GBP 41 100**.

KUHNRATH Jörg, l'Ancien

Mort le 28 février 1609. XVIe siècle. Actif à Bamberg. Allemand.

Peintre.

Il aurait décoré l'église Saint-Martin à Bamberg.

KUHNRATH Jörg, le Jeune

XVIIe siècle. Actif à Bamberg. Allemand.

Peintre.

Il peignit surtout des armoiries.

KUHNRATH Veit

Mort en 1639. XVIIe siècle. Actif à Bamberg. Allemand.

Peintre.

On cite de lui une *Vierge* et un *Saint Jean*, ainsi qu'un *Christ*, ce dernier tableau copié d'après Cranach.

KUHR Friedrich

Né en 1899 à Liège. Mort en 1975. XXe siècle. Actif en Allemagne. Belge.

Peintre, graphiste.

De 1924 à 1931, il fut élève du Bauhaus, notamment dans l'atelier de peinture murale ; tout en y devenant professeur de dessin d'après nature et de nu, à partir de 1928. Il poursuivit son œuvre peint à Berlin, de 1931 à 1947. De 1948 à 1967, il fut professeur à l'école supérieure des beaux-arts de Berlin. Une exposition rétrospective lui a été consacrée à Paris, en 1975.

Bibliogr. : Catalogue de l'exposition : *Le Bauhaus*, Musée national d'Art moderne, Paris, 1969.

KÜHRNER Georg Heinrich

Né le 10 janvier 1875 à Vienne. XXe siècle. Autrichien.

Peintre de paysages, figures, animaux, graveur.

Il s'intéressa surtout aux paysages, aux hommes et à la faune exotique.

KUHSTOSS Paul

Né le 26 avril 1870 à Bruxelles. Mort le 31 mars 1898 à Paris. XIXe siècle. Belge.

Peintre de figures, paysages, marines.

Il exposa à Anvers, Bruxelles et Gand, puis, en 1898, également au Salon des Artistes Français à Paris.

Ventes Publiques : Anvers, 19 oct. 1976 : *Vaches dans la prairie*, h/t (60x100) : **BEF 11 000** – Bruxelles, 28 mars 1979 : *Une belle journée de septembre en Brabant* 1886, h/t (80x135) : **BEF 80 000** – Londres, 25 mars 1981 : *Les Baigneurs* 1897, h/t (98,5x164) : **GBP 1 200** – Londres, 7 oct. 1987 : *Linge séchant près d'une ferme* 1893, h/t (80x137) : **GBP 4 500** – Reims, 5 mars 1989 : *À Zantwoordt, départ de bateaux pêcheurs* 1895, h/t (180x300) : **FRF 40 000** – Bruxelles, 27 mars 1990 : *Marine*, h/t (73x118) : **BEF 160 000** – Lokeren, 21 mars 1992 : *Paysage de landes avec une charrette à bœuf*, h/t (60x100) : **BEF 120 000** – Lokeren, 4 déc. 1993 : *L'enclos*, h/t (40x50) : **BEF 36 000** – Lokeren, 18 mai 1996 : *La Vague* 1895, h/t (85x117,5) : **BEF 150 000**.

KU HUNG-CHUNG. Voir **GU HONGZHONG**

KUICHEM Van

Hollandais.

Peintre d'histoire.

Cité par Hoët le Jeune.

KUICK-WOUTERSZE Jan Van

Né en 1530 à Dordrecht. Mort en 1571, brûlé vif. XVIe siècle. Hollandais.

Peintre d'histoire et peintre verrier.

Siret dit qu'on lui attribue quelques ouvrages de théologie.

KUIJL Gerard Van. Voir **KUIL Gysbert Van der**

KUIJPERS Cornelis ou **Kuypers**

Né en 1864 à Gorinchem. Mort en 1932 à Soest. XIXe-XXe siècles. Hollandais.

Peintre de compositions animées, paysages, marines.

Cornel. Kuipers

Musées : Amsterdam.

Ventes Publiques : Londres, 20 avr 1979 : *Paysage fluvial boisé avec troupeau*, h/t (25,3x39,3) : **GBP 750** – Amsterdam, 30 août 1988 : *Paysage de rivière avec une embarcation à voile et une prairie avec des vaches à l'arrière-plan*, h/t (46x63,5) : **NLG 1 495** – Cologne, 23 mars 1990 : *Automne campagnard*, h/t (46x67) : **DEM 2 800** – Amsterdam, 25 avr. 1990 : *Bateaux amarrés*, h/t

(29x49) : **NLG 3 220** – AMSTERDAM, 2 mai 1990 : *Paysage avec un paysan près de sa ferme dans le potager*, h/pan. (23,5x51) : **NLG 4 600** – AMSTERDAM, 6 nov. 1990 : *Les fagots de bois* 1918, h/t (43x75) : **NLG 4 600** – AMSTERDAM, 23 avr. 1991 : *Paysage de polder*, h/t (43,5x98) : **NLG 3 450** – AMSTERDAM, 22 avr. 1992 : *Vaches dans une prairie à l'ombre de saules bordant un ruisseau*, h/t (56x131) : **NLG 16 100** – AMSTERDAM, 28 oct. 1992 : *Vue du château de Doorwerth*, h/t (60x120) : **NLG 5 750** – AMSTERDAM, 9 nov. 1993 : *Meules de foin*, h/pan. (27x42) : **NLG 1 610** – AMSTERDAM, 19 avr. 1994 : *Vaches dans un paysage estival*, h/t (34x60,5) : **NLG 5 980** – AMSTERDAM, 14 juin 1994 : *Barques amarrées au bord d'une rivière*, h/t/cart. (31x52) : **NLG 1 725** – AMSTERDAM, 7 nov. 1995 : *Champ avec des moissonneurs et des gerbes de blé entassées*, h/t (25x60) : **NLG 4 012** – AMSTERDAM, 16 avr. 1996 : *Paysage de polder avec un paysan près d'un cottage*, h/t/pan. (22,5x46) : **NLG 4 248** – AMSTERDAM, 18 juin 1996 : *Jour de lessive*, h/t/cart. (22,5x34) : **NLG 1 495** – AMSTERDAM, 5 nov. 1996 : *Vue d'une ferme*, h/t (25x56) : **NLG 2 360** – AMSTERDAM, 19-20 fév. 1997 : *Koemperdijk*, h/t (35x59) : **NLG 4 382** – NEW YORK, 26 fév. 1997 : *Pâturage à vaches dans un paysage d'orage*, h/t (36,8x45,7) : **USD 2 760**.

KUIK Laurens Van

Né en 1889. Mort en 1963. XXe siècle. Hollandais.

Peintre.

VENTES PUBLIQUES : AMSTERDAM, 21 mai 1992 : *Le bruit de l'électricité* 1927, h/t (26x62) : **NLG 9 200** – AMSTERDAM, 26 mai 1993 : *Tête*, h/cart. (75x63,5) : **NLG 8 050** – AMSTERDAM, 7 déc. 1995 : *Tournesol* 1924, h/t (40x60) : **NLG 9 440**.

KUIL Gysbert Van der, ou **Gysbrecht, Gérard** ou **Kuyl**

Né en 1604 à Gouda. Mort en 1673 à Gouda. XVIIe siècle. Hollandais.

Peintre de genre, peintre verrier.

Peut-être élève de Wouter Crabeth. Il imita Honthorst et Bloemaert. Il alla à Rome en visitant la France, avec Aart Verhaast, et resta vingt ans hors de son pays.

MUSÉES : AMSTERDAM : *Réunion musicale – Allégorie*.

VENTES PUBLIQUES : NEW YORK, 1er juin 1989 : *Réunion musicale*, h/t (124,5x180) : **USD 115 500** – LONDRES, 24 mai 1991 : *Une jeune femme et deux jeunes hommes faisant de la musique*, h/t (111,7x145) : **GBP 24 200** – LONDRES, 23 avr. 1993 : *Réunion musicale*, h/t (124,5x180) : **GBP 62 000**.

KUINDSHI Archip Ivanovitch ou **Kuindji**

Né en 1842 à Marioupol. Mort le 24 juillet 1910 à Saint-Pétersbourg. XIXe-XXe siècles. Russe.

Peintre de paysages.

Il représenta des paysages auxquels un éclairage particulier confère un effet généralement fantastique. Très souvent, il a peint des clairs de lune. *Voir aussi KOUINDCHY.*

VENTES PUBLIQUES : NEW YORK, 17 avr. 1974 : *Coucher de soleil sur le Dnieper* : **USD 8 000**.

KUIN-PI HOUANG

Né en 1899 à Kouang-Ting. XXe siècle. Chinois.

Peintre de paysages.

Il a figuré à l'Exposition internationale d'art moderne ouverte en 1946 à Paris, au musée d'Art moderne, par l'Organisation des Nations Unies.

KUIPERS Cornelis

Né en 1756 à Leyde. Mort après 1789 à Dordrecht. XVIIIe siècle. Hollandais.

Peintre, dessinateur.

Il vécut et travailla à Dresde.

MUSÉES : DORDRECHT (Mus. Van Gyn) : deux dessins.

VENTES PUBLIQUES : AMSTERDAM, 28 nov. 1989 : *Putti couronnant une déesse désignant un bas-relief d'une scène de banquet* 1785, h/t en grisaille (114,3x151,8) : **NLG 13 800** – AMSTERDAM, 22 mai 1990 : *Personnages dans un paysage classique* 1779, h/pan. (52x68) : **NLG 17 250**.

KUIPERS H. Cz.

XVIIIe siècle. Actif vers 1780. Hollandais.

Aquafortiste.

On cite de lui : *Une femme assise sous un arbre, près d'un homme, Paysan fumant sa pipe sous un arbre, Portrait d'homme.*

KUITCA Guillermo

Né en 1961 à Buenos Aires. XXe siècle. Argentin.

Peintre, illustrateur. Expressionniste-fantastique.

Artiste très précoce – il peint dès l'âge de six ans. Il a participé à une exposition collective à Paris, en 1995, à la galerie Vidal-Saint Phalle. En 1997 à Paris, il a participé à l'exposition *Artistes Latino-Américains*, à la galerie Daniel Templon. Kuitca a obtenu sa première exposition personnelle à Buenos Aires à treize ans. Depuis, des expositions principalement aux États-Unis, au Museum of Modern Art de New York en 1991, au Newport Harbor Art Museum en 1992, et en Allemagne, notamment à la Kunsthalle de Bâle en 1989 et au Metropolis de Berlin en 1990, témoignent de l'originalité et des qualités dramatiques de son art.

L'univers clos, souvent oppressant, de Kuitca, restitue l'atmosphère de contes fantastiques qu'il illustre parfois ou qu'il invente, et libère un imaginaire très riche. Il peint souvent sur des lits, des images de la vie humaine : naissances, rêves, amours, maladies et morts.

BIBLIOGR. : *Kuitca*, Éditions Julia Lublin, Buenos Aires, 1989 – Damian Bayon, Roberto Pontual, in : *La peint. de l'Amérique-latine au XXe siècle*, Mengès, Paris, 1990 – Lynn Zelevansky : Catalogue de l'exposition *Guillermo Kuitca*, Art Museum, Newport Harbor, 1992 – Bonnie Clearwater : *Arrêt sur enfance*, Art Press, n° 197, Paris, déc. 1994.

VENTES PUBLIQUES : NEW YORK, 17 mai 1988 : *Premières heures sans Laura, bonjour peine de cœur* 1985, acryl./t. (140x160) : **USD 5 500** – NEW YORK, 21 nov. 1988 : *Moi, je mange la nuit* 1985, acryl./t. (200x300) : **USD 11 000** – NEW YORK, 20 nov. 1989 : *Sans titre* 1986, h/t (140,4x217,2) : **USD 13 200** – NEW YORK, 2 mai 1990 : *Sans titre*, h/t (167,7x140,4) : **USD 14 300** – NEW YORK, 19-20 nov. 1990 : *Sans titre*, h/t (139,7x177,8) : **USD 13 200** – NEW YORK, 20 nov. 1991 : *Deux Nuits* 1985, acryl./t. (110x150) : **USD 18 700** – NEW YORK, 19-20 mai 1992 : *Artiste sur le sol de son atelier*, h/t (106,7x113,7) : **USD 17 600** – NEW YORK, 24 nov. 1992 : *Les Sept Derniers Chants* 1986, h/t (131,4x201,9) : **USD 33 000** – NEW YORK, 25 nov. 1992 : *Trois nuits* 1985, acryl./t. (130x200) : **USD 35 200** – NEW YORK, 18 mai 1993 : *La gueule du tigre* 1985, acryl./t. (139,7x156,2) : **USD 34 500** – NEW YORK, 17 mai 1994 : *Sept dernières chansons*, acryl./t. (140,3x132,1) : **USD 28 750** – NEW YORK, 17 nov. 1994 : *Sans titre* 1989, h/toile à matelas plastifiée, triptyque sur trois matelas (chaque 220x140) : **USD 74 000** – NEW YORK, 20 nov. 1995 : *La Mer sucrée* 1987, polymer/t. (188,5x287) : **USD 156 500** – NEW YORK, 25-26 nov. 1996 : *Trois Lits noirs* 1987, acryl./t. (138,1x185,4) : **USD 51 750** – NEW YORK, 28 mai 1997 : *Intérieur*, h/t (140x177,8) : **USD 48 300** – NEW YORK, 29-30 mai 1997 : *Sommeil et misère d'une génération qui n'est pas la mienne (Idée d'une passion)* 1984, acryl./t. (119,4x149,9) : **USD 68 500** – NEW YORK, 24-25 nov. 1997 : *La Mer sucrée* 1984, h/t (150x200) : **USD 107 000**.

KU I-TÊ. Voir **GUYIDE**

KUITHAN Erich

Né le 24 octobre 1875 à Bielefeld (Rhénanie-Westphalie). Mort le 30 décembre 1917 à Iéna (Thuringe). XXe siècle. Allemand.

Peintre de paysages, fleurs, figures, illustrateur, fresquiste.

À Munich, il fut élève de Carl Raupp. Il collabora à partir de 1900, à la revue *Jugend* et enseigna à l'école royale de Berlin en 1912.

Évadé de l'impressionnisme de ses débuts, il laissa des tableaux très colorés aux éclairages violents. Il marqua une prédilection pour les paysages d'Allemagne septentrionale.

BIBLIOGR. : In : *Diction. des illustrateurs 1800-1914*, Ides et Calendes, Neuchâtel, 1989.

VENTES PUBLIQUES : COLOGNE, 21 mars 1980 : *Deux chevaux sur la plage*, h/pan. (73,5x80) : **DEM 2 400**.

KUITHAN Fritz

Né le 11 octobre 1870 à Bielefeld (Rhénanie-Westpahlie). XIXe-XXe siècles. Allemand.

Peintre de figures, paysages, animaux, illustrateur.

Comme son frère Erich, il travailla beaucoup à Schliersee. Son principal métier fut d'être illustrateur de périodique, et particulièrement des revues de chasse.

KUJAWSKI Jerzy
Né en 1921 à Ostrow. XXe siècle. Actif depuis 1945 en France. Polonais.
Peintre.
Il vint en France, où il se fixa en 1945, pour participer à l'Exposition internationale du surréalisme. Ayant gardé contact avec les peintres de Pologne, il joua un rôle d'information auprès d'eux, sur l'évolution des langages artistiques dans les pays de l'Ouest. Il a figuré dans de nombreux groupements, notamment au Salon de Mai à Paris.
Du surréalisme le plus délibéré, il évolua à une abstraction presque allusive, participant un temps au groupe des peintres du dépaysage. Il évolua ensuite de nouveau à une figuration surréalo-érotique.
Bibliogr. : Jean Clarence Lambert : *La Peinture abstraite*, in : *Hre gle de la peinture*, Rencontre, tome XXIII, Lausanne, 1967.

KU K'AI-CHIH. Voir **GU KAIZHI**

KUKAI Go Henio Kongo
Né en 774 à Boyobugaura. Mort le 22 avril 835. VIIIe-IXe siècles. Japonais.
Peintre, calligraphe et poète.
D'un séjour prolongé en Chine, il rapporta des enseignements qui eurent, semble-t-il, une importante influence sur la naissance de l'art japonais.

KUKHALACHVILI Demal
Né en 1952 à Tbilissi. XXe siècle. Russe-Géorgien.
Peintre de compositions animées.
Il fut lauréat de l'académie des beaux-arts de Tbilissi. Membre de l'Union des artistes soviétiques, il participe à deux expositions du *Groupe des Cinq* à Moscou et Tbilissi ainsi qu'à des expositions collectives en Allemagne. Il expose aussi individuellement à Tbilissi en 1986. Il fut Premier Prix de la meilleure peinture d'Union Soviétique pour l'année 1987. Ses œuvres sont connues en Allemagne, Autriche, Belgique, France, Italie, Pologne et aux USA.
Il peint des scènes animées, souvent typiques, dans une technique conventionnelle.
Musées : Moscou (Gal. Tretiakov) – Tbilissi (Mus. d'Art Mod.).
Ventes Publiques : Paris, 23 mai 1990 : *Le marché de Koni*, h/t (80x120) : **FRF 6 200**.

KUKIEWICZ Constanty
Né en 1817 à Vilna (Vilnius). Mort en 1842 à Werki près de Vilna. XIXe siècle. Polonais.
Peintre de genre et paysagiste.
Il étudia à l'Académie des Beaux-Arts de Saint-Pétersbourg et y obtint un prix. Son tableau : *Les Juifs contrebandiers dans les environs de Vilna* lui valut une médaille à l'Exposition de Saint-Pétersbourg.

KU K'UEI. Voir **GU KEI**

KUKUK Willy
Né le 15 septembre 1875 à Düsseldorf (Rhénanie-Westphalie). XXe siècle. Allemand.
Peintre de paysages.
Il a surtout représenté les Alpes italiennes.

KULCHE Gust
Né en 1894 à Rotterdam. Mort en 1988 à Vlezenbeek. XXe siècle. Actif en Belgique. Hollandais.
Sculpteur. Abstrait.
Il suivit les cours de l'académie des beaux-arts de Rotterdam, quelques mois. Il choisit la pierre, le bois et le bronze pour réaliser des œuvres non figuratives.
Bibliogr. : In : *Diction. biogr. des artistes en Belgique depuis 1830*, Arto, Bruxelles, 1987.
Musées : Oostende (Mus. voor schone Kunst.) : *De twee Zusters* 1967.

KULIBIN Dmitri
Né le 18 octobre 1789. XIXe siècle. Russe.
Graveur.
Il copia un certain nombre de tableaux du Musée de l'Ermitage, à Saint-Pétersbourg.

KU LIEN. Voir **GU LIAN**

KULIK Karl
Né en 1654 à Prague. Mort le 24 décembre 1713 à Prague. XVIIe-XVIIIe siècles. Autrichien.
Peintre de compositions religieuses, genre, dessinateur.
Fils et élève de Johan Kulik. On cite de lui une *Crucifixion* dans l'église de Marie des Neiges et les douze apôtres pour une autre église. Il a dessiné notamment les statues d'un pont de Prague.
Ventes Publiques : New York, 13 oct. 1989 : *Un artiste et d'autres personnages dans une galerie de peinture*, h/t (75x93,5) : **USD 37 400**.

KULIK Oleg
XXe siècle. Russe.
Artiste, auteur de performances.
Oleg Kulik a figuré à l'exposition *Interpol* qui tentait de faire se rencontrer et dialoguer artistes suédois et russes notamment, au Centre d'art contemporain Fägfabriken de Stockholm en 1996. Il fit un scandale lors de l'exposition *Interpol*, non pas en apparaissant, nu, sous la forme d'un dangereux chien enchaîné, mais en ayant finalement mordu plusieurs personnes et s'être fait arrêté par la police.
Bibliogr. : Igor Zabel : *« Dialogue Est-Ouest »*, in : *Art Press*, n° 226, Paris, 1997.

KULIKOFF Iwan
XIXe-XXe siècles. Russe.
Graveur et peintre.
Élève d'Ossipoff. il grava plusieurs portraits de membres de la famille impériale russe.
Ventes Publiques : Londres, 17 mai 1985 : *Une mariée russe* 1897, h/t (101x65,5) : **GBP 2 000**.

KULIKOV Ivan Semionovich
Né en 1875. Mort en 1941. XXe siècle. Russe.
Peintre de compositions animées, figures.
Ventes Publiques : Londres, 14 nov. 1988 : *Jeune fille en habits de fête de la région de Vologda* 1909, h/t (63x46,5) : **GBP 4 400** – Londres, 15 juin 1995 : *Jeune paysanne portant un châle* 1912, aquar. (43x32) : **GBP 2 990**.

KULISIEWICZ
XXe siècle. Polonais.
Sculpteur de figures.
Il est l'auteur de sculptures sur bois, représentant des types et des scènes de la vie des montagnards polonais de Podhale.

KULKOFF Alexander
Né le 3 janvier 1889 à Moscou. XXe siècle. Russe.
Peintre de paysages, portraits, graveur.
On lui doit des portraits mais surtout des paysages de Haute-Bavière, d'Italie et de Provence.

KULL Conrad
Né le 10 mars 1816 à Aeberli. Mort le 8 mars 1897 à Wulflingen. XIXe siècle. Suisse.
Dessinateur et lithographe.
Travailla beaucoup à Zurich.

KULL Hans Jakob
Né le 8 juin 1796 à Meilen. Mort le 14 mars 1846 à Zurich. XIXe siècle. Suisse.
Dessinateur, aquarelliste, lithographe et graveur.
Vint à Zurich en 1820 et y resta jusqu'à sa mort. Plusieurs œuvres de cet artiste font partie de la Collection d'Art de cette ville.

KULL Hans Rudolf
Né le 11 juillet 1802 à Meilen. Mort le 5 avril 1824. XIXe siècle. Suisse.
Peintre de genre, paysagiste, aquarelliste et dessinateur.
Il accompagna son frère Hans-Jakob Kull à Zurich en 1820.

KULLE Axel
Né en 1891. Mort en 1965. XXe siècle. Suédois.
Peintre de figures, intérieurs animés.
Il fut professeur à l'Académie Royale des Beaux-Arts de Stockholm.
Ventes Publiques : Stockholm, 21 avr. 1982 : *Le retour du fils prodigue, 1882*, h/t (113x147) : **SEK 20 000** – Stockholm, 22 mai 1989 : *Bäckahästen* 1941, h/t (57x54) : **SEK 3 500** – Stockholm, 15 nov. 1989 : *Intérieur avec une femme en train de repasser*, h/t (49x30) : **SEK 9 500** – Londres, 7 avr. 1993 : *Fillette devant le métier à tisser*, h/t (68x55) : **GBP 1 495**.

KULLE Axel Henrik
Né le 22 mars 1846 à Lund. Mort le 27 février 1908 à Stockholm. XIXe-XXe siècles. Suédois.
Peintre de genre.
Le Musée de Stockholm conserve de lui : *Conseil ecclésiastique*.

Ventes Publiques : Göteborg, 29 mars 1973 : *Intérieur* : **SEK 12 000** – Stockholm, 28 oct. 1980 : *Paysage d'été* 1893, h/t (27x39) : **SEK 6 500** – Stockholm, 1er nov. 1983 : *Personnages en discussion dans une sacristie*, h/t (83x106) : **SEK 30 000** – Stockholm, 12 nov. 1986 : *Nature morte* 1875, h/t (70x59) : **SEK 20 000** – Stockholm, 8 déc. 1987 : *Le Retour du fils prodigue* 1882, h/t (114x148) : **SEK 175 000**.

KULLE Axel Teodor

Né le 7 mars 1882 à Lund. xxe siècle. Suédois.

Peintre de paysages.

Il exposa à Stockholm, Rome et Munich.

KULLE Jakob

Né le 6 juillet 1838 à Lund. Mort le 5 avril 1898 à Stockholm. xixe siècle. Suédois.

Peintre de genre, portraits.

On cite ses scènes de la vie des paysans.

Ventes Publiques : Stockholm, 28 oct. 1980 : *Le repos de la servante* 1875, h/t (56x48) : **SEK 25 000** – Stockholm, 20 avr. 1983 : *Intérieur d'église* 1873, h/t (36x29,5) : **SEK 16 700** – Stockholm, 4 nov. 1986 : *Scène d'intérieur* 1877, h/t (59x82) : **SEK 62 000** – Stockholm, 20 oct. 1987 : *Jeune femme s'habillant* 1882, h/t (78x53) : **SEK 75 000** – Stockholm, 16 mai 1990 : *Jeune fille assise dans un intérieur rustique*, h/t (39x31) : **SEK 40 000** – Stockholm, 10-12 mai 1993 : *La visite : intérieur avec un couple*, h/t (53x67) : **SEK 16 000**.

KULLRICH Wilhelm

Né le 18 décembre 1821 à Dahme. Mort le 1er septembre 1887 à Berlin. xixe siècle. Allemand.

Sculpteur et médailleur.

Il fut élève de K. Fischer et travailla à Londres, Paris, Bruxelles et Munich, avant de s'établir à Berlin.

KULMBACH Hans von ou **Culmbach,** ou **Suess,** ou **Süss,** ou **Süsz**, dit **Hans von Kulmbach**

Né vers 1480 à Kulmbach (Franconie). Mort vers 1522 à Nuremberg. xvie siècle. Allemand.

Peintre de compositions religieuses, portraits, graveur, dessinateur.

Son nom de famille était Süss ou Suess, et Saudrat et Lochner l'ont désigné à tort sous celui de Fuss ou Fuess. Il fut élève de Jacob Walch (Jacopo de Barbari). Mais ce fut surtout Durer qui fut sans doute son véritable maître. Il paraît avoir vécu dans une grande intimité de l'illustre artiste et peut-être travailla-t-il dans son atelier. Il paraît établi que Durer fournit à von Kulmbach les dessins de plusieurs de ses meilleurs ouvrages, notamment pour le triptyque de l'église de Saint-Sebald à Nuremberg, 1513. Kulmbach travailla à Cracovie et y peignit dans l'église de Sainte-Catherine une série de *Scènes de la vie de la Vierge* (1514-1515). Il grava sur bois ; ses portraits montrent un coloris plus robuste.

Bibliogr. : F. Winkler : *Die Zeichnungen Hans Süss von Kulmbachs und Hans Leonhard Schäufeleins*, Deutscher Verein für Kunstwissenschaft, Berlin, 1942.

Musées : Berlin : *Adoration des mages – Portrait de jeune homme* – Dijon : *Présentation de la Vierge* – Leipzig : *Quatre tableaux de la vie de la Vierge* – Munich : *Saint Joseph – Saint Zacharie – Joachim et Anne – Saint Wilibald et Saint Benoît – Portrait du margrave Casimir de Brandebourg* – Vienne : *Couronnement de Marie*.

Ventes Publiques : Cologne, 1862 : *Portrait d'une dame* : **FRF 177** – Londres, 20 fév. 1909 : *Le martyre de Sainte Catherine* : **GBP 5** – Paris, 25 mars 1925 : *Jeune femme coiffée d'un hennin*, pl., lavé de Chine, reh. de blanc : **FRF 4 000** – Londres, 10 juil. 1936 : *Études d'un Laudsknecht*, lav. : **GBP 73** – Paris, 20 juin 1961 : *La Vierge et l'Enfant*, dess. à la pl. : **FRF 18 000** – Londres, 27 juin 1962 : *Portrait d'un jeune homme blond* : **GBP 3 800** – Londres, 12 juil. 1972 : *Portrait d'un évêque* : **GBP 1 400** – Cologne, 22 nov. 1973 : *Portrait d'un évêque* : **DEM 48 000** – Londres, 6 avr. 1977 : *Un saint évêque*, h/pan. (39x36) : **GBP 4 500** – Londres, 12 déc. 1980 : *Saints Augustin, Grégoire, Jérôme et Ambroise*, h/pan. (51,5x124,5) : **GPB 30 000** – Londres, 9 avr. 1981 : *Saint Killian*, pl. (31,7x18,5) : **GBP 22 000** – New York, 17 nov. 1986 : *St. Killian*, pl. et encre brune (31,7x18,5) : **USD 75 000** – Berne, 17 juin 1987 : *Le jugement de Salomon*, pl. en bistre/dess. préparatoire (diam. 27,7) : **CHF 112 000** – Berne, 17 juin 1987 : *Le jugement de Salomon* 1510-1515, pl. et encre bistre/traces de craie et de lav., de forme ronde (diam. 27,7) : **CHF 112 000**.

KULMER Ferdinand

Né en 1925 à Cap Martin. xxe siècle. Actif en Yougoslavie. Français.

Peintre. Abstrait puis figuratif.

Il fit ses études artistiques à l'académie des beaux-arts de Budapest de 1942 à 1945, puis à Zagreb de 1945 à 1948, où il s'installa. Il travailla dans l'atelier de Hegedusic de 1950 à 1957. Il est professeur de l'académie des beaux-arts de Zagreb. Il a figuré au Salon de Mai, à Paris, en 1969. Il montre ses œuvres dans des expositions personnelles, depuis 1960, notamment à Paris, en 1990 à la galerie d'Art international, en 1991 au Paris Art Center. Après une première période, jusqu'en 1955, comportant des éléments de figuration inspirés de natures mortes et scènes d'intérieur, apparaissant isolés sur des surfaces de « matière-lumière », il évolua à une abstraction lyrique et gestuelle, atteignant son point culminant dans l'option tachiste (projection de taches sur supports préalablement déjà peints), entre 1960 et 1966, pour revenir ensuite, après cette ascèse de la liberté, à une reprise en main de l'organisation de la surface. Depuis, il est revenu à la figuration. Il a également réalisé des costumes pour des pièces de théâtre.

Bibliogr. : *Peintures de Ferdinand Kulmer*, Umetnost 17, Belgrade, janv. 1969.

Musées : Londres (Tate Gal.) : *Chestnut – Brown picture* 1960.

KU LO. Voir **GU LUO**

KUMAGAI Gorô

Né en 1932 dans la préfecture de Aomori. xxe siècle. Japonais.

Graveur. Naïf.

Diplômé du département de peinture occidentale de l'école des beaux-arts de Musashino de Tôkyô, il reçoit en 1960, le prix du concours Shell et figure, en 1964, à la Biennale internationale d'estampes de Tôkyô. Il est membre de l'Association japonaise de gravure et de l'Académie nationale de peinture.

Ses gravures sur bois et lithographies sont de style naïf.

KUMAGAI Morikazu

Né en 1880 dans la préfecture de Gifu. xxe siècle. Japonais.

Peintre.

En 1904, il sort diplômé de l'université des beaux-arts de Tôkyô. Il participe à plusieurs manifestations de groupe, mais pendant plusieurs années mène une vie d'ermite dans les monts Kiso.

Il peint essentiellement pour lui, fasciné par le contraste de l'ombre et de la lumière, dans un style semi-abstrait.

KUMAGAI Naohiko

xixe-xxe siècles. Japonais.

Peintre de paysages, animaux. Traditionnel.

Il reçut une médaille de bronze à l'Exposition universelle de Paris, en 1900. Il pratique la peinture sur soie.

KUMAR Ram

Né en 1924 à Simla. xxe siècle. Indien.

Peintre de figures, paysages. Figuratif puis abstrait.

Après avoir des études d'économie à l'université de Dehli, il fréquenta à Paris les ateliers de Lhote et de Léger, fut membre de l'Union des Arts Plastiques, et fréquenta Aragon et Paul Éluard. Il revient ensuite en Inde, où il participe au Mouvement de la Paix. En 1969, grâce à une bourse de la fondation Rockfeller, il voyagea aux États-Unis et au Mexique. Il est également connu comme écrivain pour ses romans et nouvelles.

Il participe à des expositions collectives aux Triennales en Inde, aux Biennales de Venise, Tokyo et São Paulo. Il montre ses œuvres dans des expositions personnelles, notamment : 1980 rétrospective à Calcutta, 1985 rétrospective à New Dehli. En 1972, il a reçu le prix Padmashri décerné par le gouvernement indien.

Il débute par des peintures figuratives où il représente les masses laborieuses, l'homme seul face à son destin. Progressivement les figures s'effacent laissant place à des paysages bientôt réduits au noir et blanc. De là, il passe aisément à l'abstraction, travaillant au couteau la matière, et revient à des œuvres plus colorées.

Bibliogr. : In : *Diction. de l'art mod. et contemp.*, Hazan, Paris, 1992 – Catalogue de l'exposition : *Artistes indiens en France*, Centre National des Arts Plastiques, Paris, 1985.

KUMAR Sampath

Né en 1939. xxe siècle. Actif en Belgique. Indien.

Peintre de paysages, figures, animaux.
Il fut élève des académies des beaux-arts de Nagar et Bombay.
Bibliogr. : In : *Diction. biogr. des artistes en Belgique depuis 1830*, Arto, Bruxelles, 1987.

KUMASHIRO SHUKKO, surnom : **Kitan,** noms de pinceau : **Yûhi, Shukukô**
Né en 1712 à Nagasaki. Mort en 1772. xviiie siècle. Japonais.
Peintre.
Actif à Nagasaki au moment où une nouvelle vague d'influences chinoises arrive et pénètre au Japon par cette ville, Yûhi travaille dans le style des peintres de fleurs et d'oiseaux de l'époque Ming (1368-1644), genre réaliste, mais déjà un peu éclectique de Shen Nanpin par exemple, peintre chinois qui séjourne à Nagasaki de 1731 à 1733. Il laisse des compositions détaillées, aux touches minutieuses et aux couleurs voyantes.

KU MEI-SHÊNG. Voir **GU MEISHENG**

KUME Keiichirô
Né en 1866. Mort en 1934. xixe-xxe siècles. Japonais.
Peintre de paysages.
Il travaille dans la préfecture de Saga. Peintre de style occidental, il fut élève de Fuji Gazô et de Raphael Collin. Il est connu comme directeur de l'Exposition impériale (Teiten), fondateur de l'académie de peinture Hakabakai et professeur de l'université des beaux-arts de Tokyo.

KUMM Wilhelm
Né le 3 avril 1861 à Hambourg. xixe-xxe siècles. Allemand.
Sculpteur de bustes.
Il reçut une médaille à Munich en 1890, une mention honorable à Paris en 1894.
Musées : Hambourg : *L'Ilote – Portrait du sénateur Möring.*

KÜMMEL Heinrich August Georg
Né le 2 février 1810 à Hanovre. Mort le 31 décembre 1855 à Rome. xixe siècle. Allemand.
Sculpteur.
Il fut élève de Hengst. Ce fut surtout un portraitiste longtemps très en vogue : on cite, entre autres : *Bustes du roi et du prince héritier de Hanovre* (1845), *du duc Bernhard de Weimar, du futur tzar Alexandre II.*
Musées : Hanovre : *La vendangeuse – Garçon pêchant – Nymphe – Éducation de Bacchus – Pénélope.*

KUMMER Bartholomäus Sixtus
Né vers 1647 à Ulm. Mort en 1697. xviie siècle. Allemand.
Peintre.
Il travaillait vers 1683 pour l'église de Blaubeuren.

KUMMER Carl Robert
Né le 30 mai 1810 à Dresde. Mort le 29 décembre 1889 à Dresde. xixe siècle. Allemand.
Paysagiste.
Élève de J.-C. Dahl à Dresde, il étudia surtout seul. Une bourse du gouvernement saxon lui permit de faire un voyage en Italie. Pendant plusieurs années, il parcourut la Hongrie, la Slavonie, la Croatie, la Dalmatie, l'Albanie, le Monténégro. Il visita encore, après un séjour à Dresde, le Portugal, l'Écosse, l'Égypte. La plupart de ses nombreux paysages représentent des vues de Suisse et d'Écosse. Kummer devint membre de l'Académie de Dresde en 1847, professeur en 1859.
Musées : Dresde : *Coucher de soleil sur les côtes écossaises* – Leipzig : *Coucher de soleil sur les Hébrides – Le canton de Glarus* – Moscou : *Paysage.*
Ventes Publiques : Londres, 23 juin 1981 : *Vue d'une vallée à travers une ruine* 1838, h/t (89x77,5) : **GBP 4 000** – Londres, 30 mai 1984 : *Paysage vu à travers une voûte* 1838, h/t (89x77,5) : **GBP 1 200.**

KUMMER Ernst
Né en 1769 à Pforzheim. Mort le 30 janvier 1839 à Zurich. xviiie-xixe siècles. Suisse.
Peintre de portraits, miniaturiste, aquarelliste, graveur et dessinateur.

KUMMER Julius Hermann
Né le 23 juillet 1817 à Dresde. xixe siècle. Allemand.
Peintre de paysages et lithographe.
Le Musée de Dresde possède de cet artiste six paysages des environs de cette ville.

KUMMER Sixtus. Voir **KUMMER Bartholomäus**

KUMMERFELD Henny
xxe siècle. Allemand.
Peintre de fruits.
Il vécut et travailla à Düsseldorf. Il prit part à l'Exposition de Berlin en 1909.

KÜMMERLI Adrian
Né le 9 mai 1830 à Olten. Mort le 24 avril 1894 à Olten. xixe siècle. Suisse.
Portraitiste.
Étudia la peinture à Naples. Se fixa à Munich, puis dans son pays natal.

KÜMMERLI Gottfried
Né le 10 avril 1822 à Olten. Mort le 2 janvier 1884 à Berne. xixe siècle. Suisse.
Dessinateur, lithographe.
Étudia, comme son frère Adrian, à Naples, puis se fixa à Berne.

KÜMMERLI Hermann
Né le 6 septembre 1857 à Berne. Mort le 30 avril 1905. xixe siècle. Suisse.
Peintre et lithographe.
Travailla avec son père Gottfried et se perfectionna à Genève et à Paris après avoir fait un séjour à Dôle. De retour en Suisse travailla dans l'atelier de son père et s'adonna aux cartes de géographie.

KÜMMERLI Joseph Anton ou **Kümmerlin**
Né le 28 octobre 1809 à Olten. Mort le 30 septembre 1870 à Soleure. xixe siècle. Suisse.
Lithographe.

KUMPEL William
xixe siècle. Actif à Londres. Britannique.
Peintre de figures et aquarelliste.
Exposa à la Royal Academy entre 1855 et 1879.
Ventes Publiques : Londres, 25 jan. 1908 : *Deux vues de la New Forest* 1875-1876, aquar., pendant : **GBP 11**.

KUMROW Klaus
xxe siècle. Allemand.
Sculpteur, créateur d'installations, dessinateur, aquarelliste.
Il participe à des expositions collectives : 1982 et 1986 Hambourg ; 1985 et 1987 Kunstverein de Bonn ; 1987 Museum am Ostwall de Dortmund ; 1988 Documenta VIII de Kassel ; 1989 Houston. Il montre ses œuvres dans des galeries en Allemagne, à Hambourg, Stuttgart, Berlin, Munich, ainsi que pour la première fois à Paris en 1989.
Il réalise de petites sculptures en verre, qu'il récupère d'objets usuels (bouteille, miroir...). Il découpe ensuite ce matériau, puis compose de manière aléatoire et réfléchie les débris, et les associe à des aquarelles nées de la spontanéité. Parallèlement, il compose des espaces dynamiques colorés, principalement en bois, qui évoquent l'architecture, au travers desquels l'on peut regarder grâce à un système de fente.
Bibliogr. : In : *Contemporary Artists*, Mac Millan Publishers, Londres, 1983.

KUNA Henri
Né le 16 novembre 1885 à Varsovie. xxe siècle. Actif depuis 1911 aussi en France. Polonais.
Sculpteur de statues, peintre.
À partir de 1911, il vécut à Paris, où il exposa au Salon d'Automne.
On cite de lui une statue de femme intitulée *Le Rythme* montrée à l'exposition des arts décoratifs de 1925. En 1936, il est nommé professeur à l'école des beaux-arts de l'université de Wilno, puis, après la guerre, professeur de sculpture monumentale à l'université de Torun. Il a reçu la Légion d'honneur.
Marqué par l'impressionnisme puis par l'art de Maillol et les sculptures antiques et asiatiques, il s'attache au travail sur la matière, utilisant le marbre, l'ébène, dans des formes lisses et massives.
Bibliogr. : In : *Diction. de la sculpture*, Larousse, Paris, 1992.

KUNAWIN Alexander Michailovitch
Né le 21 août 1780. xixe siècle. Russe.
Peintre.
Il travailla à Saint-Pétersbourg où il peignit surtout des vues de villes.

KUNC Karen
Née en 1952 à Omaha (Nebraska). xxe siècle. Américaine.
Graveur. Tendance symboliste.
Elle vit et travaille à Avoca dans le Nebraska.

Elle a figuré, à Paris, en 1995, à l'exposition de la Jeune Gravure Contemporaine parmi les invités des États-Unis.
Ses gravures, des paysages, des structures insolites, des formes végétales, évoquent sur le mode symbolique « la lutte vitale et continue de la persistance et de la vulnérabilité ».

KUNC Milan
Né en 1944 à Prague. XXe siècle. Tchécoslovaque.
Peintre de sujets divers, dessinateur.
Ventes Publiques : Rome, 28 nov. 1989 : *« Friedenstaube »* 1986, h/t (60x80) : **ITL 10 500 000** – New York, 23 fév. 1990 : *Nature morte*, temp./t. (198,2x225,5) : **USD 4 400** – New York, 7 mai 1990 : *Classique nervosité* 1982, h/tissu (101,9x198,2) : **USD 8 250** – New York, 7 nov. 1990 : *Après-midi psychédélique* 1983, acryl./tissu (225,4x228,5) : **USD 15 400** – Lugano, 28 mars 1992 : *La bonne fortune*, encre/pap. (35,5x43,5) : **CHF 850** – New York, 17 nov. 1992 : *Rhapsodie du petit matin* 1983, acryl./t. (106,7x122,4) : **USD 7 150** – New York, 7 mai 1993 : *Sans titre (Salon)*, acryl./t. (185x240) : **USD 5 520** – New York, 8 nov. 1993 : *Relaxation* 1983, h/tissu (200,3x142,2) : **USD 3 450** – Amsterdam, 2-3 juin 1997 : *Sans titre* 1984, past. gras et encre/pap. (27x42) : **NLG 4 720**.

KUNCAN ou **Kun Can, K'Ouen-Ts'an** ou **K'Un-Ts'an**, de son vrai nom : **Liu,** noms de pinceau : **Shiqi, Jieqiu, Baitu, Candaoren,** etc.
Né en 1612, originaire de Wuling, province du Hunan. XVIIe siècle. Actif vers 1657-1674. Chinois.
Peintre de paysages. Traditionnel.
En marge de l'orthodoxie s'affirme, dès la fin de l'époque Ming, un courant individualiste dont les plus remarquables représentants seront, au début de la dynastie Qing, Bada Shanren (1625-1705), Shitao (1641-après 1717) et Kuncan. Ces hommes, devant la nouvelle dynastie étrangère, cherchent à fuir la vie et les responsabilités civiques, et se réfugient souvent dans la solitude monastique, moins par vocation que par convenance personnelle. Kuncan semble, toutefois, être une exception, ayant embrassé la vie religieuse avant la chute des Ming. L'inscription qui accompagne un de ses paysages est très claire : « La question est de savoir comment trouver la paix dans un monde de souffrances. Vous demandez comment je suis arrivé ici ; je ne peux vous en donner la raison. Je vis tout en haut d'un arbre et je regarde en bas. Ici je peux me reposer, libre de tous soucis ; je suis comme un oiseau dans son nid. Les gens disent de moi que je suis un homme dangereux, mais je leur réponds : c'est vous qui êtes comme des démons ». Moine bouddhiste de la secte chan (zen), après quelques années d'errance, il devient supérieur du monastère Niushou, près de Nankin. Reclus et malade, il voit peu de monde, si ce n'est Cheng Zhengkui (actif à Nankin au milieu du XVIIe siècle), et se rattache comme lui à ce que l'on pourrait appeler : l'École de Nankin. Paysagiste, Kuncan a une vision puissante et tumultueuse de l'univers et bien que certains détails dénotent une influence de Dong Qichang (1555-1636), ses paysages sont fondés très directement sur la nature : collines boisées, rivières, vallées brumeuses, temples sont des décors familiers pour lui. Si ses traits secs font penser à l'école du Anhui, il s'en éloigne par sa densité et sa richesse, sorte de densité picturale où l'accidentel, voire le désordonné, n'appartiennent qu'au réel ; aucune forme fantastique ou expressionniste, mais une échelle éminemment logique. Dans son œuvre la plus célèbre, le temple Baoen, près de Nankin, rouleau vertical daté 1664, laisse transparaître cette marque extrêmement personnelle avec ses buttes et versants à pic bien réels, ses nappes de brume et les derniers éclats de soleil qui colorent les hauteurs lointaines, et dominent toute la composition. Ce style est un exemple de ce que les critiques chinois nomment « luxuriance » ou « densité ».
■ M. M.
Bibliogr. : James Cahill : *La peinture chinoise*, Genève, 1960.
Musées : Cambridge (Fogg Mus.) : *Montagnes et pavillons dans une pinède* poème daté 1674 – Cologne (Ostasiatische Mus.) : *Ruisseau serpentant dans la montagne, arbres feuillus sur des rochers nus* inscription du peintre datée 1667 – Oxford (Mus. of Far Eastern Art) : *Paysage de rivières dans des montagnes très boisées*, inscription du peintre, attribution – Pékin (Mus. du Palais) : *Ravin profond avec torrents et brumes* inscription du peintre datée 1664 – *Deux hommes assis sur une terrasse et regardant le cours d'eau en dessous, grands pins et brouillard dans la vallée* – Shanghai : *Sentier serpentant dans la montagne entre les rochers* daté 1663, long colophon de l'artiste – Stockholm (Nat. Mus.) : *Rivière de montagne* inscription datée 1661 – *Rivière dans la montagne avec un pont de pierre*, inscription poétique de l'artiste, petit rouleau en longueur – *Colline s'élevant au-dessus de la plaine*, titre et poème calligraphié par le peintre, signé.
Ventes Publiques : New York, 1er juin 1989 : *Moine méditant près d'une cascade*, encre et pigments/pap., kakémono (153,5x38,5) : **USD 132 000**.

KUNCE Samm
XXe siècle. Américaine.
Sculpteur, auteur d'installations.
Elle a montré ses œuvres dans une exposition personnelle en 1995, à la galerie John Gibson à New York.
Elle travaille à partir de végétaux, contrôlant leur croissance. On cite l'installation *Law of desire* (Loi du désir) de 1995.
Bibliogr. : Susan Harris : *Promenade printannière*, Art Press, n° 204, Paris, juil.-août 1995.

KUNCKEL Jürgen
Né sans doute en 1634 à Stockholm. Mort vers 1678. XVIIe siècle. Suédois.
Peintre.
Il travailla à Lübeck.

KUNCZYNSKI
XIXe siècle. Polonais.
Sculpteur.
Décorateur ornemaniste remarquable.

KUNDERA Rudolf
Né le 9 mars 1911 à Brno-Turany. XXe siècle. Actif depuis 1939 en France. Tchécoslovaque.
Peintre de paysages, portraits.
Entre 1930 et 1936, il fait ses études à l'académie des beaux-arts de Prague, et après un voyage en Europe, il obtient le grand Prix de Rome en 1937. Il arrive à Paris en 1939, puis s'installe, en 1940, à Marseille et Cassis. Il fait des expositions, entre autres, à Rome (1937), Paris (1940-1945-1946-1952-1963), Jersey (1963). Paysagiste et portraitiste, il cherche à concilier art abstrait et art figuratif, donnant une peinture plutôt figurative et soutenue par un tracé géométrique linéaire très accusé.

KÜNDIG Reinhold
Né en 1888 à Uster (Zurich). Mort en 1984 à Thalwil (Zurich). XXe siècle. Suisse.
Peintre, peintre de décorations murales.
Il fut élève de l'école d'art théâtral de Zurich, et est autodidacte en peinture. Il fit un voyages d'étude à Rome et Paris.
Il réalisa de vastes compositions murales, notamment pour le musée archéologique de l'université de Zurich, en 1914.

Ventes Publiques : Zurich, 5 mai 1976 : *Paysage montagneux*, h/t (65x81) : **CHF 4 600** – Zurich, 20 mai 1977 : *Paysage* 1936, h/t (81x100) : **CHF 6 000** – Zurich, 25 mai 1979 : *Vue du lac de Zurich*, h/t (73x92,5) : **CHF 17 500** – Zurich, 28 oct. 1981 : *Paysage* 1936, h/t (45x54) : **CHF 9 000** – Zurich, 1er juin 1983 : *Femme assise dans un jardin*, h/t (60x73) : **CHF 13 000** – Zurich, 21 juin 1985 : *Die Mulde* 1942, h/t (60x73) : **CHF 7 000** – Zurich, 20 nov. 1987 : *Paysage de printemps* 1947, h/t (81x100) : **CHF 18 000** – Zurich, 16 oct. 1991 : *Dans le massif de Horgener*, gche (24,4x33,9) : **CHF 800** – Zurich, 4 juin 1992 : *Paysage d'hiver* 1933, h/t (45x54) : **CHF 7 910** – Zurich, 9 juin 1993 : *Eaux vives* 1936, h/t (81x100) : **CHF 10 350** – Zurich, 13 oct. 1994 : *Lumière du soleil dans le feuillage d'un arbre*, h/cart. (68,5x73) : **CHF 2 600** – Lucerne, 20 mai 1995 : *Arbres dans un jardin*, aquar./pap. (49x34) : **CHF 1 900** – Zurich, 12 juin 1995 : *Dans les champs*, h/t (51x65) : **CHF 2 530** – Zurich, 17-18 juin 1996 : *Au bord du Zugersee*, h/t (60x69) : **CHF 1 500** – Zurich, 10 déc. 1996 : *Doux temps de février*, h/t (60x73) : **CHF 11 500** – Zurich, 8 avr. 1997 : *Orage sur le massif du Horgener* 1944, h/t (50x61) : **CHF 2 600**.

KUNDMANN Carl
Né le 15 juin 1838 à Vienne. Mort le 9 juin 1919 à Vienne. XIXe-XXe siècles. Autrichien.
Sculpteur.
Chevalier de la Légion d'honneur en 1878. Médailles d'or à Berlin en 1879 et 1888. On cite, entre autres, sa statue de *l'abbé Reittenberger* à Marienbad et son bas-relief pour le tombeau de la comtesse Hanna Szechenyi-Erdödy à Gross Zinkendorf.

KUNDMÜLLER Hans
Né le 3 mai 1837 à Bamberg. Mort le 9 avril 1893 à Bamberg. XIXe siècle. Allemand.

Peintre de portraits, de paysages et de genre.
Il fut à Nuremberg élève de Karl Raupp. Le Musée Municipal de Bamberg possède des œuvres de lui, et, entre autres, un assez grand nombre de croquis rapportés de voyages en Italie.

KUNFY Lajos
Né le 2 octobre 1869 à Orci. XIXe-XXe siècles. Actif en France. Tchécoslovaque.
Peintre.
Il prit part aux expositions de la Société Nationale des Beaux-Arts, à Paris, où il s'installa.
VENTES PUBLIQUES : LA VARENNE-SAINT-HILAIRE, 20 mai 1990 : *Le pont de Budapest*, h/cart. (32x21) : FRF 8 000.

KÜNG Erhard
Mort en 1506. XVe siècle. Actif à Berne. Suisse.
Sculpteur.
Se maria avec Enneli Wanner et plus tard avec Dorothée. Travailla à la construction de la cathédrale de Berne et de plusieurs églises de la région, mais son chef-d'œuvre est la sculpture du porche de la cathédrale de Berne.

KUNG HSIEN. Voir **GONG XIAN**

KUNG K'AI. Voir **GONG KAI**

KUNG-MAI WOU
XXe siècle. Chinois.
Peintre de paysages. Traditionnel.
Il a figuré à l'Exposition internationale d'art moderne ouverte à Paris, en 1946, au musée d'Art moderne, par l'Organisation des Nations Unies. Il y présentait *Vieil arbre, bambou et pierre*.

KUNG-PAH KING. Voir **JIN SHAOCHENG**

KUNG PO. Voir **GONG BO**

KUNG SU-JAN. Voir **GONG SURAN**

K'UNG YEN-SHIH. Voir **KONG YANSHI**

KUNICKA Alexandrine
Née à Saint-Jean-de-Losne (Côte-d'Or). XIXe siècle. Française.
Peintre de portraits.
Élève de Papin. Débuta au Salon en 1873.

KÜNICKE August
Né le 14 janvier 1864 à Leipzig. XIXe siècle. Allemand.
Peintre de paysages et de portraits.
Il travailla à Paris et en Italie, puis s'établit à Leipzig comme peintre de portraits.

KUNIHARU, nom personnel : **Gusokuya Sahei,** noms de pinceau : **Gyokuyôtei** et **Sanpûtei**
Né en 1803. Mort en 1839. XIXe siècle. Japonais.
Maître de l'estampe.
Il était actif vers 1820-1830. Disciple de Toyokuni II, il semble avoir travaillé surtout à Edo (actuelle Tokyo), avec comme cachet, Arashi.

KUNIHARU, dit **Yoshimori II**
XIXe siècle. Japonais.
Maître de l'estampe.
Il était élève de Yoshimori (?), il devint Yoshimori II. Il était actif à Osaka vers 1853-1854.

KUNIHIRA
XIXe siècle. Actif à Osaka vers 1816. Japonais.
Maître de l'estampe.
Il serait l'élève de Kunihiro.

KUNIHIRO, surnom : **Takigawa** (de 1823 à 1826), **Utagawa** (en 1830), **Tenmaya** (en 1835), noms de pinceau : **Ganjôsai** (de 1821 à 1835), **Kônantei** (en 1823), **Sanshôtei** (en 1829)
XIXe siècle. Actif à Osaka vers 1821-1841. Japonais.
Maître de l'estampe.

KUNIKAGE, surnoms : **Utagawa,** noms de pinceau : **Eisai, Kinharô, Kinhasai, Ichieisai** et **Ichiôsai**
XIXe siècle. Actif à Osaka vers 1831. Japonais.
Maître de l'estampe.

KUNIKAZU, surnom : **Utagawa,** nom de pinceau : **Isshusai** ou **Ichijusai**
XIXe siècle. Actif à Osaka de 1849 à 1867. Japonais.
Maître de l'estampe.

KUNIKAZU
XIXe siècle. Actif à Osaka en 1856-1858. Japonais.
Maître de l'estampe.
A rapprocher du précédent.

KUNIKE Adolph Friedrich ou **Kunicke**
Né le 25 février 1777 à Greifswald. Mort le 17 avril 1838 à Vienne. XIXe siècle. Allemand.
Peintre et lithographe.
Il fut élève de Senefelder et reproduisit, en 1828, une série de *Vues lithographiques du Danube* d'après Jakobalt. Il a publié un ouvrage sur la lithographie.

KUNILIUSEE Paulosee
Né le 9 décembre 1927 à Broughton Island (Grand-Nord du Canada). XXe siècle. Canadien.
Sculpteur.
Sculpteur esquimau, il utilise des matériaux familiers à son ethnie tels l'os de baleine, la pierre et l'ivoire. Ses thèmes sont traditionnellement orientés vers la pêche ou la chasse.
BIBLIOGR. : Catalogue de l'exposition : *Les Magiciens de la terre*, Centre Georges Pompidou et la Grande Halle La Villette, Paris, 1989.

KUNIMARU. Voir **UTAGAWA KUNIMARU**

KUNIMASA. Voir **UTAGAWA KUNIMASA**

KUNIMASU, premier nom : **Sadamasu I,** surnom : **Utagawa,** noms de pinceau : **Ichijuen, Ichijutei Gochôtei, Gochôsai**
XIXe siècle. Actif à Osaka de 1834 à 1852. Japonais.
Maître de l'estampe.

KUNINAKA NO KIMIMARO, surnom : **Kuninaka No Muraji**
Mort en 774. VIIIe siècle. Japonais.
Sculpteur.
Petit-fils de Kuni no Kotsufu, sculpteur coréen travaillant au Japon, il vit à Kunikata, près de Nara. Il supervise la construction du Grand Bouddha du temple Tôdai-ji à Nara, à partir de 745, et en 761, reçoit le titre, encore jamais conféré à un artisan, de chef de la fabrication de la statue. Il deviendra après vice-directeur du Zô-Tôdai-ji-shi, le bureau pour la confection des statues et la construction du temple Tôdai-ji.

KUNINAO. Voir **UTAGAWA KUNINAO**

KUNINGHAM
XVIIIe siècle. Actif vers 1712. Éc. flamande.
Peintre.
Peut-être élève de Van Schoor à Anvers.
On cite de lui : *Incendie de Troie, Candaule montre sa femme à Gygès*.

KU NING-YÜAN. Voir **GU NINGYUAN**

KUNINOBU. Voir **KANO EITOKU**

KUNISADA. Voir **UTAGAWA KUNISADA,** et **TOYOKUNI III**

KUNISADA II. Voir **UTAGAWA KUNISADA II**

KUNISADA Kachoro
XIXe siècle. Travaillant entre 1830 et 1867. Japonais.
Graveur.
Le Musée de Melbourne conserve de lui une gravure en couleurs : *Belles places et belles femmes*.

KUNISAWA SHINKURÔ
Né en 1847 dans la préfecture de Kôchi. Mort en 1877. XIXe siècle. Japonais.
Peintre.
Peintre de style occidental, il étudie la peinture à Londres, puis s'établit à Tokyo où il fonde une école : Shôgi-dô-gajuku.

KUNISHIGE. Voir **SHIGEHARU KUNISHIGE**

KUNISHIGE. Voir **UTAGAWA TOYOKUNI II**

KUNITERU. Voir **UTAGAWA KUNITERU**

KUNITSURU. Voir **UTAGAWA KUNITSURU**

KUNIYOSHI. Voir **UTAGAWA KUNIYOSHI**

KUNIYOSHI Katherine Schmidt. Voir **SCHMIDT Katherine**

KUNIYOSHI Yasuo
Né le 1er septembre 1893 à Okayama. Mort en 1953 à New York. XXe siècle. Actif depuis 1906 et naturalisé aux États-Unis. Japonais.

Peintre de compositions animées, figures, nus, paysages, natures mortes, dessinateur.
En 1906, il s'installe à Seattle où il se livre à divers travaux hétéroclites, avant de s'intéresser à l'art. C'est à Los Angeles qu'il commence ses études artistiques, pour les poursuivre à partir de 1916 à l'Art Student's League de New York avec le peintre réaliste, Kenneth Hayes Miller. De 1925 à 1928, il fait deux voyages en Europe où il est très impressionné par ce qu'il voit de Soutine, d'Utrillo et surtout de Jules Pascin. Il participe à des expositions collectives, notamment au musée d'Art moderne de New York, et en 1952 à la Biennale de Venise. Il montre ses œuvres dans des expositions personnelles à New York depuis 1922 et au Japon, notamment au musée national d'Art moderne de Tôkyô en 1931 et 1932.
Ses premières œuvres, des années vingt, combinent paysages et personnages, particulièrement des enfants, avec des fleurs, dans un style onirique et humoristique. Ses dessins sont des compositions plus libres, idiomes fantastiques lointainement reliés à des concerts esthétiques orientaux. Comme Pascin, il se concentre sur la femme et les natures mortes, se délectant de la « physicalité » du corps et de l'objet, qu'il rassemble souvent de façon incongrue. Dans les années quarante, les connotations érotiques dominent sa production, où il associe volontiers un réalisme d'atelier à un riche monde imaginaire. Pendant la guerre, les représentations désolées de ruines, dans les gris et les terre, dominent son œuvre, tandis qu'après 1948, il affectionne les thèmes de fête, plus hautes en couleurs, sortes de grandes fresques teintées d'ironie. ■ J. B.
Bibliogr. : B. W. Robinson : *Kuniyoshi*, The Majesty's Stationary Office, Londres, 1961 – in : *Diction. univer. de la peinture*, Le Robert, tome IV, Paris, 1975 – in : *Contemporary Artists*, Mac Millan Publishers, Londres, 1983 – in : *L'Art du xxe s.*, Larousse, Paris, 1991 – Richard A. Wofsy : *Yasuo Kuniyoshi. The complete Graphic Work*, Alan Wofsy, San Francisco, 1991.
Musées : Amsterdam (Stedelijk Mus.) – Buffalo (Albright Knox Art Gal.) – Chicago (Art Inst.) – New York (Mus. of Mod. Art) – New York (Whitney Mus.) : *Je suis fatiguée* 1938 – *Femme du désert* 1943 – Tel-Aviv (Mus. of Art) – Tôkyô (Nat. Mus. of Mod. Art).
Ventes Publiques : New York, 6 fév. 1976 : *Dancing* 1928, litho./Chine appliqué (29,5x25,7) : **USD 800** – New York, 29 avr. 1976 : *Paysage à la ferme* 1939, h/t (30,5x40,5) : **USD 5 000** – New York, 21 avr. 1977 : *Nature morte* 1934, h/t (46,3x72,4) : **USD 7 500** – New York, 9 nov. 1978 : *Corrida* 1928, litho./Chine (23x23,5) : **USD 1 600** – Los Angeles, 6 juin 1978 : *Portrait de jeune fille* 1936, h/t (27,9x20,3) : **USD 7 500** – New York, 13 nov 1979 : *L'équilibriste* 1938, litho. (39,8x30,5) : **USD 1 800** – New York, 23 mai 1979 : *Jeune fille à la cigarette*, cr. (49x43) : **USD 2 000** – New York, 20 avr 1979 : *Vache et épouvantail*, h/t (61,1x50,8) : **USD 12 000** – New York, 19 fév. 1981 : *Jeune Fille à la cigarette* 1928, litho. (21x28,6) : **USD 4 200** – New York, 19 juin 1981 : *Femme au miroir* 1934, fus. (41,3x31,1) : **USD 3 000** – New York, 3 déc. 1982 : *Portrait de jeune fille* 1943, h/t (25,9x20,5) : **USD 26 000** – New York, 9 mars 1983 : *Jeune fille à la cigarette* 1928, litho. (21,3x28,7) : **USD 3 000** – New York, 1er juin 1984 : *Honyecomb Hill* 1941, h/t (18x33) : **USD 11 000** – New York, 30 mai 1985 : *Femme et enfant* 1920, h/t (101,6x61) : **USD 90 000** – New York, 13 mai 1987 : *Cafe N° 2* 1935, litho. (31,8x25) : **USD 18 000** – New York, 1er oct. 1987 : *Ghost Town*, cr. (35,3x42,9) : **USD 11 000** – New York, 4 déc. 1987 : *Fleurs artificielles et autres objets* 1934 : **USD 560 000** – New York, 16 avr. 1988 : *La pêche à Teppozu*, estampe en coul. (24,5x36,3) : **USD 9 350** – New York, 17 mai 1988 : *Rue de village* 1921, encre de Chine et lav./pap. (30x24) : **USD 18 700** – New York, 30 sep. 1988 : *La fumeuse*, encre/pap. (15,8x26) : **USD 5 720** – New York, 28 sep. 1989 : *Cripple Creek dans le Colorado* 1941, gche/pan. de rés. synth. préparé au gesso (25,5x40,5) : **USD 57 200** – New York, 30 nov. 1989 : *Hommes endormis* 1937, past. et cr./pap. (28,5x43,7) : **USD 25 300** ; *Raisin et biscuits secs* 1935, h/t (38,1x53,3) : **USD 77 000** – Paris, 1er fév. 1989 : *La trapéziste* 1928, litho. : **FRF 40 000** – New York, 1er déc. 1989 : *Moment de détente* 1940, temp. et cr./cart. (26,6x37,4) : **USD 176 000** – New York, 23 mai 1990 : *Nature morte aux aubergines posées sur un guéridon devant un paysage urbain*, h/t (37,8x61) : **USD 165 000** – New York, 30 nov. 1990 : *Je venais de me marier*, h/t (46x34,2) : **USD 286 000** – New York, 14 mars 1991 : *Nu allongé à plat ventre* 1950, encre/pap. (35,5x56) : **USD 4 950** – New York, 12 avr. 1991 : *Ève dans le jardin de l'Eden* 1947, gche/cart. (92,7x171,5) : **USD 18 700** – New York, 23 sep. 1992 : *Paysage* 1932, h/t (34x57) : **USD 8 800** – New York, 3 déc. 1992 : *Paysage du Maine ; La grange de Joel*, aquar. et encre/pap. (38,7x29,2) : **USD 23 100** – New York, 26 mai 1993 : *Café 2*, cr./pap. chamois (39,4x31,7) : **USD 19 550** – New York, 25 mai 1995 : *Pastèque* 1938, h/t (101,6x142,2) : **USD 178 500**.

KUNKLER Adolphe Charles
Né le 27 juillet 1867 à Duillier. xixe-xxe siècles. Actif depuis 1900 aux États-Unis. Suisse.
Peintre de natures mortes, figures, compositions animées, graveur.
Il est le neveu de Jean Jules Adrien Kunkler. Il fit ses études à Genève et s'établit à Boston, en 1900. Il se consacra à la gravure sur métaux et obtint une médaille de bronze à l'Exposition de Saint Louis en 1903.
Ventes Publiques : New York, 29 jan. 1964 : *Nature morte aux fleurs* : **USD 6 000** – New York, 19 oct. 1967 : *Nature à la pastèque* : **USD 12 000** – New York, 14 mars 1968 : *Enfant pêchant* : **USD 6 500** – New York, 3 juin 1970 : *Nature morte*, aquar. : **USD 1 100** – New York, 14-15 mars 1973 : *Comment étais-je ?*, gche : **USD 40 000**.

KUNKLER André Laurent
Né le 1er octobre 1898 à Rolle (Vaud). xxe siècle. Actif aussi en France. Suisse.
Peintre de natures mortes, paysages, nus.
Ayant travaillé en Suisse et en Italie, il réside tantôt à Paris, tantôt dans sa ville natale. Il expose aux Salons d'Automne, des Tuileries et de la Nationale suisse. Pourtant c'est en Angleterre et en Amérique que ses œuvres sont les plus appréciées.
Ventes Publiques : Paris, 29 oct. 1926 : *Paysage corse* : **FRF 600**.

KUNKLER Hedwig
Née le 7 avril 1862 à Saint-Gall. xixe siècle. Suisse.
Peintre de paysages et aquarelliste.
Se fixa en 1891 à Zurich pour étudier le paysage et la peinture sur porcelaine. En 1900, elle alla se perfectionner à Munich. Au Musée de Saint-Gall se trouve sa toile : *Pensées*.

KUNKLER Jean Jules Adrien
Né en 1829 à Morges. Mort le 26 décembre 1866 à Genève. xixe siècle. Suisse.
Peintre de paysages et de genre.
Il fit ses études à Düsseldorf. Le Musée Ariana, à Genève, conserve un tableau : *La Place prise*, qui nous paraît devoir être donné à ce peintre.

KUNKLER Johann Heinrich
Né le 3 octobre 1756 à Saint-Gall. Mort le 17 juin 1836. xviiie-xixe siècles. Suisse.
Peintre de portraits, paysages, natures mortes.
Il fut élève de J.-P. Trautmann à Francfort-sur-le-Main. La Bibliothèque de Saint-Gall possède de lui les portraits de trois bourgmestres de cette ville.
Ventes Publiques : Londres, 20 fév. 1976 : *Nature morte aux fruits* 1806, h/pan. (34,5x54,5) : **GBP 750**.

KÜNL Paul Franz
Né le 8 mars 1817 à Jung-Bunzlau. Mort le 5 juin 1871 à Liubliana. xixe siècle. Yougoslave.
Peintre.
On lui doit des portraits, des tableaux d'églises, des paysages, mais surtout des peintures inspirées par la vie dans les coulisses des théâtres.

KÜNNE Arnold
Né à Altena. xixe siècle. Allemand.
Sculpteur.
Il travailla surtout à Charlottenburg. On cite ses statues : *L'empereur Guillaume Ier* à Karitz et *L'impératrice Auguste Victoria* à Sangerhausen.

KUNO Shin
Né en 1921 à Nagoya (préfecture de Aichi). xxe siècle. Japonais.
Peintre, peintre de compositions murales. Abstrait.
Après des études d'art à Tôkyô, il est enrôlé dans l'aviation navale pendant la guerre. En 1950, il devint professeur de design à l'école des arts appliqués de Nagoya, où il s'installe. Il participe à plusieurs manifestations de groupe, depuis 1952, notamment à l'Association des jeunes artistes, dont il reçoit le prix en 1955, et à l'exposition itinérante aux États-Unis, *Sculptures et Peintures du Japon contemporain* en 1963-1964. Il fait de nombreuses

expositions particulières à Tôkyô, et une à Londres en 1963. En 1963, il exécute les peintures murales du temple Zenryôken à Tôkyô.
Ses œuvres abstraites se composent principalement de plaques de métal laquées, montées sur bois et gravées de quelques incisions.
Ventes Publiques : New York, 9 mai 1989 : *Sans titre* 1970, acier inox. et acryl./bois/pan. (160x129,5) : **USD 2 420**.

KUNOSKI Spase
Né en 1929 à Debar. xxe siècle. Yougoslave.
Peintre.
Il a étudié à l'académie des beaux-arts de Zagreb jusqu'en 1953, a fait un voyage d'étude en Italie en 1957 et à Paris en 1959 et 1960. Il participe à de nombreuses expositions collectives en Yougoslavie et à l'étranger, il montre ses œuvres dans des expositions personnelles à Skopje et Zagreb.
Sa peinture crée un monde hermétique ou des fantômes ou ectoplasmes théâtreux semblent en suspension dans un espace vide.

KUNOWSKI Lothar von
Né le 8 décembre 1866 à Ober-Wilkau. xixe-xxe siècles. Allemand.
Peintre, graveur.
Après avoir fait ses études à Breslau et à Munich, il enseigna le dessin à Düsseldorf. On lui doit plusieurs ouvrages de pédagogie artistique.

KUNST. Voir aussi **ENGELBERTSZ Lucas Cornelisz** et **ENGELBERTSZ Pieter Cornelisz**

KUNST Karl
Né en 1884. Mort en 1912 à Munich (Bavière). xxe siècle. Allemand.
Peintre.
Il fut à Munich élève de Dasio.

KUNSTENBACH Renke Gerhard
Né en 1745. Mort le 5 janvier 1807 à Jever. xviiie siècle. Allemand.
Peintre.
Le Musée et le château de Jever, près d'Oldenbourg, possèdent, de cet artiste, des paysages à l'aquarelle.

KÜNSTLER Josef
xviiie-xixe siècles. Actif à Mannheim. Allemand.
Sculpteur.
Il travailla d'abord à Heidelberg. Par la suite il reçut des commandes de la grande duchesse Stéphanie à Mannheim.

K'UN T'SAN. Voir **KUNCAN**

KUNTZ Gustav Adolf
Né le 17 février 1843 à Wildenfels. Mort le 2 mai 1879 à Rome. xixe siècle. Allemand.
Peintre de genre et sculpteur.
Élève de Schilling à Dresde. Il parcourut l'Italie, la France, l'Angleterre, les Pays-Bas. Il étudia avec Ruben et Angeli à Vienne. Il fit, en Italie, une statue en marbre du prophète Daniel pour le monument du prince consort à Frogmore. Le Musée de Berlin conserve une toile de lui, *Pèlerins romains*, et celui de Dresde, quatre œuvres dont trois inachevées. Médaille d'or à Berlin en 1877.

KUNTZ Karl
Né le 29 juillet 1770 à Mannheim. Mort le 8 septembre 1830 à Karlsruhe. xviiie-xixe siècles. Allemand.
Peintre de paysages, graveur.
Il fut élève de Rouger à l'Académie de Mannheim. Il visita la Suisse et l'Italie. De retour à Karlsruhe, il fut nommé peintre de la cour en 1805 et directeur de la galerie de tableaux en 1829.
Il s'inspira de la nature et subit l'influence de Paul Potter. Comme graveur on lui doit des aquatintes d'après Roos, Claude Lorrain et de nombreuses vues de Suisse et d'Allemagne.
Musées : Kassel : *Berger et troupeau* – Munich : *Vaches* – *Bergers saisis par un taureau* – *Paysage* – *Paysans au bord d'un lac* – Vienne (coll. Czernin) : *Paysage avec bétail.*
Ventes Publiques : Paris, 7 déc. 1949 : *La halte des cavaliers* : **FRF 19 000** – Washington D. C., 23 mai 1976 : *Pastorale* 1813, h/pan. (50,5x71,5) : **USD 7 500** – Munich, 27 mai 1978 : *Troupeau dans un paysage* 1822, h/pan. (26,5x20,5) : **DEM 13 500** – Vienne, 13 mars 1979 : *Jeune bergère, vache et chèvre dans un paysage* 1828, h/t (28,5x36) : **ATS 75 000** – Munich, 29 mai 1980 : *Le Temple de Minerve dans le jardin de Schwetzingen*, aquat. coloriée (41x58) : **DEM 2 200** – New York, 28 oct. 1986 : *Troupeau aux abords de Munich* 1813, h/pan. (50,1x71,6) : **USD 11 200**.

KUNTZ Ludwig Joseph
Né le 21 mai 1803 à Mannheim. Mort le 23 janvier 1876 à Karlsruhe. xixe siècle. Allemand.
Peintre, dessinateur et lithographe.
On lui doit des paysages surtout de la région du Rhin.

KUNTZ Marcelle
Née le 27 avril 1910 à Vierzon (Cher). xxe siècle. Française.
Peintre, sculpteur, graveur, illustrateur.
Modiste, elle devint élève de J. Beltrand et suivit les cours de l'école du Louvre. Elle vécut et travailla à Paris. Elle figura au Salon de la Jeune Sculpture en 1951. À partir de 1952, elle entra dans le groupe de graveurs Le Trait et participa à leurs manifestations régulièrement. Elle a figuré dans de très nombreuses manifestations de groupe, en France et à l'étranger, et notamment à Paris aux Salons des Indépendants, de la Société Nationale des Beaux-Arts, d'Automne, des Tuileries, des Femmes Peintres et Sculpteurs, etc. Sa première exposition personnelle eut lieu à Paris en 1948, suivie d'autres en 1950 et 1952.
Elle a traité des thèmes mythologiques, évangéliques ou de libre invention poétique. Elle a illustré divers ouvrages poétiques de gravures sur bois.
Bibliogr. : Nane Bettex Cailler : *Marcelle Kuntz*, Pierre Cailler, Genève, 1962.

KUNTZ Pedro
Né le 13 février 1795 à Rome, d'origine allemande. Mort en 1863. xixe siècle. Espagnol.
Peintre.
Élève de l'Académie de Saint-Luc, à Rome, beau-frère de José Madrazo. La Galerie Moderne de Madrid conserve de lui : *Intérieur de la Basilique de Saint-Pierre* et *Portrait de la reine Dona Josefa Amalia.*

KUNTZ Rudolf
Né le 10 septembre 1797 à Mannheim. Mort le 8 mai 1848 à Karlsruhe. xixe siècle. Allemand.
Peintre animalier, dessinateur et lithographe.
Élève de son père Karl Kuntz. Il fut peintre de la cour.
Ventes Publiques : Londres, 6 oct. 1981 : *Chevaux de course*, litho., suite de vingt-quatre (35,6x40,5) : **GBP 2 500**.

KUNTZ Thaddäus. Voir **KUNTZE-KONICZ**

KUNTZE Carl Friedrich
xixe siècle. Allemand.
Paysagiste.
Élève de Ludw. Richter et de Paul Mohn. Exposa à Dresde à partir de 1875.

KUNTZE Eduard
Né le 10 mars 1805 à Berlin. Mort le 3 janvier 1827 à Berlin. xixe siècle. Allemand.
Peintre d'histoire.
Élève de W. Schadow. On sait qu'il peignit également des portraits.

KUNTZE Edward J. A.
Né en 1826 en Poméranie. Mort le 10 avril 1870 à New York. xixe siècle. Américain.
Sculpteur.
Associé de la National Academy, en 1869. On cite de lui les statuettes de *Shakespeare* et de *Lincoln*. Exposa seize œuvres à la Royal Academy entre 1860 et 1863.

KUNTZE Johann Christian
Né le 10 janvier 1761 à Bonn. Mort le 2 mars 1832 à Cologne. xviiie-xixe siècles. Allemand.
Peintre, miniaturiste et dessinateur.
Fils de Christian-Gottlieb Kuntze, il fit ses études à Düsseldorf. Le baron Van Brabek lui fit exécuter des copies pour sa galerie de tableaux. Kuntze se rendit à Cologne en 1798, et devint professeur de dessin dans cette ville en 1815.

KUNTZE Martha
Née le 30 juillet 1849 près de Gumbinnen. xixe siècle. Allemande.
Peintre.
Élève de Gussow à Berlin, et de Duvan et Heimer à Paris. Le Musée de Cologne conserve d'elle : *Paysanne.*

KUNTZE Melchior
Né vers 1575 à Freiberg. Mort en avril 1623 à Meissen. xvie-xviie siècles. Allemand.
Sculpteur.

Il exécuta des travaux importants entre autres à Cannewitz près de Grimma.

KUNTZE Reinhold
Né le 23 juin 1886 à Leipzig (Saxe). XXe siècle. Allemand.
Sculpteur, peintre.
Il fit ses études à Leipzig et à Dresde.
Musées : Posen : *Salomé.*

KUNTZE Thairans. Voir **KUNTZE-KONICZ Tadeusz**

KUNTZE-KONICZ Tadeusz
Né en 1731 à Cracovie, d'origine silésienne. Mort en 1793 en Espagne. XVIIIe siècle. Polonais.
Peintre d'histoire.
Il étudia d'abord à Cracovie. Il étudia la peinture à Rome, entre 1754 et 1756, et séjourna en Italie où l'avait envoyé comme boursier son protecteur, l'évêque de Cracovie Andrzej St. Zaluski, et où il fut élève de Carlo Maratti. Après son retour en Pologne, il exécuta des portraits et des tableaux religieux, principalement pour les églises de Cracovie et de ses environs. Après la mort de l'évêque, il se rendit de nouveau à Rome, en 1765, et s'y établit définitivement. Toutefois, pendant son séjour dans cette ville, il fut invité par le roi d'Espagne et nommé peintre de la cour de Madrid. Il fit une série intéressante de petits tableaux sur la vie romaine. Les fresques qu'il exécuta vers la fin de sa vie au Casino Stazzi à Arccia sont d'un style plus classique. Il est peu pensable qu'avec de telles similitudes des faits, personnes et lieux, aient pu exister un Tadeusz Kuntze-Konicz, un Thairans Kuntze et un Thairans Konitet. Peut-être est-il le père de Pedro Kuntz.
Ventes Publiques : Rome, 3 avr. 1984 : *La multiplication des pains et des poissons*, h/t (118x113) : **ITL 7 500 000.**

KÜNTZEL August
XIXe siècle. Actif à Breslau en 1822. Allemand.
Lithographe.
On cite de lui : *L'Empereur Rodolphe à cheval.*

KUNTZEL Thierry
Né en 1948 à Bergerac (Dordogne). XXe siècle. Français.
Artiste, créateur d'environnements.
Il a exposé pour la première fois en 1977, à la galerie Mollet-Viéville à Paris. Il participe à des manifestations internationales, notamment : 1984, 1985 musée national d'Art moderne de Paris ; 1987 *Art Vidéo retrospectives et perspectives* à Charleroi, *Video-viewpoints* au Museum of modern Art de New York, *Video Festival* à Tôkyô. Il a montré ses œuvres dans une exposition personnelle, en 1993 à la galerie nationale du Jeu de Paume à Paris, en 1994 au musée d'Art contemporain de Rochechouart.
Théoricien du cinéma, il réalise parallèlement, à ses débuts, des œuvres plastiques, travaillant sur le texte, écrit en néon ou gravé sur le marbre. Puis, il vient à la vidéo, en 1979, réalisant plusieurs bandes. À partir de 1984, il concentre son travail, sur des installations vidéo, mettant en scène les images, préparant le lieu, l'atmosphère où le spectateur pourra saisir une personne, un paysage, un objet, sous ses imperceptibles métamorphoses.
Bibliogr. : Jean-Jacques Gay : *Thierry Kuntzel : entrer dans l'image*, Beaux-Arts, n° 129, Paris, déc. 1994.

KUNTZNER Georges Albert
Né le 6 mai 1892 à Eckartswiller (Bas-Rhin). XXe siècle. Français.
Peintre de paysages, figures.
Il travailla surtout à Strasbourg où il fut professeur de dessin au lycée Fustel de Coulanges. À partir de 1926, il participa au Salon des Artistes Français, à Paris.

KUNZ
XVe siècle. Actif à Prague. Tchécoslovaque.
Peintre.
Travaillait en Bohême. Il fut employé par l'empereur Charles IV.

KUNZ
XVe siècle. Actif à Meissen à la fin du XVe siècle. Allemand.
Peintre.
Il travailla pour la cathédrale de Meissen, puis également à Nuremberg, à Dresde et à Worms.

KUNZ August
Né le 22 avril 1861 à Berne. Mort le 14 juillet 1915 à Biel. XIXe-XXe siècles. Suisse.
Paysagiste, peintre décorateur de théâtres.
S'adonna à la peinture des décors.

KUNZ Emma
Née en 1892 à Brittnau. Morte en 1963 à Waldstatt. XXe siècle. Suissesse.
Peintre. Abstrait.
En 1975, l'ARC de Paris a montré ses œuvres dans une exposition personnelle. Guérisseuse, elle élabore une technique très personnelle grâce à son pendule, réalisant des dessins géométriques et symétriques, non sans intérêt, en vue de communiquer ses pouvoirs occultes.
Bibliogr. : In : *Diction. de l'art mod. et contemp.*, Hazan, Paris, 1992.
Musées : Aarau (Aargauer Kunsthaus) : *N° 089* 1950-1960.

KUNZ Franz
Né le 16 avril 1874 à Chemnitz (Saxe). XIXe-XXe siècles. Allemand.
Peintre de paysages, graveur.
Il exposa à Berlin, à partir de 1900.
Musées : Dresde – Zwickau.

KUNZ Hans
XVIIe siècle. Actif à Zofingen. Suisse.
Peintre verrier.

KUNZ Hugo
Né le 10 mars 1884 à Mayence. XXe siècle. Allemand.
Peintre et graveur.
Il fut, à l'Académie de Munich, élève de Halm et de H. Van Habermann. Les Musées de Mayence et de Francfort-sur-le-Main possèdent de lui des paysages et des portraits.

KUNZ Johann Fritz
Né le 30 avril 1868 à Einsiedeln (Zoug). Mort en 1947. XIXe-XXe siècles. Suisse.
Peintre de compositions religieuses, dessinateur, fresquiste, décorateur, illustrateur.
Il travailla d'abord avec son père, puis chez un décorateur, et ensuite à l'école des arts appliqués de Zurich et à l'académie des beaux-arts de Munich. Il voyagea en Italie, avant de s'installer définitivement à Munich. Il obtint une médaille d'argent à Munich, en 1896.
Il participa à la restauration de nombreuses fresques d'églises. Il est surtout peintre de sujets religieux.
Bibliogr. : In : *Diction. des illustrateur*, Ides et Calendes, Neuchâtel, 1989.

KUNZ Johannes
Né en 1916 à Zurich. XXe siècle. Suisse.
Peintre de collages, dessinateur. Abstrait-géométrique.
Il montre ses œuvres dans des expositions personnelles régulièrement à Zurich, à la galerie Arrigo, et depuis 1990 à la galerie Suzanne Bollag.
Il assemble des formes gémétriques simples (carré ou rectangle), aux couleurs souvent acides, par collage.

KUNZ Karl
Né en 1905 à Augsbourg (Bavière). XXe siècle. Allemand.
Peintre.
De 1922 à 1933, il vécut à Munich, Berlin et Halle. En 1933, il fut emprisonné en tant qu'artiste dégénéré par les autorités nazies arrivées au pouvoir. Après la guerre, il fut professeur à l'école des beaux-arts de Sarrebruck. En 1971, il montra ses œuvres dans une exposition personnelle à Francfort-sur-le-Main, où il s'installa.
Bibliogr. : Catalogue de l'exposition : *Karl Kunz*, Galerie Appel et Fertsch, Francfort-sur-le-Main, 1971.

KUNZ Katie. Voir **LUDWIG-KUNZ**

KUNZ Ludwig Adam
Né le 5 juin 1857 à Vienne. Mort en 1929 à Munich. XIXe-XXe siècles. Autrichien.
Peintre de natures mortes.
Se fixa à Munich. Obtint la médaille d'or de l'archiduc Louis en 1881, une mention honorable à l'Exposition de Berlin en 1891, des médailles à Munich en 1895 et 1897. Il prit part à l'Exposition Universelle de 1900.
Musées : Bucarest (Simu) : *Symphonie* – Leipzig : *Déjeuner* – Munich : *Nature morte.*
Ventes Publiques : Francfort-sur-le-Main, 12 déc. 1892 : *Nature morte* : **FRF 1 425** – New York, 12 déc. 1902 : *Fleurs et objets d'art* : **USD 675** – New York, 11 déc. 1946 : *Nature morte* : **USD 340** – Amsterdam, 25 nov. 1969 : *Nature morte* : **NLG 5 600** – Vienne, 19 sep. 1978 : *Nature morte* 1887, h/pan. (58x42) : **ATS 20 000** – Munich, 2 mai 1979 : *Nature morte aux fleurs*, h/pan. (66x55) : **DEM 13 500** – Cologne, 21 mai 1981 : *Nature morte*, h/t (80x112) : **DEM 6 500** – Cologne, 29 juin 1984 : *Nature*

morte aux huîtres, h/t (50x70) : **DEM 4 300** – ZURICH, 14 nov. 1986 : *Paysage boisé au ruisseau* 1902, h/pan. (86x63) : **CHF 9 000** – VIENNE, 24 sep. 1987 : *Nature morte aux fruits* 1889, h/t (70x150) : **ATS 50 000** – NEW YORK, 25 mai 1988 : *Oiseaux exotiques et fleurs* 1893, h/t (114,2x96,5) : **USD 8 250** – MUNICH, 29 nov. 1989 : *Nature morte de fruits avec un gobelet*, h/pan. (93,5x136) : **DEM 23 100** – LONDRES, 22 nov. 1990 : *Enfants déguisés en putti et musiciens et portant une guirlande de fleurs avec un jeune chien*, h/t (100x190) : **GBP 3 850** – LONDRES, 19 juin 1991 : *Nature morte de fleurs d'été*, h/t (83,5x62,5) : **GBP 15 400** – COLOGNE, 28 juin 1991 : *Nature morte d'une composition florale*, h/t/pan. (62,5x97,5) : **DEM 3 000** – LONDRES, 25 nov. 1992 : *Nature morte de lis, iris et pivoines*, h/t (122x97,5) : **GBP 9 350** – NEW YORK, 28 mai 1993 : *Nature morte avec des vases, des coupes et une rose sur une nappe brodée*, h/pan. (47,8x66) : **USD 3 450** – MUNICH, 3 déc. 1996 : *Nature morte aux luxueux objets* 1912, h/t (88x127) : **DEM 12 000**.

KUNZ Paul
Né le 15 décembre 1890 à Berne. Mort en 1959. XXe siècle. Suisse.
Sculpteur de statues, bustes, figures, graveur.
Après des études à Munich, Vienne et Florence, il exécuta beaucoup de portraits. On cite de lui : *La Statue équestre du général Wille*.
MUSÉES : BERNE : *Tête de jeune fille*, bronze – WINTERTHUR : *Femme assise*.

KUNZE Alfred
Né le 13 mars 1866 à Chemnitz (Saxe). XIXe-XXe siècles. Allemand.
Peintre de paysages, marines, graveur, aquarelliste, pastelliste.
Il travailla surtout au début de sa vie comme lithographe de vues de villes. Par la suite, il put également exécuter des pastels, des aquarelles, des peintures à l'huile. Dès lors, il voyagea et représenta fréquemment des marines et des paysages de montagne.

KUNZE Felix Robert
Né en 1864 à Leipzig. XIXe siècle. Allemand.
Peintre, aquarelliste et lithographe.
Exposa à Berne en 1910. Visita l'Italie.

KUNZE Johann Michael
XIXe siècle. Actif à Halle. Allemand.
Miniaturiste.
Il fut peintre de la cour du duc de Saxe Weissenfels à partir de 1823, puis il travailla à Dresde et à Leipzig. Ce fut avant tout un portraitiste.

KÜNZLI Hartmann Friedrick
Né le 17 août 1824 à Winterthur. Mort le 17 mai 1864 à Winterthur. XIXe siècle. Suisse.
Peintre d'histoire, portraitiste et illustrateur.
Le Musée de Winterthur renferme une *Étude de tête* de cet artiste.
VENTES PUBLIQUES : ZURICH, 26 mai 1978 : *Traineau tiré par des chevaux*, h/t (49,5x60,5) : **CHF 4 000**.

KUO Hsüeh-hu
Né en 1908 à Taipei. XXe siècle. Actif aux États-Unis. Taiwanais.
Peintre de compositions à personnages.
Il fut élève de Ts'ai Hsüeh-hsi et exposa à partir de 1927 à Taiwan. Il fit partie de l'Association des beaux-arts taiwanaise et fonda la Société des six pierre d'encre. En 1940, il fit une tournée dans les provinces du sud de la Chine continentale. En 1946, il organisa l'exposition des beaux-arts de la province de Taiwan. En 1963, il partit pour le Japon et en 1978 retourna en Chine puis vint aux États-Unis où il s'installa.
VENTES PUBLIQUES : TAIPEI, 22 mars 1992 : *Scène de village* 1938, gche/pap. (48,5x55,3) : **TWD 880 000**.

KUO Po-ch'uan ou **Guo Bochuan**
Né en 1901. Mort en 1974 à Taipei. XXe siècle. Taiwanais.
Peintre de nus.
Il commença ses études à l'école japonaise de Taipei. En 1926, il partit se perfectionner au Japon et deux ans plus tard fut admis dans la section de peinture occidentale de l'Institut des beaux-arts de Tôkyô. À la fin de ses études en 1934, il s'installa en Chine et fut professeur à l'académie des beaux-arts de Pékin, à l'université et à l'Institut d'art Ching-hwa. Il créa la Nouvelle Société des Beaux-Arts qui organisa une exposition annuelle. En 1945, il revint à Taiwan et en 1950 devint professeur de la section d'Architecture de l'université Cheng-kung et fonda la Société de recherches artistiques de Taiwan. Il consacra ses dernières années à rassembler des fonds pour créer un musée à Tainan.
VENTES PUBLIQUES : TAIPEI, 22 mars 1992 : *Nu allongé* 1933, h/t (37,8x45,3) : **TWD 1 320 000** – TAIPEI, 18 oct. 1992 : *Nu* 1957, h/pap. (28,8x33,5) : **TWD 1 100 000** – TAIPEI, 16 oct. 1994 : *La cité interdite* 1946, h/t (73x91) : **TWD 10 170 000** – TAIPEI, 13 avr. 1997 : *Nu assis* 1954, aquar. et h/pap. (45,8x27,3) : **TWD 805 000**.

KUO CH'IEN-YU. Voir **GUO QIANYU**

KUO CH'ING-CHIH. Voir **GUO QINGZHI**

KUO CHING-YEN. Voir **GUO JINGYAN**

KUO Chüan-ch'iu
Née en 1958 à Keelung. XXe siècle. Chinoise.
Peintre, aquarelliste, photographe.
Elle fit ses études à l'académie nationale d'art. Elle est à la fois peintre et photographe et expose dans les deux disciplines. Comme photographe, elle travailla pour *The Earth Geography Magazine* jusqu'en 1987. Depuis 1989 elle eut plusieurs expositions personnelles dans son pays.
Thèmes fréquents de pantins désarticulés sur fonds sombres à l'aquarelle, symbolisant peut-être la mort et l'au-delà.
VENTES PUBLIQUES : TAIPEI, 22 mars 1992 : *Marionnettes* 1991, aquar./pap. (41,6x56,6) : **TWD 99 000**.

KUO CHUNG-SHU. Voir **GUO ZHONGSHU**

KÜOHL Richard Emil
Né le 31 mai 1880 à Meissen (Saxe-Anhalt). XXe siècle. Allemand.
Sculpteur.
Il travailla surtout comme modéliste pour une fabrique de céramiques à Meissen. Il travailla aussi à Lubeck et Cobourg.

KUO HSI. Voir **GUO XI**

KUO HSÜ. Voir **GUO XU**

KUO JO-HSÜ. Voir **GUO RUOXU**

KUOLT Karl Joseph
Né le 3 avril 1879 à Spaichingen. XXe siècle. Allemand.
Sculpteur.
Il exécuta des monuments aux morts de la Première Guerre mondiale à Durbheim, Musplingen, Spaichingen, etc.

KUO MIN. Voir **GUO MIN**

KUO PI. Voir **GUO BI**

KUO SSÜ. Voir **GUO SI**

KUO TIEN. Voir **GUO DIAN**

KUO TSUNG-MAO. Voir **GUO ZONGMAO**

KUO WAN. Voir **GUO WAN**

KUO YING-CHUNG. Voir **GUO YINGZHONG**

KU PAO-WÊN. Voir **GU BAOWEN**

KUPECKI Johann. Voir **KUPETZKI**

KUPELWIESER Léopold
Né le 17 octobre 1796 à Piesting. Mort le 17 novembre 1862 à Vienne. XIXe siècle. Autrichien.
Peintre de compositions religieuses, genre, portraits, dessinateur.
Il fut professeur à l'Académie des Beaux-Arts de Vienne à partir de 1852 jusqu'à sa mort et membre de celles de Munich et de Milan. Au début de sa carrière il fut peintre de portraits et exécuta, notamment celui de l'empereur François pour la Cour d'appel de Prague. À partir de 1824 il fit de fréquents voyages en Italie et la vue des œuvres des primitifs, notamment celle de Fra Angelico, le décidèrent à se consacrer à la peinture religieuse. On voit de ses œuvres dans plusieurs églises de Vienne et d'Autriche.
MUSÉES : MUNICH : *Un rêve* – VIENNE : *Moïse promet la victoire aux siens* – *Joseph Mayer*.
VENTES PUBLIQUES : VIENNE, 15 oct. 1987 : *Musiciens hongrois et couple de danseurs devant une auberge* 1823, aquar. (22x31) : **ATS 65 000** – VIENNE, 23 fév. 1989 : *Portrait d'une dame, probablement Maria Isabella d'Espagne qui deviendra Duchesse d'Amalfi*, h/t (68,5x56) : **ATS 374 000** – MUNICH, 10 déc. 1992 : *Étude de jeune femme*, cr./pap. brun (46,4x30,7) : **DEM 2 260**.

KUPER Yuri ou **Youri** ou **Kupper Youri**
Né le 5 juillet 1940 à Moscou. XXe siècle. Actif depuis 1975 en France. Russe.

Peintre à la gouache, aquarelliste, de technique mixte, graveur, décorateur de théâtre.

Fils d'un violoniste, il fut élève de l'académie des beaux-arts de Moscou, de 1957 à 1963. Après un séjour en Israël et à New York, il s'installe définitivement à Paris, en 1975. À New York, il publie un roman *Fous sacrés à Moscou*. Depuis 1978, il participe régulièrement à la FIAC (Foire Internationale d'Art Contemporain) à Paris. Il montre ses œuvres dans des expositions, notamment en 1972 au Centre culturel de Jérusalem et à Tel-Aviv ; en 1973 à Cambridge ; en 1974 à Berlin, New York et Paris ; en 1983 à Genève ; en 1985 à New York ; en 1986 à l'hôtel de ville de Paris ; en 1992 à la galerie Philippe de Hesdin à Paris ; en 1993 une rétrospective au musée de Toulon.

Sous les couches de peinture épaisses, sur de vastes fonds ténébreux, transparaissent un pinceau, une assiette, une boîte de conserve... Ces objets ordinaires sont happés par le silence de la toile, appelant à poser un regard autre. Il réalise aussi des « boîtes » qui contiennent des formes simples, portes, obscures, fermées, fragments de murs vus en Italie, travaillés par le temps. Il a également conçu les décors et costumes pour des pièces de théâtre.

Bibliogr. : L. Kabakov : Catalogue de l'exposition *Yuri Kuper : œuvres récentes*, Gal. Claude Bernard, Paris, 1988 – in : *Diction. de l'art mod. et contemp.*, Hazan, Paris, 1992.

Ventes Publiques : Paris, 23 mai 1984 : *Hommage à Feddotou* 1977, h/t (80x80) : **FRF 17 500** – Paris, 15 oct. 1987 : *Composition aux pommes* 1987, techn. mixte (61,5x113) : **FRF 50 000** – Paris, 12 fév. 1989 : *Assemblage d'objets sous une toile de gaze* (150x150) : **FRF 60 000** – Paris, 23 mars 1989 : *Table avec tiroirs et chiffons* 1985, h/t (150x150) : **FRF 140 000** – Paris, 4 juin 1989 : *Serrure* 1988, techn. mixte sur fond d'impression (83x60) : **FRF 73 000** – Douai, 2 juil. 1989 : *Théière à deux étages*, h/pap. (80x63) : **FRF 50 000** – Paris, 11 mai 1990 : *Sans titre, lavis*, aquar. et encre /pap. (25x34) : **FRF 8 500** – Paris, 10 juin 1990 : *Robinet* 1986, h/t (150x150) : **FRF 160 000** – Paris, 23 oct. 1990 : *Boîte au tube de couleur rouge* 1977, techn. mixte (28,5x28,5) : **FRF 30 000** – Paris, 9 déc. 1990 : *Nature morte à l'assiette et au pinceau* 1986, peint./cart. et collage/pan. (135x100) : **FRF 82 000** – Paris, 20 nov. 1991 : *Scène de plage* 1967, aquar. et encre/pap. (57x82) : **FRF 5 500** – Paris, 15 juin 1992 : *Brosses*, h/bois et assemblage d'objets (100x100) : **FRF 38 000** – Paris, 28 oct. 1992 : *Sans titre* 1990, h/t (200x200) : **FRF 52 000** – New York, 19 nov. 1992 : *Mappa* 1989, h., peint. or, encre noire, collage de pap., ferrures et ficelles sur contre-plaqué (200,7x200,7) : **USD 16 500** – Paris, 10 fév. 1993 : *Pinceau et boîte*, gche et techn. mixte (50x50,5) : **FRF 18 000** – New York, 3 mai 1994 : *Brosses dans un pot* 1986, h/t (150x150) : **USD 10 925** – Paris, 29 juin 1994 : *Robinet* 1986, h/t (150x150) : **FRF 63 000** – Paris, 15 avr. 1996 : *Boîte en argent* 1983, h. et caséine/t. (100x100) : **FRF 29 000** – Paris, 5 oct. 1996 : *Paysage* 1987, h/t (199x259) : **FRF 38 000** – Paris, 13 déc. 1996 : *Porte-plume*, feuille d'or et h/t (15x24) : **FRF 7 500** – Paris, 28 avr. 1997 : *Brosse*, h/t (200x200) : **FRF 33 000** – Paris, 4 oct. 1997 : *Paysage* 1987, h/t (199x259) : **FRF 15 000**.

KUPERMAN Claudio

Né le 24 décembre 1943 à São Paulo. xxe siècle. Brésilien.

Sculpteur. Abstrait.

Il expose à São Paulo depuis 1965. Il a participé à la Biennale de Paris en 1967.

Ses sculptures abstraites et polychromes exploitent des formes souvent souples, mais volontairement réduites à une expression minimale.

KUPETZKI Jan ou **Johann** ou **Kupecky, Kupezky, Kupetzky, Kupecki, Kopecki**

Né en 1666 ou 1667 à Bösing ou Possing (près de Presbourg, à la frontière hongroise). Mort le 4 juin ou 16 juillet 1740 à Nuremberg. xviie-xviiie siècles. Allemand.

Peintre d'histoire, portraits.

Fils d'un tisserand, il s'enfuit de la maison paternelle. Il fut recueilli, sans ressources, dans un château, où le peintre Klaus faisait des décorations, peut-être près de Lucerne. Klaus le fit travailler et, satisfait de ses dons, l'emmena à Vienne. Il alla ensuite à Venise, enfin à Rome pour se perfectionner. Il fit surtout des portraits. À Rome, il travailla beaucoup pour Alexandre Sobieski et fit le portrait du roi Jean III de Pologne. Après un séjour de 22 ans à Rome, il se rendit à Vienne, invité par le prince Adam Lichtenstein. Il fut très apprécié par Joseph Ier, Charles II et Pierre le Grand et obtint d'eux plusieurs commandes. Frère morave, il fut accusé d'hérésie, dut fuir l'Inquisition et se réfugia à Nuremberg. Obsédé par Rembrandt, il fit grand usage des effets de clair-obscur.

J Kupelzki.

Musées : Aix-la-Chapelle : *Portrait d'homme* – Berne : *Deux têtes d'hommes* – Brunswich : *L'artiste et sa femme* – *L'artiste* – *Pierre le Grand* – *Quatre autres portraits* – Budapest : *Le roi Auguste III* – *Trois portraits d'hommes* – *Daniel-Erasme de Hüldenberg* – *Jean Sobieski* – *Le musicien* – Cologne : *Portraits de l'artiste et d'un inconnu* – Darmstadt : *Portrait de l'artiste* – Dresde : *Portrait de l'artiste* – Graz : *Jeune fille lisant* – *Le comte Stracka de Nedobiliz* – Hanovre : *Portraits* – Leipzig : *Vieille femme* – Milan (Brera) : *Portrait de l'auteur* – Munich : *Portrait de femme* – Stuttgart : *Portraits de l'artiste et de sa femme* – Versailles : *Le prince Eugène de Savoie* – Vienne : *Autoportrait* – *Une femme et un enfant* – Vienne (Gal. Harrach) : *Alois Th. Raymond, comte de Harrach*.

Ventes Publiques : Paris, 1881 : *Portrait de l'artiste par lui-même* : **FRF 640** – Cologne, 1888 : *Portrait de Daniel Erasme von Huldenberg, à l'âge de soixante ans* : **FRF 1 050** – Paris, 1er mars 1924 : *Portrait du peintre* : **FRF 4 200** – Londres, 6 mai 1927 : *Portrait de femme* : **GBP 325** – Paris, 13 oct. 1941 : *Portrait de femme ; Portrait d'homme*, deux toiles faisant pendants : **FRF 10 800** – Vienne, 13 mars 1979 : *Portrait du Prince Eugène de Savoie* après 1715, h/t (85,5x69,5) : **ATS 60 000** – Monaco, 17 juin 1989 : *Portrait d'homme*, h/t (71x56) : **FRF 33 300** – Londres, 21 juil. 1989 : *Autoportrait à la pipe*, h/t (90x70) : **GBP 3 300** – New York, 17 jan. 1990 : *Portrait d'un homme d'église*, h/t (81,4x66,1) : **USD 1 100** – Amsterdam, 13 nov. 1990 : *Un berger se reposant en fumant sa pipe avec un enfant endormi près de lui dans un paysage le soir* 1715, h/t (89,5x110) : **NLG 16 100** – New York, 11 avr. 1991 : *Portrait d'un compositeur*, h/t (114,5x84) : **USD 20 900** – Paris, 26 avr. 1991 : *Portrait d'homme*, h/t (65x50) : **FRF 15 000** – Londres, 27 oct. 1993 : *Portrait d'un homme jouant du hautbois*, h/t (87x69) : **GBP 5 290**.

KUPETZKI Olga. Voir **KOPETZKY**

KUPFER Johann Michael

Né le 4 juin 1859 à Schwabach. Mort le 20 juin 1917 à Vienne. xixe-xxe siècles. Autrichien.

Peintre et sculpteur.

Il fut l'élève puis le collaborateur du sculpteur Goess à Nuremberg, puis, en 1880, il s'établit à Vienne. Dès lors il se consacra à la peinture et illustra surtout des scènes de la vie quotidienne à Vienne.

KÜPFER Samuel

Né le 13 août 1712 à Berne. Mort le 17 juin 1786. xviiie siècle. Suisse.

Peintre verrier et graveur.

KÜPFER Walther

Né le 16 août 1876 à Berne. xxe siècle. Suisse.

Peintre de paysages, genre, aquarelliste.

Il travailla à Zurich, Lausanne et à Londres au Royal College of Art. De retour en Suisse, il prit part à plusieurs expositions.

KUPFERMAN Moshe

Né en 1926 à Jaroslav. xxe siècle. Actif depuis 1948 en Israël. Polonais.

Peintre, dessinateur. Abstrait.

Chassé de Pologne, il fut interné avec sa famille, en 1941, dans un camp de détention en Oural, puis, seul rescapé, se réfugia en Pologne et en Allemagne. Il émigra en Israël en 1948. Il fut l'un des fondateurs du kibboutz Lohamei Hagetaot, où il vit et travaille, et participa à sa création en tant que maçon. Il est autodidacte en peinture. En 1961, il vint en Europe et résida six mois à Paris, où il découvrit Fautrier, Soulages et Tapiès. En 1975 et 1980, il séjourne à New York.

Il participe à de nombreuses expositions collectives, notamment : 1975 Art Museum de Worcester ; 1976 Louisiana Museum à Humlebaek ; 1978 County Museum of Art à Los Angeles ; 1984 Hirshorn Museum à Washington ; 1986 Biennale de Venise ; 1990 FIAC (Foire Internationale d'Art Contemporain) de Paris. Depuis 1969, il montre ses œuvres dans des expositions personnelles : 1969 et 1984-1985 musée d'Israël de Jérusalem ; 1972 musée d'Art moderne d'Haïfa ; 1977 New York ; 1978 et 1984-1985 musée de Tel-Aviv ; 1981 Stedelijk Museum d'Amsterdam et National Museum de Stockholm ; 1987 musée national d'Art moderne de Paris. Il remporta le prix Zandberg en 1972.

En 1959, il renonce à la figuration pour l'abstraction dans des œuvres sur papier, des peintures et quelques petites « constructions », boîtes de bois ou de cartons. Lignes (qu'il trace à la règle) ou croisillons, une trame géométrique occupe la surface des toiles, presque monochromes, aux couleurs restreintes, du violet au marron, des bleus sourds aux gris. L'espace sans relâche est interrogé, recouvert, gommé, gratté, traité au papier de verre, effacé. Couches après couches, la matière est travaillée, jusqu'à ce que le papier, investi sur les deux faces, soient « à bout de force ». De cela naît une tension, le sentiment d'un monde infini, chaque fois renouvelé. ■ L. L.

Bibliogr. : Catalogue de l'exposition : *Kupferman*, Musée national d'Art moderne, Paris, 1987 - in : *Diction. de l'art mod. et contemp.*, Hazan, Paris, 1992.

Musées : Amsterdam (Stedelijk Mus.) : *Œuvre sur papier* 1978 – *Œuvre sur papier* 1984 – Buffalo (Albright Knox Art Gal.) – Grenoble (Mus. de Peinture et Sculpture) – Haïfa (Mus. d'Art Mod.) – Humlebaek (Louisiana Mus.) – Jérusalem (Mus. d'Israël) : *Peinture* 1978 – New York (The Solomon R. Guggenheim Mus.) – New York (Mus. of Mod. Art) – Paris (Mus. Nat. d'Art Mod.) : *Œuvre sur papier* 1978 – Stockholm (Mod. Mus.) – Tel-Aviv : *Peinture* 1978.

Ventes Publiques : Tel-Aviv, 3 mai 1980 : *Sans titre* 1881, h/t (65,5x100) : **ISK 17 500** – Tel-Aviv, 2 jan. 1989 : *Sans titre*, h/t (34x46) : **USD 1 100** – Tel-Aviv, 30 mai 1989 : *Composition* 1971, h/t (100x80) : **USD 5 280** – Tel-Aviv, 20 juin 1990 : *Sans titre* 1980, h/t (99x81) : **USD 5 280** – Tel-Aviv, 1er jan. 1991 : *Sans titre*, h/t (93x66) : **USD 4 620** – Tel-Aviv, 12 juin 1991 : *Sans titre* 1961, h/t (61,5x38) : **USD 1 760** – Tel-Aviv, 26 sep. 1991 : *Composition*, h/t (130x162,5) : **USD 9 350** – Tel-Aviv, 6 jan. 1992 : *Sans titre*, h/t (50,5x55) : **USD 3 300** – Tel-Aviv, 4 oct. 1993 : *Composition* 1986, h/t (130,1x195,5) : **USD 16 100** – Tel-Aviv, 4 avr. 1994 : *Composition en blanc et gris*, h/t (50,5x65,4) : **USD 4 600** – Copenhague, 2 mars 1994 : *Composition* 1986, h/t (81x100) : **DKK 15 000** – Tel-Aviv, 25 sep. 1994 : *Composition abstraite* 1980, h/t (100x116,5) : **USD 8 050** – Tel-Aviv, 14 jan. 1996 : *Sans titre*, h/t (65x80) : **USD 3 450**.

KUPFERSCHMID Hermann

Né le 19 septembre 1885 à Waldschut. xxe siècle. Allemand.

Peintre, graveur.

Il travailla surtout à Karlsruhe, où après un voyage à Paris en 1912, il se consacra à la grande peinture décorative.

KUPFERSCHMIED Benedikt

Baptisé le 21 octobre 1633. Mort en 1673. xviie siècle. Suisse.

Peintre verrier.

Neveu d'Heinrich et de Samuel Kupferschmied.

KUPFERSCHMIED Heinrich

Baptisé le 13 octobre 1623. Mort en 1689. xviie siècle. Suisse.

Peintre verrier.

Frère de Samuel Kupferschmied.

KUPFERSCHMIED Samuel

Baptisé le 16 novembre 1627. Mort en 1688. xviie siècle. Suisse.

Peintre verrier.

KUPFERWURM Henri

xvie siècle. Actif à Bâle. Suisse.

Sculpteur.

KU PING. Voir **GU BING**

KUPKA Franck ou **Frantisek, François**

Né le 23 septembre 1871 à Opocno (Bohême). Mort le 24 juin 1957 à Puteaux (Hauts-de-Seine). xixe-xxe siècles. Depuis 1895 actif en France. Tchécoslovaque.

Peintre de portraits, nus, paysages animés, peintre à la gouache, graveur, dessinateur, illustrateur, caricaturiste. Abstrait.

Il fut élève de l'école des Beaux-Arts de Prague, à dix-sept ans, dans la section de peinture sacrée et historique, puis, à partir de 1892, de l'école des Beaux-Arts de Vienne, où il mérite le prix de Rome, sans l'obtenir parce que tchèque. Il exécute alors quelques portraits académiques, voyage en Norvège et au Danemark, puis arrive à Paris en 1895. Il s'installe à Puteaux dès 1906. En 1923, il est nommé professeur, par l'académie des Beaux-Arts de Prague, pour enseigner aux boursiers tchèques résidant à Paris. Sans que l'on puisse dire que sa vie et son œuvre aient été complètement subordonnés à ses préoccupations spirituelles, ils en étaient complètement empreints. Dès Prague, et sans doute, pour assurer sa vie matérielle, il donnait des « leçons de religion », participant d'autre part comme médium à des séances de spiritisme. Ses lectures étaient consacrées aux encyclopédistes français du xviiie siècle. Plus tard, à Paris, Jacques Lassaigne, après Michel Seuphor, a pu dire que « dans son atelier, régnait une atmosphère de laboratoire spirituel ». Durant la guerre, Kupka s'engagea dans une compagnie de marche avant de devenir officier de la Légion tchèque et Blaise Cendrars a raconté leur première campagne commune dans *La Main coupée*. Après la guerre, Kupka poursuivit le cours de ses recherches ascétiques, aux limites des possibilités de communication des langages, surtout pour l'époque. Le moment est en effet venu de parler de l'époque. S'il montrait ses recherches, ce fut dans l'indifférence générale, d'une société d'entre-deux-guerres, plus avide de plaisirs immédiats et matériels que de spéculations spirituelles, ne mesurant pas ses sarcasmes imbécilement suffisants aux chercheurs dont le désintéressement la gênait et réservant ses suffrages à une sorte d'art respectueux de l'ordre établi et n'ambitionnant que d'agrémenter l'ameublement d'une bourgeoisie repue. Michel Seuphor dresse le tableau sinistre de cette « deuxième belle-époque » d'une société avilie dans toutes les auto-satisfactions : « Kupka amer et dégoûté, vivait complètement retiré de la vie artistique, Vantongerloo, qui était venu s'installer à Paris, en 1927, avait beaucoup de mal à vivre de sa retraite d'ancien combattant belge. Chez les Delaunay, boulevard Malesherbes, l'art était appliqué à la couture. Pour des raisons d'ordre vital, Sonia avait provisoirement renoncé à la peinture. Mondrian vendait de temps en temps un tableau à quelque rare amateur d'Europe centrale et s'en tirait grâce à un sévère système d'économie domestique. Freundlich, Charchoune, combien d'autres, connaissaient très intimement la franche et coutumière misère. Le seul moyen de subsistance d'un peintre de mes amis était de faire le commissionnaire à travers Paris, à pied, pour le prix du voyage aller-retour en autobus ». Comme il est de règle, en 1936, d'importants mouvements sociaux vinrent secouer l'établissement d'une telle société régressive, mais l'urgence de leurs conquêtes quantitatives ne laissa que peu de place à d'éventuelles promotions qualitatives. Dans le même temps, Kupka participait aux activités du groupe Abstraction-Création, qui faisait suite au groupe Cercle et Carré, animé principalement par Michel Seuphor, et qui allait se prolonger, dans les années précédant de peu la Seconde Guerre mondiale, par le groupe des Réalités Nouvelles qui ne connut que peu d'occasions de se manifester avant la guerre. Recherché par les nazis, durant la Seconde Guerre mondiale, il se cacha à Beaugency, jusqu'en 1944.

En 1899, il exposa à Paris, à la Société Nationale des Beaux-Arts, où sa toile *Le Bibliomane* est remarquée ; il participa également au Salon d'Automne, dont il fut membre sociétaire à partir de 1906, notamment avec un grand *Nu* en 1910, *Fugue à deux couleurs* et *Chromatique chaude* en 1912, *Localisation des mobiles graphiques* en 1913. En 1913 également, il exposa au Salon des Indépendants *Plans verticaux* et *Solo d'un trait brun*. Après la Seconde Guerre mondiale, à partir de 1947, il participa régulièrement au Salon des Réalités Nouvelles, jusqu'à sa mort et qui le choisit pour président d'honneur. Il montra ses œuvres dans des expositions personnelles à partir de 1892 au Kunstverein de Vienne, en 1921 et 1924 à Paris, cette dernière consacrée aux *Diagrammes* et aux *Arabesques tournoyantes*. En 1936, le musée du Jeu de Paume organisa une présentation de son œuvre, qu'il articula autour d'une division selon cinq grandes sections principales : *Circulaires – Verticales – Verticales et diagonales – Triangulaires – Diagonales*, mais qui ne suscita qu'un succès d'estime, dans ce sens où estime équivaut à indifférence. Dès 1946, la Tchécoslovaquie, devenue République Populaire, et qui n'a cessé depuis de chercher sa voie originale en ce qui concerne tout au moins les langages artistiques, en dehors des directives du Réalisme socialiste, organisa une grande exposition rétrospective de l'ensemble de son œuvre, au musée de Prague, à l'occasion de son soixante-quinzième anniversaire, dont cinquante peintures furent achetées dans le but de constituer à Prague, un musée Kupka, dont l'existence publique semble n'être qu'épisodique, selon l'heur que connaissent, au hasard de la conjoncture, les inspirations d'origine maïakowskyenne, dans les républiques communistes de stricte obédience soviétique. Une exposition d'ensemble à Paris, suivie d'une autre, en 1951, à New York, achevèrent un peu plus tard, de le situer mondialement parmi les authentiques créateurs de l'art moderne, ce que l'attirance des modes auprès d'un public assujetti aux sollicitations de l'instant vécu a bien failli laisser ignoré. Il montra également ses œuvres dans des expositions personnelles : en 1958 au musée national d'Art moderne de Paris, à partir de 1960 à la galerie Flinker à Paris, en 1967 au Kunstverein de Cologne, en 1975 au Salomon R. Guggenheim Museum de New York, en 1976 au Kunsthaus de Zurich, en 1981 à la Biennale de Venise, en 1989-1990 au musée d'Art moderne de la Ville à Paris et à la galerie nationale de Prague. En 1900, il obtint une médaille d'or à l'Exposition universelle de Paris avec *Les Fous*, une autre médaille d'or à l'Exposition internationale de Saint-Louis (États-Unis) en 1903, avec *La Ballade*. En 1908, il reçut la Légion d'honneur. En 1977, il était représenté à l'exposition du musée d'Art moderne de la Ville de Paris *Aspects historiques du Constructivisme et de l'Art concret*. Il fit des dessins de mode, à ses débuts, et travailla pour divers journaux satiriques notamment *L'Illustration – L'Assiette au beurre – Le Cri de Paris*. De 1903 à 1911, il illustra de nombreux livres : *L'Homme et la terre* compendium scientifique d'Élisée Reclus, le *Prométhée* d'Eschyle, le *Cantique des cantiques* traduit par Élie Faure, et pour lequel il entreprit d'apprendre l'hébreu, *Les Erinnyes* de Leconte de Lisle, *Lysistrata* d'Aristophane. Son art, vers 1900, évolue entre le naturalisme et des prétentions symbolistes. À partir de 1906, quand, dans sa peinture, il s'écarta du néo-impressionnisme de ses débuts, puis de l'influence de Toulouse-Lautrec et de Rodin, un moment sensible dans son activité d'illustrateur, il éduqua son imagination à voir au-delà des apparences, utilisant les ressources expressives de la déformation des volumes et de l'exaltation de la couleur, opérant une synthèse entre fauvisme et cubisme. Ses premières expérimentations dans cette voie consistèrent, à l'occasion de paysages animés, à profiter de la déformation des corps vus à travers l'eau, par l'effet de réfraction, et à accentuer cet effet par l'emploi de couleurs froides et stridentes. Dès 1908, il est tenté par les nouveaux problèmes que posent les groupements avancés de l'école de Paris. *Soleil d'automne* (en fait représentant les Trois Grâces) le lie encore au symbolisme, puis il frôle le fauvisme, avant de forger à son propre usage un art véritablement abstrait. Le grand *Nu* de 1909 est caractéristique de cette période intermédiaire entre fauvisme et cubisme ; le corps était résolument découpé, selon la répartition des plans d'ombres et de lumière, en zone lumineuse de violet, orange, jaune, rose et en ombres vertes. À partir de 1910, Kupka reste fidèle, ainsi que Gleize, à la lettre, de sa recherche originelle. Seuls interviennent dans l'objet esthétique, les plans et les lignes colorés et leur jeu réciproque. Il s'applique seulement à étendre son répertoire plastique, annexant quelques éléments machinistes de l'univers contemporain. Dans un portrait de sa femme, de cette époque, le visage seul subsistait à la ressemblance d'un modèle, tout le reste de la surface étant constitué d'un entrelacs de lignes verticales et diagonales, peut-être inspirées des « rayonnistes » russes. Cette solution intermédiaire de compromis entre des éléments hétérogènes ne pouvait avoir qu'un temps, et, en 1911-1912, il peignit sa première œuvre totalement abstraite : *Fugue en rouge et bleu*, rythmes concentriques en bleu, rouge, vert et noir, sur fond blanc, à propos de laquelle il a été longuement et assez vainement disputé de la priorité respective de Kupka ou de Delaunay. En 1913, il peignit des compositions constituées de plans orthogonaux, surgissant les uns des autres ainsi que des tuyaux d'orgues, la couleur de chacun le situant par rapport aux autres dans l'espace de la toile, tout en lui conférant sa tonalité affective propre concourant à la symphonie de l'ensemble. Dans un texte de 1921, il s'est expliqué sur la démarche qui le mena alors à l'abstraction ou plutôt à « son » abstraction très particulière, qui restait tributaire d'une certaine réalité essentiellement musicale, clairement indiquée dans les titres de ses œuvres : *Étude pour une fugue – Fugue en deux couleurs – Chromatique chaude*, etc., ce qui, moindre de ses rôles historiques en fait le précurseur des peintres musicalistes, réunis, vers 1920, autour de Blanc-Gatti et Valensi : « Lorsqu'on a reconnu l'impossibilité de saisir le caractère véritable des aspects de la nature par les moyens du peintre, lorsqu'on a aussi reconnu l'erreur de l'interprétation fantaisiste, on ne se trouve pas, comme on pourrait le croire, devant un vide béant... L'art de la peinture est d'articuler une proposition à la lecture de caractères graphiques, plastiques et d'états de la lumière et de la couleur combinés ». S'il participa alors aux activités du groupe des cubistes, peu de chose le rattachait à leurs motivations, sinon qu'Apollinaire, dans ses *Peintres cubistes* l'avait compté au nombre des Orphiques, et le citait à juste titre, comme l'un des « inventeurs de l'art futur » ; bien que ce fait soit parfois discuté, plus en accord avec ses recherches propres aurait été sa participation aux discussions, chez Jacques Villon, son voisin de Puteaux, des artistes de la Section d'Or à la recherche des significations spirituelles par le recours à des proportions idéales. Dans un grand article que lui consacra le *New York Times*, en 1913, il déclarait : « L'architecture a constamment créé des formes dont les modifications sont bien proportionnées et ont toujours leurs raisons d'exister... L'homme crée l'extériorisation de sa pensée par des mots... Pourquoi ne pourrait-il pas créer en peinture et en sculpture, indépendamment des formes et des couleurs qui l'entourent ? », réflexion qu'il radicalisera un peu plus tard : « L'œuvre d'art étant en soi une réalité abstraite, demande à être constituée d'éléments inventés ». Un des esprits les plus clairvoyants, quand bien même encore les plus déroutants, ce qui est loin d'être contradictoire, de notre temps, Marcel Duchamp a eu l'occasion de préciser le rôle historique prépondérant tenu par Kupka dans la création de l'art abstrait : « Il y a presque cinquante ans, Kupka donnait une réception mémorable dans son studio de la rue Caulaincourt. Peu de temps après, il commença à *voir* abstrait comme on dit maintenant. Car le mot n'était pas encore dans le dictionnaire en ces temps heureux. Apollinaire employait le mot *Orphisme* quand il parlait de ces choses... Apollinaire proposa le terme d'orphisme en 1912, après qu'il eut vu les œuvres *Fugue à deux couleurs* et *Chromatique chaude* de Kupka, ainsi que des œuvres contemporaines de Delaunay et de Picabia. Et maintenant la recherche de la paternité est conduite par les candidats-pères eux-mêmes, lesquels ne croient d'ailleurs à aucune poly-paternité concernant ce gigantesque enfant ».

■ Jacques Busse

Kupka

Kupka

Kupka

Bibliogr. : L. Arnould-Gremilly : *Frank Kupka*, Povolozki, Paris, 1922 – Michel Seuphor : *L'Art abstrait, ses origines, ses premiers maîtres*, Maeght, Paris, 1949 – Catalogue de l'exposition *Kupka*, Galerie Carré, New York, 1951 – Jacques Lassaigne, in : *Diction. de la peinture mod.*, Hazan, Paris, 1954 – Bernard Dorival : *Les Peintres du xxe s.*, Tisné, Paris, 1957 – Michel Seuphor : *Le Style et le cri*, Le Seuil, Paris, 1965 – Jean Clarence Lambert : *La Peinture abstraite*, in : *Histoire générale de la peinture*, Rencontre, tome XXIII, Lausanne, 1967 – Pierre Cabanne, Pierre Restany : *L'Avant-Garde au xxe s.*, André Balland, Paris, 1969 – Catalogue de l'exposition *Kupka*, Solomon R. Guggenheim Museum, New York, 1975 – in : *Diction. univers. de la peinture*, Le Robert, tome IV, Paris, 1975 – in : Catalogue de l'exposition *Abstraction-Création 1931-1936*, Mus. d'Art Mod. de la Ville de Paris, 1978 – in : Catalogue de l'exposition *L'Art Moderne à Marseille. La Collection du Musée Cantini*, Mus. Cantini, Marseille, 1988 – in : *Diction. des illustrateurs 1800-1914*, Ides et Calendes, Neuchâtel, 1989 – Frantisek Kupka : *La Création dans les arts plastiques*, Cercle d'Art, Paris, 1989 – in : *L'Art du xxe s.*, Larousse, Paris, 1991 – in : *Diction. de l'art mod. et contemp.*, Hazan, Paris, 1992.

Musées : Cleveland (Mus. of Art) – Grenoble – Londres (Tate Gal.) – Los Angeles (County Mus. of Art) – Marseille (Mus. Cantini) : *L'acier boit N°2* 1927-29 – New York (Metrop. Mus.) – New York (Mus. of Mod. Art) : *Madame Kupka parmi les verticales* 1910-1911 – New York (Solomon R. Guggenheim) : *Plans par couleurs, grand nu* 1909-1910 – Paris (Cab. des Estampes) : *Quatre histoires du blanc au noir* 1926, album de 25 bois – Paris (Mus. Nat. d'Art Mod.) : *Gamme jaune* 1907 – *Plans par couleurs* 1910-1911 – *Autour d'un point* 1911 – *Plans verticaux I* 1912 – *L'Acier travaille* 1927-1928 – *Abstraction noir et blanc* 1928-1932 – *Blanc autonome* 1931 – *Série contrastes XI* 1947 – Paris (Mus. d'Art Mod. de la Ville) : *Epona ballade* 1901 – Philadelphie (Mus.

of Art) – Prague (Gal. Nat.) : *Défiance ou l'Idole noire* 1903 – *Touches de piano* 1909 – *Plans verticaux III* 1912-13 – *Printemps cosmique* 1913-1919 – Saint-Étienne (Mus. d'Art Mod.) : *Le Ruban bleu* 1910 – *La Forme de l'orangé* 1923 – Vienne (Mus. des 20 Jarhunderts).

Ventes Publiques : Versailles, 11 mars 1962 : *Conception* : **FRF 68 000** – Londres, 5 juil. 1962 : *Autour d'un point*, gche : **GBP 500** – New York, 15 mai 1963 : *Réminiscence*, étude : **USD 400** – Genève, 27 nov. 1965 : *Envol*, gche : **CHF 10 500** – Paris, 9 juil. 1968 : *Danseuse nue* : **FRF 10 000** – Berne, 12 juin 1969 : *Construction*, gche et aquar. : **CHF 10 200** – Hambourg, 5 juin 1970 : *Autour d'un point*, aquar. et gche : **DEM 19 500** – New York, 21 oct. 1971 : *Formes irrégulières... délivrance* : **USD 25 000** – Londres, 4 juil. 1973 : *Formes irrégulières*, aquar. et gche : **GBP 6 600** – Londres, 3 avr. 1974 : *Composition*, collage, aquar. et gche : **GBP 3 100** – New York, 21 oct. 1976 : *Thèmes* vers 1918, gche (26x19) : **USD 5 500** – New York, 20 oct. 1977 : *Études pour localisations de mobiles graphiques* vers 1912/13, past./pap. (33x31,5) : **USD 7 000** – New York, 31 oct. 1978 : *Une pensée* vers 1923, h/t (73,5x54,5) : **USD 20 000** – Versailles, 3 déc. 1978 : *Portrait d'Eugénie Straub, femme de l'artiste* 1911, médaillon en bronze : **FRF 2 300** – New York, 6 nov 1979 : *Formes irrégulières* vers 1911/12, aquar. et gche (35,5x33,5) : **USD 9 000** – Londres, 2 déc. 1980 : *La lecture* vers 1900/03, cr. noir (27x35) : **GBP 880** – New York, 14 mai 1980 : *Une pensée* 1923, h/t (104x68) : **USD 36 000** – New York, 21 mai 1982 : *Composition* 1914, h/t (33x41) : **USD 16 000** – Londres, 7 déc. 1983 : *Harmonies conjuguées* vers 1920, gche (30x30,5) : **GBP 7 000** – Paris, 13 déc. 1983 : *Femme* 1907, h/cart. (26x21) : **FRF 84 000** – Paris, 23 mai 1984 : *Les Trois Grâces*, pl. et lav. d'encre de Chine/pap. calque (22x25) : **FRF 17 000** – Paris, 19 mars 1985 : *Femme debout*, h/t (47x39) : **FRF 45 000** – Londres, 25 juin 1986 : *L'Entêtement ou L'Idole noire* vers 1900, gche/pap. mar./t. (55,6x46,3) : **GBP 20 000** – New York, 11 fév. 1987 : *Études de nus ou Soleil d'automne* vers 1905-1906, fus. et cr. de coul. reh. de blanc/pap. rose (47,6x44,5) : **USD 5 500** – Paris, 19 mars 1988 : *Quatre histoires de blanc et noir* 1926, encre de Chine et gche (20x15) : **FRF 12 000** – Paris, 1er juin 1988 : *Étude abstraite* vers 1910-1911, dess. au fus. (11x16) : **FRF 4 000** – Paris, 27 juin 1988 : *Composition*, aquar. (18,5x24) : **FRF 34 500** – Paris, 22 nov. 1988 : *La Vague*, h/t (70x115) : **FRF 50 000** – Tel-Aviv, 2 jan. 1989 : *Jeune fille assise*, cr. (19,5x16) : **USD 880** – Paris, 29 mars 1989 : *Étude pour une composition machiniste*, gche et mine de pb (19,5x30) : **FRF 78 000** – Paris, 24 mai 1989 : *Retour à 1912* 1931, gche/photo. (13x17) : **FRF 12 500** – Paris, 26 mai 1989 : *Composition* 1920, aquar. (14,5x10) : **FRF 15 000** – Londres, 3 avr. 1990 : *Composition (recto) – Composition (verso)*, past./pap. (37,5x19,3 et 38,7x21) : **GBP 3 520** – Paris, 3 mai 1990 : *Composition*, pochoir (35x25) : **FRF 28 000** – Londres, 23 mai 1990 : *La Reine de blanchisseuses s'en va-t-aux bains de mer* 1901, gche/pap./cart. (34x55,5) : **GBP 7 700** – Paris, 25 juin 1990 : *Composition*, past. (21,5x30) : **FRF 80 000** – Paris, 17 juin 1990 : *Disque bleu et rouge syncopé*, gche/pap. (33,7x24,2) : **FRF 135 000** – Paris, 23 mars 1992 : *Composition abstraite*, aquar. (22,2x23,2) : **FRF 20 000** – Amsterdam, 19 mai 1992 : *Histoire du noir et du blanc*, gche/pap. (7,3x16,5) : **NLG 3 450** – Paris, 12 déc. 1992 : *Étude pour plans par couleurs Grand Nu* 1910, past./pap. (48,5x63) : **FRF 64 000** – Paris, 16 juin 1993 : *Construction* 1922, gche/pap. (39x30) : **FRF 100 000** – Londres, 21 juin 1993 : *Étude pour Pistils, étamines et lignes animées*, gche/pap. (30,5x30,5) : **GBP 31 050** – Londres, 1er déc. 1993 : *La Montée* 1923, h/t (109,8x80) : **GBP 210 500** – Amsterdam, 8 déc. 1993 : *Composition*, craie noire et cr. de coul./pap. (19,6x12,6) : **NLG 4 370** – Paris, 13 avr. 1994 : *Composition abstraite*, gche (29,7x39,8) : **FRF 45 000** – Londres, 28 juin 1994 : *La Gamme jaune*, h/t (78,5x74) : **GBP 139 000** – New York, 10 mai 1995 : *Retour de Londres* 1934, gche/pap./cart. (43,5x50,2) : **USD 26 450** – Calais, 24 mars 1996 : *Le Berger d'Arcadie*, aquar. et gche (15x12) : **FRF 6 500** – Paris, 19 juin 1996 : *Rochers de Trégastel* 1902, aquar. et gche/pap. (20,5x28,5) : **FRF 15 000** – Paris, 17 juin 1996 : *Variation et contraste* 1932, h/t (64x65) : **FRF 120 000** – Milan, 25 nov. 1996 : *Plan I* 1937, gche/pap. (26x35,5) : **ITL 598 000** – Londres, 23 oct. 1996 : *Disques noirs* 1923, gche/pap. (28,5x36) : **GBP 6 440** ; *Reflets et ombres* vers 1920-1923, gche/pap. (28x20) : **GBP 5 750** – Londres, 25 juin 1996 : *Composition, une pensée* vers 1923, h/t (73,7x54,6) : **GBP 38 900** – New York, 14 nov. 1996 : *La Petite Mécanique* 1930, h/t (73x100,4) : **USD 167 500** – Paris, 24 mars 1997 : *Vue du jardin de chez les Kupka, à Puteaux* vers 1904, h/t (55x46) : **FRF 38 000** ; *Plan par courbes*, aquar. et cr./pap. (19,5x14,5) : **FRF 16 000** – Paris, 28 avr. 1997 : *La Voix du silence* 1900-1903, aquat. coul./vergé (47,3x40) : **FRF 23 000** – Paris, 23 mai 1997 : *Composition abstraite* 1921, encre de Chine et gche : **FRF 30 000** – Paris, 23 juin 1997 : *Machinisme* vers 1927-1929, aquar./pap. (15,5x15) : **FRF 21 000** – Londres, 25 juin 1997 : *Disque* vers 1911-1912, past. coul./pap. (25x17,2) : **GBP 18 400**.

KUPP Simon ou **Kuppen**

Né au XVIe siècle à Breslau. XVIe siècle. Allemand.

Sculpteur sur bois.

Travailla beaucoup à Lucerne pour l'Hôtel de Ville.

KUPPELMAYR Rudolf

Né le 13 septembre 1843 à Kaufleuren. Mort le 15 mai 1918 à Munich. XIXe-XXe siècles. Allemand.

Peintre de genre et de portraits.

Il passa huit ans à l'Académie de Munich, fut ensuite élève de Kreling à Nuremberg, puis alla faire des études en Belgique, à Paris, en Italie ; il s'attacha surtout aux œuvres des coloristes de l'École Vénitienne et resta en Italie jusqu'en 1872. Il retourna à Munich. Médaillé à Vienne en 1873.

KUPPEN Francis Van der. Voir **KAPPEN**

KUPPER C. E. M. Voir **DOESBURG Théo Van**

KUPPER Yuri. Voir **KUPER Youri**

KÜPPERS Albert Hermann

Né le 22 février 1842 à Koesfeld. XIXe siècle. Actif à Bonn. Allemand.

Sculpteur.

Le Musée de Hambourg conserve de lui le buste de *Heinrich-Rudolf Hertz*.

KUPRIN Alexander Wassilievitch ou **Kouprine**

Né le 22 mars 1880 à Borissoglebsk. Mort en 1960. XXe siècle. Russe.

Peintre.

De 1902 à 1904, il étudia à Saint-Pétersbourg. Il travailla à partir de 1904 à Moscou, d'abord, jusqu'en 1906, avec Konstantin Yuon, puis, de 1906 à 1910, comme élève de l'École de Peinture, Sculpture et Architecture. En 1910, il fut un des fondateurs du groupe *Knave of Diamonds*. Il exposa avec l'Association des Peintres de Moscou, avec la Société des Artistes de Moscou. En 1918-19, il travailla avec les SVOMAS, de 1922 à 1930 avec les VKHUTEMAS. Il fit partie du groupe *Bubonowyz Walette* qui peignait des paysages et natures mortes, très fortement influencés par le postimpressionnisme et surtout par Paul Cézanne. *Voir aussi KOUPRINE.*

KURAMOTO Tito

Né en 1941 à Santa Cruz. XXe siècle. Bolivien.

Peintre de figures.

Il a été professeur à l'université de Santa Cruz et a créé des décors pour le théâtre expérimental de cette ville. Il travaille à Paris, dans l'atelier de Hayter. Il participe en 1973 à une exposition de groupe au musée d'Art moderne de la Ville de Paris.

Ses œuvres figuratives évoquent le peuple bolivien, l'individu perdu dans la foule.

Bibliogr. : Catalogue de l'exposition : *Peintres boliviens contemporains*, musée d'Art moderne de la Ville, Paris, 1973.

KURATA HAKUYÔ, de son vrai nom **Kurata Shigayoshi**, nom de pinceau **Hakuyô**

Né en 1881 dans la préfecture de Saitama. Mort en 1938. XXe siècle. Japonais.

Peintre de paysages.

Il fut élève de Aisu Chû, il est diplômé du département de peinture occidentale de l'université des beaux-arts de Tôkyô. Il développa le style occidental au Japon et est membre de l'académie nationale des beaux-arts et de l'association Shunyôkai.

KURATA Kotaro

Né en 1945 à Tôkyô. XXe siècle. Japonais.

Sculpteur de monuments.

Il étudia en Italie sous la direction du graveur Antonio Benetton. Il participe à de nombreuses expositions collectives depuis 1972. Il montre ses œuvres dans des expositions personnelles. Il a réalisé un monument pour l'aéroport international d'Oshima. Il travaille essentiellement à partir du fer.

KURATSUKURI NO KARANI

VIIe siècle. Actif au début du VIIe siècle. Japonais.

Sculpteur.

Probablement membre de la famille Kuratsukuri, d'origine chinoise, il aurait travaillé avec le sculpteur Tori (actif au VIIe siècle) pour le *Shaka Nyorai* (sanscrit : Bouddha Sakyamuni) du temple Ango-in (Asukadera) à Asuka, près de Nara, en 606.

KURCZINSKI Sigismund
Né en 1886 à Lwow. XXe siècle. Polonais.
Sculpteur de bustes.
Il fut à Paris élève de Rodin. Il exécuta des bustes et des statuettes de genre.

KURELEK William
Né le 3 mars 1927 à Whitford. Mort en 1977. XXe siècle. Canadien.
Peintre de paysages, illustrateur.
De 1949 à 1950, il étudia au College of Art de Toronto, puis à l'Institut Allende de Mexico. Il résida quelque temps en Angleterre. Il participe à des expositions de groupe depuis 1957 : 1957 et 1958 à l'exposition d'été de la Royal Academy de Londres ; 1963, 1965 et 1968 National Gallery of Canada d'Ottawa ; 1965 Museum of Fine Arts de Montréal. Il montre ses œuvres dans des expositions personnelles : depuis 1960 régulièrement à Toronto, depuis 1965 à Montréal, en 1972 à Londres...
Bibliogr. : In : *Contemporary Artists*, Mac Millan Publishers, Londres, 1983.
Musées : Londres (Art Mus.) – Montréal (Mus. of Fine Arts) – New York (Mus. of Mod. Art) – Ottawa (Nat. Gal. of Canada) – Philadelphie (Mus. of Art) – Toronto (Art Gal. of Ontario).
Ventes Publiques : Toronto, 17 mai 1976 : *Les Meules de foin* 1971, h/cart. (33x58,5) : **CAD 850** – Toronto, 30 oct. 1978 : *Arctic iciles* 1968, h/cart. (21,3x49,5) : **CAD 1 800** – Toronto, 14 mai 1979 : *Sister Seraphia visiting pupils, Toronto*, techn. mixte (51x102) : **CAD 11 000** – Toronto, 5 nov 1979 : *Amour divin et amour naturel* 1964, h/cart. (17,5x43,8) : **CAD 2 400** – Toronto, 26 mai 1981 : *Matinée de brouillard* 1972, techn. mixte (60x88,8) : **CAD 10 000** – Toronto, 3 mai 1983 : *View from the Graham's in Westmount* 1975, techn. mixte (45x52,5) : **CAD 6 000** – Toronto, 8 nov. 1983 : *Faith of my fathers* 1964, h/cart. (62,5x52,5) : **CAD 5 000** – Toronto, 18 nov. 1986 : *Nativity scene n° 1* vers 1971, techn. mixte/cart. (20,6x30) : **CAD 7 500**.

KURELLA Ludwik von
Né le 13 août 1834 à Varsovie. Mort le 13 août 1902 à Varsovie. XIXe siècle. Polonais.
Peintre de compositions religieuses, genre.
Il fut élève de J. Schnon à Dresde, de Romberg et de Franz Adam à Munich. Il visita Rome, Paris, Bruxelles, Anvers et Berlin et se fixa à Munich. On cite de lui : *Mort de Moïse*.
Ventes Publiques : Londres, 5 mai 1989 : *Farniente* 1872, h/t (36x59) : **GBP 1 650**.

KURHAJEC Joseph
XXe siècle. Américain (?).
Sculpteur.
Il fut élève du sculpteur sur métal Leo Steppat à l'université du Wisconsin. Il montre ses œuvres à Paris, notamment à la galerie Caroline Corre.
Après des assemblages soudés, il réalise des « fétiches », figures nées du fond des âges et de la spontanéité.

KURIGER. Voir **CURIGER Johann David**

KURIZIN Wladimir ou **Kouritsine**
Né le 14 juin 1894 à Sébastopol. Mort à Paris. XXe siècle. Actif en France. Russe.
Sculpteur de portraits, dessinateur.
Après avoir quitté la Russie, il fit ses études chez Ivan Mestrovic à l'académie des beaux-arts de Zagreb, puis à Paris, dès 1925, avec E. A. Bourdelle. Surtout portraitiste, il a figuré à partir de 1926 à la Société Nationale des Beaux-Arts et aux Salons des Indépendants et d'Automne, à Paris.

KURKKIO Berry
Né en 1941 à Gällivare. XXe siècle. Suédois.
Peintre, graveur, sculpteur.
Il a participé à l'exposition *De Bonnard à Baselitz – Dix ans d'enrichissement du Cabinet des estampes 1978-1988*, à la Bibliothèque nationale à Paris, en 1992. Il pratique l'eau-forte et l'aquatinte.
Bibliogr. : In : Catalogue de l'exposition *De Bonnard à Baselitz – Dix ans d'enrichissements du Cabinet des estampes 1978-1988*, Bibliothèque nationale, Paris, 1992.
Musées : Paris (BN, Cab. des Estampes) : *Riptupp* 1979, eau-forte et aquat.

KÜRLE Adolf
XXe siècle. Allemand.
Sculpteur.
Il vécut et travailla à Grunewald. Il prit part à l'Exposition de Berlin, en 1909.

KURNATOWSKA Cécile de
Née au XIXe siècle en Pologne. XIXe siècle. Polonaise.
Portraitiste.
Élève de Henri Martin. Exposa au Salon des Artistes Français en 1911.

KURNATOWSKI Wiktor
Mort en 1846. XIXe siècle. Actif à Posen. Polonais.
Lithographe.
On lui doit les portraits de personnalités polonaises et des vues de son pays.

KURODA Aki
Né le 4 octobre 1944 à Kyôto. XXe siècle. Depuis 1970 actif en France. Japonais.
Peintre de figures, peintre à la gouache, graveur, dessinateur, sculpteur, créateur d'installations, peintre de décors de théâtre.
Il fit des études d'histoire de l'art, puis abandonna la peinture jusqu'en 1974. Il a créé la revue *Noise*, en 1985. Il vit et travaille à Paris.
Depuis 1976, il participe à des expositions collectives : 1978 Musée d'Art Moderne de Rijeka ; 1978-1979 Salon Grands et Jeunes d'Aujourd'hui à Paris ; 1980 Biennale de Paris ; 1984 Foire de Bâle ; 1985 Musée d'Art Moderne d'Osaka ; 1989 Musée de la Poste et Musée National d'Art Moderne à Paris et Salon de Montrouge ; 1992 *De Bonnard à Baselitz – Dix ans d'enrichissement du Cabinet des estampes 1978-1988*, à la Bibliothèque Nationale à Paris.
Il montre ses œuvres dans de très nombreuses expositions personnelles : 1978 Kunsthalle de Bremerhaven ; 1979, 1987 et 1989 Bruxelles ; depuis 1980 régulièrement à la galerie Maeght à Paris ; 1982 Centre culturel à Tarbes ; 1983 et 1986 Nagoya ; 1984 FIAC (Foire Internationale d'Art Contemporain) à Paris ; 1985 Madrid ; 1985 et 1988 Barcelone ; 1985 et 1987 Bâle ; 1988 Tôkyô ; 1989 Troyes ; 1992 National Galerie Slovaque de Bratislava ; 1994 Musée National d'Art Moderne de Tôkyô et Musée de la Ville de Clermont-Ferrand.
Parallèlement à la peinture, il réalise : de nombreuses affiches et couvertures de livres notamment pour les *Petits Traités* de Pascal Quignard ; pour l'Opéra de Paris : en 1989 les décors de *Passage de l'heure bleue* de Stéphanie Aubin pour le groupe de recherche chorégraphique au Centre Beaubourg ; en 1993 de *Parade* de Angelin Preljocaj à l'Opéra Garnier ; pour le Grand Théâtre Français de Rio de Janeiro le rideau de scène en 1996 ; pour *L'Art Café* du Musée d'Art Moderne et Contemporain de Strasbourg, il a réalisé un grand triptyque ; il a illustré aussi des livres de Marguerite Duras, Pascal Bonafoux, etc... À l'occasion de ses expositions, il peut réaliser des installations comportant peintures, dessins, objets, photographies. Dans le même esprit, en 1997, il a organisé *Cosmogarden 97*, à la Manufacture des Œillets à Ivry, comportant peintures, textes, musique, danse.
Ses œuvres sont très libres, nées de la spontanéité, le mouvement de la ligne laissant jaillir la forme. Sans doute influencé par la calligraphie chinoise, il a animé les fonds noirs de ses premières œuvres de graffitis délicats ou de signes élancés. Travaillant avec une grande économie de moyen, il laisse apparaître des figures incisives, silhouettes figées qui se découpent sur les fonds monochromes. Il utilise le plus souvent des couleurs vives, les trois couleurs dites (faussement) primaires, rouge, bleu, jaune, par aplats, cernées de noir ou de blanc. Avec d'autres moyens, il continue d'interroger la surface peinte, ce monde qu'il peut rendre prolixe ou silencieux. Ainsi, dans certaines de ses toiles plus récentes, en noir et gris, des traces de pinceau, des tourbillons de matière, des formes géométriques jetées hâtivement, une courbe, un trait, des pointillés, occupent le « néant de l'espace ». Dans d'autres œuvres au contraire, les couleurs éclatantes remplacent le noir et le gris, le calme succède à la tempête, mais on y retrouve le même pouvoir de la gestualité. Et toujours revient, évidente ou implicite, la thématique lancinante de l'homme au milieu du cosmos. ■ L. L., J. B.
Bibliogr. : Anne Tronche : *Aki Kuroda – Voyage au noir*, Opus International, n° 80, Paris, print. 1981 – Philippe Lacoue-Labarthe : catalogue de l'exposition : *Aki Kuroda*, Galerie Adrien Maeght, Paris, 1989 – in : *Diction. de l'art mod. et contemp.*,

Hazan, Paris, 1992 – Marguerite Duras, Daniel Dobbels, Kunio Motoe, Jean Yves Jouannais, textes de... : *Aki Kuroda*, coll. *Carnets de voyage*, Maeght éditeur, Paris, 1992 – Martine Arnault : *Aki Kuroda*, Cimaise, n° 225, Paris, sept.-oct. 1993 – Catalogue de l'exposition : *Aki Kuroda*, Galerie Adrian Maeght, Barcelone, 1993.

Musées : Paris (Bibl. Nat., Cab. des Estampes).

Ventes Publiques : Paris, 8 oct. 1989 : *Mémoire de l'ange* 1988, acryl./t. (193x130) : **FRF 48 000** – Paris, 25 juin 1991 : *Personnage*, litho. coul. (157x104) : **FRF 10 000** – Paris, 29 juin 1994 : *Sans titre* 1989, acryl./t. (100x140) : **FRF 22 000** – Paris, 10 juin 1996 : *Sans titre, n° 22* 1982, acryl./t. (150x150) : **FRF 19 000**.

KURODA SEIKI

Né en 1836. Mort en 1924. xixe-xxe siècles. Actif à Tokyo. Japonais.

Peintre.

Il étudie la peinture occidentale avec Raphaël Collin, puis fonde sa propre école : Tenshin-dôjô, où il forme de nombreux élèves, développant ainsi le style occidental au Japon. Il est membre du Comité Impérial des Beaux-Arts et président de l'Académie des Beaux-Arts. Spécialiste de personnages et de paysages, il est professeur à l'Université des Beaux-Arts de Tokyo Pendant la guerre sino-japonaise, en 1894, il sera artiste peintre de l'armée. Prit part à l'Exposition Universelle de 1900 et obtint une médaille d'argent.

Ventes Publiques : Londres, 29 juin 1987 : *Sous les arbres* 1898, h/t (75x94) : **GBP 1 600 000**.

KURO IWA Tansaï

xxe siècle. Japonais.

Sculpteur.

Il vécut et travailla au début du siècle à Tôkyô. Il reçut une médaille d'or à Paris, à l'Exposition universelle de 1900.

KUROKAWA Hirotake

Né en 1952 à Tôkyô. xxe siècle. Japonais.

Sculpteur.

Il travaille le bronze, créant des formes qui évoquent le monde animal, végétal et minéral.

Bibliogr. : In : *Diction. de l'art mod. et contemp.*, Hazan, Paris, 1992.

KUROKI Sadao

Né en 1909 dans la préfecture de Miyazaki. xxe siècle. Japonais.

Graveur. Abstrait.

Il fait des études d'art occidental à l'Institut Kawabata de Kyôto et, en 1933, commence à pratiquer la gravure sur bois avec Un'ichi Hiratsuka. Dès 1935, ses œuvres figurent aux Salons de l'Association japonaise de gravure et de l'académie nationale de gravure. Il recevra le prix culturel de la préfecture de Miyazaki. Son style est abstrait à partir d'éléments figuratifs décomposés en éléments répétitifs.

KUROSAKI Akira

Né le 10 janvier 1937 à Talien (Mandchourie). xxe siècle. Actif au Japon. Chinois.

Graveur, dessinateur.

Il participe à de nombreuses expositions collectives : 1969 et 1972 Genève ; 1970, 1972 et 1974 Biennale internationale de gravure de Bradford et Cracovie ; 1971 et 1975 Biennale internationale de gravure de Ljubljana. Il montre ses œuvres dans des expositions personnelles depuis 1972 à Tôkyô, en 1973 et 1976 à San Francisco, en 1975 à Kyôto, en 1976 à Londres.

Bibliogr. : In : *Contemporary Artists*, Mac Millan Publishers, Londres, 1983.

Musées : Chicago (Acad. of Art) – Cracovie (Nat. Mus.) – Dresde (Nat. Mus.) – Genève (Art history) – Kyotô (Nat. Mus. of Mod. Art) – Lodz (Nat. Mus. of Mod. Art) – Los Angeles (County Mus. of Art) – New York (Mus. of Mod. Art) – Sydney (New South Wales Art Mus.) – Tôkyô (Nat. Mus. of Mod. Art).

KUROWSKI Jozef Symon

Né en 1809 à Cracovie. Mort en 1851 à Cracovie. xixe siècle. Polonais.

Peintre.

Il vécut longtemps à Paris où il peignit des portraits à l'aquarelle et illustra des livres.

KUROWSKI Margarete von

Née le 1er août 1853 à Brieg. Morte le 14 février 1907 à Görlitz. xixe siècle. Allemande.

Peintre de genre, de portraits et de paysages.

Elle travailla à Munich, Dachau, Berlin et même en Russie, surtout comme portraitiste. Le Musée de Breslau possède d'elle un *Portrait* et le Musée de Munich deux peintures de genre.

KÜRSCHNER Jakob

Né en 1694 à Nuremberg. Mort en 1755 à Weltenburg. xviiie siècle. Allemand.

Sculpteur.

Vers 1727 il travaillait pour l'église de Weltenburg. Par la suite il exécuta aussi des travaux pour l'église d'Alensberg.

KÜRSCHNER Johann Michaël

Né peut-être à Nuremberg. Mort en 1784 à Weltenburg. xviiie siècle. Allemand.

Sculpteur.

Il travailla surtout à Weltenburg, mais aussi à Neustadt sur le Danube et à Francfort-sur-le-Main, généralement pour des églises.

KURSELL Otto Gottlieb Konstantin von

Né le 27 novembre 1884 à Saint-Péterbourg. xxe siècle. Russe.

Peintre, graveur, illustrateur.

Il fit ses études à Reval et travailla beaucoup comme caricaturiste pour différents journaux au lendemain de la Première Guerre mondiale.

KURT Kay

Né en 1944 à Dubuque (Iowa). xxe siècle. Américain.

Peintre. Tendance hyperréaliste.

Il a étudié à l'université du Wisconsin. Il a exposé à New York en 1970. Sa peinture est d'un réalisme photographique très poussé.

KURTEN Joseph Gaston

Né à Paris. xixe siècle. Français.

Peintre de portraits et miniaturiste.

Élève de Penet et de G. Caminade. Débuta au Salon en 1875.

KURTHY Hanna

Née à Budapest. xxe siècle. Active aussi en France. Hongroise.

Peintre, dessinateur, illustrateur.

Outre sa formation artistique, elle est diplômée d'architecture. Elle participe à des expositions collectives à Paris, notamment au Salon des Indépendants, ainsi qu'à la fondation Cziffra. Elle expose à Budapest, Linz, Vienne, Moscou, Londres, Paris. Elle a reçu de nombreux prix et distinctions pour sa peinture.

Son œuvre est figurative. Elle réalise aussi de nombreuses illustrations de livres, poèmes de tradition populaire. Elle a également exécuté une fresque pour l'église de Gödöllö.

KURTYLKO Michaïl Ivanovitch

Né le 8 juin 1880 à Kamenez-Podolsk. xxe siècle. Russe.

Graveur, peintre, peintre de décors de théâtre.

On cite ses décors pour le grand opéra de Moscou exécuté à partir de 1926.

KURTZ Arthur

Né le 23 septembre 1860 à Saint-Gall. Mort le 20 janvier 1917 à Baden près de Vienne. xixe-xxe siècles. Suisse.

Peintre d'histoire, portraits, paysages.

On cite son *Portrait du roi d'Angleterre Edouard VII*, à l'Hôtel de Ville de Marienbad. C'est en effet surtout comme portraitiste qu'il s'est fait connaître.

KURTZ Carl von

Né en 1817 à Stuttgart. Mort le 6 décembre 1887 à Stuttgart. xixe siècle. Allemand.

Peintre d'histoire et de portraits.

Visita tour à tour la Hongrie, l'Italie, la France, la Hollande, l'Angleterre et de retour en Allemagne devint professeur à Stuttgart. Grande médaille d'or en 1853.

KURTZ Edward C.

Né en 1823. Mort le 5 décembre 1905 à Rockaway (États-Unis). xixe siècle. Américain.

Peintre et photographe.

Plus connu comme photographe, il s'occupa cependant de peinture et exposa à la National Academy à partir de 1865.

KURTZ Joseph

Né le 7 janvier 1892 à Eckkirch. xxe siècle. Français.

Peintre de portraits, paysages.

Il travailla surtout à Gebweiler et exposa à Mulhouse et Strasbourg.

KURTZ Julia Wilder
Née à Harrodsburg (Kentucky). XXe siècle. Américaine.
Peintre.
Elle fut élève de Richard E. Miller. Elle est membre de la Fédération américaine des arts.

KURUCZ D. Istvan
Né en 1914 à Hodmezövasarhely. XXe siècle. Hongrois.
Peintre de compositions animées, scènes typiques.
Il fut élève d'Istvan Szönyi et de l'école supérieure des beaux-arts de Budapest. En 1942-1943, il fut pensionnaire hongrois du collège de Rome, où il étudia les fresques de la pré-renaissance, ce qui lui permit d'enseigner la fresque à l'école des beaux-arts de Budapest, à partir de 1949. En 1962, il voyagea de nouveau à Venise, à l'occasion de sa participation à la Biennale.
Ses propres œuvres, consacrées surtout à des scènes de la vie paysanne, allient l'influence de la pré-renaissance italienne à une certaine naïveté populaire, il a pu réaliser des décorations murales, en général peintes à fresque, pour l'académie Kossuth, *Le Chemin de fer des pionniers – L'École de Hodmezovasarhely.*
Bibliogr. : *Peintres contemporains*, Mazenod, Paris, 1964.

KURYLUK Ewa
Née en 1946 à Cracovie. XXe siècle. Polonaise.
Peintre, graveur.
Elle a étudié à Varsovie jusqu'en 1970, et y fit sa première exposition.
Le monde qu'elle décrit semble imprégné de l'œuvre de Klee, mais subit également l'influence des estampes extrême-orientales.

KURZ Albrecht
Né le 26 mars 1858 à Seehausen. XIXe siècle. Allemand.
Peintre et illustrateur.
Il rapporta de ses voyages en Scandinavie des paysages, des vues de villes et de villages.

KURZ August, appelé aussi **Gallenstein**
Né le 1er août 1856 à Saint-Gall. Mort le 5 juillet 1916. XIXe-XXe siècles. Suisse.
Peintre de compositions religieuses, genre, portraits, paysages, fresquiste.
Après des études à Munich il vécut au couvent d'Admant en Ennstal, qu'il décora de fresques.
Ventes Publiques : Londres, 2 nov. 1989 : *La salle de classe*, h/pan. (78,8x95,3) : **GBP 8 800** – Munich, 12 juin 1991 : *La salle de classe*, h/pan. (79x95) : **DEM 36 300**.

KURZ Erwin
Né le 13 avril 1857 à Stuttgart. XIXe siècle. Allemand.
Sculpteur.
Il passa son enfance à Tübingen puis travailla à l'Académie de Munich. On cite ses portraits du *Prince Ernest de Saxe Meiningen* et du *Roi Charles Ier de Wurtemberg.*

KURZ Friedrich
Né le 8 janvier 1818 à Berne. Mort le 16 octobre 1871 à Berne. XIXe siècle. Suisse.
Peintre.
Élève de J. Valmar à Berne et de S. Fort à Paris. En automne 1846 il fit un long voyage en Amérique après lequel il se fixa dans son pays natal. Le Musée de Berne conserve de lui : *Chiens de chasse.*

KURZ Georg
Né le 14 novembre 1826 à Greisenfeld. Mort vers 1920. XIXe-XXe siècles. Actif à Munich. Allemand.
Peintre d'animaux et de sujets de chasse.
Exposa à partir de 1876.

KURZ Georg Michaël
Né le 15 octobre 1815 à Hersbruck (près de Nuremberg). Mort le 8 janvier 1883 à Munich. XIXe siècle. Allemand.
Graveur.
Il fut à Munich le collaborateur de Johann Poppel. On cite de lui des vues du Rhin et des Alpes, et les illustrations d'un livre sur la principauté de Hesse.

KURZ Joseph
Né vers 1768. Mort le 19 avril 1827 à Vienne. XVIIIe-XIXe siècles. Autrichien.
Peintre d'histoire.
On lui doit des tableaux religieux dont certains sont copiés d'après des maîtres, par exemple d'après Jordaens ou d'après Van Dyck.

KURZ ZUM THURN UND GOLDENSTEIN Franz Seraph von, chevalier
Né le 20 janvier 1807 à Salzbourg. Mort le 29 août 1878 à Langenwang. XIXe siècle. Autrichien.
Peintre de sujets religieux, paysages, peintre de décorations murales.
À Salzbourg, il fut élève de Georg Petzold. D'un voyage en Italie il rapporta des copies d'après Titien et Véronèse. On lui doit surtout la décoration d'un grand nombre d'églises à Stein, Voloska, Waltendorf Rosenbach, etc.
Musées : Ljubljana : *plusieurs Paysage.*

KURZ ZUM THURN UND GOLDENSTEIN Ludwig Viktor von, chevalier
Né le 7 octobre 1850 à Ljubljana. XIXe siècle. Autrichien.
Peintre de sujets religieux, paysages, peintre de décorations murales, illustrateur.
Fils de Franz Seraph. Élève de Josef Tunner. Il peignit comme son père des paysages et des peintures religieuses. Pour sa part il travailla plus en Croatie qu'en Autriche, décorant les églises de cette province.

KURZAWA Antoine
Né en 1843 à Podhale. Mort le 10 février 1898 à Cracovie. XIXe siècle. Polonais.
Sculpteur.
Garda dans sa compréhension de la forme, quelques préceptes réalistes, mais chercha des motifs qui, par leur essence même, s'opposent à la thèse fondamentale de l'École. Son monument de Michiewicz en est la preuve. Son élan tend toujours vers le supra-naturel, et son métier s'efforce à rendre le visible en toute sa vérité.

KURZBAUER Eduard
Né le 2 mars 1840 à Vienne. Mort le 13 janvier 1879 à Munich. XIXe siècle. Allemand.
Peintre de genre.
Il fut élève de Führich à l'Académie de Vienne et de Piloty à l'Académie de Munich. Il exposa à Paris, en 1878, *Les fugitives* (propriété de l'empereur d'Autriche).

Cachet de vente

Musées : Dresde : *Le calomnié* – Munich : *Jour de fête à la campagne* – Stuttgart : *Le premier livre d'images* – Vienne : *Le fuyard rejoint.*
Ventes Publiques : Vienne, 1878 : *La Demande en mariage interrompue* : **ATS 9 270** – Vienne, 21 juin 1960 : *Intérieur avec nombreux paysans en deuil* : **ATS 15 000** – Vienne, 11 nov. 1980 : *La délégation des paysans* 1875, h/pan. (44x63,5) : **ATS 70 000** – Vienne, 12 sep. 1984 : *Fillette nourrissant des poules* 1874, h/t (33x39,5) : **ATS 70 000** – Londres, 7 juin 1989 : *Les joueurs de cartes* 1877, h/pan. (46x65) : **GBP 4 180** – Londres, 6 oct. 1989 : *Retrouvée*, h/t (79x105) : **GBP 6 380** – Paris, 1er déc. 1989 : *Scène de genre, les fugitifs retrouvés*, h/t (79x106) : **FRF 56 000** – Londres, 22 nov. 1990 : *Le porteur de mauvaises nouvelles*, h/t (79x105,5) : **GBP 4 400** – Munich, 12 juin 1991 : *La fugueuse retrouvée*, h/t (77,5x102) : **DEM 19 800**.

KURZINGER Franz
Né en 1730 à Munich. Mort vers 1795. XVIIIe siècle. Allemand.
Peintre de sujets religieux.
Élève de Johann-Georg Winter, puis de Raphaël Mengs à Rome. Il travailla, à Munich, pour les églises et les monastères.
Ventes Publiques : Cologne, 29 juin 1990 : *Salomé avec la tête de Saint Jean Baptiste* 1755, h/t (75x62) : **DEM 1 700**.

KÜRZINGER Ignaz
Né en 1777 à Munich. Mort après 1839. XIXe siècle. Allemand.
Peintre et acteur.
Fils et élève de Franz Kürzinger. Il fut d'abord directeur de théâtre, puis se consacra, comme son père, à la peinture de sujets religieux.

KÜRZINGER Marianne, dite **l'Angelica Kauffmann Bavaroise**
Née en 1770 à Munich. Morte le 29 mars 1809. XVIIIe siècle. Allemande.
Peintre d'histoire, miniaturiste et graveur.

Élève de Jakob Dorner. Elle épousa l'artiste lyrique Johann Kunz, de Munich.

KURZWEIL Maximilian

Né le 12 octobre 1867 à Bisenz. Mort le 10 mai 1916 à Vienne. XIXe-XXe siècles. Autrichien.

Peintre de scènes mythologiques, genre, nus, paysages.

À partir de 1894, il exposait au Salon des Artistes Français, à Paris. Il reçut une médaille d'argent à Paris, à l'Exposition universelle de 1900. On put voir de ses œuvres en 1994 à l'exposition *Chefs-d'œuvre du Belvédère de Vienne* au musée Marmottan à Paris.

Musées : Vienne (Mus. du Belvédère).

Ventes Publiques : Vienne, 4 déc. 1968 : *Nu de dos* : **ATS 50 000** – Vienne, 19 sep. 1973 : *Concarneau* : **ATS 70 000** – Vienne, 1976 : *Bord de mer*, h/t (50x60) : **ATS 30 000** – Vienne, 23 sep. 1977 : *Le vieux couple*, h/t (34,6x34,6) : **ATS 60 000** – Berne, 19 juin 1980 : *Le coussin* vers 1900, grav./bois en coul./Japon (28,5x26) : **CHF 2 200** – Vienne, 14 oct. 1980 : *Jeune fille à la fenêtre*, h/t (95x76) : **ATS 18 000** – Lindau, 7 oct. 1981 : *Jeune Fille à sa fenêtre*, h/t (95x76) : **DEM 5 500** – Londres, 8 déc. 1983 : *Der Polster* 1903, grav./bois en coul./Japon (28,8x26,2) : **GBP 1 100** – Vienne, 18 juin 1985 : *Bord d'étang boisé*, h/t (30,5x45) : **ATS 38 000** – Londres, 8 oct. 1986 : *Vieux couple marchant par une nuit de neige*, gche et fus. (48x68) : **GBP 3 000** – New York, 11 mai 1987 : *Der Polster* 1903, grav./bois en coul. (28,5x26) : **USD 2 500** – Londres, 10 fév. 1988 : *Orphée et Eurydice*, h/t (150x146) : **GBP 30 800**.

KURZWELLY. Voir **MÜLLER-KURZWELLY**

KUSAKA Kenji

Né en 1936 à Tsuyama (préfecture d'Okoyama). XXe siècle. Japonais.

Graveur. Abstrait-géométrique.

En 1961, il reçoit le prix du Nouveau Venu de l'académie nationale de peinture, en 1963 et 1964 celui de l'Association japonaise de gravure, en 1964 le prix du Mérite Shell, en 1966 celui du musée national d'Art moderne de Tôkyô lors de la Biennale internationale de l'estampe de Tôkyô. En 1967, il est à la Biennale de São Paulo.

Depuis 1965, son style abstrait géométrique se compose essentiellement de cercles réguliers et de couleurs vives auxquels leur disposition confère un puissant sens du mouvement.

KUSAMA Yayoi

Née en 1929 à Nagano. XXe siècle. Active de 1960 à 1975 et depuis 1966 naturalisée aux États-Unis. Japonaise.

Peintre, sculpteur, créateur d'installations, auteur de performances.

Elle fut élève de l'école des arts appliqués de Kyôto en 1959. Dans les années soixante, elle s'installa à New York. Elle fut la compagne de Piero Manzoni. En 1975, elle s'établit de nouveau au Japon. Elle participe à des expositions collectives, notamment avec les groupes Zéro et Nul, ainsi que : 1966 Biennale de Venise ; 1980 palais des Beaux-Arts de Bruxelles ; 1987 FIAC (Foire Internationale d'Art Contemporain) à Paris. Elle montre ses œuvres dans des expositions personnelles : 1957 Seattle ; 1964 Stedelijk Museum de Schiedam ; 1969 Museum of Modern art de New York ; 1987 musée des Beaux-Arts de Calais.

Dans sa première exposition, elle présente 280 objets, puis son œuvre prend des formes diverses. Après s'être intéressée aux monochromes puis au pop'art, elle réalise des happenings, est baptisée « reine du body painting », se rapproche de l'op'art, crée des sculptures cinétiques, travaille d'après photographies, fait des films, de la vidéo... Avide de créer et de voir proliférer son travail, elle développe inlassablement des thèmes fondamentaux, le sexe et la nourriture, et plus récemment celui de la mort dans des œuvres plus retenues. Elle est également l'auteur de poèmes et romans, dessine des vêtements et meubles, travaille pour le théâtre et le cinéma.

Bibliogr. : In : *Contemporary Artists*, Mac Millan Publishers, Londres, 1983 – in : *Diction. de l'art mod. et contemp.*, Hazan, Paris, 1992.

Musées : Amsterdam (Stedelijk Mus.).

Ventes Publiques : Amsterdam, 13 déc. 1989 : *Accréations IV* 1967, h/t (25x95) : **NLG 3 680** – New York, 11 nov. 1993 : *Ocean* 1960, h/t (177,8x269,2) : **USD 59 700** – New York, 24 fév. 1994 : *La mer* 1959, aquar. et collage de pap./pap. (57,8x70,5) : **USD 6 325** – New York, 5 mai 1994 : *Sans titre* 1961, h/t (76,2x91,4) : **USD 34 500** – New York, 24 fév. 1995 : *Tamis et panier* 1969, techn. mixte, plateau de cuivre peint. (61x47x24,8) : **USD 4 140**.

KUSCHE Alfred

Né le 21 avril 1884 à Karlsruhe (Bade-Wurtemberg). Mort en 1984 à Karlsruhe. XXe siècle. Allemand.

Peintre, graveur.

Il fut professeur de dessin à Karlsruhe et travailla selon les techniques et dans les genres les plus divers.

Ventes Publiques : Heidelberg, 15 oct. 1994 : *Le grand portail de Waldshut en hiver* 1933, h/t (50x40) : **DEM 1 150** – Heidelberg, 8 avr. 1995 : *Paysage de Suisse*, h/cart. (40x57,5) : **DEM 1 100**.

KUSCHEL Max

Né le 18 octobre 1862 à Breslau (Basse-Silésie). XIXe-XXe siècles. Allemand.

Peintre de genre.

Il travailla à Munich.

Musées : Munich : *Enlèvement de nymphes*.

KÜSEL Ernst Niklaus

Né le 31 mai 1873 à Dufnäs. Mort en 1942. XIXe-XXe siècles. Allemand.

Peintre d'animaux, compositions animées, paysages, graveur.

Musées : Göteborg.

Ventes Publiques : Stockholm, 15 nov. 1988 : *Personnages sur une plage en été* 1915, h. (65x95) : **SEK 11 000**.

KU SHAU-YU. Voir **GU SHANYOU**

KUSHI Andréa

Né en 1884. Mort en 1959. XXe siècle. Albanais.

Peintre de paysages, portraits.

Musées : Tirana (Gal.) : *Berger*.

KU SHIH-CH'I. Voir **GU SHIQI**

KUSHNER Robert

Né en 1949 à Pasadena (Californie). XXe siècle. Américain.

Auteur de performances, peintre de techniques mixtes, peintre de décors de théâtre.

Il fit ses études à l'université de Californie à San Diego. En 1971, il séjourne en Iran, en Turquie et en Afghanistan avec Amy Goldin. Il vit et travaille à New York. Il appartint au groupe P&D (Pattern and Decoration). Il a collaboré à de très nombreuses performances et a participé à des expositions de groupe : 1975 Biennale du Whitney Museum de New York, 1979 Institute of Contemporary Art de Los Angeles, 1980 Biennale de Venise, 1981 New Museum de New York, 1982 Art Center de Madison. Il montre ses œuvres dans des expositions personnelles : 1976, 1977, 1979, 1981 New York ; 1978 Londres ; 1979 Paris ; 1980 Chicago ; 1982 Cologne.

Il a réalisé de nombreux costumes de théâtre et surtout de très nombreuses œuvres décoratives inspirées de Matisse, peignant sur tissu à motifs des silhouettes.

Bibliogr. : In : *Contemporary Artists*, Mac Millan Publishers, Londres, 1983.

Musées : Aix-la-Chapelle (Neue Gal.) – Minneapolis (Inst. of Art) – New York (Mus. of Mod. art) – Vienne (Mus. des 20 Jahrhunderts).

Ventes Publiques : Londres, 30 juin 1981 : *Eskimo Chador* 1974, fourrure et acryl./soie (165x335) : **GBP 4 500** – New York, 20 mai 1983 : *Héron bleu* 1978, acryl./coton (188,1x200,7) : **USD 15 000** – New York, 21 mai 1983 : *Bubbles* ; *Abstract leaves* ; *Turquoise* ; *Martinis and Dice* ; *Jewels* 1976-1977, acryl. et techn. mixte (95x120) : **USD 1 300** – New York, 119 nov. 1985 : *Cupids making borscht* 1981, litho. en coul./deux feuilles (55,8x152,4) : **USD 1 000** – New York, 6 mai 1986 : *Roses de Samarkand* 1976, acryl./coton (213,3x304,8) : **USD 10 000** – New York, 20 fév. 1987 : *Blind date* 1980, acryl./coton (123,2x274,3) : **USD 8 500** – New York, 3 mai 1988 : *Hammam*, encre de Chine, plastique et collage (118,5x81,7) : **USD 4 950** – New York, 12 nov. 1991 : *« Red earrings »* 1985, acryl., paillettes, collage de t. d'emballage et de fibres de pap. (99x66,8) : **USD 2 750** – New York, 12 juin 1992 : *Perverse* 1985, techn. mixte/pap. (61x47) : **USD 2 475** – New York, 17 nov. 1992 : *Cancan*, gche, aquar. et cr. de coul./4 feuilles de pap. (227,5x56) : **USD 6 600** – Stockholm, 30 nov. 1993 : *Émeraude* 1982, acryl. et collage (94x64) : **SEK 13 000** – New York, 1er nov. 1994 : *Lys*, aquar. et cr. de coul./pap. (227,3x55,9) : **USD 1 725**.

KU SHUN. Voir **GU SHUN**

KUSNEZOFF Pawel Warjolomeievitch ou **Kusnetzoff**. Voir **KOUZNETSOV**

KUSNIR Carlos

Né en 1947 à Buenos Aires. XXe siècle. Actif depuis 1977 en France. Argentin.

Peintre, créateur d'installations, technique mixte.
D'une famille juive d'origine ukrainienne, il s'installe définitivement à Paris, en 1977.
Il participe à des expositions collectives : 1977 et 1991 Buenos Aires ; 1978 cité des Arts à Paris ; 1980 Salon Grands et Jeunes d'Aujourd'hui à Paris ; 1982 *Les Latino-Américains à Paris* aux galeries nationales du Grand Palais à Paris ; 1984 musée des Beaux-Arts de Chartres ; 1986 et 1989 fondation Cartier à Jouy-en-Josas ; 1988 CREDAC à Ivry-sur-Seine ; 1991 Copenhague, Hambourg, Fribourg, Mulhouse ; 1992 Marseille. Il montre ses œuvres dans des expositions personnelles : 1977, 1978, 1980, 1987 Buenos Aires ; 1979, 1986, 1990 Paris ; 1983 Bruxelles ; 1988 Centre régional d'art contemporain de Labège ; 1990 Toulouse ; 1993 FRAC (Fonds Régional d'Art Contemporain) Champagne-Ardenne à Reims ; 1995 Foire internationale d'Art contemporain à Paris présenté par la galerie Éric Dupont.
Dans les années quatre-vingt, il présentait des installations, mêlant de grandes peintures gestuelles et des objets du quotidien (balais, chaises, bouteilles, étagères). Souvent, il insérait sur la toile qui paraissait inachevée des inscriptions : « Je suis au café », « Mama », intégrant ainsi un élément narratif... Il introduit par la suite, dans ses assemblages, le son, incorporant un magnétophone. Depuis, il a changé de support, proposant des « petits événements portatifs ». Ceux-ci se composent de toiles cirées, tissus d'ameublement, torchons, serviettes ou nappes, à fleurs ou quadrillés, qu'il a créé lui-même puis montés sur châssis. Dessous, il camoufle un haut-parleur qui diffuse de la musique, à moins qu'un musicien ne vienne le remplacer (ainsi put-on chaque jour écouter un nouveau musicien à la galerie de Paris, en 1990). Quelle que soit la forme de l'œuvre, elle porte en elle une bribe de narration, une fiction personnelle, auxquelles la musique ajoute une note sentimentale. ■ L. L.
Bibliogr. : Anne Richard : *La Scène éparpillée de Carlos Kusnir*, Opus international, n° 109, Paris, juil.-août 1988 – Anne Richard : *Carlos Kusnir*, Opus international, n° 118, Paris, mars-avr. 1990 – Michel Nuridsany : *Carlos Kusnir – Le grand perturbateur*, Art Press, n° 145, Paris, mars 1990.
Ventes Publiques : Paris, 13 déc. 1989 : *Hôpital*, aquar. (50x65) : **FRF 4 500**.

KÜSS Edmond
xxe siècle. Actif en Tunisie et en France.
Peintre de compositions animées.
Il fit des études artistiques à Tunis, puis vécut à Paris entre 1926 et 1928. De retour à Tunis en 1929, il participa au Salon tunisien, où il continua d'envoyer des œuvres jusqu'en 1939, même lorsqu'il séjournait à Paris, à nouveau, à partir de 1930.
Il scande ses compositions de couleurs vives, réparties selon un rythme presque abstrait.
Bibliogr. : Catalogue de l'exposition : *Lumières tunisiennes*, Pavillon des Arts, Paris, 1995.

KÜSS Ferdinand
Né le 7 mai 1800 à Vienne. Mort le 4 février 1886 à Pörtschach. xixe siècle. Autrichien.
Peintre de natures mortes, fleurs et fruits.
Musées : Sibiu.
Ventes Publiques : Londres, 21 juil. 1976 : *Nature morte*, h/t (92x134) : **GBP 350** – Cologne, 19 oct 1979 : *Nature morte* 1837, h/t (50x39) : **DEM 2 600** – Londres, 26 nov. 1986 : *Roses, pêches et cactus sur un entablement de bois*, h/t (86,5x71,5) : **GBP 10 000** – Londres, 24 mars 1988 : *Nature morte avec des fleurs dans un vase*, h/t (62x48) : **GBP 5 500** – New York, 22 mai 1990 : *Nature morte avec une composition florale dans un vase avec deux pêches et un ara sur un entablement de marbre* 1843, h/t (68,6x55,9) : **USD 19 800** – New York, 23 oct. 1990 : *Nature morte avec des lis et du lilas sur un entablement* 1878, h/t (68,6x55,2) : **USD 8 800** – New York, 27 mai 1992 : *Nature morte avec des lis tigrés, du lilas et des hibiscus sur une table* 1878, h/t (68,6x55,2) : **USD 8 800**.

KUSSA Michael
Né vers 1657. Mort le 8 octobre 1699 à Liubliana. xviie siècle. Yougoslave.
Sculpteur.
Il décora les églises de Liubliana et travailla pour la cathédrale d'Agram.

KUSSENS Cornelis
Mort sans doute le 24 mai 1618. xviie siècle. Actif à Haarlem vers 1604. Hollandais.
Peintre verrier.
Il exécuta les vitraux de l'église Saint Jans à Gouda.

KUSSENS Cornelis Ysebrandsz. Voir **CUSSENS**

KUSSNER Valentin
Mort en 1725 à Hadamar. xviiie siècle. Actif à Stuttgart. Allemand.
Peintre.
Peintre de la cour du prince de Nassau-Hadamar.

KUSTER Alexander
xixe siècle. Actif à Berlin à la fin du xixe siècle. Allemand.
Paysagiste.

KUSTER Conrad
Né en 1730 à Winterthur. Mort en 1802. xviiie siècle. Suisse.
Portraitiste et paysagiste.
Il travailla quelque temps en Hollande.

KUSTER Jakob
Né en 1769 à Winterthur. Mort le 9 janvier 1796 à Winterthur. xviiie siècle. Suisse.
Paysagiste.
Il fit beaucoup de copies.

KUSTER Johann Kaspar
Né en 1747 à Winterthur. Mort en 1818 à Winterthur. xviiie-xixe siècles. Suisse.
Peintre de paysages, dessinateur.
Il étudia dans sa ville natale avec H. Wust et à Frankfort à partir de 1777. En 1779 il alla à Düsseldorf, puis à Amsterdam. Il revint vivre en Suisse en 1784. Il adopta le style des paysagistes hollandais du xviiie siècle.
Musées : Bâle : *Forêt près d'un village*.
Ventes Publiques : Zurich, 29 nov. 1985 : *Les chutes à Schaffhouse*, h/pan. (48x63,5) : **CHF 8 000** – Zurich, 2 juin 1994 : *Idylle au bord du ruisseau*, encre/pap. (47x62) : **CHF 1 725**.

KUSTER Matthäus
xviie siècle. Actif à Triengen. Suisse.
Peintre sur verre.
Membre de la gilde de Lucerne en 1681.

KUSTER Nikodem
Né le 18 juillet 1826 à Engelberg. Mort le 31 janvier 1884 à Engelberg. xixe siècle. Suisse.
Sculpteur.
Étudia à Bâle et à Munich. De retour en Suisse, il travailla beaucoup à Lucerne et plusieurs statues des Apôtres de sa main sont conservées dans les églises de la région.

KUSTER Rudolf
xviie siècle. Actif à Triengen vers 1639. Suisse.
Peintre sur verre.

KUSTER-REINHART Anna Maria
Née en 1753 à Winterthur. Morte en 1826. xviiie-xixe siècles. Suisse.
Peintre de fleurs, de fruits, d'insectes.
Femme de Johann Kaspar Kuster.

KÜSTHARDT Erwin
Né le 23 janvier 1867 à Hildesheim. Mort le 6 juillet 1901 à Rome. xixe siècle. Allemand.
Peintre d'histoire, compositions mythologiques.
Il fut à Rome élève de Lauenstein et de Schill. On lui doit surtout des peintures d'inspiration historique ou mythologique, telles ces scènes de la déclaration de la guerre de 1870 ou son *Faust*. Il décora l'hôtel de ville de Düsseldorf.

KÜSTHARDT Friedrich, l'Ancien
Né le 30 janvier 1830 à Göttingen. Mort le 8 octobre 1900 à Hidlesheim. xixe siècle. Allemand.
Sculpteur.
On cite surtout les sculptures qu'il exécuta pour l'église Saint-Lambert à Hildesheim et aussi pour la cathédrale de cette ville.

KÜSTHARDT Friedrich, le Jeune
Né le 13 mai 1870 à Hildesheim. Mort le 29 avril 1905 à Fribourg-en-Brisgau. xixe siècle. Suisse.
Sculpteur.
Fils de Friedrich l'Ancien. Il exécuta des bustes.

KÜSTHARDT Georg
Né le 23 octobre 1863 à Hildesheim. Mort le 13 octobre 1903 à Hanovre. xixe siècle. Allemand.
Sculpteur.
Il exécuta le buste de *l'empereur Guillaume II* et, à Emden, une statue de *l'empereur Guillaume Ier*.

KUSTHARDT-LANGENHAM Gertrud
Née le 13 juillet 1877 à Gotha (Thuringe). XXe siècle. Allemande.
Sculpteur de monuments, peintre.
Elle travailla à Hildesheim et exécuta pour cette ville un monument dédié aux morts de la Première Guerre mondiale.

KÜSTNER Carl
Né le 15 novembre 1861 à Guntersblum (Hesse). Mort en 1934. XIXe-XXe siècles. Allemand.
Peintre de paysages.
Il travailla à Munich, où il fut médaillé en 1897 et 1901.
Musées : Mayence : *Jour d'hiver* – Munich : *Jour de mars.*
Ventes Publiques : Vienne, 22 juin 1976 : *Paysage à la rivière*, h/pan. (24x31) : **ATS 25 000** – Rambouillet, 12 oct. 1986 : *La Maison sur pilotis*, h/t (55x100) : **FRF 18 000** – Amsterdam, 24 avr. 1991 : *Ruisseau bordé d'arbres dans un paysage enneigé*, h/t (65,5x50,5) : **NLG 1 150.**

KÜSTNER Gottfried
Né en 1800 à Freudenstadt. Mort en 1864 à Stuttgart. XIXe siècle. Allemand.
Lithographe et éditeur.
On cite ses lithographies d'après Horace Vernet, Klein, Schreiner, Pflug.

KUSTODIEV Boris Mikhaïlowitch ou **Kustodieff, Koustodiew, Koustodiev**
Né le 7 mars 1878 à Astrakan. Mort le 27 mai 1927 à Leningrad (aujourd'hui Saint-Pétersbourg). XXe siècle. Russe.
Peintre de genre, portraits, nus, natures mortes, peintre à la gouache, aquarelliste, graveur, illustrateur, sculpteur.
De 1896 à 1903, après avoir commencé ses études artistiques à Astrakan, il fut élève de l'Institut Supérieur d'Art de l'Académie des Beaux-Arts de Saint-Pétersbourg, où il passa par l'atelier de Répine. À Paris, en 1904, pensionnaire de l'Académie des Arts de France et d'Espagne, il fut élève de Émile René Ménard. De 1904 à 1908, il fut un des organisateurs de la Nouvelle Association des Artistes Russes ; de 1907 à 1910, membre de l'Union des Artistes Russes ; en 1910 membre du groupe du Monde de l'Art.
Il a participé à des expositions collectives : en 1922 de la Communauté des Artistes ; de 1925 à 1928 de l'Association des Artistes de la Russie Révolutionnaire, ainsi qu'à des expositions à l'étranger. Il reçut une médaille à Munich en 1901, prit part à la grande Exposition de Bruxelles de 1910. Il a aussi montré ses œuvres dans des expositions personnelles : 1920 Pétrograd, 1928 Léningrad, 1929 Moscou, etc. Il fit de nombreux voyages, à travers la Russie, en France, Allemagne, Suisse, Italie, Espagne. En 1909, selon certaines sources, il aurait été reçu académicien.
Il eut à exécuter de nombreux portraits du tsar, puis celui de Lénine. Il toucha aussi à la sculpture. Il est surtout connu comme le peintre des scènes de la vie quotidienne dans des petites villes de Russie, dont il donne des représentations joyeuses et féériques, dans l'esprit des estampes populaires. Après 1917, il traita quelques thèmes révolutionnaires. Dans son ensemble, son œuvre, par ses aspects nationaux et populaires, malgré une facture postimpressionniste, fut agréé par les censeurs du réalisme-socialiste. ■ J. B.
Bibliogr. : In : Catalogue de l'exposition *L'Art russe des Scythes à nos jours*, Gal. Nat. du Grand-Palais, Paris, 1967-68 – in : Catalogue de l'exposition *Paris-Moscou*, Centre Beaubourg, Paris, 1979 – M. Etkind : *Boris Mikhaïlovitch Koustodiev*, Léningrad, 1983 – in : *Diction. de l'Art Mod. et Contemp.*, Hazan, Paris, 1992.
Musées : Moscou (Gal. Trétiakov) : *Portrait de femme* – *L'Adhésion* 1905, aquar. – *La Foire* 1906, gche – *Mardi-gras* 1916 – *Le Bolchevik* 1920 – Odessa (Mus. des Beaux-Arts) : *Portrait de l'épouse de l'artiste* 1909 – Saint-Pétersbourg (Mus. Russe) : *La Manifestation* 1905, cr. de coul. – *La Femme du marchand buvant son thé* 1918 – *Fête en l'honneur de l'ouverture du IIe congrès du Komintern. Défilé sur la Place Ouritski* 1920, esq. – *Portrait de Fédor Chaliapine* 1922 – *La Ville produit des livres et la campagne des vivres* 1925, aquar.
Ventes Publiques : Londres, 1er déc. 1976 : *Scène de rue russe* 1916, aquar. (20,5x20,5) : **GBP 300** – Londres, 14 mai 1980 : *La femme du commerçant*, aquar. (37,5x31) : **GBP 1 250** – New York, 9 déc. 1982 : *Foire de village*, h/t (57x57) : **USD 7 500** – Paris, 24 mai 1985 : *Frelina Malafeevna* 1924, mine de pb, lav. et aquar. (33,3x25,3) : **FRF 16 000** – Londres, 1er mai 1987 : *Deux jeunes femmes assises sur une balustrade* 1914, gche/traits de cr. (19,5x26) : **GBP 2 800** – Londres, 14 nov. 1988 : *La foire au village* 1920, h/t (57,5x57,5) : **GBP 20 350** – Londres, 5 oct. 1989 : *Nu couché dans un lit* 1919, h/t (35x47,4) : **GBP 20 900** – Paris, 19 juin 1991 : *Nature morte à la pastèque* 1920, h/pan. (59x61) : **FRF 11 500** – Paris, 2 déc. 1991 : *Scène villageoise en 1905*, aquar. et cr. de coul./pap. (25x33) : **FRF 15 000** – Milan, 14 déc. 1993 : *Étude pour « Hiver : procession pour la consécration de l'eau sainte le jour du baptême du Christ »* 1921, cr. (17x21) : **ITL 1 035 000** – Londres, 14 déc. 1995 : *La foire de village* 1920, h/t (57,5x57,5) : **GBP 46 600** – Londres, 17 juil. 1996 : *Portrait de I.M. Markov* 1924, aquar. et cr. (28x20) : **GBP 1 150** – Londres, 19 déc. 1996 : *Portrait d'une danseuse* 1914, gche/cr. (45,7x29,5) : **GBP 3 220.**

KUSTOHS Paul
Né en 1868. Mort le 31 mars 1898. XIXe siècle. Éc. flamande.
Peintre de paysages.
Élève de Courtens.

KUSUMI Morikage, surnom : **Hanbê,** noms de pinceau : **Mugesai**
Né à Kaga (préfecture d'Ishikawa). XVIIe siècle. Japonais.
Peintre.
Un des meilleurs disciples de Kanô Tannyû (1602-1664), il dépasse les recherches de son maître et parvient à une souplesse de lignes caractéristique de son style. Il peint des paysages d'inspiration chinoise, mais aussi des scènes de la vie paysanne, empreintes d'intimité. Selon la tradition, Tannyû l'aurait chassé de son atelier.

KUSUMOTO Massaki
Né en 1933 à Nagano. XXe siècle. Actif depuis 1961 aux États-Unis. Japonais.
Peintre. Abstrait.
De 1952 à 1956, il fait des études dans le département de peinture traditionnelle à l'université des beaux-arts de Tôkyô, puis en 1957 devient directeur artistique de Morinaga Miki Industry. En 1961, il s'installe à New York.
C'est un abstrait qui pratique une peinture synthétique sur feuille de métal et toile.

KU TA-CH'ANG. Voir **GU DACHANG**

KUTADGU Birol. Voir **BIROL**

KUTAGAWA Tamiji
Né en 1894. Mort en 1989. XXe siècle. Actif aux États-Unis. Japonais.
Peintre de compositions animées.
Il vint aux États-Unis en 1913 et étudia avec John Sloan à l'Art Student's League de New York avec son ami Yasuo Kuniyoshi. Puis, après dix années, il s'installa au Mexique où il étudia à l'école des beaux-arts de Mexico et enseigna ensuite à l'école d'art de Taxco. En 1936, de retour au Japon, ses toiles reflétant l'influence mexicaine éveillèrent un vif intérêt dans les cercles d'art. Il fit encore un séjour au Japon en 1955-1956. En 1964, il reçut le prix Mainichi.
Le musée municipal de Nagoya et le musée de la préfecture de Shizuoka organisèrent une exposition rétrospective de son œuvre en 1989.
Ventes Publiques : New York, 16 oct. 1990 : *Femmes se lavant au bord du ruisseau* 1930, h/t (78,5x69) : **USD 165 000.**

KU TA-SHÊN. Voir **GU DASHEN**

KU TA-TIEN. Voir **GU DAQIAN**

KU TÊ-CH'IEN. Voir **GU DEQIAN**

KU TÊ-HUI. Voir **GU DEHUI**

KUTHNER N.
XIVe siècle. Tchécoslovaque.
Miniaturiste.
Originaire de Kutna Hora. Il exécuta des miniatures qui sont actuellement la propriété de la Bibliothèque de Vienne.

KUTIYEL Suzana
Née le 29 mai 1922. XXe siècle. Active depuis 1957 au Brésil. Turque.
Peintre de figures.
De 1950 à 1955, elle visita systématiquement les musées d'Europe. Elle ne commença à travailler professionnellement la peinture qu'après son arrivée au Brésil, sous la direction de Joan Rossi, puis sous celle de Mario Schemberg, qui l'incita à peindre la figure humaine. Elle fit aussi partie du groupe *Bizonte* de São Paulo, fréquenta le cercle artistique groupé autour du professeur Domingo. Elle participe à de nombreuses expositions col-

lectives au Brésil, au Salon d'art moderne de São Paulo, aux Ier et IIe Salon d'Art Contemporain de Sao Caetano do Sul et à la IXe Biennale de São Paulo. Elle fit sa première exposition personnelle à São Paulo, en 1966, suivie d'autres en 1968, 1969.
Attaquant directement la toile, sans dessin prélable, elle y brosse l'évocation, par taches sommaires sortant de l'ombre, d'êtres errant comme isolés dans la foule.
Bibliogr. : Geraldo Feraz : *Critique de l'exposition Suzana Kutiyel*, Estado de São Paulo, 29 sept. 1968.

KUTKA Vincent
Né en 1952 à São Paulo. xxe siècle. Brésilien.
Peintre, graveur. Polymorphe.
Après des voyages en Amérique Latine, en Asie et au Brésil, il décide de s'adonner à l'âge de vingt-cinq ans à la peinture. Il vit et travaille à São Paulo. Depuis 1979, il participe à des expositions collectives : 1979 Salon d'Art Contemporain de San Jose ; 1983 Biennale d'art graphique de Ljubljana ; 1985 Biennale de São Paulo ; 1986 musée d'Art moderne de São Paulo ; 1988 musée national de Pékin. Il montre ses œuvres dans des expositions personnelles : 1982 Venise ; 1983, 1986, 1988 São Paulo ; 1986 Vienne ; 1991 Paris.
Lignes et arcs noyés dans la couleur composent ses toiles libres, éclatantes, dynamiques, nées de la spontanéité.
Bibliogr. : In : Catalogue de l'exposition *De Bonnard à Baselitz – Dix ans d'enrichissements du Cabinet des estampes 1978-1988*, Bibliothèque nationale, Paris, 1992.
Musées : New York (Brooklyn Mus.) – Paris (BN, Cab. des Estampes) : *The other side of Clovis'window* 1982, aquat. et pointe sèche – San-Juan de Puerto-Rico (Mus. del Grabado Latino-Americano) – São Paulo (Mus. d'Art Contemp.).
Ventes Publiques : Paris, 13 avr. 1988 : *Le lion*, h., cr., aquar./pap. (75x107) : **FRF 4 000**.

KUTLIK Cyril
Né à Prague. xixe-xxe siècles. Actif aussi en Yougoslavie. Tchécoslovaque.
Peintre de genre, portraits.
Il travailla à Belgrade. Il exposa à l'Exposition universelle de 1900, à Paris.

KUTRA Radoslas
Né vers 1935. xxe siècle. Tchécoslovaque.
Peintre.

KUTSCHA Paul
Né le 26 juin 1872 à Pruchna. xixe-xxe siècles. Tchécoslovaque.
Peintre de paysages et de marines.
Il travailla à Munich, à Hambourg, à Berlin, à Vienne et même quelque temps à Sydney en Australie.

KUTSCHER Vollrad
Né en 1945 à Braunschweig. xxe siècle. Allemand.
Artiste de performances, créateur d'environnements.
Il vit et travaille à Francfort-sur-le-Main. Il a participé à l'exposition *De Bonnard à Baselitz – Dix ans d'enrichissement du Cabinet des estampes 1978-1988*, à la Bibliothèque nationale à Paris, en 1992. Il a réalisé des livres d'artistes.
Bibliogr. : In : Catalogue de l'exposition *De Bonnard à Baselitz – Dix ans d'enrichissements du Cabinet des estampes 1978-1988*, Bibliothèque nationale, Paris, 1992.
Musées : Paris (BN, Cab. des Estampes).

KUTSCHMANN Theodor
Né le 9 février 1843 à Queldinburg. Mort le 18 novembre 1901 à Berlin. xixe siècle. Allemand.
Peintre et illustrateur.
Il exécuta surtout des illustrations pour des livres d'enseignement.

KUTTER Joseph
Né en 1894 à Luxembourg. Mort en 1941 à Luxembourg. xxe siècle. Luxembourgeois.
Peintre de figures, paysages. Expressionniste.
De 1911 à 1914, il fut élève de l'École d'Artisans de Luxembourg, des Écoles des Arts Décoratifs de Strasbourg et de Munich ; en 1917-1918 de l'Académie des Beaux-Arts de Munich. Il resta à Munich jusqu'en 1924. Il avait été formé à l'expressionnisme au cours de son séjour à Munich, mais n'accomplit son œuvre qu'après son retour à Luxembourg. En 1927 à Luxembourg, il fut l'un des co-fondateurs du Salon de la Sécession. Il fit des voyages en Bavière, en Italie, dans le Midi de la France, en Corse, en Hollande. En 1946, on vit de cet artiste deux toiles, *Cheval de bois* et *Paysage hollandais* à l'Exposition ouverte à Paris, au musée d'Art moderne de la Ville, par l'Organisation des Nations Unies. Il avait précédemment exposé à Paris, aux Salons d'Automne et des Indépendants, de 1930 à 1939. En 1951, le Musée National d'Art Moderne et en 1986, le Musée d'Art Moderne de la Ville de Paris organisèrent des rétrospectives de son œuvre. En 1989, il était représenté à l'exposition *150 Ans d'Art Luxembourgeois au Musée National d'Histoire et d'Art* à Luxembourg.
Maître d'un art expressionniste, procédant par larges plages de couleurs exacerbées, il est généralement considéré comme le fondateur de l'école luxembourgeoise moderne. Ce fut après 1935, qu'il commença la série des *Clowns* dans laquelle, sans perdre de vue les problèmes formels, il exprima les souffrances que la maladie lui infligeait. Il a exprimé cette même angoisse à travers des paysages du Midi de la France, du Luxembourg, d'Allemagne et de Hollande.
Bibliogr. : In : *Diction. univer. de la peinture*, Le Robert, tome IV, Paris, 1975 – in : Catalogue de l'exposition *150 ans d'art luxembourgeois*, Mus. Nat. d'Hist. et d'Art, Luxembourg, 1989.
Musées : Luxembourg (Mus. Nat. d'Hist. et d'Art) : *Autoportrait* 1919 – *Venise* 1924-25.

KUVEN Robert
Né le 21 août 1901 à Strasbourg (Bas-Rhin). Mort le 25 avril 1983 à Strasbourg. xxe siècle. Français.
Peintre de paysages, fleurs, aquarelliste.
Il fut un des artistes alsaciens les plus populaires de sa génération.
Dans son œuvre, il a privilégié l'aquarelle, surtout consacrée à l'Alsace, puis aux fleurs.

KUWABARA Moriyuki
Né en 1942 dans la préfecture de Hiroshima. xxe siècle. Japonais.
Peintre. Abstrait.
En 1968, il reçoit le prix Shell à Tôkyô et l'année suivante, il figure à l'Exposition internationale des jeunes artistes, dans la même ville.

KUWAHARA Masaaki
Né le 22 août 1927 à Tôkyô. xxe siècle. Japonais.
Peintre. Abstrait-paysagiste.
En 1960, il vient en France, voyage en Italie, travaille dans le Midi et en Espagne. En 1964, il rentre au Japon. En 1967, il revient à Paris. Il exposa à Tôkyô à partir de 1954 ainsi qu'à Paris en 1968. Paysagiste, ses peintures, très lumineuses, se rattachent à une très attachante figuration poétisée.

KUWASSEG Charles Euphrasie
Né le 29 septembre 1838 à Draveil (Essonne). Mort en octobre 1904 à Paris. xixe-xxe siècles. Français.
Peintre de paysages animés, paysages, marines, aquarelliste.
Fils du peintre autrichien Karl-Josef Kuwasseg, il travailla d'abord avec son père, puis s'engagea comme marin. Rentré en France en 1883, il fut élève de Durand-Brager et d'Isabey. Il débuta en 1855 au Salon de Paris dont il resta un fidèle exposant. Il travailla également en collaboration avec Poilpot à divers panoramas. Il a régulièrement exposé aux Salons des Artistes Français et obtint une troisième médaille en 1892. Kuwasseg se consacra au professorat et eut notamment comme élève Iwill et Émile Clarel.
Son talent délicat et fort à la fois lui a valu l'estime de tous les amateurs. Il s'est consacré plus particulièrement à l'étude des coups de vent sur les côtes bretonnes et dans la mer du Nord. Ses œuvres reproduisant des paysages de la campagne normande ou des faubourgs parisiens paraissent toutefois plus sincères.

C. Kuwasseg.

Musées : Digne : *Source sous bois* – Montréal : *Le Combat naval de Fou Tcheou* – Périgueux : *Houilles* – *Ile fleurie* – Pontoise : *Environs de Fécamp* – *Épave et falaise* – La Rochelle : *Le Radeau* – Rouen : deux paysages.
Ventes Publiques : Philadelphie, 26-27 jan. 1903 : *Le soir* : **USD 400** – Paris, 14 fév. 1931 : *Les falaises* : **FRF 225** – Paris, 20 fév. 1942 : *Ville au bord d'une rivière* ; *Rivière dans les montagnes*, deux pendants : **FRF 7 200** – Paris, 12 fév. 1943 : *Maisons au bord de l'eau* : **FRF 7200** ; *Marines*, deux toiles : **FRF 12 100** –

PARIS, 29 jan. 1945 : *Paysage* : **FRF 6 800** ; *Marine* : **FRF 15 000** – PARIS, oct. 1945-juil. 1946 : *Quai de ville* : **FRF 10 000** ; *La rentrée des pêcheurs* 1863 : **FRF 16 000** – PARIS, 24 mai 1950 : *Paysages en bordure de rivière*, deux pendants : **FRF 14 000** – PARIS, 21 mai 1951 : *Vues de villes en Hollande*, deux pendants : **FRF 41 000** – LONDRES, 18 fév. 1970 : *Vue d'une petite ville de Hollande* : **GBP 450** – ANVERS, 5 déc. 1972 : *Oude koolvliet à Anvers* : **BEF 350 000** – LONDRES, 2 nov. 1973 : *Le port d'Anvers* 1881 : **GNS 1 900** – NEW YORK, 2 nov. 1973 : *Vue de Salzbourg* ; *Vue d'un village autrichien* 1875, deux peint. : **USD 8 000** – PARIS, 11 fév. 1974 : *La tempête* : **FRF 10 500** – NEW YORK, 15 oct. 1976 : *Vue d'une ville au bord d'une rivière* 1875, h/t (25,5x33) : **USD 1 600** – BERNE, 21 oct. 1977 : *Vieux Rouen*, h/t (46x38) : **CHF 8 500** – NEW YORK, 12 oct 1979 : *Village alpestre* 1878, h/t (59x100) : **USD 14 000** – NEW YORK, 27 mai 1982 : *Village alpestre* 1878, h/t (59x100) : **USD 10 000** – ROUBAIX, 27 fév. 1983 : *Lavandières au bord du village*, h/t (32x23) : **FRF 36 000** – LONDRES, 22 mars 1985 : *Vue de Saint-Etienne* 1881, h/t (58,5x99) : **GBP 6 000** – VERSAILLES, 13 déc. 1987 : *L'arrivée des pêcheurs près du port de Fécamp*, h/t (55x100) : **FRF 19 000** – MONTE-CARLO, 6 déc. 1987 : *Vue de Haarlem en Hollande* 1872, h/t (32x45) : **FRF 32 000** – PARIS, 30 mai 1988 : *Ports de pêche* 1860, 2 peint. ovales/pan., formant pendants (chaque 65x53) : **FRF 20 500** – LOS ANGELES, 9 juin 1988 : *Pêcheurs dans une baie*, h/pan. (18x35,5) : **USD 2 200** – PARIS, 12 juin 1988 : *L'accostage*, h/t (64,5x49) : **FRF 62 000** ; *Citadelle au bord de l'eau*, h/t (81x65) : **FRF 43 000** – PARIS, 17 juin 1988 : *Épave au clair de lune* 1893, h/t (27x41) : **FRF 3 500** – CALAIS, 3 juil. 1988 : *Pêcheurs au pied des falaises*, h/t (72x55) : **FRF 35 000** – BERNE, 26 oct. 1988 : *Voiliers sur une mer agitée*, h/t (44x73) : **CHF 3 800** – NEW YORK, 24 mai 1989 : *Vue de Rocamadour en France* 1877, h/t (58,7x100,4) : **USD 17 600** – LONDRES, 4 oct. 1989 : *Paysage de la Loire* 1880, h/t (56,5x99) : **GBP 15 950** – PARIS, 29 nov. 1989 : *Port Italien* 1867, h/t (46x79) : **FRF 78 000** – LONDRES, 14 fév. 1990 : *Lavandières à Rouen*, h/pan. (32x24) : **GBP 3 300** – NEW YORK, 28 fév. 1990 : *Retour d'une barque fuyant la tempête* 1872, h/t (55,9x100) : **USD 9 350** – BRUXELLES, 27 mars 1990 : *Vue du port de Gènes* 1879, h/t (60x100) : **BEF 230 000** – REIMS, 18 mars 1990 : *Ville fortifiée au bord de la mer*, h/pan. (28x22) : **FRF 19 000** – BERNE, 12 mai 1990 : *Village au bord du Po*, aquar. et gche (31x48) : **CHF 1 800** – LONDRES, 17 mai 1991 : *Ville flamande traversée par une rivière* 1874, h/t, une paire (chaque 32,3x46) : **GBP 4 950** – NEW YORK, 19 fév. 1992 : *Un port à l'aube*, h/t (56,5x99,7) : **USD 16 500** – NEW YORK, 30 oct. 1992 : *Vues d'une ville animée au bord d'un fleuve*, h/t, une paire (chaque 25x32,5) : **USD 19 800** – LONDRES, 25 nov. 1992 : *Le port de Dieppe* 1883, h/t (41x49) : **GBP 2 750** – CALAIS, 13 déc. 1992 : *Palais oriental près du rivage* 1854, h/pan. (27x40) : **FRF 24 000** – PARIS, 6 juil. 1993 : *Maisons au bord de l'eau*, h/pan., une paire (chaque 21,5x15,6) : **FRF 19 000** – PARIS, 29 oct. 1993 : *Sortie de port*, h/t (70x93) : **FRF 12 100** – PARIS, 17 déc. 1993 : *Canal à Anvers* 1872, h/t (32x46) : **FRF 55 000** – NEW YORK, 16 fév. 1994 : *Port encombré*, h/t (54,6x99,1) : **USD 7 188** – AMSTERDAM, 21 avr. 1994 : *Navigation dans un port avec des marin approchant du quai dans un canot*, h/pan. (18,5x24) : **NLG 2 760** – ST. ASAPH (Angleterre), 2 juin 1994 : *Canotage* 1882, h/t (44,5x37) : **GBP 6 900** – PARIS, 20 nov. 1994 : *Paysage de bord de rivière* 1884, h/t (22x32,5) : **FRF 8 000** – LONDRES, 10 fév. 1995 : *Kervonder en Bavière* ; *Herbesner au Tyrol* 1878, h/t, une paire (chaque 32,7x24,7) : **GBP 10 120** – PARIS, 13 mars 1995 : *Vue d'un canal dans une ville*, h/pan. (30x24) : **FRF 17 000** – LONDRES, 13 mars 1996 : *Scène de la côte française*, h/t (38x46) : **GBP 5 750** – AMSTERDAM, 16 avr. 1996 : *Vue d'un fjord avec des personnages dans une barque au premier plan* 1884, h/t (38,5x54,5) : **NLG 3 540** – PARIS, 3 avr. 1996 : *Partie de canotage aux abords d'un village* 1882, h/t (57x74) : **FRF 42 000** – CALAIS, 7 juil. 1996 : *Place animée dans la vieille ville*, h/pan. (13x9) : **FRF 5 500** – LONDRES, 21 nov. 1996 : *Port de Fécamps* ; *Port d'Iport* 1869, h/t, une paire (chaque 33,5x46,3) : **GBP 13 800** – PARIS, 20 mars 1997 : *Cavaliers et personnages au pied d'un château féodal*, h/t (92x118) : **FRF 21 000** – NEW YORK, 26 fév. 1997 : *Village en bord de mer* ; *Village en bordure de lac*, h/t, une paire (31,7x24,8) : **USD 12 650** – LONDRES, 11 juin 1997 : *Vue de Yport, Normandie* 1838, h/t (54,5x98) : **GBP 10 925** – PARIS, 19 oct. 1997 : *Canal animé dans une ville du Nord*, h/t (32x24) : **FRF 35 000** – LONDRES, 21 nov. 1997 : *Port au coucher de soleil* 1869, h/t (57,2x100,3) : **GBP 8 050**.

KUWASSEG Karl ou **Kuvasseg**

Né le 25 novembre 1799 à Trieste (Frioul). Mort le 19 mars 1859 à Gratz (Styrie). XIXe siècle. Autrichien.

Paysagiste, aquarelliste, lithographe, dessinateur.

Il fit ses études à Gratz, puis alla faire de la lithographie à Vienne avec son frère Karl-Josef. Il revint à Gratz, peignit des paysages à l'aquarelle et écrivit des ouvrages sur le dessin.

VENTES PUBLIQUES : LA HAYE, 1871 : *Montagne du Chili* : **FRF 1 071** – PARIS, 9 juil. 1899 : *Ancienne vue de Villeneuve-Saint-Georges, prise de la Seine* : **FRF 430** – PARIS, oct. 1945-Juillet 1946 : *Paysages*, deux toiles : **FRF 6 000** – PARIS, 24 mai 1950 : *Le repos des chasseurs dans la montagne* : **FRF 15 000** – LONDRES, 8 nov. 1972 : *Paysage alpestre* : **GBP 600**.

KUWASSEG Karl Josef

Né le 14 mars 1802 à Trieste (Frioul). Mort le 4 février 1877 à Nanterre (Hauts-de-Seine). XIXe siècle. Actif et naturalisé en France en 1870. Autrichien.

Peintre de paysages, paysages urbains, aquarelliste.

Ancien charpentier, il alla à Vienne et commença à faire de l'aquarelle. Il accompagna le comte Schomburg dans ses voyages à travers l'Europe méridionale et l'Amérique, et vint se fixer à Paris en 1830. Il fut médaillé au Salon de Paris en 1845, 1861 et 1863.

VENTES PUBLIQUES : BERNE, 22 oct. 1976 : *Paysage boisé*, h/pan. (21,5x27) : **CHF 2 200** – COLOGNE, 22 nov 1979 : *Bord de mer* 1871, h/t (74x92,5) : **DEM 7 500** – ZURICH, 1er juin 1983 : *Paysage de montagne*, h/t (93x74) : **CHF 5 000** – PARIS, 3 avr. 1985 : *Vue du Tyrol* 1872, h/t (80x115) : **FRF 45 000** – PARIS, 22 oct. 1989 : *Les Bateaux lavoirs sur la rivière ombragée* 1893, h/t (54x73) : **FRF 42 000** – NEW YORK, 24 oct. 1990 : *Pêcheurs de crevettes sur une grève*, h/t (35x65,1) : **USD 6 600** – LE TOUQUET, 10 nov. 1991 : *Pêcheurs au pied des falaises*, h/t (72x55) : **FRF 42 000** – PARIS, 18 mars 1992 : *Village au bord de la mer* 1848, h/t (28,5x42) : **FRF 32 000** – PARIS, 28 juin 1993 : *Paysages tropicaux*, h/pan., une paire (chaque 27x38) : **FRF 73 000** – NEW YORK, 22-23 nov. 1993 : *Paysages brésiliens*, h/pan., une paire (27x36,8 et 26,7x36,8) : **USD 27 600** – PARIS, 15 déc. 1995 : *Rues de villes normandes*, h/t, une paire (33x24,5) : **FRF 30 000** – LONDRES, 14 juin 1996 : *Pêcheurs sur la grève à Étretat* 1863, h/t (88,6x133,3) : **GBP 19 550** – LONDRES, 26 mars 1997 : *Paysage côtier*, h/t (50,5x75,5) : **GBP 4 370**.

KUWASSEG Leopold

Né le 18 octobre 1804 à Trieste. Mort le 6 mars 1862 à Gratz. XIXe siècle. Autrichien.

Peintre de fleurs et de paysages.

Frère de Josef Kuwasseg. On cite surtout ses nombreuses vues de la ville de Gratz.

KUWAYAMA. Voir **GYOKUSHU**

KUWAYAMA Tadaaki

Né le 4 mars 1932 à Nagoya (préfecture d'Aichi). XXe siècle. Actif depuis 1958 aux États-Unis. Japonais.

Peintre. Abstrait.

En 1958, il sort diplômé de l'université des beaux-arts de Tôkyô et part aux États-Unis. Il vit et travaille à New York. Il participe à des expositions collectives : 1961 et 1967 Carnegie International de Pittsburgh, 1963 Gallery of Modern Art de Washington, 1964 Stedelijk Museum d'Amsterdam, 1968 Albright-Knox Art Gallery de Buffalo, 1973 Art Gallery of New South Wales de Sydney, 1974 Städtische Kunsthalle de Düsseldorf. Il montre ses œuvres dans des expositions personnelles depuis 1961 à New York ; en 1962 à Boston ; en 1967 à Tôkyô, Zurich, Dortmund, Chicago et Detroit ; en 1968 à Venise, Zurich et Bruxelles ; en 1974 au Museum Folkwang d'Essen.

Son style abstrait se fonde sur une attitude que l'artiste veut « anti-spirituelle », afin d'établir une étrangeté entre l'œuvre et l'esprit de l'artiste.

BIBLIOGR. : In : *Contemporary Artists*, Mac Millan Publishers, Londres, 1983.

MUSÉES : BUFFALO (Albright-Knox Art Gal.) – ESSEN (Folkwang Mus.) – INDIANAPOLIS (Mus. of Art).

VENTES PUBLIQUES : LONDRES, 7 déc. 1977 : *Jaune et chrome* 1967, h/t (92x119) : **GBP 700** – NEW YORK, 30 juin 1993 : *Sans titre* 1974, acryl./t. en trois parties (182,9x151,1) : **USD 7 475** – NEW YORK, 1er nov. 1994 : *Sans titre* 1967, h. et chrome sur 5 toiles reliées (134,7x274,3) : **USD 40 250**.

KU WÊN-YÜAN. Voir **GU WENYUAN**

KUYCK Frans Pieter Lodewyk Van

Né le 9 juin 1852 à Anvers. Mort le 31 mai 1915 à Anvers. XIXe-XXe siècles. Belge.

Peintre de genre, paysages, aquarelliste, dessinateur, illustrateur.

Il est le fils de Jean-Louis et le frère de Pierre Luis Van Kuyck. Professeur à l'Académie et échevin des Beaux-Arts à Anvers, il devint membre agrégé du corps académique en 1894, membre effectif en 1902. Il fut l'un des organisateurs du « Vieil Anvers », à l'Exposition Universelle de 1894.

Musées : Anvers : *Famille de bûcherons (Campine).*
Ventes Publiques : Anvers, 10 mai 1979 : *Paysage au moulin*, h/t (72x110) : **BEF 38 000** – New York, 25 oct. 1984 : *Les Moissonneurs* 1880, h/t (130x234) : **USD 11 000** – Lokeren, 22 fév. 1986 : *La Conversation au bord de la route* 1877, h/t (55x100) : **BEF 130 000** – New York, 29 oct. 1987 : *Les Moissonneurs* 1880, h/t (130x234) : **USD 18 000** – Lokeren, 20 mars 1993 : *Repos dans un champ*, cr. (26,5x41) : **BEF 28 000.**

KUYCK Jan Van
Né en 1530 à Dordrecht. Mort en 1571 à Dordrecht. xvie siècle. Hollandais.
Peintre d'histoire et peintre sur verre.
Kuyck fut victime de persécutions religieuses. Accusé d'hérésie il fut emprisonné et dut sa liberté à l'intervention de Jan Van Boudeurize. Il témoigna sa reconnaissance en peignant dans le *Jugement de Salomon* le visage de son bienfaiteur comme figure principale. Cependant ses ennemis ne désarmaient pas ; poursuivi à nouveau comme hérétique, il fut condamné à mort et exécuté.

KUYCK Jean Louis Van
Né le 4 août 1821 à Anvers. Mort le 4 juillet 1871 à Anvers. xixe siècle. Éc. flamande.
Peintre de genre, animaux, intérieurs.
Il fut d'abord horloger, mais sa santé ne lui permettant pas l'exercice de sa profession et son goût pour l'art s'étant développé au cours de ses promenades, il entra à l'Académie d'Anvers et fut élève du baron Wappers et de Van Bree. Son succès fut considérable et il obtint de nombreuses récompenses aux expositions auxquelles il prit part, notamment une médaille d'or à Bruxelles en 1866. Il fut chevalier de Léopold en 1869.
Il fit d'abord de la peinture de genre, mais bientôt il se consacra presque exclusivement à la peinture des animaux et des intérieurs d'étables. On reproche une certaine monotonie à ses ouvrages, mais il y montre toujours de remarquables qualités de facture.

Musées : Anvers : *Départ pour les champs – Écurie* – Bruxelles : *Écurie de ferme flamande* – Munich : *Écurie.*
Ventes Publiques : Paris, 1895 : *Écurie flamande* : **FRF 1 000** – Paris, 8 fév. 1954 : *Intérieur de ferme* : **FRF 15 500** – Londres, 1er nov. 1973 : *Intérieur d'étable* : **GNS 3 100** – Londres, 15 mars 1974 : *Intérieur d'étable* : **GNS 1 100** – Londres, 20 avr 1979 : *Intérieur d'étable*, h/pan. (15,8x21,6) : **GBP 1 500** – Cologne, 21 mai 1981 : *Chevaux devant l'écurie* 1860, h/pan. (26x39,5) : **DEM 5 500** – New York, 31 oct. 1985 : *Paysan nourrissant ses chevaux* 1860, h/pan. (26x40) : **USD 2 900** – Stockholm, 29 avr. 1988 : *Intérieur d'écurie avec personnages et chevaux* 1854, h/t (29x38) : **SEK 31 000** – Amsterdam, 11 fév. 1993 : *Vaches dans une étable* 1861, h/pan. (20,7x27,7) : **NLG 2 185.**

KUYCK Pierre Louis Van
Né le 9 juin 1852. xixe siècle. Éc. flamande.
Peintre de genre, de paysages et de figures, dessinateur et graveur.
Élève de l'Académie d'Anvers, de son père Jean Louis Van Kuyck et de Fr. Lamorinière.

KU YIN. Voir **GU YIN**

KU YING. Voir **GU DEHUI**

KU YING-T'AI. Voir **GU YINGTAI**

KUYK Gysbert Buitendyk
Né le 3 novembre 1805 à Hardinxveld. Mort le 23 avril 1884 à Arnhem. xixe siècle. Éc. flamande.
Peintre d'histoire et de portraits.
Élève de Hend. Van Amerom à Arnheim et de Matthias Ignace Van Brée à Anvers.

KUYKEN Oswald
Né en 1937 à Dilbeek. xxe siècle. Belge.
Peintre, sculpteur. Tendance hyperréaliste.
Il fit ses études à Tirlemont.
Bibliogr. : In : *Diction. biogr. des artistes en Belgique depuis 1830*, Arto, Bruxelles, 1987.

KUYL Gysbert Van der, ou **Gysbrecht, Gérard.** Voir **KUIL Gysbert Van der**

KUYL Lucie
Née en 1935 à Bruxelles (Brabant). xxe siècle. Belge.
Peintre, dessinateur.
Docteur en mathématiques, elle fut élève de l'académie des beaux-arts de Bruxelles. Ses toiles vivement colorées oscillent entre rêve et réalité.
Bibliogr. : In : *Diction. biogr. des artistes en Belgique depuis 1830*, Arto, Bruxelles, 1987.

KUYPER Dieke
Né en 1940 à Rotterdam. xxe siècle. Actif en Belgique. Hollandais.
Graveur.
Il fut élève de Joan Aghib, qui introduisit en Belgique la technique très particulière de Hayter, par encrages polychromes à la poupée et aux rouleaux de duretés différentes.
Bibliogr. : In : *Diction. biogr. des artistes en Belgique depuis 1830*, Arto, Bruxelles, 1987.

KUYPER Hendrik
Hollandais.
Peintre de paysages.
On cite de lui un tableau que termina Camphuysen.

KUYPER Jacques
Né le 29 juin 1761 à Amsterdam. Mort le 1er juin 1808 à Amsterdam. xviiie siècle. Hollandais.
Peintre d'histoire, genre, paysages, natures mortes, graveur, dessinateur.
Il eut pour maîtres Jan Mathias Cok, Izaak Schmidt et Juriaan Andriessen. Directeur de l'Académie de dessin en 1801, il devint membre et président de l'Institut néerlandais en 1808. Il a produit de nombreuses gravures, et des modèles de papiers peints.

Ventes Publiques : Amsterdam, 1881 : *Intérieur hollandais* : **FRF 315** – Paris, 12 mai 1920 : *Une fête publique*, lav. reh. : **FRF 130** – Paris, 1er juil. 1988 : *Vase de pierre sculpté : faisans de Mongolie, perroquet et nature morte de fruits et de fleurs*, h/t (174x77) : **FRF 39 000.**

KUYPERS C.
xxe siècle. Actif à Renkum. Hollandais.
Paysagiste.
Prit part à l'Exposition de Bruxelles en 1910.

KUYPERS Cornelis. Voir **KUIJPERS**

KUYPERS Dirk
Né le 16 mai 1733 à Dordrecht. Mort le 13 décembre 1796 à Dordrecht. xviiie siècle. Hollandais.
Peintre de paysages, dessinateur.
Élève de Jores Ponse et A. Schouman ; il fut dans la gilde de La Haye en 1759. Il vécut à Voorschoten et à Dordrecht, et fut également poète.

Ventes Publiques : Londres, 21 mars 1910 : *En Flandres* : **GBP 3 13 d. 65 s.** – Paris, 16 mars 1990 : *L'arrivée du bac*, encre et lav. (16,3x3-24) : **FRF 6 800.**

KUYPERS Johann Cornelis Elisa
Né le 23 juin 1894 à Ryswik. xxe siècle. Hollandais.
Peintre, dessinateur.
Il fut à Renkum élève de H. von Ingens.
Musées : La Haye.

KUYPERS Théo
Né en 1939. xxe siècle. Hollandais.
Peintre de paysages. Figuratif, puis abstrait.

Son évolution naturelle l'a amené du paysage proprement dit à une restructuration des données immédiates de la perception dans l'esprit d'une construction abstraite de l'espace de la peinture pour lui-même.

Ventes Publiques : Amsterdam, 14 sep. 1993 : *Paysage* 1964, h/pan. (35x49) : **NLG 1 265** – Amsterdam, 5 juin 1996 : *Composition abstraite* 1988, h. et techn. mixte/t. (143x188) : **NLG 6 900**.

KUYTEN Harrie ou **Kuijten**

Né en 1883. Mort en 1952. xxe siècle. Hollandais.

Peintre de compositions animées, paysages, natures mortes.

Ventes Publiques : Amsterdam, 7 sep. 1976 : *Scène de plage*, h/t (48,5x58,5) : **NLG 7 800** – Amsterdam, 26 avr. 1977 : *Scène de plage*, h/t (41x57) : **NLG 5 400** – Amsterdam, 18 mars 1985 : *Scène de plage*, h/t (49x82,5) : **NLG 7 200** – Amsterdam, 8 déc. 1988 : *La Plage de Groot avec des personnages*, h/t (56,5x81,5) : **NLG 13 800** – Amsterdam, 24 mai 1989 : *La Plage*, h/pan. (32x41) : **NLG 2 990** – Amsterdam, 12 déc. 1990 : *Vue de village en hiver*, h/t (65x80) : **NLG 8 625** – Amsterdam, 22 mai 1991 : *De Luwe à Loosdrecht*, h/t (31,5x40,5) : **NLG 3 220** – Amsterdam, 23 mai 1991 : *Fermes en hiver*, h/t (55x60) : **NLG 10 925** – Amsterdam, 12 déc. 1991 : *Scène de plage*, h/t (40x63,5) : **NLG 6 900** – Amsterdam, 19 mai 1992 : *Nature morte avec des roses dans un vase*, h/t (55x45) : **NLG 3 220** ; *Personnages sur une plage*, h/t (44x63) : **NLG 19 550** – Amsterdam, 9 déc. 1992 : *Scène de plage*, h/cart./pan. (23x26) : **NLG 8 970** – Amsterdam, 27-28 mai 1993 : *Paysage côtier*, h/t (51x65,5) : **NLG 5 175** – Amsterdam, 14 sep. 1993 : *Le port d'Amsterdam*, h/t (49,5x59,5) : **NLG 5 750** – Amsterdam, 8 déc. 1993 : *Route de campagne*, h/cart. (35x43) : **NLG 5 175** – Amsterdam, 31 mai 1994 : *Baigneuse nue*, h/t (38,5x46) : **NLG 11 500** – Amsterdam, 8 déc. 1994 : *Chaîne de dunes sous la neige*, h/t (45x55) : **NLG 2 300** – Amsterdam, 30 mai 1995 : *Scène de plage*, h/t (67,70,5) : **NLG 19 375** – Amsterdam, 6 déc. 1995 : *Londres* 1911, h/t (32,5x41,5) : **NLG 3 680** – Amsterdam, 10 déc. 1996 : *Marché aux bestiaux*, h/pan. (38x46) : **NLG 13 838** – Amsterdam, 17-18 déc. 1996 : *Marché au fromage*, h/t (45x48,5) : **NLG 10 620** – Amsterdam, 2 déc. 1997 : *Maisons près de Bergen*, h/t (60x71) : **NLG 8 072**.

KUYTENBROUWER Martinus Antonius, l'Ancien

Né le 7 juillet 1777 à Venloo. Mort le 1er août 1850 à La Haye. xixe siècle. Hollandais.

Peintre de portraits, animaux, paysages.

Il fut officier d'artillerie et membre de l'Académie des Beaux-Arts d'Amsterdam. Il peignit dans la manière de Salvator Rosa.

Ventes Publiques : Paris, 24 mai 1945 : *Portrait de La Feuille* : **FRF 1 600** – Paris, oct. 1945-juil. 1946 : *Paysage animé* : **FRF 2 900** – Amsterdam, 30 oct. 1996 : *Chez le maréchal-ferrant*, h/pan. (54,5x70) : **NLG 10 378**.

KUYTENBROUWER Martinus Antonius, le Jeune

Né le 21 novembre 1821 à Amersfoort. Mort le 12 novembre 1897 à Paris. xixe siècle. Hollandais.

Peintre de scènes de chasse, d'animaux, de paysages, graveur.

Il fut peintre de la cour de Napoléon III.

Musées : Bruxelles : *Chasse au cerf* – Rotterdam : *Les rochers d'Apremont, près de Fontainebleau*.

Ventes Publiques : Amsterdam, 24 mars 1980 : *Troupeau dans un paysage*, h/pan. (55x73) : **NLG 7 000** – Versailles, 19 nov. 1989 : *Biche et son faon au bord du ruisseau* 1863, h/t (75x117) : **FRF 21 000** – Paris, 22 mars 1990 : *Biche et faon*, h/t (74,5x116) : **FRF 19 000** – Amsterdam, 2 mai 1990 : *Taureau dans un paysage fluvial*, h/pan. (50x45,5) : **NLG 3 450**.

KU YUAN. Voir **GU YUAN**

KU YÜN. Voir **GU YUN**

KUZMANOSKI Pavle

Né en 1939 à Tetovo (Macédoine). xxe siècle. Yougoslave.

Peintre de natures mortes. Intimiste.

En 1959, il fut diplômé de l'École d'Art Appliqué de Skopje, et en 1966 de l'Académie d'Art Appliqué de Belgrade. En 1980-81, boursier du gouvernement français, il a fait un séjour de spécialisation à Angers. Il participe à de nombreuses expositions collectives, et montre des ensembles de ses œuvres dans des expositions personnelles à Tetovo, Skopje, Ohrid, Novi-Sad, Saracvo. Quelques fruits ou légumes disposés à la surface d'une table lui permettent d'exprimer un sens raffiné de la lumière et un sentiment de calme contemplatif.

Ventes Publiques : Paris, 9 nov. 1992 : *Nature morte aux quatre pommes* 1983, acryl./t. (120x98) : **FRF 3 000** – Paris, 6 nov. 1995 : *Jeune fille XVI* 1985, aquar. et acryl. (67x47) : **FRF 3 200**.

KUZNETSOV Pawel Warjolomeievitch. Voir **KOUZNETSOV**

KUZNETSOV Victor. Voir **GIPPER-PUPER**

KUZNETZOV Alexandre

Né en 1922 à Leningrad (aujourd'hui Saint-Pétersbourg). xxe siècle. Russe.

Peintre de paysages.

Ancien élève de l'école d'arts de Léningrad, il fut membre de l'Union des artistes d'URSS.

Ventes Publiques : Paris, 14 mai 1990 : *Refuge dans les bouleaux* 1977, h/t (60,5x80,5) : **FRF 3 000**.

KVADAL Martin Ferdinand

Né en 1736. Mort en 1811. xviiie-xixe siècles. Russe.

Peintre.

Le Musée Roumianzeff, à Moscou, conserve son *Portrait* par lui-même.

KVAPIL Charles

Né le 1er novembre 1884 à Anvers. Mort en 1957 à Paris. xxe siècle. Belge.

Peintre de compositions à personnages, portraits, nus, paysages, natures mortes, fleurs et fruits, pastelliste, dessinateur.

Élève de l'académie des beaux-arts d'Anvers, il eut des débuts difficiles. C'est en 1920, qu'il se révéla au public parisien en exposant au Salon des Indépendants.

Il utilise des modèles à l'atelier, des baigneuses ou des filles dévêtues introduites dans des groupements de personnages, à la façon de Courbet et des impressionnistes à leur début. Il n'a dédaigné ni le paysage, ni la nature morte. P. Béran, dans l'étude qu'il lui consacre, loue la richesse de sa matière et tout ce que son art doit à la joie de vivre.

Musées : Amsterdam – Chambéry (Mus. des Beaux-Arts) : *Baigneuses* – Le Havre – Paris (Mus. d'Art Mod.) : *Le Château bleu* – Rouen – Saint-Étienne – Tunis.

Ventes Publiques : Paris, 29 oct. 1926 : *Paysage de Moret-sur-Loing* : **FRF 1 700** – Paris, 21 nov. 1928 : *Composition* : **FRF 6 700** – Paris, 15 fév. 1930 : *Nu de dos* : **FRF 1 900** – Paris, 2 mars 1934 : *L'Écluse* : **FRF 300** – Paris, 6 mars 1940 : *Nu couché* : **FRF 610** – Paris, 8 mai 1942 : *Nu étendu* : **FRF 4 200** – Paris, 2 avr. 1943 : *Nu assis* : **FRF 8 000** – Paris, 20 juin 1944 : *Portrait de femme brune* : **FRF 26 000** – Paris, 28 juin 1945 : *Fleurs devant une tenture verte* 1941 : **FRF 13 500** – Paris, 25 juin 1947 : *Entrée de village* 1928 : **FRF 7 000** – Paris, 21 avr. 1950 : *Nu allongé au bord de l'eau* : **FRF 14 000** – Paris, 31 mai 1954 : *Vase de roses* : **FRF 31 200** – Paris, 9 mai 1960 : *Nu étendu* : **FRF 2 000** – Paris, 3 déc. 1972 : *Nu assis de face* : **FRF 6 400** – Paris, 28 mars 1976 : *Le vase de fleurs*, h/cart. (45,5x38) : **FRF 2 000** – Le Havre, 27 juin 1976 : *Nu assis*, past. (47x30) : **FRF 1 500** – Paris, 10 juin 1977 : *Nature morte aux raisins*, h/t (81x60) : **FRF 6 000** – Versailles, 9 mars 1980 : *Village de Corse* 1923, h/t (50x65) : **FRF 5 800** –

ANVERS, 29 avr. 1981 : *Baigneuses*, h/t (179x163) : **BEF 75 000** – PARIS, 20 mars 1985 : *Au bord de la Seine*, h/t (112x162) : **FRF 25 000** – PARIS, 22 juin 1987 : *La Louette*, h/t (54x73) : **FRF 65 000** – PARIS, 26 fév. 1988 : *Nature morte aux fruits*, h/t (46x55) : **FRF 8 600** – PARIS, 21 avr. 1988 : *Bouquet de fleurs au vase blanc* 1928, h/t (81x65,5) : **FRF 9 500** – PARIS, 9 mai 1988 : *Femmes sortant du bain*, past. (62x46) : **FRF 15 000** – LA VARENNE-SAINT-HILAIRE, 29 mai 1988 : *Le Bateau-lavoir sur la rivière* 1928, h/pan. (26,5x35,5) : **FRF 16 500** – PARIS, 2 juin 1988 : *Fleurs et citrons, fleurs et assiette*, h/t, une paire (55x38) : **FRF 24 000** – PARIS, 6 juin 1988 : *Le Couple*, h/t (65x54) : **FRF 11 500** – PARIS, 8 juin 1988 : *Le Bouquet de fleurs*, h/t (46x38) : **FRF 10 000** ; *Les Baigneuses*, h/t (46x38) : **FRF 12 000** – L'ISLE-ADAM, 11 juin 1988 : *Paysage d'Italie* 1923, h/pap. mar. (64x49) : **FRF 6 000** – PARIS, 23 juin 1988 : *Les Tulipes roses*, h/t (60x81) : **FRF 12 500** – CALAIS, 3 juil. 1988 : *Bouquet de fleurs*, h/t (54x73) : **FRF 44 000** – CALAIS, 13 nov. 1988 : *Vase de dahlias* 1935, h/t (65x50) : **FRF 33 500** – VERSAILLES, 18 déc. 1988 : *Bouquet de zinias sur fond rouge* 1941, h/isor. (54x65) : **FRF 35 000** – PARIS, 3 mars 1989 : *Village au bord de l'eau* 1931, h/t (54x65) : **FRF 15 000** – PARIS, 13 avr. 1989 : *Modèle assoupi*, h/t (46,5x65,5) : **FRF 40 000** – LA VARENNE-SAINT-HILAIRE, 21 mai 1989 : *Jeté de fleurs sur la table du jardin* 1937, h/t (46x110) : **FRF 22 000** – AMSTERDAM, 24 mai 1989 : *Tulipes* 1931, h/t (60x73) : **NLG 4 025** – PARIS, 2 juin 1989 : *Vase de fleurs* 1941, h/t (81x60) : **FRF 54 000** – REIMS, 11 juin 1989 : *Nu dans un paysage*, h/t (46x36) : **FRF 16 000** – PARIS, 21 nov. 1989 : *Mauresque accroupie*, h/t (73x60) : **FRF 24 000** – AMSTERDAM, 13 déc. 1989 : *Femme nue assise sur un lit et enfilant ses bas*, h/cart. (45x65,5) : **NLG 8 050** – REIMS, 17 déc. 1989 : *Côte rocheuse en Bretagne*, h/t (55x81) : **FRF 21 000** – CALAIS, 4 mars 1990 : *Village au bord de l'eau* 1927, h/t (61x93) : **FRF 80 000** – PARIS, 24 avr. 1990 : *Torse* 1927, h/t (65,5x50,5) : **FRF 48 000** – PARIS, 21 juin 1990 : *Nu endormi* 1934, h/t (103x147) : **FRF 125 000** – PARIS, 27 juin 1990 : *Les Anémones* 1936, aquar. (45x36) : **FRF 25 000** – CALAIS, 8 juil. 1990 : *Femme nue allongée* 1925, h/t (38x55) : **FRF 50 000** – PARIS, 11 oct. 1990 : *Vase de fleurs et glaïeuls* 1928, h/t (100x65) : **FRF 100 000** – FONTAINEBLEAU, 18 nov. 1990 : *Vase de fleurs sur la nappe verte*, h/t (49x61) : **FRF 40 000** – PARIS, 27 mai 1991 : *Le Pot vert*, h/t (60x81) : **FRF 36 000** – NEW YORK, 5 nov. 1991 : *Mes cinéraires* 1932, h/t (55,5x46,3) : **USD 2 200** – PARIS, 13 avr. 1992 : *Fleurs dans un vase*, h/t : **FRF 35 000** – CALAIS, 14 mars 1993 : *Vase de tulipes et d'anémones*, h/t (60x73) : **FRF 27 000** – PARIS, 13 juin 1994 : *Le goûter*, h/t (89,5x117) : **FRF 28 000** – NEW YORK, 8 nov. 1994 : *Baigneuse*, h/t (92,5x62,5) : **USD 6 900** – PARIS, 20 nov. 1994 : *Nu assis* 1918, h/cart. (64,5x53,5) : **FRF 43 000** – AMSTERDAM, 8 déc. 1994 : *Nu allongé* 1927, h/pan. (26,5x34,5) : **NLG 2 300** – NEW YORK, 14 juin 1995 : *Femme debout*, craie rouge/pap./pap. (61,9x44,5) : **USD 1 150** – LOKEREN, 7 oct. 1995 : *Paysage avec une ferme*, h/t (65x80) : **BEF 50 000** – REIMS, 29 oct. 1995 : *Bouquet de glaïeuls dans un vase*, h/cart./t. (55x46) : **FRF 5 000** – AMSTERDAM, 5 juin 1996 : *Nature morte aux tulipes* 1938, h/t (73x64) : **NLG 6 900** – PARIS, 21 juin 1996 : *Nature morte à la coupe de pêches*, peint./t. (38x46) : **FRF 11 500** – PARIS, 29 nov. 1996 : *Le Repos du modèle*, h/t (46x55) : **FRF 10 000** – AMSTERDAM, 3 sep. 1996 : *Paysage aux petites meules de foin*, h/pan. (34,5x26) : **NLG 1 960** – AMSTERDAM, 10 déc. 1996 : *Nu assis dans un intérieur*, h/pan. (55x37,5) : **NLG 4 036** – PARIS, 12 déc. 1996 : *Bouquet de fleurs dans un intérieur*, h/t (46x61) : **FRF 7 000** – PARIS, 10 mars 1997 : *Nu devant le Sacré-Cœur* 1933, h/cart. : **FRF 4 200** – PARIS, 24 mars 1997 : *Portrait de femme* 1921, h/cart. (47x38) : **FRF 20 000**.

KVIUM Michael

XXe siècle. Danois.

Peintre de figures. Expressionniste.

Il a participé en 1994 à la FIAC (Foire Internationale d'Art Contemporain) à Paris. Il montre ses œuvres dans des expositions personnelles : 1994 Galleri Faurschou à Copenhague.

VENTES PUBLIQUES : COPENHAGUE, 6 déc. 1994 : *Portrait de bébé* 1989, h/t (50x30) : **DKK 4 500**.

KWACK Théo

Né à Séoul. XXe siècle. Actif au Canada. Coréen.

Peintre, technique mixte. Abstrait.

Il fit ses études en Autriche, en Angleterre et à Paris. Il dirige le Théodore Museum Contemporary Art de Toronto. Il participe à des expositions collectives, notamment en Europe.

KWAÏGETSUDO. Voir KAÏGETSUDO

KWARTLER Alexander

Né le 3 juin 1924. XXe siècle. Actif depuis 1955 et naturalisé au Canada. Hongrois.

Peintre de paysages, natures mortes, marines.

En 1947, il fut élève de l'école supérieure des beaux-arts de Paris et de l'académie de la Grande Chaumière. En 1955, il s'installe à Montréal. Il est membre du musée des Beaux-Arts de Montréal, des Artistes professionnels du Québec, de l'Association des artistes peintres, sculpteurs, architectes, graveurs et dessinateurs.

Il participe à des expositions collectives : 1966 musée d'Art contemporain de Montréal et régulièrement au Mexique. Il montre ses œuvres dans des expositions personnelles depuis 1958 très régulièrement à Montréal, ainsi qu'à New York, Los Angeles, Acapulco, Tel-Aviv.

Comme ses sujets, sa peinture est traditionnelle, quelque peu stylisée. Il a fait quelques essais abstraits sans suite pour évoluer dans des œuvres marquées par l'impressionnisme dans la manière de saisir la sensation et l'expressionnisme dans la touche. De ses voyages, il a rapporté des paysages ; il s'est aussi attaché à décrire le monde du cirque.

MUSÉES : MONTRÉAL (Mus. d'Art Contemp.).

KWASNIEWSKA Barbara

Née le 11 septembre 1931 à Varsovie. XXe siècle. Active depuis 1958 en France. Polonaise.

Graveur, sculpteur.

Elle a étudié à l'académie des beaux-arts de Cracovie, de 1950 à 1956, avant de venir à Paris en 1958, où elle fréquente l'atelier de Friedlaender. Elle y expose depuis 1959 et participe aux expositions collectives de gravure : Biennales de Ljubljana, où elle obtient une mention en 1961, Biennales de l'estampe à Paris, Biennales de gravure de Cracovie, etc. Depuis 1962, elle montre ses gravures dans des expositions personnelles à la galerie La Hune, à Paris, ainsi qu'à Hambourg, Chicago, Madrid, Luxembourg, Ljubljana, Göteborg.

Souvent récompensées, ses gravures ont très vite attiré l'attention par la qualité de leurs matières, par la richesse des textures et des nuances de grains qu'elle parvenait à obtenir dans ses eaux-fortes. Si ses premiers motifs lui étaient souvent suggérés par la nature végétale : entrelacs et stylisations, elle s'est également fait remarquer par les grandes formes humaines, nettement matisséennes, où les rapports de couleur/matière, les effets du grain, tiennent une place importante. Depuis 1968, elle réalise des sculptures. ■ J. B.

KWIATKOVSKI Antar Teofil

Né le 21 février 1809 à Poultousk. Mort le 14 août 1891 à Avallon (Yonne). XIXe siècle. Polonais.

Peintre de portraits, aquarelliste.

Après la Révolte en Pologne en 1831, il émigra en France, entra à l'École des Beaux-Arts et y fut élève de Léon Cogniet. Il exposa au Salon de Paris de 1839 à 1870.

Ami intime de Frédéric Chopin, il fit plusieurs portraits du célèbre musicien, notamment les dessins de Chopin sur son lit de mort, de la Coll. A. Cortot. On a voulu lui attribuer le célèbre portrait de Mozart, qui en fait doit être rendu à Rubio.

MUSÉES : COMPIÈGNE : *Portraits de M. et Mme Sauvage*, aquar. gchées – CRACOVIE : *Portrait de Lenartovitch*.

VENTES PUBLIQUES : LONDRES, 14 juin 1976 : *Portrait de Chopin* 1849, aquar. (17,6x12,1) : **GBP 1 100**.

KWIATKOWSKI Jean

Né le 21 juillet 1894 ou 1897 à Halan. Mort le 21 janvier 1971 à Paris. XXe siècle. Actif en France. Polonais.

Peintre de natures mortes, paysages.

Fils d'un médecin militaire, dès l'école, à l'âge de seize ans, il fit de l'agitation politique contre l'occupation de la Pologne par les troupes tsaristes. Il fut déporté en Sibérie, dont il s'évada en 1910, passant de Russie à Varsovie, puis à Vienne et Berlin, arrivant enfin à Paris, en 1911. Il s'engagea pour la guerre, dans les armées françaises, les alliés se battant aussi pour l'indépendance de la Pologne. Dans la période de l'entre-deux-guerres, il travailla dans le dessin de mode, tout en commençant à peindre, vers 1930, dans les académies Colarossi et de la Grande Chaumière, à Paris. En 1938, il exposa deux natures mortes au Salon des Indépendants qui furent remarquées par Albert Marquet. Il a participé à de nombreuses expositions collectives, parmi lesquelles : 1964 *Les Primitifs d'aujourd'hui* à la galerie Charpentier à Paris ; 1967 musée d'Art naïf Henri Rousseau à Laval ; 1967

Salons d'Automne et Comparaisons à Paris ; 1968 Maison de la culture de Caen ; figurant en outre tous les ans au Salon des Indépendants à Paris, dont il était sociétaire depuis 1938. Il montre ses œuvres dans des expositions personnelles : de 1948 à 1968 exposition rétrospective au musée d'Art naïf Henri Rousseau à Laval ; 1956, 1962, 1965 à Paris.
Après quelques natures mortes, il est devenu, ensuite, posément à force d'amour de la nature et de la peinture, ce poète des paysages sereins, décrits avec tendresse par petites touches de tonalités délicates et vaporeuses, qu'Anatole Jakovsky a justement comparé à Francis Jammes, le décrivant aussi comme le « Bonnard de nos naïfs ». ■ J. B.
Bibliogr. : Henry Certigny, Anatole Jakovsky : *Jean Kwiatkowski, Fra Angelico de Montparnasse*, Plon, Paris, 1966 – Michel Hoog, Jean P. Bouvet, Anatole Jakovsky : Catalogue de l'exposition rétrospective *Jean Kwiatkowski*, musée d'Art naïf, Henri Rousseau, Laval, 1968.
Musées : Laval (Mus. d'Art naïf Henri Rouseau) – Paris (Mus. Nat. d'Art Mod.) – Saint-Étienne.
Ventes Publiques : Paris, 10 déc. 1968 : *Paysage naïf* : **FRF 9 500** – Paris, 1er déc. 1970 : *Printemps en Mayenne* : **FRF 14 000** – Paris, 10 avr. 1973 : *Pêcheur en barque au bord de l'eau* : **FRF 22 100** – Paris, 12 déc. 1974 : *Le village* : **FRF 5 500** – Paris, 6 fév. 1976 : *Bouquet japonais*, h/t : **FRF 4 200**.

KWON YOUNG-WOO
Né en 1926 à Séoul. xxe siècle. Coréen.
Peintre.
Diplômé de l'école des beaux-arts de l'université de Séoul en 1951, il expose surtout depuis 1960 pricipalement à Séoul où il fait une première exposition personnelle en 1966. Il expose aussi à Tôkyô et participe en 1973 à la Biennale de São Paulo. Il a eu une exposition personnelle, à Paris, en 1976.
Réduite à l'extrême, sa peinture joue sur la délicatesse des blancs et se sert des reliefs pour capter lumière et ombre.

KYANCHENKO Georgy Vassilievitch
Né en 1911 près de Kiev. Mort en 1989. xxe siècle. Russe.
Peintre de portraits, genre.
Il obtint le diplôme de l'Institut des beaux-arts de Kiev en 1932. La même année, il entra à l'Union des artistes.
Il a figuré dans de nombreuses expositions.
Il réalise dans des tons doux, presque pastels, des paysages traditionnels.
Musées : Kiev (Mus. des Beaux-Arts) – Kiev (Mus. d'État d'Ukraine).
Ventes Publiques : Paris, 18 mars 1991 : *Dans le village* 1976, h/t (46x100) : **FRF 4 500** ; *Printemps à Sednev* 1971, h/t (40x70) : **FRF 4 600**.

KYCKENBURGH Dirck Nicolaesz Van
Né en 1630 à Leyde. Mort le 30 janvier 1662 à Leyde. xviie siècle. Hollandais.
Peintre de genre.
Imitateur de Jan Steen. Un portrait signé de lui se trouve dans la collection du comte Mutusoff à Saint-Pétersbourg.

KYD James
xixe siècle. Actif à Worcester. Britannique.
Peintre de genre.
Exposa à la Royal Academy, à la British Institution et à Suffolk Street, de 1855 à 1875.

KYHN Knud Carl Edvard
Né le 17 mars 1880 à Copenhague. xxe siècle. Danois.
Peintre animalier.
Il exposa à Paris, en 1911, au Salon des Indépendants.
Ventes Publiques : Copenhague, 28 mars 1973 : *Les mouettes* : **DKK 7 400** – Copenhague, 25 nov. 1976 : *Chevaux sur la plage* 1945, h/t (78x91) : **DKK 14 500** – Copenhague, 20 oct. 1993 : *Chasse aux oiseaux migrateurs près d'un lac* 1935, h/t (136x161) : **DKK 5 000**.

KYHN Vilhelm, pour **Peter Vilhelm Karl**
Né le 30 mars 1819 à Copenhague. Mort le 11 mai 1903 à Copenhague. xixe-xxe siècles. Danois.
Peintre de paysages animés, paysages, marines, graveur.
Il fut d'abord employé de commerce, puis, en 1836, entra à l'Académie des Beaux-Arts de Copenhague. En 1845, il obtint une bourse de voyage qui lui permit de visiter les principaux centres artistiques d'Europe. En 1870, il fut nommé membre de l'Académie de Copenhague. En 1900, il participa à l'Exposition Universelle de Paris, obtenant une médaille de bronze.
Il a remarquablement rendu l'aspect typique des côtes danoises.
Musées : Copenhague : *36 Paysages et Marines* – Oslo : *Au moulin de Rye* – *Marine*.
Ventes Publiques : Göteborg, 26 mars 1974 : *Paysage* : **SEK 8 000** – Copenhague, 5 mai 1976 : *Paysage d'été*, h/t (41x60) : **DKK 6 000** – Copenhague, 23 nov. 1977 : *Paysage de neige* 1853, h/t (78x104) : **DKK 8 000** – Copenhague, 28 août 1979 : *Bord de mer* 1859, h/t (34x46) : **DKK 16 000** – Copenhague, 7 nov. 1984 : *Vue de Capri, le Vésuve à l'arrière-plan* 1851, h/t (64x90) : **DKK 38 000** – Copenhague, 28 avr. 1987 : *Paysage boisé* 1862, h/t (33x45) : **DKK 130 000** – Copenhague, 5 avr. 1989 : *Paysage avec une maison rustique*, h/t (43x60) : **DKK 5 600** – Copenhague, 25 oct. 1989 : *Paysage estival dans les environs de Rorvig* 1884, h/t (37x50) : **DKK 20 000** – Copenhague, 29 août 1990 : *Journée d'hiver près de Soerne*, h/t (43x51) : **DKK 4 000** – Copenhague, 6 déc. 1990 : *L'été dans les prés près de Mogelkjaers* 1857, h/t (57x89) : **DKK 18 000** – Copenhague, 6 mars 1991 : *Dans le jardin de Brede un jour d'été* 1875, h/t (44x68) : **DKK 10 000** – Copenhague, 18 nov. 1992 : *Trois Enfants sur un chemin de campagne*, h/t (35x47) : **DKK 5 000** – Copenhague, 5 mai 1993 : *La Côte avec des arbres et une jetée* 1886, h/t (38x50) : **DKK 16 500** – Londres, 17 nov. 1993 : *Vue de Himmelbjerget dans le Jutland* 1896, h/t (123x188) : **GBP 4 255** – Copenhague, 16 mai 1994 : *Grands Arbres près de Trommesalen*, h/t (28x18) : **DKK 4 200** – Copenhague, 16 nov. 1994 : *Une prairie en été*, h/pap. (23x33) : **DKK 23 000** – Copenhague, 14 fév. 1996 : *Panorama depuis Ordrup Krat avec des maisons du hameau*, h/t (33x46) : **DKK 10 000** – Copenhague, 23 mai 1996 : *Fin d'été au bord d'un lac bordé d'arbres* 1873, h/t (93x127) : **DKK 13 000**.

KYLBERG Carl Oscar
Né en 1878 à Fridene. Mort en 1952 à Stockholm. xxe siècle. Suédois.
Peintre de figures, paysages.
Il fit des études d'architecture mais opta finalement pour la peinture, et devint élève de C. Wilhelmenson à Göteborg. Il a exposé en 1976 à Stockholm.
Il fut à ses débuts influencé par le symbolisme et pratiqua le pointillisme. Son art, d'une énergie contenue et mesurée, aux couleurs éclatantes étalées par larges touches, doit beaucoup à l'influence expressionniste de l'école de Paris. En 1939-1940, il a participé à la décoration du Centre communautaire de Västeras en quatre panneaux *Paix sur la terre*.

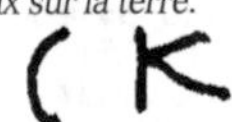

Bibliogr. : J. de Laprade, M. Strönberg : *Carl Kylberg*, Institut Tessin, Paris, 1948 – in : *Diction. univer. de la peinture*, Le Robert, tome IV, Paris, 1975 – in : *L'Art du xxe s.*, Larousse, Paris, 1991.
Musées : Göteborg : *Le Retour* 1940 – Paris (Mus. Nat. d'Art Mod.) : *Autoportrait* 1931 – *Devant un nouveau jour* 1933 – Stockholm (Mod. Mus.) : *Le Départ*.
Ventes Publiques : Stockholm, 24 avr. 1927 : *Paysage* : **SEK 1 200** – Stockholm, 22 avr. 1958 : *Voilier dans le port* : **SEK 5 000** – Stockholm, 13 oct. 1960 : *Femme en rouge* : **SEK 12 800** – Stockholm, 3 avr. 1968 : *Les portes du paradis* : **SEK 40 200** – Göteborg, 8 nov. 1973 : *Bord de mer* : **SEK 18 850** – Stockholm, 26 nov. 1981 : *Bord de mer*, h/t (86x99) : **SEK 93 000** – Stockholm, 27 avr. 1983 : *Paysage d'été*, aquar. (31x22) : **SEK 7 700** – Stockholm, 29 nov. 1983 : *La Voile rouge*, h/t (43x53) : **SEK 106 000** – Stockholm, 24 avr. 1984 : *Le galant entretien* 1913, cr. (139x65) : **SEK 14 000** – Stockholm, 20 avr. 1985 : *La forêt*, h/t (83x112) : **SEK 195 000** – Stockholm, 9 déc. 1986 : *Deux vases* 1947, h/t (43x50) : **SEK 112 000** – Londres, 24 mars 1988 : *Le nuage rouge*, h/t (44x54) : **GBP 17 600** – Stockholm, 6 juin 1988 : *Parasol rouge et blanc* 1942, h. (57x70) : **SEK 165 000** – Göteborg, 18 mai 1989 : *Journée paisible*, h/t (38x44) : **SEK 110 000** – Stockholm, 22 mai 1989 : *Depuis mon balcon, vue vers le large*, h/t (60x51) : **SEK 340 000** – Stockholm, 6 déc. 1989 : *Personnage assis sous un arbre dans un paysage*, h/t (61x54) : **SEK 165 000** – Londres, 27-28 mars 1990 : *Le chapeau blanc*, h/t (45x54) : **GBP 13 750** – Stockholm, 21 mai 1992 : *Mon atelier*, h/t (56x54) : **SEK 132 000** – Stockholm, 30 nov. 1993 : *Le mal du pays*, h/t (55x64) : **SEK 170 000**.

KYLBERG-BOBECK Regina S.
Née en 1843. xixe siècle. Suédoise.
Peintre.
Le Musée de Stockholm conserve d'elle une aquarelle.

KYLE Georgina Moutray
Née en 1865. Morte en 1950. xixe-xxe siècles. Irlandaise.

Peintre de paysages, marines.
Ventes Publiques : Belfast, 28 oct. 1988 : *Maisons de l'Irlande de l'ouest*, h/t cartonnée (32,4x41) : **GBP 462** – Belfast, 30 mai 1990 : *Bateaux de pêche au port*, h/t. cartonnée (44,4x34,3) : **GBP 1 870** – Londres, 9 mai 1996 : *Le port de Brixham*, h/t/cart. (45,7x33) : **GBP 1 495**.

KYLE J. Fergus
Né en 1876 à Hamilton (Ontario). Mort en 1941. xxe siècle. Canadien.
Dessinateur de figures, illustrateur.
Il travailla régulièrement pour le *Toronto Daily Star* et le *Saturday Night*.
Il s'intéressa surtout à mettre en scène l'homme et sa condition tragique. Il peignit quelques paysages à l'huile.

KYLE Joseph
Né en 1815 dans l'État d'Ohio. Mort en 1863 à New York. xixe siècle. Américain.
Peintre.
Associé de la National Academy en 1849.

KYLMS N.
xixe siècle. Actif au début du xixe siècle. Britannique.
Peintre.
Le Musée de Langres conserve de lui : *Portrait de Pahin de La Blancherie*.

KYMLI Franz Peter Joseph
Né vers 1748 à Mannheim. Mort vers 1813. xviiie-xixe siècles. Allemand.
Peintre de genre, portraits.
Peintre et chargé d'affaires de l'électeur palatin ; il fut ami du graveur J.-G. Wille. Il exposa deux portraits au Colisée en 1776, et une foule de portraits et de sujets de genre au Salon de la Correspondance entre 1779 et 1787. Son portrait-médaillon en cire, par Lehiner, fut exposé en 1871. Tardieu, A. Pierron et Levasseur gravèrent d'après lui. La vente de son cabinet eut lieu le 22 février 1813.
Ventes Publiques : Paris, 18 mars 1898 : *La famille du peintre* : **FRF 560** – Londres, 5 déc. 1908 : *Portrait d'un évêque* 1785 : **GBP 3** – Paris, 28 nov. 1923 : *Portrait d'un cardinal* : **FRF 950** – Londres, 26 juin 1925 : *L'Électeur de Cologne et sa femme* : **GBP 42** – Paris, 20 déc. 1937 : *Portrait de Christiane de Cologne* : **FRF 1 200** ; *Portrait de l'Électeur de Cologne* : **FRF 1 900** – New York, 7 nov. 1984 : *Portrait d'Etienne François, duc de Choiseul*, h/t, forme ovale (45,5x38) : **USD 1 600** – Paris, 10 juin 1988 : *Portrait de Madame de Carvoisin* ; *Portrait de Madame Croizet* 1782, h/cuivre, une paire (21x16) : **FRF 35 000**.

KYNAST Balthasar
xvie siècle. Actif à Cölln près de Meissen. Allemand.
Peintre de miniatures.
Il orna une bible destinée au roi Christian III de Danemark.

KYNAST Johann Heinrich
Mort en 1793. xviiie siècle. Allemand.
Peintre d'histoire, compositions religieuses, portraits.
Actif à Breslau, il fut employé par le clergé de la ville pour des peintures religieuses et des portraits, il réalisa également des portraits de ses concitoyens. On lui doit le retable du maître autel de l'Oberkirche de Liegnitz en 1756, et les *Quatre Apôtres* pour la cathédrale de Breslau en 1759.
Ventes Publiques : New York, 2 avr. 1996 : *Portrait d'un abbé* 1749, h/t (122,6x99,1) : **USD 9 200**.

KYÔDEN. Voir **KITAO MASANOBU**

KYOROKU, de son vrai nom : **Morikawa Hyakuchû,** surnom : **Ukan,** noms de pinceau : **Kyoroku, Kikuabutsu, Ragetsudô, Josekishi, Rokurokusai**
Né en 1656. Mort en 1715. xviie-xviiie siècles. Japonais.
Peintre.
Disciple de Kanô Yasunobu, il travaille pour le seigneur de Hikone. Il étudie le *haikai* (court poème japonais) avec le poète Basshô (1644-1694) et ses peintures sont très appréciées par les spécialistes de *haikai*.

KYOSAI Joku Nyudo
Né le 18 mai 1831 à Furukawa. Mort le 25 avril 1889 à Tokyo. xixe siècle. Japonais.
Peintre.
Il travailla surtout à Tokyo et peignit de grands ensembles décoratifs, parfois d'inspiration européenne. Élève de Kuniyoshi (Utagawa), il fut le premier collectionneur des œuvres de son maître et ami. Appelé aussi Kawa Nabe.

KYÔSHO, de son vrai nom : **Tachihara Nin,** surnom : **Enkei** et **Jintarô,** noms de pinceau : **Kyôsho, Tyoken, Gyokusôsha** et **Kôanshôshi**
Né en 1785. Mort en 1840. xixe siècle. Japonais.
Peintre. École Nanga (peinture de lettré).
Samurai du clan de Mito, il est élève de Tani Bunchô (1763-1840) et peint des paysages et des fleurs et des oiseaux. C'est un ami de Kazan (1784-1837) et de Chinzan (1801-1854).

KYÔ-U, de son vrai nom : **Hoashi En,** surnoms : **Chitai** et **Yôhei,** nom de pinceau : **Kyô-U**
Né en 1810. Mort en 1884. xixe siècle. Actif à Oita. Japonais.
Peintre.
Disciple de Chikuden Tanomura (1777-1835) et de Shunkin Uragami (1779-1846), il fait des paysages.

KYO-UN Kawanabe
xxe siècle. Japonais.
Peintre. Traditionnel.
Il travailla au début du xxe siècle.
Ventes Publiques : New York, 23 oct. 1991 : *Petits démons attaquant un grand démon*, encre et pigments/pap., kakémono (37,3x26) : **USD 1 210**.

KYPER Rogier de
xviie siècle. Actif à Anvers. Éc. flamande.
Peintre de décorations.
Élève de Jacob Jordaens. Il travailla à Dantzig, Lübeck, Hambourg, Vienne, Ratisbonne et Prague.

KYRE Nicolas
Allemand.
Peintre de portraits.
Cité par Florence Levy.
Ventes Publiques : New York, 25 et 26 jan. 1911 : *Portrait* : **USD 100**.

KYRIAKAKIS Georgia
xxe siècle. Brésilienne.
Sculpteur, céramiste.
Elle a participé en 1996 à la XXIII Biennale de São Paulo.
Ses céramiques, très fines, fragiles, évoquent des feuilles mortes et la main qui les a ramassées.
Bibliogr. : Agnaldo Farias : *Brésil : petit manuel d'instructions*, Artpress, n° 221, Paris, févr. 1997.

KYRIAZIS Christos
Né le 20 novembre 1937 à Mavromati Messinias. xxe siècle. Actif depuis 1970 en France. Grec.
Peintre, dessinateur, graveur, sculpteur, aquarelliste, pastelliste. Tendance expressionniste.
Il fut élève de Chara Vienna à Athènes. De 1972 à 1975, il fut élève de l'école des beaux-arts de Paris, dans les sections peintures et gravures. De 1977 à 1979, il fut professeur d'arts plastiques à l'école supérieure Katee d'Athènes. Il participe à des expositions collectives, notamment aux principaux salons parisiens : 1971 d'Automne, 1972 à 1974 des Artistes Français, 1982 des Indépendants. Il montre ses œuvres dans de très nombreuses expositions personnelles principalement en Grèce et en France : à Athènes, Olympie, Blois, Orléans, Paris, ainsi qu'au musée Skofa Loka à Ljubljana...
Il débuta par une figuration à tendance expressionniste, représentant l'homme dans sa solitude, dans des œuvres sombres et dramatiques. Puis, au début des années soixante-dix, il s'intéresse à l'abstraction, mais revient, vers 1978, dans des teintes plus lumineuses, à la figure humaine prenant en compte le paysage qui l'entoure. Ses œuvres sont fortement marquées par ses origines, tragédie antique, spiritualité byzantine, ce que l'on retrouve dans ses spectacles de théâtres d'ombres grecs.
Musées : Athènes (Pina. Nat.) – Ion (Mus. Mod.) – Ljubljana (Mus. Skofa Loka) – Nauplie (Mus. folk. pélopinossien) – Paris (Mus. de l'Homme).

KYSEL Edward
xviie siècle. Actif à Londres. Britannique.
Graveur.
On cite de lui un portrait équestre de *Cromwell*.

KYSELA Frantisek
Né le 4 septembre 1881 à Kourim. Mort en 1941. xxe siècle. Tchécoslovaque.
Peintre d'intérieurs, graveur, peintre de décors de théâtre.

KYSS Ferdinand
xixe siècle. Actif vers 1837. Allemand.
Peintre de fleurs et de fruits.

KYSTER Abraham de
XVIIe siècle. Travaillant au Danemark. Danois.
Peintre.
D'après Wienwich, cet artiste fut nommé peintre de portraits de la famille royale, en 1604, par Christian IV, suivant brevet daté de Gottorp. Le Musée d'Oslo conserve de lui un *Portrait de Christian IV de Danemark.*

KYTE Francis, pseudonyme **Milvus**
XVIIIe siècle. Actif à Londres. Britannique.
Graveur à la manière noire.
Il a gravé des *portraits* et des *sujets religieux*, d'après Carrache, Kneller. Ayant été condamné au pilori pour émission de fausse monnaie, il changea son nom en celui de Milvus.

KYUHAKU Kano Waganobu
Né en 1577 à Kyoto. Mort le 26 décembre 1654 à Edo (aujourd'hui Tokyo). XVIIe siècle. Japonais.
Peintre.
Cet artiste de l'école de Kano exécuta des peintures de genre dont certaines subistent au château de Nagoya.

KYÛJO, de son vrai nom : **Ido Kôryô,** surnom : **Chûgyo,** noms de pinceau : **Tôkyûjo, Kôsenkoji, Kôro-En, Tonkashitsu** et **Tonsai**
Né en 1734. Mort en 1802. XVIIIe siècle. Japonais.
Peintre. École réaliste de Nagasaki.
Samurai attaché au gouvernement shôgunal, il vit à Edo (actuelle Tokyo), il est élève de Shiseki (1712-1786).

KYÛJO. Voir aussi **KANÔ NAGANOBU**

KYÛKA-SANSHÔ. Voir **IKE NO TAIGA**

KYÛTOKUSAI. Voir **KATSUKAWA SHUNEI**

KYÛYOKU. Voir **TOSA MITSUYOSHI**

KYÛZO. Voir **HASEGAWA Kyûzo** et **KANÔ ICHIÔ**

KYYHKYNEN Johann Kustaa
Né le 24 octobre 1875 à Kemijavarvi. Mort le 27 octobre 1909 à Rovaniemi. XIXe siècle. Finlandais.
Peintre de paysages.
Il travailla beaucoup à Helsinki, mais rapporta des paysages de voyages en Laponie.

Maîtres anonymes connus par un monogramme ou des initiales commençant par K

K. F.

XVIe siècle. Allemand.

Monogramme d'un sculpteur sur ivoire.

Cité par Ris-Paquot.

KIP

K. I. P.

XVIe-XVIIe siècles. Français.

Marque d'un émailleur.

Cette marque appartient probablement à un artiste émailleur ayant travaillé à Limoges aux XVIe-XVIIe siècles dans l'atelier de Jean Penicaud II. Le Dr von Wurzbach paraît vouloir l'identifier avec Jean Poillevé à Limoges. On cite parmi ses émaux : *Deux enfants nus jouant du luth et de la flûte* (Paris, ancienne collection Beurdeley), *Combat de cavaliers* (Paris, ancienne collection du baron Charles Davillier).

Ventes Publiques : Paris, 1874 : *Divers sujets de combats* : **FRF 3 400** – Paris, 1884 : *Guerriers à pied et à cheval combattant*, deux plaques : **FRF 3 500**.

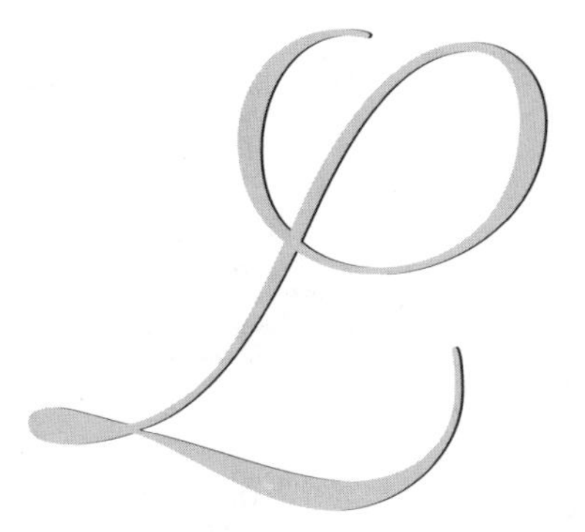

LA ABADIA Juan de
XVe-XVIe siècles. Actif de 1493 à 1513. Espagnol.
Peintre de compositions religieuses.
Précédemment, C. R. Post l'avait nommé le Maître d'Almudevar, en raison des deux retables de l'ermitage Santo Domingo à Almudevar (province d'Aragon). On connaît beaucoup d'autres œuvres de la même main dans diverses églises de la province de Huesca. Malgré cela, le style est très catalan, sa peinture sur fond d'or étant unique en Aragon.
Son style, très proche de celui de Espalargucs, a quelquefois prêté à confusion.
Bibliogr. : Clandler R. Post, in : *Histoire de la peinture espagnole*, 1941.
Ventes Publiques : New York, 28 nov. 1962 : *Saint Michel terrassant le dragon et sainte Engracia*, panneau : **USD 6 370** – New York, 6 juin 1985 : *Scène de la vie de Saint Antoine*, h/pan., deux volets d'autel (180x47) : **USD 7 500** – Londres, 19 avr. 1991 : *Saint Michel et Sainte Engracia*, h/pan. à fond d'or (148x98) : **GBP 39 600** – New York, 30 mai 1991 : *Vierge à l'Enfant avec Sainte Anne*, h/pan. (152,5x96,5) : **USD 165 000** – New York, 6 oct. 1994 : *Saint Michel terrassant le démon, de chaque côté des scènes de miracles et autres victoires du Saint*, temp./pan., retable (210x151,5) : **USD 68 500**.

LAABS Hans
Né en 1915 à Treptow. XXe siècle. Polonais.
Peintre.
De 1937 à 1940, il a étudié à l'école des beaux-arts de Stettin. Il était l'élève d'Oscar Moll, en 1945. Depuis, il partage son temps entre Berlin et Ibiza. Dès 1948, il fait une première exposition personnelle à Berlin, manifestation suivie de nombreuses autres dans cette ville. Il expose également à Amsterdam, Barcelone, Hanovre, Ibiza, Francfort-sur-le-Main et en Suisse. En 1958, il a remporté le Prix des beaux-arts de la ville de Berlin.

LAACH Wilhelm Van der. Voir **LAEGH**

LAAFF Lendert de. Voir **LAEFF**

LAAGE Wilhelm
Né le 16 mai 1868 à Stellingen (Hambourg). Mort en 1930 à Reutlingen (Bade-Wurtemberg). XIXe-XXe siècles. Allemand.
Peintre de paysages, marines, figures, graveur.
Il fut élève des académies des beaux-arts de Karlsruhe et de Stuggart. Il exposa à partir de 1897 à Berlin, Stuttgart, Vienne et autres villes.
Ses peintures sont inspirées des paysages des environs de Reutlingen ; ses nombreuses gravures sur bois représentent des paysages et des marines.
Bibliogr. : Alfred Hagenlocher : *Wilhelm Laage. Das graphische Werk*, Karl Thieming, Munich, 1969.
Musées : Essen (Folkwang) : *Bruyère – Paysage* – Hambourg (Kunsthalle) : *Portrait de l'artiste par lui-même – Chemin vicinal.*
Ventes Publiques : Cologne, 1er juin 1984 : *Portrait de Lotte*, h/cart. (75,5x52,5) : **DEM 3 200** – Heidelberg, 3 avr. 1993 : *Le carillon d'une église de village* 1899, bois gravé (24x20,4) : **DEM 1 900** – Heidelberg, 15-16 oct. 1993 : *Portrait de Rudolf Zeller* 1907, bois gravé (42,6x34,1) : **DEM 1 650** – Heidelberg, 5-13 avr. 1994 : *Début de printemps* 1920, bois gravé (40,6x49,6) : **DEM 1 500** – Heidelberg, 15 oct. 1994 : *La pente* 1913, litho. (42,8x34,4) : **DEM 2 000** – Heidelberg, 8 avr. 1995 : *En février* 1920, bois gravé (40,7x49,5) : **DEM 2 500** – Heidelberg, 11-12 avr. 1997 : *Homme et femme* 1914, grav./bois (71x33,7) : **DEM 8 000**.

LAAGE DE MEUX Hélène de
Née le 13 avril 1930. XXe siècle. Française.
Sculpteur de bustes, compositions religieuses.
Elle a commencé à travailler en 1947 chez J. de la Personne, puis Del Debbio et avec G. Muguet, entre 1950 et 1957. Elle expose à Paris et à Washington. Elle reçut une médaille de bronze à Paris au Salon des Artistes Français de 1965 et le prix de la ville de Mantes en 1966. Elle fait de nombreux bustes d'enfants, des œuvres d'art sacré.

LAAGLAND Hans
Né en 1965. XXe siècle. Belge.
Peintre de portraits.
Il montre ses œuvres dans des expositions personnelles à Bruxelles.
Il mêle son admiration pour Rembrandt et la peinture du XVIIe siècle au temps présent, construisant une œuvre étrangement familière. Il a réalisé une série d'autoportraits.

LAAGLAND Ludo, pseudonyme de **Peeters Ludo**
Né en 1923 à Paal. XXe siècle. Belge.
Peintre de paysages, portraits.
Il pratique également la poésie. Il est autodidacte.
Bibliogr. : In : *Diction. biogr. illustré des artistes en Belgique depuis 1830*, Arto, Paris, 1987.

LA AJA Martinez et **Rodriguez de**
XVIe siècle. Espagnols.
Sculpteurs et architectes.
D'après Zani, ces deux artistes seraient frères.

LAAK. Voir **LAECK**

LAAN. Voir aussi **LAEN**

LAAN Adolf Van der
Né en 1684 ou 1690 à Utrecht, probablement. Mort après 1755. XVIIIe siècle. Hollandais.
Dessinateur et graveur.
Travailla longtemps à Paris et eut pour élève Jan Punt. Il grava surtout d'après J. Glauber et Van der Meulen. On cite notamment : *L'assassinat du prince d'Orange, Guillaume Ier.*
Ventes Publiques : Amsterdam, 18 nov. 1985 : *Vue d'Amsterdam*, craie rouge, pl. et lav. (58,6x48,5) : **NLG 4 000**.

LAAN Dirk ou **Thierry Van der** ou **Laen**
XIVe siècle. Actif à Haarlem. Hollandais.
Peintre d'histoire.
Élève de Floris. Il peignit surtout de petits tableaux.

LAAN Dirk ou **Thiery Jan Van der** ou **Laen**
Né le 16 avril 1759 à Zwolle. Mort le 26 février 1829 à Zwolle. XVIIIe-XIXe siècles.
Peintre de paysages, de genre et dessinateur.
Élève de Hendrick Meyer à Leydeil imita les tableaux anciens, particulièrement ceux de Van der Meer de Delft.
Musées : Aix-la-Chapelle : *Un canal* – Amsterdam : *Coin de ville en hiver* – Amsterdam (Cab. des Estampes) : *Paysage d'hiver*, aquar. – *Paysage boisé*, dess. – Haarlem (Teyler) : *Chemin dans les bois – Paysage hivernal* – Munster : *Maison de campagne* – Vienne (Albertina) : *En Hollande – Entrée d'une forêt.*
Ventes Publiques : Paris, 19 déc. 1941 : *Scènes familiales*, deux aquarelles formant pendants : **FRF 16 000** – Zurich, 29 nov. 1978 : *Paysage boisé à la chaumière* 1789, h/pan. (39,5x51) : **CHF 30 000** – Amsterdam, 14 nov. 1988 : *Paysage boisé avec des voyageurs sur le chemin* 1789, encre et craie (32,9x27,8) :

NLG 1 725 – AMSTERDAM, 17 nov. 1993 : *Paysage fluvial avec des barques et des personnages et une église à l'arrière-plan* 1779, aquar. (30,5x37,5) : **NLG 8 050**.

LAAN Gerard Van der

Né en 1844 à Heerenveen. Mort le 15 novembre 1915 à La Haye. XIXe-XXe siècles. Hollandais.

Peintre de marines.

Il travailla à La Haye.

VENTES PUBLIQUES : NEW YORK, 10 oct. 1973 : *Scène de port* : **USD 1 700** – NEW YORK, 28 mai 1980 : *La plage de Katwijk, Hollande*, h/t (45,7x59,2) : **USD 1 700** – AMSTERDAM, 17 sep. 1991 : *Haute mer*, h/pan. (24,5x47) : **NLG 1 840** – AMSTERDAM, 14 sep. 1993 : *Naufrage dans les brisants*, h/pan. (15x17,5) : **NLG 1 840** – AMSTERDAM, 19 oct. 1993 : *Journée d'hiver à Drenthe*, h/t (72x95) : **NLG 4 600**.

LAAN Jacob Van der. Voir **LAMEN**

LAAN Kees Van der

Né en 1903. XXe siècle. Hollandais.

Peintre de fleurs.

VENTES PUBLIQUES : AMSTERDAM, 5 juin 1990 : *Tournesols et autres fleurs dans un vase*, h/t (50x46) : **NLG 1 035**.

LAANEN. Voir aussi **LAMEN**

LAANEN Jasper Van der ou **Laen**

Né vers 1592 à Anvers. Mort après 1626. XVIIe siècle. Hollandais.

Peintre de paysages animés.

Peintre de paysages animés, nombre de peintures lui sont attribuées dans les ventes publiques. Il s'agit probablement de l'un des Lamen.

VENTES PUBLIQUES : ALLEMAGNE, 1973 : *Chasseur dans un paysage boisé* : **DEM 38 000** – LONDRES, 1973 : *Vénus et Adonis dans un paysage* : **GBP 1 600** – LONDRES, 19 juil. 1974 : *Paysage boisé* : **GNS 1 800** – LONDRES, 28 mars 1979 : *Saint Hubert dans un paysage*, h/t (47,5x64) : **GBP 6 000** – LONDRES, 8 avr. 1981 : *Partie de chasse dans un paysage fluvial boisé*, h/pan. (37x56) : **GBP 26 000** – PARIS, 30 mars 1984 : *La découverte de Moïse* ; *La promenade en barque*, h/cuivre, une paire (19x27,5) : **FRF 210 000** – PARIS, 25 avr. 1985 : *Scène de la vie du Christ*, h/pan. (17x22,5) : **FRF 25 000** – LONDRES, 8 avr. 1987 : *Voyageurs dans un paysage boisé*, h/pan. (14,5x25,3) : **GBP 4 800** – PARIS, 14 avr. 1988 : *Sous-bois*, h/pan. (46,5x63,5) : **FRF 22 000** – PARIS, 8 déc. 1989 : *Paysage avec bacchanale*, h/pan. (24,5x33,7) : **FRF 35 000** – PARIS, 14 déc. 1989 : *Scène de chasse en forêt*, cuivre (17x22,5) : **FRF 110 000** – PARIS, 22 déc. 1989 : *Paysage de campagne animé de personnages près d'un bois*, h/cart. (16x17) : **FRF 51 000** – LONDRES, 20 juil. 1990 : *Paysage fluvial boisé avec une diseuse de bonne aventure et deux cheminots*, h/pan. (34x47,5) : **GBP 14 850** – LONDRES, 3 juil. 1991 : *Le renvoi d'Agar avec son fils Ismaël*, h/pan. (79x115) : **GBP 63 800** – LE TOUQUET, 10 nov. 1991 : *Paysage animé* ; *Paysage forestier avec des bergers*, h/cuivre (17x22) : **FRF 50 500** – LONDRES, 28 oct. 1992 : *Vénus et Adonis dans un paysage boisé*, h/pan. (45,6x63,6) : **GBP 18 700** – NEW YORK, 19 mai 1993 : *Paysage fluvial avec des voyageurs dans une charrette et des paysannes distribuant la provende aux poules*, h/pan. (47x62,9) : **USD 13 800** – MONACO, 2 juil. 1993 : *Paysage boisé avec des personnages*, h/pan. (9,3x19) : **FRF 17 760** – LONDRES, 20 avr. 1994 : *Paysage boisé avec Diane et ses servantes*, h/pan., une paire (chaque 67x149) : **GBP 26 450** – PARIS, 27 mars 1995 : *Les promeneurs près de la forêt*, h/pan. de chêne (43x32,5) : **FRF 55 000** – PARIS, 6 juil. 1995 : *Sous-bois avec chasseurs et lavandières*, h/cuivre (16,5x22,2) : **FRF 100 000** – PARIS, 27 mars 1996 : *Paysage avec des colporteurs*, h/cuivre (13x16,5) : **FRF 25 000** – LONDRES, 1er nov. 1996 : *Charrette et paysans devant une chaumière dans un bois, rivière en arrière-plan*, h/pan. (48,3x63,8) : **GBP 18 400** – PARIS, 26 sep. 1997 : *Paysage d'hiver avec patineurs*, cuivre (16x21,5) : **FRF 23 000**.

LAAR Bernardus Van de

Né le 28 septembre 1804 à Rotterdam. Mort le 1er avril 1872 à Rotterdam. XIXe siècle. Hollandais.

Peintre.

Élève de C. Bakker, il peignit des intérieurs d'églises, ornés par son frère, J.-H. Van de Laar ou par W.-H. Schmidt.

MUSÉES : COLOGNE : *Saint Jean* – OSLO : *Intérieur d'église*.

LAAR J. O. Van ou **Laer**

Mort en Italie, accidentellement. XVIIe siècle. Actif vers 1646. Hollandais.

Portraitiste.

Cité par Siret. Frère de Pieter Jacobsz et de Roland Van Laar. Il voyagea à Nimègue, puis en Italie avec son frère.

LAAR Jan Hendrik Van de

Né le 1er février 1807 à Rotterdam. Mort le 15 mai 1874 à Rotterdam. XIXe siècle. Hollandais.

Peintre d'histoire, scènes de genre, portraits.

Frère de Bernard Van de Laar. Il fut élève de C. Bakker et de Wappers à Anvers et vécut à La Haye à partir de 1830. Professeur à l'Académie de Rotterdam ; membre de l'Académie des Beaux-Arts d'Amsterdam depuis 1852.

MUSÉES : BRUXELLES – MUNICH (Alte Pina.) – ROTTERDAM (Mus. Boymans).

VENTES PUBLIQUES : LONDRES, 12 juin 1974 : *La dot de la mariée* : **GBP 1 500** – LONDRES, 20 juin 1979 : *Scène d'auberge*, h/pan. (39,5x51,5) : **GBP 1 700** – AMSTERDAM, 2 mai 1990 : *Une famille de pêcheur* 1836, h/pan. (65,5x84,5) : **NLG 10 350** – AMSTERDAM, 11 avr. 1995 : *Rembrandt dans son atelier* 1856, aquar. (24,5x33,5) : **NLG 1 888**.

LAAR Petrus Marinus Van de

Né le 19 octobre 1824 à La Haye. Mort le 17 mars 1862 à La Haye. XIXe siècle. Hollandais.

Peintre.

Élève de J.-E.-J. Van den Berg à La Haye, de Dawaille à Rotterdam et d'Ary Scheffer à Paris.

LAAR Pieter Jacobsz Van ou **Laer**, appelé aussi **dell' Elaer,** pseudonymes : **Snuffelaer** ou **Bamboccio**

Né vers 1582 ou 1592 à Haarlem. Mort après 1642 à Haarlem. XVIIe siècle. Actif à Haarlem. Éc. flamande.

Peintre de compositions mythologiques, sujets militaires, scènes de chasse, sujets de genre, portraits, paysages, graveur.

Il appartenait à une famille riche. Après avoir étudié avec Adam Elsheimer, il alla jeune à Rome en compagnie de son frère Roland. Il fut l'ami de Poussin, de Sandrart et de Claude Lorrain ; il y vivait déjà en 1624 et y fut protégé par Ferdinand Alfan de Ribiera, duc d'Alcala. Il exécuta avec Sandrart et probablement avec Claude, peut-être aussi avec Poussin, de nombreux dessins des environs de Rome, motifs qu'il utilisa plus tard pour les fonds de ses tableaux. Son surnom, *Bamboccio*, soulignait ses malformations physiques ; et, par la suite, faisant allusion aux scènes burlesques ou populaires qu'il aimait particulièrement peindre, on a pris l'habitude de les qualifier de *bambochades*, non sans un accent de mépris. Ce nom fut étendu aux œuvres semblables exécutées par d'autres peintres, tels Cerquozzi ou Pieter Wouwerman. En 1636, étant à Rome, il fut élève de Johann del Campo. Il revint dans les Pays-Bas vers 1639, puis alla à Vienne près de l'empereur Ferdinand III. Il revint à Haarlem et y connut Gérard Dou, chez qui il travailla. Il est probable qu'en 1646, il était à Nimègue et y peignait des portraits. On cite parmi ses élèves ou imitateurs Jan Miel, son frère Roeland Van Laar, Ossenbeck, Audries et Jan Both, Thomas Wyck, Cerquozzi, B. Graet, Helmbreker, Philipp et Pieter Wouwerman. Il obtint en Hollande autant de succès qu'en Italie. La cause de sa mort est aussi inconnue que la date ; quelques auteurs croient qu'il mourut noyé, d'autres parlent de suicide.

Comme graveur, on lui doit des estampes de différentes sortes d'animaux, des cavaliers, des scènes mythologiques, des paysages et des sujets de genre. Ses œuvres, peintures et dessins, sont rares et recherchées.

MUSÉES : AJACCIO : *Jeune homme agrafant sa botte* – *Paysan monté sur un âne* – AMSTERDAM : *Auberge italienne* – *Berger et lavandière* – BAMBERG : *Marché aux chevaux* – BRÊME : *Scène romaine* – BRUNSWICK : *Halte devant l'auberge* – BRUXELLES (Arenberg) : *Paysage* – BUDAPEST : *Jeu de la Morra* – CAMBRIDGE (Fitzw.) : *Ruines romaines* – *Caverne de voleurs* – DRESDE : *Fontaine* – *Paysans jouant aux boules* – *Clocher* – *Un père et ses enfants* – LA FÈRE : *Le roi de la fève* – *La halte* – FLORENCE : *L'artiste* – *Un homme et trois chiens* – Deux paysages – *Cabane, paysans et chevaux* – *Cabaret avec chasseurs et chevaux* – *Femme lavant du* *linge – Pauvre caressant un chien* – Genève (Mus. Rath) : *Paysage animé* – Gottingue (Univ.) : *Chasseurs* – Hambourg : *Cavalier et baigneur* – Hanovre : *Paysage avec berger et troupeau* – Innsbruck (Ferdinandeum) : *Chevaux à l'abreuvoir* – Kassel : *Le charlatan – Bataille de paysans italiens – Paysans italiens dansant* – Lille : *La promenade* – Louviers : *L'enfant et le chien* – Munich : *Chevaux à l'écurie – Portefaix* – Naples (Filangieri) : *Homme et cheval blanc* – Nice : *Prendi questo novo testa di cucumero ch'iote lo regalo* – Paris (Mus. du Louvre) : *Le départ de l'hôtellerie – Les pâtres* – Le Puy-en-Velay : *Danse de paysans* – Rennes : *Cheval à la porte d'une auberge* – Rouen : *Un pêcheur* – Saint-Pétersbourg (Mus. de l'Ermitage) : *Diseuse de bonne aventure* – Schwerin : *Forge dans des ruines romaines* – Stuttgart : *Paysage avec bétail* – Sibiu : *Retour du pâturage* – Toulouse : *Joueurs de morra* – Valenciennes : *Paysages* – Vienne : *Fête villageoise dans la campagne romaine – Devant le cabaret* – Vienne (Mus. Czernin) : *Paysans dansant.*

Ventes Publiques : Paris, 1872 : *Le Maréchal ferrant* : **FRF 2 090** – Cologne, 1888 : *Halte devant une auberge* : **FRF 850** – Paris, 8 mai 1891 : *Soudards à l'estaminet* : **FRF 510** – Paris, 1900 : *Le Départ pour la chasse* : **FRF 370** – Paris, 18-25 mars 1901 : *Soudards à l'hôtellerie* : **FRF 750** – New York, 24 mars 1905 : *L'Auberge de la vieille Abbaye* : **USD 425** – Paris, 23-24 avr. 1909 : *Intérieur d'écurie* : **FRF 165** – Londres, 1er juin 1909 : *Carnaval* : **GBP 12** – Paris, 29-30 avr. 1920 : *Cavaliers assaillis par des brigands et l'attaque de la calèche* : **FRF 1 420** – Paris, 9-10 mars 1923 : *Chien* : **FRF 400** – Paris, 21 jan. 1924 : *La Halte ; La Rencontre*, les deux : **FRF 750** – New York, 10 avr. 1929 : *Carnaval à Anvers* : **USD 350** ; *Scène à Alkmaar* : **USD 325** – Milan, 28 fév. 1951 : *La petite cuisinière* : **ITL 200 000** – Londres, 20 mars 1959 : *Intérieur d'une maison close* : **GBP 1 260** – Londres, 3 nov. 1967 : *Personnages devant une auberge* : **GBP 2 100** – Vienne, 17 sep. 1968 : *Voyageurs se reposant dans un paysage* : **ATS 55 000** – Paris, 12 déc 1979 : *Halte de cavaliers*, pl. et lav. (17,5x27,5) : **FRF 5 500** – Londres, 20 nov. 1980 : *La Famille*, eau-forte (9,6x7,8) : **GBP 420** – New York, 3 juin 1981 : *Chiens*, pl. et lav., études (21,7x15,5) : **USD 2 600** – Londres, 17 fév. 1982 : *Chasseurs au repos*, h/t (49,5x66) : **GBP 6 500** – Paris, 27 fév. 1989 : *L'Achat du gibier des chasseurs ; Voyageurs à l'auberge*, h/t, deux tondos (diam. 42) : **FRF 100 000** – Monaco, 16 juin 1989 : *Scène paysanne devant une auberge*, h/t (57x44,5) : **FRF 244 200** – Paris, 10 avr. 1992 : *Bergers gardant leurs troupeaux*, h/t, une paire (chaque 37x49) : **FRF 135 000** – Londres, 28 oct. 1992 : *Engagement de cavalerie*, h/t (74x103,5) : **GBP 4 400** – Londres, 11 déc. 1996 : *Soldats jouant aux cartes*, h/t (34,6x48,5) : **GBP 14 950** – Amsterdam, 10 nov. 1997 : *Vagabonds jouant aux quilles dans un paysage de ruines classiques*, h/t (50,8x68,2) : **NLG 40 362.**

LAAR Roeland Van ou **Laer**
Né en 1610 ou 1611 à Haarlem. Mort en 1635 ou 1640 à Gênes. XVIIe siècle. Hollandais.
Peintre de genre, bambochades.
Frère de J.-O. et de Pieter Van Laar. Il voyagea en Italie avec son frère. Il mourut très jeune. Cet artiste eût peut-être égalé son frère ; il se rapprocha beaucoup de lui par le coloris et le dessin.

LAAR Ulrike Charlotte Auguste
Née le 10 août 1824 à Breslau. Morte le 28 octobre 1881 à Berlin. XIXe siècle. Allemande.
Peintre de genre.
Élève d'Auguste Remy et de Gustav Graf. Elle visita l'Allemagne et l'Italie. Le Musée de Breslau conserve d'elle : *Papa et Maman*, et celui de Brunswick, *La pluie*.
Ventes Publiques : Zurich, 30 nov. 1984 : *Jeune bergère italienne dans un paysage* 1878, h/t (43x31,5) : **CHF 4 600.**

LAARS Tiete Van der
Né le 6 août 1861 à Leuuwarden. XIXe-XXe siècles. Actif à Hilversum. Hollandais.
Dessinateur.
Élève de l'École des Arts et Métiers et de l'Académie d'Amsterdam, héraldiste, il est l'auteur d'ex-libris, albums, sceaux, oriflammes, décorations de fêtes, costumes, parmi lesquels une partie de ceux du cortège du couronnement de la reine des Pays-Bas en 1898. Il publia un ouvrage (*Armes, pavillons et sceaux des Pays-Bas*) à Amsterdam en 1913.

LAASNER Hans
Né le 17 décembre 1864 à Dantzig. XIXe siècle. Allemand.
Peintre de genre.
Élève de l'Académie de Düsseldorf. Il se fixa à Munich. A exposé à Berlin, Munich, Düsseldorf, entre 1887 et 1892.

LABA Victor
Né en 1936 à Grisby (Ontario). XXe siècle. Canadien.
Peintre.
Il fut élève de l'Ontario College of Art à Toronto. Il voyagea en Europe, en 1961. Sa première exposition personnelle eut lieu en 1961 à Toronto.

LABACCHIS ou **Labacco**. Voir **ABACCO**

LABACHOT Albert
Né le 12 mars 1915 à Pouillon (Landes). XXe siècle. Français.
Peintre.
Il expose à Paris, au Salon des Indépendants et au Salon Populiste.
Autodidacte, sa peinture est figurative et se caractérise par la simplification des volumes.

LABADIE Andreas
Né en 1731 à Bautzen. Mort au début du XIXe siècle à Berlin. XVIIIe siècle. Allemand.
Peintre et sculpteur.
Il fut élève d'un artiste peu connu, du nom de Schwarzenberg, à Leipzig. Il devint professeur à l'Académie de Berlin.

LABADYE Charles Toussaint
Né au XVIIIe siècle à Paris. XVIIIe siècle. Français.
Portraitiste.
Élève de Vincent. Exposa au Salon en 1798.

LA BAER Johannes de. Voir **LA BARRE Jean de**

LABAES Jakob
Né à Ypres. XIVe siècle. Actif vers 1388. Éc. flamande.
Portraitiste.
Il fit des portraits pour le magistrat de sa ville natale.

LABAKI Yolande
Née en 1927. XXe siècle. Libanaise.
Peintre de paysages.
Elle fit ses études de littérature et d'histoire de l'art, à Paris, à l'université de la Sorbonne. Autodidacte, elle reçut les conseils du peintre Florent Crommelynck en Belgique, et suivit les cours de la School of Visual Arts à New York, où elle découvrit la technique de la sérigraphie. Elle a participé à des expositions collectives, notamment à Francfort-sur-le-Main, Aix-la-Chapelle, Düsseldorf, Beyrouth et en 1989 *Liban – Le Regard des peintres – 200 ans de peinture libanaise* à l'Institut du monde arabe de Paris. Elle montre ses œuvres dans des expositions personnelles au palais des Beaux-Arts de Bruxelles en 1974, au Kulturzentrum de Kaslik (Liban) en 1985 et la même année à l'Ukrainian Institute de New York.
Bibliogr. : In : Catalogue de l'exposition *Liban – Le Regard des peintres – 200 ans de peinture libanaise*, Institut du monde arabe, Paris, 1989.

LABANA Thomas, don
Né vers 1621. Mort en 1665. XVIIe siècle. Actif à Madrid. Espagnol.
Peintre d'histoire et de genre.
Peintre amateur. Il était chevalier du Christ et gentilhomme de la chambre de Philippe IV.

LA BARBE Jehan
XVe siècle. Français.
Enlumineur.
Cité à Dijon, en 1490.

LA BARBE. Voir **DUPINS Jean** ou **Hennequin**

LA BARBERA Carlo
XIXe siècle. Actif à Palerme dans la première moitié du XIXe siècle. Éc. sicilienne.
Peintre.
Des tableaux de cet artiste étaient conservés à l'Université de Palerme.

LA BARBERA Vincenzo. Voir **BARBERA da**

LABARCHÈDE Dalila
XIXe siècle. Active à Paris vers 1825. Française.
Miniaturiste et peintre sur porcelaine.
Élève d'Aubry et peintre de la duchesse de Berry. Le Musée de Nancy conserve d'elle une miniature sur ivoire.

LABARQUE A. L.
XIXe siècle. Vivait en Seine-et-Oise. Français.
Peintre.
Figura au Salon des Artistes Français.

LA BARRE
XVIIe siècle. Français.
Sculpteur sur bois.
Il fit, en 1667, six grands chandeliers pour l'église des Jonquerets, près de Bernay (Eure).

LABARRE Anatole
Né à Paris. Mort en 1906. XIXe siècle. Français.
Peintre de fleurs et natures mortes.
Élève de Sillas Labarre. Débuta au Salon en 1874.

LA BARRE Bertrand de
XVe siècle. Actif à Avignon. Français.
Peintre et sculpteur.
Il fut homme d'armes du pape, entre 1407 et 1422. Il peignit deux bannières représentant *Saint Michel combattant le dragon*, pour le Dauphin Charles VII.

LA BARRE Charles de
Né vers 1627. Mort le 13 janvier 1691. XVIIe siècle. Actif à Paris. Français.
Peintre.
Ses deux fils, René et Jacques, furent aussi des peintres.

LA BARRE Eugène Louis Marie de. Voir **DELABARRE**

LA BARRE Guillaume de
XVIIe siècle. Actif au Mans. Français.
Sculpteur.
Sculpta, en 1619, un autel pour l'abbaye de Beaumont-les-Tours.

LA BARRE Jacques de
XVIIe siècle. Travaillant à Paris. Français.
Peintre.
On le mentionne dans l'acte d'inhumation de son père Charles de la Barre, le 13 janvier 1691.

LA BARRE Jean de
XVe-XVIe siècles. Actif à Avignon de 1465 à 1514. Français.
Peintre et verrier.
Fils de Pierre Barre et beau-fils du sculpteur Francesco Laurana.

LA BARRE Jean de ou **Bara, Barra** ou **La Baer**
Né en 1603 à Bois-le-Duc. Mort en 1668 à Anvers. XVIIe siècle. Éc. flamande.
Peintre verrier, dessinateur et graveur.
Fils d'Antoine Barre. Vécut à Amsterdam et subit l'influence de Goltzius ; fut franc-maître de la gilde Saint-Luc d'Anvers en février 1625, et, en août de la même année, devint citoyen de la ville. Sous la direction de Rubens, il travailla aux décorations pour l'entrée du Gouverneur Cardinal Infant Ferdinand d'Autriche, en 1634. Il fournit des vitraux pour les églises Saint-Jacques et Saint-Paul à Anvers. Ceux de la chapelle de la Vierge à Saints-Michel-et-Gudule, Bruxelles, furent exécutés d'après des cartons de Van Thulden. On cite de lui une planche représentant la construction de la tour de l'église des Jésuites à Anvers et portant la date de 1650.

LABARRE Jean Georges
Né en 1856 à Paris. Mort en 1920. XIXe siècle. Français.
Sculpteur.
Débuta au Salon en 1877 ; est sociétaire depuis 1898.
VENTES PUBLIQUES : PARIS, 6 mars 1996 : *Jeune femme au chapeau*, terre cuite (H. 56) : **FRF 11 500**.

LABARRE Maria Teresa Candela-Sapecha
Née en 1926 à Biarritz (Pyrénées-Atlantiques). XXe siècle. Active aussi en Espagne. Française.
Peintre.
Elle a participé à l'exposition *De Bonnard à Baselitz – Dix ans d'enrichissement du Cabinet des estampes 1978-1988*, à la Bibliothèque nationale à Paris, en 1992.
BIBLIOGR. : In : Catalogue de l'exposition *De Bonnard à Baselitz – Dix ans d'enrichissements du Cabinet des estampes 1978-1988*, Bibliothèque nationale, Paris, 1992.
MUSÉES : PARIS (Cab. des Estampes) : *Le Concours hippique de Cannes* 1983, litho.

LA BARRE Pierre de
XVe siècle. Actif à Avignon, 1441-1467. Français.
Peintre.
Neveu de Bertrand de la Barre. Jean de Quiqueran lui commanda, en 1441, de peindre un autel ; il devait représenter, sur fond d'or, la *Madone consolatrice des affligés*, ainsi que le portrait du donateur et celui de sa femme.

LABARRE Raoul
Né en 1902. Mort en mars 1987 à Bruxelles (Brabant). XXe siècle. Belge.
Peintre.
Il a exposé au palais des Beaux-Arts de Bruxelles.

LA BARRE René de
XVIIe siècle. Vivant à Paris. Français.
Peintre.
Cité dans l'acte de décès de son père Charles de la Barre, enterré le 13 janvier 1691.

LA BARRE Roland de
XVIIe-XVIIIe siècles. Actif au Mans de 1687 à 1719. Français.
Peintre.
Fils du sculpteur Gervais de la Barre l'Ancien.

LABARRE Yvon
Né le 16 octobre 1943 à Bouée (Loire-Atlantique). XXe siècle. Français.
Peintre de paysages, marines, dessinateur.
Il fut élève de l'école d'art appliqué de Tours. Il voyage fréquemment en Allemagne. Il participe à des expositions collectives à Paris, notamment : 1979 Salon d'Automne, 1980 des Artistes Français, où il obtint la mention honorable. Il montre ses œuvres dans des expositions personnelles depuis 1978 en France à Rennes, Paris, Toulouse, notamment à Cordemais pour fêter son cinquantième anniversaire en 1993, et à l'étranger New York, Berlin, Tunis...
Villages ou marines, champs ou plages, il emprunte à son environnement quotidien les sujets de ses tableaux solidement composés, où les formes géométriques (fenêtres, toits, maisons) structurent la toile aux couleurs retenues. De ses voyages, il a également rapporté des œuvres, représentant notamment le mur de Berlin et la ville de Sidi-Bou-Saïd.
BIBLIOGR. : Catalogue de l'exposition : *Henri Murail – Yvon Labarre*, Association culturelle du département de Maine-et-Loire, Angers, 1991 – Catalogue de l'exposition *Yvon Labarre*, Cordemai, 1993.
MUSÉES : CHARLEVILLE-MÉZIÈRES – GUÉRANDE – TUNIS.

LA BARREDA Melchior de
XVIe siècle. Actif à Valladolid. Espagnol.
Peintre.
Il faisait partie du groupe d'artistes qui décorèrent les arcs de triomphe élevés à Valladolid pour l'entrée dans cette ville de l'infant Philippe II et de sa première femme. De 1548 à 1554, il exécuta avec Tordesella divers travaux à l'église de Santa Maria la Antigua.

LABARTA Y GRANÉS Luis
Né le 4 avril 1852 à Barcelone. XIXe siècle. Espagnol.
Peintre et graveur.
Il illustra des revues et dessina des esquisses pour des décorations de scènes. Le théâtre principal et le théâtre espagnol de Barcelone lui doivent des fresques de plafond (en collaboration avec A. Fabres). Il publia un ouvrage contenant deux cents esquisses pour travaux en fer forgé.

LABARTA Y PLANAS Francisco
Né en 1883 à Barcelone (Catalogne). Mort en 1963 à Barcelone. XXe siècle. Espagnol.
Peintre de paysages, illustrateur, décorateur.
Il est le fils et fut élève du peintre Luis Labarta y Granès. Il étudia ensuite à l'école des beaux-arts La Lonja à Barcelone, dont il obtint trois bourses d'étude, la dernière lui permettant de voyager en France et en Belgique. Il fut professeur à l'école des beaux-arts de Barcelone. Il participa à de nombreuses expositions collectives et reçut divers prix : 1929 seconde médaille à l'exposition nationale des beaux-arts de Madrid, de 1901 à 1904 troisième médaille, 1906 deuxième médaille.
Il peignit surtout des paysages, avec sérénité, cherchant à rendre la nature avec fraîcheur, à en saisir l'essence. Il fut illustrateur pour des revues espagnoles. Son activité s'exerça aussi dans les arts appliqués : décoration d'intérieurs, plaquettes, et il réalisa de nombreuses peintures murales, notamment, à l'église des Carmélites de Barcelone (1919), au palais de Pedralbes (1923-1924), au temple Santa Teresa del Nino Jesus (1944).
BIBLIOGR. : In : *Cien anos de pintura en Espana y Portugal, 1830-1930*, Antiqviria, tome IV, Madrid, 1990.

Musées : Barcelone (Mus. Plandiura) : *Les Semailles* – Barcelone (Mus. d'art Mod.) : *Santa Coloma de Centelles*.
Ventes Publiques : Barcelone, 31 mars 1981 : *La Maison de la Garde*, h/t (65x80) : **ESP 235 000**.

LA BARTHE B. de
Français.
Graveur à l'eau-forte.
D'après Nagler, il grava plusieurs planches d'après J. Both.

LABARTHE Charlotte Augustine
Née au XIXe siècle à Paris. XIXe siècle. Française.
Miniaturiste.
Élève de Mlle Joanis, Bouguereau, Jules Lefebvre et Tony Robert-Fleury. Elle figura au Salon des Artistes Français et obtint une mention honorable en 1900.

LA BARTHE Gérard de
XVIIIe-XIXe siècles. Français.
Paysagiste.
Habitait à Saint-Pétersbourg et Moscou de 1787 à 1810, et y dessina une série de vues avec figures, que gravèrent Eichler, Guttenberg, Laminit, etc. Il fit aussi des aquarelles. Le registre des élèves protégés mentionne sans prénom, en 1758, un La Barthe, élève de Vien, qui nous paraît pouvoir être Gérard.

LABARTHE Hélène Jeanne Marie
Née en 1861 à Paris. XIXe siècle. Française.
Pastelliste.
Élève de Mlle Joanis, Jules Lefebvre, Tony-Robert Fleury, Baschet et Schommer. Sociétaire des Artistes Français depuis 1886, elle figura au Salon de ce groupement et obtint des mentions honorables en 1888 et 1900.

LA BARTHE J. de, comte
Né vers 1730 à Rouen. XVIIIe siècle. Français.
Peintre et aquafortiste.

LABARTHE Philippe
XXe siècle. Français.
Peintre.
Patrick Waldberg, qui l'a qualifié de « dernier surréaliste », l'a invité en 1969 à Bruxelles, à une exposition consacrée aux « signes d'un renouveau surréaliste », exposition qui, bien que placée sous le signe d'André Breton, souleva quelques réserves de la part des différents milieux surréalistes.
L'univers de ce peintre est peuplé d'ectoplasmes et d'êtres fantomatiques, qui évoquent peut-être le néant de l'humanité. Labarthe est aussi connu pour ses dessins humoristiques qu'il signe *Ylpe*.
Ventes Publiques : Paris, 15 fév. 1988 : *Une journée entre parenthèse*, h/t (73,5x60,5) : **FRF 4 800** – Paris, 22 avr. 1988 : *Jeune fille sans gravité* 1987, h/t (80x65) : **FRF 11 500**.

LA BARTIDA Diego de
XVIe siècle. Actif à Séville vers 1525-1529. Espagnol.
Peintre.

LABASQUE Jean
Né le 18 août 1902 à Paris. XXe siècle. Français.
Peintre de fleurs, paysages, graveur, illustrateur, dessinateur.
Après un rapide passage à l'école des arts décoratifs à Paris, il est, pour un temps moindre encore, élève de l'école nationale des beaux-arts. Entre les deux guerres, il a exposé au Salon du Temps Présent, été invité au Salon des Tuileries.
L'art de Labasque est celui d'un esprit cultivé, soucieux du parfait équilibre entre l'intellectuel et la plastique pure. Il a illustré de lithographies *Les Regrets* de J. du Bellay ; il a exécuté des dessins et une couverture en couleurs pour *Calendrier musical* de J. Arma (1947).

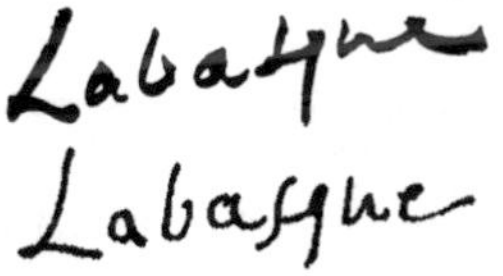

Musées : Alger – Paris (Mus. d'Art Mod.) : *Les Causeurs au banc* – Perpignan – Reims.
Ventes Publiques : Paris, 18 nov. 1925 : *Au bord de l'eau* : **FRF 780** – Paris, 10 fév. 1943 : *Fleurs sur fond bleu* : **FRF 12 500** – Paris, 17 mars 1944 : *Paysage* : **FRF 5 000** – Paris, 2 juil. 1945 : *Fleurs* : **FRF 4 500** – Paris, 7 déc. 1953 : *L'auberge verte* : **FRF 9 500** – Paris, 23 fév. 1990 : *Nu couché*, h/t (54x73) : **FRF 5 000**.

LABASQUE Yvon
Né à Paris. XXe siècle. Français.
Sculpteur de monuments.
Il figure à Paris, au Salon des Indépendants depuis 1930. Il est l'auteur d'un *Monument aux pionniers de l'aviation*.

LA BASSETIÈRE de, comtesse, née **de Saumery-Lacaru**
Née au XIXe siècle à Paris. XIXe siècle. Française.
Peintre d'histoire et de genre.
Élève de A. Delacroix. Débuta au Salon de 1873 et exposa surtout des aquarelles.

LA BASTIDA Diego de
XVIe siècle. Actif à Séville en 1525 et en 1527. Espagnol.
Peintre.

LA BASTIDA Pedro de
XVIe siècle. Actif à Séville. Espagnol.
Peintre.
De 1570 à 1574, il fut employé aux peintures de la propriété de Montejil, qui appartenait à la ville.

LABASTIDE
XIXe siècle. Français.
Peintre d'histoire.
Exposa au Salon de 1833 à 1835.

LABASTIDE Louis François
Né au XIXe siècle à Paris. XIXe siècle. Français.
Peintre verrier.
Exposa en 1844.

LABAT Achille Vital
Né au XIXe siècle à Paris. XIXe siècle. Français.
Peintre de paysages.
Élève de J. Cogniet et de Troyon. Exposa de 1849 à 1868.

LABAT Fernand
Né le 14 janvier 1889 à Beautiran (Gironde). XXe siècle. Français.
Peintre.
Il exposa à Paris, notamment au Salon d'Automne, pour la première fois en 1926, et l'on voit fréquemment des expositions de ses œuvres dans les galeries parisiennes.
Il a été très influencé par la peinture postimpressionniste, mais ses vrais maîtres semblent être ceux de la Renaissance italienne.
Musées : Paris (Mus. d'Art Mod.) : *Le Square*.

LABAT Marius Bernard
Né à Seysses (Haute-Garonne). XIXe-XXe siècles. Français.
Graveur.
Il fut élève de Prunaire et de Edme Saint-Marcel. Il exposa à Paris, au Salon des Artistes Français, dont il est membre sociétaire depuis 1903, obtint une mention honorable en 1898, une médaille de troisième classe en 1902, de deuxième classe en 1907. Il est connu pour ses gravures sur bois.

LABATIE Pierre
Mort entre 1777 et 1779. XVIIIe siècle. Actif à Bordeaux. Français.
Peintre de genre, paysages, natures mortes.
Il exposa en 1776 au Salon de Bordeaux et y figura après sa mort avec cinq œuvres, en 1782.
Musées : Bourg-en-Bresse (Mus. Lorin).
Ventes Publiques : Versailles, 22 juin 1980 : *Bouquet de fleurs*, h/t (81x65) : **FRF 8 000** – Londres, 7 juil. 1993 : *Nature morte avec un rouget, un petit esturgeon, un carrelet et une tête de saumon avec des huîtres* 1773, h/t (64x80,5) : **GBP 3 220**.

LABATUT Jules Jacques
Né le 31 juillet 1851 à Toulouse. XIXe siècle. Français.
Sculpteur.
Entra en 1876 à l'École des Beaux-Arts, où il fut élève de Jouffroy et de A. Mercié. Grand Prix de Rome en 1881. Débuta au Salon de Paris en 1881 et fut ensuite un exposant fidèle des Salons des Artistes Français. Il obtint une troisième médaille en 1881, une deuxième médaille en 1884 et une première médaille en 1898. Médaille d'argent en 1889 (Exposition Universelle). Décoré de la Légion d'honneur en 1894. Médaille d'argent 1900 (Exposition Universelle). Il s'est fait remarquer par ses qualités de composition. On cite de lui, en dehors de ses statues dans les Musées, le *Roland* de la place Carnot à Toulouse, le buste de *Mario* pour le foyer de l'Opéra et celui de *Coypel* pour les Gobelins.

Musées : Bayonne : *Roland* – Nantes : *L'art antique – Le tissage des tapis* – Narbonne : *La pomme de discorde* – Paris (Art Mod.) : *L'enfant martyr* – Paris (Mus. Galliéra) : *Caton d'Utique* – Toulouse : *Moïse.*

LABATUT Suzanne Marie Carmen
Née le 10 avril 1889 à Dax (Landes). xxe siècle. Française.
Peintre de genre.
Elle fut élève de Schommer, Gervais et Adler. Elle figura au Salon des Artistes Français à Paris, et obtint une médaille de troisième classe en 1911.

LABAU Santiago. Voir **LAVAU Jacques**

LABAUDT Lucien
Né en 1880 à Paris. Mort en 1943 aux Indes, dans un accident d'avion. xxe siècle. Actif depuis 1903 et depuis 1910 naturalisé aux États-Unis. Français.
Peintre, dessinateur, décorateur, fresquiste.
Tailleur pour dames, graveur de mode, il s'établit à Londres, en 1903, et à New York vers 1906. En 1909, une exposition Cézanne lui révèle sa vocation de peintre : toutefois c'est par le pointillisme qu'il commence. Fixé en Californie dès 1910, il est élève de l'école des beaux-arts de San Francisco. Bientôt, il sera le guide artistique de l'État, faisant acheter de nombreuses toiles françaises modernes. Professeur, il réunit les élèves d'esprit libre. À soixante trois ans, il devient peintre correspondant de guerre. Affecté à la marine, il part pour les mers de Chine. Un Liberty Ship porte son nom.
Après sa grande exposition à l'Institut Carnegie de Pittsburgh, il expose à Paris, au Salon d'Automne et des Tuileries.
Décorateur, dessinateur de costumes de théâtre et de fête, il devient l'idole de la jeunesse estudiantine. Aux États-Unis, il décore à fresque des monuments publics.
Musées : San Francisco (Mus. of Mod. Art) : *Composition* 1927 – *After the swim* 1932.

LA BAUME
xviie siècle. Actif vers 1693. Français.
Peintre.
Cet artiste est cité dans les livres d'ordonnance du prince Frédéric-Henri des Pays-Bas, comme ayant reçu, en 1693, une somme de 374 florins pour tableaux exécutés pour le château royal de Loo ; il y est nommé Monsieur La Baume, ce qui semble indiquer une origine française.

LA BAUME Adhémar de. Voir **ADHÉMAR de La Baume**

LA BAUME Berthe ou **Marie-Berthe de**, née **Griffet**
Née le 26 décembre 1860 à Paris. Morte en 1911. xixe-xxe siècles. Française.
Peintre de genre, natures mortes.
Élève de Bergeret. En 1907, le prix de natures mortes lui fut décerné à l'Exposition de l'Union des femmes peintres et sculpteurs. Son tableau d'asperges, *Les Belles d'Argenteuil*, a été acheté par l'État français. Elle a exposé au Salon des Artistes Français, obtenant une mention honorable en 1906.
Ventes Publiques : Londres, 24 juin 1987 : *Les Quatre Saisons*, h/t, suite de quatre (170x60) : **GBP 12 000.**

LABAUVIE Dominique
Né en 1948 à Strasbourg (Bas-Rhin). xxe siècle. Français.
Sculpteur, pastelliste, graveur, dessinateur, illustrateur.
En 1968, il vient à Paris, où il devient l'assistant de Helen Phillips-Hayter. Il est ensuite professeur à l'École des Beaux-Arts de Tourcoing. Il vit et travaille à Élancourt. Depuis 1997, il s'est établi à Tampa (Floride).
Il participe à de nombreuses expositions collectives : 1980 Salon de Mai à Paris ; 1982 Grands et Jeunes d'Aujourd'hui à Paris ; 1985 et 1989 Salon de Montrouge ; 1986 Salon de la Jeune Sculpture à Paris ; 1987 musée des Beaux-Arts de Chartres ; 1988 Biennale européenne de sculpture à Jouy-sur-Eure ; 1989 Biennale de la Méditerranée à Bari ; 1990, 1991 foire de Bâle ; 1992 *De quelques grands états de la gravure contemporaine* au Centre d'art d'Ivry-sur-Seine et *De Bonnard à Baselitz – Dix ans d'enrichissement du Cabinet des estampes 1978-1988* à la Bibliothèque nationale de Paris ; 1993 ELAC (Espace lyonnais d'art contemporain) à Lyon et musée de Pully. Il a reçu le Prix de Sculpture du Salon de Montrouge ; le Prix de la Villa Médicis hors les murs en Allemagne.
Il montre ses œuvres dans des expositions personnelles, à Paris, régulièrement à la galerie Adrien Maeght, notamment en 1987, 1994, 1997 ; ainsi que : 1990 Palais des Congrès de Graz ; 1991 Parvis II/Ibos à Tarbes et Parvis III à Pau ; 1995 CRAC Alsace (Centre Régional d'Art Contemporain) à Altkirch ; 1997 Musée Zadkine à Paris ; 1998 Espace Cargo de Marseille.
Outre son œuvre sculpté, il a réalisé différentes sculptures monumentales pour des commandes publiques, notamment pour un groupe scolaire à Reims, un C.E.S. à Nancy, l'Hôtel des Impôts à Valence, la Cité Judiciaire de Dijon, *Horizons suspendus* (15x6 mètres) pour le Bassin de la Villette... Il a illustré *Une saison* de Marcelin Pleynet.
Dans ses premières œuvres, proches de l'arte povera, il utilisait des branchages ou des joncs, puis il renonça progressivement aux matières végétales pour n'utiliser comme seul matériau que le métal, en particulier le fer qu'il travaille directement, le pliant, tordant, forgeant après échauffement. Ses sculptures, *Behind the stars, Family ties, Milky Way* aux lignes aériennes, sont posées au sol. Ses dessins, au fusain, au pastel ou à la craie grasse, jouent des mêmes effets d'équilibre, ont la même allure aérienne. Dans ses sculptures, abstraites au premier regard, on distingue bientôt des formes familières, une cuillère, une étoile, un boomerang. Fer ou acier battu, forgé, étiré parfois jusqu'au point de rupture, l'équilibre naît du rapport entre les vides et les pleins, de la tension qui semble se concentrer au cœur de l'œuvre. Jaillies du sol, ses constructions légères, après des méandres dans l'espace, reviennent vers leur point de départ, comme pour refermer la sculpture sur elle-même, créer finalement après tant de fragilité une forme enveloppante, rassurante.
■ L. L., J. B.

Bibliogr. : Françoise Bataillon : *Dominique Labauvie*, Beaux-Arts, n° 72, Paris, 1989 – Sylvie Georgiades : *Dominique Labauvie – sculpteur de l'espace*, Opus International, n° 118, Paris, mars-avr. 1990 – Gilbert Lascaux : *Courtes légendes*, Maeght éditeur, Paris, 1991.
Musées : Boca-Raton (Floride, Mus. of Art) – Céret – Montpellier (Fonds Rég. d'Art Contemp. Languedoc-Roussillon) – Paris (Mus. nat. des Arts décoratifs) – Paris (Fonds Nat. d'Art Contemp.) : *Good Catch* – Paris (Bibl. Nat. – Cab. des Estampes) – Sélestat (FRAC Alsace).
Ventes Publiques : Paris, 8 oct. 1989 : *Moutain slide* 1986, acier et bruyère (130x130x60) : **FRF 55 000.**

LABAYLE Charles. Voir **LEBAYLE**

LABBACCO. Voir **ABACCO**

LABANNE Hédi
Né le 3 décembre 1946 à Tunis. xxe siècle. Tunisien.
Peintre, graveur. Occidental, Nouvelles Figurations.
Il fut élève de l'école des beaux-arts de Tunis, section peinture, puis travailla de 1971 à 1975 à l'école nationale des beaux-arts de Paris. Depuis 1974, il participe à des expositions collectives : 1974 Salon de la Jeune Peinture au palais du Luxembourg à Paris ; 1982 Biennale internationale de gravure à Bradford ; 1984-1985 Exposition annuelle d'art contemporain tunisien au Centre d'art vivant de Tunis ; 1985 Ve Triennale d'art contemporain de New Delhi. Il a montré ses œuvres dans une première exposition personnelle à Tunis, en 1978.
Il pratique un dessin volontairement simplifié à l'extrême, qui réduit l'image à l'évidence, ce qui contribue à son efficacité narrative. Il porte un regard d'observateur curieux sur la diversité des menus faits quotidiens.
Bibliogr. : In : Catalogue de l'exposition *Art contemp. tunisien*, Théâtre du Rond-Point, Paris, 1986.

LABBÉ
xve siècle. Français.
Peintre.
Il travailla au banquet de Lille en 1453.

LABBÉ, Mme Paul, dite **S. Claude**
Née le 11 février 1877 à Versailles (Yvelines). xxe siècle. Française.
Peintre.
Elle exposa à Paris, au Salon des Artistes Français, dont elle fut membre sociétaire à partir de 1902.

LABBÉ Aline
Née au xixe siècle à Bercy (Île-de-France). xixe siècle. Française.
Peintre de genre et portraitiste.
Élève de Vion et de Mmes Lemonnier et Jacober. Débuta au Salon en 1878.

LABBÉ Camille
xvie siècle. Français.

Peintre d'histoire.
Fils et collaborateur de Nicolas Labbé. Travailla avec lui à la décoration de l'Hôtel de Ville à l'occasion de l'entrée de Charles IX à Paris en 1570.

LABBÉ Charles Émile
Né en 1820 à Mussy-sur-Seine (Aube). Mort le 6 juillet 1885 à Alger. XIXe siècle. Français.
Peintre de paysages animés, paysages, fleurs, compositions murales.
Il participa au Salon de Paris de 1836 à 1876.
Ami de Fromentin, il découvre la campagne normande, puis la lumière algérienne, vers 1846-1848, partageant sa vie entre la France, la Grèce, la Turquie et enfin l'Algérie, où il est nommé directeur de l'École des Beaux-Arts en 1881. Il a été chargé de décorer le palais du sultan à Istanbul.
Bibliogr. : Gérald Schurr, in : *Les Petits Maîtres de la peinture 1820-1920, valeur de demain*, Les Éditions de l'Amateur, t. VI, Paris, 1985.
Musées : Alger : *Chrysanthèmes* – Périgueux : *Le Kief, la grande prière du vendredi.*
Ventes Publiques : Paris, 30 avr. 1919 : *Des roses* : **FRF 75**.

L'ABBÉ Christophe
XVIe siècle. Français.
Peintre.
Actif en France dans la deuxième moitié du XVIe siècle. Ce peintre, dont on trouve le nom dans les comptes royaux pour des travaux exécutés à Fontainebleau en 1560-1561, puis à Paris en 1567 et 1585, doit être le même que Christoforo Abbate.

LABBÉ Henri Victor
XIXe siècle. Travaillait à Lille. Français.
Peintre.
Sociétaire des Artistes Français depuis 1885, il figura au Salon de ce groupement.

LABBÉ Henry Charlemagne
Né le 7 juillet 1870 à Paris. XIXe-XXe siècles. Français.
Sculpteur.
Il fut élève de A. Descatoire et exposa au Salon des Artistes Français, à Paris.

L'ABBÉ Jean
XVIe siècle. Français.
Peintre.
Cet artiste, qui travaillait à Paris en 1585 et 1587, pourrait être un parent de Niccolo dell'Abbate. C'est peut-être aussi le même que le Jean Labbé qui, en 1593, exécuta des vitraux pour Saint-Nicaise, à Reims, suivant M. Dimier.

L'ABBÉ Maximilien
XVIIe siècle. Actif à Malines, vers 1629. Éc. flamande.
Sculpteur.
Il fut le premier maître, puis le beau-père de Lucas Fayd'herbe avant que celui-ci ne fût l'élève de Rubens.

LABBÉ Nicolas
Né au XVIe siècle à Clerval, à Paris selon Siret. Mort après 1637. XVIe-XVIIe siècles. Français.
Peintre d'histoire.
En 1570, il fut chargé par la municipalité de Paris de peindre, avec son fils Camille, à l'occasion de l'entrée de Charles IX à Paris, seize compositions historiques et allégoriques pour la décoration de la salle de réception à l'Hôtel de Ville. En 1637, on le signale travaillant à Dôle.

LABBÉ-SERVILLE Blanche
Née le 15 juillet 1874 à Paris. XIXe-XXe siècles. Française.
Dessinatrice, pastelliste.
Elle fut élève de J. P. Laurens, Carrier-Belleuse et Émile Renard. Elle exposa à Paris, au Salon des Artistes Français, dont elle fut membre sociétaire dès 1906. Elle pratiqua aussi l'architecture.

LABE Honoré
Né au XVe siècle à Nice. XVe siècle. Français.
Peintre.
Travaillait à Avignon en 1492.

LABEGORRE Serge
Né le 15 décembre 1932 à Talence (Gironde). XXe siècle. Français.
Peintre de paysages, figures.
Autodidacte, il a reçu les leçons de Desnoyer et d'Yves Brayer. Il vit à Fronsac, en Gironde.
Il a participé à Paris, au Salon d'Automne, à partir de 1956. En 1959, il a été invité à la Biennale de Paris. Sa première exposition personnelle eut lieu à Paris en 1961, depuis il a exposé à Porto, New York, Londres et San Francisco. Il peint surtout des paysages colorés, en larges aplats.

Labegorre

Musées : Bordeaux – Pau – Toulouse.

LABEIRIE Gaubert. Voir **LABEYRIE**

LA BELLA VINCENZO
Né le 24 octobre 1872. XIXe-XXe siècles. Italien.
Illustrateur.
Il étudia avec Domenico Morelli et Giacchino Toma, vint à Paris et fournit des illustrations au *Monde illustré*. Il retourna à Naples et continua à y travailler comme illustrateur.

LA BELLE Étienne de. Voir **BELLA Stefano della**

LA BELLE Friedrich August de
Né en 1787 à Brunswick. Mort en 1845 à Fümmelse (Brunswick). XIXe siècle. Allemand.
Aquafortiste amateur.
Son père était le peintre Martin de la Belle ; il étudia la théologie à Hambourg et ses ouvrages de gravure ont été exécutés dans cette ville. Ils représentent fréquemment des scènes militaires avec chevaux. On cite notamment : *Le traîneau russe.*

LABELLE-ROJOUX Arnaud
Né le 23 juillet 1950 à Paris. XXe siècle. Français.
Peintre, sculpteur, peintre de collages, auteur de performances.
Il montre ses œuvres dans des expositions personnelles, notamment à Marseille en 1993.
Sa peinture des années soixante-dix est à caractère politique. On cite alors sa série des *Soulèvements*. Il poursuit son engagement en s'attaquant aussi à la culture, irrespectueux de l'art. Il mêle les écoles (pop art, art conceptuel, Fluxus), les modes d'expression, prônant l'audace maximum, revendiquant « oser le risque de rater ».
Bibliogr. : Vincent Labaume : *Arnaud Labelle-Rojoux*, Art Press, n° 181, Paris, juin 1993.
Ventes Publiques : Paris, 12 fév. 1990 : *Portrait*, h/pap. (62x50) : **FRF 5 500**.

LABELLIE Jean
Né le 18 juin 1920 au Rouget (Cantal). XXe siècle. Français.
Peintre. Abstrait.
Il expose à Paris, au Salon de Mai depuis 1949, au Salon d'Automne, dont il est membre sociétaire depuis 1948. Il a été invité à la Biennale de Menton en 1953. Dans les années soixante, on a vu ses toiles au Salon Comparaisons.
Il se consacre à des recherches luministes abstraites.

LABENGIR Michael
Né à Ruswil. Mort en 1580 à Ruswil. XVIe siècle. Suisse.
Peintre, sculpteur.
Sa qualité de sculpteur n'est pas attestée de façon définitive.

LABENSKY Franciszek Xawery ou **Franz Ivanovitch**
Né le 9 mai 1769 en Pologne. Mort en 1850. XVIIIe-XIXe siècles. Polonais.
Peintre.
Conservateur de la Galerie de Saint-Pétersbourg ; il publia, en 1805, un ouvrage sur le Musée de l'Ermitage, avec des gravures au trait reproduisant les meilleurs ouvrages qui y sont conservés.

LABENWOLF Pancraz
Né en 1492 à Nuremberg. Mort en 1563 à Nuremberg. XVIe siècle. Allemand.
Sculpteur.
Musées : Berlin (Mus. All.) : *Paysan – Paysanne – Un suppliant* – Cologne (Arts et Métiers) : *Joueur de cornemuse* – Londres (Victoria and Albert Mus.) : *L'Enfant Jésus* – Nuremberg (Mus. Germ.) : *Fontaine*, modèle bois.

LABEO Antistius, Ateius ou **Titidius**
Mort sous Vespasien. Ier siècle. Vivant en 69 après Jésus-Christ. Antiquité romaine.
Peintre d'histoire.
Prêteur, proconsul de la Narbonnaise. Il peignit de petits tableaux. Il est cité par Pline.

LA BERGE Auguste Charles de
Né le 17 mai 1807 à Paris. Mort le 25 janvier 1842 à Paris. XIXe siècle. Français.
Peintre de paysages.
Il fut élève de Jean Victor Bertin et de François Édouard Picot. Il débuta au Salon de Paris en 1831. Une sincère amitié l'unissait à Théodore Rousseau.
Sa manière est particulièrement remarquable par le souci du détail, accru surtout dans ses dernières années de travail. Lui même déclarait que « pour faire œuvre de créateur, il faut aller du petit au grand, de la graine à l'arbre, de la nuit au jour ». Rousseau le plaisantait au sujet de sa lenteur d'exécution et, menaçant de cesser de travailler à ses côtés, il exigeait : « Je reste, mais à une condition : c'est que vous me promettrez de faire au moins dix ardoises de la toiture de votre masure par jour et quand nous en serons aux arbres, vous peindrez au moins sept feuilles par semaine. » Les tonalités des paysages de La Berge sont particulièrement lumineuses. Toutefois, il était également très attiré par la mélancolie des paysages d'automne. Le paysage conservé au Musée du Louvre est un bel exemple de coucher de soleil.

Ch de la Berge

Musées : Paris (Mus. du Louvre) : *Paysage, village de Virieu-le-Grand* 1837-1839.

LABERON Jacinto
XIXe siècle. Actif dans la seconde moitié du XIXe siècle. Espagnol.
Peintre.
Il peignit des tableaux de figures parmi lesquels on mentionne *Le Christ console les femmes de Jérusalem*, et des portraits, parmi lesquels celui de *J. Zabala de la Puenta, marquis de Sierra Bullones*, conservé au Ministère de la Guerre à Madrid.

LABERTERIE Philippe Charlemagne
Né en 1911 à Paris. Mort en 1990 à Paris. XXe siècle. Français.
Sculpteur, graveur.
Il a participé à l'exposition *De Bonnard à Baselitz – Dix ans d'enrichissements du Cabinet des estampes 1978-1988*, à la Bibliothèque nationale à Paris, en 1992.
Bibliogr. : In : Catalogue de l'exposition *De Bonnard à Baselitz – Dix ans d'enrichissements du Cabinet des estampes 1978-1988*, Bibliothèque nationale, Paris, 1992.
Musées : Paris (Cab. des Estampes) : *Passage V* 1979, linogravure.

LA BERTONNIÈRE H. F. de
XVIIIe siècle. Actif à Paris. Français.
Graveur à l'eau-forte et au burin.
On cite de lui des planches pour un livre sur les principes de dessin.

LABESSE Jeanne Pauline
Née au XIXe siècle à Breteuil (Eure). XIXe siècle. Française.
Miniaturiste et architecte.
Élève de Bellay, Sieffert et Mayeux. Sociétaire des Artistes Français depuis 1883, elle figura au Salon de ce groupement.

LABEYRIE Gaubert ou **Labeirie**
Né en 1717 à Toulouse. Mort le 15 janvier 1792 à Toulouse. XVIIIe siècle. Français.
Peintre d'histoire.
Le Musée de Toulouse conserve de cet artiste *Énée ou le Sac de Troie*.

LABHARDT Emanuel
Né le 10 mars 1810 à Steckborn. Mort le 10 juin 1874 à Feuerthalen. XIXe siècle. Suisse.
Paysagiste et lithographe.
Fut élève de Jean Wirz, dont il épousa successivement les deux filles. Se fixa auprès de son maître à Feuerthalen.
Ventes Publiques : Londres, 22 mars 1985 : *Vue du lac de Zurich et de la villa Rosa*, gche (31,7x47) : **GBP 9 500**.

LABHARDT Philipp
Né le 12 mars 1873 à Bâle. XIXe-XXe siècles. Suisse.
Peintre de paysages, dessinateur, graveur, aquarelliste.
Il travailla dans sa ville natale, puis à Mulhouse. En 1894, on le trouve à Paris, dessinateur à l'atelier de R. Ruepp. Il débute bientôt au Salon des Champs-Élysées, en 1895, avec trois aquarelles ; il y obtient une mention honorable en 1898.

LA BICHARDIÈRE de, Mlle
Morte en 1786. XVIIIe siècle. Active à Paris. Française.
Graveur.
Connue par 4 gravures représentant des aspects de Caudebec, d'après J.-B. Huet.

LABICHE Ch. Émile
Mort en 1905. XIXe siècle. Français.
Peintre.
Sociétaire des Artistes Français, il figura au Salon de ce groupement. Il semble que les deux paysages exposés au Musée de Chartres, sous le nom d'Émile Labiche, soient du même artiste.

LABICHE Charles
Né au début du XVIIe siècle à Chambéry (Savoie). XVIIe siècle. Français.
Peintre.
Il fut peintre du duc de Savoie, Victor-Amédée. Fils de Humbert Labiche, greffier et premier secrétaire de la Chambre des Comptes de Chambéry. Il alla travailler à Grenoble et était de retour dans sa ville natale en 1623. Il fut attaché au service du château. Le 30 avril 1634, il fut nommé peintre du duc de Savoie Victor-Amédée.

LABICHE Jean
XVIIe siècle. Actif à Grenoble en 1623. Français.
Peintre.
Élève de J. Loenen. Probablement parent de Charles Labiche.

LABIED Miloud
Né en 1933 à Sraghna. XXe siècle. Marocain.
Peintre. Abstrait.
Ami de Mohamed Kacimi, il pratique une peinture abstraite austère. L'imbrication des surfaces entre elles, dont l'ensemble constitue la composition, est organisée dans le plan de la toile à la façon d'une nature morte figurative. Khalil M'rabet en dit : « La structure cruciforme de ses toiles s'étire, et le centre, instable, devient permanente recherche d'un équilibre. »
Bibliogr. : Khalil M'rabet : *Peinture et identité – L'Expérience marocaine*, L'Harmattan, Rabat, après 1986.

LABILLE-GUIARD Adélaïde ou **Guiard, Guyard, Labille-Guyard**, Mme **Vincent** en secondes noces, née **Labille**
Née le 11 avril 1749 à Paris. Morte le 24 avril 1803 à Paris. XVIIIe siècle. Française.
Peintre de portraits, pastelliste.
Adélaïde Labille-Guiard fut élève du peintre en miniature François-Élie Vincent. Dès 1770 plusieurs portraits au pastel lui avaient ouvert les portes de l'Académie Saint-Luc quand, sur les conseils de Maurice Quentin de Latour, elle entreprit des travaux plus importants. En 1782 elle présenta à l'Académie Royale de Peinture et de Sculpture (devenue en 1795 Académie des Beaux-Arts) plusieurs portraits au pastel d'académiciens, entre autres ceux de Gois et du sculpteur Pajou (Musée du Louvre). Les statuts exigeant un tableau à l'huile, elle présenta l'année suivante le portrait d'un autre académicien, le peintre *Amédée Van Loo* (École des Beaux-Arts). Sa concurrente pour l'Académie était Mme Vigée-Lebrun. L'Académie tourna la difficulté en les admettant toutes les deux, le 31 mai 1783.
Elle ne fut dès lors absente d'aucune exposition. D'entre ses envois les plus marquants : en 1785 elle exposa son portrait à l'huile qui la représente grandeur naturelle, peignant, tandis que deux de ses élèves, Mlles Rosemont et Capet, la regardent. En 1783, 1789, plusieurs portraits, huile ou pastel, de *Mesdames de France*, filles de Louis XV (Galeries de Versailles) et de *Monsieur*, frère du roi. Nommée par eux leur premier peintre, elle travaillait à un grand tableau, *Réception d'un chevalier de l'Ordre de Saint Louis*, quand survint la Révolution. Son travail, presque achevé, fut détruit. Elle ne s'en consola jamais. Elle ne cessa pas cependant d'exécuter des portraits : députés à l'Assemblée Nationale, *Robespierre, Monsieur de Beauharnais, Alexandre et Charles Lameth, Monsieur d'Aiguillon*... ; puis, après son divorce (1793), ceux de personnages de moindre envergure, mentionnés désormais avec le simple titre de citoyen ou citoyenne. Le 30 prairial an IX (19 juin 1801), elle épousa en secondes noces le peintre d'histoire André Vincent, fils de son premier maître. Elle devait mourir deux ans plus tard. Son mari lui survécut treize ans.
Détail de ses envois au Salon : 1783, *Portrait du comte de Clermont-Tonnerre* ; *Portrait de Brizard dans le rôle du roi Lear au bord de la caverne et à l'instant du réveil* ; portraits de plusieurs

artistes de l'Académie : *Vien* ; *Pajou modelant le portrait de son maître Lemoine* (morceau de réception) ; *Bachelier* ; *Gois* ; *Suvée* ; *Beaufort* ; *Voiriot* ; *Portrait de Mme Mitoire avec ses enfants et donnant à téter à l'un d'eux* ; *Tête de Cléopâtre* ; *Portrait de Mme Guiard, peint par elle-même* ; plusieurs portraits sous le même numéro. 1785 : *Portrait de Mme la comtesse de X..., avec son fils âgé de trois mois* ; *Mme Dupin de Saint-Julien* (pastel) ; *Mme la comtesse de Clermont-Tonnerre* ; *Amédée Van Loo, peintre du roi, professeur de son Académie* (morceau de réception) ; *Vernet, peintre du roi* ; *Cochin, graveur du roi* ; un tableau portrait de trois figures en pied, représentant une femme : *Mme Guiard occupée à peindre et deux élèves la regardant* ; plusieurs tableaux, à l'huile et au pastel, sous le même numéro. 1787 : *Mme Elisabeth, peinte jusqu'aux genoux, appuyée sur une table garnie de plusieurs attributs de sciences* ; *Mme Adélaïde, portrait en pied* ; *Mme Victoire*, étude au pastel pour faire pendant au précédent ; *Portrait de Mme la duchesse de Narbonne* ; *Mme la marquise de la Valette, pinçant de la harpe* ; *Mme la vicomtesse de Caraman* ; *M. le vicomte de Gand*, (pastel) ; *Mme la vicomtesse de Gand* (pastel) ; *Mme de X..., faisant de la musique* ; plusieurs portraits sous le même numéro. 1789 : *Portrait de Mme Louise-Elisabeth de France, infante d'Espagne, duchesse de Parme, avec son fils âgé de deux ans* ; *Portrait du prince de X..., chevalier de la Toison d'Or*. 1791 : *Portrait en pied de M. de Beaufremont* ; *Portrait de M. Duport, député à l'Assemblée Nationale* ; *Portrait de M. Robespierre, député à l'Assemblée Nationale* ; *Portrait de M. de Beauharnais, député à l'Assemblée Nationale* ; *Portrait de M. Talleyrand-Périgord, député à l'Assemblée Nationale* (pastel) ; *Portrait de M. d'Aiguillon, député à l'Assemblée Nationale* ; *Portrait de M. Alexandre Lameth, député à l'Assemblée Nationale* ; *Portrait de M. Charles Lameth, député à l'Assemblée Nationale* ; *Portrait de M. d'Orléans*. 1795 : *Portrait du citoyen Lebreton, chef des bureaux des Musées, à l'Instruction Publique* ; *Citoyen Vincent, peintre* ; *Citoyen Baignère, médecin* ; *Citoyen Sévestre, architecte* ; plusieurs portraits, même numéro. 1798 : *Portraits du citoyen Charles, professeur de physique, membre de l'Institut National* ; *Citoyen Janvier, mécanicien astronome, traçant la projection graphique d'un passage de Vénus sur le soleil* ; *La citoyenne Capet, peignant en miniature* ; *Citoyen X...* ; plusieurs portraits, même numéro. 1799 : *Portrait de la citoyenne Ch., tenant dans ses bras son enfant qu'elle nourrit* ; *Citoyen Delamalle, représenté plaidant* ; *Citoyen Dublin, artiste du Théâtre-Français*. 1800 : *Tableau portrait de famille*.

À l'intérêt pour l'œuvre de d'Adélaïde Labille-Guiard s'ajoute celui pour les personnages posant pour elle, si différents selon ces années particulières, depuis celui, en 1791, de *Robespierre, député à l'Assemblée Nationale*, jusqu'à celui, peint en 1798 ou occulté jusque là, de *La citoyenne Capet, peignant en miniature*.

Bibliogr. : Anne-Marie Passez : *Adélaïde Labille-Guiard, 1749-1808. Biogr. et catalogue raisonné de son œuvre*, Paris, 1973.

Musées : Paris (Mus. du Louvre) : *André Vincent – Pajou au travail – Mme Victoire*, esquisse au pastel – *Mme Adélaïde*, miniat. sur bonbonnière – Versailles : *Louise-Elisabeth de France – Mme Victoire – Mme Adélaïde*.

Ventes Publiques : Paris, 1885 : *Madame Adélaïde de France* : **FRF 7 000** – Paris, 1898 : *L'Heureuse Surprise* : **FRF 13 200** – Paris, 1899 : *Jeune Fille* : **FRF 1 000** – Londres, 19 déc. 1908 : *Portrait de l'artiste dessinant* : **GBP 39** – Paris, 4 avr. 1924 : *Portrait de jeune femme* : **FRF 240** – Londres, 27 nov. 1957 : *Portrait d'une jeune fille* : **GBP 580** – Londres, 10 juin 1959 : *Portrait de Marie-Gabrielle Capet* : **GBP 2 500** – New York, 21 mars 1963 : *La Marquise de Sablé* : **USD 2 700** – Paris, 9 juin 1964 : *Jeune femme jouant de la harpe* : **FRF 11 600** – Munich, 20 mars 1968 : *Portrait de Madame Clodion* : **DEM 12 000** – Côme, 1er mai 1971 : *Jeune Fille* : **ITL 900 000** – Paris, 13 juin 1974 : *Portrait de jeune femme* : **FRF 29 000** – Paris, 23 juin 1976 : *Portrait de la Princesse de Béthune* 1874, past. de forme ovale (65x54) : **FRF 35 000** – Londres, 8 déc. 1976 : *Autoportrait*, h/t (80x63,5) : **GBP 13 000** – Londres, 28 mars 1979 : *Portrait de fillette avec un épagneul*, h/t (59x48) : **GBP 3 600** – Vichy, 29 nov. 1986 : *Portrait d'homme au gilet orange* 1782, past. (65x55) : **FRF 80 000** – Troyes, 24 jan. 1988 : *Portrait d'homme de qualité* 1772, past. à vue ovale (58x47) : **FRF 25 500** – Paris, 7-12 déc. 1988 : *Portrait d'une dame de qualité en robe de satin blanc à revers rose* 1780, h/t (80x64) : **FRF 280 000** – Londres, 5 juil. 1989 : *Portrait d'une jeune femme avec son enfant*, h/t (146x114) : **GBP 44 000** – Paris, 9 avr. 1990 : *Portrait de Madame Élisabeth*, h/t (103x84,5) : **FRF 500 000** – Paris, 10 avr. 1992 : *Portrait de Madame Elisabeth*, h/t (103x84,5) : **FRF 250 000** – Monaco, 4 déc. 1992 : *Portrait de la Princesse de Béthune* 1784, past., ovale (65x54) : **FRF 333 000** – Monaco, 4 déc. 1993 : *Portrait de Jean d'Arcet en buste et assis, vêtu d'un gilet rayé rouge et noir et d'une veste marron*, h/t (72x57) : **FRF 610 500** – Londres, 3 juil. 1996 : *Portrait de jeune femme* 1780, past. (62,2x51) : **GBP 10 350** – Paris, 18 déc. 1997 : *Portrait de Madame Élizabeth*, h/t (151x118) : **FRF 420 000**.

LABISSE Félix

Né le 9 mars 1905 à Marchiennes (Nord). Mort le 27 janvier 1982 à Paris. XXe siècle. Français.

Peintre de nus, compositions animées, animaux, peintre de décors de théâtre, illustrateur. Surréaliste.

Il s'est formé seul à la peinture, influencé à ses débuts par Ensor. Il a participé à Paris, au Salon des Tuileries, jusqu'en 1944 ; il est sociétaire du Salon d'Automne et membre du comité du Salon de Mai ; il a exposé également à la Jeune Peinture française, à Bruxelles, en 1945, et participé aux Expositions officielles de Rio de Janeiro en 1945, Monaco en 1945, Vienne en 1946. Il obtint le Grand Prix international du décor de théâtre à la Biennale de São Paulo de 1957. Il montre ses œuvres dans des expositions personnelles : 1950 musée d'Art moderne de Rio de Janeiro, 1950 musée d'Art moderne de São Paulo, 1953 palais des Beaux-Arts de Bruxelles, 1953 musée des Beaux-Arts de Liège, 1962 musée Galliera de Paris, 1966 palais des Beaux-Arts de Charleroi, 1973 musée Boymans Van Beuningen de Rotterdam, 1979 Kursaal d'Ostende.

Il subit, vers 1923, l'influence de James Ensor, qu'il connut à Ostende, puis adopte ensuite la manière impersonnelle fréquente chez les surréalistes, qui leur permet de concrétiser minutieusement un univers onirique. La succession de ses peintures semble constituer patiemment la galerie des portraits mythologiques de ses obsessions personnelles et des obsessions collectives propres à notre époque. Dans une précédente édition de notre ouvrage, Philippe Soupault analysait l'œuvre par rapport à l'homme : « Labisse est un peintre qui n'a pas peur de la peinture. Il estime qu'il faut représenter l'univers tel qu'il est et non pas tel qu'on a appris à le voir à travers les lunettes de la routine, de la timidité, de la myopie traditionnelles. Il a ainsi découvert les moyens de nous avertir et de nous prévenir que l'insolite est quotidien et que réciproquement le quotidien est insolite. Il nous offre la liberté : d'allure, de pensée, d'imagination. Cette peinture nous permet de nous libérer de la logique, de l'esclavagisme de la logique. C'est pourquoi ses peintures paraissent provocantes, elles le sont en effet. Elles nous obligent à ouvrir les yeux et à regarder le monde tel qu'il est en réalité et non plus tel que les autres peintres nous l'offrent, c'est à dire en jouant sur les apparences. Les techniques de Labisse paraissent simples mais elles sont singulières comme son dessein. Il ne cherche jamais à provoquer des malentendus. Un cheval est le cheval-type, un sein est le sein-type, une fleur, la fleur de chaque jour. En refusant les compromis, il est devenu le dompteur d'une ménagerie, l'ordonnateur d'une mythologie qui correspond avec celle de Bosch, à celle qui se construit dans nos rêves. Ainsi la peinture de Labisse propose à ceux qui la regardent une image aussi fidèle que possible de leur destinée. »

Les historiens du surréalisme en peinture passent parfois l'œuvre de Félix Labisse sous silence, sans doute déroutés, quand ce n'est pas irrités, par le comportement social du peintre, comme si adhérer aux processus de création expérimentés par les surréalistes devait rendre inapte à vivre en société, voire à s'y montrer agréable. De toutes les voies de l'humour, qui ne sont pas seulement celle de l'humour noir, que peuvent emprunter les démarches surréalistes, c'est celle des mondanités qu'il a plu à Labisse de choisir comme celle qu'il lui permet au mieux d'exercer son goût pour la facétie où sur plusieurs plans de conscience et jusqu'à l'inconscient, se mêlent étroitement quelque chose de la truculence flamande, une propension non dissimulée à l'érotisme, l'imagination fantastique, une vision de l'au-delà des apparences, et ce plaisir rare qui ne peut permettre qu'un apparent imperturbable sérieux, de dévoiler innocemment, par le biais de symboles clairs, l'envers de ceux qui tiennent tant à leur paraître. Si l'on n'a pas compris les règles du jeu de l'apparence, rien du comportement de Labisse ne peut s'expliquer, ni surtout si l'on s'en tient à la notion romantique du surréaliste maudit, pourtant si souvent démentie dans la vie de ses principaux représentants (à commencer par André Breton lui-même) : pour couronner une belle carrière d'humour, son élection à un fauteuil de l'académie des beaux-arts. Cet artiste a exécuté des décors et des costumes pour *Noé* d'André Obey, à la comédie française ; *Tandis que j'agonise* d'après Faulkner, pour J. L. Barrault, au théâtre de l'Atelier ; *Hamlet* au théâtre Hébertot ; *Le Cocu magnifique* de F. Crommelynck à Lyon, Genève et Lausanne ; *La Symphonie fantastique*, ballet tiré de l'œuvre de Berlioz, Ballets de Monte-Carlo ; *L'Homme au chapeau rond* d'après Dostoïevski au théâtre des Célestins à Lyon ; *Le Partage de midi* de Claudel en 1948, pour l'Opéra de Paris, ainsi que les Ballets du marquis de Cuevas, notamment *Piège de lumière* en 1952, etc. Il a illustré : *Le Bain avec Andromède* de R. Desnos, *Les métamorphoses* d'Ovide, adaptées par G. Lély, *Les Vies imaginaires* de M. Schwob, *Le Surmâle* d'Alfred Jarry, et *Eugénie de Frauval* du marquis de Sade. ■ Jacques Busse

LABISSE.

LABISSE

Bibliogr. : In : *Les Muses*, Grange Batelière, t. IX, Paris, 1972 – in : *Diction. univer. de la peinture*, Le Robert, t. IV, Paris, 1975 – Catalogue de l'œuvre peint : *Félix Labisse*, Isy Brachot Éditeur, Paris, 1979 – Jean Cassou : *Catalogue de l'œuvre peint 1927-1971*, supplément 1986, Isy Brachot, Bruxelles, 1986 – in : *Diction. de l'art mod. et contemp.*, Hazan, Paris, 1992.

Musées : Paris (Mus. d'Art Mod. de la Ville) : *Portrait de la danseuse Claude Bessy* 1955 – Paris (Mus. Nat. d'Art Mod.) : *La Parque du prince* 1945 – Paris (Cab. des Estampes) : *La Fuite en Égypte* 1978, litho.

Ventes Publiques : Paris, 8 déc. 1959 : *Le règne de la lune* : **FRF 700 000** – Bruxelles, 27 oct. 1966 : *Aventure permanente* : **BEF 95 000** – Paris, 18 mars 1969 : *Paysage aux environs de Quadrum* : **FRF 8 400** – Anvers, 13 oct. 1970 : *La plaidoirie*, gche : **BEF 70 000** – Paris, 26 nov. 1972 : *Le couple*, gche : **FRF 9 000** – Paris, 26 fév. 1973 : *Sainte Agnès au lupanar* : **FRF 43 000** – Paris, 2 avr. 1974 : *La nuit*, gche : **FRF 6 800** – Amsterdam, 26 nov. 1974 : *Portrait de Suzanne Bonniverts* : **NLG 10 000** – Genève, 29 juin 1976 : *Zabulon* 1974, h/t (50,3x40,3) : **CHF 10 400** – Bruxelles, 27 oct. 1976 : *L'inviolable Armada*, gche (39x31) : **BEF 100 000** – Paris, 15 déc. 1977 : *La haute chasse* 1960, h/t (59,5x72) : **FRF 5 200** – Versailles, 13 juin 1979 : *Les yeux* 1945-1946, gche (48,5x62) : **FRF 14 000** – Versailles, 4 mars 1979 : *Behemoth* 1974, h/t (46x36) : **FRF 21 500** – Versailles, 3 juin 1981 : *L'Inconstance de Jason* 1955, h/t (97x130) : **FRF 40 000** – Paris, 21 nov. 1983 : *Le Surmâle* 1945, encre de Chine (31x24) : **FRF 21 500** – Paris, 10 juil. 1983 : *Diane chasseresse*, h/pan. (89x130) : **FRF 48 000** – Paris, 22 nov. 1984 : *Les trois masques*, gche (47x61) : **FRF 30 000** – Paris, 17 juin 1985 : *Le deuil de Salomé*, h/t (92x73) : **FRF 108 500** – Paris, 18 mars 1986 : *La Nuit* 1939, gche (64x50) : **FRF 13 500** – Paris, 24 nov. 1987 : *Rolande* 1933, gche (73x49) : **FRF 11 000** – Lokeren, 28 mai 1988 : *Ulysse* 1930, h/t (60x73) : **BEF 400 000** – Paris, 20 juin 1988 : *Le bâtard de Vergogne* 1971, h/t (30x24) : **FRF 16 500** – Paris, 7 oct. 1988 : *La salle d'alchimie*, gche (49x59) : **FRF 7 000** – Lokeren, 8 oct. 1988 : *Le mauvais présage* 1941, h/t/pan. (54,5x45) : **BEF 260 000** – Paris, 27 oct. 1988 : *Pseudolibidoscaphe* 1962, h/t (65x50) : **FRF 38 000** – Paris, 1er fév. 1989 : *Gouache pour le décor de Kafka* (33x50) : **FRF 9 500** – Paris, 3 mars 1989 : *Ergossum* 1976, h/t (46x38) : **FRF 15 500** – Paris, 16 avr. 1989 : *Rencontre dans une forêt* 1940 (73x60) : **FRF 170 000** – Paris, 26 mai 1989 : *Le père du cinéma* 1967, h/t (74x60) : **FRF 31 000** – Londres, 20 oct. 1989 : *Libidoscaphes dans la baie de Rio* 1962, h/t (88x115,5) : **GBP 5 500** – Douai, 3 déc. 1989 : *Portrait*, gche (18x14) : **FRF 10 000** – Calais, 10 déc. 1989 : *L'arbre aux mantes religieuses, Fontvieilles* 1943 (64x50) : **FRF 45 000** – Paris, 31 mars 1990 : *Femme à l'arbre*, gche (55x37) : **FRF 51 000** – Paris, 26 avr. 1990 : *Sœur Jeanne des Anges*, h/t (91x60) : **FRF 60 000** – Paris, 29 nov. 1990 : *Rencontre dans une forêt* 1940, temp./t. (73x60) : **FRF 180 000** – Amsterdam, 13 déc. 1990 : *Sans titre*, gche/pap. (73,2x51) : **NLG 3 565** – Paris, 28 mars 1991 : *Les Cheveux blancs de sang* 1950, h/t (73x60,5) : **FRF 56 000** – Paris, 18 avr. 1991 : *Naissance de l'Académie* 1937, h/t (60x76) : **FRF 90 000** – Lokeren, 23 mai 1992 : *Épigone*, cr. (63x49) : **BEF 24 000** – Paris, 10 juin 1992 : *Le Mot* 1951, h/t (73x91,5) : **FRF 50 000** – New York, 12 juin 1992 : *Mantes religieuses* 1943, gche/pap./cart. (48,9x63,8) : **USD 1 980** – Lokeren, 20 mars 1993 : *Paysage flamand* 1946, h/t (55x46) : **BEF 180 000** – Lokeren, 11 mars 1995 : *L'Intérieur de la nuit* 1968, h/t (73x54) : **BEF 280 000** – Paris, 19 nov. 1995 : *Composition surréaliste*, gche/pap. (36x51) : **FRF 22 000** – Paris, 8 mars 1996 : *Les Flamands* 1934, h/t (65x81) : **FRF 92 000** – Lokeren, 9 mars 1996 : *Le Précurseur* 1959, h/t (114x146) : **BEF 460 000** – Amsterdam, 4-5 juin 1996 : *Procession en Flandre* 1931, h/t (72x92) : **NLG 8 260** ; *Le Baptême du feu*, h/t (60x73) : **NLG 19 550** – Paris, 28 oct. 1996 : *La Danse du ventre* vers 1928-1929, h/pap./pan. (26x30) : **FRF 13 000** – Paris, 24 nov. 1996 : *La Mante verte*, encre de Chine et gche/pap. (49x64) : **FRF 12 500** ; *Ève fleurie* 1935, h/t (55x43) : **FRF 31 000** – Paris, 20 juin 1997 : *Oiseau et fleur* 1937, h/t (80x44) : **FRF 20 000** ; *Séléné* 1979, h/t (55x46) : **FRF 68 000** – Calais, 6 juil. 1997 : *Procession en Flandre*, h/t (72x92) : **FRF 40 000** – Paris, 27 oct. 1997 : *Picollus* 1973, h/t (61x50) : **FRF 18 000**.

LABITTE Eugène Léon ou **Lahitte**

Né le 7 octobre 1858 à Clermont (Oise). Mort en 1937. xixe siècle. Français.

Peintre de genre, paysages.

Élève de Cormon, il expose au Salon de Paris.

E. Labitte

E. Labitte

Musées : Chartres : *Les foins*.

Ventes Publiques : Paris, 6 déc. 1954 : *Le repos aux champs* : **FRF 20 000** – Berne, 7 mai 1981 : *Scène de moisson*, h/t (60x73) : **CHF 4 000** – Londres, 22 mars 1985 : *La moissonneuse*, h/t (59x47) : **GBP 5 000** – New York, 22 mai 1991 : *La première audace*, h/t (120x94) : **USD 16 500** – New York, 22-23 juil. 1993 : *Deux jeunes filles*, h/cart. (61x50,8) : **USD 4 025** – Paris, 22 juin 1994 : *Le repas des enfants*, h/t (100x70) : **FRF 32 500** – New York, 17 jan. 1996 : *Conversation galante à la campagne*, h/t (61x73,3) : **USD 2 587**.

LABLAIS Michel

Né en 1925 à Paris. xxe siècle. Français.

Peintre, graveur, aquarelliste, peintre de collages.

Il fut élève de l'École des Arts Appliqués de Paris, puis voyagea en Cochinchine, au Cambodge et en Océanie ; revint à Paris ; retourna en Océanie ; séjourna aux Nouvelles-Hébrides. Il participe à divers Salons parisiens : Comparaisons, de la Jeune Peinture, ainsi qu'à la Biennale de Tôkyô. Il a exposé en Allemagne, à Paris, notamment à la Bibliothèque Nationale en 1978 et au Musée d'Art Moderne de la Ville de Paris en 1979.

Quel que soit son mode d'expression, on ressent dans ses œuvres l'influence qu'exercèrent ses nombreux voyages. Mêlant les références culturelles, comme à la façon des collages, sur des fonds quadrillés évoquant du papier millimétré, il se permet les associations les plus surprenantes, sans livrer de message particulier : ainsi un chat se profile devant le visage d'un être nu (Bouddha), qui laisse un corbeau noir picorer dans sa main, reproduit en trois exemplaires, au pied de cet être le squelette d'un chat.

Ventes Publiques : Londres, 21 fév. 1989 : *La femme du charbonnier* 1955, détrempe et h/cart. (98,4x79,3) : **GBP 715**.

LA BLANCA Pedro de

Né à Madrid. xixe siècle. Actif dans la seconde moitié du xixe siècle. Espagnol.

Peintre.

Élève de Francisca Janer. Participa à l'Exposition Nationale de 1881.

LA BLANCHETÉE Mathilde de

Née à Montpellier (Hérault). xixe-xxe siècles. Française.

Peintre de paysages, natures mortes, fleurs, décoratrice.

Elle fut élève de Chabal-Dusurgey. Sociétaire des Artistes Français, elle a exposé à Paris, au Salon en 1912 et 1914, de 1921 à 1924, présentant des tableaux de fleurs, des natures mortes, des paysages et des maquettes décoratives.

Ventes Publiques : Londres, 21 juin 1989 : *Vase de géranium devant une fenêtre*, h/t (112x85) : **GBP 16 500**.

LABO Savinio

Né en 1899 à Milan. Mort en 1976. xxe siècle. Italien.

Peintre de compositions animées, paysages.

Ventes Publiques : Milan, 7 juin 1989 : *Jeune fille au clair de lune* 1948, h/cart. (40x30) : **ITL 2 600 000** – Milan, 13 déc. 1990 : *Enfants dans un bois*, h/t (40x30) : **ITL 1 000 000** – Milan, 16 juin

1992 : *Marine avec des personnages*, h/pan. (50x100) : ITL 3 000 000 – MILAN, 22 juin 1993 : *La gamine s'essuyant*, h/t (50x40) : ITL 1 400 000 – MILAN, 12 déc. 1995 : *Portrait de jeune fille*, h/t (64x50) : ITL 1 610 000.

LA BOISSIÈRE Gilles Jodelet de
XVIIe siècle. Actif à Paris en 1673. Français.
Graveur.
Il fut aussi architecte.

LA BOISSIÈRE Jacqueline de
XVIIe-XVIIIe siècles. Française.
Miniaturiste.
Peintre de la Cour sous les règnes de Louis XIV et de Louis XV, elle fut logée par le roi, au Louvre, de 1690 à 1721. Elle décora de miniatures les tabatières offertes par Louis XIV aux ambassadeurs étrangers et a laissé plusieurs portraits de Louis XV.
VENTES PUBLIQUES : PARIS, 1869 : *Le marchand de melons* : FRF 1 300.

LA BOISSIÈRE Simon de
Né vers 1687 à Paris. XVIIIe siècle. Français.
Ingénieur et graveur à l'eau-forte.

LA BONNE Henriette Jussiaume, Mme
Née au XIXe siècle à Châteauroux (Indre). XIXe siècle. Française.
Pastelliste.
Élève de Jean-Paul Laurens et Victor Marec. Figura au Salon des Artistes Français et obtint une mention honorable en 1902. Le Musée de Châteauroux conserve *Détresse*, de cette artiste.

LABOR Charles ou **Labord**
Né le 5 novembre 1813 à Béziers (Hérault). Mort le 8 mars 1900 à Béziers. XIXe siècle. Français.
Peintre de paysages animés, paysages.
Élève de Glaize. Il débuta au Salon en 1839, il fut conservateur du Musée de Béziers.
MUSÉES : BÉZIERS : *Paysage avec figures – Place couverte à Béziers – Plage de Vendres – Ville et moulins de Béziers – Plaine de Robaut au soleil couchant* – NARBONNE : *Les cabanes de l'embouchure de l'Aude – Effet de lune sur la route de Madrid* – SÈTE : *Une rue de Villefranche-sur-Mer.*
VENTES PUBLIQUES : VERSAILLES, 1er juin 1980 : *Aurore sur la rivière* 1864, h/t (59x90) : FRF 5 800 – PARIS, 18 juin 1984 : *La flotte américaine dans le port de Villefranche* 1875, h/t (70,5x125,5) : FRF 32 500 – NEW YORK, 24 mai 1989 : *Unités de la Flotte américaine à Villefranche-sur-Mer* 1875, h/t (71,8x125,4) : USD 15 400.

LABORAO. Voir **BARROS-LABORAO Joaquim José de**

LABORD Ernest
Né en 1834 à Bédarieux (Hérault). XIXe siècle. Français.
Sculpteur.
Élève d'Aldebert. Le Musée de Sète conserve de lui le buste de *Louis Thau* et une étude.

LABORDE. Voir aussi **DELABORDE**

LABORDE Chas ou **Charles**. Voir **CHAS-LABORDE**

LABORDE Ernest
Né le 3 mars 1870 à Paris. XIXe-XXe siècles. Français.
Peintre de paysages, graveur.
Il débuta en 1910, comme peintre d'aquarelles à la Société Nationale des Beaux-Arts dont il fut associé ; en 1911 il exécuta sa première eau-forte *À la biche* et se fit connaître ensuite comme graveur par un album de lithographies paru chez Meynial à Paris (*Les Merveilles de la rue*) et par un autre album paru chez Grandhomme (*Vieilles maisons, boutiques et paysages de Paris*), ainsi que par beaucoup d'autres lithographies isolées.
VENTES PUBLIQUES : PARIS, 30 nov. 1942 : *Vues de Paris et banlieue*, trois aquar. : FRF 210 – PARIS, 29 juin 1945 : *Marchand de légumes dans l'ancien couvent des Récollets* 1911 : FRF 850.

LABORDE Léon Emmanuel Joseph Simon de, marquis
Né en 1807 à Paris. Mort en 1869 au château de Beauregard à Fontenay (Eure). XIXe siècle. Français.
Graveur, écrivain d'art.
Bien que ne s'étant occupé de gravure que pour en connaître mieux les procédés, Léon de Laborde eut sur l'étude de l'art français une influence trop considérable pour que nous ne le mentionnions pas ici. Il était fils du diplomate et amateur d'art Alexandre Louis-Joseph de Laborde qui dessina un intéressant frontispice, gravé par Baltard, pour son ouvrage *Voyage pittoresque en Espagne* (1806-1818). Léon Emmanuel visita l'Orient en compagnie de son père. À son retour, il entra dans la diplomatie et fut secrétaire d'ambassade à Rome avec Chateaubriand. Après avoir occupé différents postes diplomatiques, avoir siégé à la Chambre des Députés à partir de 1841, il fut nommé membre de l'Institut en 1842. En 1845, le poste de conservateur des Antiques lui fut confié et en 1857, celui de conservateur des Archives de l'Empire. Léon de Laborde, en publiant les comptes royaux a jeté un peu de lumière sur les artistes français du XVIe siècle, si mal connus. On lui doit aussi une intéressante histoire de la gravure. Beraldi cite de lui, en outre : *Essais de gravures pour servir à une histoire de la gravure en bois* (Didot, 1833), ouvrage pour lequel le marquis de Laborde exécuta lui-même plusieurs planches.

LABOREY Félicité
XVIIIe siècle. Active à Paris. Française.
Portraitiste et miniaturiste.
Exposa au Salon en 1753 et 1755.

LABORIE Jean
Né le 30 mai 1912 à Laroquebrou (Cantal). XXe siècle. Français.
Peintre, graveur.
Il expose à Paris, au Salon des Indépendants et au Salon d'Automne, mais son activité principale se situe dans le Cantal, où il expose aussi et où il a eu plusieurs commandes de mairies.

LABORNE Émile Edme
Né le 11 janvier 1837 à Paris. Mort en 1913 ou 1918 à Paris. XIXe-XXe siècles. Français.
Peintre de genre, paysages.
Élève de Jules Noël et E. Lacoste, il débuta au Salon en 1865. Sociétaire des Artistes Français.
Ses paysages de ports et de plages font penser à ceux de Boudin.
BIBLIOGR. : Gérald Schurr, in : *Les Petits Maîtres de la peinture 1820-1920, valeur de demain*, Les Éditions de l'Amateur, t. II, Paris, 1982.
MUSÉES : BÉZIERS : *Une rue de Vitré* – MULHOUSE : *Marine.*
VENTES PUBLIQUES : PARIS, 18 avr. 1928 : *Rochers de Villers* : FRF 140 – PARIS, 24 mars 1947 : *La plage de Fécamp animée de nombreux personnages* 1866 : FRF 29 000 – PARIS, 19 juin 1950 : *Jour de marché à Vitré*, aquar. : FRF 7 600 – LONDRES, 8 avr. 1971 : *La place du marché à Troyes* : GNS 320 – COMPIÈGNE, 2 oct. 1983 : *Canotage à Bougival ; Joinville-le-Pont*, h/t, une paire (38x55) : FRF 81 000 – PARIS, 19 mars 1986 : *Marché à Blois* 1872, h/t (39x53) : FRF 51 000 – PARIS, 21 avr. 1988 : *Bateaux au port*, h/t (20x27) : FRF 13 500 – VERSAILLES, 5 mars 1989 : *Ruisseau sous les arbres*, h/t (70x100) : FRF 21 000 – NEW YORK, 17 oct. 1991 : *Place des Vosges*, h/t (69,9x99,1) : USD 11 000 – CALAIS, 26 mai 1991 : *La rive du fleuve animée*, h/t (27x20) : FRF 15 000 – CALAIS, 7 juil. 1991 : *Les quais de la Seine et le pont de la Concorde*, h/t (27x38) : FRF 30 000 – NEW YORK, 29 oct. 1992 : *Place de marché en Provence*, h/t (97,8x130,8) : USD 29 700 – NEW YORK, 16 fév. 1995 : *Le jardin des tuileries avec l'Arc de Triomphe du Carrousel et le Palais du Louvre à Paris*, h/t (146,1x78,7) : USD 17 250.

LABOSCHIN Siegfried
Né le 23 mai 1868 à Gnesen. XIXe-XXe siècles. Allemand.
Peintre de portraits, paysages urbains, intérieurs, graveur.
Il étudia à Berlin et à Munich. Il vécut et travailla à Breslau. Il fit des portraits à l'huile, des eaux-fortes et des lithographies d'un grand nombre de personnalités de Breslau et grava des motifs inspirés des villes de Breslau, Nuremberg, Rome, Venise. Il peignit aussi des tableaux de figures, de genre, et des paysages à l'huile, à l'aquarelle, au pastel, à la détrempe ainsi que des intérieurs de Hollande avec figures et des paysages de Thuringe.
MUSÉES : BERLIN (Cab. des Estampes) – BEUTHEN (Hôtel de Ville) : *Le Vieux Breslau pittoresque*, dix eaux-fortes, d'après Wolf – *Intérieurs et extérieurs de Breslau* 1926, dix litho. – *Portrait d'Hindenburg* – BRESLAU, nom all. de Wroclaw (Cab. des Estampes) – FRANCFORT-SUR-LE-MAIN (Cab. des Estampes) – GLEIWITZ : *Portrait d'Hindenburg* – KALININGRAD, ancien. Königsberg (Cab. des Estampes) – POSEN (Cab. des Estampes).

LABOUCHÈRE Pierre Antoine
Né le 26 novembre 1807 à Nantes (Loire-Atlantique). Mort en 1873 à Paris. XIXe siècle. Français.

Peintre d'histoire, paysages, aquarelliste.
Après des études commerciales en Allemagne et en Angleterre, il entra dans une maison de commerce d'Anvers. Il fit de longs voyages, visita les États-Unis et la Chine. En 1836, il renonça définitivement au commerce pour l'art. Après un voyage d'une année en Italie, il vint à Paris et y fut élève de Paul Delaroche. Il partit ensuite pour l'Afrique et en rapporta un nombre considérable d'études à l'aquarelle.
Il débuta au Salon de Paris vers 1843, obtenant une médaille de troisième classe en 1843 et une de deuxième classe en 1846.
Il est surtout connu pour ses sujets historiques du XVIe siècle ; il illustra la vie de Martin Luther.
Bibliogr. : Gérald Schurr, in : *Les Petits Maîtres de la peinture 1820-1920, valeur de demain*, Les Éditions de l'Amateur, t. IV, Paris, 1979 - in : Catalogue de l'exposition : *Les années romantiques, la peinture française de 1815 à 1850*, Musée des Beaux-Arts de Nantes, 1995-1996 et Galeries nationales du Grand Palais, Paris, 1996.
Musées : Chantilly (Mus. Condé) : *Le duc d'Aumale au bois des Oliviers avec le commandant Durieu et l'agha Chourar, en Algérie* 1843.
Ventes Publiques : Paris, 1850 : *Luther, Mélanchton, Poméranus et Cruciger traduisant la Bible* : **FRF 7 500** – Londres, 19 avr. 1978 : *Luther, Mélanchton, Pomeranus et Cruciger traduisant la Bible*, h/pan. (38,5x47) : **GBP 1 100.**

LA BOUÈRE Tancrède de, comte. Voir **GAZEAU Antoine Xavier Gabriel de**

LABOUESSE Jeanne
Née à Gussel (Allier). XXe siècle. Française.
Sculpteur.
Elle fut élève de Sicard et de Carli. Elle expose à Paris, au Salon des Artistes Français.
Musées : Le Mans : *Tête de faune*, d'après Jean Goujon.

LABOULAYE Paul de
Né en 1902. XXe siècle. Français.
Peintre de paysages, paysages urbains, natures mortes, fleurs et fruits.
Continuateur de Maurice Denis aux Ateliers d'art sacré, il représente assez bien la tentative de conciliation entre l'art traditionnel et les apports modernes, amorcée par Segonzac et continuée par de nombreux peintres tels Aujame, Berthomé-Saint-André.
Musées : Paris (Mus. d'Art Mod.) : *Le Pont Marie*.
Ventes Publiques : Paris, 25 mars 1944 : *Le chantier sous la neige* : **FRF 3 000** – Paris, 20 juin 1944 : *L'automne quai Bourbon* : **FRF 12 000** – Paris, 18 nov. 1946 : *Fleurs et fruits* : **FRF 5 000** – Los Angeles, 18 juin 1979 : *La visite de l'atelier* 1902, h/pan. (53,5x67,5) : **USD 2 900** – Anvers, 21 mai 1985 : *Femme*, h/t (103x78) : **BEF 130 000.**

LABOULAYE Paul, ou **C. A. Paul de**
Né au XIXe siècle à Bourg-en-Bresse (Ain). XIXe siècle. Français.
Peintre de genre, portraits.
Élève de Bonnat. Débuta au Salon en 1873 et obtint une médaille de troisième classe en 1879, une médaille de bronze en 1889 (Exposition Universelle).
Musées : Lyon : *Au sermon* – Paris (Mus. d'Art Mod.) : *Au sermon*.
Ventes Publiques : Paris, 5 avr. 1992 : *Jeune femme en rouge* 1903, h/t (67x54) : **FRF 35 000.**

LA BOULAYE Paul A. de
XIXe siècle. Belge.
Peintre d'histoire, scènes de genre, portraits.
Il fut élève de P. A. Laurens à Paris. Il figura fréquemment au Salon des Artistes Français à partir de 1882. Il exposa également à Bruxelles, en qualité de membre de la Société des Artistes *L'Essor* et à Gand.

LA BOULAYE René de
Né le 7 novembre 1874 à Paris. XIXe-XXe siècles. Français.
Sculpteur.
Il figura au Salon des Artistes Français, à Paris.

LA BOURDE Jean de
XVIIe siècle. Français.
Sculpteur.
Il fut reçu à l'académie Saint-Luc en 1678.

LA BOURDONNAYE Alain de
Né en 1930 à Paris. XXe siècle. Français.
Graveur, illustrateur, peintre.
Il fut élève d'Arpad Szenes en peinture et de l'Atelier 17 de Stanley William Hayter en gravure. Il participe à des expositions collectives, parmi lesquelles à Paris : Salons de Mai, d'Octobre et Comparaisons ; 1961 *Le Livre français depuis cent-cinquante ans* au musée Galliéra ; 1962 *L'Objet* au musée des Arts décoratifs ; 1963 à la Jeune Gravure Contemporaine au musée d'Art moderne de la Ville ; ainsi qu'à l'étranger : 1965 Biennale de Ljubljana, 1968 *Art graphique contemporain* en Amérique latine, 1982 *Le Livre d'art* à Saint-Émilion, 1984 Ve Biennale internationale de Gravure à Condé-sur-Escaut, etc. Il fait aussi de très nombreuses expositions personnelles depuis celle de 1955 à la galerie du Haut-Pavé à Paris, nombreuses autres à Paris notamment en 1989 à la Bibliothèque nationale, ainsi qu'à Bâle, Strasbourg, Bruxelles, Toulouse, Luxembourg, etc. Depuis 1962, il est membre du Comité national du livre illustré français.
Graveur à l'eau-forte, au burin, à la pointe-sèche, sur bois, il a illustré de nombreux livres, parmi lesquels : 1956 *Psaume de David*, 1957 Saint Jean de la Croix *Les Cantiques spirituels*, 1964 Agrippa d'Aubigné *Les Prières*, 1968 Victor Hugo *Le Mariage de Roland*, 1983 Henry IV *Remonstrance*, 1989 Aloysius Bertrand *Ondine*, etc. Alain de La Bourdonnaye tire toutes les gravures de ses livres sur ses propres presses. ■ J. B.
Bibliogr. : In : *Peintres contemporains*, Mazenod, Paris, 1964.
Ventes Publiques : Paris, 20 nov. 1994 : *Composition* 1957, h/t (90x146) : **FRF 4 500.**

LABOURÉ Claudius Paul
Né le 21 avril 1888 à Lyon (Rhône). XXe siècle. Français.
Peintre, pastelliste.
Il a peint de nombreux sujets de danse.

LABOURET Georges Henri Amédée
Né le 23 décembre 1844 à Laon. XIXe siècle. Français.
Portraitiste et peintre de genre.
Élève de son père et de L. Cogniet. Il débuta au Salon de 1866.

LABOURET Mathilde ou **Marie de**
Née au XIXe siècle à Angoulême (Charente). XIXe siècle. Française.
Sculpteur.
Élève de M. Schrœder. Elle débuta au Salon en 1879. Le Musée d'Angoulême conserve un buste par cette artiste.

LABOUREUR Alessandre
Né vers 1800 à Rome. Mort en 1861. XIXe siècle. Italien.
Sculpteur.
Fils de Francesco Massimiliano Laboureur, il reçut en 1816 un prix de l'Académie Saint-Luc ; il devint en 1856 membre correspondant de l'Académie royale belge de Bruxelles. On cite parmi ses œuvres à Rome : le tombeau du marquis *Antici-Mattei* (dans l'église S. Maria in Araceli), un *Saint Grégoire* (dans l'église Saint-Paul-hors-les-murs), un *Saint François* (à Saint-Pierre). On mentionne de sa main un bas-relief représentant *Boniface de Savoie devant Henri IV* (dans l'église de l'abbaye de Hautecombe).

LABOUREUR Francesco Massimiliano
Né le 10 novembre 1767 à Rome. Mort le 6 mars 1831 à Rome. XVIIIe-XIXe siècles. Italien.
Sculpteur.
Fils et élève de Maximilien Laboureur, il eut pour protecteur l'ambassadeur de France. Il reçut en 1783 un prix de l'Académie Saint-Luc, dont il devint membre en 1802 et président en 1820. Parmi ses œuvres à Rome on cite : six bustes d'artistes (*Caravage, Garofalo, Ghirlandaïo, Jean d'Udine, Orcagna, S. del Piombo*) dans la protomothèque du Capitole, le tombeau du cardinal polonais *Gœssner*, à l'église S. Maria della Concezione, une frise en stuc, au Vatican, l'*Été* et la *Paix*, à l'entrée du Pincio. On mentionne encore de sa main une *Annonciation*, dans la cathédrale de Lyon, le tombeau de *Saint Malachowki*, dans la cathédrale de Varsovie, d'après une maquette de Thorwaldsen, des bas-reliefs représentant des hauts faits de *Laurent le Magnifique*, au Quirinal à Rome, un buste colossal de *Napoléon Ier* et une statue de ce dernier avec la toge.
Musées : Angers : *Statue de saint Hyacinthe*, marbre – Nantes : *La Pudicité – Melpomène – Junon – Gaulois tuant sa femme – La Flore Farnèse – Le Centaure Borghèse – Bacchus et Ariane – Polymnie – Buste de Napoléon Ier – Le jeune Hyacinthe blessé par Apollon*.

LABOUREUR Jacques
XVIe siècle. Français.

Sculpteur.
Il sculpta, en 1584, des trophées pour la décoration de la barrière et de la porte neuve de l'Arsenal à Paris.

LABOUREUR Jean Émile
Né le 16 août 1877 à Nantes (Loire-Atlantique). Mort le 16 juin 1943 à Penestin (Morbihan). xxe siècle. Français.
Peintre de genre, paysages animés, paysages, paysages d'eau, natures mortes, aquarelliste, sculpteur, graveur, dessinateur, illustrateur.
Élève du graveur Auguste Lepère, il débuta en 1896, avec des bois gravés, dont le primitivisme concerté se référait à Gauguin. Il accomplit un voyage autour du monde, visitant les musées allemands de Dresde et de Berlin, séjournant six années aux États-Unis, avant de se fixer à Paris, où il commença d'exposer à partir de 1911, délaissant le bois pour l'eau-forte, et l'influence de Gauguin pour celle des cubistes. C'est en 1912 que se peut dater la réputation d'un artiste dont la place demeure considérable dans le grand mouvement de l'art moderne. Exposant à Paris du Salon d'Automne et de celui des Indépendants où il débuta, J. Laboureur avait fondé le groupe des Peintres-Graveurs indépendants. En 1991, le musée des Beaux-Arts de Nantes a montré une exposition de son œuvre, en 1996 la bibliothèque municipale de Nantes.
Graveur en possession des plus hautes traditions, maître d'un métier difficile, il a réussi à se créer un style personnel en tirant des systèmes de construction établis depuis Cézanne les éléments d'une composition synthétique. Tandis que nombre de peintres dont il partageait les intentions faisaient paraître une rigueur allant jusqu'à l'austérité, J. Laboureur se voulut aimable, mais sans concessions à la frivolité. Il possédait le don de la grâce. Il y a aussi dans son art un souci d'élégance très particulier, reflet de sa personne même qui fut celle d'un dandy. La haute vertu de J. Laboureur est dans la finesse de son trait. On admire la réussite de l'artiste préoccupé de la sorte se soumettant allègrement aux exigences d'un métier réclamant une application des soins de bon ouvrier. Il a pratiqué avec le même bonheur l'eau-forte et la pointe sèche. On vante justement ses aquarelles. J. Laboureur a été très recherché par les écrivains et leurs éditeurs. D'entre ses nombreuses illustrations de livres, nous citerons : *Dans les Flandres, avec les Britanniques* de Boulestin ; *Petites Images de la guerre sur le front britannique* ; *La Malabée* de A. Billy ; *L'Appartement des jeunes filles* de R. Allard ; *Beauté, mon beau souci* de V. Larbaud ; *Trio en songe* de A. Billy ; *Promenade avec Gabrielle* de J. Giraudoux ; *Tableau des grands magasins* de J. Valmy-Baisse ; *Silbermann* de J. de Lacretelle ; *Le Songe d'une femme* de R. de Gourmont ; *L'Envers du music-hall* de Colette ; *Les Silences du colonel Bramble* de A. Maurois ; *Coups de couteau* de F. Mauriac ; *Le Portrait de Dorian Gray* d'O. Wilde ; *Deux cents chambres, deux cents salles de bain* de V. Larbaud ; *Suzanne et le Pacifique* de J. Giraudoux ; *La Saison au bois de Boulogne* de M. Beaubourg ; *Supplément au spectateur nocturne* de F. Fleuret ; *Images à mon goût* de G. de Voisins ; *Les Discours du docteur O'Grady* de A. Maurois ; *Fugue sur Siegfried* de J. Giraudoux ; *Les Contrerimes* de P. J. Toulet ; *La Vie des abeilles, La Vie des fourmis, La Vie des termites* de M. Maeterlinck, etc., ainsi que des gravures pour les rééditions de luxe du *Diable amoureux* de Cazotte, *Supplément au voyage de Bougainville* de Diderot, *Physiologie du goût* de Brillat-Savarin, *Trois Contes cruels* de Villiers de L'Isle Adam, *La Paix* d'Aristophane, *Le Chasseur vert* de Stendhal, etc. ■ Jacques Busse

Bibliogr. : Louis Godefroy : *L'Œuvre gravé de Jean Émile Laboureur*, chez l'auteur, Paris, 1929 – P. du Colombier : *Laboureur, graveur*, N.R.F, Paris, 1931 – J. Loyer : *Laboureur, œuvre gravé et lithographié*, Imprimerie Tournon, Paris, 1962 – Sylvain Laboureur : *Catalogue complet de l'œuvre de Jean Émile Laboureur*, Ides et Calendes, Neuchâtel, 1989, 1990, 1991 – Catalogue de l'exposition : *Jean Émile Laboureur illustrateur*, Bibliothèque municipale, Nantes, 1996.
Musées : Paris (Cab. des Estampes) : *Le Paradis terrestre* 1902, bois.
Ventes Publiques : Paris, 1er juin 1933 : *La maison abandonnée*, pl. et aquar. : **FRF 300** – Paris, 7 nov. 1934 : *Music Hall*, gche : **FRF 200** – Paris, 5 mai 1937 : *Le quartier des pêcheurs*, gche : **FRF 315** – Paris, 9 juin 1938 : *La repasseuse*, gche : **FRF 410** – Paris, 24 avr. 1942 : *Le café du commerce* 1913 : **FRF 1 800** – Paris, 6 juin 1947 : *Devant la maison* : **FRF 1 950** – Paris, 20 fév. 1950 : *Petite plage*, aquar. gchée : **FRF 9 000** – Paris, 28 fév. 1951 : *Les enfants dans la rue* : **FRF 7 000** – Paris, 6 juin 1971 : *Le corset* 1911 : **FRF 5 000** – Paris, 1er mars 1976 : *La blanchisseuse* 1922, burin : **FRF 7 500** – Paris, 20 déc. 1976 : *Danse* 1920, gche (13,3x9,7) : **FRF 3 200** – Paris, 4 mars 1977 : *La blanchisseuse* 1922, burin/vélin : **FRF 5 800** – Paris, 9 mai 1979 : *Le balcon sur la mer, Le Croisic* 1923, burin : **FRF 13 500** – Paris, 9 mai 1979 : *Le vol des canards, Brière* 1932, mine de pb (16x20,3) : **FRF 5 500** – New York, 2 févr 1979 : *Suzanne et le Pacifique*, aquar. (20x14) : **FRF 6 800** – Paris, 25 nov. 1982 : *Le Grand-Café du Commerce* 1913, aquar., past., encre de Chine et mine de pb (30x36) : **FRF 70 000** – Paris, 8 juin 1983 : *La Ferme*, aquar. sur traits de pl. (18x26) : **FRF 5 800** – Paris, 24 oct. 1984 : *L'amazone au lévrier* 1913, eau-forte : **FRF 18 000** – Paris, 3 déc. 1984 : *Gratte-ciel en construction, New York* vers 1905, dess. en ton bistre (36x25) : **FRF 11 000** – Paris, 4 mars 1985 : *La soupe* 1898, grav./bois en coul. : **FRF 13 000** – Paris, 22 oct. 1986 : *L'Attente au restaurant, New York* 1905, encre de Chine avec reh. d'aquar. (18,7x21,8) : **FRF 8 700** – Paris, 22 oct. 1986 : *Trois pêcheurs en conversation, Le Croisic* 1923, h/cart. (56x46) : **FRF 72 000** – Paris, 7 déc. 1987 : *La cabaretière obèse* 1917, burin : **FRF 9 200** – Paris, 25 mai 1987 : *Ernest, garçon de restaurant*, lav. d'encre avec reh. de gche blanche (44x27) : **FRF 10 500** – Paris, 29 jan. 1988 : *La pêche à la ligne* 1928, burin (24x27) : **FRF 4 300** – Paris, 12 oct. 1988 : *Maisons au bord de la mer* vers 1936, gche (28x23) : **FRF 21 000** – Paris, 7 nov. 1988 : *Sortie de théâtre à Londres* 1911, eau-forte : **FRF 4 500** – Paris, 13 juin 1990 : *La Ruelle en Bretagne*, mine de pb (21x15) : **FRF 14 000** – Saint-Dié, 18 nov. 1990 : *Le balcon sur la mer* 1923, grav. en noir (28,5x20) : **FRF 18 000** – Paris, 6 nov. 1991 : *Chaumières dans les marais* 1930, eau-forte (19x21,5) : **FRF 3 800** – Paris, 11 mars 1992 : *Idylle au bord de l'eau* 1927, mine de pb (34x28,2) : **FRF 3 200** – Paris, 13 nov. 1992 : *Toilette* 1930, mine de pb et aquar. (25,5x20) : **FRF 5 900** – Paris, 16 nov. 1992 : *Le café du commerce* 1913, eau-forte (30,7x34,8) : **FRF 21 000** – Paris, 24 fév. 1993 : *Portrait de Toulouse-Lautrec* 1906, bois gravé : **FRF 12 000** – Paris, 11 juin 1993 : *L'île déserte* 1914, eau-forte/vélin (29,5x34,7) : **FRF 15 000** – Paris, 28 jan. 1994 : *Assemblée d'enfants*, aquar. (16x22) : **FRF 12 000** – Paris, 9 mars 1994 : *Le bar en Pennsylvanie* 1904, h/bois (40,5x40,5) : **FRF 225 000** ; *Le paysagiste*, h/t (73,2x60,3) : **FRF 81 000** ; *Chez la fleuriste* 1919, pl. (34x26,2) : **FRF 7 500** – Paris, 3 juin 1994 : *Le café du commerce* 1913, eau-forte (30,4x34,4) : **FRF 24 000** – Paris, 21 sep. 1994 : *Un coin du Luxembourg* 1898, bois gravé : **FRF 22 000** – Paris, 4 juil. 1995 : *Les Pêcheurs à la ligne*, cr./pap. calque (22x25) : **FRF 4 000** – Paris, 18 mars 1996 : *Le Vieux Poirier* 1925, burin : **FRF 13 500** – Paris, 13 juin 1996 : *L'Amazone au lévrier* 1913, eau-forte (39x54) : **FRF 31 000** – Paris, 21 nov. 1996 : *Maisons à Pont-Aven* 1907, litho. coul. (21,3x23) : **FRF 21 000** – Paris, 18 déc. 1996 : *L'Amazone* 1913, eau-forte/zinc (19,9x17) : **FRF 10 500** – Paris, 10 juin 1997 : *Promenade en Amérique* 1914, eau-forte (21,7x27) : **FRF 32 000** – Paris, 11 juin 1997 : *Smyrne, le port* 1910, pl., lav. d'encre de Chine et reh. de gche (16,5x22,5) : **FRF 16 500** – Paris, 25 juin 1997 : *Tea-room du front anglais* 1917, eau-forte et burin (21,3x20,2) : **FRF 3 800** – Paris, 30 oct. 1997 : *Tête de jeune femme*, mine de pb/vélin (15,2x16,2) : **FRF 3 800**.

LABOUREUR Maximilien
Né le 27 octobre 1739 à Rome, d'origine flamande. Mort le 18 janvier 1812 à Rome. xviiie-xixe siècles. Éc. flamande.
Sculpteur.
On mentionne ses œuvres à Rome : reliefs dans la salle du rez-de-chaussée de la villa Borghèse, ainsi que quatre vases représentant les quatre saisons, tombeau du *Cardinal de Bernis* avec bas-relief (*Poésie et religion*), à l'église Saint-Louis-des-Français.

LA BOUTICLE Jacquet de. Voir **JACQUET de La Bouticle**

LA BOUVERIE Jean
xviie siècle. Actif à Namur. Éc. flamande.
Peintre.
Le Musée de Namur possède de sa main un petit tableau dans le style de l'école de Rubens.

LABRA SUAZO José Maria de
Né en 1925 à La Corogne (Galice). xxe siècle. Espagnol.
Peintre. Abstrait.
Il vit et travaille à Madrid. Il participe à de nombreuses exposi-

tions de groupe de la jeune peinture espagnole. Il a obtenu le prix Perotti, à la Biennale de Venise et une médaille d'or à l'exposition d'art sacré de Salzbourg.
Il évolua à l'abstraction à partir de 1955. Son abstraction assemble des surfaces de tonalités sourdes, séparées par des délimitations de la matière en creux, et la simplicité des formes qui la composent l'apparente à l'art informel des années cinquante. Cette technique du compartimentage des surfaces peut rappeler le vitrail.
Bibliogr. : In : *Peintres contemp.*, Mazenod, Paris, 1964.
Musées : Barcelone – Madrid.

LABRADA Fernando
Né en 1875 à Malaga (Andalousie). xxe siècle. Espagnol.
Peintre de paysages, figures, graveur.
En 1901, il débuta à Madrid, avec des vues de cette ville et obtint en 1907 le prix de Rome. Il réalisa de nombreuses eaux-fortes.
Musées : Madrid (Mus. d'Art Mod.) : *Portrait de femme*.
Ventes Publiques : Madrid, 13 déc. 1973 : *Le parc du Retiro, Madrid* 1902 : **ESP 150 000** – Londres, 18 juin 1993 : *Carmela devant une colonade avec le village de Toro au fond* 1926, h/t (35,3x28) : **GBP 18 400**.

LABRADA Martin Fernando
Né le 8 septembre 1888 à Malaga (Andalousie). Mort le 4 janvier 1977 à Madrid (Castille). xxe siècle. Espagnol.
Peintre de figures, graveur.
Il fut élève de l'école des beaux-arts de Malaga, puis séjourna à Rome grâce à une bourse de l'État. Il obtint une chaire à l'école des beaux-arts San Fernando de Madrid et fut directeur de l'académie des beaux-arts d'Espagne à Rome. Il a participé à de nombreuses expositions collectives, notamment à Venise, en Belgique, en Hollande, à Malaga, Barcelone... Il a montré ses œuvres dans des expositions personnelles. Il a obtenu la troisième médaille de la Société Nationale des Beaux-Arts d'Espagne, en 1904 et 1906 la première médaille en peinture en 1922, la seconde médaille en gravure à l'Exposition internationale de Barcelone de 1911.
Il peint surtout des portraits, s'attachant à reproduire avec minutie les détails.
Bibliogr. : In : *Cien anos de pintura en Espana y Portugal, 1830-1930*, Antiqviria, t. IV, Madrid, 1990.

LABRADOR ARJONA José Maria
Né le 14 août 1890 à Cordoue (Andalousie). Mort en 1977 à Séville (Andalousie). xxe siècle. Espagnol.
Peintre de paysages, compositions animées, figures.
En 1911, il entre à l'école des arts et métiers de Séville, puis il obtient une bourse de la ville qui lui permet de voyager en Europe. Professeur de dessin à l'école des arts et métiers, il obtient ensuite une chaire à l'école des beaux-arts de cette même ville. Il participe à de nombreuses expositions collectives, notamment à l'exposition de Séville en 1921 et 1923. Il montre ses œuvres régulièrement dans des expositions personnelles. Participant au concours de la Société Nationale des Beaux-Arts, il a obtenu en 1941 la troisième médaille, en 1948 la seconde médaille et en 1950 la première médaille.
Par touches fougueuses, il peint les paysages de sa contrée, les paysans, les gitans, avec pittoresque.
Bibliogr. : In : *Cien anos de pintura en Espana y Portugal, 1830-1930*, Antiqvaria, t. IV, Madrid, 1990.

LABRADOR Juan
Né à Jaraicejo (Estremadure). Mort vers 1600 à Madrid. xvie siècle. Vivant à Badajoz en 1530. Espagnol.
Peintre de fleurs, de natures mortes, de fruits et d'intérieurs.
Probablement descendant de Juan Garcia-Labrador. Élève de Moralès. Le Musée de Nancy conserve de lui *Tortue et crabe*. Il excella dans la représentation des gouttes d'eau.
Ventes Publiques : Paris, 1852 : *Fleurs* : **FRF 300** – Paris, 9 jan. 1942 : *Animaux et fleurs*, attr. : **FRF 10 300** – Cologne, 26 mai 1971 : *Nature morte aux fleurs* : **DEM 65 000** – El Quexigal (Prov. de Madrid), 25 mai 1979 : *Nature morte aux fruits*, h/t (38x49) : **ESP 525 000**.

LABRADOR Raymond de
Né vers 1820. Mort vers 1875. xixe siècle. Français.
Peintre de compositions mythologiques.
Bibliogr. : In : Catalogue de l'exposition : *Les années romantiques, la peinture française de 1815 à 1850*, Musée des Beaux-Arts de Nantes, 1995-1996 et Galeries nationales du Grand Palais, Paris, 1996.
Musées : Bordeaux (Mus. des Beaux-Arts) : *Léda* 1847 – *Pandore* 1848.

LABRAISE Joseph ou **Labroise**
Né à Nancy. Mort en 1835 à Nancy. xixe siècle. Français.
Sculpteur.
Membre de l'Académie de Nancy. Auteur de la première statue du duc de Lorraine *Stanislas*, érigée sur la place Stanislas à Nancy, et de la statue *Le Génie de la France* distribuant des couronnes aux armées françaises (1808). Un *Saint Nicolas* de cet artiste se trouve au couvent de la Doctrine, à Nancy. On lui attribue une *Diane* et un *Apollon*, conservés au Musée Lorrain, de Nancy.

LABRAM Jonas David ou **l'Abram**
Né le 3 février 1785 à Bâle. Mort le 3 avril 1852 à Bâle. xixe siècle. Suisse.
Dessinateur, peintre et lithographe.
S'adonna surtout au dessin des plantes et des insectes et travailla beaucoup à l'illustration d'ouvrages de botanique et d'entomologie.

LABRANCHE Gilles
Né en 1947. xxe siècle. Canadien.
Peintre de compositions animées, paysages.
Ventes Publiques : Montréal, 1er mai 1989 : *Saint André et Sainte Mariane à Montréal* 1989, h/t : **CAD 1 700** – Montréal, 30 avr. 1990 : *Promenade solitaire du dimanche après-midi* 1980, h/t (76x91) : **CAD 1 210** – Montréal, 5 nov. 1990 : *Corby House* 1989, h/t (76x91) : **CAD 935**.

LA BRÉLY Auguste de
Né en 1838 à Fuissé (Saône-et-Loire). Mort le 20 avril 1906 à Lyon (Rhône). xixe siècle. Français.
Peintre de genre, portraits.
Élève de Gleyre à l'École des Beaux-Arts de Paris, il participe au Salon de Paris de 1863 à 1882, puis fit des envois au Salon de Lyon et de la région.
Ses portraits mettent l'accent sur la qualité des vêtements plus que sur le rendu psychologique des personnes.
Bibliogr. : Gérald Schurr, in : *Les Petits Maîtres de la peinture 1820-1920, valeur de demain*, Les Éditions de l'Amateur, t. VII, Paris, 1989.
Musées : Paris (Mus. Renan-Scheffer) : *Victorien Sardou et sa famille* – Tournus : *Jeune femme écrivant*.
Ventes Publiques : Londres, 7 oct. 1987 : *Un coup du sort*, h/pan. (53x44) : **GBP 2 000** – Monaco, 3 déc. 1989 : *Nu dans un paysage*, h/t (62x75) : **FRF 44 400** – New York, 27 mai 1992 : *Couple d'amoureux se promenant dans un sous-bois en automne* 1874, h/pan. (54,5x36,5) : **USD 16 500**.

LA BRÉVIAIRE Marthe, Mme
Née à Paris. xxe siècle. Française.
Peintre de figures, portraits, animaux.
De 1926 à 1929, elle a exposé à Paris, au Salon des Indépendants.

LABRIANO Francisco
xvie siècle. Actif à Valladolid. Espagnol.
Peintre.

LABRIARE Albert de
xixe siècle. Actif à Paris. Français.
Sculpteur.
Exposa au Salon en 1848.

LA BRIÈRE Charles de
xviie siècle. Français.
Peintre.
Il fut reçu à l'Académie Saint-Luc en 1626.

LA BRIÈRE Paul Edouard de. Voir **DELABRIÈRE**

LABRO Georges
xxe siècle. Français.
Sculpteur.
Il reçut le prix de l'aéroport du Bourget.

LABRO-FONT Louis
Né en 1881. Mort en 1952. xxe siècle. Français.
Peintre de paysages, marines. Postimpressionniste.
Paysagiste, il est resté fidèle aux recherches impressionnistes de transcription de la lumière en légères touches. Il a peint dans le Midi, en particulier dans le Vaucluse, ainsi que sur le rivage méditerranéen et en Normandie.

LA BROISE Jacques de
Né à Saint Lô (Manche). xxe siècle. Français.

Peintre de portraits, paysages, intérieurs, fruits.
Il fut élève de P. A. Laurens. Il exposa à Paris, au Salon des Artistes Français, dont il est membre sociétaire, ainsi qu'aux Tuileries et à l'Automne.
Il peignit aussi des vues de Paris.

LABROISE Joseph, ou **Joseph de**. Voir **LABRAISE**

LA BROISE Mathilde de, Mme
xxe siècle. Française.
Peintre.
Membre de la de la Société des Artistes Français, elle a pris part à ses expositions.

LABROUCHE Pierre
Né au xixe siècle à Bayonne. xxe siècle. Actif à Paris. Français.
Peintre de paysages et graveur.
Il exposa de 1905 à 1914 et en 1921 au Salon de la Société Nationale des Beaux-Arts, des paysages et des tableaux d'architecture (motifs du Sud de la France des Flandres, de l'Italie, de l'Espagne, de l'Algérie), ainsi que des gravures sur cuivre et des eaux-fortes. Il a illustré, en 1937, *Navarre et Vieille Castille*, d'Abel Bonnard.

LABROUE Alphonse de
Né en 1792. Mort le 7 janvier 1863 à Metz (Moselle). xixe siècle. Français.
Peintre de portraits, aquarelliste, miniaturiste.
Exposa au Salon de 1844.
Ventes Publiques : Paris, 2 déc. 1994 : *Portrait oriental* 1822, aquar./pap. (13,5x10) : **FRF 13 500**.

LABROUE DE SAINT-AVIT de, Mme
xixe siècle. Active à la fin du xixe siècle. Française.
Peintre.
Le Musée d'Amiens conserve son portrait peint par elle-même.

LABROUSSE
Né au xviiie siècle à Bordeaux. xviiie siècle. Français.
Dessinateur et graveur.
Il exécuta les dessins des gravures de J. Grasset de Saint-Sauveur pour l'ouvrage *La Rome antique*. Il fit les gravures de l'ouvrage *Costumes des représentants du peuple, membre des deux conseils*. On cite encore sa gravure sur cuivre : *Trait de sang-froid de Dulong, sergent de la 84e demi-brigade*.

LABROUSTE Henri
Né en 1801 à Paris. Mort en 1875 à Fontainebleau (Seine-et-Marne). xixe siècle. Français.
Architecte et dessinateur.
Le célèbre architecte de la Bibliothèque Sainte-Geneviève et de la Bibliothèque Nationale à Paris, l'un des premiers à avoir utilisé le fer en tenant compte d'une esthétique des formes, commença à dessiner dès l'âge de treize ans. Titulaire du Prix de Rome, en 1824, il dessina d'après nature de nombreux monuments d'Italie. En 1841, il fit plusieurs projets pour l'édification du tombeau de Napoléon Ier.
Bibliogr. : Catalogue de l'exposition *Henri Labrouste*, Paris, Bibliothèque Nationale, 1953 – Catalogue de l'exposition *Dessins d'architecture du xve au xixe siècle*, Paris, Musée du Louvre, 1972 – Catalogue de l'exposition *Henri Labrouste*, Paris, Caisse Nationale des Monuments Historiques, 1975.

LA BROYE Roger de
Né à Elbeuf (Seine-Maritime). xixe siècle. Français.
Peintre de paysages.
A exposé des paysages au Salon d'Automne.

LABRUNIE Jacques
Né le 13 octobre 1929 à La Rochelle (Charente-Maritime). xxe siècle. Français.
Peintre. Abstrait-paysagiste.
Il a participé à diverses expositions de groupe, notamment à Paris au Salon Comparaisons, en 1957 ; à la Biennale, en 1961, 1963. Il montre ses œuvres dans des expositions personnelles notamment à Paris en 1955, 1956, 1960, 1962, 1966.
Parti d'une figuration poétique, il a évolué à une abstraction à tendance informelle, que l'on peut aussi qualifier de paysagisme abstrait. Les titres qu'il a donnés à ses peintures à partir des années 65-70 : *Les Âges parallèles* – *Mémoires des superstitions abolies* – *L'Empreinte des terres vierges du soleil* – *Séparation des terres liquides* – *L'Âge du renne* – *La Racine des eaux*, etc., indiquent une méditation sur l'origine de l'homme, voire du monde. Edmond Humeau en a dit : « Il s'agit là d'une peinture qui, pour être de l'âme, n'en possède pas moins un corps lumi-nescent dont les reflets se perdent ou se transforment en des cristaux qui s'irradient, un peu à la manière de l'écorce terrestre telle qu'elle nous parvient, depuis l'au-delà de ce globe, en des photos qui nous paraissent encore fantastique... »

LABRUYÈRE F.
xixe siècle.
Paysagiste.
La Galerie Roussel, à Louviers, conserve deux œuvres de cet artiste.

LABRUZZI Carlo
Né en 1747 ou 1748 à Rome. Mort en 1818 à Pérouse. xviiie-xixe siècles. Italien.
Peintre de sujets mythologiques, compositions religieuses, scènes de genre, paysages, graveur à l'eau-forte.
Probablement parent de Pietro et de Tommaso Pietro Labruzzi, Carlo se fit une réputation comme peintre de paysages et comme graveur. Dans ce dernier genre, il produisit des reproductions au trait d'après Masaccio (*Pitture di Masaccio existenti in Roma nella Basilica di S. Clemente*, quarante-trois gravures, publiées à Rome en 1830). Cette date est intéressante ; elle fixe la durée approximative de la vie de l'artiste et semble indiquer que Carlo s'occupait surtout de gravure à la fin de sa carrière. On cite encore une suite de gravures au trait d'après les ouvrages de Michel-Ange à Florence, des vues de Rome et de ses environs, des scènes de la vie villageoise des environs de Rome, des suites de costumes de paysans de la campagne romaine, des paysages au trait. Carlo Labruzzi est représenté dans plusieurs Musées français et notamment au Palais de Compiègne, ce qui permettrait de supposer qu'il vint à Paris. On cite également en Pologne un peintre du nom de Labruzzi qui travailla à Vilanor pour le comte Potocki dont la galerie conserve le *Lac d'Agnano* et *Vue d'Olesin*, résidence d'été du comte. Nous croyons qu'il s'agit de Carlo, Tommaso Pietro Labruzzi étant cité seulement pour avoir traité des sujets historiques.
Musées : Compiègne : Deux paysages historiques – Épinal : *Le repos en Égypte* – Florence (Mus. des Offices) : *Teresa Monti Pichler* – Rome (Borghèse) : *Apollon et Diane* – Rouen : *Paysage*.
Ventes Publiques : Londres, 28 mars 1979 : *Paysage aux environs de Rome animé de personnages*, aquar. et pl. (36,9x49,5) : **GBP 450** – Londres, 26 nov. 1981 : *Figure originale* 1787, pierre noire, pl. et lav., album de quarante-huit dessins (23,2x17,6) : **GBP 2 800** – Rome, 27 nov. 1989 : *Campagne romaine*, h/pan. (45x62,5) : **ITL 9 775 000** – New York, 9 jan. 1991 : *Jeune paysan taillant un bâton* ; *Personnages sur une route*, encre et lav., une paire (12,2x15,9) : **USD 1 980** – Rome, 8 mars 1994 : *Le tombeau de Cecilia Metella*, encre brune aquarellée/pap. (40x55) : **ITL 5 750 000** – Rome, 24 oct. 1995 : *Paysage avec le Pont Nomentano* ; *Paysage avec le Pont Salario*, temp./pap., une paire (37x47,5) : **ITL 18 400 000** – Londres, 18 avr. 1997 : *Paysage d'Arcadie avec Adonis quittant Vénus* ; *Paysage boisé avec des paysans se reposant dans l'ombre près d'un lac, une femme et un enfant sur un chemin*, h/t, une paire (47,5x66,4) : **GBP 38 900**.

LABRUZZI Tommaso Pietro
Né le 28 janvier 1739 à Rome. Mort le 13 février 1805 à Rome. xviiie siècle. Italien.
Peintre d'histoire.
Frère de Carlo Labruzi. On sait qu'il peignit un grand nombre de compositions historiques, religieuses, et des portraits. Il semble ne jamais avoir eu beaucoup de succès et ses œuvres ont été dispersées un peu partout.
Ventes Publiques : Londres, 6 déc. 1972 : *Portrait of Sir James Bland Burges* : **GBP 1 600** – Rome, 27 mars 1980 : *Portrait d'un gentilhomme*, h/t (100x75) : **ITL 6 500 000** – New York, 15 jan. 1987 : *Portrait présumé de Carlo Giuseppe Ratti* 1796, h/t (121x88) : **USD 36 000**.

LABUS Giovanni Antonio
Né en 1806 à Brescia. Mort en 1857 à Milan. xixe siècle. Actif à Milan. Italien.
Sculpteur.
On cite parmi ses principales œuvres : à Milan, une statue colossale du mathématicien *B. Cavalieri*, dans la cour de la Brera et une statue de *Saint Gerolamo Miani* (à l'orphelinat de garçons), dans le cimetière de Brescia, des monuments funéraires et dans l'église S. Faustino Maggiore de la même ville, le buste de l'évêque *Nava*, enfin à la façade de l'église paroissiale de Stresa, deux *Anges* de marbre.
Musées : Milan (Art Mod.) : *Apothéose de Canova*, bas-relief.

LABY Alexandre
XIXe siècle. Actif à Paris. Français.
Peintre d'histoire.
Exposa entre 1840 et 1844.

LABY Auguste François
Né le 4 juillet 1784 à Paris. Mort en septembre 1860 à Paris. XIXe siècle. Français.
Peintre d'histoire, compositions religieuses, portraits, lithographe.
Élève de David. Il fut peintre du cabinet du roi et exposa au Salon de 1817 à 1850. Il exécuta des travaux pour l'église d'Etale, en Belgique, peignit *Le miracle de saint Leu* (à l'église de Ville-Thierry), une *Crucifixion*, 1827, (à l'église de Villemomble), un *Portrait de Louis XVIII* (à la Société de l'Union, à Lille), un *Portrait de Charles X*, (à l'Hôtel de Ville de Béziers).
Ventes Publiques : Paris, 30 et 31 mars 1910 : *Portrait présumé de lord Seymour* : **FRF 740** – Paris, 20 juin 1924 : *Portrait de jeune femme en robe blanche*, miniat. : **FRF 170** – Paris, 13 juin 1988 : *Mère et ses deux enfants* 1849, h/t (117x89) : **FRF 14 000**.

LACAILLE Félix Jules
XIXe siècle. Vivant à Paris. Français.
Peintre.
Sociétaire des Artistes Français depuis 1889, il figura au Salon de ce groupement.

LACAILLE T. J.
Français.
Peintre de genre.
La Galerie Roussel, à Louviers, conserve de lui : *Maréchal ferrant*.

LACAILLE Théodore
Né le 1er janvier 1823 à Paris. XIXe siècle. Français.
Paysagiste.
Élève de Drolling et Ricois. Il exposa de 1848 à 1861.

LA CALLE Y LAZARO Placido de
Né à Madrid. XIXe siècle. Espagnol.
Peintre de paysages.
Élève de l'École supérieure des Beaux-Arts de Madrid. Il participa à la Nationale des Beaux-Arts en 1881.

LA CALLEJA Andres de
Né en 1705 à Rioja. Mort le 2 janvier 1785 à Madrid. XVIIIe siècle. Espagnol.
Peintre.
Il fut élève de G.-A. Ezquerra et réussit si vite et si bien qu'il obtint de bonne heure un poste honorifique auprès du roi Philippe V. En 1752, Philippe VI le nomma premier directeur de l'Académie qui venait d'être fondée à Madrid. On dit qu'il occupa les dernières années de sa vie à restaurer les tableaux appartenant au roi. Ses chefs-d'œuvre se trouvent à Madrid, dans les églises Santa Cruz et San Felipe el Real.

LACALMONTIE Jean-François
Né en 1947 à Neuilly-sur-Marne (Seine-Saint-Denis). XXe siècle. Français.
Peintre, graveur, dessinateur.
Il fut élève de l'école des beaux-arts de Paris. Il séjourne six mois à New York, en 1985. Il est professeur à l'école des beaux-arts de Dijon. Il vit et travaille à Paris.
Il participe à des expositions collectives depuis 1978 : 1978 Salon de Montrouge, 1982 Maison des arts de Créteil, 1983 musée des Augustins de Toulouse, 1983 musée Bonnat de Bayonne, 1984 musée des Arts décoratifs de Paris, 1985 Orangerie du Luxembourg à Paris, 1992 *Singularités* à la galerie Marwan Hoss à Paris, 1996-1997 *En Filigrane – un regard sur l'estampe contemporaine* à la Bibliothèque nationale à Paris.
Il montre ses œuvres dans des expositions personnelles depuis 1976 à Paris (1977, 1982, 1984, 1986, 1987, 1990, 1993), à New York (1985), au FRAC de Poitou-Charentes à Angoulême (1986), au musée des beaux-arts de Nantes (1992). En 1991, il a créé les décors pour *Les amours de Monsieur Vieux-Bois* d'après Toepffer.
Après avoir travaillé en « couleurs » le thème du coucher de soleil, il a privilégié, à partir de 1986, la couleur blanche, sur laquelle il reproduit à l'encre de Chine noire de petites formes identifiables, des signes mystérieux, des hiéroglyphes inconnus, nés de son inconscient, portés sur des supports transparents et projetés par rétroprojecteurs.
Bibliogr. : Catalogue de l'exposition : *Les Années 80*, Abbaye de Meymac, 1989 – Louis Marin, Michel Enrici : catalogue de l'exposition : *J. F. Lacalmontie*, Galerie Zabriskie, Paris, 1990 – Catalogue de l'exposition : *J. F. Lacalmontie*, Musée des Beaux-Arts, Nantes, 1992 – Catalogue de l'exposition : *Lacalmontie – Histoire de sangsues*, Galerie Marwan Hoss, Paris, 1993 – Elisabeth Vedrenne : *J. F. Lacalmontie*, Beaux-arts, n° 119, Paris, janv. 1994.
Musées : Amiens (FRAC Picardie) : *40 jours dans la neige* 1990, 40 dess.
Ventes Publiques : Paris, 25 nov. 1987 : *Le poids de la peinture* 1983, acryl./t. (200x300) : **FRF 14 000** – Paris, 17 juin 1988 : *Petit matin* 1986, acryl. et techn. mixte/t. (180x154,5) : **FRF 12 000** – Paris, 12 avr. 1989 : *Petit matin* 1986, acryl./t. (180x154,5) : **FRF 11 000**.

LA CAMARA Y CUADROS Juan de
Né en 1858 à Valladolid. XIXe siècle. Espagnol.
Peintre de portraits et de genre.
On cite de lui un *Portrait du roi Alphonse XII* (1875) et *La Pénitente*. Il a exposé à Madrid en 1876 une *Étude de Tête*, en 1883 : *Recuerdo de la Isabela* et *Retrato de Luis Santa Ana*.

LACAMPAGNE Françoise
Née le 15 juillet 1943 à Bordeaux (Gironde). XXe siècle. Française.
Sculpteur, dessinatrice, auteur d'assemblages.
Elle vit et travaille dans les Landes et à Paris. Elle participe à des expositions collectives à Paris : depuis 1980 régulièrement à la FIAC (Foire Internationale d'Art Contemporain) ; 1984 atelier des enfants au musée national d'Art moderne à Paris ; 1990 et 1991 SAGA (Salon d'Arts Graphiques Actuels) ; 1991 Salon Grands et Jeunes d'Aujourd'hui ; ainsi que : 1990 musée des Beaux-Arts de Pau et au musée Ingres de Montauban ; 1991 musée de Dieppe. Elle montre ses œuvres dans des expositions personnelles à Nice en 1984-1985, au Centre national d'Art contemporain de Mont-de-Marsan en 1987, à Paris régulièrement.
Puisant dans la nature, sur les plages des Landes en particulier, les matériaux de base de ses œuvres, elle assemble, à partir de 1975, galets, bois flottés et souches. Placées d'abord dans des boîtes puis des tiroirs selon une organisation rigoureuse, ses sculptures ont pris depuis peu de l'autonomie par rapport à l'espace, s'épanouissant librement hors de tout cadre établi. Les souches désormais deviennent le point de départ, le support d'autres éléments ; galets, bâtonnets et brindilles, colliers minéraux ou végétaux, viennent envelopper le bois, l'enlacer, s'y adosser. Les formes évoquent quelque animal tapi, quelque magicien mystérieux, ce que les titres qui aiment à raconter nous confirment : *La Tortue, Grenouille Damaru, La Pythie...* Soucieuse de la conservation de son travail, elle fait vieillir prématurément ses bois de quelques millions d'années, les fossilisant, au Centre d'Études Nucléaires de Grenoble. Dans ses œuvres monumentales, elle intègre du béton allégé à retardement toujours dans le même souci de pérennité. Parallèlement, elle réalise des dessins à l'encre, au crayon ou au feutre, choisissant pour thème la nature et le portrait. Elle crée aussi des bijoux, poursuivant des recherches sur les chiffres et leur symbolique. ■ L. L.
Bibliogr. : Jean Planche : *Françoise Lacampagne – La Langue sortie de la mer*, Artension, n° 7, déc. 1988 – Patrick Gilles Persin : *Françoise Lacampagne*, Cimaise, n° 203, Paris, nov.-déc. 1989.
Musées : Antibes (Mus. Picasso) – Paris (FNAC).

LACARCEL Y APARICI Félix
Né le 14 novembre 1883 à Valence. XXe siècle. Espagnol.
Peintre de paysages.
Il fut élève de l'académie des beaux-arts de San Carlos à Valence et de San Fernando à Madrid. À partir de 1932, il fut nommé professeur à l'école des arts et métiers de Séville. En 1906, il participa à l'exposition de la Société Nationale des Beaux-Arts, obtenant une mention. En 1916, il obtint une seconde médaille à l'exposition de la jeunesse de Valence.
Spécialisé dans les paysages, il a également réalisé quelques portraits. Il peint sa région natale, osant parfois de violents contrastes de couleurs.
Bibliogr. : In : *Cien anos de pintura en Espana y Portugal, 1830-1930*, Antiqvaria, t. IV, Madrid, 1990.

LA CARCOVA Carlos de
XXe siècle. Argentin.
Sculpteur.
Il est le fils du peintre Ernesto.

LA CARCOVA Ernesto de

Né à Buenos Aires. XIXe-XXe siècles. Argentin.

Peintre.

Il fut élève de l'académie des beaux-arts de Turin. Il a reçu une médaille d'or à Milan en 1893, à Saint Louis en 1900, une mention honorable au Salon des Artistes Français à Paris, en 1912.

LACARRIÈRE P. J. Maurice

XIXe siècle. Travaillant à Paris. Français.

Peintre.

Sociétaire des Artistes Français depuis 1894, il figura au Salon de ce groupement.

LACAS Gérard Joseph Louis. Voir **GÉRALD**

LACASSE Joseph

Né le 5 août 1894 à Tournai (Hainaut). Mort le 26 octobre 1975 à Paris. XXe siècle. Actif depuis 1925 et depuis 1947 naturalisé en France. Belge.

Peintre, peintre à la gouache, peintre de collages, sérigraphe. Postcubiste, puis abstrait.

Le petit garçon ouvrier qui s'est fait artiste à la force du poignet, est devenu un vieil enfant dont l'enthousiasme n'a pas faibli, ni sa faconde populaire désarmante. Cadet d'une famille de cinq enfants, son père était carrier. Dès 1905, il débuta auprès de celui-ci, comme plombeur de sacs, puis, en 1907, comme briseleur à l'ensachage de la chaux et du ciment. En 1909, tout en continuant à casser de la pierre, il suivit des cours du soir, notamment de dessin, et commença à s'essayer à la peinture, ayant à cœur d'apprendre la technique du faux-bois, du marbre, de la lettre, entrant finalement en apprentissage chez un peintre en bâtiment. En 1912, il entra à l'École des Beaux-Arts de Tournai, dont il suivit scrupuleusement l'enseignement traditionnellement réaliste, avant d'en sortir lauréat, en 1918. Mobilisé en 1914, il fut fait prisonnier, s'évada, et attendit la fin de la guerre, caché à l'hôpital de Tournai, où il passait son temps à peindre. En 1919, il entra à l'Académie Royale de Bruxelles, d'où il sortit premier, en 1920. Après un séjour en Italie en 1921, il s'installa définitivement à Paris, en 1925, sauf encore des voyages en Espagne et en Hollande. Lacasse, volontiers conteur picaresque de lui-même, a le sens épique, aussi ses divers biographes éprouvent-ils de réelles difficultés à s'y retrouver dans le détail de sa vie aussi bien que de son œuvre, notamment en ce qui concerne sa conversion au catholicisme, dont les récits et les commentaires qu'il en fait font douter de la limpidité de son orthodoxie. Par les témoignages de son compagnon de combat social, Henry Poulaille, on est mieux renseigné sur les activités de la galerie d'art-théâtre d'essai *L'Équipe*, sans but lucratif, qu'il ouvrit en 1934, dans son propre atelier de l'impasse Ronsin, où il était, entre autres, le voisin de Brancusi. Lieu de rencontre, lieu de discussion, sans doute aussi lieu de travail de groupe ; les jeunes artistes venaient s'y former et pouvaient y exposer librement leurs travaux ; sur une estrade de fortune, de jeunes comédiens venaient s'aguerrir à jouer en public, qui avaient noms Jean Vilar, Jean-Marie Serreau ; on y joua, pour la première fois à Paris, Michel de Ghelderode. Le but déclaré du fils de carrier, et il est symptomatique que le futur directeur du Théâtre National Populaire l'ait dès lors rejoint dans son entreprise, était, dans la mesure de ses moyens, de contribuer à la diffusion de la culture auprès d'un public populaire, activité au prix librement consenti du sacrifice de son œuvre propre. En effet, animateur infatigable de ce centre culturel spontané, on dirait aujourd'hui alternatif, qui envahissait d'ailleurs complètement son atelier, il ne pouvait que couvrir d'innombrables gouaches de très nombreux cahiers que l'on retrouvera dans la suite. En 1939, Lacasse s'engagea pour la guerre, passa en Angleterre avec de Gaulle, où il devint directeur d'un centre de rééducation des soldats blessés, puis, en 1943, enseigna la céramique à Stok-on-Trent, jusqu'en 1945.

Lacasse a participé à de très nombreuses expositions de groupe : 1920, Triennale de Gand ; 1925, Triennale d'Anvers ; 1933, *Trois Siècles d'Histoire Religieuse*, au Trocadéro à Paris ; 1953, 1957, Biennale de São Paulo ; 1956, 1958, Salon des Réalités Nouvelles à Paris ; 1957, Biennale de Santiago du Chili ; 1964, 1966, Salon de Mai à Paris ; 1967, *L'Art dans l'Usine*, à la fondation Peter Stuyvesant, à Paris, Amsterdam, Bruxelles, etc. ; 1970, Musée des Beaux-Arts de Nantes ; puis à titre posthume : 1980, Musées royaux des Beaux-Arts de Bruxelles ; 1984, Centre culturel Wallonie-Bruxelles, à Paris ; 1988, Palais des Congrès de Liège ; 1990, 1991, Salon de Mars à Paris, présenté par la galerie Callu Mérite ; 1991, Musée des Beaux-Arts de Saint-Lô ; 1993, Musée des Beaux-Arts de Mons.

Il montrait ses œuvres dans de nombreuses expositions personnelles : 1914, 1919, 1922, 1960, 1975 Bruxelles ; 1919, 1926, 1970 Tournai ; 1926 Roubaix ; 1927 à 1930, 1933, 1937, 1938, 1946, 1951, 1959, 1961, 1967, de 1969 à 1972 Paris ; 1952-1953 exposition itinérante dans de nombreuses villes d'Allemagne ; 1954 New York ; 1956 Francfort-sur-le-Main, Aix-la-Chapelle, Cologne ; 1957 cinq autres villes d'Allemagne ; 1958 Milan ; 1958 à 1960, 1962, 1971, 1973, Londres ; 1960, 1975 Bruxelles ; 1961 Oslo ; 1962 Copenhague ; 1964 musée d'Architecture de Hun (Suède) ; 1968 Musée des Beaux-Arts de Mons et Musée des Beaux-Arts de Liège ; 1973 Anvers ; puis après sa mort : 1977 Musée d'Histoire et d'Art à Luxembourg ; 1978 Musée de l'Art religieux moderne d'Ostende ; 1984 Drian Galleries à Londres ; 1988, 1989, 1991, 1996 galerie Callu Mérite à Paris ; 1994-1995 importante rétrospective pour le centenaire de la naissance de l'artiste au Musée d'Art moderne et d'Art contemporain de la ville de Liège, puis au Couvent des Cordeliers à Paris ; 1996-97 Toulouse, *Joseph Lacasse 1894-1975*, Fondation Bemberg. En 1958, il avait obtenu à New York, le Prix international de sérigraphie. En 1970, il fut fait commandeur de l'ordre de Léopold.

Beaucoup de ses essais de peinture de ses débuts étaient inspirés de la forme des pierres taillées et cassées, entassées ou juxtaposées selon les lois du hasard, qui constituaient alors son horizon quotidien, recréant par des voies inattendues l'apparence des compositions à facettes des cubistes contemporains qu'il ignorait complètement, ce qui lui valut de la part de son entourage, mi-sympathisant, mi-narquois, le qualificatif de « mosaïqueur ». À son arrivée à Paris, les sujets de ses peintures sont consacrés aux carriers et aux mineurs ainsi qu'à des compositions religieuses, motivées par sa conversion. Après les peintures des premières périodes, toujours intéressantes, mais tirant dans des directions trop diverses, voire désordonnées, pour fonder un œuvre original, la rencontre de Delaunay avait canalisé le torrent généreux et aveugle. Ces très nombreuses gouaches, qui vont bientôt constituer la base solide de tout son travail à venir, se sont établies dans un langage abstrait de plus en plus rigoureux. Leur datation imprécise a pu faire longuement épiloguer sur l'antériorité de Lacasse par rapport à Poliakoff, arguties sans grand intérêt (seules comptent les œuvres) qu'eut l'occasion de mépriser un Patrick d'Elme : « Ce sont des chemins différents que suivent ces deux hommes, même si en apparence des reflets de soleils sur certaines de leurs pierres se ressemblent. »

De retour à Paris, après la Seconde Guerre mondiale, il s'attaqua résolument à édifier son œuvre propre, et ceci à partir de la multitude de gouaches accumulées dans les années d'avant-guerre, pendant les activités de *L'Équipe*. Dans les années trente et quarante, il crée des collages d'une grande puissance créatrice, qui évoquent les affiches déchirées de Hains ou Villeglé. Il réalisa aussi un ensemble de fresques pour l'église de Juvisy, que les autorités religieuses prirent sur elle de détruire ; il réalisa ensuite une fresque : *Christophe Colomb découvrant l'Amérique*, pour l'Exposition Internationale de Paris en 1937 ; en 1952 une fresque pour un centre de jeunesse à Courbevoie, différents travaux de céramique ; des sérigraphies.

De ses peintures, on retient les purs rythmes des surfaces nettes et assez régulières, sans être strictement géométriques, imbriquées les unes dans les autres, travaillées souvent en plusieurs couches superposées aboutissant à des tonalités sourdes d'où surgit la gloire, selon les cas, des accords de tous les rouges ou des jaunes ou des bleus, comme l'effusion d'hymnes hautement spirituels. ■ Jacques Busse

Lacasse

Bibliogr. : Robert Bordier : *Il faut maintenant connaître Lacasse*, Art d'Aujourd'hui, Paris, nov. 1954 – Maurits Bilcke : *Cinquante Ans d'art abstrait en Belgique : reconnaissance des mérites de Lacasse*, De Periscoop, Bruxelles, oct. 1959 – Michel Seuphor : *La Peinture abstraite*, Flammarion, Paris, 1962 – Roger Bordier, Maurits Blicke : Catalogue de l'exposition *Lacasse*, Musée des Beaux-Arts, Mons, 1968 – in : *Les Muses*, Grange Batelière, t. IX, Paris, 1972 – in : *Diction. univer. de la peinture*, Le Robert, t. IV, Paris, 1975 – Catalogue de l'exposition *Lacasse*, Galerie Callu Mérite, Paris, 1988 – in : *L'Art du XXe s.*, Larousse, Paris, 1991 – in : *Diction. de l'art mod. et contemp.*, Hazan, Paris, 1992 – Marc Renwart : *Lacasse 1894-1975*, musée d'Art moderne et d'Art contemporain de la ville, Liège, et Couvent des Cordeliers, Paris, 1994 – Catalogue de l'exposition *Joseph Lacasse, 1894-1975*, Fondation Bemberg, Toulouse, 1996-97.

Musées : Bruxelles (Mus. d'Art Mod.) – Djakarta (Mus. Nat.) – Eilat – Eina Harod – Jérusalem – Luxembourg (Mus. d'Hist. de l'art) – Melbourne (Nat. Gal of Victoria) – Paris (Mus. Nat. d'Art Mod.) – Paris (Mus. d'Art Mod. de la Ville) – Paris (Mus. des Arts décoratifs) – Pittsburgh (Carnegie Inst.) – Tel-Aviv – Tournai (Mus. d'Art).

Ventes Publiques : Londres, 23 juin 1966 : *Les Coureurs à bicyclette* : **GBP 2 500** – Londres, 3 déc. 1976 : *Abstraction* 1959, h/t (73,5x100) : **GBP 650** – Anvers, 25 oct. 1977 : *Composition*, h/t (81x100) : **BEF 50 000** – Anvers, 8 mai 1979 : *Le repos du débardeur* 1914, gche (148x97) : **BEF 80 000** – Anvers, 22 avr. 1980 : *Composition* 1960, h/t (40x51) : **BEF 60 000** – Paris, 25 nov. 1981 : *Composition fond rouge* 1953-1954, h/t (65x81) : **BEF 280 000** – Paris, 14 déc. 1984 : *Composition* 1935, gche (27,5x24) : **FRF 8 000** – Paris, 22 juin 1984 : *Sans titre (jaune, orange et rouge)* 1954-1956, h/t (100x81) : **FRF 37 000** – Londres, 26 fév. 1986 : *Composition* 1911, gche et past./pap. (49x64) : **GBP 1 000** – Neuilly-sur-Seine, 16 mars 1989 : *Composition* 1935 (55x45) : **FRF 29 000** – Paris, 9 oct. 1989 : *Composition*, h/pan. (162x114) : **FRF 95 000** – Douai, 3 déc. 1989 : *Paysage*, h/t (60x80) : **FRF 15 000** – Paris, 8 nov. 1989 : *Composition* 1948, h/t (92x73) : **FRF 210 000** – Paris, 18 fév. 1990 : *Composition* 1940, gche (32x24) : **FRF 18 000** – Londres, 22 fév. 1990 : *Composition* 1958, h/t (130,2x88,2) : **GBP 28 600** – Amsterdam, 13 déc. 1990 : *Sans titre* 1959, h/t (64,5x80,5) : **NLG 37 950** – Paris, 15 mars 1991 : *Composition* 1960, h/t (72x92) : **FRF 70 000** – Amsterdam, 23 mai 1991 : *Sans titre* 1958, h/t (81x100) : **NLG 27 600** – Londres, 17 oct. 1991 : *Sans titre* 1933, gche et h/pap. noir (49,5x39,7) : **GBP 1 375** – Lokeren, 23 mai 1992 : *Jaune et orange* 1937, h/pan. (100x73) : **BEF 550 000** – Paris, 28 sep. 1992 : *Les Coureurs* 1913, h/t (33x41) : **FRF 15 000** – Lokeren, 15 mai 1993 : *Tachisme* 1958, h/t (100x73) : **BEF 450 000** – New York, 30 juin 1993 : *Sans titre* 1959, h/t (167,6x113) : **USD 6 900** – Copenhague, 2 mars 1994 : *Composition* 1958, h/t (73x91) : **DKK 48 000** – Lokeren, 28 mai 1994 : *Tachisme* 1958, h/t (100x73) : **BEF 500 000** – Paris, 29 juin 1994 : *Composition bleue* 1960, h/t (100x75) : **FRF 45 000** – Amsterdam, 8 déc. 1994 : *Composition* 1955, h/t (61x46) : **NLG 13 800** – Zurich, 14 nov. 1995 : *Composition en rouge* 1949, h/t (100x65) : **CHF 8 500** – Lokeren, 9 déc. 1995 : *Composition* 1958, h/t (100x73) : **BEF 380 000** – Amsterdam, 10 déc. 1996 : *Sans titre* 1953, h/t (100x80,5) : **NLG 25 370** – Amsterdam, 1er déc. 1997 : *Sans titre* 1949, h/t (100x65) : **NLG 16 520**.

LACATTE Jean Baptiste
Né le 31 août 1818 à Mars-sous-Bourg (Ardennes). xixe siècle. Français.
Paysagiste.
Élève de Defaux. Exposa au Salon à partir de 1870.

LACAUCHIE Alexandre
xixe siècle. Français.
Portraitiste, lithographe et aquafortiste.
Exposa en 1833, 1834 et 1835.
Ventes Publiques : Londres, 18 jan. 1980 : *Nature morte aux fruits* 1868, h/t (48,9x59,7) : **GBP 900**.

LACAULT Aquilès Léon
Né le 10 août 1866 à Paris. xixe-xxe siècles. Français.
Graveur.
Il fut élève de Maxime Lalanne et de Marcelin Desboutins. Il figura à Paris, au Salon des Artistes Français, où il obtint une mention honorable en 1889, le prix Belin-Dollet en 1920 et une médaille de bronze en 1921.
Ventes Publiques : Paris, 13 juil. 1942 : *Le général Lyautey regardant au Maroc le départ du premier avion* 1912 : **FRF 700** – Paris, 24 déc. 1942 : *Chevaux de halage, canal Saint-Martin* : **FRF 650**.

LACAVE Désiré
Né au xixe siècle à Neuilly-sur-Seine. xixe siècle. Français.
Sculpteur.
Débuta au Salon de 1877.
Musées : Ixelles : *Carpeaux*.

LA CAVE François Morellon de
Né à Amsterdam, d'origine française. xviiie siècle. Français.
Graveur.
Il semble avoir été l'élève de Bernard Picart (qui se fixa à Amsterdam en 1710). Il a signé un certain nombre de gravures illustrant des ouvrages, notamment une édition hollandaise de *La Henriade* et des *Tragédies de Voltaire* et une édition parisienne de *l'Histoire des Yncas, Rois du Pérou* (1731). On lui doit aussi des gravures de reproduction (d'après Ant. Coypel et W. Hogarth), et une série de portraits.

LA CAVE Peter ou **Le Cave**
xviiie-xixe siècles. Britannique.
Peintre de paysages animés, aquarelliste, dessinateur.
Peut-être parent de Fr. Morellon de La Cave. Cet artiste dont les biographes ne parlent pas, travailla à Londres, où il exposa à la Royal Academy en 1801. Il fut surtout professeur, semble-t-il. On cite de ses ouvrages datés entre 1801 et 1806, paysages avec animaux ou figures ou scènes pittoresques. Il signait *La Cave* ou *Le Cave* ; c'est sous ce dernier nom qu'il figura à la Royal Academy.
Musées : Londres (Water-Colours Mus.) : *Paysage : chevaux à la charrue et figures – Paysage : cottage et chaise de poste – Paysage : bestiaux* 1804 – *Paysage : château en ruines et figures – Paysage et figures* – Londres (British Mus.) : *Pastorale*, dess. aquarellé – *Paysage animé*, cr. et encre de Chine – Londres (Victoria and Albert Mus.) : Cinq aquarelles.
Ventes Publiques : Londres, 13 mars 1980 : *The Old Well Walk, Nottingham* 1789, aquar. et pl. (32,5x46,5) : **GBP 650** – Londres, 26 juin 1981 : *Soldats se reposant devant une auberge* 1795, h/t (58,5x71,2) : **GBP 1 300** – New York, 24 mai 1989 : *A l'abri de l'orage* 1805, aquar. et encre (36,5x49,2) : **USD 880**.

LACAZE Germaine
Née le 20 décembre 1908 à La Bouscat (Gironde). Morte le 1er janvier 1994 à Paris. xxe siècle. Française.
Peintre de compositions à personnages, figures, portraits, paysages animés, intérieurs, natures mortes, fleurs. Postimpressionniste.
Elle fut élève à Paris, de l'école des beaux-arts, où elle eut pour professeur Lucien Simon, puis de l'académie de la Grande Chaumière dans l'atelier d'Othon Friesz. Elle expose à Paris, aux Salons des Artistes Français depuis 1931 ; des Tuileries depuis 1940 ; d'Automne (dont elle est membre sociétaire) depuis 1941 ; des Indépendants (dont elle est membre sociétaire) et des Femmes Peintres depuis 1945 ; de la Société Nationale des Beaux-Arts (dont elle est membre sociétaire) depuis 1956 ; Comparaisons depuis 1980. Depuis 1935, elle montre ses œuvres dans de nombreuses expositions personnelles en France et à l'étranger. Elle a obtenu de nombreux prix et distinctions, parmi lesquels : 1963 médaille d'or des Arts, Sciences et Lettres ; 1976 médaille d'argent au Salon des Artistes Français ; 1980 le prix du Mérite artistique européen (distinction belge) ; 1986 médaille d'argent de la ville de Paris.
Elle passe aisément d'un sujet à l'autre, y apportant son solide métier et une sensibilité poétique. Parfois, vibre, dans un coin de jardin avec ou sans personnages, dans une nature morte ou un bouquet à l'intérieur, le souvenir de Bonnard.

Bibliogr. : Cécile Ritzenthaler : *Germaine Lacaze*, Édit. de l'amateur, Paris, 1991, abondante documentation, catalogue raisonné.
Ventes Publiques : Versailles, 17 avr. 1988 : *L'orage, Castilla la Viega*, h/t (33x55) : **FRF 5 100** – Paris, 23 juin 1988 : *Goûter dans le jardin à Juvisy-Saint-Maur*, h/t (162x96,5) : **FRF 17 500** – Le Touquet, 12 nov. 1989 : *Bouquet de fleurs dans un vase romantique*, h/t (34x41) : **FRF 22 000** – Paris, 14 mars 1990 : *Bouquet de roses au vase bleu*, h/t (46x38) : **FRF 11 000** – Paris, 14 juil. 1990 : *Nature morte aux fruits et au faisan*, h/t (89x116) : **FRF 17 000** – Paris, 7 déc. 1993 : *Nature morte au chat* 1965, h/t (58x72) : **FRF 11 000** – Paris, 16 oct. 1994 : *L'éventail japonais*, h/t (81x54) : **FRF 4 200**.

LACAZE Joseph Vital
Né à Tournecoupe (Gers). Mort en 1946 à Pontault (Seine-et-Marne). xxe siècle. Français.
Peintre de paysages, portraits.
Il fut élève de Gustave Moreau et de Cormon, et a figuré régulièrement au Salon des Artistes Français à Paris, à partir de 1895. Il fut professeur à l'école des arts décoratifs de Paris. Il est chevalier de la Légion d'honneur.
Musées : Auch : *Paysage breton*.

LACAZE Louis
Né en 1798 à Paris. Mort en 1869. xixe siècle. Français.
Peintre de genre, portraits, collectionneur.

Ce grand collectionneur, qui a fait don aux musées de France de quelque 600 œuvres, a également exécuté quelques tableaux d'un style classique, pour lesquels l'emploi néfaste d'un bitume a engendré des craquelures irréparables, dans les parties sombres.
Bibliogr. : Gérald Schurr, in : *Les Petits Maîtres de la peinture 1820-1920, valeur de demain*, Les Éditions de l'Amateur, t. VII, Paris, 1989.
Musées : Pau (Mus des Beaux-Arts) : *Autoportrait* 1843.

LACAZE Pierre
Né en 1816 à Fribourg. Mort le 18 mai 1884 à Lausanne. XIXe siècle. Suisse.
Paysagiste.
D'origine française. Élève d'Ary Scheffer de 1840 à 1845. Le Musée de Fribourg conserve plusieurs de ses ouvrages.

LACAZE René Sim
Né en 1901 à Paris. XXe siècle. Français.
Peintre de paysages, aquarelliste.
En 1935, il a participé au Salon des Artistes Français, à Paris, où il figure ensuite dans d'autres expositions collectives, Salon de l'École Française, etc. Il se manifeste aussi en Île-de-France, notamment Maisons-Laffitte, et à Trouville. Il a cessé de peindre en 1996.
À partir de 1968, il s'est consacré entièrement à l'aquarelle. Dans ses vues de l'Île-de-France, de la Bretagne, des côtes normandes, les couleurs en sont lumineuses, la composition harmonieuse.

LACAZE Théophile
Né en 1799 à Libourne (Gironde). Mort le 14 août 1846 à Paris. XIXe siècle. Français.
Peintre d'histoire, compositions religieuses, portraits, aquarelliste, pastelliste. Romantique.
Autodidacte, il se montra grand admirateur de Delacroix.
Il débuta au Salon de Paris en 1824 et y exposa jusqu'à sa mort, obtenant une troisième médaille en 1838. Décoré de la Légion d'honneur en 1845.
À ses débuts, ses sujets : Faust, les drames shakespeariens, le classent parmi les artistes romantiques. Après son mariage, il traite des scènes de sa vie familiale, mais également des compositions religieuses. Il aborde le pastel vers 1840, ce qui lui permet d'utiliser des tonalités plus soutenues, tout en gardant un caractère mélancolique, toujours marqué par le romantisme. De 1844 date *Jésus apparaissant à saint Thomas*, qui se trouve à l'église Saint-Jean-Baptiste de Libourne.
Bibliogr. : Gérald Schurr, in : *Les Petits Maîtres de la peinture 1820-1920, valeur de demain*, Les Éditions de l'Amateur, t. VI, Paris, 1985.
Musées : Libourne : *Autoportrait* 1834.

LACAZE-DORY Louise J.
Morte en 1904. XIXe siècle. Française.
Sculpteur.
Sociétaire des Artistes Français, elle figura au Salon de ce groupement.

LACAZETTE Amélie
Née à La Havane, de parents français. XIXe siècle. Française.
Peintre de genre.
Élève de A. Tissier, Henner, Carolus-Duran. Débuta au Salon en 1877.
Ventes Publiques : Paris, 28 mai 1923 : *La Petite marchande de violettes* : **FRF 320** – Paris, 4 déc. 1946 : *Portrait de jeune femme pensive et de deux roses fanées* : **FRF 5 000**.

LACAZETTE Sophie Clémence. Voir **DELACAZETTE**

LACCATARIS Demeter
Né en 1798 à Vienne. Mort le 24 décembre 1864 à Pest. XIXe siècle. Hongrois.
Peintre.
Élève de J. Danhauser à Vienne. Il exposa à plusieurs reprises à Vienne et Pest.
Musées : Budapest : *Étude de portrait* – *Hébé*.

LACCETTI Valerico
Né le 18 juin 1836 à Vasto. Mort le 8 mars 1909 à Rome. XIXe siècle. Italien.
Peintre d'histoire, scènes de genre, animalier.
Élève de l'Académie des Beaux-Arts de Naples. Il débuta vers 1880. Il a exposé à Naples, Rome, Turin.
Musées : Rome (Art Mod.) : *Paysage* – *Animaux* – deux œuvres.
Ventes Publiques : Rome, 3 avr. 1984 : *Berger et troupeau*, h/t (46x93) : **ITL 2 000 000** – Rome, 19 nov. 1992 : *Paysage boisé*, h/cart. (27x36) : **ITL 1 725 000** – Rome, 29-30 nov. 1993 : *Dans la prairie*, h/t (27x40) : **ITL 3 064 000** – Rome, 31 mai 1994 : *Au marché*, h/t (23x32) : **ITL 2 357 000** – Milan, 20 déc. 1994 : *Dans l'étable* 1892, h/pan. (22,5x34) : **ITL 4 485 000**.

LA CECCA. Voir **CECCA Giovanni d'Antonio della**

LA CECEVA Pedro de
XVIe siècle. Actif à Séville. Espagnol.
Sculpteur.

LA CENISA Diego de
XVe siècle. Actif à Séville vers 1480. Espagnol.
Peintre.

LACÉPÈDE Amélie de, née **Comtesse Kautz**
Née en 1796. Morte le 4 novembre 1860 à Paris. XIXe siècle. Française.
Miniaturiste et aquarelliste.
Elle obtint une médaille de troisième classe en 1834, et figura au Salon jusqu'en 1842. Parmi les nombreuses miniatures et aquarelles qui parurent à son nom, figurèrent les portraits des enfants de Geoffroy Saint-Hilaire. Elle paraît avoir particulièrement peint les enfants.

LA CERISE Jean de
XVIIe siècle. Français.
Graveur.
Cité par l'abbé de Marolles. Il a gravé des thèses vers 1650.

LACEY Bruce
Né le 31 mars 1927 à Catford (Londres). XXe siècle. Britannique.
Sculpteur, auteur de performances, créateur d'environnements.
Il fut élève à Londres, du Hornsey College of Art de 1948 à 1951 puis du Royal College of Art de 1951 à 1954. Il vit et travaille à Londres.
Depuis 1953, il participe à des expositions collectives : 1968, 1970, 1971, 1976 Institute of Contemporary Art de Londres. Il montre ses œuvres dans des expositions personnelles, régulièrement à Londres, notamment en 1975 à la Whitechapel Art Gallery.
Il a réalisé des sortes d'androïdes composites, conçus dans l'esprit d'un certain humour noir surréalisant.
Bibliogr. : Frank Popper : *Naissance de l'art cinétique*, Gauthier-Villars, Paris, 1967 – Pierre Cabanne, Pierre Restany : *L'Avant-Garde au XXe s.*, André Balland, Paris, 1969 – in : *Contemporary Artists*, Mac Millan Publishers, Londres, 1983.
Musées : Londres (Tate Gal.).

LACGER Jules de
XIXe siècle. Actif à Toulouse (Haute-Garonne). Français.
Peintre de genre et de portraits.
Musées : Toulouse : *Le vendeur d'allumettes*.

LACGER Louise Victoire de, née **Dardenne**
Née au XIXe siècle à Cadours (Haute-Garonne). XIXe siècle. Française.
Pastelliste.
Exposa des portraits au Salon en 1878 et 1879.

LACH Andreas
Né en 1817 à Eisgrub. Mort le 15 avril 1882 à Vienne. XIXe siècle. Autrichien.
Peintre de paysages, fleurs et fruits, aquarelliste.
Élève de Wegmayer, Mössmer et Ender, à l'Académie de Vienne. Il exposa fréquemment entre 1843 et 1877.

A. Lach

Musées : Graz : *Nature morte* – Vienne (Acad.) : *Roses*.
Ventes Publiques : Lucerne, 3 déc. 1965 : *Paysage montagneux* : **CHF 9 900** – Vienne, 14 juin 1977 : *Fleurs alpestres* 1855, h/t (47,5x38) : **ATS 65 000** – Cologne, 11 juin 1979 : *Nature morte aux roses et raisins*, h/t (42x52) : **DEM 4 800** – New York, 30 juin 1981 : *Natures mortes* l'une de 1848, h/t, une paire (chaque 28x35,5) : **USD 5 000** – Vienne, 14 sep. 1983 : *Fleurs alpestres*, h/t (61x47,5) : **ATS 50 000** – Londres, 27 nov. 1985 : *Perdrix dans un paysage*, h/t (39,5x50) : **GBP 2 800** – Vienne, 20 mai 1987 : *Nature morte aux fruits* 1846, h/t (64x53) : **ATS 140 000** – New York, 15 nov. 1990 : *Un bouquet de roses, pensées et jonquilles*, h/cart.

(25,4x21) : **USD 16 500** – New York, 15 oct. 1991 : *Une rue pavée ; Un chemin en hiver,* aquar./cart., une paire (chaque 28x37,5) : **USD 2 420** – Munich, 22 juin 1993 : *Nature morte de fruits et de fleur avec un verre de vin rouge* 1845, h/t (33x41,5) : **DEM 23 000** – Londres, 18 mars 1994 : *Roses et raisin,* h/t (63x50) : **GBP 7 475.**

LACH Fritz

Né le 29 mai 1868 à Linz. Mort en 1933. XIXe-XXe siècles. Autrichien.

Peintre de paysages, aquarelliste, graveur.

Musées : Linz (Mus. Nat. de Haute-Autriche) : *Dégel à Grein – Cathédrale de Linz* – Vienne (Gal. Nat.) : *Pâturage dans la Haute-Souabe* – Vienne (Mus. mun.) : *Vue de la rue du Belvédère à Vienne.*

Ventes Publiques : Vienne, 16 janv 1979 : *Bords du Danube* 1917, techn. mixte (56x67) : **ATS 28 000** – Vienne, 17 mars 1982 : *Vue d'un monastère* 1915, aquar. (38,5x39) : **ATS 30 000** – Vienne, 22 juin 1983 : *Vue de Spitz* 1902, aquar. (20x27) : **ATS 22 000** – Vienne, 15 oct. 1987 : *Vue de Linz* 1920, aquar. (37x26) : **ATS 40 000** – Londres, 27 oct. 1993 : *Vue de Arbe* 1911, aquar. (27,5x38) : **GBP 483.**

LACHACZ Sylwester

Né en 1955. XXe siècle. Polonais.

Peintre. Abstrait.

Il est diplômé de l'académie des beaux-arts de Poznan. Il a participé à de nombreuses expositions dans des galeries polonaises et suédoises. Ses œuvres figurent dans des musées en Suède, en Allemagne, aux États-Unis.

LA CHAIR Salomon

XVIIe siècle. Actif à Amsterdam en 1654. Hollandais.

Graveur et éditeur.

LACHAISE Eugène A.

Né en 1857. Mort en 1925. XIXe-XXe siècles. Américain.

Peintre.

Ventes Publiques : New York, 24 oct. 1984 : *Geisha à sa toilette* 1890, h/t (79x92) : **USD 13 000** – New York, 25 oct. 1989 : *La geisha* 1890, h/t (79x91) : **USD 11 000.**

LACHAISE Gaston

Né le 19 mai 1886 à Paris. Mort en 1935 à New York. XXe siècle. Depuis 1906 actif et depuis 1916 naturalisé aux États-Unis. Français.

Sculpteur de bustes, monuments.

Il fut élève de J. Thomas à l'école des beaux-arts de Paris, puis entra chez René Lalique pour créer des bijoux Art nouveau. Arrivé aux États-Unis en 1906, suivant son épouse Isabel Dutaud Nagle, il avait d'abord travaillé à Boston chez Henry Hudson Kitson, réalisant surtout des monuments commémoratifs de la guerre civile, puis à New York chez le sculpteur académique Paul Manship, collaborant pour le mémorial J. Pierpont Morgan à l'entrée du Metropolitan Museum sur la Ve avenue. En 1912, toujours à New York, il commença l'une de ses plus importantes sculptures : *Femme debout* qu'il ne termina qu'en 1932. Incompris du public, il fut obligé de gagner sa vie en réalisant des monuments ou ornements de jardins.

Il exposa au Salon des Artistes Français et se fixa à New York où il figura en 1927 à l'Intimate Gallery avec des bustes et des statuettes de femme en bronze. En 1935, il fut le second artiste américain vivant à connaître une exposition rétrospective au musée d'Art moderne de New York. En 1944, le Museum of Contemporary Art de Chicago organisa une exposition de ses œuvres, puis en 1979 la Memorial Art Gallery de Rochester et en 1984 le musée de Portland.

On mentionne parmi ses œuvres *Ruth Saint Denis dans une danse hindoue,* ainsi qu'un buste de marbre de *Georgia O'Keefe.* Son œuvre principale *La Mouette* est le monument commémoratif de la garde côtière nationale. Lachaise aimait le travail bien fini, ses œuvres bien polies mettent en valeur les volumes arrondis. Ses nus féminins font quelquefois penser à des statues hindoues, mais on ne peut s'empêcher de songer aussi à Maillol. Pour les réaliser, il s'inspira du corps plantureux de sa femme Isabel Dutaud Nagle. Il reçut de nombreuses commandes de portraits. Il a réussi à rendre avec dynamisme des formes amples mais musclées. Sans être un innovateur, il a redonné une vie nouvelle à la sculpture traditionnelle. ■ J. B.

Bibliogr. : J. Mellquist, in : *Nouv. Diction. de la sculpture mod.,* Hazan, Paris, 1970 – in : *Les Muses,* Grange Batelière, t. IX, Paris, 1972 – in : *L'Art du XXe s.,* Larousse, Paris, 1991 – in : *Diction. de l'art mod. et contemp.,* Hazan, Paris, 1992 – in : *Diction. de la sculpture,* Larousse, Paris, 1992.

Musées : Cleveland : *Buste de femme,* marbre – New York (Metropolitan Mus.) : *The Peacocks* – New York (Whitney Mus.) : *Standing woman* 1912-1927 – San Francisco (Mus. of Mod. Art) : *Floating nude figure* 1924.

Ventes Publiques : New York, 16 fév. 1961 : *Nu assis,* cr. : **USD 700** – New York, 21 mars 1962 : *Buste* : **USD 2 500** – New York, 18 nov. 1965 : *Dauphins* : **USD 14 000** – New York, 15 fév. 1968 : *Nu,* bronze : **USD 2 750** – New York, 16 avr. 1969 : *Nu dansant,* bronze : **USD 9 000** – Los Angeles, 20 nov. 1972 : *Passion,* bronze : **USD 6 000** – New York, 22 oct. 1976 : *Femme arrangeant ses cheveux,* bronze patiné (H. 27) : **USD 3 000** – Paris, 24 nov. 1977 : *Femme marchant* 1922, bronze, patine médaille (H. 47) : **FRF 45 800** – New York, 17 mai 1979 : *Nu,* cr. (45,8x30,2) : **USD 2 300** – New York, 14 nov 1979 : *Nu debout,* bronze, patine brune (H. 19,7) : **USD 2 200** – New York, 28 sep. 1983 : *Nu debout,* cr. (27,8x21,5) : **USD 2 800** – New York, 28 sep. 1983 : *Pingouin,* bronze polychrome (H. 28,3) : **USD 24 000** – New York, 15 mars 1985 : *Les amants,* bronze, patiné brun foncé (H. 11,5, L. 23,2) : **USD 2 000** – New York, 30 mai 1986 : *The Egyptian head* 1923, bronze patine brun or (H. 34,2) : **USD 70 000** – New York, 7 oct. 1986 : *Nu assis,* fus. et cr. (45,5x30,5) : **USD 3 400** – New York, 24 juin 1988 : *Etude de nu féminin,* fus./pap. (24,5x20) : **USD 2 640** – New York, 24 mai 1989 : *Torse d'une acrobate* 1925, bronze (H.17) : **USD 15 400** – New York, 30 nov. 1989 : *L'acrobate flottante,* bronze poli (H. 21,5) : **USD 46 200** – New York, 1er déc. 1989 : *L'homme en marche (portrait de Lincoln Kirstein),* bronze partiellement doré (H. 53) : **USD 165 000** ; *Torse classique,* bronze poli (h. 27,3) : **USD 35 200** – New York, 16 mars 1990 : *La mouette,* albâtre (H. 17,2) : **USD 19 800** – New York, 29 nov. 1990 : *Cavalière* 1918, bronze poli (H. 28) : **USD 63 250** – New York, 30 mai 1990 : *Etude pour un nu féminin,* cr./pap. d'emballage (23,5x18,4) : **USD 3 850** – New York, 14 mars 1991 : *Nu debout de dos,* bronze (H. 29) : **USD 6 600** – New York, 22 mai 1991 : *Mouette endormie,* bronze doré (H. 11,4, L. 31,5) : **USD 26 400** – New York, 26 sep. 1991 : *Danseuse égyptienne,* cr./pap. (58,4x46,5) : **USD 4 180** – New York, 27 mai 1992 : *Femme allongée,* bas-relief de bronze (H. 24,1) : **USD 20 900** – New York, 3 déc. 1992 : *Tête de femme (la tête égyptienne)* 1923, bronze à patine brune (H. 34,3) : **USD 121 000** – New York, 4 mai 1993 : *Nu assis,* cr./pap. (47x28,5) : **USD 4 370** – New York, 25 mai 1995 : *Isabel Dutaud-Lachaise : femme assise,* bronze poli (H. 33) : **USD 43 125** – New York, 23 mai 1996 : *Cavalière* 1918, bronze (H. 26,7) : **USD 90 500** – New York, 3 déc. 1996 : *Nu agenouillé,* cr./pap. (45,8x30,5) : **USD 4 600** – New York, 5 déc. 1996 : *Femme debout,* bronze (H. 203,2) : **USD 43 125** – New York, 26 sep. 1996 : *Deux nus,* cr./pap., une paire (chaque 45,1x25) : **USD 8 050** – New York, 25 mars 1997 : *Crépuscule,* bronze patine brune (H ; 14) : **USD 8 050.**

LACHAISE Jules Edm. Ch.

Mort en 1897. XIXe siècle. Français.

Peintre.

Sociétaire des Artistes Français, il figura au Salon de ce groupement.

LACHAISE Sylvain

Né au XIXe siècle à Foecy (Cher). XIXe siècle. Français.

Sculpteur.

Élève de M. Comolera. Exposa de 1865 à 1875.

LACHAISNÈS Pierre Jean Richard

Né le 6 décembre 1789 à Cambremer (Calvados). XIXe siècle. Actif à Paris. Français.

Miniaturiste.

Exposa de 1834 à 1850.

Ventes Publiques : Paris, 7 et 8 juin 1927 : *Portrait d'homme en habit noir, gilet blanc,* miniat. : **FRF 820.**

LA CHAIX René de

Français.

Graveur.

Connu pour une vue de Reims. Cité par Le Blanc. Peut-être identique à Chaix (L.).

LA CHAMBRE Jean de

Né vers 1600 à Haarlem. Mort le 11 novembre 1666 ou 23 juillet 1668. XVIIe siècle. Hollandais.

Calligraphe et graveur.

Il grava « divers modèles d'écriture ». Son fils, Jean de la Chambre, baptisé en 1648 à Haarlem, succéda à son père, comme maître d'école, à la mort de celui-ci. Le Cabinet des estampes d'Amsterdam conserve un dessin de lui.

LA CHANA Alexandre de
Né le 19 janvier 1703 à Genève. Mort le 23 juillet 1765. XVIIIe siècle. Suisse.
Peintre sur émail.
De la Chana, cousin de Jacques Bordier, suivit la même carrière que celui-ci et collabora avec Petitot. Le Musée Rath à Genève conserve quelques œuvres de lui, parmi lesquelles le portrait de Petitot, d'après Petitot, et le portrait de Jacques Bordier, d'après De Troy.

LACHANCE George
Né le 13 octobre 1888 à Utica (New York). XXe siècle. Américain.
Peintre de portraits, compositions murales.
Il fut élève de l'École d'Art de Saint Louis. Il est membre de la Société des Artistes Indépendants et de la Fédération américaine des arts.
Ses peintures murales et ses portraits figurent dans certaines universités et mairies de l'Indiana.

LACHANIETTE Bernard
Né en 1949 à Limoges (Haute-Vienne). XXe siècle. Français.
Peintre de figures, sujets divers, sculpteur, technique mixte. Figuration libre.
En 1996, le Centre Culturel de Saint-Yrieix-La-Perche lui a consacré une exposition personnelle.
Avec des moyens assez limités, Lachaniette développe le désordre d'un monde tendre et gai.

LACHAPELLE Charlotte
Née à Souillac (Lot). XXe siècle. Française.
Peintre de compositions animées.
Elle a commencé à peindre très jeune. Elle expose à Paris, au Salon International d'Art Naïf.
Ses compositions évoquent souvent des scènes de ses souvenirs d'enfance.

LA CHAPELLE Girard de
XIVe siècle. Français.
Peintre verrier.
Collaborateur de Jeliau de Beaumes.

LA CHAPELLE Jean de
XIVe siècle. Français.
Sculpteur.
Il exécuta en 1389 à Amiens deux statues pour le vieux portail de Montre-Écu.

LA CHAPPELLE Georges de
XVIIe siècle. Actif à Caen. Français.
Peintre.
Il accompagna les ambassadeurs envoyés par la France auprès du sultan de Constantinople et y fit les portraits des favorites les plus célèbres de ce prince, portraits qui furent gravés par Noël Cochin et publiés à Paris sous le titre de *Recueil de divers Portraits des principales Dames de la Porte du grand Turc... par George de la Chappelle, Peintre de la ville de Caen*. Au cours du séjour qu'il fit à Toulon (où il s'embarqua) il peignit dans cette ville 4 tableaux de bataille, des armoiries et une *Entrée du comte Alais à Toulon*.

LA CHARLERIE Hippolyte de
Né en 1827 à Mons. Mort en 1867 à Paris. XIXe siècle. Belge.
Peintre et illustrateur.
Élève de l'Académie de Bruxelles et de l'Atelier Saint-Luc. Il a peint des paysages, des animaux, des figures, des portraits. Il vint se fixer à Paris vers 1860. Il y a travaillé pour plusieurs éditeurs son chef-d'œuvre dans ce domaine restant l'illustration du *Parthénon de l'Histoire* (Armengaud, 1862). Le Musée Moderne de Bruxelles conserve de lui une *Tête de vieillard*.
Ventes Publiques : Paris, 23 sep. 1895 : *Épisode de la Révolution*, dess. : **FRF 22**.

LA CHASSAGNE-GROSSE Laetitia D. de, Mme. Voir **DOUMICHAUD de La Chassagne-Grosse**

LACHASSAIGNE Éliot de
XVe siècle. Français.
Sculpteur.
Il fit différent travaux de sculptures à Orléans, vers 1419.

LACHASSE Arthur
Né le 14 juillet 1842 à Besançon (Doubs). XIXe siècle. Français.
Paysagiste.
Élève de Palianti et de Cock. Exposa en 1868, 1869 et 1870.

LA CHASSE Jean de
XVe siècle. Actif à Nantes. Français.
Peintre verrier et enlumineur.
Il fut peintre du duc François II, qui l'anoblit.

LA CHASSE Pierre de
XVe-XVIe siècles. Français.
Peintre.
Travailla en 1518 aux décorations pour l'entrée à Nantes du roi François Ier.

LACHAT Louis François
Né le 24 février 1873 à Paris. XIXe-XXe siècles. Français.
Peintre de paysages.
Figure aux Artistes Français, surtout connu pour ses paysages de montagne.

LACHAULT de. Voir **DELACHAULT Pierre**

LACHAUME DE GAVAUX Jean Louis, pseudonyme **Cheret**
Né en 1820 à la Nouvelle-Orléans, de parents français. Mort en 1882 à Paris. XIXe siècle. Français.
Peintre de sujets militaires, paysages, pastelliste, décorateur de théâtre.
Il était fils d'un musicien et fut élève de Joseph Thierry.
Lachaume fut un intéressant peintre de paysages et il figura au Salon de 1835 à 1867. Dès 1856, il exposait des vues de la forêt de Fontainebleau et de Barbizon, et à ce titre, il se rattache un peu à la grande école de 1830.
Mais Lachaume eut surtout, sous le nom de Cheret, une réputation considérable comme peintre de décors de théâtre, réputation justifiée par son incontestable talent ; on lui doit, en effet, la décoration des *Huguenots*, du *Roi de Lahore*, de *Michel Strogoff*, de *Paul et Virginie*, du *Roi Carotte*, de *Quatre-vingt-treize*, du *Prophète*, du *Tribut de Zamora* et de bien d'autres pièces qui obtinrent de grands succès. Il peignit aussi quelques sujets militaires, des pastels et des paysages à la détrempe.
Ventes Publiques : Paris, 10 avr. 1987 : *Mare dans la lande, environs de Fontainebleau*, h/t (67x93) : **FRF 3 200**.

LA CHAUSSÉE de. Voir **DELACHAUSSÉE Jean François**

LA CHAUVINIERE-RIANT Chantal
XXe siècle. Belge.
Sculpteur de figures, portraits, graveur.
Elle a étudié à l'École des Beaux-Arts de Tunis et à l'École Nationale d'Art Moderne de Paris.
Elle participe, à Paris, au Salon des Artistes Français et au Salon d'Automne.
Elle pratique la gravure, pour laquelle elle a obtenu une distinction lors d'un concours. Elle réalise des bustes et des portraits sculptés, qu'elle modèle en torolythe, une matière résineuse délicate à travailler en fusion.
Ventes Publiques : Paris, 15 mai 1995 : *Sweet Mary*, sculpt. en torolythe (H. 56, 28x35) : **FRF 15 000**.

LA CHAUX. Voir aussi **DELACHAUX**

LACHAUX Albert
Né au XXe siècle. XXe siècle. Français.
Peintre de paysages.
Ventes Publiques : Paris, 12 juil. 1945 : *Vallée* : **FRF 550** ; *Paysage* : **FRF 550**.

LACHAUX Géo. Voir **GÉO-LACHAUX Georges Marius**

LACHE Dan
Né le 25 août 1952 à Bucarest. XXe siècle. Depuis 1983 actif en Australie. Roumain.
Sculpteur.
Il étudie à l'École Populaire d'Art de Bucarest, de 1973 à 1976, et à la City of Sydney Institute où il a obtenu en 1985 le diplôme dans la section sculpture. Il a quitté la Roumanie pour aller s'établir en Australie, à Sydney, où il vit et travaille.
Il a participé à six expositions de groupe en Roumanie et au Symposium de Sculpture de Vistea (Cluj) où il a exécuté une sculpture monumentale en pierre.
Son travail, il le situe dans la descendance du célèbre sculpteur roumain Constantin Brancusi. *Affection* (1985) et *L'Oiseau de nostalgie* (1984) sont, à ce titre, typiques de la manière brancusienne de réduire jusqu'à la sobriété les données du sensible. Une sculpture, le plus souvent taillée dans le marbre, non abstraite dans son essence et qui exprime l'organique avec justesse.

Bibliogr. : Ionel Jianou et divers, in : *Les Artistes roumains en Occident*, American Romanian Academy of Arts and Sciences, Los Angeles, 1986.

LACHEN Ulrich de, maître. Voir **ROSENSTEIN Ulrich**

LACHENAL Edmond

Né le 5 juin 1855 à Paris. Mort en 1900. XIXe siècle. Actif à Châtillon. Français.

Sculpteur et céramiste.

Faïencier à Malakoff (Hauts-de-Seine), il se distingua par l'étude de la céramique et de la gravure sur bois japonaises. Il fit sensation à l'Exposition Universelle de 1889 et inventa par la suite un vernis spécial pour le grès, appelé « émail mat velouté ». Il se fixa à Châtillon et exposa chaque année au Salon de la Société Nationale des Beaux-Arts et chez Georges Petit ainsi qu'à l'étranger : Vienne, Munich. On mentionne de sa main une statuette de la comédienne japonaise *Sada Yakko* ; il exécuta également des statuettes d'animaux ; parmi ses faïences beaucoup furent faites d'après les modèles de Rodin, Falguière, Saint-Marceaux. De ses ateliers sortirent d'innombrables objets décoratifs de toutes sortes : vases, bonbonnières, boutons, épingles à chapeau. Ses œuvres se trouvent dans les Musées de Paris (Art Moderne, Arts décoratifs, Galliera), au Musée National de Sèvres et dans un grand nombre de Conservatoires des Arts et Métiers de l'étranger.

LACHENAL-CHEVALET Georges

Né au XIXe siècle à Paris. XIXe siècle. Français.

Peintre de fruits et de natures mortes.

Débuta au Salon en 1872. Élève de Pils.

LACHENMAYER August

Né le 27 janvier 1870. Mort le 4 décembre 1927 à Charlottenbourg. XIXe-XXe siècles. Allemand.

Peintre de portraits, animalier, figures, paysages, architecte. Impressionniste.

LACHENS Eric

Né en 1945. XXe siècle. Français.

Peintre.

Il a figuré à l'exposition *Signes d'un renouveau surréaliste* organisée en 1969, à Bruxelles, par Patrick Waldberg.
Sa peinture évoque un monde grouillant de molécules enchevêtrées dans un tracé sinueux. Les images créées semblent renvoyer à des visions psychiques.

LACHENWITZ F. Sigmund

Né en 1820 à Neuss. Mort le 25 juin 1868 à Düsseldorf. XIXe siècle. Actif à Düsseldorf. Allemand.

Peintre de genre et d'animaux.

Il fréquenta l'Académie de Düsseldorf de 1840 à 1867, mais il paraît surtout avoir cherché une expression personnelle dans l'étude de la nature. On cite de lui des illustrations pour une édition du *Roman de Renart*. Le Musée de Königsberg conserve de lui : *Jeune et vieux*. Il exposa en Allemagne de 1844 à 1864.
Ventes Publiques : New York, 1899 : *Un élan poursuivi par des loups* : **FRF 1 250** – New York, 7 juin 1985 : *Lévriers dans un paysage* 1847, h/t (74,3x97,8) : **USD 6 000**.

LACHER Karl

Né le 23 mai 1850 à Uttenhofen près de Nuremberg. Mort le 15 janvier 1908 à Graz. XIXe siècle. Allemand.

Sculpteur.

Il fut élève de l'École des Arts et Métiers de Nuremberg. On cite parmi ses principales œuvres de nombreux bustes de bronze (celui du *Titien*, de *Rembrandt*, et du poète *Vincenz Zusner* au cimetière Saint-Pierre à Graz), des portraits en relief (à la façade de l'Hôtel de Ville de Graz), douze portraits-médaillons du *Prince de Liechstenstein* (au château d'Hollenegg en Styrie), de l'empereur *François-Joseph Ier* et de l'empereur *François Ier* (au Musée de Graz).

LACHEVRE Henry

Né au XIXe siècle à Rouen (Seine-Maritime). XIXe siècle. Français.

Peintre de natures mortes.

Élève de J. Dupré. Exposa en 1864 et 1866.

LA CHIEZE Liénard de

XVe siècle. Actif à Toulouse en 1498. Français.

Peintre.

LACHIÈZE-REY Henri

Né le 26 décembre 1927 à Caluire (Rhône). XXe siècle. Français.

Peintre de paysages.

Il a d'abord étudié à l'École des Beaux-Arts de Lyon, puis à celle de Paris. Il exposa à Lyon, Cannes et Paris. Il fut sociétaire, à Paris, du Salon d'Automne et a également participé au Salon des Peintres Témoins de leur Temps. Il figura, à plusieurs reprises, à la Biennale de Menton, où il reçut un prix en 1959.
Sa peinture, issue de l'impressionnisme, est très sensible, suggérant une lumière diffuse. Il a également recours aux empâtements et aux déformations sans recourir à la violence expressionniste.
Ventes Publiques : New York, 18 fév. 1960 : *Place de Villeurbanne* : **USD 300** – Versailles, 28 jan. 1990 : *La Grille du château* 1965, h/t (27x41) : **FRF 3 800** – Paris, 17 oct. 1990 : *Loge de théâtre*, h/pan. (22,5x34) : **FRF 48 000** – Paris, 24 juin 1992 : *Les toits de Lyon* 1960, h/t (73x100) : **FRF 30 000**.

LACHMAN Harry B.

Né le 29 juin 1886 à La Salle (Illinois). Mort en 1975. XXe siècle. Actif en France. Américain.

Peintre de paysages.

Il séjourna en France, en Italie, en Espagne, en Suisse. Il fut élève de Cottet. Il vécut à Nice, en France. Il exposa ses œuvres en 1915 à New York, en 1917 et 1921 à Paris, en 1921 à Rome, New York, Chicago, en 1924 de nouveau à Paris.
Il subit l'influence de Cézanne.
Musées : Chicago (Art Inst.) : *Saint-Nicolas du Chardonnet* – *La Tour, Cormery* – La Nouvelle-Orléans (Delgado Mus.) : *Notre-Dame au coucher du Soleil* – Paris (Mus. d'Art Mod.) : *Saint-Nicolas du Chardonnet* – *Uzerches* – *Antibes* – *La Vallée du Grand-Andely* – Paris (gal. du Petit Palais) : *Printemps parisien*.
Ventes Publiques : New York, 26 oct. 1960 : *Gattières, Alpes-Maritimes* : **USD 650** – San Francisco, 20 juin 1985 : *Château d'Uzerche*, h/t (80x61) : **USD 2 000** – New York, 26 sep. 1990 : *Vue de Paris depuis Saint-Cloud* 1919, h/t (66x100,8) : **USD 13 200** – New York, 12 mars 1992 : *Village à flanc de colline en hiver* 1914, h/t (48,2x60,9) : **USD 3 300**.

LACHMANN Ferdinand

XIXe siècle. Allemand.

Dessinateur.

« Conrector » du Gymnasium de Zittau.

LACHNER Hans

XVIe siècle. Actif vers 1580. Allemand.

Peintre et graveur.

LACHNIT Wilhelm Karl

Né le 12 novembre 1899 à Gittersee (près de Dresde). XXe siècle. Allemand.

Peintre de figures, portraits.

Il fut élève de l'Académie de Dresde. Il peignit des tableaux de figures et des portraits.
Musées : Dresde (Mus. mun.) : *Portrait de jeune garçon* – Dresde (Gal. de Tableaux) : *Jeune fille à la fourrure* – Moscou (Mus. d'Art Mod. Occidental) : *Pont de chemin de fer*.

LACHNITT Alfred

Né au XIXe siècle à Paris. XIXe siècle. Français.

Lithographe.

Élève de Th. Chauvel. Sociétaire des Artistes Français depuis 1893, il figura au Salon de ce groupement où il obtint une mention honorable en 1894, une médaille de troisième classe en 1897 ; médaille de bronze en 1900 (Exposition Universelle).

LACHTIVER Henri

Né en 1908 en Russie. XXe siècle. Français.

Graveur à l'eau-forte.

Il fut élève de M. Lefort et de Mongin. Il fut sociétaire du Salon des Artistes Français, à Paris, et donc y exposa.

LACHTROPIUS Nicolas ou **Nicolaes** ou **Lactorius, Lacterius** ou **Lachtopius**

XVIIe siècle. Actif dans la seconde moitié du XVIIe siècle. Hollandais.

Peintre de paysages, natures mortes.

Il travailla à Alphen-sur-le-Rhin. Il fut brasseur à Zwammerdam ou à Alfen. Il fut aussi peintre de carrosses.

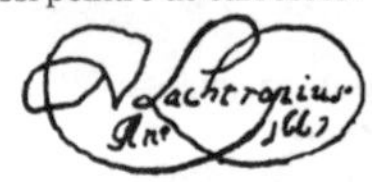

Musées : Amsterdam : *Fleurs* – Prague : *Papillons* – Vienne (coll. Figdor) : *Nature morte*.

Ventes Publiques : Berlin, 20 sep. 1930 : *Solitude de la forêt* : **DEM 400** – Londres, 13 nov. 1963 : *Nature morte au gibier* : **GBP 1 050** – Cologne, 15 nov. 1972 : *Nature morte aux fleurs* : **DEM 9 500** – Londres, 1er déc. 1978 : *Nature morte aux fuits* 1663, h/t (66x52,5) : **GBP 7 500** – Londres, 18 juil. 1980 : *Nature morte aux fruits* 1663, h/t (66x52,1) : **GBP 4 500** – New York, 9 jan. 1981 : *Vase de fleurs*, h/t (78x62) : **USD 26 000** – New York, 9 juin 1983 : *Paysage nocturne avec serpent, lézard, grenouille et papillons* 1670, h/t (84x68,5) : **USD 4 000** – Londres, 12 avr. 1985 : *Pêches, grappe de raisins, rose et plateau d'argent sur un entablement*, h/t (65x54) : **GBP 28 000** – Londres, 15 déc. 1989 : *Nature morte d'une corbeille de raisin renversée et d'un oiseau picorant les fruits près de pêches et de noix dans un plat d'étain sur un entablement drapé de rouge* 1650, h/t (57x47) : **GBP 28 600**.

LACINA Bohdan
Né en 1912 à Sneznem (Moravie). xxe siècle. Tchécoslovaque.
Peintre, graveur.
Il fit ses études à Prague. Il vit à Brno, où il a exposé en 1946, 1962, 1968 ; à Prague, en 1947, 1965 ; à l'étranger, on a vu de ses œuvres à Paris en 1946, à Lucern et Budapest en 1947.
S'il subit à ses débuts l'influence de l'œuvre de Fernand Léger, il s'orientera ensuite vers une quasi-abstraction de formes géométrisées, recourant souvent aux effets de clair-obscur.
Bibliogr. : In : catalogue de l'exposition *50 ans de peinture tchécoslovaque, 1918-1968*, Musées tchécoslovaques, 1968.
Musées : Brno (Gal. Nat.) – Prague (Gal. Nat.).

LACK Bartholomaus von ou **Lock, Lock**
xvie siècle. Actif en Slovénie. Éc. slovène.
Peintre.
Il est un des meilleurs représentants de la fin de l'art gothique en Slovénie. De nombreuses églises de cette région possèdent de ses œuvres.

LACK Joseph
Né à Kappel (Suisse). Mort en 1886 à Paris. xixe siècle. Suisse.
Peintre.
Musées : Soleure : *Portrait de jeune garçon – Portrait de jeune fille* – Cinq paysages dans un cadre.

LACK Maria Van der. Voir **LAECK**

LACKMAIR Melchior
Né à Munich. Mort en 1625. xviie siècle. Allemand.
Peintre.
Élève de Sigmund Hebenstreit.

LACKNER Andreas ou **Lochner**
xvie siècle. Actif à Hallein. Autrichien.
Sculpteur.
Il sculpta vers 1518 le maître autel de l'église paroissiale d'Abtenau.

LACKNER Janos ou **Lakner**
Né en 1834. xixe siècle. Hongrois.
Sculpteur.
Élève de l'Académie de Vienne. Il exposa à la Société des Artistes de la même ville un modèle de fontaine *Léda et le cygne* qui fut reproduite en terre cuite par la fabrique de Wagram. Il se fixa à Pest en 1862.

LACKOVIC Ivan, dit **Croata**
Né en 1932 à Batinska (Croatie). xxe siècle. Yougoslave-Croate.
Peintre de paysages, scènes typiques, fleurs, dessinateur, graveur. Naïf.
Il a participé à de très nombreuses expositions collectives d'art naïf à Zagreb – en 1963, 1966, 1970, 1971 – où il a montré également son travail dans des expositions personnelles en 1964, 1965 et 1967 ; également : à New York en 1963 et 1964 ; à Washington, Chicago en 1963 ; à Philadelphie en 1963 et 1967 ; à Londres en 1965 et 1967 ; à Francfort en 1966 ; à Vienne en 1967 ; à Zurich et Milan en 1968 ; à Paris en 1968, 1971 et 1972 ; à Laval en 1969 et 1972 ; à Rome en 1970 ; à Genève en 1971, etc.
Il appartient à la seconde génération des peintres croates naïfs, d'origine paysanne, gravitant autour de Zagreb, en rappelant que la première est essentiellement celle du célèbre Generalic de Hlébine. Facteur de Zagreb, il est considéré comme l'un des plus doués de sa génération, il se place même parmi les plus grands. On vante son coloris et surtout la grande habileté de son dessin, l'importance qu'il donne au graphisme, la finesse de sa trame. Comme beaucoup de naïfs yougoslaves, il a appris la technique de la peinture sous verre.

Bibliogr. : In : *De Bonnard à Baselitz – Estampes et livres d'artistes*, catalogue de l'exposition, Bibliothèque Nationale, Paris, 1992.
Musées : Paris (BN).

LACLAU Arniando
Né le 4 mai 1892 à Toulouse (Haute-Garonne). xxe siècle. Français.
Peintre.
Il a étudié à Paris, puis à Barcelone, jusqu'à la guerre de 1914-1918, après laquelle il fit de nouveaux et fréquents séjours en Espagne.
Il fut sociétaire, à Paris, du Salon d'Automne et du Salon des Indépendants, où il exposa régulièrement ; il a également exposé au Salon des Tuileries. Il figura aussi dans un groupe qui comprenait Le Molt, La Patelière et Poncelet. La galerie Charpentier montrait une de ses œuvres à l'Exposition *Fleurs et Fruits*, en 1943.
Il a exécuté les portraits d'Utrillo, de Picasso et de James Ensor, ainsi que de nombreux nus.
Bibliogr. : Paul Sentenac : *Armando Laclau*, Rythme Plastique, Orféa, Paris, 1956.
Ventes Publiques : Paris, 18 avr. 1929 : *Paysage basque* : **FRF 210** – Paris, 13 juin 1947 : *Le Bois* : **FRF 2 100**.

LACLAU J. M. Élisabeth
xixe siècle. Travaillait à Paris. Française.
Peintre.
Sociétaire des Artistes Français depuis 1899, elle figura au Salon de ce groupement.

LACLAVERIE Jacques Longin
xixe siècle. Actif à Paris. Français.
Portraitiste et miniaturiste.
Exposa en 1848 et 1850.

LA CLEF Jean et **Nicolas de**
xviiie siècle. Français.
Peintres.
Il furent reçus à l'Académie de Saint-Luc, respectivement en 1743 et 1747.

LA CLEMENTINA. Voir **CLEMENTI Maria Giovanni Battista**

LA CLOCHE Claude de
xviie siècle. Actif à Paris. Français.
Peintre et graveur.
On cite de lui des portraits gravés de *Marie de Médicis*, de *Jean Boissieu de la Broderie*, de *Jean Constant* et une *Vue de Rennes*.

LACLOTTE H.
Français.
Peintre de genre et de sujets mythologiques.
Le Musée de Pontoise conserve de cet artiste : *Jeune homme et jeune femme couronnant un amour* et *Jeune homme et jeune femme offrant un sacrifice*.

LA CLUFFE de. Voir **CLUFFE Peter de la**

LA COLATZ Wilhelmus de
xviiie siècle. Hollandais.
Peintre de portraits.
Il était actif à Leyde vers 1701.
Musées : Leyde : *Les 6 régents de l'hôpital Catherine et Cécile*.

LA COLINA Juan Manuel de
Né en 1917. xxe siècle. Actif depuis 1954 en France. Péruvien.
Peintre.
Il est fils de diplomate ; il vécut en Hollande, en Australie, en Angleterre, aux États-Unis et au Pérou. De 1945 à 1954, il fut professeur à l'École des Beaux-Arts et à l'université de San Marcos à Lima.
Il expose pour la première fois à Paris en 1949 au Salon des Réalités Nouvelles auquel il participera régulièrement par la suite. En 1967, il participe à la Biennale de São Paulo, en 1968 à celle de Venise ; depuis, il prend part aux salons parisiens, de Mai, Comparaisons, Grands et Jeunes d'Aujourd'hui.

LACOLLOMBE de
Mort avant 1730. xviiie siècle. Actif à Paris. Français.
Dessinateur et graveur.
Cet artiste paraît avoir fait surtout de la gravure industrielle. On cite notamment de lui : *Nouveaux Dessins d'Arquebuserie... 1730, se vend chez de Marteau, élève de feu M. de Lacollombe*. (Il est évident qu'il ne s'agit pas de Gilles Demarteau, alors âgé de quelques années).

LA COLONGE de. Voir **DELACOLONGE Nicolas**

LACOMA Francisco José Pablo

Né en 1784 à Barcelone. Mort en 1849 à Paris. XIXe siècle. Espagnol.

Peintre de portraits, de genre, de fleurs et de fruits.

Il fut d'abord élève de Molet à l'Académie de Barcelone et y réussit brillamment. Après y avoir obtenu tous les prix, il devint titulaire d'une pension de cinq ans qui lui permit de venir travailler à Paris. David, Gros, Van Spaendonck furent les maîtres dont il sollicita les conseils. En 1810, il exposa au Salon et obtint une médaille d'or. En 1819, il fut nommé peintre de la cour et exécuta, notamment, le portrait de *Ferdinand VII*, gravé par Blan, de Barcelone, et celui de la troisième femme de ce souverain, portrait conservé au Musée du Prado.

Musées : Barcelone : *Fleurs – Fruits* – deux œuvres – *Portrait de l'artiste* – Madrid (Acad.) : *Fleurs* – Saint-Sébastien : *Le roi Ferdinand VII.*

Ventes Publiques : Paris, 1886 : *Une corbeille de fleurs* : **FRF 418** - Paris, 25-26 mai 1921 : *Raisins, prunes, poires et pêches* : **FRF 300** - Paris, 2 avr. 1993 : *Branche de cerisier en fleurs* 1805, h/t (58x45) : **FRF 155 000**.

LA COMBA Claude de

XVe siècle. Actif à Lutry en 1472.

Peintre.

Auteur, d'après le Dr C. Brun, d'une peinture représentant des vignerons et conservée aux Archives de Lutry.

LACOMBA Juan

Né en 1954 à Séville (Andalousie). XXe siècle. Espagnol.

Peintre.

Il a bénéficié d'une bourse à la Casa Velasquez à Madrid, une autre du gouvernement français pour aller étudier à la Cité Internationale des Arts de Paris.

Il montre ses œuvres à Séville en 1981, à Madrid en 1985 et, pour la première fois, à Paris en 1989.

Il fait partie des peintres espagnols de la nouvelle génération avec Sicilia, Barcelo ou Broto, ceux qui, dans les années quatre-vingt, sont « retournés » à la peinture. Influencé par l'expressionnisme abstrait il s'est peu à peu ressourcé de la tradition picturale espagnole, en particulier andalouse. Ses peintures sont en général des figurations de villes où il a séjourné, mais qu'il réinterprète, en espaces déserts ou en ruines, privilégiant les éléments architecturaux.

Bibliogr. : In : Catalogue de l'exposition *L'Art Moderne à Marseille. La Collection du Musée Cantini*, Mus. Cantini, Marseille, 1988.

Musées : Marseille (Mus. Cantini) : *Cantera y Lluvia* 1987.

LACOMBE

XVIIIe siècle. Actif à Paris. Français.

Dessinateur.

Demeurait chez les graveurs Née et Masquelier. Exposa au Salon de la Correspondance, en 1782, un grand dessin sur toile représentant des *Baigneuses à l'entrée d'une forêt*. Nous croyons qu'il s'agit d'Étienne Lacombe, né à Pointillac, en Médoc, qui entra à l'école de l'Académie Royale le 24 janvier 1779, protégé par Hubert Robert.

LACOMBE Bernard

XVIIe siècle. Actif à Nantes vers 1672. Français.

Peintre.

LA COMBE François de

XVIe siècle. Actif à Bordeaux. Français.

Peintre.

LACOMBE Georges

Né en 1868 à Versailles (Yvelines). Mort en 1916 à Alençon (Orne). XIXe-XXe siècles. Français.

Peintre, sculpteur. Symboliste. Groupe des Nabis.

Il est le fils de Laure Lacombe, femme peintre qui lui enseigne le dessin. Quant à son père, ébéniste, il lui enseigne le travail du bois. En 1891, il exécute quatre sculptures sur bois décoratives, de signification symboliste. En 1892, il rencontre Sérusier qui lui présente les Nabis. Il devient le « nabi sculpteur ». Il effectue des séjours fréquents pendant l'été en Bretagne, à Camaret, travaillant aux côtés des peintres tels que Cottet, Maufra et Rivière. Il se marie en 1897 avec Marthe Wenger, la fille de Gabrielle Wenger et s'installe à Alençon dans une maison, l'Ermitage, en bordure de la forêt d'Ecouves. Fortuné, il ne chercha pas à vendre ses œuvres, pour la plupart elles sont conservées par sa famille. Cet artiste, après sa mort, est tombé dans un injuste oubli.

Il figure, entre autres, en 1893, à la cinquième exposition des Peintres Impressionnistes et Symbolistes à la galerie le Barc de Boutteville, en 1894 à la sixième puis à la huitième, en 1896 à la onzième exposition, en 1897 à l'exposition des *Dix* à la galerie Vollard à Paris, en 1899 à la présentation d'un ensemble d'œuvres des Nabis (Bonnard, Ibels, Ranson, Rippl-Ronai, Roussel, Sérusier, Vallotton, Vuillard) et d'Odilon Redon à la galerie Durand-Ruel à Paris, en 1899 il expose au Salon de la Société Nationale des Beaux-Arts à Paris. Six œuvres de cet artiste furent montrées lors de l'exposition rétrospective *Les Nabis* organisée par la Réunion des Musées Nationaux dans les Galeries Nationales du Grand Palais en 1993 à Paris.

Il peignit de nombreux portraits à l'huile et au pastel. Il travailla le bois pour des bas-reliefs : *Danses bretonnes – Femmes damnées – Le Semeur*. Il fit des bustes : *Bertrand – Bonnard – Denis – Roussel – Sérusier* et des statuettes-figurines pour le théâtre de marionnettes de Paul Ranson. Alliant art et artisanat, aimant sculpter le bois, tout comme Gauguin, il réalisa également un lit formé de quatre panneaux symbolisant : *La Naissance de l'homme ; L'Accouplement ; Le Rêve ; La Mort de l'homme*, en 1892. C'est le buste qu'il exécuta d'après son ami Sérusier qui figure sur la tombe de celui-ci, au cimetière de Morlaix. Cet artiste mit en pratique les enseignements de techniques diverses et l'inspiration symboliste. Influencé par Gauguin et par les dessins et peintures japonaises, il réalise un œuvre aux accents presque fantastiques. Après 1900, il se consacre à la sculpture en bronze de figures de femmes.

Bibliogr. : Charles et André Bailly : *Georges Lacombe*, Paris, 1991 – in : *Diction. de sculpture*, Larousse, Paris, 1992 – Claire Frèches-Thory et Claire Loup in : *Les Nabis*, catalogue de l'exposition, Réunion des Musées Nationaux, Galeries Nationales du Grand-Palais, Paris, 1993.

Musées : Brême – Brest (Mus. des Beaux-Arts) : *La Mer jaune, Camaret* – Lille (Mus. des Beaux-Arts) : *Madeleine priant*, bois peint. – Paris (Mus. d'Orsay) : *L'Amour – la Naissance – L'Existence – la Mort*, 4 pan. de lit en bois – Quimper (Mus. des Beaux-Arts) : *La Forêt au sol rouge* vers 1891 – Rennes (Mus. des Beaux-Arts de Rennes) : *Marine bleue, effet de vagues* – Saint-Germain-en-Laye (Mus. du Prieuré).

Ventes Publiques : Paris, 31 mai 1926 : *Les Deux Bouleaux* : **FRF 905** - Versailles, 11 juin 1974 : *Soleil d'Automne* : **FRF 21 500** - Londres, 4 juil 1979 : *Les ramasseuses de marrons* 1892, h/t (152x247) : **GBP 37 000** - Enghien-les-Bains, 26 oct. 1980 : *Christ en croix* 1898-1999, acajou (H. 274 et larg. 216) : **FRF 150 000** - Brest, 12 déc. 1982 : *Biches dans un sous-bois*, h/t (92x73) : **FRF 36 000** - Brest, 12 déc. 1982 : *Buste de Pierre Bonnard*, bronze (H. 56) : **FRF 18 000** - Lyon, 18 déc. 1983 : *Étude de Bretonnes*, fus. (44x29) : **FRF 8 200** - Enghien-les-Bains, 23 oct. 1983 : *Bretonne portant du varech* vers 1893, h/t (56x38) : **FRF 705 000** - Paris, 19 juin 1984 : *Danse bretonne*, bronze patiné, bas-relief, cire perdue (21x66,5) : **FRF 34 000** - Londres, 26 mars 1985 : *Femmes bretonnes*, cr. noir (44x30,8) : **GBP 550** - Enghien-les-Bains, 24 mars 1985 : *Les hêtres au vignage rouge* vers 1892, h/t (61x45,5) : **FRF 360 000** - Paris, 28 nov. 1986 : *Rivière en sous-bois*, h/pan. (33x41) : **FRF 24 000** - Versailles, 8 mars 1987 : *Les Bords de la Briante, matin de printemps*, h/t (73x60) : **FRF 110 000** - New York, 12 mai 1988 : *La Baie*, h/t (51,5x62,5) : **USD 143 000** - Versailles, 15 mai 1988 : *Bretonnes au marché*, dess. au cr. gras (43x30) : **FRF 6 400** - Paris, 25 mai 1988 : *Le sous-bois rouge*, h/pan. (26,5x35) : **FRF 30 000** - Paris, 9 nov. 1989 : *Portrait de Sylvie Lacombe*, dess. (26x20) : **FRF 14 000** - Paris, 18 mars 1990 : *Les Jeunes Damnées et Bacchus* vers 1905-1907, acajou sculpté en bas relief (30x60) : **FRF 100 000** - Paris, 13 juin 1990 : *Dans la forêt d'Ecouves* vers 1905, h/t (92x65) : **FRF 92 000** - Paris, 25 nov. 1990 : *La voile brune*, h/t (46x61) : **FRF 250 000** - Paris, 29 nov. 1990 : *Ma baie*, h/t (51x62) : **FRF 650 000** - New York, 14 mai 1992 : *Les femmes damnées et Bacchus*, pan. de bois gravé (30,5x59,7) : **USD 20 900** - Paris, 3 fév. 1992 : *L'étreinte*, bronze (54x30x24) : **FRF 95 000** - Paris, 8 avr. 1993 : *Nigelle dormant (fille de l'artiste)* 1900, cr. noir (25,5x26,6) : **FRF 4 400** - Paris, 4 juin 1993 : *Étude pour le Semeur*, fus./pap. (34,8x25,6) : **FRF 8 300** ; *Étude pour les Vanneuses*, fus./pap. (28x20,9) : **FRF 12 000** - Paris, 26 oct. 1993 : *Le ruisseau dans la prairie*, h/pan. (32x40) : **FRF 26 000** - Brest, 15 mai 1994 : *Le Vignage, forêt d'Écouves*, h/t (92x65) : **FRF 110 000**

– VENDÔME, 22 jan. 1995 : *Les pins rouges*, h/t (55,5x38,5) : **FRF 415 000** – PARIS, 13 oct. 1995 : *Deux enfants jouant* 1899, cr. (32x48) : **FRF 5 000** – PARIS, 24 nov. 1995 : *Les pins rouges* 1894, h/t (61x46) : **FRF 431 000** – CALAIS, 24 mars 1996 : *Buste de jeune fille*, bronze (H. 31) : **FRF 13 000** – PARIS, 7 oct. 1996 : *Sylvie au bonnet* 1899, cr. et encre noirs (27,3x21,1) : **FRF 4 600**.

LACOMBE Henri Germain
Né le 1er février 1812 à Genève. Mort le 1er octobre 1893 à Genève. XIXe siècle. Suisse.
Portraitiste et peintre de genre.
Il fut élève d'Ingres et travailla avec lui à Rome, à l'Académie de France.

LACOMBE Laure
Née en 1834 à Paris. Morte en 1923 à Versailles (Yvelines). XIXe-XXe siècles. Française.
Peintre de portraits, paysages, aquarelliste, graveur, dessinatrice, illustratrice.
Élève du peintre d'histoire Auguste Bigand et d'Auguste Raffet, elle exposa parfois au Salon de Versailles et à celui de Paris en 1882 et 1884. Le Musée Lambinet à Versailles montra des dessins et eaux-fortes de Laure Lacombe, en 1984.
En dehors de ses paysages souvent traités à l'aquarelle, elle fit des esquisses pour tapis. Elle exécuta les illustrations de l'œuvre de son mari, Jean-Baptiste Lacombe : *Les oiseaux* 1862. Mère du Nabi Georges Lacombe, elle subit quelque peu son influence dans la simplification des formes et la mise en page de ses dernières œuvres.
BIBLIOGR. : Gérald Schurr, in : *Les Petits Maîtres de la peinture 1820-1920, valeur de demain*, Les Éditions de l'Amateur, t. VI, Paris, 1985.
VENTES PUBLIQUES : REIMS, 23 oct. 1988 : *Jetée de fleurs sur un entablement* 1875, h/pan. (20x33) : **FRF 6 200**.

LACOMBE Louis
XVIIIe siècle. Actif à Nantes en 1780. Français.
Peintre.

LACOMBE M. de, née **Gamelin**
XIXe siècle. Active à Paris. Française.
Peintre.
Sociétaire des Artistes Français depuis 1894, elle figura au Salon de ce groupement.
VENTES PUBLIQUES : PARIS, 13 au 15 avr. 1905 : *Chemin en forêt*, étude ; *Cardeuse de matelas*, dess. : **FRF 135**.

LACOMBE DE PRESLES Camille
Né au XIXe siècle à Saint-Brieuc (Côtes-du-Nord). XIXe siècle. Français.
Peintre.
Exposa au Salon des Artistes Français où il obtint une mention honorable en 1891.

LACOMBLÉ Adolphe
XIXe siècle. Actif vers 1872. Éc. flamande.
Peintre de paysages.
Il est cité par Siret.
VENTES PUBLIQUES : LOKEREN, 8 oct. 1994 : *Paysage de rivière avec des voiliers*, h/t (48x71) : **BEF 75 000**.

LACOMBLÉ Eugène
Né le 5 mars 1828 à Bruxelles. Mort le 17 novembre 1905 à Arnhem. XIXe siècle. Belge.
Sculpteur.
Élève de l'Académie de Bruxelles et de Léon Cogniet à Paris. Il fut professeur à La Haye à partir de 1859. Le Musée Boymans, à Rotterdam, conserve de lui un buste du *Dr J.-J. Stieltjes*.

LACOMBLEZ Jacques
Né en 1934 à Bruxelles. XXe siècle. Belge.
Peintre. Surréaliste.
Il fut l'un des fondateurs, aux côtés d'Édouard Jaguer, de la section belge du groupe international *Phases* (1956-1966), dont le programme, s'inspirant de l'expérimentation collective en l'honneur dans le groupe Cobra, prescrivait de « confronter différentes phases de la réalité en mouvement vers l'imaginaire qui nous entoure de tous côtés ». Ce mouvement était ouvert aux artistes de tous pays, cependant la rétrospective, organisée, en 1964, au Musée d'Ixelles, mit en évidence la prépondérance belge. En 1958, il rencontre André Breton, continue sa collaboration avec le mouvement *Phases* et dans la voie du surréalisme. En 1958, il fonde la revue *Edda*.
L'art de Jacques Lacomblez s'inscrit dans un espace métaphorique où des correspondances, parfois abstraites, se font jour entre des éléments liés au végétal, au minéral et à l'organique.

BIBLIOGR. : In : *Diction. biographique illustré des artistes en Belgique depuis 1830*, Arto, Bruxelles, 1987.
MUSÉES : BRUXELLES (Mus. d'Art Mod.) – IXELLES – POZNAN – VARSOVIE.
VENTES PUBLIQUES : BRUXELLES, 24 mars 1976 : *Wesendonck Lieder* 1965, h/t (160x130) : **BEF 40 000** – AMSTERDAM, 14 juin 1994 : *Composition* 1956, encre et aquar./pap. (27x21) : **NLG 1 150** – LOKEREN, 9 déc. 1995 : *Nocturne et soupir à Mannheim* 1964, h/t (73x100) : **BEF 48 000**.

LACOMME Daniel
Né en 1949 à Paris. XXe siècle. Français.
Peintre, illustrateur. Abstrait.
Il enseigne depuis 1976 à l'École Nationale Supérieure des Beaux-Arts de Paris. Il est assistant de Marcel Gili de 1976 à 1982. Il vit et travaille à Paris et dans les Alpes de Haute-Provence.
Il participe à des expositions collectives depuis 1972, principalement à Paris, telles que : le Salon de Mai, le Salon de Montrouge, le Salon des Réalités Nouvelles, le Salon de la Jeune Peinture, il y a fondé le groupe *Autre temps*. Il montre ses œuvres dans des expositions personnelles : galerie Philippe Frégnac, Paris ; galerie Riverin-Arlogos, Canada ; galerie Maroë-Pellat, Paris.
La peinture de Daniel Lacomme se présente, formellement, comme un rapport de présences ou de masses, décliné à partir d'une surface picturale première envahissant l'espace. Généralement de tonalité sombre, celle-ci est en tension avec le format – support des agencements figurés – la matière et ses superpositions, l'ombre et la lumière du pigment blanc, la surface plane ou accidentée et, enfin, la présence ou l'absence visible du geste. Il a illustré des albums de poésie, dont : *Hommage à René Char, Six poèmes*.
BIBLIOGR. : Gérard Xuriguera : *Les Figurations depuis 1960*, Mayer, Paris.
MUSÉES : GENTILLY – NICE – PARIS (FNAC).

LACON J.
Mort vers 1757. XVIIIe siècle. Britannique.
Portraitiste et aquarelliste.
Après avoir peint des portraits à l'aquarelle, il devint montreur de marionnettes à Bath, et y obtint un gros succès.

LA CORCIA Agnese
XVIIIe siècle. Italienne.
Peintre.
Elle travailla pour l'église Santa Maria della Fede, à Naples.

LACORDAIZE Christophe
Originaire de Tours. XVIIe siècle. Français.
Sculpteur.
Fils de Nicolas Lacordaize, architecte de Tours, il vivait dans cette ville. Il décora la porte d'entrée de la place de la Foire-le-Roi, en y sculptant, en 1601, les armes du roi, les armoiries du maréchal de Souvré et celles de la ville de Tours.

LACORNE
XIXe siècle. Français.
Peintre.
Le Musée de Saint-Lô conserve de lui : *Deux chiens anglais*.

LA CORT Jean de
Né à Strasbourg. XVe siècle. Travaillant à Avignon vers 1457. Français.
Peintre.
Il travailla comme aide de Enguerrand Quarton, notamment à l'exécution d'un retable pour le couvent de Sainte-Claire.

LA CORTE Francesco de
XVIIIe siècle. Actif à Naples en 1705. Italien.
Peintre.

LA CORTE Francisco de
XVIIe siècle. Actif à Antequerra. Espagnol.
Peintre de perspectives.

LA CORTE Gabriel de
Né en 1648 à Madrid. Mort en 1694 à Madrid. XVIIe siècle. Espagnol.
Peintre de fleurs et fruits.
Fils de Juan de la Corte, il s'exerça, sans l'appui d'aucun maître, à peindre des fleurs d'après les œuvres de de Mario et Arellano. Il acquit un degré tel de perfection, qu'Antonio de Castrejan et Matias de Torres l'employèrent pour enguirlander de fleurs leurs sujets mythologiques.
Ventes Publiques : Paris, 1838 : *Fleurs et fruits*, deux tableaux : **FRF 1 000** – New York, 21 oct. 1988 : *Nature morte de bouquets composés de pivoines, œillets, tulipes et iris dans un vase d'orfèvrerie*, h/t, une paire (45,5x25,5) : **USD 132 000** – Monaco, 5-6 déc. 1991 : *Coupe de fleurs* 1690, h/t (59x80) : **FRF 144 300** – Paris, 17 déc. 1997 : *Bouquet de fleurs dans un vase sculpté sur un entablement*, t., une paire (75x58,5) : **FRF 360 000**.

LA CORTE Juan de
Né en 1597 à Madrid. Mort en 1660 à Madrid. XVIIe siècle. Espagnol.
Peintre d'histoire, sujets mythologiques, compositions religieuses, sujets militaires, dessinateur.
Élève de Vélasquez. Il fut peintre des rois Philippe III et Philippe IV et peignit des portraits et des sujets d'histoire, mais excella surtout dans la représentation des batailles et des perspectives. Plusieurs de ses œuvres se trouvent dans le palais de Buen Retiro.
Ventes Publiques : Paris, 12 juin 1909 : *Monument allégorique à la mémoire d'un roi d'Espagne*, dess. : **FRF 11** – New York, 7 juin 1984 : *Réunion de soldats et paysans*, h/t (176x183) : **USD 5 000** – Madrid, 18 mai 1993 : *Le triomphe de David sur Goliath*, h/t (119x184) : **ESP 4 200 000** – Londres, 5 juil. 1996 : *Achille face à Hector sous les murailles de Troie*, h/t (195,9x309,2) : **GBP 28 000**.

LA CORTINA Y ROPERTO Ibo de
Né en 1805 à Villanneva de Sitzes. XIXe siècle. Espagnol.
Peintre d'histoire et lithographe.
Élève de Paolo Rigalt et de Miguel Robt. Il peignit des batailles, des paysages et des perspectives. Il exposa à Paris en 1855, et assez régulièrement à Madrid à la Nationale des Beaux-Arts. On cite de lui quelques lithographies.

LACOSTA Lorenzo ou **della Costa**, pseudonyme **Torresani**
XVIe siècle. Actif à Vérone. Italien.
Peintre.
Il acheva en 1554 avec son frère Bartolommeo Lacosta la grande fresque du *Jugement dernier* qui se trouve dans l'église Saint-Pierre-Martyr à Rieti (Ombrie).

LACOSTE, père et fils
XIXe siècle. Français.
Graveurs sur bois.
Ils étaient actifs à Paris vers 1830-1840. Ils travaillèrent surtout pour l'illustration et exposèrent au Salon de Paris.

LACOSTE, pseudonyme de **Cheveu Jules**
Né en 1834 à Paris. Mort en 1893. XIXe siècle. Français.
Peintre et céramiste.
Il fut élève de Léon Cogniet. Il fut professeur à l'École Nationale d'Art Décoratif de Limoges. Il exposa au Salon de Paris, en 1868 et 1870, des paysages sur faïence et des dessins des environs de Poitiers. La *Vue du Pont Saint-Étienne* du musée de la ville était une commande.
Musées : Limoges (Mus. des Beaux-Arts) : *Vue du Pont Saint-Étienne* 1892.

LACOSTE Charles
Né au XIXe siècle à Toulouse (Haute-Garonne). XIXe siècle. Français.
Sculpteur.
Élève de Dorval et Mulatier de Merat. Exposa au Salon de 1875.

LACOSTE Charles
Né le 3 mars 1870 à Floirac (Lot). Mort en mars 1959 à Paris. XXe siècle. Français.
Peintre de paysages, paysages urbains, natures mortes. Postimpressionniste.
Il figura, à Paris, au Salon des Indépendants et au Salon d'Automne. La galerie Katia Granoff, à Paris, a montré un ensemble de ses peintures en 1992.
Dans ses paysages la nuit et la neige tiennent une grande place. Il exécuta les décors pour *La Brebis égarée* de Francis Jammes.
Bibliogr. : René-Jean : *Dix estampes originales présentées par...*, Paris, Rombaldi, 1946 – Gérald Schurr, in : *Les Petits Maîtres de la peinture 1820-1920, valeur de demain*, Les Éditions de l'Amateur, t. II, Paris, 1982.
Musées : Gray : *Fin d'hiver à Paris* 1902 – Moscou (Mus. d'Art Occidental) : *Paysage* – Paris (Mus. d'Art Mod. de la Ville) : *Nuit de lune au printemps*.
Ventes Publiques : Paris, 27 fév. 1919 : *La Neige à Paris* 1909 : **FRF 270** – Paris, 4 juil. 1928 : *Le Taïsquibel, Biarritz* : **FRF 500** – Paris, 22 juin 1945 : *Les Toits sous la neige* 1909 : **FRF 600** – Zurich, 3 nov 1979 : *La rue* 1901, h/cart. (93x65) : **CHF 4 000** – Paris, 18 mars 1983 : *Paysage du Midi* 1907, h/cart. : **FRF 45 000** – Paris, 25 juin 1986 : *Rue de Village*, h/cart. (41x27,5) : **FRF 16 500** – Paris, 26 fév. 1988 : *Arbres dans la montagne*, h/t (46x55) : **FRF 3 000** – Paris, 21 avr. 1988 : *Les Toits de la ville* 1909, h/t (24x35) : **FRF 5 800** – Paris, 7 juin 1988 : *Soir au quai des Salinières à Bordeaux* 1932, h/t (50x65) : **FRF 21 000** ; *Les Toits*, h/pap. (23x32) : **FRF 3 000** ; *Vue de Paris, le Panthéon* 1937, h/cart. (24x33) : **FRF 4 800** ; *Paysage d'Auvergne*, h/t 1913 (46x55) : **FRF 8 000** – Paris, 10 nov. 1988 : *Le Port de Bordeaux* 1937, h/isor. (24x35) : **FRF 4 200** – Paris, 6 juin 1990 : *Paysage* 1929, cr. coul. et h/cart. (21x34) : **FRF 10 000** – Paris, 6 juil. 1990 : *Une rue*, h/cart. (25x28,5) : **FRF 10 500** – Paris, 12 juin 1991 : *Paysage d'automne* 1909, h/t (92x73) : **FRF 56 000** – Paris, 2 nov. 1992 : *Reflets sur l'eau de nuit* 1922, h/t (45x55) : **FRF 12 500** – Paris, 22 mars 1994 : *Paysage en Saintonge*, h/t (61x93) : **FRF 14 000** – Calais, 25 juin 1995 : *Nature morte aux pommes et aux noix* 1903, h/t (46x55) : **FRF 9 000** – Paris, 24 nov. 1996 : *Nature morte aux pomme et aux noix*, h/t (46x55) : **FRF 4 000**.

LACOSTE Dominique
XXe siècle. Français.
Sculpteur, créateur d'installations.
Il montre ses œuvres dans des expositions personnelles, notamment en 1992, au Théâtre Granit à Belfort et à Corte au Fonds Régional d'Art Contemporain de Corse.
Ses premières œuvres, en 1984 et 1985, renvoient à des analyses détaillées de la préhistoire et de ses attributs qu'il réutilise dans ses recherches plastiques d'ordre symbolique. L'environnement de la préhistoire est ici suggéré plutôt que reconstitué car l'analogie n'est pas son propos. Les idées de cheval, de couteau, de bouclier prennent corps dans des matériaux bruts qu'il sculpte pour certains – souches de bois, os, bronze, cendre, pierre, fourrure – le tout formant des tumuli, des cercles, en général des espaces rituels de vie et de mort. De même, Dominique Lacoste se souvient opportunément des représentations historiquement anciennes de l'art. Dans son exposition à l'École Régionale des Beaux-Arts de Mâcon, il réinterprète les fonctions des éléments d'architecture de la peinture ancienne et les structures d'encadrement des grands retables.

LACOSTE Élisabeth Léonie, née **Cholet**
Née le 1er juillet 1821 à Nantes (Loire-Atlantique). XIXe siècle. Française.
Peintre de paysages.
Elle exposa sous le nom de Cholet de 1839 à 1849.
Musées : Boulogne sur-Mer : *Vue du Pont de Sèvres*.
Ventes Publiques : Munich, 29 nov 1979 : *Paysage fluvial* vers 1860, h/t (50x81,5) : **DEM 3 600**.

LACOSTE Jean Louis
XIXe siècle. Actif à Paris. Français.
Paysagiste.
Exposa en 1838 et 1839, au Salon de Paris, des vues des environs de Bordeaux, des bords de la Garonne et de Bourgogne.

LACOSTE Jean Louis Joseph Camille
Né le 5 février 1809 à Toulouse (Haute-Garonne). Mort le 4 mai 1866 à Paris. XIXe siècle. Français.
Graveur sur bois.
Exposa au Salon en 1833 et 1834. Il a gravé d'après Raffet, Charlet, J. David, Gigoux.

LACOSTE Jules
XIXe siècle. Français.
Peintre de marines.
Élève de A. Rouillet (Amaranthe Rouilliet ?). Il exposa au Salon de Paris, en 1864 et 1865, des vues prises à Douarnenez. Ne paraît pas devoir être rapproché du Lacoste, pseudonyme de Jules Cheveu.

LACOSTE Louis Conil
Né en 1774 à Castelnaudary (Aude). Mort après 1837. XVIIIe-XIXe siècles. Français.

Graveur sur bois et sur cuivre.
Il grava des sujets religieux et des sujets de genre. On cite notamment : Planches pour *l'Histoire de l'art moderne en Allemagne*, par le comte Raczincki, planches pour un *Robinson Crusoé*, publié à Stuttgart en 1837, planches pour la deuxième édition de l'*Histoire de Napoléon*, par de Norvins.

LACOSTE Pierre Eugène
Né le 11 octobre 1818 à Paris. Mort en 1908. XIXe siècle. Français.
Peintre d'histoire, portraits.
Élève de Léon Cogniet et d'Henri Cambon, il exposa au Salon de Paris entre 1839 et 1875.

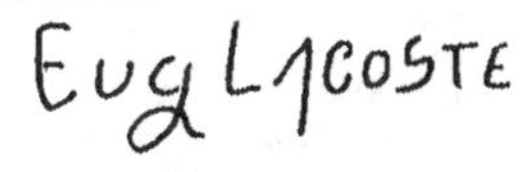

Cachet de vente

Musées : Marseille (Mus. des Beaux-Arts) : *Premier travail après l'insurrection.*

LACOSTE Robert
XXe siècle. Français.
Peintre.
Sa peinture est proche d'un expressionnisme nordique, décrivant les spectacles dérisoires et ubuesques de l'absurdité du quotidien. Après le mouvement contestataire de Mai 68, il a abandonné la peinture pour la bande dessinée, puis, à partir de 1970, s'est de nouveau remis à peindre ses visions hallucinatoires prenant l'homme pour cible.

LACOSTE-FLEURY
XIXe siècle. Actif à Paris. Français.
Peintre de paysages.
Exposa au Salon, en 1833 et 1835, des vues du lac de Genève.

LACOSTE-RIGAIL Jean Jacques
Né en 1782. Mort en 1853. XIXe siècle. Français.
Peintre de paysages.
Bibliogr. : In : Catalogue de l'exposition : *Les années romantiques, la peinture française de 1815 à 1850*, Musée des Beaux-Arts de Nantes, 1995-1996 et Galeries nationales du Grand Palais, Paris, 1996.
Musées : Montauban : *Paysage avec une tour* 1821.

LACOUDRE Dominique-Fabrice
Né le 18 mai 1966 à Périgueux (Dordogne). XXe siècle. Français.
Créateur d'installations, dessinateur.
Il vit et travaille à Nantes. En 1990, il a été diplômé de l'École des Beaux-Arts de Nantes. Il participe à des expositions collectives. Il montre ses œuvres dans des expositions personnelles : en 1991 Nantes ; 1992 Nantes, École des Beaux-Arts ; 1992 Marseille, *Que sont devenues les fleurs*, galerie Tore ; 1994 Nantes, *À l'abri des portes qui claquent*, Zoo Galerie ; 1996 Paris, *Quoi ! vivrons-nous dans cet esclavage de déguiser tous nos sentiments*, galerie Polaris ; 1997 Les Sables-d'Olonne, Musée de l'Abbaye Sainte-Croix ; etc. Le propre, l'émouvant et le poétique des réalisations de Lacoudre tient à l'authenticité de leur caractère éphémère. N'en subsiste que les croquis préliminaires à leur installation.

LA COULDRE Philippe de
XVIIe siècle. Actif à Nantes entre 1672 et 1684. Français.
Peintre.

LA COULONCHE Nicolas de, sieur du Chasteau
XVIIe-XVIIIe siècles. Actif à Saint-Bonne près du Mans aux XVIIe et XVIIIe siècles. Français.
Peintre.
Il fut peintre du roi.

LACOUR. Voir aussi **DELACOUR**

LACOUR
XVIIe siècle. Actif au Mans. Français.
Peintre d'histoire.
Fit un tableau, en 1654, pour l'église de Spay.

LACOUR
XVIIIe siècle. Français.
Sculpteur.
Travailla à la cathédrale de Toul vers 1752.

LA COUR de
D'origine française. XVIIIe siècle. Travaillant en Angleterre vers 1741-1747. Français.
Dessinateur et graveur.

LACOUR Alexandre
Né au XIXe siècle à Paris. XIXe siècle. Français.
Paysagiste.
Élève de Corot. Débuta au Salon de 1878 avec des vues du Poitou.

LACOUR Antoine
Né en 1748 à Bordeaux. Mort en 1837 à Bordeaux. XVIIIe-XIXe siècles. Français.
Peintre.
Frère de Pierre Lacour père. Le Musée de Bordeaux conserve de lui *Portrait de Mlle Briant.*

LA COUR B. de
XIXe siècle. Britannique.
Peintre de miniatures.
Il exposa à la Royal Academy, à Londres, entre 1818 et 1843.
Ventes Publiques : Londres, 13 juin 1930 : *John Read en costume de chasse* : **GBP 15**.

LA COUR F. J. de
XIXe siècle. Travaillant vers 1830. Britannique.
Dessinateur.
Musées : Londres (British Mus.) – Londres (Victoria and Albert Mus.).

LACOUR Guillaume de. Voir **DELACOURT**

LA COUR Janus Andreas Bartholin
Né le 5 septembre 1837 à Thimagard (près de Ringköling). Mort le 13 octobre 1909. XIXe siècle. Danois.
Peintre de paysages.
Élève de l'Académie de 1853 à 1859, sous la direction de P.-C. Skovgaard. Il exposa à partir de 1855. *Matinée d'été* lui valut le prix Neuhausen en 1861. *La Lisière d'une forêt de chêne au printemps*, exposé en 1863, fut acheté par le Musée royal de peintures. Boursier de l'Académie en 1865, il visita Paris et Rome de 1865 à 1867. Depuis ce temps, il fit plusieurs voyages en Italie et en Suisse, d'où il a tiré de nombreux tableaux pour ses œuvres. La Cour reçut en 1871 la médaille de l'exposition pour *Soirée au bord du lac de Nemi*. Devenu l'un des premiers paysagistes du Danemark, il fut élu membre de l'Académie en 1872, reçut le titre de professeur en 1888, et fut nommé chevalier de Danebrog en 1892. Exposa à Paris en 1900.
Ventes Publiques : Copenhague, 25 avr. 1951 : *Bassin dans le parc de la Villa d'Este* : **DKK 1 600** – Copenhague, 6 oct. 1971 : *Jour d'octobre* 1902 : **DKK 4 400** – Copenhague, 21 fév. 1973 : *Paysage boisé* 1882 : **DKK 9 000** – Copenhague, 25 fév. 1976 : *Paysage de Zermatt* 1875, h/t (45x74) : **DKK 5 600** – Copenhague, 16 mars 1977 : *Paysage de Zermatt* 1875, h/t (45x74) : **DKK 9 500** – Londres, 11 mai 1984 : *Paysage fluvial boisé* 1893-1907, h/t (139,6x208,3) : **GBP 3 200** – New York, 30 oct. 1985 : *Bord de mer enneigé* 1888, h/t (61x105,7) : **USD 10 000** – Copenhague, 29 oct. 1986 : *Bord de mer* 1876, h/t (45x75) : **DKK 24 000** – Londres, 23 mars 1988 : *La Baie d'Aarhus*, h/t (99x160) : **GBP 9 350** – Londres, 24 juin 1988 : *Chemin forestier* 1883, h/t (111,8x180,2) : **GBP 6 600** – Stockholm, 15 nov. 1988 : *Paysage estival avec le château de Vanas*, h. (71x106) : **SEK 35 000** – Copenhague, 25 oct. 1989 : *Vue depuis Skovgaards Villa vers Rosenvaenget*, h/t (46x45) : **DKK 10 000** – New York, 17 jan. 1990 : *Paysage côtier avec des îlots rocheux* 1873, h/t (38,2x60,3) : **USD 2 750** – Londres, 16 fév. 1990 : *Paysage fluvial boisé* 1867, h/t (38,5x61) : **GBP 880** – Londres, 29 mars 1990 : *Zermatt* 1902, h/t (38,7x46,3) : **GBP 1 650** – Londres, 6 juin 1990 : *Paysage lacustre boisé* 1876, h/t (43,5x74) : **GBP 3 300** – Londres, 5 oct. 1990 : *La Villa d'Este à Tivoli* 1902, h/t (44,5x68) : **GBP 3 520** – Copenhague, 6 déc. 1990 : *Soleil matinal sur le côte de Floistrup* 1893, h/t (44x75) : **DKK 7 000** – Copenhague, 6 mars 1991 : *Paysage italien boisé* 1870, h/t (38x60) : **DKK 23 000** – Copenhague, 1er mai 1991 : *Paysage d'Arcadie* 1866 (94x128) : **DKK 31 000** – Stockholm, 29 mai 1991 : *Ruisseau en sous-bois* 1895, h/t (70x90) : **SEK 18 000** – Londres, 19 juin 1991 : *Lac entouré de bois* 1880, h/t (45x75) :

GBP 1 870 – COPENHAGUE, 28 août 1991 : *Paysage boisé avec un lac et le village de Hobro au travers du sous-bois* 1862, h/t (60x92) : **DKK 18 000** – COPENHAGUE, 18 nov. 1992 : *Chants d'oiseaux dans un parc* 1872, h/t (38x60) : **DKK 6 500** – COPENHAGUE, 10 fév. 1993 : *Paysage italien avec vue sur Tivoli* 1869, h/t (37x57) : **DKK 20 000** – LONDRES, 27 oct. 1993 : *Collines avec un château à distance en Italie* 1871, h/t (37x59) : **GBP 1 610** – COPENHAGUE, 8 fév. 1995 : *Journée d'automne sur la plage de Flojstrun* 1895, h/t (46x75) : **DKK 8 000** – COPENHAGUE, 10-12 sep. 1997 : *Plage à Helgenaes* 1876, h/t (44x74) : **DKK 28 000** – NEW YORK, 12 fév. 1997 : *Hiver près de Copenhague* 1891, h/t (110,5x165,1) : **USD 40 250**.

LACOUR Jean
Né en 1637. Mort en 1721. XVIIe-XVIIIe siècles. Actif à Mende (Lozère). Français.
Peintre d'histoire, de genre et de portraits.
Il travailla, pour l'évêque de Mende, à la cathédrale, à l'église Sainte-Eulalie, et dans différentes églises des environs.

LACOUR Louis Désiré
Né au XIXe siècle à Paris. XIXe siècle. Français.
Graveur à l'eau-forte.
Élève de M. Charvot. Sociétaire des Artistes Français depuis 1908, il figura au Salon de ce groupement.

LACOUR Nicolas de
XVIe siècle. Français.
Sculpteur.
Il fit le modèle de deux chandeliers en vermeil représentant Hercule, que la ville de Dijon offrit, en 1551, au duc de Bourgogne.

LACOUR Octave L.
XIXe siècle. Actif à Teddington. Britannique.
Aquafortiste, lithographe et graveur sur bois.
Il exposa de 1887 à 1891 à la Royal Academy à Londres. On cite parmi ses eaux-fortes : *Souvenirs* d'après F. Dicksee, *Orphée* d'après G. F. Watts, *Le cardinal Manning* d'après M. Menpes.

LACOUR Pierre, père ou **Delacour**
Né le 15 avril 1745 à Bordeaux (Gironde). Mort le 28 janvier 1814 à Bordeaux. XVIIIe-XIXe siècles. Français.
Peintre d'histoire, scènes de genre, portraits, paysages, marines, graveur.
Élève de Vien, il obtint le deuxième Grand Prix de Rome. Après un séjour en Italie, il revint à Bordeaux en 1774 et fut nommé professeur, puis directeur de l'Académie de peinture de cette ville. Il a exposé au Louvre en 1802. Il a gravé lui-même quelques-uns de ses tableaux. Lacour eut à Bordeaux une influence considérable comme artiste et comme amateur d'art. Ce fut un véritable chef d'école et autour de lui se groupèrent un nombre considérable d'élèves, dont certains, tels Alaux, Bergeret, Briant, Gasnes, Gué, Monvoisin, devinrent célèbres. Aux heures les plus troublées de la Révolution, il employa son influence et celle de ses amis pour sauver de la destruction quantité d'œuvres d'art, qui depuis ont trouvé place au Musée de Bordeaux et continua aussi l'enseignement du dessin de la façon la plus désintéressée après la suppression des Académies de province. Lacour fut récompensé de ses peines et plus tard reprit son poste de professeur officiel de l'École de dessin de la ville. Il fut aussi nommé conservateur du Musée et il contribua puissamment à donner à cet établissement l'importance qui en fait un des premiers musées de France. Pierre Lacour, écrivain, archéologue distingué, fut membre correspondant de l'Institut de France.
MUSÉES : BORDEAUX : *Loth sortant de Sodome – Le Bon Samaritain – Saint Paulin – L'Avare endormi sur son trésor – Un mendiant et sa fille – F. L. Doucet – Louis-Guy Combes – La Famille de l'auteur – Port et quais de Bordeaux – La Visitation – Énée et Didon – Un acteur* – Deux planches de cuivre représentant un sarcophage antique – NANCY : Esquisse.
VENTES PUBLIQUES : PARIS, 11 avr. 1900 : *Portrait de J. J. Taillasson* : **FRF 170** – PARIS, 19-25 mars 1901 : *Portrait de l'artiste* : **FRF 595** – PARIS, 16 juin 1923 : *Portrait d'un architecte* : **FRF 1 050** – PARIS, 23 nov. 1927 : *Vue de Rome, prise des jardins de la villa Negroni*, pierre noire et lav. : **FRF 2 000** – PARIS, 23 nov. 1931 : *Portrait d'un architecte* : **FRF 1 600** – PARIS, 2 déc. 1987 : *À la ville d'Este à Tivoli* 13 juil. 1764 (37x33,5) : **FRF 5 800** – PARIS, 12 déc. 1990 : *Portrait de MM. les juges et consuls de la Bourse de l'année 1786 réunis dans le même tableau*, h/t (220x300) : **FRF 480 000** – PARIS, 18 déc. 1996 : *L'artiste peignant le portrait de sa femme Dorothée et de sa fille Madeleine Aimée*, h/pan. (27x21) : **FRF 125 000**.

LACOUR Pierre, fils ou **Delacour**
Né le 16 mars 1778 à Bordeaux (Gironde). Mort le 17 avril 1859 à Bordeaux. XIXe siècle. Français.
Peintre de genre, graveur.
Fils et élève de Pierre Lacour. Il vint à Paris en 1798 et fut placé par son père dans l'atelier de Vincent. Lacour fils se fit une réputation à Paris comme graveur, et produisit dans ce genre un œuvre considérable. À la mort de son père, il fut nommé conservateur du Musée de Bordeaux et directeur de l'École de dessin. Il occupa également une place importante comme archéologue.
VENTES PUBLIQUES : LONDRES, 19 mars 1985 : *Les petits soldats* 1859, h/t (59x87) : **GBP 3 800**.

LACOUR Simone
Née le 6 août 1926. XXe siècle. Belge.
Peintre, sculpteur. Abstrait.
Elle fut élève de l'Académie Royale des Beaux-Arts de Liège, où elle obtint diverses distinctions ; elle fut aussi élève de Paul Delvaux, de l'Institut Supérieur de La Cambre, à Bruxelles, puis de l'Académie Fernand Léger, à Paris.
Elle participe à de très nombreuses expositions de groupe, parmi lesquelles : 1957, Salon Comparaisons ; 1958, Salon des Indépendants ; 1961, Biennale de la Jeune Peinture, etc. Elle a été sélectionnée pour divers prix, notamment pour le Prix de la Jeune Peinture Belge, en 1960 et 1962. Elle montre ses œuvres dans des expositions personnelles, parmi lesquelles : Liège, 1955, 1957 ; Bruxelles, Palais des Beaux-Arts, 1959 ; Verviers, Musée des Beaux-Arts, 1960 ; Liège, Anvers, Gand, 1960 ; Francfort, 1962 ; Luxembourg, 1962 ; Liège, 1962 ; Verviers, Musée des Beaux-Arts, 1963 ; Bruxelles, 1964 ; Paris, 1964, etc.
Elle pratique une abstraction extrêmement raisonnée sans faire toutefois partie de l'abstraction constructiviste. Dans sa nouvelle manière, grâce à des constructions d'étoffes tendues sur des supports, sa peinture s'étend à la troisième dimension, en haut-relief. Elle signe parfois *Dominique Lacour*.
BIBLIOGR. : Catalogue de l'exposition : *Simone Lacour*, Paris, 1964 – in : *Diction. biographique illustré des artistes en Belgique depuis 1830*, Arto, Bruxelles, 1987.
VENTES PUBLIQUES : LOKEREN, 21 mars 1992 : *Aérolithe* 1958, h/t (130x81) : **BEF 85 000** – LOKEREN, 23 mai 1992 : *Écriture hivernale* 1960, h/pap./t. (46x55) : **BEF 28 000** – LOKEREN, 10 oct. 1992 : *Composition* 1960, h/t (27x41) : **BEF 30 000**.

LACOUR-LESTUDIER Gabriel Louis. Voir **LESTUDIER-LACOUR**

LA COURT François
XVIIe siècle. Éc. flamande.
Peintre.
Il travailla à Anvers et fut élève de Adam Pynacker.

LA COURT Johannes Franciscus de
Né en 1683 ou 1684 à Bruxelles. XVIIIe siècle. Actif à Leyde. Hollandais.
Peintre de portraits, pastelliste.

MUSÉES : HAARLEM : *Mme N.-L. Stompwyck* – LEYDE : *Portrait de G. Bidloo* – UTRECHT : *Portraits du Bourgmestre d'Utrecht P. Voet Van Wyssen et de sa femme*.
VENTES PUBLIQUES : AMSTERDAM, 7 mai 1993 : *Portrait d'une jeune femme* 1744, past./pap./cart. (58x46) : **NLG 2 760**.

LA COURT Jost de
XVIe siècle. Travailla en Lorraine. Allemand.
Peintre.
C'est sans doute le même artiste qui est nommé également Joos de Lacourt et Joest de Coer.

LA COURT Martin ou **Martinus de**
Né en 1640 à Bruxelles. Mort en 1710. XVIIe-XVIIIe siècles. Éc. flamande.
Peintre de genre, portraits, animaux.
Il travailla à Delft à la fin du XVIIe. Il fut portraitiste et peintre d'animaux.
VENTES PUBLIQUES : AMSTERDAM, 12 juin 1990 : *Bergère bavardant avec une fileuse dans un paysage italien*, h/pan. (51,6x66,1) : **NLG 5 175** – MONACO, 18-19 juin 1992 : *Portrait d'homme* 1700, h/t, de forme ovale (76x58,5) : **FRF 31 080** – AMSTERDAM, 7 mai 1993 : *Portrait d'un gentilhomme* 1706, h/t (78x59,5) : **NLG 3 450**.

LA COURT Maximilien de
XVIe siècle. Travaillait à Cologne à la fin du XVIe siècle. Allemand.
Peintre.

LA COURT Nicolas de
Né peut-être à Douai. XVIe siècle. Actif à Dijon au milieu du XVIe siècle. Français.
Sculpteur.

LA COURT Olivier de
XVIe siècle. Travaillait à Cologne vers 1595. Allemand.
Peintre.
Il était peut-être le fils de Maximilien de La Court.

LA COURT VAN DEN VOORT Catherine Adrienne Van den
Morte avant 1754. XVIIIe siècle. Hollandaise.
Peintre de natures mortes.
Veuve de Jan Meerman.

LACRETELLE Jean Édouard
Né le 4 juin 1817 à Forbach (Moselle). Mort en 1900 à Paris. XIXe siècle. Français.
Peintre de portraits et d'histoire.
Exposa régulièrement au Salon à partir de 1841. Le Musée de Versailles conserve de lui un *Portrait de Jean-Jacques Rousseau.*

LA CREUZE-VALLÉE Jean de
Né à Rennes. XVIe-XVIIe siècles. Travailla à Cracovie. Français.
Peintre.

LA CROCE de. Voir aussi **CROCE della**

LA CROCE Johann Nepomuk de
Né en 1736 à Pressano (Tyrol). Mort en 1819 à Linz. XVIIIe-XIXe siècles. Autrichien.
Peintre.
Il fut élève de Lorenzoni. Il voyagea à travers l'Italie, l'Allemagne, la Hongrie et la France avant de se fixer à Burghausen. Les églises de Bavière possèdent de lui de nombreux tableaux d'autels. Lipowksi estime à cinq mille le nombre de ses portraits et à deux cents celui de ses tableaux d'histoire.
VENTES PUBLIQUES : NEW YORK, 26 fév. 1997 : *Loth et ses filles fuyant Sodome* 1787, h/t (87,3x69,8) : **USD 2 990**.

LACROIX ou **Lactorius**. Voir aussi **DELACROIX**

LACROIX
Né au XVIIe siècle à Paris. XVIIe siècle. Français.
Sculpteur.
Il étudia à Rome et travailla à Versailles.

LACROIX. Voir **GALIPOT Guy**

LACROIX Alphonse
Né en 1886 à Bressoux. XXe siècle. Belge.
Peintre de paysages.
BIBLIOGR. : In : *Diction. biographique illustré des artistes en Belgique depuis 1830*, Arto, Bruxelles, 1987.

LA CROIX Anne ou **Jeanne** ou **Lacroix,** ou **de la Croix**
XVIIIe siècle. Active à Paris au début du XVIIIe siècle. Française.
Graveur au burin.
Elle grava avec sa sœur Ursule, ou Madeleine Ursule, l'ouvrage publié par leur tante et professeur, E. S. Cheron : *Pierres gravées tirées des principaux cabinets de France*, et, d'après elle également, huit planches.

LACROIX Anton
Né en 1845 à Wavré. Mort le 14 janvier 1896 à Schaerbeck (près Bruxelles). XIXe siècle. Hollandais.
Peintre.
Élève de Portaels.

LACROIX C.
D'origine bourguignonne. XVIIe siècle. Actif à Gênes vers la fin du XVIIe siècle. Italien.
Sculpteur sur ivoire.
Il acquit une réputation à Gênes par de petits crucifix en bois et ivoire. Un buste d'homme en ivoire, de l'époque de Louis XIV, signé de cet artiste, figura à l'Exposition Universelle de Paris en 1878.

LACROIX Charles
XIXe siècle. Suisse.
Paysagiste et portraitiste, amateur et photographe d'art.
Exposa à Genève en 1893 et 1895.

LA CROIX Charles F. de. Voir **LACROIX DE MARSEILLE**

LACROIX Eugène
XIXe siècle. Actif à Paris. Français.
Peintre de genre, portraits, natures mortes.
Exposa à partir de 1841. Il obtint une médaille d'argent 1878 (Exposition Universelle). Grand prix 1889 (Exposition Universelle, Hors-Concours).
VENTES PUBLIQUES : PARIS, 17 juin 1991 : *Portrait d'une jeune garçon et de ses deux sœurs* 1851, h/t (117x90) : **FRF 160 000** – NEW YORK, 14 nov. 1991 : *Fruits* 1863, h/t (45,8x35,5) : **USD 2 200**.

LA CROIX François de ou **Lacroix**
XVIIIe siècle. Français.
Peintre.
Peintre de la cour à Paris, il est peut-être identique au peintre de portraits de La Croix, mentionné à Varsovie vers 1701.
MUSÉES : VARSOVIE (Nat.) : *Portrait de Michael Wisniowiecki.*

LA CROIX Frederik
Né en France. Mort en Danemark. XVIIIe siècle. Français.
Peintre de portraits.
L'artiste travaillait vers l'année 1701 à Varsovie. C'est après cette date qu'il a sans doute été appelé en Danemark où il a peint de nombreux portraits. Un autre peintre du même nom de famille, Johan Otto La Croix, séjournait à Copenhague en même temps que Frederik La Croix. On ignore jusqu'à présent si ces deux artistes étaient parents.

LACROIX G. F. de. Voir **LACROIX DE MARSEILLE Charles François**

LACROIX Gabrielle
Morte en 1894. XIXe siècle. Française.
Peintre.
Sociétaire des Artistes Français, elle figure au Salon de ce groupement.

LACROIX Gaspard Jean
Né le 24 janvier 1810 à Turin, de parents français. Mort en 1878 à Paris. XIXe siècle. Français.
Peintre de genre, paysages animés, paysages.
Élève de Corot, il participa au Salon de Paris de 1834 à sa mort, obtenant une médaille de troisième classe en 1842 et deux médailles de deuxième classe en 1843 et 1848. Il prit part à l'Exposition Universelle de 1878.
Très influencé par son maître, il peint des vues de sites du Dauphiné, de l'Auvergne, des Pyrénées-Orientales, de la Provence, de Fontainebleau, de l'Ile-de-France.
BIBLIOGR. : In : Catalogue de l'exposition : *Les années romantiques, la peinture française de 1815 à 1850*, Musée des Beaux-Arts de Nantes, 1995-1996 et Galeries nationales du Grand Palais, Paris, 1996.
MUSÉES : BAYEUX : *Paysage d'Italie* – BÉZIERS : *Un jardin* – DOLE : *Saules* – GRENOBLE : *Les laboureurs* – NANTES (Mus. des Beaux-Arts) : *Pêcheurs catalans près de Port-Vendres* – NIORT : *Le coup de vent* – PERPIGNAN : *L'avare qui a perdu son trésor.*

LACROIX Gilles Robert de
XVIIIe siècle. Actif à Granville (Manche). Français.
Sculpteur sur bois.
L'église Notre-Dame, à Granville, possède de sa main une chaire et des stalles, et l'église Saint-Pierre, à Coutances, une chaire, provenant de l'église d'un ancien monastère.

LACROIX Gisèle
Née le 19 février 1935 à Lyon (Rhône). XXe siècle. Française.
Sculpteur.
Après ses études à l'École des Beaux-Arts de Lyon et de Paris, elle expose, à Paris, au Salon Comparaisons et au Salon de la Société Nationale des Beaux-Arts.

LA CROIX Isaac Jacob de
Né le 28 décembre 1751 à Payerne. Mort après 1800. XVIIIe siècle. Suisse.
Graveur à l'eau-forte et au burin.
Élève de Chrétien, de Mechel, de Dunker et d'Eichler. Il travailla dans sa ville natale et à Bâle, puis se rendit en Italie. De retour en Suisse, il grava les planches de nombreux ouvrages illustrés, notamment de l'*Histoire Universelle.*

LA CROIX J. G. de
XVIIIe siècle. Actif en Hollande vers 1737. Hollandais.

Graveur.
Peut-être un élève de J. Houbraken.

LACROIX Jacques Louis Théophile
XIXe siècle. Actif à Paris. Français.
Paysagiste.
Exposa au Salon en 1848 et 1850. Il a peint, notamment, les bords de la Seine.

LACROIX Jean
XVIIIe siècle. Actif à la fin du XVIIIe siècle. Suisse.
Graveur au burin.
On cite de lui deux vues du lac de Genthod (en collaboration avec Malgo, 1780) et huit planches dessinées par H. Ploetz pour le *Mémoire sur les Salamandres*, par Ch. Bonnet.

LACROIX Jean Joseph
Né en 1800 à Avignon (Vaucluse). Mort en 1880. XIXe siècle. Français.
Peintre de genre, portraits.
Il participa au Salon de Paris entre 1841 et 1845.
Bibliogr. : In : Catalogue de l'exposition : *Les années romantiques, la peinture française de 1815 à 1850*, Musée des Beaux-Arts de Nantes, 1995-1996 et Galeries nationales du Grand Palais, Paris, 1996.
Musées : Avignon : *Donation du Christ d'ivoire – Moine en contemplation – Fresques de l'église de l'Isle-sur-Sorgue – Augustin Boudin – Rachat d'un condamné à mort* – Deux pastels – *Portrait de Joseph Althen* 1838.

LACROIX Jeanne. Voir **LACROIX Anne**

LACROIX Louis
Né au XVIIe siècle à Troyes. XVIIe siècle. Français.
Peintre.
Travailla à Grenoble entre 1674 et 1694.

LACROIX Louise Renée
Née le 25 juin 1890 à Paris. XXe siècle. Française.
Peintre.
Élève de Henri Royer et Vignal. Médaille d'argent aux Artistes Français.

LACROIX Ludo
Né en 1940 à Merksem. XXe siècle. Belge.
Peintre.
Il fut élève de l'Académie Royale des Beaux-Arts.
Bibliogr. : In : *Diction. biographique illustré des artistes en Belgique depuis 1830*, Arto, Bruxelles, 1987.

LACROIX Madeleine Ursule de. Voir **LA CROIX Anne**

LACROIX Marguerite
Née en 1898 à Haren. XXe siècle. Belge.
Peintre de figures, paysages, portraits.
Autodidacte.
Bibliogr. : In : *Diction. biographique illustré des artistes en Belgique depuis 1830*, Arto, Bruxelles, 1987.

LACROIX Marie, pseudonyme **Maria Anselma**, née **de Gessler**
Née en 1831 à Cadix. Morte en 1907 à Paris. XIXe siècle. Française.
Peintre de genre.
Élève de Chaplin. Exposa de 1864 à 1868, sous le pseudonyme d'Anselma.

LACROIX Paul
Mort en 1869. XIXe siècle. Américain.
Peintre de paysages, natures mortes de fleurs et fruits.
Il était actif vers 1858-1869. Entre 1858 et 1866 il vécut à New York puis s'installa à Hoboken dans le New Jersey.
On connait peu de ses œuvres dont les sujets sont soit des paysages, soit surtout des natures mortes de fleurs et fruits.
Ventes Publiques : New York, 30 jan. 1980 : *Nature morte aux raisins et pastèque*, h/t, forme ovale (76,2x62,9) : **USD 7 500** – New York, 1er avr. 1981 : *Nature morte aux chrysanthèmes* 1864, h/t (30,5x38,1) : **USD 12 000** – New York, 18 mars 1983 : *Grappe de raisin* 1863, h/t (41,2x31,2) : **USD 2 400** – New York, 30 mai 1985 : *Nature morte aux fruits*, h/t (76,2x101,6) : **USD 10 000** – New York, 4 déc. 1987 : *Cerises* 1866, h/cart. (15,3x20,3) : **USD 6 000** – New York, 24 juin 1988 : *Étude de cerises*, h/cart. (10,5x13,9) : **USD 5 225** – New York, 26 sep. 1990 : *Nature morte avec du raisin, des pommes et des poires, etc.* 1858, h/t (30,5x42,6) : **USD 11 000** – New York, 15 mai 1991 : *Nature morte avec des roses roses et jaunes* 1863, h/t/cart. (32,4x54) : **USD 1 100** – New York, 11 mars 1993 : *Les richesses de la nature*, h/t/cart. (74x99) : **USD 25 300** – New York, 3 déc. 1993 : *Nature morte*, h/t (76,2x63,5) : **USD 16 100** – New York, 9 mars 1996 : *Nature morte d'une pomme et d'une poire* 1864, h/t (20,6x25,5) : **USD 6 900** – New York, 27 sep. 1996 : *Fraises dans un paysage*, h/pan. (20,5x25,5) : **USD 13 800** – New York, 23 avr. 1997 : *Nature morte à la pastèque, aux raisins et aux fraises*, h/t (81,3x61) : **USD 8 625**.

LACROIX Pierre
Né en 1783 à Nîmes. Mort en 1856 à Paris. XIXe siècle. Français.
Peintre et lithographe.
Exposa de 1817 à 1850. Il avait été élève de David et de Gros. On cite, parmi ses œuvres, *La duchesse de Berry et ses enfants* (pour le château de Rosny) qu'il lithographia lui-même et *La prédication de saint François Xavier* (pour l'église de Valence).

LA CROIX Pierre de
XVIIe siècle. Actif à Rennes. Français.
Sculpteur.
Il sculpta, au portail de la cathédrale de Rennes, les armes de l'évêque, celles de M. de la Meilleraye et quatre culs-de-lampe entre les colonnes. Les écussons portant ces armoiries, bien que détériorés par la Révolution, se voient encore à la hauteur du deuxième étage.

LA CROIX Pierre Frédérik de
Né vers 1709 en France. Mort en 1782 à La Haye. XVIIIe siècle. Français.
Peintre de portraits, dessinateur.
Il fut, en 1753, membre de la Pictura à La Haye ; vécut, en 1754, à Amsterdam, puis à La Haye.

P. F. De La Croix
1772

Ventes Publiques : Paris, 16 mars 1990 : *Portraits d'une dame et d'un homme*, past., une paire (chaque 32x23,5) : **FRF 25 000** – Amsterdam, 9 mai 1995 : *Portraits d'un gentilhomme et d'une dame* 1753, h/t, une paire (chaque 86x67) : **NLG 7 080**.

LACROIX Richard
Né en 1939 à Montréal. XXe siècle. Canadien.
Peintre, graveur, sculpteur. Abstrait.
Il a étudié au Canada et, à Paris, à l'*Atelier 17* de W. Hayter. Il fut également élève de Dumouchel. Son approche critique et sociologique de la création le conduit à la création du groupe *Fusion des arts* en 1964. Il est aussi le fondateur de l'*Atelier libre de recherches graphiques* à Montréal.
Il a réalisé des sculptures cinétiques puis s'est intéressé à la gravure. Depuis 1960, il s'est montré versatile et a affiché divers styles différents. Il a publié cinq recueils de gravures : *Pierre du soleil* (1960) ; *Bestiaire* (1961) ; *La Métamorphose de la pitoune* où, utilisant la technique du thermo-formage (feuille de plastique moulée à chaud), il a, à travers ces reliefs, raconté l'histoire des grands arbres descendants le long des rivières canadiennes (1969), *Mutations* (1970) et *Cristaux* (1972).
Bibliogr. : In : *Les Vingt Ans du Musée à travers sa collection*, catalogue de l'exposition, Musée d'Art Contemporain, Montréal, 1985.
Musées : Montréal (Mus. d'Art Contemp.) : *Clair-Obscur* 1978.

LACROIX Simon
XVIIe siècle. Actif à Lyon. Français.
Sculpteur.
Avec la collaboration de Nicolas Bidau et d'Emmanuel Bagnieux, et sur les dessins de Thomas Blanchet, il fit, en 1675, pour l'église des Bénédictins de Saint-Pierre, un retable qui lui fut commandé par l'abesse Antoinette d'Albert d'Ailly.

LACROIX Tristan J. L.
Né vers 1862 à Périgueux (Dordogne). XIXe-XXe siècles. Français.
Peintre animalier, paysages, natures mortes, sculpteur.
Il participa au Salon de Paris de 1883 à 1895, obtenant une mention honorable en 1883, pour la peinture, et en 1886, pour la sculpture. Médaille de bronze à l'Exposition Universelle de 1889. Il anime très souvent ses paysages d'animaux.
Bibliogr. : Gérald Schurr, in : *Les Petits Maîtres de la peinture 1820-1920, valeur de demain*, Les Éditions de l'Amateur, t. II et V, Paris, 1981-1982.

Musées : Périgueux : *Châtaigneraie à Marival, près de Périgueux, l'hiver.*
Ventes Publiques : Paris, 28 oct. 1922 : *Paysage* : **FRF 270** – Paris, 28 mars 1945 : *Jeune femme nue se mirant dans l'eau* : **FRF 2 600** – Paris, 30 jan. 1947 : *Moutons* : **FRF 600** ; *Paysage* : **FRF 1 100** – Versailles, 16 avr. 1978 : *La charrette attelée* 1892, h/t (50x73) : **FRF 4 800** – Reims, 23 mars 1986 : *Partie de polo à Bagatelle* 1883, h/t (47x81) : **FRF 32 000** – Paris, 19 juin 1989 : *Les haras de Suresne*, h/t (54x82) : **FRF 12 000** – Clamecy, 10 nov. 1991 : *Nature morte au bouquet de fleurs et à l'éventail* 1877, h/t (65x81) : **FRF 52 500** – Paris, 25 nov. 1991 : *Combat de cerfs* 1889, h/t (90x130) : **FRF 6 000** – Paris, 17 déc. 1993 : *Fenaison*, h/pan. (23,5x33) : **FRF 5 200** – Rome, 2 juin 1994 : *La chasse*, h/t (38x56) : **ITL 1 265 000**.

LACROIX Ursule. Voir **LA CROIX Anne**

LACROIX Valentine
Née au xixe siècle à Genève. xixe siècle. Suisse.
Aquarelliste.
Exposa à Genève en 1901 et 1903.

LA CROIX Victor de
Né à Bruxelles. xixe siècle. Éc. flamande.
Peintre de genre.
Il travailla à Bruxelles de 1829 à 1840. Il faut peut-être l'identifier à Delacroix (Victor).

LACROIX DE MARSEILLE Charles François, pseudonyme de **Charles François Grenier de Lacroix,** ou **Delacroix**
Né en 1700 ou 1720 à Paris ou à Avignon (Vaucluse) ou à Marseille (Bouches-du-Rhône). Mort en 1779 à Berlin, en novembre 1782 selon certaines sources. xviiie siècle. Français.
Peintre de paysages animés, paysages d'eau, marines.
D'après plusieurs autorités (Bazin entre autres), le peintre Charles François Delacroix ou Lacroix, appelé aussi Lacroix de Marseille, ne ferait qu'une seule et même personne avec l'artiste G. F. de La Croix. Il existe en effet des peintures à la signature orthographiée *G. F. De La Croix* qui, de l'avis des experts, sont manifestement de la main de Lacroix de Marseille. Les biographes ne sont pas d'accord sur le lieu de naissance de cet artiste, dont la vie errante et fantaisiste échappe aux recherches. Pour ce qui concerne l'année de sa mort, on s'en tient à l'affirmation plus vraisemblable de Pahin de la Blancherie qui opte pour l'année 1782. Il est su qu'il fut l'élève de Joseph Vernet. En 1754, il travaillait à Rome et était connu sous le nom de Della Croce. N'appartenant pas à l'Académie royale de peinture, il ne figura qu'à l'Exposition du Colisée en 1776 et au Salon de la Correspondance en 1780 et 1782. Jean Jacques Le Veau et Noël Le Mire ont gravé d'après lui.
Ses marines, très nombreuses, eurent un légitime succès au xviiie siècle. Négligées dans la suite, le xxe siècle en a redécouvert les charmes qui relient Claude Lorrain au préromantisme, souvent accentués par des flots en tempête, des effets de clair de lune à travers les nuages éclairant à contre-jour une architecture portuaire.
Musées : Angers – Avignon : *Marine – Tempête* – Bordeaux (Mus. des Beaux-Arts) – Bourg-en-Bresse – Dijon (Mus. des Beaux-Arts) : *Marine, effet de soleil couchant – Marine, effet de nuit* – Montauban – Orléans – Rouen (Mus. des Beaux-Arts) – Saint-Pétersbourg – Stockholm – Toulon – Toulouse : *Marine, effet de brouillard – Tempête.*
Ventes Publiques : Paris, 1868 : *Vue prise au bord de la Méditerranée* : **FRF 410** – Paris, 1892 : *Vue du port de Gênes ; Vue prise à Bacca*, ensemble : **FRF 2 600** – Paris, 21 fév. 1919 : *Vue d'un port de la Méditerranée* : **FRF 950** – New York, 11 jan. 1929 : *Port méditerranéen* : **USD 600** – Paris, 26 oct. 1933 : *Marine*, deux œuvres : **FRF 14 500** – Paris, 1er fév. 1943 : *Vue d'un port* : **FRF 78 000** – Paris, 3 mars 1944 : *Le Donjon et La Cascade*, deux toiles : **FRF 190 000** – Paris, 10 juin 1954 : *Le matin, Le soir* : **FRF 300 000** – Londres, 20 mars 1959 : *Vue de Rome* : **GBP 2 730** – Londres, 26 juin 1964 : *Vue de Rome avec le château Sant'Angelo* : **GNS 7 000** – Paris, 16 juin 1967 : *Le matin ; L'après midi*, deux pendants : **FRF 60 000** – New York, 18 mai 1972 : *Scène de port*, deux pendants : **USD 27 000** – Paris, 29 nov. 1973 : *Pêcheurs débarquant leur poisson* : **FRF 21 000** – Londres, 2 avr. 1976 : *Paysage fluvial escarpé*, h/t (99x124,5) : **GBP 4 200** – Londres, 2 déc. 1977 : *Scène de port méditerranéen* 1767, h/t (49,3x74) : **GBP 5 000** – New York, 31 mai 1979 : *Scène de bord de mer* 1760, h/t (52x86) : **USD 26 000** – Londres, 10 juil. 1981 : *Marins sauvant des naufragés ; Pêcheurs et bateaux à l'ancre dans un port méditerranéen*, h/t, une paire (chaque 49,7x64,7) : **GBP 28 000** – Semur-en-Auxois, 12 avr. 1982 : *Paysages boisés* 1763, 2 h/t (72x97) : **FRF 230 000** – New York, 18 jan. 1983 : *Le Sauvetage des naufragés ; Scène de port méditerranéen* 1754, h/t, une paire (49,7x64,7) : **USD 60 000** – Paris, 5 déc. 1985 : *Rivage méditerranéen animé de pêcheurs ; Vaisseau à l'ancre dans un port méditerranéen*, h/t, une paire (38x46) : **FRF 110 000** – Londres, 4 juil. 1986 : *Scène de bord de mer* 1750, h/t (94,6x166,4) : **GBP 60 000** – New York, 15 jan. 1987 : *Le Port de Civita Vecchia avec le pape Clement XIII* 1763, h/t (85x184) : **USD 175 000** – Paris, 14 avr. 1988 : *Couple de pêcheurs au bord d'une baie*, h/t (21x30,5) : **FRF 45 000** – Monaco, 19 juin 1988 : *Capriccio d'un port méditerranéen avec des lavandières à la fontaine et un bateau hollandais au fond*, h/t (45,5x66) : **FRF 355 200** – Londres, 17 juin 1988 : *Capriccio d'un port méditerranéen avec des personnages, ruines romaines et un vaisseau hollandais au large* 1769, h/t (29,5x42,9) : **GBP 8 250** – Paris, 12 déc. 1988 : *Vue de port méditerranéen*, h/t (67x93) : **FRF 250 000** – New York, 2 juin 1989 : *Crique abritée par des falaises avec des pêcheurs et un bateau à l'ancrage au large* 1760, h/t (75x129,5) : **USD 55 000** – Paris, 14 juin 1989 : *Paysage à la cascade avec le temple de Tivoli*, h/t (63,5x48) : **FRF 380 000** – New York, 10 jan. 1990 : *Paysage côtier par temps calme avec des personnages halant une embarcation sur la grève*, h/t (100,3x97,8) : **USD 33 000** – Londres, 20 juil. 1990 : *La baie de Naples avec des pêcheurs nettoyant leurs filets, un phare et le Vésuve au fond* 1756, h/t (35,5x45) : **GBP 85 800** – Londres, 26 oct. 1990 : *Éruption du Vésuve de nuit avec des pêcheurs déchargeant leurs filets près du phare* 1781, h/t (32,5x43,3) : **GBP 12 650** – Londres, 30 oct. 1991 : *Scène d'un port méditerranéen au coucher de soleil* 1772, h/cuivre (36,5x47) : **GBP 38 500** – Monaco, 5-6 déc. 1991 : *Marines*, h/t, une paire (24x31) : **FRF 210 900** – Paris, 13 déc. 1991 : *Rivage méditerranéen au soleil levant*, h/t (52x80,5) : **FRF 300 000** – Paris, 10 avr. 1992 : *Pêcheurs près d'une côte méditerranéenne*, cuivre (23,5x31,5) : **FRF 150 000** – Paris, 22 mai 1992 : *Baigneuses au bord de la mer* 1774, h/t (106x148,5) : **FRF 195 000** – New York, 22 mai 1992 : *Deux hommes et deux femmes pêchant au pied d'une cascade surplombée par un château-fort*, h/t (55,9x80,6) : **USD 12 650** – Londres, 11 déc. 1992 : *Matin, pêcheurs sur un côte rocheuse près d'un port fortifié ; Soir, couple de paysans dansant sur la côte près d'une grotte surplombée par un fort* 1767, h/t, une paire (46,2x62,5) : **GBP 132 000** – New York, 15 jan. 1993 : *Vues imaginaires de ports méditerranéens*, h/t, une paire (104,8x144,8) : **USD 123 500** – Paris, 15 déc. 1993 : *Remorquage à l'entrée d'un port de la côte napolitaine*, h/t (49,5x64,5) : **FRF 150 000** – Lyon, 12 avr. 1994 : *Scène de port ; Pêche aux filets*, h/t, une paire (66x98 et 67x99) : **FRF 600 000** – New York, 20 juil. 1994 : *Scène de port au lever du jour avec des pêcheurs posant leurs filets*, h/t (44,5x54) : **USD 7 187** – Paris, 12 déc. 1995 : *Pêcheurs près d'un rivage méditerranéen avec un vaisseau*, h/t (95x135) : **FRF 350 000** – Monaco, 14 juin 1996 : *Lever du soleil, matelots chargeant des munitions sur un bateau devant des marchands orientaux ; Coucher de soleil, pêcheurs rentrant leurs filets sur une berge près d'une tour fortifiée* 1760-1761, h/cuivre, une paire (24x32,8) : **FRF 527 700** – Londres, 25 juin 1996 : *Pêcheurs au clair de lune*, h/t (76,5x126) : **FRF 105 000** – Paris, 17 juin 1997 : *Tempête sur la côte rocheuse ; L'Éruption du Vésuve au clair de lune* 1761, t., une paire (26,5x37,5) : **FRF 370 000** – New York, 16 oct. 1997 : *Paysage au clair de lune avec des personnages sur un appontement près d'un phare et le Vésuve en éruption dans le lointain* 1756, h/t (62,8x81,2) : **USD 17 250**.

LACROIX DE PRÉCHATAIN Yvonne Pauline
Née le 6 janvier 1869 à Paris. xixe siècle. Française.
Pastelliste.
Élève de Tony Robert-Fleury et Bouguereau. Sociétaire des Artistes Français depuis 1887, elle figura aux Salons de ce groupement.

LACROIX-BAVARD Pierre Gabriel
Né vers 1875 à Doyet (Allier). Mort vers 1950 à Paris. xxe siècle. Français.
Peintre animalier, dessinateur, pastelliste, aquarelliste.
Il a exposé régulièrement, à Paris, au Salon de la Société Nationale des Beaux-Arts, dont il est devenu sociétaire en 1927, ainsi qu'au salon des Artistes Animaliers.
Bibliogr. : Armand Dayot : *Les Animaux*, vol. IV, Charles Moreau, 1932.

LACROIX-FLAGET Marcelle
Née en 1900. xxe siècle. Belge.

Peintre, peintre de cartons de tapisseries.
Elle fut élève de Montald et de Rousseau à l'Académie Royale des Beaux-Arts de Bruxelles. Elle fut professeur à La Cambre. Ses cartons de tapisseries furent tissés à Malines et Aubusson.
BIBLIOGR. : In : *Diction. biographique illustré des artistes en Belgique depuis 1830*, Arto, Bruxelles, 1987.

LA CROSA Eduardo Gilino de
Né à Oviedo. Mort le 7 juillet 1866 à Gizon. XIXe siècle. Espagnol.
Peintre d'histoire.
Élève de l'École des Beaux-Arts d'Oviedo et de l'Académie San Fernando à Madrid. Exposa à la Nationale des Beaux-Arts en 1860 et 1862.

LACROUX Marguerite
Née le 6 novembre 1898 à Lausanne (Suisse). Morte le 1er juin 1972. XXe siècle. Française.
Peintre.
Elle a étudié aux Beaux-Arts de Montpellier, puis à Paris dans l'atelier d'André Lhote. Elle est sociétaire des Indépendants depuis 1955.

LACROUX Pierre
Né le 15 février 1909 à Montpellier (Hérault). Mort le 20 janvier 1993 à Privas (Ardèche). XXe siècle. Français.
Peintre de figures, paysages, aquarelliste, sculpteur.
Il a étudié aux Beaux-Arts de Montpellier, puis dans l'atelier d'André Lhote à Paris. Il était sociétaire des Indépendants depuis 1953. Il exposait aussi au Salon d'Automne et a participé à la Biennale de Menton.
MUSÉES : LYON (Mus. des Beaux-Arts) : *Femmes à Menton* 1962 – Montpellier (Mus. Fabre) : *Femme au foulard rouge* 1952 – *Les Pins de Roquebrune* 1967 – PRIVAS (Mairie) : *Les Pins à midi* 1969.

LA CRUZ Diego de
XVe siècle. Espagnol.
Peintre de compositions religieuses, compositions décoratives.
Il fut actif entre 1488 et 1499 dans la région de Burgos et de Valladolid, collaborant avec le sculpteur Gil de Siloe, pour la reine Isabelle, notamment à la décoration du maître autel des Chartreux de Miraflores près de Burgos. Il est l'auteur du *Triptyque de l'Épiphanie* de la chapelle de la Conception de la cathédrale de Burgos, sur la demande de l'evêque Luis de Acùna ; les décorations de la porte qui conduit au chemin de croix sont également de lui. On lui attribue, entre autres, le *Christ de pitié entre deux anges*, de la collégiale de Covarrubias ; une *Messe de saint Grégoire* ; le *Christ de pitié*, du musée de Bilbao ; un *Christ de pitié entre David et Jérémie* ; *Saint Jean Baptiste*, du Prado ; et le retable, dit des Rois Catholiques, aujourd'hui dispersé, qui avait permis d'identifier Diego de la Cruz avec le maître dit des Rois Catholiques.
À ses débuts, ses compositions montrent sa connaissance de l'art flamand, notamment de Rogier Van der Weyden, puis ses personnages prennent un caractère plus réaliste, plus hispanique.
BIBLIOGR. : In : *Dictionnaire de la peinture espagnole et portugaise du Moyen Âge à nos jours*, coll. Essentiels, Larousse, Paris, 1989.
MUSÉES : BILBAO : *Christ de pitié* – DENVER : *L'Épiphanie* – MADRID (Mus. du Prado) : *Saint Jean Baptiste* – SAN FRANCISCO (De Young Memorial Mus.) : *L'Annonciation* – *Nativité*.

LA CRUZ Francisco de
XVIIe siècle. Travaillant à Séville. Espagnol.
Peintre.

LA CRUZ Gonzalo de
Né en 1542 à Valence. XVIe siècle. Espagnol.
Peintre.
On parle de lui encore en 1587.

LA CRUZ Juan de
Né en 1563. XVIe siècle. Espagnol.
Peintre.
En 1581, il est cité comme témoin dans un procès à Valladolid.

LA CRUZ Juan de
XVIIe siècle. Espagnol.
Miniaturiste.
Il travaillait à Madrid en 1628.

LA CRUZ Juan de. Voir aussi **PANTOJA DE LA CRUZ**

LA CRUZ Manuel de
Né en 1750 à Madrid. Mort le 26 octobre 1792 à Madrid. XVIIIe siècle. Espagnol.
Peintre de compositions religieuses, scènes de genre, marines, dessinateur, graveur.
Il fit ses études à l'Académie de San Fernando, dont il devint académicien en 1789.
Il se fit remarquer par les peintures qu'il exécuta dans la cathédrale de Carthagène et dans le monastère de San Francisco el Grande à Madrid. Il est surtout connu pour les sujets populaires qu'il dessina et qui furent gravés par son oncle. Il grava aussi quelques planches de têtes, d'un caractère fortement marqué. Enfin, il est l'auteur de quelques vues de ports.
BIBLIOGR. : In : *Dictionnaire de la peinture espagnole et portugaise du Moyen Âge à nos jours*, coll. Essentiels, Larousse, Paris, 1989.
MUSÉES : MADRID (Mus. du Prado) : *La foire de Madrid* – MADRID (Mus. mun.) : *La Plaza de la Cebada*.

LA CRUZ Mateo de
XVIIe siècle. Mexicain.
Sculpteur.
Il sculpta en 1697 la chaire de la cathédrale de Puebla.

LA CRUZ Miguel de
XVIIe siècle. Travaillant à Madrid. Espagnol.
Peintre.
Peintre d'avenir, qui mourut jeune. En 1633, Charles Ier d'Angleterre le chargea de copier les peintures remarquables de l'Alcazar de Madrid.

LA CRUZ Pedro de
Né en 1790 à Madrid. XIXe siècle. Espagnol.
Peintre.
Frère d'Alejandro de La Cruz.

LA CRUZ CANO Y OLMEDILLA Juan de
Mort le 15 février 1790 à Madrid. XVIIIe siècle. Espagnol.
Graveur.
Il fit ses études à Paris grâce à une pension du roi Ferdinand VI. On cite de lui une grande carte de l'Amérique du Sud, et une carte très détaillée des provinces espagnoles.

LA CRUZ Y RIOS Luis de, dit **el Canario**
Né en 1776 à Ténériffe (Canaries). Mort en 1850 ou 1853 à Malaga. XIXe siècle. Espagnol.
Peintre et miniaturiste.
VENTES PUBLIQUES : PARIS, 28 mars 1997 : *Portrait de Don Nicolas Martinez*, h/t (105x83) : **FRF 11 000**.

LACTERIUS N. Voir **LACHTROPIUS**

LA CUADRA Pedro de
XVIIe siècle. Actif à Valladolid au début du XVIIe siècle. Espagnol.
Sculpteur.

LA CUADRA Y ESTEVEZ Manuel de
XIXe siècle. Espagnol.
Peintre de portraits.
Élève de l'École des Beaux-Arts de Malaga. Travailla surtout à Paris.

LA CUEVA Benito de
XVIe siècle. Éc. de Séville.
Sculpteur.
Il travaillait à la cathédrale de Séville en 1578.

LA CUEVA Pedro de
XVIe siècle. Actif dans la seconde moitié du XVIe siècle. Espagnol.
Sculpteur.
Il travailla à Séville et notamment à l'Alcazar.

LA CUEVA BENAVIDES Y BARRADAS Mariana de
XVIIe siècle. Active à Grenade dans la première moitié du XVIIe siècle. Espagnole.
Peintre.

LA CUFFLE Pierre de
XVIe siècle. Actif à Paris. Français.
Graveur.

LA CUISSE Jean de
XVIIe siècle. Français.
Peintre.
Il fut reçu à l'Académie de Saint-Luc, à Paris en 1673.

LA CURÉE Philibert Jean de Tiltz de
XVIIe siècle. Actif au milieu du XVIIe siècle. Français.
Dessinateur et graveur amateur.

LACURIA Jean Louis
Né en 1808 à Lyon (Rhône). Mort en 1868 à Oullins (Rhône). XIXe siècle. Français.
Peintre de portraits, compositions murales, cartons de vitraux.
Élève à l'École des Beaux-Arts de Lyon, il rejoignit Paris en 1830 et entra dans l'atelier d'Ingres, où travaillaient ses amis Paul et Hippolyte Flandrin.
Il collabora avec Orsel à l'exécution de la décoration de l'église Notre-Dame-de-Lorette à Paris, entre 1834 et 1837, date à laquelle il alla à Oullins enseigner le dessin. Il réalisa aussi des cartons de vitraux, mais fut surtout connu pour ses portraits très ingresques par leur forme.
Bibliogr. : Gérald Schurr, in : *Les Petits Maîtres de la peinture 1820-1920, valeur de demain*, Les Éditions de l'Amateur, t. VII, Paris, 1989.
Musées : Lyon (Mus. des Beaux-Arts) : *Autoportrait – Étude de tête de jeune fille* 1837.

LACY Charles John de
Mort vers 1930. XIXe-XXe siècles. Britannique.
Peintre de paysages urbains, paysages d'eau, marines.
Il était actif entre 1860 et 1936. Il a surtout peint des vues de Londres et de la Tamise.
Ventes Publiques : Londres, 29 mars 1984 : *The pool with St. Paul's in the distance ; Calm at anchor*, h/t, une paire (51x76) : **GBP 5 500** – Londres, 24 juil. 1985 : *Bateaux sur la Tamise*, h/t (76x127) : **GBP 1 400** – Londres, 31 juil. 1987 : *Sur la Tamise, Londres* 1890, h/t (29x50,2) : **GBP 1 600** – Londres, 15 juin 1988 : *Vue de Saint-Paul depuis la Tamise*, h/t (61x107) : **GBP 2 860** – Londres, 30 mai 1990 : *Les Abords de Greenwich*, h/t (61x107) : **GBP 1 870** – Londres, 26 sep. 1990 : *La Tamise à Greenwich au crépuscule*, h/t (61x107) : **GBP 2 860** – Londres, 3 mai 1995 : *Le Bassin de Londres*, h/t (76x127) : **GBP 3 680** – Londres, 30 mai 1996 : *Charlton* 1891 (62x107) : **GBP 2 530**.

LACY John
XVe siècle. Britannique.
Copiste et enlumineur.
Anachorète de l'ordre des frères prêcheurs de New-Castle-sur-Tyne qui écrivit et enlumina une série de manuscrits qui se trouvent actuellement à la bibliothèque du collège Saint-John à Oxford.

LACZA Endre
Né vers 1815. Mort le 20 novembre 1882. XIXe siècle. Hongrois.
Peintre.
Il figura en 1840 à l'Exposition de Pest avec un portrait à l'huile *(Femme romaine)*. On mentionne également de lui : *Joseph et la femme de Putiphar*.
Musées : Budapest (Gal. d'Hist.) : *Portrait de la comédienne Maria Kovacs*.

LACZKA Enikö
XXe siècle.
Auteur d'installations.
Il a participé en 1996 à l'exposition *Les Contes de fées se terminent bien*, au château de Val Freneuse à Sotteville-sous-le-Val, aux côtés notamment de Paul Mac Carthy, Stephan Balkenhol, Patrick Corillon, Pierre et Gilles, Lawrence Weiner.
Il travaille à partir de photo d'archives.
Bibliogr. : Armelle Pradalier : *Il était une féé... et tout finit par s'arranger*, Beaux-Arts, n° 151, Paris, déc. 1996 – Catalogue de l'exposition : *Les Contes de fées se terminent bien*, Les Impénitents, FRAC Normandie, Rouen, 1996.

LADA Josef
Né en 1887 à Hrusicich-Senohrab. Mort en 1957 à Prague. XXe siècle. Tchécoslovaque.
Peintre, illustrateur, caricaturiste.
Il fit ses études artistiques à Prague, dans les premières années du siècle. Il participa à de nombreuses expositions en Tchécoslovaquie, notamment à Prague, de 1920 à sa mort, ainsi que dans d'autres villes et Brno, en 1946. Il a exposé aussi à Munich, en 1926 ; Paris, en 1925 ; Berlin, en 1928 ; Genève, en 1930 et 1954 ; Moscou, etc.
Il a surtout peint des scènes de la vie paysanne, dans un style populaire et illustratif.
Bibliogr. : In : catalogue de l'exposition : *50 ans de peinture tchécoslovaque, 1918-1968*, Musées tchécoslovaques, 1968.
Musées : Prague (Gal. Nat.).

LA DAILLE Claude de
XVIIe siècle. Actif en 1631. Français.
Peintre.
Fut directeur de l'Académie de Saint-Luc.

LADAM Ghislain François
Mort le 12 juillet 1708 à Tournai. XVIIe siècle. Éc. flamande.
Peintre d'histoire.
Reçu franc-maître de Saint-Luc à Tournai en 1659. On cite de lui : *Le Christ donnant les clefs à saint Pierre* (cathédrale de Tournai).
Musées : Tournai : *Un ange dicte à saint Jean l'Apocalypse*.

LADAME Gabriel
XVIIe siècle. Travaillant en France et en Allemagne. Français.
Graveur au burin.
On le cite à Francfort vers 1650. Il grava des portraits de saints et des sujets de la Bible, dans le style de Claude Mellan.

LADATTE François ou **Ladetti**
Né le 9 décembre 1706 à Turin. Mort le 18 janvier 1787 à Turin. XVIIIe siècle. Français.
Sculpteur, graveur.
Premier prix de Rome en 1729. Il fut agréé à l'Académie le 29 janvier 1736 et reçu académicien le 30 décembre 1741. Il travailla à Paris depuis l'âge de 14 ans et exposa de 1737 à 1743. Le Musée du Louvre conserve de lui : *Judith* (marbre). Il est l'auteur d'un bas-relief en marbre pour la chapelle Saint-Philippe, du Palais de Versailles.
Ventes Publiques : Paris, 18 mars 1981 : *Judith tenant la tête d'Holopherne* 1741, bronze patine brune (88x37x36) : **FRF 130 000**.

LADBROOKE Frederick
Né à Norwich. XIXe siècle. Britannique.
Peintre.
Fils et élève de Robert Ladbrooke. Se confond peut-être avec le peintre F. Ladbrooke, de Bury Saint-Edmund's, qui exposa à Suffolk Street des tableaux de genre, de 1860 à 1864.

LADBROOKE Henry
Né en 1800 à Norwich. Mort en 1870 à Norwich. XIXe siècle. Britannique.
Peintre de paysages.
Second fils de Robert Ladbrooke, neveu et élève de John Crome et frère de John Borney Ladbrooke. D'abord destiné à entrer dans les ordres, il accéda aux désirs de son père, qui l'engageait à faire de la peinture. Il excella dans les effets de clairs de lune. Il exposa à la Norwich Society of Artists. Il fut aussi maître de dessin. Le Musée de Norwich conserve de lui une copie d'après Landseer. Exposa à la British Institution et à Suffolk Street de 1834 à 1865.
Ventes Publiques : Londres, 6 déc. 1909 : *Mare ombragée* : **GBP 1** – Londres, 31 avr. 1922 : *Paysage* : **GBP 94** – New York, 2 mai 1979 : *Paysage boisé animé de personnages*, h/t (75x99) : **USD 11 000** – Londres, 17 fév. 1984 : *Paysage boisé avec troupeau au bord d'une rivière*, h/t (62,3x74,3) : **GBP 1 900**.

LADBROOKE John Berney
Né en 1803 à Norwich. Mort en 1879 à Norwich. XIXe siècle. Britannique.
Peintre animaux, paysages animés, paysages, lithographe.
Troisième fils et élève de Robert Ladbrooke, neveu et également élève de John Crome. Exposa dès 1817 à la Norwich Society of Artists, et à Londres à la Royal Academy, à la British Institution et à Suffolk Street, de 1821 à 1872. John Berney Ladbrooke peignit des paysages et excella particulièrement dans les études de chênes. Il fut aussi professeur.
Musées : Norwich.
Ventes Publiques : Londres, 2 juil. 1909 : *Rivière* : **GBP 10** – Londres, 1er déc. 1922 : *Lisière d'un bois* : **GBP 23** – Londres, 23 juil. 1928 : *Route sous bois* : **GBP 42** – New York, 1er mars 1945 : *La chaumière du bûcheron* : **USD 500** – Londres, 2 déc. 1959 : *Un bois avec des voyageurs sur une route* : **GBP 490** – Londres, 17 juin 1966 : *Paysage boisé animé* : **GNS 1 400** – Londres, 12 fév. 1969 : *Troupeau dans un paysage* : **GBP 1 600** – Londres, 10 juil. 1970 : *Paysage boisé* : **GNS 3 600** – Londres, 22 mars 1972 : *La rivière sous bois* : **GBP 700** – Londres, 22 juin 1973 : *Paysage boisé* : **GNS 550** – Londres, 18 oct. 1974 : *Paysage boisé animé* 1852 : **GNS 2 600** – Londres, 16 juil. 1976 : *Troupeau dans un paysage boisé*, h/t (61x75) : **GBP 1 400** – Londres, 13 mai 1977 : *Overshot mill near Ambleside* 1850, h/t (35,5x45,7) : **GBP 1 700** –

Londres, 2 fév. 1979 : *Paysage boisé à l'étang*, h/t (49,5x75) : **GBP 2 200** – Londres, 17 juin 1981 : *Lavandière dans un paysage boisé* 1868, h/t (59,5x89,5) : **GBP 1 700** – Londres, 29 jan. 1982 : *La charrette des bûcherons dans un paysage boisé*, h/t (51,4x41,9) : **GBP 2 200** – Londres, 21 nov. 1984 : *Foggy morning in the park*, h/t (42x51,5) : **GBP 9 000** – Londres, 10 juil. 1985 : *Sentier dans un sous bois* 1856, h/t (58x81) : **GBP 12 500** – Londres, 2 mai 1986 : *Paysage fluvial boisé*, h/t (57x78,7) : **GBP 1 500** – Londres, 18 nov. 1988 : *Paysage de montagne avec une laitière et sa vache sur le chemin longeant le torrent* 1854, h/t (103,8x76,5) : **GBP 7 150** – Londres, 15 nov. 1989 : *Chasseur et son chien sur un chemin boisé* 1879, h/t (107x77) : **GBP 4 400** – New York, 20 jan. 1993 : *Près de la grange*, h/t (61x91,4) : **USD 2 415** – Londres, 5 juin 1997 : *Un chêne dans une clairière avec des personnages sur un sentier* 1876, h/t (50,8x40,6) : **GBP 2 185**.

LADBROOKE Robert

Né en 1770 à Norwich. Mort le 11 octobre 1842 à Norwich. XVIIIe-XIXe siècles. Britannique.

Peintre de paysages, lithographe.

Son amitié pour John Crome contribua peut-être à le faire s'occuper de peinture. Ils travaillèrent ensemble et Crome eut sur le talent de son jeune camarade une influence considérable. Les deux amis épousèrent les deux sœurs. Ils furent les véritables fondateurs de la Norwich Society of Artists en 1803. Ladbrooke débuta comme peintre de portraits au crayon, qu'il faisait payer cinq shillings, mais il s'adonna surtout à des vues du littoral du comté de Norfolk, à des scènes rustiques. En 1816, Ladbrooke se brouilla avec son illustre beau-frère et fonda une société artistique rivale de la première, mais une réconciliation eut lieu deux ans après. Ladbrooke exposa à Londres de 1810 à 1822, à la British Institution et à Suffolk Street. Il dessina et lithographia une importante série d'estampes sous le titre : *Views of the churches of Norfolk, drawn and Lithographed by Robert Ladbrooke*, publiée en 5 volumes en 1845. Le Musée de Reading conserve de lui : *Près de Norwich*.

Ventes Publiques : Paris, 20 mars 1874 : *Les bruyères de Housse-Hold* : **FRF 19 000** – Londres, 1888 : *Paysage boisé avec Bohémiens* : **FRF 5 250** ; *Bords de rivière* : **FRF 8 140** – New York, 6 et 7 avr. 1905 : *Paysage près de Norwich* : **USD 170** – New York, 1er mai 1929 : *Les Pêcheurs* : **USD 85** – Londres, 19 jan. 1945 : *Paysans sur une route* : **GBP 73** – New York, 12 fév. 1947 : *Paysage et silhouettes* : **USD 1 000** – New York, 31 oct. 1985 : *Troupeau à l'abreuvoir*, h/t (71,1x99) : **USD 11 000**.

LADD Anna

Née en 1746 à Londres. Morte en 1770 à Londres. XVIIIe siècle. Britannique.

Peintre de portraits, de fruits.

Exposa à la Society of Artists en 1770.

LADD Anna, née **Coleman**

Née en 1878 à Philadelphie. Morte en 1939. XXe siècle. Active à Boston. Américaine.

Sculpteur.

Elle étudia à Rome et Paris, où elle exposa en 1913 et 1914. Elle travailla à Manchester, Hamilton et Boston.

Musées : Boston (Gardner) : *La femme de bronze* – Rome (Gal. Borghèse) : *Vent et embruns*.

Ventes Publiques : New York, 22 mai 1980 : *Femme en costume médiéval*, bronze patiné (H. 71,8) : **USD 1 300** – New York, 18 mars 1983 : *Medieval woman*, bronze patine brun rouge (H. 71,8) : **USD 700** – New York, 31 mai 1985 : *The American* 1908, bronze, patine brun-noir (H. 108,6) : **USD 3 800** – New York, 23 mai 1990 : *Nu masculin*, bronze (H. 143,5) : **USD 26 400** – New York, 21 mai 1991 : *Portrait de Maria Jeritza*, bronze (H. 59,7) : **USD 1 540** – New York, 12 sep. 1994 : *Boire à la jarre*, fontaine de bronze (H. 76,2) : **USD 2 300** – New York, 25 mars 1997 : *Reine médiévale*, bronze patine brune (H. 72,4) : **USD 2 070**.

LADDER

XVIIIe siècle. Actif en Angleterre. Britannique.

Peintre.

Peignait dans le style de Morland.

LADDEY Ernst

XIXe siècle. Allemand.

Peintre de portraits.

Le Musée de Cologne conserve de lui le portrait de *Joh.-Heinr. Richartz*.

LADECQ Jacques ou **Ladveq**

Né vers 1626 à Dordrecht. Mort vers 1674. XVIIe siècle. Français.

Peintre d'histoire.

Élève de Rembrandt. Il est très probablement identique à Jacobus Levecq.

J Ladecq.

LA DEHESA Francisco de

XVIIe siècle. Actif à Alcala en 1673. Espagnol.

Sculpteur.

LADELL Edward

Né en 1821. Mort en 1886. XIXe siècle. Actif à Colchester. Britannique.

Peintre de natures mortes, fleurs et fruits.

Il exposa fréquemment à la Royal Academy à partir de 1856.

Musées : Reading : *Fruits et fleurs* – Sheffield : *Oiseaux*.

Ventes Publiques : Londres, 2 nov. 1945 : *Fleurs et nid d'oiseau* : **GBP 48** – Londres, 7 déc. 1945 : *Fruits et verre* : **GBP 71** – Londres, 27 sep. 1946 : *Fruits et verre sur une table* : **GBP 99** – Londres, 25 avr. 1947 : *Nid d'oiseau ; Fruits sur une table* : **GBP 94** ; *Fruits, carafe et verre sur une table* : **GBP 120** – Londres, 8 juin 1951 : *Nature morte* : **GBP 131** – Londres, 18 juil. 1958 : *Fruits sur le rebord de la fenêtre* : **GBP 199** – Londres, 18 jan. 1961 : *Fruits et fleurs avec un nid d'oiseau* : **GBP 440** – Londres, 22 mars 1963 : *Nature morte aux fruits et cage d'oiseaux* : **GNS 720** – Londres, 9 oct. 1964 : *Nature morte aux fruits* : **GNS 1 500** – Londres, 10 juin 1966 : *Nature morte aux fruits et au verre de vin* : **GNS 1 800** – Londres, 22 nov. 1967 : *Nature morte aux fleurs* : **GBP 2 300** – Écosse, 30 août 1968 : *Nature morte* : **GBP 2 900** – Londres, 18 fév. 1970 : *Nature morte aux fruits* : **GBP 2 700** – Londres, 20 juin 1972 : *Nature morte aux fruits* : **GBP 4 000** – Londres, 20 nov. 1973 : *Nature morte aux fruits* : **GBP 3 300** – Londres, 26 juil. 1974 : *Nature morte aux fruits* : **GNS 2 800** – Londres, 16 nov. 1976 : *Nature morte aux fruits*, h/t (34x29) : **GBP 1 400** – Londres, 6 déc. 1977 : *Nature morte aux fruits*, h/t (45,5x28,5) : **GBP 5 700** – Londres, 12 déc. 1978 : *Nature morte aux fruits sur un entablement*, h/t (51,5x41,5) : **GBP 12 000** – Londres, 26 oct 1979 : *Nature morte aux fruits*, h/t (42x35) : **GBP 11 000** – Londres, 26 mars 1982 : *Nature morte aux fruits*, h/t (51,4x41,9) : **GBP 9 000** – New York, 20 avr. 1983 : *Nature morte au gibier*, h/t (66,5x56,5) : **USD 7 250** – Londres, 12 juin 1985 : *Nature morte aux fruits et au verre de vin*, h/t (42x34,5) : **GBP 12 800** – Londres, 17 déc. 1986 : *Nature morte aux fruits et vase de Chine*, h/t (43x35,5) : **GBP 13 000** – Londres, 18 mars 1987 : *Nature morte aux fruits*, h/t (43x35,5) : **GBP 20 000** – Londres, 3 juin 1988 : *Nature morte aux fruits avec une chope*, h/t (35,7x50,7) : **GBP 6 600** – Londres, 15 juin 1988 : *Nature morte de fruits dans un panier sur un entablement*, h/t (52x44,5) : **GBP 24 200** – Londres, 23 sep. 1988 : *Nature morte de fruits, roses et nid d'oiseaux*, h/t (35,5x43) : **GBP 20 900** ; *Nature morte de fruits débordant d'une corbeille et un verre de vin sur une console de marbre*, h/t (35,5x30) : **GBP 23 100** – Londres, 3 nov. 1989 : *Nature morte de fruits* 1862, h/t (43,2x35,5) : **GBP 39 600** – Londres, 15 juin 1990 : *Nature morte d'un verre de vin près de crevettes roses, d'un citron pelé et d'une branche de prunes sur un entablement drapé*, h/t (30,5x25,5) : **GBP 16 500** – Londres, 26 sep. 1990 : *Nature morte de fruits dans une corbeille à côté d'un verre de vin sur un entablement*, h/t (53,5x43) : **GBP 16 500** – Londres, 8 fév. 1991 : *Roses et coquelicots dans un vase de Chine avec des fruits et un verre de vin sur un tapis d'orient*, h/t (53,4x43,2) : **GBP 19 800** – Londres, 5 juin 1991 : *Fruits dans une coupe d'argent et verre de vin blanc sur un entablement*, h/t (43x35,5) : **GBP 35 200** – New York, 17 oct. 1991 : *Composition de fruits et de gibier sur une table devant un paysage*, h/t (137,8x123,8) : **USD 41 250** – Londres, 12 juin 1992 : *Raisin, pêches, prunes et poire près d'une flûte de vin blanc sur une table drapée avec un papillon*, h/t (35,6x30,5) : **GBP 18 150** – Londres, 3 nov. 1993 : *Fleurs, fruits et nid*, h/t (52x44) : **GBP 41 100** – Londres, 2 nov. 1994 : *Fruits et nature morte*, h/t (53,5x43,5) : **GBP 53 200** – Londres, 6 nov. 1995 : *Raisin, noisettes, pêche, framboises avec une flûte de vin et un pichet et une coupe de fruits sur un entablement de bois*, h/t (45,7x35,6) : **GBP 24 150** – New York, 12 avr. 1996 : *Nature morte avec un faisan et des fruits*, h/t (50,8x43,2) : **USD 8 625** – Londres, 7 juin 1996 : *Raisin noir sur une boîte ciselée en ivoire, pêches, noisettes et groseilles sur un entablement de marbre*, h/t (47x39,3) : **GBP 45 500** – Londres, 12 mars 1997 : *Nature morte de raisins, pêches, noisettes et vase oriental sur un entablement*, h/t (43x35) : **GBP 26 450** – Londres, 4 juin 1997 : *Roses et coquelicots*, h/t (51x42) : **GBP 51 000**.

LADELL Ellen
XIXᵉ siècle. Britannique.
Peintre de natures mortes.
Probablement parente de Edward. On voit de ses natures mortes dans les ventes publiques en Angleterre.
VENTES PUBLIQUES : LONDRES, 1ᵉʳ juil. 1980 : *Nature morte aux fleurs*, h/t (44,5x34,5) : **GBP 600** – LONDRES, 18 déc. 1985 : *Nature morte aux fruits et au nid d'oiseau* 1858, h/t (25,5x30,5) : **GBP 2 800** – LONDRES, 27 sep. 1989 : *Oiseaux naturalisés sous un globe entouré d'un nid et de fruits*, h/t (46x36) : **GBP 4 180** – LONDRES, 6 nov. 1996 : *Chrysanthèmes et oiseaux sous un globe, nid d'oiseau*, h/t (46x35,5) : **GBP 6 670**.

LADENSPELDER Johann ou **Hans von Essen**
Né en 1511 à Essen. XVIᵉ siècle. Hollandais.
Peintre, graveur au burin.
On ne sait presque rien sur cet artiste qui mériterait une étude particulière. Bartsch croit, avec raison ce nous semble, qu'il était peintre en même temps que graveur. Dans tous les cas, les six cent soixante-et-une estampes que l'on cite de lui représentent des sujets de son invention, peints ou dessinés. La dernière en date est de 1554. Il signait souvent d'un monogramme formé des lettres J. L. V. E. S. que l'on traduit par *Johann Ladenspelder von Essen sculpsit*. Il a surtout gravé des sujets religieux.

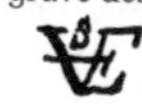

LADERMAN Gabriel
Né en 1929 à Brooklyn (New York). XXᵉ siècle. Américain.
Peintre de paysages, natures mortes.
Il fut élève de la Hans Hofmann School et de l'Académie des Beaux-Arts de Florence en 1962 et 1963. Il a participé à l'exposition *22 Realists* au Whitney Museum à New York en 1970, exposition qui contribua à l'explosion du réalisme photographique. Il expose depuis 1964 à New York.
Il fut un des défenseurs du réalisme, lui-même étant un paysagiste et critique d'art. Il s'oppose, au sein de l'hyperréalisme auquel on a coutume de l'assimiler, à la tendance « post-pop » pour un réalisme plus traditionnel et, effectivement, ses paysages et ses natures mortes sont traditionnels. Il est donc l'un des nombreux exemples qui dénoncent l'ambiguïté entre l'hyperréalisme, réputé d'avant-garde, et le simple réalisme académique.

LADETTI François. Voir **LADATTE**

LADEUIL Marcelle
Née le 19 janvier 1895 à Paris. XXᵉ siècle. Française.
Peintre.
Elle a figuré, à Paris, au Salon des Indépendants, de 1928 à 1954 ; à la Société Nationale des Beaux-Arts, de 1942 à 1968. Une exposition-vente importante de ses œuvres a eu lieu à Paris, en 1971.
Essentiellement peintre de paysages, elle a parcouru le Comtat Venaissin, la Provence, les Pyrénées et le Roussillon, le Nord et la Picardie, l'Aquitaine, la Corse, la Normandie, le Maine, l'Orléanais, la Vendée, mais aussi l'Afrique du Nord, l'Amérique latine, le Danemark, l'Islande, la Norvège, les Pays-Bas, la Crète, la Yougoslavie, l'Italie, l'Angleterre, le Portugal, l'Espagne, l'Autriche, la Suisse, la Turquie, la Grèce, etc.

LADEVÈZE-CAUCHOIS Louise de
Née en 1860 à Paris. XIXᵉ siècle. Française.
Peintre de genre, animaux, fleurs.
Elle exposa au Salon de 1901 à 1914 ; Sociétaire depuis 1903.
MUSÉES : CHÂTEAU-THIERRY : *Stupéfaction*.
VENTES PUBLIQUES : PARIS, 22 juin 1931 : *Coq et poules* : **FRF 132** – PARIS, 13 juin 1990 : *Bouquet de fleurs des champs*, h/t (31x40) : **FRF 3 800**.

LADEY Jean Marc
Né en 1710 à Paris. Mort le 17 mai 1749 à Paris (aux Gobelins). XVIIIᵉ siècle. Français.
Peintre de fleurs, de fruits.
Élève de Blaise de Fontenay. Il fut reçu académicien en 1741. Il a exposé de 1741 à 1747. Le Musée de Fontainebleau conserve de lui : *Fleurs dans une corbeille* ; *Vase, fleurs, fruits et perroquet* ; *Fleurs et prunes*.
VENTES PUBLIQUES : PARIS, 29 oct. 1981 : *Natures mortes*, past., deux pendants de forme ovale (chaque 49x33) : **FRF 14 000** – LONDRES, 13 fév. 1985 : *Paniers de fleurs*, h/t, une paire (21,5x27) : **GBP 8 000**.

LADMIRAL Jacob I ou **l'Admiral**
XVIIᵉ siècle. Hollandais.
Peintre.
Cité dans la gilde d'Alkmaar en 1695.

LADMIRAL Jacob II, le Jeune ou **l'Admiral**
Né en 1700 à Amsterdam. Mort le 12 septembre 1770 à Amsterdam. XVIIIᵉ siècle. Français.
Dessinateur, graveur.
Frère cadet de Jan Ladmiral, qu'il accompagna dans ses voyages et dont il fut, probablement, le collaborateur. Il privilégia les sujets d'histoire naturelle.

LADMIRAL Jan ou **Joannes** ou **l'Admiral**
Né en 1698 en Normandie. Mort le 2 juin 1773 à Amsterdam. XVIIIᵉ siècle.
Dessinateur, graveur, peintre miniaturiste.
Les biographes ne sont pas d'accord sur la date et le lieu de naissance de cet artiste. Certains le font naître à Leyde en 1680, de parents français appartenant à la religion réformée et émigrée en Hollande à la suite de la révocation de l'Édit de Nantes. Nous avons adopté la version établie d'après les pièces de l'état civil d'Amsterdam. Il nous semble, cependant, que L'Admiral devait être protestant. On le signale à Londres élève de Le Blon ou travaillant pour lui. Il alla ensuite à Amsterdam, où il s'établit comme peintre de miniatures et graveur. On le cite gravant des portraits pour J. de Jonghe, pour le *Livre des Peintres* de Van Mander, des figures anatomiques et d'histoire naturelle. Il fut très employé par Frédérick Ruysel et Alhui. On le mentionne également comme habile graveur en couleurs.

LADMIRAL Jules Marie René
Né au XIXᵉ siècle à Chartres. XIXᵉ siècle. Français.
Graveur sur bois.
Élève de Gauchard. Exposa au Salon des gravures sur bois à partir de 1874. A collaboré, notamment, à l'illustration de l'*Histoire de France* de Henri Martin.

LADNIEWSKA Wanda
Née à Lwow. XXᵉ siècle. Active depuis 1946 en France. Polonaise.
Sculpteur, dessinatrice, graveur. Tendance expressionniste.
Après des études de lettres à Lwow, elle commence ses études artistiques dans sa ville natale d'abord, puis à l'École des Beaux-Arts de Vienne. Déportée à Auschwitz pendant la guerre, elle se réfugie en France à la fin de cette guerre et, tout en enseignant, entre à l'Académie de la Grande Chaumière, à Paris, dans l'atelier d'Auriscoste. Elle expose depuis 1954, à Paris, dans divers Salons : Automne, Jeune Sculpture, Indépendants, etc. En 1961, elle fait sa première exposition personnelle ; une autre exposition est répertoriée, à Paris, en 1969. Plusieurs musées d'Israël conservent de ses œuvres.
Utilisant des matériaux humbles, glaise, limon, puis faisant couler le bronze, elle produit une sculpture à tendance expressionniste. Tragique au début, profondément marquée par son incarcération dans les camps de concentration, son œuvre s'est peu à peu apaisée, devenant plus intimiste, en rapport étroit avec l'inspiration musicale, tout en sensibilité, à la façon des lyriques de la fin du XIXᵉ siècle. Bien que n'étant pas attachée à la fidélité de la ressemblance, elle part essentiellement de la forme humaine, faisant surgir un monde ambigu de pantins et de suppliciés.
BIBLIOGR. : Denys Chevalier : catalogue de l'exposition : *Wanda Ladniewska*, Galerie Lambert, Paris, 1969.

LADORÉ Rémy, pseudonyme de **Lejeune Rémy**
XXᵉ siècle. Français.
Dessinateur, graveur de figures.
À Paris, en 1956, il a exposé à la galerie Guénégaud ; en 1989, à la Fondation Taylor.

LADREYT Eugène
Né en 1832 à Sauzet (Drôme). XIXᵉ siècle. Actif à Paris. Français.
Illustrateur, sculpteur.
Il travailla pour de nombreuses revues et chroniques illustrées du XIXᵉ siècle. On le donnait alors pour *Statuaire humoriste*.

LADUREAU Pierre
Né le 28 août 1882 à Dunkerque (Nord). Mort en 1974 ou 1975 à Château-Thierry (Aisne). XXᵉ siècle. Français.
Peintre de genre, paysages, marines, natures mortes, illustrateur. Réaliste.

Il fut élève, à Paris, d'Aman-Jean et de J.-P. Laurens.
Il fut membre, à Paris, du comité du Salon des Indépendants, membre du Salon d'Automne et membre fondateur du Salon des Tuileries.
Peintre solide qui, tout en pratiquant un art réaliste et sensible, frôla un temps l'expérience cubiste et sut comprendre chez Cézanne le jeu patient des valeurs. Essentiellement peintre de paysages bretons, il illustra également des romans, dont *L'ensorcelée* de Barbey d'Aurevilly.
Bibliogr. : Gérald Schurr, in : *Les Petits Maîtres de la peinture 1820-1920, valeur de demain*, Les Éditions de l'Amateur, t. IV, Paris, 1979.
Musées : Berlin – Brooklyn : *Château-Thierry* – Château-Thierry (Mus. La Fontaine) – Dunkerque : *Les Islandais*, triptyque – Le Havre (Mus. des Beaux-Arts) : *Les Homardiers* – La Haye – Lille : *Vieille bretonne* – Lyon – New York : *Paysage* – Nîmes : *L'Ovation d'un toréro* – Orléans – Paris (Mus. d'Art Mod. de la Ville) : *Le Pêcheur* – Paris (Mus. du Petit Palais) – Rochester – Saint-Quentin – Troyes.
Ventes Publiques : Paris, 19 mai 1920 : *Soleil d'automne (Béthune)* : **FRF 175** – Paris, 27 juin 1927 : *Paysage* : **FRF 1 700** – Paris, 18 mai 1945 : *Attelage sur une route ombragée de grands arbres* : **FRF 1 060** – Paris, 24 mars 1957 : *Route en forêt de sapins* : **FRF 400** – Versailles, 25 fév. 1979 : *Déchargement des bateaux dans le port*, h/t (50x61) : **FRF 1 000**.

LADURNER Adolphe Ignatievich
Né en 1796 ou 1798 à Paris. Mort en 1856 à Saint-Pétersbourg. xixe siècle. Français.
Peintre d'histoire, batailles.
Élève d'Horace Vernet, exposa au Salon de Paris en 1824 et 1827. En 1830, il fut appelé en Russie, nommé peintre de l'empereur Nicolas, puis directeur des Beaux-Arts. On cite de lui une remarquable *Revue du Champ de Mars*. Les biographes ne sont pas d'accord sur les dates de naissance et de mort de cet artiste : indépendamment de celles citées plus haut, le catalogue de la Galerie Tretiakov à Moscou donne 1789 pour le première et 1865 pour la seconde.
Il fut un peintre de cour, de parades militaires, de miniatures à la gloire de l'Empereur. Ses peintures de la vie à l'intérieur des palais sont d'excellents reportages sur le mode de vie de la cour de Nicolas Ier.
Musées : Moscou (Gal. Tretiakov) : *Séance solennelle de l'Académie impériale des Beaux-Arts* – Saint-Pétersbourg (Mus. Russe) : *Nicolas Ier et le général prince Sobanoff-Rotovsky*.
Ventes Publiques : Londres, 14 mai 1980 : *Le Grand Duc Constantin Nikolaievich recevant serment d'allégeance dans une salle du Palais d'Hiver Le 8 Septembre 1843*, h/t (34x51) : **GBP 4 000** – Londres, 3 mars 1982 : *Un Arabe de cour, un soldat et un enfant* 1832, h/cuivre (45x36,8) : **GBP 4 200** – Londres, 23 fév. 1983 : *Cavaliers circassiens* 1846, h/cart. (34,5x48,5) : **GBP 2 800** – Londres, 6 oct. 1988 : *Le Grand Duc Constantin prêtant serment d'allégeance dans la salle du trône du Palais d'Hiver le 8 septembre 1843*, h/t (34x51) : **GBP 8 800** ; *La présentation du Grand Duc Constantin au régiment Pavlovski*, h/cart. (16,5x24,5) : **GBP 2 090** – Paris, 31 jan. 1994 : *Au box* 1823, h/t (38x46) : **FRF 12 000** – Londres, 15 juin 1995 : *Le Grand Duc Constantin Nikolaievich prêtant serment d'allégeance au Tsar, son père, à 16 ans, dans la grande salle du trône du Palais d'Hiver*, h/t (34x51) : **GBP 16 100**.

LADVECQ Jacques. Voir **LADECQ**

LADVÈZE Stephan Franzovitch
Né en 1817. Mort en 1854. xixe siècle. Russe.
Peintre.

LADVOCAT Gérome
Né en 1612 à Paris. Mort avant 1676 à Grenoble. xviie siècle. Français.
Peintre verrier.

LADY OF CINALLA, pseudonyme de **Allanic Chantal**
Née le 4 mai 1948 à Paris. xxe siècle. Française.
Peintre. Tendance surréaliste.
Elle participe, à Paris, au Salon d'Automne, au Salon des Artistes Français et a exposé en 1969 à Paris.

LADYCKI
xviie siècle. Polonais.
Peintre.
Vers 1710, il fit les portraits des archevêques de Dantzig.

LADYJENSKI Guénadi Alexandrovitch
Né en 1852 à Kologrive. xixe siècle. Russe.
Peintre de genre, d'animaux.
La Galerie Tretiakov à Moscou, conserve de cet artiste *Pêcheurs* ; *Poules* ; *Vue de Pétersbourg* et le Musée Russe à Leningrad ; *Vue de Constantinople*.

LAECK Artus Van
Mort en 1616 à Anvers. xviie siècle. Éc. flamande.
Peintre.
Vécut à Anvers en 1585 et eut pour élève Alexander Adriaenssen en 1597.

LAECK Maria Van der
xviie siècle. Active à La Haye vers 1638. Hollandaise.
Peintre.
Fille de Reynier Van der Laeck. La Galerie des peintures de Dessau possède un portrait du *Prince Léopold enfant* et un portrait de la *Princesse Henriette-Catherine d'Anhalt-Dessau*, qui lui sont attribués. Sans doute identique à une Maria Van der Laak, peintre en 1656 à La Haye, morte vers 1664.

LAECK Reynier Van der
Né à La Haye. Mort avant 1658. xviie siècle. Hollandais.
Peintre d'histoire, sujets mythologiques, paysages.
Il travailla à La Haye de 1637 à 1658. Le Musée de La Haye possède de lui *Vénus pleurant la mort d'Adonis*, et le Musée de Mayence, une *Sainte Madeleine*. Une autre œuvre de R. Laeck, *Vénus et l'Amour*, se trouve dans les réserves du Musée de Berlin. Il fit des paysages animés dans la manière de Corn. Poelenburg. Certains critiques lui attribuent une *Andromède* (à Aix-la-Chapelle) et une *Mort de Pyrame* (à Oldenbourg).

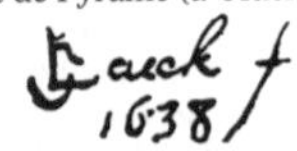

Ventes Publiques : Lucerne, 27 juin 1969 : *Moïse sauvé des eaux* : **CHF 9 500** – Amsterdam, 26 nov. 1974 : *Paysage d'été* : **NLG 24 000** – Londres, 22 fév. 1984 : *Baigneuses* 1643, h/pan. (9,5x47) : **GBP 1 500** – Amsterdam, 11 nov. 1997 : *Bergers et leurs moutons aux pieds d'une tour en ruines dans un paysage de dunes*, h/pan. (48,3x70,3) : **NLG 23 600**.

LAECKEN
xviiie siècle. Hollandais.
Peintre.
Le Musée de Leyde conserve de lui : *Régents de la corporation des chirurgiens en 1751*.

LAEDERICH
xixe siècle. Actif à Paris. Français.
Peintre de sujets de chasse.
Exposa au Salon de 1843, *Chasse aux lions aux environs de Tunis*.
Ventes Publiques : Paris, 17 mai 1950 : *Louis XVIII* : **FRF 13 000**.

LAEFF Lendert de ou **Laaff**
xviie siècle. Actif à Amsterdam. Hollandais.
Peintre.

LAEGH Wilhelm Van der ou **Laach**
Né en 1615 à Haarlem. Mort après 1674 à Copenhague. xviie siècle. Hollandais.
Graveur.
Il épousa à Amsterdam le 18 octobre 1640, Lysbeth Cornelis Haescam et le 20 juillet 1668 se remaria avec Catherine de Leeuw. Il travailla ensuite à Copenhague. Il a surtout gravé des portraits.

LAEISZ Karl
Né le 23 juin 1803 à Hambourg. Mort le 21 mai 1864 à Hambourg. xixe siècle. Allemand.
Peintre de paysages, aquarelliste.
Exposa des vues d'Italie et de Normandie à la gouache (Leipzig, 1843).

LAELY Christian Antoine
Né en 1913 à Inkwil (Berne). xxe siècle. Suisse.
Peintre, graveur.
Bibliogr. : In : *De Bonnard à Baselitz – Estampes et livres d'artistes*, catalogue de l'exposition, Bibliothèque Nationale, Paris, 1992.

LAEMEN. Voir **LAMEN**

LAEMLEIN Alexandre ou **Lämmlein**
Né le 9 décembre 1813 à Hohenfeld (Bavière). Mort en 1871 à Pontlevoy (Loir-et-Cher). xixe siècle. Depuis 1835 naturalisé en France. Allemand.

Peintre d'histoire, compositions religieuses, compositions mythologiques, sujets allégoriques, portraits, compositions murales, graveur.

D'origine modeste, il arriva en 1823 à Paris, où il travailla dans un atelier de gravure. Remarqué pour son talent de dessinateur, il réussit à rentrer à l'École des Beaux-Arts, où il fut élève d'Henri Regnault et de François Picot. Il exposa régulièrement au Salon de Paris de 1836 à 1870, obtenant une médaille en 1841, 1843, 1859.

Il collabora avec Jean Alaux, de 1825 à 1839, aux restaurations de la fresque de la Galerie Henri II au château de Fontainebleau. En 1843, il reçut la commande de portraits historiques pour les galeries de Versailles. Il a exécuté pour la chapelle Saint-Rémi à l'église Sainte-Clotilde de Paris, *Saint Rémi convertit un arien à la foi catholique – La translation du corps de saint Rémi par les anges – L'Apothéose de saint Rémi*, peintures très certainement exécutées à la cire. Il a peint en outre quelques émaux.

Bibliogr. : Gérald Schurr, in : *Les Petits Maîtres de la peinture 1820-1920, valeur de demain*, Les Éditions de l'Amateur, t. IV, Paris, 1979 – Sylvain Boyer, in : Catalogue de l'exposition : *Les années romantiques, la peinture française de 1815 à 1850*, Musée des Beaux-Arts de Nantes, 1995-1996 et Galeries nationales du Grand Palais, Paris, 1996.

Musées : Aurillac : *Orphée* – Caen (Mus. des Beaux-Arts) : *La Charité* – Grenoble : *Vision de Jacob* – Rochefort : *Vision de Zacharie – Le Char de la Charité – Tête de femme* – Versailles : *Jean-sans-Peur – Le comte d'Artois – Raymond du Puy – Philippe le Hardi – Boucicault.*

Ventes Publiques : Paris, 7-8 déc. 1923 : *Adam et Ève avec des anges musiciens* : **FRF 800** – Paris, 7 mars 1932 : *Scène mythologique* : **FRF 110.**

LAEMMLER Bartholomaeus ou **Lämmler**

Né en 1809 à Hérisau (canton d'Appenzell). Mort en 1865. xixe siècle. Suisse.

Peintre.

Le plus important des peintres populaires appenzellois du xixe siècle, sinon de Suisse, dont les œuvres constituent les collections du Musée Populaire de Saint-Gall. Paysan, il se mit à peindre, à l'huile sur panneaux de bois, les montagnes de son canton sous tous les temps, ses troupeaux qu'il aligne comme des frises égyptiennes, la vie quotidienne de ses bergers et de ses paysans. Son dessin est frais et spontané, la couleur traitée comme un élément de joie.

Bibliogr. : Oto Bihalji-Merin : *Les peintres naïfs*, Delpire, Paris, s. d.

LAEN. Voir aussi **LAMEN** et **LAAN**

LAEN Dirk. Voir aussi **LAAN**

LAEN Thierry Van der. Voir **LAAN Dirk Van der**

LAENEN. Voir aussi **LAMEN**

LAENEN Gérard

Né en 1899 à Malines (Anvers). Mort en 1980 à Etterbeck (Bruxelles). xxe siècle. Belge.

Peintre de paysages, paysages urbains, sculpteur. Tendance figuration-fantastique.

Il étudie à l'Académie des Beaux-Arts de Malines puis à celle de Bruxelles en peinture avec les professeurs Rosiers et Montald et, en sculpture, avec les professeurs Blick et Rousseau. Il a voyagé en Extrême-Orient d'où il à rapporté des scènes de paysages et paysages urbains.

Sa peinture s'est ensuite orientée vers une figuration à caractère fantastique. Il signe également Gérardlaenen.

Bibliogr. : In : *Diction. biographique illustré des artistes en Belgique depuis 1830*, Arto, Bruxelles, 1987.

LAENEN Jean Paul

Né en 1931 à Malines (Anvers). xxe siècle. Belge.

Peintre, sculpteur, sculpteur de monuments. Abstrait.

Il fut élève de l'Académie des Beaux-Arts de Saint-Luc à Bruxelles. Il séjourna deux ans (1952-1953) à la Slade School of Fine Arts de Londres et poursuivit sa formation à la Scuola del Marmo de Carrare. Il obtint le prix de la Jeune Sculpture Belge, en 1963. D'abord peintre, il s'est orienté vers la sculpture. Il est l'auteur du *Monument de Maurice Maeterlinck* à l'université de Liège. Il a exposé à Paris en 1962 et 1969.

À partir d'aluminium, de bronze ou d'acier inoxydable, il réalise des sculptures abstraites aux volumes dépouillés où la respiration des vides aère la répartition en plans aux profils arrondis, surfaces incurvées ou lames ondulées.

Bibliogr. : In : *Diction. biographique illustré des artistes en Belgique depuis 1830*, Arto, Bruxelles, 1987.

LAENGNING Jacob

xviiie-xixe siècles. Russe.

Peintre de portraits.

Actif en Courlande vers 1770-1800.

Musées : Ielgava, ancien. en all. Mitau : *Portrait du pasteur Ludwig Kühtz enfant* – Reval (Mus. prov.) : *Portrait de l'empereur Paul Ier.*

LAENSAECK W. Voir **LANSINCK J. W.**

LAEPPLE Heinrich

Né le 15 août 1834 à Stuttgart. Mort le 24 décembre 1885 à Stuttgart. xixe siècle. Allemand.

Peintre d'histoire.

Élève d'Haberlein à l'École des Beaux-Arts de Stuttgart. Le Musée de cette ville conserve de lui : *Portrait d'un uhland.*

LAER Alexander T. Van

Né le 9 février 1857 à Auburn (New York). xixe siècle. Actif à New York. Américain.

Peintre de paysages.

Il figura à des Expositions : en 1902 à Charleston, en 1904 à Saint Louis, en 1913 à New York (Académie Nationale de dessin), en 1915 à San Francisco (Exposition internationale Panama-Pacifique).

Musées : Washington D. C. (Nat. Gal. of Art) : *Commencement du printemps.*

LAER C. S.

Né en 1751. Mort en 1830 à Saint-Willebord. xviiie-xixe siècles. Belge.

Sculpteur.

LAER Pieter Jacobsz Van. Voir **LAAR**

LAERBEKE Joseph Van

Né à Anvers. xixe siècle. Éc. flamande.

Peintre.

Élève de l'Académie d'Anvers en 1797.

LAERDICH. Voir **LERDICH**

LAERE Marc Édouard de

Né au xixe siècle à Paris. xixe siècle. Français.

Peintre de genre, d'histoire.

Élève de M. Lehmann. Il débuta au Salon en 1863.

LAERMANS Eugène Jules Joseph

Né le 21 octobre 1864 à Molenbeek-Saint-Jean (Brabant). Mort en 1940 à Bruxelles (Brabant). xixe-xxe siècles. Belge.

Peintre de genre, compositions à personnages, compositions animées, portraits, figures, nus, portraits, paysages, graveur. Réaliste, tendance expressionniste.

Il fut élève de Portaels à l'Académie des Beaux-Arts de Bruxelles à partir de 1886. Il fréquente pendant un certain nombre d'années l'Académie libre *La Patte de dindon.* Il débuta en 1890 ou 1891 à Bruxelles. Il devint sourd à onze ans et se replia plus fortement en lui-même, puis aveugle en 1924.

Il figurait à Bruxelles, aux Salons Pour l'Art, de la Société des Beaux-Arts et de la Libre Esthétique. Il a également exposé à Anvers et Gand en Belgique et à l'étranger, notamment à Dresde, Munich, Berlin, Copenhague, Vienne, Moscou, Saint-Pétersbourg. À Paris, il obtint une médaille d'argent en 1900. Il fut membre de l'Académie royale de Belgique.

Il fut le peintre des classes misérables, évocateur de la vie des paysans et des ouvriers. On connaît ses vastes compositions, où il met en scène des grandes figures trapues d'ouvriers ou de paysans, largement brossées, les formes cernées rappelant le « cloisonnisme » de Gauguin. Il pratiquait un métier assez hardi de contrastes simultanés, les personnages et les différents plans se découpant alternativement, clair sur sombre, et sombre sur clair. L'esprit de sa peinture, qui doit beaucoup à la tradition picturale flamande, et son style influencèrent de nombreux peintres tentés par l'expressionnisme. Quelques années avant de devenir aveugle, il pratiqua une peinture plus gaie, plus sereine, recherchant à exprimer la vie : *En été* (1920) en est un exemple. Parmi ses autres œuvres répertoriées : *Un soir de grève ; Les Émigrants ; Les Mendiants ; Le Mort.*

Eug. Laermans

Eug Laermans
Eug Laermans

Bibliogr. : Paul Colin : *Eugène Laermans*, Bruxelles, 1929 - in : *Les Muses*, Grange Batelière, Paris, 1972 - in : *Diction. biographique illustré des artistes en Belgique depuis 1830*, Arto, Bruxelles, 1987 - in : *Diction. universel de la peinture*, Le Robert, Paris, 1975 - in : *L'Art du XXe siècle*, Larousse, Paris, 1991 - Catalogue de la rétrospective : *Eugène Laermans*, Crédit communal, Galerie du Passage, Bruxelles, 1995.
Musées : Anvers : *Les Émigrants* 1896, triptyque - *L'Aveugle* - *La Nuée* - *Le Bain* - Bruxelles (Cab. des Estampes) - Bruxelles (Mus. roy. des Beaux-Arts) : *Le Mort* 1904 - *Le Chemin du repos* - *Le Noyé* - *Le Retour du travail* - *Un soir de grève* 1894 - *L'Ivrogne* - *Joueur de boules* - *Flânerie au village* 1893 - Bruxelles (Mus. Charlier) : *La Promenade* - Bucarest (Simu) : *Le Retour des champs* - Dresde : *La Prière du soir* - Florence (Gal. des Mus. des Offices) - Ixelles : *L'Enterrement* - *Retour des champs* - *Fin de jour* 1907 - Liège : *Les Intrus* - Milan - Mons : *L'Eau songeuse* - Paris (Mus. d'Art Mod.) : *Soir d'Automne* - Rome - Venise - Wuppertal : *Le Blessé*.
Ventes Publiques : Bruxelles, 12 mai 1934 : *La Promenade aux champs* : **BEF 14 000** - Anvers, 26 avr. 1947 : *La Chaumière* : **BEF 19 000** - Anvers, 26 avr. 1966 : *Le Baptême* : **BEF 130 000** - Bruxelles, 4 déc. 1973 : *Les Défricheurs* : **BEF 460 000** - Anvers, 2 avr. 1974 : *Le Nouveau-né*, past. : **BEF 320 000** - Anvers, 19 oct. 1976 : *Germinal* 1892, h/t (140x84) : **BEF 360 000** - Bruxelles, 26 oct. 1977 : *La communiante* 1913, h/t (130x175) : **BEF 600 000** - Amsterdam, 31 oct 1979 : *Ceux de mon village* 1892, h/t (198x148,5) : **NLG 72 000** - Londres, 3 oct 1979 : *Paysage d'automne*, h/cart. (45x66) : **GBP 900** - Bruxelles, 21 mai 1980 : *Le retour du travail* 1916, cr. de coul. (74x50) : **BEF 150 000** - Bruxelles, 28 avr. 1982 : *Portrait de Marie* vers 1894 h/t (80x60) : **BEF 570 000** - Bruxelles, 23 mars 1983 : *Recueillement* 1915, h/t (70x140) : **BEF 900 000** - Bruxelles, 20 nov. 1985 : *La rivière*, h/t (37x61) : **BEF 140 000** - Lokeren, 22 fév. 1986 : *Mère et enfant*, fus. (61x41) : **BEF 80 000** - Bruxelles, 18 mai 1987 : *Un matin*, h/t (100x59) : **BEF 1 400 000** - Amsterdam, 24 mai 1989 : *Lanciers à cheval surveillant un village dans la vallée*, h/t (77,5x57) : **NLG 4 140** - Lokeren, 20 mars 1993 : *Le paysan à la bêche* 1918, h/t (101x76) : **BEF 800 000** - Lokeren, 15 mai 1993 : *Le matin* 1890, h/t (100x60) : **BEF 800 000** - Lokeren, 12 mars 1994 : *Père et son enfant*, aquar. et craie noire (74x38) : **BEF 190 000** - Amsterdam, 31 mai 1994 : *Groupe de paysans attendant devant une porte* 1897, h/t (121x67,5) : **NLG 32 200** - Lokeren, 11 mars 1995 : *Étude d'un homme*, craie noire (54x29) : **BEF 24 000** - Lokeren, 8 mars 1997 : *Riviergezicht* 1884, h/cart. (20,5x31,5) : **BEF 38 000** ; *Les Fleurs du mal* 1891, h/t (81x58) : **BEF 200 000** - Amsterdam, 4 juin 1997 : *Maisons sur la rivière*, h/t (105,5x76) : **NLG 18 451** - Lokeren, 11 oct. 1997 : *Le Bord de l'eau* 1904, h/t (105,5x76) : **BEF 900 000**.

LAERUM Gustav
Né en 1870 à Fetsund. XXe siècle. Norvégien.
Sculpteur de monuments, bustes, statues, médailleur, illustrateur, peintre de portraits.
Il illustra quelques brochures avec des portraits de personnalités norvégiennes : il peignit également des portraits à l'huile parmi lesquels ceux de *Björnson* et d'*Ibsen*. Ses œuvres de sculpture consistent en monuments funéraires, statues, bustes et portraits-médaillons.

LAERUM Oscar
XIXe siècle. Norvégien.
Dessinateur caricaturiste.

LAESSLE Albert
Né le 28 mars 1877 à Philadelphie (Pennsylvanie). Mort en 1954. XXe siècle. Américain.
Sculpteur animalier.
Il étudia aux États-Unis et à Paris puis se fixa à Philadelphie.
Musées : Baltimore (Inst. Peabody) - New York (Metropolitan Mus.) - Philadelphie (Acad. de Pennsylvanie) - Pittsburgh (Inst. Carnegie).
Ventes Publiques : New York, 1er juil. 1982 : *Chanticleer* 1912, bronze patine brune (H. 40,7) : **USD 1 500**.

LAESSOE Thorald
Né le 25 juin 1816 à Frederikshavn. Mort le 25 mars 1878 à Copenhague. XIXe siècle. Danois.
Peintre d'architectures, paysages, natures mortes.
Il séjourna à Prague et à Rome où il étudia avec A. Benouville. La Collection royale de Copenhague se rendit acquéreur de plusieurs de ses œuvres, parmi lesquelles : *Place de marbre* ; *Château de Valto* ; *Paysages*.
Musées : Copenhague (Beaux-Arts) : *Pont sur un ruisseau*.
Ventes Publiques : Copenhague, 16 mars 1976 : *Vue de la campagne romaine* 1845, h/t (100x137) : **DKK 8 000** - Copenhague, 18 mars 1980 : *Paysage* 1838, h/t (44,5x59) : **DKK 8 300** - Copenhague, 22 août 1984 : *Paysage montagneux avec vue d'un bourg* 1843, h/t (25x31) : **DKK 15 000** - Copenhague, 12 nov. 1986 : *Vue de Sorrento* 1852, h/t (68x97) : **DKK 100 000** - Copenhague, 5 avr. 1989 : *Le cloître des bains de Dioclétien* 1844, h/t (39x29) : **DKK 5 000** - Copenhague, 21 fév. 1990 : *Le manoir de Basnaes en été* 1838, h/t (25x33) : **DKK 21 000** - Londres, 29 mars 1990 : *Primevères et jacinthe en pots sur une table*, h/t (47x63) : **GBP 1 540** - Londres, 6 juin 1990 : *Vue de la campagne romaine* 1845, h/t (96x134,5) : **GBP 11 550** - Copenhague, 29 août 1990 : *Arc de Titus avec le Forum romain*, h/t (23x30) : **DKK 16 000** - Copenhague, 6 déc. 1990 : *Anier sur la place d'un village animé des Abruzzes* 1846, h/t (38x47) : **DKK 20 000** - Copenhague, 6 mars 1991 : *Monument dans la campagne romaine* 1872, h/t (32x45) : **DKK 10 000** - Copenhague, 1er mai 1991 : *Paysage montagneux d'Albanie* 1847, h/t (100x138) : **DKK 52 000** - Stockholm, 29 mai 1991 : *Campagne romaine* 1853, h/t (66x97) : **SEK 10 000** - Londres, 22 mai 1992 : *Villa Borghèse à Rome*, h/t (38x57) : **GBP 3 080** - Copenhague, 6 mai 1992 : *Le pont Charles et l'église Saint-Nicolas à Prague* 1843, h/t (31x22) : **DKK 25 000** - Copenhague, 18 nov. 1992 : *Ruines romaines*, h/t (40x55) : **DKK 31 500** - Copenhague, 10 fév. 1993 : *Chemin sinueux et vue du Vésuve*, h/t (39x60) : **DKK 21 000** - Copenhague, 16 nov. 1994 : *Paysage italien avec des montagnes*, h/t (31x45) : **DKK 4 000** - Copenhague, 17 mai 1995 : *Vue partielle de l'église St Frederik avec le château d'Amalienborg*, h/t (28x25) : **DKK 11 500**.

LAET Alois de
Né en 1866 à Anvers. Mort en 1949. XIXe-XXe siècles. Belge.
Peintre de scènes de genre et de paysages.
Il a fondé plusieurs groupes d'art contemporain.
Ventes Publiques : Bruxelles, 19 déc. 1989 : *Meules*, h/t (38x58) : **BEF 75 000**.

LAET Peter de
Né le 18 janvier 1820 à Anvers. Mort le 18 janvier 1865 à Anvers. XIXe siècle. Éc. flamande.
Peintre de portraits.

LAETER Van de ou **Later**
XVIIIe siècle. Actif à Munich. Allemand.
Peintre.
On cite de lui des paysages. La Galerie de Schleissheim possède de sa main un *Paysage avec un pont* et le monastère de Raitenhaslach plusieurs tableaux.

LAETER Jan de ou **Laetter**. Voir **LATER Jacobus de**

LAETHEM Jacob ou **Jacques Van** ou **Lathem**
XVe-XVIe siècles. Éc. flamande.
Peintre.
Fils de Livinius Van Laethem. Reçu franc-maître dans la gilde d'Anvers en 1493. Fut peintre de Philippe le Beau et de Charles Quint, et paraît avoir joué un rôle important près du premier. Il accompagna le duc Philippe en Espagne lors du mariage de celui-ci avec Jeanne d'Aragon et peignit les portraits de ces souverains dans un triptyque conservé à la Galerie de Bruges. On voit de lui, au même Musée, une ancienne vue de Bruxelles. Jacob Van Laethem travailla pour ces souverains de 1497 à 1522. Il est l'auteur de douze dessins de figures avec oiseaux et animaux, destinés à la décoration d'une grille de la cour du château de Coudenberg à Bruxelles.

LAETHEM Jan Alexander
XIXe siècle. Belge.
Peintre de genre.
Exposa à Anvers, Gand, Bruxelles, entre 1825 et 1836.

LAETHEM Jeff Van
Né en 1912 à Molenbeek-Saint-Jean. XXe siècle. Belge.
Peintre de figures, dessinateur.
Il a été élève à l'Académie d'Etterbeek. Il voyage en Italie en 1947

et effectue un tour du monde en 1970, avec un séjour de plusieurs mois en Inde et au Sri Lanka.
Sa figuration est tout d'abord d'accent réaliste, voire sombre, dépeignant le monde la nuit et des marginaux. Après ses voyages, sa peinture, faite de scènes animées, retentit d'harmonie colorées.
Bibliogr. : In : *Dict. biogr. illustré des artistes en Belgique depuis 1830,* Arto, Bruxelles, 1987.

LAETHEM Livinus Van ou **Lathem**
Mort en 1515. xve-xvie siècles. Actif à Anvers. Éc. flamande.
Peintre et miniaturiste.
Franc-maître dans la gilde d'Anvers en 1462. Travailla à la décoration du palais ducal, à Bruges, à l'occasion du mariage de Charles le Téméraire et de Marguerite d'York. Si l'on en juge par son salaire, sa réputation était considérable et il comptait parmi les artistes les mieux payés. On le cite aussi comme miniaturiste ayant travaillé au célèbre *Bréviaire de Grimani*. Il eut deux fils, Jacob qui fut peintre et Livius qui fut orfèvre.

LAETHIER Edmond Jean Charles
Né le 12 février 1858 à Besançon. Mort le 28 avril 1889 au Congo. xixe siècle. Français.
Peintre.
Il accompagna l'explorateur Savorgnan de Brazza au Congo comme dessinateur. Il figura, de 1884 à 1886, au Salon de Paris avec deux portraits et le tableau *Après matines et laudes,* et, en 1888, à Besançon avec des esquisses d'Afrique.

LAETHIER Georges
Né le 23 avril 1875 à Besançon (Doubs). xxe siècle. Français.
Sculpteur.
Il fut élève de Thomas. Il figura, à Paris, au Salon des Artistes Français où il obtint une mention honorable en 1901 et une médaille de troisième classe en 1903.

LAETUS, parfois signature du **Corrège** et de son fils

LAEVERENZ Gustav
Né le 25 juillet 1851 à Hanovre. Mort le 17 octobre 1909 à Munich. xixe siècle. Allemand.
Peintre de genre.
Élève de W. Diez à l'Académie de Munich. On cite de lui : *Dans la cuisine.*
Ventes Publiques : Londres, 29 avr. 1911 : *L'heure du dîner* : **GBP 22** – New York, 22 mai 1986 : *Soyons amis* 1881, h/pan. (47,6x35) : **USD 7 500** – Londres, 24 juin 1988 : *Le goûter,* h/pan. (34,7x48,2) : **GBP 7 480** – Amsterdam, 24 avr. 1991 : *Portrait d'une fillette tenant une serviette* 1875, h/pan. (42x28) : **NLG 9 775** – Londres, 17 mars 1995 : *La toilette du samedi soir* 1876, h/pan. (40x32,5) : **GBP 10 350.**

LAEZZA Giuseppe
Mort le 3 octobre 1905 à Naples. xixe siècle. Actif à Naples. Italien.
Peintre d'histoire, scènes de genre, paysages.
Il débuta, vers 1877, à Naples.
Ventes Publiques : Londres, 22 juil. 1977 : *Bord de mer* 1872, h/t (57x118) : **GBP 600** – Milan, 5 avr 1979 : *Bergers dans un paysage ; La Famille du pêcheur sur la plage,* h/t, une paire (54x91) : **ITL 3 000 000** – Rome, 19 mai 1981 : *Bergers dans un paysage ; La Famille du pêcheur sur la plage,* h/t, une paire, de forme ovale (chaque 53,5x90) : **ITL 10 000 000** – Milan, 7 nov. 1985 : *Pêcheurs et barques sur le rivage* 1872, h/t (60x120,5) : **ITL 6 000 000** – Milan, 1er juin 1988 : *Ruines de Pompéi et le Vésuve au fond,* h/t (58x103) : **ITL 7 500 000** – Londres, 16 fév. 1990 : *Les ruines de Pompéi,* h/t (52x94) : **GBP 4 180** – Monaco, 21 avr. 1990 : *Une scène napolitaine* 1869, h/t (57x121) : **FRF 172 050** – Londres, 28 nov. 1990 : *Scènes de la vie napolitaine,* h/t, une paire (chaque 35x58) : **GBP 7 150** – Rome, 4 déc. 1990 : *Sorrente,* h/t (35x62) : **ITL 10 500 000** – Milan, 12 mars 1991 : *Salerne autrefois,* h/t (95,5x47,5) : **ITL 14 500 000** – Milan, 7 nov. 1991 : *Marine avec des pêcheurs* 1887, h/t (52x93) : **ITL 24 000 000** – Milan, 12 déc. 1991 : *Paysage de marais avec des personnages dans une barque* 1887, h/t (52x93) : **ITL 16 000 000** – Rome, 19 nov. 1992 : *Vue panoramique de Taormina,* h/pan. (30x58) : **ITL 4 830 000** – Rome, 6 déc. 1994 : *Pêcheurs à Mergellina,* h/t, ovale (60x105) : **ITL 21 213 000.**

LAFABRIE Bernard Gabriel
Né en 1947 à Paris. xxe siècle. Français.
Peintre, lithographe, auteur de livres d'artistes.
Bibliogr. : In : *De Bonnard à Baselitz – Estampes et livres d'artistes,* catalogue de l'exposition, Bibliothèque Nationale, Paris, 1992.

LAFABRIQUE Nicolas
Né le 7 novembre 1649 à Namur. Mort le 26 janvier 1733 à Liège. xviie-xviiie siècles. Éc. flamande.
Peintre de genre, de figures, animaux.
Élève de Bouge. Très jeune, il visita Rome et y demeura quelque temps, vint à Paris, puis alla se fixer à Liège, où, le 2 décembre 1695, il épousa Agnès Frésard. On voit de lui, à Liège, un tableau, *Bacchus,* à Namur, *L'Exaltation de la Croix,* et à Bruxelles, *Le Compteur d'Argent,* attribution contestée.

LA FACE Giuseppe
xvie-xviie siècles. Actif à Messine. Italien.
Sculpteur, peintre.
Il existe une peinture signée de cet artiste à l'église de Zaffaria.

LA FAGA Raimondo de. Voir **LA FAGE Raymond de**

LAFAGE Amicar de
Né au xixe siècle à Paris. xixe siècle. Français.
Lithographe.
Élève de Vignon et d'Anastasi. Exposa en 1852.

LA FAGE Nicolas de
Mort en 1655 à Paris. xviie siècle. Français.
Peintre, aquafortiste et brodeur.
Il est mentionné en 1648 comme « brodeur et peintre ordinaire du roi ». On cite de lui des eaux-fortes parmi lesquelles : *Marie avec l'Enfant* ; le même sujet d'après A. Carrache ; le même sujet avec les armes de Navarre et les armes de France et d'Anne d'Autriche (probablement à l'occasion de la naissance de Louis XIV) ; *Portrait de Louise Marie de Gonzague,* reine de Pologne ; des sujets allégoriques ; *Portrait d'Anne d'Autriche* dans l'ouvrage « *Lettres héroïques aux grands de l'État* », par S. De Rangouse (Paris, 1648) ; Portrait de *François de Vendôme, duc de Beaufort.* Une nappe d'autel brodée par lui se trouvait encore en 1789 à l'ancienne Chartreuse de Saint-Martin à Naples.

LA FAGE Raymond de
Né vers 1650 à Lisle-sur-Tarn, certains biographes indiquent 1656. Mort en 1684 à Lyon (Rhône). xviie siècle. Français.
Peintre, dessinateur de sujets mythologiques, compositions religieuses, scènes de genre, graveur.
Fils d'un vitrier, suivant certains biographes, ou d'un notaire, d'après M. Reiset. Son goût pour le dessin lui valut de mauvais traitements. Il s'enfuit à Toulouse, entra chez un chirurgien, où il étudia l'anatomie, puis fut élève de I.-P. Rivalz, qui le prit en amitié et, après une année, l'envoya à Paris avec son fils poursuivre ses études. Mais La Fage ne se plut pas dans la capitale et revint bien vite à Toulouse. L'Intendant du Languedoc s'intéressa à lui et lui fournit les moyens d'aller en Italie. La Fage y copia surtout les Carrache. À son retour en France, il alla exécuter quelques tableaux à Toulouse pour M. de Fieubet. Mais La Fage était un « bohème avant la lettre », s'il est permis d'employer cette expression : il passait la majeure partie de son temps au cabaret, à tel point, que Bourdaloue, qui le payait un louis par jour et le nourrissait, était obligé de le suivre à l'auberge pour obtenir ses œuvres. Ayant décidé de faire un second voyage en Italie, il mourut à Lyon en cours de route.
Il obtint comme dessinateur un succès considérable à Paris. Les plus fameux amateurs, M. de Crozat, Bourdaloue, Mariette se disputaient ses dessins. Aujourd'hui ses productions sont beaucoup moins prisées et il compte seulement parmi les dessinateurs habiles du xviie siècle. Il a produit un certain nombre de gravures à l'eau-forte ; on en catalogue vingt-et-une.

RL

Musées : Avignon – Düsseldorf – Haarlem – Lille – Lyon – Montpellier – Paris – Toulouse – Vienne – Zurich.
Ventes Publiques : Paris, 20 et 21 mai 1898 : *Le triomphe de Bacchus,* dessin : **FRF 50** ; *Le ravissement de Proserpine,* dessin : **FRF 50** – Paris, 5 juin 1898 : *Bacchanale,* dessin : **FRF 70** – Paris, 13-14 et 15 mars 1905 : *Fêtes en l'honneur de Silène,* dessin : **FRF 150** – Paris, les 2 et 3 fév. 1911 : *L'agréable illusion,* dessin : **FRF 420** – Paris, 27 mars 1919 : *Projet d'un monument à la gloire de Louis XIV,* pl. et sépia : **FRF 100** – Paris, 26 fév. 1921 : *Le jeu du jet d'eau,* sanguine : **FRF 200** – Paris, 7 et 8 déc. 1923 : *Le Triomphe d'Amphitrite,* dessin : **FRF 900** – Paris, 24 déc. 1924 : *Moïse. L'Ensevelissement,* pl. et lav. : **FRF 1 100** – Paris, 8 déc.

1938 : *Le char d'Ariane*, pl. : **FRF 520** – Paris, 29 et 30 mars 1943 : *Le Lavement des pieds*, pl. et lav. : **FRF 450** – New York, 5 juin 1979 : *St Jean-Baptiste prêchant*, pl. (40,5x52) : **USD 1 600** – Paris, 17 oct. 1984 : *Scène de bataille*, pl. et lav. d'encre de Chine/parchemin (23x31) : **FRF 12 000** – Paris, 23 mai 1986 : *Tobie soignant son père aveugle*, pl. en bistre (25x17) : **FRF 15 000** – Paris, 10 nov. 1988 : *Les Tectosages se rendent maîtres de la ville de Delphes*, pl. et lav. gris (15x20) : **FRF 19 500** – Monaco, 2 déc. 1988 : *Le couronnement de la Vierge*, encre (28,5x20,9) : **FRF 7 770** – Paris, 15 juin 1990 : *Moïse frappe le rocher et fait jaillir l'eau*, pierre noire, pl. à l'encre de Chine et lav. gris sur parchemin (19,8x28) : **FRF 62 000** – Paris, 18 juin 1993 : *Le repos pendant la fuite en Égypte*, pl. et encre brune (17x25,5) : **FRF 25 000** – Monaco, 2 juil. 1993 : *La naissance et l'éducation de Bacchus*, craie noire, encre et lav. (9,5x34,2) : **FRF 17 760** – New York, 12 jan. 1995 : *Satyres et bacchantes près d'une fontaine* ; *Satyres et bacchantes avec une chèvre*, craie noire et encre, une paire (chaque 13,2x22,7) : **USD 2 300** – New York, 10 jan. 1996 : *Le sacrifice d'Iphigénie*, craie noire, encre et lav. (44x61,5) : **USD 7 475** – Londres, 18 avr. 1996 : *Tobie et l'ange*, encre et lav. (26x32,2) : **GBP 667** – Londres, 3 juil. 1996 : *Dieu le père apparaissant à Moïse*, encre et craie noire (25,3x20,1) : **GBP 632**.

LAFAGE-LAUJOL Georges de

Né le 25 décembre 1830 à La Chapelle-Saint-Denis. Mort en 1858. xixe siècle. Français.

Peintre de paysages, lithographe.

Élève de Diaz. Il exposa au Salon de 1853 à 1857. Mention honorable en 1857. On voit des paysages de cet artiste aux Musées de Reims et de Saint-Étienne.

LAFAGON Juan

xviie siècle. Travaillant à Séville en 1643. Espagnol.

Sculpteur.

La statue de *N.-D. De Grâce*, qui se trouve sur l'autel de l'église de la ville de Espera, province de Cadix, œuvre de haute valeur, porte la signature de cet artiste et la date de 1651.

LAFAIT Prosper. Voir **LAFAYE**

LA FALCE Antoine

Né à Messine. Mort en 1712. xviiie siècle. Italien.

Peintre d'ornements.

Élève de A. Sailla.

LA FARGE Bancel

Né en 1865 à Newport (Rhode-Island). xixe-xxe siècles. Américain.

Peintre de fresques, peintre verrier.

Il fut élève de son père John L. R. Collin et de A. Besnard à Paris. Il vécut à Edgehill à Mt Carmel dans le Connecticut. Il fut membre de l'Association Américaine des Artistes de Paris et de la Fédération américaine des arts.

L'église du Saint-Sacrement à Providence (Rhode-Island) lui doit des fresques et le collège Saint-Charles à Catonsville (Maryland) des mosaïques.

LA FARGE John ou **Lafarge**

Né le 31 mars 1835 à New York. Mort le 14 novembre 1910 à Providence (Rhode Island). xixe-xxe siècles. Américain.

Peintre de compositions religieuses, figures, portraits, paysages, natures mortes, fleurs, compositions murales, cartons de vitraux, illustrateur, aquarelliste.

Une des personnalités les plus considérables de l'art américain. Il était d'origine française. Son père, après avoir pris part à l'expédition du général Leclerc à Saint-Dominique, s'établit en 1806 aux États-Unis et y épousa la fille d'un miniaturiste, lequel fut le premier maître de notre artiste. Cependant John ne travaillait le dessin et la peinture que pour son agrément. En 1856, ayant terminé ses études classiques, il vint en Europe, rencontra Chassériau, Puvis de Chavannes, les frères Goncourt, et fréquenta quelque temps l'atelier de Couture à Paris, copia des dessins de vieux maîtres au Louvre et dans les Musées d'Angleterre, de Belgique et de Hollande. À son retour en Amérique, il entra dans l'étude d'un homme de loi, mais son goût pour l'art s'affirmant définitivement, en 1859, il devenait l'élève de W. M. Hunt et se consacrait à la peinture. Dès 1861, il s'intéressa particulièrement à l'art japonais, publiant en 1870 un *Essai sur l'art japonais*, peignant une nature morte sur un plateau japonais en laque. À la suite de son voyage au Japon, il donna un caractère japonisant à ses dessins préparatoires de ses peintures murales à l'église de l'Ascension à New York. Il voyagea aussi à Ceylan, Java en 1891, Tahiti, aux îles Hawaï. John La Farge travaillait à son autobiographie quand la mort le surprit.

Il fut nommé associé de la National Academy en 1863 et académicien en 1869. Il exposa à Paris, en 1889, un important vitrail et fut, à la suite de l'Exposition, décoré de la Légion d'honneur. En 1901, il obtint une médaille d'or à Buffalo, et, en 1904, à Saint Louis, un diplôme d'honneur pour ses services à l'art. Il obtint aussi, en 1909, une médaille d'honneur de la Ligue des architectes.

Il fit tour à tour du paysage, de la figure, des natures mortes. Il montra comme illustrateur des qualités d'imagination fort remarquables, lors de sa collaboration au *Riverside Magazine*. En 1876, l'occasion lui fut fournie d'affirmer sa personnalité : la décoration de l'église de la Trinité, à Boston, lui fut confiée. L'année suivante, il était appelé à orner de peintures l'église de Saint-Thomas à New York, détruite par le feu en 1905. En 1885, il exécutait des travaux dans l'église de l'Incarnation et la même année exécutait, à l'église de l'Ascension, une importante peinture murale derrière le maître-autel, considérée par nombre de critiques comme son chef-d'œuvre. On mentionne également de ses ouvrages chez les pères Paulistes, à New York, au Palais de Justice de Baltimore et au Capitole de Saint-Paul. Comme verrier, la réussite de John La Farge ne fut pas moindre, il produisit des vitraux pour nombre d'édifices publics et d'habitations de riches Américains. On cite notamment son vitrail *Le Paon*, qui décore le palais de l'Art Institute, à Worcester.

John La Farge était avant tout décorateur. On peut discuter son œuvre, lui reprocher sa froideur ; ses peintures murales, les premières dignes de ce nom produites en Amérique, n'en marqueront pas moins une époque dans l'art américain. L'artiste y avait fait preuve d'une conception très particulière de la forme et de la couleur. Son succès fut très grand. On sent dans les ouvrages de John La Farge l'idée dominante chez l'artiste de reprendre, en les modernisant, les traditions des grands maîtres de la Renaissance. Cette disposition s'accusa encore à la fin de la vie de John La Farge par ses tentatives de peintre verrier. Ses ouvrages dans ce genre présentent le plus grand intérêt. Il semble avoir cherché à utiliser dans ses harmonies colorées l'éclat des plumages, des fleurs et des joyaux.

Musées : Boston (Mus. des Beaux-Arts) : *Les Rois mages* vers 1868 – Brunswick (Walker) : *Athènes* – Pittsburgh (Carnegie Inst.) : *Nature morte sur un plateau japonais en laque* – Saint-Louis : *Le charmeur de loups* – Washington D. C. (Nat. Gal.) : *Le Christ et Nicodème*.

Ventes Publiques : New York, 16-17 fév. 1911 : *Virgile* : **USD 750** – New York, 10 avr. 1929 : *Tulipes*, aquar. : **USD 210** – New York, 15 nov. 1929 : *La Source* : **USD 325** – New York, 30 mars 1944 : *Fleurs*, aquar. : **USD 220** – New York, 6 fév. 1946 : *Henry James* : **USD 1 600** – New York, 10-22 fév. 1947 : *Baigneuses*, aquar. : **USD 100** – New York, 17 nov. 1966 : *Branche d'oranger* : **USD 5 000** – New York, 21 mai 1970 : *Jeunes femmes portant un canoë*, aquar. et gche : **USD 8 000** – New York, 28 sep. 1973 : *Nénuphars* : **USD 5 500** – New York, 28 oct. 1976 : *Paysage à Nikko (Japon)* 1887, h/t mar./pan. (34,5x26) : **USD 2 600** – New York, 21 avr. 1977 : *Fleurs*, h/t (66x45,7) : **USD 8 000** – New York, 25 oct 1979 : *Automne* 1882, h/t (139,7x68) : **USD 40 000** – New York, 23 jan. 1980 : *Montagne dans le brouillard* 1886, aquar. (27,4x21) : **USD 3 000** – New York, 29 mai 1981 : *Devant notre maison de Vaiala Upolu, Samoa* 1891, aquar. (21x33,7) : **USD 4 500** – New York, 16 jan. 1982 : *Présentation des présents, Samoa* 1890, pl. et lav. reh. de blanc (40,5x30,5) : **USD 2 200** – New York, 8 déc. 1983 : *Hollyhocks* 1863, h/pan. (86,3x40) : **USD 67 500** – New York, 21 sep. 1984 : *Study of surf, breaking on outside reef, Tautira, Tiarapu, Tahiti* 1891, aquar. et gche (29,6x34,8) : **USD 13 000** – Portland, 11 mai 1985 : *Etude pour un vitrail*, aquar. (43x30,6) : **USD 5 000** – New York, 4 déc. 1986 : *L'Esthète*, aquar. et pl. (25,5x37,5) : **USD 13 000** – New York, 29 mai 1987 : *Tête d'ange*, gche et past./pap. (61,9x48,6) : **USD 3 200** – New York, 24 jan. 1989 : *La pointe sud de Oahu à Hawaï*, aquar. et gche/pap. (16,8x21,2) : **USD 4 400** – New York, 25 mai 1989 : *Femme assise* 1889, aquar. et gche/pap./cart. (22,8x17,2) : **USD 8 800** – New York, 1er déc. 1989 : *Etude d'une jeune femme vêtue à l'orientale assise dans un fauteuil le bras droit reposant sur l'accoudoir*, aquar. et cr./pap. (38,4x26) : **USD 16 500** – New York, 16 mars 1990 : *Etude de vagues déferlantes à Tahiti* 1891, aquar. et gche/cart. (29,6x34,8) : **USD 17 600** – New York, 23 mai 1990 : *Nénuphar*, aquar./pap. (28x21,5) : **USD 93 500** – New York, 26 sep. 1990 : *Fin d'après-midi à Fagaloa Bay*, aquar. et gche/pap. (36,2x26,6) : **USD 13 200** – New York, 26 sep. 1991 : *Fleurs de pommier et papillon*, aquar./pap./cart. (12x12) : **USD 8 800** – New York, 5 déc. 1991 : *Camélia dans un bol japo-*

nais, h/pan. (15,2x21,6) : **USD 28 600** – New York, 6 déc. 1991 : *La harpiste*, aquar., gche et cr./pap. (31,7x26) : **USD 18 700** – New York, 12 mars 1992 : *Un ange en adoration* 1887, étude pour un pan. mural, aquar., gche et cr./pap. (70x52) : **USD 7 700** – New York, 23 sep. 1992 : *Danseur costumé en Saki Imp dans une pièce No* 1886, aquar., gche et cr./pap. (30x24) : **USD 18 700** – New York, 3 déc. 1992 : *Partie de pêche en canoës à Samoa*, aquar./cart. (23,5x26) : **USD 12 100** – New York, 2 déc. 1993 : *Allégorie de la Fortune montée sur une roue ailée* 1902, aquar. gche et cr./pap., étude pour le Freick Building (39,4x33) : **USD 18 400** – New York, 17 mars 1994 : *Le berger et la mer*, h/t (76,2x63,5) : **USD 24 150** – New York, 14 mars 1996 : *Fleurs de pommier*, aquar. et cr./pap. (24,8x29,8) : **USD 46 000** – New York, 23 mai 1996 : *Paradise Valley*, h/t (84,1x107,9) : **USD 2 202 500** – New York, 30 oct. 1996 : *Marcella* 1883, aquar./pap., étude d'une femme assise (24,1x19,7) : **USD 6 325**.

LAFARGE-CHARMA, Mme Georges
XIXe-XXe siècles. Française.
Peintre.
Elle travaillait à Paris, où elle eut des élèves. Elle y exposait au Salon des Artistes Français, dont elle était sociétaire depuis 1901.

LAFARGUE. Voir aussi **FARGUE**

LA FARGUE Ambroisine Laure Gabrielle de, Mme, née **Boucher de Léomenil**
Née au XIXe siècle à Lyon. XIXe siècle. Française.
Aquarelliste.
Élève de J.-B. Laurens et de Mme Viguier. Débuta au Salon en 1878.

LA FARGUE Jacob Elias
Né en 1735 ou 1742 à La Haye. Mort en 1776. XVIIIe siècle. Hollandais.
Peintre de paysages, vues de villes, dessinateur, aquarelliste.
Frère de Paulus Constantin La Fargue ; inscrit dans « la Pictura » en 1761.
Musées : Haarlem (Mus. Teyler) : *Vue de La Haye* – La Haye (Mus. comm.) : Deux œuvres.
Ventes Publiques : Paris, 1760 : *Vue du vieux Delft* : **FRF 88** – Londres, 11 avr. 1924 : *Vue du Mauritshuis à la Hague* : **GBP 54** – Londres, 17 fév. 1939 : *Rue d'une ville hollandaise* : **GBP 65** – Londres, 21 oct. 1949 : *Vue de Kneuterdijk, à La Haye* : **GBP 798** – Londres, 22 mai 1963 : *Vue de la côte près de Dordrecht ; Vue de Leyden*, deux pendants : **GBP 1 050** – Londres, 12 oct 1979 : *L'orangerie de Sorgvliet*, h/pan. (51x81) : **GBP 1 000** – New York, 17 juin 1982 : *Vues de La Haye*, 2 h/pan. (58x75,5 et 59x80) : **USD 20 000** – Londres, 18 mai 1988 : *Paysanne assise sur un tronc d'arbre dans un bois conversant avec un voyageur, une ferme au fond* (49x37,9) : **GBP 4 025** – Amsterdam, 14 nov. 1988 : *Vue de la ville de Leidschendam avec la navigation sur la Vliet*, encre et craie (30,3x47) : **NLG 23 575** – Londres, 2 juil. 1990 : *Vue de Haarlem depuis le port de Leide*, encre et aquar. (21,8x33,5) : **GBP 2 200** – Londres, 10 déc. 1993 : *Vue depuis le Lange Vijverberg à La Haye, avec le Binnenhof, le Hofvijver et le Mauritshuis*, h/t (32x43,3) : **GBP 2 990**.

LAFARGUE Jean Henri
Né le 22 juillet 1788 à Bordeaux. XIXe siècle. Français.
Peintre d'histoire et de genre.
Élève de Joubert. Il exposa au Salon en 1836 et 1838.

LA FARGUE Karel
Né après 1742 à La Haye. Mort après 1783. XVIIIe siècle. Hollandais.
Peintre de genre, de vues, de villes et de paysages.
Frère et élève de Paulus Constantin La Fargue. Il entra dans « la Pictura », à La Haye, en 1768. Le Musée Communal de La Haye conserve de lui une *Vue de la ville*, et le Musée Teyler à Haarlem deux aquarelles traitant le même sujet.
Ventes Publiques : Paris, 11 avr. 1924 : *Paysage*, cr. et lav. : **FRF 1 000** – Paris, 14 avr. 1937 : *Le pâturage*, bois : **FRF 260** – Munich, 16 mars 1977 : *Ville au bord d'une rivière*, h/t (32x38,5) : **DEM 4 500** – Monte-Carlo, 13 juin 1982 : *Une avenue à La Haye*, h/pan. (33x40,5) : **FRF 150 000**.

LA FARGUE Marc
Né en 1876. Mort en 1927. XXe siècle. Américain.
Peintre.
Ses intérieurs aux tonalités roses et grises montrent une technique parfaite.

LA FARGUE Maria Margerita
Née en 1743. Morte en 1813. XVIIIe-XIXe siècles. Hollandaise.
Peintre de genre.
Sœur de Paulus Constantin La Fargue. Elle traita un peu tous les genres. Ses œuvres sont bien composées.
Ventes Publiques : Paris, 4 juin 1947 : *La marchande de poissons* : **FRF 3 000** – Amsterdam, 18 mai 1976 : *La visite à la malade* 1772, h/pan. (43,5x36) : **NLG 7 500**.

LA FARGUE Paulus Constantin
Né vers 1732 à La Haye. Mort en juin 1782 à Leyde. XVIIIe siècle. Éc. flamande.
Peintre de paysages, dessinateur, graveur à l'eau-forte.
Cet artiste d'un remarquable talent produisit surtout de petits tableaux représentant les environs de La Haye. Ses dessins sont aussi très estimés. Il a gravé d'excellentes eaux-fortes, vues de villes et sujets religieux.

Musées : Francfort-sur-le-Main (Stadel) : *Vue intérieure d'une porte de Leyde* – La Haye (Mus. comm.) : *Le pont du Bois en 1774* – *Bateau de transport à La Haye en 1774* – Londres (N. Gal.) : *Place du marché de La Haye*.
Ventes Publiques : Paris, 13-14 déc. 1897 : *Cavaliers*, encre de Chine, deux dessins : **FRF 30** – Berlin, 24 jan. 1899 : *Deux vues d'Amsterdam* : **FRF 160** – Berlin, 6 mai 1899 : *Défilé de corporations*, aquar. : **FRF 105** – Paris, 20-21 juin 1924 : *Vue de La Haye*, encre de Chine : **FRF 690** – Londres, 23 mai 1924 : *Vue de La Haye* : **GBP 63** – Paris, 12 mars 1927 : *Vue de ville* : **FRF 2 700** – Londres, 7 déc. 1933 : *Retour d'une chasse au faucon* : **GBP 86** – Londres, 23 juin 1950 : *Vue d'une ville hollandaise* : **GBP 210** – Amsterdam, 3 juin 1969 : *Rue de village*, deux pendants : **NLG 22 000** – Londres, 10 nov. 1971 : *Scènes de rue* 1758 : **GBP 7 100** – Amsterdam, 26 avr. 1976 : *Le Marché aux poissons de La Haye* 1777, h/t (36x44) : **NLG 42 000** – Londres, 30 nov. 1977 : *Vue de Delft*, h/pan. (54x68) : **GBP 5 500** – Amsterdam, 29 oct 1979 : *Élégants personnages dans une rue* 1759, pl. et lav. (28,4x32,6) : **NLG 7 200** – Londres, 20 oct. 1982 : *La porte de Leyden à Amsterdam*, h/pan. (24x32) : **GBP 2 000** – Amsterdam, 26 nov. 1984 : *Vue de Leidschendam* 1774, aquar. et craie noire (20x31,3) : **NLG 5 500** – Londres, 2 juil. 1985 : *Le marché aux chevaux à Valkenburg* 1770, craie noire, pl. et lav. (17,1x28,2) : **GBP 1 000** – New York, 17 jan. 1985 : *Vue du Binnenhof, La Haye* 1773, h/t (30x39,5) : **USD 16 000** – Paris, 9 mars 1988 : *Vue d'une grande place d'une ville hollandaise animée de personnages*, pl. et lav. brun (32x51) : **FRF 75 000** – Amsterdam, 14 nov. 1988 : *Navigation sur la Vliet et diligence sur le chemin de halage*, encre et aquar. (21,9x34) : **NLG 4 600** – Amsterdam, 22 nov. 1989 : *Rue de village animée*, h/pan. (17x23) : **NLG 5 750** – Londres, 10 déc. 1993 : *La Haye, le Mauritspoort et la Binnenhof vus depuis le Plein* 1773, h/t (30x39,5) : **GBP 47 700** – Amsterdam, 15 nov. 1994 : *Le Marché aux légumes et l'Hôtel de Ville de La Haye* 1775, encre et aquar. (26,5x37,5) : **NLG 23 000** – Londres, 13 déc. 1996 : *Canal en Hollande avec une barque et des bateaux à voiles, une femme conversant avec un soldat et des paysans sur le sentier, moulins au loin*, h/pan. (37,2x49,7) : **GBP 8 625**.

LA FARGUE VAN NIEUWLAND Isaac Lodewijk de
Né en 1734 à La Haye. XVIIIe siècle. Hollandais.
Peintre de portraits, graveur.
Probablement frère de Paul-Const. La Fargue. Inscrit comme étudiant à Leyde le 13 janvier 1764. Il a travaillé à La Haye. Le Musée d'Amsterdam conserve de lui les portraits de *Jan Hendrik Van Rijswijk et de sa femme*. Voir aussi L. F. van Nieulandt.

LA FARINA Francisco ou **Lafarina**
XIXe siècle. Actif dans la première moitié du XIXe siècle à Palerme. Italien.
Peintre d'histoire, compositions religieuses, portraits.
Il fut élève et imitateur de G. Velasquez, mort en 1826. Parmi ses œuvres une *Mise au tombeau* à l'église S. Giovanni, Mont S. Giuliano près de Trapani, à Palerme, à l'église del Castello un *Baptême du Christ*, au Palais Belmonte à Ebda, un bas-relief en peinture clair-obscur, à Randazzo, église dei Basiliani, un *Martyre de sainte Barbe*.
Ventes Publiques : Rome, 22 mars 1988 : *Portrait d'acteur en costume classique*, h/t (74x63) : **ITL 1 000 000**.

LAFAUCHE Léon
Né le 17 octobre 1876 à Moutier-en-Derau (Haute-Marne). XXe siècle. Français.
Sculpteur.
Élève de Falguière. Sociétaire des Artistes Français depuis 1905, il figura au Salon de ce groupement et obtint une mention en 1904, une médaille de troisième classe en 1906.

LAFAURIE Marceau
Né le 3 avril 1876 à Toulouse (Haute-Garonne). XXe siècle. Français.
Sculpteur.
Figura aux Artistes Français.

LAFAURIE Marie Anne
XIXe-XXe siècles. Active à Paris. Française.
Sculpteur.
Membre de la Société du Salon de la Nationale des Beaux-Arts elle figura aux Expositions de ce groupement, avec des bustes.

LAFAY Octave
Né le 21 novembre 1878 à Roanne (Loire). Mort en 1938. XIXe-XXe siècles. Français.
Peintre de paysages, aquarelliste. Néo-impressionniste.
Élève d'Émile Noirot, il exposa au Salon des Artistes Français à Paris, à partir de 1906, et prit part à des expositions en province, lui-même étant installé à Arfeuilles, dans le Bourbonnais.
Ses paysages, aux tonalités rousses et vertes, sont traités selon la technique du divisionnisme.
Bibliogr. : Gérald Schurr, in : *Les Petits Maîtres de la peinture 1820-1920, valeur de demain,* Les Éditions de l'Amateur, t. V, Paris, 1981.
Musées : Moulins – Le Puy-en-Velay – Roanne.

LA FAYE Hugues de
Mort en 1539. XVIe siècle. Actif à Nancy. Français.
Peintre.
Peintre de la Cour du duc Antoine de Lorraine, il travailla en 1529 avec Mansuy Gauvain aux appartements de la duchesse au château, et à la chapelle du caveau des ducs à la cathédrale. Son tableau *La cène,* dans l'église des Cordeliers, fut achevé après sa mort par Médard Chuppin.

LAFAYE Prosper ou **Lafait** ou **Lafay**
Né en 1806 à Mont-Saint-Sulpice (Yonne). Mort en 1883 à Paris. XIXe siècle. Français.
Peintre d'histoire, batailles, scènes de genre, paysages, cartons de vitraux.
Élève d'Auguste Couder à Paris, il a participé au Salon de Paris sous les noms de Lafait et Lafay, de 1831 à 1880, obtenant une médaille de deuxième classe en 1835.
On lui doit un portrait équestre de Bonaparte et de nombreux tableaux d'histoire et de bataille. Certaines de ses œuvres montrent une science approfondie de la technique du noir et blanc. À partir de 1845, il se consacre aussi au vitrail : il collabore à la restauration des verrières de Saint-Germain-l'Auxerrois, Saint-Étienne-du-Mont, Saint-Eustache, Saint-Gervais, et participe au concours ouvert pour la restauration de la Sainte-Chapelle en 1852. Il exécute également des vitraux à l'église Saint-Augustin de Paris.
Bibliogr. : Gérald Schurr, in : *Les Petits Maîtres de la peinture 1820-1920, valeur de demain,* Les Éditions de l'Amateur, t. II, Paris, 1982 – in : Catalogue de l'exposition : *Les années romantiques, la peinture française de 1815 à 1850,* Musée des Beaux-Arts de Nantes, 1995-1996 et Galeries nationales du Grand Palais, Paris, 1996.
Musées : Auxerre – Dijon (Mus. des Beaux-Arts) : *La famille d'Orléans* 1845 – Dole : *Samson et Dalila* – Orléans (Mus. des Beaux-Arts) : *Salle des croisades, musée du château de Versailles* 1850 – Versailles.
Ventes Publiques : Paris, 13 déc. 1996 : *Une représentation à la salle Ventadour en 1847,* h/t (54x64) : **FRF 62 000** ; *La chute des damnés,* pl. et lav. d'encre brune (74,5x39) : **FRF 3 200.**

LAFAYE Thomas
XVIIIe siècle. Actif à Caen. Français.
Peintre, sculpteur.
Il fit, en 1676, un tabernacle pour l'église de Cormelles-le-Royal.

LA FAYETA Pedro de
XVIIIe siècle. Espagnol.
Peintre de fresques.
Il travailla à Séville.

LA FÉE Floris de
Mort avant 1676. XVIIe siècle. Actif à La Haye. Hollandais.
Peintre.
Cité par Siret. Il fut un des 47 fondateurs de la société Pictura, à La Haye, en 1656.

LAFENESTRE Gaston Ernest
Né en 1841 à Melun. Mort en 1877 à Barbizon. XIXe siècle. Français.
Peintre de genre, animaux.
Élève de Charles Jacques et F. Chaigneau, il participa au Salon de Paris entre 1866 et 1876.
Il peint des sujets de chasse, des agneaux et brebis, sans tomber dans la mièvrerie.
Bibliogr. : Gérald Schurr, in : *Les Petits Maîtres de la peinture 1820-1920, valeur de demain,* Les Éditions de l'Amateur, t. III, Paris, 1976.
Musées : Melun.
Ventes Publiques : Paris, 20 oct. 1948 : *L'étable* : **FRF 16 000** – Paris, 15 nov. 1976 : *Bergère et moutons,* h/t (61x50) : **FRF 2 800** – Stockholm, 15 nov. 1988 : *Paysage côtier avec un personnage près d'une barque et une cité au lointain,* h. (13,5x26) : **SEK 6 000.**

LA FENESTRE Robert de
XVIe siècle. Français.
Sculpteur sur bois.
Il fit les portes de l'église de Caudebec, en Normandie, en 1545.

LA FERRIÈRE de, Mlle, plus tard Mme **Rodet**
XIXe siècle. Française.
Peintre.
Elle figura au Salon de Paris en 1833 et 1834. On cite d'elle : *Le yacht de la reine ; Vue de l'île de Puteaux ; La chasse ; Vue de la Seine à Neuilly.*

LA FERTÉ de
XVIIe siècle. Français.
Peintre.
Peintre angevin, dont on connaît un portrait, daté de 1697.

LA FERTÉ Papillon de. Voir **PAPILLON DE LA FERTÉ**

LAFEUILLE Daniel de
Né vers 1640 à Sedan. Enterré à Amsterdam le 1er juillet 1709. XVIIe siècle. Éc. flamande.
Graveur.
Il grava surtout des batailles et des scènes historiques de son temps.

LAFEUILLE Michel
Né le 19 décembre 1943. XXe siècle. Français.
Peintre. Abstrait.
Il a élaboré deux murs mobiles au C.E.S. de Marly-le-Roi en 1966. Il utilise le « thermo-formage » pour réaliser des œuvres abstraites.

LA FEUILLÉE ou **Delafeuillée**
XVIIIe siècle. Français.
Sculpteur sur bois.
Il fit, de 1694 à 1710, de nombreux ouvrages pour l'église de Saint-Vincent du Boulay (Eure), parmi lesquels on peut citer le retable du maître-autel, que l'on y voit encore aujourd'hui.

LAFFAYA Y JORDAN José Angel
Né le 2 août 1815 à Ségovie. XIXe siècle. Actif à Madrid. Espagnol.
Peintre.
Il peignit des tableaux d'église pour la cathédrale de Ségovie et pour l'oratoire épiscopal de la même ville ainsi que des portraits et des ornements pour des livres de chœur.

LAFFERT Carl Friedrich
Né le 15 juillet 1783 à Berlin. Mort le 26 août 1825 à Berlin. XIXe siècle. Allemand.
Peintre sur porcelaine et peintre de miniatures.
Il travailla à la fabrique de porcelaine de Berlin et à Londres. Il figura aux Expositions de l'Académie de Berlin avec des peintures sur porcelaine, des miniatures, des dessins, et des tableaux de sujets religieux. En 1809 et 1813 il figura également à l'Exposition de la Royal Academy à Londres.

LAFFERT Ludolph Friedrich von
XVIIIe siècle. Allemand.
Aquafortiste.
Il vécut dans la région de Hanovre. On cite de lui cinq planches : *Paysage avec cabane de paysan ; Auberge sur le Brocken (Harz) ;*

Vue du champ de bataille de Kerstlingerode ; Paysage avec vache ; Moulin à papier à Weende près de Göttingen.

LAFFILÉE Henri Louis
Né en 1859 à Paris. XIXe siècle. Français.
Peintre de paysages et architecte.
Élève de Laisné. Exposa des vues de Cernay au Salon en 1879 et 1880. Le Musée d'Angers possède trois aquarelles de sa main.

LAFFILÉE Jeanne
XIXe siècle. Française.
Peintre.
Elle travaillait à Châtenay. Sociétaire des Artistes Français depuis 1883, elle figura au Salon de ce groupement.

LAFFILLÉ
XXe siècle. Français.
Peintre de figures, nus, intérieurs. Expressionniste.
Il expose à la galerie Vendôme Rive Gauche à Paris, en 1994, et de nouveau en 1995 sur le thème des *Femmes*.

LAFFINEUR Marc
Né en 1940 à Bomal-sur-Ourthe. XXe siècle. Belge.
Sculpteur de figures, bustes, peintre, graveur, médailleur, illustrateur.
Il fut élève de l'Académie des Beaux-Arts de Saint-Luc et de l'Académie des Beaux-Arts de Liège. Il est membre du groupe *Cap d'encre*. Il est membre fondateur de l'atelier de gravure sur bois de Saint-Hubert. Il a obtenu le prix de gravure de la Ville de Catania.
Sculpteur, il travaille le bois et le métal, par assemblage de lamelles de bois soigneusement polies, par juxtaposition de rubans métalliques également poncés. Illustrateur, il grave des médailles.
Bibliogr. : In : *Diction. biographique illustré des artistes en Belgique depuis 1830*, Arto, Bruxelles, 1987.
Musées : Catania – Paris (BN) – Skopje.

LAFFLY Hélène
Née en 1925 à Paris. XXe siècle. Française.
Peintre, graveur.
Bibliogr. : In : *De Bonnard à Baselitz – Estampes et livres d'artistes*, catalogue de l'exposition, Bibliothèque Nationale, Paris, 1992.

LAFFOLI Giovanni Maria ou **Luffoli**
Né à Pesaro. XVIIe siècle. Actif vers 1680. Italien.
Peintre d'histoire et de portraits.
Élève du Pesarèse. Il travailla pour de nombreuses églises de Pesaro.

LAFFON Carmen
Née en 1934 à Séville (Andalousie). XXe siècle. Espagnole.
Peintre.
Elle fut élève de l'Académie des Beaux-Arts de Séville, puis de celle de Madrid.
Elle a exposé, en 1958, à l'Ateneo de Madrid ; en 1962, à la Sélection des critiques d'art, toujours à Madrid. Elle a figuré dans une exposition de femmes peintres, à Paris, en 1965 ; à la sixième Biennale d'Alexandrie, en 1966 ; au 3e Salon International des Galeries Pilotes, au Musée Cantonal de Lausanne, en 1970, etc.
Elle a occupé une position importante parmi les jeunes peintres espagnols. Peintre d'une réalité rendue quasi irréelle par des effets de lumière vaporeuse et de clair-obscur.
Ventes Publiques : Madrid, 30 juin 1986 : *Femme assise dans un intérieur*, h/t (89x116) : **ESP 1 200 000** – Madrid, 10 juin 1993 : *Panier* 1982, h/t (55x64) : **ESP 2 990 000.**

LAFFON Erna
Née en 1926. XXe siècle. Française.
Peintre de portraits, paysages.
Elle a obtenu le prix de Deauville pour un portrait, en 1964. Elle fut sociétaire du Salon des Artistes Français, à Paris, à partir de 1964. Surtout peintre de portraits, elle exécute également des payages.

LAFFONT Émilie
Née en 1881 à Montpellier (Hérault). Morte en 1959 à Cannes. XXe siècle. Française.
Peintre de paysages. Tendance impressionniste.
Elle a vécu à Cannes. Autodidacte, de tendance impressionniste, elle a subi l'attraction des peintres de Barbizon, mais n'a pas tardé à dégager sa propre personnalité. Ses paysages de Provence figurent dans de nombreuses collections.
Bibliogr. : Waldemar-George : *Laffont, sortilège de la Provence.*

LAFILLÉ Pierre
Né le 1er juin 1938 à Envermeu (Seine-Maritime). XXe siècle. Français.
Peintre de portraits, compositions de figures, graveur, lithographe, illustrateur.
Il a étudié à l'Académie Julian (1957) et dans l'atelier de Rohner à l'École des Beaux-Arts de Paris (1959). En 1961, il réalise ses premières gravures à l'Imprimerie Lacourière.
Il montre ses œuvres dans des expositions personnelles depuis 1960 (galerie des Tribunaux, Dieppe), de même qu'à Paris, notamment, de 1971 à 1977, à la galerie Laurens et, plus récemment, en 1983, à la Galerie Vendôme Rive Gauche.
À partir d'un graphisme très accusé, dans un genre proche du misérabilisme de Bernard Buffet, mais avec plus d'intensité colorée, il réalise surtout des portraits et des compositions de figures. Figurative, sa peinture associe au réalisme du sujet une atmosphère troublante, voire onirique. Il travaille par séries, parmi les principales : *Travestis* (1972) ; *Les Trois Ages* (1973) ; *Femmes* (1973) ; *Le Cirque* (1977) ; *Le Théâtre* (1979) ; *Les Cafés* (1980) ; *Mascarades* (1981) ; *La Danse* (1983) ; *La Musique* (1984) ; *Les Escaliers* (1986) ; *Face à masque* (1987). Il a illustré de nombreux ouvrages : *Les Possédés*, de Dostoievsky ; *Les Célibataires*, de Montherlant ; *La Chambre rouge*, de Françoise Mallet-Joris ; *Le Mont Brûlé*, de Daphné du Maurier ; *Prométhée enchaîné*. Il a collaboré par ses illustrations à des journaux télévisés, lors de comptes rendus de procès. Depuis 1976, il illustre le journal du Théâtre de la Ville de Paris.
Musées : Arques-la-Bataille (Fonds de la Ville) – Belleville (Fonds de la Ville) – Caen – Dieppe – Paris (Fonds de la Ville).
Ventes Publiques : Versailles, 29 oct. 1989 : *Nuque*, h/t (45x40) : **FRF 3 800** – Versailles, 10 déc. 1989 : *L'entrée*, h/cart. (38x46) : **FRF 3 800.**

LAFITA Y BLANCO José
Né en 1855 à Jerez de la Frontera (Cadix). Mort en 1925 à Séville (Andalousie). XIXe-XXe siècles. Espagnol.
Peintre de paysages, marines, illustrateur. Réaliste.
Il a commencé par faire des études de droit qu'il a dû interrompre pour combattre durant la guerre carliste. En 1876, il se rendit à Séville où il suivit des cours à l'École des Beaux-Arts sous la direction des professeurs Cano de la Pena et de Manuel Wsel de Guimbarda. Il résida quatre ans à Cadix peignant alors des marines avant de s'établir définitivement à Séville pour y pratiquer principalement la peinture de paysage.
Il figura aux Expositions Nationales des Beaux-Arts de Madrid en 1890, 1892 et 1897. Exposa à Berlin et à Munich en 1891 et 1892. Il reçut une distinction à l'Exposition des Beaux-Arts de Séville en 1922 pour deux marines.
La peinture de Jose Lafita y Blanco se veut traditionnelle, scrupuleusement dessinée, de composition équilibrée, non sans quelque écho romantique.
Bibliogr. : In : *Cien anos de pintura en Espana y Portugal, 1830-1930*, tome IV, Antiqvaria, Barcelone, 1990.

LAFITE Ernst
Né en 1826 à Vienne. Mort le 29 octobre 1885 à Vienne. XIXe siècle. Autrichien.
Peintre de portraits, paysages.
Élève de l'Académie de Vienne. Il exposa à Philadelphie en 1876.

Musées : Budapest : *Miklos Ybl.*
Ventes Publiques : Vienne, 14 juin 1977 : *Portrait de jeune fille* 1869, h/t, vue ovale (50,5x43) : **ATS 40 000** – New York, 26 janv 1979 : *Jeune femme à la coiffe d'or* 1875, h/t (60x43) : **USD 1 700** – Munich, 18 avr. 1988 : *Vue du château de Joslowitz à Mahren* 1851, h/t (27x34,5) : **DEM 7 260.**

LAFITE Karl
Né le 4 juin 1830 à Vienne. Mort le 22 octobre 1900 à Vienne. XIXe siècle. Autrichien.
Peintre de paysages.
Élève de Steinfeld à l'Académie de Vienne. A exposé des paysages, avec montagnes et cours d'eau, à Cologne et surtout à Vienne entre 1861 et 1893.
Ventes Publiques : Vienne, 14 nov. 1978 : *Vue du Grossglockner*, h/t (32,5x44,5) : **ATS 22 000** – Vienne, 12 déc. 1985 : *Emmersdorf an der Donau*, aquar. (28x41) : **ATS 25 000.**

LAFITTE Alphonse
Né le 6 juin 1863 à Paris. XIXe siècle. Français.
Peintre, aquafortiste.
Il figura au Salon de la Société Nationale des Beaux-Arts avec des paysages, des marines, des scènes de la rue, des nus.

LAFITTE Jean Baptiste
Actif à Avignon. Français.
Sculpteur.
Ses œuvres, bas-reliefs, de marbre, figurent au Musée Calvet d'Avignon.

LAFITTE Louis
Né le 15 novembre 1770 à Paris. Mort le 3 août 1828 à Paris. XVIIIe-XIXe siècles. Français.
Peintre d'histoire, sujets mythologiques, scènes de genre, portraits, dessinateur.
Élève de Demarteau et de J.-B. Regnault. En 1791, il obtint le premier Grand Prix de Rome avec *Régulus retournant à Carthage*. La même année il exposait au Salon plusieurs dessins. Après avoir étudié à Rome, il revint s'établir à Paris et y produisit surtout des dessins. Il prit part au Salon jusqu'en 1817. Sous la Restauration, Louis Lafitte fut nommé dessinateur du cabinet du roi. Lafitte a produit un grand nombre de dessins de vignettes. Siret mentionne à tort Louis Lafitte avec l'initiale comme prénom.
Musées : Angers – Montpellier – Pontoise : Trois dessins.
Ventes Publiques : Paris, 15-16 et 17 fév. 1897 : *Intérieur d'atelier*, dess. au cr. noir, reh. de blanc : **FRF 250** – Paris, 11 avr. 1919 : *L'heureuse famille* : **FRF 1 300** – Paris, 7 et 8 mai 1923 : *Le Jugement de Pâris*, cr. : **FRF 700** – Paris, 8 déc. 1933 : *Pomone étendue à terre*, pierre noire : **FRF 55** – Paris, 8 et 9 mai 1941 : *Portrait d'homme en buste* 1793, dess. à la pierre noire reh. de blanc : **FRF 2 020** – Paris, 6 mars 1942 : *Le singe savant* ; *L'Arrestation*, deux dessins au lavis : **FRF 600** – Paris, 7 et 8 fév. 1944 : *Intérieur d'atelier* 1790, dess. au cr. noir, reh. de blanc : **FRF 6 000** – Paris, 4 mars 1955 : *Intérieur d'atelier*, cr. noir reh. de blanc : **FRF 28 600** – Paris, 24 jan. 1980 : *Triomphe de la Tragédie sur le Vandalisme*, pl. et lav. (41,5x55,5) : **FRF 5 800** – Paris, 16 nov. 1984 : *Étude pour l'Enéide*, encre brune (22x38,5) : **FRF 15 000** – Monte-Carlo, 22 fév. 1986 : *La Cène* ; *Le Remerciement de saint Pierre* 1790, pierre noire et reh. de blanc, deux dess. (18,4x32,5) : **FRF 7 500** – Paris, 12 juin 1990 : *Le Glorieux*, dess. à la pl. (13,5x9) : **FRF 5 000** – New York, 26 oct. 1990 : *Buste de l'impératrice Joséphine en gloire*, encre/pap. (17,1x14) : **USD 1 210** – Paris, 24 mai 1991 : *Le temple de la Gloire*, cr. noir et lav. (37x24,5) : **FRF 8 500**.

LAFITTE Théodore
Né le 11 juillet 1816 à Paris. XIXe siècle. Français.
Peintre.
Débuta au Salon de 1848 et continua à y figurer jusqu'en 1870. Il traita un peu tous les genres (portrait, paysage, nature morte, animaux). Fixé à Barbizon, il a peint beaucoup de sujets de chasse. On voit de lui au Musée de la Roche-sur-Yon *Un coin de basse-cour*, et à celui de Valence, *Un chenil*.
Ventes Publiques : Paris, 10 mars 1926 : *Chevaux à l'écurie* : **FRF 120** – Paris, 25 mai 1932 : *Le poulailler* : **FRF 220** – Paris, 25 oct. 1978 : *La halte des chevaux* 1874, h/t (47x56) : **FRF 5 000** – Lucerne, 29 mai 1979 : *Chevaux au pâturage*, h/pan. (38x33) : **CHF 2 000**.

LA FIZELIÈRE-RITTI Marthe de, Mme
Née le 21 avril 1865 à Paris. XIXe siècle. Française.
Sculpteur.
Élève de MM. Eug. Levasseur et Charles Colas. Sociétaire des Artistes Français depuis 1890.

LAFLEUR. Voir **ARMORY Antoine**

LA FLEUR Abel
Né le 5 novembre 1875 à Rodez (Aveyron). XXe siècle. Français.
Sculpteur de statues, graveur.
Il fut élève de Ponsiarme, Chaplain et A. Charpentier. Il figure régulièrement, à Paris, aux Salons des Artistes Français, des Indépendants et d'Automne. Chevalier de la Légion d'honneur.

LA FLEUR Nicolas Guillaume de. Voir **DELAFLEUR**

LA FLOTTE de, Mlle
XIXe siècle. Française.
Peintre de miniatures.
Une œuvre de cette artiste *Portrait d'une jeune femme*, sur ivoire, parut à l'Exposition de miniatures de Berlin en 1906. Des portraits d'hommes de sa main furent vendus aux enchères à Berlin chez Lepke, en 1911 et 1912.

LAFNET Luc
Né en 1899 à Liège. Mort en 1939 à Rueil-Malmaison (Hauts-de-Seine). XXe siècle. Actif en France. Belge.
Peintre, dessinateur, graveur, illustrateur, lithographe, aquarelliste.
Il fut élève de A. de Witte, de F. Marchal et Ubaghs à l'Académie des Beaux-Arts de Liège. Il résida à Paris de 1923 à 1939.
Il travailla dans le sens d'une abstraction. Il a décoré en 1935 et 1936 plusieurs chemins de Croix, entre autres : pour la Chapelle Saint-Pierre à Billancourt, l'église Saint-Charles de Montreuil, l'église de Nanterre, la chapelle des Pères Assomptionnistes. Il a illustré : en 1929, *Une courtisane romantique, Marie Duplessis*, de J. Gros ; en 1932, *Le Pied de Fanchette*, de Restif de La Bretonne. On trouve aussi de ses illustrations dans le second numéro de la revue de Michel Seuphor *Cercle et carré*, en avril 1930, qui donnait une suite au néo-constructivisme de Mondrian.
Bibliogr. : Catalogue de l'exposition *Luc Lafnet*, Liège, 1985 – in : *Diction. biographique illustré des artistes en Belgique depuis 1830*, Arto, Bruxelles, 1987.

LAFOLLIE Yves Adolphe Marie de
Né le 27 novembre 1830 à Guingamp (Côtes-du-Nord). Mort en 1896. XIXe siècle. Français.
Peintre de portraits.
Il débuta au Salon en 1869.

LAFON François
Né en 1846 à Paris. XIXe siècle. Français.
Peintre de compositions religieuses, compositions mythologiques, sujets allégoriques, portraits.
Fils d'Émile Lafon, il fut élève de son père puis de Cabanel. Il débuta au Salon de Paris en 1875, obtenant une mention honorable en 1885. Membre de la Société Nationale des Beaux-Arts depuis 1890, il figura au Salon de ce groupement.
Il participa au concours d'une Commission des Beaux-Arts, en vue de sélectionner des artistes pour décorer les mairies de Paris et communes avoisinantes sur le thème de l'exaltation de l'idéologie républicaine. Ses nymphes, femmes élancées, gracieuses et rêveuses, ont souvent des attitudes affectées.
Bibliogr. : Gérald Schurr, in : *Les Petits Maîtres de la peinture 1820-1920, valeur de demain*, Les Éditions de l'Amateur, t. IV, Paris, 1979.
Musées : Périgueux (Mus. des Beaux-Arts) : *Jeune Italienne* – *Bataille de Bazeilles* – Rouen : *Graziella* – Saint-Brieuc : *Étude*.
Ventes Publiques : Paris, 23 déc. 1918 : *Le pifferaro* : **FRF 1 130** – Paris, 15 avr. 1924 : *La danse des nymphes* : **FRF 520** – Paris, 21 nov. 1936 : *Nymphes au bord d'un lac* : **FRF 270** – Paris, 14 juin 1955 : *La charmeuse de colombes* : **FRF 18 200** – Paris, 30 mai 1978 : *Jeunes filles sur une terrasse*, h/t (65x83) : **FRF 5 800** – Paris, 19 déc. 1994 : *Esquisse pour la salle du Conseil de la mairie d'Arcueil* 1888, h/t (40x67,5) : **FRF 21 000** – New York, 26 fév. 1997 : *Jeune paysanne*, h/t (142,3x61) : **USD 5 750**.

LAFON Henri
Né au XIXe siècle à Marseille (Bouches-du-Rhône). XIXe siècle. Français.
Peintre de genre, portraits.
Élève de Picot. Il exposa de 1849 à 1859.
Ventes Publiques : New York, 26 mai 1992 : *Lecture* ; *Une gorgée de thé* 1852, h/pan., une paire (25,3x20,2) : **USD 5 500**.

LAFON Jacques Émile
Né le 27 janvier 1817 à Périgueux (Dordogne). Mort en février 1886 à Paris. XIXe siècle. Français.
Peintre d'histoire, portraits, compositions murales.
Élève du baron Gros et de Paul Delaroche, il exposa au Salon de Paris à partir de 1833 et obtint une 3e médaille en 1843. Décoré de la Légion d'honneur en 1859, il fut conservateur au Musée de Tours. Il a produit de nombreux portraits peints ou dessinés. On lui doit des décorations murales dans plusieurs églises de Paris, notamment à Saint-Sulpice, mais aussi en province.
Musées : Béziers : *Saint Jean de Dieu* – Périgueux : *Marie-Madeleine au Sépulcre* – *Massacre des chrétiens en Syrie* – Étude – Provins : *Ch. Lenient* – La Rochelle : *Jésus au milieu des docteurs* – Rodez : *Mgr Affre* – Rouen : Une aquarelle – Tours : *L'homme-orchestre* – *M. de Tarade*.

LAFON Jean
Né en 1903. XXe siècle. Français.
Peintre.

C'est un peintre qui a rejoint les surréalistes par l'arbitraire de ses compositions nourries toutefois d'éléments naturels. Avec Cattinaux, Ino, Marembert, il adhéra au Manifeste *Transhiliste* du groupe *Gravitations*. Parmi les œuvres de cet artiste : *Laboureur du soir ; La Cité des rêves ; La Cathédrale engloutie ; Le Vieil Arbre et les jeunes pousses.*
Ventes Publiques : Paris, 30 mai 1945 : *La Violoncelliste* 1938 : **FRF 250** – Paris, 12 déc. 1946 : *Tête de jeune femme* : **FRF 3 500**.

LAFON Jean. Voir aussi **KEULEYAN**

LAFON Marie Méloé, plus tard Mme **Marsaud**
Née au XIXe siècle à Paris. XIXe siècle. Active à Bordeaux. Française.
Peintre de genre, portraits.
Elle exposa au Salon de 1835 à 1841 sous son nom de jeune fille, plus tard sous son nom de dame, des portraits et des tableaux de genre. Médaille de troisième classe en 1836, et en 1839, médaille de deuxième classe. Le Palais de Compiègne conserve d'elle : *Mort de Desdémone.*

LAFON Martine
Née en 1954 à Bessèges (Gard). XXe siècle. Française.
Graveur, peintre.
Bibliogr. : In : *De Bonnard à Baselitz – Estampes et livres d'artistes,* catalogue de l'exposition, Bibliothèque Nationale, Paris, 1992.

LAFON Victor
Né au XIXe siècle à Paris. XIXe siècle. Français.
Peintre de paysages.
Élève de Levasseur. Il exposa au Salon en 1868 et en 1875.

LAFON-LABATUT Joseph
Né à Messine. XIXe siècle. Actif vers 1820. Italien.
Peintre et poète.
Il fut d'abord peintre, puis devenu aveugle, il se livra à la poésie.

LAFOND Charles Nicolas Rafaël
Né en 1774 à Paris. Mort le 16 janvier 1835 à Paris. XVIIIe-XIXe siècles. Français.
Peintre d'histoire, portraits.
Élève d'Henri Regnault, il débuta au Salon de Paris en 1796 et y exposa jusqu'en 1833, obtenant une médaille de troisième classe en 1804, de deuxième classe en 1808, de première classe en 1817. Décoré de la Légion d'honneur en 1831.

LAFOND.

Bibliogr. : In : Catalogue de l'exposition : *Les années romantiques, la peinture française de 1815 à 1850,* Musée des Beaux-Arts de Nantes, 1995-1996 et Galeries nationales du Grand Palais, Paris, 1996.
Musées : Arras : *Charles X à la cathédrale d'Arras* – Châteauroux : *Le mariage de sainte Cécile* – Dijon : *Frénésie de Saül* – Melun : *Charles VII prend d'assaut Montereau-sur-Yonne* – Riom : *Le testament d'Eudamidas* vers 1820 – Rouen (Mus. des Beaux-Arts) : *Énée sur le mont Ida* – Versailles : *Clémence de l'empereur envers Mlle de Saint-Simon – Mina et la nymphe Egérie* – Vervins : *La chaste Suzanne.*
Ventes Publiques : Londres, 17 nov. 1993 : *L'enfant prodigue,* h/t (46x56) : **GBP 21 850**.

LAFOND Félix
Né au XIXe siècle à Paris. XIXe siècle. Français.
Peintre d'histoire, portraits.
Fils et élève de François Henri Alexandre Lafond. Il travailla régulièrement sous la direction de Cabanel et de Farochon. Il débuta au Salon en 1876.

LAFOND François Henri Alexandre
Né le 24 avril 1815 à Paris. Mort en 1901 à Paris. XIXe siècle. Français.
Peintre d'histoire, sujets mythologiques, compositions religieuses, portraits.
Élève d'Ingres. Il débuta au Salon vers 1836 et participa assez régulièrement aux Expositions annuelles. Il obtint une médaille de deuxième classe en 1857 et des rappels en 1871 et 1873. Il fut directeur de l'École des Beaux-Arts de Limoges de 1868 à 1874. L'église Saint-Louis en l'Ile, à Paris, conserve de lui : *La Vierge enfant.* Il avait peint le médaillon de Baudelaire dans la librairie ouverte rue Richelieu, 97, par Poulet-Malassis réunissant là les effigies des auteurs édités par lui. Les autres médaillons, ceux de Hugo, Th. Gautier, Banville, Champfleury, Asselineau, Babou étant signés de Legros, Bonvin et Soufflet. Le tableau : *Brigand calabrais,* conservé à La Roche-sur-Yon, pourrait être l'œuvre d'un autre Lafond, dont on ne connaît pas le prénom et qui serait né en 1823.
Bibliogr. : In : Catalogue de l'exposition : *Les années romantiques, la peinture française de 1815 à 1850,* Musée des Beaux-Arts de Nantes, 1995-1996 et Galeries nationales du Grand Palais, Paris, 1996.
Musées : Abbeville : *Le déluge* – Angoulême : *Le bon Samaritain* – Le Havre : *Buveur* – Limoges : *Portrait de l'artiste,* faïence – *Portraits de Michelin de Riocreux et d'une jeune femme,* faïences – Nice : *Le pêcheur de la passerelle* – Rennes : *Portrait de l'artiste* – La Roche-sur-Yon : *Brigand calabrais – Danse de faunes et de nymphes* – Rouen : *Énée sur le mont Ida.*
Ventes Publiques : Londres, 10 juin 1994 : *Portrait d'un prince ottoman en habit rouge et or et turban,* h/t (81,2x64,7) : **GBP 27 600**.

LAFOND Paul
XIXe siècle. Actif à Paris. Français.
Graveur.
Membre de la Société de la Nationale des Beaux-Arts, il figura au Salon de ce groupement.

LAFOND Paul Jean Marie
Né au XIXe siècle à Rouen. XIXe siècle. Français.
Peintre de paysages, aquafortiste.
Élève de Capdeville. Fixé à Pau, il exposa, à partir de 1878, des vues du Béarn. Sociétaire des Artistes Français depuis 1893, il obtient une mention honorable en 1892 et une médaille de bronze en 1900.

LAFOND Simon Daniel
Né le 1er juin 1763 à Berne. Mort le 23 novembre 1831 à Berne. XVIIIe-XIXe siècles. Suisse.
Peintre de paysages, aquarelliste, graveur.
Artiste d'origine française, il fut élève de Freudenberger. Avec la collaboration de Lory, il publia une œuvre intéressante : *Recueil de Paysages suisses.* Lafond obtint une médaille d'argent en 1810 à l'Exposition de Berne.
Musées : Berne : *Broyeur de chanvre.*
Ventes Publiques : Berne, 26 juin 1981 : *Vue des environs de Thoune* vers 1795, eau-forte coul. (34,4x53,4) : **CHF 7 200** – Londres, 7 juin 1983 : *Vue d'Interlaken* vers 1800, eau-forte coloriée/pap. (42x56) : **GBP 1 800**.

LAFOND DE FÉNION Aurore Étiennette de
Née au XIXe siècle à Fenion (Deux-Sèvres). XIXe siècle. Française.
Peintre de portraits, de genre.
Élève de Regnault. Sous la signature de Delafond elle exposa aux Salons de 1812 à 1824.

LAFONT Caliste Ch.
Née au XIXe siècle à Madrid, de parents français. XIXe siècle. Française.
Miniaturiste.
Élève de Mme de Mirbel. Exposa au Salon de 1870 à 1873.

LAFONT Émile René
Né le 10 juillet 1853 à Paris. Mort le 6 mai 1916 à Paris. XIXe-XXe siècles. Français.
Peintre et sculpteur.
Membre de la Société des Artistes Français ; mention honorable en 1888 ; Médaille de bronze en 1900 (Exposition Universelle). Le Musée de Bayonne conserve de lui un *Intérieur de ferme* et un buste d'*Ambroise Thomas.* On se souvient surtout de ses paysages parisiens.
Ventes Publiques : Paris, 17 oct. 1997 : *L'Avenue Foch sous la neige,* h/t (44x65) : **FRF 9 000**.

LAFONT Léon. Voir **AGASSE-LAFONT**

LAFONT Roger Ambroise
XIXe-XXe siècles. Français.
Peintre de paysages.
Ventes Publiques : Paris, 24 mars 1930 : *La Creuse au moulin de Gargilesse* : **FRF 800** ; *Paysage* : **FRF 500**.

LAFONTAINE. Voir aussi **DELAFONTAINE** et **FONTAINE**

LA FONTAINE
XVIIe-XVIIIe siècles. Hollandais.
Peintre amateur.
Signalé dans la confrérie de La Haye en 1689 et 1705.

LAFONTAINE
XIXe siècle. Français.
Peintre de genre.
Il exposa à diverses reprises à Paris, où il travaillait, de 1817 à 1827.

LAFONTAINE. Voir aussi **ARDELAY Christophe**

LA FONTAINE Colin de. Voir **COLIN DE LA FONTAINE**

LAFONTAINE Georg Wilhelm ou **Fountain,** ou **Fontaine**
Né en 1680. Mort le 1er mars 1745 à Hanovre. XVIIIe siècle. Allemand.
Peintre de sujets religieux, peintre de portraits.
Il fut à partir de 1698 peintre de la cour du duc Georg Wilhelm von Celle et plus tard peintre de la cour royale de Grande-Bretagne, au service de George Ier d'Angleterre, Grand Électeur de Hanovre. Parmi ses œuvres on mentionne deux tableaux d'autel à l'église de Barsinghausen.
Ventes Publiques : Londres, 26 juil. 1985 : *Portrait of King George I*, h/t (230x148,6) : **GBP 1 800**.

LA FONTAINE Henriette Sophie de. Voir **COÏNCY**

LA FONTAINE Jacobus de
XVIIe siècle. Actif en 1650. Hollandais.
Dessinateur, graveur.

LA FONTAINE Jean Michel Denis
XVIIIe siècle. Français.
Peintre.
Il exposa au Salon de 1793 à 1800. On cite de lui : *Jupiter et Sémélé* ; *Jupiter et Io* ; *Jupiter enfant*. À comparer avec Jacques Michel Denis Delafontaine.

LA FONTAINE Ludolf Ernst Andreas
Né en 1704 à Celle. Mort en 1774 à Brunswick. XVIIIe siècle. Allemand.
Peintre de portraits.
Élève et fils de Georg Wilhelm Lafontaine, il acheva sa formation artistique en Hollande et à Londres et séjourna en France et en Italie. En 1735, il fut nommé peintre de la cour de Charles Ier de Brunswick. Le château de Berlin possède de lui un *Portrait de la duchesse Philippine Charlotte de Brunswick*.

LAFONTAINE Marie-Jo
Née en 1945 à Anvers. XXe siècle. Belge.
Peintre, peintre de cartons de tapisseries, sculpteur, réalisatrice de vidéos, créatrice d'installations, multimédia.
Avant d'entrer à La Cambre (École Nationale Supérieure d'Architecture et des Arts Visuels de Bruxelles) elle a étudié le droit. Elle a montré ses œuvres dans une exposition personnelle en 1995 à la galerie Thaddaeus Ropac, à Paris.
Influencée par la peinture américaine abstraite « hard-edge », elle a commencé par peindre des monochromes puis a réalisé des sculptures. Elle utilise aussi bien le textile que le métal pour la confection de ses œuvres. Parallèlement à son travail sculptural elle réalise des vidéos pour illustrer ses propos sur le corps et sa représentation visuelle. Parmi ses œuvres : *La Batteuse de palplanches*, 1979 ; *A las cinco de la tarde*, 1984 ; *Savoir retenir et fixer ce qui est sublime*, 1989.
Bibliogr. : In : *Diction. biographique illustré des artistes en Belgique depuis 1830*, Arto, Bruxelles, 1987 – in : *L'Art du XXe siècle*, Larousse, Paris, 1991.
Ventes Publiques : Londres, 24 oct. 1996 : *La Fleur du mal* 1990, photo. et bois (136x312) : **GBP 11 500**.

LAFONTAINE Pierre Joseph
Né le 18 juillet 1758 à Courtrai. Mort le 12 janvier 1835 à Paris. XVIIIe-XIXe siècles. Français.
Peintre d'intérieurs d'églises, architectures.
Il fut d'abord élève de Kaplan Van Neste, amateur distingué, qui le fit admettre à l'Académie de Courtrai, et travailla ensuite avec Jean Douelle. Il se consacra particulièrement à la peinture des intérieurs d'églises. Il vint à Paris et paraît y avoir obtenu du succès. Taunay, Demarne, Swebach, Drolling, travaillèrent à certains de ses tableaux. Le *Bryan's Dictionnary* dit à tort qu'il fut élu académicien en 1782 ; il fut seulement admis comme agréé en 1789. Il fut également marchand de tableaux.
Musées : Avignon – Courtrai : Trois tableaux – Gotha – Orléans : *Intérieur d'église*, plusieurs oeuvres – Paris (Mus. Carnavalet) : *Les Innocents*.
Ventes Publiques : Paris, 28 fév. 1919 : *Intérieur de l'église Sainte-Gudule à Bruxelles* : **FRF 360** – Paris, 1er juil. 1942 : *Intérieur d'église* 1789 : **FRF 3 200** – Paris, 22 mars 1943 : *Intérieur d'église* : **FRF 7 200** – Paris, 7 mars 1951 : *Intérieurs d'église*, deux pendants : **FRF 101 000** – Londres, 31 mai 1978 : *Intérieur de cathédrale* 1792, h/pan. (25x30,5) : **GBP 700** – Londres, 7 mars 1979 : *Intérieur d'église*, h/pan. (17x23) : **GBP 1 300** – Versailles, 16 juin 1982 : *Intérieur d'église* 1789, h/pan. (28x35) : **FRF 12 000** – Londres, 5 avr. 1995 : *Intérieur d'église animé* 1785, h/pan. (22,7x29,8) : **GBP 4 370**.

LA FONTAINE Yvonne de
Née à La Haye. XIXe siècle. Hollandaise.
Sculpteur.
Mention honorable en 1910.

LA FONTAINE-SARAN Marceline Emi, Mme
Née à Genève. Morte le 25 octobre 1892 à Genève. XIXe siècle. Suisse.
Peintre d'émaux.
Exposa des portraits, notamment à Genève, en 1874, 1878, 1883. La Bibliothèque de Genève possède d'elle un portrait de son mari.

LAFONTANT Daniel
Né en 1921 à Haïti. XXe siècle. Haïtien.
Peintre.
En 1946, il figurait avec une toile *Cérémonie* à l'exposition ouverte, à Paris, au Musée d'Art Moderne par l'Organisation des Nations Unies.

LA FONTAYNE de
XVIIIe siècle. Actif à Courtrai. Éc. flamande.
Peintre.
Exposa un paysage avec figures au Salon de Lille en 1781.

LA FONTINELLE Jean de
Né à Londres. XXe siècle. Français.
Peintre de paysages, animalier, pastelliste.
Il fut élève de H. Armand Delille. Il obtint une mention en 1928 et une médaille d'argent en 1930.
Peintre de paysage, il est cependant plus connu par ses scrupuleuses études d'animaux, et surtout d'oiseaux, qu'il traita souvent au pastel et, c'est à ce titre, qu'il mérita en 1935 le prix Rosa Bonheur, puis une médaille d'or en 1937.

LAFORCADE Roland de
Né en 1925 à Paris. XXe siècle. Français.
Peintre, graveur.
Il est membre de la Jeune Gravure Contemporaine.
Bibliogr. : In : *De Bonnard à Baselitz – Estampes et livres d'artistes*, catalogue de l'exposition, Bibliothèque Nationale, Paris, 1992.

LAFORCE Henri Charles Albert de
Né le 21 août 1839 à Beaulieu (Cantal). XIXe siècle. Français.
Peintre de genre.
Élève de S. Cornu. Il débuta au Salon en 1869.

LAFOREST. Voir aussi **DELAFOREST** et **FOREST**

LAFOREST Frantz José Miguel
Né le 8 décembre 1921 à Valparaiso (Chili). XXe siècle. Actif depuis 1957 en France. Chilien.
Peintre. Abstrait.
De 1938 à 1941, il fréquenta l'école des Beaux Arts de Montréal. En 1942, il est engagé volontaire dans la Royal Canadian Air Force puis dans les Forces Française Libres (campagnes d'Afrique, d'Italie et de France). De 1945 à 1949, il est boursier du gouvernement québécois et du gouvernement français et étudie à l'École des Beaux-Arts de Paris, à l'École du Louvre et à l'Institut d'Archéologie de Paris. Il mena, de 1950 à 1955, une carrière d'explorateur et d'archéologue, puis, de retour à Paris, il se consacre définitivement à la peinture. De 1957 à 1980, il expose au Canada : à Montréal et Québec ; en Europe : France, Italie, Suisse, Allemagne, Hollande.
Sa peinture à l'apparence d'une abstraction symbolique, figures géométriques et effets de matières s'y conjuguent.
Musées : Montréal (Mus. d'Art Contemp.) : *Trois tasseaux* 1974.

LA FOREST Huguelin de
XIVe siècle. Français.
Sculpteur.
Il travailla à l'ornementation du couvent des Célestins et de l'église Saint-Paul, pour le compte du duc d'Orléans, à Paris, en 1399.

LAFOREST Jean
XVIIe siècle. Français.

Peintre d'histoire.
Ancien pensionnaire de l'École de Rome. Le Musée d'Orléans conserve de lui une copie de Paolo Veronèse *Le Paradis*. Probablement le même artiste que Jean-Baptiste Forest. Voir ce nom.

LA FOREST Louis de
Né en 1668 ou 1685 à Paris. Mort le 11 novembre 1738 à Carpi. XVIIe-XVIIIe siècles. Français.
Peintre.
Il exécuta à Carpi des tableaux d'autel et des tableaux de genre dans le style hollandais.

LA FOREST Pauline de
Née le 5 juillet 1849 à Paris. XIXe siècle. Française.
Peintre de fleurs.
Exposa aux Salons de 1869 et 1873.

LA FOREST Wesner
XXe siècle. Haïtien.
Peintre de scènes typiques, figures. Naïf.
Il figure dans les expositions consacrées à l'art naïf haïtien : 1968 à l'Arts Council de Grande Bretagne à Londres, *Peintures populaires d'Haïti* ; 1973-1975 au Centre culturel de New York, *Peinture haïtienne – la tradition de l'art naïf* ; 1984-1986 exposition itinérante à Haïti et dans le sud des Etats Unis, *Les maîtres de la peinture haïtienne dans la collection de Siri Von Reis*.
Ventes Publiques : New York, 6 mai 1980 : *Le ministre*, techn. mixte/cart. (32,7x30,7) : **USD 1 700** – New York, 6 mai 1980 : *Homme assis*, h/cart. (40,5x44,5) : **USD 3 400** – New York, 19-20 nov. 1990 : *Homme assis*, h/cart. (43x45,5) : **USD 7 700** – New York, 18 mai 1994 : *Le Tambour du vaudou* 1957, h/cart. (76,2x20) : **USD 3 220.**

LAFORESTERIE Louis Edmond
Né au XIXe siècle à Port-au-Prince. XIXe siècle. Français.
Sculpteur.
Élève de Jouffroy et de Bourg. Il débuta au Salon en 1876 et produisit un grand nombre de bustes.

LAFORET Alessandro
Né en 1863 à Milan. Mort en 1937. XIXe-XXe siècles. Italien.
Sculpteur.
Élève de l'Académie Royale de Milan. Figura aux Salons de Paris où il obtint une médaille de bronze en 1900 (Exposition Universelle).
Ventes Publiques : New York, 16 fév. 1995 : *Maternité*, marbre (H. 50,2) : **USD 37 375.**

LAFORET-ALFARO Eduardo
Né en 1850 à Séville. Mort en 1941 à Barcelone. XIXe-XXe siècles. Espagnol.
Peintre de paysages urbains, portraits, scènes typiques.
Il fut élève à l'École Spéciale de Peinture, Sculpture et Gravure de José Juménez. À partir de 1890, il s'établit à Castellon de la Plana où il fut professeur de dessin dans un institut. Il a passé les dernières années de sa vie à Barcelone professant dans un collège d'études secondaires.
Il a participé à des expositions collectives, dont les expositions Nationales des Beaux-Arts à Madrid, en 1897, 1898, et en 1929 à Barcelone. Il montra également ses œuvres à Séville et Cadix.
Dans un style parfois très dessiné il représente dans ses compositions des sites urbains dans lesquels il donne tout leur relief aux architectures typiquement andalouses.
Bibliogr. : In : *Cien anos de pintura en Espana y Portugal, 1830-1930*, tome IV, Antiqvaria, Barcelone, 1990.

LA FORGE Claude de
XVIIIe siècle. Français.
Peintre.
Figurait comme maître peintre dans l'acte de mariage de Louise-Madeleine Hortemels avec Charles-Nicolas Cochin.

LAFORGE Lucien
Né vers 1885 à Paris. XXe siècle. Français.
Peintre, aquarelliste, illustrateur.
Il participa au Salon des Humoristes et à celui des Indépendants, de 1910 à 1914.
Il a collaboré au *Canard enchaîné*, au *Merle blanc* et aux *Hommes du Jour*. Parmi ses illustrations, citons celles pour les *Contes de Mille et une Nuits – Alphabet des grands enfants – Le Tarot sacerdotal*, et en 1920, *Ronge-Maille, vainqueur* de L. Descaves, pour lesquelles il laisse place à la plus grande fantaisie.
Bibliogr. : Gérald Schurr, in : *Les Petits Maîtres de la peinture 1820-1920, valeur de demain*, Les Éditions de l'Amateur, t. VI, Paris, 1985.
Ventes Publiques : Paris, 1er avr. 1920 : *L'Amazone*, gche : **FRF 1 000** – Paris, 25 mars 1993 : *Au café*, h/t (55x46) : **FRF 3 600.**

LAFORGE Marie
Née le 24 mai 1865 à Pontcharra (Isère). XIXe-XXe siècles. Française.
Peintre, peintre de miniatures.
Elle fut élève de Mme Debillement-Chardon, Jules Lefebvre, Tony Robert-Fleury, Baschet et Schommer.
Elle fut sociétaire, à Paris, du Salon des Artistes Français à partir de 1889. Elle y obtint une médaille de troisième classe en 1903 et une médaille d'or en 1920.

LAFORGUE Alexander de
Né le 19 août 1878 à Euskirchen. XXe siècle. Allemand.
Peintre de paysages, graveur.
Il fut d'abord graveur sur bois, puis élève de Spatz, Janssen et Gebhart à l'Académie de Düsseldorf.
Il a peint des paysages de montagnes.
Ventes Publiques : Heidelberg, 11 avr. 1992 : *Berger et son troupeau de chèvres dans des rochers*, h/t (79x124) : **DEM 2 600.**

LA FORTUNE. Voir **LANDRAGIN Jean Baptiste**

LAFORTUNE Daniel
Né en 1929 à Haïti. XXe siècle. Haïtien.
Peintre.
Il fut le représentant de la jeune école haïtienne, constituée en dehors de toute tradition. Il a présenté *Mariage à la campagne* à l'Exposition ouverte à Paris, en 1946, au Musée d'Art Moderne, par l'Organisation des Nations Unies.

LAFOSSE Cécile Berthe
Née au XIXe siècle à Paris. XIXe siècle. Française.
Peintre de genre, portraits.
Élève de Worms. Elle débuta au Salon de 1859.
Ventes Publiques : Londres, 14 juin 1995 : *Prêts pour la promenade*, h/t (54x45) : **GBP 8 050.**

LAFOSSE Charles de
Né le 15 juin 1636 à Paris. Mort le 13 décembre 1716 à Paris. XVIIe-XVIIIe siècles. Français.
Peintre d'histoire, compositions mythologiques, sujets religieux, fresquiste, décorateur, dessinateur.
Charles de Lafosse tient à côté de Ch. Le Brun, de Mignard et de Jouvenet, une place importante parmi les peintres décorateurs du XVIIe siècle. Il était fils d'un orfèvre, fut d'abord élève de Chauveau, puis de Le Brun. En 1658, il partit pour l'Italie et résida deux ans à Rome et trois ans à Venise. Son père lui avait obtenu par l'entremise de Colbert une pension du roi. Dès son retour à Paris, il fut chargé de peindre à fresque la chapelle des mariages à l'église Saint-Eustache ; la décoration de la voûte du chœur et du dôme de l'église des religieuses de l'Assomption de la rue Saint-Honoré. Lafosse fut appelé à Londres par Lord Montaigu qui le chargea de la décoration de son palais (1690). Charles II fut si charmé de ce travail qu'il offrit à Lafosse de décorer le château d'Hamptoncourt ; l'artiste ne put accepter : il était rappelé à Paris pour la décoration des Invalides. La mort de Mansard fit modifier le plan primitif de la décoration, et bien que notre artiste eût fourni des dessins et des esquisses pour l'ensemble, le travail fut partagé. Les Boullogne et Jouvenet en eurent une partie. Lafosse exécuta seulement l'immense coupole du dôme et les quatre pendentifs.
Lafosse entra à l'Académie en 1673 ; il fut adjoint à professeur la même année, professeur en 1674, conseiller en 1692, directeur en 1699, adjoint à recteur en 1701, recteur en 1702, chancelier en 1715. Il ne prit part qu'à deux Expositions, celles de 1699 et de 1704.
Même si, à ses débuts, il a montré une tendance à être influencé par Poussin, il s'est vite tourné vers Corrège, les Vénitiens, et Rubens. Il réussit ainsi à renouveler le style des peintres français du XVIIe siècle, trop souvent dominés par Poussin et Le Brun, et produisit un art qui préfigure parfois celui de Watteau. Lafosse a le goût des draperies éclatantes, somptueuses, des oppositions de couleurs vives fondues ensuite dans des tonalités brunes et dorées. Et, si son dessin est lourd, il sait toujours le rattraper avec des harmonies colorées, employant la pierre noire et la sanguine, ce qui donne des effets que l'on retrouvera chez Watteau.
Musées : Agen : *Galathée* – Alger : *Neptune chassant les Vents* – Amiens : *La Vierge allaitant Jésus – Jacob chez Laban* – Chartres :

Thémis implorant Jupiter – CHERBOURG : *Les derniers moments de la Vierge* – *La présentation au temple* – COMPIÈGNE : *Sainte Famille* – DIJON : *Bacchus et Ariane* – GRENOBLE : *La Foi et la Charité* – *Le Christ servi par les anges* – LE HAVRE : *Consécration de la Vierge* – LILLE : *Jésus donnant les clefs à saint Pierre* – MADRID : *Acis et Galathée* – NANCY : *Assomption* – NANTES : *Déification d'Énée* – *Vénus demandant des armes à Vulcain* – *Jupiter, sous les traits de Diane, séduisant Callisto*, peinture attribuée aussi à Lemoine – NICE : Esquisse – PARIS (Mus. du Louvre) : *Moïse sauvé des eaux* – *Annonciation* – *Mariage de la Vierge* – *Triomphe de Bacchus* – LE PUY-EN-VELAY : *Danaé* – *Pan et Syrinx* – ROUEN (Mus. des Beaux-Arts) : *Le couronnement de la Vierge* – *Lever du soleil* – SAINT-PÉTERSBOURG (Mus. de l'Ermitage) : *Agar au désert* – *Christ ressuscité* – *Apparition du Christ aux saintes femmes* – TOULOUSE (Mus. des Augustins) : *Présentation de la Vierge au temple* – TOURS : *La Vierge, sainte Élisabeth, Zacharie et saint Joseph* – VERSAILLES : *Peintures décoratives* – VERSAILLES (Trianon) : *Apollon et Thétis* – *Clystie changée en tournesol*.

VENTES PUBLIQUES : PARIS, 1761 : *Coriolan* : **FRF 1 000** – PARIS, 1881 : *Diane et ses Nymphes* : **FRF 1 400** – PARIS, 1897 : *Les Quatre Saisons*, plafond attribué à de Lafosse, Lebrun et Coypel : **FRF 27 000** – PARIS, 23 déc. 1908 : *Flore et Zéphyre* : **FRF 135** – PARIS, 1909 : *Alexandre recevant la famille de Darius* : **FRF 410** – PARIS, 12-3 mai 1919 : *L'Enlèvement d'Europe* : **FRF 1 150** – PARIS, 26 mars 1920 : *L'Ascension de la Vierge*, cr. : **FRF 250** – PARIS, 6 mai 1921 : *Diane et Endymion* : **FRF 1 000** – PARIS, 28 oct. 1942 : *La Naissance d'Adonis*, attr. : **FRF 12 500** – PARIS, 21 oct. 1946 : *Moïse sauvé des eaux*, attr. : **FRF 5 000** – LONDRES, 10 juil 1979 : *Études de nus*, craie rouge, noire et blanche, coin supérieur gauche coupé (42,4x26,2) : **GBP 550** – NEW YORK, 30 avr. 1982 : *Bateau allégorique et personnages*, craies noire et blanche (26,1x35,4) : **USD 5 000** – PARIS, 21 oct. 1983 : *Le Faune*, pierre noire et cr. coul., projet de décoration (32x28) : **FRF 10 500** – PARIS, 28 nov. 1984 : *L'Olympe*, esq., h/t (50,5x40,5) : **FRF 35 000** – PARIS, 13 nov. 1986 : *La Sainte Famille*, cr. noir et sanguine (33,8x25) : **FRF 13 000** – MONTE-CARLO, 15 juin 1986 : *Jacob rencontrant Rachel au puits*, h/t (132,5x203,5) : **FRF 350 000** – LONDRES, 15 déc. 1989 : *Noli me tangere*, h/t/bois (77,4x64,3) : **GBP 4 400** – PARIS, 9 avr. 1991 : *Noli me tangere*, h/t, ovale (77,5x64,5) : **FRF 100 000** – NEW YORK, 21 mai 1992 : *Dieu le Père emporté par des anges et entouré des symboles des évangélistes*, h/pap./t., esq. (81,9x63,5) : **USD 16 500** – NEW YORK, 11 jan. 1994 : *Dessin d'un coin de plafond avec des personnages et des putti tenant des guirlandes autour d'un écusson*, craies noire et rouge, recto-verso (26,8x23,9) : **USD 3 220** – PARIS, 16 mars 1994 : *Étude de draperie et de main*, sanguine et pierre noire (27x23,5) : **FRF 28 000** – NEW YORK, 31 jan. 1997 : *Hector et Andromaque*, h/t (121,9x143,2) : **USD 25 300** – PARIS, 20 juin 1997 : *Étude de femme en buste (recto)* ; *Académie d'homme penché (verso)*, pierre noire et sanguine, et pierre noire et reh. de blanc (43x26) : **FRF 16 500**.

LAFOSSE Jean Baptiste Adolphe
Né en 1810 ou 1814 à Paris. Mort en 1879 à Paris. XIXe siècle. Français.
Peintre de portraits, miniaturiste, lithographe.
Élève de Paul Delaroche. Il exposa au Salon de 1833 à 1876.
VENTES PUBLIQUES : LONDRES, 21 juin 1991 : *Portrait d'un enfant appuyé sur une chaise avec une draperie* 1847, h/pan. (31,5x22,7) : **GBP 5 500**.

LAFOSSE Jean Baptiste et **Jean Charles de**. Voir **DELAFOSSE**

LAFOSSE Jules Georges
Né au XIXe siècle à Bougival. XIXe siècle. Français.
Peintre de genre.
Élève de Picot. Il exposa au Salon en 1865 et 1867.

LAFOUCRIÈRE Pierre
Né le 3 octobre 1927 à Louroux-de-Bouble (Allier). XXe siècle. Français.
Peintre, dessinateur, sérigraphe. Abstrait.
Il fut élève de l'École des Métiers d'Art de Paris de 1948 à 1952. Il participe à des expositions collectives, au Maroc en 1962, au Musée d'Alger en 1964, en Hongrie, Tchécoslovaquie, etc. En 1974, il participe à la Biennale de Menton. En 1959, il réalisa une céramique murale pour l'École Ménagère de Lapalisse, et fit, l'année suivante, sa première exposition particulière à Saint-Jeoire en Haute-Savoie. Il expose la même année à Genève, puis à Lyon en 1962, à Paris enfin en 1965 et 1967. Depuis, il expose fréquemment dans des Maisons de Jeunes et de la Culture.
Parti de la figuration, il a très vite évolué vers une abstraction lyrique, très gestuelle. Proche du « nuagisme » dans les années soixante, sa peinture est devenue ensuite plus violente, le graphisme plus incisif, et les formes plus vigoureuses. Il a réalisé d'autre part une peinture murale pour le village de l'Espérance, Burdignin (Haute-Savoie), et un Chemin de Croix pour l'Ermitage de Voirons (Haute-Savoie).
MUSÉES : ALGER (Mus. d'Art Mod.) – LIDICE – PARIS (Mus. d'Art Mod. de la Ville) – VATICAN (Mus. d'Art Mod.).

LA FOULHOUZE Amable Gabriel de
Né vers 1825 à Clermont-Ferrand (Puy-de-Dôme). XIXe siècle. Français.
Peintre de genre, paysages.
Élève de Thomas Couture, il débuta au Salon de Paris en 1845. Il a peint des scènes de genre conventionnelles, mais aux tonalités contrastées et des paysages du Nord, au ciel bas.
BIBLIOGR. : Gérald Schurr, in : *Les Petits Maîtres de la peinture 1820-1920, valeur de demain*, Les Éditions de l'Amateur, t. IV, Paris, 1979.
MUSÉES : CLERMONT-FERRAND (Mus. Bargoin) : *Basse-cour*.
VENTES PUBLIQUES : NEW YORK, 24 mai 1985 : *Dimanche à Bellevue* 1874, h/t (49,5x79,3) : **USD 15 000**.

LAFOURCADE Léon
Né à Biaudos (Landes). XIXe-XXe siècles. Français.
Peintre.
Expose des paysages et des scènes de genre, depuis 1912 au Salon des Indépendants.

LA FOUTHOUSE de
XIXe-XXe siècles. Français.
Peintre de portraits.
Il s'est spécialisé dans les figures féminines.
VENTES PUBLIQUES : PARIS, 22 fév. 1943 : *Portrait de femme* 1868 : **FRF 460**.

LAFRANCE Jules Isidore
Né le 16 décembre 1841 à Paris. Mort le 16 janvier 1881 à Paris. XIXe siècle. Français.
Sculpteur et peintre.
Élève de Maillard, Duret et Cavelier. Il obtint le premier grand prix de Rome en 1870. Il avait débuté au Salon dès 1860 et obtint une médaille de première classe en 1874 et en 1878 à l'Exposition Universelle. Tous ces succès lui furent attribués pour la section de sculpture. Décoré de la Légion d'honneur en 1878. On lui doit la statue (en plâtre) de *Frédéric Sauvage*, pour la ville de Boulogne-sur-Mer et *La Loi et la Prudence*, statues en pierre pour la façade du Pavillon de Flore aux Tuileries.
MUSÉES : ALENÇON : *Saint Jean-Baptiste*, buste marbre – PARIS (Mus. du Louvre) : *Saint Jean-Baptiste enfant*, marbre – REIMS : *Saint Jean-Baptiste*, marbre.

LA FRANCHISE Clément
XXe siècle. Français.
Peintre.
Peintre dans les années 1889. Sociétaire, à Paris, du Salon des Artistes Français, il figura à ce Salon.

LA FRÉGONNIÈRE Jacques de
Né le 2 novembre 1894 à Rochefort-sur-Mer (Charente-Maritime). Mort en juillet 1973. XXe siècle. Français.
Peintre, sculpteur.
Il a fréquenté Montparnasse pendant de nombreuses années.
Il exposa, à Paris, au Salon des Indépendants à partir de 1930. Il fut l'ami intime du peintre hongrois Lajos Tihanyi dont il sauvé l'œuvre entier pendant l'occupation de la France, en 1940, pour le remettre à la Hongrie en 1966. Il découvrit, en 1945, le peintre André Demonchy qui figure parmi les peintres naïfs les plus réputés, notamment dans les ouvrages de Anatole Jacowsky. Historiographe d'Emmanuel Gondouin, il publia, en 1969, un ouvrage très documenté sur ce peintre.
D'abord impressionniste, il a subi l'influence du cubisme. Admirateur de Henri Laurens, encouragé par le sculpteur espagnol Juan Haro, il sculpta la pierre et le marbre, en taille directe, depuis 1964.

LA FREMONDIÈRE Yvette de
Née en 1930 à Port-Saïd (Égypte). XXe siècle. Française.
Peintre, sculpteur, médailleur. Tendance abstraite.
Née de père normand, de mère grecque, ayant une grand-mère slovaque, elle passe son enfance sur les rives du canal de Suez et y achève ses études secondaires. Elle vient à Paris, en 1950, pour

suivre les cours de l'École des Langues Orientales, mais, parallèlement s'inscrit à l'École du Louvre et apprend la sculpture dans l'atelier de Niclausse dont elle sera la dernière élève et à qui elle consacrera un mémoire.
Elle a exposé à plusieurs reprises en Hollande, à Paris en 1971, et au Danemark en 1972. Elle a participé, à Paris, au Salon des Réalités Nouvelles en 1972.
De formation classique elle se dégagera rapidement de cette influence et atteint vite à un style personnel proche de l'abstraction. Dans des constructions, sortes de stèles, elle rassemble divers matériaux de récupération et les organise en constructions assez structurées. Une série de *Femmes enceintes*, volontiers expressionnistes, échappe à cette définition, mais, dans l'ensemble, l'œuvre reste pleine de retenue et de schématisations. Elle a gravé un nombre important de médailles pour l'Hôtel des Monnaies.

LAFRENSEN Niklas, l'Ancien ou **Lawerentz**
Né en 1698 à Stockholm. Mort en 1756 à Stockholm. XVIIIe siècle. Suédois.
Peintre de portraits, miniaturiste, peintre à la gouache.
Père du célèbre gouachiste Lafrensen dit Lavreince, dont il fut le professeur, Niklas l'Ancien montra un véritable talent surtout comme miniaturiste. Le Musée de Stockholm conserve une de ses miniatures ainsi que deux copies à la gouache, d'après Carle Van Loo.
Musées : Göteborg : *Juliana Dorothea Henck – Portrait d'homme* – Gripsholm : *Charles XII – Gustave III enfant – Les Vasa – Adolphe-Frédéric – Louise-Ulrike – Carl Gustav Tessin* – Helsinki : *Les Vasa* – Lund (Université) : *Frédéric Ier* – Malmö : *Le Capitaine J. Stuur – Charles XII*, miniat. – Norrkoping : *Ulrike Eléonore – Frédéric Ier* – Stockholm : *David et Saül – Les Vasa – Persée et Andromède – Louise Ulrike – Frédéric Ier – Gustave III – Adolphe-Frédéric.*
Ventes Publiques : Stockholm, 19 mai 1992 : *Portrait du Roi Frédéric Ier ; Portrait de la Reine Ulrika-Eleonora*, gche, une paire (chaque 13,5x10) : **SEK 13 500**.

LAFRENSEN Niklas, le Jeune ou **Lavreince, Lawreince, Lavrince**
Né le 30 octobre 1737 à Stockholm. Mort en 1807 à Stockholm. XVIIIe siècle. Suédois.
Peintre d'histoire, sujets de genre, portraits, peintre à la gouache, aquarelliste, miniaturiste, dessinateur.
Fils du peintre miniaturiste Niklas Lafrensen, dont il fut élève. À la mort de son père (1756) le jeune artiste qui jusqu'alors avait fait de la miniature résolut de chercher fortune en voyageant. Il vint à Paris et y résida trois ans. Il visita ensuite l'Allemagne et revint à Stockholm. Le souvenir de Paris le hantait sans doute, car il était de retour en 1771. Les œuvres de Watteau de Lille, celles de Baudoin le frappèrent et lui permirent de trouver la forme dans laquelle il devait trouver tant de brillants succès. En 1773 il était rappelé à Stockholm, y était nommé membre de l'Académie et peintre du roi. Ces honneurs ne l'empêchaient pas de revenir à Paris en 1774 et d'y prolonger son séjour jusqu'en 1791. Ce fut sa période la plus brillante. L'agitation qui précéda la Révolution française le ramena à Stockholm et il y acheva la série de compositions sur l'histoire de la Suède commencée avant 1771.
Il obtint un réel succès comme peintre d'histoire, aquarelliste et surtout comme peintre de portraits. Ses aquarelles de sujets croustillants trouvèrent pour les populariser des graveurs comme Delaunay, Dequevauvillers, Janinet, Helman, Vidal et surtout plus tard, Janinet et Debucourt.
Musées : Stockholm : *Une dame âgée, la princesse Sofia Albertina – Mme des Roches, actrice – Mme Sergel – Mme A. Ch. Schiöderhiem, née Stapelonshr*, miniat. – *Le médecin H. Gahn*, miniat. – Quatre portraits et cinq sujets de genre (gouache).
Ventes Publiques : Paris, 1860 : *La Collation dans un parc*, miniat. : **FRF 505** – Paris, 1872 : *La Conversation dans un parc*, miniat. : **FRF 2 500** – Paris, 1878 : *Les Joueurs de tric-trac*, aquar. gchée : **FRF 3 380** – Paris, 1882 : *Le Roman dangereux*, gche : **FRF 3 000** – Paris, 1892 : *Le Souvenir* : **FRF 15 000** ; *Le Bosquet d'amour ; La Promenade au Bois de Vincennes*, deux gouaches : **FRF 5 100** – Paris, 1894 : *Le Lever des ouvrières en modes*, gche : **FRF 8 900** ; *Le Coucher des ouvrières en modes*, gche : **FRF 4 700** – Paris, 15-16 et 17 fév. 1897 : *Le concert agréable* : **FRF 6 250** – Paris, 1899 : *Le Souvenir* : **FRF 30 000** ; *La Brouille*, gche : **FRF 9 200** ; *L'Assemblée au concert*, gche : **FRF 30 500** ; *La Partie de campagne*, gche : **FRF 31 500** ; *Le Lever*, gche : **FRF 12 200** ; *L'École de Danse*, gche : **FRF 31 500** ; *Madame de Merteuil et Mlle Cécile Volange*, dess. lavé d'encre de Chine et d'aquar., reh. de blanc : **FRF 1 480** ; *La Lecture*, gche : **FRF 8 000** – Paris, 29 mars 1900 : *Jeune femme à la promenade*, pendants : **FRF 1 040** – Paris, 28 avr. 1900 : *La comparaison* : **FRF 320** – Paris, 10-12 mai 1900 : *La dernière résistance* : **FRF 12 100** – Paris, 18 au 25 mars 1900 : *L'ouvrière en dentelles* : **FRF 3 905** – Paris, 13-14 et 15 mars 1905 : *Portrait de jeune femme* : **FRF 3 500** – Paris, 29 et 30 mai 1911 : *L'ouvrière en dentelles ; Déjeuner en tête à tête*, deux pendants : **FRF 25 000** – Paris, 7-9 mai 1919 : *La Promenade dans le parc*, dess., lav. de Chine, reh. de gche : **FRF 10 000** – Paris, 4-6 déc. 1919 : *Les soins mérités*, aquar. gchée : **FRF 16 900** – Paris, 13 mars 1920 : *Les trois sœurs au parc de Saint-Cloud*, aquar. gchée : **FRF 22 000** – Paris, 10 et 11 mai 1920 : *Jeune femme surprise à sa toilette*, gche : **FRF 24 000** – Londres, 24 nov. 1922 : *Visite à l'atelier*, dess. : **GBP 451** ; *La lettre d'amour*, gche : **GBP 294** ; *Le Bouquet*, dess. : **GBP 462** – Paris, 14 et 15 déc. 1922 : *Le Remède*, gche : **FRF 32 000** – Paris, 15 fév. 1923 : *Les Grâces parisiennes au bois de Vincennes ; Les trois sœurs au Parc de Saint-Cloud*, gche, deux pendants : **FRF 63 000** – Londres, 22 fév. 1924 : *L'heureux moment ; Le Carquois* : **GBP 157** – Londres, 28 juil. 1924 : *La marchande à la toilette*, gche : **GBP 210** – Paris, 22-24 juin 1927 : *La diseuse de bonne aventure*, gche : **FRF 145 000** – Paris, 13-15 mai 1929 : *Les soins mérités*, dess. : **FRF 50 000** ; *Pauvre minet, que ne suis-je à ta place*, dess. : **FRF 60 000** ; *La jeune fermière*, gche : **FRF 82 000** – Paris, 1er et 2 déc. 1932 : *La jeune fermière*, gche : **FRF 43 100** – Londres, 2 juil. 1937 : *Chambre à coucher*, dess. : **GBP 294** – Londres, 24 juin 1938 : *L'Assemblée au salon*, dess. : **GBP 19** ; *L'assemblée au concert*, dess. : **GBP 1 995** – Paris, 3 juil. 1941 : *Mrs Merteuil and Miss Cécile Volange*, dess. au lav. d'encre de Chine reh. de gche : **FRF 19 500** – New York, 24 nov. 1944 : *La Comparaison*, dess. : **USD 1 000** ; *Le billet doux* : **USD 3 600** – Londres, 16 oct. 1946 : *La balançoire mystérieuse* : **GBP 370** – Paris, 23 juin 1959 : *Les apprêts du Basset*, aquar. et gche : **FRF 2 900 000** – Londres, 10 mai 1961 : *Le peintre galant*, pl., encre, lav., touches d'aquar. : **GBP 300** – Paris, 23 nov. 1962 : *Le soulier enlevé* : **FRF 11 000** – Paris, 9 juin 1964 : *Les grâces parisiennes au bois de Vincennes* : **FRF 15 000** – Londres, 19 juin 1968 : *Intérieurs animés de personnages*, deux pendants : **GBP 2 050** – New York, 21 oct. 1970 : *L'amour frivole*, gche : **USD 6 250** – Londres, 18 avr. 1980 : *Elégante compagnie attablée dans un jardin*, h/t (48,3x59) : **GBP 9 500** – New York, 5 juin 1980 : *La Comparaison*, cuivre (20x19,3) : **USD 3 200** – Paris, 1er juin 1981 : *Femme assise lisant dans un paysage*, gche (26x20,5) : **FRF 42 000** – Monte-Carlo, 5 mars 1984 : *« Pauvre minet que ne suis-je à ta place ? »*, pl. et aquar. (20,5x14,1) : **FRF 13 000** – Stockholm, 4 nov. 1986 : *Dame de qualité dans un parc*, gche (27x21) : **SEK 480 000** – Paris, 12 déc. 1989 : *Scène galante*, pan. de chêne non parqueté (23,5x18,5) ; *Les fiançailles* (24,5x18,5) : **FRF 160 000** – New York, 11 jan. 1990 : *Couples enlacés*, h/pan., une paire (28,5x21) : **USD 39 600** – New York, 9 jan. 1991 : *Portrait du chevalier de Cambis assis dans sa bibliothèque accoudé à une table et portant l'ordre du Saint Esprit*, mine de pb et gche avec reh. de blanc (35,8x26,3) : **USD 30 800** – Monaco, 5-6 déc. 1991 : *Jeunes élégants prenant le thé*, encre et lav. (26x19,8) : **FRF 7 770** – New York, 22 mai 1992 : *Deux jeunes femmes et un garçonnet rencontrant dans un parc deux personnages de la comedia dell'arte*, h/pan. (27,3x23,5) : **USD 11 000** – Paris, 31 mars 1994 : *Portrait du docteur Thierry*, h/pan. de noyer (21,5x16) : **FRF 28 000** – Londres, 18 avr. 1994 : *L'aveu difficile*, gche/encre (19,7x17,2) : **GBP 4 370** – New York, 12 jan. 1995 : *Couple s'embrassant dans un intérieur*, gche (16,4x12,2) : **USD 12 650** – Paris, 10 mai 1995 : *L'indiscrétion*, grav. en teinte, imp. coul. (36x28) : **FRF 7 500** – New York, 3 oct. 1996 : *Une dame à sa toilette servie par ses domestiques dans un élégant intérieur*, h/t (66x59,1) : **USD 8 625**.

LAFRÉRY Antoine ou **Antonio** ou **Lafreri**
Né en 1512 à Salins. Mort en 1577 à Rome. XVIe siècle. Français.
Graveur au burin et éditeur.
Il se rendit à Rome en 1540, s'y établit graveur et, avec son oncle Claude Duchet, tint un commerce d'estampe, très achalandé.

LA FRESNAYE Roger Noël François de
Né le 11 juillet 1885 au Mans (Sarthe). Mort le 27 novembre 1925 à Grasse (Alpes-Maritimes), des suites des blessures reçues pendant la Première Guerre mondiale. XXe siècle. Français.

Peintre de portraits, paysages, natures mortes, peintre à la gouache, aquarelliste, sculpteur, dessinateur, illustrateur. Cubiste.

Il avait été l'élève de l'Académie Julian dès 1903, où il rencontra Dunoyer de Segonzac, Lotiron, Boussingault et Luc-Albert Moreau. À partir de 1905, il suivit quelques cours à l'École des Beaux-Arts, puis s'inscrivit à l'Académie Ranson, où il eut pour professeurs Sérusier et Maurice Denis, en 1908. Bien que réformé, La Fresnaye s'engagea et partit au front lors du conflit mondial de 1914-1918. Il y contracta la tuberculose en 1918. Il fut évacué et s'installa en 1919 à Grasse avec le peintre et ami Jean-Louis Gampert.

De 1910 à 1913, il expose avec les cubistes au Salon d'Automne (il participe à la décoration de la « Maison cubiste » lors du Salon de 1912 ; à la décoration du « Salon bourgeois » du décorateur André Mare au Salon de 1913) et au Salon des Indépendants, et fait partie des manifestations de la Section d'Or, notamment en 1912 et 1913. Il montra ses œuvres dans une exposition personnelle à Paris, en 1914, avec une préface du poète Roger Allard. Parmi les expositions rétrospectives : 1926, 1946, à Paris ; 1950, au Musée National d'Art Moderne, à Paris ; 1983, Musée de l'Annonciade à Saint-Tropez.

Dans sa première période, il avait été incontestablement sensible, à travers Gauguin, Maurice Denis, Sérusier, à la doctrine des Nabis, dont le caractère rationnel et mesuré, convenait à son propre tempérament. À leur exemple, il pensa aussi que la peinture est avant tout organisation de formes et de couleurs, refonte harmonique de la nature par l'homme en fonction des lois de son entendement. Cette influence est particulièrement concrétisée dans la *Bergère* de 1909 et l'*Homme buvant et chantant* de 1910, ainsi que dans l'*Autoportrait* du Musée d'Art Moderne. En 1910, des voyages en Allemagne et en Italie contribuèrent peut-être à le détacher de l'influence de ses maîtres directs ou indirects. Ce fut à ce moment que l'influence de l'œuvre de Cézanne vint pour lui compléter les précédentes, et qui continuera, à travers tout son œuvre, à dominer les autres possibles. L'influence cézanienne se manifeste dès *Ève*, de 1910, pour présider aux séries de *Paysages de La Ferté-sous-Jouarre* et de *Paysages de Meulan*, de 1911, et aux premières compositions : *Le Cuirassier*, de 1911, et *Jeanne d'Arc*, de 1912. Il n'était alors pas le premier des peintres français à vouloir opérer une synthèse entre les langages novateurs, représentés à ce moment précis par les cubistes, et l'ordonnance de la tradition classique ; des auteurs voient souvent dans ce projet la marque même du génie français ; Gauguin avait eu la même ambition. On l'a vu, de 1910 à 1913, même s'il n'appartenait pas inconditionnellement à leur groupe, La Fresnay exposait avec les cubistes, envoyant par exemple en 1912, *La Partie de cartes* au Salon d'Automne, et *L'Artillerie* au Salon des Indépendants ; en outre, en 1912 et 1913, il participa aux deux expositions de la « Section d'Or », fréquentant le dimanche chez Jacques Villon, à Puteaux, en compagnie de Gleizes, Metzinger, Picabia, desquels le cubisme rationaliste lui convenait plus intimement que la direction aventureuse et « abstractisante », jusqu'à un apparent « baroquisme », que lui imprimaient Picasso et Braque, qui exerçaient pourtant sur lui une forte fascination.

On fait généralement dater de 1913, le début de sa véritable participation au cubisme proprement dit ; la rigueur doctrinale et ascétique de l'époque du cubisme analytique s'était en effet assouplie, dans laquelle il n'aurait pu trouver sa place, et des tempéraments divers pouvaient s'exprimer désormais sous les consignes ouvertes du cubisme synthétique, d'autant que la synthèse chère à Gauguin, était aussi l'affaire de La Fresnaye : synthèse dans le sens d'élimination des détails superflus et des surcharges ornementales, au bénéfice de la construction essentielle. De ce moment datent : *L'homme assis* et *La Conquête de l'air*, de 1913 ; *La Vie conjugale*, et toute une série de *Natures mortes, à l'Équerre, au Diabolo, à la bouteille de Porto*, de 1914. Dans les œuvres de cette époque, La Fresnaye, contrairement aux cubistes de stricte obédience envers lesquels, sans ostentation, il préservait sa personnalité, étendit sa gamme sobre de la période cézanienne, jusqu'aux couleurs franches, les rouges et les bleus surtout, y étant encouragé sans doute par le travail parallèle de Delaunay, duquel il conviendrait souvent de le rapprocher, en particulier dans ces œuvres où la couleur, utilisée en contrastes simultanés, joue manifestement le rôle d'équivalences spatiales, et où les plans colorés, géométriquement simplifiés, se détachent de la réalité signifiée au bénéfice de l'expression d'un nouvel espace propre aux nouvelles relations du signifiant par rapport à son contexte quotidien modifié : à cet égard, alors que les thèmes des cubistes continuaient d'être curieusement intemporels, le titre même de sa *Conquête de l'air* est singulièrement révélateur et le rapproche des futuristes italiens, des *Tour Eiffel* et des scènes sportives de Delaunay, ainsi que de Fernand Léger, directement branché sur la vie concrète et moderne. En résumé on peut dire que le passage de La Fresnaye dans le cubisme proprement dit fut marginal, qu'il y montra une certaine réserve, malheureusement exploitée dans la période de l'entre-deux-guerres par un puissant courant réactionnaire, d'autant que la maladie le poussa lui-même à une régression sécurisante, et, en tout cas, qu'il n'y entrevit jamais, à l'inverse de Delaunay, l'ouverture vers la liberté des langages abstraits. Le jugement d'un José Pierre paraît toutefois bien sévère, même s'il n'est pas isolé, qui dit que : « son *cubisme* fait tout au plus figure de solution décorative d'un héritier des Nabis ». On sent que tout l'effort de l'artiste a tendu vers un nouveau classicisme que malheureusement il ne réalisera pas, interrompu par la guerre, puis sa vision faussée, entachée désormais par l'obsession de la mort. Les œuvres de la maladie, semblent complètement dégagées de toute apparence cubiste. En fait, cette dure discipline est toujours présente au cœur du dessin, structure invisible ou ossature.

Mais plutôt que de risquer de donner une idée fausse de cette ambition d'un nouveau classicisme, dont rêvait l'artiste agonisant et dont on peut se risquer à voir la réalisation dans l'œuvre de Jacques Villon, peut-être vaut-il mieux renoncer entièrement à la production d'après-guerre, rare et étouffée par une obsession plus forte. On pouvait voir à Paris en 1949, lors d'une exposition des peintures contemporaines du Musée de Grenoble, une nature morte de La Fresnaye, *Les Trois Anses*, au milieu de toiles maîtresses de Picasso et Braque. Cette nature morte, de petites dimensions, suffit à inciter nombre d'amateurs ou de spécialistes à réviser leur jugement quant à la place à accorder à ce peintre. Savante et précieuse à la fois, faut-il prononcer encore le nom de Chardin pour exprimer le mystère contenu dans cette nature morte, outre les qualités plastiques familières à Picasso ou Braque. La Fresnaye, on peut le supposer, se consumait autant de l'angoisse de la mort que de celle de ne plus pouvoir réaliser l'œuvre dont il se savait fort. Il n'a pas su que le recul du temps, si souvent fatal, lui rendrait au contraire justice.

On remarque au début dans ses paysages de la Ferté-sous-Jouarre et de Meulan, tout ce qui distinguera cet esprit essentiellement français, des cubistes baroques. Le cubisme n'est pas chez lui une fin en soi, mais un moyen de posséder par le truchement d'équivalences plastiques, une image plus complète du monde. C'est par là peut-être que, situé dans cette époque de recherches générales, son œuvre va moins profondément que celui de ses pairs, ce qui motive dans le clair jugement de Kahnweiler une réserve excessive à son égard. Mais ce descendant de vieille noblesse normande ne pouvait concevoir de création dénuée de tout support réel. Boileau dans l'art poétique, érige en loi que « l'esprit n'est point ému de ce qu'il ne croit pas ». Le cubisme fut, entre les mains de La Fresnaye, un instrument de possession plus complète et un beau moyen de transposition rythmique. La Fresnaye éprouva le besoin de vérifier ces puissances diverses du cubisme, en d'admirables sculptures, dont on retrouvera l'écho dans ses dessins et illustrations pour *Paludes* de Gide, *Le Roman des Amours de Psyché et de Cupidon* de La Fontaine, *Le Roman du lièvre* de Francis Jammes, et *Tambour* de Jean Cocteau. À l'époque où se posait, enfin bien délimité, le dilemme d'un art désormais résolument abstrait ou au contraire d'un art qui serait une construction plastique à partir de données sensibles, les tenants du deuxième se réfèrent volontiers à La Fresnaye qui, par sa science unique des « passages de volumes », sut amalgamer le divers extérieur, en un tout spirituel. Pour La Fresnaye, comme pour d'autres, fauves français apprivoisés dans l'après-guerre, expressionnistes allemands tombés dans le massacre, la cassure de la guerre a empêché à jamais de savoir si son destin le portait à se conforter d'un certain classicisme modernisé, dont ses dessins, le *Portrait de Guynemer*, de 1921-1923, un *Paysage d'Hauteville*, sont les meilleurs exemples, ou bien si un sort moins douloureux l'eût placé parmi les grands créateurs de l'art moderne. Tel qu'il se présente à la postérité, il semble parfaitement conforme à cette recherche de solutions de compromis, à cette timidité devant les solutions extrêmes, qui caractérisent alors les démarches françaises dans les voies de la création. Quoi qu'il en soit, La Fresnaye est un artiste capital dans l'histoire de l'art français contemporain, et pour la compréhension du développement du cubisme.

■ Jacques Busse

R.de la Fresnaye

R.de La Fresnaye

Bibliogr. : R. Allard : *La Fresnaye*, N.R.F., Paris, 1922 – Maurice Raynal : *Anthologie de la peinture en France, de 1906 à nos jours*, Montaigne, Paris, 1927 – Maurice Raynal : *De la Fresnaye à Fernand Léger*, Plan, n°1, Paris, 1931 – Germain Bazin : *Notice bio-bibliographique sur La Fresnaye*, L'Amour de l'Art, Paris, 1933 – René Huyghe : *Les Contemporains*, Tisné, Paris, 1949 – R. Cogniat et Waldemar-Georges : *Œuvre complète de La Fresnaye*, Paris, 1950 – Maurice Raynal : *Peinture moderne*, Skira, Genève, 1953 – Frank Elgar, in : *Diction. de la peinture mod.*, Hazan, Paris, 1954 – Bernard Dorival : *Les Peintres du xxe siècle*, Tisné, Paris, 1957 – José Pierre : *Le Cubisme*, in : *Histoire générale de la peinture*, tome XIX, Rencontre, Lausanne, 1966 – Georges Charensol : *Les Grands Maîtres de la peinture moderne*, in : *Histoire Générale de la peinture*, tome XXII, Rencontre, Lausanne, 1967 – G. Seligman : *Roger de La Fresnaye. Catalogue raisonné de l'œuvre*, Ides et Calendes, Neuchâtel, 1969 – in : *Dictionnaire universel de la peinture*, Le Robert, Paris, 1975 – *Roger de La Fresnaye*, catalogue de l'exposition, Musée de l'Annonciade, Saint-Tropez, 1983 – *L'Art du xxe siècle*, Larousse, Paris, 1991 – in : *Dictionnaire de l'art moderne et contemporain*, Hazan, Paris, 1992.

Musées : Lyon : *Portrait d'Alice* 1911-1912 – New York (Mus. of Mod. Art) : *La Conquête de l'air* 1913 – New York (Salomon R. Guggenheim Mus.) : *Paysage de Bretagne* 1908 – Paris (Mus. National. d'Art Mod.) : *Portrait de l'artiste* 1907 – *Femme aux chrysanthèmes* 1909 – *Nu dans un paysage* 1910 – *Femme au miroir* – *Le Cuirassier* 1910 – *Le Torse au miroir* – *La Ferté-sous-Jouarre* – *Paysage de Meulan* 1911-1912 – *Nature morte au coquetier* 1911 – *Livres et cartons* 1913 – *L'Homme assis* 1914 – *Le 14 juillet* 1914 – *Portrait de J. L. Gamperti* 1920 – *Portrait de Guynemer* 1921-1923 – Paris (Mus. d'Art Mod. de la Ville) : *Nature morte aux trois anses* 1910 – Troyes (Mus. d'Art Mod., coll. P. Levy) : *Jeanne d'Arc* 1912 – *Le Bouvier* 1921 – *La Table Louis-Philippe* 1922 – *La Conquête de l'air*, esquisse – Autres œuvres – Vincennes (Centre Historique des Armées) : Nombreux dessins.

Ventes Publiques : Paris, 18 nov. 1925 : *La Partie de cartes* : **FRF 8 200** – Paris, 29 oct. 1927 : *Nature morte* : **FRF 19 000** – Paris, 12 nov. 1928 : *La Nuit hongroise* : **FRF 2 200** – Paris, 12 déc. 1932 : *Paysage à Hauteville* : **FRF 13 000** – Paris, 2 déc. 1936 : *Paysage de Meulan* : **FRF 30 000** – Paris, 17 mars 1938 : *Études de têtes*, dess. : **FRF 5 630** – Paris, 5 mars 1941 : *Portrait de l'artiste* : **FRF 5 000** – Paris, 31 jan. 1944 : *Scène d'intérieur* 1913, aquar. : **FRF 5 100** – Paris, 23 fév. 1945 : *Feuille d'étude*, dess. à la pl. : **FRF 9 100** – Paris, 19 déc. 1946 : *Étude de nus* 1923, sanguine : **FRF 9 000** – Paris, 24 avr. 1947 : *Études*, dess. : **FRF 5 000** – Paris, 20 juin 1947 : *Le Village* 1911 : **FRF 75 000** – Paris, 24 fév. 1950 : *La Gardeuse de moutons* : **FRF 701 000** – New York, 8 nov. 1957 : *Paysage*, peint./cart. : **USD 800** – New York, 11 nov. 1959 : *Le Matador*, gche : **USD 2 400** – New York, 16 fév. 1961 : *Étude de nus*, pl. et encre : **USD 275** – Londres, 12 juin 1963 : *La Bouteille*, gche et aquar. : **GBP 800** – New York, 20 avr. 1966 : *L'Arrosoir* : **USD 100 000** – Londres, 3 juil. 1968 : *Eve à la pomme*, bronze cire perdue : **GBP 4 500** – Londres, 7 juil. 1969 : *Jeune fille retirant sa chemise*, bronze : **GBP 4 800** – New York, 13 mai 1970 : *Eve à la pomme*, bronze : **USD 5 500** – Paris, 6 avr. 1973 : *L'Homme à la pipe*, aquar. gchée : **FRF 65 000** – Londres, 4 avr. 1974 : *Portrait d'homme*, dess. et encre de Chine : **GBP 3 300** – Londres, 2 déc. 1974 : *Soldat avec pipe et bouteille*, aquar. : **GNS 5 200** – Londres, 6 déc. 1974 : *Eve*, bronze cire perdue : **GNS 2 600** – Paris, 27 fév. 1976 : *Nu assis de profil*, h/t (50x40) : **FRF 2 700** – New York, 18 mars 1976 : *Deux fantassins casqués* 1917, aquar./pap. mar./cart. (30,7x19,4) : **USD 4 500** – Paris, 28 fév. 1977 : *Artillerie* 1911, grav./bois : **FRF 7 000** – Londres, 6 déc. 1978 : *La terrasse à Grasse* 1920, aquar., gche et encre de Chine (34x26) : **GBP 3 000** – Paris, 22 juin 1979 : *Étude de femme nue* 1912, pl. (23x27) : **FRF 9 000** – Versailles, 13 juin 1979 : *Maisons de pêcheurs près du port*, h/pan. (25,5x36) : **FRF 35 000** – Paris, 10 déc. 1981 : *Noir et Blanc* 1920, gche blanche à fond noir (22x15) : **FRF 14 500** – New York, 20 mai 1982 : *Le tournant de la route, Meulan* 1912, h/t (54x65) : **USD 45 000** – Paris, 27 oct. 1982 : *L'Italienne* 1912, bronze patine brune (H. 60) : **FRF 150 000** – Versailles, 8 juin 1983 : *Personnages dans la campagne*, aquar. (20,5x26) : **FRF 40 000** – Versailles, 8 juin 1983 : *Femme au balcon, le printemps* vers 1909 (105x78) : **FRF 220 000** – Paris, 23 mars 1984 : *La moue* 1920, cr. (43x33) : **FRF 31 500** – Versailles, 12 juin 1985 : *Nature morte à la fenêtre* 1920, aquar. et gche (32x25) : **FRF 140 000** – Paris, 10 déc. 1986 : *Portrait présumé de l'artiste*, cr. noir (16x10) : **FRF 26 000** – Paris, 8 déc. 1986 : *Nature morte* vers 1911, h/cart. (54,5x76,5) : **FRF 370 000** – New York, 12 nov. 1987 : *Le vaguemestre dans l'abri* 1917, dess. au lav. (32x25) : **USD 26 000** – Londres, 30 mars 1988 : *Composition au tambour et à la trompette*, aquar. et encre : **ITL 14 300** – Paris, 1er juin 1988 : *Tête de soldat, le chef de musique* 1917, mine de pb (26,5x19) : **FRF 5 200** – Paris, 12 juin 1988 : *Eve*, gche (12x13) : **FRF 13 000** – Paris, 22 juin 1988 : *Homme écrivant*, cr. noir à l'estompe (24,5x17,5) : **FRF 85 000** – Paris, 12 déc. 1988 : *Chats et scène mythologique*, dess. à l'encre, études (10x17) : **FRF 6 500** – Paris, 26 nov. 1989 : *La conversation, pour Paludes*, aquar./pap. (26,5x19,5) : **FRF 360 000** – Paris, 17 déc. 1989 : *Ève* 1910, bronze (H.32) : **FRF 210 000** – Paris, 6 oct. 1990 : *La Théière* 1912-1913, dess. à l'encre de Chine (19x23) : **FRF 45 000** – New York, 8 mai 1991 : *Femme nue couchée* 1910, h/t (68x104,6) : **USD 28 600** – New York, 13-14 mai 1992 : *La ruche* 1912, craies coul. et cr./pap. (47x33) : **USD 15 400** – New York, 11 nov. 1992 : *Le Diabolo*, h/t (73x92,1) : **USD 176 000** – Paris, 24 nov. 1992 : *L'Homme à la pipe* 1917, aquar./pap. calque (26x20,5) : **FRF 170 000** – Londres, 1er déc. 1992 : *Le Pierrot* 1922, h/t (54,4x65,1) : **GBP 52 800** – Paris, 8 avr. 1994 : *Homme aux mains croisées sous le menton, étude pour Paludes*, cr. tendre et craie (18,5x13) : **FRF 212 000** – New York, 11 mai 1994 : *Castor et Pollux* 1922, gche/pap. (28x19) : **USD 43 700** – Paris, 14 juin 1994 : *Le Chanteur, la Madelon* 1918, lav. d'encre bistre (32x24) : **FRF 120 000** – Londres, 29 juin 1994 : *Le Paysan*, sanguine/pap. chamois, étude (55x45,5) : **GBP 7 245** – Deauville, 19 août 1994 : *Nature morte au sucrier* 1913, h/t (54x65) : **FRF 580 000** – Paris, 17 nov. 1994 : *Femme assise à la pomme*, bronze (43,5x19,5x32) : **FRF 90 000** – Paris, 30 mars 1995 : *Le Coin de table, étude pour la Vie conjugale* 1912, h/t (73x60) : **FRF 191 000** – Paris, 28 mars 1996 : *Fleurs et Feuillages*, h/t (59x73) : **FRF 120 000** – Paris, 15 mai 1996 : *Nature morte à la théière et au livre* 1913, fus./pap. gris bleu (49,5x61,5) : **FRF 43 000** – Paris, 13 juin 1996 : *Nature morte* 1914, litho. (29x37) : **FRF 39 000** – Londres, 26 juin 1996 : *Nu debout devant la cheminée*, h/t (77x59) : **GBP 21 850** – Paris, 26-27 nov. 1996 : *Composition cubiste*, lav. d'encre de Chine (18x11,5) : **FRF 6 000** – New York, 14 nov. 1996 : *Italienne* 1912, bronze patine brune (H. 60,4) : **USD 18 400** – Paris, 24 mars 1997 : *Joueuse de mandoline*, cr./pap. (28,5x23) : **FRF 3 800** – Paris, 19 juin 1997 : *Nature morte à l'assiette fleurie* vers 1910, h/t (38x55) : **FRF 85 000**.

LAFRIMPE Jean

xviie siècle. Actif à Bourges. Français.

Sculpteur.

Il fit, en 1601, une *Notre-Dame-de-Pitié* pour le portail Saint-Privé ; en 1605, des armoiries en bois sculpté et une nouvelle statue de *La Justice* pour l'Hôtel de Ville ; en 1609, la statue en pierre de *Saint Austregésile, évêque de Bourges* ; en 1616, une *Notre-Dame* en pierre pour la porte Saint-Sulpice. Enfin, pour le compte de Gabrielle de Crevant, veuve de François Lagrange, seigneur de Montigny, maréchal de France, il se chargea, en 1618, de décorer et de mettre en état la chapelle de Montigny, dans laquelle le maréchal avait été enterré, dans la cathédrale de Bourges et où sont aujourd'hui les fonts baptismaux.

LA FROEY Jean de

xviie siècle. Actif à Anvers en 1646. Éc. flamande.

Peintre.

Il fut l'élève de David Téniers le Jeune.

LA FUENTE, Mlle

xixe siècle. Active à Paris. Française.

Miniaturiste.

Exposa aux Salons de 1831 et 1834.

LA FUENTE Gregorio de

Né en 1910. xxe siècle. Chilien.

Peintre de compositions murales.

Influencé par l'initiateur du muralisme mexicain, Diego de Rivera, il décora, en 1941, la gare de Concepcion.

Bibliogr. : Damian Bayon, Roberto Pontual, in : *La Peint. de l'Amérique latine au xxe siècle*, Mengès, Paris, 1990.

LAFUENTE J. C.
xviiie siècle. Espagnol.
Graveur au burin.
Le Blanc cite : *N. S. del Pilar.*

LA FUENTE Juan de
xvie siècle. Actif à Séville en 1514. Espagnol.
Peintre.

LA FUENTE Juan Leandro de
Né vers 1600. Mort vers 1654. xviie siècle. Actif à Grenade. Espagnol.
Peintre.
Artiste d'un mérite très grand, il suivit de près la technique de Bassano et peut, comme coloriste, se rattacher à l'école vénitienne. Ses œuvres se trouvent à Grenade, Séville et Madrid.

LA FUENTE Manuel de
Né en 1932. xxe siècle. Espagnol.
Sculpteur de figures.
Il travaille le marbre et le bronze.
Ventes Publiques : New York, 17 mai 1989 : *Le printemps – personnage couché* 1986, marbre rose du Portugal (46,5x35,7x24,5) : **USD 17 600** – New York, 1er mai 1990 : *Rêve* 1986, marbre blanc (H. 90) : **USD 20 900** – New York, 18 mai 1994 : *Nu* 1993, bronze (H. 25,5 ; L. 43,2) : **USD 6 900.**

LA FUENTE Maria Ignazia de
xixe siècle. Active à Paris. Française.
Peintre de miniatures.
Elle exposa au Salon à partir de 1831.

LA FUENTE Vicente de
xviiie siècle. Actif à Madrid. Espagnol.
Graveur.
Il fut élève d'Irala.

LA FUENTE DEL SAZ Julian de
xvie siècle. Travaillant en Espagne de 1527 à 1598. Espagnol.
Miniaturiste.
Moine de l'ordre de Saint-Jérôme, il peignit des miniatures pour l'Escurial.

LA FUENTE Y ALMAZAN Luis de
Né vers 1850 à Guadalajara. xixe siècle. Espagnol.
Peintre d'histoire.
Élève de Vicente Palmaroli. Il débuta vers 1876 à l'Exposition provinciale de Guadalajara et y obtint une première médaille. Il exposa à Madrid à partir de 1878.

LAFUENTE TOBENAS Felix
Né en 1865. Mort en 1927. xixe-xxe siècles. Espagnol.
Peintre de portraits, compositions animées, compositions à personnages, dessinateur, aquarelliste, peintre de décors de théâtre, affichiste.
Il entra au séminaire diocésain de Santa Cruz de Huesca à l'âge de douze ans. Préparant ensuite l'examen pour devenir instituteur, il suivit aussi les cours d'une école de dessin où ses facilités impressionnèrent son professeur. Sur son conseil, il se rendit ensuite à Madrid pour s'inscrire à l'École des Arts et Métiers où il pratiqua intensivement le dessin académique et réalisa maintes copies d'après les maîtres du Musée du Prado. Il suivit également des cours de scénographie. En 1893, il est de retour à Huesca pour assumer l'intérim d'une chaire de professeur de dessin à l'Instituto General y Técnico. Il est nommé peu après professeur.
Il participa à la troisième exposition du Cercle des Beaux-Arts de Saragosse en 1894, à l'Exposition Nationale des Beaux-Arts en 1897.
Jusqu'à la fin du xixe siècle il réalisera principalement des paysages et des vues de villes. Tout en continuant la peinture, il a ensuite orné quantité de feuilles de diplômes puis s'est lancé dans la décoration de mises en scènes au théâtre de Saragosse concevant le mobilier, des peintures murales, etc.
Mises à part certaines compositions d'un réalisme assez conventionnel, la peinture de Lafuente Tobenas semble être à la recherche de la vie et de la lumière. Celles-ci sont mises en exergue par une touche apparente, colorée qui structurent les formes. Un esprit et des techniques, on n'en doute point, inspirés des impressionnistes français.
Bibliogr. : In : *Cien anos de pintura en Espana y Portugal, 1830-1930*, tome IV, Antiqvaria, Barcelone, 1990.

LAFUGIE Léa
Née en 1890. Morte en 1970. xxe siècle. Française.
Peintre de portraits, paysages, intérieurs, peintre à la gouache, aquarelliste.
Elle entre à 16 ans à l'École des arts décoratifs de Paris. En 1925, elle s'embarque pour Colombo (Sri Lanka) et y réalise nombre de gouaches et d'aquarelles. Elle parcourt le continent indien, rencontre le poète Rabindranath Tagore et le mahatma Gandhi, dont elle réalise les portraits, et pousse jusqu'au Tibet. Elle voyagera de la même façon en Birmanie, au Cambodge, au Laos, au Viêt Nam, en Chine, au Japon. Elle exposa de nombreuses fois en Inde.
Son œuvre, de facture classique, apporte par sa précision un précieux témoignage sur la vie en Asie.

Bibliogr. : In : Catalogue de l'exposition *Paris-Hanoï-Saigon, l'aventure de l'art au Viêt Nam*, Pavillon des Arts, Paris, 1998.

LAGACÉ Michel
Né en 1950 à Rivière-du-Loup (Québec). xxe siècle. Canadien.
Peintre, graveur. Figuration libre.
Il obtient une maîtrise d'arts plastiques de l'Université du Québec en 1981. Il a obtenu une bourse en 1975 de la Fondation Bert Zion Sisterhood ; en 1980, 1984, 1986 des bourses du ministère des affaires culturelles du Québec.
Il participe à des expositions collectives depuis 1975 dont : 1979, Biennale II du Québec, Montréal ; 1981, *Création Québec 81*, Sherbrooke ; 1982, 1986, *Au bout de la 20*, Musée du Bas-Saint-Laurent, Rivière-du-Loup ; 1983, Biennale de dessin et d'estampe du Québec, Québec et Montréal ; 1985, *Picasso vu par...*, galerie 13, Montréal. Il montre ses œuvres dans des expositions personnelles, parmi lesquelles : 1976, Maison des Arts, La Sauvegarde, Montréal ; 1976, 1979, 1974, Musée du Bas-Saint-Laurent, Rivière-du-Loup ; 1977, galerie Curzi, Montréal ; 1979, Musée d'Art Contemporain, Montréal ; 1982, 1984, 1985, 1986 (exposition présentée à la Foire Internationale d'Art Contemporain, à Paris), galerie 13, Montréal ; 1985, galerie du Musée, Québec ; 1986, Services culturels, Délégation du Québec à Paris. Il a été lauréat de la Biennale II du Québec en 1979 ; lauréat du concours *Exposer à Paris ou à New York*, à Paris, organisée par le ministère des Affaires Culturelles du Québec en 1985-1986.
Louise Déry écrit à son propos : « Par un traitement en relation filiale avec l'esprit actuel qui renoue avec le baroque et l'éclectisme des genres et des styles, l'artiste nous introduit au seuil des confluences multiples ». En effet, ce que peint Michel Lagacé c'est d'abord une association de symboles épars et divers où l'humain côtoie l'animal dans une relation réciproque sciemment confuse. Ses compositions sont denses et colorées, de tonalités pâles, les couleurs et les tracés irréguliers, parfois hachés y déterminent une structure instable, souvent en mouvement. Il a également réalisé plusieurs œuvres d'intégration architecturale au Québec.
Musées : Montréal (Mus. d'Art Contemp.) : *Sans titre* 1978 – Québec.

LAGACHE Georges. Voir **ARAËL**

LAGACHE Mathilde, née **Corr**
Née en 1814 à Bruxelles. xixe siècle. Belge.
Peintre de genre, aquarelliste, pastelliste.
Sœur du graveur Mathieu-Erin Corr. Élève de Roqueplan. Elle exposa au Salon de 1836 à 1874.
Ventes Publiques : Londres, 24 mars 1988 : *Jeune femme portant une corbeille de fruits sur sa tête*, past. : **GBP 2 860.**

LAGACHE Victor
Né le 20 janvier 1912 à Tourcoing (Nord). Mort le 5 décembre 1997 à Bolbec (Seine-Maritime). xxe siècle. Français.
Peintre de portraits, compositions à personnages, compositions animées, dessinateur, aquarelliste.
Il fut professeur de dessin d'art à Rouen puis professeur d'enseignement théorique « dessin d'art » dans le cadre de l'Éducation Nationale.
Il a exposé, à Paris, au Salon des Artistes Français en 1932, au Salon des Indépendants en 1935 et 1990. Il a montré ses œuvres dans des expositions personnelles en Normandie, notamment

au Havre à la galerie J.-J. Rousseau en 1947 et à la galerie Jacques Hamon en 1960, 1961, 1962 et 1965. Une rétrospective de ses œuvres eut lieu à la galerie Rollin à Rouen en 1992, une autre à l'Abbaye du Valasse en 1994. Il a obtenu plusieurs récompenses.
Figurative, sa peinture tend parfois à des évocations oniriques exprimées à l'aide de couleurs rapidement et légèrement brossées.

LAGAE Jules
Né le 15 mars 1862 à Roulers (Flandre-Occidentale). Mort en 1931 à Bruges (Flandre-Occidentale). XIXe-XXe siècles. Belge.
Sculpteur, sculpteur de monuments, médailleur.
Il fit son apprentissage chez le sculpteur Carlon en suivant les cours du soir de l'Académie des Beaux-Arts de Roulers. Il fut ensuite élève de l'Académie des Beaux-Arts de Bruxelles en 1881. Il fréquenta également les ateliers de Charles Van der Stappen ainsi que ceux de Jef Lambeaux et Julien Dillens. Il séjourne en Italie de 1888 à 1892. Il fut membre de l'Académie Royale de Belgique.
Revenu à Bruxelles en 1892, il exposa au Salon de cette ville ainsi qu'à Gand, Dresde, Munich et Paris. Il figura au Salon de Paris où il obtint une médaille d'or en 1900 dans le cadre de l'exposition universelle. Il fut membre de la Société Nationale des Beaux-Arts. Il obtint le prix de Rome en 1888. Chevalier de l'ordre de Léopold.
Lagage se voulut libre de tout enseignement théorique devant la nature. C'est toujours à elle qu'il s'adressa pour recréer des choses vraies. Dès lors, on comprend la place qu'il a réservée, dans son œuvre, aux bustes, aux portraits de toutes sortes. Traduire le réel c'était sa loi. Mais son grand talent, apprécié tout autant à l'étranger, lui valut d'exécuter le *Monument de l'amitié franco-belge*, au Havre, et le *Monument de l'Indépendance*, à Buenos Aires, pour lequel il concourait avec une centaine de sculpteurs de toutes nationalités. Il collabora avec Th. Vinçotte pour le Quadrige de l'Arcade du Cinquentenaire à Bruxelles.
BIBLIOGR. : In : *Diction. biographique illustré des artistes en Belgique depuis 1830*, Arto, Bruxelles, 1987.
MUSÉES : ANVERS : *Tête de vieillard philosophe* – BERLIN : *Lequim – J. A. J. Heymans* – BRUXELLES : *L. Lequim – Mère et enfant* – BUDAPEST : *J. Dillens – L. Lequim – A. Goffin – Elie Lambotte* – CARLSRUHE : *Les Parents de l'artiste – Gustave Schönleher* – DARMSTADT : *Le Jeune pêcheur* – DRESDE : *L'Expiation* – GAND : *Vanaise – L'Expiation* – PARIS – VIENNE.

LAGAGE Pierre César
Né en 1911 à Croix (Nord). Mort le 25 février 1977 à Seclin (Nord). XXe siècle. Français.
Peintre. Réaliste, puis abstrait.
S'il apprit le dessin, la gravure sur bois et l'eau-forte à l'École des Beaux-Arts de Roubaix, il se forma seul à la peinture. Il se fixe à Paris. Il participe à de nombreuses expositions de groupe en France et à l'étranger, notamment aux Salons de Mai et des Réalités Nouvelles de Paris. Il expose pour la première fois ses œuvres, à Paris et Lille, en 1932 ; expose également dans plusieurs villes de Pologne en 1936-1937, puis à Bruxelles. D'autres expositions personnelles sont organisées en Suède, à Copenhague, Zurich, Los Angeles..., et, à de nombreuses reprises, à Paris, les premières ayant eu lieu en 1949 et 1952. Une exposition rétrospective posthume en 1990 fut organisée par la galerie Marcel Bernheim à Paris, d'autres se sont tenues en 1991 au Musée de Roubaix, au Musée Matisse de Cateau-Cambrésis, à la galerie Élysée-Miromesnil à Paris. Il fut lauréat du Prix Lissone, en Italie.
Il s'inspira d'abord de l'exemple des primitifs flamands, dont il conserva à travers tout son œuvre l'éclairage austère. Ses peintures anciennes, réalistes, étaient néanmoins solidement construites dans l'espace de la toile ; le hasard n'a jamais été l'affaire de Lagage, à moins que sévèrement piégé. Dans les années de la guerre, il tendait à un art monumental, lorsqu'il évolua logiquement à l'abstraction, constatant que la rigueur d'épure de ses compositions se suffisait à elle-même et que la figuration d'un quelconque sujet n'y tenait plus qu'un rôle de prétexte désormais sans objet. Depuis 1950, il élabore, avec la ténacité des solitaires, un œuvre d'une rare unité, méprisant l'éclat au profit de l'intériorité. Insoucieux de la réputation de l'instant, il s'enfonce dans son propre dialogue avec l'invisible, n'en rapportant les images de ses éclairs que passées au crible d'une construction formelle longuement méditée. Dans de multiples tracés directeurs, sur des carnets de petites dimensions, il recherche des combinaisons d'entrecroisements de droites et de courbes, jusqu'à atteindre cette plénitude dans l'équilibre qui lui paraît la plus apte à donner une équivalence de la sensation projetée. Reportant alors le schéma retenu sur des toiles de grands formats, il en remplit toutes les petites sections en mosaïques, d'abord de tonalités sourdes, plusieurs fois reprises en superposition, d'où surgissent à la fin les éclats de lumière qui en précisent et la forme et la tonalité affective, et l'imagination de celui qui regarde se plaît à lire, à son gré, la profondeur des forêts que traversent les rayons raréfiés du soleil ou le ruissellement d'une source enlacée aux lichens de la roche moussue, puzzle éternellement recommençable dont chaque nouvelle combinaison ouvre sur un aspect différent de l'univers des possibles. ■ J. B.
BIBLIOGR. : Michel Seuphor : *Dictionnaire de la peinture abstraite*, Hazan, Paris, 1957 – in : *Peintres contemporains*, Mazenod, Paris, 1964 – G. Diehl : *La Peinture abstraite dans le monde*, Lugano, 1966 – Michel Ragon et Michel Seuphor : *L'Art abstrait*, Maeght, 1974 – *Pierre-César Lagage*, La Bibliothèque des Arts, Bernard Depretz, 1990.
VENTES PUBLIQUES : PARIS, 11 juin 1979 : *L'écluse* 1958, h/t (162x130) : **FRF 5 200** – PARIS, 12 juin 1986 : *Jour sans pluie* 1959, h/t (116x89) : **FRF 15 000** – PARIS, 29 jan. 1988 : *Composition* 1958, h/pan. (65x50) : **FRF 4 300** – PARIS, 29 avr. 1988 : *Composition* 1955, h/t (50x61) : **FRF 16 000** – PARIS, 9 mai 1988 : *Composition abstraite*, h/t (86x115) : **FRF 8 500** – VERSAILLES, 16 oct. 1988 : *Composition* 1954, h/t (55x45,5) : **FRF 5 500** – NEUILLY, 22 nov. 1988 : *Composition* 1957, h/t (65x80,5) : **FRF 14 500** – PARIS, 3 mars 1989 : *Les trois personnages*, h/t (73x60) : **FRF 14 000** – LONDRES, 6 avr. 1989 : *Sans titre* 1959, h/pap. (61,3x48,5) : **GBP 1 650** – PARIS, 26 mai 1989 : *Composition* 1970, h/pap. mar./isor., 1970 (40x40) : **FRF 8 500** – PARIS, 3 oct. 1989 : *Composition* 1972, h. et gche/cart. (65x50) : **FRF 19 000** – NEUILLY, 7 fév. 1990 : *Composition* 1958, h/t (100x81) : **FRF 150 000** – NEUILLY, 10 mai 1990 : *Composition* 1957, h/t (92x73) : **FRF 270 000** – PARIS, 30 mai 1990 : *Composition* 1957, h/t (100x72,5) : **FRF 330 000** – PARIS, 1er oct. 1990 : *Composition* 1956, h/t (50x50) : **FRF 90 000** – PARIS, 11 oct. 1990 : *Composition* 1958, h/t (116x90) : **FRF 245 000** – PARIS, 17 oct. 1990 : *Abstraction bleue* 1959, h/t (116x81) : **FRF 215 000** – AMSTERDAM, 12 déc. 1990 : *Femme au citron*, h/t (73x60) : **NLG 10 350** – STOCKHOLM, 21 mai 1992 : *Femme au citron*, h/t (72x59) : **SEK 18 000** – PARIS, 26 juin 1992 : *Braga* 1961, h/t (130x95) : **FRF 50 000** – PARIS, 21 déc. 1992 : *Composition* 1956, h/t (100x81) : **FRF 86 000** – LE TOUQUET, 30 mai 1993 : *Composition bleue et rose*, h/pap. (50x64) : **FRF 8 000** – PARIS, 4 oct. 1997 : *Sans titre* 1963, h/t (98x130) : **FRF 15 500**.

LAGAIA Giovanni Antonio de ou **della Gaja**
XVIe siècle. Actif à Ascona près de Locarno. Italien.
Peintre.
Auteur des peintures de l'autel de l'église du Collegio d'Ascona, ouvrage remarquable (signé : *Antonius de Lagaia de Ascona pinxit*, 1519).

LA GAMBA Crescenzo
XVIIIe siècle. Actif à Naples. Italien.
Peintre de sujets mythologiques, compositions religieuses.
En 1759, il travaillait pour l'église de Ottaiano. Les villes de Naples et Caserta possèdent de ses œuvres.
VENTES PUBLIQUES : PARIS, 29 nov. 1976 : *Vénus et l'amour – Cérès*, deux h/t, formant pendants (62,5x49,5) : **FRF 16 000**.

LA GANDARA Antonio de
Né le 16 décembre 1862 à Paris, de parents étrangers. Mort en 1917 à Paris. XIXe-XXe siècles. Français.
Peintre de nus, portraits, paysages animés, natures mortes, pastelliste.
Fils d'un père espagnol et d'une mère anglaise. Il fut élève de Gérome. À Paris, il exposait avec succès au Salon des Artistes Français, mention honorable en 1884, médaille de bronze en 1889 (Exposition Universelle), médaille d'argent en 1900 (Exposition Universelle), chevalier de la Légion d'honneur en 1900.
Antonio de La Gandara fait preuve dans ses ouvrages d'un mélange des qualités artistiques de ses deux nationalités d'origine. Il participe de la finesse, de la délicatesse de vision des Anglais et y joint la fougue espagnole. Ses portraits furent, dès leur apparition, très remarqués ; il s'est plu aussi à peindre le jar-

din du Luxembourg, peuplant ce joli paysage parisien de gracieuses figures de femmes et d'enfants.

Musées : Paris (Mus. du Petit Palais) : *Portrait de Paul Escudier.*
Ventes Publiques : Paris, 1898 : *Nature morte* : **FRF 50** – Paris, 28 mars 1919 : *Curieuse*, past. : **FRF 720** ; *Torse nu*, past. : **FRF 1 070** – Paris, 13 fév. 1925 : *Les deux amies*, fusain : **FRF 150** – Paris, 10 mars 1933 : *Portrait de jeune femme*, past. : **FRF 380** – Paris, 26-27 fév. 1934 : *Reflets* : **FRF 380** – Paris, 23 déc. 1946 : *Nature morte* : **FRF 3 100** – Paris, 8 déc. 1976 : *Portrait de Mme Mercedes Mirallez de Villegas*, h/t (210x125) : **FRF 3 300** – Paris, 11 déc. 1978 : *Portrait de Jean Lorrain*, h/t (155x95) : **FRF 19 800** – Paris, 19 juin 1979 : *Portrait de Jean Lorrain*, h/t (15,4x9,6) : **FRF 9 000** – New York, 28 oct. 1982 : *Une élégante*, h/t (208,5x124,5) : **USD 11 500** – New York, 25 mai 1984 : *Portrait d'une élégante*, h/t (209,5x125,7) : **USD 5 500** – Paris, 5 avr. 1991 : *Femme en buste de profil à gauche*, past. (44x36) : **FRF 6 300** – Paris, 24 juin 1994 : *Nu étendu*, past. (44x59) : **FRF 4 600** – Londres, 12 juin 1996 : *Portrait d'André Rouveyre*, past. (57x42) : **GBP 3 220** – Paris, 9 oct. 1997 : *Ida Rubinstein*, h/t (201x103) : **FRF 121 000.**

LA GANDARA Miguel de
xviiie siècle. Espagnol.
Peintre de miniatures.
Il était actif à Grenade en 1795.

LAGANNE Jeanne Baptiste
Née le 26 novembre 1910 à Castelsarrazin (Tarn-et-Garonne). xxe siècle. Française.
Peintre. Abstrait-tachiste.
Elle a étudié à l'École des Beaux-Arts de Nîmes et a eu par la suite une activité littéraire puisqu'elle a reçu le Grand Prix littéraire d'Algérie en 1947.
Elle a participé à de nombreuses expositions de groupe en France et à l'étranger. Elle a exposé, à Paris en 1947, en 1948 (galerie Jeanne Castel), premières expositions suivies de nombreuses autres dans la même ville (notamment galerie Stadler), ainsi qu'à New York à partir de 1960.
Elle a participé à l'explosion du tachisme et a déployé dans cette voie une recherche des matières assez curieuse. Elle a su marier les teintes les plus précieuses aux matières plus rugueuses, juxtaposant or et goudron, et jouant sur les effets de surfaces à la fois mates et brillantes.

LAGAR-ARROYO Celso ou **Lagar**
Né le 14 février 1891 à Ciudad-Rodriguez (Salamanque). Mort en 1966 à Séville (Andalousie). xxe siècle. Actif en France. Espagnol.
Peintre de compositions animées, figures, marines, peintre à la gouache, aquarelliste, lithographe, dessinateur, sculpteur.
À douze ans, il est élève de son père, sculpteur sur bois, puis élève de l'École des Beaux-Arts de Madrid dans l'atelier du sculpteur Blay, non sans donner du temps à l'art de torero amateur. À Paris, il fréquente Modigliani, Max Jacob, Blaise Cendrars, Derain, Léger. Il va aussi peindre à Céret et Marseille. Durant la Seconde Guerre il se réfugie dans le Midi de la France. Interné à Paris, à Saint-Anne, en 1955, il cessa alors toute activité.
Il a exposé à Barcelone, Madrid, Bilbao, New York, Bruxelles, Zurich, au Salon d'Automne à Paris, et à celui des Indépendants à partir de 1919 dont il est, par ailleurs, un des fondateurs. En 1921, il participe aussi à une exposition au café Montparnasse à Paris, en 1936 à l'exposition *Art espagnol contemporain*. Il montre ses œuvres dans des expositions individuelles dont celle en 1923 galerie Persier à Paris.
À Paris en 1911, il découvre Cézanne et devient peintre. On lui doit des vues de ports et des marines, mais il s'est surtout attaché à décrire la vie colorée des forains, dont il a su comprendre également le côté humain et parfois tragique. Souvenirs d'Espagne et visions de nos fêtes foraines le fourniront de thèmes jamais anecdotiques. Max Jacob a préfacé plusieurs de ses expositions, Modigliani a fait son portrait. La facture et le style de son œuvre ne furent pas uniformes : on perçoit dans certaines de ses peintures des instants où le geste du peintre et la matière s'inscrivent ardemment sur la toile lui donnant ainsi sa force d'expression, alors qu'ailleurs c'est d'une stylisation tout en lignes qui dessinent des surfaces en aplats colorés.

Bibliogr. : In : *Cien anos de pintura en Espana y Portugal, 1830-1930*, tomo IV, Antiqvaria, Barcelone, 1990.
Musées : Anvers – Barcelone – Berlin – Bruxelles – Le Havre – Madrid – New York – Paris (Mus. d'Art Mod.) : *Parade* – Philadelphie – La Rochelle – Rouen.
Ventes Publiques : Paris, 21 déc. 1925 : *Arlequins* : **FRF 2 000** – Paris, 4 juin 1926 : *La Parade* : **FRF 800** – Paris, 3 mai 1929 : *Nature morte* : **FRF 1 000** – Paris, 1er avr. 1942 : *Le Petit Pont* : **FRF 925** – Paris, 3 avr. 1943 : *Clowns et Haltérophiles*, gche : **FRF 500** – Paris, 30 mai 1945 : *Saltimbanques sur la place d'un village* : **FRF 3 500** – Paris, 18 nov. 1946 : *Scène de cirque, coulisse* : **FRF 2 500** – Paris, 24 mars 1947 : *Clowns et Acrobates ; Filles au bar*, deux aquar. : **FRF 5 200** – Paris, 26 juin 1968 : *Les Saltimbanques* : **FRF 6 500** – Paris, 11 juin 1974 : *Nu assis aux bas rouge* : **FRF 18 000** – Madrid, 19 déc. 1974 : *Cirque* : **ESP 470 000** – Versailles, 8 fév. 1976 : *Au cirque, danseur et écuyère sur le cheval blanc*, gche (33x47) : **FRF 3 000** – Madrid, 1er avr. 1976 : *Honfleur*, h/cart. (38x45) : **ESP 185 000** – Versailles, 5 juin 1977 : *Les Trois Grâces*, h/t (54x65) : **FRF 16 000** – Madrid, 24 oct. 1978 : *Mère et enfants*, h/t (82x64) : **ESP 220 000** – Paris, 29 mai 1979 : *Forains à Bièvres*, gche (32,5x42,5) : **FRF 4 200** – Londres, 4 juil 1979 : *Le Pont-Neuf* vers 1920, h/t (58,5x72) : **GBP 2 800** – Londres, 30 sep. 1981 : *Le Pont-Neuf*, h/t (58,5x72) : **GBP 2 600** – Versailles, 27 nov. 1983 : *Le Port de Marseille* 1920, h/t (60x79) : **FRF 12 000** – Lyon, 4 déc. 1985 : *Les saltimbanques* vers 1920, h/t (92x73) : **FRF 65 000** – Enghien-les-Bains, 15 nov. 1987 : *Jeune fille au tambourin ou Le Cirque*, gche et aquar. (56x37) : **FRF 12 000** – Paris, 21 avr. 1988 : *Scène de cirque*, h/pan. (64,5x49,5) : **FRF 45 000** – Saint-Dié, 7 mai 1988 : *Roulotte sur la route à Saclay*, h/t (33,5x41) : **FRF 9 000** – Paris, 23 juin 1988 : *Écuyère acrobate*, h/t (54x65) : **FRF 58 000** – Paris, 25 sep. 1988 : *Arlequin et clown musicien*, aquar. (24,5x32) : **FRF 9 000** – Paris, 19 oct. 1988 : *Le Port de La Rochelle*, h/t (50x81) : **FRF 52 000** ; *Les Clowns*, h/t (55x38) : **FRF 55 000** – Versailles, 6 nov. 1988 : *Les Trapézistes*, h/isor. (49,5x65,5) : **FRF 24 000** – Paris, 14 déc. 1988 : *L'Écuyère*, h/t (65x54) : **FRF 18 000** – Paris, 12 fév. 1989 : *Honfleur*, h/cart. (24x33) : **FRF 15 000** – Paris, 19 juin 1989 : *L'Accordéoniste*, h/t (52x40) : **FRF 40 000** – Paris, 11 oct. 1989 : *Trois Cochons*, h/t (55x46) : **FRF 85 000** – Paris, 13 déc. 1989 : *Tauromachie*, h/t (46,5x61,5) : **FRF 30 000** – Paris, 24 jan. 1990 : *Les Bords de Seine à l'île Saint-Louis*, h/t (60x73) : **FRF 120 000** – Paris, 14 mars 1990 : *Vue d'un port avec une église*, h/t (38x46) : **FRF 52 000** – Paris, 30 mai 1990 : *Picasso*, lav. et cr. coul. (22x30) : **FRF 19 000** – Paris, 6 oct. 1990 : *Le Repos des forains*, gche (25,5x18) : **FRF 14 500** –

MADRID, 27 juin 1991 : *Mère et Fils*, h/t (98x69) : **ESP 2 800 000** – NEW YORK, 5 nov. 1991 : *La Parade du cirque*, h/t (33,7x41) : **USD 7 700** – NEW YORK, 27 fév. 1992 : *Clown et son chien*, h/t (45,7x38) : **USD 6 820** – PARIS, 24 avr. 1992 : *Bord de mer*, h/t (53x72) : **FRF 34 000** – MADRID, 28 avr. 1992 : *Le Pont-Neuf*, h/t (61x73,5) : **ESP 1 700 000** – NEW YORK, 12 juin 1992 : *Singe dans un bordel marseillais*, encre et fus./pap. (48,9x62,5) : **USD 7 700** – PARIS, 30 avr. 1993 : *Saltimbanques dans un cirque*, gche/pap. (49x65) : **FRF 14 000** – PARIS, 9 juin 1993 : *La Prostituée*, h., aquar. et encre/cart. (82x65) : **FRF 26 500** – PARIS, 5 juil. 1994 : *Scène de cirque*, h/t (38x46) : **FRF 38 000** – PARIS, 13 oct. 1995 : *Les Saltimbanques*, h/t (54x65) : **FRF 61 000** – PARIS, 28 juin 1996 : *Le Clown trompettiste*, h/cart. (33x24) : **FRF 12 000** – CALAIS, 7 juil. 1996 : *Les Clowns*, aquar. et gche (18x15) : **FRF 9 500** – PARIS, 13 nov. 1996 : *Au cirque* vers 1922, h/t (46x61) : **FRF 45 000** – LONDRES, 23 oct. 1996 : *Danseuse espagnole*, h/t (32x23) : **GBP 1 725** – PARIS, 16 mars 1997 : *Saltimbanques dans un paysage*, aquar., gche et cr./pap. (32x41) : **FRF 9 000** – CALAIS, 20 mars 1997 : *Portrait d'un jeune clown*, h/t (45x37) : **FRF 15 000** – PARIS, 25 mai 1997 : *Les Clowns*, h/pan. (42x56) : **FRF 25 000** – PARIS, 11 juin 1997 : *Arlequin* vers 1920, h/bois (73x53) : **FRF 35 000** – PARIS, 19 oct. 1997 : *Nu à sa toilette* 1918, h/t (78x60) : **FRF 65 000**.

LA GARDE Benjamin ou **Lagarde**
Né le 11 avril 1646 à Grenoble. XVIIe siècle. Français.
Peintre et peintre verrier.
Il travailla successivement à Grenoble, Embrun, Turin et revint à Grenoble en 1672. Il y mourut à une date indéterminée.

LA GARDE J. de
XVIIe siècle. Français.
Peintre.

LAGARDE Jean-Pierre
Né le 11 juin 1937 à Bordeaux (Gironde). XXe siècle. Français.
Peintre de compositions à personnages, paysages animés, illustrateur. Naïf.
À partir de 1954, il fit partie de ces peintres qui travaillent sur le motif à Montmartre, élément indispensable du site. Il a commencé à exposer dans un restaurant en 1957. Dans toute la suite de sa carrière, il participe à un nombre incalculable d'expositions de groupe, à peu près dans n'importe quelles conditions et à peu près partout en France. Il a réussi à exposer dans tous les Salons annuels accessibles de la capitale : des Indépendants depuis 1982 et dont il est devenu sociétaire en 1985, des Artistes Français et de la Société Nationale des Beaux-Arts depuis 1983, International d'Art Naïf depuis sa création en 1984, d'Automne depuis 1984, Comparaisons en 1986 et 1988. Il a naturellement obtenu de nombreuses distinctions dans les expositions particulièrement locales. Il a illustré un bon nombre d'ouvrages audiovisuels destinés à l'enseignement. Lui-même a écrit, et illustré, des contes pour enfants.
Il pratique une technique très minutieuse, bien que simplificatrice, avec un sens de la perspective et du volume assez élaboré. Dans ses peintures, il adopte des styles différents, tout en restant situé dans le vaste domaine de l'art naïf : tantôt naïf d'observation objective, comme l'était, mais avec son talent, Jean Eve, dans : *L'Ancienne auberge Ravoux*, c'est-à-dire la maison de Van Gogh à Auvers ou dans : *La Maison du marronnier* ou quand il compose des paysages heureux, qu'animent sereinement paysans et animaux, tantôt explorant le merveilleux : *Eveil au printemps* – *Les Aérostiers en hiver* ou dans cette peinture très inventée, qui dépasse le merveilleux « gentil » et atteint au grand rêve : *La Comète de Halley*. ■ Jacques Busse

LAGARDE Lucien
Né au XIXe siècle à Vannes. XIXe siècle. Français.
Peintre de portraits, dessinateur.
Élève de M. Lehmann. Il exposa au Salon à partir de 1879.
MUSÉES : VANNES : *Saint Vincent-Ferrier à Vannes* – *Paysage* – *Saint Jean-Baptiste dans le désert* – *Paysanne en prières*.

LAGARDE Pierre
Né en 1853 à Paris. Mort le 12 décembre 1910 à Paris. XIXe-XXe siècles. Français.
Peintre d'histoire, compositions religieuses, compositions murales, paysages.
Élève de Charles Busson et de Fernand Humbert, il débuta au Salon de Paris en 1878 et obtint une mention honorable en 1881, des médailles de troisième classe en 1882, de deuxième classe en 1885. Il reçut une médaille d'argent à l'Exposition Universelle de 1889 et une médaille d'or à celle de 1900 à Paris. Il fut nommé directeur artistique de l'Opéra de Paris. Chevalier de la Légion d'honneur en 1891.
Vers 1885, sur les conseils de Puvis de Chavannes, il limite sa palette. En 1892, il est choisi pour remplacer Jules Breton à la décoration des deux ailes du nouvel Hôtel de Ville de Paris. Plus tard, il s'intéresse davantage au paysage qu'il traite dans des tonalités plus soutenues et un style plus proche de celui des impressionnistes.

Pierre Lagarde

BIBLIOGR. : Gérald Schurr, in : *Les Petits Maîtres de la peinture 1820-1920, valeur de demain*, Les Éditions de l'Amateur, t. VI, Paris, 1985.
MUSÉES : AGEN – AMIENS : *Saint Martin* – COMPIÈGNE (Mus. Vivenel) : *L'apparition de l'ange aux bergers* – LAON – PARIS (Mus. d'Art Mod.) : *La retraite* – PARIS (Mus. du Petit Palais) : *Le grand lac du Bois de Boulogne* – PROVINS : *Super Flumina Babylonis*.
VENTES PUBLIQUES : PARIS, 24 avr. 1897 : *Diane chasseresse* : **FRF 265** – PARIS, 1er mai 1899 : *L'incendie* : **FRF 620** – PARIS, 27 mars 1926 : *Le village sous la neige* : **FRF 300**.

LAGARDE Robert
Né en 1928 à Béziers (Hérault). XXe siècle. Français.
Peintre, illustrateur. Tendance surréaliste.
Instituteur en Algérie jusqu'en 1962, il commença à peindre en 1948. En 1951, il mit au point le procédé dit des « images soustraites au noir » proche de la technique du grattage. En 1954-1955, alors qu'il vivait dans les montagnes du Hodua, il réalisa des bas-reliefs de terre cuite, qui furent détruits, pendant la guerre d'indépendance, par les armées françaises. De 1957 à 1958, illustra *À l'animal noir* du poète Guy Cabanel. À partir de 1959, il exécuta des objets surréalistes, et des dessins et gouaches automatiques.
BIBLIOGR. : José Pierre : *Le Surréalisme*, in : *Histoire générale de la peinture*, tome 21, Rencontre, Lausanne, 1966 – in : *Diction. universel de la peinture*, Le Robert, Paris, 1975.

LAGARDE-BROCHOT Marie Jeanne
Née le 12 août 1888. XXe siècle. Française.
Peintre.
Elle fut élève de Humbert et Cormon à l'École des Beaux-Arts de Paris. Elle obtint une médaille d'argent au Salon des Artistes Français de 1927 à Paris.

LAGARDETTE. Voir aussi **DELAGARDETTE**

LAGARDETTE Reynaud Jules Antoine Edmond de
XIXe siècle. Actif à Paris. Français.
Peintre de paysages.
Exposa au Salon, de 1844 à 1848, des vues de Suisse et du Dauphiné.

LAGARE Eugène
Né au XIXe siècle à Lodève. XIXe siècle. Français.
Sculpteur.
Membre de la Société du Salon de la Nationale des Beaux-Arts, depuis 1908, il figura au Salon de ce groupement.

LAGARRIGUE Carlos
Né au XIXe siècle à Valparaiso. XIXe siècle. Chilien.
Sculpteur.
Figura aux Salons de Paris où il obtint une mention honorable en 1888, une médaille de troisième classe en 1891.

LAGARRIGUE Raymond
Né à Tarbes (Hautes-Pyrénées). Mort en 1870 à Tarbes. XIXe siècle. Français.
Peintre de genre.
Conservateur du Musée de Tarbes. Il exposa à Paris de 1833 à 1839.
MUSÉES : BAGNÈRES-DE-BIGORRE : *Le général Maransin* – TARBES : *Concert dans les bois* – *La halte des bohémiens* – *Incendie à Borderès*.

LA GARZA Y BANUELOS Ciriaco de
Né à la fin du XIXe siècle près de Burgos. XIXe-XXe siècles. Espagnol.
Peintre.
Il fut élève de Santamaria à l'Académie de Madrid.

LAGATCHEV Vladimir. Voir **LIAGATCHEV Vladimir**

LAGATINERIE Eugénie de, baronne, née **Gellian**
Née au XIXe siècle à Bayonne. XIXe siècle. Française.
Pastelliste.
Élève de A. Couder. Elle exposa au Salon de 1857.

LAGAUTRIÈRE Philippe
XXe siècle. Français.
Peintre. Figuration libre.
Il a participé à l'exposition *Electra* en 1983 au Musée d'Art Moderne de la Ville de Paris, en 1984 à celle de la *Peinture en direct* au Centre National des Arts Plastiques de Paris, en 1985 à *Paris autrement* au Centre Georges Pompidou, en 1986 à Berlin et Nice.
Sa peinture est marquée par la recherche des stéréotypes imagés et dessinés et des images symboles de notre société moderne vue et filtrée par la bande dessinée. En ce sens large, cette peinture entre dans la typologie de la figuration libre.
Ventes Publiques : Paris, 13 avr. 1988 : *Sans titre*, acr./t, triptyque (116x81) : **FRF 7 000** – Paris, 12 fév. 1989 : *Le portrait de Sakamoto* acryl./t avr. 1987 (116x81) : **FRF 9 000**.

LAGE Julie von der
Née le 30 janvier 1841 à Charlottenbourg. XIXe siècle. Allemande.
Peintre de natures mortes, de portraits, de fleurs, pastelliste et aquarelliste.
Élève d'Hermine Stilke, T. Grönland et Eschk à Berlin. Visita l'Italie et l'Allemagne et se fixa à Berlin. Exposa fréquemment à Hanovre, Berlin, Dresde.

LAGE Marie de
Née à Limoges. Morte en octobre 1869 à Saint-Jean-de-Luz. XIXe siècle. Française.
Pastelliste.
Élève de Coedès. Elle exposa au Salon de 1863 à 1867.

LAGEMAN Hendrik
Né en 1765 à Amsterdam. Mort en 1816 à Amsterdam. XVIIIe-XIXe siècles. Hollandais.
Graveur.
Élève de Karel Konsé et de J.-G. Holtzhey. Il grava des portraits, mais fut surtout graveur en médailles.

LAGÉNIE Pierre
Né le 26 novembre 1938 au Bouscat (près de Bordeaux, Gironde). XXe siècle. Français.
Sculpteur de figures, portraits, bustes.
Il fut élève de l'École des Beaux-Arts de Bordeaux ; entre en 1957 dans l'atelier du sculpteur Marcel Gimond à l'École des Beaux-Arts de Paris.
Il figure dans des expositions de groupe, notamment les salons officiels parisiens.
Il travaille le bronze. Le sujet principal d'inspiration de Pierre Lagénie est la femme et ses harmonies de formes. Il réalise également des sculptures monumentales : *Jour de vie* (1989) dressée sur la place du R.E.R de La Varenne ; *Le Nénuphar*, située dans le collège de Bréval (Yvelines).

LAGER Jacob
Né vers 1742. Mort le 27 décembre 1789 à Berne. XVIIIe siècle. Actif à Mollis puis à Berne en 1778. Suisse.
Peintre.

LAGERBERG Lucy Wallace de
Née en 1884 à Montclair (New-Jersey). XXe siècle. Américaine.
Peintre, aquarelliste, dessinatrice.
Deuxième prix d'aquarelle au Paint and Clay Club de New Haven (Connecticut) en 1923.

LAGERCRANTZ Ava Hedvig Gustaïva
Née le 7 septembre 1862 à Karlskrona. Morte en 1938. XIXe siècle. Suédoise.
Peintre de figures, portraits, fleurs.
Elle étudia à Stockholm et Paris où elle fut élève de Lefebvre, Benjamin Constant et Robert-Fleury. Elle se fixa à New York en 1903. Elle exposa au Salon de Paris en 1888 et 1889 : *Portrait de l'artiste par elle-même* et en 1890 où elle présenta un portrait du *Vice-amiral Lagercrantz*.
Ventes Publiques : Stockholm, 28 oct. 1991 : *La mort du cygne (scène de ballet avec la Pavlova)* 1934, h/t (89x90) : **SEK 3 500**.

LAGERHOLM Wilhelmina K.
Née en 1826 à Orebro. Morte le 19 juin 1917 à Stockholm. XIXe-XXe siècles. Suédoise.
Peintre de genre.
Le Musée de Stockholm conserve d'elle, *Une vieille histoire* (intérieur du XVIIe siècle) et le Musée de Göteborg, *Souci maternel*.

LAGERSTAM Berndt Erik
Né le 13 avril 1868 en Finlande. XIXe siècle. Finlandais.
Peintre de paysages.
Figura au Salon de Paris où il obtint une mention honorable en 1900 (Exposition Universelle).
Musées : Helsinki (Atheneum) : *Portrait de l'artiste – Vue d'un port.*

LAGERSTROM Gustav
Né en 1874. Mort en 1906. XIXe-XXe siècles. Suédois.
Peintre.
Musées : Stockholm (Nat.) : *Portrait de l'artiste par lui-même.*
Ventes Publiques : Stockholm, 20 oct. 1987 : *Paysage au crépuscule* 1903, h/t (50x72) : **SEK 16 000**.

LAGET Denis
Né en 1958 à Valence (Tarn-et-Garonne). XXe siècle. Français.
Peintre de compositions animées, natures mortes.
Il a fréquenté l'École des Beaux-Arts de Saint-Étienne. Il séjourne, de 1989 à 1990, à la Villa Médicis, à Rome. Il vit et travaille à Paris.
Il participe à des expositions collectives, dont : 1980-1981, *Après le classicisme*, Musée d'Art et d'Industrie, Maison de la Culture, Saint-Étienne ; 1982, *L'Air du temps*, galerie d'Art Contemporain des Musées, Nice ; 1982, *In situ*, Centre Georges Pompidou, Musée National d'Art Moderne, Paris ; 1982, *Un regard autre*, galerie Farideh Cadot, Paris ; 1983, *Figures imposées*, Espace Lyonnais d'Art Contemporain, Lyon ; 1983, *Bilder aus Frankreich*, galerie Krinzinger et Forum für aktuelle Kunst, Innsbruck ; 1984, *New French painting*, Riverside Studio et Gimpel Fils, Londres ; 1984, Museum of Modern Art, Oxford ; 1984, *Retour d'Amérique du Sud*, Buenos Aires, La Paz, Montevideo, Lima ; 1985, *Rite, Rock, Rêve*, Musée Cantonal des Beaux-Arts, Lausanne ; 1985, Kunstverein, Heidelberg ; 1985, Nordjyllands Kunstmuseum, Aalborg ; 1985, *Combas, Favier, Laget, Traquandi*, La Serre ; 1985, *De la citation*, Saint-Paul-Trois-Châteaux ; 1987, *Voies diverses*, Centre Georges Pompidou, Paris ; *Art en France aujourd'hui*, Sammlung Ludwig, Aix-la-Chapelle ; 1988, *Leçons de peinture – Eric Dalbis, Philippe Favier, Denis Laget*, Association pour la promotion des arts, Hôtel de Ville de Paris ; 1988, Biennale de Venise ; 1989, *Debré, Poutays, Laget*, Graham Gallery, Houston ; 1989, *Nos années 80*, Fondation Cartier, Jouy-en-Josas, Château d'Oiron ; 1990, *Génération 90 : peinture – Braconnier, Gattoni, Laget, Viaccoz*, galerie Alice Pauli, Lausanne.
Il montre ses œuvres dans des expositions personnelles, parmi lesquelles : 1981, galerie Napalm, Saint-Étienne ; 1982, 1984, galerie Farideh Cadot, Paris ; 1983, galerie Hélène Le Chanjour, Nice ; 1983, Kunst te Gent, Gand ; 1984, Musée de Toulon ; 1986, Musée d'Art et d'Industrie, Saint-Étienne ; 1986, Musée de l'Abbaye Sainte-Croix, Les Sables-d'Olonne ; 1987, *Un artiste, un Musée*, Musée Départemental du Prieuré, Saint-Germain-en-Laye ; 1987, 1990, 1996, galerie Montenay, Paris ; 1988, Musée des Beaux-Arts, Carcassonne ; 1989, Institut français, Athènes.
Denis Laget peint des crânes, des citrons, des portraits et figures, des natures mortes. Il travaille ses toiles en fatiguant des pâtes aux tonalités sourdes, les encadre de bois, de tôle ou de feuilles de zinc qu'il incorpore filialement à l'œuvre en les peignant aussi. Ses sujets invitent souvent au symbolisme mythologique, en témoigne la représentation de grandes ailes déployées. Denis Laget, avec d'autres peintres en France, ont accompagné ce « retour » à la peinture en cours dans les années quatre-vingt et quatre-vingt-dix. Entre modernité et post-modernité, sa peinture participe, à l'époque, au débat – angoissant pour certains – sur la finalité de la peinture. Avec d'autres artistes, il reconsidère la peinture en tant que médium et terrain propice à l'exercice d'une habileté technique certaine – une toile doit être peinte et bien peinte – et d'une liberté de figurer des sujets qui, sans être copies conformes de la réalité, sont sources de connaissances intérieures, voire de plaisir individuel. Car cette peinture ne prétend à rien d'autre que de recommencer ou plutôt de continuer, la longue et obsessionnelle histoire de l'artiste-peintre ordonnateur d'une vision. ■ C. D.
Bibliogr. : Jacques Bonnaval : *Denis Laget – Le Complexe de Prométhée*, in : *Opus international*, Paris, n° 95, automne 1984 – Didier Semin, Eric Michaud, Jacques Bonnaval, Catherine Strasser : *Denis Laget – 1985-1986*, 1986 – in : catalogue de l'ex-

position *L'Art Moderne à Marseille. La Collection du Musée Cantini*, Mus. Cantini, Marseille, 1988 – in : *Génération 90 : peinture*, catalogue de l'exposition, galerie Alice Pauli, Lausanne, 1990 – in : *L'Art du xxe siècle*, Larousse, Paris, 1991 – in : *Diction. de l'art moderne et contemporain*, Hazan, Paris, 1992.
Musées : Marseille (Mus. Cantini) : *Un crâne* 1985 – Paris (FNAC) : *Les Plagiaires de la foudre* 1987.
Ventes Publiques : Paris, 4 juin 1987 : *Les Cœurs sombres* 1982, h/t (165x217) : **FRF 28 000** – Paris, 15 juin 1988 : *Nuit et jour* 1983, h/t/bois (184x310) : **FRF 61 000** – Paris, 19 mars 1993 : *Deux pêches* 1987, h/t et métal (30x35) : **FRF 6 200** – Paris, 24 juin 1994 : *Sans titre* 1985, h/bois (89x80) : **FRF 6 000** – Paris, 13 déc. 1996 : *Fruit* 1987, h/t (29x33) : **FRF 6 500**.

LAGGER Jules Antoine de
Né le 21 août 1815 à Castres (Tarn). Mort le 25 septembre 1887 à Toulouse (Haute-Garonne). xixe siècle. Français.
Peintre.
Le Musée Goya de Castres conserve de cet artiste : *Un réfugié carliste*.

LAGIER Émile
Né au xixe siècle à Marseille (Bouches-du-Rhône). xixe siècle. Français.
Peintre.
Figura au Salon des Artistes Français où il obtint une mention honorable en 1884.
Musées : Béziers : *Les étameurs* – Digne : *Coin de cuisine*.

LAGIER Erica
Née le 10 mars 1830 en Angleterre. xixe siècle. Britannique.
Peintre de genre, portraits.
Élève de Jean-Gabriel Scheffer. Elle se fixa de bonne heure à Genève. Exposa à Londres, Vienne, Paris, Hambourg, Liverpool, Zurich, en 1866 ; à Genève, de 1852 à 1878. Obtint une médaille de troisième classe en 1861. Cette artiste signe *R. I. K. (Erica)*.

LAGIER Eugène
Né le 17 janvier 1817 à Marseille (Bouches-du-Rhône). Mort le 27 ou 30 janvier 1892 à Paris. xixe siècle. Français.
Peintre de genre, nus, portraits.
Après des études à Marseille, il fut élève de Paul Delaroche et de P. Deloncle à Paris. Il exposa régulièrement au Salon de Paris entre 1844 et 1889.

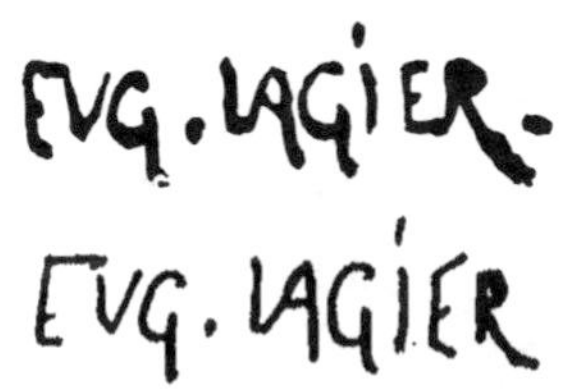

Bibliogr. : Gérald Schurr, in : *Les Petits Maîtres de la peinture 1820-1920, valeur de demain*, Les Éditions de l'Amateur, t. IV, Paris, 1979.
Musées : Aix-en-Provence : *Portrait d'Émile Loubon* – Digne : *La Bohémienne* – *Les premiers pas* – Marseille : *Orphelins* – Saint-Omer : *Vierge aux cerises* vers 1848.
Ventes Publiques : Paris, 25 oct. 1994 : *Portrait de Jules Roux*, h/t (75x61) : **FRF 4 000**.

LAGIER Gilbert
xviiie siècle. Actif au début du xviiie siècle à Nantes. Français.
Peintre verrier.

LAGIER Marie Augustine
Née le 9 mars 1841 à Genève. Morte en 1862. xixe siècle. Suisse.
Peintre d'émaux.
Élève de Fr. Gillet. Médaille de première classe à l'Exposition cantonale de Genève en 1861.

LA GIRAUDIÈRE Mady de, née **Couquet**
Née le 3 avril 1922 à Toulouse (Haute-Garonne). xxe siècle. Française.
Peintre de compositions à personnages, sujets religieux, peintre de cartons de vitraux, cartons de tapisseries, lithographe. Naïf.
Elle passe son enfance à Lavalanet, en Ariège, où elle vit près de la nature. Elle fait ses études secondaires à Toulouse. Vers l'âge de dix-huit ans, n'ayant pas obtenu l'autorisation paternelle d'entrer à l'École des Beaux-Arts, elle travaille seule loin de toute influence. Vers 1955, Anatole Jakovsky, consulté, l'encourage à peindre avec plus de résolution et à continuer de se tenir à l'écart de toute influence.
Elle montre son travail dans une première exposition à Paris, en 1958 ; à Toulouse en 1959 ; elle participe également à l'exposition des peintres naïfs, en 1960, présentée par Anatole Jakovsky à la Maison de la Pensée Française, à Paris. En 1961, elle prend part avec dix peintres, à une exposition internationale au Kunstgewerbemuseum de Bâle. En 1963, elle est invitée au Salon des Peintres Témoins de leur Temps au Musée Galliera de Paris, sur le thème *L'Événement*, elle y présente *l'Éclipse de soleil*. En 1964, elle expose au Salon d'Art Sacré un *Triptyque de Sainte Germaine de Pibrac*. Cette même année, elle participe à la première Biennale de Peinture de Trouville. En 1965, elle est présente aux Salons parisiens : Comparaisons, Union des Femmes Peintres et Sculpteurs, Art Sacré avec *Le Chemin de Croix* (quinze gouaches). Elle expose en groupe au Brésil, à Londres et à Rome. Elle montre ses œuvres dans une exposition personnelle à Paris en 1961.
L'art dit naïf est difficile à définir. La peinture de Mady de La Giraudière est une mise en images qui englobe tous les aspects du quotidien à la Légende Dorée. Elle traite volontiers de sujets consacrés aux usines et au travail industriel. C'est dans les scènes bibliques que sa fantaisie inventive se manifeste avec la plus riche minutie dans le détail ornemental et poétique. Si l'on considère que les grands naïfs sont des artistes qui nous émeuvent par des voies détournées en exprimant les plus profonds sentiments, en dépit d'une technique non traditionnelle, Mady de La Giraudière affirme sa personnalité par son art de conter. Depuis quelques années ses lithographies, d'une technique très personnelle confirment l'œuvre peint. Vers 1970, elle compose un vitrail qui sera exécuté à Cahors. Entre 1972 et 1974, elle a peint des plafonds au château de Miramont (Hautes-Pyrénées). Une suite de quatre cartons de tapisseries : *Le Printemps, l'Été, l'Automne, l'Hiver*, a été réalisée par Pinton à Felletin-Aubusson en 1975. L'État français possède une de ses œuvres : *Scènes de village*. ■ J. B.
Bibliogr. : Pierre-Jean Bourlois : *Vision sur Mady de La Giraudière*, S.I.P.O., Béziers, s.d.
Musées : Toulouse (Mus. des Augustins) : *L'Orage*.
Ventes Publiques : Paris, 14 mars 1973 : *Au pays de mon rêve* : **FRF 5 500** – Paris, 4 déc. 1991 : *Le beau chat amateur de fleurs*, h/cart. (29x40) : **FRF 3 800**.

LA GIRENNERIE Raoul Ange Édouard de, vicomte, pseudonyme : **Girin**
Né au xixe siècle à Issy. xixe siècle. Français.
Peintre de sujets militaires, aquarelliste, peintre sur émail.
Élève de Pils, Popelin et de Armand-Dumaresq, il débuta au Salon de 1861. Il servit dans l'armée et fut capitaine de hussards. Sa signature était *H. I. X.* ou *Girin*.

LAGLENNE Jean Francis
Né le 23 juin 1899. Mort en 1962. xxe siècle. Français.
Peintre, décorateur.
Il exposa, à Paris, au Salon des Indépendants, d'Automne et des Tuileries, à partir de 1920. Il participa, en 1924, à la première Exposition des *Néo-humanistes*, tout en gardant l'empreinte des expériences cubistes.

Bibliogr. : Maurice Raynal : *Anthologie de la peinture en France, de 1906 à nos jours*, Montaigne, Paris, 1927.
Musées : Paris (Mus. d'Art Mod. de la Ville) : *Nature morte*.
Ventes Publiques : Paris, 22 juin 1928 : *Fleurs* : **FRF 1 100** – Paris, 28 fév. 1930 : *Roses de Noël* : **FRF 1 750** – Paris, 2 mars 1942 : *Bruyère* : **FRF 2 000** – Paris, 14 mai 1943 : *Liliums et roses* : **FRF 4 300** – Paris, 23 mai 1949 : *Composition de fleurs* : **FRF 10 000** – Paris, 18 mai 1989 : *Figure voilée*, h/t (81x65) : **FRF 18 500** – Paris, 6 juin 1990 : *Fleurs et fruits*, h/t (71x65) : **FRF 8 500** – Paris, 10 avr. 1996 : *Fleurs* 1938, h/t (60x73) : **FRF 5 500**.

LAGNEAU Jacques. Voir **AGNESIUS Jacobus**

LAGNEAU Nicolas ou **Lanneau**
xvie-xviie siècles. Français.

Peintre de portraits, dessinateur.
Ce grand artiste, si injustement placé au second rang par un grand nombre de critiques, est généralement considéré comme ayant travaillé à partir du début du XVIIe siècle ; il nous paraît plutôt appartenir au XVIe. Le Musée Carnavalet conserve de lui un portrait de moine, où l'on a voulu parfois voir François Rabelais, chef-d'œuvre d'expression, et d'une vérité si intense qu'il semble impossible qu'il s'agisse d'une copie. Or l'écrivain mourait en 1553. Le Musée du Louvre possède aussi dans ses portefeuilles un portrait d'homme portant un vêtement du XVIe siècle, classé comme une copie, dans l'ancien catalogue, mais qui nous paraît original. On trouve bien de notre artiste des personnages portant les modes de Henri IV, mais il est permis de supposer, étant donné l'importance de son œuvre, que Lagneau a pu vivre jusqu'à un âge avancé.
On ne sait jusqu'à présent rien de précis sur ce puissant artiste, dont on reconnaît du premier coup d'œil les personnages aux grosses têtes, crayonnées de rouge et de noir, estompées au fusain et souvent relevées de pastel. Les registres des paroisses, les comptes ne le mentionnent pas. Il paraît avoir travaillé presque exclusivement pour la bourgeoisie. Son réalisme devait froisser la clientèle des Demoustier et des Ouesnel. Si Lagneau était né en Hollande, il eût été probablement beaucoup mieux compris. Si l'on ne possède pas de documents biographiques, ses nombreux dessins permettent d'étudier son style si particulier. On voit de lui, au Cabinet des Estampes de la Bibliothèque Nationale, un volume ayant appartenu à De Marolles, en 1666, et contenant cent quatre-vingt-douze dessins, parmi lesquels les portraits de *Gaston d'Orléans*, et de *Marie de Bourbon*. Le Musée du Louvre en possède quinze plus un qui lui est attribué. Le Musée de Rennes en conserve deux.
Musées : Paris (Mus. Carnavalet) : *Portrait de moine* – Paris (Mus. du Louvre) : *Portrait d'homme* – Paris (BN, Cab. des Estampes) – Rennes.
Ventes Publiques : Paris, 20 et 21 avr. 1883 : *Portrait de jeune homme* : **FRF 250** – Paris, 30 et 31 mai 1892 : *Portrait présumé de Dandelot*, dess. aux trois cr. : **FRF 1 600** – Paris, le 14 avr. 1893 : *Portrait de vieillard*, dess. aux trois cr. : **FRF 1 350** – Paris, 20-22 juin 1898 : *Portrait d'homme* : **FRF 2 725** ; *Portrait de vieillard*, dess. aux trois cr. : **FRF 2 725** – Paris, 1898 : *Portrait de Jean-Pierre Acarie*, dess. aux trois cr. : **FRF 4 050** – Paris, 10-12 mai 1900 : *Portrait du cardinal Duperron* : **FRF 3 650** ; *Portrait du cardinal de Bourbon* : **FRF 1 860** – Paris, 3 fév. 1912 : *Tête de vieillard* : **FRF 500** – Paris, 16-19 juin 1919 : *Portrait du cardinal du Perron, ou du Perret*, dess. cr. noir et sanguine : **FRF 2 300** – Paris, 21 jan. 1924 : *Portrait d'homme à barbe blanche*, cr., reh. : **FRF 4 600** – Paris, 25 fév. 1924 : *Portrait d'homme*, cr., reh. : **FRF 5 100** – Paris, 11 avr. 1924 : *Portrait d'homme à collerette*, cr. : **FRF 4 800** – Paris, 17 déc. 1924 : *Portrait de personnage à perruque*, cr. : **FRF 1 300** – Paris, 10 et 11 mai 1926 : *Portrait d'un homme du peuple*, pierre noire et sanguine : **FRF 5 000** – Paris, 20 mai 1927 : *Portrait d'homme*, cr. : **FRF 6 800** – Paris, 28 nov. 1928 : *Vieille femme en buste, de face*, dess. : **FRF 6 600** – Londres, 9 mai 1929 : *Vieille femme souriant*, past. : **GBP 28** ; *Portrait de gentilhomme*, past. : **GBP 32** – Paris, 4 juil. 1929 : *Tête d'homme à grande barbe* : **FRF 5 000** – Londres, 14 juil. 1936 : *Deux études d'homme lisant*, pierres de coul. : **GBP 63** – Paris, 26 mai 1937 : *Une paysanne*, cr. de coul. : **FRF 2 100** – Paris, 15 juin 1945 : *Portrait d'un vieillard*, pierre noire et cr. de coul. attr. : **FRF 14 000** – Paris, 17 juin 1949 : *Portrait d'homme barbu, coiffé d'un grand chapeau*, pierre noire et sang. : **FRF 120 000** – Paris, 6 mai 1955 : *Un paysan*, pierre noire et reh. : **FRF 88 000** – Paris, 17 juin 1980 : *Homme en buste de profil, le visage de trois-quarts vers la droite*, pierre noire et sanguine (33,5x23,5) : **FRF 30 000** – New York, 30 avr. 1982 : *Portrait d'homme*, craies noire, rouge et brune (38x29,2) : **USD 4 250** – Londres, 29 nov. 1983 : *Portrait de vieille femme*, craies noire et rouge et lav. (28,7x20,9) : **GBP 12 000** – Paris, 27 mars 1985 : *Portrait d'homme coiffé d'un chapeau*, pierre noire et sanguine (32x24) : **FRF 13 500** – Paris, 27 mai 1987 : *Portrait d'homme au pourpoint*, pierre noire et estompe (23x17,5) : **FRF 29 000** – Paris, 11 déc. 1989 : *Portrait de femme*, trois cr. (27x21,5) : **FRF 30 000** – Paris, 12 déc. 1990 : *Portrait d'un paysan, pierre noire*, sanguine et estompe (27,5x22,3) : **FRF 27 000** – New York, 8 jan. 1991 : *Tête d'un homme barbu à la chevelure frisée et baissant les yeux*, craies noire et rouge avec reh. de blanc (325,9x26,7) : **USD 11 550** – Londres, 2 juil. 1991 : *Portrait d'une homme barbu portant une fraise, en buste*, craies noire, rouge et blanche (37,8x26,6) : **GBP 1 760** – New York, 14 jan. 1992 : *Portrait d'un lettré portant un béret, de profil*, craies noire et rouge avec reh. de blanc (24,5x16,6) : **USD 2 750** – Londres, 7 juil. 1992 : *Portrait d'un homme barbu en buste*, craies de coul., lav. et aquar. (42,2x28,6) : **GBP 7 700** – Paris, 18 juin 1993 : *Tête d'homme*, trois cr. (17x13) : **FRF 51 000** – Monaco, 20 juin 1994 : *Portrait d'un vieillard de profil vers la droite*, craies noire et coul. (41,5x28) : **FRF 44 400** – New York, 12 jan. 1995 : *Portrait d'un jeune homme*, craies noire, blanche et rouge (42,3x27,4) : **USD 8 050**.

LAGNEAU Raphaël
XIXe siècle. Actif à Paris. Français.
Sculpteur.
Sociétaire des Artistes Français depuis 1891, il figura au Salon de ce groupement.

LAGNEAU Suzanne Raphaële
Née le 3 décembre 1890 à Paris. XXe siècle. Française.
Peintre, décoratrice, illustratrice.
Elle fut élève de Humbert et Bussière. Elle obtint une médaille d'argent au Salon de 1926. Elle a illustré *Yamilé sous les cèdres* d'Henri Bordeaux.

LAGNES Laurent de
Né vers 1454 à Jussey (Haute-Savoie). XVe siècle. Français.
Peintre et peintre verrier.
Élève à Avignon d'Albéric Dumbetti.

LAGNIER Jacques
Né en 1620 à Paris. Mort en 1672 à Paris. XVIIe siècle. Français.
Graveur au burin, caricaturiste et éditeur.
On cite de lui un *Recueil des plus illustres proverbes* (1657) ; quatre autres séries se trouvant à la Bibliothèque Nationale, *La Vie de Tiel l'Espiègle ; L'Esbattement moral des animaux ; Les adventures du fameux don Quixote de la Manche ; Les Adventures de Buscon*.
Ventes Publiques : Paris, 10-11 et 12 mai 1900 : *Deux mendiants* : **FRF 145** – Paris, 28 nov. 1928 : *Le Souper du pèlerin*, dess. : **FRF 1 600** – Paris, 4 juil. 1929 : *Le charlatan*, dess. : **FRF 1 900**.

LAGNIER Jean Pierre
Né à Bordeaux. Français.
Sculpteur.
Le Musée de Bordeaux conserve de lui une *Corbeille de fleurs* (haut relief bois).

LAGNY
XVIe siècle. Français.
Sculpteur.
Ce sculpteur sur albâtre fut cité par Ris Paquot.

LAGNY Frédérique
Née en 1965. XXe siècle. Française.
Peintre. Abstrait.
Elle vit et travaille en France. Elle est diplômée de l'École Nationale Supérieure des Beaux-Arts de Paris et titulaire d'une licence de cinéma et audiovisuel. Elle a reçu plusieurs prix de peinture. Elle a participé à différents Salons : 1987, Réalités Nouvelles, 1990, Jeune Peinture, Salon de Montrouge, Mac 2000.
Ventes Publiques : Paris, 14 avr. 1991 : *Sans titre* 1990, h/t (150x50) : **FRF 7 000**.

LAGO RIVERA Antonio
Né en 1916 à La Corogne (Galice). XXe siècle. Actif depuis 1951 en France. Espagnol.
Peintre.
Il fait ses études artistiques à La Corogne, à Madrid, puis, à Paris à l'École des Beaux-Arts, de 1945 à 1946. Il devient professeur de dessin au Lycée français de Madrid. Revenu à Paris en 1951, il évolua à l'abstraction, à partir de 1952.
Il participe à des expositions collectives, notamment, à Paris, au Salon des Réalités Nouvelles en 1956 et 1957. Il a, en outre, figuré aux Biennales de Venise, São Paulo et Menton. Il montre son travail dans des expositions personnelles en Espagne depuis 1941, notamment à Madrid, en 1945 ; à Paris, en 1946, 1953, 1954 et 1955.
Bibliogr. : Michel Seuphor : *Dictionnaire de la peinture abstraite*, Hazan, Paris, 1957.

LAGO-RIVERA Mark
Né en 1958 à Paris. XXe siècle. Français.

Peintre, dessinateur, graveur.
BIBLIOGR. : In : *De Bonnard à Baselitz – Estampes et livres d'artistes*, catalogue de l'exposition, Bibliothèque Nationale, Paris, 1992.

LAGODA-CHISCHKINA Olga Antonovna
Née en 1850. Morte en 1881. XIXe siècle. Russe.
Peintre de genre, paysages.
La Galerie Tretiakov, à Moscou conserve de cette artiste : *Ruisselet ; Champ de seigle ; Fillette dans l'Herbe*, études. Le Musée Russe à Leningrad possède également de ses œuvres.

LAGODERIE Marie
XIXe siècle. Vivant à Paris. Française.
Peintre.
Sociétaire des Artistes Français depuis 1890, elle figura au Salon de ce groupement.

LA GOMBAUDE Rémy de
Mort avant 1572. XVIe siècle. Actif à Vernon. Français.
Sculpteur.
Il travailla pour les églises de Rouen, en particulier à Saint-Maclou : il fit pour l'église paroissiale de Saint-Vivien : un *Saint Vivien* et une *Notre-Dame*, en 1564, et, pour l'église Saint-Jean, un crucifix, une *Notre-Dame et saint-Jean* et deux scènes de l'histoire sainte, en 1565.

LA GONDIE Henri de
XIXe siècle. Français.
Peintre.
BIBLIOGR. : In : Catalogue de l'exposition : *Les années romantiques, la peinture française de 1815 à 1850*, Musée des Beaux-Arts de Nantes, 1995-1996 et Galeries nationales du Grand Palais, Paris, 1996.
MUSÉES : LE MANS : *Intérieur de la cathédrale Saint-Julien* 1835.

LAGOOR Jan de, ou **Johann,** ou **J. P.,** ou **C. Van**
XVIIe siècle. Hollandais.
Peintre de paysages et paysages d'eau animés, graveur.
Il entra dans la gilde de Haarlem en 1645, et on le cite comme vivant encore en 1663, peut-être encore en 1671. Ses estampes sont fort rares. Il pourrait y avoir confusion entre deux peintres différents, Jan de ou Johann Van Lagoor.

JLagoor

MUSÉES : BUDAPEST (Mus. Nat.) : *Paysage.*
VENTES PUBLIQUES : VIENNE, 11 sep. 1958 : *Paysage boisé avec un étang au premier plan à gauche* : **ATS 28 000** – LONDRES, 29 oct. 1965 : *Paysage fluvial* : **GNS 7 000** – COLOGNE, 8 mai 1969 : *Paysage fluvial avec pêcheur* : **DEM 5 000** – LONDRES, 8 déc. 1971 : *Vue d'un estuaire* 1654 : **GBP 2 000** – AMSTERDAM, 18 mai 1976 : *Paysage fluvial*, h/pan. (40x62,5) : **NLG 11 000** – LONDRES, 28 mars 1979 : *Paysage boisé*, h/pan. (61x85) : **GBP 9 000** – NEW YORK, 6 juin 1985 : *Paysage fluviale boisé*, h/pan. (38x47) : **USD 3 500** – AMSTERDAM, 18 mai 1988 : *Voyageurs à la croisée de chemins, dans un forêt de chênes au fond de la vallée*, h/t (77x97,7) : **NLG 17 250** – LONDRES, 17 juin 1988 : *Paysage boisé avec un sentier*, h/pan. (45,7x48,3) : **GBP 3 850** – NEW YORK, 7 avr. 1989 : *Paysage boisé avec des personnages dans une clairière, un clocher au lointain*, h/pan. (32x42) : **USD 14 300** – PARIS, 12 déc. 1989 : *Paysage au clocher*, pan. de chêne (32x42) : **FRF 100 000** – AMSTERDAM, 12 mai 1992 : *Nymphes se baignant dans un lac épiées par des satyres*, h/t (27x38) : **NLG 10 350** – NEW YORK, 18 mai 1994 : *Paysage fluvial boisé avec des personnages sur le rivage* 1663, h/t (40x62,2) : **USD 7 475** – AMSTERDAM, 14 nov. 1995 : *Paysage avec une rivière boisée*, h/t (65x81) : **NLG 41 300.**

LAGORIO Antonio
Originaire de Gênes. XVIIe siècle. Italien.
Peintre.
Il fut chargé en 1668 d'exécuter un tableau représentant la *Vierge et des saints*, pour l'Hôpital des Incurables à Parme ; à l'église S. Lucia de la même ville se trouve de sa main une *Vierge avec l'Enfant et des Saints.*

LAGORIO Lièv Félixovitch
Né en 1826 ou 1827 à Féodossia ou Théodosie (Crimée). Mort en 1905 à Saint-Pétersbourg. XIXe-XXe siècles. Russe.
Peintre de paysages, marines.
Ce peintre russe, d'origine italienne, étudia à l'Académie des Beaux-Arts de Saint-Pétersbourg chez Vorobiev, entre 1843 et 1850. Il subit l'influence de son contemporain Aivazovsky. Boursier, il voyagea en France et en Ialie entre 1853 et 1860. Il fut par la suite professeur à l'Académie des Beaux-Arts. Il figura aux Salons de Paris où il obtint une médaille de bronze en 1889 (Exposition Universelle).
MUSÉES : KIEV – MOSCOU (Gal. Tretiakov) : *Côtes de Normandie – Vue de Capri – Vue de Batoum – Plage – Paysage d'Italie – Marais Pontins – Vue de Crimée – La Fontaine d'Hannibal* – MOSCOU (Mus. Roumianzeff) : *Paysage d'hiver – Paysage d'été* – RIGA – SAINT-PÉTERSBOURG – SARATOV.
VENTES PUBLIQUES : COLOGNE, 12 déc. 1934 : *Paysage italien* : **DEM 720** – LONDRES, 23 fév. 1983 : *Bords de la Neva avec la forteresse Saint-Pierre-et-Paul au crépuscule* 1900, h/t (44x63,5) : **GBP 4 000** – PARIS, 24 mai 1985 : *Pêcheurs au petit jour sur la Néva*, h/t (60x98) : **FRF 17 500** – LONDRES, 1er mai 1987 : *Naufrage au large de la côte* 1900, h/t (45,5x71,5) : **GBP 2 600** – STOCKHOLM, 19 avr. 1989 : *Marine au soleil couchant* 1865, h/t (19x31) : **SEK 11 000** – LONDRES, 4 oct. 1989 : *Campement militaire près d'un ruisseau* 1878, h/t (44,5x70) : **GBP 4 400** – LONDRES, 5 oct. 1989 : *Panorama de la côte de Crimée* 1887, h/t (52,6x72,3) : **GBP 5 280** – NEW YORK, 16 juil. 1992 : *Paysage de Kavkas* 1889, h/t/cart. (24,1x30,5) : **USD 1 100** – LONDRES, 14 déc. 1995 : *La côte de Crimée*, h/pan. (25x32,5) : **GBP 4 140.**

LAGORIO Maria Aleksandrovna
Née le 8 septembre 1893 à Varsovie. Morte en 1979. XXe siècle. Active en Allemagne puis en France. Polonaise.
Peintre, illustratrice.
Elle est née de parents français et italiens d'origine russe. Elle débuta sa pratique artistique par le dessin et l'illustration de livres et de revues de prestige dont *Ville et campagne*. Après la révolution, elle s'installa en Finlande où elle épousa le peintre architecte Isselenov. Elle s'installa ensuite en Allemagne et en France.
Elle appartint au groupe *Le Monde de l'art*. Elle a figuré, à Paris, au Salon des Indépendants. Elle a illustré *Le Portrait de Dorian Gray*, d'Oscar Wilde et *Don Juan* de Hoffmann.
VENTES PUBLIQUES : LONDRES, 6 oct. 1988 : *La moisson*, h/t (116x81) : **GBP 3 080** – LONDRES, 5 oct. 1989 : *Femme aux grappes de raisin*, h/t (80,5x64,7) : **GBP 2 860.**

LAGORRE René Gaston
Né le 15 août 1913 à New York. XXe siècle. Français.
Peintre de paysages, portraits, décorateur.
Il fut élève des Écoles des Beaux-Arts de Toulouse (1er Grand Prix Municipal, en 1935), puis de Paris. Il expose, à Paris, au Salon d'Automne et à celui des Indépendants depuis 1954. Il montre son travail dans des expositions personnelles : Paris, Cannes, Casablanca, Toulouse. Il est invité, en 1951, à la 1re Biennale de Menton.
Surtout peintre de paysages, ceux de l'Ariège, de la Corse ou du Maroc, il a peint également quelques portraits, notamment celui du *Cardinal Salliège*. Il a réalisé des décorations murales, dont celles : de l'église de Saint-Laurent-sur-Save, de la mairie de l'Isle-en-Dordon et de la mairie de Boussens. Plusieurs œuvres de l'artiste sont dans les collections de l'État, de la Ville de Paris et à la Préfecture de Toulouse. En 1995, il a exposé à la Galerie Weiller à Paris des *Figures dans le Z*, sorte d'exercice de style au graphisme simple et aux couleurs gaies, galerie de portraits (le menuisier, le vitrier, un argonaute, la nonne, l'inquisiteur, le rugbyman, etc.) qui se détachent sur les lignes obliques d'un immuable « Z ».

LAGOUCHE Claude
Né en 1943 à Naves (Nord). XXe siècle. Français.
Graveur, dessinateur, peintre.
BIBLIOGR. : In : *De Bonnard à Baselitz – Estampes et livres d'artistes*, catalogue de l'exposition, Bibliothèque Nationale, Paris, 1992.

LAGOUTTE Claude
Né en 1935 en Gironde. Mort en 1990. XXe siècle. Français.
Peintre, technique mixte. Abstrait-paysagiste.
Il a commencé par faire des études scientifiques. De 1958 à 1972, il travaille comme biologiste en missions de coopération (Afrique, Asie). Il s'est ensuite totalement consacré à la peinture. Claude Lagoutte a également réalisé des livres.
Il participait à des expositions de groupe. Il montrait ses œuvres dans des expositions personnelles, dont : 1977, *Septembre, Octobre, Novembre*, E. et X. Germain, Paris ; 1979, *Champs*, Galerie Françoise Palluel, Paris ; 1980, *Journal indien*, galerie Françoise Palluel, Paris ; 1981, 1984, 1987, galerie le Troisième Œil, Bordeaux ; 1982, galerie Noella Gest, Saint-Rémy-de-

Provence ; 1983, galerie Kreth d'Orey, Heidelberg ; 1984, galerie Gudula Buchholtz, Zurich ; 1984, 1986 (*Raga, voyage en Inde*), 1988 (*Voyage au Kutch*), 1990, 1992, galerie Charles Sablon, Paris. Après sa mort, la galerie le Troisième Œil, à Paris, montre des ensembles de ses œuvres en 1995 et 1998.
Voyageur, il rapporte, des contrées proches et lointaines qu'il a visitées ou qu'il parcourt, des images de paysages, et bien d'autres, les réinterprètant ensuite dans ses tableaux. Ainsi de la série présentée en 1990 à la galerie Charles Sablon, à Paris : des peintures de petites feuilles de papier découpées en segments ou surfaces qu'il imprègne de poudres de couleur diluées avec de l'eau. Luc Vézin écrit à son propos : « Ni représentation, symbole ou concept, les paysages de Lagoutte existent matériellement, faits de cette terre qu'il a ramassée en Indes et qui se retrouve dans son papier. » Ses paysages et plus généralement ses compositions ont l'apparence d'une abstraction douce, méditative, musicale dont les surfaces sont travaillées sans heurts en des petites structures stratifiées ou géométriquement répétitives mais toujours colorées, généralement en camaieu, avec un sens décoratif prononcé. ■ C. D.

Bibliogr. : Robert Coustet : *Claude Lagoutte*, Édit. William Blake, 1991 - in : *De Bonnard à Baselitz - Estampes et livres d'artistes*, catalogue de l'exposition, Bibliothèque Nationale, Paris, 1992.

Musées : Clermont-Ferrand (FRAC) - Marseille (Mus. Cantini) : *Exercice d'écriture (Lecture à Gurjief)* 1982 - Montpellier (FRAC) - Paris (FRAC) - Paris (Mus. Nat. d'Art Mod.) - Paris (Manufacture des Gobelins).

Ventes Publiques : Paris, 7 mars 1990 : *Paysage* 1987, pigments naturels/pap. mar./t. (165x168) : **FRF 19 000** - Paris, 22 nov. 1995 : *Espace V* 1989, h/pap./t. (97x100) : **FRF 4 000**.

LAGOUZ Charles
Né le 19 janvier 1607 à Angers. xviie siècle. Français.
Peintre.
Fils de Jean II Lagouz. Il travailla pour l'église des Ursulines d'Angers.

LAGOUZ Claude
Né le 23 juillet 1608 à Angers. Mort le 3 janvier 1657. xviie siècle. Français.
Peintre.
Il fit un portrait du *Bourgmestre Ménage sur son lit de mort*, en 1648.

LAGOUZ Daniel
Né le 22 septembre 1556 à Angers. Mort le 4 août 1602 à Angers. xvie siècle. Français.
Peintre et peintre verrier.
Fils de Roland II Lagouz.

LAGOUZ Jean I
Né vers 1558 à Angers. Mort en 1626 à Angers. xvie-xviie siècles. Français.
Peintre.
Fils de Roland II Lagouz.

LAGOUZ Jean II
Mort le 2 janvier 1641 à Angers. xviie siècle. Français.
Peintre.
Il fit un portrait de *Henri IV* et travailla aussi pour l'entrée de Louis XIII à Angers. Fils de Roland II Lagouz.

LAGOUZ Laurent
xviie siècle. Actif au Mans. Français.
Peintre d'histoire.
Il épousa la fille du sculpteur Gervais Delabarre et eut douze enfants. On cite de lui : *Le Jugement dernier* (chez les Bénédictins de Saint-Vincent) une *Cène* (aux Cordeliers) et une *Assomption* qui existe encore dans l'église de Domfront en Champagne.

LAGOUZ Nicolas
Né le 2 décembre 1597 à Angers. Mort le 7 avril 1663 à Angers. xviie siècle. Français.
Peintre.
Fils de Jean II Lagouz. Il alla à Rome en 1623.
Musées : Beaufort : *Adoration des Mages.*

LAGOUZ Roland I, dit **le Picard**
xvie siècle. Français.
Peintre et peintre verrier.
Il était actif à Angers entre 1505 et 1551.

LAGOUZ Roland II
Mort en 1585. xvie siècle. Français.
Peintre et peintre verrier.
Fils de Roland I Lagouz. Il était actif à Angers.

LAGOY Roger de, marquis
xviiie siècle. Français.
Dessinateur et graveur à l'eau-forte amateur.
Il a gravé des sujets de genre. Ce fut un grand amateur de dessins et il en réunit une remarquable collection.

LA GRANA Alfonso de
Originaire de Valladolid. Mort en 1767 à Tolède. xviiie siècle. Espagnol.
Sculpteur.
Il sculpta des statues de saints pour les églises de Madrid et de l'évêché de Tolède et quatre des statues des rois d'Espagne destinées au Palais Royal de Madrid achevé en 1764.

LA GRANGE. Voir aussi **DELAGRANGE** et **GRANGE**

LAGRANGE André
Né le 14 septembre 1889 à Paris. xxe siècle. Français.
Peintre, décorateur.
Il fut élève de Cormon à l'École des Beaux-Arts à Paris. Au Salon des Artistes Français, à Paris, où il exposa à partir de 1910, il a obtenu des médailles de bronze, d'argent et d'or, le prix du Maroc et le prix Henner. Il est chevalier de la Légion d'honneur. On lui doit la décoration des Casinos de Trouville, Cannes, Deauville et Pau.

Ventes Publiques : Paris, 23 nov. 1981 : *Fête champêtre* 1920, h/t (115x145) : **FRF 12 800** - Amsterdam, 24 mai 1989 : *Nature morte aux pivoines*, h/t (65,5x54,5) : **NLG 6 900** - Paris, 30 mai 1990 : *Intérieur*, aquar. et gche/pap. (49x65) : **FRF 8 500** - Paris, 16 oct. 1992 : *Les quatre piliers* 1959, h/t (50x61) : **FRF 4 800**.

LAGRANGE Camille de
xixe siècle. Actif à Paris. Français.
Peintre de portraits, pastelliste.
Exposa au Salon de 1838 à 1849.

LAGRANGE Jacques
Né le 28 juillet 1917 à Arcueil (Val-de-Marne). Mort le 25 juillet 1995 à Paris. xxe siècle. Français.
Peintre de compositions animées, paysages, natures mortes, peintre à la gouache, aquarelliste, peintre de cartons de tapisseries. Postcubiste.
Fils d'architecte, il suivit les cours de l'École des Arts Décoratifs à Paris en 1933, puis fut élève de Fernand Sabatté en peinture et de Lucien Pénat en gravure à l'École des Beaux-Arts, jusqu'en 1938-1939. Il a travaillé à la décoration de plusieurs pavillons de l'exposition internationale de Paris, en 1937, collaborant notamment à *La Fée Électricité* de Raoul Dufy. Prisonnier de guerre, à son retour en 1944, il découvrit une nouvelle génération de peintres ; il se lia avec Guignebert et Wogensky. En 1971, il fut nommé professeur de gravure, et en 1983 professeur de peinture à l'École des Beaux-Arts de Paris.
Il a commencé de participer à des expositions collectives, à Paris, au Salon des Tuileries en 1936 ; puis après la guerre, au Salon de Mai depuis le deuxième en 1946 ; 1951 Biennale de São Paulo, et Paris *Présence 1951*, galerie de France, avec, entre autres, Pignon, Gischia, Estève, Manessier, Singier, Soulages ; 1952 Biennale de Venise ; 1953 Barcelone, *École de Paris*, et Triennale de Milan ; 1954 à 1958 et 1960, 1961 Paris, *École de paris*, galerie Charpentier ; 1956 San Francisco, *Peintres français*, Museum of Art ; 1960 Vienne, Neue Galerie ; 1971 Paris, Salon des Réalités Nouvelles, où il exposera ensuite régulièrement ; dans de nombreuses autres expositions de groupe.
Il a montré ses œuvres dans des expositions personnelles, dont : 1946 à Londres, à l'Anglo-French Center ; 1947 Paris, avec Georges Dayez à la galerie de France, et Bruxelles, galerie Apollo ; 1948 Paris, peintures à la galerie de France, gouaches à la galerie Galanis ; 1951, 1959, 1963, 1965, 1971, 1978 Paris, galerie Galanis ; 1951 Philadelphie avec Dayez ; 1953 Paris, galerie de France ; 1954 Bruxelles, galerie La Sirène ; 1955 Paris, galerie Galanis ; 1957 Paris, galerie Villand-Galanis ; 1963 Saint-Étienne, galerie Chimène ; 1966 Paris, exposition de *Tapisseries expressionnistes 1945-1948*, galerie La Demeure ; 1968 Paris, exposition de tapisseries *Batailles et Tournois*, galerie La Demeure ; 1969 Saint-Étienne, rétrospective de peintures et tapisseries, Maison de la Culture ; 1972 Bourges, Maison de la Culture ; 1977 Arcueil, *Peintures de la période d'Arcueil*, Hôtel de Ville ; 1985 Lausanne, galerie Vallotton, et rétrospectives de l'œuvre tissé, Musée départemental de la Tapisserie d'Aubusson et Musée d'Arras ; 1987-88 Angers, *Lagrange, œuvre peint,*

tapisseries, Musée Jean Lurçat et de la Tapisserie ; 1988 Paris, peintures anciennes 1947-1963, galerie Mostini ; 1990 Paris, galerie Katia Granoff ; 1991 Pontoise, rétrospective, Musée Tavet.

Parallèlement aux peintures à l'huile, Lagrange a aussi beaucoup peint à la gouache et à l'aquarelle. Il eut une intense activité dans la renaissance de la tapisserie, depuis son premier séjour à Aubusson en 1946 et intensément après une longue période dans la Creuse en 1966. Il s'intéressa aussi à l'intégration de décorations murales à l'architecture, notamment, en 1959, pour l'immeuble de la rue Croulebarbe d'Édouard Albert ; après 1965 pour la Nouvelle Faculté des Sciences d'Urbain Cassan. Il fut encore conseiller artistique pour les films de Jacques Tati de 1948 à 1960, ainsi que pour les décors et costumes de *Ubu* de Jarry et de *La Fête du cordonnier* de T. Dekker montés au Théâtre National Populaire par Jean Vilar en 1958 et 1959. En 1968, il a illustré de gravures sur bois le *Temple du Merle* d'Eugène Guillevic.

Lagrange procède par séries sur un même thème, plusieurs thèmes pouvant se rejoindre simultanément : 1946 : *Natures mortes aux assiettes* ; 1947 : *Personnages à la vaisselle* ; 1948 : *Fenêtres ouvertes sur Arcueil* ; 1950 et suivantes : *Les Invités d'Arcueil, Le Déjeuner d'Arcueil, Les Restaurants, La Fosse Bazin* ; 1953 : *Personnages dans les échelles* ; 1954 : *Les Constructions périphériques, Jardiniers, Serres et resserres* ; 1956 : *Les Guinguettes* ; 1957 : *Jardins botaniques, Dieppe* ; 1958 : *Chartres dans Chartres* ; 1963 *Les Batailles, Hommage à Paolo Uccello, Florence* ; 1964 : *Compositions rurales* ; 1965 : *Les Vanités* ; 1968 : *Les Déménagements* et les tapisseries-poèmes des *Lagrangeries* ; 1970 : *Le Fil conducteur, Les Acrobates* ; 1975 : *Compositions françaises* ; 1978 : les *Tiroirs embarrassés* ; 1982 : *Les Rendez-vous imaginaires, Déjeuners improvisés* ; 1985 : *Observations* ; etc.

Indépendant de caractère, Lagrange se défendait de toute influence et de tout groupement, sauf les premiers chocs ressentis, d'abord auprès de Dufy en 1937, puis devant *L'Apocalypse* d'Angers, où il avait été mobilisé en 1939, et lorsque, après celle de Cézanne, il découvrit la peinture de Fernand Léger. Après avoir montré quelques traces d'expressionnisme, ses œuvres acquirent rapidement leur caractère définitif, consistant, aussi bien dans les peintures à l'huile que dans les gouaches et aquarelles, en une vision post-cubiste selon des points de vue multiples, une composition orthogonale, la mise en place de l'infrastructure dessinée aux traits noirs cernant des rectangles de tons purs, la transparence de ses touches de couleurs joyeusement vives et fraîches jouant du fond blanc éclatant de la toile ou du papier. Non sans ressemblance avec Éric Satie qui l'avait précédé à Arcueil, Jacques Lagrange fut un homme complexe et inquiet, qui a pourtant constitué un œuvre tout de clarté et de sérénité. ■ Jacques Busse

Bibliogr. : Entretien de Lagrange avec Jean Arnaboldi, in : Catalogue de l'exposition *Lagrange. Grands paysages d'Arcueil. Restaurants. La Fosse Bazin*, gal. de France, Paris, 1953 – Bernard Dorival : *Les Peintres du xxe s.*, Tisné, Paris, 1957 – Bernard Privat : Catalogue de l'exposition *Lagrange. Jardins botaniques – Dieppe*, gal. Villand-Galanis, Paris, 1957 – Bernard Privat : Catalogue de l'exposition *Lagrange. Chartres dans Chartres*, gal. Villand-Galanis, Paris, 1959 – in : *Peintres contemporains*, Mazenod, Paris, 1964 – Catalogue de l'exposition rétrospective *Lagrange, peintures et tapisseries*, Maison de la Culture, Saint-Étienne, 1969 – Jean Lescure, Jean-Jacques Lévêque, Bernard Privat : Catalogue de l'exposition *Lagrange. Le Fil conducteur. Les Acrobates*, gal. Villand-Galanis, Paris, 1971 – Jean Goldmann : Catalogue de l'exposition *Lagrange*, Maison de la Culture, Bourges, 1972 – Jean Lescure : Catalogue de l'exposition *Lagrange. Les Tiroirs embarrassés*, gal. Villand-Galanis, Paris, 1978 – Catalogues de l'exposition *Lagrange, rétrospective de l'œuvre tissé*, Mus. départ. de la Tapisserie, Aubusson, et Mus. d'Arras, 1985 – Entretien de Lagrange avec P. Masteau, in : Catalogue de l'exposition *Lagrange, œuvre peint, tapisseries*, Mus. Jean Lurçat et de la Tapisserie, Angers, 1987-88 – Catalogue de l'exposition *Lagrange, peintures anciennes 1947-1963*, gal. Mostini, Paris, 1988 – Lydia Harambourg, in : *L'École de Paris 1945-1965. Diction. des Peintres*, Ides et Calendes, Neuchâtel, 1993.

Musées : La Chaux-de-Fonds – Le Havre – Liège – Paris (Mus. Nat. d'Art Mod.) – Paris (FRAC d'Île-de-France) : *Neige à Arcueil* 1956 – Philadelphie (Mus. of Art) – Pontoise (Mus. Tavet) – Saint-Étienne.

Ventes Publiques : Versailles, 25 oct. 1987 : *Nature morte aux assiettes* 1951, h/t (65x92) : **FRF 6 600** – Paris, 29 jan. 1988 : *Télévanité* 1964, h/t (73x92) : **FRF 5 200** – Douai, 23 oct. 1988 : *Composition française*, h/t (70x30) : **FRF 3 200** – Paris, 28 oct. 1988 : *Soleil sur les tables* 1957, h/t (73x100) : **FRF 17 000** – Paris, 8 oct. 1989 : *La Serre*, h/t (81x100) : **FRF 31 000** – Les Andelys, 19 nov. 1989 : *La Guinguette au chapeau* 1983, h/t (72x92) : **FRF 25 000** – Douai, 3 déc. 1989 : *Les quatre saisons* 1953, h/t (81x100) : **FRF 33 200** – Paris, 26 avr. 1990 : *Arbres d'Arcueil*, h/t (89x116) : **FRF 66 000** – Douai, 1er juil. 1990 : *La Main de Dieu* 1959, h/t (27x16) : **FRF 7 800** – Paris, 28 oct. 1990 : *Vent d'automne*, h/t (130x162) : **FRF 50 000** – Paris, 7 fév. 1991 : *Jardinage* 1956, h/t (114x146) : **FRF 49 000** – Paris, 24 avr. 1991 : *Deux personnages à table* 1952, h/t (50x61) : **FRF 8 000** – Paris, 4 nov. 1991 : *Automne à Arcueil* 1956, h/t (130x162) : **FRF 26 000** – Paris, 5 avr. 1992 : *Carnaval-combat*, aquar./pap. (52x66) : **FRF 6 800** – Paris, 6 déc. 1993 : *Personnage dans les galets* 1957, h/t (50x61) : **FRF 6 000** – Paris, 18 mai 1994 : *Composition* 1956, gche et aquar. (49x63) : **FRF 3 800** – Paris, 30 mai 1994 : *Construction en banlieue* 1955, h/t (130x162) : **FRF 18 000** – Paris, 7 mars 1995 : *Paysage de banlieue, les toits d'Arcueil* 1955, h/t (130x162) : **FRF 14 500** – Milan, 20 mai 1996 : *Paysage*, h/t (73x92) : **ITL 2 900 000**.

LAGRANGE Jean

Né le 6 novembre 1831 à Lyon. Mort en 1908 à Paris. xixe siècle. Actif à Paris. Français.

Sculpteur et médailleur.

Élève de V. J. Vibert à Lyon et de J. Bonnassieux à Paris il reçut en 1860 le premier Grand Prix de la gravure de médailles. De 1880 à 1896, il fut chef médailleur de la Monnaie à Paris. On mentionne, parmi ses œuvres de sculpture, quatre bas reliefs en pierre dans la Mairie du 4e arrondissement à Paris (*La Naissance, le Mariage, le Scrutin d'élection, la Mort*).

Musées : Bayonne (Bonnat) : *Le Palais de Justice à Paris*.

LAGRANGE Paul

Né au xixe siècle à Montargis (Loiret). xixe siècle. Français.

Graveur sur bois.

Figura au Salon des Artistes Français où il obtint une mention honorable en 1905.

LA GRANGE DU CHANOY Gabriel de

xviiie siècle. Actif à Paris. Français.

Peintre.

Reçu à l'Académie de Saint-Luc en 1755.

LAGRÉE

xviie siècle. Français.

Graveur au burin.

Le Blanc cite de lui : *Jérôme de la Mothe Houdancourt*.

LAGREFFIÈRE Alphonse de

Né au xixe siècle à Saint-Vincent. xixe siècle. Français.

Peintre de paysages.

Élève de Dardoize. Il débuta au Salon en 1879.

LAGRENÉE Anthelme François

Né le 14 décembre 1774 à Paris. Mort le 27 avril 1832 à Paris. xviiie-xixe siècles. Français.

Peintre de genre, portraits, paysages animés, miniaturiste, aquarelliste, dessinateur.

Fils de Jean Louis François Lagrenée. Élève de Vincent. Il fut soldat en 1793 et son service fini, revint à la peinture. Il visita la Russie en 1823 et travailla pour l'empereur Alexandre. Il exposa au Salon de 1799 à 1831, notamment de nombreux dessins à la sépia et des miniatures. Il fit aussi des camées. Il mourut du choléra.

Musées : Saint-Pétersbourg (Mus. Russe) : Deux portraits (aquar.).

Ventes Publiques : Paris, 21 mars 1950 : *Homme en habit noir et haut col de lingerie* : **FRF 17 000** – Paris, 8 avr. 1954 : *Portrait d'homme en pelisse bleue à col de fourrure* : **FRF 18 000** – Monte-Carlo, 26 juin 1983 : *Portrait d'un couple dans un paysage*, h/t (62,5x47) : **FRF 35 000** – Monaco, 7 déc. 1990 : *Calèche de poste sur la route du Strand entre Koenigberg et Memel*, h/t (91x118) : **FRF 244 200** – Saint-Germain-en-Laye, 24 mai 1992 : *Fillette et sa poupée*, h/t/pan. (60x49) : **FRF 49 000** – New York, 12 jan. 1994 : *Portrait d'une lady et d'un gentleman sur les marches du perron d'un château*, h/t (64,8x48,2) : **USD 49 450**.

LAGRENÉE J. B.

xixe siècle. Actif à Paris. Français.

Peintre d'histoire.
Exposa six œuvres au Salon de 1814.

LAGRENÉE Jean Auguste
XVIIIe siècle. Actif à Paris. Français.
Dessinateur, graveur.
Le Blanc cite de lui : *L'Amour corrigé.*

LAGRENÉE Jean Jacques, le Jeune
Né le 18 septembre 1739 à Paris. Mort le 13 février 1821 à Paris. XVIIIe-XIXe siècles. Français.
Peintre d'histoire, sujets mythologiques, compositions religieuses, fleurs, pastelliste, dessinateur.
Élève de son frère Louis Jean François Lagrenée, qu'il suivit en Russie (1760). La même année, il avait obtenu le deuxième prix de Rome. Il alla à Rome en 1763, puis rejoignit son frère à Paris. Il fut agréé à l'Académie en 1769, académicien en 1775, adjoint à professeur en 1776, professeur en 1781. Il exposa au Salon un grand nombre d'ouvrages, de 1771 à 1804.
Il exécuta, à Fontainebleau : *Moïse sauvé des eaux*, et *Les Noces de Cana*, très faibles compositions, de même que *Télémaque racontant ses aventures à Calypso ; Le martyre de saint Étienne ; Tarquin admirant la vertu de Lucrèce*, etc. Il fit surtout preuve d'un remarquable talent en exécutant sur toile, sur bois et sur verre, des fleurs, des arabesques, avec autant de délicatesse que de goût. Attaché à la manufacture de Sèvres, il opéra par ses dessins et ses compositions, une heureuse révolution dans les formes et les ornements des produits de la manufacture.

Musées : Amiens : *L'Amour et Vénus – Diane au bain* – Angers : *Un mariage antique* – Besançon : *Diane au bain* – Caen : *David vainqueur* – Colmar : *Le général Rapp à cheval* – Grenoble : *Saint Jean* – Montpellier : *Fermeté de Jubellius Taurea* – Orléans : *Artémise au tombeau de Mausole* – Paris (Mus. du Louvre) : *L'Hiver – Les Trois Grâces* – Rouen : *Triomphe de Bacchus – Horace venant de frapper sa sœur* – Tours : *Baptême de Jésus* – Versailles (Trianon) : Plafond de la salle de spectacle.
Ventes Publiques : Paris, 1785 : *La Tragédie ; La Comédie ; L'Éloquence ; La Musique*, quatre pendants : **FRF 2 351** – Paris, 1886 : *L'Enlèvement d'Europe*, lav. d'aquar. : **FRF 245** – Paris, 1898 : *Portrait de femme*, miniat. : **FRF 349** – Paris, 1898 : *Pygmalion et Galatée*, sépia/trait de pl. : **FRF 380** – Paris, 31 mai 1919 : *Allégorie des Arts ; Allégorie de la Poésie* : **FRF 9 200** – Paris, 18 déc. 1920 : *Jeune femme tenant un fruit* : **FRF 550** – Paris, 24 mai 1923 : *Jeune femme nue endormie sur un lit de repos* : **FRF 3 200** – Paris, 28 nov. 1927 : *Jeune femme décolletée ; Jeune femme*, deux minia. : **FRF 5 000** – Paris, 27 et 29 mai 1929 : *La Nymphe surprise* : **FRF 7 500** – Paris, 3 et 4 juin 1929 : *La joueuse de harpe* : **FRF 4 200** – Paris, 28 mai 1931 : *Jeune fille endormie*, past. : **FRF 1 700** – Paris, 21 avr. 1937 : *Le Jugement de Pâris* : **FRF 3 450** – Paris, 30 juin et 1er juil. 1941 : *Joseph expliquant les songes* : **FRF 1 250** – Paris, 29 mars 1943 : *Les Bergers*, pl. et lav. d'encre de Chine : **FRF 1 600** – Londres, 19 mars 1965 : *Diane et Endymion ; Zéphyr et Flore* : **GNS 700** – Versailles, 29 nov. 1981 : *Télémaque chez Calypso* 1775, h/t (44x56) : **FRF 41 000** – Paris, 2 mars 1983 : *Moïse sauvé des eaux*, pl. et lav. de bistre et d'encre de Chine (58x47) : **FRF 26 000** – New York, 19 jan. 1984 : *Minerve couronnant les Arts ; Apollon couronnant les Arts* 1773, h/t, une paire (67,5x135) : **USD 35 000** – Paris, 11 mars 1985 : *La peste*, pl. et lav. de bistre (47x68) : **FRF 32 000** – Monte-Carlo, 22 fév. 1986 : *Vénus endormie*, h/t, de forme ovale (101x146) : **FRF 650 000** – Paris, 18 mars 1987 : *Tritons*, pl., encre brune, lav./esq. à la pierre noire/pap. bleu (38x54) : **FRF 75 000** – Paris, 24 nov. 1989 : *Portrait de la générale Boudet avec ses enfants se tenant devant le buste de son mari* 1814, h/pan. (73x60) : **FRF 300 000** – Monaco, 15 juin 1990 : *Télémaque et Mentor dans l'île de Calypso* 1777, lav. brun sur pierre noire (41,5x55) : **FRF 38 850** – Bayeux, 27 oct. 1990 : *Archimède sortant de son bain*, h/t (126x162) : **FRF 250 000** – New York, 17 jan. 1992 : *Minerve et Apollon couronnant les Arts* 1773, h/t, une paire (67,3x135,3) : **USD 33 000** – Paris, 23 oct. 1992 : *Saint Jean-Baptiste dans le désert* 1781, h. peinte entre deux verres (24x18) : **FRF 33 000** – Londres, 11 déc. 1992 : *Jeune femme portant un putto tenant une rose*, h/t, ovale (49x38,7) : **GBP 9 900** – Londres, 11 mars 1993 : *L'Annonciation aux bergers*, h/t, esq. (24,2x30,7) : **GBP 5 175** – Londres, 20 avr. 1994 : *Mercure et Hersé* 1778, h/t (104x86) : **GBP 19 550** – New York, 19 mai 1994 : *Une naïade* 1773, h/t (71,8x57,8) : **USD 13 800** – Paris, 19 déc. 1994 : *Offrande à l'Amour*, h/pan. de chêne (25,5x20) : **FRF 46 000** – New York, 21 oct. 1997 : *Les Deux Amies*, h/t (48,3x60) : **USD 129 000**.

LAGRENÉE Louis Jean François, l'Aîné
Né le 21 janvier 1725 à Paris. Mort le 19 juin 1805 au palais du Louvre à Paris. XVIIIe siècle. Français.
Peintre d'histoire, scènes mythologiques, compositions religieuses, peintre de genre, graveur.
Élève de Carle Van Loo, il obtint le prix de Rome en 1749. Il passa quatre ans en Italie et exposa, à son retour, *l'Enlèvement de Déjanire*, qui eut un grand succès. L'artiste fut bientôt en vogue, l'Académie lui ouvrit ses portes (1755). En 1760, l'impératrice de Russie le nomma son premier peintre, et l'appela à Saint-Pétersbourg, où il devint directeur de l'Académie des Beaux-Arts. Il revint à Paris trois ans après. A son retour, il reçut plusieurs commandes, dont *l'Entrevue de Saint Louis et du pape Innocent IV*, exécutée entre 1769 et 1773, pour la chapelle Saint-Louis de l'École Militaire. Sans toutefois s'engager dans cette voie, il pressent l'art néo-classique du siècle suivant. En 1781, il obtint la direction de l'École de Rome. Ce fut à Rome qu'il peignit son tableau le plus connu : *La Veuve d'un Indien*. Lagrenée reçut, en quittant l'École de Rome, une pension du roi et un appartement au Louvre. La République lui conserva ses fonctions de professeur à l'école des Beaux-Arts. Sous l'Empire, il fut nommé conservateur des Musées (1804).
Un grand nombre de ses tableaux ont été gravés. Il a lui-même produit quelques petites eaux-fortes très intéressantes.
Bibliogr. : M. Sandoz : *Les Lagrenée*, 1983.
Musées : Angers : *Mort de la femme de Darius – Mercure confiant Bacchus aux nymphes de l'île de Naxos* – Aurillac : *Le supplice de Bêtis* – Bayeux : *Allégorie* – Bayonne : Esquisses – Brest : *Joseph et Putiphar* – Compiègne : *L'Automne, sacrifice de Bacchus* – Compiègne (Palais) : *La Fin du combat* – Dijon : *Les Deux Veuves d'un officier indien* – Douai : *Elisabeth Petrowna, impératrice de Russie* – Fontainebleau : *La Bonté et la Générosité* – Glasgow : *Le Prince Paul de Russie* – Helsinki : *Les Trois Grâces – Pygmalion et Galathée* – Lille : *Papilius* – Madrid : *La Visitation de la Vierge à sainte Elisabeth* – Marseille (Mus. Grobet-Labadié) : *Zeus et Egine* – Montpellier : *Alexandre consultant l'oracle d'Apollon* – Morez : *Cléopâtre mourante* – Narbonne : *Ulysse au palais d'Alcinoüs* – Orléans : *Académie d'homme debout* – Paris (Mus. du Louvre) : *Mélancolie – L'Enlèvement de Déjanire* – Posen : *La Charité* – Le Puy-en-Velay : Étude – Saintes :. Esquisse – Saint-Pétersbourg (Gal. de l'Acad.) : *Le Jugement de Pâris – Les Filles de Loth – Caritas romana* – Stockholm : *Mercure, Aglaure et Hersé – L'Amour et Psyché – Bacchus et Ariaduc – Diane et Endymion* – Toulon : *L'Amour* – Toulouse : *La Charité romaine – Coriolan chez les Volsques.*
Ventes Publiques : Paris, 1777 : *Mars et Vénus* : **FRF 2 001** – Paris, 1865 : *Les Chevaliers danois* : **FRF 3 000** – Paris, 1872 : *Pygmalion et Galatée* : **FRF 3 100** – Paris, 1885 : *Les Quatre Éléments* : **FRF 24 000** – Paris, 17 fév. 1903 : *Portrait de Mlle Georges, de la Comédie-Française* : **FRF 805** – Paris, 11-15 mars 1903 : *Une source ; La Guerre* : **FRF 6 400** – New York, 9-11 mars 1905 : *La Camargo* : **USD 280** – Paris, 30 juin 1905 : *Diane endormie dans un paysage* : **FRF 300** – Paris, 29 jan. 1908 : *Vénus* : **FRF 800** – Paris, 23 mars 1908 : *La Peinture* : **FRF 7 000** – New York, 17-18 avr. 1908 : *Madame de Saint-Aubin* : **USD 900** ; *L'Impératrice Elisabeth de Russie* : **USD 1 300** – New York, 14 nov. 1919 : *Vénus endormie et l'Amour* : **FRF 8 050** – New York, 6-7 mai 1920 : *Zéphir* : **FRF 5 600** – New York, 25 nov. 1920 : *L'Éducation d'Achille* : **FRF 3 300** – New York, 30 nov.-1er déc. 1923 : *Portrait d'un officier*, miniat. : **FRF 4 100** – New York, 30 avr. 1924 : *La Vierge prépare les aliments de l'Enfant Jésus* : **FRF 1 750** – Londres, 7 mai 1926 : *Vénus* : **GBP 42** – Paris, 12 juin 1926 : *Ubalde et le chevalier danois* : **FRF 18 000** – Paris, 14-15 déc. 1927 : *Le Jugement de Pâris* : **FRF 13 000** – Paris, 7-8 juin 1928 : *L'Artiste dans son atelier*, dess. : **FRF 34 000** – Paris, 20 déc. 1932 : *Le Repos de Diane* : **FRF 15 000** – Paris, 14 mai 1936 : *La Candeur*, cr. noir et sanguine : **FRF 1 000** – Paris, 18 déc. 1940 : *La Peinture*, dessus de porte : **FRF 2 600** ; *La Musique*, dessus de porte : **FRF 2 300** – Paris, 6 mars 1942 : *Les Présents d'Alexandre* : **FRF 3 500** – Paris, 13 mai 1942 : *Étude de nu*, sanguine, au verso grav. à la sanguine : **FRF 2 300** – Paris, 12 mars 1943 : *Le Feu*, attr. : **FRF 19 000** – New York, 6 mai 1944 : *Le Jugement de Pâris* : **USD 1 400** – Paris, oct. 1945-juil. 1946 : *Danaé* : **FRF 110 000** – Paris, 17 mars 1947 : *Le Satyre Marsyas*

écorché par les nymphes : **FRF 10 800** – PARIS, 27 avr. 1951 : *Le Bain des nymphes* : **FRF 155 000** – PRATOLINO, 21 avr. 1969 : *Les Gloires de la France* : **ITL 2 800 000** – PARIS, 9 déc. 1970 : *Samson et Dalila* : **FRF 27 000** – COPENHAGUE, 24 mai 1973 : *Idylle* : **DKK 21 000** – VERSAILLES, 8 juin 1974 : *Bacchus enfant, ou l'Automne* : **FRF 20 000** – NEW YORK, 30 mai 1979 : *Vénus et Adonis*, h/t (172x119) : **USD 30 000** – PARIS, 29 oct. 1980 : *Alexandre donnant sa maîtresse Campaspe à son ami Apelle*, sanguine, pierre noire et lav. brun et gris (36x46,2) : **FRF 4 500** – NEW YORK, 21 jan. 1982 : *Le concert* 1768, h/t (88x74) : **USD 20 000** – LONDRES, 9 déc. 1986 : *Enfant assis tenant une pomme*, sanguine et craie blanche/pap. vert bleu (31,5x47,5) : **GBP 4 000** – MONTE-CARLO, 22 fév. 1986 : *Tirésias, fameux devin, ayant un jour regardé Pallas lorsqu'elle se déshabillait, devint aveugle sur-le-champ*, h/t (45x54,5) : **FRF 170 000** – PARIS, 23 mars 1987 : *Mars arraché des bras de Vénus par Bellone* ; *Les Arts fuient à l'aspect de la guerre (sic)*, dess. à la pl., au lav. et à l'encre de Chine, une paire (26,5x32) : **FRF 62 000** – VERSAILLES, 20 oct. 1988 : *La Naissance de Vénus*, pl. et lav. de bistre (22x37) : **FRF 9 000** – NEW YORK, 2 juin 1989 : *Galatée jouant avec les tritons* 1757, h/t (112,5x135,5) : **USD 44 000** – NEW YORK, 11 jan. 1990 : *La Vierge avec l'Enfant et saint Jean-Baptiste dans un intérieur avec une servante* 1771, h/cuivre (42x33) : **USD 57 750** – NEW YORK, 1er juin 1990 : *Allégories de l'Architecture et de l'Inspiration* 1774, h/t, une paire (chaque 87x64) : **USD 88 000** – PARIS, 9 avr. 1991 : *La Peinture aimée des Grâces* 1772, h/t, ovale (59,5x48,5) : **FRF 320 000** – LONDRES, 17 avr. 1991 : *Loth et ses filles*, h/t (149,5x179,5) : **GBP 20 900** – NEW YORK, 30 mai 1991 : *Cupidon et Psyché* 1778, h/t (47x38) : **USD 22 000** – MONACO, 22 juin 1991 : *Popilius envoyé en ambassade à Antiochus Epiphanes pour arrêter le cours de ses ravages en Egypte* 1778, craie et encre (41x53,6) : **FRF 77 700** – MONACO, 7 déc. 1991 : *L'Architecture* ; *L'Inspiration poétique*, h/t, ovale, une paire (chaque 87x73) : **FRF 333 000** – LONDRES, 23 oct. 1992 : *Épisode de la guerre entre Marius et Sulla*, h/pap./cart. (50,8x60,6) : **GBP 2 750** – PARIS, 14 déc. 1992 : *Invocation à l'amour* ; *Jeune fille se mirant dans l'eau*, h/cuivre, une paire (chaque 42,5x34) : **FRF 160 000** – NEW YORK, 15 jan. 1993 : *Sarah présentant Hagar à Abraham*, h/pan. (30,5x37,5) : **USD 48 875** – PARIS, 2 juin 1993 : *La Vierge et l'Enfant avec le jeune saint Jean* 1766, h/métal (19,5x22,5) : **FRF 60 000** – NEW YORK, 18 mai 1994 : *Charles et Ubalde allant chercher Renaud retenu dans le palais d'Armide*, h/t (105,4x141,5) : **USD 184 000** – PARIS, 12 juin 1995 : *Écho et Narcisse* ; *La Jeune Nymphe Eglé*, h/t, une paire (22x26) : **FRF 220 000** – LONDRES, 8 déc. 1995 : *Mère et Enfants dans un intérieur classique*, h/t, une paire (24,8x36,2) : **GBP 13 800** – MONACO, 14 juin 1996 : *Jeune fille tenant une partition de musique* ; *Jeune fille caressant un pigeon*, h/t, ovale, une paire (81,3x65,2) : **FRF 245 700** – PARIS, 14 mai 1997 : *Tirésias, fameux devin, ayant un jour regardé Pallas se déshabillant, devint aveugle sur-le-champ* 1775, h/t (46,5x56,5) : **FRF 275 000**.

LAGRENÉE Lucy
Née en 1873 à Paris. XXe siècle. Française.
Peintre de fleurs, pastelliste.
Elle est une descendante de Jean-Jacques Lagrenée. Après de sérieuses études de dessin, elle se consacra d'abord au portrait, recevant les conseils de Henner et Maxence.
Elle exposa, à Paris, au Salon des Artistes Français dont elle fut sociétaire ; au Salon des Femmes Peintres et Sculpteurs ; à Caen à l'École des Beaux-Arts ; à Cannes. Elle montra ses œuvres dans des expositions personnelles en France et à l'étranger.

LAGRIFFOUL Henri Albert
Né le 9 mai 1907 à Paris. Mort le 22 août 1981 à Paris. XXe siècle. Français.
Sculpteur de statues, monuments, médailleur.
Il fut élève de l'École des Beaux-Arts de Paris, où il devint professeur à partir de 1944. Il obtint le premier prix de Rome en 1932 et figura régulièrement au Salon des Artistes Français à Paris. Depuis 1965, il a surtout participé à des expositions internationales consacrées à la médaille, à Paris, Athènes, Rome, Prague, Bratislava.
En dehors de nombreuses statues, il exécute des reliefs décoratifs, des monuments commémoratifs et des médailles.
MUSÉES : PARIS (Mus. d'Art Mod.) : *Les Magiciennes – Marie-Jeanne*.
VENTES PUBLIQUES : PARIS, 30 jan. 1989 : *Scène fantastique, Biscuit de Sèvres* 1957 (H. 75) : **FRF 18 000** – PARIS, 7 oct. 1991 : *Femme nue se coiffant*, bronze (60x24x11,5) : **FRF 17 000** – PARIS, 18 mai 1992 : *Athlète assis*, bronze (27,5x27x5x12,5) : **FRF 9 500**.

LA GRIVE Jean de
Né en 1689 à Sedan. Mort le 18 avril 1757 à Paris. XVIIIe siècle. Français.
Dessinateur, graveur.
Prêtre et géographe, il dessina et grava de nombreux plans de Paris et de ses environs, ainsi que des châteaux de Saint-Cloud (1744), Marly (1753) et Versailles (de 1746 à 1753).

LAGROST Marguerite
Née le 14 octobre 1865 à Mâcon (Saône-et-Loire). XIXe siècle. Française.
Peintre de fleurs.
Élève de Krug et de Feyen Perrin. Sociétaire des Artistes Français, elle figura au Salon de ce groupement.

LAGRU Dominique
Né en 1873 à Perrecy-les-Forges (Saône-et-Loire). Mort en 1960 à Paris. XXe siècle. Français.
Peintre. Naïf.
Il ne commença à peindre qu'à l'âge de 75 ans, en 1949, après une vie bien remplie de misères. Une exposition fut consacrée à ses œuvres en 1951, à Paris.
D'abord berger, puis mineur, s'étant par ailleurs toujours intéressé à l'histoire des hommes et à la préhistoire des animaux, il entreprit d'en raconter les grands moments, depuis les origines du monde (*Les Premiers Propriétaires*, 1956) jusqu'aux bombardements modernes, en passant par toutes les calamités (*La Peste*, 1952). Il semble tirer ses modèles des illustrations d'encyclopédies vieillies, qu'il s'agisse de monstres de la préhistoire dans un paysage de planches de botaniques ou d'épisodes historiques plus récents. Dans ses compositions minutieuses et pourtant largement vues, passe le souffle épique de sa passion enfantine et inépuisable pour l'histoire, qu'il en retrace les faits idylliques, épiques ou tragiques. Comme chez beaucoup de primitifs contemporains, la conscience professionnelle qui lui fait remplir l'espace d'une accumulation d'indications et de détails, aboutit à une surcharge décorative qui rappelle souvent les illustrations narratives des arts artisanaux du Moyen-Orient. Outre ses sujets de prédilection, qui font relever son processus créatif des mécanismes psychologiques du « rêve éveillé », il lui est arrivé de se peindre lui-même *Dans son atelier*, c'est-à-dire installé sur la table de bois de sa mansarde, disposée le plus directement possible sous la lucarne en tabatière, et peignant l'un de ses paysages enchantés avec le minimum de commodités et de matériaux. ■ J. B.
BIBLIOGR. : Oto Bihalji-Merin : *Les Peintres naïfs*, Delpire, Paris, s.d – in : *Dictionnaire universel de l'art et des artistes*, Hazan, Paris, 1967 – in : *Dictionnaire universel de la peinture*, Le Robert, Paris, 1975.
MUSÉES : GENÈVE (Mod. Art Foundation) : *Premier propriétaire* 1956 – PARIS (Mus. Nat. d'Art Mod.) : *La Jungle* 1952.
VENTES PUBLIQUES : LONDRES, 30 nov. 1972 : *La grillade des singes* : **GBP 450** – PARIS, 17 fév. 1988 : *Bouquet de fleurs*, h/t (22x16) : **FRF 5 100**.

LAGRUE Jean Pierre
Né le 14 août 1939. XXe siècle. Français.
Peintre de sujets divers, aquarelliste. Tendance naïve.
Danseur professionnel et acteur, il entra à l'École des Beaux-Arts de Paris où il reçut les conseils du peintre Raymond Legeult et du sculpteur Yencesse.
Il participe à des expositions de groupe, notamment, à Paris, au Salon des Indépendants, dont il devient sociétaire en 1984, et à celui d'Automne. Il a montré une première exposition personnelle de ses peintures à Paris en 1973 ; a également exposé, à Paris, en 1980, chez Ror Vomar et, en 1984, à la galerie Laurens.
Bien qu'étant passé par l'École des Beaux-Arts de Paris, puis par un atelier de restauration, sa technique a su conserver un charme naïf. Marqué par une enfance difficile, il dit la dureté réaliste de la vie quotidienne des gens du peuple simple. Il interprète aussi avec humour des œuvres célèbres de Goya, Manet ou de l'École de Fontainebleau.
VENTES PUBLIQUES : VERRIÈRES-LE-BUISSON, 4 fév. 1990 : *Le port de l'Île d'Yeu* 1968 (73x93) : **FRF 22 000**.

LA GUARDIA Juan de ou **Goardia**
XVe siècle. Espagnol.
Peintre, architecte.
En 1402 il travailla avec d'autres artistes au Palais Royal d'Olite (Navarre).

LA GUÊPIÈRE Jacques de ou **Guespierre**
Mort le 10 février 1734 à Paris. XVIIIe siècle. Français.

Architecte, sculpteur, graveur.
Il fut reçu en 1720 membre de l'Académie d'Architecture.

LA GUÊPIÈRE Philippe de ou **Pierre Louis-Philippe** ou **Guespierre**
Né vers 1715. Mort le 30 octobre 1773 à Paris. XVIIIe siècle. Français.
Architecte, graveur.
Fils de Jacques de la Guêpière. Il publia à Stuttgart en 1752 : *Recueil des différents projets d'architecture*, et, en 1760 *Recueil d'esquisses d'architecture*, ouvrages qui comprennent des bâtiments exécutés à Stuttgart, ou projetés (Château, théâtre, etc.).

LA GUERRA Juan de
Originaire de Valladolid. XVIe siècle. Espagnol.
Peintre.
Cet artiste travailla à Burgos, de 1551 à 1555, avec Diego de la Haya.

LAGUERRE John, dit **Jack**
Né à Londres. Mort en mars 1748 à Londres. XVIIIe siècle. Britannique.
Acteur, peintre décorateur et graveur.
Fils de Louis Laguerre. Il fut d'abord son élève, puis travailla avec Hogarth, mais doué d'une jolie voix et de dispositions théâtrales, il fut engagé au Covent Garden et au Lincoln's Inn Fields theatres. Il peignit aussi des décors. Verrio l'employa également à la peinture des plafonds du château de Windsor. Il grava quelques planches relatives au théâtre et sa réputation d'acteur aidant, ces productions obtinrent une vogue qu'elles n'ont pas conservée. Il fit aussi de nombreuses caricatures et est considéré dans ce genre comme un chef d'école. Malgré cette diversité de travaux et de succès, il mourut pauvre.

LAGUERRE Louis, dit **Laguerre l'Ancien**
Né en 1663 à Versailles. Mort le 20 avril 1721 à Londres. XVIIe-XVIIIe siècles. Français.
Peintre d'histoire, scènes de genre, portraits, décorateur.
Son père était Espagnol et directeur de la ménagerie du roi, à Versailles. Il fut filleul de Louis XIV. Élève de Lebrun. Il obtint le troisième prix de l'Académie royale en 1682. Il se rendit en Angleterre en 1683, où il fut employé par Verrio pour l'exécution de divers travaux, notamment aux plafonds de l'hôpital de Saint-Bartholomé. Il se fit une rapide réputation et fut protégé par le roi Guillaume. Il peignit à Hampton Court et répara le *Triomphe de César* de Mantegna. Ce fut le principal décorateur de son époque et le plus bel éloge qu'on puisse faire de son talent, c'est de rappeler qu'il fut choisi par sir Godefroy Kneller pour décorer la riche habitation que le célèbre artiste possédait à Londres. La reine Anne lui continua la même faveur. En 1711, il fut nommé directeur d'une Académie de peinture qui venait d'être fondée à Londres. Il mourut subitement au théâtre de Drury Lane pendant une représentation donnée au bénéfice de son fils. Laguerre est intéressant à noter dans l'histoire de l'art anglais, car il apporta en Angleterre la technique de Ch. Le Brun.
MUSÉES : LONDRES (Nat. Portrait Gal.) : *Portrait du comte Cadogan.*
VENTES PUBLIQUES : LONDRES, 9 déc. 1992 : *Le départ du fils prodigue ; Le retour du fils prodigue*, h/t, une paire (chaque 48x118) : **GBP 57 200**.

LAGUERRE Sigisbert Sébastien
XIXe siècle. Actif à Paris. Français.
Peintre de portraits.
Exposa au Salon de 1833 à 1845.

LAGUERUELA Mariano Barbasan. Voir **BARBASAN LAGUERUELA Mariano**

LAGUESSE Marie Thérèse
Née en 1912 à Bruxelles. XXe siècle. Belge.
Peintre de paysages, marines, dessinatrice, pastelliste.
Elle a surtout peint des paysages des Ardennes et de Provence.
BIBLIOGR. : In : *Diction. biographique illustré des artistes en Belgique depuis 1830*, Arto, Bruxelles, 1987.

LA GUESTIÈRE François de ou **Guertière**
Né en 1624. XVIIe siècle. Travaillant à Paris. Français.
Peintre et graveur à l'eau-forte.
On connaît de lui dix-sept planches représentant les *Grotesques* de Raphaël (Vatican). Il travailla à Rome vers 1650.

LA GUILLERMIE Frédéric Auguste
Né le 27 mars 1841 à Paris. XIXe siècle. Français.
Peintre, graveur.
Élève de Flameng et de Bouguereau. Il débuta au Salon de 1863. Il a gravé d'après Antonello de Messine, Velasquez, Ribera et d'après les maîtres modernes. Comme peintre, il a surtout fait des portraits. Prix de Rome en 1866, deuxième médaille en 1877, médaille d'argent en 1889 (Exposition Universelle), médaille d'honneur en 1890, grand prix en 1900. Il fit un voyage d'études à Madrid, Rome, Athènes. Chevalier de la Légion d'honneur en 1882, officier de la Légion d'honneur, membre de l'Institut.
VENTES PUBLIQUES : PARIS, 24 mai 1945 : *Vue prise à l'intérieur de l'Alhambra de Grenade* 1869, aquar. : **FRF 250**.

LAGUNA Baruch Leao Lopes de, pseudonyme de **Lopes de Leao Baruch**
Né le 16 février 1864 à Amsterdam, d'origine portugaise. Mort en 1943. XIXe-XXe siècles. Hollandais.
Peintre de portraits, scènes de genre, intérieurs, fleurs.
Il fut élève de l'Académie des Beaux-Arts d'Amsterdam et de Jacob Meyer de Haan.
Il peignit des vues du quartier juif d'Amsterdam et des intérieurs de Laren.
VENTES PUBLIQUES : PARIS, 2 mars 1928 : *Famille dans un intérieur* : **FRF 700** – AMSTERDAM, 20 mars 1978 : *Scène de marché, Amsterdam*, h/t (30x41,5) : **NLG 4 600** – AMSTERDAM, 16 nov. 1988 : *Femme assise auprès d'un rouet avec un poupon sur les genoux dans un intérieur*, h/t (61x46) : **NLG 6 325** – AMSTERDAM, 25 avr. 1990 : *Gitanes*, h/t (72x59) : **NLG 4 830** – AMSTERDAM, 17 sep. 1991 : *Nature morte avec des coquelicots dans un vase et une grosse cruche de pierre*, h/t (41x61) : **NLG 1 725** – AMSTERDAM, 5-6 nov. 1991 : *Jeune fille tricotant dans une cuisine*, h/t (59x44) : **NLG 8 050** – AMSTERDAM, 3 nov. 1992 : *Nature morte de fleurs d'automne*, h/t (60x43,5) : **NLG 1 150** – AMSTERDAM, 19 oct. 1993 : *Violettes dans une chope*, h/t (45,5x33) : **NLG 2 070**.

LAGUNA Joaquin
XVIIIe siècle. Actif à Murcie. Espagnol.
Sculpteur.
Il travailla à partir de 1740 au portail baroque de la cathédrale de Murcie.

LAGUNA Y PEREZ José
Né au XIXe siècle à Séville. XIXe siècle. Espagnol.
Peintre de sujets militaires, figures, architectures.
Élève des Académies de Séville et de Madrid. Il acheva sa formation artistique à Paris avec Meissonier. Il exposa de 1862 à 1881 des tableaux de figures : *Scènes de guerre* et des vues d'architectures. Le bâtiment de la Caisse Générale des Dépôts et Consignations de Madrid possède de ses peintures.
VENTES PUBLIQUES : LONDRES, 18 mars 1994 : *La cour du Palais* 1871, h/t (27x22,2) : **GBP 5 750**.

LAGUT Irène
Née le 3 janvier 1893 à Sucy-en-Brie (Val-de-Marne). Morte le 4 août 1994 à Menton (Alpes-Maritimes). XXe siècle. Française.
Peintre de figures, illustratrice.
Elle fut élève de Picasso. Elle figura, à partir de 1920, au Salon de la Société des Artistes Indépendants à Paris.
Elle peignit des têtes de femmes, des enfants, des arlequins. Elle fit les illustrations de : *Devoirs de vacances*, de Raymond Radiguet ; du *Journal d'un cheval* de Claire Goll et d'*Enfantines* de Valery Larbaud.
VENTES PUBLIQUES : PARIS, 31 mai 1926 : *Pierrot et Colombine* : **FRF 240** – PARIS, 26 mars 1928 : *Arlequin et cheval* : **FRF 600** – PARIS, 30 avr. 1941 : *Le Cirque* : **FRF 210** – VERSAILLES, 14 mars 1976 : *Le cheval de cirque et l'écuyère*, h/t (162x97) : **FRF 4 000** – PARIS, 27 nov. 1987 : *Arlequin au petit chien*, h/bois (35x18) : **FRF 30 000** – PARIS, 20 avr. 1988 : *Deux amies*, h/t (54x73) : **FRF 4 500**.

LAGUY Joseph
Français.
Peintre.
Il est connu par une œuvre passée en vente publique.
VENTES PUBLIQUES : PARIS, 7 et 8 nov. 1928 : *Scène d'intérieur à nombreux personnages* : **FRF 14 600**.

LAGYE Jacques
XVIIIe siècle. Actif à Gand. Éc. flamande.
Sculpteur sur bois.
Il exécuta en 1786-1787 les parties ornementales de la chaire de l'église Saint-Jacques à Gand.

LAGYE Raphaël ou **Raffael**
Né en 1863 à Anvers. Mort en 1952 à Anvers. XXe siècle. Belge.

Peintre.
Il est le fils du peintre Victor Lagye.
Bibliogr. : In : *Diction. biographique illustré des artistes en Belgique depuis 1830*, Arto, Bruxelles, 1987.
Ventes Publiques : Berne, 7 mai 1981 : *Deux Femmes à la terrasse du café* 1886, h/pan. (39x29,5) : **CHF 13 000** – Bruxelles, 19 déc. 1989 : *L'Église de Forest*, h/pan. (40x51) : **BEF 32 000**.

LAGYE Victor
Né le 20 juin 1825 ou 1829 à Gand. Mort le 1er ou 2 septembre 1896 à Anvers. XIXe siècle. Belge.
Peintre d'histoire, scènes de genre, fleurs, fresquiste, décorateur.
Élève à Gand de Th. Conncel, et de H. Leys à l'Académie d'Anvers. Travailla quelque temps à Paris et en 1843, se rendit à Rome. Il fit partie du *bataillon universitaire* commandé par Charles-Albert de Sardaigne, puis fut volontaire garibaldien. En 1849, il se fixa à Bruxelles et l'année suivante s'établit à Anvers où il résida jusqu'à sa mort. Professeur à l'Institut supérieur des arts en 1891 et directeur en 1895. Membre du corps académique le 11 août 1896. Chevalier de l'ordre de Léopold en 1872.
Il est l'auteur de deux copies de l'autel de Gand. Il travailla aux fresques de la salle à manger de Leys et décora la salle des mariages de l'Hôtel de Ville d'Anvers.

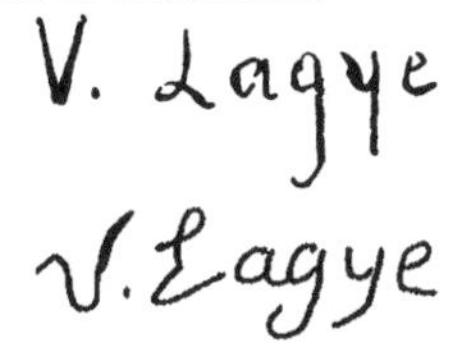

Musées : Anvers : *La Bohémienne* – Bruxelles : *La Magicienne* – Cologne : *Le Bibliothécaire* – Gand : *Famille flamande*.
Ventes Publiques : Paris, 1878 : *Faust et Marguerite au jardin* : **FRF 1 200** ; *Marguerite agenouillée devant la Mater dolorosa* : **FRF 1 500** – New York, 5 fév. 1931 : *Femme lisant une lettre* : **USD 90** – Paris, 28 avr. 1947 : *L'Atelier du sculpteur* : **FRF 11 600** – Bruxelles, 24 fév. 1951 : *Le modèle* : **BEF 5 000** – Bruxelles, 9-10 mai 1967 : *La délaissée* : **BEF 60 000** – Londres, 14 juin 1972 : *Le bouquet de fleurs* : **GBP 420** – Bruxelles, 10 déc. 1976 : *Le repos du pèlerin dans la neige (Hans Memlinc)* 1885, h/bois (46x60) : **BEF 30 000** – Lokeren (Belgique), 5 nov. 1977 : *Jeune fille assise sur un tronc d'arbre*, h/t (46x59) : **BEF 50 000** – Londres, 20 juin 1980 : *Le porte-drapeau*, h/pan. (53,2x38,7) : **GBP 750** – Londres, 22 juin 1983 : *Chez le potier* 1869, h/pan. (53,5x70) : **GBP 1 100** – New York, 28 oct. 1986 : *Chez le naturaliste*, h/pan. parqueté (69,8x82) : **USD 6 500** – Amsterdam, 5-6 fév. 1991 : *Gitane dans un paysage*, h/pan. (37x24) : **NLG 1 380** – New York, 12 oct. 1993 : *Faust et Marguerite* 1868, h/pan. (66,1x83,2) : **USD 6 900**.

LA HAÏE Charles de ou **La Haye**
Né en 1641 à Fontainebleau. XVIIe siècle. Français.
Graveur.
Il alla en Italie et grava, avec Bloemaert, Spierre, Blondeau et d'autres, les peintures de Pietro da Cortona décorant le Palais Pitti. Il reproduisit aussi nombre d'ouvrages de Romanelli, des sujets religieux et mythologiques. C'est un artiste de talent dont la forme rappelle celle de Bloemaert.
Ventes Publiques : Paris, 10 et 12 mai 1900 : *Conversation galante* : **FRF 170**.

LAHAIRE Camille Léopold
Né en 1849 à Tours (Indre-et-Loire). XIXe siècle. Français.
Peintre et lithographe.
Élève de l'École Municipale des Beaux-Arts de Poitiers. Décora d'un grand nombre de peintures le château de Baudimont. On cite de lui des dessins à la plume, des lithographies, des eaux-fortes. Exposa un portrait au Salon de 1883.

LA HALLE Antoine, François et **Louis de**. Voir **HALDER**

LAHALLE Charles Dominique Oscar
Né à Nancy (Meurthe-et-Moselle). Mort en 1909 à Paris. XIXe siècle. Français.
Peintre de scènes militaires.
Élève de Wachsmuth et Beaucé. Il exposa au Salon de 1868 à 1876. Il était capitaine d'État-Major.
Ventes Publiques : New York, 19 oct. 1984 : *Les troupes française quittant Blois*, h/t (60,4x91,5) : **USD 6 500**.

LA HALLE Mathieu de
XVe siècle. Actif à Amiens. Français.
Sculpteur.
Il sculpta une statue de saint Jean-Baptiste, qui prit place sur le pont Sire-Jean-du-Cange, en 1440.

LA HAMÉE Jean de
XVIe siècle. Actif à Paris. Français.
Peintre sur verre.
Il exécuta des peintures sur verre pour les châteaux royaux de Fontainebleau, Saint-Germain-en-Laye, Paris (Palais Royal et Louvre) ainsi que pour l'Hôtel de Bourbon et l'Hôtel des Tournelles.

LA HANTE de
XVIIIe siècle. Vivant en 1782, probablement à Londres. Britannique.
Peintre de miniatures et graveur à l'eau-forte amateur.

LA HARPE Guillaume de
Mort le 19 mai 1571 à Genève. XVIe siècle. Vivant à Genève. Suisse.
Peintre.

LA HAULTE-RUE Hacquinet de. Voir **HACQUINET**

LAHAUT Pierre Auguste
Né le 30 avril 1931 à Bruxelles. XXe siècle. Belge.
Peintre. Expressionniste-abstrait, puis tendance surréaliste.
Autodidacte en peinture. Il obtint une bourse d'échanges culturels franco-belges, en 1961. Il participe à de nombreuses expositions de groupe, notamment à la Biennale de Paris, en 1961 ; *L'Œuvre d'art à la portée de tous*, Knokke-le-Zoute, 1962 ; *De la rive droite à la rive gauche*, Musée de Verviers, 1962, etc. Cofondateur du groupe *Axe 59*, il participa à ses expositions à Bruxelles, Namur, Liège, Maredsous. Il montre ses œuvres dans des expositions personnelles : Bruxelles, 1959, 1960 ; Paris, 1962, etc. Il a eu une exposition personnelle au Palais des Beaux-Arts de Bruxelles. Il fut sélectionné pour le Prix de la Jeune Peinture Belge, en 1958 et 1959 ; pour le Prix Hélène Jacquet, en 1959 ; il obtint une mention au Prix Talens, en 1960 ; lauréat du Prix Berthe Art, en 1961.
Évoluant librement entre rappels de la réalité et abstraction, il pratique une sorte d'expressionnisme abstrait, fiévreusement brossé dans des tonalités glauques, où les terres vertes dominent, soulignées d'indications dessinées au noir. Plus récemment sa manière est devenue moins fougueuse, délaissant l'abstraction formelle pour un univers spatial et pictural plus ambigu, jouant sur les rapports de grands espaces laissés vierges et des fragments d'une réalité, un morceau de guirlande, un bout de fleur, une main, un bout de membre, etc., qui semble s'exprimer en dehors du champ pictural. Ces compositions sont faites d'assemblages de deux ou plusieurs carrés ou rectangles différents dont certains sont totalement uniformes.
Bibliogr. : In : *Diction. biographique illustré des artistes en Belgique depuis 1830*, Arto, Bruxelles, 1987.
Musées : Bruxelles – Gand – Ixelles – Liège – Paris (Mus. Nat. d'Art Mod.).
Ventes Publiques : Lokeren, 21 mars 1992 : *Paysage côtier* 1978, pointe-sèche (73x110) : **BEF 50 000**.

LA HAYA Luis de
XVIe siècle. Actif à Séville vers la fin du XVIe siècle. Éc. de Séville.
Sculpteur.
Cet artiste sculpta, en 1587, la porte d'un tabernacle.

LA HAYE, de. Voir au prénom. Voir aussi **DELAHAYE**

LAHAYE Alexis Marie
Né en 1850 à Paris. Mort en 1914 à Nîmes (Gard). XIXe-XXe siècles. Français.
Peintre de compositions religieuses, scènes de genre, portraits, paysages.
Élève de Pils, Corot et Carolus Duran, il débuta au Salon de Paris en 1876. Membre de la Société Nationale des Beaux-Arts depuis 1894, il figura également au Salon des Artistes Français. Il obtint une mention honorable en 1884, une médaille de troisième classe en 1886, une médaille de bronze à l'Exposition Universelle de 1889 et une médaille d'argent à celle de 1900. Il dirigea l'École des Beaux-Arts de Nîmes.
À travers ses paysages du Midi, il montre un talent de coloriste,

tandis que ses scènes de genre et portraits sont scandés de subtils effets de lumière.
Bibliogr. : Gérald Schurr, in : *Les Petits Maîtres de la peinture 1820-1920, valeur de demain*, Les Éditions de l'Amateur, t. IV, Paris, 1979.
Musées : Avignon (Mus. Calvet) : *Portrait de femme – Enfant et chien* – Nîmes : *Joie du matin*.

LA HAYE Charles de. Voir **LA HAÏE**

LA HAYE Pierre de
xviie siècle. Français.
Sculpteur de groupes.
Il exécuta pour le parc de Versailles un groupe de fontaine en plomb *Amour sur un cygne*.

LA HAYE Pierre de
Mort en 1766. xviiie siècle. Français.
Peintre.
Il fut reçu à l'Académie de Saint-Luc en 1761.

LA HAYE Reinier de
Né vers 1640 à La Haye. Mort après 1684. xviie siècle. Hollandais.
Peintre de genre, de natures mortes et portraitiste.
En 1660, élève d'Adriaen Henneman à La Haye, en 1662, membre de la gilde. On le trouve aussi le 14 juin 1669 dans la gilde à Utrecht. En 1672, maître à Anvers. Il peignit des figures dans les tableaux de Jan Breughel.

R. D La Haye

Ventes Publiques : Versailles, 3 juin 1965 : *Jeune femme goûtant du vin* : **FRF 6 500** – Paris, 25 fév. 1976 : *Scènes d'intérieur*, deux h/t, formant pendants (40x33) : **FRF 14 500** – New York, 7 juin 1978 : *La violoncelliste*, h/pan. (30,5x24) : **USD 6 750** – Vienne, 18 sept 1979 : *La violoncelliste*, h/pan. (32x24) : **ATS 160 000** – Vienne, 17 nov. 1982 : *Portrait d'une dame de qualité*, h/t (60x48) : **ATS 60 000** – New York, 7 nov. 1985 : *Portrait de jeune femme jouant du luth dans un intérieur* 1674, h/pan. (37x27) : **USD 7 500** – New York, 13 oct. 1989 : *Portrait d'une élégante jeune femme tenant une rose et un lys*, h/t (49x38) : **USD 35 200** – Londres, 5 juil. 1991 : *Portrait d'une dame cueillant une rose vêtue d'une robe rouge à écharpe verte*, h/t (73x61) : **GBP 2 420** – Londres, 8 déc. 1993 : *Jeune femme jouant du violoncelle*, h/pan. (31x24,2) : **GBP 8 510** – Londres, 26 oct. 1994 : *Guirlande de fruits et de fleurs entourant une niche avec un buste féminin*, h/t (57x49) : **GBP 9 430** – Londres, 5 juil. 1995 : *Scène d'intérieur avec une dame jouant de la cithare*, h/pan. (30,3x24,1) : **GBP 8 050**.

LA HAYE Victor de
xviie siècle. Travaille à Paris. Français.
Peintre.
Il fut reçu à l'Académie de Saint-Luc en 1695.

LAHDE Albert
Né le 3 mars 1835 à Berlin. xixe siècle. Allemand.
Paysagiste.
Élève d'Eug. Bracht à l'Académie de Berlin. Il exposa dans cette ville en 1887, 1888, 1892.

LAHDE Gerhard Ludwig
Né le 19 octobre 1765 à Brême. Mort le 30 novembre 1833 à Copenhague. xviiie-xixe siècles. Hollandais.
Dessinateur et graveur au burin.
Élève de l'Académie de Copenhague; il obtint plusieurs médailles et fut peintre de la cour de Danemark. Il a gravé des sujets d'histoire.

LAHENS Edmond Jean Baptiste
Né en 1836 à Paris. Mort en 1909 à Paris. xixe-xxe siècles. Français.
Peintre de fruits et paysagiste.
Élève de M. Séchan. Débuta au Salon en 1863.

LAHEUDRIE Edmond de
Né le 23 octobre 1861 à Trévières (Calvados). xixe siècle. Français.
Sculpteur.
Élève de Cavelier, Barrias et A. Mercié. Sociétaire des Artistes Français depuis 1901, il figura au Salon de ce groupement où il obtint des mentions honorables en 1890, 1900 (Exposition Universelle), une médaille d'argent en 1901. Le Musée de Rouen conserve une statue de cet artiste *(Le Christ au tombeau)*.

LAHEY Richard Francis
Né le 23 juin 1893 à Jersey City (New Jersey). xxe siècle. Américain.
Peintre.
Il fut élève de K. H. Miller. Il fut membre de la Société des Artistes Français, à Paris. Il obtint une médaille d'or de l'Académie des Beaux-Arts de Philadelphie en 1929. Il a figuré aux Expositions de la Fondation Carnegie (Pittsburgh).
En longeant la rivière figure à l'Académie des Beaux-Arts de Philadelphie.
Musées : Brooklyn : *Pont-Neuf*.

LA HIRE Étienne de ou **La Hyre**
Né vers 1583 à Paris. Mort le 19 mars 1643 à Paris. xviie siècle. Français.
Peintre d'histoire.
Il étudia la peinture, fort jeune, ayant trouvé l'occasion d'aller travailler en Pologne, il y exécuta des travaux qui lui valurent la réputation d'un bon peintre. Cependant il était de retour à Paris au début du xviie siècle. Les arts étant peu appréciés à cette époque, Étienne, qui appartenait à une bonne famille bourgeoise (son parent, Laurent de La Hyre, qui fut parrain du peintre célèbre, était « précepteur des pages du Roi en la Grande escurie »), acheta une charge de Juré vendeur contrôleur de vins à Paris, qu'il exerça jusqu'à sa mort. Il épousa la fille d'un bourgeois de Paris, Philippe Humbelot, dont il eut beaucoup d'enfants et dont Laurent était l'aîné. Étienne, tout en exerçant sa charge, continua à faire de la peinture pour son agrément. Ses tableaux de petite dimension représentaient des sujets historiques, notamment l'histoire des Scipions. Ce fut ainsi, que reconnaissant de remarquables dispositions à son fils Laurent, il fut son premier maître, lui faisant copier de bons dessins, et étudier particulièrement la perspective et l'architecture. La situation de fortune d'Étienne de La Hire paraît avoir contribué puissamment à la réussite de son fils aîné.
Ventes Publiques : New York, 9 jan. 1980 : *Nature morte aux tableaux et objets d'art, Varsovie* 1626, h/pan. (72,5x104) : **USD 64 000**.

LA HIRE Jean Nicolas ou **La Hyre**
Né le 28 juillet 1685 à Paris. Mort le 18 juin 1727 à Paris. xviiie siècle. Français.
Peintre à la gouache.
Fils de Philippe de La Hire. Bien qu'il exerçat la médecine et qu'il fût comme botaniste, membre de l'Académie des Sciences, il se livrait à la peinture avec un goût très remarquable. Il épousa une cousine de Mariette et était l'intime ami d'Antoine Watteau. On lui doit un certain nombre de paysages et de petits sujets de modes à la gouache, visiblement inspirés par l'illustre peintre de Valenciennes. Il avait imaginé un moyen de reproduire les plantes par un procédé d'impression dont il gardait le secret. Il présenta ses échantillons à l'Académie, mais ayant obtenu peu de succès près de ses confrères, il cessa de fréquenter la vaste assemblée. Ses dessins de botanique sont à la Bibliothèque de Reims.

LA HIRE Laurent de ou **La Hyre**
Né le 27 février 1606 à Paris. Mort le 28 décembre 1656 à Paris. xviie siècle. Français.
Peintre de compositions mythologiques, scènes religieuses, sujets allégoriques, figures, paysages, peintre de compositions murales, cartons de tapisseries, graveur, décorateur.
Élève de son père, Étienne de La Hire et de Georges Lallemant, il se perfectionna par l'étude des décorations de Fontainebleau. La situation qu'occupait son père paraît l'avoir fait choisir, par les capucins du Marais du Temple, pour décorer leur église. Il faut signaler, parmi ses travaux, une *Nativité*, tableau du maître-autel, et le *Saint François*, qui ornait la chapelle de ce nom, se voit aujourd'hui au Louvre ; c'est le meilleur morceau de La Hire. Il faut citer encore *Saint Jérôme dans le désert* ; exécuté pour l'église du Saint-Sépulcre, rue Saint-Denis. Les orfèvres lui commandèrent deux fois le *May* de Notre-Dame. En 1635, il exécuta pour eux *Saint Pierre guérissant les malades par la vertu de son ombre*, et, en 1637, *La Conversion de saint Paul*. Les capucins de Paris lui demandèrent, bientôt après, une *Assomption de la Vierge*. La *Descente de croix* qu'il peignit pour les capucins de Rouen, passa pour son chef-d'œuvre. Tallemant des Réaux et de Montoron confièrent à La Hire la décoration de leur hôtel. Le cardinal de Richelieu lui commanda les tableaux qui devaient orner la salle des gardes, au Palais Royal.

Lors de la fondation de l'Académie Royale de peinture, le 1er février 1648, Laurent de La Hire figura le quatrième sur la liste des douze anciens. Il y fut donc professeur dès le début et non en 1663 comme l'indiquaient certains biographes. La Hire fournit de nombreux dessins pour la manufacture de tapisseries de haute lisse que les Gobelins avaient fondée dans le faubourg Saint-Marcel. Ce fut lui aussi qui fournit les dessins pour les tapisseries de Saint-Étienne-du-Mont. Il était fort laborieux et consacrait ses soirées à dessiner ou à graver. On catalogue de lui quarante-six estampes sur des sujets religieux ou des paysages. À la fin de sa carrière, il se consacra presque exclusivement au paysage, avec des motifs d'architecture. Mariette cite un frère de Laurent, dont il n'indique pas le prénom, qui aurait gravé au pointillé une étude de tête d'enfant d'après son aîné. Le goût de la peinture était d'ailleurs général dans la famille La Hire. Quatre de ses sœurs, religieuses à Sainte-Perrine, dessinaient et peignaient avec goût. L'aînée surtout décora la chapelle du couvent d'après des dessins de son frère. La Hire mérite d'être noté pour avoir résisté aux tendances italiennes introduites en France par Simon Vouet. Son dessin était raide et sec, mais essentiellement français, et il assouplit sensiblement sa facture à la fin de sa vie. D'autres auteurs considèrent au contraire que, s'il ne fit pas le voyage de Rome, il était parfaitement au courant des tendances nouvelles, et qu'il subit l'influence du caravagisme, à travers l'œuvre des Vouet, Blanchard, et des autres peintres revenus de Rome, vers 1625-1630. On cite comme exemple de l'influence caravagesque : *Le pape Nicolas V au tombeau de saint François*, au Louvre, et daté de 1630. Toutefois, la gravité d'inspiration de cette peinture, d'un mysticisme presque espagnol, reste isolée dans l'œuvre de La Hire. Son goût du réalisme est, en général, concilié avec une ordonnance toute classique, « poussinesque », comme on le voit dans *L'Adoration des bergers* du Musée de Rouen. Dans ses paysages très personnels, même si leur composition rappelle la manière de Patel le père, il mêle éléments de convention et sites réels, dont la vérité est soulignée par l'adjonction de personnages : *Paysage aux baigneuses*, du Louvre. On retrouve la même atmosphère vaporeuse dans ses paysages gravés, non sans rapport avec celle des paysages de Claude Lorrain.

Bibliogr. : Catalogue de l'exposition *Les peintres de la réalité, en France, au XVIIe siècle*, Musée de l'Orangerie, Paris, 1934.

Musées : Aix (Granet) : *Christ mort* – Arras : *Mort des enfants de Béthel* – Berlin : *Sainte Famille* – Budapest : *Ninus et Sémiramis* – *La Vierge et l'Enfant Jésus* – *Thésée et Ethra* – Châlons-sur-Marne : *La Comtesse de Beauvais en Diane* – Compiègne : *Paysage* – Dijon : *Jugement de Pâris* – Épinal : *Mercure et Hersé* – La Fère : *Diane et Callisto* – *Paysage* – Florence (Mus. des Offices) : *La Vierge et Jésus* – *Saint Pierre guérissant les malades* – Fontainebleau : *Laban cherche ses idoles* – Grenoble : *Les Disciples d'Emmaüs* – *Le Christ et la Madeleine* – Karlsruhe : *Vierge à l'Enfant* – Londres (Nat. Gal.) : *Allégorie des Arts* – Maisons-Laffitte : *Paysage avec baigneuses* – *Paysage avec bergers* – Le Mans (Tessé) : *Irène soignant saint Sébastien* – *Le Christ au jardin des Oliviers* – Montpellier : *Paysage au joueur de flûte* – *Moïse sauvé des eaux* – Nantes : *Sainte Famille* – *Repos de la Sainte Famille* – New York (Metropolitan Mus.) : *Allégorie de la musique* – Orléans : *Les bergers d'Arcadie* – Paris (Mus. du Louvre) : *Paysage aux baigneuses* – *Saint Pierre guérissant les malades avec son ombre* – *Jésus apparaît aux trois Marie* – *Vierge à l'Enfant* – *Laban cherchant ses idoles* – *Nicolas V fait ouvrir le tombeau de saint François d'Assise* – *Adonis mort et son chien* – *Paysage* – *Même sujet* – *Même sujet* – Prague (Nostitz) : *Le sacrifice* – Rouen : *Descente de croix* – *Nativité* – *Un religieux implorant la Vierge des sept douleurs* – *L'Adoration des bergers* – *Un vœu à la Vierge* – *Sainte Anne instruisant la Vierge* – Saint-Pétersbourg (Mus. de l'Ermitage) : *Scène de la vie d'Abraham* – *Mercure remettant Bacchus aux nymphes* – Semur-en-Auxois : *Abraham et son fils se rendant au lieu du sacrifice* – Sibiu : *Vierge à l'Enfant avec saint Jean-Baptiste* – Troyes : *Léda* – *Le torrent* – Valenciennes : *Les ruines d'un temple* – Vienne : *L'Assomption* – Vienne (Gal. Harrach) : *L'infanticide de Bethléem*.

Ventes Publiques : Paris, 1774 : *Baigneuses et danseuses au bord d'une rivière* : **FRF 2 500** – Paris, 1792 : *Le Sacrifice d'Abraham* : **FRF 3 010** – Paris, 1809 : *Abraham en voyage avec sa famille et ses troupeaux* : **FRF 9 800** – Paris, 1873 : *Moïse frappant le rocher* ; *La Multiplication des pains*, deux pendants : **FRF 1 800** – Paris, 10 juin 1893 : *Une Renommée* : **FRF 300** – Paris, 1897 : *L'Été* ; *L'Automne*, deux pendants : **FRF 400** – Londres, 8 mai 1908 : *La Musique* : **GBP 50** – Londres, 7-8 déc. 1923 : *Deux Baigneuses* : **FRF 800** – Londres, 7 mars 1930 : *Paysage boisé* 1648 : **GBP 52** – Paris, 20-21 avr. 1932 : *La Continence de Scipion*, pierre noire, reh. de blanc : **FRF 250** – Paris, 15 mars 1943 : *Énée et Didon* 1636 : **FRF 17 000** – Paris, 23 juin 1943 : *Énée et Didon* 1636 : **FRF 5 000** – Londres, 16 mars 1945 : *Rébecca offrant des présents à Laban* : **GBP 178** – Paris, 6 déc. 1946 : *Angélique et Médor* 1641 : **FRF 80 000** – Londres, 28 nov. 1962 : *Le Repos pendant la fuite en Égypte* : **GBP 1 300** – Londres, 27 nov. 1970 : *Réconciliation de la Justice* : **GNS 20 000** – Londres, 8 déc. 1972 : *Le Repos de Diane* : **GNS 12 000** – Versailles, 18 fév. 1973 : *Agar dans le désert* : **FRF 30 000** – Paris, 29 juin 1973 : *Paysanne* : **FRF 10 000** – Londres, 3 juil. 1980 : *Vierge à l'Enfant*, craie noire (27,8x22) : **GBP 700** – Paris, 19 mars 1982 : *Trois petits anges soutenant une banderole : Gloria in excelsis deo*, pierre noire et lav. brun (21x23) : **FRF 16 200** – Paris, 10 mai 1984 : *Assemblée de Saints*, lav. gris/trait de pierre noire (28,5x22) : **FRF 7 500** – New York, 14 jan. 1987 : *L'enlèvement d'Europe*, craie noire et touches de lav. gris reh. de blanc (36,8x29) : **USD 27 000** – Monaco, 3 déc. 1988 : *Le sacrifice d'Abraham*, h/t (114x88) : **FRF 1 760 000** – Paris, 21 nov. 1991 : *Allégorie de la Géométrie* 1649, h/t (103,5x218,5) : **FRF 2 700 000** – Paris, 14 déc. 1992 : *Paysage avec Laban cherchant ses idoles*, h/t (66,5x97) : **FRF 115 000** – New York, 20 mai 1993 : *Vaste paysage avec deux femmes près de la fontaine, un troupeau de vaches au bord du ruisseau et un voyageur à cheval* 1653, h/t (63,5x88,3) : **USD 415 000** – Londres, 9 juil. 1993 : *Alexandre et Roxane* 1635, h/t (169,7x145,5) : **GBP 32 200** – Londres, 11 déc. 1996 : *Allégorie de la Rhétorique* 1650, h/t (102,5x119,5) : **GBP 28 750** ; *Allégorie de la Dialectique* 1650, h/t (102,5x119,5) : **GBP 28 750** – Londres, 4 juil. 1997 : *Angélique et Médor* 1641, h/t (141,3x140,7) : **GBP 342 500**.

LA HIRE Louis

Né le 25 août 1629. Mort le 9 janvier 1653. XVIIe siècle. Actif à Paris. Français.

Peintre d'architectures.

Frère cadet de Laurent de La Hire et probablement son élève. Il peignait et dessinait les architectures avec talent.

LA HIRE Marie de, née **Weyrich**

Née le 20 mars 1878 à Rouillé. XXe siècle. Française.

Peintre.

Écrivain et femme de l'écrivain Jean de La Hire, elle fut élève de G. Castex à Toulouse, d'E. Favier, H. Delacroix et G. Collin à Paris. Elle exposa au Salon des Femmes Peintres des tableaux de fleurs, des paysages, des portraits, et figura également au Salon de la Société des Artistes Indépendants à partir de 1923 avec des études de nu, des paysages, des tableaux de figures.

Ventes Publiques : Paris, 25 nov. 1925 : *Parc de Versailles* : **FRF 510** ; *Un coin du parc à Marly* : **FRF 780**.

LA HIRE Philippe de ou **La Hyre**

Né le 18 mars 1640 à Paris. Mort le 21 avril 1718 à Paris. XVIIe-XVIIIe siècles. Français.

Peintre de paysages.

Fils et probablement élève de Laurent de La Hire. Il fut reçu maître peintre le 4 août 1670. Plusieurs biographes le citent comme ayant peint des paysages dans le goût de Watteau ; il y a évidemment confusion avec les œuvres du fils de Philippe, le médecin Jean Nicolas de La Hire, qui fut aussi peintre. Philippe de La Hire paraît avoir abandonné la peinture assez tôt pour se consacrer aux sciences mathématiques, et il acquit un certain renom comme astronome. Il fut membre de l'Académie des Sciences et son éloge fut prononcé par Fontenelle. Son portrait par lui-même fut offert à l'Académie des Sciences par M. Hérissant. Mariette cite une gravure de V. Robert, représentant des bergers gardant un troupeau de moutons, dans le goût de Van der Cabel, qui aurait été exécutée d'après un tableau de Philippe de La Hire.

LAHITTE Eugène Léon. Voir **LABITTE**

LAHNER Émile

Né le 22 septembre 1893 à Nagy-Berezna (Carpathes du Sud). Mort le 14 décembre 1980 à Paris. XXe siècle. Actif en France. Hongrois.

Peintre de nus, paysages, graveur, aquarelliste, décorateur de cinéma. Polymorphe.

Très tôt orphelin, il passe son enfance en Hongrie et, sur les conseils de son tuteur, fait des études d'ingénieur des mines. Son diplôme obtenu, il entre à l'École des Beaux-Arts de Budapest et s'initie à la peinture. Son professeur, Kochkine, est un émule de l'impressionnisme. De 1915 à 1917, c'est entre l'influence du futurisme et celle de l'expressionnisme allemand que son œuvre semble osciller. En 1923, il s'expatrie, s'installe quelque temps à Zurich, puis à Lausanne, où il découvre la peinture française, et se rend enfin à Paris en 1924. Il y fréquente Montparnasse et les ateliers Bourdelle, Colarossi et de la Grande Chaumière. Il effectue un voyage dans le Midi, vers 1930. En 1948, il fait un premier séjour en Algérie, pays où il retournera en 1952-1953.
Il expose, en 1927, en Hongrie, c'est sa première exposition, et reçoit le Prix Ernst. En 1930, il expose enfin à Paris et participe la même année au Salon des Indépendants, à la première exposition consacrée à l'École de Paris à Rio de Janeiro et à São Paulo. Il expose aussi au Salon des Tuileries, à Paris. À partir des années cinquante, Lahner expose régulièrement à Paris et, à partir de 1960, en Californie.
Les tableaux de l'époque de Montparnasse sont des « sujets poétiques » : des nus, des femmes suggérées accompagnées souvent d'un cheval ou d'un âne. La palette est claire. Il est déjà loin de la période hongroise où, dans des peintures comme les *Laboureurs*, on voit, dans une immense perspective, des chevaux de Pustza et des travailleurs. À son retour de son voyage dans le Midi, il fait ses premières aquarelles abstraites. Il est également décorateur de cinéma. Lahner passe de l'abstraction à la figuration et réciproquement, peignant à la même époque aussi bien des nus, des paysages que ses *Formes et Couleurs*, titre qu'il donne généralement aux toiles abstraites. Aussi bien dans ses peintures abstraites que dans ses tableaux figuratifs, il a recours aux aplats de couleurs cernés et fermés par un trait noir qui évoque parfois l'art du vitrail. Avec la guerre, Lahner quitte Paris et va vivre dans le Sud-Ouest, puis en Haute-Loire, d'où il rapporte des paysages. Il rapporte de son premier séjour en Algérie, des scènes de marché, la campagne, la plaine de la Mitidja. Pendant son séjour, il dresse les plans et dessine les vitraux d'une chapelle à El Affroun. Graveur, il publie un recueil *Formes, lignes, couleurs*. Peintre, il a de plus en plus recours à l'abstraction à partir de 1960 : abstraction qui, ayant tendance à recourir à des formes « géométriques » ne s'est néanmoins jamais départie de son lyrisme, de son équilibre et de son émotion.

E Lahner

Ventes Publiques : Paris, 1er juin 1988 : *Composition* 1960, h/t (65x54) : **FRF 2 500** – Paris, 8 oct. 1989 : *Sans titre*, gche (47x32) : **FRF 6 500** – Versailles, 29 oct. 1989 : *Soleil sur la campagne* 1927, h/t (38x46) : **FRF 6 000** – Calais, 4 mars 1990 : *Portrait de femme* 1932, h/t (42x33) : **FRF 16 000**.

LAHNER Karl
Né le 16 octobre 1842 à Vienne. XIXe siècle. Autrichien.
Sculpteur et illustrateur.
Il exécuta le buste du grand-duc François Charles (dans la Hofbourg), celui de Cherubin (à l'Opéra de la Cour). Il dessina pour des revues humoristiques.
Musées : Vienne (mun.) : *Buste du bourgmestre Felder* – Vienne (Mus. d'Hist. Naturelle) : *Buste du médecin Oribasius Pergamenus*.

LA HOËSE Jean de
Né le 28 février 1846 à Molenbeek-Saint-Jean. Mort en 1917. XIXe-XXe siècles. Belge.
Peintre de scènes de genre, portraits, paysages.
Il exposa au Salon des Artistes Français de Paris, obtenant une mention honorable en 1888, une médaille de bronze en 1889, pour l'Exposition Universelle ; ainsi qu'à Munich, où il fut médaillé en 1894.
Musées : Londres (Courtauld Inst. of Art).
Ventes Publiques : Londres, 15 juin 1979 : *Jeune femme nourrissant un perroquet* 1873, h/pan. (68x44,4) : **GBP 900** – Amsterdam, 25 avr. 1990 : *La femme au perroquet*, h/pan. (32,5x24) : **NLG 4 600** – Londres, 22 fév. 1995 : *Femme écrivant une lettre*, h/pan. (31x23) : **GBP 2 990**.

LAHOGUE Léon
XIXe siècle. Actif à Paris. Français.
Peintre de fruits et de natures mortes.
Exposa au Salon, de 1841 à 1850.
Ventes Publiques : Paris, 4 déc. 1944 : *Nature morte : fleurs, fruits et ara blanc* : **FRF 1 200**.

LAHOREZ Jeannin
XVe siècle. Actif à Pontarlier en 1440. Français.
Peintre verrier.

LA HOUGUE Jean de
Né en 1874 à Avranches (Manche). Mort en 1959 à Paris. XXe siècle. Français.
Peintre de portraits, intérieurs, paysages.
Il fut élève de Fernand Cormon, Fernand Humbert à l'École des Beaux-Arts de Paris, et de Maillart.
Il fut sociétaire, à Paris, du Salon des Artistes Français à partir de 1902. Il figura également au Salon de ce groupement où il obtint une mention honorable en 1901 et une médaille de troisième classe en 1902.
Musées : Caen : *Dans l'atelier*.
Ventes Publiques : Paris, 13 juin 1973 : *Les Deux Roses* : **FRF 4 800** – Calais, 9 déc. 1990 : *Parc fleuri*, h/t (33x18) : **FRF 8 000**.

LA HOULIÈRE R. de
XVIIIe siècle. Actif à Londres vers 1790. Français.
Peintre.
Il exposa des *Vues du lac de Genève*.
Ventes Publiques : Londres, 8 déc. 1987 : *Paysans et troupeau sur un pont ; Personnages au bord d'une rivière* 1792, past., une paire (chaque 80,1x105,6) : **AUD 6 000**.

LA HOUVE Paul de
XVIIe siècle. Actif à Paris. Français.
Peintre, graveur et éditeur.
Il grava des portraits historiques et des sujets d'ornement, notamment douze planches de bijoux. On a la gravure par Gantrel de son portrait de l'avocat Catherinot de Bourges.
Ventes Publiques : Londres, 11 nov. 1910 : *Portrait de Philippe III d'Espagne et de sa femme Marguerite* : **GBP 1**.

LAHRS Maria
Née le 31 mars 1880 à Königsberg (Kaliningrad, ancienne Prusse-Orientale). Morte en 1917. XIXe-XXe siècles. Allemande.
Peintre de paysages, aquarelliste.
Elle fut élève de l'Académie de Königsberg. Elle peignit des paysages à l'aquarelle.

LA HU Salomon de
XVIIe siècle. Actif en 1642. Allemand.
Peintre de portraits.
Il travailla pour le Suédois Torstenson.

LA HUERTA Gaspard de
Né le 2 septembre 1645 à Campillo (près de Altobney, province de Cuenca). Mort le 18 décembre 1714 à Valence. XVIIe-XVIIIe siècles. Espagnol.
Peintre.
Alors que fort jeune et en quête d'instruction il se trouvait à Valence, il tomba dans les mains de Jesualda Sanchef, la veuve intrigante de Pedro Infant (peintre), laquelle continua pour son propre compte l'école de son mari qui fournissait à la manufacture de tableaux religieux. La Huerta acquit une certaine habileté comme coloriste et épousa la fille de Jesualda Sanchef. Travaillant pour des prix modérés, il obtint facilement de l'ouvrage pour des églises et couvents avoisinants. Il exécuta, pour les Franciscains, *Le Jubilé de la Portioncule*.

LA HUERTA José de
XVIIIe siècle. Actif à Valence en 1700. Espagnol.
Peintre.
Il exécuta le *Portrait de l'archevêque de Valence Rocaberti*.

LA HUERTA Juan de. Voir **JEAN de La Huerta**

LA HUERTA Manuel de
XVIIIe siècle. Actif au début du XVIIIe siècle. Espagnol.
Peintre.
Moine, il fit plusieurs miniatures excellentes dans le monastère de la Merced Calzada à Valladolid.

LAHULA Milan
Né le 11 novembre 1930. XXe siècle. Tchécoslovaque.
Peintre.
Il vit à Bratislava. De 1950 à 1955, il fait des études artistiques à Bratislava.

Il participe à des expositions collectives, la plupart en Tchécoslovaquie ou dans les pays de l'Est ; mais aussi : 1963, 1967, Biennale de São Paulo. Il montre ses œuvres dans des expositions personnelles : 1962, 1963, 1965, Bratislava ; 1964, Budapest ; 1966, Berlin, Brno, Turin, etc.
Ses œuvres des années 1960 se cherchent entre abstraction et construction des volumes selon un post-cubisme cézannien tel qu'il était pratiqué autour de 1914.
Bibliogr. : In : *50 ans de peinture tchécoslovaque, 1918-1968*, cataloque de l'exposition, Musées tchécoslovaques, 1968.

LAHURE Edmond
Né au XIXe siècle au Havre (Seine-Maritime). XIXe siècle. Français.
Peintre de paysages.
Élève de G. Boulanger, J. Lefebvre et Wachsmuth. Il débuta au Salon de 1879.

LAHURE Nicole
Née le 16 juin 1935 à Reims (Marne). XXe siècle. Française.
Peintre de figures, paysages, marines, natures mortes, fleurs, sculpteur de figures, groupes. Expressionniste.
Elle débuta sa formation en 1978 dans des ateliers privés. Elle participe à des expositions collectives, dont à Paris : depuis 1984 Salon des Indépendants, dont elle devint sociétaire en 1986 ; depuis 1990 Salon des Artistes Français, dont elle devint sociétaire en 1992 ; ainsi qu'à Mont-de-Marsan, en 1989, à l'Exposition tauromachique. Elle montre des ensembles de ses peintures dans des expositions personnelles : 1985 Paris, Bordeaux ; 1987 Paris, Dunkerque ; 1989, 1990 Paris ; 1991 Lille, Paris ; 1993 Paris.
Dans la diversité des thèmes traités, les scènes de couples et de tauromachie sont privilégiés. À partir d'un expressionnisme néo-fauve, elle évolue vers l'absraction.

LA HUVE Salomon de
Né vers 1614. XVIIe siècle. Actif à Amsterdam. Hollandais.
Peintre.

LA HYRE. Voir **LA HIRE**

LAI-NGAN. Voir **LAIAN**

LAIA. Voir **LALA**

LAIAN ou **Lai-Ngan** ou **Lai-an**
XIIIe-XIVe siècles. Actif pendant la dynastie Yuan (1279-1368). Chinois.
Peintre.
Vraisemblablement moine, il est spécialisé dans les représentations de poissons. On connaît plusieurs œuvres de lui ou qui lui sont attribuées, dont une *Grosse carpe dans les herbes aquatiques*, conservée à la Nelson Gallery of Art de Kansas City.

LAIB Conrad, ou **Konrad,** ou **Laibl** ou **Leib**
XVe siècle. Actif à Salzbourg de 1440 à 1460 environ. Autrichien.
Peintre.
On l'appelle parfois Pfenning, d'après une inscription sur le panneau de la Crucifixion du Musée de Vienne. Il s'engage dans la voie du réalisme ; le côté précieux des matières s'accentue, ainsi que les plis lourds d'une étoffe de laine, le chatoiement d'un galon d'or, les reflets d'une cuirasse polie. L'anatomie est traitée quelquefois avec exagération, l'expression des personnages est rendue avec une intensité nouvelle, les tons deviennent foncés.
Bibliogr. : Ernst H. Buschbeck : *Primitifs autrichiens*, La Connaissance, Bruxelles, 1937.
Musées : Salzbourg (Mus. prov.) : *Saint Primus, et Saint Hermès*, deux battants d'orgue – Venise (Gal. Manfredini du Séminaire Patriarcal) : *La mort de la Vierge* – Vienne (Kunsthistorisches Mus.) : *Portrait de l'Empereur Sigismond*, attr.

LAIB Wolfgang
Né en 1950 à Metzingen. XXe siècle. Allemand.
Artiste, sculpteur.
Médecin de formation, il obtient son doctorat en 1974 à l'université de Tübingen, mais abandonne son métier pour l'activité artistique. Il vit dans un petit village du Bade-Wurtemberg.
Il participe à des expositions collectives : 1982, Documenta 7, Kassel ; 1982, Biennale de Venise (pavillon allemand) ; 1986, Arc, Musée d'Art Moderne de la Ville de Paris ; 1986, CAPC Musée d'Art Contemporain, Bordeaux ; 1988, à la Documenta 8, Kassel. En 1976, la galerie Müller-Roth de Stuttgart organise sa première exposition personnelle, puis : 1981, galerie Chantal Crousel, à Paris ; 1989, Musée départemental de Rochechouart, Limoges ; 1991, galerie Crousel-Robelin Bama, Paris ; 1992, Forum du Musée National d'Art Moderne, Centre Georges Pompidou ; 1996, galerie Chantal Crousel, Paris.
En 1975, il réalise sa première œuvre *Pierre de lait* : du lait soigneusement versé sur une pierre en marbre blanc. En 1977, il utilise du pollen de différentes plantes et fleurs, pollen qu'il recueille lui-même grain par grain au printemps pour, ensuite, précieusement le tamiser sur le sol. Puis, à partir des années quatre-vingt, il manipule d'autres matières naturelles telles la cire d'abeille ou du riz. Ces œuvres, *Pierre de lait, Maison de riz, Pièce de pollen*, dénotent une écologie de la matière en faisant référence à des philosophies et modes de vie non-occidentaux. À la croisée de la sculpture, du rite d'initiation et de la poésie, elles expriment la saisie de l'énergie vitale. ■ C. D.
Bibliogr. : *Wolfgang Laib*, catalogue de l'exposition, Arc, Musée d'Art Moderne de la Ville de Paris, 1986 – *Wolfang Laib*, catalogue de l'exposition, Musée de Rochechouart, 1989 – in : *Diction. de l'art moderne et contemporain*, Hazan, Paris, 1992.
Musées : Paris (FNAC) : *Paroi* 1989 – Rochechouart (Mus. dép. d'Art Contemp.) : *Pierre de lait* 1976 – *Maison de riz* 1987.
Ventes Publiques : New York, 27 fév. 1992 : *Maison de riz* 1986, vernis, riz et bois (15,2x64,2x13,3) : **USD 23 100** – New York, 6 mai 1992 : *Maison de riz* 1989, marbre et riz (17,5x125x20,3) : **USD 33 000** – New York, 19 nov. 1992 : *La petite Pierre de lait* 1978, marbre et lait (6x65x48,9) : **USD 20 900** – New York, 5 mai 1993 : *Maison en cire d'abeille*, cire et riz (26,6x755,5x33) : **USD 13 800** – New York, 3 mai 1994 : *La pierre de lait*, marbre et lait en poudre (1,6x102,8x113) : **USD 19 550**.

LAIBLIN Erwin
Né le 31 août 1878 à Stuttgart. XXe siècle. Allemand.
Peintre de paysages et de figures.
Élève de l'Académie de Stuttgart. Il figura à partir de 1902 à des expositions en Allemagne avec des paysages de montagnes et de parcs ainsi qu'avec des vues de Venise.

LAI Chuanjian ou **Ch'uan-Chien**
Né en 1926 à Chung-li. XXe siècle. Chinois.
Peintre.
Il s'est formé à l'Université Musashino de Tokyo. Il est administrateur de l'Association chinoise des peintres pratiquant la peinture à l'huile et membre du jury pour l'organisation des expositions de peinture en Chine et à Taiwan.
Il participe à de nombreuses expositions principalement en Asie.
Ventes Publiques : Taipei, 18 oct. 1992 : *Manège* 1980, h/t (80x100) : **TWD 440 000**.

LAIDLAY William James ou **Laidlaw**
Né le 12 août 1846 à Calcutta. Mort le 25 octobre 1912 probablement à Londres. XIXe-XXe siècles. Britannique.
Peintre de paysages, écrivain.
Il étudia la peinture à Paris où il fut élève de C. Duran et de Bouguereau. Il exposa, de 1880 à 1912, à Paris, au Salon de la Société des Artistes Français et, à Londres, à la Royal Academy et à la Society of British Artists.
Ventes Publiques : Londres, 22 juil. 1927 : *Sur la Côte de Cornouailles* : **GBP 63** – Londres, 29 juil. 1988 : *Les ruines de la tour de guet*, h/t (30,7x39,4) : **GBP 440**.

LAIER Sigmund. Voir **LAIRE**

L'AIGLE de, comte
XIXe siècle. Actif à la fin du XIXe siècle. Français.
Graveur.
On connaît de lui des compositions (6), illustrant *Bigarreau* d'André Theuriet, publié en 1885, gravées par H. Toussaint ; et un ouvrage entièrement gravé, le texte en fac-similé, les illustrations en couleurs en marge : *Le portrait du Louvre*, par E. M. de Voguë, de 1889.

LA IGLESIA Manuel de
XVIIIe siècle. Actif à Saint-Jacques-de-Compostelle. Espagnol.
Sculpteur sur bois.
Il travailla en 1756 à des autels de l'église San Martin Pinario, et à un autel de la chapelle S. Roque.

LAIGNEAU Henry
Né à Rambouillet (Yvelines). XXe siècle. Français.

Peintre.
Il figure avec des portraits au Salon des Indépendants, à Paris, depuis 1910.

LAIGNEAU Max
Né le 11 avril 1937 à Caen (Calvados). XXe siècle. Français.
Peintre de scènes animées, figures, paysages, fleurs, peintre de décorations murales.
Il ne se consacre à la peinture que depuis environ 1980. Il s'est fixé dans le Dauphiné, où il expose souvent. En 1989, l'hôtel de ville de Grenoble a accueilli son exposition *Venise masquée*.
Sa peinture se fonde à partir d'un graphisme alerte, de type publicitaire, et d'une gamme colorée développée. Il a souvent privilégié le thème des musiciens de jazz.
Bibliogr. : Catalogue de l'exposition *Max Laigneau. Venise masquée*, hôtel de ville, Grenoble, 1989.

LAIGNEL Mathieu
XVIe siècle. Actif à Rouen. Français.
Sculpteur.
Sous les ordres de Pierre Desambeaux, il travailla de 1520 à 1523, au tombeau que Georges d'Amboise fit élever à son oncle, le cardinal d'Amboise, dans la cathédrale de Rouen.

LAIGNIEL Nicolas
XVIIe siècle. Actif à Rome vers 1680. Français.
Graveur au burin.

LAILHACA Joseph
Né à Bordeaux (Gironde). Mort le 23 septembre 1920 à Bordeaux (Gironde). XXe siècle. Français.
Peintre de paysages.
Il vécut à Paris. Il fut élève de Grosjean. Il figura, à Paris, au Salon des Artistes Français où il obtint une médaille de troisième classe en 1911.
Ventes Publiques : Paris, 30 nov. 1994 : *Les montagnes bleues*, h/t (50x65) : **FRF 10 000**.

LAILLARD Jeanne
Née en 1897 à Paris. XXe siècle. Française.
Peintre.
Femme du peintre Limouse. Elle a figuré, à Paris, au Salon des Indépendants, des Tuileries et des Peintres Témoins de leur Temps.
Musées : Paris (Mus. d'Art Mod. de la Ville).

LAILLIER Jean ou **Jehan** ou **Lallier**
XVIe siècle. Actif à Arras entre 1513 et 1536. Français.
Peintre.

LAINATI Marco
Né à Plaisance. XVIIIe siècle. Actif vers 1777. Italien.
Peintre.
Élève de Louis de La Forest. Il travailla à Capri.

LAINDOR
XIXe siècle. Actif au début du XIXe siècle. Français.
Graveur au pointillé.
Le Blanc cite de lui : *Le jeune villageois*, d'après Westall.

LAINE Achille
Né au XIXe siècle à Paris. XIXe siècle. Français.
Peintre de marines et paysagiste.
Élève de François Barry et de Jongkind. Il exposa au Salon en 1857 et 1861.

LAINÉ Adrien
Né au XIXe siècle à Paris. XIXe siècle. Français.
Peintre de marines.
Élève de Gudin. Il exposa au Salon de 1835 à 1861. Il fut attaché au Ministère de la marine. Le Musée de Bagnères-de-Bigorre conserve de lui deux *Vues d'Afrique*.

LAINÉ C. P.
Mort le 15 avril 1835 à Dole (Jura). XIXe siècle. Français.
Peintre, dessinateur.
Il exécuta des dessins pour *Les voyages pittoresques dans l'ancienne France*, de Nodier, Taylor et Cailleux, en 1820.
Bibliogr. : In : Catalogue de l'exposition : *Les années romantiques, la peinture française de 1815 à 1850*, Musée des Beaux-Arts de Nantes, 1995-1996 et Galeries nationales du Grand Palais, Paris, 1996.
Musées : Dole : *Incendie* 1819 – *Incendie de Salins* 1825.

LAINÉ Francis ou **François**
Né en 1721 à Berlin. Mort en 1810 à Paris. XVIIIe-XIXe siècles. Français.
Peintre d'histoire et miniaturiste.
Membre de l'Académie de Saint-Luc, où il exposa en 1774 plusieurs œuvres, entre autres un *Paysage* dessiné avec des cheveux. Lainé est l'inventeur des ouvrages de ce genre.

LAINÉ François Thomas ou **Laisné**
Mort avant 1778. XVIIIe siècle. Actif à Nantes. Français.
Sculpteur.

LAINÉ Gérard
Né le 26 octobre 1940 à Yvetot (Seine-Maritime). XXe siècle. Français.
Peintre de compositions à personnages, technique mixte. Nouvelles figurations.
En 1963 à Paris, il fut élève de l'Académie Charpentier, puis, de 1964 à 1969 de l'École des Beaux-Arts, dans les ateliers Legueult, Bertholle, Étienne-Martin. Depuis 1969, il s'est fixé à Marseille. Il participe à des expositions collectives et montre surtout ses travaux dans des expositions personnelles, notamment à Marseille.
Il peut utiliser plusieurs techniques sur une même toile, peinture à l'huile, photographies, reports sur toile émulsionnée, fragments d'objets manufacturés, silhouettes découpées et collées. L'élément dominant de sa technique reste la peinture traditionnelle, à la limite de l'académisme, un académisme teinté d'une fausse naïveté concertée. C'est toutefois par les sujets que Gérard Lainé se singularise ; il pratique l'ancienne recette du heurt des éléments insolites, insolites non pas tant en eux-mêmes qu'insolites entre eux, relation déjà incongrue que peut en outre perturber un sous-entendu érotique. Très souvent, il recourt à la juxtaposition d'une scène du présent, signalée par des couleurs vives, avec une image du passé, signalée par des couleurs « passées » ou par une monochromie photographique, sorte de tapisserie murale à personnages d'autres siècles, ou exotiques, ou solennellement figés dans leurs habits et allures démodés. Insidieusement, la scène vivante présente peut se prolonger dans l'image figée du passé. Le peintre n'explicite pas ses images, il les livre à l'imagination du spectateur.

LAINÉ Jean ou **Lenet**
D'origine française. XIXe siècle. Travaillant à Saint-Pétersbourg dans la première moitié du XIXe siècle. Français.
Sculpteur.
Il exécuta au socle de la colonne Alexandre, place du château à Saint-Pétersbourg, un aigle et quatre bas-reliefs, en collaboration avec Svintzoff. On mentionne de sa main les caricatures plastiques de *Montferrand, Vitalis, Neff, Boulgarine, Vernet, Gauthier* ainsi que deux statues : *La Justice* et *La Fidélité* au grand escalier du Palais d'hiver.

LAINÉ Louis Auguste Marie
Né le 29 mai 1868 à Triel (Seine-et-Oise). XIXe-XXe siècles. Français.
Peintre de genre.
Élève de Jules Lefebvre, Tony Robert-Fleury et Sauzay. Sociétaire des Artistes Français depuis 1901, il figura au Salon de ce groupement et obtint une mention honorable en 1905. Chevalier de la Légion d'honneur.

LAINÉ Victor
Né en 1830 ou 1831 à Paris. Mort en 1911. XIXe-XXe siècles. Français.
Peintre de genre, animalier, paysages.
Élève de E. Huot, il débuta au Salon de Paris en 1857 et fut sociétaire des Artistes Français à partir de 1906.
Fixé à Barbizon et ami de J. F. Millet et de Ch. Jacque, il a fréquemment peint des aspects de la forêt de Fontainebleau et des sujets rustiques : troupeaux, bergeries.
Bibliogr. : Gérald Schurr, in : *Les Petits Maîtres de la peinture 1820-1920, valeur de demain*, Les Éditions de l'Amateur, t. IV, Paris, 1979.
Ventes Publiques : Zurich, 3 nov 1979 : *Paysage* 1884, h/t (54,5x65) : **CHF 2 200** – Paris, 9 déc. 1988 : *Vase de fleurs sur un entablement*, h/t (78x56) : **FRF 7 500**.

LAINÉ-LANGFORD Marcel
XIXe-XXe siècles. Français.
Peintre de paysages.
Ventes Publiques : Paris, 1er-3 mars 1923 : *Les Dunes* : **FRF 60** – Paris, 20-21 déc. 1944 : *Environs de Toulon* : **FRF 500** ; *Toulon* : **FRF 200**.

LAINÉE Thomas
Né en 1682 à Paris. Mort le 29 janvier 1739 à Avignon. XVIIIe siècle. Français.

Sculpteur et architecte.
Il participa aux travaux de sculptures sur bois décoratives de la chapelle du château de Versailles, du palais de Fontainebleau, aux stalles du chœur de Notre-Dame de Paris. Il est mentionné en 1716 à Avignon et Aix-en-Provence. Il exécuta des dessins pour le *Livre de divers dessins d'ornements...* gravé à Paris par J. J. Bachelou. Le Musée des Arts Décoratifs à Paris possède de sa main six sculptures sur bois provenant de l'Hôtel Rochegude d'Avignon.

LAINEZ Alonso
XVIe siècle. Actif vers 1574. Espagnol.
Sculpteur.

LAING Amy Rose, née **Löw**
Née le 20 janvier 1869 à Glasgow. XIXe siècle. Britannique.
Peintre.
Elle épousa James G. Laing en 1898. Elle figura à de nombreuses expositions en Angleterre et à l'étranger.
Musées : Glasgow : *Miróir.*

LAING Frank
Né en 1852 ou 1862 à Tayport. Mort en 1907. XIXe-XXe siècles. Britannique.
Peintre de figures, paysages, aquarelliste, aquafortiste.
Exposa au Salon de Paris et obtint une mention honorable en 1900 (Exposition Universelle).
Musées : Melbourne (Nat. Gal. of Victoria) : *La Jeune fille jaune* 1907.
Ventes Publiques : Perth, 31 août 1993 : *Le Pont des Arts*, aquar. (28,5x34) : **GBP 1 150** – Perth, 26 août 1996 : *Paris*, aquar. (19,5x30) : **GBP 862**.

LAING Gérald
Né en 1936 à Newcastle. XXe siècle. Britannique.
Sculpteur.
Il a d'abord fréquenté la Saint-Martin's School, de 1960 à 1964, puis est venu à l'École des Beaux-Arts à Paris.
Dès 1963, il participe à la Biennale de Paris. Sa participation à l'exposition *Primary structures* au Jewish Museum à New York en 1966, indique plus clairement son rôle dans l'histoire de l'art minimal. Il est invité en 1967 à la Biennale de São Paulo. Il montre alors régulièrement ses œuvres à New York dans des expositions personnelles, également à Chicago et Los Angeles.
Les liens entre constructivisme et art minimal paraissent évidents dans la sculpture de Gérarld Laing, dont l'œuvre tend vers une simplification et une neutralité du langage formel.
Musées : Londres (Victoria and Albert Musuem) – Minneapolis (Walker Art Center) – New York (Whitney Mus.).

LAING James Garden
Né le 15 octobre 1852 à Aberdeen. Mort en août 1915. XIXe-XXe siècles. Britannique.
Peintre d'architectures, paysages, marines, aquarelliste.
Fut architecte avant de pouvoir entrer à l'École des Beaux-Arts de Glasgow. Il débuta en 1878 au Glasgow Institute et depuis, prit part avec succès aux principales expositions de Londres et des grandes villes du Royaume-Uni.
Musées : Glasgow : *Intérieur de Saint-Maclou, à Rouen* – Leeds : *Cathédrale de Chartres*, aquar. – Minneapolis : *Tempête en mer.*
Ventes Publiques : Glasgow, 6 fév. 1990 : *Amsterdam*, aquar. avec reh. de blanc (34x44) : **GBP 1 540** – Perth, 27 août 1990 : *The Donnithorne Arms* 1884, aquar. avec reh. de gche (38x52) : **GBP 715**.

LAING John Joseph
Né en 1830 à Glasgow. Mort en 1862 à Glasgow. XIXe siècle. Britannique.
Graveur sur bois.
Il travailla à Glasgow, puis à Londres, où il peignit surtout des sujets d'architecture.

LAING William Wardlaw
XIXe-XXe siècles. Actif à Londres et Liverpool. Britannique.
Peintre de genre et de paysages.
Il figura de 1873 à 1898 à l'Exposition de la Royal Academy à Londres et en 1908 à l'Exposition d'Automne de Liverpool.

LAIPMAN Ants
Né le 23 avril 1866 à Vigala (près d'Hapsal). XIXe siècle. Éc. balte.
Peintre.
Il fut élève de l'Académie de Düsseldorf et fit des voyages en Italie et en Afrique du Nord.
Musées : Dorpat : *Jeune fille* – Reval : *Portrait de l'artiste par lui-même* – *Même sujet* – *Portrait d'O. Herman* – *Chrysanthèmes* – *Ma patronne.*

LAIR Albert Eugène
XIXe siècle. Français.
Peintre de fleurs.
Le Musée de Caen conserve deux œuvres de cet artiste.

LAIR Clément
XIXe siècle. Actif à Narbonne. Français.
Peintre.
Il occupa à Narbonne le poste de directeur des lignes télégraphiques et fit de la peinture en amateur. Le Musée de cette ville conserve de lui : *Portrait de l'abbé Caffort, prédicateur.*

LAIR Franz. Voir **LAYR**

LAIR Jean Louis César
Né le 25 août 1781 à Janville (Eure-et-Loir). Mort le 28 mai 1828 à Janville. XIXe siècle. Français.
Peintre d'histoire, compositions religieuses, compositions mythologiques, portraits.
Élève de Regnault et de David, il participa au Salon de Paris de 1806 jusqu'à sa mort, obtenant une médaille de première classe en 1817.
Il fit de grands tableaux pour des églises, citons parmi eux : *Les filles de Jérusalem*, pour Saint-Ambroise de Popincourt.
Bibliogr. : In : Catalogue de l'exposition : *Les années romantiques, la peinture française de 1815 à 1850*, Musée des Beaux-Arts de Nantes, 1995-1996 et Galeries nationales du Grand Palais, Paris, 1996.
Musées : Le Puy-en-Velay : *Supplice de Prométhée.*

LAIR Pierre Paul
Né le 3 mars 1857 à Paris. XIXe siècle. Français.
Graveur à l'eau-forte.
Élève de M. Lefort. Sociétaire des Artistes Français depuis 1897. Il figura au Salon de ce groupement.

LAIRE Louis Eugène
Né au XIXe siècle à Ocquerre-sur-Ourcq. XIXe siècle. Français.
Peintre de portraits.
Élève de Jacquesson de la Chevreuse. Débuta au Salon de 1869.

LAIRE Sigmund ou **Lair** ou **Laier**, dit **Gismondo Tedesco**
Né vers 1552 en Bavière. Mort en 1639 à Rome. XVIe-XVIIe siècles. Allemand.
Peintre et miniaturiste.
Élève de Francisco de Castello. Vécut à Rome. Il peignit un grand nombre de madones qui furent envoyées aux Indes. Il se fit religieux.

LAIRESSE Abraham I de
Né en 1666 à Amsterdam. Mort en 1726 ou 1727 à Amsterdam. XVIIe-XVIIIe siècles. Éc. flamande.
Peintre.
Fils aîné et élève de Gérard, il épousa, le 27 novembre 1693, à Amsterdam, Johanna Van Bevern. Il peignit dans le style de son père.

LAIRESSE Abraham II de
Né en 1682. XVIIIe siècle. Éc. flamande.
Graveur et peintre.
Fils de Jacques de Lairesse.
Musées : Genève (Ariana) : *Isaac et Rebecca.*

LAIRESSE Ernest de
Baptisé à Liège le 21 mars 1636. Mort en 1718 à Amsterdam. XVIIe-XVIIIe siècles. Éc. flamande.
Peintre de fleurs et miniaturiste.
Fils aîné et élève de Renier de Lairesse. Il peignit à l'huile et à la détrempe des animaux et des scènes de chasse. Il alla en Italie en 1662, envoyé par l'évêque de Liège, Maximilien-Henri de Bavière, y resta deux ans, puis vécut à Bonn comme peintre de l'évêque. Certains biographes le font mourir vers 1675-1676. On cite de lui une *Vision de saint Dominique*, peinte sur les volets du petit orgue de l'église des Dominicains à Liège.

LAIRESSE Gérard de
Né le 11 septembre 1641 à Liège. Enterré à Amsterdam le 28 juillet 1711. XVIIe-XVIIIe siècles. Éc. flamande.
Peintre d'histoire, sujets mythologiques, compositions religieuses, scènes de genre, portraits, graveur.

On pourrait croire par l'élégance de son style que Gérard de Lairesse dut faire de longues études en Italie ou en France. Il n'en est rien ; le célèbre peintre ne quitta pas les Pays-Bas. Il eut pour maîtres son père Renier de Lairesse, puis Bertholet Flémalle à Liège ; il alla à Berlin vers sa vingtième année pour l'architecte Johann Gregor Meinhard, mais y resta peu de temps. Il épousa Marie Salme en 1664 et obtint le droit de bourgeoisie en 1669, en 1684, il vint à La Haye où il fut célèbre et mena une vie déréglée ; il eut pour protecteurs les princes électeurs de Cologne et de Brandebourg, peignit avec Glauber la salle à manger de la reine Maria, les appartements du roi Guillaume III, les salons du château Loesdyck et sept grandes scènes de l'histoire romaine pour la salle du tribunal. À 50 ans, il devint aveugle, tomba dans une situation précaire et commença, avec l'aide de son fils, une théorie de l'art, *Le grand livre des peintres* ; il mourut dans la misère. Il eut quatre fils, dont deux, Abraham et Jan, furent peintres et furent ses élèves, ainsi que Jacob Van der Does le Jeune, Ottmar Elliger le Jeune, Jean Goree, Théodor Lubienitzki, Jan Hoogzaat, Philip Tideman, Bonaventura Overbeeck, Jan Mieris, etc.
Il a gravé avec un remarquable talent des sujets religieux, d'histoire, des portraits, des blasons et des allégories. Il signait souvent ses planches : *G. de L. ; G. L. ; G : D : L : pinx ; G. L. fec et exc ; G. L. F. ; G. L. f ; G. Laire ; G. Laires.* Le catalogue de la Galerie Colonna à Rome mentionne un tableau : *Rachat d'une esclave*, par Charles de Lairesse, peintre que nous ne trouvons mentionné nulle part ailleurs. Ne s'agirait-il pas d'une œuvre de Gérard ?

G de L G de L G. Lairesse f

Bibliogr. : F. W. H. Hollstein, in : *German Engravings, Etchings and Woodcuts, circa 1400-1700*, Menno Hertzberger & Van Gendt, Amsterdam, 1954-1978 – Alain Roy : *Gérard de Lairesse, 1641-1711*, Arthena, Paris, 1992.

Musées : Aix-en-Provence (Granet) : *Portrait – Cadmus vainqueur du dragon – Le triomphe de la beauté* – Aix-la-Chapelle : *Le martyre de sainte Ursule – L'arrivée d'Énée en Italie* – Amiens : *Marie de Clèves* – Amsterdam : *Seleucus renonçant à Bérénice – Antoine chez Cléopâtre – La Cène – Mars, Vénus et l'Amour – Même sujet – La Vertu – Diane et Endymion – Composition mythologique – Le Pouvoir légitime et la Révolution*, grisailles – trois plafonds – Augsbourg : *Triomphe d'Alexandre* – Bayonne (Bonnat) : *Portrait de l'artiste par lui-même* – Berlin : *Satyre et nymphe* – Bordeaux : *Minerve* – Brême : *L'enfant aux bulles de savon – Bacchante endormie* – Brunswick : *Achille et les filles de Lycomède* – Bruxelles : *Mort de Pyrrhus – Ecce homo* – Caen : *Conversion de saint Augustin* – Cambridge : *Circé* – Châteauroux : *Scène mythologique* – Cherbourg : *Allégorie* – Delft : *La Cène* – Dresde : *Le Parnasse – Bacchantes* – Dulwich : *Apollon et Daphné – Pan et Syrinx* – Dunkerque : *La résurrection* – Florence (Pitti) : *Portrait de l'artiste par lui-même* – Fontainebleau : *Institution de l'Eucharistie* – Gauno : *Jupiter et Sémélé* – Genève (Ariana) : *Néron* – Genève (Rath) : *Bacchanale* – Grenoble : *Diane et Actéon* – La Haye : *Achille reconnu par Ulysse – Bacchus et Ariane – Apothéose de Guillaume III* – La Haye (comm.) : *Allégorie sur les bienfaits de la Paix* – Karlsruhe : *Seleucus et Antiochus* – Kassel : *Portrait – Fête de Bacchus – Mort de Germanicus – Achille traînant le cadavre d'Hector autour de Troie – Fête de fiançailles* – Liège : *Le tribunal de la Sottise – Descente d'Orphée aux enfers – Judith – Triomphe de Paul-Émile* – Lille : *Les pleureuses – Paysage* – Lübeck : *Jésus à Génézareth* – Mannheim : *Le triomphe d'Alexandre* – Mayence : *Baptême de saint Augustin* – Moscou (Roumiantzeff) : *Sacrifice devant la Statue de Vénus* – Munich : *Deux allégories sur la vie d'un artiste* – Munich (Pina.) : *Didon et l'Amour* – Nantes : *Paysage historique* – Orléans : *Adam et Ève après la chute* – Oslo : *Les filles de Cécrops ouvrant le panier mystérieux* – Paris (Mus. du Louvre) : *Débarquement de Cléopâtre – Hercule entre le vice et la vertu – La Cène* – Pavlovsk : *Sainte Famille ; Vénus et Adonis* – Pommersfelden : *Le jeune Achille* – Potsdam : *Sacrifice à Flore* – Riga : *Sacrifice romain* – Rouen : *Jeux d'enfants* – Saint-Pétersbourg : *Le sacrifice – Amour maternel* – Schleissheim : *Odysséus et les sirènes – Odysséus reconnu par sa nourrice* – Soleure : *Mars et Vénus* – Stockholm : *Achille à la cour de Lycomède – Achille jouant de la lyre devant Patrocle* – Toulouse : *Le Christ en croix – Conversion de saint Paul* – Utrecht : *Apollon et Daphné* – Vienne : *Sentinelle d'artillerie – Cybèle recevant Neptune et Amphitrite – Soldats et servantes trinquant* – Vienne (Acad.) : *La Lune et Endymion – Même sujet* – Vienne (Institution Histoire Art) : *La Lune et Endymion.*

Ventes Publiques : Paris, 1762 : *Antiochus et Stratonice* : **FRF 1 810** – Paris, 1767 : *Achille à la cour de Nicomède* : **FRF 9 610** – Paris, 1783 : *Abraham recevant les anges* : **FRF 8 900** – Paris, 1821 : *Minerve terrassant l'Envie* : **FRF 1 200** – Bruxelles, 1882 : *Allégorie* : **FRF 550** – Paris, 21 mars 1898 : *La Fontaine du Commerce* : **FRF 280** – Munich, 1899 : *L'Annonciation* : **FRF 2 500** – Paris, 18 oct. 1907 : *Amour tenant des guirlandes de fleurs* : **FRF 200** – Paris, 9 déc. 1920 : *La Révélation* : **FRF 530** – Londres, 14 mars 1924 : *Bacchanale* : **GBP 46** – Paris, 25 avr. 1925 : *Samson et Dalila* : **FRF 1 100** – New York, 14 jan. 1938 : *Suzanne et les Vieillards* : **USD 50** – Paris, 5 nov. 1941 : *Portraits présumés du peintre et de son fils tenant sa palette et ses pinceaux* : **FRF 11 100** – Paris, 4 juin 1947 : *Ariane couronnée par Vénus*, lav., reh. de gche, d'après Tintoret : **FRF 600** – Paris, 19 déc. 1949 : *Bacchanale* : **FRF 142 000** – Paris, 24 mars 1952 : *Bacchanale* : **FRF 145 000** – Londres, 29 nov. 1963 : *Portrait d'une petite fille* : **GNS 700** – Amsterdam, 11 avr. 1967 : *La mort de Cléopâtre* : **NLG 5 200** – Versailles, 26 juin 1968 : *Scène bachique dans un parc* : **FRF 10 000** – Amsterdam, 18 mai 1976 : *Esther accusant Haman en présence d'Assuérus*, h/t (96x132) : **NLG 24 000** – Londres, 25 mars 1977 : *Vénus et Adonis ; h/t* (108x119,3) : **GBP 5 000** – New York, 8 jan. 1981 : *Le Triomphe de Bacchus*, h/t (113,5x150,5) : **USD 26 000** – New York, 10 juin 1983 : *Vénus endormie et satyres dans un paysage*, h/t (99x124,5) : **USD 13 000** – Paris, 5 mars 1986 : *Le Lever de Vénus*, h/t (67x83) : **FRF 60 000** – Londres, 8 avr. 1987 : *La Présentation au Temple*, h/t (148x186) : **GBP 33 000** – New York, 14 jan. 1988 : *Jupiter donnant la pomme d'or à Mercure pendant le repas de mariage de Pâris et Oenone*, h/t (189,5x152,5) : **USD 60 500** – Paris, 10 juin 1988 : *L'Adoration des mages*, h/t (148x186) : **FRF 300 000** – Monaco, 2 déc. 1989 : *Achille à la cour de Lycomède*, h/t (82x94,5) : **FRF 99 900** – Paris, 9 avr. 1990 : *Abraham recevant les anges*, h/t (116,5x178) : **FRF 1 250 000** – Londres, 12 déc. 1990 : *Joseph devant Pharaon*, h/t (66,5x57,5) : **GBP 11 000** – Londres, 24 mai 1991 : *La fête de mariage de Peleus et de Thetis*, h/t (153x189,3) : **GBP 104 500** – New York, 9 oct. 1991 : *Mercure ordonnant à Calypso de libérer Ulysse*, h/t (91,4x113,7) : **USD 126 500** – Amsterdam, 25 nov. 1991 : *L'âge d'or : Aetas Aurea*, craie rouge et lav. brun (28,7x34,9) : **NLG 3 450** – New York, 17 jan. 1992 : *La Reine Esther accusant Haman devant Assuérus*, h/t (94x130,2) : **USD 14 300** – Londres, 5 avr. 1995 : *Appelles et Campaspe*, h/t (78x100) : **GBP 38 900** – Paris, 16 juin 1995 : *La Charité*, h/t (59,5x55) : **FRF 30 000** – Londres, 19 avr. 1996 : *Vénus et Cupidon dans la forge de Vulcain*, h/t (122x192,7) : **GBP 36 700** – New York, 15 mai 1996 : *Mercure, Hersé et Aglauros*, h/t (55,2x68,5) : **USD 9 200** – Paris, 27 juin 1997 : *Vénus et Mars*, h/t, une paire (chaque 41x11,5) : **FRF 17 000.**

LAIRESSE Jacques ou **Jacob**

Né en 1640. Mort en 1690 à Amsterdam. XVIIe siècle. Hollandais.

Peintre de portraits, fleurs.

Élève de son père Renier de Lairesse. Il épousa en 1667, à Liège, la fille de Jean Gaswin, vécut en 1680 à Amsterdam et mourut dans la misère. Il peignit un tableau d'autel pour la chapelle de Sainte-Agnès à Liège. Il pratiqua la grisaille.

LAIRESSE Jan

Né en 1674 à Amsterdam. XVIIe-XVIIIe siècles. Hollandais.

Peintre.

Fils et élève de Gérard de Lairesse. On ne donne aucun détail sur cet artiste qui, peut-être, servit d'aide à son père dans ses nombreux travaux.

LAIRESSE Jan Gérard de

Né vers 1661 à Amsterdam. XVIIe siècle. Hollandais.

Peintre de fleurs, de fruits et de bas-reliefs.

Fils de Renier de Lairesse. Paraît avoir travaillé surtout à Amsterdam. Certains auteurs hésitent à déclarer s'il était frère ou fils de Gérard. Nous pensons, en nous appuyant sur la date de naissance qui précède de trois ans la date du mariage de Gérard (1664), qu'il s'agit du quatrième fils de Renier, et nous croyons qu'il n'accompagna pas son frère en Hollande, comme le dit Siret – on ne s'embarrasse guère d'un enfant de trois ans quand on fuit la justice – mais qu'il put aller le rejoindre après la mort de Renier (1667). Jan Gérard épousa à Amsterdam, le 12 juillet 1686, Armande Le Maille, de Paris.

LAIRESSE Renier de
Né vers 1596 à Liège. Mort en 1667 à Vitry-le-François. XVIIe siècle. Éc. flamande.
Peintre.
Élève de Jan Taulier, dont il épousa la fille. Il s'occupa de peinture décorative sur bois destinée à imiter le marbre et les pierres précieuses. Il fut le principal peintre de Ferdinand de Bavière, électeur de Cologne. Quatre de ses fils furent peintres, Gérard, Ernest, Jacques et Jan Gérard. Renier de Lairesse était un esprit fort distingué et possédant une culture suffisante pour instruire ses fils dans les belles-lettres, la musique et la poésie. On cite parmi ses œuvres : *Martyre des Onze mille vierges* (qui se trouvait au cloître des Ursulines et qui a disparu), *Martyre de saint Laurent* (au Cloître de Saint-Laurent), *Résurrection des morts* (qui était au Cloître de Saint-Laurent et qui a disparu).

LAISNÉ. Voir aussi **LAÎNÉ**

LAISNÉ
XIXe siècle. Actif à Paris. Français.
Graveur sur bois et illustrateur.
Il illustra l'œuvre d'E. Foucaud *Les Artisans illustres* (1841), ainsi qu'une édition de *Shakespeare* (trente-huit gravures sur bois), et travailla pour le *Journal de la Jeunesse* (vignettes).

LAISNÉ Adèle
XIXe siècle. Française.
Peintre et graveur.
Fille du précédent. Exposa au Salon de 1848 des portraits au pastel et vingt-neuf gravures à l'eau-forte (sujets divers).

LAISNÉ François Thomas. Voir **LAÎNÉ**

LAISNÉ Jean
XVe siècle. Actif à Cambrai. Français.
Sculpteur.
Il répara, en 1457, le tombeau de l'évêque Jean de Lens, qui était placé dans le chœur de la cathédrale de Cambrai.

LAISNÉ Roger Eugène Jean
Né le 29 octobre 1901 à Equeurdreville (Manche). XXe siècle. Français.
Peintre de portraits.

LAISSEMENT Henri Adolphe
Né en 1854 à Paris. Mort le 12 avril 1921 à Paris. XIXe-XXe siècles. Français.
Peintre de genre, portraits.
Il fut élève de Cabanel. Il débuta, à Paris, au Salon en 1879, en devint sociétaire en 1884 (Salon des Artistes Français). Il obtint des mentions honorables en 1882, en 1889 dans le cadre de l'Exposition universelle, une médaille de troisième classe en 1898, une médaille de bronze en 1900, une médaille de deuxième classe en 1905. Il prend pour thèmes les ecclésiastiques et les militaires, présentés dans des scènes anecdotiques.

BIBLIOGR. : Gérald Schurr, in : *Les Petits Maîtres de la peinture 1820-1920, valeur de demain*, Les Éditions de l'Amateur, t. V, Paris, 1981.
VENTES PUBLIQUES : LONDRES, 18 fév. 1911 : *Le Déjeuner* : **GBP 26** – PARIS, 6 mai 1925 : *La Visite à l'évêque*, aquar. : **FRF 320** – NEW YORK, 8 fév. 1935 : *Anecdote* : **USD 200** – LOS ANGELES, 14 nov. 1972 : *Le Barbier du cardinal* : **USD 3 000** – PARIS, 22 mars 1976 : *Les glaneurs*, h/t (101x84) : **FRF 2 600** – VERSAILLES, 25 avr 1979 : *Les dernières nouvelles*, h/t (76x105) : **FRF 9 000** – PARIS, 23 mars 1983 : *Le Salon*, h/t (124x180) : **FRF 180 000** – NEW YORK, 28 oct. 1986 : *Des nouvelles du front*, h/t (73,6x100,2) : **USD 12 000** – LONDRES, 22 juin 1990 : *Réconciliation*, h/t (89x117) : **GBP 7 700** – NEW YORK, 26 oct. 1990 : *Le jardinier*, h/pan. (24,1x17,8) : **USD 8 800** – LONDRES, 4 oct. 1991 : *Les ordres de Sa Sainteté*, h/pan. (62,2x55,7) : **GBP 7 700** – NEW YORK, 20 fév. 1992 : *Un livre intéressant*, h/pan. (40,6x29,2) : **USD 9 625** – LONDRES, 22 mai 1992 : *Une prise* 1891, h/pan. (26x20,3) : **GBP 2 090** – NEW YORK, 29 oct. 1992 : *Les nouvelles du front*, h/t (73,7x100,3) : **USD 17 600** – LE TOUQUET, 14 nov. 1993 : *Le contrat*, h/pan. (22x25) : **FRF 12 000** – LONDRES, 18 nov. 1994 : *Saints commérages*, h/pan. (41,2x37,5) : **GBP 3 680** – NEW YORK, 24 mai 1995 : *Indiscrétions* 1895, h/t/cart. (78,1x101) : **USD 20 700** – NEW YORK, 26 fév. 1997 : *De l'importance du cardinal*, h/pan. (35,6x26,7) : **USD 12 650**.

LAISSEQUO Baudouin
XVe siècle. Français.
Sculpteur.
Il fit différents travaux, en 1419, à la porte de Beauvais, à Amiens.

LAITIÉ Charles René
Né en 1782 à Paris. Mort le 13 décembre 1862 à Paris. XIXe siècle. Français.
Sculpteur.
Élève de Dejoux, deuxième Grand prix de Rome en 1803, premier grand prix en 1804. Il exposa au Salon entre 1812 et 1838, médaille en 1824. On cite de lui *Saint Jean-Baptiste* (à Saint-Merry), *Statue de La Fontaine* (à Château-Thierry), *Saint Luc* (cathédrale d'Arras), *La Charité* (à Saint-Étienne-du-Mont), *La Justice* et *La Force* (façade est du Louvre), *La Peinture* (escalier du Louvre), *La Vierge* (Église de Saint-Denis), *Statue de Pierre Corneille* (à l'Institut), *La Charité* (groupe au fronton de Notre-Dame-de-Lorette), *Saint Marc* et *Saint Mathieu* (à Saint-Gervais), *Thémis et Mercure, La Prudence, Minerve* (bas-reliefs à la Bourse).
MUSÉES : LISIEUX : *Départ des armées* – VERSAILLES : *Dumouriez* – *Pierre Corneille* – *J. Stuart, comte de Buchan* – *Passage du Grand Saint-Bernard* 1800, bas-relief – *Mort de Desaix à Marengo* 1800, bas-relief – *Le cardinal Fleury*.

LAIZICK
XVIIIe siècle.
Peintre d'histoire.
Élève de Paulus Troger et contemporain de Martin Knoller. Il signait *Laizick Germanicus Pinx*. Le Musée d'Orléans conserve de lui : *Jésus guérissant la belle-mère de Simon*, et *Le prophète Élisée*.

LAJALLET Hélène, Mme **Baude de Meurceley**
Née le 30 mai 1858 à Saint-Jean-d'Angely (Charente-Maritime). XIXe siècle. Française.
Paysagiste.
Élève de Jeannin et de Benjamin Constant. Sociétaire des Artistes Français depuis 1883, elle figura au Salon de ce groupement. Le Musée de La Rochelle conserve d'elle *Automne fleuri*.

LA JARA Antonio de
Né à Velez-Malaga. XIXe siècle. Espagnol.
Sculpteur.
Il a travaillé pour des églises à Santiago et à Benamargosa.

LAJARD Clément Félix
Né le 30 juillet 1834 à Lyon (Rhône). XIXe siècle. Français.
Peintre de paysages.
S'établit à Paris et débuta au Salon de 1870. Il a emprunté les sites de ses tableaux, notamment aux bords de la Loire, de la Creuse, à la Bretagne.
VENTES PUBLIQUES : PARIS, 16-17 mai 1929 : *L'abreuvoir auprès d'un vieux moulin*, dess. : **FRF 820** – PARIS, 24 avr. 1944 : *Les bords de la Creuse ; Les bords de la Loire*, deux toiles : **FRF 2 600**.

LAJARIE Maurice
XVIIe siècle. Actif à Nantes entre 1688 et 1698. Français.
Sculpteur.

LAJARRIGE Louis
Né le 5 juin 1873 à Chamboulève (Corrèze). XIXe-XXe siècles. Français.
Peintre et dessinateur animalier et de sujets de chasse.

LAJAUMONT Marc de
Né le 17 mai 1853 à Chambon (Creuse). XIXe siècle. Français.
Peintre.
Sociétaire des Artistes Français depuis 1889, il figura au Salon de ce groupement.

LA JEUNESSE Ernest
Né en 1874 à Paris. Mort en 1914. XIXe-XXe siècles. Français.
Peintre, illustrateur.
Il collabora à des journaux satiriques tels *l'Assiette au beurre* avec des caricatures. Il illustra un de ses ouvrages *Ouste !* en 1893. Il fut surtout journaliste, critique d'art, critique dramatique, romancier.

Bibliogr. : In : *Diction. des illustrateurs 1800-1914*, Ides et Calendes, Neuchâtel, 1989 - Gérald Schurr, in : *Les Petits Maîtres de la peinture 1820-1920, valeur de demain*, Les Éditions de l'Amateur, t. III, Paris, 1976.

LAJOIX HIRTH Michèle
Née le 26 mars 1942. xxe siècle. Française.
Peintre. Postcubiste.

LAJOS Vajda. Voir **VAJDA Lajos**

LAJOUANIE Marie Joseph Charles Edmond
Né en 1858 à Uzerche (Corrèze). xixe siècle. Français.
Peintre et peintre sur porcelaine.
Élève de Aridos. Le Musée de Limoges conserve de lui deux plaques peintes sur porcelaine.

LAJOUE Jacques de
Né en juillet 1686 ou 1687 à Paris. Mort le 12 avril 1761 à Paris. xviiie siècle. Français.
Peintre de genre, architectures, paysages, marines, ornements, dessinateur.
Il était fils de l'architecte et maître maçon Jacques de La Joue et de Marguerite Cannaban. Il fut reçu à l'Académie comme peintre d'architectures le 26 avril 1721 et continua à prendre part à ses expositions jusqu'en 1753. Il avait exposé à la Place Dauphine en 1721. Son succès à partir de cette date paraît ne pas s'être démenti. Il obtint de nombreux travaux de décoration dans les palais et édifices royaux. En 1732, une *Perspective de la Bibliothèque Sainte-Geneviève* obtint un grand succès. De 1730 à 1739, il fournit encore pour être gravés de nombreux dessins à Ch.-Nicolas Cochin fils, notamment une *Prière à Sainte Geneviève*. Lajoue fut, notamment, protégé par Mme de Pompadour, pour laquelle il peignit une *Allégorie à la gloire de Louis XV*, qui parut au Salon de 1753. Lajoue fut aussi l'intime ami de Nicolas Cochin, de de Troy, de Lemoyne et de Coustou l'Aîné. Jacques de Tavannes les réunit avec quelques autres dans une caricature intitulée : *Portraits de dix artistes français*.
Lajoue appartient au groupe si intéressant des maîtres que nous appellerions volontiers « les Indépendants du début du xviiie siècle » et qui, durant les dernières années du règne de Louis XIV, réagirent contre l'austérité conventionnelle, la pesanteur de forme de l'art du « grand siècle ». Gillot, Watteau, Aurèle Meissonier, Gilles-Marie Oppenoord furent ses amis. Dans l'œuvre gravé de Gabriel Huquier, nous le trouvons fournissant à leurs côtés trente-neuf dessins de pièces d'ornements, de trophées, de griffons, de monuments d'architecture. On peut aimer plus ou moins la peinture de Lajoue ; il est impossible de ne pas être charmé de la verve, de l'intensité d'expression, de la liberté de facture, de l'esprit de ses dessins et croquis. Dans ce genre, il peut se placer à côté des plus brillants artistes français. Par son intermédiaire, se développa le goût pour la *rocaille*.
Bibliogr. : Roland Michel : *Lajoue et l'art rocaille*, 1984.
Musées : Amiens : *Le parc de Marly* - Avignon : deux marines - Darmstadt : *Bacchantes et Satyres* - Paris (Mus. du Louvre) : *Paysage* - Paris (Carnavalet) : *L'abbé Nollet* - Versailles : *Jacques Lajoue et sa famille*.
Ventes Publiques : Paris, 1865 : *Pierrot et Colombine* : **FRF 465** - Paris, 1881 : *Le Parc* : **FRF 3 600** - Paris, 1885 : *Vue d'un parc* : **FRF 3 500** - Paris, 1891 : *Le Parc à l'abandon* : **FRF 2 500** - Paris, 1896 : *Projet de fontaine*, pl. et encre de Chine : **FRF 355** - Paris, 15-17 fév. 1897 : *Frontispice de l'œuvre de Wouwermans*, pl., lavé d'encre de Chine : **FRF 440** ; *Deux projets pour dessus de portes*, lav. d'encre de Chine : **FRF 300** - Paris, 20-22 juin 1898 : *Le Jet d'eau* : **FRF 2 000** - Paris, 19 fév. 1900 : *Fronton d'un portique*, pl. et aquar. : **FRF 200** - Paris, 13-15 mars 1905 : *Escalier dans un parc*, dess. : **FRF 335** - Paris, 9-11 juin 1909 : *La Chapelle d'un palais* : **FRF 3 000** - Paris, 16 juin 1910 : *Récréation galante* : **FRF 1 935** - Paris, 31 mai 1923 : *Le rendez-vous à la fontaine* : **FRF 9 100** - Paris, 22 nov. 1923 : *Le Jeu de cache-cache Mitoulas* ; *Le Jeu de Colin-Maillard*, deux pendants : **FRF 12 200** - Paris, 17 juin 1925 : *Le Parc* : **FRF 12 500** - Londres, 9 mai 1929 : *Scène de parc*, pl., reh. : **GBP 28** - Paris, 29 nov. 1930 : *Chapelle de château* : **FRF 15 000** - Paris, 19 juin 1931 : *La Promenade en barque* : **FRF 16 700** - Paris, 8 déc. 1933 : *La Fontaine* : **FRF 11 000** - Paris, 18 juin 1934 : *Le parc à l'abandon* : **FRF 4 400** - Londres, 14 déc. 1934 : *Femmes sur les marches d'un palais* : **GBP 141** - Londres, 22 juil. 1937 : *Bosquet et jet d'eau* : **GBP 75** - Paris, 13-14 fév. 1941 : *La Promenade à la fontaine* : **FRF 52 000** ; *Le Repos près de la fontaine* : **FRF 45 000** - Paris, 23 nov. 1942 : *L'Assemblée au jardin* : **FRF 80 100** - Paris, 12 mars 1943 : *La Pièce d'eau* : **FRF 58 000** - Paris, 3 mars 1944 : *L'Entretien galant* : **FRF 6 000** - Londres, 17 juil. 1946 : *L'Assemblée dans le parc* : **GBP 75** - Paris, 27 mai 1949 : *La fontaine* : **FRF 362 000** - Paris, 7 juin 1955 : *La terrasse ; La fontaine* : **FRF 1 700 000** - Paris, 29 juin 1959 : *Une fontaine dans un parc* : **FRF 300 000** - Paris, 31 mars 1960 : *La fontaine d'Amphitrite* : **FRF 4 300** - Nice, 21-22 avr. 1964 : *Le château d'eau* : **FRF 7 500** - Paris, 1er déc. 1966 : *Le repos près de la fontaine* : **FRF 31 000** - Paris, 19 juin 1967 : *La fontaine* : **FRF 10 000** - Paris, 9 mars 1972 : *Le parc à l'abandon* : **FRF 120 000** - Paris, 4 avr. 1974 : *La fontaine* : **FRF 19 000** - Versailles, 14 mars 1976 : *La fontaine au bas de la terrasse*, h/t (73x92) : **FRF 8 500** - Milan, 6 déc. 1977 : *Paysage avec ruines animé de personnages*, h/t (57,5x68) : **ITL 9 500 000** - Paris, 10 mars 1980 : *Fontaine dans un parc*, aquar./trait de pl. (21,5x26) : **FRF 4 300** - Paris, 3 mars 1980 : *La sérénade*, h/t (50x59,5) : **FRF 12 800** - Monte-Carlo, 13 juin 1982 : *Les plaisirs de la danse ; Les plaisirs de l'escarpolette*, h/t, une paire (39,5x41,5) : **FRF 40 000** - Paris, 6 juil. 1983 : *Portrait d'un architecte et de son fils*, h/t (72x54,5) : **FRF 112 000** - Rouen, 15 déc. 1985 : *Caprice architectural : château situé sur le bord d'une pièce d'eau*, pl. et lav. d'encre de Chine (23x27) : **FRF 24 000** - Monte-Carlo, 22 juin 1985 : *Le pavillon de marbre*, h/t (59x78) : **FRF 340 000** - Paris, 12 juin 1986 : *Le Repos près de la fontaine ou L'Automne*, h/t (141x104) : **FRF 75 000** - Paris, 17 mars 1987 : *Réunion dans un parc*, h/t (40x54) : **FRF 125 000** - Monaco, 2 déc. 1989 : *Scène galante au pied d'un grand escalier*, h/t (63,5x52) : **FRF 222 000** - New York, 10 jan. 1990 : *Personnages élégants près d'une fontaine dans un parc*, h/t (66x77,4) : **USD 44 000** - Paris, 30 nov. 1990 : *Pavillon dans un parc*, h/t (31,5x41) : **FRF 100 000** - Paris, 18 déc. 1991 : *Paysage avec un obélisque*, h/t (78,5x119) : **FRF 400 000** - Monaco, 2 juil. 1993 : *La statue de Cérès assise sur un lion dans une grotte avec à l'horizon l'Arc du zodiaque*, craie rouge (25,1x36,4) : **FRF 97 680** - Monaco, 2 déc. 1994 : *Scène galante au pied d'un grand escalier*, h/t (65x54) : **FRF 288 600** - New York, 12 jan. 1995 : *Mademoiselle Camargo dansant devant les acteurs de la Comedia dell'arte dans une loggia*, h/t (36,2x43,8) : **USD 21 850** - Paris, 19 mai 1995 : *Scène galante dans un parc*, h/t (76,5x143) : **FRF 57 000**.

LAJOYE Honorine ou **Lajoie**
Née au xixe siècle à Paris. xixe siècle. Française.
Peintre de paysages.
Élève de son père Symphorien Lajoye et de Watelet. Exposa au Salon entre 1831 et 1859. Le Musée de Cambrai conserve d'elle deux paysages, miniatures à l'huile.

LAJOYE Symphorien
Né le 17 juin 1773 à Saint-Chabraix (Creuse). xviiie-xixe siècles. Français.
Peintre.
Exposa au Salon, entre 1822 et 1848, de nombreux paysages et sujets rustiques. Il a représenté, notamment, des sites du Dauphiné et de la forêt de Fontainebleau. On voit de lui au Musée d'Arras *Paysage*, et à celui de Douai, *Moulin à eau*.

LAKATOS Artur
Né le 15 mars 1880 à Vienne. xxe siècle. Hongrois.
Peintre d'intérieurs, paysages, compositions animées.
Il fut élève de l'Académie de Budapest. Il étudia également à Munich et à Paris.
Il exposa à partir de 1903 à Budapest. Il a surtout peint des vues, des jardins et des intérieurs.

LAKE Randall
Né le 2 août 1947 à Long Beach (Californie). xxe siècle. Américain.
Peintre.
Il vit en France. Sa peinture est issue du pop art.

LAKERIDOU Youlika
Née en 1940 à Chypre. xxe siècle. Active depuis 1957 en France. Grecque.
Peintre, graveur.
Bibliogr. : In : *De Bonnard à Baselitz - Estampes et livres d'artistes*, catalogue de l'exposition, Bibliothèque Nationale, Paris, 1992.

LA KETHULLE Eugène de
xixe siècle. Actif vers 1846. Français.
Peintre de paysages.

LAKHDAR Belgacem
Né en 1937 à Tunis. xxe siècle. Tunisien.

Peintre de compositions d'imagination. Tendance surréaliste.
Il fut diplômé de l'École des Beaux-Arts de Tunis en 1961, de l'École des Arts Décoratifs de Paris en 1965. Il participe à des expositions collectives depuis 1958, en Tunisie et à l'étranger. Il obtint un prix à Cagnes-sur-Mer en 1976, le premier prix de Peinture de la Ville de Tunis en 1983.
Non seul dans ce cas, il produit une peinture d'une étrangeté un peu laborieuse et forcée, qui se réfère à une certaine imagerie surréalisante facile, plus qu'elle ne participe vraiment de l'écriture automatique surréaliste.
Bibliogr. : In : *Art contemporain tunisien*, catalogue de l'exposition, Théâtre du Rond-Point, Paris, 1986.

LAKHDAR Boujemâa
Né en 1945 à Essaouira. xxe siècle. Marocain.
Artiste.
Il a participé, à Paris, au Centre Georges Pompidou et à la Cité des sciences de la Villette à l'exposition *Les Magiciens de la Terre*, dont ce fut la première participation à une exposition hors de son pays.

LAKHOVSKY Arnold Borisovich
Né le 18 février 1880 ou 1885 à Kiev. Mort en 1937. xxe siècle. Russe.
Peintre de portraits, paysages, graveur.
Il a exposé dans toutes les capitales d'Europe et, à Paris, dans les Salons d'Automne et des Tuileries.
Ventes Publiques : Londres, 13 fév. 1986 : *Le Roi Carol II de Roumanie avec son fils Michel sur une luge*, h/t (65,5x81) : **GBP 3 000** – Copenhague, 5 avr. 1989 : *Rue de village en Russie*, h/t (75x60) : **DKK 5 000** – Copenhague, 25-26 avr. 1990 : *Un village russe*, h/t (75x60) : **DKK 16 000** – Londres, 10 oct. 1990 : *Soir d'hiver*, h/cart. (47x62,3) : **GBP 880** – Amsterdam, 21 avr. 1993 : *La rue de l'église dans un village russe en hiver*, h/t (60x73) : **NLG 2 530**.

LAKHTINE Nikolaï
xixe siècle. Russe.
Graveur.
Élève d'Outkine à l'Académie de Saint-Pétersbourg. Il grava d'après Bruni, le Carrache, etc.

LAKNER Janos. Voir **LACKNER**

LAKNER Laszlo
Né en 1936. xxe siècle. Hongrois.
Peintre, sculpteur, graphiste.
Il fut élève de Aurel Bernath à l'Académie des Beaux-Arts de Budapest jusqu'en 1960. En 1974, il obtint une bourse d'études, puis s'installa à Berlin. Il enseigne depuis 1981 à l'université de Essen.
Il participe à de nombreuses expositions en Hongrie, dont celles au studio des Jeunes Artistes. Il figure aussi à des expositions à Londres, Bruxelles, Milan, Prague, ainsi qu'en République fédérale d'Allemagne. En France on a vu de ses œuvres à l'occasion de l'exposition du Musée Galliera *Art hongrois contemporain*, en 1970. Il montre ses œuvres dans des expositions personnelles, la première ayant eu lieu à Budapest en 1969. À Essen, en 1968, il remporta le prix de peinture du Musée Folkwang.
Sous l'influence de Tibor Csernus et à travers Aurel Bernath d'une part, Lakner connut les grands exemples de la peinture moderne occidentale, d'autre part il fut sensible surtout à l'apport surréaliste, il est vrai dans ses aspects les plus modernes, avec notamment des interventions fréquentes de collages par procédé photographique, à la manière du mec'art américain. À côté de la peinture, il a une activité importante dans les arts graphiques appliqués.
Bibliogr. : Lajos Németh : *Moderne ungarische Kunst*, Corvina, Budapest, 1969 – Géza Csorba, in : *Art hongrois contemporain*, catalogue de l'exposition, Musée Galliera, Paris, 1970 – *Lazlo Lakner*, catalogue de l'exposition, galerie Nothelfer, Berlin, 1988 – in : *Diction. de l'art moderne et contemporain*, Hazan, Paris, 1992.
Ventes Publiques : Amsterdam, 18 juin 1996 : *Baudelaire : dédicace à Gautier dans Les Fleurs du mal* 1975, h/t (190x140) : **NLG 2 760**.

LAKOS Alfred
Né en 1870 à Budapest. xxe siècle. Hongrois.
Peintre de natures mortes, scènes typiques, illustrateur.
Il fut élève de l'Académie des Beaux-Arts de Budapest et de Munich. Il étudia également à Paris un certain temps.
Il dessina des caricatures pour les revues *Le Rire* ; *Lustige Blatter* et *Borsszem Janko*. Il peignit des natures mortes et des scènes de la vie des Juifs.

LAKS Victor
Né en 1924 à Châtillon (Hauts-de-Seine). xxe siècle. Français.
Peintre, dessinateur, graveur, peintre de décors de théâtre. Abstrait, abstrait-lyrique.
Il étudia, à Paris, chez Émile-Othon Friesz et suivit les cours de l'École du Louvre. Il effectua un long séjour aux États-Unis où il réalisa, entre autres, des décors et costumes de ballet. Il revint en France en 1961. Il a enseigné la peinture à l'université de Mexico et à celle de New York. Membre des groupes *V*, puis *Signes/Espaces/Ensembles de signes*, il est également co-fondateur des Associations *Art & Prospective* et *Le Limitrophe*. La présence murale indéniable des compositions de Victor Laks les a souvent fait s'associer à des ensembles d'intégration architecturale. Il vit et travaille à Paris.
Depuis 1962 (galerie Orient-Occident, Paris), il participe à des expositions de groupe, dont : 1963, Biennale de São Paulo ; 1968, Musée d'Art Contemporain, Skopje ; 1971, *Groupe V*, galerie Vercamer, Paris ; 1972, *Groupe V*, Maison de la culture de Grenoble ; 1973, *Groupe V*, galerie Il Giorno, Milan ; 1977, 1979, 1984, 1988, Maison de la culture des Hauts de Belleville, Paris ; 1978, *Signes/ Espaces/ Ensembles de signes*, galerie de l'Université, Paris ; 1980, *Signes/ Espaces/ Ensembles de signes*, mairie du IIIe arrondissement, Paris ; 1981, *Témoignage*, Centre Georges Pompidou, Paris ; 1983, *Tendances de la peinture abstraite*, Centre culturel, la Villedieu ; 1983, Musée d'Art Moderne, Troyes ; 1984, 3e Biennale de l'Estampe, Sarcelles ; 1985, *Les Années cinquante*, Musée d'Art Contemporain, Dunkerque ; 1986, 4e Biennale de l'estampe, Sarcelles ; 1988, 5e Biennale de l'estampe, Sarcelles ; 1989, *Le Paysage dans l'art contemporain*, École des Beaux-Arts, Paris ; 1993, Musée de Libourne (sélection du Salon des Réalités Nouvelles). Il faut également ajouter ses participations régulières aux salons parisiens Comparaisons, Réalités Nouvelles et Grands et Jeunes d'Aujourd'hui.
Il montre ses œuvres dans des expositions personnelles, parmi lesquelles : 1948, Guadalupe Gallery, Albuquerque (Nouveau Mexique, États-Unis) ; 1949, Ministère de l'Éducation et de la Santé, Rio de Janeiro ; 1950, Penthouse Gallery, New York ; 1952, New Gallery, New York ; 1953, Galerie Moderne, New York ; 1969, Musée d'Art Moderne, Fondation Pagani, Milan ; 1972, *Vingt années de peinture*, Centre culturel de Bobigny ; 1973, Maison de la culture, Colombes ; 1974, galerie la Pyramide, Florence ; 1975, galerie Septentrion, Marcq-en-Barœul ; 1976, galerie Christiane Colin, Paris ; 1981, galerie de Bellechasse, Paris ; 1982, Syn'Art, Paris ; 1986, 1989, 1991, galerie Olivier Nouvellet, Paris ; 1991, galerie Françoise Bolognini, Thionville ; 1992, galerie Convergence, Nantes.
L'œuvre de Victor Laks est traversée de périodes. Sa peinture est d'abord figurative, puis l'artiste s'oriente vers une la figuration, passage qu'il commente ainsi : « Peignant, je découvrais une peinture que je faisais mais qui, en même temps, d'elle-même, se faisait.... Il me fallait, dès lors déceler les voies et les ressorts d'une dynamique essentielle qui me dépassait ». Cette nouvelle pratique de la peinture la conduit donc à apprivoiser les formes. Entre structures stables et mouvements, entre densité et « zones épargnées » (Victor Laks), entre peinture en tonalités grises, brunes, parfois bleues puis radicalement noires et blanches naît un monde tout de tensions. À partir de 1968, la couleur revient (*Mai 68* ; *Articulation lumière rouge*). Ses peintures et ses lavis, gestuels dans leur mouvement général, se présentent alors comme des proliférations végétales, réseau de lignes noires s'entrelaçant indéfiniment jusqu'à occuper l'entier espace de la surface blanche. Entre 1980 et 1990, écrit-il, « la surface s'est divisée en éléments innombrables étroitement imbriqués. Les ramifications, les trames, les réseaux sont devenus envahissants. Pas un coin intact. Un fourmillement ». Depuis la fin de cette période, à la stratification horizontale s'est substituée une organisation à tendance verticale, l'espace de la peinture paraît moins fourni, moins dense, et la couleur blanche, en tracés, structure à nouveau les formes principales. ■ C. D., J. B.
Bibliogr. : Michel Ragon et Michel Seuphor : *L'Art abstrait*, Maeght, 1974 – G. Xuriguera : *Victor Laks*, Art Moderne, 1981 – G. Xuriguera : *Regard sur la peinture contemporaine*, Arted, Paris, 1984 – G. Xuriguera : *Les Années 50*, Arted, Paris, 1984 – G. Xuriguera : *Le Dessin, le pastel, l'aquarelle dans l'art contemporain*, Mayer, Paris, 1987 – *Connaître la peinture de Victor Laks*, collection Jacques Dopagne, François Rolin, 1989 – Lydia

Harambourg : *La Peinture à Paris entre 1945 et 1965*, Ides et Calendes, Neuchâtel, 1993.
Musées : Cuauthémoc (Mus. de Ciudad) – Dunkerque (Mus. d'Art Mod.) – Ferrare (Plazzo dei Pagani) – Madrid (Mus. d'Arts Graphiques) – Milan (Fond. Pagani) – Nantes (Mus. des Beaux-Arts) – Paris (BN) – Skopje (Mus. d'Art Contemp.) – Taïwan (Mus. d'Art Mod.) – Turin (International Center of Aesthetic Research).
Ventes Publiques : Douai, 26 mars 1988 : *Eaux profondes*, h/pan. (65,5x50,5) : **FRF 3 800** – Paris, 29 sep. 1989 : *II – 66* 1966, h/t (162x130) : **FRF 5 300** – Douai, 1er avr. 1990 : *Cramoisi vertical* 1989, h/t (55x46) : **FRF 5 000** – Douai, 1er juil. 1990 : *Composition* 1989, h/t (116x89) : **FRF 10 000**.

LAKY Miloslav
Né en 1948 à Trencin. xxe siècle. Tchécoslovaque.
Peintre.
Il a étudié à l'Académie des Beaux-Arts de Bratislava, dans la section scénographie. Il travaille avec Jean Zavarsky. Ils réalisent œuvres et expositions ensemble en Tchécoslovaquie. Ils furent également invités à la Biennale de Paris en 1975.
Voulant être en opposition avec tous les mouvements en cours depuis une décennie, ils proposent des « espaces » qui n'ont d'autres buts que de révéler une « sensibilité pure » en contact avec l'infini, propos qui évoquent ceux que Klein ou Manzoni tenaient avant eux.
Bibliogr. : In : *9e Biennale de Paris*, Idea Books, Paris, 1975.

LA'L
xvie siècle. Indien.
Miniaturiste.
Musées : Londres (Victoria and Albert Mus.) : plusieurs œuvres.

LALA ou **Lerla** ou **Laia** ou **Iaia**
Originaire de Cyzique (Asie Mineure). Ier siècle avant J.-C. Active à Rome vers 74 avant Jésus-Christ. Antiquité romaine.
Peintre de portraits.
Elle peignait à l'encaustique sur ivoire et ses tableaux furent préférés à ceux de Dyonisius. Pline la nommait *La Vierge perpétuelle*. Elle excellait dans les portraits de femmes.

LALAING Jacques de, comte
Né le 14 novembre 1858 à Londres. Mort le 10 octobre 1917 à Bruxelles. xixe-xxe siècles. Belge.
Peintre d'histoire, scènes de genre, portraits, sculpteur animalier, de monuments.
Élève de Jean Portaels et de Jean Cluysenaar, il prit part au Salon de Paris, obtenant une médaille de troisième classe en 1883, de deuxième classe en 1884, pour la peinture. Il exposa également à Bruxelles, reçut une médaille d'or en 1886 à Berlin, une d'argent en 1888 à Vienne. Il figurait à l'Exposition Universelle de Vienne en 1910 avec deux statues.
En tant que sculpteur, on lui doit, entre autres œuvres, le bas-relief du monument de Léopold Ier, à Ostende ; *Les tigres*, du Musée de Gand et un groupe hippique : *La lutte équestre* à Bruxelles. Il exécuta également de grandes peintures murales, notamment à l'hôtel de ville de Bruxelles.

J. de Lalaing

Bibliogr. : Gérald Schurr, in : *Les Petits Maîtres de la peinture 1820-1920, valeur de demain*, Les Éditions de l'Amateur, t. V, Paris, 1981.
Musées : Bruges – Bruxelles (Mus. des Beaux-Arts) : *Le chasseur primitif – Mlle Hélène de Burlet* 1894 – *Mgr Granito di Belmonte* – Gand : *Lancier à cheval – Tigres – Le curé de village* – Lille : *Les prisonniers de guerre* – Tournai.
Ventes Publiques : Grenoble, 15 déc. 1980 : *Mère et son enfant* 1898, past. (152x100) : **FRF 7 100** – Grenoble, 15 déc. 1980 : *La mère et son enfant* 1898, past. (152x100) : **FRF 7 100**.

LALAISSÉ Charles de
Né en août 1811 à Nancy. xixe siècle. Français.
Graveur.
Élève de Fortier et de Guirlenger. Il exposa au Salon entre 1835 et 1857. On lui doit des images religieuses, des vues de ville, des vignettes.

LALAISSE François Hippolyte
Né en 1812 à Nancy (Meurthe-et-Moselle). Mort en 1884 à Paris. xixe siècle. Français.
Peintre de genre, portraits, animalier, graveur.
Élève de Nicolas Charlet, il participa au Salon de Paris entre 1845 et 1874. Il devint professeur de dessin à l'École Polytechnique. Il a surtout peint et dessiné des chevaux, des chiens, des costumes, des petites scènes peuplées de plusieurs personnages. Comme lithographe, on lui doit notamment 188 pièces pour : *L'Armée française* de 1840 à 1860, et 10 planches pour : *La Bretagne* 1844.
Bibliogr. : Gérald Schurr, in : *Les Petits Maîtres de la peinture 1820-1920, valeur de demain*, Les Éditions de l'Amateur, t. III, Paris, 1976.
Musées : Bagnères-de-Bigorre : *Chevaux* – Chaumont : *Chevaux à la charrue*.
Ventes Publiques : Paris, 27 déc. 1927 : *Piqueur conduisant des chevaux* : **FRF 300** – Paris, 24 avr. 1942 : *Le retour des champs* : **FRF 2 200** – Londres, 21 juin 1985 : *Un Arabe avec deux chevaux dans une cour*, h/t (63,5x80) : **GBP 5 000** – Paris, 27 mai 1993 : *Chevaux à l'abreuvoir*, aquar. gchée (43x58) : **FRF 9 800** – Londres, 17 nov. 1994 : *Arabes faisant boire leurs chevaux à une fontaine*, cr. et aquar. avec reh. de blanc/pap. (48,9x63,5) : **GBP 2 300** – New York, 11 avr. 1997 : *Trois Cavaliers*, aquar./pap. (33x49,5) : **USD 5 750**.

LALAN, pseudonyme de **Shiem Ching Lan**
Née le 14 septembre 1924 à Kwei Yang. xxe siècle. Chinoise.
Peintre. Tendance abstraite.
D'abord musicienne, elle a fréquenté le conservatoire de Shanghai, puis celui de Paris où elle arrive en 1948. Également peintre et femme du sculpteur Van Thienen, elle expose à Paris depuis 1960. Elle participe, à Paris, au Salon de Mai et à Grands et Jeunes d'Aujourd'hui.
Sa peinture relève de l'abstraction, proche peut-être d'un certain « nuagisme », en ce sens qu'elle peint de larges zones nébuleuses et diaphanes, simplement ponctuées de lignes brisées qui affleurent la surface.

LALANA Narciso
Né vers 1780 à Saragosse. Mort en 1851 à Saragosse. xixe siècle. Espagnol.
Peintre.
Il fut élève de l'Académie de Saragosse, en devint membre en 1820 et directeur en 1830. Il peignit des tableaux de figures (compositions religieuses pour églises), des portraits à l'huile et des miniatures.
Musées : Saragosse (Acad.) : *Portrait du roi Ferdinand VII* – Saragosse (prov.) : *Mort d'Élie*.

LALANDE François de
xvie siècle. Actif à La Ferté Bernard entre 1530 et 1542. Français.
Peintre verrier.
On cite de lui les vitraux : *Incrédulité de Thomas, Ecce Homo*, et *Le Baiser de Judas*, dans les églises Saint-Nicolas et Saint-Julien.

LALANDE François de
xviiie siècle. Français.
Peintre et graveur.
Il fut reçu à l'Académie de Saint-Luc, en 1786.

LALANDE Guillaume de
xvie siècle. Actif à La Ferté Bernard en 1525. Français.
Peintre verrier.

LALANDE Jacques
Né en 1921 à Chateaurenard (Bouches-du-Rhône). xxe siècle. Français.
Peintre, dessinateur, graveur, lithographe.
Bibliogr. : In : *De Bonnard à Baselitz – Estampes et livres d'artistes*, catalogue de l'exposition, Bibliothèque Nationale, Paris, 1992.
Ventes Publiques : Versailles, 24 sep. 1989 : *Jeunes femmes*, h/t (55x46) : **FRF 5 000**.

LA LANDE Jean Nicolas de
xviiie siècle. Français.
Peintre.
Il fut reçu à l'Académie de Saint-Luc, en 1738.

LALANDE Jehan de. Voir **VANDELAN**

LALANDE Louise
Née en 1834 au Mans. xixe siècle. Française.
Peintre d'animaux.
Élève de Dubouloz. Elle débuta au Salon en 1864 représenta avant tout des chiens.
Musées : Le Mans : *Chiens en arrêt*.

LALANDE Philippe
Né au XIXe siècle à Toulon (Var). XIXe siècle. Français.
Peintre.
Élève de Gérôme et de Segé. Débuta au Salon en 1879.

LALANDE-DUTEMPLE Madeleine
Née en 1914 à Anthony (Hauts-de-Seine). XXe siècle. Française.
Sculpteur.
Statuaire, elle a reçu une médaille d'argent au Salon des Artistes Français en 1939, à Paris.
Elle travaille dans le cadre d'une intégration de la sculpture à l'architecture.

LA LANDERAS José de
XVIIe siècle. Actif à Valladolid. Espagnol.
Sculpteur.
On a de lui cinq écus d'armes.

LALANNE Claude
Née en 1927 à Paris. XXe siècle. Française.
Sculpteur, designer, créateur de bijoux.
Bien que chacun réalise seul certains objets, notamment semble-t-il Claude pour les bijoux, leur attribution reste souvent incertaine, aussi a-t-on laissé dans la même notice Claude et François-Xavier Lalanne.
Ventes Publiques : New York, 5 nov. 1985 : *Bureau rhinocéros* 1975, cuivre et bois avec intérieur cuir (147,3x325,2x86,3) : **USD 45 000** – New York, 7 oct. 1986 : *Tortue*, étain (48,3x76,2x84) : **USD 1 500.**

LALANNE Eugène Georges
XIXe siècle. Travaillant à Paris. Français.
Paysagiste.
Sociétaire des Artistes Français depuis 1883, il figura au Salon de ce groupement.

LALANNE François-Xavier et **Claude**
François-Xavier né en 1924 à Agen (Lot-et-Garonne), Claude née en 1927 à Paris. XXe siècle. Français.
Sculpteurs, peintres, graveurs, créateurs de bijoux. Réaliste-poétique, tendance fantastique.
Claude, à Paris, a étudié l'architecture et a fréquenté l'École des Arts Décoratifs. Bien qu'ils ne travaillent pas forcément en commun et que chacun exécute aussi ses propres objets, ces objets sont tellement issus d'un même humour et de techniques semblables, qu'il est accoutumé de les confondre dans l'appellation de *Les Lalanne*. Concernant leurs œuvres passant en ventes publiques, le peu de précisions sur l'un ou l'autre auteur a incité à les laisser dans la liste commune.
Ils exposent dans des manifestations de groupe en France et à l'étranger, notamment pour ce qui concerne Paris : 1964, 1966, Salon de la Jeune Peinture ; 1969, 1977, le Salon de Mai ; Triennale de Milan ; Biennale de São Paulo. Les Lalanne ont montré leurs œuvres dans des expositions personnelles, parmi lesquelles : 1964, galerie J, Paris ; 1966, 1967, 1970, 1974, galerie Alexandre Iolas, Paris ; 1967, rétrospective au Chicago Art Institute ; 1972, 1973, Maison de la Culture, Amiens ; 1974, Royal Scottish Academy, Édimbourg ; 1975, rétrospective au Centre National des Arts Plastiques, Paris ; 1975, rétrospective à Rotterdam ; 1976, Whitechapel Art Gallery, Londres ; 1983, Artcurial, Paris ; 1998, Parc, Trianon et Folie de Bagatelle (Bois de Boulogne), Paris.
Le principe de leur poétique consiste à associer un objet utilitaire avec une forme qui lui est complètement étrangère, sinon par le biais de quelque calembour : un siège avec une grenouille ; une baignoire avec un hippopotame ; un ensemble de tabourets avec un troupeau de moutons ; un rhinocéros de trois cents kilos avec des tiroirs, des étagères pour les livres et une planche pour la machine à écrire (le *Rhinocrétaire*), etc. Tous leurs objets se caractérisent par une exécution matérielle parfaite, et même une finition luxueuse. L'écrivain François Nourissier, qui a préfacé l'une de ces expositions, a écrit des objets des Lalanne : « Leurs audaces sont à la république des objets ce que le calembour est à la république du verbe ». François-Xavier a conçu les fontaines de la place de l'Hôtel de Ville de Paris, Claude a imaginé le jardin d'enfants des Halles à Paris peuplé d'éléphants, un lustre pour le hall du Conseil constitutionnel au Palais-Royal. Parmi d'autres réalisations : un lapin ailé à tête-girouette dans la cour d'un lycée de Tourcoing, un couple de dinosaures à taille humaine pour Santa Monica en Californie, un moineau géant pour l'hôpital Pasteur de Dole. Ils ont également réalisé un projet de centaure monumental pour le vestibule de la Chancellerie de New Dehli.
■ J. B.

lalanne

Bibliogr. : François Nourissier : *Lalanne*, catalogue d'exposition, Galerie Iolas, Paris, vers 1969 – Denys Chevalier, in : *Nouveau dictionnaire de la sculpt. mod.*, Hazan, Paris, 1970 – Blaise Gauthier, John Russel : *Les Lalanes*, catalogue de l'exposition, Smi et Centre National d'Art et de Culture Georges Pompidou, Paris, 1975 – *Claude Lalanne*, catalogue d'exposition, Musée de l'Abbaye Sainte-Croix, les Sables d'Olonne, 1976 – J. Russell : *Les Lalannes : Claude and François-Xavier Lalanne*, Marisa del Re Gal., New York, 1988 – Daniel Marchesseau : *Les Lalanne*, Flammarion, Paris, 1998.
Musées : Paris (BN) – Sèvres (Manufacture).
Ventes Publiques : New York, 6 mai 1986 : *Gorille* 1972, béton avec compartiment en métal, sculpt. (160x104,2x91,5) : **USD 12 000** – Paris, 22 déc. 1989 : *Tortue* 1973, cuivre (12x17x26) : **FRF 13 500** – Paris, 18 fév. 1990 : *Crapaud* 1967 (22x28) : **FRF 25 000** – Paris, 21 mai 1990 : *Tortue* 1966, sculpt. articulée en plaques de maillechort soudées et cuir (46x100x73) : **FRF 48 000** – New York, 7 nov. 1990 : *Le bureau rhinocéros* 1966, cuivre, bois et cuir, en quatre parties (139,7x304,8x101,6) : **USD 24 200** – Paris, 25 juin 1991 : *Tortue*, cuivre : **FRF 11 000** – Paris, 28 oct. 1992 : *Mouton*, sculpt. de bronze, laine et cuir (90x98x45) : **FRF 80 000** – Paris, 4 avr. 1993 : *Lampe pigeon* 1991, cuivre et bronze (22x27x13) : **FRF 4 900** – New York, 10 nov. 1993 : *Troupeau de moutons (trois moutons et six banquettes)*, peau de mouton et bronze (chaque mouton 89x101,6x45,7, chaque banquette 54x78,8x45,7) : **USD 162 000** – Paris, 6 avr. 1993 : *Soleil*, collier de bronze galvanisé (diam. 13) : **FRF 8 500** ; *Paire de grues*, bronze (H. 27 et 33) : **FRF 14 000** – Paris, 20 avr. 1994 : *La Tortue*, cuivre rouge (14x26) : **FRF 5 500** – Paris, 30 mai 1994 : *Collier entrelacs en or* 1988 : **FRF 20 000** – Paris, 11 déc. 1994 : *Hanouka* : **FRF 36 000** – Lokeren, 11 mars 1995 : *Mouton*, bronze et pierre (H. 91, L. 100) : **BEF 130 000** – Paris, 3 mai 1996 : *Rhinocéros* 1981, sculpt. céramique émaillée bleue (25x55x14) : **FRF 50 000** – Paris, 29 nov. 1996 : *Fauteuil à l'oiseau* 1981, bronze à patine dorée (76x53x53) : **FRF 40 000** – Londres, 29 mai 1997 : *Choupatte* 1964, cuivre (23x20x20) : **GBP 5 980** – Cannes, 8 août 1997 : *Brebis*, bronze et pierre reconstituée (H. 90 et L. 102) : **FRF 22 000.**

LALANNE Maxime
Né le 27 novembre 1827 à Bordeaux (Gironde). Mort le 29 juillet 1886 à Nogent-sur-Marne (Seine). XIXe siècle. Français.
Peintre de paysages, marines, natures mortes, fleurs, dessinateur, fusiniste, graveur.
Élève de Gigoux, ce charmant et très sincère artiste se fit une place distinguée parmi les graveurs originaux et les dessinateurs. Il débuta au Salon de 1852 et exposa régulièrement jusqu'en 1880, surtout des eaux-fortes et des fusains. Deux médailles de troisième classe lui furent décernées en 1873 et 1874 et il fut décoré en 1875. Cette dernière distinction était largement méritée par son beau talent. Il exposa et fut médaillé à Vienne et à Philadelphie.
Après une longue période d'indifférence, ses nombreuses eaux-fortes sont recherchées. Son catalogue comprend plus de cent cinquante pièces, presque toutes d'après ses dessins. Il a gravé les sites pittoresques de Paris, de Bordeaux, de la Suisse, de Londres et un peu de tous les points de la France, et aussi des *Souvenirs artistiques du Siège de Paris, 1870-1871*, en douze eaux-fortes dont l'intérêt est évident. Ses fusains ne sont pas moins intéressants. On trouve un nombre important de ses gravures et de ses dessins dans plusieurs musées.

COLLECTION LALANNE

Cachet de vente

Musées : Château-Thierry – Lille – Londres (Victoria and Albert Mus.) – Louviers – Moulins – Mulhouse – Nancy – Périgueux – Pontoise – Rochefort – Rouen – Saintes – Sydney.
Ventes Publiques : Paris, 1897 : *Neuf petits paysages dans un cadre*, dess. : **FRF 101** – Paris, 19 déc. 1898 : *La rue du Bac à Rouen*, dess. : **FRF 149** – Paris, 27 avr. 1899 : *Le Port de Bordeaux*, dess. : **FRF 190** – Paris, 31 mai-1er juin 1906 : *Vue de Bor-*

deaux, dess. : **FRF 25** – PARIS, 11 mars 1919 : *Pêcheur à la ligne*, fus. : **FRF 115** – PARIS, 8 nov. 1922 : *Vue générale de Delft*, mine de pb : **FRF 100** – PARIS, 6 fév. 1929 : *La Mare*, dess. : **FRF 110** – PARIS, 8 déc. 1941 : *Le port de Malaga*, mine de pb : **FRF 230** – PARIS, 25 mai 1945 : *Bords de rivière*, cr. noir : **FRF 320** – PARIS, 7 nov. 1946 : *Bouquet de fleurs* : **FRF 1 500** – VERSAILLES, 30 mai 1976 : *Le quai et le pont Saint-Michel*, h/bois (24,5x33) : **FRF 4 500** – LONDRES, 21 oct. 1983 : *Chantier naval dans un paysage boisé*, h/pan. (27,3x41,3) : **GBP 2 200** – PARIS, 21 mars 1990 : *Nature morte aux porcelaines*, h/pan. (24x30,5) : **FRF 17 000** – PARIS, 6 juil. 1993 : *Bords de rivière*, h/pan. (23,5x32) : **FRF 14 800** – DEAUVILLE, 19 août 1994 : *Trouville*, h/pan. (27x35) : **FRF 9 000** – PARIS, 4 déc. 1996 : *Rotterdam, la statue d'Érasme*, mine de pb et reh. de craie (28x40) : **FRF 7 000**.

LALAU Maurice Georges Élie
Né le 27 juillet 1881 à Paris. xxe siècle. Français.
Peintre, illustrateur.
Il fut élève de J. P. Laurens et Benjamin-Constant. Il a illustré Flaubert, Anatole France, Chateaubriand, etc.

LA LAUME-DUPRÉ André
Né en 1915. xxe siècle. Français.
Peintre de paysages, marines. Figuration-onirique.
La technique pointilliste permet à André La Laume-Dupré de figurer avec légèreté ses paysages et ses bords de mer.

La laume Dupré

VENTES PUBLIQUES : PARIS, 9 déc. 1986 : *Été en bord de Marne*, h/t (46x61) : **FRF 21 000** – NEUILLY, 25 nov. 1987 : *Rêverie sur l'étang*, h/t (46x55) : **FRF 11 000** – PARIS, 3 déc. 1987 : *Plage heureuse*, h/t (40x80) : **FRF 33 500** – NEUILLY, 9 mars 1988 : *Les rives fleuries*, h/t (53,5x65) : **FRF 14 000** – VERSAILLES, 15 mai 1988 : *Fantaisie en bleu*, h/t (65x50) : **FRF 6 200** – VERSAILLES, 16 oct. 1988 : *Ronde sur la plage* : **FRF 11 000** – PARIS, 15 fév. 1989 : *Les roses de la nuit*, h/t (33x46) : **FRF 5 000** – VERSAILLES, 24 sep. 1989 : *Crépuscule sur la mer*, h/t (54x65) : **FRF 5 800** – VERSAILLES, 10 déc. 1989 : *Fleurs dans un matin clair* 1974, h/t (61x50) : **FRF 4 800** – PARIS, 18 déc. 1989 : *Fête dans le parc*, h/t (65x92) : **FRF 75 000** – PARIS, 30 mai 1990 : *Plage en Méditerranée*, h/t (120x20) : **FRF 128 000** – PARIS, 22 nov. 1990 : *Bouquet de fleurs* 1974, h/t (59x48,5) : **FRF 40 000**.

LA LAUNE Anne de
xviiie siècle. Vivant vers 1700. Français.
Graveur au burin, amateur.
Il a gravé des paysages et des sujets de genre.

LALAURIE Marcel
Né le 2 juillet 1885 à Arcachon (Gironde). xxe siècle. Français.
Peintre de portraits, sujets orientaux, pastelliste, aquarelliste.
Il fut élève de l'École des Arts Décoratifs, à Paris. Il fut un peintre de portraits et de sujets orientalistes.
VENTES PUBLIQUES : PARIS, 24 mai 1945 : *Effet de lune dans la baie d'Ajaccio* : **FRF 40** – PARIS, 7 nov. 1994 : *Mère marocaine et enfant*, past. (60x46) : **FRF 11 000**.

LALAUZE Adolphe
Né en 1838 à Rive-de-Gier (Loire). Mort en 1905 à Milly-la-Forêt (Essonne). xixe siècle. Français.
Peintre de genre, graveur, illustrateur.
Il fut d'abord contôleur de l'Enregistrement à Toulouse, puis s'orienta vers une activité artistique. Élève à l'École des Beaux-Arts de Toulouse, il alla ensuite à Paris, où il devint élève de Léon Gaucherel qui l'encouragea à faire de la gravure et des illustrations.
Il débuta au Salon de Paris en 1872, obtenant une médaille de troisième classe en 1876, une médaille de deuxième classe en 1878, une médaille de bronze à l'Exposition Universelle de 1889. Chevalier de la Légion d'honneur.
Ce fut surtout un vignettiste habile. Il a illustré de nombreux ouvrages, parmi lesquels : *Les Confessions* de saint Augustin, *Faust* de Goethe, mais aussi des livres de *Contes* de Perrault et Hoffmann. Il fit de nombreuses scènes enfantines, mettant en scène ses propres enfants. Pour ses gravures à l'eau-forte, il fut l'un des premiers à utiliser la couleur par le système de superposition de planches mordues à l'acide.
BIBLIOGR. : Gérald Schurr, in : *Les Petits Maîtres de la peinture 1820-1920, valeur de demain*, Les Éditions de l'Amateur, t. VI, Paris, 1985.
VENTES PUBLIQUES : LONDRES, 5 mai 1989 : *Bavardages amicaux* 1899, h/t (105,5x138,5) : **GBP 7 150**.

LALAUZE Alphonse
Né le 21 juin 1872 à Paris. xxe siècle. Français.
Peintre d'histoire, peintre à la gouache, aquarelliste.
Il est le fils d'Adolphe Lalauze. Il fut élève d'Édouard Detaille. Il participa aux expositions, à Paris, du Salon des Artistes Français, en devint sociétaire, y obtenant une mention honorable en 1899, une médaille de troisième classe en 1900, une mention honorable en 1900 (dans le cadre de l'Exposition universelle). Chevalier de la Légion d'honneur.
VENTES PUBLIQUES : PARIS, 21 jan. 1924 : *La Bataille de Fontenoy*, aquar. : **FRF 1 300** – PARIS, 16-18 fév. 1931 : *Cavaliers du premier Empire*, aquar. : **FRF 380** – PARIS, 20 nov. 1942 : *Le Porte-fanion*, gche : **FRF 1 050** – LONDRES, 17 mars 1983 : *La Trompette* 1909, aquar. reh. de blanc (32x17,5) : **GBP 750** – REIMS, 23 oct. 1988 : *L'arrestation du duc d'Enghein*, h/t (270x152) : **FRF 13 000**.

LALEMAN ou **Lalemen**. Voir **LALLEMAND** et **LALLEMANT**

LALEMEN Philippe. Voir **LALLEMANT**

LALEMENT Jean
xive siècle. Français.
Sculpteur.
Cet artiste, qui est peut-être d'origine allemande, résida à Troyes, de 1362 à 1370. Il fut tailleur de pierre et maçon.

L'ALEMENT Pierre. Voir **PIERRE l'Alement**

LALIANE Louis
xviie siècle. Actif à Lyon. Français.
Sculpteur, graveur.
Il travailla à Lyon, de 1622 à 1624 et fut nommé, en 1648, graveur ordinaire de la ville. On a retrouvé quelques traces de ses travaux pour les Consuls. Il fut tailleur de pierre et maçon.

LALIARME Philippe ou **Philibert** ou **Lalyame**
xvie-xviie siècles. Actif à Lyon. Français.
Sculpteur, architecte et médailleur.
Il fit, en 1600, plusieurs statues pour l'église Saint-Jean, à Lyon ; en 1609, après avoir travaillé au collège de la Trinité, il fit un buste en bronze d'Henri IV, qui fut placé dans un cartouche en pierre, à l'hôtel de ville. En 1622, à l'occasion de l'entrée de Louis XIII, il modèle les figures destinées aux arcs de triomphe. Les consuls de la ville firent ensuite sculpter ces figures en pierre, pour les conserver. Laliarme est aussi l'auteur d'une médaille de bronze, à l'effigie de *Pierre de Monconys*, lieutenant général criminel de Lyon.

LALIBERTÉ Alfred
Né en 1878 à Sainte-EliZabeth. Mort en 1953. xxe siècle. Canadien.
Sculpteur, peintre.
Il fut élève de Thomas. Il prit part aux Salons de Paris où il obtint une mention honorable en 1905.
MUSÉES : MONTRÉAL (Mus. des Beaux-Arts) : *Déesse* – OTTAWA (Mus. Nat.).
VENTES PUBLIQUES : NEW YORK, 14 nov. 1980 : *La barque*, bronze, patine brun vert (H. 41,3) : **USD 1 100** – MONTRÉAL, 23 sep. 1986 : *Autoportrait*, bronze (H. 35) : **CAD 4 000** – MONTRÉAL, 17 oct. 1988 : *La cachette de l'avare*, bronze (H. 32) : **CAD 2 800** – MONTRÉAL, 1er mai 1989 : *L'erminette*, bronze (H.38) : **CAD 2 400** – MONTRÉAL, 30 oct. 1989 : *Le crépuscule de la vie* 1951, bronze (L. 58) : **CAD 2 640** – MONTRÉAL, 30 avr. 1990 : *La balance*, bronze (H. 36) : **CAD 3 740** – MONTRÉAL, 23-24 nov. 1993 : *Homme au travail*, h/pan. (59,5x45,6) : **CAD 1 200** – MONTRÉAL, 6 déc. 1994 : *Le creuseur d'auges*, bronze (H. 31,7) : **CAD 1 200**.

LALICT Michel. Voir **LALYE**

L'ALIENSE Antonio. Voir **VASSILACCHI**

LALIGNE François
xviie siècle. Français.
Sculpteur et architecte.
Avec François Lambert, il termina, en 1656, le portail de l'église Saint-Pierre d'Auxerre, répara, en 1662, la chapelle Sainte-Barbe, de l'église Saint-Eusèbe de cette ville, et travailla, en 1663, à l'église de Quenne.

LALIME. Voir **FÉ Pierre**

LA LINDE Paulino de
Né au xixe siècle à Grenade. xixe siècle. Espagnol.
Peintre d'histoire, genre.
Il figura aux Expositions de Madrid, de 1856 à 1862.

LALIQUE René J.
Né le 6 avril 1860 à Ay (Marne). Mort en 1945 à Paris. xixe-xxe siècles. Français.

Sculpteur, maître-verrier, orfèvre, décorateur. Art nouveau.

Il fut élève de l'École des Arts Décoratifs.

À Paris, il figura à l'Exposition universelle de 1889, fut sociétaire du Salon des Artistes Français à partir de 1897, figura à l'Exposition universelle de 1900 où il fut très remarqué. Une exposition de ses flacons à parfum fut organisée au Musée des Arts Décoratifs à Paris en 1991. Il obtint au Salon des Artistes Français des médailles de troisième classe en 1895, de deuxième classe en 1896, de première classe en 1897.

Il abandonna progressivement la joaillerie, dont il révolutionna pourtant l'art, pour devenir un maître-verrier vers 1912. Ses pièces furent largement appréciées, notamment par Gallé et Sarah Bernhardt. Il orienta son activité vers les utilisations artistiques et décoratives de l'industrie du verre, à laquelle il imposa par la fertilité de son invention des progrès imprévisibles. Il créa un style et des débouchés inédits : objets usuels, éléments de mobilier : flacons, services de table, vases, etc., et même des éléments d'architecture pour le Pavillon de Sèvres à l'exposition des Arts Décoratifs de 1925. Tel que les artisans de la Renaissance italienne, il allie l'esprit de recherche et le sens artistique. Comme tous les représentants de l'Art nouveau il a puisé ses formes dans des registres onduleux. Traduisant en subtils jeux de lumière et d'irisation les fleurs, les oiseaux, les insectes, la libellule en particulier, la flore et la faune marines, sans oublier le corps humain et la figure de femme, il a créé des objets précieux qui appartiennent au domaine des arts plastiques.

Bibliogr. : In : *Les Muses*, Grange Batelière, Paris, 1972.

Musées : Lisbonne (Fond. Gulbenkian) : dessins préparatoires – Paris (Mus. d'Orsay) : dessins préparatoires – Paris (BN) : dessins préparatoires.

Ventes Publiques : Paris, 18 juin 1979 : *Silène à la vasque*, bronze patiné (H. 22) : **FRF 6 000** – Milan, 5 juin 1985 : *La Source*, verre (H. 61) : **ITL 8 000 000** – Paris, 23 jan. 1992 : *Plaque de collier de chien* époque 1900, en or et émail (10x5,3) : **FRF 250 000** – Paris, 16 déc. 1993 : *Vol de libellules, étude de peigne en corne à onze dents*, encre de Chine et lav./pap. (28x22) : **FRF 34 000** ; *Panthère et feuillage, Étude d'éléments de collier de chien*, encre de Chine et gche/pap. (4,5x22) : **FRF 27 000** – Paris, 21 oct. 1994 : *Frise d'athlètes nus*, pan. de verre moulé-pressé (29x66) : **FRF 460 000**.

LALIQUE Suzanne

Née en 1899 à Paris. xxe siècle. Française.

Peintre, décorateur.

Elle est fille du maître-verrier René Lalique.

Elle exposa très jeune aux Salons parisiens, de la Société Nationale des Beaux-Arts, d'Automne et des Tuileries. Jean Giraudoux a préfacé une de ses expositions.

LA LIRE. Voir **LA LYRE**

LALIVE DE JULLY Ange Laurent de, marquis de Rémoville

Né en 1725 à Paris. Mort en 1779 à Paris. xviiie siècle. Français.

Graveur amateur.

Il grava des sujets de genre d'après Boucher et Greuze, des caricatures d'après Saly. Il réunit une collection d'œuvres de l'École française, qui fut dispersée en 1770, lorsqu'il perdit la raison. On le cite aussi comme peintre et miniaturiste.

Ventes Publiques : Paris, 24 avr. 1925 : *La petite mère de famille*, mine de pb : **FRF 320**.

LALL Oscar Daniel de

Né en 1903. Mort en 1971. xxe siècle. Canadien.

Peintre de paysages typiques.

Ventes Publiques : Montréal, 17 oct. 1988 : *Paysage d'hiver des Laurentides*, h/t (51x66) : **CAD 950** – Montréal, 1er mai 1989 : *Sainte-Adèle à Québec*, h/pan. (56x71) : **CAD 800** – Montréal, 30 avr. 1990 : *Paysage d'hiver avec une cabane*, h/t (41x51) : **CAD 715** – Montréal, 5 déc. 1995 : *Paysage d'hiver*, h/t (50,8x66) : **CAD 900**.

LALLALI Mounira

Née en 1952. xxe siècle. Algérienne.

Graveur sur métal.

Elle a fait ses études artistiques en Algérie, à l'École des Beaux-Arts d'Alger puis à Metz et Avignon. Elle a exposé en Algérie et à l'étranger.

Depuis 1984 elle s'est spécialisée dans le travail du cuivre. Elle réalise des scènes de la vie courante algérienne, des portraits de personnages typiques et des bijoux.

LALLART Édouard

Né en 1836 à Bailleul (Nord). Mort en 1873 à Soissons (Aisne). xixe siècle. Français.

Peintre de paysages.

Le Musée de Soissons conserve deux œuvres de cet artiste qui fut aussi journaliste.

LALLART Pierre

Né le 8 août 1919 à Gennes-Ivergny (Pas-de-Calais). xxe siècle. Français.

Peintre de figures, paysages, paysages urbains, marines, dessinateur, peintre à la gouache. Tendance impressionniste.

Il fut élève d'Achille Capliez à Lille et Béthune, puis de Léopold Pascal à Londres. Parallèlement à son activité artistique, il a mené une carrière militaire et diplomatique qui lui a permis de voyager en Allemagne, en Afrique du Nord, au Brésil, en Belgique... Il travaille à Paris et à Biscarrosse dans les Landes.

Il a participé à des expositions collectives en Angleterre, parmi lesquelles : 1956, Royal West of England Academy, Bristol ; 1957, National Society et Royal Society of British Artists à Londres ; 1957, Salon Grands et Jeunes d'Aujourd'hui, à Londres. Il est membre fondateur du *Groupe LIL* des peintres français et allemands de Baden-Baden en 1970. Il participe à des expositions collectives en France, notamment celles, à Paris, du Salon des Artistes Français à partir de 1971 et dont il est devenu sociétaire en 1972, du Salon des Indépendants, et du Salon National des Armées. Il montre ses œuvres dans des expositions personnelles, dont : 1957, Institut Français du Royaume-Uni, Londres ; 1958, Institut Français, Berlin ; 1979, 1984, Bruxelles ; 1982, Tours ; 1983, Anvers ; 1983, Orangerie du Luxembourg, Paris ; 1986, Limoges. Il a obtenu plusieurs récompenses pour ses tableaux, dont la première médaille de peinture au Salon de l'Armée à Paris, une mention honorable au Salon des Artistes Français en 1972, le grand prix du jury du Salon National des Armées en 1982, une médaille d'argent de la Ville de Bordeaux en 1990.

Pierre Lallart est redevenu, après quelques recherches picturales de tendance surréaliste et expressionniste, essentiellement un peintre de paysages. Travaillant généralement sur le motif, sa facture traditionnelle est d'esprit impressionniste. Il réalise aussi des gouaches et des dessins à l'encre. Il a participé à la décoration du Musée du Roule à Cherbourg et à la création de médailles en collaboration avec Pierre Turin (1954) et Claude Lesot (1973), graveurs de l'Administration des Monnaies et Médailles.

Bibliogr. : In : *Peintres et Sculpteurs du Grand Sud-Ouest*, Regards, Pau, 1993.

Musées : Arcachon (Ville d') – Cherbourg (Mus. du Roule) – Mons (Mus. des Beaux-Arts) – Romorantin (Ville de).

LALLEMAN. Voir **LALLEMAND**

L'ALLEMAND Adèle, née **Le Corbeiller**

Née le 3 août 1807 à Paris. xixe siècle. Française.

Peintre de portraits, fleurs et fruits.

Elle travailla à Fontenay-aux-Roses, et fut élève de Belloc. De 1835 à 1870 (jusqu'en 1838, sous son nom de jeune fille), elle exposa à plusieurs reprises, aux Salons de Paris, des aquarelles et des miniatures.

Ventes Publiques : Monte-Carlo, 22 juin 1985 : *Corbeille de fleurs et fruits* 1843, gche et aquar. (45x37) : **FRF 70 000** – St-Maur-des-Fossés, 18 oct. 1987 : *Fleurs fines* 1848, aquar. (26x20) : **FRF 10 000**.

LALLEMAND Adrien Toussaint

Né le 20 juillet 1793 à Paris. xixe siècle. Français.

Graveur.

Il réalisa des gravures topographiques.

LALLEMAND Alex

Né en 1892 à Ixelles (Bruxelles). Mort en 1963. xxe siècle. Belge.

Peintre de paysages, figures, fleurs, natures mortes, graveur sur bois. Réaliste.

Ses œuvres sont marquées de tradition flamande.

Bibliogr. : In : *Diction. biographique illustré des artistes en Belgique depuis 1830*, Arto, Bruxelles, 1987.

LALLEMAND Armand Joseph

Né en 1810 à Paris. xixe siècle. Français.

Graveur.

Élève de Deveria. Débuta au Salon de 1861 et obtint une mention honorable la même année.

LALLEMAND Bernard
Né en 1947 à Villeneuve-Saint-Georges (Val-de-Marne). XXe siècle. Français.
Sculpteur, créateur d'installations.
Il vit et travaille à Paris. Il a réalisé une fontaine pour la place Saint-Just à Vitry-sur-Seine.
Il figure à certaines expositions collectives, parmi lesquelles : 1984, *Écritures*, Centre d'art contemporain, Corbeil-Essonnes ; 1987, Jeune Sculpture, sélection Flor Bex, Paris ; 1990, Salon d'Art Contemporain, Montrouge. Il montre ses œuvres dans des expositions personnelles, dont : 1989, galerie Daniel Ankri, Paris ; 1990, CDC-galerie de l'Ancienne Poste, Calais ; 1990, galerie Aline Vidal, Paris ; 1990, Credac, Centre d'Art Contemporain, Ivry ; 1991, Carine Campo Gallerie, Anvers ; 1992, Salon Découvertes, exposition présentée par la galerie Gilles Peyroulet, Paris ; 1993, galerie Gilles Peyroulet, Paris ; 1994, Maison de la culture d'Amiens ; 1996, Maison d'art contemporain à Fresnes et Centre d'arts plastiques à Saint-Fons ; 1998, *Une vie de rêve*, exposition présentée dans une boutique, Paris.
Il a commencé par dessiner puis a rapidement abordé la troisième dimension. Il utilise dans ses sculptures, dont les projets sont toujours soigneusement dessinés puis ensuite réalisés par des entreprises, des matériaux usinés et variés tels que de l'acier inox, de la mousse synthétique, du caoutchouc, du verre, et du Plexiglas. Ses sculptures, si elles s'inscrivent parfois dans l'histoire du ready-made et possèdent des accents minimalistes, sont principalement assemblages de formes tactiles. Leur caractère fonctionnel n'entre pas dans le processus de création. C'est à plusieurs styles, à diverses références que les « sculptures » de Lallemand renvoient. Souvent, le jeu du vide et de son modelage par la lumière, semble être le liant de ses œuvres : délimitation du vide par des lignes, conduits ouverts en polyuréthane par où le vide s'engage et se dégage, transparence diaphane... ■ C. D.
Bibliogr. : *Bernard Lallemand*, catalogue de l'exposition, galerie de l'Ancienne poste, Calais et Centre d'Art Contemporain, Ivry, 1990 – Jean-Marc Huitorel : *Bernard Lallemand – Sur le fil du rasoir*, in : *Art Press*, Paris, avril 1993.
Musées : Paris (FNAC) : *Solitude* 1988 – Sélestat (FRAC Alsace) : *Obsession* 1993.

L'ALLEMAND Conrad
Né le 22 avril 1809 à Hanau (Hesse). Mort le 15 octobre 1880 à Hanovre. XIXe siècle. Allemand.
Peintre.
Cet artiste fit ses études à Vienne. A l'âge de trente ans, il vint s'établir à Francfort-sur-le-Main et y travailla pendant dix années comme peintre de portraits, très recherché. Il alla ensuite à Berlin et à Hanovre, dans cette ville. Le Musée de Hanovre conserve de nombreux dessins de cet artiste.

L'ALLEMAND Fritz
Baptisé le 24 mai 1812 à Hanau. Mort le 20 septembre 1866 à Vienne. XIXe siècle. Allemand.
Peintre de batailles.
Cet artiste, descendant d'une famille d'artistes huguenots et fils de l'orfèvre S.-W. Chr. L'Allemand, étudia à l'Académie de Vienne. Il peignit d'abord des portraits et des tableaux de genre, tels que ses toiles : *Satyres priant le dieu Silène ivre de chanter une chanson*, exposé en 1839. Puis il se tourna vers la peinture militaire et de bataille, s'inspirant des campagnes de 1809, 1849, 1864 (Schleswig-Holstein). Il exécuta aussi des tableaux pour la maison impériale et le château de Schönbrunn. Fritz L'Allemand fit aussi des illustrations, notamment celles de *L'armée royale autrichienne dans le cours de deux siècles* (Vienne).
Ventes Publiques : Vienne, 23 mars 1983 : *Scène de la révolution de 1848 à Vienne* 1856, h/t (65x79) : **ATS 150 000**.

L'ALLEMAND Garnier
XVIIe siècle. Français.
Peintre de portraits et d'histoire.
Il fut peintre du roi et membre de l'Académie ; d'après les livrets des salons, il exposa en 1699 et 1704.
Ventes Publiques : Paris, 1772 : *Baptême de Jésus* ; *La Samaritaine* : **FRF 23** – Paris, 1772 : *Deux paysages*, dessins, d'après Claude Gelée : **FRF 19** ; *Deux pastorales avec figures et animaux*, dess. : **FRF 19**,10 ; *Portrait de l'artiste* : **FRF 145**.

LALLEMAND Georges ou **Lallemant**
Né vers 1575 à Nancy (Meurthe-et-Moselle). Mort vers 1635 à Paris. XVIe-XVIIe siècles. Français.
Peintre d'histoire, scènes religieuses, figures, compositions murales, cartons de tapisseries, graveur, dessinateur.
On le donne parfois pour un élève de Simon Vouet. Originaire de Nancy, c'est manifestement l'influence d'un autre Lorrain : Jacques de Bellange, que l'on reconnaît dans ses œuvres, au point de pouvoir parfois les confondre avec celles de Bellange. Il se fixa à Paris vers 1600, mais resta en contact avec la Lorraine, l'un de ses enfants ayant dans la suite pour parrain François de Vaudémont, le futur duc François II. Il devint peintre du roi en 1626, et également très en faveur auprès de l'entourage de Gaston d'Orléans, restant bien en cour même après le retour d'Italie de Simon Vouet, en 1628. Georges Lallemand dirigea un important atelier parisien, il y eut de nombreux élèves, parmi lesquels il faut citer Nicolas Poussin, vers 1614, Philippe de Champaigne, à la même époque, et Laurent de la Hyre.
À Paris, il fit son chemin peu à peu. Il travailla pour divers ordres religieux, dont : 1611, Chartreux ; 1613, 1615 Saint-Josse ; ainsi que pour le couvent des Feuillants, près des Tuileries. En 1620, il réalisa des peintures murales pour la chapelle de la Vierge de Saint-Nicolas-des-Champs. En 1630, il fut chargé par la confrérie des orfèvres du tableau destiné à la cathédrale Notre-Dame : il peignit *Saint Pierre et saint Paul montant au temple* et *Saint Pierre guérissant un malade* ; la même commande lui fut faite en 1633 et il représenta *Saint Étienne priant avant d'être lapidé*. Il travailla également pour l'Hôtel de Ville. On cite encore de lui *La descente du Saint-Esprit* 1635, découverte récemment dans l'église Saint-Ouen à Rouen. Spécialiste des clairs-obscurs, il perfectionna le procédé de la gravure sur bois en camaïeu. Il donna aussi un grand nombre d'eaux-fortes ; parfois il laissait son disciple Ludwig Businck graver d'après ses dessins. Ses œuvres présentent un mélange intéressant d'un maniérisme à l'italienne, hérité de Bellange, et d'un certain sentiment plus grave, voire parfois macabre, d'inspiration germanique, comme c'est souvent le cas chez les artistes lorrains.

G Lallemand.

Bibliogr. : Pierre Marot : *Les peintres et graveurs lorrains du XVIIe siècle*, Musée historique lorrain, Nancy, s.d – M. H., in : *Diction. Univers. de l'Art et des Artistes*, Hazan, Paris, 1967 – in : *Diction. de la peinture française*, coll. Essentiels, Larousse, Paris, 1989.
Musées : Lille : *Adoration des Rois Mages* – Nancy (Mus. lorrain) : *L'Entremetteuse* – Paris (Mus. du Petit-Palais) : *Charité de saint Martin* – Paris (Mus. Carnavalet) : *Portrait du Prévôt et des échevins* 1614 – Saint-Pétersbourg (Mus. de l'Ermitage) – Stockholm – Venise (Acad. des Beaux-Arts).
Ventes Publiques : New York, 16 jan. 1986 : *Étude pour un portrait de femme*, pl. et lav., coins supérieurs coupés (17,3x11,5) : **USD 3 000** – Londres, 3 juil. 1995 : *Personnage masculin debout en costume oriental*, encre et lav. (34,1x15,7) : **GBP 14 375**.

LALLEMAND Henri
XIXe siècle. Belge.
Peintre de vues de villes.
Cité par Siret à Anvers vers 1842. On mentionne notamment de lui des vues des environs de Rouen.

LALLEMAND Hippolyte
XIXe siècle. Français.
Peintre de genre, de portraits, et pastelliste.
Exposa au Salon entre 1841 et 1848.

LALLEMAND Jacques ou **Lallemant**
Né en 1560. Mort le 13 janvier 1636 à Nancy. XVIe-XVIIe siècles. Actif à Nancy. Français.
Sculpteur sur bois.
Fut sculpteur du duc de Lorraine, Charles III.

L'ALLEMAND Jean
XVIIe siècle. Travaillait à Nancy au début du XVIIe siècle. Français.
Peintre.
Cet artiste pourrait bien être le même que Georges Lallemand, le peintre d'histoire connu qui florissait à Paris vers 1633, ce que confirmerait le fait que ce Jean L'Allemand exécuta en 1618 les portraits de François de Vaudemont et de ses enfants.

LALLEMAND Jean Baptiste
Né en 1710 ou 1716 à Dijon, à Reims selon M. Sartor dans le catalogue du musée de Reims. Mort vers 1803 ou 1805 à Paris. XVIIIe siècle. Français.
Peintre de sujets mythologiques, compositions religieuses, scènes de genre, paysages animés, marines, aquarelliste, peintre à la gouache, dessinateur, graveur.

Jean Baptiste Lallemand mérite une mention spéciale ; l'importance de son œuvre, son très réel talent ne paraissent pas avoir fixé suffisamment l'attention des écrivains d'art. Il mérite mieux que ce dédain relatif et, mieux connu du grand public, il prendra certainement une place très honorable parmi les petits maîtres du XVIIIe siècle. Il était fils d'un tailleur dijonnais et, d'abord, exerça la profession paternelle ; mais il consacrait ses loisirs à dessiner et à peindre. Il vint à Paris comme ouvrier tailleur. Un amateur désireux de voir ce que valaient les connaissances artistiques que prétendait posséder Lallemand lui commanda quatre toiles représentant les *Quatre saisons*, et le jeune ouvrier se tira avec tant d'honneur de l'épreuve que sa vocation fut décidée. Il partit pour l'Italie afin d'y poursuivre ses études. Il se fixa à Rome, s'y maria et paraît avoir obtenu un notable succès. Mariette, toujours si exactement informé, le cite dans son *Abecedario* comme vivant à Rome. Quelle est la date de la note le concernant ? Elle est dans tous les cas postérieure à 1762. Mariette ajoute qu'il vint en France avec sa famille en 1761, passa par Lyon et s'y arrêta ayant trouvé des travaux à exécuter. Il paraît certain qu'il avait dû revenir à Paris avant ce voyage, car nous le trouvons membre de l'Académie de Saint-Luc en 1751 et prenant part à l'exposition de cette compagnie. Il était encore à Paris en 1764 et exposait à l'Académie de Saint-Luc. Wille, dans ses Mémoires, dit qu'il lui rendit visite le 25 avril, cette année-là. Il prit part encore à l'Exposition du Colisée en 1776, à celle de la Jeunesse, la place Dauphine, en 1783 et au Salon de la Correspondance en 1786. La plupart des biographes mentionnent un séjour de J. B. Lallemand en Angleterre avant son établissement définitif à Paris. Nous ne trouvons pas de données sur la durée de ce séjour, mais nous trouvons notre peintre exposant une *Nature morte* à la Society of Artists, à Londres, en 1773. Il paraît certain que le Jean Baptiste Lallemand cité par Nagler comme né à Paris en 1736, élève de Joseph Vernet et auteur de trois eaux-fortes marines et paysage est le même artiste que notre peintre. Jean Baptiste Lallemand a peint avec beaucoup de goût des paysages, des marines, des sujets de chasse ; ses gouaches sont particulièrement intéressantes. Lallemand a dessiné, notamment, toutes les vues de Bourgogne qui ont été gravées dans le *Voyage pittoresque en France.*

J B Lallemand.

Musées : Angers : *Soleil couchant* – Autun : aquarelle – Bordeaux : *Fuite en Égypte* – Dijon : *Le coup de l'étrier – L'abreuvoir – Chèvres – Soleil couchant – Effet du matin – La cruche renversée – Intérieur d'atelier – Le Bénédicité – Intérieur de cuisine – Le Pont Saint-Ange – Le Pont Rotto – Le Christ et la Samaritaine – Paysage avec ruines – Paysage – Même sujet – Même sujet* – La Fère : *Paysage – La Porte Saint-Martin à Paris – Halte de chasse* – Le Mans : *Paysage composé* – Paris (Mus. du Louvre) : lavis – Paris (Carnavalet) : *Vue de la place Dauphine – La charge du prince de Lambesc aux Tuileries en 1789 – La mort de Flesselles, 14 juillet 1789 – Vue de Notre-Dame – Le pillage des armes aux Invalides, 14 juillet 1789* – Reims : aquarelle – Rome : *Intérieur en ruines* – Saint-Pétersbourg (Mus. de l'Ermitage) : *Le Forum romain – Même sujet* – Ypres : *Port italien – Même sujet.*

Ventes Publiques : Paris, 1777 : *Paravent de quatre feuilles représentant des paysages*, dess. coloriés : **FRF 481** – Paris, 1883 : *Paysage avec rivière, figures et animaux*, gche : **FRF 61** – Paris, 1887 : *Marine avec figures* : **FRF 500** – Dijon, 1894 : *Le Matin ; Le Soir*, deux paysages formant pendants : **FRF 1 520** ; *Intérieur d'atelier ; Intérieur de cuisine*, deux pendants : **FRF 975** – Paris, 1896 : *Vue prise du quai du Louvre*, pl. et aquar. : **FRF 400** – Paris, 10 fév. 1897 : *Ruines et personnages* : **FRF 200** – Paris, 17 avr. 1899 : *Vues prises en Italie*, gche, deux pendants : **FRF 140** – Paris, 11-12 déc. 1899 : *Le Moulin de Charenton*, aquar. : **FRF 75** – Dijon, 12 fév. 1900 : *Paysage, effet du soir* : **FRF 3 175** – Paris, 10-12 mai 1900 : *Vue de l'ancien château de Chantilly* : **FRF 5 000** – Paris, 11-15 mai 1903 : *Le Repos des bûcherons* : **FRF 500** – Paris, 14 déc. 1908 : *Personnage devant un palais* : **FRF 1 100** – Paris, 16 juin 1910 : *Marines avec personnages* : **FRF 830** – Paris, 22-23 mai 1919 : *Ruines avec personnages* : **FRF 2 600** – Paris, 27 jan. 1921 : *Le repos après la chasse* : **FRF 2 900** – Paris, 2 juin 1923 : *Vue des Grands Boulevards avec les théâtres de la Porte Saint-Martin et de l'Ambigu*, deux gouaches : **FRF 3 220** – Paris, 6 déc. 1923 : *Le Charlatan*, lav. de Chine, reh. de gche : **FRF 825** – Paris, 25 mars 1924 : *La halte à l'auberge ; Le Chemin de la rivière*, deux gche : **FRF 14 000** – Paris, 25 mars 1925 : *La Danse*, pl. et lav. : **FRF 4 100** – Paris, 7-8 juin 1928 : *Vue de ville fortifiée*, gche : **FRF 14 000** – Paris, 19 nov. 1928 : *Les Pêcheurs* : **FRF 10 000** – Paris, 10 déc. 1930 : *Baigneuses*, deux gouaches : **FRF 17 000** – Paris, 21 fév. 1931 : *Un port de mer au soleil levant* : **FRF 13 000** – Paris, 3 déc. 1934 : *Le marchand d'orviétan*, gche : **FRF 6 000** – Paris, 12 mai 1937 : *Scène populaire sur une place de Rome*, lav. de Chine/croquis à la pierre noire : **FRF 900** – Paris, 7 mars 1941 : *Les Jardins de la sultane* : **FRF 25 100** – Paris, 16-17 juin 1941 : *Assemblée dans un parc ; Le Concert dans un parc*, deux pendants : **FRF 42 500** – Paris, 7 juil. 1942 : *Les Baigneuses* : **FRF 11 500** – Paris, 5 avr. 1943 : *Pastorales*, deux gouaches faisant pendants : **FRF 25 100** – Paris, 6 déc. 1943 : *Pêcheurs et lavandières au bord d'une rivière*, gche : **FRF 11 900** – Londres, 22 mars 1944 : *Tempête en mer ; Orage sur terre*, deux pastels : **GBP 50** – Paris, 11 déc. 1944 : *Paysage*, gche, vendu avec une autre gouache non signée : **FRF 34 000** – Paris, oct. 1945-juil. 1946 : *Paysage agrémenté de figures* : **FRF 36 500** – Paris, 24 fév. 1947 : *La Source ; Les Ruines*, deux pendants : **FRF 15 000** – Paris, 10 juin 1954 : *La cascade ; Le temple* : **FRF 430 000** – Paris, 23 juin 1961 : *Bergers et troupeau* : **FRF 2 600** – Paris, 1er juil. 1963 : *Le marchand d'Orvieto* : **FRF 7 000** – Paris, 25 mars 1965 : *L'entrée du port* : **FRF 9 000** – Paris, 3 déc. 1965 : *Port de mer au matin*, gche : **FRF 13 500** – Paris, 12 juin 1967 : *Danse champêtre au bord d'une rivière ; Jeux champêtres au bord d'une rivière*, gche, une paire : **FRF 16 000** – Paris, 21 mars 1968 : *La femme au bord de l'eau ; La fontaine* : **FRF 44 000** – Londres, 25 juin 1968 : *Ruines dans un paysage animé de personnages*, gche : **GNS 700** – Paris, 4 juin 1973 : *Les préparatifs du repas ; Les écoliers*, deux pendants : **FRF 20 500** – Paris, 7 déc. 1973 : *Personnages devant une ferme au bord d'un cours d'eau*, gche : **FRF 6 800** – Paris, 13 mai 1976 : *Coucher de soleil sur un port par temps calme ; Navire jeté à la côte par la mer*, h/t, deux pendants (70x89) : **FRF 50 000** – Paris, 21 oct. 1977 : *Vue d'un port animé de personnages orientaux*, h/t (56x72) : **FRF 38 000** – Paris, 10 mai 1979 : *Vue du Dôme des Invalides avec personnages*, cr. noir et lav. d'encre de Chine (28x39,5) : **FRF 5 000** – Paris, 7 nov 1979 : *Architecture antique*, aquar. gchée (43,5x33) : **FRF 5 000** – New York, 3 juin 1980 : *Le château de Bracciano*, mine de pb, pl. et lav. (23,7x37,9) : **USD 900** – Londres, 7 juil. 1981 : *Bergers dans la campagne romaine*, aquar. et reh. de blanc (25,2x38,3) : **GBP 1 100** – New York, 19 jan. 1982 : *Le Colisée*, sanguine, pl. et encre noire et aquar. reh. de blanc (22,2x36,8) : **USD 1 200** – Paris, 11 oct. 1982 : *Port méditerranéen*, h/t (71x55) : **FRF 40 000** – New York, 4 nov. 1983 : *Élégants personnages près d'une cascade*, aquar. et gche (19,7x29) : **USD 1 600** – Fontainebleau, 2 oct. 1983 : *Architecture antique animée de bergers*, h/t (43,2x34,2) : **FRF 15 500** – Paris, 23 mai 1984 : *Vue de Rome*, pl. et lav. (35x69) : **FRF 9 500** – Londres, 19 déc. 1985 : *Vue de ruines romaines ; La cour d'un palais baroque*, h/t, une paire (75x61,5) : **GBP 15 000** – Londres, 9 déc. 1986 : *La Piazza Mattei avec la Fontana delle Tartarughe*, craie noire, pl. et lav. reh. de blanc (26,2x38,4) : **GBP 4 200** – Paris, 12 juin 1986 : *Vue de la baie de Naples ; Vue d'un port d'Italie*, h/t, une paire (43,5x57,5 et 43,5x57) : **FRF 260 000** – Paris, 11 mars 1988 : *Paysage animé*, h/t (58x71) : **FRF 35 000** – Lyon, 13 juin 1988 : *Le château de Pierre Scize et bords de Saône vers 1760-1762*, h/t, quatre toiles (239x134 et 239x134 et 239x234 et 239x234) : **FRF 520 000** – Paris, 26 juin 1989 : *Pêcheurs dans un paysage avec les cascatelles de Tivoli*, h/t (64,5x48) : **FRF 190 000** – Rome, 21 nov. 1989 : *Paysage avec vue sur le Colisée*, h/t (58,5x98,5) : **ITL 36 000 000** – Monaco, 15 juin 1990 : *Huit études d'hommes*, encre et lav./pierre noire (chaque feuille 15x20,6) : **FRF 22 200** – Paris, 26 juin 1990 : *Voyageurs près de leurs mulets*, h/t (32,5x40,5) : **FRF 45 000** ; *Paysage animé à la cascade*, h/t (38x56) : **FRF 80 000** – Paris, 28 juin 1991 : *Vue d'un parc à l'entrée d'un village*, pierre noire, craie blanche/pap. bleu (23x36) : **FRF 11 000** – Paris, 16 déc. 1991 : *Le concert dans le parc*, h/t (61x81) : **FRF 220 000** – Paris, 3 avr. 1992 : *Jardin italien avec des ruines antiques*, gche (34x47,5) : **FRF 56 500** – Monaco, 20 juin 1992 : *Vue du Forum romain avec la statue d'Apollon Citharedos, le Temple d'Antoine et Faustine, et autres monuments à l'arrière*, craie noire et gche (37x45,5) : **FRF 57 720** – Calais, 5 juil. 1992 : *Paysage italianisant*, h/t (65x80) : **FRF 45 000** – Paris, 18 juin 1993 : *Vue d'Italie avec un fleuve*, cr. et lav. d'encre de Chine (20,5x36,5) : **FRF 6 000** – Paris, 28 juin 1993 : *Jeune fermière donnant du grain à la basse-cour ; Famille de paysans traversant un cours d'eau*, h/t, une paire (33x44,5 et 32,5x43) : **FRF 195 000** – Monaco, 2 juil. 1993 : *Scènes d'intérieurs rustiques*, h/pan., une paire (chaque 16x11,5) : **FRF 64 380** – Paris, 15 déc. 1993 : *Vues de ports méditerranéens au soleil couchant et au soleil levant*, gche, une paire (chaque 36x52,5) : **FRF 101 000** –

PARIS, 31 mars 1994 : *Vue de ruines d'une porte antique*, pl. et lav. (22x35,6) : **FRF 10 500** – NEW YORK, 19 mai 1994 : *Fête champêtre*, h/t (43,2x61,6) : **USD 7 475** – LONDRES, 9 déc. 1994 : *Jeune couple près d'une tombe dans un palais classique en ruines*, h/t (45x37,5) : **GBP 3 220** – PARIS, 12 juin 1995 : *La fuite en Égypte ; Le baptême du Christ*, h/t, une paire (60,5x75) : **FRF 170 000** – NEW YORK, 5 oct. 1995 : *L'Enlèvement d'Hélène ; La Mort de Didon*, h/pan., une paire (29,5x43,2) : **USD 19 550** – PARIS, 24 nov. 1995 : *Pêcheurs dans un paysage*, encre brune et lav. gris (24,5x37,3) : **FRF 4 500** – PARIS, 1er avr. 1996 : *La promenade devant un palais*, h/t (54x65) : **FRF 75 000** – LONDRES, 2 juil. 1996 : *Capriccio romain avec le temple de Jupiter, le temple de la Concorde, la statue du Tibre et des paysans*, gche (30,2x43,4) : **GBP 1 725** – MILAN, 15 oct. 1996 : *Vue de l'Arc de Septime Sévère*, temp./pap. (29x44) : **ITL 18 057 000** – LONDRES, 12 déc. 1996 : *Port avec un pont fortifié, un bateau et des personnages habillés à l'orientale en premier plan*, aquar. et gche (25,5x41) : **GBP 2 530** – PARIS, 11 mars 1997 : *Cavalier dans un paysage*, h/t (113x111) : **FRF 215 000**.

LALLEMAND Louis
Né le 1er août 1891 à Marbehan. Mort en 1959. XXe siècle. Belge.
Peintre de paysages, intérieurs, natures mortes, portraits.
Il expose, à Paris, aux Salons de la Société Nationale des Beaux-Arts, d'Automne et des Indépendants.
BIBLIOGR. : In : *Diction. biographique illustré des artistes en Belgique depuis 1830*, Arto, Bruxelles, 1987.
VENTES PUBLIQUES : PARIS, 7 juin 1988 : *Le Croisic, port et bateaux de plaisance*, h/t (60x160) : **FRF 4 000**.

LALLEMAND Martin Jacques Charles
Né le 30 novembre 1826 à Strasbourg (Bas-Rhin). Mort le 20 octobre 1904 à Bordeaux (Gironde). XIXe siècle. Français.
Paysagiste, dessinateur et illustrateur.
Élève de Félix Haffner, collaborateur de l'*Illustration*, du *Monde illustré*, du *Magasin pittoresque*, du *Musée des Familles*, de l'*Illustrated London News*. Chevalier de la Légion d'honneur. Le Musée de Poitiers conserve un *Paysage* de Lallemand.

L'ALLEMAND Siegmund
Né le 8 mars 1840 à Vienne. Mort en 1910. XIXe-XXe siècles. Allemand.
Peintre d'histoire, sujets militaires, scènes de batailles, portraits.
Il eut pour premier maître son oncle Fritz L'Allemand, puis il étudia à l'Académie viennoise, sous Ruben et Karl Blaas. Il succéda plus tard, comme professeur, à ce dernier maître (mai 1883). En 1886, pendant la guerre austro-italo-prussienne, il suivit l'État-major général italien. Il étudia la vie de camp et en fit des sujets de tableaux, notamment : *Bataille de Custozza* et *Quartier général italien à la bataille de Custozza*.
MUSÉES : GRAZ : *Épisode de la guerre de trente ans – Uhlans à la bataille de Custozza*.
VENTES PUBLIQUES : VIENNE, 17 mars 1964 : *Victoire remportée par l'armée autrichienne à Martinestie en 1789 sur l'armée turque* : **ATS 38 000** – VIENNE, 28 nov. 1967 : *Scène de la révolution polonaise* : **ATS 40 000** – VIENNE, 15 sep. 1981 : *Portrait de l'empereur François-Joseph* 1885, h/cart. (20,5x15,5) : **ATS 50 000** – VIENNE, 20 juin 1985 : *L'empereur François-Joseph passant et revue un régiment des Dragons* 1882, aquar. et cr. (30x49) : **ATS 35 000**.

L'ALLEMAND Thierry. Voir **L'ALLEMAND Conrad**

LALLEMANT Jacques, Jean. Voir **L'ALLEMAND**

LALLEMANT Jean Charles. Voir **BACCHUS Jean Charles**

LALLEMANT Luciano
Né au XIXe siècle à Lisbonne. XIXe siècle. Portugais.
Graveur sur bois.
Élève de l'École des Beaux-Arts de Lisbonne et de Hildebrand. Figura aux Salons de Paris où il obtint des médailles d'argent en 1889 (Exposition Universelle) et en 1900 (Exposition Universelle).

LALLEMANT Philippe ou **Lallemand** ou **Lalemen**
Né en 1636 à Reims. Mort le 22 mars 1716 à Paris. XVIIe-XVIIIe siècles. Français.
Peintre de portraits et d'histoire.
Philippe Lallemant s'était fait une bonne réputation comme portraitiste. Il fut reçu académicien le 11 juin 1672, avec les *Portraits de Claude* ou *Charles Perrault* et de *Barbier de Metz*, conservés au Musée de Versailles. Le *Bryant Dictionary* le cite à tort, en le confondant avec Georges Lallemand, comme le maître de Poussin et de Laurent de la Hire.

ph Lallemant

LALLEMENT Eva
Née le 8 février 1914 à Kichineff (Roumanie). XXe siècle. Française.
Peintre.
Hôtelière, elle s'est mise à peindre dans un style naïf.

LALLEMENT Hugues. Voir **HUGUET**

LALLEMENT Marguerite Alexandrine
Née en 1821 à Metz (Moselle). XIXe siècle. Française.
Peintre de portraits, de genre et miniaturiste.
Élève de Hussenot. Exposa au Salon entre 1847 et 1861. Le Musée de Tourcoing conserve d'elle un *Portrait*.

LALLEMENT Pierre
XVIe siècle. Actif à Châlons-sur-Marne. Français.
Sculpteur sur bois.
Il travailla, en 1589, à la chambre du Parlement de Châlons-sur-Marne.

LALLIÉ Jacques Étienne
XVIIIe siècle. Actif à Paris. Français.
Peintre et pastelliste.
Membre de l'Académie Saint-Luc en 1774. Y exposa la même année quatre pastels : *Portrait du Comte de la Tour d'Auvergne* (morceau de réception de l'auteur), *Portrait de femme tenant une tourterelle, Portrait du père de l'auteur, Tête de vieillard turc*.
VENTES PUBLIQUES : PARIS, 27 mai 1943 : *Portrait de jeune fille*, past. : **FRF 1 400**.

LALLIER Jean. Voir **LAILLIER**

LALLIO. Voir **ALLIO**

LALLMAN Georges. Voir **LALLEMAND**

LALLY Marguerite
Née au XIXe siècle à Dijon (Côte-d'Or). XIXe siècle. Française.
Peintre de paysages.
Élève d'Alf. Méry. Débuta au Salon de 1879.

LALOBBE Alexandre de
XIXe siècle. Travaillant à Paris. Français.
Peintre.
Sociétaire des Artistes Français depuis 1891, il figura au Salon de ce groupement. Chevalier de la Légion d'honneur.
VENTES PUBLIQUES : PARIS, 1890 : *Paysage, effet de neige* : **FRF 155**.

LALOIZÈRE Étienne ou **Lalozière**
XVIIe siècle. Français.
Sculpteur.
Il sculpta, de 1644 à 1648, le retable du maître-autel de l'église Notre-Dame de Sisteron (Basses-Alpes) que lui commanda l'évêque de Glandevez.

LALONDE Joseph Wilfrid
Né le 19 mars 1897 à Minneapolis (Minnesota). XXe siècle. Américain.
Peintre.
Il fut élève de Dumond et Stanislas Stickgold. On lui doit surtout des sujets religieux.

LALONDE Richard
XVIIIe siècle. Actif à Paris. Français.
Dessinateur ornemaniste et graveur.
Il exécuta les esquisses de nombreuses séries de gravures ornementales pour des graveurs comme A. Foin, Delagardette, Fay, etc., parues pour la plupart chez Chéreau. Sa principale production fut l'ouvrage : *Œuvres diverses de Lalonde, décorateur et dessinateur, contenant un grand nombre de dessins pour la décoration intérieure des appartements*, etc., qui parut également chez Chéreau.
VENTES PUBLIQUES : PARIS, 1888 : *Carrosse*, pl. et lav. d'encre de Chine : **FRF 315** ; *Porte d'un salon*, pl., lav. d'encre de Chine et d'aquar. : **FRF 511** – PARIS, 1896 : *Projet d'un coffret à bijoux formant meuble*, pl. et aquar. : **FRF 450** ; *Cadre de glace*, pl. et encre de Chine avec lav. d'aquar. : **FRF 365** – PARIS, 19 nov. 1898 : *Lit de parade*, pl. et encre de Chine : **FRF 81** – PARIS, 10-11 avr. 1929 :

Côté de galerie, deux dessins : **FRF 4 400** ; *Dessin de la tapisserie du cabinet de la Reine* : **FRF 550** – PARIS, 29-30 mars 1943 : *Intérieur d'église* 1776, pl. et lav. d'encre de Chine et de bistre : **FRF 2 000** – PARIS, 29 oct 1979 : *Projet pour un salon avec les sièges et les appliques*, pl., lav. d'encre de Chine et reh. d'aquar. (20,7x29,6) : **FRF 7 500**.

LALONGE Robert. Voir **LONGE**

LALOO Karel

Né en 1883 à Bruges (Flandre-Occidentale). Mort en 1957 à Bruges. XXe siècle. Belge.

Dessinateur, sculpteur, sculpteur de monuments.

Il fut élève de G. Pickey et de Van Hove à l'Académie des Beaux-Arts de Bruges.

Il a réalisé des monuments en hommage à P. Benoît à Bruges et Hugo Verriest à Deerlijk. De même, il a réalisé plusieurs monuments commémoratifs de la guerre de 1914-1918.

BIBLIOGR. : In : *Diction. biographique illustré des artistes en Belgique depuis 1830*, Arto, Bruxelles, 1987.

LALOU Baudoin

XVIIe siècle. Actif à Mons. Éc. flamande.

Sculpteur sur bois.

Il exécuta en 1669 les sculptures de l'autel de la chapelle du Carmel à Soignies ainsi que les reliefs et les statues de saints et d'anges de la chaire. En 1672-1674 il sculpta le buffet d'orgue de la cathédrale Sainte-Waudru à Mons.

LALOU Stéphane

Né en 1948 à Paris. XXe siècle. Français.

Peintre, graveur.

BIBLIOGR. : In : *De Bonnard à Baselitz – Estampes et livres d'artistes*, catalogue de l'exposition, Bibliothèque Nationale, Paris, 1992.

LALOUA Claire

XIXe siècle. Française.

Peintre de genre, portraits, pastelliste.

Elle exposa au Salon de 1837 à 1848 des portraits en peinture et au pastel.

VENTES PUBLIQUES : PARIS, 16 nov. 1981 : *Portrait d'Élisa Félix, dite Mademoiselle Rachel* 1845, past. (60,5x49) : **FRF 14 000**.

LALOUE Auguste

XIXe siècle. Français.

Peintre de genre.

Établi à Rennes. Exposa au Salon de Paris de 1834 à 1850.

LALOUE François Hippolyte

Né le 7 septembre 1801 à Amiens (Somme). XIXe siècle. Français.

Peintre de portraits.

Élève de Hersent. Exposa au Salon de 1831 à 1857, notamment des fixés à l'huile. Le Musée de Carpentras possède une de ses œuvres.

LALOUE Galien Eugène. Voir **GALIEN-LALOUE Eugène**

LALOUETTE

XIXe siècle. Actif à la fin du XIXe siècle. Français.

Sculpteur.

VENTES PUBLIQUES : LOKEREN, 9 déc. 1995 : *Jeune femme avec une fleur*, bronze (H. 94) : **BEF 130 000**.

LALOUETTE Jacques

XVIIe siècle. Travaillant vers 1682. Français.

Graveur.

Il a gravé des portraits et des sujets religieux.

LALOUETTE Jean Claude

Né en 1941 à Paris. XXe siècle. Français.

Peintre, graveur.

BIBLIOGR. : In : *De Bonnard à Baselitz – Estampes et livres d'artistes*, catalogue de l'exposition, Bibliothèque Nationale, Paris, 1992.

LALOUX François

Né le 24 novembre 1898 à Reims (Marne). XXe siècle. Français.

Peintre. Abstrait.

Il exposa, à Paris, au Salon des Réalités Nouvelles, de 1947 à 1950.

LALOUX Gilbert

Né en 1945 à Houx. XXe siècle. Belge.

Peintre.

Après des études à l'École des Beaux-Arts de Namur, il a fait sa première exposition à Bruxelles en 1967. Il a exposé ensuite à Liège, Mons, Namur, puis, de nouveau à Bruxelles en 1971.

Sa peinture tend à une dislocation de la forme en sorte de puzzles abstraits, où les formes, souvent géométriques, rayonnent à partir de lignes parallèles, arcs de cercle, etc., créant un certain dynamisme.

LALOY

XVe-XVIe siècles. Français.

Sculpteur.

Il travailla, de 1499 à 1519, à la restauration de l'ancienne cathédrale Saint-Étienne, d'Agen ; il en refit la grosse tour du beffroi, les piliers du chœur et le cloître. Cet édifice est détruit aujourd'hui. Il fut aussi architecte.

LALOY Yves

Né le 13 juin 1920 à Rennes (Ille-et-Vilaine). XXe siècle. Français.

Peintre.

Architecte, il renonça, en 1951, à son activité professionnelle et choisit la pêche hauturière qui lui permettait dans les temps creux de se livrer à la peinture. Une rétrospective de ses œuvres eut lieu à la galerie Down Town, à Paris.

Ses œuvres, si elles se présentent sous l'aspect fallacieux, bien qu'agréablement décoratif, de compositions abstraites d'un strict géométrisme, recèlent des énigmes spirituelles ou d'inspiration magique – des plans de cités interdites – qui les apparentent au surréalisme. Ami d'André Breton, ce dernier choisit une de ses œuvres, *Les petits pois sont verts... les petits poissons, rouges*, pour la couverture de son livre *Le Surréalisme et la Peinture* (édition de 1965).

BIBLIOGR. : José Pierre : *Le Surréalisme*, in : *Histoire générale de la peinture*, Rencontre, Lausanne, 1966 – in : *Diction. universel de la peinture*, Le Robert, Paris, 1975.

VENTES PUBLIQUES : LONDRES, 4 déc. 1984 : *Les chauves-souris*, h/cart. (58x68) : **GBP 1 100** – ZURICH, 8 nov. 1985 : *La ville* 1958, h/t (89x129) : **CHF 8 500** – PARIS, 24 mai 1996 : *Abstraction géométrique*, h/t (89x130) : **FRF 9 500** – PARIS, 19 juin 1996 : *Composition* 1972, h/t (89x130) : **FRF 11 000** – PARIS, 16 déc. 1996 : *Sans titre*, h/t (89x130) : **FRF 27 000** – PARIS, 28 avr. 1997 : *Composition* 1959, h/t (50x73) : **FRF 12 500**.

LALOZIÈRE Etienne. Voir **LALOIZÈRE**

L'ALTRANGE, pseudonyme de **Gall Jean-François**

Né en 1948 à Istanbul (Turquie), de père hongrois. XXe siècle. Depuis 1950 actif en France. Français.

Peintre, peintre de compositions murales. Figuration-onirique, tendance abstraite.

Fils de François Gall. Il participe à des expositions collectives, parmi lesquelles : 1979, Salon des Indépendants, Paris ; 1980, *Artistes européens*, Grand Palais, Paris ; 1981, Salon d'Automne, Paris ; 1982, Biennale internationale, Bilbao ; 1985, Avignon ; 1986, Aix-en-Provence ; 1988, Arles ; 1988, Jonction Internationale, Nice. Il montre ses œuvres dans des expositions personnelles : 1983, Palais des Congrès, Barcelone ; 1984, galerie Valle, Rome ; 1986, galerie Velasquez, Valladolid ; 1988, Centre d'Art Mercurio, Milan ; 1989, galerie Approdo, Florence ; 1989, galerie Negresco, Nice ; 1990, Palais des Diamants, Ferrare ; 1997, Institut d'Études Nord-Américaines, Barcelone.

Il réalise une peinture figurative qui tend vers un onirisme coloré dans des dimensions parfois monumentales, certaines de ses œuvres impressionnent par leur grandeur : cent douze mètres de long ! Outre une tendance à l'abstraction, on décèle dans ses œuvres des références surréalisantes.

LA'L TSHAND

XVIIe siècle. Indien.

Miniaturiste.

MUSÉES : BERLIN (Kaiser Friedrich Mus.) : une planche.

LALU, pour **Daniel-Moreau Lalu**

Née le 28 août 1967 à Ooty (État du Tamil Nadu). XXe siècle. Indienne.

Peintre. Abstrait-lyrique.

Elle fit ses études à Lovedale et Madras. Elle participe à des expositions collectives, dont : 1991, exposition annuelle du Centre Régional de la Lalit Kala Academy ; et 1991 aussi, Madras, Bangalore, Hyderabad, Delhi, Besançon, exposition en hommage à Arthur Rimbaud.

LALUHA Milan. Voir **LAHULA**

LALUYÉ Léopold Charles Adolphe
Né le 9 juillet 1826 à Paris. Mort le 4 janvier 1899 à Paris. XIXe siècle. Français.
Dessinateur et poète.
Il fit des dessins d'anatomie et d'histoire naturelle. En 1848 parut dans le *Charivari* une lithographie dessinée par lui à la plume *Esquisses de mœurs*.

LALYAME Philippe. Voir **LALIARME**

LALYE Michel ou **Lalict**
XVIe siècle. Actif à Beauvais. Français.
Sculpteur et architecte.
Il devint en 1532, maître de l'œuvre de la cathédrale de Beauvais, succédant à Martin Chambiges ; il fit les voûtes et le portail nord du transept, en 1537, et acheva le portail sud en 1548.

LA LYRE Adolphe, pseudonyme de **Lalire A.**
Né en 1848 ou 1850 à Rouvres (Meuse). Mort en 1935. XIXe siècle. Français.
Peintre d'histoire, compositions religieuses, figures, nus, portraits, cartons de vitraux.
Élève de l'École des Beaux-Arts, où il fut reçu premier en 1875, il débuta au Salon de Paris en 1876 et fut sociétaire des Artistes Français en 1880. Il obtint une médaille de deuxième classe en 1900 et deux médailles aux Expositions Universelles de 1889 et 1900.
Il débuta avec des sujets religieux : *Sainte Cécile – Sainte Geneviève et sainte Clotilde*, puis exécuta un grand nombre de toiles ayant trait à la vie des divinités mythologiques de la mer, d'où sa dénomination de peintre des sirènes. Il devint le peintre de la femme fatale, beauté laiteuse et rousse, mise à la mode à l'époque. La Hyre a également peint *L'enfance de la Vierge* pour un des vitraux de l'église Saint-Nicolas du Chardonneret à Paris. Critique d'art, il a écrit quelques ouvrages sur des questions artistiques, notamment *Le nu féminin à travers les âges*.

AD. LA LYRE.

BIBLIOGR. : Gérald Schurr, in : *Les Petits Maîtres de la peinture 1820-1920, valeur de demain*, Les Éditions de l'Amateur, t. III, Paris, 1976.
MUSÉES : CHARTRES : *Sainte Cécile* – MONTAUBAN : *Sainte Geneviève instruisant sainte Clotilde*.
VENTES PUBLIQUES : PARIS, 12 mars 1900 : *La Esmeralda* : **FRF 100** – PARIS, 23 déc. 1926 : *l'épine au pied* : **FRF 1 300** – PARIS, 26 fév. 1947 : *Le sommeil* : **FRF 2 000** – PARIS, 20 jan. 1975 : *Les sirènes surprises par l'Amour*, h/t (200x150) : **FRF 8 000** – PARIS, 14 juin 1976 : *Mirage* 1912, h/t (150,5x99) : **FRF 14 000** – LONDRES, 24 juin 1987 : *Jeune femme assise sur des rochers au bord de la mer*, h/t (42x51) : **GBP 3 200** – PARIS, 20 fév. 1990 : *Paysage maritime*, h/pan. (40x61) : **FRF 4 500** – PARIS, 5 nov. 1991 : *Naïades* 1916, h/t (106x69) : **FRF 19 000** – PARIS, 19 jan. 1992 : *Scène de plage*, h/t (36x52) : **FRF 9 000** – NEW YORK, 19 jan. 1995 : *Les Néréides*, h/pan. (74,6x59,7) : **USD 4 600** – NEW YORK, 2 avr. 1996 : *L'Ange gardien*, h/t (116,8x160) : **USD 5 750**.

LA LYRE Marthe, née **Lévesques**
XIXe siècle. Travaillant à Courbevoie. Française.
Peintre.
Sociétaire des Artistes Français depuis 1901, elle figura au Salon de ce groupement. Elle est la femme d'Adolphe La Lyre.

LAM Dirk de Vries
Né le 20 janvier 1869 à Leeuwarden. XIXe siècle. Hollandais.
Peintre et aquafortiste.
Élève de l'Académie d'Amsterdam, il fut d'abord peintre de figures puis d'architectures. Ses motifs sont puisés en Hollande, en Bretagne et en Suisse.
MUSÉES : HAARLEM (Mus. Frans Hals) : aquarelle.

LAM Iren. Voir **HILBERTH Iren**

LAM Jennett
Née à Ansonia (Connecticut). XXe siècle. Américaine.
Peintre. Tendance abstraite.
Elle expose à New York depuis 1960. Elle a aussi exposé à Paris à plusieurs reprises.
Sa peinture est toujours prétexte à des jeux formels et, si elle prend souvent des formes figuratives comme point de départ, elle les schématise jusqu'aux limites de l'abstraction. Elle a peint de nombreuses variations sur la chaise, le fauteuil. Depuis 1969, le parasol est devenu son thème unique d'inspiration. En dépit de cette fidélité à un seul sujet, celui-ci importe peu, seule compte la manière d'organiser des plages géométriques de couleur.

LAM Llona
Née en 1896. XXe siècle. Hongroise.
Peintre de portraits, paysages.
Fille d'Iren Hilberth, également peintre. Elle travailla à Budapest. Elle exposa surtout à Budapest des portraits et plusieurs paysages.

LAM Wifredo Oscar de la Conception, dit **Wifredo**, de son vrai nom : **Lam y Castilla**
Né le 2 ou 8 décembre 1902 à Sagua la Grande. Mort le 11 septembre 1982 à Paris. XXe siècle. Actif aussi en France. Cubain.
Peintre, peintre de compositions murales, peintre à la gouache, pastelliste, aquarelliste, dessinateur, sculpteur, graveur, illustrateur, lithographe, céramiste. Surréaliste.
Après un bref passage à l'École des Beaux-Arts San Alejandro de La Havane de 1920 à 1923, il part pour l'Espagne, où il reste de 1924 à 1938, à Madrid puis à Barcelone. Il doit quitter l'Espagne, exsangue et asservie, et arrive à Paris, en 1938. Picasso se prend d'une grande affection pour lui, et le présente à André Breton, Max Ernst, Victor Brauner, entre autres. En 1940, il illustre le livre *Fata Morgana* de Breton. Il devient aussi l'ami de Dominguez, d'Éluard, de Masson, de Tanguy et de Michel Leiris. En 1941, il retourne aux Antilles, en compagnie de Breton, d'André Masson et de Claude Lévi-Strauss, séjournant à Haïti en 1947 et, de 1947 à 1951, à Cuba. Depuis la fin de la Seconde Guerre mondiale, Lam ne cesse de parcourir le monde, donnant l'impression de jouir du don d'ubiquité construisant son œuvre à New York, au Venezuela, à Mexico, en Suède, en Italie, à Chicago, très souvent à Paris et, depuis la révolution castriste, à Cuba, où il engage son prestige international au service de la révolution culturelle. À ce titre, il a peint une fresque *Tiers Monde* pour le Palais présidentiel de La Havane.
De 1938 à 1941, il participe aux activités du groupe surréaliste, s'intégrant surtout au groupe à partir de 1940, lorsqu'il se retrouve à Marseille avec les surréalistes, chassés de Paris par la guerre et l'invasion de la France. Il a participé à des expositions de groupe pendant, et surtout, après la Guerre, parmi lesquelles : 1942, *Firts Papers of Surréalism*, New York ; 1947, Exposition internationale du Surréalisme, Paris ; 1948, Prague ; 1959, Milan ; 1960, Paris, Buenos Aires, Lima, Santa Fé, Bruxelles, Amsterdam, Varsovie, Cracovie ; 1958, *50 ans d'Art Moderne*, exposition internationale de Bruxelles ; 1959, Fondation Carnegie de Pittsburgh et Institut d'Art Moderne de Chicago ; 1978, *Cuba peintres d'aujourd'hui*, Musée d'Art Moderne de la Ville de Paris ; 1987-1988, *Art of the fantastic*, organisée par l'Indianapolis Museum of Art. Ses manifestations publiques personnelles ont été, avant son retour dans les Antilles, assez rares : une exposition personnelle à Leon (Espagne) en 1932, une exposition personnelle à Paris en 1939 à la Galerie Pierre, (Pierre Loeb), à Paris ; puis les expositions de ses œuvres se multiplient à travers le monde : 1941, 1944, 1945, 1945, 1948, 1950, galerie Pierre Matisse, New York ; 1945, Galerie Pierre, Paris ; 1946, Centre d'Art, Port-au-Prince ; 1946, La Havane ; 1946, The London Gallery, Londres ; 1952, I.C.A., Londres ; 1953, galerie Pierre Maeght, Paris ; 1955, Musée des Beaux-Arts de Caracas ; 1955, Université de La Havane ; 1957, galerie Cahiers d'Art, Paris ; 1960, Milan ; 1968, *Totems et tabous*, rétrospective, Musé d'Art Moderne de la Ville de Paris ; 1977, exposition de lithographies, Musée de La Havane ; 1982, rétrospective de son œuvre au Musée d'Art Moderne de la Ville de Paris. Parmi les expositions posthumes : 1990, Maison de l'Amérique Latine, Paris ; 1990, céramiques, galerie Lelong, Paris ; 1991, galerie Lelong, Paris.
Poursuivant sa formation, alors académique, de jeune peintre, au Musée du Prado, entre autres exemples, il découvrit le fantastique et l'imaginaire dans les peintures de Dürer, Bosch et Brueghel, à travers lesquels, par un détour inattendu, il prit conscience des ressources expressives formelles et colorées de la végétation tropicale et du cadre de vie en général de son propre pays. Regardant aussi attentivement le Gréco, dont il admirait les déformations rythmiques dans le sens de l'amincissement et de l'allongement des formes que l'on retrouvera dans ses propres œuvres, c'est chez Goya qu'il retrouvait encore ce fantastique démonologique et accusateur dans le sens duquel il était entrain de trouver sa voie. Outre son investigation des

témoignages de l'art de l'ancien monde enclos dans les musées, il découvrait aussi l'architecture du Moyen Âge espagnol. Ce fut encore en Espagne qu'il eut la révélation, dans ce voyage d'exploration à l'envers, en 1928, de l'art nègre, par des sculptures de Guinée et du Congo. À partir de là, il était définitivement en possession de tous les éléments culturels qui pouvaient lui servir à l'élaboration de son propre langage. Un choc affreux allait alors secouer l'harmonie de sa vie de jeune peintre attentif à sa formation technique : il s'était marié et avait eu un fils, et soudain, en 1931, la phtisie lui arrachait femme et enfant. Pour avoir vu sa fierté amoureuse, possessive et généreuse, on peut penser quelle blessure il endura. C'est peut être de choc et de ces morts que naquit pour son œuvre la certitude de qu'il voulait désormais y dire : la présence de la mort au cœur même de la vie ; la fragilité et la préciosité du moindre souffle de vie ; la dénonciation de tous les crimes contre la vie. Ses peintures, s'attachant jusque-là à ordonner la réalité, se peuplèrent de présences magiques, d'apparitions revenues du domaine des morts. Puis le drame de sa vie personnelle gagna l'ensemble de la scène : la guerre civile de cette Espagne, où il avait curieusement trouvé ses racines, multipliait les morts autour de lui, les enfants tués, et les mères serrant leurs enfants morts dans leurs bras ; sa peinture exprimait le drame universel. C'est à La Havane, pendant les années de la Seconde Guerre mondiale, qu'il peignit la première grande série de ses œuvres les plus marquantes, parmi lesquelles est toujours citée *La Jungle*, de 1942-1943, aujourd'hui au Musée d'Art Moderne de New York. Dans l'étude de Jacques Charpier, on trouve une bonne évocation de cette période : « Derrière lui, les ruines et les fumées d'Europe, devant lui l'univers tropical, exubérant coloré... Cet univers-là, Lam le conçoit comme le jardin d'Adam... Il connaît alors à l'échelle de ce monde tropical un sentiment paradisiaque de la vie... Ce sont des faces de fétiches, des seins en forme de fruits exotiques, les fines et robustes colonnades de cannes à sucre, des lianes aux évolutions baroques, des mufles et des crinières, des becs et des ailes... » Cette époque de la vie de Wifredo Lam paraît si importante, si déterminante, pour l'épanouissement de son œuvre, qu'il convient de l'évoquer encore à travers José Pierre : « Il se trouve dès lors en mesure d'exprimer toute la violente ferveur des civilisations primitives des Antilles et de l'Afrique par des moyens d'une vitalité lyrique exceptionnelle... Un séjour en Haïti, en 1947, ravivant pour Lam la richesse mythologique du vaudou, sera l'occasion d'une nouvelle flambée majeure de son inspiration ». Les œuvres s'ajoutant les unes aux autres ont désormais rendu familier le monde très particulier de Wifredo Lam, jungle proliférante de tiges verticales aux feuilles et épines obliques acérées, que peuplent des créatures composites, dont les têtes tendent toutes au triangle et la forme générale de plus en plus à une sténographie de signes géométriques que viennent orner des attributs empennés, panaches ou crinières, et d'autre aigus comme des dards, des griffes ou des crocs. Une grande part de ces œuvres, dont le dessin prépondérant se contente de se fonder sur des harmonies de bruns ou de terres vertes en camaïeu, ne doit cependant pas faire oublier, erreur que commettent plusieurs de ses commentateurs, la splendeur colorée de certaines autres qui offrent toute la richesse irisée du spectre de la lumière telle que la décompose le cristal de l'eau la plus pure. Il n'est pas facile de s'interroger au sujet des œuvres de Lam, le faisait-il lui-même et est-ce souhaitable ? Et encore moins d'y répondre autrement que par l'énigmatique sourire qu'il opposait. C'est un monde que l'on subit, tel qu'il l'a sans doute subi lui-même en le transcrivant. Comme tous les mondes vrais, il est fait de contraires, de beauté et d'horreur, d'érotisme et de mort, d'évidence et de magie. À vouloir trop déchiffrer cette « forêt de symboles », on passerait à côté. Il suffit d'en écouter les « confuses paroles ».

■ Jacques Busse

Wifredo Lam
LAM

Bibliogr. : Benjamin Péret : *Essais sur un peintre américain*, Mexico, 1944 – André Breton : *Le Surréalisme et la peinture*, New York, 1945 ; Paris, 1965 – *Préface à l'exposition Lam*, Port-au-Prince, jan. 1946 – Pierre Loeb : *Voyages à travers la peinture*, Paris, 1946 – Aimé Césaire : *Wifredo Lam et les Antilles*, Cahiers d'Art, Paris, 1947 – Jacques Charpier : *Lam*, Musée de Poche, Paris, 1960 – Hubert Juin, in : *Peintures contemporaines*, Mazenod, Paris, 1964 – José-Pierre : *Le Surréalisme*, in : *Histoire générale de la peinture*, t. XXI, Rencontre, Lausanne, 1966 – Michel Leiris : *Wifredo Lam*, Milan, 1970 – in : *Les Muses*, Grange Batelière, Paris, 1972 – in : *Diction. universel de la peinture*, Le Robert, Paris, 1975 – *Wifredo Lam*, catalogue de l'exposition, Musée d'Art Moderne de la Ville, Paris, 1982 – Max-Pol Fouchet : *Wifredo Lam*, Poligrafas, Barcelone, 1983 – Michel Leiris, Lowery S. Sims : *Wifredo Lam*, Collection Repères, N°33, Gal. D. Lelong, Paris, 1983 – Catalogue de l'exposition *Wifredo Lam*, Mus. Nat. d'Art Mod., Paris, 1983 – Max-Pol Fouchet : *Wifredo Lam*, Poligrafa, Barcelone, 1983 – U. Krempel : *Wifredo Lam*, Collection Repères, N°49, Gal. D. Lelong, Paris, 1988 – divers : Catalogue de l'exposition *Wifredo Lam*, Kunstsammlung Nordrhein-Westfalen, Düsseldorf, et Kunstverein, Hambourg, 1988 et 1989 – *Wifredo Lam. Les Années cubaines*, catalogue de l'exposition, Maison de l'Amérique latine, Paris, 1989 – Serge Sautreau : *Wifredo Lam*, Collection Repères, N°63, Gal. D. Lelong, Paris, 1990 – in : *L'Art du xxe siècle*, Larousse, Paris, 1991 – in : *Diction. de l'art moderne et contemporain*, Hazan, Paris, 1992.

Musées : Baltimore – Berlin (Staatliche Mus.) : *Les Noces* 1947 – Gravelines – Grenoble – La Havane (Mus. des Beaux-Arts) – Liège – Lima (Mus. de Arte) – Londres (Tate Gal.) – Malmoe – Marseille (Mus. Cantini) : *Le Bruit* 1943 – New York (Mus. of Mod. Art) : *La Jungle* 1942-1943 – New York (Salomon R. Guggenheim Mus.) : *La Rumeur de la terre* 1950 – Paris (Mus. Nat. d'Art Mod.) : *Harpe astrale* 1944 – *Umbral* 1950-51 – Paris (Cab. des Estampes) : *La Nuit, le loup sort de l'ombre* 1978, eau-forte – Santiago de Chili – Sinbor – Stockholm – Varsovie.

Ventes Publiques : New York, 16 fév. 1961 : *Senora*, gche : **USD 425** – Milan, 29 nov. 1966 : *Oiseaux blancs* : **ITL 1 600 000** – New York, 7 mars 1968 : *Deux figures* : **USD 3 750** – Milan, 9 avr. 1970 : *Composition*, temp. : **ITL 1 400 000** – Paris, 18 mars 1972 : *Composition surréaliste*, gche : **FRF 14 000** – Milan, 16 oct. 1973 : *Le Corps et l'Âme* : **ITL 22 000 000** – Londres, 3 avr. 1974 : *Oiseaux de guerre*, past. : **GBP 1 200** – Londres, 8 avr. 1976 : *Personnage surréaliste*, bronze (H. 28) : **GBP 1 900** – Paris, 25 mai 1976 : *Composition*, h/pap./t. (93x72) : **FRF 32 000** – Milan, 7 juin 1977 : *Totem* 1974, h/t (80x59,5) : **ITL 8 000 000** – New York, 17 oct 1979 : *Sans titre* 1940, pl. (51x63) : **USD 5 000** – L'Isle-Adam, 25 mars 1979 : *Les oiseaux du totem*, aquar. (49x83) : **FRF 15 000** – New York, 17 oct 1979 : *L'herbe des Dieux* 1944, h/t (181,6x124,5) : **USD 95 000** – Milan, 26 avr 1979 : *Végétation*, bronze (H. 30) : **ITL 1 400 000** – New York, 29 mai 1984 : *Nous sommes ici* 1951, dess. à la pl./pap. mar./cart. (62,2x92,2) : **USD 7 000** – New York, 12 nov. 1984 : *Mfumba ce qui importe* 1943, h/t (180,3x124,5) : **USD 230 000** – New York, 28 nov. 1984 : *Figure surréaliste* 1947, temp. (90x76) : **USD 28 000** – New York, 30 mai 1984 : *L'oiseau de feu* 1970, cuivre poli et cuivre chromé, deux pièces (H. 26,7) : **USD 6 000** – New York, 26 nov. 1985 : *Tête surréaliste* 1969, gche/pap. mar./t. (65,4x47) : **USD 10 000** – New York, 28 mai 1985 : *La Toussaint* 1966, h/t (209,5x250,2) : **USD 155 000** – New York, 29 mai 1985 : *Yemaya* 1977, bronze, patine brun verdâtre (H. 64,2) : **USD 9 250** – Paris, 6 déc. 1986 : *1968*, h/t (92x72) : **FRF 190 000** – New York, 22 mai 1986 : *Oiseaux* 1957, cr. cire/pap. mar./cart. (57,2x72,1) : **USD 7 500** – New York, 25 nov. 1986 : *Échu* 1950, h/t (137,3x114,5) : **USD 125 000** – New York, 18 nov. 1987 : *Nu vu de dos* vers 1936, gche/pap. (100,3x135,9) : **USD 56 000** – New York, 27 mai 1988 : *Sans titre* 1968, aquar. et fus. (98,8x66,5) : **USD 29 7000** – Paris, 1er juin 1988 : *Sans titre* 1959, fus. (39x30) : **FRF 17 000** – Paris, 15 juin 1988 : *Sans titre* 1960, past./t. (66x48) : **FRF 66 000** – Paris, 23 juin 1988 : *L'Oiseau* 1974, h/t (24,5x35,5) : **FRF 52 000** – Paris, 7 oct. 1988 : *Sans titre* 1974, h/t (20x25) : **FRF 60 000** – Paris, 28 oct. 1988 : *Composition*, h/t (50x61) : **FRF 200 000** – Paris, 20 nov. 1988 : *Cuba* 1949, peint./pap./t. (211x129) : **FRF 660 000** – New York, 21 nov. 1988 : *Femmes allongées*, past. et gche/pap. (97x119) : **USD 71 500** ; *Personnage* 1955, h/t (130x100) : **USD 165 000** ; *La femme et le chat*, past. et aquar./pap. (53,3x42,2) : **USD 19 800** ; *Sans titre* 1970, h/t (49,5x40) : **USD 16 500** – Paris, 23 jan. 1989 : *Composition* 1971, past. et aquar./pap. (50x65) : **FRF 126 000** – Paris, 12 fév. 1989 : *L'oiseau Zombie* 1970, cr. gras noir/pap. (65x50) : **FRF 70 000** – Milan, 20 mars 1989 : *Totem* 1974, h/t (50x70) : **ITL 36 000 000** – ROME, 21 mars 1989 : *Totem* 1975, bronze (78x48x12) : **ITL 17 000 000** – PARIS, 13 avr. 1989 : *Personnages* 1975, h/t (30x40) : **FRF 82 000** – NEW YORK, 17 mai 1989 : *Sans titre*, h/t (210,2x168,3) : **USD 132 000** – LONDRES, 25 mai 1989 : *Sans titre* 1972, h/t (54x65) : **GBP 26 400** – PARIS, 8 oct. 1989 : *Animaux fantastiques* 1965, past. (74,5x55,5) : **FRF 170 000** – PARIS, 19 nov. 1989 : *Le chant de la forêt* 1946, h/t (153x106) : **FRF 3 200 000** – NEW YORK, 21 nov. 1989 : *Le rideau grenade* 1944, h/pap./t. (113x82) : **USD 187 000** – PARIS, 15 déc. 1989 : *Composition*, past./pap. (65x48) : **FRF 120 000** – PARIS, 25 mars 1990 : *Composition* 1970, h/t (100x81) : **FRF 1 200 000** – MILAN, 27 mars 1990 : *Peinture* 1958, h/t (50x70) : **ITL 77 000 000** – DOUAI, 1er avr. 1990 : *Cavalière* 1969, h/t (40x30) : **FRF 210 000** – LONDRES, 5 avr. 1990 : *Oiseaux*, aquar. et cr./t. (40x30) : **GBP 3 300** – NEW YORK, 1er mai 1990 : *Le matin vert* 1943, h/pap./t. (186,5x124) : **USD 605 000** – NEW YORK, 2 mai 1990 : *Alta Mare* 1975, bronze (H. 80) : **USD 19 800** – PARIS, 30 mai 1990 : *Vision totémique*, past. (98x68) : **FRF 230 000** – LONDRES, 28 juin 1990 : *Charbon de mer* 1945, h/t (64x81,3) : **GBP 110 000** – ROME, 30 oct. 1990 : *Composition* 1973, h/t (50x40) : **ITL 26 000 000** – NEW YORK, 19-20 nov. 1990 : *Personnage assis* 1964, h/t (160x129,5) : **USD 297 000** – PARIS, 29 nov. 1990 : *Personnages étranges* 1964, h/t (50x70) : **FRF 175 000** – COPENHAGUE, 13-14 fév. 1991 : *Composition avec personnage* 1945, h/t (74x55) : **DKK 350 000** – ROME, 13 mai 1991 : *Sans titre* 1960, h/t (112x84) : **ITL 109 250 000** – NEW YORK, 15-16 mai 1991 : *Femme aux oiseaux* 1975, bronze à patine jaune (diam. 55) : **USD 19 800** – AMSTERDAM, 23 mai 1991 : *Sans titre* 1976, h/t (60x50) : **NLG 39 100** – PARIS, 8 oct. 1991 : *Le bien habillé* 1968, h/t (92x72) : **FRF 235 000** – NEW YORK, 19 nov. 1991 : *Femme cheval* 1947, gche/pap. brun (89x64,5) : **USD 93 500** – PARIS, 15 déc. 1991 : *Cuba*, past./pap./t. (211x129) : **FRF 420 000** – NEW YORK, 18-19 mai 1992 : *La serre* 1944, h/tissu (85x107,5) : **USD 330 000** – MILAN, 23 juin 1992 : *Totem* 1970, past./cart. (69x49) : **ITL 5 000 000** – NEW YORK, 24 nov. 1992 : *Les diables* 1945, h/tissu (50,2x61,3) : **USD 242 000** – LONDRES, 3 déc. 1992 : *Bonjour Monsieur Lam* 1959, h/toile d'emballage (74x150) : **GBP 72 600** – COPENHAGUE, 2-3 déc. 1992 : *Composition* 1962, h/t (80x60) : **DKK 210 000** – PARIS, 5 mai 1993 : *La femme fleurie* 1955, h/t (91x71,5) : **FRF 390 000** – MADRID, 25 mai 1993 : *Nature morte de fleurs* 1938, h/bois (78x61) : **ESP 2 645 000** – PARIS, 11 juin 1993 : *Sans titre* 1972, h/t (60x80) : **FRF 132 000** – LOKEREN, 9 oct. 1993 : *Sans titre* 1974, aquar. et gche (49,5x62) : **BEF 240 000** – MILAN, 14 déc. 1993 : *Totem*, encre acryl./cart. (70x102) : **ITL 8 625 000** – PARIS, 10 fév. 1994 : *Personnages fantastiques* 1969, past. et fus./pap. (76x56) : **FRF 64 000** – LONDRES, 23-24 mars 1994 : *La Rencontre* 1974, cr. gras et h/t (59,6x50) : **GBP 24 150** – PARIS, 9 juin 1994 : *Chimères et Femme-cheval* 1964, h/t (113x141) : **FF 642 000** – NEW YORK, 16 nov. 1994 : *Les Deux Yeux* 1946, encre et graphite/pap. chamois (51,1x62,5) : **USD 18 400** ; *Damballah*, h/t (124,5x152,8) : **USD 497 500** – MILAN, 9 mars 1995 : *Totem* 1970, h/t (46x38) : **ITL 34 500 000** – NEW YORK, 21 nov. 1995 : *Sans titre* 1969, h/t (50,2x70,5) : **USD 63 000** – ZURICH, 14 nov. 1995 : *Oiseau et personnage fantastique* 1970, gche, cr. et temp./pap. (49,5x69,5) : **CHF 12 000** – LONDRES, 21 mars 1996 : *Sans titre*, fus. et h/t (45x35) : **USD 8 050** – MILAN, 19 mars 1996 : *Sans titre* 1965, h/t (50x70) : **ITL 32 200 000** – PARIS, 28 juin 1996 : *Personnage* 1977, plat céramique (diam. 52) : **FRF 12 500** – TEL-AVIV, 7 oct. 1996 : *Oiseau sur la terre* 1954, h/t (50x61,5) : **USD 32 200** ; *Femme couchée* 1967, gche, cire et past./pap. (30,5x37,5) : **USD 5 750** – MILAN, 25 nov. 1996 : *Totem* 1972, past./pap./t. (66x48) : **ITL 12 650 000** – NEW YORK, 25-26 nov. 1996 : *Grenades et roseaux* 1941, h/t (147x114,6) : **USD 690 000** – NEW YORK, 26-27 nov. 1996 : *Forêt tropicale* 1943, h/t (153,5x125) : **USD 882 500** – PARIS, 17 déc. 1996 : *Personnages fantastiques* 1973, past. (61x42,5) : **FRF 40 000** – LONDRES, 26 juin 1997 : *Sans titre* 1960, h/t (127x119) : **GBP 84 000** – NEW YORK, 29-30 mai 1997 : *Sans titre* 1975, h/t (70,2x100) : **USD 54 625** – NEW YORK, 24-25 nov. 1997 : *Femme cheval* 1948, h/t (99,7x80,2) : **USD 222 500**.

LAMA Domenico
XVIIe siècle. Actif à Naples. Italien.
Peintre.
Il peignit en 1616 au Monastère S. Andrea delle Dame cinq tableaux de saints. L'église dell' Annunziata à Giugliano (Province de Naples) lui doit un tableau de plafond *(La naissance du Christ)*.

LAMA Giovanni Battista
Né vers 1660 à Naples. Mort entre 1740 et 1748. XVIIe-XVIIIe siècles. Actif à Naples. Italien.
Peintre d'histoire, sujets mythologiques, compositions religieuses, dessinateur.
Élève de Luca Giordano, il adopta la manière de son beau-frère P. de Mattels. Ses petits tableaux furent très appréciés. Il travailla pour les églises et palais de Naples et des environs.

VENTES PUBLIQUES : VIENNE, 1823 : *Un sujet de l'histoire de Junon*, dess. à la pl., lavé d'encre de Chine et reh. de blanc : **FRF 1 850** – ROME, 21 nov. 1989 : *Neptune et Amphitrite*, h/t (58,5x76) : **ITL 15 500 000** – AMELIA, 18 mai 1990 : *L'Assomption*, h/t (49x36) : **ITL 3 500 000** – LONDRES, 24 fév. 1995 : *L'Ange apparaissant à Agar dans le désert*, h/t (36,3x46,5) : **GBP 2 875**.

LAMA Giovanni Bernardo
Né en 1508 à Naples. Mort en 1579 à Naples. XVIe siècle. Italien.
Peintre de sujets religieux.
Il fut élève de son père Matteo Lama (?) et de Giov. Ant. d'Amato. En 1527, après le sac de Rome, Polidoro da Caravaggio se réfugia à Naples et eut une heureuse influence sur Lama. On trouve de ses œuvres dans les églises de S. Severino, S. Gregorio Armeno, S. Lorenzo Maggiore, S. M. delle Sapienza à Naples, et au Musée national de cette ville.

LAMA Giulia, dite **Lisalba**
Née en 1681. Morte en 1747. XVIIIe siècle. Active à Venise. Italienne.
Peintre d'histoire, scènes de genre, sujets religieux.
BIBLIOGR. : Ugo Ruggeri : *Giulia Lama. Dipinti e disegni*, Bergame, 1973.
VENTES PUBLIQUES : NEW YORK, 11 jan. 1991 : *Vieille femme montrant une bourse à un jeune garçon*, h/t (44,5x37,7) : **USD 8 250** – NEW YORK, 22 mai 1992 : *Fillette tenant une trompette*, h/t (52,1x41,9) : **USD 27 500** – MILAN, 3 déc. 1992 : *Apparition de la Vierge*, h/t (70x51) : **ITL 6 800 000**.

LAMA Matteo della
XVe-XVIe siècles. Travaillant probablement à Naples. Italien.
Peintre.

LA MADELEINE Guillaume de
XIXe siècle. Français.
Peintre de portraits.
Il fut élève de J. L. David à Paris dans la première moitié du XIXe siècle.

LA MADELEINE Zoé de, Mme
XIXe siècle. Française.
Peintre de portraits.
Exposa au Salon, entre 1819 et 1831, des peintures et des miniatures.

LAMAIR
XVIIIe siècle. Actif probablement à Nimègue. Hollandais.
Peintre d'animaux, plantes.
Il prit la manière d'Otto Marcellis, à qui ses œuvres ont été souvent attribuées. Il excellait à peindre des papillons et les serpents.

LAMANIERE Gustave
XIXe siècle. Français.
Peintre de genre, de natures mortes et de portraits.
Il exposa au Salon entre 1837 et 1848.

LAMANNA Girolamo
Né vers 1580 à Catane. Mort en 1640. XVIIe siècle. Italien.
Peintre d'histoire et poète.

LA MANNA Giuseppe
Né le 17 mars 1832 à Palerme. XIXe siècle. Italien.
Peintre et mosaïste.

LAMANT Jean
Mort le 8 avril 1860 à Nancy. XIXe siècle. Français.
Peintre et dessinateur.

LA MANTIA Nunzio. Voir **LA MATTINA**

LAMAR Julian
Né le 14 octobre 1893 à Augusta (Géorgie). XXe siècle. Américain.
Peintre de portraits.
Il fut élève de Chase à Florence et de Marr à Munich. Il est membre du Salmagundi Club et de la Fédération américaine des

arts. Ses portraits figurent dans certains édifices publics et collèges de New York.

LAMARC ou **Lamare**
XVIIe siècle. Actif à Nancy vers 1672. Éc. lorraine.
Sculpteur sur bois.

LAMARCHE Claude
XXe siècle. Canadien.
Créateur d'installations, dessinateur, technique mixte.
Il a exposé en 1989 à Paris, au Centre culturel canadien et à la galerie Donguy. Dans ses dessins, il mêle acrylique, cire, branches, plumes.

LAMARCHE Johann Friedrich Albert
Né le 6 janvier 1859. Mort le 24 juin 1886 à Berne. XIXe siècle. Suisse.
Lithographe.

LAMARCHE Karl Friedrich Wilhelm
Né le 12 décembre 1800. Mort le 6 juillet 1872 à Berne. XIXe siècle. Suisse.
Lithographe.

LAMARCHE Konrad Albert
Né le 14 décembre 1832. Mort le 18 mars 1876 à Berne. XIXe siècle. Suisse.
Lithographe.
Fils de Karl Friedrich Wilhelm Lamarche.

LAMARE. Voir aussi **DELAMARE, LAMARC** et **MARE**

LAMARE A. H. U. de ou **Delamare**
Né en 1760 à Brunswick. Mort le 27 mars 1807 à Holzminden. XVIIIe-XIXe siècles. Allemand.
Peintre de miniatures.
Le Musée municipal de Brunswick possède de sa main des portraits miniatures parmi lesquels un *Portrait de l'artiste par lui-même* (vers 1800).

LAMARE Alphonse Eugène
Né en 1852 à Paris. XIXe siècle. Français.
Portraitiste.
Élève de l'École des Beaux-Arts. Sociétaire des Artistes Français depuis 1886, il figura au Salon de ce groupement. Le Musée de Reims conserve de lui le *Portrait de Maurice Noirot* et deux pastels.

LAMARE François Edune. Voir **DESSUS LA MARE**

LA MARE Jean de
XIVe siècle. Français.
Enlumineur.
Parisien, il travailla avec Richard de Verdun à trois grands antiphonaires pour la Sainte-Chapelle.

LAMARE L. P. A. de ou **Delamare**
XIXe siècle. Actif à Holzminden vers 1800. Allemand.
Peintre de miniatures.
Musées : Brunswick (mun.) : *Portrait miniature d'homme.*

LAMARE-BAUCHET
XVIIe siècle. Actif à Argenté en 1635. Français.
Peintre.
On cite de lui *Saint Jean prêchant dans le désert* à l'église de La Fresnaye.

LA MARE-RICHART. Voir **LAMARRE Florent Richard de**

LAMARIE Jacques
Né en 1750 à Paris. Mort en 1782 à Paris. XVIIIe siècle. Français.
Sculpteur.
Il fut pensionnaire de l'Académie de France à Rome de 1778 à 1782. Il y exécuta une statue de *Neptuna* et une copie de l'*Apolline* du Musée des Offices de Florence, dont le Musée de Nantes possède un moulage.

LA MARNE L. A. de
Né en 1675. XVIIIe siècle. Vivait en 1730. Français.
Architecte et graveur.
Il a gravé des sujets d'histoire et des sujets de genre.

LAMARQUE Louis
Né le 2 juillet 1912 à Aiguillon (Lot-et-Garonne). XXe siècle. Français.
Peintre de paysages.
Il utilise une matière généreuse pour brosser les paysages où l'accent semble être surtout mis sur la traduction de la lumière.
Ventes Publiques : Versailles, 9 déc. 1990 : *La lande rose*, h/t (60x73) : **FRF 8 500.**

LAMARQUE Xavier
Né en 1930 à Laval (Mayenne). XXe siècle. Français.
Peintre, graveur.
Il vit et travaille à Savigny-sur-Orge. Il a participé à l'exposition *De Bonnard à Baselitz – Dix ans d'enrichissements du cabinet des estampes 1978-1988*, à la Bibliothèque nationale à Paris en 1992.
Musées : Paris (Cab. des Estampes) : *Femme accroupie* 1952, eau-forte.

LA MARRA Francesco, appelé aussi **François de la Marre**
Né vers 1710 à Martina (royaume de Naples). Mort vers 1780. XVIIIe siècle. Italien.
Peintre et graveur à l'eau-forte et au burin.
Il a gravé des sujets d'histoire et des frontispices.

LA MARRA Giuseppe ou **Mara**
XVIIIe siècle. Actif à Naples vers 1740. Italien.
Sculpteur et stucateur.
Il fut élève de Dom. Catuogno.

LAMARRE Florent Richard de ou **La Mare-Richart**
Né vers 1630. Mort le 22 septembre 1718. XVIIe-XVIIIe siècles. Actif à Bayeux. Français.
Peintre de portraits et graveur.
Agréé à l'Académie Royale le 24 juillet 1676. Reçu académicien le 30 janvier 1677. Il exposa au Salon en 1699 et en 1704. Ses estampes sont intéressantes. Il a gravé dans le style de Morin-Robert. Dumesnil en mentionne vingt et une. Certaines ressemblent aux croquis à l'eau-forte de Lievens. Le Musée du Louvre conserve de lui : *Portrait du peintre Antoine Paillet* et l'on voit de lui une œuvre au Musée de Boulogne.
Ventes Publiques : Paris, 25 nov. 1982 : *Marie-Thérèse de Bourbon* 1693, h/métal (45x38,5) : **FRF 25 500.**

LA MARRE Marie Jeanne de
XVIIIe siècle. Français.
Peintre.
Elle faisait partie de l'Académie de Saint-Luc en 1763.

LAMARS D.
XVIIe siècle. Éc. flamande.
Peintre d'histoire.
Siret et Bryan citent un tableau dans le couvent des Augustins à Gand, *Circoncision*, signé *D. Lamars feneit et inot* et daté de 1621.

LA MARTINIÈRE Guillaume de
XIXe siècle. Travaillant en 1850. Français.
Peintre.
Le Musée d'Avignon conserve une *Marine* de cet artiste.

LA MARTINIÈRE Marie Françoise Constance. Voir **MAYER**

LAMASSON Joseph Jean Jules Germain
Né le 11 mai 1872 à Toulouse (Haute-Garonne). XIXe-XXe siècles. Français.
Sculpteur, médailleur.
Il fut élève de Falguière, Mercié et A. Dubois. Il obtint en 1902, le prix de Rome et une médaille de bronze au Salon des Artistes Français de 1925, à Paris.

LA MATTINA Nunzio ou **La Mantia**
XVIIe siècle. Actif dans la première moitié du XVIIe siècle. Italien.
Sculpteur.
Il exécuta les statues de l'*Automne* et de l'*Été* qui se trouvent sur la place des Quatre-Cantons à Palerme et, en 1627, un bas-relief pour l'église du pèlerinage de Sainte-Rosalie.

LA MAUVINIÈRE Élisabeth
Née en 1903 à Paris. XXe siècle. Française.
Peintre, graveur.
Elle vit et travaille à Paris. Elle a participé à l'exposition *De Bonnard à Baselitz – Dix ans d'enrichissements du cabinet des estampes 1978-1988*, à la Bibliothèque nationale à Paris en 1992.
Musées : Paris (Cab. des Estampes) : *Graphisme tibétain* 1983, aquat.

LAMAZARES Anton
Né en 1954 à Calin (Pontevedra). XXe siècle. Espagnol.
Peintre, technique mixte. Tendance abstraite.
Il participe à de nombreuses expositions collectives et Biennales, notamment : 1982, 1985, 1988, 1989 Arco à Madrid ; 1984, 1987,

1988 à la FIAC (Foire Internationale d'Art Contemporain) à Paris ; 1984 musée national des Beaux-Arts de Buenos Aires ; 1987 Fondation Gulbenkian à Lisbonne. Il montre ses œuvres dans des expositions personnelles depuis 1982 en Espagne et à l'étranger.
De grandes dimensions, ses œuvres sont souvent composées de bandes de couleurs gestuelles, juxtaposées, aux tonalités sourdes. Cette monotonie est rompue par un élément, un détail agrandi (?) ou une figure, qui vient s'inscrire sur l'une de ses surfaces planes.
Bibliogr. : In : *Catalogo nacional de art contemporaneo*, Iberico 2 mil, Barcelone, 1991.
Ventes Publiques : Madrid, 13 déc. 1990 : *Sans titre*, acryl. et cr. gras/cart. dans un cadre de bois peint. (72x67) : **ESP 420 000**.

LAMB Adrian Stymetz
Né le 22 mars 1901 à New York. xxe siècle. Américain.
Peintre de portraits.
Il est le fils du peintre Frederick Stymetz Lamb. Il vécut et travailla à New Canaan (Connecticut). Il étudia à l'Art Students' League de New York et à l'académie Julian à Paris. Il fut élève de Dumond, Bridgman et Browne. Il a reçu une médaille d'or à l'Exposition universelle de 1900, à Paris. Il obtint un prix en 1927.
Il a peint les portraits de nombreuses personnalités.
Bibliogr. : Catalogue de l'exposition : *The American Renaissance 1876-1917*, Brooklyn Museum, New York, 1979.

LAMB Charles Rollinson
Né le 10 février 1860 à New York. Mort le 22 février 1942 à Cresskill (New Jersey). xixe-xxe siècles. Américain.
Peintre d'histoire, compositions religieuses, peintre de cartons de vitraux, fresquiste, graveur.
Il fut élève de l'Art Students' League de New York, dont il devint président par la suite. Frère de Frederick Stymetz Lamb, ils travaillèrent ensemble dans l'atelier de vitrail familial fondé en 1857. Il fut également président de nombreuses associations artistiques américaines. Il reçut une médaille d'or à l'exposition Pan American en 1900, et une autre à l'Exposition universelle de Paris. Il exécuta des fresques ainsi que des peintures sur verre de sujets religieux et historiques. De ses œuvres se trouvent dans la chapelle commémorative de Lakewood à New York, dans la chapelle commémorative de Minneapolis et à la cour d'assises de New York (Relief Salome Forster).
Bibliogr. : Catalogue de l'exposition : *The American Renaissance 1876-1917*, Brooklyn Museum, New York, 1979.

LAMB Charles Vincent
Né en 1893. Mort en 1964. xxe siècle. Britannique.
Peintre de paysages.
Ventes Publiques : Celbridge (Irlande), 29 mai 1980 : *Blue lake, Connemara*, h/cart. (26x34,3) : **GBP 550** – Dublin, 24 oct. 1988 : *Les environs de Carraroe dans le Connemara*, h/cart. (40,7x50,8) : **IEP 4 400** – Belfast, 28 oct. 1988 : *Le lac Kilymore*, h/cart. (33x40,7) : **GBP 825** – Belfast, 30 mai 1990 : *Plage de sable à Lough Swilly*, h/pan. (24,8x30,5) : **GBP 935** – Dublin, 12 déc. 1990 : *Bateaux à marée basse dans l'ouest de l'Irlande*, h/pan. (30,5x40,6) : **IEP 5 000** – Dublin, 26 mai 1993 : *Personnages près d'un village dans le Comté de Galway*, h/t (50,9x61) : **IEP 4 950** – Londres, 2 juin 1995 : *La vallée de Maam dans le Comté de Galway*, h/pan. (33,5x41) : **GBP 1 150** – Londres, 9 mai 1996 : *Pêcheur aux merlans* 1926, h/t (61x51) : **GBP 18 975**.

LAMB Ella Condie
Née le 30 août 1862 à New York. Morte le 23 janvier 1936 à Cresskill (New Jesey). xixe-xxe siècles. Américaine.
Peintre de portraits, peintre muraliste, peintre de cartons de mosaïques.
Elle est l'épouse de Charles Rollinson Lamb. Elle fut élève de Chase à l'Art Students' League de New York, de von Herkomer à Londres, puis de Collin à Paris. En 1889, elle reçut le Dodge Prize de l'académie nationale de dessin, la médaille d'or de l'Exposition d'Atlanta en 1895, une mention honorable à l'exposition Columbian de Chicago en 1893. Elle réalisa de nombreux projets avec son mari. La Flower Memorial Library de Watertown (New York) possède une fresque de sa main. Ses peintures murales, ses frises figurent au National Arts Club.

LAMB F. Mortimer
Né en 1861 à Middleborough (Massachusetts). Mort en 1936. xixe-xxe siècles. Américain.
Peintre de portraits, paysages.
Il fut élève de l'école des Beaux-Arts de Boston et de l'académie Julian à Paris. Il travailla à Stoughton (Massachusetts). Il obtint une médaille d'or à l'exposition du xxe siècle à Boston en 1900, et une médaille d'argent à San Francisco en 1915. Des tableaux de sa main se trouvent à l'hôtel de ville de Brockton (Massachusetts), *Le Bon Samaritain* dans l'église universaliste de Stoughton, *Printemps* au club Chucataubut de la même ville, deux paysages et quatre portraits dans la bibliothèque des étudiants de science chrétienne à Brooklyn (Massachusetts).
Ventes Publiques : New York, 30 mai 1990 : *Ruisseau dans le sous-bois en hiver*, h/cart. (63,5x76,3) : **USD 3 850** – New York, 4 mai 1993 : *Le vieux pommier*, h/t. cartonnée (47,5x61) : **USD 1 035**.

LAMB Frederick Stymetz
Né le 24 juin 1863 à New York. Mort le 8 juillet 1928 en Californie. xixe-xxe siècles. Américain.
Peintre de compositions animées, paysages, fresquiste, peintre de cartons de mosaïques.
Il est le fils de Joseph Lamb et le frère de Charles Rollinson Lamb, avec qui il travailla dans l'atelier de vitrail familial fondé en 1857. Il fut élève de l'Art Students' League de New York et de Lefebvre, Millet et Boulanger à Paris. Il reçut une mention honorable à l'Exposition universelle de Chicago en 1893, une médaille d'or à l'Exposition d'Atlanta en 1895, une autre à l'Exposition universelle de Paris en 1900. Il exposa en 1924 à Barkeley (Californie) des *Paysages de la région d'Oakland*.
Parmi ses œuvres, on cite des fresques à l'église de la congrégation à Black Rock (Connecticut), un tableau sur verre à l'église de Plymouth à Brooklyn, et à l'école publique n°5 de la même ville trois lambris : *Conférence du général Washington avant la bataille de Long Island*, au lycée Woodward de Cincinnati un tableau sur verre.
Bibliogr. : Catalogue de l'exposition : *The American Renaissance 1876-1917*, Brooklyn Museum, New York, 1979.
Musées : New York (Brooklyn Mus.).

LAMB Henry
Né en 1883 ou 1885 à Adelaïde. Mort le 8 octobre 1960 à Salisbury. xxe siècle. Américain.
Peintre de portraits, paysages.
Il étudia d'abord la médecine puis, à Paris, la peinture. Il prit part à la guerre de 1914-1918 en Palestine, en Macédoine et en France en qualité de médecin militaire. Dans cette même période, au sortir d'une dépression nerveuse, admettant qu'il n'aurait jamais de relation féminine suivie, il reporta sur sa jeune sœur Dorothy une affection plus que fraternelle. Il recherchait en elle à la fois la mère, la sœur, la femme, l'amante et l'amie. Il suivit les armées comme peintre officiel au cours de la Seconde Guerre mondiale. Exposant à la Royal Academy de Londres depuis 1921, il en fut académicien en 1949.
L'exposition à Paris en 1946 des tableaux modernes de la Tate Gallery montrait de lui : *Mort d'un paysan*.
Influencé d'abord par Augustus John, il sut s'en dégager. Sa sœur fut une source d'inspiration permanente pour lui : portraits, voyages, notamment en Grèce qu'elle lui fit connaître.

Lamb

Bibliogr. : Catalogue de l'exposition *A Memorial Exhibition of paintings and drawings by Henri Lamb*, The Leicester Gallery, Londres, 1961 – K. Clements – *Henry Lamb : l'artiste et ses amis*, Bristol, 1985.
Musées : Londres (Tate Gal.) : *Portrait de l'écrivain Lytton Strachey – Tête de fille – Tête de jeune irlandaise – Fantaisie – La Femme de l'artiste – Filles irlandaises – Mort d'une paysanne – Lamentation – La Famille de l'artiste* – Londres (Imperial War Mus.) : *Bombardement des troupes irlandaises par les Turcs en Judée* – Manchester : *Scène du front de Struma, près de Salonique*.
Ventes Publiques : Londres, 30 nov. 1928 : *Portrait de jeune fille* : **GBP 52** – Londres, 14 déc. 1973 : *Portrait de Stanley Spencer* : **GNS 3 800** – Londres, 11 oct. 1974 : *George Kennedy et sa famille* : **GNS 1 300** – Londres, 11 juin 1976 : *Portrait de jeune fille au chapeau de paille* 1936, h/t (61x51) : **GBP 360** – Londres, 3 mars 1978 : *Autoportrait* 1932, h/t (61x51,5) : **GBP 1 400** – Londres, 19 oct 1979 : *Paysage d'hiver*, h/cart. entoilé (51x61) : **GBP 900** – Londres, 19 nov. 1980 : *Jeune femme debout boutonnant sa robe*, aquar. et craie noire (35,5x18) : **GBP 1 700** – Londres, 12 mars 1982 : *Portrait de jeune homme en jaune*, h/pan. (41x30) : **GBP 4 200** – Londres, 4 mars 1983 : *Saint Francis and*

the beggar 1911, aquar. et cr. (42x28,5) : **GBP 650** – LONDRES, 2 nov. 1983 : *Paradise street, Poole* 1923, h/t (51x63,5) : **GBP 4 800** – LONDRES, 15 mai 1985 : *Les Toits, Poole* 1924, h/t (61x76) : **GBP 5 500** – LONDRES, 13 mai 1987 : *Portrait de Lord David Cecil* 1935, h/t (101,5x76) : **GBP 22 000** – LONDRES, 3-4 mars 1988 : *Insulaire de Gola* 1912, fus. (28,2x21,2) : **GBP 1 870** – LONDRES, 9 juin 1988 : *Wilton park* 1936, h/t (44,5x59,6) : **GBP 3 300** – LONDRES, 9 juin 1989 : *Hampstead Heath depuis la vallée*, étude (50,8x40,7) : **GBP 3 850** – LONDRES, 10 nov. 1989 : *Portrait de Robin John* 1924, h/t (37,5x29,3) : **GBP 12 100** – LONDRES, 8 juin 1990 : *Portrait d'une dame vêtue d'une longue robe bleu sombre* 1908, h/t (199x99) : **GBP 20 900** – LONDRES, 18 oct. 1990 : *Portrait d'une fillette* 1909, cr. (29,8x22,2) : **GBP 1 045** – LONDRES, 8 nov. 1990 : *Portrait de Edie Mc Neill*, cr. (43x23) : **GBP 3 080** – LONDRES, 6 juin 1991 : *Portrait de la sœur de l'artiste Dorothy*, cr. (27x23) : **GBP 4 400** – LONDRES, 7 nov. 1991 : *Groupe familial* 1959, h/t (48x59,5) : **GBP 2 420** – LONDRES, 18 déc. 1991 : *L'écurie*, cr. et aquar. (21,5x25) : **GBP 418** – LONDRES, 12 mai 1993 : *Le Pont de Coombe Bissett* 1948, h/t (35,5x46) : **GBP 517**.

LAMB Joseph Condie
Né le 11 mars 1900 à New York. XXe siècle. Américain.
Peintre de paysages, dessinateur, pastelliste, illustrateur.
Il est le fils des peintres Charles Rollinson Lamb et Ella Condie Lamb. Il étudia l'architecture à l'université de Columbia puis fut élève de l'Art Students' League de New York. Il a montré ses œuvres dans des expositions personnelles en 1962, 1968, 1970 à East Hampton (New York).

LAMB Katherine Stymetz, plus tard Mme **Tait**
Née le 3 juin 1895 à Alpine (New Jersey). Morte le 11 août 1981 à Cresskill (New Jersey). XXe siècle. Américaine.
Peintre de compositions religieuses, peintre de cartons de vitraux, peintre verrier, peintre de cartons de mosaïques, illustrateur.
Elle est la fille du peintre Charles Rollinson Lamb et la nièce du peintre Frederick Stymetz Lamb. Elle étudia à New York à la National Academy of Design, notamment à l'Art Students' League et à la Cooper Union Art School. Elle séjourna en 1921 à Paris, où elle fréquenta l'atelier Colarossi, puis en 1924 en Italie. Elle enseigna le dessin à la Cooper Union Art School de New York et travailla dans l'atelier de vitrail familial fondé en 1857. Elle participa à des expositions collectives : National Society of Mural Painters au Whitney Museum of American Art de New York, au Guild of Religious Art à Detroit (Michigan).
On lui doit des vitraux (signés de son nom d'épouse Tait) et quelques mosaïques, pour de très nombreuses églises américaines.

LAMBA Jacqueline
XXe siècle. Française.
Peintre de paysages, dessinateur.
Partageant son temps entre son atelier à Paris et le village de Simiane, en Haute-Provence, elle dessine et peint essentiellement d'après les souvenirs transposés de ces paysages arides, aux couleurs de pierres brûlées.
BIBLIOGR. : Yves Bonnefoy : *Jacqueline Lamba*, L'Éphémère, n° 3, sept. 1967.

LAMBACH Johann Heinrich
Né en 1728 à Prague. XVIIIe siècle. Éc. de Bohême.
Sculpteur sur bois.
Il exécuta en 1762 les sculptures de la chaire de l'église Sainte-Marie à Dantzig.

LAMBADOS
XVIIe siècle. Grec.
Peintre.
Le Musée Benakis d'Athènes, conserve de lui une *Madone*.

LAMBAKIS E.
XIXe siècle. Actif en Grèce. Grec.
Peintre.
Figura aux expositions de Paris où il obtint une médaille de bronze en 1889 (Exposition Universelle).

LAMBARRI
Né le 6 janvier 1891 à Burgos. Mort le 17 février 1973 à Barcelone. XXe siècle. Espagnol.
Peintre de paysages, natures mortes, figures, illustrateur.
Il travailla à ses débuts comme illustrateur à la revue madrilène *Buen Humor*. En 1928, il fit un séjour à Londres, et à Paris, où il travailla à l'académie de la Grande Chaumière. En 1931, il suivit les cours de dessin et de gravure de l'école des Beaux-Arts San Fernando à Madrid. Il montra ses œuvres dans des expositions : 1946 à Barcelone, 1952 Cercle des Beaux-Arts de Madrid.

LAMBARTIN Gabriel
Né vers 1620 probablement à Liège. XVIIe siècle. Belge.
Peintre.
Il vécut à Rome de 1671 à 1676, puis travailla à Liège pour les églises. Il eut pour élève F. Douw. Peut-être est-il identique à Godfried Lambertin.

LAMBDIN George Cochran
Né en 1830 à Pittsburg. Mort en 1896. XIXe siècle. Américain.
Peintre de genre, figures, natures mortes, fleurs.
Fils et élève d'un portraitiste. Il vint faire des études à Munich et à Paris. Il exposa à la National Academy, New York en 1858, et à Paris en 1867 (Exposition Universelle). Élu membre de la National Academy en 1868. Il se retira à Germantown, près de Philadelphie.
MUSÉES : BALTIMORE (Peabody) : *Dans les bois*.
VENTES PUBLIQUES : NEW YORK, 14 mars 1968 : *Roses* : **USD 2 250** – NEW YORK, 22 oct. 1969 : *The consecration* : **USD 1 800** – NEW YORK, 18 nov. 1976 : *Roses*, h/pan. (61x35,5) : **USD 500** – NEW YORK, 25 oct 1979 : *Enfants dans un sous-bois, lisant* 1862, h/pan. (30,5x24,8) : **USD 6 500** – NEW YORK, 23 avr. 1982 : *A wind on the lily pond* 1874, h/t (40,6x50,8) : **USD 39 000** – NEW YORK, 2 juin 1983 : *The white heifer calf* 1869, h/t mar./pan. (50,8x40,6) : **USD 7 000** – NEW YORK, 31 mai 1985 : *Nature morte aux fleurs* 1878, h/t (76,5x51) : **USD 40 000** – NEW YORK, 4 déc. 1986 : *Roses* 1877, h/t (76,8x33,6) : **USD 9 500** – PARIS, 10 déc. 1987 : *Branches de roses* 1874, h/pan. (50,5x35) : **FRF 43 000** – NEW YORK, 23 juin 1987 : *Roses* 1886, h/t (76,2x50,8) : **USD 15 000** – LONDRES, 29 avr. 1988 : *Roses* 1878, h/pan. (61x31,1) : **USD 8 250** – NEW YORK, 24 juin 1988 : *Roses* 1882, h/t (75x50) : **USD 11 550** – NEW YORK, 30 mai 1990 : *Roses*, h/t (91,6x61) : **USD 4 125** – NEW YORK, 26 sep. 1990 : *Etude de roses*, h/pap. (45,1x34,9) : **USD 11 000** – NEW YORK, 14 mars 1991 : *La victime* 1868, h/t (51,1x40,9) : **USD 12 100** – NEW YORK, 22 mai 1991 : *Roses* 1876, h/pan. (61x30) : **USD 7 700** – NEW YORK, 14 nov. 1991 : *Roses jaunes et roses*, h/t (60,9x45,7) : **USD 12 100** – NEW YORK, 18 déc. 1991 : *Nature morte de roses* 1879, h/t (54,6x44,5) : **USD 2 860** – NEW YORK, 12 mars 1992 : *Roses épanouies* 1878, h/pan. laqués, une paire (chaque 61x30,4) : **USD 13 200** – NEW YORK, 11 mars 1993 : *Fleurs de printemps* 1875, h/pan. (50,8x30) : **USD 11 500** – NEW YORK, 28 sep. 1995 : *Le modèle intimidé* 1862, h/pan. (25,4x30,5) : **USD 5 462** – NEW YORK, 3 déc. 1996 : *Roses* 1880, h/pan. (61x35,6) : **USD 2 760**.

LAMBDIN James R.
Né le 10 mai 1807 à Pittsburg. XIXe siècle. Américain.
Peintre de portraits.
Il étudia à Philadelphie et travailla à Pittsburg et Louisville. La Société d'Histoire de Pennsylvanie à Philadelphie possède de sa main les portraits du *Sénateur J. Ross*, d'un *Ecclésiastique* et de nombreuses copies de portraits.
VENTES PUBLIQUES : NEW YORK, 30 oct. 1929 : *Daniel Webster* : **USD 600**.

LAMBEAUX Joseph Maria Thomas, dit Jef ou Jeph
Né le 13 juillet 1852 à Anvers. Mort le 6 juin 1908 à Bruxelles. XIXe siècle. Belge.
Sculpteur de statues, bustes, monuments. Réaliste.
Élève de Joseph Geefs puis de l'Académie d'Anvers, il séjourna trois ans à Paris, puis visita Florence et Rome. Il a participé au Salon de Bruxelles en 1880, et à celui de Gand. Il obtint pour ses débuts, en 1881, la médaille d'or à l'Exposition de Bruxelles. Officier de l'Ordre de Léopold et de l'Ordre de Bavière. Grand Prix en 1900 (Exposition Coloniale).
Il débuta avec des groupes d'enfants en terre cuite. Parmi ses œuvres, on peut citer la *Fontaine de Brabo* que l'on peut voir sur la Grande Place d'Anvers, le haut-relief colossal de la *Passion de l'humanité* au parc du Centenaire de Bruxelles.
Il a été un des apôtres de la sculpture réaliste parmi les artistes belges du XIXe siècle. Homme assez rustique, il encombra parfois de symboles indéchiffrables quoique simplistes, les créations de son génie tourmenté mais typiquement plastique. Flamand, il a campé de grosses femmes jordaenesques tourmentées par quelque satyre. Œuvre manuelle, nerveuse, plus à l'honneur de la luxure que de la chair.

Jef-LAMBEAUX

Bibliogr. : In : *Les Muses*, Grange Batelière, Paris, 1972 – in : *Catalogue du Musée des Beaux-Arts d'Ostende*, Ostende, 1888 – in : *Diction. de la sculpture*, Larousse, Paris, 1992.
Musées : Anvers : *Le baiser - Les passions humaines - Hendrick de Braeckelaer - G. Git - Vengeance - Les lutteurs* – Bruxelles : *Le baiser - La folle chanson - Les lutteurs* – Bucarest (Simu) : *Prométhée - Vénus* – Gand : *Les passions humaines - Blessé* – Liège : *Faune et nymphe* – Ostende (Mus. voor shone Kunsten) : *Vuistkamper*, bronze.
Ventes Publiques : Paris, 3 mai 1934 : *La Femme au cygne*, bronze patiné : **FRF 4 100** ; *Le Faune mordu*, groupe bronze patiné : **FRF 4 700** – Bruxelles, 4 mai 1976 : *Couple dansant*, bronze (H. 75) : **BEF 40 000** – Lokeren, 5 nov. 1977 : *Maternité*, bronze (H. 55) : **BEF 70 000** – Bruxelles, 17 mai 1979 : *Vénus*, marbre (H. 116,5) : **BEF 65 000** – Lokeren, 23 avr. 1983 : *La Passion* 1889-1894, bronze, haut-relief (140x211) : **BEF 500 000** – Lokeren, 1er juin 1985 : *Le conquérant*, bronze patiné (H. 92,5) : **BEF 330 000** – Bruxelles, 21 avr. 1986 : *Les Lutteurs*, bronze (H. 73,5) : **BEF 140 000** – Lokeren, 5 mars 1988 : *Flore*, marbre blanc (H. 59) : **BEF 130 000** – Lokeren, 28 mai 1988 : *Le dément*, bronze (H. 59) : **BEF 360 000** – Paris, 28 juin 1988 : *Les lutteurs*, bronze (H. 152) : **FRF 130 000** – Bruxelles, 12 juin 1990 : *Troubadour* 1979, h/pan. (37x20) : **BEF 32 000** – Liège, 11 déc. 1991 : *Buste de jeune femme*, marbre de Carrare (H. 46,5) : **BEF 30 000** – Lokeren, 21 mars 1992 : *La jeunesse*, bronze (H. 71, l. 55) : **BEF 280 000** – Lokeren, 10 oct. 1992 : *Bacchante*, bronze à patine verte (H. 54, l. 42) : **BEF 65 000** – Lokeren, 20 mars 1993 : *Le forgeron*, bronze (H. 75, l. 40) : **BEF 110 000** – Paris, 4 juin 1993 : *Tête de Léda*, bronze (H. 60) : **FRF 11 000** – New York, 22-23 juil. 1993 : *Les lutteurs*, bronze, une paire (H. 43,2 et 40,6) : **USD 1 380** – Lokeren, 4 déc. 1993 : *Prométhée*, bronze (H. 116, l. 100) : **BEF 240 000** – Milan, 21 déc. 1993 : *Jeux d'enfants*, bronze (H. 66) : **ITL 3 450 000** – Paris, 22 mars 1994 : *Les Lutteurs*, bronze (H. 103) : **FRF 20 000** – New York, 26 mai 1994 : *Lutteurs*, bronze (H. 105,4) : **USD 9 775** – Lokeren, 9 déc. 1995 : *Femme à la colombe*, bronze (H. 51) : **BEF 44 000** – Lokeren, 9 mars 1996 : *Flore*, albâtre (H. 48) : **BEF 120 000** – Lokeren, 8 mars 1997 : *Léda et le cygne*, bronze (H. 105, l. 49) : **BEF 115 000** – Paris, 20 juin 1997 : *Impéria* 1899, marbre blanc (75x48x36) : **FRF 22 000**.

LAMBEAUX Jules
Né en 1858 à Anvers. Mort en 1890 à Anvers. xixe siècle. Belge.
Peintre de genre.
Frère du sculpteur Jef Lambeaux.

Jules Lambeaux

Musées : Anvers.
Ventes Publiques : Lokeren, 20 mai 1995 : *La lettre* 1880, h/t (145x170) : **BEF 75 000** – Lokeren, 9 mars 1996 : *La lettre* 1880, h/t (145x170) : **BEF 48 000**.

LAMBELÉ Antonia
Née en 1943 à Shurley. xxe siècle. Britannique.
Sculpteur. Abstrait-néoconstructiviste.
Elle fut élève de l'académie des Beaux-Arts de Bruxelles. Elle a participé à de nombreuses expositions collectives : 1986 Salon international d'art contemporain à Lausanne, 1987 Exposition internationale de sculpture au Musée de Maubeuge, 1989 Art Fair de Stockholm, 1992 SAGA (Salon d'Art Graphique Actuel) à Paris, ainsi que régulièrement à Paris aux Salons Grands et Jeunes d'Aujourd'hui et des Réalités Nouvelles. Elle montre ses œuvres dans de nombreuses expositions personnelles à Bruxelles depuis 1986, Paris depuis 1989.
Musées : Maubeuge (Espace d'art et d'essai) – Montpellier (Artothèque).

LAMBELET Abraham
Né en 1720, originaire de Neuenburg. xviiie siècle.
Sculpteur.
Travaillait à Bernac en 1743.

LAMBELIN Virginie, née **Sermonet**
Née à Paris. xixe siècle. Française.
Peintre de portraits et de genre.
Élève de Mme Turgan. Elle exposa sous son nom de jeune fille au Salon entre 1849 et 1855, principalement des copies sur porcelaine.

LAMBERCHT Jan Baptist. Voir **LAMBRECHTS**

LAMBERECHTS Frans
Né en 1909 à Molenbeek-St-Jean (Brabant). Mort le 21 janvier 1988 à Bruxelles. xxe siècle. Belge.
Sculpteur.
Il séjourna en France de 1924 à 1932, travaillant à des travaux de restauration d'églises et de monuments anciens. De retour à Bruxelles, il acheva sa formation, de 1925 à 1929, à l'Académie des Beaux-Arts, où il remporta le prix triennal de sculpture, en 1935. Il exposa ensuite régulièrement dans des expositions de groupe. En 1942, il fut lauréat du prix de la jeune sculpture belge. Après une période traditionnelle, il évolua vers l'abstraction par la compréhension de la spécificité des matériaux utilisés, bois, pierre, qu'il cherche à exalter dans les formes convenables. Il introduisit aussi le polyester dans ses sculptures. Toutefois son œuvre est divisé en deux parties, l'une continuant d'être consacrée à des travaux décoratifs alimentaires, pour lesquels il a souvent collaboré avec de bons architectes, Victor Bourgeois, Franssen, par exemple pour le *Monument aux morts de Jemmapes* pour la sculpture placée à l'entrée du pavillon des banques, à l'Exposition universelle de Bruxelles, en 1958.
Bibliogr. : Francine-Claire Legrand, in : *Diction. de la sculpt. mod.*, Hazan, Paris, 1960 – in : *Diction. biogr. illustré des artistes en Belgique depuis 1830*, Arto, Bruxelles, 1987.

LAMBERG-PETERSEN, pseudonyme de **Petersen Hans Carl Christian**
Né le 12 juillet 1866 à Copenhague. Mort le 2 mai 1927 à Copenhague. xixe-xxe siècles. Danois.
Sculpteur de statues, décorateur.
Il fut élève de l'académie des Beaux-Arts de Copenhague dont il reçut en 1891 la petite médaille d'or et en 1895 la grande médaille d'or.
La décoration intérieure de la Glyptothèque lui ayant été confiée, il exécuta les stucs de plafond et les portraits en reliefs de *C. Jacobsen* et *V. Dahlerup* et des reliefs dans la salle Dubois. On cite également de ses œuvres à Frederiksborg ainsi que dans la loge des Francs-Maçons et à l'école de commerce de Copenhague.

LAMBERGER Vala, née **Vollrath**
Née le 21 août 1877 à Mayence (Rhénanie-Palatinat). xxe siècle. Allemande.
Peintre de portraits, dessinateur.
Elle vécut et travailla à Heppenheim.
Musées : Francfort-sur-le-Main (Mus. d'Hist.) – Manheim (Soc. des antiquités) : *Château - Église des Jésuites de Manheim* – Mayence : *Vues de Mayence*, environ trente dess. – Weinheim (Mus. d'antiquités).

LAMBERT
xviiie siècle. Français.
Peintre de genre.
Musées : Amiens : *La leçon de lecture* signé Lambert. 1740.

LAMBERT, l'Aîné
xixe siècle. Français.
Graveur.
Il exposa au Salon de Paris, en 1824, et en 1827 des gravures de vignettes.

LAMBERT, le Jeune
xixe siècle. Français.
Graveur au burin.
Actif à Paris, il a gravé des portraits et des sujets historiques.

LAMBERT. Voir aussi **LAMBERT Jean**

LAMBERT Adolphe
Né le 21 juillet 1880 à Bruxelles. xxe siècle. Belge.
Sculpteur, ciseleur.
Il fut jusqu'en 1920 professeur à l'école de bijouterie de Bruxelles puis à La Paz en Bolivie et enfin à Paris. Il exposa de 1911 à 1913 au Salon de Bruxelles.

LAMBERT Albert Antoine
Né le 10 avril 1854 à Paris. xixe siècle. Français.
Peintre de genre, animaux, paysages.
Élève de Cabanel, Bin, Lequien et Cormon. Sociétaire des Artistes Français depuis 1883, il figura au Salon de ce groupement et obtint une mention honorable en 1884, des médailles de troisième classe en 1889, de deuxième classe en 1890 et une médaille de bronze en 1900 (Exposition Universelle).
Musées : Château-Thierry : *Chanson des bois* – Tours : *Famille de chats*.

Ventes Publiques : La Varenne-Saint-Hilaire, 6 mars 1988 : *Jeune femme à sa toilette* 1854, h/t (48x33) : **FRF 14 200.**

LAMBERT Alphonse
Né le 20 mars 1823 à Darnetal (Seine-Maritime). Mort le 18 mars 1883. XIXe siècle. Français.
Peintre de paysages.
Élève de Corot et de Daubigny. Débuta au Salon en 1864.

LAMBERT André
XXe siècle. Français.
Graveur, illustrateur.
De 1920 à 1930, il illustra de nombreux ouvrages : Hoffmann, Mérimée, Ovide, etc.

LAMBERT André Louis
Né au XIXe siècle à Genève. XIXe siècle. Suisse.
Peintre aquarelliste et architecte.
Travailla à Neuchâtel. En 1880, il parcourut l'Italie.

LAMBERT Antoine Eugène
Né le 26 avril 1824 à Dijon (Côte-d'Or). Mort le 30 janvier 1903 à Paris. XIXe siècle. Français.
Peintre de paysages.
Élève de Thierry et de Daubigny. Vécut à ses débuts parmi les maîtres de l'école de Barbizon. Ses premiers ouvrages furent inspirés par la forêt de Fontainebleau. Débuta au Salon de 1857. Mention honorable en 1887 et en 1889 (Exposition Universelle). A. E. Lambert a peint de préférence des paysages de l'Oise, de la Picardie, des côtes normandes.
Musées : Bagnols : *Grand paysage* – Calais : *Environs de Fresnay* – Clamecy : *Plage normande* – Dijon : *Les marais de Longpré.*
Ventes Publiques : Londres, 19 mai 1976 : *Paysage fluvial* 1877, h/t (43x65) : **GBP 850** – Cologne, 21 mars 1980 : *Berger et troupeau dans un paysage,* h/pan. (35x55) : **DEM 4 000** – Reims, 15 mars 1992 : *Les bords de Condé sur Huisne,* h/t (54x65) : **FRF 4 500.**

LAMBERT Arsène Louis Marie
Né au XIXe siècle à Carhaix (Finistère). XIXe siècle. Français.
Sculpteur.
Élève de Guilbert. Débuta au Salon en 1876.

LAMBERT Camille Nicolas
Né en 1874 ou 1876 à Arlon. XIXe-XXe siècles. Belge.
Peintre de genre, figures, marines.
Il fut élève des académies des Beaux-Arts de Liège et d'Anvers. Il expose à Paris, au Salon de la Société Nationale des Beaux-Arts, dont il est membre sociétaire.

C. LAMBERT

Bibliogr. : In : *Diction. biogr. illustré des artistes en Belgique depuis 1830,* Arto, Bruxelles, 1987.
Musées : Arlon – Ixelles : *Carnaval à Nice – Réunion d'artistes* – Liège – Mons.
Ventes Publiques : Londres, 1er avr. 1977 : *Figures au bord d'un étang* 1919, h/t (102x151) : **GBP 1 200** – New York, 22 mai 1986 : *Baigneuses au bord d'une piscine* 1919, h/t (99x148,5) : **USD 12 500** – Lokeren, 28 mai 1988 : *Baigneuses en pleines vagues,* h/t (32x42) : **BEF 110 000** – Bruxelles, 19 déc. 1989 : *Enfants,* h/cart. (22x16,5) : **BEF 100 000** – Amsterdam, 13 déc. 1989 : *Femme dans un intérieur,* h/t (59,5x45,5) : **NLG 4 370** – Lokeren, 4 déc. 1993 : *Le hamac,* h/t (33x47) : **BEF 90 000** – Lokeren, 9 déc. 1995 : *Ébats au bord de la mer,* h/t (63x78,5) : **BEF 500 000** – Lokeren, 11 oct. 1997 : *Rêveuse,* h/pan. (17x33,5) : **BEF 85 000.**

LAMBERT Cherier
XVIIe siècle. Actif à Nancy en 1624. Éc. lorraine.
Sculpteur.
Semble avoir joui d'une certaine renommée.

LAMBERT Christian
Né en 1945. XXe siècle. Français.
Peintre de figures.
Il expose à Paris depuis 1971 ; sa première exposition particulière eut lieu en 1973.
À partir de visages schématiquement et approximativement peints, il exprime l'angoisse et l'horreur.

LAMBERT Claude
Né vers 1776 à Paris. XIXe siècle. Français.
Peintre.
Il entra à l'École des Beaux-Arts le 13 nivose an II. Il y était encore élève en vendémiaire an VII.

LAMBERT Claude Édouard
XIXe siècle. Français.
Peintre de portraits et de paysages.
Exposa au Salon entre 1838 et 1848. Le Musée de Chantilly conserve de lui *Trois Vues de Neuilly.* Il paraît peu probable qu'il s'agisse du même artiste que Claude Lambert.

LAMBERT Clément
Né vers 1855. Mort en 1925 à Brighton. XIXe-XXe siècles. Britannique.
Peintre de paysages.
Il figura à partir de 1882 à la Royal Academy de Londres, à Suffolk Street et à d'autres expositions.

LAMBERT Émile Placide
Né le 2 décembre 1828 ou 1835 à Paris. Mort le 27 avril 1897 à Paris. XIXe siècle. Suisse.
Sculpteur.
Élève de Franceschi, il débuta au Salon en 1867. Auteur de nombreux bustes dont celui en bronze de *Louis Favre,* inauguré en 1894 à Genève, la statue en pied de *Voltaire,* don de l'auteur à la ville de Ferney où il habitait le château même du Patriarche. Parmi ses œuvres, on cite encore un *Voltaire à 25 ans,* statue qui se trouve aujourd'hui dans la cour de la Mairie du IX arrondissement à Paris.

LAMBERT Eugène. Voir **LAMBERT Louis Eugène**

LAMBERT Eugène C.
Français.
Peintre de paysages.
Il est connu par les annuaires de ventes publiques.
Ventes Publiques : Paris, 17 mars 1947 : *Rue d'un village en Auvergne* : **FRF 2 300** ; *La Piazzetta à Venise* : **FRF 2 700.**

LAMBERT Ferdinand
Né au XIXe siècle à Paris. XIXe siècle. Français.
Sculpteur.
Figura au Salon des Artistes Français où il obtint une mention honorable en 1894.

LAMBERT Fernand Alexis
Né le 7 février 1868 à Lyon (Rhône). XIXe-XXe siècles. Français.
Peintre de paysages.
Il obtint à Paris, au Salon des Artistes Français, une médaille d'argent en 1920 et le prix des paysagistes.
Ventes Publiques : Paris, 8 juin 1984 : *Le bateau-lavoir,* h/t (134x160) : **FRF 20 000.**

LAMBERT France
Née le 23 avril 1902 à Orléans (Loiret). XXe siècle. Française.
Peintre.
Elle fut élève de Sabatté. Elle exposa à Paris, aux Salons des Artistes Français et des Indépendants.

LAMBERT François
XVIIe siècle. Français.
Sculpteur et architecte.
Avec François Laligne, il acheva, en 1656, le portail de l'église Saint-Pierre d'Auxerre ; il fit, avec la collaboration de François Edme, le maître-autel de l'église d'Irancy (Yonne), en 1663 et celui de l'église d'Escampe (Yonne) en 1673.

LAMBERT George
Né en 1700 ou 1710 dans le comté de Kent. Mort le 30 novembre 1765. XVIIIe siècle. Britannique.
Peintre de paysages animés, paysages, décors de théâtre, aquarelliste, graveur.
Élève de William Hassel puis de Woolton. Il acquit une réputation considérable comme peintre de décors de théâtre, au Lincoln's Inn Fields Theater, puis à Covent Garden. Mais il fit mieux : ce fut un des premiers artistes anglais qui traitèrent le paysage avec la recherche de l'effet pittoresque qui devait aboutir à la merveilleuse école du XIXe siècle. Il fut un des fondateurs et le premier président de la Society of Artists en 1760. Il grava quelques eaux-fortes de paysages, extrêmement rares.
Musées : Londres (Nat. Gal.) : *Paysage.*
Ventes Publiques : Londres, 27 nov. 1909 : *Dunton Hall, Lincolnshire* : **GBP 58** – Londres, 11 juil. 1930 : *Fenaison* : **GBP 78** – Londres, 19 jan. 1951 : *Paysage mouvementé* : **GBP 210** – Londres, 21 oct. 1959 : *Cheyne Walk, à Chelsea* : **GBP 180** – Londres, 15 juil. 1964 : *Paysage animé de jeunes paysannes* :

GBP 520 – Londres, 24 nov. 1965 : *Vue de Douvres* : **GBP 950** – Londres, 23 mars 1966 : *Green Park animé de nombreux personnages* : **GBP 4 000** – Londres, 22 juin 1973 : *Vue d'un jardin* : **GNS 2 400** – Londres, 26 mars 1976 : *Paysage fluvial boisé* 1745, h/t (119,5x138,5) : **GBP 2 400** – Londres, 23 nov. 1977 : *Paysage d'Italie*, h/t (67x95,5) : **GBP 900** – Londres, 15 mars 1978 : *Un paysage*, h/t (88,5x150) : **GBP 84 000** – Londres, 22 juin 1979 : *Paysage boisé au pont de bois*, h/t (47x40,6) : **GBP 1 300** – Londres, 13 juil. 1984 : *The great fall of the trees, Durham* 1761, h/t (59,6x78,7) : **GBP 12 000** – Londres, 17 oct. 1986 : *Durham Castle and cathedral* 1735, h/t (69,9x108,5) : **GBP 3 200** – Londres, 14 juil. 1987 : *Paysage fluvial boisé animé de personnages* 1742, gche/pap. (49,5x65,7) : **GBP 3 000** – Sydney, 17 mars 1988 : *Le Chasseur*, h/t (43x54) : **AUD 13 000** – Londres, 18 nov. 1988 : *Vaste paysage italien animé avec un monastère et un lac à l'arrière-plan* 1742, h/t (89,5x100,5) : **GBP 7 700** – Londres, 12 juil. 1989 : *Paysage boisé avec un village sur l'autre berge de la rivière* 1762, h/t (133x109,5) : **GBP 36 300** – Londres, 14 juil. 1989 : *Vue de Leybourne Grange dans le Kent avec des paysans faisant la fenaison dans le parc* 1737, h/t (72,3x111) : **GBP 286 000** – Londres, 17 nov. 1989 : *Vaste paysage italien avec une chevrière assise près d'un lac au premier plan*, h/t (101,5x126,4) : **GBP 30 800** – Londres, 14 mars 1990 : *Paysage italien* 1752, h/t (68,5x122) : **GBP 7 700** – Paris, 26 juin 1990 : *Bergers conversant dans un paysage aux rochers*, h/t (33x40,5) : **FRF 15 000** – Londres, 14 nov. 1990 : *Chiswick House dans le Middlesex*, h/t, peint en collaboration avec W. Hogarth (77,5x103) : **GBP 220 000** – Londres, 6 nov. 1995 : *Vue du château de Windsor* 1737, h/t (63x119,5) : **GBP 45 500** – New York, 3 oct. 1996 : *Paysage avec bergers et leurs troupeaux* 1744, h/t (38,1x100,3) : **USD 7 475**.

LAMBERT George Washington

Né en 1873 à Saint-Pétersbourg. Mort en 1930 en Nouvelles-Galles du Sud. XIXe-XXe siècles. Depuis 1887 actif en Australie. Russe.

Peintre de genre, portraits, nus, paysages, sculpteur.

Il fut élève de Julian Ashton, puis obtint une bourse qui lui permit de voyager en Europe. Durant la Première Guerre mondiale, il séjourna en Palestine, puis vint de nouveau s'établir en Australie, où il obtint un succès notable. Dès 1896, il prit part aux expositions australiennes et, en 1899, il obtenait le prix Wynne. En 1900, une bourse de voyage lui fut décernée avec le numéro un par la Society of Artists de la Nouvelle-Galles du Sud pour son tableau *La Guitariste*. Il figura au Salon des Artistes Français à Paris. Il fut membre de la Société Nationale des Beaux-Arts à partir de 1907.

G

Bibliogr. : In : *Diction. de l'art mod. et contemp.*, Hazan, Paris, 1992.

Musées : Melbourne : *Lotty et la dame* – Sydney : *À travers la plaine noire* – *Idylle dans les bois* – *La Guitariste*.

Ventes Publiques : Londres, 24 mai 1946 : *Campement arabe* : **GBP 115** – Londres, 12 oct. 1973 : *Portrait de Miss Sybil Waller* : **GNS 4 200** – Melbourne, 14 mars 1974 : *Portrait de jeune femme avec son chien* : **AUD 20 000** – Londres, 3 nov. 1976 : *The derwent wood family*, h/pan. (24x32,5) : **GBP 2 500** – Melbourne, 11 mars 1977 : *Portrait de groupe de Miss Alison Preston et de John Proctor* 1909, h/t (102x127) : **AUD 18 000** – Los Angeles, 23 juin 1980 : *Femme avec deux enfants et un cheval*, h/t (183x228,5) : **USD 17 500** – Sydney, 2 mars 1981 : *Nu assis*, h/t (68x38) : **AUD 3 000** – Londres, 19 mai 1982 : *T. H. Preston on Mearbeck Moor, Yorkshire* 1909, h/t (49x59) : **GBP 6 200** – Sydney, 8 juil. 1985 : *Femme à l'éventail*, h/t (74x62) : **AUD 15 000** – Sydney, 29 oct. 1987 : *T. H. Preston on Mearbeck Moor, Yorkshire* 1909, h/t (49x59) : **AUD 18 000** – Sydney, 26 mars 1990 : *L'inconvenance des choses*, encre avec reh. de blanc (18x19) : **AUD 850** – Sydney, 2 juil. 1990 : *La Vallée de Megalong*, h/pan. (28x39) : **AUD 3 000** – Sydney, 15 oct. 1990 : *L'expérience de Clarence* 1904, encre et gche (33x19) : **AUD 1 900**.

LAMBERT Georges

Né le 8 juin 1919 à Paris. XXe siècle. Français.

Peintre de compositions animées, portraits, paysages, marines.

Tout jeune, il prend un emploi, mais se destine à la danse. La guerre contrecarre son projet et il se dirige vers les arts plastiques, entre à l'atelier d'Othon Friesz et dans celui de MacAvoy.

La Femme au châle exposée au Salon des Indépendants de 1949 attire l'attention sur son travail. Il pratique déjà un post-cubisme élégant, genre qu'il conservera, tout en essayant d'introduire un certain dynamisme dans ses constructions. Il réalise quelques portraits, mais ses thèmes favoris sont les musiciens, les ports bretons et en général les paysages. On cite de lui une série consacrée au Mexique.

Ventes Publiques : Calais, 24 mars 1996 : *Soleil sur le port*, h/t (55x46) : **FRF 4 000**.

LAMBERT Georges Hippolyte

Né à Nantes (Loire-Atlantique). XIXe-XXe siècles. Français.

Peintre de marines.

Il figura à Paris, au Salon de la Société Nationale des Beaux-Arts à partir de 1898, au Salon d'Automne annuellement à partir de 1903, au Salon d'hiver à partir de 1905, et au Salon des Indépendants à partir de 1908 avec des tableaux de ports.

Musées : Paris (Hôtel de Ville) – Paris (Petit Palais).

LAMBERT Gertrude A.

Née le 10 août 1885 à Bethlehem (Pennsylvanie). XXe siècle. Américaine.

Peintre de scènes typiques.

Elle fut élève de l'académie des Beaux-Arts de Philadelphie. Elle obtint une médaille d'argent à San Francisco en 1915.

Musées : Philadelphie (Acad. des Beaux-Arts) : *Le Petit Marché – Baveno*.

LAMBERT Gustave Alexandre

Né le 5 avril 1856 à Paris. XIXe siècle. Français.

Sculpteur et graveur en médailles.

Élève de Bissinger. Débuta au Salon de 1879. Sociétaire des Artistes Français depuis 1899 il obtint une mention honorable (1898), une médaille de troisième classe (1900), une mention honorable (1900) (Exposition Universelle), une médaille de première classe en 1908. Chevalier de la Légion d'honneur.

LAMBERT Henri Lucien

Né vers 1836 à Sèvres (Seine-et-Oise). Mort le 1er avril 1909 à Paris. XIXe-XXe siècles. Français.

Peintre.

Débuta au Salon de 1868 et continua à exposer. On lui doit des peintures sur porcelaine (notamment des fleurs) ainsi que des aquarelles.

LAMBERT Henriette

XXe siècle. Française.

Peintre, peintre de collages. Abstrait-paysagiste.

Elle montre ses œuvres dans des expositions personnelles, notamment en 1991, 1995, 1998, à la galerie Le Troisième Œil à Paris, en 1992 à Bordeaux.

Sa perception du monde qui l'entoure, la lumière, un paysage, donne naissance à des œuvres abstraites, où, minutieusement dessinées et peintes souvent en textures, se mêlent formes et couleurs au souvenir vécu.

LAMBERT Jacques Henri Jean

Né en 1877 à Sèvres (Seine-et-Oise). XXe siècle. Français.

Peintre d'histoire.

Il fut élève de Roybet.

Musées : Bucarest (Mus. Simu) : *Le Seigneur avec l'archiluth*.

Ventes Publiques : Paris, 15 avr. 1924 : *Jeune seigneur à la guitare* – *Le hallebardier* : **FRF 1 100**.

LAMBERT James, l'Ancien

Né en 1725. Mort en 1788 près de Lewes. XVIIIe siècle. Britannique.

Peintre de portraits, paysages.

Prit part aux grandes expositions londoniennes de 1761 à 1778 et fut récompensé par la Society of Arts en 1770.

Musées : Lewes : *Portrait de l'artiste par lui-même*.

Ventes Publiques : Londres, 26 juil. 1961 : *Vue de Lewes Castle* : **GBP 450** – Londres, 18 mars 1981 : *Paysage au lac animé de personnages*, h/t (39x60) : **GBP 1 200**.

LAMBERT James, le Jeune

Né vers 1760. Mort après 1833. XVIIIe-XIXe siècles. Britannique.

Peintre de genre, animalier, fleurs, aquarelliste.

Fils du paysagiste James Lambert. Il exposa à la Free Society et à la Royal Academy entre 1769 et 1778.

Musées : Londres (Victoria and Albert Mus.) : deux aquarelles.

VENTES PUBLIQUES : LONDRES, 11 déc. 1909 : *Le chien favori* 1794, et son pendant : **GBP 1** – LONDRES, 29 jan. 1988 : *Moutons à l'ombre d'un rocher* 1771, h/t (31,7x43,2) : **GBP 1 980**.

LAMBERT Jean
XVe siècle. Éc. flamande.
Peintre.
Un autre Lambert, peintre à Liège, est signalé à Cologne en 1491. Probablement le même que Jean Lambert, cité par Siret comme ayant travaillé à Liège vers 1457.

LAMBERT Jean
XVIIe-XVIIIe siècles. Français.
Sculpteur ornemaniste.
Il travailla en 1682 et en 1714 pour le parc et la chapelle du château de Versailles.

LAMBERT Jean Baptiste Ponce
XIXe siècle. Français.
Peintre de portraits, miniaturiste et émailleur.
Élève d'Augustin. Exposa au Salon de 1801 à 1812, des miniatures et des émaux.

LAMBERT Johann Gerlach
Né le 25 septembre 1740 à Francfort-sur-le-Main. Mort le 26 février 1804 à Francfort-sur-le-Main. XVIIIe siècle. Allemand.
Peintre.
Il peignit des tableaux de fruits et de fleurs. L'Institut Staedel à Francfort possède deux *Intérieurs de cuisine* qui lui sont attribués.

LAMBERT Johann Heinrich
Né le 30 janvier 1763 à Mulhouse. Mort le 31 mars 1834 à Mulhouse. XVIIIe-XIXe siècles. Français.
Peintre et sculpteur.
Il étudia à Rome et à Paris. La ville de Mulhouse lui doit le portrait-médaillon du mathématicien *J. H. Lambert*, oncle de l'artiste, au socle du monument commémoratif qui lui fut dédié.
MUSÉES : ALENÇON : *Portrait du graveur P. F. Godard.*

LAMBERT John, l'Ancien
Né en 1619. Mort en 1683 à Guernesey. XVIIe siècle. Britannique.
Peintre.
Il appartenait à une bonne famille du Yorkshire et fut d'abord avocat. Au début de la révolution d'Angleterre il entra dans l'armée du Parlement, et y acquit avec le grade de général une renommée considérable. Il fut l'intime ami de Cromwell et le premier Président de son conseil. A la Restauration de Charles II il fut banni à Guernesey. Il résida pendant près de trente ans dans la charmante petite île, occupant ses loisirs à la peinture des fleurs et des fruits. Il avait étudié la peinture dans sa jeunesse avec Jean-Baptiste Jaspers. On cite aussi quelques portraits de lui.

LAMBERT John, le Jeune
Mort en 1701 à York. XVIIe siècle. Britannique.
Peintre amateur.
Fils du général John Lambert. Il vécut dans ses propriétés du Yorkshire occupant ses loisirs à la peinture. On cite des portraits de lui.

LAMBERT John
Né le 10 mars 1861 à Philadelphie. Mort le 29 décembre 1907 à Jenkintown (Pensylvanie). XIXe-XXe siècles. Américain.
Peintre de portraits, paysages.
L'Art Club de Philadelphie possède un de ses tableaux *Rouge et noir*.

LAMBERT Joseph Hyacinthe
Né à Paris. Mort après 1673 à Nancy. XVIIe siècle. Français.
Peintre.
On cite de lui un *Portrait de saint François de Sales.*

LAMBERT Josse ou **Jodocus** ou **Lambrecht**
Mort en 1556 ou 1557 à Gand. XVIe siècle. Actif à Gand. Éc. flamande.
Graveur.
Il fut aussi grammairien, poète et imprimeur. On cite de lui un *Triomphe du Christ*, d'après le Titien, qui fut gravé sur bois en dix pièces.

LAMBERT Jules Gabriel
XIXe-XXe siècles. Français.
Sculpteur.
Il exposa à Paris, au Salon des Artistes Français, dont il fut membre sociétaire à partir de 1901.

LAMBERT Léon
Né le 22 mars 1868 au Mans (Sarthe). XIXe-XXe siècles. Français.
Graveur.
Il exposa à Paris, au Salon des Artistes Français, dont il est membre sociétaire depuis 1889, et où il obtint une mention honorable en 1890. Il pratiqua l'eau-forte.

LAMBERT Léon Eugène
Né le 20 août 1865 à Sèvres (Seine-et-Oise). XIXe-XXe siècles. Français.
Peintre, sculpteur.
Il exposa à Paris, au Salon des Artistes Français, dont il est membre sociétaire depuis 1908, et où il obtint une mention honorable en 1906, une médaille de troisième classe en 1908, de deuxième classe en 1909.
VENTES PUBLIQUES : LONDRES, 6 oct. 1989 : *La compétition*, h/t (41x35) : **GBP 3 850**.

LAMBERT Lombard. Voir **LOMBARD**

LAMBERT Louis
XVIIIe siècle. Actif à Besançon à la fin du XVIIIe siècle. Français.
Sculpteur.

LAMBERT Louis Eugène
Né le 25 septembre 1825 à Paris. Mort le 17 mai 1900 à Paris. XIXe siècle. Français.
Peintre de genre, animalier, paysages, natures mortes, aquarelliste, graveur, illustrateur.
Élève de Delacroix et de Paul Delaroche, il débuta au Salon de Paris en 1847, obtenant des médailles en 1865, 1866, 1870. À l'Exposition Universelle de 1878, il reçut une médaille de troisième classe. Il fut fidèle exposant dès la société des aquarellistes. Chevalier de la Légion d'honneur en 1874.
Après avoir peint des natures mortes et des oiseaux, il s'est spécialisé dans la peinture de chats, à la suite du succès obtenu par son tableau *Chat et perroquet*, au Salon de 1857, qui décida de sa carrière. Il acquit, dans ce genre, une réputation mondiale. Il compta de nombreuses amitiés dans la littérature, et illustra *Chiens et chats* de de Cherville en 1889.

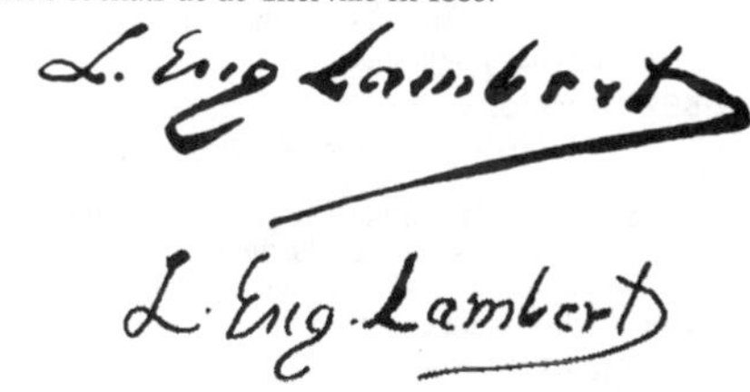

BIBLIOGR. : Gérald Schurr, in : *Les Petits Maîtres de la peinture 1820-1920, valeur de demain*, Les Éditions de l'Amateur, t. II, Paris, 1982.
MUSÉES : AMSTERDAM (Mus. munici.) : *Le remède pis que le mal* – ANGOULÊME : *Nature morte* – BAR-LE-DUC : *Un marché* – CARPENTRAS : *En chasse* – DIJON : *Le marais de Longpré* – LE HAVRE : *Cour de ferme* – *Nature morte* – NANTES : *Deux chats* – *Famille* – *Coq et poules.*
VENTES PUBLIQUES : PARIS, 1879 : *Le panier de chats* : **FRF 4 450** – NEW YORK, 3 fév. 1905 : *Famille de chats* : **USD 825** – PARIS, 7 déc. 1923 : *Une chatte et ses petits*, aquar. : **FRF 1 200** – PARIS, 17 mai 1944 : *Les quatre petits et le perroquet* 1898 : **FRF 5 000** – PARIS, 17 mars 1950 : *Chats* : **FRF 20 500** – PARIS, 5 juil. 1955 : *La famille de chats*, aquar. : **FRF 11 000** – NEW YORK, 12 mai 1978 : *Chatte et chatons*, h/t (91x73,5) : **USD 3 000** – BERNE, 24 oct 1979 : *Paysage d'été*, h/pan. (33x54) : **CHF 5 000** – VIENNE, 17 nov. 1982 : *Chatte et chaton*, h/t (24x19) : **ATS 20 000** – NEW YORK, 1er mars 1984 : *Chatons jouant sur une table*, h/t mar./cart. (38,1x45,7) : **USD 4 000** – VIENNE, 20 mars 1985 : *Chaton et lapins*, h/t (29x46) :

ATS **80 000** – New York, 28 oct. 1986 : *Un Yorkshire terrier*, h/t (30,5x39,4) : **USD 2 700** – Paris, 19 juin 1989 : *Les chatons*, h/pan. (22x35,5) : **FRF 12 000** – Paris, 4 mars 1991 : *Les chats*, encre de Chine (21,5x30,5) : **FRF 3 600** – Calais, 26 mai 1991 : *Les chatons*, aquar. (20x61) : **FRF 8 000** – Londres, 16 juil. 1991 : *La niche occupée*, h/pan. (35x27,3) : **GBP 3 300** – New York, 29 oct. 1992 : *Pêcheurs débarquant leur matériel*, h/t (45,7x38,2) : **USD 1 320** – Paris, 15 fév. 1993 : *Chatte et chatons au panier*, aquar. (23x32) : **FRF 3 000** – New York, 22-23 juil. 1993 : *Chatons*, fus./pap. (28,6x36,8) : **USD 3 450** – Paris, 1er oct. 1993 : *Chiens et chats – le festin*, aquar. gchée (41,5x35,5) : **FRF 7 200** – Londres, 25 mars 1994 : *Prêts pour rien de bon*, h/t (44,5x55,9) : **GBP 3 450** – Lokeren, 12 mars 1994 : *Jeux de chatons*, h/t (50,5x60,5) : **BEF 180 000** – Paris, 26 oct. 1994 : *Chats dans leur panier en osier*, h/bois (31,5x27) : **FRF 5 600** – New York, 20 juil. 1995 : *Chatte et ses petits*, h/t (39,4x49,5) : **USD 9 775** – Paris, 21 mars 1996 : *Chats et chien dans un salon XVIIIe siècle* 1893, h/t (41x33,5) : **FRF 45 000** – Londres, 28 mars 1996 : *Les invités d'après dîner*, h/cart. (38,1x46,3) : **GBP 3 680** – New York, 9 jan. 1997 : *Portrait de Frisette*, h/t (101x81,9) : **USD 8 625**.

LAMBERT Louis Marie, abbé
Né au XIXe siècle à Grasse (Alpes-Maritimes). XIXe siècle. Français.
Peintre.
Fut attaché à l'Institut des Sourds-muets, à Paris. Élève de Montobbio. Exposa au Salon de 1861 une gouache (*Le Sacerdoce catholique*).

LAMBERT Louise. Voir **LONGMAN**

LAMBERT Lucie
Née en 1947 à Shawinigan (Québec). XXe siècle. Canadienne.
Graveur, dessinateur.
Elle a participé à l'exposition *De Bonnard à Baselitz – Dix ans d'enrichissements du cabinet des estampes 1978-1988*, à la Bibliothèque nationale à Paris en 1992.
Musées : Paris (Cab. des Estampes) : *Scalène II* 1978, eau-forte.

LAMBERT Lucien
Né le 12 janvier 1920 à Marseille (Bouches-du-Rhône). XXe siècle. Français.
Peintre de paysages, natures mortes.
Il fut élève de Henri Brémond à l'école des Beaux-Arts de Marseille dès 1936. Il expose à Marseille en 1983, 1985, 1986, à Carry-le-Rouet, Aix-en-Provence, Cassis, etc.
Il ne se lasse pas de peindre Marseille, ses vieux quartiers, le port, les places, les marchés ou bien les sites du pourtour, Cabriès, Éguilles, les terres cultivées, les moissons, les champs de tournesols, le pays d'Aix et les bords de l'Arc, jusqu'à Lourmarin et aux cultures de lavande en Haute-Provence. Ses natures mortes sont encore des célébrations provençales, composées de fruits gorgés de soleil.

LAMBERT Madeleine
Née en 1935 à Lyon (Rhône). XXe siècle. Française.
Peintre.
Elle vit et travaille à Lyon. Elle a participé à l'exposition *De Bonnard à Baselitz – Dix ans d'enrichissements du cabinet des estampes 1978-1988*, à la Bibliothèque nationale à Paris en 1992.
Musées : Paris (Cab. des Estampes).

LAMBERT Mark
Né en 1781. Mort en 1855 à Newcastle. XIXe siècle. Britannique.
Graveur sur bois.
Fut l'un des aides de Bewick.

LAMBERT Martin
Né en 1630 à Paris. Mort le 28 février 1699 à Paris. XVIIe siècle. Français.
Peintre de portraits et d'histoire.
Élève de Beaubrun. Reçu académicien, le 30 juin 1663 ou le 7 décembre 1675. Le Musée du Louvre conserve de cet artiste : *Portrait des Beaubrun*.

LAMBERT Maurice
Né le 25 juin 1901 à Paris. Mort en 1964. XXe siècle. Actif en Angleterre. Français.
Sculpteur de figures.
Il a fait sa première exposition en 1927 en Angleterre, où il semble s'être installé. Associé de la Royal Academy de Londres en 1941, il en est membre depuis 1952.
Musées : Londres (Tate Gal.).
Ventes Publiques : Londres, 22 juin 1973 : *Aphrodite*, bronze : **GBP 520** – Londres, 31 mars 1976 : *Tête de Nimbus* vers 1920, sculpt. en fer peint en noir (H. 49,5) : **GBP 400** – Londres, 4 nov. 1983 : *Banc de poissons* vers 1934, bois poli (L. 61) : **GBP 3 200** – Londres, 7 mars 1986 : *Bird-boy*, bronze (H. 69) : **GBP 1 100** – Londres, 29 juil. 1988 : *Nu assis* 1930, encre et craie (23,2x27) : **GBP 1 155** – Londres, 24 mai 1990 : *Pégase et Bellerophon*, bronze à patine verte (H. 122) : **GBP 14 300** – Londres, 9 nov. 1990 : *La danseuse africaine* 1931, bronze à patine brune (H. 42) : **GBP 2 640**.

LAMBERT Maurice Walter Edmond de
Né le 9 février 1873 à Paris. XIXe-XXe siècles. Français.
Peintre de paysages, de portraits, graveur, décorateur.
Il fut élève de G. Moreau et de Rochegrosse. Il exposa régulièrement à Paris, au Salon de la Société Nationale des Beaux-Arts. Il a figuré également au Salon d'Automne. Des expositions personnelles de ses œuvres eurent lieu à Paris en 1908 et en 1919-1920. Il est chevalier de la Légion d'honneur.
Il peignit des portraits d'acteurs et d'actrices : *Coquelin l'aîné – Sarah Bernhard – Réjane*, etc. Il dessina des vues de villes : Avignon, Aix-en-Provence, Venise, etc.
Ventes Publiques : Paris, 11-13 juin 1923 : *Le repos* : **FRF 140** – Paris, 28 avr. 1937 : *Effet de nuit à Venise*, gche reh. de past. : **FRF 75** – Paris, 7 mai 1943 : *Les ruines sur la grève*, lav. de sépia : **FRF 650** – Paris, oct. 1945-juil. 1946 : *Paysage* : **FRF 4 000** – Nice, 29-30 juil. 1954 : *La pièce d'eau – L'entrée du parc*, deux sépias : **FRF 44 000** – Paris, 8 fév. 1995 : *Paysage du midi* 1941, h/t (73x92) : **FRF 5 200** ; *Fontaine de Roquefavour à Aix-en-Provence* ; *Fontaine*, encre, une paire (41x32,6 et 68,5x35,7) : **FRF 6 500**.

LAMBERT Michel
Né vers 1748 à Paris. XVIIIe siècle. Français.
Peintre d'histoire et de genre.
Il entra, à l'âge de 30 ans, à l'École de l'Académie Royale et y fut élève de Lepicié jusqu'en 1782. Nous croyons qu'il est l'artiste cité sans prénom par le Dictionnaire de Bellier de la Chavignerie et Auvray comme ayant exposé au Salon de la correspondance en 1782. *Une jeune femme assise dans un paysage, à qui l'Amour vient dérober les roses qu'elle porte sur les genoux* (pastel), qui prit part à l'Exposition de la Jeunesse, Place Dauphine, en 1784, ainsi qu'à celles de l'ancienne Académie Royale, en 1793 et en 1795. Bellier, dans son intéressante plaquette, *Les artistes Français du XVIIIe siècle oubliés ou dédaignés*, avait à tort identifié cet exposant avec Jean Baptiste Ponce Lambert, miniaturiste (voir ce nom) qui ne débuta au Salon qu'en 1801.

LAMBERT Noël Marcel
Né le 12 mai 1847 à Paris. XIXe-XXe siècles. Français.
Sculpteur et architecte.
Élève de l'École Nationale des Beaux-Arts. Sociétaire des Artistes Français depuis 1908, il figura au Salon de ce groupement où il obtint une mention honorable en 1902.
Ventes Publiques : Berlin, 5 déc. 1986 : *Une salle du Palais de Postdam*, pl. aquarellée (44,7x34,5) : **DEM 1 800** – Paris, 27 mai 1987 : *L'Escalier des Ambassadeurs à Versailles*, aquar. (31,5x53) : **FRF 13 500**.

LAMBERT Pierre Édouard
Né en 1818 à Bordeaux. XIXe siècle. Français.
Peintre d'histoire.
Le Musée de Bordeaux conserve de lui une *Figure allégorique de la République*.

LAMBERT Pierre Philippe
Né le 15 décembre 1765. XVIIIe siècle. Actif à Angoulême. Britannique.
Peintre.
Le Musée d'Angoulême possède le *Portrait du maire d'Angoulême, Pierre Lambert*, qui lui est attribué.

LAMBERT Roger
Né en 1929. XXe siècle. Français.
Peintre de paysages, natures mortes, marines.
Il fut élève du peintre orientaliste Gaston Parison, puis fréquenta l'académie de la Grande Chaumière, à Paris. Il séjourna plusieurs années au Maroc, dans le Vaucluse, puis s'installa dans sa région natale, l'Eure. Il participe à des expositions collectives notamment à Paris : depuis 1949 au Salon des Indépendants, dont il devint membre sociétaire en 1951, depuis 1968 aux Salons des Artistes Français, de la Marine, d'Hiver.
Du Maroc, il a rapporté de nombreuses scènes orientalistes.

LAMBERT Sophie, née **Bresson**
Née en 1810 à Paris. XIXe siècle. Française.
Peintre.
Élève de Couder. Le Musée d'Orléans conserve d'elle : *Le chevalier Dunois*, et celui de Versailles de nombreuses copies de portraits. Elle figura aussi sous le nom de Rochard à plusieurs expositions.

LAMBERT Wenzeslaus
Né en 1783. Mort en 1843. XIXe siècle. Actif à Munich. Allemand.
Lithographe.
On cite de lui cinq portraits lithographiés conservés par la Collection graphique de Munich.

LAMBERT Yves
Né en 1947. XXe siècle. Belge.
Peintre de paysages, figures, dessinateur, graveur.
Il fut élève de l'académie des Beaux-Arts Saint-Luc de Bruxelles.
Bibliogr. : In : *Diction. biogr. illustré des artistes en Belgique depuis 1830*, Arto, Bruxelles, 1987.

LAMBERT von Amsterdam. Voir **SUSTRIS Lambert**

LAMBERT-MAUDIN
Né en 1914 à Sens (Yonne). XXe siècle. Français.
Peintre.
Il participe à de nombreux salons : Salon d'Automne, des Indépendants, Comparaisons, Peintres Témoins de leur Temps, Grands et Jeunes d'Aujourd'hui. Il expose aussi personnellement à Paris, depuis 1952, et à Los Angeles en 1961, 1962, 1963. Une nature hérissée semble, dans sa peinture, surgir des taches comme d'une vision imaginaire.

LAMBERT-RUCKI Jean
Né le 17 septembre 1888 à Cracovie. Mort le 27 juillet 1967 à Paris. XXe siècle. Actif depuis 1911 et depuis 1932 naturalisé en France. Polonais.
Sculpteur de sujets religieux, fresquiste, peintre de cartons de mosaïques.
Il fut élève de l'École des Beaux-Arts de sa ville natale, de 1906 à 1910. Il vient à Paris en 1911, où il s'inscrit à l'Académie Colarossi et retrouve son camarade de Cracovie : Kisling. Il se lie intimement avec Modigliani avec qui il partage un atelier, Soutine et les artistes de Montparnasse.
Il figura régulièrement à Paris, aux Salons des Indépendants, d'Automne et des Tuileries. Il a montré ses œuvres dans des expositions personnelles à Paris, en 1942, 1943, 1952, 1954. Une première exposition posthume eut lieu à Paris au musée Bourdelle en 1977 et, en 1988, une rétrospective de son œuvre a été montrée, toujours à Paris, à la galerie Jacques de Vos.
Touchant à toutes les techniques, il se fit surtout connaître pour ses sculptures polychromées, d'un sentiment religieux naïf et tendre, se penchant volontiers vers les mal-aimés, les humbles et les animaux. Michel Seuphor a écrit de son œuvre qu'elle « interprète très librement des thèmes religieux. Elle porte l'empreinte d'un style très particulier à la fois naïf et attendri. Les lignes en sont sommaires, recherchent une sorte de candeur émouvante. Le motif humoristique n'est pas rare et l'influence des primitifs partout sensible ». À travers son bestiaire quotidien et sa population de masques, on retrouve, par delà l'influence des primitifs, des byzantins, une parenté avec certaines recherches des cubistes ; certaines de ses créations évoquent les créations théâtrales d'Oskar Schlemmer. Dans son œuvre, on trouve de très nombreux dessins, des peintures, des mosaïques.

J. Lambert-Rucki

Bibliogr. : *Catalogue de la vente Lambert-Rucki*, Paris, 1971 – M.-A. Ruan, J.-P. Tortil, Jacques de Vos : *Jean Lambert-Rucki 1888-1967*, J. de Vos, Paris, 1991 – in : *Diction. de l'art mod. et contemp.*, Hazan, Paris, 1992.
Musées : Paris (Mus. Nat. d'Art Mod.).
Ventes Publiques : Versailles, 2 déc. 1973 : *Composition* : **FRF 8 500** – Versailles, 11 juin 1974 : *Les saltimbanques* : **FRF 27 000** – Versailles, 15 juin 1976 : *Le baiser* 1935, h/cart. (72x54) : **FRF 7 000** – Versailles, 5 déc. 1976 : *Les Noctambules*, bronze, cire perdue patine verte et noire (H. 75) : **FRF 9 800** – Versailles, 27 nov. 1977 : *La rencontre* 1919, h/cart. (59x74) : **FRF 11 000** – Monte-Carlo, 9 oct. 1977 : *Les danseuses*, bronze, patine brune et verte (H. 53) : **FRF 8 200** – New York, 6 nov 1979 : *Les fenêtres* 1921, h/pan. (72,7x54) : **USD 4 500** – Enghien-les-Bains, 28 oct 1979 : *Masque*, bois taillé, poli et laqué, marron, blanc et noir (H. 100) : **FRF 27 000** – Londres, 26 mars 1980 : *Formes contrastées* vers 1911, encre de Chine (31x25) : **GBP 500** – Paris, 31 oct. 1980 : *L'homme au chapeau haut-de-forme* 1925, gche (28,5x38,5) : **FRF 4 300** – New York, 3 avr. 1982 : *Les noctambules*, bronze polychrome (H. 74,9) : **USD 18 000** – New York, 26 mai 1983 : *Le Commentaire* 1928, temp. (79x63,5) : **USD 6 000** – Paris, 21 nov. 1983 : *Les Indiscrets* 1929, h./paravent à quatre feuilles (120x170) : **FRF 52 000** – Paris, 3 déc. 1984 : *Personnage au pagne*, bois noir sculpté et bronze patine médaille (H. 14,5) : **FRF 30 500** – Paris, 28 nov. 1985 : *Couple de danseurs* 1936, fus. (147x56) : **FRF 10 000** – Versailles, 19 juin 1985 : *New Orleans* 1921, h/pan. (81x65) : **FRF 25 000** – Rambouillet, 20 oct. 1985 : *La prière*, bronze, cire perdue (H. 20, l. 60) : **FRF 68 000** – New York, 14 juin 1986 : *Le Passage* 1926, temp./cart. (48,3x63) : **USD 5 500** – Paris, 14 oct. 1987 : *Sans titre*, h/t (79,5x64) : **FRF 76 000** – Londres, 29 mars 1988 : *Femme assise à la robe rouge*, bois sculpté (H. 66,1) : **GBP 5 280** – Paris, 24 avr. 1988 : *Les suiveurs*, h/isor. (90,5x71) : **FRF 55 000** – Paris, 23 juin 1988 : *Fille dans la rue* 1924, h/cart. (59x81) : **FRF 74 000** – Paris, 12 juil. 1988 : *Les oiseaux*, past. (48x30) : **FRF 3 200** – L'Isle-Adam, 25 sep. 1988 : *La Tour Eiffel* 1924, h/pan. (19x26,5) : **FRF 26 500** – Paris, 19 mars 1989 : *Personnages dans la ville*, h/cart. (81x64,5) : **FRF 58 100** – Paris, 22 oct. 1989 : *L'homme à la marguerite*, bronze (45x24,5) : **FRF 36 000** – Paris, 23 nov. 1989 : *Le couple*, h/cart. (65x81) : **FRF 130 000** – Paris, 29 nov. 1989 : *Composition* 1923, techn. mixte/cart. (22,5x22,5) : **FRF 12 000** – Paris, 13 déc. 1989 : *Personnage* 1926, h/pan. (64x97) : **FRF 150 000** – Paris, 31 jan. 1990 : *Paysage* 1927, h/cart. (29,5x23) : **FRF 12 500** – Paris, 19 mars 1990 : *Les Poupées* 1930, gche (56x38,5) : **FRF 19 500** – Paris, 29 mars 1990 : *couple au chapeau Gibus*, bronze à patine brun-noir (51x11x10) : **FRF 130 000** – Paris, 24 avr. 1990 : *Composition aux chiens*, h/cart. (73x54) : **FRF 130 000** – Paris, 3 mai 1990 : *Le Baiser vénitien*, h/pan. (16x27) : **FRF 33 000** – Paris, 21 mai 1990 : *Soleil rouge* vers 1937, bronze polychrome (18x12x6,3) : **FRF 60 000** – Paris, 7 nov. 1990 : *Les suiveurs* 1924, h/pan. (92x73) : **FRF 95 000** – New York, 10 oct. 1990 : *La loterie* 1937, h/t (81,4x100,4) : **USD 9 900** – Paris, 5 fév. 1991 : *La filature* 1923, h. cirée/cart. (39x31) : **FRF 35 000** – Paris, 19 mars 1992 : *Scènes de la vie parisienne* 1919, h. cirée/pan. (116,5x89,5) : **FRF 100 000** – Paris, 22 mars 1993 : *Séduction*, noyer patiné (H. 24,5) : **FRF 25 000** – Lokeren, 15 mai 1993 : *Deux personnages* 1926, h/pan. (14x22) : **BEF 110 000** – Paris, 3 juin 1993 : *La prière ou Femme agenouillée*, bronze (H. 24, l. 60) : **FRF 70 000** – New York, 30 juin 1993 : *Le marchand de lune* 1938, plâtre peint et construction de bois (H. 185,4) : **USD 8 913** – Paris, 21 oct. 1993 : *Prosternation*, acajou clair incrusté de coquilles d'œuf (H. 95, l. 51,5) : **FRF 192 000** – Londres, 1er déc. 1993 : *Femme à la cruche* 1919, h/cart. (72x55) : **GBP 6 900** – Paris, 8 mars 1994 : *Les Clowns*, bois polychrome, sculpture (42x15x10,8) : **FRF 150 000** ; *Le Journal ou Les Lecteurs* 1927, h/isor. (54,5x44) : **FRF 107 000** – Provins, 24 avr. 1994 : *Le grand écart*, bronze polychrome (112x35x18) : **FRF 75 000** – Paris, 24 nov. 1995 : *Les Noctambules*, bronze (H. 75) : **FRF 60 000** – Paris, 24 nov. 1996 : *Personnage cubiste* 1921, bronze patine vert foncé polychromé rouge, noir, blanc, vert (H. 47) : **FRF 16 000** – Paris, 13 déc. 1996 : *La Fenêtre* 1924, h/cart. (92x72) : **FRF 56 000** – Paris, 24 mars 1997 : *Les Promeneurs* vers 1927, bronze patine brune (31x14x14) : **FRF 45 000** – Paris, 5 juin 1997 : *La Prosternation* 1925-1928, bronze patine brune avec laque et coquilles d'œufs (93,5x50x11) : **FRF 45 000** – Paris, 20 juin 1997 : *Tête à la tresse* 1937, bronze polychrome patine rouge (44x18,5x17,5) : **FRF 34 000** – Paris, 19 oct. 1997 : *Couple au parapluie* vers 1923-1925, bronze patine noire (16x7,5x4,7) : **FRF 15 000**.

LAMBERT-SUSTERMAN. Voir **LOMBARD Lambert**

LAMBERT-TRISTAN Louise de, baronne, née **Chanton**
Née vers 1847. Morte le 2 août 1899 à Neuilly. XIXe siècle. Française.
Peintre de fleurs.
Elle figura au Salon de la Société des Artistes Français, sous son nom de jeune fille jusqu'en 1884, ensuite sous le nom de Lambert-Tristan.

LAMBERTI Alphonse
Né à Liège. Mort vers 1866 à l'hôpital de Bavière à Liège. XIXe siècle. Belge.
Peintre de marines, de paysages et restaurateur de tableaux.
Cité par Siret.

LAMBERTI Buonaventura
Né en 1652 à Capri. Mort le 19 septembre 1721 à Rouen. XVIIe-XVIIIe siècles. Italien.
Peintre de sujets religieux.
L'un des meilleurs élèves de Carlo Cignani. Après avoir travaillé à Modène pendant quelque temps, il s'établit à Rome et y acquit une réputation considérable. Il exécuta divers travaux pour les monuments publics, notamment *Saint François de Paul ressuscitant un enfant* dans l'église du Spirito Santo. On cite aussi plusieurs tableaux de chevalet de lui au Palazzo Gabrieli.

LAMBERTI Giorgio
XVIIe siècle. Actif à Cremone. Italien.
Peintre.
Il peignit en 1607 la fresque de coupole *Le Jugement dernier* et les fresques *Les Sybilles* de l'église S. Pietro al Po à Cremone ainsi que des fresques inspirées de la légende de saint Pierre.

LAMBERTI Michele di Matteo da Bologna ou **Lambertini**
XVe siècle. Actif à Bologne. Italien.
Peintre.
Lambertini est cité peignant à Venise en 1447, dans l'église de San Giovanni, *Les douze apôtres*. On voit de ses ouvrages dans les églises de S. Petronio et de San Giacomo à Bologne.
Musées : Bologne (Pina.) : *L'adoration des mages – Les trois miracles de Saint François*, prédelle – Bologne (Acad.) : *Pietà* – Modène : *Grisélidis* – Pesaro (Ateneo) : *La mort du héros de Celano – Saint François reçoit les stigmates* – Venise : polyptyque.

LAMBERTI Nicolo. Voir **NICOLO di Piero Lamberti**

LAMBERTI Piero. Voir **PIERO di Nicolo Lamberti**

LAMBERTIN Godfried
XVIIe siècle. Actif à Liège. Éc. flamande.
Peintre.
Cité par Siret.

LAMBERTINI C.
XIXe siècle. Actif en Italie. Italien.
Graveur au burin.

LAMBERTINI Giovanni Battista
XVIIe siècle. Actif à Bologne vers 1612. Italien.
Sculpteur sur bois.
Il sculpta les cadres du tableau d'autel : *La Vierge et les saints*, de F. Brizzi à l'église S. Francesco à Bologne et pour le tableau de Righetti *L'Adoration des Mages* dans l'église S. Agnese de la même ville.

LAMBERTINI Ludovico
XXe siècle. Français.
Peintre de portraits.
Il figura à l'Exposition internationale des Beaux-Arts de Venise en 1912 et 1924 et à celle de Rome en 1911.
Musées : Rome (Gal. d'Art Mod.) : *Portrait de la mère de l'artiste*.

LAMBERTO Jean François
XVIIIe siècle. Actif à Lons-le-Saunier. Français.
Sculpteur.
Il sculpta en 1717 avec son frère la chaire de l'église de Saint-Just en Arbois et fut chargé de l'exécution d'une chaire pour l'église des Franciscains de Lons-le-Saunier.

LAMBERTO Simone de
XVIe-XVIIe siècles. Actif à Naples de 1590 à 1604. Italien.
Sculpteur sur bois.
Il sculpta des cadres de bois pour différentes églises et un tabernacle pour l'église S. Francesco a Pontecorvo à Naples.

LAMBERTON Adrienne, née **Chapuson**
Née le 1er juin 1867 à Saint-Étienne (Loire). Morte en 1955 à Saint-Étienne (Loire). XIXe-XXe siècles. Française.
Peintre de portraits, paysages, aquarelliste, pastelliste.
Elle est nommée très jeune professeur de dessin et de peinture à l'école normale d'institutrices et au collège technique de Saint-Étienne. Elle fut l'épouse du sculpteur et peintre Joseph Louis Lamberton. Elle a exposé à Paris au Salon des Artistes Français, au Salon de Lyon et à Saint-Étienne, régulièrement avec son mari.
Elle a travaillé avec son mari, parfois sur les mêmes toiles ; aussi est-il parfois difficile d'attribuer certaines œuvres à l'un ou à l'autre. Elle l'a également aidé dans ses décorations monumentales.
Bibliogr. : Catalogue de l'exposition *Lamberton*, Musée d'Allard, Montbrison, 1987-1988.

LAMBERTON Joseph Louis
Né en 1867 à Saint-Jean-en-Royans (Drôme). Mort en 1943 à Saint-Étienne (Loire). XIXe-XXe siècles. Français.
Sculpteur de monuments, statues, peintre de portraits, nus, graveur de médailles, décorateur. Postimpressionniste.
Il fut élève de l'école des Beaux-Arts de Saint-Étienne, puis à Paris de l'École des arts décoratifs et de l'école des Beaux-Arts, tout en fréquentant les ateliers de J. P. Laurens, Benjamin Constant, Jacques-Émile Blanche et Falguière. Il revint par la suite s'installer définitivement à Saint-Étienne. Cet artiste, influencé par les impressionnistes, ne quitta dès lors jamais plus sa province. Néanmoins, on a pu voir de ses œuvres dans les galeries parisiennes. Il participa en 1891 à l'Exposition universelle de Saint-Étienne ; à partir de 1899 au Salon des Artistes Français à Paris et où il obtint une mention honorable en 1910 ; en 1937 à l'Exposition internationale de Paris, où il obtint une médaille de bronze. En 1988, le Musée de Montbrison a montré une exposition d'ensemble de son œuvre.
Outre ses sculptures et de très nombreuses décorations monumentales pour des églises ou bâtiments publics, notamment pour la salle des mariages de la mairie de Saint-Étienne, il a réalisé environ 250 peintures, portraits, natures mortes, nus, compositions animées.
Bibliogr. : Catalogue de l'exposition *Lamberton*, Musée d'Allard, Montbrison, 1987-1988.
Musées : Saint-Étienne (Mus. d'Art et d'Industrie) : plusieurs peintures.
Ventes Publiques : Saint-Étienne, 15 mars 1988 : *Nu*, h/pan. (37x27) : **FRF 15 000** – Saint-Étienne, 23 mai 1989 : *Jardin*, aquar. (15x21) : **FRF 4 000**.

LAMBERTS Gerrit
Né le 19 octobre 1776 à Amsterdam. Mort le 16 avril 1850 à Amsterdam. XIXe siècle. Hollandais.
Peintre d'architectures, paysages, dessinateur, aquarelliste, graveur.
Libraire, il devint conservateur du Musée d'Amsterdam. Il a peint surtout des paysages et des vues d'architectures. Membre de l'Académie d'Amsterdam.

Ventes Publiques : Amsterdam, 25 nov. 1991 : *Rue d'Anvers avec la cathédrale au fond*, craie noire et aquar. (36,7x29,4) : **NLG 2 300** – Amsterdam, 17 nov. 1993 : *Le Haarlemmerluis à Amsterdam*, craie et lav. (25,5x36,7) : **NLG 4 370** – Amsterdam, 15 nov. 1994 : *Vaste paysage* 1813, encre et aquar. (19,7x34,4) : **NLG 3 335** – Amsterdam, 15 nov. 1995 : *Vue du Herengracht à Amsterdam avec le pont relayant Hartenstraat à Gasthuismolensteeg* 1818, encre et lav. (20,9x30,5) : **NLG 7 316**.

LAMBERTS Joseph
XVIIIe siècle. Actif à Bruxelles. Éc. flamande.
Peintre.
Reçu franc-maître en 1738. Il était archer dans la garde d'honneur de Charles de Lorraine.

LAMBERTSZ Abraham. Voir **TEMPEL Abraham Lambertsz Jacobsz**

LAMBERTSZ Gerrit ou **Lambertsen**
XVIIe siècle. Actif à Elseneur. Danois.
Sculpteur.
Il exécuta deux statues pour le jardin de Rosenborg à Copenhague.

LAMBERTSZ Thomas
XVIIe siècle. Actif à Utrecht en 1648. Hollandais.
Peintre sur verre.
Cité par Siret.

LAMBERTY Clélie
Née en 1930 à Chênée. XXe siècle. Belge.
Peintre de paysages, aquarelliste, graveur.
Bibliogr. : In : *Diction. biogr. illustré des artistes en Belgique depuis 1830*, Arto, Bruxelles, 1987.
Musées : Liège (Mus. d'Art wallon).

LAMBESSIS P.
Né à Salamine. XIXe-XXe siècles. Grec.
Peintre de portraits, paysages.

Il fut élève de Lindenchsmith. Il obtint une mention honorable en 1900 à l'Exposition universelle de Paris.

LAMBILLIOTTE Alain
Né le 4 avril 1948 à Dieppe (Pas-de-Calais). XXe siècle. Français.
Auteur d'assemblages, technique mixte, graveur. Abstrait.
Il fut élève de l'école des Beaux-Arts de Montpellier. Il vit et travaille à Vitry-sur-Seine. Il participe à des expositions collectives, dont : 1972 *Cent artistes dans la ville* à Perpignan ; 1973 Salon des Réalités Nouvelles à Paris ; 1977 *Travaux 77* au musée d'Art moderne de la Ville de Paris ; 1977 et 1978 Salon de Mai à Paris ; 1978 *Impact III* au musée d'Art et d'Industrie de Saint-Étienne ; 1987 Fondation Nationale des Arts à Paris ; 1992 *Singularités* à la galerie Marwan Hoss à Paris. Il se manifeste aussi dans des expositions personnelles : 1982, 1984 et 1988 galerie Lucien Durand à Paris ; 1984 Marseille ; 1985 Tübingen et Reutlingen ; 1987 Nuremberg.
En 1977, il réalise des pièces de vinyl, qu'il recouvre de nombreuses couches de peinture. Il adopte la technique du *shaped canvas* (format découpé) attribuée à Frank Stella. Puis le papier disparaît, il assemble des morceaux de bois et matériaux divers qu'il peint, dans un acte de création spontané, hors de toutes normes.

Alain Lambilliotte

BIBLIOGR. : Catalogue de l'exposition : *Lambilliotte – Travaux 1977-1984*, Chapelle de la charité, Marseille, 1984.
MUSÉES : PARIS (BN) – PARIS (CNAC) : *Tahiti Noir* 1987 – PARIS (Mus. Nat. d'Art Mod.) – SAINT-ÉTIENNE (Mus. d'Art et d'Industrie).
VENTES PUBLIQUES : PARIS, 30 jan. 1989 : *Sculpture de bois peint* 1987 (136x8x45) : **FRF 5 500**.

LAMBILLIOTTE Françoise
Née en 1923 à Incourt. XXe siècle. Belge.
Peintre. Expressionniste.
Ses œuvres sont figuratives.
BIBLIOGR. : In : *Diction. biogr. illustré des artistes en Belgique depuis 1830*, Arto, Bruxelles, 1987.
VENTES PUBLIQUES : BRUXELLES, 13 déc. 1990 : *Peinture 2* 1952, h/pan. (50x40) : **BEF 96 900** – LOKEREN, 9 oct. 1993 : *Composition*, h/t (80,5x100,5) : **BEF 48 000**.

LAMBILLON Humbert ou **Lambillion**
Originaire de Namur. XIVe siècle. Actif à Dijon. Français.
Sculpteur.
Sous la direction de Claux Sluter, Lambillon travailla à Dijon, en 1397 et 1398, à la décoration du tombeau de Philippe le Hardi.

LAMBILLOTTE Alain
Né en 1948 à Charleroi (Hainaut). XXe siècle. Belge.
Peintre, illustrateur, graveur.
Il fut élève de l'académie des Beaux-Arts de Mons et de La Cambre à Bruxelles. Il est professeur d'arts plastiques.
Il introduit dans ses œuvres proches de l'esprit du pop'art des objets de consommation courante.
BIBLIOGR. : In : *Diction. biogr. illustré des artistes en Belgique depuis 1830*, Arto, Bruxelles, 1987.

LAMBILLOTTE Georges
Né en 1915 à Barnet. XXe siècle. Actif en Belgique. Britannique.
Peintre de paysages, dessinateur.
Il fut élève des académies des Beaux-Arts de Namur et Bruxelles. Il a représenté les Ardennes et la Gaume.
BIBLIOGR. : In : *Diction. biogr. illustré des artistes en Belgique depuis 1830*, Arto, Bruxelles, 1987.
VENTES PUBLIQUES : BRUXELLES, 19 déc. 1989 : *La Meuse à Bouillon*, h/pan. (50x60) : **BEF 40 000**.

LAMBINE Piotr Borissovitch
Né le 15 mai 1862. XIXe-XXe siècles. Russe.
Peintre de paysages, peintre de décors de théâtre.
Il travailla pour les théâtres de Saint-Pétersbourg.

LAMBINET
XVIIIe siècle. Actif à Sens vers 1767. Français.
Peintre d'histoire.
Il peignit à Sens en 1767 une bannière représentant d'un côté l'*Ascension de la Vierge* et de l'autre *Saint Nicolas guérissant un enfant*. Ces peintures d'un dessin un peu faible sont d'une jolie couleur rappelant Carle Van Loo.

LAMBINET Émile Charles
Né le 13 janvier 1815 à Versailles. Mort en 1877 à Bougival. XIXe siècle. Français.
Peintre de paysages animés, animaux.
Élève de Drolling, Boisselier et H. Vernet. Il exposa au Salon entre 1833 et 1878. Lambinet fut aussi élève de Corot et de Daubigny. Ce fut surtout de la conception de ces deux maîtres qu'il s'inspira, tout en conservant une forme très particulière, médaille en 1843, 1853 et 1857, chevalier de la Légion d'honneur en 1867.

Emile Lambinet 1850.

MUSÉES : AMIENS : *Les baigneuses* – AVIGNON : *Bords du Gardon, le soir* – BESANÇON : *Le cours de l'Yvette* – BREST : *Bac à l'île de Croissy* – CAMBRAI : *Un étang dans la vallée de Chevreuse* – *Intérieur de chaumière* – DIEPPE : *Le bassin de la Retenue à Dieppe* – DUBLIN : *Paysage* – GLASGOW : *Scène au bord de la mer* – MONTPELLIER : *Matinée d'automne* – MOULINS : *Paysage du Dauphiné* – MULHOUSE : *Paysage* – SHEFFIELD : *Paysage* – STRASBOURG : *Paysage* – TOURS : *Route des champs*.
VENTES PUBLIQUES : PARIS, 1878 : *Le village de Ouisseville (Manche)* : **FRF 1 950** – PARIS, 1888 : *Aux bords de la Marne* : **FRF 1 250** – PARIS, 17 fév. 1896 : *Paysage* : **FRF 1 000** – PARIS, 17 mai 1897 : *Le pêcheur à la ligne* : **FRF 620** – PARIS, 30 mars 1904 : *Chaumière normande dans le pays de Caux* : **FRF 405** – PARIS, 8-9 mai 1905 : *Le lac* : **FRF 980** – PARIS, 13 mai 1905 : *Paysage* : **FRF 1 700** – PARIS, 12 avr. 1909 : *Matinée de printemps* : **FRF 920** ; *Chemin d'Ézanville, près Écouen* : **FRF 1 480** – NEW YORK, 15-16 avr. 1909 : *Paysage d'Angleterre* : **USD 400** – PARIS, 25 mai 1909 : *La mare* : **FRF 2 450** – LONDRES, 16 juil. 1909 : *La Ferme* : **GBP 23** – LONDRES, 18 avr. 1910 : *Bords de rivière* : **GBP 30** – LONDRES, 17 juin 1910 : *La Seine à Bougival* 1872 : **GBP 168** – LONDRES, 17 déc. 1910 : *Paysage* 1858 : **GBP 63** – PARIS, 25 nov. 1913 : *Une vallée en Suisse* : **FRF 110** – PARIS, 21 juin 1919 : *Bords d'étang* : **FRF 2 300** – PARIS, 26-27 mars 1920 : *La ferme au bord de l'eau* : **FRF 2 100** – PARIS, 4-5 mars 1921 : *Bords de rivière* : **FRF 2 300** – PARIS, 26 oct. 1925 : *Chaumière à l'orée d'un bois* : **FRF 1 340** – LONDRES, 3 mai 1926 : *La fin du jour* : **GBP 52** – LONDRES, 13 mai 1927 : *Vue de la Seine à Bougival* : **GBP 42** – PARIS, 8 mai 1936 : *La mare aux canards* : **FRF 1 120** – PARIS, 11 juil. 1941 : *Le Jardin près de la chaumière* : **FRF 1 450** – PARIS, 8 juil. 1942 (sans indication de prénom) : *Vaches au pâturage* : **FRF 5 000** – PARIS, 10 fév. 1943 : *La chaumière* : **FRF 15 100** – PARIS, 24 mai 1944 : *Scènes champêtres* 1860 : **FRF 22 000** – PARIS, 14 nov. 1944 : *Paysage* : **FRF 5 600** – PARIS, 27 nov. 1944 : *Paysage* : **FRF 9 200** – PARIS, oct. 1945-juil. 1946 : *Le vieux moulin* : **FRF 5 200** – PARIS, 27 jan. 1947 : *Ferme dans la verdure* : **FRF 21 000** – MARSEILLE, 8 avr. 1949 : *Hameau au bord d'un chemin creux* : **FRF 12 000** – PARIS, 20 fév. 1950 : *Bord d'étang* ; *Paysage*, deux pendants : **FRF 38 000** – PARIS, 28 mai 1951 : *Paysage au troupeau* : **FRF 20 000** – LONDRES, 14 nov. 1973 : *Paysage aux environs d'Écouen* : **GBP 1 000** – LONDRES, 1er nov. 1974 : *Village du Pays de Caux* : **GNS 600** – LONDRES, 19 mai 1976 : *Pêcheurs au bord d'un étang* 1861, h/pan. (28x47) : **GBP 800** – PARIS, 28 fév. 1977 : *La ferme au bord de l'eau* 1857, h/t (56x101) : **FRF 8 500** – AMSTERDAM, 31 oct 1979 : *Bergère et troupeau au bord d'une rivière* 1867, h/t (85x128,5) : **NLG 9 000** – NEW YORK, 11 fév. 1981 : *Troupeau à l'abreuvoir* 1855, h/pan. (27x41) : **USD 5 500** – VERSAILLES, 18 déc. 1983 : *Barques amarrées près des arbres* 1867, aquar. (15,5x23,5) : **FRF 13 500** – COPENHAGUE, 8 nov. 1983 : *Le Passeur sur la Seine près de Bougival* 1874, h/t (60x74) : **DKK 48 000** – LONDRES, 17 mai 1985 : *Scène de moisson*, h/pan. (25,5x44,5) : **GBP 2 000** – LA VARENNE-SAINT-HILAIRE, 22 juin 1986 : *Les Grands Arbres près de la rivière*, h/t (41x65) : **FRF 34 000** – PARIS, 21 déc. 1987 : *L'Étang*, h/pan. (24x32,5) : **FRF 33 000** – PARIS, 21 déc. 1987 : *L'Étang* 1867, h/pan. (24x32,5) : **FRF 33 000** – CALAIS, 3 juil. 1988 : *Paysage*, h/t (40x54) : **FRF 15 000** – COLOGNE, 15 oct. 1988 : *Jour d'été à la campagne*, h/t (36x63) : **DEM 3 300** – CHARLEVILLE-MÉZIÈRES, 19 nov. 1989 : *La route* (33x54) : **FRF 7 200** – PARIS, 4 avr. 1990 : *Hameau dans les pâturages*, h/pan. (33x49,5) : **FRF 66 000** – LONDRES, 19 juin 1991 : *L'église de Croissy, effet du matin* 1862, h/pan. (38,5x61) :

GBP 5 500 - PARIS, 5 avr. 1992 : *Bord de rivière* 1874, h/t (84,5x130) : **FRF 55 000** - NEW YORK, 27 mai 1992 : *Bergers menant leurs troupeaux dans les prés*, h/t (51,5x73) : **USD 7 700** - NEW YORK, 29 oct. 1992 : *Rivière boisée*, h/t (27,9x48,2) : **USD 1 870** - PARIS, 25 nov. 1992 : *Canards sur un étang* 1876, h/t (38x55) : **FRF 30 000** - COPENHAGUE, 5 mai 1993 : *Paysage avec des travailleurs aux champs* 1868, h/t (25x36) : **DKK 13 000** - PARIS, 30 juin 1993 : *Le bois*, h/pan. (18x24) : **FRF 8 000** - NEW YORK, 15 oct. 1993 : *Ferme au bord de l'eau*, h/pan. (25,4x44,4) : **USD 2 530** - MONTRÉAL, 23-24 nov. 1993 : *Le chemin du bois*, h/t (39,4x57,8) : **CAD 6 500** - PARIS, 15 déc. 1993 : *Le chemin des vaches*, h/pan. (41,2x70,2) : **FRF 37 000** - NEW YORK, 16 fév. 1994 : *Personnages sur le rivage d'un fleuve*, h/t (30,5x46,4) : **USD 4 600** - PARIS, 6 avr. 1994 : *Repas près de la rivière*, h/t (21x32) : **FRF 15 500** - LONDRES, 11 oct. 1995 : *La pêche au bord de la rivière* 1960, h/pan. (24x33) : **GBP 2 300** - PARIS, 3 avr. 1996 : *Chaumière en bord de mer* 1866, h/pan. (31,5x46) : **FRF 16 000** - NEW YORK, 18-19 juil. 1996 : *Vaches se désaltérant au bord d'une rivière* 1863, h/pan. (21,6x21,6) : **USD 2 875**.

LAMBLOT Albert
Né en 1892 à St-Gilles (Brabant). XXe siècle. Belge.
Peintre de paysages, portraits, natures mortes, illustrateur.
BIBLIOGR. : In : *Diction. biogr. illustré des artistes en Belgique depuis 1830*, Arto, Bruxelles, 1987.

LAMBORNE Peter Spendelowe
Né en 1722 à Londres. Mort en 1774 à Cambridge. XVIIIe siècle. Britannique.
Graveur et miniaturiste.
Inscrit dans The Incorporated Society of Artists. Il résidait à Cambridge, où il travailla pour les antiquaires et les architectes.

LAMBOTTE André
Né en 1943 à Namur. XXe siècle. Belge.
Peintre, dessinateur, graveur. Abstrait.
Il fut élève de l'académie des Beaux-Arts de Namur, où il vit et travaille. Il participe à des expositions collectives depuis 1971 : 1975, 1976, 1978, 1980 palais des Beaux-Arts de Bruxelles ; 1976 musée des Beaux-Arts de Mons ; 1980 Maison de la culture de Namur ; 1984 fondation Miro à Barcelone ; 1985 Grand Palais à Paris. Il montre ses œuvres dans des expositions personnelles : 1973, 1978 Namur ; 1982 palais des Beaux-Arts de Bruxelles ; 1984 Centre d'art contemporain de Bruxelles... Il a reçu le prix de la Jeune Peinture belge en 1974, 1979.
En 1973, il abandonne peinture et toile, pour le papier, le noir et le blanc, dans ses *anthropographies*. Il poursuit dans ses lavis et encres, les méandres de la ligne qui se répète inlassablement sur la toile, telle une écriture indéchiffrable.
BIBLIOGR. : Catalogue de l'exposition : *Lambotte*, Palais des Beaux-Arts, Bruxelles, 1982 - in : *Diction. biogr. illustré des artistes en Belgique depuis 1830*, Arto, Bruxelles, 1987.
MUSÉES : BRUXELLES (Mus. roy. des Beaux-Arts) - LIÈGE (Mus. d'Art Mod.).

LAMBOURN George
Né le 18 juillet 1900 à Londres. XXe siècle. Britannique.
Peintre de paysages, portraits.
Il a étudié à Londres, à la Royal Academy de 1924 à 1927, puis est venu à Paris. De nouveau installé en Grande-Bretagne, il peint surtout des paysages de Cornouailles.
MUSÉES : LONDRES (Tate Gal.) : *Portrait d'un communiste*.

LAMBRACT. Voir **LAMBRECHTS Jan Baptist**

LAMBRANZI Giovanni Battista
XVIIIe siècle. Actif dans la première moitié du XVIIIe siècle. Éc. vénitienne.
Peintre.
On cite parmi ses œuvres, à Venise, à l'église S. Maria del Carmine, *Triomphe de l'Ordre du Mont Carmel*, et *Saints* de cet Ordre, *Mort de Saint Élie*, un tableau de plafond et à l'église S. Pantaleone *Saint Bernard*. A Zenson di Piave, l'église paroissiale conserve deux immenses tableaux dans le chœur et, à Fossalta di Piave, on voit *Miracle de l'hostie de saint Antoine*.
VENTES PUBLIQUES : COPENHAGUE, 15 nov. 1968 : *Ruines d'un palais* : **DKK 18 000**.

L'AMBRE Jacob de
XVIIe siècle. Hollandais.
Dessinateur et graveur.
Les Archives de la Ville d'Amsterdam conservent de la main de cet artiste un plan dessiné, pour des fortifications à Amsterdam.

LAMBRE Sylvain
Né en 1889 à Bruges. Mort en 1958 à Bruxelles. XXe siècle. Belge.
Peintre de paysages, marines, intérieurs. Expressionniste.
Une certaine naïveté hante ses œuvres.
BIBLIOGR. : In : *Diction. biogr. illustré des artistes en Belgique depuis 1830*, Arto, Bruxelles, 1987.
VENTES PUBLIQUES : LOKEREN, 5 mars 1988 : *Rue en hiver*, h/t (72x81) : **BEF 44 000** - LOKEREN, 10 déc. 1994 : *Rue de village*, h/t (50x60) : **BEF 48 000** - LOKEREN, 11 mars 1995 : *Intérieur d'écurie*, h/t (60x70) : **BEF 28 000**.

LAMBRECHT Constant
Né en 1915 à Roulers (Flandre-Occidentale). Mort en 1993. XXe siècle. Belge.
Peintre. Abstrait.
Il fut élève de l'académie des Beaux-Arts de Roulers. Il étudia aussi à l'académie de la Grande Chaumière à Paris.
VENTES PUBLIQUES : LOKEREN, 7 oct. 1995 : *Composition*, h/pan. (73x53) : **BEF 36 000** - LOKEREN, 9 mars 1996 : *Kermesse*, h/pap./pan. (71,5x53,5) : **BEF 33 000** - LOKEREN, 8 mars 1997 : *Leieland* 1942, h/t (48x56) : **BEF 17 000** - RUMBEKE, 20-23 mai 1997 : *Femme au chapeau*, h/cart. (29,7x25,1) : **BEF 22 140**.

LAMBRECHT Jean
XVIe siècle. Actif à Anvers. Belge.
Peintre verrier.
En 1533 il était dans la gilde d'Anvers ; en 1545 il avait pour élève Hans Vereycke.

LAMBRECHT Josse ou **Jodocus**. Voir **LAMBERT**

LAMBRECHT Karin
XXe siècle. Brésilienne.
Peintre. Tendance néo-expressionniste.
Elle fut élève de la Hochschule der Kunst de Berlin. Elle vit et travaille dans le Sud du Brésil.
Elle s'inspire de la réalité élevant le quotidien dans des compositions pleines d'imagination.
BIBLIOGR. : Agnaldo Farias : *Brésil : petit manuel d'instructions*, Art press, n° 221, Paris, févr. 1997.

LAMBRECHT Karl
Né le 26 octobre 1878 à Flensbourg. XXe siècle. Allemand.
Peintre de paysages.
MUSÉES : WEIMAR (Mus. mun.) : *Paysage*, étude.

LAMBRECHTS Arent
XVIe siècle. Suédois.
Peintre.
Il travailla pour la cour de Suède aux châteaux de Kalmar, Borgholm, Vadstena et Stockholm. La collection de portraits de Gripsholm possède un *Portrait du Professeur J. Messenius* qui lui est attribué.

LAMBRECHTS Bernadette
Née en 1927 à Soulaines d'Huys. XXe siècle. Belge.
Peintre de compositions murales.
Elle fut élève de l'académie des Beaux-Arts de La Cambre à Bruxelles.
BIBLIOGR. : In : *Diction. biogr. illustré des artistes en Belgique depuis 1830*, Arto, Bruxelles, 1987.

LAMBRECHTS C.
XVIIe siècle. Éc. flamande.
Peintre d'histoire et de genre.
Siret cite à tort comme étant de lui une grisaille, *Fécondité*, entourée d'une guirlande de fruits signée Jean David de Heem, au Musée de Bruxelles dont le groupe de figures a été peint par Jean-Baptiste Lambrechts, cinquante ans après les fleurs.
VENTES PUBLIQUES : PARIS, 13 juin 1921 : *Le repas villageois* ; *Les Joueurs de cartes* : **FRF 600**.

LAMBRECHTS Henrik
XVIIe siècle. Éc. flamande.
Peintre de genre.
Élève de Jan Miel. Le Musée de Béziers conserve de lui, un *Intérieur de taverne flamande*.

LAMBRECHTS Jan Baptist ou **Lambercht** ou **Lambreck**
Baptisé à Anvers le 28 février 1680. Mort après 1731. XVIIIe siècle. Éc. flamande.
Peintre de genre, intérieurs.

En 1703, il alla en France pour y être marchand de tableaux ; on le signale en 1704 à Lille et en 1709 il était de retour à Anvers ; en 1721, il fut membre du Ouden Vœtboog ; en 1731 il avait quitté Anvers et on perd sa trace ; il est probable qu'il alla en Allemagne et jusqu'à Vienne où ses tableaux sont nombreux. Le catalogue du Musée de Nuremberg mentionne deux tableaux d'intérieur d'un Lambrecht sans prénom, travaillant à Augsbourg, vers 1750, qui nous paraît identique à notre peintre. Bien probablement le même artiste que le peintre Lambract cité par le catalogue du Musée de Bayonne comme auteur de deux intérieurs flamands.

Lambrechts Pinxit

Musées : Bourges : *Scène d'intérieur – Même sujet* – Brunswick : *Société – Même sujet* – Bruxelles : *Fécondité*, collaboration avec D. de Heem – Dunkerque : *Groupe de figures autour d'une table* – Eger (Mus. Épiscopal) : *Danse dans la taverne – Crieur de foire* – Florence (Mus. des Offices) : *Tableau de genre – Même sujet* – Gand : *Fête champêtre* – Graz : *Marché en Italie* – Lille : *La guinguette – Le café* – Moulins : *Intérieur – Même sujet* – Nancy : *Le marchand de légumes – La marchande de légumes* – Nantes : *Intérieur* – Prague : *Scène d'auberge – Même sujet* – Riga : *Marché* – Stockholm : *Conversation – Même sujet* – Vienne (Liechtenstein) : quatre scènes de genre.

Ventes Publiques : Paris, 3 mars 1891 : *Cabaret* : **FRF 260** – Paris, 27 fév. 1896 : *Mangeurs de moules* : **FRF 310** – Paris, 29 juin 1900 : *Marché aux légumes* : **FRF 155** – Paris, 22-23 mars 1901 : *Scène familiale* : **FRF 256** – Paris, 22-24 avr. 1901 : *La Collation* : **FRF 880** – Paris, 5 mars 1913 : *Les marchands de légumes* : **FRF 400** – Paris, 17 nov. 1934 : *Intérieur de cuisine ; Le Repas*, ensemble : **FRF 810** – Paris, 20 mars 1942 : *Le Bal, L'Invitation à la Danse* : **FRF 20 100** – Paris, 19 mars 1945 : *La Collation ; La Danse*, deux pendants : **FRF 46 100** – Paris, 18 déc. 1946 : *Intérieur de paysans* : **FRF 6 200** – Bruxelles, 12 mars 1951 : *Joyeuse compagnie ; Intérieur avec personnages*, deux pendants : **BEF 13 000** – Paris, 29 juin 1955 : *Personnages dans un intérieur* : **FRF 28 000** – Lucerne, 26-30 juin 1962 : *Intérieur avec personnages*, deux pendants : **CHF 8 500** – Londres, 10 mai 1963 : *Joyeuse compagnie dans un paysage* : **GNS 320** – Londres, 24 avr. 1970 : *Intérieur de cuisine animé de personnages* : **GNS 800** – Londres, 7 juin 1974 : *Scène d'intérieur* : **GNS 2 600** – Cologne, 14 juin 1976 : *La cuisine de l'auberge*, h/t (58,5x59,5) : **DEM 10 000** – Versailles, 13 nov. 1977 : *Scène d'intérieur*, h/t (51x58) : **FRF 13 000** – Paris, 15 déc. 1980 : *La réjouissance devant l'auberge*, h/t (49,5x40) : **FRF 19 000** – Lille, 24 avr. 1983 : *La Collation devant la chaumière*, h/t (29,5x36,5) : **FRF 50 000** – Londres, 3 avr. 1985 : *Scène champêtre représentant les Cinq Sens*, h/pan., suite de cinq (31,5x23) : **GBP 13 500** – Monte-Carlo, 7 déc. 1987 : *Intérieur de cuisine avec des serviteurs préparant des légumes*, h/t (56,5x49) : **FRF 55 000** – New York, 21 oct. 1988 : *Avant et après le dîner*, h/t, une paire (chaque 55,2x45,6) : **USD 3 850** – Paris, 23 jan. 1989 : *Scènes d'intérieur*, deux h/t, formant pendant, chacune (39x31,5) : **FRF 32 000** – Londres, 30 mars 1989 : *Danses campagnardes et divertissements devant l'auberge*, h/t (57,2x48,3) : **GBP 1 210** – Monaco, 2 déc. 1989 : *Scène de taverne*, h/pan. (16,5x20) : **FRF 33 300** – Paris, 8 déc. 1989 : *Scène d'intérieur avec repas de paysans près du feu* (48x67) : **FRF 110 000** – New York, 11 oct. 1990 : *Paysans préparant un banquet dans une cour d'auberge*, h/t (48x57) : **USD 7 150** – Paris, 30 jan. 1991 : *Paysans attablés*, deux h/pan. (24x20) : **FRF 85 000** – Monaco, 21 juin 1991 : *Scènes d'intérieur de cuisine avec personnages*, h/pan., une paire (chaque 26,5x22,3) : **FRF 88 800** – Paris, 3 juil. 1991 : *La collation devant l'auberge ou L'heure du café*, h/t (84,5x69,5) : **FRF 45 000** – Londres, 11 déc. 1991 : *Personnages prenant un raffraîchissement devant la maison*, h/t (82x87,5) : **GBP 4 840** – Amsterdam, 7 mai 1992 : *Personnages costumés pendant le carnaval dans un intérieur*, h/t (42x50) : **NLG 8 050** – Paris, 26 juin 1992 : *La collation*, h/t (29,3x22,8) : **FRF 190 000** – New York, 15 oct. 1992 : *Personnages élégants dans un intérieur prenant une collation avec des serviteurs*, h/t, une paire (chaque 62,3x48,9) : **USD 14 300** – Londres, 23 avr. 1993 : *Jeune chasseur courtisant une servante devant une auberge*, h/t (41,2x48,6) : **GBP 6 670** – Amsterdam, 16 nov. 1993 : *Jeune femme en joyeuse compagnie*, h/pan. (33,5x27,5) : **NLG 18 400** – Amsterdam, 6 mai 1996 : *Paysans dans une cuisine*, h/pan. (28x22,5) : **NLG 4 956** – New York, 4 oct. 1996 : *Un couple assis dans une taverne*, h/pan. (24,7x20,3) : **USD 4 025** – Cannes, 7 août 1997 : *Le Repas galant*, t. (41x33) : **FRF 30 000**.

LAMBRECHTZ LONCKE Jacob
Né vers 1580 à Zierikzee. xviie siècle. Hollandais.
Peintre portraitiste.
Il fit partie en 1618 de la Gilde de Ziereksee. Le Musée d'Amsterdam possède de lui deux portraits, celui de *Philippe le Mire*, et celui de sa femme.

LAMBRI Stefano, dit **Stefanino da Cremona** ou **Stevenino Cremonese**
Mort en 1649. xviie siècle. Actif vers 1620. Italien.
Peintre d'histoire et de portraits.
Élève du chevalier Trotti. Il peignit en 1632, pour l'église des dominicains de Crémone, *Saint Guillaume et saint Louis Bertrand*.
Ventes Publiques : Milan, 17 déc. 1987 : *Les Amants*, h/t (169x140) : **ITL 28 000 000**.

LAMBRICHS Edmond Alphonse Charles
Né en 1830 à Bruxelles. Mort en 1887 à Bruxelles. xixe siècle. Belge.
Peintre de portraits.
Élève de de Groux. Le Musée de Bruxelles conserve de lui *Les membres du Comité de la Société libre des Beaux-Arts*, dont il fut l'un des fondateurs.

E Lambrichs

Ventes Publiques : Bruxelles, 4 déc. 1973 : *Félicité maternelle* : **BEF 280 000**.

LAMBRON DES PILTIÈRES Albert Anatole Martin Ernest
Né le 13 mai 1836 à Saint-Calais (Sarthe). xixe siècle. Français.
Peintre de genre, animalier.
Élève de Flandrin et de Gleyre. Débuta au Salon en 1859.
Musées : Angers : *La Vierge aux oiseaux* – Le Mans : *Une Réunion d'amis*.
Ventes Publiques : Paris, 1867 : *Un flaneur* : **FRF 700** – Paris, 21 oct. 1936 : *Les deux clowns* : **FRF 200** – New York, 17 avr. 1974 : *La jolie souris blanche* : **USD 2 200** – Paris, 10 déc. 1990 : *Le dresseur de chiens* 1886, h/t (41x28) : **FRF 13 000**.

LAM-DONG
Né vers 1920 à Canton. Mort vers 1987. xxe siècle. Depuis 1947 actif en France. Chinois.
Peintre.
À Paris, il exposait au Salon des Artistes Français, dont il était sociétaire. Son atelier a été vendu à l'Hôtel Drouot en 1996.

LAME Alain
Né le 9 juin 1965 à Paris. xxe siècle. Français.
Peintre. Abstrait.
Il participe à des expositions collectives à Paris et Trouville.
Des tourbillons de couleurs vives, turquoises, roses tyrien envahissent la toile.
Ventes Publiques : Paris, 3 juil. 1992 : *Circulation atmosphérique* 1991, h/t (89x116) : **FRF 4 600**.

LAME Biagio dalle. Voir **PUPINI**

LA MEERE. Voir **MEERE**

LAMEIRA Nicolas ou **Lameyra**
xviiie siècle. Actif à Santiago-de-Galicie. Espagnol.
Peintre.
Élève de l'Académie de Madrid, il peignit pour le Conseil municipal de Santiago en 1794 un portrait du roi *Charles IV* et décora les sculptures de José Ferreydo de l'église de Loureda.

LAMEIRE Charles Joseph
Né en 1832 à Paris. Mort le 20 août 1910 à Sainte-Foy-lès-Lyon (Rhône). xixe-xxe siècles. Français.
Peintre décorateur.
Élève de Dennelle, médailles en 1866 et 1867 ; chevalier de la Légion d'honneur. Professeur à l'École des Arts décoratifs. Le Musée de Limoges conserve de lui : *Le Paon, Le Héron, Le Fla-*

mand et douze dessus de porte, exécutés pour la décoration du Comptoir National d'Escompte.

LAMELAS David
Né le 12 décembre 1946 à Buenos Aires. XXe siècle. Actif aux États-Unis. Argentin.
Créateur d'installations, multimédia, vidéaste. Conceptuel.
En 1958, il eut son premier choc esthétique devant les *Ménines* de Velasquez au Prado. Il étudia à l'académie des Beaux-Arts de Buenos Aires de 1960 à 1965. Il joua un rôle important dans les activités de l'Institut Di Tella de Buenos Aires. Il y fit sa première intervention en 1963. Il vécut à Londres, où il suivit les cours de la Saint Martin's School of Art de 1968 à 1969, puis s'installa à Los Angeles. Il participe à des expositions collectives : 1967 Biennale de São Paulo ; 1968, 1970 Biennale de Venise ; 1971 Biennale de Paris ; 1973 Documenta de Kassel ; 1974 Kunsthalle de Cologne. En 1970, pour la Biennale de Venise, il reprit une installation exploitée auparavant à l'Institut de Buenos Aires, avec dix-sept téléviseurs fonctionnant en même temps. Il montre ses œuvres dans des expositions personnelles : à Buenos Aires en 1965, 1966 et notamment au Centre d'Art et Communication en 1978 ; à Milan en 1970, 1972, 1974 ; à Anvers en 1970, 1971, 1972, 1973, 1975 ; à Paris en 1970, 1971 et notamment au musée d'Art moderne en 1975 ; à Londres en 1970, 1972 et notamment à l'Institute of contemporary Art en 1975 ; au palais des Beaux-Arts de Bruxelles en 1975 ; au Whitney Museum de New York en 1976.
Lamelas utilise essentiellement les photos et les vidéos-films comme médias d'expression. Son art est avant tout une réflexion sur l'anonymat. En effet, le choix des photos est d'une absolue neutralité, il s'agit de photos *passe-partout*, de villes *passe-partout* qui n'ont d'autre intérêt que justement cette anonyme morosité, ce manque total d'identité. En plans fixes ou en films, l'attention est toute entière attirée vers un non-message comme en témoigne un extrait d'une interview de l'écrivain Marguerite Duras, qui par son montage, tendait surtout à prouver que l'information ne franchissait aucune distance et restait vide.
Bibliogr. : Alain Jouffroy : *David Lamelas*, Opus International, Paris, mai 1970 – Severo Sarduy : *L'Effect : écran*, Art Press, Paris, mars 1973 – Damian Bayon, Roberto Pontual, in : *La Peinture de l'Amérique latine au XXe siècle*, Mengès, Paris, 1990.
Musées : Londres (Arts Council of Great Britain) – Paris (Mus. Nat. d'Art Mod.).

LAMEN Christoffel Jacobsz Van der ou **Laemen** ou **Laenen**
Né vers 1606 ou 1615 probablement à Bruxelles. Mort en 1651 à Anvers. XVIIe siècle. Éc. flamande.
Peintre de compositions à personnages, scènes de genre, intérieurs.
Élève de son père Jacob Van der Lamen et peut-être de Fr. Francken II, il fut maître à Anvers en 1636, épousa le 15 février 1642 Maria Michielsen et eut deux fils et quatre filles. Il eut pour élève en 1637 Jérôme Janssens.

VL

Musées : Budapest : *La visite* – Coblence – Copenhague : *Réunion avec un couple dansant* – Darmstadt – Dunkerque : *Joueurs de tric-trac* – Francfort-sur-le-Main – Gotha : *Réunion dansante* – Hanovre – Lille – Meiningen – Pommersfelden – Riga : *L'enfant prodigue* – Strasbourg : *Quatre messieurs et une dame faisant de la musique et buvant* – Vienne (coll. Lichtenstein) : *Un monsieur et une dame jouant aux cartes*.
Ventes Publiques : Gand, 1844 : *Scènes d'intérieur*, deux pendants : **FRF 500** – Anvers, 1862 : *Scène d'intérieur* : **FRF 105** – Paris, 16-17 mai 1892 : *L'artiste dans son atelier* : **FRF 500** – Londres, 23 juil. 1909 : *Intérieur et figures attablées* : **GBP 4** – Londres, 8 avr. 1911 : *Gentilshommes et dames attablés* : **GBP 33** – Paris, 19 déc. 1928 : *Partie de musique* : **FRF 5 350** – Londres, 10 juin 1942 : *Intérieur d'un palais* : **GBP 60** – Londres, 3 août 1945 : *Personnages jouant de la musique* : **GBP 126** – Londres, 26 juin 1946 : *La salle de bal* : **GBP 70** – Londres, 24 juil. 1957 : *Élégante compagnie festoyant à la terrasse d'une auberge* : **GBP 260** – Lucerne, 2 déc. 1967 : *Joyeuse compagnie dans un intérieur* : **CHF 9 500** – Lucerne, 27 juin 1969 : *Le bal* : **CHF 8 500** – Cologne, 26 mai 1971 : *Joyeuse compagnie dans un intérieur* : **DEM 15 000** – Cologne, 7 juin 1972 : *Joyeuse compagnie dans un intérieur* : **DEM 7 000** – Versailles, 18 fév. 1973 : *Scène d'intérieur* : **FRF 35 000** – Londres, 27 mars 1974 : *Le banquet* : **GBP 2 200** – Versailles, 14 mars 1976 : *La joyeuse compagnie*, h/bois (40x71) : **FRF 24 000** – Stuttgart, 7 mars 1977 : *Élégante compagnie sur une terrasse*, h/pan. (45,5x58) : **DEM 15 000** – Versailles, 18 nov 1979 : *Le souper fin*, h/bois (49x64) : **FRF 46 000** – New York, 8 jan. 1981 : *Élégante Compagnie dans un intérieur* 1640, h/pan. (54x71) : **USD 8 500** – New York, 24 mars 1983 : *Élégante compagnie autour d'une table dans un paysage*, h/pan. (49x61,5) : **USD 4 250** – Paris, 18 déc. 1985 : *La parabole du Fils Prodigue*, h/pan. (73x104) : **FRF 70 000** – Londres, 19 fév. 1986 : *Élégante compagnie dans un intérieur*, h/pan. (40x55) : **GBP 2 500** – Paris, 1er juil. 1988 : *Le Salon de Musique*, h/pan. (47x41) : **FRF 25 000** – New York, 11 jan. 1989 : *Une joyeuse société*, h/pan. (50,3x58,8) : **USD 28 600** – Stockholm, 16 mai 1990 : *Elégante société déjeunant dans un parc*, h/pan. (49x63) : **SEK 31 000** – New York, 10 oct. 1990 : *Elégante société déjeunant dans un parc*, h/pan. (44,5x66) : **USD 46 200** – Londres, 9 juil. 1993 : *Élégante compagnie autour d'une table*, h/t (83,2x120,3) : **GBP 7 475** – Paris, 5 mars 1994 : *Concert galant*, h/t (68x84,5) : **FRF 100 000** – New York, 5 oct. 1995 : *Élégante compagnie dans un intérieur*, h/pan. (49,5x64,4) : **USD 27 600** – Paris, 9 déc. 1996 : *Le Tricheur*, h/pan. (44x64) : **FRF 75 000** – Londres, 12 déc. 1996 : *Assemblée élégante dans un jardin* ; *Assemblée élégante autour d'une table sur une terrasse*, h/pan., une paire (57x71) : **GBP 13 800** – Paris, 17 déc. 1997 : *Scène d'intérieur de taverne*, pan. (39x32) : **FRF 50 000** – Londres, 30 oct. 1997 : *Scène de banquet dans un intérieur*, h/pan. (49,4x64,2) : **GBP 7 475**.

LAMEN Jacob Van der ou **Lanen** ou **Laenen** ou **Laan**
Baptisé à Anvers le 15 novembre 1584. XVIe-XVIIe siècles. Éc. flamande.
Peintre.
Élève d'Hendrik Leuvens. Il fut maître à Anvers en 1604 et travailla depuis 1616 à Bruxelles. Ses tableaux sont en général mis sous le nom de son fils Christoffel Jacobsz L., mais il semble que ce soient les moins bons qui doivent lui être attribués.
Ventes Publiques : Bruxelles, 13-15 oct. 1965 : *Château au bord d'un fleuve* : **BEF 65 000** – Londres, 3 déc. 1969 : *Paysages fluviaux avec anges*, deux panneaux : **GBP 6 500** – Londres, 12 déc. 1980 : *La fuite en Egypte* ; *Le repos pendant la fuite en Egypte*, cuivre, une paire (16,5x22,3) : **GBP 8 000** – Versailles, 30 oct. 1983 : *Scène de genre : la partie de tric-trac*, h/bois (48,5x63) : **FRF 40 800** – Paris, 17 juil. 1996 : *La Partie de cartes*, h/t (57x81,3) : **FRF 39 000**.

LAMEN Jasper Van der. Voir **LAANEN Jasper Van der**

LA MÈRE Catherine de. Voir **CATHERINE de La Mère**

LAMERS Heinrich
Mort le 15 août 1868 à Clèves. XIXe siècle. Actif à Clèves (Rhénanie). Allemand.
Peintre.
Il peignit de nombreux tableaux d'autel pour des églises à Berlin, Clèves, Düsseldorf, Duisbourg, Essen, Hagen, Kiel, Cologne, Munster, et des chemins de croix à Berncastel et Kempen.

LAMERS Johann Hermann Joseph
Né le 1er novembre 1814 à Emmerich. Mort le 19 janvier 1847 à Neuss. XIXe siècle. Hollandais.
Peintre de portraits et de genre.
Élève de J.-A. Kruseman. Il travailla à Amsterdam.

LAMERS Kiki
Née en 1964. XXe siècle. Hollandaise.
Peintre de compositions animées, figures.
Elle vit et travaille à Rotterdam. Elle montre ses œuvres dans des expositions personnelles à Amsterdam.
Du réalisme photographique, elle a évolué dans des œuvres plus personnelles avec des autoportraits expressionnistes.

LAMEY August
Né le 16 avril 1856 à Fribourg-en-Brisgau. XIXe siècle. Allemand.
Peintre.
Il étudia à l'Académie de Munich et se fixa à Mannheim en 1866, où il peignit des portraits et des paysages.

LAMEYER Y BERENGUER Francisco ou **Federico**
Né le 12 novembre 1825 à Puerto de Santa Maria. Mort le 3 juin 1877 à Madrid. XIXe siècle. Espagnol.
Peintre d'histoire, compositions mythologiques, scènes de genre, sujets typiques, caricaturiste, aquarelliste, graveur, illustrateur.

Il alla à Paris en 1852, fit un séjour au Maroc avec Fortuny en 1863, et voyagea sans doute jusqu'au Japon et aux Philipines. Comme graveur, ancien collaborateur de Alenza, il fit des lithographies, des eaux-fortes, des gravures sur bois. Parmi ses illustrations, on cite *Buscon* de Quevedo, les *Escenas andaluzas* d'Estebanez Calderon. Il travailla pour plusieurs revues espagnoles. En 1850, il publia un ouvrage de vingt eaux-fortes où il caricatura les costumes et les mœurs de son temps. D'autres eau-fortes qui ont pour sujet la vie des rues à Madrid : mendiants, enfants, Bohémiens, Maures, parurent chez Cadart à Paris. Ses tableaux à l'huile et à l'aquarelle traitent les mêmes sujets. Ses sujets marocains ne donnent pas dans l'orientalisme classique à la manière de Fortuny, mais sont traités avec plus de liberté. Il copia Goya et subit surtout l'influence des *Caprices* et de la *Tauromachie*.

Bibliogr. : In : *Dictionnaire de la peinture espagnole et portugaise du Moyen-Âge à nos jours*, coll. Essentiels, Larousse, Paris, 1989.

Musées : Lisbonne : *Fakir* – *Musicien arabe mendiant* – Madrid (Mus. d'Art Mod.) : *Portrait de la mère de l'artiste*.

Ventes Publiques : Madrid, 17 mars 1987 : *Le Tribunal de l'Inquisition* d'après Goya h/pan. (45x73) : **ESP 525 000** – Londres, 31 oct. 1996 : *Joueur de cithare*, h/t (44x34) : **GBP 2 300**.

LAMI. Voir aussi **LAMY**

LAMI Alphonse

Né le 2 juin 1822 à Paris. Mort en 1867 à Alexandrie. XIXe siècle. Français.

Sculpteur.

Élève d'Abel de Pujol et de Duret. Exposa au Salon entre 1851 et 1864. On lui doit un *Écorché plastique* qui eut son heure de célébrité. Chevalier de la Légion d'honneur le 15 août 1859.

LAMI Eugène Louis

Né le 12 janvier 1800 à Paris. Mort le 19 décembre 1890 à Paris. XIXe siècle. Français.

Peintre d'histoire, batailles, scènes de genre, portraits, peintre à la gouache, aquarelliste, lithographe, décorateur, illustrateur, créateur de costumes.

Élève de Gros, de H. Vernet et de l'École des Beaux-Arts, il exposa au Salon de 1824 à 1878. Il obtint une médaille de deuxième classe en 1875. Chevalier de la Légion d'honneur en 1837, il fut fait officier en 1862. Eugène Lami fut d'abord lithographe ; il possède l'acuité de Raffet, avec moins de force d'expression, mais plus d'élégance.

Il fut, par excellence, le chroniqueur attitré de la monarchie de Juillet : il illustra notamment la visite de la reine Victoria à Eu en 1843. Il réalisa, également à Eu, un décor Renaissance, et fit le projet de décoration de l'appartement du duc de Nemours aux Tuileries, dans un style Napoléon III. À la révolution de 1848, il choisit de s'exiler en Angleterre, où il exposa à la Royal Academy et remporta un vif succès de la haute société britannique. De retour en France en 1852, il reprit une brillante carrière, devenant pour le baron James de Rotschild le décorateur officiel de Ferrières, où il montra un retour au rococo vénitien, pastichant Tiepolo pour le *Carnaval vénitien*, dans le fumoir du château.

Sa première lithographie date de 1817 : *Arlequin et Scapin discutant sur leur titre de famille*, en couleur, signée E. Il continua à produire de petits sujets qu'il signait *Eugène*. Il faut noter parmi ses estampes la collection des *Uniformes des Armées Françaises de 1791 à 1814* (100 pièces coloriées, en collaboration avec H. Vernet, 1822) et la collection renommée des *Uniformes français, de 1814 à 1824* (50 lithographies coloriées, 1825) ; la série des *Voitures* (12 pièces coloriées signées Eugène L.) ; *Voyages à Londres, par Eugène Lami et Henri Monnier*, 1829-1830 (dont 19 pièces coloriées de notre artiste) ; *Six quartiers de Paris* (6 pièces coloriées), *Souvenirs du camp de Lunéville*, 1829 (6 pièces coloriées), *Quadrille de Marie Stuart, 2 mars 1829* ; *Bal de la Duchesse de Berry*, album de 22 costumes et de 4 planches d'entrées et de sorties, la Collection des *Armes de la Cavalerie Française*, 1831 (10 feuilles). Son œuvre lithographié comprend 344 pièces.

Ce fut aussi un remarquable illustrateur et, dans ce genre, il faut citer *L'Hiver et l'Été* à Paris, de Jules Janin, et *Les Œuvres d'Alfred de Musset*. A côté de cet œuvre qui suffirait à la gloire d'un artiste, il convient d'ajouter que Lami fut un excellent peintre de batailles et ses tableaux conservés à Versailles comptent parmi les meilleurs du musée historique. Mais ce fut surtout comme aquarelliste qu'il donna la marque de la plénitude de son talent. Il fut un des fondateurs de la Société des Aquarellistes français et prit part à ses expositions avec la même verve jusqu'à la fin de sa longue carrière.

Il sut merveilleusement traduire la distinction française et ses albums lithographiques constituent de précieux documents sur la société parisienne de la Restauration et du règne de Louis-Philippe. Selon Baudelaire, c'était « un poète du dandysme, presque anglais à force d'amour pour les éléments aristocratiques ».

E. LAMI

Bibliogr. : P.-A. Lemoisne : *Eugène Lami*, Goupil, Paris, 1912 – Sylvain Boyer, in : Catalogue de l'exposition : *Les Années romantiques, la peinture française de 1815 à 1850*, Mus. des Beaux-Arts, Nantes, 1995-1996 et Galeries nationales du Grand Palais, Paris, 1996.

Musées : Alais : *Passage des défilés de l'Argonne* – Béziers : *Deux femmes regardant un jeune homme endormi* – Chantilly : *Chantilly au XVIIIe siècle* – même sujet – *La duchesse d'Aumale* – *La princesse de Joinville* – *Funérailles de Louis-Philippe à Claremont* – *Le duc d'Orléans à cheval* – Lille : *Bataille de Hondschoote*, paysage de F. Dupré – Londres (Wallace) : cinq aquarelles – Nice : *Coups de soleil en forêt* – Paris (Art Mod.) : *Souper à Versailles* – *Intérieur d'église* – Paris (Mus. du Louvre) : *Entrée de la duchesse d'Orléans aux Tuileries* – Reims : *Scène d'écurie* – Strasbourg : *Dame dans son boudoir* – Versailles : *La garnison hollandaise met bas les armes devant les Français sur les glacis de la citadelle d'Anvers* – *Combat de Claye* – *Combat de Puerto de Miravete* – *Combat des défilés de l'Argonne* – *Bataille de Hondschoote* – *Bataille de Wattignies* – *Prise de Maastricht* – *Bataille de l'Alma* – *Attentat de Fieschi* – *Arrivée de la reine Victor au château d'Eu* – *Siège d'Anvers*.

Ventes Publiques : Paris, 1870 : *Le Départ pour la chasse* : **FRF 4 000** ; *Une voiture de masques, carnaval de 1835* : **FRF 4 000** ; *Revue de Saint-James Park un jour de fête*, aquar. : **FRF 5 100** – Paris, 6-9 mars 1872 : *Louis XIV et les ambassadeurs d'Espagne*, aquar. : **FRF 7 500** – Paris, 31 mars 1874 : *Le Départ pour la chasse*, aquar. : **FRF 5 050** – Paris, 1889 : *Présentation du Dauphin par Louis XIV aux ambassadeurs d'Espagne*, aquar. : **FRF 5 100** – Paris, 1893 : *Cinquante-six aquarelles pour illustrer les Œuvres d'Alfred de Musset* : **FRF 16 570** – Paris, 31 mars 1900 : *Portraits présumés du Comte de Paris et du Duc de Chartres*, aquar. : **FRF 320** – Paris, 17 fév. 1902 : *Le Meunier, son fils et l'âne*, dess. : **FRF 460** – Paris, 19 mars 1902 : *Les amoureux*, aquar. : **FRF 450** – Paris, 3 mai 1902 : *La bataille de Valmy* : **FRF 980** – Paris, 20-21 juin 1902 : *Une voiture de masques aux Champs-Élysées en 1833* : **FRF 3 100** – Paris, 12-13 juin 1908 : *La Sarabande* : **FRF 1 700** – Paris, 8-9-10 mai 1911 : *L'Entrée de la duchesse d'Orléans aux Tuileries* : **FRF 16 500** – Paris, 9-11 déc. 1912 : *Un cavalier* : **FRF 1 050** – Paris, 25 nov. 1918 : *Un contrat de mariage princier*, aquar. : **FRF 20 100** – Paris, 16-19 juin 1919 : *La Reine Marie Stuart et le prédicateur Knox*, aquar. : **FRF 5 300** – Paris, 16-17 déc. 1919 : *Bal masqué*, aquar. : **FRF 4 500** – Paris, 20-22 mai 1920 : *Le Retour des courses d'Epsom*, aquar. : **FRF 17 000** ; *Diligence arrêtée dans la rue d'une petite ville anglaise*, aquar. : **FRF 12 100** ; *Une soirée chez la princesse Mathilde*, aquar. : **FRF 12 000** – Paris, 20-21 déc. 1922 : *Napoléon III et l'Impératrice sortant des Tuileries, le jour de leur mariage, 30 janvier 1853*, dess. aquarellé : **FRF 9 200** – Paris, 3-4 déc. 1923 : *Londres, le Strand, église Saint Mary, Somerset House* : **FRF 15 100** – Paris, 16 mai 1924 : *Fête au palais de Buckingham*, aquar. : **FRF 10 005** – Paris, 22 mai 1925 : *La Fontaine de Jouvence*, aquar. gchée : **FRF 13 100** – Paris, 19-20 mai 1926 : *Scène de chasse à courre*, aquar. : **FRF 11 000** – Paris, 16 juin 1926 : *Une soirée à Buckingham Palace*, aquar. : **FRF 21 000** – Paris, 29 et 30 juin 1927 : *Le Foyer de la danse à l'Opéra*, aquar. : **FRF 26 000** – Londres, 24 mai 1928 : *Réception à Saint James Palace*, dess. : **GBP 115** – Paris, 18-19 juin 1928 : *L'Escalier des Ambassadeurs à Versailles* : **FRF 30 000** ; *Le Contrat de mariage* : **FRF 131 000** ; *Entrée à un drawing-room à Malborough House*, aquar. : **FRF 95 000** ; *Une soirée chez le duc d'Orléans*, aquar. : **FRF 27 100** ; *Charles Haas et Eugène Lami*, aquar. : **FRF 17 000** – Paris, 27 fév. 1929 : *Réception au château de Hampton Court*, aquar. : **FRF 25 000** – Paris, 10-11 juin 1929 : *Le Départ pour la mascarade* : **FRF 31 000** – Paris, 17 mai 1930 : *Adieu Suzon*, aquar. : **FRF 4 100** – Paris, 11 mai 1931 : *Le Contrat de mariage* : **FRF 52 000** ; *L'Accident de Mlle Dorival à la Comédie-Française*, aquar. gchée : **FRF 3 700** – Paris, 4 déc. 1931 : *Dis-*

tribution des drapeaux au Camp de Compiègne, aquar. : **FRF 19 000** ; *Le Duc de Nemours*, mine de pb : **FRF 5 100** ; *Entrée de S. A. R. Madame la Duchesse d'Orléans à Paris, le 4 juin 1837* : **FRF 147 000** ; *Le Salon de famille au château d'Eu, 3 septembre 1843* : **FRF 75 000** ; *Concert donné dans la galerie des Guise au château d'Eu, le lundi 4 septembre 1843 à neuf heures du soir, en l'honneur de la reine Victoria* : **FRF 81 000** ; *Le Salon de S. A. R. la princesse Marie d'Orléans, duchesse de Wurtemberg (1813-1839) au Palais des Tuileries* : **FRF 11 000** – PARIS, 7 déc. 1934 : *Scène de chasse à courre*, aquar. gchée : **FRF 8 000** ; *Punch et Judy*, aquar. : **FRF 15 800** ; *Les Grandes Eaux à Versailles*, aquar. : **FRF 25 500** ; *Horace Vernet et ses enfants se promenant à cheval dans la campagne*, aquar. gchée : **FRF 9 350** ; *Une soirée chez le duc d'Orléans*, aquar. : **FRF 28 600** – PARIS, 5 mars 1937 : *Elle aime à rire, elle aime à boire*, aquar. : **FRF 6 500** – PARIS, 18 mars 1937 : *Fête donnée à Venise, en l'honneur du duc d'Anjou*, aquar. gchée : **FRF 15 000** – PARIS, 10 fév. 1938 : *Le Palais de l'Exposition de Londres* : **FRF 10 000** – PARIS, 24 mars 1939 : *Le baiser avant le départ*, aquar. : **FRF 4 550** ; *Illustration pour Mimi Pinson*, aquar. : **FRF 6 800** – PARIS, 16-17 mai 1939 : *L'arrivée au Château* : **FRF 6 250** – PARIS, 8 mai 1941 : *Le Hussard*, aquar. : **FRF 2 550** – PARIS, 30 juin-1er juil.1941 : *Réunion sur la terrasse*, aquar. attr. : **FRF 8 100** – PARIS, 30 mars 1942 : *La Convalescence*, aquar. : **FRF 21 000** ; *Vue des écuries du duc de Nemours en 1834*, aquar. : **FRF 10 000** – PARIS, 27 nov. 1942 : *La Fontaine de Jouvence*, aquar. : **FRF 34 000** – PARIS, 23 déc. 1942 : *La Bataille d'Hondschoote* : **FRF 31 100** – PARIS, 14 juin 1944 : *Le Jardin public*, gche : **FRF 8 200** – PARIS, 4 déc. 1944 : *La Garde au château royal*, aquar., reh. de gche : **FRF 16 500** – PARIS, 24 jan. 1945 : *Le Concert sous Louis XIII*, gche : **FRF 13 100** – PARIS, 19 fév. 1945 : *Le Duc de Nemours passant sous la porte d'Aix, à Marseille, à son retour de la campagne d'Algérie* : **FRF 14 100** – PARIS, oct. 1945-juil. 1946 : *Jeune femme à l'éventail* 1842, aquar. : **FRF 5 200** – PARIS, 18 oct. 1946 : *L'Empereur et l'Impératrice en calèche, acclamés sur les Boulevards* : **FRF 49 000** – NEW YORK, 10 avr. 1947 : *Fête au palais de Durazzo à Gênes*, dess. : **USD 325** – PARIS, 28 avr. 1947 : *Le Bal costumé* 1887, gche en forme d'éventail : **FRF 14 000** – LONDRES, 25 juil. 1947 : *Relève de la garde au palais de Buckingham*, dess. : **GBP 99** – PARIS, 17 nov. 1948 : *En visite*, aquar. gchée : **FRF 102 000** – PARIS, 17 mars 1950 : *Une soirée chez la princesse Mathilde*, aquar. gchée : **FRF 420 000** – PARIS, 19 mai 1950 : *Le départ pour la promenade* : **FRF 92 000** – NEW YORK, 23 mai 1951 : *Soirée à Malborough House*, aquar. : **USD 625** – PARIS, 21 mars 1952 : *La Femme à l'éventail*, aquar. gchée : **FRF 160 000** – PARIS, 19 mars 1958 : *Gluck chez Marie-Antoinette* 1877, aquar. : **FRF 280 000** – PARIS, 23 juin 1960 : *La Réception au château* : **FRF 4 200** – LONDRES, 5 juil. 1961 : *Le Duc d'Orléans à la tête de son escadron*, aquar. : **GBP 260** – LONDRES, le 26 juin 1963 : *Le Contrat de mariage* : **GBP 2 600** – LONDRES, 16 oct. 1963 : *Coin de vestibule à une réception*, aquar. : **GBP 720** – LONDRES, 26 juin 1968 : *La Diligence de Chantilly* : **GBP 6 000** – LONDRES, 30 avr. 1969 : *La voiture de gala* : **GBP 2 200** – LONDRES, 2 mai 1969 : *Jour de fête*, aquar. et gche : **GNS 1 000** – LONDRES, 3 déc. 1970 : *Courses à Chantilly*, aquar. gche et encre de Chine : **GBP 5 200** – PARIS, 2 juin 1972 : *Sortie de l'Opéra* : **FRF 21 000** – LONDRES, 30 nov. 1972 : *Groom à cheval*, aquar. : **GBP 1 800** – PARIS, 23 jan. 1974 : *Le départ pour la promenade* : **FRF 10 000** – LONDRES, 16 juil. 1976 : *La reine Victoria chevauchant dans le parc de Windsor*, h/t (52x62) : **GBP 500** – LONDRES, 24 mars 1976 : *La réunion des coureurs* 1832, pl. et encre de Chine (19,5x35) : **GBP 6 380** – LONDRES, 1er avr. 1977 : *Buxton Spa, Derbyshire*, aquar. et gche reh. de blanc (23x33) : **GBP 1 000** – LONDRES, 16 juin 1978 : *Pur-sang et palefrenier* 1825, h/t (38x46) : **GBP 900** – PARIS, 1er mars 1979 : *L'escalier* 1870, aquar. gchée (33x50) : **FRF 26 500** – LONDRES, 9 mai 1979 : *La chasse de Marie Stuart*, h/t (64x106) : **GBP 5 000** – NEW YORK, 24 fév. 1982 : *Un officier anglais à cheval à la tête de ses troupes* 1869, aquar., cr. et gche (22,2x15,3) : **USD 1 600** – PARIS, 15 juin 1983 : *La Halte du cavalier*, h/pan. (68x52) : **FRF 26 000** – LONDRES, 13 déc. 1984 : *The British Gallery at the Great Exhibition held in the Crystal Palace, London* 1851, aquar. gche, cr. et pl. (36,2x52,4) : **GBP 8 000** – MONTE-CARLO, 23 juin 1985 : *Présentations des dames au Palais des Tuileries*, mine de pb (18x24,5) : **FRF 12 000** – LONDRES, 13 mars 1986 : *L'Arrivée des cendres de Napoléon le 15 décembre 1840*, aquar. et gche (15x25,5) : **GBP 14 000** – PARIS, 6 mai 1987 : *« Monsieur ! Monsieur, vous perdez votre domestique », au fond, la place de la Concorde*, pl. encre brune et aquar. (7,7x14,2) : **FRF 26 000** – PARIS, 25 mai 1988 : *Henri IV à la bataille d'Arques* 1873, cr. noir, aquar. et gche (36x54) : **FRF 78 000** – PARIS, 3 juin 1988 : *Grand Prix de Paris en 1864* 1864, aquar. et gche (15x24) : **FRF 210 000** – PARIS, 15 juin 1990 : *Scène de chasse à courre*, aquar. gchée : **FRF 36 000** – NEW YORK, 19 juil. 1990 : *Bal officiel*, h/pan. (17,1x21,6) : **USD 2 200** – PARIS, 7 nov. 1990 : *Le Malade imaginaire* ; *l'Avare*, gche, une paire (26x20) : **FRF 15 000** – VERSAILLES, 25 nov. 1990 : *La chasse à courre* 1876, aquar. gchée (22x33) : **FRF 42 000** – MONACO, 7 déc. 1990 : *Cavalières montant en amazone*, craie noire avec reh. de blanc, étude recto-verso (21x16,2) : **FRF 10 545** – PARIS, 12 déc. 1990 : *Fête à Venise, le Bucentaure devant la Salute* 1866, cr., aquar. et gche (27,5x44,7) : **FRF 620 000** – NEUILLY, 3 fév. 1991 : *Le frère et la sœur* 1834, pl. et aquar. (31x23) : **FRF 5 000** – PARIS, 11 déc. 1991 : *La jolie cavalière*, mine de pb et aquar. (25,5x17) : **FRF 30 000** – PARIS, 26 mars 1992 : *Scène de bal costumé* 1855, aquar. gchée (13x27,5) : **FRF 40 000** – PARIS, 3 avr. 1992 : *Illustration pour les Caprices de Marianne*, aquar. (11x15) : **FRF 13 500** – LONDRES, 17 juin 1992 : *Chahut au bal de l'Opéra* 1851, aquar. (15,5x23) : **GBP 8 250** – PARIS, 21 oct. 1992 : *Une loge à l'Opéra*, aquar. (11x15) : **FRF 8 500** – PARIS, 10 déc. 1993 : *Les courses à Maisons-Lafitte*, h/t (34x55) : **FRF 440 000** – PARIS, 16 juin 1993 : *La représentation*, pl. et aquar. (18,5x25) : **FRF 25 000** – NEW YORK, 11 jan. 1994 : *Le rassemblement* 1853, cr. et aquar. avec reh. de blanc, recto verso (17,1x28,9) : **USD 5 520** – NEW YORK, 26 mai 1994 : *Manifestation nocturne sur les Champs Elysées*, h/pap./t. (34,9x50,8) : **USD 32 200** – LONDRES, 17 nov. 1994 : *Un salon de l'hôtel particulier du baron James Rothschild rue Lafitte à Paris*, h/t (28,9x42,6) : **GBP 3 450** – PARIS, 7 déc. 1994 : *Conversation galante* 1843, aquar. gchée (14x23,5) : **FRF 42 000** – PARIS, 3 avr. 1995 : *Trait de bravoure d'un officier russe* 1834, h/t (94x130) : **FRF 46 000** – LONDRES, 12 juin 1996 : *Le Salon de la comtesse Somailoff* 1840, aquar. avec reh. de blanc (19,5x27) : **GBP 16 675** – MONACO, 14-15 déc. 1996 : *Illustrations pour le Diable boîteux* 1837, aquar., lot de cinq (chaque 17x26) : **FRF 140 000** – PARIS, 16 mai 1997 : *Scène de bal*, aquar. gchée (12,5x20) : **FRF 8 000** – PARIS, 21 mai 1997 : *Fête dans un palais à Londres* 1850, aquar. sur mine de pb avec reh. de blanc et or (22,7x21) : **FRF 24 000**.

LAMI G. E. ou **Lamy**

XIXe siècle. Français.

Peintre en miniatures.

Élève d'Augustin. Exposa au Salon entre 1806 et 1808. Peut-être le même artiste que le miniaturiste C.-S. Lami dont le Musée Rath, à Genève, conserve une miniature (*La Baigneuse surprise*).

LAMI Joseph. Voir **LAMY Joseph**

LAMI Stanislas

Né le 30 novembre 1858. Mort en 1944. XIXe-XXe siècles. Français.

Sculpteur de figures.

Arrière petit-fils du peintre Joseph-Xavier Bidauld, Stanislas Lami, après avoir fait ses études de droit, débuta comme sculpteur au Salon des Artistes Français de 1882. Il obtint, à Paris deux mentions honorables en 1887 et 1889 à l'Exposition universelle, une médaille de seconde classe en 1891 et fut décoré de la Légion d'honneur en 1900.

On cite de lui *Berlioz – Caïn – La Première Faute – Le Silence de la tombe*. Comme écrivain d'art, Stanislas Lami a publié un *Dictionnaire des sculpteurs de l'Antiquité jusqu'au VIe siècle de notre ère* et un *Dictionnaire de l'école française, du Moyen Âge au règne de Louis XIV*, ouvrages dont il convient de louer la documentation très complète et très exacte.

LAMI Vincenzo

Né en 1807 à Empoli. Mort en 1892 à Floriane. XIXe siècle. Italien.

Peintre d'histoire.

On cite de lui : *Achille pleurant Briséis*. La Pinacothèque d'Empoli conserve de lui *Sainte Floriane*.

LAMI DE NOZAN Ernest

Né en 1801 à Paris. Mort après 1877 à Paris. XIXe siècle. Français.

Peintre d'histoire et miniaturiste.

Exposa au Salon entre 1833 et 1877 et obtint une médaille de troisième classe en 1833, Lami de Nozan a peint sur velin des miniatures, des manuscrits, des canons d'autel dans le goût du Moyen Age. On lui doit aussi des cartons de verrières, notamment pour l'église de Bagnères-de-Luchon et des peintures sur porcelaine.

LA MICHELLERIE Cyprien François Hubert de

Né en 1802 à Nantes. Mort le 9 juin 1875. XIXe siècle. Français.

Peintre de paysages et de portraits.
Il a traité des sujets brésiliens.

LAMIEL Laura
XXe siècle. Française.
Peintre, créateur d'installations.
Elle vit et travaille à Paris. Elle a reçu en 1984 une bourse du ministère de la culture à la Villa Arson à Nice, en 1988 une bourse Léonard de Vinci (Italie), en 1993 une autre de l'Action Française d'Action Artistique (AFAA) qui lui a permis de séjourner au Castel di Tusa en Sicile.
Elle participe à des expositions collectives : 1978 ARC, musée d'Art moderne de la ville de Paris, Salon de Montrouge ; 1982 galerie-musée La Seita à Paris ; 1984 Villa Arson à Nice ; 1986 Chapelle de la Salpétrière à Paris ; 1995, 1996 galerie Anton Weller à Paris.
Elle montre ses œuvres dans des expositions personnelles : 1981 fondation Joan Miro à Barcelone ; 1982, 1984, 1989 Madrid ; 1982, 1985, 1988 galerie Regards à Paris ; 1984 Villa Arson à Nice ; 1993 centre culturel français de Sicile à Palerme ; 1997 galerie Anton Weller à Paris ; 1998 Le Quartier, Centre d'art contemporain de Quimper.
Après avoir travaillé l'espace de la couleur noire, elle réalise des « sites » en acier émaillé blanc, dans lesquels elle place, au sol, sur les murs, tel un déballage, des objets quotidiens : caddies à marchandises, livres, qui se répètent d'une œuvre à l'autre, tapis de prière, peaux de moutons... Elle a réalisé un livre d'artistes *Avoir lieu* (éditions Au Figuré).
Bibliogr. : Patricia Brignone : *Laura Lamiel*, Artpress, n° 222, Paris, mars 1997 – Thuy-Diep Nguyen : *Laura Lamiel – Avoir lieu*, Le Journal des Expositions, Paris, mars 1997.
Musées : Paris (Mus. Nat. d'Art Mod.) – Paris (Mus. d'Art Mod. de la Ville) – Paris (FNAC) : *Sans titre* 1995 – Sélestat (FRAC).

LAMINE Peter Simon
Né en 1738. Mort en 1817 à Munich. XVIIIe-XIXe siècles. Actif à Mannheim. Allemand.
Sculpteur.
Il fut élève de l'Académie de dessin à Mannheim et devint sculpteur de la Cour. Son œuvre principale est la statue de *Pan* dans les jardins du château de Schwetzing. On cite encore parmi ses œuvres deux *Statues de sphinx* dans le parc de Schwetzing, le *Tombeau du comte Franz Albert d'Oberndorff*, un buste de *Rubens*, en marbre, exécuté pour le Kronprinz Louis de Bavière au Panthéon de Ratisbonne. La Collection Graphique de Munich possède de sa main neuf sanguines et une aquarelle.

LAMINIT Johann Georg
Né en 1775 à Augsbourg. Mort le 10 janvier 1848. XIXe siècle. Allemand.
Dessinateur et graveur au burin.
Élève de E. Haid.

LAMINIT Paul Jacob
Né en 1773 à Augsbourg. Mort le 1er novembre 1831. XVIIIe-XIXe siècles. Allemand.
Graveur au burin.
Élève de Ignaz-Sébastien Klauber. Il grava des sujets d'histoire, des vues de villes et des paysages, pour l'Almanach Lipowski et des vues pour l'empereur de Russie.

LAMINOY Simon de ou **Laminois**
Né en 1623 à Noyon. Mort le 20 janvier 1683 à Verrines. XVIIe siècle. Français.
Peintre de batailles et de paysages.
Valet de chambre du roi. Reçu académicien le 28 avril 1663. Prit part à l'Exposition Royale en 1673.

LAMION Jean
XIVe siècle. Actif à Troyes vers 1366. Français.
Miniaturiste.
Selon Siret, il travailla pour les chanoines de la cathédrale ; c'était un artiste distingué. Le *Bryan's Dictionary* le cite avec la date de 1336.

LAMIRAL Émilie
Née le 17 mars 1881 à Paris. XXe siècle. Française.
Peintre, miniaturiste.
Elle fut élève de Latruffe-Colomb, de Mlle Bougieux et de Cuyer. Elle figura à Paris, au Salon des Artistes Français, dont elle fut membre sociétaire à partir de 1903.

LAMIRAL Henriette
Née au XIXe siècle à Suresnes (Seine). XIXe siècle. Française.
Pastelliste.
Élève de Tony Robert-Fleury, Jules Lefebvre et Carrier-Belleuse. Sociétaire des Artistes Français depuis 1905, elle figura au Salon de ce groupement.

LAMIRAL-GILLES Julie
Née le 6 juin 1882 à Suresnes (Hauts-de-Seine). XXe siècle. Française.
Peintre de miniatures.
Elle fut élève de Latruffe-Colomb, de Mlle Bougieux et de Cuyer. Elle figura à Paris, au Salon des Artistes Français, dont elle fut membre sociétaire à partir de 1904.

LAMIS Leroy
Né en 1925 à Eddyville (Iowa). XXe siècle. Américain.
Sculpteur. Minimaliste.
De 1960 à 1972, il a enseigné à l'université de la Terre-Haute (Indianan). Il expose depuis 1952, mais a surtout présenté ses œuvres à New York à partir de 1966. L'Indianan Museum of Art lui a consacré une exposition en 1969.
Sa sculpture se rapproche des formes primaires du Minimal Art. Il utilise souvent les plastiques clairs ou transparents.

LA MISERIA Juan de
Né avant 1526. Mort le 15 septembre 1616 à Madrid. XVIIe siècle. Espagnol.
Peintre.
Élève de A. Sanchez Coello. Il entra le 13 juillet 1569 au cloître Pastrana des Carmes déchaussés. Son portrait de *Sainte Thérese* (1570) est très connu. On lui attribue également celui de *Saint Luis Beltran.*

LAMM Albert
Né le 1er janvier 1873 à Berlin. XIXe-XXe siècles. Allemand.
Peintre de paysages, nus, graveur.
Il pratiqua la gravure à l'eau-forte.
Musées : Munich (Neue Pina.) : *Lauenfurt en mars.*

LAMM Leonid
Né le 17 septembre 1878 à Potolsk (près de Moscou). Mort le 23 avril 1926 à Munich (Bavière). XXe siècle. Allemand.
Peintre de paysages.
Il fut élève de l'académie des beaux-arts de Dresde et de Munich. Il devint membre de l'académie des beaux-arts de Munich et figura aux expositions de cette académie.

LAMMA Agostino
Mort après 1696. XVIIe siècle. Actif à Venise. Italien.
Peintre de batailles.
Élève d'Ant. Calzo. Son tableau, *Siège de Vienne par les Turcs*, rappelle la manière de M. Stem.

LAMME Adrienne, née **Van Geller**
XIXe siècle. Active vers 1850. Française.
Peintre.
Femme d'Arie Johannes Lamme. Citée par Siret.

LAMME Arie
Né le 8 janvier 1748 à Heerenjansdam. Mort le 18 mars 1801. XVIIIe siècle. Hollandais.
Peintre de paysages et peintre ornemaniste.
Élève de Jorès Ponse à Utrecht. Il travailla notamment pour des modèles de tapisseries. Ses œuvres rappellent la manière de A. Cuyp. Sa fille Cornélie eut pour fils Ary Scheffer.
Musées : Dordrecht : *Paysage fluvial* – Rotterdam (Boymans) : *Rive d'un fleuve.*
Ventes Publiques : Londres, 2 avr. 1931 : *Fleurs et oiseaux* : **GBP 700** – Londres, 20 juil. 1977 : *Paysage d'hiver avec patineurs* 1785, h/pan. (40,5x56) : **GBP 2 500.**

LAMME Arnoldus
Né le 21 novembre 1771 à Dordrecht. Mort le 7 mars 1856 à Rotterdam. XVIIIe-XIXe siècles. Hollandais.
Peintre de paysages, d'animaux, de batailles.
Il était fils d'Arie Lamme. Il avait adopté le style de Thierry Langendyk. Il eut à Rotterdam un commerce d'objets d'art.
Musées : Dordrecht : *On mange des moules.*

LAMME Ary Johannes
Né en 1812 à Dordrecht. Mort le 25 février 1900 à Berg-en-Dal. XIXe siècle. Hollandais.
Peintre de genre, graveur.
Élève de son père Arnoldus Lamme et des frères Scheffer à Paris, il fut l'auteur d'un catalogue du Musée de Rotterdam, dont il fut nommé directeur en 1852.

Ses œuvres, aux couleurs savamment choisies, sont peintes avec précision.

Bibliogr. : Gérald Schurr, in : *Les Petits Maîtres de la peinture 1820-1920, valeur de demain*, Les Éditions de l'Amateur, t. III, Paris, 1976.
Musées : Dordrecht : *La maison d'Ary Scheffer à Paris – Le grand atelier – Le petit atelier – Épisode de la vie de C. de Wit – L'atelier d'A. Scheffer à Argenteuil* – même sujet.
Ventes Publiques : Amsterdam, 8 fév. 1966 : *Le mariage* : **NLG 5 700** – Amsterdam, 11 nov. 1970 : *Un gentilhomme et sa jeune femme à l'entrée d'un château* : **NLG 6 200** – Berne, 22 oct. 1976 : *Les dernières volontés du roi*, h/pan. (77,5x99,5) : **CHF 3 000** – Amsterdam, 30 août 1988 : *Paysage alpin avec un torrent*, h/pan. (91x69) : **NLG 1 092**.

LAMME Cornelia. Voir **SCHEFFER C.**

LÄMMEL Adam
XVIIe siècle. Actif à Bautzen. Allemand.
Peintre.
L'Hôtel de Ville de Bautzen conserve de cet artiste un portrait du bourgmestre *A. Böhmer*. D'autres portraits à l'Hôtel de Ville et au Musée de la même ville lui sont attribués.

LAMMEL M.
XIXe siècle. Allemand.
Peintre.
On signale de lui un *Portrait de Schopenhauer*.

LAMMEN J.
XIXe siècle. Actif à Amsterdam en 1824. Hollandais.
Sculpteur.

LAMMENS Achille
Né en 1888 à Gand (Flandre-Orientale). Mort le 10 juillet 1969. XXe siècle. Belge.
Peintre de paysages.
Ce fut l'un des derniers membres de Laethem-Saint-Martin. Il s'était formé seul à l'écart des académies et il avait trouvé très tôt dans le spectacle de la nature matière à inspiration. L'expressionnisme flamand lui a inspiré des paysages, généralement de petits formats, et qui restent le reflet de sa vie.

LAMMENS Jan ou **Jean Baptiste**
Né en 1818 à Gand. XIXe siècle. Belge.
Peintre de genre.
Élève de P. von Hanselaere et de F. de Braekeleer.

LÄMMERHIRT Otto
Né le 28 janvier 1867 à Neusalz-sur-l'Oder. XIXe-XXe siècles. Allemand.
Peintre de marines, paysages.
Musées : Stettin : *Bornholm*.

LAMMERS Seyfried
Né en mars 1647 à Nordhausen. Mort le 18 septembre 1711 à Rudolstadt. XVIIe-XVIIIe siècles. Allemand.
Peintre.
Il devint peintre de la Cour en 1678. On cite, parmi ses œuvres, au château de Heidecksbourg, à Rudolstadt, un *Portrait équestre du prince Guillaume-Louis de Schwarzbourg*, et, au château de Friedensbourg près de Leutenberg, une série de fresques, représentant surtout des scènes des guerres contre les Turcs.

LAMMERT Eduard
Né le 18 février 1867 à Ochsenfurt. XIXe-XXe siècles. Allemand.
Peintre de paysages, portraits, graveur.
Il fut élève de l'académie des beaux-arts de Munich et de l'académie Julian à Paris, où il eut pour professeurs Benjamin Constant, J. P. Laurens et L. Lefebvre.
Il peignit surtout des vues des Alpes bavaroises.
Musées : Munich (Mus. alpin) : *Benediktenwand (Alpes Bavaroises)*.

LÄMMLEIN Alexandre. Voir **LAEMLEIN**

LÄMMLER Bartholomaeus. Voir **LAEMMLER**

LAMO Claude Georges
Né vers 1756 à Lunéville. XVIIIe siècle. Français.
Sculpteur.

LAMO Pietro
Né à Bologne. Mort en 1544. XVIe siècle. Italien.
Peintre d'histoire.
Élève de Francesco da Juola.

LAMOEN Abraham Van
Mort vers 1669 à Anvers. XVIIe siècle. Éc. flamande.
Peintre de natures mortes.
Le Musée d'Ypres conserve, de lui, *Fruits et vaisselle*.

LAMOINE
Français.
Dessinateur.
Il est connu par l'œuvre suivante.
Ventes Publiques : Paris, 2 déc. 1937 : *Mlle Catherine Gerrard*, dess. : **FRF 5 200**.

LAMOISSE Eugène
XIXe siècle. Français.
Peintre de paysages.
Exposa au Salon en 1846 et en 1847 des vues de Normandie.

LAMOLINERIE Jean
Né en 1919 à Montauban (Tarn-et-Garonne). XXe siècle. Français.
Peintre de paysages.
Il fut élève de l'école des beaux-arts du Havre. Il est l'un des fondateurs et le président de l'atelier narbonnais.
Musées : Narbonne (Mus. d'Art et d'Hist.) : *Le Hameau de Bardou (Hérault)* 1972.

LAMOLLA Antonio
Né en Catalogne. XXe siècle. Espagnol.
Peintre.
On connaît de lui des ouvrages à tendance mystico-surréalistes.

LAMON Basil
Né en 1920 à Molenbeek-St-Jean (Brabant). XXe siècle. Belge.
Sculpteur.
Il fut élève de l'académie des beaux-arts de Bruxelles et reçut un des prix de Rome en 1947. Ses œuvres sont figuratives.
Bibliogr. : In : *Diction. biogr. illustré des artistes en Belgique depuis 1830*, Arto, Bruxelles, 1987.

LA MONACA Francis
Né le 10 février 1882 à Catanzaro (Calabre). XXe siècle. Italien.
Peintre, sculpteur de bustes.
Il fut élève de Thomas et d'Injalbert à l'école des beaux-arts de Paris. Il expose à Rome, Londres et Paris, au Salon des Artistes Français et est chevalier de la Légion d'honneur. On lui doit surtout des bustes de personnalités de notre temps : Pie XI, Bernard Shaw, Alfred Cortot et le monument à Blasci Ibanez.
Ventes Publiques : Monte-Carlo, 26 juin 1976 : *Isadora Duncan, bronze*, cire perdue (H. 55) : **FRF 2 200** – Paris, 16 déc 1979 : *Les deux sœurs*, bronze (H. 61) : **FRF 5 800** – Paris, 23 mai 1984 : *Homme en smoking*, bronze, patine verte, cire perdue (H. 80) : **FRF 21 000** – Brive-la-Gaillarde, 17 nov. 1985 : *Danseuse*, bronze patiné (H. 38) : **FRF 8 200** – Paris, 4 mars 1991 : *Baigneuse à Trouville*, h/t (38x55) : **FRF 5 500**.

LAMONCE. Voir **DELAMONCE**

LAMOND William Bradley
Né en 1857. Mort en 1924. XIXe-XXe siècles. Britannique.
Peintre de scènes typiques, paysages, marines.
Il vécut et travailla à Dundee. Il fut membre de la Royal Society of British Artists.

Musées : Victoria : *Portrait de Wm. Balir – Portrait de Rev. G. Gilfillan – Portrait de Wm. Mac Gonagall*.
Ventes Publiques : Londres, 22 mai 1973 : *Les Ramasseurs de goëmons* : **GBP 400** – Perth, 13 avr. 1976 : *Pêcheurs au bord de la mer*, h/t (49,5x74) : **GBP 420** – Londres, 3 mai 1979 : *Moutons au pâturage*, h/t (35,5x45,8) : **GBP 700** – Auchterarder (Écosse), 30 août 1983 : *Sur la plage*, h/t (37x53) : **GBP 2 000** – Perth, 26 août 1986 : *La Cour de ferme*, h/t (35,5x46) : **GBP 1 600** – Auchterarder, 1er sep. 1987 : *A farm cart*, h/t (30,5x46) : **GBP 1 700** – Édimbourg, 30 août 1988 : *Fillette avec des nasses*, h/t (25,5x46) : **GBP 2 420** ; *La Basse-cour*, h/t (35,5x46) : **GBP 6 600** – Glasgow, 7 fév. 1989 : *La Fenaison*, h/t (42x52,5) : **GBP 4 620** – Perth, 29 août 1989 : *La Rue principale de Auchmithie*, h/t (35,5x46) : **GBP 4 620** – Édimbourg, 26 avr. 1990 : *Le Déchargement de la pêche*, h/t (35,9x46) : **GBP 2 200** – Perth, 26 août 1991 : *Gardeuse de canards* 1890, h/t (25,5x36) : **GBP 3 080** – Perth, 31 août 1993 : *Chevaux se désaltérant*, h/t (36x46) : **GBP 2 070** – Perth, 30 août

1994 : *Le Chargement de la charrette de foin*, h/t (36x46) : **GBP 2 875** – PERTH, 29 août 1995 : *Après l'orage* 1894, h/t (25,5x35,5) : **GBP 977** – GLASGOW, 21 août 1996 : *A shaded Pool in Angus*, h/t (35,5x53,3) : **GBP 690**.

LAMONI Domenico Felice
Né le 29 octobre 1745 à Muzzano. Mort le 28 février 1830. XVIIIe-XIXe siècles. Italien.
Sculpteur, stucateur et peintre.
Il travailla de 1772 à 1792 en Russie pour le prince Paul dans les châteaux de Gatchina et Pavlovsk. Dans la « Casa Lamoni » à Muzzano il peignit deux fresques (*Grand Théâtre* et *Place du Sénat à Saint-Pétersbourg*) ; on y conserve aussi des vues de Saint-Pétersbourg, au crayon, à la gouache, à l'aquarelle.
MUSÉES : SAINT-PÉTERSBOURG (Vieux Saint-Petersbourg) : *Vue du château de Gatchina*.

LAMONICA Giuseppe
Né le 2 juin 1862 à Naples (Campanie). Mort le 19 avril 1919. XIXe-XXe siècles. Italien.
Peintre de genre, portraits, paysages.
Il figura, de 1882 à 1911, à l'exposition de la Société promotrice Salvator Rosa à Naples, à partir de 1891, aux expositions internationales de Milan, Rome, Turin, etc, et en 1895 à l'Exposition internationale de Berlin.
Plusieurs œuvres appartiennent à la province de Naples (*Silvio Pellico – Laveuses – Paysages du Vésuve*). Des portraits de sa main se trouvent dans la salle des séances de la Giunta Provinciale Amministrativa à Naples, parmi lesquels celui du roi Victor Emmanuel III. L'église paroissiale de Tufino (province de Caserte) lui doit des fresques.

LAMONT Elish ou **La Monte**
Née vers 1800 à Belfast. Morte en 1870 à Rochester. XIXe siècle. Irlandaise.
Peintre de miniatures.
Elle travailla à Belfast et à Dublin et peignit des portraits-miniatures. Elle figura à l'Exposition de la Royal Hibernian Academy à Dublin de 1842 à 1857 et à la Royal Academy à Londres de 1856 à 1859. Elle était étroitement liée à Dickens et à Ruskin.

LAMONT Thomas Reynolds
Né en 1826. Mort en 1898. XIXe siècle. Britannique.
Peintre de genre, aquarelliste.
Actif à Greenock, il fut élu associé de la Old Watercolours Society en 1866 ; il exposa très fréquemment à cette société.
BIBLIOGR. : In : *Dictionary of Victorian Painters*, Londres, 1995.
MUSÉES : LONDRES (Victoria and Albert Mus.) : une aquarelle.
VENTES PUBLIQUES : LONDRES, 14 juin 1977 : *The ringers* 1880, h/t (73x124) : **GBP 1 600** – LONDRES, 23 nov. 1982 : *The ringers*, h/t (76x124,5) : **GBP 2 800** – LONDRES, 21 juin 1983 : *Le Choix du prince*, h/t (152,5x259) : **GBP 8 000** – LONDRES, 5 juin 1996 : *Chez le prêteur sur gages* 1859 (79x63,5) : **GBP 8 050**.

LA MONTAGNE Émile Pierre de
Né le 22 octobre 1873 à Anvers. Mort en 1956 à Ixelles (Brabant). XIXe-XXe siècles. Belge.
Peintre de portraits, genre, fleurs, graveur, sculpteur.
Il fut élève de l'académie royale d'Anvers ainsi que de Bruxelles. Il séjourna à Paris, pendant deux ans pour y étudier l'art du portrait. Il obtint de nombreuses récompenses dans son pays natal et à l'étranger. Il participa à des expositions organisées en Europe et en Amérique. Son œuvre *En prière* fut remarquée à l'exposition de Bruxelles en 1910. Il demeura cinq ans en Angleterre, où il fit beaucoup de portraits. Il exécuta un portrait du roi Albert Ier.
BIBLIOGR. : In : *Diction. biogr. illustré des artistes en Belgique depuis 1830*, Arto, Bruxelles, 1987.
VENTES PUBLIQUES : ANVERS, 19 mai 1987 : *Sur la terrasse* 1909, h/t (110x82) : **BEF 280 000**.

LA MONTAGNE SAINT HUBERT Jean Robert
Né le 24 mai 1887 à Paris. XXe siècle. Français.
Peintre, peintre de compositions murales.
Ses fresques ornent la Cité universitaire de Paris, des bâtiments publics à Reims, Château-Thierry, Coucy-le-Château, aux États-Unis. Il est membre de l'Art Institute de Chicago.

LA MONTE Elish. Voir **LAMONT**

LAMORE François
Né en 1952 à Washington. XXe siècle. Actif depuis 1979 en France. Américain.
Peintre de compositions animées, figures.
Il partage son atelier avec son frère jumeau Jean à Montreuil. Il a participé à des expositions collectives, notamment au Salon de Montrouge, au palais de la civilisation italienne à Rome. Il montre ses œuvres dans des expositions personnelles notamment à Paris, à la galerie Charles Sablon.
Oser la couleur, oser la matière, ainsi peut-on qualifier la peinture de cet artiste.
BIBLIOGR. : Gérard Georges Lemaire : *Haute transgression : la quête dyonisiaque de François Lamore*, Opus international, n° 120, Paris, juil.-août 1990.
MUSÉES : PARIS (Cab. des Estampes) : *Nouvelles d'Amérique* 1988, litho.
VENTES PUBLIQUES : PARIS, 8 oct. 1989 : *Trois femmes à deux têtes* 1989, acryl./t. (136x144) : **FRF 21 000**.

LAMORE Jean
Né en 1952 à Washington. XXe siècle. Actif depuis 1980 en France. Américain.
Sculpteur de statues, aquarelliste, graveur.
Il partage son atelier avec son frère jumeau François à Montreuil. Il participe à des expositions collectives : 1986 *25 ans d'Art en France* à la Villa Arson de Nice, *Aperto 86* à la Biennale de Venise ; 1987 *Saturno* Institut Français de Naples ; 1988 *À propos de dessin* galerie Maeght de Paris et Milan, *Cafés littéraires* au Centre Beaubourg à Paris ; 1989 *Saturne* au Musée Pablo Gargallo de Saragosse, Musée d'Art Contemporain de Tarascon ; etc. Il expose à Paris à la galerie Charles Sablon.
BIBLIOGR. : H.F. Debailleux : *Portrait de J. et F. Lamore*, Beaux-Arts, n° 80, Paris, avr. 1985.
MUSÉES : PARIS (BN, Cab. des Estampes) : *L'Homme-feu*.

LA MORINIÈRE de, Mlle
XIXe siècle. Française.
Peintre de portraits et miniaturiste.
Exposa au Salon, en 1834, un *Portrait de Napoléon Ier en costume impérial*, d'après Ingres, ainsi que plusieurs miniatures.

LAMORINIÈRE Jean Pierre François
Né le 20 avril 1828 à Anvers. Mort le 3 janvier 1911 à Anvers. XIXe-XXe siècles. Belge.
Peintre de paysages, dessinateur, graveur.
Élève d'Emmanuel Notterman à Anvers, il fut influencé, à ses débuts, par Théodore Fourmois, paysagiste belge du XIXe siècle. Il obtint de nombreuses récompenses et de brillantes distinctions, notamment une médaille d'or à Bruxelles en 1857, une médaille de troisième classe à Paris en 1878, une médaille d'or à l'Exposition universelle de Paris en 1889, une médaille d'honneur à Berlin en 1891. Membre des Académies de Rotterdam, de Prague, d'Anvers, de l'Académie Royale de Belgique, il fut commandeur de l'ordre de François-Joseph d'Autriche en 1873, commandeur de l'Ordre de Léopold en 1885, officier de la Légion d'honneur en 1889.
Il travailla dans un style méticuleux, dans la tradition flamande du XVe siècle. Malgré cet assujetissement au sujet et à la nature, il réussit cependant à prendre ses distances vis-à-vis du motif. Il contribua aussi à la renaissance de la gravure anversoise.

F^ois^ Lamorinière

BIBLIOGR. : Gérald Schurr, in : *Les Petits Maîtres de la peinture 1820-1920, valeur de demain*, Les Éditions de l'Amateur, t. V, Paris, 1981.
MUSÉES : ANVERS : *Le Prinsen – Vigner de Walcheren – La sapinière* – BRUXELLES : *Vue prise à Edeghem – Un étang à Putte – Hiver* – GAND – LÈGE : *Intérieur du bois de Burnham* – LIVERPOOL : *Deux Paysages*.
VENTES PUBLIQUES : PARIS, 1875 : *Paysage* : **FRF 1 650** – PARIS, 19-28 oct. 1904 : *Paysage anglais d'hiver* : **FRF 375** – LONDRES, 9 avr. 1924 : *Feu d'hiver* : **GBP 42** – BRUXELLES, 4 déc. 1973 : *L'automne* : **BEF 70 000** – NEW YORK, 30 oct. 1978 : *Paysage fluvial*, h/pan. (40,5x72,5) : **USD 3 000** – LONDRES, 9 mai 1979 : *Pasage boisé* 1871, h/pan. (43,5x32,5) : **GBP 600** – LONDRES, 21 oct. 1983 : *Personnages et troupeau dans un paysage fluvial boisé* 1852, h/t (59x85) : **GBP 1 300** – LOKEREN, 20 avr. 1985 : *Ruisseau sous bois*, h/pan. (55x42) : **BEF 325 000** – LOKEREN, 21 fév. 1987 : *Paysage boisé à l'étang*, h/t (72x122) : **BEF 330 000** – AMSTERDAM, 30 août 1988 : *Promeneurs élégants sur le pont d'un parc*, h/pan. (17x24) : **NLG 1 265** – AMSTERDAM, 30 oct. 1991 : *Ferme dans les*

polders, h/pan. (22x37) : **NLG 1 725** – New York, 22-23 juil. 1993 : *Une longue chevauchée jusqu'à la maison* 1857, h/t (93,3x64,8) : **USD 920** – New York, 23 oct. 1997 : *Bois de trembles au bord du canal* 1891, h/pan. (132,7x106,7) : **USD 26 450**.

LAMORLET Joseph
Mort entre 1680 et 1688. XVIIe siècle. Actif à Anvers. Éc. flamande.
Peintre d'histoire.
Franc-maître en 1651-52, doyen en 1671-72.

LA MORNAY
XIXe-XXe siècles. Français.
Peintre de fleurs.
Ventes Publiques : Paris, 30 jan. 1947 : *Vase de fleurs* : **FRF 1 000** – Paris, 14 mars 1947 : *Coquelicots* : **FRF 4 100**.

LAMORT Charles
XVIIIe siècle. Actif à Nancy vers 1747. Français.
Peintre.

LAMOTE Alidor
Né en 1880 à Staden. XXe siècle. Belge.
Peintre de paysages, natures mortes, portraits, fleurs, dessinateur.
Il fut élève des académies des beaux-arts de Tourcoing et d'Anvers.
Bibliogr. : In : *Diction. biogr. illustré des artistes en Belgique depuis 1830*, Arto, Bruxelles, 1987.

LAMOTET
XIXe siècle. Français.
Peintre.
Exposa au Salon entre 1814 et 1824, particulièrement des oiseaux. Il a peint aussi sur porcelaine. Il privilégia les sujets d'histoire naturelle.

LA MOTHE BORGLUM John Gutzon de. Voir **BORGLUM John Gutzon de La Mothe**

LAMOTHE Louis
Né le 23 avril 1822 à Lyon. Mort le 15 décembre 1869 à Paris. XIXe siècle. Français.
Peintre d'histoire, de genre, portraitiste et paysagiste.
Élève d'Ingres et de Flandrin. Exposa au Salon entre 1848 et 1868 et obtint une médaille de troisième classe en 1863. Le Musée de Montauban conserve de lui *Invention du dessin*. On lui doit, en outre, *La Passion de Jésus-Christ*, deux peintures à la cire pour la Chapelle Pastrée à Marseille ; *Légende de Sainte Valère* ; *Les quatre grands prophètes*, pour l'église Sainte-Clotilde ; ainsi que beaucoup d'œuvres du même genre pour la chapelle de Saint-François-Xavier à Paris, l'abside de l'église de Saint-Gaudens, l'église Saint-Irénée à Lyon. Son élève Degas fut peut-être influencé par son goût pour la ligne ingresque.

LAMOTTE
XVIIIe siècle. Actif à Paris. Français.
Peintre d'histoire.
Obtint le deuxième prix à l'Académie Royale en 1721 avec *Le Sacrifice de Gédéon*.

LAMOTTE, pseudonyme de **Chefson Gabriel**
Né en 1920 à Saumur (Maine-et-Loire). XXe siècle. Français.
Graveur.
Il vit et travaille à Montreuil-Bellay. Il a participé à l'exposition *De Bonnard à Baselitz – Dix ans d'enrichissements du cabinet des estampes 1978-1988*, à la Bibliothèque nationale à Paris en 1992.
Musées : Paris (Cab. des Estampes) : *Oiseaux III et IV* 1980, litho.

LAMOTTE. Voir aussi **DELAMOTTE, DELMOTTE** et **MOTTE**

LAMOTTE Alexandre
XVIIe siècle. Actif à Salins. Français.
Sculpteur.
Il exécuta un autel pour l'église des Bénédictins à Besançon. Il entreprit en 1665 l'exécution d'un autel et d'une chaire pour l'église Notre-Dame-Libératrice à Salins, et mourut avant de les avoir terminés.

LAMOTTE Alphonse
Né le 5 décembre 1844 au Havre (Seine-Maritime). Mort le 11 mai 1914. XIXe-XXe siècles. Français.
Graveur.
Élève de Outhwaite et de Henriquel-Dupont. Débuta au Salon de 1869. Il a produit un grand nombre de portraits. Sociétaire des Artistes Français depuis 1883, il obtint des médailles de troisième classe (1877), de deuxième classe (1880), de première classe (1883), d'or (1887) (Exposition universelle), de bronze (1893), Chevalier de la Légion d'honneur (1889). Il dirigea l'École des Beaux-Arts du Havre.

LAMOTTE Bernard
Né le 30 juillet 1903 à Paris. Mort en 1983. XXe siècle. Français.
Peintre de paysages.
Il fut élève de Lucien Simon. On apprécie particulièrement ses bords de rivières.

Ventes Publiques : Paris, 9 juil. 1942 : *Maison des éclusiers à Suresnes* : **FRF 300** – Paris, 7 avr. 1943 : *L'usine au bord de l'eau* : **FRF 1 700** – Paris, 27 nov. 1944 : *Figure* : **FRF 850** – Paris, oct. 1945-juil. 1946 : *Paysages exotiques : Grotte et Ruisseau ombragé*, deux gches : **FRF 1 700** – Paris, 2 juil. 1947 : *Please – On her way*, deux gches, formant pendant : **FRF 2 500** – New York, 25 jan. 1961 : *Le quatorze juillet à Dijon* : **USD 700** – Genève, 12 mai 1970 : *Le bistrot* : **CHF 11 500** – Paris, 24 nov. 1972 : *La cathédrale de Chartres* : **CHF 4 800** – Genève, 10 oct. 1974 : *Le canal Saint-Martin en hiver* : **CHF 5 100** – Genève, 8 avr. 1976 : *Le Mont Valérien*, h/t (50x61) : **CHF 2 400** – New York, 15 mai 1980 : *Rue sous la pluie à Paris*, h/t (65x54,5) : **USD 10700** – Paris, 10 juil. 1983 : *En rade de Rio de Janeiro*, gche (113x67) : **FRF 7 200** – Paris, 10 juil. 1983 : *La Place de la Concorde – 14 Juillet*, h/isor. (125x189) : **FRF 19 000** – Paris, 15 avr. 1992 : *Le port*, h/isor. (38x61) : **FRF 4 500** – New York, 30 juin 1993 : *Les quais de la Seine*, h/t (91,4x85,1) : **USD 920** – New York, 9 mai 1994 : *Le square à Montmartre*, h/t (65x81,2) : **USD 1 955**.

LA MOTTE Hues de, ou **Hugues, Huson**
XVIe siècle. Actif à Lille. Éc. flamande.
Peintre.
Il travailla pour la chapelle de l'hôpital Comtesse à Lille en 1504 et pour l'église en 1508 et vécut longtemps à Lille entre 1490 et 1511. Il était à Bruges comme étranger en 1489, fut maître de la gilde en 1490 et directeur en 1511. Il eut pour élèves ses frères Pierson et Hugo de la Motte. On le trouve aussi sous le nom de Huchin Delmotte.

LAMOTTE Jean
XIXe siècle. Français.
Peintre d'intérieurs et de portraits.
Exposa au Salon entre 1837 et 1850.

LA MOTTE Jean-François de
Né en 1635. Mort en 1685. XVIIe siècle. Français (?).
Peintre de natures mortes, trompe-l'œil.
Ventes Publiques : Monaco, 17 juin 1988 : *Trompe-l'œil aux lettres*, h/t (71x54) : **FRF 188 700** – Monaco, 2 déc. 1989 : *Trompe-l'œil*, h/t (92x62) : **FRF 177 600** – Paris, 28 juin 1993 : *Trompe-l'œil à la lettre*, h/t (63x77) : **FRF 220 000** – Paris, 26 mars 1996 : *Trompe-l'œil : vanité*, h/t (63x48) : **FRF 52 000**.

LAMOTTE Léon
Né le 7 janvier 1912 à Amiens (Somme). XXe siècle. Français.
Sculpteur de statues, décorateur.
Il participe à Paris, depuis 1946 au Salon des Artistes Français, dont il est membre sociétaire, et à celui de la Société Nationale des Beaux-Arts. Il a reçu une médaille de bronze en 1981 à l'Exposition internationale du Québec. Il est chevalier des Lettres et des Arts.
Sa sculpture est figurative et moderniste. Il a également décoré des églises, écoles, bâtiments publics et restauré des monuments.
Musées : Abbeville – Paris (Mus. de la Poste).

LA MOTTE Pierre de
Mort en 1603 à Rome. XVIe siècle. Éc. flamande.
Sculpteur et architecte.
Il collabora au tombeau du duc de Clèves dans l'église Santa Maria dell'Anima à Rome.

LA MOTTE Rameau de
XVIIIe siècle. Français.
Peintre ou dessinateur.

LA MOTTE William de. Voir **DELAMOTTE**

LAMOUCHE
Né en 1864. XIXe-XXe siècles. Français.

Dessinateur.
Il fut un collaborateur des revues *Silhouette – Chronique parisienne – Nouvelle Lune – Grelot – Griffe – L'Élan – Caricature – Cri-Cri*, etc.

LAMOUR Charles Jean
XXe siècle. Français.
Peintre de marines, compositions animées.
Il exposa à Paris, au Salon des Indépendants à partir de 1909. On lui doit surtout des marines animées.
Ventes Publiques : Paris, 14 mai 1943 : *Sortie du port et L'arrivée au port*, deux h/t : **FRF 2 050** ; *La Rochelle* : **FRF 1 300**.

LAMOUR Gilles
Né le 23 mai 1939 à Épinay-sur-Seine (Seine-Saint-Denis). XXe siècle. Français.
Peintre de figures, paysages, sculpteur.
En 1949, il émigre avec sa famille au Maroc, à Casablanca. En 1961, il revient en France. Il est autodidacte en peinture. Il montre sa première exposition à Casablanca en 1959.
Dès 1955, il peint des paysages du Maroc. En 1965, il réalise ses premières sculptures. Ses peintures, hautes en couleurs, à l'acrylique, privilégient les formes géométriques librement juxtaposées, le dépouillement, pour restituer une réalité empreinte d'un certain primitivisme.

LAMOURDEDIEU Raoul Eugène
Né le 2 février 1877 à Fougerolles (Lot-et-Garonne). XIXe-XXe siècles. Français.
Sculpteur, médailleur, graveur.
Il fut professeur à l'École des Beaux-Arts de Paris. Il a participé à Paris, au Salon de la Société Nationale des Beaux-Arts et au Salon d'Automne, dont il fut membre sociétaire. Il a exposé dans de grandes villes d'Europe. Il fut fait chevalier de la Légion d'honneur.
On lui doit la médaille de Saint-Dumont et celle de l'élection du président Poincaré, divers monuments et bustes.
Musées : Agen (Mus) – Paris (Mus. d'Art Mod. de la Ville) : *Portrait de Vielé Griffin* – Périgueux (Mus) – Vitré (Mus).
Ventes Publiques : Paris, 24 nov. 1989 : *Femme nue* (H. 89,5) : **FRF 5 000**.

LAMOUREUX
XIXe siècle. Actif au Mans en 1818. Français.
Sculpteur.

LAMOUREUX Abraham César ou **La Moureux**
Mort en 1692 à Copenhague. XVIIe siècle. Français.
Sculpteur.
Élève de Nicolas Coustou. Il exécuta, en 1688, à Copenhague, une *Statue équestre de Christian V*, en plomb doré ; le piédestal en était orné de quatre figures (*La Force, La Sagesse, La Gloire, La Magnanimité*). Travailla aussi en Suède, où il participa, en 1677, à la décoration de la reine mère à Drottningholm.

L'AMOUREUX Bartolommeo
XVIIIe siècle. Actif vers 1758-1762. Français.
Peintre et architecte.

LAMOUREUX François ou **La Moureux**
Né en 1674 à Lyon. Mort entre le 5 août 1704 et le 7 mai 1705. XVIIe siècle. Français.
Sculpteur.
Il sculpta le tabernacle de l'église du monastère Sainte-Marie-de-Bellecour à Lyon, et exécuta deux bas-reliefs (*Jésus au temple* et la *Mort de Marie*) pour la chapelle des Gonfalons à l'église Saint-Bonaventure à Lyon, ainsi que le retable du maître-autel de l'église du monastère du Saint-Amour.

LAMOUREUX Philippe, appelé aussi **Amorosi Filippo**
Né à Rome. XVIIIe siècle. Italien.
Peintre.
Il est mentionné en 1735 à Lunéville à la Cour du duc de Lorraine où il peignit deux dessus-de-porte (*Portrait de la Régente Elisabeth Charlotte en Diane* et *Portrait de sa sœur en Flore*).

LAMOUROUX Jean
Né en 1933 à Paris. XXe siècle. Français.
Peintre.
Il expose régulièrement depuis 1958 aux États-Unis, au Canada, en Italie et en France.
Sa peinture est figurative, allusive.

LAMP. Voir aussi **LAMPI**

LAMP Franz Xaver ou **Lampp**
Né au XVIIIe siècle à Rottweil (Wurtemberg). XVIIIe siècle. Actif à Munich. Allemand.
Peintre.
On cite parmi ses œuvres des tableaux de plafond à Griesstadt, dans l'église du monastère d'Attel et à Osterwarngau (Haute-Bavière). Ne paraît pas identique à Lampi.

LAMPARELLI Carlo
Mort en 1727. XVIIIe siècle. Actif à Spello. Italien.
Peintre d'histoire et de portraits.
Élève de G.-Brandi. On le cite en 1680. Il travailla pour les églises d'Assise, Pérouse, Rome et Spello.

LAMPE Charles
Peintre.
La Galerie moderne de Madrid conserve de lui *Enfant endormi sur la jupe de sa mère*.

LAMPE Georg
Né le 23 décembre 1858 à Alfeld. XIXe siècle. Allemand.
Portraitiste.
Travailla d'abord à Düsseldorf, puis fut élève de Lenbach à Munich. Exposa à Berlin entre 1887 et 1892. On cite de lui un *Portrait du feld-maréchal Blumenthal*.

LAMPE Jan Baptist
XIXe siècle. Actif à Gand. Belge.
Peintre de genre.
Il exposa à partir de 1834.

LAMPECCO Antonio
Né en Toscane. XXe siècle. Actif en Belgique. Italien.
Sculpteur, céramiste.
Il montre ses œuvres dans des expositions personnelles à Namur notamment. Il a reçu le prix Faenza à Berlin.

LAMPEN Baerent
XVIIe siècle. Actif vers 1606. Hollandais.
Peintre.

LAMPERIÈRE Michel Victor
Né en 1826 à Arras (Pas-de-Calais). Mort en 1888 à Écurie (Pas-de-Calais). XIXe siècle. Français.
Peintre de natures mortes.
Élève de Michel Drolling à l'École des Beaux-Arts de Paris, il suivit les traces de son père en lui succédant en tant que restaurateur au musée d'Arras. Il fut aussi décorateur d'appartements. Très vite, il se spécialisa dans le domaine de la nature morte, introduisant très souvent des lièvres. Sa technique alterne glacis et couches en épaisseur pour mieux rendre les divers éléments des natures mortes, comme en trompe-l'œil.
Bibliogr. : Gérald Schurr, in : *Les Petits Maîtres de la peinture 1820-1920, valeur de demain*, Les Éditions de l'Amateur, t. VII, Paris, 1989.
Musées : Arras : *La table d'un amateur*.

LAMPERT Emma Esther. Voir **COOPER Emma Lampert**

LAMPÉRTH Jozsef. Voir **NEMES-LAMPERTH**

LAMPFERDTINGER M. G.
XVIIIe siècle. Actif à Nuremberg. Allemand.
Dessinateur.
Il exécuta les esquisses de 72 planches gravées par Christoph Melchior Roth pour l'ouvrage *Perspectives de toutes les petites villes, marchés et paroisses de Nuremberg*.

LAMPI Francesco ou **Franz Xaver**
Né en 1783 à Bolzano, ou en 1782 à Klagenfurt. Mort le 22 juillet 1852 à Varsovie. XIXe siècle. Italien.
Peintre.
Fils cadet de Giovanni-Battista Lampi. Il étudia d'abord avec son père, puis à l'Académie des Beaux-Arts de Vienne avec François Casanova. En 1815 il vint à Varsovie où il s'établit faisant de temps en temps un voyage à l'étranger. En 1838 et en 1841 il exposa à Varsovie. Citons parmi ses principaux tableaux : *La Vierge avec l'Enfant ; Sainte Madeleine ; L'Amour maternel ; Le Christ bénit les enfants ; Saint Pierre*. Il fit aussi plusieurs paysages et portraits.
Musées : Posen (Mielzynski) : *Paysage* – Varsovie : *Paysage de rochers avec cascade – K. Potocki – Salomea Becu – Mme Steinkeller – P. Fiorentini – L. Dmuszewski*.

LAMPI Giovanni Battista I, l'Ancien, appelé aussi **Johann Baptist Lampi**
Né le 31 décembre 1751 à Romeno. Mort le 11 février 1830 à Vienne. XVIIIe-XIXe siècles. Italien.
Portraitiste et peintre d'histoire.

Père de Giovanni-Battista Lampi le Jeune et de Francesco Lampi. Il étudia d'abord avec son père, puis se rendit à Salzbourg pour continuer ses études. En 1771, il se maria et s'installa à Vérone où il fut élève de Lorenzi et fit plusieurs tableaux d'histoire et des portraits qui eurent un grand succès. En 1783 il vint à Vienne où il fit les portraits des membres de la famille Potocki. En 1787 il fut invité à Varsovie par le roi Stanislas-Auguste comme peintre de la cour et peignit le portrait du roi. Il resta en Pologne jusqu'en 1791. En 1791, il partit pour la Russie où il fit fortune et enfin retourna à Vienne où il demeura jusqu'à la fin de sa vie. Il y fut membre de l'Académie.

Musées : Brünn : *Catherine II* – Budapest : *Cupidon – Le martyre d'une sainte femme – Diane* – Chantilly : *La tzarine Maria Feodorovna* – Cracovie : *J. Dzierzbicki – La femme du précédent* – Darmstadt : *Une jeune artiste peintre* – Eger (Mus. Épiscopal) : *Vierge* – Florence : *Elisabeth de Wurtemberg* – Graz : *Famille – Portrait d'homme – Elisabeth de Wurtemberg* – Innsbruck (Ferdinandeum) : *Joseph von Sperges – Portrait de l'artiste – Son frère et un enfant – Joséphine von Enzenberg – L'archiduchesse Elisabeth* – Moscou (Roumiantzeff) : *Le prince G. A. Potemkine Favritcheski* – Moscou (Mus. hist.) : *Le baron G. L. Nicolaï* – Moscou (Beaux-Arts) : *Potemkine*, esquisse – Nuremberg : *Johann von Fries* – Paris (Mus. du Louvre) : *Latour* – Posen : *La comtesse Potocka – La princesse Oginska – Portrait d'un dignitaire polonais – Le général Jasinski – Portrait de femme* – Saint-Pétersbourg (Mus. Russe) : *Le comte Javavoski* – Saint-Pétersbourg (Mus. de l'Ermitage) : *Stanislas – Auguste – Catherine II* – Salzbourg : *Portrait de jeune homme* – Varsovie : *K. Soltyk – Félix Potocki – Joséphine Potocka – Le général Grabowski – Le général Morawski – Portrait de femme* – Vienne : *Portrait de l'artiste* – Vienne (Czernin) : *Le comte Czernin* – Vienne (Acad.) : *Le prince de Kaunitz-Rietberg – Le baron de Sperges – Joseph II – Portrait de l'artiste – Portrait d'homme* – Vienne (Mus. Historique) : *Joseph Haydn*.

Ventes Publiques : Paris, 1870 : *Portrait de Catherine II de Russie* : **FRF 4 000** – Paris, 1878 : *Portrait de Mme la comtesse Potocka* : **FRF 12 700** – Londres, 3 juil. 1899 : *Portrait de dame, en Hébé* : **FRF 11 550** – Londres, 7 mai 1926 : *Fillette et son chien* : **GBP 241** – Paris, 14 mars 1931 : *Portrait de Catherine II, impératrice de Russie*, attr. : **FRF 7 000** – Londres, 23 fév. 1938 : *Femme en robe rose* : **GBP 78** – Paris, 21 mai 1943 : *Rêverie*, École de G. B. L. : **FRF 15 500** – Paris, 10 déc. 1948 : *Portrait du Prince-Chancelier Besborodko* : **FRF 40 000** – Paris, 28 mai 1951 : *Portrait d'un personnage de la cour de Russie* : **FRF 53 000** – Milan, 12-13 mars 1963 : *Le Comte Potocki et ses fils Stanislas et Félix* : **ITL 1 800 000** – Vienne, 22 sep. 1970 : *L'empereur d'Autriche François II* : **ATS 35 000** – Vienne, 19 sep. 1972 : *L'Empereur Paul Ier de Russie* : **ATS 45 000** – New York, 16 juin 1977 : *Portrait de la comtesse Potocka*, h/t (75x61) : **USD 6 750** – Londres, 28 mars 1979 : *Prince Eustache-Gaetan Spaieha*, h/t, de forme ovale (57x44) : **GBP 1 800** – Londres, 8 avr. 1981 : *Portrait d'Arthur Lazaresth*, h/t (90x108) : **GBP 3 000** – New York, 17 jan. 1986 : *Portrait de Karolina Alexandrovna Dolgorouky, née de Litzine*, h/t (40x33) : **USD 10 500** – Londres, 11-12 juin 1997 : *Portrait de l'impératrice Catherine II*, h/t (89x67) : **GBP 8 280**.

LAMPI Giovanni Battista II, le Jeune, appelé aussi **Johann Baptist Lampi**

Né le 4 mars 1775 à Trente. Mort en 1837 à Vienne. XIXe siècle. Italien.

Peintre de genre, portraits.

Il fit ses études à l'Académie des Beaux-Arts de Vienne avec les professeurs Mauser et Fuger ; ensuite il travailla avec son père. Il fit un long séjour à Saint-Pétersbourg, puis s'installa à Vienne. Il fut membre des Académies de Vienne et de Saint-Pétersbourg. Il réalisa surtout des portraits et des tableaux de genre.

Musées : Brünn : *François Ier – Marie-Thérèse* – Budapest : *Vénus* – Graz : *Le Baron de Kielmansegg* – Saint-Pétersbourg (Mus. Russe) : *Le Comte Sawadowski – Le Prince Kourakine* – Saint-Pétersbourg (Acad.) : *J. A. Akimoff – Le Comte Savadovski* – Vienne (Acad.) : *Joseph II – Le Baron de Sonnenfels* – Vienne (Mus. Historique) : *St. E. von Wohlleben* – Vienne (Liechtenstein) : *Jean I de Liechtenstein – Jean I de Liechtenstein en feld-marschall*.

Ventes Publiques : Copenhague, 1965 : *Autoportrait* : **DKK 13 000** – Cologne, 11 mars 1966 : *Hébé donnant à boire à l'aigle* : **DEM 4 500** – Vienne, 22 juin 1976 : *L'Empereur Paul Ier de Russie*, h/t (85x67) : **ATS 60 000** – Paris, 15 avr. 1988 : *Portrait d'un gentilhomme en habit bleu et col de fourrure*, h/t, de forme ovale (27x21,5) : **FRF 27 000** – New York, 11 jan. 1990 : *Portrait d'une dame (présumée la comtesse Potocka)*, h/t (75x61) : **USD 42 900** – Paris, 5 avr. 1990 : *Portrait de femme*, h/t (72,5x53) : **FRF 14 500** – Londres, 6 juil. 1990 : *Portrait du Kaiser François Ier d'Autriche en uniforme et portant la Toison d'or*, h/t/pan. (77,5x61) : **GBP 23 100** – Rome, 19 nov. 1991 : *Portrait d'une dame*, h/t (73x54) : **ITL 8 500 000** – Londres, 20 mai 1993 : *Portrait d'un gentilhomme de trois quarts, en habit bleu barré d'une écharpe rouge* 1804, h/t (114x92,5) : **GBP 16 100** – Paris, 12 juin 1995 : *Portrait de Catherine II de Russie en tenue de sacre*, h/t (53,5x39,5) : **FRF 80 000** – Londres, 13 déc. 1996 : *Portrait d'Antonio Canova drapé de brun*, h/t (74,6x58,8) : **GBP 20 700**.

LAMPI Giovanni Battista III, appelé aussi **Johann Baptist Matthias von Lampi**

Né le 26 janvier 1807. Mort le 15 août 1857 à Vienne. XIXe siècle. Actif à Vienne. Autrichien.

Peintre.

Il était fils de Johann Baptist Lampi le Jeune. Il figura aux expositions annuelles de l'Académie de Vienne en 1840, 1845, 1849 et 1850 avec des portraits, des études de têtes et autres œuvres. On mentionne de ses tableaux à l'église Sainte-Pauline à Vienne, dans une chapelle à Baden près de Vienne, et aux Archives municipales de Baden.

LAMPI Mattia ou **Lamp** ou **Lomp**

Né le 31 août 1697 à Obergsies. Mort le 7 mars 1780 à Romeno, en Tyrol. XVIIIe siècle. Actif à Saint-Lorenzen (près de Welsberg). Autrichien.

Peintre d'histoire et de portraits.

Il se fixa à Romeno en 1723. Il data et signa, en 1755, le maître-autel de l'église paroissiale de Tajo. Comme peintre de portraits il travailla pour de nombreux nobles, ecclésiastiques et personnalités. Des collections privées de Romeno conservent de ses œuvres. Il peignit des fresques à Romeno, Don, Brez, etc.

LAMPIN E. E.

XVIIIe siècle. Actif à Nuremberg de 1727 à 1733. Allemand.

Graveur.

Il a gravé des paysages.

LAMPLOUGH Augustus Osborne

Né en 1877 à Manchester. Mort en 1930 à Bromborough. XXe siècle. Britannique.

Peintre de scènes typiques, intérieurs, architectures, paysages, peintre à la gouache, aquarelliste, dessinateur, illustrateur. Orientaliste.

Il fit ses études à la School of Art de Chester et enseigna à Leeds après 1898-1899. Il voyagea en Algérie, Maroc et Égypte, d'où il rapporta de nombreuses vues.

Il exposa ses œuvres à Londres et en province, mais aussi aux États-Unis, notamment à New York, Philadelphie, Buffalo.

Dans un premier temps, il peignit des intérieurs de cathédrales et des vues architecturales de Venise. Puis, après son voyage au Moyen-Orient, il se consacra à des vues du désert, du Nil et des scènes de marché. Ses aquarelles, dans des tonalités ocre, chamois, beige, évoquent les tempêtes de sables ou le ciel se reflétant dans l'eau à l'aube ou au crépuscule. Certaines de ses aquarelles ont servi à illustrer les livres : *Cairo and its environs, winter in Egypt* et *Egypt and how to see it*, guide pour les Chemins de fer d'État égyptiens. Il illustra également : *La Mort de Philae* et *Égypte*, de Pierre Loti.

Bibliogr. : Lynne Thornton, in : *Les orientalistes peintres voyageurs*, ACR Édition, Paris, 1993.

Ventes Publiques : Londres, 21 mars 1980 : *Les Ruines de Karnak*, aquar. (50x72) : **GBP 600** – New York, 9 juin 1981 : *Sur le Nil supérieur* 1905, aquar. et cr. (64,7x89) : **USD 1 600** – Londres, 13 déc. 1983 : *Caravane dans le désert* 1911, aquar. (49,3x75) : **GBP 4 200** – Londres, 6 nov. 1985 : *Le marché de chameaux à Assouan* 1912, aquar./trait de cr. (49,5x71) : **GBP 5 800** – Londres, 22 oct. 1986 : *Les Colosses de Memnon, Thèbes*, aquar. reh. de gche (61x94) : **GBP 2 000** – Montréal, 24 avr. 1988 : *Rue de la Citadelle, Le Caire* 1904, aquar. (32x24) : **CAD 800** – Los Angeles, 9 juin 1988 : *Guerrier arabe montant un chameau*, aquar./cart. (60x756) : **USD 1 760** – Londres, 26 sep. 1990 : *Felouques sur le Nil*, aquar. (51x86) : **GBP 1 210** – Londres, 22 nov. 1990 : *Mosquées de villages à la porte du désert* 1894, aquar. et gche (23,5x61) : **GBP 440** – Londres, 14 juin 1991 : *Le guerrier* *du désert*, cr. et aquar. (53,5x90) : **GBP 1 485** – Londres, 11 juin 1993 : *Sur les bords du Nil le soir*, aquar. et gche (24,1x62,2) : **USD 1 552** – Londres, 9 juin 1994 : *Sous le portique du temple de Philae*, aquar. (49,5x32) : **GBP 2 530** – Paris, 14 juin 1996 : *Palmeraie* 1907, aquar. (23x36,5) : **FRF 4 000**.

LAMPRECHT Georg
Mort en janvier 1814 à Vienne. xixe siècle. Autrichien.
Peintre sur porcelaine.
Il travailla à partir de 1772 à la Manufacture de porcelaine de Vienne.
Musées : Sèvres : *Couvercle de terrine de la Manufacture de Clignancourt* – Vienne (Mus. Autrichien pour l'Art et l'Industrie) : *Plateau de déjeuner (Cupidon et Ganymède)*.

LAMPRECHT P.
xixe siècle.
Miniaturiste.
Le Musée d'Amsterdam conserve de lui un *Portrait de Fr. S. Wilhelmine de Prusse* (signé *P. Lamprecht ad vivum pinxit*).

LAMPRECHT Wilhelm
Né le 31 octobre 1838 à Altenschönsbach près de Würzburg. xixe siècle. Allemand.
Peintre.
Il étudia à Munich de 1859 à 1867 et se rendit ensuite en Amérique où il peignit de nombreux tableaux de plafonds, d'autels, des fresques, pour des églises à Boston, Brooklyn, Cincinnati, Chicago, New York et Philadelphie. Il se fixa de nouveau à Munich en 1901.

LAMPSON Jacques
xviie siècle. Belge.
Peintre.
Peut-être fils de Dominicus Lampsonius. Il était à Rome en 1620.

LAMPSONIUS Dominicus
Né en 1532 à Bruges. Mort en 1599 à Liège. xvie siècle. Éc. flamande.
Peintre, sculpteur et poète.
Il accompagna le cardinal Reginald Pole en Italie et en Angleterre ; après la mort de celui-ci, il revint à Liège en 1558, travailla la peinture avec Lambert Lombard, entra dans la gilde en 1575, fut secrétaire privé des évêques Robert de Berg, Gérard Van Groesback et Ernest de Bavière et fut lié d'amitié avec Titien, les Zuccaro, Lukas de Heere et Otto Vaenius.

LAMPUGNANI Giovanni Battista
Mort à Legnano. xviie siècle. Actif à Milan de 1619 à 1653. Italien.
Peintre, sculpteur et graveur.
Parmi son œuvre gravé on cite : *Fuite en Égypte ; Mise au tombeau ; Allégories*.

LAMPUGNANI Giovanni Francesco
Né à Legnano. xviie siècle. Actif vers 1619-1644. Italien.
Peintre et graveur.
Il peignit, en collaboration avec son frère Giovanni Battista Lampugnani, des fresques au monastère de S. Maria di Campagna à Plaisance ; au Sacro Monte, près de Varèse : *Fresques (Annonciation* et *Naissance de Jésus)*.

LAMPUGNANO Melchiorre de
xve siècle. Actif à Milan. Italien.
Peintre et peintre de miniatures.
En 1474 il peignit en collaboration avec d'autres artistes les plafonds de la chapelle des Reliques à Pavie. En 1495, il signa un manuscrit héraldique, que conserve la Bibliothèque Trivulziana à Milan et auquel collaborèrent également d'autres artistes.

LAMRCHE Claude
xxe siècle. Canadien.
Créateur d'installations, dessinateur.
Il a exposé en 1989 à la galerie Donguy et au Centre culturel canadien, à Paris.

LAMSIN
xiiie siècle. Actif à Ypres en 1290. Éc. flamande.
Peintre.
Les comptes manuscrits de la ville de Bruges, 1290-1291, mentionnent ceci : *Lamsino pictori de Ypra pro imagineiuxta fontem super arenam pingena, xvi*e *s. parisis*.

LAMSVELD Jan ou **Joannes** ou **Lamsvelt**
Né vers 1664 probablement à Utrecht. xviie siècle. Hollandais.
Graveur au burin.
Il fut libraire à Amsterdam. Son style rappelle celui de Romeyn de Hooghe. Il a gravé des portraits et des sujets historiques dans le style de Suyderhof.

LAMSWEERDE Eugène Van
Né en 1930 à Ginneken. xxe siècle. Actif depuis 1974 en France. Hollandais.
Sculpteur, peintre. Abstrait.
Il se forma seul à la sculpture. Il fut professeur à l'école des beaux-arts de Bréda, à partir de 1957, puis se fixa à Paris. Il a participé en 1967 au Symposium de sculpture de Grenoble ; en 1971 au Middelheim d'Anvers ; en 1972, 1973, 1975, 1976 au Salon de la Jeune Sculpture à Paris ; en 1975 au Salon des Réalités Nouvelles à Paris ; en 1984 à la IIe Biennale Européenne de Sculpture de Normandie et au Centre d'art contemporain de Jouy-sur-Eure ; en 1995 au Salon des Bataves à l'Institut néerlandais de Paris. Il a exposé à Paris en 1974. En 1994, a été inaugurée la sculpture *Décollage terrien*, acquise par la Ville de Paris pour les jardins de la Cité Internationale des Arts.
Il travailla d'abord la terre cuite et le bronze. Il a choisi pour ses recherches ultérieures, le métal, avec lequel il réalise des sculptures monumentales, conçues comme des parties d'un tout, constitué à la fois par le cadre naturel, le bâtiment et ses éventuelles animations artistiques, jouant auprès de la population un rôle de vecteur culturel dans de nouvelles perspectives urbanistiques. Il crée aussi des sortes d'installations qui matérialisent l'espace où le corps peut se mouvoir et circuler, avec des tiges de métal, reliées entre elles, et porteuses de formes planes de bois peintes.
Bibliogr. : Denys Chevalier, in : *Nouv. Diction. de la sculpt. mod.*, Hazan, Paris, 1970 – in : Catalogue de la *IIe Biennale Européenne de Sculpture de Normandie*, Centre d'Art Contemp., Jouy-sur-Eure, 1984.
Musées : Amsterdam (Stedelijk Mus.).
Ventes Publiques : Paris, 6 juil. 1983 : *Table sculpture* 1981, acier et acryl. (78x203x150) : **FRF 13 000**.

LAMSWEERDE Stewen Van ou **Lamzweerde**, appelé aussi **Simon Anton Van Lamsweerde**
Né vers 1644 probablement à Utrecht. xviie siècle. Hollandais.
Graveur.
Il travaillait encore en 1688. Un Johan Van Lamsweerde que Muller croit ne faire qu'une personne avec Stewen Van Lamsweerde fut en 1654 membre de la gilde d'Utrecht. Il a gravé des portraits historiques dans le style de Snyder.

LAMUNIERE Gaspard
Né le 15 mai 1810. Mort le 6 avril 1865 à Nice. xixe siècle. Actif à Genève. Suisse.
Peintre d'émaux et portraitiste.
Élève de Calabri à Genève pour le dessin et de Harnung et de Lugardon pour la peinture. S'adonna à la peinture sur émail pour assurer sa vie matérielle, sans délaisser toutefois la peinture à l'huile, son art préféré. Fonda un grand atelier de peinture sur émail à Chantepoulet. Le Musée de Genève conserve cinq miniatures de sa main.

LA MURA Francesco, dit **Franceschiello**. Voir **MURA**

LAMY, pseudonyme de **Lambert Pierre**
Né le 23 juillet 1921 à Saint-Loup-Terrier (Ardennes). xxe siècle. Français.
Peintre, illustrateur. Fantastique.
De 1949 à 1958, il séjourne au Mali puis s'installe en Provence, où il se consacre entièrement à la peinture. Il expose à Paris depuis 1960, et a participé au Salon Comparaisons de 1964 à 1968. En 1967, il a participé à l'exposition *Arborescence* à l'Hôtel de ville de Paris.
Sa peinture est d'inspiration fantastique et se rapproche d'une certaine forme de science-fiction. Lamy « réaliste fantastique » crée un univers angoissant où les êtres humains subissent d'étranges et troublantes métamorphoses animales et minérales.
Ventes Publiques : Paris, 14 oct. 1989 : *Wermer, le peintre dans l'atelier*, h/bois (56x46) : **FRF 13 000**.

LAMY. Voir aussi **LAMI**

LAMY Aline
Née le 24 avril 1862 à Paris. XIXe-XXe siècles. Française.
Peintre, pastelliste, aquarelliste, miniaturiste.
Elle fut élève d'Allongé, Rivoire et Laurent Desrousseaux. Elle exposa à Paris, au Salon des Artistes Français, dont elle est membre sociétaire depuis 1888.

LAMY Antoine
Né en 1780. XIXe siècle. Actif à Marseille. Français.
Peintre.
Fils de Louis-Auguste Lamy. Il exposa au Salon de 1832 et 1846. Le château de Brain-sur-l'Authion possède de sa main un dessin à la plume (*Trophées*).

LAMY Augustin
Né le 30 juin 1817. XIXe siècle. Actif à Marseille. Français.
Peintre.
Fils et élève d'Antoine Lamy. Il exposa au Salon à partir de 1838.

LAMY Charles
Né à Mortagne, en 1689 selon Siret, en 1699 selon Bryan. Mort le 2 avril 1743 à Paris. XVIIIe siècle. Français.
Peintre d'histoire.
Exposa au Salon de la Jeunesse en 1734. Reçu académicien le 5 novembre 1735. Il prit part au Salon entre 1737 et 1742. Le Musée de Tours conserve de lui une *Assomption de la Vierge* et *Vision*. Siret et le *Bryans Dictionary*, indiquent à tort 1699 comme date de sa naissance; dans l'acte de décès de notre artiste, dressé le 3 avril 1743, Lamy est indiqué comme étant mort à l'âge de soixante ans ou environ.

LAMY Claire
Née le 7 septembre 1943 à Paris. XXe siècle. Française.
Peintre de figures, intérieurs, paysages, fleurs, illustrateur.
Elle fut élève de l'École des Beaux-Arts de Rouen, puis travailla à l'Académie de la Grande Chaumière à Paris. En 1977, elle s'est installée dans le Languedoc. Elle participe à des expositions collectives, notamment à Paris au Salon d'Automne. Elle montre ses œuvres dans des expositions personnelles à Elbeuf (1977, 1981), Béziers (1978, 1980, 1982, 1986), au Cap D'Agde (1979, 1981, 1984, 1986), à Toulouse (1980, 1984, 1987), Montpellier (1980, 1983, 1985), Perpignan (1981), Paris (1984, 1986), etc.
Tout en traitant des sujets très divers, elle affectionne particulièrement l'ombre des sous-bois profonds, dont les alléess majestueuses peuvent parfois mener à un monument ou à l'abri d'un petit édifice.
BIBLIOGR. : *Lamy*, Édit. Akka, Béziers, s.d.

LAMY E. C.
XIXe siècle. Actif vers 1830. Éc. flamande.
Peintre d'histoire et de genre.
Cité par Siret. Peut-être G.-E. Lami.

LAMY Eugène. Voir **LAMY Pierre Désiré Eugène Franc**

LAMY Francis Marcel
Né au XIXe siècle à Clermont-Ferrand (Puy-de-Dôme). XIXe siècle. Français.
Peintre et aquarelliste.
Le Musée de Rouen conserve une aquarelle de cet artiste (*Une Ferme à Veauville-les-Bains*).

LAMY François Édouard
Né au XIXe siècle à Salins (Jura). XIXe siècle. Français.
Aquarelliste.
Élève de Ch. Lhullier et de Cabanel. Le Musée du Havre conserve deux œuvres de cet artiste.

LAMY Henry, appelé aussi **Perronnet** ou **Perroneto**
Né à Saint-Claude (Jura). Mort en 1455. XVe siècle. Français.
Peintre de miniatures.
En collaboration avec Jean Bapteur, il orna de miniatures une *Apocalypse* pour Amédée VIII de Savoie. Cette œuvre se trouve maintenant dans la Bibliothèque de l'Escurial.

LAMY Jean Auguste
Né le 28 août 1770 à Marseille. Mort en 1844 à Marseille. XVIIIe-XIXe siècles. Français.
Peintre de natures mortes.
Fils et élève de Louis Auguste Lamy. Exposa au Salon de 1817. Le Musée de Marseille conserve plusieurs ouvrages de cet artiste.

LAMY Joseph
Né en 1819 à Marseille. Mort après 1861. XIXe siècle. Actif à Marseille. Français.
Peintre.
Il fut élève de son père, Augustin Lamy, et d'Aubert.
MUSÉES : NICE : *Enfant aux poissons*.
VENTES PUBLIQUES : MARSEILLE, 17 mai 1853 : *Marine, environs de Marseille* : **FRF 110** – PARIS, 1900 : *L'après-midi dans le parc* : **FRF 130**.

LAMY Louis Auguste, dit **Lamy Père**
Né le 28 août 1746 à Marseille. Mort en juillet 1831 à Marseille. XVIIIe-XIXe siècles. Français.
Peintre.
Reçu académicien le 28 août 1788. Il exposa des paysages aux Salons de 1804 et de 1808. Le Musée de Marseille possède plusieurs peintures de cet artiste.

LAMY Louise
XIXe siècle. Actif à Caen (Calvados). Français.
Peintre de portraits.
Exposa au Salon en 1835 et en 1837.

LAMY Marie Laurence
Née en 1946 à Paris. XXe siècle. Active aussi en Angleterre. Française.
Peintre de compositions animées, technique mixte.
Elle vit et travaille à Paris et à Londres. Elle a participé en 1987 à l'exposition *Carte blanche à l'association des amis du centre Georges Pompidou* aux galeries contemporaines du musée national d'Art moderne de Paris. Elle montre ses œuvres dans des expositions personnelles depuis 1982 à Paris, Manchester et Oxford.
Dans des teintes sourdes, des figures primitives silencieuses se côtoient.

LAMY Maurice Joseph
Né au XIXe siècle à Paris. XIXe siècle. Français.
Graveur sur bois.
Élève de Chapon. Sociétaire des Artistes Français depuis 1887, il figura au Salon de ce groupement et y obtint une mention honorable en 1897, médaille de troisième classe en 1905.

LAMY Nelly
Née à Paris. XIXe-XXe siècles. Française.
Peintre.
Elle exposa à Paris, au Salon des Artistes Français, dont elle fut membre sociétaire à partir de 1892.

LAMY Paul
Né au XIXe siècle à Paris. XIXe siècle. Français.
Graveur.
Élève de Perot et de Bordet. Débuta au Salon en 1870.

LAMY Pierre Auguste
Né le 1er juillet 1827 à Paris. XIXe siècle. Français.
Graveur, lithographe et aquarelliste.
Élève de l'École des Beaux-Arts. Débuta au Salon en 1850.

LAMY Pierre Désiré Eugène Franc, dit **Franc-Lamy**
Né en 1855 à Clermont-Ferrand (Puy-de-Dôme). Mort le 14 mars 1919 à Paris. XIXe-XXe siècles. Français.
Peintre d'histoire, scènes de genre, nus, portraits, paysages, aquarelliste, dessinateur.
Il fut élève de Pils et de Gérôme. Sociétaire des Artistes Français à partir de 1885, il figura au Salon de ce groupement et y obtint une mention honorable en 1887, une médaille de troisième classe en 1888, une mention honorable en 1889 à l'Exposition universelle, une médaille de deuxième classe en 1890, une médaille de bronze pour l'Exposition universelle de 1900. Il fut fait chevalier de la Légion d'honneur en 1893.
Il fut attiré d'abord par le mouvement impressionniste. Plus tard, il s'adonna au portrait et à la peinture décorative.
MUSÉES : CLERMONT-FERRAND : *Le conseil de révision* – MÂCON : *Pâquerette* – NICE : *Au fond des bois* – POITIERS : *Après le bain* – ROUEN : *Une ferme*.
VENTES PUBLIQUES : PARIS, 6-7 avr. 1892 : *L'Été* : **FRF 350** – PARIS, 1899 : *Femme nue couchée* : **FRF 170** – PARIS, 7-10 juil. 1919 : *Le Printemps* : **FRF 4 200** ; *Grand Canal à Venise* : **FRF 1 540** – PARIS, 1er et 2 déc. 1920 : *Le Parterre d'eau à Versailles*, aquar. : **FRF 380** – PARIS, 16 mai 1924 : *Vieilles maisons à Bruges* : **FRF 285** – PARIS, 23 oct. 1925 : *Dans le parc de Versailles, en automne*, aquar. : **FRF 450** – PARIS, 30 nov. 1925 : *Au bord de l'eau* : **FRF 310** – PARIS, 25 avr. 1927 : *Portrait de Renoir*, dess. : **FRF 310** – PARIS, 24-26 avr. 1929 : *Avant l'orage* : **FRF 520** – PARIS, 9 mai 1940 : *Le Pape Boniface et Colonna*, aquar. : **FRF 600** – PARIS, 8 et 9 mai 1941 : *Le Grand Canal à Venise*, aquar. :

FRF 600 – PARIS, 12 avr. 1943 : *Le Lac des Minimes* : **FRF 560** – PARIS, 5 juil. 1943 : *La statue équestre du Colleoni à Venise* : **FRF 3 650** – PARIS, 11 déc. 1944 : *Haarlem*, dess. à la mine de pb, reh. d'aquar. : **FRF 500** – PARIS, oct. 1945-Juil. 1946 : *Femme nue assise devant un brûle-parfum oriental* : **FRF 3 100** – PARIS, 16 déc. 1946 : *Venise* : **FRF 5 200** – COPENHAGUE, 8 juin 1982 : *Paysage au moulin*, h/t (41x45) : **DKK 6 000** – LONDRES, 28 nov. 1984 : *Nu couché sur son lit* 1910, h/t (104x191) : **GBP 4 000** – PARIS, 10 fév. 1986 : *L'été*, h/t (115x220) : **FRF 125 000** – LONDRES, 6 oct. 1989 : *Une beauté exotique*, h/t (73,5x61) : **GBP 5 280** – PARIS, 12 juin 1990 : *La Reine Élisabeth et le duc de Leicester*, aquar. (29x32) : **FRF 30 000** – PARIS, 18 juin 1991 : *Les saltimbanques*, h/t (92x73) : **FRF 24 000** – PARIS, 22 juin 1994 : *Scène de la guerre de 1870* 1879, cr. noir aquar. (35x47) : **FRF 6 500** – COPENHAGUE, 17 mai 1995 : *Chemin entre deux rangées d'arbres* 1902, h/t (70x96) : **DKK 16 000**.

LAMY-LNADI Eugène
XIXe siècle. Français.
Sculpteur.
Exposa des bustes au Salon en 1849 et en 1850, et en particulier celui du *Général Cavaignac*.

LAMYS Hacquinet
XVe siècle. Actif à Amiens. Français.
Sculpteur.
Il sculpta, dans l'église Saint-Ladre, d'Amiens, en 1455, une custode dont le sommet était orné des images du Christ et de la Madeleine.

LAMZWEERDE Stewen Van. Voir **LAMSWEERDE**

LAN-BAR David, pseudonyme de **Lanberg David**
Né en 1912 à Rave-Russkaye. Mort en 1987 à Paris. XXe siècle. Actif depuis 1948 en France. Polonais.
Peintre. Abstrait.
Il immigre en Israël en 1935, où il fréquente l'université et aborde la peinture, étudiant avec Streichman et Stematsky. En 1948, il vient travailler à Paris, où il s'installe, et suit les cours de l'École des Beaux-Arts. Il participe à de nombreuses expositions de groupe, notamment à Paris : Salons des Réalités Nouvelles de 1959 à 1963, des Indépendants, Grands et Jeunes d'Aujourd'hui, Comparaisons, ainsi que Biennale de Menton en 1955, Biennale de São Paulo en 1961. Il a exposé également au Musée de Tel-Aviv, au Musée d'Art Moderne de Haïfa, au Musée d'Art Moderne de Paris, à l'Art Institute de Chicago, au Museum of Fine Arts de Montréal. Le Musée de Vesoul en 1988 et le Musée Israélien de Paris en 1993-1994 lui ont consacré des expositions rétrospectives, ainsi que la galerie Lélia Mordoch de Paris en 1991, 1993, 1995, 1998.
D'une figuration tourmentée, il évolua vers l'abstraction dans les années cinquante. Travaillées au couteau, avec violence, les couleurs s'épanouissent dans une composition lumineuse. Traits, lignes se superposent, viennent se heurter, parfaitement maîtrisés.
BIBLIOGR. : Stani Chaine : *David Lan-Bar – L'Effusion*, Artension, n° 20, Rouen, janv. 1991.
MUSÉES : PARIS (Mus. d'Art Mod.) – TEL-AVIV.
VENTES PUBLIQUES : PARIS, 6 fév. 1991 : *Sans titre* 1951, h/t (92x73) : **FRF 13 000** – PARIS, 19 avr. 1991 : *Composition*, h/t (116x89) : **FRF 10 000** – PARIS, 4 juil. 1991 : *Composition* 1983, gche/pap. (57,5x44,5) : **FRF 6 000** – PARIS, 16 oct. 1992 : *Composition* 1952, h/t (65x91,5) : **FRF 12 900**.

LANA da Modena Lodovico
Né en 1597 à Modène ou à Ferrare. Mort en 1646 à Modène ou à Ferrare. XVIIe siècle. Italien.
Peintre d'histoire, de portraits et graveur à l'eau-forte.
Élève de Ferrare de H. Scarsellini et à Bologne de Guerelno. Ce fut un des meilleurs imitateurs de Barbieri et l'on cite comme une œuvre de grand mérite son tableau de *La Ville de Modène délivrée de la peste*. Il ouvrit à Bologne une académie qui jouit d'une grande renommée dans toute l'Italie. Il a gravé des sujets mythologiques et des sujets religieux.

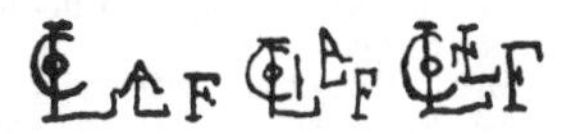

MUSÉES : BOLOGNE (Pina.) : *Saint Joseph* – CENTO (Mus. Civ.) : *Naissance de la Vierge* – FERRARE (Pina.) : *Descente de croix – Mort d'Holopherne* – MODÈNE : *Abel et Caïn – Vierge à l'Enfant – Clorinde et Tancrède – La fuite d'Herminie – Portrait de l'artiste*.

LANARO Roberto
Né en 1946 à Molvena. XXe siècle. Italien.
Sculpteur de monuments. Abstrait.
Il a participé en 1984, à la *IIe Biennale Européenne de Sculpture de Normandie*, au Centre d'Art Contemporain de Jouy-sur-Eure.
Bien que constituée de formes rigoureuses, dans leur structure et dans leur facture, généralement métallique, la sculpture de Lanaro n'est pas géométrique. Même, l'agencement des éléments qui la constitue peut être taxé d'un certain baroquisme. Selon le propre de la sculpture, ses œuvres définissent l'espace où elles s'incluent. Il réalise des sculptures monumentales pour des lieux publics.
BIBLIOGR. : In : Catalogue de la *IIe Biennale Européenne de Sculpture de Normandie*, Centre d'Art Contemp., Jouy-sur-Eure, 1984.

LA NAUZE Alexander de
Mort le 31 janvier 1767 à Dublin. XVIIIe siècle. Actif à Dublin. Irlandais.
Peintre de portraits.
Il exposa en 1766 à la Société des Artistes de Dublin. John Dixon grava son *Portrait du poète Brockhill Newburgh*.

LANAVE Henri Auguste
Né au XIXe siècle à Paris. XIXe siècle. Français.
Peintre de portraits.
Élève de Lehmann. Débuta au Salon de 1876.

LANC Émile
Né en 1922 à Uccle (Brabant). XXe siècle. Belge.
Peintre, dessinateur, sculpteur, peintre de cartons de tapisseries, peintre de décors de théâtre. Abstrait.
Il s'est attaché à jouer des contrastes entre les pleins et les vides tant dans ses sculptures que dessins.
BIBLIOGR. : In : *Diction. biogr. illustré des artistes en Belgique depuis 1830*, Arto, Bruxelles, 1987.

LANÇA Jeronimo de
XVIe siècle. Espagnol.
Peintre.
Il acheva, avec Andres et Llanos, les retables commencés en 1520 par Ferrando de Llanos pour la cathédrale de Murcie.

LANCASTER Alfred Dobree, ou **Dobres**
Mort en 1909. XIXe siècle. Britannique.
Peintre de genre, portraits.
Il vécut et travailla à Londres. Il figura de 1863 à 1905 à la Royal Academy et autres expositions de Londres.

LANCASTER Éric
Né en 1911 à Londres. XXe siècle. Actif en France. Britannique.
Affichiste, graphiste, peintre de cartons de tapisseries.
Il vit en France depuis l'enfance. Il fut élève de Jean Carlu à l'École des Arts Décoratifs, puis devint son collaborateur. Après la guerre, il travailla comme graphiste publicitaire pour la Direction Générale du Tourisme.

LANCASTER Mark
Né le 14 mai 1938 à Yorkshire. XXe siècle. Actif aux États-Unis. Britannique.
Peintre. Abstrait.
Il a rencontré à New York, Jasper Johns, Frank Stella et Andy Warhol en 1964, John Cage, Merce Cuningham et Robert Rauschenberg en 1966. Il vit et travaille à Londres.
Il participe à des expositions collectives : 1967, 1968 Museum of Modern Art de New York ; 1969 Museum am Ostwall à Dortmund ; 1970 National Gallery à Washington ; 1974 Hayward Gallery à Londres ; 1975 Helsinki. Il montre ses œuvres dans des expositions personnelles : 1965, 1967, 1969, 1970, 1971, 1973, 1975 Rowan Gallery à Londres ; 1969 Arts Council Gallery à Cambridge ; 1973 Walker Art Gallery à Liverpool. Il a reçu le prix de la Biennale internationale de gravure de Bradford en 1970.
MUSÉES : ADELAÏDE (Art Gal. of South Australia) – BELFAST (Ulster Mus.) – CAMBRIDGE (Fitzwilliam Mus.) – LISBONNE (Fond. Gulbenkian) – LONDRES (Tate Gal.) – LONDRES (Victoria and Albert Mus.) – LONDRES (Contemp. Art Society) – OBERLIN (Allen Art Mus.).
VENTES PUBLIQUES : LONDRES, 7 déc. 1977 : *Houston, Charleston* 1973, acryl./t. (173x259) : **GBP 900** – NEW YORK, 2 oct. 1980 : *Forsyth/Houston* 1972/73, aquatec/t. (223,5x259) : **USD 2 100** – NEW YORK, 9 nov. 1983 : *Cambridge yellow and orange* 1968, liquitex/t. (173x173) : **USD 1 400**.

LANCASTER Osbert
Né le 4 août 1908 à Londres. XXe siècle. Britannique.
Peintre, illustrateur, dessinateur.
Il a d'abord étudié à la Ruskin School, puis à la Slade School de Londres. Il a souvent illustré des livres, en particulier des livres satiriques sur les temps passés. Il est également auteur de bandes dessinées dans le *Daily Express*.
MUSÉES : LONDRES (Tate Gal.).
VENTES PUBLIQUES : LONDRES, 10 mai 1988 : *Projets de costumes pour le chœur de l'acte II scène II de Falstaff*, aquar., gche et cr. (37,5x56,8) : **GBP 3 960**.

LANCASTER Percy
Né le 28 novembre 1878 à Manchester. Mort en 1951. XXe siècle. Britannique.
Peintre de paysages, graveur, dessinateur.
Il vécut et travailla à Southport. Il pratiqua l'eau-forte.
MUSÉES : BIRGENHEAD – COLDHAM HULL – LEICESTER – LIVERPOOL – LONDRES (Mus. Victoria and Albert) – MANCHESTER.
VENTES PUBLIQUES : LONDRES, 5 juin 1924 : *Cloîtres*, dess. : **GBP 10** – LONDRES, 19 fév. 1926 : *Moisson* : **GBP 42** – LUDLOW (Shropshire), 11 juil. 1973 : *Scène de marché* : **GBP 650** – LONDRES, 14 déc 1979 : *La Place du Marché*, aquar. et reh. de blanc (48,3x33,5) : **GBP 500** – CHESTER, 9 avr. 1987 : *Jeunes filles cueillant des fleurs*, h/pan., haut arrondi (62x51) : **GBP 8 000** – LONDRES, 25 jan. 1988 : *Le coup de vent*, aquar. (49,5x34) : **GBP 2 310** – CHESTER, 20 juil. 1989 : *Le nuage sur la colline*, aquar. (49x58) : **GBP 1 540** – LONDRES, 31 jan. 1990 : *La marchande de fleurs*, aquar. (23x27) : **GBP 1 540** – LONDRES, 12 mai 1993 : *La marchande de fleurs*, aquar. et past. (69,5x42) : **GBP 2 760**.

LANCASTER Richard Hume
Né en 1773 à Londres. Mort le 25 juin 1853 à Warnford (Hampshire). XVIIIe-XIXe siècles. Britannique.
Peintre de genre, paysages animés, paysages, marines.
Membre de la Society of British Artists. Il exposa à la Royal Academy. Ses vues de Hollande sont particulièrement estimées.
MUSÉES : LONDRES (Nat. Gal.) : *Vue de l'Oxfordshire* – LONDRES (Tate Gal.) : *Vue de Southampton*.
VENTES PUBLIQUES : PARIS, 17 nov. 1948 : *Vue de Rouen* : **FRF 57 000** – LONDRES, 13 déc. 1972 : *Bords de Seine aux environs de Paris* : **GBP 4 600** – LONDRES, 6 juin 1980 : *Bord de mer à Dieppe*, h/t (70x100,2) : **GBP 600** – LONDRES, 23 nov. 1984 : *Vue du port de Portsmouth*, h/t (121,3x184,2) : **GBP 15 000** – LONDRES, 1er mars 1985 : *Pêcheur sur la plage* 1844, h/t (38,5x59) : **GBP 1 700** – AUCHTERARDER, 1er sep. 1987 : *Vue sur la Clyde au-dessus de Dumbarton, Écosse*, h/t (61x91,5) : **GBP 7 000** – LONDRES, 8 avr. 1992 : *Paysage fluvial du Pays de Galles avec des personnages traversant un pont*, h/t (41,5x41,5) : **GBP 1 870** – LONDRES, 20 mai 1992 : *Déchargement d'un cargo*, h/pan. (44x61) : **GBP 1 650**.

LANCBQUIN Berthe
XIXe siècle. Active à Paris. Française.
Peintre de fleurs et aquarelliste.
Elle débuta au Salon de 1877 avec une *Corbeille de fleurs* (aquarelle).

LANCE George
Né le 24 mars 1802 à Little-Easton (Essex). Mort le 18 juin 1864 près de Birkenhead. XIXe siècle. Britannique.
Peintre d'histoire, scènes de genre, portraits, natures mortes, fleurs et fruits, aquarelliste.
Élève de Haydon et des écoles de la Royal Academy, il exposa à cette société, à la British Institution et à Suffolk Street, à partir de 1824, quelques toiles de genre et de natures mortes, mais à la fin de sa carrière, il se consacra à ce genre, dans lequel il mêlait avec beaucoup de talent des fleurs et des fruits.

G. Lance

MUSÉES : LE CAP : *Fruits* – LIVERPOOL : *Prêts à être coupés* – LONDRES (Victoria and Albert) : *Deux tableaux de fruits – L'artiste – Le Rév. William Harness* – LONDRES (Tate Gal.) : *Bonnet rouge – Fruits* – MELBOURNE : *Nature morte* – OSLO : *Portrait de femme*.
VENTES PUBLIQUES : LONDRES, 27 mars 1909 : *Full Ripe* 1860 : **GBP 21** – LONDRES, 14 juin 1909 : *Fruits sur une table* : **GBP 14** – LONDRES, 4 déc. 1909 : *Fruits et nature morte* 1847 : **GBP 27** – LONDRES, 3 déc. 1910 : *Fruits et nature morte* : **GBP 27** – LONDRES, 24 nov. 1965 : *Nature morte aux fruits* : **GBP 380** – LONDRES, 11 oct. 1968 : *Nature morte* : **GNS 500** – LONDRES, 5 oct. 1973 : *Les richesses de la terre* : **GNS 1 800** – LONDRES, 16 nov. 1976 : *Nature morte aux fruits*, h/t (52x43) : **GBP 550** – LONDRES, 29 juil. 1977 : *Nature morte aux fruits*, h/cart., haut arrondi (60,3x47,7) : **GBP 1 600** – LONDRES, 26 oct 1979 : *Nature morte aux fruits* 1860, h/pan. (38,5x63) : **GBP 3 800** – NEW YORK, 26 sep. 1981 : *Nature morte au paon*, h/t (172,8x132,1) : **USD 31 000** – LONDRES, 26 juin 1983 : *Nature morte aux fruits*, h/t (71x91,5) : **GBP 2 600** – NEW YORK, 24 mai 1985 : *Nature morte aux fruits*, h/pan. (46,4x52) : **USD 9 000** – LONDRES, 11 juin 1986 : *Nature morte aux fruits*, h/t (72x103) : **GBP 15 000** – LONDRES, 16 oct. 1987 : *Nature morte au gibier* 1831, h/pan. (62,8x76,2) : **GBP 4 500** – STOCKHOLM, 15 nov. 1988 : *Nature morte de fruits autour d'un vase décoré et un papillon*, h. (51x61) : **SEK 22 000** – NEW YORK, 19 juil. 1990 : *Jeunes filles*, h/t (106x76,9) : **USD 5 500** – LONDRES, 26 sep. 1990 : *Fruits d'automne* 1869, h/t (51x102) : **GBP 5 280** – LONDRES, 25 oct. 1991 : *La coquette du village*, h/t (110,5x86) : **GBP 33 000** – LONDRES, 5 mars 1993 : *Importante composition de fruits avec une abeille sur un entablement de marbre* 1827, h/pan. (59,4x46,7) : **GBP 6 900** – LONDRES, 5 nov. 1993 : *Importante composition de fruits : raisin, pêches, prunes, avec un nautile et de l'argenterie* 1832, h/pan. (60,3x50,8) : **GBP 12 650** – NEW YORK, 17 fév. 1994 : *Grappes de raisin sur une treille avec un paysage au fond* 1855, aquar./pap. (54,5x44) : **USD 1 840** – PARIS, 4 mai 1994 : *Fruits et fleurs sur un entablement avec fond de paysage*, h/t (125x111) : **FRF 96 000** – LONDRES, 2 nov. 1994 : *Nature morte de fruits et faisan* 1848, h/pan. (82,5x68) : **GBP 4 600** – LONDRES, 13 mars 1997 : *Pêches, raisins, une poire et une prune sur un entablement drapé* 1833, h/t (33x27,8) : **GBP 2 200**.

LANCE Michel. Voir **LANSE**

LANCEDELLI Joseph ou **Lanzedelly** ou **Lanzadelli**
Né en 1774 à Ampezzo. Mort le 13 juin 1832 à Vienne. XVIIIe-XIXe siècles. Italien.
Portraitiste, dessinateur, aquarelliste miniaturiste et lithographe.
Élève de l'Académie de Vienne. Exposa, dans cette ville, une série d'aquarelles sous le titre *Types viennois*. Il fut le père de Karl Lanzedelly.

LANCEL Paul
XIXe siècle. Français.
Peintre de paysages.
Exposa au Salon entre 1835 et 1846.
VENTES PUBLIQUES : PARIS, 26 mars 1926 : *Paysage au bord d'une rivière* : **FRF 200**.

LANCELEY Colin
Né le 6 janvier 1938 à Dunedin. XXe siècle. Actif depuis 1965 en Angleterre. Néo-Zélandais.
Sculpteur, peintre, graveur, dessinateur, technique mixte.
Il passe son enfance et sa jeunesse en Australie, où sa famille était venue en 1940. Il étudie, de 1956 à 1960, à la National Art School de Sydney. Avec une bourse de voyage, il gagne Londres et s'y installe en 1965. Là, il rencontre Miro, dont il subit l'influence. En 1970, il voyage au Mexique.
Il participe à de nombreuses expositions de groupe : 1962 Museum of Modern Art de Melbourne, 1968 Kunstverein d'Hambourg, 1970 Hayward Gallery de Londres, 1972 Victoria and Albert Museum de Londres. Après une première exposition personnelle en Australie, en 1963, il expose surtout à Londres, notamment en 1975 à la Whitechapel et en 1976 à la Tate Gallery, ainsi qu'à New York. Il participe également aux différentes rencontres de gravure. Il a reçu un prix à la Biennale de Cracovie en 1968.
Son œuvre est abstraite, entre la sculpture et la peinture, créant des volumes jamais totalement sculpturaux. Les notions de peinture et sculpture sont également liées dans son œuvre par la couleur et le jeu d'ombres provoqué sur la surface plane par des éléments mouvants.
BIBLIOGR. : Charles Spencer : *Colin Lanceley*, Alecto, Londres, 1973 – in : *Creating Australia – 200 years of art 1788-1988*, The Art Gallery of South Australia, Adelaïde, 1988.
MUSÉES : ADELAÏDE (Art Gal. of South Australia) : *The green footballer playing the field* 1961 – CRACOVIE (Mus. Silésien) – CRACOVIE (Nat. Mus.) – HAMBOURG (Kunstverein) – MELBOURNE (Nat. Gal. of Victoria) – MINNEAPOLIS (Walker Art Center) – NEW YORK (Mus. of Modern Art) – SYDNEY (Art Gal. of New South Wales) – VARSOVIE (Nat. Mus.).
VENTES PUBLIQUES : SYDNEY, 29 oct. 1987 : *Up the Bonza Lairo* 1962, techn. mixte et h/pan. (122x87) : **AUD 13 000**.

LANCELIN Jean Marc
Né le 7 juin 1925 à Suresnes (Hauts-de-Seine). xxe siècle. Français.
Peintre.
Il a étudié dans l'atelier de Brianchon. Il a exposé à Paris, au Salon d'Automne. Il a enseigné à l'école des beaux-arts de Rennes.

LANCELLE Claude
xvie siècle. Actif à Nantes et Angers. Français.
Sculpteur.
Il signait C. L., ces deux lettres séparées par un maillet placé au milieu de quatre croix de Saint Antoine.

LANCELOT Dieudonné Auguste
Né en 1822 à Sézanne (Marne). Mort en 1894 à Paris. xixe siècle. Français.
Lithographe et illustrateur.
Élève de J.-F. Arnaud de Troyes. Exposa au Salon entre 1853 et 1876. Il dessina sur bois des paysages pour *Le Tour du Monde* ; *Le Magasin pittoresque* et pour *les Jardins* (1887). Le Musée de Troyes conserve une aquarelle de Lancelot.

LANCELOT Émile
Né en 1830 à Paris. xixe siècle. Français.
Sculpteur.
Élève de J. Valtat, J. van Arendonk, J. de Blaser, ainsi que de l'École de dessin de Troyes, des Académies d'Anvers et de Berlin. Le Musée de Troyes conserve de lui *La vapeur.*

LANCELOT Léon
Né au xixe siècle à Paris. xixe siècle. Français.
Graveur sur bois.
Élève de Best. Figura au Salon des Artistes Français, où il obtint une mention honorable (1886).

LANCELOT-CROCE Marcelle Renée
Née le 26 janvier 1854 à Paris. xixe siècle. Française.
Sculpteur et graveur en médailles.
Élève de son père, Dieudonné Lancelot, et de Ponscarme. Débuta au Salon de 1878 et obtint une mention honorable (1888), une médaille de troisième classe (1889), une bourse de voyage (1889), une mention honorable (1889) (Exposition universelle), une médaille de deuxième classe (1891), une médaille d'or (1900) (Exposition universelle).
Musées : Épinal : *Buste du jeune Louis Français* – Narbonne : *La famille* – Rouen : *La femme et ses destinées* – Troyes : *Fra Filippo Lippi et Lucrezia Butti* – *Le père de l'artiste* – *Le vin de Champagne* – *Tête d'une jeune femme et de ses deux enfants* – *Hommage au général Foch* – *Tête de jeune fille* – *Georges Clemenceau* – *Docteur Viardin* – *Docteur Chompret.*

LANCELOT NEY. Voir **NEY Lancelot**

LANCENI Gioanbattista. Voir **LANZENI**

LANCERAY Evgeni Evgenievitch
Né en 1875 à Pavlovsk (Saint-Pétersbourg). Mort en 1946 à Moscou. xxe siècle. Russe.
Peintre d'histoire, dessinateur humoriste, décorateur, illustrateur.
Il est sans doute le fils de Evgeni Alexandrovitch Lanceray. De 1892 à 1896, il fut élève de l'école de dessin pour l'encouragement des arts de Saint-Pétersbourg. De 1896 à 1899, à Paris, il fut élève de Jean-Paul Laurens et Benjamin Constant à l'académie Julian, et fréquenta aussi l'académie Colarossi. En 1912, il fut reçu à l'académie de Saint-Pétersbourg, où il vécut jusqu'en 1917. De 1917 à 1920, il séjourna au Daghestan ; de 1920 à 1934 à Tiflis, puis Moscou. Il fit de nombreux voyages : en 1896-1897, 1907, 1927 en Europe occidentale ; en 1902 au Japon ; en 1923 en Turquie. En 1899, il était devenu membre de l'association du Monde de l'Art. En 1922, il enseigna à l'académie des arts de Tbilissi.
De 1905 à 1908, il avait collaboré à plusieurs revues satiriques. De 1912 à 1915, il dirigea les usines de porcelaine de Saint-Pétersbourg, et de verre taillé de Saint-Pétersbourg et Ekaterinenbourg. Il eut aussi des activités diverses dans le domaine des arts graphiques du livre, de la propagande, du spectacle. Il décora le métro de Moscou.
Bibliogr. : In : *Diction. des illustrateurs 1800-1914*, Ides et Calendes, Neuchâtel, 1989 – in : Catalogue de l'exposition *Paris-Moscou*, Musée national d'Art moderne, Paris, 1979.
Musées : Moscou (Gal. Tretiakov) : *Repas funèbre* 1906, dess. – Moscou (Mus. Tolstoï) : *Le Jugement de Chamil* 1913, temp. – *Le Fils de Hadji Mourat* 1913, temp.

Ventes Publiques : Londres, 26 mars 1980 : *La troïka* 1900, bronze, patine brune (H. 11) : **GBP 520** – Londres, 14 déc. 1995 : *Port de pêche dans le grand nord* 1902, gche (18,5x28) : **GBP 2 530** – Londres, 19 déc. 1996 : *Couple en costume du xviiie siècle* 1917, h/cart. (26x20) : **GBP 1 840.**

LANCERAY Iévguéni Alexandrovitch ou **Eugène Alexandre**
Né en 1848 à Saint-Péterbourg. Mort en 1886 ou 1887 à Saint-Pétersbourg. xixe siècle. Français.
Sculpteur de figures, animaux.
Il eut beaucoup de succès à Paris, s'inspirant de sa Russie natale pour sculpter des guerriers cosaques, des enfants de paysans, des troïkas. Les chevaux furent ses sujets de prédilection.
Ventes Publiques : New York, 27 oct. 1970 : *Groupe équestre* : **USD 1 400** – Londres, 6 juin 1973 : *Cheval avec son jockey*, bronze : **GBP 2 600** – Paris, 6 mars 1974 : *Les Adieux du cosaque*, bronze : **FRF 8 400** – Copenhague, 8 juin 1976 : *Le Départ du cosaque*, bronze (H. 40) : **DKK 5 000** – Londres, 10 fév. 1977 : *Cosaque à cheval* 1874, bronze (larg. 42) : **GBP 2 500** – Londres, 20 avr 1979 : *Cosaque à cheval* 1874, bronze (H. 42,5) : **GBP 2 100** – New York, 27 fév. 1982 : *1877*, bronze patiné (H. 43) : **USD 5 800** – Enghien-les-Bains, 21 oct. 1984 : *Fantasia*, bronze, patine noir nuancé (H. 63) : **FRF 300 000** – Enghien-les-Bains, 6 oct. 1985 : *Clairon à cheval* 1878, bronze, patine brune (H. 20) : **FRF 25 000** – New York, 22 mars 1986 : *Trois cosaques menant leurs chevaux à l'abreuvoir* 1878, bronze (H. 90,2) : **USD 15 000** – Reims, 13 mars 1988 : *Adieux du cosaque*, bronze (L. 22) : **FRF 7 200** – Londres, 14 nov. 1988 : *Le retour des courses* 1882, bronze (H. 38) : **GBP 2 860** ; *Cosaque armé à cheval et tenant une autre monture par la bride*, bronze (H. 46) : **GBP 3 300** – New York, 1er mars 1990 : *Passage des Balkans* 1811, bronze naturel (H. 38,7, L 51,3) : **USD 13 200** – Paris, 28 juin 1991 : *Cosaque au lasso*, bronze (H. 22,5) : **FRF 9 900** – New York, 30 oct. 1992 : *Passage des Balkans* 1811, bronze (H. 38,7 ; L. 51,3) : **USD 13 200** – New York, 14 oct. 1993 : *Arabe sur un cheval* 1878, bronze (H. 45,2) : **USD 2 070** – New York, 19 jan. 1994 : *Troïka* 1874, bronze (H. 45,7) : **USD 3 680** – Montréal, 6 déc. 1994 : *Cosaque à cheval*, bronze (H. 41,2) : **CAD 2 750** – Paris, 15 déc. 1994 : *Cavalier arabe*, bronze (H. 58) : **FRF 22 000** – New York, 20 juil. 1995 : *Cosaque gardien de bestiaux*, bronze (H. 45,7, L. 43,2) : **USD 6 325** – Londres, 13 nov. 1996 : *Cheval et jockey après la course*, bronze patine brun foncé (39,5x42,5) : **GBP 5 980** – Paris, 25 sep. 1997 : *Cosaque à cheval* 1870, bronze patiné, groupe (H. 27) : **FRF 13 000.**

LANCEROTTO Egisto
Né le 21 août 1848 à Noale. Mort le 31 mai 1916 à Venise. xixe-xxe siècles. Italien.
Peintre de genre.
Il a exposé avec succès à Venise, Milan, Rome, Turin, Vienne, Munich.

Ventes Publiques : Londres, 28 fév. 1973 : *L'Ami commun* : **GBP 1 800** – Milan, 28 oct. 1976 : *Deux femmes dans un paysage*, h/t (150x75) : **ITL 1 700 000** – Milan, 20 déc. 1977 : *Portrait de femme*, h/t (69x48) : **ITL 1 700 000** – Milan, 16 juin 1980 : *Mère et Enfant*, h/t (48x59) : **ITL 4 800 000** – Milan, 5 nov. 1981 : *Bal populaire*, h/t (100x69) : **ITL 12 000 000** – Milan, 21 avr. 1983 : *Jeune fille aux colombes*, h/t (150x95) : **ITL 12 000 000** – Rome, 29 oct. 1985 : *Parents et enfants*, h/t (87x64) : **ITL 15 000 000** – Milan, 29 mai 1986 : *L'Ami commun*, h/t (82x120) : **ITL 20 000 000** – Milan, 13 oct. 1987 : *Le Jeu de la tombola*, h/t (115x174) : **ITL 54 000 000** – Londres, 26 fév. 1988 : *Femme de pêcheur en Italie*, h/t (151x66) : **GBP 5 500** – New York, 24 oct. 1989 : *Jeune femme sous une treille*, h/t (109x78,6) : **USD 22 000** – Rome, 14 déc. 1989 : *Beauté*, h/t/pan. (47x36) : **ITL 4 600 000** – New York, 1er mars 1990 : *Cueillette de marguerites*, h/t (149,9x76,9) : **USD 8 800** – Monaco, 21 avr. 1990 : *Jeux d'enfants*, h/t (80x118) : **FRF 111 000** – New York, 24 oct. 1990 : *« Elle m'aime... un peu... »*, h/t (116,9x85,1) : **USD 8 800** – New York, 22 mai 1991 : *La lettre*, h/t (47x36,8) : **USD 17 600** – NEW YORK, 17 oct. 1991 : *Les amoureux italiens*, h/t (111,8x74,9) : **USD 19 250** – NEW YORK, 20 fév. 1992 : *Une dame avec des fleurs*, h/t (149,9x74,9) : **USD 11 550**.

LANCETTI Federico
Né le 28 février 1817 à Bastia près de Pérouse. Mort en 1892. XIXe siècle. Italien.
Sculpteur sur bois.
Il fut élève et, en dernier lieu, membre d'honneur de l'Académie de Pérouse. Il figura aux Expositions universelles de Londres en 1862, Vienne 1873, Paris 1878, ainsi qu'à l'Exposition de Milan en 1881. Le Musée de Turin et le Palais Pitti à Florence possèdent de ses œuvres.

LANCETTI Gioachino
XVIIe-XVIIIe siècles. Actif à Vérone. Italien.
Sculpteur.
Il travailla à Vérone, Venise et dans le Tyrol du sud. On cite parmi ses œuvres à Vérone : *Anges* (aux stalles de l'église SS. Siro e Libera) ; *Pietà*, sculpture sur bois (à l'église S. Lorenzo) ; un grand *Crucifix* de bois (à l'église S. Lucia) ; une *Ascension*, pierre (à la façade de l'église S. Maria del Pianto) ; *Sainte Anne* (à l'église S. Polo). On lui attribue, en outre, les stalles de l'église dell'Inviolata à Riva.

LANCEY-WARD William de
Né le 14 juin 1850 à New York. XIXe siècle. Américain.
Portraitiste.
Il fit ses premières études à New York puis vint à Rome en 1875 et de là à Paris où il fut élève de Roll et de Bonnat. Il débuta au Salon des Artistes Français en 1885. En 1890 il retourna en Amérique où il resta jusqu'en 1900, époque à laquelle il revint se fixer à Paris. Il a peint exclusivement des portraits.

LANCHARES Antonio de
Né en 1586 à Madrid. Mort en 1658 à Madrid. XVIIe siècle. Espagnol.
Peintre d'histoire.
Élève de Patricio Caxes. Sa manière ressemble à tel point à celle d'Eugenio Caxes qu'il est souvent difficile de distinguer les œuvres des deux artistes. Il travailla pour la Chartreuse de Paular. On cite de lui une *Ascension* et une *Descente du Saint-Esprit*.

A Lanchares.

VENTES PUBLIQUES : COLOGNE, 1862 : *La Sainte Vierge apparaissant à un jeune paysan* : **FRF 180**.

LAN CHEN. Voir **LAN SHEN**

LANCHERT
Mort en 1869. XIXe siècle. Allemand.
Portraitiste.
Selon Siret, il épousa une princesse de Hohenlohe.

LANCIA Arnaldo
Né en 1876 à Norma. Mort en 1948 à Rome (Latium). XXe siècle. Italien.
Peintre de fleurs.
VENTES PUBLIQUES : ROME, 14 déc. 1988 : *Fleurs et lumière*, h/t (145x87,5) : **ITL 8 000 000**.

LANCIA Luca
XVIe siècle. Actif à Naples. Éc. napolitaine.
Sculpteur.

LANCIEN Michel
XXe siècle. Français.
Sculpteur.
Il a exposé en 1972 à Paris.
À partir de fer et d'étain, il réalise des sculptures qui expriment assez violemment l'angoisse. Il a recours aux déformations, aux déchirements de la matière ainsi qu'à l'allongement de la forme et à son aplatissement, assez caractéristiques d'un certain expressionnisme.

LANCILAO. Voir **LANZILAGO**

LANCILOTTI Francesco
XVe siècle. Actif à Florence à la fin du XVe siècle. Italien.
Paysagiste et poète.

LANCILOTTI Jacopino
Né en 1507 à Modène. Mort en 1554. XVIe siècle. Italien.
Peintre.
Il fut également poète, musicien, notaire et orateur.

LANCISI Tommaso
Né en 1603 à Citta San Sepolcro. Mort en 1682. XVIIe siècle. Italien.
Peintre d'histoire.
Élève de Sciaminossi. Deux de ses frères furent peintres.

LANCKHORST Jan. Voir **LANKHORST**

LANCKOD L.
XIXe siècle. Actif à Düsseldorf. Allemand.
Peintre de genre et de paysages.
Le Musée de Sydney conserve de lui deux *Scènes en Bavière*. Il exposa en Allemagne entre 1875 et 1880.

LANCKOW Ludwig
XIXe siècle. Allemand ou Danois (?).
Peintre de paysages animés, natures mortes.
Il était actif entre 1875 et 1892.
VENTES PUBLIQUES : COLOGNE, 15 juin 1989 : *Nature morte avec des fruits et une flûte de champagne* 1888, h/pap. (33x42) : **DEM 3 700** – MUNICH, 12 juin 1991 : *Paysage d'hiver avec un château* 1899, h/t (90,5x133) : **DEM 11 000** – NEW YORK, 15 oct. 1991 : *Chasseur dans une forêt enneigée* 1971, h/cart. (50,9x40,7) : **USD 1 980** – LONDRES, 27 oct. 1993 : *Personnage dans un paysage enneigé* 1870, h/t (53x93) : **GBP 1 265**.

LANÇON Auguste André
Né en 1836 à Saint-Claude (Jura). Mort en mars 1887 à Paris. XIXe siècle. Français.
Peintre de sujets militaires, animalier, dessinateur, graveur.
Il était fils d'un menuisier et fut apprenti chez un lithographe de Saint-Claude ; il fut ensuite élève à l'École des Beaux-Arts de Lyon et enfin vint à Paris, où il fut élève de Picot. En 1870, il entra dans les ambulances de la Presse et servit comme sergent dans un bataillon de marche. Il prit parti pour la Commune, faillit être fusillé, passa six mois prisonnier au camp de Satory. Enfin, acquitté par le Conseil de guerre, il put se remettre au travail. En 1877, il suivit l'armée russe durant la campagne des Balkans comme correspondant de *L'Illustration*.
Il débuta au Salon de Paris en 1861, sous le nom d'André Lançon et continua jusqu'en 1870 à figurer de même dans les catalogues. Ce ne fut qu'à partir de 1872 qu'il parut avec le prénom d'Auguste, d'où la confusion de certains biographes qui ont cru qu'il s'agissait de deux artistes.
Son admiration pour Barye le fit s'adonner à l'étude des animaux. Tout en collaborant à divers journaux, il travailla assidûment au Jardin des Plantes. Lançon fut un peintre de batailles et d'animaux, mais surtout un remarquable graveur et dessinateur. On lui doit notamment 70 eaux-fortes sur la guerre de 1870 et plusieurs estampes d'animaux.
VENTES PUBLIQUES : PARIS, 1888 : *Le cinquième régiment de cuirassiers à Mouzon le 30 août 1870* : **FRF 400** – NEW YORK, 20 jan. 1911 : *Deux tigres* : **USD 70** – PARIS, 3 mai 1926 : *Cerf attaqué par un fauve* : **FRF 600** – PARIS, oct. 1945-juil. 1946 : *Lion couché vu de face* : **FRF 3 000** – PARIS, 27 mai 1993 : *Lévrier et chat tigré* 1884, h/t (53,5x64) : **FRF 13 500**.

LANCON Henri
Né au XIXe siècle à Paris. XIXe siècle. Français.
Peintre de portraits et dessinateur.
Débuta au Salon de 1879.

LANCONELLO Christoforo
Mort en 1553. XVIe siècle. Actif à Faenza. Italien.
Peintre d'histoire.
Lanzi, d'après son style, le croit élève de Federigo Barocci. On cite notamment de Lanconello une *Madone glorieuse* dans le Palozzo Ereslani à Bologne.

LANCRENON Joseph Ferdinand
Né le 16 mars 1794 à Lods (Doubs). Mort le 4 août 1874 à Lods. XIXe siècle. Français.
Peintre d'histoire, compositions religieuses, graveur. Néoclassique.
Très jeune, il fut encouragé par sa famille à poursuivre une carrière artistique et fut envoyé à Paris dans l'atelier de François Vincent en 1806. Il fut ensuite, en 1810, élève de Louis Girodet à l'École des Beaux-Arts de Paris. Il obtint le deuxième prix de Rome en 1816.
Il participa au Salon de Paris de 1819 à 1845. Nommé directeur du musée de Besançon en 1834, il fut professeur à l'École des Beaux-Arts de la même ville en 1840. À partir de cette date, il se

consacra à l'enseignement, ne peignant presque plus. Reçu à l'Institut en 1860, il fut décoré de la Légion d'honneur, le même année. Élu président de l'Académie de Besançon en 1870, il quitta ses fonctions de directeur en 1872.
Très influencé par son maître Girodet, il n'a jamais réussi à dépasser cet enseignement, restant néoclassique. Il a réalisé des tableaux religieux pour des églises de Besançon, notamment une *Sainte Philomène* à l'église de la Madeleine et une *Vierge à la fontaine* à la chapelle du séminaire. On cite d'autre part, à Paris, une *Apothéose de Sainte Geneviève* pour l'église Saint-Laurent.
Bibliogr. : Isabelle Julia, in : Catalogue de l'exposition : *Les années romantiques, la peinture française de 1815 à 1850*, Mus. des Beaux-Arts de Nantes, 1995-1996 et Galeries nationales du Grand Palais, Paris, 1996.
Musées : Amiens : *Alphée et Aréthuse* 1831 – *Une jeune fille vient trouver le fleuve Scamandre* – Besançon (Mus. des Beaux-Arts) : *Tobie rendant la vue à son père* – *J.J.A. Courvoisier* – Dijon (Mus. Magnin) : *Le fleuve Scamandre et la jeune Callirhoë*, esq. – Montargis : *Borée enlevant Orythie* – *Portrait de fillette* – Rochefort : *Génie de la Paix*.
Ventes Publiques : Monte-Carlo, 22 juin 1985 : *Oenone refusant de secourir Pâris*, h/t (114x146) : **FRF 105 000**.

LANCRET François Joseph
XVIIIe siècle. Français.
Graveur.
Frère de Nicolas Lancret, il vivait encore à Paris en 1743.

LANCRET Nicolas
Né le 22 janvier 1690 à Paris. Mort le 14 septembre 1743 à Paris. XVIIIe siècle. Français.
Peintre de scènes de genre, figures, portraits, paysages, compositions décoratives, peintre à la gouache, dessinateur.
Lancret appartenait à une ancienne famille de cordonniers, mais ses parents étaient pauvres et il perdit son père fort jeune. Il fut d'abord élève d'un oncle graveur, travailla dans l'atelier de Pierre d'Ulin, puis avec Gillot et enfin avec Antoine Watteau. Ce dernier fut son véritable maître. Ce fut Watteau qui conseilla à Lancret d'étudier constamment d'après nature, pratique que l'élève observa jusqu'à la fin de sa vie. Lancret s'était si bien assimilé la manière de son illustre professeur que deux tableaux qu'il exposa à la Place Dauphine furent pris par certains pour des œuvres de Watteau. Le pastiche était trop flagrant ; le maître de Valenciennes se fâcha et rompit avec son élève. De 1714 datent ses deux premiers tableaux, cause de la brouille : *Un bal* et *Une Dame dans un bocage*, que, d'après Mariette, M. de Julienne acheta à l'artiste. À partir de cette date la protection de M. de Crozat assura la fortune de l'artiste. Il fut reçu à l'Académie le 24 mars 1719 comme peintre de sujets galants et élu conseiller le 27 mars 1735. Lancret savait à merveille se servir de ses relations ; il fut présenté à Louis XV, qui lui commanda six tableaux, notamment les *Quatre Saisons*, actuellement au Louvre, et que Lancret peignit pour le château de la Muette. L'un d'eux, *L'Hiver* parut au Salon de 1738. Indépendamment de ses paysages, Lancret a produit un certain nombre de tableaux inspirés par les Contes de La Fontaine. Bien que Mariette affirme qu'il fréquentait peu le monde, il possédait des relations au théâtre, notamment les danseuses Sallé et Camargo, qu'il peignit à plusieurs reprises dans de charmants tableaux. Il avait l'habitude de peindre ses paysages d'après nature ou d'après les croquis qu'il prenait d'après nature. Ce ne sera que dans les dernières années de sa vie que ses amis obtiendront qu'il n'allât plus copier le modèle vivant avec les élèves. En 1740, il épousa Marie Boursault, la petite-fille du poète comique. Sa vogue, si grande lorsque la mort, à cinquante-trois ans, le surprit, devait s'estomper à la Révolution, en même temps que sombrait la société frivole qu'il avait si bien représentée dans ses peintures galantes et dans ses dessins.
Si Watteau s'est plu à imaginer des scènes assez irréelles, prenant le plus souvent pour modèles des personnages de la Comédie italienne ou française, Lancret s'attacha à reproduire avec grâce et exactitude les mœurs de la vie policée et spirituelle du XVIIIe siècle, noblesse et haute bourgeoisie fréquentant les salons et le théâtre : une société de distinction un peu factice, où s'affrontent l'élégante désinvolture des hommes, les attitudes minaudières des femmes. Lancret introduit ses personnages dans des cadres citadins ou champêtres conformes au goût du jour, salons rappelant ceux de Trianon, cabinets de verdure ornés de statues et de fontaines évoquant les bosquets ornementés du parc de Versailles. Au milieu de ces décors, les personnages de Lancret évoluent avec la grâce la plus factice. Dans tel site champêtre, un seigneur va tomber à genoux aux pieds de sa belle, qu'abrite un mouvant éventail. Dans tel autre, un musicien donne la cadence, et le menuet s'organise. Les cavaliers cambrent la taille, tendent un jarret nerveux, pivotent avec élégance. Les dames, avec une aisance pleine de grâce, balancent les larges paniers, étalent les amples robes de soie, esquissent une révérence. La lumière joue agréablement sur les plis sinueux des brocarts et des satins aux couleurs ravissantes. Et comme dans les tableaux de Watteau, ces silhouettes élégantes, ces costumes chatoyants, ces cassures brillantes de l'étoffe se détachent sur le velouté d'un bosquet ombreux, se ramassant harmonieusement sous une voûte d'épais feuillages, qui laisse entrevoir, dans de larges échancrures, l'infinie douceur d'un azur transparent. Watteau est près de l'églogue, Lancret plus près de la réalité. Il cherche peu l'anecdote galante, comme le fera Fragonard. Son seul but est de peindre, dans leur réalisme délicat, les coquetteries de bon ton, la vie facile, gaie, frivole de son époque. C'est avec des tableaux de ce genre qu'il fut agréé à l'Académie, dont le plus remarqué fut : *La Conversation galante*, gravé aussitôt par Lebas. Par la suite, grâce à son imagination féconde, Lancret sut mettre une grande variété dans des sujets déjà maintes fois traités par d'autres artistes. Du point de vue de la couleur, il n'a pas l'étincelante fantaisie, la légèreté de touche de son maître Watteau, qu'il sut cependant si bien imiter. Tout en éclairant ses tableaux de couleurs aimables, chatoyantes même, son réalisme est un peu superficiel dans les figures. Ses dessins furent conçus avec le même goût que ses tableaux. Ils accusent beaucoup de fini et par cela même un peu de sécheresse.
Ses tableaux les plus connus sont : *La Camargo dansant* ; *La Conversation* ; *Danse champêtre* ; *Tir à l'Arc* ; *La Leçon de Musique* ; *Le Moulinet* ; *Le Montreur de Boîte d'Optique* ; *Le Faucon* (conte de La Fontaine) ; *Les Oiseleurs* ; *La Fontaine de Pégase*, etc. Il aimait aussi peindre les tableaux par séries, surtout par quatre : *Les Quatre Âges* ; *Les Quatre Saisons* ; *Les Quatre Éléments* ; *Les quatre Parties du Monde*. À noter aussi *Les Heures du Jour* ; *Les douze Mois de l'Année* ; *Les cinq Sens*, et bien d'autres encore.
Lancret sut même traiter différemment des sujets identiques. « Peindre d'après le naturel » était sa préoccupation constante ; il notait, au cours d'une excursion à la campagne, les caractéristiques d'un arbre, d'un paysage, ou bien, à la promenade, les beaux atours des élégantes ou les ébats d'un groupe d'enfants. Lorsqu'il se rendait à la Comédie et dans les salons, il ne manquait pas d'en retirer quelque croquis ou dessin destiné à ses futures compositions. Ce souci de réalisme n'empêcha pas Lancret de donner à ces décors et à ces personnages quelque chose d'un peu maniéré, déformation inconsciente, très au goût du jour, de ce qu'il avait observé.
Instruit du talent du peintre pour les *motifs historiés*, alors en vogue pour la décoration des appartements : trumeaux, dessus-de-porte, Louis XV fit exécuter par Lancret différentes peintures pour la salle à manger des petits appartements de Versailles, notamment *Une Collation servie dans un Jardin* ; *Une Chasse au léopard*, et des motifs champêtres. L'œuvre de Lancret dans ce genre de décoration est considérable et il est difficile de dénombrer les trumeaux qu'il peignit pour les hôtels particuliers. Ces décorations de bon ton, cette aptitude à reproduire de façon si parfaite les mœurs faciles de son époque, firent de lui un peintre à succès. Alors que l'œuvre de Watteau, mort depuis 1721, en dépit des troubles qui bouleversaient la France longtemps après, gardait le prestige du novateur qu'il avait été en tant que peintre de scènes galantes, dont la dimension symbolique dépassait souvent l'anecdote, Lancret, son élève mais de moindre ambition, subit le mépris dont furent accablés ces « gens de qualité », jolies marquises, élégants cavaliers, raffinés parfois jusqu'au ridicule et jugés complices d'un régime condamné.

Lancret.

Bibliogr. : Emm. Bocher : *Nicolas Lancret*, Libr. des Bibliophiles, Paris, 1877 – Georges Wildenstein : *Lancret. Biographie et catalogue critique*, Les Beaux-Arts, Paris, 1924.
Musées : Alais : *La dame au masque* – *Soirée au XVIIIe siècle* – Amiens : *Paysage* – *Un campement* – Angers : *Festin de noces dans un village* – *Danse champêtre* – *L'Été* – *L'Hiver* – Berlin : *Scène de bergers* – Besançon : *Jeu des quatre coins* – *Un menuet* –

CAEN : *Une famille* - CHANTILLY : *Le déjeuner au jambon* - CHARTRES : deux esquisses - DIJON : *Scène dans un parc* - DRESDE : *Danse dans le parc du château - Contredanse sous les arbres - Ronde autour d'un arbre* - ÉDIMBOURG : *Enfants s'amusant* - FONTAINEBLEAU : *La leçon de musique - Chasse aux léopards* - GÊNES : *Danse dans le jardin* - KALININGRAD, ancien. Königsberg : *Tendre entretien* - LONDRES (Nat. Gal.) : *Les quatre âges de l'humanité : enfance, jeunesse, âge mûr, vieillesse* - LONDRES (coll. Wallace) : *La Camargo essaye un nouveau pas - Comédiens italiens - Jeunes filles au bain - Conversation galante - Le petit chien qui secoue de l'argent et des pierreries - Les oiseleurs - Bal dans un bois - La belle grecque - Comédiens italiens - Fête pastorale* - NANTES : *Bal costumé - Arrivée d'une dame dans une voiture traînée par des chiens - Marie-Anne Cuppi - La Camargo - Deux cavaliers offrant des fleurs à deux dames assises dans un jardin* - ORLÉANS : *Le déjeuner au jambon* - PARIS (Mus. du Louvre) : *Le printemps - L'été - L'automne - L'hiver - Les tourterelles - Le nid d'oiseaux - La leçon de musique - L'innocence - Les acteurs de la Comédie italienne - Le Gascon puni - La cage - Conversation* - PARIS (Jacquemart-André) : *Berger et bergère* - POTSDAM : *Les amours du bocage - La Camargo dansant - Déjeuner de chasse - Le bal en plein air - La fête en plein air - Le moulinet devant la charmille* - POTSDAM (Sans Souci) : *Départ pour Cythère - Danse devant la fontaine d'Apollon - Le repas italien - Pique-nique en forêt* - ROME (Mus. Nat. d'Art ancien) : *Le rendez-vous - Portrait de famille - Le feu - Paysage - Les baigneuses* - ROME (Borghèse) : *Une danse - Amour pastoral* - ROTTERDAM (Mus. Boymans-Van-Beuningen) : *Danse pastorale* - ROUEN : *Les baigneuses* - SAINT-PÉTERSBOURG (Mus. de l'Ermitage) : *Un concert - Le printemps - L'été - Une cuisine - Le valet galant - La Camargo dansant* - STOCKHOLM : *L'escarpolette - Colin-Maillard - On attache un patin* - STRASBOURG : *Pastorale* - VIRE : *La partie de plaisir.*

VENTES PUBLIQUES : PARIS, 1773 : *Les Quatre Saisons*, quatre pendants : **FRF 1 785** - PARIS, 1845 : *Bal costumé dans le jardin de Trianon* : **FRF 3 650** - PARIS, 1862 : *Danse dans le parc* : **FRF 25 700** ; *Halte à la fontaine* : **FRF 3 000** - PARIS, 6 fév. 1865 : *Trois jeunes femmes prenant un bain* : **FRF 7 300** - PARIS, 1869 : *Réunion près d'une fontaine* : **FRF 63 000** - PARIS, 6-9 mars 1872 : *Portrait de la Camargo* : **FRF 9 900** ; *Portrait de la Sallé* : **FRF 6 200** - NICE, 1880 : *Les Plaisirs de l'hiver* : **FRF 34 200** - PARIS, 1881 : *Le Tir à l'arc* : **FRF 64 000** ; *La Ronde champêtre* : **FRF 60 000** - PARIS, 1890 : *La Dame au parasol* : **FRF 20 000** - LONDRES, 1895 : *Nicaise* : **FRF 35 500** ; *Les deux amis* : **FRF 27 300** - PARIS, 5-6 mai 1898 : *La Toilette*, cr. noir, reh. de blanc : **FRF 1 000** - PARIS, 20-22 juin 1898 : *La Ronde champêtre* : **FRF 112 000** ; *Repos de chasse* : **FRF 6 100** - PARIS, 1898 : *Pastorale* : **FRF 20 100** - LONDRES, 1899 : *Fête champêtre* : **FRF 63 700** - LONDRES, 1899 : *Paysage boisé avec lac près d'un château* : **FRF 26 675** - PARIS, 10-12 mai 1900 : *Étude pour La Belle Grecque*, dessin : **FRF 880** - LONDRES, 23 mars 1903 : *Les musiciens ambulants* : **FRF 65 000** - PARIS, 13-15 mars 1905 : *Feuille d'étude*, dess. : **FRF 950** - NEW YORK, 24 mars 1905 : *Fête champêtre* : **USD 1 550** ; *Après dîner sur la terrasse* : **USD 2 000** - PARIS, 16-17 et 18 mai 1907 : *Le Menuet* : **FRF 57 000** - PARIS, 22 mai 1919 : *Portrait de Mademoiselle Cuppi, dite la Camargo* : **FRF 34 000** - PARIS, 6-8 déc. 1920 : *Un frontispice*, grisaille : **FRF 4 200** - LONDRES, 26 mai 1922 : *Le menuet* : **GBP 1 522** - PARIS, 6 déc. 1922 : *L'Escarpolette* : **FRF 7 800** - LONDRES, 28 mars 1924 : *Femme taquinant un jeune garçon endormi* : **GBP 78** - LONDRES, 25 juil. 1924 : *Femme et arlequin* : **GBP 252** - PARIS, 8 juin 1925 : *Gilles et Colombine*, cr. : **FRF 16 000** - LONDRES, 20 mai 1925 : *Colin-Maillard ; Fête champêtre*, les deux : **GBP 110** - LONDRES, 23 avr. 1926 : *Paysage avec des personnages tendant des pièges aux oiseaux* : **GBP 141** - LONDRES, 6 déc. 1926 : *Amoureux dans un bois* : **GBP 1 890** - PARIS, 22-24 juin 1927 : *Scène d'opéra*, dessus de clavecin : **FRF 205 000** ; *Les colombes* : **FRF 105 000** - LONDRES, 22 déc. 1927 : *Fête champêtre ; Amoureux dans un jardin*, les deux : **GBP 252** - LONDRES, 17-18 mai 1928 : *Fête champêtre* : **GBP 315** - PARIS, 7-8 juin 1928 : *Jeune femme assise*, dess. : **FRF 20 000** - PARIS, 28 nov. 1928 : *Le Joueur de biniou*, sanguine : **FRF 12 000** - PARIS, 3 et 4 juin 1929 : *Étude de deux jeunes femmes*, dess. : **FRF 95 000** - LONDRES, 20 juin 1930 : *Fête champêtre* : **GBP 3 045** - NEW YORK, 11 déc. 1930 : *La marquise de Pompadour* : **USD 400** - NEW YORK, 22 jan. 1931 : *Plaisirs champêtres* : **USD 1 500** - PARIS, 12 juin 1931 : *Le menuet*, sanguine : **FRF 3 650** - PHILADELPHIE, 31 mars 1932 : *Bergers et bergères* : **USD 150** - PARIS, 1er déc. 1933 : *La fin de la chasse* : **FRF 210 000** - LONDRES, 22 fév. 1935 : *Les heures du jour*, quatre panneaux : **GBP 3 885** - LONDRES, 14 juin 1935 : *Paysage avec une femme nourrissant les oiseaux* : **GBP 220** - PARIS, 14 mai 1936 : *Jeune femme assise*, sanguine relevée de craie, feuille d'étude : **FRF 3 000** - LONDRES, 9 déc. 1936 : *Scène de comédie italienne* : **GBP 240** - PARIS, 22 fév. 1937 : *Étude pour le tableau L'Innocence*, dess. : **FRF 4 000** - PARIS, 26 mai 1937 : *Un gentilhomme*, pierre noire : **FRF 3 150** - LONDRES, 18 juil. 1940 : *Bal* : **GBP 100** - PARIS, 30 juin et 1er juil. 1941 : *Étude d'homme*, dessin. attr. : **FRF 12 500** - LONDRES, 30 oct. 1942 : *Fête champêtre* : **GBP 115** - NEW YORK, 3 déc. 1942 : *Menuet* : **USD 1 800** - PARIS, 29 mars 1943 : *Un Homme*, sanguine : **FRF 18 000** ; *Étude d'homme debout*, pierre noire, reh. de blanc : **FRF 23 500** ; *Jeune femme assise*, pierre noire, reh. de blanc : **FRF 22 100** - LONDRES, 15 avr. 1943 : *Fêtes champêtres*, deux pendants : **GBP 120** - NEW YORK, 15 jan. 1944 : *La Ronde* : **USD 3 750** ; *L'Escarpolette* : **USD 3 750** - LONDRES, 9 juin 1944 : *Gentilhomme agenouillé*, sanguine : **GBP 63** - NEW YORK, 21 fév. 1945 : *La lettre* : **USD 2 500** - NEW YORK, 13 avr. 1945 : *Scènes des Indes galantes* : **USD 6 250** - LONDRES, 28 mai 1945 : *La tasse de chocolat* : **GBP 12 500** - LONDRES, 25 nov. 1945 : *Fête galante* : **GBP 1 102** - LONDRES, 4 oct. 1946 : *Cherche-mouchoir ; La Balançoire* : **GBP 1 995** - PARIS, 13 déc. 1946 : *Le concert champêtre*, attr. : **FRF 260 000** - NEW YORK, 8 mai 1947 : *L'Escarpolette* : **USD 850** - LONDRES, 11 juin 1947 : *Scène pastorale* : **GBP 620** ; *Scène pastorale* : **GBP 550** - LONDRES, 27 jan. 1950 : *Hommes, femmes et enfants dans un jardin* : **GBP 2 415** - NEW YORK, 30 nov. 1950 : *Le duo* : **USD 9 000** - PARIS, 6 mars 1951 : *Portrait de la maréchale de Luxembourg* : **FRF 3 200 000** - PARIS, 24 avr. 1955 : *Jeune femme dansant*, sanguine : **FRF 190 000** - LONDRES, 29 nov. 1957 : *Dames et gentilshommes* : **GBP 682** - PARIS, 21 mars 1958 : *Le joueur de luth*, pierre noire reh. de blanc : **FRF 230 000** - LONDRES, 28 nov. 1958 : *Embarquement pour Cythère* : **GBP 1 260** - NEW YORK, 23 mai 1959 : *L'escarpolette* : **USD 28 000** - LONDRES, 23 mars 1960 : *Femme assise*, pierre noire : **GBP 550** - LONDRES, 10 mai 1961 : *La danse*, sanguine : **GBP 235** - VERSAILLES, 27 juin 1962 : *La bergère endormie* : **FRF 48 000** - PARIS, le 1er avr. 1965 : *La famille Saint-Martin* : **FRF 92 000** - LONDRES, 6 juil. 1966 : *La famille Saint-Martin* : **GBP 3 000** - PARIS, 16 mars 1967 : *Le menuet, la joie de vivre ; La famille de Bourbon-Conti*, deux toiles : **FRF 310 000** - LONDRES, 30 juin 1971 : *Automne* : **GBP 76 000** - NEW YORK, 9 déc. 1972 : *Les quatre saisons*, quatre toiles formant pendants : **USD 160 000** - PARIS, 5 juin 1974 : *La famille Saint-Martin* : **FRF 70 000** - LONDRES, 8 juil. 1977 : *La toilette*, h/t (70x54,6) : **GBP 20 000** - PARIS, 14 déc 1979 : *Le menuet*, h/t, forme ronde (diam. 71,5) : **FRF 10 000** - PARIS, 28-29 jan. 1980 : *Violoniste accordant son instrument*, sanguine (24x12) : **FRF 31 000** - PARIS, 8 juin 1982 : *Conversation galante*, pierre noire et reh. de blanc/pap. gris (17,5x24) : **FRF 22 000** - LONDRES, 8 juil. 1983 : *Fête champêtre*, h/t (73x58,5) : **GBP 55 000** - LONDRES, 13 déc. 1984 : *Etude de deux hommes*, sanguine (18,6x25,3) : **GBP 42 000** - NEW YORK, 16 jan. 1985 : *Trois études de têtes de Noirs*, craies noire, rouge et blanche (17,5x27,7) : **USD 34 000** - PARIS, 14 déc. 1987 : *Un flûtiste (recto) ; Homme en pied jouant de la flûte (verso)*, dess. (16,5x11) : **FRF 24 000** - PARIS, 6 mai 1987 : *Femme assise à terre*, pierre noire et sanguine (17,5x18,5) : **FRF 130 000** - NEW YORK, 7 avr. 1988 : *Le Départ en bateau*, h/t (43x57) : **USD 8 800** - PARIS, 31 mai 1988 : *La collation*, h/pan. (31,5x21,5) : **FRF 190 000** - PARIS, 22 nov. 1988 : *Étude de personnage oriental*, sanguine et reh. de blanc (26x18) : **FRF 14 500** - NEW YORK, 12 jan. 1989 : *L'oiseau prisonnier*, h/t (42x53,5) : **USD 33 000** - NEW YORK, 13 oct. 1989 : *Les deux amis*, h/t (28x38) : **USD 22 000** - MONACO, 7 déc. 1990 : *Le montreur de marmottes*, h/t (75x62) : **FRF 377 400** - PARIS, 12 déc. 1990 : *Étude d'homme assis*, pierre noire avec reh. de blanc (22,2x16,6) : **FRF 620 000** - NEW YORK, 9 jan. 1991 : *Etudes d'homme remuant, marchant et assis dessinant (recto) ; Un homme complimentant une femme (verso)*, sanguine (24,3x23,9) : **USD 7 700** - NEW YORK, 22-23 mars 1991 : *Femme assise tenant un éventail*, sanguine et craies noire et blanche/pap. artisanal (20,6x29,7) : **USD 38 500** - LONDRES, 2 juil. 1991 : *Jeune femme debout de profil*, craie rouge (12,8x8,2) : **GBP 3 300** - MONACO, 5-6 déc. 1991 : *Jeune femme sur son canapé*, h/pan. (23x31) : **FRF 333 000** - PARIS, 27 mars 1992 : *Étude de trois gentilshommes*, sanguine (16,6x21,9) : **FRF 35 000** - NEW YORK, 22 mai 1992 : *La bergère endormie*, h/pan. (27,9x22,9) : **USD 242 000** - LONDRES, 7 juil. 1992 : *Étude d'un homme penché regardant le sol*, craies noire et blanche/pap. gris-brun (25x13,4) : **GBP 4 620** - NEW YORK, 13 jan. 1993 : *Un homme gisant sur le sol*, craies coul. (15,4x16,5) : **USD 22 000** - PARIS, 31 mars 1993 : *Étude de deux femmes assises*, pierre noire et craie blanche/pap. (21,1x32,9) : **FRF 40 000** - LONDRES, 9 déc. 1994 :

Jeune femme surprise à sa toilette, en buste, h/pan. (19,6x14,4) : **GBP 67 500** – PARIS, 21 déc. 1994 : *L'oiseau mis en cage ; Le galant joueur de cornemuse*, h/t, de forme ovale, une paire (chaque 100x93) : **FRF 1 950 000** – NEW YORK, 12 jan. 1995 : *Dame assise tournée vers la gauche*, craies blanche et noire/pap. chamois (27x23,1) : **USD 33 350** – NEW YORK, 19 mai 1995 : *Concert dans le salon ovale du château de Montmorency appartenant à Pierre Crozat*, h/t (35,6x44,5) : **USD 156 500** – PARIS, 17 nov. 1995 : *La Belle Grecque*, trois cr. (18,5x15) : **FRF 38 000** – LONDRES, 3 juil. 1996 : *Étude d'une jeune homme debout*, sanguine (20,7x9,9) : **GBP 3 450** – LONDRES, 5 juil. 1996 : *Le Nid d'oiseaux*, h/t (55,2x65) : **GBP 14 000** – PARIS, 26 nov. 1996 : *L'Espiègle*, pierre noire et reh. de blanc (17x25,3) : **FRF 90 000** – PARIS, 13 juin 1997 : *Frontispice orné d'une allégorie de la Musique découvrant un angelot tenant les armes de France*, en grisaille (31,5x23,5) : **FRF 230 000** – PARIS, 17 déc. 1997 : *La Lecture à la bougie*, pan. chêne (19x15,5) : **FRF 150 000** – NEW YORK, 21 oct. 1997 : *La Halte des chasseurs*, h/t (100x113) : **USD 816 500** ; *Que le cœur d'un amant est sujet à changer : à une fête champêtre*, h/t (97,5x129) : **USD 310 500**.

LANCRI Jean
Né en 1936 à Oran (Algérie). XXe siècle. Français.
Peintre.
Il expose à Paris, Anvers, et en 1974 à la Maison de la culture d'Amiens. Sa peinture fait souvent référence à Klee. Les formes s'y situent au carrefour du réel et de l'imaginaire.

LANCRY Auguste
Né au XIXe siècle à Lyon (Rhône). XIXe siècle. Français.
Sculpteur.
Élève de Fabisch. Débuta au Salon de 1868.

LAND Clyde Osmer de
Né le 27 décembre 1872 à Union City (Pennsylvanie). XIXe-XXe siècles. Américain.
Peintre d'histoire, illustrateur.
Il vécut et travailla à Philadelphie.
MUSÉES : PHILADELPHIE (Carpenter Hall) : *Le Premier Congrès continental* – SOMMERVILLE (Mus. de la Ville) : *Le Premier Drapeau américain* – WASHINGTON (Mus. Nat.) : *Le Premier Bateau à vapeur – La Première Automobile – Le Premier Chemin de fer.*

LANDA
XXe siècle. Tchécoslovaque.
Sculpteur.
Il appartient avec Sturza, Gutfreund, Dvoralz et Kotstki, à cette jeune école de sculpture tchécoslovaque influencée par les recherches plastiques dont le cycle s'ouvre à la mort de Rodin.

LANDA Juan de
XVIe-XVIIe siècles. Actif à Pampelune entre 1570 et 1630. Espagnol.
Peintre d'histoire.
On cite de lui une *Sainte Catherine*, pour l'église de Caseda.

LANDA URIARTE Juan José
Né le 1er octobre 1898 à Bilbao (Pays Basque). XXe siècle. Espagnol.
Peintre de paysages.
Il fit des études d'ingénieur, mais s'était toujours destiné à la peinture. Il fut touché très tôt par la maladie. Il exposa dans les salons de peinture du Pays Basque.
Il subit l'influence de Gauguin et du fauvisme. Il peignit son jardin et des paysages de la région minière où il vécut. Il travaille par larges touches, faisant exalter les couleurs.
BIBLIOGR. : In : *Cien anos de pintura en Espana y Portugal, 1830-1930*, Antiqvaria, t. IV, Madrid, 1990.

LANDAIS Bertoul de ou **Landas**. Voir **BERTOUL DE LANDAS**

LANDAIS Jean Paul
Né le 22 novembre 1950 à Paris. XXe siècle. Français.
Peintre, dessinateur. Fantastique.
Il fut élève de l'école nationale des beaux-arts de Paris. Il participe à des expositions collectives : 1979 *La Famille des portraits* au musée des Arts décoratifs de Paris, avec Warhol, Giacometti, César, Mac Avoy ; 1985 Foire d'art contemporain de Londres et de Stockholm. En 1988, il a montré une exposition personnelle de ses œuvres à Paris.
MUSÉES : PARIS (CNAC).
VENTES PUBLIQUES : PARIS, 14 oct. 1989 : *Le collectionneur*, h/t (100x81) : **FRF 11 000**.

LANDAIS Paul Louis. Voir **BOUILLON-LANDAIS**

LANDALUZE Victor Patricio ou **Landaluce**
Né en 1828 à Bilbao. Mort en 1889 à Cuba. XIXe siècle. Depuis 1858 actif à Cuba. Espagnol.
Peintre de portraits, scènes animées, aquarelliste, graveur.
Il travailla à La Havane. Il peignit de façon réaliste les usages populaires de Cuba. Ses talents de dessinateur satirique, aussi bien que ses qualités de portraitiste de salon à la sensibilité fin de siécle – et assez maladive – donnent à Landaluze un charme particulier. Ses nombreux travaux à l'aquarelle et quelques portraits très poignants de la société cubaine de son époque, complètent une œuvre surtout appréciée pour ses portraits-charge et ses caricatures. On cite parmi ses eaux-fortes : *Histoire d'un mort* et *Nouvelles de l'autre monde*, ainsi que des caricatures pour des revues.
VENTES PUBLIQUES : NEW YORK, 12 mai 1983 : *La Marchande de fruits*, h/t (35x26) : **USD 2 800** – NEW YORK, 19-20 mai 1992 : *Femme se promenant en fumant*, h/t (35,6x27,3) : **USD 22 000** – NEW YORK, 24 nov. 1992 : *Adolescent avec une chèvre* 1886, h/t (55,2x40) : **USD 13 200** – NEW YORK, 25 nov. 1992 : *La rencontre*, h/t (35,6x20) : **USD 13 200** – NEW YORK, 18-19 mai 1993 : *Cheval monté par un serviteur noir buvant à la fontaine*, cr., encre et aquar./pap. (27,3x20,3) : **USD 5 750** – NEW YORK, 22-23 nov. 1993 : *Les Coupeurs de canne à sucre*, h/pan. (21,9x38,4) : **USD 48 875** – NEW YORK, 17 mai 1994 : *Types indigènes*, h/pan. (37,5x22,9) : **USD 26 450** – NEW YORK, 17 nov. 1994 : *La Rencontre*, h/t cartonnée (40,2x29,8) : **USD 14 950** – NEW YORK, 18 mai 1995 : *L'attente*, gche et encre/pap./cart. (26x20) : **USD 3 450** – NEW YORK, 21 nov. 1995 : *Colloque*, h/t (48,2x56) : **USD 21 850** – NEW YORK, 16 mai 1996 : *Conversation galante sur la place*, h/pan. (30,5x16,8) : **USD 4 600** – NEW YORK, 25-26 nov. 1996 : *La Danse* vers 1875, h/t (35,6x45,7) : **USD 48 875** – NEW YORK, 28 mai 1997 : *Mûlatresse* vers 1880, h/t (35,5x26,5) : **USD 6 900** – NEW YORK, 29-30 mai 1997 : *La Danse blanche des sombreros* vers 1880, h/t (35,9x46) : **GBP 54 625**.

LANDAS Bertoul de. Voir **BERTOUL DE LANDAS**

LANDAU Alajos
Né en 1833 à Pest. Mort en 1884 à Pest. XIXe siècle. Hongrois.
Peintre.
Il fut élève de son père Lénard Landau. Il figura en 1857 à l'Académie de Vienne et devint professeur de dessin à Szeged et Budapest. Il peignit des portraits.

LANDAU Lénard
Mort en 1850 à Pest. XIXe siècle. Hongrois.
Peintre.
Il fut professeur de dessin à Pest à partir de 1821. Il peignit des portraits et publia en 1843 un ouvrage sur la science de la lumière et de l'ombre.

LANDAU Myra
Née le 5 décembre 1926 à Budapest. XXe siècle. Active de 1939 à 1959 au Brésil, depuis 1959 active et depuis 1976 naturalisée au Mexique. Roumaine.
Peintre, pastelliste, peintre de collages. Abstrait.
Elle a été nommée professeur à la faculté des arts plastiques en 1974, puis coordinnateur des ateliers d'arts plastiques en 1981, à l'université de Véra-Cruz. Elle participe à de très nombreuses expositions collectives en Amérique latine, aux États-Unis en France et en Allemagne. Elle montre ses œuvres dans des expositions personnelles en Argentine, au Brésil, Mexique, aux États-Unis, en France...
S'inspirant de motifs décoratifs roumains, de l'art maya ou de la peinture des Aborigènes, elle réalise au pastel, à la plume ou à l'encre de Chine, des cycles intitulées *Rythmes : Rythme du rêve – Rythme romantique – Rythme vif – Rythme ondulant...* Quadrillages, réseaux de lignes, labyrinthes se renouvellent chaque fois dans une dynamique originale.
BIBLIOGR. : Ionel Jianou et divers, in : *Les Artistes roumains en Occident*, American Romanian Academy of Arts and Sciences, Los Angeles, 1986.
MUSÉES : LA HAVANE (Casas los Americas) : *Rythme du rêve* 1979.

LANDAU Sigismond ou **Zygmunt** ou **Zigmund**
Né en 1898 à Lodz. Mort en juin 1962. XXe siècle. Actif depuis 1920 en France. Polonais.
Peintre de genre, portraits, paysages, fleurs, peintre de cartons de vitraux.
Il fut élève de Lenz à l'académie des beaux-arts de Varsovie. Il

arriva en 1920 à Paris, où il acquit sa formation dans des académies libres de Montparnasse. Il fut lié avec Soutine, Kisling, Krémègne, Kikoïne. Il exposa régulièrement à Paris au Salon d'automne, dont il devint membre sociétaire. Il présentait *Les Tulipes* à l'exposition des Artistes Polonais organisée au Salon de la Société Nationale des Beaux-Arts. Il exposa également à Londres, Stockholm, Tel-Aviv. L'État d'Israël lui a commandé des vitraux.

Ventes Publiques : Paris, 3 mars 1989 : *Portrait de femme* 1923, h/cart. (79x57) : **FRF 9 000** – Paris, 8 avr. 1990 : *Paysage*, h/t (54x65) : **FRF 25 000** – Paris, 14 avr. 1991 : *Portrait*, h/t (55x46) : **FRF 11 000** – Calais, 7 juil. 1991 : *Nature morte aux fruits*, h/t (50x73) : **FRF 11 000** – Paris, 17 mai 1992 : *Fillette écrivant*, h/isor. (46x37,5) : **FRF 7 200** – Paris, 4 avr. 1993 : *Paysage du midi*, h/cart. (37x54) : **FRF 10 000** – Tel-Aviv, 14 avr. 1993 : *Paysage du sud de la France* 1923, h/t (61x78) : **USD 4 140** – Paris, 22 nov. 1995 : *Bouquet de fleurs*, h/t (64,5x54) : **FRF 4 100**.

LANDE Willem Van ou **Willem Van den Landen**
Né probablement vers 1610. xviie siècle. Hollandais.
Peintre et graveur.
Il était en 1635 dans la gilde de Delft. On cite également un Willem Van Lande, graveur à l'eau-forte à Amsterdam en 1638. Probablement le même artiste. Il a gravé des sujets d'histoire.

LANDEAU Rémy E.
Né le 8 octobre 1859 à Sèvres (Seine-et-Oise). xixe siècle. Français.
Peintre de genre, de paysages et de fleurs.
Élève de Léon Pallandre. Sociétaire des Artistes Français depuis 1905, il figura au Salon de ce groupement. Président de la Société des Peintres de fleurs. Chevalier de la Légion d'honneur.

LANDEAU Sandor L.
Né en 1864 en Hongrie. xixe siècle. Français.
Paysagiste.
Élève de Benjamin Constant et Jean-Paul Laurens. Figura au Salon des Artistes Français où il obtint une mention honorable (1905) et une médaille de troisième classe (1907).

LANDECK Armin
Né en 1905 dans le Wisconsin. xxe siècle. Américain.
Graveur.
Après des études d'architecture, il s'installe à New York où il fonde un atelier de gravure. Ses estampes témoignent de la dureté du paysage de New York, pendant la crise des années trente et les sombres années quarante.

Bibliogr. : J. et K. Kraeft : *Armin Landeck. Catalogue Raisonné of ses grafures*, Bethlehem, 1977.

Musées : Londres (British Mus.) – New York (Metrop. Mus.) – New York (Mus. of Mod. Art) – New York (Withney Mus.) – Washington (Nat. Gal.).

Ventes Publiques : New York, 6 mars 1985 : *Manhattan canyon* 1934, pointe-seche (30,5x17,5) : **USD 1 700**.

LANDEIRA Y BOLANO Manuel ou **Landeyra**
Né en 1720 à Saint-Jacques-de-Compostelle. Mort en 1790 à Saint-Jacques-de-Compostelle. xviiie siècle. Espagnol.
Peintre et graveur.
Il collabora aux peintures du maître-autel de l'église de la Angustia de Abajo à Saint-Jacques-de-Compostelle, et aux peintures décoratives de l'église du monastère de Saint-Martin de la même ville. Il grava le *Portrait de l'archevêque Juan de S. Clemente* dans sa biographie par Sanz y Castillo.

LANDEIRA Y IGLESIAS Luis
Né le 19 mai 1861 à Saint-Jacques de Compostelle (Galice). Mort le 26 juin 1924 à Saint-Jacques de Compostelle (Galice). xixe-xxe siècles. Espagnol.
Sculpteur de compositions religieuses, peintre de cartons de vitraux.
Il fut de 1917 à 1920 directeur et professeur à l'école des beaux-arts de Baeza et de 1920 à 1924 professeur de l'école des beaux-arts de Saint-Jacques de Compostelle.
On cite parmi ses œuvres une série d'autels (au couvent de la Ensenanza et l'église Sainte-Christine à Vigo, ainsi que dans les églises paroissiales Saint-Thomas à Caldas de Reyes, Saint-Pierre à Muros, Saint-Martin à Noya, dans l'église du monastère des Clarisses à Monforte de Lemos, dans l'église du monastère des Augustines à Villagencia de Arosa. On cite également de sa main trois vitraux dans la chapelle de l'hôpital royal de Saint-Jacques de Compostelle.

LANDELLE
xixe siècle. Français.
Graveur.
Il était actif à Paris au début du xixe siècle.

LANDELLE Anaïs, née **Lejault**. Voir **BEAUVAIS Anaïs**, Mme

LANDELLE Charles Zacharie
Né le 2 juin 1812 à Laval (Mayenne). Mort en 1908. xixe siècle. Français.
Peintre de compositions religieuses, scènes de genre, portraits.
Élève de Paul Delaroche et d'Ary Scheffer, il débuta au Salon de Paris en 1841, obtint une médaille de troisième classe en 1842 et une de première classe en 1848. Il reçut également une médaille à l'Exposition universelle de 1855 à Paris, et à Philadelphie. Il épousa le peintre Anaïs Lejault, dite Beauvais, appelée aussi Anaïs Landelle. Chevalier de la Légion d'honneur.
Il peint tout d'abord de grandes compositions religieuses, notamment pour les églises Saint-Nicolas-des-Champs, Saint-Sulpice, Saint-Roch à Paris, puis, après un voyage en Orient, il s'intéresse aux sujets de genre et aux portraits.

Bibliogr. : Gérald Schurr, in : *Les Petits Maîtres de la peinture 1820-1920, valeur de demain*, Les Éditions de l'Amateur, t. II, Paris, 1982 – in, Catalogue de l'exposition : *Les années romantiques, la peinture française de 1815 à 1850*, Mus. des Beaux-Art, Nantes, 1995-1996, Galeries nationales du Grand Palais, Paris, 1996.

Musées : Amsterdam (Mus. mun.) : *Femme de Fellah* – Angers : *Rêverie* – Bourg-en-Bresse : *Sainte Véronique* – Caen : *La statue de Strasbourg* – Compiègne (Mus. Vivenel) : *Portrait d'Albertine Millet* 1841 – *Portrait de Clara Ohmer* 1842 – *La Charité* 1843 – Digne : *La vengeance d'Hérodiade* – Gray : *Femme de Jérusalem* – Laval : *Autoportrait* – *Contemplations* – *La Fellah* – études – Londres (Wallace coll.) : *Femme arménienne* – Montauban : *Juives captives à Babylone* – Nantes : *Bohémien et Serbe* – Paris (Mus. du Louvre) : *A. de Musset*, past. – Paris (Mus. d'Art Mod.) : *La fontaine aux nymphes* – *Le pressentiment de la Vierge* – Pau : *Sainte Véronique* – Perpignan : *La Vierge et les saintes femmes au tombeau du Christ* – Reims : *Juive de Tanger* – Rouen (Mus. des Beaux-Arts) : *Portrait de Mme Le Hardelay* 1844 – Strasbourg : *Les femmes de Jérusalem* – Stuttgart : *Portrait de femme* – Sydney : *Isménie, nymphe de Diane* – *Marchand d'oranges au Caire* – Versailles : *L'amiral Baudin*.

Ventes Publiques : Paris, 6-9 mars 1872 : *La messe du dimanche à Béost* : **FRF 4 000** – Londres, 2 avr. 1910 : *Le commencement de la vie* – *La fin de la vie*, deux pendants : **GBP 23** – Paris, 13 mai 1942 : *Mauresque et son enfant* : **FRF 1 060** – Paris, 28 juin 1950 : *Le repas des oiseaux* : **FRF 18 000** – New York, 30 mai 1980 : *La Servante*, h/t (130,8x85,1) : **USD 2 500** – New York, 18 sep. 1981 : *Mère et Enfant*, h/t (130x97) : **CAD 9 000** – New York, 24 fév. 1983 : *Jeune Algérienne* 1890, h/t (162x101,5) : **USD 20 000** – Enghien-les-Bains, 28 avr. 1985 : *Danseuse*, h/t (44,5x30) : **FRF 66 000** – Londres, 18 juin 1986 : *Une belle Orientale*, h/pan. (45,5x32) : **GBP 7 000** – Paris, 20 mars 1989 : *Femme Fellah*, h/t (69x53) : **FRF 45 500** – Londres, 7 juin 1989 : *Portrait d'un homme arabe debout* 1866, h/pap. (36x23,5) : **GBP 550** – Paris, 3 oct. 1989 : *Allégories : Justice, Abondance...*, ensemble de neuf projets de décoration : **FRF 5 000** ; *Hésione enchaînée*, dess. (44x31,5) : **FRF 26 000** ; *Banquette de jardin*, h/t (23x44) : **FRF 6 500** ; *Jeune femme aux oranges et à la branche de citronnier*, h/t (116x76,5) : **FRF 25 000** ; *Orientale à l'éventail de plumes*, h/t (130x97,5) : **FRF 120 000** – New York, 23 mai 1991 : *Jeune et belle Italienne* 1862, h/t (140x106) : **USD 29 700** – Paris, 28 mai 1991 : *Marchand de grain à Tanger* 1866, h/t (55x38) : **FRF 20 000** – Londres, 19 juin 1991 : *Odalisque* 1846, h/t (35x47) : **GBP 3 080** – Paris, 11 déc. 1991 : *Ouled Naïl, Biskra*, past. (53x36) : **FRF 48 000** – New York, 18 fév. 1993 : *Les Femmes de*

Jérusalem captives à Babylone, h/t, étude (61x50,7) : **USD 38 500** – Paris, 5 avr. 1993 : *Tlemcen, la conversation aux abords des remparts* 1881, h/cart. (38x54) : **FRF 13 000** – Calais, 12 déc. 1993 : *La grande mosquée au Caire*, h/t/pan. (22x31) : **FRF 17 100** – Neuilly, 19 mars 1994 : *Portrait de jeune femme*, h/t (52x32) : **FRF 26 500** – New York, 12 oct. 1994 : *Odalisque* 1864, h/t (95,3x144,8) : **USD 46 000** – Londres, 15 mars 1996 : *Belle Orientale*, h/t (61,5x50,8) : **GBP 13 800** – New York, 18-19 juil. 1996 : *Jeune femme de harem*, h/t (43,8x34,3) : **USD 6 325** – New York, 12 fév. 1997 : *Droits de l'homme* 1884, h/t (226,1x162,6) : **USD 28 750**.

LANDELLE G.
Français.
Peintre de genre.
La Galerie Roussel, à Louviers, conserve de cet artiste *Fileuse au rouet*.

LANDELLE Georges H.
Né vers 1860. Mort en 1898. XIXe siècle. Français.
Peintre de genre et de paysages.
Élève de son père Charles Landelle et d'A. Cabanel. Il exposa entre 1885 et 1895 au Salon de Paris.

LANDELLS Ebénezer
Né en 1808 à Newcastle on Tyne. Mort le 1er septembre 1860 à Brompton. XIXe siècle. Britannique.
Graveur sur bois.
Élève de Beurick. Il vint à Londres vers 1829. Après avoir travaillé pour divers ouvrages, il fut employé par le journal *Punch* dès sa fondation. Il collabora également au *Illustrated London News* et au *Illuminated Magazine*. C'était un artiste de talent.

LANDELLS Robert Thomas
Né le 1er août 1833 à Londres. Mort en 1877 à Londres. XIXe siècle. Britannique.
Peintre et dessinateur.
Fils et élève d'Ebénezer Landells. Il fut dessinateur pour le *Illustrated London News* et en cette qualité suivit les opérations des guerres de Crimée, du Danemark, austro-prussienne et franco-allemande. A la fin de sa vie, il reproduisit à l'huile et à l'aquarelle plusieurs des épisodes militaires dont il avait été témoin.

LANDEN Willem Van den. Voir **LANDE**

LANDENBERG Friedrich von
Né en 1748 à Zurich. Mort en 1795. XVIIIe siècle. Suisse.
Peintre de batailles et de genre.

LANDENBERGER Christian Adam
Né le 7 avril 1862 à Ebingen. Mort le 13 février 1927 à Stuttgart (Bade-Wurtemberg). XIXe-XXe siècles. Allemand.
Peintre de genre, paysages, dessinateur, graveur.
Il fut élève de Grunewald, Haeberlin, Schraudolph et Liezen-Mayer. Il fut professeur à l'académie des beaux-arts de Stuttgart à partir de 1906.
Musées : Berlin : *Garçons se baignant* – Munich : *Soir d'été à la mer* – Stuttgart : *Calme Maison*.
Ventes Publiques : Munich, 5 juin 1984 : *Vue de l'Ammersee* 1915, h/t (75x60) : **DEM 24 000** – Heidelberg, 14 oct. 1988 : *Homme agenouillé priant*, cr. (33x20) : **DEM 1 500**.

LANDER Abraham Louis Théodore
Né le 23 mars 1807 à Genève. XIXe siècle. Suisse.
Peintre et sculpteur.
Élève de Grosclaude à Genève, il étudia ensuite à l'Académie de Rome où il obtint en 1830 le premier prix de sculpture. Il fit à plusieurs reprises le portrait du *Pape Pie VIII* et obtint un logement au Vatican et une pension du Souverain Pontife.

LANDER Benjamin
Né en 1844 à New York. XIXe siècle. Américain.
Aquafortiste de paysages.
Il figura à la première Exposition Internationale de la gravure à Vienne, en 1883, avec trois planches, à l'Exposition de la gravure de Vienne de 1886 et à l'Exposition Panama-Pacifique de San Francisco en 1915.

LANDER John Saint Helier
Né le 19 octobre 1869 à Jersey. Mort en 1944. XIXe-XXe siècles. Britannique.
Peintre de portraits.
Il commença ses études sous la direction de F.W. Calderon dans son école de peinture animale, puis continua à la Royal Academy de Londres et à Paris, à l'académie Julian, où il fut élève de Bouguereau et de Tony Robert-Fleury. Il s'installa à Londres à partir de 1898. Il exposa régulièrement à la Royal Academy et au Royal Institute of Oil Painters dont il fut membre à partir de 1916. Il figura à Paris, au Salon des Artistes Français, où il obtint une mention honorable en 1910 et une médaille d'argent en 1923.
Il se consacra au portrait, adoptant le parti de flatter ses modèles et de leur conférer une allure aristocratique.
Musées : Manchester (City Art Gal.) : *Le Prince de Galles* 1923.
Ventes Publiques : Londres, 4 fév. 1981 : *Portrait de Sa Majesté la Reine mère* 1923, h/t, de forme ovale (73x51,5) : **GBP 1 600** – Londres, 12 mai 1989 : *Portrait de Miss Kathleen Archer Shee* 1928, h/t (150x100) : **GBP 1 100** – Londres, 14 juin 1991 : *Portrait de Mrs Arthur Wood, assise de trois quarts vêtue d'une robe noire et coiffée d'un chapeau noir à larges bords*, h/t (76x127) : **GBP 4 620** ; *Moutons paissant près d'un lac au crépuscule* 1909, h/t (127x102) : **GBP 4 400**.

LANDER Joseph
Né en 1725 à Lucerne. Mort en 1790 à Munich. XVIIIe siècle. Suisse.
Peintre de natures mortes, pastelliste, graveur, aquarelliste.
On cite de lui : *Le portrait de Pie VI* gravé d'après son dessin en 1783. Le Musée de la Résidence à Munich possède également de lui un *Portrait du prince-électeur Maximilien III Joseph*.

LANDER Louise
XIXe siècle. Suisse.
Peintre d'émaux.
Élève d'Henry et de Mlle Lissignol. Elle exposa des copies d'après le Guide et Scheffer en 1845, 1847, 1854 et prit part à l'Exposition de Saint-Gall en 1848.

LANDER Sylvie
XXe siècle.
Peintre, technique mixte.
Elle a exposé en 1992 au cloître Saint-Pierre-le-Jeune à Strasbourg. Ses œuvres tumultueuses sont empreintes de mystères.

LANDERAS Juan de
XVIe siècle. Actif à Séville. Espagnol.
Sculpteur.
Sculpta des frises, des colonnes, des chapitaux pour les édifices publics de la ville.

LANDERER Albert
Né en 1816 à Bâle. Mort en 1893 à Paris, assassiné. XIXe siècle. Suisse.
Peintre.
Élève de Hieronimus Hess, à Bâle. Il se fit connaître surtout par ses peintures d'histoire. Il vint en France et passa les dix dernières années de sa vie à Barbizon. Le Musée de Bâle conserve de lui : *Entrée à Bâle des envoyés de la Confédération en 1501*. La plupart des œuvres de cet artiste se trouvent dans des collections particulières d'amateurs suisses, quelques-unes dans les Musées de Berne et de Zurich.

LANDERER Ferdinand
Né en 1730 ou 1746 à Stein. Mort en 1795 à Vienne. XVIIIe siècle. Autrichien.
Peintre et graveur à l'eau-forte.
Élève de Jacob Schmutzer. Il a gravé des sujets mythologiques, des sujets de genre et des paysages. Il fut professeur à l'Académie militaire, à Vienne, et membre de l'Académie de Vienne.

LANDERNAIN Juan de ou **Landerri**
XVIe siècle. Espagnol.
Sculpteur.

LANDERS Sean
Né en 1962 à Palmer (Massachusetts). XXe siècle. Américain.
Créateur d'installations, sculpteur.
Il sortit diplômé du College of art de Philadelphie en 1984, et de la Yale School of Art de New Haven en 1986. Il vit et travaille à New York. Il participe à des expositions collectives depuis 1986 : 1986 Philadelphie ; 1989 American Fine Arts à New York ; 1990 The New Museum à New York ; 1992 *I, myself and others* au Magasin, Centre national d'Art contemporain de Grenoble ; 1993 Kunstverein de Hambourg, palais des beaux-arts de Bruxelles et Royal Danish Academy of Fine Arts à Copenhague.

Il montre ses œuvres dans des expositions personnelles : 1989 Los Angeles ; 1990, 1992, 1993 New York ; 1991 Zurich et Chicago ; 1993, 1995 galerie Jennifer Flay à Paris.
Son œuvre est marquée par sa volonté de se raconter, de dire l'histoire de « ce fils infortuné d'un ivrogne irlandais », ainsi en témoignent les feuillets manuscrits, dessins, sculptures (en argile généralement) et vidéos qu'il réalise. Il crée pour cela son alter ego, un jeune sculpteur, Chris Hamson, qui prend en charge son histoire, qui parle de sexe, d'argent, de Dieu, de carrière professionnelle, de relations publiques.
Bibliogr. : Hervé Legros : *I, myself and others*, Art Press, n° 175, Paris, déc. 1992 – Paul Ardenne : *Sean Landers*, Art Press, n° 182, juil.-août 1993.

LANDERSEEL Assuerus Jansz Van. Voir **LONDERSEEL**

LANDERSET Blanche de, dite aussi **Maih**, épouse **Vallon**
Née le 2 avril 1860 à Orange (Vaucluse). XIXe-XXe siècles. Française.
Peintre de compositions religieuses, portraits, pastelliste, miniaturiste.
Elle fut élève de C. Rosa et de l'académie Julian à Paris.

LANDERSET Ernest de
Né en 1832 à Estavayer. Mort le 27 avril 1907 à Avignon (Vaucluse). XIXe siècle. Suisse.
Peintre de genre, portraits, paysages, miniaturiste.
Il fut élève de Calame à Genève et des deux Vernet à Paris. Il vécut de 1860 à 1870 à Marseille, puis, à partir de 1871, à Paris où il peignit des portraits miniatures.
Ventes Publiques : Paris, 27 oct. 1995 : *Scène de marché à Orange* 1892, h/t (50x60) : **FRF 12 500**.

LANDERSET Joseph de
Né le 9 février 1753 à Fribourg. Mort le 4 février 1824 à Fribourg. XVIIIe-XIXe siècles. Suisse.
Peintre de genre, animalier, paysages animés, paysages, marines, peintre à la gouache.
Musées : Besançon : *Environs d'Eaubonne*.
Ventes Publiques : Paris, 10 mai 1924 : *Berger, bergère et troupeau*, gche : **FRF 480** – Paris, 23 fév. 1939 : *Halte de chasse à courre à la lisière d'un bois ; Le retour de la chasse au cerf*, gche, les deux : **FRF 3 300** – Paris, 14 mai 1973 : *Vue présumée de la maison du berger, Valziete, dans le canton de Fribourg*, gche : **FRF 4 800** – Bruxelles, 15 juin 1983 : *L'Embuscade*, gche (47x66) : **BEF 36 000** – Zurich, 24 nov. 1993 : *Le port de Toulon ; Le port de Marseille*, gche/pap., une paire (chaque 62x80) : **CHF 29 900**.

LANDERSET Theresa Maria de, plus tard Mme **Hegg**
Née en 1829 à Fribourg-en Brisgau. XIXe siècle. Suisse.
Peintre de fleurs.
Membre du Royal Institute of Painters in Water-Colours. Prit part régulièrement à ses Expositions à partir de 1872. Mme Hegg étudia la peinture à Lyon, à Genève. Elle travailla à Avignon, Nice, Cannes, Vevey.
Musées : Lausanne (Mus. Arlaud) : *Offrande à la Vierge*.

LANDESIO Eugenio
Né en 1809 à Venaria Reale. Mort en 1879 à Rome. XIXe siècle. Actif à Turin. Italien.
Peintre d'histoire, sujets mythologiques, paysages, aquarelliste, lithographe.
De 1830 à 1840 il travailla à Rome. Il figura en 1832 et en 1839 aux expositions de Rome et en 1839 à l'Exposition de l'Académie de Berlin avec *Diane au bain* et *Entrée des thermes de Dioclétien à Rome*. Il publia 40 études lithographiées.
Ventes Publiques : Paris, 16 oct. 1940 : *Neuf paysages mexicains* : **FRF 1 520** – Rome, 31 mai 1990 : *Fontaine de la Villa Borghèse*, aquar./pap. (10,5x21,5) : **ITL 3 000 000**.

LANDESMANN-KRAIL Charlotte
Née le 8 avril 1833 à Genève. Morte le 21 juillet 1885. XIXe siècle. Suisse.
Portraitiste et pastelliste.
Élève de J.-G. Scheffer. Elle exposa à Londres, Paris et Genève, entre 1852 et 1878.

LANDETE Magels
Né en 1949 à Sant Carles de la Rapina (Terragone). XXe siècle. Espagnol.
Sculpteur. Abstrait.
Il expose personnellement : en 1981, 1982, à Castellon de la Plana ; 1987, 1988, à Barcelone ; 1989, Sant Carles de la Rapina. Sa sculpture se développe à partir de figures géométriques très simples, elle possède des traits architecturaux.

LANDEYRA Y BOLANO Manuel. Voir **LANDEIRA**

LANDFIELD Ronald
Né le 9 janvier 1947 dans le Bronx (New York). XXe siècle. Américain.
Peintre. Expressionniste abstrait.
Il fut élève de l'Art Students' League de New York, du City Art Institute de Kansas, puis de l'Art Institute de San Francisco. Il a enseigné à la School of visual Arts de New York. Il participe à des expositions collectives : 1967, 1971 Whitney Museum de New York ; 1968 Museum of Art de Baltimore ; 1970 Aldrich Museum de Ridgefield ; 1970 Institute of contemporary Art de Philadelphie ; 1971 Museum of Fine Arts de Houston. Il montre ses œuvres dans des expositions personnelles depuis 1969 principalement à New York.
Musées : Chicago (Art Inst.) – Minneapolis (The Walker Art Center) – New York (Mus. of Mod. Art) – New York (Whitney Mus.) – Pasadena (Mus. of Contemp. Art) – Providence (Rhode School of Design) – Washington (Joseph Hirshorn coll.).

LANDGRAF Michael
Né en 1801 à Bamberg. XIXe siècle. Allemand.
Dessinateur et calligraphe.
Il figura aux expositions de la Société des Beaux-Arts de Bamberg avec des œuvres de calligraphie dans le genre des manuscrits du Moyen Age, qu'il reproduisait en lithographie. Il publia en 1836 à Bamberg l'ouvrage : *La cathédrale de Bamberg avec ses monuments des princes-évêques, de 1007 à 1803*, orné de lithographies et de gravures sur acier.

LANDGREBE Gustav Adolf
Né le 27 décembre 1837 à Berlin. Mort le 11 juin 1899 à Berlin. XIXe siècle. Allemand.
Sculpteur.
Élève de l'Académie de Berlin et d'E. Fischer, il obtint en 1865 le Grand Prix national. A Berlin il exécuta différentes œuvres pour la Galerie Nationale. Entre 1886 et 1895 il figura aux expositions de l'Académie avec des bustes et des statuettes de musiciens (*Beethoven, Hans von Bülow, Richard Wagner, Mozart*).

LANDHEER Hugo
Né le 16 février 1864 à Schiedam. XIXe-XXe siècles. Hollandais.
Peintre de figures, natures mortes. Tendance expressionniste.
Il vécut et travailla à La Haye.

LANDI Angelo
Mort en 1620 à Naples. XVIIe siècle. Italien.
Sculpteur de monuments.
Il travailla à Rome et à Naples. Parmi les œuvres qu'il exécuta dans cette dernière ville on cite une fontaine érigée dans le port, une fontaine de Neptune, d'après Fontana, le portail principal et des niches et fenêtres du Musée National. Il sculpta à Rome un chapiteau pour l'église Saint-Pierre.

LANDI Angelo
Né le 17 juin 1876 ou 1879 à Salo. Mort en 1944. XIXe-XXe siècles. Italien.
Peintre de genre, portraits, paysages, peintre de compositions murales.
Il débuta en 1900 à l'exposition d'Automne de l'académie des beaux-arts de Milan et figura en 1908 à l'exposition de cette académie avec son tableau *Premières Armes*. En 1912 et 1924, il figura à l'Exposition internationale de Venise.
On cite parmi ses œuvres des peintures de plafond dans la cage d'escalier du Palazzo communale de Salo et dans une chambre à coucher du palais Ghilardi de Milan. L'église paroissiale de Padenghe lui doit une peinture décorative : *Ange en prières*.
Ventes Publiques : Rome, 16 avr. 1991 : *Amour maternel*, h/t (96x72) : **ITL 27 600 000**.

LANDI Aristodema
XIXe siècle. Actif à Florence. Italien.
Peintre de genre.
Exposa à Turin, Milan et Rome.

LANDI Gaspar ou **Gaspare**, le chevalier
Né en 1756 à Plaisance. Mort en 1830 à Plaisance. XVIIIe-XIXe siècles. Italien.
Peintre d'histoire et de portraits.
Élève de P. Battoni et de Corvi. Directeur de l'Académie de Saint-Luc à Rome. Landi obtint en 1781 le premier prix à l'Aca-

démie de Parme. Il chercha à reprendre la tradition des grands peintres de la Renaissance, unissant l'intensité du jeu des lumières et des ombres à la puissance de coloris des Vénitiens. On le considère comme un des fondateurs de l'école moderne.
Musées : Bergame (Acad. Carrara) : *Canova* – Faenza (Pina.) : *Portrait de l'artiste* – Florence (Mus. des Offices) : *L'artiste* – Florence (Acad.) : *Les Maries au Sépulcre – Femme en pleurs* – Milan (Ambrosiana) : *Femme en pleurs* – Parme (Acad.) : *La tête d'Ariane – Le mariage de Sarah* – Prato : *Les Marie au Sépulcre* – Rome (Corsini) : *Portrait de G. Bandellotti* – Rome (Borghèse) : *Canova.*
Ventes Publiques : Vienne, 1827 : *Vénus et l'Amour* : **FRF 220** – Milan, 4 nov. 1986 : *La vendetta di Achille*, h/t (97x68) : **ITL 10 000 000** – Rome, 23 fév. 1988 : *Portrait du Prince Andrea Pignatelli di Cerchiara*, h/t (108x118) : **ITL 30 000 000** – Rome, 27 nov. 1989 : *Portrait de Anna Maria Pellegrini jouant de l'épinette*, h/t (100x74,5) : **ITL 80 500 000** – Londres, 14 mars 1990 : *Portrait de Lady Frances Moore vêtue d'une robe blanche avec un châle gris et tenant un cahier de musique*, h/t (96,5x73) : **GBP 7 700.**

LANDI Giuseppe Antonio
XVIIIe siècle. Italien.
Peintre d'architectures et d'ornements.
Élève de Ferd. Bibiena. Il fut reçu académicien à Bologne. Les Offices, à Florence, possèdent deux dessins de sa main.

LANDI Neroccio di Bartolomeo di Benedetto de' ou **de Landi**, dit **Neroccio da Siena**. Voir **NEROCCIO di Bartolomeo de Landi**

LANDIER Henri
XXe siècle. Français.
Peintre de paysages.
Il a exposé à Paris en 1973 des paysages de Chanteloup-les-Vignes, paysages volontiers schématisés, en 1996 des vues de Prague à l'Atelier d'art Lepic.

LANDILLE Georges Henri
Mort en 1899. XIXe siècle. Français.
Peintre.
Sociétaire des Artistes Français, il figura au Salon de ce groupement.

LANDINI Alcibiade
Né le 27 mars 1877 à Pesaro (Marches). XXe siècle. Italien.
Peintre de genre.
Il fut élève de l'académie des beaux-arts de Naples. Il a exposé au Salon de Paris.

LANDINI Andrea
Né le 10 décembre 1847 à Florence. Mort en 1912. XIXe siècle. Italien.
Peintre de genre, portraits, fleurs.
Élève de Pasquini et Ciseri. Il peignit surtout des portraits de femmes et d'enfants, parmi lesquels ceux de la *Comtesse Lavinia Bocca*, de la femme écrivain *E. Landini Ruffino*, de la *Princesse de Galles*. Il exposa en dernier lieu en 1911 à la Société des Artistes Français à Paris.

Ventes Publiques : Londres, 8 nov. 1946 : *Le loisir de Son Éminence* : **GBP 283** – Paris, 17 fév. 1950 : *L'ecclésiastique amateur de gravures* : **FRF 12 500** – Londres, 21 mai 1958 : *A chacun son métier* : **GBP 260** – Londres, 11 oct. 1967 : *La lettre diplomatique* : **GBP 700** – Londres, 19 jan. 1968 : *La lettre drôle ; Jeux de chats*, deux toiles : **GNS 1 400** – Londres, 10 oct. 1969 : *Le café du matin* : **GNS 580** – Londres, 14 juin 1972 : *L'anniversaire du cardinal* : **GBP 1 300** – Londres, 19 jan. 1973 : *Jour de fête* : **GNS 2 000** – Londres, 24 nov. 1976 : *Taquinerie*, h/t (59,5x72,5) : **GBP 3 600** – Londres, 22 juil. 1977 : *Un bon crû*, h/t (45x37) : **GBP 1 750** – Londres, 20 avr 1979 : *Cardinal faisant une réussite*, h/t (44,4x36,2) : **GBP 2 400** – Londres, 27 nov. 1981 : *L'Anniversaire du cuisinier*, h/t (71,6x90,9) : **GBP 9 000** – Chester, 17 mars 1983 : *Soirée musicale*, h/t (59x72) : **GBP 8 500** – Londres, 20 mars 1985 : *Une bonne liqueur*, h/t (44,5x37) : **GBP 4 800** – Milan, 11 déc. 1986 : *Portrait d'une élégante en robe jaune*, h/t (240x147) : **ITL 10 500 000** – Londres, 23 mars 1988 : *La jalousie*, h/t (43x36) : **GBP 7 480** – Londres, 6 oct. 1989 : *La célébration*, h/t (63x50) : **GBP 21 450** – Londres, 5 oct. 1990 : *L'impatient*, h/t (46,1x38,1) : **GBP 7 480** – New York, 28 fév. 1991 : *Ne bougeons plus*, h/t (76,8x62,8) : **USD 26 400** – New York, 23 mai 1991 : *A chacun son métier*, h/t (65,4x81,2) : **USD 38 500** – Paris, 1er déc. 1992 : *Jour de fête*, h/t (46x38) : **FRF 28 000** – New York, 13 oct. 1993 : *La lecture de Rabelais dans le salon du Conseil du Roi à Versailles*, h/t (94x74,9) : **USD 51 750** – Londres, 18 mars 1994 : *Impatience*, h/t (47x38,1) : **GBP 10 120** – New York, 12 oct. 1994 : *La bonne histoire*, h/t (73,7x92,7) : **USD 74 000** – New York, 24 mai 1995 : *Le toast*, h/pan. (61x49,5) : **USD 51 750** – Londres, 20 nov. 1996 : *Le Jeu d'échecs*, h/t (73x91,5) : **GBP 32 200** – Londres, 21 mars 1997 : *The Tug of war*, h/t (47x38,7) : **GBP 20 125** – New York, 23 mai 1997 : *Ne bougeons plus !*, h/t (50,2x61) : **USD 44 850.**

LANDINI Bernardino
XVIIe siècle. Italien.
Sculpteur ornemaniste.
Il fut admis en 1637 membre de la gilde des sculpteurs et marbriers de Naples.

LANDINI Camillo
Né vers 1776 à Carrare. Mort en 1821 à Saint-Pétersbourg. XIXe siècle. Italien.
Sculpteur.
Il fut à Rome élève de Thorwaldsen. En 1812 il reçut la médaille d'or pour une statue de marbre exposée à Lucques. Il sculpta en 1820 à Varsovie quatre grands lions devant le palais du gouverneur.

LANDINI Domenico
XIXe siècle. Actif au début du XIXe siècle. Italien.
Graveur.
Le Blanc cite de lui *Veduta interna del Campo Santo di Pisa.*

LANDINI Jacopo ou **Landino** ou **Landi**, dit **Jacopo del** ou **da Casentino** ou **Jacopo da Prato Vecchio**
Né en 1297 à Prato Vecchio ou à Arezzo. Mort entre 1349 et 1358 à Prato Vecchio. XIVe siècle. Italien.
Peintre d'histoire, compositions religieuses, architecte.
Il appartenait à la famille de Cristoforo Landino et fut élève de Taddeo Gaddi. Il suivit son maître à Florence en 1349 et fonda avec lui la corporation des peintres, sous le patronage de la Vierge, de Saint Jean-Baptiste, de Saint Zonobio, de Saint Raparata et de Saint Luc. Il demeura à Florence jusqu'en 1354, date à laquelle il alla à Arezzo où il fut chargé d'importants travaux d'architecture et de peinture. La plupart de ses œuvres peintes ont disparu.
On cite, cependant, dans l'église de San Bartolommeo, à Arezzo, un *Christ mort avec la Vierge et Saint Jean-Baptiste* ; à Florence, au Musée des Offices : *Couronnement de la Vierge* et une prédelle avec des *Scènes de la vie de Saint Pierre et de huit autres saints* ; à l'Académie : *Saint Jean l'Évangéliste, Saint Jean-Baptiste, Saint Nicolas* ; à Londres, à la National Gallery : *Saint Jean l'Évangéliste élevé au ciel* ; à Budapest,au musée : une *Vierge avec anges et saints* ; à celui de Bruxelles : une *Vierge* attribuée à l'École de Sienne du XIVe siècle, enfin à Francfort, à l'Institut Stadel : une *Vierge avec les donateurs*, et des œuvres dans des églises italiennes et des collections privées. Landini fut le maître d'Agnolo Gaddi et de Spinello Aretino.
Musées : Bruxelles : *Vierge* – Budapest : *Vierge avec anges et saints* – Florence (Mus. des Offices) : *Couronnement de la Vierge – Scènes de la vie de Saint Pierre et de huit autres saints* – Florence (Acad.) : *Saint Jean l'Évangéliste – Saint Jean Baptiste – Saint Nicolas* – Francfort-sur-le-Main (Inst. Stadel) : *Vierge avec les donateurs* – Londres (Nat. Gal.) : *Saint Jean l'Évangéliste élevé au ciel.*
Ventes Publiques : Paris, 1881 : *Peinture religieuse*, trois panneaux : **FRF 2 000** – Londres, 17 avr. 1936 : *La Crucifixion* : **GBP 215** – Londres, 19 déc. 1941 : *Madone, Enfant et Saints* : **GBP 199** – New York, 25 jan. 1945 : *La Vierge et l'Enfant*, triptyque : **USD 1 500** – Londres, 9 déc. 1959 : *L'Annonciation* : **GBP 3 200** – Londres, 30 nov. 1966 : *La Vierge et l'Enfant* : **GBP 1 800** – Londres, 25 mars 1977 : *La Vierge et l'Enfant entourés de saints personnages*, h/pan. à fronton cintré (24x15,3) : **GBP 6 500** – New York, 9 jan. 1981 : *La Vierge et l'Enfant entourés de saints personnages*, h/pan., fronton cintré (43,5x26,5) : **USD 25 000** – New York, 21 jan. 1982 : *La Vierge à l'Enfant*, temp./pan. (89x54) : **USD 30 000** – New York, 16 jan. 1992 : *Sainte Réparate et Saint Jean Baptiste*, temp./pan. à fond or, une paire (chaque 27,3x21,9) : **USD 46 200** – New York, 22 mai 1992 : *Vierge à l'Enfant*, temp./pan. à fond or avec le sommet pointu (43,2x31,8) : **USD 187 000** – Londres, 9 juil. 1993 : *Vierge à l'Enfant*, temp. /pan. à fond or, ogival (87,5x48,6) : **GBP 67 500** – New York, 11 jan. 1995 : *Vierge à l'Enfant sur un trône entourés de*

Saints (panneau central) ; La Nativité et La Crucifixion (panneaux latéraux), temp./bois à fond or, tabernacle portatif (centre 40,6x21,6, côté 40,6x14) : **USD 426 000**.

LANDINI Taddeo
Né vers 1550 à Florence. Mort en 1596 à Rome. XVIe siècle. Italien.
Sculpteur et architecte.
Il se fit connaître à Florence par une copie du *Christ* de Michel-Ange. Il se rendit à Rome, et les papes Grégoire XIII, Sixte-Quint et Clément VIII le chargèrent de divers travaux dont il ne reste qu'un grand bas-relief à la chapelle Pauline, au Vatican, représentant *Jésus-Christ lavant les pieds des apôtres*, une *Statue de Sixte-Quint* (au Capitole), enfin la *Fontaine des Tortues*, sur la place Mattei.

LANDINO. Voir **LANDINI**

LANDO Hans Rudolf
Né en octobre 1584 à Berne. Mort en 1646. XVIIe siècle. Suisse.
Peintre verrier.
Auteur de plusieurs verrières avec armoiries et écussons, datées de 1617 et 1620.

LANDO di Pietro. Voir l'article **PIETRO di Lando da Siena**

LANDO di Stefano
XIVe siècle. Actif à Sienne. Italien.
Peintre et sculpteur.
Il travailla à Sienne avec d'autres artistes au Palazzo publico où la statue de *Saint-Barthélémy* est de sa main. Il travailla également aux stalles du chœur de la cathédrale de Sienne.

LANDOLFO Pompeo, le chevalier ou **Landulfo**
XVIe siècle. Italien.
Peintre d'histoire.
Cité par Siret. Élève et gendre de Giovanni Bernardo Lama. Il travailla pour les églises de Naples et de la région. On lui attribue une *Sainte Catherine de Sienne*, conservée au Musée National de cette ville.

LANDOLT Matthias
Né le 31 mai 1786 à Zurich. Mort le 20 octobre 1845 à Constance. XIXe siècle. Suisse.
Peintre et graveur.
Élève d'Henri Lips. Il fut pendant quelques années officier de l'armée hollandaise. De retour dans son pays, il se fixa à Constance. Beaucoup de ses œuvres font partie des collections d'art de Zurich.

LANDOLT Melk ou **Melchior**
Né à Ebikon. XVIe-XVIIe siècles. Suisse.
Sculpteur sur bois.
De 1602 à 1606, cet artiste travailla à la décoration des salles de l'Hôtel de Ville de Lucerne.

LANDOLT Salomon
Né le 10 décembre 1741 à Zurich. Mort le 26 novembre 1818 à Andelfingen. XVIIIe-XIXe siècles. Suisse.
Peintre de batailles, de scènes militaires, de paysages et de scènes de chasse.
Il vint à Paris pour servir dans le régiment suisse et travailla durant ses loisirs avec le peintre Le Paon. En 1776, il passa en Prusse au service de Frédéric II et leva pour ce prince un corps de troupes suisses. Nous ne le suivrons pas dans sa carrière militaire et politique. Il joua un rôle important dans son pays. On cite de lui : *L'attaque de Cosaques ; Rapport à la garde dans la forêt de Wollishofen ; Bivouac des cosaques et chasseurs suisses ; Combat entre les avant-postes français et les cosaques près Zurich*. Il servit de modèle à Godfried Keller pour son *Bailli de Greifensee*.
Musées : Soleure : *Patrouille de cosaques – Abreuvoir*.
Ventes Publiques : Berne, 6 mai 1983 : *Les Troupes napoléoniennes en marche près de Zurich* 1808, temp. (35x43) : **CHF 18 000**.

LANDON Charles-Paul
Né en 1760 à Nonant-le-Pin. Mort le 5 mars 1826 à Paris. XVIIIe-XIXe siècles. Français.
Peintre de compositions allégoriques, portraits.
Élève de François Vincent et de Jean-Baptiste Regnault, il obtint le grand prix de Rome en 1792, participa au Salon entre 1791 et 1812, au Colysée en 1797.
Peintre du duc de Berry, il fut conservateur des peintures au Louvre, membre de l'Institut et se fit surtout connaître par ses nombreuses publications sur les musées et les artistes, notamment : *Annales du Musée* 1800-1822, en 42 volumes ; *Galerie historique des hommes les plus célèbres* 1805-1811, en 25 volumes ; *Grandes vues historiques de la Grèce, de la Sicile et des sept collines de Rome* 1813 ; *Numismatique du voyage du jeune Anacharsis* 1818 – *Choix de tableaux et statues des plus célèbres musées et cabinets étrangers* 1819-1821, 2 volumes.
Bibliogr. : In, Catalogue de l'exposition : *Les années romantiques, la peinture française de 1815 à 1850*, Mus. des Beaux-Arts, Nantes, 1995-1996, Galeries nationales du Grand Palais, Paris, 1996.
Musées : Agen : *La Peinture et la Poésie* vers 1815 – Alençon : *Dédale et Icare – Paul et Virginie* – Castres : *Dominique Bonnet* – Compiègne (Mus. du Palais) : *Paul et Virginie* – Grenoble : *La famille de Jean-Pierre de Bourcet* – Nice : *Aphrodite et Eros* – Paris (Mus. du Louvre) : *Léda*.
Ventes Publiques : Paris, 17 avr. 1920 : *Portrait de femme appuyée sur une stèle de forme antique* : **FRF 200** – Paris, 12 mars 1926 : *Jeune élégante*, pl. et lav. : **FRF 300** – Paris, 29 nov. 1926 : *L'Inspiration* : **FRF 2 700** – Londres, 20 juin 1926 : *Femme et enfant à la fenêtre* : **GBP 48** – Paris, 27 juin 1951 : *La grande roue du tissage de Cromford* : **FRF 27 000** – Paris, 10 déc. 1982 : *Portrait d'homme* 1793, h/t (60x50) : **FRF 12 000** – Londres, 1er mars 1991 : *Hagar faisant boire l'eau miraculeuse à Ishmael dans le désert*, h/t (75x103) : **GBP 7 150** – Paris, 31 mai 1991 : *Dessin d'architecture* 1815, encre et lav., projet pour un Hôtel de Ville (33x51) : **FRF 6 800**.

LANDON John
XVIIIe-XIXe siècles. Britannique.
Peintre de paysages.
Il figura entre 1795 et 1827 aux expositions de la Royal Academy de Londres.

LANDONCK Henri Van
XVe siècle. Actif à Anvers. Éc. flamande.
Peintre.
Inscrit comme doyen dans les registres de la confrérie de Saint-Luc en 1467.

LANDORI Vilmos
Né le 6 août 1872 à Pecs. Mort le 19 janvier 1923 à Budapest. XIXe-XXe siècles. Hongrois.
Sculpteur de nus, peintre.
En 1911, il exposa à Budapest des statues de nus, parmi lesquelles on cite *Le Calomniateur*. Il séjourna longtemps à Gardone, où, pendant la Première Guerre mondiale, la plupart de ses œuvres furent détruites. Il fut aussi architecte.

LANDOWSKI Françoise
Née le 3 mars 1917. XXe siècle. Française.
Peintre de compositions religieuses, peintre de cartons de vitraux, dessinateur. Tendance expressionniste.
Elle est la fille du sculpteur Landowski, elle n'a pas reçu de formation en académie, mais a par contre étudié la musique et obtenu un premier prix de piano du conservatoire de Paris. Elle expose à Paris, au Salon des Indépendants et dans divers Salons des Hauts-de-Seine.
Ses peintures sont volontiers expressionnistes. Elle a réalisé en 1960 un *Chemin de croix* pour l'église de Brusc dans le Var, et, en 1973, a fait les vitraux de cette même église.

LANDOWSKI Marc
Né en 1944 à Paris. XXe siècle. Français.
Peintre.
Il est le petit-fils du sculpteur Paul Landowski. Il a étudié l'architecture. Il a exposé à Paris en 1972. En tant que peintre, il reste classique, voire académique.

LANDOWSKI Paul Maximilien
Né le 1er juin 1875 à Paris. Mort en avril 1961 à Boulogne-Billancourt (Hauts-de-Seine). XXe siècle. Français.
Sculpteur de monuments, bustes.
Il fut élève à l'école nationale des beaux-arts de Paris, où il eut pour professeur Barrias qui lui enseigna le rudiment en lui communiquant peut-être, malgré les faiblesses du vieux maître, le sens du monumental. De 1933 à 1937, il dirigea l'académie de France à Rome. Maître libéral entre tous lorsqu'il devint directeur de l'école des beaux-arts de Paris, P. Landowski s'est penché sur beaucoup de problèmes. Son immense labeur lui a laissé le loisir d'écrire un livre valant toujours d'être consulté : *Peut-on*

enseigner les beaux-arts ? Il expose pour la première fois en 1906, au Salon des Artistes Français à Paris, ses *Filles de Caïn* lui valent sa première médaille. Il avait reçu le prix de Rome en 1900 pour *David combattant*. Fait chevalier de la Légion d'honneur très jeune, avec ses premiers succès du Salon, Landowski a fait la plus heureuse des carrières.
Ce sculpteur a été parfois violemment discuté. Il est de toute équité de soutenir qu'il le fut à raison même d'un réel sentiment de sa grandeur qui le porta à entreprendre de larges monuments devant la conception même de quoi nombre des statuaires contemporains auront reculé. On cite parmi ses œuvres les plus remarquables : *Les Fantômes*, monument aux morts qui en 1923 lui valut la médaille d'honneur ; le *Monument à la Victoire* pour le Maroc ; le monument à la mémoire de *Paul Déroulède* ; le *Monument aux morts d'Alger* ; et pour Paris la fameuse *Sainte Geneviève* la plus contestée de ses œuvres, jusqu'à son *Monument aux armées* de la place du Trocadéro. Il faut mentionner encore des ouvrages de moindre taille : *La Becquée – Le Concert* à Rambouillet ; *Le Pugiliste* pour quoi posa le boxeur Georges Carpentier ; *La Biche aux pieds d'airain*, enfin de nombreux bustes : *Président Millerand ; Maréchal Pétain ; Paul Adam ; Docteur Gosset ; Le Comte de Paris ; M. et Mme Blumenthal*, etc.
Bibliogr. : Jules Romain : *Paul Landowski – La Main et l'Esprit*, Bibliothèque des Arts, Paris, 1962 – Bruno Foucart, Michèle Lefrançois, Gérard Caillet : *Landowski*, Édition Van Wilder, Paris, 1989.
Musées : Alger – Aurillac – Boulogne-Billancourt (Mus. Paul Landowski) – Buenos Aires – Casablanca – Copenhague – Lausanne (Mus. canton. des Beaux-Arts) : *Fillette porteuse d'eau* – Nankin – New York – Paris (Mus. d'Art Mod. de la Ville) : *Le Héros – Le Hâleur – Danseuse aux serpents – Buste de l'architecte Nénot – Buste de Mme Landowski* – Pau – Rio de Janeiro – Saint-Quentin – Sydney – Tôkyô.
Ventes Publiques : Nice, 2 déc. 1963 : *Les Biches* : **FRF 11 300** – Paris, 2 juin 1978 : *Enfant souriant*, bronze patiné (H. 29,5) : **FRF 2 900** – Paris, 8 déc 1979 : *Georges Carpentier à l'entraînement*, bronze (H. 69) : **FRF 5 500** – Paris, 23 fév. 1981 : *Le Charmeur de serpents*, bronze patine brune (H. 51) : **FRF 7 600** – Paris, 27 juin 1983 : *David combattant* 1900, bronze patine verte (H. 78) : **FRF 13 500** – Londres, 7 nov. 1985 : *Jeune fille nue entre deux paons* vers 1920, bronze, patine brun-vert, cire perdue (60x147,5) : **GBP 1 050** – Paris, 1er fév. 1988 : *Fillette portant une jarre*, bronze (H. 40) : **FRF 10 000** – Versailles, 5 nov. 1989 : *Les porteuses d'eau*, bronze patine noire (H. 43) : **FRF 25 000** – La Varenne-Saint-Hilaire, 20 mai 1990 : *La chasse au cerf*, bronze cire perdue (H. 55) : **FRF 34 500** – Paris, 17 oct. 1990 : *Boxeur, un genou à terre*, bronze patine brun-noir (44x52x30) : **FRF 120 000** – Lokeren, 23 mai 1992 : *Jeune Fille avec deux paons*, bronze patine brune (H. 58, L. 121,5) : **BEF 330 000** – Calais, 23 mars 1997 : *Le Jeune Pâtre* 1906, bronze patine vert nuancé (H. 49) : **FRF 65 500**.

LANDRAGIN Jean Baptiste, dit **la Fortune**
XVIIIe siècle. Français.
Sculpteur.
Il fut, avec une bourse du duc de Condé, élève de l'École Royale à Paris de 1768 à 1779. Il travailla à Chantilly où il sculpta des statues de marbre pour le parc.

LANDRAGIN Marie Adelaïde. Voir **DURIEUX**

LANDRÉ Hendrika Frederika Van der, Mme. Voir **KELLEN**

LANDRÉ Louise Amélie
Née en 1852 à Paris. XIXe siècle. Française.
Peintre de genre, portraits, paysages.
Élève de Charles Chaplin et de Jean Hubert, elle débuta au Salon de Paris en 1876 et fut sociétaire des Artistes Français à partir de 1885.
Si ses portraits restent assez austères, elle montre plus d'aisance pour ses sujets de genre.
Bibliogr. : Gérald Schurr, in : *Les Petits Maîtres de la peinture 1820-1920, valeur de demain*, Les Éditions de l'Amateur, t. V, Paris, 1981.
Musées : Angers : *La sultane en disgrâce* – Louviers : *Mme Angot – Incroyables*.
Ventes Publiques : Amsterdam, 9 nov. 1993 : *Une ballerine*, h/t (39x31) : **NLG 1 208**.

LANDRERAS Sébastian de
XVIe siècle. Travaillant à Séville vers le milieu du XVIe siècle. Espagnol.
Sculpteur.

LANDRIANI Giuseppe
Né le 29 mai 1824 à Milan. Mort le 18 janvier 1894 à Milan. XIXe siècle. Italien.
Peintre de genre.
Il a débuté à Milan vers 1883. Exposa également à Turin.
Musées : Ligornetto (Vela) : *Fleurs – Paysage – Nature morte*.

LANDRIANI Paolo
Né en 1755 à Milan. Mort en 1839 à Milan. XVIIIe-XIXe siècles. Italien.
Peintre et architecte.
Il fut employé à la décoration de la Scala. Il eut pour élèves Perego et Sanquirico. Il travailla dans la manière de Bibiena.
Ventes Publiques : New York, 11 jan. 1989 : *L'Atrium d'un palais à colonnades*, craies et encre, projet de décor de théâtre (19,5x26,2) : **USD 605**.

LANDRIANI Paolo Camillo, dit **il Duchino**
Né à Milan, vers 1570 ou en 1560 selon d'autres sources. Mort en 1618 ou 1619 à Milan. XVIe-XVIIe siècles. Italien.
Peintre d'histoire.
Élève d'Ottavio Semini ; il travailla pour les églises de Milan qui conservent encore de ses œuvres. *La Nativité* de l'église Saint-Ambrogio est regardée comme son chef-d'œuvre.

LANDRIN Henry Charles
Né le 7 septembre 1829 à Nantes. Mort en 1898. XIXe siècle. Français.
Peintre de paysages et graveur.
Élève de Charlet. Exposa au Salon de 1864 et de 1865 des paysages de la forêt de Fontainebleau et des vues d'Espagne. Intéressé par la peinture espagnole, « dès l'époque où elle n'avait encore attiré l'attention que de quelques personnes éclairées », une partie de sa carrière se déroule en Espagne où il est décoré de l'Ordre du Christ en 1860 par Don Pedro V et nommé Chevalier de l'Ordre d'Isabelle la Catholique en 1861. On signale aussi son activité de critique d'art.
Bibliogr. : Janine Bailly-Herzberg : *L'eau-forte de peintre au dix-neuvième siècle*, Paris, Léonce Laget, 1972.
Ventes Publiques : Paris, 23 déc. 1942 : *La gardeuse de vaches* 1865 : **FRF 3 300**.

LANDRUM Alex
XXe siècle. Britannique.
Peintre. Minimaliste.
Il a participé en 1992 à une exposition collective à Londres, à la Lisson Gallery.
Il utilise dans des compositions abstraites la couleur industrielle sur des panneaux de bois ou des façades de HLM, qu'il photographie ensuite.

LANDRY Annette
XXe siècle. Française.
Graveur, sculpteur, médailleur.
Elle a gravé une médaille *Hommage à Colette*.

LANDRY François
Né à Salins. XVIe siècle. Français.
Sculpteur.
Il sculpta, en 1540, pour la galerie de Besançon, de la famille Granvelle, 24 médaillons d'albâtre figurant les douze Césars et d'autres personnages. Le Musée de Besançon possède deux des trois médaillons qui ont survécu, et aussi le profil en marbre du cardinal Perrenot de Granvelle, évêque de Malines. Landry fit, en 1551, à Salins, les sculptures de la fontaine des Clercs du Grand-Puits.
Musées : Besançon : *Médaillon – Profil de Perrenot de Granvelle* – Dole : *Golgotha*.

LANDRY François
Né en 1669. Mort en 1720. XVIIe-XVIIIe siècles. Français.
Graveur d'histoire.
Fils de Pierre Landry. Il a gravé au burin des sujets d'histoire.

LANDRY Fritz Ulysse
Né le 26 septembre 1842 à Le Locle (Neuchâtel). Mort en 1927. XIXe-XXe siècles. Suisse.
Sculpteur de bustes, graveur, médailleur.
Elle étudia à Neuchâtel, Genève et Paris, puis fut professeur de dessin à Neuchâtel, à partir de 1872. Il est l'auteur de nombreux bustes, médaillons.
Musées : Neuchâtel : *Max de Meuron – Léon Berthoud – Modèles de la médaille d'honneur de la république de Neuchâtel*

– *Jeune Fille – Projet de monuments pour le cinquantenaire de la République neuchâteloise – Pierre de Salis – Printemps – Sic fugit tempus* – NEUCHÂTEL (Mus. hist.) : *Auguste Bachelin.*

LANDRY Jean Baptiste
XVIIe siècle. Actif à Nancy vers 1632. Français.
Peintre décorateur.
Travailla au palais ducal.

LANDRY Louis
XVIIIe siècle. Actif à Paris. Français.
Peintre de portraits.
Exposa au Salon de 1791 à 1798. Le Musée de Rouen conserve de lui : *Portrait de J.-B. Descamps*, le Musée Carnavalet à Paris, le *Portrait de J. L. Laya.*
VENTES PUBLIQUES : PARIS, 1885 : *Portrait de petit garçon* : **FRF 200** – PARIS, 4 mars 1961 : *Portrait de jeune femme* : **FRF 28 000**.

LANDRY Pierre
Né vers 1630 à Paris. Mort en 1701 à Paris. XVIIe siècle. Français.
Graveur au burin et éditeur.
Il a gravé des sujets religieux et des sujets d'histoire, des frontispices, des portraits remarquables, notamment ceux de *Louis XIV*, d'après J.-François ; *Louis de Bourbon, prince de Conti*, d'après Gribelin ; *Charles de Bourbon, évêque de Soissons* (1660). C'était un bon dessinateur et ses œuvres ont essentiellement le caractère français.

LANDSBERG
Actif à Stockholm. Suédois.
Graveur.
Il a gravé des portraits historiques.

LANDSBERG Herrade de. Voir **HERRADE de Landsberg**

LANDSBERG Max
Né le 11 juillet 1850 à Rawitsch. Mort le 16 août 1906 à Berlin. XIXe siècle. Allemand.
Sculpteur.
Élève de l'Académie de Berlin. Le Musée de Leipzig conserve de lui le *Buste du compositeur Rob. Franz.*

LANDSBERGHS
XVIIIe siècle. Actif au début du XVIIIe siècle. Hollandais.
Peintre.
Le Musée d'Amsterdam conserve de lui un *Portrait de femme.*

LANDSCHNECK ou **Landschnig**. Voir **GLANTSCHNIGG Ulrich**

LANDSCHREIBER Max
Né le 30 juin 1880 à Fürstenfeldbruck (Bavière). XXe siècle. Allemand.
Peintre de paysages. Impressionniste.
Il fut élève d'Hollosy à Munich et de l'académie Julian à Paris. Ses tableaux impressionnistes de paysages sont inspirés de la Bavière, du Tyrol et de la Suède. Son tableau *Chemin dans les champs par mauvais temps* fut acheté par le roi de Bavière.

LANDSEER Charles
Né le 12 août 1799 à Londres. Mort le 22 juillet 1879 à Londres. XIXe siècle. Britannique.
Peintre d'histoire, scènes de genre, portraits, aquarelliste.
Troisième fils et élève de John Landseer. Il travailla ensuite avec Haydon et, en 1816, entra à l'École de la Royal Academy. Il exposa la première fois à cet institut en 1828, fut nommé associé en 1837 et académicien en 1845. Charles Landseer visita le Portugal et le Brésil. Nommé conservateur des Antiques, il fut, de 1851 à 1874, chargé de cet enseignement. Il légua à l'Académie une somme de 250 000 fr. pour la fondation de bourses de voyage.
MUSÉES : LIVERPOOL : *Limier et ses petits – La veille de la bataille d'Edge Hill* – LONDRES (Victoria and Albert Mus.) : *Tentative d'André Marwell – Maria, voyage sentimental de Sterne – L'Ermite* – une aquarelle – LONDRES (Brit. Mus.) : *Le chasseur fatigué* – LONDRES (Nat. Port. Gal.) : *Thomas Landseer* – LONDRES (Nat. Gal.) : *Clarisse Harlowe en prison* – SHEFFIELD : *Pillage dans le Basing House* – SUNDERLAND : *Une scène du Talisman.*
VENTES PUBLIQUES : PARIS, 27 nov. 1922 : *Halte à l'abreuvoir après la chasse* : **FRF 285** – LONDRES, 14 nov. 1924 : *Portrait de Cromwell* : **GBP 33** – LONDRES, 14 mai 1970 : *Homme assis dans une véranda, au Brésil* : **GBP 1 500** – LONDRES, 16 mars 1973 : *Marie Stuart entourée de ses geôliers* : **GNS 2 400** – PERTH, 13 avr. 1976 : *Left in charge*, h/t (100x126) : **GBP 500** – LONDRES, 14 juil. 1989 : *Bénédiction d'un chevalier avant son départ pour la guerre*, h/t (102x127) : **GBP 13 200**.

LANDSEER Edwin Henry, Sir
Né le 7 mars 1802 à Londres. Mort le 1er octobre 1873 à Saint-John's Wood (Londres). XIXe siècle. Britannique.
Peintre de portraits, animaux, sculpteur, aquafortiste.
Il était le plus jeune fils de John Landseer. Ses dispositions artistiques se manifestèrent dès son plus jeune âge. Il allait seul dessiner des animaux et le musée Victoria and Albert conserve de lui des dessins qu'il fit à l'âge de 5 ans. Il exposa pour la première fois à la Royal Academy en 1815. Il continua ses études en entrant, en 1816, à l'école de cet institut. A partir de 1818, il exposa régulièrement à la Royal Academy et à la British Institution. Sa carrière fut une longue suite de succès. En 1824, il visita l'Écosse pour la première fois et y rencontra Walter Scott. Cette visite provoqua le tableau *Walter Scott et ses chiens*. Landseer revint souvent dans les Highlands où il plaça un grand nombre de ses tableaux. En 1831, il fut nommé membre de la Royal Academy. Le brillant artiste peignit surtout des animaux dans d'importants paysages et l'on sent dans ses ouvrages le vif désir de traduire la sentimentalité vague, l'intelligence rudimentaire de ses modèles : il y a souvent réussi ; parfois, aussi, l'effet cherché manque de simplicité, de la somme de réalisme caractérisant les véritables représentations de la nature.
Landseer est un remarquable dessinateur et un peintre fort habile ; cependant son expression est un peu mièvre et il nous semble qu'il n'a pas atteint, dans ses peintures d'animaux, la maestria de Rosa Bonheur. Il n'en reste pas moins un artiste considérable. En 1838, Landseer s'affirma puissant peintre de portraits en exposant ceux du *Marquis de Slafford* et de *Lady Evelyn Gower*. L'artiste visita la Belgique en 1849 et y réunit les matériaux de son célèbre tableau *Dialogue à Waterloo*, qui parut en 1850, date à laquelle Landseer fut anobli. Landseer exposa à Paris en 1855 et y obtint une grande médaille d'or. A la mort de sir Charles Eastlake, la présidence de la Royal Academy lui fut offerte par ses collègues ; il refusa. Les dernières années de sa vie furent attristées par la maladie. En 1874, une exposition de ses œuvres eut lieu à la Royal Academy et y réunissait 461 peintures, dessins et croquis. Aucun artiste n'a été, croyons-nous, plus populaire en Angleterre qu'Edwin Landseer. Ses œuvres ont été reproduites par les meilleurs graveurs, et les éditeurs Henry Graves et Cie en ont fait faire une reproduction presque complète à la manière noire.

E Landseer

BIBLIOGR. : A. Graves : *Catalogue of the Works of the Late Sir Edwin Landseer*, 1876 – Richard Ormond : *Sir Edwin Landseer*, New York, 1982.
MUSÉES : DUBLIN : *Dialogue à Waterloo – La famille Sheridan* – ÉDIMBOURG : *Le Jour du terme dans le désert – Lions et lionnes* – HAMBOURG : *Le braconnier* – LIVERPOOL : *Jument et poulain – Walter Scott – Tête de biche* – étude – LONDRES (Victoria and Albert Mus.) : *Déjeuner dans les montagnes d'Écosse – Le départ du troupeau – Le Chien et l'ombre – Chiens devant le feu – Rien ne vaut le logis – Les Deux Chiens – Chien de berger et son maître – Chiens – Béliers entravés gardés par deux chiens – Sancho Pança – Terre-neuve et chien italien veillant sur la pêche de leur maître – Méchant enfant – Limier devant une porte fermée – Chiens comiques – Chevreuil et chiens courants – Le nid d'aigle – Le Casseur de pierre et sa fille – Le chien de lady Blessington – Terre-neuve* – esquisse – aquarelles – LONDRES (Nat. Gal.) : *Épagneuls – Le limier endormi – Dignité et impudence – En ferrant la jument baie* – étude – LONDRES (Nat. Portrait Gal.) : *John Allen* – LONDRES (Tate Gal.) : *Alexandre et Diogène – La servante et la pie – Portrait équestre – Scène à Abbotsford – L'oncle Tom et sa femme mis en vente* – LONDRES (coll. Wallace) : *Les miettes de la table du riche – Scène des Highlands – Tente arabe* – MANCHESTER : *Distillerie de whisky dans les Highlands* – MELBOURNE (Nat. Gal. of Victoria) : *Scène du songe d'Une Nuit d'été, Titania et Bottom* vers 1848-1873 – *Lord Lytton* – MINNEAPOLIS : *Les trois doges* – NEW YORK (Metropolitan) : *Trophées de chasse* – PRESTON : *Jeune chien jouant avec une grenouille* – SHEFFIELD : *Le cheval de bataille du comte d'Orsay – Chevy chase – Coup de feu manqué* – SUNDERLAND : *La cour de Bolton au temps jadis* – SYDNEY : *La Reine Victoria à Osborne – La forêt de Windsor – Titania et Bottom.*

Ventes Publiques : Londres, 1863 : *Deux chiens cherchant des miettes* : **FRF 60 360** – Londres, 1874 : *Prière de lady Godiva* : **FRF 83 940** ; *Les Walter Scott* : **FRF 21 000** – Londres, 1881 : *L'homme propose et Dieu dispose* : **FRF 165 375** ; *Cerf poursuivi par un chien* : **FRF 131 250** – Londres, 1890 : *La Lune de miel* : **FRF 100 950** ; *Le Coupeur de bois* : **FRF 57 740** – Londres, 1895 : *Clevy : paysage* : **FRF 149 540** – Londres, 1897 : *La Brebis égarée* : **FRF 79 750** ; *Un événement en forêt* : **FRF 65 625** – Londres, 1898 : *Étude de cerf et de deux lévriers*, aquar. : **FRF 4 050** – Londres, 1899 : *Le Mont Plarmigan* : **FRF 52 500** ; *Jeune Bergère écossaise* : **FRF 15 750** – Londres, 1900 : *L'Amour des femmes est pour un brave* : **FRF 115 680** – Londres, 9 juil. 1909 : *Vue des Highlands* : **GBP 42** – Londres, 6 mai 1910 : *La Maison du berger des Highlands* : **GBP 304** – Londres, 26 nov. 1910 : *Portraits de miss Rose et de Hayter* : **GBP 25** – Londres, 29 avr. 1911 : *Les Jumeaux* : **GBP 735** ; *La Bergère* : **GBP 315** – Paris, 22 jan. 1919 : *Chiens et gibier mort* : **FRF 1 000** – Paris, 20-22 mai 1920 : *Portrait du comte d'Orsay, from memory* : **FRF 780** – Londres, 6 juil. 1923 : *Homme mort dans la neige* : **GBP 1 050** – Londres, 16 mai 1924 : *Nos parents pauvres* : **GBP 294** – Londres, 27 mars 1925 : *Scène de chasse et daims dans la neige*, past. : **GBP 136** – Londres, 20 mai 1925 : *Le Cheval blanc Scarbro* : **GBP 735** – Philadelphie, 31 mars 1932 : *Les Aristocrates* : **USD 100** – Paris, 12 mars 1937 : *Jeune femme allaitant son enfant* : **FRF 4 700** – Londres, 25 juin 1937 : *Famille de daims* : **GBP 252** – Londres, 31 mars 1944 : *Mouton perdu* : **GBP 315** – New York, 19 avr. 1945 : *Trophées de chasse* : **USD 600** – Londres, 28 nov. 1945 : *Paysage des Highlands* : **GBP 230** ; *La Lune de miel* : **GBP 440** – Paris, oct. 1945-juil. 1946 : *Cerf attaqué par un chien* : **FRF 6 500** – Londres, 22 mars 1946 : *Deerhound and Mastiff* : **GBP 441** – Londres, 28 fév. 1947 : *W. Spencer, sixième duc de Devonshire* : **GBP 110** – Londres, 19 jan. 1951 : *Chasse à courre* : **GBP 157** – Londres, 2 juil. 1958 : *Rafraîchissement* : **GBP 600** – Londres, 6 nov. 1959 : *Vieille Voiture couverte* : **GBP 1 260** – Londres, 19 avr. 1961 : *Vieille Voiture couverte appartenant à M. R. Heathcote* : **GBP 900** – Londres, 2 mai 1962 : *There's life in the old dog yet* : **GBP 900** – Londres, 16 juil. 1965 : *Chiens de chasse* : **GNS 750** – Londres, 22 juil. 1965 : *La reine Victoria et le duc de Wellington passant la garde en revue* : **GNS 13 000** – Londres, 22 mars 1968 : *Paysage montagneux* : **GNS 1 500** – Londres, 11 juil. 1969 : *Le Pur-Sang arabe dans un paysage* : **GNS 2 400** – Londres, 17 mars 1971 : *Scène de chasse* : **GBP 4 600** – Londres, 28 nov. 1972 : *Cerf et biches* : **GBP 3 400** – Londres, 16 mars 1973 : *Marie Stuart entourée de ses geôliers* : **GNS 2 400** – Londres, 25 jan. 1974 : *Paysage* : **GNS 10 000** – Londres, 13 fév. 1976 : *Singe et deux chiens* 1821, h/t (70x92,5) : **GBP 1 200** – Londres, 28 oct. 1976 : *Cerf* (H. 93) : **GBP 3 200** – Londres, 21 oct. 1977 : *Le chasseur au faucon*, h/pan. (23x29) : **GBP 6 500** – New York, 7 juin 1979 : *Étude de têtes de lion*, cr. gras (40,6x38,6) : **USD 1 800** – Londres, 2 oct 1979 : *Deux chiens irlandais*, h/cart. (21x31) : **GBP 5 000** – Londres, 19 févr 1979 : *Cerf face à deux chiens*, bronze (H. 93, larg. 133) : **GBP 4 600** – Londres, 18 mars 1980 : *Après la chasse* 1828, aquar. reh. de blanc (20x25) : **GBP 4 200** – New York, 4 juin 1982 : *The change* 1818, h. et cr./pan. (29,2x41,3) : **USD 40 000** – Londres, 17 nov. 1983 : *Toe Road to Bonn* vers 1840, cr., pl. et lav. bleu et bistre (30x45) : **GBP 850** – Londres, 14 juin 1983 : *Free Trade : a farmer holding a banner with black horse and dog ; Protection : a bay racehorse with Disraeli as owner and Lord John Russell as jockey*, past., une paire (60,5x89) : **GBP 4 500** – Londres, 22 nov. 1983 : *Scene in Chillingham Park : portrait of Lord Ossulton (also called Death of the Wild Bull)*, h/t (223,5x223) : **GBP 170 000** – New York, 30 oct. 1985 : *No more hunting till the weather breaks*, h/t (71,7x94,2) : **USD 140 000** – Londres, 20 nov. 1986 : *A racehorse with Disraeli as owner and Lord John Russell as jockey*, craies coul. (60x88,5) : **GBP 11 500** – New York, 29 oct. 1986 : *A portrait of Neptune, the property of William Ellis Gosling, Esq.* 1824, h/t (152,4x200,7) : **USD 350 000** – Londres, 15 juil. 1988 : *Étude pour le portrait de Jacob Bell en fauconnier dans Les Grandes Heures de Bolton Abbey*, h/cart. (35,5x25,4) : **GBP 6 050** – Édimbourg, 30 août 1988 : *Setters dans les marais*, h/t (71x91) : **GBP 2 750** – Londres, 2 juin 1989 : *Cerf veillant dans la tranquillité de l'aube*, h/t (76x127) : **GBP 2 640** – New York, 18 oct. 1989 : *Neptune, le terre-neuve de W. Ellis Gosling* 1824, h/t (150x197) : **USD 577 500** – New York, 28 fév. 1990 : *La Chasse aux loups et aux renards d'après Rubens*, h/cart. (40,6x61) : **USD 99 000** – Londres, 20 avr. 1990 : *Le Canard mort*, h/pan. (50,2x66) : **GBP 30 800** – Paris, 22 juin 1990 : *Portrait présumé de Master Brampton*, h/t (92x72) : **FRF 450 000** – Londres, 26 sep. 1990 : *Chien de chasse levant un faisan ; Deux épagneuls*, h/t, une paire (chaque 26x36) : **GBP 2 200** – Londres, 14 nov. 1990 : *Un vérat anglais*, h/t (35x52) : **GBP 6 600** – Londres, 15 jan. 1991 : *Un cocker rapportant un faisan* 1868, h/cart. (61x45,7) : **GBP 770** – Glasgow, 5 fév. 1991 : *Glenfeshie*, h/cart. (25,5x35,5) : **GBP 18 700** – Londres, 12 avr. 1991 : *La Pause des chasseurs et de la meute* 1823, h/t (90,3x118,2) : **GBP 165 000** – Londres, 12 juil. 1991 : *Retour de la chasse au cerf*, h/cart./pan. (28,5x47) : **GBP 20 900** – Perth, 26 août 1991 : *Épagneuls levant une grouse ; Épagneuls attendant les chasseurs près d'un carnier*, h/t, une paire (chaque 91,5x71) : **GBP 7 700** – Londres, 15 nov. 1991 : *Coq de bruyère et sa femelle morts*, h/t (49,8x66) : **GBP 17 600** – Glasgow, 4 déc. 1991 : *Chiens de chasse au repos*, h/t (chaque 70x90) : **GBP 6 710** – Londres, 10 avr. 1992 : *Scarbro, le vieux cheval de selle*, h/t (122,5x151,8) : **GBP 143 000** – New York, 5 juin 1992 : *Chien dans sa niche regardant à l'extérieur* 1837, h/t (30,5x22,9) : **USD 38 500** – Londres, 18 nov. 1992 : *Portrait de William Lamb, vicomte Melbourne, tête et épaules*, h/t, de forme ovale (38x32) : **GBP 26 400** – Édimbourg, 19 nov. 1992 : *Cinq chiens de chasse au repos près d'un ruisseau dans les Highlands*, h/t (61x91,4) : **GBP 2 200** – New York, 4 juin 1993 : *Chiens de chasse gardant le gibier dans un paysage*, h/t (85,1x69,9) : **USD 2 300** ; *Chiens de montagne réanimant un voyageur en détresse* 1820, h/t (188x236,2) : **USD 525 000** ; *Les Monts Ptarmigan*, h/t (132,1x224,2) : **USD 310 500** – New York, 17 fév. 1994 : *Le Carnier*, h/t (92x71,8) : **USD 2 990** – Londres, 25 mars 1994 : *Scène de Braemar*, h/t (270,4x270,4) : **GBP 793 500** – New York, 3 juin 1994 : *Les braconniers guettant le cerf*, h/t (50,8x66) : **USD 222 500** – Londres, 6 nov. 1995 : *Pointer devant sa niche*, h/cart. (29,3x24,5) : **GBP 8 970** – Londres, 6 nov. 1995 : *Le Cheval préféré et les chiens*, h/t (103x127) : **GBP 188 500** – Londres, 7 juin 1996 : *Paysage sous la lune* 1827, h/pan. (25,2x35,6) : **GBP 16 100** – Londres, 17 oct. 1996 : *Le Garde-manger découvert*, h/t (22,8x32,5) : **GBP 2 300** – New York, 11 avr. 1997 : *Nourrissant les oisillons*, h/pan. (35,6x26) : **USD 27 600** – Auchterarder (Écosse), 26 août 1997 : *Étude de la tête d'un écossais*, h/pan., de forme ovale (26,5x21) : **GBP 23 000** – Londres, 7 nov. 1997 : *Un highlander*, h/pan. (47x34) : **GBP 8 280** – Londres, 5 nov. 1997 : *Étude d'un âne* 1862, h/t (25,5x33) : **GBP 4 600**.

LANDSEER Emma, plus tard Mrs **McKenzie**

XIXe siècle. Active à Londres. Britannique.

Peintre d'animaux.

Fille de John Landseer elle figura entre 1840 et 1866 d'abord sous son nom de jeune fille, ensuite sous son nom de dame, aux expositions de la British Institution et de la Royal Academy, le plus souvent avec des tableaux de chiens.

LANDSEER F.

XIXe siècle. Britannique.

Graveur.

Le Blanc cite de lui : *The Mantilla*, d'après Robinson. Peut-être s'agit-il de Griggs Frederick Landseer Maur.

LANDSEER George

Né vers 1834. Mort en 1878 à Londres. XIXe siècle. Britannique.

Peintre de genre et aquarelliste.

Fils de Thomas Landseer. Vers 1864, il partit pour les Indes, y fit de nombreux portraits de rajahs et des paysages à l'aquarelle pris dans le Cachemire et dans les environs. A son retour en Angleterre, vers 1870, il était malade et ne peignit presque plus.

Musées : Londres (Victoria and Albert Mus.) : *Prince indien arrivant au camp à Delhi* – Trente aquarelles.

Ventes Publiques : Londres, 26 juil. 1985 : *Portrait of His Highness the Maharajah Holkar of Indore* 1861 ; *Portrait of His Highness the Maharajah of Pattiula* 1852, h/t, une paire (61x44,5) : **GBP 4 800**.

LANDSEER Henry

XIXe siècle. Actif au début du XIXe siècle. Britannique.

Peintre de paysages.

Frère de John Landseer. Il prit part aux principales expositions londoniennes, notamment à celles de la Society of British Artists, de 1821 à 1823.

Ventes Publiques : Paris, 23 mai 1941 : *Paysage montagneux* : **FRF 1 400**.

LANDSEER Jessica

Née en 1810 à Londres. Morte en 1880 à Folkestone. XIXe siècle. Britannique.

Peintre et graveur.

Fille de John Landseer. Elle grava quelques dessins de son frère Edwin.

LANDSEER John
Né en 1763 ou 1769 à Lincoln. Mort le 29 février 1852 à Londres. XVIIIe-XIXe siècles. Britannique.
Graveur.
Père et professeur d'Edwin, de Charles, de Thomas et de Jessica Landseer. Il était fils d'un joaillier et fut élève du graveur de paysages W. Burne. Il se fit connaître dès 1793 et ouvrit, en 1806, à Londres, un cours de gravure, et fut, la même année, associé de la Royal Academy, plus tard, s'occupa de recherches d'archéologie et d'esthétique. Parmi ses travaux de gravure, il faut citer les planches de l'*Histoire d'Angleterre* de Bowyer et des *Vues d'Écosse* de Moore ; un *Portrait de Nelson ; Chiens du mont Saint-Bernard* d'après son fils Edwin. Il grava aussi des animaux, d'après Rembrandt, Rubens, Snyders, Sylvin, etc. Il a publié : *Mémoire sur les pierres gravées provenant de Babylone*, inséré dans l'Archæologiæ (1817), ainsi que *Recherches sabéennes* (1823).

LANDSEER Thomas
Né en 1795 à Londres. Mort en 1880 à Londres. XIXe siècle. Britannique.
Graveur.
Fils aîné de John Landseer et son élève. Il travailla aussi avec Haydon. Sa première planche fut la reproduction d'une *Tête de Sibylle*, d'après Haydon, qui parut en 1816. A partir de cette date, il travailla assidûment, reproduisant surtout les œuvres de son frère Edwin. Ce ne fut qu'en 1868 que la Royal Academy le nomma associé.

LANDSHEER E.
Né vers 1834. Mort le 21 mai 1876. XIXe siècle. Actif à Londres. Britannique.
Sculpteur.
Il figura de 1863 à 1870 aux expositions de la Royal Academy et de la British Institution avec des statuettes de genre et des bustes.

LANDSHEER Jan de ou **Landtsheer**
Né en 1750 à Baesrode. Mort en 1828. XVIIIe-XIXe siècles. Éc. flamande.
Peintre de genre, d'histoire, de portraits.
Élève de l'Académie d'Anvers en 1779.
Musées : Bruxelles : *Vénus coupe les ailes de l'Amour.*

LANDSINGER Sigmund
Né le 22 avril 1855 à Vukovar (Yougoslavie). XIXe siècle. Allemand.
Peintre et graveur.
Né de parents allemands, il fut élève de l'Académie de Vienne, puis de Bocklin à Florence. Il se fixa à Munich et se fit connaître par ses tableaux du genre de ceux de Bocklin : *Pandore ; Sapho ; Uranie ; Nymphe de source ; Hymne au printemps* ; etc. L'Hôtel de Ville de Munich possède de lui deux tableaux : *Veritas* et *Paysage*. Parmi ses eaux-fortes on cite : *Le portrait de l'artiste par lui-même ; Tête de femme ; Portrait de Bocklin en pied* (également lithographié) ; des reproductions des tableaux de Bocklin dont *Fafner en dragon*. La Galerie d'histoire de Budapest possède des copies de cet artiste d'après des tableaux de Schleissheim et Nüremberg.

LANDSMAN Stanley
Né le 23 janvier 1930 à New York. XXe siècle. Américain.
Peintre. Abstrait.
Il vit et travaille à New York. Il participe à de nombreuses expositions collectives depuis 1965 : 1967 Museum of modern Art de New York ; 1968 Museum of Art de Cleveland et Museum of contemporary Art de Chicago ; 1969 Institute of Arts de Flint. Il a montré ses œuvres dans des expositions personnelles à New York en 1956, 1957, 1960, 1961, 1967 ; à Los Angeles en 1965 ; au Contemporary Art Museum de Houston en 1970.
En 1963, il commença à réaliser des toiles noires et blanches, puis il a inséré des feuilles d'argent dans ses peintures en 1965. Il s'intéresse à reproduire la multiplicité des effets de lumière.
Musées : Baltimore (Connecticut Mus. of Arts) – Minneapolis (Walker Art Center) – New York (Mus. of Mod. Art) – New York (Whitney Mus.) – Paris (Mus. d'Art Mod.) – Ridgefield (Larry Aldrich Mus.).

LANDSNEGG Johann Ulrich. Voir **GLANTSCHNIGG**

LANDTRACHTINGER Janos Gaspar
Mort le 27 avril 1744 à Bude. XVIIIe siècle. Hongrois.
Peintre.
Il acquit le droit de bourgeoisie en 1701.

LANDTSHEER Jan de
Né en 1896 à St Pieters-Leeuw. Mort en 1981 à Bruxelles (Brabant). XXe siècle. Belge.
Peintre, dessinateur.
Il est autodidacte.
Bibliogr. : In : *Diction. biogr. illustré des artistes en Belgique depuis 1830*, Arto, Bruxelles, 1987.
Musées : Bruxelles (Cab. des Estampes).

LANDTSHEER Jan de. Voir aussi **LANDSHEER**

LANDTSHEER Jean Baptiste de
Né en 1797. XIXe siècle. Actif à Bruxelles. Belge.
Peintre de genre.
Élève de Navez.
Musées : Courtrai : *Le réfractaire.*
Ventes Publiques : Bruxelles, 1842 : *L'escarpolette* : **FRF 175.**

LANDUCCI Nicolao
Né en 1801 à Lucques. Mort en 1868 à Lucques. XIXe siècle. Italien.
Peintre.
La Pinacothèque de Lucques conserve de sa main une *Vierge avec l'Enfant et des Saints*, l'église Saint-Pierre un *Saint Jean-Baptiste* et l'église Saint-Christophe une *Sainte Trinité*. La cathédrale de Barga lui doit un *Saint Christophe*.

LANDULFO Pompeo, le chevalier. Voir **LANDOLFO**

LANDUYT Josée Marcelle
Née en 1930. Morte en 1967. XXe siècle. Belge.
Peintre.

LANDUYT Octave ou **Octaaf**
Né en 1922 à Gand (Flandre-Orientale). XXe siècle. Belge.
Peintre, pastelliste, dessinateur, graveur, peintre de décors de théâtre, céramiste. Tendance fantastique.
Il fit ses études artistiques à l'académie des beaux-arts de Courtrai, où il devint plus tard professeur de dessin à l'Atheneum, avant de passer à l'école normale de Gand. Il participe à des expositions de groupe de la jeune peinture belge. Il obtint le prix international de noir et blanc à Lugano en 1956 ; le prix Veler à São Paulo en 1957.
À ses débuts, il représente des êtres hallucinés déambulant dans la ville moderne. Puis, sa vision se fait plus visionnaire, dans des œuvres inquiétantes. Il matérialise un monde horrifiant de monstres, animaux ressortissant aux batraciens ou aux chauves-souris, hominiens primitifs et mal venus, évoquant un état intra-utérin inquiétant plus que sécurisant. Il a également réalisé des maquettes de tissus, des gravures, des céramiques et des bijoux.
Bibliogr. : In : *Peintres contemp.*, Mazenod, Paris, 1964 – in : *Les Muses*, Grange Batelière, t. IX, Paris, 1972 – in : *Diction. univers. de la peinture*, Le Robert, t. IV, Paris, 1975 – in : *Diction. biogr. illustré des artistes en Belgique depuis 1830*, Arto, Bruxelles, 1987 – in : *L'Art du XXe s.*, Larousse, Paris, 1991.
Musées : Anvers – Bruxelles (Mus. roy. des Beaux-Arts) : *L'Arbre* 1962 – Gand : *L'Escadrille* – Lugano – New York (Mus. of Mod. Art) : *Épuration par le feu* – Ostende – Otterlo (Kröller-Müller Mus.) – São Paulo.
Ventes Publiques : Anvers, 18 avr. 1972 : *Mère et enfant* : **BEF 55 000** – Lokeren, 29 avr. 1978 : *L'homme de la Mancha*, gche (61x61) : **BEF 50 000** – Anvers, 18 avr. 1978 : *Extériorité scutiforme*, h/t (151x151) : **BEF 160 000** – Anvers, 18 avr. 1978 : *Tête*, terre cuite (H. 20) : **BEF 16 000** – Anvers, 23 oct 1979 : *Poing* 1960, techn. mixte (56x47) : **BEF 34 000** – Bruxelles, 21 mai 1980 : *Mère et Enfant*, h/t (100x79) : **BEF 140 000** – Anvers, 28 avr. 1981 : *Buissons devant un mur rouge*, h/pan. (86x58) : **BEF 140 000** – Lokeren, 28 mai 1988 : *L'imagination*, past. (30x32) : **BEF 48 000** – Lokeren, 10 déc. 1994 : *Fatalité 5* 1973, céramique (48x42x6) : **BEF 110 000** – Lokeren, 20 mai 1995 : *Variété*, lav. d'encre (70x88) : **BEF 70 000** – Lokeren, 9 déc. 1995 : *Montage*, céramique sur socle de bois (26x31x9,3) : **BEF 40 000.**

LANDWERLIN Bernard
Né le 7 octobre 1817 à Rouffach (Alsace). Mort à Paris. XIXe siècle. Français.
Peintre de genre et sculpteur.
Débuta au Salon en 1848.

LANE Abigail
Née en 1967. XXe siècle. Britannique.
Auteur d'installations.

Elle fut élève du Goldsmith's College de Londres, où elle vit et travaille.
Elle participe à des expositions collectives : 1988 *Freeze* et 1990 *Modern Medecine* avec d'autres artistes issus du Goldsmith's College à Londres ; 1994 *Brilliant ! New art from London* au Walker Art Center de Minneapolis ; 1995 Institute of Contemporary Art de Londres ; 1997 Biennale de Lyon. Elle montre ses œuvres dans des expositions personnelles, dont : 1997, la première en France, galerie Chantal Crousel, Paris.
Son œuvre est apparentée à la « Cool School » et aux héritiers de l'art conceptuel. Elle travaille sur l'empreinte (à l'encre, en cire) du corps humain (fesses dans *Blueprint* de 1992, mains, doigts, oreilles...).
Bibliogr. : Mark Sladen : *Cinq Champions du vice*, Art Press, n° 214, Paris, juin 1996.

LANE Albert
XIXe siècle. Actif à Barnstaple (Devonshire). Britannique.
Peintre de paysages.
Il travailla également à Ripley (Surrey) et exposa de 1856 à 1872 à Suffolk Street, à la British Institution et à la Royal Academy à Londres.

LANE Camille
Né à Brixton. XXe siècle. Britannique.
Peintre de compositions animées.
Il expose à Paris, aux Salon d'Automne et des Indépendants, des compositions dans un style intimiste.

LANE Charles Alexandre
Né au XIXe siècle à Paris. XIXe siècle. Français.
Peintre de portraits.
Élève de Gérome. Débuta au Salon en 1879.

LANE Fritz Hugh
Né en 1804 à Gloucester (Mass.). Mort en 1865 à Gloucester. XIXe siècle. Américain.
Peintre de paysages, marines, graveur, illustrateur.
En partie infirme, il apprit le dessin et la lithographie chez un graveur de Boston. Entre 1830 et 1840, il travailla dans le domaine de la publicité, puis se consacra à l'art pictural. En 1988, une exposition, qui lui a été consacrée à Washington et à Boston, a permis de le redécouvrir.
Il fit des voyages en Nouvelle-Angleterre, à Boston et dans le Maine, peignant des paysages marins. Peintre de la seconde génération de l'École de l'Hudson, il aime faire des effets de lumière sur l'eau.

Sir Hugh Lane

Bibliogr. : In : *Diction. de la peinture anglaise et américaine*, coll. Essentiels, Larousse, Paris, 1991.
Musées : Boston (Mus. of Fine Arts) : *Port de Boston – Owl's head, Penobscot Bay* 1862 – Fort Worth, Texas (Amon Carter Mus.) : *Port de Boston*.
Ventes Publiques : New York, 19 mars 1969 : *Un naufrage* : **USD 12 000** – Hyannis (Massachusetts), 7 août 1973 : *Gloucester* 1859 : **USD 38 000** – New York, 21 avr. 1977 : *Vue de Norwich* 1849, h/t (30,5x43) : **USD 32 500** – New York, 23 mai 1979 : *Bateau dans le brouillard*, h/t (61,6x100) : **USD 42 000** – New York, 23 avr. 1981 : *Dream painting* 1862, h/t (56x91,5) : **USD 115 000** – New York, 3 juin 1983 : *Blue Hill, Maine*, h/t (51x76,2) : **USD 320 000** – New York, 6 déc. 1985 : *Creek near Gloucester*, h/t (56x92) : **USD 90 000** – New York, 30 nov. 1989 : *Coucher de soleil après la tempête* 1859, h/t (47,6x77,5) : **USD 33 000** – New York, 1er déc. 1989 : *La rivière Annisquam coulant vers Ipswich Bay* 1848, h/t (47x68) : **USD 825 000** – New York, 5 déc. 1991 : *Camden Mountains vu depuis l'entrée sud du port* 1859, h/t (55,9x91,4) : **USD 742 500** – New York, 28 mai 1992 : *Barque échouée sur un chantier de réparation à Duncan's Point près de Gloucester*, h/t (41x56,2) : **USD 330 000** – New York, 25 mai 1995 : *Le port de Boston*, h/pan. (24,1x33,7) : **USD 211 500**.

LANE Heinrich
XIXe siècle. Actif vers 1840. Belge.
Peintre d'histoire et de genre.
Exposa à Gand, en 1820, *Achille et Thétis*.

LANE John Bryant
Né en 1788 en Cornouailles. Mort le 4 avril 1868 à Londres. XIXe siècle. Britannique.
Peintre d'histoire.
Il étudia d'abord la médecine, puis s'adonnant à la peinture, il exposa à la Royal Academy, de 1808 à 1813, des œuvres qui obtinrent peu de succès. Il alla à Rome en 1813 et travailla durant près de quinze ans à une importante composition : *La Vision de Joseph*, qui n'eut pas plus de succès. Il prit part encore aux expositions de la Royal Academy, de 1831 à 1834.

LANE John Edmund
XIXe siècle. Britannique.
Sculpteur.

LANE Katharine Ward
Née le 22 février 1899 à Boston (Massachusetts). XXe siècle. Américaine.
Sculpteur.
Elle fut élève de Charles Grafly et Putnam. Elle obtint une mention honorable au Salon de Paris en 1928, ainsi que d'autres nombreuses récompenses.

LANE Leslie E.
Né en 1906 à Londres. XXe siècle. Actif aux États-Unis. Britannique.
Peintre de paysages.
Il est le fils du sculpteur anglais John Edmund Lane. Il fut élève du Chelsea College à Londres, de l'école d'art d'Ontario, à Toronto (Canada), de l'école d'art de New York City et à Paris, de l'école nationale des beaux-arts en qualité de boursier du gouvernement français.
Combattant en France en 1945, il a parcouru une partie de l'Europe pour travailler sur les lieux où des soldats américains tombèrent au champ d'honneur, s'attachant à rendre familières ces « terres de repos » aux yeux des Américains qui ne pourront jamais venir se recueillir sur les tombes de leurs morts.

LANE Lois
Né le 6 janvier 1948 à Philadelphie (Pennsylvanie). XXe siècle. Américain.
Peintre de figures, fleurs, animaux. Nouvelles figurations.
Il vit et travaille à New York. Il participe à des expositions collectives : 1979 *New image painting* au Whitney Museum of American Art de New York avec notamment Neil Jenney et Susan Rothenberg ; 1980 Museum of Modern Art de New York. Il expose depuis 1974 à la galerie Barbara Toll de New York.
Influencé par l'art minimal, il s'en dégage évoluant dans des images complexes, où les divers éléments figuratifs se mêlent comme dans un collage.
Bibliogr. : Robert G. Edelman : *Lois Lane*, Art Press, n° 165, Paris, janv. 1992.
Ventes Publiques : New York, 3 mai 1988 : *Sans titre*, h/t (274,5x213,5) : **USD 4 675** – New York, 21 fév. 1990 : *Sans titre* 1980, craie et collage de photo./pap. (45,2x52,1) : **USD 770** – New York, 19 nov. 1996 : *Sans titre* 1985, h/t (274,3x213,4) : **USD 2 300**.

LANE Richard James
Né en 1800. Mort en 1872 à Londres. XIXe siècle. Britannique.
Graveur, sculpteur et lithographe.
Petit-neveu de Gainsborough. Il grava d'après Landseer, Leslie, Lawrence, Gainsborough, etc. Associé de la Royal Academy en 1827, nommé lithographe de la reine en 1837 et surintendant de la classe de gravure au Victoria and Albert Museum de Londres. Il obtint un grand succès. Il fit aussi quelques modelages, notamment, une statuette de son frère Edward William Lane en Égyptien, dont la National Portrait Gallery conserve un moulage.

LANE Salomon de. Voir **DELANE**

LANE Samuel
Né le 26 juillet 1780 à Kings' Lynn. Mort le 29 juillet 1859 à Ipswich. XIXe siècle. Britannique.
Portraitiste.
Sourd-muet de naissance, il fut élève de Farington et de sir Thomas Lawrence. Il exposa à la Royal Academy de 1804 à 1857. Il fit des portraits très ressemblants, ce qui lui valut une nombreuse clientèle. La National Portrait Gallery, à Londres, conserve de lui le *Portrait de William George Cavendish Bentinck*.
Musées : Dulwich : *G. Bartley – Mrs Bartley* – Édimbourg (Nat. Port. Gal.) : *La reine Caroline* – Londres (Nat. Port. Gal.) : *William George Cavendish Bentinck* – Londres (Victoria and Albert Mus.) : *Le capitaine Murray* – Oxford (Balliol College) : *Robert Southey*.

Ventes Publiques : New York, 18-20 avr. 1911 : *Sir Robert Price* : **USD 1 050.**

LANE Théodore
Né en 1800 à Isleworth. Mort le 21 février 1828 à Londres, accidentellement. XIXe siècle. Britannique.
Peintre de genre et graveur.
Il s'adonna d'abord à la gravure, puis au portrait et aux sujets de genre d'un caractère humoristique dans lesquels il réussit pleinement. On voit de lui, à Stockport *Le goûter des pêcheurs* (1828), et à la Tate Gallery, à Londres, *L'enthousiaste.*
Ventes Publiques : Londres, 18 oct. 1985 : *Une histoire intéressante* 1827, h/pan. (59,7x73,7) : **GBP 3 500.**

LANE Thomas Henry
Né le 24 février 1815 à Philadelphie. Mort le 27 septembre 1900 à Elizabeth (New Jersey). XIXe siècle. Américain.
Peintre de miniatures et de portraits et poète.
Il peignit des portraits pour le Capitole de Washington.

LANE William
Né en 1746. Mort en 1819 à Hammersmith. XVIIIe-XIXe siècles. Britannique.
Dessinateur de portraits.
Il avait été d'abord graveur en pierres fines. Il fit de nombreux portraits et exposa à la Royal Academy, de 1785 à 1815.
Musées : Londres (Nat. Port. Gal.) : *Francis, 5e duc de Bedford – Membres du parti whig autour d'un buste de Fox.*

LANEL Luc
XXe siècle. Français.
Sculpteur, céramiste.
Ses œuvres sont signées : Marjolaine et Luc Lanel.

LANEL Marjolaine
XXe siècle. Française.
Sculpteur, céramiste.
Ses œuvres sont en collaboration avec Luc Lanel.

LANEN Jacob Van der. Voir **LAMEN**

LANÉRY Auguste
Né dans la première moitié du XIXe siècle à Lyon (Rhône). XIXe siècle. Français.
Sculpteur.
Élève de Fabisch, à Lyon, il eut ensuite son atelier à Paris. De 1868 à 1870, il exposa des portraits au Salon.

LA NESTOSA Hernando de. Voir **HERNANDO de Lanestosa**

LANET Julien E. L.
XIXe siècle. Actif à Paris. Français.
Peintre.
Sociétaire des Artistes Français depuis 1902, il figura au Salon de ce groupement et y obtint une mention honorable en 1900.

LANETTE Antonio
Mort vers 1530. XVIe siècle. Actif à Bagnato. Italien.
Peintre d'histoire.
Élève de Gaudenzio Ferrari. Il fut réputé à Ferrare.

LA NEUFVILLE Emmanuel de
XIXe siècle. Français.
Peintre.
Le Musée d'Arras conserve une *Nature morte* de cet artiste.

LANEUVILLE Jean Louis
Né en 1748 à Paris. Mort en 1826 à Paris. XVIIIe-XIXe siècles. Français.
Peintre de portraits.
Élève de David. Il prit part aux expositions de la Jeunesse de 1783 à 1789 et exposa au Salon entre 1791 et 1814.
Bibliogr. : J.-F. Heim, C. Béraud et Ph. Heim : *Les salons de peinture de la Révolution Française 1789-1799.*
Musées : Paris (Mus. du Louvre) : *Portrait d'un prélat* – Paris (Mus. Marmottan) : *Portrait d'homme* – Paris (Mus. Carnavalet) : *J.-B. Paré, ministre de l'intérieur* – Troyes : *Portrait de Mme Mad. Camus* – Valenciennes : *Portrait d'un fonctionnaire* – Versailles : *Portrait de Robert le conventionnel – Portrait de Joseph Delaunay – Portrait du général Sérurier.*
Ventes Publiques : Paris, 1890 : *Portrait de J. B. Paré* : **FRF 1 950** – Paris, 21 déc. 1931 : *Portrait de jeune femme en robe de soie noire* : **FRF 4 000** – New York, 19 mai 1995 : *Portrait de Marie Jean Hérault de Séchelles*, h/t (63,5x55,2) : **USD 39 100.**

LA NEZIÈRE Joseph Daviel de
Né le 5 août 1873 à Bourges. Mort le 15 avril 1944 à Casablanca (Maroc). XIXe-XXe siècles. Français.
Peintre de sujets d'histoire, aquarelliste. Orientaliste.
Il a traité des sujets d'histoire mais c'est plutôt fait connaître par des tableaux et des aquarelles empruntés à l'Orient. Il était peintre officiel des colonies.
Musées : Alger : *Monument oriental*, aquar. – Bourges : *Jacques Cœur faisant visiter à Charles VII les chantiers de son palais en construction.*

LA NÉZIÈRE Joseph de
Né en 1873 à Bourges (Cher). Mort en 1944. XIXe-XXe siècles. Français.
Peintre de sujets typiques, paysages. Orientaliste.
Il vécut et travailla à Paris. Il a exposé à Paris, au Salon de la Société Nationale des Beaux-Arts, dont il est membre sociétaire depuis 1901. Après l'établissement du protectorat français au Maroc il fut l'un des premiers artistes à y travailler. Il est aussi chargé de la conservation des monuments historiques et du développement de l'artisanat. Lors de l'Exposition coloniale de Marseille en 1922, il est commissaire artistique pour le Maroc. Il a exposé ses œuvres aux Salons des Peintres Orientalistes Français et de la Société Coloniale des Artistes Français.
Deux de ses œuvres ayant appartenu au Maréchal Lyautey sont exposées au château de Thorey-Lyautey en Lorraine.
Ventes Publiques : Paris, 11 déc. 1995 : *Sortie du Sultan Moulay Youssef*, h/t (97,5x162) : **FRF 145 000** – Paris, 10-11 juin 1997 : *Ombre et lumière* 1896, h/t (64,5x53,5) : **FRF 20 000.**

LA NEZIÈRE R. de
XXe siècle. Français.
Dessinateur, illustrateur.
Il illustra de nombreux ouvrages pour enfants, surtout chez Hachette et Delagrave, et travailla pour des revues.
Bibliogr. : In : *Dict. des illustrateurs 1800-1914*, Ides et Calendes, Neuchâtel, 1989.

LANFANT François Louis ou **Lenfant**, dit **Lanfant de Metz**
Né le 23 août 1814 à Sierck, près de Metz (Moselle). Mort le 15 mai 1892 au Havre (Seine-Maritime). XIXe siècle. Français.
Peintre de sujets religieux, compositions animées, scènes de genre, peintre à la gouache, dessinateur.
Il fut élève d'Ary Scheffer. Il partit en Afrique et prit part à la campagne d'Algérie du général Bugeaud et du duc d'Aumale. Libéré en 1842, il fut engagé comme dessinateur par le naturaliste suisse Agassiz. Il effectua un voyage de Naples à Mulhouse. Ayant créé un atelier, boulevard des Italiens à Paris, il eut pour élève mademoiselle Ségalas, fille du chirurgien de Napoléon III. Il résida en Angleterre, puis à Barbizon. En 1868, il se rendit à Rennes, où il rencontra Gustave Courbet ; ils allèrent tous les deux à Trouville. Lanfant de Metz prit le bateau pour le Havre, il y retrouva une ancienne compagne comédienne, et décida alors de s'établir définitivement dans cette ville, vendant ses œuvres aux riches commerçants.
Il exposa au Salon de Paris, entre 1843 et 1866, présentant entre autres : 1843 *Romulus attaque et bat les Sabins*, 1845 *Les jardins publics sous Louis XV*, 1846 *Une bouquetière sous la Régence*, 1847 *Le nouveau seigneur et le vieux vagabond*, et *La fiancée du village*, qui lui vaut une médaille d'or. Une rétrospective de son œuvre eut lieu au musée du Havre en 1926.
Il fut essentiellement le peintre de sujets de genre observés dans le monde des enfants, petits gamins espiègles à la maison, dans les écoles maternelles, les rues, parfois accompagnés d'animaux ; petites scènes dont le style rappelle celui de Louis Léopold Boilly. On lui doit un sujet religieux, une *Sainte Barbe*, peinte à Rennes en 1868. Lanfant de Metz traitait aussi les tableaux familiers du paysage parisien, avec l'animation de ses petits métiers. Le succès de ces sujets dont les amateurs ornaient les murs de leurs demeures incita souvent l'artiste à les exécuter par paires, plus aptes à compléter le décor d'une pièce. L'œuvre des dernières années de l'artiste fut vulgarisée par la lithographie en couleur. ■ Côme Mosta-Heirt
Bibliogr. : Gérald Schurr, in : *Les Petits Maîtres de la peinture 1820-1920, valeur de demain*, Les Éditions de l'Amateur, t. III, Paris, 1976.
Musées : Reims (Mus. des Beaux-Arts) : *Tête de jeune fille.*
Ventes Publiques : Paris, 1892 : *La souris prise au piège* : **FRF 350** – Paris, 29 juin 1927 : *La balançoire* : **FRF 3 050** – Paris, 7 déc. 1944 : *Scène d'enfants* : **FRF 28 000** – New York, 28 mai 1945 : *Le jeune chasseur* : **USD 375** – Paris, 16 nov. 1954 : *Le garde champêtre et les petits maraudeurs* : **FRF 36 000** – Copenhague, 3 nov. 1971 : *Fillette déposant des fleurs aux pieds d'une*

sainte : **DKK 4 200** – BERNE, 3 mai 1974 : *Jeux d'enfants* : **CHF 9 500** – LE HAVRE, 26 mars 1976 : *Le malheur des uns fait le bonheur des autres*, h/cart. (27x22) : **FRF 11 200** – PARIS, 27 jan. 1977 : *A la fontaine*, h/pan. (46x38) : **FRF 7 000** – VERSAILLES, 3 déc. 1978 : *Le départ et le retour de l'école*, h/pan., la paire (18x14) : **FRF 16 500** – PARIS, 29 mai 1979 : *La Lettre près de la fontaine*, h/t (37x27) : **FRF 18 500** – LUCERNE, 2 juin 1981 : *La Fileuse*, h/pan. (41,5x31,5) : **CHF 17 500** – PARIS, 26 oct. 1983 : *Jeux d'enfants* ; *Querelles d'enfants*, h/pan. et h/cart., deux pendants (9,5x15) : **FRF 25 000** – PARIS, 19 nov. 1985 : *Scène de fête foraine*, h/pan. (33x23) : **FRF 48 000** – NEW YORK, 28 oct. 1986 : *Les Petits Voleurs*, h/t (24x40,5) : **USD 10 000** – LA VARENNE-SAINT-HILAIRE, 10 mai 1987 : *L'Avertissement*, h/pan. (25x20) : **FRF 30 000** – PARIS, 14 juin 1988 : *La frayeur enfantine*, h/t (17,5x9,5) : **FRF 18 000** – NEW YORK, 25 juin 1988 : *La leçon de musique*, h/pan. (21x27,3) : **USD 9 350** – LA VARENNE-SAINT-HILAIRE, 23 oct. 1988 : *Le cortège* 1850, cr. et reh. de gche (20,5x28) : **FRF 7 200** – NEW YORK, 23 fév. 1989 : *La leçon de musique*, h/cart. (21,6x15,5) : **USD 3 300** – VERSAILLES, 5 mars 1989 : *Le garde champêtre*, h/cart. (15x10,8) : **FRF 23 000** – PARIS, 21 nov. 1989 : *Les enfants pêcheurs* ; *Le bain des enfants*, deux h/t (chacune 25x40) : **FRF 142 000** – LONDRES, 24 nov. 1989 : *Groupe d'enfants regardant une tricoteuse*, h/t (26,5x33,5) : **GBP 11 000** – PARIS, 8 déc. 1989 : *Rencontre au bord du chemin*, h/t (22x27) : **FRF 14 000** – CALAIS, 10 déc. 1989 : *Jeux d'enfants*, h/pan. (14x22) : **FRF 40 000** – VERSAILLES, 7 juin 1990 : *Le pétard*, h/t (27x46) : **FRF 47 000** – PARIS, 12 oct. 1990 : *L'ogre et la botte de sept lieues*, h/pan. (13,5x49) : **FRF 50 000** – LE HAVRE, 25 nov. 1990 : *Lèche-vitrines*, h/pan. (11x15) : **FRF 76 000** – LONDRES, 28 nov. 1990 : *La leçon de musique*, h/pan. (21,5x15,5) : **GBP 3 080** – PARIS, 24 avr. 1991 : *Enfants descendant l'escalier de la terrasse*, h/pan. (23,5x15) : **FRF 40 000** – LONDRES, 17 mai 1991 : *À la fontaine* ; *Dans les bois*, h/pan., une paire (chaque 16x9,2) : **GBP 3 850** – LONDRES, 4 oct. 1991 : *La glissade*, h/pan. (36x17,8) : **GBP 3 300** – PARIS, 13 déc. 1991 : *Le jeune peintre*, h/t (24,5x32,5) : **FRF 58 000** – LONDRES, 17 juin 1992 : *Sur le bac*, h/pan. (18x29) : **GBP 2 200** – PARIS, 22 juin 1992 : *La permission galante*, h/t (65x54) : **FRF 65 000** – LE HAVRE, 19 juil. 1992 : *Sortie d'école*, h/pan. (31x38) : **FRF 36 000** – LONDRES, 2 oct. 1992 : *Le marchand de jouets* 1860, h/pan. (33x24,8) : **GBP 3 850** – NEW YORK, 30 oct. 1992 : *Place de marché animée*, h/pan. (33x23,5) : **USD 6 600** – SAINT-ÉTIENNE, 15 fév. 1993 : *Les chapardeurs*, h/t (19,5x11,5) : **FRF 23 500** – NEW YORK, 17 fév. 1993 : *La fillette réprimandée* ; *La nouvelle gouvernante*, h/pan., une paire (chaque 40,6x31,8) : **USD 25 300** – LONDRES, 7 avr. 1993 : *Enfants jouant aux échasses*, h/t, une paire (chaque 38x23) : **GBP 6 325** – PARIS, 23 juin 1993 : *Le lecteur public* ; *Le montreur d'ours*, h/pan., une paire (chaque 15,5x20,5) : **FRF 64 000** – LE HAVRE, 21 nov. 1993 : *La fête sur le port du Havre*, h/pan. (14,5x26,5) : **FRF 52 000** – CALAIS, 11 déc. 1994 : *Le petit joueur d'orgue de Barbarie*, h/pan. (17x9) : **FRF 21 500** – VERSAILLES, 9 juil. 1995 : *Kermesse militaire*, h/pan. (15,5x27) : **FRF 47 000** – NEW YORK, 20 juil. 1995 : *Enfants jetant des miettes aux canards*, h/pap./cart. (38,7x26) : **USD 5 462** – CALAIS, 7 juil. 1996 : *Le Départ des écoliers*, h/pan. (18x14) : **FRF 59 500** – SAINT-DIÉ, 14 juil. 1996 : *Bizutage aux Beaux-Arts*, h/pan. (31x23) : **FRF 48 000** – PARIS, 26 mai 1997 : *La Sortie des classes*, h/pan. (24x9) : **FRF 19 500**.

LANFRANC Giovanni ou **Jean**. Voir **LANFRANCO**

LANFRANCHI Alessandro

Né le 9 juillet 1662 à Bergame. Mort le 5 février 1730 à Venise. XVIIe-XVIIIe siècles. Italien.

Peintre d'histoire, compositions religieuses, fresquiste, miniaturiste.

Il travailla à partir de 1687 environ dans sa ville natale, et à partir de 1700 à Venise. Il fut peintre de fresques, de miniatures, de retables. Il fut influencé par Véronèse. On cite de sa main, à Bergame, à l'église Sainte-Catherine une *Vierge avec Sainte Catherine* ; *Saint Sébastien et autres saints* et à l'église des Capucins une *Crucifixion*. À Venise, on cite à la Casa Fontana un tableau d'autel *Histoire de Moïse* ; une fresque *Naissance de Jésus* ; et d'autres œuvres.

VENTES PUBLIQUES : NEW YORK, 7 avr. 1988 : *Aaron et Moïse accomplissant des miracles devant le pharaon*, deux h/t (37x50) : **USD 5 500** – NEW YORK, 11 oct. 1990 : *Aaron et Moïse accomplissant des miracles devant le pharaon*, h/t, une paire (41,5x50) : **USD 4 675**.

LANFRANCHI Ange Marie ou **Angelo**

Né en 1832 à Ajaccio. Mort en 1873 à Paris. XIXe siècle. Français.

Sculpteur.

Élève de A. Toussaint et de Barre. Exposa au Salon en 1863 et 1864. Le Musée d'Ajaccio conserve de lui : *La Méditation* ; *Le Printemps* ; et *Portrait de Gabriel de Lantivy*.

LANFRANCHI Francesco d'Agnolo ou **Lanfranco**, appelé **Ser Spillo**

XVIe siècle. Italien.

Peintre.

Il est mentionné en 1525 comme membre de la Compagnie des peintres à Florence.

LANFRANCHI Giuseppe

Né vers 1820 à Pavie. Mort en 1911 à Turin. XIXe-XXe siècles. Italien.

Peintre de natures mortes.

Il fut professeur à l'École municipale de peinture et conservateur du Musée de Pavie. Il peignit des tableaux dans le style des vieux maîtres hollandais.

LANFRANCHI Lampiero Pierre Léon Noel

Né à Paris. XIXe-XXe siècles. Français.

Sculpteur animalier.

LANFRANCO. Voir aussi **LANFRANCHI**

LANFRANCO Giovanni, il cavaliere ou **Lanfranchi**, dit **Giovanni di Stefano**

Né le 26 janvier 1582 à Parme. Mort le 30 novembre 1647 à Rome. XVIIe siècle. Italien.

Peintre d'histoire.

Fut d'abord page chez le comte Scotti à Plaisance et ayant fait montre de remarquables dispositions, on le fit entrer dans l'atelier d'Agostino Carracci, qui travaillait alors à Ferrare chez le duc Ranuccio. Une des peintures du jeune élève fut jugée digne d'être placée dans l'église de Saint-Augustin, à Plaisance. A 20 ans, Lanfranco vint à Rome, se plaça sous la direction d'Annibal Carracci et il travailla à la décoration de la Galerie Farnèse. Après la mort de Carracci, Lanfranco alla travailler à Parme et à Plaisance jusqu'au moment où, revenu à Rome, il fut protégé par le pape Paul V. Il fit un grand travail de décoration, au Palais Mattei (1612), à Saint-Augustin de Rome (1616), et entre 1621 et 1625 à Saint-Paul-hors-les-murs, Saint-Jean-des-Florentins, et à la Villa Borghèse. La décoration de la Coupole de Santo-Andrea-della-Valle lui permit de mettre en lumière ses remarquables qualités de puissant décorateur et sa grande habileté comme dessinateur, qui devaient influencer l'illusionnisme baroque des décorateurs du XVIIIe siècle. Appelé à Naples, il se lia avec Ribera et fit partie de la cabale contre Domenico Zampieri qui se termina par la mort de ce maître. Dans cette ville il eut cependant le temps de décorer le Gesude Naples (1634-35), Saint-Martin (1637-39), Saints-Apôtres (1638-44). Les troubles qui éclatèrent dans cette ville en 1646 ramenèrent Lanfranco à Rome et le pape Urbain VIII le fit chevalier. Chargé de décorer la tribune de Carlo ai Catinari, il mourut le jour même où l'on découvrit ses peintures. Ses grandes compositions et ses fresques sont très supérieures à ses peintures à l'huile. Ses dessins sont intéressants par leur caractère de réalisme. Comme graveur, on lui doit des sujets historiques et des sujets religieux.

J Lanfranc

BIBLIOGR. : Catalogue de l'exposition *Le Caravage et la peinture italienne du XVIIe siècle*, Musée du Louvre, Paris, 1965.

MUSÉES : ANGERS : *Pan offrant une toison à Diane* – BÂLE : *Le rêve de Jacob* – BEAUFORT : *Saint Pierre-aux-liens* – BERAIN : *Saint André* – BERGAME (Acad. Carrara) : *Gloire de la Vierge* – BESANÇON : *Saint Pierre repentant* – BORDEAUX : *Saint Pierre* – BRUNSWICK : *Moïse sauvé des eaux* – CAEN : *Tête de saint Pierre* – *Tête d'apôtre* – CHARTRES : esquisse – COMPIÈGNE : *Saint Barthélémy* – DIJON : *Saint Pierre repentant* – DRESDE : *Saint Pierre repentant* – *Quatre magiciens* – DUBLIN (Gal. Nat.) : *La multiplication des pains et des poissons* – *La Cène* – DUNKERQUE : *Le repentir de saint Pierre* – ÉDIMBOURG : *Saint Christophe* – FLORENCE (Mus. des Offices) : *Marie-Madeleine* – *Saint Pierre en larmes* – *L'artiste* – *Saint Pierre tenant les clés du paradis* – FLORENCE (Pitti) : *L'assomption* – *Sainte Marguerite de Cortone* – FLORENCE (Corsini) : *Dieu le Père* – GÊNES : *Le calvaire* – LILLE : *Saint Grégoire* – LIVERPOOL : *Saint Jérôme* – LUCQUES (Pina.) : *Le martyre de saint Laurent* – MADRID (Prado) : *Honneurs funèbres rendus à César* – *Simulacre de combat naval* – *Les auspices* – MARSEILLE : *Elie et le corbeau* –

MODÈNE : *Sainte Madeleine* - *Saint Jérôme* - MUNICH : *Mater Dolorosa* - *Le Christ au Mont des Oliviers* - NANCY : *Deux têtes d'apôtres* - NANTES : *Joseph racontant ses songes à ses frères* - *Saint portant un calice* - NAPLES : *Mort de sainte Marie-l'Égyptienne* - *Adoration de Marie* - *La Vierge* - *Adoration du Christ* - *Marie secourable* - *Satan enchaîné* - *Le Christ au désert* - *Ange gardien* - *Assomption de sainte Madeleine* - *Herminie au milieu des bergers* - *Le Christ et saint Pierre marchant sur les flots* - *Vierge avec saints* - même sujet - même sujet - ORLÉANS : *Madeleine pénitente* - ORVIETO : *Le couronnement de la Vierge* - PADOUE (Mus. Civ.) : *Assomption de sainte Madeleine* - PARIS (Mus. du Louvre) : *Agar dans le désert* - *Séparation de saint Pierre et de saint Paul* - *Couronnement de la Vierge* - *Saint Pierre* - *Pan et Diane* - PARIS (Pal. Mazarin) : *Paysage avec le martyre de saint Pierre* - PARME : *Sainte Agathe et saint Pierre* - *Le Christ et des saints* - *Sainte Mère des Anges* - *Ange gardien* - PÉROUSE : *Saint Dominique* - *La Vierge au rosaire* - POITIERS : *Le prophète Élie et la veuve de Sarepta* - REIMS : *Saint Jean l'Évangéliste* - *Saint Marc* - ROME (Borghèse) : *Polyphème* - *Joseph et la femme de Putiphar* - *Scène du Roland furieux* - ROME (Colonna) : *La libération de saint Pierre* - *La Madeleine dans sa gloire* - ROME (Doria Pamphily) : *Le souper à Emmaüs* - *Galathée et Polyphème* - *Saint Pierre pleurant* - *Saint Pierre délivré par l'ange* - ROME (Barberini) : *Sainte Cécile* - ROME (Capitole) : *Herminie parmi les bergers* - ROUEN : *Mars et Vénus* - SAINT-PÉTERSBOURG : *Annonciation* - *Le père éternel* - *L'assomption de sainte Madeleine* - STOCKHOLM : *Allégorie* - VIENNE (Harrach) : *Tête de saint Paul* - VIENNE (Art. hist.) : *Vierge glorieuse avec saint Antoine et saint Jacques.*

VENTES PUBLIQUES : PARIS, 1800 : *L'Annonciation* : **FRF 208** - PARIS, 1846 : *La dernière Cène* : **FRF 450** - BRUXELLES, 1847 : *Sujet allégorique* : **BEF 710** - PARIS, 1894 : *Saint Luc et l'Ange* : **FRF 1 175** - PARIS, 7 et 8 mai 1923 : *Scène rustique* : **FRF 2 700** - PARIS, 24 juin 1929 : *Homme à demi-nu, étendu à terre ; Buste de femme*, dessins, recto verso : **FRF 280** - PARIS, 18 et 19 déc. 1940 : *Saint évêque recevant la palme des martyrs*, attr. : **FRF 500** - PARIS, 14 mars 1955 : *Scène rustique*, lav. encre de Chine, sépia : **FRF 23 000** - LONDRES, 26 juin 1957 : *La décollation de saint Jean-Baptiste* : **GBP 950** - LONDRES, 3 juil. 1963 : *L'incroyance de saint Thomas* : **GBP 1 300** - LONDRES, 1er juil. 1966 : *Homme nu couché jouant avec un chat noir* : **GNS 1 000** - LONDRES, 23 juin 1967 : *Sainte Cécile jouant de l'épinette* : **GNS 2 200** - LONDRES, 29 mars 1968 : *Moïse et les messagers* : **GNS 14 000** - LONDRES, 30 nov. 1973 : *Saint Bartholomé* : **GNS 4 500** - LONDRES, 29 mars 1974 : *Sainte Cécile jouant de l'épinette* : **GNS 3 500** - GENÈVE, 21 juin 1976 : *Saint Ambroise*, h/t (127x97) : **CHF 400 000** - LONDRES, 10 mars 1978 : *Sainte Cécile jouant de l'épinette*, h/t (73,6x118) : **GBP 8 500** - LONDRES, 29 mai 1981 : *Le Triomphe de David*, h/pan. (54,6x165,2) : **GBP 8 500** - LONDRES, 4 juil. 1985 : *Vierge à l'Enfant (recto) ; Etude de draperie (verso)*, craie noire er blanche (18,4x22) : **GBP 7 200** - LONDRES, 19 avr. 1985 : *Homme nu couché jouant avec un chat*, h/t (113x160) : **GBP 55 000** - NEW YORK, 14 jan. 1987 : *Allégorie de l'Espérance (recto) ; Femme debout (verso)*, craie noire et touches de craie blanche (27,6x27,8) : **USD 3 750** - NEW YORK, 12 jan. 1990 : *La procession de pape Grégoire avec le château Saint Ange au fond*, encre et craie avec corrections au past. (24,4x15,7) : **USD 5 500** - LONDRES, 2 juil. 1991 : *Saint Luc faisant le portrait de la Vierge avec l'Enfant*, craie noire, encre et lav. avec reh. de blanc et de jaune (25,2x19,7) : **GBP 35 200** - NEW YORK, 16 jan. 1992 : *Samson et le lion*, h/t (141,6x110,2) : **USD 33 000** - PARIS, 25 nov. 1993 : *Études de têtes de putti*, pierre noire (25,5x35) : **FRF 7 000** - LONDRES, 8 déc. 1995 : *La Sainte Famille avec Saint Jean enfant*, h/cuivre (42x31,5) : **GBP 32 200** - NEW YORK, 30 jan. 1997 : *Sainte Ursule tenant un étendard et une branche de palmier implorant les cieux, accompagnée de ses vierges tenant leur branche de martyre*, h/t (209,6x138,4) : **USD 107 000**.

LANFRANCO Vincenzo
XVIe siècle. Actif à Crémone. Italien.
Sculpteur.
Il exécuta des chapiteaux en 1520 pour la façade du Dôme de Crémone. On lui attribue un sarcophage de marbre noir dans l'église Sainte-Agathe de la même ville.

LANFRAY Paul Albert
Né le 13 février 1873 à Paris. XIXe-XXe siècles. Français.
Graveur.
Hors-concours du Salon des Artistes Français à Paris, il est membre du jury de gravure. Il obtint une médaille d'or en 1922.

LANFREDINI Alessandro, cavaliere
Né en 1826 à Florence. Mort en 1900 à Sienne. XIXe siècle. Italien.
Peintre d'histoire.
Le Musée de Pise conserve de lui une *Étude*, d'après une fresque de Benozzo Gozzoli, celui de Prato *Épisode de la bataille de Magenta*, l'Académie de Gênes un *Portrait*, le Palais Pitti à Florence un *Portrait du peintre par lui-même*, et l'Académie de Florence *L'enfance de Passignano* et *Épisode de la bataille de Magenta*.

LANFRERIUS. Voir **LAFRERY**

LANG
XVIIIe siècle. Suisse.
Peintre verrier.
Travailla aux vitraux de l'église de Königsfeld.

LANG Albert
Né le 15 novembre 1847 à Karlsruhe. Mort en 1933 à Munich. XIXe siècle. Actif à Munich. Allemand.
Peintre et graveur.
Le Cabinet des Estampes de Berlin possède quelques-uns de ses paysages à l'eau-forte et la Collection de gravures de Munich possède six dessins (nus et paysages) et cinq paysages lithographiés.
MUSÉES : BRÊME (Kunsthalle) : *Nature morte* - *Chemin vicinal* - FRANCFORT-SUR-LE-MAIN (Mus. d'Hist.) : *Portrait du professeur B. Cossmann* - FRIBOURG-EN-BRISGAU : *Italie* - KARLSRUHE (Kunsthalle) : *Le Buveur* - *Portrait de jeune fille en pied* - *Portrait d'Emil Hugo* - *L'Éden* - *Lande* - *Prairies* - *Près de Lerici* - *Portrait du peintre par lui-même* - *Portrait d'enfant* - *Paysage du soir sur le Chiemsee* - MANNHEIM (Kunsthalle) : *Paysage* 1879 - ULM : *Garçon et fille dans la prairie*.
VENTES PUBLIQUES : LUCERNE, 30 mai 1979 : *Paysage boisé* 1886, h/t (73,5x99,5) : **CHF 8 500** - ZURICH, 7 juin 1985 : *Im Pinzgau*, h/t (100x73) : **CHF 7 000** - HEIDELBERG, 11-12 avr. 1997 : *Promenade au parc*, h/t (44x54) : **DEM 6 000**.

LANG Aloys
Mort en 1895 à New York. XIXe siècle. Actif à Waldsee-en-Wurtemberg. Allemand.
Peintre.
Il exposa en 1836 à Stuttgart quelques portraits et copies au pastel d'après Raphaël et Vélasquez. Il travailla ensuite en Amérique. L'Hôtel de Ville de Waldsee possède un *Portrait de l'artiste par lui-même* et *Roméo et Juliette*.

LANG Annie Fraquair
Née le 8 septembre 1885 à Philadelphie. XXe siècle. Américaine.
Peintre de portraits.
Elle vécut et travailla à New York.
MUSÉES : INDIANAPOLIS (Art Herron Inst.) - MINNEAPOLIS - NEW YORK (Gal. Corcoran) : *Portrait de son professeur Chase*.

LANG Beat Franz Maria
Né le 8 décembre 1713 à Lucerne. XVIIIe siècle. Suisse.
Dessinateur.
Commença tout jeune le dessin et s'adonna à l'illustration d'ouvrages d'histoire naturelle.

LANG Charles M.
Né le 26 août 1860 à Albany (New York). XIXe-XXe siècles. Américain.
Peintre de figures, sculpteur, illustrateur.
Il fut élève de Julius Benzur. Il étudia à Venise et Londres. Il fut membre du Salmagundi Club. La ville et le capitole d'Albany possèdent de ses œuvres ainsi que le Manhattan Club à New York.
Il peignit et sculpta des personnalités américaines.

LANG Claudine Jeanne
Née à Paris. XXe siècle. Française.
Peintre, graveur.
Elle expose à Paris, aux Salons des Indépendants et d'Automne.

LANG Daniel
Né le 4 mai 1543 à Schaffhouse. XVIe siècle. Suisse.
Peintre verrier.
Fils de Hieronymus Lang, père de Hans-Gaspard Lang l'Ancien.

LANG Daniel
Né le 17 mars 1935 à Tulsa (Oklahoma). XXe siècle. Américain.
Peintre de paysages. Hyperréaliste.
Il a donné des cours à l'université de New York en 1959-1960, à l'Art Institute de Chicago en 1962-1963, à l'université de Washington... Il vit et travaille à New York.

Il participe à des expositions de groupe depuis 1968 : 1970 Institute of contemporary Art de Philadelphie, 1972 université de Boston, 1973 Joslyn Art Museum de Omaha. Il montre ses œuvres dans des expositions personnelles : 1959 Iowa, 1961 Museum of Fine Arts de Boston ; 1965 university of Chicago ; 1966, 1971 Ibiza ; 1970, 1974, 1975 Londres ; 1972, 1974, 1977 New York ; 1973 Bruxelles ; 1975 Rome.
Ses paysages sont d'un réalisme extrême, parfois proche de la photographie. On ne le trouve pourtant pas cité dans les ouvrages consacrés à l'hyperréalisme.
Musées : Chicago (Art Inst.) – Dallas (Mus. of Fine Arts) – New York (Mus. of Mod. Art) – Springfield (State Mus.).

LANG Erwin
Né le 22 juillet 1886 à Vienne. Mort en 1962. xxe siècle. Autrichien.
Peintre, graveur.
Il fut tout d'abord peintre décorateur de théâtre à Vienne et à Berlin, et exposa ses œuvres graphiques pour la première fois à Vienne en 1908. Il fit des projets de mise en scène et plaquettes pour sa femme la danseuse Grete Wiesenthal. En 1911, une exposition individuelle de ses œuvres fut organisée au Hagenbund de Vienne.
Il s'adonna spécialement à la gravure sur bois. Parmi les ouvrages qu'il illustra, on cite la *Vita Nuova* de Dante et *Michael Kohlaas* de Kleist, il publia la revue illustrée *Espoir de la Chine*, les séries de lithographies *Matin* et *Grete Wiesenthal et son école*, ainsi que la série des gravures sur bois *Cathédrales d'Allemagne*.
Ventes Publiques : Lindau, 4 mai 1983 : *Autoportrait nu avec sa femme nue* 1921, h/t (161x128) : **DEM 4 800**.

LANG Franz Xaver
Né en 1799 à Wurzach. Mort en 1873 à Wolfegg. xixe siècle. Allemand.
Peintre d'histoire, portraits, paysages, marines, lithographe.
Il fut peintre de la Ville d'Ulm entre 1829 et 1848. Il travailla aussi à Munich, Augsbourg, Stuttgart.
Il fut influencé par l'école munichoise et par Wilhelm von Kobell (1766-1855). En tant que peintre d'enfants, il se rapproche de l'art de Philipp Otto Runge (1777-1810). On cite comme œuvre principale : *Das Waisenhaus* 1847. Le Musée d'Ulm possède de sa main un journal contenant des esquisses de ses voyages au Wurtemberg, en Bavière et en Suisse, ainsi que quelques tableaux et deux lithographies.
Musées : Ulm : *Paysage de montagne – Paysage marin au coucher du soleil – Ulm vu du Nord*, litho. – *Vue de la pose de la première pierre du pont Ludwig-Wilhelm sur le Danube le 15 octobre 1829*, litho. – *Société de chasseurs près d'Ulm*.

LANG Fritz
Né le 15 mars 1877 à Stuttgart (Bade-Wurtemberg). Mort en 1961. xxe siècle. Allemand.
Peintre de genre, animalier, fleurs, graveur, illustrateur.
Il fut élève des académies des beaux-arts de Stuttgart, où il vécut et travailla, et de Karlsruhe.
Parmi ses gravures sur bois, la plupart en couleur, on cite : *Poulailler – Chèvres – Arche de Noé – Dame en vert* (ces gravures furent éditées par la Société des Artistes de Carlsruhe). Il édita lui-même *Fleurs* (12 planches) – *Contes* (10 planches) – *Oiseaux* (11 planches) – *Livre de fleurs* (7 planches) – *La Chasse au bonheur* (8 planches), etc. Il fit également des illustrations pour livres d'enfant.

FL 1928

LANG Gary
Né en 1950 à Los Angeles. xxe siècle. Américain.
Peintre. Abstrait.
Il vit et travaille à New York.
En 1995, il a participé à la FIAC (Foire internationale d'Art contemporain) à Paris. Il montre ses œuvres dans des expositions personnelles, dont : 1995, sa première exposition personnelle en France, galerie Zürcher, Paris ; 1996, New York ; 1997, galerie Zürcher, Paris.
Il poursuit ses recherches sur le spectre solaire et les réflections dans la ville, concentrant son travail sur la forme de la grille. Celle-ci est constituée de fines bandes de couleurs qui s'entrecroisent, entrecoupées de taches, effets de matière, brisures, à peine perceptibles.
Bibliogr. : Pierre Wat : *Gary Lang l'intuitif*, Beaux-Arts, n° 138, oct. 1995 – Robert C. Morgan : *Trois Stratégies personnelles : Golberg, Lang, Frank*, Art Press, n° 213, Paris, mai 1996.

LANG Georg
xvie siècle. Actif à Nuremberg. Hollandais.
Graveur sur bois et éditeur.
Il a gravé des portraits.

LANG Georg Jakob
Né le 5 juillet 1655 à Nuremberg. Mort en 1740 à Nuremberg. xviie-xviiie siècles. Allemand.
Peintre d'histoire.
Il a peint aussi des paysages avec animaux. Il fut directeur de l'Académie de Nuremberg.

LANG Hans
Né le 2 mai 1898 à Landegg (Basse-Autriche). xxe siècle. Autrichien.
Peintre de sujets divers, graveur, illustrateur, miniaturiste.
Il traita d'abord des sujets humoristiques, d'animaux, des contes, parmi lesquels *Eulenspiegel – Le Preneur de rats de Hameln – Les Sept Corbeaux*, etc., ensuite des sujets bibliques et mythologiques (*Le Christ et la femme adultère*). Son œuvre graphique comprend plus de deux cents planches : contes, chansons folkloriques, paysages, animaux et deux séries de contes à l'aquatinte de couleurs. Il fit des illustrations pour des revues de jeunes. On cite également parmi ses œuvres des miniatures sur parchemin (*Ecce Homo – Marie parmi les fleurs – Les Oiseaux*, etc.).

LANG Hans Kaspar, l'Ancien
Né le 18 février 1571 à Schaffhouse. Mort le 23 mars 1645 à Schaffhouse. xvie-xviie siècles. Suisse.
Peintre verrier.
Étudia auprès de son père Daniel Lang, puis travailla à la construction de la chapelle du collège de Jésuites de Fribourg, ainsi qu'à Strasbourg. En 1596, de retour à Schaffhouse, il se maria avec Veritas Kolmar et se mêla à la politique. Élu bourgmestre en 1642, il conserva ces fonctions jusqu'à sa mort. Ses œuvres sont disséminées dans les monuments publics de la région.
Ventes Publiques : Londres, 3 juil. 1996 : *Dessin pour une peinture sur verre représentant les armoiries de Jacob Fugger, Evêque de Constance* 1613, encre sur craie noire (41,4x33,5) : **GBP 2 875**.

LANG Hans Kaspar, le Jeune
Né le 12 août 1599 à Schaffhouse. Mort le 28 avril 1649. xviie siècle. Suisse.
Peintre verrier.
Il est l'auteur d'une verrière conservée dans le couvent, qui est aujourd'hui à la Bibliothèque ministérielle, œuvre signée *Hans Caspar Lang, anno 1639*.

LANG Heinrich
Né vers 1810 à Munich. Mort le 30 octobre 1859 à Munich. xixe siècle. Allemand.
Peintre d'architectures, vues de villes, dessinateur.
La Ville de Vienne possède de sa main deux vues de Vienne, de 1850 et 1858.

LANG Heinrich
Né le 24 avril 1838 à Ratisbonne. Mort le 8 juillet 1891 à Munich. xixe siècle. Allemand.
Peintre de batailles, scènes de genre, animaux, illustrateur.
Élève de l'Académie de Munich. Il travailla dans cette ville, à Paris et en Hongrie. Médaillé à Vienne en 1873 et à Nuremberg en 1882.
Musées : Bautzen : *Poursuite des Français à Fröschweiler* – Breslau, nom all. de Wroclaw : *Voleurs de chevaux* – Dresde : *Chevaux au pâturage* – Munich (Pina.) : *Marche des Bavarois près de Corbeil* 1870 – Prague (Rudolfinum) : *Chevaux*.
Ventes Publiques : Vienne, 17 nov. 1981 : *Chevaux à l'écurie*, h/pan. (24x35) : **ATS 18 000** – Munich, 13 juin 1985 : *Scène de la guerre de 1870*, h/t (52x95) : **DEM 20 000** – Amsterdam, 25 avr. 1990 : *Deux Cavaliers dans la steppe*, h/pan., une paire (chaque 21x20) : **NLG 3 680**.

LANG Hermann
Né le 3 avril 1856 à Krumbach. Mort le 3 juillet 1899 à Munich. xixe siècle. Allemand.

Peintre d'histoire, sujets religieux, portraits.
Élève de l'Académie de Munich, il visita l'Italie. Exposa à Munich à partir de 1882 et y obtint une mention honorable en 1889. On cite de lui *Sainte Afra, martyre d'Augsbourg*.

LANG Hermann
Né le 13 août 1856 à Heidenheim (Wurtemberg). Mort le 8 octobre 1916 à Munich. XIXe-XXe siècles. Allemand.
Sculpteur de statues, bustes, monuments.
On cite parmi ses œuvres principales : un relief avec trois statues grandeur nature pour l'église évangélique Saint-Paul à Heidenheim, un *Crucifix* dans le chœur de l'église Saint-Marc à Stuttgart, une statue monumentale d'*Ulrich von Ensingen* pour la cathédrale d'Ulm. Pour le Palais de Justice de Nuremberg il sculpta deux grandes statues de juristes. On lui doit également des bustes.

LANG Hieronymus, l'Ancien
Né vers 1520. Mort au début de 1582. XVIe siècle. Actif à Schaffhouse. Suisse.
Peintre verrier.

LANG Hiéronymus, le Jeune
Né le 3 juillet 1570 à Schaffhouse. Mort le 1er novembre 1611 à Schaffhouse. XVIe-XVIIe siècles. Suisse.
Peintre verrier.
Frère de Daniel et de Martin Lang. Il épousa Judith Egli en 1597.

LANG Jochim
XVIIe siècle. Finlandais.
Peintre.
Il peignit en 1662 un tableau d'autel pour Sund (Aland), ainsi que quelques portraits de professeurs à Abo, qui figurèrent à l'Exposition de portraits d'Helsinki (1893).

LANG Johann Georg
Né le 27 août 1889 à Oberammergau. XXe siècle. Allemand.
Sculpteur.
On cite parmi ses œuvres : deux tombeaux et un monument aux morts à Oberammergau et à Unterammergau, un *Crucifix* pour Saint-Wolfang, un *Crucifix* pour le conservatoire des arts et métiers de Nuremberg.

LANG Josef Adolf
Né le 18 décembre 1873 à Vienne. XIXe-XXe siècles. Autrichien.
Peintre de portraits, fresquiste, peintre de cartons de vitraux.
Il se fixa en 1911 à Munich. Il peignit des fresques, des portraits à l'huile et fit des lithographies de portraits, parmi lesquels celui de Beethoven. On lui doit en outre des esquisses pour des plaquettes et des vitraux.

LANG Karl
Né le 25 mars 1818 à Karlsruhe. Mort le 22 mars 1878 à Mannheim. XIXe siècle. Actif à Mannheim. Allemand.
Peintre de portraits, paysages, aquarelliste, dessinateur, lithographe.
Il fut fondateur et membre d'honneur de la Société des Antiquités de Mannheim. Cette société possède de sa main un livre d'esquisses de 1855 contenant de nombreux dessins, pour la plupart des portraits de célébrités, entre autres *Wieland, Herder, Schiller*, et d'importantes personnalités. Ce livre d'esquisses contient également des dessins de paysages et des aquarelles de Mannheim et environs.

LANG Karl
Né le 13 février 1892 à Hanau (Hesse). XXe siècle. Allemand.
Peintre de portraits, figures.
Il travaille sur émail, réalisant des portraits et des figures ainsi que des objets usuels.

LANG Karl Friedrich
Né le 27 octobre 1766 à Heilbronn (Bade-Wurtemberg). Mort le 17 mai 1822 près de Dresde. XVIIIe-XIXe siècles. Allemand.
Dessinateur et aquafortiste amateur.
Il publia en 1791 un almanach pour la noblesse d'Allemagne ; en 1795 il lithographia 24 vues dessinées par Jakob Gauermann pour l'ouvrage *Heilbronn, le Neckar, et la région environnante* ; en 1802 il publia chez Tauchnitz à Leipzig une série de livres pour enfants et un ouvrage scientifique en trois volumes : *Le temple de la nature*, orné d'illustrations qu'il dessina lui-même.

LANG Léon
XXe siècle. Français.
Peintre de paysages.
Il vit et travaille à Paris.
VENTES PUBLIQUES : PARIS, 19 fév. 1945 : *Quai* : **FRF 100**.

LANG Léonhard
XVIIIe siècle. Actif au début du XVIIIe siècle. Hollandais.
Graveur.

LANG Ludwig ou **Louis**
Né en 1814 à Waldsee. Mort en mai 1893 à New York. XIXe siècle. Allemand.
Peintre de genre, portraits.
Fit ses études à Paris, Stuttgart et Philadelphie ; il visita l'Italie et la France, puis il partit pour l'Amérique en 1852 et devint membre de la National Academy. On cite de lui *Vénitienne en costume de fiancée*.

VENTES PUBLIQUES : NEW YORK, 4 fév. 1931 : *Mary Dunbar* : **USD 110** ; *Francesca Thayer* : **USD 90** – NEW YORK, 25 avr. 1980 : *The sewing party* 1857, h/t (107,3x144,8) : **USD 55 000** – NEW YORK, 26 juin 1985 : *A la maison*, h/t (20,5x25,3) : **USD 2 400** – NEW YORK, 27 mai 1993 : *Le nid d'oiseaux* 1853, h/t, de forme ovale (43,2x53,3) : **USD 8 625** – NEW YORK, 17 mars 1994 : *Jeunes filles tressant des guirlandes de fleurs* 1840, h./étain (33x36,2) : **USD 6 900** – NEW YORK, 21 mai 1996 : *l'amour de l'Amérique*, h/t (34,5x27,4) : **USD 2 990**.

LANG Martin
Né le 15 novembre 1546 à Schaffhouse. Mort après 1582. XVIe siècle. Suisse.
Peintre verrier.
Fils de Hieronymus Lang l'Ancien.

LANG Michel, appelé **Victorin** ou **Victor** ou **Michel Bildhauer** (sculpteur)
Né vers 1470 à Neisse en Silésie. XVe siècle. Allemand.
Peintre, sculpteur et sculpteur sur bois.
Il se fixa vers 1503 à Heilbronn. Il exécuta le tombeau, orné de nombreuses sculptures, de la famille von Plieningen dans l'église de Kleinbottwar, en 1525, ainsi que le tombeau du comte Eberhard von Erbach I et de sa femme dans l'église de Michelstadt dans l'Odenwald.

LANG Moritz
XVIIe siècle. Actif à Vienne en 1670. Autrichien.
Graveur au burin.
Il a gravé des portraits. Il travailla surtout pour les libraires viennois et exécuta plusieurs planches pour l'*Histoire de l'empereur Léopold*, par Priorato.

LANG Nikolaus
Né le 12 février 1941 à Oberammergau. XXe siècle. Allemand.
Auteur d'assemblages. Conceptuel.
Il fut élève de l'académie des beaux-arts de Munich de 1960 à 1966, obtint en 1966 une bourse d'étude pour Londres, où il travailla à la Camberwell School of Arts and Crafts de 1967 à 1969. Il obtint une bourse d'étude pour le Japon en 1971-1972. Il a enseigné à la Camberwell School of Art and Craft à Londres, en 1967-1968.
Il participe à des expositions collectives en Allemagne, notamment en 1969 au Kunstverein de Munich, en 1974 au Kunstverein de Hambourg, en 1977 à la Documenta de Kassel et en 1982 au Kunstverein de Stuttgart, ainsi qu'à la VIIIe Biennale de Paris en 1973. Il expose à titre individuel : en 1968, 1971, 1972 à Londres ; 1970 à Munich ; 1971 à Hambourg et Malmö ; 1973 à Hambourg, au Städtische Galerie im Lenbachhaus de Munich et à Aix-la-Chapelle ; 1975 à Hanovre ; 1978 au Westfälischer Kunstverein de Münster...
Il travailla avec Gilbert&Georges, Richard Hamilton et Mark Boyle à Londres en 1966. Dans une optique assez proche de l'ethnologie, Lang décrit des lieux en récupérant et répertoriant certains éléments aptes à les définir. Il poursuit ses assemblages d'objets trouvés dans *L'Histoire des sœurs Götte* en 1973-1974, intégrant des cartes géographiques, des textes, des photos. Il y a dans cette parodie des gestes de l'ethnologue, une recherche d'attitudes propres à définir et le travail de l'artiste, et l'artiste lui-même.
MUSÉES : AMSTERDAM (Stedelijk Mus.) – LONDRES (Tate Gal.).

LANG Otto
Né le 5 septembre 1855 à Oberammergau. XIXe siècle. Actif à Munich. Allemand.

Sculpteur.
Fils du sculpteur sur bois Sébastien Lang, il fut élève de l'école des Arts et Métiers de Nuremberg et de l'Académie de Munich, puis étudia à Berlin et à Rome. Il débuta en 1881 à Munich. Parmi ses œuvres on cite le *Monument funéraire d'Alfred Krupp* au cimetière d'Essen et le *Monument du vice-roi Li-Hung-Chang* à Shanghai. On lui doit encore des bustes et des reliefs.

LANG Paul. Voir **LANG-KURZ**

LANG Petter
Mort en 1697. XVIIe siècle. Suédois.
Peintre de compositions religieuses.
L'église Sainte-Edwige et Eléonore de Stockholm lui doit plusieurs œuvres parmi lesquelles une *Mise au tombeau*, un *Christ en croix* et une *Flagellation*.

LANG Petter
Né après 1720. Mort en 1780. XVIIIe siècle. Finlandais.
Peintre de compositions religieuses.
Il peignit en 1747 un tableau représentant *Le Jugement dernier*.

LANG Richard
Né le 20 juillet 1861 à Heilbronn (Bade-Wurtemberg). XIXe-XXe siècles. Allemand.
Peintre de paysages.
Il étudia à Munich, où il résida, et fit des voyages d'études en Autriche, en Suisse, en Italie. L'hôtel de Minden et la ville de Ludwighafen possèdent de ses œuvres.
Ses paysages furent inspirés des hautes montagnes et de motifs de Venise.
Musées : Duisbourg.

LANG-KURZ Paul
Né le 28 juillet 1877 à Heimthal (Russie). XXe siècle. Allemand.
Peintre de paysages, natures mortes.
Il fut élève de l'école des arts et métiers de Stuttgart et des académies de Dresde et de Munich. Il fut professeur à l'école des arts et métiers de Magdebourg et de Crefeld.
Il fit des esquisses pour broderies, textiles, tapis et meubles.
Musées : Stuttgart (Conservatoire des arts et métiers) : étoffes et reliures.

LANG-LARIS Hermine, née **Laris**
Née en 1842 à Vienne. Morte après 1913. XIXe-XXe siècles. Autrichienne.
Peintre de paysages, natures mortes, fleurs.
Élève de Remigius Van Haxnen et d'Alb. Zimmermann. Exposa à Munich et à Vienne en 1888 et 1889.
Ventes Publiques : Vienne, 10 fév. 1976 : *Le jardin botanique*, h/pan. (39x50) : **ATS 15 000** – Vienne, 17 mars 1978 : *Paysage de printemps*, h/t (55x66) : **ATS 20 000**.

LANG-WOLLIN Otto
Né le 12 janvier 1881 à Kassel (Hesse). XXe siècle. Allemand.
Peintre de marines, paysages.
Il fut élève de l'école des arts et métiers de Kassel. Il a peint surtout des motifs de la mer baltique. Il a réalisé de nombreuses lithographies.
Musées : Stettin : *Après la pluie – Village du Haff – Ruines d'église sur la mer Baltique*.

LANGASKENS Maurice
Né en 1884 à Gand (Flandre-Orientale). Mort en 1946 à Schaerbeek (Brabant). XXe siècle. Belge.
Peintre de genre, figures, fleurs, portraits, graveur, illustrateur, fresquiste.
Il étudia à l'académie des beaux-arts de Paris, puis à Bruxelles. De 1914 à 1917, il fut prisonnier de guerre en Allemagne.
On lui doit des tableaux de chevalet et des peintures décoratives : *Le Symbole de la famille – Les Fiançailles et le Semeur – La Famille et le Laboureur* (hôtel de ville de Léau). Il fit des esquisses de portraits de ses camarades de captivité. De retour en Belgique, il peignit des tableaux de fleurs, des scènes champêtres de petit format et de nouveau des compositions décoratives. Parmi ses eaux-fortes, on cite : *Héros – Amazone – Arc en ciel – Sonate – Le Parc – Le Cygne*, on cite également vingt-cinq planches destinées aux écoles et représentant des ouvriers, des marins, des paysans, etc... Il a en outre illustré une *Légende d'Eulenspiegel*.

M-LANGASKENS

Bibliogr. : R. de Bendère : *Maurice Langaskens*, Bruxelles, 1923 – in : *Diction. biogr. illustré des artistes en Belgique depuis 1830*, Arto, Bruxelles, 1987.
Musées : St-Josse-Ten-Noode (Mus. Charlier).
Ventes Publiques : Bruxelles, 27 fév. 1973 : *Le Printemps* : **BEF 30 000** – Anvers, 6 avr. 1976 : *Les deux âges*, h/t (56x47) : **BEF 60 000** – Lokeren, 18 oct. 1980 : *Nu et cygnes*, h/t (54x69) : **BEF 55 000** – Amsterdam, 24 oct. 1983 : *Le Retour des bûcherons*, h/t (140x243) : **NLG 5 000** – Bruxelles, 17 juin 1985 : *Les semeurs*, h/t (144x250) : **BEF 101 000** – Lokeren, 12 déc. 1987 : *Le Cerisier*, h/t (47x39) : **BEF 170 000** – Lokeren, 5 mars 1988 : *Dans le cerisier*, h/t (25x21) : **BEF 48 000** – Amsterdam, 10 avr. 1990 : *Femme debout*, h/t/cart. (22,5x30,5) : **NLG 8 625** – Lokeren, 23 mai 1992 : *Le cartographe*, h/t (72x56) : **BEF 85 000** – Lokeren, 28 mai 1994 : *Le jardin des supplices – Clara* 1913, aquar. et past. (47x65,5) : **BEF 95 000** – Lokeren, 11 mars 1995 : *Mimique* 1915, h/t (67x50,5) : **BEF 36 000** – Lokeren, 9 mars 1996 : *Sous le cerisier*, h/cart. (25x21) : **BEF 38 000** – Lokeren, 5 oct. 1996 : *Printemps*, h/t (100x135) : **BEF 300 000**.

LANGBEIN
XIXe siècle. Actif vers 1839. Allemand.
Paysagiste.
Élève de Kolbe ; cité par Siret.

LANGBERG Emely
Née le 8 avril 1851 à Oslo. XIXe siècle. Norvégienne.
Peintre.
Elle peignit des paysages, des intérieurs et des natures mortes à l'huile et à l'aquarelle. Elle figura fréquemment à partir de 1892 aux expositions de son pays.

LANGBERG Juliane Frederike
Née le 15 juillet 1856 à Oslo. XIXe siècle. Norvégienne.
Peintre.
Elle peignit surtout des intérieurs et figura à partir de 1891 aux expositions nationales et internationales de Copenhague et de Stockholm. En 1897 eut lieu à Oslo une exposition collective de ses œuvres.

LANG CHE-NING. Voir **LANG SHINING**

LANGDON T.
XVIIIe-XIXe siècles. Britannique.
Peintre de miniatures.
Il travailla à Londres, où il exposa, de 1785 à 1802, 41 portraits miniatures à la Royal Academy. W. Ridley grava d'après lui un *Portrait de l'Amiral J. Bazeley* (paru dans la *Naval Chronicle* en 1805) et T. Overton, un *Portrait de W. Jay*, 1817.

LANGE. Voir aussi **ANGE, DELANGE** et **LANG**

LANGE
Né à la fin du XVIIe siècle à Paris. XVIIe-XVIIIe siècles. Français.
Sculpteur.
Il travailla, en 1713, à l'hôtel de Mayenne à Nancy. Cité par A. Jacquot.

LANGE
XVIIIe siècle. Actif à Saint-Aubin-les-Coudrais en 1758. Français.
Peintre d'histoire.

LANGE Anna Maria. Voir **HILFELING**

LANGE Antoni
Né en 1779. Mort en 1844 à Lemberg. XIXe siècle. Autrichien.
Paysagiste et décorateur.
Il étudia à Vienne avec Schönberger. En 1810, il vint à Lemberg où, jusqu'en 1832, il travailla comme décorateur au théâtre. En 1837, il exposa à Lemberg sept paysages. Le Musée de Cracovie conserve de lui : *Paysages de montagnes en Galicie*.

LANGE Arthur
Né le 9 mars 1875 à Röhrsdorf (près de Chemnitz). XXe siècle. Allemand.
Sculpteur.
Il vécut et travailla à Dresde. Parmi ses œuvres, on cite une *Statue équestre du roi Albert* à Meissen, un *Crucifix* de bois dans l'église de Schönheide, un *Monument aux morts de la guerre* de l'école technique de Dresde ainsi que des modèles pour la manufacture de porcelaine de Meissen.
Musées : Dresde (Albertinum Mus.) : *Demi-nu*, marbre.

LANGE Bernard
Né en 1754 à Toulouse. Mort le 28 mai 1839 à Paris. XVIIIe-XIXe siècles. Français.
Sculpteur.
Élève de François Lucas. Exposa au Salon entre 1799 et 1833. Il fut professeur à l'Académie de Toulouse, et restaurateur du Musée des antiques du Louvre depuis 1793, selon Henri Jouin, ou depuis 1810, d'après Gabet.
Musées : Angers : *Gilles Ménage, érudit* – Toulouse : *Philopömen.*

LANGE César Amédée
XVIIe siècle. Français.
Peintre.
Siret dit que ce peintre s'appelait Josserme, mais que, ayant tenu une auberge à l'enseigne de l'Ange, il en garda le surnom. Il est certainement parent de François de L'Ange.

LANGE Erik Niels
Né le 15 novembre 1890 à New York, de parents danois. Mort le 18 janvier 1919 à Copenhague. XXe siècle. Danois.
Peintre ?
Il figura d'abord aux expositions de l'Association des *13* et subit ensuite des influences modernes et réalistes.

LANGE Erna L.
Née le 19 octobre 1896 à Elizabethville (New Jersey). XXe siècle. Américaine.
Peintre.
Elle étudia avec Olivier aux académies Julian, de la Grande Chaumière et Colarossi à Paris. Elle expose au Salon de la Société Nationale des Beaux-Arts, dont elle est membre sociétaire.

LANGE F. J. de
XVIIIe siècle. Actif à Amsterdam vers 1705. Hollandais.
Graveur et dessinateur.

L'ANGE François de ou **François Lange**, appelé aussi **Josserme**
Né en 1675 à Annecy (Savoie). Mort le 17 avril 1756 à Turin. XVIIIe siècle. Français.
Peintre.
Élève de son grand-père. Travailla à Turin où il resta plusieurs années, puis à Bologne, en 1706, il se trouva en rapport avec Franc. Albani et tous les Carracistes. Travailla à Bologne, pour S. Francesco di Paola et pour le palais royal de Rivoli à Turin. Il fit aussi plusieurs œuvres pour la marquise Lucatteli. En 1735, il se fit moine.

LANGE Franz
Né le 17 janvier 1845 à Munster-en-Westphalie. XIXe siècle. Actif à Berlin. Allemand.
Sculpteur.
Il fut élève de l'Académie de Berlin. On cite parmi ses œuvres les bustes de *de Moltke* et de *Bismarck* que possède l'Hôtel de Ville de Hambourg. La Galerie d'Oldenbourg possède également des bustes de sa main.

LANGE Frederik
Né en 1870. XIXe-XXe siècles. Danois.
Peintre d'intérieurs, portraits.
Il étudia à l'académie des beaux-arts de Copenhague et exposa à partir de 1898. Il obtint en 1901 une bourse pour un voyage en Afrique du Nord comme participant d'une mission archéologique.
Musées : Copenhague (Mus. des Beaux-Arts) : *Sous la lampe – La Mère de l'artiste avec un enfant* – Frederiksborg : *Portrait de l'artiste par lui-même – Portrait d'Otto Haslund – Portrait de l'évêque Nielsen.*

LANGE Friedrich
Né le 29 octobre 1834 à Plau. Mort le 25 juillet 1875 à Strasbourg. XIXe siècle. Allemand.
Peintre de sujets religieux.
Il subit l'influence de Cornelius. Deux de ses œuvres, *Le Christ en croix* et *La Foi, l'Amour et l'Espérance* se trouvent au Musée de Schwerin.

LANGE Fritz
Né le 24 juin 1851 à Düsseldorf. Mort le 1er septembre 1922 à Düsseldorf. XIXe-XXe siècles. Allemand.
Peintre animalier, peintre de paysages animés.
Élève de l'Académie de Düsseldorf et de son père Johann Gustav Lange. Exposa à partir de 1870.
Musées : Altenburg : *Volailles* – Düsseldorf : *Paysage avec volatiles* – Gorlitz (Kaiser Friedrich) : *Paysage d'hiver.*
Ventes Publiques : Cologne, 27 mai 1971 : *La mare aux canards* 1902 : **DEM 3 800** – Cologne, 22 oct. 1982 : *La mare aux canards* 1879, h/t (50x66,5) : **DEM 17 000** – Munich, 17 oct. 1984 : *Coq et poules ; Canard et canes*, h/pan., une paire (18x13,8) : **DEM 8 000** – Munich, 21 juin 1994 : *Canards au bord de l'eau ; Poules près d'une grange*, h/pan. (chaque 16x12) : **DEM 9 430.**

LANGE Gisèle Van
Née en 1929 à Etterbeck (Bruxelles). XXe siècle. Belge.
Peintre. Tendance pop'art.
Elle fut élève de l'Académie des beaux-arts de Bruxelles.
Bibliogr. : In : *Dict. biogr. illustré des artistes en Belgique depuis 1830*, Arto, Bruxelles, 1987.

LANGE Guglielmo. Voir **GUGLIELMO Lange**

LANGE Gustav. Voir **LANGE Johann Gustav**

LANGE J. de
XVIIIe siècle. Hollandais.
Peintre de portraits.
Cité par Siret.

LANGE J. F.
XVIIIe-XIXe siècles. Actif vers 1790, 1801. Hollandais.
Graveur.
Le Cabinet des Estampes d'Amsterdam possède de sa main une *Tête d'homme*, d'après Le Titien, *Le Christ jardinier*, d'après B. Spranger, une vignette sur le frontispice d'une opérette.

LANGE Jan. Voir **BOECKHORST Johann**

LANGE Jan Hendrick
Né à Bruxelles. Mort en 1671 à Bruxelles. XVIIe siècle. Éc. flamande.
Peintre d'histoire.
Élève de Van Dyck, dont il adopta la manière.
Ventes Publiques : Paris, 1773 : *La Reconnaissance d'Achille* : **FRF 430.**

LANGE Jean-Marc
Né le 17 novembre 1945 au Grand-Quevilly (Seine-Maritime). XXe siècle. Français.
Peintre de figures, compositions animées, sculpteur, graveur, peintre de décors de théâtre.
Il fut élève de l'école des beaux-arts de Rouen de 1961 à 1964 puis de celle de Paris en 1964 et 1965, dans l'atelier de Brianchon. L'année suivante, il reçut le grand prix de Rome, où il résida à l'académie de France. Il vit et travaille à la Celle-Saint-Cloud.
Il participe à des expositions collectives, notamment depuis 1982 à la FIAC (Foire Internationale d'Art Contemporain) à Paris. Il montre ses œuvres dans des expositions personnelles : 1965 musée des Beaux-Arts de Rouen, 1966 Villa Médicis à Rome, 1990 *Chaleur et poussière* présentation particulière à la FIAC (Foire Internationale d'Art Contemporain) à Paris au stand de la galerie Alain Blondel.
Il se dégage de sa peinture un climat étrange, mettant en scène des êtres fantomatiques ou hallucinés, tantôt des éléments mécaniques ou abstraits, dont le grouillement est également ambigu. Ses reliefs polychromes et ses sculptures présentent le même envahissement hétéroclite. Il a réalisé les décors de théâtre de *L'Annonce faite à Marie* de Paul Claudel, *Messieurs les Ronds de cuir* de Courteline et *La Majestueuse* d'Alexandre Dumas.
Musées : Paris (Cab. des Estampes) : *Le Hammam* 1982, litho. – Rouen – Toulon.
Ventes Publiques : Paris, 20 mars 1988 : *Cinq hommes sur une plage* 1985, h/t : **FRF 23 000** – Paris, 15 juin 1988 : *L'Italienne* 1984, h/t (38x46) : **FRF 16 000** – Chalon-sur-Saône, 3 fév. 1991 : *Les demoiselles de Guilianova*, h/t (65x54) : **FRF 32 000.**

LANGE Johann
XVIe siècle. Actif à Gotha. Allemand.
Peintre de portraits.
Il fut peintre de la Cour. On lui attribue, au Musée de Gotha, un tryptique, daté de 1566, avec les portraits de trois Grands Électeurs de Saxe, copiés d'après Cranach.
Musées : Gotha : *Triptyque.*

LANGE Johann
Né en 1823 à Coblence. Mort en 1908 à Aix-la-Chapelle. XIXe siècle. Allemand.

Peintre de paysages, architectures.
Élève de l'Académie de Düsseldorf. Il se fixa à Aix-la-Chapelle.
Musées : Aix-la-Chapelle (Suermondt) : *Matin d'automne*.

LANGE Johann Georg
xviie siècle. Actif à Hanovre en 1690. Hollandais.
Graveur au burin.

LANGE Johann Gustav
Né en 1811 à Mulheim. Mort le 6 avril 1887 à Düsseldorf. xixe siècle. Allemand.
Peintre de scènes de chasse, paysages.
Élève de l'Académie de Düsseldorf, de Schirmer et d'Achenbach. Il peignit de préférence les forêts allemandes en hiver. Il exposa de 1841 à 1882. On cite de lui *Chapelle dans les bois par un matin d'hiver*.
Musées : Stettin : *Chasse en hiver*.
Ventes Publiques : Paris, 4 fév. 1942 : *La Grande Clairière* : **FRF 2 400** – Cologne, 24 mars 1972 : *Paysage d'hiver* : **DEM 2 200** – Cologne, 26 mars 1976 : *Paysage* 1839, h/t (32x45) : **DEM 1 200** – Zurich, 16 mai 1980 : *Paysage d'hiver*, h/t (66x99) : **CHF 5 200** – Cologne, 30 mars 1984 : *Paysage d'hiver*, h/t (65x94,5) : **DEM 3 500** – Cologne, 15 oct. 1988 : *La Chapelle un matin d'hiver*, h/t (81x110) : **DEM 4 000** – Londres, 14 fév. 1990 : *Village en hiver*, h/t (46x62) : **GBP 4 400** – New York, 17 jan. 1996 : *Chasseurs dans les champs* 1846, h/t (41,9x59,1) : **USD 2 300** – Vienne, 29-30 oct. 1996 : *Vaste clairière avec vaches paissant* 1846, h/t (93x138,5) : **ATS 149 500**.

LANGE Johannes Philipp
Né le 24 septembre 1810 à Amsterdam. Mort en 1849 à Amsterdam. xixe siècle. Hollandais.
Graveur au burin.
Élève de Philippe Velyn. Il a gravé des portraits et de nombreuses reproductions, d'après les maîtres hollandais du xviie siècle.

LANGE Joseph
Né en 1751 à Würzburg. Mort en 1831 à Vienne. xviiie-xixe siècles. Autrichien.
Peintre de portraits, acteur.
Il suivit les cours de l'École des Beaux-Arts de Vienne en 1767. Il fit les portraits de nombreux acteurs célèbres. Il fut surtout connu comme artiste dramatique.
Musées : Salzbourg (Mozart) : *Mozart* – Vienne (Mus. hist.) : *H. von Collin*.

LANGE Joseph
Né en 1826 à Varsovie. Mort le 24 février 1850 à Varsovie. xixe siècle. Polonais.
Peintre miniaturiste.

LANGE Julius
Né le 17 août 1817 à Darmstadt. Mort le 25 juin 1878 à Munich. xixe siècle. Allemand.
Peintre de paysages animés, paysages, paysages de montagne, architectures, dessinateur.
Élève de Muller à Darmstadt. Dès l'âge de quinze ans il collabora à un ouvrage de son frère Ludwig, *Vues des principales villes d'Allemagne*. En 1835, il alla à Düsseldorf, puis, en compagnie de Schirmer, visita la Suisse. Il acquit au cours de cette visite un remarquable talent de peintre de montagnes. Il vint, en 1840, s'établir à Munich. En 1856, il visita la haute Italie et exécuta un grand nombre de dessins pour l'Académie de Venise, dont il devint membre en 1857. Tour à tour maître de dessin de l'archiduchesse Charlotte, impératrice du Mexique, peintre du roi Maximilien de Bavière, il fut nommé peintre de la cour. On le considère surtout comme un remarquable dessinateur.
Musées : Munich : *Le Lac Gosau, le matin* – *Le Lac Gosau au soleil couchant* – *Vue du Partenkirchen* – Stuttgart : *Château en Bohême*.
Ventes Publiques : New York, 1er fév. 1958 : *Paris, Le Louvre* : **USD 240** – Lucerne, 13 juin 1970 : *Paysage montagneux* : **CHF 4 200** – Vienne, 18 sep. 1973 : *Cour de ferme* 1873 : **ATS 120 000** – Cologne, 29 mars 1974 : *Paysage du Tyrol* : **DEM 4 000** – Vienne, 14 sep. 1976 : *Paysage montagneux*, h/t (82x114) : **ATS 20 000** – Cologne, 18 mars 1977 : *Paysage montagneux* 1877, h/t (47x64) : **DEM 2 600** – Lucerne, 30 mai 1979 : *Vue du Königsee* 1865, h/t (103x141) : **CHF 3 000** – New York, 29 juin 1983 : *Paysage alpestre* 1868, h/t (107x152) : **USD 2 400** – New York, 25 fév. 1986 : *Paysage alpestre* 1862, h/t (116,2x160) : **USD 3 200** – Milan, 22 mars 1994 : *Paysage de montagne* 1856, h/t (64x85,5) : **ITL 15 525 000** – Amsterdam, 9 nov. 1994 : *Une famille dans une cour*, h/pan. (38x27,5) : **NLG 2 760** – New York, 18-19 juil. 1996 : *Pêcheurs au bord d'un lac de montagne* 1869, h/t (107,3x141) : **USD 6 037** – Vienne, 29-30 oct. 1996 : *Paysage alpin avec église et ferme*, h/t (72x92,5) : **ATS 149 500**.

LANGE Karl
Né le 18 novembre 1884 à Penig (Saxe). xxe siècle. Allemand.
Peintre de portraits, paysages, graveur.
Comme graveur, il s'est adonné à la caricature (*Portrait de famille* – *Le Veuf*) et à la satire (*Anatomie* – *La Fille* – *Accident*).
Musées : Leipzig : *La Mulde près de Rochsbourg-en-Saxe*.

LANGE Karl Ernst
Né le 16 septembre 1887 à Meissen (Saxe-Anhalt). xxe siècle. Allemand.
Peintre de paysages, figures, graveur.
Il vécut et travailla à Freiberg. Il a peint des motifs de l'Erzegebirge, des vues de villes et des tableaux de figures (*Famille* – *Le Pur* – *Portrait de l'artiste par lui-même*).

LANGE Konstantin
Né en 1962 à Hilden (près de Düsseldorf). xxe siècle. Allemand.
Sculpteur, auteur d'assemblages.
Il vit et travaille à Hilden. Il séjourne fréquemment aux Indes et a été reçu dans différentes écoles d'art. Il a participé à *Germinations* à Lyon en 1991, qui réunissaient des étudiants venus de diverses écoles d'art européennes. Il montre ses œuvres dans des expositions personnelles notamment au Frauenmuseum im Krausfeld à Bonn et au Centre Debeyers de Breda.
Dans l'œuvre *Ornament* de 1989, il assemble serpents, poissons, fleurs, brindilles en cire, les dispose sur le sol, dans un ordre rigoureux.

LANGE Ludwig
Né le 22 mars 1808 à Darmstadt. Mort le 31 mars 1868 à Munich. xixe siècle. Allemand.
Peintre et architecte.
Frère aîné de Julius Lange. Élève de Rottmann ; il accompagna son maître à Athènes et y fut lui-même professeur de dessin pendant trois ans. Ses paysages grecs sont très goûtés. De retour en Allemagne, il publia plusieurs cahiers de vues de monuments, églises, etc., sous le titre : *Œuvres de la grande architecture*.

LANGE Max
Né le 29 mars 1868 à Cologne (Rhénanie-Westphalie). xixe-xxe siècles. Allemand.
Sculpteur de bustes.
On cite parmi ses œuvres des bustes de savants à l'université de Leipzig, des monuments funéraires au cimetière du sud de la même ville, ainsi que des plaquettes parmi lesquelles celles du *Général Liman von Sanders* et du *Général von der Goltz*.
Musées : Dresde (Albertinum Mus.) : *Jeune Homme* – Leipzig : *Lucifer* – *Matelot* – *Fantassin*.

LANGE Michel
xviie-xviiie siècles. Français.
Sculpteur sur bois.
Il fut reçu membre de l'Académie de Saint-Luc à Paris en 1669. Il travailla pour le château de Trianon (boiseries), pour le Dôme des Invalides, pour l'hôtel de Mayenne du prince de Vaudemont. On cite de sa main un cadre sculpté pour un tableau de François le Gru, conservé dans la Galerie des Cerfs du château de Chantilly.

LANGE Olaf
Né en 1869 à Stavanger. xixe-xxe siècles. Actif en France. Norvégien.
Graveur.
Il exposa à Paris, au Salon de la Société Nationale des Beaux-Arts, dont il devint membre sociétaire en 1907.

LANGE Otto, pseudonyme : **Ottolange**
Né en 1879 à Dresde (Saxe). Mort en 1944 à Dresde (Saxe). xxe siècle. Allemand.
Peintre de paysages, graveur.
Parmi ses gravures sur bois, on cite un album de vingt-et-une gravures en couleur pour l'ouvrage de Laurid Bruun *L'Heureux Temps de Van Zanten* (1920).
Musées : Dresde (Gal. Nat.) : *Cabanes de pêcheurs* – *Paysage* – Gdansk, ancien. Dantzig – Halle – Leipzig.
Ventes Publiques : Munich, 26 nov. 1982 : *Bateaux au port*, aquar. (49x65) : **DEM 3 200** – Munich, 29 juin 1983 : *Voiliers au large de la côte* 1910, aquar. (49,5x64,5) : **DEM 8 400** – Munich,

1er juin 1987 : *Scène de marché* 1924, gche/traits de cr. (50x56,4) : **DEM 11 000** – MUNICH, 26 mai 1992 : *Nature morte avec des fruits et un masque*, monotype en coul. (58,5x45,5) : **DEM 7 705** – MUNICH, 1er-2 déc. 1992 : *Les joueurs de cartes*, monotype en coul. (43x30) : **DEM 8 280** – HEIDELBERG, 15-16 oct. 1993 : *La dame en vert* 1918, bois gravé en noir, vert et rouge (35,6x24,3) : **DEM 5 500**.

LANGE Paul
Né le 12 janvier 1850 à Vienne. Mort le 26 avril 1890 à Vienne. XIXe siècle. Autrichien.
Peintre, aquarelliste, architecte.
On cite parmi ses œuvres ses illustrations de l'ouvrage publié par C. von Lutzow et L. Tischler *Nouvelles constructions de Vienne* (1880). Une exposition commémorative de ses œuvres eut lieu au Musée autrichien de Vienne en 1890 (*Tableaux d'architecture, Intérieurs, Études de voyage d'Italie*).

LANGE Robert
Né le 23 mai 1914 à Paris. XXe siècle. Français.
Sculpteur.
Il a d'abord étudié à l'école des beaux-arts de Nantes, puis à l'académie de la Grande Chaumière à Paris après la guerre. Il a exposé en 1956 au musée de La Roche-sur-Yon.
Sa sculpture est figurative, classique.

LANGE Sören Laessoe
Né en 1760 à Faaborg. Mort en 1828 à Copenhague. XVIIIe-XIXe siècles. Danois.
Peintre de portraits, paysages, graveur sur cuivre.
Élève de l'Académie de Copenhague en 1781, il y obtint plusieurs médailles ; il reçut aussi la médaille d'or de la cour. Ses œuvres furent très estimées. Ses eaux-fortes ne sont pas dénuées d'intérêt.
VENTES PUBLIQUES : COPENHAGUE, 27 mars 1979 : *Paysage fluvial*, h/t (62x79) : **DKK 23 000** – LONDRES, 13 mai 1988 : *Portrait d'un couple, homme debout vêtu de bleu, la femme assise en robe blanche et cape rouge dans un paysage montagneux et boisé* 1800, h/t (209x140,3) : **GBP 7 150**.

LANGE Willi Otto Max
Né le 8 juin 1876 à Altona. XXe siècle. Américain.
Peintre, graveur, sculpteur.
Il fut élève de l'académie des beaux-arts de Düsseldorf, et de René Prinet à Paris.
Il a peint des ports et des marines de conception impressionniste.
MUSÉES : HAMBOURG (Kunsthalle) – HANOVRE (Mus. Kestner).

LANGEBAHN August A.
Né le 28 août 1831 en Allemagne. Mort le 7 juin 1907 à Buffalo (New York). XIXe siècle. Américain.
Sculpteur.
Il se fixa en 1852 en Amérique. Le Musée de Buffalo, la Société d'Histoire et la Bibliothèque publique de cette ville conservent de ses œuvres.

LANGEISEN Christof
XVIe siècle. Actif à Ulm. Allemand.
Sculpteur.
Il exécuta avec Syrlin sept autels pour le monastère de Zwiefalten. Des panneaux en sont conservés par la Collection d'Art du Nouveau château de Stuttgart.

LANGELAAN H.
Né en 1799 à Leyde. Mort en 1885. XIXe siècle. Hollandais.
Peintre.
Il eut pour élèves J.-L. Cornet et G.-J. Bos. Le Musée de Leyde conserve de lui un *Portrait de l'artiste par lui-même* et une *Étude de chien*.

LÄNGELACHER Ignaz. Voir **LENGELACHER**

LANGELÉ Maerten ou **Martinus**. Voir **LENGELÉ**

LANGELÉ Philibert
XIVe-XVe siècles. Actif à Paris. Français.
Enlumineur.

LANGELEZ Franz
Né en 1912 à Thuin. XXe siècle. Belge.
Sculpteur.
De sa formation d'ébéniste menuisier, il a retenu le travail du bois dans des bas-reliefs représentant des scènes typiques ou des paysages de sa région et dans des compositions abstraites.
BIBLIOGR. : In : *Diction. biogr. illustré des artistes en Belgique depuis 1830*, Arto, Bruxelles, 1987.

LANGELIER Marie Louise
Née au XIXe siècle à Paris. XIXe siècle. Française.
Peintre de genre.
Élève de Lavasseur et de Donzel. Débuta au Salon en 1877. A surtout peint des éventails à la gouache.

LANGEN Tony
Né en 1935. Mort en 1984 à Strasbourg (Bas-Rhin). XXe siècle. Français.
Peintre.
Il a participé à l'exposition *De Bonnard à Baselitz – Dix ans d'enrichissements du cabinet des estampes 1978-1988*, à la Bibliothèque nationale à Paris en 1992.
MUSÉES : PARIS (BN, Cab. des Estampes) : *Nus noirs* 1983, litho.

LANGENDONG, appelé aussi **Amourette**
XVIIIe siècle. Actif vers 1790. Hollandais.
Dessinateur et graveur.
Élève du prince de Ligne vers 1790.

LANGENDORF Johann Christoph Andreas
Né vers 1733. Mort le 7 septembre 1781 à Zerbst. XVIIIe siècle. Allemand.
Peintre sur porcelaine.
Il est mentionné à la Manufacture de porcelaine de Zerbst à partir de 1761. Le Conservatoire des Arts et Métiers de Halle conserve de sa main une corbeille peinte en bleu ; le Conservatoire des Arts et Métiers de Hambourg conserve une soupière ovale peinte par lui ; le Conservatoire des Arts et Métiers d'Oldenbourg, un vase peint.

LANGENDYK Dirk ou **Thierry** ou **Theodore** ou **Langendyck** ou **Langendick**
Né le 8 mars 1748 à Rotterdam. Mort le 15 décembre 1805 à Rotterdam. XVIIIe siècle. Hollandais.
Peintre, graveur, dessinateur.
Élève de D.-A. Bisschop à Rotterdam. Il s'adonna à la boisson après un mariage malheureux. Il peignit des scènes militaires et des batailles dans lesquelles s'affirment des qualités de style et d'exécution tout à fait remarquables. Ses dessins sur les mêmes sujets ne sont pas moins intéressants. Ses œuvres sont assez rares. Il se fit souvent aider dans ses eaux-fortes par Hendrik Kobell. On en a catalogué vingt et une.
MUSÉES : ARRAS : *Choc de cavalerie* – HAARLEM (Teyler) : *Portrait de l'artiste* – ROTTERDAM : *Combat de cavalerie et d'infanterie* – *Le général agonisant*.
VENTES PUBLIQUES : PARIS, 1898 : *Corps d'armée quittant la ville d'Anvers*, pl. et encre de Chine : **FRF 700** ; *Combats dans une ville*, deux dessins : **FRF 1 055** – PARIS, 1898 : *L'Embarquement*, deux dessins formant pendants : **FRF 500** – PARIS, 18-19 mars 1898 : *Combat sous la Première République*, aquar. : **FRF 170** ; *Marche d'un convoi militaire*, aquar. : **FRF 620** – PARIS, 1900 : *Cavaliers de l'armée de Napoléon poursuivant un Maure* : **FRF 693** – PARIS, 29-30 nov. 1920 : *L'Incendie d'une ville* ; *Cantonnement de dragons*, deux dessins : **FRF 4 000** – PARIS, 18 mars 1925 : *L'Enrôlement*, pl. et lav. : **FRF 1 050** ; *Militaires en maraude*, pl. et lav. : **FRF 2 250** ; *Sortie d'une forteresse* ; *La Sortie de l'armée*, pl. et lav., les deux : **FRF 6 750** ; *Bataille des Pyramides*, aquar. : **FRF 4 800** ; *Pillage d'un village*, pl. et lav. : **FRF 3 005** – PARIS, 12 déc. 1925 : *L'Incendie du hameau*, pl. et lav. : **FRF 2 000** – PARIS, 10 mars 1926 : *La Rixe* : **FRF 4 350** – LONDRES, 18 fév. 1927 : *Scène de bataille*, gche : **GBP 15** – PARIS, 4 mai 1928 : *La Retraite*, pl. et lav. : **FRF 4 800** – PARIS, 7-8 juin 1928 : *Le Retour de chasse*, aquar. : **FRF 17 500** – LONDRES, 13 mars 1929 : *Combat entre cavalerie et infanterie*, aquar. : **GBP 55** – PARIS, 17 déc. 1935 : *Le Bivouac des troupes*, pl. et lav. de Chine ; *Le Ravitaillement sur la glace*, lav. de Chine, les deux : **FRF 4 200** – PARIS, 23 avr. 1937 : *Chasse au cerf, l'animal est à l'eau*, pl. et lav. : **FRF 2 750** – PARIS, 1er juil. 1938 : *Cavaliers à la halte* ; *L'Hôpital*, deux lavis de sépia : **FRF 1 620** – PARIS, 9 mars 1939 : *Scène militaire*, pl. et lav. d'aquar. : **FRF 1 250** – PARIS, 28 nov. 1941 : *La Déroute*, pl. et lav. d'encre de Chine : **FRF 9 020** – PARIS, 31 mars 1943 : *État-Major regardant une bataille* 1778, pl. et lav. d'encre de Chine : **FRF 8 500** – PARIS, 11 déc. 1944 : *Paysage animé*, attr. : **FRF 9 000** – PARIS, 24 juin 1946 : *Combat de cavalerie à l'orée d'un bois* 1779, pl. et lav. d'encre de Chine : **FRF 20 500** – PARIS, 10 jan. 1947 : *Scène de bataille*, aquar., Attr. : **FRF 12 600** – PARIS, 1er juin 1951 : *La Bataille des Pyramides*, aquar. : **FRF 85 000** – AMSTERDAM, 3 juil. 1951 : *La Visite d'un gentilhomme* : **NLG 1 300** – PARIS, 12 avr. 1954 : *La Constitution de la République*, pl. sépia et lav. : **FRF 50 000** – PARIS, 21 juin 1977 : *Négociation de la paix* 1788, pl. et lav. d'encre de Chine (10,8x16,7) : **FRF 4 800** –

LONDRES, 2 déc. 1977 : *Le retour des chasseurs* 1774, h/cuivre (62,2x82,5) : **GBP 17 000** – PARIS, 29 oct. 1980 : *Combat de cavalerie dans un paysage* 1804, pl., encre brune et lav. d'encre de Chine (17x26,4) : **FRF 9 000** – AMSTERDAM, 19 avr. 1982 : *Bandits attaquant une diligence* 1798, pl. et lav. (23,9x33,2) : **NLG 7 000** – AMSTERDAM, 14 nov. 1983 : *Le Siège de Willemstad*, pl. et lav. (29x47,5) : **NLG 5 200** – AMSTERDAM, 14 nov. 1983 : *Scène de bataille dans une rue de village* 1799-1802, aquar. (38x55,4) : **NLG 7 000** – PARIS, 27 mars 1985 : *Fabrication du pain pour les armées* 1795, pl. et lav. d'encre de Chine (23,7x32) : **FRF 25 000** – PARIS, 14 déc. 1987 : *Paysage animé de personnages* 1797, deux dess. à la pl. et lav. (13,5x20) : **FRF 17 500** – PARIS, 18 mars 1987 : *Scène de bataille*, pl. et lav. (28x45) : **FRF 28 000** – MONACO, 17 juin 1988 : *Scène de bataille* 1782, h/pan. (41x47,7) : **FRF 53 280** – AMSTERDAM, 14 nov. 1988 : *Armée traversant un torrent sous l'orage dans un paysage accidenté* 1804, encre (16,1x23,6) : **NLG 1 725** – NEW YORK, 12 jan. 1990 : *Combat devant une cathédrale*, encre et lav. (162x238) : **USD 2 750** – PARIS, 16 mars 1990 : *Bivouac à l'orée du bois*, encre de Chine avec reh. de blanc (12,5x18) : **FRF 8 000** – LONDRES, 6 juil. 1990 : *Partie de chasse de gentilhommes accompagnés de leurs serviteurs* 1775, h/pan. (30,6x42) : **GBP 7 700** – PARIS, 12 déc. 1990 : *Scène de bataille* 1795, encre brune et lav. gris (12,5x18) : **FRF 20 000** – PARIS, 22 mars 1991 : *Combat militaire*, encre brune et encre de Chine (17,5x26,5) : **FRF 12 000** – AMSTERDAM, 14 nov. 1991 : *Une jument et une chèvre dans un paysage* 1780, h/pan. (20,8x26) : **NLG 4 600** – PARIS, 9 déc. 1991 : *Scène d'incendie* 1801, pl. et lav. d'encre de Chine (16x23,5) : **FRF 12 000** – AMSTERDAM, 25 nov. 1992 : *Hussards français dans un village* 1805, cr., encre et lav. (25,6x35,4) : **NLG 3 450** – PARIS, 15 déc. 1992 : *Pillage d'un monastère par des soldats*, encre brune et lav. gris (16x24) : **FRF 8 000** – GIEN, 7 mars 1993 : *Campement militaire*, encre et lav. (18,5x28,5) : **FRF 24 000** – PARIS, 30 juin 1993 : *La bataille de Fleurus* 1794, pierre noire et pl. (25x33,5) : **FRF 36 500** – LONDRES, 27 oct. 1993 : *Carrosse avec son escorte de cavalerie et autres militaires devant une auberge* 1777, h/pan. (48,2x62,8) : **GBP 8 625** – AMSTERDAM, 17 nov. 1993 : *Rixe dans un campement militaire* 1789, encre et lav. (10,1x17) : **NLG 12 075** – PARIS, 20 oct. 1994 : *Soldats investissant une ville* 1802, lav. gris et pl. (14,5x23,5) : **FRF 7 500** – PARIS, 22 mars 1995 : *Scène de marché hollandais*, pl. et aquar. (24x32,5) : **FRF 16 500** – PARIS, 22 mai 1996 : *Attaque d'un convoi*, pl. en brun et lav. d'encre de Chine (34,5x51,5) : **FRF 11 500** – AMSTERDAM, 12 nov. 1996 : *Convoi militaire traversant un bosquet près d'un village* 1795, cr., encre brune et lav. gris (25,4x35,4) : **NLG 4 720** – AMSTERDAM, 11 nov. 1997 : *Soldats tirant des barques sur le rivage* 1785, pl., encre brune et noire, cire (35x43,8) : **NLG 15 340** – PARIS, 19 déc. 1997 : *Les troupes françaises marchant contre l'ennemi* 1804, pl. en brun et lav. encre de Chine (25x35) : **FRF 12 000**.

LANGENDYK Jan Anthonie

Né en 1780 à Rotterdam. Mort en 1818 à Amsterdam. XIXe siècle. Hollandais.

Peintre de batailles, scènes de genre, animalier, aquarelliste, graveur.

Élève de son père Dirk Langendyk. Il alla dans sa jeunesse à Saint-Dominique avec le vice-amiral Hartsinck. De retour en Hollande, il vécut successivement à Rotterdam, à La Haye, à Bruxelles et à Amsterdam. Il peignit dans le goût de son père. Ses estampes sont intéressantes.

VENTES PUBLIQUES : LONDRES, 28 mars 1924 : *Poignard*, dess. : **GBP 73** – PARIS, 18 mars 1925 : *Un marché couvert*, aquar. : **FRF 7 800** ; *Combat de cavalerie*, pl. et lav. : **FRF 1 400** – PARIS, 9 et 10 mai 1927 : *Militaire donnant le bras à deux jeunes femmes*, aquar. : **FRF 750** – PARIS, 4 mai 1928 : *Officiers de cavalerie visitant un cantonnement*, aquar. : **FRF 1 500** ; *Scène militaire dans un paysage neigeux*, aquar. : **FRF 2 100** – LONDRES, 7 mars 1934 : *Foire hollandaise*, aquar. : **GBP 18** – PARIS, 29 oct. 1942 : *Le Port*, lav. : **FRF 15 500** – PARIS, 11 et 13 nov. 1942 : *Enlèvement d'une montgolfière*, pl. : **FRF 900** – PARIS, 5 déc. 1961 : *Le départ pour la promenade* : **FRF 11 200** – AMSTERDAM, 13 oct. 1981 : *Kermesse villageoise*, aquar. (28,5x38) : **NLG 9 400** – AMSTERDAM, 26 nov. 1984 : *Scène de foire* 1804, aquar., une paire (29,9x43,5 et 30,2x42,8) : **NLG 19 000** – LONDRES, 12 avr. 1985 : *Officiers français devant une auberge*, h/cuivre (61,5x82,5) : **GBP 13 000** – MONTE-CARLO, 22 fév. 1986 : *Scène de rue animée de nombreux personnages* 1804, pl. et encre brune et lav. gris (35x53,5) : **FRF 25 000** – PARIS, 10 juin 1988 : *Le marché aux chevaux* 1776, lav. d'encre de Chine (28,5x39,5) : **FRF 16 500** – PARIS, 22 mars 1991 : *Femme achetant du poisson*, pl. et aquar. (20x13,5) : **FRF 6 000** – NEW YORK, 15 jan. 1992 : *Le marché au poisson de Rotterdam en hiver* 1805, craie noire, encre et lav. (30,5x45,1) : **USD 4 620** – AMSTERDAM, 17 nov. 1993 : *Deux élégants militaires* 1797, aquar. et craie noire (13,9x10,2) : **NLG 1 380** – LONDRES, 26 mars 1997 : *Scène de marché* 1805, pl., encre brune, lav. gris et aquar. sur cr. (20,5x32) : **GBP 4 600**.

LANGENDYK Pieter

Né le 25 juillet 1683 à Haarlem. Mort le 18 juillet 1756 à Haarlem. XVIIIe siècle. Hollandais.

Peintre de figures et graveur.

Fils du tailleur de pierre Arent Kort, qui prit le nom du lieu de sa naissance, Langendyck, près d'Alkmaar ; il fut aussi poète et écrivain.

LANGENEGGER Rosa

Née au XIXe siècle à Schwyz. XIXe siècle. Suisse.

Sculpteur.

Associée au Salon de la Nationale des Beaux-Arts, elle figura aux expositions de ce groupement.

MUSÉES : LAUSANNE (Mus. canton. des Beaux-Arts) : *Jeune fille attachant sa sandale*.

LANGENHŒFFEL Johann Joseph Friedrich

Né en 1750 à Düsseldorf. Mort en 1805 ou 1807 à Vienne. XVIIIe siècle. Hollandais.

Peintre de genre, portraitiste et graveur à l'eau-forte.

Après avoir fait ses études dans sa ville natale, il s'adonna d'abord à la gravure, puis il fut peintre de la cour à Mannheim et plus tard directeur de la Galerie de Vienne. On lui doit des tableaux d'histoire et des portraits. Le Blanc cite de lui 53 planches pour un *Recueil des dessins gravés des fameux maîtres italiens*.

LANGENHOVE Julien Van

Né en 1920 à Gand. XXe siècle. Belge.

Peintre de portraits, paysages, natures mortes, fleurs.

Il fut élève des académies de Termonde et de Menin. Il peint sur le motif, à la recherche du pittoresque.

BIBLIOGR. : In : *Dict. biogr. illustré des artistes en Belgique depuis 1830*, Arto, Bruxelles, 1987.

LANGENMANTEL Ludwig von

Né le 4 avril 1854 à Kelheim. Mort le 6 octobre 1922 à Munich (Bavière). XIXe-XXe siècles. Allemand.

Peintre d'histoire.

Il fut élève de l'académie des beaux-arts de Munich en 1870, et de K. von Piloty en 1874. Il fut professeur à l'école des arts de Munich et obtint une médaille en 1876.

MUSÉES : MUNICH : *Savonarole prêche contre le luxe* – MUNSTER : *L'Arrestation de Lavoisier*.

VENTES PUBLIQUES : LONDRES, 18 juin 1980 : *La danse des éventails*, h/t (111x151) : **GBP 800** – LONDRES, 21 mars 1997 : *Danseuses espagnoles*, h/t (103x146,5) : **GBP 5 175**.

LANGENMAYR Ernst ou **Langenmeyer**

XVIIIe-XIXe siècles. Allemand.

Graveur.

Élève de l'Académie de Berlin. Il figura à l'exposition de cette Académie en 1810 avec un dessin d'après Reni et un portrait d'après Nanteuil. Il séjourna de 1819 à 1828 à Rome.

LANGER Anna Maria Josepha Walpurgis, née **Kleyen**

Née en 1760. Morte le 14 janvier 1843 à Munich. XVIIIe-XIXe siècles. Allemande.

Aquafortiste amateur.

On connaît de sa main quelques paysages à l'eau-forte.

LANGER Emil R. Julius

Né le 7 août 1834 à Leipzig. XIXe siècle. Allemand.

Peintre de portraits et d'histoire et graveur.

Élève de J. Schnorr von Carosfeld à Dresde. Il exécuta les gravures de l'ouvrage de J. S. Harford *La Vie de Michel-Ange*, Londres, 1857. Il fut peintre de portraits à Stettin et Berlin. On mentionne de sa main un tableau d'autel à Megow en Poméranie.

LANGER Erasmus

XVIIe siècle. Suisse.

Peintre verrier.

Paraît identique à Lorenz Langer.

LANGER Erwin

Né le 16 août 1854 à Dresde. Mort le 15 juillet 1885 à Dresde. XIXe siècle. Allemand.

Peintre d'histoire.
Élève de l'Académie de Dresde où il obtint, en 1874, la grande médaille d'argent. Il visita l'Italie d'où il rapporta quelques études et sujets historiques.

LANGER Ignâc
Né en 1857. Mort le 26 mai 1927 à Budapest. XIXe-XXe siècles. Hongrois.
Sculpteur.
On cite parmi ses œuvres, à Budapest : les sculptures décoratives de l'église Saint-Mathieu, de l'opéra, de la banque d'Autriche-Hongrie, de l'école polytechnique, du théâtre Urania, de la bourse. Il est aussi l'auteur des sculptures des meubles de la salle du trône au château royal de Budapest (1896).

LANGER Johann Peter von
Né en 1756 à Calcum. Mort le 6 août 1824 à Munich. XVIIIe-XIXe siècles. Allemand.
Peintre d'histoire et graveur à l'eau-forte.
Il fit ses études à l'Académie de Düsseldorf avec Krahe, y fut professeur en 1784, puis directeur en 1789. Il fut aussi directeur de la Galerie de tableaux de cette ville. Il visita la Hollande, l'Italie et Paris. Il fut dans la suite directeur de l'Académie fondée à Munich. Comme graveur, il a produit un nombre important d'eaux-fortes, représentant des sujets mythologiques et religieux ; on en catalogue cinquante-six. Siret l'indique avec les prénoms Peter Joseph.
Ventes Publiques : Cologne, 12 juin 1980 : *Polyhymnia*, h/t en grisaille sur fond vert (122x91) : **DEM 11 000**.

LANGER Joseph
Né le 25 mars 1865 à Munsterberg (Silésie). Mort le 3 décembre 1918 à Breslau (Basse-Silésie). XIXe-XXe siècles. Allemand.
Peintre d'histoire, décorateur.
Il fut élève de l'école des arts et métiers de Breslau. Il fut pendant dix ans peintre-décorateur. Après des voyages d'études en Italie, en Belgique, en Suède et à Tunis, il devint professeur à l'école des arts et métiers de Breslau en 1894.
On cite parmi ses œuvres : un *Chemin de croix pour l'église de Wansen*, une suite de tableaux dans les salles de l'université de Breslau, *Entrée de Frederic le Grand à Breslau* dans le bâtiment du *Journal de Silésie* à Breslau, *Vues de Breslau – Scènes d'Orient – Nus – Portraits de l'artiste par lui-même*.

LANGER Karl Hermann Theodor
Né le 17 décembre 1819 à Leipzig. Mort le 1er juin 1895 à Dresde. XIXe siècle. Allemand.
Graveur.
Élève des Académies de Leipzig et de Dresde. Il grava d'après Dürer, Giorgione, Murillo, et un grand nombre de peintres, ses contemporains.
Musées : Dresde : *Otto Ludwig*.

LANGER Lorenz
Né en 1584 à Presbourg. Mort en 1630 à Nuremberg. XVIIe siècle. Allemand.
Peintre sur verre.
Il acquit en 1607 le droit de bourgeoisie à Nuremberg. Le Musée National de Suisse à Zurich possède de sa main une vitre peinte pour la Salle de l'Hôtel de Ville d'Hundwill (Appenzell), avec le portrait de *Melanchton*, d'après un tableau de l'école de Cranach. Il est peut-être identique à Erasmus Langer.

LANGER Olaf Viggo Peter ou **Hansen**
Né le 11 décembre 1860. Mort en 1942. XIXe-XXe siècles. Allemand.
Peintre de paysages, dessinateur.
Né de parents danois, il prit en 1885 le nom de sa mère. Il étudia à Copenhague. Il exposa de 1881 à 1884 sous le nom de Hansen, et de 1887 à 1890, une série de paysages de Lellinge où il habitait. Il dessina pour des revues.

VIGGO LANGER

Ventes Publiques : Londres, 26 fév. 1988 : *L'hiver à Sollerod* 1929, h/t (93,5x120,3) : **GBP 440** – Göteborg, 1er oct. 1988 : *La plage* 1919, h/t (47x80) : **SEK 8 000** – Stockholm, 15 nov. 1988 : *Paysage d'été avec un arbre au bord de l'eau au Danemark*, h. (60x76) : **SEK 6 000** – Londres, 6 oct. 1989 : *L'étang du village*, h/t (47x67) : **GBP 1 100** – Londres, 16 mars 1989 : *Les rosiers du jardin*, h/t (46,5x57,5) : **GBP 5 280** – Copenhague, 25 oct. 1989 : *Vue sur un paysage montagneux depuis le portail* 1914, h/t (46x73) : **DKK 7 500** – Copenhague, 25-26 avr. 1990 : *Journée d'été à Nemisoen* 1899, h/t (37x50) : **DKK 4 000** – Stockholm, 16 mai 1990 : *Paysage danois en été*, h/t (60x76) : **SEK 4 800** – Londres, 22 nov. 1990 : *Paysanne gardant ses vaches dans une prairie vallonée en été*, h/t (91,5x66) : **GBP 1 100** – Londres, 16 fév. 1990 : *Printemps* 1907, h/t (63,5x88,2) : **GBP 2 750** – Copenhague, 6 mars 1991 : *La maison « i hellebaek » un jour d'été* 1918, h/t (46x63) : **DKK 6 000** – Copenhague, 1er mai 1991 : *Paysage avec le pont Saint-Louis à Menton* 1931, h/t (82x75) : **DKK 4 500** – Londres, 22 mai 1992 : *Le jardin du cottage* 1918, h/t (47x63) : **GBP 2 420** – Copenhague, 5 fév. 1992 : *Mère et enfant dans une ferme italienne*, h/t (69x84) : **DKK 4 000** – Amsterdam, 3 nov. 1992 : *Promenade dans un parc* 1886, h/t (67x50,5) : **NLG 2 415** – Copenhague, 7 sep. 1994 : *Jour d'hiver à Orholm Hulvej* 1923, h/t (64x76) : **DKK 4 400** – Londres, 22 nov. 1996 : *Menton, Garavan* 1915, h/t (36,8x45,7) : **GBP 1 380**.

LANGER Otto-Richard
Né le 25 juillet 1878 à Karlsruhe (Bade-Wurtemberg). XXe siècle. Allemand.
Peintre de portraits, natures mortes.
Il fut élève de l'académie des beaux-arts de Carlsruhe. Il séjourna longtemps à Paris, où il appartint au cercle de Matisse.

LANGER Regnal Wilhelm
Né le 26 janvier 1869 à Sternberg (Carinthie). XIXe-XXe siècles. Autrichien.
Peintre de paysages.
Il fut élève de l'académie des beaux-arts de Vienne.

LANGER Richard
Né le 28 novembre 1879 à Nordhausen-sur-le-Harz (Thuringe). XXe siècle. Actif en Suisse. Allemand.
Sculpteur, peintre.
Il fut élève à Berlin de Brauswetter, Böse et Janetsch. Après la mort de ses maîtres, il se fixa à Ascona (Tessin).

LANGER Robert Joseph von
Né en 1783 à Düsseldorf. Mort le 6 octobre 1846 à Haidhausen. XIXe siècle. Allemand.
Peintre d'histoire, dessinateur et graveur à l'eau-forte.
Élève de son père J.-Peter Langer et de David à Paris. Il travailla en Italie, à Berlin, Kassel, Dresde. Professeur à l'Académie de Munich en 1806, directeur de la Zentral-Galerie en 1846 et membre des Académies de Vienne et d'Anvers. Le Blanc cite de lui : *La Descente de croix* (1818).

R Langer.

Musées : Düsseldorf : *Adoration des mages* – Munich (Résid.) : *Dédale – Arion – Melpomène – Calliope* – Schleissheim : *Adoration des mages – Le mariage de sainte Catherine* – Stuttgart : *Virgile et Dante aux Champs-Élysées*.

LANGER Sebastian
Né en 1772 à Troppau. Mort en 1841 à Vienne. XVIIIe-XIXe siècles. Autrichien.
Graveur au burin.
Élève de l'Académie de Vienne. Il grava des sujets mythologiques et des sujets de genre et travailla surtout pour les libraires.

LANGER Valerian Platonovitch
Né le 6 février 1800. XIXe siècle. Russe.
Dessinateur et lithographe amateur.
On cite parmi ses œuvres : une série de 12 *Vues de Tsarkoïé-Selo* et de 6 *Vues de Finlande*, un portrait lithographié d'*Anna Ivanovna Breitkopf*. Il dessina des vignettes pour livres et almanachs.

LANGER-SCHÖLLER Maria
Née le 14 août 1880 à Dachau. XXe siècle. Allemande.
Peintre de portraits, fleurs.
Elle a peint beaucoup de portraits d'enfants.

LANGERFELD Rutger et **Wilhelm Van**. Voir **LANGEVELT**

LANGERFELDT Theodor Otto
Né en 1841 à Buckeburg. XIXe siècle. Allemand.
Peintre de paysages et architecte.

LANGERINCK Prosper Hendrik. Voir **LANKRINK**

LANGERMAN Henri
Né le 21 janvier 1896 à Drohobyer. XXe siècle. Actif en France. Polonais.
Peintre de figures.
Il exposa à Paris, aux Salons d'Automne et des Indépendants.
Ventes Publiques : Paris, 8 mars 1929 : *Femme à la fenêtre* : **FRF 155**.

LANGEROCK Henri
Né le 29 janvier 1830 à Gand (Flandre occidentale). Mort le 21 décembre 1915 à Marseille (Bouches-du-Rhône). XIXe-XXe siècles. Belge.
Peintre de figures, paysages.
Ce maître délicat fit ses études à l'Académie des Beaux-Arts de sa ville natale. Il participa au Salon de Paris de 1879 à 1884, puis en 1893 et 1901.
Bibliogr. : Gérald Schurr, in : *Les Petits Maîtres de la peinture 1820-1920, valeur de demain*, Les Éditions de l'Amateur, t. IV, Paris, 1979.
Musées : Amiens : *Le Passeur* – Mulhouse : *Paysage* – Saint-Brieuc : *Le Ruisseau* – Valence : *Paysage et figures*.
Ventes Publiques : Paris, 1876 : *Entrée en forêt* : **FRF 400** – Paris, 1897 : *Maison d'un garde près de Courtrai* : **FRF 135** – Paris, 19 avr. 1920 : *Village en Nubie* : **FRF 500** ; *Pêcheurs sous bois dans la Creuse* : **FRF 2 100** – Paris, 31 jan. 1929 : *Maison d'un garde près de Courtrai* : **FRF 350** – Paris, 4 oct. 1950 : *Jeunes femmes étendues*, deux pendants : **FRF 14 500** – Bruxelles, 4 mai 1976 : *Paysage boisé avec rivière*, h/t (44x64) : **BEF 24 000** – Toulouse, 14 mars 1977 : *La courtisane orientale*, h/t (33x41) : **FRF 2 000**.

LANGERON Laure
Née le 22 janvier 1882 à Nîmes (Gard). XXe siècle. Française.
Sculpteur.
Elle fut élève de Marqueste et Michel. Elle exposa à Paris, au Salon des Artistes Français à partir de 1905.

LANGERVELD. Voir **LANGERFELDT** et **LANGEVELT**

LANGERVELDT H. ou **Langeveld**
XIXe siècle. Actif à Amsterdam vers 1820. Hollandais.
Miniaturiste et pastelliste.

LANGETTI Giovanni Battista ou **Langhetti**
Né en 1625 ou 1635 à Gênes. Mort en 1676 à Venise ou à Gênes. XVIIe siècle. Italien.
Peintre d'histoire, sujets mythologiques, compositions religieuses, scènes de genre.
Élève de G.-F. Cassana et de Pietro da Cortona.

B Langeti.

Musées : Besançon : *Les ouvriers de la dernière heure* – Brunswick : *Archimède* – Dresde : *Apollon et Marsyas*.
Ventes Publiques : Milan, 8 mars 1967 : *Saint Jérôme* : **ITL 1 200 000** – Rome, 3 déc. 1974 : *Saint Jérôme* : **ITL 5 500 000** – Londres, 28 oct. 1977 : *Un philosophe*, h/t (92,8x77,5) : **GBP 2 400** – New York, 11 janv 1979 : *Athénée et Vulcain*, h/t (117x136) : **USD 5 600** – Londres, 10 juil. 1981 : *Loth et ses filles*, h/t (136,5x181) : **GBP 4 200** – Londres, 4 juil. 1986 : *Le Bon Samaritain*, h/t (152,7x206,4) : **GBP 16 000** – Londres, 11 déc. 1987 : *Un philosophe* ; *Diogène*, h/t (99x81) : **GBP 23 000** – Paris, 13 juin 1988 : *La Mort de Caton*, h/t (125x109) : **FRF 90 000** – Milan, 4 avr. 1989 : *Pan*, h/t (96x86) : **ITL 11 000 000** – Londres, 8 déc. 1989 : *Un philosophe avec sa main gauche reposant sur un livre, en buste*, h/t (83,5x100) : **GBP 17 600** – Milan, 30 mai 1991 : *Saint Jérôme en prière*, h/t (74,5x62) : **ITL 7 000 000** – Milan, 5 déc. 1991 : *Joseph expliquant les songes* ; *Passante se moquant de Job*, h/t, une paire (76x100 et 68x100) : **ITL 22 000 000** – Londres, 11 déc. 1992 : *Tityos*, h/t (125,3x158) : **GBP 6 600** – Rome, 29 avr. 1993 : *Samson*, h/t (125x100) : **ITL 20 000 000** – Londres, 8 juil. 1994 : *Joseph interprétant le rêve du boulanger*, h/t (136x181) : **GBP 38 900** – Londres, 5 juil. 1996 : *Joseph et la femme de Putiphar*, h/t (193x142,2) : **GBP 17 000** – Londres, 31 oct. 1997 : *Joseph interprétant les rêves*, h/t (129,5x159) : **GBP 13 800**.

LANGEVAL Jules Louis Laurent
Né au XIXe siècle à Paris. XIXe-XXe siècles. Français.
Peintre de genre, graveur sur bois.
Élève de Dupeyron et Jolivet. Débuta au Salon en 1868. Tient une place distinguée dans l'histoire de la gravure sur bois de la fin du XIXe siècle. Sociétaire des Artistes Français depuis 1887, il obtint des médailles de troisième classe en 1881, de deuxième classe en 1886 et d'or en 1900 (Exposition Universelle).
Ventes Publiques : Paris, 10 fév. 1988 : *Près de la ferme* 1922, h/t (54x80) : **FRF 3 000**.

LANGEVELD Frans
Né le 16 février 1877 à Amsterdam. Mort en 1939. XXe siècle. Hollandais.
Peintre de paysages, scènes typiques.

Frans Langeveld

Ventes Publiques : Paris, 8 mars 1928 : *Cheval au pâturage* : **FRF 300** – Amsterdam, 28 oct. 1980 : *Vue d'Amsterdam*, h/t (60x98) : **NLG 5 600** – Amsterdam, 14 avr. 1986 : *Scène de marché, Amsterdam*, h/t (72,5x111,5) : **NLG 12 000** – Amsterdam, 10 fév. 1988 : *Vue du pont de Brouwergracht à Amsterdam*, h/t (53x83) : **NLG 6 670** – Amsterdam, 30 aoû. 1988 : *Vue de Prinseneiland à Amsterdam* 1937, h/t (36x53) : **NLG 7 820** – Amsterdam, 16 nov. 1988 : *Travailleurs sur un chantier de construction dans les faubourgs d'une ville*, h/t (70x115) : **NLG 8 625** – Amsterdam, 25 avr. 1990 : *Personnages sur un pont près de l'église luthérienne d'Amsterdam*, h/t (65x100) : **NLG 14 950** – Amsterdam, 11 sep. 1990 : *Paysan déchargeant un tombereau tiré par un cheval devant une ferme en hiver*, h/t (65x76) : **NLG 4 830** – Amsterdam, 30 oct. 1990 : *Pont basculant, Prinseneiland à Amsterdam* 1937, h/t (36x53,5) : **NLG 9 200** – Amsterdam, 22 avr. 1992 : *Chantier de construction à Amsterdam*, h/t (69,5x115) : **NLG 6 900** – Amsterdam, 14 sep. 1993 : *Paysanne avec une vache devant la ferme*, h/t (47,5x55,5) : **NLG 1 265** – Montréal, 23-24 nov. 1993 : *Près d'Amsterdam*, h/t (66x76,2) : **CAD 3 200** – Amsterdam, 21 avr. 1994 : *Vue de la Gravenhekje à Amsterdam*, h/t (41x60) : **NLG 19 550** – Amsterdam, 19-20 fév. 1997 : *Paysans sur un quai dans le port d'Amsterdam* 1898, h/t (53x65,5) : **NLG 3 228** – New York, 9 jan. 1997 : *Au port, Amsterdam*, h/t (60,3x76,8) : **USD 6 037** – Amsterdam, 27 oct. 1997 : *Scène de rue à Amsterdam*, h/t (38,5x59) : **NLG 21 240**.

LANGEVELD H. Voir **LANGERVELDT**

LANGEVELT Rutger Van ou **Langerfeld**
Né le 15 février 1635 à Nimègue. Mort le 15 mars 1695 à Berlin. XVIIe siècle. Hollandais.
Peintre d'histoire, portraits, intérieurs d'églises.
Élève de l'Académie de Nimègue depuis 1678 il fut peintre de la cour et architecte du prince électeur Frédéric-Guillaume de Brandebourg, précepteur de ses enfants et recteur de l'Académie de Berlin. Il eut pour élèves Samuel Théodorus Gerike et Frédéric Guillaume Weideman. On cite notamment de lui *Histoire de la Gueldre*, à l'Hôtel de Ville de Nimègue.
Musées : Copenhague : *Intérieur d'église* – Nimègue : *J. Smetius le vieux* – *J. Smetius le jeune*.
Ventes Publiques : New York, 17 jan. 1996 : *Portrait d'une femme tenant un citron* 1680, h/t (95,3x80) : **USD 5 462**.

LANGEVELT Wilhelm Van ou **Langerfeld**
Mort en 1721. XVIIIe siècle. Actif à Berlin.
Peintre de portraits et dessinateur.
Fils de Rutger Van Langevelt. Il fut recteur de l'Académie de Berlin.

LANGEVIN
Français.
Peintre.
Il est connu par les annuaires de ventes publiques.
Ventes Publiques : Paris, 4 fév. 1928 : *La femme à la robe noire* : **FRF 245** – Paris, 3 juin 1931 : *Amour* : **FRF 1 100** – Paris, 19 fév. 1943 : *Parade foraine* ; *Bal champêtre*, deux toiles : **FRF 32 000**.

LANGEVIN Denis
XVIIe siècle. Français.
Sculpteur.
Sous la direction de Gilles Guérin, il travailla à la décoration du château de Fontainebleau en 1610.

LANGEVIN Guillaume
Mort en 1522 à Tours. XVIe siècle. Actif à Tours. Français.
Sculpteur.
Il fit, en 1519, une statue en pierre de Saint Honoré, pour l'église Saint-Augustin de Tours.

LANGEVIN-GOSSELIN Jeanne, Mme
Née au XIXe siècle à Paris. XIXe siècle. Française.

Paysagiste.
Élève de Jules Lefebvre, Barrias et Foubert. Sociétaire des Artistes Français depuis 1902, elle figura au Salon de ce groupement et y obtint une mention honorable en 1905.

LANGEWEG Ger
Né en 1891. Mort en 1970. xxe siècle. Hollandais.
Peintre de compositions animées, figures, nus, natures mortes, dessinateur. Polymorphe.
Artiste à Amsterdam, en dépit d'un court passage à l'Académie des Arts de Gand en 1928, il est considéré comme un artiste autodidacte. Il montre des ensembles de ses peintures et dessins dans des expositions personnelles : 1950 Galerie Le Canard, Amsterdam ; 1958 Arti et Amicitiae, Amsterdam ; 1987 Musée Coopmanshus, Franaker.
Ce qui est frappant dans son œuvre est la varié de styles : avant la seconde guerre mondiale, il eut une période « expressionniste », puis à la manière de Pyke Koch il devint « réaliste magique ». Dans ses natures mortes notamment il recherche la réalité derrière l'apparence. Après 1945 se produit un changement radical, le dessin devenant son principal moyen d'expression. Il crée des mondes fantastiques faisant penser à James Ensor ou Jérôme Bosch.
Bibliogr. : Catalogue de l'exposition : *Ger Langeweg, 1891-1970*, 1987, Musée Coopmanshus, Franeker.
Ventes Publiques : Amsterdam, 23 mai 1991 : *Les trois Grâces*, h/t (66x51) : **NLG 3 450** – Amsterdam, 26 mai 1993 : *Nu debout*, h/t (38x32) : **NLG 1 265** – Amsterdam, 8 déc. 1993 : *Nature morte avec des poireaux posés sur un pichet et des poires devant une fenêtre*, h/t (57x46) : **NLG 16 100** – Amsterdam, 1er juin 1994 : *fleurs dans un pot brun* 1928, h/pan. (38x30,5) : **NLG 1 380** – Amsterdam, 5 juin 1996 : *Nature morte aux fleurs*, h/cart. (60x50) : **NLG 1 380**.

LANGFELDER Jost ou **Langwer**
xve siècle. Actif à Bâle. Suisse.
Peintre.

LANGHAMMER Arthur
Né le 6 juillet 1854 à Lützen. Mort le 4 juillet 1901 à Dachau. xixe siècle. Allemand.
Peintre de genre, paysages, illustrateur.
Élève de Barth et de Löfftz à l'Académie de Munich.
Musées : Munich (Pina.) : *Goûter* – Schleissheim (Gal.) : *Nausicaa – Paysanne – La jeune fille aux gerbes* – Stuttgart : *Repos de midi*.
Ventes Publiques : Munich, 5 déc 1979 : *Femme assise dans un jardin*, h/t (77x100) : **DEM 7 000** – Heidelberg, 15-16 oct. 1993 : *L'école est finie*, encre/cart. (34,5x44,8) : **DEM 1 450**.

LANGHAMMER Carl
Né le 26 juillet 1868 à Berlin. xixe-xxe siècles. Allemand.
Peintre de paysages, architectures, aquarelliste.
Il fut élève d'Eugène Bracht à l'académie des beaux-arts de Berlin, où il exposa à partir de 1889.
Musées : Carlsruhe : *Paysage d'été*.
Ventes Publiques : Stockholm, 29 mai 1991 : *Route près d'un barrage en été*, h/t (100x125) : **SEK 7 000** – Copenhague, 5 mai 1993 : *Teufellach bei Löcknitz près de Berlin*, h/t (128x86) : **DKK 12 000**.

LANGHAMMER Johann
Né le 16 avril 1810 à Schlaggenwald (Bohême). xixe siècle. Éc. de Bohême.
Peintre sur porcelaine.
Musées : Bamberg (coll. d'Art et de Tableaux) : *La fille de Jephté dit adieu à ses amies – Joies des parents*, tableaux sur porcelaine – *Portrait d'enfant*, miniat.

LANGHANS Hans Jakob
Né en août 1666 à Berne. Mort le 23 octobre 1748 à Berne. xviie-xviiie siècles. Suisse.
Sculpteur.
On mentionne parmi ses œuvres des animaux sculptés, lions et ours, qui ornent la grande tour de l'horloge de Berne (1687). Les églises de la ville possèdent aussi un assez grand nombre de ses sculptures.

LANGHANS Jörg
Né en 1966 à Bonn. xxe siècle. Actif aussi en France. Allemand.
Peintre de figures.
Il est diplômé de l'École Nationale Supérieure des Beaux-Arts de Paris. Il a participé au 5e SAGA (Salon d'Arts Graphiques) de Paris en 1991 et à une exposition collective de la Galerie de l'Assemblée Nationale à Paris en 1992. Il a eu également plusieurs expositions personnelles à Paris et à Amiens.
Ventes Publiques : Paris, 5 juin 1992 : *Personnage, encre*, acryl. et past./cart. entoilé (46x38) : **FRF 4 100**.

LANGHANS Michael
Né le 21 mai 1686 à Umiken. Mort le 24 février 1755. xviiie siècle. Suisse.
Sculpteur.
Travailla surtout à Berne à l'ornementation des hôtels des corps de métiers. En 1716, il sculpta des figures diaboliques pour la Tour de l'horloge de l'Hôtel de Ville ; et l'on retrouve quelques-unes de ses œuvres dans plusieurs églises de Berne.

LANGHARD Adolf
Né le 5 mars 1845 à Andelfingen. xixe siècle. Suisse.
Peintre.
Étudia quelque temps à Paris, en 1879, à l'Académie Julian, et figura de 1879 à 1906 au Salon de la Société des Artistes français.
Ventes Publiques : Paris, 14-15 déc. 1942 : *Portrait de jeune femme* : **FRF 2 950** – Paris, 21 oct. 1987 : *Scène intimiste*, h/t (145,5x114) : **FRF 38 000**.

LANGHE J. de
xviie siècle. Hollandais.
Peintre de portraits.
Le Musée d'Amsterdam conserve de cet artiste *Portrait de jeune homme*.

LANGHE Jean Jacques de. Voir **DELANGHE**

LANGHE Johan de
Né le 26 février 1954 à St Kruis-Brugge. xxe siècle. Belge.
Dessinateur de figures, pastelliste.
Il a étudié à l'Institut St Lucas de Gand. Il participe à des expositions collectives depuis 1984 en Belgique. Il montre ses œuvres dans des expositions personnelles : 1983 Cercle d'art de Verviers, 1984 Centre culturel de Neerpelt. Il a reçu de nombreux prix et distinctions.

LANGHEIM Carl
Né le 29 février 1872 à Hambourg. xixe-xxe siècles. Allemand.
Peintre de paysages.
Il fut professeur de lithographie à l'académie des beaux-arts de Carlsruhe et directeur de l'imprimerie d'art de la Société des Artistes de Carlsruhe. On cite parmi ses lithographies *Matin au port – Petite Ville de Frisebourg Runkel sur la Lahn – Château Schadek*.

LANGHEIM Friedrich Wilhelm
Né en 1804. xixe siècle. Allemand.
Peintre d'architectures et de paysages.
Élève de l'Académie de Berlin. Il exposa dans cette ville de 1822 à 1828.

LANGHEMANS François. Voir **LANGMANS**

LANGHETTI Giovanni Battista. Voir **LANGETTI**

LANGHMANS François. Voir **LANGMANS**

LANGHORST Jan. Voir **LANKHORST**

LANGIE-PERRIN Amélie
Née le 4 juin 1833. Morte le 17 octobre 1887. xixe siècle. Active à Payerne. Suisse.
Peintre et sculpteur.
Fit ses études à Paris, où elle fut élève d'Hébert pour la peinture et de Sansel pour le modelage et la sculpture. Elle exposa des paysages à Lausanne de 1882 à 1885.

LANGIN-DESNOYERS Jean François
Né en 1776 à Versailles. Mort en 1846. xixe siècle. Français.
Peintre.
Il travailla à Rennes où il fut conservateur du Musée. On connaît de lui des tableaux dans des églises de Vendée, de Bretagne, en Allemagne et en Italie.
Musées : Rennes : *Portrait de l'artiste par lui-même – Portrait du fils de l'artiste en soldat – Portrait miniature de l'artiste par lui-même*.
Ventes Publiques : Paris, 26 fév. 1931 : *Étude de tulipes*, deux aquarelles et quatre dessins à la pierre noire ou à la sanguine : **FRF 55**.

LANGJAN Johann. Voir **BOECKHORST**

LANGKER Erik, Sir
Né en 1898. Mort en 1982. xxe siècle. Australien.

Peintre de paysages, natures mortes.
Ventes Publiques : Sydney, 6 oct. 1976 : *Paysage*, h/t (48x61) : **AUD 400** – Sydney, 29 juin 1981 : *Ferme au bord d'une rivière*, h/t (60x78) : **AUD 2 700** – Sydney, 19 nov. 1984 : *Ferme au bord de la rivière*, h/t (60x78) : **AUD 3 100** – Sydney, 8 juil. 1985 : *Paysage de Windsor*, h/t (62x77) : **AUD 6 500** – Sydney, 24 nov. 1986 : *Down the valley*, h/t (61x92) : **AUD 6 000** – Londres, 29 oct. 1987 : *Kerosene Bay, Sydney*, h/t mar./cart. (21,6x46,4) : **GBP 1 700** – Sydney, 4 juil. 1988 : *Nature morte*, h/cart. (60x50) : **AUD 1 300** ; *La traversée de la rivière*, h/cart. (61x76) : **AUD 2 200** – Londres, 1er déc. 1988 : « *Kerosene bay* » *à Sydney*, h/t/cart. (21,6x46,4) : **GBP 3 520** – Sydney, 20 mars 1989 : *Paysage près de Camberra*, h/cart. (41x51) : **AUD 2 000** – Sydney, 3 juil. 1989 : *Middle Harbour*, h/cart. (41x51) : **AUD 2 000** – Londres, 30 nov. 1989 : *Nature morte*, h/t (76,2x60,9) : **GBP 3 300** – Sydney, 26 mars 1990 : *Nature morte de coquelicots*, h/cart. (50x55) : **AUD 2 000** – Sydney, 2 juil. 1990 : *Fleurs dans un vase oriental*, h/cart. (60x50) : **AUD 2 200** – Sydney, 15 oct. 1990 : *Goulet dans un port*, h/cart. (28x37) : **AUD 2 800**.

LANGKO Dietrich
Né le 1er juin 1819 à Hambourg. Mort le 8 novembre 1896 à Munich. XIXe siècle. Allemand.
Peintre de paysages, décors.
A travaillé à Munich, à Hambourg, et dans les montagnes bavaroises. Il a beaucoup exposé, notamment à Dresde et à Munich, entre 1858 et 1889.
Musées : Hambourg : *Lac de Bavière* – Munich (N. Pina.) : *Paysage boisé* – Prague (Rudolfinum) : *Paysage d'hiver* – Vienne (Beaux-Arts) : *Paysage*.
Ventes Publiques : Munich, 7 juin 1967 : *Paysage alpestre* : **DEM 6 000** – Vienne, 29-30 oct. 1996 : *Chasseurs au crépuscule* 1847, h/t (23x27,5) : **ATS 69 000**.

LANGLACÉ Jean Baptiste Gabriel
Né le 12 décembre 1786 à Paris. Mort le 14 février 1864 à Versailles (Yvelines). XIXe siècle. Français.
Peintre de paysages, peintre sur porcelaine.
Il participa au Salon de Paris de 1817 à 1845, obtenant une médaille de deuxième classe en 1817 et une de première classe en 1831.
Il fut peintre de porcelaine à la Manufacture de Sèvres. Il aurait été, avant Michallon, le premier maître de Corot.
Bibliogr. : In, Catalogue de l'exposition : *Les années romantiques, la peinture française de 1815 à 1850*, Mus. des Beaux-Arts de Nantes, 1995-1996 et Galeries nationales du Grand Palais, Paris, 1996.
Musées : Montpellier : *Paysage*, dess. sépia – Sceaux : *Le Mont-Valérien et ses environs vus de Meudon* vers 1819 – *Plaine Saint-Denis* vers 1825.
Ventes Publiques : Paris, 17 déc. 1943 : *Paysage de Coulommiers* : **FRF 5 600** ; *Vue panoramique sur une ville* 1835 : **FRF 4 100** – Londres, 27 juin 1973 : *Vue du chalet de Verbuisson, près de Gisors* : **GBP 800** – Londres, 16 févr 1979 : *Paysage du Val d'Isère*, h/t (59x73) : **GBP 1 000**.

LANGLADE Fabrice
XXe siècle. Français.
Peintre, sculpteur. Nouvelles figurations.
Il a appartenu au groupe de peintres Les Musulmans fumants. Il expose depuis 1983. Il montre ses œuvres dans des expositions personnelles, notamment : 1985 Iigure Museum de Tôkyô, 1987 galerie Boulakia à Paris.
Son œuvre est figurative.
Ventes Publiques : Paris, 9 mars 1987 : *Sans titre* 1986, acryl./velours, diptyque (200x60) : **FRF 18 000** – Paris, 13 avr. 1988 : *Byzance*, h./velours (107x59) : **FRF 10 000** – Paris, 12 fév. 1989 : *Deux bêtes* 1987, h/t (150x150) : **FRF 10 000**.

LANGLADE P. A. de, abbé
XVIIIe siècle. Actif à Paris. Français.
Dessinateur et graveur amateur.
On cite de lui *Nouveau livre de Paisage* (sic) et *Pan et Syrinx*, d'après C. Poelenburg.

LANGLADE Pierre
Né le 27 février 1907 à La Rochelle (Charente-Maritime). Mort le 10 juin 1972 à La Rochelle. XXe siècle. Français.
Peintre.
Il fut élève de P. A. Laurens et de R. Poughion. Il exposa à Paris, au Salon des Artistes Français, dont il fut membre sociétaire, et au Salon d'Automne. Il a également exposé dans de nombreuses villes de province. Il est chevalier du Mérite national français.
Musées : Orbigny – Quimper – La Rochelle.
Ventes Publiques : Paris, 4 nov. 1994 : *La Vendée à Vix*, h/t (60x73) : **FRF 16 000** – Paris, 21 mars 1995 : *Nature morte à l'ange et l'éventail*, h/t (65x81) : **FRF 9 000**.

LANGLAIS Xavier de
Né le 27 avril 1906 à Sarzeau (Morbihan). Mort le 14 juin 1975 à Rennes (Ille-et-Vilaine). XXe siècle. Français.
Peintre, dessinateur, graveur, céramiste, fresquiste, illustrateur.
Il étudia successivement à l'École des Beaux-Arts de Nantes puis à l'École Nationale des Beaux-Arts à Paris. Après avoir résidé quelques années dans la presqu'île de Ruys – où sa famille était fixée depuis plusieurs siècles – il vint habiter Rennes en 1941. Nommé professeur à l'École régionale des Beaux-Arts de cette ville, il y enseigna durant vingt-cinq ans. Il faisait lui-même ses couleurs et ses pastels, conçut une palette rationnelle et mit au point un nouveau médium. Il publia un manuel *Technique de la peinture à l'huile* (traduit dans de nombreux pays) qui fit longtemps autorité.
Il exposa à Paris, Rennes, Nantes, Vannes, Quimper etc. Il a reçu diverses distinctions, dont un Prix Blumenthal.
Il se consacra aussi aux lettres : poèmes, drames, essais, écrits soit en breton, soit en français. Toute son œuvre picturale ou littéraire, peut se concevoir comme une « défense et illustration » de la culture celte. Il peignit à fresque des compositions religieuses, notamment pour des églises de La Baule, Lannion, Saint-Brieuc, La Richardais (près de Dinard), Etel (Notre-Dame-de-la-Mer). Il fut naturellement peintre des paysages de Bretagne ; créa des céramiques ; de très nombreuses illustrations (bois gravés et lettrines largement ornées) pour : *Les Amazones de la Chouannerie* et *Saint-Malo dévasté* de Théophile Briant ; *Maisons inspirées* de Pierre Cressard ; *En passant par la Bretagne* de F. Le Roy. Il illustra lui-même ses œuvres littéraires : *Enez ar Rod* (*L'île sous cloche*, le seul roman d'anticipation écrit en breton puis traduit en français), les cinq volumes du *Roman du roi Arthur* (renouvellement complet du cycle de la *Table ronde*), *Tristan hag Izold* (*Tristan et Yseult*) et *Romant ar roue Arzhur* (version du premier volume du *Roman du roi Arthur*).
■ P.-A. T.
Musées : Rennes – Vannes.
Ventes Publiques : Brest, 25 mai 1986 : *Nu, jeune fille de dos*, dess. reh. de craie (65x51) : **FRF 5 000** – Brest, 25 mai 1986 : *Maternité* 1965, h/pan. (55x45) : **FRF 23 000** – Brest, 17 mai 1987 : *Jeune fille nue de face* 1965, h/pan. (90x65) : **FRF 19 000**.

LANGLAIS-CHOEZ Marie, Mme
XIXe-XXe siècles. Active à Amiens (Somme). Française.
Peintre.
Elle exposa à Paris, au Salon des Artistes Français, dont elle fut membre sociétaire à partir de 1883.

LANGLANDS & BELL
Né en 1955 et 1959. XXe siècle. Britannique.
Sculpteurs.
Ils travaillent ensemble depuis 1978 alors qu'ils sont encore étudiants du Middelsex Polytechnic College de Londres, où ils vivent. Ils montrent leurs œuvres dans des expositions personnelles à Londres, à la galerie Glen Scott Wright Contemporary Art, à Paris et Marseille à la galerie Roger Paailhas, à Rome à la galerie Valentine Moncada, ainsi que : 1996 FRAC Basse-Normandie à l'Abbaye aux Dames à Caen, Serpentine Gallery à Londres et Kunsthalle der Stadt de Bielefeld ; 1997 Grey Art Gallery&Study Center à New York.
Musées : Caen (FRAC de Basse-Normandie) – Châteaugiron (FRAC Bretagne) : *Unesco, Paris*, bois, verre, peint., laque – Londres (Serpentine Gal.).
Ventes Publiques : Londres, 22 mai 1996 : *La D.G. Bank de Francfort* 1990, contruction de bois peint. (90x90x15,3) : **GBP 4 025**.

LANGLE Victor
XIXe siècle. Actif à Sèvres. Français.
Peintre et lithographe.
Exposa au Salon en 1841, 1844, 1845, des fleurs peintes ou lithographiées.

LANGLET Alexander
Né en 1870. Mort en 1953. XIXe-XXe siècles. Suédois.
Peintre de paysages.
Il a surtout peint de nombreux paysages hivernaux.
Ventes Publiques : Göteborg, 9 nov. 1977 : *Paysage d'hiver*

1895, h/t (95x160) : **SEK 7 500** – Stockholm, 30 oct 1979 : *Paysage d'été* 1943, h/t (30x38) : **SEK 6 800** – Stockholm, 23 avr. 1980 : *Cavaliers dans une tempête de neige* 1943, h/t (49x64) : **SEK 17 500** – Stockholm, 22 avr. 1981 : *Le Laboureur* 1944, h/t (64x90) : **SEK 13 000** – Stockholm, 1er nov. 1983 : *Paysage d'hiver* 1942, h/t (37x29) : **SEK 13 300** – Stockholm, 15 nov. 1988 : *Paysage d'hiver avec un cavalier*, h/t (50x40) : **SEK 16 000** – Göteborg, 18 mai 1989 : *Cheval au pré en été* 1951, h/t (45x58) : **SEK 8 000** – Stockholm, 15 nov. 1989 : *Laboureur avec deux chevaux attelés à la charrue*, h. (29x37) : **SEK 15 500**.

LANGLET Arthur
xxe siècle. Français.
Peintre. Abstrait.
Il participa en 1953 et 1954 au Salon des Réalités Nouvelles, à Paris.

LANGLET Gérard
Né le 14 novembre 1906 à Ercheu (Somme). xxe siècle. Français.
Peintre de paysages, décorateur.
Il fut professeur de dessin. Surtout paysagiste, il figure dans plusieurs Salons annuels, des Artistes Français, des Indépendants, de la Société Nationale des Beaux-Arts, ainsi qu'au Salon des Peintres Témoins de leur temps en 1973. Il expose également dans des groupements à l'étranger. Il a obtenu plusieurs distinctions.
Il a réalisé des lithographies ainsi que quelques décorations, notamment pour l'école normale d'instituteurs de Châlons-sur-Marne, pour la salle à manger du lycée de Reims, pour le restaurant universitaire Le Mabillon à Paris.
Musées : Paris (Cab. des Estampes) : *Pluie* 1980, litho.

LANGLEY Thomas
Mort en 1751. xviiie siècle. Travaillant à Londres dans la première partie du xviiie siècle. Britannique.
Graveur.
Frère de l'architecte Bally Langley, en collaboration duquel il grava plusieurs sujets d'architecture gothique. On lui doit aussi des planches d'antiquités.

LANGLEY Walter
Né en 1852 à Birmingham. Mort en avril 1922 à Londres. xixe-xxe siècles. Britannique.
Peintre de genre, paysages, aquarelliste, lithographe.
Il fut d'abord apprenti lithographe, puis élève de la Birmingham School of Art. En 1882, il se fixa à Newlyn où il exécuta un grand nombre de ses ouvrages. Associé en 1881 et membre en 1884 de la Birmingham Royal Society of artists. Le gouvernement italien lui demanda en 1897 son portrait pour le Musée des Offices. Médailles d'or à Paris en 1889 (Exposition Universelle), et de bronze en 1900 (Exposition Universelle).

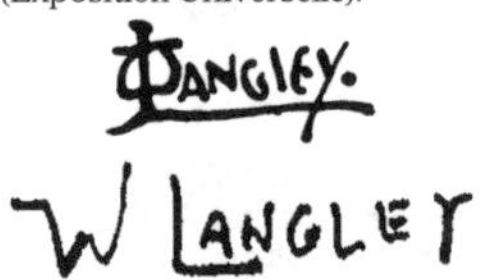

Musées : Birmingham : *Souvenirs – La main qui n'existe plus et la voix qui est éteinte – Après l'orage – Les hommes travaillent et les femmes pleurent* – Florence (Pitti) : *Portrait de l'artiste* – Leeds : *À la lueur du feu* – Leicester : *Les hommes travaillent et les femmes pleurent* – Liverpool : *Idylle des Cornouailles*.
Ventes Publiques : Londres, 21 nov. 1921 : *Deux paysages campagnards*, dess. : **GBP 18** – Londres, 17 fév. 1922 : *Départ pour le marché*, dess. : **GBP 84** – Londres, 3 avr. 1925 : *Sur la route*, dess. : **GBP 92** – Londres, 28 juil. 1927 : *Inquiétude*, dess. : **GBP 86** – Londres, 1er mars 1929 : *Dernières nouvelles*, dess. : **GBP 92** – Birmingham, 15 nov. 1933 : *Méditation*, aquar. : **GBP 39** – Londres, 30 nov. 1945 : *Nouvelles intéressantes*, dess. : **GBP 44** – Londres, 7 fév. 1947 : *Nouvelle arrivée* : **GBP 78** – Londres, 19 nov. 1980 : *The Channel fleet* 1893, aquar. et cr. (58,5x120) : **GBP 3 100** – Londres, 25 juin 1980 : *The greeting* 1904, h/t (122x153) : **GBP 11 500** – Londres, 19 mai 1982 : *The patient knitter* 1890, aquar. (66x89) : **GBP 5 500** – Londres, 13 déc. 1983 : *Newlyn : catching up with the Cornish Telegraph*, aquar. (50,8x70) : **GBP 4 500** – Londres, 30 mai 1985 : *La lecture de la lettre*, aquar. reh. de blanc (49,5x39,5) : **GBP 2 200** – Chester, 9 oct. 1986 : *Le Chemin de l'école*, aquar. (38x26) : **GBP 5 000** – Londres, 22 juil. 1987 : *Enfants lisant dans un intérieur rustique*, aquar. (36x38) : **GBP 8 000** – Édimbourg, 22 nov. 1988 : *Ombre et soleil* 1889, aquar. avec reh. de blanc (35,5x26,7) : **GBP 9 000** – Reims, 18 déc. 1988 : *Ruines d'un château dans un paysage lacustre*, h/t (51x76) : **FRF 15 000** – Londres, 8 juin 1989 : *Scène de la vie des pêcheurs à Newlyn*, aquar. (30x28,8) : **GBP 4 950** – Londres, 7 juin 1990 : *Sur le quai*, h/t. cartonnée (37x32) : **GBP 9 900** – Londres, 8 nov. 1990 : *Pensées lointaines* 1887, aquar. et gche (46,5x60,5) : **GBP 4 070** – Londres, 6 juin 1991 : *Le départ de la flotte de pêche vers le nord dans un village de Cornouailles* 1886, aquar. et gche (61x122) : **GBP 31 900** – Londres, 5 juin 1992 : *Un moment de repos*, aquar. et gche (39x38) : **GBP 3 300** – Londres, 12 mars 1993 : *Le vieux soldat*, h/t (33,5x24,7) : **GBP 3 335** – New York, 16 fév. 1994 : *Un moment de repos* 1885, h/t (121,9x61) : **USD 34 500** – Londres, 27 mars 1996 : *Grand'mère fait un petit somme*, aquar. (36,5x28,5) : **GBP 1 610**.

LANGLEY William L.
xixe-xxe siècles. Actif entre 1880 et 1920. Britannique.
Peintre de paysages.
Ventes Publiques : Liverpool, 24 sep. 1980 : *Troupeau des Highlands*, h/t, une paire (49x73,5) : **GBP 920** – Londres, 13 juin 1984 : *Paysage fluvial ; Paysage d'été*, h/t, une paire (50,8x76,2) : **GBP 1 800** – Los Angeles, 9 juin 1988 : *Chaumière près d'un cours d'eau de montagne*, h/t (51x75,5) : **USD 2 200** – Londres, 5 oct. 1989 : *Vieux pontons près de Devonport*, h/t (25,5x41) : **GBP 462** – New York, 20 juil. 1995 : *La vallée de la rivière Wye*, h/t (50,8x76,2) : **USD 3 450** – Glasgow, 11 déc. 1996 : *Bétail de montagne*, h/t (51x76) : **GBP 1 104**.

LANGLOIS, famille d'artistes
xixe siècle. Actifs à Dieppe. Français.
Ivoiriers fleuristes.

LANGLOIS Amédée Henri
Né au xixe siècle à Paris. xixe siècle. Français.
Peintre de portraits, d'histoire et de paysages.
Élève de M.-L. Bonnat et de H. Humbert. Il a figuré au Salon à partir de 1877. Le Musée de Gray conserve de lui *Un coin de marché à Vienne*.

LANGLOIS Blanche, Mme, née **Véronique**
Née au xixe siècle à Paris. xixe siècle. Française.
Peintre de portraits et pastelliste.
Élève de Cœdès et de L. Cogniet. Elle figura au Salon à partir de 1878.

LANGLOIS Camille. Voir **COLONNA DE CESARI ROCCA, comtesse Camille**

LANGLOIS Charles. Voir **LANGLOIS Jean-Charles**

LANGLOIS Claude Louis, dit **Langlois de Sézanne**
Né en 1757 à Sézanne (Marne). Mort en 1845. xviiie-xixe siècles. Français.
Peintre de portraits, pastelliste.
Élève de Beaufort. Il fut directeur de l'École de dessin de Sens jusqu'en 1838. Il fit un grand nombre de portraits de généraux. Figura au Salon de 1806 à 1836.
Musées : Coutances : *Deux portraits*, past.
Ventes Publiques : Paris, 24 juin 1938 : *Portrait de jeune femme*, past. : **FRF 170** – Paris, 19 déc. 1994 : *Portrait de quatre membres de la famille Lamotte* 1817, 4 past. (chaque ovale 20,5x15,5) : **FRF 8 000**.

LANGLOIS Daniel
Né en 1943 à Aire-sur-Adour (Landes). xxe siècle. Actif en Angleterre. Français.
Peintre.
Il vit et travaille à Londres. Il a participé à l'exposition *De Bonnard à Baselitz – Dix ans d'enrichissements du cabinet des estampes 1978-1988*, à la Bibliothèque nationale à Paris en 1992.
Musées : Paris (BN, Cab. des Estampes) : *A.P.* 1978.

LANGLOIS Espérance. Voir **BOURLET de Lavallée**

LANGLOIS Eustache Hyacinthe
Né le 3 août 1777 à Pont-de-l'Arche. Mort le 29 septembre 1837 à Rouen. xixe siècle. Français.
Peintre de paysages, dessinateur, graveur et archéologue.
Élève de Laumonnier et de David. Emprisonné pendant la Révolution, la protection de Dupont de l'Eure lui valut la liberté. Plus tard compris dans la conscription militaire il trouva moyen d'obtenir un congé grâce à l'intervention de Joséphine Bonaparte. Il vint s'établir à Rouen, fut nommé professeur à l'École des

Beaux-Arts de la ville et eut une influence considérable sur les artistes de la région. Eustache Langlois consacra son très réel talent (ses aquarelles sont charmantes) à mettre en lumière les beautés artistiques et les curiosités archéologiques de l'ancienne capitale de la Normandie. Il publia et illustra lui-même : *Descriptions historiques des maisons de Rouen* (1821), *Essai sur la Peinture sur verre* (1832), *Essai sur l'Abbaye de Fontenelle* (1834), *Stalles de la cathédrale de Rouen* (1838), *Essai sur la calligraphie des manuscrits du Moyen Age* (1841), *Essai historique sur les danses des morts*.

Musées : Louviers : *Paysage* – Rouen : *Femme cauchoise* – *Paysage* – *Danse macabre* – Sens : *Le coche se dirigeant vers Paris*.

Ventes Publiques : Paris, 31 jan. 1898 : *Visite de la duchesse d'Orléans à la cathédrale de Rouen*, aquar. : **FRF 81** – Paris, 6 déc. 1923 : *La Foire de Saint-Romain*, lav. de Chine et pl. : **FRF 850** – Paris, 4 et 5 fév. 1954 : *Paysage fluvial avec portique en ruine*, gche : **FRF 10 500**.

LANGLOIS François, dit **F. L. D. Ciartres**

Né le 12 mai 1589 à Chartres. Mort le 14 janvier 1647 à Paris. xviie siècle. Français.

Graveur.

Cet intéressant artiste, également libraire et marchand d'œuvres d'art, très injustement négligé par les biographies a produit des gravures qui méritent de retenir l'attention des amateurs et il eut sur les artistes de son époque une influence qui ne nous paraît pas avoir été soupçonnée jusqu'ici. Il voyagea en France, en Angleterre, en Italie et très probablement dans les Pays-Bas, acquérant ainsi la réputation d'un excellent « connaisseur ». En 1633 il s'établit à Paris et y fut l'agent du roi Charles Ier d'Angleterre. Langlois fut l'intime ami de Stefano della Bella, de Jacques Stella dont la fille fut marraine d'un de ses enfants, en 1646. Lorsque Van Dyck vint à Paris en 1641, il fit le portrait de notre artiste, gravé plus tard par J. Pesne et Pierre Mariette, avec la curieuse légende qui suit : *François Langlois natif de Chartres, libraire et marchand de tailles-douces à Paris, excellait à jouer de la musette et de plusieurs autres instruments*. Langlois possédait autre chose que ses talents musicaux ; c'était un très remarquable graveur. Il avait pour Rembrandt et les artistes de son école une admiration décelée par la façon très remarquable dont il a copié certaines estampes du grand maître hollandais. Le fait nous paraît valoir d'être noté vu l'époque où il se produit et le goût régnant alors à Paris. Langlois eut plusieurs enfants de sa femme Madeleine de Collemont, qui épousa plus tard Pierre Mariette veuf lui aussi ; entre autres Nicolas Langlois qui lui succéda comme libraire. On cite encore parmi ses gravures une *Histoire de Psyché*, d'après Raphaël (14 pièces).

LANGLOIS François

xviie siècle. Actif à Laval. Français.

Sculpteur.

Il fit, pour l'abbaye de Belle-Étoile, dans le canton de Flers (Orne), un retable, en 1662.

LANGLOIS François

Né le 21 novembre 1811 à Genève. xixe siècle. Suisse.

Peintre de genre, portraits.

Obtint un prix de 500 francs de la Société des Arts en 1839. Il exposa à Genève entre 1841 et 1847.

LANGLOIS Guillermo. Voir **ANGLOIS**

LANGLOIS Henri

xixe siècle. Actif à Paris. Français.

Peintre de genre.

Sociétaire des Artistes Français depuis 1883, il figura au Salon de ce groupement et y obtint une mention honorable en 1886.

LANGLOIS Jean

xvie siècle. Français.

Sculpteur.

Il prit part aux travaux de décoration du château de Fontainebleau, de 1540 à 1550.

LANGLOIS Jean

xvie-xviie siècles. Français.

Sculpteur et architecte.

De 1604 à 1606, il travailla, pour le compte du duc d'Épernon, au château de Cadillac (Gironde) ; il dirigea la construction de la chapelle et fit trois cheminées monumentales.

LANGLOIS Jean

Né en 1649 à Paris. Mort vers 1712. xviie-xviiie siècles. Français.

Graveur de sujets religieux, portraits, architectures.

Il fut élève de Vivien à Paris, puis alla à Rome où il devint membre de l'Académie de Saint-Luc. Il grava de nombreux sujets d'architecture d'après Andréa Palladio, des portraits, particulièrement d'ecclésiastiques français et des sujets religieux d'après les maîtres.

LANGLOIS Jean

xxe siècle. Français.

Peintre d'intérieurs, natures mortes, sujets mythologiques, nus, dessinateur.

Sa première exposition eut lieu alors qu'il était âgé de soixante ans. Il fut professeur de dessin à l'école supérieure des arts modernes à Paris. Il mêle figuration et abstraction dans des œuvres aux tons doux.

LANGLOIS Jean Yves

Né en 1946 à Brest (Finistère). xxe siècle. Français.

Peintre, graveur.

Il vit et travaille à Montreuil. Il a participé à l'exposition *De Bonnard à Baselitz – Dix ans d'enrichissements du cabinet des estampes 1978-1988*, à la Bibliothèque nationale à Paris en 1992.

Musées : Paris (BN, Cab. des Estampes) : *Série couleurs*. *Triangle et demi-cercle n° 5*.

LANGLOIS Jean-Charles, dit **le Colonel**

Né le 22 juillet 1789 à Beaumont-en-Auge (Calvados). Mort le 24 mars 1870 à Paris. xixe siècle. Français.

Peintre de sujets militaires, paysages.

Il fut élève de l'École Polytechnique et entra dans l'armée, fut colonel d'état-major et aide de camp du maréchal Gouvion-Saint-Cyr. Entre temps, il étudia la peinture avec le baron Gros, Louis Girodet et Horace Vernet.

Il figura au Salon de Paris de 1822 à 1855, obtenant une médaille de deuxième classe en 1822, une médaille de première classe en 1834. Chevalier de la Légion d'honneur en 1814, officier en 1832, commandeur en 1860.

Ayant participé aux campagnes d'Allemagne, d'Égypte, d'Espagne et de Russie, il en rapporta de nombreux croquis qui lui permirent de faire des tableaux de batailles présentés en panoramas. Citons parmi eux : *La bataille d'Eylau* – *La bataille des Pyramides* – *L'incendie de Moscou* – *La bataille de Solférino*. Il fit construire des rotondes, l'une rue du Marais-du-Temple et l'autre sur les Champs-Élysées, afin de mieux présenter au public ses vues panoramiques de batailles.

C Langlois

Bibliogr. : Gérald Schurr, in : *Les Petits Maîtres de la peinture 1820-1920, valeur de demain*, Les Éditions de l'Amateur, t. II, Paris, 1982.

Musées : Arras : *Bataille de Polotsk* – Caen (Mus. Langlois) : *L'incendie de Moscou* – *La Bérésina* – Compiègne (Mus. du palais) : *Combat de Navarin* – *Combat de Staoueli* – Nancy : *Combat de Naefels* 1843 – Strasbourg : *Bataille de Borodino* – Toulouse : *Bataille de Polotsk* – Versailles : *Combat de Benouth* – *Batailles de Hoff, de Castalla, de Smolensk, de Polotsk, de la Moskowa, de Champaubert, de Montereau, de Campillo d'Arenas* – *Entrevue du général Maison et d'Ibrahim-Pacha à Navarin* – *Prise du château de Morée* – *Une esquisse* – *Panorama de la bataille de la Moskowa*.

Ventes Publiques : Paris, 1887 : *Épisode d'une bataille* : **FRF 720** – Paris, 15 déc. 1922 : *Napoléon et la maréchal Poniatowski* : **FRF 685** – Paris, 18 juin 1928 : *Combat de Laubressel* : **FRF 2 100** – Londres, 9 déc. 1994 : *Un officier français avec ses soldats, probablement pendant la guerre d'Espagne*, h/t (59,5x72,7) : **GBP 11 500**.

LANGLOIS Jérome

Né vers 1755 à Paris. xviiie siècle. Français.

Miniaturiste.

Fils d'un marchand de fer. Entré à l'École de l'Académie Royale le 2 octobre 1779, il fut élève de Doyen et de Vien. Il exposa des portraits au Salon entre 1793 et 1804.

Musées : Paris (Carnavalet) : *Portrait d'homme* – *L'abbé Sicard instruisant les sourds-muets*.

Ventes Publiques : Paris, 7 et 8 déc. 1953 : *Homme en habit puce* : **FRF 10 000**.

LANGLOIS Jérôme-Martin

Né le 11 mars 1779 à Paris. Mort le 28 décembre 1838 à Paris. xixe siècle. Français.

Peintre d'histoire, compositions religieuses, portraits.

Son père, le miniaturiste Jérôme Langlois, s'opposa d'abord à ce qu'il se consacrât à la peinture. David cependant obtint que Jérôme Martin Langlois vint à son atelier et celui-ci fit de tels progrès que, devenu l'un des élèves préférés du maître, il collabora à plusieurs de ses tableaux. Il obtint le deuxième prix de Rome en 1805 et le premier prix en 1809, restant à Rome jusqu'en 1815.
Il participa au Salon de Paris de 1806 à 1837, obtenant une médaille de deuxième classe en 1817, de première classe en 1819. Chevalier de la Légion d'honneur en 1822, il fut nommé membre de l'Institut en 1838.
À ses débuts, il travailla sur des tableaux de son maître David, citons le *Léonidas*, le cheval dans le *Napoléon franchissant les Alpes*, la tête du prêtre grec à capuchon rouge, dans le *Sacre*. En 1824, il alla à Bruxelles faire le portrait de David, qui ne fut exposé qu'en 1831. On voit de lui un *Saint Hilaire* à la cathédrale de Bordeaux. Son style se dégagea du néoclassicisme, pour s'apparenter davantage au style de Girodet, puis évoluer vers une sorte de maniérisme dans le choix des couleurs parfois violentes, l'extravagance des formes, qui font penser à un expressionnisme avant la lettre.
Bibliogr. : Jean Lacambre, in : Catalogue de l'exposition : *Les années romantiques, la peinture française de 1815 à 1850*, Mus. des Beaux-Arts de Nantes, 1995-1996 et Galeries nationales du Grand Palais, Paris, 1996.
Musées : Amiens : *Diane et Endymion* – Angers : *Enlèvement de Déjanire* – Chambéry (Mus. des Beaux-Arts) : *Cassandre implorant la vengeance de Minerve* – Marseille : *L'évêque Belzunce* – Montauban : *Portrait d'une femme artiste* – Toulouse (Mus. des Augustins) : *Générosité d'Alexandre* – Versailles : *Fr. duc d'Estrées – Marquis de Brézé – R. de Saint Lary – Urbain de Maille – Le comte de Matignon*.
Ventes Publiques : Paris, 7 nov. 1988 : *Portrait de femme* 1834, h/t : **FRF 17 000** – New York, 12 oct. 1989 : *Diane et Endymion*, h/t (33x24,2) : **USD 7 700** – New York, 24 oct. 1989 : *Diane et Endymion*, h/t (317,5x210,8) : **USD 440 000** – Paris, 22 mars 1995 : *Couple avec enfants dans le parc de Chantilly*, gche (24,5x31,5) : **FRF 17 000** – Paris, 16 oct. 1997 : *Portrait du baron François Seillière* 1831, t. (116x89) : **FRF 40 000**.

LANGLOIS Joséphine Claire, née **Roelly**
Née au XIXe siècle à Paris. XIXe siècle. Française.
Peintre de genre et de portraits.
Élève de M. Lucas. Elle exposa au Salon à partir de 1870, des portraits au pastel et des copies de Raphaël à l'aquarelle. La Galerie Roussel, à Louviers, conserve d'elle *Contemplation*.

LANGLOIS Juan Carlos
Né en 1926 à Buenos Aires. XXe siècle. Actif depuis 1952 en France. Argentin.
Peintre. Abstrait.
Il a étudié avec Pettoruti en Argentine, puis est venu à Paris en 1952. Il a alors travaillé dans l'atelier 17 de Hayter. Il expose à Paris depuis 1952. Il a également exposé à Bruxelles en 1956, 1957 et 1960. L'art pré-colombien et sa rencontre avec l'art préhistorique de Lascaux ont été déterminants pour son œuvre. Ses espaces abstraits, ses cosmogonies ont une forte saveur sud-américaine.
Ventes Publiques : Lokeren, 11 mars 1995 : *Le donateur d'espérance* 1964, h/t (130x195) : **BEF 38 000**.

LANGLOIS Mark W.
XIXe siècle. Britannique.
Peintre de genre.
Il était actif entre 1862 et 1873.
Ventes Publiques : Londres, 2 oct 1979 : *Le savetier*, h/t (76x64) : **GBP 680** – Chester, 20 juil. 1989 : *Une visite à Grand'mère*, h/t (75x62) : **GBP 1 320** – Londres, 22 nov. 1990 : *Jeux avec le cheval de bois*, h/t (61x91,5) : **GBP 1 045** – Londres, 11 oct. 1991 : *La foire au village*, h/t (71,5x91,3) : **GBP 5 060** – Londres, 12 mai 1993 : *Dans la salle de classe ; Une rude leçon*, h/t, une paire (chaque 53,5x43) : **GBP 2 300** – New York, 22-23 juil. 1993 : *Le bain du chien*, h/t (53,3x43,2) : **USD 2 588** – Montréal, 23-24 nov. 1993 : *Servante d'auberge prenant une commande*, h/t (53,4x43,2) : **CAD 1 800** – Londres, 4 nov. 1994 : *La célébration*, h/t (71,5x91,5) : **GBP 2 300**.

LANGLOIS Nicolas
Né en 1640 à Paris. XVIIe siècle. Français.
Graveur au burin et éditeur.
Fils de François Langlois dit Ciartres, dont il continua le commerce. Il a gravé des sujets religieux.

LANGLOIS Paul
Né en 1858 à Paris. Mort en 1906 à Paris. XIXe siècle. Français.
Portraitiste et peintre de genre.
Élève de Cabanel, de Bonnat, d'Humbert. Figura au Salon des Artistes Français où il obtint des mentions honorables en 1884 et 1889 (Exposition Universelle), une médaille de troisième classe (1894).

P Langlois

Musées : Ajaccio : *Persée et Méduse* – Avignon : *Après-midi dans le Morvan* – Lyon : *Souvenir de la nuit du quatre – Après-midi dans le Morvan*.
Ventes Publiques : Paris, 14 déc. 1925 : *Sous bois* : **FRF 95** – Paris, 28 déc. 1928 : *Vue de ville normande avec cathédrale*, dess. : **FRF 190**.

LANGLOIS Paul Adrien
Né en 1851 à Paris. XIXe siècle. Français.
Peintre de paysages.
Élève de Corot et de Cabanel. Il figura au Salon en 1870 et 1872.
Ventes Publiques : Lindau, 8 oct. 1986 : *Vue d'une ville de Suisse*, h/t (43x68) : **DEM 5 000**.

LANGLOIS Philibert
XIXe siècle. Actif à Paris. Français.
Graveur.
Il figura au Salon de 1834 à 1839.

LANGLOIS Pierre
XVIIe-XVIIIe siècles. Actif à Paris. Français.
Sculpteur, ornemaniste.
Il travailla pour Versailles, Marly, Meudon, Fontainebleau et le Dôme des Invalides (consoles, masques et chapiteaux). Il fut également fondeur.

LANGLOIS Pierre
Né en 1940 à Montauban (Tarn-et-Garonne). XXe siècle. Français.
Peintre de paysages, fleurs.
Il brosse des compositions dépouillées dans le goût de Nicolas de Staël, en faisant voisiner larges aplats et pâtes épaisses.
Musées : Paris (BN, Cab. des Estampes) : *La Table du peintre* vers 1980, litho.

LANGLOIS Pierre Gabriel, l'Aîné
Né en 1754 à Paris. Mort vers 1810. XVIIIe-XIXe siècles. Français.
Graveur au burin.
Élève de Simonet. Il a gravé des sujets religieux, des sujets de genre et des portraits. Il exposa au Salon de 1798. Collabora à la *Galerie de Florence*, au *Musée des monuments français* de Lenoir et à l'édition des *Œuvres de Voltaire* par Beaumarchais.

LANGLOIS Polyclès
Né en 1814 à Pont-de-l'Arche (Eure). Mort en 1872 à Sèvres (Hauts-de-Seine). XIXe siècle. Français.
Peintre de paysages.
Élève de son père Hyacinthe Langlois. Exposa au Salon entre 1845 et 1861. Le Musée de Rouen conserve de lui une *Vue de Saint-Ouen, prise du port de Robec*, et le Musée d'Angers, une *Vue de Rouen*.

LANGLOIS Saint Edme
Né le 20 novembre 1861 à Paris. XIXe-XXe siècles. Français.
Peintre, graveur.
Il exposa à Paris, au Salon des Artistes Français, dont il fut membre sociétaire à partir de 1907.

LANGLOIS Simon
Mort vers 1880 à Paris. XIXe siècle. Français.
Peintre de fresques.
Élève d'Overbeck. Il a exécuté un certain nombre de décorations murales à Rome, à Paris et à Tours.

LANGLOIS Théodore Hippolyte Victor
Né au XIXe siècle à Bordeaux (Gironde). XIXe siècle. Français.
Sculpteur.
Élève de M.-E.-J. Carlier. Figura au Salon des Artistes Français, groupement dont il était sociétaire depuis 1909.

LANGLOIS Vincent Marie, le Jeune
Né en 1786 à Paris. XIXe siècle. Français.
Graveur au burin.

Élève de son frère Pierre Gabriel. Il a gravé des sujets religieux, des portraits de saints, des vignettes, d'après Moreau, Lebarbier, etc.

LANGLOIS DE CHÉVREVILLE Lucien Théophile Ange Sosthène
Né en 1803 à Mortain (Manche). Mort en 1845 à Paris. XIXe siècle. Français.
Peintre de genre et de sujets religieux.
Élève de Gros. Travailla à Rome, Genève, Rouen, Paris. On possède de lui à l'église Saint-Pierre de Rouen *Un ange terrassant un mauvais génie*. Le Musée de Berne conserve de lui *Petit garçon mangeant du melon*. On cite encore de lui : *Assomption*, et *Apparition de la Vierge*.

LANGLOIS DE SÉZANNE. Voir **LANGLOIS Claude Louis**

LANGLUMÉ
XIXe siècle. Actif à Paris. Français.
Lithographe.
Il figura au salon de 1822 et 1824.

LANGMAN Sigismund
Né en 1860. Mort le 10 décembre 1924 à Cracovie. XIXe-XXe siècles. Polonais.
Sculpteur.
Il fut élève de Wiedeman et Knobl à Munich, et de Monteverelli à Rome. Il travailla en Pologne, spécialement à Cracovie.

LANGMANS François ou **Langhmans** ou **Langhemans**
Né le 18 mars 1661 à Malines. Mort vers 1720 à Malines. XVIIe-XVIIIe siècles. Belge.
Sculpteur et architecte.
Élève de Lucas Faydherbe et, en Angleterre, de Jan Van Steen.

LANGNER Hans
Né le 18 février 1865 à Rosnitz. XIXe-XXe siècles. Allemand.
Peintre de paysages.
Il fut élève de l'école des arts et métiers de Kassel et de l'académie des beaux-arts de Düsseldorf. Il vécut et travailla à Dortmund. Ses paysages sont inspirés du Brenner, du Chiemsee, de Besigheim.

LANGNOUWER Joachim
Enterré à Middelbourg le 5 août 1653. XVIIe siècle. Hollandais.
Peintre de portraits.
Il était en 1633 dans la gilde de Middelbourg.

LANGOT François
Né en 1641, selon Basan. Mort après 1679. XVIIe siècle. Français.
Graveur au burin.
Il a gravé des portraits de saints et des sujets mythologiques. Il fit surtout des copies d'après Huret et Cornelis Blœmaert.

LANGRAF Mimi
Née à Zurich. XXe siècle. Suissesse.
Peintre.
Elle est membre de la Société Suisse des Peintres et Sculpteurs. Ses œuvres très féminines sont nuancées d'humour.

LANGRAND Adèle, née **Michel**
Née en 1814 à Paris. Morte en mai 1853 à Paris. XIXe siècle. Française.
Peintre de paysages.
Elle figura au salon de 1839 à 1850 et obtint une médaille de troisième classe en 1843.

LANGRAND Jean Apollon Léon
Né au XIXe siècle à Cambrai (Nord). XIXe siècle. Français.
Sculpteur.
Élève de Barrias et de Coutan. Il figura au Salon des Artistes Français où il obtint une mention honorable en 1899.

LANGREMUS M. F.
XVIIe siècle. Travaillant vers 1649.
Graveur.
Il fit des frontispices, des portraits, etc.

LANGROCK Karl Ferdinand
Né le 4 avril 1831 à Lindenau (près de Leipzig). Mort le 21 février 1895 à Leipzig-Gohlis. XIXe siècle. Actif à Leipzig. Allemand.
Graveur sur bois.
Il grava des reproductions d'après L. Richter et autres artistes.

LANGRONNE Eugène Philibert
Né au XIXe siècle à Paris. XIXe siècle. Français.
Peintre d'histoire.
Élève de M. L. Cogniet et de Fabre. Il figura aux Salons de 1864 et de 1877.

LANGRUNE Bernard
Né le 21 août 1889 à Carcassonne (Aude). XXe siècle. Français.
Peintre de paysages.
Il est un ancien élève de l'école Estienne (Art et industrie du livre) d'où il sortit relieur d'art. Il abandonne bientôt la reliure après être passé chez Noulhac, David et Carayon, pour s'orienter vers l'aquarelle sous la direction de Francis Garat et, sur les conseils d'Henri de Waroquier, se voue définitivement à la peinture à l'huile. Il est surtout connu comme peintre de monuments. À ce titre, il attire l'attention des collectionneurs sur ses somptueuses cathédrales dont le dessin solide s'émaille d'une matière riche et vibrante à la fois. Il a illustré avec beaucoup de bonheur le *Paris couleur de temps*, de François Alibert son oncle. ■ Léon Vérane
VENTES PUBLIQUES : PARIS, 2 juil. 1936 : *L'église Saint-Nicolas des Champs, rue Saint-Martin* : **FRF 100** – PARIS, 22 juil. 1942 : *Église de banlieue*, gche ; *Vue de Paris*, aquar. gchée : **FRF 700** – PARIS, 23 avr. 1945 : *Église* : **FRF 1 200**.

LANG SHIH-NING. Voir **LANG SHINING**

LANG SHINING, pseudonyme de **Giuseppe Castiglione**
Né le 19 juillet 1688 à Milan. Mort le 16 juillet 1766 à Pékin. XVIIIe siècle. Italien.
Peintre.
Giuseppe Castiglione devient novice de la Compagnie de Jésus, à Gênes, en 1707, pour être envoyé en Chine. En 1710, il s'embarque pour le Portugal d'où il doit partir pour l'Extrême-Orient. En fait, il reste quatre ans au Portugal où il décore les murs du noviciat de Coïmbra. Ce n'est donc qu'en juillet 1715 qu'il arrive à Macao, puis en août à Canton où commence son éducation chinoise auprès des mandarins locaux. A la fin de la même année, il est à Pékin où il est présenté à l'empereur Qing Kangxi (1662-1722) et où il prend le nom chinois de Lang Shining. C'est sous ce nom qu'il est connu comme peintre. En 1721, il devient coadjuteur temporel et exécute au palais les portraits de l'empereur et de plusieurs impératrices. Quelques années plus tard, il se liera d'amitié avec le Frère Jean-Denis Attiret (1702-1768) arrivé à Pékin en 1739, peintre et jésuite comme lui, et qui prendra le nom de Wang Zhicheng. Castiglione, qui a reçu une bonne formation de peintre et qui de plus est doué d'un grand talent, acquiert vite la première place parmi les peintres européens travaillant en Chine, à une époque où la peinture à l'huile y est encore inconnue. Il se met aux techniques picturales chinoises et crée un style nouveau qui lui est propre où se mêlent des éléments orientaux et occidentaux. La majeure partie de ses œuvres qui nous sont parvenues sont en couleurs sur soie ; dans les dessins qu'il fait des conquêtes de l'empereur Qianlong (1736-1796), la fusion sino-européenne est particulièrement évidente. Il se dit disciple du jésuite Andréa Pozzo, bien connu pour sa décoration du plafond et de la coupole de Saint-Ignace à Rome et pour son traité *Perspectiva Pictorum et Architectorum*. En collaboration avec l'ancien vice-roi Nian Siyao, Castiglione publie une traduction-adaptation de ce traité sous le titre chinois de *Shixue* (enseignement visuel) avec les illustrations de Pozzo et des graphiques expliquant les principes de la perspective. Cet ouvrage aura deux éditions en 1729 et 1735. La première œuvre de Castiglione exécutée avec des artistes chinois (Shen Yuan, Tang Dai, Sun Yu, etc.), est un plan des bâtiments et jardins du palais de Yuanmingyuan, en 1732. En 1747, l'empereur Qianlong décide la construction de palais à l'européenne et désigne Castiglione comme architecte. Enfin, en 1765, il prend part à l'exécution des gravures des conquêtes de l'empereur en Haute-Asie, de 1755 à 1759. En effet, après avoir vu des gravures de batailles d'après des originaux du peintre allemand Rugendas (1666-1742), Qianlong décide d'immortaliser de la même façon ses propres victoires et demande aux peintres missionnaires travaillant à Pékin, Castiglione, Attiret, Damascène (mort en 1781) et Sickelpart (1708-1780) de préparer les dessins desquels seront tirées des gravures sur cuivre. La gravure sur cuivre n'étant introduite que de fraîche date en Chine et ne connaissant encore que peu d'essor, ces dessins sont envoyés en France (seize dessins illustrant les conquêtes de 1755 à 1760) où ils arrivent en 1766, pour être gravés sous la direction de Charles-Nicolas Cochin (1715-1790), secrétaire historiographe de l'Académie de Peinture. Cette série de gravures constitue un exemple remar-

quable de fusion des esthétiques asiatique et européenne. Il reste actuellement quelques rares exemplaires de ces seize estampes en Europe : un exemplaire complet à la Bibliothèque Mazarine de Paris, un autre à la Bibliothèque Nationale, un troisième au Musée Guimet et un quatrième au château de Coppet en Suisse. Enfin, le château de Fontainebleau en conserve une série incomplète. Castiglione est par ailleurs célèbre comme peintre animalier, particulièrement pour ses chevaux. Son art influencera des artistes chinois tels Tang Dai (actif 1708-1750), Jiao Bingzhen (actif 1680-1720), Zou Yigui (1686-1772) et Leng Mei (actif dans la première moitié du XVIIIe siècle).

Bibliogr. : Michèle Pirazzoli-t'Serstevens : *Gravures des conquêtes de l'empereur K'ien-long au Musée Guimet*, Paris, 1969.

Musées : Coppet (Château de) : *Les conquêtes de l'empereur Qianlong*, seize grav. sur cuivre – Fontainebleau (Château de) : *Les conquêtes de l'empereur Qianlong*, quinze grav. sur cuivre – Londres (British Mus.) : *Prince impérial et chasseurs tartares* signé et daté 1738 – Paris (Bibl. Mazarine) : *Les conquêtes de l'empereur Qianlong*, seize grav. sur cuivre – Paris (BN) : *Les conquêtes de l'empereur Qianlong*, seize grav. sur cuivre – Paris (Mus. Guimet) : *Les conquêtes de l'empereur Qianlong*, seize grav. sur cuivre – *L'empereur Qianlong passant en revue les chevaux Qazaq* – *Illustrations des voyages de l'empereur Qianlong*, quatre rouleaux en longueur exécutés en collaboration avec Jin Kun, Ding Guanpeng, Cheng Zhidao et Li Huilin – Pékin (Mus. du Palais) : *Fleurs aux couleurs vives*, feuilles d'album – Taipei (Nat. Palace Mus.) : *Chien dans un jardin de fleurs*, encre et coul. sur soie, rouleau en hauteur – *Les huit étalons des écuries impériales*, encre et coul. sur soie, huit rouleaux en hauteur – *Quatre chevaux afghans*, encre et coul. sur pap., quatre rouleaux en longueur – *Les deux paons*, encre et coul. sur soie, rouleau en hauteur – *Plantes de bon augure* – *Fleurs*, feuilles d'album.

Ventes Publiques : New York, 29 nov. 1993 : *Deux cerfs dans un bosquet en automne*, encre et pigments/soie (72,1x30,8) : **USD 354 500**.

LANGTON Bérénice
XXe siècle. Américaine.
Sculpteur, graveur.
Elle expose à la National Academy de New York, à Philadelphie et à Paris.

LANGTON Ivy
Né le 14 juillet 1904 à Saxby. XXe siècle. Britannique.
Peintre, graveur.

LANGUASCO Tommaso Lodovico, en religion **Teres Maria**
Né en 1651 à San-Remo. Mort en 1698 à Gênes. XVIIe siècle. Italien.
Peintre de portraits.
De l'ordre des Carmes déchaussés, il fut élève de Giovanni-Battista Carlone. Il a peint plusieurs saints de son ordre pour S. Niccolo à Tolentino, à Gênes, et a travaillé pour les églises de Gênes.

LANGUENEUX Raymond
Né en 1638. Mort le 30 juillet 1718 à Toulon. XVIIe-XVIIIe siècles. Français.
Sculpteur.
Il sculpta, en 1661, quatre statues en noyer destinées à achever l'ornementation que Pierre Puget avait fait de la chapelle du Corpus Domini, dans la cathédrale de Toulon. D'après les dessins de Le Brun et avec la collaboration de Pierre Tureau, il décora, en 1667, la poupe du vaisseau le « Royal-Louis », à la suite de quoi il fut nommé maître-sculpteur de la marine. Il se chargea, en 1684, de la décoration du vaisseau « L'Ardent » et fournit, en 1692, les dessins décoratifs du nouveau « Royal-Louis », destiné à remplacer l'ancien navire portant le même nom.

LANGUER Adrien
XVIIe siècle. Français.
Peintre de sujets religieux.
Actif à Arras, il pourrait être rapproché de Andreas Lanquier.

LANGUEREAU Marie
Née à Paris. XIXe-XXe siècles. Française.
Peintre de genre.
Elle fut élève de M. F. Humbert. Elle exposa à Paris, au Salon des Artistes Français, dont elle fut membre sociétaire à partir de 1907.

LANGUILLE Amélie
XIXe siècle. Active à Paris. Française.
Peintre.
Elle figura aux Salons de 1839 et 1840 avec des portraits.

LANGUS Henriette
Née le 15 juin 1836 à Laybach. Morte le 19 juillet 1876 à Venise. XIXe siècle. Yougoslave.
Peintre.
Élève et nièce de Mathäus Langus. Elle peignit des stations de chemin de croix pour l'église des Franciscains de Laybach, pour Zabnica, et Brezoviva, ainsi que des tableaux religieux pour des églises de Carniole et des portraits de genre dont *Jeune fille dans un fauteuil avec des raisins sur les genoux* (château de Fuzine près de Laybach).

LANGUS Mathäus
Né le 9 septembre 1792 en Slovénie. Mort le 20 octobre 1855 à Laybach. XIXe siècle. Yougoslave.
Peintre.
On cite parmi ses œuvres des fresques à la coupole de la cathédrale de Laybach et des fresques au presbytère et dans la coupole principale de l'église de Smarna Gora, ainsi qu'à la voûte et dans les chapelles de l'église des Franciscains à Laybach. De nombreux tableaux à l'huile de sa main se trouvent dans les églises de Carniole et quelques-uns en Styrie et en Carinthie. On cite surtout ses portraits de personnalités de la noblesse et de la haute bourgeoisie.

Musées : Laybach (Nat.) : *Portrait de l'artiste par lui-même* – *Portrait de la femme de l'artiste* – *Portrait du comte Franz Hohenwart*.

LANGWAGEN Christian Gottlieb
Né en 1753 à Dresde. Mort vers 1805. XVIIIe siècle. Allemand.
Graveur et architecte.
En 1776 et 1777 parurent de sa main ou d'après lui des *Vues gravées de Dresde*. On cite également de lui *Façade d'une maison de campagne* et *Le Christ et Sainte Madeleine* (eaux-fortes, 1769).

LANGWEIL Anton
Né vers 1795 à Postelberg (Bohême). Mort le 11 juillet 1857 à Prague. XIXe siècle. Tchécoslovaque.
Peintre de miniatures et lithographe.
Il étudia aux Académies de Prague et de Vienne et fonda le premier institut de lithographie à Prague. On cite de sa main des portraits-miniatures, parmi lesquels celui de *L'empereur François Ier* en uniforme de hussards rouge (sur ivoire) et celui (également sur ivoire) de *L'impératrice Maria Anna en décolleté*. D'après une esquisse de sa main D. Weiss grava un portrait du *Prince Karl von Schwarzenberg*.

LANGWEIL Berthe
Née au XIXe siècle à Paris. XIXe siècle. Française.
Peintre de genre.
Associée au Salon de la Nationale des Beaux-Arts depuis 1910, elle participa aux Expositions de ce groupement.

LANGWER Jost. Voir **LANGFELDER**

LANGWIDER Andreas
Né vers 1718 à Vienne. Mort le 8 mars 1790 à Salzbourg. XVIIIe siècle. Autrichien.
Peintre.
Il étudia à Vienne et travailla à Salzbourg. On cite, parmi ses œuvres, des fresques de plafond dans la chapelle du château de Triebenbach près de Laufen et un *Saint Sépulcre* à Morzg, ainsi que différentes œuvres à l'église Saint-Blaise à Salzbourg.

LANHAS Fernando
Né en 1923 à Porto. XXe siècle. Portugais.
Peintre.
Bien que son activité d'architecte et de directeur de revue ne lui ait permis de réaliser en peinture que peu d'œuvres, il tient une place importante dans la jeune peinture portugaise, en tant que premier peintre abstrait-géométrique, dans la chronologie de l'après-guerre.
Après avoir fait une première exposition personnelle en 1943, il a figuré dans les expositions de la jeune école portugaise, à Bruxelles, Lugano, et à la IIe, IVe, Ve Biennale de São Paulo, ainsi qu'à la XXXe Biennale de Venise. Une rétrospective de son œuvre a été organisée en 1988, au musée d'Art moderne de Porto.
Son œuvre se rapproche de l'abstraction-géométrique très stricte d'un Mortensen, et se caractérise par un gamme de gris délicats.

Bibliogr. : *Peintres contemp.*, Mazenod, Paris, 1964 – in : *L'Art du XXe s.*, Larousse, Paris, 1991 – in : *Diction. de l'art mod. et contemp.*, Hazan, Paris, 1992.

LANI. Voir **HOFFMANN Hans**

LANIAU Jean
Né en 1931. XXe siècle. Français.
Sculpteur de figures, nus.
Ses statuettes semblent s'inspirer des formes amples des nus de Maillol.
Ventes Publiques : Paris, 18 nov. 1988 : *La danseuse*, bronze patine brune (H. 22) : **FRF 8 000** – Paris, 5 fév. 1990 : *Fa, danseuse*, bronze à patine brune (28x44) : **FRF 24 000** – Neuilly, 7 avr. 1991 : *Éveil*, bronze (H. 74) : **FRF 30 000** – Calais, 5 juil. 1992 : *Kalinka*, bronze (H. 37) : **FRF 25 000** – Le Touquet, 8 nov. 1992 : *Harmonie*, bronze (H. 51) : **FRF 30 500** – Paris, 17 mai 1993 : *Femme*, bronze (H. 50) : **FRF 16 000** – Le Touquet, 30 mai 1993 : *Kalinka*, bronze cire perdue (H. 37) : **FRF 31 000**.

LANIEL Marguerite
Morte en 1905. XIXe siècle. Française.
Sculpteur.
Sociétaire des Artistes Français, elle figura au Salon de ce groupement.

LANIÈRE Nicolas ou **Lannier** ou **Lanier**
Né en 1588 à Londres. Mort en 1665 à Londres. XVIIe siècle. Italien.
Peintre, graveur et musicien.
Il était fils du musicien Jérôme Lanière qui vint en Angleterre pour faire partie de l'orchestre de la reine Elisabeth, Nicolas fut lui-même chef du groupe de musiciens de Charles Ier. Il y écrivit, seul ou en collaboration, la musique de plusieurs *masqués* ou divertissements dramatiques représentés à la cour ou chez les grands, celle d'une cantate, *Hero et Léandre*, devenue célèbre alors, et divers autres ouvrages. Ses talents comme peintre, graveur et amateur d'art n'étaient pas moindres et il eut une part notable dans le choix des œuvres achetées par le roi. Il peignit lui-même son portrait, actuellement à l'école de musique d'Oxford. Il fut peint par Van Dyck. Il réunit une remarquable collection de dessins, dont il reproduisit un certain nombre à l'eau-forte.
Ventes Publiques : Paris, 1899 : *Portrait de femme*, miniat. : **FRF 1 000**.

LANINI. Voir **LANINO**

LANINO Bernardino
Né vers 1512 à Mortara. Mort vers 1583 à Verceil. XVIe siècle. Italien.
Peintre d'histoire, compositions religieuses.
Élève de Gaudenzio Ferrari dont il s'assimila le style à tel point que sa première œuvre marquante, la fresque du *Martyre de sainte Catherine*, signée et datée de 1546, et qu'on voit encore à Santa-Catarina, à Milan, pourrait être prise, n'était la signature, pour l'œuvre de son maître. *La Vierge avec sainte Anne*, la *Madone entourée de saints* (Brera), sont de la même époque. Plus tard sa facture devint plus libre. Cependant la *Pietà* de Saint-Julien à Verceil, peinture datée de 1557, était attribuée depuis longtemps à Gaudenzio Ferrari, quand Lomazzo, découvrit la signature. Il fut chargé de nombreux travaux et peignit encore dans la cathédrale de Navarre : *Le Père Éternel*, *Les Sibylles* et les trois *Scènes de la Vie de la Vierge*. Il faut encore citer *La Cène*, qui est à Santo Nazzaro Grande, de Milan.
Musées : Berlin (Kaiser-Friedrich) : *Visitation* – Dijon : *Sainte Famille* – Londres (Nat. Gal.) : *Vierge avec saints* – *Sainte Famille* – Milan (Brera) : *Sainte Marthe* – *Marie-Madeleine* – *Anges* – *Saint François d'Assise* – *Sainte Famille* – *Adoration de l'Enfant Jésus* – *Baptême de Jésus* – *Madone avec Jésus et saints* – Turin (Pina.) : *Mise au tombeau* – *Vierge avec saints* – Varallo : *Descente de l'Esprit Saint*.
Ventes Publiques : Cologne, 1862 : *La Vierge et l'Enfant, sainte Catherine et sainte Barbe* : **FRF 1 237** – Paris, 1869 : *L'Adoration de la Vierge* : **FRF 1 300** – Londres, 10 mai 1922 : *La Vierge et l'Enfant* : **GBP 220** – Londres, 23 avr. 1929 : *Homme regardant derrière lui*, fusain et pierre blanche : **GBP 52** – Paris, 1er juin 1934 : *La Vierge, l'Enfant Jésus, deux saints évêques et deux pénitents*, Attr. : **FRF 3 300** – Monte-Carlo, 25 juin 1984 : *Vierge à l'Enfant entre sainte Catherine de Sienne et une sainte martyre*, h/pan. mar./t. (69x58) : **FRF 160 000** – Londres, 11 déc. 1987 : *La Vierge et l'Enfant et saint Jean Baptiste enfant*, h/pan. (72x55,5) : **GBP 55 000** – Milan, 2 déc. 1993 : *Vierge à l'Enfant avec Saint Jean*, h/pan. (72x55) : **ITL 50 025 000** – Londres, 3 juil. 1996 : *L'Adoration des Mages*, encre et lav. avec reh. de blanc/pap. bleu (38,1x28,5) : **GBP 9 200** – Milan, 21 nov. 1996 : *Pentecôte*, h/pap. (68x45) : **ITL 27 960 000**.

LANINO Bernardino Francesco
Mort après 1691. XVIIe siècle. Actif à Verceil. Italien.
Peintre et peintre verrier.
Il est l'auteur de onze fenêtres peintes pour la cathédrale de Verceil.

LANINO Cesare
Mort avant le 17 juin 1588. XVIe siècle. Actif à Verceil. Italien.
Peintre.
Il était un fils naturel de Bernardino Lanino. Parmi ses œuvres on cite un tableau d'autel pour la Compagnia dei disciplinanti à Rosignano près de Casale Monferrato et un tabernacle à l'église Saint-Augustin à Turin.

LANINO Gaudenzio
XVIe siècle. Actif à Verceil. Italien.
Peintre d'histoire.
Frère de Bernardino Lanino, dont il imita le style. Lanzi cite de lui *Vierge, enfant Jésus et saints*, dans la sacristie des Barnabites.

LANINO Girolamo
Né en 1555 à Verceil. XVIe siècle. Italien.
Peintre d'histoire.
Frère de Bernardino Lanino. Lanzi cite de lui une *Déposition de la croix*.

LANINO Pietro Francesco
Né en 1541. Mort avant le 1er octobre 1609. XVIe siècle. Actif à Verceil. Italien.
Peintre.
Il était fils de Bernardino Lanino. Il peignit avec son frère Girolamo Lanino des tableaux d'autel pour l'église paroissiale de Cigliano près de Verceil, pour l'église Saint-Paul à Verceil, pour les moines Franciscains de Casale Monferrato. Parmi ses œuvres personnelles on cite une *Sainte Catherine* pour l'église Sainte-Catherine à Verceil, un tableau d'autel pour l'église Saint-Michel à Candia. On cite également un *Martyre de Sainte Marguerite* et un *Mont des Oliviers* dans l'ancienne Préfecture de Sesia à Verceil.

LANJALLEY Marthe
Née au XIXe siècle à Paris. XIXe siècle. Française.
Peintre de genre.
Élève de M. Masson et Esbens. Elle figura au Salon à partir de 1870 avec des aquarelles, d'après Chaplin, Ch. Jacque, Hébert, J. Breton, etc.

LANKES Julius J.
Né le 31 août 1881 à Buffalo (New York). XXe siècle. Américain.
Peintre.
Il fut élève de Mary B. W. Coxe et Ernest Fosbery. Il est membre de la Ligue américaine des artistes professeurs.
Musées : Paris (BN).

LANKHORST Jan ou **Lanckhorst** ou **Langhorst**
XVIIIe siècle. Actif à Amsterdam. Hollandais.
Tailleur d'ivoire et orfèvre.
Les Musées de Berlin et d'Amsterdam possèdent de ses œuvres.

LANKHOUT S.
Né le 25 février 1826 à Utrecht. Mort le 19 décembre 1894 à La Haye. XIXe siècle. Hollandais.
Lithographe et imprimeur.
Il fonda en 1859 un institut de lithographie qui existe encore aujourd'hui. Le Cabinet des Estampes d'Amsterdam possède de sa main trois planches représentant les bâtiments de l'Exposition Universelle de Paris de 1855.

LANKRINK Prosper Hendrik ou **Lankring** ou **Langerinkx**
Né en 1628 à Anvers, d'origine allemande. Mort en 1692 à Londres (Covent Garden). XVIIe siècle. Éc. flamande.
Peintre de paysages.
Fils d'un colonel allemand et destiné d'abord à l'état ecclésiastique. Il fit ses études à l'Académie de sa ville natale puis copia les tableaux de la collection de l'amateur Van der Leyen. Il se rendit ensuite en Italie et copia particulièrement Salvator Rosa. Après la mort de sa mère, il alla en Angleterre, et peignit de nombreux paysages. Sa réputation était considérable et il peignit les fonds, des fleurs, des draperies, des ornements dans certains tableaux de Pierre Lély. Il eut pour élève John Colborn. Un grand nombre de ses ouvrages ont été détruits par le feu.

LANMAN Charles
Né le 14 juin 1819 à Monroe (Michigan). Mort en 1895. XIXe siècle. Actif à Washington. Américain.

Peintre de paysages.
Il fut reçu en 1842 membre de l'Académie Nationale.
Musées : Washington D. C. (Corcoran Gal.) : *La maison dans les bois.*
Ventes Publiques : New York, 21 juin 1979 : *La pêche aux truites*, h/t (45,7x40,6) : **USD 2 400.**

LAN MENG, surnoms : **Cigong, Yiyu**
xviie siècle. Actif vers 1680. Chinois.
Peintre de figures, paysages.
Fils du peintre Lan Ying (1585-après 1660), il laisse quelques paysages signés : *Paysage avec pavillon et pagode*, avec un poème daté 1686, *Le pêcheur ermite*, d'après Ma Yuan, *Poète dans les montagnes d'automne*, d'après Han Huang, etc.
Ventes Publiques : New York, 2 juin 1988 : *Arbres rouges et montagnes vertes*, encre/soie, kakémono (100,5x46,2) : **USD 13 200** – New York, 31 mai 1994 : *Voyageurs dans un paysage d'hiver* 1663, kakémono, encre et pigment sur soie (209,6x94,6) : **USD 34 500.**

LANNEAU. Voir **LAGNEAU**

LANNEAU Patrick
Né en 1951 à Tours (Indre-et-Loire). xxe siècle. Français.
Peintre de paysages. Figuration libre.
De 1968 à 1970, il fut élève de l'école des beaux-arts de Tours, puis de 1970 à 1978 de l'école des arts décoratifs de Nice. En 1979, il a partagé à Nice, avec huit artistes, l'Atelier, lieu de création et d'exposition. Il vit et travaille à Paris et à Nice.
Il participe à de nombreuses expositions collectives : 1980 musée d'Art et d'Industrie de Saint-Étienne ; 1983 Maison des expositions de Genas ; 1984 exposition itinérante en Europe *Rite, Rock, Rêve* ; 1985 musée de la Seita à Paris ; 1985, 1986 Foire de Bâle ; 1986 Fondation Cartier à Jouy-en-Josas ; 1987 musée de Toulon ; 1989, 1991, 1993 SAGA (Salon d'Arts Graphiques) à Paris ; 1990, 1993 Salon de Montrouge ; 1990, 1993 FIAC (Foire Internationale d'Art Contemporain) à Paris ; 1991 Salon Découvertes à Paris ; 1993 Foire de Chicago. Il montre ses œuvres dans des expositions personnelles depuis 1973 : 1980 musée de Nice ; 1982 Bruxelles ; 1982, 1984, 1986, 1991, 1992, 1993, 1994 Paris ; 1983 Venise ; 1985 Dakar ; 1987 Centre d'arts plastiques de Saint-Fons ; 1988 Besançon ; 1990 Maison des arts de Créteil ; 1991 Centre d'action culturelle d'Annecy ; 1993 Douai ; 1994 Maison des arts de Laon.
Des ténèbres surgit la lumière ; aux bleus nuit, aux noirs profonds répondent des jaunes éclatants, des rouges purs. De la couleur, de la matière, émergent des formes fugitives nées dans l'instant, des impressions fugaces, des signes mystérieux. Telle est l'œuvre tumultueuse et violente de Lanneau, qui nous fait plonger au cœur de la profondeur.
Bibliogr. : Catalogue de l'exposition : *Lanneau*, Maison de la Culture de Créteil et du Val de Marne, Créteil, 1990 – Isabel Haddad : *Patrick Lanneau – Sur les chemins de la lumière*, Artension, n° 33, Rouen, été 1992.
Musées : Clisson (FRAC) – Cul-de-Sarts (Mus. du Petit Format) – Jouy-en-Josas (Fond. Cartier) – Nice (Mus. d'Art Mod. et d'Art Contemp.) : *Sans Titre* 1982, diptyque – Paris (Mus. d'Art Mod. de la Ville) – Paris (FNAC) – Paris (BN, Cab. des Estampes) – Rotterdam (Boymans Van Beunigen Mus.) – Toulon.
Ventes Publiques : Paris, 12 fév. 1989 : *Le cyclope*, gche et past./pap. (120x80) : **FRF 5 000** – Paris, 21 sep. 1989 : *Sans titre*, h/t (100x113) : **FRF 4 500** – Paris, 2 fév. 1992 : *Poisson jaune* 1991, h/t (89x116,5) : **FRF 4 300** – Paris, 16 mars 1995 : *Sans titre* 1980, h/pap. (171x213) : **FRF 13 000.**

LANNÉE DE BERTRANCOURT Louis Philippe de
Né à la fin du xviiie siècle à Bruges. xviiie-xixe siècles. Belge.
Aquarelliste et architecte.
En 1843 il fut architecte de la ville de Goes et professeur de l'Académie de cette ville.

LANNES Gustave
Né à Paris. xixe-xxe siècles. Français.
Peintre de paysages.
Il fut élève de M. Louis Brageaval. Il exposa à Paris, au Salon des Artistes Français, dont il fut membre sociétaire à partir de 1909.

LANNES DE MONTEBELLO Napoléon Camille Charles Jean
Né le 30 octobre 1835 à Paris. xixe siècle. Français.
Peintre de paysages.
Élève de M. Michel Bouquet. Il figura au Salon de 1868 à 1870.

LANNIER Léon
Né à Paris. xixe siècle. Français.
Peintre de portraits sur émail et de sujets religieux.
Élève de M. A. Édouard. Il figura au Salon à partir de 1876.

LANNIER Nicolas. Voir **LANIÈRE**

LANNINI. Voir **LANINO**

LANNO François Gaspard Aimé
Né le 7 janvier 1800 à Rennes (Ille-et-Vilaine). Mort en 1871 à Beaumont (Seine-et-Marne). xixe siècle. Français.
Sculpteur.
Élève de Cartellier et de Lemot ; deuxième grand prix de Rome en 1825, premier prix en 1827, deuxième médaille en 1843, troisième en 1855 (Exposition Universelle). Chevalier de la Légion d'honneur (1853). Il figura au Salon de 1834 à 1867. On cite, parmi ses ouvrages, les statues de *Montaigne*, de *Fénelon*, pour la fontaine Saint-Sulpice à Paris, de *Pascal*, de *Fléchier*, *Le génie de l'Art égyptien*, pour le nouveau Louvre, *Sainte Geneviève*, pour l'église de la Madeleine, *L'Université*, bas-relief du tombeau de Napoléon, *Bertrand d'Argentré*, pour le Palais de Justice de Rennes.
Musées : Périgueux : *Michel de Montaigne – Fénelon* – Rennes : *Lesbie – Noé – Figure académique – Deux têtes de femmes représentant les Sciences et les Arts – De Barante – Brune – Samson* – Versailles : *Louis, duc d'Orléans – Philippe V le long – Brune – Amiral Bonnifet.*

LANNOI Robert de. Voir **ROBERT de Launay**

LANNOY Adolphe de
xviie siècle. Travaillant vers 1600. Français.
Miniaturiste.
Le Musée de Leipzig conserve de lui un *Portrait de femme.*

LANNOY René
Né en 1932 à Saint-Amand-les-Eaux (Nord). xxe siècle. Actif en Belgique. Français.
Peintre, dessinateur, graveur.
Il vit et travaille à Bruxelles. Il a participé à l'exposition *De Bonnard à Baselitz – Dix ans d'enrichissements du cabinet des estampes 1978-1988*, à la Bibliothèque nationale à Paris en 1992.
Musées : Paris (BN, Cab. des Estampes) : *Quel modèle prendre ?* vers 1978, aquat.

LANNOY René de
Né en 1907 à Anvers. xxe siècle. Belge.
Peintre. Tendance fantastique.
Il fut élève de l'académie des beaux-arts et de l'Institut supérieur d'Anvers. Il a reçu de nombreux prix et récompenses. Ses peintures baignent dans une atmosphère teintée de mystère.
Bibliogr. : In : *Diction. biogr. illustré des artistes en Belgique depuis 1830*, Arto, Bruxelles, 1987.
Musées : Anvers – Ostende – Saint-Nicolas – Utrecht.

LANNOYE Henri Marie Joseph
Né en 1946 à Aardenberg. xxe siècle. Actif en Belgique. Hollandais.
Sculpteur de statues, compositions religieuses, médailleur.
Il fut élève de l'académie des beaux-arts de Tilburg.
Bibliogr. : In : *Diction. biogr. illustré des artistes en Belgique depuis 1830*, Arto, Bruxelles, 1987.
Musées : Rome (Mus. du Vatican) : *Mortification.*

LANOA Marie Thérèse
Née en 1887 à Champeaux (Seine-et-Marne). Morte en 1967. xxe siècle. Française.
Peintre de nus, portraits, paysages, natures mortes, décorateur.
Élève de Georges Desvalières à l'atelier de La Palette à Paris. Elle participe à Rouen, en 1909, à l'exposition : *Les Artistes normands*, en compagnie de Villon, Léger, Marcel Duchamp et André Mare. À Paris, elle a exposé au Salon d'Automne.
Elle cherche à rendre le côté intimiste de la nature, en toute indépendance.
Bibliogr. : Gérald Schurr, in : *Les Petits Maîtres de la peinture 1820-1920, valeur de demain*, Les Éditions de l'Amateur, t. VII, Paris, 1989.

LANOCHEVSKY Vera de
xxe siècle. Active en France. Russe.
Peintre de portraits.

LANOE Pierre
Né en 1932 à Mallemort (Bouches-du-Rhône). xxe siècle. Français.

Peintre, graveur. Abstrait.
Il fut élève de l'école des beaux-arts de Grenoble en 1948, dans la section gravure. Il vit et travaille à Camps-la-Source. Il participe à de nombreuses expositions collectives, notamment depuis 1988 à Paris au SAGA (Salon d'Arts Graphiques Actuels). Il montre ses œuvres dans une première exposition personnelle à Grenoble en 1958, qui sera suivie de nombreuses autres en France et à l'étranger.
Musées : Paris (BN, Cab. des Estampes) : *Nuit III – Bien et mal* 1984, eaux fortes.

LANON DE LA COUPERIE Gilles
Né en 1667. Mort le 29 mai 1747. XVIIe-XVIIIe siècles. Français.
Peintre.
Membre de l'Académie de Saint-Luc.

LANOS François
XXe siècle. Français.
Peintre de paysages.
Il vécut et travailla à Paris. Il exposa à plusieurs reprises en 1945 et notamment au Salon des Tuileries.
Ventes Publiques : Paris, 29 nov. 1954 : *Neige à Versailles* : **FRF 12 000** – Paris, 1er juil. 1988 : *L'odet-voiliers*, h/isor. (26x55) : **FRF 3 500.**

LANOS Henri
Né à Paris. XIXe-XXe siècles. Français.
Peintre de genre, aquarelliste, dessinateur, illustrateur.
Il exposa à Paris, au Salon des Artistes Français, dont il fut membre sociétaire à partir de 1886. Il a illustré divers auteurs, notamment Daudet, Malot, Maupassant, Zola. Il a également travaillé pour les journaux *La Caricature* et *L'Illustration.*
Bibliogr. : In : *Diction. des illustrateurs 1800-1914*, Ides et Calendes, Neuchâtel, 1989.
Ventes Publiques : Paris, 8 mai 1919 : *Auprès des Saintes Icônes*, lav. d'encre de Chine : **FRF 70.**

LANOÜE Félix Hippolyte
Né le 14 octobre 1812 à Versailles. Mort le 22 janvier 1872 à Versailles. XIXe siècle. Français.
Peintre de compositions religieuses, paysages animés, paysages, dessinateur.
Élève de W. Bertin et de H. Vernet. Il figura au Salon de 1833 à 1872, deuxième prix au concours pour Rome, premier prix de Rome en 1841, médaille de deuxième classe en 1847 ; chevalier de la Légion d'honneur en 1864. Il visita Rome, la Hollande, la Russie. On cite de lui *Saint Benoît à Subiaco* (église Saint-Étienne-du-Mont).

Musées : Avignon : *Le pont du Gard – Le rocher des Nazons, campagne de Rome* – Caen : *Les lavoirs d'Albano* – Cambrai : *La mare aux vaches (Fontainebleau)* – Carpentras : *Les cuves de Sassenage* – Dijon : *Paysage d'Italie* – Langres : *La villa Adriana* – Lisieux : *Vue de Capri* – Nîmes : *Vue du pont du Gard* – Niort : *Le quai de la cour sur la Néva à Saint-Pétersbourg* – Paris (Mus. du Louvre) : *La forêt de pins du Gombo – Caserne de Pise – Le Tibre vu de l'Acqua acetosa* – Tours : *Vue dans l'île de Capri.*
Ventes Publiques : Paris, 1868 : *Vue du Forum romain* : **FRF 430** – Paris, 18 et 19 mars 1927 : *Ruines à Neppi*, pl., cr. et lav. : **FRF 170** – Paris, 20 fév. 1928 : *Lavoir dans la campagne romaine* : **FRF 260** – Paris, 25 nov. 1935 : *Petit port de pêche* : **FRF 430** – Paris, 12 mars 1943 : *Les Pêcheurs devant l'étang* : **FRF 5 000** – Lucerne, 25 mai 1982 : *Paysage fluvial*, h/t (30,5x40) : **CHF 4 400** – Paris, 23 nov. 1987 : *Pâturage devant un château*, past. (26x53) : **FRF 10 500** – Monaco, 8 déc. 1990 : *Bœufs dans la campagne romaine*, h/t (44x64) : **FRF 22 200** – Paris, 27 mars 1992 : *Ruines romaines à Arles* 1851, h/t (45x36) : **FRF 25 000** – Paris, 20 mars 1996 : *Étude de tronc d'arbre*, h/t (36x62) : **FRF 4 200.**

LA NOUE Guillaume de
XVIe siècle. Actif à Paris en 1584. Français.
Graveur sur bois et imprimeur.
Il a exécuté soixante et une gravures sur bois dans un manuel de dévotion publié par lui.

G. L. N.

LA NOUE Térence David
Né en 1941 à Hammond (Indiana). XXe siècle. Américain.
Artiste, technique mixte.
Il participe à des expositions collectives depuis 1962 : 1962 Museum of contemporary Art à Bulter (Ohio), 1963 Art Institute à Chicago, 1970 Corcoran Museum of Art à Washington, 1972 Biennal of American Art à Indianapolis, 1974 Whitney Museum de New York, 1975 Biennale de Paris. Il montre ses œuvres dans des expositions personnelles depuis 1965 à Berlin, depuis 1970 à New York.
Sans doute en réaction contre l'ascèse de l'art conceptuel et de l'abstraction minimale, La Noue a participé à un retour au matiérisme, retour d'abord amorcée par certaines expressions nées peut-être de l'art pauvre. Surfaces somptueuses et comblées, lourdes de matières, d'écorces et de pelures successives, les tableaux de La Noue sont faits de latex, de fibres, de poudres métalliques, de peinture et évoquent une topographie, une géologie, peut-être un sol et un paysage.
Musées : New York (Whitney Mus.) – Ridgefield (Aldrich Mus. of American Art).

LA NOUE J. ou **S. de** ou **La Nove**
XVIIe siècle. Actif à Bruxelles, vers 1634. Belge.
Graveur sur bois.

LANOUELLE Jean
Mort à Paris. XVIIIe siècle. Français.
Peintre de portraits.
Membre de l'Académie de Saint-Luc. Il prit part aux expositions, notamment en 1751 et en 1762.

LANOYER Emmanuel Maurice
Né le 18 février 1835 à l'Ile-Bouin (Vendée). Mort en novembre 1895 à Paris. XIXe siècle. Français.
Peintre de marines et de paysages.
Il étudia l'architecture avec Violet le Duc jusqu'à vingt ans, puis s'adonna à la peinture, travaillant avec Harpignies et Courbet. Il débuta au Salon de 1861 et en 1863 figura au Salon des Refusés, en assez bonne compagnie, du reste. Son tableau : *Vue de Douarnenez*, exposé en 1865, lui valut une médaille. Il fut encore récompensé en 1869 et 1873. On voit de lui dans le grand vestibule du Palais de la Légion d'honneur la vue de ce monument, prise du quai d'Orsay.
Musées : Compiègne : *La cour de la Sorbonne en 1886* – Dunkerque : *La mer au casino de Granville* – Genève (Rath) : *Château de Saint-Loup-sur-Thonet en Vendée* – Lille : *Rochers d'Arvéchen à marée basse – Moulins à vent aux environs de Lille* – Limoges : *Fleurs*, quatre aquar. – Montréal : *La rosée* – Nantes : *Église et château de Clisson* – Paris (Mus. du Louvre) : *Deux paysages* – Rochefort : *La tour Saint-Jacques à Parthenay* – La Roche-sur-Yon : *Source en Bretagne* – Saint-Brieuc : *Vue de Penanalé* – Saintes : *La Garonne à Bacalan* – Sydney : *Château de Loches* – Tours : *Lavoir à marée basse à Douarnenez.*
Ventes Publiques : Paris, 14 nov. 1900 : *Gros temps* : **FRF 180** – Paris, 20 mai 1903 : *Ancienne rue Grenier-sur-l'eau* : **FRF 150** – Paris, 5 avr. 1909 : *Douarnenez* : **FRF 250** – Paris, 21 mars 1938 : *Pleine mer à Granville* : **FRF 80.**

LANQUETIN Gilbert. Voir **BERTHOUD Paul François**

LANQUETIN Jacques
Mort en 1889. XIXe siècle. Français.
Peintre.
Sociétaire des Artistes Français, il figura au Salon de ce groupement.

LANQUIER Andreas
XVIIe siècle. Français.
Peintre.
Actif à Arras, il pourrait être rapproché de Adrien Languer.

LANSAC François Émile de, comte
Né le 1er octobre 1803 à Tulle. Mort le 2 avril 1890 à Paris. XIXe siècle. Français.
Peintre d'histoire, sujets militaires, portraits, animalier, paysages, dessinateur.
Élève de A. Scheffer et de S. Langlois. Il figura au Salon de 1827 à 1878 et obtint une médaille de 3e classe en 1836 et une de deuxième classe en 1838.
On cite de lui : *Épisode du siège de Missolonghi.*
Musées : Bordeaux : *Chevaux* – Bordeaux (deux études) – Versailles : *Portrait équestre d'Olivier de Clisson.*
Ventes Publiques : Paris, 12 au 14 juin 1907 : *Combat d'Arcis-sur-Aube* : **FRF 300** – Paris, 5 juil. 1924 : *Chevaux tenus en main* : **FRF 105** – Monte-Carlo, 22 juin 1986 : *Portraits de deux jumelles*, h/t, une paire de forme ovale (63x52) : **FRF 15 000** – Paris, 8 déc. 1993 : *La halte*, h/t (66x54) : **FRF 15 500.**

LANSALOT Pierre
Né le 18 avril 1919 à Mauléon (Pyrénées-Atlantiques). xxe siècle. Français.
Peintre de paysages.
Il fut élève de Valmier et d'André Lhote. Il fait partie, avec Toffoli et Bezombes, du groupe Synthèse. Il vit dans les Pyrénées-Atlantiques. Il participe à Paris aux Salons des Indépendants, dont il est membre sociétaire, et des Artistes Français. Il montre ses œuvres dans des expositions personnelles à Paris notamment.
Paysagiste, son œuvre a de lointaines attaches avec Villon.

LANSCROON Jean Baptiste. Voir **LANTSCROON**

LANSDALE James
XIXe siècle. Britannique.
Peintre de portraits.
La National Portrait Gallery à Londres, conserve de lui : *A.-E.-C. de Brunswick, reine d'Angleterre, Sir William Bolland, Abraham Rees, James Heath, William Sharp.*

LANSE Michel
Né en 1613 à Rouen. Mort le 19 novembre 1661 à Paris ou Rouen. XVIIe siècle. Français.
Peintre d'animaux, fleurs, fruits.
Il fut reçu académicien le 28 février 1660. Il s'est spécialisé dans la peinture de fleurs et d'oiseaux.

LANSÉ Suzanne
Née le 9 juillet 1898 à Annecy (Haute-Savoie). xxe siècle. Française.
Peintre.
Elle expose à Paris, au Salon des Femmes Peintres et Sculpteurs et à celui des Tuileries.

LANSERET E. E.
Né en 1875. xxe siècle. Russe.
Peintre de genre, portraits.
Musées : Moscou (Gal. Tretiakov) : *Le Marché de Nikolsky à Pétersbourg – L'Impératrice Elisabeth Petrowna.*

LAN SHEN ou **Lan Chen**, surnom : **Xieqing**
XVIIe siècle. Actif à la fin du XVIIe siècle. Chinois.
Peintre.
Fils du peintre Lan Meng, il laisse quelques paysages signés.

LANSIL Walter Franklin
Né le 30 mars 1846 à Bangor (Maine). Mort en 1925. XIXe siècle. Américain.
Peintre de genre, marines.
Élève de J.-P. Hardy à Bangor. Il travailla surtout à Boston. Élu membre de la Bangor Art Association en 1876 et du Boston Art Club en 1877.

Walter F Lansil

Ventes Publiques : New York, 21 sep. 1984 : *Marine par temps de brume* 1914, h/t (56x74) : **USD 2 400** – New York, 10 juin 1992 : *Fête de nuit à Venise* 1906, h/t (70,4x101,6) : **USD 7 920**.

LANSINCK Berendsz
XVIIIe siècle. Hollandais.
Dessinateur et peintre.

LANSINCK J. W.
XVIIIe siècle. Travaillant probablement à Amsterdam, dans la seconde moitié du XVIIIe siècle. Hollandais.
Peintre de genre.
Le Musée de Berlin conserve de lui : *Un porc égorgé* et une répétition de Gebr Redwetz à Baden-Baden.

J. W. Lansinck

Ventes Publiques : Paris, 24 jan. 1899 : *Intérieur* : **FRF 115**.

LANSKOY André
Né en 1902 à Moscou. Mort le 22 août 1976 à Paris. xxe siècle. Actif depuis 1921 en France. Russe.
Peintre, peintre à la gouache, de cartons de tapisseries, dessinateur. Abstrait-lyrique.
Fils du comte de Lanskoy, il fut élève à l'école des Pages à Saint-Petersbourg, il se retrouva à la révolution dans les armées tsaristes. Il séjourna ensuite à Kiev, où il commença à peindre ayant peut-être reçu les conseils de Sergei Soudéikine, un peintre décorateur à la mode ; puis en Crimée. À son arrivée à Paris, en 1921, il fréquenta l'académie de la Grande-Chaumière, découvrant l'œuvre de Van Gogh et de Matisse et se liant avec Larionov et Soutine, duquel on peut trouver l'influence dans les personnages et natures mortes expressionnistes peints par Lanskoy à cette époque.
Il exposa pour la première fois dans un groupe en 1923. Depuis, il a participé à de nombreuses expositions de groupe, parmi lesquelles à Paris aux Salons de Mai et des Réalités Nouvelles, qui lui a rendu hommage en 1977. Dès 1924, il fut remarqué par le découvreur Wilhelm Uhde qui suscita sa première exposition personnelle à Paris, en 1925, à la galerie Bing. En 1938, il eut une exposition circulante aux Pays-Bas. Ses œuvres abstraites furent montrées pour la première fois en 1948 à la galerie Louis Carré, à Paris, suivie de beaucoup d'autres expositions à Bruxelles, Londres, Lausanne, Zurich, New York, Berlin, etc, qui firent connaître à travers le monde cette peinture.
Ses premières peintures, des scènes d'intérieur et de groupes, des natures mortes et des portraits, étaient caractérisées par un dessin populiste et des couleurs joyeuses, encore typiquement slaves. La touche était déjà grasse, la matière généreuse, le dessin, peu linéaire, fondu dans la couleur, l'harmonie déjà soumise au choix d'une dominante. Il peignit alors aussi des paysages, mais ce qui a été relevé plus haut au sujet de son dessin, peu descriptif, rendait le sujet du tableau secondaire, au regard de la qualité épidermique de la pâte picturale et des harmonies colorées luministes tendant à une monochromie à dominante. Dans ses gouaches de 1939, il libérait déjà la couleur de sa fonction imitative au profit de ses capacités d'expression immédiate. Toutefois ce ne fut qu'à la fin des années de guerre que l'abstraction de la forme peinte par rapport à la réalité gagna l'ensemble de son œuvre. De l'art populaire et du cérémonial religieux russes, il garda la prédominance de la couleur sur la forme. Il a toujours refusé depuis d'attribuer une grande importance à ce passage à l'abstraction, refusant le dualisme manichéiste dans lequel on a voulu affirmer l'alternative : figuration-abstraction, et affirmant l'identité de nature entre peinture figurative et peinture abstraite. Cet œuvre est foisonnant comme une forêt vierge, éclatant comme un ballet russe, inventif comme une fête populaire, prodigue comme un seigneur en bonne fortune, et dont la désinvolture plaisait à l'humeur sombre de De Staël. Ses féeries de couleurs savent très bien se passer des empâtements au couteau, se fondant un peu plus sur le dessin arborescent, pour se transcrire en tapisseries d'une somptuosité orientale. Il a illustré le *Journal d'un fou* de Gogol, paru en 1968. ■ Jacques Busse

Lanskoy

Bibliogr. : Roger Van Gindertael : *Lanskoy*, Art d'aujourd'hui, Paris, 1951 – Jean Grenier : *Lanskoy*, L'Œil, Paris, 1956 – Michel Seuphor : *Diction. de la peinture abstraite*, Hazan, Paris, 1957 – Jean Grenier : *Lanskoy*, Hazan, Paris, vers 1965 – Raoul Jean Moulin, in : *Diction. univers. de l'art et des artistes*, Hazan, Paris, 1967 – in : *Les Muses*, t. IX, Grange Batelière, Paris, 1972 – in : *Diction. univer. de la peinture*, Le Robert, Paris, 1976 – Patrick Gilles Persin : *André Lanskoy*, Cimaise, n° 206-207, Paris, été 1990 – Pascaline Dron, Angelo Pittiglio : *André Lanskoy*, Pittiglio éditeur, Paris, 1990.
Musées : Colmar (Mus. d'Unterlinden) : *Composition sur fond noir* 1975 – Grenoble (Mus. de peinture et de sculpture) : *Le Printemps mouvementé* 1965 – Le Havre (Mus. des Beaux-Arts) : *Description d'un monde intérieur* – Lille (Mus. des Beaux-Arts) : *Le Repas* 1938 – Marseille (Mus. Cantini) : *Sans Titre* s.d., fus./pap. – Maubeuge (Mus. Henri Boez) : *Composition* – Mulhouse (Mus. de l'impresssion sur étoffe) : *Sans Titre* 1947-1948 – New York (Solomon R. Guggenheim Mus.) : *Voyage à Arles* 1953 – Paris (Mus. d'Art Mod.) : *Multitudes* – Philadelphie : *Nature morte* – Saint-Étienne (Mus. d'Art Mod.) : *Signe de vie* 1961 – Toledo : *Objets sous la neige* – Toronto (Art Gal.) : *Homme dans un fauteuil* 1956 – Tourcoing (Mus. des Beaux-Arts) : *En Famille* 1938 – Villeneuve-d'Ascq (Mus. d'Art Mod.) : *Portrait de Pierre Yvanoff* 1929 – *Le Jardinier* 1937 – *Homme écrivant* 1937.
Ventes Publiques : Paris, 26 avr. 1926 : *Intérieur* : **FRF 850** – Paris, 4 fév. 1928 : *Filles galantes* : **FRF 230** – Paris, 8 mars 1929 : *Intérieur* : **FRF 880** – Paris, 30 juin 1941 : *Nature morte* : **FRF 300** – Paris, 29 déc. 1944 : *Nature morte* : **FRF 1 100** – Paris, 30 avr. 1947 : *Au lapin agile* : **FRF 10 000** – Paris, 30 mai 1951 : *Scène d'intérieur* : **FRF 32 000** – Paris, 21 fév. 1955 : *Réunion de famille*, gche : **FRF 26 100** – Paris, 10 déc. 1959 : *Composition, harmonie bleue* : **FRF 900 000** – Bruxelles, 10 juin 1960 : *Composition* :

BEF **34 000** - Paris, 21 juin 1961 : *Indication discrète* 1955 : **FRF 7 000** - Genève, 2 nov. 1963 : *Composition*, gche : **CHF 5 800** - New York, 24 mars 1966 : *Le miroir pour répéter la tragédie* : **USD 2 500** - Paris, 1er déc. 1969 : *Demain soir à Orly* : **FRF 11 100** - Genève, 9 déc. 1970 : *Composition*, gche : **CHF 5 000** - Paris, 1er déc. 1972 : *Les degrés de la montagne* 1951 : **FRF 21 000** - Genève, 9 déc. 1973 : *Composition*, gche : **CHF 8 000** - Paris, 12 juin 1974 : *Composition* : **FRF 61 000** - Paris, 25 mai 1976 : *Composition verte*, h/t (69x49) : **FRF 11 000** - Londres, 7 déc. 1977 : *La Croisière dans la Corrèze* 1960, h/t (73x100) : **GBP 3 100** - Paris, 2 déc 1979 : *Composition à fond noir*, aquar. (64x49) : **FRF 7 500** - New York, 18 mai 1979 : *Le Nœud invisible* 1959, h/t (100,3x72,4) : **USD 9 500** - New York, 20 mai 1981 : *Composition au drapeau* 1959, h/t (143x96,5) : **USD 11 000** - Paris, 12 déc. 1983 : *Composition noir et blanc*, fus. (108x73) : **FRF 14 000** - Zurich, 1er juin 1983 : *Composition sur fond noir*, gche (80x112) : **CHF 9 500** - New York, 9 nov. 1983 : *Discours d'un sage* 1951, h/t (130x195) : **USD 6 000** - New York, 18 oct. 1985 : *Contradiction des contours* 1958, h/t (96,8x194,8) : **USD 21 000** - Paris, 24 juin 1986 : *Contradictions des contours* 1958, h/t (96x195) : **FRF 190 000** - Paris, 30 juin 1986 : *Composition*, gche, past. et h. (63x48) : **FRF 62 000** - Calais, 11 nov. 1987 : *Composition* 1964, h/t (92x73) : **FRF 140 000** - Paris, 20 mars 1988 : *Composition sur fond noir*, gche (65x50) : **FRF 35 000** - L'Isle-Adam, 11 juin 1988 : *Composition abstraite à fond noir*, 2 gches en pendants (chaque : 32x48) : **FRF 48 000** - Paris, 17 juin 1988 : *Composition*, collage/pap. (108x73,5) : **FRF 135 000** - Neuilly, 20 juin 1988 : *Composition*, gche (46,5x37,5) : **FRF 220 000** - Paris, 27 juin 1988 : *Bouquet de fleurs*, h/t (35x52) : **FRF 23 000** - New York, 8 oct. 1988 : *Décision prise à minuit* 1957, h/t (96,5x145,4) : **USD 66 000** - Londres, 20 oct. 1988 : *Composition*, gche/pap. (24x31,5) : **GBP 2 420** - Londres, 21 oct. 1988 : *Composition abstraite*, gche/cart. (11,5x21,5) : **GBP 2 200** - Paris, 14 déc. 1988 : *La cuisine* vers 1925, h/t (63x72) : **FRF 18 500** - Milan, 20 mars 1989 : *Composition* 1968, h/t (81x54) : **ITL 27 000 000** - Paris, 23 mars 1989 : *Composition* 1963, h/t (96x73) : **FRF 230 000** - Londres, 6 avr. 1989 : *Rythmes composition sur fond vert*, gche et aquar. et collage/pap. (110x75) : **GBP 12 100** - Paris, 5 juin 1989 : *Composition violine sur fond noir*, gche/fond préparé (64x49,5) : **FRF 110 000** - Londres, 29 juin 1989 : *Composition*, h/t (146x114) : **GBP 52 800** - Paris, 29 sep. 1989 : *Composition*, colla. et cr. de coul. (65x49) : **FRF 20 000** - Paris, 8 oct. 1989 : *Composition*, h/t (81x100) : **FRF 850 000** - Paris, 9 oct. 1989 : *Végétation à travers les murs* 1961, h/t (101x73) : **FRF 330 000** - Grandville, 14 jan. 1990 : *Composition*, h/t (91x73) : **FRF 480 000** - Genève, 19 jan. 1990 : *Composition* 1960, gche (63x49) : **CHF 38 000** - Paris, 31 jan. 1990 : *Composition*, h/t (22x14) : **FRF 38 500** - Paris, 11 mars 1990 : *Le côté fleur* 1962, h/t (81x100) : **FRF 525 000** - Londres, 22 fév. 1990 : *L'entassement des oranges* 1969, h/t (197x100) : **GBP 82 500** - Londres, 5 avr. 1990 : *Composition*, gche/pap. (24x32) : **GBP 7 150** - Neuilly, 10 mai 1990 : *Composition*, gche/pap. (49,5x32) : **FRF 85 000** - Paris, 30 mai 1990 : *Composition sur fond noir*, h/t (65x81) : **FRF 350 000** - L'Isle-Adam, 8 juil. 1990 : *Composition à fond noir* 1960, h/t (116x89) : **FRF 720 000** - New York, 26 fév. 1990 : *Composition*, h/t (73x59,7) : **USD 126 500** - Paris, 30 mars 1990 : *Composition sur fond noir* vers 1950, gche/pap. (63,5x48) : **FRF 210 000** - Paris, 28 mars 1990 : *Composition* 1964, h/t (92x73) : **FRF 580 000** - Paris, 10 juin 1990 : *Clair comme le jour* 1959, h/t (97x195) : **FRF 550 000** - Paris, 2 juil. 1990 : *Composition noire, verte et brune*, past. (60x40) : **FRF 85 000** - Bruxelles, 9 oct. 1990 : *Composition*, aquar. (36x50) : **BEF 150 000** - Paris, 27 nov. 1990 : *Bord de mer*, h/t (60x72) : **FRF 200 000** - New York, 15 fév. 1991 : *Sans titre*, h/t (146x96,5) : **USD 55 000** - Londres, 21 mars 1991 : *Les ombres d'une promenade*, h/t (73x100) : **GBP 12 100** - Amsterdam, 23 mai 1991 : *Silence rompu*, h/t (116x81) : **NLG 92 000** - Paris, 30 mai 1991 : *Changement de thème* 1966, h/t (96,5x145,5) : **FRF 220 000** - Tel-Aviv, 26 sep. 1991 : *Vase de fleurs*, h/t (99x64,5) : **USD 13 200** - Zurich, 4 déc. 1991 : *Composition*, h/t (65x46) : **CHF 50 000** - Paris, 16 fév. 1992 : *Le courrier du soir*, h/t (60x73) : **FRF 260 000** - Lokeren, 23 mai 1992 : *Composition*, gche (57x40) : **BEF 360 000** - Stockholm, 21 mai 1992 : *« Reproches inutiles »* 1959, h/t (60x72) : **SEK 80 000** - Paris, 3 juin 1992 : *Composition* 1959, h/t (60x73) : **FRF 85 000** - Amsterdam, 10 déc. 1992 : *Sans titre* 1952, h/t (100x65) : **NLG 66 700** - Londres, 3 déc. 1992 : *Composition*, h/t (130x97,5) : **GBP 30 800** - Le Touquet, 30 mai 1993 : *Composition*, h/t (130x98) : **FRF 131 000** - Paris, 21 juin 1993 : *Composition*, h/t (97x195) : **FRF 360 000** - Milan, 22 juin 1993 : *Le jardin du ciel* 1962, h/t (97x161) : **ITL 90 000 000** - Paris, 14 oct. 1993 : *Composition*, h/t (100x73) : **FRF 125 000** - New York, 11 nov. 1993 : *Sans titre*, h/t (71,1x97,8) : **USD 37 375** - Copenhague, 3 nov. 1993 : *Composition*, h/t (61x51) : **DKK 105 000** - Londres, 2 déc. 1993 : *Ombre de la conscience* 1945, h/t (114x146) : **GBP 41 100** - Paris, 29 juin 1994 : *La maison de l'infini*, h/t (92x73) : **FRF 122 000** - Zurich, 7 avr. 1995 : *Composition* 1972, gche (64x49) : **CHF 13 000** - Lokeren, 20 mai 1995 : *Composition*, gche (64x24) : **BEF 95 000** - New York, 14 juin 1995 : *L'eau fraîche*, h/t (60,3x73,7) : **USD 24 150** - Zurich, 23 juin 1995 : *Entre le coq et le coquelicot*, h/t (60x50) : **CHF 22 000** - Amsterdam, 6 déc. 1995 : *Camouflage*, h/t (65x50) : **NLG 33 350** - Paris, 13 déc. 1995 : *Les terres bleues* 1960, h/t (97x146) : **FRF 180 000** - Londres, 15 mars 1996 : *Éteignez les lumières* 1964, h/t (146x97) : **GBP 18 400** - Zurich, 26 mars 1996 : *Composition* 1957, h/t (152x67) : **CHF 28 000** - Paris, 10 juin 1996 : *Composition*, past., fus. et gche/pap. (62x48) : **FRF 20 000** - Paris, 29 nov. 1996 : *Composition*, gche/cart. mar./t. (310x203) : **FRF 59 000** ; *Arbre de Noël* 1951, h/t (116x81) : **FRF 85 000** - Londres, 4 déc. 1996 : *Sombre et royal*, h/t (146x97) : **GBP 23 000** - Paris, 12 déc. 1996 : *Sans titre*, gche et collage (65x43) : **FRF 5 000** - Calais, 15 déc. 1996 : *Composition à fond noir*, h/t (81x65) : **FRF 77 000** - Paris, 16 déc. 1996 : *Hommage à Grünewald* 1969, h/t (100x65) : **FRF 123 000** ; *Composition sur fond noir* 1974, mosaïque (120x180) : **FRF 28 000** - New York, 19 nov. 1996 : *Sans titre*, gche/pap. (61x48,3) : **USD 2 645** - Paris, 16 mars 1997 : *Intérieur, femme au miroir*, h/t (53x63) : **FRF 28 000** - Paris, 28 avr. 1997 : *Composition sur fond bleu*, gche/pap. (64x49) : **FRF 13 500** ; *Le Délire du clown* 1960, h/t (91,5x72,5) : **FRF 53 000** - Lokeren, 8 mars 1997 : *Composition* 1946, gche (31x24) : **BEF 75 000** - Paris, 18 juin 1997 : *Composition* vers 1962-1963, h/t (73x60) : **FRF 58 000** - Paris, 19 juin 1997 : *La Neige en fleur* 1955, h/t (60x73) : **FRF 95 000** - Calais, 6 juil. 1997 : *Composition*, h/t (100x73) : **FRF 45 000**.

LANSKOY Ivan Ivanovitch

Né en 1845 à Sadonsk. XIXe siècle. Russe.

Peintre.

Il fut envoyé par l'Académie de Saint-Pétersbourg en Italie.

LANSON Alfred Désiré

Né le 11 mars 1851 à Orléans. Mort en 1898 à Paris. XIXe siècle. Français.

Sculpteur de statues, groupes.

Élève de l'École des Beaux-Arts de Paris et de Rouillard, Jouffroy et A. Millet. Il a exposé au Salon depuis 1870 jusqu'à sa mort. Prix de Rome en 1876, médailles de troisième classe (1875), deuxième classe (1879), de première classe en 1880, grand prix en 1889 (Exposition Universelle), chevalier de la Légion d'honneur depuis 1882.

Musées : Limoges : *La géographie* – Orléans : *La Force, s'appuyant sur la Justice, va percer de son glaive l'incendiaire* – *Jeune pâtre italien* – Paris (Mus. du Louvre) : *L'âge de fer*.

Ventes Publiques : Nice, 27 sep. 1978 : *Jeune femme à l'arc*, bronze doré (H. 50) : **FRF 3 000** - Paris, 4 nov. 1987 : *Jeune femme assise sur un rocher*, marbre blanc (H. 0,75) : **FRF 17 000** - Paris, 16 oct. 1988 : *La Geïsha*, bronze à patine brun-or (H 95) : **FRF 20 000** - Calais, 11 déc. 1994 : *Jason rapportant la Toison d'or*, bronze (H. 50) : **FRF 8 000**.

LANSON Ernest

Né le 12 novembre 1836 à Orléans. Mort en 1914. XIXe-XXe siècles. Français.

Sculpteur.

Élève de l'École municipale d'Orléans. Il figura au Salon à partir de 1868.

LANSON Ernestine

Née au XIXe siècle à Orléans. XIXe siècle. Française.

Sculpteur.

Élève de E. Lanson, son père. Elle figura au Salon à partir de 1872.

LANSTON Gustave

Mort en 1896. XIXe siècle. Français.

Sculpteur.

Sociétaire des Artistes Français, il figura au Salon de ce groupement.

LANSYER Emmanuel

Né le 19 février 1835 à Bouin (Vendée). Mort le 21 octobre 1893 à Paris. XIXe siècle. Français.

Peintre d'architectures, paysages.

Son père se résignant mal à le voir devenir peintre, l'étude de l'architecture lui fut imposée. D'abord élève de Dauvergne, il travailla sous la direction de Viollet-le-Duc en 1857. Il étudia la peinture avec Lamothe, Glaize, Courbet et Harpignies.
Il exposa au Salon de Paris et dans divers Salons de Bretagne et de Vendée ; en 1878 à l'Exposition Universelle ; médailles : de deuxième classe en 1869 et de troisième classe en 1874. À sa mort, il légua à la ville de Loches – où il repose – sa maison et les toiles qu'elle renfermait. La municipalité en fit le Musée Lansyer, inauguré en 1902. Il fut aussi poète.

Lansyer

Musées : Auxerre : *La rivière de Pouldahut* – Castres : *Les Alpes liguriennes* – Dunkerque : *Paysages* – Genève (Rath) : *Peinture* – Lille : *Peinture* – Lisieux : *Pommiers en fleurs* – Loches : 400 œuvres environ – Nantes : *L'église et le château de Clisson* – Paris (Mus. du Louvre) : *Le château de Pierre fonds* – Paris (Petit Palais) : *La Place de la Concorde* – Philadelphie : *Peinture* – Tours : *Le château de Ménars* – *Un lavoir* – Valenciennes : *Bord de mer*.
Ventes Publiques : Paris, 25 juin 1976 : *Douarnenez* 1872, h/t (27x40) : **FRF 3 100** – St-Brieuc, 8 avr 1979 : *Douarnenez, bateaux dans le port* 1872, h/t (27x41) : **FRF 10 500** – Londres, 26 nov. 1982 : *Lavandière dans un paysage fluvial boisé* 1865, h/t (27,3x40,6) : **GBP 1 400** – Paris, 15 fév. 1989 : *Le Château de Teunelliès près de Parthenay (Deux-Sèvres)*, h/t (33x46) : **FRF 5 800** – Reims, 11 juin 1989 : *Calvaire breton en baie du Mont-Saint-Michel* 1881, h/t (44x54) : **FRF 24 000** – Reims, 22 oct. 1989 : *Le Château de Teunelliés près de Parthenay (Deux-Sèvres)*, h/t (33x46) : **FRF 15 500** – Paris, 15 déc. 1989 : *La plage de Pontaillac*, peint. (65x40) : **FRF 238 000** – Paris, 7 oct. 1991 : *Le château de Chenonceaux* 1881, h/t (64,5x44) : **FRF 21 000** – Paris, 21 mars 1994 : *Douarnenez, jeudi matin 1er août 1872*, h/t (27x41) : **FRF 12 500** – Londres, 16 nov. 1994 : *Le château de Saint Loup* 1883, h/t (40x60) : **GBP 3 220**.

LANT Thomas
Né vers 1555. Mort en 1600. xvie siècle. Britannique.
Dessinateur amateur.
Gentilhomme au service de sir Philip Sydney. Il dessina le cortège de funérailles de son maître qui furent gravées en trente-quatre planches par Bry, et publiées en 1587. En 1597 il fut créé héraut d'armes au château de Windsor.

LAN TAO ou **Lan T'ao**
xviie siècle. Actif à la fin du xviie siècle. Chinois.
Peintre.
Fils de Lan Meng.

LANTARA Simon Mathurin ou **Lantarat**
Né le 24 mars 1729 à Oncy près Milly (Seine-et-Marne). Mort le 22 décembre 1778 à l'hôpital de la Charité à Paris. xviiie siècle. Français.
Peintre de paysages animés, paysages, paysages d'eau, graveur, dessinateur.
Le savant historiographe Bellier de la Chavignerie a le premier dissipé les légendes stupides qui faisaient de Lantara un ivrogne grossier et paresseux. La vérité est que parti d'une condition extrêmement modeste, n'ayant ni les belles manières, ni le savoir-faire qui eussent pu, à défaut de l'instruction dont il avait été privé, lui permettre de fréquenter le monde et de trouver des protecteurs, il ne sortit pas du milieu ouvrier où il avait été élevé. S'il fréquenta les cabarets, ce fut pour y prendre ses modestes repas, après quoi il allait dans la campagne faire des études, des croquis et préparer les tableaux d'un si charmant réalisme qu'il nous a laissés. Les recherches de Bellier de la Chavignerie établissent que Lantara était fils de Françoise Malvillain, fille non mariée. À la suite d'un procès, Simon Mathurin, ouvrier tisserand, l'épousa et reconnut l'enfant âgé de trois ans. Cinq ans plus tard, le petit Simon devait entrer comme gardien de bestiaux au château de la Renoumière. Le fils du propriétaire remarqua les crayonnages du petit berger et le plaça à Versailles chez un peintre dont on ignore le nom. Lantara le quitta bientôt pour entrer au service d'un peintre parisien, que l'on ne nomme pas non plus, se contentant pour gages des leçons de peinture que lui donnait son maître. Quand il se sentit assez fort, Lantara alla s'établir dans une mansarde de la rue Saint-Denis. Dans la maison habitait une fruitière nommée Jacquelin. Lantara s'en éprit et l'épousa. Il vendait aux marchands ses tableaux et ses dessins à vil prix. À quarante-neuf ans, dans une situation précaire, malade, il dut aller à l'hôpital.
Après sa mort on paraît avoir rendu justice à son talent ; ses œuvres furent gravées. En 1783, on exposait au Salon de la Correspondance deux tableaux intitulés : *Paysages dans l'instant d'une belle matinée* et *Paysage dans l'instant du coucher du soleil*. De son vivant, il n'exposa qu'à la place Dauphine ; en 1771 : *deux paysages, deux tableaux*, dont *un clair de lune, deux dessins au crayon noir rehaussés de blanc*. En 1773, des *paysages*. Un hommage touchant a déjà été rendu à la mémoire de ce bel artiste, le département de Seine-et-Marne a acheté la chaumière où il naquit ; on cite une eau-forte de Lantara.
On attribue généralement les figures de ses paysages à Vernet, Casanova, Barré, Bernard et Taunay. Le fait nous paraît contestable à moins d'admettre que les figures fussent ajoutées sur la demande des marchands après l'acquisition des toiles, de façon à les rendre plus vendables. On peut difficilement admettre qu'un pauvre diable d'artiste ait trouvé sur des prix de misère de quoi payer des peintres plus ou moins connus. Joseph Vernet qui a peint un petit portrait de Lantara nous paraît susceptible, par obligeance et peut-être pour montrer à son confrère pauvre comment il devait s'y prendre, d'avoir peint quelques personnages pour Lantara. Du reste, l'excellent dessinateur qu'était notre artiste nous paraît tout à fait capable d'avoir peint ses figures lui-même. La vérité c'est que, essentiellement artiste, Lantara ne voulut probablement pas se plier aux exigences sociales. Ce fut un « Irrégulier » ou un « Indépendant » comme le furent plus tard Georges Michel, J.-F. Millet, Monticelli. Bien avant Moreau l'aîné, Lantara a introduit la vérité dans ses paysages : certains de ses dessins notamment, peuvent être placés du côté de ceux de Théodore Rousseau.

Sr Lantara

Musées : Abbeville : *Paysage* – Amiens : *Paysage* – Besançon : *Le matin* – *Le soir* – *Bords d'une rivière* – Béziers : *Paysage* – *Chasseur à cheval* – Châteauroux : *Bords du Loing* – La Fère : *Paysage* – Nantes : *Effet de lune* – Narbonne : *Cours d'eau au soleil couchant* – Poitiers : *Paysages* – Rouen : Deux paysages et une étude – Saint-Pétersbourg (Mus. de l'Ermitage) : *Paysage maritime* – Valenciennes : *Paysage*.
Ventes Publiques : Paris, 1817 : *Paysage*, figures par Taunay : **FRF 641** – Paris, 1873 : *Paysage* : **FRF 1 400** – Paris, 1890 : *Paysage avec figures* : **FRF 1 250** – Paris, 28 et 29 mars 1898 : *L'orage*, dess. : **FRF 210** – Paris, 18 au 25 mars 1901 : *Paysage accidenté* : **FRF 560** – Paris, 15 déc. 1902 : *Paysage bord de la mer* : **FRF 230** – Paris, 13-14-15 mars 1905 : *Le Moulin joli* : **FRF 880** – Paris, 23 fév. 1906 : *Le pont rustique* : **FRF 395** – Paris, 2 et 3 mars 1906 : *Paysage avec figures* : **FRF 105** – Paris, 12-13 juin 1908 : *La Ferme au bord de la rivière* : **FRF 730** – Paris, 16 juin 1910 : *Coucher du soleil sur une rivière* : **FRF 120** – Paris, 8-9-10 mai 1911 : *Paysage* : **FRF 200** – Paris, 11 et 12 fév. 1921 : *La Cascade* : **FRF 1 080** – Paris, 7-8 mai 1923 : *Le Chemin sous-bois* ; *La Route dans la plaine*, sanguines, deux : **FRF 1 400** – Paris, 26 juin 1925 : *Le Moulin*, cr. : **FRF 400** – Paris, 3 mars 1926 : *Paysage au bord d'une rivière*, pierre noire : **FRF 700** – Paris, 13 mai 1927 : *Coucher de soleil sur un canal* ; *Lever de soleil sur un canal*, les deux : **FRF 13 900** – Paris, 27 avr. 1928 : *Le Pâturage au bord de la mer* : **FRF 2 800** – Paris, 7 mars 1932 : *Le Passage du gué* : **FRF 550** – Paris, 27 nov. 1937 : *Paysage avec rivière* ; *Lavandière près d'un moulin*, les deux : **FRF 1 800** – Paris, 17 nov. 1941 : *Le Moulin à eau* ; *Le Vieux Pont*, deux pendants. Attr. : **FRF 11 500** – Paris, 29 juin 1942 : *Ruines*, cr. : **FRF 1 100** – Paris, 13-14 déc. 1943 : *L'Anse au clair de lune*, pierre noire, reh. de blanc : **FRF 600** – Paris, 11 déc. 1944 : *Paysage* : **FRF 21 000** – Paris, 27 juin 1945 : *La Route au bord de l'eau* : **FRF 15 200** – Paris, oct.1945-juil.1946 : *L'Anse au clair de lune* : **FRF 2 100** ; *Paysage* : **FRF 6 000** – Paris, 7 oct. 1946 : *Tournant de rivière* : **FRF 29 500** – Paris, 5 déc. 1946 : *Paysage traversé par une rivière*, pierre noire, reh. de blanc : **FRF 2 300** – Paris, 14 mai 1947 : *Pâturage au soleil couchant* : **FRF 42 500** – Paris, 20 mai 1955 : *Paysages animés de personnages*, deux pendants : **FRF 35 000** – Paris, 3 déc. 1966 : *Lever de soleil sur une rivière* ; *Coucher de soleil sur une rivière*, deux pendants : **FRF 6 500** – Paris, 12 mars 1976 : *Paysage à la rivière animée de personnages*, h/t (31x41) : **FRF 2 600** – Paris, 27 avr 1979 : *Paysage animé*, h/t mar./bois (48,5x63) : **FRF 10 000** – Paris, 25 nov. 1982 : *Paysage animé avec rivière*, h/t (33x41) : **FRF 12 000** – Paris, 25 mars 1983 : *Cavaliers dans un paysage vallonné* 1778,

h/t (42x59,5) : **FRF 40 000** – PARIS, 25 mars 1985 : *Paysage à la carriole*, h/pan. (27x33) : **FRF 16 000** – STOCKHOLM, 14 nov. 1990 : *Paysage romantique animé*, h/pan. (14x20) : **SEK 6 700** – PARIS, 30 nov. 1990 : *Cavalier dans un paysage avec des ruines*, h/pan. (21,5x31,5) : **FRF 13 000** – STOCKHOLM, 29 mai 1991 : *Paysage romantique animé*, h/pap. (14x20) : **SEK 7 000** – PARIS, 17 juin 1991 : *Scène de pêche au clair de lune*, h/pan. (10,5x8) : **FRF 7 500** – LONDRES, 13 sep. 1991 : *Paysan gardant son cheptel au bord d'une rivière coulant vers un lac*, h/t (40,3x51,8) : **GBP 3 080** – MONACO, 20 juin 1992 : *Le gué d'une rivière menant à un village sous une pluie battante avec un lac et des bateaux au lointain et un arbre au premier plan* 1767, craie noire avec des reh. de blanc et de rouge/pap. beige (25,5x38,3) : **FRF 17 760** – PARIS, 25 nov. 1993 : *Deux paysages de bord de mer*, pierre noire, une paire (chaque 23x31,5) : **FRF 14 500** – PARIS, 10 déc. 1993 : *Paysage*, h/t (16,5x24,5) : **FRF 17 100** – PARIS, 17 juin 1994 : *Paysage de cascade et ruines sous l'orage* 1776, pierre noire, estompe et reh. de craie blanche (29x40) : **FRF 13 000** – PARIS, 12 juin 1995 : *Turc et chevaux*, h/pan. (7x9) : **FRF 28 000**.

LANTAY Lajos

Né le 19 août 1861 à Budapest. XIXe-XXe siècles. Hongrois.

Sculpteur de compositions religieuses.

Après des études à Vienne, il retourna dans sa ville natale, où il exécuta surtout des sculptures religieuses entre autres pour la cathédrale de Kassa et l'église du Couronnement à Bude.

LANTBERTUS

IXe siècle. Actif à Reims vers 800. Français.

Peintre de sujets religieux.

On doit à ce scribe des miniatures représentant entre autres *Saint Grégoire et Saint Rémi*.

LANTCHENKO G. S.

Né en 1804. Mort en 1879. XIXe siècle. Russe.

Peintre d'histoire.

Le Musée russe à Saint-Pétersbourg conserve de lui : *Suzanne et les deux vieillards*.

LANTE Giuseppe

Né le 25 juillet 1726 à Bellune. XVIIIe siècle. Italien.

Graveur.

On cite ses *Portraits de Voltaire* et de *Catherine II*.

LANTÉ Louis Marie

Né en 1789. XIXe siècle. Français.

Peintre de paysages.

Élève de Vaudoyer. Il figura au Salon de 1824 à 1838 avec des peintures et des aquarelles. On lui doit aussi les dessins pour : *Galerie des femmes célèbres françaises*, gravés par Gatine, *Costumes des femmes de Normandie*, *Costume de divers pays*, ainsi que pour la collection des costumes pour le *Journal des Modes*, depuis 1817.

VENTES PUBLIQUES : PARIS, 11 nov. 1918 : *Écaillère du Havre*, aquar. : **FRF 180** ; *Costume des environs de Bayeux, près de la mer*, aquar. : **FRF 305** – PARIS, 29-30 nov. 1920 : *Costumes de femmes françaises de différentes provinces*, aquar., suite de quatorze : **FRF 2 400** – PARIS, 23 mars 1949 : *Costumes de Granville*, aquar., une paire : **FRF 10 500** – NEW YORK, 5 juin 1987 : *Scènes de chasse*, h/pan., une paire (26x47) : **USD 9 500**.

LANTERBOURG Martin

Né en 1891. Mort en 1960. XXe siècle. Français.

Dessinateur.

MUSÉES : MULHOUSE : *Quai de Paris*.

LANTERI Édouard

Né le 1er novembre 1848 à Auxerre. Mort le 22 décembre 1917 à Londres. XIXe-XXe siècles. Français.

Sculpteur.

Le Musée de Salford conserve de cet artiste : *La Paix*, figure féminine modelée en 1896 pour les élèves du Royal College of Arts.

LANTERNIER Léon Raoul

Né le 9 janvier 1870 à Arbois (Jura). XIXe-XXe siècles. Français.

Peintre de genre. Orientaliste.

Il fut élève de E. Delaunay et de G. Moreau. Il expose à Paris, au Salon des Artistes Français, dont il est membre sociétaire depuis 1904.

VENTES PUBLIQUES : PARIS, 18-19 mars 1996 : *Au large de Rabat-Salé*, h/t (97x195) : **FRF 38 000**.

LANTHEERE N.

XVIIIe siècle. Actif dans la seconde moitié du XVIIIe siècle. Belge.

Peintre d'histoire.

Élève de Andréas Cornelis Lens, à Bruxelles.

L'ANTICO, pseudonyme de **Pier Giacomo Ilario,** ou **Alari, Bonacolsi**

Né vers 1460. Mort en 1528 à Bozzolo. XVe-XVIe siècles. Italien.

Orfèvre, sculpteur, médailleur.

Artiste de Mantoue, il alla à Rome en 1495 et 1497. Dans les documents d'Umberti Rossi, L'Antico est mentionné comme copiste d'antiquités et statuaire. Bode lui attribue des statuettes qui existent encore. Ce sont : deux copies de l'*Apollon du Belvédère*, deux statuettes : *Amor* (Musée de Florence), deux figures de femmes (Musée de la cour, à Vienne), *Une femme assise* (Berlin) et un magnifique vase avec reliefs en bronze, représentant le cortège de Neptune debout sur un navire tiré par des chevaux marins (Modène). Umberti Rossi lui attribue également une statuette : *Cybèle* (Florence). Il a surtout travaillé pour la famille des Gonzague.

LANTICQUE Nicolas

XVIe siècle. Actif à Nancy. Français.

Sculpteur.

Sculpteur du duc Charles III de Lorraine.

LANTIER Claude

XXe siècle. Français.

Peintre. Abstrait.

Il privilégie les grands formats, masquant des zones avec du scotch, « la mise en place du ruban de masquage ayant plus d'importance en effet que l'application de la peinture » pour réaliser des œuvres abstraites, dominées par la ligne. Loin des discours, il se considère comme un artisan maîtrisant sa technique face à la toile.

VENTES PUBLIQUES : PARIS, 20 jan. 1991 : *Art Forum vol. XXVI* 1990, acryl./t. (264x80) : **FRF 13 000**.

LANTIER Lucien Louis Bernard

Né le 27 juillet 1879 à Odessa, de parents français. XXe siècle. Français.

Peintre de genre.

Il exposa à Paris, au Salon des Artistes Français, où il obtint une médaille d'argent et le prix Lefebvre-Glaize en 1920 et une médaille d'or en 1921.

Il évoque la vie de la Russie qu'il a quittée dans sa jeunesse.

MUSÉES : LA ROCHELLE : *Pope bénissant des cadavres de soldats*.

VENTES PUBLIQUES : PARIS, 20 juin 1985 : *Le cabaret*, h/t (88x116) : **FRF 30 000** – PARIS, 23 oct. 1987 : *Amoureux dans une taverne*, aquar. (14x16) : **FRF 20 000** – NEW YORK, 26 mai 1993 : *Dîner chez Maxim's avec Suzy Solidor et ses amis*, h/pan. (88,9x116,2) : **USD 37 375**.

LANTOINE Fernand

Né en 1876 ou 1878 à Maretz (Nord). Mort en 1944, 1946 ou 1955. XXe siècle. Actif en Belgique. Français.

Peintre de genre, nus, paysages, marines.

Malgré les incertitudes de dates, il ne semble s'agir que d'un seul artiste. Il exposa à Paris, au Salon des Indépendants à partir de 1907.

F. LANTOINE

VENTES PUBLIQUES : ANVERS, 6 avr. 1976 : *Le chantier naval*, h/t (60x81) : **BEF 16 000** – LOKEREN, 25 fév. 1984 : *Paysage du Midi* 1911, h/t (66x73) : **BEF 75 000** – LONDRES, 19 mars 1986 : *Nu assis*, h/t (111x150,5) : **GBP 6 500** – NEUILLY-SUR-SEINE, 9 mars 1988 : *Nu*, h/t (73x60) : **FRF 35 000** ; *Paysage* 1911, h/t (46x65) : **FRF 44 000** – LOKEREN, 28 mai 1988 : *Le chateau d'If*, h/t (60x55) : **BEF 33 000** – LOKEREN, 8 oct. 1988 : *Jardin à Mopt au Soudan* 1943, h/t (60x70) : **BEF 90 000** – PARIS, 19 déc. 1988 : *Soir à Roquebrune*, h/pan. (60x73) : **FRF 11 000** – PARIS, 17 mars 1989 : *La mosquée des pêcheurs*, h./aggloméré (50x63) : **FRF 21 000** – AMSTERDAM, 13 déc. 1989 : *La Kasbah à Alger*, h/t (70x80) : **NLG 14 950** – BRUXELLES, 27 mars 1990 : *Terrasse de café animée*, h/t (46x60) : **BEF 320 000** – NEUILLY, 3 fév. 1991 : *Venise vue du Lido le matin*, h/t (84x109) : **FRF 25 000** – BRUXELLES, 7 oct. 1991 : *Vue d'une ville la nuit*, h/t (73x50) : **BEF 190 000** – NEUILLY, 20 oct. 1991 : *Scène africaine*, h/t (70x81) : **FRF 20 000** – PARIS, 5 nov. 1992 : *Vue de Cagnes*, h/cart. (50x55,5) : **FRF 6 500** – AMSTERDAM, 14 juin 1994 : *Jardins à Moptis au Soudan* 1943, h/t (59x68,5) : **NLG 3 680** – LOKEREN, 8 oct. 1994 : *La tauromachie*, h/t (130x130) : **BEF 180 000** – LOKEREN, 9 déc. 1995 : *La tauromachie*, h/t (130x130) : **BEF 150 000**.

L'ANTOINE Juliette. Voir **BLANC Juliette**

LANTOINE-NEVEUX Germaine

Née le 15 mars 1892 à Stenay (Meuse). XXe siècle. Française.

Peintre.

Elle fut élève de Winter, Humbert, et Biloul, elle expose à Paris, au Salon des Artistes Français depuis 1912 et reçut une médaille d'argent en 1926.

LANTSCROON Jean Baptiste

Baptisé à Malines le 13 mai 1653. Mort en 1737. XVIIe-XVIIIe siècles. Éc. flamande.

Peintre.

Fils du sculpteur Valentin Lantscroon, qu'il accompagna en Angleterre en septembre 1677. Travailla avec N. Scheffer sous les ordres d'Antonio Verrio, alors peintre à la cour de Charles II.

LANTSHEERE

XVe siècle. Éc. flamande.

Enlumineur.

Elle entra dans la gilde de Bruges en 1470.

LANTUCH Paul Lucas

Né en 1946 à Vilnius. XXe siècle. Actif et naturalisé aux États-Unis. Russe-Lituanien.

Sculpteur, graveur, dessinateur.

Il a participé à l'exposition *De Bonnard à Baselitz – Dix ans d'enrichissements du cabinet des estampes 1978-1988,* à la Bibliothèque nationale à Paris en 1992.

Musées : Paris (BN, Cab. des Estampes) : *Excursion au tombeau de Kant, à Kublewiec, Königsberg, Karaliaucius, Kalinigrad* 1979, grav.

LANTZ Josef

XIXe siècle. Actif à Presbourg. Hongrois.

Dessinateur et lithographe.

Il exécuta une série de vues de châteaux de Hongrie.

LANTZ Michael

Mort en 1540 à Cracovie. XVIe siècle. Polonais.

Peintre.

Pour l'église Notre-Dame à Cracovie il exécuta une peinture.

LANU Olavi

Né en 1925 à Viipuri. XXe siècle. Finlandais.

Créateur d'environnements.

Il fit ses études dans son pays et à Paris à la fin des années quarante. De 1959 à 1975, il fut professeur d'arts graphiques au lycée de Laune. Il participe à de nombreuses expositions collectives : 1978 Biennale de Venise ; 1979 Middelheim d'Anvers ; 1980 Biennale de R.F.A ; 1982 Biennale de Sydney ; 1985 Biennale de Venise.

Des paysages et portraits aux couleurs vives, il évolue vers l'abstraction à la fin des années cinquante, dans des monochromes foncés. Bientôt, sa palette s'éclaircit de nouveau et le travail sur la matière est privilégié. Il mêle alors du sable aux couleurs à l'huile, créant des peintures-reliefs. Puis, il intègre du bois, du fer, de l'aluminium, de la résine (...) créant des quadrillages grossiers. Vers 1975, il se met à photographier ses œuvres dans la nature, et crée alors un grand nombre de figures en herbe, fleurs, feuilles. Chaque jour, il quitte son atelier pour se rendre dans la forêt et l'observer. De ces observations naissent de nouvelles œuvres. Il voudrait « remplir une forêt de grands décors de dix mètres, construits en béton, où de grands blocs de la période glaciaire se trouveraient déjà. » Il a également réalisé de nombreuses commandes publiques : reliefs muraux notamment en bois, argile, béton.

Bibliogr. : Catalogue de la *Nouvelle Biennale de Paris,* Electa Moniteur, Paris, 1985.

LANVIN

XIXe siècle. Actif à Paris. Français.

Graveur au burin.

Il a gravé des planches pour des volumes d'histoire naturelle.

LANVIN Chantal

Née en 1929 à Dijon (Côte d'Or). XXe siècle. Française.

Peintre, graveur.

Elle a participé à l'exposition *De Bonnard à Baselitz – Dix ans d'enrichissements du cabinet des estampes 1978-1988,* à la Bibliothèque nationale à Paris en 1992.

Musées : Paris (BN, Cab. des Estampes) : *Transparences* 1982, litho.

LANYI DEZSO

Né le 23 janvier 1879. XXe siècle. Hongrois.

Sculpteur de bustes.

Après des études à Paris et à Bruxelles, il vint s'établir à Budapest. Ses œuvres, surtout des bustes, sont d'un style réaliste. Il appartient au groupe néo-baroque.

LAN Yinding ou **Ran In-Ting**

Né en 1903 à I-lan. Mort en 1979. XXe siècle. Chinois.

Peintre de paysages. Traditionnel.

Il étudia l'aquarelle avec Ishikawa Kinichiro, puis en 1927 entra à l'Institut des beaux-arts de Tokyo. Il mena de front sa carrière artistique et des activités variées, telles que : professeur, éditeur, directeur de la télévision chinoise. Il était membre honoraire de l'Association royale d'Aquarelle d'Angleterre.

Ventes Publiques : Taipei, 18 oct. 1992 : *Lac au clair de lune* 1967, encre et pigments/pap. (45,7x69,9) : **TWD 1 045 000** – Taipei, 10 avr. 1994 : *Barques de pêche sur une rivière brumeuse* 1964, encre et pigments/pap. (60,5x121,5) : **TWD 1 480 000** – Taipei, 14 avr. 1996 : *Le peuple de la montagne* 1958, aquar./pap. (45x54,5) : **TWD 1 260 000** – Taipei, 13 avr. 1997 : *Le Retour* 1957, aquar./pap. (56x75,5) : **TWD 3 130 000** ; *Harmonie villageoise* 1969, aquar./pap. (56x75,5) : **TWD 2 140 000**.

LAN YING, surnom : **Tianshu,** noms de pinceau : **Diesou** et **Shitoutuo**

Né en 1585 à Qiantang (province du Zhejiang). Mort après 1660. XVIIe siècle. Chinois.

Peintre de paysages, fleurs et oiseaux.

Particulièrement connu pour ses paysages à la manière des anciens, notamment des maîtres Yuan (1279-1368), il fait aussi des oiseaux et des fleurs, surtout des orchidées. Les historiens de l'art le situent traditionnellement comme le dernier représentant de l'école de Zhe (ou de la province du Zhejiang). Il laisse de nombreuses œuvres tandis que de nombreuses autres lui sont attribuées.

Musées : Boston (Mus. of Fine Arts) : *Paysage du mont Song* poème du peintre daté 1627, coul. et encre sur soie, rouleau en hauteur – *Deux paysages représentant le printemps et l'hiver,* le premier d'après Zhao Danian, le second d'après Wang Wei, signé – Cologne (Mus. für Ostasiatsche Kunst) : *Paysage d'automne* signé et daté 1629, encre sur pap. tacheté d'or, d'après Wang Meng, éventail – New York (Metropolitan Mus.) : *Pavillons dans les montagnes* signé et daté 1633, éventail – Paris (Mus. Guimet) : *Paysage de rivière,* feuille d'album sur soie, d'après Zhao Mengfu et Sheng Mou, signé – Pékin (Mus. du Palais) : *Deux hommes sous les pins de la rive* daté 1651, d'après Guan Dong – Philadelphie : *Ruisseau de montagne et hautes falaises* signé et daté 1638 – Princeton (University Mus.) : *Matin d'automne sur la rivière Chu,* signé – Seattle (Art Mus.) : *Paysage de rivière à la manière des Quatre Maîtres Yuan* inscription du peintre datée 1625, encre et coul. sur pap. tacheté d'or, rouleau en longueur – Shanghai : *L'automne à Huashan,* coul. sur soie, rouleau en hauteur – *Oiseau sur un arbre d'automne,* coul. sur pap., rouleau en hauteur – Stockholm (Nat. Mus.) : *Large rivière au pied de pics rocheux et boisés* signé et daté 1644, d'après Wu Zhen – *Paysage d'hiver,* signé – Taipei (Nat. Palace Mus.) : *Paysage après la neige* daté 1623, encre et coul. sur soie, rouleau en hauteur.

Ventes Publiques : New York, 6 déc. 1989 : *Paysage d'après Ni Zan,* encre/pap., kakémono (129,5x40) : **USD 14 300** – New York, 31 mai 1990 : *Paysage d'après Fan Kuan,* encre et pigments/soie, kakémono (194x50,5) : **USD 24 200** – New York, 26 nov. 1990 : *Album de fleurs et de rochers,* encre et pigments/pap., six feuilles (chaque 23x15,3) : **USD 11 000** – New York, 25 nov. 1991 : *Paysage d'après quatre maîtres Yuan,* encre et pigments/pap., makémono (31,1x393) : **USD 88 000** – New York, 29 nov. 1993 : *Seigneur célébrant son anniversaire dans un jardin* 1652, ensemble de 12 kakémonos, encre et pigments/soie (chaque 187x50,8) : **USD 178 500** – Taipei, 10 avr. 1994 : *Paysage avec une rivière d'après Wu Zhen,* encre et touches de pigments/pap., makémono (49x1024,5) : **TWD 2 250 000** – New York, 31 mai 1994 : *Paysage d'après les maîtres Yuan,* encre et pigments/pap., makémono (28,6x430,2) : **USD 255 500** – New York, 22 sep. 1997 : *Paysage dans le style de Mei Dao Ren (Wu Zhen),* encre/soie, kakemono (179,1x51,1) : **USD 34 500** – New York, 18 mars 1997 : *Paysage dans le style de Zhao Zhongmu,* encre et pigments/soie, kakemono (205,1x92,7) : **USD 134 500** ; *Paysage* 1609, encre et pigments/soie, kakemono (180,3x66) : **USD 28 750**.

LANYON Ellen

XXe siècle. Américaine.

Peintre de natures mortes, animaux.

Elle fut élève à Chicago de l'Art Institute puis de la Roosevelt University. En 1950, elle étudia au Courtauld Institute à Londres. Elle a enseigné dans diverses institutions artistiques américaines, notamment à l'Art Institute de Chicago de 1952 à 1954, de 1964 à 1965, en 1973 ; à la Cooper Union de New York en 1975 ; à la School of Visual Art en 1980. Elle vit et travaille à New York. Elle participe à des expositions collectives, notamment en 1953, 1954, 1962 au musée d'Art moderne de New York et en 1980 à l'Art Institute de Chicago. Elle montre ses œuvres dans des expositions personnelles à Chicago. Elle a reçu de nombreux prix et distinctions.
Son travail a été influencé par la peinture des XIVe et XVe siècles. Elle puise aussi son inspiration dans des livres de magie illustrés. Des animaux mystérieux hantent ses toiles.
Musées : Chicago (Art Inst.) - Denver (Art Mus.) - Madison (Art Center) - New York (Brooklyn Mus.) - Washington D. C. (Nat. coll. of Fine Arts).
Ventes Publiques : San Francisco, 20 juin 1985 : *Allegorical transitions*, triptyque : acryl./t. (173x300) : **USD 6 000** - New York, 2 déc. 1992 : *Le clown*, h/cart. (50,8x39,3) : **USD 1 100**.

LANYON Peter

Né le 8 février 1918 à St Ives (Cornouailles). Mort le 31 août 1964 à Taunton (Somerset). XXe siècle. Britannique.

Peintre. Abstrait-paysagiste.

Il fut élève des écoles d'art de Penzance et de la Euston Road School de Londres. Il travailla ensuite avec Ben Nicholson et Naum Gabo, avec qui il se lia d'amitié à partir de 1940. De 1940 à 1945, il servit dans la Royal Air Force. Il a obtenu une bourse du gouvernement italien en 1953. Il fonda une école d'art à St. Ives, enseigna à la Bath Academy of Arts de Corsham, et fut co-directeur de la St-Peters Loft Art School de Saint-Ives.
Il a participé à de très nombreuses expositions collectives de la jeune école anglaise, notamment au Salon des Réalités Nouvelles à Paris en 1947 ; à l'Institut d'Art contemporain de Londres en 1950 ; à Paris en 1952 ; aux Pittsburgh Internationals en 1955, 1959, 1961 ; à la Biennale de Tokyo et à la Documenta II de Kassel en 1959 ; à la Biennale de São Paulo en 1961 ; aux galeries Pilotes du monde au musée cantonal de Lausanne en 1963 ; au Kunstverein de Düsseldorf en 1964. Il montre ses œuvres dans des expositions personnelles à Londres à partir de 1949, à New York à partir de 1953, ainsi qu'à la Biennale de São Paulo en 1961, au musée d'Art moderne d'Oxford en 1981. Une rétrospective de son œuvre eut lieu en 1955 à Plymouth et à Nottingham. Il a reçu le prix de la critique anglaise en 1954, le second prix de l'exposition John Moores de Liverpool en 1960, un des prix Marzotto en 1962.
Pur paysagiste, s'inspirant de la Cornouailles où il a toujours vécu, il a évolué progressivement d'un paysagisme constructiviste, influencé par Ben Nicholson, Gabo et les cubistes, à un autre résolument abstrait, brossé par larges coups de brosse superposant de généreuses couches de matière-couleur, réalisant, dans sa période de maturité, des peintures à larges coulures. ■ J. B.
Bibliogr. : Michel Seuphor : *Diction. de la peinture abstraite*, Hazan, Paris, 1957 - in : *Peintres contemp.*, Mazenod, Paris, 1964 - in : *Diction. univers. de la peinture*, Le Robert, t. IV, Paris, 1975.
Musées : Cleveland (Mus. of Art) - Lisbonne (Fond. Gulbenkian) - Londres (Tate Gal.) : *Thermal* 1960 - Londres (Victoria and Albert Mus.) - Manchester (Whitworth Art Gal.) - Melbourne (Art Gal. of Victoria) - New York (Albright-Knox Art Gal.) - Ottawa (Nat. Gal. of Canada) - Prague (Mus. Nat.) - Toronto (Art Gal. of Ontario).
Ventes Publiques : Londres, 17 mars 1976 : *Godolphin* 1948, h/cart. (25,5x35,5) : **GBP 85** - Londres, 30 juin 1977 : *Loe Bar* 1962, h/t (122x183) : **GBP 1 900** - Londres, 27 juin 1979 : *Still Air* 1961, h/t (90x120,5) : **GBP 980** - Londres, 3 nov. 1982 : *Gunwalloe* 1959, h/t (151x182) : **GBP 1 000** - Londres, 21 sep. 1983 : *Saint Just* 1951, gche et craie noire (57x39,5) : **GBP 650** - Londres, 2 nov. 1983 : *Hasletown* 1961, h/t (152,5x122) : **GBP 3 200** - Londres, 13 nov. 1985 : *Figures dans un paysage* 1963, gche, h. et collage (38x27,5) : **GBP 2 400** - Londres, 14 nov. 1986 : *Gwennap Stones, Cornouailles* 1952, gche (25x31) : **GBP 1 500** - Londres, 6 mars 1987 : *Straw Lady* 1962, gche/pap. (117x106) : **GBP 12 000** - Londres, 3-4 mars 1988 : *Portreath* 1949, brosse, encre noire, lav., cr. et fus. (51,8x73,7) : **GBP 3 960** - Londres, 9 mars 1990 : *Apollon et Daphné* 1948, h. et cr. sur pan. préparé au gesso (30,5x18,4) : **GBP 3 520** - Londres, 24 mai 1990 : *Côte ventée* 1957, h/cart. (183x122) : **GBP 104 500** - Londres, 8 juin 1990 : *Côte nord* 1952, aquar., gche et cr. (40x54,5) : **GBP 14 850** - Londres, 7 juin 1991 : *La mine Levant* 1948, encre, cr. et aquar. (25x38) : **GBP 2 860** - Londres, 26 mars 1993 : *Stalic* 1962, cr. gras, gche et encre (21x26) : **GBP 3 220** - Londres, 26 oct. 1994 : *Pêcheur sur le rivage* 1952, h/cart. (106,7x73) : **GBP 18 400** - Londres, 22 mai 1996 : *Sans titre (Mexicain)* 1963, cr., gche et encre (40,6x35,5) : **GBP 3 680** - Londres, 30 mai 1997 : *Fistral Bay* 1964, h. et P.V.A./t. (152,5x122) : **GBP 26 450**.

LANZ Karl Alfred

Né le 25 octobre 1847 à La Chaux-de-Fonds. Mort le 1er mai 1907 à Berne. XIXe siècle. Suisse.

Sculpteur.

A 14 ans il commença à étudier la gravure puis la sculpture et à 25 ans se fixa à Munich. Il vint à Paris et fut élève de Jules-Pierre Cavelier. Il voyagea en Italie et en Angleterre. De retour à Paris, il fut commissaire de l'art suisse aux expositions de 1889 et de 1900. On cite de lui, notamment : *Le général Dufour à cheval*, monument de la Place neuve à Genève, *Buste du docteur Rudolf Schneider* (au Musée de Berne), *Buste de Bernhard Studer*, marbre 1884 (à Berne), *Buste de Welti*, marbre, 1884 (à Berne), *Quatre figures allégoriques* en marbre de Carrare, représentant *la Poste, le Télégraphe, la Navigation, le Chemin de fer* (à l'Hôtel des Postes de Lucerne, 1886-1888), *Monument d'Henri Pestalozzi* (à Yverdon, 1887-1890), monument funéraire avec statue au cimetière central de Zurich, *Emmanuel Arago*, bronze de 1888 (à Paris), *Isaak Iselin*, 1891 (à Bâle), *Buste en bronze du doyen Bridel* (à Montreux), 1891, *Henri Zschokke* (à Aarau,) 1896, trois figures allégoriques en marbre représentant la *Peinture, la Sculpture, l'Architecture* (au Musée de Berne) 1896, Trois statues en pierre représentant *la Guerre, l'Art et l'Industrie* (au Palais du Parlement de Berne), 1899, *Buste en bronze de Schenk* (Berne), 1900, *La Science*, marbre (au Palais de l'Université de Berne), 1905, *Figure de Louis Ruchonnet* (à Lausanne), 1906, Buste en bronze pour le monument *Jolissaint-Francillon* (à Saint-Immer), 1906. Médaille d'or à Paris en 1889 (Exposition Universelle).

LANZ Robert

Né le 1er juillet 1896 à Paris. Mort le 24 décembre 1965 à Genève. XXe siècle. Français.

Peintre de portraits, paysages, dessinateur, sculpteur, fresquiste, aquarelliste, peintre à la gouache, de décorations murales.

Il est le fils du sculpteur Alfred Lanz. Il fut élève du peintre et fresquiste Marcel Lenoir, dont il subit l'influence. Il fut professeur de dessin. Il vécut et travailla à Paris. Il exposa régulièrement au Salon des Indépendants, à Paris. En 1980, le musée d'Étampes organisa un hommage à son œuvre d'enlumineur.
Il a retrouvé les techniques des enlumineurs du moyen-âge qui appliquaient sur le vélin des ors en relief qui ne cassaient pas lorsque l'on pliait les pages. Il s'est également intéressé à la peinture surréaliste, mais d'esprit trop indépendant, il n'appartint jamais à ce groupe. Il a transcrit et enluminé de nombreux ouvrages, parmi lesquels les *Illuminations* de Rimbaud, les *Contes fantastiques* d'Erckmann-Chatrian publiés en 1926. On trouve ses sculptures et fresques dans de nombreuses églises, notamment dans l'Indre-et-Loire et dans l'Essonne.
Bibliogr. : Jacques Crespin : *Catalogue raisonné de l'œuvre de Robert Lanz*, Université de la Sorbonne - Paris IV, Paris, 1979.
Musées : Berne (BN) : *Autoportrait à soixante-quatre ans - La Légende de St Julien l'Hospitalier de Gustave Flaubert - Les Illuminations d'Arthur Rimbaud* - Charleville-Mézières (Mus. Arthur Rimbaud) : *Les Fils du soleil - Rimbaud ange ou démon - Le Bateau ivre* - Genève (Mus. d'Art et d'Hist.) : *Autoportrait à dix-huit ans* - Lucerne (Mus. de la Guerre et de la Paix) - Paris (BN) : *Le Roi-lune de Guillaume Apollinaire* - Tours (Mus. des Beaux-Arts) : *Portrait de l'abbé Fäy* - Tours (Mus. Saint Martin) : *Missel de la Saint Martin* - Versailles (Archives départ.) : *Paysage*.

LANZ Walter

Né en 1925. XXe siècle. Suisse (?).

Peintre de paysages, pastelliste, dessinateur.

Musées : Aarau (Aargauer Kunsthaus) : *Winter* 1955.

LANZ-GIROD Emil

Né le 19 novembre 1851 à Rohrbach. Mort le 20 juillet 1890. XIXe siècle. Suisse.

Graveur.

Frère du sculpteur Alfred Lanz. Fut surtout médailleur.

LANZA Giovanni

Né en avril 1827 à Naples. XIXe siècle. Italien.

Peintre de paysages, marines, architectures, aquarelliste.
Élève de Gigante. Il débuta en 1852. Ce fut un peintre de talent.
Ventes Publiques : Londres, 10 mai 1979 : *Baie de Naples*, aquar. (43x74) : **GBP 500** – Londres, 22 mars 1985 : *Vue de Naples*, aquar. et cr. (42,5x75) : **GBP 1 000** – Londres, 17 mars 1989 : *Naples*, aquar. (44x75,5) : **GBP 1 210** – Londres, 4 oct. 1991 : *La Baie de Naples*, aquar./pap. (44x75,5) : **GBP 2 640** – Bologne, 8-9 juin 1992 : *Paysans près du temple de Paestum*, aquar. (43x74) : **ITL 2 760 000** – Londres, 7 avr. 1993 : *Vue de Paestum*, aquar. (41x72) : **GBP 1 035** – Rome, 23 mai 1996 : *Amalfi dal Convento dei Cappuccini*, aquar./pap. (40x67) : **ITL 2 300 000**.

LANZA Luigi
Né au XIXe siècle à Venise. XIXe siècle. Italien.
Peintre de paysages, marines.
Il a exposé à Venise, Milan, Florence.
Ventes Publiques : Londres, 28 juil. 1972 : *Vues de Venise*, deux toiles : **GNS 1 200** – New York, 19 jan. 1994 : *Le Grand Canal à Venise*, h/t/rés. synth. (45,7x59,1) : **USD 7 188**.

LANZAC H. de
XIXe siècle. Actif à Paris en 1842. Français.
Graveur au burin.

LANZADELLI. Voir **LANCEDELLI**

LANZANI Andrea
Né vers 1650 à San Colombano. Mort en 1712 à Milan. XVIIe-XVIIIe siècles. Italien.
Peintre.
D'abord élève de Luigi Scaramuccia à Milan, puis de Carlo Maratti à Rome, mais ce furent les œuvres de Lanfranco qu'il étudia particulièrement. Il revint à Milan et y exécuta d'importants travaux. Il alla à Vienne et décora la Bibliothèque Ambrosienne. Il fut anobli par l'empereur d'Allemagne. La Galerie Brera, à Milan, conserve son portrait par lui-même.

LANZANI Antonio ou **Lanzini**
Né au XIXe siècle à Lugano. XIXe siècle. Italien.
Graveur au burin.
Élève de S. Marceau. Il a gravé des vues et des portraits. D'après le docteur Brun, il travaillait déjà, à la fin du XVIIIe siècle, et dans la manière de Jazet. Il vécut surtout à Milan.

LANZANI Polidoro, dit **Polidoro Veneziano** ou **Polidoro di Paoli di Lanzano**
Né en 1515 à Lanciano. Mort en 1565 à Venise. XVIe siècle. Italien.
Peintre de sujets religieux.
Il fut élève du Titien, dont il imita la manière. On admire surtout ses paysages qui servent de cadre à des sujets bibliques.
Musées : Budapest : *Sainte-Famille – La Vierge et des saints* – Dresde : *Vierge et enfant Jésus – Fiançailles de sainte Catherine – La Vierge adorant l'enfant* – Édimbourg : *Sainte Famille* – Rome (Gal. Borghèse) : *Sainte Conversation* – Venise : *La Vierge adorant Jésus endormi – Sainte Réunion* – Vienne : *Sainte Famille – Le Christ et Madeleine*.
Ventes Publiques : Londres, 5 fév. 1947 : *La Sainte Famille* : **GBP 350** – Londres, 23 mai 1951 : *La Sainte Famille dans un paysage* : **GBP 300** – Londres, 5 juil. 1995 : *La Sainte Famille avec saint Roch et saint Antoine*, h/t (84,7x119,5) : **GBP 27 600** – New York, 10 jan. 1996 : *Vierge à l'Enfant avec Tobie et l'Ange*, h/pan. (54,2x85,6) : **USD 51 750**.

LANZANO da San Colombano Bernardino
XVe-XVIe siècles. Travaillant dans la région de Milan à la fin du XVe et au début du XVIe siècle. Italien.
Peintre.
Il fut appelé à Milan par Ludovic le More qui le prit à son service et le fit travailler pour des châteaux de la région de Milan et à l'église de l'Incoronata à Lodi.

LANZARINI Ricardo
Né en 1963 à Montevideo. XXe siècle. Uruguayen.
Artiste, créateur d'installations, dessinateur.
Il vit et travaille à Montevideo. Il participe à des expositions collectives, parmi lesquelles : Biennale de La Havane ; 1997, Treizièmes Ateliers du Fonds régional d'art contemporain des Pays de la Loire, Saint-Nazaire. Il montre ses œuvres dans des expositions personnelles, notamment : 1997, Musée des Beaux-Arts, Nantes.
Son travail puise ses sources dans l'histoire de son pays ébranlée par les années de dictature. Entre catholicisme et marxisme-léninisme, ses installations évoquent une recherche d'identité culturelle.

LANZEDELLY Joseph. Voir **LANCEDELLI**

LANZEDELLY Karl
Né vers 1806 à Vienne. Mort le 15 février 1865 à Vienne. XIXe siècle. Autrichien.
Peintre et lithographe.
Il était fils et fut élève de Joseph Lancedelli. On lui doit surtout des tableaux d'histoire tels que *La Retraite de Russie* ou *Matthias Hunyadi et Catherine Podiebrad*.

LANZENDORF Richard
Né le 13 avril 1864 à Altenburg (Thuringe). XIXe-XXe siècles. Allemand.
Peintre de paysages, compositions animées.
Musées : Altenburg : *La Bataille de Zwieselstein*.
Ventes Publiques : Zurich, 24 juin 1993 : *Chalet dans les Alpes*, aquar. (36,5x28,3) : **CHF 1 000**.

LANZENI Angelo Maria
XVIIe-XVIIIe siècles. Italien.
Peintre.
Fils de Gioanbattista.

LANZENI Gioanbattista ou **Lanceni**
Né vers 1659 à Vérone. Mort le 11 septembre 1737. XVIIe-XVIIIe siècles. Italien.
Peintre et graveur.
Élève de Valtolino, il s'inspira de F. Barbieri. Il exécuta de nombreux travaux à l'huile et à fresque, dans les églises de Vérone, notamment à San Proelo, les portraits des *trente-six évêques de la ville*, les effigies des *quatre docteurs de l'Église* et une *Cène*. Il décora aussi plusieurs palais. Comme graveur on cite de lui un *Massacre des Innocents*. Lanzeni, né en 1659, ne peut pas être élève de Guerchin, mort en 1666.

LANZILAGO
Né à Padoue. XVe siècle. Actif vers la fin du XVe siècle. Italien.
Peintre d'histoire et de portraits.
Il alla à Rome et imita Bartolommeo della Gatta.

LANZINGER Hubert
Né le 9 octobre 1880 à Innsbruck. Mort en 1950 à Bolzano. XXe siècle. Autrichien.
Peintre de sujets militaires, compositions religieuses, portraits, nus, paysages, natures mortes, pastelliste.
Il exposa en 1911 à la Sécession de Vienne. Pendant la Première Guerre mondiale, il peignit des tableaux militaires et après 1918 il se consacra surtout à la représentation de sujets religieux. On lui doit aussi des paysages. Dans les années trente, il devint peintre officiel du régime, exaltant les valeurs nazis.
Bibliogr. : In : Catalogue de l'exposition *Les Années trente en Europe. Le temps menaçant*, musée d'Art moderne de la ville, Paris musées, Flammarion, Paris, 1997.
Musées : Washington D. C. (US Army Center Military History) : *Le Porte-Drapeau*.

LANZIROTI Antonio Giovanni
Né le 9 mai 1839 à Palerme. XIXe siècle. Italien.
Sculpteur.
Il fit ses études artistiques à Palerme puis à Paris. Le Musée de Nice conserve une statue de cet artiste : *Esclave grecque*. Chevalier de l'Ordre de Saint-Maurice et Saint-Lazare, de l'Ordre de la Couronne d'Italie et de l'Ordre d'Isabelle-la-Catholique.
Ventes Publiques : Londres, 10 nov. 1983 : *Le Printemps de la vie* vers 1860, bronze patiné (H. 85,5) : **GBP 3 200**.

LANZIROTI Giovanni
Né au XIXe siècle à Naples. XIXe siècle. Italien.
Sculpteur.
Figura aux Salons de Paris où il obtint une mention honorable en 1859. Comparer avec Antonio-Giovanni Lanziroti.

LANZMANN Jacques
Né en 1927 à Paris. XXe siècle. Français.
Peintre. Tendance abstraite.
Il exposait vers 1950 avec le groupe Les Mains éblouies, d'inspiration abstraite. Il devint ensuite romancier, directeur de publications, auteur de chansons à succès.

LAO CHÊNG. Voir **LAO ZHENG**

LAO CHONGPING
Né en 1935 dans le district de Xinxing (province du Guangdong). XXe siècle. Chinois.

Peintre de paysages. Traditionnel.
Il fut élève de l'école normale supérieure de Huazhong puis devint professeur. Responsable des échanges culturels avec l'étranger, il voyagea dans le monde entier. Il a exposé dans son pays.
Il s'inspire, dans ses paysages à l'encre, de ses voyages.
Bibliogr. : *Peintres tradtionnels de la république populaire de Chine*, Galerie Daniel Malingue, Paris, 1980.

LAODICIA
XIVe siècle. Active à Pavie dans la première moitié du XIVe siècle. Italienne.
Peintre.
Cette artiste, contemporaine d'Andrino di Edesia, est considérée comme appartenant à l'école milanaise. Elle était probablement d'origine grecque.

LAOGER Jules Marc Antoine de
Né en 1815. Mort en 1887. XIXe siècle. Français.
Peintre d'histoire, scènes de genre.
Bibliogr. : In, Catalogue de l'exposition : *Les années romantiques, la peinture française de 1815 à 1850*, Mus. des Beaux-Arts de Nantes, 1995-1996 et Galeries nationales du Grand Palais, Paris, 1996.
Musées : Castres : *Un réfugié carliste* 1840.

LAO Jixiong
Né en 1950. XXe siècle. Chinois.
Peintre de paysages. Traditionnel.
Ventes Publiques : New York, 31 mai 1989 : *Paysage* 1988, kakémono, encre et pigments/pap. (134x67) : **USD 1 210** – Hong Kong, 28 sep. 1992 : *Torrent courant dans une vallée sous les nuages*, encre et pigments/pap. (140x70) : **HKD 19 800**.

LA OLIVA Mencia de
Née à Cordoue. Morte en 1552 à Cordoue. XVIe siècle. Espagnole.
Sculpteur.
Devenue veuve, elle entra dans l'ordre des Clarisses et a peint dans le couvent de S. Cruz de Cordoue un *Christ en croix*.

LAON Colart de. Voir **COLART de Laon**

LAON Jean Charles de. Voir **DELAON**

LA ORTIGA. Voir **ORTIGA**

LA ORTIGA Bonant de. Voir **ORTIGA**

LAOSSOS
Ve siècle avant J.-C. Antiquité grecque.
Sculpteur.
Originaire du bourg athénien d'Alopécé, il prit part à l'ornementation du temple de Minerve Poliade, sur l'Acropole d'Athènes.

LAO TCHENG. Voir **LAO ZHENG**

LAOUST André Louis Adolphe
Né le 16 septembre 1843 à Douai (Nord). XIXe siècle. Français.
Sculpteur.
Élève de Jouffroy. Il exposa au Salon à partir de 1868. Sociétaire des Artistes Français depuis 1885, il obtint des médailles de troisième classe (1873-1874), d'argent (1889, Exposition Universelle), de première classe (1910).
Musées : Douai : *M. Becquet de Mégille* – *Mlle B.* – *Six figures académiques*, plâtres – *La fortune de Lulli* – Narbonne : *Jeune pâtre* – Nice : *Au clair de la lune* – Tourcoing : *Un futur avocat* – Tours : *Amphion* – Troyes : *Danton*.
Ventes Publiques : Bruxelles, 17 mai 1979 : *Ephèbe à la mandoline*, bronze (H. 65) : **BEF 36 000**.

LAO ZHENG ou **Lao Chêng** ou **Lao Tcheng**, surnom : **Zaizi,** nom de pinceau : **Linwu Shanren**
Né à Zhangzhou (province du Jiangsu). XVIIe siècle. Chinois.
Peintre.
Peintre de paysages, il passe les dernières années de sa vie dans les monts près du lac Dongting.

LAP Tony de. Voir **DELAP**

LAPA Alvaro
Né en 1939 à Evora. XXe siècle. Portugais.
Peintre de compositions animées.
Il a montré ses œuvres en 1988 à la fondation Gulbenkian à Lisbonne. Alvaro Lapa crée des œuvres souvent divisées en triptyque, où sont présents des personnages et parfois des textes, comme ce *Musée* de 1985 où apparaissent de bonhommes visiteurs et les cimaises à découvrir. Il joue à semer le doute dans le système de références connues des spectateurs pour aiguiser leur perception de l'œuvre.
Bibliogr. : Alexandre Melo, Joao Pinharanda : *Arte contemporânea Portughesa*, Lisbonne, 1986 – in : *Diction. de l'art mod. et contemp.*, Hazan, Paris, 1992.

LAPALUD François de
Né le 10 juin 1863 à Genève. XIXe-XXe siècles. Suisse.
Peintre de paysages, marines.
Musées : Genève (Mus. Rath) : *Temps d'orage*.

LAPARRA William Julien Émile Édouard
Né le 25 novembre 1873 à Bordeaux (Gironde). Mort le 5 septembre 1920 à Hecho. XIXe-XXe siècles. Français.
Peintre de scènes de genre, portraits, intérieurs.
Il fut élève de Jules Lefebvre, Bouguereau et Tony Robert-Fleury. Il exposa à Paris, au Salon des Artistes Français, dont il est membre sociétaire depuis 1905. Il reçut le prix de Rome en 1898, la médaille de troisième classe en 1898, de deuxième classe en 1903.
Il a su conduire une carrière de peintre officiel, usant parfois du symbole, mais ne sacrifiant jamais ses dons pour la belle matière et sa facilité à traduire l'expression par le dessin.

William Laparra

Musées : Bordeaux : *Marchandes de simples* – Château-Thierry : *Lutteurs au repos* – Nantes : *Job* – Paris (Mus. d'Art Mod.) : *Portrait du frère de l'artiste*.
Ventes Publiques : Paris, 13 avr. 1921 : *La Femme au singe* : **FRF 550** – Paris, 16 mai 1924 : *Tête de femme jeune* : **FRF 200** – Paris, 3 déc. 1927 : *Les Images* : **FRF 820** – Paris, 15 avr. 1941 : *L'Entrée du manoir* : **FRF 1 400** – Paris, oct. 1945-juil. 1946 : *Intérieur de cloître* : **FRF 1 150** – Monaco, 19 juin 1994 : *Femme au turban*, h/t (63x53) : **FRF 8 880** – New York, 2 avr. 1996 : *La Môme Crevette*, h/t (99,1x121,3) : **USD 6 900** – Paris, 16 mars 1997 : *La Villa romaine*, h/t (43x57) : **FRF 9 500**.

LA PASTURE Rogier de. Voir **WEYDEN Van der**

LA PATELLIÈRE Amédée Marie Dominique de ou **Dubois de la Patellière**
Né le 5 juillet 1890 à Nantes (Loire-Atlantique). Mort le 9 janvier 1932 à Paris. XXe siècle. Français.
Peintre de scènes typiques, paysages, illustrateur, graveur.
Après ses études classiques à Nantes et à Vannes, il songea d'abord à préparer l'école navale, puis suivit un certain temps les cours de la faculté de droit de Nantes. Il décida de se consacrer à la peinture et partit pour Paris, en 1912, où il partagea un atelier avec son ami Gérard Cocher, suivant avec lui les cours de l'académie Julian, sous la direction de Marcel Baschet. Au cours de la guerre, il fut blessé à plusieurs reprises, sa santé en restant définitivement ébranlée.
Une importante rétrospective posthume de son œuvre eut lieu en 1945 au musée national d'Art moderne de Paris, et, en 1946, à Liège et à Bruxelles, où elle fut particulièrement bien accueillie pour sa parenté avec l'expressionnisme belge. Il montra aussi ses œuvres dans des expositions personnelles à Genève en 1953 ; à Paris en 1955, 1961, 1963, 1965, 1969 et 1973 ; à Nantes en 1980-1981 ; à Saint-Tropez en 1985.
Il fit un voyage en Tunisie, en 1919, revint dans son atelier parisien de la rue Visconti, où il travaillait d'après des dessins et des études effectués au cours de ses nombreux séjours dans sa maison familiale de Vendée. Il séjourna aussi en Bretagne, et surtout à Machery, dans la vallée de Chevreuse, où il peignit la plupart de ses paysages et tableaux de la vie paysanne. Il passa les deux dernières années de sa vie en Provence, dont les paysages et la lumière influencèrent ses dernières œuvres, peignant les décorations de l'hôtel de *La Colombe d'or*. Il illustra aussi quelques livres, parmi lesquels *Colline* de Jean Giono. René Huyghe rappelle à son propos l'influence de Le Fauconnier, ainsi que sur ses amis Yves Alix, Gromaire, et Goerg, qu'il unit à juste titre. On se rappelle que Le Fauconnier, homme du nord, après un voyage en Hollande, se libère des contraintes du moment et en particulier cubistes, et sans sacrifier le moins du monde la rigueur de la composition, part à la recherche des sources du lyrisme, retrouvant le clair-obscur flamand qui permet de ne pas préciser l'immatériel et d'approcher sans le cerner le rêve intérieur. Parler de Le Fauconnier c'est préparer la défini-

tion de La Patellière, mais on songe aussi bien que l'influence de Le Fauconnier se conjuguait à celle de Dunoyer de Segonzac et de L.-A. Moreau. C'est encore la même tristesse de sentiment qui demande à s'exprimer et la discipline cubiste, par laquelle tous sont passés, ne leur permettant pas le moindre épanchement, c'est pourquoi toute une génération de peintres solides, sérieux, ont transmué les lois du cubisme en préceptes assouplis mais néanmoins salutaires, qui charpentent à la base la construction de l'œuvre mais n'en interdisent pas l'évasion. La Patellière emploie cette même construction pleine de la toile, ne laissant place à aucun vide, où les corps s'enlacent et se conjuguent ainsi que chez Segonzac. Il est remarquable comme cet enlacement, souci de construction à l'origine, se résout en sensualité et cette concordance de la construction avec le sentiment est bien significative de tout ce groupe de peintres. Nous retrouvons aussi dans son œuvre entier la matière grasse, sensuelle et propice à engendrer les effets de clair-obscur, de Segonzac encore et de Le Fauconnier. Il affectionne les sujets ruraux, dont la gravité et la rudesse traduisent l'essence de ses préoccupations. On a voulu voir dans ce groupe de peintres les précurseurs du mouvement expressionniste français. Jean Cassou a écrit de la peinture de La Patellière qu'elle transforme « en ensorcellement, en rêve et en mélancolie, les fleurs et les pichets qui sont sur la table, les feuillages du parc et ceux de la route, les lourds bestiaux carrés, les hommes endormis du pesant sommeil de la cave, dans son odeur de moût, toute son odeur de ténèbre, de campagne estivale, de profonde province ». Dans le passé, c'est la peinture des Frères Le Nain, et à leur sens très humain de la vie paysanne, que l'on voit le plus souvent rapprocher La Patellière, rapprochement souvent effectué aussi pour les cubistes, desquels comme le remarque Raymond Cogniat, il n'était peut-être pas si éloigné : « Cet art, sous son apparence de calme, cherchait à résoudre les mêmes problèmes, et les moyens employés n'étaient pas tellement différents de ceux qui paraissaient alors révolutionnaires ». Quelque chose dans la pâte, les harmonies de bruns chauds et sourds, dans la pleine occupation de la surface des peintures de La Patellière, évoque Gondouin, et l'on peut penser que, si la mort n'avait prématurément interrompu son travail, il pouvait aussi évoluer vers une abstraction expressionniste très particulière. Son œuvre accompli dans son atelier de la rue de Visconti, dans sa maison de Vendée, en Bretagne, dans la vallée de Chevreuse et, à la fin de sa vie, à Saint-Paul-de-Vence, comprend environ 900 peintures, de nombreux dessins, surtout à la sanguine et à la sépia, et une trentaine de gravures. ■ Jacques Busse

Bibliogr. : René Huyghe : *Les Contemporains*, Tisné, Paris, 1949 – Jean Alazard : *Amédée de La Patellière*, Cailler, Lausanne, 1953 – Raymond Cogniat, in : *Diction. de la peinture mod.*, Hazan, Paris, 1954 – Bernard Dorival : *Les Peintres du xxe s.*, Tisné, Paris, 1957 – Michel Ragon : *L'Expressionnisme*, in : *Histoire générale de la peinture*, t. XVII, Rencontre, Lausanne, 1966 – in : *Les Muses*, La Grange Batelière, t. IX, Paris, 1972 – in : *Diction. univers. de la peinture*, Le Robert, t. IV, Paris, 1975 – in : *L'Art du xxe s.*, Larousse, Paris, 1991.

Musées : Nantes (Mus. des Beaux-Arts) : *Le Modèle* – Paris (Mus. d'Art Mod. de la Ville) : *Le Buveur dans le cellier* – *Le Repos dans le cellier* – *La Liseuse* – *Les Femmes aux écharpes* – *La Vachère* – *La Fin du monde* – *La Fenêtre à Machery* – Paris (Mus. Nat. d'Art Mod.) : *Le Repos dans le cellier* 1926 – *La Vachère* 1928 – *La Fin du monde* 1929 – *La Fenêtre de l'atelier* – Vincennes (Mus. de la Guerre).

Ventes Publiques : Paris, 22 juin 1928 : *Composition* : **FRF 1 520** – Paris, 7 juil. 1932 : *Le repos* : **FRF 170** – Paris, 12 mars 1941 : *Vase de fleurs et homme dans un intérieur* : **FRF 800** – Paris, 21 déc. 1942 : *Les meules* : **FRF 5 000** – Paris, 5 juin 1944 : *Buste de femme*, past. : **FRF 6 500** – Paris, 19 déc. 1945 : *Poissons et coquillages* : **FRF 29 000** – Paris, 24 fév. 1947 : *Nu* : **FRF 34 000** – Paris, 23 fév. 1949 : *Paysage aux ruines* : **FRF 58 000** – Paris, 21 juin 1950 : *Ravin de Saint-Paul-de-Vence* : **FRF 130 000** – Paris, 25 mai 1951 : *Paysanne au jardin* : **FRF 450 000** – Paris, 14 juin 1960 : *La fontaine* : **FRF 4 100** – Paris, 16 juin 1961 : *Homme et femme dans un intérieur* : **FRF 3 600** – Paris, 19 juin 1962 : *Ile-de-France, l'allée près du village* : **FRF 14 500** – Paris, 22 juin 1970 : *La femme à la faux* : **FRF 31 000** – Paris, 17 oct. 1973 : *Scène d'abreuvoir* : **FRF 7 000** – Paris, 27 mars 1974 : *Ile-de-France, l'allée près du village* : **FRF 14 500** – Paris, 19 nov. 1976 : *Deux baigneuses dans la campagne*, h/t (38x46) : **FRF 4 200** – Versailles, 10 déc. 1978 : *La ferme*, h/t (60x81) : **FRF 7 300** – Paris, 2 avr 1979 : *Femme dans le jardin* 1930, h/t (46x38) : **FRF 8 000** – New York, 4 nov. 1982 : *Deux femmes dans un paysage* 1925, h/t mar./cart. (130x162) : **USD 4 500** – Versailles, 11 déc. 1983 : *L'Atelier à la draperie rose* 1923, h/t (55x46) : **FRF 16 000** – Paris, 10 déc. 1985 : *Dormeuse en robe jaune* 1925, h/t (60x81) : **FRF 28 000** – Paris, 10 déc. 1987 : *Nature morte aux fruits et bouteille* 1926, h/t (53x69) : **FRF 20 000** – Paris, 23 fév. 1987 : *Le sommeil* 1926, fus. et sanguine (48x60) : **FRF 14 000** – Paris, 30 mai 1988 : *Portrait de femme en rouge*, h/t (73x60) : **FRF 30 000** – Paris, 1er juin 1988 : *Le jardin* 1920, gche (30x38) : **FRF 6 000** – Paris, 3 juin 1988 : *Jeune-fille en rouge*, h/t (35x27) : **FRF 8 000** – Paris, 12 juin 1988 : *Nature morte* 1926, h/t (54x69) : **FRF 26 000** – Paris, 23 juin 1988 : *Le Laocoon*, h/cart. (55x48) : **FRF 10 500** – Paris, 14 déc. 1988 : *Paysage*, h/pan. (27x35) : **FRF 12 500** – Paris, 16 déc. 1988 : *Buste de jeune fille aux cheveux noirs* 1929, h/t (41x32,5) : **FRF 7 500** – Paris, 8 nov. 1989 : *Le Nu aux trois arbres* 1923, h/t (97x130) : **FRF 160 000** – Le Touquet, 12 nov. 1989 : *L'aquarium*, h/t (73x60) : **FRF 23 000** – Versailles, 25 mars 1990 : *Le Repos sous l'arbre*, h/t (65x81) : **FRF 66 000** – Paris, 27 avr. 1990 : *Laocoon*, h/cart. (53x48) : **FRF 15 000** – Berne, 12 mai 1990 : *Portrait de dame*, h/t (54x72) : **CHF 3 000** – Versailles, 8 juil. 1990 : *Coquillage*, h/t (38x46) : **FRF 12 000** – Calais, 8 juil. 1990 : *Conversation champêtre*, h/t (24x33) : **FRF 22 000** – Paris, 6 oct. 1990 : *Les Paysans*, h/t (38x46) : **FRF 25 000** – Paris, 27 nov. 1991 : *Baigneuses*, h/t (24x33) : **FRF 26 000** – Paris, 23 mars 1992 : *La Femme endormie* 1925, h/t (50x60,5) : **FRF 50 000** – Paris, 27 jan. 1993 : *Machery, paysage aux meules* 1927, fus. et past./pap. (38x49) : **FRF 7 000** – New York, 9 mai 1994 : *Homme bêchant à Machery* 1926, h/t (38x45,7) : **USD 2 760** – Paris, 15 nov. 1994 : *Nature morte devant la mer* 1927, h/t (73x92) : **FRF 31 000** – Paris, 19 oct. 1995 : *Cinq femmes dans l'atelier* 1921, h/t (150x180) : **FRF 130 000** – Paris, 14 juin 1996 : *Baigneuse au collier vert* 1925, h/t (41x33) : **FRF 14 000** – Paris, 8 déc. 1996 : *Repos sous un arbre*, h/t (27,5x35,2) : **FRF 6 000** – Paris, 11 avr. 1997 : *Paysage*, sanguine (46x65) : **FRF 4 000**.

LA PATELLIÈRE Cyril de ou **La Pastellière**

Né le 6 octobre 1950 à Saint-Nazaire (Loire-Atlantique). xxe siècle. Français.

Peintre de nus, paysages, aquarelliste, sculpteur de figures, nus, bustes.

Il fit ses études artistiques à Nice. Il eut d'abord une activité de graphiste-affichiste. Il se consacre à la peinture et l'aquarelle, ainsi qu'à la sculpture, bronze et marbre, à partir de 1983. Il expose à Paris au Salon d'Automne, et à Pau, Grasse, Nice. Il a obtenu des distinctions : 1986 Prix de la Ville de Nice, 1989 Prix Paul Belmondo décerné par l'académie des beaux-arts.

Ses peintures et aquarelles, surtout des nus féminins, ressortissent à l'esquisse spontanée destinée à plaire. Ses sculptures parfois visent à un caractère expressionniste plus osé.

Ventes Publiques : Paris, 26 fév. 1992 : *Femme à la boule*, marbre et bronze (H. 35) : **FRF 4 000** – Paris, 5 juin 1992 : *Étude*, bronze (H. 30) : **FRF 5 000**.

LA PAYE I.

xviiie siècle. Américain.

Peintre de portraits, peintre de miniatures.

D'origine américaine, il était en 1781 à La Haye.

LAPAYESE BRUNA José

Né en 1899 à Calamocha (Teruel). xxe siècle. Espagnol.

Peintre de compositions murales, décorateur, céramiste.

Il fut élève de l'école des arts et métiers de Madrid, puis étudia à l'académie des beaux-arts San Fernando. Il travailla comme restaurateur au musée du Prado de Madrid et pour des collections particulières. En 1927, il fit un voyage d'étude à Paris.

En 1928, il montre pour la première fois ses œuvres dans une exposition personnelle. Depuis il a exposé à Buenos Aires (1954), à Rome (1956, 1958), à Paris (1957, 1959), Bruxelles (1958)... En 1930, il obtint la médaille d'or de la section des arts décoratifs. Il aborde différentes techniques, travaillant notamment sur le cuir et réalisant de nombreuses peintures murales. Il travaille par aplats de couleurs pour suggérer les effets de volume. Ces compositions sont simples.

Bibliogr. : In : *Cien Anos de pintura en Espana y Portugal, 1830-1930*, Antiqvaria, t. IV, Madrid, 1990.

LAPAYESE Ramon
Né en 1928 à Madrid (Castille). XXe siècle. Espagnol.
Sculpteur.
Il est le fils du peintre José Lapayese de qui il reçut les premiers conseils, il fut élève du Cercle des beaux-arts de Madrid, étudiant le dessin et la sculpture puis de l'école des beaux-arts de Saint-Georges de Barcelone. Une bourse du gouvernement italien lui permit de faire un séjour à Rome. Il fut aussi boursier du gouvernement français et séjourna à Paris.
En 1948, il exposa pour la première fois à l'Exposition nationale d'arts décoratifs et à l'Exposition nationale des beaux-arts à Madrid. Il participa en 1951 à la Ire Biennale Hispano-Américaine à Madrid ; en 1953 à la IIe Biennale Hispano-Américaine à La Havane ; en 1956 à la IIIe Biennale Hispano-Américaine à Barcelone ; en 1956 à l'Exposition d'art sacré de Salzbourg et à la Biennale de Venise. En outre, il a participé régulièrement aux Expositions nationales de Madrid, depuis 1948. Il montra ses œuvres au musée d'Art moderne de Madrid en 1954. Il eut un choix important d'œuvres au concours national de Madrid. Il reçut de nombreux prix et distinctions : 1950 prix de la sculpture du cercle des beaux-arts de Madrid, 1953 prix de sculpture au concours national de Madrid, 1957 prix de sculpture du concours international du cercle des beaux-arts de Madrid.
Il exécuta six grands hauts-reliefs en pierre, pour l'université de Cordoue, ainsi que d'autres travaux monumentaux.

LAPAYRE Eugène
Né au XIXe siècle à Boulages. XIXe siècle. Français.
Sculpteur.
Élève de Jouffroy et pensionnaire du Conseil général de l'Aube. Il figura au Salon à partir de 1870 et obtint une mention honorable (1883). Le Musée de Troyes conserve de lui : *Urbain IV, Pêcheur jetant son filet, Marin français et soldat prussien combattant nus*, ainsi qu'une étude.

LAPCHINE Georges
Né en 1885 à Moscou. Mort en 1951. XXe siècle. Actif en France. Russe.
Peintre de figures, paysages. Postimpressionniste.
Il fut élève de Fernand Cormon et Léon Lhermitte. Il exposait à Paris, aux Salons des Artistes Français et des Indépendants, depuis 1925.
Sa facture reste traditionnelle, avec quelques traces de la peinture claire de l'impressionnisme, d'autant qu'il a peint des paysages méditerranéens ensoleillés.
Ventes Publiques : Paris, 19 mai 1943 : *Paysage russe* : **FRF 3 800** – Paris, 13 nov. 1944 : *Palais et isba sous la neige* : **FRF 2 100** – Paris, 30 avr. 1945 : *Fleurs* : **FRF 1 100** – Paris, oct. 1945-juil. 1946 : *Marine* : **FRF 12 100** – Paris, 4-6 juil. 1988 : *Village de montagne en bordure d'un torrent*, h/cart. (37x49,5) : **FRF 5 100** ; *Les deux femmes sous la véranda*, h/pan. (35x49,5) : **FRF 3 900** – Montréal, 30 oct. 1989 : *Scène de plage*, h/t (25x44) : **CAD 1 045** – Versailles, 25 mars 1990 : *Maison sur le port*, past. et fus. (54,5x73) : **FRF 8 500** – Versailles, 21 oct. 1990 : *Capri*, h/t (60x73) : **FRF 22 500** – Paris, 22 mars 1994 : *Les nénuphars sur l'étang*, h/t (65x81) : **FRF 4 500.**

LAPEGNA Francesco Antonio
Né le 9 décembre 1769 à Barletta. Mort en 1817 à Naples. XVIIIe-XIXe siècles. Italien.
Peintre d'histoire.
Il décora l'église San Antonio à Barletta et le Palais Royal à Caserta.

LA PEGNA Hyacinthe de. Voir **LA PEIGNE Hyacinthe de**

LA PEIGNE Antonio de ou **La Piene,** ou **La Peine,** ou **La Pegna,** ou **La Pegnia**
XVIIe siècle. Italien.
Graveur.
On cite de lui un portrait de la duchesse de Savoie, d'après Sacchetti, pour un ouvrage publié en 1672.

LA PEIGNE Hyacinthe de ou **Pegna**
Né en 1706 à Bruxelles. Mort en 1772 à Rome. XVIIIe siècle. Éc. flamande.
Peintre de batailles.
Il fut d'abord militaire au service de la France et peintre de batailles. Il passa ensuite au service des princes de Savoie, puis à celui de la maison d'Autriche. On voit de lui à la Galerie de Vienne une *Vue du Pont-Neuf à Paris*. Il a gravé, notamment l'*Attaque par les Français du Col de l'Assiette en Piémont*. Fut reçu à l'Académie de Saint-Luc de Rome.

LAPEINE Charles Samuel de. Voir **DELAPEINE**

LA PEÑA Arnaldo de ou **Peña Arnaldo de la**, dit **Sangars**
XIVe siècle. Espagnol.
Peintre de miniatures.
Actif à Barcelone de 1361 à 1396, il était aussi relieur.

LA PEÑA Diaz de. Voir **DIAZ**

LA PEÑA Juan Bautista de
Mort avant le 12 décembre 1773 à Madrid. XVIIIe siècle. Espagnol.
Peintre de portraits et de figures.
Élève de M. A. Houasse ; il fit un voyage d'études à Rome. Il fut peintre de la Cour et professeur à l'Académie de S. Fernando à Madrid. On trouve de lui *Vénus et Adonis* à l'Académie de S. Fernando à Madrid.

LA PEÑA Narcisse Virgile Diaz de. Voir **DIAZ DE LA PEÑA**

LA PENAL
XVIIe siècle. Français.
Portraitiste.
Élève de Rigaud.

LAPENNE
XVIIe siècle. Actif à Toulouse. Français.
Peintre.
Il fut élève de Rivalz, puis enseigna le dessin à Montpellier.

LA PENNE Antoine Pierre Philippe
Né au XIXe siècle à Auterive. XIXe siècle. Français.
Peintre de genre.
Élève de Cabanel. Il figura au Salon à partir de 1877. Fut sociétaire des Artistes Français en 1883 et obtint une mention honorable en 1882.

LA PERCHE-BOYER Hippolyte de
XIXe-XXe siècles. Actif à Paris. Français.
Peintre.
Associé au Salon de la Nationale des Beaux-Arts depuis 1899, il figura au Salon de ce groupement.

LA PERDRIX Michel de
Né à Paris. Mort vers 1693 à Paris. XVIIe siècle. Français.
Sculpteur.
Il a exécuté pour le Palais de Versailles une statue : *La Mélancolie*.

LAPERELLE-POISSON Alix de, Mme
Née au XIXe siècle à Châlons-sur-Marne (Marne). XIXe siècle. Française.
Peintre de genre et de portraits.
Élève de Cabanel. Elle exposa au Salon de 1864 à 1888. Le Musée de Douai conserve d'elle : *Après la lecture*, et celui de Reims : *Un jour de fête*.

LAPERRIÈRE Adèle Jeanne de, comtesse
Née à Paris. XIXe siècle. Française.
Peintre.
Élève de Laperrière. Elle exposa, à partir de 1874, de la peinture sur porcelaine et de l'aquarelle.

LA PERRIÈRE Daniel
XVIIe siècle. Actif à Grenoble. Français.
Peintre.
Élève pendant une année du peintre Louis de Mansfeld.

LAPERRIÈRE Gaston de
Né le 28 mars 1848 à Strasbourg. XIXe siècle. Français.
Peintre de portraits.
Élève de Pils. Il figura au Salon à partir de 1878.

LAPEYRE Edmond Edouard
Né le 17 novembre 1880 à Reims (Marne). Mort le 4 février 1960 à Paris. XXe siècle. Français.
Peintre de genre.
Il fut élève de Cormon, Boutigny et Larteau. Il exposa à Paris, au Salon des Artistes Français, dont il devint membre sociétaire à partir de 1908.

Il faut retenir ses études et pochades exécutées sur les plages françaises dans l'entre-deux guerres, saisissant avec bonheur la gaieté bariolée caractéristique de l'époque.
Ventes Publiques : Londres, 14 juin 1995 : *Les cuisiniers*, h/t (96x160) : **GBP 7 475**.

LAPEYRE Lucien
Né au XIXe siècle à Paris. XIXe-XXe siècles. Français.
Peintre d'histoire, sujets typiques, paysages.
Élève de Boutigny et Larteau. Sociétaire des Artistes Français depuis 1909, il figura au Salon de ce groupement.
Ventes Publiques : Paris, 14 mars 1988 : *Rue du Caire* 1922, h/pan. (40x30) : **FRF 3 200** – Paris, 13 mars 1995 : *Fin de journée au bord du Nil ; Chameliers aux abords des pyramides* 1905, h/t, une paire (chaque 40x93) : **FRF 17 000**.

LAPEYRIERE de
XXe siècle. Française.
Sculpteur.
Elle a exposé des bustes au Salon des Femmes Peintres et Sculpteurs. Elle fut professeur dans une académie de Montparnasse.
Ventes Publiques : Paris, 18 mai 1992 : *Buste d'Éliane Petit dite La Villeon*, bronze (50x40x23) : **FRF 9 000**.

LAPHAES
VIe siècle avant J.-C. Actif à Plionthe en 516 avant J.-C. Antiquité grecque.
Sculpteur.
Il fit, à Sicyone, un *Hercule* en bois et, à Égine, un colossal *Apollon* en bois.

LAPI Angelo Emilio
Né vers 1769 à Livourne. Mort le 21 septembre 1852 à Florence. XVIIIe-XIXe siècles. Italien.
Graveur au burin.
Il a gravé des sujets religieux.

LAPI Antonio
XVIIIe siècle. Actif à Livourne au milieu du XVIIIe siècle. Italien.
Dessinateur et graveur à l'eau-forte.
On cite parmi ses gravures un catafalque érigé en l'honneur de François Ier.

LAPI Emilio
Né vers 1815. Mort vers 1890. XIXe siècle. Actif à Florence. Italien.
Peintre de genre et d'histoire.
La Galerie antique et moderne de Prato conserve de lui : *Amour vainqueur de la force* et *Bataille de Palestro*.

LAPI Giovanni
Né à Rome. Mort en 1772 à Livourne. XVIIIe siècle. Italien.
Graveur au burin.
Il a gravé des sujets religieux et des pièces pour le *Musée étrusque*.

LAPI Niccolo
Né en 1661 à Florence. Mort en 1732. XVIIe-XVIIIe siècles. Italien.
Peintre d'histoire.
Élève de Luca Giordano. La Galerie royale, à Florence, conserve son portrait par lui-même.

Ventes Publiques : Paris, 22 et 23 fév. 1929 : *Deux compositions pour un plafond*, pl. : **FRF 110**.

LAPI Paolo
Né en 1935 à Pise (Toscane). XXe siècle. Italien.
Peintre. Tendance expressionniste.
Il fit ses études à Florence. Il expose à Sienne, Pise et Florence. Sa peinture est figurative.

LAPI Pollo de
XVe siècle. Actif à Bologne. Italien.
Miniaturiste.
Il travailla aux manuscrits du trésor de l'église San Petronio à Bologne.

LAPI Pompeo
XVIIIe siècle. Actif à Livourne. Italien.
Graveur.
On cite ses planches d'après Raphaël.

LAPICCOLA Niccolo
Né vers 1730 à Cotrone. Mort en 1790. XVIIIe siècle. Italien.
Peintre.
Il fut élève de Fr. Mancini et travailla pour différentes églises de Rome entre autres pour la basilique des Saints-Apôtres.

LAPICQUE Charles
Né le 6 octobre 1898 à Theizé (Rhône). Mort le 15 juillet 1988 à Orsay (Essonne). XXe siècle. Français.
Peintre de compositions religieuses, sujets de sport, sujets divers, animaux, paysages, peintre à la gouache, peintre de cartons de tapisseries, décorateur, graveur, dessinateur, illustrateur.
Bien que né dans le Rhône, il est d'une famille vosgienne et passa son enfance à Épinal, sauf les vacances annuelles en Bretagne, commençant le cycle de ses études, accompagnées d'études musicales, puis les poursuivant à Paris, à partir de 1909. De 1917 à 1919, il fut mobilisé dans l'artillerie à cheval. En 1919-1920, il termina ses études d'ingénieur à l'école centrale tout en commençant à peindre à l'huile. De 1921 à 1928, il fut ingénieur dans la distribution de l'électricité, poursuivant parallèlement ses études picturales encouragé notamment par Lipchitz. En 1928, il décida d'abandonner sa carrière d'ingénieur pour la peinture mais la crise monétaire de 1931 lui fit reprendre un poste de préparateur à la faculté des sciences qu'il conserva jusqu'en 1943, et qui avait l'avantage de lui laisser suffisamment de temps pour la peinture. Il a écrit de nombreuses communications et prononcé de nombreuses conférences, dont les principales sont réunies dans *Essai sur l'espace, l'art et la destinée* (Grasset, Paris, 1958).
Il participa à la manifestation historique de 1941 *Jeunes Peintres de tradition française*, où Bazaine, Estève, Gischia, Le Moal, Manessier, Pignon, Singier et lui-même affirmaient devant l'occupation allemande une certaine présence française et la vitalité des courants artistiques d'avant-garde considérés comme « dégénérés » par le régime nazi. L'année suivante, il expose avec Estève, Pignon, Bazaine, Tal Coat et Lhote. S'il a évidemment participé, surtout dans ses débuts, à de très nombreuses expositions de groupe, et notamment au Salon de Mai fondé par ses compagnons de route, il s'en est assez mal accommodé, peut-être trop attentif à l'apparente hiérarchie du placement et s'y faisant de plus en plus rare. L'exposition *Les Années cinquante* au musée national d'Art moderne de Paris rendit hommage à son œuvre en 1988. Depuis 1929, il montre ses œuvres dans de nombreuses expositions personnelles à Paris, Bruxelles, Copenhague, Brest, Genève, New York, Londres, Düsseldorf, Munich, et notamment dans les musées : des Beaux-Arts de Nantes en 1960 ; Kunsthalle de Berne, Städtische Galerie de Munich, musée de Grenoble et Maison de la culture du Havre en 1962 ; Städtisches Museum de Trèves et musée d'État de Luxembourg en 1963 ; musée de l'Athénée de Genève et Folkwang Museum d'Essen en 1965 ; Kunstamt-Tempelhof de Berlin en 1967 ; musée national d'Art moderne de Paris en 1967 et 1978. Entre autres distinctions, il a été fait officier de la Légion d'honneur et commandeur des Arts et des Lettres, en 1966. Il obtint le Grand Prix national de la peinture en 1979.
En 1925, dans une production qu'il reconnaît lui-même dispersée, il avait peint un *Hommage à Palestrina*, tout à fait abstrait ; mais d'une part une peinture absolument isolée ne pouvait prétendre à une grande signification, d'autre part en 1925 il s'était déjà passé pas mal de choses dans ce sens. Dans la période de son travail à la faculté des sciences, il élabora une théorie fragmentaire de la couleur : confondant quelque peu des notions de nature différente : éloignement relatif des couleurs, luminosité propre des couleurs, effets relatifs de contrastes, il aboutit à la conclusion que, à l'inverse des conceptions empiriques traditionnelles et des expérimentations scientifiques récentes, les bleus étaient plus aptes à figurer les plans rapprochés et les rouges et les jaunes les plus éloignés, ce qui est avéré tout à fait exact dans certaines conditions, et est, entre autres, caractéristique de la vision en contre-jour. Il advint alors de cette systématisation discutable, ce qu'il advient souvent des erreurs scientifiques : elle était fertile et porteuse d'une longue série de peintures conçues selon ce principe, qui constitue la première époque cohérente dans l'œuvre de Lapicque, dont l'une des premières fut, en 1935, la *Prise de Ma Kong par l'amiral Courbet* et qui aboutit, après le très beau *Port de Loguivy*, de 1939, à la *Sainte Catherine de Fierbois* et à la *Jeanne d'Arc traversant la Loire*, de 1940. L'infinie diversité des thèmes abordés, simultanément aussi bien que successivement, par cet « imagier » ne per-

met pas, dans une notice relativement brève, de les suivre au jour le jour. Dans des paysages datant des années de guerre, il mit définitivement au point sa technique du mélange des angles perspectifs, complété par le mélange des formes par chevauchement ou transparence. Il célébra la Libération de la France : *L'Attaque du Sénat par la division Leclerc, La Libération de Paris*, en 1944. De 1945 à 1950 environ, et sur des thèmes extrêmement divers selon l'occasion, allant des *Régates* de 1946, à la *Bataille de Waterloo* de 1949, et à toute la série des *Courses de chevaux* de 1951, après les *Gengis Khan – Henri III* et autres *Attila* de 1950, il mit en œuvre différentes façons de donner l'impression du mouvement, boucles entrelacées des virages bord sur bord d'une barque, juxtaposition rapprochée du même profil répété plusieurs fois du jockey qui saute, curieusement de la part de ce scientifique plus proche de la façon dont les enfants traduisent le mouvement que des recherches simultanéistes et chromatiques post-futuristes. On peut dire en gros, qu'à partir de 1950, Lapicque disposait de l'ensemble des éléments qui constitueront dans la suite son œuvre, son vocabulaire et sa syntaxe plastiques, et que, à des détails près, les périodes ultérieures se définiront plus par les thèmes traités que par des innovations techniques : on y retrouvera constamment les thèmes de la mer, des bateaux, des musiciens, des chevaux et des courses, auxquels s'ajoutent ceux des navires de guerre – il a été peintre du Département de la marine de 1948 à 1966 ; des figures héraldiques abstractisantes de 1953 ; des paysages vénitiens de 1953 à 1955, peint à la suite de la bourse Raoul-Dufy qui lui fut décernée à la Biennale de Venise en 1953 ; des paysages bretons de 1956 à 1957 ; des thèmes de l'histoire romaine, *La Mort de Pompée – La Prise de Jérusalem* de 1957 à 1958, poursuivis avec des thèmes de l'histoire chrétienne jusqu'en 1950 ; des tigres, des lions et des jungles à partir de 1960 : *La Matinée d'un seigneur – La Vie d'un tigre* de 1961 ; du tennis, en 1965, etc ; sans jamais perdre de vue que, au long de l'activité de Lapicque, tous ces thèmes s'entremêlent constamment et se compliquent avec foisonnement d'autres sous-thèmes apportés par les moindres hasards de l'existence, par exemple : *Chocolats – Louis XV* de 1963. L'ensemble de l'œuvre est très caractérisé par plusieurs constantes qui font que l'on reconnaît un Lapicque, sans aucun risque d'erreur. Il eut l'occasion de réaliser quelques travaux monumentaux : cinq décorations pour le palais de la Découverte de l'Exposition internationale de Paris, en 1937, qui lui valurent une médaille d'honneur, des tapisseries : *La Route de Nagpour* en 1965, il a aussi sculpté *Figure* granit de 1938 ; il a illustré *Appareil de la terre* de Jean Follain en 1961, et *O et M* de Charles Estienne en 1966 ; *Temps présumés* de Paul Chaulot en 1966 ; *CLXXI Proverbes à expérimenter* de Jean Guichard-Meili en 1966 ; *Les Bijoux indiscrets* de Diderot en 1966. François Reichenbach a réalisé un court-métrage en couleurs sur lui et son œuvre en 1966. Ces lignes écrites, on peut appréhender l'ensemble de l'œuvre de Lapicque, à peu près « telle qu'elle-même ». Elle suscite à la fois irritation et engouements, irritation dans ses ambitions parfois peu convaincantes, engouements dans son évidence et sa générosité. Rien n'y est mesquin, étriqué ; elle est constituée du déroulement d'un inépuisable hymne à la vie sous tous ses aspects et à ses différents niveaux de conscience, depuis la plus pure joie de vivre jusqu'aux préoccupations métaphysiques, très orientées chez lui, comme en témoignent ses écrits, par la fréquentation, nostalgiquement proustienne, de la pensée bergsonnienne. Non sans un certain parti pris, on en vient à penser que l'on goûterait sans réserve cette œuvre, si, au lieu de prétendre à une prééminence dogmatique qu'elle a su heureusement totalement contourner elle se présentait comme l'imagerie émerveillée et insatiable due au clair regard d'un naïf très, très savant, et qui, en tant que telle, apparaîtrait alors très neuve.

■ Jacques Busse

Lapicque

Lapicque

Lapicque

Bibliogr. : Jean Lescure : *Lapicque*, Flammarion, Paris, 1956 – Charles Estienne : *Les Dessins de Lapicque, t. I : La figure*, Galanis, Paris, 1959 – Jean Guichard-Meili : *Les Dessins de Lapicque, t. II : Les chevaux*, Galanis, Paris, 1962 – Jean Guichard-Meili, in : *Diction. des artistes contemp.*, Libraires Associés, Paris, 1964 – Michel Hoog, in : *Peintres contemp.*, Mazenod, Paris, 1964 – Bernard Dorival et divers : Catalogue de l'exposition : *Lapicque*, Mus. nat. d'Art mod., Paris, 1967 – Catalogue de l'exposition : *Lapicque*, Galerie des Arts, Paris, 1969 – in : *Les Muses*, La Grange Batelière, t. IX, Paris, 1972 – Bernard Balanci, Elmina Auger : *Charles Lapicque. Catalogue raisonné de l'œuvre peint et de la sculpture*, Mayer, Paris, 1972 – in : *Diction. univers. de la peinture*, Le Robert, t. IV, Paris, 1975 – Bernard Balanci, Georges Blache : *Charles Lapicque. Catalogue raisonné. L'Œuvre gravé et lithographié*, Éd. de L'Amateur, Paris, 1981 – *La Collection du Musée nat. d'Art mod.*, Centre Georges Pompidou, Paris, 1986 – in : *L'Art du xxe s.*, Larousse, Paris, 1991 – in : *Diction. de l'art mod. et contemp.*, Hazan, Paris, 1992.

Musées : Bruxelles (Mus. roy. de Belgique) – Copenhague – Dijon – Essen (Folkwang Mus.) – Grenoble (Mus. de Peinture et de Sculpture) – Munich (Bayer Staatsgemäldesamml.) – Nantes (Mus. des Beaux-Arts) – New York (Mus. of Mod. Art) – New York (Gal. of living Art) – Ottawa – Paris (BN, Cab. des Estampes) : *Charles le Téméraire* 1979, litho. – Paris (Mus. d'Art Mod. de la Ville) – Paris (Mus. de la Légion d'honneur) – Paris (Mus. Nat. d'Art Mod.) – Quimper (Mus. des Beaux-Arts) : *Le Roi Arthur* 1953 – San Francisco – Stuttgart (Staatsgal.) – Toronto.

Ventes Publiques : Paris, 16 fév. 1954 : *Le saut de la rivière* : **FRF 245 000** – Copenhague, 2 mars 1960 : *Composition abstraite* : **DKK 8 500** – Paris, 30 juin 1961 : *Composition* 1951, gche : **FRF 1 000** – Paris, 23 mai 1962 : *Nature morte* : **FRF 25 300** – Versailles, 1er déc. 1963 : *Le port de Loguivy* : **FRF 30 000** – Genève, 15 nov. 1968 : *Manœuvres au soleil couchant* : **CHF 21 000** – Genève, 8 nov. 1969 : *Orage sur Lanmodez* : **CHF 16 000** – Genève, 2 nov. 1971 : *Marée basse* : **CHF 14 000** – Versailles, 26 nov. 1972 : *La quatuor* : **FRF 50 000** – Paris, 15 déc. 1973 : *Danse macabre* 1948 : **FRF 25 000** – Versailles, 11 juin 1974 : *La chasse au tigre* : **FRF 60 000** – Versailles, 4 avr. 1976 : *Lagune bretonne* 1959, h/t (41x27) : **FRF 8 000** – Paris, 25 avr. 1977 : *Le sillon de Talbert* 1953, h/t (54x73) : **FRF 13 500** – Versailles, 26 nov. 1978 : *Ferme en Bretagne* 1947, h/t (65x100) : **FRF 16 800** – Paris, 8 nov. 1978 : *Anachorète*, Plexiglas, sculpt. (70x50x31) : **FRF 3 300** – Zurich, 30 mai 1979 : *Ezéchiel mesure le Temple* 1973, h/t (116x81) : **CHF 9 500** – Paris, 15 mai 1981 : *Fleurs et Murailles* 1956, h/t (72x115) : **FRF 28 500** – Versailles, 8 juin 1983 : *Destroyers aux régates* 1952, h/t (130x97) : **FRF 150 000** – Paris, 24 avr. 1983 : *Richard-Cœur-de-Lion* 1969, alu. découpé (H. 118) : **FRF 17 000** – Londres, 4 déc. 1984 : *Espagne*, gche (65x50) : **GBP 3 500** – Paris, 19 juin 1985 : *La rencontre* 1945, past. (50x65) : **FRF 35 000** – Paris, 9 déc. 1985 : *Richard Cœur de Lion* 1969, métal poli (H. 118) : **FRF 25 000** – Paris, 18 mars 1986 : *L'Acteur* 1971, gche et acryl. (49x30,5) : **FRF 20 000** – Paris, 24 nov. 1987 : *Vitrail* 1962, gche/rhodoïde (53x41) : **FRF 18 500** – Paris, 14 oct. 1987 : *Personnages* 1973, cr. noir (65x49,5) : **FRF 15 000** – Paris, 29 avr. 1988 : *L'orage en mer* 1946, h/t (60x92) : **FRF 125 000** ; *En fuite* 1969, h/t (54x73) : **FRF 79 000** – Versailles, 15 juin 1988 : *Manœuvres au soleil couchant* 1959, h/t (81x100) : **FRF 265 000** ; *La route de Nagpour*, tapisserie d'Aubusson (168x209) : **FRF 50 000** – Paris, 23 juin 1988 : *Le sillon de Talbert* 1953, h/t (50x73) : **FRF 240 000** – Paris, 27 juin 1988 : *Femme aux deux visages*, dess. à l'encre (27x30) : **FRF 7 000** – Paris, 24 juin 1988 : *Personnage surréaliste* 1974, dess. à la mine de pb (63,5x49,5) : **FRF 9 000** – Londres, 28 juin 1988 : *Les environs du Trieux* 1957, h/t (70x100) : **GBP 19 800** – Londres, 19 oct. 1988 : *Fernand Cortez* 1953, acryl./t. (100x50,5) : **GBP 13 200** – Versailles, 23 oct. 1988 : *L'iconoclaste*, acryl./pap. (65x50) : **FRF 49 000** – Paris, 27 oct. 1988 : *Paysage en Hollande* 1974, acryl./t. (38x55) : **FRF 86 000** – Paris, 28 oct. 1988 : *La nuit vénitienne* 1956, h/t (65x81) : **FRF 255 000** – Versailles, 6 nov. 1988 : *L'oasis* 1970, acryl./pap. mar./t. (38x52) : **FRF 50 000** – Paris, 21 nov. 1988 : *Demeure à Bréhat* 1945, h/t (65x92) : **FRF 310 000** – Versailles, 18 déc. 1988 : *Personnages*, cr. de coul. brun et noir (64,5x49,5) : **FRF 16 000** – L'Isle-Adam, 29 jan. 1989 : *L'orage en mer* 1946, h/t (60x92) : **FRF 275 000** – Paris, 12 fév. 1989 : *Le pesage* 1950, dess. à la pl. (33x50) : **FRF 15 000** –

PARIS, 11 avr. 1989 : *Figure de proue* 1974, acryl./t. (73x93) : **FRF 260 000** – PARIS, 17 juin 1989 : *La Naissance de l'oiseau* 1948, h/t (130x89) : **FRF 400 000** – PARIS, 13 déc. 1989 : *coucher de soleil sur Venise*, h/pap. (55x37,5) : **FRF 67 000** – PARIS, 15 déc. 1989 : *Sans titre* 1946, aquar. (52x65) : **FRF 70 000** – PARIS, 3 mai 1990 : *La Rivière à Pontrieux* 1952, h/t (60x92) : **FRF 400 000** – PARIS, 18 juin 1990 : *Œdipe III* 1964, h/t (81x65) : **FRF 230 000** – COPENHAGUE, 14-15 nov. 1990 : *Rochers et buissons près de la grève* 1948, h/t (74x93) : **DKK 155 000** – PARIS, 27 nov. 1990 : *Aix-en-Provence*, h/t (116x90) : **FRF 130 000** – PARIS, 14 avr. 1991 : *Composition* 1950, gche (98x65) : **FRF 25 000** – PARIS, 18 avr. 1991 : *Paysage saharien* 1962, h/t (46x61) : **FRF 80 000** – RAMBOUILLET, 1er déc. 1991 : *Bassin de Saint-Marc la nuit* 1955, h/t (81x130) : **FRF 1 300 000** – NEW YORK, 9 mai 1992 : *Saint Georges terrassant le dragon*, pièces de métal boulonnées (H. 57) : **USD 2 860** – RAMBOUILLET, 16 mai 1993 : *La petite pêche* 1952, h/t (73x92) : **FRF 456 000** – LONDRES, 13 oct. 1993 : *Croiseur au mouillage de St Marc, la nuit* 1955, h/t (54x81) : **GBP 15 525** – PARIS, 23 nov. 1994 : *Régates à basse mer* 1951, h/t (97x130) : **FRF 250 000** – L'ISLE-ADAM, 27 nov. 1994 : *Force 8*, h/t (50x65) : **FRF 98 000** – PARIS, 19 juin 1995 : *Manœuvres de nuit (Bréhat)* 1958, h/t (65x91,8) : **FRF 125 000** – PARIS, 7 oct. 1995 : *Les Régates* 1952, h/t (97x146) : **FRF 210 000** – TOUQUES, 26 nov. 1995 : *Danse macabre* 1948, h/t (130x96) : **FRF 325 000** – PARIS, 31 jan. 1996 : *Escale à Honolulu*, h/t (73x54) : **FRF 155 000** – PARIS, 15 avr. 1996 : *Château en Espagne* 1973, aquar./pap. (36x48) : **FRF 12 000** – PARIS, 5 juin 1996 : *En garde* 1977, acryl./t. (73x92) : **FRF 33 000** – PARIS, 14 oct. 1996 : *Le 10-Mai 1968* 1968, h/t (89x116) : **FRF 100 000** – PARIS, 28 oct. 1996 : *Pensée du matin* 1972, aquar. (31x24) : **FRF 3 800** – PARIS, 16 mars 1997 : *Le Tigre* 1961, gche et h/pap. (16x21) : **FRF 20 500** – PARIS, 28 avr. 1997 : *Portrait de Jane Austen* 1953, encre de Chine/pap. (26x20) : **FRF 3 500** ; *Ostie* 1957, h/t (73x100) : **FRF 120 000** – PARIS, 5 juin 1997 : *Le Croiseur*, h/t (65x81) : **FRF 12 000** – PARIS, 20 juin 1997 : *Paysage dans l'Atlas saharien* 1951, h/t (50x100) : **FRF 100 000**.

LAPICQUE Nicolas

XVIIe siècle. Actif à Nancy en 1691. Français.

Sculpteur.

LAPIDE Christian Friedrich Georg

XVIIe siècle. Actif à Brixen. Allemand.

Graveur.

Son principal ouvrage fut l'illustration du *Theatrum Honoris S. Victori*, paru en 1686.

LAPIDE Johann Friedrich

XVIIIe siècle. Actif à Innsbruck. Autrichien.

Graveur.

Il grava des sujets religieux et souvent aussi des vues d'Innsbruck.

LAPIDOTH M.-C

Né le 1er mai 1868 à Amsterdam. XIXe-XXe siècles. Hollandais.

Peintre de paysages.

Il obtint une médaille de bronze en 1900, à l'Exposition universelle de Paris.

LA PIEDRA Louis André de

XIXe siècle. Français.

Peintre d'histoire et de portraits.

Exposa au Salon de Paris, de 1835 à 1850.

LAPIENG Georg

Né en 1846 à Berlin. Mort le 25 août 1905 à Feldberg. XIXe siècle. Allemand.

Peintre de paysages, d'architectures, et aquarelliste.

Exposa à Berlin à partir de 1876.

LAPIERRE, de son vrai nom : **Pierre Mallerot**

Mort en 1737. XVIIIe siècle. Français.

Sculpteur.

Il a exécuté pour le Palais de Versailles un *Saint Mathias* et des sculptures au Bosquet de la Colonnade.

LAPIERRE André

Né en 1930 à Floreffe. XXe siècle. Belge.

Peintre, graveur. Abstrait.

Il fut élève de l'académie des beaux-arts de Namur et de La Cambre. Il enseigne le dessin.

BIBLIOGR. : In : *Diction. biogr. illustré des artistes en Belgique depuis 1830*, Arto, Bruxelles, 1987.

LAPIERRE Émile

Né à Sète (Hérault). XXe siècle. Français.

Peintre de paysages.

Il a exposé au Salon des Indépendants à Paris, à partir de 1910.

LA PIERRE François Joseph de

XVIIIe siècle. Français.

Peintre.

Il fut reçu à l'Académie de Saint-Luc en 1741.

LAPIERRE Jean

XVIIe siècle. Actif à Arles. Français.

Sculpteur.

Il travailla à la décoration de la façade de l'Hôtel de Ville d'Arles.

LAPIERRE Louis Émile

Né en 1817 à Paris. Mort le 25 mars 1886 à Paris. XIXe siècle. Français.

Peintre de paysages.

Élève de V. Bertin. Il figura au Salon de 1837 à 1876 et obtint une médaille de deuxième classe en 1848 ; chevalier de la Légion d'honneur le 11 août 1869. Il peignit surtout les environs de Rome et de Fontainebleau.

VENTES PUBLIQUES : PARIS, 1873 : *Vue prise dans le Jardin Boboli. Paysage avec figures* : **FRF 1 300** – PARIS, 1890 : *Soleil couchant* : **FRF 890** – PARIS, 17 mars 1947 : *Sous la charmille* : **FRF 4 600**.

LAPIERRE Louis Onésime

XIXe siècle. Actif à Paris. Français.

Peintre de paysages.

Il a figuré au Salon de Paris de 1836 à 1841.

BIBLIOGR. : In, Catalogue de l'exposition : *Les années romantiques, la peinture française de 1815 à 1850*, Mus. des Beaux-Arts de Nantes, 1995-1996 et Galeries nationales du Grand Palais, Paris, 1996.

MUSÉES : MÂCON : *Paysage* – POITIERS : *Paysage*.

LA PIERRE Nicolas Benjamin de. Voir **DELAPIERRE**

LAPIERRE-RENOUARD Paul Marie

Né le 11 septembre 1854 à Paris. XIXe siècle. Français.

Peintre de genre.

Élève de Jules Lefebvre, R. Collin et P. Delance. Sociétaire des Artistes Français depuis 1890 il figura au Salon d'hiver. Mention honorable en 1906. Chevalier de la Légion d'honneur.

LA PIETRA Ugo

Né en 1938 à Milan (Lombardie). XXe siècle. Italien.

Sculpteur, créateur d'environnements, peintre.

Il étudia l'architecture à Milan, où il vit et travaille. Il participe à des expositions collectives : 1968, 1973, 1974 Triennale de Milan ; 1968, 1970 Museum of contemporary Crafts de New York ; 1969 Staatsgalerie de Stuttgart ; 1971 Museum am Ostwall à Dortmund. Il montre ses œuvres dans des expositions personnelles depuis 1962 : 1962, 1967, 1969, de 1970 à 1973 Milan ; 1967 Rome ; 1968 Stuttgart ; 1969, 1975 Bologne ; 1974 Belgrade ; 1975 Zagreb.

Architecte, il s'intéresse également au design et aux environnements. Il a utilisé les transparences des matières plastiques et est parvenu dans ses environnements à créer un monde à la fois magique et inquiétant.

MUSÉES : GRAZ (Landesmus. Joanneum) – NEW YORK (Mus. of Contemp. Crafts) – PARIS (Cab. des Estampes) – TURIN (Gal. civica d'Arte moderna) – TURIN (Gal. civica d'Arte Mod.) – TURIN (Mus. sperimental d'Arte Contemp.).

LAPIN Ivan

Né en 1743. Mort vers 1795. XVIIIe siècle. Russe.

Graveur.

On cite son *Portrait de Schumsky*.

LAPIN Lev Pavlovich, appelé par erreur **Lapschin**

XXe siècle. Russe.

Peintre. Abstrait.

De 1920 à 1930, il étudia à l'Institut d'Histoire de l'Art et à l'Académie des Arts de Léningrad. Il fut employé, pendant sa carrière professionnelle dans une aciérie de l'Île Vasilievsky. E.F. Kovtun, du Musée Russe de Léningrad, qui a redécouvert son œuvre, relate qu'il fut lié avec Malévitch pendant plusieurs années et qu'il étudia sous ses conseils. Ses œuvres peuvent en effet être rattachées au courant suprématiste, mais semblent plutôt être issues du cubisme-abstrait de Fernand Léger.

VENTES PUBLIQUES : LONDRES, 6 avr. 1989 : *Recto : Nature morte au chapeau noir, Verso : La femme à sa lessive*, h/t (45x38) : **GBP 17 600**.

LAPIN Nikolai Feodorovitch

Né le 9 décembre 1891 à Homel. XXe siècle. Suisse.

Graveur, illustrateur.

LAPINE Andreas Christian Gottfried
Né en 1868. Mort en 1952. XIXe-XXe siècles. Canadien.
Peintre de paysages, genre.

LA PINELAIS Marie Nicolas Benoît de
Né en 1836 à Paris. XIXe siècle. Français.
Peintre, aquarelliste et graveur.
Sociétaire des Artistes Français depuis 1883, il figura au Salon de ce groupement et y obtint une mention honorable (1891).

LAPINI Cesare
Né en 1848 à Florence. Mort en 1888. XIXe siècle. Italien.
Sculpteur.
Il exposa à Rome en 1888.
Ventes Publiques : Enghien-les-Bains, 28 oct 1979 : *La Mort* 1890, marbre blanc de Carrare (H. avec table 84) : **FRF 9 500** - Londres, 18 juil. 1983 : *Buste de jeune fille* 1890, marbre (H. 64) : **GBP 600** - Stockholm, 29 mai 1991 : *Le premier chagrin*, marbre blanc (H. 73) : **SEK 17 500** - New York, 16 fév. 1994 : *Premier baiser* 1890, albâtre (H. 95,3) : **USD 5 750** - New York, 24 mai 1995 : *Le secret* 1889, marbre (H. 109,9) : **USD 12 650** - New York, 23 mai 1997 : *Nymphe et Cupidon* 1892, marbre (H. 127) : **USD 44 850** - Paris, 17 oct. 1997 : *Petite fille aux fleurs* 1882, marbre (H. 67) : **FRF 11 250** - New York, 23 oct. 1997 : *Surprise*, marbre (H. 80) : **USD 8 050**.

LAPINSKI Tadeusz
Né le 20 juin 1928 à Rawa Mazowiecka. XXe siècle. Actif depuis 1968 aux États-Unis. Polonais.
Graveur.
Il termina ses études artistiques à l'académie des beaux-arts de Varsovie, en 1955. Il vit depuis 1968 à New York. Il figure dans de nombreuses expositions en Pologne, ainsi qu'en Autriche, Afrique du Sud, Grande-Bretagne, Italie, aux Indes, Pays-Bas, en Suisse, Union Soviétique, etc. Il montra ses œuvres dans une exposition personnelle à Paris et Hambourg en 1963, à Mexico en 1964 et à Vienne en 1965. En 1965, il a fait sa première exposition personnelle à New York. Il a reçu un prix à la Biennale de Cracovie. Au cours de séjours d'étude en Yougoslavie, il a précisé par de nombreux dessins son vocabulaire formel, qui pour être abstrait n'en met pas moins en œuvre des formes et des harmonies colorées observées.
Bibliogr. : Irena Jakimowicz : Catalogue de l'exposition : *Lapinski*, Galerie Lambert, Paris, 1963.

LA PINTA Carmelo de
Né en 1950 à Monistrol-sur-Loire (Haute-Loire), de parents espagnols. XXe siècle. Français.
Graveur, dessinateur. Tendance fantastique.
Il étudia à l'école des beaux-arts de Saint-Étienne où il fut élève de Claude Weisbuch. Il séjourna ensuite en Afrique, puis se fixa en Bretagne à Pont-Aven vers 1976.
Il a participé en 1992 à l'exposition *De Bonnard à Baselitz - Dix Ans d'enrichissements du Cabinet des estampes* à la Bibliothèque nationale à Paris.
Depuis 1980, il se consacre à la gravure, préférant l'eau-forte et l'aquatinte. Ses œuvres présentent un monde de l'imaginaire où l'on assiste à une métamorphose des images. La Pinta mêle l'arabesque à l'entrelac, la chaleur des terres sèches de son pays d'origine au monde marin du Ponant. L'album *Celtiques*, regroupant ses œuvres exécutées en Bretagne, illustre cette rencontre entre un graveur aux origines espagnoles et l'univers celtique qu'il a élu.
Musées : Paris (BN) : *Petit Palais en Espagne* 1988, pointe sèche et aquat.

LA PIRA Anna Carafa
XIXe-XXe siècles. Italienne.
Peintre à la gouache de paysages, paysages d'eau, marines.
Elle s'est consacrée à la baie de Naples, au Vésuve, à Pompéi.
Ventes Publiques : Londres, 28 nov. 1990 : *La baie de Naples*, gche (41x61) : **GBP 1 540** - Rome, 16 avr. 1991 : *L'éruption de 1868 ; Naples depuis Carmine*, temp., une paire (chaque 37x52) : **ITL 18 400 000** - Amsterdam, 5-6 nov. 1991 : *Le forum de Pompei*, gche (30x44) : **NLG 3 680** - Londres, 12 fév. 1993 : *Naples depuis la mer*, gche/pap. (44,5x77,5) : **GBP 3 300** - Lugano, 8 mai 1993 : *Naples vue de la mer*, gche/pap. (30,5x43) : **CHF 6 200**.

LA PIRA Gaeston
XIXe siècle. Italien.
Peintre à la gouache de paysages, paysages d'eau, marines.
Sans doute parent de Anna Carafa La Pira. Il traite les mêmes thèmes dans la même technique.
Ventes Publiques : Paris, 4 déc. 1931 : *Le Golfe de Naples, vue prise du Pausilippe*, gche : **FRF 1 520** ; *Pêcheurs en vue de Capri ; Le Port de Naples*, gche, les deux : **FRF 3 040** - Londres, 25 juin 1987 : *La Côte de Naples*, gche, deux peint. (chaque 42,8x62,3) : **GBP 1 200** - Londres, 17 mars 1989 : *Barques de pêche dans la baie de Naples*, aquar. (21,5x32,5) : **GBP 605** - New York, 24 mai 1989 : *La baie de Naples*, gche (54x74,5) : **USD 6 050** - New York, 16 juil. 1992 : *Pêcheurs au crépuscule*, gche/pap./cart. (45,1x65,4) : **USD 3 850** - Rome, 23 mai 1996 : *Naples, Pausilippe*, temp./cart. (32x51) : **ITL 3 450 000** - Rome, 28 nov. 1996 : *Naples, vue du Pausilippe*, temp./pap. (45x64) : **ITL 6 000 000** - Londres, 21 mars 1997 : *Naples vu du Carmine*, gche/pap. (44,5x63,5) : **GBP 7 820**.

LA PIRA Gioacchino
XIXe siècle. Italien.
Peintre à la gouache de paysages, paysages d'eau, marines.
Il était actif à Naples dans la première partie du XIXe siècle. Sans doute parent des autres La Pira.
Ventes Publiques : Londres, 23 juin 1983 : *Vue de l'éruption du Vésuve en 1822 le jour ; Vue de l'éruption du Vésuve en 1822 la nuit*, gche, une paire (65,5x45,5) : **GBP 3 200** - Milan, 12 déc. 1991 : *La baie de Naples avec l'île de Nisida*, gche/pap. (44,5x64) : **ITL 18 000 000** - Londres, 18 mars 1992 : *Vue de Naples ; Vue d'Amalfi*, gche, une paire (chaque 30,5x46) : **GBP 2 860** - Milan, 8 juin 1993 : *Naples depuis les écueils de Frisio*, gche/pap. (49x69) : **ITL 9 500 000** - Rome, 2 juin 1994 : *Éruption du Vésuve*, gche/pap. (31x48) : **ITL 2 530 000** - Milan, 25 oct. 1995 : *Golfe de Naples ; Pêcheurs remontant leurs filets*, gche/pap., une paire (53,5x74) : **ITL 16 100 000**.

LA PIRA P.
XIXe-XXe siècles. Italien.
Peintre à la gouache de paysages d'eau, marines.
Sans doute de la famille des autres La Pira.
Ventes Publiques : Londres, 28 nov. 1990 : *Pêcheurs près de l'île de Capri*, gche (43x63) : **GBP 2 860**.

LAPIS Gaetano
Né le 13 août 1706 à Cagli. Mort en juillet 1758 à Rome. XVIIIe siècle. Italien.
Peintre d'histoire, sujets mythologiques, compositions religieuses, sujets allégoriques.
Élève de Sebastiano Conca, à Rome. Il fit montre dans ses œuvres d'une vive imagination et sut échapper à la décadence de l'école italienne au XVIIIe siècle. Il peignit notamment un remarquable plafond au Palais Borghese, à Rome, représentant, avec beaucoup d'élégance, la *Naissance de Vénus*. On voit aussi de lui dans l'église San Bernardino, à Pérouse, *La Vierge au milieu de Saints*, et, à la cathédrale de Cagli, *La Cène*, *La Nature* et *Saint André d'Avellino*, qu'il exécuta à la fin de sa carrière. La Galerie Borghèse, à Rome, conserve de lui : *L'Aurore*.

G Lapis

Ventes Publiques : Rome, 27 mars 1980 : *Marie Madeleine*, h/t (36x44) : **ITL 2 600 000** - Londres, 5 juil. 1996 : *Saint Jean de Capistrano prêchant*, h/t (136,8x101,7) : **GBP 7 000**.

LAPIS H.
XVIIIe siècle. Italien.
Peintre miniaturiste.
Probablement fils de Hieronymus Lapis.

LAPIS Hieronymus ou **Girolamo**
Né en 1723 à Venise. Mort en 1798. XVIIIe siècle. Italien.
Peintre d'histoire, scènes de genre, portraits, paysages, miniaturiste.
Bien qu'Italien de naissance, il vécut à Rotterdam, à Delft et à La Haye où il fut élève de la Pictura en 1758 et maître en 1760. Il vivait encore à Rotterdam en 1785.
Ventes Publiques : Berne, 30 mars 1966 : *Scènes de chasse*, trois toiles : **CHF 21 000** - Amsterdam, 28 nov. 1989 : *Portrait de Canzius Onderdewijngaart, homme de loi à Delft, assis devant son écritoire ; Portrait de Jakoba Onderdewijngaart née Van der Kraag portant une robe verte et une coiffe de dentelle*, h/t, une paire (chaque 81,6x68,4) : **NLG 6 900**.

LAPITO Louis Auguste
Né le 18 août 1803 à Joinville-le-Pont (Val-de-Marne). Mort le 7 avril 1874 à Boulogne-sur-Seine (Hauts-de-Seine). XIXe siècle. Français.
Peintre de paysages, aquarelliste, miniaturiste.
Il entra dans l'atelier de Louis Watelet à l'âge de quinze ans, puis fut élève de François Heim.
Il exposa régulièrement au Salon de Paris entre 1827 et 1870, obtenant une médaille de deuxième classe en 1833, une de première classe en 1835. À partir de 1843, il participa aux expositions des *Maîtres vivants* en Hollande.
Il a peint des vues de France, Suisse, Italie, Corse, Allemagne et Hollande. Ses paysages aux couleurs fraîches, lumineuses, aux détails précis, sont peints selon des compositions qui s'apparentent à celles des peintres de Barbizon.
Bibliogr. : Gérald Schurr, in : *Les Petits Maîtres de la peinture 1820-1920, valeur de demain,* Les Éditions de l'Amateur, t. II, Paris, 1982 - Jean Lacambre, in : Catalogue de l'exposition : *Les années romantiques, la peinture française de 1815 à 1850,* Mus. des Beaux-Arts de Nantes, 1995-1996 et Galeries nationales du Grand Palais, Paris, 1996.
Musées : Aix-en-Provence : *Menton* - Amiens (Mus. de Picardie) : *Paysage de Fontainebleau* - Annecy : *Environs de Lillebonne* - Arbois : *Vue du golfe de Valinco, en Corse* 1836 - Bagnères-de-Bigorre : *Paysage dauphinois - Aquarelle* - Bastia : *Vue de Bastia prise du chemin du cap Corse* 1842 - Bayonne : *Environs de Chalais* - Bordeaux : *Paysage* - Cambrai : *Lac de Thoune* 1830 - Compiègne (Mus. du palais) : *Un châlet - Pont-en-Royans* - Dijon (Mus. Magnin) : *Ruines d'un château féodal* - Dole : *Chêne dans la montagne* - Douai : *Saint-Laurent du Pont* - Grenoble : *Paysage des environs de Voiron* 1840 - Issoudun : *Un châlet* - Morez : *Gros chêne* - Narbonne : *Le Simplon* - Le Puy-en-Velay : *Vallée de Royat* - Rochefort : *Environs de Moutiers* - Rouen : *Environs de Périgueux* - Valence : *Vue du Pont-en-Royans - Forêt de Fontainebleau - Corniche de Gênes* - Villefranche-sur-Saône : *Vue prise dans la forêt de Fontainebleau.*
Ventes Publiques : Paris, 1850 : *Paysage avec figures* : **FRF 3 000** - Paris, 1890 : *Paysage de Suisse* : **FRF 550** - Paris, 22 juin 1942 : *La Baie de Naples* : **FRF 3 000** - Londres, 1er mars 1972 : *Jeunes filles au bord de la mer* : **GBP 400** - Toulouse, 6 déc. 1976 : *Le Village,* h/t (28x45) : **FRF 3 300** - Paris, 2 mars 1979 : *La Baie de Naples* 1846, h/t (54x80) : **FRF 26 500** - New York, 30 juin 1981 : *Personnages devant une ferme* 1839, h/t (41x56) : **USD 3 300** - Londres, 28 nov. 1984 : *Paysage d'été,* h/pap. mar./t., une paire (29,5x40,5) : **GBP 1 300** - New York, 24 fév. 1987 : *Paysage méditerranéen* 1849, h/t (92x130,2) : **USD 18 500** - Paris, 12 déc. 1990 : *Le Saut du Doubs* 1851, h/t (41x54) : **FRF 30 000** - Paris, 22 mars 1993 : *Peintre sur un sentier dans la forêt de Fontainebleau,* h/pap./t. (32,5x45,5) : **FRF 25 000** - Paris, 16 juin 1995 : *Paysage de montagne,* h/t (36,5x55,5) : **FRF 13 000.**

LAPLACE Alexandre de
XVIe siècle. Actif à Mons en 1586. Éc. flamande.
Sculpteur.
Il exécuta un tombeau à l'église Sainte-Waudru.

LAPLACE Eugène Clément
Né le 22 juin 1884 à Paris. XXe siècle. Français.
Graveur.
Il exposa à Paris, au Salon des Artistes Français, dont il est membre sociétaire depuis 1906. Il pratique l'eau-forte.

LAPLACE Gaston Ernest
Né le 11 juillet 1885 à Paris. Mort en novembre 1917 à Saint-Jean-de-Maurienne (Savoie). XXe siècle. Français.
Graveur, aquarelliste.
Il fut élève de l'école des arts décoratifs de Paris. Il exposa au Salon des Artistes Français, dont il devint membre sociétaire à partir de 1909 et y obtint une mention honorable en 1911.

LA PLACE Hennequin de
XIVe siècle. Actif à Troyes. Français.
Sculpteur.
Originaire de Tournai, il vint à Troyes et y sculpta le tombeau du chanoine Jean Bizet de Barbonne, dans l'église Saint-Étienne, en 1378.

LAPLACE J.
Né en 1890 à Lyon (Rhône). Mort en 1955. XXe siècle. Français.
Peintre de paysages, paysages urbains, aquarelliste.
Il vécut et travailla à Lyon.
Ses aquarelles montrent des vues de sa ville natale.
Bibliogr. : Gérald Schurr, in : *Les Petits Maîtres de la peinture 1820-1920, valeur de demain,* Les Éditions de l'Amateur, t. II, Paris, 1982.

LA PLACE Pierre de
XVIe siècle. Actif à Lyon. Français.
Sculpteur.
Il sculpta, en 1530 et 1531, pour le portail du grand boulevard Saint-Sébastien et pour une pile du pont du Rhône, des écussons aux armes du roi et de la ville.

LA PLACE Richard de
XVIe siècle. Actif à Rouen. Français.
Sculpteur sur bois.
Il travailla, de 1516 à 1518, aux stalles de la chapelle du château de Gaillon, que l'on voit aujourd'hui à Saint-Denis.

LAPLADA Claudio de
XVIIIe siècle. Actif à Vista Alegre (près d'Ilavo) vers 1700. Espagnol.
Sculpteur.
Il est l'auteur du célèbre tombeau de D. Manoel de Moura Manoel.

LAPLAGNE Guillaume
Né au XIXe siècle à Ervy (Aube). XIXe siècle. Français.
Sculpteur.
Élève de Barrias. Sociétaire des Artistes Français depuis 1894, il figura au Salon de ce groupement et y obtint une mention honorable en 1898.

LAPLANCHE. Voir aussi **DELAPLANCHE**

LA PLANCHE Abraham de
XVIIe siècle. Actif à Cologne. Allemand.
Peintre.
Il fut à Amsterdam en 1646.

LAPLANCHE Pierre
Né le 15 mars 1804 à Avignon (Vaucluse). Mort le 23 avril 1882 à Saint-Didier (Vaucluse). XIXe siècle. Français.
Peintre de genre, portraits, paysages.
Il travailla sous la direction de Pierre Raspay et fut professeur de dessin au petit séminaire de Sainte-Garde, dans le Vaucluse.
Il est surtout le peintre des mendiants, dont il traite les silhouettes d'un trait rapide, montrant dans leur attitude tout le désespoir de leur vie.
Bibliogr. : Gérald Schurr, in : *Les Petits Maîtres de la peinture 1820-1920, valeur de demain,* Les Éditions de l'Amateur, t. VII, Paris, 1989.
Musées : Avignon (Mus. Calvet) : *Autoportrait - Le fort Saint-André.*

LAPLANCHE Pierre
Né à Lyon. Mort en 1873 à Paris. XIXe siècle. Français.
Sculpteur animalier.
Élève de Rouillard. Il figura au Salon de 1857 à 1869. Il représenta surtout des animaux.
Ventes Publiques : Versailles, 16 juin 1984 : *Combat de cochons,* bronze (l. 32) : **FRF 6 000.**

LAPLANCHE Pierre Albert
Né le 12 février 1854 à Sainte-Menehould (Marne). XIXe siècle. Français.
Statuaire.
Le Musée de Château-Thierry conserve de lui : *Lutteurs au repos.*
Ventes Publiques : Dijon, 27 nov. 1983 : *Cerf poursuivi par deux chiens,* bronze patine brune (H. 49) : **FRF 6 200.**

LAPLANTE Charles
Né à Sèvres. Mort en 1903. XIXe siècle. Français.
Graveur.
Élève de Fagnion. Il figura au Salon de 1861 à 1879. Membre de la Société des Artistes Français.

LA PLATA Pedro de, ou **Pedro de Prado** ou **Parata** ou **Piata** ou **Prata**
Né à Saragosse. XVIe siècle. Actif à Naples dans la première moitié du XVIe siècle. Italien.
Sculpteur et architecte.
Il sculpta des tombeaux dans les églises de Naples.

LAPLAU
Né en 1938. XXe siècle. Français.
Peintre de paysages. Naïf.

Après avoir exercé différents métiers, il se consacre, en 1970, totalement à la peinture. Il a exposé en 1972.
Sa peinture est naïve. La ville (Paris), la campagne et l'hiver en sont les trois thèmes majeurs.

LA PLAZA Juan de
XVIe siècle. Actif à Madrid. Espagnol.
Sculpteur sur bois.
Il exécuta avec le peintre Cristo de Villareal, l'autel de la Vierge dans l'église La Torre del Pedroso.

LAPLAZA Y MUNCIG Roberto
Né en 1842 à Bilbao. XIXe siècle. Espagnol.
Peintre.
On lui doit des portraits, des paysages, des tableaux et la décoration de nombre de demeures nobles. A Madrid il fut élève de Mugica.

LA PLESSE Alexandre de
Né au XIXe siècle à Erbrée. XIXe siècle. Français.
Peintre de genre.
Élève de E. Lafond. Il figura au Salon en 1879 et 1880.

LAPO
XIIIe siècle. Actif à Sienne. Italien.
Sculpteur.
Il fut le collaborateur de Niccolo Pisano.

LAPO di Pagno. Voir l'article **PAGNO di Lapo Portigiani**

LAPO di Val
XVe siècle. Actif à Hambourg. Allemand.
Peintre.
Sans doute lui doit-on un *Portrait du comte Adolf IV von Schauenburg*, signé de ce nom.

LA POINTE Arnoult de. Voir **ORT Aert Van**

LA POINTE François de
XVIIe siècle. Français.
Graveur.
On a de lui un dessin colorié représentant le château de Nantes. On lui doit des vues du château de Versailles en collaboration avec Israël Silvestre, et un plan de Paris en neuf feuilles. Il a surtout gravé des cartes géographiques et des vues à Paris de 1666 à 1690.

LA POINTE Jean de
XVIe siècle. Français.
Peintre verrier.
Il travailla pour l'église Saint-Vincent de Rouen en 1506. Il semblerait qu'il ait été un collaborateur, un parent, de Aert Van Ort, sinon lui-même.

LAPOINTE Jeanne
Morte le 29 février 1920 à Paris. XIXe-XXe siècles. Française.
Peintre de portraits.
Elle exposa à Paris, au Salon des Artistes Français.

LAPOINTE Marthe Marie
Morte en 1890. XIXe siècle. Française.
Peintre.
Sociétaire des Artistes Français, elle figura au Salon de ce groupement.

LAPONCE François
Mort vers 1700. XVIIe siècle. Actif à Grenoble. Français.
Graveur.
Fils de Jean-Baptiste Laponce.

LAPONCE Jean Baptiste
Mort vers 1700 à Grenoble. XVIIe siècle. Français.
Graveur.

LA POQUE Arrès Jules
Né à Agen (Lot-et-Garonne). Mort en 1889. XIXe siècle. Français.
Paysagiste.
Élève de M. Bézard. Il figura au Salon de 1867 à 1877. Membre de la Société des Artistes Français. Le Musée de Périgueux conserve de lui : *Le Parc de Fayrac* et *Bords de la Vézère*.

LA PORTA de. Voir aussi **PORTA della**

LAPORTA Y VALOR Francisco
Né le 20 novembre 1849 à Alcoy. Mort en 1916 à Alcoy. XIXe-XXe siècles. Espagnol.
Peintre et lithographe.
Il décora le théâtre et les églises d'Alcoy.

LAPORTE. Voir aussi **DELAPORTE** et **PORTE**

LAPORTE, Mlle. Voir **FALCON-de-CIMIER,** Mme

LA PORTE Adèle de, Mme ou **Porte** ou **de la Porte**
Née au XIXe siècle à Paris. XIXe siècle. Française.
Peintre de genre et de fleurs.
Élève de Steuben. Figura au Salon de 1842 à 1870.

LA PORTE Alexandre Gabriel
Né en 1851 à Toulouse (Haute-Garonne). Mort le 27 juin 1904 à Toulouse. XIXe siècle. Français.
Sculpteur.
Élève de Jouffroy et Falguière. Il figura au Salon de 1875 à 1880.

LAPORTE Domingo
XIVe siècle. Actif à Uraguay. Français.
Peintre.
Il obtint une mention honorable en 1889 (Exposition Universelle).

LAPORTE Émile
Né le 18 novembre 1858 à Paris. Mort en 1907 à Paris. XIXe siècle. Français.
Sculpteur.
Élève de Dumont et Thomas. Débuta aux Artistes Français. On cite de lui le *Buste de Parrache* pour l'Hôtel de Ville de Lyon. Il obtint une mention honorable en 1883, une troisième médaille en 1885, une bourse de voyage en 1886, une deuxième médaille en 1897 et une médaille en argent en 1900 (Exposition Universelle.).
VENTES PUBLIQUES : PARIS, 10 déc. 1980 : *L'Enfant au coq*, bronze patine médaille (H. 106) : **FRF 30 000** – NEW YORK, 27 juin 1981 : *Pro Patria*, bronze patiné (H. 90) : **USD 2 000** – LONDRES, 17 mars 1983 : *Jeune femme au bouquet de roses* 1889, bronze patine brun foncé (H. 118) : **GBP 2 600** – LOKEREN, 20 avr. 1985 : *Le défenseur du sol*, bronze, patine brune (H. 66) : **BEF 360 000**.

LA PORTE Émile Henri
Né le 26 janvier 1841 à Paris. Mort en janvier 1919 à Paris. XIXe-XXe siècles. Français.
Peintre de genre, paysages, sculpteur.
Élève de Gleyre et Pils. Débuta au Salon de 1864. Sociétaire des Artistes Français en 1885. Il obtint une mention honorable (1883), médaille troisième classe (1885). Bourse de voyage (1886), médaille de bronze en 1889 (Exposition Universelle), médaille deuxième classe (1897), médaille d'argent en 1900 (Exposition Universelle).
VENTES PUBLIQUES : PARIS, 12-13 nov. 1899 : *Vénus pleurant la mort d'Adonis* : **FRF 270** – LONDRES, 12 juin 1986 : *Jeune garçon portant un coq* vers 1880, bronze patine brune (H. 100) : **GBP 2 800** – PARIS, 25 juin 1996 : *Femme turque allongée* 1875, h/t (27x45,5) : **FRF 45 000** – NEW YORK, 18-19 juil. 1996 : *Acteon*, bronze (H. 55,9) : **USD 4 600** – LONDRES, 11 oct. 1996 : *Odalisque* 1875, h/t (27x46) : **GBP 8 625**.

LAPORTE George Henry
Né en 1799 à Hanovre. Mort le 23 octobre 1873 à Londres. XIXe siècle. Allemand.
Peintre de genre, portraits, animalier.
Ce fut un peintre d'animaux d'un réel talent. Dès 1825 il exposa à la Society of British Artists et, à partir de 1827, il fut membre du Royal Institute of Painters in Water-Colours et un de ses exposants assidus. Il fut peintre du duc de Cumberland.
MUSÉES : HANOVRE : *Cheval et piqueur*.
VENTES PUBLIQUES : LONDRES, 20 fév. 1909 : *Portrait de M. John Bowes* : **GBP 1** – LONDRES, 31 mai 1927 : *Poursuite* : **GBP 52** – LONDRES, 23 nov. 1928 : *Cavalier demandant son chemin à un berger* : **GBP 152** – LONDRES, 15 mars 1967 : *Le Derby de 1825* : **GBP 1 200** – LONDRES, 22 juin 1973 : *La diligence Douvres-Londres dans un paysage* : **GNS 1 600** – LONDRES, 25 nov. 1977 : *La course de chevaux* 1858, h/t (53x90) : **GBP 1 300** – LONDRES, 21 mars 1979 : *Scène de chasse* 1838, h/t (59x67) : **GBP 8 000** – NEW YORK, 4 juin 1982 : *Campement arabe* 1830, h/t (97,8x123,2) : **USD 38 000** – NEW YORK, 8 juin 1984 : *Le pur-sang arabe « Mahomed »* 1825, h/t (63,5x76,2) : **USD 22 000** – LONDRES, 22 nov. 1985 : *Gentlemen in a horse-drawn buggy* 1848, h/t (63,5x101,6) : **GBP 14 000** – LONDRES, 14 mars 1990 : *Chasseur entrant dans le sous-bois*, h/t (67x91) : **GBP 8 800** – LONDRES, 6 avr. 1993 : *Marchandage entre tribus dans le désert*, h/t (73x103) : **GBP 21 850** – LONDRES, 13 avr. 1994 : *Un étalon noir tenu par un palefrenier arabe près d'un campement* 1849, h/t (48x61) : **GBP 11 730** – LONDRES, 12 juil. 1995 : *Le Passage d'une haie* 1840, h/t

(35,5x53,5) : **GBP 3 220** – LONDRES, 17 oct. 1996 : *Hamaneuh, cheval arabe debout devant une tente dans le désert*, h/t (71x83) : **GBP 10 925**.

LAPORTE Georges
Né le 17 décembre 1926 à Paris. XXe siècle. Français.
Peintre de paysages, illustrateur.
Entre 1946 et 1949, il travailla comme commis, puis agent de douane. Il exposa pour la première fois à Paris, au Salon des Surindépendants, en 1946, 1948 ; puis à partir de 1951, il figura au Salon des Indépendants et des Artistes Français, où il obtint le prix Bastien-Lepage, en 1958. Il montra ses œuvres dans de nombreuses expositions personnelles, depuis la première en 1958 à Lyon, à Paris, Alger, Lille, Genève, Zurich, Bruxelles, Montréal, Francfort-sur-le-Main, etc. En 1963, il a exécuté deux vitraux en dalle de verre, pour le collège d'enseignement supérieur de Chalon-sur-Saône.
Au cours de ses voyages en Algérie, au Maroc, au Sénégal, il peignit d'après nature. Il a illustré de lithographies *La Guirlande des dunes* de Verhaeren, *Les Châteaux de sable* d'Armand Lanoux, *Les Poèmes saturniens* de Verlaine. Essentiellement peintre de paysages, son écriture habile jusqu'à la virtuosité recrée lumière et atmosphère, non sans rappeler parfois Vlaminck dans le dramatique rural.

G Laporte

BIBLIOGR. : Catalogue de l'exposition : *G. Laporte*, Musée Denon, Chalon-sur-Sâone, 1970.
MUSÉES : CHALON-SUR-SÂONE : *Place Nicéphore Niepce, à Chalon-sur-Sâone* – LONS-LE-SAUNIER : *Bidonville*.
VENTES PUBLIQUES : PARIS, 23 fév. 1977 : *Les Quais* 1960, h/t (81x100) : **FRF 10 000** – ZURICH, 30 mai 1981 : *Rue de village* 1965, h/t (62x92) : **CHF 5 000** – LONDRES, 8 juin 1983 : *Les Cordes à linge* 1958, h/t (59x80) : **GBP 1 000** – PARIS, 16 déc. 1987 : *Paysage*, h/t (38x55) : **FRF 5 000** – PARIS, 21 déc. 1988 : *Marée basse*, h/t (50x65) : **FRF 15 300** ; *La côte sauvage à la pointe du raz*, h/t (50x65) : **FRF 10 000** – DOUAI, 3 déc. 1989 : *Vue de ville* 1959, h/t (74x100) : **FRF 68 800** – PARIS, 4 mai 1990 : *Barques*, h/pap. bristol (24,5x32,5) : **FRF 8 000** – PARIS, 23 fév. 1990 : *Bord de mer*, h/t (27x35) : **FRF 10 500** – PARIS, 6 juil. 1990 : *Marine*, h/t (27x35) : **FRF 16 000** – PARIS, 8 avr. 1991 : *Hiver en Bourgogne* 1978, h/t (73x100) : **FRF 40 500** – CHALON-SUR-SAÔNE, 21 avr. 1991 : *Le port à Marée basse*, h/t (117x73) : **FRF 34 000** – PARIS, 2 fév. 1992 : *Hiver en Bourgogne*, h/t (55x73) : **FRF 28 000** – CALAIS, 14 mars 1993 : *Rivage de Bretagne*, h/t (33x47) : **FRF 13 500** – CHALON-SUR-SAÔNE, 21 nov. 1993 : *Le bouquet de chardons* 1965, h/t (148x90) : **FRF 32 000** – LE TOUQUET, 22 mai 1994 : *Village sous la neige* 1967, h/t (81x99) : **FRF 29 500** – PARIS, 8 juin 1994 : *Vase aux tulipes noires*, h/t (55x46) : **FRF 6 500** – LE TOUQUET, 21 mai 1995 : *Cabines sur la plage* 1964, h/t (65x93) : **FRF 17 000** – CALAIS, 24 mars 1996 : *Rivage méditerranéen* 1963, h/t (82x100) : **FRF 15 000** – PARIS, 3 juil. 1996 : *Le Pô*, h/t (60,5x71) : **FRF 7 500** – PARIS, 16 mars 1997 : *La Barque noire*, h/t (65x81) : **FRF 18 000**.

LA PORTE Henri Émile
Né en 1819 à Paris. XIXe siècle. Français.
Peintre de paysages.
Élève de E. La Porte. Il figura au Salon de 1866 à 1870.

LA PORTE Henri Horace Roland de. Voir **ROLAND DE LA PORTE Henri Horace**

LAPORTE Jean de
XVIIe siècle. Actif à Gand. Éc. flamande.
Sculpteur.
Il exécuta un *Christ en croix* de dimensions monumentales pour la cathédrale Saint-Bavon à Gand.

LAPORTE Jean de
XVIIe siècle. Français.
Peintre.
Il fut reçu à l'Académie de Saint-Luc en 1679.

LAPORTE Jean de
XVIIIe siècle. Actif à Paris vers 1760. Français.
Graveur.
On cite ses planches d'après des peintres flamands.

LAPORTE John
Né en 1761. Mort le 8 juillet 1839 à Londres. XVIIIe-XIXe siècles. Britannique.
Aquarelliste et écrivain.
Professeur à The Military College, exposa à la Royal Academy de 1779 à 1832, à Suffolk Street, à la British Institution, à la Water-Colours Society. Le Victoria and Albert Museum, à Londres, conserve trois aquarelles de lui.
VENTES PUBLIQUES : PARIS, 6 déc. 1924 : *Vue de Canterbury* ; *Le Clair de lune*, les deux : **FRF 650** – LONDRES, 26 juin 1929 : *Scène de chasse*, aquar. : **GBP 66** – NEW YORK, 30 mai 1980 : *Le saut de l'obstacle*, h/t (43,2x53,3) : **USD 2 200** – LONDRES, 7 juil. 1982 : *Paysages*, 4 h/t (chaque 21x27) : **GBP 3 400** – LONDRES, 7 juil. 1983 : *Paysage montagneux*, gche (59,5x84) : **GBP 500** – LONDRES, 9 juil. 1985 : *Chasseur et ses chiens à la lisière d'une forêt* ; *Paysans et carriole sur un pont*, gche, une paire (25,3x38) : **GBP 4 000**.

LAPORTE Louis de
XVIIe siècle. Actif à Paris vers 1690. Français.
Sculpteur.
Il fut envoyé en 1693 à la cour du roi de Suède où il était encore en 1700.

LAPORTE Marcellin
Né le 10 mars 1839 à Saint-Geniez d'Olt (Aveyron). XIXe siècle. Français.
Peintre de sujets allégoriques, scènes de genre, nus.
Élève de Gleyre, Alexandre Cabanel et Gustave Boulanger, il figura au Salon de Paris à partir de 1863.
Il traite avec virtuosité nus, scènes orientalisantes et sujets allégoriques, donnant une qualité pulpeuse à la matière.
BIBLIOGR. : Gérald Schurr, in : *Les Petits Maîtres de la peinture 1820-1920, valeur de demain*, Les Éditions de l'Amateur, t. V, Paris, 1981.
VENTES PUBLIQUES : PARIS, 1891 : *Moine dégustant un verre de muscat* : **FRF 50** – PARIS, 23 mai 1941 : *Le repas du permissionnaire* 1867 : **FRF 1 050** – PARIS, 29 mars 1979 : *Charmeuse* 1882, h/t (211x130) : **FRF 16 500** – BOLTON, 12 mai 1983 : *La Joueuse de luth* 1872, h/pan. (30x18,1) : **USD 1 600**.

LAPORTE Nicolas Martin
XVIIIe siècle. Français.
Sculpteur.
Il fut reçu à l'Académie Saint-Luc à Paris en 1773.

LAPORTE-BLAISIN Leo M. V., appelé aussi **Blairoy**
Né le 5 avril 1865 à Toulouse (Haute-Garonne). Mort en 1923 à Paris. XIXe-XXe siècles. Français.
Sculpteur, graveur.
Il fut élève de Falguière et de A. Mercié. Il exposa à Paris, au Salon des Artistes Français, dont il fut membre sociétaire à partir de 1897. Il reçut une médaille de troisième classe en 1894, une bourse de voyage en 1896, une médaille de deuxième classe en 1898, une médaille d'argent en 1900 à l'Exposition universelle, une médaille de première classe en 1914. Il fut nommé chevalier de la Légion d'honneur en 1903.
MUSÉES : GRAY : *Caresse de faune*.
VENTES PUBLIQUES : ENGHIEN-LES-BAINS, 28 oct 1979 : *Femme-fleur*, bronze doré et patiné « lampe » (H. 33) : **FRF 10 500** – PARIS, 3 déc. 1993 : *Femme symboliste*, sculpt. de marbre blanc (H. 59) : **FRF 3 500**.

LA PORTILLA Diego de
XVIe siècle. Espagnol.
Sculpteur.
Il travailla en 1533 et en 1554 à la décoration de l'Hôtel de Ville de Séville.

LA PORTILLA Hernando de
XVIe siècle. Espagnol.
Sculpteur.
Il travailla de 1594 à 1600 dans le Séminaire de l'évêché de Lugos.

LAPOSTOLET Charles
Né le 26 septembre 1824 à Velars (Côte-d'Or). Mort le 24 juillet 1890 à Domène (Isère). XIXe siècle. Français.
Peintre de paysages, marines.
Élève de L. Cogniet, figura au Salon à partir de 1848. Médailles en 1870 et 1882. Il exposa à la Royal Academy en 1872. C'était un peintre spirituel, bon dessinateur et agréable coloriste. Ses

marines sont fort intéressantes et conservent la mise en page des Hollandais du XVIIe siècle.

Cachet de vente

Musées : Auxerre : *La Tamise à Greenwich* – Bernay : *La porte de Rouen* – Dijon : *En vue de Rouen* – Dunkerque : *Vue de Dordrecht* – Grenoble : *L'approche de l'orage* – Lille : *Le quai de l'Isle à Libourne* – Louviers (Gal. Roussel) : Vues de Rouen et de Croisset – Paris (Mus. du Louvre) : *Le canal Saint-Martin à Paris* – Rouen : *Port de Dunkerque* – Tourcoing : *Rouen* – Troyes : Esquisse – *Vue d'Orient.*

Ventes Publiques : Paris, 30 mars 1874 : *Dieppe* : **FRF 760** – Paris, 1889 : *Vue de Paris, effet de brouillard* : **FRF 1 425** – Paris, 10 mars 1902 : *Quai à Rouen* : **FRF 255** – Paris, 22 mars 1911 : *La Seine à Rouen* : **FRF 150** – Paris, 4 et 5 déc. 1918 : *Paysage au bord de la mer* : **FRF 400** – Paris, 10 déc. 1920 : *La fête à Villerville* : **FRF 1 000** – Paris, 12 juin 1926 : *Vue d'un port* : **FRF 1 450** – Paris, 18 nov. 1926 : *La Seine devant l'Institut* : **FRF 510** – Paris, 27 et 28 déc. 1926 : *Sur les quais à Venise* : **FRF 500** – Paris, 7 mars 1932 : *Rivage méridional, avec vapeur et voiliers en rade* : **FRF 350** – Paris, 24 mai 1943 : *Vue d'un port* : **FRF 3 000** – Paris, 24 avr. 1944 : *Port de pêche* : **FRF 12 500** ; *Barques de pêche* : **FRF 10 500** – Paris, oct. 1945-juil. 1946 : *Vue sur la Seine à Paris* : **FRF 8 100** ; *Quatre toiles* : FRFde 2000 à 5100 – Paris, 18 nov. 1946 : *L'entrée du port* : **FRF 7 500** – Paris, 22 mars 1955 : *Quai du Louvre* : **FRF 50 000** – Londres, 14 fév. 1973 : *Les quais de la Seine et l'Institut* : **GBP 620** – Paris, 26 oct. 1976 : *Rouen*, h/t (48x67) : **FRF 7 000** – Berne, 6 mai 1977 : *Vue d'un petit port*, h/t (37,5x54,5) : **CHF 6 000** – Versailles, 14 oct 1979 : *L'Entrée du port*, h/t (100x74) : **FRF 8 500** – Paris, 29 avr. 1981 : *Le Port fluvial*, h/t (32x46) : **FRF 17 500** – Versailles, 11 déc. 1983 : *Paris, la Seine et l'Institut ; Les quais animés*, h/pan., deux pendants (19,5x47) : **FRF 23 000** – Paris, 24 juin 1988 : *Bords de Seine*, h/t (38x46) : **FRF 38 000** – Cologne, 15 oct. 1988 : *Le port de Rouen*, h/t (32x41) : **DEM 4 000** – Berne, 26 oct. 1988 : *Vue de La Rochelle*, h/t (55x46) : **CHF 9 500** – New York, 28 fév. 1990 : *En vue de Rouen*, h/t (48,2x68,6) : **USD 17 600** – Paris, 15 juin 1990 : *Village sous la neige*, fus. et craie blanche/pap. gris (27x38,5) : **FRF 8 000** – Paris, 19 juin 1990 : *Voiliers à quai*, h/t (160x130) : **FRF 150 000** – Londres, 6 juin 1990 : *La Seine à Rouen*, h/t (31x44,5) : **GBP 4 400** – Paris, 14 déc. 1990 : *Venise*, h/t (39x55) : **FRF 50 000** – Londres, 22 mai 1992 : *L'église du Rédempteur à Venise*, h/t (32x40) : **GBP 1 760** – New York, 26 mai 1992 : *Le canal de Guidecca à Venise*, h/pan. (31,7x40,6) : **USD 3 520** – Paris, 10 déc. 1992 : *Voiliers au port*, h/t (38x45,5) : **FRF 31 000** – Paris, 27 mai 1994 : *Le Port de Dieppe*, h/t (81x59) : **FRF 28 000.**

LAPOTER Antonine, née **Chéreau Antoinette**

Née le 4 juillet 1814 aux Riceys. XIXe siècle. Française.

Peintre de miniatures.

Élève de Mme de Mirbel. Elle exécuta des portraits.

Ventes Publiques : Paris, 1898 : *Fillette tenant un agneau*, miniat. : **FRF 305.**

LAPOUJADE Robert

Né le 3 janvier 1921 à Montauban (Tarn-et-Garonne). Mort en 1991 ou 1992. XXe siècle. Français.

Peintre.

Les circonstances matérielles l'obligèrent à diverses activités dans sa jeunesse, de garçon boucher à moniteur d'art dramatique. L'occupation de la France par les Allemands le contraignit à une retraite discrète, pendant laquelle il compléta sa culture, en autodidacte passionné. Il voyagea en Allemagne et en Espagne. Il figure dans diverses expositions de groupe, entre autres Salons de Mai et des Réalités Nouvelles à Paris ; et en Belgique, Suisse, Suède, Italie, Australie, Japon, Amérique, Pologne, Yougoslavie, etc. Il avait eu l'occasion, avant la guerre, en 1939, de montrer une exposition de ses premières œuvres figuratives à Montauban. En 1947, à Paris, une nouvelle exposition de peintures encore figuratives fut présentée par Waldemar-George. En 1949, il montra les portraits de personnalités, Claudel, Sartre, Éluard. En cette même année, il fit une seconde exposition, cette fois avec des œuvres inspirées de l'informel, complétée par un manifeste : *Prétextes et peinture formelle*. Il montra à Paris une exposition des *Compositions* en 1951, et en 1952 il consacra, encore à Paris, une manifestation sur le thème de « l'enfer et la mine », qu'il présenta ensuite à Milan, Florence et Turin, y prononçant des conférences pour démontrer qu'en réaction contre le réalisme-socialiste, auquel s'étaient ralliés sans condition en France Fougeron et en Italie Guttuso, un artiste pouvait concilier préoccupations sociales et langage abstrait. En 1957 eut lieu à Paris une nouvelle exposition, préfacée par Francis Jeanson, écrivain communiste, en 1959 une exposition *Autour des objets* à La Chaux-de-Fonds (Suisse). Il continue d'exposer régulièrement à Paris, chacune des expositions étant généralement consacrée à un thème.

Avec son manifeste de 1949, les bases de son langage plastique sont assez clairement posées : tout en adaptant à son propre usage les raisonnements formels de l'abstraction, il les fondait sur un substrat tiré de la réalité, mais non immédiatement perceptible et demandant un effort de décryptage de la part du spectateur. Dans cette résolution ambiguë comme beaucoup d'informels, il retrouvait l'écho de la dernière période impressionniste de Claude Monet, avec une juxtaposition serrée de touches grasses recréant la vibration de la lumière. Il poursuivit cette recherche de la signification au cœur de l'abstraction, avec son exposition des *Compositions*, en 1951 où l'on remarquait particulièrement la *Bataille de Rocroi*. Son œuvre, qu'il éprouve le besoin de doubler souvent en parallèle de courts métrages cinématographiques expérimentaux, d'un expressionnisme symbolique convaincant, par exemple : la foule oscille constamment entre deux pôles, l'étreinte et la violence, le couple et la lutte sociale. Théoricien enthousiaste, sinon limpide, il a publié en 1949 : *Le Mal à voir* ; en 1955 : *Les Mécanismes de la fascination*. Au sujet du caractère très particulier de son abstraction, qui ne concerne que le premier regard, on entend souvent évoquer le premier chef-d'œuvre inconnu du Frenhofer de Balzac. Parallèlement à son activité de peintre, il a abordé le cinéma par des courts métrages, d'abord, puis avec deux longs métrages : *Le Socrate* (1968) et *Le Sourire vertical* (1973).

■ Jacques Busse

Bibliogr. : Bernard Dorival : *Les Peintres du XXe s.*, Tisné, Paris, 1957 – in : *Peintres contemporains*, Mazenod, Paris, 1964 – Jean Louis Ferrier : *Lapoujade*, Musée de poche, Paris, 1959 – Jean Paul Sartre : *Le Peintre sans privilèges*, Paris, vers 1965 – in : *Diction. univers. de la peinture*, Le Robert, t. IV, Paris, 1975.

Musées : Paris (Mus. Nat. d'Art Mod.).

Ventes Publiques : Paris, 26 nov. 1984 : *Baigneuse nue* 1962, h/t (195x85) : **FRF 6 800** – Paris, 29 avr. 1988 : *Les falaises de Monevassia* 1962, h/t (114x46) : **FRF 15 000** – Neuilly, 20 juin 1988 : *Manifestation* 1968, h/t (96x130) : **FRF 8 500** – Paris, 12 juil. 1988 : *Julie Passé*, h/t (190x80) : **FRF 10 100** – Paris, 14 déc. 1988 : *Le soir tombe* 1965, h/t (53x81) : **FRF 5 350** – Paris, 12 fév. 1989 : *Odile aux bas rouges* 1960, h/t (90x43) : **FRF 9 000** – Neuilly, 6 juin 1989 : *Le soir tombe* 1965, h/t : **FRF 13 000** – Paris, 20 nov. 1989 : *Composition*, h/t (41x33,5) : **FRF 4 800** – Paris, 25 juin 1990 : *La pomme* 1959, h/t (35x75) : **FRF 5 800.**

LAPP Jan Willemsz ou **Lap**, appelé en Italie **Giovanni Lap**

XVIIe siècle. Actif à La Haye. Hollandais.

Peintre de portraits, paysages animés, paysages.

Il était en 1625 dans la Gilde de La Haye.

Musées : La Haye : Trois paysages italiens.

Ventes Publiques : Paris, 16 juin 1977 : *Paysage d'Italie*, h/pan. (44x52) : **FRF 8 000** – Amsterdam, 26 nov. 1984 : *Bergers et troupeau le long d'une rivière*, craie noire, pl. et lav. reh. de blanc (18,5x28,8) : **NLG 8 000** – Amsterdam, 7 mai 1993 : *Berger gardant du bétail dans un paysage arcadien*, h/t (65,5x61,5) : **NLG 8 280.**

LAPPALAINEN Eino

Né en 1945. XXe siècle. Russe.

Peintre de paysages, figures, animaux.

Il fut élève de l'école des beaux-arts Mukhina de Leningrad. Il est membre de l'Association des peintres de Leningrad.
Il esquisse plus qu'il ne décrit, saisissant une atmosphère, un climat, par touches légères, fondues.
Musées : Helsinki (Mus. des Beaux-Arts) – Riga (Mus. des Beaux-Arts de Lettonie).

LAPPARENT Hubert de
Né en 1919. xxe siècle. Français.
Sculpteur. Abstrait.
Il travaille à Paris, où, dans les années quatre-vingt, il figure au Salon des Réalités Nouvelles.
Il sculpte des formes souples et élancées, souvent en marbre de Carrare.

LAPPARENT Paul de
Né le 31 mars 1869 à Paris. xixe-xxe siècles. Français.
Peintre de paysages, portraits.
Il exposa à Paris, aux Salons d'Automne et des Indépendants à partir de 1905. Homme de lettres, il est également l'auteur d'un livre sur Toulouse-Lautrec et d'une *Étude sur les altérations des couleurs dans la peinture artistique*.
Musées : Bruxelles (Mus. d'Ixelles) : *La Gorge du loup* – *Iles d'Hyères*.
Ventes Publiques : Paris, 27 nov. 1946 : *La Cassine, effet de neige* : **FRF 540** – Versailles, 19 juil. 1973 : *L'Institut et les quais* : **FRF 6 500**.

LAPPICOLA Niccolo
Né en 1730 à Crotone. Mort en 1790 à Rome. xviiie siècle. Italien.
Peintre.
Élève de Francesco Mancini à Rome. Il fit des dessins de mosaïques pour des chapelles de Saint-Pierre.

LAPPOLI Giovanni Antonio
Né en 1492 à Arezzo. Mort en 1552 à Arezzo. xvie siècle. Italien.
Peintre.
Fils de Matteo Lappoli. Fut d'abord élève de Domenico Pecori puis de Jacopo Caruzzi dit Pontormo. Il vint à Rome très jeune et y fut l'ami de Perino del Vaga et du Rosso. Il exécutait d'importants travaux que lui avait commandés le pape Clément VII lorsque le sac de Rome par les Impériaux l'obligea à fuir. Il revint à Arezzo où il décora plusieurs églises.

LAPPOLI Matteo di Ser Jacopo di Bernardo
Né vers 1450 à Arezzo. Mort en 1504. xve siècle. Italien.
Peintre de sujets religieux.
Élève de Don Bartolommeo. A l'exception d'un *Saint Bernard* dans le réfectoire des Bernardines, à Arezzo, et d'un *Saint Sébastien* dans l'église Sainte-Marie, même ville, toutes les œuvres de cet artiste ont été détruites.

LAPRADE Pierre, pseudonyme de **Coffinhal-Laprade**
Né le 25 juillet 1875 à Narbonne (Aude). Mort le 23 décembre 1931 à Fontenay-aux-Roses (Hauts-de-Seine). xxe siècle. Français.
Peintre de portraits, paysages, natures mortes, fleurs et fruits, aquarelliste, peintre de cartons de tapisseries, peintre de décors de théâtre, graveur, dessinateur, illustrateur.
Il avait commencé ses études artistiques dans l'atelier de Bourdelle à Montauban. En 1892, il vint à Paris, où il s'inscrivit à l'école des beaux-arts mais n'y restant qu'une semaine, préférant l'enseignement des maîtres du passé qu'il allait copier au Louvre. Il voyagea pour la première fois en Italie, en 1907, d'où il rapporta matière à une exposition d'aquarelles ; il y retourna encore trois fois jusqu'à la guerre, ayant aussi fait deux voyages en Hollande, en 1906 et 1907 ; et ayant travaillé à Marseille, et dans le Midi, en 1910. La guerre interrompit son activité heureuse ; il fut mobilisé dans la section de camouflage, où se retrouvèrent bon nombre de peintres de l'époque. Il retourna en Italie, vers 1919 et en 1923, source privilégiée de son inspiration ; et de nouveau en 1926 à Marseille.
Il exposa pour la première fois à Paris, au Salon des Indépendants de 1901. Peu d'années après, Ambroise Vollard lui acheta tout son atelier le faisant connaître d'un coup. Il exposa régulièrement au Salon d'Automne et des Tuileries et faisant des expositions des aquarelles rapportées de ses nombreux voyages, et des peintures effectuées dans les retraites de sa maison de Fontenay-aux-Roses et de son atelier de Paris. Deux expositions rétrospectives de son œuvre eurent lieu à Paris, en 1946 et 1949. Une autre lui fut consacrée en 1983 au musée Bourdelle, à Paris.
Dans une étude qui montre bien la communauté de deux tempéraments, le romancier et essayiste E. Jaloux a écrit : « Quand Laprade exposa pour la première fois aux Indépendants en 1901, l'impressionnisme finissait. » L'art de Laprade doit beaucoup à la sensibilité impressionniste, mais il s'est accompli lorsque l'on commençait à tirer les lois des âpres recherches de Cézanne ; toutefois c'est la grâce qui domine chez Laprade, plus ou moins héritier aussi des maîtres du xviiie siècle J. L. Vaudoyer nous dit : « Cette peinture fragile, délicate, en quelque sorte murmurée, n'est pas comme on pourrait le croire, une peinture quintessencée. Laprade ne s'éloigne pas de la nature, il ne transpose qu'avec ses dons ». Pierre Laprade a ses amateurs, ses collectionneurs jaloux, mais en fait on s'aperçoit aujourd'hui qu'il s'est tenu volontairement en dehors des préoccupations plastiques et spirituelles de son temps. Par certains côtés, il fait penser à Ker-Xavier Roussel. À ces artistes qui ont négligé leur époque, il est à craindre que leur époque ne leur rende la pareille. Laprade s'est surtout senti à l'aise lorsque lui étaient livrées de vastes surfaces à décorer. Ses plus importantes décorations furent exécutées en 1909, pour Xavier de Magallon. À la même époque, il conçut des décors et costumes pour les Ballets suédois et des cartons de tapisserie. Après la guerre, il réalisa les décors pour *Pygmalion* au théâtre des Arts et pour le *Tombeau de Couperin* aux Ballets suédois. Comme parfois Corot, à la recherche de présences gothiques à l'horizon de ses paysages luministes, il travailla souvent dans les environs de Laon, Meaux, Nevers, Chartres, Reims, Gisors, Vézelay. Un moment sans lendemain séduit par les audaces des fauves de 1905, c'est finalement en petit maître charmant, de Bonnard, son aîné de sept ans, qu'il pourrait être le mieux rapproché, poète intimiste des paysages paisibles et surtout des intérieurs volontiers surannés. D'entre les œuvres nombreuses de P. Laprade, nous citerons : *Fenêtre sur la mer* – *Les Femmes qui chantent* – *Sur la Palatin* – *Tivoli* – *Fillette au livre* – *Femme à la dentelle* – *Le Modèle* – *Dormeuse* – *Les Femmes au hamac*, etc. Laprade a illustré notamment : *Sous le clair regard d'Athéné* de A. Lamandé, *Vers et proses* de P. Valéry, *L'Amour et Psyché* de J. de La Fontaine, *Madame Bovary* de G. Flaubert, *Toi et moi* de P. Géraldy, *Un Amour de Swann* de Proust, *Fêtes galantes* de Paul Verlaine, *Flore et Pomone* de Colette, etc.
La grâce et la facilité lui étaient naturelles et il restera parmi les peintres authentiques de notre temps qui ont su satisfaire le désir d'élégance du public averti, sans toutefois sacrifier la sincérité de son émotion. ■ Jacques Busse

Bibliogr. : Louise Gebhard-Cann : *Pierre Laprade*, Crès, Paris, 1930 – René Hyughe : *Les Contemporains*, Tisné, Paris, 1949 – Claude Roger-Marx, in : *Diction. de la peinture mod.*, Hazan, Paris, 1954 – Bernard Dorival : *Les Peintres du xxe s.*, Tisné, Paris, 1947 – in : *Diction. univers. de la peinture*, Le Robert, t. IV, Paris, 1975.
Musées : Épinal (Mus. départ. des Vosges) : *La Cathédrale d'Amiens* – Genève (Petit Palais) : *Intérieur au modèle* 1910 – Grenoble – Lyon – Narbonne (Mus. d'Art et d'Hist.) : *Le Singe aux masques*, h. sur t. – *Amsterdam*, aquar. – Paris (Mus. Nat. d'Art Mod.) : *Les Blés* – *Coquelicots et marguerites* – *Nature morte au vase de fleurs* – *Le Manteau rouge* – *La Femme à l'estampe* – Paris (Mus. du Petit Palais).
Ventes Publiques : Paris, 27 fév. 1919 : *Florence, vue d'une terrasse*, aquar. : **FRF 235** – Paris, 21 fév. 1920 : *Jardin à Saint-Trojan* : **FRF 2 200** – Paris, 7 avr. 1924 : *Tivoli*, aquar. : **FRF 1 100** – Paris, 23 avr. 1925 : *En voilier* : **FRF 3 000** – Paris, 16 juin 1926 : *Jeune femme dessinant* : **FRF 9 400** – Paris, 14 juin 1928 : *Nature morte au vase de fleurs* : **FRF 20 000** – Paris, 12 avr. 1930 : *Femme peintre et son modèle* : **FRF 18 200** – Paris, 30 avr. 1931 : *Livres et roses* : **FRF 8 800** – Paris, 12 déc. 1932 : *La Villa d'Este, Vue de Tivoli* : **FRF 11 500** – Paris, 9 juin 1933 : *Le singe au vase de fleurs* : **FRF 5 000** – Paris, 26-27 fév. 1934 : *La châtelaine* : **FRF 4 000** – Paris, 10 juin 1937 : *La fenêtre à Gisors* : **FRF 6 100** –

PARIS, 2 mars 1939 : *Le vase de roses et la pie blessée* : **FRF 8 500** – PARIS, 8 nov. 1940 : *Pontoise* : **FRF 7 100** – PARIS, 2 mars 1942 : *Roses et passeroses* : **FRF 22 500** – PARIS, 6 mai 1943 : *Femme à la robe jaune*, past. : **FRF 6 800** – PARIS, 5 juin 1944 : *Le galant au masque* : **FRF 16 000** – NEW YORK, 17 juin 1945 : *Fleurs*, deux dess. : **USD 450** – PARIS, 23 avr. 1947 : *Arlequin* : **FRF 25 000** – PARIS, 5 déc. 1955 : *Vue de Florence* : **FRF 370 000** – PARIS, 4 juin 1958 : *Le Manteau rouge* : **FRF 950 000** – PARIS, 18 mars 1959 : *Nature morte au pot* : **FRF 2 600 000** – NEW YORK, 30 nov. 1960 : *Roses* : **USD 850** – PARIS, 30 nov. 1961 : *Nature morte, roses et oranges* : **FRF 26 000** – PARIS, 6 juin 1967 : *Au piano* : **FRF 16 000** – PARIS, 27 nov. 1968 : *La leçon de solfège* : **FRF 23 500** – GENÈVE, 8 nov. 1969 : *Paysage*, gche : **CHF 8 800** – PARIS, 12 mars 1970 : *Femme sur un sofa* : **FRF 37 000** – PARIS, 14 mars 1971 : *La châtelaine sous les grands arbres* : **FRF 50 000** – PARIS, 29 nov. 1972 : *Femme à sa toilette*, aquar. : **FRF 14 900** – PARIS, 13 mars 1973 : *Personnages dans un parc* : **FRF 40 100** – PARIS, 21 mars 1974 : *La parc*, aquar. gchée : **FRF 5 000** – NEW YORK, 28 mai 1976 : *Nature morte*, h/t (46x56) : **USD 1 800** – VERSAILLES, 5 déc. 1976 : *Jeunes filles cueillant des fleurs ; Don Quichotte et Sancho près des moulins à vent*, aquar. et gche, faisant pendants (chaque 68,5x51) : **FRF 9 500** – PARIS, 13 déc. 1977 : *Fleurs dans un vase*, h/t (92x65) : **FRF 23 000** – PARIS, 16 mai 1979 : *Vue de Vézelay*, aquar. (41x47) : **FRF 8 000** – PARIS, 28 oct 1979 : *Le kimono jaune*, h/t (60x72) : **FRF 30 000** – PARIS, 24 juin 1980 : *Jeune Femme au piano*, lav. aquarellé (33x25) : **FRF 6 500** – LONDRES, 31 mars 1981 : *Femme au chapeau à fleurs*, fus. et craies coul. (57x42,5) : **GBP 1 000** – VERSAILLES, 8 juin 1983 : *Jeune femme et fillette sur l'étang aux cygnes*, h/t (81x100) : **FRF 38 500** – PARIS, 20 juin 1984 : *Bords de rivière*, aquar. gche (44x22) : **FRF 8 200** – PARIS, 19 juin 1985 : *Jeune femme à la cithare*, craie noire et estompe aquar. (38x50) : **FRF 13 500** – PARIS, 19 juin 1985 : *Fleurs et blé des champs* 1922, h/t (136x81) : **FRF 105 000** – PARIS, 27 juin 1986 : *Paysage à la rivière*, aquar. (38x24) : **FRF 13 000** – PARIS, 24 nov. 1987 : *Villa Lante*, aquar. (37x52,5) : **FRF 30 000** – PARIS, 24 nov. 1987 : *Villa Lante*, aquar. (37x52,5) : **FRF 30 000** – LONDRES, 24 fév. 1988 : *Bouquet de roses*, h/t (60x42) : **GBP 5 500** – PARIS, 15 mars 1988 : *Florence et l'Arno*, h/t (91x121) : **FRF 320 000** – PARIS, 29 avr. 1988 : *Bouquet et masques*, h/t (100x66) : **FRF 97 000** – PARIS, 6 mai 1988 : *Élégante à l'ombrelle*, fus. et aquar. (19,5x14) : **FRF 9 000** – PARIS, 6 juin 1988 : *Jeune femme à la guitare*, dess. au fus. (46x30) : **FRF 5 800** – PARIS, 23 juin 1988 : *La cathédrale de Quimper*, h/t (78x87) : **FRF 40 000** – NEUILLY, 22 nov. 1988 : *Bouquet de roses au vase blanc*, h/t (41x27) : **FRF 60 000** – LONDRES, 29 nov. 1988 : *Les masques et le singe*, h/t (98,5x74,5) : **GBP 7 260** – PARIS, 16 déc. 1988 : *Le port*, aquar. (36x27,5) : **FRF 21 000** – PARIS, 23 oct. 1989 : *Fleurs, masques et marionnettes*, h/t (108x90) : **FRF 225 000** – PARIS, 24 nov. 1989 : *Jeune fille au piano*, aquar. (26x21) : **FRF 17 000** – PARIS, 26 nov. 1989 : *Élégante sur un divan*, h/t (73x92) : **FRF 480 000** – PARIS, 27 mars 1990 : *Pierrot*, h/t (44x83) : **FRF 52 000** – PARIS, 10 mai 1990 : *La Beauce et la cathédrale de Chartres*, h/cart. (58x36) : **FRF 77 000** – STOCKHOLM, 16 mai 1990 : *Nature morte de roses dans un vase*, h/t (68x50) : **SEK 70 000** – PARIS, 25 oct. 1991 : *Cathédrale de Chartres et arbre en fleurs*, h/t (49x48) : **FRF 23 500** – PARIS, 23 mars 1992 : *Jeune fille au carton à dessin*, h/t (65x54) : **FRF 48 000** – PARIS, 30 avr. 1993 : *Le forum*, cr. noir et gche (22x50) : **FRF 10 000** – PARIS, 26 nov. 1993 : *Villa Lante*, aquar. et gche (36,5x52) : **FRF 13 000** – PARIS, 15 nov. 1994 : *Bouquet de fleurs et marionnettes*, h/t (101x81) : **FRF 39 000** – AMSTERDAM, 6 déc. 1995 : *Nature morte de fleurs*, h/t (92,5x77) : **NLG 5 175** – PARIS, 18 mars 1996 : *Nature morte au bouquet*, h/t (92x65) : **FRF 65 000** – CALAIS, 7 juil. 1996 : *Fenêtre ouverte sur le parc*, aquar. (41x33) : **FRF 7 500** – PARIS, 20 nov. 1996 : *Florence, vue du palais Pitti* 1909, h/t (53x88) : **FRF 30 000** – PARIS, 16 mars 1997 : *Fleurs des champs*, h/t (73x54) : **FRF 25 000**.

LAPRÉRIE François de, pseudonyme de **Van der Weyden**

D'origine flamande. Mort en 1631 à Bordeaux. XVIIe siècle. Éc. flamande.

Peintre.

Il exécuta des portraits et des tableaux d'église.

LA PRESLE Jacques

XVIIIe siècle. Actif à Nantes vers 1755. Français.

Graveur.

LA PRESSE Angelot de. Voir **ANGELOT de la Presse**

LAPRET Bernard

XVIIIe siècle. Actif à Besançon entre 1754 et 1779. Français.

Sculpteur.

Le Musée de Béziers conserve une *Branche de laurier en fleurs*, terre cuite, cataloguée au nom d'un sculpteur du nom de Lapret, sans indication de prénom, né à Béziers. Ne serait-ce pas le même artiste ?

LAPRET Paul

Né en 1839 à Paris. XIXe siècle. Français.

Portraitiste.

Élève de J. Gigoux. Il figura au Salon de 1864 à 1869. Sociétaire des Artistes Français depuis 1888.

MUSÉES : CHÂTEAUROUX : *Portrait de Guillaume Thabaud-Boislareine*.

LAPRET Pierre Alexandre

Né vers 1820 à Besançon. XIXe siècle. Français.

Sculpteur et graveur.

La Bibliothèque de Besançon possède de nombreux dessins de cet artiste.

LAPS Théodore de

Né le 20 novembre 1895 à Bruxelles (Brabant). XXe siècle. Belge.

Peintre de paysages, sujets religieux.

Il fut élève d'Émile Claus. Il a participé à de nombreux salons en Belgique, exposant à Paris au Salon de la Société Nationale des Beaux-Arts.

Il pratique la peinture au couteau. On cite outre ses paysages : *Apôtre prêchant – Le Chemin de la douleur – L'Agonie du Christ*.

MUSÉES : ANVERS – BERLIN – BRUXELLES (Mus. des Combattants).

LAPTCHENKO Grigory Ignatievitch

Né en 1804 ou 1796. Mort en 1879 ou 1876. XIXe siècle. Russe.

Peintre.

La Galerie Tretiakov, à Moscou, conserve de cet artiste une étude.

LA PUEBLA TOLIN Dioscoro Teofilo de

Né en 1832 à Melgar de Fernamental. Mort en 1904. XIXe siècle. Espagnol.

Peintre d'histoire, portraits.

Il fit ses études à Madrid et à Rome.

MUSÉES : MADRID (Gal. Mod.) : *Débarquement de colons en Amérique – Les filles du Cid – Épisode d'une fête – Alphonse le Sage*.

LA PUENTE Luis de

Mort en 1808. XVIIIe siècle. Espagnol.

Sculpteur.

Il fut élève de J. Gambino et de J. A. M. Ferreiro. Il exécuta des sculptures pour des églises de Saint-Jacques-de-Compostelle.

LA PUENTE Prudencio de

XVIe siècle. Espagnol.

Peintre de compositions religieuses.

Il exécuta des peintures dans la cathédrale de Tarazona.

LA QUEWELLERIE Guillaume de

XVIIe siècle. Actif en France. Français.

Orfèvre et graveur.

On croit que cet artiste était orfèvre. On cite de lui une suite de petites estampes représentant des modèles de joyaux sur fond noir.

LAQUIANTE Charles Louis

Né à Strasbourg. XVIIIe siècle. Français.

Peintre.

On lui doit des miniatures.

LA QUINTINIE Léon Victor

Né le 23 juillet 1873 à Paris. XIXe-XXe siècles. Français.

Peintre, décorateur.

Il expose à Paris, aux Salons des Indépendants et d'Automne dont il fut l'un des fondateurs. Il obtint une médaille à l'Exposition universelle de 1900 à Paris. Il décora l'hôpital militaire d'Amélie-les-Bains.

LAQUIR Adam. Voir **LIQUIER**

LAQUIS Dominique

Né le 20 avril 1816 à Guebviller (Haut-Rhin). XIXe siècle. Français.

Sculpteur animalier.

Élève de Ramey et de A. Dumont, figura au Salon de 1852 à 1868. On ne sait rien de lui au-delà de cette date.

LAQUY Willem Joseph

Né en 1738 à Bruel près Cologne. Mort en 1798 à Clèves. XVIIIe siècle. Allemand.

Peintre de genre, paysages, aquarelliste, copiste.
Élève de Beldieu, il vint jeune à Amsterdam, travailla pour Johannes Remmers, fabricant des tapisseries, pendant plusieurs années, fit des paysages ornés par Wybrand Hendriks. Il fut patronné par Braamchaut et copia les tableaux de sa collection. Il a surtout produit des tableaux de chevalet.

W. J. Laquy pinx.

Musées : Amsterdam : *La cuisine hollandaise.*
Ventes Publiques : Paris, 1861 : *La Récureuse* : **FRF 305** – Paris, 1865 : *Scènes d'intérieur,* deux pendants : **FRF 375** – Paris, 31 mai 1926 : *Scène d'intérieur* : **FRF 3 000** – Paris, 16 et 17 mai 1929 : *Les Prisonniers,* dess. : **FRF 450** – Londres, 22 fév. 1961 : *Intérieur d'un boudoir* : **GBP 600** – Paris, 9 juin 1964 : *La becquée de l'oiseau* : **FRF 9 500** – Londres, 3 déc. 1969 : *Groupe familial dans un intérieur* : **GBP 1 200** – Londres, 7 juil. 1972 : *Jeune fille à une fenêtre versant du lait ; Jeune fille à une fenêtre avec une cage à pigeons* : **GNS 4 800** – Londres, 3 mai 1974 : *Scène d'intérieur* : **GNS 2 500** – Amsterdam, 15 mai 1984 : *La Joueuse de harpe,* h/pan. (44,5x36) : **NLG 11 000** – Milan, 27 oct. 1987 : *L'Enlèvement d'Europe,* h/t (63,5x82) : **ITL 14 000 000** – Paris, 28 sep. 1989 : *La Fileuse* 1872, aquar. (39,5x32,5) : **FRF 18 000** – Londres, 1er avr. 1992 : *Intérieur avec une jeune femme à son rouet* 1778, h/pan. (53x42,1) : **GBP 3 740** – Londres, 5 juil. 1996 : *Docteur examinant les urines près d'une croisée ; Chimiste dans un laboratoire d'apothicaire avec un singe près d'une fenêtre,* h/t, une paire (chaque 47x39) : **GBP 8 800** – New York, 16 oct. 1997 : *Famille élégante mangeant des gauffres à table, des domestiques les servant* 1775, h/pan. (58,4x50,8) : **USD 17 250**.

LARA, pseudonyme de **Racz**
xxe siècle. Depuis 1958 actif et depuis 1965 naturalisé au Venezuela. Hongrois.
Peintre. Abstrait-lyrique.
Il quitta la Hongrie en 1946 ; s'établit à Paris, fréquentant l'école des beaux-arts. Il y connut Vasarely.
Après une longue période de formation, il a adopté une abstraction gestuelle suscitant les aspects d'un paysagisme psychologique fantastique. Jacques Collard, qui le nomme un explorateur de l'inconscient, évoque à propos de ses œuvres : « Le fond des mers grouillant de vies ébauchées. Les glauques profondeurs de l'infra-conscience et les mystères du sexe. Les paysages de la Genèse peuplés de formes en gestation. »

LARA Clever
Né en 1952. xxe siècle. Uruguayen.
Peintre. Tendance hyperréaliste.
La précision avec laquelle il représente le monde qui l'entoure évoque l'hyperréalisme. Néanmoins il choisit de reproduire des déchets, objets cassés, des produits de rebuts, et adopte la couleur grise pour mieux dire la désolation.
Bibliogr. : Damian Bayon, Roberto Pontual : *La Peinture de l'Amérique latine au xxe s.,* Mengès, Paris, 1990.

LARA Cristobal de
xvie siècle. Espagnol.
Peintre.
Cet artiste est cité pour avoir fait à Séville un travail en commun avec les peintres Vasco Perea, Juan de Sanzedo, Diego de Zamora, Cristobal Gomez, Alonso Vasquez, Diego de Esquivel, Miguel Gomez et Pedro Bautesta.

LARA Diego de
xvie siècle. Espagnol.
Sculpteur.
Cet artiste collabora à la construction et à la décoration du Palais municipal de Séville en 1538.

LARA Jean
Né au xixe siècle à Moulins (Allier). xixe siècle. Français.
Graveur sur bois et aquarelliste.
Élève de l'École municipale de Moulins. Il figura au Salon à partir de 1865.

LARA Juan de
xvie siècle. Travaillant à Séville en 1539. Espagnol.
Sculpteur.
Fit trois têtes d'anges pour les boiseries de l'Alcazar.

LARA Magali
Née en 1956 à Mexico. xxe siècle. Mexicaine.
Peintre.
Elle n'avait que 19 ans lors de sa première exposition personnelle. Depuis lors, elle participe à de nombreuses expositions collectives aux États-Unis, à Mexico, en France et en Allemagne.
Ventes Publiques : New York, 18 mai 1994 : *La respiration des roses jaunes* 1986, acryl./t. (180x180) : **USD 24 150**.

LARA Manuel de
xxe siècle. Espagnol.
Sculpteur.
On doit à cet artiste de grande réputation, en Espagne, des ouvrages religieux et des sujets humains, d'un art très achevé.

LARA Rojas
xxe siècle. Bolivien.
Peintre.
Il a participé à l'exposition : *La Peinture bolivienne contemporaine* au musée national d'Art moderne de La Paz.

LARA Y CHURRIGUERA Manuel de
xviiie siècle. Actif au début du xviiie siècle. Espagnol.
Sculpteur et architecte.
Il travailla à Guadalupe et à Salamanque.

LARAC Édouard de
Né au xixe siècle à Paris. xixe siècle. Français.
Paysagiste et aquarelliste.
Figura au Salon de 1835 à 1838.

LA RAIGUE G. de
xixe siècle. Français.
Peintre de scènes de chasse, sujets de sport.
Musées : Nice : *Chiens courants en quête de la pièce.*
Ventes Publiques : New York, 9 juin 1995 : *Avant la chasse,* h/t (33,7x41,3) : **USD 4 312**.

LARAK Evard ou **Evert**. Voir **LAROCK**

LARAMA Simone
Née à Lyon (Rhône). xxe siècle. Française.
Peintre de compositions animées. Naïf.
En fait, Simone Larama est dessinatrice pour les soieries lyonnaise, et son travail en peinture est plus juvénilement narratif qu'à proprement naïf. Depuis 1978, elle expose annuellement dans diverses galeries, et figure aussi à Paris au Salon International d'Art Naïf.
Elle peint des compositions fort complexes, bien dessinées et situées dans l'espace, peintes avec une vraie maîtrise de la technique et des couleurs.
Musées : Vic (Mus. d'Art Naïf d'Île-de-France).

LA RAMBLA Domingo de. Voir **DOMINGO de La Rambla**

LARAN Christiane
Née le 30 mai 1922 à Paris. xxe siècle. Française.
Peintre de figures, portraits, dessinatrice, illustratrice.
Après avoir, très jeune, fréquenté diverses académies privées, elle vint, en 1942, confier son éducation artistique au maître Othon Friesz à l'Académie de la Grande-Chaumière, dans l'atelier duquel elle rencontra Cortot, Calmettes et Busse, pour former ensemble le groupe de l'Échelle.
Elle a participé à des expositions collectives, notamment : au Salon des Moins de Trente ans en 1942, 1943, 1944 ; au Salon des Tuileries en 1943 ; avec le groupe de l'Échelle, de 1943 à 1948 ; au Salon de Mai, dans les premières années de l'après-guerre ; à l'*École de Paris,* au Musée d'Art Moderne de Munich en 1962. Elle se manifesta surtout à l'étranger, à New York et Woodstock en 1968 et 1969. Elle exposa aussi individuellement, à Munich en 1954, 1955.
Elle a peu produit de peintures, il faut citer parmi ses meilleurs portraits celui de *Madame Michel Gründ.* Elle délaissa d'ailleurs la peinture à l'huile pour des dessins à la plume, d'une extrême préciosité dans le détail d'une vision narcissique. Dans une suite de dessins pour illustrer *Aurélia* de Gérard de Nerval, mêlant le rêve et la vie, elle a, par des moyens graphiques, suivi l'auteur dans son exploration des domaines interdits à la froide raison. De même, en 1951, ses compositions, pour illustrer *Trente Chantefables et trente Chantefleurs* de Robert Desnos, ont su mettre en valeur les deux pôles d'inspiration du poète, la symbolique surréaliste et l'imagination enfantine.
Ventes Publiques : Paris, oct. 1945-juil. 1946 : *Portrait du peintre Busse* : **FRF 5 000**.

LARBALESTRIER G.
xixe siècle. Travaillant à Paris. Français.
Graveur.
Figura au Salon de 1835 à 1841.

L'ARBALESTRIER Robert
XVIe siècle. Actif à Lille. Éc. flamande.
Peintre de compositions religieuses.
Cet artiste exécuta (1573) les armoiries du roi et de la ville, et le *Martyre de saint Étienne*.

LARBITRE Pierre
Originaire de Rouen. XVIe-XVIIe siècles. Français.
Sculpteur.
Larbitre s'étant rendu au Havre, en 1598, pour continuer, avec l'architecte Etienne Hallinguer, la construction de l'église Notre-Dame, ces deux artistes achevèrent, dans ce monument, les chapelles des basses nefs, les pendentifs des voûtes de la grande nef et les portails latéraux. Pierre Larbitre fit aussi les croix des cimetières de Lillebonne et de Montivilliers, détruites aujourd'hui, et un retable figurant l'histoire de Lazare, qui était dans l'église Saint-Sauveur de Montivilliers. La meilleure œuvre que Le Havre possède encore de lui est le portail de l'église qui donne sur la rue des Drapiers. Il était aussi architecte.

LARCAN Guiraud de
XVIe siècle. Français.
Sculpteur.
Il fit à Auch d'importants travaux, de 1508 à 1510. Il était également architecte.

LARCAR Francisco de
XVIe siècle. Actif à Séville en 1592. Espagnol.
Peintre.

LARCH Hans
Né le 4 août 1851 à Sterzing (Tyrol). Mort à Bozen. XIXe siècle. Autrichien.
Sculpteur.
Après avoir été à Vienne l'élève de König il s'établit à Bozen et peignit surtout des portraits.

LARCHE François Raoul
Né le 22 octobre 1860 à Saint-André-de-Cubzac (Gironde). Mort le 2 juin 1912 à Paris. XIXe-XXe siècles. Français.
Sculpteur de bustes, groupes, compositions religieuses, peintre.
Fils d'un ouvrier, Raoul Larche travaille seul. En 1878, il entra à l'école des beaux-arts, où il fut élève de Jouffroy, Falguière et Delaplanche. Il mourut victime de son courage, écrasé par une automobile dont il avait évité le choc à un de ses amis le banquier Max.
Il avait débuté dès 1881 à Paris, au Salon des Artistes Français, dont il resta un fidèle exposant. Il obtint le second grand prix de Rome en 1886, une troisième médaille et une bourse de voyage en 1890, une première médaille en 1893, une médaille d'or en 1900 à l'Exposition universelle, enfin en 1903 la médaille d'or du salon. Décoré en 1900 de la Légion d'honneur, il fut promu officier en 1910.
Au début de sa carrière, vers 1890, il réalisa un nombre important de peintures impressionnistes puis symbolistes. Artiste travailleur, doué d'un talent très personnel, il se fit assez vite remarquer parmi les maîtres de la sculpture moderne. On peut citer de lui : *La Prairie et le ruisseau* à la présidence du Sénat, le buste de *Barye* à la façade du musée du Luxembourg, la *Fontaine* à Paris, devant le Grand Palais. En 1910, il reçut de l'État la commande d'un groupe : *La Loire et ses affluents* pour la décoration du square du Carroussel.
Bibliogr. : In : *Diction. de la sculpture*, Larousse, Paris, 1992.
Musées : Agen : *Jésus parmi les docteurs* – Bordeaux (Mus. des Beaux-Arts) : *Tobie retirant le poisson de l'eau* – Dijon : *La Prairie et le ruisseau* – Paris (Mus. du Louvre) : *La Mer* – Paris (gal. Grand Palais) : *La Seine et ses affluents* – Roanne : *Jésus au milieu des docteurs* – Troyes : *Paul Dubois*.
Ventes Publiques : New York, 24 oct. 1964 : *La Loïe Fuller* : **USD 1 700** – Londres, 17 nov. 1973 : *La Loïe Fuller*, bronze doré : **GBP 1 300** – Paris, 12 juin 1974 : *La Loïe Fuller*, bronze doré : **FRF 10 100** – Londres, 20 juil. 1976 : *Encrier (nu au feuillage)*, bronze doré (larg. 63,5) : **GBP 1 800** – Monte-Carlo, 8 oct. 1977 : *Loïe Fuller* vers 1900, bronze doré (H. 45,5) : **FRF 65 000** – Paris, 4 avr 1979 : *Bretagne* 1907, h/t (55x38) : **FRF 10 200** – Munich, 30 mai 1979 : *Loïe Fuller* vers 1901, bronze doré, lampe (H. 46) : **DEM 30 000** – Londres, 16 mars 1982 : *La paysanne bretonne* 1907, h/t (55x38) : **GBP 2 400** – Enghien-les-Bains, 31 jan. 1982 : *La sève*, bronze, patine médaille (H. 158) : **FRF 245 000** – Londres, 30 nov. 1983 : *Loïe Fuller* vers 1900, bronze doré (H. 45,7) : **GBP 10 500** – Monte-Carlo, 17 mars 1985 : *Loïe Fuller* vers 1900, bronze doré (H. 45,5) : **FRF 100 000** – Monte-Carlo, 13 avr. 1986 : *Décor de table* vers 1900, bronze doré, cinq pièces (l. maximale 46) : **FRF 90 000** – Stockholm, 6 juin 1988 : *Tête de femme-art nouveau*, bronze (H. 11) : **SEK 4 200** – Paris, 10 juin 1988 : *La Nuée, suspension représentant des nuées de femmes*, bronze doré patiné (H 120 – Diam. 49) : **FRF 180 000** – Paris, 10 nov. 1988 : *Bacchante, coupe vide poche*, bronze doré (H. 16) : **FRF 6 500** – Paris, 30 juin 1989 : *Jeune paysanne*, sculpt. en bronze (H. 31) : **FRF 10 000** – Paris, 6 juil. 1989 : *La nymphe des marais*, bronze (H. 47, L. 83) : **FRF 70 000** – Lyon, 13 nov. 1989 : *La Loïe Fuller*, lampe en étain (H. 34) : **FRF 40 000** – Stockholm, 14 juin 1990 : *La danse du voile*, bronze à patine dorée (H. 43,5) : **SEK 38 000** – New York, 26 oct. 1990 : *Portrait d'un ami* 1885, h/pan. (22,9x17,8) : **USD 3 850** – Paris, 31 oct. 1991 : *La Trinité – rue de village* 1907, h/t (55x38) : **FRF 7 000** – Paris, 18 mai 1992 : *Paire de lampes en étain à décor de femmes et de fleurs* (H. 65) : **FRF 39 000** – Lokeren, 12 mars 1994 : *La Foi ou Jeanne d'Arc*, marbre (H. 84, l. 25) : **BEF 140 000** – Paris, 23 mars 1994 : *Femme et enfant*, bronze (H. 65,5) : **FRF 31 000** – Paris, 4 déc. 1995 : *Loïe Fuller*, lampe de bronze (H. 45) : **FRF 70 000** – Lokeren, 6 déc. 1997 : *À vingt ans*, bronze patine brune (50,5x14,5) : **BEF 55 000**.

LARCHE Jean de. Voir **EVRARD Jean, l'Ancien**

LARCHE Louis Antoine Alexis
XIXe siècle. Travaillant à Paris. Français.
Portraitiste et peintre de genre.
Exposa au Salon de 1848, 1849 et de 1850.

LARCHE Numa
XIXe siècle. Français.
Peintre de paysages.
Il exposa au Salon de 1883 à 1885. Le Musée de Montpellier possède de lui un *Paysage des environs de Dieppe*.

LARCHE Pierre de. Voir **EVRARD Pierre II**

LARCHER
XIXe siècle. Français.
Graveur.
Il a gravé des portraits. Peut-être identique au suivant.

LARCHER
XIXe siècle. Actif à Paris. Français.
Peintre de portraits.
Il figura au Salon de Paris en 1837 et 1838.

LARCHER André Émile
Né au XIXe siècle à Paris. XIXe siècle. Français.
Paysagiste.
Élève de Bouguereau et Robert-Fleury. Il figura au Salon de 1879.
Ventes Publiques : Londres, 28 nov. 1980 : *L'arrestation du Marquis de Lourdens*, h/t (97,7x119,4) : **GBP 2 500**.

LARCHER Antoinette
Née en 1685 à Paris. XVIIIe siècle. Française.
Graveur au burin.
Élève de Poilly. Elle a gravé des portraits et des sujets d'histoire. On cite d'elle : *Judith tenant la tête d'Holopherne*, d'après Raphaël. Elle signait *Toinette Larcher*.

LARCHER Jean
Né en 1947 à Rennes (Ille-et-Vilaine). XXe siècle. Français.
Peintre, dessinateur.
Il vit à Paris depuis 1958 et y expose depuis 1973. Il a participé à l'exposition *De Bonnard à Baselitz – Dix ans d'enrichissements du cabinet des estampes 1978-1988*, à la Bibliothèque nationale à Paris en 1992.
Il pratique la calligraphie. Sa peinture, par un jeu en noir et blanc, de lignes brisées, rejoint l'esthétique de l'Op'art.
Musées : Paris (Cab. des Estampes).

LARCHER Jean Charles
XIXe siècle. Actif à Paris. Français.
Peintre de portraits.
Exécuta pour le Musée de Versailles la copie des portraits de *Nicolas de Neuville de Villeroy* et de *Henri de Mornay de Montchevreuil*.

LARCHER Jean Pierre
Né le 2 août 1795 (15 thermidor an III) à Paris. XIXe siècle. Français.
Graveur.
Élève de Pauquet. Il figura au Salon en 1824.

LARCHER Jules
Né en 1849 à Choloy. XIXe siècle. Français.
Peintre de scènes mythologiques, portraits, natures mortes.
Il fut élève de Sellier et de Bonnat. Il débuta au Salon de Paris en 1876, obtenant une médaille de troisième classe en 1880.
Musées : Nancy : *Daphnis et Chloé.*
Ventes Publiques : Londres, 11 mai 1990 : *Nature morte d'une coupe de fruits, une bouteille de champagne, un sucrier et des tasses et une assiette de biscuits* 1875, h/t (63,5x78,8) : **GBP 6 380** – Londres, 19 nov. 1993 : *Compotier de pêches, coupe de fruits et bouteilles sur une table drapée, et Bouteilles de champagne, pain, biscuits et brioche sur une table drapée* 1888, h/t (92x73) : **GBP 64 200.**

LARCHER-EYSSEGG von, née **von Schöpfer**
XIXe siècle. Active à Bozen. Allemande.
Peintre.
On cite de cette artiste un *Saint Michel luttant contre le dragon.*

LARCHEVÊQUE Pierre Hubert
Né en 1721 à Paris. Mort le 26 septembre 1778. XVIIIe siècle. Français.
Sculpteur.
Élève de Bouchardon ; premier prix de sculpture en 1745, agréé à l'Académie le 31 mai 1755. Résida en Suède de 1760 à 1776, y exécuta d'importants travaux, notamment un groupe équestre, *Gustave-Adolphe et la Victoire*, et y eut pour élève Sergel.

L'ARCHEVESQUE Julien
XVIIe siècle. Vivait à Paris. Français.
Peintre.
Parent de Louis Boullogne.

LARD François Maurice
Né le 17 décembre 1864 à Paris. Mort le 26 novembre 1908 à Paris. XIXe-XXe siècles. Français.
Peintre de genre, nus, fleurs.
Élève de Boulanger et Hébert. Figura au Salon des Artistes Français, où il obtint des médailles de première classe en 1901, de deuxième classe en 1904. Le Musée de Mulhouse conserve de lui : *Coquelicot.*
Ventes Publiques : New York, 26 oct. 1983 : *Nu couché*, h/t (112x163,5) : **USD 6 500** – New York, 28 oct. 1986 : *Fleurs fanées, femme aimée*, h/t (112x163,5) : **USD 12 000** – Lyon, 18 mars 1987 : *Nu au miroir*, h/t (162x111) : **FRF 50 000.**

LARDANT Georges
Né le 13 mars 1921. XXe siècle. Français.
Peintre, peintre de tapisseries. Abstrait.
Il fut élève de l'école des beaux-arts de Paris. Il est professeur d'arts plastiques. Il vit et travaille à Cachan. Il expose à Paris, au Salon d'Automne, dont il est membre sociétaire, et au Salon Comparaisons.

LARDANT Jacques
XVIe siècle. Français.
Sculpteur sur bois, et maître-menuisier.
Avec la collaboration de Michel Bourdin, il sculpta, en 1537, des boiseries au château de Fontainebleau. Plus tard, avec la même collaboration, il prit part à la décoration et à l'ameublement des châteaux de Boulogne, Saint-Germain-en-Laye et Villers-Cotterets.

LARDAT Gabriel
Né le 28 décembre 1900 à Castres (Tarn). Mort le 8 août 1951. XXe siècle. Français.
Peintre de paysages, marines, portraits, aquarelliste, illustrateur.
Il vit et travaille à Vanves et séjourne de mai à octobre dans le Midi. Il a participé à de nombreux Salons. Depuis 1923, il montre ses œuvres dans des expositions personnelles à Menton, Montpellier, Nice, Toulon, Alençon, Le Mans, Versailles... Il a reçu de nombreux prix, notamment : 1978 prix d'aquarelle de l'Exposition internationale d'Alençon, 1982 médaille d'or des Arts et des Lettres de France.
Dans des tons sourds, il aime à reproduire la mer et ses rivages, les oliviers. Ses œuvres sont empreintes de sérénité.

LARDAT Roger
XXe siècle. Français.
Peintre, aquarelliste.
Il vit et travaille à Paris.

LARDÉRA Berto
Né le 18 décembre 1911 à La Spezia. Mort en février 1989 à Paris. XXe siècle. Actif depuis 1947 et depuis 1965 naturalisé en France. Italien.
Sculpteur. Abstrait.
Il commença à sculpter en 1939, sans doute influencé par la profession de son père, ingénieur naval, après avoir fréquenté l'école libre de dessin de Florence, de 1926 à 1932. Il se fixa à Paris en 1947. Il a enseigné de 1958 à 1961 la sculpture à la Hochschule für bildenden Künste à Hambourg.
Depuis qu'il vit à Paris, il a participé à un très grand nombre d'expositions de groupe et aux principaux salons annuels parisiens, notamment aux Salons de Mai et des Réalités Nouvelles. Il a figuré de nombreuses fois à la Biennale de Venise ; à celle de São Paulo en 1951 ; à celle de sculpture d'Anvers-Middelheim, en 1953, 1955 et 1957 ; à la Documenta de Kassel en 1959 ; à la Biennale de gravure de Ljubljana en 1963 ; au Symposium du Québec à Montréal en 1965, etc. Sa première exposition personnelle eut lieu à Milan en 1942, suivie de nombreuses autres : Paris en 1948, 1954, 1956, 1963 ; New York en 1954 ; au palais des Beaux-Arts de Bruxelles en 1954 ; Krefeld en 1956, 1958 ; Munich en 1958 ; au Kunstverein de Hambourg en 1960 ; à la Kunsthalle de Bâle en 1960 ; au musée d'Art contemporain de Montréal en 1965 ; à la Maison de la culture du Havre en 1966 ; à la Konsthall de Stockholm en 1971 ; au musée royal des beaux-arts d'Anvers en 1976. En 1991, le musée de Grenoble organisa une rétrospective de son œuvre. Il a reçu la Légion d'honneur en 1973.
Il produisit peu d'œuvres figuratives, parmi lesquelles en 1945, le *Monument à la mémoire des partisans tués à Pian Albero*, en Toscane. Il s'était orienté vers la sculpture non figurative, dès 1942. On distingue deux périodes assez différentes dans ses œuvres non figuratives. De 1945 à 1949, il assembla des éléments plutôt géométriques et se ramenant souvent au triangle ; et ce qui caractérise les œuvres de cette période est que les éléments ne se développent dans l'espace que dans deux dimensions seulement, quelques surfaces étant à peine bombées, ceci en réaction contre la notion de volume, traditionnellement associée à l'art de la sculpture ; Lardéra démontrant ainsi, par des moyens extrêmes, que l'espace pouvait être occupé et animé autrement que par la matérialité pesante des formes pleines, et se plaçant résolument dans la suite des Pevsner, Tatlin, Archipenko, Gonzalès. Cette démonstration étant effectuée et les bases de son propos clairement posées, il put passer à la troisième dimension, tout en conservant le principe d'immatérialité de son point de départ. Il assembla désormais ses plaques de métal découpé, non plus dans un même plan frontal, mais réparties plus librement dans l'espace, en général selon des plans verticaux sécants avec les interruptions rythmées de plans verticaux parallèles, sans toutefois s'interdirent la rupture de quelques plans obliques. Tous ces plans sont en général découpés selon des formes simples et souvent évidées en leur centre, afin d'accentuer l'effet de légèreté et l'effet de pénétration du cadre environnant à travers la sculpture elle-même ne perdant jamais de vue que le vide est son matériau premier. Dans ce même projet de dématérialisation de l'objet spatial, il découpe très souvent le bord de ses plaques en forme de créneau, ce qui est devenu l'une des marques distinctives de sa manière. Il travaille ensemble ou séparément, le fer, le cuivre, l'aluminium, l'acier inoxydable, ainsi que des matériaux modernes comme l'acier Corten. Il n'est pas très important de mentionner qu'il enserra parfois au cœur de ses sévères échafaudages métalliques, la fantaisie d'un cabochon de mosaïque polychromée. Il n'est peut-être pas nécessaire de suivre certains de ses commentateurs lorsqu'ils évoquent, au sujet des œuvres de Lardéra : « compas et sextants, gouvernails, pièces de lutherie » ; et l'on se contentera d'indiquer les titres génériques de certaines séries d'œuvres : *Occasions dramatiques – Rythmes héroïques – Cathédrales de la douleur – Rythmes contrôlés – Rythmes rompus – Déesses antiques – Archanges – Miracles – Aubes*, etc. Il a eu l'occasion de réaliser divers travaux monumentaux : *Colloque III* à Marl (Allemagne) en 1954-1955 ; *Sculpture* de 4,50 mètres de haut à Berlin en 1959 ; ainsi que des sculptures au Mans, à Paris (ensemble Maine-Montparnasse), Charleville-Mézières, Grenoble. Ces monuments s'élèvent devant des architectures prestigieuses de Mies Van der Rohe à Krefeld, d'Alto et Gropius à Berlin, de Frank Lloyd Wright dans le Wisconsin... ■ Jacques Busse

Bibliogr. : Pierre Courthion : *Art indépendant*, Albin Michel, Paris, 1958 – Raoul Jean Moulin, in : *Diction. univer. de l'art et des*

artistes, Hazan, Paris, 1967 - Ionel Jianou, préface de Marcel Brion : *Berto Lardéra*, éd. Ionel Jianou, coll. *Les Grands Sculpteurs*, Paris, 1968, épuisé - Michel Conil-Lacoste, in : *Nouv. diction. de la sculpture mod.*, Hazan, Paris, 1970 - in : *Les Muses*, La Grange Batelière, t. IX, Paris, 1972 - in : *L'Art du xxe s.*, Larousse, Paris, 1991 - in : *Diction. de l'art mod. et contemp.*, Hazan, Paris, 1992.
Musées : Florence (Gal. Nat. d'Art Mod.) - Grenoble (Mus. de Peinture et de Sculpture) : *Occasion dramatique II* 1952 - Krefeld (Mus. of Haus Lange) - Montréal (Mus. d'Art Contemp.) : *Forme-Fonction dans l'espace n° 1* 1961-1962 - *Occasion dramatique XI* 1965, fer et acier cortène - Providence (Rhode Island Mus.).
Ventes Publiques : Hambourg, 15 juin 1973 : *Sculpture II*, fer : **DEM 3 100** - New York, 27 fév. 1976 : *The Embraces I* 1968, acier inoxydable (H. 220) : **USD 3 100** - New York, 13 avr. 1983 : *Élan téméraire V*, bronze et métal forgé peint. en noir (H. 38) : **USD 800** - Paris, 30 nov. 1990 : *Composition abstraite* 1953, gche et cr. gras (75x52) : **FRF 3 200** - Paris, 23 nov. 1993 : *Rythme rompu I* 1954, fer et cuivre (H. 60) : **FRF 115 000**.

LARDET
xixe siècle. Français.
Peintre de fleurs.
Bibliogr. : In : Catalogue de l'exposition : *Les années romantiques, la peinture française de 1815 à 1850*, Mus. des Beaux-Arts de Nantes, 1995-1996 et Galeries nationales du Grand Palais, Paris, 1996.
Musées : Saint-Étienne : *Vase de fleurs* 1838.

LARDEUR Gérard
Né le 18 janvier 1931 à Paris. xxe siècle. Français.
Sculpteur, peintre de cartons de vitraux. Abstrait.
Il participe à Paris, au Salon de la Jeune Sculpture depuis 1969. Auparavant, il avait exposé au Salon d'Art sacré. Il a de nombreuses commandes de municipalités.
Ses sculptures mettent en jeu des volumes qui semblent s'emboîter et se compléter comme dans un puzzle. Il réalise aussi des vitraux.
Ventes Publiques : Paris, 6 déc. 1986 : *Dialogue*, fer, sculpt. (H. 60) : **FRF 8 500**.

LARDEUR Raphaël
Né le 19 décembre 1890 à Neuville-sur-Escaut (Nord). xxe siècle. Français.
Peintre, peintre de cartons de vitraux. Figuratif puis abstrait.
Cet artiste expose à Paris, au Salon d'Automne, des Arts Décoratifs et des Artistes Français, dont il est membre du jury. On cite particulièrement ses vitraux pour la basilique de Thonon-les-Bains et l'église de Valenciennes. Ayant évolué à l'abstraction, il exposa au Salon des Réalités Nouvelles, en 1947 et 1950.

LARDEUR Raymond
Né le 28 septembre 1908 à Estrée-Blanche (Pas-de-Calais). Mort le 5 janvier 1973 à Joigny (Yonne). xxe siècle. Français.
Peintre. Abstrait.
En 1930, il fréquente l'école des beaux-arts de Rouen. Jusqu'en 1956, la peinture n'était pas son activité principale. Il exerçait alors la profession d'ingénieur des Ponts et Chaussés. Il se lie d'amitié en 1946 avec Charchoune.
De 1935 à 1939, il expose avec le groupe des Artistes normands au musée de Rouen. À partir de 1946, il participe aux expositions de groupe de la galerie Creuze à Paris et en 1964 à Stockholm, ainsi qu'au Salon des Réalités Nouvelles de 1947 à 1951. Il montre ses œuvres pour la première fois dans une exposition personnelle à Rouen en 1944, manifestation suivie de plusieurs autres, notamment à Paris à la galerie Creuze.
Peintre de natures mortes puis exclusivement de paysages de 1929 à 1946, il se détourne du motif pour privilégier la composition, abordant l'abstraction géométrique dès la fin de la guerre, dans des œuvres d'art sacré, qui évoquent Delaunay. De 1951 à 1957, gravement malade, il abandonne son activité picturale. Les formes géométriques de la période précédente disparaissent alors, pour privilégier le travail sur la matière et la lumière, dans des œuvres presques monochromes, à la détrempe.
Ventes Publiques : Paris, 1er oct. 1990 : *Composition n° 14* 1964, h/t (89x116) : **FRF 25 000**.

LARDILLIER Auguste
Né le 3 octobre 1871 à Aubusson (Creuse). xixe-xxe siècles. Français.
Sculpteur.
Il fut élève de Cavelier et de Barrias. Il exposa à Paris, au Salon des Artistes Français, où il obtint une médaille d'argent en 1922.

LARDILLON Lucy
Née à Binges. Morte en 1904. xixe siècle. Française.
Portraitiste et peintre d'émaux.
Élève de Mme de Cool et de M. Serre. Elle figura au Salon à partir de 1878.

LARDIN Pierre
Né le 14 janvier 1902 à Paris. Mort en août 1982 à Paris. xxe siècle. Français.
Peintre, décorateur.
Il fut élève de l'école Boulle puis de l'école nationale supérieure des beaux-arts à Paris. Il enseigna à Valenciennes, au Centre d'art et de technique à Paris, à l'école des arts décoratifs et à l'école régionale d'architecture de Grenoble. Il réalisa de nombreux travaux en verre gravé, des papiers peints, des décors de théâtre. Il décora aussi de nombreux paquebots, dont le Normandie.

LARDINOIS Jacqueline
Née en 1932 à Barvaux-sur-Ourth. xxe siècle. Belge.
Peintre de paysages.
Elle a travaillé à Saint-Paul-de-Vence et s'est inspirée de ce type de paysages dans des toiles qui respirent la bonté.
Bibliogr. : In : *Diction. biogr. illustré des artistes en Belgique depuis 1830*, Arto, Bruxelles, 1987.

LARDINOIS Walther
Né en 1918 à Montegnée. xxe siècle. Belge.
Peintre. Tendance abstraite-paysagiste.
Il fut élève de l'académie des beaux-arts de Liège. Certaines de ses toiles proposent la vision d'un monde à venir.
Bibliogr. : In : *Diction. biogr. illustré des artistes en Belgique depuis 1830*, Arto, Bruxelles, 1987.

LARDON Marcel
Né en 1653 à La Haye. xviie siècle. Hollandais.
Peintre et graveur à l'eau-forte et à la manière noire.
Il a gravé des sujets d'histoire.

LARDY François Guillaume
Né en 1749 à Auvernier. Mort en 1812 à Colombier. xviiie-xixe siècles. Suisse.
Graveur à l'eau-forte.
A gravé notamment d'après Frendenberger et Dunker. Le Musée de Neuchâtel conserve plusieurs estampes de lui.
Ventes Publiques : Berne, 28 nov 1979 : *Les petits poulets ; La bonne mère*, deux grav. coloriées (17,3x23) : **CHF 6 800**.

LA REAU Léonard
Né vers 1565. xvie siècle. Français.
Architecte et sculpteur.
Il décora des églises et des châteaux surtout en Vendée, notamment l'église de Fontenay-le-Comte et le château de Coulanges-les-Royaux.

LAREDO Y ORDENEZ Manuel José de
Né à Amurrio. Mort le 13 juin 1896 à Madrid. xixe siècle. Espagnol.
Dessinateur.
On cite ses portraits de la *Reine Isabelle II* et du *Pape Léon X*.

LARÈE Antoine Marc Gaston
Né au xixe siècle à Bordeaux. xixe siècle. Français.
Peintre de genre.
Prix de Rome en 1895. Il figura au Salon des Artistes Français.
Musées : Bordeaux : *Tête de fillette*.

LARÈE Marc Gustave
Né au xixe siècle à Bordeaux. xixe-xxe siècles. Français.
Peintre.
Élève de Bonnat. Figura au Salon des Artistes Français où il obtint une mention honorable en 1908.

LA REGINA Guido
Né le 13 février 1909 à Naples (Campanie). Mort en 1995 à Rome. xxe siècle. Italien.
Peintre, peintre de cartons de mosaïques. Abstrait.
Son père, peintre calabrais, fut son premier maître, et c'est à ses côtés qu'il découvre les matières picturales, dont il conservera, jusque dans la maturité, un goût profond. Il suit ensuite des cours réguliers mais son premier contact avec les nouvelles formes de style date de l'exposition futuriste que Marinetti orga-

nise à Naples. Lors de voyages à Paris, en 1929 et 1931, pour y étudier l'impressionnisme, il est surtout attiré par les recherches cézanniennes. On en retrouve l'écho dans sa préoccupation de structurer l'image de ses paysages de ville, de mer et de la campagne du littoral. Ne donnant pas son adhésion aux syndicats des beaux-arts sous le régime fasciste, il se ferme les possibilités d'expositions officielles. Il travaille alors comme scénographe et réalise également des mosaïques pour des églises. En 1940, il est mobilisé, expérience qui le marquera ultérieurement, quand en 1945, installé à Rome, il peint des squelettes dans un style néo-cubiste.

Peu après la guerre, il passe à l'abstraction et, vers 1950, on le trouve associé au Mouvement spatial aux côtés de Fontana, Dova, Crippa. Assez géométrique au départ (dans les années cinquante), sa peinture laisse bien vite une part au geste, à la tache et à la matière. Elle devient plus lyrique, à la limite de l'informel, jusqu'en 1960. Puis ses toiles se restructurent en zones jamais exactement délimitées mais déterminées par les couches superposées de couleurs et signes en transparence, s'affirmant sur des fonds souvent unis. ■ J. B.

Ventes Publiques : Rome, 30 nov. 1993 : *Longue histoire* 1958, h/t (140x200) : **ITL 4 025 000** – Rome, 14 nov. 1995 : *Composition en bleu*, h/t (60x80) : **ITL 1 265000.**

L'ARENA Juan de ou **Larena**

XVIe siècle. Espagnol.

Peintre.

Cet artiste signait parfois *Juan de Larena*. Il travaillait à l'abbaye du Mont Cassin, on lui doit notamment une fresque, *La Passion du Christ*, qu'il exécuta dans un souterrain consacré à saint Benoît, en 1557-1558. Il fut aidé dans cette tâche par le maître Domenico.

LAREUSE Jean

Né le 24 février 1925 en Guinée française. XXe siècle. Français.

Peintre de compositions animées, paysages, natures mortes, aquarelliste, peintre de compositions murales.

Il fit ses études artistiques dans le Midi de la France, puis à l'école des beaux-arts de Paris. Il a vécu à New York de 1955 à 1970 et est revenu à Paris en 1970. Depuis 1948, il montre ses œuvres dans de nombreuses expositions personnelles à Paris, Perpignan, Londres, Caracas. Il a également exposé dans tous les États-Unis et au Canada.

Outre quelques paysages et natures mortes, il peint surtout des scènes enfantines auxquelles se mêlent clowns et bonnes sœurs, sur un mode gentiment naïf. En 1974, il a réalisé une série consacrée aux courses de chevaux. Il a exécuté des décorations murales pour une chapelle parisienne.

LA REVILLA José de

Né vers 1800 à Burgos. XIXe siècle. Espagnol.

Peintre d'histoire et de portraits.

Élève de J. de Madrazo. Le Musée Moderne de Madrid conserve de lui *Caïn*.

LA REYES Pedro de

XVIIe siècle. Espagnol.

Artiste.

Travaillait à Séville, vers 1661.

LARGE

XVIIIe siècle. Actif à Saint-Aubin-les-Coudrais en 1757. Français.

Peintre de sujets religieux.

LARGEOT Toussaint

Né vers 1636 à Troyes. Mort le 7 janvier 1696 à Grenoble. XVIIe siècle. Français.

Peintre.

Marié en 1650 à Grenoble avec Anne Mallois alors au service de Marie de Traffort, veuve du duc de Lesdiguières. En 1667, il fit, dans l'église de la Visitation, des peintures à l'occasion de la canonisation de saint François de Sales. En 1676, il exécuta une partie des peintures qui contribuèrent à solenniser les fêtes données pour l'arrivée de Marguerite de Gondy, comtesse de Sault. Les trois grands arcs de triomphe furent son œuvre. Il testa en faveur de sa femme le 18 mai 1678.

LARGESSE Robert Jules

Né au XIXe siècle au Havre. XIXe-XXe siècles. Français.

Sculpteur.

Élève de M. Injalbert. Figura au Salon des Artistes Français où il obtint une mention honorable en 1908.

LARGILLIÈRE Nicolas de

Né à Paris, baptisé le 10 octobre 1656. Mort le 20 mars 1746 à Paris, Inhumé dans l'église Saint-Médéric. XVIIe-XVIIIe siècles. Français.

Peintre d'histoire, portraits, paysages animés, paysages, natures mortes, fleurs et fruits, dessinateur.

Largillière fut emmené à Anvers par son père dès l'âge de trois ans ; il y devint très jeune l'élève de Goubau, honnête dessinateur et comme souvent les Flamands, excellent coloriste. Dans l'atelier de Goubau, il fut employé à peindre dans les portraits de son maître les accessoires : fleurs, fruits, légumes, animaux, pratique constante de la nature morte qu'il s'assimilera de très bonne heure et qui constituera pour lui une discipline très efficace. À dix-huit ans, Largillière part pour l'Angleterre et les succès qu'il y obtient très rapidement, d'abord comme restaurateur de tableaux, ensuite comme peintre, faillirent l'y fixer définitivement, mais des persécutions sourdes dirigées contre les catholiques le contraignirent à regagner son pays natal.

À la naissance de Nicolas de Largillière, en 1656, Louis XIV a 18 ans ; il va bientôt assumer lui-même le pouvoir et manifester sa toute-puissance dans les domaines les plus divers ; c'est ainsi qu'après avoir fondé en 1662 la Manufacture des Gobelins, affirmant ce goût de l'ordre qui sera la marque de son règne, le roi décerne en 1663 à l'Académie de Peinture ses statuts. Aux recueils de recettes pratiques des théoriciens italiens, alors si en faveur, l'Académie va substituer un véritable code de l'Art en établissant une hiérarchie des motifs offerts à l'activité du peintre, à savoir l'histoire, le paysage noble et le portrait, le portrait historié tel que le pratiqueront Largillière et Rigaud pouvant se placer au centre de cette classification. L'Académie érige en principe la primauté du dessin sur la couleur, à tel point que Charles Lebrun déclare en 1672 : « L'apanage de la couleur est de satisfaire les yeux au lieu que le dessin satisfait l'esprit. » La naissance de Nicolas de Largillière coïncide donc avec l'aube de ce long règne, dont il suivra toutes les étapes, dont il connaîtra les bons et les mauvais jours ; il verra la mort du Grand Roi, la Régence et l'avènement de Louis XV ; à cette longue existence, Largillière s'associera dans la plus étroite amitié, celle de l'autre grand portraitiste des célébrités de la monarchie, Hyacinthe Rigaud, qui mourra en 1743, trois ans seulement avant son ami.

À Paris, où Largillière rentra vers 1680, il fit la connaissance de Van der Meulen, le peintre des batailles de Louis XIV, qui jouissait alors d'une très grande faveur. Un portrait de Van der Meulen par Largillière fut remarqué par Lebrun et attira son attention sur le jeune peintre ; il lui promit sa protection et tint parole. La situation de Lebrun était alors exceptionnelle, il exerçait une autorité dictatoriale égale à celle de Lulli pour la musique. Largillière, reçu le 30 mars 1686 à l'Académie de Peinture, s'acquitta d'une dette de reconnaissance envers son bienfaiteur en exécutant comme morceau de réception un magnifique portrait de Lebrun ; il est à remarquer que Largillière fut admis à l'Académie au titre de peintre de portraits et d'histoire, ce qui constituait le sommet de la hiérarchie. Mais si Largillière exécuta avec conscience et bonheur des tableaux d'histoire, tels que la *Convalescence de Louis XIV* ou le *Mariage du duc de Bourgogne* (il ne craignit pas de mêler dans cette œuvre des divinités peu vêtues à d'austères magistrats), c'est surtout dans le portrait féminin qu'il se spécialisa et qu'il trouva ses plus heureuses réalisations.

Le portrait tel que le conçoit Largillière est par excellence le portrait historié ; les modèles y sont accompagnés de multiples accessoires ou attributs, le décor varie peu, c'est toujours un jardin ou un parc sur lequel se détache la figure principale ; les femmes de Largillière sont souvent représentées avec des fleurs dans les mains comme Hélène Lambert, ou tenant un petit chien comme la belle Strasbourgeoise ; le visage est traité avec un réalisme qui n'exclut ni la grâce ni le charme ; chez son premier maître Goubau, il a appris à traiter avec science et amour les étoffes et les broderies ; il en tirera un merveilleux parti. Le portrait féminin avec lui a perdu, tout en restant dans la pure tradition française, qui est ordre et mesure, l'austérité janséniste de Philippe de Champaigne.

Largillière s'est laissé toucher par la sensualité et si son dessin conserve toute la rigueur française, sa couleur a l'éclat des grands coloristes flamands et en plus, comme l'a si heureusement noté Élie Faure, « un souffle de romance et de bergerie soulève ses perruques et lève les regards au ciel... L'âme de Watteau parfois rôde le soir dans les allées, mêlée au rire revenu, aux larmes libérées, à quelque chose de triste et d'attendri qui fait trembler les cœurs ». ■ Jean Dupuy

Bibliogr. : Georges de Lastic : *Catalogue raisonné de l'œuvre de Largillière.*

Musées : Abbeville : *Femme* – trois œuvres – *La Brune* – *La Blonde* – *Femme*, attribué – Aix : *Mme de Gueidan* – *Adélaïde de Gueidan et sa sœur* – *Mme de Gueidan en naïade* – *Gaspard de Gueidan* – Alençon : *Portrait du régent Philippe d'Orléans* – Alger (Mus. Nat.) : *Étude de mains* – Amiens : *Les échevins de Paris* – *Magistrats* – *Portrait d'homme* – *Nature morte* – *La naissance du dauphin* – Arras : *Pierre de Montesquiou d'Artagnan* – *Comtesse de Montesquiou* – Aurillac : *Personnage Louis XIV* – Avignon : *Portrait présumé du comte de Grignan* – Berlin : *Jean Forest* – Besançon : *René Boutin de Dieucourt et sa famille* – *Dame Louis XV* – *Portrait d'Abbé* – Bordeaux : *Un religieux* – Châlons-sur-Marne : *L'artiste* – Chantilly : *Gobinet* – *Mlle Duclos* – *La princesse Palatine* – *Portrait présumé de Mme de Thorigny, née Marie de Laubespine* – *Portraits d'hommes* – Chartres : *Gobinet* – *Le duc de Saint-Simon* – Châteauroux : *Portrait d'homme* – Chaumont : *Portrait d'homme* – Cherbourg : Deux portraits d'hommes – Darmstadt : *Comte de Sinzendorf* – Dijon : Miniatures – *Ant. B. Bouhier* – *Portrait d'homme* – Douai : *Grande dame* – Dresde : *Pontargu* – *Duc de la Rochefoucauld* – Épinal : *Portrait d'homme* – Florence : *J.-B. Rousseau* – *L'artiste* – Genève (Mus. Ariana) : *Magistrat Louis XIV* – Genève (Mus. Rath) : *J.-A. Arlaud* – *Hyacinthe Rigaud en saint Jean* – Grenoble : *Jean Pupil de Craponne* – *Portrait présumé de Mlle de Barral* – Guéret : *Portrait de femme* – Le Havre : *Un sculpteur* – Karlsruhe : *Portrait de femme* – Langres : *Portrait d'une princesse de Lorraine* – *Portrait de femme* – Lille : *Jean Forest* – Limoges : *Portrait présumé de Racine* – Lisieux : *Portrait de femme* – Londres (Nat. Portrait Gal.) : *Prince James Francis Edward Stuart et sa femme* – Londres (coll. Wallace) : *Louis XIV, le grand Dauphin, le duc de Bourgogne, le duc d'Anjou, Mme de Maintenon* – Lyon : *Jean Thierry* – Madrid : *Princesse représentant Léda* – *Marie-Clémentine Sobiesky* – *Christine de Brunswick, femme de l'empereur Charles VI* – *L'infante Ana Victoria à 6 ans* – Metz : *Jules Hardouin Mansard* – Minneapolis (Inst. of Arts) : *Portrait de Catherine Coustard, marquise de Castelnau, avec son fils Léonor* vers 1699-1700 – Montpellier : *L'artiste* – Montréal (Mus. des Beaux-Arts) : *Portrait d'une femme en Astrée, probablement Mary Joséphine Drummond, Condesa de Castelblanco* – Morez : *Le duc de Vendôme* – Munich : *Portrait de dame* – Nancy : *Esnault, curé de Saint-Martin-des-Grés* – Nantes : *Joseph Delaselle* – *L'artiste* – Narbonne : *Portrait de femme* – Nîmes : *Le maréchal de Berwick* – Orléans : *L'artiste* – *Fruits et animaux* – Paris (Mus. du Louvre) : *Le prévôt des marchands et les échevins de la Ville de Paris* – *Ch. Le Brun* – *La Châtre* – *Du Vaucel* – *Jeune femme en Diane* – *Portraits d'hommes* – *Un échevin* – *Acteur représentant Apollon* – *Magistrat* – *L'artiste, sa femme et sa fille* – *Coustou* – Paris (Mus. Carnavalet) : *Deux échevins de la ville de Paris 1702* – *Voltaire âgé de 24 ans* – Paris (Comédie-Française) : *Mlle Duclos* – Paris (Saint-Étienne-du-Mont) : *Ex-voto à sainte Geneviève* – Porto : *Corps de garde* – Le Puy-en-Velay : *La Bruyère* – Rotterdam (Mus. Boymans Van Beuningen) : *Portrait de Jeanne de Robais* – Rouen : *Portrait de femme* – *La princesse de Rohan* – Trois portraits d'homme – Saint-Brieuc : *Portrait d'homme* – Saint-Pétersbourg (Mus. de l'Ermitage) : *Préparatifs de fête à l'Hôtel de Ville de Paris* – Stockholm : *Etik Sparre* – Strasbourg (Mus. des Beaux-Arts) : *La belle Strasbourgeoise* – Toulouse : *L'auteur* – *Comtesse de Bernareau* – Tours : *Portrait d'artiste* – *Portrait d'homme* – Versailles : *Louis-Urbain Le Peletier* – *Thomas Morant* – *Largillière et sa famille* – *Nic. Coustou* – *Jean Thiery* – *L'artiste* – Vienne (Gal. Harrach) : *Alois Roimund, comte d'Harrach* – Vienne (Kunsthistorisches Mus.) : *Boucher d'Orsay, Prévôt des Marchands de Paris.*

Ventes Publiques : Londres, 1855 : *Portrait du Prétendant* : **FRF 2 910** – Paris, 1859 : *Portrait de la Parabère* : **FRF 1 530** – Paris, 1869 : *Portrait de Thomas Germain, orfèvre du roi* : **FRF 7 000** – Paris, 1874 : *Portrait d'une jeune femme* : **FRF 9 150** ; *Portrait de Forest* : **FRF 3 000** – Londres, 1882 : *Portrait de James, prince de Galles et de sa sœur* : **FRF 22 040** – Paris, 1885 : *Portrait d'homme* : **FRF 35 000** – Paris, 1887 : *Portrait de jeune femme* : **FRF 16 700** – Paris, 1890 : *Portrait de Largillière par lui-même* : **FRF 6 400** ; *Le Régent* : **FRF 2 650** ; *La duchesse d'Aiguillon* : **FRF 2 900** ; *Portrait de femme* : **FRF 4 300** – Paris, 1891 : *Portrait d'homme* : **FRF 20 900** – Londres, 1895 : *Portrait de femme* : **FRF 9 100** – Paris, 1895 : *Portrait de jeune femme en Cérès*, past. : **FRF 1 350** – Paris, 1899 : *Portrait d'homme* : **FRF 20 900** – Paris, 1900 : *Projets de portraits de famille*, deux dessins : **FRF 420** – Paris, 12-14 déc. 1901 : *Portrait de gentilhomme* : **FRF 2 950** – Paris, 9-11 avr. 1902 : *Portrait présumé de Mlle Duclos* : **FRF 47 000** ; *Portrait de M. de Puységur* ; *Portrait de Mme de Puységur* : **FRF 30 000** – Paris, 15 avr. 1902 : *Portrait de femme* : **FRF 2 600** – Paris, le 4 juin 1903 : *Portrait de Mme Lambert de Thorigny* : **FRF 37 100** – New York, 4 mars 1905 : *La marquise de Lafayette* : **USD 7 200** – New York, 6-7 avr. 1905 : *La marquise du Châtelet* : **USD 9 200** – Paris, 25 mai 1905 : *Portrait du maître* : **FRF 18 200** – Paris, 26 mars 1906 : *Portrait d'un gentilhomme* : **FRF 6 400** – Paris, 23 mars 1907 : *Portrait d'homme* : **FRF 3 350** – Paris, 16 avr. 1907 : *Portrait de jeune femme* : **FRF 14 700** – Paris, 13-15 mai 1907 : *Portrait de jeune femme* : **FRF 5 700** – Paris, 16-18 mai 1907 : *Portrait d'une dame et de sa fille* : **FRF 42 000** ; *Portrait de Mme de Noirmont* : **FRF 32 000** – Londres, 19 nov. 1908 : *Portrait du cardinal de Vintimille* : **GBP 241** – Paris, 9-11 juin 1909 : *Portrait présumé de l'acteur Grandval* : **FRF 6 600** – Paris, 20 avr. 1910 : *Portrait de Mme Barthélemy de Saint-Hilaire* : **FRF 11 400** – Londres, 10 juin 1910 : *Portrait de la Parabère* : **GBP 892** – Londres, 13 nov. 1910 : *Princesse Ragolski* : **GBP 714** – New York, 25-26 jan. 1911 : *Le duc de Penthièvre* : **USD 3 400** – Londres, 11 mars 1911 : *Gentilhomme et dame* : **GBP 131** – Londres, 26 juin 1911 : *Dame du temps de Louis XIV en costume de cour* : **GBP 1 627** – Paris, 25 nov. 1918 : *Portrait de la duchesse d'Orléans, princesse Palatine* : **FRF 49 000** – Paris, 2 déc. 1918 : *Portrait de Charles Gobinet, docteur en Sorbonne* : **FRF 9 300** – Paris, 17-18 déc. 1918 : *Portrait d'homme* : **FRF 15 000** – Paris, 22 mai 1919 : *Portrait de Mme Lambert de Thorigny* : **FRF 30 000** – Paris, 7 et 8 juil. 1919 : *Portrait du comte de Noirmont* : **FRF 26 000** – Paris, 6-7 mai 1920 : *La Marquise du Châtelet* : **FRF 28 500** – Paris, 6-8 déc. 1920 : *Portrait de femme* : **FRF 37 100** – Paris, 28 fév. 1921 : *Portrait d'homme* : **FRF 50 100** – Londres, 4 mai 1922 : *Le duc d'Anjou et sa gouvernante* : **GBP 1 050** – Paris, 13 déc. 1922 : *Portrait de Mademoiselle de Nantes* : **FRF 69 200** – Londres, 13 juil. 1923 : *Mary de Savoie* : **GBP 273** – Paris, 25-26 mars 1924 : *Portrait présumé de la marquise de Dangeau* : **FRF 20 200** – Londres, 1er mai 1925 : *Nature morte* : **GBP 136** – Paris, 22 mai 1925 : *Bossuet et le Grand Dauphin de France* : **FRF 100 000** – Paris, 22 mai 1925 : *Portrait de Mlle Geneviève Houzé de Labouleay* : **FRF 125 000** ; *Portrait présumé de la comtesse de Coullonges* : **FRF 81 000** – Londres, 7 mai 1926 : *La marquise de la Roche Boussau* : **GBP 861** ; *Gentilhomme en manteau gris* : **GBP 273** – Paris, 12 juin 1926 : *Portrait de Mme de Cheffezailles des Perignes* : **FRF 23 500** – Londres, 4 mars 1927 : *Walter C. Kruger* : **GBP 525** – Londres, 4 mars 1927 : *La reine d'Angleterre* : **GBP 110** – Paris, 21-22 mai 1928 : *Portrait présumé de Suzanne de Bezons* : **FRF 108 000** – Paris, 24-25 mai 1928 : *Portrait de Marie-Anne de Chateauneuf, dite Mlle Duclos* : **FRF 42 000** – Londres, 23 nov. 1928 : *Portrait de la duchesse d'Orléans* : **GBP 178** – Paris, 10-11 déc. 1928 : *Portrait présumé de Mme de Maintenon* : **FRF 19 000** – New York, 11 jan. 1929 : *Dame à la Houlette* : **USD 1 150** – New York, 11 déc. 1930 : *La Marquise de l'Isle Rouet* : **USD 750** – Paris, 15 mai 1931 : *Fruits et orfèvreries* : **FRF 30 000** – Paris, 4 déc. 1931 : *Portrait de Louise-Elisabeth de Bourbon, princesse de Conti* : **FRF 15 000** – New York, 12 avr. 1935 : *Portrait de gentilhomme* : **USD 375** ; *La Marquise de Béthune* : **USD 500** – Paris, 3 déc. 1935 : *Portrait de jeune femme en robe de brocart* : **FRF 12 000** ; *Portrait d'un officier* : **FRF 16 000** – Paris, 30 nov.-1er déc. 1936 : *La Belle Strasbourgeoise* : **FRF 1 510 000** ; *Portrait d'un jeune seigneur* : **FRF 63 600** – Paris, 31 mars 1938 : *Portrait de la comtesse de Barentin de Montchal* ; *Portrait du comte de Barentin de Montchal*, les deux : **FRF 220 000** – Londres, 29 mars 1940 : *Madame de Noirmont* : **GBP 178** – Paris, 15 mai 1941 : *Portrait d'homme*, attr. : **FRF 29 500** – Londres, 25 nov. 1942 : *Louis XIV* : **GBP 82** – Paris, 17 mars 1943 : *Portrait de la marquise de l'Aigle* : **FRF 170 000** – Paris, 24 jan. 1944 : *Portrait d'une dame de qualité*, attr. : **FRF 90 000** – Paris, 3 mars 1944 : *Portrait d'homme*, attr. : **FRF 88 000** – Londres, 31 mars 1944 : *Hélène Lamberz* : **GBP 178** ; *La duchesse de Rohan* : **GBP 336** – Paris, 11 avr. 1945 : *Portrait présumé de Mme de Largillière* : **FRF 80 000** – Londres, 12 oct. 1945 : *Comte de Bruyère* : **GBP 105** – Londres, 27 sep. 1947 : *Gentilhomme et sa femme* : **GBP 194** – Paris, 17 déc. 1949 : *Portrait de la duchesse de Phalaris* : **FRF 550 000** – Paris,

24 mars 1955 : *Portrait d'homme* : **FRF 550 000** – PARIS, 21 mai 1957 : *Portrait d'un échevin de Paris* : **FRF 810 000** – VIENNE, 2 déc. 1958 : *Portrait du lieutenant-général de l'armée de Courcy* : **ATS 19 000** – PARIS, 12 juin 1959 : *Portrait de jeune femme* : **FRF 700 000** – LONDRES, 9 déc. 1959 : *Portrait d'une femme* : **GBP 1 100** – PARIS, 16 juin 1960 : *Portrait de l'artiste par lui-même*, past. : **FRF 5 000** – PARIS, 4 mars 1961 : *Portrait d'homme* : **FRF 20 000** – PARIS, 5 déc. 1961 : *Portrait de Voltaire* : **FRF 100 000** – LONDRES, 3 juil. 1963 : *La Belle Strasbourgeoise* : **GBP 145 000** – LONDRES, 26 juin 1964 : *Portrait d'Elisabeth Throckmorton* : **GNS 62 000** – LONDRES, 21 juin 1968 : *Portrait de Marie-Madeleine de Jassaud avec ses deux filles* : **GNS 15 000** – PARIS, 7 mars 1972 : *Jeune fille à la guirlande de fleurs* : **FRF 60 000** – LONDRES, 7 juil. 1972 : *Portrait de Sir Martin Woollascot* : **GNS 8 000** – PARIS, 12 juin 1973 : *Nature morte à la perdrix* : **FRF 145 000** – PARIS, 12 mars 1974 : *Portrait de Madame de Noirmont en Diane* : **FRF 41 000** – PARIS, 2 déc. 1976 : *Portrait de John Churchill*, h/t (65x62) : **FRF 110 000** – PARIS, 8 déc. 1977 : *Portrait d'un gentilhomme*, h/t (116x90) : **FRF 40 000** – PARIS, 24 oct 1979 : *Paysage aux grands arbres, animé de berger, bergère et moutons, dans un encadrement de draperies rouges*, h/t, forme cintrée dans la partie supérieure (261x253) : **FRF 600 000** – PARIS, 18 mars 1981 : *Portrait de Madame Titon de Coigny* 1713, h/t (140x107) : **FRF 120 000** – NEW YORK, 19 jan. 1984 : *Portrait de Frederic Auguste II de Saxe, Auguste III roi de Pologne*, h/t (130x98) : **USD 170 000** – PARIS, 22 nov. 1985 : *Portrait de Madame Drouet*, h/t (82x65) : **FRF 410 000** – PARIS, 14 avr. 1986 : *Portrait de Gaspard-Gédéon Pétau, seigneur de Maulette*, h/t (89x72) : **FRF 620 000** – LONDRES, 10 avr. 1987 : *Portrait de Frédéric Auguste II de Saxe, futur roi de Pologne*, h/t (130,8x101) : **GBP 100 000** – PARIS, 14 avr. 1988 : *Dame de qualité, vue à mi-corps presque de face, vêtue d'un manteau rouge*, h/t (93x75) : **FRF 75 000** – PARIS, 7-12 déc. 1988 : *Portrait de jeune femme en robe rose et blanche*, h/t (82x66) : **FRF 100 000** – MARSEILLE, 16 déc. 1988 : *Portrait de monsieur Roze-Moussard*, h/t (81x65) : **FRF 420 000** – ROME, 7 mars 1989 : *Portrait d'un gentilhomme en armure*, h/t (79x63) : **ITL 26 000 000** – PARIS, 15 mars 1989 : *Portrait de jeune femme à la corbeille de fleurs*, h/t (138,5x105,5) : **FRF 390 000** – PARIS, 14 avr. 1989 : *Portrait d'homme vu en buste, légèrement tourné de trois-quarts vers la droite, le visage de face*, h/t (81,5x65) : **FRF 280 000** – MONACO, 16 juin. 1989 : *Jeune femme personnifiant Flore*, h/t (81x65) : **FRF 133 200** ; *Portrait de la Duchesse de Berry*, h/t (139x105) : **FRF 444 000** – STOCKHOLM, 15 nov. 1989 : *Portrait d'une jeune femme ; Portrait d'un homme âgé de 31 ans*, h/t, une paire (chaque 84x65) : **SEK 30 000** – MONACO, 2 déc. 1989 : *Composition de fleurs et de fruits sur vestiges d'architecture*, h/t (85x158) : **FRF 1 332 000** – MARSEILLE, 26 avr. 1990 : *Portraits de Jean Pupil de Craponne et de son épouse Catherine Thorée*, h/t, une paire (chaque 101,5x81,5) : **FRF 1 100 000** – NEW YORK, 11 jan. 1990 : *Portrait d'une dame costumée en déesse Flore ; Portrait d'un gentilhomme en armure*, h/t, une paire (chaque 81,5x63,5) : **USD 74 250** – LONDRES, 23 mars 1990 : *Portrait d'un gentilhomme portant un habit brun et une cravate blanche*, h/t, ovale (79x59,4) : **GBP 18 700** – PARIS, 9 avr. 1990 : *Madame de Soucarières et son serviteur noir*, h/t (142x107) : **FRF 500 000** – LONDRES, 14 déc. 1990 : *Portrait d'une dame vêtue d'une robe blanche avec une fleur à son corsage et une étole jaune*, h/t (78x63,5) : **GBP 19 800** – NEW YORK, 10 jan. 1991 : *Portrait de Monsieur Aubert, Directeur général des Ponts et Chaussées de France*, h/t/pan. (137x108) : **USD 49 500** – MONACO, 4 déc. 1992 : *Portrait présumé d'Ursule de Saulx-Tavannes, marquise des Près*, h/t (138x105) : **FRF 643 800** – LONDRES, 11 déc. 1992 : *Portrait de Joachim Delelée vêtu d'un habit brun, d'un gilet rouge et d'une cravate de dentelle ; Portrait de Brigitte Ansart portant une robe bleue et un grande écharpe rouge avec une fleur à son corsage*, h/t, une paire (80,5x64,7) : **GBP 55 000** – MONACO, 2 juil. 1993 : *Fruits et fleurs sur un entablement*, h/t (64,5x115,5) : **FRF 288 600** – LONDRES, 10 déc. 1993 : *Portrait de François et de Yves-Joseph-Charles Pommyer en jaquette avec un épagneul King Charles*, h/t (75x92) : **GBP 529 500** – PARIS, 29 juin 1994 : *Portrait d'homme*, pierre noire (24,2x18,2) : **FRF 9 000** – NEW YORK, 12 jan. 1995 : *Portraits de la comtesse de Montsoreau et de sa sœur personnifiant Diane et sa suivante* 1714, h/t (144,1x112,4) : **USD 431 500** – PARIS, 11 avr. 1995 : *Portrait du seigneur de Landreville*, h/t (135x103) : **FRF 600 000** – PARIS, 25 juin 1996 : *Portrait du marquis d'Havrincourt*, h/t (82,5x65) : **FRF 120 000** – LONDRES, 3 juil. 1996 : *Portrait de Marie Françoise Louise Therèse Humbert*, h/t (100x77) : **GBP 14 950** – LONDRES, 13 déc. 1996 : *Portrait de Yves-Joseph Pommyer ; Portrait de sa femme drapée de rouge*, h/t, une paire de forme ovale (81,5x65) : **GBP 45 500** – NEW YORK, 30 jan. 1997 : *Portrait de Jeanne-Marie de Sacconin de Pravieux, femme de François Du Lieu, Seigneur de Chénevoux, en Diane* vers 1709, h/t (134x102,9) : **USD 90 500** – PARIS, 13 juin 1997 : *Portrait de gentilhomme à la perruque poudrée* vers 1730, h/t (91x72) : **FRF 62 000** – PARIS, 17 juin 1997 : *Portrait présumé de Cosme de Bayon, seigneur de Forye*, t. (92x73) : **FRF 110 000**.

LARGO-CAMPO
XVIIe siècle. Travaillant à Séville vers 1660. Espagnol.
Graveur.

L° C°.

LARGOT Serge, pseudonyme de **Aerts Ernest**
Né en 1929 à Bruxelles (Brabant). XXe siècle. Belge.
Peintre. Tendance abstraite.
Il pratique également la poésie.
BIBLIOGR. : In : *Diction. biogr. illustré des artistes en Belgique depuis 1830*, Arto, Bruxelles, 1987.
MUSÉES : ANVERS.

LARGUIER Gérard
Né le 22 mars 1938 à Paris. XXe siècle. Français.
Peintre de scènes animées, intérieurs, natures mortes, peintre de collages, affichiste.
À Paris, il fut élève du peintre et affichiste Paul Colin, dans son cours privé, ainsi que de l'Académie Julian.
Depuis 1974, il participe à des expositions collectives nombreuses, d'entre lesquelles, à Paris et périphérie : 1975 à 1995, Salon Grands et Jeunes d'Aujourd'hui ; 1977, *Les meubles peints*, Centre Beaubourg ; 1978, Salon de Montrouge ; 1981, *Du Marathon et du Football*, Centre National d'Art Contemporain ; 1982, *L'Art et la Mode*, Espace Pierre Cardin ; 1992, *L'Art et le Tennis*, Couvent des Cordeliers ; 1995, Salon de Mars ; 1996, Salon de Mai ; etc. ; ainsi qu'en province et dans de nombreux pays étrangers, dont : 1976, Tokyo, Osaka ; 1980, New York, Bruxelles ; 1981, Biennale de Brest ; 1982, Biennale de Madrid ; 1985, Biennale de Barcelone ; 1990 New York, *Art-Expo* ; 1993 Denver, *Natures mortes et Intérieurs* ; 1995 Deauville, Nantes, Mulhouse ; 1996 Osaka, Mulhouse ; etc. Depuis 1963, il montre des ensembles de ses œuvres dans des expositions personnelles, dont : 1963 Bruxelles, galerie de la Madeline ; 1974 Paris, galerie Arts-Contacts ; 1975 Bourges, Maison de la Culture, et Heidelberg, Genève ; 1977 Montréal ; 1979 Metz, École des Beaux-Arts ; 1985, Musée de Saint-Paul-de-Vence ; 1986, 1987, 1989 Paris ; 1992 Singapour ; 1993 Hong Kong ; 1994 Paris, galerie Corianne ; 1995 Paris, galerie Alias, et Messine, galerie Astrolabia ; 1996 Vence, Atelier B ; etc.
Il mêle souvent la technique du collage, littérale ou reproduite en peinture, et violence gestuelle dans des œuvres de grand format, dont le thème concerne souvent le passage du temps et la survivance de la mémoire en fragments dispersés. Gérard Xuriguera, au sujet de ces« ...objets divers essaimés aux quatre coins du tableau, des anatomies fissurées, féminines ou masculines, ajustées en équilibre instable... », évoque « un flux de vertiges rétiniens ».
VENTES PUBLIQUES : PARIS, 17 nov. 1990 : *Grand Hôtel*, acryl./t. (100x100) : **FRF 8 000**.

LARI Antonio Maria, dit **il Tozzo**
XVIe siècle. Italien.
Peintre, architecte et littérateur.
Il travailla à la décoration de Sienne lors de l'entrée triomphale de Charles Quint dans cette ville en 1536.

LARIBLE Blanche
Née au XIXe siècle à Rouen. XIXe siècle. Française.
Portraitiste.
Figura au Salon à partir de 1874. L'église de Saint-Rémy, à Dieppe, conserve d'elle : *Notre-Dame des Victoires*.

LA RICHARDIÈRE de, sieur. Voir **MASSON Richard**

LA RICHE Renier
Français ou d'origine française. XVIIIe siècle. Actif à La Haye vers 1700. Français.
Peintre.
Il fut élève de Theodor Van den Schnur.

LARIDON Louise
Née en 1868 à Liège. Morte en 1943 à Anvers. XIXe-XXe siècles. Belge.

Peintre de figures, paysages, fleurs.
Elle fut élève de l'académie des beaux-arts d'Anvers.
Bibliogr. : In : *Diction. biogr. illustré des artistes en Belgique depuis 1830*, Arto, Bruxelles, 1987.
Musées : Anvers.

LARIDZE Levane
Né en 1958 à Tbilissi. xxe siècle. Russe-Géorgien.
Peintre de figures, paysages.
Il fut lauréat de l'Académie des beaux-arts de Tbilissi. Membre de l'Union des Artistes Soviétiques, il fut le chef de file du *Groupe des Cinq*. Il participa à deux expositions du « groupe » à Tbilissi et à Moscou en 1987 et 1988, ainsi qu'à d'autres expositions collectives dans ces deux villes. En 1990, il exposa individuellement à Tbilissi. Il est également connu aux États-Unis et en Tchécoslovaquie.
Qu'il peigne des paysages ou des figures, telle celle hiératique du *Joseph*, il construit fermement ses sujets en eux-mêmes et dans le format.
Musées : Moscou (Gal. Tretiakov) – Tbilissi (Mus. d'Art Mod.).
Ventes Publiques : Paris, 23 mai 1990 : *L'hiver*, h/t (120x90) : **FRF 16 500** ; *Joseph*, h/t (40x35) : **FRF 8 000**.

LA RIEGA Pedro de
xviie siècle. Actif à Saint-Jacques de Compostelle. Espagnol.
Sculpteur sur bois.
Il a sculpté quatre statues de saints pour S. Maria de Morquintian.

LA RIOJA Domingo
Mort vers 1656. xviie siècle. Actif à Madrid. Espagnol.
Sculpteur et fondeur de bronze.

LARION Leontievitch
xvie siècle. Russe.
Peintre d'églises.
Il travailla dans la région de Jaroslav.

LARIONOV Igor
Né en 1967. xxe siècle. Russe.
Peintre de figures, nus, paysages animés, intérieurs. Postimpressionniste.
Il fut élève de l'École des Beaux-Arts de V. Sourikov de Moscou et élève de Sergeï Andriaka.
Il situe ses modèles et les paysages dans une lumière ensoleillée et une atmosphère feutrée.

Ventes Publiques : Paris, 7 oct. 1992 : *Soir d'été*, h/t (60x50) : **FRF 8 500** – Paris, 5 nov. 1992 : *L'inconnue*, h/t (52x73) : **FRF 23 000** – Paris, 16 nov. 1992 : *La jeune jardinière*, h/t (61x50) : **FRF 13 800** – Paris, 12 déc. 1992 : *La femme à l'ombrelle*, h/t (61x50) : **FRF 31 500** – Paris, 20 mars 1993 : *Au bord de l'eau*, h/t (61x38) : **FRF 10 000** – Paris, 7 avr. 1993 : *L'inconnue*, h/t (52x73) : **FRF 12 200**.

LARIONOV Jean ou **Larionoff**
Né le 26 décembre 1884 à Tripoli. Mort en novembre 1919 à Moscou. xxe siècle. Russe.
Peintre, peintre de décors de théâtre.
Il est le frère de Michaïl Larionov. Ses dons divers annonçaient une carrière brillante, interrompue prématurément.

LARIONOV Michaïl, ou **Mikhaïl** ou **Larionoff Michel**
Né le 22 mai 1881 à Tiraspol (Kherson). Mort le 10 mai 1964 à Fontenay-aux-Roses (Hauts-de-Seine). xxe siècle. Actif depuis 1914 et depuis 1938 naturalisé en France. Russe.
Peintre, sculpteur, illustrateur, peintre de décors de théâtre.
Élève de l'Académie des beaux-arts de Moscou, il y remporta une médaille en 1900. Il fit son service militaire au Kremlin, en 1908-1909. Mobilisé au début du conflit mondial, il fut libéré en 1915, rejoignit Dhiagilev en Suisse. Se consacrant depuis déjà longtemps au théâtre, il dut abandonner presque toute activité à partir de 1946, à la suite d'une attaque de paralysie partielle. Il ne recommença à peindre un peu, de la main gauche, qu'en 1958. Natalia Gontcharova, qui était sa compagne depuis 1898, mourut en 1962, deux années avant lui.
Il participa à de nombreuses expositions collectives. En 1906, il expose pour la première fois à l'Union des Artistes russes, puis l'année suivante au Monde de l'art à Saint-Pétersbourg et à la Biennale de Venise. Toujours en 1907, Larionov organisa avec David Burliuk, l'exposition La Couronne à Saint-Pétersbourg, fonda le groupe La Rose bleue et la revue de La Toison d'or. En 1908, il organisa l'exposition de la Toison d'or à Moscou, et celle du Maillon à Saint-Pétersbourg. En 1908-1909, il participa aux deux expositions de La Toison d'or. Reconnu comme le chef de file de la jeune peinture russe, il organisa l'exposition du nouveau groupe Le Valet de carreau en 1910, à laquelle participaient Malevitch, Kandinsky, Le Fauconnier, Gleizes, Lhote. En 1912, il organisa l'exposition *La Queue de l'âne* qui ne présentait que des artistes russes Gontcharova, Malevitch, Tatline, Chevtchenko, et, en 1913, *La Cible à Moscou*, première exposition officielle du groupe rayonniste, accompagnée de la publication du *Manifeste rayonniste*, signé par onze artistes, parmi lesquels Nathalie Gontcharova. Il revint à Paris, en 1914, toujours avec Diaghilev, pour sa première exposition parisienne, avec Gontcharova, préfacée par Apollinaire. Les organisateurs de la seconde exposition du Blaue Reiter à Munich l'invitèrent à participer, le reconnaissant comme l'un des créateurs de l'art moderne ; de même firent les organisateurs du premier Salon d'Automne de Berlin, en 1913. Des expositions rétrospectives du rayonnisme eurent lieu à Rome en 1917, à Paris en 1948. Des œuvres de Larionov figuraient à l'exposition : *Les Premiers Maîtres de l'art abstrait* à Paris, en 1949, et à l'exposition *L'Œuvre du xxe s.* au musée d'Art moderne de Paris, en 1952. Une exposition d'œuvres de Larionov, de 1903 à 1915, fut présentée à Paris, en 1956, d'autres expositions rétrospectives eurent lieu, au Victoria and Albert Museum de Londres, au musée d'Art moderne de la Ville de Paris en 1963, de nouveau à Paris, après sa mort, en 1970, au musée des Beaux-Arts de Lyon en 1967, à la Maison de la culture de Nevers en 1972, à la Maison de la culture et des loisirs de Saint-Étienne en 1973.
Il débuta avec des paysages proches de l'impressionnisme et des scènes typiques. Jusqu'à la guerre de 1917, il s'efforça de susciter, avec la collaboration du peintre Natalia Gontcharova, un mouvement d'intérêt pour les découvertes artistiques du monde occidental, sans rien sacrifier cependant des ressources inoubliables offertes par la nature intime du sol russe, son peuple et de ses manifestations. Organisateur en même temps qu'artiste, son activité s'étendait à tous les domaines. Il fut surtout attiré vers le théâtre et particulièrement la danse. Il ne pouvait que rencontrer Serge Diaghilev et non seulement brossa des décors, mais composa des livrets, mit en scène et régla des chorégraphies. Avant la constitution en tant que tel du mouvement rayonniste, en 1909, de ses débuts aux beaux-arts de Moscou en 1898, jusqu'à 1909, il fut tour à tour impressionniste, cézannien, fauve, ayant pu voir des œuvres modernes, à Paris, dès 1906, ayant accompagné Diaghilev à l'occasion de l'exposition, organisée par celui-ci, des artistes russes au Salon d'Automne. Il fut, à la fin des années dix, au premier rang des différents mouvements qui aboutirent au rôle prépondérant que les artistes russes jouèrent dans les révolutions artistiques du début du siècle. Déjà en 1899, le groupe *Mir Izkousstva* (Le Monde des arts) avec Léon Bakst, Alexandre Benois, s'était formé en réaction contre l'académisme des artistes ambulants du début du siècle. En 1912, il illustra plusieurs recueils futuristes. Il consacra alors une grande part de son activité au théâtre, parmi ses nombreux décors et costumes *Le Bouffon* 1921, *Le Renard* 1922. Il apparaît avec évidence qu'aux environs de 1910, Larionov en Russie s'engageait dans des recherches qui tendaient à l'abstraction, parallèlement au chemin que suivait Kandinsky alors à Munich. Toutefois son profond enracinement au cœur de la chose russe, encouragé par sa rencontre avec Dhiagilev, le détourna de donner à son impulsion première tous les développements dont elle était porteuse, et reculant devant le style international en formation qui seul allait permettre la généralisation de la révolution plastique du début du siècle, il abandonnait sa manière rayonniste, et même l'exercice de la peinture, pour se consacrer à une carrière de décorateur scénique, inventif, brillant, mais dont l'exploitation intelligente du folklore populaire russe ne remplaçait peut-être pas l'aventure intellectuelle précédente. Il n'est pas d'un énorme intérêt de ranimer la controverse concernant l'antériorité respective du futurisme italien et du rayonnisme de Larionov : il est établi que Larionov n'exposa, à la Société de la Libre Esthétique, *Le Verre*, considéré comme sa première peinture à tendance abstraite, qu'en 1911, contraire-

ment à la version la plus commodément transmise, et que ce n'est que son propre témoignage qui la date de 1909, et lorsqu'il lança le rayonnisme, peinture composée essentiellement de taches colorées et de rayons de couleurs tracés parallèlement ou au contraire dispersés et entrecroisés, destinés à prolonger la sensation colorée dans la dimension du temps, Marinetti avait déjà effectué sa tournée de conférences triomphales dans les principales villes de Russie. Quoiqu'il en soit, l'influence de Larionov fut énorme ; grand ami de Malevitch, il fut le maître de Tatline. Il est encore intéressant de noter qu'en plein apogée rayonniste, Larionov et Gontcharova, à côté de leurs œuvres révolutionnaires, continuaient à produire des œuvres dans l'esprit populiste de leur période précédente ; c'est encore cette veine populiste, qui influença certainement Chagall, qu'exploita Larionov, quand il se consacra entièrement à la décoration scénique. ■ Jacques Busse

I. Larionoff

Larionow

M Ларионов

Bibliogr. : A. Barr : *Cubism and abstract art*, New York, 1936 – Michel Seuphor : *L'Art abstrait, ses origines, ses premiers maîtres*, Maeght, Paris, 1949 – Michel Seuphor, in : *Diction. de la peinture mod.*, Hazan, Paris, 1954 – Michel Seuphor : *Le Style et le cri*, Seuil, Paris, 1965 – José Pierre : *Le Futurisme et le dadaïsme*, in : *Hre gle de la peinture*, Rencontre, t. XX, Lausanne, 1966 – Raoul Jean Moulin, in : *Diction. univers. de l'art et des artistes*, Hazan, Paris, 1970 – T. Loguine, J. Cassou : *Gontcharova et Larionov – Cinquante ans à Saint-Germain-des-Prés*, Klincksieck, Paris, 1971 – in : *Les Muses*, La Grange Batelière, t. IX, Paris, 1972 – in : *Diction. univers. de la peinture*, Le Robert, t. IV, Paris, 1975 – *La Collection du Musée national d'Art moderne*, Centre Georges Pompidou, Paris, 1986 – in : *L'Art du xxe s.*, Larousse, Paris, 1991 – in : *Diction. de l'art mod. et contemp.*, Hazan, Paris, 1992 – in Catalogue de la vente *Tableaux modernes dont Gontcharova et Larionov*, Paris, 1992, documentation précise.

Musées : Édimbourg (Nat. Gal. of Mod. Art) – Genève (Petit Palais) – Londres (Tate Gal.) : *Dessin blanc* 1907 – *Le Soldat à cheval* 1908 – Londres (Victoria and Albert Mus.) – Moscou (Gal. Tretiakov) : *À travers le filet* 1910 – *Le Soldat couché* 1911 – *Paysage rayonniste* 1912 – New York (Salomon R. Guggenheim Mus.) : *Le Verre* 1909-1911 – *Rue aux lanternes* 1910 – Paris (Cab. des Estampes) – Paris (Mus. des Arts déco.) – Paris (Mus. Nat. d'Art Mod.) : *Le Cochon bleu* 1907-1908 – *Boulevard à Tiraspol le soir* 1909-1910 – *Promenade, Vénus de boulevard* 1912-1913 – *Portrait de Tatline* 1911 – Saint-Pétersbourg (Mus. russe) : *Poissons au coucher de soleil* 1904 – *Nature morte au citron* 1907-09, gche et pochoir – *Tête d'homme aux lunettes* 1907-09, gche et pochoir – *Visage féminin à travers les branches d'un arbre* 1907-09, gche et pochoir – *Vénus* 1912 – Strasbourg (Mus. des Beaux-Arts).

Ventes Publiques : Londres, 1er juil. 1964 : *L'été* : **GBP 2 800** – Paris, 26 mars 1966 : *Nature morte en gamme majeure* : **FRF 16 000** – Londres, 9 juil. 1969 : *Projet de décor*, aquar. et gche : **GBP 1 200** – Genève, 12 juin 1970 : *Coiffeur pour dames* : **CHF 45 000** – Londres, 12 avr. 1972 : *La mer*, aquar. et gche : **GBP 1 300** – Londres, 29 mars 1973 : *Rayonnisme en bleu et rouge* : **GBP 22 000** – Londres, 4 juil. 1974 : *Les pétrisseurs de pâte* : **GBP 4 000** – Londres, 1er juil. 1976 : *Jeune femme au panier* vers 1910-1912, h/pap. brun (45x25) : **GBP 400** – Milan, 29 mars 1977 : *Jeune femme au panier* 1910/12, h/cart. (45x25) : **ITL 750 000** – New York, 3 nov. 1978 : *Vénus* 1912, temp./t. à sac (56x73,5) : **USD 12 000** – Paris, 19 déc 1979 : *Composition*, litho. (38x24) : **FRF 6 100** – Londres, 6 juin 1979 : *Diaghilev, Massine et Lopokhova*, pl. (23x18) : **GBP 1 600** – Londres, 6 juin 1979 : *Décor de l'acte V de « Chout »* 1915, aquar. et gche (48,5x64) : **GBP 5 000** – New York, 7 nov 1979 : *La rixe* 1906, h/t (71,2x94) : **USD 45 000** – Londres, 1er juil. 1981 : *Composition rayonniste* vers 1911-1912, h/pan. (30,5x35,3) : **GBP 6 500** – New York, 16 déc. 1983 : *Projet de décor pour Le Renard*, aquar. avec reh. de blanc (36,8x53,6) : **USD 7 000** – Londres, 30 juin 1983 : *Paysage* vers 1905, h/t (68,6x87,6) : **GBP 7 500** – Paris, 12 juin 1984 : *Portrait de Diaghilev* 1956, cr. (27x21) : **FRF 7 200** – New York, 21 fév. 1985 : *Les boulangers* vers 1907, h/t (72x60,5) : **USD 18 000** – Paris, 25 juin 1986 : *Apollinaire 11 décembre 1917, Café Flore, Paris*, dess. (21x13,5) : **FRF 45 000** – La Varenne-Saint-Hilaire, 6 déc. 1987 : *Arbres rouges* vers 1910, past./pap. (28x17) : **FRF 30 000** – Londres, 2 avr. 1987 : *Composition rayoniste*, cr. de coul. (15x9,5) : **GBP 3 200** – Paris, 18 mars 1988 : *Composition rayonniste*, aquar. (34x23,5) : **FRF 80 000** – Milan, 8 juin 1988 : *Rayonnisme* 1908, gche/cart. (50,5x50,5) : **ITL 29 000 000** – Londres, 28 juin 1988 : *La coquette de Provence*, h/t (81x65) : **GBP 18 700** – Londres, 6 oct. 1988 : *Portrait de Sergei Diaghilev*, cr./pap. (28x20) : **GBP 3 080** ; *Jour et Nuit* 1910, aquar./pap. (42x55) : **GBP 9 900** – Paris, 7 nov. 1988 : *Portrait de jeune-homme*, pl. et lav. d'encre de Chine (22,5x16,5) : **FRF 20 000** – Londres, 6 avr. 1989 : *Portrait de Natalia Gontcharova* 1913, fus./pap. teinté (50x39) : **GBP 3 520** ; *Dessin blanc (champ de blé – évocation)*, gche/pap. bleu (33x49,5) : **GBP 6 600** – Paris, 19 mars 1989 : *Porteur de fagots*, dess. à la mine de pb (24x19) : **FRF 10 000** – Paris, 11 avr. 1989 : *Homme de profil* 1921 (33x21,5) : **FRF 27 000** – Paris, 23 avr. 1989 : *Nature morte aux choux*, h/t (51x50) : **FRF 155 000** – Paris, 29 mai 1989 : *Arbre*, past. (18,5x10) : **FRF 18 500** – Paris, 29 sep. 1989 : *Portrait de Gontcharova*, dess. au cr. (26x19,5) : **FRF 10 500** – New York, 18 oct. 1989 : *Chevaux sur la colline*, h/t (79x105,4) : **USD 121 000** – Le Touquet, 12 nov. 1989 : *Portrait d'homme* 1921, aquar. (32x41) : **FRF 47 000** – Calais, 4 mars 1990 : *Promenade au bord du lac*, fus. et gche (41x27) : **FRF 24 000** – Paris, 14 mai 1990 : *Personnage rouge*, gche/pap. marron (31,8x23) : **FRF 14 500** – Paris, 25 juin 1990 : *Composition rayonniste* 1913-1914, past. (24x18) : **FRF 40 000** – New York, 15 fév. 1991 : *Projet de costume pour « Le soleil de la nuit »* 1915, gche, aquar. et collage/pap. (37x26) : **USD 11 550** – Tel-Aviv, 12 juin 1991 : *Paysage, arbres et fleurs*, aquar. (58,5x77,5) : **USD 5 500** – Monaco, 11 oct. 1991 : *Portrait de Boris Kochno*, cr. (14x13) : **FRF 24 420** – New York, 25 fév. 1992 : *La chaise d'osier*, h/t (59x44,5) : **USD 14 850** – Paris, 14 avr. 1992 : *Autoportrait*, h/t (98x102) : **FRF 270 000** ; *Composition rayonniste bleue*, h/cart. (52x43,5) : **FRF 180 000** – Milan, 10 nov. 1992 : *Étude de paysage*, cr./pap. (18x26) : **ITL 1 400 000** – New York, 23-25 fév. 1993 : *Personnage de la marche funèbre* 1919, gche/pap. (44,5x30,5) : **USD 10 350** – Paris, 4 mai 1993 : *Marin rayonniste*, mine de pb et gche blanche (21x12,5) : **FRF 8 500** – Paris, 23 mars 1994 : *Nature morte aux poissons*, h/t/cart. (23x32) : **FRF 6 500** – Londres, 29 juin 1994 : *Rayonnisme* 1908, fus., cr. et gche/cart. (50,5x50,5) : **GBP 16 100** – New York, 9 nov. 1994 : *Lilas*, h/t/pan. (81,9x101,6) : **USD 21 850** – Paris, 27 nov. 1995 : *Homme à la pipe et cavalier dans un paysage* 1907, aquar. gchée/pap. gris (50x33) : **FRF 18 000** – New York, 30 avr. 1996 : *Nature morte aux poires*, aquar. et gche/pap. (43x26) : **USD 978** – Paris, 12 avr. 1996 : *Composition au violoniste*, techn. mixte/pap. (31,5x22) : **FRF 50 000** – New York, 10 oct. 1996 : *Poissons en mouvement*, h/pap./pan. (24,1x37,5) : **USD 1 495** – Londres, 11-12 juin 1997 : *Nu endormi*, h/t/cart. (45,5x60,5) : **GBP 3 220**.

LARIS Hermine. Voir **LANG-LARIS**

LARISCH Rudolf Van

Né le 1er avril 1856 à Vérone. xixe siècle. Autrichien.

Graveur.

Il vécut à Vienne où il illustra des livres et des journaux.

LARIUS

xviiie siècle. Éc. flamande.

Sculpteur.

Ce moine augustin décora l'église de son ordre à Gand, devenue aujourd'hui l'église Saint-Étienne.

LARIUS Jan Bogumit

Né en 1776 à Moscou. Mort le 27 mars 1842 à Krzemieniec. xixe siècle. Polonais.

Peintre.

Élève de l'Académie des Beaux-Arts de Dresde. Citons parmi ses œuvres : *Une corbeille de fruits*, *Paysage* (aquarelle), *Portraits de jeunes filles* (aquarelle).

LA RIVA Nicolas Louis Albert de

Né en 1755 à Lille. Mort en 1818 à Lisbonne. xviiie-xixe siècles. Français.

Peintre de batailles, portraits, paysages.

Élève de Heinsius et de Casanova, il peignit en Espagne de 1792 à 1800 et à Lisbonne de 1800 à 1818, des portraits, des batailles et des paysages.

Ventes Publiques : Londres, 12 oct 1979 : *Le cordonnier ; Le forgeron*, deux h/pan. (14,6x17,8) : **GBP 3 500**.

LA RIVA-MUNOZ Maria Luisa de. Voir **RIVA Y CALLOL**

LARIVE-GODEFROY Pierre Louis de ou **de la Rive, de Larive**

Né le 21 octobre 1735 à Genève. Mort le 7 octobre 1817 à Persingue. XVIIIe-XIXe siècles. Suisse.

Peintre de paysages animés, paysages, aquarelliste, graveur, dessinateur.

Fils d'un pasteur protestant qui le destinait à la magistrature, il n'obtint pas sans peine l'autorisation de s'adonner à la peinture. Il fut d'abord élève du chevalier Fassin ou Focin qui lui fit copier les maîtres hollandais du XVIIe siècle. Il voyagea en Allemagne, vit à Dresde les tableaux de Claude Lorrain, qui furent une révélation pour lui, travailla avec Casanova et prit l'habitude de peindre en plein air, d'après nature. Il connut dans la même ville Mlle Godefroy qu'il épousa. Larive visita la Hollande et l'Italie, gagnant Rome par Venise. Dans la première ville, il retrouva son ami Saint-Ours, peintre de talent, dont il reçut d'excellents conseils. De retour en Suisse, il peignit des paysages dans le style de Claude Lorrain, puis, tout en conservant une part de la convention classique, il chercha de plus en plus à se rapprocher de la nature.

On cite parmi ses œuvres une suite de gravures d'animaux d'après K. du Jardin, des planches d'après Rembrandt et Gessner, ainsi qu'une série de compositions au lavis et à la sépia. Le catalogue manuscrit de ses œuvres par lui-même appartient à M. Alex. Claparède. Son portrait a été lithographié par A. Bouvier d'après Saint-Ours et par Freydig. Audran a gravé plusieurs planches d'après l'œuvre de La Rive.

Larive fut un intéressant peintre de montagne et il a mérité le titre de premier paysagiste suisse. Son influence fut considérable sur ses successeurs.

Musées : Genève (Mus. Ariana) : *Paysage et troupeau au pâturage* 1799 – deux aquarelles – Genève (Mus. Rath) : *Le Gué – Vue prise de Sécheron – Départ des troupeaux pour la montagne – Le Chemin creux.*

Ventes Publiques : Paris, 28 fév. 1919 : *Paysage avec figures et animaux* : **FRF 1 670** – Paris, 21 fév. 1924 : *Les Bruyères* : **FRF 140** – Londres, 31 juil. 1929 : *Lugano* 1796 : **GBP 25** – Londres, 20 mars 1931 : *Paysage boisé* : **GBP 42** ; *Ruines dans un paysage* : **GBP 35** – Paris, 1er mars 1944 : *Scènes de chasse*, sépia, deux pendants : **FRF 15 800** – Paris, 8 juin 1951 : *Le Retour du troupeau* : **FRF 92 000** – Zurich, 8 nov. 1963 : *Paysage par temps d'orage* : **CHF 8 500** – Berne, 21-30 mai 1964 : *La Moisson* : **CHF 12 100** – Vienne, 18 juin 1968 : *L'Auberge dans la forêt* : **ATS 60 000** – Vienne, 20 sep. 1977 : *Paysage montagneux au ciel d'orage* 1799, h/pan. (56,5x70) : **ATS 50 000** – Zurich, 14 mai 1982 : *Vue du Mont-Blanc* 1809, h/t (130x169) : **CHF 30 000** – Zurich, 9 nov. 1983 : *Vue du lac et de la chaîne du Jura* 1807, h/t (92x115) : **CHF 26 000** – Londres, 23 mai 1985 : *Vue de Lucerne sur le lac des Quatre-Cantons* 1796, h/pan. (46x61) : **CHF 27 000** – Zurich, 5 juin 1986 : *Le Retour du troupeau* 1807, h/t (89x114,5) : **CHF 55 000** – New York, 27 mars 1987 : *Lavandières dans un paysage fluvial boisé* 1793, h/pan. (48,5x67,5) : **USD 11 000** – Paris, 10 juin 1988 : *Paysage de montagne ; Halte près d'un site romain* 1812, pierre noire et lav. de sépia, une paire (53x74) : **FRF 59 000** – Zurich, 8 déc. 1994 : *Le Moulin*, encre/pap. (35x46) : **CHF 2 300** – Zurich, 5 juin 1996 : *La Moisson*, h/t (69,5x91) : **CHF 14 950** – Zurich, 10 déc. 1996 : *Halte de Bohémiens près d'une vieille chaumière au soleil couchant* 1803, h/t (56x76) : **CHF 11 500** – Zurich, 14 avr. 1997 : *Les Environs de Cluses* 1810, h/t (90x112) : **CHF 78 200**.

LA RIVIÈRE Adriaan

Né en 1857 à Rotterdam. Mort en 1941. XIXe-XXe siècles. Hollandais.

Peintre de compositions animées, figures, paysages.

Il fut élève des académies des beaux-arts de Rotterdam et de Munich. Il travailla à Haarlem, Amsterdam et Rotterdam.

Ventes Publiques : Amsterdam, 5 juin 1990 : *Portrait de Willem Anthony Brouwers vêtu d'un habit brun sur un gilet rose et un chapeau*, h/t (30,6x24,3) : **NLG 2 185** – Amsterdam, 23 avr. 1991 : *Jeunes garçons allumant un feu sur une place*, h/pan. (40x27) : **NLG 2 185** – Amsterdam, 22 avr. 1992 : *Le Marché aux puces*, h/t (31x40) : **NLG 1 725**.

LARIVIÈRE Alice Charles de, Mme, née **Monod**

Née au XIXe siècle à Gien (Loiret). XIXe siècle. Française.

Sculpteur et graveur à l'eau-forte.

Sociétaire des Artistes Français depuis 1887, elle figura au Salon de ce groupement et y obtint une mention honorable en 1886 ; médailles de bronze en 1889 (Exposition Universelle) et en 1900 (Exposition Universelle).

LARIVIÈRE Charles Philippe Auguste

Né le 30 septembre 1798 à Paris. Mort le 29 février 1876 à Paris. XIXe siècle. Français.

Peintre de compositions religieuses, sujets militaires, scènes de genre, portraits.

Élève de Louis Girodet et du baron Gros, il reçut le second prix de Rome en 1819 et le grand prix de Rome en 1824.

Il figura au Salon de 1822 à 1869, obtenant une médaille en 1831 et une médaille de première classe en 1855. Chevalier de la Légion d'honneur en 1936. On voit de ses œuvres dans la cathédrale de Dreux.

J Larivière.

Bibliogr. : Gérald Schurr, in : *Les Petits Maîtres de la peinture 1820-1920, valeur de demain*, Les Éditions de l'Amateur, t. II, Paris, 1982.

Musées : Amiens : *Mars au repos – Le général de Rumigny – Bayard au pont de Garigliano* – Angers : *J.-M. Bineau – La marquise de Rambouillet* – Bar-le-Duc : *Le général Broussier – Le général Excelmans – Le maréchal Gérard* – Bordeaux : *Le Christ au jardin des Oliviers* – Chalon-sur-Saône : *Portrait de M. Colasson* – Chambéry (Mus. des Beaux-Arts) : *Portrait de Monsieur Brun* – Dijon : *L'amiral Roussin* – Dunkerque : *Jésus porte sa croix – Jésus livré aux juifs* – Graz : *Derniers moments du Tasse* – Mulhouse : *Un homme d'armes* – Narbonne : *Intérieur* – Orléans : *Tête de jeune homme* – Paris (Mus. du Louvre) : *Portrait d'Eugène Pamele Larivière* – Versailles : *Louis Philippe Joseph d'Orléans – Deux portraits de Rochambeau – Deux portraits d'Étienne Maurice Gérard, volontaire – Vauban – Deux portraits de Louise de Savoie – Parisot de la Valette – Levée du siège de Malte – Prise de Brescia – Entrevue de François Ier et de Clément VII à Marseille – Bataille d'Ascalon – Le duc d'Orléans, lieutenant général du royaume, arrive à l'Hôtel de Ville – Bataille des dunes – Bataille de Castillon, de Mons-en-Pucelle, de Cocherel – Le capitaine G. Morton – Mortier – Leroy de Saint-Armand – Rentrée du prince président à Paris – Magellan – Niel.*

Ventes Publiques : La Haye, 1889 : *Sainte Cécile* : **FRF 180** – Paris, 18 jan. 1926 : *Proclamation de l'Empire à Saint-Cloud* : **FRF 380** – Paris, 12 juin 1950 : *Réception en 1852 au château de Saint-Cloud, dans la galerie d'Apollon : le sénat offre la couronne impériale au prince prétendant*, esq. : **FRF 10 000** – Paris, 28 jan. 1970 : *Jeune femme en robe blanche* 1836, h/t (71x58) : **FRF 1 050**.

LA RIVIÈRE Didier de

Né à Langres. Mort en 1509. XVe siècle. Français.

Enlumineur et miniaturiste.

Bourgeois de Bruges en 1475, enlumineur dans la gilde Saint-Jean en 1476, maître des gildes Saint-Luc et Saint-Elegius en 1506.

LARIVIERE Eugène de

Né le 5 décembre 1801 à Paris. Mort le 9 juin 1823 à Paris. XIXe siècle. Français.

Peintre de portraits.

Il fut essentiellement peintre de portraits.

Bibliogr. : In : Catalogue de l'exposition : *Les années romantiques, la peinture française de 1815 à 1850*, Mus. des Beaux-Arts de Nantes, 1995-1996 et Galeries nationales du Grand Palais, Paris, 1996.

Musées : Dijon (Mus. Magnin) : *Portrait de jeune fille en corsage de mouseline* – Paris (Mus. du Louvre) : *Portrait de la sœur de l'artiste.*

LARIVIÈRE Jenny, née **Thorel**

Née le 25 juillet 1801 à Angers (Maine-et-Loire). Morte le 8 novembre 1885 à Daon (Haute-Marne). XIXe siècle. Française.

Peintre d'histoire, scènes de genre.

Élève de l'École de dessin de la Ville de Paris, puis de Charles Meynier. Après son mariage avec M. Larivière, elle s'établit à Sablé-sur-Sarthe, où elle forma de nombreux élèves.

Son tableau : *La marquise de Rambouillet pardonnant aux ligueurs* fut exposé au Mans en 1836 et à Angers en 1838.

Bibliogr. : In : Catalogue de l'exposition : *Les années romantiques, la peinture française de 1815 à 1850*, Mus. des Beaux-Arts

de Nantes, 1995-1996 et Galeries nationales du Grand Palais, Paris, 1996.
Musées : Angers : *La marquise de Rambouillet pardonnant aux ligueurs* 1836.

LARIVIÈRE-COINCY Jean Baptiste Victor
Né au XVIIIe siècle à Toulouse. XVIIIe siècle. Français.
Portraitiste.
Élève d'Isabey. Il figura au Salon de 1796 à 1801.

LARIZ Juan de
XVIIIe-XIXe siècles. Actif à Murcie entre 1772 et 1804. Espagnol.
Graveur.
Il travailla également à Grenade, illustra des livres, et représenta des sujets religieux.

LARK Sindra, pseudonyme de **Limpens Régine**
Née en 1940 à Bruxelles (Brabant). XXe siècle. Belge.
Peintre de paysages, animaux, figures, dessinatrice.
Elle suivit des cours de restauration. Autodidacte en peinture, elle peint depuis son plus jeune âge. Elle participe à de nombreuses expositions collectives et montre ses œuvres dans des expositions personnelles depuis 1972, notamment : 1988 académie wallonne des arts à Charleroi où elle a reçu la médaille de platine, 1991 Maison des arts de Schaerbek à Bruxelles, 1991 Maison de la culture de Diegem où elle a reçu la médaille de vermeil.

LARKIN William
XVIIe siècle. Actif vers 1610-1620. Britannique.
Peintre de portraits.
Tout porte à croire que cet artiste vivait au XVIIe siècle, puisqu'il est l'auteur d'un portrait de *Edward, premier baron Herbert de Cherbury*, mort en 1648 (National Portrait Gallery).
Musées : Londres (Nat. Portrait Gal.) : *Edward, premier baron Herbert de Cherbury*.
Ventes Publiques : Londres, 6 avr. 1973 : *Portrait d'une dame de qualité* : **GNS 4 200** – Londres, 17 avr. 1980 : *Portrait de femme*, h/t (206x118) : **GBP 6 500** – New York, 16 mai 1996 : *Portrait d'une dame*, h/pan. (101,6x91,4) : **USD 40 250** – Londres, 13 nov. 1996 : *Portrait de Frances Howard, duchesse de Richmond*, h/pan. (57,5x44,5) : **GBP 40 000**.

LARKINS William Martin
Né le 8 novembre 1901 à Londres. XXe siècle. Britannique.
Peintre de paysages urbains, compositions animées, graveur.
Il fut élève de Sullivan. Fréquemment dans son œuvre, il représente les pauvres quartiers de l'East End à Londres.

L'ARMELLINO, pseudonyme de **Aluigi,** ou **Luigi, di Rugieri,** ou **Ruggeri**
XVe siècle. Italien.
Sculpteur.
D'après les documents de l'époque, il vivait à Sienne en 1473 ; en 1481, il fit une mosaïque pour la cathédrale ; il vivait encore en 1487. Selon Milanesi, il est l'auteur de la *Sibylle de Cumes*.

LARMENIUS Mattheus
XVIIe siècle. Hollandais.
Sculpteur.
Maître à La Haye en 1683.

LARMERAND Françoise
Née le 8 septembre 1910 à Paris. XXe siècle. Française.
Peintre, aquarelliste.
Elle a participé à Paris, au Salon des Indépendants de 1952 à 1960. Elle expose également au Salon d'Automne. Sa peinture est figurative et souvent d'inspiration orientale.

LARMESSIN, généalogie de la famille
XVIIe-XVIIIe siècles. Français.
Graveurs.
Une grande obscurité règne sur la famille des excellents graveurs, éditeurs et libraires Larmessin. Le fait s'explique assez aisément : les trois graveurs de ce nom portent le prénom de Nicolas, d'où la confusion entre leurs œuvres, au moins pour celles des deux frères Nicolas. Les extraits d'actes d'état civil apporteront peut-être un peu de lumière. Nous trouvons un Philippe Larmessin, peintre rue Saint-Germain à l'enseigne de la « Salge » femme. Il est marié à Marguerite Orlemont. Il est enterré le 11 février 1654. Nous trouvons son nom cité, le 8 décembre 1613, lors de l'enterrement de son fils François, et le 18 mars 1616 lors du baptême de son fils Armand. Peut-être est-il parent du libraire Nicolas Larmessin, marié à Jeanne Michon et fondateur de la lignée de graveurs. Il vit encore le 20 juillet 1654, lors du mariage de son fils aîné Nicolas II, mais il est mort lorsque son autre fils, Nicolas III, se marie, le 9 mai 1683, avec Catherine Pineau. A ce mariage assistent, du côté de l'époux : ses frères et sœur, le graveur Nicolas II ; Jean, libraire (il a peut-être succédé à son père) ; Marie, mariée au libraire Antoine Cotterelle. A partir de 1687, la famille a ajouté la particule à son nom. Le 8 septembre 1704, lors du mariage de Nicolas IV, avec Louise Marchand, le père, Nicolas III, comparaît comme témoin ainsi que son frère, le libraire Jean. Catherine Pineau n'étant pas mentionnée, doit être morte. Le 16 janvier 1707, lors du baptême de Nicolas, fils de Nicolas IV, le grand-père Nicolas III est parrain.

Nicolas Ier
Libraire, mort avant 1683.

Nicolas II, gr., né vers 1638, mort 1694	Jean, libraire vit encore en 1683	Etienne bap. 17 janv. 1638.	Nicolas III, gr, né vers 1640, mort en 1725	Marie, mariée au libraire Cotterelle

Enfants de Nicolas III :

Nicolas IV, gr., né le 28 janv. 1684, mort le 28 février 1755	Pierre, mort 1687

Fils de Nicolas IV : Nicolas V 1707

LARMESSIN Nicolas II de, l'Ancien
Né vers 1638 à Paris. Mort le 23 juillet 1694 à Paris. XVIIe siècle. Français.
Graveur.
Fils du libraire Nicolas I et de Jeanne Michon. La date de naissance, vers 1638, nous paraît devoir être sensiblement reculée. Nicolas II, en effet, se mariait le 20 juillet 1654, il eût eu 16 ans. En outre, le portrait de l'archevêque Adhémar de Monteil, daté de 1658 et qui est incontestablement son œuvre, est exécuté avec une finesse remarquable difficilement compatible avec un artiste de 20 ans. L'œuvre de Nicolas II est confondu avec celui de son jeune frère Nicolas III. Nous croyons que l'on peut donner aussi à notre artiste : *La pompeuse et magnifique entrée de Flavio, cardinal Chili, à Paris le 9 août 1661*. D'ailleurs il n'y a pas de doute possible pour les estampes portant l'adresse de leur auteur ; Nicolas II, l'aîné, demeurait rue Saint-Jacques à l'enseigne de *La Pomme d'Or*, tandis que son cadet, Nicolas III, habitait la même rue à l'enseigne du *Lion Ferré*.

LARMESSIN Nicolas III de, le Jeune
Né vers 1640 à Paris. Mort le 8 décembre 1725 à Paris. XVIIe-XVIIIe siècles. Français.
Graveur.
Fils du libraire Nicolas I, frère cadet de Nicolas II et père du plus illustre membre de la famille, Nicolas IV. Nous avons dit dans la notice concernant son frère que l'œuvre des deux artistes est confondu. Nous croyons que nombre de portraits attribués à Nicolas III doivent être restitués à son aîné. Nicolas III se maria le 9 mai 1683 avec Catherine Pineau. Son père et sa mère étaient morts. Il habitait rue Saint-Jacques, à l'enseigne du *Lion Ferré*.

LARMESSIN Nicolas IV de
Né le 28 janvier 1684 à Paris. Mort le 28 février 1753 à Paris. XVIIIe siècle. Français.
Graveur.
Fils et élève de Nicolas de Larmessin le Jeune. Ce fut de beaucoup le plus remarquable artiste de sa famille et un des meilleurs graveurs français. Il fut choisi par M. Crozat pour reproduire une partie de sa magnifique collection : il fut le traducteur habile d'Antoine Watteau, de Nicolas Vleughels, de François Boucher, de Galloche ; mais il est surtout célèbre par ses estampes d'après Lancret. Son nom est intimement lié à celui de ce charmant peintre de fêtes galantes. Il a gravé d'après lui, notamment : *Les quatre saisons* ; *Les quatre âges de la vie* ; *Les quatre heures du jour* ; *A femme avare galant escroc* ; *La courtisane amoureuse* ; *Les deux amis* ; *Le Faucon* ; *Le Gascon puni* ; *Nicaise* ; *On ne s'avise jamais de tout* ; *Les oyes du Père Philippe* ; *Le pâté*

d'anguille ; Le petit chien qui secoue de l'argent et des pierreries, Les Remois ; La servante justifiée ; Les Troqueurs ; Les amours du bocage ; La coquette de Village ; Jeu de cache-cache Miloulas ; Le jeu du pied de bœuf. D'après Watteau, il a gravé : *Le voyage à Cythère, L'accordée de Village, Le passe-temps.* Il nous a conservé ainsi, dans un style qui rend à merveille le sentiment des peintres, quantité de charmants tableaux, plus ou moins dispersés par le temps. De Larmessin, continuant la tradition familiale, a produit d'excellents portraits. Il fut reçu à l'Académie le 29 juillet 1730 et donna le portrait du sculpteur Coustou comme morceau de réception. Il exposa au Salon de 1737 à 1753. Il se maria une première fois le 8 septembre 1704 avec Louise Marchand. Il est mentionné dans l'acte comme « garçon graveur ». Il contracta plus tard un second mariage avec Marie Scudre.

LARMESSIN Philippe
Mort le 11 février 1654 à Paris. XVIIe siècle. Français.
Peintre.
Cité dans des actes d'état civil en 1613 et en 1616.

LARMIER Pierre Philibert
Né en 1752 à Dijon. Mort le 7 août 1807 à Dijon. XVIIIe siècle. Français.
Sculpteur.
Élève de Coustou. Il figura au Salon de 1791 à 1793. Conservateur du Musée de Dijon qui possède de lui les *Portraits de Lejotivet, P.-B. Ranfer des Bretinières, J.-B. Radet, Louis XVI.*

LARMIG Louis
XIXe siècle. Espagnol.
Peintre.
La Galerie moderne, à Madrid, conserve de cet artiste : *Étude d'après nature.*

LARMIGNAT Nathalie
Née le 25 septembre 1944 à Paris. Morte le 8 avril 1990 à Lucerne (Suisse). XXe siècle. Française.
Sculpteur, peintre de figures, nus.
À partir de l'âge de dix-huit ans, elle travailla comme mannequin pour des maisons de haute couture parisiennes. Elle poursuivit cette activité à Zurich. Les divers épisodes de sa vie sont mal connus, même de ses proches. Elle étudia la danse à l'Académie des Arts de Berlin. Elle se fixa ensuite à Lucerne, où elle se créa une vie entourée d'amitiés, et se consacra désormais à la sculpture et à la peinture. En 1981, elle fit un séjour de pratique de la sculpture du marbre à Pietrasanta, en colonie d'artistes, où elle retourna peut-être. En juillet 1989, elle montra un ensemble de ses sculptures à la Trip-Galerie de Lucerne. En juin 1992, le XIIe Salon du Musée de Frontignan a consacré à son œuvre un hommage posthume, lui attribuant la médaille de la ville.
Sa personne de très belle femme, son amour de la danse, ont ensuite totalement investi son œuvre de plasticienne. Si ses dessins et peintures accusent une tendance expressionniste empreinte d'une gravité songeuse, ses sculptures, matérialisées dans des techniques diverses, de la glaise ou du plâtre à la pierre, au marbre et au bronze, volontairement à peine dégagées du bloc initial ou au contraire gracieusement parfaites, alanguies ou dans un élan prêt à l'envol, symbolisent la vie et l'aspiration à cette plénitude de l'être que la maladie fatale lui a ravie.
Bibliogr. : *Nathalie Larmignat,* Raeber Druck AG, Lucerne, s. d.

LARMINAT Max de
XXe siècle. Français.
Auteur d'assemblages.
Il a exposé à l'Atelier des enfants au musée national d'Art moderne de Paris.
Il a réalisé les Rébus-objets, assemblant des représentations d'organes du corps, des instruments, des ustensiles, des lettres. Ainsi *L'Œil du maître* est-il composé d'un œil et d'un mètre, *Symbole* d'un sein et d'un bol, *Doigté* d'un doigt et d'un T.

LARMITE. Voir **LEFÈVRE Thomas**

LARMOYER Jean Antoine
Né au XVIIIe siècle à Liège. XVIIIe siècle. Éc. flamande.
Sculpteur.
Il travailla à l'Hôtel de Ville de Liège.

LARNAOUT Lotfi
Né le 5 janvier 1944 à Tunis. XXe siècle. Tunisien.
Peintre. Traditionnel, abstrait-géométrique, art optique.
Il fut élève de l'École des beaux-arts de Paris. Il participe à des expositions collectives, notamment : 1965 Biennale de Palerme ; 1966 Biennale de Paris ; 1968 et 1984 Salon des Arts de Tunis.
Il exploite les phénomènes optiques de la couleur, principalement étudiés depuis l'enseignement de Johannes Itten au Bauhaus, et surtout expérimentés par l'Op'Art des années soixante. Outre la curiosité qu'éveillent ces phénomènes relevant de la physique amusante, il est intéressant de constater que Larnaout les fait fonctionner inclus dans des figures géométriques traditionnelles du décor islamique.
Bibliogr. : In : Catalogue de l'exposition *Art contemporain tunisien,* Théâtre du Rond-Point, Paris, 1986.

LARNER Liz
Née en 1960 à Sacramento (Californie). XXe siècle. Américaine.
Artiste.
Elle fut élève en 1985 de l'Institute of the Arts de Valencia (Californie). Elle vit et travaille à Los Angeles.
Depuis 1987, elle participe à de nombreuses expositions collectives : 1988 Visual Arts Center de Cambridge ; 1989, 1990 Whitney Museum of American Art de New York ; 1991 Museum of modern and contemporary Art de Trente ; 1992 Museum of contemporary Art de Los Angeles. Elle montre ses œuvres dans des expositions personnelles : 1988, 1991 Los Angeles ; 1989, 1991, 1994 New York ; 1990, 1992 Vienne ; 1990 Stockholm ; 1993 Paris.
Elle présentait en 1993 à la galerie Jennifer Flay à Paris, une installation constituée de moulages de mains en étain fixées au plafond par des chaînes de bijoutier. Flottant au dessus de la tête du spectateur, ces organes aux positions multiples évoquaient des gestes de tendresse, de violence. Dans ces divers travaux, l'on retrouve ce même sentiment de confusion, de désordre, qui appelle à aller plus loin.
Bibliogr. : Kirby Gookin : *Liz Larner,* Artforum, oct. 1990.

LARNETTE Antoine ou **Larnet** ou **Lernette** ou **Lernet**
Mort le 3 octobre 1674. XVIIe siècle. Actif à Nancy. Éc. lorraine.
Portraitiste et paysagiste.
En 1655, fut employé à la décoration des appartements du duc de Lorraine et en 1665 à celle du château de la Malgrange. Enfin, en 1669, travailla pour Charles-Henri de Lorraine.

LARNETTE Jean ou **Larnet** ou **Lernette** ou **Lernet**
XVIIe siècle. Actif à Nancy. Français.
Peintre.
Frère et collaborateur d'Antoine Larnette.

LA ROCA Berenguer de
XIVe siècle. Actif entre 1336 et 1347 à Barcelone. Espagnol.
Peintre.

LA ROCCA Alfred de
XIXe siècle. Actif à Bordeaux. Français.
Peintre.
Sociétaire des Artistes Français depuis 1883, il figura au Salon de ce groupement.

LA ROCCA Ketty
Née le 14 juillet 1938 à La Spezia. Morte en 1976. XXe siècle. Italienne.
Artiste.
Elle vécut et travailla à Florence. Elle participa à des expositions collectives : 1972 Biennale de Venise et Camden Arts Centre à Londres ; 1973 musée civique de Turin, palais des expositions de Rome et musée de Philadelphie... Elle montra ses œuvres dans des expositions personnelles en 1970 à Modène et Bologne ; 1971, 1972, 1974 à Milan ; 1972 à Rome ; 1973, 1975 à Turin ; 1975 à Brescia. Le Centre d'Art contemporain de Genève lui rendit hommage en 1992.
Elle associe le langage aux images, dessins, photos ou radiographies, s'interrogant sur sa condition de femme et d'artiste et sur le lien entre les mots, les choses et les images.
Bibliogr. : Dolène Ainardi : *Ketty La Rocca,* Art Press, n° 172, Paris, sept. 1992.
Musées : Dortmund (Mus. am Ostwall).

LA ROCCA Valentina
Née en 1954 à New York, de parents italiens. XXe siècle. Italienne.
Graveur, dessinateur.
Elle a participé à l'exposition *De Bonnard à Baselitz – Dix ans d'enrichissements du cabinet des estampes 1978-1988,* à la Bibliothèque nationale à Paris en 1992.
Musées : Paris (Cab. des Estampes) : *Ex-libris, le bois gravé* 1984.

LA ROCHA Luis Eduardo de
Né le 3 janvier 1888 à Madrid (Castille). xxe siècle. Actif depuis 1910 en France. Espagnol.
Peintre.
Il fut élève de l'école des beaux-arts de Madrid et de l'académie de San Fernando, puis, à Paris, de P.-A. Laurens, Guillonnet et Jules Adler. Il a exposé à Paris, aux Salons des Indépendants, d'Automne, et, à partir de 1924, au Salon de la Société Nationale des Beaux-Arts ; il a pris part à Paris à l'Exposition internationale des Arts décoratifs de 1925 et à l'Exposition universelle de 1937, ainsi qu'aux Salons de Madrid et Barcelone.
Établi en France depuis 1910, il a revu souvent l'Espagne, où il présente des œuvres inspirées du climat français. Il a multiplié pour les journaux de France et d'Espagne les croquis de théâtre. On cite de cet artiste ému des portraits, des nus, des paysages, de La Hague, *Le Coup de vent* – *Le Petit Pêcheur* – *Scènes de Don Quichotte*, des *Croquis de la révolution espagnole*. Il a illustré des livres et a dessiné des costumes pour la danseuse Térésina et des décors de danse.

LAROCHE
xviiie siècle. Français.
Peintre de chinoiseries.
Vers 1760 il travailla pour le château de Versailles. Peut-être identique au peintre de portraits suivant.

LA ROCHE
xviiie-xixe siècles. Français.
Peintre de portraits.
Musées : Versailles (Bibl. mun.) : *Portrait de Mlle Dumazet.*

LA ROCHE Armand
Né le 24 octobre 1826 à Saint-Cyr-l'École (Yvelines). Mort le 6 juillet 1903 à Paris. xixe siècle. Français.
Peintre d'histoire, portraits, paysages.
Élève de Ferdinand Wachsmuth et de Michel Drolling, il participa au Salon de Paris à partir de 1847, obtenant une mention honorable en 1883, une troisième médaille en 1888, et une médaille de bronze à l'Exposition Universelle de 1889.
Après avoir traité, avec succès, le portrait, il se spécialisa dans la peinture de genre, avec tout autant de succès.

Bibliogr. : Gérald Schurr, in : *Les Petits Maîtres de la peinture 1820-1920, valeur de demain*, Les Éditions de l'Amateur, t. IV, Paris, 1979.
Musées : Amboise : *Femme et fillette* – Bucarest (Mus. Simu) : *Le pacte de Faust et de Méphistophélès.*
Ventes Publiques : Paris, 1872 : *Le premier enfant* : **FRF 110** – Paris, 31 mai 1929 : *La pêche à la ligne au bord d'un étang* : **FRF 780** – Paris, 21 mars 1938 : *La partie de pêche* : **FRF 150** – Heidelberg, 14 oct. 1988 : *Paysage de lande à l'automne avec un chêne au milieu*, h/t (98x132) : **DEM 2 800** – Amsterdam, 9 nov. 1994 : *Cavaliers arabes*, h/t (56x104) : **NLG 2 300.**

LAROCHE Charles Ferdinand de
Né au xixe siècle à Paris. xixe siècle. Français.
Peintre de genre, portraits.
Il fut élève de Signol et Ch. Muller. Il exposa au Salon des Miniatures, de 1851 à 1861 ; ainsi qu'au Salon officiel, où il obtint une mention honorable à l'Exposition Universelle de 1855 ; ainsi qu'au Salon de 1857.
Musées : La Fère : *Portrait du comte François d'Arbarel.*
Ventes Publiques : Bruxelles, 19 déc. 1989 : *Chasseurs arabes à cheval*, h/pan. d'acajou (27x36) : **BEF 55 000.**

LAROCHE Ernesto
Né le 8 mars 1879 à Montevideo. xxe siècle. Uruguayen.
Peintre de paysages, graveur.
En Uruguay, il a été chargé de différentes fonctions officielles, depuis le professorat jusqu'à la direction du musée national des Beaux-Arts. Peintre de son pays natal, il fait exprimer ses propres sentiments par le paysage, dans des peintures ou eaux-fortes.
Musées : Montevideo.

LAROCHE Jacques de
xvie siècle. Actif à Gray. Français.
Peintre et enlumineur.
Travaillait en 1542 aux décorations des funérailles du maréchal de La Beaume.

LAROCHE Léon Barthélémy Adrien
Né le 25 décembre 1817 à Bergerac. xixe siècle. Français.
Peintre de paysages, graveur et lithographe.
Il figura au Salon de 1839 à 1857.

LA ROCHE Maria
Née le 7 avril 1870 à Ziefen. xixe-xxe siècles. Suissesse.
Peintre, aquarelliste.
Elle étudia à Dresde, Francfort-sur-le-Main et voyagea en Italie, en Angleterre, en Espagne et en France.

LAROCHE Pierre Antonin C.
Né à Paris. xixe-xxe siècles. Français.
Peintre, dessinateur.
Il figura à Paris, au Salon des Artistes Français, dont il devint membre sociétaire en 1906, et où il avait obtenu une mention honorable en 1904.

LA ROCHEFOUCAULD de, comtesse
xxe siècle. Française.
Peintre de portraits, aquarelliste.
Elle exposa à Paris, au Salon des Indépendants, à partir de 1914.
Ventes Publiques : Paris, 23 nov. 1922 : *La pêche*, 2 dess. aquar. : **FRF 150.**

LA ROCHEFOUCAULD Antoine de, comte
Né en 1862 à Paris. Mort en 1960. xixe-xxe siècles. Français.
Peintre de compositions religieuses, paysages.
Il exposa à Paris, au Salon des Indépendants à partir de 1892. Ses œuvres sont exécutées dans le style de l'école de Pont-Aven.
Ventes Publiques : Paris, 7 nov. 1990 : *Paysage de campagne 1906*, past. (48x29) : **FRF 12 000** – Paris, 28 fév. 1996 : *Paysage méditerranéen*, h/t (65x92) : **FRF 6 000.**

LA ROCHEFOUCAULD Guy de
xixe-xxe siècles. Français.
Peintre de genre.
Il exposa à Paris, au Salon des Artistes Français, dont il devint membre sociétaire à partir de 1884.

LA ROCHEFOUCAULD Hubert de
Né à Rochefort-en-Yvelines (Yvelines). xixe-xxe siècles. Français.
Peintre de portraits. Néo-impressionniste.
Associé au Salon de la Société Nationale des Beaux-Arts depuis 1901, il participa aux expositions de ce groupement jusqu'en 1925.
Après une période classique, il devint un disciple de Seurat et traita ses compositions selon la technique divisionniste.
Bibliogr. : Gérald Schurr, in : *Les Petits Maîtres de la peinture 1820-1920, valeur de demain*, Les Éditions de l'Amateur, t. IV, Paris, 1979.
Musées : Rouen (Mus. des Beaux-Arts) : *Concert.*

LA ROCHENOIRE Émile Charles Julien de
Né le 13 septembre 1825 au Havre (Seine-Maritime). Mort en juin 1899. xixe siècle. Français.
Peintre de genre, paysages, graveur.
Élève de Léon Cogniet, Charles Gleyre et Constant Troyon, il figura au Salon de Paris de 1857 à 1878. Il exposa tantôt sous le nom de Rochenoire, tantôt sous celui de La Rochenoire.
S'il se révolte contre les règles d'organisation du Salon, sa peinture reste traditionnelle, montrant des sujets anecdotiques historiques, de la Renaissance, des xviie et xviiie siècles ou des paysages normands peuplés de bovidés.
Bibliogr. : Gérald Schurr, in : *Les Petits Maîtres de la peinture 1820-1920, valeur de demain*, Les Éditions de l'Amateur, t. VII, Paris, 1989.
Musées : Caen : *Le refuge* – Lisieux : *Jeune taureau.*
Ventes Publiques : Paris, 10 mars 1884 : *Taureau au pâturage* : **FRF 100.**

LAROCK Evrard ou **Evert** ou **Larok**
Né en 1865 à Capelle-au-Bois. Mort en 1901 à Capelle-au-Bois. xixe siècle. Belge.
Peintre de genre, figures, graveur à l'eau-forte.
Il n'eut aucun maître. Il obtint une mention honorable au Salon de Paris en 1893.

Musées : Anvers (Mus.) : *L'idiot* – Bruxelles (Mus.) : *L'escarbilleur.*
Ventes Publiques : Paris, 1er mai 1943 : *Grand-mère et petite-fille* : **FRF 2 600** – Bruxelles, 25 oct. 1978 : *Buste de jeune fille*, h/pan. (25x20) : **BEF 17 000**.

LA ROCQUE Barthélémy de
Né le 11 juin 1720 à Vaudœuvres près de Genève. XVIIIe siècle. Suisse.
Graveur.
Il travailla surtout à Mannheim et à Copenhague. On cite de lui des séries intitulées *Les délices de Danemark* et *Voyage en Norvège de Christian IV.*

LAROCQUE Georges
Né à Saint-Jean-d'Angely (Charente). XIXe siècle. Français.
Peintre.
Sociétaire des Artistes Français depuis 1883, il figura au Salon de ce groupement.
Ventes Publiques : Paris, 10 mai 1926 : *Le retour de la meute* : **FRF 340** – Paris, 28 mars 1949 : *Incidents de route*, six dessins : **FRF 20 000** – Versailles, 23 mars 1980 : *La meute au lancer*, h/t (40,5x60) : **FRF 7 500**.

LAROCQUE Pierre Alexandre
XIXe siècle. Actif à Paris. Français.
Paysagiste.
Exposa au Salon en 1837 et 1848.

LA ROCQUETTE Johan de
XVIIe siècle. Travaillant à La Haye, dans la seconde moitié du XVIIe siècle. Hollandais.
Peintre de portraits.
Élève de M. Lengele, en 1658. Le Musée d'Amsterdam conserve de lui *Portrait d'un homme en costume oriental* (signé *De La Rocquete Fcit, 1668*), et celui de La Haye (Huis ten Bosch), *Portrait de la veuve de Guillaume II, prince de Nassau-Orange.*

LARONDELLE Georges
Né en 1950 à Liège. XXe siècle. Belge.
Sculpteur.
Il fut élève de l'académie St-Luc à Liège. Il pratique également la photographie.
Bibliogr. : In : *Diction. biogr. illustré des artistes en Belgique depuis 1830*, Arto, Bruxelles, 1987.

LA RONSE Philippe de
Mort le 11 août 1645 à Chartres. XVIIe siècle. Français.
Peintre.
En 1645 il reçut une commande pour la cathédrale de Chartres, où il travailla en collaboration avec Pauvert et Vespré.

LARONZE Jean
Né le 25 novembre 1852 à Genelard (Saône-et-Loire). Mort en février 1937 à Neuilly-sur-Seine (Hauts-de-Seine). XIXe-XXe siècles. Français.
Peintre de paysages.
D'abord destiné au commerce, il se consacra à la peinture à l'âge de trente ans. Après avoir travaillé avec Dardoize, il eut pour professeurs, en 1882, Bouguereau et Tony Robert-Fleury. Il débuta en 1883 au Salon des Artistes Français, à Paris. Il y obtint une troisième médaille en 1898, une deuxième médaille en 1899 et une médaille de bronze en 1900 (Exposition universelle de Paris). En 1906, il fut décoré de la Légion d'honneur.
Laronze a excellé dans la peinture des prairies et des rivières du Charolais. Sa facture est large, souple, harmonieuse. Sa palette est très variée, très riche. Il se dégage de ses paysages une impression profonde de mélancolie et de calme. Cet excellent peintre fut aussi un critique d'art très apprécié.
Musées : Bourbon-Lancy : *Le Crô de Laguerne* – Genelard : *L'Étang du Montet* – Louhans : *La Solaine* – Mâcon : *Le Soir dans le Charollais* – Mulhouse : *La Bourbince à Genelard* – Villeneuve-le-Roy : *Les Dunes de Saint-Cast.*
Ventes Publiques : Londres, 12 juin 1997 : *Le Retour du pêcheur*, h/t (75,2x103) : **GBP 4 830**.

LAROON David
XVIIIe siècle. Hollandais.
Peintre.
Maître dans la gilde de La Haye en 1732.

LAROON Marcel ou **Marcellus**, l'Ancien
Né en 1653 à La Haye. Mort le 11 mars 1702 à Richmond, près de Londres. XVIIe siècle. Hollandais.
Peintre d'histoire, genre, portraits, natures mortes, graveur, dessinateur.
Élève de son père, de La Roon et de Balthazar Flessières, il vécut en Angleterre, plusieurs années dans le Yorkshire, puis à Londres.
Il peignit des draperies et des fonds de tableaux pour G. Kneller. Pasticheur émérite, il possédait au plus haut degré la faculté d'imiter le style des grands maîtres. Ses portraits et ses tableaux d'histoire et d'intérieurs obtinrent un grand succès. Il a gravé avec esprit des eaux-fortes dans le genre d'Adrian Van Ostade. En 1688, il publia sous le titre *Les misères de la cité de Londres* une série de gravures représentant la vie du peuple de Londres qui furent très appréciées.

Musées : Amsterdam : *Joyeuse compagnie* – Cambridge (Bibl. du Magdelen College) : *Les misères de la cité de Londres*, grav.
Ventes Publiques : Londres, 12 mars 1937 : *Scène sur la route*, dess. : **GBP 44** – Londres, 16 juin 1939 : *Réunion musicale* : **GBP 273** – New York, 30 mai 1991 : *Nature morte au chat* 1669, h/t (80x104) : **USD 14 300** – Cologne, 28 juin 1991 : *Scène de taverne*, h/t/pan. (67x55) : **DEM 3 000** – New York, 30 mai 1991 : *Nature morte au chat* 1669, h/t (80x104) : **USD 14 300**.

LAROON Marcellus, le Jeune
Né le 2 avril 1679 à Londres. Mort le 1er juin 1774 à Oxford. XVIIIe siècle. Britannique.
Peintre de genre, dessinateur.
Fils et élève de Marcellus Laroon l'Ancien. Il suivit très jeune des ambassades en Hollande et à Venise. S'étant fâché avec son père, il se fit acteur puis devint officier dans l'armée anglaise, notamment sous les ordres de Marlborough, et y servit jusqu'en 1735. Ce fut un charmant dessinateur.
Ventes Publiques : Londres, 8 juil. 1927 : *Vue du Mall* : **GBP 819** – Londres, 26 avr. 1929 : *Conversation en musique* : **GBP 105** – Londres, 8 mai 1946 : *Scène de théâtre* : **GBP 240** – Londres, 20 nov. 1968 : *La Cour de ferme* : **GBP 1 500** – Londres, 4 avr. 1973 : *Couple attablé dans une cour de ferme* : **GBP 1 800** – Londres, 21 juin 1974 : *Couple dans un paysage* : **GNS 6 000** – Londres, 10 juil. 1984 : *A birdcatcher*, cr. craie rouge et blanche (31,5x20,3) : **GBP 19 000** – Londres, 10 juil. 1986 : *Buy my fat chickens ; Sixpence a pound fair cherries*, pl. et lav./traces de cr., deux dess. (21x15) : **GBP 1 500** – Londres, 15 déc. 1993 : *Chasseur saluant une jeune femme sur un âne*, h/t (53x33,7) : **GBP 2 760**.

LAROON N.
Né probablement à Londres. XVIIe siècle. Britannique.
Peintre.
Fils de Marcellus Laroon l'Ancien. Il est cité par Weyerman.

LAROQUE Anatole
Né au XIXe siècle à Paris. XIXe siècle. Français.
Sculpteur.
Élève de Jouffroy et Thomas. Figura au Salon de 1864.

LAROQUE Léon
Né au XIXe siècle à Argentat (Corrèze). XIXe siècle. Français.
Sculpteur.
Figura au Salon des Artistes Français où il obtint des mentions honorables en 1884 et 1885. Le Musée de Tulle conserve de lui : *La leçon de musique.*

LA ROQUE Stephan Laurenz de
XVIIIe siècle. Actif à Cologne vers 1720. Allemand.
Peintre.
Il fut peintre à la cour de l'archevêque électeur Joseph Clemens.

LAROSE
XVIIIe siècle. Français.
Peintre.
Travailla en 1730 aux préparatifs de l'entrée à Nancy du duc François III.

LA ROSE. Voir aussi **FENOLLIET Marc Antoine**

LA ROSE Alexandre
Né le 18 mai 1698 à Toulon. Mort le 14 octobre 1784 à Toulon. XVIIIe siècle. Français.
Peintre.
Fils de Pascal : on connaît de lui un plan de Toulon.

LA ROSE François de
Né vers 1747 à Toulon. XVIIIe siècle. Français.

Peintre.
Il fut, à Paris, élève de J.-J. Lagrenée, à l'Académie Royale, en juin 1766. Il y resta jusqu'en 1769.

LA ROSE Jean Baptiste de, l'Ancien
Né probablement à Marseille, certains biographes indiquent Aix-la-Chapelle vers 1612. Mort le 5 février 1687 à Toulon. XVIIe siècle. Français.
Peintre de paysages portuaires, marines.
Cet artiste jouit de son vivant d'une bonne réputation. Il était peintre du roi. Nommé maître peintre du port de Toulon vers 1665, il conserva ce poste jusqu'à sa mort. Son fils et élève Pascal de La Rose lui succéda dans cet emploi. Vers 1673 il fut appelé à Grenoble par le duc de Lesdiguières, qui lui commanda quatre grandes marines destinées à recouvrir les murs de son salon de Vizille. Chaque toile devait être animée de cent personnages, grands ou petits. On cite de lui trois *Vues de la rade de Toulon* qui figuraient, dans l'inventaire des biens de François de Créqui (janvier 1677).
Musées : Marseille : *En manœuvres*, attribution, projet d'aménagement de l'Arsenal des galères de Marseille.
Ventes Publiques : Paris, 30 nov. 1987 : *Atelier de carénage dans le port de Toulon*, h/t (57x78) : **FRF 83 000** – Paris, 30 nov. 1987 : *Atelier de carénage dans le port de Toulon*, h/t (57x78) : **FRF 83 000** – Paris, 17 déc. 1990 : *Vue de la baie de La Ciotat et des chantiers navals*, h/t (116,5x171) : **FRF 480 000** – Paris, 31 mars 1994 : *Vue d'une ville portuaire chinoise*, h/t (71x94,5) : **FRF 90 000** – Paris, 8 juin 1994 : *Vue fantaisiste d'un port méditerranéen*, h/t : **FRF 40 000**.

LA ROSE Jean Baptiste de, le Jeune
Né le 29 décembre 1696. Mort le 17 mai 1740 à Toulon. XVIIIe siècle. Français.
Peintre de marines.
Fils de Pascal de La Rose, auquel il succéda, en 1731, dans sa charge de maître peintre du roi pour le port de Toulon.

LA ROSE Joseph Antoine de
Né le 26 juillet 1701 à Toulon. XVIIIe siècle. Français.
Peintre.
Fils de Pascal, il travailla avec son père.

LAROSE Laurent
Né en 1908 à Houtain-Saint-Siméon. XXe siècle. Belge.
Peintre. Tendance abstraite.
Il est autodidacte.
Bibliogr. : In : *Diction. biogr. illustré des artistes en Belgique depuis 1830*, Arto, Bruxelles, 1987.

LAROSE Ludger
Né en 1868. Mort en 1915. XIXe-XXe siècles. Canadien.
Peintre de compositions religieuses, portraits, compositions murales.
Il fut envoyé à Paris, par l'abbé Joseph Chabert, afin de poursuivre ses études et mettre au point le programme décoratif de peintures murales pour la chapelle du Sacré-Cœur à Notre-Dame de Montréal. Cette chapelle fut détruite lors de l'incendie de 1978.

LA ROSE Pascal de
Né en 1665 à Toulon. Mort le 28 janvier 1745 à Toulon. XVIIe-XVIIIe siècles. Français.
Peintre et dessinateur.
Fils et élève de Jean-Baptiste de la Rose l'Ancien, peintre du roi à l'arsenal de Toulon. Pascal succéda à son père dans sa charge, en 1687. Il eut deux fils, Jean-Baptiste qui le remplaça après sa mort, dans l'emploi de maître peintre entretenu de la marine et Joseph-Antoine qui fut maître à dessiner des gardes ou élèves de marine. Le Musée de Toulon conserve de Pascal : *Chantier de construction navale*, toile importante signée *Pascal de la Rose, fait à Toulon*, 1708. Le Musée de Versailles conserve de lui : *La galerie royale*.

LA ROUE Jean de, appellation erronée. Voir **LARUE Philibert Benoît de**

LA ROUGE Regnier
XVIIIe siècle. Français.
Peintre.
Élève de T. Van der Schnur, il émigra en Hollande. Membre de la confrérie de La Haye en 1703.

LA ROULLIÈRE
XVIIIe siècle. Actif vers 1700. Français.
Graveur sur bois.
Il est cité par Papillon.

LA ROUSSIÈRE François de
XVIIe siècle. Actif vers le milieu du XVIIe siècle. Français.
Graveur.
Le Long lui attribue un *Portrait de Michel de Castelnau*, ambassadeur de France en Angleterre sous le règne d'Élisabeth.

LAROUZIÈRE Antoine de
Né au XIXe siècle à Saint-Pons (Allier). XIXe siècle. Français.
Paysagiste, aquarelliste.
Élève de Watelet. Figura au Salon de 1884 et 1852. Le Musée d'Orléans conserve de lui : *Vue des bords du Loiret*.

LAROZE Gustave
XIXe-XXe siècles. Français.
Peintre.
Il vécut et travailla à Paris. Il figura au Salon des Artistes Français, il obtint une mention honorable en 1889 à l'Exposition universelle de Paris.

LARPAZ Jacques de
XVIe siècle. Suisse.
Peintre.
Exécuta, en 1540, des peintures pour la chaire de l'église de la Madeleine, à Genève, et peignit des banderolles.

L'ARPE Jean de ou **Alpe,** ou **Alpa,** ou **Jean de Larpe**
Né au XVIe siècle à Genève. XVIe siècle. Suisse.
Peintre.
Travailla vers 1521, pour Ayma de Gingins, à la chapelle du couvent de Sainte-Marie l'Égyptienne, à Chambéry.

LARPENTEUR Balthasar Charles
Né au XVIIIe siècle à Versailles. XVIIIe siècle. Français.
Peintre de portraits.
Élève de Perrot. Figura au Salon de 1810 à 1846.

LARPIN Cécile Henriette
Née le 23 avril 1840 à Lyon, d'origine vaudoise. Morte le 4 octobre 1912 à Genève. XIXe-XXe siècles. Suisse.
Paysagiste, dessinatrice et peintre sur porcelaine.
Élève de Joeg pour le dessin et de Guigon, George Julliard et Diday pour la peinture. A peint surtout les environs de Genève. Elle exposa à Lyon, Lucerne, Fribourg, Genève entre 1866 et 1874.

LARRAGA Apolinario
Né à Valence. Mort en 1728 à Valence. XVIIIe siècle. Espagnol.
Peintre.
Il imita la manière de Pedro Orrente. Il exécuta plusieurs peintures pour le couvent de San Domingo et pour diverses églises de Valence.

LARRAGA Josefa Maria
XVIIIe siècle. Active dans la première partie du XVIIIe siècle. Espagnole.
Peintre d'histoire et miniaturiste.
Fille et élève d'Apolinario Larraga. Acquit une grande réputation comme miniaturiste ; on cite d'elle, notamment, un *Reliquaire de la Vierge* et un *Saint Thomas de Villeneuve*.

LARRAGA MONTANER Andrès
Né le 4 février 1860 à Valtierre (Navarre). Mort en 1931 à Barcelone. XIXe-XXe siècles. Espagnol.
Peintre de paysages. Impressionniste.
Il fut élève de l'école des beaux-arts de Condal. Il a obtenu une bourse d'études pour travailler à Paris. Il a participé à de nombreuses expositions collectives ainsi qu'aux concours des expositions de l'école des beaux-arts de Barcelone en 1894, 1896, 1898, 1911, 1919 et 1920. À l'Exposition universelle de Barcelone en 1888, il obtint la troisième médaille. Il a également exposé aux salons de la Société Nationale des Beaux-Arts de Madrid en 1887, 1890, de 1897 à 1910. Il a montré ses œuvres dans des expositions personnelles.
Il interroge inlassablement le paysage, pour saisir une atmosphère à l'aide de touches nerveuses.
Bibliogr. : In : *Cien Anos de pintura en Espana y Portugal, 1830-1930*, Antiqvaria, t. IV, Madrid, 1990.
Ventes Publiques : Barcelone, 31 jan. 1980 : *Vue d'un port*, h/t (75x150) : **ESP 330 000** – Barcelone, 28 mai 1986 : *Paysage*, h/t (138x80) : **ESP 340 000** – Paris, 15 déc. 1994 : *Maison au bord de l'eau*, h/t (75x150) : **FRF 7 500**.

LARRAIN BALTA Émilio Rodriguez. Voir **RODRIGUEZ LARRAIN Emilio**

LARRAURI Y MARQUINEZ Jose Mateo
Né à Saint-Jacques-de-Compostelle. XIXe siècle. Espagnol.
Sculpteur.
Il fut élève d'Alcoverre et de Marinas.

LARRAUT Nicolas
XVIe siècle. Espagnol.
Sculpteur.
Il travailla pour la cathédrale de Tarragone en 1587.

LARRAVIDE Manuel
Né en 1871 à Montevideo. Mort le 22 mai 1910 à Montevideo. XIXe-XXe siècles. Uruguayen.
Peintre de marines.
Autodidacte. Fut fortement influencé, dans sa jeunesse, par les œuvres d'Edouard de Martino, peintre de la Marine de la cour d'Angleterre qui vécut quelque temps à Rio de la Plata. Le nom de Larravide est intimement lié aux premières manifestations artistiques en Uruguay et en Argentine. Ses marines ont connu le plus vif succès et figurent aux Musées de Buenos Aires et Montevideo.
Ventes Publiques : Montevideo, 23 nov. 1977 : *Marine*, h/t (160x98) : **UYU 6 000** – Montevideo, 20 août 1979 : *Bataille navale*, h/t (135x225) : **UYU 19 000**.

LARRAY Y MICHETO Carlos
Mort le 4 août 1892 probablement à Madrid. XIXe siècle. Espagnol.
Peintre de portraits, intérieurs.

LARRAZ Julio
Né en 1944 à La Havane. XXe siècle. Actif depuis 1961 aux États-Unis. Cubain.
Peintre de compositions animées, paysages, natures mortes, pastelliste, dessinateur, graveur.
Il commence à peindre à l'âge de vingt-trois ans. Il fut élève de l'American Academy and Institute of Arts and Letters and National Institute of Arts and Letters à New York. En 1972, il s'installe à Grand View (New York), puis vient à Paris en 1983. En 1985, il retourne à Grand View avant de s'installer définitivement en 1989 à Miami. Il participe à de nombreuses expositions collectives : 1974, 1976, 1977, 1978 High Museum of Art d'Atlanta ; 1981 Ve Biennale del grabado latino-americano à Porto Rico ; 1985-1987 musée del Barrio à New York ; 1986 musée d'Art moderne de Bogota ; 1988 Art Institute de Kansas City ; 1990 musée national d'Art contemporain de Séoul. Il montre ses œuvres dans des expositions personnelles : 1972 New School for social research à New York ; 1983 FIAC (Foire Internationale d'Art Contemporain) à Paris ; depuis 1983 régulièrement à la galerie Nohra Haime à New York ; 1986 musée d'Art moderne de Bogota ; 1995 galerie Vallois à paris.
Ses œuvres sont très dépouillées et peuvent – dans les meilleurs cas et selon ses propres termes – évoquer « un surréalisme immobile qui flirte avec un mysticisme austère ». Artiste versatile influencé par la peinture du passé, il est marqué par l'influence des maîtres anciens et attiré par le symbolisme et l'histoire. On le considère comme l'un des principaux représentants des peintres latino-américains.

Bibliogr. : E. Sullivan : *Julio Larraz*, Hudson Hill Press, New York, 1989.
Ventes Publiques : New York, 17 oct 1979 : *Respirando* 1977, past. (67,3x100,6) : **USD 3 400** – New York, 17 oct 1979 : *Le port* 1978, h/t (122,5x188) : **USD 8 500** – New York, 7 mai 1981 : *Nature morte aux grenades* 1979, h/t (152,5x152,5) : **USD 9 000** – New York, 28 nov. 1984 : *Nature morte aux fruits* 1980, h/t (62,2x62,2) : **USD 12 000** – New York, 28 mai 1985 : *Ground control* 1981, h/t (127,5x152,5) : **USD 10 000** – New York, 21 mai 1986 : *Descente en Espagne* 1979, past./t. (122x151,7) : **USD 4 000** – New York, 18 nov. 1987 : *La Favorite* 1985, h/t (153,7x184,5) : **USD 26 000** – New York, 17 mai 1988 : *Le Dégel* 1979, h/t (172,6x122) : **USD 28 600** – New York, 21 nov. 1988 : *Point de vue de fourmi* 1982, h/t (61x71) : **USD 11 000** ; *Alpha centaure* 1983, h/t (152,5x183) : **USD 25 300** – Paris, 8 avr. 1990 : *La Sorcière* 1983, h/t (178x207) : **FRF 300 000** – New York, 1er mai 1990 : *Point de vue de fourmi* 1982, h/t (61x71) : **USD 16 500** – New York, 2 mai 1990 : *Electra* 1979, h/t (152,5x152,5) : **USD 46 200** – New York, 19-20 nov. 1990 : *Sans titre* 1983, h/t (110x121) : **USD 35 200** – New York, 1er mai 1991 : *Etude pour la maison du gouverneur* 1981, h/t (182,5x152,2) : **USD 31 900** – New York, 20 nov. 1991 : *Le mur de miroirs de Sinforosa* 1976, h/t (153x101,5) : **USD 22 000** – New York, 24 nov. 1992 : *Le chasseur* 1985, h/t (102x152,5) : **USD 44 000** – New York, 23-24 nov. 1993 : *Le couple* 1983, h/t (58,8x79) : **USD 21 850** – New York, 18 mai 1994 : *Pastèque* 1976, past./t. (50,5x60,6) : **USD 13 800** ; *La cour* 1983, h/t (127x152,4) : **USD 85 000** – New York, 17 mai 1995 : *Phobos et Deimos* 1990, h/t (226,4x206,1) : **USD 96 000** – New York, 16 mai 1996 : *Envoi de Hollande* 1983, h/t (156,5x210,8) : **USD 129 000** – New York, 28 mai 1997 : *The Netherworld Express* 1980, h/t (126,4x151,7) : **USD 79 500** – New York, 29-30 mai 1997 : *La Grosse Pastèque* 1978, h/t (152,7x183,2) : **USD 57 500** – New York, 24-25 nov. 1997 : *La Prière* 1995, h/t (175x145,2) : **USD 85 000**.

LARREA Y ERCILLA Lope de
Né à Salvatierra. Mort en 1623 à Salvatierra. XVIIe siècle. Espagnol.
Sculpteur.
On cite ses travaux pour l'église Santa Maria de Salvatierra.

LARREGIEU Fulbert Pierre
Né dans la première moitié du XIXe siècle à Bordeaux (Gironde). Mort en 1886 à Paris. XIXe siècle. Français.
Sculpteur, animalier.
Il fut élève de Maggesi et A. Dumont. Il figura au Salon de Paris, entre 1868 et 1880.
Ventes Publiques : New York, 23 fév. 1989 : *Coq debout*, bronze (H. 12) : **USD 660**.

LARRIÈRE Henri
Né le 1er juin 1935 à Erquy (Côtes-du-Nord). XXe siècle. Français.
Sculpteur. Abstrait.
Il a étudié à Bourges de 1956 à 1958 et y a exposé à la Maison de la culture en 1966. Il a aussi participé au Salon Comparaisons de 1966 à 1973, au Salon des Réalités Nouvelles, de Mai, à Grands et Jeunes d'Aujourd'hui. Il montre ses œuvres dans des expositions personnelles : 1983 Centre culturel de la Villedieu-Saint-Quentin-en-Yvelines et au musée de Brest ; en 1984 Centre d'Art contemporain de Corbeil-Essonnes et hôtel de ville de Rennes ; en 1986 et 1988 à New York ; en 1988 à la galerie Bernheim Fils à Paris.
Ses sculptures sont abstraites, géométriques et colorées, déployant dans un esprit ludique, jeunesse et gaieté. Mêlant bronze et cuivre, bois métal et verre, il crée des formes fragiles.
Bibliogr. : Catalogue de l'exposition : *Henri Larrière*, Bernheim et Fils, Paris, 1988.

LARRIEU Gaston
Né le 9 décembre 1908 à Eugénie-les-Bains (Landes). XXe siècle. Français.
Peintre de paysages.
Il apprit à dessiner à Pau, sous les conseils de R. M. Castaing, eut le prix de Rome, puis travailla seul et ne commença à peindre qu'à partir de 1950. Il participa en 1956 au Salon des Peintres Témoins de leur Temps. Il figura dans diverses expositions de groupe, notamment à Tôkyô et, en 1967, à Athènes, où il obtint un prix. En 1957, il fut sélectionné pour le prix Greenschilds et pour l'exposition *L'École de Paris*, tous deux à la galerie Charpentier.
Il se consacra essentiellement au paysage, il a surtout peint dans les Landes, en Bretagne et en Espagne. Il a toutefois peint le *Portrait de Pierre Benoît*. Il a réalisé un certain nombre d'affiches pour la S.N.C.F.
Musées : Dax – Paris (Mus. Nat. d'Art Mod.) – Toledo.
Ventes Publiques : Paris, 13 avr. 1992 : *Paysage de rivière*, h/t (97x130) : **FRF 8 000**.

LARRIEU Jacqueline
Née en 1932 à Bordeaux (Gironde). XXe siècle. Française.
Peintre, graveur.
Elle vit et travaille à Paris. Elle a participé à l'exposition *De Bonnard à Baselitz – Dix ans d'enrichissements du cabinet des estampes 1978-1988*, à la Bibliothèque nationale à Paris en 1992.
Musées : Paris (Cab. des Estampes).

LARRIEU Jean-François
Né en 1960 à Tarbes (Hautes-Pyrénées). xxe siècle. Français.
Peintre de compositions animées, lithographe.
Il s'est formé à la peinture en autodidacte, commençant à exposer régionalement à partir de 1972. Il vint s'installer à Paris en 1982. Depuis 1983, il y expose, aux Salons Comparaisons, Figuration Critique, et d'Automne dont il est membre du conseil d'administration depuis 1990, au sein duquel il a fondé le groupe *Jeune Peinture* en 1992, et dont il a été élu président en 1995. Également en 1995, il a été élu vice-président de la Fédération des Salons d'Artistes.
En dehors de Paris, il participe à de nombreuses expositions collectives, notamment : en 1989 Helsinki, Foire Internationale d'Art Contemporain ; Exposition Internationale du Prix de Monaco ; 1991 Santander, Fondation Santillana ; 1991 Musées d'Art Moderne de Moscou et Leningrad, collectif du Salon Figuration Critique ; 1992 Japon, exposition itinérante dans les plus grandes villes ; 1993 Beyrouth, Musée Sursock, collectif du Salon d'Automne ; 1994 Tokyo, Musée d'Art Moderne ; Tokyo, Manifestation France-Japon au Temple bouddhiste de Josenji ; 1995 Shanghaï, Musée National des Beaux-Arts, collectif du Salon d'Automne ; etc. De nombreux Prix lui ont été décernés, d'entre lesquels : 1972 1er Prix François Villon à Tarbes ; 1978 Prix du Musée Béarnais à Pau ; 1988 Prix du Salon d'Automne ; 1989 Prix de la Société Nationale des Beaux-Arts ; 1991 Prix Goya de la Ville de Madrid ; 1993 Grand Prix de la Ville d'Agen.
Il montre des ensembles de ses peintures dans des expositions personnelles, dont : 1979 Tarbes ; 1983 Bordeaux ; 1985 Paris ; 1988 au Musée de Pau ; 1990 New York ; 1991 Épernay ; 1992 Lyon, galerie Dyan Coquant ; 1993 Berne ; 1994 Orléans, château du Croc ; 1995 Saint-Jean-Cap-Ferrat ; etc.
En 1986-87, dans ce qu'il appelle sa période « académique », son thème fondamental était l'homme, ses attitudes, son regard. Dans de grands formats, il s'inspirait très librement de modèles antiques et romantiques. Dans ces peintures, d'un métier savant, d'une facture néoclassique, de couleurs fortes et opposées, mais cependant modulées, les intentions symboliques sont évidentes, cotoyant parfois le fantastique. C'était l'époque où il n'hésitait pas à créer le groupe des « Post-Raphaélites ». En 1990, il évolua radicalement : réfléchissant à ce que tout ce qui est animé sur terre est en fait constitué de quelques éléments primordiaux communs à tout, il a décidé d'appliquer ce principe de base à sa peinture. Il s'est constitué un répertoire de quelques éléments formels, autant figuratifs qu'abstraits, interprétables à volonté, qu'il multiplie jusqu'à saturation de la toile, associe, articule les uns aux autres, selon des combinatoires sans limites, et que dynamise une polychromie éclatante de miniature persanne dont il sait doser les éclats et les ombres. Ainsi crée-t-il un monde, son monde, essentiellement onirique et finalement féerique, entremêlement d'éléments possiblement allusifs à des réalités familières, y fouine peut-être un museau, guette parfois un œil, en tout cas sourd une présence de vie de ce fouillis organique de logis villageois ou cases exotiques, clochers, bulbes ou minarets, enclos dans des orbes épars et pourtant solidaires, à l'image des galaxies d'un espace cosmique mais que la familiarité du moindre détail restitue ici-bas. ■ J. B.
Ventes Publiques : Calais, 7 juil. 1991 : *Retour de Moscou*, h/t (61x50) : **FRF 7 000** – Paris, 5 juin 1992 : *La jongleuse*, h/t (100x81) : **FRF 10 000** – Calais, 5 juil. 1992 : *Le rêve de la danseuse*, h/t (74x100) : **FRF 11 500**.

LARRIVAZ Dominique
Né en 1961. xxe siècle. Français.
Peintre de figures.
Il fut élève de l'école des beaux-arts de Valence, puis de Paris. Il montre ses œuvres dans de nombreuses expositions personnelles à Paris, Stuttgart.
Aux côtés de ses figures expressionnistes grandeur nature, il a réalisé des formes fœtales étranges sur de vastes toiles, dont le format a été défini par l'étendue que son corps occupe dans l'espace. Dans la série des *Tapis volants*, la présence de l'homme est révélée par les traces de ses pas laissés sur des morceaux de moquette grossièrement peints.
Ventes Publiques : Paris, 7 mars 1990 : *Les filles amusées* 1989, h. et acryl./pap. (200x90) : **FRF 10 000**.

L'ARRIVÉ Jean-Baptiste
Né à Lyon (Rhône). Mort le 20 mars 1928. xixe-xxe siècles. Français.
Sculpteur.
Élève de Barrias. À Paris, il figura au Salon des Artistes Français où il obtint une médaille de troisième classe en 1901. Prix de Rome en 1904. Il fut directeur de l'École Nationale des Beaux-Arts de Liège.

LARRIVÉE Francine
xxe siècle. Canadienne.
Artiste.

LARROCHA GONZALEZ José
Né le 23 octobre 1850 à Grenade. Mort le 23 juin 1933 à Buenos Aires. xixe-xxe siècles. Espagnol.
Peintre de paysages, scènes typiques, aquarelliste.
Il fut professeur de dessin à l'école des beaux-arts de Madrid. Il vécut quelques années en Argentine. Il participa au Salon de la Société Nationale des Beaux-Arts de son pays. Il obtint une médaille d'argent à l'Exposition de Grenade en 1883 et une médaille d'or en 1908.
Il réalisa de nombreux paysages de sa région natale, rendant avec justesse la luminosité de son pays.
Bibliogr. : In : *Cien Anos de pintura en Espana y Portugal, 1830-1930*, Antiqvaria, t. IV, Madrid, 1990.
Ventes Publiques : Paris, 10 fév. 1993 : *Maison en Provence*, h/pan. (22x34,5) : **FRF 5 500**.

LARROCHETE Eduardo
Né à Madrid. xixe siècle. Espagnol.
Peintre.
Il fut, à Paris, élève de Jean Gigoux. De retour en Espagne, il peignit des portraits.

LARROQUE Armand Alexis
Né le 17 septembre 1869 à Salies-du-Salat (Haute-Garonne). xixe-xxe siècles. Français.
Peintre, peintre de décorations murales.
Élève de Bonnat et de Benjamin Constant, il devint professeur à l'école des beaux-arts de Toulouse. Il exposa à Paris au Salon des Artistes Français, on lui doit de nombreuses décorations murales, dans la région de Toulouse.

LARROQUE Mathilde
Née au xixe siècle à Grenoble. xixe siècle. Française.
Peintre de fleurs et aquarelliste.
Élève de Lesourd-de-Beauregard. Figura au Salon de 1864 à 1868.

LARROQUE Y ECHEVARRIA Angel
Né en 1874 à Bilbao. Mort en 1961. xixe-xxe siècles. Espagnol.
Peintre de portraits, intérieurs.
Il fut élève de l'école des beaux-arts San Fernando de Madrid, étudia à Paris, puis voyagea en Europe et aux États-Unis, avant de s'installer définitivement dans son pays natal. À l'exposition de la Société Nationale des Beaux-Arts de son pays, il a obtenu en 1917 une troisième médaille. La même année, il a montré une exposition personnelle de ses œuvres à Bilbao.
Ses œuvres à caractère intimiste sont pleines de douceur. Il s'est également attaché à peindre des thèmes castillans.
Bibliogr. : In : *Cien Anos de pintura en Espana y Portugal, 1830-1930*, Antiqviria, t. IV, Madrid, 1990.

LARROUX Antonin
Né le 3 juin 1859 à Toulouse (Haute-Garonne). Mort en 1913. xixe siècle. Français.
Sculpteur.
Élève de Maurette, d'Idrac et de Falguière. Figura au Salon des Artistes Français et fut membre de ce groupement à partir de 1906 ; obtint une mention honorable (1887). Bourse de voyage (1888), médaille bronze en 1889 (Exposition Universelle), médaille troisième classe (1890), deuxième classe (1893), médaille de bronze en 1900 (Exposition Universelle).
Musées : Paris (Mus. du Petit-Palais) : *Nymphe et dauphin – Idylle*.
Ventes Publiques : Lokeren, 14 avr. 1984 : *La vendangeuse*, bronze (H. 91) : **BEF 180 000**.

LARRSON Sverre Brynjulf. Voir **LARSSON**

LARRUE Guillaume
Né le 13 décembre 1851 à Bordeaux (Gironde). xixe siècle. Francais.
Peintre de genre, portraits, paysages, paysages urbains.
Élève d'Alexandre Cabanel, il figura au Salon de Paris à partir de 1879. Sociétaire des Artistes Français depuis 1889, il obtint une mention honorable en 1892, et une médaille de bronze à l'Exposition Universelle de 1900. À partir de 1901, il fut associé de la Société Nationale des Beaux-Arts.

Il est surtout connu pour ses vues de Paris, qu'il traite par petites touches légères de tonalités grises et claires.
Bibliogr. : Gérald Schurr, in : *Les Petits Maîtres de la peinture 1820-1920, valeur de demain*, Les Éditions de l'Amateur, t. IV, Paris, 1979.
Ventes Publiques : Londres, 30 avr. 1910 : *La fontaine* : **GBP 33** – New York, 23 mai 1989 : *La fontaine en automne*, h/t (51,5x61,6) : **USD 7 150**.

LARS Germundsson
xve siècle. Actif vers 1491. Suédois.
Sculpteur sur bois.
Il travailla pour des églises.

LARS-BO. Voir **BO Lars**

LARSEN Adolph ou **Adolf Alfred**
Né le 27 novembre 1856 à Copenhague. Mort en 1942 à Copenhague. xixe-xxe siècles. Danois.
Peintre de paysages, graveur.
Musées : Copenhague : *Soirée d'hiver*.
Ventes Publiques : New York, 31 oct. 1985 : *Coucher de soleil sur le marécage* 1909, h/t (92,7x125,7) : **USD 15 000** – New York, 27 fév. 1986 : *Le Chemin du lac* 1938, h/t (92,7x131,5) : **USD 7 000** – Londres, 24 mars 1988 : *Paysage d'hiver au crépuscule* 1897, h/t (100x125) : **GBP 4 400** – Stockholm, 2 mai 1988 : *Deux sœurs*, eau-forte (24,5x19,5) : **SEK 13 000** – Stockholm, 19 avr. 1989 : *Sous-bois* 1925, h/t (36x59) : **SEK 16 000** – Cologne, 23 mars 1990 : *L'été au Danemark* 1903, h/pan. (42x60,5) : **DEM 1 600** – Copenhague, 29 août 1990 : *Paysage hivernal avec une maison rustique* 1909, h/t (95x127) : **DKK 14 000** – New York, 17 oct. 1991 : *Crépuscule squr les marais* 1909, h/t (92,7x125,7) : **USD 13 200** – Londres, 15 juin 1994 : *Journée d'hiver* 1896, h/t (125x158) : **GBP 5 750**.

LARSEN Alfred Valdemar
Né le 12 mai 1860. xixe-xxe siècles. Danois.
Peintre de paysages.
Il travailla à Paris, en Hollande et en Belgique.
Musées : Copenhague : *Soirée d'hiver*.

LARSEN Bent Franklin
Né le 10 mai 1882 à Monroe (Utah). xxe siècle. Américain.
Peintre de paysages.
Il fut élève de Henri Royer, Laurens, André Lhote et de l'académie Julian à Paris. Il est membre de la Société des Artistes Indépendants français, de la Ligue américaine des artistes professeurs et de la Fédération américaine des arts.

LARSEN Birger
Né en 1945 à Bergen. xxe siècle. Norvégien.
Graveur.
Il fut élève de 1967 à 1970 à l'école des arts appliqués de Bergen, où il vit et travaille. Il est membre du groupe Lyn, fondé en 1971. Il participe aux expositions du groupe Lyn : 1972 Bergen et Stavanger ; 1974 Haugesund ; 1975 Oslo et Biennale de Paris.
Bibliogr. : *Catalogue de la Biennale de Paris*, Paris, 1975.

LARSEN Carl Christian
Né le 16 mars 1853 à Viborg. Mort le 3 juin 1910 à Vienne. xixe-xxe siècles. Autrichien.
Peintre et illustrateur.
Il exécuta surtout des peintures décoratives.

LARSEN Carl Frederick Emmanuel, ou **Emanuel**
Né le 15 septembre 1823 à Copenhague. Mort le 24 septembre 1859 à Copenhague. xixe siècle. Danois.
Peintre de marines, paysages d'eau.
Musées : Copenhague : *Matinée sur la côte de Sjœlland – Soirée sur la Méditerrannée – Le port de Diep (Hollande) – Matinée à Oresund*.
Ventes Publiques : Londres, 25 fév. 1929 : *Torrent de montagne* : **GBP 68** – Stockholm, 27 sep. 1935 : *Paysage avec lac* : **SEK 2 005** ; *Marine* : **SEK 1 510** – Copenhague, 22 août 1986 : *Voiliers dans un fjord*, h/t (28x43) : **DKK 48 000** – Copenhague, 28 avr. 1987 : *Marine*, h/t (29x5x40) : **DKK 22 000** – Copenhague, 25 oct. 1989 : *Canonnière près de la côte*, h/t (20x29) : **DKK 18 500** – Copenhague, 29 août 1990 : *Marine avec des voiliers par temps calme* 1845, h/t (26x37) : **DKK 10 500** – Copenhague, 28 août 1991 : *L'île de Sognefjord*, h/t (19x28) : **DKK 11 000** – Copenhague, 18 nov. 1992 : *Château de Kronborg* 1847, h/t (21x16) : **DKK 4 500** – Copenhague, 16 mai 1994 : *Navigation de voiliers entre Marseille et la Chateau d'If*, h/t (87x126) : **DKK 63 000** – Copenhague, 7 sep. 1994 : *Bateaux à Sundet avec Kronborg au fond* 1848, h/t (83x118) : **DKK 70 000** – Copenhague, 8 fév. 1995 : *Navigation au large de la côte*, h/t (28x45) : **DKK 14 000**.

LARSEN Christian
Né le 30 septembre 1815 à Copenhague. Mort le 27 janvier 1890 à Copenhague. xixe siècle. Danois.
Peintre.
Il exposa entre 1836 et 1842 des marines et des paysages des côtes du Danemark.

LARSEN Ferdinand
Né le 4 septembre 1830 à Copenhague. Mort le 22 novembre 1892. xixe siècle. Danois.
Lithographe et aquarelliste.
On lui doit surtout des paysages et des vues de monuments.

LARSEN Hans Vilhelm
Né le 8 septembre 1887 à Copenhague. xxe siècle. Danois.
Peintre.
Il entra à l'académie des beaux-arts de Copenhague en 1906.

LARSEN Hugo Valdemar
Né le 23 septembre 1875 à Copenhague. Mort en 1950. xxe siècle. Danois.
Peintre.
Il exposa à Copenhague entre 1899 et 1904 puis voyagea en Amérique.
Ventes Publiques : Chester, 9 oct. 1986 : *Homme sur un cheval blanc* 1916, h/t (105,5x101,5) : **GBP 1 800**.

LARSEN Johannes
Né le 27 décembre 1867 à Kerteminde. Mort en 1961. xixe-xxe siècles. Danois.
Peintre d'animaux, paysages, aquarelliste.
Il exposa à Brême, Munich, Vienne. On cite de cet artiste : *Port de pêche norvégien*.

JL 30

Musées : Copenhague : *Paons*.
Ventes Publiques : Copenhague, 14 nov. 1968 : *La Mare aux canards* : **DKK 10 000** – Copenhague, 12 avr. 1972 : *Envol de cygnes* : **DKK 17 500** – Copenhague, 13 mars 1974 : *Cygnes en plein vol* : **DKK 22 000** – Copenhague, 25 nov. 1976 : *Paysage d'été* 1933, h/t (96x130) : **DKK 14 500** – Copenhague, 12 mai 1977 : *Vue d'un fjord*, h/t (51x64) : **DKK 15 000** – Copenhague, 11 oct 1979 : *La mare aux canards* 1918, h/t (92x130) : **DKK 26 000** – Copenhague, 7 déc. 1982 : *Oiseaux en plein vol au-dessus d'un marais* 1920, h/t (57x71) : **DKK 15 000** – Copenhague, 16 août 1983 : *Oiseaux en vol* 1914, h/t (95x135) : **DKK 31 000** – Copenhague, 14 mai 1985 : *Vue de Molle Bakken* 1910, h/t (63x79) : **DKK 26 000** – Copenhague, 15 mai 1986 : *Cygnes en plein vol* 1929, h/t (94x125) : **DKK 56 000** – Copenhague, 28 oct. 1987 : *Canards sauvages en vol au-dessus d'un champ de blé* 1929, h/t (58x71) : **DKK 19 200** – Copenhague, 5 avr. 1989 : *Paysage champêtre avec un coucou* 1924, h/t (32x42) : **DKK 8 000** – Copenhague, 9 mai 1990 : *Soleil d'après-midi sur la neige* 1915, h/t (48x59) : **DKK 21 000** – Copenhague, 31 oct. 1990 : *Mouettes au repos en été* 1932, h/t (80x100) : **DKK 30 000** – Stockholm, 5-6 déc. 1990 : *Vue de Copenhague*, h/t (36x49) : **SEK 6 000** – Copenhague, 1er avr. 1992 : *Moulins à vent au soleil* 1938, aquar. (50x64) : **DKK 4 700** – Copenhague, 21 oct. 1992 : *Vol d'oies sauvages au-dessus du lac Fiil* 1920, h/t (53x60) : **DKK 26 000** – Copenhague, 21 avr. 1993 : *Vol de canards et arc-en-ciel* 1933, h/t (94x133) : **DKK 50 000** – Copenhague, 19 oct. 1994 : *Bécasse dans une forêt* 1918, h/t (66x80) : **DKK 30 000** – Copenhague, 17 avr. 1996 : *Jour d'hiver sur le rivage avec trois petis oiseaux* 1915, h/t (76x82) : **DKK 11 000** – Copenhague, 12-14 nov. 1997 : *Aigne sur une branche* 1907, h/t (88x120) : **DKK 31 000**.

LARSEN Jorgen
Né le 28 juillet 1851 à Lellinge. Mort le 6 septembre 1910. xixe-xxe siècles. Danois.
Sculpteur.
Le Musée de Copenhague conserve de lui : *Joueur de mandoline italien*.
Ventes Publiques : New York, 21 sep. 1981 : *La Mendiante*, marbre (H. 112) : **USD 2 800**.

LARSEN Karl
xxe siècle. Danois.
Peintre de paysages, natures mortes.
Il a travaillé dans le Midi de la France.

Ventes Publiques : Copenhague, 21 oct. 1976 : *Nature morte*, h/t (87x96) : **DKK 2 300** – Copenhague, 22 nov. 1989 : *Paysage avec des oliviers à Cagnes* 1923, h/t (74x83) : **DKK 7 500** – Copenhague, 9 mai 1990 : *Nature morte* 1923, h/t (62x72) : **DKK 5 000** – Copenhague, 1er avr. 1992 : *Nature morte*, h/t (65x77) : **DKK 6 500** – Copenhague, 21 avr. 1993 : *Nature morte*, h/t (65x78) : **DKK 6 500** – Copenhague, 19 oct. 1994 : *Nature morte* 1956, h/t (54x65) : **DKK 6 000** – Copenhague, 26 avr. 1995 : *Une rue à Cagnes* 1923, h/t (50x60) : **DKK 4 000** – Copenhague, 17 avr. 1996 : *Nature morte* 1925, h/t (104x140) : **DKK 10 000**.

LARSEN Knud Erik

Né le 27 août 1865 à Vinderod. Mort le 7 décembre 1922 à Copenhague. xixe-xxe siècles. Danois.

Peintre de compositions religieuses, genre, portraits, paysages.

Il voyagea longtemps à travers l'Europe occidentale et en rapporta des paysages. On cite aussi ses tableaux religieux.

Musées : Copenhague : *Baptême d'enfant* – *Étude* – *Bette Dorthe* – Stockholm : *Le Père de l'artiste*.

Ventes Publiques : Copenhague, 5 avr. 1989 : *Intérieur de cuisine avec un vaisselier et une vieille femme tricotant* 1907, h/t (41x49) : **DKK 11 000** – Copenhague, 10 fév. 1993 : *Vaste paysage avec la rivière Slette A à Svinklov* 1903, h/t (44x68) : **DKK 7 500** – Copenhague, 16 mai 1994 : *Intérieur avec une vieille paysanne cousant*, h/t (42x35) : **DKK 8 500** – Copenhague, 14 fév. 1996 : *Portrait de Ingeborg von Stemann en robe blanche assise dans un intérieur* 1904, h/t (46x39) : **DKK 6 500** – Copenhague, 23 mai 1996 : *Trois Jeunes Filles* 1911, h/t (38x44) : **DKK 8 000**.

LARSEN Kristoffer Sinding. Voir **SINDING LARSEN Kristoffer**

LARSEN Mimi, née **Schwartzkopf**

Née le 30 janvier 1851 à Copenhague. xixe siècle. Danoise.

Peintre.

Elle fut élève de Carl Thomsen. Elle exposa des natures mortes et des portraits régulièrement à Copenhague, mais aussi à Berlin et à Chicago.

LARSEN Oscar ou **Oskar**

Né le 8 juillet 1882 à Vienne. Mort en 1972. xxe siècle. Autrichien.

Peintre d'histoire, compositions mythologiques, religieuses, graveur.

Il est le fils du peintre Carl Christian Larsen. Il fut élève de Delug à l'académie des beaux-arts de Vienne. Il représenta pendant la Première Guerre mondiale des sujets militaires puis se tourna vers la peinture mythologique et biblique.

Ventes Publiques : Vienne, 5 déc. 1973 : *La procession de la cathédrale Saint-Étienne de Vienne* : **ATS 25 000** – Vienne, 17 mars 1976 : *La mort du dragon* 1922, h/cart. (55x32) : **ATS 10 000** – Vienne, 23 sep. 1977 : *Amours* 1940, h/t (86x130) : **ATS 28 000** – Vienne, 14 mars 1980 : *Fête rustique* 1920, h/pap. (45,5x37,5) : **ATS 25 000** – Vienne, 25 mai 1982 : *Hietzing*, techn. mixte (36x38,3) : **ATS 30 000** – Melbourne, 8 nov. 1984 : *The party* 1922, h/t (66,5x103,5) : **AUD 2 000** – Londres, 10 fév. 1988 : *La découverte de Moïse dans une touffe de joncs* 1929, h/t (68x98,5) : **GBP 3 300** – Londres, 5 mai 1989 : *Die Wilde Sagd* 1959, h/t (155,6x231,1) : **GBP 2 750** – New York, 19 jan. 1994 : *Moïse traversant la mer Rouge* 1922, gche et encre/pap./cart. (68,6x97,8) : **USD 1 495**.

LARSEN Otto

Né le 10 mars 1889 à Hanovre (Basse-Saxe). xxe siècle. Allemand.

Peintre de paysages, dessinateur, illustrateur.

Il fit ses études à Hambourg et voyagea en Europe orientale. Il peignit des paysages et fut surtout dessinateur pour des revues, des livres et des journaux.

LARSEN Peter Julius

Né le 26 juillet 1818 à Copenhague. Mort le 26 décembre 1852 à Rome. xixe siècle. Danois.

Peintre d'histoire, genre.

Il peignit des tableaux de genre représentant de préférence la vie quotidienne des paysans. On cite également de lui : *L'Atelier de Thorvaldsen*.

Ventes Publiques : Copenhague, 27 sep. 1977 : *L'atelier de Thorvaldsen* 1837, h/t (72x54) : **DKK 7 000** – Copenhague, 21 fév. 1990 : *Un pêcheur* 1846, h/t (60x50) : **DKK 15 000**.

LARSEN Thorvald

Né en 1881. Mort en 1947. xxe siècle. Suédois.

Peintre de paysages.

Ventes Publiques : Stockholm, 29 avr. 1988 : *Paysage de plaine et cours d'eau*, h/t (63x57) : **SEK 7 500**.

LARSEN Wilhelm

Né le 23 février 1861. Mort le 5 juillet 1913 à Oldenburg (Basse-Saxe). xixe-xxe siècles. Allemand.

Peintre de genre, sculpteur.

Il travailla comme peintre à Munich, mais séjourna aussi à Copenhague et Berlin avant de se fixer à Oldenburg.

LARSEN William Peter

Né le 15 mai 1884 à Copenhague. xxe siècle. Danois.

Sculpteur de statues.

Il travailla en Allemagne et Roumanie.

Musées : Stockholm : *Ève*.

LARSEN-STEVNS Niels. Voir **STEVNS Niels Larsen**

LARSO Julio

xvie siècle. Actif à Valladolid. Espagnol.

Sculpteur.

LARSON Johan

Mort en janvier 1664. xviie siècle. Hollandais.

Sculpteur.

Il était en 1660 dans la Gilde de La Haye. Nagler mentionne un Georg Larsen sculpteur hollandais qui vécut longtemps en Angleterre et alla à Berlin en 1654 pour faire les modèles des groupes d'enfants du Parc Impérial.

LARSON Richard

xviie siècle. Actif à La Haye. Hollandais.

Peintre.

Fils de Willem. Il exécuta le portrait d'un architecte.

LARSON Simeon Markus. Voir **LARSSON Markus Simeon**

LARSON Willem

xviie siècle. Actif à La Haye en 1649. Hollandais.

Peintre.

Élève d'A. Petit. Il fut peut-être également sculpteur. Il était le frère de Johan.

LARSONNEUR Marie

Née à Lyon. xixe siècle. Française.

Peintre sur porcelaine et miniaturiste.

Exposa au Salon à partir de 1874.

LARSSON Albert Lorenz

Né le 4 novembre 1869 à Malmö. xixe-xxe siècles. Suédois.

Peintre de paysages.

Il fut élève de P. S. Kroyer. On lui doit surtout des paysages de la région de Malmö.

LARSSON Anders, dit **Anders Malare**

Né en 1510 à Nyköping. Mort en 1586 au château de Kronoberg. xvie siècle. Danois.

Peintre et architecte.

Il entra en 1540 au service de Gustaf Wasa pour qui il décora divers châteaux, Gripsholm et, à partir de 1550, au château royal de Stockholm. On lui doit aussi des scènes de la vie de Gustaf Wasa retraçant sa jeunesse et ses victoires.

LARSSON Brynjulf

xixe-xxe siècles. Norvégien.

Dessinateur, peintre de cartons de tapisseries, peintre de cartons de vitraux.

Sans doute identique à Sverre Brynjulf Larsson. Il dessina des modèles de meubles ou de vases, des motifs de broderies, des cartons de tapisseries ou de vitraux.

LARSSON Carl Olof

Né le 28 mai 1855 à Stockholm. Mort le 22 janvier 1919 à Falun. xixe-xxe siècles. Suédois.

Peintre d'histoire, portraits, paysages, aquarelliste, fresquiste, peintre de cartons de tapisseries, peintre de compositions murales, illustrateur, décorateur.

Il étudia à l'académie des beaux-arts de Stockholm où il obtint une médaille d'or de l'académie avec des sujets tirés de l'histoire de Suède, et remporta ainsi une bourse de voyage, qui lui permit de partir pour Paris et de passer quelques mois à Barbizon. Il revint à Paris en 1880, sans grand succès tout d'abord, puis obtint enfin une médaille en 1883, avec deux aquarelles : *La Citrouille* et *La Gelée blanche*. Après 1883, il revint en Suède où il épousa Karin Bergoö, peintre elle aussi et qui lui servira de

modèle. Il fut ensuite nommé professeur à l'école des beaux-arts de Göteborg. Puis, il séjourna de nouveau à Paris. Il s'installa définitivement à Sundborn en Dalécarlie.
Il exposa à Paris, à l'Exposition universelle de 1889 et au Salon de la Société Nationale des Beaux-Arts, dont il devint membre sociétaire en 1890.
Il réalisa des créations de dimensions modestes où ses qualités de charme purent s'épanouir et qui laissent deviner le futur illustrateur. Il peignit à Grez de nombreux tableaux à l'huile. En 1885, il exécuta sa principale œuvre d'illustration : *Les Contes* d'Anna-Maric Lenngren. La même année, il peignit son aquarelle *Céramique* autrefois au musée du Luxembourg à Paris. Il entreprit quelque temps après, à Paris, l'exécution de trois toiles représentant les trois époques de l'histoire de l'art : la renaissance, le rococo, l'art moderne. En 1890, il commença les cartons destinés à la décoration du musée national de Stockholm et représentant des scènes de l'histoire suédoise. En 1892, il reçut la commande d'une série de peintures décoratives pour une école de filles de Göteborg et il entreprit de décrire l'histoire de la femme suédoise à travers les âges. Au théâtre dramatique de Stockholm, il exécuta des fresques sur le thème de *La Naissance du drame*. Ces compositions sont bien équilibrées, aux couleurs nuancées. Il se consacre, en même temps, à des œuvres plus intimes, peignant avec amour les membres de sa famille. Il fut le peintre idyllique de la bourgeoisie suédoise. Telle fut son œuvre si variée et pittoresque.

Bibliogr. : *Carl Larsson*, Albert Bonniers, Stockholm, 1931 – in : *Diction. univers. de la peinture*, Le Robert, t. IV, Paris, 1975 – G. Cavalli-Bjarkman, B. Lindwall : *Le Monde de Carl Larsson*, Californie, 1982 – H. H. Brummer : *Complete Catalogue of Graphic Works*, Uppsala, 1983.
Musées : Göteborg – Helsinki – Stockholm (Nat. Mus.) : *Peinture en plein air* 1885.
Ventes Publiques : Paris, 21 fév. 1919 : *La route du village*, aquar. : **FRF 3 200** – Copenhague, 17 juin 1965 : *Fillette à la fenêtre*, aquar. : **DKK 17 500** – Stockholm, 19 avr. 1972 : *Falsk Holbein* : **SEK 35 000** – Göteborg, 24 mars 1976 : *L'atelier du sculpteur* 1895, h/t (116x68) : **SEK 41 000** – Göteborg, 9 nov. 1977 : *Portrait de femme*, h/t (50x40) : **SEK 35 000** – Göteborg, 9 nov. 1978 : *Fillette* 1912, pl. et aquar. (56x49) : **SEK 121 000** – Göteborg, 5 avr. 1978 : *Vénus* 1904, h/t (250x345) : **SEK 74 000** – Stockholm, 30 oct 1979 : *Couple de jeunes gens dans un intérieur* 1911, aquar. (67,5x101,5) : **SEK 225 000** – Stockholm, 30 oct 1979 : *Nature morte aux fleurs*, h/t (49x35) : **SEK 34 000** – Stockholm, 23 avr. 1980 : *Portrait de jeune fille* 1895, fus. et craies de coul. (60x49) : **SEK 21 300** – Stockholm, 26 avr. 1982 : *L'enfant au cheval de bois* 1900, h/t (58x46) : **SEK 425 000** – Stockholm, 25 avr. 1983 : *Jeune homme debout* 1884, pl. (41,5x25) : **SEK 12 100** – Stockholm, 1er nov. 1983 : *Jeune fille dans un paysage fleuri*, aquar. (61x48) : **SEK 700 000** – Stockholm, 1er nov. 1983 : *Deux enfants dans un paysage d'été* 1877, h/t (129x102) : **SEK 200 000** – Londres, 29 nov. 1985 : *La fille du peintre dans un jardin*, gche, aquar. et pl./pap. mar./t. (94x61) : **GBP 120 000** – Stockholm, 4 nov. 1986 : *Jour de fête* 1904, aquar. (43x60) : **SEK 700 000** – Stockholm, 19 oct. 1987 : *Le Jeu de cache-cache*, aquar. (94x62) : **SEK 3 000 000** – Londres, 16 mars 1989 : *Un lapon* 1910, h/t (185x98) : **GBP 132 000** – Londres, 16 mars 1989 : *Le repas du soir* 1905, encre et aquar. (56,5x81,5) : **GBP 374 000** – New York, 24 oct. 1989 : *Tournesols*, encre, aquar. et gche/pap./cart. (45,7x25,7) : **USD 330 000** – Londres, 27-28 mars 1990 : *Femme lisant un journal au bord d'un chemin* 1886, aquar. (46x38) : **GBP 440 000** – Paris, 4 avr. 1990 : *Croquis de chevaux et vaches au pâturage*, cr. (16x23) : **FRF 30 000** – New York, 23 oct. 1990 : *Mes bien-aimés* 1893, aquar./pap. (45,1x33) : **USD 132 000** – Stockholm, 5 sep. 1992 : *Soirée sous la lampe*, aquar. (51x72) : **SEK 235 000** – Stockholm, 30 nov. 1993 : *Petite Fille dans une chambre d'enfant* 1894, aquar. (55x33) : **SEK 700 000** – New York, 16 fév. 1995 : *Portrait de Anne Marie Warburg* 1893, aquar. et gche (63,5x48,3) : **USD 189 500** – Copenhague, 3-5 déc. 1997 : *Heksens datter* 1881, h/t (144,5x80) : **DKK 190 000** – Londres, 21 mars 1997 : *La Fille de la sorcière* 1881, h/t (144,2x80) : **GBP 20 700**.

LARSSON Markus Simeon, ou **Marcus** ou **Larson**
Né le 5 janvier 1825 à Ostergotland. Mort le 25 janvier 1864 à Londres. xixe siècle. Suédois.
Peintre de paysages d'eau, marines.
Il commença ses études en 1846 à l'Académie des Beaux-Arts de Stockholm. Il travailla avec Melby, à Copenhague et avec Andreas Achenbach à Düsseldorf ; ensuite à Paris en 1855-1856. Plus tard, il alla en Russie puis à Londres. Il fut médaillé à Stockholm en 1851.
Musées : Helsinfors : *Navire à vapeur brûlant* – *Site montagneux avec chute d'eau* – Stockholm : *Tempête* – *Naufrage* – *Site alpestre avec chute d'eau, Norvège* – Stuttgart : *Paysage suédois avec cataracte*.
Ventes Publiques : Stockholm, 30 nov. 1950 : *Marine, effet de nuit* : **SEK 15 000** – Göteborg, 1er nov. 1972 : *Bord de mer* : **SEK 24 000** – Göteborg, 28 mars 1974 : *Le Torrent* : **SEK 28 000** – Göteborg, 24 mars 1976 : *La Pêche au clair de lune* 1853, h/pan. (29x39) : **SEK 27 000** – Malmö, 2 mai 1977 : *Paysage de fjord* 1851, h/t (78x116) : **SEK 45 000** – Stockholm, 28 oct. 1980 : *Bord de mer* 1860, h/t (97x156) : **SEK 57 500** – Stockholm, 27 oct. 1981 : *Voiliers au large de la côte* 1850, h/t (133x195) : **SEK 151 000** – Stockholm, 26 oct. 1982 : *La Cascade* 1857, h/t (90x76) : **SEK 61 000** – Stockholm, 26 avr. 1983 : *Frégates et corvettes en mer* 1851, h/t (83x131) : **SEK 175 000** – Stockholm, 29 oct. 1985 : *Marine* 1850, h/t (75x114) : **SEK 150 000** – Göteborg, 9 avr. 1986 : *Voiliers par forte mer*, h/t (68x94) : **SEK 130 000** – Stockholm, 20 oct. 1987 : *Paysage au torrent* 1860, h/t (159x189) : **SEK 100 000** – Stockholm, 29 mai 1991 : *Navires à voiles ancrés devant le château de Kronborg la nuit* 1850, h/t (92x127) : **SEK 55 000** – Stockholm, 10-12 mai 1993 : *Côte rocheuse avec un fort et des personnages près d'un feu au clair de lune*, h/t (92x120) : **SEK 35 000** – Stockholm, 30 nov. 1993 : *Incendie de forêt*, h/t (24x32) : **SEK 10 500**.

LARSSON Sverre Brynjulf
Né le 8 juillet 1881 à Oslo. Mort le 12 septembre 1920. xxe siècle. Norvégien.
Peintre, graveur, dessinateur, illustrateur.
On lui doit surtout des dessins satiriques parus dans la presse ou comme illustrations de livres.

LARTEAU Albert François
Né le 7 juillet 1870 à Nancy (Meurthe-et-Moselle). xixe-xxe siècles. Français.
Peintre de portraits.
Il fut élève de J. Lefèbvre et de Benjamin-Constant. Il reçut des médailles de troisième classe en 1904, de deuxième classe en 1905. Il fut nommé chevalier de la Légion d'honneur en 1910.
Musées : Nancy : *Tambours et clairons*.

LARTER Richard
Né en 1929. xxe siècle. Australien.
Peintre de figures, compositions animées. Nouvelles Figurations.
Dans son œuvre *Dead Goebbels he say* 1971, chaque figure est isolée du reste de la composition par une couleur (rouge, jaune, vert, bleu et noir) traitée en aplats. Un ensemble de mots manuscrits en anglais, allemand, italien, sur fond vivement coloré vient s'intégrer à la toile comme un collage.
Bibliogr. : In : *Creating Australia – 200 years of art 1788-1988*, The Art Gallery of South Australia, Adelaïde, 1988.

LARTIGUE Arnaud de
xviie siècle. Actif à Saintes vers 1620. Français.
Peintre.
Il fut peintre de Marie de Médicis. Le duc d'Épernon lui commanda aussi la décoration de son hôtel à Paris.

LARTIGUE Dany
Né le 23 août 1921 au château de Rouzat (Puy-de-Dôme). xxe siècle. Français.
Peintre de compositions animées, paysages, peintre de cartons de tapisseries.

Il est le petit-fils du compositeur André Messager, fils du peintre et photographe J. H Lartigue. Autodidacte, il peint depuis l'âge de dix-sept ans, profitant à ses débuts du milieu artistique familial, puis au début de la guerre des conseils de Bonnard. En 1950, il s'installe à Paris. Il vécut longtemps dans le Midi, où il a conservé des liens.
Il participe aux salons parisiens : de la Jeune Peinture dont il fut président en 1956, des Moins de Trente Ans, des Indépendants, de Mai, des Peintres Témoins de leur Temps, de l'École de Paris, du Dessin et de la Peinture à l'eau ; ainsi que dans de nombreuses expositions de groupe à Paris : *Sur quatre murs* en 1947, *Mains éblouies* en 1949, *Portraits* et *Paysages de Paris* en 1952, et à l'étranger *École de Paris* à Francfort en 1958, *Art figuratif* au Japon en 1963, etc. Dès 1941, il avait exposé à Lyon. Depuis, il montre ses œuvres dans de nombreuses expositions personnelles à Monte-Carlo, Cannes, Dublin, Aix-en-Provence, Bruxelles, Montréal, Caracas, et le plus fréquemment à Paris et Saint-Tropez.
Il fut influencé à ses débuts par les fauves et les impressionnistes. Très marquée par la lumière et le bonheur de vivre du Midi, sa peinture s'accommode avec humour d'une certaine innocence et s'exprime le plus pleinement quand elle vante la chair satinée des belles filles plantes ; le bonheur des paysages ensoleillés, la gaieté d'enfants aux yeux étonnés, la paix simple de sa rue à Montmartre. Certaines de ses tapisseries furent tissées à Aubusson.

Dany Lartigue

Musées : Chicago.
Ventes Publiques : Versailles, 17 avr. 1988 : *Les moissons en Provence*, h/t (80x100) : **FRF 4 800** – Douai, 24 mars 1991 : *Printemps* 1952, h/cart. (64x53) : **FRF 9 000**.

LARTIGUE Guy
Né le 6 avril 1927 à Paris. xxe siècle. Français.
Sculpteur de figures, d'intégrations architecturales, décorateur.
Il fut élève de Souverbie, Auricoste et Zadkine. Il exposa à Paris, au Salon d'Automne, dont il est membre sociétaire.
Il utilise la feuille de métal qu'il plie et courbe. Il se réfère souvent, dans ses sculptures, au corps humain, mais réalise aussi de nombreuses sculptures décoratives, fontaines, bas-reliefs, qu'il intègre à l'architecture.
Ventes Publiques : Paris, 1er fév. 1988 : *Mélusine*, laiton patiné vert (H. 32 diam. 39) : **FRF 7 200** – Paris, 3 oct. 1988 : *La boule verte* 1986, cuivre rouge et laiton à patine vert bronze (diam. 38,5, Diam du bassin 60, H. 68) : **FRF 27 000** – Paris, 22 mai 1989 : *Boule Verte* 1986, cuivre rouge et laiton à patine vert bronze nuancé (diam. de la boule : 38,5, diam. du bassin : 60, H. du bassin : 68) : **FRF 39 500** – Paris, 5 fév. 1990 : *Papyrus d'eau* 1896, cuivre et laiton à patine (50x72) : **FRF 22 200** – Paris, 21 mai 1990 : *Petite Naissance du printemps*, laiton patine brune (127x35) : **FRF 35 000** – Neuilly, 3 fév. 1991 : *La Bête du 14-Juillet* 1962, métal (11,5x7,5x20) : **FRF 3 500** – Paris, 15 déc. 1994 : *Fontaine*, cuivre (H. 168) : **FRF 28 000** – Paris, 13 mai 1996 : *Caresses à l'infini*, monobloc en granit bleu du Labrador, fontaine-sphère (diam. 40, H. 130) : **FRF 8 500**.

LARTIGUE Jacques Henri
Né le 13 juin 1894 à Courbevoie (Hauts-de-Seine). Mort le 12 septembre 1986 à Nice (Alpes-Maritimes). xxe siècle. Français.
Peintre de fleurs, portraits, paysages.
Élève de l'académie Julian, il fut l'ami du peintre Roger Chastel. Lui-même s'en tint à des préceptes moins hardis et a peint surtout les portraits des personnalités du cinéma. Il débuta sa carrière de peintre en 1922. Il est surtout célèbre pour ses photographies. Ses premières photos remontent à 1902 et il a ensuite réalisé des documents intéressants sur les milieux mondains des différentes époques qu'il a traversées. Les gloires du sport, du cinéma, du music-hall des années vingt et trente ont été photographiées par ses soins. Travaillant à Paris, il participa en 1922 au Salon d'Automne et exposa régulièrement au Salon des Indépendants. Le Museum of Modern Art de New York a organisé une exposition rétrospective de son œuvre en 1963. En 1975, le musée des Arts décoratifs de Paris organisait également une importante exposition de son œuvre, sous le titre : *Lartigue 8x80*. Il est chevalier de la Légion d'honneur et Commandeur des arts et des lettres. Il a reçu une médaille d'argent de la ville de Paris.
Ventes Publiques : Paris, 19 déc. 1944 : *Bouquet de fleurs* : **FRF 500** – Paris, 23 déc. 1946 : *Vase de pavots* : **FRF 2 500** – Paris, 21 fév. 1947 : *Fleurs* : **FRF 1 700** – Orléans, 24 mai 1986 : *Bouquet d'arums*, h/t (97x131) : **FRF 15 500** – Paris, 10 fév. 1988 : *Fleurs de pavots*, h/t (92x73) : **FRF 2 800** – Paris, 10 déc. 1990 : *Bouquet éclatant*, h/pan. (60x73) : **FRF 10 000** – Paris, 19 jan. 1992 : *Bouquet* 1946, h/t (97x74) : **FRF 10 000**.

LARTIGUE Martin
xxe siècle. Français.
Peintre.
Petit-fils du photographe Jacques-Henri Lartigue, fils du peintre Dany Lartigue, il montre ses œuvres dans des expositions personnelles.
Il travaille sur de grands formats, créant un monde foisonnant, vivement coloré, où les figures primitives, objets et signes cohabitent.

LARTURIÈRE Ernest Emmanuel de
Né à Mortain. xixe siècle. Français.
Peintre de figures.
Élève de Quesnel. Il exposa au Salon en 1880.

LA RUE Abraham de
xviie siècle. Hollandais.
Peintre de portraits.
Il fut élève de Pieter Van Slingeland à Leyde. Il est peut-être identique au suivant.

LA RUE Abraham de
Mort le 30 mai 1647 à Francfort-sur-le-Main. xviie siècle. Allemand.
Peintre d'histoire, paysages.

LARUE André Léon ou **Larue Fils**, appelé aussi **Mansion**
Né le 29 novembre 1785 à Nancy. Mort vers 1834 à Paris. xixe siècle. Éc. lorraine.
Peintre de portraits, miniaturiste.
Il fut formé par son père Jacques Larue et par Isabey. Il a figuré quatre fois au Salon de Paris, entre 1808 et 1834.
Il est considéré comme l'un des meilleurs miniaturistes du xixe siècle et a publié en 1822 *Lettres sur la miniature*.
Musées : Nancy : *Autoportrait – Portrait de Christophe Alnot*.
Ventes Publiques : Paris, 16 juin 1993 : *L'empereur Napoléon Ier à mi-corps* 1811, grande miniat. ovale/pap. (H. 22) : **FRF 28 000**.

LARUE Fernand
Né le 6 juillet 1916 à Ainay-le-Vieil (Cher). xxe siècle. Français.
Peintre.
Il a reçu l'enseignement de l'école des beaux-arts de Paris, de l'académie de la Grande Chaumière et de l'académie Julian. Il vit à Paris et Honfleur. Il participe à Paris, à partir de 1953, au Salon des Indépendants dont il est membre sociétaire depuis 1956 ; il exposa également au Salon Comparaisons et d'Ivry. Sa première grande exposition personnelle eut lieu à Paris en 1955.

LARUE Jacques, dit **Larue Père,** ou **Mansion**
Né au xviiie siècle à Nancy. xviiie siècle. Éc. lorraine.
Peintre et miniaturiste.
Il fut le professeur d'Isabey. Père d'André Léon Larue.

LARUE Jean Denis
Né à Paris. Mort en 1884 à Paris. xixe siècle. Français.
Sculpteur.
Élève de Klagman. Figura au Salon de 1845 à 1852.

LARUE Lise, Mme
Née au xixe siècle à Paris. xixe siècle. Française.
Peintre de fleurs.
Élève de Berthelon et de A. Guillemet. Figura au Salon des Artistes Français.

LA RUE Louis Félix de
Né en 1720 ou 1731 à Paris. Mort en 1765 ou 1777 à Paris. xviiie siècle. Français.
Aquarelliste, dessinateur, sculpteur, graveur.
Il était le frère de Philibert Benoît de La Rue. Les deux frères signaient *D. L.*, ce qui les a fait fréquemment confondre. Élève d'Adam l'Aîné, il obtint le premier prix de sculpture en 1750 et entra à l'École des élèves protégés en 1752. Il fut professeur à l'Académie Saint-Luc et exposa dans cette compagnie, en 1762 et 1764. On cite de lui une planche représentant des Bacchanales.
Musées : Dijon : *Enfants jouant*, bas-relief.

Ventes Publiques : Paris, 21 fév. 1919 : *Triomphe d'Amphitrite*, dess. : **FRF 255** – Paris, 7-8 mai 1923 : *Renaud dans les jardins d'Armide*, aquar. : **FRF 600** – Paris, 25 mars 1925 : *Nymphe, faune et amours*, pl. et sépia, deux dessins : **FRF 1 280** – Paris, 21-22 mars 1927 : *Sacrifice aux dieux ; Le char des Vendanges*, deux dess. rehaussés : **FRF 5 050** – Paris, 9 mars 1939 : *L'autel de Bacchus*, pl. et lav. de bistre : **FRF 520** – Paris, 4 mai 1942 : *Projet de fontaine*, pl. et lav. de bistre : **FRF 350** – Paris, 3 fév. 1943 : *Les Grâces* 1750, pl. et lav. d'encre de Chine : **FRF 200** – Paris, 29 oct. 1980 : *Bacchanale*, pl., encre, lav. et reh. de blanc/pap. (15,6x22,1) : **FRF 6 800** – Paris, 23 mai 1986 : *Le Rapt des Sabines* 1760, pierre noire, pl. et lav. de bistre (26,6x8,5) : **FRF 5 000** – Paris, 2 déc. 1987 : *Renaud et Armide*, dess. et pl. (21,8x18,5) : **FRF 8 000** – New York, jan. 1988 : *La pêche miraculeuse* 1764, craie et encre, reh. d'aquar. (27,8x37,3) : **USD 1 540** – Paris, 15 juin 1990 : *Étude pour des Chérubins*, dess. à la pl. d'encre brune (36x21) : **FRF 7 000** – Paris, 25 mars 1992 : *Cortèges d'ecclésiastiques à Rome*, dess. à la pl., une paire (28x48 et 30x48,5) : **FRF 18 000** – Paris, 1er avr. 1993 : *Amusements d'enfants devant un therme de Pan*, encre (24,5x36,3) : **FRF 4 000** – Paris, 18 juin 1993 : *Vestale*, pl. et lav. de sanguine (27x20) : **FRF 10 000** – Paris, 25 nov. 1993 : *Procession de femmes et d'hommes vers le lieu du sacrifice*, pl. (9x32) : **FRF 4 500** – Paris, 18 nov. 1994 : *Hommage au dieu Pan*, pl. et lav. brun (15,5x22,5) : **FRF 7 000** – New York, 11 jan. 1994 : *Scène de bacchanale*, craie noire, encre et lav., une paire (chaque 21,7x31,7) : **USD 1 840** – Paris, 23 jan. 1995 : *Projet pour suite de vases* 1753, encre de Chine (19x13,5) : **FRF 6 000** – New York, 10 jan. 1996 : *Jeunes esclaves amenés devant un roi*, craie noire, encre et lav. (26,6x42,8) : **USD 1 035** – Paris, 22 mai 1996 : *Allégories de la Peinture et de la Musique*, pl., encre noire et lav., deux dessins de forme ovale (21,5x25,5) : **FRF 8 000** – Paris, 26 nov. 1996 : *Procession militaire*, pl. et lav. d'encre noire (28x40,5) : **FRF 1 000** – Londres, 12 déc. 1996 : *Le Massacre des Innocents*, craie noire, pl. et encre grise, lav. brun (37,5x81,5) : **GBP 920**.

LARUE Marie Catherine

Née au xviiie siècle à Nancy. xviiie siècle. Éc. lorraine.

Miniaturiste.

Fille de Jacques Larue.

LARUE Maurice

Né en 1861 à Bordeaux (Gironde). Mort en 1935 à Bordeaux. xxe siècle. Français.

Peintre de paysages, marines, natures mortes.

Il fut élève d'Auguin, lui-même émule de Corot. Il guida à ses débuts son neveu Gabriel Domergue. Il exposa à Paris, au Salon des Artistes Français entre 1900 et 1931, et fit partie de l'Union internationale des beaux-arts et des lettres, à partir de 1912.

Il se spécialisa dans les représentations de sous-bois, marines, natures mortes exécutés dans un coloris vigoureux.

Ventes Publiques : Paris, 17 fév. 1988 : *Mon atelier*, h/t (116x81) : **FRF 6 000**.

LARUE Nicolas Prosper

xixe siècle. Actif à Paris. Français.

Sculpteur.

Figura au Salon en 1868 et 1876.

LA RUE Philibert Benoît de

Né en 1718 à Paris. Mort le 11 mars 1780 à Paris. xviiie siècle. Français.

Peintre de batailles, genre, portraits, paysages, graveur, dessinateur.

Frère de Louis Félix de La Rue, il fut élève de Charles Parrocel. En 1754, il fut agréé à l'Académie. Il exposa au Salon de Paris. La Rue a un dessin très particulier qui permet de distinguer ses œuvres, dès qu'on en a vu quelques-unes.

Ventes Publiques : Paris, 1803 : *Funérailles d'un évêque*, dess. : **FRF 1 000** – Paris, 1888 : *Les Porcherons*, deux dessins faisant pendant : **FRF 200** – Paris, 15 au 17 fév. 1897 : *Course de chevaux*, dess. : **FRF 350** – Paris, 10 au 12 mai 1900 : *Bacchanale d'enfants*, dess. : **FRF 300** – Paris, 4-6 déc. 1919 : *Jeux d'amours*, lav. : **FRF 690** – Paris, 6 déc. 1923 : *Défilé de troupes*, lav. sépia et Chine : **FRF 340** – Paris, 7 et 8 juin 1928 : *Le Sacrifice d'Iphigénie*, dess. : **FRF 1 000** – Paris, 4 déc. 1931 : *Scènes de bataille*, deux toiles : **FRF 1 400** – Paris, 25 mai 1934 : *Une course de chevaux dans un site italien*, pl. et lav. : **FRF 880** – Paris, 5 déc. 1941 : *Course de chevaux dans un site italien* : **FRF 6 200** – Paris, 2 déc. 1946 : *Allégorie des Arts*, six dess. à la pl., deux compositions inspirées de l'Antique, ensemble : **FRF 850** – Paris, 20 oct. 1988 : *Chasse aux lions*, lav. de bistre et reh. blancs (24,5x38) : **FRF 6 300** – New York, 8 jan. 1991 : *Scène historique*, encre et lav. sur craie noire (16,5x38,7) : **USD 1 650**.

LA RUE Pierre de

xvie siècle. Actif dans la première moitié du xvie siècle. Allemand.

Miniaturiste.

On lui doit deux miniatures du *Missale Bavaricum*, exécutées en 1519-1520.

LARUE Pierre Jacques

Né en 1751 à Paris. xviiie siècle. Français.

Sculpteur.

Travaillait à Besançon de 1775 à 1787.

LA RUE Romain de. Voir **ROMAIN de La Rue**

LA RUELLE Charles de

Mort en 1658. xviie siècle. Français.

Peintre.

LA RUELLE Claude de

xviie siècle. Actif à Nancy vers 1611. Français.

Peintre et dessinateur.

Peintre de la cour de Lorraine. Il fit des dessins pour les gravures qui furent exécutées à l'occasion des funérailles de Charles III et de l'avènement de Henri II.

LARUS Éliane

Née en 1944 au Pin (Deux-Sèvres). xxe siècle. Française.

Peintre, sculpteur de figures. Expressionniste, figuration libre.

Elle fit ses études artistiques aux beaux-arts de Tours puis de Paris dans l'atelier de Gustave Singier. Depuis 1968, elle vit à Paris.

Elle participe à de nombreuses expositions collectives, dont : 1981 musée de Belfort ; 1984 Bibliothèque nationale de Paris ; 1986 Foire internationale d'art contemporain de Bâle, *Les Figurations de 1960 à nos jours* Musée de Dunkerque ; 1987 Foire d'art de Stockholm ; 1987, 1990 et 1991 SAGA (Salon des Arts graphiques actuels) à Paris ; 1988 Musée du Donjon de Niort ; 1991 Salon Découvertes à Paris. Elle montre ses œuvres dans de nombreuses expositions personnelles : 1983, 1984, 1987 à Paris ; 1984 Centre d'Art contemporain Canrobert à Jouy-en-Josas ; 1986 Centre culturel de Rochefort ; 1988 musée du Donjon à Niort ; 1990 Centre d'art contemporain de Rouen ; 1991 musée du Papier d'Angoulême. Elle a reçu en 1991 le prix Léonard de Vinci (Mexique) pour son recueil de dessins *De Mexico à Mexico*.

Son expressionnisme ne tend pas forcément à la violence. Le dessin en est proche des dessins d'enfants, dont il a conservé une fraîcheur naïve, jouant avec les surfaces, par aplats, mêlant graffitis et griffures. Il évoque le travail de Dubuffet qui l'encouragea à ses débuts. Explorant divers matériaux : bois, tôle, Plexiglas, carton, verre, linoléum, elle a évolué des peintures-reliefs aux tableaux-sculptures, créant un univers plein de fraîcheur habité par des figures primitives, mal dégrossies.

Bibliogr. : Michel Giroud, Harry Laus, Michael Lecomte : *Éliane Larus, Peintures reliefs*, Ed. Art Conseil, Paris, 1984 – Gérard Xuriguera : *Le Dessin, le pastel et l'aquarelle dans l'art contemporain*, Éditions Mayer, Paris, 1987 – Catalogue de l'exposition : *Éliane Larus*, Musée du Donjon, Niort, 1988 – Éliane Larus : *De Mexico à Mexico – Dessins, 1985-1991*, Association du Centre d'Arts plastiques, Angoulême, 1991.

Musées : Angoulême (Mus. des Beaux-Arts) – Châteauroux (Mus. Bertrand) – Niort (Mus. du Donjon) – Paris (Mus. d'Art Mod.) – Paris (Mus. Galliéra) – Saint-Dié – Tours (Mus. des Beaux-Arts).

Ventes Publiques : Paris, 16 juin 1988 : *Ève en rouge* 1987, acryl./cart. (50,5x35) : **FRF 3 600** ; *Portrait*, acryl./cart. mar./pan. (65x50) : **FRF 5 000** ; *Hélicoptère survolant la ville*, acryl./t. (195x150) : **FRF 18 000** – Paris, 20 nov. 1988 : *Chien, chat, souris et compagnie*, techn. mixte/cart. (81x65) : **FRF 8 500** – Paris, 12 fév. 1989 : *Tête mexicaine* 1987, h/pan. (55x46) : **FRF 15 500** – Paris, 9 avr. 1989 : *Maison de fantôme*, techn. mixte/bois (92x62) : **FRF 9 200** – Paris, 23 avr. 1990 : *Jeune femme à la chevelure noire* 1987, h/bois : **FRF 22 000** – Paris, 26 avr. 1990 : *Scènes de rue*, acryl./pan. (150x150) : **FRF 50 000** – Paris, 4 nov. 1991 : *Le* *transparent* 1990, acryl./pan. (55x46) : **FRF 10 000** – PARIS, 14 avr. 1992 : *Enfant au râteau*, acryl./pan. (92x73) : **FRF 12 000** – PARIS, 25 mai 1994 : *Le bonhomme aux pattes d'oiseau* 1987, acryl./pan. (100x100) : **FRF 11 000** – PARIS, 25 mai 1997 : *Figure masquée* 1994, acryl./pan. (55x46) : **FRF 6 500** ; *Bonhomme au chien sur la tête* 1994, acryl. et rés./bois découpé (130x34) : **FRF 8 000**.

LA RUSSA Rocco
Né le 24 septembre 1825 à Villa San Giorvanni (province de Reggio). Mort le 16 octobre 1894 à Rome. XIXe siècle. Italien.
Sculpteur.
Élève de l'École des Beaux-Arts de Messine, puis de l'Académie Albertine à Turin. Il fut nommé professeur honoraire de l'Institut des Beaux-Arts de Naples. Chevalier de la Couronne d'Italie.

LARWIN Hans ou **Johann**
Né le 6 décembre 1873 à Vienne. Mort en 1938. XIXe-XXe siècles. Autrichien.
Peintre de sujets militaires, genre, portraits, paysages urbains.
Il fut élève de l'académie des beaux-arts de Vienne, où il eut pour professeurs A. Eisenmenger et C. Griepenkerl. Depuis 1902, il est membre de la Maison des peintres de Vienne. Il séjourna de 1922 à 1924 à Chicago. De 1930 à 1938, il fut professeur à l'académie des beaux-arts de Vienne. Il fit de nombreux tableaux de la ville de Vienne.
VENTES PUBLIQUES : VIENNE, 17 sep. 1976 : *Le commandant entouré par ses officiers dans un paysage* 1916, h/t (65x95) : **ATS 16 000** – VIENNE, 22 sep. 1978 : *Scène de rue*, h/t (80x80) : **ATS 25 000** – VIENNE, 13 juin 1980 : *Nu de dos* 1898, h/t (37x47) : **ATS 30 000** – PARIS, 7 mars 1989 : *Jeune fille berbère*, h/t (82x51,5) : **FRF 13 000**.

LARY Roland
Né le 22 décembre 1855 à Dordrecht. XIXe siècle. Hollandais.
Peintre.
Il fut élève d'E. Farasyn à l'Académie d'Anvers. Le Musée de Dordrecht possède plusieurs œuvres de lui.

LAS Jan
Né le 30 janvier 1890 à Kappeln. XXe siècle. Autrichien.
Peintre de sujets religieux.
Il existe des œuvres à Kappeln, où il exécuta pour la Friedhofskapelle un *Christ du Mont des Oliviers*, à Kiel et Reudsburg.

LASAGNI Giovanni Pietro
Né vers 1558 à Milan. Mort vers 1617. XVIe-XVIIe siècles. Italien.
Sculpteur.
On cite de lui les cariatides de la cathédrale de Milan, les bas-reliefs représentant *Sisare et Joel*, le *Puits de Jacob* et la *Vision de Daniel*, ainsi que les *Anges* de la porte de l'église Saint-Paul et la *Sainte Hélène* qui surmonte la colonne de la place Sainte-Euphémie, dans le style de Michel-Ange.

LA SALLE Xavier
Né en 1938 à Brest (Finistère). XXe siècle. Français.
Peintre, sculpteur, dessinateur.
Il est le fondateur du groupe Ludic, spécialiste en aménagement de l'espace. Il participe à des expositions collectives, notamment en 1969 et 1971 à la Biennale de Paris. Il montre ses œuvres dans des expositions personnelles notamment à la galerie Lelia Murdoch à Paris, en 1991.
Sur papier, il trace des figures primitives, nées de l'ombre et du rapport entre les pleins et les vides. Il réalise aussi des sculptures-jeux en France et en Europe.
MUSÉES : LA CHAUX-DE-FONDS – PARIS (Mus. d'Art Mod. de la Ville) – LES SABLES-D'OLONNE (Abbaye Sainte-Croix).

LASAR-SEGALL. Voir **SEGALL Lasar**

LASCANO Juan
Né en 1947. XXe siècle. Argentin.
Peintre de nus, figures, natures mortes.
VENTES PUBLIQUES : NEW YORK, 21 nov. 1988 : *La fenêtre* 1986, acryl./t. (130x100) : **USD 15 400** – NEW YORK, 17 mai 1989 : *Allongée sur le dos* 1988, h/t (130x130) : **USD 20 900** – NEW YORK, 21 nov. 1989 : *Nu féminin* 1980, acryl./t. (119,3x94) : **USD 25 300** – NEW YORK, 2 mai 1990 : *Nature morte de raisin et de verreries* 1987, h/t (79,8x90,2) : **USD 10 450** – NEW YORK, 20 nov. 1991 : *Vierge* 1990, h/t (130x100) : **USD 35 200** – NEW YORK, 17 nov. 1994 : *Pureté* 1983, h/t (70x60,4) : **USD 29 900** – NEW YORK, 17 mai 1995 : *Au réveil* 1990, h/t (129,9x99,9) : **USD 34 500**.

LASCAUX Élie
Né le 5 avril 1888 à Limoges (Haute-Vienne). Mort en 1968 ou 1969 à Limoges. XXe siècle. Français.
Peintre de paysages, graveur, illustrateur. Naïf.
Il est certainement autodidacte quant à la pratique picturale, bien que mêlé d'origine aux mouvements les plus actuels de sa génération, cubisme ou surréalisme. Depuis 1921 qu'il exposait au Salon d'Automne à Paris, cet artiste bien particulier avait été tôt remarqué. Ses œuvres figuraient dans les galeries le plus d'avant-garde, l'époque restant soucieuse de garder le contact avec l'instinct primitif, bien que ne se fiant pas sans examen à de souvent rapides brevets de naïveté. Entre autres amitiés, il connut très tôt Gertrude Stein, Max Jacob, Michel Leiris, Daniel-Henry Kahnweiler, dont il était le beau-frère, qui l'exposera fidèlement dès 1922, et certains des principaux peintres cubistes. Pendant l'occupation allemande, ce fut dans son Limousin natal qu'avec lui se réfugièrent Leiris, Raymond Queneau, Kahnweiler. Il a illustré *Tric-Trac du ciel* d'Antonin Artaud. Lui ont été consacrées des expositions rétrospectives posthumes à Paris, en 1970 et en 1978-1979. En 1998, à l'Espace Paul Rebeyrolle d'Eymoutiers, il était représenté à l'exposition *Kahnweiler, Leiris, le Limousin, les Combats*.
La naïveté de sa vision s'associe à la rigueur de la description méticuleuse qu'il en fait. Ses compositions débordent de trouvailles que l'on est tenté paradoxalement de qualifier de savantes. À la qualification de naïveté, qui ne « colle » absolument pas en tout cas au personnage, pour sa peinture on préférera la proposition de Leiris : « Presque rêve éveillé ». Scrupuleusement descriptif, il énumère les feuilles des arbres et les fenêtres des maisons, pourtant ses paysages ne sont pas d'ici ; transfigurant le réel, ils projettent le spectateur dans l'imaginaire, selon le degré d'illusion décor de théâtre ou décor de rêve.
■ J. B.
BIBLIOGR. : In : *Diction. de l'art mod. et contemp.*, Hazan, Paris, 1992.
VENTES PUBLIQUES : PARIS, 12 déc. 1925 : *La femme au chien*, aquar. : **FRF 800** – PARIS, 14 fév. 1927 : *Le Sacré-Cœur vu du marché* : **FRF 950** – PARIS, 18 nov. 1933 : *Eze* : **FRF 350** – LONDRES, 1er juil. 1976 : *Le mont Cassel*, h/t (45x60) : **GBP 200** – PARIS, 7 juin 1988 : *Composition au moulin*, h/t (46x61) : **FRF 4 300** – PARIS, 25 mars 1990 : *Portrait d'Antonin Artaud* 1923, h/t (92x65) : **FRF 80 000** – NEW YORK, 12 juin 1992 : *La rue du Sacré-Cœur*, h/t (45,7x61) : **USD 1 650** – PARIS, 8 juin 1994 : *Le Sacré-Cœur de Montmartre, vue de la rue de la Bonne*, h/t (73x54) : **FRF 4 800** – PARIS, 1er avr. 1996 : *Le pigeonnier* 1927, h/t (61x46) : **FRF 9 000** – NEW YORK, 10 oct. 1996 : *Paysage normand*, h/t (73x92,4) : **USD 1 495**.

LASCH Carl Johann
Né le 1er juillet 1822 à Leipzig. Mort le 28 août 1888 à Moscou. XIXe siècle. Allemand.
Peintre de compositions religieuses, sujets de genre, portraits, paysages.
Il fut élève de Beudemann à l'Académie de Dresde et de Schnorr et Kaultach à Munich. Membre des Académies de Dresde, Vienne, Saint-Pétersbourg, il travailla successivement à Munich, Moscou, en Italie, à Paris ; puis il se fixa à Düsseldorf en 1860, où il devint professeur.
Il a fréquemment peint des sujets bibliques.
MUSÉES : BRÊME : *Portrait du général Kulenkamp et de sa femme* – DRESDE : *Plaisir d'enfant* – DÜSSELDORF : *David et Jonathan*.
VENTES PUBLIQUES : NEW YORK, 13 oct. 1978 : *La lettre*, h/pan. (41x37) : **USD 3 750** – NEW YORK, 29 mai 1980 : *Le jardin d'enfants* 1869, h/t (80x102) : **USD 6 000** – LONDRES, 6 oct. 1989 : *Portrait d'enfant* 1843, h/t (38x32) : **GBP 4 180**.

LASCH Hermann
XIXe-XXe siècles. Allemand.
Peintre de paysages, compositions animées.
Il vécut et travailla à Düsseldorf. Il exposa à partir de 1890. On cite de lui : *Dans les dunes* et *Berger et moutons*.

LAS CUEVAS Eugenio de
Né en 1613 à Madrid. Mort en 1667 à Madrid. XVIIe siècle. Espagnol.
Portraitiste, poète et musicien.
Fils et élève de Pedro de Las Cuevas. Ses petits portraits furent très appréciés à la cour d'Espagne. Il fut peintre de Philippe IV et professeur de dessin de l'infant don Juan d'Autriche.

LAS CUEVAS Pedro de
Né en 1568 à Madrid. Mort en 1635 à Madrid. XVIe-XVIIe siècles. Espagnol.

Peintre.

Il jouit d'une réputation considérable pour les œuvres qu'il produisit dans les édifices publics et chez les particuliers. Mais il eut encore une plus grande renommée pour l'Académie qu'il fonda et qui fut dénommée École de Madrid. Juan Carreno, Antonio Tnios, Antonio Pereda, Josef Leonardo, Eugénio de Las Cuevas, tous remarquables par la puissance de leur coloris, sortirent de cette école.

LASCZYNSKI Boleslas. Voir **LASZCZYNSKI Boleslaw**

LASÈGUE Marie, Mme

Morte en 1899. XIXe siècle. Française.

Peintre.

Sociétaire des Artistes Français, elle figura au Salon de ce groupement.

LA SEIGNE, de son vrai nom : **Georges Estevénard**

Né au Russey (Franche-Comté). Mort en 1670. XVIIe siècle. Français.

Sculpteur et architecte.

Il quitta le Russey en 1647, travailla à Fribourg, puis à Dôle et y fut reçu bourgeois en 1667. De 1667 à 1669, il sculpta le retable du maître-autel et le jubé de l'église de cette ville.

LA SEIGNE Jean Philippe

Né vers 1640 à Russey (près de Dôle). Mort en 1725 à Besançon. XVIIe-XVIIIe siècles. Français.

Peintre.

Fils de Georges. Il travailla pour les églises de Besançon, Belfort et Dôle.

LASELLAZ Gustave François

Né en 1848 à Paris. Mort en 1910. XIXe-XXe siècles. Français.

Peintre de paysages, pastelliste.

Il fut élève de Lequien. Il figura au Salon des Artistes Français de Paris, dont il devint sociétaire en 1883.

Ventes Publiques : New York, 28 oct. 1986 : *Le Peintre et sa famille*, h/t (81,5x65) : **USD 14 000** – New York, 20 fév. 1992 : *Sur la plage*, h/t (24,4x33) : **USD 7 700.**

LA SERNA Bernabé de

XVIIe siècle. Actif à Roa dans la première moitié du XVIIe siècle. Espagnol.

Peintre.

Il dora le maître-autel de l'église Santa Maria à Aranda de Duero.

LA SERNA Ismaël Gonzalez de

Né le 6 juin 1897 à Grenade. Mort le 30 novembre 1968 à Paris. XXe siècle. Actif depuis 1921 en France. Espagnol.

Peintre de figures, nus, portraits, paysages, natures mortes, peintre à la gouache, aquarelliste, peintre de collages, illustrateur, dessinateur. Postcubiste.

Il fut élève de l'académie des beaux-arts de Madrid. Très jeune, il fut l'ami de Federico Garcia Lorca. Il s'établit à Paris, à Montparnasse, en 1921. Là, il se lia avec Gris, Gargallo, Gonzalez, Soutine, Kisling, Pascin, et surtout Picasso.

Il a participé à des expositions collectives : 1933 Centre artistique de Grenade ; 1936 Musée du Jeu de Paume à Paris ; 1937 Pavillon espagnol de l'Exposition internationale de Paris ; 1938, 1947-1948 galerie Berri à Paris ; 1956 *Art français contemporain* au musée national des arts plastiques de Mexico ; 1963 Tate Gallery de Londres ; 1964 musée de Saint-Étienne. Avant son arrivée à Paris, il avait fait une première exposition à Madrid en 1919. Sa première exposition parisienne eut lieu en 1927 organisée par Paul Guillaume, puis il montra ses œuvres dans des expositions personnelles : à Bruxelles en 1928 ; à Paris en 1928 et 1930 à la galerie Zak, puis en 1974 ; à Berlin en 1930 à la Galerie nationale ; à Madrid en 1932 à la Galeria del Turismo, en 1990 au Centre culturel Conde Duque ; en 1963 à New York.

Il subit d'abord l'influence des peintres impressionnistes français puis, dès son arrivée à Paris, celle de Picasso et de Braque, explorant les expériences cubistes. Il développa par la suite un style éclectique, avec des compositions animées de figures, notamment *La Couturière – Danseuses espagnoles* et des natures mortes. Tériade en écrivait : « Son art est la liaison naturelle entre la réalité et l'abstraction. » Il illustra en 1917 *Impressions d'Espagne* le premier livre de Garcia Lorca, en 1928 pour les *Cahiers d'art*, les *Sonnets* de Gongora.

I DE LA SERNA

Bibliogr. : Cesareo Rodriguez-Aguilera : *Ismaël de La Serna*, Ediciones Poligrafa, Barcelone, Cercle d'Art, Paris, 1977 – Catalogue de l'exposition : *Ismaël de La Serna*, Centro cultural Conde Duque, Madrid, 1990 – in : *Cien Anos de pintura en Espana y Portugal*, Antiqvaria, t. X, Madrid, 1993.

Musées : Berlin (Gal. Nat.) – Chicago – Grenoble – Mannheim – Paris (Mus. d'Orsay) – Paris (Mus. d'Art Mod. de la ville).

Ventes Publiques : Paris, 28 avr. 1937 : *Pavillon mauresque*, gche : **FRF 120** – Paris, oct. 1945-juil.1946 : *Fruits*, deux gches : **FRF 1 300** – Paris, 11 fév. 1949 : *Nature morte* 1928, gche : **FRF 6 200** – Paris, 23 fév. 1949 : *Poires* : **FRF 7 500** – Paris, 25 juin 1969 : *Le joueur de flûte*, collage et gche : **FRF 9 000** – Versailles, 12 mars 1972 : *Nature morte à la bouteille verte* : **FRF 8 000** – Versailles, 25 nov. 1973 : *Composition cubiste* vers 1930 : **FRF 23 500** – Versailles, 24 nov. 1974 : *Composition* 1937 : **FRF 25 000** – Madrid, 18 mai 1976 : *Nature morte* 1927, h/t (65x81) : **ESP 225 000** – Paris, 11 mai 1977 : *Composition*, h/t (65x50) : **FRF 6 000** – Versailles, 25 nov 1979 : *Nature morte à la coupe de fruits*, gche (84x56) : **FRF 8 000** – Versailles, 13 juin 1979 : *Instruments de musique et masque* 1941, paravent à quatre feuilles (170x218) : **FRF 20 000** – St-Brieuc, 29 mars 1981 : *Compotier sous la lune*, gche et collage (71x90) : **FRF 8 500** – Enghien-les-Bains, 10 avr. 1983 : *Composition*, temp./pap./t. (55x45) : **FRF 30 000** – Enghien-les-Bains, 10 avr. 1983 : *Pommes et raisins* 1931, h/cart./t. (120x84) : **FRF 31 000** – Paris, 13 déc. 1985 : *Composition cubiste*, aquar. gche (43x59) : **FRF 17 500** – Lokeren, 18 oct. 1986 : *Nature morte aux fruits* 1946, temp./plâtre (73x52) : **BEF 160 000** – Paris, 10 déc. 1987 : *Port méditerranéen*, h/t (60,5x80,5) : **FRF 32 000** – Paris, 11 déc. 1987 : *Composition* 1948, h/t (114x160) : **FRF 25 000** – Versailles, 13 déc. 1987 : *Nature morte à la mandoline*, h/isor. (88,5x116) : **FRF 38 000** – Madrid, 24 fév. 1987 : *Scandale*, gche et collage (106x80) : **ESP 200 000** – Versailles, 20 mars 1988 : *Coq de combat*, temp./cart. (72x58) : **FRF 10 500** – Paris, 29 avr. 1988 : *Composition* 1937, h/t (65x80) : **FRF 36 500** – Paris, 6 mai 1988 : *Nature morte*, h/pan. (54x70) : **FRF 39 000** – Paris, 7 juin 1988 : *La terrasse aux palmiers*, h/t (73x60) : **FRF 7 900** ; *La promeneuse au banc*, h/t (41x33) : **FRF 7 000** – Paris, 14 juin 1988 : *Le prédicateur*, h/cart. (63x48) : **FRF 16 000** ; *Carnaval*, peint./isor. (51x81) : **FRF 20 000** – Paris, 20 juin 1988 : *La partition n° 246*, h/cart./t. (70x90) : **FRF 169 000** – Paris, 23 juin 1988 : *Nature morte* 1932, h/pan. (61x5x42) : **FRF 80 000** – Versailles, 25 sep. 1988 : *Le Manège*, h/cart. mar./t. (105x80) : **FRF 33 000** – Londres, 19 oct. 1988 : *Ville au bord de l'eau* 1929, h/t (60x92) : **GBP 4 620** – Paris, 27 oct. 1988 : *Composition aux fleurs*, h/pap. (60x73) : **FRF 23 000** – Neuilly-sur-Seine, 22 nov. 1988 : *Raffinerie de Lacq* 1958, h/isor. (65x130) : **FRF 36 500** – Paris, 12 déc. 1988 : *Composition cubiste*, dess. (20x14) : **FRF 13 500** – Paris, 19 mars 1989 : *Personnage*, h/t (58x45) : **FRF 15 000** – Paris, 11 avr. 1989 : *Nature morte au pot blanc* 1925, h/pan. (33x42) : **FRF 42 000** – New York, 9 mai 1989 : *Nature morte avec deux citrons* 1927, h/rés. synth. (66x50,8) : **USD 17 600** – Paris, 19 juin 1989 : *Paysage surréaliste* 1927, h/t (73x115) : **FRF 80 000** – Londres, 20 oct. 1989 : *Nature morte aux fruits et à la guitare*, h/cart. (45,7x60,9) : **GBP 27 500** – Paris, 22 oct. 1989 : *Composition aux fruits près de la fenêtre*, h/t (58,5x90,5) : **FRF 225 000** – Paris, 15 déc. 1989 : *Composition au profil*, h/isor. (74x59) : **FRF 112 000** – Paris, 11 mars 1990 : *Composition en noir et blanc* 1929, h/cart. (105x80) : **FRF 205 000** – Paris, 3 avr. 1990 : *Composition au dix de pique* 1922, h. et collage/pap. mar./t. (75x49) : **FRF 80 000** – Londres, 23 mai 1990 : *Nature morte aux deux guitares* 1928, h/cart. (52x75) : **GBP 12 650** – Paris, 30 mai 1990 : *Portrait d'homme – les Inquisiteurs*, h/cart. (50x45) : **FRF 40 000** – Paris, 13 juin 1990 : *Nature morte aux pêches*, h/cart. (76x99) : **FRF 190 000** – New York, 10 oct. 1990 : *Nature morte à la guitare* 1937, h/cart. (87,8x62,9) : **USD 28 500** – Paris, 7 nov. 1990 : *La ville enchantée* 1927, h/cart. (105x75) : **FRF 58 000** – Madrid, 22 nov. 1990 : *Nature morte à la guitare* 1958, gche et collage/rés. synth. (82x66) : **ESP 3 472 000** – Paris, 27 nov. 1990 : *Le journal* 1926, h/t (117x86) : **FRF 160 000** – Paris, 7 déc. 1990 : *Nature morte au violon et à la partition*, gche/isor. (61x50) : **FRF 55 000** – Amsterdam, 23 mai 1991 : *Ananas*, gche/pap. (31x47,6) : **NLG 2 990** – Madrid, 27 juin 1991 : *Nature morte sur un balcon*, h/t (81x100) : **ESP 2 576 000** – Paris, 18 déc. 1991 : *Bouquet de fleurs à la fenêtre*, h/cart. (19x25) : **FRF 12 500** – Madrid, 28 jan. 1992 : *Voilier* 1945, h/cart. (105x80) : **ESP 952 000** – Londres, 25 mars 1992 : *Nature morte aux citrons* 1928, h/t (73x91) : **GBP 12 100** – Madrid, 16 juin 1992 : *Raffinerie* 1960, temp./cart. (73x100) : **ESP 500 000** – Paris, 18 déc. 1992 : *Hommage à la lumière* 1930, h/isor. (99x72) : **FRF 71 500** – Paris,

8 avr. 1993 : *Composition au compotier et à l'échiquier* 1928, h/isor. (39x74) : **FRF 41 000** – MADRID, 25 mai 1993 : *Nature morte*, h/t (50x61) : **ESP 1 035 000** – PARIS, 21 mars 1994 : *Hommage à Jérôme Bosch*, mine de pb et estompe (22x30,5) : **FRF 10 500** – LONDRES, 29 juin 1994 : *Nature morte au violon*, h. et collage/cart. (58x81) : **GBP 10 350** – NEW YORK, 9 nov. 1994 : *Nature morte au compotier*, h/t (54x42,5) : **USD 9 200** – LOKEREN, 10 déc. 1994 : *Une chapelle dans le sud* 1929, gche (31,5x48) : **BEF 36 000** – LONDRES, 28 nov. 1995 : *Nature morte au compotier de fruits*, h/t (81x54) : **GBP 16 100** – PARIS, 3 avr. 1996 : *Nature morte au compotier de fruits*, gche et collage (49x41) : **FRF 9 000** – PARIS, 24 nov. 1996 : *Entrée d'une hacienda*, h/t (81,5x100,5) : **FRF 4 500** – CALAIS, 23 mars 1997 : *Fenêtre ouverte sur le village* 1949, h/t (91x73) : **FRF 46 000** – PARIS, 16 juin 1997 : *Nature morte au violon* 1921, h. et collage/isor. (33x45,5) : **FRF 32 000**.

LA SERNA Marta de
Née le 27 septembre 1953 à Madrid (Castille). XXe siècle. Espagnole.
Peintre de compositions à personnages. Naïf.
Elle se spécialisa d'abord dans la restauration des œuvres d'art, puis se mit à peindre elle-même. Elle expose à Madrid, et participe à Paris au Salon International d'Art Naïf.
Elle peint les scènes de la vie familiale.

LASERRIE François Joseph de
Né le 20 août 1770 à Jaserrie. Mort le 6 février 1819. XVIIIe-XIXe siècles. Français.
Littérateur, dessinateur, graveur à l'eau-forte.
Prit part à l'exposition de 1795. Il fut l'élève de Boilly.
VENTES PUBLIQUES : PARIS, 28 nov. 1927 : *Les soins maternels*, cr. : **FRF 520**.

LASH Lee
Né en 1864. Mort en 1935. XIXe-XXe siècles. Américain.
Peintre de paysages urbains.
VENTES PUBLIQUES : NEW YORK, 30 nov. 1989 : *Wall Street*, h/t (127x152,4) : **USD 66 000** – NEW YORK, 21 mai 1996 : *42e rue à New York*, h/t (63,5x75,5) : **USD 17 250**.

LAS HERAS Gaetano de
Né au XIXe siècle à Séville. XIXe siècle. Espagnol.
Sculpteur.
Exposa à Paris au début du XXe siècle et obtint une mention honorable au Salon des Artistes Français en 1902.

LAS HERRAS Pedro de
Mort en août 1557. XVIe siècle. Espagnol.
Peintre.
Actif à Valladolid.

LASIBILLE Madeleine
Née le 15 août 1879 à Besançon (Doubs). XXe siècle. Française.
Peintre de genre.
Élève de Eugène Claude, Tony Robert-Fleury et Jules Lefébvre. Sociétaire des Artistes Français depuis 1903 elle figura au Salon de ce groupement.
VENTES PUBLIQUES : PARIS, 1er mars 1919 : *Marrons grillés* : **FRF 55** ; *Boutons d'or dans une jardinière* : **FRF 60**.

LASIK Pawel
Né en 1941. XXe siècle. Polonais.
Peintre de compositions à personnages.
Diplômé de l'académie des beaux-arts de Varsovie, il y est devenu un professeur de grand renom. Il participe à de nombreuses expositions à l'étranger : France, Espagne, Danemark, Bulgarie, Norvège, Roumanie, Hongrie, Berlin.

LASINIO Carlo
Né le 10 février 1759 à Trévise. Mort le 26 mars 1838 à Pise. XVIIIe-XIXe siècles. Italien.
Peintre, dessinateur et graveur à l'eau-forte et au burin.
Il travailla à Florence et à Pise. Il a exécuté des planches pour l'Ancien et le Nouveau Testament, des effigies de saints, des portraits, ainsi que des reproductions des tableaux de Florence (1789), des fresques du Campo Santo de Pise (1810) et des primitifs des XIVe et XVe siècles. Il fut conservateur de la Galerie de Pise.
VENTES PUBLIQUES : LONDRES, 4 fév. 1982 : *Portrait d'Edouard Gaurier-Dagoty*, mezzotinte en coul., d'après E. Heinsius (50x42,5) : **GBP 2 000**.

LASINIO Fernando
Né le 8 novembre 1821 à Florence. Mort en juin 1865 à Florence. XIXe siècle. Italien.
Graveur et peintre.
On cite de lui un portrait gravé en médaille de *Filippo Strozzi*.

LASINIO Giovanni Paolo
Né le 13 décembre 1789 à Florence. Mort le 8 septembre 1855 à Florence. XIXe siècle. Italien.
Dessinateur et graveur au burin.
Fils et élève de Carlo Lasinio. On cite de lui une série de 34 planches pour le Campo Santo de Pise (en collaboration avec Rossi), des décorations pour les galeries de Florence et de Turin, et des planches pour *Monumenti dell' Egitto e de la Nubia*, de Rosselli. Il signait *L. F. scul.*

LASINSKY August Gustav ou **Lazinsky**
Né le 27 octobre 1811 à Coblence. Mort le 20 avril 1870 à Mayence. XIXe siècle. Allemand.
Peintre d'histoire, scènes de genre, paysages, graveur.
Frère de Joh.-Ad. Lasinsky. Il fit ses études à l'Académie de Düsseldorf à partir de 1829. Il travailla à Coblence, Cologne et Mayence.
MUSÉES : MAYENCE : *Le Château d'Ely, sur la Moselle – L'Empereur Robert près du château de Soltzenfels – La Busstal près de Trèves – Mort de Louis de Bade à la bataille de Belgrade.*
VENTES PUBLIQUES : AMSTERDAM, 22 avr. 1997 : *Vue de Trier*, h/t (82x120) : **NLG 28 320**.

LASINSKY Johann Adolf
Né le 16 octobre 1808 à Simmern. Mort le 6 septembre 1871 à Düsseldorf. XIXe siècle. Allemand.
Peintre d'architectures.
Ce fut avec Lessing et J. W. Schirmer un des premiers paysagistes allemands indépendants. Il obtint une réussite assez rapide et en 1837 exécutait à Coblence des peintures pour l'empereur Alexandre. Il alla ensuite à Cologne et, en 1850, vint se fixer définitivement à Düsseldorf. Le Musée de cette ville conserve une étude de cet artiste.

LASINSKY Stanislaw Antoni
Né en 1867 à Przyborowo. Mort en 1894 à Lwow. XIXe siècle. Polonais.
Peintre.
Il fut à Munich l'élève d'Hollosy puis, établi à Lwow, il peignit des scènes de la vie populaire en Pologne.

LASIUS Otto
Né le 25 janvier 1866 à Zurich. XIXe siècle. Suisse.
Peintre et graveur.
On cite surtout ses vues de Zurich, peintes à l'huile et lithographiées.

LA SIZERANNE Max Monier de. Voir **MONIER de La Sizeranne**

LASKE Oskar
Né le 8 janvier 1874 à Czernowitz. Mort en 1951 à Vienne. XXe siècle. Autrichien.
Peintre de sujets divers, aquarelliste, graveur.
On lui doit des tableaux de genre, d'histoire, des peintures d'inspiration biblique et même des paysages dont la technique et aussi l'esprit semblent imités de Breughel.
VENTES PUBLIQUES : VIENNE, 23 sep. 1977 : *Le marché de Krems*, techn. mixte (38x49,3) : **ATS 30 000** – VIENNE, 16 juin 1978 : *Roses* 1905, h/pan. (35x43) : **ATS 25 000** – VIENNE, 22 juin 1979 : *Kremsmünster* 1933, gche (40x51,5) : **ATS 18 000** – VIENNE, 8 avr. 1981 : *La Fête*, pl., encre de Chine et aquar. (43,5x63) : **AUT 18 000** – VIENNE, 18 mars 1981 : *La Sortie de l'église, Attersee*, techn. mixte/pap. (56x38,5) : **ATS 75 000** – VIENNE, 14 sep. 1982 : *Das jüngste Gericht* 1944, h/t (114x72) : **ATS 50 000** – VIENNE, 13 sep. 1983 : *Schönbrunn*, aquar. et gche (41x38,5) : **ATS 25 000** – VIENNE, 15 nov. 1983 : *Kirtag Waldviertel* 1934, h/t (75x97) : **ATS 120 000** – VIENNE, 10 déc. 1985 : *Der Graben, Wien*, gche et aquar. (39,5x52) : **ATS 28 000** – VIENNE, 24 juin 1986 : *Scène de marché à Friesach* vers 1908, aquar., gche et cr. (33,6x44,8) : **ATS 60 000** – VIENNE, 19 mai 1987 : *Wurstl Prater*, gche et aquar./pap. (47x40) : **ATS 75 000** – NEW YORK, 7 mai 1991 : *Lauben à Prague*, gche/pap. (41,2x48,7) : **USD 4 180** – LUCERNE, 15 mai 1993 : *Marché oriental*, détrempe et aquar./pap. (49x39) : **CHF 5 400** – NEW YORK, 2 mai 1996 : *Wurstelprater*, gche/pap. (34,9x49,8) : **USD 14 950**.

LASKER Jonathan
Né en 1948 à Jersey City (New Jersey). XXe siècle. Actif aussi en France. Américain.
Peintre. Abstrait.

Il fut élève de la School of Visual Arts de New York de 1975 à 1977, puis de l'Institute of the Arts de Valencia (Californie) où il eut Susan Rothenberg et Ricahrd Artschwager comme professeurs. Il vit et travaille à Paris et à New York.
Il participe à de très nombreuses expositions collectives depuis le début des années quatre-vingt à New York, notamment en 1988 au Metropolitan Museum of Art, ainsi que : 1985 Museum Ludwig de Cologne ; 1987 The Corcoran Gallery of Art à Washington ; 1989 Stedelijk Museum d'Amsterdam ; 1990 Art Museum de Joensuu ; 1991 Gallery of Modern Art de Bologne ; 1992 Documenta IX de Kassel ; 1994 Hayward Gallery de Londres ; 1995 université de Houston ; 1997 *Abstraction/Abstractions – Géométries provisoires* au musée d'Art moderne de Saint-Étienne.
Il montre ses œuvres dans des expositions personnelles : 1981, 1984, 1986, 1988, 1989, 1991, 1993, 1994 New York ; 1981 Düsseldorf ; 1986, 1987, 1990 Cologne ; 1987, 1990 Lund ; 1988, 1991 Rome ; 1991 Stuttgart ; 1991, 1994 Stockholm ; 1992 Institute of Contemporary Art à Philadelphie ; 1992, 1997 galerie Thaddaeus Ropac à Paris ; 1993 Witte de With, centre d'art contemporain à Rotterdam ; 1995 La Louver à Venice (Californie), Madrid ; 1997 musée d'Art contemporain de Bielefeld ; 1998 Stedelijk Museum d'Amsterdam et Kunstmuseum de Saint-Gall.
Jonathan Lasker fait partie de cette génération d'artistes des années quatre-vingt qui, en peinture, a travaillé, non pas vers un retour à la figuration, mais dans la voie abstraite. Méthodiquement, après avoir réalisé une maquette, Lasker associe lignes épaisses, graffitis ou boucles de couleur, d'apparence grossière en rangs réguliers, carrés en damiers, ou en grille ; il glisse d'une forme à l'autre imperceptiblement, jouant des contrastes de couleurs. Ses œuvres, qui évoquent la calligraphie, essentiellement décoratives, portent des titres inattendus : *Peinture pour les générations à venir, Choses à savoir, Quand les arbres deviendront des fleurs, Croire en tout*... Abstraits, il conçoit ses figures et signes comme des « métaphores, désignant des objets dans l'espace, des éléments du monde réel, des figures qui se détachent sur un arrière-plan (...). Parfois, ce sont deux ou trois formes, dont toutes possèdent des particularités connexes, qui désigent un seul et même objet. » (J. Lasker, in *Art Press*).
Bibliogr. : Philippe Dagen : *Tableaux froids,* Le Monde, Paris, 17 juin 1992 – Catalogue de l'exposition : *Abstraction/Abstractions – Géométries provisoires,* Musée d'Art moderne, Saint-Étienne, 1997 – Ann Hindry : *Interview : Jonathan Lasker. Conscience et conflit,* Art Press, n° 230, Paris, déc. 1997.
Musées : Cologne (Mus. Ludwig) – Londres (The British Library) – Los Angeles (Eli Broad Foundation) – Malmö (Rooseum) – Minneapolis (Walker Art Center) – New York (Mus. of Mod. Art) – Tokyo (Wacoal Art Center) – Washington D. C. (Hirshhorn Mus. & Sculpture Garden) – Washington D. C. (Corcoran Gal. of Art).
Ventes Publiques : New York, 4 mai 1989 : *Le facteur singulier,* h/t (150x180) : **USD 16 500** – New York, 5 oct. 1989 : *Peinture rupestre* 1983, acryl./t. (167,7x122) : **USD 14 850** – New York, 27 fév. 1992 : *Pour un petit pays* 1987, h/t (76,2x61) : **USD 12 100** ; *Mantra pour un dieu distrait* 1990, h/t (182,9x139,7) : **USD 33 000** – New York, 6 mai 1992 : *Standards d'expression* 1989, h/t (152,4x213,3) : **USD 28 600** – New York, 19 nov. 1992 : *Élégante Psyché* 1989, h/t (76x61) : **USD 12 100** – New York, 23-25 fév. 1993 : *Une fois pour le monde,* acryl./t. (150x180) : **USD 17 250** – New York, 19 nov. 1996 : *Métaphysique télévisée* 1986, h/t (76,2x61) : **USD 10 350.**

LASKI Andrzej
Polonais.
Peintre d'histoire.

LASKI Marcin
XVIe siècle. Polonais.
Peintre.

LASKOWSKI François
Né le 19 juin 1869 à Bromberg. XIXe-XXe siècles. Allemand.
Peintre de portraits, paysages, graveur.
Il séjourna à Paris, en Italie et à Strasbourg. Il avait fait ses études à Strasbourg.

LASKY Bessie
Née le 30 avril 1890 à Boston (Massachusetts). XXe siècle. Américaine.
Peintre.
Elle fut élève de Félicie Waldo Howell. Elle est membre de la Fédération américaine des arts.

LAS MARINAS Henrique de
Né en 1620 à Cadix. Mort en 1680 à Rome. XVIIe siècle. Espagnol.
Peintre de marines.
On ignore le patronyme complet de cet artiste qui acquit une grande renommée par la réalité de ses scènes d'embarquement dans la baie de Cadix. On vante la sûreté de son dessin, la transparence de sa couleur. Il fit une fortune importante et alla finir sa vie en Italie.

LASNE Jean
Né en 1911. Mort en juin 1940. XXe siècle. Français.
Peintre, dessinateur.
Il fut un talent lourd de promesses et de réalisations. Il avait fait partie du groupe Forces Nouvelles qui comprenait Tal-Coat, Humblot et Jannot entre autres. Le premier Salon de Mai, en 1945, lui consacra une exposition rétrospective, où l'on put constater, principalement dans ses croquis de guerre, ses qualités constructives. Des expositions rétrospectives de son œuvre ont été présentées au musée des Beaux-Arts de Rouen en 1981-1982, au musée des Beaux-Arts et d'Archéologie de Besançon, au musée des Beaux-Arts de Tourcoing, au musée Ingres de Montauban, ainsi qu'en 1988 au musée Granet d'Aix-en-Provence.
Ses toiles, travaillées par aplat, évoquent l'œuvre de Nicolas de Staël.
Musées : Paris (Mus. d'Art Mod.).
Ventes Publiques : Paris, 4 juil. 1995 : *Village méditerranéen* 1938, h/pan. (60,5x73) : **FRF 5 700.**

LASNE Jean Étienne
Né vers 1596 à Caen. Mort vers 1645. XVIIe siècle. Français.
Graveur au burin.
Il a gravé des portraits. Il travailla à Bordeaux, Lyon et Toulouse.

LASNE Michel ou **L'Asne**
Né vers 1590 à Caen. Mort le 4 décembre 1667 au palais du Louvre à Paris. XVIIe siècle. Français.
Dessinateur et graveur au burin.
Charmant artiste qu'on peut placer à côté de Callot pour la liberté et l'esprit de son exécution. Il semble s'être inspiré surtout de Cornelis Blœmaert et F. Villamena. C'était un grand travailleur, aussi son œuvre est-il considérable. Il fut protégé par Anne d'Autriche. Il travailla à Anvers de 1617 à 1620 et Mariette croit qu'il travailla avec Théodore Galle ou Jacques de Bie. Michel Lasne était fort gai et aimait à réunir chez lui de nombreux amis, mais ce goût de la société n'entravait pas son travail. C'était un excellent dessinateur et la plupart de ses gravures sont exécutées d'après ses propres compositions. Ses estampes, quand elles ne sont pas signées, portent souvent un M et un L accolés. Le Musée d'Issoudun conserve son portrait, miniature sur velin.

LASNE René. Voir **GOUAST**

LASNIER Anthoine
XVIIe siècle. Actif à Paris en 1698. Français.
Peintre.

LASNIER Jean
Né le 14 septembre 1922 à Angers (Maine-et-Loire). XXe siècle. Français.
Peintre de paysages.
Il a étudié avec Souverbie à l'école des beaux-arts de Paris. Il expose régulièrement depuis 1956 à Paris, au Salon des Indépendants, de la Marine, et de la Société Nationale des Beaux-Arts. Il participe parfois au Salon d'Automne et au Salon Comparaisons.
Paysagiste, il fait éclater les couleurs parfois à la limite de la non-figuration.
Ventes Publiques : Paris, 29 nov. 1992 : *Fossilisation,* techn. mixte/t. (100x81) : **FRF 3 200.**

LASNIER Louis Pierre
Né au XIXe siècle à Paris. XIXe siècle. Français.
Lithographe.
Élève de Slanta. Il figura au Salon, de 1857 à 1878.

LASNIER Pierre
XVIIe siècle. Actif à Nantes entre 1697 et 1701. Français.
Graveur.

LASOCKI Ignacy
Mort le 22 avril 1875 à Varsovie. XIXe siècle. Polonais.

Peintre.
Il fit ses études à Düsseldorf et à Rome. Il exposa à Varsovie *Francesca da Rimini, Christ en Croix, Dante et Virgile.*

LASOCKI Kasimierz
Né en 1872. XIXe-XXe siècles. Polonais.
Peintre de portraits, compositions animées, paysages.
Il fit ses études à Varsovie et Munich.

LA SONNETTE Jean Michel et **Georges de**
XVe siècle. Français.
Sculpteurs.
De leur collaboration résulta, en 1453, le Saint-Sépulcre de l'hôpital de Tonnerre.

LA SOTA CARRIAZO Lope de
XVIe siècle. Travaillant vers 1587. Espagnol.
Sculpteur.
Il a sculpté un crucifix près de l'église de San Andrès de Castro.

LA SPINA Michele
Né en 1849 à Arcireale. Mort en 1943. XIXe-XXe siècles. Italien.
Sculpteur.
Il a exposé à Rome en 1883.
Musées : Rome (Gal. d'Art Mod.).

LAS ROELAS Juan de, dit **el Clerigo Roelas, el Licenciado Juan** ou **Palomino** ou **Doctor Pablo**
Né entre 1558 et 1560 à Séville. Mort le 23 avril 1625 à Olivarès. XVIe-XVIIe siècles. Espagnol.
Peintre de compositions religieuses.
Issu d'une famille noble d'origine flamande, il fut instruit pour professer la physique et y avait déjà obtenu un grade lorsque ses inclinations de jeunesse se réveillèrent et le poussèrent à consacrer sa vie à l'étude de la peinture. Dans ce but, il partit pour l'Italie et séjourna, pendant quelques années, à Venise où, d'après Palomino, il aurait été l'élève du Titien. Mais comme le Titien mourut en 1576, il est plus vraisemblable qu'il eut pour maître un élève du Titien. Grâce à ces leçons, il joignit à la correction du dessin et à la connaissance approfondie de l'anatomie du corps humain, le coloris riche et harmonieux, propre à l'école vénitienne. Il devint un des meilleurs peintres andalous. Une de ses plus belles œuvres, *Le Martyre de saint André*, se trouve au collège de Saint-Thomas. Rentré à Séville, il y travailla surtout pour les églises, où l'on voit bon nombre de ses tableaux qui furent comparés à ceux de Palma et de Tintoretto. L'église Saint-Isidore possède son chef-d'œuvre, *La mort de saint Isidore*. En quelques années, il réalisa dans les églises et à la cathédrale de Séville, une série d'œuvres de si grandes dimensions que l'on a pu évoquer Michel-Ange, tandis que, par l'influence reçue des Vénitiens, leur éclat et leur animation, elles annoncent Rubens. Outre les œuvres déjà citées, il a peint, en 1609, dans la cathédrale, un *Saint Jacques secourant les Chrétiens à la bataille de Clavijo*. Il eut de nombreux élèves, qui, continuant son action, contribuèrent à libérer la peinture sévillane des conventions maniéristes, parmi ceux-ci : Varela Juan del Castillo, celui qui révéla Alonso Cano et fut le maître de Murillo. On cite aussi son influence sur de nombreux peintres, notamment sur Fray Sanchez Cotan.
Bibliogr. : Jacques Lassaigne : *La peinture espagnole de Velasquez à Picasso*, Skira, Genève, 1952.
Musées : Berlin : *Vierge en gloire adorée par un Jésuite* – Dresde : *Conception* – Francfort-sur-le-Main : *La jeune Marie au rouet* – Madrid (Mus. du Prado) : *Moïse faisant jaillir l'eau du rocher* – Saint-Pétersbourg (Mus. de l'Ermitage) : *Communion de sainte Thérèse* – Séville : *Sainte Anne et la Vierge* – *Martyre de saint André* – *Conception*, douteux – *Saint Ignace de Loyola*, douteux.
Ventes Publiques : Paris, 1843 : *L'éducation de la Vierge* : **FRF 615** ; *La Vierge enfant* : **FRF 950** – Paris, 1852 : *La Vierge au rosaire* : **FRF 5 800** – Paris, 12 déc. 1989 : *L'Immaculée Conception*, h/t (176,5x111,5) : **FRF 1 700 000** – Londres, 5 juil. 1996 : *L'Immaculée Conception*, h/t (176,5x111,8) : **GBP 19 000**.

LASRY David
Né en 1958 à Los Angeles. XXe siècle. Américain.
Peintre. Abstrait.
Il vit et travaille à New York. Il a participé à l'exposition : *Géométrie en question : quatre peintres à New York* présentée par la galerie Zürcher à la Foire Internationale d'Art Contemporain à Paris en 1994.
Il peint des structures géométriques découpées dans du bois, n'usant pour couleur que du noir et du blanc.

LASSALE Pierre, pseudonyme de **Hirondelle Jean-Pierre**
Né le 4 avril 1939 à Rouen (Seine-Maritime). XXe siècle. Français.
Peintre de paysages, marines. Néo-impressionniste.
Il est également passionné de photographie. Il s'est formé à la peinture en autodidacte. Il expose en particulier au château de Bellocq dans le Béarn et dans une galerie de Versailles.
Il a adopté la touche divisionniste des néo-impressionnistes. Il peint surtout les côtes et les ports de Normandie et du Midi.

P. Lassale
P. Lassale

Ventes Publiques : Versailles, 6 nov. 1988 : *Honfleur, la Lieutenance* 1976, h/t (69,5x83,5) : **FRF 4 000** – Versailles, 21 jan. 1990 : *Honfleur, la lieutenance* 1978, h/isor. (33x41) : **FRF 4 500**.

LASSALLE Camille Léopold, pseudonyme de **Cabaillot Camille Léopold**
Né en 1839 à Paris. XIXe siècle. Français.
Peintre de genre.
Fils de Louis Simon Lassalle, il étudia sous sa direction, puis fut élève de E. Frère. Il figura au Salon de Paris entre 1864 et 1889. Parmi ses œuvres, citons : *La jeune mère* – *La mariée* – *Orphelines* – *La réponse* – *La veillée* – *Les laveuses*.

Cabaillot-Lassalle

Ventes Publiques : Paris, 2 mars 1925 : *Femme et son chien* : **FRF 2 300** – Vienne, 19 sep. 1972 : *Jeune garçon se chauffant les mains* : **ATS 38 000** – Londres, 9 mai 1979 : *La leçon de géographie* 1877, h/pan. (32,5x24) : **GBP 1 200** – Zurich, 30 mai 1981 : *Vendange* 1894, h/bois (46x55) : **CHF 2 000** – New York, 13 fév. 1985 : *Femme au jardin* 1873, h/t (33x25,5) : **USD 2 750** – Londres, 25 mars 1987 : *Chez le marchand d'oiseaux* 1873, h/t (53,5x43,5) : **GBP 16 000** – Paris, 23 juin 1993 : *L'attente*, h/pan. (27x21,5) : **FRF 5 500** – Londres, 15 juin 1994 : *Chez le marchand d'oiseaux* 1873, h/t (56x46) : **GBP 15 525** – New York, 16 fév. 1995 : *La conversation*, h/pan. (40,6x32,4) : **USD 5 750** – Paris, 21 mars 1996 : *La visite de l'atelier* 1874, h/pan. d'acajou (67x52,5) : **FRF 81 000**.

LASSALLE Émile
Né en 1813 à Bordeaux. Mort en 1871 à Paris. XIXe siècle. Français.
Lithographe et peintre de portraits et de genre.
Élève de P. Lacour. Il figura au Salon, de 1834 à 1869. On cite de lui : *La Becquée*, d'après Breton, considérée comme une de ses meilleures œuvres, *Sapho*, de Barrias, *La Source*, d'après Ingres, etc.
Ventes Publiques : Paris, 21 mars 1925 : *Jeune guerrier nègre* : **FRF 70**.

LASSALLE Gustave ou **Lassale-Bordes**
Né le 26 janvier 1814 à Auch (Gers). Mort en 1886 à Auch. XIXe siècle. Français.
Peintre d'histoire, portraits, natures mortes.
Élève de Paul Delaroche et de Charles Larivière, il figura au Salon de Paris de 1835 à 1868, obtenant une médaille de troisième classe en 1847.
Il fut collaborateur de Delacroix de 1835 à 1852, puis il retourna dans sa ville natale. Baudelaire appréciait les tons « pour ainsi dire équivoques » de sa *Mort de Cléopâtre*.
Bibliogr. : In : Catalogue de l'exposition : *Les années romantiques, la peinture française de 1815 à 1850*, Mus. des Beaux-Arts de Nantes, 1995-1996 et Galeries nationales du Grand Palais, Paris, 1996.
Musées : Auch : *Fruits et gibiers* – *Portrait de Blaise de Montluc* – Autun : *La mort de Cléopâtre*.

LASSALLE Louis Simon, pseudonyme de **Cabaillot Louis Simon**
Né en 1810 à Paris. XIXe siècle. Français.
Peintre de genre, illustrateur.
Élève de Pierre Paris et de C. L. Müller, il figura au Salon de Paris entre 1851 et 1868. Il a toujours exposé sous le nom de Lassalle. Sur la commande du ministère d'État, il exécuta : *Inondations* de 1856 et *Un trait de la jeunesse de Napoléon III*. On cite également

de lui : *La route du marché – La froide matinée – La boisière – L'abri contre l'orage – Le goûter aux champs.* Il se plaisait à reproduire les effets de neige.

Louis Lassalle

Ventes Publiques : Vienne, 22-25 mai 1962 : *La partie de traîneau sur la glace* : **ATS 13 000** – Londres, 24 nov. 1976 : *Grand-mère et Petite-fille*, h/t (39,5x48) : **GBP 1 800** – Londres, 14 févr 1979 : *Enfants nourrissant des lapins*, h/pan. (32x24) : **GBP 1 300** – Londres, 25 mars 1981 : *Enfants nourrissant des lapins*, h/pan. (32,5x24) : **GBP 1 500** – Londres, 6 mai 1981 : *Jeunes Musiciens* 1867, h/t (45,5x37,5) : **GBP 1 900** – Londres, 16 mars 1983 : *Les petits ramasseurs de fagots dans un paysage d'hiver*, h/pan. (46x38) : **GBP 1 800** – Londres, 26 fév. 1988 : *Attendre son tour*, h/pan. (44,5x35,5) : **GBP 2 200** – Calais, 3 juil. 1988 : *Le retour des pêcheurs* 1858, h/pan. (41x32) : **FRF 14 500** – New York, 29 oct. 1992 : *Ramasseurs de fagots*, h/pan. (29,2x23,5) : **USD 2 640.**

LASSARE Catherine Hélie. Voir **BONVOISIN Catherine Hélie,** Mme

LASSAUX François Charles

Né en 1734 à Lunéville. xviiie siècle. Français.

Peintre de genre.

Élève de Girardet. Il figura au Salon de 1799.

LASSAUX Jean Marie Philéas

Né le 28 octobre 1829 à Ecordal. xixe siècle. Français.

Sculpteur.

Élève de Lebœuf. Il figura au Salon de 1872 à 1876.

LASSAUZÉ Paul

Né en 1924. Mort en 1970. xxe siècle. Français.

Peintre.

Il participe à des expositions en France et à l'étranger.

LASSAVE

Né à Toulouse. xviiie siècle. Français.

Peintre.

Il exposa en 1768 des paysages à l'Exposition de la jeunesse, place Dauphine.

LASSAW Ibram

Né en 1913 à Alexandrie, de parents d'origine russe. xxe siècle. Actif depuis 1926 et depuis 1928 naturalisé aux États-Unis. Égyptien.

Sculpteur, peintre. Abstrait.

Il commença ses études de sculpture à l'âge inhabituel de treize ans, sous les conseils de Dorothea Denslow, au Children's Museum de Brooklyn ; puis au Clay Club, de 1927 à 1932 ; en même temps qu'au City College de New York, en 1931-1932. Très naturellement, il fut des membres fondateurs des *American Abstract Artists* en 1936 ; il en fut le président, de 1946 à 1949. C'est à cette époque qu'il pratiqua la peinture, de 1947 à 1949, dans l'atelier public d'Ozenfant, à New York.

Il participe à de très nombreuses expositions de groupe, parmi lesquelles : Biennale de Venise en 1954, Biennale de São Paulo en 1957, Exposition internationale de Bruxelles en 1958. Il a figuré à Paris au Salon des Réalités Nouvelles en 1950. Il a montré ses œuvres dans des expositions personnelles à New York en 1951, 1952, 1954, 1958.

Dès la fin de ses études, en 1933, il était convaincu à l'abstraction ; et, en 1936, adoptait le métal soudé. Depuis les débuts de sa période abstraite, son œuvre offre une rare continuité. Après avoir suivi quelque influence de Miro, puis de Mondrian, il trouva rapidement sa technique du fil de fer labyrinthique se développant librement dans l'espace selon une prolifération dévorante. Ces structures spatiales, dans lesquelles les intersections orthogonales dominent, sont travaillées en différents métaux, retravaillés, patinés, fondus par le feu ; parfois s'y insèrent fragments de minerais ou pierres. Sous l'incitation panthéiste de sa fréquentation des mystiques du Moyen Âge germanique et de l'Extrême-Orient, Lassaw a donné à ses œuvres de plus en plus l'aspect de surgissements naturels en harmonie et en interpénétration avec les cycles de croissance végétaux et organiques, évoquant une « identification avec le flux de l'univers ». Après avoir joué, par la liberté spontanée de ses « dessins dans l'espace » un rôle important dans la formation de l'école de New York, Lassaw, après 1953, a trouvé l'occasion de développer ses sculptures pénétrables par le regard, à l'échelle monumentale, notamment avec *Le Pilier de feu*, pour le temple Beth El, à Springfield (Massachusetts). ■ Jacques Busse

Bibliogr. : *Trois Sculpteurs américains : Ferber, Hare, Lassaw*, Musée de Poche, Paris – J. Ma, in : *Diction. univer. de l'art et des artistes*, Hazan, Paris, 1967 – Robert Goldwater, in : *Nouv. Diction. de la peinture mod.*, Hazan, Paris, 1970 – in : *Les Muses*, La Grange Batelière, t. IX, Paris, 1972.

Ventes Publiques : New York, 30 sep. 1982 : *Space Loom XXII* 1972, cuivre (H. 34,9) : **USD 1 000** – New York, 10 mai 1984 : *Sans titre* 1949, bronze (25,5x45,7) : **USD 4 000** – New York, 1er oct. 1985 : *Convolutions* 1958, cuivre (101,5x177,8x27,8) : **USD 9 250** – New York, 8 oct. 1988 : *Sans titre* 1960, bronze doré (121,8x88,8x55,8) : **USD 14 300** – New York, 4 mai 1989 : *Champ* 1965, bronze doré (33x31,4x29,8) : **USD 6 600** – New York, 10 oct. 1990 : *Encre noir* 1967, encre/pap. (33,1x40,7) : **USD 1 320.**

LASSE Nicolas

xvie siècle. Actif en Alsace vers 1580. Français.

Graveur au burin.

Il a gravé un portrait de *Jean-Jacques Boissard*.

LASSEN Aksel Martin

Né le 10 mai 1870 à Copenhague. xixe-xxe siècles. Danois.

Peintre de paysages.

Il voyagea longuement à travers l'Italie et la Hollande et il séjourna à Paris.

Musées : Copenhague : *Paysage*.

LASSEN Hans August

Né le 12 décembre 1857 à Hadersleben. xixe siècle. Allemand.

Peintre de genre, portraits.

Musées : Hadersleben : *Portrait de Thorvaldsen*.

Ventes Publiques : Cologne, 23 nov. 1977 : *Le taste-vin* 1898, h/t (62,5x100,5) : **DEM 4 400** – Heidelberg, 13 oct 1979 : *Le gourmet* 1918, h/cart. (24x36) : **DEM 2 600** – Düsseldorf, 5 déc. 1984 : *Le taste-vin*, h/t (70x42,5) : **DEM 7 500** – Brême, 21 juin 1986 : *Scène d'auberge* 1894, h/pan. (44x33) : **DEM 14 000** – Munich, 26 mai 1992 : *Dégustation de vin dans un chai* 1894, h/t (35,5x54) : **DEM 3 105.**

LASSEN Johann

Né en Norvège. xviiie siècle. Norvégien.

Peintre de paysages et de décorations.

Il fut appelé au Danemark pour peindre des vues du voyage de Christian VI en Norvège.

LASSEN Käthe

Née le 7 février 1880 à Flensburg. xxe siècle. Allemande.

Peintre de paysages, scènes typiques.

Elle décora une chapelle à la fresque à Weiche, près de Flensburg mais peignit surtout des paysages, des scènes ou des personnages de la vie du peuple.

LASSENCE Paul de

Né le 7 juin 1886 à Bruxelles (Brabant). Mort en 1962. xxe siècle. Belge.

Peintre de paysages, fleurs, graveur.

Il exposa à partir de 1911 à Paris, au Salon d'Automne, puis plus tard au Salon de la Société Nationale des Beaux-Arts, des fleurs et des paysages, rapportés de ses nombreux voyages, surtout en Bretagne, dans le Midi et en Corse. Avant de se fixer à Paris, il avait été, à Londres, l'élève de Frank Brangwyn, et, dès sa première exposition personnelle, en 1911, il fut remarqué par Camille Mauclair. Il a eu de nombreuses expositions ultérieures à Paris, ainsi qu'à l'étranger.

Bibliogr. : *Catalogue de vente de l'atelier*, Étude du Maître Claude Robert, Paris, 1971 et 1973.

Ventes Publiques : Paris, 15 déc. 1933 : *Le pont de Quimperlé sur l'Ellé* : **FRF 420** – Bruxelles, 12 juin 1990 : *Terrasse au bord de la mer*, h/t (60x100,5) : **BEF 45 000.**

LASSER Hans

Né le 30 octobre 1891 à Metz (Moselle). xxe siècle. Français.

Peintre de paysages.

Il fut, à Strasbourg, élève de Schneider. On lui doit surtout des paysages d'Italie et de la Forêt noire.

Ventes Publiques : New York, 25 fév. 1986 : *Les taste-vin* 1907, h/t (42,5x71,1) : **USD 4 000.**

LASSERRE

xixe siècle. Actif à Gien (Loiret) vers 1800. Français.

Peintre.

Il décora les égises de Coullons et d'Ailant-sur-Milleron dans le Loiret.

LASSERRE André
XXe siècle.
Sculpteur. Abstrait informel.
Musées : Lausanne (Mus. canton. des Beaux-Arts) : *Composition.*

LASSERRE Firmin Pierre
Né le 6 juillet 1870 à Barrante (Basses-Pyrénées). XIXe-XXe siècles. Français.
Sculpteur.
Il fut élève de Breauté et de Millet. Il exposa au Salon des Artistes Français, où il obtint une médaille de bronze en 1921, d'argent en 1923, d'or en 1927. Il fut fait chevalier de la Légion d'honneur.

LASSERRE Michel
Né en 1947 à Dax (Landes). XXe siècle. Français.
Graveur de figures, peintre.
Il vit et travaille au Plessis-Robinson. Il a montré ses œuvres lors de la manifestation ateliers – portes ouvertes dans le cadre du *Génie de la Bastille* à Paris.
Il dresse une véritable galerie de portraits, dans ses gravures sur bois.
Musées : Paris (Cab. des Estampes) : *Les Parques* 1970.

LASSERRE Prosper Pierre
Né le 10 mars 1832 à Tirent-Pontejac (Gers). Mort le 10 janvier 1900 à Paris. XIXe siècle. Français.
Peintre de fleurs.
Le Musée de Lisbonne possède des fleurs de cet artiste.

LASSIRE G.
Paysagiste.
La Galerie Roussel, à Louviers, conserve une aquarelle de cet artiste.

LASSITER
Né en 1926 à New York. XXe siècle. Américain.
Peintre, technique mixte.
Il vit et travaille à New York.
Musées : Genève (Mus. d'Art et d'Hist.) : *Love makers* 1987 – *Gothic remnants floating on the Rhône 6* 1960.

LASSLER Josef Matthias
Né en 1698 à Schwaz (Tyrol). Mort le 15 août 1777 à Troppau. XVIIIe siècle. Autrichien.
Peintre de fresques.
Il travailla à Troppau et à Innsbruck. Il avait été élève de Maulbertsch, et fut de ceux qui prolongèrent l'esprit du Baroque jusque dans le XIXe siècle.

LASSNIG Maria
Née en 1919 ou 1925 à Kappel-Körten. XXe siècle. Autrichienne.
Peintre, aquarelliste, peintre à la gouache, dessinatrice.
Elle a étudié à l'académie des beaux-arts de Vienne, où elle eut pour professeur Boeckl. Elle séjourne à Paris, en 1951-1952 puis, de nouveau, de 1961 à 1968. Elle réside à New York de 1968 à 1980, avant de s'installer définitivement à Vienne, où elle enseigne à l'académie des beaux-arts.
Elle expose à Vienne, Francfort et Paris. Elle a participé à plusieurs reprises au Salon de Mai, à Paris, ainsi que : 1995 galerie de l'École des beaux-arts de Rouen. Elle montre ses œuvres dans des expositions personnelles : 1995-1996 *Dessins et aquarelles (1945-1995)*, galerie d'Art graphique du musée national d'Art moderne de Paris.
Sa peinture proche de l'informel laissait d'abord une grande place à une écriture vive, un graphisme aigu. Puis un espace nébuleux a presque totalement rempli la toile, jusqu'à une quasi-monochromie. Faisant par la suite de nouveau appel à la figuration, elle use de déformations pour aboutir à une sorte d'humour noir. Parallèlement à sa peinture, elle a toujours pratiqué la technique du dessin : crayon, fusain, gouache et aquarelle.
Bibliogr. : In : *Diction. de l'art mod. et contemp.*, Hazan, Paris, 1992.
Musées : Paris (Cab. des Estampes).
Ventes Publiques : Zurich, 8 avr. 1997 : *Amitié gay* 1973, cr. (37x50) : **CHF 2 600**.

LASSOUQUÈRE Jean Paulin
Né en 1810 à Panjas (Gers). XIXe siècle. Français.
Peintre de portraits et lithographe.
Figura au Salon de Paris, de 1835 à 1845.

L'ASSURANCE. Voir **CŒUR D'ACIER Antoine**

LASSUS Alexandre Victor de
Né en 1781 à Toulouse (Haute-Garonne) ou à Toulon (Var). Mort vers 1830. XIXe siècle. Français.
Peintre d'histoire.
Élève de David, il figura au Salon de Paris de 1819 à 1827.
Bibliogr. : In : Catalogue de l'exposition : *Les années romantiques, la peinture française de 1815 à 1850*, Mus. des Beaux-Arts de Nantes, 1995-1996 et Galeries nationales du Grand Palais, Paris, 1996.
Musées : Angers (Mus. des Beaux-Arts) : *Hariadan Barberousse.*

LASSUS Bernard
Né le 30 novembre 1929 à Chamalières (Puy-de-Dôme). XXe siècle. Français.
Peintre, sculpteur, architecte.
Il vit et travaille à Paris. Parmi ses très nombreuses fonctions, il est fondateur et responsable du centre de recherche d'ambiances, depuis 1962, et professeur à l'école nationale supérieure des beaux-arts de Paris, section architecture.
Il a commencé à exposer ses œuvres en tant que telles, dès 1955, mais c'est surtout à partir de 1957, qu'il les a montrées au cours d'« expériences-spectacles ». Depuis sa participation au Salon de la Jeune Peinture à Paris, en 1955, il a figuré dans de nombreuses expositions de groupe, parmi lesquelles : Salons des Réalités Nouvelles et de la Jeune Sculpture à partir de 1963, *Formes industrielles* au pavillon de Marsan en 1963 ; *Mouvements II* à Paris en 1965, *Art et Mouvement* au musée de Tel-Aviv en 1965, *Kunst-Licht-Kunst* au musée municipal d'Eindhoven, *Lumière et mouvement* au musée municipal d'Art moderne de Paris en 1967, à la Triennale de Milan en 1968, *Cinétisme, spectacle, environnement* à la Maison de la culture de Grenoble en 1968, Salon de Mai à Paris en 1969, *Artist and architecture* à Londres en 1969, *Pläne und Projekte als Kunst* à la Kunsthalle de Berne en 1969, *L'Art cinétique* à la Maison de la culture de La Rochelle et théâtre Gérard Philippe de Saint-Denis en 1970. Il montre ses œuvres dans des expositions personnelles : 1949 Strasbourg ; 1964 et 1966 Maison des beaux-arts de Paris ; 1965 musée des Arts décoratifs de Zagreb.
Une part importante de son activité ressortit à l'architecture, avec de très nombreuses réalisations d'ambiance visuelle (coloration, éclairage) pour des lieux de travail ; pour des lieux d'habitation, *Logilor*, 70 logements à Saint-Avold ; *La Maurelette*, 750 logements près de Marseille ; 2.000 logements pour Quetigny-les-Dijon ; 2.000 logements touristiques *La Coudoulière* à Six-Fours dans le Var ; pour des lieux de loisirs ; pour des paquebots, etc. Il a également recoloré des maisons et immeubles, dessinant même sur certains, intervenant ainsi sur le paysage urbain en véritable coloriste. Une autre part de son activité, directement dérivée de la précédente, lui donne place dans ce dictionnaire, avec des peintures murales, des mosaïques, des animations spatiales, colorées, lumineuses, cinétiques. Lassus se définit, et définit ses œuvres, non à partir de sa subjectivité de créateur, mais au contraire à partir de l'objectivité des problèmes qui lui sont posés, et dont la multiplicité entraîne la grande diversité de son vocabulaire plastique. Fondateur pour la France de la profession de coloriste-conseil, ses recherches sur la couleur et la lumière l'ont amené à matérialiser ses expérimentations dans des objets lumino-cinétiques, certains théoriques et se limitant à eux-mêmes en tant qu'œuvres visuelles, certains à destination « environnementielle », dont le propre est de piéger la réalité dans la flexibilité de son apparence et d'exciter en retour la réflexion du public. Il travaille aussi à l'aide de photographies, notamment dans sa série *Les Pins*.
■ Jacques Busse
Bibliogr. : Frank Popper : *Naissance de l'art cinétique*, Gauthiers-Villars, Paris, 1967 – *Bernard Lassus – Jeux*, Éditions Galilée, Paris, 1977 – Bernard Lassus : *Villes-paysages, couleurs en Lorraine*, Batigere, 1989 – John Dixon Hunt : *Lassus in Eden*, Benedetto Camerana, Milan, 1995.
Musées : Paris (Cab. des Estampes).

LASSUS Marie Marc de
Né au XIXe siècle à Toulouse (Haute-Garonne). XIXe siècle. Français.
Paysagiste.
Élève de Lansac. Il figura au Salon de Paris, de 1864 à 1866.

LASSUS Petrus
XVe siècle. Éc. flamande.
Miniaturiste.
Il exécuta des miniatures dans un livre d'heures françaises.

LASSUS DE SAINT-GENIES Francis
Né en 1925 à Pléneuf-Val-André (Côtes-d'Armor). XXe siècle. Français.

Peintre.
Il vit et travaille à Saint-Cloud. Il a participé à l'exposition : *De Bonnard à Baselitz – Dix ans d'enrichissements du cabinet des estampes 1978-1988*, à la Bibliothèque nationale à Paris, en 1992.
Musées : Paris (Cab. des Estampes) : *Schéhérzade* 1983, litho.

LAST Carel Christian Anthony
Né le 11 décembre 1808 à Amsterdam. Mort le 17 décembre 1876 à La Haye. xixe siècle. Hollandais.
Peintre amateur et lithographe.
Travailla à La Haye pour la Galerie de Desguerrois et d'autres publications.

LAST Hendrik Willem
Né en décembre 1818 à Amsterdam. xixe siècle. Hollandais.
Lithographe.
Il enseigna le dessin à La Haye. On cite ses portraits et ses paysages, notamment la série intitulée : *Souvenirs de Scheveninguen.*

LASTEYRIE DU SAILLANT Charles Philibert de, comte
Né le 2 novembre 1759 à Brive-la-Gaillarde (Corrèze). Mort le 3 novembre 1849 à Paris. xviiie-xixe siècles. Français.
Dessinateur, lithographe et imprimeur.
Le comte de Lasteyrie doit être considéré comme le promoteur de la lithographie en France. Il fut séduit par ce procédé de reproduction qui offre tant de ressources aux dessinateurs. Divers essais avaient été tentés avant lui. Un nommé André prenait, en 1802, un brevet pour le dessin sur pierre et produisait quelques estampes. Bergeret, en 1804, le baron Lejeune en 1805, Johannot père, en 1806, Denon en 1809 faisaient aussi quelques tentatives. Le comte de Lasteyrie fit entrer dans la pratique, en France, le procédé de Senefelder. De 1812 à 1814 il résida à Munich, et après avoir acquis la théorie à prix d'argent, il voulut posséder la pratique et imprima lui-même. En 1816, il fondait à Paris, rue du Four-Saint-Germain, 54, la première imprimerie de lithographie française, suivi peu après par Engelmann. De nombreuses pièces de Carle Vernet, les premières pièces de Charlet sortirent de l'imprimerie du comte. Il figura au Salon de Paris de 1817 à 1838.

LASTEYRIE DU SAILLANT Ferdinand Charles Léon de, comte
Né le 15 juin 1810 à Paris. Mort le 13 mai 1879 à Paris. xixe siècle. Français.
Dessinateur et écrivain.
Il exposa au Salon de Paris en 1836 des dessins de vitraux, qu'il fit ensuite lithographier pour son remarquable ouvrage : *Histoire de la peinture sur verre.*

LASTIC Jean Edmond de, vicomte
Né au xixe siècle à Laval (Mayenne). xixe siècle. Français.
Paysagiste.
Élève de Ménager et Herst. Il figura au Salon de Paris à partir de 1876. Sociétaire des Artistes Français depuis 1885.

LASTMAN Claes Pietersz ou **Nicolas Petri**
Né vers 1586 probablement à Haarlem. Enterré à Amsterdam le 6 mai 1625. xviie siècle. Hollandais.
Peintre et graveur.
Frère de Pieter Pietersz Lastmann et élève de J. Pinas pour la peinture et de Jan Saenredam pour la gravure. Certains biographes le disent fils de Jan Pietersz, mais des recherches récentes paraissent contredire le fait. Le Musée d'Amsterdam conserve de lui : *Le capitaine Abraham Boom et le lieutenant Ant. Œtgeus avec sept arquebusiers* (terminé par Adriaen Van Nieulandt). Son œuvre gravé comprend des sujets religieux.

LASTMAN Jan Pietersz
xviie siècle. Actif à Amsterdam. Hollandais.
Peintre.
Il travailla, semble-t-il, à partir de 1650.

LASTMAN Pieter Pietersz
Né en 1583 à Amsterdam. Mort en 1633, enterré à Amsterdam le 4 avril 1633. xviie siècle. Hollandais.
Peintre de compositions religieuses, paysages, graveur.
Élève de Gerrit Pietersz Swelingh à Amsterdam, il alla en Italie vers 1604, il y connut Elsheimer, J.-E.-T. Van Hagelstem, Jan Pinas et subit l'influence de Caravaggio. Au début de 1607 il était revenu à Amsterdam et y vécut jusqu'à sa mort. Lastman jouissait à Amsterdam d'une réputation considérable et cette réputation était méritée. Il eut pour élèves Jan Lievens en 1617, Rembrandt de 1622 à 1623, Jan Albertsz Roodtsens, Pieter Pietersz Nedek. On a pu voir ses œuvres à l'exposition *Lastman, l'homme qui instruisit Rembrandt*, présentée à la Rembrandthuis d'Amsterdam en 1991.
On considère généralement quatre manières dans son œuvre, suivant les influences qu'il subit. Jusqu'en 1606 il peint, dans une forme spirituelle qui rappelle Elsheimer, des scènes bibliques dans des paysages antiquisants. Plus tard, son style devient plus précieux, plus maniéré. À partir de 1620 l'influence vigoureuse de Caravaggio, qui eut tant d'action sur le génie hollandais, apparaît nettement. Plus tard encore, il met dans ses tableaux les transparences souples dont Rembrandt se sert avec tant de maîtrise. Sa peinture aux coloris somptueux, aux thèmes exotiques n'est pas tombée dans l'oubli, surtout parce qu'elle a influencé Rembrandt à ses débuts. Ses tableaux et ses gravures sont rares.
On cite de lui : *Le sacrifice d'Isaac*, grisaille, *David au temple*, *Le vieux Tobie et son fils devant l'ange Raphaël* (Copenhague, collection Moltke), *Annonciation* (Pétersbourg, collection Semenow), *Sacrifice de Lystra* (collection Stetzky).

Bibliogr. : K. Freise : *Pieter Lastman*, Leipzig, 1911.
Musées : Amsterdam : *Combat de générosité entre Oreste et Pylade – Sacrifice d'Abraham – Le Christ guérissant un lépreux* – Augsbourg : *Ulysse devant Nausicaa* – Berlin : *Baptême du chambellan* – Boulogne-sur-Mer : *Jacob et Laban* – Brême : *Combat entre Constantin et Maxime* – Brunswick : *Ulysse et Nausicaa – Le massacre des Innocents à Bethléem* – Copenhague (collection Moltke) : *Le vieux Tobie et son fils devant l'ange Raphaël* – Göttingen : *Repos pendant la fuite* – Haarlem : *La nuit de Noël* – La Haye : *Résurrection de Lazare* – Karlsruhe : *Scène de Baptême* – Kassel : *Jugement de Midas* – Mannheim : *Baptême de l'eunuque contesté* – Nantes : *Les trois vertus théologiques* – Paris (Mus. du Louvre) : *Sacrifice d'Abraham* – Rotterdam : *Fuite en Égypte* – Saint-Pétersbourg : *Annonciation* – Stockholm : *Sacrifice à Junon.*
Ventes Publiques : Paris, 4 fév. 1925 : *Paysage avec personnages* : **FRF 1 350** – Paris, 24 avr. 1929 : *La Crucifixion de Pierre* : **FRF 2 900** – New York, 27 mars 1930 : *Retour de la victoire* : **USD 700** – Paris, 24 fév. 1943 : *Paysage traversé par une rivière*, dess. à la pl. vendu avec un dess. *Paysage*, attribué à Almeloveen : **FRF 400** – Londres, 5 fév. 1958 : *Un chef militaire recevant un tribut de fruits et de pain* : **GBP 200** – Londres, 11 déc. 1959 : *Judas et Thamar* : **GBP 630** – Londres, 18 mars 1960 : *L'Adoration des Mages* : **GBP 682** – New York, 29 avr. 1965 : *Esther devant Assuérus et Aman* : **USD 1 250** – Londres, 28 oct. 1966 : *Saint Jean Baptiste et l'agneau* : **GNS 550** – Londres, 8 déc. 1976 : *Paysage d'Arcadie*, h/pan. (38,5x54) : **GBP 9 500** – Londres, 10 avr. 1981 : *Agar et Ismaël dans le désert* 1625, h/pan. (52x46,2) : **GBP 13 000** – New York, 6 juin 1985 : *Agar et l'Ange* 1614, h/pan. (51x68) : **USD 230 000** – Paris, 7 mars 1986 : *Scène de sacrifice*, cr., pierre noire et lav. bistre (30x31) : **FRF 8 500** – Amsterdam, 29 mai 1986 : *Jeune fille couronnant un berger* 1610, h/pan. (65x111) : **NLG 170 000** – New York, 1er juin 1989 : *Le jugement de Midas*, h/pan. (95x83,8) : **USD 57 750** – Londres, 22 avr. 1994 : *Jephté victorieux accueilli par sa fille*, h/pan. (122x199,5) : **GBP 38 900** – Amsterdam, 14 nov. 1995 : *Le Sacrifice de Manué* 1624, h/pan. (72x53) : **NLG 318 600.**

LAS TORRES de, Conde
xviie-xviiie siècles. Espagnol.
Peintre amateur.
Il était actif à Madrid, vers 1700.

LASTOTCHKINE Alexandre
Né en 1946. xxe siècle. Russe.
Peintre de paysages animés. Expressionniste.
Il fut élève de l'École de V. I. Moukhina de Saint-Pétersbourg. Peintre de la Crimée, il en illustre les paysages et les travaux. Sa facture grasse, contrastée, aux fortes dominantes colorées, et tourmentée, qui veut se souvenir de Van Gogh, lui permet

d'échapper à l'indigeance de la peinture soviétique de son temps.
Ventes Publiques : Paris, 29 nov. 1993 : *Au mois de mai*, h/t/cart. (30x22) : **FRF 6 000** – Paris, 4 mai 1994 : *Les champs fleuris*, h/t/cart. (27x24) : **FRF 3 800** – Paris, 1er juin 1994 : *Sous le soleil de midi*, h/t/cart. (24x19) : **FRF 5 800**.

LASTRA. Voir **LEONARDO di Bartolomeo di Gherardo della Scarperia Mugello**

LASTRAIOLI Franco
Né en 1931 à Florence (Toscane). xxe siècle. Italien.
Peintre de paysages. Fantastique.
Il expose à Florence depuis 1957. Il a également exposé à Gênes, Turin, New York et Milan.
Proches d'un certain surréalisme, ses tableaux mettent en scène des paysages imaginaires et fantastiques où des éléments mécaniques poussent abstraitement au milieu de paysages idylliques et champêtres.

LASTRICATI Zanobi
Né le 13 décembre 1508 à Florence. Mort le 14 avril 1590 à Florence. xvie siècle. Italien.
Sculpteur.
Il exécuta en 1567 une statue de *Melchisédech* pour l'église Santa Annunziata à Florence et un *Mercure* en bronze pour la Villa Médicis à Castello, près de Florence.

LASUCHIN Michael
Né en 1923 à Kramatorsk. xxe siècle. Actif et naturalisé aux États-Unis. Russe.
Graveur.
Il vit et travaille à Philadelphie. Il a participé à l'exposition : *De Bonnard à Baselitz – Dix ans d'enrichissements du cabinet des estampes 1978-1988*, à la Bibliothèque nationale à Paris, en 1992.
Musées : Paris (Cab. des Estampes).

LA SUMAYA. Voir **IBIA Isabel de**

LASZCZKA Konstant
Né le 8 septembre 1865 près de Kalisch. xixe-xxe siècles. Polonais.
Sculpteur de bustes.
Il fit ses études à Varsovie avec Krynski, puis à Paris, à l'école des beaux-arts avec Falguière. Depuis 1899, il est professeur de sculpture à l'académie des beaux-arts de Cracovie.
Musées : Cracovie (Mus. des Beaux-Arts) : *Buste d'une femme*, terre cuite – *Abandonné*, plâtre.

LASZCZYNSKI Boleslaw
Né en 1842 à Grabow. Mort en 1909 à Cracovie. xixe siècle. Polonais.
Peintre de genre, portraits.
Il a été actif à Rome. Il exposa à Dresde et à Munich entre 1875 et 1892.
On cite de lui : *Derniers moments de Chopin*.
Musées : Posen (Mus. Mielzynski) : *Portrait de M. Jackowski*.

LASZENKO Aleksander
Né le 4 juin 1884. xxe siècle. Russe-Ukrainien.
Peintre.
Il fut élève de Dubowskoï à l'académie des beaux-arts de Saint-Pétersbourg. Il voyagea en Palestine, en Égypte et en Afrique du Nord.

LASZLO George
Né le 12 mars 1891 à Zalaszentivan. xxe siècle. Actif aux États-Unis. Hongrois.
Peintre de paysages.
Il fut élève de l'université royale de Budapest. Il fut membre de la Société des Artistes Indépendants.
Ventes Publiques : Paris, 22 fév. 1936 : *Maisons au bord d'une rivière, Amérique* : **FRF 55** ; *Vue de ville (États-Unis)* : **FRF 85**.

LASZLO DE LOMBOS Philippe Alexius de
Né le 28 avril 1869 à Budapest. Mort le 22 novembre 1937. xixe-xxe siècles. Naturalisé en Angleterre. Hongrois.
Peintre de portraits.
Il fut élève de l'école d'art industriel et de l'école nationale de dessin de Budapest, puis de Liezenmayer à Munich, enfin de Jules Lefebvre et Benjamin Constant à l'école des beaux-arts de Paris. Il a mené à travers la Hongrie, l'Autriche, l'Allemagne, la France puis l'Angleterre, où il se fixa, la carrière de portraitiste officiel la plus brillante. Anobli par l'empereur d'Autriche, il fut chevalier de la Légion d'honneur, chevalier de la couronne de Prusse, commandeur d'Isabelle la Catholique, de l'ordre de Honhenzollern, de l'ordre de Wasa, grand-officier de la couronne d'Italie, etc. Nous avons pu le classer dans l'école anglaise, étant depuis 1930, président de la Royal Society of British Artists. Il obtint une médaille d'or au Salon de Paris de 1899, d'autres médailles d'or à Munich, Düsseldorf et Saint Louis ; une grande médaille d'or à l'Exposition internationale de Venise puis à Barcelone en 1911, d'autres récompenses à Amsterdam, Budapest, etc. Il est associé des sociétés artistiques de Bruxelles, Milan et Madrid, de la Société nationale des Beaux-Arts de Paris, etc.
Une carrière ne peut être plus officielle et les portraits de sa main non plus ne pourraient être plus officiels, ressemblants et de grande allure. Le métier toutefois, adroit et vériste, ne manque pas d'aisance. On cite en particulier : *Comtesse Wantage – Lord Roberts – Duchesse de Rohan – Prince d'Holenlohe – Pape Léon XIII – Duchesse d'York – Maréchal Lyautey*, etc.

P.A. Laszlo

Bibliogr. : O. von Schleinitz : *P. A. von Laszlo*, Velhage und Klasing, Bielefeld et Leipzig, 1913 – A. L. Baldry : *The work of P. A. de Laszlo*, The Studio, Londres, 1921.
Musées : Budapest – Florence – Glasgow – Londres (Tate Gal.) – Londres (Nat. Portrait Gal.) – Vienne.
Ventes Publiques : Londres, 25 juin 1926 : *Portrait* : **GBP 735** – Londres, 30 mai 1930 : *Raymond P. Johnson Fergurson enfant* : **GBP 110** – Londres, 2 juil. 1934 : *Le collier de jade* 1920 : **GBP 25** – Paris, 28 fév. 1938 : *Portrait de Léon XIII*, cr. : **FRF 400** – Los Angeles, 28 nov. 1973 : *Le roi Fouad* : **USD 1 500** – Londres, 11 fév. 1976 : *Beauté napolitaine* 1882, h/pan. (30,5x23) : **GBP 240** – New York, 3 mai 1979 : *Portrait d'un prince hindou* 1906, h/t (82x51) : **USD 1 800** – Londres, 10 juin 1981 : *Portrait de fillette* 1932, h/t (72x52) : **GBP 3 400** – Vienne, 16 nov. 1983 : *La Jeune Gitane*, h/pan. (45x35) : **ATS 38 000** – Monte-Carlo, 23 juin 1985 : *Portrait de Boni de Castellane*, h/t (114x85) : **FRF 42 000** – Londres, 21 mai 1986 : *Portrait d'une dame*, h/t (86x68,5) : **GBP 6 000** – Londres, 13 mai 1987 : *Portrait de Jane Clarkson*, h/t (91,5x81) : **GBP 6 000** – Monaco, 17 juin 1989 : *Portrait de femme au chapeau* 1930, h/t (91x74) : **FRF 24 420** – Amsterdam, 30 oct. 1990 : *Groupe familial avec un homme jeune assis portant une veste brune, à sa droite sa sœur en robe rose et à sa gauche son jeune frère en costume marin* 1920, h/t (91,5x84) : **NLG 17 250** – New York, 26 mai 1993 : *Tibor de Scitovsky et son élégante femme* 1927, une paire h/t (99,1x73,7) : **USD 14 950**.

LATAPIE Laure
Née en 1931 à Paris. xxe siècle. Française.
Artiste créateur de tapisseries. Abstrait.
Fille de Louis Latapie, elle est la femme de Louttre B., fils de Roger Bissière. Depuis 1975, elle réalise des « tentures d'assemblages ». Elle les montre dans des expositions personnelles : 1991 au Centre d'Art Contemporain de Mont-de-Marsan (Landes), au château de Cadillac-sur-Garonne, et Galerie Ariel à Paris.
En référence aux tapisseries cousues que, dans les années quarante, concevait Bissière et que cousait sa femme, Laure Latapie découpe des multitudes de morceaux de toutes sortes de tissus les plus variés selon les formes des éléments de chaque projet en cours d'exécution, puis en organise l'assemblage et les coud ensemble. Ces « tentures d'assemblages » sont de dimensions murales, entre 2 et 3 mètres de côté au moins. Totalement abstraites, elles se relient pourtant à des souvenirs personnels ou de voyages : *Toutes voiles dehors, Falaise de Céphalonie* ou bien encore leurs titres jouent sur les mots des choses : *Les habits du temps, Tissus social, L'actualité ne tient qu'à un fil*. Ces tentures sont des faits plastiques de plein droit et qui s'individualisent, elles se différencient entre elles, exactement comme pour des peintures abstraites, du fait de l'organisation rythmique, de la forme (découpe) et de la matière textile des pièces qui les composent, et du fait de l'harmonie colorée d'ensemble conçue et programmée pour chacune d'elles, pour exemples : tous les bleus « jean » des tendres aux soutenus, rompus de quelques roses fanés ou bien tous les tons ocrés d'écrus encadrant, enserrant, assaillant quelques touches bleutées, pour finalement mieux les exalter. ■ J. B.

Bibliogr. : Michel-Georges Bernard, Patrick Stefanetto : Catalogue de l'exposition *Laure Latapie*, Centre d'Art Contemporain de Mont-de-Marsan, Galerie Ariel Paris, 1991.

LATAPIE Louis Robert Arthur

Né le 11 juillet 1891 à Toulouse (Haute-Garonne). Mort le 2 juillet 1972 en Avignon (Vaucluse). XXe siècle. Français.

Peintre de nus, figures, natures mortes, peintre de cartons de tapisseries, illustrateur, décorateur.

Il fit ses études artistiques à l'école des beaux-arts de Paris, fréquentant ainsi l'académie Julian, où il se lie avec Lipchitz, en 1907. En 1910, il reçut les conseils de Sérusier, à l'académie Ranson, où il enseignera de 1923 à 1924. Mobilisé en 1912, pour son service militaire, il ne fut libéré qu'en 1919, après avoir vécu toute la guerre sur le front.

En 1922, ce fut avec Jacques Villon qu'il exposa ses œuvres cubistes. Il participe depuis à de nombreuses expositions de groupe : Salon des Indépendants à Paris en 1920, Salon des Tuileries à Paris depuis 1923, Biennale de Venise en 1924, Salon d'Automne à Paris en 1936, 1937, 1941, 1946, 1947. Il eut des expositions personnelles à Paris en 1929, 1938, 1954, 1956, 1965, 1969, 1982 ; au palais des Papes à Avignon en 1971 ; au musée de Melun en 1985 ; au musée Rapin de Villeneuve-sur-Lot et au musée des Augustins de Toulouse en 1988.

Touché par le cubisme, du temps de ses premières études, ce fut à la manière française qu'il le mit en application, c'est-à-dire beaucoup plus sensible à ses possibilités de stylisation de la forme qu'à son pouvoir libérateur tendant à l'abstraction, qui sera pris en charge ailleurs. Il réalisa des cartons de tapisserie tissés aux Gobelins, à Beauvais et à Aubusson ainsi que des décorations murales, notamment pour le stade Pierre de Coubertin, en 1939. Il a également illustré plusieurs ouvrages, parmi lesquels : *La Princesse de Babylone* de Voltaire, *La Maison du berger* d'Alfred de Vigny, *L'Évangile de saint Jean de Patmos*. Cet artiste est l'un des plus distingués d'entre ceux qui eurent pour tâche d'introduire un sens de la tradition dans l'amas des découvertes du début du siècle. Sa forte personnalité, son goût subtil lui permirent des œuvres conçues, semble-t-il selon la formule barrésienne : « être classique c'est éviter la surcharge ».

■ Jacques Busse

latapie

Bibliogr. : René Massat : *Latapie*, Éditions Prismes, Paris, 1968 – in : *Diction. univers. de la peinture*, Le Robert, t. IV, Paris, 1975 – Catalogue de l'exposition : *Louis Latapie 1891-1972*, Musée des Augustins, Toulouse, 1988.

Musées : Avignon (Mus. Calvet) – Dunkerque (Mus. d'Art Contemp.) – Genève (Mus. du Petit Palais) : *Le Trapéziste* 1920 – Paris (Mus. d'Art mod. de la Ville) : *Cour de ferme à Noirmoutiers* – Paris (Mus. Nat. d'Art Mod.) : *Les Objets* 1920 – Paris (Manufacture des Beaux-Arts) : *Jeux de sirène* 1952 – *Le Désespoir des anges* 1954 – *Profondeur sous-marine* 1957 – Poitiers (Mus. Sainte Croix) : *Batard, paysan vendéen* 1936 – Toulouse (Mus. des Augustins) : *Le Nègre au cigare* 1921 – Villeneuve-sur-Lot (Mus. Rapin) : *Grande Cariatide montrant le ciel* 1953.

Ventes Publiques : Paris, 3 fév. 1928 : *Les deux nus* : **FRF 205** – Paris, 23 avr. 1945 : *Fleurs*, past. : **FRF 800** – Paris, 13 juin 1947 : *Composition* : **FRF 2 400** – Paris, 7 déc. 1953 : *Nature morte à la cafetière* : **FRF 45 000** – Versailles, 21 juin 1962 : *Le nègre dansant* : **FRF 5 000** – Versailles, 14 juin 1970 : *Le marché* : **FRF 9 000** – Versailles, 6 mai 1971 : *Le nègre dansant* 1919 : **FRF 20 000** – Versailles, 7 nov. 1976 : *Baigneuses* 1926, h/t (45,5x61) : **FRF 4 400** – Paris, 16 nov. 1977 : *Les jeunes filles de Beaulieu* 1937, h/t (72x91) : **FRF 6 000** – Marseille, 25 mai 1979 : *Nus*, h/cart. (36x25) : **FRF 12 000** – Londres, 3 déc. 1980 : *Nature morte au guéridon* 1922, aquar. et cr. (24x15,5) : **GBP 550** – Toulouse, 15 déc. 1982 : *Funambule à bicyclette (recto)* ; *Portrait de Madame Latapie (verso)* 1921, h/t (70x54) : **FRF 30 000** – Versailles, 24 avr. 1983 : *Le Hamac à Toulon* 1951, h/t (141,5x188) : **FRF 10 000** – Paris, 8 oct. 1986 : *Les Baigneuses* 1928, aquar. gchée (50x65) : **FRF 13 500** – Paris, 8 déc. 1987 : *Nu sur canapé*, h/t (50x65) : **FRF 4 200** – Paris, 22 avr. 1988 : *Nu allongé*, h/t (49x64) : **FRF 8 000** – Versailles, 15 mai 1988 : *Baigneuses* 1928, h/pap. mar./t. (50x64,5) : **FRF 9 000** – Paris, 12 juin 1988 : *Odalisque* 1924, h/t (54x85) : **FRF 37 000** – Paris, 17 juin 1988 : *Le canoé*, aquar. vernissée/pap. mar./t. (32x24) : **FRF 3 800** – Paris, 22 juin 1988 : *Nature morte au couteau*, h/t (50x65) : **FRF 6 800** – Paris, 7 oct. 1988 : *Le coq*, h/t (65x50) : **FRF 22 000** – Paris, 13 oct. 1988 : *Plaisirs de l'été*, gche vernie mar./t. (54x41) : **FRF 13 500** ; *Symphonie solognote* 1964, gche vernie, mar./pan. (85x60) : **FRF 14 000** ; *La Petite Olympia* 1935, h/t (81x65) : **FRF 14 000** – Londres, 21 oct. 1988 : *Nature morte aux fruits*, h/t (49,9x32,1) : **GBP 660** – Paris, 3 mars 1989 : *Le Christ*, h/pap. mar./t. (65x50) : **FRF 6 500** – Paris, 7 avr. 1989 : *Le guéridon vert* 1945, h/t (50x65) : **FRF 32 000** – Paris, 11 avr. 1989 : *Nature morte au paysage* 1953 (50x66) : **FRF 12 000** – Amsterdam, 24 mai 1989 : *Un village méridional*, h/cart. (37,5x45,5) : **NLG 3 450** – Douai, 2 juil. 1989 : *Nu*, aquar./pap. mar. (17x42,5) : **FRF 13 500** – Paris, 3 juil. 1989 : *Nature morte à la banane*, h/t (75x105) : **FRF 26 000** – Paris, 11 oct. 1989 : *Nu debout*, lav. et encre de Chine (63x49) : **FRF 20 000** – Paris, 29 nov. 1989 : *Composition*, h/pap./t. (50x65) : **FRF 31 000** – Versailles, 21 jan. 1990 : *Renée aux épaules découvertes ou portrait de Renée la blonde* vers 1928-1930, past. (46,5x29,5) : **FRF 6 500** – Paris, 26 jan. 1990 : *Le village* 1948, h. et gche/t. (56x40) : **FRF 11 500** – Paris, 30 mars 1990 : *Nu allongé*, h/t (46x55) : **FRF 72 000** – Paris, 29 nov. 1990 : *Nu de femme accroupie*, dess. à l'encre (62x43) : **FRF 7 000** – Paris, 7 déc. 1990 : *Portrait de Mousse Bissieu* 1921, aquar./pap. (30x22) : **FRF 10 000** – Paris, 6 fév. 1991 : *Nature morte aux fleurs* 1942, aquar. (30x49) : **FRF 5 000** – New York, 22 fév. 1993 : *Les Trois Grâces* 1965, h/t (92,7x73) : **USD 2 750** – Paris, 11 juin 1993 : *Fenêtre sur le port*, h/t (54x73) : **FRF 38 000** – Paris, 16 déc. 1994 : *La Cueillette des prunes*, tapisserie (191x246) : **FRF 18 000** – Paris, 10 avr. 1996 : *Vase aux tulipes rouges*, h/pap./t. (50x65) : **FRF 16 000** – Calais, 15 déc. 1996 : *Les Baigneuses*, h/cart. mar./t. (26x40) : **FRF 10 000** – Paris, 19 oct. 1997 : *Nu au paravent ou Nu à l'atelier Reille* vers 1940, h/pap./t. (50x65) : **FRF 10 000**.

LATAPIE Victor Alfred

Né le 2 juin 1823 à Paris. XIXe siècle. Actif à Angoulême. Français.

Peintre de genre.

Élève de L. Cogniet. Il figura au Salon de Paris de 1848 à 1874.

LATARTE Jean ou **La Tarte**

XVIIe siècle. Actif à Pont-à-Mousson. Éc. lorraine.

Peintre d'histoire.

Frère de Paul Latarte. Il peignit en 1677 *La Trinité* pour l'église Saint-Sébastien à Pont-à-Mousson.

LATARTE Paul ou **La Tarte**

Mort en 1636 à Pont-à-Mousson (Meurthe-et-Moselle). XVIIe siècle. Éc. lorraine.

Portraitiste et peintre de genre.

Le Musée de Nancy conserve de lui : *Le Christ mort*.

LATASTER Ger

Né en 1920 à Schaesberg. XXe siècle. Hollandais.

Peintre, peintre de collages. Abstrait.

Il suivit les cours de l'école des arts décoratifs de Maastricht, et de l'école des beaux-arts d'Amsterdam. Une bourse d'étude du gouvernement français lui permit de voyager et travailler en France, en 1950.

Il participe à de nombreuses expositions de groupe, parmi lesquelles : Documenta II de Kassel et Vitalita nell'Arte à Venise en 1959 ; Internationals de Pittsburgh en 1958 et 1961 ; Ier Salon des Galeries Pilotes du Monde au musée cantonal de Lausanne en 1963 ; ainsi que des manifestations à Paris, Rome, Bruxelles, Berlin, Stuttgart, États-Unis, etc ; Salon des Réalités Nouvelles à Paris de 1959 à 1963. Il montre ses œuvres dans une exposition personnelle pour la première fois à Amsterdam, en 1952, à Paris en 1960. Une rétrospective de son œuvre eut lieu en 1985 au Van Abbemuseum d'Eindhoven.

Ayant appris à mieux connaître l'œuvre de Picasso, pendant son séjour à Paris, et sensible à l'exemple de Pignon, jusqu'en 1955, ses propres œuvres conservèrent de nombreux rappels figuratifs dans des compositions fougueuses évoquant souvent le mythe de l'envol et de la chute d'Icare. Il prit ensuite ses distances envers des rappels figuratifs, se rattachant à la fois à l'abstraction lyrique et à l'expressionnisme abstrait du groupe Cobra. Dans une exposition à Paris, consécutive aux importants événements sociaux de 1968, il tenta d'exprimer, par les moyens d'un expressionnisme recourant de nouveau à quelques allusions à la réalité, la violence de notre époque. Plus tardivement, vers 1971, il a introduit dans ses compositions des feuilles de vinyl froissées et collées. Puis, dans des œuvres expressionnistes, il fait réapparaître des éléments figuratifs : drapeaux, objets, représentation de l'homme. Il a décoré le plafond du grand hall du Mauritshuis de La Haye en 1987, s'inspirant de la chute d'Icare. ■ J. B.

Bibliogr. : In : *Diction. univers. de la peinture*, Le Robert, t. IV, Paris, 1975 - in : *Peintres contemp.*, Mazenod, Paris, 1964 - in : *L'Art du XXe s.*, Larousse, Paris, 1991 - in : *Diction. de l'art mod. et contemp.*, Hazan, Paris, 1992.

Musées : Amsterdam (Stedelijk Mus.) : *La Vallée* 1958 - *Idylle* 1959 - Cambridge (Mus) - Eindhoven (Mus) - La Haye (Gemeetemus.) - New York (Mus. of Mod. Art) - Paris (Mus. Nat. d'art Mod.) - Pittsburgh (Mus) - Vienne (Mus. du XXe s.).

Ventes Publiques : Paris, 21 juin 1972 : *Widows hill* : **FRF 13 000** - Paris, 8 avr. 1973 : *Fin*, h. et collage : **FRF 15 000** - Paris, 23 avr. 1980 : *Composition* 1960, h/t (120x150) : **FRF 8 500** - Amsterdam, 5 juin 1984 : *Composition* 1963, h/t (151x129) : **NLG 8 200** - Paris, 22 nov. 1987 : *Vert ailé* 1963, h/t (200x240) : **FRF 67 000** - Paris, 20-21 juin 1988 : *Le cinéma* 1970, h/t (200x200) : **FRF 34 000** ; *Terre et feu* 1962, h/t (130x140) : **FRF 91 000** - Paris, 26 oct. 1988 : *Defending the valley* 1966, h/t (167x300) : **FRF 100 000** ; *Triple explosion* 1972, techn. mixte (100x120) : **FRF 30 000** - Paris, 23 mars 1989 : *En feu* 1964, h/t (81x100) : **FRF 40 000** - Paris, 13 avr. 1989 : *Bicolore* 1963, h/t (150x130) : **FRF 98 500** - Amsterdam, 10 avr. 1989 : *Composition* 1960, craie grasse (44x57) : **NLG 4 370** - Amsterdam, 13 déc. 1989 : *Composition abstraite* 1961, h/t (65x90) : **NLG 34 500** - Paris, 28 oct. 1990 : *Lumière d'été* 1964, h/t (73x92) : **FRF 55 000** - Paris, 27 nov. 1990 : *Bicolore* 1963, h/t (150x130) : **FRF 160 000** - Amsterdam, 12 déc. 1990 : *Clous dans un paysage* 1975, h/t (116x96) : **NLG 17 250** - New York, 13 fév. 1991 : *Le départ du vert* 1965, h/t (94,6x119,4) : **USD 22 000** - Douai, 24 mars 1991 : *Bord clos du jardin* 1977, h/t (60x80) : **FRF 26 500** - Amsterdam, 22 mai 1991 : *Emporté par le vent* 1961, h/t (100x140) : **NLG 28 750** - Paris, 2 déc. 1991 : *Deux vents* 1962, h/t (65x90) : **FRF 45 000** - Amsterdam, 21 mai 1992 : *Sans titre* 1990, aquar. et craies de coul./pap. (55x75) : **NLG 2 185** - Amsterdam, 10 déc. 1992 : *De gauche* 1961, h/t (50x67) : **NLG 10 350** - Lokeren, 4 déc. 1993 : *Cloué VI* 1975, h/t (45x80) : **BEF 130 000** - Amsterdam, 8 déc. 1993 : *Terre et feu* 1962, h/t (130x140) : **NLG 28 750** - Paris, 5 juil. 1994 : *Composition* 1960, h/t (125x150) : **FRF 60 000** - Amsterdam, 31 mai 1995 : *Vent* 1961, h/t (110x150) : **NLG 18 880** - Paris, 24 nov. 1996 : *Composition abstraite* 1961, h/t (81x90) : **FRF 26 000** - Amsterdam, 10 déc. 1996 : *Sans titre* 1961, h/t (65x90) : **NLG 9 225** - Amsterdam, 17-18 déc. 1996 : *Sans titre* 1960, h/t (125x150) : **NLG 23 600** - Amsterdam, 2 déc. 1997 : *Composition abstraite* 1965, h/t (139x149) : **NLG 13 838** - Amsterdam, 2-3 juin 1997 : *Flight over summer* 1965, h/t (87x97) : **NLG 15 930**.

LATENAY Gaston de

Né le 17 avril 1859 à Toulouse (Haute-Garonne). Mort en 1943 à Paris. XIXe-XXe siècles. Français.

Peintre de sujets allégoriques, paysages, aquarelliste, lithographe.

Il a su rendre avec talent le charme poétique des vieux bassins de Versailles et de Saint-Cloud et l'on sent en lui le constant désir de traduire les nuances délicates de la nature. Il figura au Salon des Artistes Français de Paris, obtenant une mention honorable en 1886, une autre à l'Exposition Universelle de 1889 ; une médaille de bronze à l'Exposition Universelle de 1900.

Musées : Helsinfors - Toulouse : *Dernier rayon*.

Ventes Publiques : Paris, 27 avr. 1900 : *Les barques à voiles de la Basse-Seine* : **FRF 100** - Paris, 20-22 mai 1920 : *Jour de Pardon à Saint-Guénolé* : **FRF 145** - Paris, 14 et 15 déc. 1927 : *Calvaire et chapelle au bord de la mer*, aquar. : **FRF 180** - Paris, 28 juin 1943 : *Marine* : **FRF 950** - Paris, 29 nov. 1991 : *Diane chasseresse* 1896, litho. : **FRF 5 200**.

LATER. Voir aussi **LAETER**

LATER Jacobus de

XVIIe siècle. Actif à Amsterdam. Hollandais.

Peintre de paysages, graveur, dessinateur.

Un paysagiste Jan de Laeter ou de Laetter travailla probablement aussi à Munich. Il a gravé des portraits et des sujets de genre. Peut-être le même artiste que Jan de Latter cité comme peintre et graveur vers 1680.

Ventes Publiques : Paris, 6 avr. 1994 : *Paysages animés*, h/cuivre, une paire (chaque 36x44,5) : **FRF 147 000**.

LATER Jan de

XVIIe siècle. Actif à la fin du XVIIe siècle. Hollandais.

Graveur.

LATERRE

XIXe siècle. Actif à Reims au XIXe siècle. Français.

Peintre.

Le Musée de Reims conserve de lui : *La Belle Tour des remparts de Reims* (vue sous trois aspects).

LATEUR Karel

Né en 1873 à Heule-lez-Courtrai. XIXe-XXe siècles. Belge.

Sculpteur de statues.

Il fut élève de J. Lagae. Il travailla à Bruges. On cite ses statues *L'Équité* et *La Vérité* dans la cour du palais de justice de cette ville.

Bibliogr. : In : *Diction. biogr. illustré des artistes en Belgique depuis 1830*, Arto, Bruxelles, 1987.

LATEUR Luc

Né en 1927 à Bruges (Flandre-Occidentale). XXe siècle. Belge.

Peintre, sculpteur, graveur.

Il est autodidacte. Il séjourna au Zaïre.

Bibliogr. : In : *Diction. biogr. illustré des artistes en Belgique depuis 1830*, Arto, Bruxelles, 1987.

LATHAM James

Né en 1696 à Tipperary. Mort le 26 janvier 1747 à Dublin. XVIIIe siècle. Irlandais.

Peintre de portraits.

Il fit ses études à Anvers, où il fut maître en 1724-1725. Il travailla à Londres et à Dublin, et eut une nombreuse clientèle. On cite de lui à la Royal Dublin Society un portrait de *Peg Woffington*.

Ventes Publiques : Londres, 11 juil. 1984 : *Portrait of Sarah Cosby*, h/t (124,5x94,5) : **GBP 36 000** - Londres, 20 nov. 1985 : *Portrait of Pole Cosby and his daughter Sarah*, h/t (127,5x101,5) : **GBP 15 000** - Londres, 18 oct. 1989 : *Portrait d'une jeune fille vêtue d'une robe rose et d'un manteau bleu et tenant un panier de fleurs*, h/t (74x61,5) : **GBP 1 210** - Londres, 14 mars 1990 : *Portrait de Mr. Robinson portant une veste grise sur un gilet bleu broché*, h/t (73x59,5) : **GBP 6 600** - Londres, 6 avr. 1993 : *Portrait de l'artiste en buste vêtu d'un habit bleu*, h/t (76x63,5) : **GBP 7 475** - Londres, 12 avr. 1995 : *Portrait de Mary, femme d'Edward, 9e duc de Norfolk portant une robe blanche et une cape rouge*, h/t (190,5x135) : **GBP 21 850** - Londres, 2 juin 1995 : *Portrait de George Berkeley en buste, vêtu d'un habit or et d'un manteau vert*, h/t (70x57) : **GBP 17 250**.

LATHAM Jasper

XVIIe siècle. Actif à Londres dans la seconde moitié du XVIIe siècle. Britannique.

Sculpteur.

Son œuvre principale est le *Tombeau de l'archevêque de Londres Sheldon* (à Croydon). On cite aussi sa *Statue de Johann Sobieksi*.

LATHAM John

XVIIIe siècle. Britannique.

Peintre d'oiseaux, fleurs.

Il travailla surtout à Dublin et exposa à la Royal Academy de Londres entre 1787 et 1791.

LATHAM John

Né le 23 février 1921 à Rivière Zambèse (Rhodésie). XXe siècle. Britannique.

Peintre, auteur d'assemblages, créateur d'environnements, auteur de performances. Tendance conceptuelle.

Il fut élève de la Chelsea School of Art de Londres, de 1946 à 1950.

Il participe à des expositions personnelles : 1961, 1967, 1970 museum of modern Art de New York ; 1964, 1974 Tate Gallery à Londres ; 1965 Institute of contemporary Art à Londres ; 1975 Royal College of Art à Londres ; 1976 Palazzo Reale à Milan ; 1996, *Life/Live. La scène artistique au Royaume-Uni en 1996.* au Musée d'Art Moderne de la Ville de Paris. Il montre ses œuvres dans des expositions personnelles : 1960 Institute of contemporary Art de Londres ; 1975 Kunsthalle de Düsseldorf ; 1976 Tate Gallery de Londres.

Il considère la peinture comme une expérience instantanée, indissociable du réel. Pour cela, il s'intéresse au paysage industriel. Il utilise aussi des objets, en particulier des livres, réalisant l'art *KOOB* (livre en anglais à l'envers), avec notamment la célèbre tour en forme de statue composée de livres qu'il fit brû-

ler près du British Museum, et des reliefs comme *M. F. Bing* de 1967, maltraitant les livres (les lacérant, les peignant au pistolet) puis les assembalnt à des fils, des tubes, des cordes sur une surface peinte. Il participe également à des happenings et réalise des films. En 1966, il demanda à ses invités, notamment des artistes, étudiants et critiques, de mâcher page après page le livre de Greenberg *Art and culture* emprunté à la bibliothèque de la Saint Martin School of Art de Londres où il enseignait. Il recueillit au fur et à mesure la mixture dans une bouteille remplie d'acide. Lorsqu'on lui réclama le livre, il remit la bouteille, ce qui lui valut une lettre de démission. Il mit la bouteille et la lettre dans une mallette puis la vendit au Museum of Modern Art de New York qui l'acheta.
Bibliogr. : Daniel Wheeler : *L'Art du xxe s.*, Flammarion, Paris, 1991 - in : *L'Art du xxe s.*, Larousse, Paris, 1992 - Chrissie Iles : *John Latham, the N-U Niddrie Heart*, Stuttgart, 1992.
Musées : Belfast (Ulster Mus.) - Calais (Mus. des Beaux-Arts) : *Belief System (La Bible et Voltaire)* 1959 - Caracas (Mus of Art) - Düsseldorf (Stadtische Kunsthalle) - Londres (Tate Gal.) - Newark - New York (Mus. of Mod. Art) : *Art and culture* 1966-1969 - Washington D. C. (Gal. of Mod. Art).
Ventes Publiques : Londres, 24 oct. 1996 : *La Mer cruelle*, livre et collage/t./bois (42x31x18) : **GBP 1 840**.

LA THANGUE Henry Herbert
Né le 19 janvier 1859 à Croydon. Mort le 21 décembre 1929 à Londres. xixe-xxe siècles. Britannique.
Peintre de genre, figures, paysages.
Après ses études à Londres, il voyagea en France, en Bretagne, notamment à Cancale et Quimperlé, et en Dauphiné. À son retour en Angleterre en 1884, il est allé vivre à Norfolk d'abord puis dans le Sussex, où il a surtout peint la vie paysanne. À partir de 1898, il visita la Provence, L'Italie et l'Espagne.
Il fut associé de la Royal Academy, débuta dans les grandes expositions londoniennes à partir de 1877. En 1886, il fut membre fondateur du New English Art Club. Médaille d'argent à l'Exposition Universelle de Paris en 1900.
Ses travaux ont été influencés par les peintres du plein air français.

H.H LATHANGVE

Bibliogr. : Gérald Schurr, in : *Les Petits Maîtres de la peinture 1820-1920, valeur de demain*, Les Éditions de l'Amateur, t. VI, Paris, 1985.
Musées : Londres (Tate Gal.) : *L'homme à la faux*.
Ventes Publiques : Londres, 12 déc. 1908 : *Les Ramasseurs de fougères* : **GBP 115** - Londres, 2 mai 1924 : *Récolte des pommes* : **GBP 210** - Londres, 19 mai 1972 : *La Basse-cour* : **GNS 3 200** - Londres, 23 fév. 1977 : *Portrait d'une jeune paysanne*, h/t (69x56) : **GBP 500** - Londres, 24 oct. 1978 : *Hiver en Ligurie*, h/t (104x89) : **GBP 7 000** - Londres, 2 févr 1979 : *Paysage alpestre*, h/t (90,2x105,3) : **GBP 850** - Londres, 10 nov. 1981 : *Le Départ du foyer* 1889, h/t (175x146) : **GBP 18 000** - New York, 19 oct. 1984 : *Jeunes pêcheurs au bord d'un canal*, h/t (64,2x73) : **USD 18 500** - Londres, 13 nov. 1985 : *Jeune paysanne*, h/t (51x38) : **GBP 7 000** - Londres, 6 mars 1986 : *Matinée automnale*, h/t (120x94,5) : **GBP 40 000** - Londres, 14 nov. 1987 : *Portrait d'une jeune Bretonne en robe de communiante* vers 1880-1881, h/t (91,5x74) : **GBP 45 000** - New York, 25 mai 1988 : *La Régate dans la fontaine*, h/t (69,8x79,4) : **USD 52 800** - Londres, 8 juin 1989 : *Un chemin provençal*, h/t (63,8x73,8) : **GBP 33 000** - New York, 28 fév. 1990 : *L'Hiver en Ligurie* 1906, h/t (106,7x88,9) : **USD 220 000** - Londres, 8 mars 1990 : *Le Mois de mars*, h/t (80,1x92,9) : **GBP 57 200** - Londres, 20 sep. 1990 : *La journée est finie*, h/t (59,5x70) : **GBP 6 050**.

LATHEM Jacques et **Livinus Van**. Voir **LAETHEM**

LATHOUWER August de
Né le 25 décembre 1836 à Louvain. Mort le 19 février 1915 à Anvers. xixe-xxe siècles. Belge.
Peintre de paysages.
Le Musée d'Anvers possède un paysage de cet artiste qui fut élève de Jacob Jacobs.

LATHROP Francis
Né le 22 juin 1849, en mer dans le Pacifique. Mort le 18 octobre 1909 à Woodcliffe Lake (New Jersey). xixe siècle. Britannique.
Portraitiste et illustrateur.
Il naquit à bord d'un navire faisant route vers les Iles Sandwich. En 1860 il commença ses études avec T.-C. Farrer à New York, puis, à partir de 1867 fut élève de l'Académie de Dresde. En 1870 il revint à Londres et travailla durant trois ans avec Madox Brown. Il alla ensuite aux États-Unis, où il prit une place distinguée comme peintre de portraits et comme illustrateur. On lui doit des décorations à l'église de la Trinité à Boston et à la Chapelle du Bowdoin College à Brunswick. Associé de la National Academy en 1906.
Ventes Publiques : New York, 4 et 6 avr. 1911 : *Femme demi-nue* : **USD 80**.

LATHROP Gertrude Katherine
Née en 1896. Morte en 1986. xxe siècle. Américaine.
Sculpteur animalier.
Ventes Publiques : New York, 29 sep. 1977 : *Vicki*, bronze, patine or (H. 35) : **USD 800** - New York, 1er juin 1984 : *Sammy Houston* 1928, bronze, patine verte (H. avec socle 43,2) : **USD 2 500** - New York, 10 juin 1992 : *Faon* 1928, bronze (H. 19) : **USD 1 320**.

LATHROP Ida Pulis
Née en 1859. Morte en 1937. xixe-xxe siècles. Américaine.
Peintre de sujets divers.
Originaire d'Albany, elle exposa surtout à la Nationale Galery of Design, à l'Institut d'Art de Chicago et à la Galerie d'Art Corcoran. Elle peignait surtout des paysages et des portraits, quelquefois des trompe-l'œil.
Ventes Publiques : New York, 26 mai 1993 : *Trompe-l'œil d'une plume de paon*, h/t, une gravure et une photographie (49,5x58,5) : **USD 14 950**.

LATHROP William Langson ou **Langsar**
Né le 29 mars 1859 à Warren (Illinois). Mort en 1938. xixe-xxe siècles. Américain.
Peintre de compositions animées, paysages, graveur.
Musées : Chicago - Minneapolis - New York (Metropolitan Mus.) - Pittsburgh (Carnegie Inst.) - Saint Louis - Washington D. C. (Nat. Gal.).
Ventes Publiques : New York, 1er mai 1981 : *Paysage de verdure, le soir*, h/t (56x63,5) : **USD 3 100** - New York, 24 oct. 1984 : *Pâturages d'automne*, h/t mar./isor. (40,6x35,5) : **USD 2 000** - New York, 24 avr. 1985 : *Little Will's lime kiln* c. 1915, h/t (56x63,5) : **USD 3 500** - New York, 14 mars 1986 : *The meadows*, h/t (45,7x66) : **USD 9 000** - New York, 25 mai 1989 : *Le petit enfant turbulent de grand-père*, h/t (48,3x51,1) : **USD 5 500** - New York, 28 sep. 1989 : *Paysage de Pennsylvanie*, h/t (91,2x101,6) : **USD 6 050** - New York, 16 mars 1990 : *Les faneurs au printemps*, h/t (36x51,1) : **USD 4 950** - New York, 27 sep. 1990 : *Les bûcherons*, h/t (56x64) : **USD 4 950** - New York, 14 mars 1991 : *Ombres d'après-midi* 1936, h/rés. synth. (63,5x76) : **USD 8 800** - New York, 26 sep. 1991 : *L'artiste travaillant dans la campagne près de Easton*, h/t (41x35,7) : **USD 1 760** - New York, 13 mars 1996 : *La Route des collines à Montauk* 1934, h/rés. synth. (43,2x53,3) : **USD 8 625**.

LATICHENKO Nicolaï
Né en 1937. xxe siècle. Russe.
Peintre de paysages, compositions animées.
Il fut élève de l'école des beaux-arts de Leningrad (Institut Répine). Il est membre de l'Association des peintres de Leningrad.
Il pratique une peinture traditionnelle, travaillant par touches épaisses.
Musées : Krasnodar (Mus. des Beaux-Arts).

LATIL Eugénie, née **Henry**
Née en 1808 à Moscou, de parents français. Morte en octobre 1879 à Saint-Girons (Ariège). xixe siècle. Française.
Peintre de sujets allégoriques, scènes de genre, portraits.
Elle figura au Salon de Paris de 1839 à 1850 et obtint des médailles en 1839 et 1841.
Bibliogr. : In : Catalogue de l'exposition : *Les années romantiques, la peinture française de 1815 à 1850*, Mus. des Beaux-Arts de Nantes, 1995-1996 et Galeries nationales du Grand Palais, Paris, 1996.
Musées : Aix-en-Provence : *Paysanne endormie à l'entrée d'une grotte* - Grenoble : *Travail et Paresse*.

LATIL François Vincent Mathieu
Né le 2 février 1797 à Aix-en-Provence (Bouches-du-Rhône). Mort le 4 mars 1890 à Saint-Girons (Ariège). xixe siècle. Français.

Peintre d'histoire, compositions religieuses, portraits, paysages.
Élève du baron Gros, il entra à l'École des Beaux-Arts de Paris en 1818.
Il participa au Salon de Paris de 1824 à 1859, obtenant des médailles en 1827 et 1841.
Bibliogr. : In : Catalogue de l'exposition : *Les années romantiques, la peinture française de 1815 à 1850*, Mus. des Beaux-Arts de Nantes, 1995-1996 et Galeries nationales du Grand Palais, Paris, 1996.
Musées : Aix-en-Provence : *Olympe abandonnée – Prédication de saint Jean Baptiste dans le désert* 1849 – *La guérison du possédé de Gadara par Jésus – Saint Paul baptisant Lydie – Scène de naufrage – Jeune paysanne endormie – Portrait de Poussin* – Aurillac : *Triptolème – La Géographie* – Montpellier : *Scène des journées de juin 1848* – Roubaix : *L'Astronomie* – Tarbes : *Une fumeuse – Arbres – Marine – Montagnes – Rochers – Paysage – La fille du pêcheur – Pestiférés de Jaffa* – Toulouse : *Jeune voyageur assassiné et dépouillé par des brigands – Épisode de l'histoire des naufragés* – Versailles : *Mme Latil – Autoportrait – J. F. de Chastenet Puységur – Suffren – Ladislas Berchery.*

LATIL Jean Claude
Né le 28 février 1932 à Marseille (Bouches-du-Rhône). xxe siècle. Français.
Peintre, peintre de compositions murales, décorateur. Nouvelles figurations. Groupe Coopérative des Malassis.
Il vit et travaille à Paris. Exposant depuis 1955 à Paris, au Salon de la Jeune Peinture, il devint membre du comité à partir de 1966, puis président en 1971. Il participe à diverses expositions collectives : Salons Comparaisons, d'Automne, de Mai de 1960 à 1967, de la Jeune Peinture ; 1970, 1977 ARC musée d'Art moderne de la ville de Paris ; 1978 Fondation nationale des Arts graphiques et plastiques à Paris ; 1978, 1979, 1980 musée national d'Art moderne à Paris. Exposant avec la coopérative des Malassis au sein de laquelle son activité est anonyme, il expose aussi seul, notamment à Paris en 1955, 1958, 1962, 1965, 1976 ; à Vannes en 1981.
C'est au sein du Salon de la Jeune Peinture qu'en 1970 s'est constituée la coopérative des Malassis dont Latil fait partie aux côtés de Cueco, Fleury, Parré et Tisserand, mais c'est aussi au Salon de la Jeune Peinture que s'affirma le renouveau d'une figuration : plus précisément une figuration politique. Le propos de Latil est profondément attaché à ces notions qui se cristallisèrent lors des événements de 1968.
Chez Latil, la peinture se veut avant tout outil et langage et exige une lisibilité immédiate, même si usant d'allégories pour dénoncer, il fait interférer réalité et irréalité. S'éloignant des directives d'un réalisme-socialiste, tel qu'un Fougeron a pu le pratiquer, on assiste avec la peinture de Latil et avec toute la peinture des années 60-70 à un gauchissement du propos. L'action de la société Malassis est à ce point exemplaire. Parallèlement à son activité de peintre, il travaille en tant que décorateur à l'élaboration et à l'exécution de décors de films et de théâtre. Il a réalisé de nombreux murs peints notamment à Choisy-le-Roi (1971), Alfort-Ville (1977), Argenteuil (1982), Ris-Orangis (1985), Berre-L'Étang (1986)...
Musées : Marseille (FRAC) : *Les Souches* – Paris (Cab. des Estampes) : *Dans les champs* 1978, litho.

LATILLA Eugenio H.
Né vers 1800. Mort vers 1859 à Chatagua. xixe siècle. Italien.
Peintre de genre.
Fils d'un Italien et d'une Anglaise. Membre de la Society of British Artists à Londres, de 1838 à 1851, il prit part aux expositions de cette association. Il partit pour l'Amérique, et travailla dans les environs de New York. Beau-frère de James Ed. Freemann.

LATINI Filippo
xviie siècle. Actif à Florence vers 1650. Italien.
Peintre.
Il exécuta une peinture pour l'église du Spedale degli Innocenti.

LATINIS Georges
Né le 25 avril 1885 à Bruxelles (Brabant). xxe siècle. Belge.
Peintre de natures mortes, paysages.
Il débuta au Salon de Bruxelles en 1902. Il travaille avec minutie s'attachant à décrire la réalité avec exactitude.
Bibliogr. : In : *Diction. biogr. illustré des artistes en Belgique depuis 1830*, Arto, Bruxelles, 1987.
Musées : Anvers – Bruxelles – Gand – Verviers.

LATINVILLE François Adrien Grasognon
Mort en 1774 à Paris. xviiie siècle. Français.
Peintre.
Il fut à partir de 1756 peintre du roi. Le Musée du Val-de-Grâce à Paris possède de lui un *Portrait du médecin G. Pichaut de la Martinière.*
Ventes Publiques : Stockholm, 27 avr. 1982 : *Portrait de la princesse Louisa Ulrika en Aurore*, h/t (100x82) : **SEK 61 200.**

LATKOCZY Lajos
Né en 1820 à Rozsnyo. Mort en 1875 à Miskolc. xixe siècle. Hongrois.
Peintre.
Il travailla à Munich, à Paris et en Italie. On cite ses *Portraits du compositeur Boka* et *du peintre B. Kiss.*

LATOISON-DUVAL Pierre Charles Clément
Né le 12 août 1813 à Paris. xixe siècle. Français.
Portraitiste, aquarelliste.
Élève de Paul Delaroche. Il figura au Salon de Paris de 1839 à 1850.

LATOIX Gaspard de
xixe-xxe siècles. Américain (?).
Peintre de scènes typiques animées, aquarelliste.
Il était actif entre 1890 et 1910. Il s'est consacré au folklore national des gauchos du grand Ouest et des Indiens.

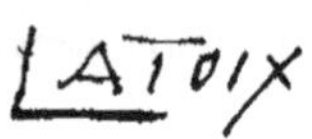

Ventes Publiques : New York, 27 oct. 1978 : *Indien chargeant des chevaux*, h/t (56x76,2) : **USD 6 000** – New York, 21 juin 1979 : *Deux chevaux*, aquar. (35x45,7) : **USD 2 500** – New York, 2 juin 1983 : *Indien sur un cheval blanc*, aquar. (43,2x32,4) : **USD 3 250** – New York, 8 déc. 1983 : *Cavalier indien*, h/t (55,9x45,7) : **USD 3 500** – New York, 4 déc. 1986 : *Chef indien à cheval*, h/t (60,9x66) : **USD 9 000** – New York, 27 sep. 1990 : *En attendant la sortie du troupeau*, aquar./pap. (36,2x26,3) : **USD 6 050** – New York, 5 déc. 1991 : *Indien Apache à cheval*, h/t (61x50,8) : **USD 8 800** – New York, 23 sep. 1993 : *Poneys autour du ratelier*, aquar./pap. (26,7x36,8) : **USD 2 300** – New York, 28 sep. 1995 : *Le déchargement des provisions au village*, aquar./pap./cart. (41x54) : **USD 2 990** – New York, 13 mars 1996 : *Indiens à cheval dans le désert*, h/t (81,5x60) : **USD 20 700** – New York, 23 avr. 1997 : *Le Chasseur bredouille*, aquar. et cr./pap. (36x53,3) : **USD 5 520.**

LATOMBE Nicolas, dit **Stoppertje** ou **der Stopper**
Né en 1616 à Amsterdam. Mort en 1676 à Amsterdam. xviie siècle. Hollandais.
Peintre et dessinateur.
Il alla fort jeune en Italie et y vécut longtemps. Il peignit des tableaux de société et des paysages animés, dans le style de Pœlenburg. De retour en Hollande il produisit des portraits.

LATOMBE Philippus
xviie siècle. Éc. flamande.
Peintre.
Élève de Jaspar Jacob Van Dystal III en 1696 ; il était dans la gilde d'Anvers et maître en 1705.

LATOMBE Pieter de
Mort le 22 août 1674. xviie siècle. Actif à Amsterdam. Hollandais.
Peintre.
Le British Museum de Londres possède deux dessins de cet artiste représentant des *Vues d'Amsterdam.*

LATOMBE Salomonde ou **La Tombe**
Né vers 1590. Mort après 1643. xviie siècle. Actif à Aix-la-Chapelle. Éc. flamande.
Peintre.

LA TORRE Andreu de
Né à Lérida. xive siècle. Travaillant en 1307. Espagnol.
Peintre.
Il exécuta des fresques dans le monastère Santa Cruz, près de Valls.

LA TORRE Giovanni Battista Crescenzi de, marquis. Voir **CRESCENZI**

LATORRE Jacinto
Né le 5 mai 1903 ou 1905 à Irun. XXe siècle. Actif depuis 1939 en France. Espagnol.
Sculpteur. Abstrait.
Il commença à étudier la sculpture seul en Espagne ; puis arriva à Paris en 1939, à la fin de la guerre civile, où il travailla à l'académie de la Grande Chaumière, recevant les conseils de Wlérick et de Despiau.
Il participe à de très nombreuses expositions de groupe, en France et à l'étranger, notamment au Salon des Réalités Nouvelles de 1953 à 1961.
À l'enseignement traditionnel, il préféra bientôt l'étude de l'art nègre et l'exemple des œuvres de Laurens et de Brancusi. De cette époque, où il recherchait une simplification stylistique de la forme, sans bannir toutefois l'apparence de la réalité, date le *Monument à la mémoire de la danseuse espagnole la Argentina*, qui attira l'attention sur lui. À partir de 1955, il renonça à fonder ses sculptures sur la réalité et entreprit d'exprimer ses émotions par le jeu seul des formes abstraites. Il travaille le bois, qui reste son matériau de prédilection, le fer, le bronze, le cuivre, introduisant parfois un élément hétérogène, cristal, verre coloré, au cœur de ses sculptures.
Bibliogr. : Denys Chevalier, in : *Nouv. Diction. de la sculpt. mod.*, Hazan, Paris, 1970.

LA TORRE Juan de
XVIIIe siècle. Travaillant en 1707. Espagnol.
Sculpteur.
Il sculpta le retable de l'autel Saint-Jacques de la cathédrale de Séville.

LA TORRE Juan Bautista de
XVIIIe-XIXe siècles. Travaillant de 1759 à 1808. Espagnol.
Peintre sur porcelaine.
Il fut employé à la Manufacture de Buen Retiro et orna la chambre de porcelaine du château d'Aranjuez.

LA TORRE Jusepe de
XVIIe siècle. Espagnol.
Sculpteur d'autels.
Il sculpta des autels dans le couvent de la Trinité de Madrid vers 1640.

LA TORRE Martin de
XVIe siècle. Espagnol.
Sculpteur.
Il sculpta un retable pour l'hôpital Saint-Sébastien de Cordoue en 1566.

LA TORRE Pedro de
XVIe siècle. Espagnol.
Sculpteur d'autels.
Il travailla à Saint-Jacques-de-Compostelle et sculpta des autels pour les églises des environs.

LA TORRE Pedro de
XVIIe siècle. Actif à Tolède. Espagnol.
Sculpteur et architecte.
Il sculpta des autels dans l'église du Bon-Secours de Madrid, et d'autres autels pour les églises de Tolède et de Tordesillas.

LA TORRE Pedro de
XVIIe siècle. Actif à Séville. Espagnol.
Architecte et sculpteur.
Cet artiste avait le titre de maître architecte et graveur du roi ; toutefois Céan lui donne le qualificatif de sculpteur et plusieurs retables de valeur lui sont attribués.

LA TORRE ESTEFANIA Rafael de
Né à Madrid. XIXe-XXe siècles. Espagnol.
Peintre de genre, scènes animées, paysages urbains.
Il fut élève de l'Académie de San Fernando à Madrid, ainsi que des peintres Casto Plasencia et José Moreno Carbonero. En 1897, il obtint une seconde médaille pour les arts décoratifs à l'Exposition Nationale des Beaux-Arts de Madrid ; en 1895 et en 1901 une troisième médaille pour la peinture.
Bibliogr. : In : *Cien Anos de pintura en Espana y Portugal, 1830-1930*, Antiqvaria, t. XI, Madrid, 1993.

LA TORRE Y LOPEZ Antonio de
XIXe siècle. Espagnol.
Peintre.
Le Musée de Madrid conserve de lui : *Plage*.
Ventes Publiques : Madrid, 18 déc. 1984 : *Le retour des pêcheurs*, h/t (51x120) : **ESP 275 000**.

LATORRE Y RODRIGO Federico
Né vers 1840 à Tolède. XIXe siècle. Espagnol.
Peintre.
Il fut élève de l'Académie de Madrid, puis professeur de dessin à Tolède.

LATORRE VIEDMA Rafael
Né le 11 décembre 1872 à Grenade. XIXe-XXe siècles. Espagnol.
Peintre de paysages urbains, scènes typiques.
Il commença ses études artistiques dans sa ville natale et les continua à Rome. Il réalisa aussi pendant sa période de formation de nombreuses copies du musée du Prado à Madrid et visita Paris. Il a participé à de nombreuses expositions collectives, notamment au Salon de la Société Nationale des Beaux-Arts de son pays en 1908 et 1910.
Bibliogr. : In : *Cien Anos de pintura en Espana y Portugal, 1830-1930*, Antiqviria, t. IV, Madrid, 1990.

LATORTUE Andrée
XXe siècle. Haïtienne.
Peintre.
Elle a figuré à Paris, en 1946, à l'exposition ouverte au musée d'Art moderne par l'Organisation des Nations-Unies. C'est l'une des rares femmes appartenant à la jeune école antillaise des années soixante-dix.

LATORTUE Philippe
XXe siècle. Haïtien.
Peintre de paysages.
Il a participé à l'exposition : *L'Art haïtien dans la collection de Angela Gross*, au Woodmere Art Museum de Philadelphie, en 1984-1985.
Ventes Publiques : New York, 15 mai 1991 : *Après-midi au bord de la rivière*, h/rés. synth. (60,5x122) : **USD 1 650** – Paris, 25 mai 1997 : *Le Retour de la pêche*, h/t (50x61) : **FRF 3 200**.

LATOUCHE Gaston de
Né le 29 octobre 1854 à Saint-Cloud (Hauts-de-Seine). Mort le 12 juillet 1913 à Paris. XIXe-XXe siècles. Français.
Peintre de genre, paysages, sculpteur, graveur, illustrateur.
Il reçut tout d'abord les conseils de Manet, puis ceux de son ami Félix Bracquemond. La mort interrompit prématurément sa carrière, alors qu'il avait conquis dans le monde artistique une place hors pair.
En 1890, s'inaugure au Palais de l'Industrie, sous l'égide de Messonier et Puvis de Chavannes, la Société Nationale des Beaux-Arts, scission du Salon officiel. La Touche était alors un des artistes de tradition classique les plus en vue de cette scission vouée à l'échec. Membre de la Société Nationale des Beaux-Arts depuis 1890, il était sociétaire des Artistes Français depuis 1883, obtint des médailles de troisième classe en 1884, de deuxième classe en 1888. Il reçut une médaille de bronze à l'Exposition Universelle de 1889 et une médaille d'or à celle de 1900. Chevalier de la Légion d'honneur en 1900, il fut officier en 1909.
Ses paysages peints avec brio, ont à la fois la grâce du XVIIIe siècle et le goût du Modern'Style. En 1917, fut publiée une édition des *Poèmes* d'Henri Régnier, illustrée d'après ses compositions.

Bibliogr. : In : *Die Kunst für Alle*, avril 1913 – Gérald Schurr, in : *Les Petits Maîtres de la peinture 1820-1920, valeur de demain*, Les Éditions de l'Amateur, t. II, Paris, 1982.
Musées : Alençon : *Nativité* – Le Mans : *Le trappiste de Laval* – Paris (Mus. d'Art Mod.) : *Les Cygnes* – *Bracquemond et son élève*.
Ventes Publiques : Bordeaux, 7 déc. 1898 : *Le Vieux Poète* : **FRF 120** – New York, 1er-2 déc. 1904 : *Bateaux de pêcheurs* : **USD 140** – Paris, 2 juin 1919 : *La Nuit joyeuse* : **FRF 32 100** ;

L'Intrigue : **FRF 24 100** – New York, 14 jan. 1938 : *Le Printemps amoureux* : **USD 110** – Paris, 5 mai 1949 : *Les Turques*, aquar. : **FRF 15 000** – Paris, 28 nov. 1949 : *La Paresse* : **FRF 26 000** – Versailles, 5 déc. 1971 : *Le Parc de Saint-Cloud* : **FRF 4 000** – Los Angeles, 13 nov. 1972 : *Amitié* : **USD 1 300** – Londres, 6 mars 1974 : *La Loge* : **GBP 800** – Los Angeles, 9 juin 1976 : *La Fontaine de Jouvence*, h/t (101x110,5) : **USD 900** – New York, 14 jan. 1977 : *Soirée à l'Opéra*, h/pan., parqueté (77,5x55) : **USD 1 400** – New York, 13 oct. 1978 : *La procession*, h/t (98x82,5) : **USD 1 500** – Paris, 2 déc 1979 : *La Salutation de Pierrot*, h/t (180x239) : **FRF 30 000** – New York, 28 mai 1981 : *La Fête joyeuse*, h/t (208x290) : **USD 32 000** – New York, 26 oct. 1983 : *Fillette lisant près d'une fenêtre*, h/pan. (46x35,5) : **USD 4 500** – Enghien-les-Bains, 27 mai 1984 : *Promenade d'automne* 1886, past. (59x72) : **FRF 153 000** – New York, 31 oct. 1985 : *Le gué*, h/t (172x207) : **USD 17 500** – Paris, 21-22 déc. 1987 : *Naïade et Cygnes*, h/pan. parqueté (76x80) : **FRF 20 000** – Paris, 23 mars 1987 : *Le Dîner de Pierrot* 1900, past. (100x68) : **FRF 73 000** – New York, 21 mai 1987 : *La Comédie italienne*, h/t (214x555) : **USD 375 000** – Paris, 15 mars 1988 : *Le Faune*, h/t (210x173) : **FRF 35 000** – Los Angeles, 9 juin 1988 : *Le Pique-nique* 1893, h/pan. (58,5x75) : **USD 30 250** – Versailles, 15 juin 1988 : *Baigneuses à la rivière*, h/t (121x120) : **FRF 77 000** – Paris, 15 juin 1988 : *Scène de corrida*, h/pan. (59x60) : **FRF 28 000** – Londres, 27 juin 1988 : *Les Amants et les Cygnes* 1896, past./pap. (74,3x60,3) : **GBP 38 500** – Paris, 1er mars 1989 : *Promenade galante*, h/pan. (41x35) : **FRF 13 500** – Londres, 4 avr. 1989 : *La Femme à l'éventail*, h/t (56x115,5) : **GBP 14 300** – New York, 23 mai 1989 : *Souper de chasse*, h/pan. (75,5x80) : **USD 13 200** – New York, 24 oct. 1989 : *Les Salutations de Pierrot*, h/t (168,9x236,8) : **USD 55 000** – Londres, 21 nov. 1989 : *Le Canotage*, h/t (120x120) : **GBP 39 600** – Paris, 9 déc. 1989 : *L'Absinthe*, aquar. et past. (75x33) : **FRF 96 000** – Sceaux, 11 mars 1990 : *Le Violoniste*, h/pan. (32x35) : **FRF 8 000** – New York, 23 oct. 1990 : *L'Intrigue nocturne*, h/t (209,6x225,4) : **USD 121 000** – Paris, 16 nov. 1990 : *La Flagellation*, h/pan. (40x22) : **FRF 10 000** – Paris, 12 avr. 1991 : *Amazone assise au bord d'un étang*, h/t (108,5x98) : **FRF 91 000** – New York, 22 mai 1991 : *Lac des cygnes* 1893, h/pan. (32,4x36,2) : **USD 7 700** – Londres, 19 juin 1991 : *Dans le boudoir*, h/pan. (77,5x55) : **GBP 9 350** – Paris, 22 juin 1992 : *Le Carrosse*, h/pap. (49,5x41,5) : **FRF 19 000** – Calais, 5 juil. 1992 : *Feu d'artifice à Versailles* 1907, h/pan. (56x47) : **FRF 16 000** – New York, 17 fév. 1993 : *Soirée chez un artiste*, h/pan. (76,2x79,4) : **USD 18 400** – Lokeren, 4 déc. 1993 : *Devant l'autel de la Vierge*, aquar. (76x54) : **BEF 110 000** – Amsterdam, 19 avr. 1994 : *La Prière*, past. (76,5x53,5) : **NLG 5 750** – New York, 12 oct. 1994 : *Panorama depuis Saint Cloud*, h/t (74,9x80) : **USD 43 700** – Paris, 21 juin 1995 : *La Ronde des enfants près de la fontaine* 1895, h/t (208x174) : **FRF 132 000** – Londres, 17 nov. 1995 : *Le Téléphone*, h/pan. (77,5x56) : **GBP 8 625** – New York, 1er nov. 1995 : *Les Cygnes* 1896, h/t (195,9x129,9) : **USD 34 500** – New York, 23 mai 1996 : *Le Passage difficile*, h/t (85x101) : **USD 37 375** – Londres, 31 oct. 1996 : *Lady dans un jardin* 1890, h/t (80x64) : **GBP 2 990** – Londres, 21 mars 1997 : *Les Amants et les Cygnes* 1896, past./t. (74,3x60,3) : **GBP 23 000** – New York, 12 fév. 1997 : *Feu d'artifice sur Paris*, h/t (118,1x80,7) : **USD 32 200**.

LATOUCHE Jacques Ignace de, le chevalier

Né le 18 septembre 1694 à Châlons-sur-Marne. Mort le 5 avril 1781 à Châlons-sur-Marne. xviiie siècle. Français.

Littérateur, dessinateur et peintre.

Cet artiste a laissé à Châlons la réputation d'un esprit supérieur. Philosophe et écrivain de mérite en même temps que peintre distingué. On ne cite de lui cependant dans sa ville natale que les carreaux de l'église Notre-Dame et deux pastels conservés au Musée *(Le Château de cartes* et *Les Bulles de savon).*

LATOUCHE Louis

Né le 29 septembre 1829 à La Ferté-sous-Jouarre (Seine-et-Marne). Mort en 1884 à Paris. xixe siècle. Français.

Peintre de paysages. Impressionniste.

Encadreur, marchand de tableaux et restaurateur, il fut aussi peintre et figura au Salon de Paris de 1866 à 1882. Il participa également à la première exposition des impressionnistes chez Nadar en 1874.

Ses paysages de bords de Seine et de Normandie montrent combien il était attaché à rendre les effets de lumière, les jeux de soleil couchant.

Bibliogr. : Gérald Schurr, in : *Les Petits Maîtres de la peinture 1820-1920, valeur de demain*, Les Éditions de l'Amateur, t. V, Paris, 1981.

Ventes Publiques : New York, 9-10 fév. 1905 : *Ferme sur une colline* : **USD 120**.

LATOUCHE Lucien de

Né le 24 mars 1811 à Mayenne (Mayenne). Mort vers 1870. xixe siècle. Français.

Paysagiste et peintre de genre.

Élève de L. Cogniet. Il figura au Salon de Paris de 1848 à 1870.

Ventes Publiques : Paris, 3 avr 1979 : *Scène révolutionnaire* 1847, h/t (130x97) : **FRF 6 500**.

LATOUR. Voir aussi **DELATOUR**

LATOUR Alexandre de

Né en 1780 à Bruxelles. Mort en 1858 à Bruxelles. xixe siècle. Éc. flamande.

Peintre.

À Paris il fut élève de J.-B. Augustin. On lui doit surtout des portraits et des figures. Il travailla à la cour du roi Guillaume Ier et du prince d'Orange (Guillaume II). Il exposa des miniatures au Salon de Paris, de 1804 à 1810. On lui attribue, au Musée de Metz, un *Portrait du maréchal de Belle-Isle*.

LATOUR Alfred

Né le 28 juillet 1888. Mort en mars 1964 à Eygalières (Bouches-du-Rhône). xxe siècle. Français.

Peintre de paysages, graveur, illustrateur, aquarelliste.

Il fut élève de Lepère, puis conseillé par Carlègle. Il fut membre sociétaire du Salon d'Automne, membre fondateur de l'Association du livre d'art français, membre du comité d'organisation de l'Exposition internationale de 1937 pour le livre et la gravure, membre du comité de la collection internationale du livre d'art contemporain de Prague.

Outre des participations à des expositions de groupe, parmi lesquelles le Salon de Mai en 1951, 1952, 1953, 1954, il a montré des expositions personnelles de ses œuvres peintes à Avignon en 1962, Marseille 1962, Arles 1962, et auparavant à Paris en 1953. Il obtint le grand prix du livre d'art, à l'exposition des Arts décoratifs de 1925, le grand prix de publicité à l'Exposition internationale de Paris en 1937.

Dans une première période, il peignit de bons paysages, de facture impressionniste ; mais à part d'importantes séries d'aquarelles sur la Camargue, l'Espagne, le Maroc, la première partie de sa carrière, jusqu'à la guerre de 1940, fut presque exclusivement consacrée à la gravure, l'illustration, la typographie. Il a illustré quantité d'ouvrages littéraires : Focillon, Verlaine, Huysmans, Baudelaire, Pétrarque, Poe, Valéry, Jean-Jacques Rousseau, Wilde, Gide, Claudel, Cendrars, Corneille, etc. On cite souvent ses citations pour les *Poésies complètes* de Gérard d'Houville. Tout au long de sa carrière, il a eu une activité importante de graphistes : ex-libris, tissus imprimés, reliures, affiches et campagnes publicitaires, etc. Dans l'immédiat après-guerre, il créa encore des tissus imprimés pour la haute-couture, qui influencèrent la mode pour quelques années ; mais fixé à Eygalières depuis la guerre, il avait commencé de se consacrer entièrement à la peinture menant le dessin de ses compositions à un degré de pureté de la ligne à la limite de l'abstraction. ■ J. B.

LATOUR Antoine Marius

Né au xixe siècle à Avignon (Vaucluse). xixe siècle. Français.

Graveur au burin et aquarelliste.

Élève de Jules Jacquet. Figura à Paris, au Salon des Artistes Français où il eut une mention honorable (1899).

LATOUR Édouard M. ou **Delatour**

Né en 1817. Mort en 1863. xixe siècle. Français.

Peintre de portraits, miniatures.

Cité par Siret comme étant le fils d'Alexandre Delatour.

Ventes Publiques : Bruxelles, 24 juin 1981 : *Portraits de jeunes filles* 1856-1857, peint./bois, deux pendants de forme ovale (30x22) : **BEF 46 000**.

LA TOUR Georges de

Baptisé à Vic-sur-Seille le 14 mars 1593. Mort le 30 janvier 1652 à Lunéville. xviie siècle. Français.

Peintre de compositions religieuses, scènes de genre, figures. Caravagesque.

Georges de La Tour, un des artistes français les plus prestigieux du xviie siècle, est apparu au regard de l'histoire de l'art en 1915. En effet, ce peintre, en son temps réputé et célébré, fut totalement oublié sitôt sa mort, sombra dans l'oubli le plus profond, à un tel point que toutes ses œuvres alors encore visibles furent soit négligées, soit attribuées à d'autres artistes, aux Le Nain, à

Caravagesques, à Vermeer de Delft, à quelque maître espagnol de la réalité, quand ce n'était pas au charmant pastelliste du XVIIIe siècle Maurice Quentin de La Tour, ce qui ne laisse pas d'étonner d'autant qu'un bon nombre de ses peintures sont clairement signées. Ce n'est pas tant qu'il fut négligé parce que sorti du goût esthétique des époques suivantes, ce qui peut advenir, mais il fut rayé d'entre les morts, il n'avait jamais existé et c'est cela qui est rare et troublant, surtout pour un tel personnage et pas tellement éloigné de notre temps. Donc cet artiste capital du XVIIe siècle a commencé à exister pour l'histoire en 1915, et ceci pour deux raisons, d'une part parce que son existence, effacée de la mémoire et de l'histoire des hommes, dut être redécouverte et ensuite, comme il arrive de précurseurs méconnus un temps et que l'on repense à la lumière d'un autre état d'esprit, parce que dans ses œuvres la simplification exceptionnelle des formes, un peu comme chez Paolo Uccello, traduisant les êtres et choses en volumes géométriques relativement stricts, renforçait à point nommé la leçon cézannienne que venait de recueillir le cubisme naissant.

Anonymes ou faussement attribuées, certaines de ces œuvres n'en figuraient pas moins dans les musées, où elles étaient parfois jalousement admirées : après Mérimé, Stendhal aimait le *Joueur de vielle* de Nantes, attribué à un Espagnol ; Taine était subjugué par *Le Nouveau-né* « de Le Nain » au Musée de Rennes ; Gonse, en 1900, vantait lui aussi ces *Le Nain*. En 1913, à l'occasion d'une réédition du catalogue du Musée de Nantes, pour la première fois, au lieu des précédentes attributions fantaisistes, apparaît la mention de : « G. Delatour, peintre inconnu du XVIIe siècle ». Il était encore inconnu, mais un grand pas avait été franchi. En 1915, mais nous ne connûmes ce travail allemand qu'après la guerre, Hermann Voss, rapprochant quelques œuvres éparses, *Le Nouveau-né* de Rennes, non signé, de *L'apparition de l'ange à saint Joseph* et du *Reniement de saint Pierre* de Nantes, tous deux signés, et de la gravure de Jacques Callot *Le Nouveau-né, ou Les Veilleuses* la pressentant comme étant d'après une peinture du même peintre, ainsi que des documents d'archives, dont tout simplement le catalogue du Musée de Nantes de 1913, retrouvait la trace de la brillante existence du peintre lorrain Georges du Mesnil de La Tour, qu'il nommait ainsi parce que, dès 1863, l'existence de ce du Mesnil de La Tour avait été mise au jour à titre de curiosité par un érudit local, Alexandre Joly, mais qui n'avait fait aucun rapprochement avec les œuvres d'aucun peintre, donc ni de celles aujourd'hui attribuées à Georges de La Tour. En fait ce Georges du Mesnil de La Tour dut être des proches de la famille du peintre, et l'on s'en tiendra ensuite pour le peintre au seul nom de Georges de La Tour. Dans le même temps de la découverte, M. Louis Demonts esquissait une liste d'œuvres attribuables à ce peintre. Plus tard, en 1934 à l'occasion de l'exposition de Paris *Les Peintres de la réalité*, qui marqua pour le grand public la révélation du peintre, Paul Jamot et Charles Sterling, se ralliaient à ces recherches. À partir de 1935, les communications et ouvrages successifs de François-Georges Pariset faisaient le point de l'état des recherches. Depuis, de nombreux détails de la biographie du peintre ont été retrouvés dans les archives. Certes plusieurs œuvres ont été redécouvertes, d'autres se sont démultipliées, en nombre souvent étonnant de répliques ou copies, parfois de certaines disparues. Mais surtout, décidant des attributions, de leur authenticité, dénonçant des vulgaires copies, valorisant des répliques de l'atelier des La Tour père et fils, décrétant des retraits de ces attributions, en réhabilitant certaines, leur assignant des dates de création, réfutant les dates proposées, attributions, datations, retraits que sans doute d'autres remettront en cause, c'est le jeu des experts qui alimente l'actualité posthume de l'œuvre.

Ce qu'ont confirmé et complété de nombreux autres après lui, dont le plus récemment Jacques Thuillier, Pariset avait déjà fait surgir, d'archives rares, quelques éléments de la vie de ce peintre duquel nul ne se souvenait. Il en ressort qu'il fut fameux et qu'il eut fortune et honneurs et s'en dégage une figure rude : procédurier, violent, avide, arrogant envers les autres « comme s'il estoit Seigneur du lieu », tel apparaît le sieur Georges de La Tour. Il était le fils d'un boulanger de Vic mais, en 1617, il épousa Diane Le Nerf, fille de l'argentier du duc de Lorraine, entrant dans une puissante famille du lieu. Avant ce mariage, on continue à tout ignorer de sa formation et de ses débuts ; toutefois, entre 1613 et 1616, une lacune dans les éléments de sa biographie peut laisser supposer un voyage à Rome, ce qui éclaircirait bien des points concernant les éventuelles influences qu'il aurait pu rencontrer. En 1620, par autorisation de Henri II, duc de Lorraine, Georges de La Tour et sa famille purent s'installer à Lunéville. Lorsqu'en 1623 et 1624, le duc Henri II lui achetait deux tableaux, dont un « à l'image Saint Pierre » destiné au couvent des Minimes de Lunéville, pour des sommes considérables, et que l'on sait que seul « maître peintre » à Lunéville, il y jouissait d'une situation importante, autour de lui s'étalaient les misères du peuple, les épidémies, les persécutions de la Contre-Réforme, les calamités de la Guerre de Trente Ans, au milieu desquelles il continuait de mener âprement ses affaires, se refusant même aux réquisitions de pure charité. Si la peste ravagea Lunéville en 1631, il gagnait encore de l'argent en peignant des *Saint Sébastien*, que l'on invoquait contre le fléau. Quand les Français prirent la Lorraine et Nancy, en 1633, il fut le premier à collaborer avec l'occupant, par des marchés avantageux, portant aussi bien sur ses peintures que sur des fournitures de grain. En 1634, La Tour, qui signe parmi les notables, prête serment de fidélité avec tous les citoyens de Lunéville, à Louis XIII qui a imposé la domination française en Lorraine. En 1638, Lunéville est mise à sac et incendiée par l'armée française ; des œuvres de La Tour ont dû être détruites ; lui-même et sa famille semblent s'être réfugiés à Nancy. En 1639, La Tour se rendit à Paris. Selon dom Calmet (au milieu du XVIIIe siècle) : « Il présenta au roi Louis XIII un tableau qui représentait un Saint Sébastien dans une nuit. Cette pièce était d'un goût si parfait que le roi fit ôter de sa chambre tous les autres tableaux pour ne laisser que celui-là ». D'entre les nombreuses peintures de La Tour ou de répliques sur le même sujet du *Saint Sébastien soigné par Irène*, il semble que l'originale n'aurait pas été retrouvée, sinon l'originale perdue son illustration par la faveur royale expliquerait la multiplication d'excellentes répliques existantes. En 1642, de nouveau chez lui, il y portait le titre de « peintre ordinaire du roi », octroyé par Louis XIII avec un logement au Louvre. En 1644, il louait les domaines considérables de la Commanderie de Saint-Georges, s'attirant bientôt une supplique des pauvres gens de la région, dont il saccageait les cultures avec ses meutes. De 1645 jusqu'à la mort du peintre en 1652, le nouveau gouverneur de Lorraine, le duc Henri de La Ferté-Senneterre, se fit offrir presque chaque année par les bourgeois de Lunéville, au lieu de la somme d'argent habituelle, un tableau de La Tour, le premier, en 1645, ayant été une *Nativité Nostre Seigneur*, pour lesquels le peintre demandait des prix de plus en plus élevés, insoucieux de ce qu'ils lui fussent payés par des impôts spéciaux levés sur une population déjà affamée. En 1648 et 1650, il eut encore des affaires pour des coups qu'il avait portés. Il apparaît donc que la vie de Georges de La Tour aurait été beaucoup moins édifiante que son œuvre ; mais il s'agit là de quelques faits isolés de leur contexte. D'entre ses nombreux enfants, seuls vécurent son fils, Estienne de La Tour, né en 1621, et sa fille Claude, née en 1623. Étienne fut peintre, agréé aussi peintre du roi, et collaborateur de son père, signant conjointement à partir de 1645, et auquel certains historiens tentent d'attribuer soit des collaborations avec son père, soit des répliques de ses œuvres.

Des œuvres de Georges de La Tour ont figuré dans peu d'expositions : 1934 Paris, *Les Peintres de la réalité*, Musée du Petit Palais, ou de rétrospectives : 1972 Paris, Musée de l'Orangerie ; 1996 Washington, National Gallery, puis Fort Worth, Kimbell Museum, *Georges de La Tour and his world* ; 1997-1998 Paris, *Georges de La Tour*, Galeries Nationales du Grand Palais.

Jusqu'en 1915, aucune de ses œuvres ne lui était attribuée en nom propre, aujourd'hui les attributions en sont encore sans cesse discutées et remaniées et l'on comprendra qu'il ne soit pas lieu de prendre position ni d'en dresser une liste en une étude de compilation. Toutefois, sauf quelques peintures, en général des copies, conservées dans des collections particulières, on trouvera, dans la rubrique Muséographie, la quasi totalité des peintures et copies de qualité, complétées de leur datation estimée. Actuellement lui sont attribuées plus d'une cinquantaine de peintures, toutes attributions attestées ou discutées confondues.

Ce que la redécouverte de ce peintre et de son œuvre apporte de capital, c'est une modification totale de la vision d'ensemble que l'on s'était faite une fois pour toutes sur l'art du XVIIe siècle français. D'abord c'en est une des quatre figures de premier plan, avec Poussin, le Lorrain et Louis Le Nain, qui manquait à cette vue d'ensemble, ensuite c'est un de ces artistes qui viennent justement encore renforcer cette école des *peintres de la réalité*, comme les appela Paul Jamot après Champfleury, négligée jusqu'au XXe siècle au profit des peintres italianisants, Poussin et Claude Lorrain. Il y eut en même temps en France, surtout dans l'Est, des artistes attentifs à l'art flamand, curieux de l'Espagne et ne voulant savoir d'Italie que du Caravage. Les Le Nain, de Laon, eux-mêmes étaient totalement oubliés lorsque Champfleury, en 1862 seulement, rappela et leur existence et leur importance. Si Claude Vignon voyagea à plusieurs reprises en Espagne, il semble que Louis Le Nain rencontra Velasquez à Rome, sa *Forge* présentant une parenté évidente avec celle de l'Espagnol. Mais, outre Velasquez, Zurbaran, Ribera et Murillo, c'est une influence flamande que l'on ressent aussi devant ces œuvres, particulièrement devant celles de Georges de La Tour que l'on peut classer parmi ceux des disciples du Caravage que l'on nomme *Tenebrosi*. Cette influence du Caravage, à moins d'un séjour à Rome entre 1613 et 1616, il l'aurait reçue, par les Flandres, vraisemblablement des œuvres de Gerrit Van Honthorst, surnommé Gherardo della Notte. En effet, bien que l'on connaisse des œuvres à éclairage diurne de Georges de La Tour, *Le joueur de vielle* de Nantes, *La bonne aventure* du Metropolitan de New York, la majeure partie de ses œuvres maintenant connues est caractérisée par un éclairage artificiel et violemment ponctuel de chandelles, lanternes, ou de torches. C'est cette particularité, presque assimilable à un maniérisme, qui définit le style et fait la renommée de ce peintre aux yeux du grand public, alors que la construction, synthétique et dénuée de toute concession à la grâce ni à la facilité, de son dessin le distingue certainement plus profondément encore dans son temps. Certains auteurs, Charles Sterling entre autres, insistent aussi, à juste titre, sur l'importance du sentiment religieux, et particulièrement franciscain, exprimé dans l'œuvre de La Tour ; en effet, non seulement une grande part de l'œuvre est consacrée à la mise en scène des évangiles ou de la vie des saints, mais encore l'inspiration en est terrible et tout entière penchée sur la pensée de la mort. Si cette vocation édifiante de la presque totalité de l'œuvre de Georges de La Tour, pose l'autre problème de la concilier avec ce que l'on sait de sa vie d'ambitieux redoutable, une fois encore il conviendra de séparer l'homme de l'œuvre.

Les travaux qui ont été consacrés à ce peintre et à son œuvre, ont été menés sans interruption depuis sa découverte avec une rigueur toute scientifique. La chronologie des œuvres de La Tour, bien qu'elle ne soit que l'objet de conjectures, fournit des pistes concernant l'évolution de sa pensée, tant de l'expression picturale de son sentiment religieux que de sa formulation plastique. Cette chronologie, pour aléatoire qu'elle soit, a permis de distinguer trois groupes de peintures dans l'ensemble de son œuvre, non sans exceptions possibles s'agissant de superpositions contemporaines de plusieurs thèmes d'inspiration et surtout de commandes anachroniques de répliques.

Les sujets diurnes, peu nombreux, constitueraient la première période, qu'on pourrait qualifier de période réaliste : outre une série des saints Évangélistes traités avec un réalisme tout caravagesque qui les restituent en simples personnages du peuple, ils représentent des scènes de genre dont les thèmes dénotent aussi l'influence sinon directe du moins très proche du Caravage, rixes de musiciens misérables et avinés, joueurs de vielle aveugles magnifiés dans leurs loques crasseuses, Bohémiennes diseuses de bonne aventure et voleuses et joueurs de cartes tricheurs aux dépens de jeunes bourgeois un peu niais, dans des scénographies superbes par la mise en place des protagonistes, le luxe de détail des costumes et l'expression théâtrale des rôles.

Les sujets nocturnes aux accessoires du décor et vêtements des personnages encore détaillés et souvent luxueux, correspondraient à la période de la maturité. Cette période est largement consacrée aux sujets bibliques, des Évangiles, de la vie des saints : isolé, le poignant *Job raillé par sa femme* d'Épinal, la tendresse des variantes de l'éducation de la Vierge, les deux nativités si différentes de Paris et Rennes, la sérénité de l'enfance du Christ dans l'atelier de Joseph, la honteuse trahison et le terrible repentir de saint Pierre, la très spectaculaire dramaturgie du *Saint Sébastien soigné par Irène* dans ses nombreux états, l'impressionnante extase de saint François. La période est dominée par la nombreuse série de la *Madeleine repentante*, probablement le sujet où l'on voit le plus distinctement évoluer, entre les scènes de genre mouvementées de la première période et les mises en scènes hiératiques de la dernière, conjointement l'image expressive et le fait plastique, depuis *La Madeleine au miroir* de Washington, de 1638 ?, jeune femme hésitante encore sur sa vocation devant une nature morte de « Vanité », l'apparat de *La Madeleine pénitente, dite aux deux flammes* du Metropolitan, vers 1640 ?, identifiée en 1961 boulevard de Port-Royal à Paris par l'auteur de la présente notice qui la fit aussitôt présenter à Pariset, belle et élégante, n'ayant pas renoncé à ses bijoux précieux, se regardant dans le miroir d'un décor luxueux, jusqu'à *La Madeleine pénitente* du Louvre, probablement la dernière, de 1642-44 ?, devenue une femme humble et pensive, vêtue en pénitente, traitée dans une composition réduite à la confrontation de Madeleine et de la flamme. La flamme à la fois source de l'éclairage dramatique et symbole de la fragilité de la vie, la femme picturalement matérialisée par la pureté linéaire du profil du visage, la rigueur plastique du bras ferme dont la main soutient ce profil et, en arrière, les deux courbes de la chevelure et du dos qui se succèdent en s'enfonçant dans l'ombre.

Dans les derniers sujets nocturnes, depuis *Le Nouveau-né* de Rennes, vers 1648 ?, jusqu'au *Saint Jean Baptiste dans le désert* de Vic-sur-Seille, de 1649-51 ?, sans alentour ni accessoires superflus et dont les personnages, tous surgis hors d'un clair-obscur aux reflets ponctuels qui modulent les volumes de la lumière à l'ombre, sont figés dans une géométrie impassible, on peut voir, rapporté à Georges de La Tour, certes l'aboutissement d'une longue vie de méditation sur la condition humaine et le témoignage de son détachement final des biens matériels, mais, dans cette dernière période plus nettement encore que dans les autres, l'extrême volonté de dépouillement des moyens plastiques en accord avec l'intériorité du message. Dans cette dernière période, sauf dans l'insolite *Reniement de saint Pierre*, plus de gesticulation, plus de paroles, les acteurs figent une action, qui devient un état, de suprise, de découverte, d'attention, de réflexion, de béatitude, ils tiennent la pose. Dans *Le Nouveau-né* de Rennes, c'est la composition de l'œuvre elle-même et ses composantes, géométrie rythmique des formes principales et des secondaires dans les principales, obliques s'élevant au dessus des horizontales qui soutiennent l'enfant à la base et convergeant vers le haut, distribution des lumières vives, des moyennes et des ombres, rôle du rouge atténué de la robe de la mère et des ocres roses des visages, éblouissante évidence de l'ovale du visage de la mère, barré des horizontales des yeux baissés, de la bouche close et de la verticale du nez, se fondant et concluant dans le triangle de l'échancrure du col, triangle du visage et du col tourné vers le bas, inverse de celui ascendant de la stature de la mère, qui signifient, par l'intermédiaire de correspondances symboliques et synesthésiques, la complexité du silence de l'émotion contenue, de la tendresse repliée sur elle-même pour s'élever en gloire, et non ces figurants aux visages fermés.

Les œuvres de l'homme, dont la profonde religiosité semble tellement en contradiction avec ce que l'on sait de sa vie, ne recèlent-elles pas des indications sous forme de paraboles ? On pense, comme pour Vermeer, que derrière les différents personnages qu'il mit en scène, ce sont les propres membres de sa nombreuse famille – il eut une dizaine d'enfants – qu'il peignit. Derrière la tragédie sacrée, n'a-t-il pas dépeint ses propres conflits intérieurs ? Dans la peinture du Musée d'Épinal, que l'on date de l'époque de la maturité, et qui est communément désignée par le titre du *Prisonnier*, en fait il s'agit de *Job raillé par sa femme*, pauvre forme tassée dans l'ombre que surplombe l'immense et rouge stature de la femme qui ne comprend pas la voie dans laquelle Job s'est engagé, ici celle du renoncement et de l'ascétisme. Dans *Le Reniement de saint Pierre*, du Musée de Nantes, et qui est daté de sa main de 1650, c'est-à-dire deux ans avant sa mort, que voit-on sinon que les soldats et les assistants jouent et rient, occupant tout l'espace de la composition, tandis que, humilié dans un coin, saint Pierre, bien pauvre homme, traite honteusement son marché auprès d'une servante. Le Musée de Nancy possède une *Découverte du corps de saint Alexis*, que Pariset date de 1648, et dont il paraît nécessaire de rapporter la légende : Alexis, patricien romain, quitta sa femme le soir même de ses noces, pour parcourir l'Orient, pendant sept années, au service de Dieu. De retour à Rome en pèlerin misérable, c'est dans sa propre famille qu'il fut recueilli par charité et qu'il vécut, encore dix-sept années, jusqu'à sa mort, sans être reconnu des siens, sinon par une confession écrite que, mort, il tient à la main.

Le recensement des œuvres subsistantes de Georges de La Tour n'est sans doute pas clos, comme en témoignent plusieurs cas relativement récents de résurgences inattendues. En 1979, la Société des Amis du Louvre, a acquis pour le Musée un *Saint Sébastien soigné par Irène*, de 1649 ?, donc sans doute une version tardive du thème privilégié, d'ailleurs traité en hauteur, contrairement à la dizaine de versions en largeur de celle acquise par Louis XIII. L'austérité de cette version du Louvre, opposée aux détails anecdotiques ou frivoles des versions en largeur ne peut que confirmer la datation tardive. C'est peut-être la composition la plus ambitieuse, complète et complexe dans l'œuvre de La Tour, dont une part de l'admiration étonnée qu'elle provoque vient de l'opposition apparemment paradoxale entre l'impassibilité des acteurs de la scène et son sujet dramatique. Au-delà de cette opposition d'ordre psychologique, ce qui est, en tout cas pour l'époque, bouleversant, c'est l'origine totalement plastique de l'expression de cette impassibilité de « tableau vivant », par la géométrisation généralisée des lignes et formes, droites, planes ou courbes, qui, sans exceptions, sont porteuses de sens. Chaque partie de chaque composante de la composition est porteuse de sens, rien qu'en tant qu'élément plastique : depuis le sous-ensemble de courbes horizontales du corps, comme statufié en marbre, de saint Sébastien, courbes horizontales que ne prolongent en courbes légèrement vers le haut que celles de l'agenouillement d'Irène, et que prolongent essentiellement les verticales en cascade des témoins, de la torche flambante tenue par Irène et du tronc d'un arbre, qui indique peut-être la seule scène extérieure jamais traitée par La Tour en même temps que le poteau du supplice, jusqu'à, tout en haut, la pleureuse voilée du seul bleu de la composition, une des compositions les plus colorées de La Tour dans sa dominante rouge habituelle. Un tel unisson d'efficience symbolique des parties concourt à constituer, par la mise en relation de ses composants plastiques, la dramaturgie multiple de l'ensemble de la composition lui-même. C'est probablement cette impassibilité géométrisée qui, du seul point de vue psychologique, donc uniquement de l'expressivité de la narration portée par l'image, a provoqué les réactions de rejet de l'œuvre de la part de plusieurs historiens, passant sans doute à côté de ce qui, dans l'œuvre, est porté par la peinture, proprement dite en tant que telle.

En 1988, le Louvre, grâce à une souscription publique, a acquis un *Saint Thomas*, très aléatoirement daté de 1632-1635, caractéristique de son style de la maturité, notamment : par la discrétion croissante des détails anecdotiques du costume ; le parti-pris d'éclairage de trois-quarts gauche en clair-obscur, se détachant violemment sur l'absence de décor pittoresque autre que le fond sombre à peu près uni ; l'austérité chromatique tendant à une monochromie de gris teintés ; la plastique rigide, presque géométrisée, des vêtements de bure rustique, dont le « passage » progressif des parties éclairées à celles dans l'ombre les fait paraître quasi métalliques ; l'authentique humanité, comme saisie sur le vif, du visage de saint Thomas, marqué par les épreuves et plongé dans ses pensées, visage dont l'expression est comparable dans la sérénité spirituelle à celui dans le dénuement physique du *Joueur de vielle* du Musée de Nantes.

De nouveau en 1992-1993, le Louvre a préempté, dans des circonstances rocambolesques d'abus de confiance de l'acheteur envers son ancien propriétaire, ignorant la valeur de son bien, un *Saint Jean Baptiste dans le désert*, pour le compte du Musée de la Monnaie de Vic-sur-Seille, futur Musée Georges de La Tour. Il se trouve que ce *Saint Jean Baptiste dans le désert* serait l'une des ultimes peintures de La Tour, datée entre 1649 et 1651, qu'elle vient presqu'en contradiction avec tout l'ensemble de l'œuvre, au point que son attribution a pu être mise en doute, tant elle paraît démunie, dans une première approche, des caractéristiques qui ont constitué pour bonne part l'unité stylistique de l'ensemble de l'œuvre. Cette marque qui fit le succès de La Tour et de son atelier, provoqua la multiplication de certains sujets, les Saint Sébastien et les Madeleine, dont certaines composantes, le rôle de la couleur rouge ou de l'éclairage nocturne, ont pu faire accuser un maniérisme. Mais on peut aussi y voir, au contraire, l'aboutissement de cette évolution par laquelle Georges de La Tour a progressivement abandonné tout l'accessoire pittoresque de ses thèmes pour n'en conserver que l'essentiel structurel, tant du point de vue du contenu spirituel de l'œuvre, ici le jeune Jean Baptiste, solitaire dans le silence extérieur, les yeux mi clos tout entier à sa méditation intérieure, que du point de vue de sa forme plastique, tellement en accord avec son contenu. Ici plus de torche, chandelle ou lanterne, source généralisée de l'éclairage dans la plupart des peintures de La Tour, un simple et d'ailleurs discret effet de clair-obscur pour laisser deviner Jean Baptiste hors de l'ombre épaisse, plus de ce rouge qui singularisait sa manière, d'ailleurs presque pas de couleur, que des bruns atténués, aucun décor ni accessoire autre que les emblématiques bâton de pélerin et tête de l'agneau, rien qu'un fond qu'on pourrait dire monochrome si une légère modulation ne le faisait ressentir comme non bouché, mais profond comme la nuit, enfin le corps presque nu de Jean Baptiste, que l'ombre nocturne a réduit, se détachant du fond, inscrits dans un cercle, aux rares éclats des lignes tendues et volumes unifiés de l'épaule se prolongeant dans la double courbe adjacente du dos et du bras droit, du bras gauche en plan arrière, de la boule du genou droit en gros-plan avant, des lueurs atténuées du visage penché et de la courbe parfaite du flanc gauche que l'ombre envahit, inverse du Job d'Épinal qui implore vers le haut quand Jean Baptiste s'incline, mais au même titre expression spirituelle totale, épure plastique absolue. ■ Jacques Busse

Bibliogr. : Hermann Voss, in : *Archiv für Kunstgeschichte*, II, fasc. 3-4, Berlin, 1914-1915 – Hermann Voss, in : *Diction. de Thieme-Becker*, tome 22, Engelmann, Leipzig, 1924 – François-Georges Pariset : *Georges de La Tour*, Laurens, Paris, 1949 – Catalogue de l'exposition *Georges de La tour*, Mus. de l'Orangerie des Tuileries, Paris, 1972 – Pierre Rosenberg, Marina Mojena : *Georges de La Tour. Catalogue complet des peintures*, Bordas, Paris, 1992 – Jacques Thuillier : *Georges de La Tour*, Flammarion, Paris, 1993 – P. Conisbee : *Georges de la Tour et son monde*, Yale University Press, Yale, 1996 – Catalogue de l'exposition *Georges de La Tour*, Gal. Nles du Grand Palais, Paris, 1997, dernier état de la documentation.

Musées : Albi (Mus. Toulouse-Lautrec) : *Saint Jacques le mineur* 1615-20 ? – *Saint Jude Thaddée* 1615-20 ? – *Saint Philippe* 1615-20 ?, copie – *Saint Thomas* 1615-20 ?, copie – *Saint André* 1615-20 ?, copie – *Saint Paul* 1615-20 ?, copie d'après un original perdu – *Saint Pierre* 1615-20 ?, copie d'après un original perdu – *Le Christ bénissant* 1615-20 ?, copie d'après un original perdu – *Saint Jacques le Majeur* 1615-20 ?, copie d'après un original perdu – *Saint Matthias* 1615-20 ?, copie d'après un original perdu – *Saint Simon* 1615-20 ?, copie d'après un original perdu – *L'Adoration des bergers* après 1644, copie – Bergues (Mus. mun.) : *Joueur de vielle à la marmotte, ou Le Vielleur au chien* 1622-25 ? – Berlin (Staatl. Mus.) : *Les mangeurs de pois* 1622-25 ? – *Saint Sébastien soigné par Irène, ou à la torche, en hauteur* 1649 ?, copie – Besançon (Mus. des Beaux-Arts) : *Saint Joseph et Jésus dans l'atelier* après 1640, copie – *La Madeleine* vers 1638, d'après – *Le Souffleur à la pipe* 1649 ?, d'après – Broglie (Église) : *Saint Sébastien pleuré par sainte Irène*, acquis par le Louvre – Bruxelles (Mus. roy. des Beaux-Arts de Belgique) : *Le Vielleur, fragment d'une Réunion de musiciens* 1615-20 ? – Chambéry : *La rixe de musiciens* 1615-20 ?, d'après ou Atelier de – Cleveland (Mus. of Art) : *Les Larmes de saint Pierre, ou Saint Pierre repentant* 1645 – Detroit (Inst. of Arts) : *L'Éducation de la Vierge, ou à la broderie, anciennement Fillette au rat de cave* 1646-48 ?, copie d'un fragment ? – *Saint Sébastien à la lanterne* après 1630, faible copie d'après l'original perdu *Saint Sébastien soigné par Irène, ou à la lanterne, ou en largeur* de Louis XIII ? – Dijon (Mus. des Beaux-Arts) : *Le Souffleur à la lampe* vers 1640 ? – *Éducation de Marie* vers 1342-48, copie d'après un original perdu – Dublin (Nat. Gal. of Ireland) : *La Découverte du corps de saint Alexis* 1648 ?, copie d'après un original perdu – Épinal (Mus. départ. d'art ancien et Contemp.) : *Job raillé par sa femme* vers 1632-35 ? – Évreux (Mus. mun., ancien Évêché) : *Saint Sébastien à la lanterne* après 1630, faible copie d'après une copie d'un original perdu – Fort Worth, Texas (Kimbell Art Mus.) : *Le Tricheur, ou Le Tricheur à l'as de trèfle* vers 1632 ? – *Saint Sébastien à la lanterne* après 1630, copie d'après l'original perdu *Saint Sébastien soigné par Irène, ou à la lanterne, ou en largeur* de Louis XIII ? – Grenoble (Mus. des Beaux-Arts) : *Saint Jérôme pénitent, sans le chapeau, ou à l'auréole* 1628-30 ? – Hampton (Court Palace) : *Saint Jérôme lisant* 1630 ? – Hartford, Connecticut (Wadsworth Atheneum) : *L'Extase de saint François* vers 1640 ?, copie d'après un original perdu, fragment ? – Honfleur (Mus. mun. Eugène Boudin) : *Saint Sébastien à la lanterne* après 1630, faible copie d'après une copie d'un original perdu – Leicester (City Mus.) : *Le Jeune Chanteur* vers 1650 ?, de l'Atelier ? – Los Angeles (County Mus. of Art) : *La Madeleine pénitente, dite à la flamme filante* 1635-37 ? – Los Angeles (Paul Getty Mus.) : *La Rixe des musiciens* 1615-20 ? – Lviv, Ukraine (Mus. des Beaux-Arts) : *L'argent versé, ou Le Règlement des comptes, L'Usurier, Le Paiement des taxes* 1625-27 ? – Madrid (Prado) : *Le Vielleur aveugle, ou au ruban* vers 1640 ?, fragment – Le Mans (Mus. de Tessé) : *Saint François méditant, ou L'Extase de saint François, Les Deux Moines, Moine en prière près d'un moine mourant* vers 1640 ?, copie d'après un original perdu – Nancy (Mus. hist. Lorrain) : *La Découverte du corps de saint Alexis, ou L'image saint Alexis* 1648 ?, copie d'après un original perdu – *La Femme à la puce* 1638 ? – *Saint Jérôme lisant* 1948-50 ?, Atelier de – *Les Mangeurs de pois* 1622-25 ?, d'après – *Le Vielleur à la sacoche* vers 1630 ?, d'après – *Le*

Souffleur à la pipe 1649 ?, copie – NANTES (Mus. des Beaux-Arts) : *L'apparition de l'ange à saint Joseph, ou Le Songe de saint Joseph* vers 1640 ? - *Le Reniement de saint Pierre* 1650 - *Joueur de vielle, ou Le Vielleur au chapeau, Le Vielleur à la mouche* vers 1630 ? – NEW YORK (Metrop. Mus.) : *La diseuse de bonne aventure* 1632-35 ? – *La Madeleine pénitente, ou aux deux flammes, Madeleine Wrightsman* vers 1640 ? - NEW YORK (Frick coll.) : *L'Éducation de la Vierge, ou au livre* vers 1642-48 ?, copie d'après un original perdu, ou Atelier de – NORFOLK, Virginie (Chrysler Mus.) : *Saint Philippe* 1615-20 ? – ORLÉANS (Mus. des Beaux-Arts) : *Saint Sébastien à la lanterne* après 1630, copie d'après l'original perdu *Saint Sébastien soigné par Irène, ou à la lanterne, ou en largeur* de Louis XIII ? - PARIS (Mus. du Louvre) : *Le Tricheur, ou Le Tricheur à l'as de carreau, Le Tricheur Landry* 1636-38 ? – *La Madeleine pénitente, ou à la veilleuse, Madeleine Terff* 1642-44 ? – *L'Adoration des bergers* 1644 ? – *Saint Thomas, ou Le Saint à la pique* 1632-35 ? – *Saint Joseph charpentier, ou et Jésus dans l'atelier* vers 1640 ? – *Saint Jérôme lisant, avec la lettre* 1636-38, copie d'après un original perdu – *L'éducation de la Vierge* vers 1642-48, copie d'après un original perdu - *Saint Sébastien soigné par Irène, ou à la torche, de Bois-Anzeray, en hauteur* 1649 ? – PARIS (BN) : *Repentir de saint Pierre* 1624 ?, gravure de A.J. Prenner d'après un original perdu - REMIREMONT (Mus. mun. Charles-Friry) : *Le Vielleur, ou Le Vielleur à la sacoche, Le Vielleur Waidmann* après 1630 ? – RENNES (Mus. des Beaux-Arts) : *Le nouveau-né* vers 1648 ? – *Le Reniement de saint Pierre* après 1650, d'après - ROUEN : *Saint Sébastien à la lanterne* après 1630, copie d'après l'original perdu *Saint Sébastien soigné par Irène, ou à la lanterne, ou en largeur* de Louis XIII ? – SAINT-LOUIS (City Art Mus.) : *Le Souffleur à la pipe* 1649 ?, d'après – SAINT-QUENTIN (Mus. Antoine-Lécuyer) : *La Rixe de musiciens*, copie d'un détail (par Maurice Quentin Delatour ?) – SAN FRANCISCO (Fine Art Mus.) : *Veillard* 1625-27 - *Vieille femme* 1625-27 ? – STOCKHOLM (Nationalmus.) : *Saint Jérôme pénitent, ou avec le chapeau de cardinal* 1630 ? – STOCKTON-ON-TEES (Preston Hall Mus.) : *Les Joueurs de dés* vers 1650 ?, del'Atelier ? - TOKYO (Fuji Art Mus.) : *Le Souffleur à la pipe* 1646 ? 1649 ? - TOKYO (Ishizuka Tokyo coll.) : *Saint Thomas* 1615-20 ? - TORONTO (Art Gal. of Ontario) : *Le Nouveau-né, ou Sainte Anne et la Vierge au maillot* vers 1642 ?, fragment de l'original ?, copie de l'original perdu ? – VENISE (Ordre de Malte) : *L'Éducation de la Vierge, ou à la broderie* 1646-48 ?, copie – VIC-SUR-SEILLE (Mus. Gal. de La Tour) : *Saint Jean Baptiste dans le désert* 1649-51 ? – VIENNE (Kunsthist. Mus.) : *Les larmes de saint Pierre*, miniature d'après un original perdu – WASHINGTON D. C. (Nat. Gal. of Art) : *La Madeleine pénitente, ou au miroir, Madeleine Fabius* 1638 ?

VENTES PUBLIQUES : NEW YORK, 5 mai 1945 : *Nature morte avec un chat* : **USD 950** – LONDRES, 26 juin 1957 : *Jeune fille près d'un chaudronnier*, attr. à G. Du Mesnil de Latour : **GBP 2 500** – LONDRES, 10 juil. 1968 : *Jeune fille soufflant sur un brasier* : **GBP 25 000** – LONDRES, 8 déc. 1972 : *La rixe des musiciens* : **GNS 3 800 00** – MONACO, 22 juin 1991 : *Saint Thomas*, h/t (65x54) : **FRF 499 500** ; *Portrait de Saint Barthélémy*, h/t (60,5x47,5) : **FRF 2 997 000** - LONDRES, 13 déc. 1991 : *Le joueur de vielle aveugle de profil gauche et assis de trois-quarts*, h/t (84,7x61) : **GBP 1 870 000** – MONACO, 2 déc. 1994 : *Saint Jean Baptiste dans le désert*, h/t (81x101) : **FRF 11 100 000**.

LATOUR Jan

Né en 1719 à Liège. Mort le 21 juillet 1782 à Moulins (Picardie). XVIIIe siècle. Éc. flamande.

Peintre d'histoire et de portraits, et sculpteur.

Élève de J.-B. Cocler, puis à Rome de Jacinto Corrado entre 1740 et 1745. Il séjourna à Naples, Londres et Paris.

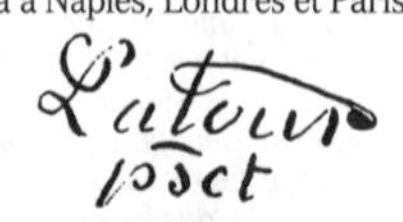

LATOUR Joseph Pierre Tancrède

Né en 1807 à Noé (Haute-Garonne). Mort le 1er mars 1865 à Toulouse (Haute-Garonne). XIXe siècle. Français.

Peintre de genre, paysages, dessinateur.

Élève à l'École des Beaux-Arts de Toulouse, il ouvrit sa propre académie. Il voyagea en Hollande, mais surtout en Espagne.

Il est surtout l'auteur de paysages montagneux.

BIBLIOGR. : Gérald Schurr, in : *Les Petits Maîtres de la peinture 1820-1920, valeur de demain*, Les Éditions de l'Amateur, t. VII, Paris, 1989.

MUSÉES : MONTPELLIER (Mus. Fabre) : *Le lac de Saounsat* vers 1845-1846 – TOULOUSE : *Le Guadalquivir à Séville* - *Le jeu du couteau*.

LATOUR Louis Marie Blaise

Né vers 1860 à Alger. XIXe-XXe siècles. Français.

Sculpteur.

Il fut élève de Falguière et de Paul Dubois. Il figura à Paris, au Salon des Artistes Français, où il obtint une mention honorable en 1905.

LATOUR Marie de, née **Simons**

Née en 1750 à Bruxelles. Morte en 1834. XVIIIe-XIXe siècles. Éc. flamande.

Peintre de portraits, intérieurs, graveur.

Elle travailla à Bruxelles et Paris, et grava d'après Godyn, Rubens et Van de Velde.

VENTES PUBLIQUES : PARIS, 4 déc. 1925 : *Intérieur familial*, lav. : **FRF 200**.

LATOUR Maurice Quentin de

Né le 5 septembre 1704 à Saint-Quentin (Picardie). Mort le 17 février 1788 à Saint-Quentin. XVIIIe siècle. Français.

Peintre de portraits, pastelliste.

La vocation artistique du pastelliste aurait été contrariée par son père, chantre de paroisse. Maurice Quentin, à peine âgé de quinze ans, vint à Paris à pied et après quelques tâtonnements entra dans l'atelier de Jan Jakob Spoëde. On possède peu de détails sur le commencement de la carrière de Maurice Quentin et l'on ignore pourquoi il renonça à la peinture à l'huile pour s'adonner au pastel. Une tradition rapporte que l'idée lui en vint par son admiration passionnée pour Rosalba Carriera. Maurice Quentin avait à peine seize ans et demi lorsque Rosalba quitta Paris pour retourner à Venise (1721). Sans tenir compte du côté romanesque de cette version, on peut admettre la possibilité que les œuvres de la Vénitienne et leur succès aient pu influer sur la décision de l'artiste.

On sait que Maurice Quentin de Latour fit un certain séjour à Reims, à Cambrai, puis enfin un voyage à Londres. Durant ce temps, il exécuta certainement des portraits. D'ailleurs, à son retour à Paris, il possédait une virtuosité suffisante pour s'établir et trouver des clients.

Mariette qui aimait peu l'artiste tout en admirant son talent, dit de lui : « Il faisait ses portraits au pastel, y mettait peu de temps, ne fatiguait point ses modèles ; on les trouvait ressemblants, il devint le peintre banal. » Il existe donc, d'après ce témoignage indiscutable, un nombre considérable de pastels de Quentin de La Tour que l'on ne dira pas « inférieurs », mais constituant ce qu'on appellera volontiers sa première manière, laquelle se prolonge jusque après 1733. À cette époque La Tour est présenté à Louis de Boullogne qui a demandé à le voir et qui, suivant Mariette, lui aurait dit : « Vous ne savez ni peindre, ni dessiner, mais vous possédez un talent qui peut vous mener loin. Venez me voir. » La mort de Boullogne (21 novembre 1733) empêcha La Tour de profiter de ces dispositions bienveillantes. En fréquentant Boullogne il eût peut-être acquis un certain nombre des formules qui constituent l'enseignement classique, mais il eût très probablement perdu une part du « naturel », qu'il ne devait qu'à l'observation de sa propre vision, il eût modifié sa simplicité de forme, qui donnent l'un et l'autre le charme de son exécution. On ne dira pas cependant que les conseils des artistes que La Tour fréquenta à partir de cette date : Restout, François Boucher, ne purent pas lui être utiles. Dans tous les cas durant les quatre années qui s'écoulèrent avant son exposition au Salon, il paraît avoir redoublé d'efforts pour atteindre au point de perfection qu'il cherchait.

Il débuta au Salon de 1737 avec deux portraits : celui de *Mme François Boucher* et le sien propre. Ce fut un succès, qui ne fit que s'accroître aux Salons suivants. La Tour se présenta à l'Académie et y fut reçu le 24 septembre 1746. Il donna comme morceaux de réception les portraits de *Restout* et de *Dumont le Romain*, deux œuvres que l'administration du Musée du Louvre laissa se détériorer dans ses greniers. Au Salon de 1741 avait paru le portrait du président de Rieu, tableau de six pieds deux pouces de haut et d'une exécution si remarquable que les détracteurs habituels devaient eux-mêmes convenir que rien d'aussi important n'avait été créé avant par les crayons d'un pastelliste. Le portrait de Mlle Sallé figurait au même Salon et cette effigie eut peut-être plus de succès encore. La Tour fit plusieurs fois le portrait du roi et de la reine, du dauphin et de la dauphine. Quatre de ces effigies figurent dans la collection du Louvre et permettent de comprendre comment, lorsqu'il fut chargé de peindre le grand portrait officiel de Marie Leczinska, Van Loo, grand personnage à l'Académie, consentit, sur le désir de la reine, à copier pour son tableau le visage du portrait de La Tour. En 1751, La Tour fut nommé conseiller à l'Académie, la plus haute dignité à laquelle pût aspirer un peintre de portraits. Le 4 avril 1750, un brevet de peintre du roi lui avait été octroyé avec une pension de mille livres. La Tour fit en 1755 le portrait de *Mme de Pompadour* et l'exposa au Salon de cette année-là. On le considère généralement comme son chef-d'œuvre. À la fin de sa carrière, La Tour, désireux de perfectionner ses ouvrages, en reprit plusieurs et, bien malheureusement, en abîma un grand nombre, notamment ceux de *Restout* et de *Dumont le Romain*. Il parut pour la dernière fois au Salon en 1765. La fin de sa carrière fut marquée par de nombreuses libéralités. Il fonda à l'Académie Royale un prix qui se distribua encore longtemps. Il donna à Amiens une somme de 100.000 francs dont le revenu devait être distribué à l'auteur de la plus belle action ou de la plus utile découverte en Picardie. Il combla sa ville natale de ses libéralités, fondant une école de dessin, des bureaux de secours pour les infirmes et les femmes en couches. Plus de 100.000 francs y furent consacrés. Quand, en 1784, Maurice Quentin de La Tour revint dans sa ville natale qu'il avait quittée en anonyme, il fut reçu au son des cloches par les habitants en habits de fêtes, ayant à leur tête leurs magistrats. Mais sa vie devait s'assombrir de troubles mentaux. Son frère, mort en 1806, désireux de compléter les bienfaits du grand pastelliste, légua à la ville de Saint-Quentin les pastels laissés par Maurice Quentin, parmi lesquels de précieuses ébauches. ■ E. Bénézit

Bibliogr. : *Les préparations de M.-Q. de La Tour, conservées dans les Musées et Collections particulières, à l'exception du Musée de Saint-Quentin*, Société de reproduction de dessins de maîtres, Paris, 1912 – H. Lapauze : *Les pastels de Maurice-Quentin de La Tour, du Musée de Saint-Quentin*, La Renaissance, Paris, 1919 – A. Besnard, Georges Wildenstein : *Maurice Quentin de La Tour. La vie et l'œuvre de l'artiste*, Wildenstein, Paris, 1928.

Musées : Aix : *Le duc de Villars* – Bagnères-de-Bigorre : *Portraits d'hommes* – Béziers : *Portraits d'homme et de femme* – Chartres : *Portrait de moine*, attribué – Compiègne : *Tête de jeune fille* – Dijon : *Un chanoine* – *Tête d'homme* – *Ébauche* – Dresde : *Marie-Josèphe de France* – *Maurice de Saxe* – Genève : *Isabelle Van Zuylen* – *Le nègre* – Moscou (Roumianzeff) : *Le duc Lando* – Paris (Mus. du Louvre) : *Portraits : Dumont le Romain, le dauphin, le roi, la reine, la Pompadour, la dauphine, l'artiste, Chardin, René Firmin, un personnage portant l'ordre du Saint-Esprit* – Saint-Quentin : *L'abbé Hubert lisant* – *M. de la Reynière* – *Xavier de Saxe* – *Marquis d'Argenton* – *Le peintre Sylvestre* – *Verne Zobre* – *Mme de Mondonville* – *Don Peuche, maître de dessin de l'artiste* – *Jean Monnet, directeur de l'Opéra-Comique* – *Diogène* – *M. de la Popelinière* – *J.-J. Rousseau* – *Dachery* – *Parrocel* – *Le bouffon Manelli* – *Charles Maron* – *Restout* – *De Neuville* – *Duclos* – *Tête d'homme* – *L'Abbé Pommier* – *L'Abbé Leblanc* – *Le père Emmanuel* – *Forbonais* – *Mme de Rieux* – *Jeune homme buvant du champagne* – *Portrait de femme* – *Mme Boete de Saint-Léger* – *Chardin* – *Mlle Puvigny* – *Mme Roussel* – *Crébillon* – *M. de Julienne* – *Mme Masse* – *Le duc de Bourgogne* – *M. de Breteuil* – *Jean Paris de Monmartel* – *La Camargo* – *Mme de la Boissière* – *L'artiste* – *Mlle Gay* – *Louis XV* – *La Pompadour* – *René Firmin* – *Mme Favart* – *La dauphine Marie-Josèphe de Saxe* – *D'Alembert* – *M. de Lowendal* – *Mme Rougeau* – *M. de Moncrif* – *La dauphine faisant l'éducation du duc de Bourgogne* – Vingt-huit têtes d'études – Valenciennes : *Deux portraits*.

Ventes Publiques : Paris, 1858 : *Portrait de Mlle Sallé* : **FRF 1 500** ; *Portrait de Mme de la Reynière* : **FRF 2 650** – Paris, 1881 : *Portrait de Buffon*, past. : **FRF 3 000** ; *Portrait de Mme de Pompadour en bergère*, past. : **FRF 3 000** – Paris, 1892 : *Portrait de Mme de Pompadour*, past. : **FRF 6 250** – Paris, 1893 : *Portrait de Mme de la Reynière*, past. : **FRF 11 000** ; *Portrait de Mlle Sallé*, past. : **FRF 18 000** – Paris, 1897 : *Portrait de Madame Rouillé de l'Étang*, past. : **FRF 31 550** – Paris, 1899 : *Portrait Charlotte Philippine de Chastré de Cangé*, past. : **FRF 11 800** – Paris, 1899 : *Portrait de Latour par lui-même*, past. : **FRF 9 200** – Paris, 4 et 5 déc. 1905 : *Portrait du graveur Schmidt*, past. : **FRF 77 000** ; *Portrait du comte de Coventry*, past. : **FRF 72 000** – Paris, 16 avr. 1907 : *Portrait présumé de Mme de la Popelinière*, past. : **FRF 18 000** – Paris, 3 mars 1919 : *Portrait d'un moine quêteur* : **FRF 10 000** – Paris, 26 et 27 mai 1919 : *Masque de l'artiste*, past. : **FRF 43 500** – Paris, 10 et 11 mai 1920 : *Portrait de Mme Rouillé de l'Étang*, past. : **FRF 363 000** – Paris, 9 mars 1923 : *Portrait de la présidente de Rieux, née Suzanne-Marie-Henriette de Boulainviller*, past. : **FRF 199 000** – Paris, 17 et 18 juin 1925 : *Portrait du peintre Sylvestre*, past. : **FRF 140 500** – Paris, 3-4 juin 1926 : *Portrait de Mme Rouillé de l'Étang*, past. : **FRF 1 000 000** – Paris, 13-15 mai 1929 : *Portrait de l'artiste en buste*, past. : **FRF 172 000** ; *Portrait de Mme Jean-Jacques Rousseau* : **FRF 95 000** – Paris, 3 et 4 juin 1929 : *Masque de Voltaire* : **FRF 245 000** – New York, 18 déc. 1929 : *Gentilhomme en bleu* : **USD 400** – Philadelphie, 30-31 mars 1932 : *Dauphin de France*, past. : **USD 140** – Paris, 11 déc. 1934 : *Portrait de Jean de Boullongue, dit le comte de Nogent*, past. : **FRF 61 000** – Londres, 9 déc. 1936 : *Madame de la Popelinière* : **GBP 3 000** – Paris, 14 avr. 1937 : *Portrait présumé de M. D'Albepierre*, past. : **FRF 27 000** – Paris, 28 mai 1941 : *Portrait de l'artiste*, past. : **FRF 50 000** – Paris, 21 mars 1952 : *La dame en rose* : **FRF 2 100 000** – New York, 22 mai 1959 : *Portrait de l'artiste*, past. : **USD 11 000** – Versailles, 14 mars 1962 : *Portrait de Mme de Neuville* : **FRF 8 500** – Paris, 10 juin 1966 : *Portrait de M. de la Condamine*, past. : **FRF 38 000** – Londres, 5 juil. 1967 : *Autoportrait*, past. : **GBP 20 000** – Paris, 26 mai 1972 : *Portrait d'homme*, past. : **FRF 32 000** – Versailles, 8 juin 1974 : *Portrait du peintre Dumont le Romain*, past. : **FRF 24 000** – New York, 22 oct. 1980 : *Portrait de Mlle Camargo*, past./pap. bleu (30,2x24) : **USD 60 000** – Londres, 18 nov. 1982 : *Portrait de Jacques Dumont dit le Romain*, pierre noire et sanguine (31x20,8) : **GBP 11 200** – Monte-Carlo, 13 juin 1982 : *Portrait de Mme Adélaïde*, past. (29,5x22,5) : **FRF 110 000** – Monte-Carlo, 11 nov. 1984 : *Portrait du peintre Dumont le Romain jouant de la guitare*, past. (65x53) : **FRF 4 000 000** – Monte-Carlo, 22 juin 1985 : *Portrait de la marquise de Pompadour*, past., esq. (30,5x23) : **FRF 120 000** – Monte-Carlo, 22 fév. 1986 : *Portrait de Mme de Graffigny*, past. (26,2x21,2) : **FRF 180 000** – Monte-Carlo, 20 juin 1987 : *Portrait de Jean Restout*, past. (39,5x30,5) : **FRF 250 000** – Paris, 9 mars 1988 : *Portrait présumé de Mlle Clairon, la célèbre tragédienne interprète de Voltaire*, past. (46x36) : **FRF 380 000** – Paris, 12 déc. 1988 : *Portrait de Colin*, past. (59x48) : **FRF 750 000** – Monaco, 17 juin 1989 : *Esquisse d'un portrait de femme*, past. (36,5x29) : **FRF 27 750** – New York, 11 jan. 1990 : *Portrait de Louis Silvestre le Jeune*, past./pap./t. (63,5x53,3) : **USD 79 750** – Monaco, 18-19 juin 1992 : *Portrait du maréchal de Belle-Isle*, past. (69x49) : **FRF 2 220 000** – Paris, 21 oct. 1992 : *Portrait de l'abbé Réglet, curé et fondateur de Saint-Sulpice*, past. (48x41) : **FRF 120 000** – Paris, 30 juin 1993 : *Portrait de Jean Restout*, past. (39x31) : **FRF 38 000** – Londres, 10 déc. 1993 : *Portrait de Marie Fel, de trois-quarts, vêtue d'une robe bleue à manches de dentelle, assise devant sa table de travail*, past. avec touches de gche/5 feuilles de pap. (en tout 79x63,5) : **GBP 155 500** – Paris, 1er juin 1994 : *Portrait de gentilhomme*, past. (30,5x21) : **FRF 28 000** – Londres, 10 juin 1994 : *Portrait du Prince Charles Edward Stuart, de buste et portant une armure*, past. (61x51) : **GBP 21 850** – Paris, 18 oct. 1995 : *Portrait de Voltaire*, past. (36x28,5) : **FRF 1 400 000** – Paris, 16 mars 1997 : *Portrait de l'artiste*, past. (65x54) : **FRF 62 000**.

LATOUR Pascal

Né vers 1702 à Liège. Mort le 13 août 1756 à Rome. XVIIIe siècle. Éc. flamande.

Sculpteur.

Il travailla pour plusieurs églises de Rome, notamment Santa Maria dell' Anima.

LA TOURDAIGNES René Alexandre de

Mort en 1777. XVIIIe siècle. Actif à Aix-en-Provence. Français.

Dessinateur et graveur à l'eau-forte amateur.

Il a gravé des paysages et des têtes d'études.

LA TOURRASSE Henri du Sorbiers de

Né le 5 février 1885 à Cannes (Alpes-Maritimes). Mort en 1973. XXe siècle. Français.

Peintre de portraits.

Il fut élève de Cormon et E. Renard. Il exposait à Paris, depuis 1911, au Salon des Artistes Français, dont il était membre sociétaire.

LA TRAVERSE Charles François de

Né en 1726 à Paris. Mort vers 1787 à Paris. XVIIIe siècle. Français.

Peintre d'histoire, sujets allégoriques, genre, paysages, fleurs.

Il fut élève de Boucher. Une pension de la cour lui permit de passer six ans à Rome. Il alla aussi à Naples et explora Herculanum. Il accompagna le duc d'Osemar en Espagne, où il resta quelques années.

Il adopta le style et la couleur des maîtres flamands et espagnols. Il peignit une allégorie en l'honneur de la naissance d'une infante d'Espagne, qui fut gravée par Carmona.
Musées : Besançon : dessin.
Ventes Publiques : Paris, 1er mars 1983 : *La Mélancolie* 1763, pl. et lav. brun/croquis à la pierre noire (30,5x20) : **FRF 10 500** – Paris, 29 avr. 1986 : *Le Martyre de saint André*, pl. et lav. de sanguine (35,5x24,5) : **FRF 11 000** – Paris, 22 nov. 1991 : *La bergère taquine*, pl., encre de Chine/pap. beige (20,6x13,7) : **FRF 4 200** – Paris, 18 juin 1993 : *Projet de fontaine*, pl. et lav. brun (49x34) : **FRF 36 000**.

LATREMBLAIS Louis Valentin Émile de
Né à Clion. xixe siècle. Français.
Peintre de genre.
Élève de Delanoé et de Troyon. Il figura au Salon de Paris à partir de 1879.

LA TREMBLAYE Guillaume de
Né vers 1644 à Bernay. Mort le 9 janvier 1715 à Caen. xviie-xviiie siècles. Français.
Sculpteur et architecte.
Il fut moine à l'abbaye du Bec qu'il décora, de même que le couvent bénédictin de Bernay.

LATRY Anna
Née au xixe siècle à Paris. xixe siècle. Française.
Peintre de portraits, aquarelliste et sculpteur.
Élève de Mme Girardin et de Mme D. de Cool. Elle figura au Salon de Paris, de 1861 à 1877. Sociétaire des Artistes Français depuis 1892.

LATT Hans
Né le 3 mai 1859 à Breslau. xixe siècle. Allemand.
Sculpteur.
On cite sa *Statue de Frédéric le Grand* à Samotschin et un *Éros* qu'il exposa à l'Académie de Berlin dès 1889.

LATT Hedda. Voir **LINDNER-LATT**

LATTANZI Luciano
Né en 1925 à Carrare. xxe siècle. Italien.
Peintre.
Il fit des études de langues étrangères à l'université de Naples. Il participe à de nombreuses expositions de groupe, en Italie, en Allemagne, aux États-Unis.
Parallèlement à la démarche de l'Allemand Schrieb, il applique les principes de la linguistique à la peinture, sous l'appellation de « peinture sémantique ». Le matériau consiste en signes résultant des « gestes de base » qui s'organisent en ensemble ou séries, dont les structures rythmiques sont soulignées par l'affectation de certaines couleurs à ces phonèmes. Il en résulte un « discours » graphique, comparable à l'écriture musicale.
Bibliogr. : In : *Peintres contemp.*, Mazenod, Paris, 1964.
Musées : Hanovre – Saint-Paul.

LATTANZIO da Bologna. Voir **MAINARDI Lattanzio**

LATTANZIO Cremonese
xvie siècle. Actif à Crémone. Italien.
Peintre d'histoire.
D'après Lanzi, il aurait travaillé à l'école des Milanais à Venise. Boschini le mentionne dans *Le Minière della Pittura* à Crémone au début du xvie siècle parmi les contemporains de Galeazzo Campi.

LATTANZIO di Giovanni
Mort le 26 septembre 1534 à Pérouse. xvie siècle. Italien.
Peintre.
Il fut élève et plus tard le collaborateur de Bartolomeo Caporali. Il travailla entre autres à Monteluce et à Bastia près d'Assise.

LATTANZIO di Niccolo di Liberatore da Foligno
xve-xvie siècles. Actif à Foligno. Italien.
Peintre.
Fils de Niccolo di Liberatore dit Alunno, il travailla avec son père à Todi, et à Foligno. Le musée de Foligno possède de cet artiste un *Ange* qui évoque tout à fait la manière de Pinturicchio.

LATTANZIO da Rimini
xve siècle. Actif à Venise. Italien.
Peintre d'histoire.
Cité à Venise, en 1495, comme un des décorateurs de la Salle du Grand Conseil. Il travailla en collaboration avec Mansueti à l'église de la Crociferi.

LATTER Jan de. Voir **LATER Jacobus de**

LATTÈS Jean Claude
Né en 1952 à Albi (Tarn). xxe siècle. Français.
Sculpteur.
Il est l'un des fondateurs de l'association *Cimaise&Portique*, qui a pour objectif d'organiser des expositions. Il vit et travaille à Albi.
Il participe à des expositions collectives depuis 1979 : 1979, 1982 musée Toulouse-Lautrec à Albi ; 1981, 1983 musée Goya à Castres ; 1985 Maison des expositions à Genas ; 1987 Villa Arson à Nice ; 1988 Centre culturel d'Albi. Il montre ses œuvres dans des expositions personnelles depuis 1978 : 1979 Centre culturel Castelnau-le-Lez à Montpellier ; 1987 CAC Moulin du Roc à Niort ; 1990 Espace d'art contemporain à Paris.
À ses débuts, il utilisait des objets de récupération qu'il agençait ensemble dans une construction verticale colorée, évoquant le travail du mosaïste. Depuis, il a recours à des matériaux produits industriellement, pièces de zinc, tuyaux en cuivre doré, et donne naissance à des formes minimalistes destinées à s'intégrer dans l'espace où elles sont montrées.
Bibliogr. : Catalogue de l'exposition *Jean Claude Lattès*, Espace d'art contemporain, Paris, 1990.

LATTES Mario
Né en 1923 à Turin (Piémont). xxe siècle. Italien.
Peintre.
Diplômé en philosophie, il commença à exposer ses peintures dans des groupes turinois. Il participe à de nombreuses expositions de groupe de la jeune peinture italienne, parmi lesquelles : 1954 et 1958 Biennale de Venise ; 1948 et 1959 Quadriennale de Rome. Sa première exposition personnelle eut lieu en 1947. Il obtint le prix Alessandria en 1949.
Sa peinture se rattache par allusions à la réalité, dans des rapprochements insolites, inspirés de la démarche surréaliste.
Musées : Eilat – Ivrea – La Spezia – Turin.

LATTEUR
xixe siècle. Français.
Sculpteur.
Élève de Godecharles. Concourut pour le prix de Rome lorsque la Belgique était française. Le Musée de Valenciennes conserve de lui un *Buste d'homme (le sien)* et ceux de *Mesdemoiselles de Fontenelle*, protectrices de l'artiste, qui l'envoyèrent à Rome.

LATTEUX Eugène
Né en 1805 à Paris. Mort en 1850 à Paris. xixe siècle. Français.
Paysagiste et aquarelliste.
Il sut mieux rendre les paysages citadins que champêtres. Figura au Salon de Paris, de 1833 à 1840.
Ventes Publiques : Paris, 30 juin 1943 : *Paysage* : **FRF 12 500** – Los Angeles, 9 avr. 1973 : *La grande rue d'Innsbruck* : **USD 6 500**.

LATTIER
xxe siècle. Français.
Peintre.
En 1988, il fut exposé, avec dix autres artistes, au musée d'Art moderne de la Ville de Paris, par Catherine Huber, responsable du musée des enfants, sous la pertinente interrogation-titre : *Singuliers, bruts ou naïfs ?*
Ventes Publiques : Paris, 17 jan. 1994 : *Sans titre*, gche/t./pan. en deux parties (75,5x73) : **FRF 11 000**.

LATUNER Bernard
Né en 1942 à Mulhouse (Haut-Rhin). xxe siècle. Français.
Peintre de compositions animées, intérieurs. Figuration narrative.
Il fut élève de l'école des beaux-arts de Mulhouse, où il vit et travaille. Il participe à de nombreuses expositions collectives, parmi lesquelles : 1976, 1978 Grands et Jeunes d'aujourd'hui à Paris ; 1979 FIAC (Foire Internationale d'Art Contemporain) à Paris ; 1980 musée d'Art moderne de Strasbourg et musée de Toulon ; 1984 Sélest'Art 84 à Sélestat. Il montre ses œuvres dans des expositions personnelles à Mulhouse (1966, 1975, 1984), Paris (1975), Strasbourg (1976), Bâle (1982).
À partir de diapositives projetées sur la toile, il décrit avec minutie le quotidien. Son travail, en noir et blanc, avec parfois une tâche de couleurs, adopte les techniques de l'hyperréalisme. Mais la représentation se trouve pervertie par quelque gros-plan insolite qui vient se superposer à la scène représentée.
Musées : Sélestat (FRAC d'Alsace).

LATYPOV Tagir
Né en 1956. xxe siècle. Russe.
Peintre.

Il appartient au groupe *Les Indépendants*. Depuis 1985, à Leningrad, il participe aux expositions non-officielles. Il eut une exposition personnelle à Leningrad en 1990.
Ventes Publiques : Paris, 8 déc. 1990 : *Taureau au soleil couchant*, h/t (56x69) : **FRF 5 000**.

LAU
Né en France. XIXe siècle. Français.
Portraitiste.
Élève de David. Il travailla à l'île de la Réunion.

LAU Mathias Josephus
Né le 6 février 1889 à Ryp. Mort en 1958. XXe siècle. Hollandais.
Peintre. Expressionniste.
Il fut, à Amsterdam, élève de K. Van Leeuwen. Établi à Bergen, il participa au mouvement expressionniste norvégien.
Ventes Publiques : Amsterdam, 11 avr. 1995 : *Nature morte de fleurs* 1926, h/t (66x49) : **NLG 1 770**.

LAU Olga Andrea Mathilde
Née le 11 mars 1875 à Naestved. XXe siècle. Danoise.
Peintre de genre.
Musées : Copenhague : *Nous regardons les images*.

LAU Percy
Né à Arequipa. XXe siècle. Actif au Brésil. Péruvien.
Graveur.
Il a exposé à Paris et à Londres. Il pratique l'eau-forte.

LAUB A. ou **Lauber**
XVIe siècle. Travaillant vers 1530. Allemand.
Graveur au burin.
Il a gravé des portraits historiques.

LAUB Antoni
Né en 1792 à Lemberg. Mort en 1842 à Lemberg. XIXe siècle. Polonais.
Miniaturiste et portraitiste.
Il exposa ses portraits à Lemberg. On cite ses miniatures représentant Lawrowski, Batowski, Worcell.

LAUB Ernst
Né le 30 juillet 1839 à Nykobing. Mort le 9 juillet 1867 sur le lac de Genève à Avent. XIXe siècle. Danois.
Peintre de genre, portraits.
Musées : Copenhague : Scènes de la vie paysanne.
Ventes Publiques : Copenhague, 29 août 1990 : *Le laboratoire*, h/t (64x89) : **DKK 16 000**.

LAUB Tobias
Né vers 1685 à Pfedelbach. Mort le 2 janvier 1761 à Augsbourg. XVIIIe siècle. Allemand.
Peintre de portraits et graveur à la manière noire.
Élève de J. Frisches l'aîné. On cite de lui un *Portrait de J.-J. Scheuchzer*, d'après Heidegger.

LAUBACHER Leander
Né en 1687. Mort en 1740 à l'abbaye bénédictine de Attel. XVIIIe siècle. Allemand.
Peintre.
Il exécuta pour l'église de ce couvent une copie d'après Rubens.

LAUBADÈRE Louis Paul de
Né au XIXe siècle à Eauze (Gers). XIXe siècle. Français.
Peintre.
Sociétaire des Artistes Français depuis 1895, il figura au Salon de ce groupement où il obtint une mention honorable en 1896.

LAUBAT Henri Jean Pierre
XIXe siècle. Français.
Peintre de genre.
Le Musée de Toulouse conserve de lui : *Méditation*.

LAUBÉ Jac
XXe siècle. Français.
Peintre de paysages, fleurs.
Ventes Publiques : Paris, 27 déc. 1926 : *La Seine à Auteuil* : **FRF 550** – Paris, 21 avr. 1943 : *Fleurs* 1942 : **FRF 1 900** – Paris, 13 juin 1947 : *Le pont* 1942 : **FRF 1 050**.

LAUBELLE Pierre de
XVIIe siècle. Français.
Peintre.
Il fut reçu à l'Académie de Saint-Luc, en 1697.

LAUBER Diebolt
Né à Haguenau. XVe siècle. Français.
Miniaturiste.
On sait qu'il exécuta l'illustration de plusieurs manuscrits de piété et d'histoire.

LAUBER Joseph
Né le 31 août 1855 à Meschede (Westphalie). XIXe siècle. Allemand.
Peintre et lithographe.
Établi dès 1864 aux États-Unis il fut élève de Karl Müller et de Chase puis enseigna les beaux-arts à l'Université de Columbia. Il peignit aussi des portraits et exécuta un vitrail pour l'église de l'Ascension à New York.

Jos LAUBER

LAUBI Fritz
Né le 30 décembre 1863 à Winterthur (Zurich). XIXe-XXe siècles. Suisse.
Peintre, dessinateur.
Il fut élève de l'académie des beaux-arts de Munich.

LAUBIÈS René
Né le 27 avril 1924 à Cholonville (Vietnam). XXe siècle. Français.
Peintre, aquarelliste, pastelliste, illustrateur. Abstrait.
Il a vécu en Indochine, au Maroc, en Angleterre, voyageant en outre à travers l'Europe ; puis, il se fixe en France, partageant son temps entre Paris et Nice. Depuis l'âge de quatorze ans, il s'est formé seul à la peinture. Il fut visiting-professor de l'université de l'Alabama en 1956-1957. Il est l'un des principaux représentants du groupe nuagiste avec Bernath et Duvillier.
Il participe à de nombreuses expositions de groupe notamment à celle du groupe nuagiste, d'abord à Paris, Nice, Bruxelles, puis à travers le monde. Il montre ses œuvres dans des expositions personnelles à Paris, en 1953, 1954, 1955, 1959..., 1970, 1990, 1997 ; à Wuppertal en 1954 et 1962 ; à New York en 1957, etc. En 1954, il reçut le prix Fénéon de l'université de Paris.
L'œuvre de Laubiès présente depuis ses débuts, une rare continuité. C'est une peinture de climat poétique non de démonstration théorique. La marche des saisons avec leurs modes, leur éphémère actualité, la relativité de leurs absolues certitudes, n'a eu remarquablement aucune prise sur la démarche de Laubiès. L'admirateur de Victor Ségalen, le traducteur de *Cantos* d'Ezra Pound, situe hors du temps son interrogation du monde, appuyée simultanément sur le graphisme elliptique des paysagistes Song et sur la synthèse de la lumière des dernières œuvres de Claude Monet. Il en résulte un langage léger et clair, que l'on a pu rapprocher de l'abstraction informelle de Fautrier, empreintes ténues sur le support de la couleur des états d'âmes. Il a illustré *Grisé* poème inédit de Guillevic en 1990. ■ J. B.

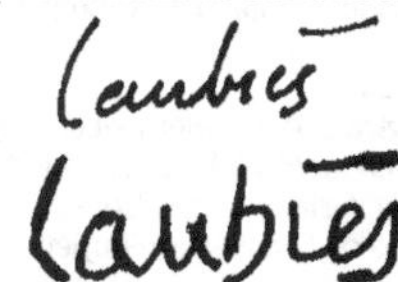

Bibliogr. : In : *Peintres contemp.*, Mazenod, Paris, 1964 – in : *Diction. univers. de la peinture*, Le Robert, t. IV, Paris, 1975 – Aline Dallier : *René Laubiès*, Opus international, n° 117, Paris, janv.-fév. 1990 – in : *Diction. de l'art mod. et contemp.*, Hazan, Paris, 1992.
Ventes Publiques : Paris, 24 avr. 1988 : *Sans titre (rose)* 1960, h/pap./t. (106x77) : **FRF 11 000** – Paris, 25 mars 1990 : *Composition* 1958, h/pap. (65x100) : **FRF 85 000** – Paris, 20 nov. 1991 : *Composition*, h/pap./t. (34x26) : **FRF 9 000** – New York, 12 juin 1992 : *Sans titre* 1964, h/cart./t. (100,3x64,8) : **USD 1 210** – Paris, 12 oct. 1994 : *Sans titre* 1954, h/pan. (44x49) : **FRF 6 000**.

LAUBIN Jean
XVIIIe siècle. Actif à Nantes au début du XVIIIe siècle. Français.
Peintre.

L'AUBINIÈRE Georgina M. de
Née en 1848. Morte en 1930. XIXe siècle. Canadienne.

Peintre de paysages, marines, aquarelliste.

Bibliogr. : J. Russell Harper, in : *Les premiers peintres et graveurs du Canada.*
Ventes Publiques : Londres, 25 jan. 1988 : *Fin de journée* 1892, aquar. (48,5x34) : **GBP 2 200** – Montréal, 19 nov. 1991 : *Vue du port, Québec* 1888, h/pan. (25,3x35,5) : **CAD 1 500** – Neuilly, 12 déc. 1993 : *Paysage* 1881, h/t (33x46) : **FRF 4 000** – Londres, 9 mai 1996 : *Le fossé* 1890, h/t (51x76,5) : **GBP 977**.

LAUBMANN Friedrich, dit **Coloretto**
Né en 1829 à Hof. xixe siècle. Allemand.
Sculpteur et peintre d'histoire.
Il exécuta sept grandes statues pour l'église Saint-Michel à Hof.

LAUBMANN Philipp Carl
Mort vers 1778. xviiie siècle. Actif à Graz. Autrichien.
Peintre.
On cite ses fresques pour le mausolée de Ferdinand II et pour une salle du château d'Holleneck. J. G. Rugendas grava plusieurs planches d'après cet artiste.

LAUBREIS Veit Carl
Né en 1769 à Würzburg. Mort vers 1806. xviiie siècle. Allemand.
Peintre d'histoire et de portraits.
Élève de A.-H. Kohler, puis de l'Académie de Mannheim, où il obtint une médaille en 1790. Il fit des dessins d'anatomie pour des ouvrages de médecine et de chirurgie.

LAUBSCHER Abraham
Né en avril 1664 à Biel. Mort le 16 avril 1706 à Biel. xviie siècle. Suisse.
Peintre verrier.

LAUBSCHER Hans Heinrich
Né le 15 septembre 1605 à Nidau. Mort le 22 juin 1684 à Biel. xviie siècle. Suisse.
Peintre verrier et dessinateur.
On cite ses vues de Biel.

LAUBSCHER Hans Wilhelm
Né en juin 1639 à Biel. Mort le 28 mai 1673. xviie siècle. Suisse.
Peintre verrier.

LAUCEL François
Né à Cournonterral (Hérault). Mort le 11 août 1700 à Narbonne (Aude). xviie siècle. Français.
Sculpteur.
Il sculpta les autels des églises métropolitaines Saint-Just et Saint-Pasteur, à Narbonne, d'après les dessins de Jules Hardouin Mansart.

LAUCH Christoph
Né en 1618. Mort le 1er mai 1702 à Vienne. xviie siècle. Autrichien.
Peintre de portraits.
On cite de lui les portraits des impératrices Eleonore et Marie et celui de l'empereur Léopold Ier. Il fut peintre des impératrices et inspecteur de leur galerie. En collaboration avec J. Manal, il publia trente volumes de la collection impériale.

LAUCHERT Richard
Né en 1823 à Sigmaringen. Mort en janvier 1869 à Berlin. xixe siècle. Allemand.
Portraitiste.
Élève de Cornélius à Munich ainsi que de Joseph Bernhard. Visita et travailla à Paris, Berlin, en Angleterre et en Russie. Le Musée de Breslau conserve de lui *Portrait d'un feld-maréchal de Steinmetz* et *Portrait de la princesse de Hohenlohe-Sigmaringen.*
Ventes Publiques : Paris, 11 mars 1971 : *Le prince Robert d'Orléans, duc de Chartres* : **FRF 5 200**.

LAUDA Jan
Né en 1898 à Prague. Mort en 1959. xxe siècle. Tchécoslovaque.
Sculpteur.
Il fut professeur à Prague. Fin 1938, il réalisa en collaboration avec Jan Bauch une sculpture monumentale *Agression contre la Tchécoslovaquie,* destinée à l'Exposition universelle de New York, qui constituait une protestation contre les accords de Munich avec Hitler.
Musées : Prague (Gal. Nat.).

LAUDANI SCIUTI Caterina
Née en 1862 près de Catane. xixe-xxe siècles. Italienne.
Peintre de portraits, compositions animées.
Ventes Publiques : Rome, 26 mai 1993 : *Jeune fille endormie dans un hamac*, h/t (150x198) : **ITL 21 000 000**.

LAUDATI Giuseppe
Né vers 1660 à Pérouse. Mort le 27 janvier 1737 à Pérouse. xviie-xviiie siècles. Italien.
Peintre.
Élève de Montanini à Pérouse et de Maratta à Rome. Frezzo grava d'après lui. Son influence se fit sentir avec bonheur à Pérouse.

LAUDATI Raphaël
Né en 1864. Mort en 1941. xixe-xxe siècles. Italien.
Peintre de paysages, nus, portraits.
Ventes Publiques : Paris, 15 mars 1943 : *Village italien au bord d'un lac* : **FRF 2 950** – Paris, 17 mai 1943 : *Petite rivière serpentant dans la vallée* : **FRF 3 400** – Paris, 11 fév. 1944 : *Portrait de femme* : **FRF 3 400** – Paris, 9 avr. 1951 : *Le Moulin rouge* : **FRF 10 000**.

LAUDER Charles James
Né en 1840. Mort le 27 avril 1920 à Glasgow. xixe-xxe siècles. Britannique.
Peintre de paysages, aquarelliste.
Il travailla à Glasgow et exposa des aquarelles à la Royal Academy de cette ville.
Musées : Glasgow : *Ville et port de Bowling.*
Ventes Publiques : Washington D. C., 4 oct. 1980 : *La promenade dans le parc en automne,* h/t (51x61) : **USD 1 300** – Londres, 13 juin 1984 : *Marble Arch* 1909, h/t (71x91,5) : **GBP 1 900** – Londres, 27 fév. 1985 : *Westminster bridge looking towards Big Ben,* aquar. reh. de gche (32,5x20) : **GBP 700** – Londres, 17 déc. 1986 : *Vue de Naples,* h/t (61x91,5) : **GBP 2 600** – Perth, 28 août 1989 : *La statue d'Allan Ramsay à Edimbourg,* aquar. (47x32) : **GBP 1 210** – New York, 24 oct. 1989 : *Vue de Naples,* h/t (61,6x92,1) : **USD 6 600** – Londres, 21 mars 1990 : *Le lac de Côme,* h/t (77x122) : **GBP 7 480** – Édimbourg, 26 avr. 1990 : *Le pont de la Jamaïque à Glasgow,* h/t (40,6x61) : **GBP 6 050** – Perth, 27 août 1990 : *Broomlidaw,* h/t (53x33) : **GBP 715** – Édimbourg, 23 mars 1993 : *La Clyde à Broomelaw* 1878, h/t (33x54) : **GBP 575** – Perth, 31 août 1993 : *Corvette à l'ancrage,* h/t (91,5x61) : **GBP 3 105** – Londres, 29 mars 1995 : *Le Rialto à Venise,* aquar. et cr. avec reh. de blanc (43x68,5) : **GBP 1 725** – Perth, 26 août 1996 : *La Maison de la Douane à Greenock* 1887, h/t (46x31) : **GBP 2 415**.

LAUDER James Eckford
Né le 15 août 1811 près d'Édimbourg. Mort le 27 mars 1869 près d'Édimbourg. xixe siècle. Britannique.
Peintre de figures et de paysages.
Frère cadet de Robert Scott Lauder. Élève de William Allan à Édimbourg. Il fut envoyé à Rome et y resta cinq ans. Associé de la Royal Scottish Academy en 1842, académicien en 1849. Le Comité pour la Décoration de Westminster-Hall lui décerna un prix de £ 200.
Musées : Édimbourg : *Le bailli M'Wheeble à déjeuner – Agar* – Liverpool : *La duègne – La parabole du pardon.*
Ventes Publiques : Édimbourg, 30 avr. 1986 : *James Watt and the Steam Engine,* h/t (147,3x238,8) : **GBP 38 000**.

LAUDER Robert Scott
Né le 25 juin 1803 à Silvermills (près d'Édimbourg). Mort le 21 avril 1869 à Édimbourg. xixe siècle. Britannique.
Peintre de compositions religieuses, portraits.
À quinze ans, il fut élève à l'Académie des Beaux-Arts d'Édimbourg ; en 1823 il se rendit à Londres et suivit pendant trois ans les cours du British Museum ; de 1833 à 1838, il fit des études à Rome et à Florence. Il exposa à la Royal Academy, ainsi qu'à la Royal Scottish Academy, dont il devint membre en 1830. Il y fut professeur ; sa mauvaise santé l'obligea à cesser de travailler quelques années avant sa mort. Il a représenté un grand nombre de scènes tirées des œuvres de son ami et protecteur Walter Scott.
Musées : Édimbourg : *Le Christ enseignant l'humilité – Sir John Steeil – Sentinelles* – Glasgow : *Portrait de dame* – Melbourne (Nat. Gal. of Victoria) : *Le Christ et ses disciples sur le chemin d'Emmaüs.*

Ventes Publiques : Paris, 1844 : *Claverhouse faisant fusiller Morton* : **FRF 10 000** – Londres, 4 mai 1922 : *Le Christ marchant sur la mer* : **GBP 33** – Londres, 16 juil. 1976 : *The bride of Lamermoor*, h/t (94x136,5) : **GBP 650** – Londres, 21 oct. 1977 : *The bride of Lamermoor*, h/t (94x136,5) : **GBP 650** – Londres, 2 nov 1979 : *Portrait de David Roberts en costume arabe*, h/t (133,3x101,6) : **GBP 16 000** – Glasgow, 30 jan. 1985 : *A scene from The maid of Peth* 1846, h/t (109x84) : **GBP 5 200** – Édimbourg, 22 nov. 1988 : *Portrait de Henry Lauder, frère de l'artiste*, h/cart. (31x24,7) : **GBP 9 000** – Édimbourg, 2 mai 1991 : *Portrait de Henry Lauder, frère de l'artiste*, h/cart. (31x24,7) : **GBP 5 280** – Édimbourg, 28 avr. 1992 : *La pénitence de Jane Shore*, h/t (134,5x180,5) : **GBP 13 200** – Londres, 10 nov. 1993 : *Claverhouse ordonnant l'expulsion et l'exécution de Morton pour avoir donné asile à Balfous de Burley*, h/t (165x244) : **GBP 13 800** – Perth, 30 août 1994 : *Les adieux de Burns à Mary* 1857, h/t (93x71) : **GBP 6 900**.

LAUDERDALE Ursula
XXe siècle. Américaine.
Peintre.
Elle fut élève de l'Art Student's League de New York. Elle est membre de la Fédération américaine des arts.

LAUDIEN Thérèse
Née le 28 avril 1832 à Königsberg. Morte le 6 août 1891 à Insterburg. XIXe siècle. Allemande.
Peintre de fleurs et de natures mortes.
Élève de Mme Stilke. Travailla à Berlin. Exposa dans cette ville, à Munich, à Dresde, des tableaux, des aquarelles et des gouaches.

LAUDIER Thérèse, plus tard Mme **Garnier**
Née en 1776 à Paris. XIXe siècle. Française.
Peintre.
Elle fut élève de Vestier, et travaillait encore à Paris en 1831. Elle exposa des portraits au Salon de Paris entre 1799 et 1806.

LAUDIN Jacques, l'Ancien
Né vers 1627 à Limoges (Haute-Vienne). Mort en 1695 à Limoges. XVIIe siècle. Français.
Peintre d'émaux.
Fils aîné de Noël Laudin. Il travailla dans son atelier du faubourg Manigue à Limoges. Il exécuta un grand nombre d'émaux en grisaille, dans le genre de ceux qu'on faisait au XVIe siècle, parmi lesquels il convient de citer douze médaillons des Césars.
Ventes Publiques : Paris, 1883 : *Coffret en bois avec émaux* : **FRF 1 100** – Paris, 1900 : *Coupe en émail* : **FRF 205**.

LAUDIN Jacques, le Jeune
Né vers 1663 à Limoges (Haute-Vienne). Mort en 1729 à Limoges. XVIIe-XVIIIe siècles. Français.
Peintre d'émaux.
Fils de Nicolas Laudin l'Ancien. Il travaillait à Limoges, dans le faubourg Manigue. Il peignit beaucoup de grisailles.

LAUDIN Jean
Né en 1616. Mort le 3 novembre 1688 à Limoges (Haute-Vienne). XVIIe siècle. Français.
Peintre émailleur.
Il signait *J.-L.* ou *Laudin, au faubourg de Manigue*. Certains auteurs contestent l'existence de cet artiste et attribuent les œuvres qui lui sont généralement données à Jacques Laudin l'Ancien.

LAUDIN Joseph
Né en 1667. Mort en novembre 1727 à Limoges (Haute-Vienne). XVIIe-XVIIIe siècles. Français.
Peintre, émailleur.
Le Musée du Louvre conserve de lui : *Les Pêches*, et le Musée de Dijon : *Angélique et Médor*. Il travaillait à Limoges dans le faubourg Boucherie.

LAUDIN Nicolas, l'Ancien
Né vers 1628. Mort en 1698. XVIIe siècle. Français.
Peintre d'émaux.
Fils de Noël Laudin l'Ancien. Il travaillait à Limoges, « près les Jésuites ». Il peignait des émaux en couleurs.

LAUDIN Nicolas, le Jeune
Né en 1689. Mort le 27 mai 1749. XVIIIe siècle. Français.
Peintre d'émaux.
Fils de Noël Laudin le Jeune. On le cite comme le dernier représentant de la grande émaillerie. Le Musée de Chartres conserve une plaque Saint Fry qu'on attribue à notre artiste ou à Noël le jeune.
Ventes Publiques : Londres, 1842 : *Deux plats, émail de Limoges* : **FRF 162** ; *Henri IV et la reine de Navarre*, miniat. : **FRF 3 535**.

LAUDIN Noël, l'Ancien
Né en 1586 à Limoges (Haute-Vienne). Mort le 20 avril 1681. XVIIe siècle. Français.
Peintre d'émaux.
Fondateur de la célèbre famille d'émailleurs. On croit qu'il était fils de l'armurier Pierre Laudin et demeurait faubourg Manigue. On croit qu'il ne signait pas ses œuvres. On lui attribue deux plaques émaillées conservées au Louvre. Une grande obscurité règne dans la généalogie de Laudin et l'attribution exacte des œuvres de chacun d'eux est fort difficile, leurs ouvrages étant signés *J. Laudin*, ce qui convient au Jacques et Joseph et *N. Laudin*, ce qui s'applique aux Noël et aux Nicolas.

LAUDIN Noël, le Jeune
Né en 1657. Mort le 28 octobre 1727 à Limoges (Haute-Vienne). XVIIe-XVIIIe siècles. Français.
Peintre émailleur.
Fils de Jacques Laudin l'Ancien. Travailla pour la cour de France, il fut professeur du Régent, le duc d'Orléans. On conserve de ses œuvres aux Musées du Louvre, de Cluny, et de Limoges. Il travaillait dans le faubourg Boucherie.
Ventes Publiques : Paris, 1898 : *Plaque peinte sur les deux faces ; Vénus et Adonis*, émail : **FRF 900**.

LAUDIN Valérie
Née vers 1622. Morte vers 1680. XVIIe siècle. Française.
Peintre d'émaux.
Probablement fille de Noël Laudin l'Ancien ou peut-être sa nièce. Son nom ne figurant pas sur les émaux, il y a lieu de supposer qu'elle collabora avec un de ses frères ou un de ses cousins.

LAUDIS Giovanni Antonio
Né à Murano. XVe-XVIe siècles. Italien.
Peintre verrier.
On lui doit sans doute des vitraux commandés et exécutés en 1510 pour l'église Saint-Jean et Saint-Paul à Venise. Il travailla aussi pour l'église Santa Maria della Salute.

LAUDY Jean
Né en 1877. Mort en 1956. XXe siècle. Travaillant en Belgique. Belge.
Peintre de nus, portraits, fleurs et fruits, sculpteur animalier.

Ventes Publiques : Anvers, 28 oct. 1981 : *Nu assis* 1912, h/t (91x117) : **BEF 65 000** – Bruxelles, 13 mai 1987 : *Musette, portrait de femme*, h/t (182x97) : **BEF 140 000**.

LAUDY Jean Louis Auguste
Né en 1877 à Venloo. Mort en 1956 à Woluwe-Saint-Lambert. XXe siècle. Depuis 1893 actif en Belgique. Hollandais.
Peintre de fleurs, natures mortes, nus, portraits, intérieurs.
Il fut élève des académies des beaux-arts d'Anvers et de Bruxelles. Il est membre de l'académie royale de Belgique.
Bibliogr. : In : *Diction. biogr. illustré des artistes en Belgique depuis 1830*, Arto, Bruxelles, 1987.
Musées : Bruxelles – St Nicolas-Waes.
Ventes Publiques : Bruxelles, 27 sept 1979 : *Jeune femme au kimono*, h/pan. (54x37) : **BEF 46 000** – Londres, 23 mars 1988 : *Un homme et une femme d'âge mûr*, h/t (200x119) : **GBP 4 620** – Lokeren, 28 mai 1988 : *La dernière retouche*, h/cart. (60x50) : **BEF 100 000** – New York, 23 fév. 1989 : *Un bouquet de roses*, h/t (128,3x151,1) : **USD 8 800** – Bruxelles, 19 déc. 1989 : *Fleurs*, h/t (70x50) : **BEF 230 000** – Bruxelles, 12 juin 1990 : *Nature morte* 1938, h/t (50x45) : **BEF 100 000** – Lokeren, 21 mars 1992 : *Philémon et Baucis* 1910, h/t (74,5x58) : **BEF 70 000** – Lokeren, 23 mai 1992 : *Nu assis*, h/t (88x58) : **BEF 160 000** – Londres, 28 oct. 1992 : *Nature morte de fleurs dans un vase*, h/pan. (55x37) : **GBP 825** – Amsterdam, 3 nov. 1992 : *jeune femme en robe rose*, past. (98x63,5) : **NLG 4 600** – New York, 16 fév. 1993 : *Nature morte avec des roses blanches et roses*, h/t (61x80) : **USD 5 500** – Lokeren, 15 mai 1993 : *Nature morte de fleurs*, h/t (70x50) :

BEF 90 000 – AMSTERDAM, 9 nov. 1993 : *Nature morte de fleurs, fruits et poteries sur une table*, h/t (62,5x90,5) : **NLG 4 830** – AMSTERDAM, 7 nov. 1995 : *Nu assis*, h/t (51x61) : **NLG 7 316** – LOKEREN, 9 mars 1996 : *Une allée enneigée*, h/t (31x40) : **BEF 400 000**.

LAUENSTEIN Heinrich
Né le 26 septembre 1835 à Huddeshum (près d'Hildesheim). Mort le 16 mai 1910 à Düsseldorf. XIXe-XXe siècles. Allemand.
Peintre d'histoire et de portraits.
Élève de l'Académie de Düsseldorf, où il devint professeur en 1873.
VENTES PUBLIQUES : NEW YORK, 18 oct. 1944 : *La berceuse* : **USD 550** ; *Sainte Cécile* : **USD 500** – NEW YORK, 12 mai 1978 : *Jeune femme tenant une fleur* 1890, h/t (65,5x49,5) : **USD 2 300**.

LAUER Josef ou **Laur**
Né en 1818 à Vienne. Mort le 28 septembre 1881 à Vienne. XIXe siècle. Autrichien.
Peintre de paysages, natures mortes, fleurs et fruits, aquarelliste.
Il fut élève à l'Académie de Vienne, de Leitung Wegmayr pour la fleur, et de Mössmer et Steinfeld pour le paysage.
On lui doit surtout des peintures décoratives où un paysage constitue le fond de la toile.

Josef Lauer

MUSÉES : VIENNE : trois aquarelles.
VENTES PUBLIQUES : VIENNE, 2 juin 1964 : *Bouquet de fleurs* : **ATS 45 000** – VIENNE, 1er déc. 1970 : *Nature morte* : **ATS 150 000** – VIENNE, 14 juin 1977 : *Nature morte aux fruits* 1850, h/t (77x95) : **ATS 130 000** – VIENNE, 13 mars 1979 : *Fleurs des Alpes* 1871, h/t (76x63,5) : **ATS 320 000** – VIENNE, 15 déc. 1982 : *Roses*, h/t (50x63) : **ATS 140 000** – LONDRES, 29 nov. 1984 : *Nature morte aux fleurs* 1838, aquar. reh. de blanc (31,6x25,5) : **USD 5 000** – VIENNE, 18 mars 1987 : *Nature morte aux roses et aux fraises*, h/t (25,5x31,5) : **ATS 120 000** – LONDRES, 22 nov. 1989 : *Fleurs sauvages*, h/t (63x92) : **GBP 15 400** – MUNICH, 12 juin 1991 : *Asters et soucis* 1845, h/t (23x29) : **DEM 27 500** – LONDRES, 25 nov. 1992 : *Nature morte de fruits, fleurs et gibier sur un entablement*, h/t (36x45,5) : **GBP 4 620** – LONDRES, 16 juin 1993 : *Corbeille de fleurs renversée avec un melon et des papillons dans un paysage montagneux*, h/t (72x88) : **GBP 37 800** – NEW YORK, 16 fév. 1995 : *Nature morte avec des fleurs, des papillons et un ananas*, h/t (65,4x80,6) : **USD 24 150** – MUNICH, 25 juin 1996 : *Nature morte de fleurs des Alpes*, h/t (61,5x51) : **DEM 17 250**.

LAUER Nikolaus
XVIIIe-XIXe siècles. Allemand.
Peintre de portraits.
Il travailla d'abord pour le duc de Deux Ponts, puis s'établit à Leipzig. On cite entre autres ses portraits du roi Frédéric Guillaume III et de la reine Louise de Prusse.

LA UERTA Juan de. Voir **JEAN de La Huerta**

LAUFBERGER Ferdinand Julius Wilhelm
Né le 16 février 1829 à Mariaschein. Mort le 16 juillet 1881 à Vienne. XIXe siècle. Autrichien.
Peintre d'histoire et de genre, dessinateur et graveur.
Il commença ses études à Prague, puis devint l'élève de Christian Ruben à l'Académie de Vienne ; une bourse de voyage lui permit de parcourir l'Allemagne, la Belgique, l'Angleterre, la France et l'Italie. En 1868, il fut nommé professeur de peinture à l'École des Arts et Métiers à Vienne. Le Musée de cette ville conserve de nombreuses aquarelles de Laufberger. Il a eu aussi beaucoup de succès comme illustrateur.

LAUFFER Emil Johann
Né le 28 juin 1837 à Hof. Mort le 31 mai 1909 à Prague. XIXe siècle. Autrichien.
Peintre d'histoire.
Élève de Ruben à l'Académie de Vienne. Professeur à l'Institut polytechnique allemand de Prague en 1865. Exposa à Dresde et à Vienne vers 1877. On cite de lui : *Cervantès esclave à Alger*.

LAUFFS Léon
Né le 24 octobre 1883 à Dürler. XXe siècle. Allemand.
Peintre de genre, portraits, sculpteur.
Il voyagea en Italie et en Belgique.

LAUFMAN Sidney
Né en 1891 à Cleveland. Mort en 1985. XXe siècle. Américain.
Peintre de paysages, compositions animées. Groupe de Woodstock.
Il fut élève de l'Art Institute de Chicago. Entre 1920 et 1930, il étudia en France à Paris, influencé par l'œuvre de Cézanne. Il a reçu une mention honorable du jury du Prix Carnegie de Pittsburgh en 1946. Il devint résident de Woodstock dans les années quarante et joua un rôle important dans l'Association des Artistes de Woodstock. il s'intéressa de plus en plus à la nature et à sa puissance de régénération.
VENTES PUBLIQUES : PARIS, 3 mai 1928 : *Mulâtresse* : **FRF 365** – PARIS, 9 fév. 1929 : *Chaumières* : **FRF 145** – NEW YORK, 17 déc. 1990 : *Vue d'une rue du sud*, h/t (76,3x101,6) : **GBP 1 650** – NEW YORK, 28 nov. 1995 : *Bouquet d'arbres*, h/t (102x127) : **USD 1 725**.

LAUGÉ Achille
Né le 29 avril 1861 à Arzens (Aude). Mort le 2 juin 1944 à Cailhau (Aude). XIXe-XXe siècles. Français.
Peintre de compositions animées, paysages, peintre de cartons de tapisseries. Néo-impressionniste.
Il est né la même année que Bourdelle et Maillol, qui allaient devenir ses amis. Dès l'âge de deux ans, il vécut à Cailhau, où allait se dérouler son existence entière. Ses parents le destinaient à la pharmacie ; il fit un stage dans une pharmacie de Toulouse, en 1878, tout en étudiant à l'école des beaux-arts, où il fit la connaissance de Bourdelle. En 1881, il entra à l'école des beaux-arts de Paris, dans l'atelier d'Alexandre Cabanel et de J.-P. Laurens ; il y fit la connaissance de Maillol ; hébergea Bourdelle et fit son service militaire à Paris. Il quitta Paris en 1888. À partir de 1889, il eut un atelier à Carcassonne, où il lia de nombreuses amitiés. Deux ans après la mort de sa femme, qu'il avait épousée à Cailhau, en 1891, il mourut lui-même la même année que son ami Maillol.
Il figura à Paris, avec trois peintures au Salon des Indépendants de 1894, et participa la même année à une exposition de peintures de Bonnard, Maurice Denis, Sérusier, Roussel, Toulouse-Lautrec, Vuillard, etc. à Toulouse. En 1900, une composition importante lui fut refusée à la Société Nationale des Beaux-Arts. En 1908, il fut refusé au Salon d'Automne. En 1968, il était représenté à l'exposition consacrée au néo-impressionnisme par le musée Guggenheim de New York. Sa première exposition personnelle eut lieu à Paris, en 1907, suivie d'autres toujours à Paris en 1911, 1919, 1923, 1927, 1929, 1930 ; il montra aussi des ensembles de ses œuvres, en 1926 à Toulouse, Perpignan. Des expositions rétrospectives de son œuvre eurent lieu en 1958 au musée de Limoux, en 1961 au musée des Grands-Augustins de Toulouse, en 1966 à Londres, en 1967 à New York, en 1968 à Londres, en 1969 à Paris.
Il avait dès la fin de son séjour à Paris adopté la touche divisionniste des néo-impressionnistes, qu'il appliqua avec plus ou moins de rigueur, tout au long de sa carrière. À partir de 1905, il utilisa, pour peindre le paysage sur le motif, une roulotte-atelier. À différentes époques, il a peint aussi à Alet (Aude) à partir de 1916 pendant plusieurs années ; à Collioure à partir de 1926 pendant les mois d'été ; il eut de nouveau un atelier à Paris, à partir de 1932, où il était le voisin de son ami Bourdelle. Signalons encore que les préfaciers de ses différentes expositions furent successivement : Gustave Geffroy, Jean Mistler, Thiébault-Sisson, Raymond Escholier. En 1913, il eut une commande des Gobelins, pour qui il réalisa en 1926 trois autres cartons de tapisserie.

A. Laugé

BIBLIOGR. : Paul Mesplé et Chanoine Sarraute : Catalogue de l'exposition *Achille Laugé*, Galerie Marcel Flavian, Paris, 1969.
MUSÉES : CARCASSONNE (Mus. des Beaux-Arts) – LIMOUX (Mus. Petiet) – MONTAUBAN (Mus. Ingres) – MONTPELLIER (Mus. Fabre) – MORLAIX – PARIS (Mus. Nat. d'Art Mod.) – PERPIGNAN (Mus. Hyacinthe Rigaud) – TOULOUSE (Mus. des Augustins).
VENTES PUBLIQUES : PARIS, 4 juin 1925 : *Poiriers en fleurs* : **FRF 150** – PARIS, 12 mars 1941 : *La route bordée d'arbres* : **FRF 320** – PARIS, 23 déc. 1942 : *La route au soleil* : **FRF 1 450** – LONDRES, 3 juil. 1968 : *Portrait de femme* : **GBP 1 200** – PARIS, 18 mars 1969 : *Paysage* : **FRF 10 000** – VERSAILLES, 26 nov. 1972 : *Village au bord de la mer* : **FRF 9 000** – LONDRES, 1er déc. 1972 : *Allée bordée d'arbres* : **GNS 1 500** – VERSAILLES, 18 juin 1974 : *La route fleurie* : **FRF 9 500** – PARIS, 5 mars 1976 : *Portrait de la femme de l'artiste en contre-jour* 1899, h/t (93x112) : **FRF 54 000** – PARIS, 11 mars 1977 : *Femme de l'artiste à la fenêtre*, h/t (73x73) : **FRF 7 600**

– Toulouse, 12 mars 1979 : *La route*, past. (33x52) : **FRF 5 000** – Enghien-les-Bains, 9 déc 1979 : *Les pommiers en fleurs*, h/t (55x73) : **FRF 14 900** – Toulouse, 26 mai 1982 : *Portrait de Mademoiselle C.* 1892, h/t (120x84) : **FRF 80 000** – Paris, 3 déc. 1984 : *Mas provençal* 1923, past. (37x51) : **FRF 23 000** – Biarritz, 18 mars 1984 : *L'ermite de Cailhau*, h/t : **FRF 150 000** – Paris, 28 mars 1985 : *Paysage champêtre* 1925, past. (36,5x53,5) : **FRF 9 500** – Paris, 21 mars 1986 : *Le Port de Collioure* 1929, past./t. (38x51,5) : **FRF 11 000** – Paris, 24 nov. 1987 : *Le lac*, past. (30,5x48,5) : **FRF 22 000** – Paris, 9 avr. 1987 : *Paysage*, past./pap. mar./t. (38x55) : **FRF 35 000** – La Varenne-Saint-Hilaire, 29 mai 1988 : *La route menant au village*, h/t (60x81) : **FRF 89 000** – Versailles, 15 juin 1988 : *La ferme en été* 1907, h/t (54x72,5) : **FRF 100 000** – Paris, 23 juin 1988 : *Les roses trémières*, h/t (73x54) : **FRF 20 000** – Paris, 24 juin 1988 : *Chemin bordé d'arbres*, h/pan. (45x61) : **FRF 194 000** – Paris, 27 oct. 1988 : *Les pommiers en fleurs* 1918, h/t (54x73) : **FRF 128 000** – Versailles, 6 nov. 1988 : *Jeune femme en buste de profil* 1925, past. (43x43) : **FRF 9 500** – Calais, 13 nov. 1988 : *Paysage au printemps* 1908, h/t (54x73) : **FRF 85 000** – Paris, 14 déc. 1988 : *Paysage*, h/t (59,5x70) : **FRF 88 000** – Paris, 16 déc. 1988 : *Rue de village* 1928, past./pap. (53x36) : **FRF 6 000** ; *Portrait de jeune femme de profil* 1891, fus. (36,5x32) : **FRF 7 500** – Londres, 22 fév. 1989 : *Bouquet de coquelicots*, h/t (70x88,5) : **GBP 6 050** – La Varenne-Saint-Hilaire, 12 mars 1989 : *La rue étroite* 1928, past. (55x38) : **FRF 21 000** – New York, 3 mai 1989 : *Vase de fleurs*, h/t (49,5x40) : **USD 33 300** – Paris, 18 mai 1989 : *Bouquet de roses* 1918, h/t (55x38) : **FRF 68 000** – Paris, 9 juin 1989 : *Chemin de Cailhau, montagnes noires le Razes près de Castelnaudary*, h/t (54,5x73) : **FRF 190 000** – Paris, 14 juin 1989 : *Femme assise devant sa fenêtre*, h/t (73x73) : **FRF 122 000** – Paris, 22 oct. 1989 : *La Brodeuse*, past. (26,5x21) : **FRF 11 000** – Versailles, 29 oct. 1989 : *Les Roses trémières*, h/t (73x54) : **FRF 20 000** – Paris, 15 déc. 1989 : *Les Pins à Belvèze*, t. (50x73) : **FRF 62 000** – Paris, 4 avr. 1990 : *Collioure*, past. (36,5x50) : **FRF 20 500** – Paris, 21 juin 1990 : *Maison au bord de la route*, h/t (54x73) : **FRF 75 000** – New York, 7 mai 1991 : *Nature morte* 1916, h/t (53,3x71) : **USD 9 900** – Paris, 26 juin 1992 : *Bouquet de fleurs* 1916, h/t (53x71) : **FRF 46 000** – Paris, 10 déc. 1992 : *L'Arbre en fleurs* 1893, h/t (59x49) : **FRF 155 000** – New York, 13 mai 1993 : *Vue sur la montagne à Alet-les-Bains*, h/t (75,5x130,2) : **USD 10 350** – Paris, 25 mars 1994 : *La Route aux genêts*, h/t (54x72,5) : **FRF 50 000** – New York, 12 mai 1994 : *Vase de roses* 1909, h/t (60x50,2) : **USD 17 250** – Londres, 14 mars 1995 : *Bords de la Garonne à Toulouse*, past./pap. gris (30x48) : **GBP 1 840** – Paris, 24 nov. 1995 : *Chemin de campagne provençal* 1910, h/t (50x73) : **FRF 60 000** – New York, 13 nov. 1996 : *Vue de Notre-Dame*, h/cart. (90,2x120) : **USD 18 400** – Paris, 29 nov. 1996 : *Portrait de jeune fille au chapeau* 1888, h/t (68x56) : **FRF 32 000** – Paris, 26 mai 1997 : *Vase de roses*, h/t (49x39) : **FRF 17 000** – Calais, 6 juil. 1997 : *Vase de roses*, h/t (49x39) : **FRF 24 000** – Paris, 27 oct. 1997 : *Collioure*, h/t (53,5x72) : **FRF 65 000** – New York, 9 oct. 1997 : *Vase avec des roses* 1909, h/t (55x45,8) : **USD 10 350**.

LAUGÉE Désiré François

Né le 25 janvier 1823 à Maromme (Seine-Maritime). Mort le 24 janvier 1896 à Paris. XIXe siècle. Français.

Peintre d'histoire, scènes de genre, portraits.

Après avoir travaillé sous la direction d'un élève de David, Louis Nicolas Lemasle à Saint-Quentin, il entra à l'École des Beaux-Arts de Paris en 1840, dans l'atelier de Picot.

Il figura au Salon de Paris, de 1845 à 1880, obtenant des médailles en 1851, 1855 et 1861. Chevalier de la Légion d'honneur en 1865.

Il est l'auteur de grandes toiles historiques : *Mort de Guillaume le Conquérant – Mort de Zurbaran*, mais aussi de scènes plus intimes sous un éclairage diffus. En 1876, il décora la chapelle Saint-Denis dans l'église de la Trinité à Paris.

D. Laugée

Bibliogr. : Gérald Schurr, in : *Les Petits Maîtres de la peinture 1820-1920, valeur de demain*, Les Éditions de l'Amateur, t. IV, Paris, 1979.

Musées : Amiens : *Meurtre de Rizzio – Fileuse picarde* – Avignon : *La question* – Bordeaux : *La récolte des œillets en Picardie* – Digne : *Victor Hugo – Une ondée – La leçon d'équitation* – Leeds : *Le jour de la lessive* – Lille : *Serviteur des pauvres* – Limoges : *Sainte Élisabeth de France servant les pauvres* – Montréal : Un pastel – Nantes : *Le préféré* – Paris (Mus. du Louvre) : *Le cierge à la Madone* – Rouen : *Truand – Sainte Élisabeth de Hongrie – La Pia dei Tolomei – Femmes aux champs – Cierge à la Madone* – Troyes : *Eustache Lesueur chez les Chartreux*.

Ventes Publiques : Paris, 1881 : *Sainte Élisabeth lavant les pieds des pauvres* : **FRF 3 800** – New York, 22-24 mars 1911 : *Jeune fille lisant* : **USD 50** – Paris, 27 juin 1927 : *Le blessé* : **FRF 200** – Paris, 18 juin 1945 : *Femme étendant son linge* : **FRF 700** – Paris, 30 mai 1978 : *La Moisson* 1866, h/t (76x94) : **FRF 5 000** – San Francisco, 3 oct. 1981 : *Paysanne versant du vin*, h/t (117x145) : **USD 3 000** – Paris, 28 nov. 1985 : *La prière*, h/t (140x101) : **FRF 15 000** – New York, 22 mai 1986 : *La Jeune Couturière*, h/t mar./isor. (47x38) : **USD 3 400** – Paris, 25 mars 1993 : *Dans l'atelier* 1855, h/pan. (41x31,5) : **FRF 4 800**.

LAUGÉE Georges François Paul

Né le 19 décembre 1853 à Montivilliers (Seine-Maritime). XIXe siècle. Français.

Peintre de genre, portraits.

Élève de son père, Désiré Laugée, il entra en 1871 à l'École des Beaux-Arts de Paris, où il suivit les cours de Pils et de Henri Lehmann jusqu'en 1876.

Il figura au Salon dès 1877, obtenant une médaille de troisième classe en 1881. Il eut une médaille de bronze à l'Exposition Universelle de 1889 à Paris et une d'argent à celle de 1900.

Il peint essentiellement des scènes paysannes : *Le repas des moissonneurs – La glaneuse*.

Georges Laugée

Bibliogr. : Gérald Schurr, in : *Les Petits Maîtres de la peinture 1820-1920, valeur de demain*, Les Éditions de l'Amateur, t. IV, Paris, 1979.

Musées : Saintes : *Enterrement d'une jeune fille à Étricourt*.

Ventes Publiques : Paris, 1884 : *Faneuse* : **FRF 400** – Paris, 13 juin 1945 : *Le Repos des moissonneuses* : **FRF 8 800** – Paris, 3 juil. 1950 : *Scène de moisson* : **FRF 11 000** – Paris, 2 déc. 1976 : *L'heure de la becquée* 1896, h/t (86x100) : **FRF 4 300** – New York, 7 oct. 1977 : *Moissonneuses sous un ciel d'orage*, h/t (55,5x47) : **USD 1 700** – Londres, 15 juin 1979 : *Les Fruits de la terre* 1879, h/t (99x137,8) : **GBP 1 900** – New York, 28 oct. 1981 : *Paysanne aux champs* 1879, h/t (101,6x139,7) : **USD 5 000** – Londres, 5 oct. 1983 : *La Corvée d'eau* 1899, h/t (54,5x37,5) : **GBP 2 200** – Orléans, 23 nov. 1985 : *L'Approche de l'orage*, h/t (54x73) : **FRF 17 000** – New York, 9 juin 1987 : *La Moissonneuse*, h/t (64x53,2) : **USD 3 250** – Calais, 10 déc. 1989 : *La Fenaison au coucher du soleil*, h/t (46x56) : **FRF 24 000** – New York, 21 mai 1991 : *Un moment de repos*, h/t (66x54) : **USD 4 180** – New York, 28 mai 1992 : *La moisson*, h/t (83,8x58,4) : **USD 9 350** – Paris, 1er juil. 1992 : *La moisson*, h/t (65x54) : **FRF 22 000** – New York, 16 fév. 1993 : *La bergère*, h/t (38,1x55,3) : **USD 4 950** – Calais, 14 mars 1993 : *Le faucheur*, fus. avec reh. de craie (61x47) : **FRF 3 500** – New York, 16 fév. 1995 : *Le Déjeuner* 1883, h/t (64,8x81,3) : **USD 16 100** – Paris, 19 mai 1995 : *Une halte à l'ombre*, past. et aquar./pap. (77x57) : **FRF 5 000** – Paris, 18 nov. 1996 : *La Chambre des députés* 1907, h/t (50x61) : **FRF 13 000** – Paris, 25 sep. 1997 : *Portrait d'une jeune religieuse, tenant un livre* 1874, h/t (100x67,5) : **FRF 4 500**.

LAUGGAS Johann Baptista

Né en 1708 à Meran. Mort en 1768 à Ohringen. XVIIIe siècle. Allemand.

Sculpteur.

Le Musée d'Heilbronner possède son *Tombeau du bourgmestre J. Schübler*. Il fut sculpteur officiel de la cour d'Hohenlohe-Ohringischer.

LAUGHLIN Alice Denniston

Née le 19 octobre 1895 à Pittsburgh (Pennsylvanie). XXe siècle. Américaine.

Peintre, graveur.

Elle fut membre de la Fédération américaine des arts. Quelques-unes de ses gravures sur bois ont été achetées par le gouvernement français.

LAUGIER Auguste

Né le 2 avril 1814 à Toulon (Var). XIXe siècle. Français.

Peintre de genre, portraits.

Élève de Paul Delaroche, il participa au Salon de Paris de 1844 à 1880.

Bibliogr. : Gérald Schurr, in : *Les Petits Maîtres de la peinture 1820-1920, valeur de demain*, Les Éditions de l'Amateur, t. V, Paris, 1981.

Musées : Toulon : *Nicolas Laugier - Portrait du sculpteur Félix Brun à Rome - Louis Daumas - Louis Hulac - Brun - Portalis.*

LAUGIER Jean Nicolas
Né le 22 juin 1785 à Toulon (Var). Mort le 20 février 1875 à Cormeilles (Val-d'Oise). XXe siècle. Français.
Peintre de portraits, graveur, illustrateur.

Il entra en 1813 à l'École des Beaux-Arts de Paris, où il fut élève de Louis Girodet. Il figura au Salon de Paris de 1817 à 1863, obtenant une médaille de deuxième classe en 1817, de première classe en 1831. Chevalier de la Légion d'honneur en 1835.
En 1835, il se rendit en Amérique afin d'y réunir la documentation nécessaire pour faire un portrait de George Washington. Il copia celui exécuté par le peintre américain Stuart, conservé à l'Académie et exécuta sur place la vue du site où il voulait placer son personnage. Ce fut sur ces données que Léon Cogniet peignit le portrait qui parut au Salon de 1840, gravé par Lange. Laugier, au cours de ce voyage, fit le portrait de hauts personnages américains. Il est également l'auteur de plusieurs illustrations de livres.

Bibliogr. : Gérald Schurr, in : *Les Petits Maîtres de la peinture 1820-1920, valeur de demain*, Les Éditions de l'Amateur, t. V, Paris, 1981.

LAUGIER Léon
Né le 26 juin 1879 à Paris. XXe siècle. Français.
Peintre, décorateur.

Il expose à Paris, au Salon de la Société Nationale des Beaux-Arts, des Indépendants, des Artistes Français, d'Automne. Il a obtenu des médailles à Paris, Bruxelles et Turin. Il a travaillé à Monaco, où lui est due en particulier la décoration du musée océanographique.

Ventes Publiques : Paris, 7-12 déc. 1988 : *Jeune femme à l'écharpe rose* 1907, past./pap. noir (64x51) : **FRF 4 200**.

LAUGIER Marius François, dit **Salomon**
Né au XIXe siècle à Marseille. XIXe siècle. Français.
Sculpteur.

Élève de Jouffroy. Il figura au Salon à partir de 1869.

Musées : Digne : *Projet de monument - Pêcheur catalan.*

LAUGIER D'ASCOIN Dominique
XXe siècle. Français.
Peintre.

Il a fait des études d'électronique. Il vit et travaille à Paris. Il participe à Paris aux Salons des Indépendants et des Surindépendants. Il a reçu la médaille d'or du mérite culturel artistique de l'Europe. De sa formation, il a retenu les sujets de machines, de rouages mécaniques.

LAUKOTA Hermine
Née le 24 janvier 1853 à Prague. XIXe siècle. Tchécoslovaque.
Peintre de genre, d'histoire et graveur.

Élève de D. Raab et d'Unger. Exposa à Vienne et à Berlin en 1889, 1891. On cite d'elle : *Grand-mère et petite-fille.*

L'AULBIER Raoul de
XVIe siècle. Actif à Orléans. Français.
Sculpteur.

Il entreprit, en 1556, les travaux de sculpture de la chapelle de la Châtaigneraie (Poitou) et exécuta le tombeau du seigneur André de Vivonne.

LAULE Johann Baptist
Né le 29 septembre 1817 à Sargans. Mort le 1er juin 1895 à Schönenbach (près de Furtwangen). XIXe siècle. Allemand.
Peintre.

On cite ses portraits, ses tableaux de genre et ses peintures religieuses.

LAULIÉ Joseph
Né le 15 avril 1928 à Ustaritz (Pyrénées-Atlantiques). XXe siècle. Français.
Peintre d'intérieurs, portraits, natures mortes, paysages.

Il fut élève d'André Trébuchet puis de Metzinger (1951), il entre ensuite à l'école des beaux-arts de Paris et y reçoit l'enseignement de Narbonne et Chapelain-Midy. Il vit et travaille sur la côte basque. Il participe à Paris, au Salon de la Jeune Peinture (1957), ainsi qu'aux Salons d'Automne et de la Société Nationale des Beaux-Arts dont il est membre sociétaire. Il fait sa première exposition personnelle à Paris, en 1975, depuis il expose à Bayonne, Mont-de-Marsan, Bordeaux. En 1982, il a reçu une médaille d'argent au Salon des Artistes Français.
Peintre de la réalité poétique, il interprète librement la lumière dans des compositions personnelles.

Ventes Publiques : Paris, 20 nov. 1989 : *Vase de fleurs* 1988, h/t (60x50) : **FRF 4 000** - Paris, 26 mars 1990 : *Nature morte aux vases et coquillages* 1983, h/t (92x65) : **FRF 11 000** - Paris, 18 déc. 1991 : *Le café des colonnes à Biarritz* 1979, h/t (33x41) : **FRF 5 000**.

LAUMANS Jean André
Né le 7 novembre 1823 à Heys op-den-Berg. Mort le 29 novembre 1902 à Bruxelles. XIXe siècle. Belge.
Sculpteur.

Il fut élève de Geefs et exposa au Salon à Bruxelles le 29 novembre 1902.

LAUMONIER Ely
Né en 1895. XXe siècle. Français.
Peintre de paysages.

Il vit et travaille à Nice. Il expose à Paris, au Salon des Artistes Français, dont il est membre sociétaire et où il obtint en 1963 la médaille d'or, il est hors-concours. Il a figuré dans des expositions de groupe à Chicago, Philadelphie, New York.
Essentiellement peintre de paysages en Provence, Marcel Pagnol, Thyde, Monnier, entre autres, ont vanté sa façon de peindre les oliviers et la lumière des ciels du Midi.

LAUMONNERIE Théophile
Né au XIXe siècle à Dournazac (Haute-Vienne). XIXe siècle. Français.
Peintre et sculpteur.

Élève de Jules Lefebvre et de Cormon. Sociétaire des Artistes Français depuis 1896, il figura au Salon de ce groupement, où il obtint des médailles de troisième classe (1903) et deuxième classe (1911).

LAUMOSNIER
XVIIe siècle. Français.
Peintre.

Le Musée du Mans (Hôtel de Tessé) conserve de cet artiste : *Philippe V, roi d'Espagne, confère la Toison d'or au maréchal de Tessé, comme ambassadeur à Madrid ; Portrait en pied du maréchal de Tessé ; Célébration du mariage de Marie-Thérèse d'Autriche, en 1660 ; Entrevue de Louis XIV et de Philippe IV, roi d'Espagne, dans l'île des Faisans, en 1660.*

LAUNAY, pseudonyme de **Vieillard Fabien**
Né en 1877 à Paris. Mort en 1904 à Paris. XIXe siècle. Français.
Peintre, graveur, dessinateur.

G. de Pawlowski, dans le dictionnaire d'Édouard Joseph, consacre un article ému à cet artiste, ami de Bottini, disparu prématurément. Il avait également signé Jacquet de nombreux dessins, donnés dans des journaux de sport ou au journal *Le Rire.*

Musées : Paris (Mus. d'Art Mod. de la Ville) : *Le Tournesol.*

LAUNAY Antoine de
Né en 1745 à Paris. XVIIIe siècle. Français.
Graveur au burin.

Il a gravé pour les libraires.

LAUNAY Charles Joseph ou **de Launay**
XVIIIe siècle. Actif à Nantes à la fin du XVIIIe siècle. Français.
Sculpteur.

LAUNAY Edmond F. de
XIXe siècle. Actif à Paris. Français.
Peintre.

Sociétaire des Artistes Français depuis 1907, il figura au Salon de ce groupement.

LAUNAY Fernand de
Né au XIXe siècle à Lyon (Rhône). XIXe siècle. Français.
Peintre de sujets de genre, graveur.

Il exposa régulièrement au Salon de Paris, puis Salon des Artistes Français, de 1878 à 1900 ; obtenant une mention honorable en 1896. Il grava à l'eau-forte.

F. DE LAUNAY

Ventes Publiques : Paris, 23 déc. 1942 : *La marchande de fleurs* : **FRF 2 600** – Londres, 3 juin 1983 : *Jeune femme au bouquet de fleurs au jardin des Tuileries*, h/t (58,4x72,3) : **GBP 2 200** – Paris, 5 juil. 1994 : *Élégante à la voilette sur une plage*, h/t (41x33) : **FRF 11 000** – New York, 24 mai 1995 : *Marchande de fleurs, place de la Concorde à Paris*, h/t (62,5x73) : **USD 46 000**.

LAUNAY Gustave de
Né le 3 décembre 1864 à Douarnenez (Finistère). xixe-xxe siècles. Français.
Peintre, aquarelliste.
Il fut élève de A. J. Chantron. Il exposa à Paris, au Salon des Artistes Français, dont il fut membre sociétaire, ainsi qu'au Salon des Indépendants.
Ventes Publiques : Londres, 17 nov. 1995 : *La porte ouverte*, h/t (61x50,8) : **GBP 5 750**.

LAUNAY Jean de
xive siècle.
Sculpteur.
Travailla à la « vis du Louvre ».

LAUNAY Jean de. Voir aussi **DELAUNAY Jehan**

LAUNAY Michel
Né le 16 décembre 1915 à Paris. xxe siècle. Français.
Peintre.
Il participe à Paris au Salon d'Automne et est membre sociétaire du Salon des Indépendants, où il expose. Il a enseigné à l'école des beaux-arts de Dijon.

LAUNAY Nicolas de
xviie siècle. Français.
Sculpteur.
Il fut reçu à l'Académie de Saint-Luc en 1679.

LAUNAY Robert de. Voir **ROBERT de Launay**

LAUNAY-THÉBAULT. Voir **THÉBAUD de Launay**

LAUNE Anne de La. Voir **LA LAUNE**

LAUNITZ Eduard
Né le 23 novembre 1797 à Grobin (près de Libau). Mort le 12 décembre 1869 à Francfort-sur-le-Main. xixe siècle. Allemand.
Sculpteur.
Après des études à Göttingen et un séjour à Rome, il s'établit en Russie où il sculpta les statues de *Koutousoff* et de *Barclay de Tolly* pour la cathédrale de Saint-Pétersbourg.

LAUNITZ Robert E. von der
Né le 4 novembre 1806 à Riga. Mort le 13 décembre 1870 à New York. xixe siècle. Américain.
Sculpteur.
Fils et élève d'un sculpteur. Il se rendit en Amérique en 1830 et y devint membre de la National Academy en 1833. On cite de lui la *Statue du général Thomas*, à Troyes, et plusieurs monuments au cimetière de Greenwood.

LAUNOIS Jean
Né en 1898 aux Sables-d'Olonne (Vendée). Mort en 1942 à Alger. xxe siècle. Français.
Peintre de genre, portraits, peintre à la gouache, aquarelliste, pastelliste, graveur, illustrateur. Orientaliste.
Il passa sa jeunesse en Vendée, où il naquit et où il reçut les conseils de C. Milcendeau ; venu à Paris, il fut guidé par M. Asselin ; boursier de la villa Abd El Tif, il se laissa toucher par l'exotisme, voyageant jusqu'en Indochine, revenant à Paris, dans la société des poètes autant que des artistes, pour retourner en Algérie où s'achève sa courte carrière. Citons *Cavalier indochinois – Laotiennes – Fille à la chéchia*, figurant parmi la cinquantaine d'œuvres de la rétrospective organisée par le Salon d'Automne, en 1945. Il eut des expositions posthumes de son œuvre au musée de Narbonne en 1971, au musée des Sables-d'Olonnes en 1976 et 1983, à Nice et au musée d'Art moderne de la Ville à Paris en 1977. Il a illustré : *Le Journal d'une femme de chambre* et *Les 21 Jours d'un neurasthénique* d'Octave Mirbeau, *La Route mandarine* de R. Dorgelès ; il a gravé les eaux-fortes pour *Au coin des rues* de F. Carco.
L'œuvre de Launois, proche de celles de ses amis de l'Ecole de Paris, manifeste sa modernité par son goût de l'exotisme, qu'il soit lointain ou très proche (le thème du retour idyllique au pays par exemple), avec souvent, comme le souligne Bernard Dorival en 1977, « un pessimisme amer, un désenchantement, un certain dégoût de cette vie qu'il adore, ou plutôt de ces hommes qui vivent si mal cette adorable vie ». Assez apprécié de son temps, Launois figure, auprès de Marquet, Derain, Matisse, Dufy, Manguin... dans ces deux grandes collections de l'entre-deux guerres que sont celles de Georges Besson et de Georges Grammont.
Musées : Narbonne (Mus. d'Art et d'Hist.) : *Danseurs au repos*, gche sur pap. – Paris (Mus. d'Art Mod.) : *Jeunes Vendéennes assises – Julot – Trois Enfants mozabites – Le Boulanger*.
Ventes Publiques : Paris, 21 nov. 1928 : *Scène d'intérieur*, aquar. : **FRF 400** – Paris, 28 fév. 1930 : *Les Orientales*, aquar. : **FRF 500** – Paris, 13 fév. 1932 : *Jeunes filles sur canapé*, aquar. et reh. de past. : **FRF 520** – Paris, 2 mars 1939 : *Intérieur de café*, past. : **FRF 405** – Paris, 7 avr. 1943 : *Portrait de jeune homme* : **FRF 3 600** – Paris, 21 fév. 1945 : *Quatre femmes*, gche : **FRF 12 500** – Paris, 24 jan. 1947 : *Femmes d'Alger* 1921, aquar. : **FRF 15 000** – Paris, 13 fév. 1950 : *Le repos*, aquar. : **FRF 37 000** – Paris, 27 nov. 1953 : *Trois filles dans un intérieur* : **FRF 56 000** – Versailles, 18 déc. 1983 : *Bateaux à Saint Tropez*, aquar. (47x61,5) : **FRF 7 600** – Versailles, 8 déc. 1985 : *Deux femmes de Toulon*, gche (64,5x49) : **FRF 8 500** – Paris, 3 fév. 1988 : *Les apprentis, Vendée*, past. (62x46) : **FRF 11 000** – Bayeux, 7 fév. 1988 : *Personnages dans une barque*, aquar. (27x38,5) : **FRF 6 500** – Lyon, 9 oct. 1990 : *L'Attente* 1925, fus. et past. (50x55) : **FRF 10 800** – Paris, 9 juil. 1992 : *Femme dans un escalier*, aquar. (61x45) : **FRF 16 000** – Paris, 4 mai 1993 : *Le marché au poisson à Boulogne-sur-mer* 1928, aquar. (23x30) : **FRF 6 000** – Paris, 6 déc. 1993 : *Scène de plage*, aquar. et encre de Chine (22x32) : **FRF 11 500** – Paris, 12 juil. 1994 : *La Plage*, aquar. et encre/pap./cart. (16,7x25,4) : **FRF 6 200** – Paris, 8 déc. 1995 : *Jeunes Oranais* 1941, aquar. (62x49) : **FRF 7 200** – Paris, 9 déc. 1996 : *La Belle Mauresque*, gche (46,5x60) : **FRF 35 000** – Paris, 19 oct. 1997 : *Le Théâtre de marionnettes*, gche/pap. (48x63) : **FRF 10 000**.

LAUPART Berenguer. Voir **LLOPART**

LAUPHEIMER Anton
Né le 23 juin 1848 à Erbach (près d'Ulm). Mort en 1927 à Munich. xixe-xxe siècles. Allemand.
Peintre de genre, portraits, intérieurs d'églises.
Il travailla à l'Académie des Beaux-Arts de Stuttgart. Dans la suite il alla s'établir à Munich et y fut professeur. Il obtint des médailles à Anvers (1885), Munich (1890), Berlin (1891) ; et une mention honorable à Paris (1884).
Musées : Mulhouse : *Le cardinal* – Munich : *Le cardinal* – Stuttgart : *Le timide adorateur* 1884.
Ventes Publiques : Londres, 10 juin 1910 : *La Bonne Vendange* 1878 : **GBP 11** – Londres, 2 nov. 1973 : *Le Critique d'art* : **GNS 1 100** – Londres, 16 juin 1978 : *Le Buveur* 1877, h/t (63,5x40) : **GBP 3 800** – Vienne, 19 juin 1979 : *Le Rat de bibliothèque* 1883, h/pan. (19x13) : **ATS 140 000** – Londres, 19 juin 1981 : *Intérieur d'église baroque* 1883, h/t (71x49,5) : **GBP 1 800** – Brême, 21 juin 1986 : *Le Fumeur de pipe*, h/t (50,5x40,5) : **DEM 8 000** – New York, 19 mai 1987 : *Un moment de tranquillité*, h/pan. (85,7x27,9) : **USD 12 000** – Londres, 11 mai 1990 : *Le Bon Repas*, h/pan. (19x12,6) : **GBP 1 100**.

LAUQUIN Jean Jacques
Né le 8 octobre 1932 à Orléans (Loiret). xxe siècle. Français.
Peintre, peintre de compositions murales, technique mixte.
Il participe à des expositions collectives à Paris à la FIAC (Foire Internationale d'Art Contemporain) en 1976, à Turin, Milan, New York, Rome, Nice à la Villa Arson en 1984. Il montre ses œuvres dans des expositions personnelles depuis 1961.
Il introduit les mots dans ses œuvres. Il a réalisé des peintures murales à Paris en 1973 et 1975.
Bibliogr. : In : *Écritures dans la peinture*, Centre national des Arts plastiques, tome II, Nice, 1984.
Musées : Paris (FNAC).
Ventes Publiques : Paris, 7 mars 1990 : *Fluance*, techn. mixte/t. (194x96) : **FRF 40 000**.

LAUR Marie-Yvonne, dit **Yo**
Née le 21 juillet 1879 à Paris. Morte en 1943. xxe siècle. Française.
Peintre de genre, animalier.
Elle exposa au Salon des Artistes Français, dont elle devint membre sociétaire à partir de 1908, et où elle obtint une mention honorable en (1903 ou 1905).

Yo Laur

Musées : Anvers : *Le Bon Lait – Qui l'aura* – Bagnols : *En observation* – Digne : *Chien et chats* – Gray : *Mal tombé.*
Ventes Publiques : Paris, 2 juin 1943 : *Les chats* : **FRF 1 500** – Vienne, 14 mars 1984 : *Chattes et chatons*, h/pan., de forme ovale (38x46) : **AUD 40 000** – Londres, 26 nov. 1986 : *Chatons jouant dans l'atelier de l'artiste*, h/t (72x59) : **GBP 3 400** – New York, 28 oct. 1987 : *Chatons autour d'un bocal de poissons rouges*, h/t (134,8x94) : **USD 15 000** – Paris, 24 juin 1988 : *Les chats*, h/t (28,7x35) : **FRF 9 500** – Paris, 11 oct. 1988 : *Les chats*, h/t (45x36) : **FRF 37 000** – Berne, 26 oct. 1988 : *Deux chatons espiègles*, h/pan. (16x27) : **CHF 2 900** – Londres, 6 oct. 1989 : *Reflets félins*, h/t (46x55) : **GBP 3 960** – Londres, 14 fév. 1990 : *Catastrophe dans l'atelier*, h/t (195x130) : **GBP 15 400** – New York, 28 fév. 1990 : *Amour maternel*, h/pan. (37,5x46,2) : **USD 13 200** – Versailles, 25 nov. 1990 : *Les trois châtons et le vase bleu*, past. (59x49) : **FRF 4 000** – Londres, 19 juin 1991 : *Trois chatons autour d'une tasse et d'une soucoupe*, h/t (31x39) : **GBP 4 620** – Londres, 16 juil. 1991 : *Le tiroir vidé*, h/t (55,2x46,3) : **GBP 2 860** – New York, 20 jan. 1993 : *Amour maternel*, h/pan. (37,5x46) : **USD 5 175**.

LAURAIRE François
XVIIIe siècle. Actif à Paris vers 1760. Français.
Sculpteur.

LAURAN André
Né en 1922 à Valence (Drôme). XXe siècle. Français.
Peintre de natures mortes, paysages, figures.
Il expose à Paris, aux Salons des Artistes Français et des Indépendants, dont il est membre sociétaire. Il obtint en 1955, une médaille d'argent à la IIIe Biennale de Menton.
Musées : Annecy : *Nature morte jaune* – Paris (Mus. d'Art Mod. de la Ville) : *Promenade des Anglais* – Valence : *L'Enfant aux mimosas.*

LAURANA Francesco da
Né vers 1430 en Dalmatie. Mort vers 1500 à Avignon (Vaucluse). XVe siècle. Italien.
Sculpteur, architecte et médailleur.
Italien, il fit presque toute sa carrière au service des princes de la maison d'Anjou ; de 1461 à 1466, il fit les médailles de Charles IV, comte du Maine, du roi René, de Jeanne de Laval et de différents personnages de la cour. Entre 1467 et 1472, il fit un séjour en Sicile, sculpta la *Vierge à l'Enfant* pour Santa Maria de la Neve à Palerme et une *Madone* pour l'église du Crocifisso de Noto. A Naples en 1474, il fit une *Madone* pour l'entrée de la chapelle Santa Barbara du Castel Nuovo. Revenu en France, il y fit, en 1475, le tombeau de Charles IV, qui est dans la cathédrale du Mans. A Marseille, en 1477, avec Tomaso Malvito, il décora la chapelle Saint-Lazare, dans l'église de la Mayor, ancienne cathédrale. En 1481, le roi René lui commanda, pour le couvent des Célestins d'Avignon, un grand retable en marbre : *Le Portement de Croix* ; ce retable est aujourd'hui à Avignon, dans l'église paroissiale Saint-Didier. Il serait aussi l'auteur du tombeau de Jean Cossa, grand sénéchal de Provence, actuellement dans l'église Sainte-Marthe, à Tarascon. Le Louvre conserve de lui un : *Écusson aux armes de René d'Anjou.* L'importance de Laurana provient plus de l'influence considérable qu'il eut sur la sculpture en France que de la qualité de ses œuvres. S'il naquit en Dalmatie et subit peut-être l'influence de son père qui était sans doute architecte à Urbin, c'est à Naples que se développa sa véritable personnalité artistique. Lorsqu'il travailla pour Alphonse d'Aragon à l'Arc de Triomphe de Castel Nuovo, il n'était encore que l'élève de Pietro di Martino. Celui-ci lui apprenait à mêler à la piété spiritualiste de la renaissance florentine un réalisme vigoureux, peut-être importé de Flandre. C'est ainsi que Laurana apporta en France, à la cour du roi René, une conception de l'art peut-être plus facile à accepter sur notre versant des Alpes. Aussi bien dans sa décoration de la Chapelle Saint-Lazare de l'église de la Major à Marseille, qu'à l'église de Célestins d'Avignon, il exécuta de ses œuvres, d'une émotion et d'un réalisme assez peu italiens. Sans doute, la décoration très riche de ses scènes religieuses rappelle-t-elle bien l'art des sculpteurs de l'Italie septentrionale. Mais Laurana contribua beaucoup à répandre dans tout le midi de la France ce goût d'une sculpture plus vraie que poétique. Son mariage avec la fille du peintre avignonais Jean de la Barse lui donna à la fin de sa vie la réputation d'un artiste et même d'un chef d'école français. Le Musée du Bargello à Florence conserve de lui le buste de *Battista Sforza* ; le Kunsthistorisches Museum, à Vienne, celui d'*Isabelle d'Aragon.*

LAURANA Luciano
Né vers 1420 à Zara en Dalmatie. Mort en 1479 à Pesaro. XVe siècle. Italien.
Peintre et architecte.
Il construisit et décora le palais ducal d'Urbin qui était un château médiéval et devint un palais de plaisance, tout en gardant son caractère de forteresse. Laurana ne termina pas les travaux interrompus à la mort de la duchesse Battista Sforza en 1472. Il transforma également la forteresse de Pesaro.
Musées : Berlin (Mus. mun.) : *Vue de monument.*

LAURANT François
Né en 1762 à Malines. Mort en 1821 à Malines. XVIIIe-XIXe siècles. Éc. flamande.
Sculpteur.
On lui doit des sculptures religieuses et mythologiques.

LAURAS Luc
Né en 1960. XXe siècle. Français.
Sculpteur.
Il vit et travaille à Bordeaux. Il participa en 1993 à la FIAC (Foire Internationale d'Art Contemporain) à Paris. Il expose régulièrement à la galerie de Tugny Lamarre à Paris.
De carrés de plâtre blanc jaillissent des figures primitives en plomb ou poupées de cire, de tissu.
Bibliogr. : Patrick Amine : *Luc Lauras*, Art Press, n° 150, Paris, sept. 1990.

LAURASSE Auguste
Né vers 1815 à Lyon (Rhône). XIXe siècle. Français.
Peintre de genre, portraits.
Il figura au Salon de Paris de 1838 à 1861.
Ses portraits à noble allure, tel celui de *Mme Michel Perret en amazone*, sont traités avec beaucoup de précision.
Bibliogr. : Gérald Schurr, in : *Les Petits Maîtres de la peinture 1820-1920, valeur de demain*, Les Éditions de l'Amateur, t. II, Paris, 1982.
Musées : Valence : *Mme Michel Perret en amazone* 1842 ou 1852.

LAURATI Pietro. Voir **LORENZETTI**

LAURE Honoré
Mort le 3 février 1671 à Toulon (Var). XVIIe siècle. Français.
Peintre.
Il travailla pour la ville de Toulon et pour l'église de Saint-Maximin dans le Var.

LAURE Jean François Hyacinthe Jules
Né le 14 mai 1806 à Grenoble (Isère). Mort en mai 1861 à Paris. XIXe siècle. Français.
Peintre d'histoire, compositions religieuses, portraits.
Élève de Louis Hersent et d'Ingres, il figura au Salon de Paris de 1834 à sa mort, obtenant une médaille de troisième classe en 1836. Il traite avec brio certains de ses portraits féminins.

Bibliogr. : Gérald Schurr, in : *Les Petits Maîtres de la peinture 1820-1920, valeur de demain*, Les Éditions de l'Amateur, t. IV, Paris, 1979.
Musées : Grenoble : *Laissez venir à moi les petits enfants* – Lisieux : *Milton aveugle dictant le Paradis perdu à ses filles* – Montpellier : *Portrait de Mme Galibert* – Versailles : *Alcuin présenté à Charlemagne.*
Ventes Publiques : Paris, 31 mars 1911 : *Jeune femme au bord de l'eau* : **FRF 150** – Paris, 10 mai 1943 : *Nuque de femme* : **FRF 450** – Paris, 14 nov. 1949 : *Portrait de jeune femme* : **FRF 10 500** – New York, 28 oct. 1986 : *Fillette nourrissant un perroquet*, h/t (69,9x85,1) : **USD 4 500**.

LAUREANO Juan
XVIIe siècle. Actif à Séville. Espagnol.
Graveur et orfèvre.
On cite une gravure de cet artiste : *Saint Ferdinand* (1677). Il était maître orfèvre de la cathédrale.

LAUREAU J. R.
XVIIIe siècle. Actif à Strasbourg au début du XVIIIe siècle.
Graveur au burin.
Il a gravé seize planches pour le *Maître d'Armes*, de Martin.

LAUREAUX Paul
Né le 29 juin 1847 à Dijon (Côte-d'Or). Mort le 24 avril 1901 à Dijon. XIXe siècle. Français.
Peintre.
Élève de l'École des Beaux-Arts de Dijon. Le Musée de cette ville conserve de lui : *Portrait de l'artiste par lui-même* et *Nature morte*.

LAUREMONT François de
Né en 1648 à Nevers. Mort vers 1690. XVIIe siècle. Français.
Graveur.
Il résida en Italie et rencontra à Naples François de Poilly. Il a gravé d'après Carracci, Berettini, P. Mola, Marrata et Solimena.

LAURENCÉ L.
XVIIIe siècle. Actif à Paris vers 1760. Français.
Graveur au burin.

LAURENCE Louis Marie
Né en 1811 à Mantes (Yvelines). Mort en 1886. XIXe siècle. Français.
Graveur.
Figura au Salon, en 1861-1862 et 1863, avec des eaux-fortes originales, des paysages pour la plupart.

LAURENCE Samuel
Né en 1812 à Guildford. Mort le 28 février 1884. XIXe siècle. Britannique.
Peintre de portraits.
Ces portraits furent surtout exécutés au crayon et obtinrent un notable succès. Il débuta à l'Exposition des British artists en 1834 et exposa en 1836 à la Royal Academy. Il est représenté à la National Portrait Gallery par quatre portraits dont celui de *Thackeray*.
VENTES PUBLIQUES : LONDRES, 6 déc. 1909 : *Paysage marécageux* 1893 : **GBP 5** – LONDRES, 19 nov. 1987 : *Portrait of Charles Babbage*, cr. reh. de blanc (54x37,5) : **GBP 8 500**.

LAURENCE Sydney Mortimer
Né en 1858 ou 1865 ou 1868 à Brooklyn. Mort en 1940. XIXe-XXe siècles. Américain.
Peintre de paysages.
Il exposa à Paris, au Salon des Artistes Français, où il obtint une mention honorable en 1894.

Sydney Laurence

VENTES PUBLIQUES : NEW YORK, 21 juin 1978 : *Paysage boisé*, h/t (91,5x101,5) : **USD 16 000** – LOS ANGELES, 18 juin 1979 : *Voilier au large de la côte de l'Alaska*, h/t (40,6x50,8) : **USD 13 500** – LOS ANGELES, 24 juin 1980 : *Valdez, Alaska* 1914, aquar. (51x35,6) : **USD 15 000** – NEW YORK, 23 avr. 1982 : *Mt McKinley*, h/t (45,8x68,5) : **USD 30 000** – SAN FRANCISCO, 8 nov. 1984 : *Cabin on Moose horm ranch*, aquar. (25,4x35,5) : **USD 11 000** – SAN FRANCISCO, 8 nov. 1984 : *Boat rounding Fire Island*, h/t (41x51) : **USD 32 500** – SAN FRANCISCO, 28 fév. 1985 : *La Baie de Naples*, aquar. (19x30,5) : **USD 2 500** – LONDRES, 22 oct. 1986 : *A beached schooner* 1897, aquar. (45x68,5) : **GBP 1 700** – NEW YORK, 4 déc. 1987 : *Mont McKinley*, h/t (51,1x41) : **USD 30 000** – LOS ANGELES, 9 juin 1988 : *Chalet de montagne*, aquar. et gche/pap. (25x18,5) : **USD 1 320** – NEW YORK, 1er Déc. 1988 : *Lac silencieux* 1927, h/t (50,8x40,6) : **USD 14 850** – NEW YORK, 24 mai 1989 : *Le Mont McKinley à travers la brume*, h/t (50,8x38,9) : **USD 19 800** – NEW YORK, 30 nov. 1989 : *Le Mont McKinley en Alaska* 1919, h/t (50,8x40,6) : **USD 12 100** – NEW YORK, 24 mai 1990 : *Indien entretenant un feu* 1923, h/cart. (34,8x25,4) : **USD 16 500** – NEW YORK, 26 sep. 1990 : *Cabane de trappeur la nuit*, h/cart. (45,8x25,5) : **USD 7 150** – NEW YORK, 17 déc. 1990 : *Après-midi d'hiver dans le sud-ouest de l'Alaska*, h/rés. synth. (15,2x20,3) : **USD 8 250** – NEW YORK, 25 sep. 1991 : *Affût indien en Alaska ; Paysage de printemps*, h/rés. synth., une paire (chaque 20,3x25,4) : **USD 9 900** – NEW YORK, 6 déc. 1991 : *Le Mont McKinley vu de la vallée de Susitna*, h/cart. (30,2x40,4) : **USD 12 100** – NEW YORK, 23 sep. 1992 : *Tombée du soir sur le Mont McKinley*, h/t (54x65,5) : **USD 16 500** – NEW YORK, 10 mars 1993 : *Soleil matinal sur le Mont McKinley* 1929, h/t (61x50,8) : **USD 19 550** – NEW YORK, 3 déc. 1993 : *Journée d'automne au pied du Mont McKinley*, h/t (61,5x40,7) : **USD 20 700** – NEW YORK, 13 mars 1996 : *Le feu de camp*, h/t (50,8x41,3) : **USD 14 950** – NEW YORK, 3 déc. 1996 : *Crépuscule d'hiver*, h/pan. (45,7x91,5) : **USD 6 325** – NEW YORK, 26 sep. 1996 : *Le Pont de Brooklyn* 1899, h/t (56,5x43,2) : **USD 17 250** – NEW YORK, 27 sep. 1996 : *Mt. McKinley*, h/t/pan. (51x41) : **USD 8 050** – NEW YORK, 25 mars 1997 : *Au port, Yakutat, Alaska*, h/t/pan. (20,3x25,4) : **USD 4 887** – NEW YORK, 7 oct. 1997 : *Saint-Ives* 1893, h/t (50,8x76,2) : **USD 11 500**.

LAURENCEAU Agénorie Monique, née **Duhanot**
Née au XIXe siècle à Beaugency (Loiret). XIXe siècle. Française.
Peintre de paysages, fleurs et fruits.
Elle fut élève de Maraton. Elle figura au Salon de Paris, entre 1864 et 1879.

LAURENCEL de, le chevalier
Né en 1770. Mort en 1830 à Paris. XVIIIe-XIXe siècles. Français.
Paysagiste.
Figura au Salon de Paris, de 1822 à 1827 et y obtint une médaille de deuxième classe en 1827. Le Musée de Douai conserve de lui : *Montagnes de la Cava*. Conservateur de la Galerie de S. A. R. Madame.

LAURENCET Lucienne
Née le 18 juin 1901 à Paris. XXe siècle. Française.
Peintre de portraits, compositions animées.
Elle fut élève de Leroux. Elle exposa à Paris, au Salon des Indépendants.

LAURENCIN Marie
Née le 31 octobre 1883 ou 1885 à Paris. Morte le 8 juin 1956 à Paris. XXe siècle. Française.
Peintre de compositions animées, figures, portraits, animaux, aquarelliste, peintre de décors de théâtre, graveur, illustrateur.
C'est aux environs de 1905 que parut pour la première fois Marie Laurencin dans le climat qui lui convenait. Elle vint un jour mêler sa grâce aux turbulences de l'atelier de Picasso, rue Ravignan, dans la célèbre maison, la curieuse bâtisse surnommée le Bateau-lavoir, au sommet de la Butte Montmartre. C'est Georges Braque qui la présenta. Comme lui, elle avait été, et c'est assez curieux si l'on songe à la destinée de l'un et de l'autre, élève de l'académie Humbert. Il est vrai que Marie Laurencin vint demander des leçons à l'auteur académique d'un *Saint Jean Baptiste* égaré parmi des *Odalisques* sans autre ambition que de devenir peintre sur porcelaine ; un joli métier de jeune fille. Dans le moment qu'il comprit s'être fourvoyé, Braque avait été frappé des dons de sa camarade. Il n'eut pas de peine à la persuader que ni l'un ni l'autre n'avaient rien à attendre d'un tel enseignement. Rue Ravignan, on était à la veille de passer du fauvisme au cubisme. On discutait ferme dans l'atelier où littérature et peinture faisaient bon ménage. C'était dans ce temps dont Picasso lui-même a dit que « peintres et poètes s'influençaient tour à tour ». Marie Laurencin prit là de meilleures leçons de peinture que chez Humbert. Elle sut aussi entendre les poètes qui tous voulaient dire qu'elle était leur sœur. Peu après, Guillaume Apollinaire lui consacrait un important chapitre de ses *Méditations esthétiques*. Ayant épousé un peintre allemand, elle quitta la France, durant la Seconde Guerre mondiale, pour l'Espagne, où elle rencontra Gleizes, Cravan, Gauthier et Picabia. Elle retourna à Paris, en 1920.
En 1907, elle exposa pour la première fois au Salon des Indépendants à Paris. En 1912, elle montra ses œuvres, avec Robert Delaunay, à la galerie Barbazangues toujours dans la capitale et participa à la décoration de la maison cubiste lors du Salon d'Automne. En 1937, au Petit Palais, à la grande exposition des maîtres de l'art indépendant, Marie Laurencin présentait un choix de son œuvre suffisamment exemplaire : *Portrait* (1904), *Portrait de jeune femme au chapeau rose et noir*, deux toiles exécutées l'une en 1908 et l'autre en 1909 et portant chacune le titre *G. Apollinaire et sa famille*, à savoir ses amis de l'atelier de Picasso, *Fleurs – Les Deux Sœurs – Marie Laurencin en bleu* (1936) – *Le Jeu du volant – Portrait – Le Pot de fleurs – L'Ange bleu* (1929) – *Jeunes Filles à la mandoline – Portrait de Mme Ch. P. – L'Artiste et son modèle – Portrait d'Anne-Françoise Mare – Pot et citrons*. En 1994, la fondation Pierre Gianadda à Martigny présente une rétrospective de son œuvre.
Les premières toiles de Marie Laurencin sont d'un accent plus dur que par la suite. Il restera de cette époque Ravignan des toiles de qualité qui sont aussi des toiles témoins, notamment les figures, ordonnées en parfaite composition, de Picasso et de Fernande Olivier. Un peu après Marie Laurencin développa le thème en groupant : Picasso, Fernande Olivier (l'auteur de *Picasso et ses amis*), la poétesse Marguerite Gillot célébrée par Paul Fort dans ses *Ballades françaises*, le poète Maurice Che-

vrier, Guillaume Apollinaire, et moi-même. Au fond, on voit les marches schématisées du pont Mirabeau qui livra tant à l'inspiration d'Apollinaire. Ce fut aussi le temps de ses gravures au burin et de ces bois inspirés tour à tour par la fable et les romances chantées aux coins des rues.
Marie Laurencin avait trouvé son style. Elle devint le peintre des jeunes filles aux yeux de biches et des biches aux effrois de vierges. Elle combina comme certains poètes de son âge le réalisme et la féerie. Le modèle de Marie Laurencin fut souvent la petite fille de sa concierge. Il y a de la baguette des fées dans le pinceau de Marie Laurencin. Les commentateurs de Marie Laurencin ont parfois parlé d'une influence subie de Carrière à ses débuts. Ce dut être bien rapide et cela ne subsiste que dans quelques portraits, le plus souvent d'elle-même ; il est à remarquer que, si la palette d'alors est proche de la grisaille, le coloris est tout de même plus accentué que chez celui qui se défiait si fort de la lumière. En possession des moyens d'affirmer sa personnalité, Marie Laurencin se composa cette palette qui n'est qu'à elle, riche des couleurs choisies entre les plus tendres et dont elle se plaît à tirer avant tout des nuances, mais de façon assez miraculeuse si ce n'est jamais sans que l'accent soit profondément mis sur le ton. On peut citer de ses œuvres : *La Guitare* – *L'Enfant au violon* – *Princesse* – *Les Sirènes* – *Portrait de Jeannot*, et les portraits de *René Dalize* – *Marcel Jouhandeau* et *André Salmon*. Elle a également illustré de nombreux livres : *L'Éventail de Marie Laurencin*, recueil de poésies composées en son honneur par divers auteurs de ses amis, *La Tentative amoureuse* – *Les Poésies d'André Walter* d'André Gide, *Changer d'étoile* de M. Auclair, *Dix filles dans un pré* de J. R. Bloch, *Lettres espagnoles* de J. de Lacretelle, *L'Âge de l'humanité* d'André Salmon, *Nœuds coulants* de P. Morand, *Alice in Wonderland* de Lewis Carroll, *Ces choses qui seront vieilles* de L. Faure-Favier, etc. Retenons en terminant que Marie Laurencin occupe l'une des premières places parmi les peintres contemporains appelés à rénover l'art du décor de théâtre, avec *Les Biches* pour les Ballets russes, en 1924, et *À quoi rêvent les jeunes filles ?*, pour la Comédie française, en 1928, et même son art subtil a livré des thèmes de ballets.

■ André Salmon

Bibliogr. : Maurice Raynal : *Anthologie de la peinture en France de 1906 à nos jours*, Montaigne, Paris, 1927 – M. G. in : *Diction. de la peinture mod.*, Hazan, Paris, 1954 – Bernard Dorival : *Les Peintres du xxe s.*, Tisné, Paris, 1957 – in : *Les Muses*, La Grange Batelière, t. IX, Paris, 1972 – in : *Diction. univers. de la peinture*, Le Robert, t. IV, Paris, 1975 – Ch. Gere : *Marie Laurencin*, Flammarion, Paris, 1977 – Daniel Marchesseau : *Catalogue raisonné de l'œuvre gravé de Marie Laurencin*, Musée Marie Laurencin, Nagano, 1981 – Daniel Marchesseau : *Catalogue raisonné de l'œuvre peint de Marie Laurencin*, Musée Marie Laurencin, Nagano, 1986 – *La Collection du musée nat. d'Art mod.*, Centre Georges Pompidou, Paris, 1986 – Flora Groult : *Marie Laurencin*, Mercure de France, Paris, 1987 – in : *L'Art du xxe s.*, Larousse, Paris, 1991 – in : *Diction. de l'art mod. et contemp.*, Hazan, Paris, 1992.

Musées : Baltimore (Mus. of Art) : *Groupe d'artistes* 1908 – Grenoble – Londres (Tate Gal.) : *Portraits* 1915 – Nagano-Ken (Mus. Marie Laurencin) – Paris (Mus. Nat. d'Art Mod.) : *Apollinaire et ses amis* 1909 – *Femme à la colombe* 1919 – *Portrait de la baronne Gourgaud en manteau rose* 1923 – *Portrait de la baronne Gourgaud à la mantille noire* 1924 – *La Répétition* 1936 – *Deux têtes de femmes* – *La Princesse de Clèves* – *Portrait de femme en rouge* – *Jeunes Filles* – Paris (Cab. des Estampes) : *Pantomine* 1922, eau-forte.

Ventes Publiques : Paris, 27 juin 1900 : *Jeune Femme pensive*, past. (29,5x22,5) : **FRF 47 000** – Paris, 22 mars 1920 : *La guitariste* : **FRF 8 400** – Paris, 30 mars 1921 : *La femme au boa rose* : **FRF 1 750** – Paris, 20 mars 1923 : *Je suis poète*, aquar. : **FRF 1 000** – Paris, 24 nov. 1924 : *Portrait de Mme G. et de l'artiste* : **FRF 10 200** – Paris, 28 oct. 1926 : *La Guitariste* : **FRF 31 100** – Paris, 6-7 juil. 1928 : *Les Pavots* : **FRF 15 000** – Paris, 14 juin 1930 : *La Fillette au chien* : **FRF 9 000** – Paris, 12 déc. 1932 : *Portrait de l'artiste* : **FRF 6 800** – New York, 14 nov. 1934 : *Jeune fille lisant* : **USD 325** – Paris, 15 juin 1938 : *Groupe de jeunes filles* : **FRF 9 100** – Paris, 4 déc. 1941 : *Manola* 1925 : **FRF 21 000** – Londres, 18 sep. 1942 : *La Jeune Fille à la cage* : **GBP 136** – Paris, 25 jan. 1943 : *Les Travestis* : **FRF 60 000** – New York, 11 mai 1944 : *Deux Jeunes Filles* : **USD 1 300** – Paris, 8 fév. 1945 : *Les Deux Jeunes Filles* 1963 : **FRF 125 000** – New York, 1er mai 1946 : *Diane* : **USD 1 550** – Paris, 23 avr. 1947 : *Femme à la guitare* : **FRF 50 000** – New York, 14 fév. 1951 : *Jeune Fille à la guitare* : **USD 575** – Paris, 30 nov. 1954 : *Jeune Femme étendue* : **FRF 320 000** – Londres, 1er nov. 1957 : *Jeune Fille avec une rose dans les cheveux* : **GBP 273** – Paris, 1er déc. 1959 : *La Jeune Fille au bouquet* : **FRF 1 000 000** – New York, 26 oct. 1960 : *Catherine à la rose* : **USD 2 800** – New York, 25 jan. 1961 : *Trois Jeunes Filles* : **USD 4 000** – Londres, 10 avr. 1962 : *Jeune Femme à l'éventail* : **GBP 4 500** – Paris, 10 juin 1963 : *Les Comédiennes* : **FRF 48 000** – Lausanne, 23 oct. 1964 : *Les Cavaliers* : **CHF 44 000** – Genève, 27 nov. 1965 : *Promenade au bois*, aquar. : **CHF 19 500** – New York, 20 avr. 1966 : *La Famille* : **USD 18 000** – New York, 15 oct. 1969 : *Les deux sœurs* : **USD 36 000** – Paris, 2 juin 1971 : *La Promenade* : **FRF 112 000** – Londres, 29 nov. 1972 : *La Danse à la campagne* vers 1913 : **GBP 16 000** – Paris, 13 mars 1974 : *Portrait de jeune femme* : **FRF 135 000** – Londres, 2 juil. 1974 : *Jeunes Femmes dans la forêt* : **GNS 17 000** – Paris, 12 déc. 1976 : *L'Ambassadrice* : **FRF 20 100** – New York, 25 nov. 1976 : *Deux Petites Filles* : **USD 2 000** – New York, 26 mai 1976 : *Femmes et musicienne* 1943, h/t (61x49,7) : **USD 20 000** – Le Havre, 25 juin 1976 : *Portrait*, cr. de coul. : **FRF 8 000** – Versailles, 5 déc. 1976 : *Amazones et jeunes filles* 1927, aquar. (24,5x36,5) : **FRF 26 000** – Paris, 16 nov. 1977 : *Portrait de Paul Morand* 1927, cr. (27x21) : **FRF 8 500** – New York, 8 juin 1977 : *Mère et Enfant*, h/t (54,5x46,5) : **USD 9 000** – Paris, 15 mai 1979 : *Jeune fille au collier de perles* 1954, litho. coul. avec reh. de cr. coul. : **FRF 14 000** – Paris, 28 févr 1979 : *Deux jeunes filles au chien* vers 1935, mine de pb et lav. de gris, reh. de cr. coul. (33,5x24,5) : **FRF 21 500** – New York, 7 nov 1979 : *Pot de fleurs* 1905, past./pap. brun mar./cart. (47x34) : **USD 16 000** – Londres, 3 juil 1979 : *Le Hamac* 1922, h/t (72,3x92) : **GBP 38 000** – Tokyo, 14 fév. 1981 : *Danseuses dans un paysage* vers 1913, h/t (112x144) : **JPY 12 500 000** – New York, 15 nov. 1983 : *Trois femmes* 1926, h/t (93x74) : **USD 130 000** – Honfleur, 1er jan. 1984 : *Constantinople* 1907, eau-forte (17x13) : **FRF 51 500** – New York, 15 nov. 1984 : *Deux Jeunes Femmes*, aquar./traits de cr. (45,1x36,2) : **USD 35 000** – Londres, 28 mars 1984 : *Portrait de femme*, cr. de coul. sur trait de mine de pb (33x25,7) : **GBP 6 500** – Paris, 19 juin 1985 : *Au théâtre : trois danseuses*, aquar. (35x45) : **FRF 256 000** – Lyon, 9 déc. 1986 : *La Ronde*, h/t (80x59) : **FRF 1 240 000** – Londres, 1er déc. 1986 : *Femme au chat et au chien* 1916, h/t (100,5x73) : **GBP 200 000** – Paris, 24 nov. 1987 : *Portrait de jeune femme*, aquar. (28x24) : **FRF 190 000** – Paris, 27 nov. 1987 : *Autoportrait* vers 1908, h/t (34,5x26) : **FRF 95 000** – New York, 18 fév. 1988 : *Portrait de femme*, cr./pap. (31x21,5) : **USD 3 080** – Paris, 24 avr. 1988 : *Études de jeunes filles*, dess. (17x11) : **FRF 4 900** – Paris, 22 juin 1988 : *Portrait de femme* 1938, h/t (46x38) : **FRF 1 025 000** – Londres, 29 juin 1988 : *Jeune Femme au sein nu*, h/t (41x33) : **GBP 121 000** – Paris, 26 oct. 1988 : *Les Enfants du château* 1930, litho. coul. : **FRF 81 000** – New York, 12 nov. 1988 : *Autoportrait* 1912, aquar. et cr./pap. (18,4x14,9) : **USD 33 000** – Londres, 21 fév. 1989 : *Femme à la robe jaune*, aquar./pap. (20,3x16) : **GBP 20 900** – New York, 9 mai 1989 : *La Vie au château* 1925, h/t (114x163) : **USD 1 430 000** – New York, 10 mai 1989 : *Diane* 1921, h/t (65x81) : **USD 297 000** – New York, 14 nov. 1989 : *Le Concert*, h/t (73x60) : **USD 880 000** – Paris, 21 nov. 1989 : *Manuscrit autographe signé de Jean Cocteau accompagné d'un dessin*, cr. coul. (21,3x28,2) : **FRF 265 000** – Rome, 28 nov. 1989 : *Portrait de femme* 1938, h/pan. (27x22) : **ITL 73 000 000** – Paris, 27 mars 1990 : *Simone Laurencin* 1932, h/t (64x48) : **FRF 2 800 000** – Paris, 1er avr. 1990 : *Jeune Fille à la mantille*, h/t (41x33) : **FRF 1 650 000** – Paris, 24 avr. 1990 : *Cinq jeunes femmes*, aquar. (26x36) : **FRF 310 000** – New York, 16 mai 1990 : *Deux Jeunes Filles*, aquar. et cr./pap./cart. (28x37,8) : **USD 61 600** – Londres, 26 juin 1990 : *Femme décolletée au collier de perles*, h/t (55x46) : **GBP 242 000** – New York, 3 oct. 1990 : *Femme au collier de corail* 1929, h/t (46x38) : **USD 198 000** – New York, 14 nov. 1990 : *Jeune Fille à la chevelure fleurie* 1937, h/t (65x54) : **USD 484 000** – Paris, 25 nov. 1990 : *Trois Jeunes Filles au balcon* 1939, h/t (33x41) : **FRF 900 000** – Londres, 3 déc. 1990 : *Les Deux Sœurs au violoncelle* 1913, h/t (115,9x89) : **GBP 418 000** – Valence, 14 avr. 1991 : *La Ronde* 1925, h/t (92x73) : **FRF 2 300 000** – New York, 9 mai 1991 : *Portrait* 1938, h/t (46x38) : **USD 236 500** – Londres, 26 juin 1991 : *La Ronde*, cr. et aquar. (33x44,5) : **GBP 30 800** –

Monaco, 11 oct. 1991 : *Cavalière sur un chemin*, h/cart. (20,3x25) : **FRF 144 300** – Londres, 24 mars 1992 : *Les Deux Amies*, h/t (35x27,3) : **GBP 38 500** – New York, 14 mai 1992 : *Vase de fleurs avec lys* 1933, h/t (63,5x52,7) : **USD 99 000** – New York, 12 nov. 1992 : *L'Infante* 1915, h/t (73,7x59,7) : **USD 242 000** – Rome, 19 nov. 1992 : *La Dame avec la rose*, litho. coul. (32,5x24,5) : **ITL 1 600 000** – New York, 23-25 fév. 1993 : *Deux Jeunes Filles*, h/t (50,8x61) : **USD 167 500** – Paris, 15 mars 1993 : *Portraits de jeunes filles*, h/t (46x38) : **FRF 415 000** – Paris, 11 juin 1993 : *Juliette* 1925, litho. (31,5x24) : **FRF 30 000** – Saint-Dié, 17 oct. 1993 : *Les deux amies*, aquar. (26x34,5) : **FRF 110 000** – Londres, 30 nov. 1993 : *Colombine*, h/t (55x46) : **GBP 84 000** – Montréal, 23-24 nov. 1993 : *La Fâchée* 1918, h/pan. (38x26,6) : **CAD 24 000** – Paris, 9 mars 1994 : *Autoportrait* 1911, aquar. (26,3x20,4) : **FRF 36 000** – Paris, 29 juin 1994 : *Portrait de la poétesse George Day*, h/pan. (35x27) : **FRF 80 000** – New York, 10 nov. 1994 : *Tête de jeune fille*, aquar. et cr./pap. (28,8x24,2) : **USD 17 250** – Paris, 15 nov. 1994 : *Deux Jeunes Filles*, aquar. et encre de Chine (43,5x34,5) : **FRF 300 000** – Londres, 30 nov. 1994 : *La Danse* 1927, h/t (92x73) : **GBP 155 500** – Aurillac, 26 fév. 1995 : *Jeune Fille de profil au chapeau*, h/t (33x24) : **FRF 210 000** – New York, 10 mai 1995 : *Sonia* 1923, h/t (61x50,2) : **USD 167 500** – Paris, 21 nov. 1995 : *Buste de femme aux seins nus*, h/t (61x50) : **FRF 505 000** – Tel-Aviv, 14 jan. 1996 : *Deux Jeunes Femmes et un cheval noir*, aquar. (20,5x15,5) : **USD 6 210** – Milan, 20 mai 1996 : *Visages de femmes* 1916, aquar. et cr./pap. (15x10) : **ITL 4 140 000** – Paris, 13 juin 1996 : *Les Flûtistes* 1904, eau-forte et aquat. (24,5x15,3) : **FRF 26 500** – Paris, 21 nov. 1996 : *Elvire*, litho. (38x29) : **FRF 20 500** – Paris, 24 nov. 1996 : *Jeune Fille à la robe blanche* 1926, cr. et reh. de cr. coul. (25,5x16,5) : **FRF 16 200** – Paris, 28 nov. 1996 : *Jeune Femme à la mandoline*, h/t (35x27) : **FRF 180 000** – Londres, 4 déc. 1996 : *Fillette au chien*, h/t (55x46) : **GBP 51 000** – New York, 9 oct. 1996 : *Trois jeunes filles au chien*, aquar. et cr./pap. (24,1x33) : **USD 23 000** – Paris, 7 mars 1997 : *Buste de femme au chapeau garni de fruits*, photogravure : **FRF 7 800** – New York, 13 mai 1997 : *Deux Femmes au chien*, aquar. et cr./pap. (30,5x25,5) : **GBP 11 500** – Paris, 6 juin 1997 : *La Tunique rose*, encre et cr. coul. (22,5x18) : **FRF 12 000** – Londres, 23 juin 1997 : *Madame Martin* 1952, h/t (41x32) : **GBP 12 650** – Londres, 25 juin 1997 : *Danseuses* 1942, h/t (65x54) : **GBP 117 000** – Paris, 27 juin 1997 : *Portrait de jeune femme au col rose*, h/t (41x33) : **FRF 322 000**.

LAURENCY

xixe siècle. Français.

Peintre de paysages.

Le Musée de Blois conserve de cet artiste : *Pissaro, Intérieur de forêt, Paysage.*

LAURENDEAU Maxime

Né le 26 avril 1803 à Soissons (Aisne). Mort le 30 novembre 1882 à Soissons. xixe siècle. Français.

Paysagiste et écrivain.

Le Musée de Soissons conserve de lui une *Vue de l'ancienne église de Saint-Pierre-à-la-Chaux, à Soissons.*

LAURENG Théodor

Né en 1879 à Spydeberg. xxe siècle. Norvégien.

Peintre de paysages.

Profondément influencé par Munch, il fut surtout un paysagiste.

LAURENS Albert F. A.

Né en 1864 ou 1870 à Lyon (Rhône). Mort en 1934. xixe-xxe siècles. Français.

Peintre de figures, paysages, dessinateur.

Élève de Bonnat, il exposa à Paris, au Salon des Artistes Français.

Ventes Publiques : Londres, 19 juin 1992 : *Les naïades*, h/t (100,5x160) : **GBP 7 700** – Amsterdam, 10 déc. 1992 : *Femme couchée*, cr./pap. (22,5x26,5) : **NLG 9 200** – Paris, 18-19 mars 1996 : *La baie d'Alger*, h/pan. (33x43,5) : **FRF 16 000**.

LAURENS Camille Adolphe

Né en 1870. Mort en 1934. xixe-xxe siècles. Français.

Peintre de paysages. Orientaliste.

Lieutenant de vaisseau de son métier, autodidacte en tant que peintre, il participa régulièrement au Salon des Peintres orientalistes, et en 1906 à l'Exposition Coloniale de Marseille.

Ses paysages ont été peints d'après ses voyages, notamment en Indochine. Il oppose, dans ses compositions, des parties inondées de lumière à des détails dessinés précisément en tonalités sombres.

Bibliogr. : Gérald Schurr, in : *Les Petits Maîtres de la peinture 1820-1920, valeur de demain*, Les Éditions de l'Amateur, t. V, Paris, 1981.

Ventes Publiques : Paris, 18 fév. 1980 : *Procession en Indochine*, h/t (60x60) : **FRF 4 200**.

LAURENS Henri

Né le 18 février 1885 à Paris. Mort en 1954 à Paris. xxe siècle. Français.

Peintre à la gouache, peintre de collages, sculpteur, graveur, décorateur de théâtre, dessinateur, illustrateur.

Devant notre étonnement de sa vie entière si calme, Henri Laurens rit et nous rappela que l'aventure intellectuelle ou artistique demeure essentiellement interne, outre qu'il serait malaisé à un sculpteur de transporter son matériel. Contrairement à un préjugé porté sur la renaissance ou le romantisme, il semblerait que la vie des artistes fût généralement rangée. Quant à Henri Laurens, lorsque nous aurons dit qu'il est né à Paris et y a toujours travaillé, nous en aurons terminé avec sa biographie. Sa femme, Marthe Laurens, écrit dans le catalogue de l'exposition rétrospective du musée d'Art moderne de la Ville de Paris en 1951 : « C'est toute l'histoire d'une vie qui continua, tantôt mauvaise, tantôt meilleure, mais toute simple. Maintenant que les images vous disent les angoisses et les joies, le rythme et les harmonies et quelquefois la poésie incluse : vous aurez toute la foi et toute la vie d'Henri Laurens ». Dès son enfance, au sortir de l'école communale, il sculpte, comme apprenti chez un sculpteur décorateur puis comme sculpteur de pierre sur les bâtiments et fréquente les cours du soir du « père Perrin » de la rue Turgot, dessine et s'initie seul au modelage. En 1910, il fit un bref séjour à La Ruche, que fréquentent Archipenko et Léger. Il faut se faire à la solitude écrasante de toute existence, ainsi mènera-t-il ses recherches, jusqu'à la naissance du cubisme en 1911, complètement isolé, et ce n'est qu'alors qu'il rencontre Braque, avec qui il se lia d'une amitié définitive, Fernand Léger et Juan Gris ; encore n'adhère-t-il à aucun groupe. Même s'il eut la surprise de connaître quelques succès dans les toutes dernières années de sa vie, il était trop tard pour que cela pût changer quoi que ce soit dans la vie du colosse débonnaire. Il resta dans la maisonnette triste de la villa Brune, emplie du grand vide poudreux de l'atelier. En effet, l'après-guerre lui apporta une reconnaissance tardive.

Il fut représenté une première fois à la Biennale de Venise, en 1948. En 1950, contrairement aux prévisions, la Biennale de Venise, toute aux tractations de son jury international, ne lui décerna pas son Grand Prix, mais il connut à cette occasion la joie de l'amitié de Matisse et de l'admiration de Giacometti qui en retira ses propres œuvres, en signe de protestation. La Biennale de São Paulo répara l'erreur, trois ans plus tard, à la veille de sa mort. La gloire vint après, et les musées nationaux possèdent de ses œuvres... grâce à l'importante donation faite par son fils. Il montra ses œuvres dans des expositions personnelles à Paris en 1945, à New York en 1947. Le musée national d'Art moderne de Paris montra une exposition rétrospective de son œuvre en 1951. Après sa mort, d'autres rétrospectives de son œuvre ont eu lieu en 1967 aux galeries nationales du Grand Palais à Paris, en 1989 à Barcelone, en 1990 au château de Biron, en 1993 au musée d'Art moderne de Villeneuve-d'Ascq, en 1998 à Paris, *60 terres cuites*, galerie Louise Leiris.

Henri Laurens veut bien vous promener devant ses œuvres, vous attend patiemment pendant votre contemplation, mais n'éprouvera nullement la nécessité de s'expliquer de l'une ou l'autre. M. Jean Cassou dit : « Henri Laurens est aussi taciturne que son art ; à l'un à l'autre, il est impossible d'arracher la confidence d'une théorie ou de ce que les gens appellent une explication. Les sculptures de Laurens sont donc silencieuses, fermées sur elles-mêmes, fortes de leur seule présentation dans l'espace, dénuées de ces justifications par lesquelles on essaie de suivre les avatars d'un objet du monde extérieur jusqu'à sa déformation finale. Elles ne sont pas déformation mais création. Elles sont de la plastique pure. C'est en quoi elles relèvent du cubisme, tel que celui-ci s'est voulu dans son extrême rigueur, c'est-à-dire non pas une nouvelle façon de pratiquer l'art, mais une pratique nouvelle, un art même, un art distinct. Non pas une école d'art, mais un art en soi ». Donc Henri Laurens ne s'expliquera pas, ni son œuvre, parce qu'il juge avoir édifié un monument en langage clair. Dans l'œuvre total de Laurens, il faut distinguer deux époques principales, avant 1921 et après 1921, outre une période de transition. De 1911 à 1921, il produit des constructions de papiers collés et des pierres polychromées, époque que l'on peut certainement qualifier de cubiste, selon l'esprit qui anime ses recherches. Toute la production de cette époque est nettement caractérisée par la conception angulaire de l'espace, alors que la seconde époque, celle de l'épanouissement, sera marquée par une vision pleine des volumes. Du temps des recherches cubistes, si de nombreux peintres s'assimilèrent les disciplines nouvelles, peu de sculpteurs comprirent tout d'abord quelles ressources d'espace et de volumes inédits leur étaient offertes. Henri Laurens peut être considéré comme l'un des seuls précurseurs de la sculpture d'inspiration cubiste, avec Lipchitz, Duchamp-Villon, disparu prématurément, l'aimable Gargallo, Archipenko, Zadkine, puis l'anglais Henry Moore, sans parler des peintres qui sacrifièrent à la sculpture. La Fresnaye, Matisse, Braque et Picasso. Un point est certain, il est le grand sculpteur français de cette époque, et à ce propos il ne faut pas manquer de noter comme un monde sépare Henri Laurens d'Aristide Maillol, héritier spirituel de Renoir. De son époque cubiste, citons : *Femme à l'éventail* (bois, 1917), *Guitare* (pierre polychromée, 1917), *Femme à l'éventail* (pierre, 1919), *Bouteille et Journal* (bois et fer peint, 1919), *L'Homme à la pipe* (pierre, 1919), *Le Boxeur* (pierre polychromée, 1921), *Tête de boxeur* (terre cuite, 1920), *Nature morte* (pierre polychromée, 1920), *Le Boxeur* (pierre polychromée, 1921). Toutes ces œuvres procèdent d'un souci de recherche d'un nouveau langage plastique. La leçon de Cézanne et l'émulation de la jeune école cubiste se traduisent ici en sculpture, les formes sont simplifiées en leurs éléments essentiels, qui disloqués ou syncopés tendent à l'abstraction d'espaces et de formes gratuits. La sculpture à son tour, après la poésie, la musique et la peinture, se libère de ses liens temporels. Pourtant ce n'est là peut-être qu'un préambule à l'œuvre véritable d'Henri Laurens. C'est justement cette dure discipline qui préparera et rendra possible, sans entrave manuelle ni spirituelle, le jaillissement lyrique des œuvres de la seconde époque. Si, dans les années vingt, Henri Laurens commence une série de terres cuites représentant des formes féminines, on a su, en particulier par Daniel Henri Kahnweiler, que ce fut dû à la seule raison que la terre, dans une période de difficultés matérielles lui coûtait beaucoup moins chère que le bronze. En cela ne réside pas l'intérêt de cette date charnière, mais bien plus dans ce fait flagrant que, avec ces formes féminines, il confère au cubisme des possibilités de gracieuse sensualité. L'apparition de ces formes curvilignes, la substitution de la courbe à l'angle, ne signifient pas un renoncement au cubisme, en tout cas pas à ses principes fondateurs, mais une ouverture, une nouvelle orientation. Toutes les œuvres de cette seconde époque, toutes les œuvres depuis 1921, donc, sont étroitement unies par un lien spirituel, par une manière que l'on aime à reconnaître et qui constitue proprement le style d'Henri Laurens, ce qui n'avait jamais été vu avant lui et que l'on ne retrouve chez Henry Moore ou chez le jeune Lobo que parce qu'ils l'ont reçu de lui. Henri Laurens est un artiste révolutionnaire certes, et nous avons recueilli lors de ses expositions, les doléances scandalisées de ses confrères acheminés, vers l'Institut et pourtant nul œuvre ne nous inspira jamais un sentiment plus juste de l'idée de classicisme. Le classicisme des vrais classiques est révolutionnaire en ce qu'il s'abreuve au présent, à la vie tandis que les formes d'art prétendument classiques qui ne se réfèrent qu'au passé et aux musées sombrent inévitablement dans le pédantisme. Ce classicisme d'Henri Laurens, nous le reconnaissons d'autant mieux qu'il nous est familier, c'est le classicisme de Versailles, de l'Île-de-France, de tous ces artistes de chez nous, dans l'œuvre desquels René Huyghe remarquait que la « ligne onduleuse et tendre est en accord avec celle du paysage ». De cette seconde partie répartie déjà sur trente ans, citons quelques-unes des œuvres principales : *Femme couchée au miroir* (bronze, 1922), *Femme couchée à l'éventail* (terre cuite, 1922), *Torse de femme* (marbre, 1925), *Femme à la draperie* (bronze, 1928), *Femme au miroir* (bronze, 1928), *Nu accroupi* (pierre, 1929), *Femme agenouillée* (bronze, 1929), *Cariatide* (bronze, 1930), *Baigneuse couchée* (plâtre, 1931), *Ondines* (bronze, 1932), *Femme assise* (bronze, 1932), *Stella* (plâtre, 1933), *Océanide* (plâtre, 1933), *Les Ondines* (plomb, 1934), *La Négresse* (bronze, 1934), *Torse* (plomb, 1935), *La Mère* (bronze, 1935), *La Forêt* (bronze, 1935), *Amphion* (plâtre, 1937), *Musicienne à la harpe* (plâtre, 1937), *Grande Musicienne* (plâtre, 1938), *Groupe de sirènes* (bronze, 1938), *Sirène ailée* (bronze, 1938), *Flora* (marbre, 1939), *Métamorphose* (bronze, 1940), *L'Été* (bronze, 1940), *L'Adieu* (pierre, 1941), *Femme fleur* (bronze, 1942), *La Nuit* (marbre, 1943), *Sirène* (bronze, 1944), *L'Aurore* (marbre, 1944), *Le Matin* (bronze, 1944), *La Sirène* (bronze doré, 1944), *Allégorie* (bronze, 1945), *La Baigneuse* (bronze, 1946), *L'Automne* (plâtre, 1948), *Sirène ailée* (bronze, 1948), *La Lune* (bronze, 1948), *Jeune Fille étendue* (bronze, 1950), *Figure couchée* (plâtre, 1951). À ces œuvres sculptées, il faut ajouter de très nombreux dessins, dont relèvent aussi les quelques livres qu'il a illustrés et surtout les *Idylles* de Théocrite. Il fallait mentionner ces admirables dessins et illustrations, qui constituent une part importante de l'œuvre d'Henri Laurens, d'autant plus qu'ils nous permettent de préciser encore ce que nous nommions le classicisme de son inspiration et par là de tenter d'en approcher l'essence. Le trait chez Henri Laurens rappelle étonnamment celui des vases grecs, il en a la pureté, arabesque sans lever la plume il décrit d'un seul jet la forme entière et, serpent qui se mord la queue, revient préciser le détail avant d'aboutir à son point de départ. La pureté de la ligne unique est grecque tandis que par ses ingénieux retours sur elle-même, elle annexe les ressources inventives de l'expérience cubiste. Si l'on peut dire que la poésie est souvent un jeu de mots, ici le dessin se fait jeu de lignes et il y a du calembour supérieur à ce que le même trait qui vient de dessiner un bras figure du même coup le sein. Ainsi dans ses œuvres sculptées se conjuguent les formes telles qu'elles ne laissent place à aucun vide. Les bras, la tête ou les jambes ne saillissent pas dans leur ordre originel et le tronc méprise sa proportion naturelle, mais c'est à la nature que l'on est tenté de donner tort, tant l'harmonie qui préside à l'ensemble apparaît sans faille. Assez délaissé par la société de son temps – il n'est que de regarder le décor sculpté des bâtiments de l'époque, même ceux de Perret, quand ce ne sont le Trocadéro, le musée d'Art moderne ! – il n'eut que peu d'occasions de sculptures monumentales ou de travaux pour le public : outre plusieurs illustrations de livres réparties au long de sa carrière, il composa les décors pour le *Train bleu*, aux Ballets russes de Diaghilev, en 1924 ; sculpta le tombeau de l'aviateur Tachart au cimetière de Montparnasse, qu'une restauration insensée a réduit à rien ; eut commande d'un portique et d'une fontaine pour Jacques Doucet, en 1923-1925 ; d'un pilier et d'une cheminée pour le vicomte de Noailles. Dans sa seconde période, après 1926, quand la plénitude de la courbe eut remplacé la rigueur angulaire, il exécuta en 1937, quatre hauts-reliefs *La Terre* et *La Mer*, en grès, pour le pavillon de Sèvres à l'Exposition internationale de Paris ; *La Vie* et *La Mort*, en plâtre, pour la palais de la Découverte ; vers 1950, il réalisa un agrandissement de *L'Amphion*, de 1937, pour la Cité universitaire de Caracas. ■ Jacques Busse

H L

H-LAURENS

Bibliogr. : Catalogue de l'exposition rétrospective : *Henri Laurens*, Musée national d'Art moderne, Paris, 1951 – Catalogue de l'exposition posthume : *Henri Laurens*, Grand Palais, Paris, 1969 – Frank Elgar, in : *Nouveau Diction. de la sculpture mod.*, Hazan, Paris, 1970 – W. Hofmann : *The Sculpture of Henri Laurens* New York, 1970 – in : *Les Muses*, La Grange Batelière, t. IX, Paris, 1972 – Catalogue de l'exposition : *Henri Laurens*, Musée national d'Art moderne, Paris, 1973 – Catalogue de l'exposition : *Henri Laurens, le cubisme 1915-1919*, Musée nat. d'Art mod., Paris, 1985 – Brigitte Völker : *Catalogue raisonné de l'œuvre gravé*, Berlin, 1985 – *La Collection du musée nat. d'Art mod.*, Centre Georges Pompidou, Paris, 1986 – in : *L'Art du xxe s.*, Larousse, Paris, 1991 – in : *Diction. de l'art mod. et contemp.*, Hazan, Paris, 1992 – Catalogue de l'exposition : *Rétrospective Henri Laurens*, Réunions des musées nationaux et Musée d'Art moderne de Villeneuve d'Ascq, Paris, 1992 – Laurence Debecque-Michel : *Henri Laurens à Villeneuve d'Ascq : cubisme et sculpture*, Opus International, n° 131, Paris, print.-été 1993.

Musées : Amsterdam (Stedelijk Mus.) – Bâle : *Petite tête* 1915 – Grenoble – Londres (Tate Gal.) : *Baigneuse* 1931 – *L'Automne* 1948 – New York (Mus. of Mod. Art) – Paris (Mus. Nat. d'Art Mod.) : *Bouteille et verre* 1917 – *Le Compotier aux raisins* – *Panier de fruits* 1922 – *Femme accroupie* 1930 – *Sirène au bras levé* – *L'Adieu* 1941 – *La Chevelure* 1946 – *La Jeune Sœur* 1949 – Prague (Mus. d'Art Mod.) – Stockholm (Mod. Mus.) : *Le Clown* – Tel-Aviv : *Tête de femme* – Villeneuve-d'Ascq (Mus. d'art Mod.) : *Instruments de musique* 1929.

Ventes Publiques : Paris, 3 mars 1927 : *Femme au chapeau noir et jaune*, gche : **FRF 300** – Paris, 12 avr. 1933 : *Terre polychro-*

mée : FRF 1 200 – PARIS, 27-28 nov. 1935 : *Le Clown*, bois peint. : FRF 1 000 – PARIS, 2 juil. 1947 : *Nu renversé*, mine de pb : FRF 2 050 – BERNE, 27 nov. 1959 : *Nu*, gche : CHF 1 600 – LONDRES, 23 nov. 1960 : *Compotier et Raisins*, terre cuite polychromée : GBP 1 900 – NEW YORK, 30 oct. 1963 : *Figure assise*, bronze : USD 4 500 – PARIS, 25 nov. 1965 : *Guitare et Papier à musique*, gche et pap. collé : FRF 55 000 – NEW YORK, 20 nov. 1968 : *Le jour*, bronze : USD 8 000 – PARIS, 4 mars 1972 : *Hercule et le lion*, gche : FRF 20 500 – LONDRES, 28 mars 1973 : *Composition cubiste*, collage : CHF 42 000 – PARIS, 20 juin 1974 : *Architecture pour le Train bleu* 1924, terre cuite, bas-relief : FRF 105 000 – LONDRES, 29 juin 1977 : *Tête de femme* 1916, collage, craie et cr. (53x69) : GBP 12 800 – NEW YORK, 19 oct. 1977 : *Femme à l'éventail* 1921, bronze, patine noire (51x39) : USD 14 000 – LONDRES, 7 juin 1979 : *Femme accroupie*, cr. (22x27) : GBP 600 – NEW YORK, 17 mai 1979 : *Tête* 1919, gche et cr. noir (28,3x18,7) : USD 4 200 – VERSAILLES, 13 juin 1979 : *Guitare et instruments* 1917, pap. collés, lav. et fus. (32x45,5) : FRF 85 000 – ZURICH, 30 mai 1979 : *Femme au bras levé* 1930, terre cuite (H. 36) : CHF 7 500 – NEW YORK, 20 mai 1982 : *Composition* 1918, collage, gche et cr./pap. (19x26,5) : USD 14 000 – COPENHAGUE, 18 mai 1982 : *Instrument de musique*, terre cuite peinte (H. 51,5) : DKK 340 000 – NEW YORK, 18 mai 1983 : *Femme couchée* vers 1951, gche et craie noire (23x30,5) : USD 3 200 – NEW YORK, 18 mai 1983 : *Grande sirène* 1945, bronze patine brun or (H. 115) : USD 75 000 – LONDRES, 4 déc. 1984 : *Bouteille et clarinette* 1918, collage et craie noire et blanche/cart. (59x39) : GBP 42 000 – PARIS, 10 mai 1985 : *Buste de femme* 1924, dess. : FRF 182 000 – NEW YORK, 13 nov. 1985 : *Les Ondines* 1932, bronze, patine noir et vert pâle (L. 167,5) : USD 135 000 – PARIS, 7 mars 1986 : *Le Grand Matin*, bronze (H. 118) : FRF 1 800 000 – NEW YORK, 20 nov. 1986 : *Torse* 1935, bronze patine brun foncé (H. 66) : USD 100 000 – LONDRES, 25 juin 1986 : *Guitare* 1918, collage, gche et cr. (19x26,5) : GBP 16 000 – PARIS, 24 nov. 1987 : *L'Homme à la pipe* 1919, cr. et reh. de gche (26x18) : FRF 320 000 – NEW YORK, 12 mai 1987 : *Tête cubiste* 1917, pap. collé avec cr., encre de Chine et craie/pap. monté/cart. (33x24) : USD 28 000 – LONDRES, 1er déc. 1987 : *Femme couchée* 1923, pierre calcaire (L. 82,5) : GBP 200 000 – PARIS, 24 juin 1988 : *Femme nue couchée à la draperie* 1927, sculpt. en bronze à patine brune (28x85x18) : FRF 1 703 000 ; *Femme aux bras levés* vers 1923, marbre gris (38,5x21x14) : FRF 1 600 000 – LONDRES, 28 juin 1988 : *Grande Maternité* 1932, bronze (L. 142) : GBP 330 000 – PARIS, 20 nov. 1988 : *L'Océanide* 1933, terre cuite, exemplaire unique (H 212,5 cm) : FRF 2 000 000 – LONDRES, 29 nov. 1988 : *Compotier et Raisins* 1919, terre cuite peinte, relief (35x50) : GBP 154 000 ; *Femme couchée à la draperie*, bronze (28x82,5) : GBP 220 000 – PARIS, 1er fév. 1989 : *Valencia* 1927, eau-forte : FRF 22 500 – PARIS, 9 avr. 1989 : *La Nuit* 1943, bronze : FRF 1 550 000 – NEW YORK, 10 mai 1989 : *Petite Océanide* 1933, bronze (H. 33) : USD 165 000 – LONDRES, 28 juin 1989 : *La Jeune Sœur* 1949, bronze (H. 30) : GBP 79 200 – NEW YORK, 15 nov. 1989 : *La Petite Baigneuse* 1947, bronze cire perdue (H. 31,1) : USD 220 000 – LONDRES, 27 nov. 1989 : *Petite Femme assise* 1932, bronze cire perdue (H. 36) : GBP 242 000 – LONDRES, 28 nov. 1989 : *Femme accroupie* 1928, terre cuite (H. 22,3) : GBP 71 500 – NEW YORK, 16 mai 1990 : *L'Homme à la moustache* 1919, pierre calcaire (H. 43,8) : USD 687 500 – PARIS, 25 mars 1990 : *Tête de femme*, terre cuite (42x35) : FRF 750 000 – LONDRES, 25 juin 1990 : *L'Archange (Max Jacob)* 1946, bronze cire perdue à patine brune (H. 36, L. 70) : GBP 187 000 – NEW YORK, 15 nov. 1990 : *Tête de jeune fille* 1920, terre cuite (H. 33) : USD 154 000 – NEW YORK, 13 fév. 1991 : *Femme étendue*, cr./pap. (37,4x54,6) : USD 8 250 – NEW YORK, 9 mai 1991 : *Femme accroupie* 1930, terre-cuite (H. 36,1) : USD 99 000 – LONDRES, 25 juin 1991 : *Tête de femme cubiste*, plaque de terre-cuite (43,2x36,3) : GBP 13 200 – NEW YORK, 7 nov. 1991 : *L'Espagnole* 1939, bronze cire perdue (H. 40,6) : USD 143 000 – PARIS, 17 nov. 1991 : *Femme à la draperie*, sculpt. : FRF 395 000 – LONDRES, 3 déc. 1991 : *La jeune sœur* 1949, bronze à patine noire (H. 30) : GBP 19 800 – NEW YORK, 11 mai 1992 : *Tête* 1919, gche, collage, graphite, craie/cart. (52,5x29,5) : USD 154 000 – PARIS, 3 juin 1992 : *Sans titre* 1918, craie blanche, collage et fus./cart. (51,5x36) : FRF 391 000 – LONDRES, 30 juin 1992 : *Le compotier de raisin* 1922, plaque de bronze à patine brune (46x60) : GBP 23 100 – NEW YORK, 11 nov. 1992 : *Femme couchée* 1925, bronze (L. 53,7) : USD 57 750 – COPENHAGUE, 2-3 déc. 1992 : *Tête de jeune femme* 1927, bronze cire perdue (H. 40) : DKK 200 000 – LONDRES, 21 juin 1993 : *Baigneuse* 1931, bronze cire perdue (H. 57,1, L. 68) : GBP 84 000 ; *Nature morte au verre et cartes à jouer* 1918, collage, craie et fus./pap./pan. (33x23,5) : GBP 54 300 – VERSAILLES, 27 juin 1993 : *Petite femme assise*, bronze (36x25,5x18) : FRF 825 000 – NEW YORK, 3 nov. 1993 : *Le compotier* 1918, collage, cr. et craie blanche/cart. (26,7x26) : USD 43 700 – LONDRES, 28 juin 1994 : *Nature morte à la guitare* 1918, cr. noir, gche et collage/pap. beige (35,5x45,6) : GBP 52 100 – PARIS, 27 oct. 1994 : *Musique*, collage (39x49) : FRF 292 000 – PARIS, 27 nov. 1994 : *Tête* 1915, gche/cart. (60x40) : FRF 420 000 – NEW YORK, 10 nov. 1994 : *Nature morte à la guitare*, collage, cr. et craie blanche/cart. (42x41,4) : USD 112 500 – PARIS, 30 mars 1995 : *Femme à l'oiseau* 1932, bronze (40x32x20) : FRF 330 000 – LONDRES, 29 nov. 1995 : *Guitare*, terre-cuite (H. 35,5) : GBP 20 000 – PARIS, 13 juin 1996 : *Deux Femmes*, eau-forte (19,8x26,5) : FRF 7 000 – ZURICH, 12 nov. 1996 : *Femme assise à la jambe levée* vers 1950, litho. coul. (55,5x38) : CHF 3 600 – NEW YORK, 13 nov. 1996 : *Femme couchée tournée à droite* 1954, bronze patine brun foncé (H. 11,4 ; L. 34,3) : USD 60 250 – LONDRES, 3-4 déc. 1996 : *Le Petit Amphion* 1937, bronze patine brune (H. 45,7) : GBP 32 200 ; *Femme à l'éventail*, bronze cire perdue (L. 61) : GBP 67 500 – PARIS, 17 juin 1997 : *Tête* 1917, pap. collés, cr. et reh. gche/pap. (22,7x28,6) : FRF 500 000 – PARIS, 18 juin 1997 : *Nu couché* 1924, gche/cart. (7,7x32,7) : FRF 140 000 – LONDRES, 24 juin 1997 : *La Négresse*, bronze (H. 71,5) : GBP 529 500.

LAURENS J. B., l'Aîné

Né au XIXe siècle à Montpellier (Hérault). XIXe siècle. Français.

Paysagiste.

Figura au Salon de Paris en 1840.

LAURENS Jean de

XVIe siècle. Actif à Lyon. Français.

Peintre.

François Ier lui fit acheter en 1541 deux peintures.

LAURENS Jean Joseph Bonaventure

Né le 14 juillet 1801 à Carpentras (Vaucluse). Mort le 29 juin 1890 à Montpellier (Hérault). XIXe siècle. Français.

Dessinateur, peintre de genre, poète, musicien, littérateur.

« Carpentras, blottie dans son enceinte de remparts crénelés, comme une perdrix dans une croûte de pâté, est une des plus poétiques villes de France qui rôtissent au soleil du Midi ». C'est dans cette ville aimable et sérieuse que le destin se devait de faire naître Jean Joseph Bonaventure Laurens ; le grand-père y tenait auberge à l'enseigne du *Gril* et le père, qui ne manquait ni de dons ni de fantaisie, mais plutôt de suite dans les idées, après avoir exercé les métiers les plus divers, devait finalement se ruiner et finir ses jours maître de chapelle de la cathédrale de Carpentras. Bonaventure grandit dans une atmosphère d'innocente gaîté avec ses deux frères, dont l'un, Jules, fut peintre de talent et ses deux sœurs ; la musique était la grande affaire de la famille et aucun de ses membres n'y était insensible, elle fut la raison suprême de l'existence de Laurens et le trait caractéristique de sa personnalité. Après une enfance et une jeunesse insouciantes et douces dans cette famille de musiciens, Bonaventure quitta Carpentras en 1829 pour Montpellier ; il laissait dans sa ville natale, que domine le Ventoux et qu'entourent de si beaux vergers, un peu de son cœur qu'il avait à l'âge de douze ans donné aux deux belles statues de marbre qui ornent le tombeau de Monseigneur d'Inguimbert, le chef-d'œuvre de son compatriote Étienne d'Antoine, mais il allait rencontrer sur la place de la Comédie à Montpellier une autre œuvre de cet artiste et non moins aimable : la Fontaine des *Trois Grâces*, « les trois plus belles filles de Montpellier », dit Valéry-Larbaud (et l'éloge n'est pas mince). « Bienheureux cet homme-là d'avoir pu dresser sur la place publique, nues et sans honte, les filles de son esprit, quelle expérience, quelle longue méditation du corps féminin ». Bonaventure Laurens, lui aussi, partagera avec celui de la musique le culte des beaux visages féminins et toute sa vie, armé d'un album et d'un crayon, il les pourchassera avec adresse et patience pour en composer une émouvante collection ; il saura obtenir de nombreuses jeunes filles de poser pour lui ; elles avaient des prénoms charmants et désuets, que nous retrouvons dans l'*Album des Dames* publié chez Hetzel : Angélique, Colette, Séraphie, Spéranda, Eolie, Sabine, Léonie ; elles ne posaient en général que la tête, mais quelques-unes plus audacieuses ou plus confiantes posaient l'ensemble ; il ne paraît pas cependant que celui que son spirituel biographe J. L. Vaudoyer a appelé le Pistachié Sentimental ait recherché plus que la Société et la vue de ces jeunes filles en fleurs dont il a reproduit les traits avec une si minutieuse tendresse et parfois s'il alla plus avant, ce fut certainement à la satisfaction des intéressées ; cependant sa réputation s'est étendue parmi la jeunesse féminine de Montpellier, de tous les coins de la ville de jolis modèles fondent sur lui « comme un vol de pluviers ». Chez lui, il avait le don de mettre sa jeune conquête à l'aise. « Sa voix savait prendre un accent de douceur et d'honnêteté qui calmait et gagnait les plus soupçonneuses et les plus rétives ». Et le soir, après le départ des pluviers, quand le soleil couchant dore les tours de la cathédrale, il s'enchantait d'une fugue de Bach ou d'une mélodie de Schumann. L'ensemble formé par la Faculté de Médecine de Montpellier et la cathédrale qui lui est étroitement jointe, est l'un des plus nobles qui se puissent voir dans une ville où les témoins de la plus belle époque française ne manquent pas ; c'est un site où la pierre domine, mais le Jardin des Plantes, cher à M. Teste, est tout proche. Sauf à l'entrée et à la sortie des cours, un silence y règne d'une rare qualité ; il n'est troublé que par le tintement des cloches ou le cri des oiseaux qui se poursuivent au-dessus de la cour profonde qui est dominée par la cathédrale. C'est dans ce lieu privilégié que Bonaventure Laurens, secrétaire comptable à la Faculté, devait passer la plus grande partie de sa vie et se livrer à ses deux grandes passions : la Musique et le Dessin, car il fut avant tout un musicien et comme l'écrit J.-L. Vaudoyer « Au fond de la Province française, à une époque où la musique italienne d'opéra sait seule entraîner le public, Bonaventure Laurens aide à la diffusion de Bach et de Couperin, il accueille Liszt et devient l'ami de Mendelssohn ». Ce modeste fonctionnaire à l'aspect négligé, d'allure un peu ridicule, trouvait les ressources nécessaires tous les étés pour aller entendre la Passion selon Saint Matthieu à Leipzig ou rendre visite à son ami Schumann à Düsseldorf. On ne saurait avancer que cet homme aux aptitudes multiples, dont l'œuvre importante dort dans les cartons de la Méjanes à Aix-en-Provence et dans ceux de la bibliothèque de Carpentras ait été un grand artiste, les figures aimables qu'il a dessinées gardent le charme un peu suranné des fleurs d'herbier et leur parfum discret ; il a volontairement embelli ses modèles, se conformant ainsi à un Beau idéal qui n'est pas très conforme à la réalité. Comme l'a dit Vaudoyer : « Son dessin, rehaussé parfois d'aquarelle, n'est pas exempt de fadeur, de timidité ; mais comme ses Arlésiennes, comme ses Languedociennes sont jolies ! ». Mistral disait à Laurens : « Vous avez fait avec le crayon ce que j'ai fait avec un sifflet de roseau » et Roumanille : « Lorsque la mort viendra chercher Laurens, il saisira son crayon et dira : *Mort, un moment laisse que je te croque et puis tu me croqueras* ». C'est ce qu'elle fit, mais il avait déjà soixante-dix-neuf ans !

■ Jean Dupuy

Musées : Avignon : *Environs de Montpellier* – Cinq aquarelles – Bagnères-de-Bigorre : Une aquarelle – Carpentras : *Portrait d'Aurès, dit le Philosophe* – Cette : Deux aquarelles – Narbonne : Deux aquarelles.

LAURENS Jean Paul

Né le 30 mars 1838 à Fourquevoux (Haute-Garonne). Mort le 23 mars 1921 à Paris. XIXe-XXe siècles. Français.

Peintre d'histoire, compositions religieuses, portraits, paysages, cartons de tapisseries, aquarelliste, sculpteur, illustrateur.

Né dans une condition des plus modestes, Jean-Paul Laurens témoigna dès son plus jeune âge d'exceptionnelles dispositions artistiques et un invincible désir de faire de la peinture. Il parvint après de longs efforts à suivre les cours à l'école des Beaux-Arts de Toulouse, puis il vint à Paris, pensionné par le département de la Haute-Garonne et fut élève de Léon Cogniet et de Bida. À partir de 1872 sa réputation s'affirma. Il a tenu une place considérable dans l'enseignement de la peinture : successeur de Meissonier à l'Institut, directeur de l'Académie de Toulouse et professeur à l'Académie Julian, où il eut d'innombrables élèves. Il débuta au Salon de Paris en 1863, et depuis y exposa régulièrement. Il a obtenu de nombreuses récompenses : médaille (1869) ; 1re médaille (1872) ; chevalier de la Légion d'honneur (1874) ; médaille d'honneur (1877) ; officier de la Légion d'honneur (1878) ; Grand-croix (1900). En 1997-98, le Musée d'Orsay a organisé la première exposition rétrospective consacrée à son œuvre.

Un grand nombre de ses ouvrages ont été popularisés par la gravure et la photographie. Jean-Paul Laurens a pris une part importante à la décoration de l'Hôtel de Ville de Paris. On y cite de lui : *La Voûte d'acier, L'Arrestation de Broussel, Revendication des franchises communales depuis le XVe siècle jusqu'à Louis XVI*. Ailleurs, il convient de mentionner encore : *La Mort de sainte Geneviève* au Panthéon, et *Lauraguais* au Capitole de Toulouse.

Ses compositions sont bien ordonnées, même si le dessin reste dur et le coloris froid. Il peut aussi être un paysagiste sensible et un sculpteur doué. Enfin, il a créé des cartons de tapisseries. Laurens est le dernier peintre d'histoire faisant encore accepter ce genre délaissé. C'est un artiste un peu froid peut-être, mais son savoir, sa conscience artistique, son respect du détail historique, le rendent estimable. Son talent, loin de faiblir, s'est sensiblement élevé dans une forme noble et simple.

Jean Paul Laurens

Jean Paul Laurens

Musées : Alençon : *Exécution du duc d'Enghien* – Avignon : *Le Christ au jardin des Oliviers* – Béziers : *Funérailles de Guillaume le Conquérant* – Bordeaux : *Le Pape et l'Inquisition* – Bruxelles : Études – Bucarest (Simu) : *Jeanne d'Arc* – Castres : *La musique* – Chantilly : *Le duc d'Enghien dans les fossés de Vincennes* – Le Havre : *L'interdit* – Lyon : *Les otages* – Études – Mulhouse : *L'attente* – Nantes : *Le pape Formose et Étienne VII* – Orléans : *Saint Jean dans le désert* – Paris (Mus. d'Art Mod.) : *Excommunication de Robert le Pieux* – *Délivrance des emmurés de Carcassonne* – *Six illustrations pour le Faust de Goethe* – Paris (Mus. d'Orsay) : *Étude pour le Livre des Juges : Samson et Dalila* – Paris (Petit Palais) : *Décoration du Salon Lobau, projet* – *La voûte d'acier*, fragment – *Turgot* – *J.-J. Rousseau* – *Saint Bruno refusant les présents du comte Roger* – *Proclamation de la République en 1848* – Toulouse : *Mort de Caton d'Utique* – *Saint Jean Chrysostôme* – *La piscine de la Belthsaïde* – *Le vieux savant*.

Ventes Publiques : Paris, 1879 : *François Borgia devant le cercueil d'Isabelle de Portugal* : **FRF 9 110** – Paris, 1884 : *Le Guet-apens* : **FRF 4 000** ; *Lucrèce Borgia* : **FRF 3 580** – Paris, 7 mai 1898 : *La Mort du pape Martin V* : **FRF 1 200** – Paris, 12-14 juin 1907 : *Une victime des Borgia* : **FRF 1 500** – Paris, 18-21 déc. 1918 : *Les Otages* : **FRF 370** – Paris, 12 juin 1920 : *Le Pape et l'empereur* : **FRF 8 900** – Paris, 20 nov. 1925 : *La Parade*, aquar. : **FRF 700** – Paris, 24 fév. 1936 : *Trois épisodes de la vie de Sainte Geneviève*, trois aq. dans le même cadre : **FRF 720** – Paris, 22 fév. 1943 : *Portrait de fillette* : **FRF 1 600** – Paris, 24 mai 1943 : *Dans la prison* : **FRF 800** – Paris, 26 nov. 1943 : *Moine copiant un manuscrit* : **FRF 10 500** ; *François Ier (souvenir d'un bal costumé)* : **FRF 4 200** – Paris, oct. 1945-juil. 1946 : *Tête de vieillard* : **FRF 2 050** – Paris, 7 nov. 1946 : *Étude d'homme couché* : **FRF 1 500** – Paris, 17 jan. 1949 : *Lucrèce Borgia* : **FRF 20 800** – New York, 12 nov. 1970 : *L'Empereur Onofrius* : **USD 1 300** – Paris, 13 mars 1974 : *Le Dernier trône carolingien* : **FRF 20 000** – Paris, 19 juin 1979 : *Femme dans un château du Moyen-Age*, h/t (65,2x81) : **FRF 6 000** – Londres, 23 mars 1984 : *Vue sur le chemin de la Maloche* 1878, h/t (47x63,5) : **GBP 18 000** – Paris, 25 nov. 1985 : *Jugement d'un pape exhumé de son tombeau*, h/t (73x100) : **FRF 23 000** – Paris, 13 nov. 1986 : *Le Combat des anges* 1866, pl. et encre brune (30,2x44,2) : **FRF 6 500** – Paris, 16 juin 1986 : *Amazone en sous-bois* 1868, h/t (152x115) : **FRF 28 000** – Reims, 13 mars 1988 : *Portrait d'un cardinal* 1874, h/t (81x58) : **FRF 11 000** – Paris, 12 mai 1989 : *Le Cardinal*, h/t (46x38,5) : **FRF 33 000** – Monaco, 3 déc. 1989 : *L'incendie*, h/pan. (41x53,5) : **FRF 49 950** – New York, 17 jan. 1990 : *Jeune femme lisant près d'une table*, h/t (81,4x64,8) : **USD 5 225** – Paris, 13 juin 1990 : *Étude pour la figure centrale du plafond de la coupole au Palais de la Légion d'honneur (Salle du livre d'or)*, h/t monogrammée (45x36) : **FRF 28 000** – New York, 21 mai 1991 : *La vengeance d'Urbain VI*, h/t (83,9x101,6) : **USD 5 500** – Paris, 3 juil. 1991 : *La danse au harem*, h/pan. (32,8x41,5) : **FRF 12 000** – Paris, 15 avr. 1992 : *Les suppliciés*, encre de Chine au pinceau et à la pl. (35,8x27,4) : **FRF 14 000** – New York, 26 mai 1993 : *La séparation de Berthe et de Robert le Pieux*, h/t (118,7x91,4) : **USD 16 100** – New York, 13 oct. 1993 : *Le savant*, h/t (61x50,2) : **USD 7 475** – Reims, 21 avr. 1996 : *Intérieur de l'église de Lavarden*, h/t (42,5x28,5) : **FRF 4 200**.

LAURENS Jean Pierre

Né le 16 mars 1875 à Paris. Mort en 1933. XXe siècle. Français.

Peintre de genre, portraits.

Il est le fils de Jean Paul Laurens. Il expose à Paris, au Salon des Artistes Français depuis 1899. Il a reçu en 1899 des médailles de

troisième classe ; en 1900 une bourse de voyage, une médaille d'argent à l'Exposition universelle ; en 1906 une deuxième médaille ; en 1920 le prix Henner. Il est chevalier de la Légion d'honneur.
Musées : Bucarest (Mus. Simu) : *La Fin de journée* – Paris (Mus. d'Art Mod.) : *Mme Charles Peguy.*

LAURENS Jules Joseph Augustin
Né le 26 juillet 1825 à Carpentras (Vaucluse). Mort le 5 mai 1901 à Saint-Didier (Vaucluse). xixe siècle. Français.
Peintre de portraits, paysages, aquarelliste, dessinateur, graveur, illustrateur. Tendance orientaliste.
Frère du peintre Jean Joseph Bonaventure Laurens, il reçut ses conseils avant d'être élève à l'École des Beaux-Arts de Montpellier, puis à Paris, dans l'atelier de Paul Delaroche. À son arrivée à Paris, après un séjour à Fontainebleau, il se lia tout de suite avec ce que le monde artistique comptait comme célébrités. De 1846 à 1849, il suivit une mission géographique, scientifique, historique en Turquie et en Perse, qui lui confèra à son retour une réputation d'orientaliste. Ses relations avec Victor Hugo, en exil à Jersey, lui apportèrent encore du prestige. Ainsi, selon Janine Bailly-Herzberg : « Ses relations ont autant contribué à sa renommée que ses œuvres ».
Il exposa au Salon de Paris, surtout des lithographies, obtenant une médaille de troisième classe lithographie en 1853, troisième classe peinture en 1857, un rappel troisième classe lithographie en 1859, deuxième classe lithographie en 1861, et enfin une médaille en peinture à l'Exposition Universelle de 1867. Chevalier de la Légion d'honneur en 1868.
Laurens a laissé une œuvre abondante, il fit de nombreux portraits, surtout des musiciens de son temps, des notables persans, mais aussi des chameliers, des soldats ou des marchands ambulants. De son voyage en Perse, il rapporta des dessins, aquarelles lui permettant de faire des compositions à l'huile dont l'ampleur dépasse la simple anecdote orientaliste. Citons Élisabeth Deronne qui définit son œuvre : « Une composition simple dans laquelle les masses se répondent ; un dessin sûr et net, un goût pour le détail, une palette contrastée mais non heurtée..., une harmonie des lumières et des ombres disposées avec sensibilité ». Lorsqu'il peint des paysages du Midi ou de l'Île-de-France, il montre une style proche de celui des peintres de Barbizon. Enfin, il écrivit et illustra des articles sur le Moyen-Orient dans des publications comme *L'Illustration* ou *Le Tour du monde.*

Jules Laurens

J Laurens 1864

Bibliogr. : Gérald Schurr, in : *Les Petits Maîtres de la peinture 1820-1920, valeur de demain,* Les Éditions de l'Amateur, t. VII, Paris, 1989 – Lynne Thorton, in : *Les orientalistes peintres voyageurs,* ACR Édition, Paris, 1993.
Musées : Angoulême : *Cimetière turc* – Avignon : *Campagne de Téhéran – Étude,* aquar. – Bagnères-de-Bigorre : *L'hiver en Perse* – Carpentras (Mus. Duplessis) : *En Sologne – Le petit pouilleux – Tityre et Mélibée – Ruines à Vernègues – Chrysanthèmes – Route de Bedoin – La route de Saint-Didier – Le buisson – Cascade – Ruines du palais d'Ashraf en Perse* – Metz : *Vaste plaine* – Montpellier : *Effet de neige – Souvenir d'Asie Mineure – Le déjeuner du prolétaire – Le souper – La mosquée bleue à Tauris – Marine – Nature morte – Paysage – Tête d'étude – Six tableaux de fleurs* – Mulhouse : *Souvenir du Bosphore* – Narbonne : *Le château d'Algue* – Orléans : *Sodome* – Paris (Mus. d'Art Mod.) : *Les rochers de Vann* – Rouen : *Jardins abandonnés* – Sète : *Le ravin du Grain à Arbemare* – Toulon : *Village fortifié dans le Khorassan.*
Ventes Publiques : Paris, 1897 : *Vue des côtes de Provence* : **FRF 250** – Paris, 1er juin 1933 : *Payage côtier, environs de Sinope,* cr. noir, aquar. et gche : **FRF 100** – Paris, déc. 1941 : *Vue d'une ferme,* aquar. : **FRF 320** – Paris, 16 nov. 1983 : *Remparts de Tauris (Perse),* h/t (46x38) : **FRF 26 500** – Londres, 28 nov. 1985 : *La cour du Palais de la mission française à Téhéran,* aquar. et cr. (31x46,5) : **GBP 5 800** – New York, 24 fév. 1987 : *Amazone dans un chemin sous bois* 1868, h/t (152x114,9) : **USD 15 000** – New York, 22 mai 1991 : *Cavalière sur un chemin forestier* 1868, h/t (152,1x114,9) : **USD 16 500** – Londres, 18 mars 1994 : *Intérieur d'un palais à Üyne,* cr. et aquar./pap. (30,2x43,5) : **GBP 2 300** – Londres, 17 nov. 1994 : *Le lac Van et la forteresse en Arménie,* h/t (83,8x125,4) : **GBP 24 150.**

LAURENS Marthe
Morte vers 1955 à Paris. xxe siècle. Française.
Peintre de natures mortes, céramiste.
Elle vécut et travailla à Paris. Femme du sculpteur Henri Laurens, elle exposa à Paris, au Salon des Indépendants à partir de 1920. On vit également une exposition de ses natures mortes, d'inspiration cubiste, où l'on retrouve le souvenir de sa grande admiration pour Georges Braque. Elle s'est essayée, ses dernières années, avec succès à l'art de la céramique.

LAURENS Nanny. Voir **ADAM-LAURENS**

LAURENS Nicolas Auguste
Né le 1er mars 1829 à Pontailler-sur-Saône (Côte-d'Or). Mort le 27 juin 1908 à Pontailler-sur-Saône. xixe siècle. Français.
Peintre de genre, paysages.
Il fut élève de Thomas Couture. Il débuta au Salon de Paris en 1859.
Musées : Dijon : *L'Abandonnée* – Dole : *Un abreuvoir en forêt.*
Ventes Publiques : Paris, 27 jan. 1943 : *Paysage au crépuscule,* aquar. : **FRF 1 200** – Paris, 25 oct. 1944 : *Route dans les champs* : **FRF 700** – Paris, 30 nov. 1949 : *Le moissonneur entreprenant* : **FRF 9 800** – Londres, 11 avr. 1995 : *Saison nouvelle,* h/t (118x92) : **GBP 8 625.**

LAURENS Paul-Albert
Né le 18 janvier 1870 à Paris. Mort en 1934 à Toulon (Var). xixe-xxe siècles. Français.
Peintre d'histoire, scènes de genre, portraits, paysages, illustrateur.
Fils de Jean Paul Laurens, il eut pour professeurs, à l'école des beaux-arts de Paris, Cormon et Benjamin Constant. En 1898, il fut nommé professeur de dessin à l'école polytechnique. En 1891, il obtint le second grand prix de Rome. La même année, il débutait au Salon des Artistes Français à Paris, et y obtint une mention honorable. En 1893, il eut une troisième médaille et une bourse de voyage ; en 1897 une première médaille et en 1900 une médaille d'or à l'Exposition universelle de Paris. En 1910, il fut décoré de la Légion d'honneur et obtint le prix Henner. Il a également participé au Salon de la Société Nationale des Beaux-Arts de Paris et à de nombreuses expositions à l'étranger, notamment à Budapest et à Munich.
On cite ses portraits de *Jacques Copeau* et d'*André Gide.* On lui doit encore de belles illustrations pour l'œuvre de Daudet.
Musées : Bucarest (Mus. Simu) : *Baigneuses* – Paris (Mus. d'Art Mod.) : *Portrait de Jean Paul Laurens – L'Artiste et sa famille – Portrait d'André Gide* – Toulouse : *L'Automne – Hymne à Cérès – Les Saintes Femmes.*
Ventes Publiques : Paris, 9 fév. 1923 : *Arlequine* : **FRF 520** – Paris, 15 mai 1944 : *Femme assise au bord d'un bassin* : **FRF 1 000** – Paris, oct. 1945-juil. 1946 : *Femme et jet d'eau,* aquar. : **FRF 600** – Paris, 29 avr. 1955 : *La promenade* : **FRF 12 000** – Paris, 14 avr. 1986 : *Portrait d'André Gide de profil,* encre de Chine (22x17) : **FRF 6 000** – Paris, 9 déc. 1988 : *Portrait d'homme,* h/t (116x89) : **FRF 5 000** – New York, 15 oct. 1993 : *Jardin fleuri,* h/t (45,6x54,6) : **USD 3 450.**

LAURENS Pauline
Née au xixe siècle à Paris. xixe siècle. Française.
Portraitiste et graveur.
Élève de Chaplin et de Walter. Elle débuta au Salon de Pais en 1873 et obtint une mention honorable en 1877. Le Musée de Troyes conserve d'elle : *Rosete et Dick,* celui de Dijon : *Seule,* celui de Digne : *Le Repos des moissonneurs.*

LAURENS Rosalba Vignée
xixe siècle. Française.
Peintre de fleurs.
Fille et élève de Jean Bonaventure Laurens. Le Musée d'Avignon conserve une aquarelle de cette artiste.
Musées : Carpentras : *Le creux de Mièges – Vue de Montpellier – Dans les Cévennes.*

LAURENS Suzanne Nanny Adrienne. Voir **ADAM-LAURENS Suzanne**

LAURENS Suzanne
Née à Verdun (Meuse). xxe siècle. Française.
Sculpteur.
Elle expose à Paris, au Salon des Artistes Français, où elle obtint en 1929, une médaille de bronze et le prix de Longchamp.

LAURENS of Mechlin
Né à Malines. Mort vers 1721. xviiie siècle. Éc. flamande.

Sculpteur.
Il travailla en Angleterre avec le sculpteur G. Gibbons et exécuta, entre autres, des statues pour Saint-James Park.

LAURENS Van Rotterdam
XVIe siècle. Actif à Rome. Hollandais.
Peintre.
Il fut membre de l'Académie de Saint-Luc à Rome.

LAURENS Van Yperen ou **Laurent d'Ypres**
XVe siècle. Éc. flamande.
Sculpteur.
En 1460, il livra, avec Philippot Viart, les stalles pour la cathédrale de Rouen.

LAURENS-ADAM Suzanne. Voir **ADAM-LAURENS Suzanne**

LAURENS-DIÉTERLE Yvonne. Voir **DIÉTERLE**

LAURENSON Edward Louis
Né le 14 mars 1868 à Dublin. XIXe-XXe siècles. Actif en Angleterre. Irlandais.
Peintre de paysages, scènes de genre, pastelliste, aquarelliste, graveur.
Il travailla à Paris et en Hollande avant de s'établir à Londres. On lui doit surtout des pastels et des aquarelles représentant fréquemment des vues de Paris ou de provinces françaises.

LAURENT
XIVe-XVe siècles. Actif à Saint-Omer. Français.
Sculpteur.
Il travailla en 1390, à la cathédrale de Saint-Omer et orna, en 1408, le grand autel de l'abbaye de Saint-Bertin, dans cette ville.

LAURENT
XVIIIe siècle. Actif à Paris. Français.
Graveur.
Il participa à l'illustration de *La grande galerie de Versailles* parue en 1752.

LAURENT
XVIIIe siècle. Actif à Pont-à-Mousson vers 1779. Éc. lorraine.
Peintre de portraits.

LAURENT, maître. Voir **LAURENT Jean**

LAURENT A.
XVIIIe-XIXe siècles. Français.
Peintre de paysages, miniatures.
Il figura au Salon de Paris en 1801 et 1808.

LAURENT Achille
Mort en 1900. XIXe siècle. Actif à Paris. Français.
Peintre.
Sociétaire des Artistes Français à Paris, il figura au Salon de cette association.

LAURENT Albert
Né le 26 février 1877 à Paris. XXe siècle. Français.
Sculpteur.
Il fut élève de Gauthier. Il exposa, à Paris, au Salon des Artistes Français.

LAURENT André. Voir **LAWRENCE Andrew**

LAURENT Blanche
Née à Paris. XIXe-XXe siècles. Française.
Sculpteur.
Elle fut élève de Denys Puech. Elle exposait à Paris, au Salon des Artistes Français, 1901 mention honorable, 1903 nommée sociétaire.

LAURENT Bruno Émile
Né le 1er mai 1928 à Charleville-Mézières (Ardennes). XXe siècle. Français.
Peintre de paysages urbains.
Il a tout d'abord suivi une formation théâtrale à Charleville. Arrivé à Paris, il suit les cours du soir de peinture de la Ville de Paris. Il expose et vend ses toiles d'abord dans son restaurant, puis ouvre ensuite un atelier-galerie au pied de la Butte Montmartre. Il participe à des expositions collectives, dont le Salon des Artistes Français à Paris. Il montre ses œuvres dans des expositions personnelles en 1992 à Toulouse, Pau et Paris. Influencé par l'École de Montmartre, il en a repris, dans une technique habile, les sujets de prédilections : rues, places, cabarets, etc.
Ventes Publiques : Paris, 11 juil. 1989 : *Place du Tertre*, h/t (38x46) : **FRF 8 500** – Versailles, 24 sep. 1989 : *Le Moulin rouge*, h/t (50x61) : **FRF 4 600** – Versailles, 26 nov. 1989 : *Neige à Château-Gonthier*, h/t (50x61) : **FRF 4 500** – Paris, 1er déc. 1989 : *Le Lapin agile*, h/t (60x73) : **FRF 11 000** – Paris, 30 mai 1990 : *Course cycliste avenue Junot*, h/t (65x80) : **FRF 16 000** – Paris, 9 oct. 1990 : *Théâtre de l'Atelier (Montmartre)*, h/t (33x41) : **FRF 12 000** – Paris, 6 fév. 1994 : *Restaurant La Tourelle et la rue Marcadet*, h/t (54x65) : **FRF 4 500** – Paris, 26 avr. 1996 : *Théâtre de l'Atelier (Montmartre)*, h/t (50x61) : **FRF 7 500**.

LAURENT Camille
Né le 17 octobre 1885. Mort le 27 décembre 1967 à Anderlecht. XXe siècle. Belge.
Peintre.

LAURENT Charles
Né au XIXe siècle à Paris. XIXe siècle. Français.
Sculpteur.
Élève de Drolling. Il figura au Salon de 1852 et 1853.

LAURENT Elie Joseph
Né à Lyon (Rhône). XIXe siècle. Français.
Peintre de portraits.
Il fit ses études à l'École des Beaux-Arts de Lyon, où il devint ensuite professeur. Il débuta au Salon de Paris en 1870, fut sociétaire des Artistes Français en 1899.
Bibliogr. : Gérald Schurr, in : *Les Petits Maîtres de la peinture 1820-1920, valeur de demain*, Les Éditions de l'Amateur, t. VI, Paris, 1985.
Musées : Lyon : *Un bibliophile*.

LAURENT Emma. Voir **DUPUY Emma**

LAURENT Ernest
XIXe siècle. Actif à Paris. Français.
Sculpteur.
Il figura au Salon de Paris en 1847 et 1849.
Ventes Publiques : New York, 14 nov. 1980 : *La jeune pêcheuse*, bronze patiné (H. 48,3) : **USD 1 000** – Londres, 20 mars 1986 : *Buste de jeune femme* vers 1870, bronze patine brun jaune (H. 59) : **GBP 700**.

LAURENT Ernest Joseph
Né le 8 juin 1859 à Paris. Mort en 1929 à Paris. XIXe-XXe siècles. Français.
Peintre de paysages, portraits, figures. Néo-impressionniste.
Il fut élève d'Hévert, Lehman et Luc-Olivier Merson.
Il obtint une mention honorable au Salon des Artistes Français, à Paris, en 1883, une médaille de troisième classe en 1885, une bourse de voyage en 1885, une médaille de bronze en 1889. Il obtint aussi le Grand Prix de Rome en 1889, une médaille de deuxième classe au Salon des Artistes Français en 1895, une médaille d'or en 1900 dans le cadre de l'Exposition universelle. Chevalier de Légion d'honneur depuis 1903.
Ami de jeunesse de Seurat, il recourut au pointillisme dont il tirait ses effets de flou. Il fut apprécié pour ses portraits.

Musées : Aix-en-Provence : *Personnages* – Bayonne (Mus. Bonnat) : *Femme se chauffant* – Lille : *Sicile* – Nancy : *Relevailles* – Nantes (Mus. des Beaux-Arts) : *Saint François d'Assise en prière* – Paris (Mus. d'Art Mod.) : *Mll X... – Jeune femme assise* – Rennes : *Paysage de Bièvres* – Rotterdam : *Rêverie*.
Ventes Publiques : Paris, 23 juin 1911 : *La Toilette* : **FRF 1 300** – Paris, 6 nov. 1924 : *La Toilette* : **FRF 4 900** – Paris, 10 fév. 1943 : *Femme assise*, monotype repris au past. : **FRF 3 100** – Paris, 24 fév. 1943 : *Nature morte : pêches, raisins, prunes, grenades* : **FRF 7 100** – Paris, 17 mars 1944 : *Anémones japonaises* 1908 : **FRF 15 000** – Paris, 3 déc. 1972 : *Portraits de Mme et Mlle de Saint-Serres* : **FRF 6 500** – Paris, 23 avr 1979 : *Portrait de Madame Ernest Laurent*, h/t (82x66) : **FRF 5 000** – Paris, 26 mars 1980 : *La lecture sous la lampe*, past. (55x59) : **FRF 8 500** – New York, 23 fév. 1989 : *Le couple de gitans* 1887, h/t (93x66,6) : **USD 15 400** – New York, 1er mars 1990 : *Nu assis*, h/t (75,6x61,6) : **USD 8 800** – Paris, 19 mars 1990 : *Vase de fleurs*, h/t (46x38) : **FRF 15 000** – New York, 23 mai 1990 : *Femme nue* 1915, h/t

(54x64,8) : **USD 17 600** – Versailles, 25 nov. 1990 : *Le déjeuner*, h/t (27x34) : **FRF 68 000** – Paris, 14 déc. 1990 : *La repasseuse*, fus. et past. (41x31,5) : **FRF 65 000** – Amsterdam, 2-3 nov. 1992 : *Nature morte avec des fleurs*, h/t (55x46) : **NLG 9 430** – New York, 26 mai 1993 : *Nu étendu sur un lit*, h/t (48,3x64,8) : **USD 34 500** – Paris, 27 mai 1993 : *L'orchestre*, cr. noir (22,5x29,5) : **FRF 7 000** – Grandville, 14 nov. 1993 : *Au jardin* 1921, h/t (81x101) : **FRF 150 000** – New York, 12 mai 1994 : *Portrait de Georges Seurat*, encre de Chine/pap. (27,6x28,6) : **USD 18 400** – New York, 18-19 juil. 1996 : *Propos galants* 1882, h/t (67,3x100,3) : **USD 17 825**.

LAURENT Eugène
Né le 29 avril 1832 à Gray (Haute-Saône). Mort en 1898 à Paris. XIXe siècle. Français.
Sculpteur de statues, bustes.
Élève de Coinchon, il débuta au Salon de Paris en 1861. Il est l'auteur du monument de *Jacques Callot*, érigé à Nancy, et d'une statue de *François Boucher* placée à l'Hôtel de Ville de Paris.
Ventes Publiques : Londres, 13 sep. 1978 : *Le jeune patineur* vers 1880, bronze patiné (H. 35,5) : **GBP 380** – Lokeren, 22 fév. 1986 : *La Pêcheuse* 1880, bronze patine brune (H. 65) : **BEF 55 000** – Paris, 3 juil. 1996 : *Buste de jeune fille*, buste chryséléphantin, bronze doré patine polychrome (H. 23,5) : **FRF 13 500**.

LAURENT Fanny. Voir **FLEURY Fanny,** Mme

LAURENT Félix
Né en 1821 à Langeais (Indre-et-Loire). Mort en 1908 à Tours (Indre-et-Loire). XIXe siècle. Français.
Peintre de portraits et de genre.
Élève de P. Delaroche et de Gleyre. Figura au Salon de Paris de 1846 à 1879.

LAURENT Félix Paul Simon
Né le 25 janvier 1840 à Soissons (Aisne). Mort le 22 septembre 1891 à Soissons. XIXe siècle. Français.
Graveur et peintre.
Il débuta au Salon de Paris en 1870. Professeur à l'École de dessin de Soissons.

LAURENT François Nicolas
Mort le 11 novembre 1828 à Orléans (Loiret). XIXe siècle. Français.
Peintre de fleurs.
Élève de Gérard. Figura au Salon de Paris de 1801 à 1819.
Ventes Publiques : Paris, 2 déc. 1927 : *Vase de roses, renoncules et lilas* : **FRF 1 350** – Paris, 24 avr. 1974 : *Fleurs et fruits* : **FRF 11 500**.

LAURENT François Sébastien
Né le 20 janvier 1776 à Nancy (Meurthe-et-Moselle). Mort le 8 octobre 1848 à Nancy. XIXe siècle. Français.
Portraitiste et miniaturiste.
Fils de Jean-Baptiste Laurent. Élève de Saingry. Le Musée de Nancy conserve de lui une *Bacchanale* (miniature).

LAURENT Franz
Mort après 1812. XIXe siècle. Actif à Malines. Belge.
Sculpteur.

LAURENT Guillaume ou **Willem**. Voir **LORENT**

LAURENT Henri Adolphe Louis
Né vers 1840 à Valenciennes (Nord). XIXe siècle. Français.
Peintre de paysages, marines.
Élève d'Ernest Hébert, il participa au Salon de Paris entre 1866 et 1885. Il est marié au peintre Lydie Adèle Laurent-Desrousseaux et père du peintre Henri Alphonse Louis Laurent-Desrousseaux.
Ses paysages de forêts, bergeries, bords de Creuse, jardins parisiens évoquent la transparence des couleurs de l'aquarelle.
Bibliogr. : Gérald Schurr, in : *Les Petits Maîtres de la peinture 1820-1920, valeur de demain*, Les Éditions de l'Amateur, t. V, Paris, 1981.
Musées : Bordeaux : *Le moulin de Chantemilare*.
Ventes Publiques : Versailles, 14 déc. 1980 : *Paysages de rivière*, deux h/t, formant pendants (58x81) : **FRF 2 000**.

LAURENT Jean, l'Ancien
XVe siècle. Actif à Rouen. Français.
Sculpteur sur bois.
Sous les ordres de Philippot Viart, il prit part à la décoration des stalles au chœur de la cathédrale de Rouen, en 1467.

LAURENT Jean
Né au XVe siècle à Amiens (Somme). XVe siècle. Français.
Enlumineur.
En 1483, il travaillait au livre des corps et métiers de la ville d'Amiens.

LAURENT Jean
XVIe siècle. Actif à Rouen. Français.
Sculpteur et maître-maçon.
Sans doute parent de Jean Laurent l'Ancien, il prit part en 1527, à la décoration des piliers soutenant les figures de la *Danse macabre*, dans le grand cimetière Saint-Maclou, à Rouen.

LAURENT Jean
XVIe siècle. Actif à Sens. Français.
Sculpteur.
Il fit, en 1560, le moule des armoiries du chapitre de la cathédrale de Sens, destinées à figurer sur les cloches. En 1585, un Maître Laurent, tailleur de pierres, fut appelé de Sens à Appoigny, près d'Auxerre, pour y examiner les plans d'un jubé à élever dans l'église paroissiale. C'est sans doute le même artiste.

LAURENT Jean Antoine
Né le 31 octobre 1763 à Baccarat (Meurthe-et-Moselle). Mort le 11 février 1832 à Épinal (Vosges). XVIIIe-XIXe siècles. Français.
Peintre d'histoire, scènes de genre, portraits, miniaturiste, peintre sur porcelaine.
Élève de Jean-François Durand à Nancy, puis du miniaturiste J. B. Augustin, il commença une carrière de miniaturiste et de peintre sur porcelaine, avant d'abandonner la miniature vers 1800. Il fut conservateur du musée des Vosges, qu'il organisa à Épinal.
Il figura au Salon de Paris de 1791 à 1831, obtenant une médaille d'encouragement en 1806 et une médaille de première classe en 1808.
Ses petits tableaux de genre sont traités avec précision, dans une manière qui rappelle celle des Hollandais du XVIIe siècle. Sa *Jeanne d'Arc devant une statue de saint Michel*, œuvre exposée en 1817, se trouve dans la chambre où est née Jeanne d'Arc à Domrémy. Sous la Restauration, on lui commande, pour la galerie de Diane au château de Fontainebleau : *Clotilde suppliant son époux d'embrasser le christianisme avant la bataille de Tolbiac* 1822. Il a souvent pris pour thèmes les contes de fées qui redeviennent à la mode au début du XIXe siècle, notamment les contes de Perrault. Il a, d'autre part, publié un ouvrage sur le dessin linéaire.

JALAURENT 1827 — J. Laurent.

Bibliogr. : Marie-Claude Chaudonneret, in : Catalogue de l'exposition : *Les années romantiques, la peinture française de 1815 à 1850*, Mus. des Beaux-Arts de Nantes, 1995-1996 et Galeries nationales du Grand Palais, Paris, 1996.
Musées : Aix-en-Provence : *L'aumône* – Auch : *Chérebert, roi de France, offrant l'anneau royal à Teudegilde, qu'il épousa et à laquelle il donna le titre de reine* – Bourg-en-Bresse : *Peau d'Âne* – Épinal : *Charles X* – Fontainebleau (Mus. Nat. du château) : *Clotilde suppliant Clovis d'embrasser le christianisme* – Grenoble : *Gutemberg inventant l'imprimerie* – Nancy (Mus. des Beaux-Arts) : *La demande en mariage* – *Mme de Bataillier* – *Lantage à 19 ans* – *La famille du peintre*, miniat.
Ventes Publiques : Paris, 1821 : *Cendrillon chaussant la pantoufle de verre* : **FRF 5 320** – Paris, 15 avr. 1921 : *Portrait de femme*, miniat. : **FRF 5 320** – Paris, 21 mai 1941 : *Jeune paysanne auprès d'une fontaine* – *Portrait d'un artiste*, deux miniatures, formant pendants : **FRF 19 000** – Vienne, 12 mars 1974 : *Intérieur d'atelier* : **ATS 80 000** – Monte-Carlo, 23 juin 1985 : *A la volupté* ; *Au mystère*, h/pan., une paire de forme ovales (15,5x19) : **FRF 110 000**.

LAURENT Jean Baptiste
Né à Montpellier (Hérault). Français.
Peintre de paysages, dessinateur.
Musées : Béziers : dessin.

LAURENT Jean Baptiste
XVIIIe siècle. Actif à Nancy. Français.
Peintre de scènes de chasse, sujets de genre.

LAURENT Jean Émile
Né le 8 avril 1906 à Paris. XXe siècle. Actif au Maroc. Français.

Peintre, graveur, illustrateur, aquarelliste.
Il fut élève de l'École des Beaux-Arts de Marseille.
Il se senti vite attiré par la lumière du Sud et partit peindre et vivre au Maroc, d'où il n'entretint que peu de contacts avec les milieux d'art parisiens. Voyageant en nomade et vivant dans le grand Erg sous la tente, il peint des sujets locaux, plus sensible à la féerie des couleurs qu'à l'anecdote. S'il a illustré des livres, c'est en les imprimant lui-même, voire en les copiant à la main, à la manière des artisants, ainsi : *Les Oudaïas ; Fès ; Ma petite rue.* Très connu dans les milieux artistiques d'Afrique du Nord, il a exécuté les fresques de l'Hôpital de Fès et ses œuvres figurent dans les musées marocains.
Musées : Marseille.

LAURENT Jean François
Né en 1773 à Bruxelles. XVIIIe-XIXe siècles. Belge.
Peintre de paysages et restaurateur de tableaux.
Élève de Dinter à Herzogenbusch. Il eut deux fils qui furent peintres : Guillaume et Anton.

LAURENT Jean Jules César
Né le 30 novembre 1800 à Paris. Mort le 16 mai 1877 à Épinal (Vosges). XIXe siècle. Français.
Sculpteur, paysagiste et peintre de genre.
Élève de son père Jean Antoine Laurent, il entra à l'École des Beaux-Arts le 20 mars 1820. Figura au Salon de Paris, de 1831 à 1850. Médaille troisième classe en 1839. Fut comme son père conservateur du Musée des Vosges, à Épinal. Le Musée de Nancy conserve de lui : *Jeune fille au chevron* (statue marbre grandeur nature). Bellier de la Chavignerie fait de lui deux artistes avec les prénoms de Jules Laurent et de Jean Jules César Laurent. Sous le nom de Jules Laurent, figurent, au Musée d'Épinal, plusieurs œuvres sculptées.

LAURENT Jean Pierre
Né le 26 novembre 1920 à Paris. XXe siècle. Français.
Peintre de paysages, aquarelliste, lithographe. Tendance impressionniste.
Il a été élève à l'École des Beaux-Arts de Paris.
Bibliogr. : In : *De Bonnard à Baselitz – Dix ans d'enrichissements du Cabinet des Estampes 1978-1988,* Paris, 1992.
Musées : Paris (Cab. des Estampes).
Ventes Publiques : Paris, 22 nov. 1990 : *Paysage,* h/t (38x61) : **FRF 80 000.**

LAURENT Jeanne
Née le 23 juillet 1837 à Chavornay. XIXe siècle. Suisse.
Peintre de fleurs, de paysages et aquarelliste.
Élève de Théophile Bischoff à Lausanne et de Mlle Gay à Vevey. Elle passa six mois dans l'atelier Delecluze et Rivoire à Paris, puis se fixa à Lausanne.

LAURENT Joseph
XVIIIe siècle. Français.
Peintre.
Deuxième maître, il fut cité par A. Jacquot dans son répertoire des Artistes Lorrains.

LAURENT L. A., Mme
Française.
Peintre de genre.
La Galerie Roussel, à Louviers conserve d'elle : *Lecture du Petit Journal.*

LAURENT Louis
XIXe siècle. Actif à Paris en 1824. Français.
Graveur au burin.

LAURENT Marcel
XXe siècle. Français.
Peintre de paysages, marines.
Il est connu pour ses paysages bretons.
Ventes Publiques : Paris, 13 juin 1947 : *La Seine à Rouen* : **FRF 1 000** – Brest, 14 déc. 1980 : *Fête à Concarneau* 1929, h/t (54x65) : **FRF 5 200** – Brest, 16 déc. 1984 : *Au Pardon de tronën,* h/t (44x46) : **FRF 8 000.**

LAURENT Marie Pauline, née **Julien**
Née le 11 novembre 1805 à Paris. Morte le 8 février 1860 à Paris. XIXe siècle. Française.
Peintre sur porcelaine.
Élève d'Alaux. Elle travailla à la Manufacture de Sèvres à partir de 1836, et fut portée sur l'état du personnel le 1er janvier 1850. Exposa au Salon de Paris, de 1831 à 1853, et fut médaillée en 1835, 1838 et 1848.

LAURENT Maurice Sébastien
Né le 18 septembre 1887 à Nancy (Meurthe-et-Moselle). XXe siècle. Français.
Peintre.
Élève de Schommer, Collin, Fuint, Friant et Humbert. Expose au Salon de Paris, où il obtint une médaille en 1912, le prix Troyon en 1913, le prix E. Thirion en 1922, le prix R. de Rougé en 1923 et une médaille d'or en 1924.

LAURENT Paul
Né vers 1790. XIXe siècle. Actif à Nancy. Français.
Peintre.
Élève de J. A. Laurent. Il fut professeur de dessin à l'École forestière de Nancy. Figura au Salon de Paris de 1822 à 1836.

LAURENT Philippe
XXe siècle. Belge.
Sculpteur.
Il travaille la pierre et l'argile mettant en évidence leur volume intérieur et extérieur.
Bibliogr. : In : *Diction. biographique illustré des artistes en Belgique depuis 1830,* Arto, Bruxelles, 1987.

LAURENT Pierre Antoine
Né le 8 juillet 1868 à Montluçon (Allier). XIXe-XXe siècles. Français.
Sculpteur.
Il fut élève de Cavelier, Chapu et Barrias. Il figura, à Paris, au Salon des Artistes Français où il obtint des médailles de troisième classe en 1897, de deuxième classe en 1899. Il obtint également une bourse de voyage en 1899, une médaille de première classe en 1903. Il fut membre du jury de sculpture.
Musées : La Rochelle : *Mucius-Scoevola* – une maquette.

LAURENT Pierre François
Né en 1739 à Marseille (Bouches-du-Rhône). Mort le 30 juin 1809 à Paris. XVIIIe siècle. Français.
Graveur au burin.
Élève de Baléchou. Il s'établit à Paris et s'y maria en secondes noces avec Henriette Thérèse Augier ou Ogier le 4 avril 1778. Il exposa au Salon de Paris en 1791 et obtint un notable succès, notamment avec ses paysages d'après Boucher, Berchem Dietrich, H. Roos, Loutherbourg. Il fut avec Robillard-Peronville un des éditeurs du *Musée Français.*

LAURENT Pierre Louis Henri
Né le 1er mars 1779 à Paris. Mort en 1844 à Paris. XIXe siècle. Français.
Dessinateur et graveur.
Fils et élève de Pierre-Francis Laurent. Il collabora au *Musée Français,* notamment avec la suite de trente-deux estampes de la *Vie de saint Bruno* d'après Le Sueur, la *Mort de la Vierge* d'après M. A. Caravaggio, le *Martyre de saint Pierre* d'après Tiziano, des paysages d'après P. Potter, l'*Enlèvement des Sabines,* d'après David, etc. Il figura au Salon de Paris de 1812 à 1819 ; fut médaillé en 1819 et chevalier de la Légion d'honneur en 1822. De 1816 à 1822, il publia *Le Musée Royal,* continuation au *Musée Français.* Le dictionnaire de Bellier de la Chavignerie et d'Auvray le mentionne deux fois, sous les prénoms de Pierre Louis Henry et de Prosper.

LAURENT Pol
Né en 1927 à Braine-le-Conte. XXe siècle. Actif depuis 1984 en France. Belge.
Peintre, graveur.
Bibliogr. : In : *De Bonnard à Baselitz – Dix ans d'enrichissements du Cabinet des Estampes 1978-1988,* Paris, 1992.
Musées : Paris (Cab. des Estampes).

LAURENT Prosper
XIXe siècle. Vivant à Paris. Français.
Graveur.
A exposé au Salon de Paris en 1819 et 1824.

LAURENT Robert
Né le 29 juin 1890 à Concarneau (Finistère). Mort en 1970. XXe siècle. Actif aux États-Unis. Français.
Sculpteur.
Il fut élève de Maurice Sterne. Il fut professeur à l'Art Students' League de New York.
Musées : Brooklyn – Chicago (Inst. d'Art) – New York.
Ventes Publiques : New York, 4 avr. 1968 : *La Pêcheuse,*

albâtre : **USD 2 700** – NEW YORK, 20 avr 1979 : *Nu*, albâtre (H. 33,1) : **USD 2 100** – NEW YORK, 4 déc. 1986 : *Léda et le cygne*, albâtre (H. 30,5) : **USD 10 000** – NEW YORK, 15 mai 1991 : *La jeune fille dorée – torse féminin*, bronze à patine brun clair (H. 74,3) : **USD 5 500** – NEW YORK, 31 mars 1994 : *Jeune fille méditant*, bronze (H. 19,7) : **USD 2 300**.

LAURENT Sébastien. Voir **LAURENT Maurice Sébastien**

LAURENT Victor Auguste, dit **Cornille**

Né vers 1800. Mort le 11 mai 1858 à Paris. XIXe siècle. Français.

Peintre de genre et de paysages.

Élève de J.-M. Langlois. Exposa à Paris de 1824 à 1848. Il se donna volontairement la mort.

LAURENT de Boulogne

XIVe siècle. Actif à Hesdin. Français.

Peintre.

Entre 1310 et 1327 il travailla à la décoration du château de Hesdin.

LAURENT d'Ypres. Voir **LAURENS Van Yperen**

LAURENT-BERBUDEAU Blanche

Née le 10 avril 1877 à Paris. XXe siècle. Française.

Sculpteur.

Élève de Denys Puech, expose au Salon de Paris, où elle obtint une médaille en 1908.

LAURENT-DARAGON Charles Joseph

Né le 12 février 1833 à Paris. Mort en septembre 1904 à Paris. XIXe siècle. Français.

Sculpteur.

Élève à l'École des Beaux-Arts. Figura au Salon de Paris, à partir de 1863 ; mention en 1892. Prit part à l'Exposition Universelle de 1878.

LAURENT-DESROUSSEAUX Henri Alphonse Louis

Né le 15 juillet 1862 à Joinville-le-Pont (Val-de-Marne). Mort le 11 août 1906 à Valmondois (Seine-et-Oise). XIXe siècle. Français.

Peintre de genre.

Fils des peintres Adèle Laurent-Desrousseaux et Henri Adolphe Laurent, il fut élève d'Albert Maignan. Il participa au Salon de Paris, obtenant une mention honorable en 1885, une médaille de troisième classe en 1886, de deuxième classe en 1894. En 1889, il reçut une bourse de voyage et une médaille de bronze à l'Exposition Universelle à Paris, et une médaille d'argent à celle de 1900. Il donne parfois un ton quelque peu larmoyant à certaines de ses compositions.

BIBLIOGR. : Gérald Schurr, in : *Les Petits Maîtres de la peinture 1820-1920, valeur de demain*, Les Éditions de l'Amateur, t. III, Paris, 1976.

MUSÉES : MULHOUSE : Un pastel – REIMS : *Chez les sœurs* – LA ROCHELLE : *Maternité, la pesée de cinq heures* – ROUEN : *La veille de la première communion – Les suspects* – TOURCOING : *Dernière heure*.

VENTES PUBLIQUES : PARIS, 29 mai 1895 : *Près de la cheminée*, dess. : **FRF 200** – PARIS, 16 mai 1900 : *La lingerie au couvent*, past. : **FRF 410** – PARIS, 15 mai 1944 : *Jeunes chats jouant dans un jardin*, past. : **FRF 1 200** – PARIS, 19 mars 1945 : *Femme allumant son feu* : **FRF 3 200** – LONDRES, 29 oct. 1976 : *Jeune Bretonne tricotant*, h/t (35x27) : **GBP 800** – NEW YORK, 12 mai 1978 : *Les pêcheuses de crevettes*, h/t (65,5x92) : **USD 3 200** – LONDRES, 19 mars 1980 : *L'Enterrement au village* 1886, h/t (189x282) : **GBP 1 800** – LONDRES, 24 juin 1981 : *L'Enterrement au village* 1886, h/t (189x282) : **GBP 2 200** – NEW YORK, 1er mars 1984 : *Paysage d'été* 1887, h/cart. (53,3x64,7) : **USD 6 500** – LONDRES, 11 oct. 1985 : *Le départ pour le marché*, h/t (49x99) : **GBP 2 000** – PARIS, 29 nov. 1986 : *La Ferme ensoleillée*, h/t (38x46) : **FRF 21 000** – NEUILLY, 1er mars 1988 : *Le Penseur*, past. : **FRF 8 200**.

LAURENT-DESROUSSEAUX Lydie Adèle, Mme

Née le 29 août 1836 à Cherbourg (Manche). XIXe siècle. Française.

Peintre de genre, portraits, intérieurs, paysages.

Femme du peintre Henri Adolphe Laurent et mère du peintre Henri Alphonse Louis Laurent-Desrousseaux, elle fut élève de Jean Hippolyte Lazerges et de Léon Cogniet, à l'École des Beaux Arts de Paris.

De 1857 à 1885, elle participa au Salon de Paris, où elle obtint une mention honorable en 1888.

BIBLIOGR. : Gérald Schurr, in : *Les Petits Maîtres de la peinture 1820-1920, valeur de demain*, Les Éditions de l'Amateur, t. III, Paris, 1976.

VENTES PUBLIQUES : PARIS, 8 jan. 1894 : *La convalescence*, past. : **FRF 95**.

LAURENT-GSELL Lucien. Voir **GSELL Laurent Lucien**

LAURENTI Adolfo

Né au XIXe siècle à Rome. XIXe siècle. Italien.

Sculpteur.

Il débuta à Turin en 1880. Exposa à Turin, Milan et Rome. Figura aux expositions de Paris où il obtint une mention honorable (1889) (Exposition Universelle).

LAURENTI André

Né le 19 décembre 1897 à Valenciennes (Nord). Mort le 15 octobre 1976 à Valenciennes (Nord). XXe siècle. Français.

Peintre, aquarelliste de paysages, paysages urbains, marines.

Il fut élève de Décrouez à Valenciennes. Il a principalement exposé dans son « canton » natal. Parallèlement à la peinture et à l'aquarelle, il pratiqua la photo.

Il aima saisir les ports et les coins de lieux de la ville de Valenciennes.

MUSÉES : VALENCIENNES : *Place d'Armes à Valenciennes*.

VENTES PUBLIQUES : PARIS, 3 fév. 1993 : *Éléments de l'autour suspendus* 1990, h/t (116x89) : **FRF 15 000** – PARIS, 12 mai 1993 : *Gargouilles éclatées* 1992, h/t (92x65) : **FRF 14 000**.

LAURENTI André

Né en 1959 à Nice (Alpes-Maritimes). XXe siècle.

Peintre.

Il participe à des expositions collectives depuis 1984, essentiellement dans la région niçoise. Il montre des ensembles de peintures dans des expositions personnelles, dont : 1985 Vence et Angers ; 1986 Antibes et Quimper ; 1989 Lyon, Milan, Paris ; 1991, 1992, 1993, 1994 Paris, galerie Façade ; 1995, 1997 Paris, galerie Christi Couderc ; etc.

Dans des « gammes » diverses, soit très vivement colorées, soit dans des résonnances sourdes de bruns sombres, il développe des variations formelles à la limite de l'abstraction. Pourtant, ses thèmes s'inspirent de la réalité rencontrée, figures ou paysages, au hasard de l'Émilie-Romagne, Venise, des enclos paroissiaux du Finistère, Belle-Île-en-Mer, Paris.

BIBLIOGR. : Catalogue *Laurenti*, s.l., 1997.

LAURENTI Anselmo

Né le 11 juin 1845 à Carabbia (Tessin). XIXe siècle. Suisse.

Sculpteur.

Travailla successivement à Genève, à Chambéry, à Grenoble, à Lyon. Il s'adonna à la décoration et retourna dans son pays où l'on peut admirer de nombreux palais décorés par lui à Coire, Zug, Fribourg, Bâle et Berne.

LAURENTI Cesare

Né en 1854 à Mesola (Province de Ferrare). Mort en 1936 à Venise. XIXe-XXe siècles. Italien.

Peintre, décorateur.

Ayant été initié à l'art par le sculpteur Luigi Ceccon, il s'inscrivit à l'École Libre du Nu à Florence. Il a travaillé à Naples et, en dernier lieu, à Venise.

Il a participé à la Biennale de Venise en 1903.

Il est classé par le critique Vincenzo Costantini, parmi les représentants de la « peinture lyrique ». Parmi ses œuvres : *Entre la coupe et les lèvres* et des décorations pour Padoue.

VENTES PUBLIQUES : LONDRES, 20 avr. 1978 : *La marchande de fruits* 1889, h/t (122x68,5) : **GBP 2 400** – LONDRES, 5 fév. 1982 : *Jeunes femmes dans un intérieur* 1886, h/t (67,3x101) : **GBP 4 500** – LONDRES, 16 mars 1983 : *La Venezia* 1889, h/t (120x67) : **GBP 6 000** – MILAN, 18 mars 1986 : *Première approche* 1884, h/t (152x80) : **ITL 22 000 000** – NEW YORK, 24 fév. 1987 : *Jeune femme faisant la lecture*, h/t (82,8x120,6) : **USD 23 000** – MILAN, 14 juin 1989 : *Portrait d'une jeune vénitienne* 1900, h/cart. (95,5x58) : **ITL 14 500 000** – NEW YORK, 19 fév. 1992 : *Colin-maillard* 1886, h/t (69,8x97,8) : **USD 66 000** – MILAN, 17 déc. 1992 : *Les pigeons de la place Saint-Marc*, h/pan. (35x16) : **ITL 5 200 000** – ROME, 6 déc. 1994 : *Nymphes et satyres dans un bois* 1903, h/bois (26,5x37) : **ITL 1 768 000**.

LAURENTI Nicola

Né en 1873 ou 1875 à Ferrare (Émilie-Romagne). Mort en 1943. XXe siècle. Italien.

Peintre de paysages, lithographe.
Il fut élève de Rivagnini. Il exposa à Milan à partir de 1900.

LAURENTIIS Nicola de
Né le 29 mai 1783 à Chieti (Abruzzes). Mort le 17 juin 1832. XIXe siècle. Italien.
Peintre d'histoire, compositions religieuses.
Il fut élève de Camuccini à Rome et travailla par la suite pour les rois de Naples. On lui doit des tableaux religieux, notamment à la cathédrale de Chieti et à l'église de Loreto Aprutino, ainsi que des peintures historiques.

LAURENTIN-BERBUDEAU Blanche
Née le 10 avril 1877 à Paris. XXe siècle. Française.
Sculpteur.
Elle fut élève de Denys Puech. Elle exposa, à Paris, au Salon des Artistes Français, où elle obtint une médaille en 1908.

LAURENTINI Giovanni, dit **Arrigoni**
Né vers 1550 à Santa Agata. Mort le 18 mars 1633 à Rimini. XVIe-XVIIe siècles. Italien.
Peintre d'histoire.
Ce fut l'un des meilleurs élèves de Fed. Barocci. On voit des œuvres de lui, principalement dans les églises de Rimini. Il ne faut pas confondre cet artiste avec Arragoni (voir ce nom), qui travaillait à Brescia vers 1607.

LAURENTINO d'Andréa. Voir **LORENTINO d'Andréa**

LAURENTIO Cesare
XVIIe siècle. Actif à Milan. Italien.
Graveur au burin.
Il a gravé des sujets historiques. On cite aussi de lui des portraits pour un ouvrage intitulé : *Histoire de l'empereur Leopold* (1660).

LAURENTIUS Van Antwerpen
Né à Anvers. XIVe siècle. Flamand.
Enlumineur.
En 1366 à Gand, où il résidait, il exécuta dans un missel ce que Waagen considère comme le premier exemple de l'influence néerlandaise sur l'enluminure des livres. Ce missel est surtout intéressant à cause de l'époque où il fut fait.
Musées : La Haye (Mus. Westreenen) : missel enluminé par Laurentius Van Antwerpen.

LAURENTS Francis
XVIIIe siècle. Travaillant en Angleterre de 1756 à 1788. Britannique.
Peintre et graveur à l'eau-forte.
Il a gravé des sujets religieux.

LAURENTS Johann Daniel
Né le 12 octobre 1729 à Berlin. Mort vers 1810 à Berlin. XVIIIe-XIXe siècles. Allemand.
Dessinateur et graveur à l'eau-forte.
Il a gravé des études d'après Rembrandt et des portraits.

LAURENTY ou **Lorentz**
Né à Dantzig. XVIe siècle. Polonais.
Peintre.
En 1530 il peignit pour l'église de Sainte-Marie à Dantzig.

LAURENTY Remacle Joseph
Né le 14 janvier 1766 à Verviers. Mort en 1834 à Paris. XVIIIe-XIXe siècles. Belge.
Dessinateur de paysages et de portraits.
Il vécut à Amsterdam et à Londres.

LAURENZ de Rotterdam
XVIe siècle. Hollandais.
Peintre.
Maître de Michiel de Gast en 1538.

LAURENZI Giovanni Battista
Né vers 1628 à Spolète. Mort le 30 septembre 1678 à Rome. XVIIe siècle. Italien.
Peintre.
Il travailla au Palais Quirinal, à Rome.

LAURENZIANI Giacomo
Mort en 1650. XVIIe siècle. Actif à Rome. Italien.
Sculpteur, dessinateur et graveur à l'eau-forte.
On cite de lui un buste en bronze de *Clement VIII.*

LAURENZIIS Nunziante de
Né en 1671. Mort en 1733. XVIIe-XVIIIe siècles. Actif à Naples. Italien.
Peintre.
Il fut élève de Solimena.

LAUREOLI
XVIIIe siècle. Actif à Paris vers 1730. Italien.
Graveur au burin.

LAURER Anthony ou **Lurer**
XVIIe siècle. Actif à Coire. Suisse.
Peintre verrier.

LAURER Berengar
Né en 1938 à Nuremberg. XXe siècle. Allemand.
Artiste.
Bibliogr. : In : *De Bonnard à Baselitz – Dix ans d'enrichissements du Cabinet des Estampes 1978-1988*, Paris, 1992.
Musées : Paris (Cab. des Estampes).

LAURER Istvan
Né en 1948 à Budapest. XXe siècle. Actif en Allemagne. Hongrois.
Peintre.
Bibliogr. : In : *De Bonnard à Baselitz – Dix ans d'enrichissements du Cabinet des Estampes 1978-1988*, Paris, 1992.
Musées : Paris (Cab. des Estampes).

LAURER Jörg Thomen ou **Lurer**
XVIe siècle. Actif à Coire. Suisse.
Peintre verrier.
Il était sans doute né à Ulm.

LAURER Joseph ou **Lurer**
XVIe siècle. Actif à Coire. Suisse.
Peintre verrier.
Frère de Jörg Thomen Laurer et père de Anton Laurer.

LAURET
XIXe siècle. Français.
Peintre de natures mortes.
Il est peut-être le même que Lauret François ?
Musées : Alger : *Nature morte.*

LAURET Emmanuel Joseph, dit **Lauret Aîné**
Né le 31 mai 1809 à Pignans (Var). Mort le 10 juin 1882 à Toulon (Var). XIXe siècle. Français.
Peintre de genre, portraits, paysages. Orientaliste.
Élève de Louis Clérian à l'École des Beaux-Arts d'Aix-en-Provence, il voyagea en Bretagne, resta quelque temps à Paris, s'établit en Algérie de 1850 à 1862, puis en Espagne jusqu'en 1865. Il retourna enfin à Alger, où il fut atteint de paralysie, ce qui le contraignit à rentrer définitivement à Toulon.
Il figura au Salon de Paris de 1841 à 1866.
Il signe Lauret aîné, ayant un frère cadet, également peintre : François Lauret.
Bibliogr. : Gérald Schurr, in : *Les Petits Maîtres de la peinture 1820-1920, valeur de demain*, Les Éditions de l'Amateur, t. VI, Paris, 1985 – in : Catalogue de l'exposition : *Les années romantiques, la peinture française de 1815 à 1850*, Mus. des Beaux-Arts de Nantes, 1995-1996 et Galeries nationales du Grand Palais, Paris, 1996.
Musées : Aix-en-Provence : *Le capitaine de vaisseau Richier* 1837 – Rennes (Mus. des Beaux-Arts) : *Portrait d'Hippolyte de Rosnyvien, marquis de Piré* 1842 – *Portrait d'Isidore de Penfentenio de Cheffontaines.*
Ventes Publiques : Paris, 4 déc. 1978 : *Femmes dans un intérieur à Alger* 1858, h/t (36x28,7) : **FRF 9 500** – Paris, 22 juin 1992 : *Salon algérois* 1852, mine de pb et gche (23,5x18,5) : **FRF 13 000** – Paris, 11 déc. 1995 : *Jeunes filles sur une terrasse dans la casbah d'Alger* 1851, h/cart./pan. (35,4x27,6) : **FRF 60 000** – Paris, 10-11 juin 1997 : *Famille juive d'Alger* 1852, h/cart. (26x19,5) : **FRF 22 000.**

LAURET François
Né le 21 décembre 1820 à Pignans (Var). Mort le 17 novembre 1868 à Toulon (Var). XIXe siècle. Français.
Peintre de portraits, paysages.
Il fut élève de son frère Emmanuel Joseph Lauret et de Jean Hilaire Belloc. Il travailla surtout à Toulon et à Alger, où il rejoignit son frère de 1851 à 1854, puis y retourna de 1862 à 1866.
Bibliogr. : Gérald Schurr, in : *Les Petits Maîtres de la peinture 1820-1920, valeur de demain*, Les Éditions de l'Amateur, t. VI, Paris, 1985.
Musées : Avignon : *Portrait d'Inguimbert, evêque de Carpentras – Le baron de Sainte-Croix.*
Ventes Publiques : New York, 28 mai 1992 : *Jeune homme au chapeau* 1851, h/t (66x54) : **USD 8 525.**

LAURETI Tommaso ou **Lauretti**, dit **Tommaso Siciliano** ou **Lauretti de Sicile**

Né vers 1530 à Palerme. Mort le 22 septembre 1602 à Rome. XVIe siècle. Italien.

Peintre et architecte.

On cite parmi ses peintures des fresques au Capitole (*Courage de Mucius Scœvola, Brutus condamnant ses fils, Horatius Coclès défendant le pont Sablicius, Aulus Posthumius, vainqueur au lac Régille*), les fresques du palais Ramuzzi, à Bologne, un *Saint François* à Saint-Jean-de-Latran, un superbe *Saint Jérôme*, à Saint-François-de-Ferran. Il fut patronné par les papes Sixte V et Clément VIII. Il fut le second président de l'Académie Saint-Luc à Rome et jouit dans cette ville d'une réputation considérable.

LAUREUS Alexander. Voir **LAURŒUS**

LAUREYS Armand

Né le 15 décembre 1867 à Saint-Josse-ten-Noode (Brabant). XIXe-XXe siècles. Belge.

Peintre de paysages, scènes de genre, dessinateur.

Il fut élève de Naexer et de l'Académie des Beaux-Arts de Bruxelles, puis de Galland à Paris. Il débuta à Gand en 1895. Il a exposé également à Bruxelles, Liège, Anvers.

Bibliogr. : In : *Diction. biographique illustré des artistes en Belgique depuis 1830*, Arto, Bruxelles, 1987.

LAURI Baltassare. Voir **LAUWERS**

LAURI Filippo

Né le 25 août 1623 à Rome. Mort le 12 décembre 1694 à Rome. XVIIe siècle. Italien.

Peintre d'histoire, scènes mythologiques, compositions religieuses, figures.

Fils cadet de Baltassare Lauri, il fut élève d'Angelo Coroselli. Il peignit beaucoup de figures dans les tableaux de Claude Lorrain. Son talent poétique et sa verve s'accordaient à merveille avec la conception de l'illustre maître. Filippo Lauri a surtout produit des tableaux de chevalet dans lesquels on sent souvent l'influence de Francesco Albani. On lui doit cependant quelques tableaux d'autel, notamment sa peinture d'*Adam et Ève*, dans l'église de la Pace. Ses ouvrages ont été fréquemment reproduits par la gravure.

Philipp Lor.

Musées : Bordeaux : *Vertumne et Pomone* – Caen : *Alphée et Aréthuse* – Cherbourg : *Érection de la Croix* – La Haye : *Paysage animé* – Le Mans : *Hiver – Printemps – Été – Automne* – Mayence : *Bacchanale* – Montpellier : *Vénus et le satyre* – Paris (Mus. du Louvre) : *Saint François d'Assise en extase – Sacrifice à Pan* – Rome (Borghese) : *Une martyre – Combat naval – Jugement de Pâris – Chésa de Diasa* – Saint-Pétersbourg (Mus. de l'Ermitage) : *Sainte Anne apprenant à lire à la Vierge – Apparition du Christ ressuscité à Madeleine* – Toulouse : *Lapidation de saint Étienne* – Vienne : *Le repos pendant la fuite en Égypte*.

Ventes Publiques : Paris, 1863 : *La Vierge allaitant l'Enfant Jésus* : **FRF 800** – Paris, 27 avr. 1874 : *La Nymphe et le Fleuve* : **FRF 560** – Paris, 8 fév. 1904 : *Adam et Ève* : **FRF 370** – Londres, 21 fév. 1910 : *Galatée, Nymphes et Tritons* : **GBP 9** – Paris, 17 avr. 1920 : *Jupiter et Antiope* : **FRF 240** – Londres, 26 juin 1946 : *Scène de forêt* : **GBP 55** ; *Le fils prodigue* : **GBP 50** – Paris, 15 fév. 1954 : *Lucrèce*, pl., lav. encre de Chine : **FRF 17 000** – Londres, 26 juin 1964 : *L'agonie du Christ* : **GNS 700** – Londres, 8 oct. 1969 : *Le Calvaire* : **GBP 600** – Londres, 12 déc. 1980 : *Paysans et troupeau dans un paysage* 1682, h/t (32x53) : **GBP 4 800** – Monte-Carlo, 20 juin 1987 : *Le Repos de la fuite en Égypte*, h/t (79x98) : **FRF 100 000** – Milan, 25 oct. 1988 : *La tentation de Jésus dans le désert*, h/t (49x64) : **ITL 6 000 000** – Milan, 4 avr. 1989 : *Saint Michel Archange ; Agar et l'ange*, h/cuivre, deux pendants, ovale (16x11,5 chacun) : **ITL 16 000 000** – Rome, 21 nov. 1989 : *Allégorie de l'Été*, h/t (29x22,8) : **ITL 12 000 000** – Rome, 8 mars 1990 : *La Sainte Famille dans un paysage ; L'enfant Jésus dans l'atelier de Joseph*, h/cuivre, ovale (chaque 20x15,5) : **ITL 8 500 000** – Rome, 23 avr. 1991 : *Appolon et Marsias*, h/t (74x97,5) : **ITL 13 000 000** – Londres, 3 juil. 1991 : *Diane et Callisto* 1628, h/cuivre (33x49) : **GBP 20 900** – Londres, 30 oct. 1991 : *Le Christ sur le chemin du calvaire* 1675, h/t (50,2x65,5) : **GBP 5 280** – Milan, 28 mai 1992 : *Galatée*, h/t (60,5x74) : **ITL 11 000 000** – Rome, 29 avr. 1993 : *Paysage avec Pan et Siringa*, h/t (diam. 32,5) : **ITL 6 500 000** – Milan, 8 juin 1995 : *Paysage avec un satyre endormi*, h/t (37x47) : **ITL 5 750 000** – Milan, 18 oct. 1995 : *Les saisons rendant hommage au temps*, h/t (57x72) : **ITL 24 150 000** – New York, 12 jan. 1996 : *Le Baptême du Christ ; La communion de Marie-Madeleine*, h/t, une paire de forme octogonale (chaque 38,1x38,1) : **USD 57 500** – Venise, 24 mai 1997 : *L'Immaculée et les nouveaux saints jésuites*, h/t (51x40) : **ITL 7 600 000** – New York, 16 oct. 1997 : *La Madone et l'Enfant avec saint Antoine de Padoue et un ange en adoration*, h/cuivre, de forme octogonale (13,3x17,8) : **USD 18 400** – Londres, 31 oct. 1997 : *L'Été ; L'Automne*, h/t, une paire (27,3x21,3) : **GBP 16 675**.

LAURI Francesco

Né le 27 février 1612 à Rome. Mort vers 1636 à Rome. XVIIe siècle. Italien.

Peintre d'histoire.

Fils aîné de Baltassare Lauri ; élève d'Andrea Sacchi. Il voyagea en Italie, en France et en Allemagne. On ne connaît qu'une œuvre de ce jeune artiste, un plafond du palais Crescenzi, à Rome, représentant *Trois déesses*.

LAURI Giacomo. Voir **LAURO**

LAURI Pietro ou **Laurier**, dit **Monsu Pietro di Guido**

Né en France. XVIIe siècle. Actif à Bologne vers 1650. Italien.

Peintre de sujets religieux.

Cet artiste paraît être venu jeune en Italie. Il fut élève de Guido Reni et produisit de nombreuses peintures dans les églises de Bologne. Certaines d'entre elles semblent avoir été retouchées par le Guide. On cite de lui, à Bologne : *La Vierge présentant l'Enfant Jésus à saint Félix* (Capucins) et *La Madonna della Liberta* (Saint-Antoine-de-Padoue).

LAURIA Maria de

Née le 26 février 1900 à Vienne. XXe siècle. Active au Venezuela. Autrichienne.

Peintre, pastelliste.

Elle fit ses études à Vienne sous la direction d'Anton Steinhart, et à Paris. Mariée à un Vénézuélien, elle vécut et travailla au Venezuela.

Elle participa à des expositions collectives en 1934 à Berlin, 1936 à Berne et Niovara, puis à Caracas, notamment en 1943.

LAURIDSEN Hans

XVIIe siècle. Actif à Naestved en 1683. Danois.

Peintre.

Il exécuta un retable pour l'église Saint-Pierre à Naestved.

LAURIE K. F.

XXe siècle. Britannique.

Peintre.

Il exposa en 1951 à l'Exposition d'Édimbourg. Sa peinture frappe par la vérité qui s'en dégage.

LAURIE Robert. Voir **LAWRIE**

LAURIET F.

Français.

Paysagiste.

La Galerie Roussel, à Louviers, conserve de lui une *Vue de la forêt de Fontainebleau*.

LAURIN Heinrich Friedrich

Né en 1756 à Dresde. Mort vers 1830 à Dresde. XVIIIe-XIXe siècles. Allemand.

Dessinateur et graveur au burin.

Élève d'Adrian Zuigg. Il a gravé des vues et des paysages traités d'une pointe alerte et spirituelle.

LAURIN Van Klattau

Né à Klattau. XVe siècle. Tchécoslovaque.

Enlumineur.

Il travailla à Prague vers 1410 pour l'archevêque Zbynek Zajic.

LAURIN-LAM Lou

Née en 1934 à Stockholm. XXe siècle. Suédoise.

Peintre. Tendance surréaliste.

Elle est l'épouse de Wifredo Lam.

Elle a figuré au Salon de Mai, à Paris, notamment en 1968, 1969, 1970, 1971 et 1975.

Elle utilise la technique des collages, assemblant des morceaux de tissus et des matériaux divers, pour créer des personnages, souvent cocasses, qui peuvent rappeler les œuvres d'Enrico Baj.

Ventes Publiques : Zurich, 30 mai 1979 : *Femmes de tous les pays, unissons-nous, mangeons les Généraux* 1975, collage/t. bleue (114x146) : **CHF 4 800**.

LAURITO Mario di

XVIe siècle. Actif à Naples et à Palerme vers 1500. Italien.

Peintre.
Il exécuta entre autres plusieurs peintures pour l'église Saint-Dominique à Ravenne. Comparer avec MARIO di Laureto.

LAURITZ Paul
Né en 1889. Mort en 1976. XXe siècle. Américain.
Peintre de paysages.
Ventes Publiques : Los Angeles, 6 nov. 1978 : *Clair de lune, Alaska*, h/t (76x61) : **USD 750** - Los Angeles, 15 oct. 1979 : *The Sierras*, h/t (86,4x101,6) : **USD 1 600** - Los Angeles, 23 juin 1981 : *Entre deux averses, Californie* 1923, h/t (86,5x101,5) : **USD 1 800** - San Francisco, 28 fév. 1985 : *Eucalyptus*, h/cart. (71x81,2) : **USD 2 000** - New York, 24 jan. 1989 : *Hiver en Californie*, h/t (70x80) : **USD 8 250** - Los Angeles-San Francisco, 7 fév. 1990 : *Sous-bois enneigé*, h/t (76x102) : **USD 14 300** - Los Angeles-San Francisco, 10 oct. 1990 : *Le fjord de Hardanger en Norvège*, h/cart. (46x66) : **USD 3 300** - New York, 4 mai 1993 : *Les monts Morain*, h/t (49,5x59,7) : **USD 2 070** - New York, 27 sep. 1996 : *Littoral rocheux de la Californie, jour brumeux*, h/t (55,9x71,1) : **USD 805**.

LAURITZEN Jens Christian Quortrup
Né le 12 octobre 1840 à Soro. Mort le 22 juin 1913. XIXe-XXe siècles. Danois.
Peintre de genre, de portraits et de paysages.
Il travailla surtout à Copenhague, mais exécuta aussi des peintures pour des églises à Kjong et à Soro.

LAURITZEN Jens Thomsen
Né le 23 février 1874 à Ribe. XXe siècle. Danois.
Peintre de paysages.
Il exposa à Copenhague à partir de 1903.

LAURO Agostino
Né en 1806 à Turin. Mort en 1876 à Turin. XIXe siècle. Italien.
Peintre et graveur.
Il collabora à l'illustration d'un recueil des peintures de la Galerie Royale de Turin paru entre 1836 et 1846.

LAURO Georges
Né le 13 mai 1939 à Nice (Alpes-Maritimes). XXe siècle. Français.
Peintre.
Maçon de métier, il fit sa première exposition à Vence en 1969, exposition suivie de quelques autres à Vence et à Paris. En 1971 il participait à la Biennale de Menton. Sa peinture fait songer à un langage par signes idéographiques ou hiéroglyphiques, langage aux résonances érotiques, comme issu des tréfonds d'une personnalité complexe.

LAURO Giacomo, dit **Giacomo da Treviso**
Né vers 1550 à Venise. Mort en 1605 à Trévise. XVIe siècle. Italien.
Peintre d'histoire.
Élève de Paul Véronèse. On cite de lui : *Saint Roch priant pour les pestiférés* (dans l'église des Dominicains). Il travailla surtout à Trévise.

LAURO Giacomo ou **Lauri**
XVIe-XVIIe siècles. Actif à Rome de 1585 à 1612. Italien.
Graveur au burin.
Il a gravé des portraits et des monuments. Il publia, en 1612, une suite de 166 gravures sur Rome, intitulée *Antiquae Urbis Splendor*.

LAURO da Padova ou **Lauro Padovano**
XVe-XVIe siècles. Italien.
Peintre d'histoire.
Fresquiste actif, d'après Zani, de 1470 à 1500. Une certaine obscurité règne au sujet de cet artiste. D'après Sansovino, il serait né à Padoue, y aurait été élève de Scarcione. On le classe parmi les imitateurs de Mantegna. Il a peint dans plusieurs églises de Venise, notamment à La Carita, des sujets de la vie de saint Jean. Il travailla à la chapelle Sixtine à Rome et aussi pour la cathédrale de Monselice.

LAURŒUS Alexander ou **Laureus**
Né le 4 janvier 1783 à Abo. Mort le 4 janvier 1823 à Rome. XIXe siècle. Suédois.
Peintre de genre, portraits, paysages, intérieurs, graveur, dessinateur.
Vers 1810, il vint étudier à Paris d'où il partit pour Rome. Cet artiste, mort à la fleur de l'âge, fut un peintre de talent, excellent dans des scènes d'intérieur et familiales, où il se plaît à reproduire d'intéressants effets de la lumière des lampes et des bougies. Laurœus a aussi gravé à l'eau-forte. Il peignit des vues de Rome et de la campagne romaine, des ruines, des effets de clair obscur dans des grottes. Dans son œuvre : *Bal dans un hôtel*, se retrouve la double influence de Hoggarth et Debucourt.

Musées : Helsinki : *M. J. Winquist, belle-mère du peintre, et ses deux fils* - *Violoniste* - *Ferme incendiée* - *Fumeur* - *Usurier* - *Insulaires* - *Fuite en Égypte* - *Incendie la nuit* - *Rabbin et sa famille* - *Jeune guerrier* - *Moine dans une cave* - Oslo : *Paysans jouant aux cartes* - Stockholm : *Paysage côtier* - *Brigands italiens et paysans dans une grotte* - *Brigands italiens enlevant des femmes* - *Vieillard et jeune fille tenant une lumière* - *Jeune fille avec lanterne* - *Villageois italiens*.
Ventes Publiques : Paris, 21 fév. 1924 : *Les Thermes de Julien*, lav. sépia : **FRF 190** - Stockholm, 23 avr. 1980 : *Intérieur*, h/t (51,43,5) : **SEK 12 100** - Stockholm, 15 nov. 1988 : *Paysage de montagnes*, h. (25x32) : **SEK 9 000** - Stockholm, 15 nov. 1988 : *Paysage de montagnes*, h. (25x32) : **SEK 9 000** - Stockholm, 19 avr. 1989 : *Après le bain, jeune femme nue et sa vieille servante lui passant son linge*, h/t (38x31) : **SEK 25 000** - Stockholm, 19 avr. 1989 : *Après le bain, jeune femme nue et sa vieille servante lui passant son linge*, h/t (38x31) : **SEK 25 000** - Stockholm, 14 nov. 1990 : *Jeune fille brodant dans sa chambre* 1816, h/t (34x27) : **SEK 95 000** - Stockholm, 14 nov. 1990 : *Jeune fille brodant dans sa chambre* 1816, h/t (34x27) : **SEK 95 000**.

LAURON Albert Frédéric
Né en 1841 à Weserling (Alsace). XIXe siècle. Français.
Peintre de fleurs et de genre.
Élève de Reignier et de l'École des Beaux-Arts de Lyon. Figura au Salon de 1865 à 1873. Le Musée de Mulhouse possède une œuvre de lui.

LAURY Micha
Né en 1946 à Rehovat. XXe siècle. Actif depuis 1975 en France. Israélien.
Sculpteur, peintre, lithographe, créateur d'installations.
Dans les années soixante-dix, il vivait en Israël, dans un kibboutz.
Il participe à des expositions collectives depuis 1970-1971 en Israël et en France, dont : 1977 *10 artistes*, Musée d'Art Moderne de la Ville de Paris : 1978 *Impact 3*, Musée d'Art Moderne et d'Industrie, Saint-Étienne ; 1979, *Tendances de l'art en France 1968-1978*, Musée d'Art Moderne de la Ville de Paris ; 1980, Biennale de Paris, Centre Georges Pompidou ; 1980, *Drawings*, Musée Israël, Jérusalem ; 1982, Biennale de Sydney ; 1983-1984, Helsinki et Malmö, Musées d'Art Moderne ; 1984, *Drawings*, Stedelijk Museum, Amsterdam ; 1991, *1981-2001*, Galerie de France, Paris ; 1994, *Nouvelles acquisitions*, Centre Georges Pompidou, Paris. Il montre ses œuvres dans des expositions personnelles depuis 1972 en Israël à la Gordon Gallery, à Tel-Aviv, de nouveau en 1976, au Musée Israël en 1980, en France à la galerie Liliane et Michel Durand-Dessert, à Paris, en 1991 à la Galerie de France, à Paris, en 1994, au Centre d'Art Contemporain de Quimper, au Fonds Régional d'Art Contemporain Languedoc-Rousillon, au Musée de Chartres.
Entre Duchamp et Beuys, Micha Laury se plaît à détourner les objets de son quotidien. Les dessins représentent une part significative de son travail.
Bibliogr. : In : *De Bonnard à Baselitz - Dix ans d'enrichissements du Cabinet des Estampes 1978-1988*, Paris, 1992.
Musées : Akson - Amsterdam (Stedelijk Mus.) - Jérusalem (Mus. Israël) - Paris (Cab. des Estampes) - Paris (Mus. Nat. d'Art Mod.) - Paris (FNAC) - Paris (Mus. de sculpture en plein air de la Ville de Paris) - Tel-Aviv.

LAURY Pierre
Né à Angers. XIXe siècle. Français.
Peintre de fleurs et paysagiste.
Il prit part à l'Exposition d'Angers en 1886.

LAUSER Paul
Né le 14 septembre 1850 à Ulm. Mort en 1927 à Stuttgart. XIXe-XXe siècles. Allemand.
Peintre de monuments et architecte.
Il peignit des aquarelles.

LAUSET, dit **Vernet**
XIXe siècle. Actif à Paris. Français.

Peintre.
Figura au Salon de 1831 à 1835, sous le nom de Vernet.

LAUSKA Caroline, née **Ermeler**
Née en 1794 à Berlin. XIXe siècle. Allemande.
Peintre d'histoire.
Élève de Schadow. On cite d'elle : *Les trois Anges au tombeau du Christ.*

LAUTE Bernard Marie
Né le 14 juin 1943 à Noyon (Oise). XXe siècle. Français.
Peintre. Tendance abstraite-paysagiste.
Il a étudié, à Paris, à l'Académie de la Grande Chaumière de 1962 à 1965.
Sa peinture se rapproche de celle de Le Moal et d'une certaine forme de paysagisme abstrait.

LAUTE Rolf
Né en 1940 à Hambourg. XXe siècle. Allemand.
Peintre, dessinateur.
Il participe à de nombreuses expositions collectives en Allemagne. Il a exposé en 1967 à Munich et, en 1970, à Hambourg.
À partir du trompe-l'œil, Laute crée un univers d'illusion, qui, loin d'être une imitation de la réalité, en est une falsification, comme née d'un rêve ou d'une imagination à la logique « jusqu'au-boutiste », dont son *Escalier de mer* est un bon exemple.

LAUTENSACK Adolf
Né en 1561 à Francfort-sur-le-Main. XVIe siècle. Allemand.
Peintre et graveur.
Fils d'Heinrich. Il représenta surtout des scènes de batailles.

LAUTENSACK Hans Sebald
Né en 1524 à Bamberg. Mort vers 1560 à Vienne. XVIe siècle. Allemand.
Peintre et graveur au burin et sur bois.
Fils de Paul Lautensack. Il vint fort jeune à Nuremberg et ce fut dans ce centre artistique qu'il se forma. Il a gravé des sujets religieux, des portraits historiques et des paysages. Ses portraits sont particulièrement remarquables. Le Musée d'Oslo conserve de lui : *Un médecin dans sa bibliothèque.*

VENTES PUBLIQUES : LONDRES, 27 juil. 1922 : *Le Christ trahi*, pl., reh. : **GBP 84** – LONDRES, 14 juil. 1936 : *Paysage*, dess. à la pl., reh. : **GBP 194** – NEW YORK, 16 févr 1979 : *L'Ange arrêtant Balaam*, eau-forte (19,3x29,5) : **USD 1 750** – MUNICH, 4 juin 1981 : *Paysage à la chaumière avec vue d'une ville* 1551, eau-forte : **DEM 11 200** – MUNICH, 25 nov. 1982 : *David et Goliath* 1551, eau-forte : **DEM 5 000** – LONDRES, 7 déc. 1984 : *Paysage avec un château fortifié sur une montagne*, eau-forte (11,2x17,1) : **GBP 1 700** – BERLIN, 22 mai 1987 : *Paysage boisé avec château*, eau-forte (11,1x17,2) : **DEM 7 100.**

LAUTENSACK Heinrich
Né le 3 février 1522 à Bamberg. Mort le 14 janvier 1568 à Francfort. XVIe siècle. Allemand.
Orfèvre, peintre et graveur au burin et sur bois.
Fils de Paul Lantensack, avec qui il vint à Nuremberg en 1525. On le dit élève de Melchior, mais il est probable qu'il dut aussi étudier le dessin avec son père. En 1550 il se rendit à Francfort et s'y établit. En 1553 il publia un traité de perspective. On dit qu'il fonda dans cette ville la première collection de peintures. On lui attribue un certain nombre d'estampes, sujets de genre et sujets religieux, rappelant la manière de Hans Sebald Beham.

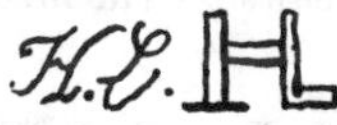

LAUTENSACK Paul
Né en 1478 à Bamberg. Mort le 15 août 1558 à Nuremberg. XVIe siècle. Allemand.
Peintre de portraits.
Ayant embrassé la religion réformée, il dut quitter sa ville natale en 1525 et s'établit à Nuremberg. Il y peignit divers sujets empruntés à l'Apocalypse. Son fanatisme religieux le fit exiler de Nuremberg en 1542 ; il obtint cependant d'y revenir. Il a surtout peint d'après des gravures de Martin Schongauer et d'Albrecht Dürer. Il était également organiste.

LAUTENSCHLÄGER Carl August Constantin
Né le 12 octobre 1817 à Lauchstadt. Mort le 3 septembre 1836 à Merseburg. XIXe siècle. Allemand.
Graveur.
Il travailla à Merseburg et Leipzig.

LAUTENSCHLAGER Marie
Née le 14 février 1859 à Ravensburg. XIXe siècle. Allemande.
Peintre de genre.
Élève de Grünenwald, Liezen-Mayer et Fr. Keller à l'École des Beaux-Arts de Stuttgart. Le Musée de cette ville conserve d'elle : *Songe perdu.*

LAUTER Paul. Voir **LAUTERS**

LAUTER Wilhelm Hermann Adolf
Né le 3 janvier 1847 à Emmendingen. Mort le 23 juillet 1917 à Berlin. XIXe-XXe siècles. Allemand.
Paysagiste, aquarelliste et ingénieur.
Exposa à Berlin, Francfort, Munich, à partir de 1889.

LAUTERBACH Franz
Né le 9 avril 1865 à Cologne. XIXe siècle. Allemand.
Peintre verrier.
Élève de Niessen à Cologne. Il travailla ensuite surtout à Hanovre.

LAUTERBOURG. Voir **LOUTHERBOURG**

LAUTERBURG Emil
Né le 25 mai 1861 à Berne. Mort en 1907 à Berne. XIXe-XXe siècles. Suisse.
Paysagiste.
Voyagea en Suisse pour se perfectionner et se fixa quelque temps à Munich, puis à Vienne. Il s'adonna aussi à la décoration. Au Salon suisse de 1898, il exposa quelques paysages. Le Musée de Berne conserve de lui : *Leissigen après le coucher du soleil.*
VENTES PUBLIQUES : PARIS, 4 mai 1928 : *Paysages hollandais*, deux aquarelles : **FRF 5 100.**

LAUTERBURG Jakob
Né le 12 novembre 1748 à Berne. Mort le 2 décembre 1834. XVIIIe-XIXe siècles. Suisse.
Dessinateur et peintre.

LAUTERBURG Martin
Né le 14 mai 1891 à Neuenegg. Mort en 1960 à Berne. XXe siècle. Suisse.
Peintre de paysages, portraits, intérieurs. Tendance expressionniste.
Après avoir fait ses études à Neuchâtel, il s'installa durant vingt-cinq ans à Munich, puis voyagea à travers l'Europe.
MUSÉES : BERNE – MUNICH.
VENTES PUBLIQUES : BERNE, 25 nov. 1976 : *Cyclamens sur fond vert* 1927, h/t (61x45,5) : **CHF 2 900** – BERNE, 21 oct. 1977 : *Vue de Genève* 1935, h/pan. (65x54) : **CHF 3 300** – BERNE, 24 oct 1979 : *L'atelier*, h/cart. (70x46) : **CHF 1 800** – BERNE, 26 juin 1982 : *Pot de géraniums* 1937, h/t (55x42) : **CHF 7 200** – BERNE, 18 mai 1984 : *Nature morte aux fleurs* 1928, h/t (101x123) : **CHF 8 500** – BERNE, 28 mai 1985 : *Allégorie*, h/t (74x101,5) : **CHF 13 000** – BERNE, 25 oct. 1986 : *La Cantatrice*, h/t (65x50) : **CHF 3 800** – BERNE, 26 oct. 1988 : *Intérieur d'atelier avec un luth au premier plan*, h./contre plaqué (50x42) : **CHF 3 400** – BERNE, 12 mai 1990 : *L'escalier dans la maison*, h/t (33x46) : **CHF 1 100** – ZURICH, 24 nov. 1993 : *Dans la ville* 1944, h/t (46x61) : **CHF 2 990.**

LAUTERER Johann Franz Nepomuk
Né en 1700 à Vienne. Mort le 28 avril 1733 à Vienne. XVIIIe siècle. Autrichien.
Paysagiste.
Élève de Josef Orient ; il subit l'influence de Nicolas Berghem. Le Musée de Vienne conserve de lui deux *Paysages avec troupeaux.*
VENTES PUBLIQUES : VIENNE, 6 juin 1972 : *Le naufrage* : **ATS 20 000** – VIENNE, 20 sep. 1977 : *Le sauvetage des naufragés*, h/pan. (22x31,5) : **ATS 28 000.**

LAUTERI Camilla
Morte le 28 janvier 1681 à Bologne. XVIIe siècle. Italienne.
Peintre.
Elle peignit des tableaux religieux en particulier pour l'église San Gregorio à Bologne.

LAUTERS Paul
Né le 16 juillet 1806 à Bruxelles. Mort le 12 novembre 1875. XIXe siècle. Belge.
Peintre de portraits, paysages, aquarelliste, graveur, illustrateur.
Élève à l'Académie de Bruxelles de 1820 à 1823, il devint professeur à l'École de gravure de Bruxelles en 1836, puis à l'Académie de la même ville. Chevalier de l'Ordre de Léopold.

Il fit de nombreuses lithographies pour Billon et Fourmois et s'intéressa beaucoup à l'illustration de livres. Certaines de ses aquarelles, montrant des paysages des bords du Rhin, prennent un caractère fantastique.
Bibliogr. : Gérald Schurr, in : *Les Petits Maîtres de la peinture 1820-1920, valeur de demain,* Les Éditions de l'Amateur, t. V, Paris, 1981.
Musées : Bruxelles : *Un chemin creux* – une aquarelle.
Ventes Publiques : Paris, 1895 : *Intérieur de parc,* aquar. : **FRF 103** – Paris, 10 fév. 1926 : *Château de Gaesbeck,* sépia : **FRF 100** – Bruxelles, 12 juin 1990 : *Paysage animé* 1836, aquar. (20x29) : **BEF 28 000**.

LAUTH Charles Frédéric
Né le 17 janvier 1865 à Paris. Mort le 23 mars 1922 à Paris. XIXe-XXe siècles. Français.
Peintre de genre, portraits.
Élève d'Alexandre Cabanel, il participa au Salon de Paris de 1899 à 1921, obtenant une médaille de troisième classe en 1894, une de deuxième classe en 1900. Il reçut également une médaille de bronze à l'Exposition Universelle de 1900. Il épousa Aurore Sand, la petite-fille de George Sand, ce qui lui permit d'être en contact avec le « Tout-Paris » et de faire des portraits de personnalités de cette société.
Bibliogr. : Gérald Schurr, in : *Les Petits Maîtres de la peinture 1820-1920, valeur de demain,* Les Éditions de l'Amateur, t. IV, Paris, 1979.
Musées : Mulhouse : *Sommeil.*
Ventes Publiques : Paris, 12 fév. 1921 : *Tête de femme brune* : **FRF 880** – Paris, 9 avr. 1924 : *Jeune femme au chapeau noir* : **FRF 1 500** ; *Le marché à La Châtre (Indre)* : **FRF 4 100** – Paris, 17 mars 1943 : *Femme en buste* : **FRF 1 000**.

LAUTH-BOSSERT Louise Aline
Née le 3 mai 1869 à Barr (Bas-Rhin). XXe siècle. Française.
Sculpteur.
Elle fut élève de Icard et de Ducrot-Icart.
Elle figura, à Paris, au Salon des Artistes Français, dont elle devint sociétaire à partir de 1908.
Les Musées de l'Est de la France possède de ses œuvres.

LAUTH-SAND Aurore. Voir **SAND**

LAUTIER Flora
Née à New York. XXe siècle. Américaine.
Peintre.
Elle fut élève de Henri Chase et Mora à New York. Elle fut membre de la Société des artistes Indépendants.

LAUTISSIER François
Né en 1957 à Chartres (Eure-et-Loir). XXe siècle. Français.
Peintre. Groupe Art-Cloche.
Peintre autodidacte. Il fut assimilé à l'art cloche, groupe informel fondé en 1981, qui occupa un « squatt » de la rue d'Arcueil à Paris, se réclamant de Dada et de Fluxus.
Bibliogr. : In : *Art Cloche. Élément pour une rétrospective. Squatt artistique,* catalogue de ventes, Me Pierre Cornette de Saint-Cyr, lundi 30 janvier 1989, Paris.

LAUTREC Henri de Toulouse. Voir **TOULOUSE-LAUTREC**

LAUTREC Lucien
Né le 19 juillet 1909 à Nîmes (Gard). Mort le 26 novembre 1991 à Paris. XXe siècle. Français.
Peintre, peintre à la gouache, peintre de compositions murales, décorateur.
Il étudia à l'école des Beaux-Arts de Nîmes de 1925 à 1927, puis compléta sa formation dans l'atelier de fresque de Ducos de La Haille, à l'École Nationale Supérieure des Beaux-Arts. Il a exposé, à Paris, au Salon des Tuileries et au Salon d'Automne, de 1936 à 1939, date à laquelle il fut mobilisé. Il a aussi figuré après la guerre dans différents groupements notamment au Salon de Mai, avec des compositions d'une gamme colorée aérienne, où les bleus d'azur et les verts d'eau dominent. En 1948, il fonda à Paris avec Robert Lapouiade et Michel Carrade « l'Académie Populaire des Arts Plastiques » présidée par Jean Bazaine. Ouverte jusqu'en 1979, elle vit défiler, génération après génération, une bonne partie du milieu artistique parisien.
Il rallia en 1936 le groupe *Forces Nouvelles,* désireux de retrouver une tradition réaliste, au moment même où Tal Coat quittait ce groupe. Après la guerre, il se rallia à l'abstraction relative qui caractérise alors l'école de Paris, et qui était une abstraction de l'apparence et non du point de départ ; les œuvres étant toujours construites, à travers la désincarnation même la plus poussée, sur une observation et une analyse de la réalité, considérée comme le support de l'émotion. L'intellectualisme de la démarche de Lucien Lautrec lui a permis de bien remplir, parallèlement à son activité de peintre, une importante carrière d'enseignant et d'animateur culturel, de préférence auprès d'une clientèle populaire. Peintre de la vie moderne, paysagiste abordant le motif en sachant qu'il lui faudra le trouver souvent compliqué d'une usine, exprimant avec la même sympathie le labeur du chantier et le repos des bohémiens, cet artiste a très tôt prouvé son aptitude à collaborer avec l'architecte. Il a décoré, de larges compositions claires et d'un dessin volontaire, la salle des mariages de la mairie de Brou (Eure-et-Loir) ; cette décoration n'est plus visible depuis les travaux de rénovation entrepris en 1970. Il réalisa également deux panneaux muraux (aujourd'hui disparus) pour la salle du Conseil de la préfecture de Versailles.
■ J. B.
Bibliogr. : Catalogue *Lucien Lautrec,* Salon d'Automne, Paris, 1985 – *Lucien Lautrec, rétrospective 1934-1989,* Musée Ingres, Montauban, 1990.
Musées : Mulhouse : *Portrait de femme, Mme L. L.* – Paris (Mus. d'Art Mod.) : *Portrait de famille – Paysage de Touraine – Portrait de femme – Nature morte* – Paris (Mus. Carnavalet) : *Jardins de Paris.*
Ventes Publiques : Paris, 17 déc. 1943 : *L'Artiste dans son intérieur* 1937, gche : **FRF 600** – Paris, 24 jan. 1996 : *La femme et la mère* 1941, gche (71x99) : **FRF 6 000**.

LAUTREC Victor Jean Baptiste
Né à Rouen. Mort le 12 mars 1908 à Paris. XIXe-XXe siècles. Français.
Peintre et lithographe.
Élève de Mouilleron. Il exposa au Salon à partir de 1852.

LAUTRO Georges
Né le 13 mai 1939 à Nice (Alpes-Maritimes). XXe siècle. Français.
Peintre.
Maçon de métier, il fit sa première exposition à Vence en 1969, exposition suivie de quelques autres à Vence et à Paris. En 1971, il participait à la Biennale de Menton.
Sa peinture fait songer à un langage par signes idéographiques ou hiéroglyphiques, langage aux résonances érotiques, comme issu des tréfonds d'une personnalité complexe.

LAUVERGNE Barthélémy
Né le 4 juillet 1805 à Toulon (Var). Mort le 16 novembre 1871 à Carcès (Var). XIXe siècle. Français.
Peintre de paysages, marines.
Élève de Pierre Letuaire, il figura au Salon de Paris de 1828 à 1849, obtenant une médaille de troisième classe en 1835.
Il était devenu officier d'administration de la Marine, ce qui lui permit de faire de nombreux voyages autour du monde, au cours desquels il fit des carnets de dessins dont il a tiré, plus tard, des marines peintes à l'huile.
Bibliogr. : Gérald Schurr, in : *Les Petits Maîtres de la peinture 1820-1920, valeur de demain,* Les Éditions de l'Amateur, t. VI, Paris, 1985.
Musées : Narbonne : *Naufrage à l'entrée de Mers-el-Kébir.*
Ventes Publiques : Paris, 6 nov. 1942 : *Voilier en vue d'une côte* 1873 : **FRF 220** – Paris, 5 juil. 1988 : *L'escadre française commandée par l'Amiral de Joinville bombarde Mogador* 1845, h/t (62x117) : **FRF 85 000** – Paris, 10-11 juin 1997 : *Bateaux à l'approche d'Alger* 1865, h/t (30x50) : **FRF 18 500**.

LAUVERIER
Peintre de paysages.
Le Musée de Nimègue conserve de cet artiste : *L'ancienne Ziekenpoort de la prison souterraine du Hovensuolen.*

LAUVERJAT Gaston de
Né au XIXe siècle à Tours. XIXe siècle. Français.
Peintre de genre et de paysages et aquarelliste.
Élève de Couture et de Monginot. Débuta au Salon de 1874. Sociétaire des Artistes Français depuis 1886.

LAUVERNAY-PETITJEAN Jeanne
Née le 26 janvier 1875 à Amiens (Somme). XXe siècle. Française.
Peintre de natures mortes, fleurs.
Elle se maria avec Edmond Petitjean en 1904. Elle fut sociétaire du Salon des artistes français, à Paris, à partir de 1895 ; y obtint

une mention honorable en 1903 et une médaille d'argent en 1914.
Ventes Publiques : Londres, 24 mai 1989 : *Vase de fleurs*, h/cart. (54,6x46,2) : **GBP 2 860.**

LAUVET Charles Marie
Né en 1822 à Reims. Mort en 1853 à Paris. XIXe siècle. Français.
Peintre d'histoire.
Élève d'Henry Scheffer et de Picot ; il obtint du Conseil municipal de Reims une subvention qui lui permit de faire ses études à l'École des Beaux-Arts.

LAUVRAY Louis Alphonse Abel
Né le 21 novembre 1870 à Rennes (Ille-et-Vilaine). Mort en 1950. XIXe-XXe siècles. Français.
Peintre de paysages. Postimpressionniste.
Il exposa, à Paris, aux Salons des Artistes Français, de la Société Nationale des Beaux-Arts et des Indépendants. Il fut sorti de l'oubli par une galerie parisienne qui célébra le centenaire de sa naissance en 1970. Il subit l'influence de Monet, traitant fréquemment des mêmes thèmes.

Bibliogr. : Gérald Schurr, in : *Les Petits Maîtres de la peinture 1820-1920, valeur de demain*, Les Éditions de l'Amateur, t. II, Paris, 1982 - Yves Jaubert : *Abel Lauvray 1870-1950*, catalogue raisonné, L'Amateur, Paris, 1992.
Ventes Publiques : Paris, 16 juin 1966 : *Paysage du Midi* : **FRF 8 500** – Paris, 5 déc. 1968 : *Avignon : la tour Philippe-le-Bel* : **FRF 15 500** – Paris, 15 mars 1973 : *Vue sur le port de Villeneuve* : **FRF 20 000** – Versailles, 28 mars 1976 : *Les environs de la Chartreuse d'Avignon*, h/t (60x81) : **FRF 8 000** – Versailles, 10 déc. 1978 : *Le village sur la colline*, h/pap. mar./pan. (59,5x80,5) : **FRF 6 800** – Londres, 7 déc 1979 : *La Maison du peintre à Vétheuil* 1898, h/t (73x100) : **GBP 2 600** – Enghien-les-Bains, 1er mars 1981 : *Voiliers à Vétheuil*, h/pap. mar./t. (38x55) : **FRF 36 500** – Versailles, 11 déc. 1983 : *Le Déjeuner dans le parc*, h/pap. mar./t. (59,5x80,5) : **FRF 45 000** – Versailles, 12 juin 1985 : *Le jardin du peintre à Vétheuil*, h/t (60x81) : **FRF 37 000** – Versailles, 11 juin 1986 : *Vétheuil vu des coteaux*, h/t (60x81) : **FRF 52 000** – Paris, 30 nov. 1987 : *Bords de rivière*, h/pap. (38x54) : **FRF 20 000** – Paris, 25 juin 1987 : *Melier, château en Touraine* 1936, h/cart./mar./t. (50x73) : **FRF 50 000** – Versailles, 21 fév. 1988 : *Moustiers Sainte-Marie*, h/t (80x113) : **FRF 14 000** – Paris, 2 mars 1988 : *La Tour Philippe-le-Bel à Villeneuve-les-Avignon*, h/t (50x65) : **FRF 16 500** – Paris, 9 mai 1988 : *Le Château de Chenonceaux*, h/cart. (50x73) : **FRF 90 000** – Paris, 23 juin 1988 : *La Seine à Lavacourt* 1956, h/t (50x65) : **FRF 54 000** – Calais, 3 juil. 1988 : *Vue de la tour Philippe-le-Bel à Villeneuve-les-Avignon*, h/pap. mar./t. (49x66) : **FRF 23 000** – Versailles, 6 nov. 1988 : *Les Coteaux près de Vétheuil*, h/pap. mar./t. (50x73) : **FRF 45 000** – Paris, 20 nov. 1988 : *Sous-bois*, h/t (60x81) : **FRF 42 000** – Paris, 12 fév. 1989 : *Paysage*, h/t (60x81) : **FRF 70 000** – Paris, 19 mars 1989 : *La Seine à Lavacourt*, h/cart. (50x65,5) : **FRF 69 000** – Paris, 22 oct. 1989 : *Lumières en sous-bois*, h/pap. (60x81) : **FRF 48 000** – Versailles, 26 nov. 1989 : *Campagne de Provence*, h/t (60x81) : **FRF 110 000** – Paris, 18 déc. 1989 : *Printemps fleuri dans le Midi* vers 1930, h/pan. (60x81) : **FRF 120 000** – Paris, 24 avr. 1990 : *Bords de Seine*, h/pap. (50x73,5) : **FRF 53 000** – Paris, 26 avr. 1990 : *Paysage à Vétheuil*, h/pan. (27x35) : **FRF 22 000** – Paris, 4 juil. 1990 : *L'Entrée de Villeneuve*, h/t (60x81) : **FRF 30 000** – Calais, 5 avr. 1992 : *Paysage d'Île-de-France*, h/pan. (38x55) : **FRF 23 500** – Paris, 15 avr. 1992 : *Campagne avignonaise*, h/t (38x55) : **FRF 19 000** – Paris, 6 avr. 1993 : *Campagne avignonaise, mes rochers*, h/t (38x55) : **FRF 22 000** – Paris, 27 mai 1994 : *La Tour de Philippe-le-Bel à Avignon*, h/t (60x80) : **FRF 12 000** – Calais, 24 mars 1996 : *Maison à l'orée du bois*, h/pan. (22x27) : **FRF 7 500** – Paris, 24 nov. 1996 : *Le Fort Saint-André à Villeneuve-les-Avignon*, h/t (60x81) : **FRF 32 000** – Paris, 23 fév. 1997 : *La Seine à la Roche-Guyon*, h/t (61x82) : **FRF 7 500** – Paris, 25 mai 1997 : *Bords de Loire à Tours*, h/t (60x81) : **FRF 15 000** – Paris, 6 juin 1997 : *Vue de la vallée de la Seine, Mantes*, h/t (60x80) : **FRF 48 000.**

LAUW Pieter. Voir **LOUW**

LAUWER Coenraed
Né en 1632 à Anvers. Mort vers 1685. XVIIe siècle. Éc. flamande.
Graveur.
Frère cadet de Nicolas Lauwers. il fit son éducation à Anvers et exécuta de nombreuses gravures dans le style de son frère, mais d'une qualité inférieure. Il fut maître à Anvers en 1660. On croit qu'il alla ensuite à Paris où il aurait vécu longtemps.

LAUWEREYNS DE DIÉPENHÈDE Henri Auguste
Né le 5 juillet 1866 à Paris. XIXe siècle. Français.
Peintre de marines.
Élève de L. O. Merson et Guillou, expose au Salon des Artistes Français.

LAUWERS Baltassare ou **Lauri**
Né vers 1570 ou 1576 à Anvers. Mort le 4 août 1645 à Rome. XVIe-XVIIe siècles. Éc. flamande.
Peintre de paysages.
Partit jeune pour l'Italie et y fut élève de Paul Brill. Ce fut un paysagiste de grand talent.
Ventes Publiques : Amsterdam, 12 nov. 1996 : *Architectures fantastiques et musiciens embarquant dans un paysage accidenté*, cr., encre brune et lav. reh. de blanc/craie noire (29,2x35,2) : **NLG 4 720.**

LAUWERS Frans
Né le 26 février 1854 à Anvers. Mort en 1931. XIXe-XXe siècles. Belge.
Peintre de portraits, graveur.
Il fut élève de Beaufaux, Dujardin, Bal et Michiels. Il reçut le Prix de Rome en 1874. Revenu à Anvers en 1881, il fut nommé professeur à l'Académie de cette ville en 1885. Il obtint une troisième médaille à Paris en 1883, une médaille d'or à Anvers en 1891, une mention honorable en 1889 lors de l'Exposition universelle de Paris, une médaille de bronze en 1900 dans les mêmes circonstances. En 1897, il fut nommé chevalier de l'Ordre de Léopold. Il a principalement gravé d'après des maîtres anciens : Memling, Van Ostade, Rubens, Andre del Sarte, et modernes.
Bibliogr. : In : *Diction. biographique illustré des artistes en Belgique depuis 1830*, Arto, Bruxelles, 1987.

LAUWERS Jacobus Johannes
Né le 26 février 1753 à Bruges. Mort le 21 décembre 1800 à Amsterdam. XVIIIe siècle. Hollandais.
Peintre.
Ventes Publiques : Paris, 11-12 juin 1928 : *Le fermier pensif*, pierre noire : **FRF 160** – Londres, 24 mars 1937 : *Le colporteur* : **GBP 90** – Londres, 13 juil. 1966 : *Le marchand de volailles ; Les vendanges*, deux panneaux : **GBP 700** – Zurich, 16 mai 1980 : *Le colporteur* 1797, h/pan. (59x46,5) : **CHF 11 000** – Amsterdam, 11 nov. 1997 : *Une domestique, de trois quarts, assise à une table dans une cuisine et moulant le café*, h/pan. (31,3x24,3) : **NLG 12 685.**

LAUWERS Laurent
Né en 1933 à Anvers. XXe siècle. Belge.
Sculpteur.
Il fut élève de l'Académie des Beaux-Arts d'Anvers.
Il est un adepte du ready-made et des assemblages.

LAUWERS Nicolaes
Né le 27 avril 1600 à Anvers. Mort en 1652 à Anvers. XVIIe siècle. Éc. flamande.
Dessinateur, graveur au burin et éditeur.
Élève de Paulus Pontius. Maître dans la gilde d'Anvers en 1619, il fit partie de l'École de Rubens et fut l'ami de Bolswert. Il eut pour élèves Henri Snyers et Gilles de la Forgie en 1635, de Nicolas Pilau en 1644, de Marin Vigilet en 1651, de Vervoert en 1652. On estime particulièrement ses gravures d'après Rubens.

LAUWICH Alexandre Abel Félix
Né le 13 mars 1823 à Lille. XIXe siècle. Français.
Peintre d'intérieurs et de genre.
Élève de Gleyre. Figura au Salon de 1850 à 1869. Le Musée de Dunkerque conserve de lui une *Vue du Caire*, et celui de Lille, *Femme juive d'Alger*.
Ventes Publiques : Paris, 31 mai 1943 : *Le Repos de la caravane* 1863 : **FRF 3 100.**

LAUX August
Né en 1847. Mort en 1921. XIXe-XXe siècles. Actif aux États-Unis. Allemand.

Peintre animalier, de natures mortes, fleurs et fruits.
Il peignait des volailles de ferme, des animaux domestiques et surtout des natures mortes de produits naturels.

Ventes Publiques : New York, 10 oct 1979 : *Poules et moutons dans une cour de ferme*, h/t (40,5x51) : **USD 1 500** – Portland, 20 nov. 1982 : *Nature morte*, h/t (50,8x40,5) : **USD 2 800** – New York, 5 oct. 1983 : *Chatons jouant avec une pomme*, h/t (30,5x40,8) : **USD 4 200** – New York, 1er oct. 1987 : *Nature morte aux fruits*, h/t (40,8x51) : **USD 3 200** – New York, 30 sep. 1988 : *Pommes et raisins*, h/t (25,5x35,7) : **USD 4 950** – New York, 25 mai 1989 : *Fraises*, h/t (25,7x35,5) : **USD 11 000** – New York, 14 fév. 1990 : *Nature morte de gibier mort et de fruits*, h/t (69x82) : **USD 3 300** – New York, 16 mars 1990 : *Nature morte d'un panier de fraises renversé*, h/t (25,5x35,5) : **USD 3 520** – New York, 27 sep. 1990 : *Framboises et pois de senteur*, h/t (30,5x41) : **USD 7 700** – New York, 26 sep. 1991 : *Groseilles*, h/t (25,5x35,5) : **USD 6 050** – New York, 12 mars 1992 : *Un panier de pommes*, h/t (35,6x50,6) : **USD 5 500** – New York, 25 sep. 1992 : *Un coq dans la basse-cour*, h/cart. (16,5x22,2) : **USD 2 090** – New York, 31 mars 1993 : *Poulets dans une grange*, h/t (25,4x35,6) : **USD 5 463** – New York, 28 nov. 1995 : *Chatons dans un panier à fleurs*, h/pan. (20,3x25,4) : **USD 2 760**.

LAUX Marie
Née le 15 août 1852 à Wiesbaden. XIXe siècle. Allemande.
Peintre de fleurs et d'animaux.
Élève de B. Adam. Travailla à Munich et à Prague. Exposa à Paris en 1887.
Ventes Publiques : New York, 13 mai 1978 : *Nous promettons de ne pas vous déranger*, h/t (24x34,3 : **USD 1 400** – Heidelberg, 13 oct 1979 : *La basse-cour*, h/t (20x32,2) : **DEM 1 900** – New York, 24 jan. 1980 : *Oiseaux dans leur nid*, h/t (56x40) : **USD 6 000** – Londres, 26 nov. 1982 : *Les rivaux* 1875, h/t (99x132) : **GBP 1 500**.

LAUXMANN Theodor
Né le 4 juin 1865 à Adolzfurth. Mort en 1920 à Stuttgart. XIXe-XXe siècles. Allemand.
Peintre et illustrateur.
On lui doit surtout la décoration de plusieurs églises, notamment à Weiblingen. Le Musée de Stuttgart possède aussi des œuvres de lui.
Ventes Publiques : Munich, 6 nov. 1981 : *Retour du marché*, h/cart. (28x42,5) : **DEM 9 000**.

LAUZE Jean
XXe siècle. Actif en Algérie. Français.
Peintre de paysages.
Il a aussi peint des paysages parisiens.

LAUZE-CHASELLE
Français.
Peintre de genre.
Le Musée d'Alais conserve de lui *Attributs de la Musique*, et *Attributs de la Peinture*.

LAUZERO Albert
Né le 16 août 1909 à Fleurance (Gers). XXe siècle. Français.
Peintre de paysages, dessinateur, graveur, aquarelliste.
Il a commencé ses études à l'Académie de la Grande Chaumière, à Paris. Il se fixa à Paris en 1927.
Il participe à des expositions collectives, à Paris : Salon des Indépendants, Salon de la Société Nationale des Beaux-Arts, Groupe 109.
À l'époque de son apprentissage de la peinture, il ne peut ignorer les démarches cubistes et abstraites des peintres contemporains, il se rattache néanmoins toujours à des détails très proches de la réalité. Il a dessiné et pratiqué l'aquarelle de bonne heure, mais ce n'est qu'en 1931 qu'il se risqua à essayer de l'huile. Peut-être n'a-t-il jamais pu se résoudre à renoncer aux transparences féeriques des couleurs à l'eau, toujours est-il que ses peintures les plus récentes, pourtant irréprochables de facture, bénéficient du mystère lumineux qui semble le propre de l'aquarelle. Autour de Paris, il peint les sites de banlieue voire de la zone, puis il découvre le charme plus lointain de l'Île-de-France, mais on a souvent préféré ses étranges descriptions plastiques des vitrines ou devantures de boutiques. Ce flou rêveur qui nimbe une ordonnance familière ne contrarie nullement la justesse de ton des plats d'argent et d'étain chez l'antiquaire de Delft ou des humbles bocaux, exaltés comme savait Chardin, de l'épicerie rouge.
Bibliogr. : E. R. Collot : *René Blanc, Albert Lauzero, Charles Pollaci – Trois Peintres de l'École de Pontoise*, s. d., s. l. – in : *De Bonnard à Baselitz – Dix ans d'enrichissements du Cabinet des Estampes 1978-1988*, Paris, 1992.
Musées : Paris (Cab. des Estampes).
Ventes Publiques : Paris, 12 fév. 1989 : *Paysage du Hourdal*, h/t (46x61) : **FRF 15 000** – Paris, 20 fév. 1990 : *Port de Gennevilliers*, h/t (46x61) : **FRF 9 500** – Neuilly, 19 mars 1994 : *Marine*, h/t (54x65) : **FRF 12 000**.

LAUZET A. M.
Mort en octobre 1898 à Aubergne. XIXe siècle. Français.
Peintre et lithographe.
On lui doit des paysages et des lithographies, entre autres d'après Monticelli et Puvis de Chavannes.
Ventes Publiques : Paris, 24 fév. 1943 : *La Table en plein air* : **FRF 800**.

LAUZIER Adèle
XIXe siècle. Active à Paris. Française.
Peintre de portraits et pastelliste.
Figura au Salon de 1824 à 1831.

LAVACHERY Michel
Né en 1937. XXe siècle. Belge.
Peintre, graveur.
Il fut élève de l'Académie des Beaux-Arts de Bruxelles. Il étudia ensuite à Paris dans l'atelier de Freidlaender.
Il travaille le bois.
Bibliogr. : In : *Diction. biographique illustré des artistes en Belgique depuis 1830*, Arto, Bruxelles, 1987.

LAVADOUR James
Né en 1953 à Pendleton (Oregon). XXe siècle. Américain.
Graveur.
Il vit et travaille à Pendlteton.
Il a figuré, à Paris, en 1995, à l'exposition de la Jeune Gravure Contemporaine parmi les invités des États-Unis.
Sa gravure doit être appréciée comme le lieu d'une traduction formelle de ce que l'artiste ressent, associe et projette, à partir généralement du désir de représenter un paysage.

LAVADOUX Paul Frédéric
Né au XIXe siècle à Beauvais. XIXe-XXe siècles. Français.
Peintre de genre.
Élève de F. Besson. Figura au Salon des Artistes Français. Membre de cette association depuis 1902.

LAVAERTS Adolphe
Né en 1862 à Malines (Anvers). XIXe-XXe siècles. Belge.
Peintre de genre, graveur.
Bibliogr. : In : *Diction. biographique illustré des artistes en Belgique depuis 1830*, Arto, Bruxelles, 1987.

LAVAGNA Francesco
XVIIe-XVIIIe siècles. Italien.
Peintre de natures mortes, fleurs.
Il était actif à Naples. Sans doute père ou frère aîné de Giuseppe Lavagna.
Il situait presque toujours ses natures mortes de fleurs devant un fond de paysage.
Ventes Publiques : Rome, 20 nov. 1984 : *Natures mortes au fleurs*, h/t, une paire (99x74) : **ITL 10 500 000** – Rome, 20 mars 1986 : *Vase de fleurs dans un paysage*, h/t (35x45) : **ITL 5 000 000** – Rome, 22 mars 1988 : *Composition de fleurs et vaisselle de céramique sur fond d'arbustes*, h/t (77x38) : **ITL 7 500 000** – Rome, 21 nov. 1989 : *Vase de fleurs ; Nature morte de fleurs et fruits*, h/t, une paire (chaque 54x36) : **ITL 15 500 000** – Rome, 8 avr. 1991 : *Nature morte de fleurs, fruits et faïences dans un jardin d'agrément*, h/t (93x130) : **ITL 1 150 000** – Rome, 23 avr. 1991 : *Vase de fleurs*, h/t (23x38,5) : **ITL 10 500 000** – Paris, 15 déc. 1991 : *Vase de fleurs sur un entablement devant un paysage*, h/t (72x97) : **FRF 150 000** – Rome, 28 avr. 1992 : *Vase de fleurs*, h/t (32x41) : **ITL 18 500 000** – New York, 14 oct. 1992 : *Nature morte de fleurs dans une urne sculptée avec une corbeille de fleurs renversée et des figues avec un paon à l'arrière-plan sur un parapet dans un parc*, h/t (73,7x96,5) : **USD 18 700** – Londres, 9 déc. 1992 : *Nature morte d'une vasque de fleurs de porcelaine bleue dans un paysage avec des grenades, pastèques et figues près d'une fontaine*,

h/t (73x99,1) : **GBP 15 400** – NEW YORK, 14 jan. 1994 : *Nature morte de fleurs dans des vases de faïence bleue et blanche*, h/t (62,2x74,3) : **USD 41 400** – PARIS, 7 juil. 1994 : *Compositions florales dans des paysages*, h/t, une paire (98x74) : **FRF 95 000** – LONDRES, 17 avr. 1996 : *Nature morte de fruits, de fleurs et de porcelaines*, h/t, une paire (chaque 44,6x78,7) : **GBP 17 250**.

LAVAGNA Giuseppe
Né vers 1684 à Naples. Mort vers 1724. XVIIIe siècle. Italien.
Peintre de natures mortes, fleurs.
Il fut élève de Antonio de Dominici et d'Andrea Belvedere. Il travaillait parfois en participation avec Francesco Lavagna, certainement son parent, père ou frère aîné.
VENTES PUBLIQUES : MILAN, 5 avr. 1973 : *Natures mortes aux fleurs*, quatre toiles : **ITL 2 000 000** – ROME, 7 mars 1989 : *Nature morte avec un vase de fleurs*, h/t, deux pendants (chaque 48x21) : **ITL 18 000 000** – PARIS, 15 déc. 1991 : *Vase de fleurs sur un entablement devant un paysage*, h/t, en participation avec Lavagna Francesco (72x97) : **FRF 150 000**.

LAVAL Alexandrine de
XIXe siècle. Active à Paris. Française.
Peintre de genre et de portraits.
Élève de Regnault. Figura au Salon de 1808 à 1837. Siret cite parmi ses œuvres : *Madeleine au désert*, et *Malvina*.

LAVAL Charles
Né en 1862. Mort en 1894. XIXe siècle. Français.
Peintre de portraits, paysages, aquarelliste, dessinateur.
Il fit partie de la première époque de l'école de Pont-Aven, alors au Pouldu. Ami de Gauguin, il l'accompagna jusqu'à la Martinique et à Panama, en 1887. Dans cette dernière ville, il tomba gravement malade et voulut se suicider. Gauguin le sauva et le confia à Émile Bernard qui le fiança à sa sœur. En 1889, il exposa au restaurant *Volpini*, aux côtés de Gauguin, Émile Bernard, Anquetin et quelques autres. Laval et sa femme, Madeleine, allèrent au Caire en 1890, où il mourut quatre ans plus tard de la tuberculose, précédant de peu Madeleine. Il reste peu d'œuvres de ce peintre qui n'était jamais satisfait de ce qu'il faisait. D'autre part il est difficile de lui attribuer certaines œuvres car il lui arrivait de les signer Gauguin ou de prendre scrupuleusement le style de son « maître » et ami qu'il admirait avec passion. La Fondation Van Gogh, à Amsterdam, conserve également un *Autoportrait* daté de 1888 et dédicacé à Van Gogh, qu'il avait d'ailleurs retrouvé à Arles, à son retour de Panama.
BIBLIOGR. : Michel-Claude Jalard : *Le Post-Impressionnisme*, in : *Histoire Générale de la peinture*, t. XVIII, Rencontre, Lausanne, 1966 – G. Schurr : *Les Petits Maîtres de la peinture, valeur de demain*, Paris, 1969.
MUSÉES : AMSTERDAM (Fond. Van Gogh) : *Autoportrait* – PARIS (Mus. d'Art Mod. de la Ville) : *Paysage* – *Autoportrait*.
VENTES PUBLIQUES : PARIS, 20 mars 1923 : *À la Martinique*, aquar. : **FRF 50** – PARIS, 3 mars 1927 : *Nègres de la Martinique*, aquar. : **FRF 200** – BREST, 12 déc. 1982 : *Baigneuses* 1888, dess. aquarellé (9x20) : **FRF 10 000** – PARIS, 28 oct. 1995 : *Scène de la Martinique*, pl. et cr. avec reh. d'aquar./pap. gris bleu (14,5x22) : **FRF 28 000**.

LAVAL Fernand A.
Né le 31 mai 1886 ou 1895 à Coignet (Dordogne). Mort en 1966. XXe siècle. Français.
Peintre de paysages urbains, paysages, marines, natures mortes, dessinateur. Postimpressionniste.
En 1920, il exposa, à Paris, au Salon d'Automne.
Il fut un infatigable illustrateur du vieux Paris, particulièrement de Montmartre. Il travaille également aux Pays-Bas.
MUSÉES : NEW YORK – PHILADELPHIE – ROTTERDAM.
VENTES PUBLIQUES : PARIS, 30 nov. 1925 : *La Gare du Nord* : **FRF 300** – PARIS, 3 mai 1930 : *Rue à Montmartre* : **FRF 400** – PARIS, 31 mars 1947 : *La Rue des Saules à Montmartre* : **FRF 2 000** – GRENOBLE, 26 avr. 1976 : *Voiliers à Trouville* 1935, h/t (60x48) : **FRF 2 000** – GRENOBLE, 20 nov. 1978 : *Hommage à Van Gogh*, h/t (92x73) : **FRF 7 100** – PARIS, 20 oct. 1982 : *Les halles : Au Père tranquille* 1927, h/t (65x50) : **FRF 14 000** – PARIS, 24 juin 1988 : *Barque de pêche au large du Havre* 1937, dess. au cr. (48,5x35) : **FRF 9 500** – LA VARENNE-SAINT-HILAIRE, 12 mars 1989 : *La demeure auprès de la rivière*, h/t (55x104) : **FRF 19 100** – PARIS, 8 nov. 1989 : *Village de Normandie* 1957, h/t (65x54) : **FRF 4 000** – VERSAILLES, 26 nov. 1989 : *Paris, les Halles* 1957, h/t (60x73) : **FRF 10 500** – PARIS, 1er déc. 1989 : *La maison de Mimi Pinson*, h/t (38x55) : **FRF 7 000** – VERSAILLES, 21 jan. 1990 : *Personages dans la rue à Montmartre*, h/t (46x55) : **FRF 8 800** – VERSAILLES, 25 mars 1990 : *Paris, rue à Montmartre*, h/t (50x61) : **FRF 14 000** – PARIS, 5 juil. 1990 : *Montmartre*, h/t (61x50) : **FRF 8 500** – REIMS, 16 déc. 1990 : *Vue de Paris avec la Seine*, h/t (46x55) : **FRF 11 500** – PARIS, 8 avr. 1991 : *Canal Saint-Martin*, h/t (65x81) : **FRF 8 000** – AMSTERDAM, 31 mai 1994 : *Le port de Veere* 1934, h/t (55x45) : **NLG 1 265**.

LAVAL Jean Philippe
Né le 10 novembre 1878 à Bézénac (Dordogne). XXe siècle. Français.
Peintre.
Élève de L. Bordes, expose aux Artistes Français.

LAVAL Josse de, ou **Jost**. Voir **DELAVAL**

LAVAL Michel. Voir **LAVAL-SOURNAC**

LAVAL Pierre Louis de. Voir **DELAVAL**

LAVAL Rachel
Née le 11 septembre 1922. XXe siècle. Française.
Peintre de compositions animées, paysages, natures mortes, peintre à la gouache, peintre de collages, aquarelliste, pastelliste. Postimpressionniste.
Elle a été élève en dessin et peinture à l'École supérieure de Toulouse sous la direction de Hélène Rivière.
Elle a participé à des expositions collectives régionales. Elle a obtenu un prix de la Ville de Toulouse en 1936.
Elle peint des compositions chargées et de couleurs et de motifs.

LAVAL-CASSAGNE A., Mme
Née à Cherbourg. Morte en 1893 à Paris. XIXe siècle. Française.
Peintre de paysages, d'intérieurs et aquarelliste.
Sociétaire des Artistes Français elle figura au Salon de ce groupement. A débuté au Salon en 1861.

LAVAL-SOURNAC Michel
Né le 2 septembre 1933 à Sousceyrac (Lot). XXe siècle. Français.
Peintre-aquarelliste de genre, portraits, nus, paysages animés, paysages.
Il a étudié à Paris et en Belgique. Il figure dans diverses expositions collectives, en province, à Paris, et en Belgique.
Parmi ses œuvres, on cite une grande composition à l'huile sur bois *La Promenade des Banquiers à Nantes au XVIIIe siècle* d'après une gravure de Nicolas Marie Ozanne. Dans les paysages peints en extérieur, sa technique légère traduit lumière et couleur avec sensibilité, tout en respectant la réalité.
VENTES PUBLIQUES : GENÈVE, 30 juin 1973 : *Foire lotoise*, aquar. : **CHF 1 100**.

LAVALARD Ernest
Né en 1818 à Paris. Mort en 1894 à Paris. XIXe siècle. Français.
Peintre de paysages et amateur d'art.
Le nom de Lavalard figure parmi les bienfaiteurs de l'Art Français, pour la magnifique collection que cette famille a donnée au Musée d'Amiens. Ernest était fils d'un grand industriel picard : jusqu'à l'âge de quarante-huit ans il consacra son activité au commerce, mais dès son plus jeune âge il s'intéressa à la peinture en même temps que son frère Olympe et leur tante Mme Jean-Baptiste Lavalard, née Berthelot, en la cultivant comme amateur ou comme collectionneur. Il avait été élève de Mazerolle et quand il eut cédé son industrie à ses jeunes frères Émile et Adolphe Lavalard en 1866, il débuta au Salon et continua à prendre part aux expositions jusqu'en 1876. En compagnie de son frère Olympe il avait réuni un nombre important d'œuvres des maîtres, deux cent cinquante et une peintures, qu'il légua au Musée de Picardie. On voit au Musée d'Amiens deux œuvres d'Ernest Lavalard : *Avant-port à Fécamp*, *Pâturage à Grandcamp*.
VENTES PUBLIQUES : VERSAILLES, 19 oct. 1980 : *Les arbres dans la prairie*, h/t (54x36) : **FRF 5 100**.

LAVALARD Jean Baptiste, Mme, née **Berthelot**
XIXe siècle. Française.
Portraitiste et peintre de genre.
Élève de Gros. Le Musée d'Amiens conserve d'elle les portraits de *Pierre-François Lavalard père*, de *Mme P.-F. Lavalard à 15 ans* (miniature), de *Émile et Ernest Lavalard, enfants*, de *Ernest Lavalard*, ainsi que *La Musicienne, Jeune femme accordant sa guitare*.
Exposa au Salon de 1833 à 1850.

LAVALARD Olympe
Né en 1813 à Paris. Mort le 15 septembre 1887 à Tournedos-sur-Seine. XIXe siècle. Français.

Peintre de genre et de paysages.
Frère d'Ernest Lavalard et comme lui élève de Mazerolle. Figura au Salon de 1866 à 1870. Le Musée d'Amiens conserve de lui : *Port à Ostende* et *Paysage en Normandie*.

LAVALETTE Eva de
XIXe siècle. Active à Paris. Française.
Peintre.
Sociétaire des Artistes Français depuis 1887, elle figura au Salon de ce groupement.

LAVALETTE Henri Antoine
XVIIIe siècle. Actif à Genève de 1763 à 1780. Suisse.
Peintre d'émaux.

LAVALETTE Jean. Voir **VALETTE Jean**

LAVALETTE-D'EGISHEIM Jacques Martin Jean Guillaume
Né à Heidelberg, de parents français. XIXe siècle. Français.
Sculpteur.
Exposa au Salon entre 1848 et 1852, des statues et des bustes de personnages célèbres et, entre autres, *Mlle Georges dans le rôle de Lucrèce Borgia*. Le Musée de Colmar conserve plusieurs œuvres de lui.

LAVALLE F. Cordeglia
XIXe siècle. Éc. sud américaine.
Paysagiste (et peut-être musicien).
Le Musée Saint-Saëns conserve de lui une *Vue des environs de Rio de Janeiro* (signée : *F. Cordeglia Lavalle, Petropolis, juin 9-1899*).

LAVALLE Giovanni
Né en 1662 à Penne. Mort en 1726 à Penne. XVIIe-XVIIIe siècles. Italien.
Peintre.
Il peignit des fresques pour l'église Sainte-Marie-des-Anges à Penne.

LAVALLÉE Jacques
Né au XVIIIe siècle à Toulouse. XVIIIe siècle. Français.
Graveur au burin.
Élève de Beauvarlet. Il a gravé des sujets de genre et des sujets religieux.

LA VALLÉE Jehan de
XVIe siècle. Actif à Tournai. Éc. flamande.
Sculpteur.
Il travailla pour la ville de Tournai et l'église Saint-Brice de 1522 à 1538.

LAVALLEÉ Monique
Née en 1913 à Paris. XXe siècle. Française.
Dessinateur, graveur.
Bibliogr. : In : *De Bonnard à Baselitz – Dix ans d'enrichissements du Cabinet des Estampes 1978-1988*, Paris, 1992.
Musées : Paris (Cab. des Estampes).

LAVALLÉE Nicolas
XVIIIe siècle. Actif à Nantes vers 1740. Français.
Peintre.

LA VALLÉE Simon de
Né en 1680 à Paris. Mort vers 1730 à Paris. XVIIIe siècle. Français.
Graveur.
Il fut élève de Drevet. Il grava d'après des artistes de son temps des portraits et des paysages. Entre autres il collabora au recueil des tableaux de la collection Crozat.

LAVALLÉE-POUSSIN Étienne de
Né vers 1733 à Rouen (Seine-Maritime). Mort le 18 novembre 1793 à Paris. XVIIIe siècle. Français.
Peintre d'histoire, scènes mythologiques, paysages, dessinateur.
Il est certainement un descendant de Marc-Antoine Restout. Il fut élève de Descamps et de Pierre, à Paris ; membre de l'Académie en 1789. Il fit, à Rome, des paysages dans le style de Poussin, dont il adopta le nom. L. Puyot grava d'après lui des arabesques.
Musées : Alençon.
Ventes Publiques : Paris, 2-3 fév. 1911 : *Études diverses*, dess. : **FRF 110** – Paris, 22 mai 1925 : *Sacrifice à Vénus*, pl., sépia, reh. : **FRF 520** – Paris, 11 mai 1927 : *Sacrifice à Flore*, dess. reh. : **FRF 360** – Paris, 20-21 avr. 1932 : *Bacchanale*, lav. de bistre et traits de sanguine : **FRF 400** – Paris, 9 mars 1950 : *Le sacrifice de Priape*, lav. de bistre : **FRF 17 500** – New York, 8 jan. 1991 : *Deux projets de détails décoratifs*, encre brune et lav. (93x22 et 85x21,8) : **USD 1 430** – Londres, 7 juil. 1992 : *Le rendez-vous de chasse*, craie noire, encre et lav. (41x66) : **GBP 8 250** – Paris, 18 juin 1993 : *Étude d'après un bas-relief*, pl. et lav. brun (8,5x15,5) : **FRF 7 500**.

LAVALLEY Alexandre Claude Louis
Né le 9 août 1862. Mort en avril 1927. XIXe-XXe siècles. Français.
Peintre de genre, compositions murales.
Il fut élève de Cabanel, Maillot et Bouguereau.
Il figura, à Paris, au Salon des Artistes Français, dont il devint sociétaire à partir de 1905. Il obtint une mention honorable en 1890, le prix de Rome en 1891, une médaille de troisième classe en 1897, de deuxième classe en 1903.
Il est également connu pour ses peintures décoratives à l'Hôtel Meurice, rue de Rivoli, à Paris.
Bibliogr. : Gérald Schurr, in : *Les Petits Maîtres de la peinture 1820-1920, valeur de demain*, Les Éditions de l'Amateur, t. II, Paris, 1982.
Ventes Publiques : Paris, 20 fév. 1927 : *Femme représentée en buste, les mains jointes* : **FRF 400** – Versailles, 17 oct. 1971 : *Nu allongé, de dos*, h/t (47x56) : **FRF 450** – Berne, 1er mai 1980 : *Narcisse* 1895, h/t (90x70) : **CHF 3 200**.

LAVALLEY Georges Henri
Né en 1869 à Paris. Mort le 21 août 1902 à Grez-sur-Loing. XIXe siècle. Français.
Graveur au burin.
Élève de Cabanel, Henriquel, Dupont et Maillot. Grand Prix de Rome en 1896 ; mention honorable au Salon des Artistes Français en 1896. On cite de lui : *Printemps*, d'après Botticelli, *Amour sacré* et *Amour profane* d'après le Titien, *Un astronome*, d'après Roybet.

LAVALLEY Paul Louis
XXe siècle. Français.
Peintre de paysages, portraits, compositions religieuses.
Il a exposé, à Paris, au Salon des Indépendants à partir de 1912.

LAVALLEZ Pierre
Né à la fin du XIXe siècle à Lyon (Rhône). XIXe-XXe siècles. Actif au Maroc. Français.
Sculpteur.
Il a obtenu le Grand Prix de Rome. Il a fondé en 1939 l'École des Beaux-Arts de Rabat, au Maroc. Son enseignement, à l'époque, a préparé les élèves aux écoles des Beaux-Arts de la Métropole, aux écoles de dessin industriel et tend aussi à préparer des professeurs de dessin pour les écoles marocaines.

LAVAN Claude de ou **Lavau**
Mort vers 1647 à Grenoble. XVIIe siècle. Français.
Peintre.
Appartenant à la religion protestante, il épousa Anne Albert, en eut huit enfants. Peignit en 1617 le Cabinet des Miroirs du duc de Lesdiguières. À l'occasion de la visite du roi Louis XIII à Grenoble, les consuls le chargèrent de peindre en blanc et noir à l'huile une figure allégorique de la ville, d'après les dessins d'un sieur Guillet. Pour le chirurgien Michel Micha il peignit une *Résurrection de Lazare*.

LAVAN Jean de ou **Lavau**
Né le 23 avril 1633 à Grenoble. Mort le 21 mars 1691 à Grenoble. XVIIe siècle. Français.
Sculpteur.
Il était fils aîné de Claude de Lavan. Élève de son beau-frère le sculpteur Daniel Guillebaud. Il fut, en 1652, un des fondateurs de l'Académie de dessin de Grenoble. Il travaillait en 1675 pour la paroisse de Saint-Geoire près Mians. Il exécuta, entre autres, deux lions en pierre.

LAVAN Louis de
Né à Grenoble. Mort après 1680. XVIIe siècle. Français.
Peintre.
Second fils et élève de Claude de Lavan.

LAVANCHY Jules
Né en 1848 à Vevey. XIXe siècle. Actif à Neuchâtel. Suisse.
Peintre de paysages.
Ancien instituteur, il devint professeur de dessin après avoir fait quelques études à Munich et surtout après avoir travaillé seul d'après nature. Il exposa à Lucerne en 1874 et à Yverdon. Son fils, Gustave Levanchy, né à Yverdon en 1877, fonda à Neuchâtel un atelier de sculpture et de meubles d'art.

LAVASTRE Antoine
Né à Nîmes. Mort en 1883 près de Paris. XIXe siècle. Français.
Peintre.
On cite surtout les décors qu'il exécuta pour l'Opéra de Paris.

LAVASTRE Eugénie
Née à Paris. XIXe siècle. Française.
Graveur sur bois et à l'eau-forte.
Fille de J. B. Lavastre. Elle grava surtout d'après les dessins de son père. Exposa au Salon de 1875 à 1878.

LAVASTRE Jean Baptiste
Né le 28 août 1839 à Nîmes. Mort le 24 avril 1891 à Paris. XIXe siècle. Français.
Peintre de paysages.
Élève de Despléchin. Il exposa au Salon en 1869, 1872 et 1873, des vues des environs de Nîmes. Chevalier de la Légion d'honneur en 1878.

LAVATER Diethelm
Né en 1780 à Zurich. Mort en 1827 à Zurich. XIXe siècle. Suisse.
Dessinateur portraitiste.

LAVATER Hans
Né en 1549 à Zurich. Mort en 1595 à Kappel. XVIe siècle. Suisse.
Peintre verrier.
S'établit tout d'abord dans sa ville natale, mais plus tard il délaissa la peinture sur verre et s'en alla vivre en 1590 à Kappel dans cette ville.

LAVATER Hans Rudolf, l'Ancien
Né en 1491 à Zurich. Mort le 10 juin 1557. XVIe siècle. Suisse.
Peintre verrier.
On voit à Zurich plusieurs œuvres de lui (verrières de sacristie) et son nom est mentionné dans de nombreux comptes des principaux monuments de la ville.

LAVATER Hans Rudolf, le Jeune
Né en 1584 à Zurich. Mort en 1625. XVIIe siècle. Suisse.
Peintre verrier.
Petit-fils de Hans-Rudolf Lavater l'Ancien. Fut le maître de Hans Seebach.

LAVATER Warja
Née le 28 septembre 1913 à Zurich. XXe siècle. Française.
Peintre, dessinateur, décorateur, lithographe.
Elle est diplômée de l'École des Beaux-Arts de Zurich. Elle effectue de longs séjours en Russie, Grèce, Suède et Paris. À la fin de l'année quarante-quatre, elle crée un important mensuel pédagogique *Jeunesse Magazine*, dont elle assuma les principales charges jusqu'en 1958. Elle fut l'épouse de Gottfried Honegger, elle a aussi signé Honegger-Lavater.
Elle figure dans des expositions de groupe, notamment avec le Schweiszerischer Werkbund, comme membre de 1940 à 1958 ; à la Kunsthalle de Berne, en 1958 ; au Kunsthaus de Zurich, en 1963 ; à la Kunsthalle de Bâle, en 1966, etc. Elle montre aussi ses créations dans des expositions personnelles : à New York, en 1952, à Zurich, en 1953, 1955, 1960, 1962, 1965, 1968, etc. Elle a obtenu, en 1939, le premier prix pour le sigle de l'Exposition Nationale Suisse ; en 1940, le premier prix pour le sigle du Mouvement National « Contre la Famine ».
En 1957-1958, elle exécute en sept mois une peinture murale de cent mètres de long sur quatre de hauteur pour l'exposition *La Femme dans l'Histoire suisse*. En 1958, elle commença sa collaboration pour l'Encyclopédie Internationale *Visual*, où elle tenta et réussit de faire œuvre scientifique avec des moyens artistiques. C'est de cette même époque que date le début de ses *Imageries* : successions de pensées qui se déroulent dans le temps, c'est pourquoi elles sont en général disposées sur des livres dépliants, et sont exprimées à travers un langage imagé, qui se tient entre le signe abstrait semblable à celui de l'écriture, et la représentation dessinée. Pour Warja Lavater, comme la musique, le signe graphique est un langage clair, intelligible à tous, international, moyen de communication délivré des frontières : signe retenu en deçà de la ressemblance figée, chacun le complète à sa façon, participant à sa création continuée. Ainsi, en 1962, le Museum of Modern Art de New York publia la première *Imagerie* (pictogramme) : *William Tell*. Suivirent ensuite, entre autres : *Le Petit Chaperon rouge* (Adrien Maeght, Paris, 1965 et en pictogramme animé pour le Service de la Recherche de la Télévision) : *Le Non-Obéissant* (Basilius Presse, Bâle, 1968).
En 1974-1975, elle fut chargée par la ville de Zurich de créer un « environnement ». Dans un parc peuplé de cerfs et de chevreuils, où deux sources se rejoignent, contribuant à l'alimentation en eau de la ville, Warja Lavater a concentré les turbulences de cet afflux dans un vaste cube. On peut en voir l'intérieur par une paroi vitrée de 12 mètres de longueur sur 3 mètres de hauteur. Le revêtement est constitué de 4.000 carreaux de céramique, sur lesquels quelques taches vivement colorées mettent en valeur la fraîche harmonie de bleus clairs et de blancs de l'ensemble. Quelques sigles du langage habituel de W. L. expliquent le symbolisme de la répartition des masses colorées. Un amplificateur grossit les bruits du jaillissement des sources. Par cette leçon de sciences naturelles visuelle, comme dans tous ses livres, Warja Lavater donne une nouvelle illustration du principe qui guide son travail : « La communication c'est aussi l'ornement ». ■ J. B.

LAVAU Claude de. Voir **LAVAN**

LAVAU Jacques
Né en 1728 à Bordeaux. XVIIIe siècle. Français.
Graveur et sculpteur.
Membre de l'Académie de Bordeaux. Il illustra des ouvrages tels que la *Dissertation sur un temple octogone*, de Jaubert.

LAVAU Jean de. Voir **LAVAN**

LAVAUD, Mme, née **Berthelot**
XIXe siècle. Active à Paris. Française.
Portraitiste.
Exposa au Salon en 1831 et 1833. Paraît être Mme Jean-Baptiste Lavalard, née Berthelot.

LAVAUD Henri Louis
Né à Château-Chinon. XIXe siècle. Français.
Peintre de genre, de paysages et aquarelliste.
Élève de Bertin. Exposa au Salon à partir de 1837.

LAVAUD Patrice
Né à Lons-le-Saunier (Jura). XXe siècle. Français.
Peintre.
Il a exposé à Grenoble en 1969 et à Lons-le-Saunier en 1971.

LAVAUDAN Alphonse ou **Lavauden**
Né le 17 janvier 1796 à Lyon (Rhône). Mort le 17 février 1857 à Paris. XIXe siècle. Français.
Peintre d'histoire, portraits.
Élève de Pierre Révoil à l'école des Beaux-Arts de Lyon, puis du baron Gros à Paris, il participa au Salon de Paris de 1822 à 1848, obtenant une troisième médaille en 1838.
On cite de lui *La bataille de Baugé, 1421*, peinte en 1837 et placée dans la mairie de Baugé.

Bibliogr. : In : Catalogue de l'exposition : *Les années romantiques, la peinture française de 1815 à 1850*, Mus. des Beaux-Arts de Nantes, 1995-1996 et Galeries nationales du Grand Palais, Paris, 1996.
Musées : Nancy (Mus. des Beaux-Arts) : *Funérailles de la reine Blanche, mère de saint Louis* – Poitiers : *Abdication de Marie Stuart* – Versailles : *Albéric de Montmorency* – *Bataille de Baugé*.
Ventes Publiques : Paris, 1er-3 déc. 1919 : *l'écolier distrait* : FRF 220 – Paris, 10-11 mars 1954 : *Chez la tireuse de cartes* : FRF 12 500.

LAVAUX Georges Grégoire
Né le 6 novembre 1860 à Paris. XIXe-XXe siècles. Français.
Paysagiste.
Élève de Prévost-Valéri. Sociétaire des Artistes Français depuis 1907, il figura au Salon de ce groupement.

LAVAYSSE André
Né le 17 avril 1906 à Gourdon (Lot). Mort le 15 mai 1991 à Choisy-le-Roi (Val-de-Marne). XXe siècle. Français.
Sculpteur de statues, figures, bustes, médaillons, animalier, sculpteur-restaurateur.
Après une première formation à Cahors, il vint à Paris, où il reçut les conseils de Charles Despiau. Il y participait à des expositions collectives, pour la première fois en 1928 au Salon des Artistes Français, puis aux Salons des Tuileries et des Artistes Indépendants. En 1947, il participa à une exposition des artistes catalans, dont Picasso. En 1962, il participa à la Biennale de Car-

rare. En 1950 eut lieu une exposition personnelle de ses œuvres à Paris. Il fut fait officier de l'Ordre National du Mérite, et reçut la Médaille d'Argent de la Ville de Paris.
Praticien expérimenté, il a exécuté de très nombreux travaux de restauration de monuments historiques, d'entre lesquels : à Paris : les trophées de l'Hôtel Coislyn place de la Concorde, les trophées du Ministère de la Marine et les trophées du Palais de l'Élysée, les sculptures de l'église de la Madeleine et les bas-reliefs de l'Arc de Triomphe, les gisants des tombeaux et sculptures de la basilique de Saint-Denis, plusieurs édifices, dont la cathédrale, à Amiens, etc. Quant à son œuvre propre, en 1937, il a collaboré à la décoration du Pavillon de l'Air et des Chemins de Fer de l'architecte Aublet pour l'Exposition Internationale de Paris, il a réalisé de nombreuses commandes de monuments, dont : 1949 un *Sanglier* en pierre dure, pour la ville de Gourdon, 1951 *Maternité* en pierre, pour le centenaire de la ville de La Bourboule, 1958 *Vierge à l'enfant* et *Saint Joseph* pour la Chartreuse de Villefranche-de-Rouergue, 1962 deux piliers décoratifs pour le Lycée de jeunes filles de Cahors, etc. Dans les commandes privées, il a réalisé de très nombreux bustes et médaillons, dont son *Autoportrait*, les bustes de *Madame Lavaysse* et de *Mademoiselle Lavaysse, enfant*.
Peut-être, chez André Lavaysse, l'artiste créateur s'est-il laissé déborder par le praticien très demandé, toutefois, dans ses œuvres personnelles, surtout en tant qu'animalier, il montre une sensibilité propre, et une ingéniosité de plasticien quand il crée l'*Enfant porté par un poisson* ou la *Sirène* pour laquelle il résout avec élégance la périlleuse fin de la jeune femme en queue de poisson. ■ J. B.

Musées : Gien (Mus. de la Chasse) : *Furet* 1950, bronze – Paris (Mus. Nat. d'Art Mod.) : *Chien d'arrêt* 1947, bronze – Paris (coll. de l'État) : série de dessins de guerre 1940.

LA VECCHIETTA. Voir **ROSSI Giovan Francesco**

LA VECQ Jacobus. Voir **LEVECQ**

LAVÉE Adolphe J.
Mort en 1904. XIXe siècle. Français.
Sculpteur et médailleur.
Sociétaire des Artistes Français, il figura au Salon de ce groupement.

LAVÉE Jules Marie
XIXe siècle. Actif à Paris. Français.
Peintre.
Sociétaire des Artistes Français depuis 1888, il figura au Salon de ce groupement.

LA VEGA de
XIXe siècle (?). Espagnol (?).
Peintre de genre.
Le Musée de Bayonne conserve de lui : *Les peintres bossus*.

LA VEGA Fernandez de. Voir **FERNANDEZ de La Vega Luis**

LA VEGA Francisco de
XVIe siècle. Travaillant à Séville de 1539 à 1571. Espagnol.
Sculpteur sur bois.
Il travailla pour des églises de Séville.

LA VEGA Gutierrez de. Voir **GUTIERREZ de La Vega**

LA VEGA Luis Fernandez de. Voir **FERNANDEZ de la Vega Luis**

LAVEILLE Pierre
Actif à Orléans. Français.
Graveur d'ornements.
On connaît de lui des frises et des ornements.

LAVENANT Aude
XXe siècle. Française.
Artiste.
Elle fut élève de l'École Nationale des Beaux-Arts de Paris, où elle a participé à une exposition collective en 1995 avec l'œuvre *Épluchures*.

LAVENIER Jean, dit **Jean de Paris**
XIVe siècle. Actif à Avignon. Français.
Sculpteur.
Il travailla pour la papauté et exécuta dans la cathédrale d'Avignon le Tombeau de Benoît XII dont des fragments sont conservés au Musée Calvet, à Avignon.

LA VENTE François de, l'Ancien
Né en 1671 à Vire (Calvados). XVIIe-XVIIIe siècles. Français.
Peintre.

LA VENTE François de, le Jeune
Né en 1712 à Vire (Calvados). Mort en 1771. XVIIIe siècle. Français.
Peintre de portraits.
Musées : Vire : *Portrait de Vincent de La Vente*.

LA VENTE Gilles de
Né à Tours. XVIIe siècle. Français.
Peintre et graveur.
Il s'établit à Vire.

LA VENTE Jean François de
Né en 1746 à Vire. Mort en 1812. XVIIIe-XIXe siècles. Français.
Peintre.
Il était le fils de François le Jeune. À sa sortie de l'atelier de Vien, il se spécialisa dans les peintures d'églises. Il en subsiste un grand nombre dans les environs de Vire. Le Musée de Vire conserve de lui : *Portrait de P. J. J. Turpin*.

LA VENTE Olivier de
Né en 1635 à Vire. XVIIe siècle. Français.
Graveur.
Il était fils de Gilles.

LA VENTE Vincent de
Né en 1680 à Vire. XVIIIe siècle. Français.
Peintre.
Il était fils d'Olivier et frère de François l'Ancien.

LA VENTE Vincent Jean François de
Né en 1740 à Vire. Mort en 1801. XVIIIe siècle. Français.
Peintre.
Il était le fils de François le Jeune et fut l'élève de Vien. Le Musée de Vire possède une peinture religieuse signée de cet artiste : *Jésus apparaissant à ses apôtres et montrant ses plaies à saint Thomas*.

LAVENTHOL Hank
Né en 1927 à Philadelphie (Pennsylvanie). XXe siècle. Américain.
Peintre.
Il fut élève à la Yale University et à l'Académie des Beaux-Arts de Florence. Il a résidé en Europe.
Il a exposé, à Florence et Bruxelles, en 1962, à Düsseldorf en 1964, à Londres en 1965, Amsterdam en 1967, il retourne à New York et y expose en 1968. Depuis, il a eu plusieurs expositions personnelles à New York.

LAVERDE Guillemin
XVIe siècle. Actif à Poitiers. Français.
Sculpteur.
Il prit part à la décoration du palais du duc Jean de Berry, à Poitiers, en 1583.

LAVERDET Marcel Gustave
Né le 3 août 1816 à Clichy-la-Garenne. XIXe siècle. Actif à Paris. Français.
Peintre de portraits, d'oiseaux et de natures mortes.
Élève de Monvoisin et de L. Cogniet. Il exposa au Salon de 1848 à 1858.
Ventes Publiques : Paris, 1873 : *L'Oiseau mort* : **FRF 779**.

LAVERDINE de
XIXe siècle. Actif à Paris. Français.
Peintre de paysages et de genre.
Exposa au Salon en 1831 et 1833. Peut-être apparenté à Auguste Alphonse Gaudar de La Verdine.

LAVERDURE Claude
Né en 1947 au Zaïre. XXe siècle. Belge.
Dessinateur, illustrateur.
Il dessine des bandes dessinées. Il est l'auteur en 1980 de l'album : *150 ans d'avatars de la Province de Namur*. Il est un des collaborateurs du journal *Spirou* avec les aventures du *Baron Prosit*.
Bibliogr. : In : *Diction. biographique illustré des artistes en Belgique depuis 1830*, Arto, Bruxelles, 1987.

LAVERERGNE Alfred
Né le 28 novembre 1892 à Nontron (Dordogne). XXe siècle. Français.
Peintre de paysages, illustrateur. Tendance impressionniste.
Il était dans l'atelier de Cormon en 1910, à l'École des Beaux-Arts de Paris, puis il fut l'élève de Jules Adler.

Depuis 1920, il a exposé, à Paris, au Salon des Indépendants et, depuis 1936, au Salon des Artistes Français dont il est membre du jury. Plus irrégulièrement, il a participé une dizaine de fois au Salon d'Automne.
Sa peinture est restée sous l'influence de l'impressionnisme. Il est surtout paysagiste.

LAVERETZKY N. A.
Né en 1837. Mort en 1907. XIXe-XXe siècles. Russe.
Sculpteur.
On voit de cet artiste à Saint-Pétersbourg (Musée russe) : *Petites coquettes* (marbre), *Vieillard juif*, *L'Amour et Psyché* et à Moscou, à la galerie Tretiakov : *Jeune Italien tenant un singe*, et dans la même ville, au Musée Roumianzeff : *Enfants*.

LAVERGE Georges Étienne
Né le 12 mars 1871 à Saint-Nazaire (Loire-Atlantique). XXe siècle. Français.
Graveur.
Il fut élève de Brabant.
Il figura, à Paris, au Salon des Artistes Français, dont il devint sociétaire à partir de 1899. Il y obtint une mention honorable en 1900.

LAVERGNE Adolphe Jean
Né à Hautefort. XIXe siècle. Français.
Sculpteur de bustes, figures.
Il fut élève de Jouffroy. Il exposa au Salon de Paris, entre 1863 et 1876.
Musées : Périgueux : *Le joueur de palet* – *Caron le nocher* – *Diomède* – *Buste de femme* – *Bacchante* – *Tête d'enfant* – *Le général Daumesnil* – *J.-Th. de Mourcin*.
Ventes Publiques : Lokeren, 15 mai 1993 : *Gamin jouant*, argent et ivoire (H. 47, l. 16) : **BEF 26 000** – Paris, 21 juin 1993 : *Charmeur de serpent*, bronze (H. 54) : **FRF 7 000**.

LAVERGNE Claudius
Né le 3 décembre 1814 à Lyon (Rhône). Mort le 31 décembre 1887 à Paris. XIXe siècle. Français.
Peintre de compositions religieuses, portraits, cartons de vitraux.
Élève de Claude Bonnefond à l'École des Beaux-Arts de Lyon, il fut élève d'Ingres à Paris, avant d'aller en Italie en 1835. À son retour, il devint l'élève de Victor Orsel qui travaillait à Notre-Dame-de-Lorette.
Il participa au Salon de Paris de 1838 à 1878, obtenant une troisième médaille en 1845.
Peintre catholique engagé, il reçut de nombreuses commandes. Après 1853, il se consacra à la peinture sur verre et à la création de vitraux, notamment pour l'église Saint-Augustin à Paris, où il exécuta une *Descente de croix* pour la verrière centrale. À l'église Saint-Merri de Paris, il est l'auteur des vitraux représentant : *Les disciples d'Emmaüs* et une *Résurrection*. Il fit également des vitraux pour la basilique Notre-Dame de Genève.
Bibliogr. : Gérald Schurr, in : *Les Petits Maîtres de la peinture 1820-1920, valeur de demain*, Les Éditions de l'Amateur, t. VII, Paris, 1989.
Musées : Lyon : *Portrait de Martin Lavergne ou Lavergne-Marin* 1845.

LAVERGNE Georges Auguste Élie
Né le 1er janvier 1863 à Paris. Mort en 1942. XIXe-XXe siècles. Français.
Peintre de portraits.
Il fut élève de Henri Lévy et de Jules Lefèbvre. Après ses études, à Paris, à l'Académie Julian, il partit pour la villa Médicis à Rome.
Il figura, à Paris, au Salon des Artistes Français, dont il devint sociétaire à partir de 1898.
Il obtint le prix de Rome en 1892, une mention honorable en 1898, une médaille de troisième classe en 1899, une mention honorable en 1900 dans le cadre de l'Exposition universelle, une médaille de deuxième classe en 1910. Chevalier de la Légion d'honneur en 1910.
Ventes Publiques : Paris, 15-16 juin 1942 : *Rome et Venise soleil couchant*, deux pan. : **FRF 310** – Londres, 4 mai 1977 : *Portrait de Miss Compton, la plus parisienne des Anglaises*, h/t (133,5x67,5) : **GBP 2 400** – Londres, 30 nov. 1990 : *David avec la tête de Goliath* 1894, h/t (228x121,3) : **GBP 7 150** – Amsterdam, 24 avr. 1991 : *Roses blanches, rouges et roses dans un vase de cuivre près d'un service à thé sur une table*, h/t (61x46) : **NLG 1 725** – Paris, 18 mars 1992 : *Natures mortes au lapin et au faisan* 1885-1886, h/t, une paire (chaque 54x65) : **FRF 11 000** – Paris, 3 déc. 1993 : *Portrait de Albert Lavergne, frère de l'artiste* 1900, h/t (130x89) : **FRF 4 200** – Londres, 17 avr. 1996 : *Aux variétés* 1909, h/t (134x68) : **GBP 3 220** – Paris, 27 juin 1997 : *Entre architectes*, h/t (132x166) : **FRF 35 000**.

LAVERGNE Martin ou **Lavergne-Marin**
Né en 1797 à Lyon (Rhône). Mort en 1881 à Lyon. XIXe siècle. Français.
Peintre de portraits.
Il fut élève à l'école des Beaux-Arts de Lyon. Il est le père du peintre Claudius Lavergne, c'est pourquoi il semble vraissemblable que son nom soit plutôt Martin Lavergne que Lavergne-Marin.
Bibliogr. : In : Catalogue de l'exposition : *Les années romantiques, la peinture française de 1815 à 1850*, Mus. des Beaux-Arts de Nantes, 1995-1996 et Galeries nationales du Grand Palais, Paris, 1996.
Musées : Lyon (Mus. historique) : *Portrait de Claudius Lavergne, fils du peintre* – *Portrait de M. Fassy*.

LAVERGNE N. P. François
Mort en 1896. XIXe siècle. Français.
Peintre.
Sociétaire des Artistes Français, il figura au Salon de ce groupement.

LAVERGNE Robert
Né le 1er septembre 1920 à Villotran (Oise). XXe siècle. Français.
Peintre de paysages, natures mortes. Postimpressionniste.
Ayant manifesté un don précoce pour la peinture, il fréquenta, dès l'âge de quatorze ans, l'Atelier d'Art Sacré de Maurice Denis et Georges Desvallières à Paris. La guerre le trouva en Afrique du Nord, à Alger, où il se familiarisa avec la lumière colorée du Maghreb. Il participa à la campagne de libération de la France et fut blessé dans les Vosges. Après la libération, il recommença à peindre en fréquentant les ateliers libres de Montparnasse. Il exposa, à Paris, aux Salons de la Jeune Peinture, des Artistes Français et d'Automne. Il obtint des bourses d'études : Maison Descartes d'Amsterdam (1950), séjour en Zélande et à Rotterdam (1951), séjour en Belgique (1953). Il participe à diverses expositions collectives et, depuis 1948, montre ses peintures dans une dizaine d'expositions personnelles, à Paris, Alger, Nice, Boston et plusieurs villes des États-Unis, notamment en 1994 à Paris galerie Martin-Ishihara, etc. Il a été sélectionné plusieurs fois pour les Prix Fénéon et Othon Friesz.
Il est resté fidèle à une vision postimpressionniste, se référant volontiers à Bonnard et Vuillard. Ses paysages et paysages de neige, d'une facture aisée et savoureuse, expriment une recherche personnalisée de l'espace. Ses natures mortes, souvent composées de crustacés et coquillages, atteignent à une sensibilité proprement gustative.

LAVERNE Charles Duboy de
Né le 2 février 1814 à Paris. XIXe siècle. Français.
Peintre de portraits, de genre, d'histoire.
Élève de P. Delaroche. Exposa au Salon de 1842 à 1850 et eut une troisième médaille en 1846.

LA VERNÈDE André
Né le 11 octobre 1899 à Montauban (Tarn-et-Garonne). XXe siècle. Français.
Peintre de natures mortes, décorateur.
Cet artiste s'est formé par l'étude des chefs-d'œuvre du Musée de Montpellier.
Il a exposé, à Paris, au Salon d'Automne, des Tuileries, des Indépendants, au National Indépendant, Comparaisons, des Peintres Témoins de leur Temps. Il a montré ses œuvres pour la première fois personnellement à Paris, en 1945. Il a aussi exposé à Marseille en 1959, 1963 et 1965.
Il se réclame d'une « rêveuse réalité », sa peinture est surtout intimiste. Les poupées et les jouets sont de ses thèmes préférés. Parmi ses œuvres : *Portrait de l'écrivain J. Peyré* et la décoration du Paquebot *Maréchal Lyautey*.
Ventes Publiques : Paris, 22 nov. 1944 : *Nature morte au panier d'œufs* : **FRF 4 800**.

LAVERNIA Angelina
Née le 21 février 1925 à Barcelone. XXe siècle. Active aussi en France. Espagnole.
Peintre, lithographe.
Elle fut élève de l'École des Beaux-Arts et de l'Academia Tarrega

à Barcelone. Elle copia les maîtres espagnols au Prado, au cours d'un stage à Madrid.
Depuis 1962, elle expose surtout en France, dans divers groupements, en province, ainsi qu'à Paris aux Salons de la Nationale des Beaux-Arts, des Peintres Témoins de leur Temps, des Artistes Français, des Terres Latines, des Indépendants, des Femmes Peintres, etc. Elle a obtenu quelques récompenses.
Figurative, elle traite des sujets aimables, tel un *Arlequin au Chat* édité en lithographie.
Bibliogr. : In : *De Bonnard à Baselitz – Dix ans d'enrichissements du Cabinet des Estampes 1978-1988*, Paris, 1992.
Musées : Paris (Cab. des Estampes).

LAVERNIER Jean. Voir **LAVENIER**

LAVERY John, Sir

Né en 1856 à Belfast. Mort le 10 janvier 1941 à Kilmaganny. XIXe-XXe siècles. Actif au Maroc. Irlandais.

Peintre de portraits, scènes de genre, paysages.

Il a fait ses études à Glasgow, Londres et Paris.
Il fut associé à la Royal Scottisch Academy. Il figura, à Paris, au Salon des Artistes Français, y obtint une médaille de troisième classe en 1888, de bronze en 1889 et 1890 dans le cadre des Expositions universelles correspondantes. À partir de 1902, il a exposé, à Paris, au Salon de la Société Nationale des Beaux-Arts. Il figura aussi au Salon d'Automne.
Il prit une place distinguée parmi les portraitistes modernes. Dès son premier voyage au Maroc en 1890, il s'attacha à Tanger. En 1903, accompagné de son épouse et de leur petite fille il acheta Dar-el-Midfah, une petite propriété sur la colline entourant la cité où il vécut jusqu'en 1920. Walter Shaw Sparrow écrit dans son ouvrage *John Lavery et son œuvre* : « Sa palette change graduellement après son premier voyage au Maroc. Les clés restent les mêmes mais les tonalités se réchauffent et donnent une harmonie plus affective à sa peinture ».

Bibliogr. : Walter Shaw Sparrow : *John Lavery et son œuvre*, Londres, 1911.
Musées : Berlin : *Dame en noir* – Birmingham : *Right Hon. William Kenrich* – *Soir à Tanger* – Bradford : *Dame en vert* – Bruxelles : *Dame en noir* – Dublin : *W.E.H. Lecky* – Édimbourg : *Rocking-chair* – Glasgow : *R. B. Cunningham Graham* – *Visite de la reine Victoria à l'Exposition universelle de Glasgow en 1888* – Londres (Tate Gal.) : *La Mort du cygne : Anna Pavlova* – *Les Vestiaires des jockeys à Ascot* – *Les Joueurs d'échecs* – *L'Ouverture de la galerie des peintres étrangers à la Tate en 1926* – *L'Exposition de Glasgow en 1888* – *Mrs Guthrie* – *Auguste Rodin* – Munich : *Tunis*.
Ventes Publiques : Londres, 10 juin 1909 : *Dans la serre* : **GBP 42** – Londres, 7 avr. 1925 : *Portrait de Miss M. Teyle* : **GBP 52** – Glasgow, 8 nov. 1944 : *Mon jardin au Maroc* : **GBP 100** – Londres, 13 mai 1966 : *Bateaux à Greenwich, le soir* : **GNS 750** – Londres, 27 ovt. 1972 : *Jardin de France* 1900 : **GNS 950** – Écosse, 30 août 1974 : *Jeune femme en bleu* : **GBP 1 000** – Londres, 12 nov. 1976 : *Portrait de Lady Evelyn Farquhar* 1906, h/t (180,5x121) : **GBP 3 600** – Londres, 4 mars 1977 : *Portrait d'une jeune irlandaise* 1890, h/t (69x54) : **GBP 1 200** – Londres, 14 nov 1979 : *The gondola on the Kelvin* 1888, h/t (44,5x59,5) : **GBP 4 800** – Édimbourg, 30 nov. 1982 : *Zächra* 1914, h/t (73,5x50,8) : **GBP 15 000** – Londres, 22 nov. 1983 : *La Partie de tennis* 1885, h/cart. (24x58,5) : **GBP 29 000** – Auchterarder (Écosse), 28 août 1984 : *Dame avec une lettre* 1885, aquar. (28x23,5) : **GBP 1 500** – Londres, 7 juin 1985 : *Jeune fille en robe rouge lisant au bord d'une piscine* 1936, h/cart. (61x50,8) : **GBP 37 000** – Londres, 12 nov. 1986 : *Une soirée d'été ; La Tamise* 1921, h/t (61x76) : **GBP 54 000** – Londres, 12 juin 1987 : *The Wharf* 1916, h/cart. entoilé (61,5x75) : **GBP 65 000** – Londres, 9 juin 1988 : *Portrait de Margaretta, vicomtesse de Maidstone*, h/t cartonnée (35x25) : **GBP 4 620** – Édimbourg, 22 nov. 1988 : *Panorama d'Edimbourg depuis l'esplanade du château*, h/t (63,5x75,5) : **GBP 45 000** – Londres, 2 mars 1989 : *Le chapeau rouge ; Lady Lavery dans un salon de Mayfair* 1925, h/t (75x62,5) : **GBP 176 000** – Londres, 8 juin 1989 : *Une tasse de chocolat* 1888, h/t (50,8x45,2) : **GBP 79 200** – New York, 25 oct. 1989 : *La « débutante » en vert* 1931, h/cart. (50,8x30,5) : **USD 24 200** – Édimbourg, 26 avr. 1990 : *Le picador* 1892, h/t/cart. (20,9x12,1) : **GBP 12 100** – Perth, 27 août 1990 : *Le golf de North Berwick* 1920, h/t (63,5x76) : **GBP 57 200** – Londres, 8 nov. 1990 : *La piscine de Chiswick*, h/t (51x61) : **GBP 33 000** – Londres, 7 mars 1991 : *Le trophée d'or à Ascot depuis la tribune royale* 1922, h/t (41x76) : **GBP 61 600** – Londres, 6 juin 1991 : *Grand calme dans la baie de Tanger* 1912, h/t (75x62) : **GBP 29 700** – Perth, 26 août 1991 : *Portrait de femme*, h/t. cartonnée (36x26) : **GBP 12 650** – New York, 19 fév. 1992 : *La véranda* 1912, h/t (63,8x76,2) : **USD 121 000** – Londres, 5 juin 1992 : *Le sirocco à Tanger* 1921, h/t (63,5x76) : **GBP 26 400** – Perth, 1er sep. 1992 : *Blanc et noir*, h/t (26x31) : **GBP 15 400** – New York, 30 oct. 1992 : *Dans les collines de Tanger*, h/t. cartonnée (27,8x35) : **USD 10 450** – Londres, 13 nov. 1992 : *Première déception*, h/t (68,5x51) : **GBP 3 850** – Londres, 12 mars 1992 : *La pluie au lointain à North Berwick* 1919, h/t (63,5x76) : **GBP 20 700** – Paris, 1er déc. 1992 : *Femme assise dans un intérieur* 1883, h/pan. (28x21) : **FRF 51 000** – Dublin, 26 mai 1993 : *Portrait de Lady Raeburn assise, vêtue de noir avec un col de dentelle et un collier de perles* 1923, h/t (91,5x71,1) : **IEP 4 400** – Édimbourg, 9 juin 1994 : *Vue d'Édimbourg depuis le château*, h/t (63,5x75,5) : **GBP 9 200** – Londres, 2 juin 1995 : *La pêcheuse à Grez-sur-Loing* 1884, h/t (73,5x96,5) : **GBP 221 500** – Perth, 29 août 1995 : *Le jardin d'une villa mauresque*, h/t/cart. (25,5x35,5) : **GBP 14 950** – Londres, 9 mai 1996 : *Journée humide à Concarneau* 1904, h/t (28,5x33,7) : **GBP 37 800** ; *La dame aux perles*, h/t (148x97,3) : **GBP 84 000** – Londres, 16 mai 1996 : *Japanese Switzerland*, h/pan. (76x53,5) : **GBP 166 500** – Perth, 26 août 1996 : *Édimbourg depuis Mons Meg* 1917, h/t (63,5x76) : **GBP 41 100** – Édimbourg, 27 nov. 1996 : *Sur la route de Fontainebleau* 1884, h/t (46,3x46,3) : **GBP 139 000** – Londres, 21 mai 1997 : *La bonne était dans le jardin en train d'étendre le linge* 1883, h/t (73,7x38) : **GBP 133 500** – Auchterarder (Écosse), 26 août 1997 : *Jeune femme en noir* 1888, h/pan. (34,5x26) : **GBP 45 500**.

LAVES Georg

Né le 1er août 1825 à Hanovre. Mort le 18 octobre 1907 à Hanovre. XIXe-XXe siècles. Allemand.

Peintre d'histoire et graveur.

Élève de Wilh. Wach à l'Académie de Berlin et de Phil. Foltz à l'Académie de Munich. Le Musée de Hanovre conserve de lui : *Adieux du jeune Tobie*.

LAVES-GOLDHANN Elsie

Née le 6 février 1896 à Graz (Styrie). XXe siècle. Autrichienne.

Aquarelliste, illustrateur.

Elle illustra des livres de contes comme les *Contes d'Andersen*, et aussi des œuvres d'Oscar Wilde.

LAVEZZARI Giovanni

Né en 1817 à Venise. Mort en 1881. XIXe siècle. Italien.

Peintre d'architectures, aquarelliste.

Il fut professeur de l'Académie des Beaux-Arts de Venise. Il a exposé à Turin, Milan, Rome et Florence.
Musées : Moscou (Gal. Tretiakov) : *Le tombeau des rois à Jérusalem*.
Ventes Publiques : Paris, 11 déc. 1995 : *Fontaine à Biskra* 1880, aquar. (25x35) : **FRF 13 000**.

LAVEZZARI Jean M. E.

Né le 3 janvier 1876 à Paris. Mort en 1947. XXe siècle. Français.

Peintre de paysages, marines, compositions murales.

Après des études sous la direction de Francis Tattegrain, il fit un voyage en Italie et dans le nord de la France. Il figura au Salon des Artistes Français, dont il fut sociétaire à partir de 1909.
Ses toiles représentent, le plus souvent, des vues de Berck, port qui semble l'avoir fasciné. Il est également l'auteur de panneaux décoratifs visibles, entre autres, à l'hôtel de ville de Berck, à la caserne des pompiers, au Cottage des Dunes, à la Cité éducative du nom du peintre. Ses marines et ses scènes de pêche sont d'une grande sensibilité et d'une rare pertinence.
Bibliogr. : Gérald Schurr, in : *Les Petits Maîtres de la peinture 1820-1920, valeur de demain*, Les Éditions de l'Amateur, t. VII, Paris, 1989.
Musées : Berck : *Le naufrage de l'Orion* 1909.
Ventes Publiques : Paris, 19 mars 1945 : *Paysage* : **FRF 3 000** – Paris, 2 déc. 1994 : *Les dunes*, h/t (80x130,5) : **FRF 11 000**.

LAVEZZARI Vittorio

Né à Gênes. XIXe-XXe siècles. Italien.

Sculpteur.

Il travailla à Gênes, Rome et Florence et pratique un art essentiellement réaliste.

LAVIAI Giuseppe
XIXe siècle. Actif à Turin. Italien.
Peintre de genre.
Il a exposé à Venise, Milan, Turin et Rome.

LAVIDIÈRE Alfred
Né à Loisy-sur-Seine. XIXe siècle. Français.
Peintre.
Exposa au Salon, de 1846 à 1876, des portraits, des natures mortes, des sujets de genre et d'histoire, en 1877 et 1878, des portraits sur faïence.

LAVIE Louis Brice
XIXe siècle. Français.
Peintre de paysages.
Il participa au Salon de Paris en 1848 et 1850.
Bibliogr. : In : Catalogue de l'exposition : *Les années romantiques, la peinture française de 1815 à 1850*, Mus. des Beaux-Arts de Nantes, 1995-1996 et Galeries nationales du Grand Palais, Paris, 1996.
Musées : Morez : *Soleil levant – Soleil couchant* 1841.

LAVIE Raffi
Né en 1937 à Tel-Aviv. XXe siècle. Israélien.
Peintre. Abstrait-lyrique.
Il montre ses œuvres dans des expositions personnelles : en 1973 au Musée d'Israël de Jérusalem, en 1979, au Musée de Tel-Aviv, en 1992 à la galerie Asperger à Strasbourg.
Ventes Publiques : Tel-Aviv, 2 jan. 1989 : *Sans titre* 1971, techn. mixte (81x81) : **USD 1 155** – Tel-Aviv, 3 jan. 1990 : *Sans titre* 1978, h/cart. (106x105,5) : **USD 2 860** – Tel-Aviv, 19 juin 1990 : *Sans titre*, h. et techn. mixte/cart. (110,5x110) : **USD 3 300** – Tel-Aviv, 1er jan. 1991 : *Sans titre* 1967, h/t (105x73,5) : **USD 2 200** – Tel-Aviv, 12 juin 1991 : *Sans titre* 1967, h/t (101,5x100) : **USD 1 760** – Tel-Aviv, 6 jan. 1992 : *Sans titre* 1967, h/t (65x93) : **USD 1 980** – Tel-Aviv, 20 oct. 1992 : *Composition* 1964, h. et cr./t. (73,5x100) : **USD 1 980** – Tel-Aviv, 14 avr. 1993 : *Composition* 1965, h/t (81x81) : **USD 3 220** – Tel-Aviv, 25 sep. 1994 : *Sans titre n° 565* 1978, techn. mixte, cr. collage et photo./pan. (134x102) : **USD 6 900** – Tel-Aviv, 12 oct. 1995 : *Sans titre* 1969, techn. mixte et collage/cart. (121x90) : **GBP 4 370** – Tel-Aviv, 14 jan. 1996 : *Tête* 1972, h. et collage/pan. (95x69) : **USD 3 680**.

LAVIEILLE Eugène Antoine Samuel
Né le 29 novembre 1820 à Paris. Mort le 8 janvier 1889 à Paris. XIXe siècle. Français.
Peintre de paysages, paysages d'eau.
Frère cadet de Jacques Adrien Lavieille. Élève de Corot et de Lequien. Débuta au Salon de 1844. Médaillé en 1849, 1864 et 1870. Chevalier de la Légion d'honneur en 1878. Après avoir vécu à Barbizon, il alla à La Ferté-Milon, puis s'installa à Montmartre.
Cet artiste compte parmi les meilleurs élèves de Corot avec Chintreuil, dont il fut intime ami. Lavieille eut des commencements très difficiles et il ne parvint à se faire connaître qu'après des efforts inouïs. Il est aujourd'hui très injustement oublié et nous pensons que le temps n'est pas éloigné où ses œuvres seront recherchées comme elles le méritent. On a dit qu'il peignait de préférence la nature dans ses jours de deuil et de tristesse ; un grand nombre de tableaux échappent à cette critique. Nous le connaissons surtout pour avoir cherché à traduire, après Daubigny, le charme mystérieux du soir et il y a souvent parfaitement réussi.

Eugène Lavieille.

Bibliogr. : Pierre Miquel, in : *Le Paysage français au XIXe siècle 1800-1900, l'école de la nature*, Éditions de la Martinelle, vol. IV, Maurs-la-Jolie, 1985.
Musées : Alençon : *Soir d'été* – Barbizon (Mus. mun.) : *Barbizon, janvier 1855* – Brest : *Mare aux biches* – Grenoble : *Nuit à Courpalay, l'église* – Guéret : *Les fougères* – Lille : *Vue de la forêt de Fontainebleau* – Le Mans : *La sente conduisant aux Fromentières* – Marseille : *Site de Fontainebleau* – Montpellier : *Vaches au pâturage* – Moulins : *La Pointe de l'île de Saint-Ouen* – *Soirée de septembre à Fontainebleau* – *Soir d'hiver* – Nantes : *Soir* – *Septembre à Fontainebleau* – Narbonne : *Vaches* – Paris (Mus. du Louvre) : *Paysage nocturne* – Rouen : *Crue de la Corbionne à Bretoncelles* – Tourcoing : *Le Repos de la terre*.
Ventes Publiques : Paris, 1884 : *L'Église de Bretoncelles (Orne)* : **FRF 2 000** – Paris, 1887 : *L'Hiver au Perche (Orne)* : **FRF 2 020** – Paris, 1889 : *Effet de lune* : **FRF 1 400** – Paris, 29 mai 1897 : *Les saules* : **FRF 500** – Paris, 27 avr. 1900 : *Pâturage de Normandie* : **FRF 495** – Paris, 28 avr. 1900 : *La Moisson à l'heure de midi* : **FRF 390** – Paris, 29 nov. 1900 : *Paysage, entrée de village* : **FRF 200** – Paris, 25 nov. 1903 : *Bords de rivière* : **FRF 240** – Paris, 14 fév. 1907 : *Paysage en Seine-et-Marne* : **FRF 152** – Paris, 12 fév. 1909 : *Village en Seine-et-Marne* : **FRF 140** – Paris, 18 nov. 1910 : *Paysage* : **FRF 1 150** – Paris, 17 nov. 1911 : *Étang avec bachot et personnage* : **FRF 305** – Paris, 1-3 déc. 1919 : *Ruelle à la campagne* : **FRF 1 220** – Paris, 27 mai 1920 : *La Moisson à l'heure de midi* : **FRF 3 000** – Paris, 23 nov. 1923 : *Les Bords de la rivière* : **FRF 1 400** – Paris, 3 déc. 1925 : *Environs de la Ferté-Milon (Aisne)* : **FRF 2 600** – Paris, 15 juin 1926 : *Une mare en forêt de Fontainebleau* : **FRF 2 800** – Paris, 5 nov. 1928 : *Village en hiver* : **FRF 1 650** – Paris, 27 mars 1931 : *Les Fortifications* : **FRF 400** – Paris, 13 mars 1942 : *La Seine à Choisy* 1874 : **FRF 3 800** – Paris, 16 déc. 1942 : *Les Bords de la Seine à Neuilly* : **FRF 21 600** ; *Réunion devant un temple grec* 1873 : **FRF 24 100** – Paris, 24 mai 1944 : *La Moisson à l'heure de midi* 1872 : **FRF 16 200** ; *La Celle-Saint-Marc* : **FRF 20 000** – Paris, 18 avr. 1945 : *Paysage de neige* : **FRF 11 000** – Paris, 14 fév. 1947 : *Bords de rivière, soleil couchant* : **FRF 5 000** – Paris, 27 fév. 1950 : *Bord de rivière* : **FRF 18 000** – Paris, 15 nov. 1950 : *Paysage* : **FRF 25 000** – Paris, 18 mars 1955 : *Paysage à la petite mare* : **FRF 30 000** – Vienne, 4 juin 1957 : *Paysage boisé, avec un étang en premier plan* : **ATS 10 000** – Paris, 12 mars 1969 : *Paysage d'automne près d'Yverdon* : **FRF 20 000** – Paris, 16 oct. 1974 : *L'Église et le château de Moret* : **FRF 7 500** – Versailles, 21 nov. 1976 : *Les grands arbres près de la rivière*, h/t (28,5x46) : **FRF 3 100** – Versailles, 5 juin 1977 : *Au barrage d'Andrésy* 1884, h/pan. (28x49) : **FRF 6 500** – Paris, 20 nov 1979 : *Une matinée en forêt, vaches en marche à Fontainebleau* 1873, h/t (62x98) : **FRF 31 500** – Lucerne, 12 nov. 1982 : *Lavandières dans un paysage fluvial*, h/t (65,5x81,5) : **CHF 13 500** – Paris, 18 mars 1983 : *La Sente des Soupirs, La Ferté-Milon* 1859, h/pan. (31x22,5) : **FRF 28 000** – Paris, 20 juin 1985 : *Péniches à la Celle-sous-Moret*, h/pan. (24,5x35,5) : **FRF 18 000** – Rouen, 9 mars 1986 : *Paysage*, h/pan. (35x57) : **FRF 19 500** – Paris, 23 mars 1988 : *Paysage*, h/t (91x72) : **FRF 40 500** – Paris, 22 juin 1988 : *Le village : retour du troupeau*, h/pan. (35x57) : **FRF 23 000** – Cologne, 15 oct. 1988 : *Coin de rue aux Sablons*, h/pan. (35x27) : **DEM 3 500** – Paris, 19 juin 1989 : *Arbres près d'un étang*, h/t (53x33) : **FRF 43 000** – Paris, 13 déc. 1989 : *La moisson, soleil couchant*, h/pan. (22x34) : **FRF 9 000** – Paris, 27 avr. 1990 : *Cour de ferme et arbre en fleur*, h/t (38x46) : **FRF 12 000** – Paris, 12 juin 1990 : *Le Passeur*, h/t (16,5x28,5) : **FRF 25 000** – Monaco, 16 juin 1990 : *Plateau des forts de Marlotte dans la forêt de Fontainebleau* 1872, h/pan. (17x29) : **FRF 24 420** – New York, 23 oct. 1990 : *Soir d'automne*, h/t (32,4x52,7) : **USD 5 500** – Calais, 10 mars 1991 : *Paysage*, h/pan. (16x27) : **FRF 10 100** – Paris, 10 avr. 1992 : *Rochers à Fontainebleau*, h/pan. (21,5x36,5) : **FRF 18 000** – Paris, 2 avr. 1993 : *Pâturage près d'un village*, h/pan. (35x58) : **FRF 24 000** – Paris, 27 mai 1994 : *Paysage*, h/cart. (23,5x37,5) : **FRF 11 000** – Paris, 5 avr. 1995 : *Sous-bois sous la neige*, h/t (38x46) : **FRF 17 000** – Paris, 22 déc. 1995 : *Vue du château de Chamarande*, h/t (119x170) : **FRF 36 100** – New York, 17 jan. 1996 : *Paysage avec des bouleaux argentés* 1870, h/t (58,4x35,6) : **USD 2 587** – Zurich, 3 avr. 1996 : *Sous-bois* 1868, h/t (52x72) : **CHF 2 000** – Paris, 10 mars 1997 : *Bord de rivière*, h/t (53x32) : **FRF 28 000** ; *Le Passage*, h/pan. (28x43) : **FRF 24 000** – Paris, 2 avr. 1997 : *Les Hauteurs de Canteleur près Rouen* 1875-1884, h/pan. (50x31) : **FRF 5 000**.

LAVIEILLE Jacques Adrien
Né le 11 janvier 1818 à Paris. Mort le 16 juillet 1862 à Paris. XIXe siècle. Français.
Graveur sur bois.
Frère aîné du peintre Eugène Lavieille et l'un des meilleurs graveurs sur bois de l'école de 1830. Par ses relations, par ses amitiés, Lavieille se place à côté des maîtres de Barbizon. Il était fils d'un tapissier, ses dispositions artistiques lui permirent d'entrer à l'École des Beaux-Arts où il connut Tony Johannot. Il prit des leçons avec Parret. En 1837, il alla en Angleterre et fut pendant un an employé chez Williams. Revenu en France il s'adonna complètement à la gravure sur bois. Il collabora à de nombreuses publications notamment à *l'Artiste* et au *Magasin pittoresque*. En 1842, il alla en Russie avec Horace Vernet et on lui offrit une place de professeur à l'Académie de Saint-Pétersbourg : mais comme il devait se faire naturaliser russe, il refusa. Il faut citer ses gravures pour les romans d'Eugène Sue, *La*

Pléiade, *Les Faits mémorables de l'histoire de France* (1845), *Les Contes drôlatiques* de Balzac, d'après Doré, *Le Poulailler*, d'après Ch. Jacques, *Les Français peints par eux-mêmes*. Un *Album de sujets rustiques* d'après Ch. Jacques (1859), *Les quatre parties du jour* d'après J.-F. Millet. Il exposa au Salon de 1848 à 1859 et fut médaillé en 1849 et en 1859.

LAVIEILLE Marie Ernestine Serville Suan

Née à Barbizon. XIXe siècle. Française.

Peintre de paysages.

Exposa au Salon à partir de 1877. Sociétaire des Artistes Français depuis 1883. Mention honorable 1883, 1889 (Exposition Universelle).

LAVIER Bertrand

Né le 14 juin 1949 à Châtillon-sur-Seine (Côte-d'Or). XXe siècle. Français.

Sculpteur, sculpteur d'installations, peintre, multimédia.

Bertrand Lavier fut d'abord étudiant en horticulture se destinant à être paysagiste-urbaniste. Il a « rencontré », dit-il, l'art contemporain en entrant, presque par hasard, dans la galerie Daniel Templon à Paris. De cette visite impromptue mais décisive et, bien sûr, renouvelée, date son véritable intérêt pour la création artistique, n'ayant suivi aucun cursus traditionnel dans une école des Beaux-Arts. Il vit et travaille à Aignay-le-Duc (Côte-d'Or). Il a reçu en 1994, le Grand Prix national de sculpture (France).

Il participe à de nombreuses expositions collectives, dont : 1971, Biennale des jeunes, Paris ; 1974, *Art Video-confrontation*, ARC 2, Musée d'Art Moderne de la Ville de Paris ; 1976, *Panorama de l'art contemporain en France (1960-1975)*, Athènes, Le Caire, Jérusalem ; 1980, *Parti-pris-autres*, ARC 2, Musée d'Art Moderne de la Ville de Paris ; 1980, *8 ateliers d'artistes en Bourgogne*, Maison de la Culture, Chalon-sur-Saône, Musée de Toulon ; 1982, Documenta 7, Kassel ; 1984, *International survey of painting and sculpture*, Museum of Modern Art, New York ; 1984-1985, *Histoire de sculpture*, Château de Cadillac, Musée d'Art Moderne de Villeneuve-d'Ascq, Musée des Beaux-Arts de Nantes ; 1985, Biennale de São Paulo ; 1986, *Je suis absent jusqu'à mon retour*, Magasin, Centre National d'Art Contemporain, Grenoble ; 1986, *Le Fragment et le Hérisson*, Musée de l'Abbaye de Sainte-Croix, Les Sables-d'Olonne ; 1987, Documenta 8, Kassel ; 1990, *Affinités sélectives V*, (avec Sherry Levine) Palais des Beaux-Arts, Bruxelles ; 1990-1991, *Art et Publicité*, Musée National d'Art Moderne, Centre Georges Pompidou, Paris ; 1995-1996, *Galerie des cinq continents*, Musée national des Arts d'Afrique et d'Océanie, Paris.

Il montre ses œuvres dans des expositions personnelles, parmi lesquelles : 1973, galerie Lara Vincy, Paris ; 1975, Centre National d'Art Contemporain, Paris ; 1976, galerie Eric Fabre, Paris ; 1983-1984, Nouveau Musée, Villeurbanne ; 1984, Kunsthalle, Berne ; 1985, Musée d'Art Moderne de la Ville de Paris ; 1986, Musée des Beaux-Arts, Dijon ; 1986, 1993, galerie Durant-Dessert, Paris ; 1987, Musée de Peinture et de Sculpture, Grenoble ; 1991, Musée National d'Art Moderne, Centre Georges Pompidou ; 1991, Stedelijk Museum, Amsterdam.

Apparu sur la scène artistique au début des années soixante-dix, Bertrand Lavier utilise dans son travail des objets. Au moins deux types d'œuvres se sont révélés emblématiques de son travail. D'une part les objets recouverts de touches épaisses de peinture qui en reprennent la tonalité, tels : *Gabriel Gaveau* (1981) un piano recouvert de peinture acrylique noire ou bien *Formica Red* (1983), une table de cuisine peinte en couches épaisses, rouge-orangé pour le plateau et blanc pour les pieds. D'autre part les objets superposés, comme : *Brandt/Fichet-Bauche* (1985), un réfrigérateur sur un coffre-fort ou encore *Ikea/Zanussi* (1986), un meuble sur un congélateur, etc.

Cette mise en perspective de l'objet ne semble pas chez Lavier un effet de rapprochement incongru d'essence surréaliste entre des objets de l'électro-ménager et de l'ameublement, ni une « appropriation du réel » à la façon des Nouveaux Réalistes. La dialectique et la finalité de ses propositions sont autres. Ce serait, en partie, aux effets de la rupture duchampienne qu'il conviendrait de se référer afin de mieux comprendre sa démarche : Duchamp, « la figure à laquelle j'ai eu d'emblée à m'opposer et avec laquelle il m'a fallu ruser ». Le débat, bien souvent théorique, autour de son œuvre semble se jouer ici. Ces effets concernent moins l'ordre de la légitimation artistique des ready-made, devenue obsolète, que la redéfinition des catégories artistiques qu'elle a provoquées et du discours qui les situent. En ce sens, les « sculptures » et les « peintures » de Lavier en jouant avec la littéralité du réel, une fois le cap des discours critiques modernistes contournés, se révèlent être, selon leur auteur, objets plastiques suggérant appréciations d'ordre formel et esthétique. Si l'on prend pour exemple le réfrigérateur sur un coffre-fort, tout en respectant l'objet ready-made, il souhaite en détourner l'esprit. Le coffre-fort représente pour Lavier un socle, il l'a perçu, dit-il, un jour comme tel. S'enclenche alors une réflexion sur la sculpture : il pose un second objet sur le socle recherchant quelque chose de « lisse », une caractéristique de certaines sculptures de Brancusi, le réfrigérateur est venu à son esprit. C'est pourquoi, Lavier, s'il procède d'une démarche de recherche, s'associe à une pensée finalement plus classique de la création : à partir de propositions données il bâtit des propositions formelles et esthétiques nouvelles. Quant à la charge symbolique de ces objets, elle est du domaine de son inconscient. L'afflux libre de sens constituant aussi une réponse à la production sculpturale minimaliste et aux trop nombreux *Untitled* de l'art contemporain. Pour ce qui est des objets repeints par recouvrement pâteux et épais, Lavier explique que « l'épaisseur et la façon de peindre imitent plus ou moins la touche de Van Gogh, ce sont des clichés de peinture moderne que je m'approprie pour conserver le plus grand anonymat possible ». La peinture, ainsi pratiquée, ouvre d'autres perspectives ressortissant à sa légitimité même. Celle-ci, réduite à un « cliché » sans âme, utilisée en recouvrement directe de l'objet en modifie forcément sa destination : est-ce le « ready-made dévoré par la peinture » ? D'autre part, toujours selon le même procédé, cette peinture, court-circuite son propre mode de représentation (l'objet) : est-on, en cette circonstance, en présence de peinture ou de sculpture ? L'œuvre de Lavier se prête donc particulièrement bien à des interprétations qui tentent la généralisation. Daniel Soutif en a proposé une qui se nourrit principalement du paradoxe du ready-made « ceci est de l'art / ceci n'est pas de l'art ». Dans le cas de Lavier, le non art, l'objet, se trouve en relation contradictoire avec l'art : la peinture qui recouvre ou la sculpture qui superpose. Ni sculpteur, ni peintre, mais « artiste qui fait des peintures et des sculptures... », Lavier, en effet, « ruse » pour ne pas entrer dans les catégories académiques. Cet entre-deux lui sert également et, paradoxalement, de moyen pour dénoncer cette tendance – autre « effet-Duchamp » – à esthétiser à outrance, à élargir la notion d'art jusqu'à la vider de son contenu. À propos des *Photo-Reliefs*, les commentaires formalistes évoquent la recherche d'un espace nouveau. Cette série se présente comme une matérialisation réelle de sujets photographiés et réalisés grandeur nature en en respectant le cadrage. Par exemple, *Photo-Reliefs 2* est une moissonneuse-batteuse qui a été « sciée » au cadrage de la représentation visuelle, c'est à dire découpée en fonction de la déformation optique de l'œil afin de restituer le plan photographique parfait. Ailleurs, la matière et sa visibilité sont passés au crible de l'agrandissement avec la série des *Walt Disney Productions*. Ayant, dans une bande dessinée, emprunté les représentations en forme de petites vignettes de tableaux inventés par Walt Disney lors de la visite de Mickey au Musée d'Art Moderne, il les a ensuite agrandis, élevant du même coup ces fragments de bandes dessinées au statut de peintures abstraites. Provocateur, le geste défie également la notion d'abstraction trop souvent reflet de la modernité et de ses musées. Un résultat à rapprocher et à comparer avec un ensemble d'œuvres dont *T. V. Painting* (1986) qui montre des reproductions de tableaux télévisés ou filmés grandeur nature de Malevitch, Matisse, Fautrier, Lapicque. Ici, ce qui intéresse Lavier, c'est le procès, dans le sens de processus, de la représentation. Celle-ci n'est pas interprétée dans les termes qui assimilent la représentation au simulacre, mais réaffirmée comme force visuelle intrinsèque à l'œuvre. De manière plus conceptuelle, Lavier s'intéresse aussi à la question de l'anonymat du peintre avec l'exposition des *Martin* et des rapports paradoxaux entre l'« artiste » et son « œuvre ».

Finalement, le travail de Lavier ne cesse de bousculer le jeu de quilles des normes artistiques qui ont tendance à se sédentariser. Surtout apprécié en tant qu'artiste qui conçoit l'art d'abord en termes d'idées, il tente néanmoins d'en renouveler le genre, d'interroger, voire de briser, la ligne de partage, toute conceptuelle celle-ci, entre l'« art rétinien » et la « chose mentale ».

■ Christophe Dorny

Bibliogr. : Catalogue de l'exposition *Bertrand Lavier*, ARC, Mus. d'Art Mod. de la Ville de Paris, 1985 – Daniel Soutif : *Le Lieu des paradoxes*, in : *Artstudio*, Paris, été 1987 – in : Catalogue de

l'exposition *L'Art moderne à Marseille. La Collection du Musée Cantini*, Mus. Cantini, Marseille, 1988 – Jean-Marc Prévost : *Bertrand Lavier : l'objet hors catégories*, in : *Artstudio*, Paris, Hiver 1990 – Catherine Millet, Bernard Marcadé, Thierry De Duve et Paul-Hervé Parsy : catalogue de l'exposition *Bertrand Lavier*, Musée National d'Art Moderne, Paris, 1991 – interview par Jacques Henric, in : *Art Press*, n° 155, Paris, fév. 1991 – in : *L'Art du XXe siècle*, Larousse, Paris, 1991 – in : *Dictionnaire de l'art moderne et contemporain*, Hazan, Paris, 1992.
Musées : Grenoble (Mus. de Peinture et de Sculpture) : *Manutan / Kind* – Marseille (Mus. Cantini) – Otterlo (Kröller-Müller Mus.) : *Privé / Mobi* 1987 – Paris (Mus. Nat. d'Art Mod.) : *Brandt / Haffner* 1984 – Paris (FRAC, Île-de-France) : *On reflexion* 1984 – Rochechouart (Château-Mus. départemental d'art Contemp.) : *Mikados et piquets de géomètre* 1991 – Saint-Étienne.
Ventes Publiques : Paris, 15 fév. 1990 : *Paragon* 1986, miroir de plexiglas peint (135x113) : **FRF 180 000** – Paris, 18 juin 1990 : *Peinture* 1984, liquitex et plâtre/bois (164x44x35) : **FRF 160 000** – Paris, 26 oct. 1990 : *Miroir* 1986, plastique et glu (61x61) : **FRF 3 200** – Paris, 30 nov. 1991 : *Paragon* 1986, liquitex/table de ping-pong (diptyque 276x153x7) : **FRF 150 000** – Paris, 17 mars 1994 : *Shoggi* 1989, peint. acryl./bois, en deux parties (139x35x30) : **FRF 40 000** – Paris, 21 juin 1995 : *Etrochet Nevada (sic)* 1989, pierre/réfrigérateur (161x55x60) : **FRF 17 500**.

LAVIERRE
XIXe siècle. Français.
Peintre de marines.
Le Musée Boucher de Perthes à Abbeville conserve un tableau de cet artiste, *Vue d'un port*, daté de 1837.

LA VIEUVILLE de, chevalier
XVIIIe siècle. Actif au début du XVIIIe siècle. Français.
Aquafortiste amateur.
On cite de lui des paysages et des portraits de chats.

LAVIGNAC Alfred
Né à Cahors (Lot). XXe siècle. Français.
Peintre de paysages.
Il expose, depuis 1922, à Paris, au Salon des Indépendants des paysages du Quercy et de Provence.

LAVIGNE Edmond Édouard
Né au XIXe siècle à Paris. XIXe siècle. Français.
Peintre sur porcelaine et sur émail.
Élève de Lequien et de Corot. Il exposa au Salon à partir de 1876.

LAVIGNE Émile Joseph
Né le 29 juillet 1827 à Paris. XIXe siècle. Français.
Peintre et pastelliste.
Élève de Couture. Exposa des portraits au Salon en 1852 et 1857.

LAVIGNE Hubert
Né le 11 juillet 1818 à Cons-la-Granville. Mort le 12 janvier 1882 à Paris. XIXe siècle. Français.
Sculpteur.
Élève de Ramey et de Dumont ; second prix de Rome en 1843. Médailles en 1861 et 1863. le Musée de Nancy conserve de lui *Le jeune flûtiste, Mercure inventant la lyre, Mort d'Épaminondas*. Lavigne a publié un recueil : *État-civil d'artistes français, billets d'enterrement ou de décès depuis 1823*. On cite parmi ses travaux : *La récolte*, fronton du nouveau Louvre, des *Enfants*, à la fontaine Saint-Michel, *Montaigne, Bacon, Descartes, Newton, Voltaire, Goethe*, médaillons pour la grande salle de la Bibliothèque Nationale, *Pierre Lombard*, statue en pierre pour l'église de la Sorbonne.

LAVIGNE Lucien Jean Baptiste
Né le 25 avril 1862 à Mennecy (Seine-et-Oise). XIXe siècle. Français.
Peintre de portraits.
Élève de Lemaire. Sociétaire des Artistes Français depuis 1888, il figura au Salon de ce groupement.

LAVIGNE Mauricette, appelée **Mauri-Lavigne**
Née le 29 juin 1900 à Paris. XXe siècle. Française.
Peintre d'intérieurs, paysages, fleurs.

LAVILLA Nemesio
Né en 1860 à Gijon (Asturies). Mort en 1946 à Gijon. XIXe-XXe siècles. Espagnol.
Peintre de paysages, marines.
Il fut élève, à Madrid, de l'École Spéciale de Peinture, Sculpture et Gravures et du peintre Carlos de Haes. Il a participé à plusieurs expositions nationales des Beaux-Arts en Espagne.
Bibliogr. : In : *Cien anos de pintura en Espana y Portugal 1830-1930*, tome IV, Antiqvaria, Madrid, 1990.
Musées : Oviedo (Mus. des Beaux-Arts).

LAVILLE Eugène
Né le 10 septembre 1814 à Saverne (Bas-Rhin). Mort le 6 novembre 1869 à Marmoutiers (Bas-Rhin). XIXe siècle. Français.
Peintre d'histoire, compositions religieuses, scènes de genre, portraits, dessinateur, illustrateur.
Il a longtemps séjourné à Rome, d'où il est revenu en 1857.
Il a figuré au Salon de Paris de 1857 à sa mort, obtenant une mention honorable en 1863.
Brillant dessinateur, il a collaboré au *Journal amusant*, a illustré les *Contes et Nouvelles* de La Fontaine en 1838, *Paul et Virginie*, la même année et les *Contes* de Boccace en 1846.
Bibliogr. : Gérald Schurr, in : *Les Petits Maîtres de la peinture 1820-1920, valeur de demain*, Les Éditions de l'Amateur, t. V, Paris, 1981.
Musées : Mulhouse : *Alsace* – Strasbourg : *La leçon de grand-'mère*.

LAVILLE Henri
Né le 8 février 1916 à Bordeaux (Gironde). XXe siècle. Français.
Peintre, lithographe.
Ayant obtenu de sa ville natale une bourse pour suivre l'École des Beaux-Arts de Paris, son maître Unterstellег s'intéressa à lui.
Il a obtenu le prix de la Casa Velasquez.
Bibliogr. : In : *De Bonnard à Baselitz – Dix ans d'enrichissements du Cabinet des Estampes 1978-1988*, Paris, 1992.
Musées : Paris (Cab. des Estampes).

LAVILLE Joy H.
Née en 1923 dans l'île de Wight. XXe siècle. Active depuis 1956 au Mexique. Britannique.
Peintre.
En 1966, elle montre pour la première fois ses œuvres au Mexique, à l'Institut Allende de la ville San Miguel de Allende. La Galerie d'art mexicain a ensuite montré son travail en 1968.
Ventes Publiques : New York, 29 nov. 1983 : *Femme endormie* 1973, past. (48x66,4) : **USD 1 000** – New York, 28 nov. 1984 : *See-through*, h/t (141x84,8) : **USD 11 000** – New York, 19 mai 1987 : *Deux personnages en Grèce* 1981, acryl./t. (80x119,4) : **USD 8 500** – New York, 21 nov. 1988 : *L'Oiseau bleu*, past./pap. (32x48,2) : **USD 2 750** ; *Femme sur la plage*, acryl./t. (120x140) : **USD 11 000** – New York, 1er mai 1990 : *Paysage avec une baie* 1970, h/t (50,3x70,3) : **USD 7 150** – New York, 15-16 mai 1991 : *Paysage*, h/t (45,5x64,5) : **USD 3 300** – New York, 20 nov. 1991 : *Femme sur deux rochers* 1990, h/t (130x160) : **USD 15 400** – New York, 19 mai 1992 : *Fleurs dans une cruche* 1971, past./pap. (63,5x48) : **USD 2 750** – New York, 23-24 nov. 1993 : *Fleurs sur fond bleu*, past./pap. (64x47) : **USD 3 680** – New York, 16 mai 1996 : *Chien tropical* 1974, h/t (129,5x114,5) : **USD 5 750**.

LAVILLE Marguerite de
Née à Strasbourg. XIXe siècle. Française.
Dessinatrice.

LAVILLE-LEROULX Marie Guilhelmine de. Voir **BENOIST**

LA VILLEGLÉ Jacques Mahé de
Né en 1926 à Quimper (Finistère). XXe siècle. Français.
Peintre de collages, technique mixte. Groupe des Nouveaux Réalistes, mouvement des affichistes.
Il fut élève en sculpture de l'école des Beaux-Arts de Rennes, où il rencontra Raymond Hains, qu'il devait suivre ensuite dans ses démarches. De 1947 à 1949, il étudia l'architecture à Nantes. En 1949, il s'établit à Paris. Vers 1952, La Villeglé fréquenta les lettristes dissidents : Bull Dog Brau, Guy Debord et Gil Wolman. Il rencontra en 1954 François Dufrênes. Il adhéra en octobre 1960 au groupe des Nouveaux Réalistes.
Il participe à des expositions collectives nombreuses : 1959, 1961, Biennale des Jeunes, Paris ; 1960, Les Nouveaux Réalistes, galerie Apollinaire, Milan ; 1960, 1961, 1962, 1963, 1964, 1965, 1966, 1967, 1968, 1972, Salon Comparaison, Paris ; 1960, Salon Nika ; 1960, Festival d'Avant-Garde, Palais des Expositions, Paris ; 1961, *The Art of Assemblage*, Museum of Modern Art, New York ; 1961, *À quarante degrés au-dessus de Dada*, galerie « J », Paris ; 1961, *Le Nouveau Réalisme à Paris et à New York*, galerie Rive Droite, Paris ; 1962, *Recherche d'un nouveau réalisme*, galerie Bonnier, Lausanne ; 1962, *The New Realists*, Sid-

ney Janis Gallery, New York ; 1963, *La Lettre et le Signe*, galerie Valérie Schmidt, Paris ; *Nouveau Réalisme*, Galleria del Leone, Venise ; 1964, *L'Affiche lacérée*, Crès Gallery, Chicago ; 1964, *50 ans de collages*, Musée d'Art et d'Industrie, Saint-Étienne et Musée des Arts Décoratifs, Paris ; 1965, *Décollage*, galerie Ad Libitum, Anvers ; 1965, *Le Merveilleux Moderne*, Kunsthalle, Lundt ; 1966, *Zeit – Decollagen*, Museum aus Lange, Krefeld ; 1967, *Objectivation du hasard*, galerie Cazenave, Paris ; 1970, *Nouveau Réalisme 1960-1970*, galerie Mathias Fels, Paris ; 1971, *Dufrêne, Hains, Rotella, Villeglé, Vostell*, Staatsgalerie, Stuttgart ; 1972, *Douze ans d'art contemporain en France*, Galeries Nationales du Grand Palais, Paris ; 1976, *Vos papiers S.V.P.*, Musée de l'Abbaye Sainte-Croix ; 1976, *Beautés volées*, Musée d'Art et d'Industrie, Saint-Étienne ; 1980 Paris, galerie Mathias Fels ; 1986 Paris, *Les Nouveaux Réalistes*, Musée d'Art Moderne de la Ville ; 1991, exposition itinérante *Rimbaud – vingt peintres, vingt auteurs contemporains* ; 1991 Paris, *Rencontres – Cinquante ans de Collages*, galerie Claudine Lustman.

Il montre ses œuvres dans des expositions en commun avec Hains : en 1957 pour la première rétrospective d'affiches lacérées, *Loi du 29 juillet 1881*, galerie Colette Alendy à Paris ; en 1959, *Le Lacéré anonyme*, à l'atelier François Dufrêne, Paris avec la participation de Dufrêne et de Hains ; en 1961, *La France déchirée*, à la galerie « J » avec Hains. Il expose seul en : 1963, galerie J., Paris ; 1964, galerie Ad Libitum, Anvers ; 1967, *De Mathieu à Mahé*, galerie Jacqueline Ranson, Paris ; 1971, *Rétrospective 1949-1971*, Moderna Museet, Stockholm ; 1972, *Rétrospective 1949-1972*, Museum aus Lange, Krefeld ; 1974 Paris, galerie Beaubourg ; 1974 Vaduz, Centrum für Kunst ; 1976, Studio Sant'Andrea, Milan ; 1976, galerie de Dessin, Paris ; 1978 Morlaix, Musée des Jacobins ; 1982, Art Prospect, Paris ; Centre d'art Bouvay Ladubay à Saumur ; etc.

En 1947, La Villeglé commence par recueillir des objets tels que des débris du mur de l'Atlantique ou des fils de fer formant sculptures. À partir de 1947 et jusqu'en 1957, il travaille avec Hains qui mit au point des objectifs d'appareils photographiques permettant de dissocier immédiatement les images enregistrées, par des effets simultanés de réfraction prismatique. Se servant de cette technique, ils publient ensemble, en 1953, *Hépérile éclaté*, éclatement syntaxique du poème phonétique *Hérépile* de Camille Bryen. La Villeglé et Hains ont, en outre, travaillé aussi à des films d'essai, notamment *Pénélope*, film présenté sous le titre de *Étude aux allures*. C'est vers 1949, qu'Hains et Villeglé recueillent, à travers la ville, des affiches lacérées laissant apparaître des fragments de celles qui étaient collées en dessous : leur première œuvre commune d'appropriation du réel urbain est *Ach Alma Métro*. Les effets sont de plusieurs sortes : directement esthétiques, et se rattachant à la technique du collage ; jeu de caractères d'imprimerie enchevêtrés, fragments de textes évoquant des événements relatifs à des époques différentes, etc. Villeglé, pour sa part, s'est attaché aux offertes par les hasards des affiches déchirées. Contrairement à Hains, il privilégie la part d'imprévu du décollage d'affiche, réceptacle d'une poésie collective aux trames inconscientes, mais aussi collecte de repères historico-sociologiques. Le premier volume du catalogue raisonné de son œuvre dresse en dix rubriques un inventaire de son travail : *La Lettre lacérée* (*L'Humour jaune* 1953) ; *Sans lettre, sans figure* (*Bleu d'août*, 1961) ; *Avec lettres ou fragments de mots* ; *Affiches de peintres* (il y a eu, entre autres, celles de Mathieu vers 1965 et celles de Dubuffet en 1975) ; *Transparences* ; *Politique* (*Les Présidentielles de 1981 vues par La Villeglé*, 1981) ; *Objets ou personnages lacérés* ; *Dripping et Graffiti* ; *Placards de journaux* ; *Petits formats divers*.

Peut-être discutable, mais justement à considérer la définition par Marie Cerciello de l'effet de lacération sur l'affiche : « ... libérée de son utilité, de son pouvoir de communication, lui donnant sa réelle existence : sa composition abstraite ». D'une part, il faut reconnaître que l'éventuelle composition abstraite de l'affiche lacérée n'a plus rien à voir avec la composition abstraite de l'affiche intacte, donc il s'agit ici d'une composition abstraite soit fortuite, soit délibérée, en tout cas nouvelle. D'autre part, même si dans le cas de La Villeglé le résultat de la lacération a une importance « esthétique », de la famille du collage, de par ses « possibilités d'expression par la couleur », il n'en exclue pourtant pas les effets de « poésie collective » inconsciente, ni encore moins de « collecte de repères historico-sociologiques ». ■ J. B.

Bibliogr. : Jacques Mahé de la Villeglé : *Des réalités collectives*, in : *Grammes*, n° 2, 1958 – Pierre Restany : *Les Nouveaux Réalistes*, Planète, Paris, 1968 – O. Hahn, in : *Catalogue de la rétrospective Villeglé*, Moderna Museet, Stockholm, 1971 – Pierre Restany, in : *Catalogue Villeglé*, galerie Beaubourg, Paris, 1974 – *Les Boulevards de la Création*, in : *Apeïros*, n° 8, 1974 – in : *Dictionnaire universel de la peinture*, t. IV, Le Robert, Paris, 1975 – Jacques Mahé de la Villeglé : *Lacéré anonyme*, Musée National d'Art Moderne, Paris, 1977 – Jacques Mahé de la Villeglé : *Urbi et Orbi*, Dijon, 1986 – in : Catalogue de l'exposition *L'Art moderne à Marseille. La Collection du musée Cantini*, Musée Cantini, Marseille, 1988 – Jacques Mahé de La Villeglé, Raymond Hains et Françoise-Julie Piriou : *Villeglé*, 5 vol., Éditions Marval, Paris, 1989-1991 – in : *L'Art du XXe siècle*, Larousse, Paris, 1991 – in : *Canal*, n° 5, Paris, 1991 – Catherine Grout : *Les ravisseurs de la beauté moderne : R. Hains, M. Rotella, J. Villeglé*, in : Artstudio, n° 23 : *Le Collage*, Paris, hiver 1991 – in : *Dictionnaire de l'art moderne et contemporain*, Hazan, Paris, 1992.

Musées : Épinal (Mus. dép. des Vosges) : *Aux Buttes-Chaumont* 1972 – Lille (FRAC, Nord-Pas-de-Calais) – Marseille (Mus. Cantini) : *L'Humour jaune* 1953 – *Rue de Rémusat* 1959 – Mönchengladbach – Nantes – Nice – Nîmes : *Bleu d'août* 1961 – Paris (Mus. Nat. d'Art Mod.) : *Tapis Maillot* 1959 – *Ach Alma Manetro*, en collaboration avec R. Hains – Paris (Mus. d'Art Mod. de la Ville) : *Rue Saint-Yves* 1964 – Stockholm (Mod. Mus.) – Toulon : *Boulevard Saint-Martin* 1959.

Ventes Publiques : Paris, 10 juin 1972 : *Rue Toulouse-Lautrec* : **FRF 7 000** – Paris, 2 déc. 1976 : *Affiche lacérée* 1959 (40x79) : **FRF 4 000** – Londres, 6 déc. 1978 : *Sans titre*, collage mar./t. (80x108) : **GBP 1 100** – Milan, 22 mai 1980 : *Rue Neuve-Saint-Pierre* 1962, décollage (70x63) : **ITL 950 000** – Paris, 5 déc. 1983 : *Créteil* 1975, affiches lacérées/t. (180x225) : **FRF 14 000** – Versailles, 16 nov. 1986 : *Avenue de l'Observatoire R.G.* 1961, affiches lacérées/t. (165x124) : **FRF 71 000** – Versailles, 8 mars 1987 : *Quai des Célestins* 1964, affiches lacérées/t. (190x148) : **FRF 76 000** – Paris, 24 avr. 1988 : *Affiches*, affiches lacérées/t. (180x225) : **FRF 47 000** – Paris, 16 avr. 1989 : *39 Quai de Grenelle* 1973, affiches lacérées/t. (157x123) : **FRF 116 000** – Paris, 4 juin 1989 : *79 rue de Réaumur* 1971, affiches lacérées (66x68) : **FRF 60 000** – Paris, 8 oct. 1989 : *Boulevard Haussmann* 1988, collage/bois (37x28) : **FRF 25 000** – Paris, 9 oct. 1989 : *Boulevard de Belleville, 4 avr. 1971*, affiches lacérées (110x142) : **FRF 120 000** – Paris, 15 déc. 1989 : *Affiches lacérées* (50x35) : **FRF 46 000** – Paris, 31 jan. 1990 : *Les dessous du boulevard de la Vilette*, affiches lacérées/t. (96,5x79) : **FRF 41 000** – Paris, 18 fév. 1990 : *Rue Baltard*, affiche lacérée/t. (65x50) : **FRF 145 000** – Paris, 30 mai 1990 : *Comment faire un testament* 1978, collage et décoll./support pauvre : **FRF 75 000** – Paris, 21 juin 1990 : *Projet de couverture pour la revue Ad Hoc de juin 1990*, encre et gche/pap. (8x42) : **FRF 7 500** – Paris, 5 fév. 1991 : *Rue Baltard Ier* 1974, affiche lacérée mar./t. (50x125) : **FRF 42 000** – Lokeren, 23 mai 1992 : *Rue de la Texturologie* 1985, collage/t. (89x109) : **BEF 220 000** – Paris, 28 oct. 1992 : *Quai de Grenelle* 1977, affiches lacérées mar./t. (106x88) : **FRF 38 000** – Paris, 6 avr. 1993 : *39 quai de Grenelle* 1973, affiches lacérées/t. (157x123) : **FRF 50 000** – Londres, 26 mai 1994 : *Rue de la Perle* 1970, affiches déchirées/t. (81x104) : **GBP 4 600** – Paris, 28 nov. 1994 : *Carrefour de Turbigo cunin-gridaine* 1961, arrachage d'affiches réentoilées par l'artiste (208x158) : **FRF 165 000** – Lokeren, 11 mars 1995 : *Rue Beaubourg* 1975, collage/t. (98x49) : **BEF 65 000** – Paris, 19 juin 1996 : *Rue du Temple* 1967, affiches arrachées/t. (90x130,5) : **FRF 50 000** – Paris, 1er juil. 1996 : *5 février 1964, rue Saint-Yves-Louis* 1964, affiches lacérées/t. (69x96,5) : **FRF 28 000**.

LA VILLÉON Éliane de, pseudonyme de **Petit Éliane**
Née en 1910. Morte en 1969. XXe siècle. Française.
Peintre de paysages.

Elle fut élève de l'École des Arts Décoratifs. Entre 1938 et 1960, elle a peint de nombreux paysages de la côte bretonne. Elle était, entre autres, chevalier de la Légion d'honneur et présidente de l'Union des Femmes Peintres et Sculpteurs.

Ventes Publiques : Paris, 30 juin 1944 : *Marée basse en Morbihan* : **FRF 10 500** – Brest, 6 juin 1976 : *Bateaux au port*, h/t (46x33) : **FRF 1 500** – Paris, 6 juin 1984 : *Le lac de Neuchâtel*, h/t (38x61) : **FRF 13 000** – Paris, 21 avr. 1988 : *L'entrée du port*, gche (54,5x74) : **FRF 3 000** – Paris, 12 fév. 1989 : *Environs de Lourdes* 1905, h/t (46x64) : **FRF 65 000**.

LA VILLÉON Emmanuel Victor Auguste Marie de, comte
Né le 29 mai 1858 à Fougères (Ille-et-Vilaine). Mort en 1944 à Paris. XIXe-XXe siècles. Français.

Peintre de marines, paysages. Tendance impressionniste.
En 1880, il quitta sa ville natale et vint à Paris où il entra à l'Académie Julian. Il fut élève de Roll et Damage. Il partagea sa vie entre la Bretagne, la Suisse, Paris et ses environs, qui lui fournirent des thèmes de paysages.
Il débuta, à Paris, au Salon des Indépendants en 1888 puis, à partir de 1890, il exposa au Salon de la Société Nationale des Beaux-Arts, dont il fut associé à partir de 1908, tandis qu'il exposa au Salon d'Automne à partir de 1903.
En 1884, il commença à peindre d'après nature et, en 1890, s'orienta définitivement vers l'impressionnisme. Il illustra également des légendes et contes bretons. L'ensemble de son œuvre est traité selon un coloris lumineux.

E. de La Villéon

Bibliogr. : Laurence Buffet-Challié : *Emmanuel de La Villéon*, 3 vol., l'Amateur, Paris, 1981.
Ventes Publiques : Paris, 26-28 avr. 1929 : *Le Lavoir* 1910 : **FRF 180** – Paris, 9 juin 1961 : *Acacias roses à Salvar* : **FRF 4 500** – Paris, 3 déc. 1972 : *Les Cerisiers en fleurs* : **FRF 16 000** – Versailles, 2 juin 1975 : *Matinée d'été à Salvar* 1904, h/t (60x92) : **FRF 28 100** – Versailles, 14 mars 1976 : *Arbres et maisons au bord du lac*, h/t (54,5x73,5) : **FRF 11 000** – Paris, 10 juin 1977 : *Chemin creux du Finistère*, h/t (46x55) : **FRF 18 500** – Paris, 26 nov 1979 : *Le peintre dans la campagne*, h/t (55x46) : **FRF 26 000** – Le Havre, 21 mars 1980 : *La Forêt enchantée*, past. (28,5x34) : **FRF 3 900** – Versailles, 3 juin 1981 : *Automne, paysage nivernais, le bouleau*, h/t (81x100,5) : **FRF 32 500** – Versailles, 8 juin 1983 : *La Tour à Saint-Vérain dans le parc fleuri*, h/t (60x92) : **FRF 42 200** – Roubaix, 10 mars 1985 : *Le lac de Neuchâtel*, h/t (60x91) : **FRF 68 000** – Versailles, 25 mai 1986 : *Châlet dans les arbres*, gche/pap. mar./t. (26x44) : **FRF 12 000** – Paris, 22 juin 1987 : *Bord de lac*, gche (26x42) : **FRF 16 000** – Paris, 19 mars 1988 : *Crépuscule en Bretagne* 1890, h/pan. (27x39) : **FRF 30 000** – Paris, 16 mai 1988 : *Robardic le pâtre* 1917, h/t (73x100) : **FRF 50 000** – L'Isle-Adam, 11 juin 1988 : *Paysage de la Nièvre* 1913, h/t (73x60) : **FRF 80 000** – Paris, 12 juin 1988 : *Légendes et rêves*, h/t (60x70) : **FRF 31 000** – Paris, 24 juin 1988 : *Paysage*, aquar. (18x28) : **FRF 8 500** ; *Automne, Nièvre* 1915, h/t (54x73) : **FRF 80 000** – Calais, 3 juil. 1988 : *Promeneuses au bord de la rivière*, h/t (54x72) : **FRF 53 000** ; *La cannerie dans la Nièvre*, h/t (60x72) : **FRF 105 000** – Paris, 27 oct. 1988 : *Senlis* 1924, h/t (60x92) : **FRF 20 000** – Versailles, 6 nov. 1988 : *Nuit claire*, h/t (60x73) : **FRF 54 500** – Paris, 14 déc. 1988 : *Personnage près de l'étang*, h/cart. (9x14) : **FRF 9 500** – Paris, 7 avr. 1989 : *Le Vieux Chemin* 1905, h/t (50x73) : **FRF 130 000** – Paris, 13 avr. 1989 : *Printemps à Yonville (Somme)* 1942, h/t (50x61) : **FRF 260 000** – New York, 6 oct. 1989 : *Automne dans la Nièvre* 1915, h/t (50,2x73,4) : **USD 22 000** – Paris, 23 oct. 1989 : *Paysage d'hiver avec patineurs* 1910, h/t (100x74) : **FRF 160 000** – Paris, 20 nov. 1989 : *Neige, paysage de Saint-Vérain, Nièvre*, h/t (50x73) : **FRF 140 000** – Paris, 21 nov. 1989 : *Le Parc de Pesselières*, h/t (31x81) : **FRF 37 000** – Paris, 24 jan. 1990 : *La Fenaison* 1906, h/pan. (37x47) : **FRF 85 000** – Grandville, 29 avr. 1990 : *Chemin de Chezeau près d'Yverdon* 1898, h/t (81x100) : **FRF 200 000** – Paris, 30 mai 1990 : *Les Lavandières*, h/t (59x70) : **FRF 160 000** – Versailles, 7 juin 1990 : *Dernières Fleurs d'automne à Salvar* 1905, h/t (55x46) : **FRF 80 000** – Sceaux, 10 juin 1990 : *Auprès du château*, h/t (74x100) : **FRF 96 000** – Paris, 5 juil. 1990 : *Paysage*, aquar. (23x31,5) : **FRF 21 000** – Toulouse, 23 avr. 1991 : *Paysage animé* 1906, h/t (46x55) : **FRF 75 000** – New York, 5 nov. 1991 : *Barque sur la rivière*, h/pan. (31,4x39,2) : **USD 3 300** – Paris, 18 déc. 1991 : *Le Peintre dans la campagne, environs d'Yverdon*, h/t (46x55) : **FRF 50 000** – Paris, 24 juin 1992 : *Bord d'étang à l'automne* 1886, h/t (126x160) : **FRF 83 000** – Paris, 15 mars 1993 : *L'Abreuvoir*, h/pan. (21x26,5) : **FRF 8 600** – Paris, 25 juin 1993 : *Paysage*, h/t (60x75) : **FRF 44 000** – New York, 2 nov. 1993 : *Promenade dans les collines* 1894, h/t (50,2x60) : **USD 8 050** – Paris, 25 nov. 1994 : *Le Berger et ses moutons*, h/cart./t. (60x90) : **FRF 75 000** – New York, 10 mai 1995 : *Le Petit Poucet* 1901, h/t (73x100,3) : **USD 17 250** – Paris, 1er fév. 1996 : *Paysage*, h/t (92x61) : **FRF 70 000** – Neuilly, 9 mai 1996 : *Paysage, les bruyères*, h/pan. (23x38) : **FRF 18 000** – Paris, 28 juin 1996 : *La Tour de Saint-Vérain*, h/t (61x93) : **FRF 40 000** – Calais, 15 déc. 1996 : *Les Pâtures près du village*, h/t (60x73) : **FRF 24 200** ; *Paysage du Nivernais*, h/t (46x55) : **FRF 19 500** – Calais, 23 mars 1997 : *Les Meules de foin*, h/pan. (14x22) : **FRF 8 000** – Paris, 14 mai 1997 : *Automne en Nivernais*, h/t (44x55) : **FRF 20 000** – Paris, 4 nov. 1997 : *Sous-bois de charme* 1893, h/t (55x46) : **FRF 14 000**.

LA VILLETTE Élodie ou **Lavilette**, née **Jacquier**
Née le 12 avril 1848 à Strasbourg (Bas-Rhin). XIXe siècle. Française.
Peintre de paysages, marines.
Élève d'Ernest Coroller, elle figura au Salon des Artistes Français, où elle obtint une médaille de troisième classe en 1875 et dont elle devint sociétaire en 1902. Médaille de bronze à l'Exposition Universelle de 1889, elle exposa beaucoup à l'étranger, à Londres, Barcelone, Munich, Copenhague, en Hollande et en Belgique. Elle fut également médaillée à Sydney et Melbourne.
Bibliogr. : Gérald Schurr, in : *Les Petits Maîtres de la peinture 1820-1920, valeur de demain*, Les Éditions de l'Amateur, t. IV, Paris, 1979.
Musées : Dunkerque : *La citadelle de Port-Louis* – Paris (Mus. du Louvre) : *Marine* – Périgueux : *Falaise du Portique, Quiberon*.
Ventes Publiques : Paris, 1890 : *Vue prise à Lorient* : **FRF 450** – Paris, 4 déc. 1918 : *L'étang de Rochefort-en-Terre* : **FRF 35**.

LA VILLETTE Johannes Jean Daniel de
Né en 1694, originaire de Hesse-Cassel. Mort en 1775. XVIIIe siècle. Hollandais.
Miniaturiste.
Figurait à l'Académie de Leyde en 1736. Mentionné à La Haye en 1742.

LA VINA Francisco de
XVIIe siècle. Travaillant à Madrid en 1671. Espagnol.
Stucateur.

LAVINSKI Anton Mikhailovitch
Né en 1863 à Sotchi. Mort en 1968 à Moscou. XXe siècle. Russe.
Affichiste, illustrateur, décorateur de théâtre.
De 1905 à 1912, il étudie à l'Institut d'Architecture Technique de Bakou ; de 1918 à 1920, aux Vhutemas de Pétrograd. Il est membre de l'Association du front de gauche de l'art, prenant part à l'illustration de la revue *LEF*, et de l'Association des artistes de la Révolution.
Il a surtout travaillé comme affichiste et décorateur de théâtre.
Bibliogr. : In : *Paris-Moscou*, 1900-1930, catalogue de l'exposition, Musée National d'Art Moderne, Centre Georges Pompidou, Paris, 1979.

LAVIOLLE Gaston
Né en 1906 à Marseille (Bouches-du-Rhône). XXe siècle. Français.
Peintre.
À partir de 1944, il fut professeur de dessin.
Il a participé, à Paris, au Salon des Réalités Nouvelles, en 1953 et 1954, année où il montra une exposition particulière de ses œuvres, à Paris également.
Bibliogr. : Michel Seuphor : *Diction. de la peinture abstraitre*, Hazan, Paris, 1957.

LAVIRON Gabriel Joseph Hippolyte
Né en 1806 à Besançon. Mort en 1849 à Rome, assassiné. XIXe siècle. Français.
Peintre d'histoire, de portraits, de paysages, lithographe et critique d'art.
Exposa au Salon de 1834 à 1848. A peint : *Tobie et l'ange* pour l'église Saint-Nicolas-des-Champs. Collaborateur de l'*Artiste*. Il publia plusieurs Salons. On cite de lui d'intéressantes lithographies. En 1849 il alla sous les ordres de Garibaldi prendre rang parmi les défenseurs de la République Romaine et fut tué durant le siège de Rome.

LAVIRON Pierre
Né le 13 novembre 1650 à Anvers. Mort le 7 novembre 1685 à Paris. XVIIe siècle. Français.
Sculpteur.
Il obtint deux fois le premier prix de sculpture, d'abord en 1676 avec *Le bannissement du Paradis terrestre*, ensuite, en 1678, avec *La punition d'Adam et Ève*. Le parc de Versailles possède une statue en marbre de lui : *Ganymède*. Agréé à l'Académie le 31 mars 1683. D'après le docteur Wurzbach, cet artiste travaillait encore en France en 1695, ce qui reculerait de beaucoup la date de sa mort.

LAVIROTTE Jane Daniela. Voir **MONTCHENU-LAVIROTTE**

LAVIT Jean Baptiste Omer
Né en 1771 à Paris. Mort en octobre 1836. XVIIIe-XIXe siècles. Français.
Paysagiste.
Élève de Duval. Ce peintre et professeur de mathématiques exposa au Salon de 1801 à 1806, de nombreuses vues de châteaux et des paysages français. Il travailla à l'École des Beaux-Arts.

LAVIZARIO Vincenzo
XVIe siècle. Actif à Milan. Italien.
Peintre de portraits.
On ne sait à quelle date exacte travailla cet artiste cité par Lanzi, mais dont il ne subsiste aucune œuvre.

LAVOIE Raymond
Né en 1950 à Montréal (Québec). XXe siècle. Canadien.
Peintre, sculpteur, graveur. Tendance abstraite.
La peinture de Raymond Lavoie mêle à une abstraction *all-over* des éléments figuratifs également peints, en général de formes architectoniques, plans et matériaux de constructions, qu'il disperse habilement à la surface de la toile et qui jouent à la fois comme parties de la composition d'ensemble et comme éléments significatifs d'eux-mêmes.
Bibliogr. : In : *Les Vingt ans du Musée à travers la collection*, catalogue de l'exposition, Musée d'art Contemporain de Montréal, Montréal, 1985.
Musées : Montréal (Mus. d'Art Contemp.) : *Sans titre* 1981.

LAVOIGNAT Hippolyte
Né en 1813 à Laon (Aisne). Mort en 1896. XIXe siècle. Français.
Peintre de genre, paysages.
Il participa au Salon de Paris de 1841 à 1859. En 1861, il se retira à Corbigny, dans la Nièvre.
Il grava d'après des œuvres de Meissonier, Dauzats, Descamps, Raffet et montra un véritable talent d'interprétation de ces maîtres.
Il fut par excellence le graveur sur bois de l'époque 1830, illustrant *Gil Blas* en 1835, *Paul et Virginie* en 1836, *Don Quichotte* et *Les Mystères de Paris*. Ses paysages montrent un métier franc et robuste. Il est l'auteur, en collaboration avec son ami Charles Daubigny, d'un carton de vitrail pour l'église de Dun-les-Places.
Bibliogr. : Gérald Schurr, in : *Les Petits Maîtres de la peinture 1820-1920, valeur de demain*, Les Éditions de l'Amateur, t. IV, Paris, 1979.
Ventes Publiques : Paris, 12 juin 1995 : *Préparation du repas*, h/t (55x45) : **FRF 20 000**.

LAVOINE
XXe siècle. Français.
Peintre de paysages urbains, peintre à la gouache.
Il s'est spécialisé dans les vues de Paris.
Ventes Publiques : Paris, 30 avr. 1941 : *Rue Mouffetard*, gche : **FRF 1 000** – Paris, 22 mai 1942 : *Notre-Dame de Paris* : **FRF 2 100** – Paris, 2 juil. 1943 : *Ménilmontant*, gche : **FRF 4 100** – Paris, 23 oct. 1944 : *La zone*, gche : **FRF 2 000** ; *Crécy*, gche : **FRF 2 800** – Paris, oct. 1945-juil. 1946 : *Paysage* : **FRF 5 000** – Paris, 24 jan. 1947 : *La Porte Saint-Denis*, gche : **FRF 4 000** ; *Paysage*, gche : **FRF 6 000**.

LAVOINE L. P. Robert
Né en 1916 à Caluire (Rhône). XXe siècle. Français.
Peintre de paysages urbains, paysages, peintre à la gouache. Tendance expressionniste.
Il expose, à Paris, au Salon des Indépendants. Paysagiste, sa peinture est teintée d'expressionnisme.

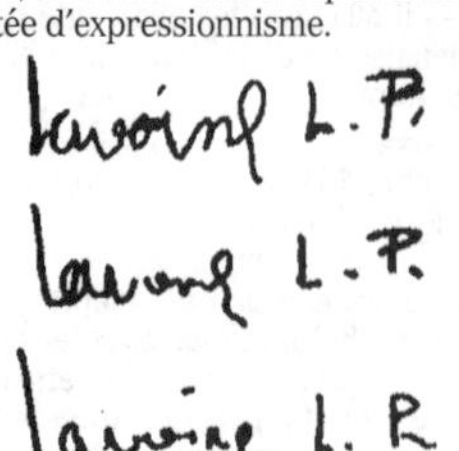

Ventes Publiques : Paris, 30 avr. 1941 : *Rue Mouffetard*, gche : **FRF 1 000** – Paris, 2 juil. 1943 : *Ménilmontant*, gche : **FRF 4 100** – Paris, 24 jan. 1947 : *La Porte Saint-Denis*, gche : **FRF 4 000** – Paris, 30 mars 1976 : *Honfleur, la Lieutenance* 1946, h/t (65x81) : **FRF 3 300** – La Varenne-Saint-Hilaire, 6 mars 1988 : *Voiles blanches et barque sur l'étang*, gche (49x64) : **FRF 3 750** – Paris, 21 avr. 1988 : *Dives-sur-Mer, marée haute*, aquar. (36x49) : **FRF 2 250** – La Varenne-Saint-Hilaire, 29 mai 1988 : *La maison de Mimi Pinson à Montmartre*, h/t (46x55) : **FRF 8 500** – Paris, 23 juin 1988 : *Montmartre, le Lapin agile*, h/t (50x61) : **FRF 20 500** – Paris, 4-6 juil. 1988 : *Honfleur, la Lieutenance*, h/t (50x62) : **FRF 5 000** – La Varenne-Saint-Hilaire, 9 oct. 1988 : *Le Moulin de la Galette, vu du maquis à Montmartre*, h/t (54x65) : **FRF 13 000** – Versailles, 16 oct. 1988 : *Montmartre, rue Lepic*, h/t (54x65) : **FRF 6 800** – La Varenne-Saint-Hilaire, 23 oct. 1988 : *Marée basse à l'entrée du port de Honfleur* 1946, h/t (54x65) : **FRF 12 200** – Versailles, 6 nov. 1988 : *Honfleur, la Lieutenance*, h/t (50x61) : **FRF 10 000** – Paris, 7 nov. 1988 : *Neige à Crécy-en-Brie*, h/t (65x81) : **FRF 4 600** – Calais, 13 nov. 1988 : *Paysage de neige en Seine-et-Marne*, h/t (46x61) : **FRF 6 100** – La Varenne-Saint-Hilaire, 21 mai 1989 : *Le port de Rouen*, h/t (65x81) : **FRF 13 500** – Reims, 22 oct. 1989 : *La maison du pendu dans l'Orne*, h/t (46x55) : **FRF 5 800** – Paris, 11 juil. 1989 : *Maison de Mimi Pinson*, h/t (46x55) : **FRF 20 000** – Le Touquet, 12 nov. 1989 : *Paysage de neige en Seine-et-Marne*, h/t (81x60) : **FRF 23 000** – Strasbourg, 29 nov. 1989 : *Les barques de pêcheurs* 1942, gche (50x65) : **FRF 8 000** – Versailles, 21 jan. 1990 : *Les gitans*, h/t (37,5x46) : **FRF 12 000** – Versailles, 22 avr. 1990 : *Montmartre – le Lapin agile*, h/t (50x61) : **FRF 21 100** – La Varenne-Saint-Hilaire, 20 mai 1990 : *Paysage de neige*, gche/cart. (46x62,5) : **FRF 8 000** – Le Touquet, 11 nov. 1990 : *Paris, passage Julien Lacroix*, techn. mixte/pap. mar./t. (50x65) : **FRF 15 000** – Neuilly, 7 avr. 1991 : *Port de Vannes*, h/t (37x54) : **FRF 16 800** – Paris, 2 déc. 1991 : *Montmartre – le Lapin agile sous la neige*, h/t (33x41) : **FRF 9 500** – Calais, 13 déc. 1992 : *L'entrée du port de Honfleur*, h/t (33x41) : **FRF 7 000** – Paris, 4 avr. 1993 : *Port en Bessin*, aquar. (32x46) : **FRF 4 500** – Paris, 2 juin 1993 : *Les quais, le pont transbordeur*, h/t (50x73) : **FRF 6 000** – Paris, 16 oct. 1994 : *Le port de Trouville*, h/t (50x61,5) : **FRF 8 500** – Le Touquet, 21 mai 1995 : *Normandie – pommiers en fleurs* 1945, h. et gche/pap. (48x63) : **FRF 7 000**.

LAVOINE Louis Victor
Né le 28 décembre 1808 à Soissons. Mort le 12 juin 1861 à Villejuif. XIXe siècle. Français.
Peintre d'histoire.
Pensionnaire de sa ville natale il vint à Paris à l'École des Beaux-Arts dans l'atelier d'Ingres, de 1827 à 1834. Il concourut pour le prix de Rome et obtint le second prix avec *Homère chantant l'Iliade*, tableau qu'il offrit au Musée de Soissons. On voit encore de lui au même musée *L'éducation du jeune Tobie*.

LAVOIX Vincent
Né le 1er juin 1904 à Billy-Montigny (Pas-de-Calais). XXe siècle. Français.
Peintre de portraits.
Il a exposé, à Paris, au Salon des Artistes Français et au Salon des Indépendants.
Il a retenu les leçons de l'abstraction.

LAVOLINI. Voir **EPISCOPIO Giustino**

LAVOLLEE Jocelyne
Née le 18 février 1946. XXe siècle. Française.
Peintre. Abstrait-paysagiste.
Elle fit des études à l'école des Beaux-Arts de Rennes puis de Lorient. En 1972, elle rencontra le peintre Tal Coat dans son atelier de Normandie. Parallèlement à son activité de professeur d'arts plastiques, elle poursuivit des études de philosophie chinoise, taoïste et de calligraphie. Elle expose depuis 1977, à titre personnel ou collectif, notamment au Salon des Femmes peintres et sculpteurs en 1978.
Ses compositions, animées par de vifs contrastes entre le noir et des couleurs plus pastels, portent la trace de gestes amples et peuvent être rattachées au paysagisme abstrait.

LA VOLLIÈRE de
XVIIIe siècle. Actif à Strasbourg en 1789. Français.
Peintre de portraits, peintre de miniatures.

LA VOLPE Alessandro ou **Antonio**
Né vers 1820 à Lucera. Mort le 1er août 1887 ou 1893 à Rome. XIXe siècle. Actif à Naples. Italien.
Peintre de paysages, paysages d'eau.
Il exposa à Naples à partir de 1848.
Musées : Mulhouse : *Ruines à Pompéi – La Maison d'Actéon à Pompéi*.

Ventes Publiques : Berlin, 1894 : *Côte italienne près d'Amalfi* : **FRF 562** ; *Vue de Naples* : **FRF 512** – Madrid, 21 fév. 1978 : *Vue de Capri* 1870, h/t (52x104) : **ESP 260 000** – Milan, 10 juin 1981 : *Pompéi* 1888, h/t (131x73) : **ITL 6 000 000** – Carcassonne, 27 oct. 1984 : *Paysage escarpé, golfe de Sorrente* 1878, h/t (46x91) : **CHF 3 300** – Milan, 7 nov. 1985 : *Vue de Sorrente* 1866, h/t, de forme ovale (42,5x72,5) : **ITL 4 200 000** – Milan, 28 oct. 1986 : *Retour des champs*, h/t, de forme ovale (74x105) : **ITL 4 500 000** – Londres, 29 mai 1987 : *Vue d'Ischia* 1876, h/t (52x195,4) : **GBP 2 800** – Calais, 13 nov. 1988 : *Le Vésuve*, h/t (35x49) : **FRF 17 000** – Rome, 14 déc. 1988 : *La baie de Naples*, h/t, de forme ovale (26x36) : **ITL 1 600 000** – Paris, 19 juin 1989 : *Naples, la baie* ; *Ruines antiques*, h/t, deux pendants (35x49 et 35,5x49) : **FRF 32 000** – Londres, 6 oct. 1989 : *Le Palais d'Anna à Naples* 1886, h/t (51x104) : **GBP 14 850** – Paris, 12 oct. 1990 : *Port italien*, h/t (48x79) : **FRF 36 000** – Milan, 18 oct. 1990 : *Devant le couvent*, h/t (83x110) : **ITL 22 000 000** – Rome, 9 juin 1992 : *Vue d'Amalfi*, h/t (36,5x67,5) : **ITL 10 000 000** – New York, 29 oct. 1992 : *La côte napolitaine*, h/t (69,2x132,1) : **USD 11 000** – Rome, 19 nov. 1992 : *Pêcheurs sur la côte*, h/t (32x58,5) : **ITL 5 750 000** – Rome, 29-30 nov. 1993 : *Pêcheurs sur la grève*, h/t (41x69) : **ITL 7 071 000** – Milan, 19 déc. 1995 : *Barques de pêcheurs*, h/t (69x132,5) : **ITL 32 200 000** – Rome, 23 mai 1996 : *La Baie de Naples vue du Pausillipe* 1874, h/t (64x107) : **ITL 26 450 000** – Rome, 28 nov. 1996 : *Ischia da Posillipo*, h/t, de forme ovale (59x74) : **ITL 13 000 000**.

LA VOLPE Nicola ou **Niccolo**

Né le 11 mai 1789 à Conversano. Mort le 28 mai 1876 à Naples. xixe siècle. Italien.

Peintre de genre, de portraits et d'intérieurs, restaurateur de tableaux et graveur au burin.

Il exposa à Naples à partir de 1830.

LAVONEN Ahti

Né en 1928 à Kaskinen. xxe siècle. Finlandais.

Peintre.

Il a assoupli peu à peu la stricte figuration de ses débuts. Des formes à ressemblance humaine, modérément colorées, se détachent de fonds sombres. Il anime parfois son matériau, à base de couleurs acryliques, en y mêlant du sable.

Bibliogr. : In : *Peintres contemporains*, Mazenod, Paris, 1964.

LAVONEN Kuutti

Né en 1960 à Kotka. xxe siècle. Finlandais.

Peintre de figures, pastelliste, graveur, dessinateur.

En 1978-1979, il fut élève de l'Institut d'Arts Décoratifs d'Urbino ; de 1980 à 1984 de l'Académie des Beaux-Arts en Finlande. Entre 1990 et 1993, il a vécu à Paris. Depuis 1978, il participe à des expositions collectives en Finlande ; ainsi que dans de nombreux pays étrangers, et à la Cité Internationale des Arts de Paris en 1991, 1993, 1995. Il montre ses travaux dans de nombreuses expositions personnelles depuis 1981 dans les villes finlandaises, et à Paris en 1995 à l'Institut Finlandais.

Les visages qu'il dessine à la craie noire et colorie sobrement au pastel sont volontairement référés aux modèles antiques et de la Renaissance italienne.

Bibliogr. : Catalogue de l'exposition *Kuutti Lavonen*, Institut Finlandais, Paris, 1995.

LAVOS Josef

Né en 1807 à Vienne. Mort en novembre 1848 à Vienne. xixe siècle. Autrichien.

Portraitiste et peintre de genre.

Fréquenta l'Académie des Beaux-Arts de Vienne. Le Musée de cette ville conserve de lui *Portrait d'un jeune garçon* et *Portrait du peintre Josef Feid*.

Ventes Publiques : Vienne, 14 mars 1978 : *La marchande de fleurs* 1846, h/t (79x63) : **ATS 28 000**.

LA VOYE Nicolas de

xviie siècle. Français.

Sculpteur.

Il fut reçu à l'Académie de Saint-Luc en 1659.

LAVRASOFF A. R.

Russe.

Peintre de paysages.

On voit de lui à la Galerie Tretiakov, à Moscou, trois paysages.

LAVREINCE Nicolas. Voir **LAFRENSEN Niklas, le Jeune**

LAVRENKO Boris Mikhaelovitch

Né en 1920 à Rostov-sur-le-Don. xxe siècle. Russe.

Peintre de compositions à personnages, nus, natures mortes, paysages. Réaliste, tendance postimpressionniste.

Il étudia à l'Académie des Beaux arts de Leningrad et fut élève d'Alexandre Osmerkine et de Georgi Pavlovski. Il fut membre de l'Union des Artistes Soviétiques, et promu Artiste du peuple. Il fut nommé professeur à l'Institut Répine des Beaux-Arts de Leningrad.

Il participe à de nombreuses expositions de groupe depuis 1948 à Moscou et à Leningrad. En 1978, à Prague, ses œuvres figurent à l'exposition *50 Chefs-d'œuvre des musées soviétiques*, en 1984, à Helsinki, il participe à l'exposition *L'Art soviétique*, en 1989 à l'exposition *Nu* à Leningrad. Il montre ses œuvres dans une exposition rétrospective à Leningrad en 1986.

Les peintures de Boris Lavrenko oscillent entre, un réalisme tout à fait académique dans les sujets aussi bien que dans la technique et, dans ses peintures de scènes de plages et de nus, un postimpressionnisme donnant la prime à la couleur et la lumière.

Bibliogr. : In : Catalogue de la vente *L'École de Leningrad*, Drouot, Paris, 19 nov. 1990.

Musées : Achkhabad – Kostroma (Mus. d'Art Soviétique Contemp.) – Moscou (Gal. Tretiakov) – Moscou (min. de la Culture) – Moscou (Mus. de la Révolution) – Moscou (Mus. d'Art) – Moscou (Mus. d'Hist.) – Moscou (Mus. Central de l'Armée Soviétique) – Novgorod (Mus. des Beaux-Arts) – Ostrov (Mus. d'Art Contemp.) – Pskov (Gal. de peinture Koustodièv) – Rostov-sur-Don (Mus. des Beaux-Arts) – Saint-Pétersbourg (Mus. Russe) – Saint-Pétersbourg (Mus. des Beaux-Arts de l'Inst. Répine) – Saint-Pétersbourg (Mus. d'Hist.).

Ventes Publiques : Paris, 11 juin 1990 : *Thé russe*, h/t (80x100) : **FRF 35 000** – Paris, 19 nov. 1990 : *L'heure du thé*, h/t (90x70) : **FRF 30 000** – Paris, 18 fév. 1991 : *L'attente* 1954, h/t (54x74) : **FRF 7 000** – Paris, 4 mars 1991 : *Petite rue de Samarkand* 1959, h/t (50x70) : **FRF 5 500** – Paris, 25 mars 1991 : *Le confident* 1955, h/t (71x55) : **FRF 31 000** – Paris, 15 mai 1991 : *L'heure du thé*, h/t (59x74) : **FRF 13 500** – Paris, 10 juin 1991 : *Le réveil*, h/t (130x140) : **FRF 10 000** – Paris, 25 nov. 1991 : *Nature morte au melon*, h/t (51x49) : **FRF 7 000** – Paris, 6 déc. 1991 : *Le tableau*, h/t (120x73) : **FRF 19 500** – Paris, 13 avr. 1992 : *À l'ombre d'un parasol*, h/cart. (35x50) : **FRF 7 200**.

LAVRENOV Tsanko Ivanov

Né le 24 novembre 1896 à Plovdiv. Mort le 16 décembre 1978. xxe siècle. Bulgare.

Peintre d'histoire, de genre, compositions à personnages. Populiste.

C'est un peintre qui n'a pas de formation artistique spéciale : il fait ses études dans le Collège français de Plovdiv. Ses voyages en Europe jouent un rôle important dans son évolution artistique : 1920-1921, à Vienne ; 1925, en Italie ; 1935-1936, en Grèce, et notamment au Mont Atos où il reste pour une période de quelques mois.

Il participe à des expositions collectives : en 1921, *Exposition des peintres de la Bulgarie du Sud* ; dès 1935, il prend part à tous les Salons de peinture ; 1958 Sofia, exposition collective des peintures de Tsanko Lavrenov et de Vladimir Dimitrov, dit Le Maître ; 1966 Paris, exposition collective de Tsanko Lavrenov et Detchko Ouzounov ; 1976 Sofia, exposition en hommage pour son jubilée.

La peinture de Tsanko Lavrenov possède une spécificité qui s'avère être le résultat de la création d'un système d'expression typique pour lui. Le peintre puise dans le vif éclat et le coloris caractéristiques de la peinture et de l'iconographie bulgares du Moyen Âge et de la Renaissance. Les objets et les personnages dans ses toiles possèdent les traits spécifiques de l'image iconographique : déformation de la perspective, éléments d'échelles différentes, absence de dynamisme. Les thèmes et les sujets révèlent le passé historique, la vie quotidienne et les mœurs de la période de la Renaissance nationale bulgare ou bien évoquent des monuments et des foyers de la culture nationale : églises, monastères et écoles. L'œuvre de Tsanko Lavrenov est un phénomène original, inspiré par le désir de créer une peinture de tonalité nationale authentique.

Boris Danaïlov.

Bibliogr. : In : Catalogue de la Galerie nationale des Beaux-Arts, Sofia, 1970.

LAVRILLIER André

Né le 7 mai 1885. xxe siècle. Français.

Graveur en médailles.
Il fut élève de l'Atelier Bourdelle. Il obtint le second prix de Rome en 1911 puis le grand prix en 1914.

LAVRILLIER-COSSACEANU Marguerite. Voir **COSSACEANU-LAVRILLIER Margarata**

LAVROFF Georges
Né le 19 avril 1895 en Sibérie. XXe siècle. Russe.
Sculpteur, peintre.
Il fut élève de l'École des Beaux-Arts de Moscou. Il a figuré dans les principaux Salons parisiens.
Ventes Publiques : Londres, 22 avr. 1982 : *Danseuse à la jupe plissée*, bronze (H. 45,5) : **GBP 650** – Paris, 19 oct. 1983 : *Tigre*, bronze patine médaille (L. 69) : **FRF 7 000** – Monte-Carlo, 6 oct. 1985 : *Tigre à l'affût* vers 1930, bronze poli (L. 61,7) : **FRF 41 000** – New York, 22 mars 1986 : *Tigre accroupi*, bronze argenté (L. 61,2) : **USD 11 000** – Paris, 25 mars 1991 : *Tigre à l'affût*, bronze argenté (H. 21,5) : **FRF 26 000** – Paris, 25 nov. 1991 : *Combat de cerfs*, bronze (53,5x28,5) : **FRF 4 000**.

LAVRUT Louise
Née le 28 février 1874 à Limours (Essonne). XXe siècle. Française.
Peintre de genre, pastelliste.
Elle fut élève de Jules Lefèbvre et Tony Robert-Fleury. Elle a figuré, à Paris, au Salon des Artistes Français, dont elle devint sociétaire à partir de 1901. Elle obtint une mention honorable en 1898, une médaille de troisième classe en 1901, le prix Maria Bashkirtseff en 1901, le prix Henner en 1924, une médaille d'or en 1925. Chevalier de Légion d'honneur en 1925.

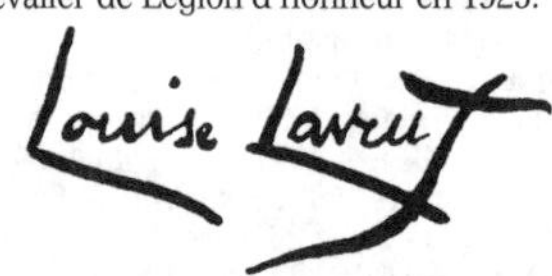

Musées : Dieppe : *Portrait de femme.*

LA VUERTA Juan de. Voir **JEAN de La Huerta**

LAVY Guiseppe Brunone
Né le 6 octobre 1723. Mort le 9 novembre 1803 à Rome. XVIIIe siècle. Italien.
Peintre de miniatures.
Il travailla surtout à Turin où il peignit les portraits des membres de la famille de Savoie.

LAW Andrew
Né à Crosshouse (près de Kilmaurs, Écosse). XIXe-XXe siècles. Britannique.
Peintre de portraits, animaux, paysages, natures mortes, fleurs.
Il fut élève de l'Académie Delécluse à Paris.
Ventes Publiques : Perth, 6 avr. 1982 : *Jacob*, h/t (86x66) : **GBP 1 200** – Édimbourg, 30 août 1988 : *La cruche brillante*, h/t (61x51) : **GBP 2 420** – Glasgow, 5 fév. 1991 : *Perles roses*, h/t (51x61) : **GBP 1 980** – Perth, 29 août 1995 : *Nature morte aux chrysanthèmes*, h/t (52x38,5) : **GBP 747**.

LAW Bob
Né en 1934. XXe siècle. Britannique.
Peintre. Abstrait-minimaliste.
Il a exposé en 1960 à l'exposition *Situation* RBA Galleries à Londres, aux côtés de Gillian Ayres et Johns Hoyland.
Il pratique des peintures minimalistes d'un noir subtil, au format modeste (à dimension humaine) superposant uniformément par exemple du violet, du noir, du bleu, puis à nouveau du noir. Il voit en elles un support à la méditation, à la contemplation, ne niant pas la part de métaphysique contenue dans cette zone de couleur.
Bibliogr. : Daniel Wheeler : *L'Art du XXe s.*, Flammarion, Paris, 1991.
Musées : Londres (Council of Great Britain) : *Bordeaux black blue black* 1977.

LAW David
Né le 25 avril 1831 à Édimbourg. Mort le 29 décembre 1901 à Worthing. XIXe siècle. Britannique.
Peintre d'animaux, paysages animés, aquarelliste, graveur.
Il fut d'abord apprenti graveur, puis élève de l'Académie. Durant vingt ans à dater de 1851, il fut employé au dépôt des cartes géographiques. En 1871 il abandonna son emploi, vint à Londres pour se consacrer à l'art. Il exposa des aquarelles et des eaux-fortes, la plupart originales à la Royal Academy. Il fut membre de la Society of Painters-Etchers, de la Scottish Society of Painters in Water-Colours. Mais ce fut surtout un aquafortiste fort distingué et l'on trouve de ses estampes dans un grand nombre de musées anglais. Comme aquarelliste sa technique se rapproche de celle de Birket Foster.
Ventes Publiques : Londres, 26 jan. 1987 : *Cliveden, depuis la Tamise*, aquar./traits de cr. (35x50,5) : **GBP 1 100** – Londres, 8 fév. 1991 : *Bétail se désaltérant près du château de Kenilworth* 1888, aquar. (42,2x67,4) : **GBP 1 045**.

LAW E.
XIXe siècle. Britannique.
Graveur.
Le Musée Victoria and Albert conserve une eau-forte originale de cet artiste : *L'Avon près Stratford* publiée dans le *Portfolio* en 1888.

LAW Margaret Moffett
Née à Spartanburgh. XXe siècle. Américaine.
Peintre de paysages.
Elle fut élève de Chase, Mora et André Lhote. Elle fut membre de la Société des Artistes Indépendants et de la Ligue américaine des artistes professeurs.
Ventes Publiques : New York, 25 sep. 1992 : *Les cueilleurs de coton* 1921, temp./cart. (50,8x40,6) : **USD 1 320**.

LAWELIN Nicolaus ou **Lawlin**. Voir **RUESCH Nicolaus**

LAWERENTZ. Voir **LAFRENSEN Niklas, l'Ancien**

LAWEREZKY Akim Panfilovitch
Né en 1805. Mort en 1888 à Saint-Pétersbourg. XIXe siècle. Russe.
Sculpteur.
Il exécuta surtout des bustes après avoir été élève de I. P. Vitali et du comte F. P. Tolstoï.

LAWES-WITTERONGE Charles Bennet
Né le 3 octobre 1843 à Teignmouth. Mort le 6 octobre 1911 à Londres. XIXe-XXe siècles. Britannique.
Sculpteur.
Figura au Salon des Artistes Français où il obtint une mention honorable (1878).

LAWLER Louise
Née en 1947. XXe siècle. Américaine.
Peintre, technique mixte, installations multimédia.
L'art de Louise Lawler joue du contraste de la présentation et de la perception de l'art. Son travail comprend des photographies, des installations, des objets, des textes et du graphisme. S'appropriant souvent des œuvres d'art existantes, elle les repositionne et examine comment le public répond par rapport à l'objet et à sa place dans son environnement physique, social et économique. Dans ses travaux, le contenu de l'art est défini par le contexte dans lequel il est plongé.
Ventes Publiques : Paris, 20 jan. 1991 : *Paris-New York-Rome-Tokyo* 1985, photo. noir et blanc et texte (85x74) : **FRF 28 000**.

LAWLESS Carl
Né en 1894 dans l'Illinois. Mort en 1934. XXe siècle. Américain.
Peintre.
Il fut élève de l'Académie de Pennsylvanie, à Chicago.
Ventes Publiques : New York, 2 déc. 1982 : *Paysage d'hiver*, h/t (114,3x114,3) : **USD 4 500** – New York, 22 juin 1984 : *Paysage de neige*, h/t (76,2x76,2) : **USD 3 300** – New York, 25 oct. 1985 : *Paysage d'hiver*, h/t (76,2x76,2) : **USD 2 600** – New York, 12 mars 1992 : *Claire journée d'hiver*, h/t (76,9x76,2) : **USD 6 050**.

LAWLESS Matthew James
Né en 1837 à Dublin. Mort le 6 août 1864 à Londres. XIXe siècle. Britannique.
Peintre de genre.
Élève de la Langham School et de Cary et Leigh. Il exécuta de nombreux dessins pour la gravure sur bois et collabora à divers périodiques, notamment aux *Good Words* et à *Once a Week*. Il exposa des peintures de genre à la Royal Academy et s'y montra fortement inspiré par les petits maîtres hollandais du XVIIe siècle surtout à la fin de sa vie. Ce fut aussi un habile aquafortiste.

LAWLOR John
Né en 1820 à Dublin. Mort en 1901 à Londres. XIXe siècle. Britannique.

Sculpteur.
Après des études à Dublin il séjourna quelque temps en Amérique, mais surtout à Londres. Il exposa à la Royal Académie et sculpta même des statues pour le Parlement de Grande-Bretagne.
Ventes Publiques : New York, 24 mai 1989 : *Buste de jeune femme* 1868, marbre blanc (H. 56,5) : **USD 2 860**.

LAWMAN Jasper Holman
Né en 1825 à Xenia (Ohio). Mort le 1er avril 1906 à Pittsburg. XIXe siècle. Américain.
Peintre.
Il travailla successivement à Cincinnati et à Pittsburg. Il vint à Paris en 1859 et y fut pendant un an élève de Couture.
Musées : Baltimore – Chicago – New York – Philadelphie – Pittsburgh.
Ventes Publiques : New York, 4 jan. 1945 : *Ferme américaine* : **USD 850** – New York, 20 avr. 1972 : *Scène de ferme* : **USD 2 750** – New York, 18 sep. 1980 : *Pêcheurs à la ligne, au crépuscule* 1879, h/cart. (76,2x62,9) : **USD 2 000** – New York, 17 mars 1994 : *Artiste prenant des croquis au bord d'un ruisseau*, h/t (76,2x109,2) : **USD 6 900**.

LAWRANSON Thomas
XVIIIe siècle. Actif à Bloomsbury. Britannique.
Peintre.
Il exposa des portraits et des paysages de 1762 à 1767 à la Society of Artists de Londres. La National Portrait Gallery, à Londres, conserve de lui les portraits de *John Quick* et de *John O'Keeffe*.

LAWREINCE Nicolas. Voir **LAFRENSEN Niklas, le Jeune**

LAWRENCE Andrew, dit **André Laurent**
Né en 1708 à Londres. Mort le 8 juillet 1747 à Paris. XVIIIe siècle. Britannique.
Graveur.
Élève de Lebas. Il grava surtout d'après les maîtres flamands et hollandais du XVIIIe siècle. Il travailla surtout à Paris.

LAWRENCE Charles B.
Né près de Bordentown (New Jersey). XIXe-XXe siècles. Américain.
Peintre de portraits et de paysages.
L'Académie des Beaux-Arts de Pennsylvanie possède une peinture de cet artiste.

LAWRENCE David Herbert
Né en 1885 à Eastwood. Mort en 1930 à Vence. XXe siècle. Actif en France. Britannique.
Peintre. Symboliste.
Écrivain, il a peint les grands moments symboliques et vécus de toute mythologie individuelle. Il a dû affronter la censure dans son pays en 1929.
Bibliogr. : M. Levy : *The painting of David Herbert*, Londres, 1964 – in : *Dictionnaire de l'art moderne et contemporain*, Hazan, Paris, 1992.
Ventes Publiques : Londres, 5 mai 1982 : *Paysage escarpé*, aquar. (22,6x48) : **GBP 1 500**.

LAWRENCE George
Mort en 1802. XVIIIe siècle. Irlandais.
Peintre de portraits, paysages, pastelliste, dessinateur.
Il exposa à la Society of Artists de Dublin entre 1771 et 1802.
Ventes Publiques : Dublin, 24 oct. 1988 : *Portrait de Mr Barnewall* 1789, past. (32,5x26) : **IEP 715** – Sydney, 20 mars 1989 : *Les banlieues de Northwood*, h/cart. (40x50) : **AUD 4 600**.

LAWRENCE George Feather
Né en 1901. Mort en 1981. XXe siècle. Australien.
Peintre de paysages ruraux, paysages urbains.
Ventes Publiques : Rosebery (Australie), 7 sep. 1976 : *Picton* 1967, h/cart. (61x76) : **AUD 1 000** – Sydney, 4 oct. 1977 : *Le Port de Sydney* 1966, h/cart. (81x66) : **AUD 1 000** – Sydney, 10 sept 1979 : *Kiama* 1974, h/t (61x91) : **AUD 1 700** – Sydney, 29 mars 1982 : *Bords de Seine*, h/cart. (48x61) : **AUD 1 900** – Sydney, 14 mars 1983 : *City skyline from Balls Head*, h/cart. (56x76) : **AUD 1 750** – Sydney, 8 juil. 1985 : *Les Deux Rivières*, h/cart. (56x76) : **AUD 5 750** – Melbourne, 30 juil. 1986 : *Sydney depuis Blues Point*, h/cart. (33x45) : **AUD 4 500** – Sydney, 28 sep. 1987 : *Bord de mer*, h/cart. (43x56) : **AUD 6 500** – Sydney, 21 avr. 1988 : *Route de campagne*, h/cart. (28x38) : **AUD 2 600** – Sydney, 4 juil. 1988 : *Bombo près de Quarry*, h/cart. (37x54) : **AUD 3 800** – Sydney, 3 juil. 1989 : *Par-dessus les toits dans les quartiers nord de Sydney*, h/cart. (51x61) : **AUD 5 500** – Sydney, 16 oct. 1989 : *Une ferme à Ryde*, h/cart. (36x46) : **AUD 3 200** – Sydney, 26 mars 1990 : *Hangar à bateaux*, h/cart. (43x56) : **AUD 4 000** ; *Paysage de la région de Hartley*, h/cart. (36x46) : **AUD 4 750** – Sydney, 2 juil. 1990 : *Coastal Drama à Bombo*, h/cart. (60x75) : **AUD 6 500** – Sydney, 15 oct. 1990 : *Le Vieux Pyrmont*, h/cart. (30x38) : **AUD 2 800** – Sydney, 2 déc. 1991 : *La City depuis Northbridge*, h/cart. (38x56) : **AUD 2 000** – Sydney, 29-30 mars 1992 : *Old Pyrmont*, h/cart. (30x38) : **AUD 2 600**.

LAWRENCE Jacob
Né en 1917. XXe siècle. Américain.
Peintre de compositions à personnages. Réaliste social.
Il fut aidé par le Federal Art Project, organisme qui a financé des projets collectifs d'artistes durant la grande dépression des années trente et qui passa commandes d'œuvres. Il fit sa première exposition personnelle à la Downtown Gallery à New York en 1941.
Dans les années trente, il est de la tendance des peintres appelés les *Réalistes sociaux* avec, entre autres, de sa génération, Jack Levine et George Tooker. Ces derniers défendaient un art figuratif non pas nostalgique du passé comme le fit Thomas Hart Benton, mais engagé dans le réel des problèmes contemporains : dénonciation des injustices, de la déshumanisation de la ville... Quant à Jacob Lawrence, peintre de race noire, il fut le chroniqueur de la vie du ghetto.
Ventes Publiques : New York, 27 oct. 1977 : *Dimanche des Rameaux* 1956, gche (75,5x54,6) : **USD 5 000** – New York, 22 mars 1978 : *Drama – Halloween party* 1950, gche (54,6x75) : **USD 7 000** – New York, 20 avr 1979 : *Le mariage* 1948, temp./cart. plâtré (50,8x61) : **USD 7 000** – New York, 30 sep. 1982 : *Scène de rue* 1962, pl. (44,5x60,2) : **USD 1 000** – New York, 23 mars 1984 : *The Bo-Lo game* 1937, temp./cart. (25,6x35,5) : **USD 3 400** – New York, 27 jan. 1984 : *Autoportrait* 1917, encre de Chine (45,7x36,8) : **USD 950** – New York, 3 déc. 1987 : *Scène de rue à Harlem* 1959, temp./cart. (40,6x29,8) : **USD 29 000** – New York, 30 sep. 1988 : *Représentation mystique* 1950, gche/pap. (55,7x76,3) : **USD 41 800** – New York, 1er déc. 1988 : *Cabaret* 1962, aquar. et gche/pap. (54x75,5) : **USD 36 300** – New York, 24 mai 1989 : *Scène de rue, séries nigérianne* 1964, aquar. et gche/pap. (75x55,2) : **USD 44 000** – New York, 28 sep. 1989 : *Le mariage* 1948, temp./cart. préparé au gesso (51x61) : **USD 44 000** – New York, 16 mars 1990 : *L'homme invisible parmi les étudiants* 1963, temp./rés. synth. (61x91) : **USD 28 600** – New York, 23 mai 1990 : *Jeu d'échecs* 1954, temp./rés. synth. (30,5x41,7) : **USD 26 400** – New York, 24 sep. 1992 : *À la limite du nord* 1962, temp./rés. synth. (61x76,2) : **USD 68 750** – New York, 21 sep. 1994 : *Les glaces I* 1960, temp./pan. (61x76,2) : **USD 60 250** – New York, 25 mai 1995 : *Retour à la maison* 1946, gche/pap. (55,9x76,8) : **USD 107 000**.

LAWRENCE Mary. Voir **KEARSE Mary**, Mrs

LAWRENCE Thomas, Sir
Né le 13 avril 1769. Mort le 7 janvier 1830 à Londres. XVIIIe-XIXe siècles. Britannique.
Peintre d'histoire, portraits, pastelliste, dessinateur.
Son père, qui appartenait à une assez bonne famille, exerça diverses professions, tour à tour avocat, employé de douanes et enfin aubergiste, à Bristol, à Denizes, à Oxford, à Bath. Le jeune Thomas, dans ces différents établissements, faisait montre de ses précoces dispositions artistiques en faisant le portrait des consommateurs. À Bath, traditionnellement fréquenté par la société cultivée et les artistes, il reçut quelques conseils de William Hoare et put faire des portraits à la sanguine qu'il faisait payer une guinée et une guinée et demie. Ses clients se multiplièrent. Lawrence dessina aussi quelques compositions historiques, mais avec moins de succès. En 1787, il vint à Londres avec sa famille et entra comme élève à l'École de la Royal Academy. Bien qu'à peine âgé de dix-huit ans et qu'il eût, pour ainsi dire, travaillé seul, ses œuvres furent admises la même année à l'Exposition de cet Institut : il y envoya quatre portraits. Sir Joshua Reynolds donna d'utiles conseils au jeune artiste, qui, vite remarqué, faisait les portraits du duc d'York, de la reine d'Angleterre, de la princesse Amelia. Le patronage royal le fit admettre, avant l'âge requis, comme associé de la Royal Academy en 1791. L'année suivante, Sir Joshua Reynolds étant mort, Lawrence le remplaça comme peintre ordinaire du roi. Il fut nommé académicien en 1794. À partir de cette date, la carrière du brillant portraitiste fut une suite ininterrompue de suc-

cès. En 1814, Lawrence vint pour la première fois sur le continent, mais il dut quitter Paris pour Londres, appelé par le Prince Régent qui le chargea de peindre les personnalités marquantes, hommes d'État et militaires, ayant collaboré à la restauration des Bourbons en France, afin d'en former une galerie pour le château de Windsor. En 1815, le Régent se fit peindre par lui et le fit chevalier. En 1818, Sir Thomas Lawrence allait à Aix-la-Chapelle, Vienne et enfin à Rome, peignant les portraits des personnages destinés à la collection royale. Il était de retour à Londres en 1820, ayant profité de son voyage pour visiter les principales villes d'Italie. Il fut, dès son arrivée, élu président de la Royal Academy. En 1825, il vint à Paris et y peignit les portraits de Charles X, du dauphin, du duc de Richelieu et reçut la croix de la Légion d'honneur. Il succomba après quelques jours de maladie, d'une affection cardiaque.
S'il ne réalisa pas une grande fortune malgré les sommes considérables que lui valurent ses œuvres, c'est qu'il subvenait très largement aux besoins de ses frères et sœurs et que, collectionneur dans l'âme, il ne sut jamais résister à l'attrait d'une œuvre d'art, quel qu'en fût le prix. Il réunit une merveilleuse collection de dessins, qu'il estimait à 1.500.000 francs et dont la réalisation ultérieure, peut-être trop hâtive, produisit environ le tiers.
Lawrence fut par excellence un peintre de portraits. Il essaya quelques compositions historiques : *Satan*, en 1797 – *Coriolan* – *Caton* – *Hamlet*, mais il n'y montra pas la même maîtrise. Il fut l'un des seuls peintres anglais à avoir, de son vivant, une telle renommée sur le continent. Peintre très brillant, il présenta tout d'abord ses modèles dans des poses théâtrales, mais bientôt les personnages comptèrent davantage que le décor. Il montra même une sensibilité proche du romantisme, ce qui le fit apprécier par Delacroix, qui le rencontra en 1825, lors de son séjour à Londres, et lui manifesta son admiration pour le *Portrait du duc de Richelieu* qui avait été exposé en 1824 à Paris. Cette parenté entre son art et celui de Delacroix aurait pu se préciser pour Lawrence s'il n'avait été avant tout un portraitiste mondain.

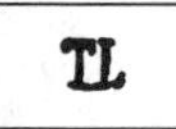

Cachet de vente

Bibliogr. : Kenneth Garlick : *A complet catalogue of the oil paintings, drawings and pastels of Sir Thomas Lawrence*, Phaidon Press, Osford, 1989.

Musées : Amsterdam : *Willem Ferdinand – Maggie Muilman* – Bayonne (Bonnat) : *Tête de femme – Portrait du peintre Füssli – Portrait de K. M. von Weber – Portrait d'homme* – Berlin : *William Lenley* – Besançon : *La duchesse de Sussex – Le duc de Richelieu* – Blackburn : *John Fowdent Hindle* – Budapest : *Portrait de dame* – Dublin : *Fr. W., comte de Charlemont – Murrough O'Brien, comte d'Inchinquin et marquis de Thomond – John Jeffereys, comte Camden – John Wilson Croker – John Philpot Curran* – Hanovre : *Lord Pitt – Vicomte Canterbury* – Liverpool : *Right hon. George Canning – Comtesse de Darnley* – Londres (Victoria and Albert) : *Sir Codrington Edmons Carrington et sa première femme – Caroline, femme de George IV – Tête de femme* – Londres (Nat. Gal.) : *John Julius Angerstein – Benjamin West – Mrs Siddons – La princesse Lieven – Enfant et chevreau – Miss Caroline Fry – Philip Sansom* – Londres (coll. Wallace) : *Miss Maria Siddons – Portrait de dame – La comtesse de Blessington – George IV* – Londres (Nat. Portrait Gal.) : *Caroline femme de George IV – Maria Callcott – Thomas Campbell – Comte Charles Grey – George IV – William Grant – John Fawcett – John Scott, comte d'Eldon – William Wilberforce – John Philip Kemble – Sir John Mackintosh – Sarah Siddons – John Arthur Douglas, baron Bloomfield – Sir Samuel Ramilly – Henry Dunds, vicomte Melville – Graham Moore – John Moore – Robert Stewart, marquis de Londonderry – Waren Hastings* – Munich : *Lord Mulgrave* – New York (Metropol. Mus.) : *Portrait de la comédienne Miss Farren* – Nottingham : miniature – Paris (Mus. du Louvre) : *Lord Whitworth, vice-roi d'Irlande – J. J. Angerstein et sa femme – Portrait de Mary Palmer – Portrait d'homme* – Paris (Mus. Jacquemart-André) : *Robert Hobart, duc de Buckingham* – Rouen : *Miss Craker* – Salford : *Un évêque – John Philip Kemble – Ant. Canova – Robert Peel* – Versailles : *Le baron Gérard* – Windsor : *Duc de Richelieu*.

Ventes Publiques : Londres, 1886 : *Nature portant deux enfants* : **FRF 49 610** – Londres, 1888 : *Anne, épouse de l'honorable Henry Franc* : **FRF 76 125** – Paris, 1891 : *Portrait de lord Whitswort* : **FRF 90 000** – Londres, 1895 : *Me Locke* : **FRF 36 000** ; *Portrait de M. Salboukoff et de sa famille dans un paysage*, dess. : **FRF 26 250** ; *Portrait d'Amélie Angerstein* : **FRF 57 000** – New York, 1900 : *Portrait de la comtesse de Wilton* : **FRF 12 000** ; *Charité* : **FRF 18 750** – New York, 7-8 avr. 1902 : *Miss Storr* : **USD 1 900** – New York, 6-7 avr. 1905 : *Le meilleur enfant* : **USD 4 000** – Paris, 16 avr. 1907 : *Portrait présumé de M. Joe Mac Cullum de Newcastle* : **FRF 3 300** – New York, 9-10 avr. 1908 : *Portrait de M. Z.* : **USD 5 300** – Londres, 27 mars 1909 : *Portrait de femme* : **GBP 252** – Londres, 3 mai 1909 : *Tête de Lady Rossmore* : **GBP 178** – Londres, 7 mai 1909 : *Portrait de femme* : **GBP 1 365** – Londres, 10 juin 1909 : *Portrait de Lady Aberdeen* : **GBP 1 942** – Londres, 11 déc. 1909 : *Portrait du comte de Guildford* : **GBP 199** – Paris, avr. 1910 : *Portrait d'Antonio Canova* : **FRF 41 500** – Londres, 27 mai 1910 : *Portrait de Canova* : **GBP 162** – Londres, 8 juil. 1910 : *Portrait de Master Thomas Barber* : **GBP 1 050** ; *Portrait du cardinal Gonfalvi* : **GBP 892** – Londres, 11 fév. 1911 : *Mrs. Hill* : **GBP 283** – Paris, 17-18 déc. 1918 : *Portrait de jeune femme en buste* : **FRF 15 100** – Paris, 26-27 mai 1919 : *Portrait de M. Robertson* : **FRF 55 000** – Paris, 14 juin 1921 : *Portrait de Meade, Lord Clanwilliam* : **FRF 52 000** ; *Portrait à mi-corps du général Caradoc (John Hobart, Lord Howden)* : **FRF 29 000** – Paris, 17 juin 1921 : *Portrait de jeune femme* : **FRF 9 000** – Londres, 4 mai 1922 : *Portrait du duc de Clarence* : **GBP 3 465** ; *Portrait du comte de Minto* : **GBP 1 155** ; *Marquis de Bute* : **GBP 2 415** – Londres, 26 mai 1922 : *Portrait d'un enfant* : **GBP 273** – Londres, 1er déc. 1922 : *Deux enfants s'embrassant* : **GBP 126** – Londres, 20 avr. 1923 : *Portrait de la duchesse de Saint Albans* : **GBP 840** – Londres, 6 juil. 1923 : *Un petit garçon et son chien* : **GBP 4 305** ; *Dame en robe noire* : **GBP 892** – Londres, 13 juil. 1923 : *Mrs S. Thornton* : **GBP 2 940** – Londres, 12 juin 1925 : *Portrait de J. K. Shaw-Brook* : **GBP 325** – Londres, 17 juil. 1925 : *Mrs William Locke* : **GBP 357** – Londres, 7 mai 1926 : *Tête de femme* : **GBP 997** – Londres, 24 nov. 1926 : *Miss Mary Moulton* : **GBP 77 700** – Londres, 20 mai 1927 : *Mrs George Guate* : **GBP 5 880** – Paris, 22-24 juin 1927 : *Portrait présumé de Miss Fitzgerald* : **FRF 800 000** – Londres, 1er juil. 1927 : *Femme en robe blanche* : **GBP 997** – Londres, 8 juil. 1927 : *Portrait de Mrs Trower* : **GBP 3 780** – Londres, 8 juil. 1927 : *La reine Charlotte* : **GBP 4 725** – Londres, 18 mai 1928 : *Le vicomte Castlereagh* : **GBP 4 410** – Londres, 8 juin 1928 : *La Vachère* : **GBP 682** – Londres, 1er mars 1929 : *Portrait de femme* : **GBP 651** – Londres, 21 juin 1929 : *Portrait de jeune femme* : **GBP 714** – Londres, 28 juin 1929 : *Miss Murray enfant* : **GBP 1 890** – New York, 31 oct. 1929 : *L'amiral Lord Howe* : **USD 2 100** – Londres, 3 mars 1930 : *Mrs Barnet Jones* : **GBP 5 460** – Londres, 7 mars 1930 : *Lord Buckland* : **GBP 609** – Londres, 14 mai 1930 : *Sarah Hussey Delaval* : **GBP 3 400** – Londres, 11 juil. 1930 : *La comtesse de Guildford et Lady G. North* : **GBP 2 205** – New York, 12 nov. 1931 : *Miss Drake* : **USD 3 300** – New York, 20 nov. 1931 : *Fanny Kemble* : **USD 3 200** – Londres, 8 déc. 1931 : *Mrs Williamson* : **GBP 945** – New York, 29 avr. 1932 : *Miss Rhoda Philips* : **USD 4 400** – Paris, 27 mai 1932 : *Comtesse de Wilton* : **FRF 380 000** – Londres, 3 juin 1932 : *Mrs John Williams* : **GBP 525** – New York, 16 nov. 1933 : *Miss Jenny Mudge* : **USD 7 200** – New York, 29 mars 1934 : *Frederich H. Hemming* : **USD 19 000** – Londres, 13 fév. 1935 : *Lady Jane Long* : **GBP 1 750** – Londres, 15 mars 1935 : *Portrait de Perdita* : **GBP 113** – Londres, 31 mai 1935 : *Miss Emilie de Visme* : **GBP 9 975** – Londres, 31 mai 1935 : *La comtesse de Guildford et Lady North* : **GBP 1 680** – Londres, 19 juin 1935 : *La fille du colonel Baillie* : **GBP 840** – Paris, 30 nov.-1er déc. 1936 : *Portrait de jeune femme* : **FRF 101 000** – Londres, 4 juin 1937 : *Le duc de Newcastle* : **GBP 882** – Londres, 25 fév. 1938 : *Le vicomte de Castlereagh* : **GBP 567** – Londres, 24 juin 1938 : *Caroline, vicomtesse Sidney* : **GBP 194** – Londres, 31 mars 1939 : *Le baron de Brougham* : **GBP 588** – Londres, 5 mai 1939 : *Le duc de Wellington* : **GBP 1 155** – Londres, 25 mai 1939 : *Madame Sablowkoff* : **GBP 252** – New York, 4 déc. 1941 : *Miss Maria Woodgate* : **USD 22 000** – Paris, 16 déc. 1942 : *Étude pour un portrait d'homme* : **FRF 172 000** – Londres, 16 juil. 1943 : *Miss Juliana Copley* : **GBP 4 200** – New York, 26 nov. 1943 : *Francis, comte de Guildford* : **USD 1 850** – New York, 4 mai 1944 : *Miss Sarah Siddows* : **USD 4 200** – New York, 18 nov. 1944 : *Caroline Lipton* : **USD 9 000** ; *Miss Thompson et son fils* : **USD 6 750** – Londres, 27 juil. 1945 : *Mrs Williams* : **GBP 420** – New York, 25 oct. 1945 : *George IV* : **USD 6 000** – Paris, oct. 1945-juil. 1946 : *Portrait de Lady Aberdeen* : **FRF 2 960 000** ; *Les deux sœurs (the Misses Hague)* : **FRF 875 000** ; *Portrait de M. Charles Binny et de ses deux filles* : **FRF 390 000** – Londres, 4 oct. 1946 : *Miss Murray enfant* : **GBP 1 995** – Paris, 6 déc. 1946 : *Portrait de Lady Peel* :

FRF 152 000 – Paris, 27 avr. 1951 : *Portrait présumé de Lady Ellenborough* : **FRF 1 600 000** – Londres, 13 juil. 1951 : *Portrait de Miss Bloxam* : **GBP 1 102** – Paris, 9 déc. 1952 : *La jeune fille brune* : **FRF 2 600 000** – New York, 27 mars 1956 : *Les enfants les meilleurs* : **USD 2 700** – New York, 16 jan. 1957 : *Francis Humbertson Mackenzie, Lord Seaforth* : **USD 13 000** – Londres, 15 mai 1957 : *Portrait de Mr. Bolland* : **GBP 300** – New York, 13 fév. 1958 : *H. R. H. Frederick, duc d'York* : **USD 3 500** – Londres, 27 juin 1958 : *Portrait d'une dame* : **GBP 6 300** – Paris, 15 déc. 1958 : *Portrait présumé de Mr Robertson* : **FRF 1 070 000** – Londres, 29 mai 1959 : *Portrait de Sir Charles Cockerell, Bart* : **GBP 1 680** – Paris, 29 mars 1960 : *Les deux jeunes musiciennes* : **FRF 20 000** – New York, 6 avr. 1960 : *Comtesse Charlemont et son fils* : **USD 3 600** – New York, 7 avr. 1961 : *Mrs Falconer Atlee* : **USD 9 000** – Londres, 26 juil. 1961 : *Portrait de Mrs Louisa Lushington* : **GBP 1 100** – Londres, 27 juin 1962 : *Portrait de William, 1^e^ comte Amherst* : **GBP 4 200** – Londres, 3 juil. 1963 : *Portrait de Henry Pelham-Clinton, 4^e^ duc de Newcastle* : **GBP 8 200** – Londres, 12 juil. 1967 : *Portrait des enfants de John Angerstein* : **GBP 23 000** – Londres, 14 juin 1968 : *Portrait d'un jeune homme* : **GNS 5 500** – Londres, 28 nov. 1969 : *Portrait de Lucy Sotheron* : **GNS 7 500** – New York, 22 oct. 1970 : *Portrait de Sir Robert Krankland* : **USD 9 000** – Londres, 17 mars 1971 : *Portrait de Charles Chatwynd-Talbot Viscount et de son frère* : **GBP 8 000** – Londres, 13 déc. 1972 : *Portrait de Thomas Philipps, comte de Mulgrave* : **GBP 3 000** – Londres, 22 juin 1973 : *Portrait de Sir George Trafford Heald* : **GNS 2 200** – Londres, 21 juin 1974 : *Portrait de Mrs Siddons* : **GNS 7 500** – Los Angeles, 25 juin 1976 : *Portrait de Miss Lucy Meredith* 1813, aquar. et cr. (22,2x17,8) : **USD 1 100** – Londres, 17 nov. 1976 : *Portrait d'une dame*, h/t (74x61) : **GBP 4 800** – Londres, 23 nov. 1977 : *Portrait d'un gentilhomme*, h/t (125x100) : **GBP 2 200** – Londres, 23 juin 1978 : *Portrait de Lady Wallscourt*, h/t (90,1x69,8) : **GBP 36 000** – New York, 5 juin 1979 : *Portrait du prince de Galles, futur roi George IV*, craies rouge et noire, reh. de blanc/t. (40,5x37,5) : **USD 4 750** – New York, 11 janv 1979 : *Les Enfants de John Angerstein*, h/t (183x147) : **USD 40 000** – Londres, 17 nov. 1981 : *Portrait d'une jeune dame* 1790, mine de pb et cr. rouge, de forme ovale (25x20) : **GBP 1 100** – Londres, 16 avr. 1982 : *Portrait de John Allnutt*, h/t (236,2x144,6) : **GBP 100 000** – Londres, 13 juil. 1984 : *Portrait de Charlotte, Lady Owen*, h/t (130,2x104,1) : **GBP 30 000** – Londres, 11 juin 1985 : *Portrait de Felicity Trotter*, h/t (76x62,5) : **GBP 48 000** – Londres, 18 avr. 1986 : *Portrait de Lady Wallscourt jouant de la guitare*, h/t (90,1x69,8) : **GBP 140 000** – New York, 3 juin 1988 : *Portrait de Sir Samuel Shepherd*, h/t (124,5x100,5) : **USD 82 250** – Londres, 15 juil. 1988 : *Portrait d'un homme du monde en veste noire*, h/t (76,2x63,5) : **GBP 2 860** – New York, 12 jan. 1989 : *Portrait de Hart Davis Jr*, h/t (75x62,5) : **USD 110 000** – Paris, 26 juin 1989 : *Portrait d'une jeune fille au grand chapeau*, cr. noir et touches de sanguine (18,5x14,5) : **FRF 23 200** – Londres, 12 juil. 1989 : *Portrait de Mrs Clement Kynnersley vêtue d'une robe blanche à ceinture noire et coiffée d'un turban blanc*, h/t (77x63,5) : **GBP 66 000** – New York, 5 avr. 1990 : *Portrait d'un officier du 11ème Dragon Léger en uniforme*, h/t (92x72) : **USD 82 500** – New York, 1er juin 1990 : *Portrait de Lady Maria Oglander*, h/t (208x117) : **USD 110 000** – Londres, 11 juil. 1990 : *Portrait de Anna Maria, Lady Lawley, assise de trois quarts, vêtue d'une robe blanche*, h/t (76x63) : **GBP 89 100** – Londres, 30 jan. 1991 : *Portrait d'un bébé endormi*, cr. et sanguine (22x17,5) : **GBP 825** – Londres, 10 avr. 1991 : *Portrait de Mary Coppendale, Mrs Joseph May, assise, vêtue de noir avec un bonnet blanc et tenant ses gants dans la main droite*, h/t (94x73,5) : **GBP 22 000** – Londres, 10 juil. 1991 : *Portrait de Mrs Joseph Inchbald en buste, portant une robe blanche*, h/t (75x61) : **GBP 52 800** – Londres, 15 nov. 1991 : *Portrait de Lady Sophia Upton en buste portant une robe blanche et du houx dans les cheveux*, h/t, ovale (76,2x64,8) : **GBP 41 800** – Londres, 20 nov. 1992 : *Priscilla, Lady Burghesh, en robe noire et bonnet à fleurs portant son fils George Fane* 1820, h/t (48,2x43,2) : **GBP 39 600** – Londres, 6 avr. 1993 : *Portrait du général Paoli en buste portant un habit noir et un col blanc*, h/t (76,5x63,5) : **GBP 47 700** – Londres, 7 avr. 1993 : *Portrait de Miss Juliana Copley assise vêtue d'une robe blanche*, h/t (74,5x62) : **GBP 102 700** – New York, 20 mai 1993 : *Portrait de Fanny et Jane Hamond assises et vêtues de robes blanches*, h/t (91,4x82,6) : **USD 277 500** – Paris, 31 mars 1995 : *Portrait d'Armand-Emmanuel, duc de Richelieu*, h/t (59x48) : **FRF 42 000** – New York, 11 jan. 1996 : *John Philip Kemble dans le rôle de Rolla dans la pièce Pizarro de Sheridan*, h/t (335,3x223,5) : **USD 162 000** – Londres, 10 juil. 1996 : *Portrait de William George Spencer Cavendish, duc de Devonshire, vêtu de culottes et d'un habit de velours vert foncé, assis près d'une table*, h/t (145x119,5) : **GBP 155 500** – Londres, 9 juil. 1997 : *Portrait de Louisa Fairlie*, h/t (72x63,5) : **GBP 51 000** – New York, 13 nov. 1997 : *Portrait en buste de Lady Beresford*, h/t (77,5x64,2) : **USD 10 925** – New York, 17 oct. 1997 : *Portrait de Mrs Hart Davis*, h/t (76,2x63,5) : **USD 25 300**.

LAWRENCE-WETHERILL Maria
Née le 11 décembre 1892 à Philadelphie. XXe siècle. Américaine.
Peintre.
Elle fit ses études artistiques à Paris. Elle fut membre du Pen and Brush Club, de la Ligue des artistes professeurs et de la Fédération américaine des arts.

LAWRENSON Charlotte Mary
Née le 31 août 1883. XXe siècle. Britannique.
Peintre de portraits, décorateur.
Elle a exposé à la Royal Academy de Londres, à Paris et aux États-Unis.

LAWRENSON Thomas. Voir **LAWRANSON**

LAWRENSON William
XVIIIe siècle. Actif à Londres. Britannique.
Peintre de genre et de portraits.
Fils de Thomas Lawranson. Membre de la Society of Artists, où il exposa de 1765 à 1770. Il exposa aussi à la Royal Academy, de 1774 à 1780.

LAWRIE Alexander
Né en 1828 à New York. Mort le 15 février 1917 à Lafayette. XIXe-XXe siècles. Américain.
Peintre de paysages, figures, portraits, dessinateur.
Il commença ses études à Philadelphie, puis vint en Europe, travailla à Paris avec Picot, E. Lentze à Düsseldorf et visita Florence. De retour en Amérique il vint s'établir à New York après un court séjour à Philadelphie. Il fut associé de la National Academy en 1866.
Il a produit un nombre considérable de portraits au crayon (plus de mille) et s'est montré particulièrement heureux dans ceux de femmes.
Ventes Publiques : New York, 26 mars 1986 : *Paysage*, h/t (35,5x60,5) : **USD 2 800** – New York, 26 mai 1988 : *Vue d'une colline*, h/t (35,8x60,4) : **USD 8 800** – New York, 7 oct. 1997 : *Dans les bois* 1865, h/t (30,5x23,5) : **USD 16 100**.

LAWRIE Leo Oskar
Né le 16 octobre 1877 à Rixdorf. XXe siècle. Américain.
Sculpteur.
Il fut élève de Martiny et Saint-Gaudens à Chicago. Il fut professeur à l'Université de Harvard.
Il exécuta des sculptures pour l'Académie militaire de Westpoint.

LAWRIE Robert ou **Laurie, Lowry**
Né vers 1755 en Angleterre. Mort le 19 mai 1836 à Broxbourne. XVIIIe-XIXe siècles. Britannique.
Graveur à la manière noire.
Il a gravé des sujets religieux, des sujets de genre et d'excellents portraits. Artiste fort habile, il fut récompensé par la Society of Arts pour ses perfectionnements dans l'impression en couleurs des manières noires.
Ventes Publiques : Londres, 23 juin 1978 : *Chasseurs dans un paysage boisé* 1824, h/t (63x75,5) : **GBP 9 500** – Londres, 10 nov. 1982 : *Chasseurs dans un paysage boisé, Broxbornebury* 1824, h/t (62x74,5) : **GBP 12 000** – Londres, 13 nov. 1997 : *Portrait d'une dame avec un grand chapeau, et série de portraits d'acteurs, de chanteurs et de dames élégantes* 1778, mezzotinte, vingt-quatre pièces : **GBP 3 910**.

LAWSON Adélaide
Née le 9 juin 1890 à New York. XXe siècle. Américaine.
Peintre.
Elle étudia à l'Art Students' League de New York. Elle fut membre de la Société des Artistes Indépendants, à Paris.

LAWSON Alexander
Né le 19 décembre 1773 à Ravenstruthers (Écosse). Mort le 22 août 1846 à Philadelphie. XVIIIe-XIXe siècles. Américain.
Graveur.
On cite ses planches pour les *Saisons*, de Thomson, et *L'Ornithologie*, d'A. Wilson.

LAWSON Cecil Gordon
Né le 3 décembre 1851 à Wellington (Shropshire). Mort le 10 juin 1882 à Londres. XIXe siècle. Britannique.

Peintre de genre, paysages, natures mortes, fleurs et fruits, aquarelliste, dessinateur.

Fils de William Lawson, il fut son élève. Il travailla plusieurs années à Londres, exposa à la Royal Academy, à Grosvenor Gallery, et à Liverpool. En 1874, il visita la Hollande, la Belgique et Paris.

Ce fut un artiste délicat qui traduisit les divers aspects de la nature avec beaucoup de charme.

Musées : Birmingham : *Fenaison au clair de lune – Plantations de houblon* – Édimbourg : *Le vieux moulin, coucher de soleil* – Londres (Victoria and Albert) : une aquarelle – Londres (Tate Gal.) : *La lune d'août.*

Ventes Publiques : Paris, 16 déc. 1905 : *Vue de la Tamise* : **FRF 40** – Londres, 4 juin 1909 : *Birkunbridge Killarney*, aquar. : **GBP 29** ; *Fruits et nature morte* : **GBP 7** – Londres, 10 juil. 1909 : *Paysage* : **GBP 78** – Londres, 22 juin 1923 : *La vallée de Doon* : **GBP 1 207** – Londres, 16 mai 1924 : *Crépuscule* : **GBP 42** – Londres, 26 nov. 1926 : *Automne* : **GBP 157** – Londres, 30 nov. 1946 : *Paysage de forêt*, dess. : **GBP 25** – Londres, 21 fév. 1947 : *Cheyne Walk* : **GBP 125** – Londres, 8 juin 1973 : *Paysage fluvial* : **GNS 1 300** – Londres, 19 mai 1978 : *Paysage*, h/t (148,6x212) : **GBP 5 000** – Londres, 2 oct 1979 : *Moutons dans un paysage* 1878, h/t (64x59) : **GBP 800** – Londres, 1er juin 1984 : *Cheyne Walk, Chelsea* 1870, h/t (61x97,1) : **GBP 5 500** – Londres, 23 juil. 1985 : *A misty evening on Cheyne Walk*, aquar. et gche (27,3x30) : **GBP 2 400** – Londres, 12 nov. 1987 : *The County Fair*, h/t (49x73,5) : **GBP 3 200** – Londres, 27 sep. 1989 : *Un hymne au printemps*, h/t (153x102) : **GBP 9 900** – Londres, 15 juin 1990 : *Soir d'été à Cheyne Walk*, h/t (61x50,8) : **GBP 9 020** – Londres, 29 mars 1996 : *Fleurs et fruits* 1868, aquar. et gche (21,5x26,7) : **GBP 828**.

LAWSON Ernest

Né en 1873 à Halifax (Nouvelle-Écosse). Mort en 1939 à Coral Gables (Floride). xixe-xxe siècles. Actif en France. Américain.

Peintre de paysages. Tendance impressionniste.

Il a étudié à Kansas City, à l'Art Students' League et, à Paris, à l'Académie Julian, ville où il se familiarisa aussi avec les œuvres des impressionnistes, dont il fut l'un des premiers propagateurs en Amérique. Ses maîtres furent J. A. Weir, et l'impressionniste John Twachtman dont il fut élève à Cos Cob (Connecticut). En 1893, il séjourna en France, préférant peindre en forêt de Fontainebleau, où il rencontra le peintre Alfred Sisley, que de suivre les cours de l'Académie Julian. Il passa l'été 1893 à Martigues. Il regagna les États-Unis en 1894, se maria et repartit aussitôt en France jusqu'en 1898, date de son retour définitif aux États-Unis. En 1916, il effectua un voyage en Espagne à Ségovie. À New York, il fit la connaissance des peintres William Glackens, George Luks, Everett Shinn, John Sloan et d'autres encore, qui se regroupèrent pour fonder l'association du *groupe des Huit* surnommé l'Ash Can School (École de la poubelle). La fin de sa vie est placée sous le signe du tourment, découragé par le manque de reconnaissance de son travail et une accumulation de difficultés financières. Son corps fut découvert sur une plage de Miami et il n'est pas exclu qu'il se soit suicidé. Il a enseigné en 1926 au Kansas City Art Institute.

Il obtint une médaille d'argent à Saint Louis en 1904, puis de nombreuses récompenses par la suite. En 1908, il a exposé avec les peintres de l'Ash Can School ; en 1910 au Salon des Indépendants de Paris ; en 1913 à l'Armory Show dont il fut un des organisateurs. Il reçut le prix de la Corcoran Gallery of Art de Washington D.C. en 1916.

On lui doit de nombreux paysages de neige de style impressionniste, appris auprès de ses maîtres, les peintres Twachtman et Sisley, dont il se fit une spécialité. S'il appartint à l'Ash Can School, il ne partagea pas l'affinité de ces peintres pour des sujets sociaux. Ses paysages urbains révèlent, au contraire, un attachement pour les couleurs et la lumière. Lors de son voyage en Espagne en 1916, il mit en œuvre un style différent : des paysages traités en aplats. Sa peinture gagna tout au long de sa vie en solidité, ce qui l'apparente parfois à Cézanne. Il finit proche d'un expressionnisme tourmenté.

Bibliogr. : Henry Berry-Hillin et Sydney Berry-Hill : *Ernest Lawson – American Impressionist*, Leigh-on-Sea, F. Lewis, 1958 – *Ernest Lawson 1873-1939*, catalogue de l'exposition, National Gallery of Canada, Ottawa, 1967 – in : : *Dictionnaire universel de la peinture*, Le Robert, Paris, 1975 – Catalogue de l'exposition : *Impressionnistes américains*, musée du Petit Palais, Paris, 1982 – in : *Diction. de la peinture anglaise et américaine*, coll. Essentiels, Larousse, Paris, 1991.

Musées : Chicago (Art Inst.) – Minneapolis (Inst. of Arts) : *Ségovie* 1916 – New York (Brooklyn Mus.) – New York (Whitney Mus.) : *Winter on the river* 1907 – *High Bridge* 1934 – New York (Metropolitan Mus.) – Washington D. C. (Hirshorn Mus.) : *Wet night, Gramercy Park* 1907 – Washington D. C. (Smithsonian Inst.) : *Gold mining, Cripple Creek* 1926.

Ventes Publiques : New York, 15 jan. 1932 : *Les Mouettes* : **USD 225** – New York, 15 jan. 1937 : *Central park en hiver* : **USD 350** – New York, 11 avr. 1962 : *Mangrove roots* : **USD 1 700** – New York, 24 oct. 1968 : *Coney Island* 1907 : **USD 15 500** – New York, 8 déc. 1971 : *Église en Nouvelle-Angleterre* 1913 : **USD 10 000** – New York, 23 mai 1974 : *Pastorale* : **USD 9 500** – New York, 28 oct. 1976 : *Paysage d'automne, Connecticut*, h/t (51x61) : **USD 6 250** – Los Angeles, 8 nov. 1977 : *Le laboureur* 1926, h/t (127x152,4) : **USD 15 000** – New York, 25 oct 1979 : *Dans mon jardin* 1914, h/t (51,5x61) : **USD 24 000** – New York, 24 avr. 1981 : *L'Hudson à Inwood*, h/t mar./pan. (50,8x61) : **USD 40 000** – New York, 7 déc. 1984 : *Across the Hudson to Yonkers*, h/t (63,5x76,2) : **USD 110 000** – New York, 6 déc. 1985 : *Harlem river bridge*, h/t (65x77) : **USD 100 000** – New York, 5 déc. 1986 : *Scène de canal en hiver* 1898, h/t (55,8x66) : **USD 75 000** – New York, 28 mai 1987 : *Morningside heights, New York* vers 1910, h/t (83,8x101,6) : **USD 200 000** – New York, 24 juin 1988 : *Collines en Nouvelle-Angleterre*, h/t (40x50) : **USD 10 450** – New York, 30 sep. 1988 : *Route de la Nouvelle-Angleterre un jour venteux*, h/t (20,5x24,8) : **USD 4 950** – New York, 1er déc. 1988 : *Arbres au bord de l'Hudson sous la neige*, h/t (48,8x61) : **USD 35 750** – New York, 24 mai 1989 : *Les Alentours d'un village*, h/t (50,8x61) : **USD 68 750** – New York, 30 nov. 1989 : *Jardin en terrasses dans l'Hudson*, h/t (50,8x61) : **USD 82 500** – New York, 1er déc. 1989 : *Le Flatiron Building*, h/t/cart. (76,2x63,5) : **USD 528 000** – New York, 23 mai 1990 : *Route de campagne*, h/t (64x76,5) : **USD 50 600** – New York, 30 mai 1990 : *Avenue des palmes*, h/t (62,3x50,8) : **USD 22 000** – New York, 29 nov. 1990 : *Péniches sur la Seine* 1894, h/t (63,5x76,2) : **USD 88 000** – New York, 30 nov. 1990 : *Le Flatiron Building*, h/cart. (53x38,8) : **USD 374 000** – New York, 12 avr. 1991 : *Bois de cyprès* 1936, h/t (50,8x61) : **USD 37 400** – New York, 26 sep. 1991 : *L'Hôtel Biltmore à Palm Beach*, h/t (52x62,2) : **USD 19 800** – New York, 5 déc. 1991 : *Scène de rivière en hiver*, h/t (76,2x76,2) : **USD 93 500** – New York, 23 sep. 1992 : *Reflets de printemps*, h/t (51,1x61,2) : **USD 33 000** – New York, 11 mars 1993 : *Plantations de printemps*, h/t/cart. (22,9x30,5) : **USD 7 475** – New York, 3 déc. 1993 : *Port sous la neige au crépuscule*, h/t (51,5x72,5) : **USD 85 000** – New York, 1er déc. 1994 : *La Mare près du moulin en hiver*, h/t (51,4x61,6) : **USD 27 600** – New York, 29 nov. 1995 : *Nuit bleue*, h/t (63,5x76,2) : **USD 90 500** – New York, 22-23 mai 1996 : *L'Hudson pris dans les glaces* 1908, h/t (83,8x101,6) : **USD 211 500** ; *Ségovie en Espagne*, h/t (50,8x62,2) : **USD 145 500** – New York, 5 déc. 1996 : *La Rivière de Harlem en hiver* 1906, h/t (63,5x76,2) : **USD 96 000** – New York, 23 avr. 1997 : *Scène d'hiver*, h/pan. (49,6x61) : **USD 57 500** – New York, 7 oct. 1997 : *Maison et jardin, Montgomery, Alabama*, h./masonite (30,5x40,7) : **USD 13 800**.

LAWSON Francis Wilfried

Né en 1842. Mort en 1935. xixe siècle. Actif à Londres. Britannique.

Peintre de genre, illustrateur.

Il est le frère de Cecil Gordon Lawson. Il travaillait pour des journaux illustrés. Il exposa à la Royal Academy, à Dudley Gallery, etc.

Musées : Liverpool : *Trace de pas en temps de guerre.*

Ventes Publiques : Londres, 3 nov. 1989 : *La maison de son père*, h/t (188x124,5) : **GBP 3 300** – Londres, 9 fév. 1990 : *La pièce de monnaie douteuse* 1882, h/t (102,2x76,8) : **GBP 1 320**.

LAWSON George Anderson

Né en 1832 à Édimbourg. Mort le 23 septembre 1904. xixe siècle. Britannique.

Sculpteur.

Élève de Ilandyside Ritchie et de Robert Scott Lauder. Débuta à la Royal Scottish Academy en 1860. Il vint ensuite à Londres. Il visita l'Italie et travailla quelque temps à Rome. D'importants travaux lui furent confiés, notamment la statue de *Wellington* à

Liverpool et la statue de *Burns* à Oyr. En 1884, la Royal Scottish Academy, le nomma membre honoraire. Le Musée d'Édimbourg conserve de lui : *Le Barde*.
Ventes Publiques : Londres, 14 déc. 1983 : *Cupidon chuchotant à l'oreille d'une femme étendue* 1869, marbre blanc (H. 36) : **GBP 950**.

LAWSON John
Né en 1868 à Glasgow. Mort le 9 août 1909 à Carmunnock. XIXe-XXe siècles. Britannique.
Peintre de paysages.
Il représenta surtout des paysages du pays de Galles.
Ventes Publiques : Londres, 1er mars 1984 : *The pet lamb*, aquar. (17,5x12,5) : **GBP 700** – Édimbourg, 30 août 1988 : *Douglasdale*, h/t (42x61) : **GBP 880**.

LAWSON William
XIXe siècle. Actif dans la première moitié du XIXe siècle. Britannique.
Portraitiste.
Père de Cecil Gordon Lawson.

LAX David
Né aux États-Unis. XXe siècle. Américain.
Peintre, dessinateur.
Il fut un sergent de l'armée américaine en Europe (1944-1945). Il reçut mission d'interpréter les actes du *Transportation Corps*. Il fut sélectionné pour les Expositions Carnegie où il fit montre de ses ambitions monumentales.

LAX Joseph
Né le 19 mai 1851 à Vienne. Mort le 13 mars 1909 à Vienne. XIXe-XXe siècles. Autrichien.
Sculpteur.
Il exécuta surtout des statues et, entre autres, pour l'hôtel de ville et l'Université de Vienne.

LAX Robert
Né en 1915 à New York. XXe siècle. Actif depuis 1962 en Grèce. Américain.
Sérigraphe.
Bibliogr. : In : *De Bonnard à Baselitz – Dix ans d'enrichissements du Cabinet des Estampes 1978-1988*, Paris, 1992.
Musées : Paris (Cab. des Estampes).

LAY Oliver Ingraham
Né en 1845 à New York. Mort en 1890. XIXe siècle. Britannique.
Portraitiste et peintre de genre.
Il se consacra à l'art dès son enfance, étudiant au Cooper Institute et à l'École de la National Academy. Il fut aussi élève de Thomas Hicks pendant trois ans. Exposant assidu de la National Academy, il y fut élu associé en 1876. Ses portraits sont estimés.
Ventes Publiques : New York, 8 fév. 1935 : *Le Général Grant* : **USD 140** – New York, 14 mars 1986 : *Filling the powder horn* 1869, h/t mar./isor. (75,7x62,5) : **USD 4 500**.

LAYENS Matheus
Mort vers 1484. XVe siècle. Actif à Louvain. Belge.
Dessinateur et sculpteur.
Il fut échevin de Louvain et architecte de la ville.

LAYER Leopold
Né le 20 novembre 1752 à Krani (Slovénie). Mort le 1er avril 1828 à Krani (Slovénie). XVIIIe-XIXe siècles. Yougoslave.
Peintre.
Il décora à la fresque les églises de Krani et de cette région. Le Musée de Ljubljana et celui de Graz possèdent des œuvres de lui.

LAYER Markus
Né le 12 avril 1727 à Krani. Mort le 27 décembre 1808 à Krani. XVIIIe-XIXe siècles. Yougoslave.
Peintre.
On cite la *Sainte Marguerite* qu'il exécuta pour l'église de Jereka.

LAYNAUD Ernest
Né à Paris. XIXe siècle. Français.
Peintre de paysages, paysages d'eau, marines, aquarelliste.
Fils de François Louis Laynaud, il fut son élève. Il exposa des vues du Tréport au Salon de Paris en 1878 et 1879, et obtint une médaille de troisième classe en 1883.
Ventes Publiques : Paris, 1890 : *Vue de la baie du Croisic* : **FRF 187** – Lucerne, 2 juin 1981 : *Paysage fluvial*, h/t (46,5x61,5) : **CHF 4 000** – New York, 18-19 juil. 1996 : *Criée aux poissons sur la plage*, h/pan. (14,3x23,5) : **USD 2 990**.

LAYNAUD François Louis
Né en 1804 à Paris. XIXe siècle. Français.
Peintre d'histoire et de genre.
Élève de Picot. Il exposa au Salon de 1833 à 1864. On cite de lui un *Saint Brice* et un *Saint Hilaire* (au Ministère de l'Intérieur). Le Musée de Rouen conserve de lui : *Portrait de M. Laffitte*.

LAYNE Rustan E. Voir **RUSTAN E. Layne**

LAYR Franz Xaver
Né le 18 août 1812 à Höttinger Ried (près d'Innsbruck). Mort le 9 juin 1875 à Baden près de Vienne. XIXe siècle. Allemand.
Peintre et graveur.
D'abord uniquement graveur, il exécuta des planches d'après Luini. Surtout peintre à partir de 1850 il décora l'église dominicaine de Vienne.

LAYRAUD Joseph Fortuné Séraphin
Né le 15 octobre 1834 à La Roche-sur-le-Buis (Drôme). Mort en 1912 à Valenciennes (Nord). XIXe-XXe siècles. Français.
Peintre d'histoire, compositions religieuses, compositions mythologiques, scènes de genre, portraits, paysages.
Élève d'Henri Loubon, Léon Cogniet et Tony Robert-Fleury, il obtint le premier grand prix de Rome en 1863. Il fut professeur à l'Académie des Beaux-Arts de Valenciennes.
Il participa au Salon de Paris, obtenant une deuxième médaille en 1872 et des médailles de bronze aux Expositions Universelles de 1889 et de 1900. Chevalier de la Légion d'honneur en 1890, il fut plus tard élevé au grade d'officier.
Après son séjour à Rome, il peignit des tableaux d'histoire et surtout des portraits, parmi lesquels on cite ceux de *Mme Loubet*, des *princes du Portugal*, de *Litz*. Il fit également quelques paysages, à la suite de ses voyages en Italie et au Portugal.

Bibliogr. : Gérald Schurr, in : *Les Petits Maîtres de la peinture 1820-1920, valeur de demain*, Les Éditions de l'Amateur, t. VI, Paris, 1985.
Musées : Avignon : *Le docteur P. E. Chauffard* – Bayonne : *Femme au chapeau noir* – Cahors : *Gambetta* – Épinal : *Supplice de Marsyas* – Melbourne : *Brigands italiens* – Narbonne : *Diogène* – Troyes : *Vue de Lisbonne – Le Tage* – Valence : *Naufrage de la Méduse – Mgr Catton – Inès de Castro* – Valenciennes : *La sortie des taureaux – Portraits de Litz et de Mme Saunier*.
Ventes Publiques : Paris, 28-29 nov. 1923 : *Portrait de Litz* : **FRF 1 000** – Paris, 2 mars 1979 : *La place Clichy : les promeneurs*, h/pan. (23x14) : **FRF 7 500** – Paris, 3 mars 1988 : *L'Enfant à la bulle de savon*, h/t (160x107) : **FRF 24 000**.

LAYS Jean Pierre
Né le 12 novembre 1825 à Saint-Barthélémy-Lestra (Loire). Mort en 1887 à Lyon (Rhône). XIXe siècle. Français.
Peintre de fleurs, aquarelliste.
Entré comme domestique chez le peintre lyonnais Simon Saint-Jean, il devint son élève. Il exposa au Salon de Lyon de 1851 à 1856 et à celui de Paris de 1852 à 1887.
Il compose avec aisance des bouquets multicolores, aux tonalités brillantes et équilibrées.
Bibliogr. : Gérald Schurr, in : *Les Petits Maîtres de la peinture 1820-1920, valeur de demain*, Les Éditions de l'Amateur, t. III, Paris, 1976.
Musées : Bagnères-de-Bigorre : deux aquarelles – Beauvais – Castres – Lyon : *La vigne à la croix – Fleurs* – une aquarelle.
Ventes Publiques : Rome, 20 mars 1986 : *Vase de fleurs* 1873, h/t (140x105) : **ITL 20 000 000** – Londres, 24 juin 1988 : *Nature morte de fleurs dans un vase avec des framboises sur une table*, h/t (86,4x58,8) : **GBP 6 600** – Londres, 22 nov. 1990 : *Nature morte de campanules et de giroflées* 1863, h/t (53,3x48,3) : **GBP 1 870** – Paris, 4 déc. 1992 : *Bouquet de roses dans un paysage* 1871, h/t (86,5x63) : **FRF 62 000** – Londres, 17 nov. 1995 : *Grande composition florale avec des lis, des roses trémières, des pivoines, des roses, etc., dans une urne, avec des fruits sur un entablement* 1881, h/t (132x101) : **GBP 47 700** – Paris, 22 nov. 1996 : *Fruits et Fleurs*, h/t (94x70) : **FRF 70 000**.

LAYSIEPEN F. Uwe. Voir **ULAY**

LAYUS Lucien
XIXe siècle. Actif à Paris. Français.

Peintre.
Sociétaire des Artistes Français depuis 1888, il figura au Salon de ce groupement. Chevalier de la Légion d'honneur.

LAYVE Jean Baptiste de. Voir **SAIVE**

LAZAR Claude
Né en 1947 à Alexandrie. xxe siècle. Actif en France. Égyptien.
Peintre.
Il a été, de 1975 à 1977, secrétaire général du Salon de la Jeune Peinture.
Il participe à des expositions collectives, notamment, *Les Figurations*, Musée d'Art Contemporain de Dunkerque, en 1986.
Bibliogr. : Gérard Xuriguera : *Les Figurations de 1960 à nos jours*.
Ventes Publiques : Paris, 14 oct. 1989 : *Le passager de la pluie*, h/t et acryl./t. (100x81) : **FRF 15 000**.

LAZAR Fritzi. Voir **LÖW**

LAZAR Meyer. Voir **MEYER-LAZAR**

LAZAR Raoul
Né en 1938 à Cholet (Maine-et-Loire). xxe siècle. Français.
Peintre, graveur.
Bibliogr. : In : *De Bonnard à Baselitz – Dix ans d'enrichissements du Cabinet des Estampes 1978-1988*, Paris, 1992.
Musées : Paris (Cab. des Estampes).

LAZARAS A., née **Lébat**
xixe siècle. Active à Paris. Française.
Peintre de genre et de portraits.
Exposa sous le nom de Lébat de 1831 à 1835, et sous le nom de Lazaras à partir de 1837. On cite d'elle : *Portrait du général Colettis, ambassadeur de Grèce*.

LAZARD Jean Roger. Voir **GUILAZ**

LAZARE-LEVY. Voir **LEVY Lazar**

LAZAREF Roman
Né en 1938 à Marrakech. xxe siècle. Marocain.
Peintre de compositions à personnages, batailles, natures mortes. Figuration-onirique.
Il est né au Maroc d'un père russe et d'une mère française. Il suit les cours de l'École des Beaux-Arts de Rabat, puis des Arts Appliqués de Casablanca puis travaille à Paris avec Maître Bobot qui l'initie à l'art d'Extrême-Orient. Il vit et travaille à Rabat.
Il participe en 1975 et 1976 au Salon international d'Avignon, expose en 1986 et 1987 en Belgique et, plus régulièrement, à la galerie Le Manoir, à Rabat, notamment 1992.
La peinture de Roman Lazaref plonge ses racines dans les représentations des peintres flamands du xviie siècle. Attiré par les compositions aux multiples personnages, d'une grande précision, il évolue dans une figuration proche du fantastique.

LAZARESCU Matei
Né le 26 juin 1948 à Bucarest. xxe siècle. Actif depuis 1980 en France. Roumain.
Peintre, dessinateur.
Il est diplômé de l'Institut d'Arts Plastiques N. Grigorescu de Bucarest en 1972. En 1975, il obtient une bourse d'études de l'UNESCO et suit des cours de restauration de peintures murales à Rome. En 1980, il fait un stage de lithographie et de gravure au Centre Franz Masereel de Kasterlee, en Belgique. Depuis 1980, il vit et travaille à Paris. Matei Lazarescu est aussi un spécialiste de la restauration de tableaux. Il a exercé cette profession dans divers lieux en France.
Il participe à des expositions collectives à partir de 1972 en Roumanie puis en France. Il montre ses œuvres dans des expositions personnelles, la première en 1976 à Erfurt, puis : 1978 à Bucarest ; 1985 à Paris.
Il s'est appliqué, à ses débuts, par le moyen de la peinture, à agrandir des éléments de la réalité : une machine à écrire, un morceau de pain, le genou d'une femme. Puis, dans des dessins, il a laissé libre cours aux fantasmes de son imagination. Il pratique également la photographie.
Bibliogr. : Ionel Jianou et divers, in : *Les Artistes roumains en Occident*, American Romanian Academy of Arts and Sciences, Los Angeles, 1986.

LAZARIS Théodore
Né en 1885 à Levadia. Mort en 1978 à Athènes. xxe siècle. Grec.
Peintre de paysages.
Il fut élève de Georges Roïlos et Georges Jacobidès à l'École des Beaux-Arts d'Athènes.
Il a surtout peint des paysages des environs d'Athènes et de Leviada, dont on louange la justesse de la lumière et de la couleur.
Musées : Athènes (Pina. Nat.) – Athènes (Pina. mun.) – Rhodes (Gal. d'Art).

LAZARO Ivan
Né en Bulgarie. xxe siècle. Bulgare.
Sculpteur de figures.
Il a réalisé des figures de paysans et de soldats et des bas-reliefs.

LAZARO MERONO Manuel
Né à Murcie. xviiie siècle. Espagnol.
Peintre.
Cet artiste autodidacte exécuta un *Saint Bartolomé* d'après Ribera qui se trouve à la cathédrale de Murcie.

LAZARSKA Stéphanie, Mme
Née en 1886 ou 1887 à Varsovie. xxe siècle. Active en France. Polonaise.
Peintre de portraits, sujets religieux, peintre de décors de théâtre.
Elle a surtout travaillé à Paris, où elle fut élève de Humbert à l'École des Beaux-Arts et de Maurice Denis à l'Académie Ranson.
Elle exposa en Europe et en Amérique et, particulièrement, en France aux Salon d'Automne et des Tuileries.
On lui doit des portraits, des tableaux religieux et des décors de théâtre.

LAZARUS
Né à Chazan. ixe siècle. Éc. byzantine.
Peintre.
Moine, cet artiste travailla pour les empereurs byzantins à Constantinople. Il reçut surtout des commandes de l'empereur Théophile et de l'impératrice Théodora.

LA ZARZA Vasco de
Né sans doute à Tolède. Mort en 1524. xvie siècle. Espagnol.
Sculpteur.
A la cathédrale de Tolède, il exécuta les tombeaux de don Alfonso Carrillo de Albornoz et de don Iñigo Lopez Carrillo de Mendoza (vers 1515). A Avila, il sculpta le maître-autel, les fonds baptismaux et le tombeau de l'évêque Tostado (vers 1518). Son art italianisant conserve des traces de l'art gothique.

LAZAVSKI Borko
xxe siècle. Yougoslave.
Peintre.
Dans l'église Sainte-Marie, à Dubrovnik, il a peint un *Saint Martin*.

LAZERGES Jean Baptiste Paul
Né le 10 janvier 1845 à Paris. Mort le 22 mai 1902 à Asnières (Hauts-de-Seine). xixe-xxe siècles. Français.
Peintre de genre, portraits, paysages. Orientaliste.
Élève de son père Jean Raymond Hippolyte Lazerges, il fut également séduit par l'Afrique du Nord et y séjourna durant plusieurs années. En 1867, il débuta au Salon de Paris, où il exposa jusqu'à sa mort, obtenant une médaille en 1884, une deuxième médaille en 1898 et une médaille de bronze à l'Exposition Universelle de 1900 à Paris. Il exposa aussi régulièrement au Salon des Artistes Français.
Ses paysages orientalistes, d'inspiration poétique, font preuve de qualités remarquables de lumière.

PAUL LAZERGES

Bibliogr. : Gérald Schurr, in : *Les Petits Maîtres de la peinture 1820-1920, valeur de demain*, Les Éditions de l'Amateur, t. IV, Paris, 1979.
Musées : Amiens : *Fille Kabyle* – Arras : *Femme Kabyle* – *L'attente* – Nantes : *Caravane* – Périgueux : *Paysage d'Herzégovine* – Tours : *Kabyles en voyage*.
Ventes Publiques : Paris, 20-21 juin 1902 : *Le conteur arabe* : **FRF 800** – New York, 25 mars 1904 : *Campement arabe* : **USD 250** – Londres, 28 nov. 1908 : *Ouvriers agricoles arabes en quête de travail* 1876 : **GBP 21** – Paris, 24 nov. 1944 : *Arabes tra-*

versant à gué un oued : **FRF 4 200** – Paris, 23 juin 1954 : *Les chameliers* : **FRF 14 000** – New York, 28 fév. 1972 : *Fatma, la chanteuse* 1877 : **USD 750** – New York, 14 mai 1976 : *La caravane de chameaux* 1898, h/t (56x66) : **USD 1 000** – Los Angeles, 9 mars 1977 : *La caravane de chameaux* 1896, h/t (54,5x65,5) : **USD 1 300** – New York, 11 oct 1979 : *Bédouins dans une oasis*, h/t (65x80) : **USD 5 500** – Londres, 19 juin 1981 : *Arabes dans un paysage boisé* 1880, h/pan. (73,6x56,5) : **GBP 1 200** – Enghien-les-Bains, 4 mars 1984 : *la caravane dans l'oasis* 1897, h/t (55x66) : **FRF 80 000** – Enghien-les-Bains, 28 avr. 1985 : *Attatich arrivant à la palmeraie* 1897, h/t (65x54) : **FRF 100 000** – Enghien-les-Bains, 28 avr. 1985 : *Le chamelier*, bronze, patine dorée (H. 33) : **FRF 19 000** – Londres, 29 mai 1987 : *Chien de chasse dans un paysage marécageux* 1890, h/t (132,7x137) : **GBP 1 600** – Californie, 3 fév. 1988 : *Midi à Blida en Algérie* 1888, h/t (94,5x121,5) : **USD 7 700** – New York, 25 oct. 1989 : *Campement arabe sous un ciel étoilé* 1900, h/t (57,4x72,4) : **USD 7 700** – Paris, 19 nov. 1991 : *Caravane à Bou Saada*, h/t (53x65) : **FRF 85 000** – Paris, 22 juin 1992 : *Campement dans le sud algérien*, h/t (35x65) : **FRF 27 000** – Londres, 28 oct. 1992 : *Une caravane en Afrique du Nord* 1892, h/t (63,5x52,5) : **GBP 2 310** – Londres, 16 juin 1993 : *Deux musiciennes orientales* 1882, h/t (55x37,5) : **GBP 4 600** – New York, 14 oct. 1993 : *Trois arabes sous un arbre majestueux* 1880, h/pan. (72,4x57,2) : **USD 14 950** – Paris, 8 nov. 1993 : *La caravane* 1901, h/t (47x55) : **FRF 14 000** – New York, 12 oct. 1994 : *Repos de la caravane*, h/t (59,1x81,3) : **USD 12 075** – Londres, 17 nov. 1994 : *La Halte* 1909, h/t (72x90) : **GBP 10 925** – Lokeren, 9 déc. 1995 : *L'Oasis* 1898, h/pan. (26,5x36) : **BEF 30 000** – Paris, 11 déc. 1995 : *Caravane en Algérie* 1885, h/t (81,5x116) : **FRF 140 000** – Londres, 15 mars 1996 : *Caravane dans le désert* 1899, h/t (65,5x81,2) : **GBP 6 325** – Londres, 20 nov. 1996 : *La Caravane* 1898, h/t (66x81) : **GBP 9 200** – Paris, 10-11 avr. 1997 : *Délassement sous les arbres* 1881, h/pan. (31x47) : **FRF 20 000**.

LAZERGES Jean Raymond Hippolyte

Né le 5 juillet 1817 à Narbonne (Aude). Mort le 24 octobre 1887 à Mustapha (Algérie). XIXe siècle. Actif aussi en Algérie. Français.

Peintre d'histoire, compositions religieuses, scènes de genre, paysages, compositions murales, cartons de vitraux, écrivain, musicien. Orientaliste.

Élève de François Bouchot et de David d'Angers, il visita l'Algérie dès 1842 et s'y installa vers 1861. Il est le père de Jean Baptiste Paul Lazerges.

Il participa au Salon de Paris de 1840 à 1887.

Il a décoré un grand nombre d'églises en France, on cite notamment : *Le Christ au jardin des Oliviers* à l'hôpital de Beaune ; *Stabat Mater* à La Sorbonne de Paris ; *Jésus dans les limbes* à la cathédrale de Narbonne ; *Apothéose de saint Laurent ; Saint Laurent montrant les trésors de l'église ; Saint Laurent suivant saint Sixte au martyre* à l'église d'Orléans ; huit tableaux à Notre-Dame de Recouvrance, près de Brest ; diverses décorations dans les églises de Rouen, Fontainebleau, à l'église Saint-Eustache de Paris ; le plafond du théâtre de Nantes. Il peignit, dans la chapelle des Tuileries, *La mort de la sainte Vierge*, qui fut détruit durant la Commune. On lui doit aussi des cartons de vitraux pour la cathédrale de Reims. À partir de son installation en Algérie, il ne peignit plus que des scènes de la vie algérienne. Il publia des brochures sur l'École des Beaux-Arts de Paris et sur les expositions officielles. Comme musicien, il a composé des mélodies et des chants.

hip.te Lazerges
1859

hip - Lazerges

Bibliogr. : Lynne Thornton, in : *Les orientalistes peintres voyageurs*, ACR Édition, Paris, 1993.

Musées : Aix-la-Chapelle : *La Poésie* – Alger : *Le baiser de Judas – Le fils du charpentier – La République – Le Beskri* – Bernay : *Baigneuses* – Carcassonne (Mus. des Beaux-Arts) : *Le Génie éteint par la Volupté* – Limoges : *Le Printemps* – Montpellier : *Le reniement de saint Pierre* – Narbonne (Mus. d'Art et d'Hist.) : *Rêverie – Albani dans son atelier* – Orléans : *Le Christ* – Paris (Mus. du Louvre) : *Descente de croix* – Perpignan : *Dans les Aïssa-Ouas* – Roanne : *Sainte Marie l'Égyptienne ou Le refuge des pêcheurs – Une courtisane repentie dépose ses bijoux aux pieds de la Vierge* – Rochefort : *Fuite en Égypte* – Toulouse : *Le Christ après la flagellation* – Vannes : *Pietà*.

Ventes Publiques : Paris, 13 mars 1876 : *Café arabe* : **FRF 1 320** – Paris, 11 mars 1925 : *Marchande d'oranges à Alger* : **FRF 330** – Paris, 12 fév. 1945 : *La rencontre près du puits* : **FRF 5 000** – Paris, 28 juin 1950 : *Le foyer d'un théâtre national* : **FRF 21 000** – Paris, 15 mars 1976 : *Algérien devant sa maison*, h/pan. (27x22) : **FRF 2 800** – New York, 12 mai 1978 : *Fatima la chanteuse* 1877, h/t (123x84) : **USD 2 500** – Versailles, 4 nov 1979 : *A la fontaine*, h/t (65x81) : **FRF 6 100** – Versailles, 11 oct. 1981 : *Homme lisant* 1850, h/t (74x63) : **FRF 10 000** – New York, 25 mai 1984 : *Deux arabes au café*, h/pan. (65,5x47) : **USD 17 000** – Enghien-les-Bains, 27 oct. 1985 : *Intérieur d'un café arabe*, h/pan. (36,5x55) : **FRF 115 000** – New York, 27 fév. 1986 : *Porteuse d'eau algérienne* 1872, h/pan. (45x33) : **USD 4 500** – Versailles, 5 avr. 1987 : *La Caravane près de l'oued* 1873, h/t (50,5x73,5) : **FRF 40 000** – Copenhague, 5 avr. 1989 : *Paysage d'Afrique du Nord avec des dromadaires devant une construction à coupole*, h/t (39x55) : **DKK 12 000** – Londres, 16 fév. 1990 : *Propos galants*, h/pan. (61x42,5) : **GBP 10 120** – Paris, 6 avr. 1990 : *Au café maure* 1878, h/pan. (72,5x56) : **FRF 350 000** – Paris, 20 nov. 1990 : *L'enfant du désert* 1879, aquar. (40x27) : **FRF 3 500** – Monaco, 22 juin 1991 : *La descente de Croix* 1885, h/t (348x238) : **FRF 222 000** – Paris, 11 déc. 1991 : *Rêverie* 1883, h/t (72,8x68) : **FRF 69 000** – Stockholm, 19 mai 1992 : *Jeune marocain vendant des fleurs* 1879, h/pan. (40x28) : **SEK 16 500** – Londres, 7 avr. 1993 : *Jeune fille arabe près d'une fontaine* 1878, h/pan. (34x24) : **GBP 2 186** – New York, 26 mai 1993 : *Paysan oriental chargé d'un ballot de foin* 1884, h/t (73,7x57,8) : **USD 8 338** – Paris, 22 mars 1994 : *Café maure à Alger*, h/pan. (37x55) : **FRF 80 000** – Londres, 14 juin 1995 : *Algériens se reposant* 1882, h/pan. (57x38) : **GBP 6 670** – New York, 1er nov. 1995 : *La moisson* 1884, h/pan. (81x59,1) : **USD 12 650** – Londres, 22 nov. 1996 : *Un intérieur de bazar, Alger* 1875, h/t (32,3x49,5) : **GBP 4 600**.

LAZNIKAS Roland

Né le 21 mars 1943. XXe siècle. Actif en France. Brésilien.

Peintre.

Il vit et travaille à Lyon. Il a participé à la Biennale de Rio de Janeiro et à celle de Caen.

LAZON Lucien

XXe siècle. Français.

Sculpteur.

Il vécut et travailla à Cambrai. Sociétaire, à Paris, du Salon des Artistes Français, il figura au Salon de ce groupement.

LA ZUMAYA. Voir **IBIA Isabel de**

LAZYKINE Alexei

Né en 1928 à Podolsk (région de Moscou). XXe siècle. Russe.

Peintre de compositions à personnages, de natures mortes. Postcubiste.

Il termina ses études à l'Académie des Beaux-Arts Répine de Leningrad en 1956, où il fut élève de B. Ioganson. Depuis 1959, il participe à de nombreuses expositions collectives nationales. Il devint Membre de l'Union des Peintres d'U.R.S.S. en 1964. En 1968, il se fixa à Moscou.

Ses peintures des années soixante sont souvent consacrées aux chantiers et aux travailleurs, thèmes recommandés par les instances culturelles, mais qu'il traite dans un esprit postcubiste prononcé. En 1968, après son installation à Moscou, le thème de la ville ancienne devient dominant dans son œuvre.

Bibliogr. : In : Catalogue de la vente *Tableaux soviétiques*, Salle Drouot, Paris, 3 oct. 1990.

Ventes Publiques : Paris, 3 oct. 1990 : *Les chantiers du sud-ouest de Moscou* 1962, h/t (120x160) : **FRF 15 000** – Paris, 18 oct. 1993 : *La carafe jaune* 1962, h/t (89x65) : **FRF 12 200**.

LAZZARELLI Giulio

Né en 1607 à San Severino Marche. Mort en 1667 à San Severino Marche. XVIIe siècle. Italien.

Peintre.

On voit des œuvres de lui dans plusieurs églises de San Severino.

LAZZARETTI Andrea

Né en 1858 à Vicence. Mort en 1886. XIXe siècle. Italien.

Peintre d'histoire et de genre.

Il débuta vers 1883. Exposa à Turin et Rome.

LAZZARI Alfonso
XVIe siècle. Actif à Messine. Italien.
Peintre.
Il peignit une suite de tableaux illustrant la vie de Jésus pour l'église Saint-Pierre et Saint-Paul à Messine.

LAZZARI Bice
Née en 1903 à Venise. XXe siècle. Vivant à Rome. Italienne.
Peintre de compositions murales, pastelliste, peintre de techniques mixtes.
Diplômée de l'Académie des Beaux-Arts de Venise. A commencé à exposer en 1925, participant depuis à de nombreuses manifestations collectives, parmi lesquelles : Quadriennale de Rome, 1951, 1955 ; Triennale de Milan, 1951, 1954, 1957, etc. A évolué vers une abstraction informelle, qu'elle pratique avec des qualités de délicatesse. A exécuté des peintures murales.
Bibliogr. : *Peintres Contemporains*, Mazenod, Paris, 1964.
Ventes Publiques : Rome, 28 nov. 1989 : *Sans titre*, techn. mixte/t. (74x75) : **ITL 5 000 000** – Rome, 30 oct. 1990 : *Sans titre* 1962, h/t (88x100) : **ITL 3 200 000** – Rome, 3 déc. 1991 : *Sans titre* 1964, h/t (88,6x100) : **ITL 5 000 000** – Rome, 12 mai 1992 : *Sans titre* 1964, temp./pap. (48x65) : **ITL 1 400 000** – Rome, 30 nov. 1993 : *Sans titre* 1974, cr. et past./pap. (50x70) : **ITL 1 265 000** – Milan, 20 mai 1996 : *Sans titre* 1966, h. et cr./t. (75x75) : **ITL 3 910 000.**

LAZZARI Dante
Né en 1919 à Milan. XXe siècle. Actif puis naturalisé en France. Italien.
Peintre. Naïf.
Il participe à des expositions collectives, notamment, à Paris, au Salon des Indépendants en 1982, 1983, 1984, à Deauville en 1982, à Cannes en 1982 et 1987, à Nice en 1985.

LAZZARI Dionisio
Né à Naples. Mort en 1690. XVIIe siècle. Italien.
Sculpteur et architecte.
Il travailla surtout à Naples où il exécuta dans le style baroque, à la mode de son temps, des statues, des ornements pour les églises.

LAZZARI Donato d'Angelo. Voir **BRAMANTE**

LAZZARI Emilio
Né au XIXe siècle à Milan. XIXe siècle. Italien.
Peintre de genre.
Exposa à Milan, Rome et Turin.

LAZZARI Giacomo
XVIIe siècle. Actif à Trévise. Italien.
Peintre.
Il exécuta une *Sainte Famille avec saint Antoine* pour l'église de Coste d'Asolo.

LAZZARI Giannandrea
XVIIe siècle. Actif à Venise. Italien.
Sculpteur.
En 1634, cet artiste exécuta, avec le concours de Giambattista Galli, les sculptures du maître-autel en marbre de l'église de San Nicola à Venise.

LAZZARI Giovanni Antonio
Né en 1639 à Venise. Mort le 12 avril 1713. XVIIe-XVIIIe siècles. Italien.
Peintre.
On lui doit un retable qu'il peignit pour l'église d'Isola di Poreglia près de Malamocco.

LAZZARI Jacopo
Né à Florence. Mort en 1640 à Naples. XVIIe siècle. Italien.
Sculpteur.
Cet artiste, qui fit ses études en Toscane, s'établit à Naples où il fut le maître de Dionisio. Sans doute collabora-t-il avec lui.

LAZZARI Ottaviano
XVIIe siècle. Actif à Rome et à Naples. Italien.
Sculpteur.
En 1613 il travaillait pour la basilique Saint-Pierre à Rome.

LAZZARI Paris Maria
XVIIIe siècle. Actif à Bologne. Italien.
Peintre.
Il décora une chapelle de l'église San Giacomo Maggiore à Bologne.

LAZZARI Pietro
Né en 1898 à Rome. XXe siècle. Actif depuis 1925 aux États-Unis, puis naturalisé aux États-Unis. Italien.
Peintre.
Après avoir fait ses études à Rome, il fit la Première Guerre mondiale dans l'infanterie italienne, puis se rendit en France et, en 1925, aux États-Unis, où il se fixa dans Greenwich Village, le quartier des artistes de New York.
En Floride, il a réalisé de nombreuses décorations murales. Après la Seconde Guerre mondiale, il évolua vers une abstraction, dans l'esprit de l'expressionnisme abstrait de Hans Hofman.
Bibliogr. : Michel Seuphor : *Dictionnaire de la peinture abstraite*, Hazan, Paris, 1957.

LAZZARI Sebastiano
Né à Vérone. Mort vers 1770. XVIIIe siècle. Italien.
Peintre d'histoire, portraits, natures mortes, trompe-l'œil, sculpteur.
Il travailla à Vérone et à Vicence.
Ventes Publiques : Milan, 14 nov. 1990 : *Trompe-l'œil avec des instruments de musique, un calendrier, une sphère et une planche d'un livre d'astronomie ; Trompe-l'œil avec des instruments de musique posés sur un clavecin et une partition, une gravure représentant un rhinocéros et une carte de loterie de Venise*, h/t, une paire (chaque 76x91) : **ITL 150 000 000** – Coutances, 15 juin 1996 : *Trompe-l'œil au plat de melon, miroir et gravure*, h/t (49x63) : **FRF 82 000.**

LAZZARINI Domenico
Né en Italie. XXe siècle. Actif au Brésil. Italien.
Peintre.
Il a participé à des expositions au Brésil et en Europe. Il fut professeur de peinture à São Paulo, et à Rio de Janeiro. Il reçut une médaille d'argent au Salon d'Art Moderne de São Paulo.
Musées : Belo Horizonte – Cataguazes – Rio de Janeiro.

LAZZARINI Elisabetta
Née en 1662 à Venise. Morte le 9 juillet 1729 à Venise. XVIIe-XVIIIe siècles. Italienne.
Peintre.
On cite de cette artiste un *Eliezer et Rebecca* et un *Martyre de saint Vitale*, cette dernière œuvre exécutée pour l'église saint-Vitale, à Venise.

LAZZARINI Giovanni Andrea
Né le 9 novembre 1710 à Pesaro. Mort le 7 septembre 1801 à Pesaro. XVIIIe siècle. Italien.
Peintre et écrivain.
Il fut élève de Francisco Mancino, travailla à Rome de 1734 à 1749 avec Fantuzzi, puis à Venise et à Forli, où il copia particulièrement Carlo Cigniani. Il se distingua comme peintre de fresques et comme professeur. On loue autant la correction de son dessin que sa science de composition. *La Vierge avec sainte Catherine et le bienheureux Marco Fantuzzi*, à Fualdo, près de Rimini, est considérée comme son chef-d'œuvre.

LAZZARINI Gregorio
Né en 1655 à Venise. Mort en 1730 à Venise. XVIIe-XVIIIe siècles. Italien.
Peintre d'histoire, scènes mythologiques, compositions religieuses, portraits, dessinateur.
Il fut élève du peintre génois Francesco Rosa, mais il revint vite à la tradition vénitienne par sa recherche de la nature et l'éclat de son coloris. Il décora notamment la Sala della Scrutinio à Venise et la Patriarcale avec un *Saint Lorenzo Giustiniani*, considéré par Lanzi comme le chef-d'œuvre de l'école vénitienne à cette époque. Il fut le maître de Gianbattista Tiepolo.

Musées : Bergame (Acad. Carrara) : *Portrait d'homme* – Kassel : *Hercule et Omphale* – Venise (Gal. Roy) : *La rosée de la manne – Moïse faisant jaillir l'eau du rocher – Sacrifice d'Abraham – Amours battant un faune – Sujet analogue – La charité* – Venise (S. Pietro in Castello) : *Vie de Saint Laurent*, quatre scènes – Vienne (Gal. Harrach) : *Adam et Ève au paradis*.
Ventes Publiques : Venise, 1894 : *La Création d'Ève* : **FRF 800** – Londres, 31 juil. 1931 : *Mars et Vénus* : **GBP 73** – Milan, 30 mai 1972 : *Suzanne et les vieillards* : **ITL 950 000** – Milan, 8 mai 1984 : *La Sainte Famille avec saint Jean enfant*, h/t (145x118) : **ITL 8 000 000** – Milan, 21 avr. 1986 : *Agar et l'Ange*, h/t (115x151) : **ITL 17 000 000** – Milan, 4 avr. 1989 : *David et Goliath*, h/t (118x161) : **ITL 8 500 000** – Milan, 24 oct. 1989 : *Bacchanale* ;

Jeux de putti, h/t, une paire (92x152) : **ITL 130 000 000** – Rome, 8 mars 1990 : *La Charité ; L'Espérance*, h/t, de forme ovale octog (chaque 23x37) : **ITL 14 000 000** – Milan, 21 mai 1991 : *La Sainte Famille avec saint Jean, sainte Elisabeth et les anges*, h/t (72x99) : **ITL 46 330 000** – Aurillac, 24 nov. 1991 : *Achille parmi les filles de Lycomède*, h/t (149x190) : **FRF 250 000** – Paris, 28 juin 1993 : *Lucrèce surprise par Sextus*, h/t (114x146,5) : **FRF 150 000** – Londres, 18 avr. 1994 : *Courtisan faisant allégeance à une reine*, encre et lav. (28,9x36,9) : **GBP 2 530**.

LAZZARO dei Franceschi. Voir **FRANCESCHI**

LAZZARONI Giovanni Battista
Né vers 1626 à Crémone. Mort en 1698 à Plaisance. xviie siècle. Italien.
Peintre de portraits.
Élève de Tortiroli. Il travailla à Parme, Modène et Milan et fit entre autres les portraits de la famille Farnèse.

LAZZELL Blanche
Née en 1878 à Maidsville (Connecticut). Morte en 1956. xxe siècle. Américaine.
Peintre de paysages, natures mortes, fleurs.
Elle commença ses études à l'Art Students' League de New York, sous la direction de William M. Chase ; puis elle effectua un séjour en France, où elle fut élève de Charles Guérin et André Lhote et fut membre de la Société des Artistes Indépendants. Vers 1915 elle habitait Provincetown (Massachusetts) et était membre de l'Art Association de cette ville et participa activement à la création d'une Association de graveurs œuvrant pour la renaissance des bois gravés. Entre 1917 et 1955 elle exposa aux États Unis, en Europe, au Japon et reçut de nombreuses récompenses.
On reconnaît quelquefois dans ses œuvres de jeunesse l'influence du postimpressionnisme et du fauvisme : *Nature morte au pichet et oranges*. Plus tard son travail évoluera vers le cubisme et enfin, vers les années 1950, elle sera très attirée par les conseils de Hans Hoffman.

blanche lazzell.

Ventes Publiques : New York, 7 avr. 1982 : *Provincetown* 1927, h/t (61,5x56,1) : **USD 5 000** – New York, 15 mars 1984 : *Nature morte* 1920, grav./bois en coul. (29,2x30,1) : **USD 6 500** – New York, 12 sep. 1985 : *Petunias* 1938, monotype en coul. (34,9x30,2) : **USD 4 800** – New York, 24 juin 1988 : *Composition abstraite* 1928, cr./pap. (23,9x20,7) : **USD 1 650** – New York, 25 mai 1989 : *Fleurs*, h/pan. gravé (29x28,4) : **USD 15 400** – New York, 28 sep. 1989 : *Composition cubiste* 1927, fus./pap. (26,6x21) : **USD 2 090** – New York, 24 mai 1990 : *Nature morte abstraite* 1921, h/t (61x51,8) : **USD 26 400** – New York, 26 sep. 1990 : *Le chemin de derrière* 1966, encre d'imprimerie/pan. incisé (29,8x35,6) : **USD 8 800** – New York, 13 sep. 1995 : *Nature morte avec un pichet et des oranges* 1918, h/t (46,3x40,6) : **USD 9 200**.

LAZZERINI Alessandro
Né le 7 novembre 1860 ou 1869 à Carrare. Mort en 1942 à Carrare. xixe siècle. Italien.
Sculpteur de figures.
Il fut élève de l'Académie de Carrare, de Pelliccia, Carusi et Lazzerini. Il figura au Salon de Paris où il obtint une mention honorable à l'Exposition Universelle de 1889, une médaille bronze à celle de 1900.
Ventes Publiques : Rome, 28 mars 1995 : *Athlète* 1905, bronze (67x20x18) : **ITL 6 325 000** – New York, 23 oct. 1997 : *Coppia di bimbi che cadono*, marbre (H. 111,8) : **USD 37 375**.

LAZZERINI Francesco
Mort en 1808 à Carrare. xviiie-xixe siècles. Italien.
Sculpteur.
Il exécuta pour la ville de Philadelphie une statue en marbre de Benjamin Franklin.

LAZZERINI Giuseppe, l'Ancien
Mort en 1801 à Carrare. xviiie siècle. Italien.
Sculpteur de bustes, groupes.
Après des études à Munich, il se rendit en Angleterre, puis revint s'établir en Bavière. On cite de lui un *Combat des Lapithes et des Centaures*.

LAZZERINI Giuseppe, le Jeune
Né le 15 décembre 1831 à Carrare. Mort le 3 décembre 1895 à Carrare. xixe siècle. Italien.
Sculpteur de bustes.
Il travailla surtout à Rome, et à Carrare dont il dirigea l'Académie des Beaux-Arts.
Musées : Carrare (Mus. d'Art Mod.) – Narbonne.
Ventes Publiques : Londres, 16 mars 1977 : *Agar et Ismaël*, marbre blanc (H. 114, l. 107) : **GBP 1 600** – New York, 9 sep. 1993 : *Buste de Abraham Lincoln*, marbre blanc de Carrare (H. 76,2) : **USD 2 875**.

LAZZERINI Pietro ou **Lazzarini**
Né le 5 janvier 1842 à Carrare. Mort le 4 juin 1918 à Carrare. xixe-xxe siècles. Italien.
Sculpteur de bustes.
Il suivit les cours de l'Académie de Florence. Il a exposé à Milan et à l'étranger, notamment à Berlin, où il sculpta des portraits pour des membres de la cour, et à Paris. En 1875, il exposa à la Royal Academy de Londres.
Musées : Madrid (Gal. Mod.) : *Coquetterie*.

LEACH Ethel Pennewill Brown
Née à Wilmington (Delaware). xxe siècle. Américaine.
Peintre de portraits.
Elle fut élève de Howard Pyle. Elle fut membre de la Fédération américaine des arts et de la Ligue américaine des artistes professeurs.
On lui doit surtout des portraits. Elle présente des similitudes avec Ethel Isadora Brown.

LEADER Benjamin Williams
Né le 12 mars 1831 à Reading. Mort le 22 mars 1923 à Shere. xixe-xxe siècles. Britannique.
Peintre de paysages, paysages d'eau, paysages de montagne.
Il commença ses études dans sa ville natale et, en 1853, fut élève des écoles de la Royal Academy de Londres. L'année suivante, il exposait une peinture à cet Institut et y fut remarqué. Sa participation à l'Exposition de 1889, à Paris, lui valut une médaille d'or et la croix de la Légion d'honneur. Il fut élu associé de la Royal Academy en 1883 et académicien en 1898.
Il se fit rapidement apprécier comme peintre de montagnes.

B. W. LEADER

Bibliogr. : Frank Lewis : *Benjamin Williams Leader*, F. Lewis Publishers Ltd, Leigh-on-Sea, 1971.
Musées : Birmingham : *Abbaye de Tintern* – Blackburn : *Un jour d'automne* – Bristol : *Novembre* – Liverpool : *Fast falls the eventide* – *Belle matinée, Galles du Nord* – Londres (Victoria and Albert) : deux paysages – Londres (Tate Gal.) : *La vallée de la Llugwy* – Manchester : *Où l'eau coule paisible* – Melbourne : *Dans les champs* – Reading : *Moulin sur le Machno* – Salford : *Paysage agreste* – Sheffield : *La rivière à Bettws-y-Coed*.
Ventes Publiques : Londres, 1877 : *Paysage, la nuit* : **FRF 11 025** – Londres, 1883 : *L'automne en Suisse* : **FRF 8 925** ; *Solitude dans la montagne* : **FRF 13 387** – Londres, 1897 : *In the evening there shall be light* : **FRF 30 175** – Paris, 1899 : *Dunes* : **FRF 15 325** – Londres, 28 nov. 1908 : *A West Malvern* : **GBP 30** – Londres, 30 nov. 1908 : *Ruisseau du Pays de Galles, jour d'été* : **GBP 46** – Londres, 12 déc. 1908 : *Côtes du Pays de Galles, près Barmouth* : **GBP 105** – New York, 2 avr. 1909 : *Cottage dans le Surrey* : **USD 950** – Londres, 11 juin 1909 : *Soir ensoleillé, Nord du Pays de Galles* 1884-1885 : **GBP 294** – Londres, 9 juil. 1909 : *Le jour du départ* : **GBP 1 260** ; *Le soir* : **GBP 1 207** – Londres, 16 juil. 1909 : *Conway bay* 1892 : **GBP 591** – Londres, 9 avr. 1910 : *Les sables d'Aberdovey* 1888 : **GBP 225** – Londres, 9 déc. 1921 : *Un ruisseau dans les bois* : **GBP 378** – Londres, 10-11 juil. 1922 : *Coucher de soleil* : **GBP 262** – Londres, 21 juil. 1922 : *Crépuscule* : **GBP 315** – Londres, 7 mars 1924 : *Étang du pays de Galles* : **GBP 141** – Londres, 2 mai 1924 : *Un jour d'avril* : **GBP 525** – Londres, 15 mai 1925 : *Jour de départ* : **GBP 315** – Londres, 28 mai 1925 : *Bouleaux* : **GBP 204** – Londres, 8 avr. 1927 : *Coucher de soleil après la pluie* : **GBP 294** – Londres, 13 avr. 1928 : *Alton Loch* : **GBP 136** – Londres, 30 nov. 1928 : *Moll Siabod* : **GBP 131** – Londres, 1er déc. 1929 : *Dunes* : **GBP 204** – Londres, 16 mai 1930 : *Église dans la vallée de Shere* : **GBP 189** – Birmingham, 15 nov. 1933 : *Dans le calme du soir* : **GBP 105** – New York, 18 mai 1934 : *Paysage du Worcestershire* : **USD 250** – Londres, 6 nov. 1936 : *Kempsey sur la Severn* : **GBP 105** – Londres, 12 déc. 1938 : *Lac du pays de Galles* : **GBP 102** – Londres, 19 avr. 1944 : *Capel Curig* : **GBP 135** – Londres, 16 mars 1945 : *Après la pluie dans le Worcestershire* :

GBP 178 - Londres, 30 nov. 1945 : *Une île sur la Llugwy* : GBP 147 - Londres, 8 nov. 1946 : *Matin argenté* : GBP 162 - Londres, 31 jan. 1947 : *Paysage du Surrey* : GBP 152 - Londres, 7 mars 1947 : *Paisible soirée* : GBP 136 - Londres, 1er juin 1951 : *Paysage de Cornouailles* : GBP 136 - Londres, 28 jan. 1959 : *Printemps dans les Highlands* : GBP 300 - Londres, 8 juil. 1960 : *La rivière de Sabrina* : GBP 441 - Londres, 19 jan. 1968 : *Paysage fluvial boisé* : GNS 700 - Londres, 15 oct. 1969 : *Les verts pâturages* : GBP 4 200 - Londres, 6 mars 1970 : *Scène de moisson* : GNS 1 500 - Londres, 10 juil. 1973 : *Paysage au soir couchant* : GBP 7 000 - Londres, 25 jan. 1974 : *The river Llugwy, Bettws-y-Coed* : GNS 4 200 - Londres, 13 fév. 1976 : *Harlech* 1901, h/t (49,5x75) : GBP 1 400 - Londres, 14 juin 1977 : *Bord de mer* 1891, h/t (75x121) : GBP 3 500 - Londres, 20 mars 1979 : *Peace* 1875, h/t (89,5x150,5) : GBP 6 500 - New York, 28 mai 1981 : *Sabrina's Stream, Worcestershire* 1889, h/t (77,5x122) : USD 26 000 - New York, 24 fév. 1983 : *The sands of Aberdovey* 1888, h/t (112x183) : USD 19 000 - Londres, 22 mars 1985 : *Paysage fluvial en automne* 1877, h/t (59,6x90,2) : GBP 26 000 - Londres, 31 oct. 1986 : *Un jour d'été* 1879, h/t (66x107) : GBP 26 000 - Londres, 17 juin 1987 : *Sur la Llugwy, Galles du Nord* 1879, h/t (61x91,5) : GBP 24 000 - Londres, 15 juin 1988 : *Le jardin de l'artiste à Whittington, Worcestershire* 1886, h/t (76x116) : GBP 11 000 - Londres, 23 sep. 1988 : *L'étang près de l'église à Bettws-y-Coed* 1910, h/t (102x153) : GBP 20 900 - Toronto, 30 nov. 1988 : *Personnages dans un village anglais* 1885, h/t : CAD 30 000 - New York, 23 fév. 1989 : *Soirée d'automne après la pluie* 1886, h/t (76,8x122,2) : USD 52 800 - Londres, 2 juin 1989 : *Un passeur sur la Severn près de Worcester* 1897, h/t (61x101,5) : GBP 14 300 - Londres, 27 sep. 1989 : *La rivière Llugwy en Galles du Nord* 1870, h/t (61x91,5) : GBP 18 150 - Montréal, 30 oct. 1989 : *Sur le chemin de Gomshall dans le Surrey* 1906, h/t (41x61) : CAD 2 090 - Londres, 24 nov. 1989 : *Le silence du soir* 1890, h/t (143,5x214,3) : GBP 19 800 - New York, 1er mars 1990 : *Rayon de soleil dans le sous-bois* 1914, h/t (63,5x92) : USD 24 200 - Londres, 1er nov. 1990 : *Le matin sur les bords du Ivy O*, h/t (51x76) : GBP 14 850 - Montréal, 5 nov. 1990 : *Gomshall Common dans le Surrey* 1906, h/t (41x61) : CAD 2 090 - Londres, 8 fév. 1991 *Streatley-on-Thames*, - 1898. h/cart. (32,5x42) : GBP 4 950 - New York, 22 mai 1991 : *Matin brumeux dans les montagnes de Galles du nord* 1874, h/t/rés. synth. (72,4x108,6) : USD 26 400 - Londres, 14 juin 1991 : *La partie de croquet* 1871, h/cart. (23x30,5) : GBP 9 350 - Londres, 11 oct. 1991 : *Sur la Llugwy en Galles du Nord* 1880, h/t (40,5x61) : GBP 12 100 - New York, 20 fév. 1992 : *Ruisseau en été en Galles du Nord*, h/t (76,2x132,1) : USD 29 700 - Londres, 13 mars 1992 : *Après-midi d'été au bord de la rivière* 1871, h/t (101,6x152,4) : GBP 11 000 - New York, 27 mai 1992 : *L'église de Bettws-y-Coed et la rivière Conway* 1864, h/t (61,9x92,1) : USD 16 500 - Londres, 12 juin 1992 : *Nuages passant dans le ciel de Capel Curig en Galles du Nord* 1872, h/t (89,9x137,3) : GBP 22 000 - New York, 29 oct. 1992 : *Les monts de Jungfrau* 1901, h/t (61,5x92,5) : USD 8 800 - Londres, 13 nov. 1992 : *Tombereau chargé de troncs d'arbres* 1893, h/cart. (35,7x47) : GBP 3 960 - Londres, 12 nov. 1992 : *Le lac de Derwent* 1868, h/t (67x105,5) : GBP 7 700 - Édimbourg, 13 mai 1993 : *Vue des environs de Bettws-y-Coed* 1891, h/t (47,6x76,8) : GBP 2 090 - New York, 26 mai 1993 : *Soleil couchant dans les Highlands* 1886, h/t (73x103,5) : USD 11 500 - Londres, 5 nov. 1993 : *Près de Keswick dans le Cumberland* 1878, h/t (53,3x81,3) : GBP 12 075 - St. Asaph (Angleterre), 2 juin 1994 : *Kempsey-on-Severn* 1905, h/t (51x76) : GBP 14 720 - Ludlow (Shropshire), 29 sep. 1994 : *Soir d'automne au bord de la Severn près de Worcester* 1868, h/t (75x120) : GBP 34 500 - Londres, 10 mars 1995 : *Une île sur la Llugwy, juste avant Capel Curig en Galles du Nord* 1880, h/t (40,5x61) : GBP 12 650 - Londres, 29 mars 1996 : *Relique du passé* 1897, h/t (92x146,6) : GBP 24 150 - Londres, 6 nov. 1996 : *L'Abbaye de Tintern vue de la rivière* 1907, h/t (51x76) : GBP 6 900 - Londres, 8 nov. 1996 : *La Fenaison en Angleterre* 1879, h/t (91,5x137,2) : GBP 40 000 - Londres, 14 mars 1997 : *Le Soir*, h/t (123,2x184,2) : GBP 32 200 - Londres, 4 juin 1997 : *Les Abords d'une ferme, le soir* 1889, h/t (30,5x46) : GBP 4 600 - Londres, 7 nov. 1997 : *Le Sheum vu de Rosenlaui* 1879, h/t (87x63) : GBP 13 800 - Londres, 5 nov. 1997 : *Début d'été au bord d'une rivière hantée* 1899, h/t (107x183,5) : GBP 31 050.

LEADER William

xviiie siècle. Actif à Londres vers 1760. Britannique.

Graveur à la manière noire.

On cite notamment de lui une estampe de *Samson*, d'après Rembrandt.

LEAF June

xxe siècle. Américain.

Peintre. Imagiste.

Il vécut et travailla à Chicago. Il fit partie du premier groupe des « imagistes », de la génération des années cinquante, avec Cosmo Campoli, George Cohen, Léon Golub (...), aussi baptisés *Monster Roster* (tableau des monstres), dont les œuvres furent influencées par le surréalisme, l'art primitif, la tradition expressionniste européenne et l'art brut de Dubuffet.

LEAHY Edward Daniel

Né en 1797 à Londres. Mort le 9 février 1875 à Brighton. xixe siècle. Britannique.

Peintre de genre et de portraits.

Il exposa à la Royal Academy entre 1820 et 1853. La National Portrait Gallery, à Londres, conserve de lui le portrait de *Theobald Matthew*.

LEAK Stafford

Né le 1er janvier 1881 à Cambridge. xxe siècle. Britannique.

Peintre de paysages, paysages urbains, dessinateur, aquarelliste.

Il a représenté un grand nombre de sites de petites villes françaises.

LEAKE Gerald

Né le 26 novembre 1885 à Londres. xxe siècle. Actif aux États-Unis. Britannique.

Peintre.

Il fut membre du Salmagundi Club. Il obtint plusieurs récompenses de ce groupement, dont un prix de 1.000 dollars en 1923.

Son œuvre maîtresse : *Matin de Mai*, figure au Club national des Arts à New York.

Ventes Publiques : New York, 21 nov. 1945 : *Roses des vents* : USD 325.

LEAKEY James

Né en 1775 à Exeter. Mort le 16 février 1865 à Exeter. xixe siècle. Britannique.

Peintre de genre, portraits, paysages, miniaturiste.

Il se fit particulièrement remarquer comme peintre de miniatures dans le style des maîtres hollandais et fut appelé par Sir Thomas Lawrence « le Wouverman anglais ».

Musées : Londres (Nat. Portrait Gal.) : *Portrait de Samuel Cousins*.

Ventes Publiques : Londres, 12 mai 1972 : *La famille malheureuse* ; *La famille heureuse* : GNS 1 100 - Londres, 21 mars 1979 : *Paysage au pont animé de personnages*, h/pan. (25,5x35) : GBP 2 000 - Londres, 20 nov. 1985 : *The Trinity yacht and other vessels off Ramsgate beach, Kent*, h/t (53,5x76,5) : GBP 5 800 - Londres, 2 mai 1986 : *Personnages assis autour d'une table avec un homme lisant l'Exeter Gazette* 1838, h/pan. (35,6x45,7) : GBP 2 000 - Londres, 20 juil. 1987 : *Cavalier et paysans sur un chemin de campagne*, h/t (69x90) : GBP 2 700 - Londres, 29 jan. 1988 : *La belle histoire* 1838, h/pan. (36,8x52) : GBP 2 090 - Londres, 1er mars 1991 : *Portrait de Sir John Yarde-Buller, debout dans sa bibliothèque et vêtu d'un habit sombre et d'un gilet jaune*, h/t (50,8x36,2) : GBP 1 540 - Londres, 10 juil. 1991 : *Réunion du Colonel Sir James Kackson, du major George Lee et du major-général Brice Wakeford Lee autour d'une table*, h/t (158x131) : GBP 9 900 - Londres, 7 nov. 1996 : *Portrait de cinq des enfants du major Horatio Nelson Noble*, h/pan. (45x61) : GBP 2 760.

LEAL César

Né en 1948 à Sagua-la-Grande. xxe siècle. Cubain.

Peintre, dessinateur.

Il entre à l'École Nationale d'Art en 1968. Il participe depuis 1965 à de nombreuses expositions nationales et internationales. Il a obtenu des prix : en 1966 celui des Jeunes Peintres latino-américains, en 1968 le prix collectif de peinture au Salon de Mai à Paris, en 1970 le prix de peinture au concours pour le centenaire de la mort de Lénine. Il montre ses œuvres dans une première exposition personnelle en 1970.

Bibliogr. : Divers, dont Alejo Carpentier, in : Catalogue de l'exposition *Cuba - Peintres d'aujourd'hui*, Mus. d'Art Mod. de la Ville, Paris, 1977-1978.

LEAL Diego

Mort avant 1561. xvie siècle. Actif à Séville. Espagnol.

Sculpteur.

Cette date est celle du testament de cet artiste.

LEAL Fernando

Né en 1896. Mort en 1964. xxe siècle. Mexicain.

Peintre, muraliste.
Bibliogr. : Damian Bayon et Roberto Pontual : *La Peinture de l'Amérique latine au xxe siècle*, Mengès, Paris, 1990.

LEAL Paulo Pedro
Né en 1894 à Rio de Janeiro. xxe siècle. Brésilien.
Peintre de sujets militaires. Naïf.
Il exerça tout d'abord toutes sortes de métiers, domestique chez des Français établis au Brésil, employé des chemins de fer, puis se mit à dessiner sur les trottoirs pour vivre. Il fut remarqué à partir de 1950 et, dès lors, encouragé par des amateurs du Brésil et des États-Unis.
Il figura, à l'exposition *Huit peintres naïfs brésiliens*, à Paris, en 1965. Il montra ses œuvres dans des expositions personnelles, notamment à Rio en 1955.
Malgré l'éloignement dans le temps aussi bien que dans l'espace, il ne peint pratiquement que des scènes des grandes batailles de la guerre de 1914-1918, Verdun, Ypres ou bien des scènes de la vie quotidienne de ces soldats. Ses images sont composées, par remplissage maximum, à la façon des images d'Épinal de la série des batailles napoléoniennes.
Bibliogr. : *Huit peintres naïfs brésiliens*, catalogue de l'exposition, Gal. J. Massol, Paris, 1965.

LEAL Paulo Roberto
Né en 1946. xxe siècle. Brésilien.
Peintre. Néoconstructiviste.
C'est un artiste interprète du néoconstructivisme.
Bibliogr. : Damian Bayon et Roberto Pontual : *La Peinture de l'Amérique latine au xxe siècle*, Mengès, Paris, 1990.

LEAL Sebastian
xviie siècle. Actif à Séville en 1631. Espagnol.
Sculpteur.

LEAL GARCIA Francisco
Né vers 1749. Mort en 1814. xviiie-xixe siècles. Portugais.
Sculpteur.
Il travailla au tombeau du roi José Ier à Lisbonne.

LÉANDRE Charles Lucien
Né le 23 juillet 1862 à Champsecret (Orne). Mort en 1930 ou 1934. xixe-xxe siècles. Français.
Peintre de genre, portraits, dessinateur, illustrateur, pastelliste, aquarelliste, lithographe.
Il fut élève de Blin et Cabanel. Il exposa, à Paris, à partir de 1887, au Salon des Artistes Français, des scènes de genre et des portraits. Il est, avec Louis Morin, le fondateur de la Société des Humoristes. Il a obtenu une mention honorable en 1888 ; une médaille de bronze en 1889 dans le cadre de l'Exposition Universelle. Chevalier de la Légion d'honneur en 1900.
Il fut un dessinateur appartenant à l'École montmartroise, suscitée par le *Chat Noir*. Il fut surtout connu du grand public pour ses dessins humoristiques publiés dans la presse : des charges politiques ou des caricatures de têtes couronnées, sans trop de méchanceté. Il collabora à de nombreuses revues et journaux avec des caricatures : *l'Assiette au beurre, Chat noir, Le Figaro, Gaulois, Grosse caisse, Le Rire* dont les premières pages firent sa célébrité, *Journal amusant, L'Illustration*, etc.
Mais on oublie trop qu'il fut peintre et surtout pastelliste, se consacrant souvent au portrait : *Mère de l'artiste* ; *Georges Courteline* ; *Le Ténor Engel*, etc. De même : *La Vie du peintre*, triptyque qui décora un café parisien ; *Souper du pauvre* ; *Dîner de noces* ; *Maison de l'artiste en Normandie*, etc. Parfois, Léandre s'est diverti à exécuter de petites sculptures en terre ou bois. Il fut également un lithographe habile.
Il est en outre l'auteur des albums : *Musée des souverains* ; *Nocturnes* et *Paris et la Province*. Il a illustré plusieurs ouvrages dont : *La Légende de l'Aven*, de P. Arène, 1892 ; *Facino Cane*, de Balzac, 1910 ; *L'Arriviste*, de F. Champsaur, 1933 ; *Nuits de quinze ans*, de F de Croisset, 1898 ; *Madame Bovary*, de Flaubert, 1931 ; *L'Avenir d'Aline*, de H. Gréville, 1899 : *Autre temps*, de E. Haraucourt, 1930 ; *Dix contes*, de G. de Maupassant, 1929 ; *Mémoire des autres*, de J. Simon ; *La Vie de Bohème*, de H. Murger ; *Brichanteau comédien*, de J. Claretie.

C. Léandre

C. Léandre

Bibliogr. : In : *Diction. des illustrateurs 1800-1914*, Ides et Calendes, Neuchâtel, 1989.
Musées : Barcelone – Caen – Dijon : *Une vieille normande* – La Ferté-Macé – Flers – Moulins – Paris (Mus. Petit-Palais) – Paris (Mus. Carnavalet) – Paris (Mus. de la Légion d'honneur) – Rouen : *La Femme au singe* – Tours – Vire : *Les Deux Amis* vers 1892.
Ventes Publiques : Paris, 4-5 juin 1903 : *La Princesse jaune*, projet d'affiche : **FRF 100** – Paris, 16 déc. 1925 : *La Prière*, past. : **FRF 305** – Paris, 23 déc. 1942 : *Le Discours du Maire* 1912 : **FRF 1 800** – Paris, 23 mars 1945 : *Jeune femme en robe jaune* 1897, past. : **FRF 1 800** – Nice, 17 fév. 1972 : *Jeune femme et son chien*, past. : **FRF 6 800** – Paris, 4 nov. 1977 : *Le rêve hollandais* 1905, past. (51x62,5) : **FRF 10 000** – Orléans, 10 mai 1980 : *Jeune femme choisissant un tableau*, past. (33x50) : **FRF 14 000** – Barbizon, 27 fév. 1983 : *Portrait de jeune femme au buste dénudé*, past. (54x41) : **FRF 11 000** – Lokeren, 16 fév. 1985 : *Pour les cuisinières... c'est encore le printemps*, fus. (58x43) : **BEF 60 000** – Versailles, 21 fév. 1988 : *L'Éducation sentimentale de Gustave Flaubert* 1918, quatre aquar. ayant servi à l'illustration (18,5x20 et 12,5x13,5) : **FRF 7 500** – Monaco, 2 déc. 1988 : *Portrait d'Eliot* 1887, past. (58x35) : **FRF 38 850** – Paris, 11 avr. 1989 : *Compliments à l'hôtesse* 1923, dess. (38x75) : **FRF 6 000** – Paris, 6 juil. 1990 : *La toilette*, cr. et gche (60x45) : **FRF 13 000** – Paris, 12 déc. 1990 : *Dîner de noces* 1930, h/t (71x99) : **FRF 200 000** – Paris, 5 avr. 1992 : *Le repas de l'ogre*, cr. gras et aquar./pap. (32x28) : **FRF 16 600**.

LEANG CHE-MIN. Voir **LIANG SHIMIN**

LEANG K'AI. Voir **LIANG KAI**

LEANG PAI-P'O. Voir **LIANG BAIPO**

LEANG PAO-TS'EU. Voir **LIANG BAOCI**

LEANG TCHE-TCHONG. Voir **LIANG ZHIZHONG**

LEANG TING-MING. Voir **LIANG DINGMING**

LEANG-TS'IUAN. Voir **LIANGQUAN**

LEANG YONG-T'AI. Voir **LIANG YONGTAI**

LEANNOF Ferdinand
xixe siècle.
Graveur.
Le Musée de Gray conserve une eau-forte de lui : *Portrait de ma grand'mère*.

LEAO Carlos
Né en 1906 à Rio de Janeiro. xxe siècle. Brésilien.
Dessinateur de figures, compositions animées.
Il a signé des compositions diverses, des groupes, des figures de jeunes filles.
Ventes Publiques : São Paulo, 11 août 1981 : *Le Repos du modèle*, encre et acryl. (47x37,5) : **BRL 81 000**.

LEAO PING-HSIONG. Voir **LIAO XINXUE**

LEAO SIN-HIO. Voir **LIAO XINXUE**

LEAR Charles Hutton
Né en 1818. Mort en 1903. xixe siècle. Actif à Londres. Britannique.
Dessinateur, peintre d'histoire, de portraits et de genre.
On mentionne cet artiste comme ayant produit des portraits dessinés à l'encre ou au crayon. On cite notamment à la National Portrait Gallery, à Londres : *Lord Brougham* (1857) et *Croquis au crayon de vingt-cinq artistes de l'époque* (1845).
Ventes Publiques : Londres, 15 mars 1983 : *A glimpse of the fairies*, h/t (58,5x75) : **GBP 5 200**.

LEAR Edward
Né en 1812 à Holloway. Mort le 29 janvier 1888 à San Remo. xixe siècle. Britannique.
Peintre de paysages, aquarelliste, dessinateur, illustrateur.
Cet artiste était le dernier-né d'une famille de vingt et un enfants. Des amis l'aidèrent à mettre en lumière ses remarquables dispositions de dessinateur et, en 1835, il venait à Londres avec un réel talent de dessinateur d'histoire naturelle. Il débuta à l'Exposition de Suffolk Street en 1836. En 1846, il partit pour le continent et visita l'Italie, la Grèce, l'Albanie, la Sicile, Malte, la Corse, la Palestine, la Syrie et l'Égypte, dessinant et peignant sur son parcours de remarquables études.
Il publia notamment, à la suite de ce voyage : *Croquis de Rome et de ses environs*. Edward Lear illustra un grand nombre d'ou-

vrages, notamment *The Knowsley Menagerie*, publication aujourd'hui rare et recherchée. Poète, il écrivit des *Limericks* qu'il illustra lui-même de dessins humoristiques et volontairement absurdes. Ces textes et dessins – chefs-d'œuvre du *nonsense* – eurent une influence certaine sur Lewis Carroll, de nombreux illustrateurs satiriques anglais, et même sur les surréalistes (Magritte, notamment). Bien qu'il ne fût pas considéré comme peintre par le public, Lear a peint de fort jolis paysages.

Musées : Chantilly : *Coucher du soleil sur l'île de Philae.*
Ventes Publiques : Londres, 10 juin 1909 : *Philae* : **GBP 4** – Londres, 28 juin 1944 : *Venise, le Grand Canal et le Rialto*, dess. : **GBP 23** – Londres, 19 déc. 1945 : *Vues d'Égypte*, trois dessins : **GBP 34** – Londres, 5 oct. 1951 : *Les pyramides de Ghizeh*, h/t (50,8x101,6) : **GNS 36** – Londres, 19 avr. 1961 : *La baie de Raguse*, aquar. : **GBP 200** – Londres, 27 avr. 1965 : *Vue de la forêt Le Pins ; Près de Cannes*, aquar. : **GNS 480** – Londres, 19 mars 1968 : *La baie d'Ajaccio*, aquar. et reh. de blanc : **GNS 650** – Londres, 26 juin 1968 : *Les pins de Ravenne* : **GBP 1 500** – Londres, 11 juil. 1969 : *Aqueduc dans la campagne romaine* : **GNS 1 300** – Londres, 14 oct. 1969 : *La côte dalmate*, aquar. : **GNS 360** – Londres, 16-17 juin 1970 : *Vue de Corfou* : **GBP 1 900** ; *Corfou*, aquar. : **GNS 1 700** – Londres, 14 nov. 1973 : *Beyrouth*, aquar. et reh. de blanc : **GNS 1 500** – Londres, 16 mars 1973 : *La forêt de Bavella ; Corse* : **GNS 7 500** – Londres, 25 jan. 1974 : *Vue de la campagne romaine* : **GNS 3 200** – Londres, 28 nov. 1974 : *Constantinople*, aquar. : **GBP 1 300** – Londres, 14 juil. 1976 : *Paysage du Liban* 1866, h/t (37x68) : **GBP 5 800** – Londres, 29 juil. 1977 : *Vue de Jérusalem au soir couchant* 1859, h/t (46,4x74,8) : **GBP 7 000** – Londres, 28 nov. 1978 : *Vue de la citadelle de Corfou*, aquar. et reh. de blanc (17,2x36,5) : **GBP 2 400** – Londres, 20 mars 1979 : *Therapia* vers 1848, cr. et pl. reh. de blanc (12,3x21) : **GBP 1 100** – Londres, 2 mai 1979 : *Vue de Corfou* 1856, aquar. et pl. reh. de blanc (30x46,5) : **GBP 3 900** – Londres, 20 juil 1979 : *Mount Kinchinjuga* 1877, h/t (185,2x287) : **GBP 70 000** – Londres, 6 mars 1981 : *Les pyramides de Ghizeh*, h/t (50,8x101,6) : **GBP 32 000** – Londres, 18 mars 1982 : *Un léopard* 1833, aquar. (23x33,5) : **GBP 7 500** – Londres, 11 nov. 1982 : *Le lac de Zurich* 1854, pl./trait de cr. (32,5x50,5) : **GBP 1 700** – Londres, 7 juil. 1983 : *Le Nil à Abou Seer, la deuxième cataracte* 1867, pl. et encres brune et grise avec aquar. reh. de blanc (34x54) : **GBP 6 000** – Londres, 29 mars 1983 : *Vue de Corfou* 1858, aquar. et cr. reh. de blanc (17,8x25) : **GBP 7 000** – Londres, 22 nov. 1983 : *Le Mont Sinaï*, h/t (23x46) : **GBP 12 000** – Londres, 119 nov. 1985 : *Wady Halfeh* 1867, aquar. cr. et pl. reh. de blanc/pap. coloré (30x53,8) : **GBP 20 000** – Londres, 20 juin 1986 : *A book of Nonsense*, pl., deux volumes comprenant soixante-dix-neuf dess. humoristiques : **GBP 130 000** – New York, 25 fév. 1988 : *Paysage côtier à Laggia* 1864, encre et aquar. (15,9x24,9) : **USD 1 760** – New York, 25 mai 1988 : *Monaco*, aquar. et gche (11,7x18,4) : **USD 7 700** – Londres, 25 jan. 1989 : *Pêcheurs du bord du Nil* 1854, encre et aquar. (8x15,5) : **GBP 1 320** – New York, 24 mai 1989 : *Crescenza* 1844, aquar. et gche/pap. (7,5x13,8) : **USD 6 050** – Londres, 12 juil. 1989 : *Vue de Hardwar*, h/t (37,5x23) : **GBP 52 800** – New York, 1er mars 1990 : *Camerino en 1849*, aquar. sur cr./pap. (32,5x51,9) : **USD 19 800** – Londres, 19 juin 1990 : *Corfou* 1859, h/t (70,5x115,5) : **GBP 132 000** – Londres, 10 juil. 1991 : *Le monastère de Stavroniketes au Mont Athos*, h/t (27x50) : **GBP 35 200** – York (Angleterre), 12 nov. 1991 : *Cerigo à Corfou*, aquar. (16x25,5) : **GBP 6 050** – Londres, 9 avr. 1992 : *Wadi Halfeh sur le Nil*, encre et aquar. (16x34,5) : **GBP 2 200** – Londres, 12 nov. 1992 : *Marathon* 1872, h/t (34,6x55,2) : **GBP 33 000** – New York, 17 fév. 1993 : *Dubrovnik en Yougoslavie*, encre et aquar./pap. (36,8x55,2) : **USD 21 850** – Londres, 8-9 juin 1993 : *La route des Pyramides à Ghizeh* 1873, h/t (53x104) : **GBP 232 500** – Londres, 30 mars 1994 : *Le Mont Sinaï* 1853, h/t (diam. 57) : **GBP 62 000** – Londres, 10 mars 1995 : *La Pineta à Ravenne* 1866, h/t (23,5x46,7) : **GBP 40 000** – New York, 1er nov. 1995 : *La côte libanaise avec le Mont Sannine à distance* 1861, h/t (73,7x146,1) : **USD 244 500** – New York, 18-19 juil. 1996 : *Temple de Vesta à Rome* 1842, cr. et encre avec reh. de gche/pap. (25,4x40) : **USD 5 750** – Londres, 6 nov. 1996 : *Les Pyramides de Ghizeh*, h/t (51x101,5) : **GBP 155 500** – Londres, 9 juil. 1997 : *Civita Castellana* 1844, h/t (36x55) : **GBP 43 300** – Londres, 6 juin 1997 : *Nuneham* 1860, h/t (52x80) : **GBP 84 000.**

LEARNED Arthur Garfield
Né le 10 août 1872 à Chelsea (Massachusetts). XXe siècle. Américain.
Peintre.
Il étudia à Vienne et Munich et fut élève de Laurens à Paris. Il se spécialisa dans les portraits et la décoration.
Musées : New York (Bibl. Muni.) – Washington D. C. (Bibl. Muni.).

LEARQUE
IXe siècle avant J.-C. Actif à Rheginne environ 800 ans avant J.-C. Antiquité grecque.
Sculpteur.
Pausanias assure qu'il fit un *Jupiter*, placé dans l'acropole de Sparte, qui était la plus ancienne statue de bronze que l'on connût.

LEATHEM W. J.
XIXe siècle. Britannique.
Peintre de marines.
Exposa à la Royal Academy entre 1840 et 1855. Le Musée de Bristol conserve de lui : *Au large de Shoreham.*

LÉAUTÉ J. ou **F.**
XIXe siècle. Actif en Suède. Français.
Miniaturiste.
Français émigré pendant la Révolution, cet artiste devint l'un des portraitistes favoris de la haute société suédoise. Le Musée de Stockholm possède des miniatures de lui.

LEAUTEZ Eugénie Anne Marie
Née en 1849 à Troyes (Aube). XIXe siècle. Française.
Peintre.
Élève de Schitz, Ségé et A. Moreau. Le Musée de Strasbourg conserve d'elle : *Noyer en Champagne* (1882), et celui de Troyes : *Vue de la Loge-aux-Chèvres* et *La cour du Musée de Troyes.* Exposa au Salon à partir de 1874.

LEAVER Charles H.
XIXe siècle. Britannique.
Peintre de paysages animés, paysages.
Il était actif vers 1872.
Ventes Publiques : Londres, 28 juin 1977 : *The Half Moon Inn, Durnsford, Devonshire* 1882, h/t (86x142) : **GBP 680** – Londres, 3 juil 1979 : *Aston church, winter* 1864, h/t (40x56) : **GBP 800** – Londres, 14 juil. 1983 : *Wargrave, Northamptonshire* 1876, h/t (53x84) : **GBP 2 000** – Londres, 13 fév. 1991 : *Chemin empierré*, h/t (diam. 71) : **GBP 1 375** – Londres, 3 nov. 1993 : *Worcester vu du sud-ouest* 1875, h/t (90,5x135) : **GBP 4 025** – Londres, 25 mars 1994 : *Le Ramassage du bois de chauffage*, h/t (32,7x45,7) : **GBP 2 760** – Londres, 29 mars 1995 : *Moulin à eau en hiver* 1872, h/t (66,5x94,5) : **GBP 2 070** – Londres, 5 sep. 1996 : *Moulin dans un paysage d'hiver gelé* 1881, h/t (76,2x127) : **GBP 1 150.**

LEAVER Noel Harry
Né en 1889. Mort en 1951. XXe siècle. Britannique.
Peintre de scènes animées, figures, paysages urbains, architectures, peintre à la gouache, aquarelliste, dessinateur. Orientaliste.

Ventes Publiques : Londres, 31 juil 1979 : *Jour de marché à Vérone*, aquar. et gche (35x51,5) : **GBP 500** – Londres, 1er juin 1983 : *Une ville arabe*, aquar. reh. de gche (36x53) : **GBP 1 800** – New York, 15 fév. 1985 : *Scène de rue au Caire*, aquar. (52x36,8) : **USD 4 500** – New York, 25 fév. 1988 : *La porte Sacrée*, aquar. et gche (38x27,9) : **USD 1 980** – Londres, 25 jan. 1989 : *Vue de Rome*, aquar. et gche (28,5x45,5) : **GBP 3 300** – Londres, 31 jan. 1990 : *L'appel à la prière ; La porte romane en Afrique du Nord*, aquar., une paire (chaque 35,5x25,5) : **GBP 2 860** – Londres, 22 nov. 1990 : *Une ferme galloise*, aquar. avec reh. de blanc (36,1x53,3) : **GBP 1 760** – Londres, 5 juin 1991 : *Rue ensoleillée à Paris*, aquar. avec reh. de gche (45x29) : **GBP 880** – Londres, 12 juin 1992 : *Porte en arche d'une ville mauresque*, cr. et aquar. (30,2x53) : **GBP 1 100** – Londres, 13 nov. 1992 : *Un canal hollandais*, aquar. avec reh. de blanc (17,5x26,5) : **GBP 748** – New York, 16 fév. 1993 : *Un village arabe*, aquar./pap. (25,5x36,2) :

USD 2 860 – New York, 20 jan. 1993 : *Rue de village arabe*, aquar./cart. (26,7x19,1) : **USD 805** – Londres, 5 mars 1993 : *Une rue de la cité ancienne de Luxembourg*, cr. et aquar. (51,5x35,6) : **GBP 1 725** – New York, 17 fév. 1994 : *La mosquée de Tétouan*, aquar./pap. (36x25,5) : **USD 1 495** – Londres, 29 mars 1995 : *Rue d'Alger ; En Algérie*, aquar. (chaque 36,5x26,5) : **GBP 3 910**.

LEAVERS Lucy Ann
Née à Nottingham. xixe siècle. Britannique.
Peintre de genre, animalier.
Musées : Nottingham : *Chiens attaquant une ruche*.
Ventes Publiques : Londres, 13 fév. 1987 : *Deux poussins*, h/t (15,9x22,8) : **GBP 3 000** – New York, 30 oct. 1992 : *Les Amis dans la grange*, h/t (90,2x125,7) : **USD 8 800** – New York, 18 fév. 1993 : *Trois contre un*, h/t (87x123,2) : **USD 8 800** – Londres, 3 juin 1994 : *Un morceau de choix*, h/t (29,2x39,4) : **GBP 2 530**.

LEAVITT Edward Chalmers
Né en 1842. Mort en 1904. xixe-xxe siècles. Américain.
Peintre de natures mortes, fleurs et fruits.
Ventes Publiques : New York, 29 avr. 1977 : *Nature morte aux fruits* 1868, h/t (64x76,5) : **USD 2 600** – New York, 8 août 1980 : *Panier de fleurs* 1895, h/t (30,5x51) : **USD 1 300** – Los Angeles, 16 mars 1981 : *Nature morte aux oranges* 1882, h/t (26x31) : **USD 2 800** – New York, 1er juin 1984 : *Prunes chinoises* 1888, h/t (90,9x30,2) : **USD 10 000** – New York, 30 mai 1985 : *Nature morte aux fruits* 1881, h/t (55,8x91,4) : **USD 10 000** – New York, 4 déc. 1986 : *Raisins* 1897, h/t (101,6x45,7) : **USD 4 000** – New York, 20 mars 1987 : *Nature morte aux fruits, verre et carafe* 1876, h/t (51,4x40,9) : **USD 6 000** – New York, 26 mai 1988 : *Pommes*, h/t (35,5x45,7) : **USD 4 180** – New York, 25 mai 1989 : *Nature morte égyptienne* 1870, h/t (40,6x50,8) : **USD 6 600** – New York, 16 mars 1990 : *Une coupe de fraises* 1900, h/t (30,5x50,7) : **USD 3 850** – New York, 30 mai 1990 : *Nature morte de roses* 1899, h/t (30,5x50,8) : **USD 2 750** – New York, 14 nov. 1991 : *Nature morte de gibier mort* 1872, h/t (50,8x42) : **USD 2 200** – New York, 18 déc. 1991 : *Nature morte de roses roses et jaunes* 1895, h/t (61x73,7) : **USD 4 400** – New York, 4 déc. 1992 : *Pensées* 1885, h/t (35,4x45,5) : **USD 14 300** – New York, 22 sep. 1993 : *Nature morte de fruits* 1885, h/t (46x55) : **USD 4 600** – New York, 28 nov. 1995 : *Nature morte avec un vase, une chope, une coupe avec du raisin et des groseilles* 1886, h/t (65,8x50,8) : **USD 2 875**.

LEB Wolfgang
xvie siècle. Actif en Bavière et au Tyrol vers 1500. Autrichien.
Sculpteur.
Il travailla sans doute surtout à Wasserburg. On lui doit des tombeaux et des armoiries exécutés souvent pour les Comtes d'Ebersberg et de Limbourg.

LEBACI Mihai
Né le 31 août 1936 à Satu-Mare (Roumanie). xxe siècle. Actif depuis 1976 en Allemagne (ancienne R.F.A.). Roumain.
Peintre, graveur, peintre de compositions murales, peintre de cartons de mosaïques, décorateur.
Il est diplômé de l'Institut d'Arts Plastiques N. Grigorescu de Bucarest en 1963, ayant travaillé dans les ateliers de Corneliu Baba, Adam Baltaru, G. Popescu.
Il participe à des expositions de groupe en Roumanie, Allemagne, Autriche, Suisse, Grèce, Angleterre, Liban, Pologne, Japon, Australie... Il montre ses œuvres dans des expositions personnelles, la première, en 1967, à Baia-Mare, puis une quinzaine d'autres en Roumanie et en Allemagne.
La source d'inspiration stylistique de Mihai Lebaci se nourrit principalement des icônes byzantines et des miniatures à caractère fantastique du Moyen Âge. Des figures, généralement de simples silhouettes, envahissent l'espace de ses représentations qui, sur un mode narratif et rythmé, illustre un monde merveilleux où fêtes, danses et musique s'entremêlent.
Bibliogr. : Ionel Jianou et divers, in : *Les Artistes roumains en Occident*, American Romanian Academy of Arts and Sciences, Los Angeles, 1986.

LEBACQ Georges
xxe siècle. Français.
Peintre.
Musées : Mulhouse : *Mer du Nord*.

LE BACRE Hakinet. Voir **HAKINET Le Bacre**

LE BACYEN J.
xviiie siècle. Actif à Toulouse en 1707. Français.
Graveur.
Il a gravé des portraits.

LE BA DANG Dang
Né en 1921, ou 1922 à Quang Taï. xxe siècle. Depuis 1940 actif en France. Vietnamien.
Peintre, graveur, lithographe, dessinateur, sculpteur, créateur de décors et costumes de scène.
Il fut élève des Écoles des Beaux-Arts de Toulouse et Paris. Il est également actif aux États-Unis. Il expose surtout aux États-Unis et au Japon. En 1989, il fut lauréat du Prix de l'Institut International de Saint Louis (USA).
Bibliogr. : In : *De Bonnard à Baselitz – Dix ans d'enrichissements du Cabinet des Estampes 1978-1988*, Bibliothèque nationale, Paris, 1992.
Musées : Paris (BN, Cab. des Estampes).

LE BAIL Louis
Né le 17 avril 1866 à Evron (Mayenne). Mort en 1929. xxe siècle. Français.
Peintre de paysages. Tendance postimpressionniste.
Il fut influencé par Pissarro et Cézanne. Il exécuta des paysages qu'il exposa, à Paris, au Salon des Indépendants à partir de 1905, puis aux Salons d'Automne et des Tuileries.
Ventes Publiques : Paris, 21 fév. 1920 : *Paysage* : **FRF 500** – Paris, 3 déc 1928 : *L'Hiver, temps de neige* : **FRF 900** – Paris, 12 mars 1941 : *Paysage* : **FRF 160**.

LEBAILLIF Alexandre Gabriel
Né à Vaugirard. xixe siècle. Français.
Peintre de portraits et de genre.
Élève d'Abel de Pujol. Exposa au Salon de 1834 à 1861. On cite de lui : *Les Amours moissonneurs*.

LE BAILLY
xixe siècle. Actif à Paris. Français.
Portraitiste et aquarelliste.
Exposa au Salon en 1834 et 1839.

LE BALER Thierry
Né en 1960 à Paris. xxe siècle. Français.
Dessinateur, pastelliste, peintre, technique mixte, sculpteur.
Il participe à des expositions collectives, dont *Les Peintres à suivre*, à l'École des Beaux-Arts de Paris en 1986, le Salon de la Jeune peinture en 1988. Il montre ses œuvres dans des expositions personnelles en 1988 à la galerie Zographia à Bordeaux et à la galerie Solutis à Toulouse.
Il a commencé par faire de la sculpture avec du plâtre. Sa pratique du dessin est influencée d'une part par Matisse pour sa rapidité et sa justesse, d'autre part il a gardé de l'expérience Cobra le signe comme élément d'une écriture humoristique.
Musées : Paris (FNAC) : *Sans titre* 1987.

LE BARBIER G. Louis
xviiie siècle. Français.
Dessinateur et aquarelliste.
Ventes Publiques : Paris, 16 et 17 mai 1929 : *Le vieux pont romain*, dess. : **FRF 1 750** – Paris, 25 avr. 1931 : *Le vieux pont, Rome* 1763, pl., reh. d'aquar. : **FRF 700**.

LE BARBIER Jean Jacques François, l'Aîné
Né le 11 novembre 1738 à Rouen (Seine-Maritime). Mort le 7 mai 1826 à Paris. xviiie-xixe siècles. Français.
Peintre d'histoire, sujets allégoriques, portraits, dessinateur, illustrateur.
Après avoir commencé ses études à Rouen, il vint à Paris et entra à l'École de l'Académie Royale comme élève de Pierre. Durant plusieurs années, il voyagea en Suisse, dessinant les sites les plus pittoresques pour le *Tableau topographique de la Suisse*, de Zurlauben et, ce travail terminé, il se rendit à Rome. Agréé à l'Académie des Beaux-Arts de Paris le 20 juillet 1780, il fut académicien en 1785 ; également écrivain, il fut membre de l'Institut en 1816. Il obtint une première médaille en 1808. Il exposa au Salon de Paris à partir de 1781 et continua à y figurer assidûment avec des tableaux et des dessins jusqu'en 1814. Ce fut un ardent propagandiste des principes de Vien et de David et ses nombreux modèles de dessin contribuèrent à faire proscrire de la forme plastique la grâce du xviiie siècle. Il a fait des illustrations pour les œuvres d'Ovide, de Racine, Rousseau, Delille.

Lebarbier

Musées : Angers : *Tombeau de Sextius* – Brest : *Portrait de Mlle Lhuillier* – Le Mans : *Sacrifice* – Nancy : *Dévouement héroïque de Desilles*.

Ventes Publiques : Paris, 1898 : *Nymphes et Amours*, deux aquarelles formant pendants : **FRF 600** – Paris, 1899 : *Jeune fille*, past. : **FRF 1 050** – Paris, 27 nov. 1900 : *Le marchand d'esclaves* : **FRF 1 580** – Paris, 17 déc. 1900 : *Jeune femme fouettant l'Amour*, aquar. : **FRF 480** – Paris, 18 oct. 1907 : *Bacchus et Vénus* : **FRF 455** – Paris, 7-9 mai 1919 : *La maison de Mme de Brunoy, aux Champs-Élysées*, aquar. : **FRF 8 000** – Paris, 26 nov. 1919 : *Bacchanale*, aquar. : **FRF 1 600** – Paris, 3-4 mai 1923 : *Nymphe cueillant des fleurs* : **FRF 2 250** – Paris, 7-8 mai 1923 : *Vue des Jardins de la villa Aldobrandini, à Rome*, pl. et aquar. : **FRF 4 200** – Paris, 30 mai 1924 : *Le Cortège de Flore*, dess. aquarellé : **FRF 4 000** – Paris, 10 et 11 juin 1925 : *Vue du Tombeau de Virgile, au-dessus de la grotte de Pausilippe, près de Naples* : **FRF 2 600** – Paris, 26 mars 1926 : *Vue de Barèges*, aquar. : **FRF 1 250** – Paris, 22 mars 1928 : *Le Temple de Romulus à Rome*, pl. et aquar. : **FRF 4 200** – Paris, 24 et 25 mai 1928 : *Vue des jardins de la villa Aldobrandini*, pl. et aquar. : **FRF 6 000** – Paris, 10 et 11 déc. 1928 : *Paysage*, dessin : **FRF 5 200** – Paris, 18 mars 1937 : *Le sacrifice à Priape* : **FRF 3 500** – Paris, 25 juin 1937 : *L'amour brûlant ses ailes* : **FRF 1 000** – Paris, 29 nov. 1937 : *Portrait d'un poète écrivant, assis dans un intérieur* : **FRF 3 300** – Paris, 2 avr. 1941 : *Portrait de jeune fille* : **FRF 2 700** – Paris, 5 et 6 juin 1941 : *Personnage jouant du hautbois*, pl. et lav., reh. d'aquar. : **FRF 2 450** – Paris, 28 nov. 1941 : *L'Amour vainqueur ; L'Amour corrigé*, deux aquarelles formant pendants : **FRF 6 100** – Paris, 22 déc. 1943 : *Le Triomphe de Flore* 1767, aquar. sur trait de pl. : **FRF 9 000** – Paris, 3 mars 1944 : *Femmes à la fontaine* 1772, aquar. : **FRF 37 000** – Paris, 4 juin 1947 : *La jeune vestale*, aquar. : **FRF 1 700** – Paris, 19 déc. 1949 : *Portrait d'homme* : **FRF 59 000** – Londres, 8 déc. 1967 : *Cupidon et un lion* : **GNS 1 400** – Paris, 5 mars 1976 : *Le premier homme et la première femme*, h/t (147x114) : **FRF 16 100** – New York, 21 nov. 1980 : *Pêcheurs au bord d'un torrent* 1768, pl. et lav. et aquar. (26,5x38,8) : **USD 2 600** – Rouen, 18 mars 1984 : *Apollon et Hyacinthe*, aquar. et reh. de gche/traits de pl., de forme ovale (28x41,5) : **FRF 7 800** – Londres, 13 déc. 1984 : *La procession du sultan à la Mosquée Bleue*, pl. et lav. (37,7x57,7) : **GBP 6 000** – Paris, 24 juin 1985 : *Vénus et Adonis* 1778, h/t (56x46,5) : **FRF 31 000** – Monte-Carlo, 6 déc. 1987 : *Portrait du poète Desmoutier* 1794, h/t (65x53,5) : **FRF 100 000** – New York, 7 avr. 1988 : *Allégorie pour un anniversaire de 50 ans de mariage* 1813, h/t (75,5x59,5) : **USD 9 900** – Paris, 20 déc. 1988 : *Le cortège de Flore*, pl., aquar. et encre brune (41x55,5) : **FRF 79 000** – New York, 10 jan. 1990 : *La mort de Camille*, h/t (142,2x190,5) : **USD 28 600** – New York, 11 jan. 1990 : *Nymphes offrant un sacrifice à la statue de Cupidon*, h/t (80x64,5) : **USD 31 900** – Paris, 3 déc. 1991 : *L'offrande à Pan*, pl. et aquar. (53x37) : **FRF 26 000** – Monaco, 20 juin 1992 : *Jupiter et Thétis*, craie noire (46,8x31) : **FRF 31 080** – Paris, 20 oct. 1994 : *Faune et son enfant* 1790, encre et lav. (33,5x25,5) : **FRF 5 500** – New York, 10 jan. 1996 : *La maison de Jean-Jacques Rousseau à Motier-Travers près de Neufchâtel en Suisse*, craie noire et aquar. (21,5x28,7) : **USD 2 530** – Paris, 15 avr. 1996 : *L'Enfance de Bacchus*, aquar. et encre noire (diam. 21,5) : **FRF 15 000** – Paris, 13 juin 1997 : *Le Retour d'Ulysse* 1799, h/t (86x101) : **FRF 175 000**.

LEBARON-DESVES Augusta

Née en 1804 à Caen. XIXe siècle. Française.

Portraitiste.

Exposa au Salon de 1831 à 1850 ; troisième médaille en 1834, deuxième médaille en 1839. Le musée de Versailles conserve de cette artiste une copie du portrait de *François de Moncade* par Van Dyck, celui de Caen *Charlotte Corday en prison*.

LEBARQUE Albert Léon

XIXe siècle. Travaillant dans le Val-d'Oise. Français.

Sculpteur.

Sociétaire des Artistes Français depuis 1890, il figura au Salon de ce groupement.

LE BAS Edward

Né le 27 octobre 1904 à Londres. Mort en 1966. XXe siècle. Britannique.

Peintre de portraits, natures mortes, scènes de genre.

D'abord architecte, il étudie la peinture avec Paul Hermann, en 1922 à Meudon. Il travailla à Majorque, en France et au Maroc. Il fut membre de la Royal Academy en 1953.

Musées : Londres (Tate Gal.) : quelques scènes de genre.

Ventes Publiques : Londres, 12 nov. 1976 : *Panier de fruits et de fleurs*, h/t (40,5x51) : **GBP 250** – Londres, 14 nov 1979 : *Nature morte dans un intérieur*, h/cart. (56x66) : **GBP 980** – Londres, 2 nov. 1983 : *Fleurs de printemps*, h/cart. (62x40,5) : **GBP 1 700** – Londres, 12 juin 1987 : *Petit déjeuner à Majorque*, h/t (155x170) : **GBP 12 000** – Londres, 7 mars 1991 : *Coquelicots dans un pot de terre*, h/t (61,5x51) : **GBP 4 400**.

LE BAS Émile P. L.

Né le 25 août 1864 à Pontoise (Seine). XIXe siècle. Français.

Sculpteur.

Élève de Chapus et Barrias. Figura au Salon des Artistes Français. Membre de cette société depuis 1892. Mention honorable en 1893.

LEBAS Gabriel Hippolyte

Né en 1812 à Paris. Mort en 1880. XIXe siècle. Français.

Peintre de paysages, marines, aquarelliste.

Fils de l'architecte Louis-Hippolyte Lebas, il fut élève de Granet. Il exposa au Salon de Paris à partir de 1836, obtenant une médaille de troisième classe en 1845. On cite de lui : *Souvenir de la forêt de Touques*.

Musées : Bayonne : *Intérieur de forêt – Entrée d'un bois – Le guide*.

Ventes Publiques : Paris, 1883 : *Clairière sous bois* : **FRF 360** – Paris, 1887 : *Paysage*, aquar. : **FRF 120** – Paris, 28 juin 1923 : *Vieille Tour au bord de la mer*, aquar. : **FRF 150** – Paris, 23 fév. 1925 : *Femme et chien dans la campagne*, aquar. : **FRF 300** – Paris, 1er et 2 déc. 1941 : *La Falaise d'Étretat*, aquar. : **FRF 1 050** – Paris, 24 avr. 1942 : *Chaumière à Auberville* 1880 : **FRF 1 900** – Paris, 7 mai 1943 : *Grande marée par temps de pluie* 1875 : **FRF 7 000** – Paris, oct. 1945-juil. 1946 : *Maison au bord de la route* : **FRF 1 500** – Paris, 25 juin 1976 : *Le four*, h/t (53x75) : **FRF 2 200** – Barbizon, 22 avr 1979 : *Jeune femme près de la source en forêt*, h/pan. (25x46) : **FRF 8 000** – Versailles, 27 jan. 1980 : *Bateau échoué sur la grève*, aquar. et gche (29x46,5) : **FRF 4 000** – Paris, 16 nov. 1983 : *La Tempête* 1863, aquar. gchée (25,5x43) : **FRF 11 000** – Berne, 6 mai 1983 : *Paysage escarpé dans le Jura*, h/t (47x73) : **CHF 3 600** – Versailles, 23 oct. 1988 : *Naufrage près de la côte rocheuse*, aquar. et reh. de gche blanche (28x46) : **FRF 4 500** – Neuilly, 5 déc. 1989 : *La fuite en Égypte ; Le repos en Égypte*, deux h/pan. (tondo 42) : **FRF 28 000** – Le Touquet, 8 juin 1992 : *Pêcheur près de la falaise*, h/t (22x44) : **FRF 9 000** – Paris, 29 juin 1993 : *Bord de rivière et personnages*, aquar. (27,8x46) : **FRF 4 200** – Paris, 27 avr. 1994 : *Bord de rivière*, h/t (60x110) : **FRF 12 500**.

LE BAS Jacques Philippe

Né le 8 juillet 1707 à Paris. Mort le 14 avril 1783 à Paris. XVIIIe siècle. Français.

Graveur, dessinateur.

Il a gravé à l'eau-forte et au burin des compositions religieuses, des sujets d'histoire, des scènes de genre, des portraits, des sujets de topographie, des blasons et des paysages. Académicien le 23 février 1734, il fut élève d'Hérisset. Il exposa de 1737 à 1781.

Ventes Publiques : Paris, 15-17 fév. 1897 : *Le Bénédicité*, dess. : **FRF 130** – Paris, 1899 : *Portrait de Madame Favart*, dess. : **FRF 220** – Paris, 8-10 juin 1920 : *Les oyes de frère Philippe*, pl. : **FRF 150** – Londres, 26 fév. 1937 : *Camp militaire* : **GBP 67** – Paris, 6 mai 1955 : *Jeune homme coiffé d'un tricorne*, pierre noire : **FRF 16 500** – Paris, 10 nov. 1988 : *L'essayage de la petite fille*, cr. noir (17x22,5) : **FRF 10 500** – New York, 12 jan. 1990 : *Petite fille assise sur une chaise ; Personnage soufflant dans une corne dans un parc (recto, verso)*, craie et encre (30,7x21,7) : **USD 2 750** – Paris, 18 juin 1994 : *Fêtes flamandes*, quatre eaux-fortes (env. 57,5x75,2) : **FRF 7 000**.

LEBAS Léonie

XIXe siècle. Active à Paris. Française.

Peintre de genre, paysages animés.

Sociétaire des Artistes Français depuis 1884, elle figura au Salon de cette société.

Ventes Publiques : Saint-Dié, 21 juil. 1991 : *Élégante sur le boulevard*, h/pan. (22x15) : **FRF 31 000**.

LE BAS Louis Hippolyte

Né en 1782. Mort en 1867. XIXe siècle.

Peintre de paysages, architectures, dessinateur.

Élève de Vaudoyer et de Percier, il entra à l'École des Beaux-Arts dès 1794. Il remporta le deuxième prix en 1806 et entra à l'Institut en 1825.

Ventes Publiques : Monaco, 15 juin 1990 : *Projet pour l'entrée d'un cimetière*, encre noire et lav. (15x17,7) : **FRF 8 325** – Monaco, 20 juin 1994 : *La villa Madama en ruine à Rome*, encre et lav. (23,7x39,9) : **FRF 24 420**.

LE BAS Michel Olivier

Né en 1783 à Paris. Mort en 1843 à Paris. XIXe siècle. Français.
Graveur.

Élève de Regnault et de Langlois. Se distingua par ses gravures à la manière noire. Il collabora aux *Annales du Musée*, de Landon.

LEBAS Nicolas. Voir **DU BAS Nicholas**

LEBASQUE Henri

Né le 25 septembre 1865 à Champigné (Maine-et-Loire). Mort en août 1937 au Cannet (Alpes-Maritimes). XIXe-XXe siècles. Français.
Peintre de compositions animées, figures, nus, portraits, paysages, paysages urbains, aquarelliste, peintre de technique mixte, dessinateur, décorateur. Tendance impressionniste.

Il fut d'abord élève de l'école des Beaux-Arts d'Angers. Il vint à Paris en 1886 et y fut, un court temps, élève de Bonnat, puis de Humbert qu'il assista dans la décoration du Panthéon. Mais il est certain que sa fréquentation du vieux Pissarro, aux environs de Paris, eut sur lui plus d'influence que les leçons de Bonnat.

Il figura à des expositions collectives : Salon des Indépendants, à Paris, en 1886, et Salon des Artistes Français. On le retrouvera au Salon d'Automne à la fondation duquel il participa en 1903 et dont il demeura membre du comité jusqu'à sa mort. Un ensemble de ses œuvres fut présenté, en 1937, à l'Exposition des *Maîtres de l'Art Indépendant*, au musé du Petit Palais. En 1957, vingt ans après sa mort, un hommage lui fut rendu par une exposition rétrospective au musée des Ponchettes à Nice. En 1981, ses œuvres furent montrées à Saint-Paul-de-Vence.

Il rencontra en 1893 au Salon des Indépendants, à Paris, Luce et Signac et adopta quelques années le pointillisme. Vivant dans les années 1900, à Lagny, marié et père de famille, il peignit, de 1900 à 1906, les proches bois de la Marne. C'est avec sa découverte du Midi que s'opéra la transformation la plus complète de sa peinture. Il continua par la suite à séjourner dans d'autres régions : Vendée, Bretagne, Normandie, en particulier les Andelys où il vécut en 1912, 1915 et 1921, mais son pays d'élection se situa entre Sanary et Nice.

Pendant plus de trente ans les personnages de ses tableaux furent les membres de sa famille, et les décors, intérieurs ou jardins, bords de rivières ou plages, ceux des lieux où il séjourna longuement. Après Saint-Tropez, Sainte-Maxime, c'est finalement au Cannet qu'il s'installa définitivement en 1924.

Ami et voisin de Bonnard, il s'en est rapproché par la similitude des thèmes. En revanche si on l'a abusivement classé avec les Fauves, c'est sans doute parce qu'il exposa avec eux, notamment au Salon d'Automne ; pourtant l'admiration et l'amitié qui le liaient à Matisse, à Rouault, à Dufy, Valtat ou Manguin (c'est Manguin qui lui fit découvrir le Midi), n'entamèrent pas sa personnalité. Quoique à l'écart, Lebasque a connu de son vivant succès et estime. Il a travaillé aux décorations du théâtre des Champs-Élysées et à celles du transatlantique *Paris*. Parmi ses nombreuses œuvres : *Le Bain des nymphes* ; *Le Parasol* ; *Jeune Fille aux hortensias* ; *Grand Nu sur canapé rose*.

Lebasque Lebasque
H. Lebasque
Lebasque
Lebasque
H Lebasque

Bibliogr. : P. Vitry : *Henri Lebasque*, Georges Petit, Henri Floury, Paris, 1928 – René Huyghe : *Les Contemporains*, Tisné, Paris, 1949 – G. P., in : *Diction. univers. de l'art et des artistes*, Hazan, Paris, 1967 – in : *Dictionnaire universel de la peinture*, Le Robert, Paris, 1975.

Musées : Angers : *La Mère de l'artiste* – Genève (Petit-Palais) : *Toilette de l'enfant* 1900 – Lille (Mus. des Beaux-Arts) : *Notre-Dame sous la neige* – Nantes : *Vallée de la Garde* – Paris (Mus. d'Art Mod.) : *La Cigarette* – *Nu* – *La Femme au collier*.

Ventes Publiques : Paris, 8-10 mai 1909 : *La Place du village* : **FRF 95** – Paris, 1-2 mars 1920 : *La Seine aux Andelys* : **FRF 3 650** – Paris, 4-5 mars 1921 : *Sur la terrasse, jour d'été* : **FRF 8 080** – Paris, 13 fév. 1925 : *La Jeune artiste* : **FRF 6 100** – Paris, 31 jan. 1929 : *Jeune femme se maquillant* : **FRF 10 000** – New York, 26 oct. 1933 : *Paysage de rivière* : **USD 350** – Paris, 28 fév. 1936 : *Les Ombrelles sur la plage* : **FRF 3 200** – Paris, 10 déc. 1943 : *La Promenade en barque* : **FRF 16 800** – Paris, 18 nov. 1946 : *Le Déjeuner sur l'herbe* : **FRF 11 900** – Paris, 17 déc. 1954 : *Le Printemps*, décor six paysages : **FRF 120 000** – New York, 23 mars 1961 : *Nu à contre-jour* : **USD 950** – Paris, 29 mars 1966 : *Promenade en barque* : **FRF 21 500** – Londres, 4 avr. 1974 : *Femme au hamac* : **GBP 2 000** – New York, 27 fév. 1976 : *Sur la terrasse, Sainte-Maxime* 1914, h/t (65x81,5) : **USD 10 000** – Zurich, 28 mai 1976 : *Le Chemin dans le parc*, past. (44x33) : **CHF 58 000** – Paris, 23 nov. 1977 : *Les lavandières*, h/t (61x50) : **FRF 11 500** – Paris, 17 oct 1979 : *La plage*, aquar. (12x26,5) : **FRF 34 000** – Londres, 4 juil 1979 : *La toilette de l'enfant* vers 1900, h/t (58x72) : **GBP 16 000** – Londres, 3 juil. 1981 : *Le Goûter sur la terrasse, Sainte-Maxime*, h/t (178x195) : **GBP 30 000** – New York, 17 nov. 1983 : *Jeune femme dans une barque* 1915, h/t (72,5x91) : **USD 38 000** – New York, 19 avr. 1984 : *Paysage*, aquar. (47,6x62,9) : **USD 5 000** – Londres, 27 juin 1984 : *Etude de Marinette*, fus. et h/pap. mar./t. (60x73) : **GBP 3 600** – Londres, 27 mars 1985 : *Jeune fille à la robe blanche*, past. (42x31) : **GBP 11 000** – Paris, 27 juin 1986 : *La Balançoire*, h/t (61x75) : **FRF 575 000** – Versailles, 23 mars 1986 : *Le Port de Saint-Tropez*, aquar. (31,5x43,5) : **FRF 18 200** – Toulouse, 13 avr. 1987 : *Le Jardin fleuri*, h/t (85x84) : **FRF 660 000** – L'Isle-Adam, 21 fév. 1988 : *Jardin en fleurs*, h/t (73x54) : **FRF 31 000** – Paris, 21 mars 1988 : *Terrasse devant la baie*, h/t (59x63) : **FRF 410 000** – Paris, 29 avr. 1988 : *Paysage aux oliviers* 1913, pierre noire et lav. (30x47,5) : **FRF 8 500** – Paris, 6 mai 1988 : *Femme et enfant dans une barque* 1910, h/t (28x41) : **FRF 125 000** – Versailles, 15 mai 1988 : *Marthe sur une plage bretonne*, aquar. (37,5x40) : **FRF 34 000** ; *Bord de rivière*, h/cart. (17x24) : **FRF 215 000** – Paris, 12 juin 1988 : *Paysage du midi*, h/cart. (47,5x65) : **FRF 340 000** ; *Plage*, aquar. (12,5x18) : **FRF 25 000** – Paris, 22 juin 1988 : *Femme assise sur la plage*, h/t (51x65) : **FRF 520 000** – Gien, 26 juin 1988 : *Jeune fille à la chèvre*, h/t (73x60) : **FRF 120 000** – Londres, 28 juin 1988 : *Vase de fleurs*, h/t (55,5x46,5) : **GBP 30 800** – Londres, 29 juin 1988 : *Sur les rochers à Agay*, h/t (73,1x92) : **GBP 82 500** – Grandville, 16-17 juil. 1988 : *Scène de plage* vers 1924, aquar. (30x46) : **FRF 32 000** – New York, 6 oct. 1988 : *Nature morte aux pommes*, h/t (54x65,1) : **USD 46 200** – Londres, 19 oct. 1988 : *Le repos du modèle*, h/t (65x92) : **GBP 28 600** – Calais, 13 nov. 1988 : *Les baigneuses*, h/t (60x73) : **FRF 200 000** – Paris, 22 nov. 1988 : *Femme sur la terrasse*, aquar. gchée (21x27) : **FRF 38 000** – Paris, 24 nov. 1988 : *Modèle assoupi* vers 1925, h/t (60x79) : **FRF 720 000** – Paris, 14 déc. 1988 : *Sur la plage*, aquar. (28x26) : **FRF 43 000** – New York, 16 fév. 1989 : *Nu allongé*, h/t (63,5x80) : **USD 330 000** – Londres, 22 fév. 1989 : *Nu dans un intérieur*, h/t (56x32) : **GBP 24 200** – Londres, 4 avr. 1989 : *Depuis la terrasse*, h/t (65x81) : **GBP 159 500** – Paris, 8 avr. 1989 : *Modèle blond allongé* 1925, h/t (65x92) : **FRF 630 000** – Paris, 11 avr. 1989 : *Nature morte à la poupée*, h/t (33,5x53) : **FRF 125 000** – New York, 10 mai 1989 : *La voile bleue à Préfailles* 1922, h/t (73x100) : **USD 198 000** – Londres, 27 juin 1989 : *Femme nue endormie*, h/t (80x98,5) : **GBP 242 000** – Londres, 28 juin 1989 : *Nu au collier*, h/t (116x81) : **GBP 264 000** – New York, 5 oct. 1989 : *Nu allongé*, h/t (38,4x55,2) : **USD 126 500** – New York, 15 nov. 1989 : *Après-midi* 1923, h/t (54,6x65,4) : **USD 313 500** – Paris, 20 nov. 1989 : *Le parc*, h/t (73x93) : **FRF 600 000** – Paris, 21 nov. 1989 : *Sur la plage*, aquar. (18x29) : **FRF 42 000** – Paris, 9 déc. 1989 : *Jeux d'enfants dans la prairie*, h/t (54x63) : **FRF 2 350 000** – New York, 26 fév. 1990 : *Bords de la Marne à Lagny* 1905, h/t (73x92,4) : **USD 440 000** – Paris, 30 mars 1990 : *Les Enfants à la fontaine*, h/pap. (22,5x18,2) : **FRF 60 000** – Londres, 4 avr. 1990 : *Femme au chapeau jaune*, h/t (65x54,5) : **GBP 68 200** – Paris, 5 avr. 1990 : *Les baigneuses*, h/t (80x65) : **FRF 850 000** – Paris, 15 juin 1990 :

Pêcheurs sur la rivière à Montevrain, h/t (60x73) : **FRF 940 000** – STRASBOURG, 20 juin 1990 : *Bords de la Seine aux Andelys, femme sur un banc*, h/t : **FRF 1 850 000** – LONDRES, 26 juin 1990 : *Fillette à la fenêtre*, h/t (55,4x46,3) : **GBP 110 000** – PARIS, 2 juil. 1990 : *Les Étangs de Saint-Pierre*, h/t (54,5x65) : **FRF 340 000** – NEW YORK, 3 oct. 1990 : *Jeune fille aux fleurs*, h/t (92x65) : **USD 82 500** – LONDRES, 4 déc. 1990 : *Odalisque* 1925, h/t (72,5x99) : **GBP 154 000** – LONDRES, 20 mars 1991 : *Le parc Monceau*, h/pan. (26,3x35,1) : **GBP 35 200** – NEW YORK, 9 mai 1991 : *Baigneuse* 1910, h/t (105x96,3) : **USD 115 500** – LONDRES, 25 juin 1991 : *Femmes sur la terrasse à Préfailles* 1922, h/t (65x73) : **GBP 49 500** – NEW YORK, 8 oct. 1992 : *L'enfant au turban (portrait de Nono)*, h/t (45,8x38) : **USD 9 350** – PARIS, 11 déc. 1992 : *Les Lavandières*, h/t (73x92) : **FRF 440 000** – NEW YORK, 13 mai 1993 : *Jeunes Filles en barque* 1903, h/t (60,3x91,7) : **USD 134 500** – LE TOUQUET, 30 mai 1993 : *La Promenade en barque*, aquar. (43x54) : **FRF 68 000** – PARIS, 4 juin 1993 : *Lavandières au crépuscule*, h/t (75x110) : **FRF 428 000** – AMSTERDAM, 8 déc. 1993 : *Bords de la Marne à Lagny*, h/t (46x72,5) : **NLG 48 300** – PARIS, 16 mars 1994 : *Femme à l'ombrelle sur la terrasse*, fus. et estompe (36,5x24,5) : **FRF 4 000** – LONDRES, 28 juin 1994 : *Baigneuse* 1910, h/t (106x96,5) : **GBP 199 500** – DEAUVILLE, 19 août 1994 : *Femme dans un rocking-chair, Aix-les-bains* 1920, aquar. (33x45) : **FRF 60 000** – ZURICH, 13 oct. 1994 : *Un orage approche*, techn. mixte/pap. (29,5x43,5) : **CHF 3 200** – NEW YORK, 9 nov. 1994 : *Promenade au bord de la rivière*, h/t (50,5x61,6) : **USD 65 750** – PARIS, 8 déc. 1994 : *Les Musiciens ; Femme aux gants noirs (recto, verso)* 1930, h/t (100x130) : **FRF 505 000** – NICE, 27-28 mai 1995 : *Nono en costume de Salomé pour le bal costumé de Paul Poiret*, h/t (128x96) : **FRF 500 000** – AUBAGNE, 17 déc. 1995 : *L'Automne* 1900, h/t (71x71) : **FRF 248 000** – NEW YORK, 2 mai 1996 : *Automne* 1900, h/t (71,1x71,1) : **FRF 145 500** – PARIS, 10 juin 1996 : *Route de campagne, pont et cabriolet* 1895, h/t (50x61) : **FRF 90 000** – LONDRES, 26 juin 1996 : *Bords de Marne*, h/t (64x80) : **GBP 71 900** – PARIS, 14 oct. 1996 : *Madame Lebasque à la plage* 1924, aquar./pap. (32x48) : **FRF 43 000** – LONDRES, 4 déc. 1996 : *Les Bords de la Marne* vers 1898-1900, h/t (56x47) : **GBP 36 700** – NEW YORK, 10 oct. 1996 : *Autoportrait*, gche/pan. (41,6x32,4) : **USD 4 600** – NEW YORK, 9 oct. 1996 : *Le bain du bébé* 1913, h/t (61,6x50,8) : **USD 40 250** – LONDRES, 25 juin 1996 : *La plage de Saint-Jean-de-Mours* vers 1917, h/t (54x73) : **GBP 25 300** – NEW YORK, 14 nov. 1996 : *Vue de l'Estérel* 1909, h/t (59,7x73) : **USD 107 000** – LYON, 16 fév. 1997 : *Jeune Fille dans un jardin au Cannet*, h/t (84x72) : **FRF 210 000** – CALAIS, 23 mars 1997 : *Baignade*, h/t (38x46) : **FRF 30 000** – NEW YORK, 13 mai 1997 : *Paysage du Midi*, h/t (38x45,7) : **USD 21 850** – PARIS, 5 juin 1997 : *Jeune femme assise au jardin*, aquar. et mine de pb/pap. (21,5x29) : **FRF 20 000** – PARIS, 16 juin 1997 : *Rue de village*, h/t (46x61) : **FRF 170 000** – LONDRES, 25 juin 1997 : *Madame Lebasque dans un paysage breton* vers 1897-1898, h/t (56x73,5) : **GBP 45 500** – NEW YORK, 9 oct. 1997 : *La Lecture au jardin*, h/t (41x33) : **USD 25 300**.

LE BASQUE Jean
XVIIe siècle. Actif au Havre. Français.
Sculpteur et architecte.
Il exécuta des statues pour l'église Saint-Martin à Harfleur qu'il avait restaurée.

LEBAT. Voir **LAZARAS A.**

LE BATTEUX François
Né au début du XVIIe siècle au Mans. Mort après 1647 à Paris. XVIIe siècle. Français.
Peintre d'histoire.
Il s'établit à Paris et y travaillait en 1647.

LE BAUBE Victor Henri
Né le 15 novembre 1859 à Montivilliers (Seine-Maritime). XIXe siècle. Français.
Peintre.
Figura au Salon des Artistes Français. Membre de ce groupement depuis 1889.

LEBAUDY Gabrielle
Née le 29 mai 1866 à Paris. XIXe siècle. Française.
Sculpteur.
Élève de Max Blondat. Figura au Salon des Artistes Français. Membre de cette société depuis 1907.

LEBAULT Claude
Né en 1665 à Port-de-Chauvort. Mort le 14 février 1726 à Port-de-Chauvort. XVIIe-XVIIIe siècles. Français.
Peintre d'histoire.
Cet artiste bourguignon a été jusqu'ici injustement oublié. Nous le trouvons représenté seulement au Musée de Dijon et la sûreté de son dessin, sa science de la composition affirment les qualités d'un maître. Citons de lui à ce Musée : *Saint Luc peignant la Vierge*, importante composition signée et datée de 1770 ; *Jésus au jardin des Oliviers ; Les quatre évangélistes*, quatre toiles ; on lui attribue également : *Les disciples d'Emmaüs* et une *Tête de Christ*.

LEBAYLE Charles
Né à Paris. Mort en 1898 à Paris. XIXe siècle. Français.
Peintre de genre.
Élève de A. Millet. Débuta au Salon en 1877. Le Musée de Périgueux conserve de lui : *Jeune fille* (étude) et *Intérieur des Thermes à Pompéi*.
VENTES PUBLIQUES : PARIS, 1898 : *Cicéron disant les Tusculanes* : **FRF 520** ; *Le Christ au Jardin des Oliviers* : **FRF 500** ; *L'Été, jeune femme dans un paysage*, vitrail : **FRF 550**.

LEBDUSKA Lawrence H.
Né en 1894 à Baltimore (Maryland). Mort en 1966. XXe siècle. Américain.
Peintre.
Il fut élevé à Leipzig. Il travailla ensuite comme apprenti-vitrier, revint aux États-Unis en 1912, où il s'installa comme tapissier décorateur. C'est à cette époque qu'il commence à peindre pendant ses heures de liberté. En 1926, il expose ses œuvres à l'Art Center de New York, une autre fois, toujours à New York, en 1936. Il allie un sens de l'art décoratif populaire à l'interprétation minutieuse de la réalité propre aux naïfs.
BIBLIOGR. : Oto Bihaji-Merin : *Les Peintres naïfs*, Delpire, Paris, s.d.
VENTES PUBLIQUES : NEW YORK, 16 fév. 1961 : *Le Monastère* : **USD 350** – NEW YORK, 14 déc. 1976 : *Scène de jungle* 1937, h/t (86x102) : **USD 1 000** – LOS ANGELES, 8 nov. 1977 : *Paradis animal*, isor. (91x122) : **USD 1 750** – NEW YORK, 23 mai 1979 : *The artist sleeps* 1947, h/cart. (77,5x92) : **USD 13 000** – NEW YORK, 16 jan. 1982 : *Chevaux dans un paysage*, h/isor. (91,5x122) : **USD 2 100** – NEW YORK, 24 jan. 1989 : *Trois pandas*, h/t (75x90) : **USD 1 870** – NEW YORK, 30 mai 1990 : *Bergère* 1960, h/rés. synth. (50,8x40,7) : **USD 1 760** – NEW YORK, 17 déc. 1990 : *Animaux au royaume de la paix* 1962, h/rés. synth. (76,3x101,6) : **USD 2 420** – NEW YORK, 14 nov. 1991 : *Le jardin de l'Eden* 1962, h/t (138,5x213,4) : **USD 5 500** – NEW YORK, 15 avr. 1992 : *La jungle au crépuscule*, h/t (63,5x76,2) : **USD 1 540** – NEW YORK, 25 sep. 1992 : *Chevaux caracolant* 1956, h/t (50,8x61) : **USD 1 760** – NEW YORK, 12 sep. 1994 : *Nouvelle frontière* 1961, h/t (76,8x61,6) : **USD 2 875**.

LE BÉ André
XVIIe siècle. Actif à Paris. Français.
Graveur sur bois.

LE BÉ Guillaume, l'Ancien
XVIe siècle. Actif à Paris. Français.
Graveur sur bois.
Cité par Papillon.

LE BÉ Guillaume, le Jeune
XVIIe siècle. Actif à Paris. Français.
Graveur sur bois et éditeur.
Petit-fils de Guillaume Le Bé l'Ancien.

LE BÉ Jacob
XVIIe siècle. Actif à Paris. Français.
Dessinateur et graveur sur bois.

LÉBÉ-GIGUIN Antoine Marie
XIXe siècle. Français.
Peintre.
Élève de Degotti et collaborateur de Ciceri. Il exposa au Salon de 1810 : *Vue extérieure du château d'Écouen* et fut fait chevalier de la Légion d'honneur pour les travaux qu'il exécuta à l'occasion du sacre de Charles X.

LEBEAU
XIXe siècle. Actif à Paris. Français.
Peintre de fruits et de natures mortes.
Exposa au Salon de 1834 à 1839.

LE BEAU Alcide Marie
Né le 29 juillet 1873 à Lorient (Morbihan). Mort en 1943 à Sanary (Var). XIXe-XXe siècles. Français.
Peintre de paysages, paysages animés, aquarelliste, dessinateur. Postimpressionniste, puis expressionniste, fauve.

Jeune, il se consacre à la peinture. Il est instituteur et s'applique à peindre pendant ses loisirs à Pont-Aven. Autour de 1905-1907, il effectue plusieurs voyages en Provence, en Corse et à Corfou. Il est blessé au début de la guerre, il séjournera en Suisse, habitant Neuchâtel, jusqu'à la fin du conflit.
Dès 1886 à Paris, il participa à un groupe de la galerie Le Barc de Boutteville. En 1903, à Paris, il commence à figurer au Salon des Indépendants. Il fait partie de la « cage aux fauves » du Salon d'Automne de 1905, avec Marquet, Matisse, Rouault, Vlaminck, Friesz, Derain... Il participe à des expositions collectives à la galerie Berthe Weil, à Paris, en 1903 et 1904, aux côtés de Luce, Marquet, Matisse, Dufy, puis à la galerie Durand-Ruel en 1911, à la galerie La Boétie dans le cadre de la Section d'or, à la grande exposition d'art français à Genève à la galerie Moos en 1918, à la Kunsthalle de Berne en 1939 aux côtés d'André Lhote et de Maria Blanchard.
Il montre ses œuvres dans des expositions personnelles, dont celle de 1907, avec quarante toiles de sa période fauve, galerie Druet, Paris ; une rétrospective de son œuvre est organisée, à Paris, au Salon d'Automne, en 1946 ; la galerie Barbizon, à Paris, expose un ensemble de ses œuvres, en 1973. En 1992, deux expositions ont été consacrées à son œuvre, au Musée Pissarro de Pontoise et au Musée de Pont-Aven.
Ses paysages de Bretagne s'inscrivent encore dans le post-impressionnisme symboliste de Gauguin et Maurice Denis. La série wagnérienne de ses paysages sur le thème de la Walkyrie prolonge sa période fauve d'un accent nettement expressionniste.
Musées : Berne – Cannes (Mus. des Beaux-Arts) – Paris (Mus. d'Art Mod.) – Rome (Mus. du Vatican).
Ventes Publiques : Paris, 30 mai 1923 : *Comme un nid d'aigle* : **FRF 135** – Paris, 4 avr. 1973 : *Bord de mer en Bretagne* : **FRF 10 000** – Lyon, 18 déc. 1983 : *Côte sauvage*, h/t (46x55) : **FRF 21 000** – Paris, 24 mars 1986 : *Paysage corse, col de Bavella* vers 1907, temp./cart. (49x63,5) : **FRF 16 500** – Paris, 25 nov. 1987 : *Le Château fort sur la colline* 1909, h/t (73x60) : **FRF 52 000** – Brest, 13 déc. 1987 : *Barques de pêche sous voiles au paysage rouge et jaune*, h/t (60x72) : **FRF 84 000** – Paris, 21 sep. 1988 : *Nu*, aquar. et cr. (46x60) : **FRF 6 600** – Paris, 1er fév. 1989 : *Personnages dans un paysage*, past. (23,5x15) : **FRF 6 200** – Paris, 27 avr. 1989 : *Paysage fluvial*, h/t (30x40) : **FRF 25 000** – Versailles, 20 juin 1989 : *Paysage*, h/t (29,5x40) : **FRF 33 000** – Saint-Dié, 23 juin 1991 : *Le torrent, le Rhin en colère*, h/t (92x73) : **FRF 135 000** – Paris, 10 avr. 1992 : *Portrait d'homme (présumé Sérusier)*, aquar. et cr./pap. (34x27) : **FRF 3 500** – Brest, 16 mai 1993 : *Voiles blanches sur la rivière*, h/t (60x72) : **FRF 132 000**.

LE BEAU Maurice
Né le 11 mars 1885 à Beauvais (Oise). Mort en 1961. xxe siècle. Français.
Sculpteur.
Il figura au Salon des Artistes Français de Paris. Il fut membre de cette société depuis 1909.
Ventes Publiques : Barbizon, 24 juil. 1983 : *Chamelier touareg*, bronze patine médaille (H. 60) : **FRF 34 000** – Paris, 20 nov. 1990 : *Méhariste touareg*, bronze (H. 60) : **FRF 25 000**.

LE BEAU Pierre Adrien
Né en 1748 à Paris. xviiie siècle. Français.
Graveur de portraits, dessinateur.
Il a gravé au burin d'intéressants portraits, notamment ceux de *Louis XVI*, de *Marie-Antoinette*, de *Louis-Philippe d'Orléans*, de *Mlle Raucourt*, de l'*Abbé Terray*, de *Turgot*, de *Necker*.
Ventes Publiques : Paris, 13-15 mai 1929 : *Portrait du comte d'Artois* ; *Portrait de la comtesse d'Artois*, deux dessins : **FRF 7 300** – Monaco, 20 juin 1994 : *Portrait du Comte d'Artois d'après Van Loo* ; *Portrait de la Comtesse d'Artois d'après Ferdinck*, mine de pb, de forme ovale (chaque 8,7x7,2) : **FRF 11 100**.

LEBEDEFF Alexander Ivanovitch
Né le 15 septembre 1826 dans le gouvernement de Vladimir. xixe siècle. Russe.
Peintre, dessinateur et lithographe.
Il fit ses études à Moscou et Leningrad et peignit d'abord des portraits puis des tableaux religieux dont certains appartiennent au Musée de l'Académie de Leningrad.

LEBEDEFF Jean ou **Lebedev Ivan**
Né le 12 novembre 1884 à Bogorodskoie (près de Nijni Novgorod). Mort en 1970. xxe siècle. Actif puis naturalisé en France. Russe.
Graveur, illustrateur.
Il s'installe à Paris en 1909. Il est élève de Cormon à l'École des Beaux-Arts. En 1923, il devient membre du groupe *Oudar*. Il travaille à Fontenay-aux-Roses. En 1926, il participe à l'exposition l'*Art révolutionnaire de l'Occident*, à Moscou.
Il grave sur bois des ex-libris et des illustrations de livres, dont *Le Roman de Renard* ; *Vie des martyrs*, de G. Duhamel ; *Terres de silence*, de White ; *Le Roi Lear*, de Shakespeare ; *Contes populaires*, de Pouchkine, puis des traductions de Tolstoï, Dostoïevski, Andreev et de Gorki. Il collabore dans la presse à *Clarté* ; *L'Humanité* ; *Le Monde*, *Regards*.
Bibliogr. : I.P. Dubray : *L'Imagier, Jean Lebedeff*, Paris, 1939 – in : *Paris Moscou, 1900-1930*, catalogue de l'exposition, Centre Georges Pompidou, Paris, 1979.

LEBEDEFF Klawdy Wassilievitch ou **Klavdi Vasilievich**
Né le 16 octobre 1852. Mort en 1916. xixe siècle. Russe.
Peintre de scènes de chasse, sujets de genre, paysages.
Il figura au Salon des Artistes Français de Paris, obtenant une médaille de bronze en 1900, pour l'Exposition universelle.
Musées : Moscou (Mus. Roumianzeff) : *Paysanne* – Moscou (Gal. Tretiakov) : *Chez le fils* – *Au pays natal* – *Pope et diacre* – *Au marché* – *Entrée de l'église de la Vierge à Moscou* – *Mariage d'un boyard*.
Ventes Publiques : Stockholm, 14 nov. 1984 : *Fillette assise dans un intérieur*, h/pan. (30x19,5) : **SEK 28 000** – Paris, 13 mars 1985 : *Lecture du journal à Saint-Pétersbourg* 1897, aquar. (33,6x27,4) : **FRF 7 800** – New York, 13 oct. 1993 : *La chasse au faucon*, h/t (59,7x90,2) : **USD 16 100**.

LEBEDEFF Mikhail Iwanowitch. Voir **LIEBIEDIEV Mikhaïl Ivanovitch**

LEBEDEV Dmitri Vassilievitch
Né en 1906. xxe siècle. Russe.
Peintre de compositions animées, figures. Réaliste.

LEBEDEV Ivan. Voir **LEBEDEFF Jean**

LEBEDEV Vladimir Vassilievitch
Né en 1891 à Saint-Pétersbourg. Mort en 1967 à Léningrad (Saint-Pétersbourg). xxe siècle. Russe.
Peintre, illustrateur, affichiste. Abstrait.
À partir de 1909, il étudie le dessin dans l'atelier de A. Titov à Saint-Pétersbourg. En 1910 et 1911, il fréquente l'atelier de scènes de bataille de F. Roubaud, de 1912 à 1914 il étudie à l'École de Peinture, de Dessin et de Sculpture de M. Bernstein et L. Sherwood, de 1912 à 1916 il est auditeur libre à l'Institut Supérieur d'Art auprès de l'Académie des Arts de Saint-Pétersbourg. De 1912 à 1922, il est membre de l'Association des Nouveaux Courants en art. De 1913 à 1917, il gagne sa vie comme dessinateur. Il enseigne aux Svomas jusqu'en 1921. En 1918, il rejoint le mouvement d'avant-garde *Obmokho* et devient, en 1918, membre de l'Union de la jeunesse et, entre 1921-22, il devient membre du groupe *Posnovis/Unovis*. Il est l'un fondateurs de la Société des Quatre Arts.
En 1925 et 1931, il participe aux expositions des Arts Plastiques Soviétiques à Paris. Il montre en 1928 une exposition personnelle de ses œuvres à Léningrad.
Ce n'est qu'entre 1919 et 1922 qu'il s'oriente vers l'art abstrait. Inspiré par Tatlin et Rodchenko, empruntant au cubisme, il réalise des assemblages de bois et de métal selon une stylisation géométrique à la polychromie sévère. Il est néanmoins surtout connu comme artiste graphiste travaillant, depuis 1911, comme illustrateur de périodiques : *Galchonok* et *Satyrikon* (il a représenté la rencontre de Gogol et Belinski). Il pratique l'agit-prop. À partir de 1920-21, il s'applique à réaliser des affiches, travaillant alors avec Maïakovski et Cheremnykh, domaine où il est considéré comme un des maîtres. Plus tard, il dirigera une édition de livres pour enfants et de livres d'art pour *Ogiz/Detgiz*.
Bibliogr. : *V.V. Lebedev*, catalogue de l'exposition, Léningrad, 1971 – in : *Paris Moscou, 1900-1930*, catalogue de l'exposition, Centre Georges Pompidou, Paris, 1979 – A. Nakov : *Abstract/Concret*, Paris, 1981 – in : *L'Art du xxe siècle*, Larousse, Paris, 1991.
Musées : Saint-Pétersbourg (Mus. Russe) : *La Blanchisseuse* 1920 – *Les Nepmans* 1924-1926 – *Les Dames* 1924-1926.
Ventes Publiques : Paris, 12 mars 1985 : *Elle colle une affiche* 1922, gche (37,2x26,7) : **FRF 30 000** – Londres, 6 oct. 1988 : *Le voleur*, aquar. et encre/pap. (29,8x26,8) : **GBP 1 540** – Londres, 5 oct. 1989 : *Hommage à Anna Akhmatova*, collage de cuir, bois et pap./t. (77x35) : **GBP 55 000** – Londres, 5 avr. 1990 : *Relief*,

assemblage de bois peint. et de cart. (53,3x17,8) : **GBP 66 000** – LUCERNE, 24 nov. 1990 : *Personnage avec un pic et une pelle* 1919, dess. à la pl. et aquar./pap. (28x22) : **CHF 3 400** – LUCERNE, 15 mai 1993 : *Figure au balai* 1919, encre et aquar./cart. (29x22) : **CHF 2 600** – LUCERNE, 26 nov. 1994 : *Couple*, gche, encre et monotypie/pap. (28x25) : **CHF 4 200** – PARIS, 1er déc. 1994 : *Jeune paysanne au foulard blanc* 1911, h/t (64x46) : **FRF 8 500** – LOKEREN, 11 mars 1995 : *Composition avec deux figures*, aquar. et encre (30x26) : **BEF 40 000** – ZURICH, 7 avr. 1995 : *Femme dansant*, aquar. et encre (20x13) : **CHF 2 200** – LOKEREN, 7 oct. 1995 : *Jésus au milieu des docteurs*, sculpt. bronze (H. 68, l. 24) : **BEF 75 000** – ZURICH, 26 mars 1996 : *Couple dansant*, encre et aquar. (26x21,5) : **CHF 2 800**.

LEBEDEVA Sarah ou **Sarrah, Dmitrievna**
Né en 1892 à Saint-Pétersbourg. Mort en 1967 à Moscou. XXe siècle. Russe.
Sculpteur de bustes.
De 1910 à 1912, il étudie à l'École de dessin pour l'encouragement des arts de Saint-Pétersbourg, et à l'École de peinture, de dessin et de sculpture de M. Bernstein et L. Sherwood. De 1912 à 1914, il étudie à l'atelier de sculpture de L. Sherwood. Il voyage à Berlin, Vienne, Paris et en Italie. De 1919 à 1920, il enseigne aux Ateliers nationaux libres de Petrograd. En 1925, il s'établit à Moscou, et effectue un voyage à Londres, un autre à Berlin et à Paris en 1928. Il est membre en 1926 de la Société des sculpteurs russes (O.R.S.) puis membre correspondant de l'Académie des Arts d'U.R.S.S. Il figure, en 1967-1968, à l'exposition *L'Art russe, des Scythes à nos jours*, aux galeries nationales du Grand Palais, à Paris avec deux bustes dont un autoportrait.
À partir de 1914, il travaille sur les masques et les bas-reliefs du Palais Loussoupov sous la direction de Kouznetsov. Il est le spécialiste de bustes de personnalités, dont on vante les qualités psychologiques.
BIBLIOGR. : In : *L'Art russe des Scythes à nos jours*, catalogue de l'exposition, Galerie nationales du Grand Palais, Paris, 1967 – *Sarah Lebedeva, Album*, Moscou, 1973 – in : *Paris Moscou 1900-1930*, catalogue de l'exposition, Musée National d'Art Moderne, Centre Georges Pompidou, Paris, 1979.
MUSÉES : MOSCOU (Gal. Tretiakov) : *Portrait de l'écrivain Vsevold Ivanov* 1925 – *Iéna, jeune fille aux mains croisées.*

LEBEDIEV Serge, dit **Lesnik**
Né en 1952. XXe siècle. Russe.
Peintre de compositions à personnages, aquarelliste. Tendance surréaliste.
Ancien élève de l'École d'Art de Gorki, il devint membre du groupe T.E.I.I., une association d'art expérimental.
Il expose depuis les années soixante-dix avec le groupe T.E.I.I. à Moscou et à Leningrad. En 1973, il figure à la *Ière exposition d'avant-garde de Léningrad*, en 1974 et 1976, il organise des expositions de ses œuvres en appartement privé. En 1988, avec le groupe T.E.I.I., il expose à Berne et, en 1990, à Helsinki.
L'œuvre de Serge Lebediev n'est en rien conforme aux canons du réalisme-socialiste et explique sans doute ses difficultés premières à exposer officiellement et son appartenance à un groupe dit d'« art expérimental ». Dans une manière figurative et d'esprit surréaliste, il dessine des personnages dont les corps et l'apparence ordinaires sont rendus presque méconnaissables, voire sans individualité. Telles des « unités » humanoïdes ou zoomorphes, elle n'obéissent à aucune logique apparente.
BIBLIOGR. : In : *L'École de Léningrad*, Catalogue de la vente, Drouot, Paris, 19 nov. 1990.
MUSÉES : BERLIN (Mus. d'Art Contemp.) – BERNE (Mus. des Beaux-Arts) – HELSINKI (Gal. d'Art Contemp.).
VENTES PUBLIQUES : PARIS, 19 nov. 1990 : *Le mur* 1982, aquar. et encre/pap. (23x34) : **FRF 5 500**.

LEBEÉ Xavier
Né en 1954. XXe siècle. Français.
Graveur, peintre.
BIBLIOGR. : In : *De Bonnard à Baselitz – Dix ans d'enrichissements du Cabinet des Estampes 1978-1988*, Bibliothèque nationale Paris, 1992.
MUSÉES : PARIS (BN, Cab. des Estampes).

LE BÈGUE. Voir au prénom

LE BÈGUE Adolphe Paul
Né à Paris. XIXe siècle. Français.
Sculpteur.
Exposa des bustes et des dessins au Salon à partir de 1876.

LEBÈGUE Léon G.
Né en 1863 à Orléans (Loiret). XIXe-XXe siècles. Français.
Graveur, dessinateur, illustrateur.
Il étudia dans l'atelier de Gérome.
Il débuta en 1907, à Paris, au Salon de la Société des Artistes Français.
Il illustra divers ouvrages dont : *L'Enfer du bibliophile*, de Asselineau ; *Gringoire*, de T. de Banville ; *Pervenche*, de M. Bouchor, 1900 ; *Histoire de Dona Maria*, 1902 ; *Les Contes de Jacques Tournebroche*, 1908 ; *Frère Joconde*, 1923 ; *Mlle Roxane*, 1923 ; *La Bièvre*, de Huysmans, 1914 ; *La Passion de notre frère le Poilu*, de M. Leclerc, 1918 ; *Rolla*, de A. de Musset, 1912 ; *Vitrail de Sainte Erlemine*, de J. Novesve, 1920 ; *Romances sans paroles*, 1921. Il a collaboré à des journaux : *Le Courrier français ; Gil Blas illustré ; La Plume ; Le Rire*.
BIBLIOGR. : In : *Diction. des illustrateurs 1800-1914*, Ides et Calendes, Neuchâtel, 1989.

LEBÈGUE Louis
Né le 4 décembre 1797 à Caply Vendeuil. Mort le 27 octobre 1887 à Paris. XIXe siècle. Français.
Sculpteur.
Il sculpta plusieurs tombeaux au cimetière du Père Lachaise.

LEBÈGUE Philippe
Né en 1958 à Boulogne-sur-Mer (Pas-de-Calais). XXe siècle. Français.
Graveur, peintre.
BIBLIOGR. : In : *De Bonnard à Baselitz – Dix ans d'enrichissements du Cabinet des Estampes 1978-1988*, Bibliothèque nationale Paris, 1992.
MUSÉES : PARIS (BN, Cab. des Estampes).

LE BÈGUE René F. A.
XIXe siècle. Actif à Paris. Français.
Peintre.
Sociétaire des Artistes Français depuis 1895, il figura au Salon de ce groupement.

LEBEL A.
XIXe siècle. Actif à Auch. Français.
Sculpteur.
Le Musée de Coutances conserve de lui : *L'archevêque Delamarre* (médaillon plâtre).

LEBEL Antoine
Né en 1705 à Arc-en-Barrois. Mort le 8 mars 1793 à Paris. XVIIIe siècle. Actif à Paris. Français.
Peintre de portraits, paysages, marines, architectures, graveur, dessinateur.
Le paysage que conserve le Musée de Caen lui valut l'entrée à l'Académie le 27 août 1746. Il exposa de 1746 à 1769. Il grava à l'eau-forte, on cite notamment : *Le puits dans la basse-cour.*
MUSÉES : CAEN : *Paysage – Marine.*
VENTES PUBLIQUES : PARIS, 1873 : *Monuments en ruines* : **FRF 9 500** – PARIS, 5 et 6 avr. 1898 : *Jeune femme assise devant une cheminée*, dess. au cr. noir et à la sanguine : **FRF 500** – PARIS, 11 mars 1964 : *Les guichets du Louvre sous la Révolution* : **FRF 5 600** – PARIS, 22 juin 1992 : *Paysage avec scène de chasse aux oies sauvages* 1793, h/t : **FRF 70 000**.

LEBEL Brigitte
Née en 1959 à Caen (Calvados). XXe siècle. Française.
Peintre. Groupe Art-Cloche.
Elle fut assimilée, un temps, à l'art dit « cloche ».
BIBLIOGR. : In : *Art Cloche. Élément pour une rétrospective. Squatt artistique*, catalogue de ventes, Me Pierre Cornette de Saint-Cyr, lundi 30 janvier 1989, Paris.
VENTES PUBLIQUES : PARIS, 30 jan. 1989 : *Procreart*, Store de bois peint. : **FRF 3 000**.

LEBEL Bruno
Né le 25 septembre 1933 à Amiens (Somme). XXe siècle. Français.
Sculpteur.
Il obtint le Grand Prix de Rome de sculpture en 1958. Il a reçu également le Grand Prix de la Casa Velasquez en 1964.

LEBEL Charles Jacques
XIXe siècle. Actif au début du XIXe siècle. Français.
Peintre d'histoire, de genre et de portraits.
Élève de David. Exposa au Salon de 1801 à 1827. Ses tableaux relatifs à l'histoire militaire de la France lui valurent de nom-

breux succès, notamment : *Trait d'humanité d'un grenadier français* et *Turenne dormant sur le champ de bataille*. Il peignit un grand nombre de portraits. On voit de lui, au Musée d'Angers : *Traits de piété filiale*, et à celui de Versailles : *Visite du premier consul à l'hospice du mont Saint-Bernard*. Le Musée Carnavalet, à Paris, conserve diverses vues de Paris, et le Musée Marmottan, dans la même ville, un *Portrait de jeune femme*.

LEBEL Clément Louis Marie Anne
Mort en 1806. XVIIIe siècle. Français.
Peintre.
Élève de Lemoine et membre de l'Académie de Saint-Luc. Plusieurs biographes, s'appuyant sur une erreur de Bellier de la Chavignerie, le font naître en 1772, chose matériellement impossible, puisque Lebel exposa, en 1774, plusieurs œuvres à l'Académie de Saint-Luc, notamment un *Œuf d'autruche sur lequel est peint un sujet de carnaval*. Le Musée d'Orléans possède quatre dessus-de-porte de cet artiste.
Ventes Publiques : Paris, 3 déc. 1937 : *La caravane* : **FRF 520**.

LEBEL Edmond
Né le 5 février 1834 à Amiens (Somme). Mort en 1908 à Amiens. XIXe siècle. Français.
Peintre de genre.
Élève de Léon Cogniet à l'École des Beaux-Arts de Paris, il prit part aux expositions parisiennes, obtint une médaille de deuxième classe en 1872, et une troisième médaille à l'Exposition universelle de 1889 à Paris. En 1880, il fut nommé conservateur du musée et directeur de l'École des Beaux-Arts de Rouen, poste qu'il conservera jusqu'en 1898.
Il peint, avec beaucoup de vivacité, le petit peuple des villes italiennes et les paysans italiens.
Bibliogr. : Gérald Schurr, in : *Les Petits Maîtres de la peinture 1820-1920, valeur de demain*, Les Éditions de l'Amateur, t. II, Paris, 1982.
Musées : Amiens : *Un boucher du Trastevere* – *Le Ponte-Rapido à Cassino* – Bayonne : *Buveurs bretons* – Le Mans : *L'escalier de San Benedetto* – Paris (Mus. du Louvre) : *Un vœu à San Germano* – Reims : *Portefaix* – Rouen : *Escalier saint de San Benedetto* – *Cardinal sortant d'une église* – Soissons : *Le reliquaire*.
Ventes Publiques : Paris, 13 mars 1873 : *Prière à la Madone à Rome* : **FRF 820** – Paris, 10 avr. 1899 : *Entrée de l'abbaye du Mont Cassin* : **FRF 200** – Paris, 20-22 mai 1920 : *Pifferaro endormi* : **FRF 300** – Paris, 4 mars 1925 : *Jeune homme* : **FRF 240** – Portland, 5 nov. 1983 : *Le Secret*, h/pan. (20x13) : **USD 1 900** – Londres, 24 juin 1988 : *Le repas* 1872 (31,8x48,3) : **GBP 880** – New York, 16 fév. 1993 : *Le transport du foin* 1871, h/pan. (40,4x27,2) : **USD 1 430**.

LEBEL Frémin
XVIe siècle. Actif à Paris. Français.
Peintre.
En 1557 il travaillait pour l'église Saint-Germain-des-Prés.

LEBEL Jean
XVIIe-XVIIIe siècles. Travaillant vers 1700. Français.
Peintre de genre.
Musées : Stockholm : *Jeune femme assise en plein air*.
Ventes Publiques : Paris, 12 mai 1995 : *Portrait de Mademoiselle Françoise Genty* 1697, h/t (74,5x60) : **FRF 15 500**.

LEBEL Jean
XVIIe siècle. Français.
Sculpteur.
Son nom est gravé sur une pierre tombale, qui est dans l'église de Marly-la-Ville (Seine-et-Oise) et qui remonte à 1633.

LEBEL Jean Baptiste
XVIIIe siècle. Français.
Peintre de genre.
Ventes Publiques : Paris, 18 mars 1937 : *Le marchand d'échaudés* ; *La Loterie*, les deux : **FRF 11 700**.

LEBEL Jean Émile
Né à Paris. XIXe siècle. Français.
Graveur d'architectures.
Élève de Lemaître. Exposa au Salon à partir de 1855.

LEBEL Jean Jacques
Né en 1936 à Neuilly-sur-Seine (Hauts-de-Seine). XXe siècle. Français.
Peintre, dessinateur, poète, sculpteur, créateur d'assemblages, installations. Néodadaïste, surréaliste.
Fils d'un grand expert en tableaux anciens. Il organise avec Alain Jouffroy les expositions *Anti-procès* à Paris, Milan et Venise en 1961. Il se lie avec les jeunes peintres et poètes américains et publie avec Alain Jouffroy un ouvrage sur la *Poésie de la Beat Generation*. Il crée, à partir de 1963, le *Festival de la Libre Expression* où il organisera des « happenings » internationaux, puis les festivals *Poésie directe* et *Polyphonix*. Il représente, en 1967, à Saint-Tropez, la pièce de Picasso *Le Désir attrapé par la queue* qui est interdite par le maire de la ville.
Il expose, dès 1956, à Florence et à Paris des peintures et dessins de tendance surréaliste. Il participe en 1959-1960 et 1964 à l'Exposition internationale du surréalisme à la galerie Daniel Cordier à Paris ; à partir de 1962 à divers happenings à la galerie Cordier ; de 1964 à 1967, au Festival de la Libre Expression à l'American Center à Paris ; 1994, à *Hors Limites. L'Art et la vie 1952-1994* au centre Georges Pompidou à Paris.
Il montre ses œuvres dans des expositions particulières, à Paris, la première en 1958, une seconde en 1960 avec des peintures, des collages et des objets, une autre répertoriée en 1965 avec collages et objets ; il expose principalement aux États-Unis à partir de 1968 ; 1998, Museum Moderner Kunst, Vienne.
Opposé à l'« art marchandise », désirant « dadaïser » la société, Lebel demeure en marge de la scène artistique, se tenant le plus souvent volontairement absent des musées et des galeries. Il a néanmoins développé un travail plastique important. Outre les performances, il a réalisé de nombreux assemblages, qui empruntent à la sculpture et la peinture, et mêlent imagination créatrice et monde quotidien. Lors de la rétrospective présentée au musée d'Art moderne de Vienne en 1998 qui présentait une centaine d'œuvres et de nombreux documents inédits, il avait créé un pièce intitulée *Mausolée pour le crime absolu* au musée de la Police criminelle – d'ordinaire vouée au crime de droit commun – qui réunissait les auteurs, les instigateurs et les commanditaires de crimes politiques de droit commun abominables : Hitler, Staline, Mussolini, Hich Coch la *chienne de Buchenwald*...
Bibliogr. : Robert Fleck : *Jean Jacques Lebel*, Beaux-Arts, n° 129, Paris, déc. 1994 – *Jean Jacques Lebel*, catalogue d'exposition, Museum Moderner Kunst, Vienne, 1998.
Ventes Publiques : Paris, 27 mars 1995 : *Corps-paysage* 1957, encre (50x64,5) : **FRF 10 000** – Paris, 1er juil. 1996 : *Machine à récupérer la mort* 1964, table de chevet, assiette, élément métallique et grenade peinte (105x38x38) : **FRF 52 000**.

LEBEL Jules Henri
Mort en 1886. XIXe siècle. Français.
Peintre.
Sociétaire des Artistes Français, il figura au Salon de ce groupement.

LEBEL Nina
Née en 1907 à Paris. XXe siècle. Française.
Peintre. Abstrait, tendance abstrait-géométrique.
Elle a d'abord travaillé avec Dorothea Tanning, Jean Dewasne et Auguste Herbin. Elle a fait partie du mouvement lettriste.
Elle montre ses œuvres, à Paris, aux Salons, des Réalités Nouvelles à partir de 1955, Comparaison depuis 1962, etc. Elle a figuré à l'exposition *Cinquante ans de collages* au Musée des Arts Décoratifs à Paris et au Musée de Saint-Étienne en 1964. Elle a exposé personnellement à Paris en 1961 et 1966.
Ses œuvres sont des compositions abstraites dont certaines se rattachent à l'abstraction géométrique.
Ventes Publiques : Paris, 15 fév. 1988 : *Composition* 1907, techn. mixte et collage/pan. (41x33) : **FRF 2 600**.

LE BELLE François
XVIIIe siècle. Actif à Paris. Français.
Peintre.
Il fit baptiser son fils en 1769, et sa fille en 1773.

LEBENSTEIN Jan
Né le 5 janvier 1930 à Brest-Litovsk. XXe siècle. Actif en France. Polonais.
Peintre, peintre à la gouache, dessinateur, lithographe. Tendance fantastique.
Il est diplômé de l'Académie des Beaux-Arts de Varsovie en 1954, puis s'installe en France, à Paris.
Il participe à des expositions collectives : 1957, deuxième exposition d'art moderne de Varsovie ; *Cinq peintres polonais* à Milan ; Première Biennale des Jeunes Peintres de Bruxelles ; Salon de Mars, Zakopane ; 1958, sélectionné pour le prix Guggenheim ; 1959, Biennale des Jeunes Artistes de Paris, puis : *Art Polonais Contemporain*, au Stedelijk Museum d'Amsterdam, au Palais

des Beaux-Arts, de Bruxelles, au Musée d'Art Moderne de Stockholm, au Musée d'art Moderne de Copenhague, au Musée d'Art Appliqué de Genève ; Documenta II, Kassel ; cinquième Biennale de São Paulo ; 1960, Salon de Mai et Comparaison, Paris ; 1961, *Douze peintres polonais*, Musée National d'Art Moderne, Paris ; *Treize peintres polonais*, New York ; Exposition Internationale du Carnegie Institute de Pittsburgh ; 1965, *Art Fantastique* à la Biennale de São Paulo ; *La Peinture polonaise et contemporaine*, Musée de Tel-Aviv ; 1967, Exposition Internationale Carnegie de Pittsburgh ; *Le Dessin fantastique*, Musée d'Art Moderne, Chicago, etc.
Il montre ses œuvres dans des expositions personnelles : 1956, 1958, Varsovie ; 1959, Paris ; 1960, Turin ; 1961, Musée d'Art Moderne, Paris ; 1962, New York ; 1963, Milan, Rome ; 1964, Amsterdam ; 1964, Palais des Beaux-Arts de Bruxelles ; 1964, Musée Grimaldi, Antibes ; 1964, Paris ; 1965, Cologne ; 1966, Oslo, Berlin, Copenhague, Milan ; 1967, Silkeborg ; 1971, 1975, 1978, Paris ; 1977 rétrospective au Musée de Wroclaw.
Il a obtenu en 1959, dans le cadre de la Biennale des Jeunes, le prix de la Ville de Paris pour ses *Figures axiales*.
À la première Biennale des Jeunes Artistes de Paris, en 1959, la section polonaise apparut comme la révélation de cette manifestation ; de même que la Biennale de Venise de 1958 avait apporté la révélation d'une jeune école picturale espagnole. L'apparition de formes d'art non figuratives étonnait autant dans une Pologne liée à l'idéologie de la Russie soviétique, que dans l'Espagne franquiste, laissant penser qu'il n'est décidément pas possible d'empêcher durablement les hommes d'exprimer les idées de leur époque. Dans une robuste trituration de matières épaisses, de colorations ingrates de gris et de terres verdâtres brûlées et presque cuites, abondamment vernissées, il a évolué d'une manière informelle, où toutefois se laissaient deviner des apparitions de masques ou de silhouettes d'insectes inquiétants, à une figuration délibérée, recourant à toutes les ressources du modelé, dans laquelle domine la présence de corps féminins voués à un érotisme morbide et à des accouplements avec des monstres, dans une évidente référence aux *Caprices* de Goya, surtout sensible dans ses dessins et lavis. Il dessine et peint aussi à la gouache des œuvres qu'il range selon sa dénomination dans un *journal intime*. ■ J. B.

Bibliogr. : In : *Peintres contemporains*, Mazenod, Paris, 1964 – *Lebenstein*, catalogue de l'exposition, Gal. Desbrière, Paris, 1968 – Michel Ragon : *Vingt-cinq ans d'art vivant*, Casterman, Paris, 1969 – in : *Dictionnaire universel de la peinture*, Le Robert, Paris, 1975 – in : *L'Art du XXe siècle*, Paris, Larousse, 1991 – in : *Dictionnaire de l'art moderne et contemporain*, Hazan, Paris, 1992.

Musées : Antibes (Mus. Grimaldi) – Bochum (Gal. mun.) – Bydgoszcz (Mus. Nat.) – Cracovie (Mus. Nat.) – Lodz (Mus. d'Art) – New York (Mus. d'Art Mod.) – Paris (Mus. Nat. d'Art Mod.) : *Figure n°59* 1960 – *Le Rampant* 1965 – Paris (Mus. d'Art Mod. de la Ville) – Pittsburgh (Carnegie Inst.) – Poznan (Mus. Nat.) – San Francisco (Mus. Nat. d'Art Mod.) – São Paulo (Mus. Nat. d'Art Mod.) – Stockholm (Mus. d'Art Mod.) – Tel-Aviv – Varsovie (Mus. Nat.) – Venise (Gal. d'Art Mod.) – Washington (Hirshorn Mus.) – Wroclaw.

Ventes Publiques : Bruxelles, 27 oct. 1976 : *Figure axiale* 1950, h/t (130x162) : **BEF 34 000** – New York, 13 juin 1978 : *Figure axiale* 1960, h/t (129,5x96,5) : **USD 1 200** – Anvers, 3 avr. 1984 : *Purgatai* 1975, past. (120x98) : **BEF 55 000** – Anvers, 3 avr. 1984 : *Inassaurisment* 1972, h/t (96x130) : **BEF 70 000** – Neuilly, 20 juin 1988 : *Figure 39* 1959, h/t (179x68) : **FRF 48 000** – Bruxelles, 13 déc. 1990 : *Figure axiale n° 113* 1961, h/t (161x130) : **BEF 250 800** – Neuilly, 7 fév. 1990 : *Figure* 1960, gche et encre de Chine (77x63) : **FRF 14 000** – Paris, 2 juin 1991 : *Points de vue* 1967, h/t, diptyque (100x100) : **FRF 30 000** – New York, 12 juin 1991 : *Figure axiale n° 79* 1960, h/t (145,4x87,6) : **USD 2 475** – Zurich, 29 avr. 1992 : *Composition*, techn. mixte aquar. et encre (80,2x29,2) : **CHF 1 000** – Paris, 19 oct. 1997 : *Figures surréalistes* 1967, temp. et past./pap./t. (64x47,7) : **FRF 4 500**.

LEBER Pietro
Né le 25 novembre 1829 à Lugano. Mort le 8 mai 1892 au bord du lac de Côme. XIXe siècle. Italien.
Sculpteur.
Étudia à l'Académie Brera de Milan, puis se rendit en Amérique, à Louisville, où il décora de fresques les palais du gouverneur de l'État de Kentucky, l'évêché, l'Hôtel de Ville et la cathédrale de Louisville.

LE BERGER Bertrand
XVe siècle. Français.
Enlumineur.
Il travailla pour le duc René d'Anjou.

LEBERGER Paul
Né le 17 janvier 1927. XXe siècle. Français.
Peintre de paysages urbains, céramiste, lithographe.
Il participe à des expositions en province, notamment dans le Rousillon.

LE BERGER Robert
Né en 1905 à Paris. Mort en 1972. XXe siècle. Français.
Peintre de compositions à personnages, paysages, natures mortes.
De 1918 à 1922, il étudie le dessin et la peinture à l'École Germain Pilon.
Il a exposé à Santander en 1956, à Buenos Aires en 1958, à Paris en 1959-1960, à Sarrebruck en 1962.
Influencé tout d'abord par Utrillo, il peint des paysages de Paris, puis des paysages de régions qu'il visite, des natures mortes, des clowns et scènes de cirque.

Ventes Publiques : Zurich, 8 nov. 1980 : *Scène de rue à Paris*, h/t (61x50) : **CHF 2 400** – La Varenne-Saint-Hilaire, 21 mai 1989 : *La maison de Mimi Pinson*, h/t (50x61) : **FRF 5 800** – La Varenne-Saint-Hilaire, 3 déc. 1989 : *Rue près de Notre-Dame*, h/t (55x46) : **FRF 3 600** – Versailles, 28 jan. 1990 : *Vieilles maisons au Pont-Marie*, h/t (50x72,5) : **FRF 3 000**.

LE BERNIN. Voir **BERNINI Gian** ou **Giovanni Lorenzo**

LE BERRUYER Paul
XVIe siècle. Actif à Rouen. Français.
Sculpteur sur bois.
Dans l'église paroissiale de Saint-Sauveur, à Rouen, il fit, en 1590, la clôture du chœur, ornée d'un crucifix et de diverses figures.

LEBERT B. M.
Né en 1759 à Paris. Mort en 1836 à Colmar. XVIIIe-XIXe siècles. Français.
Graveur.
Il dessina et grava surtout des modèles de tissus, mais aussi des vues de monuments.

LEBERT François
Né en 1948 à Nantes (Loire-Atlantique). XXe siècle. Français.
Peintre.

Bibliogr. : In : *De Bonnard à Baselitz – Dix ans d'enrichissements du Cabinet des Estampes 1978-1988*, Bibliothèque nationale Paris, 1992.

Musées : Paris (BN, Cab. des Estampes).

LEBERT Henri
Né en 1794 à Thann (Haut-Rhin). Mort en septembre 1862 à Colmar (Haut-Rhin). XIXe siècle. Français.
Peintre de portraits, paysages, fleurs.
Il exposa au Salon de Paris en 1822, 1836 et 1848.

Bibliogr. : In : Catalogue de l'exposition : *Les années romantiques, la peinture française de 1815 à 1850*, Mus. des Beaux-Arts, Nantes, 1995-1996, Galeries nationales du Grand Palais, Paris, 1996.

Musées : Colmar : *Bouquet de fleurs sur une tombe* 1820 – *Vue du Hohenlandsburg* 1833 – *Couvent d'Unterlinden* 1838 – *Portrait de Rose Lebert* – *Vue de Fischboedlé*.

LE BERT J. P.
XVIIIe siècle. Actif vers 1770. Français.
Dessinateur et graveur.
On cite notamment de lui les portraits d'après Cochin de *Henri IV* ; du *duc d'Orléans* ; du *Comte d'Artois* ; de *Louis V* ; de *Louis XVI dauphin*.

LEBERT Joseph
XVIIe siècle. Actif à Nantes entre 1668 et 1671. Français.
Peintre et peintre verrier.

LEBERTHAIS
XIXe siècle. Actif à Paris. Français.
Paysagiste.
Exposa au Salon en 1834, 1835, 1836.

LEBERTRE Arsène
XIXe siècle. Français.
Peintre de genre, paysages.

Musées : Bernay : *Vue de la Charentonne* – *Saint Nicolas*.

Ventes Publiques : Paris, 29 juin 1988 : *Partie de dominos en Normandie* 1898, h/t (131x98) : **FRF 26 000**.

LE BESQUE Marie Louise, Mme
XIXe siècle. Active à Paris. Française.
Peintre.
Sociétaire des Artistes Français depuis 1908, elle figura au Salon de ce groupement.
Ventes Publiques : Paris, 27 et 28 déc. 1927 : *Le panier de fleurs* : **FRF 130**.

LE BEUF Jean
XVIIe siècle. Français.
Graveur.
Il exerçait son art vers 1617. Il adopta la manière de Léonard Gautier. On a de lui quelques portraits.

LEBEUFFE Jean P. Théodore
Né en 1805 à Champlitte. Mort le 17 novembre 1871 à Échenoz-la-Meline. XIXe siècle. Français.
Peintre de paysages, de marines et aquarelliste.
Élève d'Isabey. Exposa au Salon de 1866 à 1870. Sociétaire des Artistes Français depuis 1886. On cite de lui : *Le casino des bains à Paramé*.

LEBIBRE Pierre
Né le 22 août 1932 à Honfleur (Calvados). XXe siècle. Français.
Peintre, céramiste.
Il fut tour à tour charpentier, marin, briquetier, artisan potier de 1960 à 1968. Il devint ensuite professeur de céramique à l'École Régionale des Beaux-Arts de Caen, puis directeur de 1977 à 1986. Depuis 1986, il est professeur d'histoire de l'art.

LE BICHAR Jacques ou **le Bichard**. Voir **LE BICHEUR**

LE BICHEUR Henry
XVIIe siècle. Actif à Paris en 1686. Français.
Peintre.
Fils de Jacques le Bicheur ou Bichard, peintre du Roi.

LE BICHEUR Jacques ou **Bichar, Bichard**
Né en 1599. Mort en 1666. XVIIe siècle. Actif à Paris. Français.
Peintre.
Mentionné comme « peintre du Roy ».

LE BICHEUR Louis
XVIIe siècle. Actif à Paris en 1686. Français.
Peintre.
Second fils de Jacques le Bicheur ou Bichard, peintre du Roi.

LEBIEDZKI Eduard
Né le 9 mars 1862 à Bodenbach. XIXe siècle. Autrichien.
Peintre d'histoire et de portraits.
Élève de l'Académie de Vienne. Visita la France, l'Italie, l'Allemagne. Travailla aux fresques de Rahl du palais de l'Université d'Athènes.

LEBIENVENU-DUTOURP Valentine
Née le 17 juillet 1879 à Caen (Calvados). XXe siècle. Française.
Peintre.
Elle fut élève de G. Ferrier et de Rozier. Elle figura, à Paris, au Salon des Artistes Français, dont elle est sociétaire depuis 1908.

LEBIER Daniel
Né le 30 décembre 1941 à Toulouse (Haute-Garonne). XXe siècle. Français.
Peintre. Tendance abstraite.
Il a d'abord étudié à l'École des Beaux-Arts de Toulouse, puis à Paris dans l'atelier de Legueult.
En 1967, il expose à Toulouse, puis à Paris.
Au début, sa peinture semblait se fonder sur le jeu des ombres, jeu qui a tendu vers une totale abstraction des formes.

LE BIHAN Alexandre
Né le 27 octobre 1839 à Langonnet (Morbihan). XIXe siècle. Français.
Peintre de genre, portraits, paysages animés.
Élève d'Alexandre Cabanel et de Charles Gleyre à l'École des Beaux-Arts de Paris, il participa au Salon de Paris de 1869 à 1900.
Il peint des personnages scrupuleusement détaillés dans des paysages amplement traités.
Bibliogr. : Gérald Schurr, in : *Les Petits Maîtres de la peinture 1820-1920, valeur de demain*, Les Éditions de l'Amateur, t. III, Paris, 1976.
Ventes Publiques : Paris, 13 mars 1978 : *La cueillette des pommes*, h/t (192x120) : **FRF 5 000** – New York, 27 fév. 1986 : *Enfants cueillant des pommes*, h/t (197,5x119,5) : **USD 11 500** – Londres, 16 mai 1990 : *Vue de Twickenham avec « La maison du pape » et Rednor House*, h/t (39x60) : **GBP 3 960** – Calais, 5 juil. 1992 : *La chasse ; La pêche*, h/t, une paire (chaque 38x45) : **FRF 15 000**.

LE BIHAN Pierre-Yves
Né à Paris. XXe siècle. Français.
Sculpteur, mosaïste.
Ingénieur, vers 1980 il a commencé à sculpter des objets décoratifs inspirés de ses occupations scientifiques.

LEBIODA Michal
Né en Volynie. Mort en 1845 à Bialacerker. XIXe siècle. Polonais.
Peintre.
Il étudia à Vilna, puis à l'Académie de Saint-Pétersbourg. Il fut invité par le comte Branicki à Bialacerker où il travailla pour les églises des propriétés du comte.

LEBL Franz
Né vers 1656. Mort le 3 septembre 1688. XVIIe siècle. Actif à Salzbourg. Autrichien.
Peintre.
Il a peint les portraits de l'*Archevêque de Salzbourg ; Max Gandolf ; Le comte Kuenburg*.

LE BLAISE Dominique
Né en 1936 à Limoges (Haute-Vienne). XXe siècle. Français.
Peintre, graveur.
Bibliogr. : In : *De Bonnard à Baselitz – Dix ans d'enrichissements du Cabinet des Estampes 1978-1988*, Bibliothèque nationale Paris, 1992.
Musées : Paris (BN, Cab. des Estampes).

LEBLANC
XIXe siècle. Actif à Paris en 1819. Français.
Graveur au burin.
On cite de lui : planche pour un *Rapport d'une Commission spéciale d'ingénieurs*.

LEBLANC Alexandre
Né le 1er avril 1793 à Châteauneuf. Mort en 1866. XIXe siècle. Français.
Peintre d'histoire, paysages.
Il participa au Salon de Paris de 1817 à 1848. Chevalier de la Légion d'honneur en 1840.
Bibliogr. : In : Catalogue de l'exposition : *Les années romantiques, la peinture française de 1815 à 1850*, Mus. des Beaux-Arts, Nantes, 1995-1996, Galeries nationales du Grand Palais, Paris, 1996.
Musées : Angers : *Fin du déluge* – Arras : *Le déluge* – Avignon : *Vue des éboulements de Leccio* – Compiègne (Mus. du Palais) : *Vue de Florence* – La Fère : *Vue des environs de Volterra* 1835 – Mayenne : *L'aumône – Intérieur d'un cloître* – Provins : *Vue de Florence*.
Ventes Publiques : Paris, 10-11 mai 1897 : *La cascade de Terracine* : **FRF 55** ; *Le départ du chevalier* : **FRF 180** – Los Angeles, 15 oct 1979 : *Intérieur d'église*, h/pan. (56x43) : **USD 1 500** – Paris, 20 mars 1985 : *L'entrée du monastère* 1825, h/t (61x49,5) : **FRF 20 200**.

LEBLANC Barthélémy Joseph
Né le 1er septembre 1734 à Valenciennes. Mort le 14 février 1787 à Valenciennes. XVIIIe siècle. Français.
Sculpteur sur bois.
Il travailla pour l'abbaye de Saint-Amand.

LEBLANC Christian Louis
XIXe siècle. Actif à Paris. Français.
Paysagiste.
Exposa à Paris de 1842 à 1844.

LEBLANC Félix
Né en janvier 1823 à Paris. XIXe siècle. Français.
Graveur sur bois.
Élève de Lacoste et Montigneul. Exposa, au Salon de 1861, dix-sept gravures pour le traité d'horticulture de M. Degaisne.

LE BLANC Horace
Né probablement dans le troisième quart du XVIe siècle à Lyon. Mort fin 1637 à Lyon. XVIe-XVIIe siècles. Français.
Peintre de compositions religieuses, portraits.
Il étudia en Italie, où il reçut les conseils de Lanfranc ; puis revint s'établir à Lyon, vers 1610. Il y acquit une grande réputation de peintre de portraits, et il est tout à fait probable que l'on retrouvera encore des portraits exécutés par lui dans la région lyon-

naise. En 1623, il fut nommé « peintre ordinaire de la ville de Lyon » ; il était aussi désigné par le titre de « peintre de l'Académie de Rome ». C'est à cette époque qu'il fut le professeur de Jacques Blanchard. En 1625, il fut nommé « peintre ordinaire du roi », et, en 1637, l'année de sa mort, il est cité comme « peintre de la maison du roi ». On cite de ses compositions religieuses à Lyon, à Toulouse, à l'église Saint-André de Grenoble : *Ensevelissement du Christ*, et à l'église San Giuseppe dei Falegnani à Rome : *Le mariage de la Vierge*. On tend également à lui attribuer le *Martyre de Saint Sébastien*, conservé au Musée de Rouen, et signé H. Blancus, ou Blangus. Si les portraits d'Horace Le Blanc sont d'un réalisme qui dénote une influence flamande généralisée en France à cette époque, dans ses compositions religieuses, à travers le maniérisme des personnages, on ressent l'influence de son séjour à Rome, celle des Carrache, et aussi le souvenir de l'école française, tout italianisante, du XVIe siècle.

Bibliogr. : Charles Sterling : Catalogue de l'exposition : *Les peintres de la réalité en France au XVIIe siècle*, Musée de l'Orangerie, Paris, 1934.

Musées : Rouen (Mus. des Beaux-Arts) : *Saint Sébastien*.

LEBLANC Jean ou **Blank**
Né en 1677. Mort le 22 décembre 1749. XVIIIe siècle. Français.
Graveur, orfèvre et ciseleur.

Académicien le 30 avril 1718.

LEBLANC Jean Charles Marie
Né le 19 février 1815 à Paris. Mort le 12 mai 1875 à Chartres. XIXe siècle. Français.
Peintre de natures mortes et pastelliste.

D'abord employé au Ministère des finances, il fit de la peinture en amateur, d'après les leçons de Jules André et Jules Dupré. Il exposa au Salon de 1846 à 1857, particulièrement des pastels. En 1866, il prit sa retraite à Chartres et y fut conservateur du Musée.

LEBLANC Jules René
Mort en 1903. XIXe siècle. Français.
Peintre.

Sociétaire des Artistes Français, il figura au Salon de ce groupement.

LEBLANC Léon
Né à Sainte-Maure-de-Touraine (Indre-et-Loire). XIXe siècle. Français.
Peintre de portraits, dessinateur.

Entre 1875 et 1882, il fut élève de Henri Lehmann. Il exposa à Paris, au Salon des Artistes Français à partir de 1879.

LEBLANC Léon
Né le 4 avril 1889 à Sainte-Maure-de-Touraine (Indre-et-Loire). Mort le 3 juin 1974 à Tours (Indre-et-Loire). XXe siècle. Français.
Peintre de paysages, paysages d'eau.

Il peignit surtout les paysages de la région de Tours, en particulier les vallées du Cher et de la Loire.

LEBLANC Léonide Joséphine
Née à Poitiers (Vienne). XIXe siècle. Française.
Peintre de portraits et miniaturiste.

Élève de Belloc, de E. Delacroix et de Mlle Douillot. Exposa au Salon, particulièrement des miniatures, à partir de 1878.

LE BLANC Louis. Voir **BLANC**

LE BLANC Maurice
Né au XIXe siècle à Braine-sur-Vesle. XIXe siècle. Français.
Sculpteur.

Figura au Salon des Artistes Français où il obtint une mention honorable en 1887.

LE BLANC Pierre
Travaillant à Paris. Français.
Graveur sur bois.

LE BLANC Simon. Voir **BLANC**

LEBLANC Théodore
Né le 30 octobre 1800 à Strasbourg (Bas-Rhin). Mort le 11 octobre 1837 à Constantine (Algérie). XIXe siècle. Français.
Peintre d'histoire, graveur.

Élève de Nicolas Charlet. Il fut capitaine de génie et mourut des suites de ses blessures au siège de Constantine. Médaille de troisième classe en 1836. Chevalier de la Légion d'honneur.

Il peignit de grandes compositions de batailles, pour lesquelles il se souvient davantage de l'art de Delacroix que des leçons de son maître. Il est surtout apprécié pour ses lithographies et ses aquarelles.

Bibliogr. : Gérald Schurr, in : *Les Petits Maîtres de la peinture 1820-1920, valeur de demain*, Les Éditions de l'Amateur, t. IV, Paris, 1979.

Musées : Versailles : *Camp des Palikares devant Lépantes en 1827 – Combat d'Habracht – Marche de l'armée française après la prise de Mascara*.

Ventes Publiques : Paris, 26 mars 1945 : *L'école des tambours de la garde*, aquar. : **FRF 5 300** – Londres, 10 juil. 1986 : *Queen's Adelaide's first drawing room* 1834, aquar./traits cr. reh. de gche (34x73,5) : **GBP 9 500**.

LEBLANC Walter
Né en 1932 à Anvers. Mort en 1986 à Bruxelles. XXe siècle. Belge.
Peintre, peintre d'assemblages, sculpteur, sérigraphe. Abstrait.

Après des études à l'Académie Royale puis à l'Institut Supérieur des Beaux-Arts d'Anvers. De 1962 à 1965, il a participé aux exposition du *Groupe Zéro* et de *Nouvelle Tendance* et à de nombreuses expositions ayant pour thème l'art cinétique et visuel. Il a de nouveau exposé à la Biennale de Paris en 1967 et à celle de Venise en 1970. Il a aussi organisé l'exposition *Anti-Peinture* à la Hessenhuis d'Anvers. Il montre ses réalisations en France, en Belgique au Palais des Beaux-Arts de Bruxelles en 1961, Italie et Suède. Il a reçu une récompense à la Biennale des Jeunes de Paris en 1959, après avoir reçu le prix de la Jeune Peinture Belge, il a aussi obtenu le prix Jeune Peinture en 1964, le prix Europe à Ostende en 1966, il fut également lauréat de la Ve Biennale de Paris en 1967, et a obtenu le prix Eugène Baie en 1969.

Dans les années soixante, ses travaux se caractérisaient par l'emploi de bandes de papier de couleur entortillées en colimaçons parallèles et, à partir de ces problèmes de torsion, il a évolué vers l'art optique et cinétique. Les modalités d'expression de son propos se sont diversifiées : assemblages, peintures, sérigraphies, sculptures. Dans la série des *Twisted strings*, de fines cordelettes torsadées dessinent dans l'espace des architectures géométriques, simples et sobres, qui captent la lumière et en animent les surfaces ouvertes à l'air. Il a réalisé des sculptures d'intégration architecturale depuis 1964.

Bibliogr. : In : *Diction. biographique illustré des artistes en Belgique depuis 1830*, Arto, Bruxelles, 1987 – in : *L'Art du XXe siècle*, Paris, Larousse, 1991.

Ventes Publiques : Lokeren, 10 oct. 1992 : *Torsions* 1965, tresses (40x40) : **BEF 80 000** – Paris, 27 mars 1995 : *Anti-peinture*, feuille de vinyl. découpé/pan. d'isor. (54x64,5) : **FRF 6 500** – Lokeren, 9 déc. 1995 : *Torsions*, tresses (28x28) : **BEF 36 000**.

LEBLANC-BELLEVAUX Ch.
Né à Nevers (Nièvre). XIXe siècle. Français.
Peintre.

Élève de Gérôme. Exposa au Salon à partir de 1876.

LE BLANT Julien
Né le 30 mars 1851 à Paris. Mort en 1936. XIXe-XXe siècles. Français.
Peintre d'histoire, scènes de genre, illustrateur, aquarelliste.

Il a été élève de E. Girard puis débuta, à Paris, au Salon en 1874. Il montra ses œuvres à la galerie Georges Petit à Paris en 1919. Il obtint une médaille de troisième classe en 1878, de deuxième classe en 1880, d'or en 1889 dans le cadre de l'Exposition universelle. Chevalier de la Légion d'honneur en 1885.

Il illustra divers ouvrages dont : *Les Chouans*, de H. Balzac, 1889 ; *Chevalier des Touches*, de Barbey d'Aurevilly, 1886 ; *Premier grenadier de France*, de P. Déroulède, Hurtel, 1886 ; *Mort du duc d'Enghien*, de L. Henrique, 1894 ; *Les Fiancés*, de Manzoni ; *Mauprat*, de G. Sand, 1886 ; *Mémoires du sieur de Pontis*, de J. Serviers, 1897 ; *La Vengeance des Peaux-de-Bique*, 1896 ; *Grandeur et Servitude militaires*, de A. de Vigny, 1885.

J. Le Blant
J. Le Blanc

Bibliogr. : In : *Diction. des illustrateurs 1800-1914*, Ides et Calendes, Neuchâtel, 1989.

Musées : Mulhouse : *Le Retour du régiment* – Nantes : *La Mort du Général d'Elbée* – Troyes : *Le Combat de la Fère Champenoise*.

Ventes Publiques : Paris, 1879 : *Un Chouan* : **FRF 1 620** – Paris, 23-25 mai 1898 : *Le Duel*, aquar. : **FRF 420** – Londres, 12 fév. 1910 : *La Traversée du gué* : **GBP 30** – New York, 27 jan. 1911 : *Réquisition de logement* : **USD 190** – Paris, 23 mars 1945 : *Les Chouans dans la campagne* : **FRF 1 600** – Londres, 15 juin 1979 : *Scène de bataille*, h/t (150,5x218,5) : **GBP 1 800** – New York, 13 oct. 1993 : *Les bandits de grand chemin*, h/t (147,3x221) : **USD 18 400**.

LE BLÉ DELALANDE Th.
Morte en 1909. XIXe-XXe siècles. Française.
Peintre.
Sociétaire des Artistes Français, elle figura au Salon de ce groupement.

LEBLING Max Ludwig
Né le 15 septembre 1851 à Leipzig. XIXe siècle. Allemand.
Peintre de genre et d'animaux.
Élève de Piloty à Munich. Il exposa à partir de 1876. On cite de lui : *Une grande découverte*.
Ventes Publiques : Londres, 17 nov. 1933 : *Le berger* : **GBP 57** – Munich, 21 sep. 1983 : *Moutons dans un paysage* 1882, h/pan. (45x76) : **DEM 11 000** – Londres, 10 oct. 1986 : *Chien tirant un petit chariot* 1872, h/t (134x118) : **GBP 5 200**.

LE BLON Christof, l'Ancien
Né vers 1600 à Francfort-sur-le-Main. Mort en 1665 à Francfort-sur-le-Main. XVIIe siècle. Allemand.
Graveur, illustrateur.
Éditeur et marchand d'objets d'art, il illustra souvent les livres qu'il faisait imprimer. On lui doit beaucoup de gravures d'ornements.

LE BLON Christof, le Jeune
Né en novembre 1639 à Francfort-sur-le-Main. XVIIe siècle. Allemand.
Graveur.
Il fut, semble-t-il, le maître de son fils Jacob Christof Le Blon.

LE BLON Jacob Christof
Né le 21 mai 1667 à Francfort-sur-le-Main. Mort le 16 mai 1741 à Paris. XVIIe-XVIIIe siècles. Allemand.
Peintre, graveur.
Il est l'inventeur du tirage en couleurs des gravures sur cuivre. Il eut pour maître C. Meyer à Zurich ; en 1696-1697, il alla à Rome avec le titre de peintre de l'ambassadeur de l'empereur. A Rome, il se lia avec Bonaventura Overbeck qui revint avec lui à Amsterdam où il demeura quatre ans. Il se fit remarquer comme peintre de portraits, de tableaux de genre et de miniatures. C'est là qu'il fit la découverte d'un procédé permettant de reproduire en couleurs, sur cuivre, les peintures à l'huile. Ses premiers essais furent heureux et obtinrent un grand succès ; une seule gravure se vendit jusqu'à 300 ou 400 florins ; il se rendit à La Haye vers 1715 et essaya, sans succès de fonder une société pour l'exploitation de son procédé, mais à Londres il put récolter un capital suffisant grâce à l'aide du capitaine Gy. Les débuts furent malheureux. Après avoir passé à La Haye, il vint à Paris et obtint un privilège de vingt ans, le 1er avril 1738, pour son impression des couleurs, mais il ne continua pas ses expériences. Son invention était encore rudimentaire et ses gravures en couleurs ne pouvaient se tirer qu'à un nombre très réduit d'exemplaires. Il mourut dans une profonde misère, probablement à l'hôpital. Ses œuvres sont doublement intéressantes et pour la nouveauté de leur procédé d'exécution et pour leur valeur artistique. Il convient de citer les portraits de *George II* ; de *La Reine Caroline* ; de *Louis XV* ; du *prince Eugène* ; du *cardinal Fleury* ; des *Enfants de Charles Ier* ; *P.-P. Rubens* ; *Ant. Van Dyck*. (Voir aussi l'article JANINET, pour ce qui concerne le procédé.).
Ventes Publiques : Londres, 28 nov 1979 : *Ernst Wilhelm von Salisch*, mezzotinte en coul. reh. de coul./parchemin (38,7x29,7) : **GBP 2 100**.

LE BLON Michael
Mort en 1656 à Amsterdam. XVIIe siècle. Allemand.
Orfèvre, graveur.
Baptisé à Francfort-sur-le-Main le 9 juillet 1587. Theodor et Joh.-Theodor de Bry furent ses maîtres. Il se maria le 13 mai 1615, à Amsterdam, et eut quatre enfants. Lorsque son cousin, Joachim Van Sandrart, partit pour l'Italie, Le Blon l'accompagna à Bologne, à Florence et à Rome. Il demeura longtemps à Londres comme agent du gouvernement suédois, puis vécut à Amsterdam jusqu'à sa mort. Il s'adonna surtout à l'orfèvrerie ; ses gravures ne datent que de 1611, mais il traita un peu tous les genres.

Ventes Publiques : Paris, 1865 : *Écussons avec divers supports et armoiries*, 10 pièces : **FRF 32**.

LEBLOND Faron
XVIIe siècle. Français.
Sculpteur.
Il prit part à des travaux de restauration, au château de Fontainebleau, en 1642.

LE BLOND J.
XVIe siècle. Vivant à Paris. Français.
Peintre et éditeur et graveur.
Il a gravé des sujets religieux.

LE BLOND Jean
Né vers 1635 à Paris. Mort le 13 août 1709 à Paris. XVIIe siècle. Français.
Peintre d'histoire, graveur et éditeur.
Reçu académicien le 1er août 1681.

Ventes Publiques : Paris, 23 mai 1928 : *Étude de Mascaron* : **FRF 150**.

LE BLOND Jean Baptiste Alexandre
Né en 1679 à Paris. Mort en 1719 à Saint-Pétersbourg. XVIIIe siècle. Français.
Architecte, ornemaniste, paysagiste, dessinateur.
S'il est connu essentiellement en tant qu'architecte, il était aussi un excellent dessinateur, comme le notait Mariette. Il avait exécuté des planches pour l'Architecture moderne. Il dessinait avec précision et finesse des motifs d'ornement qui conduisent au style Régence.

LE BLOND Laurent
Né le 21 décembre 1602 à Valenciennes. Mort le 27 septembre 1654 à Valenciennes. XVIIe siècle. Français.
Peintre.
On sait qu'il peignit une *Vierge*.

LEBLOND DE LATOUR Antoine
Né vers 1630 à Paris. Mort le 9 décembre 1706 à Bordeaux. XVIIe siècle. Français.
Peintre et écrivain.
D'après le dictionnaire de Bellier de la Chavignerie et Auvray, il fut agréé à l'Académie « le 28 décembre 1682 ; reçut de l'Académie de Paris, par faveur, des lettres de provisions pour lui servir à sa réception dans l'Académie de la ville de Bordeaux, ville dans laquelle il se fixa en 1656 ; il y fut peintre de la ville le 6 juin 1665 et premier professeur à l'Académie de peinture le 29 avril 1691 ».
Ventes Publiques : Paris, 12 juin 1989 : *Portrait de James Campbell à l'âge de 18 ans*, h/t (78x64) : **FRF 14 000**.

LE BŒUF Auguste
Mort en 1909. XIXe siècle. Actif à Paris. Français.
Peintre.
Sociétaire des Artistes Français, il figura au Salon de ce groupement.

LE BŒUF Jules César Hilaire, comte de Valdahon
Né en 1770 à Dole. Mort le 17 décembre 1847 à Monétau (Yonne). XVIIIe-XIXe siècles. Français.
Peintre de genre et d'histoire et lithographe.
Il exposa au Salon de 1819 à 1840. Il peignit des tableaux d'autel pour la cathédrale d'Auxerre et les églises de Dole et de Monétau.

LEBŒUF Louis Joseph
Né le 30 août 1823 à Lons-le-Saunier. Mort le 19 août 1871 à Paris. XIXe siècle. Français.
Sculpteur.
Auteur des deux statues en pierre qui ornent l'entrée de l'Hôtel de l'État-Major des sapeurs-pompiers, boulevard du Palais. Il exposa au Salon de Paris, de 1857 jusqu'à sa mort.

LEBOIS André
XXe siècle. Français.
Peintre, illustrateur.
De 1947 à 1953, il figura, à Paris, au Salon des Réalités Nouvelles, avec des compositions musicalistes.
Cet artiste est aussi musicien. Il a fondé avec ses frères un quatuor où il tient la partie d'alto. Peintre, il tend à une sorte d'abstraction symphonique. Au début de sa carrière, il illustra les *Destinées*, d'Alfred de Vigny.

LEBON Charles
Né en 1906 à Saint-Gilles (Bruxelles). Mort en 1957 à Uccle (Brabant). xxe siècle. Belge.
Peintre de paysages, dessinateur.
Autodidacte. Il a exposé au Salon de Bruxelles, d'Anvers et de la Société Nationale des Beaux-Arts de Paris.
Il peint les terres du Brabant et les sites côtiers de la Flandre.

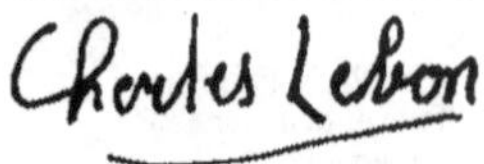

Bibliogr. : In : *Diction. biographique illustré des artistes en Belgique depuis 1830*, Arto, Bruxelles, 1987.
Ventes Publiques : Bruxelles, 24 mars 1976 : *Paysage aux chaumières* 1941, h/t (70x80) : **BEF 24 000** – Breda, 26 avr. 1977 : *Village près de la Semois*, h/t (80x100) : **NLG 3 200** – Bruxelles, 25 fév. 1981 : *Paysage brabançon*, h/t (85x110) : **BEF 90 000** – Bruxelles, 19 déc. 1989 : *Les chalutiers au phare d'Ostende*, h/t (60x60) : **BEF 38 000** – Lokeren, 4 déc. 1993 : *L'étang* 1925, h/t (110x125) : **BEF 110 000**.

LEBON H.
Français.
Aquarelliste.
Le Musée de Perpignan conserve une œuvre de lui.

LE BON Jean Yves
Né le 10 février 1955 à Carhaix-Plouger (Finistère). xxe siècle. Français.
Peintre. Abstrait.
Élève à l'École des Beaux-Arts de Rennes, il est également diplômé de l'École nationale d'Expression plastique en 1980. Il a participé à plusieurs expositions en 1882 à Rennes, Tours, Paris ; en 1983 à Stuttgart ; en 1984, 1985, 1987 de nouveau à Rennes ; en 1986 à Morlaix ; en 1988 et 1990 au Salon de Montrouge. Personnellement, il a exposé aux Ateliers Contemporains d'Arts Plastiques de Saint-Brieuc en 1984, à l'École des Beaux-Arts de Lorient en 1993, et à la Galerie du Chai à Saint-Brieuc en 1995. Enseignant à l'École des Beaux-Arts de Lorient, de 1989 à 1994, il est professeur à l'École des Beaux-Arts du Mans depuis 1994.
Il met en relation plans – de son atelier, d'architectures ou de jardins – et peinture, donnant des compositions sérielles, où un motif semblable se répète plusieurs fois dans des couleurs chatoyantes et différentes. De même qu'il décline le plan de son atelier sur différents supports et en diverses couleurs, il utilise le plan des piliers de la chapelle de la Salpêtrière de Paris, pour les juxtaposer en un ensemble de plomb et de pigments enchâssés sur des petites toiles rectangulaires de couleur jaune de Naples. Il procède d'une manière similaire avec le plan de jardins à Versailles.

LE BONHOMME Jacques, dit **Cauchois**
xviie siècle. Actif à Lisieux. Français.
Peintre et sculpteur.
Il fit, en 1610, pour le compte de la confrérie de Sainte-Anne, dans l'église de Sainte-Croix, quatre statues, l'une de *Sainte Anne*, l'autre de la *Vierge*, et les deux autres, des deux *Marie*.

LEBORGNE D. Louis
xixe siècle. Actif à Paris. Français.
Paysagiste.
Expose au Salon de 1844 à 1848. On cite de lui : *Pâturage en Vendée*.

LEBORGNE Émile
Né le 30 avril 1832 à Marcilly-le-Hayer. xixe siècle. Français.
Sculpteur.
Ancien pensionnaire du Conseil général de l'Aube. Le Musée de Troyes conserve de lui : *Philoctète dans l'île de Samos* et *Prisonnier enchaîné*.

LEBORNÉ Louis Joseph
Né le 13 juin 1796 à Versailles (Yvelines). Mort le 16 mars 1865 à Nancy (Meurthe-et-Moselle). xixe siècle. Français.
Peintre de genre, portraits, paysages.
Élève d'Henri Regnault et d'Achille Michallon, il devint directeur de l'École de dessin de Nancy et, en 1848, conservateur du musée.

Bibliogr. : In : Catalogue de l'exposition : *Les années romantiques, la peinture française de 1815 à 1850*, Mus. des Beaux-Arts, Nantes, 1995-1996, Galeries nationales du Grand Palais, Paris, 1996.
Musées : Douai : *Vue de la porte de Valenciennes* 1823 – Mulhouse : *Portrait de G. Jacques Koechlin* – Nancy (Mus. des Beaux-Arts) : *Méléagre tuant le sanglier de Calydon* – *Baigneuse* – Provins : *Jeune femme regardant un médaillon*.
Ventes Publiques : Paris, 1817 : *Madame de la Vallière dans sa prison* : **FRF 145** – Paris, 1880 : *Paysage* : **FRF 820**.

LEBOSQUÉ Jean
xviie siècle. Actif au Havre. Français.
Sculpteur et architecte.
Il édifia, en 1630, le portail de l'église Saint-Martin d'Harfleur (Seine-Inférieure), qu'il décora des statues de *Saint Martin*, de *Saint Eustache* et de *Saint Denis* ; il y figura aussi les armes du roi, celles du cardinal de Richelieu et celles de la ville (un navire voguant sur les flots).

LEBOSSÉ Henri Victor Gustave
Né à Paris. xixe siècle. Français.
Sculpteur.
Élève de Salmson. Exposa au Salon à partir de 1872. Membre de la Société des Artistes Français depuis 1896.

LE BOSSU Daniel
xviie-xviiie siècles. Travaillant de 1670 environ à 1700. Français.
Graveur.
Il travailla avec succès à Paris et à Rome dans la manière de François de Poilly.

LEBOUCHER Achille Jean Baptiste
Né le 10 février 1793 à Versailles. xixe siècle. Français.
Peintre de portraits et d'animaux.
Élève de Gros. Exposa au Salon de 1833 à 1840. Le Musée de Versailles conserve de lui les portraits de *François III de Lorraine* et de *Charles de Brünswick-Wolfenbuttel*.
Ventes Publiques : Paris, 30 mars 1925 : *Vaches au pâturage* : **FRF 310**.

LE BOUCHER Jean. Voir **JEAN Le BOUCHER**

LEBOUCHER Jean Claude
Né le 21 juillet 1937. xxe siècle. Français.
Peintre de paysages.
Il expose, à Paris, au Salon d'Automne et au Salon des Artistes Français.
Paysagiste, il joue sur les lignes effilochées et sur l'exagération des angles aigus pour accentuer l'expression d'un certain romantisme. Il a également réalisé une série sur l'Ancien et le Nouveau Testament.

LEBOUCHER Nicolas Maxime
Né à Paris. Mort en 1886. xixe siècle. Français.
Peintre de genre.
Élève de G. Ferrier. Exposa au Salon à partir de 1878.

LE BOUCQ Jacques
xvie siècle. Éc. flamande.
Dessinateur de portraits.
Héraut de Charles Quint et de Philippe II ; décoré de l'ordre de la Toison d'Or.

LE BOUL'CH Jean Pierre
Né le 10 mars 1940 à Toulon (Var). xxe siècle. Français.
Peintre, peintre de collages.
Il a participé à la revue *Chorus* où se sont retrouvés après les événements de 1968, à Paris, artistes et poètes. Il participe à la Biennale de Paris en 1963 et 1965, au Salon Grands et Jeunes d'Aujourd'hui à Paris en 1970 et 1971, il expose en 1977-1978 à la Galerie Krief à Paris, à la Biennale de Venise en 1978.
En réaction contre la beauté décorative d'une abstraction décadente, il a assimilé les recherches pop qui plongent dans la réalité quotidienne et se font l'écho des désirs latents des foules : argent, voiture, sexe, etc. Son approche du réel se fait par la photographie qu'il découpe dans les journaux ou qu'il fait lui-même et qu'il peint ensuite à l'aide d'un aérographe (pistolet très sensible) et d'un système très complexe de caches. Ses constantes références à la réalité photographique le font se rapprocher de l'hyperréalisme. Pourtant, sa « peinture », du réel n'est pas servile, et c'est plus à une réflexion sur l'image que Le Boul'ch nous convie. Le titre d'une exposition collective, à laquelle il a participé en 1973 à Pujols, donne une bonne idée de son travail :

Manipulation du réel. Partant d'une photographie, il peint des événements qui, formant image, deviennent mentaux : l'image est à la fois « incrustée dans le réel et ancrée dans la fiction », s'imposant à l'œil comme un souvenir, une persistance de la mémoire, un effacement. Les sujets de ses peintures tendent à devenir autobiographiques.
Musées : Paris (Mus. d'Art Mod. de la Ville).
Ventes Publiques : Paris, 26 jan. 1990 : *Femme assise derrière un grillage*, h/t (97x145) : **FRF 5 600** – Paris, 14 juin 1990 : *S.B.J.P. rouge*, collage et h/t (100x81) : **FRF 20 000** – Paris, 21 juin 1990 : *Thierry rouge*, acryl./t. (130x162) : **FRF 28 000** – Paris, 31 oct. 1990 : *Sur l'herbe* 1975, acryl./t. (130x162,5) : **FRF 15 000** – Neuilly, 30 juin 1991 : *Dany et 6/24e de seconde du film Aurore Clément* 1975, h/t (97x146) : **FRF 12 000** – Paris, 6 déc. 1992 : *Mémoire internée – poulailler No 2* 1985, acryl./t. (114x146) : **FRF 4 000**.

LEBOUR Alexandre
XIXe siècle. Actif à Paris. Français.
Peintre de genre, d'histoire et de portraits.
Exposa au Salon de 1833 à 1848. On cite de lui : *Souvenir de Provence.*

LEBOUR Alexandre Xavier
Né le 24 avril 1801 à Paris. XIXe siècle. Français.
Dessinateur et lithographe au burin.
Il a lithographié des sujets d'inspiration populaire et religieuse.

LE BOURDAIS Jean
XVIIIe siècle. Actif à Laval. Français.
Sculpteur sur bois.
En 1740 il travaillait pour l'église d'Avénières.

LE BOURDELLES Hervé
Né le 4 août 1928. XXe siècle. Français.
Peintre de paysages, natures mortes, compositions à personnages, graveur.
Il a étudié dans les ateliers d'Yves Brayer et de Georges Cheyssial.
Il expose, à Paris, au Salon des Indépendants depuis 1947, au Salon de la Société Nationale des Beaux-Arts depuis 1952 et au Salon des Artistes Français depuis 1965. Il montre ses œuvres dans des expositions personnelles, notamment en 1984, à la galerie de Sèvres. Il a obtenu le prix de la Casa Velasquez en 1962.
Il est peintre des paysages de Seine-et-Marne notamment, de natures mortes et de compositions à personnages.
Bibliogr. : In : *De Bonnard à Baselitz – Dix ans d'enrichissements du Cabinet des Estampes 1978-1988*, Bibliothèque nationale Paris, 1992.
Musées : Paris (BN, Cab. des Estampes).
Ventes Publiques : Paris, 27 oct. 1993 : *La Garde Freinet* 1953, h/t (60x73) : **FRF 6 000** – Paris, 21 mars 1994 : *Paysage de Saint-Paul-de-Vence*, h/t (45x61) : **FRF 4 200**.

LEBOURG Albert
Né le 1er février 1849 à Montfort-sur-Risle (Eure). Mort le 7 janvier 1928 à Rouen (Seine-Maritime). XIXe-XXe siècles. Français.
Peintre de figures, paysages animés, paysages, paysages urbains, pastelliste, aquarelliste. Tendance impressionniste.
Albert Lebourg est né d'un père greffier de justice. Il fait ses études de 1861 à 1865 au lycée d'Évreux et opte ensuite pour l'architecture. Il commence ses études auprès de M. Drouin, architecte et professeur de dessin linéaire à Rouen. Grâce à celui-ci Lebourg rencontre Delamarre, peintre paysagiste rouennais, qui donnera quelques conseils à l'artiste débutant. Il reçoit également sa formation de M. Morin, directeur de l'école municipale de peinture et de dessin de Rouen dont il suit les cours. Les années passent et Lebourg s'oriente nettement vers la peinture et le dessin. En 1872, un tableau exposé à Rouen est remarqué par un collectionneur. Au cours d'une entrevue avec Lebourg, le collectionneur lui propose une place de professeur de dessin en Algérie. En octobre de cette année Lebourg s'embarque pour Alger. Il revient à Rouen en 1873 pour y épouser Marie Guilloux. De retour en Algérie, il met à profit ses moments de liberté pour dessiner et peindre. Mais en 1877, il décide de rentrer en France et il donne sa démission. À Paris, en 1878, le marchand de tableaux Portier lui fait connaître les nouveaux milieux artistiques et rencontrer le Docteur Paulin. À cette époque, il entre à l'atelier Jean-Paul Laurens dont il suit les cours pendant deux ans. De juillet à novembre 1884, il part en Auvergne avec le docteur Paulin ; il visite entre autres Clermont-Ferrand, Montferrand, Chamalières, Pont-du-Château. Il retourne une seconde fois dans cette région, de l'automne 1885 au printemps 1886, où il séjourne à Pont-du-Château. Jusqu'en 1895, il passe son temps entre l'Île-de-France, Paris, la banlieue, Rouen et la Normandie. En 1888, il s'installe à Puteaux d'où il rayonne vers Sèvres, Saint-Cloud, le Bas-Meudon, Bougival et Saint-Germain. Pendant ces années, il fait des excursions à Dieppe, Honfleur et Boulogne. C'est à partir de 1893 qu'il exécute, à Rouen, quai du Havre, des toiles « du balcon ». La mort de sa femme, le 3 août 1894, l'affecte profondément : durement touché, il restera de longs mois sans peindre. En 1895, il séjourne deux mois durant à Maisons-Laffitte. Au mois d'août, il décide d'aller en Hollande avec Méli-court, un camarade de l'atelier de Jean-Paul Laurens. Il y passe l'été et l'hiver 1895-1896 et y retournera seul en été et hiver 1896-1897. Il visite La Haye, Rotterdam, Dordrecht, Amsterdam, Delfshaven, Schiedam et Overschie ; de cette dernière ville, il entreprend une série d'aquarelles et de lavis. À peine rentré des Pays-Bas, il se rend en septembre 1897 chez son ami Paulin à Neuville-sur-Ain (Ain). Une dizaine de jours passés en Grande-Bretagne lui permet de visiter les musées et d'apprécier les peintres anglais. 1901 le voit à Veulettes en Seine-Maritime. Il se rend en Suisse en 1902 à Saint-Gingolph. C'est en 1904 qu'il entreprend des études d'après nature à la Bouille. En 1905, il se rend aux Eyzies, y travaille quelques jours puis passant par Agen et Bordeaux rejoint La Rochelle en mai 1905. À Paris, en 1905-1906, il fait une série de dessins sur la passerelle de l'Institut (Notre-Dame-de-Paris, le pont Saint-Louis, le Pont-Marie). Il passe l'été et l'automne 1910 à Chalou-Moulineux près d'Étampes dans l'Essonne. Au cours du mois de juillet 1910, il est Amiens où il réalise plusieurs toiles sur la cathédrale. Sur les conseils de son ami Paulin, il effectue un voyage en Belgique. Il visite Bruges, Gand et La Panne, est enthousiasmé par les musées, mais ne retrouve pas l'ambiance de la Hollande. En août 1915, il est à Saint-Pair près de Granville dans la Manche. En 1918, en raison des bombardements sur Paris, il retourne en Auvergne à Pont-du-Château, chez des amis M. et Mme Bonhomme. Dans son atelier de la rue de Poissy à Paris, il finit un *Étang de Chalou-Moulineux* et un *Notre-Dame de Paris*, ce dernier pour la Société Nationale des Beaux-Arts en 1919. En 1920, il fait des aquarelles à Rouen, puis séjourne à Hondouville, Triel et à Saint-Guilloux. Il retourne à son domicile rouennais et en septembre tombe malade. Il meurt en 1928 au terme de huit longues années d'une douloureuse maladie.
Lebourg a commencé à exposer au Salon des Artistes Français, en 1883 : *Une matinée à Dieppe* et, en 1886, *Prairie au bord de l'Allier*. À Paris, dès son retour du premier voyage en Hollande, il expose en septembre 1896. À Paris, en 1899, il expose quarante-deux toiles. En 1903, il est promu Chevalier de la Légion d'honneur pour une toile exposée à Hanoï : *Côte Saint-Catherine, effet de neige*. La même année, en novembre, il expose cent onze sujets. Albert Lebourg a été élu sociétaire de la Société Nationale des Beaux-Arts en 1894. Il participe à tous les Salons de la Société Nationale de 1891 à 1902 (sauf en 1900) et, après une interruption de cinq ans, de 1909 à 1914. En 1916, il expose dans une galerie rue de la Boétie. Mais l'exposition la plus importante est sans doute celle de février 1918 où sont présentées deux cent seize peintures, deux aquarelles et cinquante-et-un dessins.
■ Jean-Jacques Guilloux

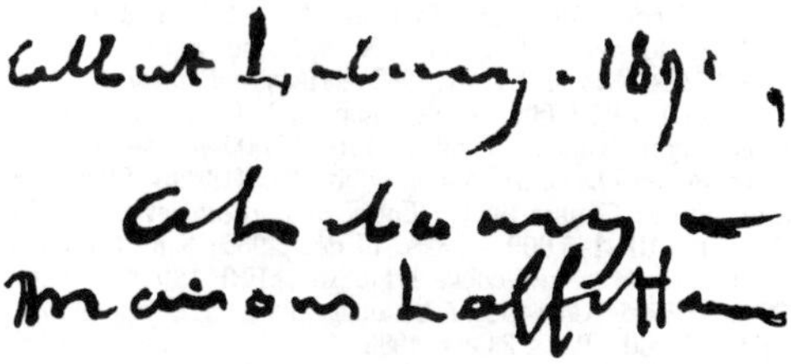

Bibliogr. : Léonce Bénédite : *Albert Lebourg. Catalogue raisonné des peintures*, galerie Georges Petit, Paris, 1923 – in : *Dictionnaire universel de la peinture*, Le Robert, Paris, 1975.

Ventes Publiques : Paris, 1897 : *La Place de la Concorde* : **FRF 1 900** – Paris, 1900 : *Le Pont du château en Auvergne* : **FRF 2 020** – Paris, 30 mars 1904 : *Hondouville* : **FRF 1 150** – Paris, 4 mars 1907 : *Lever de soleil par la neige* : **FRF 2 350** – Paris, 4 fév. 1919 : *Le Pont de Sèvres* : **FRF 9 050** – Paris, 22 mai 1919 : *Bords de l'Iton à Hondouville* : **FRF 7 500** – Paris, 27 mai 1920 : *Les Patineurs* : **FRF 6 000** – Paris, 29 avr. 1921 : *Les Bords de la Seine à Ivry* : **FRF 5 000** – Paris, 21 jan. 1924 : *Bateaux sur la Meuse, à Rotterdam par temps de brouillard* : **FRF 4 120** – Paris, 23 fév. 1925 : *Les Bords du lac de Genève près de Saint-Gingolph* : **FRF 8 000** – Paris, 30 nov. 1925 : *Bords de Seine* : **FRF 14 400** – Paris, 18 juin 1926 : *Le Pont des Saints-Pères à Paris* : **FRF 16 200** – Paris, 2 juin 1927 : *La Passerelle à l'Estacade et le pont de Sully* : **FRF 10 000** – Paris, 23 juin 1928 : *Notre-Dame de Paris et le pont de l'archevêché* : **FRF 31 000** – Paris, 28 fév. 1930 : *Rotterdam* : **FRF 62 000** – Paris, 7 mars 1932 : *Bords de Seine* : **FRF 10 500** – Paris, 27 avr. 1933 : *La Seine au Pont de Neuilly* : **FRF 6 200** – Paris, 28 fév. 1936 : *Le Pont de l'Archevêché* : **FRF 8 100** – Paris, 29 nov. 1937 : *Le Pré-aux-Loups, à Rouen* : **FRF 10 500** – Paris, 5 déc. 1940 : *Dans le port de Rouen* : **FRF 8 700** – Paris, 18 mai 1942 : *Bords de la Seine à Billancourt* : **FRF 40 000** – Paris, 20 nov. 1942 : *Les Moulins de Hollande* 1896 : **FRF 55 000** – Paris, 4 juin 1943 : *Veulettes* 1899 : **FRF 40 000** – Paris, 31 mars 1944 : *Le Quai de la Rapée* 1899 : **FRF 96 100** – Paris, 23 mars 1945 : *Bords du lac Léman* 1902 : **FRF 60 000** – Paris, 29 mars 1946 : *Saint-Honoré-les-Bains*, aquar. : **FRF 18 000** – Paris, 28 mars 1947 : *La Seine à Rouen* : **FRF 43 000** – Paris, 6 juin 1947 : *La Seine à Charenton* : **FRF 87 100** – Paris, 25 mai 1956 : *Paysage aux environs de Paris* : **FRF 92 000** – Paris, 18 mars 1959 : *La Côte Sainte-Catherine sur la Seine à Rouen* : **FRF 1 550 000** – Londres, 20 mai 1960 : *Vue de Rouen de l'autre côté de la Seine* : **USD 1 365** – Paris, 13 mars 1961 : *Paysage à Hondouville-sur-Iton* : **FRF 15 000** – Paris, 25 oct. 1965 : *Le Port de Dieppe* : **FRF 36 300** – Genève, 8 nov. 1969 : *Notre-Dame de Paris*, past. : **CHF 14 000** – Genève, 12 juin 1970 : *Voilier au port* : **CHF 63 000** – Paris, 19 mars 1973 : *La Seine à l'Institut* : **FRF 70 000** – Paris, 13 mars 1974 : *Le Pont de Neuilly, près de Paris* : **FRF 58 000** – Paris, 21 mai 1974 : *l'Automne à Hondouville* : **FRF 72 000** – Paris, 13 juin 1974 : *Fleurs dans un vase* : **FRF 65 000** – Versailles, 28 mars 1976 : *La Seine à l'Institut*, h/t (41x73) : **FRF 33 000** – Paris, 9 déc. 1977 : *Bateaux de pêche à Honfleur*, h/t (41x65,5) : **FRF 30 000** – Versailles, 21 oct 1979 : *Rouen : le garage des bateaux à vapeur, sur la Seine, au soleil couchant*, h/t (46x85) : **FRF 70 000** – Enghien-les-Bains, 20 avr. 1980 : *La Couture*, past. (47x61) : **FRF 14 000** – Paris, 16 déc. 1981 : *Effet de neige, pont d'Asnières*, h/t (60x100) : **FRF 142 000** – Paris, 16 déc. 1981 : *Paris, Notre-Dame*, aquar. (29x46) : **FRF 17 000** – Rouen, 28 nov. 1982 : *L'Hiver au Pont-du-Château*, cr. (31x54) : **FRF 9 000** – Paris, 6 juin 1983 : *Rotterdam* 1896, cr. gras et craie blanche (31x48,5) : **FRF 15 000** – Paris, 19 mars 1983 : *Rouen – La Ferme*, aquar. double face (18x26) : **FRF 9 000** – Versailles, 27 mars 1983 : *L'Entrée du port du Havre* 1885, h/t (35x65) : **FRF 145 000** – Paris, 10 déc. 1985 : *Saint-Gingolph, barques sur le lac de Genève*, h/t (66x81) : **FRF 180 000** – Paris, 26 nov. 1986 : *Charroi sur les quais du Louvre*, h/t (46x73) : **FRF 155 000** – Paris, 23 avr. 1986 : *Trois jeunes filles jouant du piano*, fus., estompe et reh. de blanc (46x59,5) : **FRF 25 000** – Londres, 3 déc. 1986 : *Bords du lac de Genève, Saint-Gingolph* vers 1900, h/t (54,5x81) : **GBP 48 000** – Calais, 8 nov. 1987 : *Bord de Seine au printemps*, h/t (45x85) : **FRF 420 000** – Versailles, 13 déc. 1987 : *Une rue à Pont-du-Château en hiver*, h/t (40x65) : **FRF 83 000** – Guéret, 24 mai 1987 : *Bord de Seine à Croissy*, dess. : **FRF 30 000** – Paris, 6 mai 1988 : *La Grange* 1872, encre de Chine (30x18) : **FRF 5 600** – Calais, 28 fév. 1988 : *La Seine à la Bouille*, h/t (46x85) : **FRF 280 000** – La Varenne-Saint-Hilaire, 29 mai 1988 : *Vapeurs à quai sur la Seine*, h/t (49x68) : **FRF 205 000** – Paris, 2 juin 1988 : *La Passerelle des Beaux-Arts et le Louvre*, h/t (40x73) : **FRF 260 000** – Paris, 8 juin 1988 : *Bord de Marne, près du Parc Saint-Maur*, h/t (46x76) : **FRF 460 000** – Paris, 23 juin 1988 : *L'attelage de chevaux*, h/t (24x35) : **FRF 20 000** – Paris, 24 juin 1988 : *Le port de La Rochelle*, aquar. (32x47) : **FRF 64 000** ; *Moulin en Hollande*, h/t (33x56) : **FRF 182 000** – Londres, 28 juin 1988 : *Le Pré-au-loup et la côte de Bonsecours à Rouen*, h/t (54x73) : **GBP 28 600** – Calais, 3 juil. 1988 : *Le Pont-Neuf et l'Ile de la Cité*, h/t (46x85) : **FRF 480 000** – Grandville, 16-17 juil. 1988 : *Bateau à vapeur*, h/pan. (27x41) : **FRF 140 000** – New York, 6 oct. 1988 : *Le quai du Louvre au printemps* 1907, h/t (46x73) : **USD 46 200** – Paris, 12 oct. 1988 : *Le casino de Dieppe* 1879, h/t (38x71) : **FRF 300 000** – Londres, 19 oct. 1988 : *Les quais de La Rochelle*, h/t (13x24) : **GBP 17 600** – La Varenne-Saint-Hilaire, 23 oct. 1988 : *Voiliers et fermes en bord de Seine*, h/t (47x76) : **FRF 353 000** – Grandville, 30 oct. 1988 : *Le port de Rouen* 1899, h/t (40x65) : **FRF 183 000** – Paris, 21 nov. 1988 : *Paris, la Seine et le pont des Saints-Pères, au Louvre* 1892, h/t (35x65) : **FRF 350 000** – Paris, 24 nov. 1988 : *Route au bord de la Seine à Dieppedalle, environs de Rouen*, h/t (46,5x85) : **FRF 370 000** – Paris, 12 déc. 1988 : *Bord de rivière*, aquar. (16x25) : **FRF 17 000** – Paris, 16 déc. 1988 : *Le port de Rouen* 1879, fus. (34,5x52,5) : **FRF 13 000** – Londres, 22 fév. 1989 : *L'Allier à Pont-du-Chateau*, h/t (34,5x65,5) : **GBP 7 150** – Calais, 26 fév. 1989 : *La Seine à Rouen*, h/t (46x76) : **FRF 230 000** – Londres, 5 avr. 1989 : *Notre-Dame de Paris vue du pont de la Tournelle*, h/t (38,5x61,5) : **GBP 35 200** – Paris, 8 avr. 1989 : *Barques sur le lac de Genève à St-Gingolph*, h/t (65x81) : **FRF 360 000** – Paris, 11 avr. 1989 : *Coucher de soleil sur la mer à Veulettes* 1893, h/t (50x85) : **FRF 145 000** – New York, 11 mai 1989 : *Les bords de la Seine à Puteaux*, h/t (40x73,3) : **USD 82 500** – Calais, 2 juil. 1989 : *Moulin et canal en Flandre*, h/t (46x61) : **FRF 310 000** – Saint-Dié, 23 juil. 1989 : *Ville sous la neige*, h/t (46x77) : **FRF 28 000** – Paris, 22 oct. 1989 : *Rue à Rouen*, h/t (36x22) : **FRF 30 000** – Zurich, 25 oct. 1989 : *La casbah à Alger* 1873, cr. et fus. (29x45,7) : **CHF 1 800** – Londres, 25 oct. 1989 : *Notre-Dame de Paris* 1914, h/t (60x80,7) : **GBP 63 800** – Montréal, 30 oct. 1989 : *Rivière et paysage avec bateaux*, h/t (46x84) : **CAD 61 600** – Stockholm, 15 nov. 1989 : *La Seine bordée d'arbres*, h/pan. (13,5x21,5) : **SEK 5 500** – Calais, 4 mars 1990 : *Le port de Rotterdam*, aquar. (37x53) : **FRF 60 000** – Rouen, 18 mars 1990 : *Les quais de Paris, le Pont-Marie*, h/t (59x73) : **FRF 955 000** – Paris, 20 mars 1990 : *La Seine, environs de Rouen*, h/t (54x81) : **FRF 420 000** – Paris, 25 nov. 1990 : *Derniers rayons du soir sur le Pont-Neuf*, h/t (62x112) : **FRF 400 000** – Paris, 27 nov. 1990 : *Quai de la Seine à Paris*, h/t (46x55) : **FRF 150 000** – New York, 14 fév. 1991 : *Paysage avec maisons* 1873, h/pan. (37,5x55,3) : **USD 14 300** – Paris, 13 mars 1991 : *Les quais de Dieppe*, h/t (35x65) : **FRF 200 000** – Paris, 15 avr. 1991 : *Paris : Notre-Dame*, h/t (60x80) : **FRF 400 000** – Londres, 16 oct. 1991 : *Bord de l'étang de Chalou-Moulineux aux environs d'Étampes*, h/t (54x81) : **GBP 11 000** – New York, 25 fév. 1992 : *Le Quai de l'Amirauté à Alger*, h/t/rés. synth. (46,2x38,1) : **USD 7 150** – Londres, 1er juil. 1992 : *Bords de rivière*, h/t (50x65) : **GBP 12 100** – New York, 11 nov. 1992 : *Barques devant Saint-Gingolph*, h/t (50,5x73) : **USD 26 400** – Amsterdam, 26 mai 1993 : *Rouen et le faubourg Saint-Sever*, h/t (46,5x85) : **NLG 36 800** – Paris, 2 juin 1993 : *Le Port de Rouen*, aquar./pap. (30x50) : **FRF 16 000** – Paris, 10 fév. 1994 : *Bruges*, aquar./pap. (19x31) : **FRF 22 000** – New York, 11 mai 1994 : *Les Étangs aux Eysies*, h/t (50,8x73) : **USD 36 800** – Paris, 22 juin 1994 : *Vallée de la Seine à Villaines* 1898, h/t (46x73,5) : **FRF 140 000** – Londres, 28 juin 1994 : *La Seine à Rouen, le pont Boieldieu et le pont de pierre*, h/t (60x110) : **GBP 40 000** – Paris, 27 jan. 1995 : *Les Bords du lac de Genève à Saint-Gingolph en hiver par temps de neige*, h/t (60x81) : **FRF 190 000** – Pont-Audemer, 1er oct. 1995 : *Bord de Risle*, h/t (50x65) : **FRF 75 000** – Paris, 19 juin 1996 : *Bords de l'Iton à Hondouville*, h/t (50x73) : **FRF 88 000** – Paris, 21 juin 1996 : *Bouquet de roses* 1889, h/t (65x40) : **FRF 70 000** – Paris, 14 oct. 1996 : *Bords de Seine à Muids* vers 1890, h/t (46x76) : **FRF 140 000** –

Paris, 24 nov. 1996 : *Herbages près de Hondouville*, h/t (40x73) : **FRF 38 000** – Londres, 3 déc. 1996 : *Bords de Seine à Bercy*, h/t (31,1x58) : **GBP 27 600** – Paris, 12 déc. 1996 : *La Seine à Rouen*, h/t (50x73) : **FRF 125 000** – Londres, 25 juin 1996 : *L'Eure près d'Acquigny* 1921, h/t (46,5x75) : **GBP 17 825** – Paris, 16 mai 1997 : *Pont sur la Seine (Saint Denis)*, h/t (47x85) : **FRF 143 000** – Londres, 25 juin 1997 : *Le Havre*, h/t (49,5x73) : **GBP 13 800** – Cannes, 8 août 1997 : *Bord de Seine à Bougival* 1896, h/t (40x65) : **FRF 115 000**.

LEBOURG Charles Auguste
Né le 20 février 1829 à Nantes (Loire-Atlantique). Mort en février 1906 à Paris. XIXe siècle. Français.
Sculpteur.
Élève de Rude et d'Amédée Ménard. Débuta au Salon en 1852. Médaillé en 1853, 1859, 1868. Mention honorable en 1889 à l'Exposition universelle de Paris. On cite de lui un *Saint Jacques*, pour l'église de la Trinité.
Musées : Nantes : *Prêtresse d'Eleusis*, statue – *L'enfant à la sauterelle* – *Buste de Mme X.* – *Buste de Rolus* – *Buste de Thétis* – *Buste de Éros* – *Buste de Bacchus* – *Joyeux devis* – Toul : *Dr Bonnefoy*, deux médaillons.
Ventes Publiques : New York, 21 sep. 1981 : *Le Joueur de cornemuse* 1856, bronze patine brun-noir (H. 97) : **USD 7 000** – Londres, 20 mars 1984 : *Jeune garçon libérant une hirondelle* 1866, bronze (H. 165) : **GBP 8 000**.

LE BOURGEOIS Arthur Antoine Georges
Né le 11 octobre 1873 à Dieppe (Seine-Maritime). XXe siècle. Français.
Peintre de portraits, dessinateur, pastelliste.
Il fut élève de J. Lefebvre et de Tony Robert-Fleury.
Il exposa régulièrement, à Paris, au Salon des Artistes Français, à partir de 1902, des portraits à l'huile, au pastel et au crayon. Il a obtenu une médaille de vermeil à Amiens en 1905.

LE BOURGEOIS Ève Marie
Née le 18 novembre 1904. XXe siècle. Française.
Sculpteur sur ivoire.
Elle fut élève de son père Gaston Le Bourgeois. Elle a exposé, à Paris, au Salon d'Automne.

LE BOURGEOIS Gaston Étienne
Né le 22 mars 1880 à Vire (Calvados). XXe siècle. Français.
Sculpteur animalier.
Il fut associé du Salon de la Société Nationale des Beaux-Arts de Paris, où il exposa. Il obtint une bourse de voyage en 1911 de ce même Salon. Il montra ses œuvres également au Salon d'Automne et au Salon des Artistes Décorateurs.
Artiste animalier, il sculptait le bois.
Musées : Paris (Mus. d'Art Mod. de la Ville) : *Écureuil* – *Furet* – *Taupe* – *Genette* – *Crécerelle* – *Martinet*.
Ventes Publiques : Monte-Carlo, 23 juin 1979 : *Enfant enveloppé formant ovoïde* 1921, bois (H. 64) : **FRF 8 000** – Paris, 18 avr. 1988 : *Le lion qui marche*, bronze patine brune numéroté 11/15 (L. 67) : **FRF 50 000** – Paris, 4 juin 1993 : *Hirondelle*, bronze (H. 5) : **FRF 6 100**.

LE BOURGEOIS Marin
XVIe-XVIIe siècles. Actif à la fin du XVIe et au début du XVIIe siècle. Français.
Peintre.
Il fut au service du duc de Montpensier à partir de 1591, d'Henri IV à partir de 1598, puis de Louis XIII.

LE BOURGEOIS Renaud
XIVe siècle. Français.
Sculpteur sur ivoire, orfèvre.
Il travailla pour Mahaut, comtesse d'Artois (1311).

LE BOURGUIGNON. Voir **CHANGENET Jean, COURTOIS Jacques, COURTOIS Jean Pierre, PERRIER François, PEYRE**

LE BOUTELLIER Jean
Mort avant 1370. XIVe siècle. Actif à Paris. Français.
Sculpteur.
Il termina en 1351 la série de sculptures, commencée par Jean Ravy en 1340, ornant la Galerie du chœur de Notre-Dame de Paris. Le dernier bas-relief de cette suite (*Le Christ apparaît à sainte Madeleine*) est considéré comme son œuvre propre.

LE BOUTEUX Joseph Barthélémy
Né en 1744 à Lille. XVIIIe siècle. Actif à Paris. Français.
Peintre et illustrateur.
Élève de N. Nollé à l'Académie Royale de Paris (Première médaille en 1764, Premier Grand Prix en 1769). Puis il fut élève de l'École des Élèves protégés et, depuis 1771, de l'Académie de France à Rome. Il illustra le *Choix de chansons* de B. de Laborde et la traduction du *Banquet des Savants* d'Athenaus par Lefèbvre de Villebrune (Paris 1789-91).

LE BOUTEUX Michel
XVIIe siècle. Actif à Paris. Français.
Dessinateur et graveur à l'eau-forte et au burin.
Il a gravé des sujets d'histoire et des plans.
Ventes Publiques : Paris, les 2 et 3 fév. 1911 : *Orphée et Eurydice* : **FRF 40**.

LE BOUTEUX Michel
XVIIIe siècle. Français.
Architecte et graveur.
Travailla aussi au Portugal pour le roi Jean V.

LEBOUTEUX Pierre Michel
Né en 1683 à Paris. Mort le 9 mai 1750 à Lille. XVIIIe siècle. Français.
Peintre de portraits et d'histoire.
Deuxième prix de peinture en 1713. Membre de l'Académie le 31 décembre 1728.

Musées : Rouen : *Patriarche grec* – Versailles : *Hyacinthe Rigaud et Louis de Boulogne*.
Ventes Publiques : Paris, 23 nov. 1927 : *Décollation de Saint Jean-Baptiste*, pierre noire reh. : **FRF 210** – Paris, 15 nov. 1928 : *Fête galante dans un parc*, dess. : **FRF 3 600**.

LE BOUVIER Eugénie
Née à Besançon (Doubs). XIXe siècle. Française.
Sculpteur.
Débuta au Salon de 1878.

LE BOUVIER Gilles, appelé aussi **Berry**
Né en 1386 à Bourges. XVe siècle. Français.
Enlumineur.
Il vécut à Paris et travailla à la cour du roi Charles VII pour lequel il exécuta plusieurs missions diplomatiques. On lui doit entre autres un *Armorial*.

LEBOUYS Auguste
Né le 21 juin 1812 à Honfleur (Calvados). Mort le 21 juillet 1854 à Nemours. XIXe siècle. Français.
Peintre d'histoire.
Élève de Delaroche. Deuxième prix de Rome en 1840, premier prix en 1841, troisième médaille en 1853. On cite de lui : *Notre-Dame des Douleurs* (pour l'église Saint-Nicolas du Chardonnet).

LEBOVITS Guillaume. Voir **GUYLBO**

LE BOZEC Yvan
XXe siècle. Français.
Peintre.
Il montre ses œuvres dans des expositions personnelles : 1995 galerie Polaris à Paris.
Il a adopté comme motifs la lettre Y (de Yvan ?) et des copies de photographies, dans des œuvres peu colorées. Jean Marc Huitorel voit en ce travail : « beaucoup de liberté et de jubilation, une manière de rendre la forme et le son, presque le toucher d'un rapport aux choses qui a su se débarrasser du poids de la démonstration ».
Bibliogr. : Jean Marc Huitorel : *Yvan Le Bozec*, Art Press, n° 203, Paris, juin 1995.

LE BRAELLIER Jean
XIVe siècle.
Sculpteur sur ivoire.
Il fit deux tableaux des trois Marie (inventaire de 1380).

LE BRAS Alain
Né en 1945. Mort en 1990. XXe siècle. Français.
Peintre, dessinateur.
La Ville de Nantes, où il a vécu et travaillé, a acquis son ancien atelier et l'a aménagé en résidence d'artiste et galerie d'exposition ; il a été inauguré en 1994 par une exposition d'ensemble de ses peintures, complétée au Musée des Beaux-Arts par un ensemble de ses dessins.
Frôlant l'abstraction, ses œuvres sont une accumulation d'une

multitude de détails enchevêtrés, où l'on peut voir une réminiscence de Wols.

Al. Kros

LÈBRE André

Né en 1629 à Toulouse. Mort en 1700 à Toulouse. XVIIe siècle. Français.

Peintre d'histoire.

Le Musée de Toulouse conserve de cet artiste : *Vision de Saint Jean à Patmos ; Glorification de Saint Martin ; Sainte Rose de Lima ; L'enfant Jésus endormi sur la croix.*

LEBRECHT Georg

Né en 1875 à Schwerdnitz. XXe siècle. Allemand.

Peintre et graveur.

Élève de R. Hang à l'Académie de Stuttgart. Il représenta surtout des paysages et des animaux.

LEBRECHT Ise

Né en 1881 à Vérone. XXe siècle. Italien.

Peintre de portraits, scènes de genre.

Il fut élève de Mancini. Il exposa à Venise, Naples et Milan.

LEBRET C.

XIXe siècle. Actif à Dordrecht dans la première moitié du XIXe siècle. Hollandais.

Peintre de paysages.

LEBRET François

Né en 1963 à Sarlat (Dordogne). XXe siècle. Français.

Peintre.

Il participe à des expositions collectives, notamment : 1986, *Germinations*, Kassel, Breda, Montreuil ; 1987, *Carte blanche à l'Association des amis du centre Georges Pompidou*, à Paris.

LEBRET Frans

Né le 7 novembre 1820 à Dordrecht. Mort le 25 juillet 1909 à Dordrecht. XIXe siècle. Hollandais.

Peintre d'animaux, paysages, intérieurs, aquarelliste, graveur.

Musées : Dordrecht.

Ventes Publiques : Cologne, 22 nov. 1973 : *Paysage à Dordrecht* : **DEM 3 800** – Londres, 21 juil. 1976 : *Moutons et vaches dans une cour de ferme*, h/t (56x74) : **GBP 700** – Anvers, 3-4 juil. 1978 : *La bergerie*, h/t (75x58) : **BEF 230 000** – New York, 4 mai 1979 : *Moutons au pâturage*, h/t (77x99,5) : **USD 4 200** – New York, 28 mai 1982 : *Jeune berger et troupeau près d'une ferme*, h/t (74,9x100,3) : **USD 3 800** – New York, 24 fév. 1983 : *Moutons et poules dans un paysage* 1867, h/t (75x100) : **USD 2 600** – Amsterdam, 15 avr. 1985 : *Une vue de Java*, h/pan. (71,5x93) : **NLG 12 500** – New York, 28 oct. 1986 : *Bergère et son troupeau dans un paysage*, h/t (73,6x99) : **USD 5 500** – New York, 19 juil. 1990 : *Berger assis près de ses moutons dans une prairie*, h/t (76,3x100,4) : **USD 2 420** – Amsterdam, 9 nov. 1993 : *Paysage de Java*, aquar. (20x30) : **NLG 2 300** – New York, 16 fév. 1994 : *Brebis et deux agneaux*, h/pan. (23,5x33) : **USD 5 175** – Amsterdam, 8 nov. 1994 : *Bergers et bétail dans un paysage*, h/pan. (70x90) : **NLG 17 250** – Londres, 31 oct. 1996 : *La Bergère*, h/t (54x73) : **GBP 2 185**.

LEBRET Patrick

Né en 1966. XXe siècle. Français.

Créateur d'installations.

Il vit et travaille au Havre.

Il montre ses œuvres dans des expositions personnelles : 1991 musée André au Havre ; 1994 Yvetot ; 1995, 1997 galerie De Zeiner à Asse (Belgique) ; 1995 Capc de Bordeaux.

Il réalise, à partir d'objets divers et d'outils électroniques, des installations fantaisistes à tendance onirique, qui mêle kitsch et spectaculaire.

Bibliogr. : Jean Yve Jouannais : *Patrick Lebret – kitsch highway*, Art Press, n° 224, Paris, 1997.

Musées : Saint-Wendel : *Sans Titre* 1994.

LEBRETON Christophe

XXe siècle. Français.

Peintre.

Entre 1977 et 1979, il est étudiant à l'École des Beaux-Arts de Paris, puis, entre 1979 et 1983, il étudie à l'École des Beaux-Arts de Rennes. Il a exposé en 1987 à l'Usine Éphémère à Paris, en 1988 au Paliss'Art de Nice et au Salon de Montrouge.

Ventes Publiques : Paris, 16 juin 1988 : *Nordique* 1986, past., sanguine et acryl./pap. (192x150) : **FRF 5 000** – Paris, 12 fév. 1989 : *Trois nus* 1988, h/t (160x130) : **FRF 5 000**.

LE BRETON Constant

Né le 11 mars 1895 à Saint-Germain-des-Prés (Maine-et-Loire). Mort le 26 février 1985. XXe siècle. Français.

Peintre de paysages, portraits. Traditionnel.

Apprenti décorateur à Nantes, il suit les cours du soir à l'École des Beaux-Arts. Après avoir travaillé pour un décorateur et un antiquaire du Mans, il vint à Paris en 1913. Il est admis à l'École Nationale des Arts Décoratifs mais, dans la nécessité de se plier à des travaux rémunérateurs, n'en peut suivre les cours. Il fréquente alors le soir une Académie libre de Montparnasse. Après la guerre, au cours de laquelle il a participé à une exposition à Salonique, il grave pour la librairie. Il a obtenu la bourse Blumenthal en 1922, et la bourse Fragonard.

Peintre de paysage, il admire Corot. Ce sont ses portraits qui ont forgé sa grande réputation. Il est, en effet, un des derniers portraitistes qui « fassent ressemblant », tout en pratiquant un art robuste et sain. En ses portraits, s'allient peut-être les influences conjuguées de Manet, lorsqu'il peignit *Le Fifre*, du Corot des figures, et de son ami Derain. On s'accorde généralement, avec lui, pour préférer ceux qui furent travaillés le plus rapidement, tels souvent ses portraits d'hommes. Parmi ces derniers, les portraits de : *Charles Dullin* ; du *Maréchal Pétain* ; du président *Léon Jouhaux* ; du *Professeur Binet* ou du peintre *Derain* qui fut son ami. Il a aussi illustré : *Les Petits Poèmes en prose*, de Charles Baudelaire ; *La Maison des Grenades*, d'O. Wilde ; *Les Filles du Feu*, de Gérard de Nerval ; *l'Équipage* de Joseph Kessel ; *Les Amants de Venise*, de C. Maurras ; *Candide*, de Voltaire.

C. LeBreton

Bibliogr. : P. du Colombier : *Constant le Breton*, Paris, Henri Colas, 1957 – in : *Dictionnaire universel de la peinture*, Le Robert, Paris, 1975.

Musées : Albi : *Paysages* – Alger : *Paysages* – Angers : *Paysages* – Paris (Mus. d'Art Mod.) : *Départ pour le bal* – *Portrait de fillette* – Paris (Mus. du Petit Palais) : *L'Enfant écrivant* – *Portrait du peintre Maximilien Luce* – Saint-Étienne : *Figure d'enfant*.

Ventes Publiques : Paris, 18 mai 1945 : *Au moulin* : **FRF 3 300** – Paris, 20 juin 1947 : *Jeune fille à la mantille* : **FRF 7 000** – Paris, 30 mai 1951 : *Plaine* : **FRF 10 000** – Versailles, 22 avr. 1990 : *L'atelier*, h/t (55,5x46) : **FRF 9 000** – Versailles, 8 juil. 1990 : *Noirmoutier*, h/t (46x55) : **FRF 10 500** – Paris, 26 fév. 1992 : *Paris : l'église des Blancs-Manteaux*, h/cart. (61x46) : **FRF 36 000** – New York, 14 juin 1995 : *Bateaux dans une mare*, h/t : **USD 1 380**.

LE BRETON Jean

XIVe siècle. Français.

Sculpteur.

Il prit part à la décoration du palais du duc Jean de Berry, à Poitiers, en 1383.

LEBRETON Jean François

Né en 1761 à Bonchamp. XVIIIe siècle. Français.

Dessinateur.

Élève de Vincent et de David. Il fut professeur de dessin et de perspective à l'Institution des sourds-muets. Le Musée de Pontoise conserve de lui : *Portrait du nègre Eustache*, œuvre ayant remporté le premier prix Montyon en 1834.

LEBRETON Louis

Né en 1818 à Douarnenez (Finistère). Mort en 1866 à Paris. XIXe siècle. Français.

Peintre de marines, aquarelliste, dessinateur, graveur, illustrateur.

En tant que chirurgien de la Marine, entre 1836 et 1848, il prit part à des expéditions maritimes très longues, dont celle de Dumont d'Urville en 1837-1840, à bord de « L'Astrolabe », ce qui lui permit de rapporter dessins et aquarelles montrant les paysages découverts à Ténériffe, Rio de Janeiro, au Détroit de Magellan, dans les régions polaires, l'Océanie, la Terre Adélie, la Nouvelle-Zélande, etc.

Il participa au Salon de Paris de 1841 à 1848.

Bibliogr. : Gérald Schurr, in : *Les Petits Maîtres de la peinture 1820-1920, valeur de demain*, Les Éditions de l'Amateur, t. VI, Paris, 1985 – in : Catalogue de l'exposition : *Les années romantiques, la peinture française de 1815 à 1850*, Mus. des Beaux-Arts, Nantes, 1995-1996, Galeries nationales du Grand Palais, Paris, 1996.

Musées : Quimper (Mus. des Beaux-Arts) : *L'Astrobale et La Zélie, les corvettes prises dans les glaces en février 1838.*
Ventes Publiques : Paris, 2 déc. 1946 : *Vaisseaux en vue d'une côte* 1850, lav. reh. d'aquar. et de gche : **FRF 1 900** – Londres, 5 oct 1979 : *Bateaux de guerre français*, aquar. et pl. reh. de blanc (30x49) : **GBP 480** – Londres, 29 oct. 1987 : *New York*, aquar., gche, cr. et pl. (19,7x29,5) : **GBP 12 000** – Paris, 5 avr. 1993 : *Promeneurs aux abords de la mosquée Masjid-i-Cheikh Lotfollah à Ispahan*, h/t (59x79) : **FRF 8 000** – Paris, 21 juin 1993 : *Vue d'Alger*, litho. en coul. (31x48) : **FRF 6 500**.

LE BRICQUIR Danielle
xxe siècle. Française.
Peintre, sculpteur.
Elle a montré ses œuvres dans une exposition personnelle en 1995 à la galerie L'Œil de Bœuf à Paris, où elle présentait des sculptures colorées évoquant le monde de l'enfance.
Ventes Publiques : Paris, 28 oct. 1990 : *Fuite enchantée*, h/t (130x89) : **FRF 5 500**.

LE BRIS Germaine Émilienne
Née à Toulon. xxe siècle. Française.
Peintre.
Elle exposa à Paris au Salon des Artistes Français.

LEBROC Jean Baptiste
Né le 9 novembre 1825 à Paris. Mort en 1870 à Paris. xixe siècle. Français.
Sculpteur.
Élève de l'École des Beaux-Arts. Il exposa au Salon de 1844 à 1867. On cite de lui : *Le géant Encelade foudroyé par Jupiter.*
Ventes Publiques : Londres, 6 nov. 1986 : *Bacchus enfant* vers 1870, bronze patiné (H. 44) : **GBP 1 250**.

LE BROCQUY Louis
Né en 1916 à Dublin. xxe siècle. Actif depuis 1958 en France. Irlandais.
Peintre, dessinateur, illustrateur, aquarelliste, peintre de cartons de mosaïques.
Autodidacte, il étudie, à partir de 1938, la peinture dans les musées : Londres, Paris, Venise, Madrid. Il commence à peindre lui-même en 1939, à Menton. Il revient en Irlande en 1940, voyage fréquemment, s'installe en 1946 à Londres puis se fixe dans le Midi de la France. Il est marié avec le peintre Anne Madden.
Ayant commencé à exposer en Irlande en 1940, il est sélectionné pour la Biennale de Venise en 1956 et pour le prix Carnegie en 1961. Il montre ses œuvres dans des expositions personnelles, dont : 1947, première exposition à la galerie Gimpel, Londres ; 1966, rétrospective, Municipal Gallery of Modern Art, Dublin ; 1973, Fondation Maeght, Saint-Paul-de-Vence ; 1976, Musée d'Art Moderne de la Ville de Paris ; 1979, galerie Jeanne Bucher, Paris ; 1981, State Museum, New York ; 1982, Palais des Beaux-Arts, Charleroi ; 1987, Arts Council of Ireland, Dublin ; 1988, National Gallery, Victoria ; 1989, Musée Picasso, Antibes ; 1991, City Museum of Contemporary Art, Hiroshima.
Il convient de distinguer au moins deux périodes dans son œuvre : jusqu'en 1955, où l'esprit et la forme sont hérités encore du cubisme synthétique de Picasso, bien qu'un certain sens de la solitude de l'homme imagée par la représentation du « peuple errant » irlandais, les « tinkers », c'est-à-dire les camelots (ce thème de la solitude deviendra ensuite prépondérant) s'y manifeste déjà. Suit pendant quelques années une « période grise » où des groupes de figures se détachent dans l'espace. Après 1955, on peut relever une référence à Fautrier. Mais c'est bientôt l'influence de Francis Bacon (les deux peintres se connaissaient), tant dans la présence-absence de l'apparence humaine, que surtout dans l'expression de la solitude humaine, qui devient prépondérante, ce qui n'empêche pas Le Brocquy d'exprimer cette idée métaphysique de l'homme avec ses propres accents : c'est la « période blanche ». Celle-ci gagnera ensuite en couleurs pures. À propos de ce culte des visages que l'artiste peint inlassablement : « cette écorce irréfutable de la réalité parvient aussi à exprimer l'esprit. C'est cela qui me fascine : l'apparence et ce qu'elle révèle. Car le visage est un paradoxe. Il cache ou masque l'essentiel en même temps qu'il le révèle ou l'incarne ». Le Brocquy a peint et interprété les portraits de Joyce, de Beckett, de Yeats, Garcia Lorca, Francis Bacon et William Shakespeare. Il illustra, en 1969, l'ancien récit irlandais *The Tain.* ■ J. B., C. D.
Bibliogr. : In : *Peintres contemporains*, Mazenod, Paris, 1964 – in : *Dictionnaire universel de la peinture*, Le Robert, Paris, 1975 – D. Walker : *D. Louis Le Brocquy*, Dublin, 1981 – in : Catalogue de l'exposition *L'Art moderne à Marseille. La Collection du Musée Cantini*, Mus. Cantini, Marseille, 1988 – in : *L'Art du xxe siècle*, Paris, Larousse, 1991 – in : *Dictionnaire de l'art moderne et contemporain*, Hazan, Paris, 1992.
Musées : Belfast (Ulster Mus.) – Buffalo (Albright Knox Mus.) – Darlington (mun. Gal.) – Detroit (Inst. of Arts) – Dublin (mun. Gal. of Mod. Art) – Dublin (Nat. Gal.) – Dublin (Nat. Mus.) – Londres (Tate Gal.) – Londres (Victoria and Albert Mus.) – Marseille (Mus. Cantini) : *Images de Francis Bacon* – Pittsburgh (Carnegie Inst.) – São Paulo (Mus. de Arte Mod.).
Ventes Publiques : Londres, 12 mars 1982 : *Adonis* 1964, h/t (65x45,7) : **GBP 950** – Londres, 25 mai 1983 : *Man at the window* 1954, h/t (25,5x30,5) : **GBP 1 300** – Londres, 15 mars 1985 : *Family and their cat* 1951, h/cart. entoilé (30x40) : **GBP 7 000** – Londres, 7 mars 1986 : *Adonis* 1964, h. et acryl./t. (66x47) : **GBP 2 200** – Londres, 13 nov. 1987 : *Crâne surmodelé et peint* 1965, h/t (65x54,5) : **GBP 2 600** – Dublin, 24 oct. 1988 : *Existence n° 44*, h/t/cart. (25,5x17,7) : **IEP 7 150** – Paris, 8 oct. 1989 : *Image de Samuel Beckett* 1989, aquar./pap. (64x49) : **FRF 40 000** – Paris, 18 fév. 1990 : *Visage*, pap. collés et h/isor. : **FRF 7 000** – Londres, 24 mai 1990 : *La chèvre décorée de guirlandes* 1950, tapisserie de laine (158x130) : **GBP 18 700** – New York, 4 oct. 1990 : *Tête préhistorique – opus 210* 1968, h/t (73x73) : **USD 13 200** – Londres, 9 nov. 1990 : *Enfant* 1954, h/t (30,5x25,5) : **GBP 5 500** – Londres, 8 nov. 1991 : *La fin*, cr. et h/cart. (59,5x49) : **GBP 5 500** – Londres, 11 juin 1992 : *Amants* 1960, h/t (114x152) : **GBP 12 100** – New York, 12 juin 1992 : *Forme de vertèbres* 1959, h/t (76,2x63,5) : **USD 5 225** – Dublin, 26 mai 1993 : *Figure debout* 1960, h. et sable/t. (121,3x90,2) : **IEP 10 450** – Londres, 25 nov. 1993 : *Jeune femme à l'iris* 1944, cr. et h/cart. (81x58,5) : **GBP 10 350** – Paris, 21 jan. 1994 : *Étude* 1964, h/t (41x33) : **FRF 5 200** – Londres, 2 juin 1995 : *Présence* 1957, h/t (25,5x18) : **GBP 4 600** – Londres, 16 mai 1996 : *Étude d'un homme se drapant dans une serviette* 1951, craies noire et coul. et gche (114x71) : **GBP 6 670** – New York, 10 oct. 1996 : *To the waters and the wild* 1946, aquar. et encre/pap. (24,8x31,8) : **USD 3 737** – Londres, 21 mai 1997 : *Homme écrivant* 1951, h/t (64x76) : **GBP 133 500**.

LEBROUSSART Jenny ou **Lesbroussart**
xixe siècle. Actif à Bruxelles au début du xixe siècle. Belge.
Peintre.

LEBRUN
xixe-xxe siècles. Français.
Peintre de marines.
Le Musée de La-Roche-sur-Yon conserve une toile offerte par l'artiste en 1905 : *Rochers au bord de la mer.*

LEBRUN Aman
xvie siècle. Actif à Tours. Français.
Sculpteur sur bois.
Il fit, en 1530, plusieurs sculptures en bois qui devaient orner le château de Fontainebleau ; après avoir été terminées, ces œuvres furent envoyées à destination. Aman Lebrun eut un fils, Antoine, qui travailla avec lui.

LEBRUN André
Né en 1737 à Paris. Mort en 1811 à Wilna. xviiie-xixe siècles. Français.
Sculpteur de bustes, figures, bas-reliefs, dessinateur.
Il fut élève de J. B. Pigalle à Paris, puis à l'Académie de France à Rome en 1759. Après avoir séjourné longtemps à Rome, il fut appelé en Pologne par le Roi Stanislas-Auguste Poniatowski en 1768, qui lui donna une place distinguée dans l'Académie des Beaux-Arts. La Révolution en France l'incita à accepter un poste à Saint-Pétersbourg où il demeura jusqu'en 1803, puis il revint s'installer en Pologne jusqu'à sa mort. En 1804, il fut nommé professeur de sculpture à l'Université de Wilno.
Il fit deux statues, *Judith* et *David*, pour l'église Saint-Charles, à Rome. Il exécuta un grand nombre de sculptures pour la décoration du château et du palais de Lazienki, entre autres des bas-reliefs à sujets historiques ou se rapportant à l'antiquité, deux séries de bustes de personnalités polonaises, des bustes et médaillons du Roi ainsi que des membres de la Cour.
Bibliogr. : W.V. Dobroklonsky : *Dessins de André Lebrun au musée de l'Ermitage*, Dessins de Maîtres, 1964.
Ventes Publiques : Monaco, 20 juin 1992 : *Diane au bain*, craie noire, encre et lav. : **FRF 17 760** – Paris, 21 déc. 1994 : *Le défi d'Apollon et Pan*, pl., encre noire et lav. brun (44x63) : **FRF 38 000** – Paris, 14 juin 1995 : *Scène mythologique*, pl. et lav. brun (27x39) : **FRF 10 000**.

LEBRUN Antoine, l'Ancien
Mort en 1520. XVIe siècle. Actif à Tours. Français.
Sculpteur sur bois.
Il se chargea, en 1506, d'exécuter les stalles et la boiserie du chœur de l'église Saint-Saturnin, à Tours. Il laissa trois fils, sculpteurs comme lui.

LEBRUN Antoine, le Jeune
Originaire de Tours. XVIe siècle. Français.
Sculpteur sur bois.
Fils d'Antoine Lebrun l'Ancien. Il exécuta, en 1542, pour le compte de Gilles de la Pommeraye, président de la Chambre des Comptes de Bretagne, la sculpture des boiseries du château d'Entraines, près de Laval.

LEBRUN Auguste
XIXe siècle. Actif à Paris. Français.
Peintre d'histoire et de portraits.
Exposa au Salon en 1846 et 1848.

LE BRUN Barthélémy
XVIe siècle. Actif à Nancy. Éc. lorraine.
Peintre de portraits.
Il fut peintre ordinaire du duc Charles III.

LE BRUN Carle
Né à Anvers. Mort en 1805. XVIIIe siècle. Éc. flamande.
Peintre.
Il a peint des paysages, quelquefois en collaboration avec Regencorter. Le Musée de Copenhague possède un *Paysage animé avec vieux château*, de Carle Le Brun, dont les figures et les animaux sont l'œuvre de son collaborateur.
Ventes Publiques : Bruxelles, 18 juin 1980 : *Paysage avec château, bétail et lavandière* 1778, h/bois (50x70) : **BEF 90 000**.

LE BRUN Charles
Né le 24 février 1619 à Paris. Mort le 12 février 1690 à Paris. XVIIe siècle. Français.
Peintre d'histoire, scènes mythologiques, compositions religieuses, portraits, graveur, dessinateur.
Son père, le sculpteur Nicolas Le Brun l'aîné, le fit travailler très jeune avec François Perrier, dit le Bourguignon, et plus tard avec Simon Vouet. Le Brun copia diverses peintures à Fontainebleau et, dès l'âge de quinze ans, peignit pour le cardinal de Richelieu plusieurs compositions que Poussin, alors à Paris, trouva intéressantes. Le Brun faisait preuve d'une activité intense. Quand il ne peignait pas, il gravait à l'eau-forte, composait des dessins de thèses, modelait en cire. Le chancelier Seguier, qui ne cessa de le protéger, lui fit une pension pour qu'il puisse aller en Italie et le confia à Poussin qui retournait à Rome. Le jeune artiste chaudement recommandé fut fort bien accueilli par le cardinal Barberini, par le pape Urbain VIII et les grands personnages de la cour de Rome. Après un séjour de quatre ans, Le Brun revint en France, s'arrêta à Lyon où il produisit plusieurs ouvrages et rentra à Paris avec la réputation d'un artiste achevé.
Dès lors, il fut accablé de commandes. En 1647, il peignit pour les orfèvres le *Martyre de Saint André*, destiné à Notre-Dame. En 1648, il prit une part active à la fondation de l'Académie, où, jusqu'à la fin de sa carrière, il occupa une place prépondérante. En 1649, il travailla concurremment avec Lesueur à la décoration de l'Hôtel Lambert. Le surintendant Fouquet lui fit une pension de 12000 livres et le chargea de la décoration de son château de Vaux. Le Brun rencontra chez Fouquet le cardinal Mazarin, qui le présenta à Louis XIV et à la reine mère. Celle-ci lui commanda un *Christ aux anges* pour son oratoire, tableau dont le succès fut considérable. Le mariage du roi avec l'infante Marie-Thérèse valut à Le Brun la décoration de la place Dauphine.
Colbert le nomma directeur des Gobelins, où se trouvaient réunis les ateliers de tapisseries, de meubles, d'orfèvrerie, de serrurerie, de mosaïque, de marqueterie de la Couronne. L'influence de Le Brun y fut considérable. Il donnait les dessins de tous les objets et en surveillait l'exécution. C'est à ce moment que l'artiste paraît le plus intéressant. Le Brun y est « le grand peintre du grand siècle », plus que dans sa propre peinture, tout estimable qu'elle soit, mais en tant qu'ordonnateur de l'ensemble des décorations, des motifs d'ornement constituant le style Louis XIV. En 1660, le roi se trouvant à Fontainebleau lui commanda de peindre plusieurs sujets sur l'histoire d'Alexandre. Le Brun peignit devant Louis XIV le tableau *La famille de Darius* et le souverain en fut si satisfait qu'il offrit au peintre son portrait enrichi de diamants, le nomma son premier peintre (juillet 1662) avec une pension de 12000 livres, lui donna des lettres de noblesse (décembre 1662) et lui confia la garde de ses tableaux et dessins avec mission d'acheter tous les ouvrages de peinture et de sculpture qu'il jugerait dignes d'enrichir la collection royale. L'incendie de la galerie des peintures au Louvre, le 6 février 1661, fournit à Le Brun l'occasion de mettre en lumière ses qualités de grand décorateur. Il fit le plan général de la galerie d'Apollon, exécutant tous les dessins des peintures, sculptures, ornements, mais il n'en peignit que quatre. La création de Versailles absorbant l'attention du souverain, fit ajourner l'exécution des travaux du Louvre. En 1666, Le Brun usa de son influence pour obtenir la création d'une école française à Rome. On le trouve, en 1677, accompagnant le roi durant la campagne de Flandre et au retour exécutant des peintures au château de Saint-Germain. L'année précédente, l'Académie de Saint-Luc, à Rome, l'avait élu prince, c'est-à-dire directeur. Malgré les peintures exécutées pour Louis XIV et les nombreux dessins des statues du parc de Versailles, Le Brun trouvait encore le temps de décorer pour Colbert le Château et les pavillons de Sceaux. L'infatigable artiste peignait encore les façades des pavillons de Marly et le grand escalier de Versailles. En 1679, il entreprit la peinture et la décoration de la grande galerie du palais, cadre colossal dépassant 80 mètres de longueur sur 12 de largeur. Le Brun y consacra quatre ans, peignant dans vingt et un tableaux et six bas-reliefs des faits de la vie de Louis XIV. Il décora encore les Salons de la Paix et de la Guerre, terminant chaque extrémité de la galerie.
La mort de Colbert apporta un coup terrible à la carrière de Le Brun. Louvois détestait tout ce que son prédécesseur avait protégé. La charge de surintendant des bâtiments lui permit de susciter à Le Brun mille tracasseries, quantité d'entraves. Jusqu'alors le peintre régnant en maître absolu avait exercé sur l'art un despotisme qui, s'il donna une majestueuse unité à la plastique du siècle de Louis XIV, proscrivant toute originalité s'écartant des normes définies par l'Académie, avait compromis l'évolution artistique de l'époque. La sourde opposition, les critiques de Louvois, qui lui opposait Mignard, influèrent sur la santé de Le Brun, probablement fatigué par la succession ininterrompue d'efforts nécessités par ses travaux ; il cessa d'aller à la Cour, malgré la faveur que lui témoignait toujours le roi, et une maladie de langueur acheva sa vie.
Il eut un nombre considérable d'élèves parmi lesquels son frère Gabriel, Claude Audran, Verdier, Houasse, Vernausal, Viviani, Le Fevre, Joseph Vivien, Ch. de la Fosse. Un grand nombre de ses ouvrages ont été reproduits par les meilleurs graveurs. La place qu'il occupe dans tous les grands musées est très importante. On a reproché à Le Brun son coloris sombre et rougeâtre, la lourdeur de son dessin, son exécution molle et sans accent, mais sa prodigieuse imagination et la largeur de son style décoratif ne sont pas contestés. D'une part on peut considérer Charles Le Brun comme un des peintres d'histoire les plus féconds de l'école française, d'autre part, si l'on tente de distinguer d'entre les innombrables travaux de décoration celles des peintures qui semblent indiquer une inspiration plus personnelle, il est possible d'y déceler en tout cas un sens de la grandeur qui serait ce qu'on peut appeler « du style », et ici précisément en même temps que le sien celui d'un siècle et d'un roi non négligeables. ■ E. Bénézit, J. B.

Bibliogr. : J. Thuillier in : Catalogue de l'exposition *Charles Le Brun*, Versailles, 1963 – *Catalogue de l'exposition : Les peintres de Louis XIV*, Lille, 1968 – Michel Gareau : *Catalogue raisonné de Charles LeBrun, premier peintre du roi Louis XIV*, Hazan, Paris, 1992.

Musées : Angers : *Hercule et Diomède* – Arras : *Mort de Caton* – Berlin (Kaiser Friedrich Mus.) : *Portrait du banquier colonais Evrard Jabach avec sa famille* – Berne : *Guerrier avec cuirasse sous Louis XIV* – Budapest : *Apothéose de Louis XIV* – Caen : *Baptême du Christ* – *Dans la fosse aux lions* – Cambrai : *La leçon de géométrie* – Chantilly : *Pomponne de Bellièvre* – Château-Gontier : *Bataille de Constantin contre Maxence* – Cherbourg : *Assomption* – Dijon : *Le Christ sur la croix*, attr. autrefois à Jouvenet – esquisse de plafond – Douai : *Louis XIV à cheval*, atelier de Le Brun – Dresde : *Sainte Famille* – *Florence : L'artiste* – *Jephté sur le point de sacrifier sa fille* – Fontainebleau : *Adoration des bergers* – Genève (Rath) : *Le prophète Élie offrant un sacrifice* – Grenoble : *Saint Louis priant pour les pestiférés* – Langres :

esquisse – LILLE : *Hercule assommant Cacus* – LYON : *Actions de grâces de Louis XIV* – MÂCON : *Mucius Scaevola devant Porsenna* – MONTAUBAN : *Apothéose de Louis XIV* – MONTPELLIER : *Saint Jean l'évangéliste en extase* – MOREZ : *Jésus et la Samaritaine* – MOSCOU (Mus. Pouchkine) : *Le Christ en Croix* – MUNICH : *Saint Jean l'évangéliste* – NICE : *Bellone* – NOTTINGHAM : *Hercule et Diomède* – PARIS (Mus. du Louvre) : *Adoration des bergers – Sommeil de l'enfant Jésus – Sainte Famille disant le Bénédicité – Le Christ servi par des anges dans le désert – Entrée de Jésus à Jérusalem – Jésus portant sa croix – Jésus élevé en croix – Le crucifix aux anges – Le Christ mort sur les genoux de la Vierge – Descente du Saint-Esprit – Sainte Madeleine renonçant aux vanités de la vie – Mort de Caton – Le passage du Granique – Bataille d'Arbelles – La tente de Darius – Alexandre et Porus – Entrée d'Alexandre dans Babylone – Chasse de Méléagre et d'Atalante – Mort de Méléagre – Ch. Alph. du Fresnos – Louis Testelin l'aîné – L'artiste jeune* – PARIS (Mus. du Louvre, Gal. d'Apollon) : *Le Soir ou Morphée – La Nuit ou Diane – Le triomphe des eaux – Portrait du Chancelier Séguier* – LE PUY-EN-VELAY : *Jésus élevé en croix – Portrait d'homme* – RENNES : *Descente de croix* – ROUEN : *Pierre Corneille* –. étude – *Académie d'homme* – SAINT-PÉTERSBOURG (Mus. de l'Ermitage) : *Jésus au jardin des oliviers – Le Christ en croix* – TOURNAI : *Portrait équestre de Louis XIV* – TROYES : *Louis XIV, sous les traits de Jupiter, lance la foudre sur les pays qu'il va conquérir ou La Prise de Gand par Louis XIV, en 1678* – VENISE (Gal. roy.) : *Madeleine aux pieds de Jésus* – VENISE (Beaux-Arts) : *Le Christ et Madeleine* – VERSAILLES : *Plafond du salon de la guerre : La France, L'Allemagne, La Hollande, Bellone en fureur, L'Espagne, Défaite de l'armée espagnole près du canal de Bruges, Entrée de Louis XIV à Dunkerque (daté de 1653), Entrée de Louis XIV et de Philippe IV dans l'île des Faisans (daté de 1660), Réparation faite par le comte de Fuentes au nom de Philippe IV (daté de 1662), L'amiral d'Estaing, Turenne, Louis Testelin, Louis XIV – Grande galerie : Alliance de l'Allemagne et de l'Espagne avec la Hollande, La Hollande secourue contre l'évêque de Munster, Soulagement du peuple pendant la famine, Réparation de l'attentat des Corses, Passage du Rhin en présence des ennemis, Le roi prend Maastricht en 13 jours, Défaite des Turcs en Hongrie par les troupes du roi, La fureur des duels arrêtée, La prééminence de la France reconnue par l'Espagne, Le roi donne ses ordres pour attaquer en même temps quatre des plus fortes places de la Hollande, Le roi arme sur terre et sur mer, Rétablissement de la navigation, Guerre contre l'Espagne pour les droits de la reine, Réformation de la justice – Le roi gouverne par lui-même, Fastes des puissances voisines de la France, L'ordre rétabli dans les finances, La paix d'Aix-la-Chapelle, Protection accordée aux Beaux-Arts, La Franche-Comté conquise pour la seconde fois, Résolution prise de faire la guerre aux Hollandais, Établissement de l'hôtel royal des Invalides, Acquisition de Dunkerque, Ambassades envoyées aux extrémités de la terre, Prise de la ville et de la citadelle de Gand en six jours, Mesure des Espagnols rompues par la prise de Gand, Renouvellement de l'alliance avec les Suisses, Police et sûreté établies dans Paris, Jonction des deux mers, La Hollande accepte la paix et se détache de l'Allemagne et de l'Espagne* – VIENNE : *Ascension du Christ* – VIENNE (Czernin) : *Vénus endormie et l'Amour.*

VENTES PUBLIQUES : PARIS, 1752 : *La Bataille ; Le Triomphe de Constantin*, ensemble : **FRF 601** – LONDRES, 1797 : *Le Triomphe de Constantin* : **FRF 3 940** – PARIS, 1828 : *Le Christ descendu de la croix* : **FRF 5 000** – PARIS, 1873 : *Phryné devant ses juges*, éventail : **FRF 2 250** – PARIS, 1880 : *Figures allégoriques pour un panneau décoratif*, dess. au lav. et à la sanguine : **FRF 205** – PARIS, 1892 : *Descente de croix* : **FRF 6 000** – PARIS, 1900 : *Portrait de Charles Perrault* : **FRF 2 100** ; *Portrait de l'artiste* : **FRF 1 030** – PARIS, 1900 : *Portrait d'une dame de qualité* : **FRF 2 300** – PARIS, 26-28 juin 1919 : *Portrait de Charles Perrault, de l'Académie Française*, past. : **FRF 800** – PARIS, 11 déc. 1919 : *Mars et Minerve* : **FRF 500** – PARIS, 11 avr. 1924 : *Descente de croix ; L'Ascension*, pl., recto verso : **FRF 900** – PARIS, 25 mars 1925 : *Portrait du maréchal de Turenne*, encre de Chine, étude : **FRF 4 000** – PARIS, 6 mars 1929 : *Descente de croix* : **FRF 4 100** – PARIS, 14 mai 1936 : *Cortège de la reine Christine de Suède*, dess. : **FRF 4 100** – LONDRES, 12 mars 1937 : *Madame de Lamballe*, dess. : **GBP 42** – PARIS, 5 mai 1937 : *Josué arrêtant le soleil*, esquisse : **FRF 100** – PARIS, 5 déc. 1941 : *Les Funérailles de Patrocle*, pierre noire, sanguine et estampe : **FRF 4 000** – PARIS, 29 oct. 1980 : *Projet pour le tombeau du Maréchal de Turenne, mort en 1675*, sanguine et reh. de lav. gris (33x23) : **FRF 55 000** – PARIS, 4 juin 1982 : *Projet de fontaine*, lav. gris et brun/trait de pierre noire (28x41,2) : **FRF 30 000** – LONDRES, 12 avr. 1985 : *Portrait d'un jeune garçon* 1650, h/t, esquisse, de forme ovale (34,2x29,2) : **GBP 14 000** – PARIS, 17 nov. 1986 : *Portrait de Pierre Corneille*, h/t : **FRF 390 000** – MONTE-CARLO, 29 nov. 1986 : *Mucius Scaevola devant Porsenna*, h/t (49x64) : **FRF 500 000** – STOCKHOLM, 19 avr. 1989 : *Le camp de Darius*, h/t (84x122) : **SEK 31 000** – MONACO, 2 déc. 1989 : *Jérémie pleurant sur les ruines de Jérusalem*, h/pan. (32x23) : **FRF 255 300** – LONDRES, 8 déc. 1989 : *Pandora enlevée vers l'Olympe par Vulcain*, h/t (64,8x80) : **GBP 22 000** – PARIS, 12 déc. 1989 : *Le martyre de Saint Jean l'Évangéliste*, t. (64,5x52,5) : **FRF 1 000 000** – LONDRES, 14 déc. 1990 : *La Sainte Famille avec le Christ enfant enseignant l'alphabet hébreu*, h/cuivre (52x42,5) : **GBP 55 000** – MONACO, 2 juil. 1993 : *Jeune satyre tenant une corne d'abondance*, craie noire et blanche sur pap. beige (27x19) : **FRF 133 200** – LONDRES, 3 juil. 1995 : *Étude de deux personnages : un homme portant une femme*, sanguine (30,2x20,5) : **GBP 8 625** – NEW YORK, 10 jan. 1996 : *Allégorie de la France portant la foudre et un bouclier orné du portrait de Louis XIV*, craie noire et lav. (diam. 57) : **USD 3 450** – LONDRES, 2 juil. 1996 : *La croupe d'un cheval*, sanguine et craie blanche/pap. brun (28,5x21,2) : **GBP 8 625**.

LEBRUN Charles Dominique
Né à Paris. XIXe siècle. Français.
Peintre de portraits et lithographe.
Exposa au Salon à partir de 1875.

LE BRUN Christopher
Né en 1951 à Portsmouth. XXe siècle. Britannique.
Peintre.
Il a figuré à la Nouvelle Biennale de Paris en 1985. Il montre ses œuvres dans des expositions personnelles, notamment en 1980, à Londres ; en 1981 à Paris ; en 1982 à Londres ; en 1983 à New York ; en 1996 à Paris, exposition avec deux autres artistes, galerie Vidal-Saint Phalle.
Ainsi qu'il a été écrit dans le catalogue de L'Institute of Contemporary Art, à Boston : « Christopher Le Brun est un jeune artiste anglais qui insère des éléments expressionnistes abstraits dans un contexte post-moderniste ».
BIBLIOGR. : Tony Godfrey : *La nouvelle image, peintures des années 1980*, Phaidon Presse Ltd, Oxford, 1986.
VENTES PUBLIQUES : STOCKHOLM, 30 mai 1991 : *Sans titre*, h/t (213x152) : **SEK 100 000** – NEW YORK, 27 fév. 1992 : *Galahad : nuage et arbrisseau*, h/t (196,8x149,2) : **USD 9 900** ; *Pillar, banner, fire* 1982, h/t (259,1x365,7) : **USD 17 600** – NEW YORK, 6 mai 1992 : *Gouvernail*, h/t (256,5x380,7) : **USD 17 600** – LONDRES, 2 juil. 1992 : *Amphion* 1981, h/t (249x213,5) : **GBP 16 500** – NEW YORK, 19 nov. 1992 : *Région* 1983, h/t (243,8x229,6) : **USD 8 800** – LONDRES, 25 mars 1993 : *Marcus Curtius* 1983, h/t (251,5x351,5) : **GBP 20 700** – STOCKHOLM, 10-12 mai 1993 : *Sans titre* 1984, h/t (179x151) : **SEK 47 000** – NEW YORK, 11 nov. 1993 : *Sans titre*, h/t (101,6x116,8) : **USD 8 050** – NEW YORK, 3 mai 1994 : *Cheval rouge (Iphigénie)*, h/t (266,6x218,5) : **USD 11 500** – NEW YORK, 22 fév. 1996 : *Cheval rouge (Iphigénie)* 1987, h/t (266,6x218,5) : **USD 16 675**.

LEBRUN Émile Jules Paul
Né en 1864 à Gand (Flandre-Orientale). Mort en 1933 à Gand (Flandre-Orientale). XIXe-XXe siècles. Belge.
Peintre de marines.
Il fut élève de l'Académie des Beaux-Arts de Gand.
Il a principalement peint la mer et les ports de la côte Belge.
BIBLIOGR. : In : *Diction. biographique illustré des artistes en Belgique depuis 1830*, Arto, Bruxelles, 1987.

LEBRUN Ernest
XIXe siècle. Actif à Paris. Français.
Peintre d'architectures.
Exposa des dessins au Salon en 1835 et 1836.

LEBRUN François Jean Baptiste Topino ou **Le Brun**.
Voir **TOPINO-LEBRUN François Jean-Baptiste**

LE BRUN Frédéric
Né à Flers (Orne). XIXe siècle. Français.
Peintre de genre et portraitiste.
Élève de Carolus Duran. Débuta au Salon de 1879.

LE BRUN Gabriel
Né le 21 octobre 1625 à Paris. Mort le 28 septembre 1660 à Paris. XVIIe siècle. Français.
Peintre et graveur au burin.
Frère et élève de Ch. Le Brun qu'il aida dans ses travaux. Il ne se

créa pas une grande renommée comme peintre et se distingua surtout comme graveur. On lui doit de bonnes planches d'après les dessins de son frère et d'autres artistes.

LEBRUN Georges
Né le 16 juin 1873 à Verviers (Liège). Mort en 1914 à Stuivekenskerke. XIXe-XXe siècles. Belge.
Peintre de figures, paysages, intérieurs, aquarelliste.
Élève de Portaëls à Bruxelles, il alla ensuite travailler à Paris, puis dans la région de Lille. Il mourut au tout début de la guerre 1914-1918.
Il est le peintre des paysages mélancoliques de l'Ardenne et de la Fagne, aux coloris austères.
Bibliogr. : E. Desprèchins : *G. Lebrun, peintre de la Fagne*, Paris-Bruxelles, 1925 – in : *Diction. biographique illustré des artistes en Belgique depuis 1830*, Arto, Bruxelles, 1987.
Musées : Ixelles – Verviers.

LEBRUN Henriette Perrard
XIXe siècle. Actif à Paris. Français.
Portraitiste.
Exposa au Salon, en 1848 et 1850.

LEBRUN Hippolyte
XIXe siècle. Actif à Paris. Français.
Peintre d'histoire et paysagiste.
Exposa au Salon de 1814 à 1824. On cite de lui : *La prière nocturne à l'Amour.*
Ventes Publiques : Paris, 9 mars 1925 : *Le bain des nymphes troublé par des satyres* : **FRF 380** – Paris, 23 juin 1943 : *Barque par gros temps* : **FRF 2 000**.

LEBRUN Jacques
Originaire du Vaucluse. XVIIIe-XIXe siècles. Français.
Miniaturiste.
Exposa des sujets d'histoire et des allégories au Salon, de 1795 à 1812. On cite son *Portrait* peint sur verre.

LEBRUN Jean
XVe siècle. Actif à Rouen. Français.
Sculpteur sur bois.
Sous la direction de Philippot Viart, il collabora à la décoration des stalles du chœur de la cathédrale de Rouen, en 1467.

LEBRUN Jean
XVIe siècle. Actif à Tours. Français.
Sculpteur sur bois.
Frère d'Antoine Lebrun le Jeune. Il fut admis, en 1508, dans la corporation des maîtres sculpteurs en bois de Tours et prit part, en 1516, aux apprêts des fêtes en l'honneur de l'entrée solennelle de François Ier.

LE BRUN Jean Baptiste Pierre
Né le 16 février 1748 à Paris. Mort le 6 août 1813 à Paris. XVIIIe-XIXe siècles. Français.
Peintre de genre et marchand de tableaux.
Petit-neveu de Charles Le Brun, et époux divorcé de Mme Vigée-Lebrun. Il débuta aux expositions de la Jeunesse, place Dauphine, en 1782. Il exposa au Salon en 1793, 1795 et 1797. Il fit quelques eaux-fortes, et a laissé quelques ouvrages littéraires, entre autres : *Almanach historique et raisonné des architectes, peintres, sculpteurs, graveurs et ciseleurs (1777).*
Ventes Publiques : Londres, 11 avr. 1924 : *Dame jouant de la harpe* : **GBP 63** – Londres, 24 nov. 1924 : *Femme en robe blanche* : **GBP 65** – Paris, 19 déc. 1927 : *Portrait de l'artiste* : **FRF 12 600** – Paris, 16 oct. 1940 : *Portrait du peintre et marchand de tableaux Lebrun par lui-même* : **FRF 6 100** – Paris, 19 mars 1984 : *Autoportrait de l'artiste dans son atelier* 1796, h/t (130,5x98,5) : **FRF 60 000**.

LEBRUN Joseph Nicolas Michel
XVIIIe siècle. Actif au Mans. Français.
Sculpteur.
Travailla pour diverses églises de la région, notamment aux Jacobins du Mans, à Assé-le-Ribaut, à Challes.

LEBRUN Louis
Né en 1844. Mort le 10 janvier 1900 à Bruxelles. XIXe siècle. Belge.
Peintre d'histoire.
Ventes Publiques : Londres, 15 juin 1979 : *Le comte de Roeulx devant la citadelle de Gand* 1879, h/t (85,2x59,6) : **GBP 650** – Paris, 4 déc. 1987 : *Scène orientaliste, le roi blessé* 1870, h/t (101x145) : **FRF 23 000**.

LEBRUN Madeleine
XVIIe siècle. Active à Paris vers 1692. Française.
Miniaturiste.
Le musée de Posen possède un portrait par cette artiste.

LEBRUN Marc Eugène
Né le 7 août 1867 à Paris. XIXe siècle. Français.
Paysagiste.
Élève de Luigi Loir. Figura au Salon des Artistes Français. Membre de cette société depuis 1897, il obtint une mention honorable en 1902. Il s'est surtout attaché à la description de Paris sous ses éclairages nocturnes.

LEBRUN Marie
Née au XIXe siècle à Toulon (Var). XIXe siècle. Française.
Peintre de genre.
Débuta au Salon en 1875 et y obtint une mention honorable en 1879. On cite d'elle : *Les trois âges.*

LE BRUN Marie Louise Élisabeth ou **Vigée**. Voir **VIGÉE-LEBRUN**

LE BRUN Michel
Né à Toulon. Mort le 5 juillet 1753 à Paris. XVIIIe siècle. Français.
Miniaturiste.
Il épousa la sœur de Jean-Baptiste Van Loo.

LE BRUN Nicolas, l'Ancien
Né à Jouy-sous-Thalle (près de Beauvais). Mort le 9 février 1648 à Paris. XVIIe siècle. Français.
Sculpteur et peintre.
Il vint se fixer à Paris et s'engagea, en 1646, à faire une pierre tombale pour René de Rousseau, maître d'hôtel du comte de Soissons, qui devait prendre place dans l'église Saint-Séverin. Nicolas Le Brun fut le père du célèbre peintre Charles Le Brun.

LE BRUN Nicolas, le Jeune
Né le 20 avril 1615 à Paris. Mort le 28 septembre 1660 à Paris. XVIIe siècle. Français.
Peintre de paysages.
Frère de Charles Le Brun. Ce fut un peintre de Paris dont il traduisit de nombreux sites, notamment une *Vue des Tuileries, du Louvre, la Seine et le Pont-Neuf et une part du quai opposé au Louvre*. D'après Guillet de Saint-Georges, il collabora avec Eustache Le Sueur et peignit pour lui le paysage du tableau *Plan de l'ancienne chartreuse de Paris*, actuellement au Louvre.

LEBRUN Pauline
XIXe siècle. Française.
Peintre de portraits.
Bibliogr. : In : Catalogue de l'exposition : *Les années romantiques, la peinture française de 1815 à 1850*, Mus. des Beaux-Arts, Nantes, 1995-1996, Galeries nationales du Grand Palais, Paris, 1996.
Musées : Orléans (Mus. des Beaux-Arts) : *Portrait de Pierre-Marin de Varincourt, évêque d'Orléans* 1822.

LEBRUN Pierre
Né à Neuville Salesches (Nord). XIXe siècle. Vivant à Cambrai. Français.
Peintre d'histoire, sujets religieux, portraits.
Cet artiste, élève de Potier, occupa une place importante à Cambrai. Il exposa au Salon de Paris, à partir de 1868.
Ventes Publiques : Paris, 31 jan. 1991 : *Soldats au campement*, h/t (55,5x65) : **FRF 35 000**.

LE BRUN Pierre Damien, pseudonyme : **Valcom**
Né le 4 avril 1742 à Nantes. XVIIIe siècle. Français.
Graveur.

LE BRUN Piotr
Né en 1802 à Varsovie. Mort en 1879 à Varsovie. XIXe siècle. Polonais.
Peintre.
Il peignit des portraits et des tableaux religieux. L'église Notre-Dame à Varsovie possède des œuvres de lui.

LEBRUN Théodore
XIXe siècle. Actif à Versailles. Français.
Peintre de genre et miniaturiste.
Exposa au Salon en 1841, 1842.

LE BRUYET Lucien
Né le 31 décembre 1934. XXe siècle. Français.
Sculpteur.
Il expose peu.
Il a d'abord étudié avec Zadkine, puis, à partir de 1962, en est devenu l'aide. Il semble que, depuis, il ait eu quelques difficultés à s'évader de cette glorieuse proximité.

LEBSCHEE Carl August
Né le 27 juillet 1800 à Schmiegel. Mort le 13 juin 1877 à Munich. XIXe siècle. Polonais.
Peintre de vues, paysages, architectures, aquarelliste, graveur, dessinateur.
Vint à Munich avec ses parents en 1807. Il eut W. von Kobell, Wagenbaur Dillis et Dorner, pour professeurs à l'Académie de Munich ; en outre, il fut élève de K.-E.-C. Hess pour la gravure. Il exposa fréquemment en Allemagne à partir de 1830. Ses eaux-fortes, souvent signées C. L. ou d'un monogramme, sont traitées avec beaucoup d'esprit.

Ventes Publiques : Munich, 30 juin 1983 : *Starnberger See* 1827, cr. aquarellé (17,5x26,5) : **DEM 5 500** – Londres, 21 juin 1984 : *Scène rustique* 1835, aquar. cr. et pl. (18,5x23,5) : **GBP 1 500** – Munich, 10 déc. 1992 : *Le Château de Leutstetten avec vue sur le lac de Starnberg*, encre et aquar./pap. (17,8x27) : **DEM 15 255** – Vienne, 29-30 oct. 1996 : *Le Tsar Nicolas II et deux élégantes à Bad Kreutzen* 1838, cr., aquar. et encre grise/pap. (27,8x38) : **ATS 109 250**.

LE BURIN
XVe-XVIe-XVIIe-XVIIIe siècles (?). Français.
Graveur.
Pseudonyme sous lequel fut gravée une estampe intitulée : *La maquerelle punie. Le Burin sc.*

LE BURON. Voir **BURON**

LE BURON André
XVIIIe siècle. Actif à Caen. Français.
Sculpteur.

LEBZELTER Martin
Né avant 1492 à Ulm. Mort en 1520 à Bâle. XVIe siècle. Suisse.
Sculpteur.
Installé à Bâle, il travaille au chœur de l'église Saint-Léonard en 1512.

LECA Dominique
Né le 5 janvier 1938 à Marseille (Bouches-du-Rhône). XXe siècle. Français.
Peintre de scènes animées, figures, paysages, natures mortes.
Il vit et travaille à Marseille et en Corse, dont sa famille est originaire. Il fréquenta l'École des Beaux-Arts de Marseille et un atelier privé. Il fit ensuite de nombreux voyages à travers le monde. Depuis 1960, il participe à des expositions collectives régionales, recevant des distinctions locales. À Paris, il participe aux Salons des Artistes Français, des Indépendants, de l'Art Libre.

LECADRE Alphonse Eugène Félix
Né en 1842 à Nantes (Loire-Atlantique). Mort le 14 avril 1875 à Paris. XIXe siècle. Français.
Peintre d'histoire, scènes de genre, nus.
Élève de Charles Gleyre, il participa au Salon de Paris de 1866 à 1874.
Il est surtout le peintre de nus féminins sensuels, présentés dans des poses alanguies.
Bibliogr. : Gérald Schurr, in : *Les Petits Maîtres de la peinture 1820-1920, valeur de demain*, Les Éditions de l'Amateur, t. VII, Paris, 1989.
Musées : Nantes : *La jeune mère* – Orléans : *L'offrande.*
Ventes Publiques : New York, 19 oct. 1984 : *Le réveil* 1870, h/t (96x195) : **USD 28 000**.

LECADRE Théodore Constant
Né le 21 janvier 1821 à Paris. XIXe siècle. Français.
Peintre de paysages et de portraits.
Élève d'Ingres et de Blondel. Exposa au Salon en 1848 et 1857.

LE CAISNE Brigitte
Née en 1939 à Neuilly-sur-Seine (Hauts-de-Seine). XXe siècle. Française.
Peintre, graveur, illustrateur.
Bibliogr. : In : *De Bonnard à Baselitz – Dix ans d'enrichissements du Cabinet des Estampes 1978-1988*, Bibliothèque nationale, Paris, 1992.
Musées : Paris (BN, Cab. des Estampes).

LE CALVEZ Lionel
Né en 1957 à Paimpol (Côte-d'Armor). XXe siècle. Français.
Peintre de paysages. Tendance abstraite.
En 1976, il vint à Paris, où il se forma aux diverses techniques picturales, tant anciennes que modernes. Il s'est de nouveau fixé en Bretagne depuis 1981. En 1988, il a installé son atelier en haut d'une falaise de Pordic face à la mer. En 1989, un grave accident l'immobilisa pendant près d'une année, au cours de laquelle il décida de se consacrer totalement à la peinture. En 1981, il a commencé à exposer ses peintures, notamment à Guingamp, Rennes, Paris, etc.
Il peint des paysages bretons, imaginés mais typiques, dans une facture par larges aplats colorés et contrastés. D'autre part, il réalise des « Abstractions calligraphiques ».

LECAMPION Géo
Née le 29 novembre 1890 à Paris. XXe siècle. Française.
Peintre de paysages.
Elle exposa, à Paris, au Salon des Artistes Français et au Salon des Indépendants.
Sa peinture, qui se veut poétique, est de facture et de composition traditionnelles.

LE CAMUS Colin ou **Colinet**
Mort vers 1481. XVe siècle. Actif à Troyes. Français.
Enlumineur.

LE CAMUS Louis
Né à Paris. Mort en 1906 à Paris. XIXe siècle. Français.
Peintre de paysages, marines.
Élève de Bonnat et de Carolus-Duran. Débuta au Salon de 1874. Mention honorable en 1883, médaille de bronze en 1889 et 1900 aux Expositions universelles de Paris.
Musées : Gray : *Le morne du Griz Nez.*
Ventes Publiques : New York, 17 et 18 mars 1909 : *Marine* : **USD 50** – New York, 30 mai 1931 : *Le Verger* : **FRF 40**.

LE CAMUS Louis Firmin
Né en 1762 à Paris. Mort le 19 janvier 1808 à Paris. XVIIIe siècle. Français.
Peintre de genre, dessinateur.
Il fut professeur de dessin.
Ventes Publiques : Paris, 21 juil. 1976 : *La fillette au chat*, h/t (22x16,5) : **FRF 2 100**.

LE CAMUS de Banteul
XIVe siècle. Français.
Sculpteur.
Il travailla à la flèche de la cathédrale de Cambrai, en 1375.

LE CANGIAGE. Voir **CAMBIASO Luca**

LECAPELAIN André Abel
Né le 8 juin 1906. XXe siècle. Français.
Peintre de paysages.

LE CAPELAIN John
Né vers 1814 à Jersey. Mort en 1848 à Jersey. XIXe siècle. Britannique.
Dessinateur et aquarelliste.
Il se forma sans maître et dessina un grand nombre des sites les plus pittoresques de la charmante île de la Manche. Un album de ses ouvrages fut offert à la reine Victoria lors de sa visite de l'île. Le Musée de Saint-Hélier conserve plusieurs ouvrages intéressants de cet artiste.

LE CARON Antoine. Voir **LE CARRON**

LECARON Jules Achille
Né à Paris. Mort à Orsay. XIXe siècle. Français.
Peintre de genre.
Exposa au Salon, de 1833 à 1865. On cite de lui : *Prima Donna* et *Incrédulité de Saint-Thomas.*

LECAROZ Angel
Né à la fin du XIXe siècle à Séville (Andalousie). XXe siècle. Espagnol.
Peintre de paysages.
Il s'est formé à la peinture à l'École des Beaux-Arts de Séville. Il a figuré à plusieurs expositions des Beaux-Arts à Séville, notamment en 1921, 1922 et 1923 avec des paysages.
Bibliogr. : In : *Cien anos de pintura en Espana y Portugal 1830-1930*, tome IV, Antiqvaria, Madrid, 1990.

LE CARPENTIER Alexandre
Né le 5 juillet 1858 à Sainte-Croix-Grand-Tonne près de Bayeux. Mort le 26 décembre 1904 à Paris. XIXe siècle. Français.
Peintre de genre.

Fils du boulanger peintre-amateur Auguste Le Carpentier. Le Musée de Bayeux conserve de lui : *Le Forgeron.*
Ventes Publiques : Londres, 10 fév. 1978 : *La clairière,* h/t (116,8x179,2) : **GBP 1 000.**

LE CARPENTIER Auguste
Né le 18 février 1824 à Bayeux. Mort le 24 juin 1865 à Bayeux. XIXe siècle. Français.
Peintre.
Il était boulanger. Le Musée de Bayeux conserve de lui une aquarelle : *Retour de la pêche* (1860).

LECARPENTIER Benjamin L.
XIXe siècle. Français.
Peintre de paysages.
Élève de Callet, il exposa au Salon de Paris de 1798 à 1824. Membre de la Société des Artistes Français depuis 1827.

LE CARPENTIER Charles Louis François
Né en 1744 à Pont-Audemer (Eure). Mort en 1822 à Rouen (Seine-Maritime). XVIIIe-XIXe siècles. Français.
Peintre de sujets religieux, genre, portraits, paysages, marines, dessinateur.
Élève de Doyen et J.-B. Descamps. Il vint s'établir à Rouen et y fut professeur à l'École des Beaux-Arts. Il fut aussi écrivain d'art. Il exposa au Salon de Paris en 1801 et 1802.
Musées : Rouen : *Marine.*
Ventes Publiques : Paris, 7 et 8 mai 1923 : *Portrait d'homme,* cr. : **FRF 3 100** – Paris, 22 mai 1925 : *Portrait présumé de Mozart,* pierre noire et pl., reh. aquar. : **FRF 1 900** – Paris, 10 déc. 1926 : *Paysage avec un cours d'eau, animé de personnages,* aquar. : **FRF 700** – Paris, 31 jan. 1991 : *Saint Michel terrassant le dragon,* h/t (44x24,5) : **FRF 28 000.**

LECARPENTIER Mathieu
XVIIIe siècle. Actif à Rouen. Français.
Sculpteur sur bois.
Il travailla à Rouen pour les églises Saint-Jean, Saint-Maclou et Saint-Sever. Peut-être s'agit-il de l'architecte Antoine-Mathieu Le Carpentier, Rouen 1709 – Paris 1773.

LECARPENTIER Olex
Mort en 1904. XIXe siècle. Français.
Peintre.
Sociétaire des Artistes Français, il figura au Salon de ce groupement.

LECARPENTIER Paul Claude Michel ou **Carpentier**
Né le 17 novembre 1787 à Rouen (Seine-Maritime). Mort le 10 mai 1877 à Paris. XIXe siècle. Français.
Peintre d'histoire, portraits, sculpteur, graveur.
Élève de David et de Jean Le Barbier, il exposa au Salon de Paris de 1838 : *Louis XVI donnant ses instruments à Lapérouse.* Il signe parfois Carpentier.
Bibliogr. : In : Catalogue de l'exposition : *Les années romantiques, la peinture française de 1815 à 1850,* Mus. des Beaux-Arts, Nantes, 1995-1996, Galeries nationales du Grand Palais, Paris, 1996.
Musées : Rouen (Mus. des Beaux-Arts) : *Création d'Ève* 1835 – Troyes : *Portrait de Poillot de Montabert.*
Ventes Publiques : Versailles, 27 avr. 1980 : *Portrait d'Antoine Gignoux, architecte* 1832, h/t (82x100) : **FRF 3 000.**

LE CARPENTIER Robert
XVIe siècle. Actif à Boulogne. Français.
Peintre.
Il exécuta à l'abbaye Notre-Dame à Boulogne des travaux de décoration en 1532 à 1533, avec, comme aides, Jehan Carpentier.

LE CARRON Antoine
XVIe siècle. Français.
Sculpteur.
Il prit part à la décoration de la façade de l'Hôtel de Ville de Compiègne, de 1505 à 1508.

LE CARRON Georges
Né le 15 janvier 1899 à Paris. XXe siècle. Français.
Peintre de paysages, décorateur.
Il a exposé, à Paris, aux Salons, d'Automne et des Tuileries. Cet artiste, volontairement retiré, a beaucoup travaillé en forêt de Fontainebleau. Loin des théories, il œuvre d'abord et ne cherche rien d'autre qu'à traduire sa vision intérieure, qui est de qualité dans une touche large et nerveuse, sans petitesse. Il a réalisé différents travaux de décoration. Parmi ses œuvres : *L'Église de Bois-le-Roi* et surtout *Portrait du curé.*

LE CASTRE Gillot. Voir **GILLOT le Castre**

LE CAT Colart
XVe siècle. Actif à Tournai en 1424. Éc. flamande.
Sculpteur.

LE CAT France
XVe siècle. Actif à Tournai. Éc. flamande.
Peintre.

LE CAT Gilles
XIVe-XVe siècles. Actif à Mons. Éc. flamande.
Sculpteur.
Il exécuta surtout des tableaux d'inspiration religieuse, entre autres pour les églises Saint-Nicolas et Saint-Germain à Mons.

LE CAT Jean, l'Ancien
Mort en 1468 à Mons. XVe siècle. Éc. flamande.
Peintre.
Il travailla pour le couvent d'Epinlieu-les-Mons.

LE CAT Jean, le Jeune
XVe-XVIe siècles. Actif à Mons. Éc. flamande.
Peintre.
Fils de Jean Le Cat l'Ancien, il travailla aussi à Epinlieu-les-Mons.

LE CAT Pierre
XVIIe siècle. Français.
Peintre.
Il fut reçu à l'Académie de Saint-Luc à Paris en 1657.

LE CAT Richart
XVe siècle. Actif à Tournai. Éc. flamande.
Peintre.

LE CAVELIER, Mlle
XVe siècle. Française.
Peintre verrier.
Elle était au service du duc Jean de Berry, 1414-1416.

LECAVELIER Charles
Né à Caen. XIXe siècle. Français.
Sculpteur.
Élève de Rude. Il vécut à Paris, où il exposa au Salon de 1859.

LECCA Constantin
Né en 1810 à Brasov. Mort en 1887 à Bucarest. XIXe siècle. Roumain.
Peintre.
Il travailla à Rome et à Tara. Le Musée Simiu, à Bucarest, conserve de lui un *Portrait de femme.*

LECCIA Ange
Né en 1952 à Minerviu (Corse). XXe siècle. Actif aussi en Italie. Français.
Sculpteur d'installations, multimédia.
Il vit et travaille à Paris. Il est lauréat en 1981 de l'Académie de France à Rome. Il enseigne à l'École des Beaux-Arts de Grenoble. Il participe à des expositions de groupe, notamment en 1994 à *Comme rien d'autre que des rencontres* au Mukha d'Anvers. Il montre ses œuvres dans des expositions personnelles : 1980, galerie du Haut-Pavé, Paris ; 1981, 1984, galerie Lucien Durand, Paris ; régulièrement à la galerie Montenay ; 1995, Espace Orenga de Gaffori à Patrimonio ; 1997, ARC Musée d'Art Moderne de la Ville de Paris. Il expose également à New York, Berlin et Amsterdam.
Le plus souvent Ange Leccia compose des « arrangements », terme générique pour désigner ses installations d'objets du quotidien qu'il déplace de leur contexte industriel et de leur finalité sociale. Cages de but, téléviseur, images de vidéo, de film, de photocopie, etc. : « Je ne pars ni d'idées, ni d'objets. Je pars du temps pour occuper l'espace. Je ne cherche pas à mettre en évidence une idée. Ce que je cherche c'est donner matière à une idée et surtout que la matérialisation soit sensible, émotive ».
Musées : Grenoble – Paris (Mus. d'Art Mod. de la Ville) : *Sabatina* 1997 – Paris (FNAC) : *Arrangement* 1988 – Tokyo (Mus. d'Art Mod.).

LECERF Émile Louis
Mort en 1892. XIXe siècle. Français.
Sculpteur.
Sociétaire des Artistes Français, il figura au Salon de ce groupement.

LECERF F.
XIXe siècle. Français.
Peintre de portraits.

Bibliogr. : In : Catalogue de l'exposition : *Les années romantiques, la peinture française de 1815 à 1850*, Mus. des Beaux-Arts, Nantes, 1995-1996, Galeries nationales du Grand Palais, Paris, 1996.
Musées : Mâcon : *Portrait d'homme* 1819.

LE CERF Jacques Louis Constant
XIXe siècle. Actif à Paris de 1815 à 1824. Français.
Graveur au burin.
Il a gravé des sujets d'histoire. Exposa au Salon de 1814.

LE CERF Louis
XVIIIe siècle. Actif à Grenoble vers 1735. Français.
Peintre.

LECERF Louis Alexis
Né le 10 novembre 1787 à Manicamp (Aisne). XIXe siècle. Français.
Peintre de portraits, architectures.
Il travailla à Avranches et exposa au Salon de Paris de 1814 à 1844.
Bibliogr. : In : Catalogue de l'exposition : *Les années romantiques, la peinture française de 1815 à 1850*, Mus. des Beaux-Arts, Nantes, 1995-1996, Galeries nationales du Grand Palais, Paris, 1996.
Musées : Dole : *Portrait de Roux de Rochelle* 1841.

LE CHALEUX Jacques
Mort en 1572 à Lyon, au cours des massacres de la Saint-Barthélemy. XVIe siècle. Français.
Graveur sur bois.
Il grava des planches de propagande ou de satire protestante.

LE CHANOIS Jacques
Né le 9 décembre 1903 à Paris. XXe siècle. Français.
Peintre de paysages. Tendance naïve.
Il a exposé à Paris. Figuratif, il réalise des paysages un peu naïfs.

LECHANTRE Charles
XVIIIe siècle. Actif à Paris. Français.
Peintre et peut-être graveur.
Maître peintre, membre de l'Académie de Saint-Luc ; fut inhumé dans le cimetière des Saints-Innocents le 26 octobre 1750, à l'âge d'environ 74 ans.

LECHANTRE Jacques Julien
Né le 14 novembre 1907 à Roubaix (Nord). XXe siècle. Français.
Peintre, graveur, illustrateur.
Il fut élève de H. Pailler et de Sabatté.
Il a exposé pour la première fois, en 1927, à Paris, au Salon des Artistes Français dont il devint sociétaire la même année. Il a ensuite figuré au Salon des Indépendants en 1935 et 1948. Il a illustré *La Chute de la Maison Usher*, d'E. Poe.

LE CHANTRE Noël
XVIIe siècle. Français.
Peintre.
Il fut membre de l'Académie de Saint-Luc, à Paris, en 1664.

LECHARD
XIXe siècle. Actif à Paris. Français.
Graveur.
Il a gravé des vignettes pour l'*Histoire de France* d'Anquetil.

LE CHARLES Henri
Né à Châteauneuf (Charente). XIXe siècle. Français.
Peintre de paysages, portraits, natures mortes.
Il exposa à Paris au Salon des Indépendants à partir de 1895.

LE CHARPENTIER Étienne. Voir **CHARPENTIER Étienne**

LE CHARRON Jean ou **Le Chasson**
XIVe siècle. Français.
Sculpteur.
Il collabora à la décoration du palais du duc Jean de Berry, à Poitiers, en 1383.

LECHAT Albert Eugène
Né en 1863 à Lille (Nord). Mort le 19 août 1918 à Berck-sur-Mer (Nord). XIXe-XXe siècles. Français.
Peintre de paysages urbains, illustrateur.
Il participa au Salon de la Société Nationale des Beaux-Arts, dont il devint associé en 1903.
Il représenta surtout les villes du Nord et illustra les *Visages de villes*, d'Hector Malot, qui parut en 1920.

Bibliogr. : Gérald Schurr, in : *Les Petits Maîtres de la peinture 1820-1920, valeur de demain*, Les Éditions de l'Amateur, t. V, Paris, 1981.

LECHAT Baptiste Joseph
Mort en 1890. XIXe siècle. Français.
Peintre.
Sociétaire des Artistes Français, il figura au Salon de ce groupement.

LECHAT Charles
Né en 1896 à Liège. XXe siècle. Belge.
Peintre de genre, figures, intérieurs, paysages, natures mortes, graveur, aquarelliste.
Bibliogr. : In : *Diction. biographique illustré des artistes en Belgique depuis 1830*, Arto, Bruxelles, 1987.

LECHAUDEL Albert Jean Étienne
Né le 30 octobre 1861 à Paris. XIXe siècle. Français.
Graveur au burin.
Élève de Cabanel, Henriquel-Dupont et L. Morice. Figura au Salon des Artistes Français. Membre de cette société depuis 1891. Mention honorable en 1907, médaille en 1920.

LECHAUDEL Louis
XIXe-XXe siècles. Actif à Paris. Français.
Graveur.
Sociétaire des Artistes Français depuis 1893, il figura au Salon de ce groupement.

LECHÊNE, Mme, née **Amicie-Blagny**
Née à Dijon. XIXe siècle. Française.
Peintre de fruits et de fleurs.
Le musée d'Orléans conserve une œuvre de cette artiste. Élève de Mme Rude, elle exposa au Salon entre 1855 et 1868.

LECHENETIER Ambroise Charlemagne Victor
Né le 31 mars 1797 à Paris. XIXe siècle. Français.
Peintre de portraits, miniaturiste.
Élève de Jean-Baptiste Augustin, il travailla à l'Isle-Adam et exposa au Salon de Paris de 1824 à 1869.
Bibliogr. : Gérald Schurr, in : *Les Petits Maîtres de la peinture 1820-1920, valeur de demain*, Les Éditions de l'Amateur, t. II, Paris, 1982.
Musées : Pontoise : *Portrait en pied de M. Dambry, grand oncle de Mme Tavet, fondatrice du musée.*
Ventes Publiques : Paris, 25 nov. 1925 : *Portrait d'homme en habit bleu*, miniat. : **FRF 620**.

LECHENETIER René
Né à Versailles. XIXe siècle. Français.
Peintre de paysages.
Travailla à l'Isle-Adam. Élève de Picot. Exposa au Salon, de 1865 à 1870.

LE CHÉNIER Henry
Né en 1937 à Avignon (Vaucluse). XXe siècle. Français.
Peintre de figures, illustrateur.
Il fit ses premières études à Avignon, suivant parallèlement des cours du soir à l'École des Beaux-Arts. En 1956, il effectue son premier voyage en Italie qui aura une influence durable sur son œuvre. Il s'inscrit ensuite à l'École des Beaux-Arts d'Alger où il sera professeur en 1960. En 1961, professeur à Marseille, il y rencontre François Bret, nouveau directeur de l'École des Beaux-Arts et devient son élève. En 1979, il créa l'association *Présence Contemporaine*, voulant réaliser à Aix-en-Provence une mise en place effective des expressions plastiques contemporaines. Depuis 1982, il enseigne à la nouvelle section des Arts Appliqués au Lycée Denis Diderot de Marseille. Il réalise en sérigraphie des illustrations pour des éditions de poésie.
Il participe à de nombreuses expositions collectives dans la région marseillaise et, à Paris, au Salon de Mai en 1980 et 1981, au Salon Figuration Critique en 1982. Il montre ses œuvres dans des expositions personnelles, notamment en 1995 à la galerie Jean-Louis Tapiau à Paris.
Après 1974, Le Chénier se livre à une remise en question de sa peinture. Il réalise une série de toiles sur le thème des oliviers, puis des schistes et des rochers, touchant parfois à l'abstraction. Il a peint, dans les années quatre-vingt-dix, une importante série de figures humaines dénudées, hommes et femmes, dans des positions étranges. Ces personnages aux membres souvent tendus et déployés, montrent plusieurs faces de leur corps dans un espace abstrait formé de plages de couleurs peintes en aplats.
Bibliogr. : Catal. de l'exposition *Cantini 84*, Musée Cantini,

Marseille, mai-août 1984 – Marc Le Bot : *Henry Le Chénier : le chemin de croix*, 1995.
Musées : Marseille (Mus. Cantini) : *Schistes 24* 1979, h/t (160x129).

LECHESNE Auguste
Né au Mans. Mort le 18 mars 1861 à Paris. xixe siècle. Français.
Sculpteur.
Fils d'Auguste Jean Baptiste Lechesne. Élève de Duret. Second prix de Rome en 1856. Exposa au Salon jusqu'à sa mort.

LECHESNE Auguste Jean Baptiste
Né en 1815 à Caen. Mort le 2 novembre 1888 à Caen. xixe siècle. Français.
Sculpteur, animalier.
Il exposa au Salon de Paris, de 1848 à 1878 ; obtenant une deuxième médaille en 1848. Il fut promu chevalier de la Légion d'honneur en novembre 1855.
Musées : Caen : *Buste de M. Bertrand, maire de Caen* – Versailles : *Dragons domptés par des enfants.*
Ventes Publiques : Londres, 22 juin 1976 : *Sanglier attaqué par six chiens* 1853, bronze (Long. 54) : **GBP 520**.

LECHESNE Henry
Né à Caen. xixe siècle. Français.
Sculpteur.
Élève et fils d'Auguste Jean Baptiste Lechesne. Exposa au Salon entre 1869 et 1878.

LE CHEVALIER Madeleine
Née au xixe siècle à Paris. xixe siècle. Française.
Miniaturiste.
Élève de Mme Vergniaud. Sociétaire des Artistes Français depuis 1907.

LE CHEVALIER Nicolas
Originaire des Andelys. xve siècle. Français.
Sculpteur sur bois.
Le chapitre de la cathédrale de Rouen le convoqua en 1466, pour donner son avis sur les stalles du chœur, qu'on était en train de construire.

LE CHEVALIER Pierre Paul
Né à Caen. xixe siècle. Français.
Peintre de genre.
Élève de Picot. Exposa au Salon de 1847 à 1859.

LE CHEVALIER Pierre Toussaint
Né le 1er novembre 1825 à Valognes. xixe siècle. Français.
Peintre de genre et de portraits.
La sixième édition du catalogue du Musée de Caen mentionnait de cet artiste : *Réception de Napoléon III et de l'Impératrice Eugénie à la gare de Caen le 9 août 1858*, tableau qui ne figure plus dans l'édition de 1907. On cite aussi de lui, au Musée de Cherbourg : *La Courtisane*, d'après Sigalon ; *Portrait de Vicq d'Azir* ; *La Belle Jardinière*, d'après Raphaël.
Ventes Publiques : New York, 13 fév. 1985 : *Charité*, h/t (200x135,2) : **USD 4 500**.

LECHEVALLIER Georgina
Née le 17 juin 1899 à Saint-Ouen (Seine). xxe siècle. Française.
Peintre de paysages et de natures mortes.

LECHEVALLIER Jacques
Né le 23 juillet 1896 à Paris. Mort en 1987 à Fontenay-aux-Roses (Hauts-de-Seine). xxe siècle. Français.
Peintre de compositions religieuses, décorateur, graveur, peintre verrier.
Il est élève de l'École des Arts Décoratifs de Paris. Jusqu'en 1945, il collabore avec Louis Barillet. En 1945, il ouvre son atelier de vitrail à Fontenay-aux-Roses.
Il expose, à Paris, au Salon des Indépendants et au Salon d'Automne dont il devient sociétaire. Il est en outre membre de la société des Artistes Décorateurs. En 1930, il est co-fondateur de l'Union des Artistes Modernes. Il figure au Salon des Réalités Nouvelles de 1950 à 1957 avec des œuvres abstraites.
Il réalise des luminaires avec Raymond Koechlin dans les années trente. Il réalise ensuite des tapisseries, des mosaïques et surtout des vitraux pour quelques églises et cathédrales de France, dont Paris, Beauvais, Soissons, Toulouse, Angers, Besançon et Luxembourg.
Bibliogr. : In : *Paris-Moscou 1900-1930*, catalogue de l'exposition, Centre Georges Pompidou, Paris, 1979 – in : *De Bonnard à Baselitz – Dix ans d'enrichissements du Cabinet des Estampes 1978-1988*, Bibliothèque nationale Paris, 1992.
Musées : Paris (BN, Cab. des Estampes).
Ventes Publiques : Paris, 18 mai 1936 : *Portail de cathédrale* : **FRF 85** – Paris, 24 jan. 1945 : *Les Rochers*, aquar. : **FRF 150**.

LE CHEVALIER DE DIEPPE
xviiie siècle. Français.
Paysagiste.
Le Musée de Dieppe conserve, de cet artiste, deux dessins gouachés signés : *Le chevalier de Dieppe, inv. et fe. 1763.*

LECHEVALLIER-CHEVIGNARD Edmond
Né le 3 février 1825 à Lyon (Rhône). Mort le 8 février 1902 à Paris. xixe siècle. Français.
Peintre d'histoire, genre, graveur, décorateur.
Il fut élève de Drolling. Il exposa au Salon de Paris, obtenant une médaille de troisième classe en 1859 ; chevalier de la Légion d'honneur depuis 1885, il fut professeur à l'École des Arts décoratifs de Paris.
Musées : Limoges : *La Céramique – La Porcelaine – La Faïence – l'Émail.*
Ventes Publiques : Paris, 1er avr. 1898 : *La Lecture dans le parc* : **FRF 240** – Paris, 14 déc. 1936 : *Sujet tiré de l'histoire romaine*, mine de pb : **FRF 50** – Paris, 20 juin 1991 : *Les noces du Roi de Navarre* 1862, h/t (151,5x202) : **FRF 115 000** – Paris, 26 oct. 1992 : *Les noces du Roi de Navarre* 1862, h/t (153x202) : **FRF 260 000**.

LECHEVREL Alphonse Eugène
Né en 1850 à Paris. xixe siècle. Français.
Sculpteur et graveur en médailles et sur pierres fines.
Élève de Henri François. Figura au Salon des Artistes Français. Membre de cette société depuis 1883. Il obtint des mentions honorables (1884, 1885, 1886) ; médailles de troisième classe en 1888, de deuxième classe en 1889, de bronze en 1889 à l'Exposition universelle de Paris. Comme graveur en médailles, il eut une médaille d'argent en 1900 à l'Exposition universelle de Paris.

LECHIEN
xviiie siècle. Actif à Nancy entre 1756 et 1760. Éc. lorraine.
Sculpteur.
Travailla à l'ornementation des châteaux de Nancy et de Lunéville.

LECHIER
Français.
Peintre d'animaux.
Le Musée de Louviers conserve de cet artiste : *Angora.*

LECHINIERERE Michel
Né à Rouen. xve siècle. Français.
Sculpteur et architecte.
En 1475 il exécuta le portrait d'un archevêque de Rouen.

LECHLEITNER Ingenuin
Né à Grins (Tyrol). Mort le 1er juillet 1731 à Innsbruck. xviiie siècle. Autrichien.
Sculpteur.
Il fut élève de Sternetti à Vienne, puis travailla surtout à Innsbruck.

LECHLEITNER Michael
Né vers 1611 à Grins. Mort le 25 janvier 1669 à Au. xviie siècle. Autrichien.
Sculpteur.
Il fut élève de Johann Pätsch à Landeck, puis travailla à Au.

LECHNER Alf
Né en 1925 à Munich. xxe siècle. Allemand.
Sculpteur, graveur.
Bibliogr. : In : *De Bonnard à Baselitz – Dix ans d'enrichissements du Cabinet des Estampes 1978-1988*, Bibliothèque nationale Paris, 1992.
Musées : Paris (BN, Cab. des Estampes).

LECHNER Ferdinand
Né le 16 avril 1855 à Berlin. xixe siècle. Allemand.
Peintre de paysages et d'architectures.
Élève de son père Julius Lechner ; il alla faire des études à Munich en 1878 et à Paris en 1880. Exposa des tableaux et des aquarelles à partir de 1881.
Ventes Publiques : Berlin, 1894 : *Vue de Wetterorn* : **FRF 587** – Lucerne, 13 juin 1970 : *Paysage boisé* : **CHF 8 000**.

LECHNER Gyula
Né le 5 février 1841 à Budapest. Mort le 10 juin 1914 à Budapest. xixe-xxe siècles. Hongrois.

Peintre.
On lui doit surtout des vues de Budapest dont certaines appartiennent au Musée de cette ville.

LECHNER Hermann
Né le 17 octobre 1879. Mort le 21 janvier 1924 à Huttenkirchen. XXe siècle. Allemand.
Peintre de paysages, portraits.

LECHNER Julius
Mort le 14 juillet 1895 à Berlin. XIXe siècle. Allemand.
Peintre.
Père de Ferdinand. Il exposa à Berlin des paysages entre 1846 et 1870.

LECHNER Karl Maria
Né le 16 avril 1890 à Munich. Mort en 1974 à Munich. XXe siècle. Allemand.
Peintre, peintre-verrier, peintre de décors de théâtre.
Il travailla surtout comme décorateur de théâtre et aussi comme peintre-verrier.
Ventes Publiques : Heidelberg, 8 avr. 1995 : *Pendant la moisson*, h/t (80x70) : **DEM 1 000**.

LECHNER Michael. Voir **MICHAELECHNER**

LECHNER Noé
Mort en 1582 à Innsbruck. XVIe siècle. Autrichien.
Sculpteur.
Il travailla pour les archiducs Rudolf et Ernest de Habsbourg.

LECHNER Ödön
Né le 2 janvier 1874 à Budapest. Mort le 30 octobre 1910 à Budapest. XIXe-XXe siècles. Hongrois.
Peintre de paysages et de natures mortes.
Il fut élève de A. Fényes.

LECHTER Melchior
Né le 2 octobre 1865 à Münster (Westphalie). Mort le 8 octobre 1937 à Ravrogne (Valais, Suisse). XIXe-XXe siècles. Allemand.
Peintre, dessinateur, illustrateur.
Il fit un apprentissage chez un peintre de cartons de vitraux puis entra à l'Académie des Beaux-Arts de Berlin. Il fut le fondateur, en 1900, des éditions Einhorn-Presse.
Il reçut en 1900 un grand prix à l'Exposition universelle de Paris pour sa décoration du Pallenbergsaal du Musée des Arts et Métiers de Cologne.
Il fut influencé par les peintres préraphaélites anglais et le mouvement Arts and Crafts de William Morris. Il collabora souvent aux ouvrages de son ami le poète Stefan George. Il est l'auteur et l'illustrateur de l'ouvrage *Tagebuch der indischen Reise*, 1912. Il a illustré des ouvrages, dont : *Jahre der Seele*, de S. George, 1897 ; *Leider von Traum und Tod*, de S. George, 1900 ; *Der Schatz der Armen*, de Maeterlinck, 1898 ; *Maximin*, 1907 ; *Ulais*, de K. Wolfskech ; *Herrschaft und Dienst*, de F. Wolters, 1909 ; *Vier Bücher der Nachfolge Christi*, de T. von Kempen, 1922.
Bibliogr. : In : *Diction. des illustrateurs 1800-1914*, Ides et Calendes, Neuchâtel, 1989.

LE CIEUX Richard
Né le 10 octobre 1921 au Havre. XXe siècle. Français.
Peintre-aquarelliste de paysages, paysages urbains, architectures, marines, dessinateur, illustrateur.
Il vit et travaille au Havre, où il a fait ses études à l'École des Beaux-Arts. Il participe à des expositions collectives, notamment au Salon des Artistes Honfleurais, des Artistes Normands à Rouen, de la Marine à Paris, du Dessin et de la Peinture à l'eau à Paris, etc. Il montre des ensembles de ses œuvres dans de nombreuses expositions personnelles, au Havre, à Honfleur, Dieppe, Rouen, Fécamp, Dunkerque, etc. Il a obtenu diverses distinctions régionales et illustré quelques ouvrages sur sa région.
Il traite surtout les paysages marins de la côte normande, mais va aussi chercher de nouveaux sujets en Grèce, et dans l'Italie de Rome et Venise.

LE CIGNE Adam ou **Cygne**
XVIe siècle. Vivait à Nancy au commencement du XVIe siècle. Français.
Sculpteur sur bois.
Il travaillait au palais ducal en 1516 et 1517 : on lui paya un lit sculpté à la « mode italienne ».

LECK Bart Anthony Van der
Né le 26 novembre 1876 à Utrecht. Mort en 1958 à Blaricum-Amsterdam. XIXe-XXe siècles. Hollandais.
Peintre, peintre de cartons de vitraux, céramiste, lithographe, peintre de compositions murales. Groupe De Stijl, groupe Abstraction-Création.
Il a d'abord travaillé dans divers ateliers de vitriers à Utrecht. Il a ensuite fréquenté la Rijksschool voor Kunstnijver-heid puis a été élève de A. J. der Kindern, à l'Académie Royale des Beaux-Arts d'Amsterdam. De 1909 à 1915, il a vécu et travaillé à Amersfoort. En 1907, il voyage en France. En 1909, il fait la connaissance de H.P. Bremmer, critique d'art et ami de la famille Kröller-Müller. En 1914, il a voyagé en Algérie. Entre 1909 et 1915 il s'établit à Amersfoort, en 1919, il se fixa à Blaricum.
Après sa mort, il a été représenté à diverses expositions, dont : 1978, *Abstraction-Création 1931-1936*, Westfälisches Landesmuseum für Kunst und Kulturgeschichte de Münster, puis Musée d'Art moderne de la Ville de Paris ; 1994, *La Beauté exacte - De Van Gogh à Mondrian*, au Musée d'Art Moderne de la Ville de Paris.
Très naturellement, il peignit d'abord des tableaux réalistes, subissant vers 1908, l'influence de Van Gogh et de Jan Toorop. À partir de 1910, des travaux d'intégration architecturale, entrepris pour le compte d'architectes amis, notamment Berlage, l'amenèrent à suivre une voie personnelle, les nécessités murales, la technique du vitrail qu'il pratiqua souvent, lui faisant organiser les surfaces à animer par grands plans unis, se développant sur fonds blanc. Cependant ses organisations de surfaces se fondaient encore sur la réalité : *Marché*, 1913 ; *Travaux sur le port*, 1916 ; et des scènes de rues ; le pittoresque narratif y étant tout à fait subordonné à la composition géométrique. En 1916, il se rend à Laren et y rencontre Van Doesburg, Huszar et Mondrian. Ce n'est diminuer en rien l'importance de l'œuvre de Piet Mondrian, que de rappeler que Bart Van der Leck eut part aux premières réflexions et aux premières démarches d'où allait naître le néo-plasticisme, ce que Mondrian lui-même tint à reconnaître : « Ma technique plus ou moins cubiste... subit l'influence de sa technique exacte. » En accord avec la propre évolution de Mondrian, Van der Leck, au cours de cette année 1917, transposa ses œuvres figuratives en compositions purement abstraites géométriques, adoptant également la limitation des couleurs aux trois fondamentales. Il collabora au premier numéro de la revue *De Stijl*, fondée par Van Doesbourg, mais ne s'entendant pas avec celui-ci, il quitta le groupe en 1918. Les œuvres abstraites de Van der Leck, se distinguent, à l'intérieur du néo-plasticisme, par une certaine spontanéité légère dans la distribution des petites surfaces orthogonales colorées sur fond blanc : *Compositions géométriques*, de 1917 à 1920. Cependant, dès sa rupture avec le groupe *De Stijl*, Van der Leck avait commencé à prendre des libertés avec la rigueur néo-plasticiste, et, en particulier, à revenir à un compromis entre figuration et abstraction, d'autant que la figuration qu'il pratiquait ne concernait que le point de départ et non la mise en forme de l'idée. Il poursuivit de plus en plus ses travaux de collaboration avec des architectes, pour des décorations murales (maison à Hilversum, 1934), réalisa aussi des cartons de tapisseries, de nombreuses céramiques, etc ; restant plus près de l'abstraction dans ses travaux de décoration murale que dans ses peintures libres. En particulier, dans les dernières années de sa vie, il retrouva une grande audace dans l'utilisation de la couleur en architecture d'intérieur, notamment à l'École Aéronautique de Eelde (1956-1957). ■ J. B.
Bibliogr. : *Van der Leck*, catalogue de l'exposition, Stedelijk Museum, Amsterdam, 1949 - Michel Seuphor : *Le Peintre Bart van der Leck*, Werk, Zurich, nov. 1951 - Michel Seuphor : *Dictionnaire de la peinture abstraite*, Hazan, Paris, 1957 - S. A., in : *Diction. univers. de l'art et des artistes*, Hazan, Paris, 1967 - in : *Dictionnaire universel de la peinture*, Le Robert, Paris, 1975 - *Bart van der Leck*, Stedelijk Museum, Amsterdam, 1976 - in : *Abstraction-Création 1931-1936*, catalogue de l'exposition, Westfälisches Landesmus. für Kunst und Kulturgeschichte, Münster et Musée d'Art Moderne de la Ville, Paris, 1978 - *Bart van der Leck, à la recherche de l'image des temps modernes*, Institut Néerlandais, Paris, 1980 - in : *L'Art du XXe siècle*, Paris, Larousse, 1991 - in : *Dictionnaire de l'art moderne et contemporain*, Hazan, Paris, 1992 - in : Catalogue de l'exposition *Art, Pays-Bas, XXe Siècle - La Beauté exacte, de Van Gogh à Mondrian*, Musée d'Art Moderne de la Ville de Paris, 1994.
Musées : Amsterdam (Stedelijk Mus.) : *Composition* 1918-1919 - Grenoble : *Le Faneur* - La Haye (Gemeentemuseum) : *Mine* 1916 - Otterlo (Mus. Kröller-Müller) : *Marché* 1913 - *Travaux sur le port* 1916 - *La Tempête* 1916 - *Composition ou Sortie d'usine* 1917.

Ventes Publiques : Londres, 2 déc. 1966 : *Composition abstraite* : **GNS 3 000** – Londres, 28 juin 1968 : *The reaper* : **GNS 32 000** – Londres, 5 déc. 1978 : *Dessin pour un intérieur* 1918, aquar./trait de cr. (71x76) : **GBP 7 500** – Amsterdam, 11 mai 1982 : *Laitière avec une vache* litho. coul. (33x42,7) : **NLG 4 200** – Londres, 30 mars 1982 : *Positif et Négatif* 1918, 2 gches (30x19) : **GBP 8 500** – New York, 17 nov. 1983 : *Arbre* 1922-1923, h/t (57,8x60) : **USD 35 000** – Amsterdam, 24 mars 1986 : *Tracteur* 1957-1958, h/t (24x30) : **NLG 50 000** – Amsterdam, 8 déc. 1987 : *Composition n° 2* 1916, caséine/éternite (77x119) : **NLG 600 000** – Amsterdam, 24 mai 1989 : *Personnages et un coq* 1958, cr. et aquar. reh. de blanc (23,7x30) : **NLG 23 000** – Amsterdam, 13 déc. 1989 : *Composition*, fus. et aquar. (33x32) : **NLG 27 600** – Amsterdam, 12 déc. 1990 : *Trois Grâces* 1933, h/t (58x51) : **NLG 230 000** – Amsterdam, 13 déc. 1990 : *Sortie de l'usine*, fus. et craies de coul. (50x27) : **NLG 17 250** – Amsterdam, 11 déc. 1991 : *Ueber allen Gipfeln ist Ruh (Goethe)*, cr., encre et aquar., étude pour une litho. (65x50) : **NLG 13 800** – Amsterdam, 19 mai 1992 : *Volksuniversiteit*, cr., encre et aquar./pap. (58x49) : **NLG 9 200** – Amsterdam, 10 déc. 1992 : *Vogel-Vis-Bijenkorf*, trois tuiles vernissées dans un cadre (chaque 12,5x12,5) : **NLG 11 500** – Amsterdam, 8 déc. 1993 : *poulain et jument* 1928, h/t (40x50) : **NLG 115 000** – Amsterdam, 5 juin 1996 : *Composition n°1*, h/t (46,5x56) : **NLG 276 000** – Amsterdam, 2-3 juin 1997 : *Design vara logo* vers 1918, aquar. et cr./pap. (24x30) : **NLG 23 600**.

LECKE Robert

Né en 1805 à Iserlohn. Mort en 1858 à Munich. XIXe siècle. Allemand.

Lithographe.

On lui doit les portraits du tzar *Nicolas Ier* et du roi de Prusse *Frédéric Guillaume III*.

LECKERBETIEN Vincenz, dit **Manciolla** et **Mozzo d'Anvers**

XVIIe siècle. Éc. flamande.

Paysagiste et peintre de batailles.

On le nommait Manciolla parce qu'il travaillait de la main gauche. Vers 1650, il était à Rome et vécut principalement dans cette ville. Il peignait des paysages et des batailles. Il vint à Paris et peignit pour le château de Vincennes une frise représentant l'*Histoire d'Alexandre le Grand*.

LECKHART C.

Peintre de paysages animés, fleurs.

Il peint aussi des scènes de chasse.

Ventes Publiques : Morlaix, 25 avr. 1988 : *Bouquet de fleurs*, h/t (82x62) : **FRF 7 000** ; *Bouquet de fleurs*, h/t (50x61) : **FRF 6 000**.

LECKWYCK Édith Van ou **Leckwijck**

Née en 1899 à Anvers. Morte en 1987. XXe siècle. Belge.

Peintre de paysages. Expressionniste, puis tendance surréaliste.

En 1914, la famille Van Leckwijck déménagea de Anvers pour La Haye. Édith entra à l'École belge de peinture *Huishoudelijke* où elle travailla sous la direction de Jules Schmalzigaug, et et de W. Paerels à Anvers. Elle s'installa à Ostende après la guerre. Elle fut l'épouse du peintre allemand H. Campendonk, membre du *Blaue Reiter*. Pendant une trentaine d'années elle cessa de peindre. D'abord peintre de paysages, elle est d'abord influencée par la peinture de Ensor et Van Gogh, puis, de sa rencontre avec Floris Jespers et de Kandinsky, elle oriente son style vers l'expressionnisme. Elle s'orienta vers le surréalisme lorsqu'elle reprit la peinture.

Bibliogr. : H.L.C. Jaffé : *Heinrich Campendonck – Edith Van Leckwijck*, catalogue de l'exposition, galerie Borzo, Den Bosch, 1976 – in : *Dict. biogr. illustré des artistes en Belgique depuis 1830*, Arto, Bruxelles, 1987.

LECKY Emilia

Née vers 1788 à Dublin. Morte vers 1844 à Derry. XIXe siècle. Irlandaise.

Peintre de portraits.

Elle exposa à l'Académie de Dublin.

LE CLAIR B.

XVIIIe siècle. Actif vers 1790. Français.

Graveur.

On lui doit les gravures en couleurs des portraits de *Louis XVI*, de *Necker* et de *Lafayette*.

LECLAIR Michel

Né en 1948 à Montréal (Québec). XXe siècle. Canadien.

Graveur, sérigraphe.

Il a complété ses études à l'École des Beaux-Arts de Montréal en 1971, puis a fréquenté l'atelier de gravure de Graff.

Il pratique la gravure puis utilise un procédé photomécanique pour reproduire de façon strictement figurative les vitrines colorées des échoppes et magasins. Influencé par le pop art, il est à la recherche d'images puisées dans la civilisation urbaine qui, par appropriation, seront déclarées œuvre d'art.

Bibliogr. : In : *Les Vingt ans du Musée à travers la collection*, catalogue de l'exposition, Musée d'art Contemporain, Montréal, 1985.

Musées : Montréal (Mus. d'Art Contemp.) : *Miroir, miroir dis-moi ?* 1973 – *Tout en passant* 1978 – *Été* 1979.

LE CLAIR, dit **Capitoli**

XVIIe siècle. Parisien, vivant au XVIIe siècle. Français.

Sculpteur.

Cet artiste, qui était peut-être d'origine italienne, sculpta, en 1638, les chapiteaux des colonnes du grand pavillon, au palais du Louvre.

LECLAIRE Edme Marie Laurent

Né en 1827 à Vermenton (Yonne). Mort en janvier 1903. XIXe siècle. Français.

Sculpteur et peintre.

Élève de Vital Dubray. Exposa au Salon de 1868 à 1872.

LECLAIRE Léon Louis

Né le 4 juin 1829 à Paris. XIXe siècle. Français.

Peintre de sujets religieux, scènes de genre, fleurs, peintre sur porcelaine, dessinateur.

Il fut élève de Cogniet. Il exposa au Salon de Paris, à partir de 1857, des peintures et quelques faïences.

Musées : Semur-en-Auxois : *Fleurs d'automne*.

Ventes Publiques : Paris, 17 et 18 déc. 1941 : *Diane chasseresse* ; *Amphitrite*, deux peintures sur porcelaine : **FRF 210** – Paris, 6 mars 1992 : *Vision de Saint Hubert* 1875, cr. (54x140) : **FRF 4 000**.

LECLAIRE Marie

XIXe siècle. Active à Paris. Française.

Peintre.

Sociétaire des Artistes Français depuis 1884, elle figura au Salon de ce groupement.

LECLAIRE Victor

Né le 21 décembre 1830 à Paris. Mort en janvier 1885 à Paris. XIXe siècle. Français.

Peintre de natures mortes, fleurs et fruits.

Frère de L. Leclaire, il fut son élève. Il obtint une médaille de troisième classe en 1879, une de deuxième classe en 1881.

Musées : Paris (ancien Mus. du Luxembourg) – Reims – Tourcoing.

Ventes Publiques : Paris, 1877 : *Vases de fleurs, étoffes et armes circassiennes* : **FRF 2 600** – Paris, 1884 : *Roses* : **FRF 520** – Paris, 1er mars 1902 : *Le Bouquet de fleurs* : **FRF 82** – Paris, 12 avr. 1924 : *Le panier de roses* ; *Le panier de marguerites*, les deux : **FRF 210** – Paris, 15 mars 1926 : *Pivoines* : **FRF 1 200** – Paris, 15 mai 1931 : *Fleurs dans un vase et objets d'orfèvrerie* : **FRF 210** – Paris, 14 déc. 1942 : *Vase de roses* : **FRF 2 200** – Paris, 21 avr. 1943 : *Branche fleurie* : **FRF 430** – Londres, 11 fév. 1977 : *Vase de chrysanthèmes* 1872, h/t (58,5x86,5) : **GBP 1 100** – Los Angeles, 12 mars 1979 : *Nature morte* 1872, h/t (92,8x120,6) : **USD 4 750** – Londres, 29 nov. 1982 : *Camélias, roses et lilas*, h/pan. (88x113) : **GBP 1 700** – New York, 28 oct. 1986 : *Fleurs des champs*, h/t (100,4x63,5) : **USD 21 000** – New York, 28 fév. 1990 : *Fleurs sauvages*, h/t (100,4x63,5) : **USD 33 000** – New York, 19 jan. 1995 : *Nature morte avec des pêches et du raisin* 1872, h/t (60,3x81,9) : **USD 9 775** – Paris, 13 fév. 1995 : *Village en Auvergne* 1874, h/pan. (43x70) : **FRF 15 000** – Londres, 14 juin 1995 : *Nature morte de fruits* 1872, h/t (60x80) : **GBP 6 900**.

LE CLEAR Thomas

Né le 11 mars 1818 à Owego (États-Unis). Mort le 26 novembre 1882 à Rutherford Park. XIXe siècle. Américain.

Peintre de genre et de portraits.

Il montra dès son jeune âge d'extraordinaires dispositions pour le dessin, mais, ayant suivi sa famille au Canada, ce ne fut qu'à son retour aux États-Unis qu'il put les mettre en lumière. Il s'établit à New York en 1839 et se posa d'abord comme peintre de sujets de genre, mais ce fut surtout comme peintre de portraits qu'il se montra véritablement supérieur et par son coloris, et par la sûreté de son dessin, et par le caractère donné à ses modèles. Il fut nommé membre de la National Academy en 1863.

LECLEF Jean Pierre
Né en 1952 à Surice. XXe siècle. Belge.
Graveur.
Il effectue ses humanités artistiques à Namur, étudie la sérigraphie à Bruxelles au *75*.
Bibliogr. : In : *Diction. biographique illustré des artistes en Belgique depuis 1830*, Arto, Bruxelles, 1987.

LE CLERC
XVIIe-XVIIIe siècles. Français.
Graveur de portraits.
Il était actif à Lyon, de 1675 à 1711. Il demeurait « rue Thomassin à Saint-Guillome » (sic).
Il gravait au burin. Le Blanc cite de lui deux portraits.

LECLERC
XVIIIe siècle. Français.
Sculpteur de figures, portraits.
Habitait *A la couronne des cœurs*, au coin du Grand-Châtelet, à Paris.
Exposa au Salon de la Correspondance, en 1779, une *Allégorie à la gloire de Voltaire*, petit bas-relief sculpté sur ivoire.

LECLERC Albert
Né en 1906 à Paris. Mort en 1974 à Paris. XXe siècle. Français.
Peintre de paysages, marines, fleurs, dessinateur, aquarelliste, sculpteur de statues.
En 1926, il entre à l'École des Beaux-Arts, où il est élève de Coutan, de Paul Landowsky et de Charles Despiau.
Il participe à des expositions de groupe à Paris : Salon d'Automne, dont il devient sociétaire ; Salon des Tuileries ; Salon des Artistes Français ; Salon de la Jeune Sculpture en 1949, 1950, 1951 et 1957 ; Société des Beaux-Arts de la France d'Outre-mer. Il montre ses œuvres dans des expositions particulières à Paris, Biarritz, au Musée Léon-Dirx à la Réunion... Un ensemble de ses œuvres a été montré à la Villa Médicis à Saint-Maur-des-Fossés, en 1985.
Il obtient en 1935 le prix Vital-Cornu au Salon des Artistes Français, à Paris, le prix de l'Algérie en 1947 au Salon des Beaux-Arts de la France d'outre-mer, le prix de Madagascar en 1951, le grand prix de sculpture au Salon des Artistes Français en 1971. Officier de la Légion d'honneur en 1974.
Il a réalisé de nombreuses commandes officielles dont une statue *L'Ange*, pour l'église de Barentin en Seine-Maritime, un monument aux morts pour Creney-Troyes (Aube), *L'Athlète au repos* pour le stade Pierre de Coubertin à Paris, un buste d'*Auguste Marin* pour la ville de Saint-Maur-des-Fossés et plusieurs sculptures à Madagascar. Il a travaillé à la décoration intérieure du Château de Pauillac (famille Rothschild).
Musées : Paris (Mus. d'Art Mod. de la Ville) – Saint-Maur-des-Fossés : ensemble d'œuvres.
Ventes Publiques : Paris, 19 mai 1982 : *Lévrier couché*, bronze, patine médaille (H. 41, L. 80) : **FRF 22 500**.

LECLERC Alexandre ou **Le Clerc**
XVIIe siècle. Actif à Nancy. Français.
Peintre de sujets religieux.
Frère du peintre Jean Le Clerc et anobli en 1623 en même temps que lui par le duc Henri II de Lorraine.

LECLERC Alexandre Joseph Hippolyte
Né à Beauvais. Mort le 12 août 1864 à Paris. XIXe siècle. Français.
Sculpteur.
Élève de David d'Angers et de Famin. Exposa au Salon, en 1863, un *Portrait d'enfant*. L'année suivante, il se pendit dans le cimetière de Montmartre, parce que ses œuvres n'avaient pas été admises à l'Exposition des Beaux-Arts.

LE CLERC Auguste Toussaint ou **Lecler**
Né en 1788 à Paris. XIXe siècle. Français.
Peintre de genre, portraits, paysages, natures mortes, graveur, lithographe, dessinateur.
Il fut élève d'Alex. Tardieu. Comme peintre, il exposa au Salon de Paris, de 1812 à 1834. Comme graveur, on cite de lui une planche pour *Description de l'Égypte*. C'est surtout comme lithographe que Le Clerc s'est manifesté en produisant un grand nombre de portraits d'hommes célèbres anciens et modernes et une collection des *Rois de Portugal*.
Ventes Publiques : Paris, 7 avr. 1995 : *Vue de Rome*, aquar. et cr. noir (23,7x15) : **FRF 7 500**.

LECLERC Blandine
Née en 1951 à Paris. XXe siècle. Française.
Graveur.
Bibliogr. : In : *De Bonnard à Baselitz – Dix ans d'enrichissements du Cabinet des Estampes 1978-1988*, Bibliothèque nationale Paris, 1992.
Musées : Paris (BN, Cab. des Estampes).

LE CLERC Charles
Né en 1755. Mort en 1853. XVIIIe-XIXe siècles. Belge.
Peintre.
Son *Portrait de Charles Joseph de Ligne* est conservé dans la collection du Prince de Ligne, à Beldeuil, en Belgique.

LECLERC Constant E.
XIXe siècle. Actif à Saumur. Français.
Sculpteur.
Sociétaire des Artistes Français depuis 1889, il figura au Salon de ce groupement.

LECLERC David
Né en 1679 à Berne. Mort en 1738 à Francfort. XVIIIe siècle. Allemand.
Peintre d'histoire, de fleurs et de portraits.
Il fut élève de Joseph Werner jusqu'en 1698, puis vint à Francfort. Après avoir travaillé pour les cours de Darmstadt et de Kassel, il vint à Paris et y fut l'élève de H. Rigaud. Après un nouveau séjour à Francfort, il visita l'Angleterre en 1715 et revint enfin vivre en Allemagne. La Galerie de Darmstadt conserve de lui un *Portrait du prince Louis de Hesse*.

D Leclerc.

LECLERC Guillaume
XVe siècle. Actif à Troyes au début du XVe siècle. Français.
Enlumineur.
Il exécuta des manuscrits pour la cathédrale de cette ville et pour l'église Sainte-Madeleine.

LECLERC Henry
Né le 23 décembre 1905 à Paris. Mort le 11 février 1970. XXe siècle. Français.
Peintre de paysages.
Il participait à divers Salons annuels, en particulier le Salon d'Automne, depuis 1935, dont il était sociétaire. Surtout paysagiste, il peignait des vues de villes et des scènes de rues.
Musées : Paris (Mus. de la Marine) : plusieurs œuvres.

LECLERC Hippolyte
XIXe siècle. Actif à Paris. Français.
Peintre de genre et de portraits.
Exposa trois œuvres au Salon en 1846.

LECLERC Isaac
XVIIIe siècle. Actif à Kassel. Suisse.
Graveur.
Frère de David Leclerc. Il fut graveur de la cour de Kassel, emploi dans lequel il succéda à son frère.

LE CLERC J. C.
XVIIIe siècle. Actif à Paris. Français.
Graveur au burin.
Le Blanc cite de lui : *Jésus Christ rompant le pain à Emmaüs*, d'après Restout.

LECLERC Jakob Friedrich
Né en 1717 à Londres. XVIIIe siècle. Allemand.
Dessinateur et miniaturiste.
Il était fils de David et fut le père de Philippe Leclerc. Il travailla à la cour du duc de Deux-Ponts et s'établit par la suite à Vienne.

LECLERC Jean
XIVe siècle. Éc. flamande.
Peintre.
Cité à Tournai en 1395.

LECLERC Jean
XVe siècle. Actif à Nantes. Français.
Sculpteur.
Il travailla à la décoration de la porte de Sauvetout, à Nantes, de 1482 à 1484.

LECLERC Jean ou **Le Clerc**
Mort le 10 octobre 1633. XVIIe siècle. Actif à Nancy. Français.
Peintre.
Il ne faut pas le confondre, comme semble le faire Bellier de la Chavignerie avec le Jean Leclerc mort la même année et qui fut portraitiste et peintre d'histoire.

LE CLERC Jean ou **Jehan**
XVIe-XVIIe siècles. Actif à Paris. Français.
Graveur.
On lui doit de très intéressants portraits et des estampes religieuses. Il a aussi gravé sur bois, et fut également éditeur.

LE CLERC Jean
Né en 1587 à Nancy (Meurthe-et-Moselle). Mort en 1632 selon certains biographes ou en 1633 à Nancy. XVIIe siècle. Actif aussi en Italie. Français.
Peintre d'histoire, compositions religieuses, portraits, graveur.
A. Jacquot, dans son *Répertoire des Artistes Lorrains*, différencie avec une indiscutable autorité cet artiste de son homonyme, moins connu et avec lequel il fut souvent confondu. Il eut pour maître Carlo Saraceni dit Charles le Vénitien, en Italie, entre 1617 et 1619. Il fut fait chevalier de Saint Marc à Venise, puis anobli en Lorraine vers 1623, par le duc Henri II de Lorraine, dont il avait fait le portrait. Revenant de Rome et de Venise, où il avait reçu la leçon des Vénitiens, de son maître Saraceni et de son condisciple Adam Elsheimer, Jean Le Clerc exerça certainement une influence importante auprès des peintres lorrains de son temps, et tout particulièrement auprès de Jacques Callot, avec qui il se lia d'amitié, et de Georges de La Tour. On considère qu'il influença aussi Jean Tassel.
Il exécuta, en 1632, huit tableaux pour l'église des Jésuites de Nancy, dont : l'*Adoration des Bergers* et la *Prédication de saint François Xavier*. On voit de cet artiste dans le Palais Ducal à Venise : *Alliance du doge Henri Dandolo avec les croisés dans l'église de Saint-Marc en 1201*. Il convient ici de remarquer que c'est de Saraceni et de Elsheimer que Le Clerc tenait son sens du réalisme populaire et du clair-obscur, et non directement du Caravage. Des similitudes dans les œuvres des trois artistes, autour de 1630, attestent la réciprocité des influences : ainsi le *Concert nocturne* de Le Clerc, dont on a une peinture à Munich et une gravure, rappelle la gravure *Le Brelan*, de Callot, de qui une autre scène nocturne, *Le Bénédicité*, s'apparente aux œuvres de La Tour. On a longtemps attribué à Le Clerc trois autres *Nocturnes*, gravés d'après La Tour : *La Vierge et Sainte Anne veillant l'Enfant Jésus ; Sainte Madeleine méditant devant un crâne ; Saint François en extase et un moine*, cette attribution est aujourd'hui controversée. Pendant son séjour en Italie, il avait gravé d'après plusieurs peintures de Saraceni. Il est probable qu'il grava encore d'après d'autres artistes. ■ S. D., J. B.

Bibliogr. : François-Georges Pariset : *Les peintres et graveurs lorrains du XVIIe siècle*, Musée historique lorrain, Nancy, s.d – in : *Diction. de la peinture française*, coll. Essentiels, Larousse, Paris, 1989.
Musées : Épinal (Mus. des Vosges) : *L'Enlèvement d'Europe*, attr. – Langres : *Adoration des Bergers* – Munich (Alte Pina.) : *Concert nocturne* – Nancy : *L'Adoration du Veau d'or*.
Ventes Publiques : Paris, 24-29 mai 1897 : *Les Noces de Thétis et de Pélée* : **FRF 71** – Milan, 4 avr. 1989 : *Intérieur d'auberge*, h/t (44x74) : **ITL 8 500 000** – Milan, 21 nov. 1996 : *Bagarre parmi les joueurs*, h/t (67x50) : **ITL 11 067 000**.

LE CLERC Jean
XXe siècle. Français.
Peintre.
Il peint des personnages énigmatiques, kafkaïens, qui évoquent la déchéance humaine, mi-bêtes, mi-hommes, abrutis et consentants. Plastiquement, il a recours à la simplification des formes et à une certaine gradation des couleurs.

LECLERC Jules Adolphe
XIXe siècle. Actif au Mesnil-Saint-Firmin. Français.
Peintre de genre et peintre-verrier.
Exposa au Salon en 1850.

LECLERC Léon
Né en 1866 à Honfleur (Calvados). Mort en 1930. XIXe-XXe siècles. Français.
Peintre d'intérieurs, paysages, marines.
Sur les conseils d'Alexandre Dubourg, il suivit les cours à l'École des Beaux-Arts du Havre, puis à Paris. Il retourna définitivement, en 1888, à Honfleur, où il devint professeur de dessin au collège puis directeur du musée.
Il participa au Salon de Paris en 1890, 1891 et 1895.
Ami d'Eugène Boudin, il peint des marines, ports, vues de sa ville natale, intérieurs normands.
Bibliogr. : Gérald Schurr, in : *Les Petits Maîtres de la peinture 1820-1920, valeur de demain*, Les Éditions de l'Amateur, t. V, Paris, 1981.
Musées : Honfleur – Semur-en-Auxois : *Un coin du port de Honfleur*.
Ventes Publiques : Honfleur, 15 avr 1979 : *L'avant-port de Honfleur*, h/t (22x30) : **FRF 5 000** – Honfleur, 6 avr. 1980 : *La rue de Bavole et l'Hôtel des Ventes à Honfleur*, aquar. (26x35) : **FRF 1 000**.

LE CLERC Louis Auguste
Né en 1688 à Paris. Mort le 8 mars 1771 à Copenhague. XVIIIe siècle. Français.
Sculpteur et peintre.
Deuxième fils du chalcographe français Sébastien le Clerc, il était élève de T. Coysevox. Il fut appelé en Danemark en 1735 pour collaborer à l'embellissement du Palais de Christianborg. Le Clerc était non seulement sculpteur, mais encore peintre et décorateur de talent. C'est lui qui donna le dessin de la galerie qui couronne le palais royal. Il fut directeur de l'ancienne Académie en 1745. Lors de la fondation de l'Académie des Beaux-Arts de Charlottenborg en 1754, il y fut un des premiers professeurs et y resta jusqu'à sa mort. Il a dessiné une vue perspective de la place Frédéric qui fut gravée par Geisler en 1766.

LECLERC Modeste
XIXe siècle. Actif à Paris. Français.
Peintre d'histoire et de portraits.
Exposa au Salon en 1843 et 1847.

LE CLERC Nicolas
XVe-XVIe siècles. Actif à Lyon. Français.
Sculpteur.
Il sculpta, en 1491, pour la porte de Bourgneuf, un écusson royal, entouré de figures. A l'occasion des entrées de Louis XII, il fit de nombreux ouvrages d'ornementation et de sculpture. On ne possède plus de lui qu'une médaille aux effigies de Louis XII et d'Anne de Bretagne, qu'il fit en collaboration avec Jean de Saint-Priest et qui, coulée en or, fut offerte à la reine en 1500.

LE CLERC Philippe
Né en 1755 à Deux-Ponts. Mort vers 1826 à Munich. XVIIIe-XIXe siècles. Allemand.
Peintre de portraits et de paysages.
Il travailla à la cour du duc Charles II de Deux-Ponts.
Ventes Publiques : Londres, 8 déc. 1987 : *Fleur épanouie du magnolia Grandiflora*, aquar., gche et mine de pb (63,7x82,1) : **GBP 14 000**.

LE CLERC Pierre
XVIIe siècle. Français.
Peintre.
Il était actif à Nantes vers 1637.

LECLERC Pierre ou **Leclère**
XIXe siècle. Français.
Peintre d'histoire.
Exposa au Salon de Paris, en 1836, 1838, 1839, 1842 et 1849.

LE CLERC Pierre Thomas
Né vers 1740 à Paris. XVIIIe siècle. Français.
Peintre d'histoire, figures, portraits, aquarelliste, peintre de lavis, graveur, dessinateur.
Élève de Lagrenée aîné. Il exposa au Salon de Paris, en 1795 et 1796.
Le Blanc cite de lui : *Le pacte national*.
Ventes Publiques : Paris, 29 et 30 nov. 1920 : *Femme vêtue d'une lévite unie*, aquar. : **FRF 1 455** – Paris, 14 déc. 1935 : *Une jeune femme en costume de théâtre*, aquar. : **FRF 380** – Paris, 30 mars 1942 : *Portrait d'un dessinateur*, pl. et lav. d'encre de Chine : **FRF 1 800** – New York, 12 jan. 1995 : *Deux fillettes jouant avec une poupée et un petit garçon tirant un cheval de bois*, encre et aquar. (24,6x17,2) : **USD 2 990**.

LECLERC R.
XIXe siècle. Actif à Paris. Français.

Peintre de batailles et aquarelliste.
Exposa au Salon en 1840 et 1843.

LE CLERC Sébastien, l'Ancien
Né le 26 septembre 1637 à Metz. Mort le 25 octobre 1714 à Paris. XVIIe-XVIIIe siècles. Français.
Graveur, dessinateur.
Il était fils de l'orfèvre Laurent Le Clerc qui lui apprit le dessin et la gravure. Il vint à Paris en 1666 et s'occupa de géométrie et de perspective. Sur les conseils de Le Brun, il s'adonna à la gravure et y acquit une réputation considérable. Il fut nommé académicien en 1672 et fut professeur de perspective à l'Académie. À la mort de Claude Mellan, il lui succéda comme graveur du roi. Il fut nommé professeur aux Gobelins.
Peu d'artistes ont autant produit que lui et le catalogue qu'en dressa Jombert comprend près de 3400 pièces. Le Clerc traita tous les genres avec une incontestable supériorité. Son style, d'une remarquable correction, est peut-être un peu sec ; on peut aussi lui reprocher d'avoir, dans certaines pièces, trop visiblement imité la forme de Callot. On lui doit un remarquable traité de perspective. Il illustra l'*Histoire sacrée en tableaux* de l'Abbé de Brianville.

S l e C. f

VENTES PUBLIQUES : PARIS, 1776 : *Siège de la citadelle de Cambrai par Louis XIV*, dess. à la pl. lavé : **FRF 120** – PARIS, 23 mai 1899 : *Louis XIV se rendant à l'armée*, dess. à la sanguine : **FRF 300** – PARIS, 28 nov. 1924 : *Esther devant Assuérus*, sanguine : **FRF 190** – PARIS, 7 déc. 1981 : *L'Été ; L'Automne ; L'Hiver ; Le Printemps*, pl. et lav. d'encre de Chine, quatre dessins (chaque 25,5x34,3) : **FRF 130 000** – PARIS, 22 mars 1991 : *La Prise d'Utrecht*, pl. et lav. gris (22,5x25,5) : **FRF 17 000**.

LECLERC Sébastien, le Jeune
Né le 29 septembre 1676 à Paris. Mort le 29 juin 1763 aux Gobelins. XVIIIe siècle. Français.
Peintre de scènes mythologiques, sujets allégoriques, scènes de genre, architectures, dessinateur.
Fils aîné de Sébastien Leclerc l'Ancien, et élève de Bon Boulogne, il fut reçu académicien le 23 août 1704. Il exposa au Salon de Paris entre 1737 et 1751.
MUSÉES : DUNKERQUE : *Enlèvement d'Europe* – PARIS (Mus. du Louvre) : *Mort de Saphire, femme d'Ananie* – VERSAILLES (Trianon) : *Purification et déification d'Énée*.
VENTES PUBLIQUES : PARIS, 7 fév. 1902 : *Fête en l'honneur des vendanges*, dess. : **FRF 2 000** – PARIS, 15 mai 1902 : *Réunion dans un parc*, dess. : **FRF 2 600** – PARIS, 20-21-22 avr. 1903 : *Couple d'amoureux* : **FRF 185** – PARIS, 14 déc. 1906 : *Jeune homme lisant*, dess. : **FRF 300** – NEW YORK, 1907 : *L'aveugle* : **USD 500** – NEW YORK, 1er mai 1930 : *Scènes rustiques*, deux dessus de portes : **USD 950** – PARIS, 27 mai 1932 : *Assemblée dans un parc* : **FRF 8 000** – PARIS, 25 mars 1935 : *La Promenade des chevaux*, pl. et sépia : **FRF 200** – PARIS, 30 nov. et 1er déc. 1936 : *Vue du Val-de-Grâce*, pl. : **FRF 1 850** – PARIS, 29 mai 1941 : *La Confidence* : **FRF 10 100** – PARIS, 25 juin 1942 : *Buste de jeune femme ; Bacchante ; Buste de jeune femme*, trois sanguines : **FRF 2 000** – PARIS, 9 juin 1944 : *Scènes allégoriques à nombreux personnages*, pl., deux pendants : **FRF 101 000** – PARIS, 7 avr. 1995 : *Façade d'un temple avec de nombreuses statues*, pl. et lav. sur deux feuilles assemblées (28,5x29,5) : **FRF 6 000** – PARIS, 28 juin 1995 : *Scène mythologique*, sanguine et encre noire (13,7x17,8) : **FRF 4 800**.

LECLERC Sébastien Jacques, dit **Leclerc des Gobelins**
Né en 1734 à Paris. Mort le 17 mai 1785 à Paris. XVIIIe siècle. Français.
Peintre de sujets mythologiques, scènes de genre, peintre à la gouache, aquarelliste, graveur, dessinateur.
Il fut l'élève de son père Sébastien Leclerc le Jeune. Il fut nommé professeur adjoint de perspective à l'Académie royale de peinture le 31 janvier 1778 en remplacement de Challes, et devint professeur aux Gobelins.
MUSÉES : ANGERS : dessins – BRUXELLES : dessins – TROYES : *Conversation dans un parc*.
VENTES PUBLIQUES : PARIS, 1874 : *Diane découvrant la grossesse de Callisto* : **FRF 2 000** – PARIS, 1885 : *Pastorale* : **FRF 17 000** – PARIS, 1898 : *Fête dans un parc*, gche : **FRF 4 250** – PARIS, 23-25 mai 1921 : *L'Heure du bain* : **FRF 1 000** – PARIS, 3-4 mai 1923 : *Le Jaloux* : **FRF 3 650** – PARIS, 16-17 juin 1924 : *L'Assemblée dans le parc* : **FRF 3 220** – PARIS, 7 déc. 1927 : *Le Concert*, attr. : **FRF 8 800** – LONDRES, 5 juil. 1929 : *Scène de jardin* : **GBP 357** – PARIS, 22 nov. 1935 : *Pastorales*, deux pendants : **FRF 4 600** – PARIS, 18 mars 1937 : *Le Menuet* : **FRF 14 000** – PARIS, 2 déc. 1938 : *Les Plaisirs de l'été ; Les Charmes de l'Automne*, les deux : **FRF 6 000** – PARIS, 30 mars 1942 : *Fête galante* : **FRF 23 500** – PARIS, 29 jan. 1943 : *Le concert champêtre* : **FRF 84 000** – PARIS, 25 juin 1943 : *Les baigneuses* : **FRF 13 000** – PARIS, 26 mars 1945 : *Le Concert champêtre ; Le Guitariste*, deux peint., attr. : **FRF 63 000** – PARIS, 21 mars 1947 : *Assemblée galante dans un parc* : **FRF 365 000** – PARIS, 19 juin 1947 : *Le Menuet. Réunion dans un parc* : **FRF 56 100** – PARIS, 15 nov. 1948 : *Scènes pastorales*, deux pendants : **FRF 106 000** – LONDRES, 14 juin 1961 : *Scène de parc* : **GBP 750** – LONDRES, 21 juin 1963 : *Assemblée galante dans un parc ; Trois couples dans un bosquet*, deux pendants : **FRF 15 000** – LONDRES, 25 nov. 1970 : *Pastorales*, deux pendants : **GBP 4 000** – PARIS, 15 mars 1973 : *La Danse champêtre* : **FRF 28 000** – VERSAILLES, 16 mai 1976 : *Le Bain de Diane ; La Cour de Diane*, h/bois, une paire (36x47) : **FRF 26 500** – PARIS, 17 mars 1980 : *Réunion de jeunes femmes dénudées dans un paysage* 1767, h/bois : **FRF 60 000** – PARIS, 8 avr. 1981 : *Diane et ses nymphes ; Nymphes effarouchées par la vue de faunes*, h/pan., deux pendants (chaque 27,5x36) : **FRF 40 000** – PARIS, 10 déc. 1984 : *Scène galantes*, h/t, deux pendants (33x41) : **FRF 66 000** – PARIS, 22 avr. 1986 : *Entrée triomphale d'un Prince (Louis XIV) s'apprêtant à franchir la porte d'une ville*, pl. et encre brune, sanguine et lav. gris (11,2x55) : **FRF 22 000** – PARIS, 25 avr. 1989 : *Diane et ses nymphes*, pan. (32,5x41) : **FRF 17 000** – MONACO, 17 juin 1989 : *La Toilette de Bethsabée*, h/t (84x116) : **FRF 83 250** – PARIS, 30 mai 1990 : *Baigneuses*, h/pan. : **FRF 14 000** – NEW YORK, 10 jan. 1991 : *Fêtes champêtres*, h/t, une paire (42x33) : **USD 28 600** – PARIS, 2 déc. 1991 : *Les Baigneuses surprises*, h/pan. (31x40) : **FRF 26 000** – NEW YORK, 17 jan. 1992 : *Élégante compagnie écoutant un joueur de vielle dans un parc ; Couples d'amoureux avec des bergers dans un paysage*, h/t, une paire (48,3x59,1) : **USD 132 000** – MONACO, 4 déc. 1993 : *La Main chaude*, h/pan. (25,2x33,8) : **FRF 39 960** – LONDRES, 8 déc. 1993 : *Fêtes champêtres*, h/pan., une paire (chaque 42x52) : **GBP 52 100** – PARIS, 5 mars 1994 : *La Main chaude*, h/pan. (25x34) : **FRF 65 000** – PARIS, 22 mai 1994 : *Une femme et sa petite fille*, pl. et lav. (24,5x17) : **FRF 4 000** – NEW YORK, 19 mai 1995 : *Personnages dansant et jouant de la musique au pied d'une statue de Vénus*, h/pan. (24,1x33,7) : **USD 6 325** – PARIS, 29 mai 1996 : *Scène pastorale dans des ruines romaines*, h/pan. (26,5x35) : **FRF 30 000** ; *Un faune présenté à Diane et ses nymphes* 1756, h/cuivre (50x64) : **FRF 72 000** – PARIS, 28 juin 1996 : *Diane au bain ; Le Bain des nymphes*, h/pan., une paire (19,5x30) : **FRF 30 000**.

LECLERC-GAYRAU Guy
Né en 1942. XXe siècle. Français.
Peintre. Abstrait.
Après une carrière d'écrivain politique, il se consacre à la peinture, qu'il pratique depuis 1960. Il travaille en Dordogne, sur la Côte-d'Azur et en Pays Catalan. Entre autres, une exposition personnelle à Paris en 1990.
Sa peinture abstraite est constituée de formes souples, de colorations contrastées, qui se superposent ou s'entrecroisent, pouvant rappeler la structure de la peinture d'Estève.

LE CLERCQ Baudouin
XVe siècle. Travaillait à Tournai en 1417. Éc. flamande.
Peintre.

LECLERCQ Brigitte
Née en 1949 à Deigne-Louveigné. XXe siècle. Belge.
Peintre de cartons de tapisseries.
Elle travaille le textile à base de thèmes géométriques.
BIBLIOGR. : In : *Diction. biographique illustré des artistes en Belgique depuis 1830*, Arto, Bruxelles, 1987.

LECLERCQ C.
XVIIIe siècle. Actif à Malines en 1775. Éc. flamande.
Peintre.
Il travailla à l'église Saint-Rombaut à Malines.

LECLERCQ Edmond
Né en 1817 à Arras (Pas-de-Calais). Mort en 1853 à Paris. XIXe siècle. Français.
Peintre de genre, portraits, paysages. Romantique.
Il suivit les cours de Constant Dutilleux à Arras, puis vint travailler dans l'atelier de Delacroix à Paris.

Il exposa au Salon de Paris en 1841, 1843, 1849.
D'une grande habileté, il était souvent sollicité comme « nègre » par des artistes comme Horace Vernet ou Jean Charles Langlois qui lui demandaient de peindre des chevaux ou certains éléments de leurs toiles. Lui-même fut surtout peintre de luttes, tournois, portraits et paysages.
Bibliogr. : Gérald Schurr, in : *Les Petits Maîtres de la peinture 1820-1920, valeur de demain,* Les Éditions de l'Amateur, t. VII, Paris, 1989.
Musées : Arras : *Portrait de Charles de l'Écluse – Paysage.*
Ventes Publiques : Londres, 22 mars 1909 : *Au sein de la famille* 1858 : **GBP 7.**

LECLERCQ F.
Mort en 1826. xixe siècle. Actif à Namur. Éc. flamande.
Sculpteur.
On lui doit un buste du *Président Stassart.*

LECLERCQ Guy
Né en 1940 à Nederbrakel. xxe siècle. Belge.
Peintre. Tendance pop'art.
Il a collaboré avec Lionel Vinche.
Bibliogr. : In : *Diction. biographique illustré des artistes en Belgique depuis 1830,* Arto, Bruxelles, 1987.
Ventes Publiques : Bruxelles, 21 mai 1980 : *L'homme invite la robe de la lune à la danse* 1976, h/t (182x200) : **BEF 65 000.**

LE CLERCQ Henri Jos.
xviiie siècle. Éc. flamande.
Peintre.
Élève de l'Académie d'Anvers en 1788.

LE CLERCQ Jehan
Mort vers 1400 à Tournai. xive siècle. Vivait à Tournai à partir du milieu du xive siècle. Éc. flamande.
Peintre.

LECLERCQ Julien Gabriel
Né le 22 février 1805 à Gand. Mort le 23 février 1882 à Bruxelles. xixe siècle. Belge.
Sculpteur et médailleur.
Élève de David d'Angers à Paris, il travailla ensuite à Bruxelles entre autres pour l'église Saint-Joseph.

LECLERCQ Léopold
Né à Koekelberg. Mort en 1917. xixe-xxe siècles. Belge.
Peintre. Néoconstructiviste.
Il fut élève de l'Académie des Beaux-Arts de Gand. Il fut professeur à l'Institut belge des textiles à Gand.
Bibliogr. : In : *Diction. biographique illustré des artistes en Belgique depuis 1830,* Arto, Bruxelles, 1987.

LECLERCQ Louis Antoine
Né le 18 septembre 1856 à Guines (Pas-de-Calais). Mort en 1933 à Equihen (Pas-de-Calais). xixe-xxe siècles. Français.
Peintre de genre, paysages, natures mortes. Post-impressionniste.
Élève d'Alphonse Colas à Lille, puis d'Alexandre Cabanel et d'Antoine Guillemet à l'École des Beaux-Arts de Paris, il débuta au Salon de Paris en 1877, obtenant une mention honorable en 1889, une médaille de bronze à l'Exposition universelle de 1900, une troisième médaille et le prix Bashkirtseff en 1904.
Il peint des toiles intimistes, des paysages, sous un halo brumeux, flou, dans des demi-teintes, donnant un effet paisible et quelque peu mélancolique.
Bibliogr. : Gérald Schurr, in : *Les Petits Maîtres de la peinture 1820-1920, valeur de demain,* Les Éditions de l'Amateur, t. VII, Paris, 1989.
Musées : Boulogne-sur-Mer – Calais : *Jeune mère.*
Ventes Publiques : Londres, 18 mai 1988 : *Paysage de campagne,* h/t (33,2x46) : **GBP 1 980** – Versailles, 29 oct. 1989 : *Paysage à l'arc-en-ciel,* h/t (33x46) : **FRF 18 500.**

LE CLERCQ Loys
xve siècle. Actif à Tournai vers 1400. Éc. flamande.
Peintre.

LECLERCQ Lucien
Né en 1895. Mort en 1955. xxe siècle. Belge.
Peintre de scènes de genre, paysages animés.
Wallon de Liège, il a participé à des expositions collectives, dont : 1991 Liège, Cercle royal des beaux-Arts ; 1992 Flémalle, Centre wallon d'Art Contemporain ; 1992 Tongres, Cercle d'Art tongrois ; 1993 Grand Duché de Luxembourg, Tutesall à Luxembourg.
Ventes Publiques : Paris, 4 oct. 1993 : *Fête au village d'Hozémont,* h/t (65x81) : **FRF 72 500** – Paris, 11 fév. 1994 : *Hesbaye, le ramassage des pommes de terre,* h/t (59,5x82,5) : **FRF 58 000** – Paris, 7 déc. 1994 : *Procession à Lhoneux,* h/t (81x100) : **FRF 65 000** – Paris, 6 oct. 1995 : *Prairie à Lhoneux,* h/t (80x60) : **FRF 42 000** – Paris, 15 mai 1996 : *Bouleaux* vers 1934-1940, h/t (70x46) : **FRF 14 500** – Amsterdam, 2-3 juin 1997 : *Rivière,* h/pan. (42,5x45) : **NLG 4 720.**

LECLERCQ Manu
Né en 1952 à Gand (Flandre-Orientale). xxe siècle. Belge.
Peintre, dessinateur.
Autodidacte dans les activités artistiques, il a fait des études de philosophie. Il s'engage comme marin à la découverte des pays étrangers.
Il s'attache, entre autres, à figurer des portraits.
Bibliogr. : In : *Diction. biographique illustré des artistes en Belgique depuis 1830,* Arto, Bruxelles, 1987.

LECLERCQ Maurice
Né en 1881 à Arras. Mort en 1953. xxe siècle. Français.
Peintre de sujets militaires, sculpteur.
Il suivit les conseils du peintre de batailles Émile Boutigny et les cours de la section sculpture à l'École des Beaux-Arts de Paris. Il devint professeur à l'Académie d'Arras et conservateur au musée des Beaux-Arts de cette ville.
Il figura au Salon des Artistes Français, dont il devint membre en 1908.
À ses débuts, il composait des tableaux de batailles sur le thème de la guerre de 1870, peints avec beaucoup de précisions. Plus tard, vers 1925, il s'oriente vers un art plus libre, très influencé par l'impressionnisme.
Bibliogr. : Gérald Schurr, in : *Les Petits Maîtres de la peinture 1820-1920, valeur de demain,* Les Éditions de l'Amateur, t. VII, Paris, 1989.

LECLERCQ René
Né en 1880 à Anvers. Mort en 1944 à Anvers. xxe siècle. Belge.
Peintre de portraits, paysages urbains, marines, natures mortes, aquarelliste, lithographe. Tendance impressionniste.
Il fut élève de l'Académie et de l'Institut supérieur d'Anvers.
Il pratiqua également la xylographie pour la réalisation de vignettes.
Bibliogr. : In : *Diction. biographique illustré des artistes en Belgique depuis 1830,* Arto, Bruxelles, 1987.
Musées : Anvers.

LECLERCQ Théodore
Né en 1850 à Bresmaux (Somme). Mort en 1905. xixe siècle. Actif à Paris. Français.
Peintre de paysages.
Sociétaire des Artistes Français, il figura au Salon de ce groupement.
Musées : Alger : *Cerf perdu dans la forêt* – Béziers : *La Tranchée de Fontainebleau.*
Ventes Publiques : Versailles, 1er juin 1980 : *La partie de balançoire,* h/t (73x92) : **FRF 8 000.**

LE CLERCQ Victor
Né en 1896 à Soignies (Hainaut). Mort en 1944 à Soignies (Hainaut). xxe siècle. Belge.
Peintre de paysages, portraits, graveur, lithographe.
Il fut élève de Montald et de Fabry à l'Académie des Beaux-Arts de Bruxelles.
Bibliogr. : In : *Diction. biographique illustré des artistes en Belgique depuis 1830,* Arto, Bruxelles, 1987.

LECLERCQ-BEUVART Simone
xxe siècle. Française.
Peintre de nus, portraits, paysages.
Elle a travaillé, à Paris, à l'Académie de la Grande Chaumière. Elle figure, à Paris, dans des groupements, notamment aux Salons : des Artistes Français, des Indépendants, de l'Art Libre, des Surindépendants, du Noir et Blanc, desquels elle est sociétaire. Elle montre ses œuvres dans des expositions personnelles : 1964, Valbonne (Alpes-Maritimes) ; 1965, Lyon ; 1966, 1967, 1969, Paris ; 1970 en République Fédérale Allemande, à Dortmund, Schwelm, Warendorf. Elle a obtenu diverses distinctions, dont une mention honorable au Salon des Artistes Français. Officier de l'Académie et des Arts et Lettres.

LECLÈRE Jean Eugène
Né à Paris. xixe siècle. Français.

Graveur sur bois.
Exposa au Salon de 1863.

LE CLÈRE Pierre
Né en 1948 à Paris. Mort en 1989. XXe siècle. Français.
Peintre, pastelliste. Abstrait.
Il participe à des expositions collectives : 1979, 1981, 1982, 1983, Centre culturel de Villeparisis ; 1982, *Dedans/Dehors*, Centre culturel de Brétigny ; 1983, 1984, Salon de Montrouge. Il montre ses œuvres dans des expositions personnelles : 1983, 1985, 1986, galerie Denise Breteau, Paris ; 1989, galerie Charles Sablon, Paris.
Pierre Le Clère travaillait surtout au pastel gras sur papier, découpait des fragments de toiles peintes et les recomposait selon le procédé du collage. Il utilisait des couleurs fortes. Bien qu'abstraites, ses compositions évoquent des motifs floraux.
Musées : Paris (Fond Nat. d'Art Contemp.) : *Sans titre* 1989.

LECLÈRE Pierre. Voir aussi **LECLERC**

LECLÈRE Théodore
XIXe siècle. Actif à Paris. Français.
Peintre de sujets de genre.
Il figura au Salon des Artistes Français de Paris, étant membre de cette société depuis 1889.
Ventes Publiques : Paris, 20 et 21 mai 1898 : *Femme assise* : **FRF 85** – New York, 20 juil. 1994 : *Le repos du faucheur*, h/t (92,1x114,3) : **USD 3 450**.

LÉCLUSE Henriette Anne
Née à Paris. XIXe siècle. Française.
Peintre de portraits et de natures mortes.
Élève de H. Scheffer. Exposa au Salon, de 1846 à 1859.

LE COADIC Francis
Né en 1912 à Cawvigny (Oise). XXe siècle. Français.
Peintre.
Il a exposé, à Paris, au Salon des Artistes Français et au Salon de la Société Nationale des Beaux-Arts.
Ventes Publiques : Paris, 14 juin 1991 : *Neige à Montmartre* 1951, h/t (50x61) : **FRF 8 000**.

LECOCQ Adrien Louis
Né en 1832 à Paris. Mort en 1887. XIXe siècle. Français.
Peintre de paysages d'eau.
Travailla à Combs-la-Ville et débuta au Salon en 1866. On cite de lui : *Les rives de l'Yerre, Le petit lavoir à Quiney*.

LECOCQ Denis
Né le 10 mars 1805 à Tournai. Mort le 13 août 1851. XIXe siècle. Français.
Peintre de portraits et d'histoire et sculpteur.
Élève de A. J. Gros. Le Musée de Versailles conserve de lui : *Portrait de Honoré d'Abert, duc de Chaulnes* et *Portraits du maréchal d'Ancre*. Exposa au Salon en 1837 et 1838.

LE COCQ Gilles, dit **Le Cocq des Jardins**
Né en 1649 à Nancy. Mort le 18 septembre 1705 à Nancy. XVIIe siècle. Français.
Graveur.

LECOCQ Henriette
Née le 9 avril 1855 à Paris. XIXe siècle. Française.
Graveur à l'eau-forte.
Élève de Henri Lefort. Figura au Salon des Artistes Français. Membre de cette société depuis 1888. Mention honorable en 1896. Mention honorable en 1900 à l'Exposition universelle de Paris, médaille troisième classe en 1903.

LECOCQ Marie Caroline Albine
Née à Paris. XIXe siècle. Française.
Peintre de portraits.
Élève de Flandrin et Pichon. Exposa au Salon des portraits au fusain en 1876 et 1880.

LE COCQ Pierre
XVIe siècle. Français.
Sculpteur.
Il fit des restaurations à la chapelle du palais de l'évêché, en 1562, et sculpta, en 1566, une croix ornée d'un Crucifix et d'une Notre-Dame, destinée à un carrefour de Cambrai.

LECŒUR Adèle Clémence
XIXe-XXe siècles. Française.
Graveur.
Cette artiste de Bourg-la-Reine, sociétaire des Artistes Français depuis 1888, figura au Salon de ce groupement.

LECOEUR Jean-Baptiste
Né le 4 décembre 1795 au Mans (Sarthe). Mort en 1838 à Paris. XIXe siècle. Français.
Peintre d'histoire, scènes de genre.
Élève d'Henry Regnault, il participa au Salon de Paris de 1822 à 1837.
Bibliogr. : In : Catalogue de l'exposition : *Les années romantiques, la peinture française de 1815 à 1850*, Mus. des Beaux-Arts, Nantes, 1995-1996, Galeries nationales du Grand Palais, Paris, 1996.
Musées : Angers (Mus. des Beaux-Arts) : *Charles VII et Agnès Sorel chez le devin* – Avignon : *Louis XIII et Mlle de la Fayette* – Le Mans : *Intérieur avec personnages* – Nancy : *La cuisinière endormie* – Nantes (Mus. des Beaux-Arts) : *Mère et fils* 1831 – Tours : *Mme Boulanger, de l'Opéra-Comique*.
Ventes Publiques : Paris, 1798 : *Daniel dans la fosse aux lions* : **FRF 80** – Paris, 5 au 8 mai 1903 : *Les baigneuses* : **FRF 105** – Paris, 14 déc. 1908 : *La récréation dans le parc* : **FRF 500** – Paris, 7-9 juin 1926 : *La lettre* : **FRF 1 350** – Paris, 23 mars 1937 : *Jeune maman et ses trois enfants* : **FRF 750** – New York, 26 oct. 1983 : *L'Arrivée des invités*, h/t (30,2x36) : **USD 2 500** – Berne, 26 oct. 1988 : *Retour de promenade*, h/pan. (33x24) : **CHF 2 800** – Troyes, 19 nov. 1989 : *La poissonnière aux halles de Paris*, h/t (100x81) : **FRF 16 000**.

LE CŒUR Jules
Né en 1832. Mort en 1882. XIXe siècle. Français.
Peintre.
Ami intime de Renoir, il figure avec d'autres membres de sa famille dans la peinture *L'auberge de la Mère Antony à Marlotte*.
Ventes Publiques : New York, 26 mai 1994 : *Vue du Bas-Meudon près de Paris*, h/t (63,8x80) : **USD 29 900**.

LE CŒUR Louis
Né dans la seconde moitié du XVIIIe siècle. XVIIIe siècle. Actif à Paris. Français.
Graveur, dessinateur.
On possède peu de renseignements sur cet artiste dont les œuvres sont recherchées. Il fut élève de Debucourt et grava comme son maître à l'aquatinte et en couleurs. On cite notamment de lui : *Les Folies*, caricature sur Mesmer d'après Watteau de Lille ; *César Borgia* ; deux *Vues de Saint-Pétersbourg*. Mais ce fut surtout pendant la Révolution et le Premier Empire qu'il produisit les estampes que désirent les amateurs, particulièrement deux pièces d'après Swebach-Desfontaines : *La Fédération* et *Le Bal de la Bastille* (1790). Il produisit plus tard : *Paix générale*, allégorie avec le portrait de Bonaparte, et plusieurs pièces sous le titre : *Sacre et couronnement de LL. MM.*
Ventes Publiques : Paris, 1887 : *Le Colin-Maillard*, gche : **FRF 310** – Paris, 1898 : *La visite à la grand-mère*, dess. : **FRF 400** – Paris, 17 juin 1994 : *Promenade du jardin du Palais Royal*, aquat. en coul. (37,5x57) : **FRF 9 000** – Paris, 10 mai 1995 : *Promenade du jardin du Palais Royal*, grav. à la manière du lav. en coul. (28x54,5) : **FRF 10 000**.

LECŒUVRE H., née **Malandrin**
Née le 4 décembre 1863 à Rouen (Seine-Maritime). XIXe siècle. Française.
Peintre.
Figura au Salon des Artistes Français. Membre de cette société depuis 1888.

LECOING Pierre
XVIe siècle. Rouennais, vivant au XVIe siècle. Français.
Sculpteur.
Il fit, en 1561, un *Crucifix*, un *Saint Jean l'Évangéliste* et un *Saint Jean-Baptiste* pour l'église Saint-Jean, de Rouen.

LE COINTE Auguste
XVIIIe siècle. Vivant à Caen. Français.
Graveur à l'eau-forte amateur.
Il a gravé des sujets de genre.

LECOINTE Charles Joseph
Né le 23 février 1824 à Paris. Mort le 28 février 1886 à Asnières (Hauts-de-Seine). XIXe siècle. Français.
Peintre de paysages animés.
Élève de François Picot et de Claude Aligny, il obtint le grand prix de Rome en 1849, dans la section paysage historique. Médaille de troisième classe en 1844 et 1855, rappel en 1861.

On lui doit deux paysages historiques sur la vie de sainte Geneviève, à l'église Saint-Roch à Paris. Il est également l'auteur d'une *Vue de l'Île Saint-Louis* à l'Hôtel de Ville de Paris. Ses paysages montrent l'influence de l'Italie tout en introduisant des éléments d'un Orient imaginaire.
Bibliogr. : Gérald Schurr, in : *Les Petits Maîtres de la peinture 1820-1920, valeur de demain*, Les Éditions de l'Amateur, t. III, Paris, 1976 - in : Catalogue de l'exposition : *Les années romantiques, la peinture française de 1815 à 1850*, Mus. des Beaux-Arts, Nantes, 1995-1996, Galeries nationales du Grand Palais, Paris, 1996.
Musées : Angers : *Le héron, paysage* – Bernay : *Le figuier maudit* – Dunkerque : *L'enfant prodigue gardant les pourceaux* – Poitiers : *Le jeu de la ruzzica à Rome* – Tours : *Le Christ tenté par le démon*.
Ventes Publiques : Paris, 1881 : *En faction*, aquar. : **FRF 135** – Paris, 1er nov. 1924 : *Vue de Paris : Porte d'Orléans*, aquar. gchée : **FRF 1 300**.

LECOINTE Jean François Joseph
XIXe siècle. Français.
Aquarelliste.
Ventes Publiques : Paris, 4 mai 1942 : *Bal à l'Opéra le 22 janvier 1831 pour les indigents* 1831, aquar. : **FRF 2 250** ; *Vues du Parc de l'Abbaye du Pré, à Douai*, aquar. : **FRF 820** ; *Vue de Douai*, deux dessins au lavis de sépia formant pendants : **FRF 550**.

LECOINTE Léon Aimé Joachim
Né le 9 avril 1826 à Paris. Mort en 1913 à Paris. XIXe-XXe siècles. Français.
Sculpteur.
Élève de Klagmann et de Toussaint. Débuta au Salon en 1850. On cite de lui : *Décollation de saint Jean Baptiste*. Mention honorable en 1882, médaille de bronze en 1889 (Exposition Universelle).

LECOLAS Pierre
Né en 1930 à Boulogne-Billancourt (Hauts-de-Seine). XXe siècle. Français.
Peintre, graveur.
Bibliogr. : In : *De Bonnard à Baselitz – Dix ans d'enrichissements du Cabinet des Estampes 1978-1988*, Paris, 1992.
Musées : Paris (Cab. des Estampes).
Ventes Publiques : Versailles, 23 sep. 1990 : *Harpe-arbre*, h/t (65x50) : **FRF 4 200**.

LECOMPTE Étienne
Né le 4 avril 1931 à Alost. XXe siècle. Belge.
Peintre de paysages, paysages animés, figures, dessinateur, sculpteur.
Il fut élève de l'Académie des Beaux-Arts d'Alost et du Postma-Instituut à Amsterdam.
Il expose en Belgique, mais aussi à Paris, Londres et New York.
Il a peint les paysages et les hommes des pays qu'il a visités : France, Caraïbes, Amérique du Sud, Inde, Indonésie, Philippines, Sri Lanka, Afrique... et tente d'y capter l'atmosphère, la lumière et l'émotion.
Bibliogr. : In : *Diction. biographique illustré des artistes en Belgique depuis 1830*, Arto, Bruxelles, 1987.

LECOMPTE Jacques
XVIIIe siècle. Actif à Tonnerre en 1761. Français.
Sculpteur.

LECOMTE
XVIIe siècle. Français.
Peintre de batailles.
Le Musée de Versailles conserve de cet artiste : *Prise de Mons*.

LECOMTE, Mlle
XIXe siècle. Française.
Dessinatrice.
Le musée d'Étampes conserve un dessin de cette artiste : *Portrait de Gilles Boivin, maire d'Étampes de 1826 à 1834*.

LE COMTE Adolphe
Né le 30 août 1850 à Geestrug. Mort le 3 janvier 1921 à La Haye. XIXe-XXe siècles. Hollandais.
Peintre de paysages, marines, aquarelliste.
Il exposa à Paris, au Salon des Artistes Français, 1889 médaille de bronze à l'occasion de l'Exposition Universelle. En 1910, il a participé à l'Exposition de Bruxelles.
Musées : Rotterdam (Mus. Boymans) : *Le Port de Volendam*.
Ventes Publiques : Amsterdam, 19-20 fév. 1997 : *Vue de la rivière Merwede, Dordrecht dans le lointain*, aquar./pap. (30x50) : **NLG 3 459**.

LECOMTE Alice
XIXe-XXe siècles. Active à Paris. Française.
Peintre.
Figura au Salon des Artistes Français. Membre de cette société depuis 1902.

LECOMTE Alphonse
Né le 12 mars 1882 à Rouen (Seine-Maritime). Mort le 14 octobre 1914, au champ d'honneur. XIXe-XXe siècles. Français.
Peintre de compositions à personnages, illustrateur, décorateur.
Il a aussi créé des modèles de tissus.

LE COMTE Audin ou **Le Compte**
XVIe siècle. Actif à Nantes vers 1525. Français.
Peintre et peintre verrier.
Fit les vitraux de l'église de Tillières.

LE COMTE Audin ou **Le Compte**
XVIe-XVIIe siècles. Actif au Mans de 1589 à 1608. Français.
Peintre et peintre verrier.
Fils du peintre du même nom. Travailla aux vitraux de la Maison de Ville à Nantes.

LECOMTE Dominique
Né en 1959 à Épinal (Vosges). XXe siècle. Français.
Peintre, graveur.
Bibliogr. : In : *De Bonnard à Baselitz – Dix ans d'enrichissements du Cabinet des Estampes 1978-1988*, Paris, 1992.
Musées : Paris (Cab. des Estampes).

LECOMTE Émile
Né en 1866 à Braine-le-Comte. Mort en 1968 à Saint-Gilles (Bruxelles). XIXe-XXe siècles. Belge.
Peintre de figures, portraits, fleurs, paysages, intérieurs. Postimpressionniste.
Il fut élève de l'Académie des Beaux-Arts de Bruxelles.
Bibliogr. : In : *Diction. biographique illustré des artistes en Belgique depuis 1830*, Arto, Bruxelles, 1987.

LECOMTE Fanny Françoise. Voir **HUGHET**

LECOMTE Félix
Né le 16 janvier 1737 à Paris. Mort le 11 janvier 1817 à Paris. XVIIIe-XIXe siècles. Français.
Sculpteur.
Élève de Falconet et d'Antoine Vassé. Il obtint trois fois le deuxième prix de Rome et enfin le premier prix en 1758. Il fut reçu académicien le 27 juillet 1771, professeur en 1792, membre de l'Institut en 1810. En 1774, il sculpta le Mausolée du roi Stanislas dans l'église du Bon Secours à Nancy. Exposa au Salon, de 1769 à 1793.
Musées : Paris (Mus. du Louvre) : *Phorbas et Œdipe* – Toulon : *Marie-Antoinette* – Versailles : *Marie-Antoinette* – *Fénelon* – *Laharpe, général de division*.
Ventes Publiques : New York, 14 nov. 1968 : *Buste de Marie-Antoinette*, marbre : **USD 1 400**.

LECOMTE François
Né en 1846 à Tournai (Hainaut). Mort en 1921 à Tournai. XIXe-XXe siècles. Belge.
Peintre de paysages, paysages urbains, aquarelliste.
Bibliogr. : In : *Diction. biographique illustré des artistes en Belgique depuis 1830*, Arto, Bruxelles, 1987.
Musées : Tournai.

LECOMTE François Louis
Né en 1795 à Paris. XIXe siècle. Français.
Graveur.
Élève de Chataignier. Exposa au Salon en 1822 et 1824.

LECOMTE Hippolyte
Né le 28 décembre 1781 à Puiseaux. Mort le 25 juillet 1857 à Paris. XIXe siècle. Français.
Peintre d'histoire, sujets militaires, paysages, graveur. Romantique.
Élève d'Henri Regnault et d'Antoine Mongin, il participa au Salon de Paris de 1804 à 1847, obtenant une première médaille en 1808.
Il épousa la fille de Carle Vernet et ce mariage contribua sans doute à lui donner la place considérable qu'il occupe au musée

de Versailles. À côté de ses sujets contemporains, il a peint des composition d'un Moyen Âge plutôt mythique, dans le style des peintres dits « troubadours ». Sous Louis XVIII, il obtint deux commandes pour la galerie de Diane au château de Fontainebleau : *Charlemagne passant les Alpes*, toujours en place ; et *Louis XIII forçant le Pas de Suze*, conservé à Chambéry. Il a également produit de nombreuses lithographies.

Bibliogr. : Gérald Schurr, in : *Les Petits Maîtres de la peinture 1820-1920, valeur de demain*, Les Éditions de l'Amateur, t. II, Paris, 1982 – Marie-Claude Chaudonneret, in : Catalogue de l'exposition : *Les années romantiques, la peinture française de 1815 à 1850*, Mus. des Beaux-Arts de Nantes, 1995-1996 et Galeries nationales du Grand Palais, Paris, 1996.
Musées : Bourg-en-Bresse : *Le retour de la bataille de Marignan* – Chambéry : *Louis XIII forçant le Pas de Suze en 1629* – Cherbourg : *Paysage* – Compiègne (Mus. du palais) : *Robertson et Jenny – Deans aux rochers de Salisbury – Le château de Dienstein* – Fontainebleau (Mus. du château) : *Charlemagne passe les Alpes* 1826 – Sceaux : *Le château de Neuilly* 1823 – Versailles : *Bataille de Hochstett – Entrevue de Napoléon et du grand-duc Ferdinand à Wurtzbourg – Combat de la Corogne – Combat de Matern – Bataille de Raul – Combat d'Hollabrunn – Napoléon, à Astorga, se fait présenter les prisonniers anglais – Inauguration de la statue de Henry IV sur le Pont-Neuf – Prises des retranchements devant La Corogne – Prises de Patras et de Coron – Prise de Spire – Levée du siège de Lille – Levée du siège de Thionville – Reprise de Longwy – Prise de Francfort-sur-le-Main – Combat de Boussu – Prise de Villefranche-sur-Mer – Prises de Bréda et de Gertruydemborg – Entrevue de Louis XVIII et de Caroline Ferdinande Louise, princesse des Siciles, à la croix de Saint-Héran – Prise d'Oppenheim – Reddition de Mayence – Reddition de Bingen – Prise de Creutznach – Prise de Baccrach – Reddition de Mantoue – Combat de Sale – Lac de Garde – Entrée de Louis XV à Anvers – Prise de Pignerol – Prises de Landrecies, du Catelet, de Collioures – Bataille de Lérida.*
Ventes Publiques : Paris, 4 déc. 1931 : *Le château de Neuilly, propriété du duc d'Orléans, en 1823* : **FRF 5 000** – Paris, oct. 1945-juil. 1946 : *L'armée française en Italie* : **FRF 14 500** – Paris, 5 fév. 1951 : *Cantonnement de cavaliers – L'officier entreprenant*, deux aquar. : **FRF 13 500** – Paris, 26 mars 1971 : *Fête villageoise*, h/t (41x65) : **FRF 2 800** – Versailles, 23 mai 1978 : *La halte des cavaliers* 1845, h/t (44,5x58,5) : **FRF 15 500** – Versailles, 16 déc 1979 : *La halte des cavaliers* 1845, h/t (44,5x58,5) : **FRF 11 400** – Monte-Carlo, 22 fév. 1986 : *Scène de la campagne de Morée dans le Péloponèse* 1828, h/t (40,5x51) : **FRF 35 000** – Paris, 20 oct. 1988 : *La chasse aux canards*, h/t (41x65) : **FRF 6 500** – Londres, 6 oct. 1989 : *Les étudiants de l'école Polytechnique protégeant le crucifix et autres objets sacrés de la chapelle des Tuileries en 1848* 1848, h/t (48,3x63,5) : **GBP 3 300** – New York, 17 jan. 1990 : *Paysans avec du bétail dans un paysage*, h/t (33,1x55,9) : **USD 1 760** – Londres, 6 juin 1990 : *Paysans faisant traverser le gué au troupeau de bétail*, h/t (32x54,5) : **GBP 1 980**.

LECOMTE Jacques
XVIIe siècle. Actif à Dieppe.
Ivoirier-cadranier.

LECOMTE Jean
XVIe siècle. Français.
Sculpteur et architecte.
Il était actif à Châlons-sur-Marne. Avec ses collègues Haguet et Simon Avigny, il fit, en 1535, une chaire en pierre, pour l'église du couvent des Augustins. On trouve aussi un Jean Lecomte, sculpteur et bourgeois de Châlons, décédé le 15 février 1615, dont la tombe est dans l'église Notre-Dame.

LE COMTE Jean ou **Le Compte**
XVIIe siècle. Français.
Peintre et peintre verrier.
Il était actif à Nantes entre 1631 et 1656.

LECOMTE L. H.
XIXe siècle. Actif à Paris. Français.
Peintre.
Exposa, au Salon de 1831, un sujet tiré de *Quentin Duruard* ainsi qu'un portrait.

LECOMTE L., Mme, née **Daniel**
Morte en 1894. XIXe siècle. Française.
Peintre.
Sociétaire des Artistes Français, elle figura au Salon de ce groupement.

LECOMTE Léonidas
Né en 1841 à Bavay (Nord). XIXe siècle. Français.
Peintre de genre et de natures mortes.
Élève de Pils. Débuta au Salon de 1868.

LECOMTE Louis
Né en 1639 à Boulogne-sur-Seine. Mort le 24 décembre 1694 à Paris. XVIIe siècle. Français.
Sculpteur.
Il entra à l'Académie en 1676 avec un médaillon en marbre : *Saint Barthélémy*, et fit de nombreux travaux pour Versailles, Marly et l'église des Invalides.
On cite parmi ses œuvres : *La Renommée*, statue en pierre à la façade du château de Versailles, sur la cour de marbre (1679) ; *L'Art*, statue en pierre à la façade centrale du même château (1679) ; *Les armes du roi*, groupe en pierre sur la porte de la petite écurie de Versailles (1681) ; *Le coche du cirque*, groupe en pierre ornant la même porte (1681) ; *Hercule*, terme en marbre au pourtour du Parterre de Latone, dans le parc de Versailles (1684-1686) ; *La Fourberie*, statue en marbre, Grande Allée ou Tapis Vert, dans le parc de Versailles (1684-1686) ; *Zéphyre et Flore*, groupe en pierre, à droite de la grille d'entrée de l'Orangerie de Versailles (1687-1688) ; *L'Espérance*, bas-relief en pierre, dans la chapelle Saint-Grégoire de l'église des Invalides (1692).

LECOMTE Louis, dit **le Picard**
Né en 1650 à Abbeville. Mort le 6 décembre 1681 à Paris. XVIIe siècle. Français.
Sculpteur.
Il obtint le premier prix de sculpture avec *Le Passage du Rhin* et fut reçu académicien en 1678.

LE COMTE Marguerite
Née vers 1719 à Paris. Morte vers 1786. XVIIIe siècle. Française.
Dessinatrice et graveur à l'eau-forte amateur.
Elle grava de petits paysages italiens. En 1764, elle visita Rome en compagnie de Watelet et grava le *Portrait du pape Clément XIII* et celui du *Cardinal Albani*.

LE COMTE Michel ou **Le Compte**
XVIIe siècle. Actif à Nantes vers 1672. Français.
Peintre et peintre verrier.

LE COMTE Narcisse
Né le 17 avril 1794 à Paris. Mort le 2 mai 1882 à Paris. XIXe siècle. Français.
Graveur au burin.
Élève de J.-B. Regnault et de Lignon. Il a gravé des sujets d'histoire. Exposa au Salon, de 1824 à 1855 ; troisième médaille en 1833, deuxième médaille en 1846.

LECOMTE Nicolas
Né vers 1665. Mort le 14 septembre 1748. XVIIe-XVIIIe siècles. Actif à Paris. Français.
Peintre.
Peintre du roi et ancien conseiller de l'Académie Saint-Luc.

LECOMTE Paul
Né à Paris. XIXe siècle. Français.
Peintre de genre.
Élève de Debret. Exposa au Salon, de 1817 à 1850. Médaille de deuxième classe en 1824. On cite de lui : *Christine de Suède et le Guerchin*.
Ventes Publiques : Paris, 6 déc 1979 : *La gare de l'Est avant 1900*, aquar. (37x53) : **FRF 4 500**.

LECOMTE Paul ou **Leconte**
Né le 25 avril 1842 à Paris. Mort en 1920 à Paris. XIXe-XXe siècles. Français.
Peintre de paysages, aquarelliste.
Élève d'Émile Lambinet, il participa au Salon de Paris à partir de 1880, obtenant une mention honorable en 1882, une médaille de troisième classe en 1888, une de deuxième classe en 1895. D'autre part, il reçut une mention honorable à l'Exposition Universelle de 1889 et une médaille d'argent à celle de 1900 à Paris.

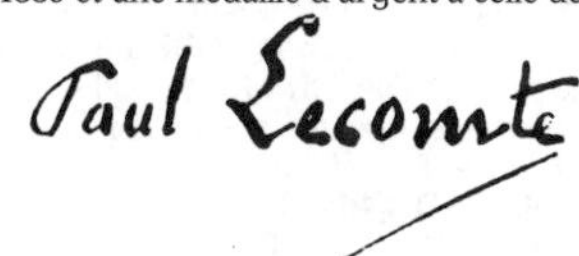

Paul Lecomte

Bibliogr. : Gérald Schurr, in : *Les Petits Maîtres de la peinture 1820-1920, valeur de demain*, Les Éditions de l'Amateur, t. II, Paris, 1982.

Musées : Mulhouse : *Le Pont-Neuf.*

Ventes Publiques : Paris, 1898 : *Arrière-saison*, aquar. : **FRF 130** – Paris, 3 fév. 1919 : *Les ruines de Château-Gaillard, effet d'automne* : **FRF 1 800** – Paris, 5 juin 1944 : *La vieille cheminée* : **FRF 3 300** – Londres, 12 déc. 1969 : *Paysage au pont* : **GNS 1 100** – Toulouse, 14 juin 1976 : *Environs d'Arcachon* 1897, h/t (22x35) : **FRF 2 500** – Versailles, 26 fév. 1978 : *Sous-bois au bord de la mer*, h/t (38x55) : **FRF 6 000** – Londres, 6 avr 1979 : *Yachts près de la côte ensoleillée*, h/t (38x55,6) : **GBP 1 100** – Paris, 28 jan. 1981 : *Le Village au bout du chemin*, h/t (46x32,5) : **FRF 10 500** – Genève, 12 déc. 1983 : *Grand boulevard parisien*, h/t (35x27) : **CHF 5 100** – New York, 23 mai 1985 : *Souvenir de Château-Gaillard*, h/t (138x212) : **USD 5 000** – Versailles, 21 fév. 1988 : *Paris, les quais de Bercy et Notre-Dame*, aquar. (30,5x42,5) : **FRF 8 100** – Paris, 24 juin 1988 : *Paysage à la barrière*, aquar. (26,5x37) : **FRF 7 500** – Paris, 16 oct. 1988 : *Paysage maritime*, deux pendants (26x34) : **FRF 16 000** – Versailles, 5 mars 1989 : *Pont sur la Loire à la Charité*, h/pan. (26,5x35,5) : **FRF 15 000** – Paris, 7 avr. 1989 : *Bretonne à la fontaine*, h/t (55x38) : **FRF 130 000** – Paris, 18 juin 1989 : *Place des Invalides*, h/pan. (27x35) : **FRF 15 000** – Versailles, 26 nov. 1989 : *La Seine à Paris*, h/pan. (26,5x35) : **FRF 15 000** – Paris, 1er déc. 1989 : *La ferme*, h/t (37x52,5) : **FRF 36 000** – Londres, 5 oct. 1989 : *Bateau à aube à l'ancrage, peut-être sur la Tamise*, h/t (32x46) : **GBP 2 420** – Paris, 18 déc. 1989 : *Moret, l'entrée de la ville*, h/t (55x38) : **FRF 12 000** – Berne, 12 mai 1990 : *Paysage avec un ruisseau rocheux*, h/pan. (26x35) : **CHF 1 300** – Paris, 12 juin 1990 : *Voiliers en Normandie*, h/t (120x160) : **FRF 80 000** – Paris, 9 nov. 1990 : *Paysage à la rivière et à la ferme*, h/t (38x46) : **FRF 16 000** – Paris, 3 oct. 1991 : *Maison en lisière de forêt*, aquar. (27x38) : **FRF 3 800** – Calais, 5 juil. 1992 : *Promenade champêtre*, h/t (25x35) : **FRF 8 000** – Le Touquet, 8 nov. 1992 : *Bord de Seine à Paris*, h/pan. (27x35) : **FRF 9 000** – New York, 16 fév. 1994 : *La Seine avec Notre-Dame au lointain*, h/t (33x46) : **USD 8 050** – Paris, 26 juin 1995 : *Bord de rivière*, h/t (38x65) : **FRF 17 000** – Paris, 13 mai 1997 : *Lavandières sur la plage de Saint-Enogat*, h/t (120x160) : **FRF 72 000.**

LECOMTE Paul Émile

Né le 29 octobre 1877 à Paris. Mort en 1950. XXe siècle. Français.

Peintre de paysages, paysages portuaires, marines, aquarelliste.

Il fut le fils de Paul Lecomte et son élève, étudia également avec Cormon à l'École des Beaux-Arts de Paris. Il fut peintre du Ministère de la Marine.

Il figura, à Paris, au Salon des Artistes Français dont il devint sociétaire en 1902. Il obtint une médaille d'or.

Paul Emile Lecomte

Ventes Publiques : Paris, 16-18 fév. 1931 : *Marine* : **FRF 310** – Paris, 30 nov. et 1er déc. 1942 : *Marine* : **FRF 6 000** – Paris, 12 mai 1947 : *Vue de port* : **FRF 6 200** – Londres, 14 nov. 1973 : *Scène de port* : **GBP 1 200** – Paris, 19 nov. 1976 : *Port de pêche*, h/t (40x70) : **FRF 2 400** – Versailles, 12 mars 1978 : *La plage*, h/pan. (46x55) : **FRF 42 000** – Paris, 2 déc 1979 : *Bords de rivière*, h/t (58x118) : **FRF 17 000** – Versailles, 25 oct. 1981 : *Marché en Bretagne*, h/t (65x81) : **FRF 21 000** – Barbizon, 27 fév. 1983 : *Scène de marché en Bretagne*, h/t (38x46) : **FRF 22 000** – Paris, 12 déc. 1984 : *Pont sur la Seine à Paris*, aquar. (26x34) : **FRF 12 500** – New York, 31 oct. 1985 : *Le Port de Dinard*, h/t (63,5x91) : **USD 7 000** – New York, 21 mai 1987 : *Bords de rivière avec pêcheur dans sa barque*, h/t (38x54,5) : **USD 7 000** – Paris, 17 fév. 1988 : *Le Village*, h/t (27x35) : **FRF 4 800** – Londres, 26 fév. 1988 : *Port de pêche en France*, h/t (33x41) : **GBP 1 980** – Gien, 26 juin 1988 : *Scène de port*, h/t (58x80) : **FRF 17 000** – Amsterdam, 16 nov. 1988 : *Promenade sur une route sablonneuse l'été*, h/t (38x54) : **NLG 6 325** – Toronto, 30 nov. 1988 : *Rue animée en France*, h/t (37x46) : **CAD 3 400** – Londres, 21 fév. 1989 : *Le moulin à aubes*, h/t (58,7x118,4) : **GBP 5 500** – La Varenne-Saint-Hilaire, 12 mars 1989 : *Animation dans un village breton*, h/t (55x46) : **FRF 52 000** – Paris, 21 juin 1989 : *Paysages*, h/t (65x92) : **FRF 48 000** – Londres, 20 oct. 1989 : *Le marché*, h/t (24x33) : **GBP 2 200** ; *Le retour du marché*, h/t (73x91,5) : **GBP 3 300** – Paris, 22 nov. 1989 : *Jour de marché*, h/t (65x81) : **FRF 115 000** – Calais, 10 déc. 1989 : *Marché à Melun*, aquar. (16x19) : **FRF 9 000** – Versailles, 10 déc. 1989 : *Vue de Dinard depuis Saint-Servan*, h/t (27x41) : **FRF 7 200** – New York, 17 jan. 1990 : *La pêche au bord de la rivière*, h/t (61x77) : **USD 6 600** – Paris, 21 mars 1990 : *Barques sur la rivière*, aquar. (26x34) : **FRF 4 500** – La Varenne-Saint-Hilaire, 20 mai 1990 : *Le départ à la pêche*, h/t (70x140) : **FRF 35 000** – Amsterdam, 2 mai 1990 : *Rivière bordée d'arbres avec une ville à distance* 1936, h/t (62x82) : **NLG 2 530** – Neuilly, 3 fév. 1991 : *Marine*, h/pan. (60x120) : **FRF 13 000** – Paris, 18 avr. 1991 : *L'entrée du parc* 1928, h/t (64x80) : **FRF 18 000** – Paris, 17 nov. 1991 : *Port breton*, h/t (64,5x81) : **FRF 42 000** – New York, 20 fév. 1992 : *Scène de marché*, h/t (63,5x79,4) : **USD 14 300** – Calais, 5 juil. 1992 : *Bord de rivière sous la neige*, h/t (33x41) : **FRF 23 500** – Londres, 16 juin 1993 : *Promenade le long de la rivière*, h/pan. (54x65) : **GBP 5 750** – Paris, 28 juin 1993 : *Les jardins du Luxembourg* 1899, aquar. (26x52) : **FRF 10 500** – New York, 12 oct. 1993 : *Terrasse en Provence*, h/pan. (65x92) : **USD 8 050** – Paris, 13 juin 1994 : *Port du midi*, aquar. (36x53) : **FRF 6 000** – Zurich, 21 avr. 1994 : *Le marché*, h/t (54x65) : **CHF 4 000** – Paris, 17 juin 1994 : *Rue de village*, h/t (38x46) : **FRF 10 000** – Londres, 17 mars 1995 : *Jour de marché*, h/t (60x73) : **GBP 3 910** – Calais, 25 juin 1995 : *Terrasse devant les cimes* 1939, h/t (50x65) : **FRF 18 000** – New York, 20 juil. 1995 : *Le quai de Bercy*, h/t (38,1x61) : **USD 5 750** – Paris, 12 déc. 1996 : *Scène de marché*, h/t (38x46) : **FRF 5 500** – Paris, 20 mars 1997 : *Port de pêche en Bretagne*, h/t (47x32) : **FRF 21 500** – Glasgow, 20 fév. 1997 : *Terrasse sur l'Adriatique, Dubrovnic*, h/t (63,5x91,4) : **GBP 2 300** – Paris, 25 mai 1997 : *Scène de marché en Espagne*, h/t (38x46) : **FRF 7 500** – Paris, 21 oct. 1997 : *Paysage animé*, h/pan., deux pendants (chaque 16x22) : **FRF 6 500** – Paris, 17 oct. 1997 : *Vache au pré*, h/pan. (32,7x40,9) : **FRF 6 000.**

LECOMTE Pierre

XIXe siècle. Actif à Paris. Français.

Peintre.

Il exposa des portraits et des tableaux d'histoire au Salon à Paris entre 1817 et 1850.

Ventes Publiques : Cologne, 11 juin 1979 : *Assurance C. L'Incendie* 1822, h/t (55x46) : **DEM 6 000** – Monte-Carlo, 26 juin 1983 : *La Garde nationale aux Invalides* 1832, h/t (71,5x91) : **FRF 25 000.**

LECOMTE Rard, pour Gérard

Né le 12 juillet 1940 à Nice (Alpes-Maritimes). XXe siècle. Français.

Peintre, sculpteur, graveur, lithographe, dessinateur.

De 1960 à 1967, il fut élève de l'École des Arts Décoratifs de Strasbourg, puis de l'École des Beaux-Arts de Paris, dont il est diplômé. Il participe à des expositions collectives, dont apparemment certains salons institutionnels parisiens, et dans de nombreuses villes mais sans indication des lieux. Depuis 1965, il montre ses travaux dans des expositions personnelles, à Strasbourg, puis dans diverses galeries de Paris, notamment en 1994-1997 galerie Le bateau ivre.

Les critiques évoquent un art proche de l'abstraction gardant le contact avec le monde sensible.

LECOMTE Valentine

Née le 9 février 1872 à Paris. XXe siècle. Française.

Peintre.

Elle fut élève de Tony Robert-Fleury. Elle figura, à Paris, au Salon des Artistes Français.

LECOMTE Victor

Né le 4 novembre 1856 à Paris. Mort en 1920 à Paris. XIXe-XXe siècles. Français.

Peintre de genre, portraits, natures mortes.

Élève d'Achille Gilbert, il exposa au Salon de Paris de 1876 à 1914. Mention honorable en 1892, médaille de troisième classe en 1897, médaille de bronze à l'Exposition Universelle de 1900 et médaille de deuxième classe en 1905.

Ses scènes de genre, telle *La lecture à la veillée*, sont présentées dans un clair-obscur très contrasté.

Bibliogr. : Gérald Schurr, in : *Les Petits Maîtres de la peinture 1820-1920, valeur de demain*, Les Éditions de l'Amateur, t. III, Paris, 1976.

Ventes Publiques : New York, 6 jan. 1911 : *Le soir* : **USD 110** –

Paris, 6 juin 1921 : *Lasse* : **FRF 1 720** – Paris, 24 mai 1944 : *Portrait du peintre Harpignies* : **FRF 5 000** – Paris, oct. 1945-juil. 1946 : *Vieillard à sa table* 1893 : **FRF 3 000** – New York, 13 oct. 1978 : *La lecture à la lumière d'une lampe* 1887, h/pan. (31x23) : **USD 2 000** – Munich, 15 mars 1984 : *Chemin de campagne* 1911, h/cart. (24x33) : **DEM 3 500** – Paris, 13 avr. 1988 : *Vaches près du sous-bois*, h/pan. (15x22) : **FRF 5 000** – New York, 17 oct. 1991 : *Lecture à la veillée* 1888, h/t (43,2x58,4) : **USD 6 875** – Le Touquet, 8 nov. 1992 : *Scène d'intérieur*, h/pan. (40x32) : **FRF 11 000** – Londres, 12 fév. 1993 : *Jeune femme lisant dans son lit*, h/pan. (19x24,2) : **GBP 4 070** – Le Touquet, 30 mai 1993 : *Vase de dahlias*, h/t (36x48) : **FRF 6 000** – New York, 16 fév. 1994 : *Lecture sous la lampe*, h/t (45,7x38,1) : **USD 3 163** – Paris, 19 mai 1995 : *Portrait de femme* 1896, h/pan. (98x58) : **FRF 10 000**.

LECOMTE DU NOUY Jean Jules Antoine

Né le 10 juin 1842 à Paris. Mort le 19 février 1923 à Paris. XIXe-XXe siècles. Français.

Peintre d'histoire, scènes de genre, portraits, compositions murales, sculpteur. Orientaliste.

Originaire d'une famille noble du Piémont fixée en France au XIVe siècle, il entra, en 1861, dans l'atelier de Charles Gleyre. Il travailla ensuite sous la direction d'Émile Signol, et enfin de Jean Léon Gérome qui en fit son élève favori. En 1872, il obtint le second prix de Rome. Très épris de l'antiquité, il partit, aussitôt ses études terminées, pour un long voyage en Orient. Il visita la Grèce, l'Égypte, la Turquie, l'Asie Mineure et en rapporta une documentation archéologique très exacte.

Il avait débuté au Salon de Paris en 1863, obtint deux médailles de troisième classe en 1868 et 1869 et une deuxième médaille en 1872, une médaille à Vienne en 1873, enfin une médaille d'argent à l'Exposition Universelle. Il fut décoré de la Légion d'honneur en 1876.

Ses thèmes orientaux sont recréés selon ses notes et s'inspirent plus de Victor Hugo, Théophile Gautier ou de Gérard de Nerval que de la réalité. En 1895, parti pour Constantinople, il s'arrêta à Bucarest, où son frère était architecte à la cour de Roumanie, ce qui lui permit de faire les portraits du *Roi* et de la *Reine de Roumanie* qui figurent au Palais de Bucarest, et de la *Princesse Marie de Roumanie*. Dans ce domaine du portrait, il montre une certaine vigueur et beaucoup de sentiment. Il peignit également des fresques dans le style byzantin pour des églises roumaines et des peintures décoratives pour l'église de la Trinité à Paris. Comme sculpteur, il s'est fait remarquer par la grande intensité de ses œuvres. Citons : *La mort de Gavroche* qui lui valut une récompense au Salon de 1901 et le tombeau de Mme Lecomte du Nouÿ au cimetière de Montparnasse.

Bibliogr. : Gérald Schurr, in : *Les Petits Maîtres de la peinture 1820-1920, valeur de demain*, Les Éditions de l'Amateur, t. III, Paris, 1976 – Lynne Thornton, in : *Les orientalistes peintres voyageurs*, ACR Édition, Paris, 1993.

Musées : Amman (Jordan Nat. Mus. of Fine Arts) : *Un shérif* 1878 – Angers – Apt – Arras : *Œdipe conduit par Antigone devant le corps de Jocaste* – Boulogne – Caen : *Les Orientales* 1884 – Florence (Gal. Nat.) : *Autoportrait* – Grenoble – Lille : *Invocation à Neptune* – *Portrait* – Nantes (Mus. des Beaux-Arts) : *L'eclave blanche* 1888 – Paris (Mus. du Louvre) : *Les porteurs de mauvaises nouvelles* – Pau – Reims : *Le charmeur d'oiseaux* – Sète : *Françoise de Rimini aux enfers* – Tours : *Eros* – Valence : *M. Béranger*.

Ventes Publiques : Paris, 23 mars 1877 : *Le kieff du scheriff* : **FRF 1 150** – Paris, 16-17 mai 1892 : *La porte du sérail, souvenir du Caire* : **FRF 3 000** – Paris, 25 juin 1951 : *L'Illiade* – *L'Odyssée* – *Homère mendiant* : **FRF 16 000** – Paris, 4-5 mai 1955 : *Le fumeur d'opium* : **FRF 24 500** – Los Angeles, 8 avr. 1973 : *Danseuse de harem* : **USD 5 000** – Londres, 2 nov 1979 : *Arabes en prière* 1880, h/t (58,5x41) : **GBP 4 000** – New York, 28 mai 1981 : *La Première Étoile, Tanger* 1894, h/t (76x127,5) : **USD 16 500** – L'Isle-Adam, 20 fév. 1983 : *Le Guet* 1873, h/t (64x53) : **FRF 35 000** – Londres, 17 juin 1986 : *Un rêve* 1904, h/t (68,5x119) : **GBP 11 000** – Paris, 25 mars 1991 : *Portrait d'une élégante à la toque de fourrure* 1872, h/t (35x27) : **FRF 5 000** – New York, 17 fév. 1993 : *Démosthène s'exerçant à la parole* 1870, h/pan. (47,3x37,5) : **USD 13 800** – Paris, 2 déc. 1994 : *La République saisit la prospérité*, h/pan. d'acajou (26,5x20,5) : **FRF 8 000** – New York, 2 avr. 1996 : *Jupiter et Antiope* 1889, past./pap. beige (50,8x40,6) : **USD 8 050**.

LECOMTE-VERNET Charles Emile Hippolyte

Né en 1821 à Paris. Mort en 1900 à Paris. XIXe siècle. Francais.

Peintre d'histoire, scènes de genre, sujets typiques, portraits, compositions murales.

Fils d'Hippolyte Lecomte, gendre de Carle Vernet, il fut élève de son oncle Horace Vernet et de Léon Cogniet. Il débuta au Salon de Paris en 1845, obtenant une troisième médaille en 1846.

Il est l'auteur de décorations murales à l'église Saint-Louis-en-l'Ile et au Palais de Justice de Paris.

Bibliogr. : Gérald Schurr, in : *Les Petits Maîtres de la peinture 1820-1920, valeur de demain*, Les Éditions de l'Amateur, t. IV, Paris, 1979 – in : Catalogue de l'exposition : *Les années romantiques, la peinture française de 1815 à 1850*, Mus. des Beaux-Arts de Nantes, 1995-1996 et Galeries nationales du Grand Palais, Paris, 1996.

Musées : Avignon : *Ugolin et ses enfants* – Toulon : *Portrait de l'amiral Baudin*.

Ventes Publiques : New York, 9 oct. 1974 : *Jeune Marocaine* : **USD 6 500** – Paris, 14 déc. 1976 : *Européens dessinant un campement arabe* 1863, h/t (63x103) : **FRF 5 800** – Londres, 15 juin 1979 : *Une beauté orientale* 1873, h/t (59,7x39,3) : **GBP 650** – Londres, 22 juil. 1982 : *Portrait d'un jeune indigène* 1866, h/t (121x80) : **GBP 2 400** – Amsterdam, 15 avr. 1985 : *Belle Orientale au luth* 1873, h/t (61x39) : **NLG 26 000** – Londres, 19 mars 1986 : *La Joueuse de tambourin* 1868, h/t (115x75,5) : **GBP 20 000** – New York, 21 mai 1987 : *L'Orientale* 1868, h/t (130x88,3) : **USD 30 000** – New York, 23 mai 1989 : *Femme fellah portant son enfant, en Egypte* 1872, h/t (56x40,6) : **USD 57 750** – Londres, 17 nov. 1995 : *Minnehaha* 1871, h/t (113x80) : **GBP 10 580** – Paris, 25 juin 1996 : *Maronites à la fontaine* 1863, h/t (46x38) : **FRF 160 000**.

LECONTE

XIXe-XXe siècles. Français.

Peintre.

Le Musée d'Alger conserve de cet artiste *Porte à Biskra*, offert par l'auteur en août 1907.

LECONTE Édouard

Né à Douai (Nord). XIXe siècle. Français.

Paysagiste.

Élève de Harpignies. Débuta au Salon de 1864.

LE CONTE Émile

XIXe siècle. Actif à Paris. Français.

Graveur et éditeur.

Il a gravé 72 planches d'ornements.

Ventes Publiques : Londres, 28 nov. 1980 : *Arabe sur son âne se rendant au marché* 1859, h/t (40,6x33) : GBP 66 1.100.

LECONTE Ephren

Né à Marseille. Mort en 1704 à Marseille. XVIIe siècle. Français.

Peintre de natures mortes.

Le Musée de Toulon conserve de lui : *Vases en métal ciselé et riches étoffes*.

LE CONTE Jean

XVe siècle. Français.

Sculpteur.

Il collabora, en 1467, dans l'église du couvent de Longueville (Seine-Maritime), aux tombeaux de Duguesclin, de La Hire et de Dunois, qui avaient été comtes de Longueville.

LECONTE Jeanne

Née à Paris. XIXe siècle. Française.

Miniaturiste et peintre sur porcelaine.

Élève de Mme de Cool et de Camino. Débuta au Salon en 1874.

LECONTE Louis

Né en 1644 à Boulogne-sur-Seine. Mort le 24 décembre 1694 à Paris. XVIIe siècle. Français.

Sculpteur et peintre.

Membre de l'Académie en 1676 avec : *Saint Barthélemy*, médaillon en marbre. Il fit, pour Versailles : *La Renommée*, statue pierre pour la façade du palais, *L'Art* et *La Nature*, statues pierre pour les niches de l'avant-corps de la façade, *Zéphire et Flore*, *Vénus et Adonis*, deux groupes pierre pour la grille vis-à-vis de la pièce d'eau des Suisses, *Hercule*, statue marbre pour le côté nord du tapis vert, *Génies et Amours*, bas-reliefs marbre pour le bosquet de la colonnade.

LECONTE Pierre

Né en 1904. Mort en 1961. XXe siècle. Français.

Peintre, illustrateur.

LE CONTE Sauveur

Né probablement en 1659 à Paris. Mort le 31 décembre 1694 probablement à Paris. XVIIe siècle. Français.

Peintre de batailles.
Cet intéressant artiste, que nous ne trouvons mentionné dans aucun répertoire artistique, était fils du peintre Mainfrain (?) Le Conte, dont il fut peut-être élève. Ce qui est certain, c'est que Le Brun l'ayant remarqué, le fit entrer à la manufacture des Gobelins, où il fut l'ami et le collaborateur de Van der Meulen comme « peintre ordinaire des conquestes du roi », titre qui lui est donné dans son acte de décès. En 1687, le prince Henry-Jules de Bourbon le chargea de peindre pour le château de Chantilly les tableaux destinés à glorifier la mémoire du Grand Condé. Le Conte consacra le reste de sa vie à cet important travail. On en trouvera le détail plus bas. Le Conte jouissait parmi les artistes d'une indiscutable considération. Le 26 juin 1689, il épousait la fille du sculpteur Jean Legeret, s'alliant ainsi aux familles Legeret et Yvart. Le 26 juillet 1690, sa fille Claude-Françoise était baptisée, ayant pour parrain Van der Meulen et pour marraine la femme de Coysevox.
Musées : Chantilly : *Siège d'Arras en 1640, par l'armée du roi, commandée par le maréchal de Meilleraye et de Châtillon – Prise d'Aire en 1641, par l'armée du roi, commandée par le maréchal de la Meilleraye – Prise de Perpignan en 1642. L'armée commandée par le duc d'Enghien – Bataille de Rocroy le 19 mai, entre l'armée du roi, commandée par le duc d'Enghien, et celle du roi d'Espagne, commandée par Don Fr. de Mello – Les combats donnés devant Fribourg en 1644 avec les retranchements de l'armée bavaroise, qui furent forcés par celle que le duc d'Enghien commandait – La bataille de Norlingue, le 3 août 1645, entre l'armée du roi, commandée par le duc d'Enghien, et celle de l'Empereur, commandée par les généraux Glen et Mercy – Conquête des villes de Dunkerque et de Furnes, faite par l'armée du roi, commandée en chef par monseigneur le duc – Conquête d'Alger pris en octobre par l'armée du roi, commandée par le prince, et Constantine secouru le 18 octobre – Bataille de Lens, gagnée le 20 août 1648 par l'armée du roy commandée par le prince, avec les villes qu'il prit dans cette campagne – Blocus de Paris, en 1649 – Conquête de Besançon – Passage du Rhin le 12 juin 1672 – Combat de Senef gagné contre les armées de l'empereur, du roi d'Espagne et les Hollandais par l'armée du roi, commandée par le prince* 1674.

LECONTE DE ROUJOU Louis Auguste Gabriel
Né à Blois. XIXe siècle. Français.
Paysagiste et aquarelliste.
Élève de Gigoux. Il exposa au Salon entre 1850 et 1870. Ses œuvres peintes ou gravées sont pour la plupart des vues d'Italie où il semble s'être rendu plusieurs fois. Il résidait néanmoins à Paris. Le Musée de Bagnères conserve de lui : *Une rue de village en Aragon*, et celui de Chartres : *Village au bord de la mer*.

LE COPPA
XVIIIe siècle. Actif à Milan. Italien.
Peintre de paysages, de genre, bambochades.

LECOQ André, dit **Deo Gratias**
XVIe siècle. Français.
Sculpteur.
Il refit, en 1506, pour la cathédrale de Sens, le dragon en bois qui était porté aux processions et aux rogations. Il fit, en 1510, pour le portail du « croison du cloître », six statues – aujourd'hui disparues. On donne comme étant de lui les figures de *Saint Augustin* et de *Moïse*, dans cette église.

LECOQ Fernand
Né à Paris. XIXe-XXe siècles. Français.
Sculpteur.
Il exposa, à Paris, au Salon des Artistes Français, dont il est membre sociétaire depuis 1903 et où il avait obtenu une mention honorable en 1897.

LECOQ Guillaume
XVIIIe siècle. Français.
Peintre.
Reçu à l'Académie Saint-Luc le 5 mai 1750, avec un *Tableau de fleurs* et moyennant 400 livres. Présenté par le sculpteur Bonnemin.

LECOQ Melina
XIXe siècle. Active à Paris. Française.
Miniaturiste.
Elle exposa au Salon, de 1839 à 1848.

LECOQ DE BOISBAUDRAN, Mlle, Mme **Cyane** depuis 1831
XIXe siècle. Active à Paris. Française.
Peintre de portraits, de fleurs, miniaturiste et aquarelliste.
Sœur d'Horace Lecoq de Boisbaudran. Exposa au Salon de 1824 à 1838.

LECOQ DE BOISBAUDRAN Horace
Né le 24 juin 1802 à Paris. Mort en 1897 à Paris. XIXe siècle. Français.
Peintre de portraits et de sujets religieux.
Élève de Léthière. Il fut directeur de l'École de dessin. Exposa au Salon, de 1831 à 1850. Chevalier de la Légion d'honneur le 14 août 1865. Le nom de Lecoq de Boisbaudran tient une place marquante dans l'histoire de la peinture française au XIXe siècle. Si ses œuvres picturales ne le classent pas parmi les peintres illustres, ce fut un admirable professeur. Il est aujourd'hui aisé de comparer l'enseignement qu'il donnait à la « Petite école de la rue de l'École-de-Médecine » à celui que recevaient à la même époque les élèves de l'École des Beaux-Arts. Lecoq de Boisbaudran y forma des artistes tels que Legros, Fantin-Latour, L'Hermitte, pour ne citer que ceux-là, astreignant ses élèves à l'étude sévère du dessin, notamment du dessin de mémoire, et leur donnant la préoccupation constante de l'étude de la nature.

LECOQ-VALLON Georges
Né en 1902. Mort le 6 juillet 1940, pour la France. XXe siècle. Français.
Graveur.
Le premier Salon de Mai projeté pendant la guerre, et réalisé dès la fin des hostilités en 1940, tint à honorer la mémoire de cet artiste de valeur par un ensemble rétrospectif de quelques-unes de ses gravures.

LECOQUE Aloïs
Né le 21 mars 1891 à Prague. Mort en 1981. XXe siècle. Actif depuis 1951 et depuis 1960 naturalisé aux États-Unis. Tchécoslovaque.
Peintre de paysages urbains.
Il fit ses études artistiques à Zagreb, et s'en alla à Paris, où il s'installa à La Ruche en 1909 et connut Chagall, Modigliani mais surtout Émile Bernard et Renoir qui eurent une forte influence sur son art. Il rentra également à l'académie Julian et à l'école des beaux-arts de Paris. En 1914, il revint à Prague avant de faire un voyage en Afrique et de revenir trois ans plus tard à Paris avant d'aller à Venise, vers 1925, pour retourner l'année suivante à Prague, où il resta jusqu'en 1939. Durant la Seconde Guerre mondiale, il se réfugia à Split en Yougoslavie. En 1944, il travailla en Italie, partagé entre Rome, Florence, Milan et Capri. Enfin, il s'expatria aux États-Unis en 1951.
Il participa à diverses expositions à Paris en 1912, à Londres en 1913, à la Biennale de Venise en 1926 et 1928. Il fit de nombreuses expositions personnelles à Paris en 1925, 1961, 1962, 1965 ; en Yougoslavie en 1940, 1941 ; en Italie entre 1945 et 1950 ; à Chicago entre 1952 et 1955 ; en Californie depuis 1955 ; à Berne en 1972 ; à Madrid en 1973 ; à New York en 1973.
Sa peinture postimpressionniste fait souvent penser à celle d'Utrillo.
Musées : Haïfa – Los Angeles – Paris (Mus. du vieux Montmartre) – Paris (Mus. d'Art Mod. de la Ville) – Prague.
Ventes Publiques : Los Angeles, 16 oct 1979 : *Bain de soleil* 1971, h/t (51x66) : **USD 5 200** – Los Angeles, 23 juin 1981 : *Prague, rue de Neruda*, h/t (76x101,5) : **USD 4 000** – New York, 14 avr. 1983 : *Scène de rue* 1971, h/t (51x61) : **USD 3 500** – New York, 9 oct. 1986 : *Rue de village*, h/t (61x51) : **USD 4 000** – New York, 13 mai 1988 : *Une rue à Montmartre* 1965, h/t (46,3x55) : **USD 1 980** – New York, 10 oct. 1990 : *Rue enneigée* 1972, h/t (61x76,3) : **USD 5 500** – New York, 30 juin 1993 : *Charbon et bois*, h/t (45,7x61) : **USD 1 380** – New York, 7 nov. 1995 : *Rue de Paris*, h/rés. synth. (38,5x50,5) : **USD 690**.

LECOQUE Michel
Né le 10 octobre 1938. XXe siècle. Français.
Peintre de figures, nus, paysages, marines. Postimpressionniste.
De 1954 à 1958 à Paris, il fut élève de l'École Estienne, puis poursuivit sa formation dans les Académies privées de Montparnasse. En 1971 lui fut attribué le Prix de la Casa Velasquez. En 1972-1973, il séjourna à Madrid. En 1975-1976, il fut boursier de l'Académie des Beaux-Arts de Florence. En 1980-1981, il séjourna aux Antilles.
Il participe à des expositions collectives, notamment à Paris, au Salon des Artistes Français, obtenant, en 1974, une médaille

d'or ; ainsi qu'à des groupes ou individuellement : en Espagne, puis aux Antilles, lors de ses séjours ; dans de nombreuses villes de Normandie, en province, à Paris. Il a obtenu divers Prix et distinctions, notamment en 1991 en Normandie le Prix Julien Féron.
Dans une technique postimpressionniste, adaptée à sa propre sensibilité, il suggère figures et nus, paysages et marines, dans une atmosphère irréelle, onirique, où êtres, éléments et choses semblent enveloppés d'une brume envahissante.

LE CORBEILLER Adèle. Voir **L'ALLEMAND**

LE CORBUSIER, pseudonyme de **Jeanneret Charles Édouard**

Né le 6 octobre 1887 à La Chaux-de-Fonds (Neuchâtel). Mort le 27 août 1965 à Roquebrune-Cap-Martin (Alpes-Maritimes). xxe siècle. Actif depuis 1917 et depuis 1930 naturalisé en France. Suisse.

Peintre, fresquiste, peintre de cartons de tapisseries, dessinateur, sculpteur.

De l'âge de treize à dix-huit ans, il apprit la technique de la gravure, avec L'Eplattenier à l'école des beaux-arts de La-Chaux-de-Fonds ; et quand, en 1905, il débuta des études d'architecture, il n'en abandonna pas pour autant ses travaux graphiques, d'ailleurs très bientôt attiré par les premières manifestations cubistes... Quant à sa démarche très particulière dans l'acquisition de connaissance, dans l'apprentissage du monde et des arts, nous rappellerons quand même comment il se forma à l'architecture, négligeant l'enseignement d'école dérivé du passé, pour rencontrer, vivants, à peu près tous les architectes qui représentaient alors quelque chose de présent en ce domaine : Josef Hoffmann, en 1907, à Vienne, celui du palais Stoklet de Bruxelles, et qui fit travailler Klimt ; Tony Garnier à Lyon, le précurseur de l'urbanisme social moderne ; Auguste Perret, à Paris, chez qui il fit un stage ; Pierre Behrens, chez qui il fit un autre stage, et où il rencontre Ludwig Mies Van der Rohe et Walter Gropius. Enfin en 1911-1912, il se familiarisa surtout auprès de H. Tessenow et dans les milieux du Deutscher Werkbund, à Hellerau près de Dresde, avec les problèmes nouveaux de l'esthétique industrielle, ce que l'on appellera plus tard le design. Ajoutons qu'au cours de tous ces voyages, il n'avait pas manqué d'étudier sur le vif les différentes formes d'habitat, d'architecture et d'urbanisation, rencontrées. En 1914, il conçoit le projet d'une maison standardisée Domino. En 1918, il rencontre Ozenfant et commence à peindre. Il ouvre un atelier d'architecture en 1922 avec son cousin et associé Pierre Jeanneret.
Sa peinture donna lieu à des expositions spécifiques. Ses premières expositions eurent lieu en 1918 et 1923 avec Ozenfant. En 1938, il exposa seul à la Kunsthaus de Zurich, en 1953 et 1963 au musée national d'Art moderne à Paris, en 1956 à la galerie Pierre Matisse à New York, en 1962 au museo de Arte contemporaneo de Barcelone, et après sa mort, en 1987, au musée national d'Art moderne (Centre Georges Pompidou) à Paris, au musée d'Art moderne de Rio de Janeiro et au musée Correr à Venise.
Le Corbusier a été un esprit universel à la façon de certains grands esprits de la Renaissance et pas du tout en dilettante, et il serait tout à fait erroné, sous prétexte qu'il est considéré avant tout comme l'un des principaux architectes du siècle, de négliger ou minimiser son œuvre de peintre. Lui-même parlant de cette activité de peintre n'en disait-il pas : « Je pense que si l'on accorde quelques significations à mon œuvre d'architecte, c'est à ce labeur secret qu'il faut en attribuer la valeur profonde. » La part la plus importante de son œuvre fut connue du public sous son vrai nom de Jeanneret puisqu'il ne commença de signer du nom d'un de ses grands-pères, Le Corbusier, qu'à partir de 1928. Le présent ouvrage n'a pas dans sa destination de retracer la considérable carrière d'architecte de Le Corbusier, bien que son activité de peintre soit évidemment inséparable de celle de l'architecte et de celle du théoricien. Opérant alors la synthèse de ses enquêtes architecturales et de ses recherches graphiques, Le Corbusier s'accorda à peu près en tout point avec le peintre Amédée Ozenfant et tous deux commencèrent, en collaboration étroite, de rendre leurs idées publiques, d'abord dans la revue *L'Élan* en 1915 ; puis en 1918 dans le manifeste *Après le cubisme*, où ils exposaient les bases du purisme ; et, de 1920 à 1925, dans la revue *L'Esprit nouveau*, aux collaborations prestigieuses. Ils partaient du constat que le cubisme, après avoir posé les bases de la véritable esthétique novatrice correspondant aux impératifs de l'époque, s'en était détourné pour revenir à des œuvres empreintes des fragilités subjectives de chacun. Ils prônaient le retour à une rigueur absolue de l'exécution par rapport à la conception, l'adéquation exacte de l'œuvre plastique à sa fonction architecturale semblable à celle de la machine à sa destination. Dans ses œuvres peintes, de ses débuts aux années vingt, Le Corbusier, bien que conscient du risque de stérilisation de la veine poétique par les rigueurs disciplinaires du purisme en respecta en gros les impératifs, mettant en œuvre nombres, géométrie, tracés régulateurs, rapports constants, proportion d'or, etc. La discipline du purisme évoque évidemment celle que venait de définir parallèlement Mondrian sous l'appellation de néoplasticisme. Le purisme allait moins loin dans l'ascèse que le néoplasticisme, mais surtout le purisme n'avait pas entrevu la possibilité pour le langage des formes de se libérer de la tutelle de la réalité. D'ailleurs, sa position vis à vis de l'art abstrait était très négative ; de même il ne peut concevoir une peinture surréaliste. Après avoir appuyé ses constructions sévères sur les formes épurées d'objets manufacturés, beaucoup de verre et de bouteilles, Le Corbusier eut de plus en plus recours à ce qu'il a appelé des « objets à réaction poétique », racines, os, galets, écorces jusqu'à aboutir, à partir de 1929, à l'introduction, dans des compositions de plus en plus libérées, voire lyriques, où l'on peut voir l'influence de Fernand Léger, de la figure humaine et de formes animales enlacées dans un réseau rythmique non figuratif. Dans les séries des années quarante, *Ubu* et *Ozon*, jouant avec les pleins et les vides, superposant les plans, il tend vers la non-figuration dans des figures nées de l'inconscient. Dès 1950, il commence la série des *Taureaux*, reprenant certaines œuvres puristes de ses débuts, l'idée lui en était venue en retrouvant une *Nature morte aux violons* des années vingt.
Dans la perspective globale de ses conceptions, l'activité picturale de Le Corbusier ne pouvait que tendre à l'art mural et monumental. Il exécuta une quinzaine d'œuvres à fresque dans des constructions destinées à des amis. En 1947, il réalisa avec l'ébéniste Savina des reliefs et des sculptures polychromes en bois le plus souvent, exécutées à partir de dessins des années quarante, destinées à être éventuellement intégrées dans l'architecture par la suite. Dès 1934, il réalise ses premiers cartons de tapisserie sur papier goudronné, et, à partir de 1951, il fait exécuter, à Aubusson, de très nombreuses tapisseries : « J'ai trouvé dans la tapisserie une ouverture capable de recevoir, une part de mes recherches murales où ma vocation de peintre trouve sa nourriture architectonique en pleine connaissance de cause ». (Le Corbusier)
Nous renvoyons aux nombreux ouvrages spécialisés pour tirer les conclusions concernant l'importance capitale de Le Corbusier en tant que l'un des créateurs de l'architecture du xxe siècle. Son œuvre plastique n'occupe pas, de loin, une place comparable mais elle constitue un témoignage de l'un des plus grands esprits de ce temps : peinture, fresque, sculpture ou tapisserie, tous ces modes d'expression étant considérés par Le Corbusier comme partie intégrante de l'architecture moderne.

■ Jacques Busse, Laurence Lehoux

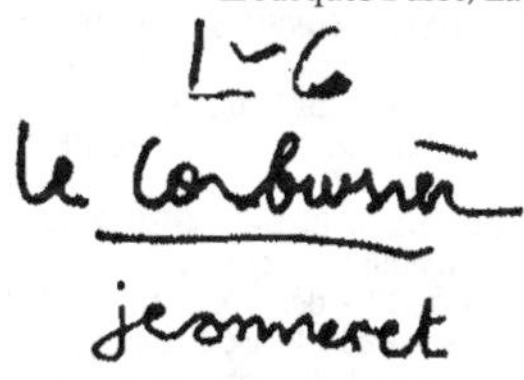

BIBLIOGR. : Amédée Ozenfant et Edouard Jeanneret : *Après le cubisme*, Paris, 1918 – W. Boesiger : *L'Œuvre complète de Le Corbusier*, Gisberger, Zurich – *Le Corbusier : Œuvre complète 1910-1932*, 7 tomes, Zurich, 1963 – Pierre Cabane, Pierre Restany : *L'Avant-Garde au xxe siècle*, André Balland, Paris, 1969 – in : *Les Muses*, Grange Batelière, t. IX, Paris, 1972 – Catalogue de l'exposition *Le Corbusier, une encyclopédie*, Centre Georges Pompidou, Paris, 1987 – in : *L'Art du xxe s.*, Larousse, Paris, 1991 – in : *Dict. de l'art mod. et contemp.*, Hazan, Paris, 1992.

MUSÉES : BÂLE (Kunstmus.) : *Nature morte à la cruche blanche sur fond bleu* 1919 – *Nature morte verticale* 1922 – MARSEILLE (Mus. Cantini) : *Harmonie périlleuse* 1931 – PARIS (Mus. Nat. d'Art Mod.) : *Guitare verticale* 1920 – *Nature morte Léonce Rosenberg* 1922 – PARIS (Cab. des Estampes) : *Une biche*.

VENTES PUBLIQUES : GENÈVE, 5 déc. 1964 : *Composition*, cart. : **CHF 10 000** – LONDRES, 1er juil. 1969 : *Bouteilles et verres*, past. et cr. : **GBP 2 600** – GENÈVE, 24 avr. 1970 : *Nature morte au vase et à* *la pipe* : **CHF 35 000** - BERNE, 20 juin 1973 : *Deux jeunes femmes*, aquar. : **CHF 13 500** - LOS ANGELES, 25 fév. 1974 : *La mer, Iʳᵉ version*, bois polychrome : **USD 6 500** - MUNICH, 28 mai 1975 : *Femme* : **DEM 25 000** - LONDRES, 1ᵉʳ déc. 1976 : *Composition* 1938, h/t (98x81) : **GBP 12 000** - BERNE, 10 juin 1976 : *Le poème de l'Angle Droit, Paris, Tériade* 1955, suite complète de 19 lithos. en coul. (47,5x37) : **CHF 20 000** ; *Nature morte : Bouteilles, verres, pipes*, past. /trait de fus. (52x42,5) : **CHF 10 000** - BERNE, 9 juin 1977 : *Un pont sur la Seine à Paris* 1917, litho. (26x33,7) : **CHF 2 000** - PARIS, 29 avr. 1977 : *Composition*, h/métal (55x65) : **FRF 16 000** - ZURICH, 29 nov. 1978 : *Figure à la porte jaune* 1937, h/t (81x100) : **CHF 38 000** - ZURICH, 25 mai 1978 : *La main ouverte*, bronze (H. 42,5) : **CHF 11 000** - ZURICH, 30 mai 1979 : *São Paulo* 1924, aquar./trait de cr. (42x24) : **CHF 4 400** - LONDRES, 6 déc 1979 : *Femme couchée* 1929-47, h/t (81x100) : **GBP 11 000** - ROME, 2 déc. 1980 : *Nu couché* 1934, pl. (21x31) : **ITL 1 500 000** - ZURICH, 16 mai 1981 : *Sans titre* 1940, techn. mixte et collage (21x26,9) : **CHF 3 300** - BERNE, 24 juin 1982 : *Huit nus sur la plage* 1929, pl./trait de craie noire reh. de past. coul. : **CHF 5 200** - VERSAILLES, 5 déc. 1982 : *Femme couchée* 1961, peint. à l'émail/métal (61,5x86,5) : **FRF 45 000** - BERNE, 22 juin 1983 : *Groupe de femmes nues avec un enfant* 1933, cr., pointe d'argent (26,6x21,2) : **CHF 4 600** - GENÈVE, 25 nov. 1983 : *Composition* 1939, h/cart., double face (50x65) : **CHF 9 200** - ZURICH, 8 nov. 1984 : *Composition* 1939, aquar. (28x22) : **CHF 11 500** - LONDRES, 5 déc. 1985 : *Le couple* 1959-1961, collage et gche (72,7x97,5) : **GBP 10 000** - LONDRES, 3 déc. 1986 : *Composition 29-37*, h/t (143x94) : **GBP 30 000** - PARIS, 14 déc. 1987 : *Composition*, aquar. (42x32,5) : **FRF 41 500** - LONDRES, 2 déc. 1987 : *La guitare et le mannequin*, fus., cr. de coul. et past./pap coloré (48x63,8) : **GBP 24 000** - LONDRES, 2 déc. 1987 : *Panurge* 1962, bois naturel et polychrome (70x69,5) : **GBP 80 000** - PARIS, 2 juin 1988 : *Autoportrait*, dess. au cr. (28,5x23,5) : **FRF 41 000** ; *Nature morte puriste*, dess. au cr. (20x26) : **FRF 62 000** ; *Nature morte aux dés* 1922, h/pan. (25x31,5) : **FRF 960 000** - PARIS, 12 juin 1988 : *Les musiciens* déc. 1959, aquar. et collage (68x101) : **FRF 369 000** - LONDRES, 28 juin 1988 : *Taureaux* 1963, vernis (50x25) : **GBP 8 800** ; *Le Dé violet* 1926, h/t (59x72) : **GBP 110 000** - PARIS, 1ᵉʳ juil. 1988 : *Personnage à la guitare* 1959, tôle peinte et émaillée (547x65) : **FRF 71 000** - LONDRES, 22 fév. 1989 : *Couple érotique* 1952, h/t (30,5x61) : **GBP 12 100** - LONDRES, 3 avr. 1989 : *Harmonique périlleuse n° 2* 1931, h/t (81x100) : **GBP 143 000** - PARIS, 13 avr. 1989 : *Sans titre*, tôle émaillé (55x65) : **FRF 155 000** - PARIS, 21 juin 1989 : *Composition* 1956, h/tôle émaillée (55x46) : **FRF 185 000** - LONDRES, 28 juin 1989 : *Baigneuses et rochers* 1938, h/t (81x130) : **GBP 165 000** - PARIS, 22 nov. 1989 : *Personnge* 1935, gche et past. (20,5x30,5) : **FRF 75 000** - NEW YORK, 26 fév. 1990 : *Composition abstraite* 1940, gche, aquar. et encre/pap./cart. (21x27) : **USD 20 900** - NEW YORK, 3 oct. 1990 : *Nus* 1935, aquar. et cr./pap. (21x31,1) : **USD 15 400** - ZURICH, 18 oct. 1990 : *Nature morte*, dess. à la pointe d'argent (22x24) : **CHF 17 000** - NEW YORK, 14 nov. 1990 : *Taureau I* 1952, h./contre-plaqué (168,8x97) : **USD 275 000** - ZURICH, 16 oct. 1991 : *Nature morte à la bouteille*, temp. (65x47,2) : **CHF 35 000** - NEW YORK, 5 nov. 1991 : *Nature morte* 1925, h/t (99x81) : **USD 319 000** - LONDRES, 3 déc. 1991 : *Grande nature morte* 1953, h/t (113x146) : **GBP 110 000** - LONDRES, 25 mars 1992 : *Tête de femme* 1941, aquar. gche et craie grasse (62x49) : **GBP 30 800** - LUCERNE, 21 nov. 1992 : *Deux femmes*, encre et collage/pap. (34,5x49) : **CHF 32 000** - MUNICH, 1ᵉʳ-2 déc. 1992 : *Unité 11* 1953, aquat. en coul. (41,5x31) : **DEM 4 025** - PARIS, 19 mars 1993 : *Composition aux deux personnages* 1936, gche et encre de Chine/pap. (20x30) : **FRF 27 500** - STOCKHOLM, 10-12 mai 1993 : *Composition* 1959, collage et h. (83,5x63) : **SEK 155 000** - PARIS, 18 nov. 1993 : *Personnages* 1933, aquar. (24,8x20,8) : **FRF 16 000** - SAINT-GERMAIN-EN-LAYE, 8 mai 1994 : *Nature morte à l'accordéon* 1926, h/t (35x27) : **FRF 600 000** - LONDRES, 29 juin 1994 : *Tête de personnage* 1939, h/t (100x80) : **GBP 67 500** - COPENHAGUE, 19 oct. 1994 : *Chaise longue avec châssis d'acier inox* : **DKK 4 500** - LUCERNE, 26 nov. 1994 : *Les deux sœurs*, encre et collage pap. coul./pap. blanc (31x24) : **CHF 12 000** - PARIS, 7 oct. 1995 : *Main, oiseau, flacon*, collage et encre de Chine (70x49) : **FRF 26 000** - PARIS, 21 nov. 1995 : *Nus allongés* 1936, gche/pap. (47,5x60,5) : **FRF 65 000** - ZURICH, 25 mars 1996 : *Nu assis* 1962, collage et dess. à l'encre/pap. (84x51,5) : **CHF 31 050** - PARIS, 7 juin 1996 : *Composition avec mains* 1940, étude pour une sculpture (29,5x23,5) : **FRF 107 000** - LUCERNE, 8 juin 1996 : *Nature morte* 1963, grattage, caséine et collage (49x68) : **CHF 30 000** - PARIS, 19 juin 1996 : *Composition sur le thème d'Ozon*, past. et fus./pap. (50x35) : **FRF 26 000** - NEW YORK, 13 nov. 1996 : *Composition* 1947, gche et past./pap. (42,6x35,2) : **USD 12 650** - LONDRES, 4 déc. 1996 : *Accordéon, carafe, cafetière* 1926, h/t (130x89) : **GBP 342 500** - PARIS, 17 déc. 1996 : *Femme verte* 1959, gche (52x40,5) : **FRF 69 500** - LONDRES, 23 oct. 1996 : *La bouteille verte* 1945, h/pan. (22x33) : **GBP 5 750** - LONDRES, 25 juin 1996 : *Femme à la théière rouge* 1929, h/t (100x80) : **GBP 74 100** - PARIS, 20 mars 1997 : *Composition aux nus*, encre (30x45) : **FRF 7 200**.

LECORDIER Paul, Mme

XIXᵉ siècle. Active à Paris. Française.

Sculpteur.

Figura au Salon des Artistes Français. Membre de cette société depuis 1884.

LE CORETTERIE

XIXᵉ siècle. Actif au début du XIXᵉ siècle. Français.

Dessinateur.

Exposa des paysages au Salon en 1808 et 1810.

LECORNET ou **Lecornuet**

XVIᵉ siècle. Français.

Sculpteur sur bois.

La tribune de l'orgue de l'église de Moret-sur-Loing (Seine-et-Marne) qui date de cette époque, porte le nom de cet artiste gravé en relief.

LECORNET Nicolas

Né à Gourgeon (Haute-Saône). XIXᵉ siècle. Français.

Sculpteur.

Il exposa au Salon de 1880 à 1884.

VENTES PUBLIQUES : LONDRES, 6 nov. 1986 : *Fillette* vers 1890, bronze patiné (H. 55) : **GBP 2 100**.

LECORNU Marcelle

Née le 31 mars 1893 à Mostaganem (Oran, Algérie). XXᵉ siècle. Française.

Peintre.

Elle fut élève de Renard et Royer. Elle exposa à Paris, aux Salons des Artistes Français et des Indépendants.

LE CORRE Jean Yves

Né en 1958 à Bayonne (Pyrénées-Atlantiques). XXᵉ siècle. Français.

Graveur.

Il vit et travaille à Paris. Il a participé à l'exposition : *De Bonnard à Baselitz - Dix ans d'enrichissements du cabinet des estampes 1978-1988* à la Bibliothèque nationale à Paris en 1992.

MUSÉES : PARIS (Cab. des Estampes) : *Le Ponton* 1981, grav. sur bois.

LE CORRE Michel

Né le 22 février 1922 à Paris. XXᵉ siècle. Français.

Peintre de paysages, natures mortes, dessinateur, mosaïste, décorateur.

En 1950, il travailla à l'académie de la Grande Chaumière avec André Lhote. Il participe à des expositions collectives depuis 1952.

Il a exécuté en 1967 les maquettes de décors et costumes du ballet *Roméo et Juliette*. Il a réalisé une série importante de dessins à la plume sur le thème des arbres à Paris. Pour rendre la lumière de ses paysages, il utilise la touche divisionniste. En 1980, lauréat du concours des fontaines à Paris, il en a conçu une dans le XIIᵉ arrondissement de Paris.

VENTES PUBLIQUES : VERSAILLES, 21 jan. 1990 : *La batteuse* 1946, h/t (50x61) : **FRF 4 000**.

LE CORROLLER Guy

Né le 2 juin 1947 à Casablanca (Maroc). XXᵉ siècle. Français.

Peintre de compositions animées, figures, fleurs, sculpteur de statuettes.

Il fut élève, à Paris, d'Yves Brayer à l'académie de la Grande Chaumière, puis, en 1968, de Jacques Yankel à l'école des beaux-arts, jusqu'à l'obtention du diplôme en 1972. Il expose au Salon d'Automne de Paris et dans des groupes régionaux. Il mène aussi une carrière de restaurateur des musées nationaux et, à ce titre, fut nommé pensionnaire de la Villa Médicis à Rome, en 1985.

Il a réalisé de nombreuses toiles aux évocations poétiques sur le thème des musiciens, de la femme et des fleurs.

VENTES PUBLIQUES : HONFLEUR, 18 août 1991 : *Rhinocéros*, bronze 4/7 (17,2x7,9) : **FRF 3 000** ; *Arlequin*, bronze 6/7 (25,3x13,2) : **FRF 3 800**.

LECOSSOIS Victor Félix

Né en 1897 à Halle. Mort en 1976 à Asse. XXᵉ siècle. Belge.

Peintre de scènes animées. Naïf.
Il a vécu à Halle. Cheminot, il a appris seul la peinture.
Bibliogr. : In : *Dict. biogr. illustré des artistes en Belgique depuis 1830*, Arto, Bruxelles, 1987.
Musées : Hambourg – Laval – Paris (Mus. Max Fourny).
Ventes Publiques : Lokeren, 13 mars 1976 : *Place animée*, h/t (60x70) : **BEF 26 000** – Lokeren, 11 mars 1978 : *Dimanche à l'auberge*, h/t (50x70) : **BEF 45 000** – Lokeren, 17 févr 1979 : *Au chapeau d'or* 1969, h/t (60x70) : **BEF 38 000** – Lokeren, 7 oct. 1995 : *Intérieur d'auberge*, h/t (50x60) : **BEF 36 000** – Lokeren, 9 déc. 1995 : *La porte de Namur à Bruxelles*, h/t (60x70) : **BEF 65 000**.

LE COSTRE François et **Jean**, les frères
XIVe siècle. Français.
Sculpteurs.
Ils étaient frères et travaillèrent à la décoration de la flèche de la cathédrale de Cambrai, de 1376 à 1378.

LECOT
XVIIIe siècle. Actif à Sèvres. Français.
Peintre sur porcelaine.
Cet artiste peignit dans le style chinois en imitation de la porcelaine de Dresde, des combats navals et des paysages (de 1753 à 1800). Plusieurs de ses ouvrages sont conservés à la Collection Wallace à Londres.

LECOT Pablo
XVIe siècle. Actif à Séville. Espagnol.
Peintre.
Cet artiste peignit pour l'église de Rota un retable dont les peintures furent terminées de 1604 à 1609. Il avait pris pour sujet la *Visitation* et *Saint Roch accompagné d'un ange qui soulève sa tunique pour montrer ses plaies à saint Jérôme*. Ces deux panneaux donnent une idée du talent de Lecot dont le style se ressentait de l'école italienne. Son coloris est brillant, ses figures nobles, classiques, mais son dessin un peu lâché. Ses œuvres rappellent celles du Sévillan Villegas Marmolejo, sans toutefois les égaler.

LECOULTRE Jean
Né le 9 juin 1930 à Lausanne. XXe siècle. Suisse.
Peintre de paysages, figures, intérieurs, illustrateur, graveur.
Diplômé d'une école de commerce, il fait ses études artistiques à Genève, dans l'atelier du peintre Georges Aubert, puis de 1951 à 1957, à Madrid. En 1955, il obtint une bourse fédérale de l'école des beaux-arts de Madrid. Il participe à de nombreuses expositions de groupe, parmi lesquelles : 1955 *Jeunes Peintres suisses romans* à la Kunsthalle de Berne ; 1956 *Peintres suisses contemporains* à Madrid et Barcelone ; 1956 Biennale de Paris ; 1961, 1988 Biennale de Tokyo ; 1962 Salon Comparaisons à Paris ; 1964 Salon de la Jeune Peinture à Paris ; 1970, 1978 Biennale de Venise ; 1973, 1977 Bibliothèque nationale à Paris ; 1983 musée d'Art et d'Histoire de Genève ; 1985, 1989 musée cantonal des Beaux-Arts etc. Il montre ses œuvres dans des expositions personnelles : 1951 à Madrid, 1954 musée d'Art contemporain de Madrid ; depuis 1966 régulièrement à Lausanne à la galerie Alice Pauli ; 1978 Biennale de Venise ainsi qu'à Berne, Genève, Paris, etc.
À l'influence de Paul Klee, se substitua celle de la culture espagnole, qu'il traduit dans un expressionnisme véhément et une technique romantique, dénonçant la psychologie profonde des êtres et des choses. Son désir le plus cher : peindre la modernité, le malaise ambiant, ses œuvres subissant une forte influence du cinéma. Il a illustré des œuvres de Baudelaire, Lautréamont, Mallarmé, Butor...
Bibliogr. : In : *Peintres contemp.*, Mazenod, Paris, 1964 – F. Buache, C. Goerg, C. Frochaux : *Jean Lecoultre*, L'Age d'homme, Lausanne, 1978 – Michel Thévoz : *Jean Lecoultre*, Skira, Genève, 1989.
Musées : Aarau (Aargauer Kunsthaus) : *Paysage sous la lune* 1963 – *To be or not to be* vers 1965 – Lausanne (Mus. des Beaux-Arts) – Madrid (Mus. d'Art Contemp.).

LE COULTRE Marc
Né le 30 mai 1946. XXe siècle. Français.
Peintre de paysages.
Il fut élève de l'école des beaux-arts de Paris de 1964 à 1967. Il participe à de nombreux salons à Paris : d'Automne, des Artistes Français du Dessin et de la Peinture à l'eau et a exposé aux musées des Beaux-Arts d'Orléans et de Séville. Il fut lauréat de l'Académie de France et en 1971 de la Casa Vélasquez à Madrid. D'après des esquisses réalisées sur le motif, il réalise dans l'atelier ses peintures inspirées par la lumière du matin ou du soir. Il simplifie à l'extrême afin de mieux rendre ses impressions.

LECOURIEUX Madeleine
Née en 1868 à Mesnil-Esnard. XIXe-XXe siècles. Française.
Peintre de natures mortes, aquarelliste.
Musées : Rouen : *Livres et fleurs*.

LE COURSONNOIS Augustine Marie Antoinette
Née au XIXe siècle à Saint-Brieuc (Côtes-du-Nord). XIXe siècle. Active à Paris. Française.
Graveur sur bois.
Exposa au Salon, à partir de 1875, principalement des paysages.

LECOURT
XIXe siècle. Actif à Versailles. Français.
Peintre, miniaturiste.
Il exposa au Salon de Paris, de 1804 à 1819.

LECOURT
XIXe siècle. Actif à Paris. Français.
Peintre d'histoire, portraits.
Il exposa au Salon de Paris, de 1835 à 1839.

LE COURT Jean
XIVe siècle. Français.
Sculpteur.
Il fit, en 1389, à Avignon, le tombeau de Guillaume de Chanac, cardinal de Mende, décédé en 1384. Ce tombeau, transporté à Limoges, y figura dans le chœur de l'ancienne église de l'abbaye Saint-Martial et n'existe plus aujourd'hui.

LECOURT Raymond Louis
Né le 25 janvier 1882 au Havre (Seine-Maritime). Mort en 1946. XXe siècle. Français.
Peintre de sujets de sport, scènes typiques, animalier, paysages, graveur.
Il fut élève de L. O. Merson, de Léon Bonnat et Othon Friesz. Il exposa à Paris, au Salon des Artistes Français, où il obtint une mention pour la peinture en 1920 et pour la gravure en 1922.
Il a surtout peint des scènes hippiques. Il a pratiqué également l'eau-forte.
Musées : Soleure : *Travail aux champs*.
Ventes Publiques : Le Havre, 20 juin 1980 : *Attelage près du moulin de Rolleville*, h/t : **FRF 9 100** – Le Havre, 26 juin 1981 : *La Leçon de labourage*, h/t (72x115) : **FRF 10 600** – Le Havre, 21 oct. 1983 : *La Gardienne de vaches*, h/t (79x100) : **FRF 13 000** – Le Havre, 21 avr. 1985 : *Campagne normande* 1919, h/t (100x73) : **FRF 16 500** – Le Havre, 28 nov. 1987 : *Printemps en Normandie*, h/t (73x100) : **FRF 22 000** – Pont-Audemer, 29 jan. 1989 : *Homme à la barrière*, h/t (102x68) : **FRF 90 000** – Le Havre, 26 nov. 1989 : *Remontée des galets* 1927, h/pan. (33x55) : **FRF 152 000** – Pont-Audemer, 28 jan. 1990 : *Vieux vacher du pays de Caux*, h/t (117x88) : **FRF 190 000** – Paris, 28 oct. 1990 : *La jument et son poulain*, h/t (116x80) : **FRF 32 000** – Sceaux, 18 nov. 1990 : *Labours en mars*, h/pan. (38x61) : **FRF 58 000** – Paris, 20 jan. 1991 : *Deux bovins près d'une barrière* 1919, h/t (46x61) : **FRF 10 500** – Paris, 14 juin 1991 : *Paris – les quais* 1906, h/t (45x81) : **FRF 62 000** – Paris, 13 déc. 1991 : *Vaches au pâturage dans le pays de Caux* 1926, h/t (73x116) : **FRF 14 500** – Paris, 30 mars 1992 : *Vaches au pré* 1929, h/t/pan. (41,5x54) : **FRF 9 800** – Le Touquet, 8 nov. 1992 : *Le retour des foins*, h/pan. (38x54) : **FRF 13 000** – Copenhague, 10 fév. 1993 : *Jeune paysanne gardant des vaches rousses* 1908, h/t (90x115) : **USD 10 000** – Paris, 3 déc. 1993 : *Honfleur* 1925, h/pan. (65x50) : **FRF 12 000**.

LECOURTIER Prosper
Né en 1855 à Grémilly. Mort vers 1924 à Paris. XIXe-XXe siècles. Français.
Sculpteur animalier.
Il fut élève de Frémiet et de Coutant. Il figura au Salon des Artistes Français de Paris, obtenant une médaille de troisième classe en 1880, une de deuxième classe en 1879, une de bronze en 1900 (pour l'Exposition Universelle), une de première classe en 1902.
Musées : Provins : *Chienne danoise allaitant ses petits* – Tourcoing : *L'Oublié*.
Ventes Publiques : Paris, 25 juin 1976 : *Cerf et biche*, bronze (H. 53) : **FRF 2 300** – Paris, 18 fév. 1977 : *Cerf et biche*, bronze (H. 53) : **FRF 3 100** – Melun, 25 nov 1979 : *Adige sur son char*, bronze : **FRF 15 000** – Rouen, 13 juin 1982 : *Fantasia*, bronze, patine brune (H. 80) : **FRF 21 000** – Londres, 8 nov. 1984 : *Arabe*

sur le sentier de la guerre, bronze patiné (H. 84) : **GBP 3 500** – LONDRES, 20 juin 1985 : *La antasia*, bronze, patine brun clair et brun foncé (H. 84) : **GBP 5 400** – RAMBOUILLET, 9 mars 1986 : *Le Sonneur aux chiens*, bronze patine brune (H. 48) : **FRF 24 000** – LYON, 25 avr. 1988 : *La Fantasia*, bronze patiné et doré (H 84) : **FRF 30 000** – NEW YORK, 23 fév. 1989 : *Tête de Bulldog (Punch, tueur de rats va-t-en ville)*, bronze (H. 33) : **USD 1 760** – PARIS, 8 déc. 1989 : *La Fantasia*, épreuve en bronze à patine brune h. 78 : **FRF 18 000** – PARIS, 28 oct. 1990 : *Sanglier*, bronze à patine brune (H. 42, L. 44) : **FRF 11 000** – PARIS, 18 juin 1993 : *La fantasia arabe*, bronze (H. 81) : **FRF 35 000** – NEW YORK, 14 oct. 1993 : *Fantasia*, bronze (H. 85,2) : **USD 5 175** – LOKEREN, 9 mars 1996 : *Prenez garde au chien !* 1878, bronze (H. 45) : **BEF 70 000** – PERTH, 26 août 1996 : *Lapin assis mangeant une carotte*, bronze (9x11,5) : **GBP 828**.

LE COUTEUX Lionel Aristide

Né le 8 novembre 1847 au Mans. XIXe siècle. Français.

Peintre, graveur et sculpteur.

Après avoir suivi quelque temps la carrière du barreau, Lionel Le Couteux vint à l'art. Il fut élève pour la peinture de Luminais et de Waltner. Il débuta au Salon de 1872 ; mais se consacra bientôt spécialement à la gravure et s'y fit un nom estimé, comme aquafortiste et lithographe. Il a reproduit des tableaux des maîtres anciens, Rembrandt, Frantz Hals, Rubens, Watteau, et des maîtres modernes, Millet, Rosa Bonheur, Daubigny, Jules Breton ; on lui doit aussi des gravures originales très remarquables. Il a obtenu une médaille de troisième classe en 1879, une médaille de deuxième classe en 1881, une médaille de première classe en 1884 et une médaille d'or à l'Exposition Universelle de 1889. Il a reçu en outre la médaille d'honneur du Salon en 1899, et un grand prix à l'Exposition Universelle de 1900. Il fut décoré de la Légion d'honneur en 1891.

LECOUTURIER

XIXe siècle. Actif à Paris au milieu du XIXe siècle. Français.

Graveur.

Il illustra en 1847 les *Chansons nouvelles* de Festeau.

LE COZ Martine

XXe siècle. Française.

Artiste.

Elle a participé à l'exposition : *De Bonnard à Baselitz – Dix ans d'enrichissements du cabinet des estampes 1978-1988* à la Bibliothèque nationale à Paris en 1992.

MUSÉES : PARIS (Cab. des Estampes) : *Mains* 1984, litho.

LECRAN Marguerite Zéolide

Née le 1er janvier 1819 à Bordeaux. Morte en février 1897 à Paris. XIXe siècle. Française.

Portraitiste et peintre de genre et d'histoire.

Élève de Picot et Pérignon. Débuta au Salon en 1848.

LE CREAC'H Gustave

XXe siècle. Français.

Peintre de paysages, aquarelliste, dessinateur.

Il a exposé à Paris, à la galerie Vieille du Temple en 1991.

Il rend avec un minimum de détails un instant, les traces du pinceau soulignent la concision qu'il recherche.

LECREUX Gaston Alfred

Né vers 1846 à Paris. Mort le 9 janvier 1914 à Paris. XIXe-XXe siècles. Français.

Peintre de paysages, de fleurs et aquarelliste.

Élève de Boucher et Noël. Débuta au Salon en 1877. Mention honorable en 1889.

VENTES PUBLIQUES : PARIS, 5-7 nov. 1941 : *Nature morte* : **FRF 180** ; *Fleurs et nature morte* : **FRF 550**.

LECREUX Nicolas Adrien Joseph

Né en 1733 à Valenciennes. Mort le 21 août 1799 à Tournai. XVIIIe siècle. Français.

Sculpteur.

Élève de J.-B. Gilles. On cite de lui une chaire de vérité à l'église d'Harlebeke. Son chef-d'œuvre est un *Saint Michel* pour la cathédrale de Tournai.

LECREUX Paul, dit **Jacques France**

Né vers 1826. Mort le 3 juillet 1894 à Paris. XIXe siècle. Français.

Sculpteur.

Il était l'auteur d'un buste de la République dont le Musée de Rouen possède une réplique en bronze.

LECROIX. Voir aussi **DELECROIX**

LECROIX Jacques

Mort en mai 1393. XIVe siècle. Éc. flamande.

Enlumineur.

Il travailla à Ypres.

LE CROQUEMACRE Nicolas

XIVe siècle. Français.

Peintre.

Il travailla pour le couvent des Clarisses de Saint-Omer en 1325.

LECROSNIER Jean Baptiste

XVIIIe siècle. Français.

Peintre d'architectures.

Membre de l'Académie Saint-Luc où il exposa en 1774.

LECUIR Adam. Voir **LIQUIER**

LECUIRE Alfred

Né à Tournans. XIXe siècle. Français.

Sculpteur.

Élève de l'École des Beaux-Arts. Exposa au Salon, en 1861 et 1863, des bas-reliefs en bois représentant des chasses.

LECUIT Paul, pseudonyme : **Monroy**

Né le 15 février 1858 à Paris. XIXe siècle. Français.

Peintre de paysages.

Sociétaire des Artistes Français depuis 1893, il figura au Salon de ce groupement.

LECUONA Antonio Maria de

Né en 1830 à Azpeitia. XIXe siècle. Espagnol.

Peintre de genre et de portraits.

Il fut élève de l'Académie de Madrid et s'établit à Bilbao.

LECUREUX Jean Baptiste

XVIIIe siècle. Actif au Mans vers 1744. Français.

Peintre.

LECURIEUX Jacques Joseph

Né le 13 août 1801 à Dijon (Côte d'Or). Mort en 1867. XIXe siècle. Français.

Peintre d'histoire, scènes de genre, portraits.

Élève de François Devosges et de Lethière, il participa au Salon de Paris de 1827 à 1870, obtenant une médaille de troisième classe en 1844 et de deuxième classe en 1846. Il reçut de l'État plusieurs commandes de copies de portraits en 1833, 1835 et 1840.

Le jugement de Baudelaire sur son tableau exposé au Salon de 1845 : *Salomon de Caus à Bicêtre* a été très sévère. Il a subi l'influence du romantisme, mais n'en a retenu, pour reprendre l'expression de Janine Bailly-Herzberg, « que le fatras historique et ses accessoires ». Plusieurs de ses œuvres sont conservées au ministère de l'Intérieur.

BIBLIOGR. : In : Catalogue de l'exposition : *Les années romantiques, la peinture française de 1815 à 1850*, Mus. des Beaux-Arts de Nantes, 1995-1996 et Galeries nationales du Grand Palais, Paris, 1996.

MUSÉES : CHAUMONT : *Saint Vincent de Paul au bagne de Toulon* – DIJON (Mus. des Beaux-Arts) : *Portrait de Ducornet de Lille* – *Portrait de petite fille en rose* – *François Ier au tombeau de Jean sans Peur à la chartreuse de Dijon* 1833 – DIJON (Mus. Magnin) : *Les petites Ondines* – SAINT-OMER : *Derniers moments de Louis XI* – *Académie d'homme* 1833 – VERSAILLES : *Albert de Gondi de Retz*.

VENTES PUBLIQUES : PARIS, 1894 : *Le martyre de saint Bénigne*, maquette du tableau de la cathédrale de Dijon : **FRF 210** ; *Saint Bernard donnant la communion* – *Saint Bernard présentant l'hostie*, deux dess. teintés : **FRF 330** – PARIS, 16 fév. 1944 : *Valet donnant à boire à son cheval* : **FRF 700** – TOKYO, 15 fév. 1980 : *Portrait de fillette*, h/t (129,6x95,8) : **JPY 650 000**.

LECURIEUX Michel

XVe siècle. Français.

Sculpteur.

Il travailla pour l'église Saint-Germain à Orléans. On lui doit des statues de la *Vierge*, de *Saint Jacques* et de *Saint Jean Baptiste*.

LECUW Marius de

XXe siècle. Hollandais.

Peintre.

Il fut prix de Rome pour la Hollande en 1947.

L'ECUYER Blaise

XVe siècle. Actif à Carpentras à la fin du XVe siècle. Français.

Sculpteur.

Il travailla à Avignon vers 1495-1496.

LECUYER Jean-Pierre

Né en 1940 à Épinal (Vosges). XXe siècle. Français.

Graveur, dessinateur.
Il a participé à l'exposition : *De Bonnard à Baselitz – Dix ans d'enrichissements du cabinet des estampes 1978-1988* à la Bibliothèque nationale à Paris en 1992.
Musées : Paris (Cab. des Estampes) : *Le Combat de Tancrède et de Clorinde* 1984.

LÉCUYER Léon Louis
Né à Paris. XIXe siècle. Français.
Peintre de natures mortes, fleurs, décorateur.
Il fut élève de Dupuis et de Baudry. Il exposa au Salon de Paris, de 1864 à 1868.
Ventes Publiques : Calais, 13 nov. 1988 : *Les bonimenteurs* 1856, h/pan. (24x44) : **FRF 15 800** ; *Fermette au clair de lune*, h/cart. (27x22) : **FRF 10 000**.

LECUYOT Lucien Stanislas
Né à Montigny-Lecoup. XIXe siècle. Français.
Sculpteur.
Élève de Madrassi. Débuta au Salon en 1878.

LE CYGNE Adam. Voir **LE CIGNE**

LECYGNE Émile
Né à La Fère (Aisne). XIXe siècle. Français.
Peintre.
Élève d'Ary Scheffer. Exposa au Salon, en 1861, *Portrait, fantaisie*, et, en 1869, *Jeanne d'Arc la veille de son supplice*.
Ventes Publiques : Paris, 26 oct. 1942 : *Réunion de personnages royaux* : **FRF 350**.

LE CYRE Caroline
XIXe siècle. Active à Paris. Française.
Peintre.
Sociétaire des Artistes Français depuis 1888, elle figura au Salon de ce groupement.

LEDA Jean Van
Né en 1926 à Anderlecht. XXe siècle. Belge.
Peintre de paysages, intérieurs. Postimpressionniste.
Il décrit le monde qui l'entoure dans une matière épaisse, sur de grands formats. Riches en détails, ses compositions sont à la fois pittoresques et graves.
Bibliogr. : In : *Dict. biogr. illustré des artistes en Belgique depuis 1830*, Arto, Bruxelles, 1987.

LEDAIRE Claude
Né le 9 janvier 1935 à Argenteuil (Val-d'Oise). XXe siècle. Français.
Peintre de paysages.
Autodidacte, il commença à exposer dans divers Salons, à partir de 1972. Il montre ses œuvres dans des expositions personnelles à Paris, Grenoble et Nantes. Il a reçu plusieurs prix de peintures.
Il s'est spécialisé dans les paysages aux vastes ciels, la mer immense, les vastes plaines, privilégiant le clair-obscur et les effets de transparence.

LEDANNOIS Jean-Marie
Né le 21 janvier 1940 à Sannois (Val-d'Oise). XXe siècle. Français.
Peintre, peintre à la gouache. Abstrait.
Il fut élève de l'école des arts appliqués à Paris, pendant trois ans, puis travailla dans l'atelier Martin-Talboutier. Il participe à des expositions collectives notamment à Paris : de 1961 à 1967 à la Biennale ; 1962 au Salon d'Automne ; 1974, 1975 au Salon des Réalités Nouvelles. Il montre ses œuvres dans des expositions personnelles : 1973 Maison de la culture de Mantes-la-Jolie ; depuis 1975 galerie Melki à Paris.
Carrés accolés, rectangles sur rectangles, constituent l'élément de base du travail de Ledannois, avec la couleur, diluée pour obtenir des teintes légères, douces dans lesquelles se perd le regard. Les aplats de couleur viennent rompre la rigueur des formes.
Bibliogr. : Catalogue de l'exposition : *Ledannois*, Galerie Melki, Paris, 1976.

LE DART Pierre
XVIIe siècle. Actif à Paris. Français.
Peintre d'histoire.
Reçu à l'Académie de peinture en 1664, sur l'ordre de Colbert, et rayé pour n'avoir pas fourni son morceau de réception. Le musée de Tours conserve de lui : *Saint Claude, évêque de Besançon, donnant sa bénédiction à un enfant agenouillé*.
Ventes Publiques : Paris, 11 juin 1954 : *La Vierge, l'Enfant et un concert d'anges* : **FRF 40 000**.

LE DAULCEUR Louise ou **Le Daulcœur**, née **de Montigny**
XVIIIe siècle. Française.
Graveur amateur.
Sans doute identique au dessinateur, graveur de Montigny ou Demontigny (voir la notice). Elle copia des œuvres d'Eisen, de Gravelot, de Cochin, etc.

LEDE Maximilien Lodewyk Van
Né le 18 février 1759 à Bruges. Mort le 13 juillet 1834 à Bruges. XVIIIe-XIXe siècles. Belge.
Sculpteur.
Il fut élève des sculpteurs Lodewyk Lessure et Pieter Pepers, puis en 1781, à Paris, de Suvée et de Monot. Il revint à Bruges et travailla plus tard à Londres. Il y fit le tombeau du Dr Johnson dans l'église Saint-Paul.

LEDEBOER Isaac
Né vers 1691. Mort vers 1757. XVIIIe siècle. Hollandais.
Dessinateur et graveur.
On lui doit surtout des portraits.

LEDEBUR Carl von
Né le 27 février 1864 au château de Crollage. Mort le 8 avril 1922 à Potsdam (Brandebourg). XIXe-XXe siècles. Allemand.
Peintre de portraits, paysages, intérieurs.
Il fit ses études à Weimar et Düsseldorf.

LE DEIST
XXe siècle. Française.
Peintre.
Elle fut élève de Lhote et de Souverbie. Elle exposa à Paris.
Avec des plans construits et des jeux de matière, sa peinture évoque le calme et le silence.

LEDEL Dolf
Né en 1893 à Schaerbeek (Brabant). Mort en 1976 à Malmédy (Liège). XXe siècle. Belge.
Sculpteur de monuments, médailleur, céramiste.
Il fut élève de l'académie des beaux-arts de Bruxelles, où il eut pour professeur Thomas Vinçotte.
Bibliogr. : In : *Dict. biogr. illustré des artistes en Belgique depuis 1830*, Arto, Bruxelles, 1987.
Musées : Ostende (Mus. voor schone Kunsten) : *Buste de James Ensor*.

LEDELI Joseph
Né le 13 février 1820 à Czechowice. XIXe siècle. Tchécoslovaque.
Peintre de paysages.
Le Musée de Brno possède des œuvres de cet artiste.

LEDELI Moritz
Né le 7 septembre 1856 à Brno. Mort vers 1920. XIXe-XXe siècles. Tchécoslovaque.
Peintre de genre.
Après des voyages à travers l'Europe, il peignit des scènes de la vie populaire particulièrement à Vienne.
Ventes Publiques : Paris, 28 déc. 1928 : *La Victoria à deux chevaux*, deux aquarelles : **FRF 230** – Paris, 5 déc. 1946 : *Scène de la rue devant un hôtel* 1887, aquar. : **FRF 1 300**.

LEDELIN de, Mme
XIXe siècle. Active à Bruxelles vers 1830. Belge.
Peintre de genre et d'histoire.

LEDENE Luc
Né le 29 juin 1955 à Veurne. XXe siècle. Belge.
Sculpteur. Abstrait.
Il fut élève de l'Institut Saint-Luc à Gand. Il participe à des expositions collectives, notamment en 1988 à Ostende. Il montre ses œuvres dans des expositions personnelles.
D'abord sculpteur de nus, il évolua vers l'abstraction.
Bibliogr. : Catalogue : *Kunst Beeld Nu '88*, Ostende, 1988.
Musées : Ostende (Mus. voor schone Kunsten).

LEDENTU Mikhaïl Vassilievitch
Né en 1891 à Saint-Pétersbourg. Mort en 1917. XXe siècle. Russe.
Peintre.
Après des études à l'Institut théâtral, il suit des cours privés à Saint-Pétersbourg. En 1911, il est l'organisateur de l'Union de la Jeunesse. Lié avec Malevitch, Tatline, les frères Zdanevitch et les peintres du groupe de M. Larionov, il expose avec eux à Moscou et Saint-Pétersbourg.

Il fit principalement des recherches dans le domaine de l'art pictural et théâtral.
Bibliogr. : Catalogue de l'exposition : *Illiazd*, Musée national d'Art moderne, Paris, 1978 – Catalogue de l'exposition : *Paris-Moscou 1900-1930*, Musée national d'Art moderne, Paris, 1979.
Musées : Orlov (Gal. de peint. région.) : *La Manœuvre de la voiture* 1910-1915.

LEDENTU Paul Henri
Né le 5 avril 1874 à Paris. Mort le 10 février 1951 à Romery-sur-Marne (Aisne). XIXe-XXe siècles. Français.
Sculpteur.
C'est à l'École des Arts Décoratifs que Paul Ledentu acquit sa maîtrise dans la technique qui le distingua. Après avoir pris part lui-même au Salon, il édita les bronzes de nombreux autres artistes, parmi ceux-ci : Carpeaux et Carrier-Belleuse. C'est à des personnalités comme Paul Ledentu que l'on doit le bon état de nombreuses œuvres d'art. ■ E. C. Bénézit

LEDERER Franz Joseph
XVIIIe siècle. Allemand.
Peintre.
Il exécuta des tableaux pour la cathédrale de Freising.

LEDERER Franz Xaver
XVIIIe siècle. Actif à Prague vers 1790. Tchécoslovaque.
Sculpteur.
Il travailla à Ober-Berkovic.

LEDERER Fritz
Né le 22 avril 1878 à Königsberg (Prusse). XXe siècle. Allemand.
Peintre de paysages, sujets militaires, graveur.
Après des études à Weimar, il représenta surtout des paysages et des scènes de la Première Guerre mondiale.

LEDERER Hieronymus
Mort en 1615 à Gênes. XVIIe siècle. Allemand.
Graveur.
On croit que ce graveur qui travaillait à Nuremberg est l'auteur de quatre gravures dépeignant les tempéraments de l'homme : *Le Sanguin, le Flegmatique, le Coléreux, le Mélancolique*. La première est signée *Ch. Lederer* et la dernière porte une marque que l'on peut lire *I. L.* ou *H. L.*

LEDERER Hugo
Né le 16 novembre 1871 à Znaim. Mort en 1940 à Berlin. XIXe-XXe siècles. Allemand.
Sculpteur de monuments, genre.
Il fit ses études dans une école de céramique à Znaim, puis à l'école des arts décoratifs d'Erfurt, dans l'atelier des frères Bieler à Dresde, enfin à l'académie des beaux-arts de Dresde. À partir de 1919, il enseigne la sculpture à l'académie des beaux-arts de Berlin.
Ayant remporté le concours organisé à Hambourg, il réalisa le *Monument de Bismarck* en granit, de 34 mètres de hauteur. Il est également l'auteur du *Monument de Krupp* à Essen, du *Monument équestre de Frédéric III* à Aix-La-Chapelle, et du *Relief commémoratif du centenaire de la guerre de Libération* à l'hôtel de ville de Schöneberg.
Bibliogr. : In : *Dict. de la sculpture*, Larousse, Paris, 1992.
Musées : Berlin : *Coupe* – Bucarest (Mus. Simu) : *Le Bon Samaritain* – Koenigsberg : *Jordan-Plakette*.
Ventes Publiques : Cologne, 22 mars 1980 : *L'escrimeur*, bronze (H. 91) : **DEM 4 000** – Cologne, 5 juin 1982 : *Tilla Durieux en Circée*, bronze, patine brune (H. 93,4) : **DEM 5 800**.

LEDERER Jacques
Mort le 20 avril 1917, pour la France. XXe siècle. Français.
Peintre.
Il exposait à Paris, aux Salons de la Société Nationale des Beaux-Arts et des Indépendants.

LEDERER Johann Georg
Mort vers 1785 à Augsbourg. XVIIIe siècle. Allemand.
Peintre d'histoire.
Il était le plus jeune des trois frères qui travaillèrent à Augsbourg au XVIIIe siècle et exécutèrent des vitraux et des peintures à l'huile. Johann fut aussi de la cour du prince évêque de Freising. La cathédrale d'Augsbourg et diverses églises de cette ville ainsi que l'église des Franciscains de Freising possèdent des tableaux d'autel de lui.

LEDERER Karl
Mort en 1811 à Prague peut-être. XIXe siècle. Tchécoslovaque.
Sculpteur.
Il travailla surtout à copier des antiques.

LEDERER Richard
Né le 24 novembre 1848 à Budapest. Mort le 14 avril 1923 à Munich. XIXe-XXe siècles. Hongrois.
Peintre et musicien.
Il exposa à Munich, où il fit ses études sous la direction de Diez, surtout des portraits.

LEDERER-WEIDA Carl Ferdinand
Né le 20 juin 1863 à Weida. XIXe-XXe siècles. Allemand.
Peintre de portraits, paysages.

LEDERGERBER Johann Ferdinand
XVIIIe siècle. Actif à Augsbourg. Allemand.
Graveur.
Il grava plusieurs scènes religieuses entre autres d'après Rubens.

LEDERHOSER Johann. Voir l'article **GRÜBEL Heinrich**

LEDERLE Janick
Née en 1917 à Brest (Finistère). XXe siècle. Française.
Peintre, graveur.
Elle vit et travaille à Paris. Elle a participé à l'exposition : *De Bonnard à Baselitz – Dix ans d'enrichissements du cabinet des estampes 1978-1988* à la Bibliothèque nationale à Paris en 1992.
Musées : Paris (Cab. des Estampes) : *Les Femmes de Mykonos* 1984, litho.

LEDERLEIN Jakob
Né vers 1565 à Tubingen. XVIe siècle. Allemand.
Graveur sur bois.
Il exécuta une suite de portraits des professeurs de l'Université de Tubingen, publiée en 1596. On cite des œuvres de lui datées de 1590.

LEDERWASCH Christof
Né en 1651 à Tamsweg. Mort en décembre 1705 à Salzbourg. XVIIe siècle. Autrichien.
Peintre et graveur.
Il a peint des tableaux d'autel dans les églises de la région. Il grava d'après les maîtres et d'après ses propres tableaux.

LEDERWASCH Georg
XVIIIe siècle. Actif à Tamsweg. Autrichien.
Peintre.
Il travailla à Tamsweg et à Tweng.

LEDERWASCH Gregor I
Mort en 1695 à Tamsweg. XVIIe siècle. Autrichien.
Peintre.
Il fut élève d'Onuphrius Rosenheimer.

LEDERWASCH Gregor II
Mort en 1725 à Tamsweg. XVIIIe siècle. Autrichien.
Peintre.

LEDERWASCH Gregor III
Mort en 1740 à Tamsweg. XVIIIe siècle. Autrichien.
Peintre.
Il travailla à l'église Saint-Martin à Lungau.

LEDERWASCH Gregor IV
Né en 1726 à Salzbourg. Mort le 16 juin 1792 à Salzbourg. XVIIIe siècle. Autrichien.
Peintre.
On cite particulièrement ses paysages et ses vues en camaïeu. On lui doit aussi des tableaux d'autel.

LEDERWASCH Gregor V
Mort en 1819 à Tamsweg. XVIIIe-XIXe siècles. Autrichien.
Peintre.
En 1756 il travaillait à Saint-Margareten.

LEDERWASCH Johann
Né en 1756 à Tamsweg. Mort vers 1812. XVIIIe-XIXe siècles. Autrichien.
Peintre.
Le Musée de Graz conserve de lui *Départ de recrues*, et *Schwaigerin auf der Alm*.

LEDERWASCH Johann Michael
Mort le 30 septembre 1779 à Oberwölz. XVIIIe siècle. Autrichien.
Peintre.
Il travailla à Oberwölz et Knittefeld.

LEDESMA Blas de. Voir **PRADO Blas del**

LEDESMA Gabriel Fernandez

Né en 1900 à Aguascalientes. Mort en 1983. XXe siècle. Mexicain.

Peintre, dessinateur et lithographe. Expressionniste.

Ledesma, natif d'une région pauvre du Mexique, commença son éducation artistique à l'Académie des Beaux-Arts en 1919 pour rapidement se démarquer de l'enseignement officiel, rejoindre quelques années plus tard en 1929 un groupe d'artistes révolutionnaires et œuvrer pour la création d'un Musée d'Art Moderne Américain qui ne vit jamais le jour. Il participa aux expositions suivantes à Mexico : Musée de Aguascalientes en 1981, puis au Palais des Beaux-Arts de mars à mai 1982.
Son travail est très tôt sensible aux thèmes sociaux, et décrit souvent avec force minutie la vie courante du monde ouvrier et retient donc des scènes observées dans les milieux populaires. Parfois cependant, Ledesma devait traiter des thèmes inquiétants et peu explicites, comme dans ses natures mortes mystérieuses aux gants noirs.

Ventes Publiques : New York, 1er mai 1990 : *Première Communion* 1925, h/t (80x80) : **USD 33 000** – New York, 20 nov. 1991 : *La famille* 1926, h/t (90x70) : **USD 16 500** – New York, 19-20 mai 1992 : *Sérénade*, h/t (63,5x69,9) : **USD 5 500** – New York, 23 nov. 1992 : *Les gants noirs* 1940, h/t (50,2x63,2) : **USD 25 300**.

LEDESMA José de

Né en 1630 à Burgos. Mort vers 1670 à Madrid. XVIIe siècle. Espagnol.

Peintre d'histoire.

Il commença ses études dans sa ville natale, puis vint à Madrid où il fut l'élève de Carrêno. On cite de lui *Enterrement au couvent des Récollets* ainsi que diverses peintures dans l'église de la Trinité. C'était un bon coloriste.

J. de Ledesma.

LE DESPENCIER Roger ou **Jean**

XVIe siècle. Français.

Sculpteur et architecte.

Il travailla pour l'église Saint-Jean, à Rouen, de 1535 à 1538, année où il sculpta un tabernacle en pierre sur un pilier. Il sculpta, en 1497, sur une muraille, les armoiries de Pierre Briconnet, maire de Tours.

LEDEVIN Édouard René

Né au XIXe siècle à Paris. XIXe siècle. Français.

Sculpteur et graveur en médailles.

Figura au Salon des Artistes Français, où il obtint une mention honorable en 1883.

LE DIBERDER Émile Marie

Né le 8 décembre 1852 à Lorient (Morbihan). XIXe siècle. Français.

Peintre de paysages.

Il exposa au Salon de Paris à partir de 1870.

LEDIEN Marie Alexandre

Né le 14 avril 1813 à Moulins-sur-Orne. Mort le 25 juillet 1861 à Caen. XIXe siècle. Français.

Peintre verrier.

Élève de Steuben. Fonda à Argentan, avec son frère Amédée Ledien, un atelier pour la peinture des vitraux. Ses œuvres se trouvent dans les églises de Douvres, près de Caen, Cork, Mesles-sur-Sarthe, Bazoches-au-Houlme, Houlgate, Lonlay-l'Abbaye, Argentan, Autun (cathédrale), Sainte-Marie-d'Athlone.

LEDIET Jean ou **Lediot**

XVe siècle. Actif à Tours. Français.

Sculpteur.

LEDIEU Alexis

Né le 17 juillet 1808 à Quincy (Cher). XIXe siècle. Français.

Peintre d'histoire, paysages.

Élève de François Picot et d'Horace Vernet, il participa au Salon de Paris de 1827 à 1857.

Musées : Compiègne : *Bords du Morin* – Dieppe : *Forêt de Fontainebleau* – *Bords du Morin* – Périgueux : *Jésus sur les bords du Jourdain*.

Ventes Publiques : Paris, 28 avr. 1900 : *Napoléon* : **FRF 120** – Paris, 1er mars 1985 : *Ulysse et Nausicaa* ; *Apollon et Daphnée* 1830, h/t mar./pan., une paire (114x146) : **FRF 54 000**.

LEDIEU Philippe

Né vers 1805 à Quincy (Seine-et-Marne). XIXe siècle. Français.

Peintre animalier, de panoramas.

Il participa au Salon de Paris de 1831 à 1850.
Installé près de Barbizon vers 1850, il fut surtout connu pour ses représentations de chiens et de chevaux.

Bibliogr. : Gérald Schurr, in : *Les Petits Maîtres de la peinture 1820-1920, valeur de demain*, Les Éditions de l'Amateur, t. IV, Paris, 1979 – in : Catalogue de l'exposition : *Les années romantiques, la peinture française de 1815 à 1850*, Mus. des Beaux-Arts de Nantes, 1995-1996 et Galeries nationales du Grand Palais, Paris, 1996.

Musées : Dijon : *Jument et poulain effrayés par un serpent* – Dole : *Loup et agneau*.

Ventes Publiques : Paris, 12 mai 1928 : *Jument et son poulain* : **FRF 250** – Paris, 23 mars 1937 : *Cavalier* : **FRF 200** – Paris, 1er juin 1977 : *L'Équipage du Prince de Béthune*, h/t : **FRF 1 450** – Enghien-les-Bains, 25 fév. 1979 : *Jument et son poulain attaqués par des loups*, h/t (83x117) : **FRF 4 000**.

LE DINH BAO

Né en 1965 à Hanoi (région du Tonkin). XXe siècle. Vietnamien.

Peintre, sculpteur.

Il a étudié à l'École des Beaux-Arts de Hanoi. Il figure dans diverses expositions collectives nationales et internationales, dont : 1996 exposition *Vietnam. 30 ans de peinture de la guerre à la paix*, Paris.
Il s'est spécialisé dans la peinture traditionnelle.

LEDNIOV Valery

Né en 1940 à Kozmitsevo. XXe siècle. Russe.

Peintre de portraits, paysages, natures mortes.

Il commença ses études à l'école des arts de Kostrama, puis fréquenta l'Institut Répine et fut l'élève de A. Mylnikov. Il est membre de l'Union des peintres de l'URSS. Il a participé en 1985 et 1989 à des expositions à Leningrad.
Dans une facture traditionnelle, ses œuvres décrivent la vie quotidienne, les personnes qu'il côtoie, son village.

Ventes Publiques : Paris, 18 fév. 1991 : *Le goûter* 1977, h/t (62x76) : **FRF 13 500** ; *Promenade du matin*, h/t (80x110) : **FRF 30 000** – Paris, 10 juin 1991 : *Le soir à la fenêtre*, h/t (70x52) : **FRF 3 500**.

LE DOCTE Philippe

Né en 1962 à Lukala. XXe siècle. Actif en Belgique. Zaïrois.

Sculpteur. Abstrait.

Il vit et travaille à Bruxelles. Il a exposé à Tournai en 1987, au Centre d'art contemporain de Bruxelles en 1988, au palais des Beaux-Arts de Tournai en 1989.
Il utilise des matériaux bruts, planches de divers bois ramassés directement dans la nature, puis les assemble selon une géométrie rigoureuse.

LEDOGARD G.

XXe siècle. Français.

Peintre de paysages.

Ventes Publiques : Paris, 11 juin 1927 : *Vue de la Creuse à Evans-les-Bains* : **FRF 150** – Paris, 21 déc. 1928 : *Coin de jardin à Pontoise* : **FRF 160** – Paris, 2 mars 1945 : *Paysage et une toile non identifiée* : **FRF 1 050**.

LEDOS Léon

Né à Paris. XIXe siècle. Français.

Peintre d'histoire.

A travaillé à Nîmes. Il fit don au Musée d'Avignon, en 1865, de *Suzanne et les vieillards*.

LE DOUBLE Frédéric Marie Auguste Aimé

Né au XIXe siècle à Grigny (Rhône). XIXe siècle. Français.

Sculpteur et graveur en médailles.

Élève de Georges Lemaire et Georges Tonnelier. Figura au Salon des Artistes Français. Membre de cette Société depuis 1896, il obtint une mention honorable en 1898, médaille de troisième classe, en 1900, une mention honorable en 1900 (Exposition Universelle). Chevalier de la Légion d'honneur en 1906.

LE DOUCH Henriet

XVe siècle. Actif à Tournai. Éc. flamande.

Peintre verrier.

LE DOUCH Walery

Né à Tournai. XVe siècle. Éc. flamande.

Peintre verrier.

Père d'Henriet Le Douch.

LE DOULX Adenet

XVe siècle. Actif à Bruges, en 1467. Éc. flamande.

Peintre.

LE DOULX Guyon
XVIe siècle. Français.
Peintre.
Il exécuta des peintures pour la décoration des châteaux de Fontainebleau et Saint-Germain-en-Laye. Auteur d'un *Crucifiement* pour l'église Saint-Aspais à Melun, vers 1565.

LEDOULX Pierre François
Né le 1er mars 1730 à Bruges. Mort le 14 octobre 1807 à Bruges. XVIIIe siècle. Éc. flamande.
Miniaturiste de fleurs et d'insectes.
Élève de Jan Garemyn et de Mathias de Visch. Il écrivit une étude sur les artistes de Bruges. Le Musée de Bruges conserve des miniatures de lui.

LEDOUX Albert
Né en 1628 à Mons. Mort le 1er janvier 1700 à Mons. XVIIe siècle. Éc. flamande.
Peintre.
On cite de lui un *Martyre de sainte Catherine.*

LEDOUX Auguste Louis Charles
Né le 15 avril 1816 à Paris. Mort le 2 mai 1869 à Montrouge. XIXe siècle. Français.
Peintre d'histoire et miniaturiste.
Fils de Louis Saint Ange Ledoux et élève de Devéria et de Viollet-le-Duc, il exposa au Salon de 1848 à 1863. Il a peint des projets de vitraux pour la chapelle des RR. PP. à Metz et pour la cathédrale d'Auch.

LEDOUX Charles
XIXe siècle. Actif à Paris. Français.
Peintre.
Sociétaire des Artistes Français 1883, il figura au Salon de ce groupement.

LEDOUX Claude Nicolas
Né en 1736 à Dormans, en Champagne (Marne). Mort en 1806 à Paris. XVIIIe siècle. Français.
Dessinateur.
L'œuvre graphique de Ledoux, bien que n'ayant pas l'importance de celle de Le Corbusier, nous permet néanmoins de le faire figurer dans cet ouvrage. Outre ses dessins d'architectures, gravés notamment dans son ouvrage *L'Architecture considérée sous le rapport de l'art, des mœurs et de la législation,* il a laissé des études au lavis. Celui que la renommée actuelle se plaît à considérer comme « Ledoux, l'architecte maudit », connut au contraire un succès peu ordinaire. Ce sont ses ouvrages que la postérité stupide (mais, en 1971, n'était-on pas en train, en dépit des protestations les plus éclairées, de détruire le témoignage irremplaçable que constituaient les parapluies métalliques des Halles de Baltard ?) a laissé se dégrader, quand elle n'y a pas porté la main. Ce n'est pas le lieu ici de retracer la carrière de l'architecte. Rappelons que l'on a trop tendance à le considérer comme le représentant, même si c'est comme le plus brillant, du style néoclassique de la fin du XVIIIe siècle ; alors que c'est précisément en tant que visionnaire de l'architecture et de l'urbanisme social qu'il occupe une place très exceptionnelle dans l'histoire de l'architecture. S'il manifesta souvent son intérêt pour le dorique grec et pour Palladio, ce fut dans la plus irrévérencieuse fantaisie, et si la part conservée de son œuvre est en effet celle d'inspiration classique, elle ne doit pas faire oublier les imaginations, voire les extravagances, de celui qui voulut, beaucoup trop tôt, débarrasser l'architecture du joug de l'Antiquité et la replacer dans la perspective d'urbanisme social, qu'elle ne retrouvera qu'avec le Bauhaus et Le Corbusier, en 1920. ■ J. B.
Ventes Publiques : Paris, 6 déc. 1923 : *Vue du jardin Boboli, à Florence,* lav. encre de Chine, reh. : **FRF 1 000** – Paris, 19 mars 1924 : *Offrande à l'amour,* grisaille : **FRF 500.**

LEDOUX Edouard Félix. Voir **DOWA**

LEDOUX Eugène
Né le 29 mars 1841 à Paris. XIXe siècle. Français.
Peintre de fleurs.
Exposa au Salon en 1869 et 1870.
Ventes Publiques : New York, 23 oct. 1997 : *Vase de fleurs à la draperie* 1901, h/t (88,9x114,3) : **USD 16 100.**

LEDOUX Eugène Valentin
XIXe siècle. Français.
Peintre de vues, aquarelliste.
Il exposa au Salon de 1837 à 1843 à Paris, où il travailla.

LEDOUX François Auguste
Né à Paris. XIXe siècle. Français.
Graveur à la manière noire.
Élève de François Girard et d'Eugène Delacroix. Exposa au Salon, de 1859 à 1873. On cite de lui : *Marie-Antoinette à la conciergerie,* d'après Ch. Muller.

LE DOUX Jean Baptiste
XVIIIe siècle. Actif à Nantes entre 1749 et 1778. Français.
Sculpteur.
En 1767, il fit deux autels pour l'église Saint-Nicolas à Châteaubriant.

LEDOUX Jeanne Philiberte
Née en 1767 à Paris. Morte le 12 octobre 1840 à Paris. XVIIIe-XIXe siècles. Française.
Peintre de genre, portraits.
Bien qu'ayant vécu autant au XIXe siècle qu'au XVIIIe, elle appartient toute entière à ce dernier. Élève de Greuze, elle a participé au Salon de Paris de 1793 à 1819.
Modérant son ambition, elle s'est vite consacrée à la peinture de portraits de jeunes filles, laissant de côté la sensiblerie XVIIIe siècle pour donner plus de vigueur à sa touche et à ses tonalités claires. Ses œuvres ont été beaucoup recherchées et figurent dans de nombreuses collections privées et publiques tant en France qu'à l'étranger.
Bibliogr. : Gérald Schurr, in : *Les Petits Maîtres de la peinture 1820-1920, valeur de demain,* Les Éditions de l'Amateur, t. IV, Paris, 1979.
Musées : Aurillac : *La jeune fille.*
Ventes Publiques : Paris, 1873 : *Jeune fille en prière* : **FRF 9 600** – New York, 17-18 mars 1909 : *Portrait de jeune fille* : **USD 2 000** – Paris, 19 avr. 1928 : *Portrait de jeune fille* : **FRF 4 600** – New York, 7 déc. 1933 : *Petite fille en bleu* : **USD 1 100** – Paris, 11 déc. 1950 : *Jeune enfant au chat,* cr. noir et sanguine : **FRF 35 500** – Lucerne, 28 nov. 1964 : *Scène galante* : **CHF 10 000** – Paris, 11 juin 1971 : *La lettre* : **FRF 5 600** – Paris, 27 fév. 1976 : *Jeune femme agenouillée,* h/t (65,5x54,5) : **FRF 5 500** – New York, 30 oct. 1980 : *Fillette et son chien,* h/t, ovale (46x37.5) : **USD 2 000** – New York, 9 juin 1983 : *Portrait d'une petite fille,* h/pan. (40,5x32) : **USD 3 750** – Paris, 22 mai 1985 : *Portrait de jeune femme ; Portrait de jeune homme,* h/t, deux pendants (40,5x32,5) : **FRF 40 000** – Paris, 27 mars 1987 : *Jeune fille à l'oiseau,* h/t (56x46,5) : **FRF 21 000** – Monaco, 17 juin 1988 : *Jeune fille,* h/t (46x38) : **FRF 19 980** – New York, 11 jan. 1989 : *Portrait d'une jeune femme regardant vers la droite,* craies (44,9x34,8) : **USD 7 150** – Monaco, 16 juin 1989 : *Portrait de jeune fille,* h/t (42,5x32,5) : **FRF 127 650** – Monaco, 2 déc. 1989 : *Portrait de Danton,* h/t, de forme ovale (66x57) : **FRF 1 054 500** – Monaco, 5-6 déc. 1991 : *La rêveuse,* h/t (43x35) : **FRF 44 400** – Paris, 6 mai 1993 : *Jeune fille pensive au bonnet,* h/t (46x38) : **FRF 14 000** – Paris, 19 déc. 1994 : *Jeune fille pensive,* h/pan. (46x37) : **FRF 28 000.**

LE DOUX Lambert. Voir **ZUTMAN**

LEDOUX Louis
Né en 1616 à Mons. Mort le 27 mars 1667 à Mons. XVIIe siècle. Éc. flamande.
Sculpteur et architecte.
Il fut élève de F. Duquesnoy et travailla surtout à Mons et à Cambrai.

LEDOUX Louis Saint Ange Picart
Né en 1786 à Paris. Mort le 26 septembre 1852 à Paris. XIXe siècle. Français.
Peintre de portraits.
Exposa au Salon de 1824 à 1835. Il fut père d'Auguste Louis Charles.

LEDOUX Paul
Né le 18 novembre 1884 près de Strasbourg (Bas-Rhin). XXe siècle. Français.
Peintre de natures mortes, portraits, paysages, graveur.
Il fut à Paris élève de Cormon. Dans ses paysages, il décrit l'Alsace.

LE DOUX Picart. Voir **PICART Le Doux**

LE DOYEN
XVIIe siècle. Actif à Paris vers 1666. Français.
Graveur.
Il travailla pour les libraires. On lui doit notamment des figures pour un ouvrage intitulé : *Figures des différents habits des cha-*

noines réguliers de ce siècle, publié en 1666. On lui doit aussi des ornements.

LE DOYEN Louis
XVe siècle. Français.
Peintre verrier.
Il travailla pour la cathédrale de Rouen, en 1430.

LEDRAY Charles
Né en 1960 à Seattle. XXe siècle. Américain.
Artiste, créateur d'installations.
Il vit et travaille à New York.
Il participe à des expositions collectives régulièrement à New York, en 1993 à la galerie Jennifer Flay à Paris. Il montre ses œuvres dans des expositions personnelles : 1983 Seattle, 1993 galerie Tom Cugliani à New York.
Il présentait des vêtements miniatures, peignoirs, costumes, ainsi que des robes et anoraks, noués par la manche évoquant une ronde d'enfants. Le corps n'existe que par son évocation, de là naît un malaise.

LE DRU Albert Ferdinand
Né le 16 février 1848 à Paris. XIXe siècle. Français.
Peintre de sujets militaires.
Il fut élève de Tiremois. Il exposa au Salon de Paris à partir de 1876, obtenant une médaille de troisième classe en 1894. Il fut promu chevalier de la Légion d'honneur en 1907.
On cite de lui : *En grand-garde* et *Une partie de bouchon*.
Ventes Publiques : Paris, 17 nov. 1986 : *Les Militaires en Indochine* 1884, h/t (78x122) : **FRF 19 000** – Paris, 5 mars 1989 : *Les soldats dans les rizières* 1884 (78x125) : **FRF 20 000** – Monaco, 14-15 déc. 1996 : *Le Duc de Chartres à la bataille de Jemmapes*, h/t (166x247,5) : **FRF 117 000**.

LEDRU Auguste
Né en 1860 à Paris. Mort le 5 novembre 1902 à Paris. XIXe siècle. Français.
Sculpteur.
Sociétaire des Artistes Français. Figura au Salon de ce groupement.

LE DRU Hilaire
Né en 1769 à Oppy (Pas-de-Calais). Mort le 1er mai 1840 à Paris. XVIIIe-XIXe siècles. Français.
Peintre de sujets de genre, portraits, graveur.
Il fut élève de l'école de Douai, mais se forma surtout seul. Ses œuvres obtinrent un grand succès. Il exposa au Salon de Paris, de 1795 à 1824.

Hilaire Le Dru.

Musées : Douai : *Merlin de Douai* – *Cl.-Fr. Primat, archevêque de Toulouse* – *Jeune femme et enfant priant sur la tombe de Greuze* – Lille : *Piété envers la vieillesse* – Montauban : *Pierre Capelle*.
Ventes Publiques : Paris, 1859 : *La dévideuse* : **FRF 400** – Bordeaux, 1899 : *Portrait de jeune fille* : **FRF 1 150** – Paris, 1899 : *La Lecture dans le parc* : **FRF 3 150** ; *Sultane dans un parc*, miniat. à la pl. et à l'encre de Chine : **FRF 300** – Paris, 29 juin 1900 : *Les forains au château* : **FRF 3 505** – Londres, 28 mai 1935 : *Portrait de jeune fille* : **GBP 80** – Londres, 14 déc. 1935 : *Portrait de Mme Chenard*, dess. cr. noir, reh. de blanc : **FRF 720** – Paris, 30 juin 1993 : *Le violoncelliste et la petite fille*, h/t (76x60) : **FRF 27 000**.

LEDRU Léonie
XIXe siècle. Active à Paris. Française.
Sculpteur.
Sociétaire des Artistes Français depuis 1894, elle figura au Salon de ce groupement.

LEDRU Louis Léon
Né à Paris. XIXe siècle. Français.
Peintre.
Élève de Levasseur. Exposa au Salon, à partir de 1879, un grand nombre d'aquarelles et de dessins.

LE DUC
XVIIIe siècle. Français.
Peintre d'histoire.
Il fut professeur à l'Académie Saint-Luc à Paris. Georges Michel fut son élève. Le Musée de Narbonne conserve de lui : *Deux perdrix suspendues à un clou*. Il exposa plusieurs sujets d'histoire à l'Académie Saint-Luc en 1764 et 1774. On cite de lui : *Bacchus et Ariane dans l'île de Naxos*.
Ventes Publiques : Monte-Carlo, 26 juin 1983 : *Scène de taverne*, h/t (35x28,5) : **FRF 25 000**.

LE DUC Adriaen
XVIIe-XVIIIe siècles. Actif à Amsterdam. Hollandais.
Graveur.
Il exécuta surtout des illustrations de livres.

LE DUC Alfred
Né vers 1850. Mort en avril 1913. XIXe-XXe siècles. Français.
Peintre.
Il fut élève de Lehmann. On cite ses travaux pour l'église Saint-Félix, à Nantes.

LE DUC Amélie, Mme
XIXe-XXe siècles. Française.
Peintre de miniatures, aquarelliste.
Elle fait partie de la Société des Miniaturistes de France.
Musées : Niort : *Nativité d'après Rubens*, peint. sur porcelaine.

LE DUC Arthur Conrad
Né le 23 mars 1892 à Washington. XXe siècle. Américain.
Peintre.
Il étudia à l'école Corcoran, les académies Julian et Colarossi à Paris. Il exposa à Paris, au Salon des Indépendants, dont il fut membre sociétaire.

LEDUC Arthur Jacques
Né le 27 mars 1848 à Torigny-sur-Vire (Manche). Mort le 29 février 1918 à Antibes. XIXe-XXe siècles. Français.
Sculpteur, animalier.
Il fut élève de Lenordez. Guillard, Dumon, Barye et Carolus Duran. Sociétaire des Artistes Français depuis 1883, et de la Nationale des Beaux-Arts depuis 1893, il figura aux salons de cette société ; obtenant une mention honorable en 1878, une médaille de troisième classe en 1879, une médaille d'argent en 1889 et 1900, pour les Expositions Universelles. Il fut promu chevalier de la Légion d'honneur en 1906.
Musées : Coutances : *Leverrier* – *La piété familiale* – Nantes : *Cerf debout* – Sydney : *Jument et pouliche* – Vire : *René Lenormand*.
Ventes Publiques : Paris, 23 mars 1979 : *Centaure et nymphe*, bronze doré (H. 79, larg. 62) : **FRF 7 100** – Senlis, 11 nov. 1984 : *Sanglier*, bronze (H. 90) : **FRF 300 000** – L'Isle-Adam, 27 jan. 1985 : *Le cheval de trait*, bronze, patine verte : **FRF 11 000** – New York, 23 fév. 1989 : *Un étalon*, bronze (H. 39,4) : **USD 4 180** – Perth, 30 août 1994 : *« Plaisanterie », cheval de course*, bronze (H. 39) : **GBP 1 610** – New York, 9 juin 1995 : *Jeux sur le dos d'un cheval*, bronze (H. 71,1) : **USD 5 175** – La Flèche, 25 juin 1995 : *Trois enfants montant sur un cheval*, bronze (H. 69) : **FRF 42 000**.

LEDUC Célestine Marie, née **Lecomte**
Née le 8 mars 1860 à Caen (Calvados). XIXe-XXe siècles. Française.
Sculpteur.
Elle exposa à Paris, au Salon des Artistes Français, dont elle fut membre sociétaire à partir de 1883.

LEDUC Charles
Né le 27 janvier 1831 à Nantes. XIXe siècle. Français.
Peintre de paysages et de marines.
Élève de Ch. Leroux et de Français. Exposa au Salon, à partir de 1866, le plus souvent des fusains.
Ventes Publiques : Paris, 16 juin 1944 : *L'« Austria » en feu* : **FRF 1 450**.

LEDUC Fernand
Né le 4 juillet 1916 à Viauville (Montréal). XXe siècle. Actif depuis 1959 aussi en France. Canadien.
Peintre, peintre de cartons de tapisseries, de compositions murales. Abstrait.
Après de longues années à l'école des beaux-arts de Montréal, il travaille sous la direction de Borduas et fait partie des Automatistes, mouvement qui occupa l'avant-scène de l'activité artistique québécoise après la Seconde Guerre mondiale. Il fut membre de la Contemporary Art Society de 1944 à 1947. De 1948 à 1953, il s'installe à Paris. En 1954, il participe au mouvement des plasticiens fondés par Jauran (pseudonyme de Rodolphe de Repentigny), et apparaît vite comme le chef de file de l'abstraction géométrique au Canada. Depuis 1959, il vit à Paris et Montréal.
Il participe à de nombreuses expositions collectives depuis 1943 à Montréal, notamment au musée des Beaux-Arts en 1955, ainsi qu'à Paris aux Salons de Mai en 1952, des Réalités Nouvelles et Comparaisons. Depuis 1950, il a de nombreuses expositions personnelles aussi bien au Canada, à Montréal et Québec, qu'à Paris. Le musée des Beaux-Arts de Chartres a organisé une

rétrospective qui a ensuite circulé au Canada en 1989 et 1990. Il a reçu le prix Paul Émile Borduas en 1988.

Pendant un premier séjour en France, de 1947 à 1953, il peint des paysages imaginaires. De retour au Canada, sa peinture devient de plus en plus dépouillée, ne jouant plus que de quelques plans habilement modulés. En réaction contre l'automatisme de ses débuts, il parvient à une peinture claire, qui déborde (au propre comme au figuré) du cadre du tableau de chevalet pour s'intégrer à l'architecture. Il réalise alors de nombreuses peintures murales. De retour en France, il assouplit sa géométrie et en affine l'harmonie colorée, pour mieux rendre les qualités lumineuses de la peinture, à l'aide de formes courbes et le recours aux aplats. ■ J. B.

Bibliogr. : In : *Dict. univer. de la peinture*, Le Robert, t. IV, Paris, 1975 – Catalogue de l'exposition : *Les Vingt Ans du musée à travers sa collection*, Musée d'Art contemporain, Montréal, 1985.

Musées : Céret – Montréal (Mus. des Beaux-Arts) – Montréal (Mus. d'Art Contemp.) : *Porte n° II* 1963 – *Chromatisme binaire vert* 1964 – *Érosion douce* 1970 – *Carré de gris et harmoniques à mouvement circulaire* 1979 – Québec – Toronto (Art Gal. of Ontario).

Ventes Publiques : Montréal, 25 nov. 1986 : *Chromatisme binaire ocre bleu* 1965, acryl./t. (93x74) : **CAD 3 800** – Montréal, 4 juin 1991 : *Sans titre* 1969, techn. mixte (31,7x41,8) : **CAD 1 900**.

LEDUC Jacques

Né en 1921 à Ophoven. XXe siècle. Belge.

Peintre de paysages, marines, aquarelliste, dessinateur.

Il fut élève de l'académie de Hasselt.

Bibliogr. : In : *Dict. biogr. illustré des artistes en Belgique depuis 1830*, Arto, Bruxelles, 1987.

Musées : Hasselt – Tbilissi.

LE DUC Louis, Lodewijk, Lowiis ou **Loys** ou **Duc, de Duc**

XVe siècle. Actif à Bruges et à Tournai. Éc. flamande.

Peintre.

Maître le 12 mai 1453. Eut pour élève Philippe Truffin. Il exécuta des travaux pour les neuf autels de Sainte-Marguerite, dans l'église de ce nom à Tournai.

LEDUC Marcel Michel Édouard Marie

Né à Saint-Sevran. XIXe-XXe siècles. Français.

Sculpteur.

Il fut élève de Mercié et Peter. Il participa à Paris au Salon des Artistes Français. Il obtint une mention honorable en 1909.

Ventes Publiques : Bruxelles, 10 déc. 1976 : *Cheval de labour*, bronze (H. 69) : **BEF 65 000**.

LEDUC Ozias

Né le 8 octobre 1864 à Saint-Hilaire-sur-Richelieu (Québec). Mort en juin 1955 à Saint-Hyacinthe (Québec). XIXe-XXe siècles. Canadien.

Peintre de compositions religieuses, portraits, natures mortes, décorateur.

Fils de menuisier, il s'est pratiquement formé seul à la peinture, mais a néanmoins quelque peu étudié avec Alphonse Réau à Richelieu (Québec). Il fut professeur et a été le maître de Borduas. En 1897, il découvre différents artistes parisiens, lors d'un séjour à Paris.

Dès 1891, il participe à de nombreuses expositions de groupe, dont celle de la Royal Canadian Academy, dont il deviendra membre par la suite. Il aide Luigi Cappello, avec qui il travaille, dans les décorations d'églises. Nous sommes en 1883. Il contribue encore à une autre décoration d'église, et aide Rodolphe Rho à l'église de Yamachiche. Il fera par ailleurs tout au long de sa vie de nombreuses décorations d'églises du Québec comme la coupole de Saint-Enfant-Jésus de Montréal, la chapelle du palais épiscopal de Sherbrook, et l'aspect religieux tient une place importante dans son œuvre. Il a aussi réalisé de nombreuses natures mortes en trompe l'œil. On a souvent affirmé que la vie et l'œuvre de Leduc ne faisaient qu'un et il est vrai qu'on retrouvait dans le personnage les principales qualités de sa peinture : recueillement, tendresse, attention poussée jusqu'à la minutie, sens du mystère... On a qualifié par la suite son œuvre de symboliste. Guy Viau s'exprimant sur Ozias Leduc en écrit : « Leduc se livre à la magie de la réalité sans en bousculer l'ordre apparent, l'aspect familier. Rêveur et poète, il reste paysan. Il loge son rêve dans les plus humbles objets. » ■ J. B.

Bibliogr. : In : *Diction. de la peinture anglaise et américaine*, Larousse, Paris, 1991.

Musées : Montréal (Mus. des Beaux-Arts) : *Nature morte au livre ouvert* 1894 – *Fin du jour ou Les Portes de fer* 1913 – Montréal (Mus. d'Art Contemp.) : *Sans titre* 1894, fus. – Ottawa (Nat. Gal. of Canada) : *Nature morte : étude à la lumière d'une chandelle* – *Le repas du colon* 1893 – *L'enfant au pain* – *Mon portrait* 1899 – *Nature morte au livre et à la loupe* vers 1900 – *Endymion et Séléné* vers 1910 – *Pommes vertes* 1914-1915 – *Neige dorée* 1916 – Plusieurs esquisses pour la décoration de la chapelle privée de l'évêque de Sherbrook 1922 – *Tête de Vierge* vers 1943 – Québec : *Portrait de Robert Laroque de Roquebrune*.

Ventes Publiques : Toronto, 9 mai 1977 : *Nature morte* 1892, h/t (37x29,2) : **CAD 21 000** – Toronto, 28 mai 1985 : *Le petit liseur* vers 1891, h/t mar./cart. (44,4x53,8) : **CAD 19 000** – Toronto, 3 juin 1986 : *Nature morte au bougeoir et livres*, h/t (48,3x33) : **CAD 3 600** – Montréal, 17 oct. 1988 : *Antigonish, Nova Scotia* 1903, aquar. (17x12) : **CAD 950**.

LEDUC Paul

Né le 28 août 1876 à La Louvière-en-Hainaut (Hainaut). Mort en 1943 à Bruxelles (Brabant). XIXe-XXe siècles. Belge.

Peintre d'animaux, paysages.

Il fut élève de l'académie des beaux-arts de Mons, puis de l'Institut des beaux-arts d'Anvers. Il voyagea en Hollande, Italie et France.

Il a peint des sites du Hainaut avec un grand sentiment de la nature.

PAUL LEDUC

Bibliogr. : In : *Dict. biogr. illustré des artistes en Belgique depuis 1830*, Arto, Bruxelles, 1987 – P. et V. Berko, Stéphane Rey : *Paul Leduc 1876-1943*, collection Berko, 1990.

Ventes Publiques : Bruxelles, 29 oct. 1980 : *Canal à Venise, San Giovani et Paolo*, h/t (60x80) : **BEF 38 000** – Bruxelles, 1er avr. 1987 : *Canal et palais à Venise*, h/t (59x44) : **BEF 180 000** – Lokeren, 5 mars 1988 : *Jardin méditerranéen fleuri*, h/t (31x38) : **BEF 120 000** – Bruxelles, 19 déc. 1989 : *Bruxelles – le marché aux fleurs de la Grand'place* 1917, h/t (70x80) : **BEF 1 900 000** ; *La barque blanche*, h/t (35x45) : **BEF 575 000** ; *Vue de Juan-les-Pins*, h/t (45x60) : **BEF 275 000** – Bruxelles, 27 mars 1990 : *Pont de Venise*, h/t (60x80) : **BEF 550 000** – Paris, 13 juin 1990 : *Le Pont fleuri*, h/t (37x45) : **FRF 26 000** – Paris, 12 déc. 1990 : *L'aumône*, h/t (61x38) : **FRF 7 000** – Lokeren, 15 mai 1993 : *Bateaux de pêche*, h/t (35x45) : **BEF 160 000** – Paris, 22 déc. 1993 : *Le Rhône à Avignon*, h/t (46x60) : **FRF 28 000** – Lokeren, 12 mars 1994 : *Le pont de Vérone* 1911, h/t (35,5x45) : **BEF 220 000** – Paris, 22 mars 1994 : *Le quai Courbet à Villefranche-sur-Mer*, h/t (60x45) : **FRF 29 000** – Amsterdam, 19 avr. 1994 : *Vue de Venise*, h/t (48,5x35,5) : **NLG 7 590** – Lokeren, 9 déc. 1995 : *Digues à bruges*, h/t (60x45) : **BEF 330 000**.

LE DUC Thomas

XVIIe siècle. Hollandais.

Peintre.

LEDUC Victor Marie

Né en 1839 à Tours. XIXe siècle. Français.

Peintre d'histoire.

Élève de Gérôme. Il débuta au Salon en 1867. On cite de lui : *Mort de Cléopâtre* et *Jeanne d'Arc à Chinon*.

LEDUC D'ESCRIENNE Marguerite

Née le 24 avril 1896. XXe siècle. Française.

Peintre de portraits.

Elle fut élève de l'école des beaux-arts de Paris. Elle expose à Paris, au Salon des Artistes Français et à Nice.

LE DUCQ Jan ou **Johan** ou **le Duck, Duck, Ducq**

Né en 1629 ou 1630 à La Haye, selon Siret en 1636. Mort en 1676 à La Haye, des suites d'une blessure de guerre. XVIIe siècle. Hollandais.

Peintre de sujets de genre, portraits, animaux, paysages, graveur.

Probablement élève de Potter et de Karel Dujardin qu'il imita ; il fut fondateur de la Confrérie de La Haye ; acquit, en 1662, de la gilde, le droit de vendre les plaques de ses gravures. Il abandonna bientôt la peinture, fut sous-officier au service des États généraux. Johann Ducq épousa, le 2 janvier 1659, à La Haye, Geertruyt Sybille Kerckhoff, et un Jean Le Ducq était, en 1663, marié avec Ida Van Persyn ; on ne sait lequel de ces deux renseignements concerne le peintre.

Parmi son œuvre gravé, on cite : *Chiens*, suite de huit feuilles, *Le*

Loup poursuivi, La Chienne tétant, Deux brebis couchées, Le Paysage au gros bourdon, Le chien et la chienne courant.

Musées : Bâle : *Paysage avec bergers et bétail* – Château-Thierry : *Paysage avec animaux* – Copenhague : *Figures dans un paysage présumé de J. Van d'Hagen* – Édimbourg : *Partie de cartes* – Genève : *Épisode de la guerre de Trente Ans* – La Haye : *Réunion de cavaliers devant une auberge* – *La fileuse* – Kassel (Habisch) : *Berger et troupeau* – Mayence : *Le fumeur* – Montpellier : *Paysage et animaux* – Reims : *Homme au petit chien* – Rome : *Dépouilles d'un champ de bataille* – Rouen : *Estaminet hollandais* – Toulon : *Intérieur d'un corps de garde* – Vienne (Liechtenstein) : *Paysage avec vaches et brebis.*

Ventes Publiques : Londres, 15 nov. 1921 : *Intérieur d'un corps de garde* : **GBP 39** – Londres, 19 juil. 1922 : *Dames et cavaliers jouant aux cartes* : **GBP 11** – Londres, 29 juin 1923 : *Intérieur* : **GBP 42** – Paris, 5 juin 1924 : *La partie de musique* : **FRF 7 800** – Londres, 21 nov. 1924 : *Salle de garde* : **GBP 19** – Londres, 19 déc. 1941 : *Un corps de garde* : **GBP 63** – Londres, 28 avr. 1944 : *Personnages buvant dans un intérieur* : **GBP 189** – Paris, 21 juin 1976 : *Portraits d'homme et de femme de qualité*, deux h/pan. faisant pendants (40x25) : **FRF 21 500** – New York, 9 jan. 1980 : *Une dame de qualité et un cavalier dans une salle de garde*, h/pan. (50x38) : **USD 12 000** – Amsterdam, 18 mai 1988 : *Un terrier jappant contre un chien de chasse enchaîné à sa niche sur fond de paysage* (107x122) : **NLG 9 200** – Londres, 21 avr. 1989 : *Courtisane jouant aux cartes avec des soldats dans un corps de garde*, h/pan. (96x122) : **GBP 52 800** – Stockholm, 19 mai 1992 : *Soldats dans une grange*, h/pan. (32x45) : **SEK 30 000.**

LEDWARD Gilbert

Né en 1888 à Londres. Mort en 1960. xxe siècle. Britannique.

Sculpteur.

Il fit ses études à Carlsruhe. Établi à Londres, il exposa régulièrement à partir de 1901 à la Royal Academy de cette ville.

Ventes Publiques : Londres, 13 juin 1984 : *Trois figures entrelacées* vers 1946, pierre (H. 183) : **GBP 8 000.**

LEDWARD Richard Arthur

Né en 1857 à Burslem. Mort le 28 octobre 1890 à Londres. xixe siècle. Britannique.

Sculpteur.

Il exposa à la Royal Academy, à Londres, à partir de 1882.

LEE A. Van

Mort le 1er mai 1855. xixe siècle. Actif à Anvers. Belge.

Peintre et restaurateur de tableaux.

LEE Anna

Née à Londres. Morte vers 1790 à Londres. xviiie siècle. Britannique.

Peintre et dessinatrice.

Élève de Parkinson. Se fit une grande réputation par ses peintures et ses dessins d'histoire naturelle.

LEE Anne

Née le 25 juillet 1891. Morte en 1982. xxe siècle. Active depuis 1926 en France. Américaine.

Peintre, graveur, dessinatrice, aquarelliste.

Elle fut élève de l'Art Students' League de New York, puis à Paris, des académies Lhote et de la Grande Chaumière. Elle s'est liée très tôt aux artistes d'avant-garde de Montmartre et de Montparnasse. Durant la Seconde Guerre mondiale, elle est retournée aux États-Unis. Depuis 1949, date de son retour en France, elle vit et travaille à Thonon-les-Bains. Elle participe à Paris, depuis 1927, aux Salons d'Automne, où elle a reçu la mention honorable en 1972, et des Tuileries. Elle est chevalier de l'ordre des Lettres et des Arts.

Ses œuvres ont été fortement marquées par le cubisme, le surréalisme, l'abstraction lyrique, mais aussi par une figuration plus traditionnelle.

Ventes Publiques : Tours, 15 mars 1992 : *Au bar*, gche/pap. (54x43,5) : **FRF 97 000.**

LEE Anthony

Mort en juin 1767. xviiie siècle. Actif à Dublin. Britannique.

Peintre de portraits.

Il travailla sous le règne de George II.

LEE Arthur

Né le 4 mars 1881. Mort en 1961. xxe siècle. Américain.

Sculpteur.

Il vécut et travailla à New York. Il exposa pour la première fois en 1921.

Musées : New York (Metropolitan Mus.) : *Volupté.*

Ventes Publiques : New York, 27 oct. 1978 : *Rythme*, bronze patine brune (H. 92,7) : **USD 1 600** – New York, 23 sep. 1981 : *Volupté*, bronze patine noire (H. 52,1) : **USD 3 200** – New York, 3 déc. 1982 : *Rythme*, bronze patine brun-noir (H. 93,4) : **USD 4 200** – New York, 16 mars 1990 : *Nu masculin* 1912, bronze à patine brun-noir (H. 71,1) : **USD 18 700** – New York, 15 avr. 1992 : *Le Philosophe*, bronze (H. 43,2) : **USD 1 760.**

LEE Brown David

Né le 5 janvier 1939 à Detroit (Michigan). xxe siècle. Américain.

Sculpteur. Abstrait-géométrique.

Il expose depuis 1957 aux États-Unis.

Sa sculpture use des répétitions sérielles de volumes simples.

LEE Caroline

Née en 1932 à Chicago (Illinois). xxe siècle. Active en France. Américaine.

Sculpteur.

Après ses études artistiques à l'Art Institute de Chicago, elle obtint le prix de la fondation Copley, en 1961.

Elle participe aux principales manifestations collectives françaises, ainsi qu'à des expositions de groupes internationales. Elle a figuré au Salon de Mai, à Paris, pendant plusieurs années, avant d'apparaître dans la liste des membres du comité, en 1971. Sa première exposition personnelle eut lieu à Paris, en 1965.

Elle travailla d'abord le métal et le bronze, dans des œuvres encore inspirées de la nature mais néanmoins déjà très épurées, voire même rigides. Elle évolua ensuite à une abstraction de volumes géométriques, d'inspiration mécaniste, dont l'esprit pourrait rappeler les œuvres de Viseux, si celles de Caroline Lee ne s'en distinguaient en tout cas par une finition d'une précision en rapport avec leur caractère mécanique d'astronefs futuristes prêts à s'élancer vers d'autres planètes, tel *Reception-Perception* de 1968. Ces récentes sculptures après avoir été étudiées en polystyrène, contrairement encore à la démarche de Viseux qui part d'éléments mécaniques préexistants, sont, depuis 1967, réalisées en fonte d'aluminium ou par la technique dure et délicate à la fois de l'acier inoxydable soudé, qui accentue encore leur caractère industriel. Il est rare de voir, comme elle fait, une femme se livrer totalement à ces durs usinages, en bleu de mécanicien, mains et visage noircis par la soudure et l'huile. Même quand on aime moins certaines de ses œuvres, on ne peut qu'admirer la perfection technique de leur façonnage de mécanique de haute précision à l'image des accessoires d'une époque qu'il faut bien, qu'on le veuille ou non, subir. Ses œuvres en sont-elles le reflet ébloui ou le simulacre ironique ? ■ J. B.

Bibliogr. : Denys Chevalier, in : *Nouv. Dict. de la sculpt. mod.*, Hazan, Paris, 1970.

LEE Catherine

Née en 1950 au Texas. xxe siècle. Active aussi en Angleterre. Américaine.

Peintre, sculpteur, dessinatrice. Abstrait.

Elle est l'épouse du peintre Sean Scully. Elle vit et travaille à New York et Londres.

Elle participe à des expositions collectives depuis 1978 : 1980 University Museum de Princetown, 1982 Museum für Kultur à Hambourg, 1983 Institute of Art de Minneapolis, 1987 Albright-Knox Art Gallery à Buffalo, 1988 Museum of Art de Cleveland, 1989 Fondation Gulbenkian de Lisbonne. Elle montre ses œuvres dans des expositions personnelles depuis 1977 : 1980 Institute for Art and Urban Resources à New York ; 1981 Museum für Kultur de Berlin ; 1982 Museum für Kultur d'Hambourg ; 1989 Londres ; 1990 San Francisco ; 1990 galerie Karsten Greve à Paris.

Entre peinture et sculpture, ses œuvres se composent de plusieurs pièces assemblées en bronze coloré par l'acide ou en bois recouvert de cire teintée. Les titres, généralement des noms de lieux, *Vallolid, Yucatan...*, parfois d'étoiles ou de planètes, suggèrent que son travail est né d'une sensation liée à un endroit particulier.

Bibliogr. : Anne Dagbert : *Catherine Lee*, Artpress, n° 152, nov. 1990.

Musées : Cleveland (Mus. of Art) – Londres (Tate Gal.) – New York (Mus. of Mod. Art) – Pittsburgh (Carnegie Inst.).

Ventes Publiques : New York, 7 mai 1991 : *Le rêve* 1985, h/bois

(37,5x50,2) : **USD 2 860** – New York, 3 mai 1994 : *Trinité* 1987, h/tissu (152,3x183) : **USD 3 450**.

LEE Doris Emrick

Née en 1905. Morte en 1983. xxe siècle. Américaine.

Peintre de scènes et paysages animés. Naïf. Groupe de Woodstock.

Au début des années 1930 elle travailla avec André Lhote à Paris, avec Ernest Lawson à l'Institut d'art de Kansas City et avec Arnold Blanch à Woodstock. Elle était venue à Woodstock en 1931 avec l'intention de peindre pendant l'été, elle y demeura jusqu'en 1968. Elle visitait toutefois d'autres centres artistiques, notamment de 1936 à 1939, pendant l'été, le Centre d'art de Colorado Springs. Ses œuvres figurent au Salon international annuel de la fondation Carnegie de Pittsburgh.

Sa peinture est naïve et optimiste soulignée par l'usage de couleurs vives décoratives. Elle décrit tout ce qu'elle voit en équivalences poétiques qui lui ont valu l'intérêt amusé du public américain.

Ventes Publiques : New York, 15 avr. 1992 : *Paysage avec des vaches*, h/t. cartonnée (27,9x40,6) : **USD 1 320** – New York, 28 sep. 1995 : *L'heure du repas à la ferme*, h/t (71,1x61) : **USD 14 950** – New York, 28 nov. 1995 : *Les cabanes des prospecteurs près de Phantom Gulch*, h/t (68,5x56,3) : **USD 8 625** – New York, 13 mars 1996 : *Shrimp fleet en Floride*, aquar. et gche/pap. (43x66) : **USD 6 900**.

LEE Frederick Richard

Né le 10 juin 1798 à Barnstaple. Mort le 4 juin 1879 dans la colonie du Cap. xixe siècle. Britannique.

Peintre de scènes de chasse, paysages animés, paysages, marines, aquarelliste, dessinateur.

Il fut d'abord militaire et fit une campagne en Hollande. Il fut ensuite élève de la Royal Academy de Londres et y exposa à partir de 1824. Il prit part également aux Expositions de la Bristish Institution, où un prix de 50 livres sterling lui fut décerné en 1829. Associé de la Royal Academy en 1834, il fut académicien en 1838. Il cessa d'exposer après 1870 et passa la fin de sa vie à voyager.

Musées : Le Cap : *Teign River, Devon – Au Devonshire – Un sentier* – Esquisse – Glasgow : *Marine* – Liverpool : *Le soir dans les prairies* – Londres (Victoria and Albert Mus.) : *Près de Redleaf – La récolte du varech – Vue de Windsor – Vallée boisée, animaux* – deux aquarelles – Londres (Tate Gal.) : *Paysage – Rivière et bétail* – Melbourne : *Ben Lawers – Rivière, moulin et ferme* – Nottingham : *Charrette de marché et ruisseau* – Sheffield : *Paysage animé – Charrette passant un fleuve*.

Ventes Publiques : Londres, 1890 : *Paysage sous bois* : **FRF 10 500** – Londres, 1897 : *Prairies près de Canterbury* : **FRF 13 650** – Paris, 16-18 mai 1907 : *Paysage* : **FRF 2 300** – Londres, 3 avr. 1909 : *Bords de rivière* : **GBP 14** ; *Bestiaux à l'abreuvoir* : **GBP 35** – Londres, 17 juin 1910 : *La pêche du saumon* 1836 : **GBP 63** – New York, 16 et 17 fév. 1911 : *Paysage* : **USD 160** – Londres, 13 mars 1925 : *Là où la truite repose* : **GBP 48** – Londres, 29 jan. 1926 : *À l'ombre* : **GBP 147** – Londres, 7 fév. 1947 : *La pêche au saumon* : **GBP 57** – Londres, 17 oct. 1950 : *Le bac* : **GBP 231** – Londres, 2 déc. 1959 : *En attendant le train* : **GBP 600** – Londres, 11 juil. 1969 : *Paysage du Sussex* : **GNS 420** – Londres, 5 mars 1971 : *Paysage fluvial boisé* : **GNS 980** – Londres, 13 déc. 1972 : *Paysage fluvial boisé* : **GBP 5 000** – Londres, 5 oct. 1973 : *Le champ de blé* : **GNS 4 800** – Copenhague, 30 avr. 1974 : *Paysage d'été* : **DKK 13 000** – Londres, 16 nov. 1976 : *La traversée en bac* 1868, h/t (75x126) : **GBP 4 200** – Londres, 8 mars 1977 : *La digue à Plymouth* 1862, h/t (71x91,5) : **GBP 2 600** – Londres, 19 mai 1978 : *Loch Dochart, Pertshire*, h/cart. (45,7x61) : **GBP 1 200** – Londres, 2 févr 1979 : *L'Attente du bac* 1838, h/t (125,2x193,8) : **GBP 16 000** – Londres, 5 juin 1981 : *Vue éloignée de Dunbar Castle* 1835, h/t (71,7x92,7) : **GBP 10 000** – Londres, 13 juin 1984 : *Devonshire scenery* 1842, h/t (117x152,5) : **GBP 13 000** – Londres, 11 juin 1985 : *Preparing the plough team* 1834, h/t (63x76) : **GBP 4 400** – Londres, 16 mai 1986 : *Paysannes au puits* 1866, h/t (61x73,5) : **GBP 5 500** – Londres, 24 avr. 1987 : *Jeune pêcheur à la ligne dans un paysage* 1823, h/t (63,8x76,2) : **GBP 16 000** – Londres, 29 jan. 1988 : *Vue de Edge Hill dans le Warwickshire* 1832, h/cart. (37,5x51,1) : **GBP 3 850** – Londres, 18 nov. 1988 : *Paysage côtier avec un jeune pêcheur et des animaux domestiques* 1834, h/t (76,8x91,4) : **GBP 28 600** – Toronto, 30 nov. 1988 : *Village dans les collines galloises*, h/t (29,5x39,5) : **CAD 1 400** – Londres, 12 juil. 1989 : *Grasmere*, h/pan. (28,5x41) : **GBP 6 600** – Londres, 13 déc. 1989 : *Une mare ombragée*, h/cart. (35x25) : **GBP 660** – Londres, 21 mars 1990 : *Le ruisseau du moulin à eau* 1842, h/t (127x94) : **GBP 9 350** – Londres, 11 juil. 1990 : *Les moissonneurs* 1846, h/t (78x119,5) : **GBP 23 100** – Londres, 15 nov. 1991 : *Poissons d'eau douce sur la berge d'une rivière anglaise* 1834 (73,6x101,6) : **GBP 11 000** – Londres, 8 avr. 1992 : *Fulford Park à Exeter dans le Devon* 1839, h/t (70x90) : **GBP 8 800** – Penrith (Cumbria), 13 sep. 1994 : *Chasse au lapin*, h/t (66x97) : **GBP 6 555** – New York, 12 oct. 1994 : *Pêche au saumon*, h/t (70,5x92,1) : **USD 8 050** – Londres, 12 juil. 1995 : *Le gardien du gibier*, h/pan. (39,5x46) : **GBP 7 475** – Londres, 8 nov. 1995 : *Les palefreniers*, h/pan. (39,5x46) : **GBP 4 370** – Londres, 7 nov. 1996 : *Calme* 1865, h/t (70,5x91,4) : **GBP 4 600**.

LEE Frederick Walter

xixe-xxe siècles. Actif de 1894 à 1938. Britannique.

Peintre, aquarelliste d'architectures.

Ventes Publiques : Londres, 13 nov. 1992 : *Le Palais St James* 1895, cr. et aquar. (33x55,9) : **GBP 792**.

LEE George D.

Né le 1er décembre 1859 à Saint Louis (Missouri). xixe siècle. Américain.

Peintre.

Membre de la Fédération Américaine des artistes.

LEE Homer

Né à New York. xixe-xxe siècles. Américain.

Peintre d'architectures.

Il exposa au Salon de Paris. Il a reçu une mention honorable en 1900, à l'Exposition universelle de Paris.

LEE John

Mort en 1804. xviiie siècle. Britannique.

Graveur sur bois.

Il travailla à Londres dans la deuxième moitié du xviiie siècle. Il séjourna à Paris pendant un certain temps. Il a surtout travaillé pour des ouvrages destinés aux enfants.

LEE Joseph

Né le 16 janvier 1780 à Londres. Mort le 26 décembre 1859 à Gravesend. xixe siècle. Britannique.

Peintre émailleur.

Exposa à la Royal Academy de 1809 à 1853. En 1818, il fut nommé peintre de la princesse Charlotte et, en 1832, peintre du duc de Sussex. Ses portraits sont estimés. On voit de lui une œuvre au Victoria and Albert Museum et, dans la collection Wallace, une *Étude de femme drapée*.

LEE Kim

Né en 1946. xxe siècle. Russe.

Dessinateur.

C'est un ancien élève de l'école des beaux-arts de Leningrad (Institut Répine). Il fut membre de l'Association des peintres de Leningrad.

Musées : Moscou (min. de la Culture) – Saint-Pétersbourg (Mus. des Beaux-Arts).

LEE Kwok-hon. Voir **LI Guohan**

LEE Laura

Née le 17 mars 1867 à Charlestown (Massachusetts). xixe-xxe siècles. Américaine.

Peintre.

Elle étudia au musée des Beaux-Arts de Boston et à l'académie Julian à Paris. Elle est membre de la Fédération américaine des arts.

LEE Lawrence

Né en 1948 à Sabah (Bornéo). xxe siècle. Actif depuis 1971 en Suisse. Malais.

Peintre, sculpteur, dessinateur.

Il vit et travaille à Aarau. Il a participé à l'exposition : *De Bonnard à Baselitz – Dix ans d'enrichissements du cabinet des estampes 1978-1988* à la Bibliothèque nationale à Paris en 1992.

Musées : Paris (Cab. des Estampes).

LEE Manning de Villeneuve

Né le 15 mars 1894 à Summerville. xxe siècle. Américain.

Peintre de marines, illustrateur.

Il fut élève de l'académie des beaux-arts de Philadelphie, dont il est membre. Il illustra des contes de fées.

LEE Sydney

Né le 27 août 1866 à Manchester. Mort le 31 octobre 1949 à Londres. xixe-xxe siècles. Britannique.

Peintre de paysages, graveur, dessinateur.

Il a d'abord étudié à Manchester puis à l'académie Colarossi à Paris. Il exposait au New English Art Club dès 1903. Il est membre de la Royal Academy depuis 1903.
Surtout paysagiste, il a beaucoup voyagé en Europe, peignant sur le motif. Comme graveur, il a surtout utilisé le bois et l'eau-forte.
Musées : Liverpool : *Église en ruine*, dess. – Londres (Tate Gal.) : *Près des Dolomites – Le Sommeil du Saint-Gothard*.

LEE Thomas Stirling
Né le 16 mars 1856 à Londres. Mort le 29 juin 1916 à Londres. XIXe-XXe siècles. Britannique.
Sculpteur.
Élève de l'École de Westminster, de J. Berner Philips et de l'Académie des Beaux-Arts à Paris. Il obtint des médailles et une bourse de voyage aux Écoles de la Royal Academy, puis une médaille d'or à Munich, une d'argent en France. C'est l'un des fondateurs du New English Art Club, de l'International Exhibition of Painters, Gravers and Sculptors, du Chelsea Art Club. Le Musée de Bradford conserve de lui un marbre et un bronze *(Têtes de jeunes filles)*. Exposa à la Royal Academy et dans les principales Expositions londoniennes à partir de 1878. Résida longtemps à Paris et y exposa en 1889 ; médaille bronze (Exposition Universelle). Il a réalisé des sculptures pour la Cathédrale de Westminster. La Tate Gallery conserve : *Margaret Clausen*.

LEE Ung No. Voir **UNG NO LEE**

LEE Wesley Duke
Né en 1931. XXe siècle. Brésilien.
Auteur de performances.
Il participa à l'exposition *Opinion 65* au musée d'Art moderne de Rio. Il fonda avec d'autres artistes le groupe Rex, autour d'une galerie et d'une librairie, en réaction contre les circuits traditionnels de l'art.
Bibliogr. : Damian Bayon, Roberto Pontual : *La Peinture de l'Amérique latine au XXe siècle*, Mengès, Paris, 1990.

LEE William
Né en 1810. Mort le 22 janvier 1865 à Londres. XIXe siècle. Britannique.
Peintre de sujets de genre, aquarelliste, dessinateur.
Il exposa occasionnellement à la Royal Academy, à Suffolk Street et à la New Water-Colours Society, dont il fut associé en 1845 et membre effectif en 1848. Pendant plusieurs années, il appartint à la Langham School. Il a surtout peint des sujets anglais et français.
Musées : Dublin : *Intérieur Gallois* – Londres (Victoria and Albert Mus.) : *Pêcheuse française*, aquar.
Ventes Publiques : Londres, 29 jan. 1926 : *Prière du soir*, dess. : **GBP 12** – New York, 25 mai 1988 : *Le retour de Cythère*, h/t (104x99) : **USD 9 350** – Londres, 29 oct. 1991 : *Cache-cache*, cr. et aquar. (53,3x61) : **GBP 1 045**.

LEE William
Né à Paris, de parents anglais. XIXe siècle. Britannique.
Peintre.
Il figura au Salon des Artistes Français de Paris, obtenant une mention honorable en 1890.

LEE BRIDELL. Voir **BRIDELL Frederick Lee**

LEE BYARS James. Voir **BYARS James Lee**

LEE ROBBINS Lucy
Née en 1865 à New York. XIXe-XXe siècles. Américaine.
Peintre d'histoire, de genre, portraits, pastelliste.
Elle fut élève de Carolus Duran et de Henner. Elle a reçu une mention honorable à Paris en 1887, à Berlin en 1891. Elle participa à Paris, au Salon de la Société Nationale des Beaux-Arts à partir de 1880.
Musées : Cambrai : *Les Trois Parques*.
Ventes Publiques : Amsterdam, 14-15 avr. 1992 : *Portrait d'une Américaine au chapeau noir*, past. (52x37) : **NLG 9 200** – Paris, 20 janv. 1997 : *Femme au chapeau à plume*, h/t (46,5x28) : **FRF 8 200**.

LEEB Johann
Né en 1790. Mort le 5 juillet 1863 à Munich. XIXe siècle. Allemand.
Sculpteur.
Il fit ses études à Lindau, puis séjourna à Winterthur, Lausanne, Genève et Paris. A Paris il travailla dans l'atelier de Thorvaldsen. A partir de 1826, il vécut et travailla à Munich.

LEEB Nat
Né le 8 janvier 1906 à La Walck (Bas-Rhin). XXe siècle. Français.
Peintre. Abstrait.
En 1920, il entre à l'école des arts décoratifs de Strasbourg. En 1925, il s'installe à Paris, où il rencontre Claude Monet, Soutine et Mondrian. De 1928 à 1933, il vit à Berlin, fréquente Klee et Kandinsky. Accusé de subversion, il fuit pour la France.
Il expose pour la première fois en 1922 à Strasbourg avec George Grosz. Le musée d'Art moderne Quadrat de Bottrop a organisé une exposition rétrospective de son œuvre en 1981. Il est chevalier du Mérite national et officier des Arts et des Lettres.
Dès 1917, alors qu'il n'a jamais encore vu d'œuvres de Tatline ou de Malévitch, il réalise des peintures constructivistes, suivies de compositions poétiques surréalistes mais que Breton et Éluard jugent trop littéraires. À partir des années trente, il déploie ses dons de coloriste dans des œuvres abstraites qui évoquent par leur traitement l'impressionnisme : *Le Buisson ardent – La Forêt de Brocéliande – La Cathédrale de montagne*... Au début des années cinquante, les formes s'épurent, réduites à quelques contours dans lesquels la couleur, généralement vive, peut se déployer. La forme privilégiée devient le cercle souvent fragmenté.
Bibliogr. : Catalogue de l'exposition : *Nat Leeb*, Moderne Galerie, Bottrop, 1981.
Musées : Boston (Mus. of Fine Arts) – Cambridge (The Fitzwilliam Mus.) : *La Tortue* 1940 – Indianapolis (Herron Mus. of Art) – Minneapolis (Walker Art Center) – Munich (Bayerische Staatsgemäldesammlungen) : *Visage ensoleillé* 1967 – Paris (Mus. Nat. d'Art Mod.) : *Flamboyant* 1951 – Paris (Mus. de l'affiche) – Philadelphie (Mus. of Art) – Rennes – Washington D. C. (Air Space Mus.).
Ventes Publiques : Paris, 17 avr. 1956 : *Nue allongée*, fus. : **FRF 33 000** – Paris, 11 mars 1964 : *Printemps*, aquar. : **FRF 2 300** – New York, 3 nov. 1978 : *Forêt de cristal* 1937, h/t (73x100) : **USD 10 000** – New York, 3 nov. 1978 : *Forêt de cristal* 1937, h/t (73x100) : **USD 10 000** – Paris, 10 juin 1980 : *Miracle solaire* 1921, h/t (100x81) : **FRF 55 000** – Paris, 10 juin 1980 : *Miracle solaire* 1921, h/t (100x81) : **FRF 55 000**.

LEECH John
Né le 23 août 1817 à Londres. Mort le 14 octobre 1864 à Londres, d'une angine de poitrine. XIXe siècle. Britannique.
Dessinateur.
Un des plus remarquables dessinateurs humoristes qu'ait produits l'Angleterre. Fils du tenancier d'une importante taverne, il montra dès sa plus tendre enfance des dispositions extraordinaires. Le sculpteur Flaxman ayant vu un dessin exécuté par Leech à l'âge de six ans, lui prédit un remarquable avenir artistique. Cependant il n'eut pas d'autre maître que le professeur de dessin, M. Burgess, à l'École Charterhouse, où il fit son éducation en compagnie du célèbre romancier Thackeray. Après avoir travaillé à l'hôpital Saint-Bartholomé, études qui lui donnèrent une profonde connaissance de l'anatomie humaine, et servi d'aide à un praticien de Londres, il s'adonna au dessin comique. On croit qu'un voyage qu'il fit, en 1835, à Paris et à Versailles influa sur sa décision. Ses commencements furent difficiles ; cependant son entrée au journal *Le Punch* lui permit de donner libre cours à sa fantaisie et lui assura une brillante réputation. Il ne donna pas moins de trois milles dessins à la célèbre publication humoristique. Il convient d'ajouter l'illustration de près de cinquante volumes parmi lesquels nous citerons : *L'histoire romaine comique, L'histoire d'Angleterre comique, Les Carillons* de Dickens. Cet énorme labeur épuisa l'artiste qui ne trouva jamais le loisir de manifester son talent, comme il en avait l'ardent désir, par des œuvres peintes.
Malgré le genre modeste dans lequel les nécessités de l'existence l'ont cantonné, John Leech n'en reste pas moins, par ses remarquables dessins, un artiste d'une grande valeur. Une partie de ses dessins sont conservés dans la Bibliothèque de Charterhouse. On en voit aussi au Victoria and Albert Museum et au Musée de Nottingham.
Ventes Publiques : Londres, 27 mai 1910 : *Le Vieux Chasseur de renards* : **GBP 22** – Londres, 24 avr. 1911 : *Objets trouvés généralement sur les rochers à marée basse* : **GBP 10** – Londres, 23 juil. 1923 : *Illustrations de « Punch »*, pl. : **GBP 19** – Londres, 1er août 1930 : *Chasse au renard*, deux peint. : **GBP 84** – Londres, 15 mai 1987 : *C'est pourquoi Charles préfère un coin tranquille protégé du vent*, cr. et h/t mar/cart. (44,5x67,3) : **GBP 2 800**.

LEECH William John
Né le 10 avril 1881 à Dublin. Mort en 1968. XXe siècle. Irlandais.

Peintre de portraits, paysages, genre.
Il fut élève de l'académie des beaux-arts de Dublin.

Leech

Ventes Publiques : Slane Castle (Irlande), 25 juin 1979 : *La Barrière de la ferme,* h/pan. (33x46) : **GBP 750** – Slane Castle (Irlande), 12 mai 1981 : *The Vanishing of the blue shades,* h/t (49,5x60,5) : **GBP 2 500** – Londres, 14 nov. 1984 : *Le port de Nice,* h/pan. (46x37) : **GBP 3 800** – Belfast, 28 oct. 1988 : *Arbres devant un mur blanc,* h/t (38,5x36,2) : **GBP 2 640** – Belfast, 30 mai 1990 : *La boutique bleue à Quimper,* h/t (61x40,6) : **GBP 40 700** – Dublin, 26 mai 1993 : *Barques et péniche à Billinsgate sur la Tamise,* h/pan. (38,1x45,7) : **IEP 18 700** – Londres, 16 mai 1996 : *Enfants jouant sur une plage,* h/t/cart. (20,5x30,5) : **GBP 6 900.**

LEE CHAN-SENG. Voir **LEE KAH YEOW**

LEECKERT Charles Henri Joseph
Né le 22 septembre 1818 à Bruxelles. xixe siècle. Belge.
Peintre de vues de villes et de marines.
Élève de B.-J. Van Hove, W.-J.-J. Nuyen et de A. Schelfhout. Il vécut à Amsterdam après 1856. On voit de ses œuvres à Amsterdam, à Rotterdam, à Stettin et à Hambourg.

LEE DAI-WON
Né en 1921 à Séoul. xxe siècle. Coréen.
Peintre de paysages ruraux, paysages de montagne, paysages d'eau.
Lee Dai-Won est doyen de la Faculté des Beaux-Arts à l'Université Hong-Ik de Séoul. En 1988, lui a été décerné le Prix National de Peinture ; en 1991, le Prix de l'Académie Nationale des Arts de Corée, académie dont il est devenu président.
Outre des participations à des expositions collectives, Lee Dai-Won montre ses œuvres dans des expositions personnelles : 1957 Séoul, galerie Dong Wha ; et Francfort, Neue Galerie ; 1960 Tokyo, Asia Center ; 1971 Séoul, galerie Bando Art ; 1979 New York, Hankook Gallery ; 1979, 1983, 1986, 1987, 1989, 1995 Séoul, galerie Hyundai, en précisant que cette galerie est particulièrement active dans la promotion internationale des artistes coréens.
Lee Dai-Won est resté un peintre de la nature, des paysages de montagnes, de champs ou d'étangs. Il peint ou plutôt dessine, la lumière. Il a recours à un système de lignes et de points, grâce auxquels son pinceau trace la forme dans la couleur. La peinture de Lee Dai-Won est radieuse parce qu'elle suit spontanément le chemin de l'énergie universelle qu'elle a su capter dans la nature. Ce langage de la ligne et du point coloré est un alphabet morse qui dicte sans cesse un hymne pictural à la joie de vivre.
■ Pierre Restany

LEE FONG-LAN. Voir **HUXIAN, peintres paysans du**

LEEGENHOEK Corneille
Né en 1903 à Bruges (Flandre-Occidentale). Mort en 1971. xxe siècle. Belge.
Peintre de genre, sujets religieux, portraits.
Il fut élève de l'académie des beaux-arts de Bruxelles. Il a participé à la restauration de fresques.
Bibliogr. : In : *Dict. biogr. illustré des artistes en Belgique depuis 1830,* Arto, Bruxelles, 1987.

LEE Guen Yong
Né en 1942 à Séoul. xxe siècle. Coréen.
Sculpteur.
Il a étudié à l'École des beaux-arts de l'université Hong-Ik de Séoul. Il vit et travaille à Séoul, où il enseigne le dessin et la peinture à l'Académie de peinture orientale.
Il expose à l'association de l'avant-garde coréenne annuelle de Séoul depuis 1971. En 1973, il a été invité à la Biennale de Paris. Proches dans leur forme de l'art pauvre, ses sculptures tendent à mettre en relation le bois et la terre, la pierre et la corde. Il a atteint au spectaculaire en exposant, lors de la Biennale de Paris en 1973, un arbre sectionné à deux mètres au-dessus du sol et reposant sur un cube de terre d'un mètre environ d'arête – terre renfermant les racines coupées de l'arbre.

LEE Hang Su
Né en 1919 à Paris. xxe siècle. Actif depuis 1975 en France. Coréen.
Peintre, graveur.
Il vit et travaille à Paris. Il a participé à l'exposition : *De Bonnard à Baselitz – Dix ans d'enrichissements du cabinet des estampes 1978-1988* à la Bibliothèque nationale à Paris en 1992.
Musées : Paris (Cab. des Estampes).

LEE-HANKEY William. Voir **HANKEY William Lee**

LEE Jong-Sang
Né en 1938. xxe siècle. Coréen.
Peintre. Abstrait.
Il sort diplômé de l'université des beaux-arts de Séoul dans la section peinture en 1963. Il enseigne dans cette même université depuis 1990. Il participe à de nombreuses expositions collectives : 1962 Ire exposition d'Art international de Saigon, 1964 Ire exposition d'Art international de Tokyo, depuis 1990 FIAC (Foire Internationale d'Art Contemporain) à Paris. Il montre ses œuvres dans des expositions personnelles depuis 1975.
Son travail gestuel évoque des œuvres primitives, ayant traversé le temps. Jouant des effets de transparence de l'encre mêlée à de la peinture, à la fluidité de l'encre de Chine il associe une matière épaisse, grumeleuse, pour mieux suggérer sa vision d'un monde originel, en devenir.

LEE Kah-Yeow ou **Lee Chan-Seng**, surnom : **Li Canxing**
Né vers 1910 à Eng Choon (Hokkin). xxe siècle. Chinois.
Peintre.
Ce peintre bien connu en Asie du Sud-Est est originaire d'une vieille famille de la province du Fujian. Son père étant déjà artiste, il commence tôt sa formation picturale à l'université de Pékin d'abord où il travaille avec Chen Hengke, Ho Lizhi, Chen Banding et Hu Beiheng, puis au collège des beaux-arts de Shangaï, où il apprend les techniques de la peinture occidentale avec Liu Haisou. Il part alors en Malaisie comme professeur d'art, tout en continuant son étude des maîtres anciens de la dynastie Tang (618-906) à la dynastie Qing (1644-1911). Il forge peu à peu un style très personnel, essayant de traduire les paysages de ces régions par l'union de techniques chinoises traditionnelles et de techniques occidentales. En 1956, il publie une série de calligraphies et de peintures.

LEE Kang-So
Né en 1943. xxe siècle. Coréen.
Peintre. Tendance calligraphique.
Depuis 1970, il participe à des expositions collectives, notamment : 1971 Séoul, *Avant-garde Coréenne,* Musée National d'Art Contemporain ; 1975 Paris, *9e Biennale des Jeunes Artistes ;* 1976 Tokyo, *10e Biennale de l'Estampe,* Musée National d'Art Moderne ; 1977 São Paulo, *14e Biennale ;* 1981 New York, *Gravure Coréenne Aujourd'hui,* Brooklyn Museum ; 1983 Tokyo, Osaka, Sapporo, Fukuoka, *Arts Coréens Contemporains ;* 1990 Hambourg, Foire d'Art ; 1991 Zagreb, Musée National d'Art ; en 1996 à Paris, il était représenté dans la sélection de galeries coréennes invitées à la Foire Internationale d'Art Contemporain (FIAC). Il expose individuellement : 1973, 1976, 1977, 1979, 1981, 1985, 1988, 1989, 1990, 1994 Séoul ; 1975, 1977, 1979, 1981, 1983, 1985 Taegu (Corée) ; 1976, 1979, 1990 Tokyo ; 1986 New York, Korea Gallery ; 1992 Londres ; 1995 Bâle ; etc.
Sa peinture, avec les matériaux contemporains, s'inspire de la calligraphie traditionnelle. Sur des formats généralement importants, en quelques touches efficaces, il évoque, en les multipliant, des volatiles dans l'air, à moins qu'il n'en retienne que la trace du vol, des barques sur l'eau.

LEEKE Ferdinand
Né le 7 avril 1859 à Burg près de Magdebourg. Mort en 1923. xixe-xxe siècles. Allemand.
Peintre d'histoire, sujets allégoriques, scènes de genre, paysages.
Il fut élève de l'Académie de Munich, d'Herterich et d'Alex. Wagner. Il exposa à Munich en 1889. On cite de lui : *Le soir en mer.*
Ventes Publiques : Londres, 21 mars 1972 : *Paysage boisé :* **ATS 25 000** – Hanovre, 16 juin 1979 : *Baigneuses et sirènes* 1906, h/t (90,5x134) : **DEM 7 000** – Londres, 6 oct. 1982 : *Le banquet empoisonné* 1906, h/t (89x129,5) : **GBP 1 500** – Vienne, 19 jan. 1983 : *Le Berger et les Néréides,* h/t (81x121,5) : **ATS 30 000** – Londres, 26 nov. 1986 : *Bal Masqué à la Maison des Artistes à Munich,* h/t (79x119) : **GBP 4 500** – Amsterdam, 14-15 avr. 1992 : *Nymphe des bois* 1905, h/t (132,5x89,5) : **NLG 6 670.**

LEE Kyu-Sun
xxe siècle. Coréen.
Peintre d'assemblages, technique mixte. Tendance abstraite.

Il fut élève de l'université nationale de Séoul.
Il participe à des expositions collectives : 1967 exposition itinérante en France de peinture coréenne contemporaine ; 1968 Biennale de São Paulo ; 1983 Storza Museum de Milan ; 1994 National Museum of Contemporary Art de Séoul ; 1995 exposition de peinture coréenne contemporaine à Venise ; 1996 FIAC (Foire internationale d'Art contemporain) de Paris. Il montre ses œuvres dans des expositions personnelles : depuis 1967 régulièrement à Séoul ; 1979 galerie Jacques Massol à Paris ; 1980 Stockholm ; 1995 Milan.
Il utilise principalement l'encre de Chine, privilégiant les jeux de lignes, les surfaces géométriques, introduisant parfois des objets comme le châssis d'une fenêtre qui renforce le rythme géométrique établi.

LEEMAN
XVIIe siècle. Hollandais.
Peintre de genre.
Le Musée Lakenhal, à Leyde, conserve de lui *Groupe familial dans un paysage indien*, signé *Leeman* 1665.

LEEMAN Jan
Mort le 1er mai 1855. XIXe siècle. Actif à Anvers.
Peintre et restaurateur de tableaux.

LEEMANN Johann Nepomuk
XIXe siècle. Actif à Zurich. Suisse.
Peintre d'histoire.

LEEMANN Julius
Né le 27 juin 1813 à Rued. Mort le 17 juin 1901 à Genève. XIXe siècle. Suisse.
Sculpteur sur bois.
A partir de 1837 il travailla à Lausanne, surtout pour des églises.

LEEMANN Julius Rudolf
Né le 15 avril 1812 à Rued. Mort le 5 janvier 1865 à Zurich. XIXe siècle. Suisse.
Portraitiste et dessinateur.
Étudia à Zurich et à Munich où il fut élève de Kaulbach et de Schwanthaler. De retour en Suisse, il travailla à Aarau, Lenzburg, Bade. Il illustra l'œuvre de Oswald Heer : *La Suisse*. Participa à l'Exposition de Zurich de 1832 avec deux dessins.

LEEMANN Robert
Né le 26 février 1852 à Lenzburg. XIXe siècle. Suisse.
Dessinateur et graveur.
Fils de Julius Rudolf Leemann. Travailla à Munich avec Raab et à Vienne, puis, en 1882, retourna dans son pays. On cite de lui la gravure des quatre fresques de la chapelle de Guillaume Tell, de Stückelberg ; il grava aussi d'après Van Dyck, Calame, Holbein, etc.

LEEMANS Antonius
Baptisé à La Haye le 16 février 1631. Mort vers 1673 à Amsterdam. XVIIe siècle. Hollandais.
Peintre de natures mortes, trompe-l'œil.
On le cite à La Haye vers 1652. Il vivait à Utrecht en 1663.

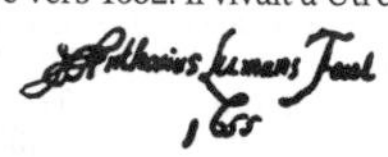

MUSÉES : AMSTERDAM : *Nature morte* – LA HAYE (coll. de Stuers) : *Instruments de musique*.
VENTES PUBLIQUES : NEW YORK, 22 oct. 1970 : *Le Marchand de gibier* : **USD 3 250** – MADRID, 27 fév. 1985 : *Trompe-l'œil à la cage* 1657, h/pan. (48x34,5) : **ESP 833 750** – NEW YORK, 27 mars 1987 : *Cage à oiseaux et sifflet accrochés à un mur*, h/pan., trompe-l'œil, de forme ovale (48x34,5) : **USD 8 000** – NEW YORK, 21 oct. 1988 : *Nature morte avec vanité, hommage à l'amiral Marten Herperts*, h/t (86x67,6) : **USD 46 200** – PARIS, 30 juin 1989 : *Trompe-l'œil aux accessoires de fauconnerie*, h/t (93x130) : **FRF 105 000**.

LEEMANS Edmond
XVe siècle. Actif à Louvain en 1486. Éc. flamande.
Peintre.

LEEMANS Egide François ou **Leemens**
Né le 28 avril 1839. Mort le 2 janvier 1883. XIXe siècle. Belge.
Paysagiste et graveur.
On l'oublie facilement, car il se confina toujours dans le genre discret des nocturnes. Ses canaux argentés par la lune ou ses ports sous la nuit, à peine scintillant de quelques fanaux, reposent des tempêtes de Jacob-Jacobs, et des canonnades de Schaefels. Le Musée d'Anvers conserve de lui : *Soirée d'été* et *Marine*.

LEEMANS Johannes
Né vers 1633. Mort avant le 17 septembre 1688 à La Haye. XVIIe siècle. Hollandais.
Peintre de genre, natures mortes, trompe-l'œil.
C'est probablement un frère d'Antonius Leemans. Il vécut à La Haye. Le Dr Sysmus mentionne un Lendert Leemans et un peintre Dirk Leeman qui fit son testament en 1682 à Amsterdam. On mentionne également un Hendrick Leemans qui se maria à Amsterdam le 1er juin 1663, à l'âge de 26 ans.

MUSÉES : AMSTERDAM : *Nature morte – Attirail de chasse* – deux œuvres – COPENHAGUE : *Sujet de chasse*.
VENTES PUBLIQUES : LONDRES, 28 nov. 1958 : *Trompe-l'œil d'une cage à oiseaux* : **GBP 577** – LONDRES, 26 juin 1964 : *Peinture en trompe-l'œil avec mousqueton, carnassière et piège* : **GNS 1 700** – COLOGNE, 6 juin 1973 : *Intérieur de cuisine* : **DEM 7 500** – LONDRES, 15 déc. 1978 : *Équipement de chasse*, h/t (104x132,5) : **GBP 5 500** – LONDRES, 4 mai 1979 : *Panoplie de chasse*, h/t (118,2x154,6) : **GBP 8 500** – AMSTERDAM, 18 mai 1981 : *Nature morte en trompe l'œil*, h/t (110x133) : **NLG 19 000** – LONDRES, 11 déc. 1984 : *Trompe-l'œil : objets de chasse mousqueton...* 1674, h/t (114,3x160,1) : **GBP 9 000** – PARIS, 16 avr. 1986 : *Nature morte d'objets de chasse en trompe l'œil* 1677, h/t (86x110) : **FRF 145 000** – AATSLEAARD (Belgique), 13 oct. 1987 : *Trompe-l'œil aux attributs de la chasse*, h/t (100x131) : **BEF 1 100 000** – AMSTERDAM, 14 nov. 1988 : *Trompe-l'œil d'un équipement de chasse* 1676, h/t (109x133,5) : **NLG 94 300** – AMSTERDAM, 22 nov. 1989 : *Trompe-l'œil avec un fusil et diverses pièces d'équipement de chasse* 1667, h/t (122x169,5) : **NLG 172 500** – LONDRES, 23 avr. 1993 : *Trompe-l'œil d'une cage à oiseaux et divers instruments de chasse* 1677, h/t (59x76) : **GBP 10 350** – LONDRES, 5 juil. 1995 : *Nature morte avec des oiseaux morts et une panoplie de chasseur* 1679, h/t (111x133,5) : **GBP 23 000** – NEW YORK, 11 jan. 1996 : *Nature morte avec la panoplie pour la chasse aux oiseaux*, h/t (101,6x99,4) : **USD 37 375**.

LEEMANS Philippe Alexis de
Né le 12 janvier 1827 à Bruxelles. Mort le 10 juin 1885 à Bruxelles. XIXe siècle. Belge.
Sculpteur.
Il exécuta entre 1866 et 1869 plusieurs sculptures pour l'Université de Bruxelles.

LEEMPOELS Josef ou **Jef** ou **Lempoels**
Né le 15 mai 1867 à Bruxelles (Brabant). Mort en 1935. XIXe-XXe siècles. Belge.
Peintre de genre, portraits, fleurs et fruits.
Élève de Portaels et de Stallaert, cet artiste occupe une situation considérable parmi les peintres belges. De multiples récompenses lui ont été décernées : à Paris mention honorable en 1893 et médaille d'argent en 1900 à l'Exposition universelle ; à Anvers médaille d'argent en 1894 ; à Saint-Louis médaille d'or en 1904 ; à Vienne en 1895 ; le grand Prix Buenos Aires en 1910. Il est chevalier de l'ordre de Léopold, chevalier de la Légion d'honneur, officier de l'ordre de la couronne de Belgique, membre correspondant de la Société des Artistes de Munich ; membre sociétaire de la Société des Beaux-Arts de Paris, membre d'honneur de l'académie des beaux-arts de Milan.
Il a exécuté un grand nombre de portraits officiels, notamment ceux du roi Léopold II et de la duchesse d'Arenberg. On cite encore parmi ses tableaux : *Noce d'argent des parents de l'artiste – Imitation de Jésus Christ* (au prince régent de Bavière) – *La Tricoteuse* (collection de l'empereur d'Autriche).

BIBLIOGR. : In : *Dict. biogr. illustré des artistes en Belgique depuis 1830*, Arto, Bruxelles, 1987.
MUSÉES : BUENOS AIRES : *Amitié* – LEIPZIG : *À l'église* – NAMUR : *Réconfortés* – SANTIAGO DU CHILI : *L'Ergoteur*.

Ventes Publiques : Bruxelles, 26-27-28 fév. 1968 : *Le destin de l'humanité* : **BEF 85 000** – Londres, 21 mars 1984 : *Jeune fille au livre ouvert*, h/t, haut arrondi (57x71) : **GBP 2 200** – Paris, 13 avr. 1988 : *Vase de glaïeuls*, h/t (54x33) : **FRF 8 000** – New York, 24 mai 1988 : *La dame à l'éventail*, h/t (95,3x66,8) : **USD 13 750** – Amsterdam, 28 oct. 1992 : *Le saule*, h/t (113x133) : **NLG 14 950** – Amsterdam, 21 avr. 1993 : *Portrait de l'artiste*, h/t (69x55,5) : **NLG 1 610** – New York, 24 mai 1995 : *La fleur*, h/t (121,9x105,4) : **USD 8 625**.

LEEMPUT Remi Van ou **Lemput**

Né en 1607 à Anvers. Mort en novembre 1675 à Londres. XVIIe siècle. Éc. flamande.

Peintre.

Maître à Anvers en 1628, il vécut plus tard en Angleterre et copia les œuvres de Van Dyck, Lely, etc. Sa fille fut aussi peintre. On lui doit des copies de portraits d'après Holbein.

LEEMPUTTE Jan Pieterssen

XVIe siècle. Actif à Clèves dans la seconde moitié du XVIe siècle. Allemand.

Peintre.

Il fut accusé d'avoir contribué à la destruction des statues du cloître des Jacobines et d'avoir servi le seigneur de Brederode contre le roi comme soldat, il fut condamné à mort par le duc d'Albe.

LEEMPUTTEN Cornelis Van

Né le 25 janvier 1841 à Werchter. Mort le 23 novembre 1902 à Schaerbeck. XIXe siècle. Belge.

Peintre d'animaux, paysages animés.

Il se forma sans maître par l'étude de la nature. Il prit part avec succès à diverses expositions : médaille d'or : Gand 1883, Édimbourg 1886 ; Port-Adélaïde 1887, Berlin 1896. Il fut promu chevalier de l'ordre de Léopold en 1895.

C. Van Leemputten

Musées : Anvers – Bucarest (Mus. Simu) : *Brebis dans l'étable* – Louvain – Middelburg – Sheffield : *Mouton et volaille.*

Ventes Publiques : Paris, 24 jan. 1905 : *Bergerie* : **FRF 840** – Londres, 17 avr. 1909 : *Moutons dans une grange* : **GBP 8** – Londres, 4 juin 1909 : *Brebis et agneaux* 1871 : **GBP 1** – Paris, 30 oct. 1925 : *Moutons et poules dans une bergerie* : **FRF 950** – Paris, 27 juin 1929 : *Coq, poules et canards aux champs* : **FRF 1 000** – Londres, 4 mai 1973 : *Dans la tourbière* : **GNS 650** – Londres, 6 mars 1974 : *Paysage à l'étang* : **GNS 750** – Amsterdam, 16 mars 1976 : *Berger et troupeau dans un paysage*, h/t (97,5x144) : **NLG 4 200** – Cologne, 11 mai 1977 : *Élégante compagnie dans un parc*, h/t (45,5x57) : **DEM 5 500** – Stuttgart, 17 nov 1979 : *Troupeau dans un paysage*, h/t (44x69) : **DEM 16 000** – Los Angeles, 28 juin 1982 : *Bergère et troupeau*, h/t (76x102) : **USD 5 000** – Munich, 15 sep. 1983 : *Intérieur d'étable*, h/t (60x90) : **DEM 25 000** – Londres, 7 fév. 1986 : *Moutons et poules à l'étable* 1879, h/t (50,8x69,5) : **GBP 1 600** – Chester, 20 juil. 1989 : *Coq et sa basse-cour*, h/pan., une paire (chaque 16x23,5) : **GBP 2 310** – Londres, 2 nov. 1989 : *Moutons et poules dans une bergerie*, h/pan. (40,5x32) : **GBP 1 760** – Amsterdam, 23 avr. 1991 : *Un fermier au travail*, h/t (43,5x65) : **NLG 6 325** – Londres, 19 juin 1991 : *Volailles dans un paysage*, h/pan., une paire (chaque 15x22) : **GBP 3 520** – New York, 28 mai 1992 : *Le retour du troupeau*, h/t (142,2x208,3) : **USD 19 800** – Amsterdam, 11 fév. 1993 : *Un mouton, des chèvres et des volailles dans un paysage*, h/pan. (18,5x25) : **NLG 2 530** – New York, 16 fév. 1993 : *Volailles dans une basse-cour* 1865, h/pan. (35,8x43,3) : **USD 3 080** – Londres, 17 mars 1993 : *Poulets et canards près d'une mare*, h/pan., une paire (chaque 40x55,5) : **GBP 7 475** – Lokeren, 15 mai 1993 : *Berger et son troupeau*, h/t (42x30) : **BEF 60 000** – New York, 12 oct. 1994 : *La surveillance du troupeau* 1869, h/t (74,9x104,1) : **USD 14 950** – New York, 19 jan. 1995 : *Berger et son troupeau avec un moulin à vent au fond*, h/t (73,7x109,2) : **USD 7 475** – Londres, 11 avr. 1995 : *Les moutons sur le chemin de la bergerie*, h/t (64x82) : **GBP 2 070** – Lokeren, 7 oct. 1995 : *Berger avec ses bêtes dans un champ*, h/t (79,5x127) : **BEF 260 000** – Amsterdam, 7 nov. 1995 : *Moutons et volailles dans une grange*, h/t (85x112) : **NLG 11 564** – New York, 18-19 juil. 1996 : *Le mouton noir*, h/t (53x67,3) : **USD 8 050** – Londres, 31 oct. 1996 : *Poules et Coqs dans un champ* 1864, h/pan., une paire (17x25,5) : **GBP 3 910**.

LEEMPUTTEN Frans Van

Né le 29 décembre 1850 à Werchter. Mort le 26 novembre 1914 à Anvers. XIXe-XXe siècles. Belge.

Peintre de sujets de genre, animaux, paysages animés, paysages, aquarelliste, affichiste.

Il fit ses études d'après la nature. Il se fixa à Schaerbeck en 1879. Il fut médaillé à Amsterdam en 1883 ; à Munich en 1888 ; à Brême en 1890 ; à Berlin en 1891 ; à Anvers et à Vienne en 1894 ; à Bruxelles, Barcelone, Athènes. Professeur à l'Institut supérieur des Arts d'Anvers, il fut membre associé du corps académique d'Anvers en 1895, membre effectif en 1902 ; et promu chevalier de l'ordre de Léopold.

Il a peint des paysages avec figures, des scènes populaires, des animaux. On lui doit aussi des affiches.

FRANS. VAN LEEMPUTTEN 1895

FRANS. VAN LEEMPUTTEN

Musées : Anvers : *Distribution de pain au village* – Aquarelle – Barcelone – Berlin – Bruxelles : *Tourbière de Postel* – *Le dimanche des Rameaux en Campine* – Budapest – Dresde – Gand – Louvain – Namur – Prague.

Ventes Publiques : Paris, 19 jan. 1945 : *Chevaux à l'écurie* : **FRF 3 000** – Berlin, 7 juil. 1971 : *Intérieur d'étable* : **DEM 3 600** – Amsterdam, 27 avr. 1976 : *Intérieur d'étable*, h/pan. (26x38) : **NLG 11 000** – New York, 14 jan. 1977 : *Paysans se rendant au marché*, h/t (50x70) : **USD 3 300** – Stuttgart, 17 nov 1979 : *Paysanne et troupeau de moutons dans un paysage*, h/t (67x82) : **DEM 15 000** – Amsterdam, 1er oct. 1981 : *Rencontre sur la route* 1880, h/t (46,5x62) : **NLG 7 000** – Anvers, 25 oct. 1983 : *En route pour la messe matinale* 1907, h/t (98x147) : **BEF 300 000** – Bruxelles, 8 mai 1985 : *L'Attelage* 1891, h/t (35x45) : **BEF 120 000** – Bruxelles, 19 jan. 1987 : *L'Attelage*, h/t (71x111) : **BEF 110 000** – Amsterdam, 28 fév. 1989 : *Berger faisant sortir son troupeau d'une grange*, h/pan. (25x17,5) : **NLG 1 610** – Chester, 20 juil. 1989 : *L'empreinte de l'hiver* 1899, h/t (87,5x61) : **GBP 880** – Londres, 16 fév. 1990 : *Basse-cour*, h/pan. (17,5x24) : **GBP 1 650** – Amsterdam, 19 oct. 1993 : *Paysage avec un paysan et sa charrue et un berger et son troupeau* 1882, h/pan. (26x40) : **NLG 9 775** – Lokeren, 10 déc. 1994 : *Printemps* 1893, h/t (79x128) : **BEF 240 000** – Londres, 22 fév. 1995 : *Conduisant le troupeau* 1896, h/t (38x58) : **GBP 3 220** – Lokeren, 7 déc. 1996 : *Scène champêtre* 1898, h/t (70x111) : **BEF 500 000**.

LEEMPUTTEN Jef Louis Van

Né vers 1865. Mort en 1948. XIXe-XXe siècles. Belge.

Peintre d'animaux, paysages.

Ventes Publiques : New York, 24 jan. 1980 : *Berger et troupeau dans un paysage d'hiver*, h/t (100,4x76,2) : **USD 3 200** – Bruxelles, 28 oct. 1981 : *Paysage animé de moutons et d'oiseaux de basse-cour*, h/t (40x50) : **BEF 80 000** – Chester, 19 avr. 1985 : *La basse-cour*, h/pan., une paire (24x36) : **GBP 2 500** – New York, 17 jan. 1990 : *La basse-cour* 1865, h/pan. (25,4x35,6) : **USD 2 200** – Berne, 12 mai 1990 : *Bétail et volailles dans une prairie en Allemagne du Nord*, h/t (49x73) : **CHF 6 150** – Amsterdam, 17 sep. 1991 : *Volailles dans un pré clos* 1865, h/pan. (25,5x35,5) : **NLG 2 760** ; *Volailles près d'une rivière* 1869, h/pan. (33x48) : **NLG 3 335** – Amsterdam, 28 oct. 1992 : *Volailles dans un poulailler* 1862, h/pan. (22,5x32) : **NLG 3 680** – Londres, 7 avr. 1993 : *Moutons et volailles près d'un village* 1867, h/pan. (48x62) : **GBP 1 092** – Lokeren, 15 mai 1993 : *Berger et son troupeau*, h/t, une paire (chaque 24x26) : **BEF 48 000** – Lokeren, 12 mars 1994 : *Bergère et son troupeau*, h/pan. (30x49,5) : **BEF 40 000** – Lokeren, 18 mai 1996 : *Volailles dans la cour*, h/pan. (15x20) : **BEF 36 000** – New York, 26 fév. 1997 : *Charrette sur un chemin de campagne* 1896, h/t (78,7x110,5) : **USD 2 530**.

LEEN Willem Van

Né le 19 février 1753 à Dordrecht. Mort le 6 avril 1825 à Delftshaven. XVIIIe-XIXe siècles. Hollandais.

Peintre de natures mortes, fleurs et fruits.

Élève de Jan Arends, Dirk, Kuypers, et Jorias Ponse, il alla, en 1773, à Paris, y retourna en 1808 et y connut M. Sauvage.

Musées : Rotterdam (Mus. Boymans).

Ventes Publiques : Paris, 14-16-17 mai 1898 : *Bouquet de fleurs dans un vase* : **FRF 500** – Paris, 29 jan. 1947 : *Fleurs et nid d'oiseaux* 1794 : **FRF 30 500** – Londres, 19 fév. 1947 : *Pavots et autres fleurs* : **GBP 50** – Paris, 29 mai 1959 : *Vase de fleurs et fruits* : **FRF 280 000** – Londres, 10 oct. 1969 : *Vase de fleurs* : **GNS 700** –

Londres, 7 mai 1971 : *Nature morte aux fruits* 1791 : **GNS 1 400** – Amsterdam, 16 mai 1972 : *Nature morte* : **NLG 43 000** – Londres, 13 juin 1973 : *Nature morte* 1820 : **GBP 500** – Amsterdam, 27 avr. 1976 : *Nature morte aux fleurs* 1795, h/pan. (50x37,6) : **NLG 32 000** – Londres, 25 mars 1977 : *Fleurs sur un entablement*, h/pan. (48x35,5) : **GBP 13 000** – New York, 25 mars 1982 : *Nature morte aux fruits*, h/pan. (61,5x47,5) : **USD 6 500** – Amsterdam, 14 nov. 1983 : *Deux oiseaux sur une branche*, aquar. (35,8x24,2) : **NLG 4 000** – Bruxelles, 25 sep. 1984 : *Vase de fleurs sur un entablement*, h/t (86x63) : **BEF 700 000** – Copenhague, 16 avr. 1985 : *Nature morte aux fruits et aux fleurs*, h/pan. (85x65) : **DKK 165 000** – Londres, 11 déc. 1987 : *Nature morte au bouquet de fleurs* 1821, h/pan. (57,5x42,2) : **GBP 17 000** – Amsterdam, 10 fév. 1988 : *Nature morte de fleurs dans un vase et de fraises sur une console de marbre*, h/pan. (39,5x31,5) : **NLG 18 400** – Amsterdam, 20 juin 1989 : *Roses et autres fleurs dans un vase sculpté sur un entablement*, h/pan. (37,5x30,5) : **NLG 17 250** – Paris, 11 déc. 1989 : *Vase de fleurs*, paire de pan. de chêne ovales, formant pendant (33x25,5) : **FRF 220 000** – Londres, 13 déc. 1991 : *Composition de fleurs et de fruits avec une tranche de melon, du raisin et des grenades sur un entablement de marbre*, h/t (47,5x37,5) : **GBP 6 600** – Amsterdam, 19 oct. 1993 : *Nature morte d'une corbeille de fleurs et de fruits avec une faisane sur un entablement de pierre*, h/pan. (55,5x44) : **NLG 16 100** – Londres, 19 avr. 1996 : *Pêches, prunes et raisin dans une coupe avec une grenade, des capucines et un colimaçon sur un entablement*, h/pan. (41,3x30,8) : **GBP 16 100**.

LEENAERTS Carlos

xxe siècle.

Peintre.

Il a exposé à l'hôtel de ville de Bruxelles en 1993.

LEENE Jules Van de

Né en 1887 à Bruxelles (Brabant). Mort en 1962. xxe siècle. Belge.

Peintre de compositions animées, intérieurs, paysages, marines, natures mortes, aquarelliste.

Il fut élève des académies des beaux-arts d'Ixelles et Bruxelles. Il séjourna en Hollande et en France.

Bibliogr. : In : *Dict. biogr. illustré des artistes en Belgique depuis 1830*, Arto, 1987, Bruxelles.

Musées : Bruxelles – Le Caire – Courtrai – Pau – Tokyo.

Ventes Publiques : Anvers, 8 avr. 1976 : *Terrasse à Rouge Cloître*, aquar. (66x86) : **BEF 28 000** – Bruxelles, 5 oct. 1976 : *Quai à Gand sous la neige*, h/t (50x60) : **BEF 15 000** – Bruxelles, 27 mars 1990 : *Femme lisant près de fleurs* 1916, aquar. (40x34) : **BEF 70 000** – Lokeren, 7 oct. 1995 : *Les cerises* 1945, h/pan. (50x60) : **BEF 24 000** – Lokeren, 9 déc. 1995 : *Le pont d'Orthez* 1942, h/pan. (38x46) : **BEF 33 000**.

LEENER Christian de

xxe siècle. Belge.

Peintre de figures.

Il expose en Belgique.

Il décompose avec violence les corps, les mutile, jouant à multiplier les plans, à déconstruire l'espace.

LEENHARDT Michel Maximilien

Né le 2 avril 1853 à Montpellier (Hérault). Mort en 1941. xixe-xxe siècles. Français.

Peintre de compositions religieuses, scènes de genre, paysages, sculpteur.

Il fut élève d'Ernest Michel à l'École des Beaux-Arts de Montpellier de 1871 à 1874, puis d'Alexandre Cabanel à Paris. Il partagea sa vie entre Paris et Montpellier, retournant définitivement dans son pays natal en 1893, à la mort de sa femme. Il fit quelques voyages en Grèce, Turquie, Égypte.

Il figura, de 1878 à 1925, au Salon des Artistes Français, dont il devint sociétaire en 1883. Il obtint une mention honorable en 1882, une médaille de troisième classe en 1884, et une médaille de bronze à l'Exposition Universelle de 1889.

Il peint des paysages vus au cours de ses voyages, mais aussi de la région du Languedoc. Après 1893, il lui arrive de peindre des toiles d'inspiration religieuse ou marquées par la violence et la révolte, à la suite de la mort prématurée de sa femme. Il a également fait quelques sculptures.

Bibliogr. : Gérald Schurr, in : *Les Petits Maîtres de la peinture 1820-1920, valeur de demain*, Les Éditions de l'Amateur, t. IV, Paris, 1979.

Musées : Béziers : *Marie-Madeleine au tombeau du Christ* – Montpellier : *Prisonnières huguenotes à la tour de Constance* – Moulins : *Adieux de Michel-Ange à Vittoria Colonna* – Nevers – Nîmes – Sète : *En famille*.

LEENHOFF Ferdinand Carl Adolph Constantin

Né le 24 mai 1841 à Zalt-Bonnel. Mort le 25 avril 1914 à Nice. xixe-xxe siècles. Hollandais.

Sculpteur.

Élève de Mazzara et d'Alphonse François. Il obtint, à Paris, une médaille de deuxième classe en 1872, et fut fait chevalier de la Légion d'honneur la même année. Médailles d'or en 1889 (Exposition Universelle). Le Musée Municipal d'Amsterdam conserve de lui *Statue de Josef Israels*, et celui d'Angers, *Guerrier au repos*.

LEENKNEGT Michel Joseph

Né en 1912 à Rumbeke. Mort en 1985 à Audenarde (Flandre-Orientale). xxe siècle. Belge.

Peintre, peintre de cartons de vitraux. Expressionniste.

Il fut élève des académies des beaux-arts de Gand et d'Anvers. Il a reçu le prix de Rome en 1940.

Bibliogr. : In : *Dict. biogr. illustré des artistes en Belgique depuis 1830*, Arto, Bruxelles, 1987.

LEENT Thomas Van

Né le 6 décembre 1807 à Prinsenhagen. Mort en 1882. xixe siècle. Hollandais.

Peintre de genre.

Il fut élève de H. Turken, de A.-A. Van Bedaff et F. du Bais et de P. Barbiers. Il travailla à Bois-le-Duc.

Ventes Publiques : Amsterdam, 24 avr. 1991 : *Paysanne et ses enfants regardant le bébé dans son berceau à la lueur d'une bougie* 1848, h/pan. (25,5x21,5) : **NLG 4 600**.

LEEPA Allan

Né en 1919 à New York. xxe siècle. Américain.

Peintre. Abstrait.

Il fit ses études à l'American Artists School et surtout dans le célèbre atelier de Hans Hofmann qui a joué un rôle prépondérant dans la formation de l'école moderne américaine. Professeur au Michigan State College et théoricien, il a publié en 1949 *The Challenge of modern art*. Il a séjourné à Paris en 1950-1951. Il a participé à de nombreuses expositions aux États-Unis.

Bibliogr. : Michel Seuphor : *Dict. de la peinture abstraite*, Hazan, Paris, 1957.

LEEPE Jan Anthonie Van der

Né en 1664 à Bruges. Mort le 17 mars 1718. xviie-xviiie siècles. Éc. flamande.

Peintre de paysages et de marines.

Il fut grand veneur de Flandres, conseiller de Bruges en 1713 et échevin en 1716. Les figures de ses tableaux ont été faites par Van Duvenède et Kerkhove. Le Musée de Bruges conserve de lui *La vie du Christ* (en quatorze tableaux).

Ventes Publiques : Paris, 1877 : *Marine avec figures* : **FRF 340**.

LEEPER Véra Béatrice

Née le 13 mars 1893 à Denver (Colorado). xxe siècle. Américaine.

Peintre de portraits, muraliste.

Elle étudia à Paris et au Museum School de Boston. Elle est membre de la Fédération américaine des arts.

LEERDICH. Voir **LERDICH Hans**

LEERMANS Pieter ou **Lermans**

Né en 1655. Mort en 1706. xviie siècle. Hollandais.

Peintre de sujets religieux, scènes de genre, portraits.

Élève de G. Dou qu'il imita et peut-être aussi de F. Mieris, il vécut probablement à Leyde.

Musées : Bruxelles : *Christ en Croix* – Budapest : *Paysage avec Joseph et l'enfant à qui un ange donne une pomme* – Dresde : *L'ermite* – Kassel : *Portrait d'un noble* – Rennes : *Le trompette et la servante* – Vienne : *Les vieux avares*.

Ventes Publiques : Paris, 1868 : *Portrait de femme* : **FRF 110** – Paris, 9 fév. 1928 : *Portrait de jeune femme en robe verte* : **FRF 1 600** – Londres, 21 avr. 1983 : *Portrait d'homme assis sur un rocher*, h/t (35,5x30) : **GBP 2 600** – Londres, 20 juil. 1990 : *Portrait d'un clerc âgé de 28 ans ; Portrait d'un gentilhomme âgé de 33 ans*, h/cuivre, une paire (33,5x26) : **GBP 7 700** – Londres, 12 déc. 1990 : *Jeune servante nettoyant des poissons près de la fenêtre* 1657, h/pan. (37x29,5) : **GBP 8 250** – Stockholm, 30 nov. 1993 : *Ermite*, h/pan. (26x19) : **SEK 16 000**.

LEES Charles

Né en 1800 à Cupar-Fife, d'origine écossaise. Mort le 28 février 1880 à Édimbourg. xixe siècle. Britannique.

Peintre d'histoire, sujets de genre, portraits, paysages, marines.

Il fit ses études à Édimbourg et à Rome. Reçu membre de la Scottish Academy en 1829, il en devint trésorier en 1868. Il exposa à la Royal Academy de Londres, de 1832 à 1863. Ch. Lees a choisi la plupart de ses sujets dans l'histoire écossaise.

Musées : Édimbourg : *Effet de lune en été* – Montréal : *Près de Musselburgh.*

Ventes Publiques : Écosse, 30 août 1968 : *La partie de golf* : **GBP 4 200** – Londres, 22 juil. 1972 : *Jour d'été* : **GNS 360** – Londres, 6 juin 1980 : *Drummond Castle, Pertshire* 1876, h/t (99,6x150,5) : **GBP 1 100** – New York, 28 mai 1982 : *La lettre interceptée* 1856, h/t (90,2x70,5) : **USD 3 000** – Londres, 2 juin 1989 : *La bataille de boules de neige*, h/t (127x101,5) : **GBP 17 600.**

LEES Derwent

Né en 1885 à Melbourne. Mort le 28 mars 1931. xxe siècle. Actif en Angleterre. Australien.

Peintre de paysages.

Il suivit les cours de la Slade School à Londres, dont il deviendra professeur en 1908. Il travailla à Paris, puis plus tard en Russie, Allemagne, Belgique et Italie. Il mourut à la suite d'une longue maladie mentale.

Un Poirier en fleurs le représentait à l'exposition *Tableaux britanniques modernes de la Tate Gallery* au musée du Jeu de Paume à Paris, en 1946.

Très lié au début de sa carrière avec Innes et Augustus John, son art en fut influencé.

Musées : Londres (Tate Gal.) : *Poirier en fleurs* – *Paysage de Collioure* – *Métairie des abeilles.*

Ventes Publiques : Londres, 25 nov. 1931 : *Paysage du Sussex*, aquar. : **GBP 23** – Londres, 19 avr. 1940 : *Jeune fille sur une colline* : **GBP 50** – Londres, 3 avr. 1963 : *Lyndra à la piscine* : **GBP 650** – Londres, 8 nov. 1968 : *Paysage aux environs de Cassis* : **GNS 580** – New York, 17 mars 1972 : *Lac au soir couchant* : **USD 900** – Londres, 14-22 mars 1973 : *Paysage des Alpilles* : **GBP 3 400** – Londres, 13 mars 1974 : *La côte du Dorset* : **GBP 3 400** – Londres, 17 mars 1976 : *Le femme de l'artiste* 1915, h/cart. (30x40,5) : **GBP 480** – Londres, 19 oct 1979 : *La baie de Collioure*, h/pan. (25,4x35,5) : **GBP 1 800** – Londres, 23 mai 1984 : *Welsh mountains*, h/pan. (25,5x35,5) : **GBP 1 100** – Londres, 8 nov. 1985 : *Aldbourne, Wiltshire*, h/pan. (33x42) : **GBP 4 500** – Londres, 7 mars 1986 : *Deux femmes sur des rochers au bord de la mer*, h/pan. (40,5x32) : **GBP 3 200** – Londres, 13 nov. 1987 : *Nu assis*, cr. (17,8x17,8) : **GBP 2 000** – Londres, 29 juil. 1988 : *La robe rouge*, aquar. (25x28,8) : **GBP 495** – Londres, 8 juin 1990 : *Les environs de Cassis*, h/pan. (25,5x35,5) : **GBP 6 050** – Londres, 8 nov. 1990 : *L'arc-en-ciel, Pays de Galles*, h/pan. (32x39,5) : **GBP 7 700** – Londres, 12 mars 1993 : *Jeune fille dans un paysage*, h/t (76,5x49) : **GBP 4 370.**

LEE Sang-Woo

Né en 1959. xxe siècle. Actif aussi en France. Coréen.

Peintre, technique mixte. Abstrait.

Vit et travaille à Paris. Expose régulièrement en Corée. En France, il a participé en 1988,1989, 1991 au Salon de Montrouge, en 1986 au Salon de la Jeune Peinture, en 1986, 1987, 1990 au Salon de Novembre de Vitry.

Sa peinture s'apparente au courant minimaliste international.

Ventes Publiques : Paris, 14 avr. 1991 : *Le ying et le yang*, techn. mixte/t. (60x180) : **FRF 5 000.**

LEESE Gertrude

Née au xixe siècle à Preston. xixe siècle. Britannique.

Peintre de genre.

Élève de Max Bohm. Figura au Salon des Artistes Français ; mention honorable en 1902.

LEEST Andries Van

xve siècle. Actif à Malines. Éc. flamande.

Peintre.

Citoyen de Malines en 1463.

LEEST Anthony Van

Né vers 1545 à Anvers. Mort sans doute vers 1592 à Anvers. xvie siècle. Éc. flamande.

Graveur.

Il fut élève de Bernhard Van de Putte et travailla surtout pour Chr. Plantyn. Entre 1565 et 1577 il travailla à de petites illustrations pour une édition de la Bible.

LEESUWAN Viboon

Né en 1947 à Angthong. xxe siècle. Thaïlandais.

Graveur. Abstrait.

Installé dans son pays à Nakorn-Pathom, il participe, en 1974, à la IXe Biennale internationale d'estampes de Tokyo.

LEE U-Fan

Né en 1936 à Kyongsamnando (Corée du Sud). xxe siècle. Depuis 1956 actif au Japon. Coréen.

Peintre, créateur d'installations, sculpteur. Tendance Mono-ha.

Étudiant au collège des beaux-arts de l'université nationale de Séoul, il interrompt ses études pour s'installer au Japon où il étudie la philosophie à l'université Nihon. Il est professeur à l'université des beaux-arts de Tama.

Il participe à de nombreuses expositions collectives : 1969, 1973 Biennale de São Paulo ; 1971 Biennale de Paris ; 1974 *Le Japon à Louisiana* au Louisiana Museum of Modern Art d'Humlebaek ; 1977 Documenta de Kassel ; 1979 XIe Biennale internationale de gravure de Tokyo ; 1980 Foire de Bâle ; 1982 National Galerie à Berlin ; 1983 ARS 83 à Helsinki ; 1985 Metropolitan Museum of Art de Tokyo ; 1986-1987 *Le Japon des Avant-Gardes* au Centre Georges Pompidou à Paris ; 1987 National Museum d'Osaka ; 1988 Museo Laboratorio d'Art contemporanea de Rome ; 1989 Institut du monde arabe à Paris ; 1990 Kunstverein d'Heidelberg ; 1992 SAGA (Salon d'Art Graphique actuel) et Tate Gallery de Liverpool ; 1992, 1995 FIAC (Foire Internationale d'Art Contemporain) à Paris ; 1994 Museum of Art de Yokohama et Guggenheim Museum à New York ; 1996 exposition de la mouvance *Mono-ha* (École des choses), au Musée d'Art Moderne de Saint-Étienne.

Il montre ses œuvres dans des expositions personnelles, régulièrement à Tokyo depuis 1967 ; Séoul depuis 1972 notamment en 1994 au National Museum of Contemporary Art ; à Paris depuis 1975 ; à la Kunsthalle de Düsseldorf et au Louisiana Museum of Modern Art d'Humlebaek en 1978 ; au musée de Marl en 1980 ; à Milan en 1991, 1994 ; au Museum of Modern Art de Kamakura en 1993.

Ayant abordé la peinture avec des monochromes, il évolue dans des œuvres sculpturales alors qu'il devient membre du mouvement japonais postminimaliste Mono-ha. Il réalise des installations, dans lesquelles il réunit éléments naturels (coton, pierre) et matières industrielles (plaques de tôle galvanisée, rail). Porche ou porte, l'installation invite à pénétrer au cœur de l'œuvre, tout en créant un espace ouvert. Après cette aventure minimaliste, Lee U-Fan revient à une forme plus traditionnelle, déposant sur la toile des touches de peintures, lignes parallèles, points, carrés. Le geste léger de l'artiste « sur l'aile du vent » imprime ses traces jusqu'à disparition, dans des teintes neutres, du noir au blanc, sur la surface picturale. Il mêle techniques traditionnelles chinoise et coréenne aux recherches picturales contemporaines. « Respirant régulièrement et sentant le rythme dans mon corps, je pose mon pinceau n'importe où sur le canevas. Alors, j'incline à déplacer le tableau là où la correspondance s'impose. Une autre position aussi inévitable attire celui-ci par la suite. La scène tendue se forme, comme dans le jeu de go. » (Lee U-Fan). ■ L. L.

Bibliogr. : Catalogue de l'exposition *Croisement de signes*, Institut du monde arabe, Paris, 1989 – in : *L'Art du xxe s.*, Larousse, Paris, 1991 – in : *Dict. de l'art mod. et contemp.*, Hazan, Paris, 1992.

Musées : Paris (Mus. Nat. d'Art Mod.).

LEEUW. Voir aussi **LEUW**

LEEUW Alexis de

Né en 1848. Mort en 1883. xixe siècle. Actif à Bruges. Belge.

Peintre animalier, paysages animés, paysages.

Ventes Publiques : Londres, 22 mars 1909 : *Moutons au pâturage* : **GBP 5** – Londres, 20 mai 1925 : *Scène d'hiver* : **GBP 11** – Londres, 28 fév. 1973 : *Enfants dans un paysage d'hiver* : **GBP 1 150** – Londres, 13 juin 1974 : *Paysage d'hiver* : **GNS 6 800** – Londres, 23 juil. 1976 : *Paysage d'hiver animé de personnages* 1864, h/t (56x85) : **GBP 1 600** – Londres, 6 déc. 1977 : *Le retour des moissonneurs*, h/t (74x126) : **GBP 1 500** – Londres, 1er mars 1979 : *Paysage de neige*, h/t (76x127) : **GBP 2 200** – Lille, 12 déc. 1982 : *Paysage d'hiver*, h/t (72x63) : **FRF 20 000** – Londres, 22 juin 1983 : *Patineurs dans un paysage d'hiver*, h/pan. (17x23) : **GBP 1 600** – Londres, 27 fév. 1985 : *La bataille de boules de neige* 1863, h/t (60x90) : **GBP 2 800** – Londres, 7 mai 1986 : *Enfants sur une rivière gelée*, h/t (49x74) : **GBP 3 000** – Londres, 25 mars 1987 : *La Charrette de foin*, h/t (74x124,5) : **GBP 3 000** – Amsterdam, 10 fév. 1988 : *Paysage d'hiver avec des paysans transportant du bois mort sur un cheval*, h/t (77x128) : **NLG 3 680** – Londres,

23 sep. 1988 : *Traîneau transportant des troncs d'arbres dans la neige*, h/t (61x91,5) : **GBP 5 720** – Londres, 2 juin 1989 : *Bûcherons en hiver* 1868, h/t (60,5x91) : **GBP 4 950** – New York, 19 juil. 1990 : *Le Traîneau des bûcherons*, h/t (77,6x127) : **USD 4 950** – Londres, 5 juin 1991 : *Attelage tirant des troncs d'arbres dans la neige*, h/t (60x90) : **GBP 2 750** – Londres, 19 juin 1991 : *Paysage d'hiver avec des patineurs* 1851, h/t (29x44) : **GBP 3 080** – Londres, 7 avr. 1993 : *La Promenade en traîneau* 1864, h/pan. (21x29) : **GBP 1 725** – Copenhague, 5 mai 1993 : *Paysage avec une famille de bohémiens devant sa roulotte*, h/t (78x125) : **DKK 18 100** – New York, 13 oct. 1993 : *Le Retour du troupeau en hiver*, h/t (101,6x76,2) : **USD 4 888** – Londres, 29 mars 1995 : *La Pause du fourgon*, h/t (76x127) : **GBP 7 475** – Londres, 6 juin 1996 : *La Charrette des bûcherons*, h/t (61x91,5) : **GBP 1 265**.

LEEUW Arlette de
Née en 1928 à Nîmes (Gard). xxe siècle. Active depuis 1952 aux Pays-Bas. Française.
Graveur.
Elle a participé à l'exposition : *De Bonnard à Baselitz – Dix ans d'enrichissements du cabinet des estampes 1978-1988* à la Bibliothèque nationale à Paris en 1992.
Musées : Paris (Cab. des Estampes) : *Musique orientale* 1977, eau-forte.

LEEUW Bastiaan Govert Van der
Né le 11 janvier 1624 à Dordrecht. Mort le 20 décembre 1680 à Dordrecht. xviie siècle. Hollandais.
Peintre.
Élève de J.-G. Cuyp. Il était brasseur à Dordrecht vers 1645.

LEEUW Bert de
Né en 1926 à Anvers. xxe siècle. Belge.
Peintre, sculpteur. Abstrait.
Il fit partie du groupe Hessenhuis en 1958. Il a exposé à Anvers, Gand, Rotterdam, Milan, Turin, Lausanne, Paris, New York, Tokyo, etc. Il fut distingué au prix de la Jeune Sculpture belge en 1958 et 1959, y obtenant cette année-là une mention, et toujours la même année, le prix de la Critique belge. Lauréat du prix Berthe Art en 1960, il obtint la même année une mention à la Biennale des Jeunes à Paris.
Peintre, il pratiquait une abstraction informelle, fondée sur des matières crémeuses au sable, projetées sur la toile avec une véhémence expressionniste. Il utilise aussi les ressources toutes contemporaines, mais néanmoins fugaces, de matériaux fluorescents, créant ainsi des illusions d'espaces intersidéraux. Il a évolué à une sculpture de référence constructiviste, fondée à partir de figures géométriques simples, assemblées, souvent par pliages, en combinatoires diversifiées.
Bibliogr. : *Peintres contemporains*, Mazenod, Paris, 1964.
Musées : Ostende (Mus. des Beaux-Arts).

LEEUW Catian de
Née le 22 septembre 1903 à Hamilton (Ohio). xxe siècle. Américaine.
Peintre, illustrateur.
Elle fut élève de l'Art Student's League de New York et de l'académie de la Grande Chaumière à Paris. Elle travaille à Plainfield (New Jersey).

LEEUW F.Th. C. Van der
Né le 25 juillet 1881 à Goës. xxe siècle. Hollandais.
Peintre.
Il a exposé également à Paris aux Salons des Indépendants et d'Automne.

LEEUW Govaert ou **Gabriel Van der**, appelé aussi **Greghetto da Leone** ou **Wilhelm da Leone** ou **Guglielmo da Leoni**
Né le 11 novembre 1645 à Dordrecht. Mort le 3 juillet 1688 à Dordrecht. xviie siècle. Hollandais.
Peintre et graveur.
Les Italiens le considèrent comme un de leurs maîtres, car il passa la plus grande partie de sa vie en Italie, où il prit probablement le surnom de *Greghetto*. Élève de son père Bastiaan, il vint, en 1651, à Amsterdam, épousa la sœur du peintre D. Van der Plaas et partit bientôt en voyage ; il resta quatre ans à Lyon et à Paris, deux ans à Turin, un an à Rome et sept ans à Naples. Il en partit dans l'intention d'aller à Dordrecht revoir sa mère et de revenir aussitôt en Italie, mais il mourut dans sa patrie. On cite de lui au Musée de Stockholm *Groupe de six bœufs à l'abreuvoir*, à celui de Vienne (collection Liechtenstein) *Chasse à l'ours* et *Chasse au cerf*, à celui de Douai *Paysage*. On lui doit d'intéressantes estampes d'animaux et de vues d'Italie.

Ventes Publiques : Paris, 1863 : *Paysage et animaux* : **FRF 900** – Paris, 1873 : *La vache brune* : **FRF 1 310** – Paris, 1891 : *Pâturage hollandais* : **FRF 1 300** – Paris, 20 avr. 1945 : *Scène rustique à l'entrée d'un village*, attr. : **FRF 18 000** – Paris, 17 juin 1970 : *La rentrée du troupeau* : **FRF 5 000**.

LEEUW Henri
Né le 7 octobre 1866 à Roermond. Mort le 12 juin 1918 à Nimègue. xixe-xxe siècles. Hollandais.
Peintre de paysages.
Il travailla à Paris et à Barbizon, il participa au mouvement néo-impressionniste.

LEEUW Jan de. Voir **LEUW Jan Van der**

LEEUW Jules
Né en 1887 à Molenbeek-Saint-Jean (Brabant). Mort en 1965. xxe siècle. Belge.
Peintre de paysages, dessinateur.
Il réalise aussi de nombreuses lithographies.
Bibliogr. : In : *Dict. biogr. illustré des artistes en Belgique depuis 1830*, Arto, Bruxelles, 1987.

LEEUW Pieter Van der
Mort le 11 septembre 1679 à Dordrecht. xviie siècle. Hollandais.
Peintre animalier et paysagiste.
Baptisé à Dordrecht le 13 février 1674 ; fils de Bastiaan Van der Leeuw, il fut membre de la gilde de Dordrecht en 1669, épousa le 2 septembre 1674 Wilhemina Fenocoluis et travailla à Dordrecht. Ce fut un imitateur d'Adrian Van de Velde.

Musées : Édimbourg : *Paysage avec animaux* – Francfort-sur-le-Main : *Marché aux bœufs* – *Paysage avec chèvres* – Hanovre : *Paysage* – Lille : *La laitière* – *Paysage et animaux* – Munich : *Bétail* – *Servante près d'une vache* – Rotterdam : *Paysage avec animaux* – Vienne (Acad.) : *Deux paysages avec animaux*.
Ventes Publiques : Paris, 25 mai 1905 : *Animaux au pâturage* : **FRF 500**.

LEEUW Willem Van der
Né en 1603 probablement à Anvers. Mort vers 1665. xviie siècle. Éc. flamande.
Dessinateur et graveur.
Élève de P. Soutman. Il a beaucoup gravé d'après Rembrandt et Rubens.

LEEUWEN Gerrit Jan, ou **Johan Van**
Né le 29 juin 1756 à Arnhem. Mort le 28 avril 1825 à Arnhem. xviiie-xixe siècles. Hollandais.
Peintre de natures mortes, fleurs et fruits, peintre à la gouache, aquarelliste, dessinateur.
Il fut élève de W. Hendriks à Haarlem.
Ventes Publiques : Londres, 21 mars 1930 : *Fleurs dans un vase ; Fruits et fleurs* : **GBP 183** – Paris, 15 et 16 nov. 1933 : *Raisins, prunes et groseilles* : **FRF 700** – Paris, 26 et 27 mai 1941 : *Raisins, groseilles et prunes sur un entablement de pierre* : **FRF 5 800** – Versailles, 3 juin 1965 : *Bouquet de fleurs dans un vase sculpté* : **FRF 11 500** – Amsterdam, 22 oct. 1974 : *Nature morte aux fleurs* : **NLG 15 500** – Versailles, 14 mars 1976 : *Nature morte aux fruits* 1796, h/bois (39x31) : **FRF 15 000** – Versailles, 13 nov. 1977 : *Nature morte aux fruits et insectes* 1796, bois (39x31) : **FRF 25 000** – Londres, 22 juil. 1983 : *Nature morte aux fruits sur un entablement*, h/pan. (38,2x31,7) : **GBP 4 000** – Londres, 4 oct. 1989 : *Nature morte de fruits et de fleurs*, h/t (56,5x47,5) : **GBP 11 550** – Monaco, 15 juin 1990 : *Composition florale et nid sur un entablement*, aquar. et gche (55x42,5) : **FRF 144 300** – Londres, 16 avr. 1997 : *Nature morte de fruits, fleurs, maïs et noix, le tout sur un entablement*, h/pan. (70,6x53,2) : **GBP 9 200** – New York, 16 oct. 1997 : *Une jacinthe, des tulipes, des lys, des roses trémières, du jasmin et autres fleurs dans une urne de terracotta sculptée avec un petit bouquet sur une plinthe de pierre*, h/t (67x54) : **USD 14 950** – Monte-Carlo, 5 mars 1984 : *Natures mortes aux fruits et au fleurs*, aquar., une paire (49,3x35,2 et 46,8x33) : **FRF 150 000**.

LEEUWEN Klaas Van
Né le 12 octobre 1872 à Harlingen. XIXe-XXe siècles. Hollandais.
Peintre de portraits, natures mortes, paysages urbains, graveur.
Il fut élève de l'académie des beaux-arts d'Amsterdam. Il a réalisé de nombreuses vues de Paris.

LEEUWEN Philipp Van
Né avant 1662. Mort en 1723 à Rotterdam. XVIIIe siècle. Hollandais.
Peintre de paysages.
Il était inscrit dans la gilde de Rotterdam de 1693 à 1697. Il travaillait dans la manière d'Egbert Van der Poel.
Ventes Publiques : Amsterdam, 6 mai 1993 : *Incendie dans le clocher d'un village avec les habitants réunis au premier plan* 1662, h/pan. (54x46) : **NLG 6 900**.

LEEUWENBURG Caspar
Né à Leeuwarden. XVIIe-XVIIIe siècles. Hollandais.
Peintre.
En 1699 il devint citoyen d'Amsterdam.

LEEWENS Will
Né en 1923. XXe siècle. Hollandais.
Peintre. Abstrait.
Ventes Publiques : Amsterdam, 24 mai 1989 : *Composition abstraite* 1975, h/cart. (57x76,5) : **NLG 2 530** – Amsterdam, 5 juin 1990 : *Composition abstraite*, h/cart. (49x69) : **NLG 2 185** – Amsterdam, 12 déc. 1990 : *Composition abstraite* 1956, h/cart. (51x60) : **NLG 3 910** – Amsterdam, 22 mai 1991 : *Maanorgel* 1957, h. et techn. mixte/cart. (78,5x63) : **NLG 6 325** – Amsterdam, 11 déc. 1991 : *Vera Cruz*, h/cart. (47,5x65) : **NLG 5 175** – Amsterdam, 12 déc. 1991 : *Sans titre* 1958, relief de bois peint. (60x41) : **NLG 4 600** – Amsterdam, 1er juin 1994 : *Lumière d'automne* 1970, h/t (81x100) : **NLG 3 680** – Amsterdam, 31 mai 1995 : *Nostalgie* 1985, h/t (100x130) : **NLG 1 652**.

LEEWITZ Alice Bevin. Voir **BEVIN Alice Conklin**

LEE WOO HWAN
Né en 1936. XXe siècle. Actif au Japon. Coréen.
Graveur. Abstrait.
Il vit à Tokyo, où il participe en 1974 à la IXe Biennale internationale de l'estampe.

LE FAGUAYS Pierre
XXe siècle. Français.
Sculpteur de statuettes de genre, nus.
Il travaille la terre cuite, le bronze, pour des petits sujets dont l'objectif est de plaire, de correspondre à l'attente du grand public.
Ventes Publiques : Paris, 22 avr. 1977 : *Le triomphe*, bronze patiné (H. 73, larg. 55) : **FRF 10 500** – Paris, 8 déc 1979 : *Le Saut du gué*, bronze argenté et ivoire (36x5,5x44) : **FRF 14 100** – Monte-Carlo, 10 fév. 1981 : *Deux jeunes femmes en robes drapées classiques soutenant un abat-jour* vers 1925, bronze, marbre, albâtre et mosaïque, lampe (H. 43,7) : **FRF 7 500** – New York, 9 oct. 1982 : *Faune et nymphe*, bronze patiné (L. 71) : **USD 4 600** – New York, 26 mars 1983 : *Jeune fille aux marionnettes*, bronze doré et ivoire (H. totale 49,5) : **USD 3 200** – Paris, 18 nov. 1985 : *La nymphe Echo*, bronze (90x90) : **FRF 34 000** – New York, 22 mars 1986 : *Nymphe*, bronze argenté (H. totale 73,3) : **USD 2 600** – Neuilly-sur-Seine, 1er mars 1988 : *Le batelier*, bronze (29x49) : **FRF 2 500** – Paris, 20 juin 1988 : *Faune et danseuse*, bronze (H. 30) : **FRF 19 200** – Strasbourg, 29 nov. 1989 : *L'effort*, bronze (H. 43, L. 70) : **FRF 22 000** – Paris, 6 avr. 1990 : *Tireuse à l'arc*, bronze (H. 66) : **FRF 10 000** – Paris, 28 nov. 1990 : *Nu à la colombe* vers 1920, terre cuite (H. 75) : **FRF 25 000** – Paris, 17 avr. 1991 : *Faune et faunesse*, bronze à patine (H. 45,4) : **FRF 40 000** – Lokeren, 8 oct. 1994 : *Femme à l'échelle*, bronze (H. 77,5) : **BEF 160 000** – Lokeren, 11 mars 1995 : *Une guerrière*, bronze (41,5x44,5) : **BEF 100 000** – Paris, 20 déc. 1995 : *Diane chasseresse*, bronze (H. 61,5) : **FRF 5 000** – Paris, 21 mars 1996 : *Danseuse aux fleurs*, sculpt. chyséléphantine (H. 26,5) : **FRF 14 000**.

LE FAUCONNIER Henri Victor Gabriel
Né en juillet 1881 à Hesdin (Pas-de-Calais). Mort en janvier 1946 à Paris. XXe siècle. Français.
Peintre de compositions à personnages, intérieurs, portraits, nus, paysages, fleurs.
En 1901, il arriva à Paris, où il étudie à partir de 1905 à l'Académie Julian, où il fut le condisciple de Segonzac, Louis-Albert Moreau, Boussingault, La Fresnaye. En 1909, il se lie avec Gleizes, Delaunay, Metzinger, Fernand Léger et les futuristes italiens. Au même moment, il fut lié aux écrivains du groupe de l'Abbaye, dont Jules Romain et Georges Duhamel furent les vedettes. Le Fauconnier dont les qualités solides, austères, s'affirmèrent dès 1910, en 1912 remplaça Jacques Émile Blanche, devenant directeur de l'académie de la Palette à Paris, où il eut pour élèves Chagall et Gromaire. Parti pour la Hollande, il y fit un trop long séjour pour bien fixer l'attention de ses compatriotes. À Amsterdam, en revanche, il fit figure de chef d'école. La guerre de 1914 le trouva donc en Hollande, où il resta, étant réformé, jusqu'en 1920. À Amsterdam, il organisa le groupe *Signal* en 1916, composé de plusieurs peintres et littérateurs belges. En 1920, il retourne à Paris, assez désabusé, semble-t-il. Ou bien on ne sait quoi lui manqua pour achever les grandes œuvres constructives dont trop peu purent voir les préparations en son atelier de Montrouge.
À Paris, il expose aux Salons d'Automne et en 1905 des Indépendants avec les nabis et les fauves, sans faire partie à proprement parler de leur groupe. C'est en tant que représentant des cubistes français qu'il fut convié à participer en septembre 1910, à la seconde exposition de la Nouvelle Association des artistes de Munich fondée l'année précédente par Kandinsky, établissant alors un lien entre les cubistes français et les expressionnistes allemands, qui ne connut malheureusement pas de lendemain, les peintres de l'école de Paris, en partie du fait de la guerre, restant étrangers à la genèse de l'abstraction. Étant avec Delaunay placier au Salon des Indépendants de 1911, il y ordonna l'historique salle XLI, qui regroupait les peintres travaillant dans l'esprit du cubisme, les constituant publiquement en groupe ; lui-même y figurait avec une peinture de 1910 *Abondance*. En Russie, il a également participé aux manifestations suivantes : 1909 La Toison d'Or à Moscou, 1909-1910 Salon Izdebsky à Kiev et à Odessa, 1909-1914 Valet de Carreau à Moscou, 1928 *La Peinture française contemporaine* à Moscou.
En 1908 et 1909, il peignit à Ploumanach, en Bretagne, des paysages de rochers et des paysans en costumes, qui constituaient le lien entre les nabis et les fauves. La construction solidement charpentée, à partir d'une analyse géométrique des volumes, de ces peintures bretonnes destinait Le Fauconnier à bientôt rejoindre le groupe cubiste en formation. Le *Portrait de Pierre Jean Jouve*, que Le Fauconnier avait peint dès 1909, quand il était lié au groupe des écrivains de L'Abbaye avait orienté Gleizes vers le cubisme, et l'on trouve de nombreuses affinités entre les premières œuvres cubistes de Le Fauconnier et celle de Gleizes et de Metzinger avec lesquels il se fâchera d'ailleurs en 1913, au moment où lui-même, après avoir été influencé par le travail de Fernand Léger, comme dans *Le Chasseur* de 1912, se détourna du cubisme pour revenir à un humanisme expressionniste. Le cubisme de Le Fauconnier très caractéristique de ce que l'on peut appeler le cubisme français, avait consisté en une nouvelle traduction de l'espace, basée sur une analyse géométrique des volumes qu'Apollinaire désigna des termes de « cubisme physique ». Il poursuivit, durant la Première Guerre mondiale, ses recherches de l'expression, à partir de l'étude des gothiques flamands, inaugurant à partir de 1917, la gamme des tons chauds et les effets de matière qui caractérisent les œuvres de sa maturité. À Amsterdam, où il faisait figure de chef d'école, il exerça une influence sur les jeunes peintres expressionnistes hollandais et belges ; également à Anvers, en compagnie de Van der Berghe et de De Smet, il contribua à apporter à l'expressionnisme flamand le poids de la construction cubiste. Il ne craignait pas, pendant cette période, d'entreprendre à la manière des maîtres du passé, des cycles de peintures fondés sur un thème ambitieux : les quatre panneaux de *Dieu le voit*, en 1916 ; les trois panneaux du *Songe du vagabond*. Revenu en France, il abandonna progressivement à son tour, de 1920 à 1925, sa manière expressionniste, revenant ensuite à un réalisme assez sévère, dans des tableaux de fleurs, de nus et des scènes d'intérieur. Celui qui aurait pu représenter le lien entre l'impressionnisme nabi de ses débuts, quand il connaissait Sérusier, le fauvisme auquel il avait participé, les cubistes dont il avait fait partie, qui avait connu les futuristes italiens, qui avait exposé avec les Russes et les Allemands créateurs de l'abstraction, que ses amis appelaient le « prestigieux », mourut presque oublié de tous.
■ Jacques Busse

le Fauconnier

Le Fauconnier

Bibliogr. : René Huyghe : *Les Contemporains*, Tisné, Paris, 1949 – Bernard Dorival : *Les Peintres du XXe s.*, Tisné, Paris, 1957 – Catalogue de l'exposition : *Le Fauconnier*, Stedelijk Museum, Amsterdam, 1959 – José Pierre : *Le Cubisme*, in : *Hre gle de la peinture*, Rencontre, t. XIX, Lausanne, 1966 – in : *Les Muses*, Grange Batelière, t. IX, Paris, 1972 – in : *Dict. univer. de la peinture*, Le Robert, t. IV, Paris, 1975 – Catalogue de l'exposition : *Paris-Moscou 1900-1930*, Musée national d'Art moderne, Paris, 1979 – in : *L'Art du XXe s.*, Larousse, Paris, 1991 – in : *Dict. de l'art mod. et contemp.*, Hazan, Paris, 1992.

Musées : Amsterdam (Stedelijk Mus.) : *Songe du vagabond* – *Rêve du fumeur* 1917 – Brest – Bruxelles (Mus. des Beaux-Arts) – Cannes – La Haye (Gemmeentemus.) : *Femme au miroir* 1909 – *L'Abondance* 1911 – Lyon (Mus. des Beaux-Arts) : *Enfant breton* 1908 – Moscou – New York (Mus. of Mod. Art) : *Le Chasseur* 1912 – Paris (Mus. Nat. d'Art Mod.) : *Portrait du poète Pierre Jean Jouve* 1909 – *Nu au tournesol* – *Musique de chambre* – *Chrysanthèmes* – *La Gantoise* – *Portrait de l'artiste* – Les Sables-d'Olonne : *Portrait du poète Paul Catiaux* – Saint-Pétersbourg (Mus. de l'Ermitage) : *Le Lac* 1911 – *Le Signal* 1915 – Stockholm (Mod. Mus.) – Vienne (Albertina Mus.) – Zagreb.

Ventes Publiques : Paris, 20 fév. 1928 : *Nu couché*, aquar. : **FRF 1 400** – Paris, 2 mars 1929 : *Fleurs au vase noir*, aquar. : **FRF 13 300** – Paris, 19 mai 1930 : *Soleils au vase noir*, aquar. : **FRF 820** – Paris, 15 jan. 1943 : *Saint Pierre aux soucis* : **FRF 1 000** – Paris, 25 mai 1955 : *Jeune fille en rouge*, aquar. : **FRF 65 000** – Amsterdam, 22 oct. 1958 : *Vase de fleurs*, aquar. : **NLG 1 200** – Londres, 12 déc. 1969 : *Fleurs dans une bouteille noire* : **GNS 350** – Londres, 11 nov. 1970 : *Village de montagne* : **GBP 400** – Londres, 21 avr. 1971 : *Village de montagne* : **GBP 1 150** – Londres, 13 avr. 1972 : *Village de montagne* : **GBP 1 200** – Madrid, 19 déc. 1974 : *Nu endormi* : **ESP 110 000** – Londres, 10 mars 1976 : *Tête de paysanne hollandaise* vers 1915-1918 (60,5x72,5) : **GBP 300** – Amsterdam, 26 avr. 1977 : *Portrait de Castiaux*, h/t (100x81) : **NLG 8 000** – Amsterdam, 31 oct 1979 : *Nature morte*, h/t (45x37,5) : **NLG 7 000** – Lokeren, 26 fév. 1983 : *Jeune femme*, aquar. (101x59) : **BEF 48 000** – Londres, 25 juin 1985 : *Tournesols dans un vase noir*, lav. fus. et past. (103x68,2) : **GBP 650** – Paris, 15 avr. 1988 : *Le Cygne bleu*, h/t (49,5x61) : **FRF 4 500** – Amsterdam, 10 avr. 1989 : *L'Artiste dans son atelier*, aquar. et craie (77,5x56) : **NLG 2 990** – Paris, 22 oct. 1989 : *Le Phare à Ploumanach* 1908, h/t (100x80) : **FRF 100 000** – Paris, 8 nov. 1989 : *La Moisson aux environs de Ploumanach*, h/t (60x73) : **FRF 9 500** – Versailles, 28 jan. 1990 : *Chaumière vigne verte*, h/t (60x73) : **FRF 10 500** – Paris, 23 fév. 1990 : *Le Village*, h/t (65x50) : **FRF 8 000** – Amsterdam, 22 mai 1991 : *Nature morte de fleurs*, fus. et aquar./pap. (84x45) : **NLG 2 990** – Paris, 29 nov. 1991 : *La Fenêtre*, h/t (81x65) : **FRF 34 500** – Amsterdam, 12 déc. 1991 : *Nu assis*, h/t (72x61) : **NLG 3 910** – Paris, 27 jan. 1992 : *Portrait de femme*, h/t (60x50) : **FRF 9 000** – Lokeren, 21 mars 1992 : *Nature morte* 1927, h/t (61x46) : **BEF 60 000** – Amsterdam, 19 mai 1992 : *Nature morte de fleurs*, fus. et aquar./pap. (75x55) : **NLG 3 220** – Amsterdam, 10 déc. 1992 : *Tulipes dans un vase sur une table drapée*, fus. et aquar./pap. (76x56) : **NLG 2 300** – Paris, 18 déc. 1992 : *Bouquet de fleurs*, aquar. (60x47) : **FRF 15 000** – Amsterdam, 26 mai 1993 : *Vue de l'église de Gros Rouvers*, h/t (73x60) : **NLG 4 370** – Amsterdam, 8 fév. 1994 : *Vase de dahlias*, h/t (diam. 35,5) : **NLG 6 900** – Paris, 8 juin 1994 : *Autoportrait* 1939, h/t (73x54) : **FRF 8 000** – Paris, 12 avr. 1996 : *Nu féminin assis*, aquar. (55x65,5) : **FRF 7 500** – Amsterdam, 5 juin 1996 : *Village dans la montagne*, cr. et h/t (56,5x47,5) : **NLG 13 800** – Amsterdam, 10 déc. 1996 : *Dalhias*, h/t, ovale (diam. 35,5) : **NLG 10 378**.

LEFEBRE Wilhelm Albert

Né le 6 décembre 1873 à Francfort-sur-le-Main (Hesse). Mort en 1974 à Merano (Italie). XIXe-XXe siècles. Allemand.

Peintre, graveur.

Il a d'abord étudié à l'académie des beaux-arts de Düsseldorf, puis, à partir de 1895, à celle de Munich, où il eut K. Marr comme professeur. Venu à Paris en 1898, il y est entré à l'académie Julian. Il a exposé au Salon d'Automne, dont il est membre sociétaire.

Élève de Ferrier, Bouguereau et J. P. Laurens, il a adopté une vision allégorique et symboliste, mettant en scène dans ses tableaux des personnages des légendes allemandes qui évoquent la tradition wagnérienne. Les effets recherchés y sont typiques du début du siècle. Il a été également paysagiste, peignant les environs de Paris et les vallées alpestres.

Ventes Publiques : Paris, 2 juin 1975 : *Nus aux paons* : **FRF 10 000** – New York, 25 oct. 1984 : *La promenade à l'Arc de Triomphe*, h/t (87,5x109,8) : **USD 6 000**.

LEFEBURE

XVIIIe siècle. Actif à Dieppe. Français.

Sculpteur-ivoirier.

On cite de cet artiste, au Musée de Dieppe, un bénitier orné d'un sujet représentant *l'Annonciation*. Cette pièce d'un mérite exceptionnel porte au revers l'inscription suivante : *Lefebure fecit sculpteur à Dieppe le 4 novembre 1679.*

LEFEBURE

XIXe siècle. Actif à Paris. Français.

Sculpteur.

Exposa au Salon, de 1819, un *Buste de Malherbe*, destiné à la Bibliothèque publique de Caen.

LEFÉBURE. Voir aussi **LEFEBVRE**

LEFEBURE Célina

Née à Rouen. XIXe siècle. Française.

Peintre de genre, portraitiste et miniaturiste.

Élève de Robert Fleury et de Belloc. Débuta au Salon de 1848.

Musées : Le Havre : *Rêverie* – Rouen : Étude – *Petite mendiante*.

LEFÉBURE François. Voir **LEFÈVRE**

LEFEBURE Gabriel

Né à Falaise. XIXe siècle. Français.

Peintre.

Élève de A. Hesse et Court. Débuta au Salon en 1846. Son tableau *Madeleine expirante*, exposé au Salon de 1864, fut acquis par l'État.

Musées : Bagnères-de-Bigorre : *Tête de saint en extase* – Rouen : *La tour de la reine Blanche* – Vire : *La Madeleine expirante*.

LEFÉBURE Jean Baptiste. Voir **LEFEBVRE**

LEFÉBURE Nicolas. Voir **LEFEBVRE Nicolas**

LE FEBVRE ou **Le Fèvre**

XVIIIe siècle. Français.

Sculpteur.

Il était actif à Nantes entre 1757 et 1759.

LEFEBVRE

XVIIIe siècle. Français.

Peintre d'histoire, genre, portraits, paysages urbains, dessinateur.

Il exposa huit œuvres (dessins et peintures) au Salon de Paris, en 1791 et quatre au Salon de 1793.

On cite de lui son *Portrait de l'artiste*, *Vue de la caserne qui existait à Montmartre*, *La coquette aux enfers*, *Mort de Sénèque*. Il est peut-être le même artiste que le portraitiste Lefebvre qui exposait en 1810 et 1812 et de qui l'on cite un *Portrait de Grétry*.

LEFEBVRE

XVIIIe-XIXe siècles. Actif à Paris. Français.

Dessinateur, illustrateur.

Il illustra pour l'éditeur Didot les *Aventures de Télémaque* de Fénelon.

LEFEBVRE, Mme

XVIIIe siècle. Active à Paris. Française.

Portraitiste et miniaturiste.

Exposa au Salon en 1793.

LEFEBVRE Adolphe

Né en 1840 à Vagnonville (Nord). Mort le 4 septembre 1868 à Paris. XIXe siècle. Français.

Peintre de genre, paysages.

Élève de Charles Gleyre à l'École des Beaux-Arts de Paris, il participa au Salon de Paris de 1865 à sa mort.

Il fait jouer l'ombre et la lumière, mettant en valeur les volumes traités en touches vives. Il est parfois confondu avec Lefèvre Adolphe René, mort la même année.

Bibliogr. : Gérald Schurr, in : *Les Petits Maîtres de la peinture 1820-1920, valeur de demain*, Les Éditions de l'Amateur, t. III, Paris, 1976.

Musées : Graz : *Faust et Marguerite*.

Ventes Publiques : Paris, 1er fév. 1943 : *Femme nue* : **FRF 480**.

LEFEBVRE Aglaé
Née à Mont-Doubleau. XIXe siècle. Française.
Peintre de marines, de paysages et pastelliste.
Élève de Michel Bouquet. Exposa au Salon, de 1846 à 1859.

LEFEBVRE Augustin François
Né au XIXe siècle à Roubaix (Nord). XIXe siècle. Français.
Peintre de portraits.
Il fut élève de Boulanger et de Hébert. Il figura au Salon des Artistes Français de Paris, dont il devint sociétaire en 1897.
Ventes Publiques : New York, 17 jan. 1990 : *Le bateau perdu*, h/t (48,1x64,8) : **USD 3 575**.

LEFEBVRE Camille ou **Lefèvre**
Né le 31 décembre 1853 à Issy-sur-Seine. XIXe siècle. Français.
Sculpteur.
Il fit son apprentissage chez un sculpteur sur bois, puis entra à l'École des Arts Décoratifs, et enfin à l'École des Beaux-Arts dans l'atelier de Cavalier. En 1878, il obtint le second Grand Prix de Rome. Il débuta au Salon en 1879 et obtint une médaille de troisième classe en 1884, une médaille de deuxième classe en 1888. En 1890, il fut un des fondateurs de la Société Nationale des Beaux-Arts dont il resta, par la suite un fidèle exposant. L'Exposition Universelle de 1889, lui valut une médaille d'argent et celle de 1900 une médaille d'or. Il fut décoré de la Légion d'honneur en 1901. Parmi ses œuvres les plus remarquables, on peut citer : *Garde Mobile* (au Père Lachaise), *Le Gué* (au parc des Buttes Chaumont), *Bonheur*, (l'établissement thermal d'Aix-les-Bains), des frontons décoratifs pour les mairies d'Ivry-sur-Seine et Issy-les-Moulineaux, et le fronton du Crédit Lyonnais à Paris. Le Musée de Cahors conserve de lui : *Dans la rue*. Exécuta au Grand Palais de l'Exposition de 1900 la figure de *La Peinture* décorant le péristyle.

LEFEBVRE Cécile. Voir **DELARUE-LEFEBVRE**

LEFEBVRE Charles
Né à Rouen. XVIIe siècle. Français.
Peintre.
Il travaillait en 1671 pour Versailles et en 1684 pour Marly.

LEFEBVRE Charles Amable
Né le 20 mai 1827 à Nantes. XIXe siècle. Français.
Peintre de paysages, natures mortes.
Il exposa au Salon de Paris en 1870 et 1879 et peignit surtout des natures mortes au gibier.

LEFEBVRE Charles Victor Eugène
Né le 16 ou 18 octobre 1805 à Paris. Mort le 17 mai 1882 à Paris. XIXe siècle. Français.
Peintre d'histoire, de genre et de portraits.
Élève de Gros et d'Abel de Pujol, débuta au Salon de 1827, médaille de deuxième classe en 1833, de première classe en 1845 ; de troisième classe en 1855 (Exposition Universelle). Chevalier de la Légion d'honneur en 1859.

Chles Lefebvre

Musées : Bordeaux : *L'éducation de la Vierge* – Lille : *Jeune bacchanale* – Lyon : *Madeleine repentante* – Montpellier : *Mort de Lucrèce* – Orléans : *Jacob et Joseph* – Provins : *L'annonciation* – Reims : *Musiciens napolitains* – Rouen : *Mort de Guillaume le Conquérant* – Versailles : *Hoche* – *Jansénius* – *Henri de Mesmes* – *Louis-Joseph de Lorraine, duc de Guise* – *Cardinal Dubois* – *Murat*.
Ventes Publiques : Paris, 21 jan. 1901 : *La hutte du charbonnier* : **FRF 300** – Londres, 14 févr 1979 : *Musicien ambulant arabe* 1881, h/pan. (66x44,5) : **GBP 800**.

LEFEBVRE Claude
Baptisé à Fontainebleau le 12 septembre 1632. Mort le 25 avril 1675 à Paris. XVIIe siècle. Français.
Peintre de portraits, graveur, dessinateur.
Il est le fils du peintre Jean Lefebvre ; au moins quatre de ses frères furent peintres également. Il reçut d'abord les conseils de son père, puis fut élève de Claude de Hoëy. Étudiant les peintures du Primatice, il entra, en 1654, dans l'atelier de Le Sueur, puis, en 1655, dans celui de Le Brun. Celui-ci, conformément à son propre goût, l'incita à se consacrer à la peinture de portraits. À côté de Philippe de Champaigne, Claude Lefebvre fut le portraitiste le plus renommé de son temps. Au Salon du Louvre, en 1673, il exposait neuf portraits de sa main. Il entra à l'Académie en 1663, et y obtint la charge de professeur-adjoint en 1664.
La plupart de ses portraits ont aujourd'hui disparu ; certains autres sont connus par la gravure à l'eau-forte. On lui attribue traditionnellement *Le précepteur et son élève*, du musée du Louvre, qui serait son chef-d'œuvre. Ses premiers portraits montrent l'influence de la manière de Philippe de Champaigne, avec un modelé plus accentué. Dans la suite, une facture plus souple dénoterait peut-être l'influence des portraits de Van Dyck. On a longtemps méconnu son rôle dans le renouveau de l'art du portrait, au milieu du XVIIe siècle, au profit de son disciple François de Troy. Parmi ses portraits les plus puissants, on cite aussi celui de *Colbert*, à Versailles, ainsi que celui d'*Alexandre Boudan*, qui ne nous est connu que par la gravure d'Isaac Sarrabat.

CLE.

Bibliogr. : Charles Sterling : *Catalogue de l'exposition « Les peintres de la réalité en France au XVIIe siècle »*, Musée de l'Orangerie, Paris, 1934.
Musées : Caen : *Portrait d'un magistrat* – Londres (Nat. Portrait Gal.) : *Isaac Barrow* – Metz : *Portrait de Nicolas Edmond Olivier, Conseiller du Roi* – Orléans : *Portrait d'homme*, attr. – Paris (Mus. du Louvre) : *Un maître et son élève* – *Portrait d'homme* – Rochefort : *Racine* – Versailles : *Colbert* – *Le marquis de Seignelay* – *François Couperin, et la fille du peintre*.
Ventes Publiques : Paris, 1810 : *Portrait d'un précepteur et de son élève* : **FRF 1 001** – Paris, 1887 : *Un portrait miniature* : **FRF 470** – Paris, 1897 : *Portrait de Benjamin Priolo* : **FRF 675** – Paris, 11-12 déc. 1899 : *Portrait d'homme*, sanguine : **FRF 190** – Paris, 4-7 déc. 1907 : *Portrait de jeune homme* : **FRF 6 100** – Paris, 9-10 mai 1910 : *Portrait présumé de Mme de Maintenon* : **FRF 450** – New York, 6-7 avr. 1911 : *Madame de Seignelay* : **USD 250** – Paris, 6-7 mai 1920 : *Portrait d'homme* : **FRF 1 350** – Paris, 28 fév. 1921 : *Portrait d'homme* : **FRF 1 800** – Paris, 19 nov. 1928 : *Portrait présumé de Colbert* : **FRF 26 000** – Paris, 10-11 déc. 1928 : *Portrait d'un abbé* : **FRF 90 000** – Paris, 29 oct. 1942 : *Portrait d'homme*, École de Cl. L. : **FRF 20 000** – Paris, 13 juin 1961 : *Portrait d'un abbé* : **FRF 9 500** – Paris, 13 juin 1963 : *Portrait d'un abbé* : **FRF 6 000** – New York, 12 janv 1979 : *Portrait d'un gentilhomme*, h/t (97x73,5) : **USD 5 500** – Paris, 20 mars 1992 : *Portrait présumé du chancelier d'Aguesseau portant le collier de l'ordre du Saint-Esprit*, h/t (189x129) : **FRF 150 000**.

LEFEBVRE Ernest Eugène
Né en 1850 au Havre. Mort le 30 novembre 1889 au Havre. XIXe siècle. Français.
Peintre de natures mortes.
Il fut élève de G. Morin. Il débuta au Salon de Paris en 1879.
Musées : Caen : *Nature morte* – Rouen : *Nature morte* – *Les confitures de prunes*.
Ventes Publiques : Londres, 6 oct. 1989 : *Nature morte avec des cerises*, h/pan. (47x61) : **GBP 3 520** – Londres, 20 nov. 1996 : *Nature morte au livre et au casque* 1887, h/t (67x99) : **GBP 6 555**.

LEFEBVRE Eugène Pierre. Voir **LEFÈVRE**

LEFEBVRE Félix Gabriel
Né à Rouen. XIXe siècle. Français.
Paysagiste et aquarelliste.
Exposa au Salon, de 1864 à 1870.

LEFEBVRE Georges
XVe siècle. Français.
Sculpteur sur bois.
Il prit part à la décoration des stalles du chœur de l'église de Saumur, en 1475.

LEFEBVRE Georges
Né à Céry. XIXe siècle. Français.
Peintre d'histoire, de genre, portraits, dessinateur.
Il fut élève de Gérôme. Il débuta au Salon de Paris en 1870. On cite de lui : *Une chute déplorable*.
Ventes Publiques : New York, 17 jan. 1996 : *Amoureux assis sur un banc près d'une statue de Cupidon*, h/t (59,7x72,7) : **USD 4 887** – Londres, 17 avr. 1996 : *Femme en rose allongée sur un sofa*, h/t (80x130) : **GBP 6 325**.

LEFEBVRE Georges
Mort le 6 novembre 1962 à Gosselies. XXe siècle. Belge.
Peintre, sculpteur.

LEFEBVRE Georges J. J.
Né au XIXe siècle à Berjou. XIXe siècle. Français.
Peintre de genre.
Il fut élève de Jules Lefebvre et de Moteley. Il figura au Salon des Artistes Français de Paris, société dont il devint membre en 1900, y obtenant une mention honorable en 1902 et une médaille de troisième classe en 1903.

LE FEBVRE Henry ou **Le Fèvre**
XVIIIe siècle. Actif à Nantes entre 1727 et 1737. Français.
Graveur et peintre.

LEFEBVRE Hippolyte Jules
Né le 4 février 1863 à Lille (Nord). XIXe-XXe siècles. Français.
Sculpteur, médailleur, peintre.
Élève de l'école des beaux-arts de Lille, il vint à Paris, en 1882 et fut élève de Cavelier, Coutan et Barrias. En 1892, il remporta le grand prix de Rome et débuta l'année suivante à Paris, au Salon des Artistes Français, dont il devint membre sociétaire en 1898, obtenant successivement une deuxième médaille en 1896, une première médaille en 1898 et la médaille d'honneur en 1902. L'Exposition universelle de 1900 lui valut une médaille d'or. Il fut décoré de la Légion d'honneur en 1902, officier en 1925. Il est membre de l'Institut depuis 1920.
On doit à ce remarquable artiste des œuvres d'une haute valeur parmi lesquelles on peut citer sa *Niobé* acquise par l'État, *La Douleur* pour le tombeau de Mme Ch. Barrus, et le *Christ* monumental de l'église de Breteuil.
Musées : Limoges : *Les Jeunes Aveugles* – Roubaix : *Le Pardon* – Tourcoing : *L'Été* – *L'Hiver*.
Ventes Publiques : Milan, 10 juin 1981 : *Marguerite de Faust*, bronze (71x79) : **ITL 1 500 000**.

LEFEBVRE Jacques
Né à Caen. XVIe siècle. Français.
Sculpteur sur bois.
Appelé à Bayeux, il y fit, de 1588 à 1589, le buffet des orgues, aujourd'hui détruit et les stalles du chœur, qui figurent encore dans la cathédrale. La reine Élisabeth d'Angleterre l'appela auprès d'elle et lui confia de nombreux travaux. Il fut aussi architecte.

LEFEBVRE Jacques
Né en 1631 à Fontainebleau. Mort en 1678. XVIIe siècle. Français.
Peintre de portraits.
Frère de Claude Lefebvre. Ce fut un excellent peintre de portraits.

LEFEBVRE Jean
XVIe siècle. Actif à Grenoble, vers 1536. Français.
Peintre de perspectives.
On cite de lui une *Vue générale de Grenoble* exécutée pour le roi en 1536.

LEFEBVRE Jean
XVIIe siècle. Français.
Décorateur.
Pour le compte du duc d'Epernon, il travailla à la décoration du château de Cadillac (Gironde) de 1604 à 1608.

LEFEBVRE Jean
Né à Caen. XVIIe siècle. Français.
Sculpteur.
Fils de Jacques Lefebvre. Il sculpta, en 1615, les stalles de l'église Saint-Étienne de Caen. L'année suivante, il fit, pour l'abbaye de Caen, un retable en bois doré avec une Notre-Dame et deux anges. En 1617, il fit, pour l'église Saint-Pierre, un Christ en bois doré avec la Vierge, saint Jean et la Madeleine. Il était aussi architecte. Vers la même époque, Jacob, frère de Jean Lefebvre, travailla à la cathédrale.

LEFEBVRE Jean
Né le 23 janvier 1600 à Fontainebleau. Mort vers 1675. XVIIe siècle. Français.
Peintre.
Influencé sans doute par l'école italienne, il travailla beaucoup à Fontainebleau. Il fut le père de Claude et de ses frères.

LEFEBVRE Jean
Né en 1644. Mort en 1666. XVIIe siècle. Français.
Peintre.
Il travailla peut être avec son frère Claude.

LEFEBVRE Jean Baptiste
Mort le 19 août 1706. XVIIe siècle. Actif à Tournai. Éc. flamande.
Sculpteur.
Il travailla pour la cathédrale de Cambrai.

LEFEBVRE Jean Baptiste ou **Lefébure**
XVIIIe siècle. Français.
Peintre de portraits.
Le Musée de Versailles conserve de lui : *Portrait de Duval d'Espréménil, syndic de la Compagnie des Indes à Lorient*, signé *J. B. Lefebure anno 1738.*
Ventes Publiques : Paris, 21 et 22 juin 1923 : *Sainte Cécile* ; *Allégorie à l'Hymen*, deux miniatures, en collaboration avec J. Werner : **FRF 2 400**.

LEFEBVRE Jeanne
Née à Paris. XIXe siècle. Française.
Portraitiste.
Élève de Mme Colin-Libour. Exposa au Salon à partir de 1879.

LEFEBVRE Joseph
Mort le 27 novembre 1679 à Nancy. XVIIe siècle. Français.
Sculpteur.

LEFEBVRE Jules Joseph
Né le 14 mars 1836 à Tournan (Seine-et-Marne). Mort le 24 février 1911 à Paris. XIXe-XXe siècles. Français.
Peintre de sujets allégoriques, scènes de genre, portraits, nus.
Il fut élève de Léon Cogniet. Il entra à l'École des Beaux-Arts en 1852. Sa *Mort de Priam* lui valut, en 1861, le Prix de Rome. Exposant fidèle du Salon de Paris, à partir de 1855, puis du Salon des Artistes Français, il y obtint des médailles en 1865, 1868 et 1870, une première médaille à l'Exposition Universelle de 1878, la médaille d'honneur en 1886 et le Grand Prix à l'Exposition Universelle de 1889. En 1891, il succéda à Delaunay à l'Institut ; il enseigna à l'Académie Julian, et fut commandeur de la Légion d'honneur en 1898.
Ce fut avant tout un portraitiste. Son dessin est correct mais froid ; sa peinture assez peu personnelle trahit un souci constant de s'en tenir aux formules de l'école. Il a abordé parfois les sujets de genre, mais sans y réussir bien brillamment. Dans ce genre, *La Vérité sortant du puits*, longtemps à l'ancien Musée du Luxembourg, a conservé jusqu'à nos jours une réputation, mais d'humour involontaire. En dehors de ses toiles figurant dans les Musées, on cite de lui des peintures décoratives à l'Hôtel de Ville de Paris.

Jules-Lefebvre

Jules-Lefebvre

Cachet de vente

Musées : Amiens : *Lady Godiva* – *Sophocle* – *Coriolan chez Tillius, rois des Volsques* – *La rieuse* – *Frédéric Petit* – Lyon : *Nymphe et Bacchus* – Paris (Mus. du Louvre) : *Nymphe et Bacchus* – *La vérité* – Rouen : *Grisélidis*.
Ventes Publiques : Paris, 1879 : *La Vérité* : **FRF 2 505** – Paris, 1882 : *Jeune femme nue* : **FRF 5 000** – Paris, 1886 : *Sapho* : **FRF 22 500** – Paris, 13 avr. 1891 : *La paresseuse* : **FRF 3 175** – Paris, 8-13 mai 1892 : *Femme nue* : **FRF 25 000** – Paris, 27 fév. 1893 : *La cigale* : **FRF 2 000** – Paris, 2 et 3 avr. 1897 : *La Vérité* : **FRF 625** – Paris, 27 juin 1900 : *Jeune Italienne à sa toilette* : **FRF 3 300** – Paris, 15-18 avr. 1901 : *Jeune femme nue* : **FRF 1 180** – Paris, 26-27 mai 1902 : *Jeanne la Rousse* : **FRF 5 100** – Paris, 30 mai-1er juin 1902 : *Le Réveil de Diane* : **FRF 1 800** – New York, 11-12 mars 1909 : *Le langage de l'éventail* : **USD 466** – Paris, 28 mars 1923 : *Diane* : **FRF 680** – Paris, 18 nov. 1926 : *La Cigale* : **FRF 2 500** – Paris, 5-6 juin 1929 : *Profil de jeune femme laurée* : **FRF 3 250** – Paris, 4 mai 1931 : *Baigneuse* : **FRF 1 020** – Paris, 16-17 mai 1939 : *Baigneuse à la chevelure dorée* : **FRF 850** –

Paris, 12 mars 1941 : *La Vérité* : **FRF 1 400** – Paris, 8 mai 1942 : *La Baigneuse* : **FRF 2 100** – New York, 4 déc. 1943 : *Odalisque* : **USD 325** – Paris, 23 fév. 1945 : *Profil de femme* : **FRF 3 600** – New York, 18 avr. 1945 : *La mariée de Sorrente* : **USD 400** ; *Jeune fille sur la plage* : **USD 500** – Paris, oct. 1945-juil. 1946 : *Figure allégorique* : **FRF 2 800** ; *En prière* : **FRF 18 000** – Paris, 18 mai 1947 : *La Blonde Italienne* : **FRF 1 900** – Paris, 25 avr.1949 : *Nu couché* : **FRF 25 000** – Paris, 30 juin 1950 : *Buste d'Italienne* : **FRF 23 100** – Paris, 15 juin 1954 : *Italienne dans les bois* : **FRF 28 000** – New York, 12 nov. 1970 : *La fiancée* : **USD 2 200** – New York, 2 avr. 1976 : *Jeune femme au châle rouge*, h/t (62x39,5) : **USD 1 800** – New York, 14 jan. 1977 : *La fidèle*, h/t, vue ovale (70x50) : **USD 3 700** – Londres, 16 févr 1979 : *Une beauté turque* 1880, h/t (144,2x82,5) : **GBP 2 400** – New York, 28 mai 1982 : *Sensualité*, h/t (172,8x203,5) : **USD 13 000** – New York, 27 mai 1983 : *L'Esclave nue* 1872, h/t (191,1x99) : **USD 18 000** – Paris, 4 mars 1985 : *Jeune fille à la source*, h/pan. (36,5x30) : **FRF 32 000** – Orléans, 24 mai 1986 : *La Cigale* 1872, h/pan. (32x15) : **FRF 16 000** – New York, 21 mai 1987 : *Jeune gitane à la mandoline*, h/t (140x86,7) : **USD 17 000** – Paris, 20 mars 1989 : *Portrait de femme* 1888, h/t (123x86) : **FRF 26 000** – New York, 1er juin 1989 : *La cigale* 1877, h/pan. (41,9x20,6) : **USD 8 800** – New York, 24 oct. 1989 : *L'Amour blessé*, h/t (191x124) : **USD 26 400** – New York, 25 oct. 1989 : *Nu allongé*, h/pan. (15,2x32,1) : **USD 28 600** – New York, 23 mai 1990 : *Portrait de femme en robe de bal*, h/t (240,7x149,8) : **USD 11 000** – New York, 20 fév. 1992 : *Nu allongé*, h/pan. (15,2x32,1) : **USD 16 500** – New York, 29 oct. 1992 : *Le marché aux esclaves* 1876, graphite et h/tissu/pan. (23,2x13,7) : **USD 1 980** – New York, 13 oct. 1993 : *Nu féminin allongé* 1865, h/t (59,1x144,1) : **USD 16 100** – Paris, 8 déc. 1993 : *Diane chasseresse*, h/pan. (30,5x27) : **FRF 38 000** – New York, 23-24 mai 1996 : *Diana*, h/pan. (30,5x26,7) : **USD 40 250** – Londres, 13 juin 1997 : *Beauté orientale*, h/pan. (44,5x22) : **GBP 40 000**.

LEFEBVRE Justine
XIXe siècle. Française.
Peintre de genre.
Élève de Boulanger et de Jules Lefebvre.

LEFEBVRE Louis
XVIIe siècle. Actif à Fontainebleau en 1623. Français.
Peintre.
Il fut, comme son frère Claude Lefebvre, élève de son père Jean.

LEFEBVRE Louis Alexandre
XVIIIe siècle. Actif vers 1728. Français.
Peintre.
Il exécuta un *Portrait de Louis XIV* au château de la Thomasserie (Loir-et-Cher).

LEFEBVRE Louis Valère
Né à Blois (Loir-et-Cher). Mort en 1902. XIXe siècle. Français.
Peintre d'architectures, paysages, marines.
Élève d'Alexandre Thiollet et d'Harpignies, il exposa au Salon de Paris à partir de 1865.
Peintre de bords de mer, campagne, bords de Seine, on cite de lui : *Notre-Dame de la Joie, près de Penmarch – Bords de la Marne – La falaise de Villerville*, peints dans des tonalités discrètes, sous de grands ciels délavées.
Bibliogr. : Gérald Schurr, in : *Les Petits Maîtres de la peinture 1820-1920, valeur de demain*, Les Éditions de l'Amateur, t. V, Paris, 1981.
Ventes Publiques : Paris, 30 mars 1925 : *Villerville* : **FRF 90** – Paris, 12-13 déc. 1940 : *Les barques de pêche sur la plage d'Yport*, aquar. : **FRF 110** – Lokeren, 9 mars 1996 : *Paysage d'été* 1876, h/t (47x68) : **BEF 36 000**.

LEFEBVRE Lucien
Né à Varennes. XIXe siècle. Français.
Peintre de portraits et de fleurs.
Exposa au Salon en 1872 et 1873.

LEFEBVRE Marie Joseph. Voir **LEFÈVRE**

LEFEBVRE Marthe. Voir **MARLEF**

LEFEBVRE Mathilde, née **Gilles**
Née le 14 septembre 1869. XIXe-XXe siècles. Française.
Peintre.
Elle exposa à Paris, au Salon des Artistes Français, dont elle fut membre sociétaire à partir de 1906.

LEFEBVRE Maurice Jean
Né en 1873 à Uccle (Brabant). Mort en 1954. XIXe-XXe siècles. Belge.
Peintre de figures, portraits, paysages.
Il participa à Paris, au Salon des Artistes Français, et au Salon de Bruxelles à partir de 1897. Il fut professeur à l'école des beaux-arts de Saint-Gilles-les-Bruxelles.

Bibliogr. : In : *Dict. biogr. illustré des artistes en Belgique depuis 1830*, Arto, Bruxelles, 1987.
Ventes Publiques : Lokeren, 23 mai 1992 : *Nu allongé*, h/t (38x61) : **BEF 90 000** – Amsterdam, 8 nov. 1994 : *Moment paisible à Versailles*, h/t (69,5x49) : **NLG 3 910** – Amsterdam, 7 nov. 1995 : *Printemps parisien* 1913, h/t (54x65) : **NLG 6 490**.

LEFEBVRE Maximilien
XVIIIe siècle. Actif à Grenoble vers 1788. Français.
Portraitiste.
Il avait travaillé à Paris et à Naples. On cite de lui plusieurs portraits datés de 1788. Il était sourd-muet.

LEFEBVRE Michel
Né en 1930 à Versailles (Yvelines). XXe siècle. Français.
Peintre, graveur, décorateur.
De formation autodidacte, il a néanmoins travaillé à l'académie de la Grande Chaumière, à Paris. En 1974, il a crée l'école de Versailles. Il fait partie du comité Souvenir de Corot. Il a reçu les encouragements de Dunoyer de Segonzac.
Il participe à Paris, aux Salons des Indépendants, dont il est membre sociétaire, aux Artistes Français, où il a obtenu une mention, ainsi qu'au Salon Comparaisons, où il figure dans le groupe de Cadiou. Il a montré quelques expositions personnelles de ses peintures, notamment à Paris et Versailles.
Il est peintre de la réalité, jusqu'au trompe-l'œil.

LEFEBVRE N.
Né à Visé près de Liège. Mort en 1826. XIXe siècle. Belge.
Peintre.
Il fut élève de David et exécuta des copies d'après Rubens et Véronèse.

LEFEBVRE Nicolas
XVIIe siècle. Français.
Sculpteur.
Il exécuta une statue pour l'église Saint-Nizier et un bas-relief pour l'hospice de la Charité à Lyon.

LEFEBVRE Nicolas ou **Lefébure**
XVIIIe siècle. Actif à Paris. Français.
Peintre de portraits.
Le Musée d'Avignon conserve un *Portrait de Joseph Louis Dominique de Combis-Velleron*, au dos duquel on lit en écriture du temps : *Peint par Nicolas Lefebvre en 1716, demeurant rue Saint-Thomas-du-Louvre à Paris* ; d'autre part, nous trouvons au Musée de Chartres un *Portrait de J.-P. B. Fleurian d'Armenonville* au verso duquel figure la mention : *Peint par Nicolas Lefebvre, 1727*. Lefebvre et Lefebure nous paraissent un même artiste.

LEFEBVRE Paul Abel
Né en 1859 à Lille. XIXe siècle. Français.
Peintre et graveur.
Sociétaire des Artistes Français depuis 1891, il figura au Salon de ce groupement. Obtint la pension Pie Wicar en 1879. Le Musée de Lille conserve de lui un dessin *Tête d'enfant*, daté de 1882.

LEFEBVRE Philippe
Né le 10 juillet 1954 à Chaumont-en-Vexin (Oise). XXe siècle. Français.
Sculpteur de figures.
Il expose à Paris. Formé à l'ébénisterie, il réalise une œuvre originale, drapant les squelettes de ses figures étranges, en bois et éléments mécaniques, de tissus, d'amples manteaux.
Bibliogr. : Plaquette de l'exposition : *Sur le chemin des primitifs*, Galerie d'Art de la place Beauvau, Paris, 1992.

LEFEBVRE Philippe. Voir **LEFÈVRE**

LEFEBVRE Rolland. Voir **LEFÈVRE Rolland**

LEFEBVRE Thérèse Éléonore. Voir **LINGEE Thérèse Éléonore**

LEFEBVRE Valentin ou **Lefèvre**
Né vers 1642 à Bruxelles. Mort en 1682 en Angleterre. XVIIe siècle. Éc. flamande.

Peintre d'histoire, portraits, graveur.
Il paraît être venu assez jeune à Venise où il se classa comme bon peintre d'histoire et de portraits, dans le style de Paolo Véronèse. Comme graveur, il reproduisit surtout Titien, Véronèse et le Tintoretto. Une partie de ses eaux-fortes fut publiée à Venise en 1682, en un volume. Son interprétation des maîtres est intéressante.
Ventes Publiques : Londres, 10 avr. 1985 : *Ulysse devant Circé*, pierre noire, pl. et lav. (26,3x34,8) : **GBP 850** – Milan, 25 fév. 1986 : *Le Sacrifice de Sophonisbe ; Épisode de l'histoire antique*, h/t, une paire (125x131) : **ITL 30 000 000** – Milan, 24 oct. 1989 : *Samson et Dalila*, h/t (98x135) : **ITL 36 000 000** – Rome, 27 nov. 1989 : *Giove fulmina i vizi*, h/t, de forme ovale (149x115) : **ITL 46 000 000** – New York, 13 jan. 1993 : *Rebecca près du puits*, encre et lav. (14,8x20,1) : **USD 2 185** – New York, 10 jan. 1995 : *Personnification de la Musique*, encre et lav. sur craie noire (23x15,9) : **USD 3 220** – Londres, 2 juil. 1996 : *Un guerrier, la Renommée et autres allégories debout sur les nuages*, craie noire, encre et aquar. (28,3x18,1) : **GBP 1 265**.

LEFEBVRE Victor
Né le 26 décembre 1912 à Montignies-sur-Sambre. xxe siècle. Belge.
Peintre, graveur. Fantastique.
Il fut élève de l'académie des beaux-arts de Charleroi. Il participe à des expositions collectives principalement à Bruxelles depuis 1939, notamment en 1941 au Ier Salon d'Artistes wallons au palais des Beaux-Arts de Bruxelles, et à Paris depuis 1959. Il montre ses œuvres dans des expositions personnelles à Bruxelles (1941, 1943, 1944, 1971, 1974...), Charleroi (1960).
Bibliogr. : In : *Dict. biogr. illustré des artistes en Belgique depuis 1830*, Arto, Bruxelles, 1987.

LEFEBVRE Wilhelm Albert. Voir **LEFEBRE Wilhelm Albert**

LEFEBVRE-DESFORGES. Voir **LEFEVRE Dominique**

LEFEBVRE-GLAIZE Maguelonne
Née à Montpellier (Hérault). Morte le 11 février 1919 à Montpellier. xixe-xxe siècles. Française.
Peintre de genre.
Élève de Humbert. Sociétaire des Artistes Français depuis 1897, elle figura au Salon de ce groupement.

LEFEBVRE-LOURDET M. Voir **LOURDEY Maurice**

LEFEBVRE-VALAY Charles Georges
Né le 22 mai 1885 à Saint-Omer (Pas-de-Calais). xxe siècle. Français.
Sculpteur.
Il entra à quatorze ans chez un sculpteur sur bois. Il vint à Paris avec une bourse de sa ville natale. Il a reçu une mention honorable en 1910 au Salon de Paris.

LEFEUBURE Karl
Né le 1er janvier 1847 à Munich. Mort le 2 décembre 1911 à Bad Tölz. xixe-xxe siècles. Allemand.
Paysagiste.
Fit ses études à Munich, puis se fixa à Tölz en Haute-Bavière. Exposa à partir de 1879.
Ventes Publiques : Munich, 19 sept 1979 : *Paysage à la cascade*, h/t (87x68) : **DEM 7 000** – Cologne, 29 juin 1984 : *Femme et enfant dans un paysage fluvial*, h/t (60x100) : **DEM 12 000**.

LE FEUILLEUX Guillaume
xvie siècle. Français.
Sculpteur sur bois.
Cet artiste, qui demeurait à Illiers, près de Chartres, se chargea, en 1548, d'exécuter différents travaux dans l'église de Sandarville (Eure-et-Loir).

LEFEUVRE Albert. Voir **ALBERT-LEFEUVRE**

LEFEUVRE Arsène M.
xixe-xxe siècles. Français.
Peintre.
Il exposa à Paris, au Salon des Artistes Français, dont il devint membre sociétaire à partir de 1906. Il fut également architecte.

LEFEUVRE Georges
Né le 18 octobre 1932 à Paris. xxe siècle. Français.
Peintre de paysages.
Il a fréquenté l'académie de la Grande Chaumière à Paris et reçut les conseils de Carzou et de Survage. Il participe à des expositions de groupe à Paris, aux Salons des Surindépendants, d'Automne, Terre Latine, des Indépendants, de la Marine, ainsi qu'en Provence, aux États-Unis et en Italie. Il montre ses œuvres dans des expositions personnelles à Paris, aux États-Unis, en Angleterre, Italie, Espagne. Ses expositions sont généralement consacrées à des paysages méditerranéens dont il s'est fait une spécialité. Il a réalisé deux décorations pour le ministère de l'armée.

LEFEUVRE Jean
xvie siècle. Français.
Sculpteur.
Il fit, pour l'église Notre-Dame-des-Champs, à Paris, des fonts baptismaux, en 1510.

LEFEUVRE Jean
Né le 9 novembre 1882 à Paris. xxe siècle. Français.
Peintre de paysages, compositions décoratives, aquarelliste.
Il fut élève de Jules Lefebvre et Tony Robert Fleury à l'École des Beaux-Arts de Paris. Il a reçu le prix de Rome en 1908 et une médaille d'or à Paris, au Salon des Artistes Français.
Il voyagea souvent en Égypte, au Proche-Orient, en Espagne, Tunisie, Maroc, aux Cyclades, à Madagascar, dont il s'attacha à rendre la lumière. Il est aussi l'auteur de grands panneaux décoratifs pour les paquebots des Messageries Maritimes.
Bibliogr. : Gérald Schurr, in : *Les Petits Maîtres de la peinture 1820-1920, valeur de demain*, Les Éditions de l'Amateur, t. III, Paris, 1976.
Ventes Publiques : New York, 21 mai 1987 : *Le Parc de Saint-Cloud*, h/t (81x115,8) : **USD 9 500** – New York, 23 mai 1989 : *Le Parc de Saint-Cloud*, h/t (81x115,8) : **USD 13 200** – Versailles, 23 sep. 1990 : *Saint-Raphaël, pique-nique sur la côte*, h/t (50x61) : **FRF 13 000**.

LEFEVER Edmond Florimond
Né le 25 février 1839 à Ypres. Mort le 18 avril 1911 à Bruxelles. xixe-xxe siècles. Belge.
Sculpteur.
Élève de H. Thoris et de l'Académie d'Ypres. Le Musée de cette ville conserve de lui : *Un premier deuil*. Le côté nord de la Halle aux Draps à Ypres était décoré de cinq statues qui paraissent être de cet artiste.

LE FEVER Johannes
xviiie siècle (?). Actif à La Haye. Hollandais.
Peintre.
Le Musée communal de La Haye conserve de lui une *Vue de Schweningen*. Les costumes des personnages qui figurent dans ce tableau donnent à penser que l'artiste vivait au xviiie siècle.

LEFÈVRE ou **Lefebvre, Fils**
xviiie siècle. Actif à Paris. Français.
Peintre de portraits et pastelliste.
Fils d'un directeur de l'Académie Saint-Luc, il fut lui-même membre de cette Académie, où il exposa de 1753 à 1774. Il prit part, en 1779, à l'Exposition du Salon de la Correspondance. On lui doit surtout des portraits au pastel.
Ventes Publiques : Paris, 6 déc. 1924 : *Portrait de M. de Mellissen, secrétaire général de l'Ordre hospitalier du Saint-Esprit* : **FRF 4 850** – Paris, 1er déc. 1926 : *Portrait de femme*, past. : **FRF 7 000**.

LEFÈVRE Achille Désiré
Né en 1798 à Paris. Mort le 1er novembre 1864 à Paris. xixe siècle. Français.
Graveur.
Fils et élève de Sébastien Lefèvre. Exposa au Salon de 1827 à 1861 ; médailles de deuxième classe en 1824, de première classe en 1843. Chevalier de la Légion d'honneur, le 23 mai 1851. Il grava des portraits, des vignettes, des sujets religieux.

LE FÈVRE Adam. Voir **FAVRE**

LEFEVRE Adolphe René
Né en 1834 à La Ferté-sous-Jouarre (Seine-et-Marne). Mort le 4 septembre 1868 à Paris. xixe siècle. Français.
Peintre d'histoire, scènes de genre.
Élève de Tony de Bergue, il exposa au Salon de Paris de 1863 à 1868. Il est souvent confondu avec Lefebvre Adolphe.
Musées : Bruxelles : *Vénus et l'Amour*.
Ventes Publiques : Paris, 16 mai 1924 : *Bacchante et Amour* : **FRF 90** – Paris, 17 nov. 1927 : *Portrait présumé de la famille de l'artiste* : **FRF 6 400** – Paris, 21 mars 1947 : *Femme entrant dans une prison* : **FRF 4 200** – Paris, 21 jan. 1987 : *Scène de baccha-*

nale, h/t (73x92) : **FRF 27 500** – Paris, 14 nov. 1990 : *Femme lisant dans un intérieur*, h/t (54x65) : **FRF 18 000** – New York, 29 oct. 1992 : *Faust et Marguerite quittant l'église*, h/pan. (21,5x16,5) : **USD 4 620**.

LEFÈVRE Antoine Hubert
XIXe siècle. Actif à Paris de 1804 à 1815. Français.
Graveur au burin.
Il a gravé des sujets mythologiques.

LEFEVRE Armand
Né à Anvers. Mort vers 1701 à Paris. XVIIe siècle. Éc. flamande.
Sculpteur.
Membre de l'Académie Saint-Luc à Paris, il exécuta pour le parc de Versailles une statue, *La Fidélité*.

LEFÈVRE Camille. Voir **LEFEBVRE Camille**

LEFEVRE Charles
Né à Paris. XIXe siècle. Français.
Peintre de portraits, paysages, miniaturiste, aquarelliste.
Élève de Louis Isabey, il participa au Salon de Paris de 1831 à 1863.
Il fit de nombreux paysages de Normandie et du Dauphiné, puis, après son voyage à Florence en 1860, des vues d'Italie.
Bibliogr. : Gérald Schurr, in : *Les Petits Maîtres de la peinture 1820-1920, valeur de demain*, Les Éditions de l'Amateur, t. II, Paris, 1982.
Musées : Bourges : *L'ange gardien de l'Étude* – Florence (Gal. antique et Mod.) : *Intérieur d'une forêt* – Gênes : *Paysage* – Perpignan : *Chemin dans une forêt* 1833.
Ventes Publiques : Londres, 23 fév. 1977 : *Vue de Florence* 1856, h/t (89x165) : **GBP 2 600** – Paris, 2 avr. 1997 : *Femme au drapé sur fond de paysage*, h/t (65x81) : **FRF 4 600**.

LEFÈVRE Didier
XVIIe siècle. Actif à Nancy vers 1637. Français.
Peintre.

LEFÈVRE Dominique
XVIIe-XVIIIe siècles. Actif à Nancy. Éc. lorraine.
Peintre.
Il travailla aux préparatifs des funérailles du duc Charles V en 1700.

LEFEVRE Dominique
Né à Gand. XVIIe-XVIIIe siècles. Éc. flamande.
Sculpteur.
Il travailla pour les châteaux de Versailles et de Marly à la fin du règne de Louis XIV.

LEFEVRE Dominique ou **Lefebvre-Desforges**
Né vers 1737 à Ottange. Mort en 1769 à Rome. XVIIIe siècle. Français.
Peintre.
Élève de Vien, il remporta en 1761 le prix de Rome et partit pour la capitale de l'Italie.
Musées : Strasbourg.

LEFÈVRE Edmond Alexandre Louis
Né à Arras (Pas-de-Calais). XIXe siècle. Français.
Graveur sur bois.
Élève de Porret. Exposa au Salon de 1868 et 1869.

LEFÈVRE Édouard
Né à Paris. XIXe siècle. Français.
Peintre de paysages urbains, aquarelliste.
Élève de Cabanel. Il exposa au Salon à partir de 1879. Il a peint des vues de Montmartre.

LEFÈVRE Ernest Assuérus
Né le 15 avril 1814 à Rouen. XIXe siècle. Français.
Graveur à l'eau-forte.
Élève de l'Académie de Rouen. Exposa des paysages de montagnes au Salon, de 1857 à 1878.

LEFÈVRE Eugène Pierre
Né dans la première moitié du XIXe siècle à Paris. XIXe siècle. Français.
Sculpteur.
Élève de Rude. Il exposa trois fois au Salon, de 1848 à 1872.

LEFÈVRE François ou **Lefébure**
XVIIe siècle. Actif à Paris vers 1635. Français.
Orfèvre et graveur.
Parmi ses gravures, il convient de citer un recueil de fleurs gravées : *Livre de fleurs et de feuilles pour servir à l'art d'orfèvrerie*.

LEFÈVRE Gabriel Albert Marie
Né à Chartres (Eure-et-Loir). XIXe siècle. Français.
Peintre de vues, de paysages, de genre et aquarelliste.
Exposa au Salon à partir de 1878.

LEFEVRE Guillaume
XVe siècle. Éc. flamande.
Sculpteur.
On connaît mal la vie de ce fondeur de cuivre de Tournai. Outre une *Sainte Catherine* d'un lutrin à Bruxelles, son chef-d'œuvre est sans doute *les Fonts Baptismaux* de Notre-Dame de Hal, exécutés en 1446, en laiton, aux reliefs accentués. Il allie la monumentalité au goût du pittoresque, tout en conservant la fermeté des contours.

LE FÈVRE Henry. Voir **LE FEBVRE Henry**

LEFÈVRE Jacques
Né en 1732 près de Coppet, originaire d'Orléans. Mort le 21 avril 1801 à Genève. XVIIIe siècle. Suisse.
Peintre d'émaux.
Reçu habitant de Genève en 1757.

LEFÈVRE Jacques. Voir aussi **FABER Jakob**

LE FÈVRE Jean
XIVe siècle. Français.
Sculpteur.
Architecte, il travailla au château de Conflans en 1373, puis il alla à Lille et y collabora, en 1396, à la porte du Molinel et à la porte Royale, à laquelle il œuvra encore l'année suivante. Suivant M. Lami, il est possible que cet artiste soit le même qu'un Jean Lefevre, mentionné dans les archives de Valenciennes comme ayant fait, en 1406, une *Résurrection* pour le maître-autel de la cathédrale.

LEFEVRE Jean
XVe siècle. Français.
Sculpteur.
Il reçut, en 1412, la dignité de bourgeois d'Amiens et fit différents travaux dans cette ville.

LEFEVRE Jean
XVe siècle. Français.
Sculpteur sur bois.
Il participa à la décoration des stalles du chœur de la cathédrale de Rouen en 1466.

LEFÈVRE Jean
XVIe siècle. Français.
Sculpteur.
Il sculpta, en 1532, la façade de l'Hôtel de Ville de Dreux, encore existante actuellement.

LEFÈVRE Jean
XVIIe siècle. Actif à Nancy. Éc. lorraine.
Peintre.

LEFÈVRE Louis Joseph
Né en 1784 à Paris. XIXe siècle. Français.
Peintre de portraits.
Il travaillait encore à Paris en 1831.

LEFÈVRE Marie Joseph ou **Lefebvre**
Né à Paris. Mort en 1906. XIXe siècle. Français.
Sculpteur.
Élève de Louis Noël.
Musées : Coutances : *Derniers moments de Caton d'Utique*.

LEFÈVRE Marie Zoé
XIXe-XXe siècles. Française.
Peintre de portraits, dessinateur.
Elle expose des portraits au fusain à partir de 1878.

LEFÈVRE Philippe ou **Lefebvre**
Né sans doute à Abbeville. XVIIIe siècle. Travaillant à Paris vers 1770. Français.
Peintre et graveur au burin.
Il a gravé des portraits historiques.

LEFEVRE Pierre
Né en 1926 à Bruxelles (Brabant). XXe siècle. Belge.
Peintre. Naïf.
Il est autodidacte. De sa peinture se dégage une certaine force d'expressivité.

Bibliogr. : In : *Dict. biogr. illustré des artistes en Belgique depuis 1830*, Arto, Bruxelles, 1987.

LEFÈVRE Robert
XVIe siècle. Français.
Sculpteur.
Il orna, avec Arthur de Loing, vers 1500, les voûtes du chœur de l'église Saint-Pierre de Roye (Somme) en y sculptant des pendentifs et des culs-de-lampe figurant des sujets fantastiques.

LEFÈVRE Robert Jacques François Faust
Né le 24 septembre 1755 à Bayeux. Mort le 3 octobre 1830 à Paris. XVIIIe-XIXe siècles. Français.
Peintre d'histoire, compositions religieuses, portraits, dessinateur.
Son père le destinait au barreau, mais ses goûts artistiques le firent se consacrer à la peinture. Il fit à pied le voyage de Paris et revint à Caen, plus épris d'art que jamais. Des travaux qu'il exécuta au château d'Airel lui permirent de venir poursuivre ses études à Paris sous la direction de Regnault. Il obtint une réputation considérable comme peintre de portraits. Lors de la Restauration, il fut nommé premier peintre de Louis XVIII.

Musées : Amiens : *L'impératrice Joséphine – Louis XVIII* – Anvers : *Le peintre J.-Fr Van Daël* – Avignon : *L'amiral d'Augier* – Bayeux : *Mme Robert Lefèvre – L'artiste – Vénus et l'Amour* – Caen : *Jésus en Croix – L'artiste – Monsigny – Grétry – Fleurian – Denon – Portrait de femme – Mlle Caffarelli – Malherbe – Jeune femme* – Études et esquisses – Cherbourg : *Louis XVI – Le comte de la Couldre de la Bretonnière* – Cholet : *Le marquis de Lescure, général en chef des Vendéens* – Colmar : *Louis XVIII* – Coutances : *Le prince Lebrun* – Liège : *La reine de Hollande – Guillaume Ier, roi des Pays-Bas* – Lisieux : *Le général Bonaparte* – Montauban : *Portrait de Charles X* – Paris (Mus. du Louvre) : *L'amour désarmé par Vénus – Carle Vernet* – Rochefort : *Phocion prêt à boire la cigüe* – La Rochelle : *La duchesse d'Angoulême* – Rouen (Mus. des Beaux-Arts) : *Duchesse de Berry* 1826 – *Duchesse d'Angoulême* 1828 – *Charles X – M. d'Arthenay* – Saint-Lô : *L'artiste – Clément, maire de Saint-Lô* – Toulon : *Louis XVIII – Iphigénie au moment du sacrifice* – Troyes (Mus. des Beaux-Arts) : *Portrait en pied de Louis XVIII* 1820 – Versailles : *Malherbe – Napoléon Ier*, trois œuvres – *Denon – Pauline Bonaparte – Borghèse – Marie-Julie Clary, reine de Naples – Claude A. Régnier, duc de Massa – Duc de Rovigo – Général Tharreau – Oudinot – Augereau.*

Ventes Publiques : Paris, 1863 : *Portrait de Napoléon Ier* : **FRF 2 420** – Paris, 3 mai 1898 : *Dame au béret rouge* : **FRF 250** – Paris, 17 juin 1919 : *Portrait de M. de C.* : **FRF 410** – Paris, 4 déc. 1920 : *Portrait de la sœur de l'artiste* : **FRF 4 400** – Paris, 11 fév. 1925 : *Portrait présumé de la princesse Caroline Murat* : **FRF 850** – Paris, 14 déc. 1925 : *Iphigénie* : **FRF 350** – Paris, 23 nov. 1936 : *Portrait de jeune femme* : **FRF 800** – Paris, 22 mars 1943 : *Portrait de jeune femme* : **FRF 1 000** – New York, 5 avr. 1944 : *Un ecclésiastique* : **USD 400** – Paris, 18 déc. 1946 : *Enfant nu dans les bras de sa mère* : **FRF 2 550** – Paris, 16 mars 1951 : *Jeune homme romantique, assis dans un paysage* : **FRF 14 000** – Versailles, 26 fév. 1967 : *Portrait de l'empereur Napoléon Ier en costume de sacre* : **FRF 29 200** – Londres, 17 juil. 1970 : *Portrait de jeune femme* : **GNS 750** – Londres, 23 mars 1973 : *Portrait de la maréchale Soult avec ses deux enfants* : **GNS 4 500** – Monte-Carlo, 4 déc. 1976 : *La princesse Pauline Borghese* 1808, h/t (214x149) : **FRF 100 000** – Monte-Carlo, 26 mai 1980 : *Portrait de femme*, h/t (90,5x72) : **FRF 10 000** – Paris, 3 nov. 1983 : *Portrait du roi Charles X en costume du sacre* 1825, h/t (76x195) : **FRF 98 000** – Fontainebleau, 10 nov. 1985 : *Portrait de Napoléon 1er* 1809, h/t (64x54) : **FRF 32 000** – Monte-Carlo, 21 juin 1986 : *Portrait de Madame la Comtesse de Périgord, Princesse de Courlande* 1812, h/t (180x140) : **FRF 280 000** – Paris, 15 avr. 1988 : *Portrait d'homme*, h/t (71x58) : **FRF 42 000** – Versailles, 19 mars 1989 : *Portrait du général baron Debelle*, h/t (81x66) : **FRF 61 000** – New York, 31 mai 1989 : *Portrait d'une dame adossée à une méridienne portant une robe blanche* 1805, h/t (116,3x89) : **USD 33 000** – Monaco, 2 déc. 1989 : *Portrait de Napoléon en buste*, h/t (65x54,5) : **FRF 333 000** – Monaco, 3 déc. 1989 : *Portrait de la duchesse de Berry* 1823, h/t, ovale (73,5x60) : **FRF 355 200** – Paris, 15 déc. 1989 : *Portrait de la baronne de Selle de Beauchamp* 1803, t. (64,5x53,5) : **FRF 86 000** – Paris, 16 mars 1990 : *Portrait de Charles X*, mine de pb avec reh. de blanc /pap. beige (18x16) : **FRF 16 500** – Paris, 8 juin 1990 : *Portrait d'une jeune homme à la cape rouge*, h/t (92x71) : **FRF 435 000** – New York, 19 juil. 1990 : *Napoléon en habits du sacre*, cr./pap. (35x23,5) : **USD 6 875** – Monaco, 8 déc. 1990 : *Portrait de Napoléon Junot* 1811, h/t (113x84,5) : **FRF 177 600** – Monaco, 4 déc. 1992 : *Portrait en buste de Napoléon 1er* 1809, h/t (65,5x55) : **FRF 133 200** – Londres, 7 avr. 1993 : *Portrait de Napoléon Junot* 1811, h/t (113x84,5) : **GBP 4 600** – Paris, 31 mars 1995 : *Portrait d'Arthur Wellesley, duc de Wellington*, h/t (72x58) : **FRF 90 000** – Paris, 14 juin 1996 : *Portrait du duc de Berry* 1822, h/t (65x54) : **FRF 38 000** – Londres, 3 juil. 1996 : *Le Jugement de Salomon*, h/t (38,8x45,5) : **GBP 2 070** – New York, 24 oct. 1996 : *Portrait d'une dame, présumée Caroline Bonaparte Murat, Reine de Naples* 1813, h/t (99,1x80,7) : **USD 31 625**.

LEFÈVRE Rolland ou **Lefebvre**, dit **Rolland de Venise**
Né vers 1608 à Bagneux (près de Saumur, Anjou). Mort vers 1677 à Londres. XVIIe siècle. Français.
Peintre d'histoire, sujets allégoriques, portraits, miniaturiste.
Peu connu de nos jours, Rolland Lefèvre ne doit pas être confondu avec Claude Lefebvre, ni avec Valentin Lefebvre. Signant parfois *Venetus*, il se targuait donc de sa formation italienne et d'un long séjour à Venise. Il dut connaître une certaine réputation à Rome, où on le trouve cité, en 1636, en tant que membre de l'Académie Saint-Luc. Il ne revint en France qu'à la fin de sa vie, agréé à l'Académie en 1662. On sait qu'il eut commande des portraits de Le Brun et de Colbert, aujourd'hui perdus. Vers 1665, il présenta une composition allégorique comme morceau de réception à l'Académie, qu'il quitta d'ailleurs aussitôt pour l'Académie Saint-Luc. Il avait fait un séjour en Angleterre dans sa jeunesse et y retourna, vers 1676, protégé par le prince Rupert. On connaît de lui des portraits en miniature ; les portraits à grandeur sont à peu près perdus, de même que ses compositions allégoriques. Dans ce que l'on connaît encore de lui, la touche apparente, la désinvolture, sont italiennes, la psychologie du modèle est française.

Bibliogr. : Charles Sterling : *Catalogue de l'exposition « Les peintres de la réalité en France au XVIIe siècle »*, Musée de l'Orangerie, Paris, 1934.

Musées : Narbonne : *Portrait* – Saint-Pétersbourg (Mus. de l'Ermitage) : *Esther devant Assuérus* – Sheffield : *Olivier Cromwell.*

Ventes Publiques : Paris, 15 déc. 1992 : *Le martyre de sainte Ursule*, h/t (62x74) : **FRF 24 000**.

LEFÈVRE Sébastien
XIXe siècle. Actif à Paris. Français.
Graveur au burin.
Il a gravé le *Portrait du général Foy* (1827). Père de Achille Désiré Lefèvre.

LEFÈVRE Thomas, dit **l'Ermite**, ou **Larmite**
Né à Ypres. XIVe siècle. Français.
Sculpteur.
Sous la direction de Jean de Marville, il collabora au tombeau de Philippe le Hardi, à Dijon, de 1385 à 1388.

LEFÈVRE Victor
Né à Paris. XIXe siècle. Français.
Peintre.
Élève des Écoles académiques de Lille. Il exposa des portraits au Salon de 1877 et 1878.

LEFÈVRE DE VERNON Pierre Exupére
XIXe siècle. Actif à Paris. Français.
Portraitiste.
Exposa au Salon de Paris, de 1834 à 1840.

LEFÈVRE-DEFIVE
Français.
Peintre de marines.
Il est cité dans les annuaires de ventes publiques.

Ventes Publiques : Paris, 3 mai 1945 : *Marine* : **FRF 3 000**.

LEFÈVRE-DESLONCHAMPS Louis Alexandre
Né le 22 novembre 1849 à Cherbourg (Manche). Mort le 23 février 1893 à Paris. XIXe siècle. Français.
Sculpteur.
Élève de A. Dumont. Débuta au Salon en 1873. Le Musée de Cherbourg conserve de lui : *Marguerite à l'Église* (marbre), *Jeune fille à l'Épine* (plâtre), *La muse éplorée* (plâtre).

LEFÈVRE-DEUMIER Marie Louise, née **Roulleaux Dugage**
Née en 1820 à Argentan (Orne). Morte en 1877 à Paris. XIXe siècle. Française.
Sculpteur.
Exposa au Salon, de 1850 jusqu'à sa mort.
Musées : Arras : *Louis-Napoléon* – Caen : *Virgile enfant* – Rouen : *L'étoile du matin* – Versailles : *Le lieutenant général Paixhans* – Vire : *Louis-Napoléon.*

LEFÈVRE-GRAVE Thierry
Né en 1954 à Paris. XXe siècle. Français.
Auteur d'assemblages, technique mixte. Tendance conceptuelle.
Un grand-père sculpteur lui enseigna quelques rudiments dès 1969. En 1971, il s'inscrivit en section dessin à l'école des beaux-arts de Paris, s'initiant à la sculpture en autodidacte, commençant à travailler le métal. Dans la suite il apprit le travail du bronze, de la pierre, du bois. A partir de 1985, il participe à des expositions collectives et concours. À Paris, il participe en 1987 aux Salons d'Automne et de la Société Nationale des Beaux-Arts, en 1988 aux Salons de la Jeune Peinture, de Mai, Figuration Critique et de la Jeune Peinture, il expose aussi à Mac 2 000...
Les deux aspects dominants de son travail sont le mixage des matériaux, en général pierre, métal et bois, et la tendance conceptuelle de ses sculptures figurant des tensions ou des écrasements : simulation de l'écrasement entre boulon d'acier et sol de briques d'une planche de tilleul à laquelle le travail de sculpture a conféré l'aspect d'un emballage mou, simulation de l'étirement dans un carcan d'acier d'un bois de pommier sculpté façon gothique du XIXe.
Le caractère luxueux, « orfèvre », des matériaux, façonnage et finition, la dimension humoristique de la simulation compromettent sans doute la rigueur du concept. ■ J. B.

LEFÈVRE-MARCHAND
XIXe siècle. Actif à Paris. Français.
Graveur.
On cite ses planches, d'après Mongin, Caraffe, Wicar.

LEFFERLINCK Gerd
Né vers 1530. Mort vers 1565. XVIe siècle. Allemand.
Peintre.
Il s'installa de bonne heure, semble-t-il, à Lübeck où il décora des églises.

LEFFLER Robert
Né le 17 janvier 1811 à Göteborg. Mort en 1853 à Göteborg. XIXe siècle. Suédois.
Peintre de genre et de portraits.
Il exposa au Salon de 1839 à 1848.
Ventes Publiques : Paris, 4 déc. 1931 : *Intérieur* : **FRF 1 000** – Paris, 13 nov. 1950 : *Amours,* suite de six panneaux : **FRF 15 000.**

LEFISELIER Jean. Voir **FISELIER**

LEFKOCHIR Costa
Né en 1952 à Héraklion. XXe siècle. Actif en Belgique. Grec.
Peintre. Abstrait-informel.
Il montre ses œuvres dans des expositions personnelles en Belgique, depuis 1989, et notamment en 1993 à Bruxelles et Anvers. Les noirs et les rouges dominent dans ses œuvres pleines de violence, qui explorent des mondes inconnus, gouffres, grottes, où la lumière pénètre, fulgurante.

LE FLAMENT André
XVIe siècle. Actif à Rouen. Français.
Sculpteur.
Avec Pierre Desaubeaux et Regnaud Thérouyn, il travailla, de 1520 à 1521, dans la cathédrale de Rouen, aux sculptures du couronnement du tombeau du cardinal d'Amboise.

LE FLEM Henry René
Né le 22 mai 1909 à Saint Josse-ten-Noode (Brabant). XXe siècle. Belge.
Peintre, dessinateur, illustrateur.
Il fut élève de l'académie des beaux-arts de Bruxelles, de 1923 à 1930. Il participe à des expositions de groupes et montre ses œuvres dans des expositions personnelles à Charleroi, Namur, Bruxelles.
Bibliogr. : In : *Dict. biogr. illustré des artistes en Belgique depuis 1830,* Arto, Bruxelles, 1987.
Musées : Bruxelles.

LEFLER Franz
Né en 1831 à Langebrück. Mort le 19 juin 1898 à Weissenbach. XIXe siècle. Tchécoslovaque.
Peintre de sujets allégoriques, scènes de genre.
Il fut élève des Académies de Prague et de Vienne. Il se fixa dans cette dernière ville. On cite de lui : *Leçons de danse.*
Ventes Publiques : Londres, 23 fév. 1977 : *Allégorie de la Chasse,* h/t (37x107) : **GBP 1 000** – Lindau (B.), 6 mai 1981 : *Le Doux Entretien,* h/pan. (26x38) : **DEM 9 000** – Londres, 23 mars 1987 : *Le Jeune Mozart,* h/t (50,5x119) : **GBP 1 600** – New York, 23 mai 1989 : *Bacchanale d'enfants,* h/t (136x113) : **USD 16 500** – Londres, 6 oct. 1989 : *Le concert,* h/t (49x99) : **GBP 2 090** – New York, 28 fév. 1991 : *Amusements de putti,* h/t, une paire (chaque 95,8x125,7) : **USD 22 000** – New York, 17 oct. 1991 : *Putti chantant, Putti avec des fleurs, Putti avec un tambourin,* h/t, ensemble de trois panneaux du plafond du théâtre Karl de Vienne (chaque 89,5x129,5) : **USD 15 400** – Londres, 16 nov. 1994 : *Doux rêves,* h/t (diam. 71) : **GBP 3 680** – Londres, 13 mars 1996 : *Allégorie du Printemps,* h/t (66x86) : **GBP 2 300.**

LEFLER Heinrich
Né le 7 novembre 1863 à Vienne. Mort le 14 mars 1919 à Vienne. XIXe-XXe siècles. Autrichien.
Peintre de genre, paysages, portraits, graveur, dessinateur, fresquiste, illustrateur.
Fils de Franz, cet artiste fit ses études artistiques à Vienne et à Munich. Il décora le château du comte K. Esterhazy, à Szant Abraham près de Presbourg, de fresques monumentales. Il a surtout illustré des contes et légendes de Grimm, Andersen, Schiller.

HEINR. LEFLER

Bibliogr. : In : *Dict. des illustrateurs – 1800-1914,* Ides et Calendes, Neuchâtel, 1989.
Ventes Publiques : Londres, 8 oct. 1986 : *Jeune fille au bord d'un lac,* pl. et encre de Chine (25x24) : **GBP 700.**

LE FLOCH Jean Claude
Né en 1945 à Brech (Morbihan). XXe siècle. Français.
Graveur.
Il a participé à l'exposition : *De Bonnard à Baselitz – Dix ans d'enrichissements du cabinet des estampes 1978-1988* à la Bibliothèque nationale à Paris en 1992.
Musées : Paris (Cab. des Estampes) : *N° 110 Variation XVIII/XX* 1981, eau-forte.

LE FLOCH Jean Luc ou **le Floc**
Né en 1956 à Quimper (Finistère). XXe siècle. Français.
Peintre, technique mixte. Abstrait.
Architecte, il pratique une peinture gestuelle. Il travaille sur papier ou sur toile, faisant jaillir des images inspirées de la ville, de ses bâtiments et chantiers.
Ventes Publiques : Paris, 17 juin 1988 : *Sans titre* 1985, techn. mixte/t. (200x180) : **FRF 10 000** – Paris, 26 oct. 1988 : *Sans titre* 1984, acryl./t. (250x180) : **FRF 10 000** – Paris, 28 nov. 1989 : *Sans titre* 1984 (239x180) : **FRF 17 000** – Paris, 29 nov. 1989 : *Sans titre* 1985, h/t (199x179) : **FRF 15 000.**

LEFLOT José
Né en 1935 à Seraing (Liège). XXe siècle. Belge.
Peintre, dessinateur. Abstrait.
Bibliogr. : In : *Dict. biogr. illustré des artistes en Belgique depuis 1830,* Arto, Bruxelles, 1987.

LE FOLL Alain
Né en 1934 ou 1935 à Gesnes (Mayenne). Mort le 22 juin 1981 à Paris. XXe siècle. Français.
Peintre, lithographe, illustrateur. Tendance abstraite.
Il fut élève de l'Ecole des Beaux-Arts de Caen. Il participa à de nombreuses expositions collectives, Biennales d'Europe, au Japon, aux États-Unis. Il fit des expositions personnelles à Paris, Zurich. Depuis 1964, il était professeur à l'Ecole des Arts Décoratifs de Paris.
Ses sortes de motifs floraux, très imaginatifs et très décoratifs, semblent être les lointains descendants de l'Art Nouveau, dont les thèmes ont été souvent repris par l'art « psychédélique » des années soixante.
Musées : Paris (Cab. des Estampes) : *Montagne blanche* 1979, litho.

LEFORESTIER Nicolas
Né en 1805. XIXe siècle. Français.

Dessinateur.
Le Musée de Pontoise conserve de lui : *Ruines du château de Chaumont-en-Vexin.*

LEFORT Anne. Voir **BOILY**

LEFORT Aristide
XIXe-XXe siècles. Français.
Peintre de paysages.
Musées : La Rochelle : *Chemin creux.*
Ventes Publiques : Paris, 16 avr. 1945 : *Paysage des environs de Niort* 1840 : **FRF 7 100**.

LEFORT Henri Émile
Né le 31 août 1852 à Paris. Mort après 1916. XIXe-XXe siècles. Français.
Peintre, dessinateur.
Élève de Léopold Flameng et de Charles Courtry, il exposa à Paris, au Salon à partir de 1875 et fut membre du jury de gravure. Il reçut plusieurs médailles. Il fut chevalier de la Légion d'honneur. Une lithographie *Portrait de Georges Clémenceau* fut montrée à l'exposition *De Bonnard à Baselitz – Dix ans d'enrichissements du cabinet des estampes 1978-1988* à la Bibliothèque nationale à Paris en 1992.
Musées : Paris (Cab. des Estampes) : *Portrait de Georges Clémenceau* vers 1910-1920, litho.

LEFORT Jean Louis
Né le 15 juin 1875 à Bordeaux (Gironde). Mort en 1954. XIXe-XXe siècles. Français.
Peintre de scènes typiques, paysages urbains, aquarelliste, illustrateur.
Il fit ses études à Paris. Il expose à Paris, au Salon des Indépendants et de la Société des aquarellistes français, dont il est membre du comité. Il est président de la Société des peintres du Paris moderne, du Salon des Tuileries et des Humoristes. Il est chevalier de la Légion d'honneur.
Il s'est surtout fait connaître par ses aquarelles de guerre et a illustré différents ouvrages sur la Première Guerre mondiale, dont *Les Croix de bois* de R. Dorgelès. Il peignit surtout des villes représentant volontiers des scènes de la vie parisienne.

JEAN LEFORT.

JEAN LEFORT.

Bibliogr. : Gérald Schurr, in : *Les Petits Maîtres de la peinture 1820-1920, valeur de demain*, Les Éditions de l'Amateur, t. II, Paris, 1982.
Musées : Bordeaux – Hanovre – Paris (Mus. d'Art Mod.) – Paris (Mus. Carnavalet) – Strasbourg.
Ventes Publiques : Paris, 6 déc. 1920 : *La place de la cathédrale à Beauvais*, aquar. : **FRF 205** – Paris, 30 nov. 1927 : *Une vente à la galerie Georges Petit*, aquar. : **FRF 1 150** – Paris, 26 jan. 1929 : *Saint Jean-de-Pied-de-Port Basses-Pyrénées*, aquar. : **FRF 340** – Paris, 28 jan. 1943 : *Ferme à Ittenheim*, gche : **FRF 2 000** – Paris, 18 mai 1945 : *Au cinéma* : **FRF 2 000** – Paris, 13 juin 1947 : *À l'hôtel Drouot*, lav. d'encre de Chine : **FRF 850** – Paris, 6 déc. 1954 : *La Place de l'Opéra* : **FRF 12 500** – Londres, 1er juil. 1977 : *Le Carrefour, Paris*, h/t (66x82) : **GBP 880** – Londres, 26 mars 1985 : *Le Carrefour Richelieu-Drouot, Paris*, h/t (65,4x81,2) : **GBP 1 700** – New York, 29 oct. 1987 : *Le Dernier Nouveau Supplice du fer rouge dans l'atelier de Gérôme*, h/t (93,5x144) : **USD 11 500** – Paris, 24 juin 1988 : *Vue de Paris*, h/t (35x46) : **FRF 16 000** – Paris, 16 déc. 1988 : *Fleuriste rue Galande à Paris* : **FRF 8 500** – Paris, 26 jan. 1990 : *Le parvis de Notre-Dame*, aquar. et cr. de coul. (22x30) : **FRF 5 000** – New York, 1er mars 1990 : *La place de l'Hôtel de Ville à Paris*, h/t (50,2x73) : **USD 19 800** – New York, 10 oct. 1990 : *La place de la Trinité à Paris*, h/t (81,4x64,8) : **USD 11 000** – Paris, 4 mars 1991 : *Rue du Croissant – journaux du soir*, aquar. (43x59) : **FRF 8 500** – Paris, 9 déc. 1991 : *L'avenue du bois* vers 1900, past. (34,5x69,5) : **FRF 13 000** – New York, 27 mai 1992 : *Élégantes flânant au bois de Boulogne*, h. et past./t. (34x68) : **USD 17 600** – Paris, 29 juin 1993 : *Saint-Germain-des-Près*, gche et aquar. (33,5x33,5) : **FRF 5 300** – New York, 15 fév. 1994 : *Porte des Invalides*, h/t (43,2x90,2) : **USD 12 650** – Calais, 3 juil. 1994 : *Paris, le faubourg Saint-Antoine*, h/t (60x50) : **FRF 20 500**.

LEFORT Louis Aristide
Né en 1797 à Paris. XIXe siècle. Français.
Peintre d'intérieurs et d'architectures.
Exposa fréquemment au Salon de Paris entre 1827 et 1848.

LE FORT Martin
XVIe siècle. Actif à Paris. Français.
Sculpteur.
Sous la direction de Pierre Lescot, il contribua aux travaux du Louvre, de 1562 à 1567.

LEFORT DES YLOUSES Arthur Henri
Né le 10 septembre 1846 au Cateau. Mort le 25 juin 1912 à Neuilly-sur-Seine. XIXe-XXe siècles. Français.
Peintre d'histoire, de genre, graveur à l'eau-forte et céramiste.
Élève de Cabanel. Il exposa au Salon de Paris, à partir de 1871, des tableaux et des gravures. À partir de 1892, il exposa à la Société Nationale des Beaux-Arts dont il devint associé la même année. Il innova un procédé de gravure sur cuir. Depuis 1900, il s'est surtout consacré à l'art de la céramique.

LEFORT-MAGNIEZ Edouard
Né le 23 mai 1868 à Saint-Sauveur-le-Vicomte (Manche). XIXe-XXe siècles. Français.
Peintre de paysages, graveur.
Il fut élève de Jules Lefebvre, Fernand Cormon et d'Antoine Guillemet. À partir de 1904, il exposa à Paris, au Salon des Artistes Français, dont il fut hors-concours. Il obtint une médaille en 1907, une médaille d'or en 1913. Il fut fait chevalier de la Légion d'honneur.
Ses paysages sont traités généreusement dans des tonalités claires. Il réalisa aussi de nombreuses lithographies.
Bibliogr. : Gérald Schurr, in : *Les Petits Maîtres de la peinture 1820-1920, valeur de demain*, Les Éditions de l'Amateur, t. II, Paris, 1982.
Musées : Amiens : *Le vieil Amiens – Village picard.*
Ventes Publiques : Paris, 30 jan. 1947 : *Paysage* : **FRF 500** – Reims, 29 oct. 1995 : *Vue d'un canal*, h/t (65x54) : **FRF 3 500**.

LEFORTIER Henri Jean
Né le 2 octobre 1819 à Sèvres (Hauts-de-Seine). Mort le 15 janvier 1886 à Paris. XIXe siècle. Français.
Peintre de paysages.
Élève de Rémond et Corot. Le Musée de Niort conserve de lui : *Une saulaie*. Exposa très fréquemment au Salon à partir de 1847.
Ventes Publiques : Paris, 1889 : *Les bords de l'Yvette* : **FRF 410** – Paris, 6 et 7 déc. 1894 : *Cours d'eau sous bois, près Orsay* : **FRF 300** ; *Lavoir à Orsay* : **FRF 280** – Paris, 22 mars 1943 : *L'Étang* : **FRF 2 900**.

LEFRANC Gustave Clément
Né à Dôle (Jura). Mort en 1900. XIXe siècle. Français.
Sculpteur.
Élève de Dumont et de Perraud. Exposa au Salon de Paris, de 1870 à 1892.

LEFRANC Jules
Né le 12 mai 1887 à Laval (Mayenne). Mort en 1972 aux Sables-d'Olonne (Vendée). XXe siècle. Français.
Peintre de paysages urbains, peintre à la gouache. Naïf.
Il est né à Laval comme le Douanier Rousseau... et Jarry. Ses parents y tenaient un magasin de quincaillerie et il en prit la suite. Il eut l'idée de se mettre à la peinture en voyant, vers 1901, Monet peindre la mer. Venu à Paris en 1922, ce ne fut qu'en 1936 qu'il décida de se consacrer entièrement à la peinture.
Il participe après la Seconde Guerre mondiale à différents Salons annuels, parmi lesquels le Salon des Peintres Témoins de leur temps. Il eut sa première exposition personnelle en 1938, suivie d'autres manifestations personnelles, toujours à Paris, en 1953 et 1956.
On a discuté de l'authenticité de la naïveté de Lefranc, homme fin et cultivé. Une chose est certaine, qu'il s'est formé à la peinture en autodidacte et qu'il est incontestablement peintre du dimanche, la naïveté de sa vision consistant en un certain manque de virtuosité compensé par cette extrême méticulosité qui caractérise souvent la technique de ces peintres que l'on dit naïfs. Avec la même minutie, dans la même matière laquée à force d'être reprise, il peignit d'abord les petites rues de la province, les châteaux dans la campagne, des paysages de champs, des scènes de ports ou de plages, mais surtout à partir de son installation à Paris il s'est fait connaître comme le peintre de la cité moderne, mécanisée et industrialisée, des voies de chemin

de fer avec leurs signaux, des chantiers de construction affairés autour de grues délicates et précises, de la tour Eiffel, des chantiers de construction mécanique ou navale. Évoquant cette contemporanéité de l'œuvre de Lefranc, Jakovsky écrit : « Lefranc est un naïf moderne. Il est le contemporain de Fernand Léger ». Ce n'est que beaucoup plus tard qu'il peignit des paysages avec des architectures imaginaires : *Pornic – Le Château – La Maison du peintre.* ■ J. B.

Bibliogr. : Anatole Jakovsky : *La Peinture naïve*, Damase, Paris, 1949 – Bernard Dorival : *Les Peintres du XXe s.*, Tisné, Paris, 1957 – in : *Dict. univer. de la peinture*, Le Robert, t. IV, Paris, 1975.

Musées : Paris (Mus. Nat. d'Art Mod.) : *La Tour Eiffel* – Saint-Denis (Mus. mun. d'hist. de l'art) : *Sur le plateau-atelier de la radiale – Détail de la maison du peintre.*

Ventes Publiques : Paris, 20 déc. 1954 : *Chartres*, gche : **FRF 20 000** – Paris, 6 avr. 1981 : *Le Château de Beynac*, h/t (65x50) : **FRF 11 600** – Paris, 15 mai 1987 : *La Flèche, sur le soir*, h/t mar./pan. (60x37) : **FRF 16 500** – Paris, 22 juin 1989 : *Saint Lunaire, le Décollé*, h/bois (24x30) : **FRF 11 000** – Paris, 12 juil. 1995 : *Marais salants*, h/t (19x24) : **FRF 9 000** – Paris, 22 nov. 1995 : *Le Château de Montrésor*, h/pan. (54x65) : **FRF 17 500** – Paris, 24 nov. 1996 : *Mayenne, le vieux château*, h/cart. (41x33) : **FRF 5 500** – Paris, 23 fév. 1997 : *Le Phare d'Eckmühl*, h/cart. (46x38) : **FRF 19 500** – Paris, 23 juin 1997 : *Bateau sortant du port*, h/t mar./pan. (19x23,5) : **FRF 3 800.**

LEFRANC Roland

Né le 4 février 1931 à Carcagny (Calvados). XXe siècle. Français.

Peintre de paysages, marines, scènes typiques.

Instituteur, il se consacrera entièrement à la peinture à partir de 1977. En 1947, il fréquente l'école des beaux-arts de Caen.

Il participe à de nombreux salons parisiens : depuis 1960 des Indépendants, depuis 1970 des Artistes Français, de 1977 à 1984 Comparaisons, depuis 1975 Peintres Témoins de leur temps. Il montre ses œuvres dans des expositions personnelles depuis 1960 : 1960, 1961, 1964, 1976, 1978, 1982 Caen ; 1963, 1980, 1984 Paris ; 1966 Catane ; 1975, 1983 Zurich...

Ses œuvres, à la touche large et fougueuse, aux couleurs tumultueuses, sont rigoureusement construites. Les formes sont esquissées, suggérant la campagne normande, un monde humble de marins et de paysans.

Lefranc

Bibliogr. : *Roland Lefranc*, Junes et fils éditeurs, Suresnes, 1984.

Musées : Bayeux.

Ventes Publiques : Le Touquet, 8 juin 1992 : *Plage animée à Trouville*, h/t (54x73) : **FRF 14 000.**

LEFRANC Victor

Né en 1812 à Paris. XIXe siècle. Français.

Peintre de paysages et de vues.

Exposa des dessins au Salon de Paris, de 1835 à 1841.

LE FRANÇOIS Charles

XVIIe-XVIIIe siècles. Actif à Rouen. Français.

Sculpteur.

Il travailla pour l'église Saint-Godard.

LEFRANCOIS Georges

Né le 17 novembre 1803 à Caen (Calvados). Mort le 28 juin 1839 à Paris. XIXe siècle. Français.

Peintre d'histoire.

Élève d'Elouis, de Juslin et d'Ingres. Il mourut noyé.

LEFRANÇOIS Jean François

XVIIIe siècle. Actif à Rouen. Français.

Sculpteur sur bois.

Il travailla pour l'église Saint-Maclou.

LEFRANÇOIS Jeanne

Née à Sarrebourg. XIXe siècle. Française.

Portraitiste et pastelliste.

Élève de Carolus Duran et Henner. Exposa au Salon de Paris à partir de 1878.

LE FRANÇOIS Nicolas

XVIIIe siècle. Actif à La Rochelle en 1785. Français.

Peintre de miniatures.

Il fut élève de l'Académie de Paris.

LEFRANCQ Marcel

XXe siècle. Belge.

Peintre.

Il faisait partie, dans les années trente, du groupe surréaliste Ruptures réuni autour du peintre Magritte et du poète Achille Chavée.

LE FRANCQ VAN BERKLEY Johannes

Né le 23 janvier 1729 à Leyde. Mort le 13 mars 1812 à Leyde. XVIIIe-XIXe siècles. Hollandais.

Peintre de fleurs.

Le Musée Lakenhal, à Leyde, conserve de lui : *Vase garni de fleurs, Potiche de fleurs.*

LE FUR Joë

Né le 22 janvier 1920 à Guéméné (Morbihan). XXe siècle. Français.

Peintre de paysages.

Il fut élève de Lhote. Peintre paysagiste, il a surtout décrit la Bretagne, la Vendée, la Normandie et la Savoie.

LEGA Achille

Né en 1899 à Brisighella (Emilie-Romagne). Mort en 1934 à Florence (Toscane). XXe siècle. Italien.

Peintre de portraits, compositions.

De la fin de 1916 jusqu'en 1921, il participa aux activités du groupe futuriste de Florence. On retrouve dans ses œuvres l'influence des membres marquants du groupe, celle de Boccioni dans le *Chasseur alpin au café* de 1917, celle de Soffici dans le *Portrait de la mère de l'artiste* de 1917 également.

Bibliogr. : José Pierre : *Le Futurisme et le dadaïsme*, in : *Hre gle de la peinture*, Rencontre, tome XX, Lausanne, 1969.

Musées : Brescia (Mus. d'Art Mod.) : *Portrait de la mère de l'artiste* 1917 – Florence (Gal. d'Art Mod.) : *Antiche mura.*

Ventes Publiques : Rome, 19 mai 1981 : *Paysage* 1923, h/t (28,5x34) : **ITL 600 000** – Milan, 10 avr. 1986 : *Paysage* 1925, h/t (35x46) : **ITL 3 500 000** – Milan, 14 mai 1988 : *Personnage féminin*, cr. (45,5x30,5) : **ITL 1 000 000.**

LÉGA Silvestro

Né en 1826 à Modigliana (Romagne). Mort le 21 novembre 1895 à Florence. XIXe siècle. Italien.

Peintre d'histoire, scènes de genre, portraits, paysages, pastelliste, dessinateur.

Il a déjà été signalé ailleurs, au sujet de Fattori, qu'une certaine auto-satisfaction française, nous laissait ici par trop ignorer ce qui s'est passé ailleurs. Un des derniers exemples en date, et dont l'art français aura du mal à se remettre, fut l'ignorance où l'on resta, jusqu'en 1945, de l'œuvre des créateurs de l'abstraction, quand bien même Kandinsky et Mondrian étaient venus vivre à Paris. Moins grave, mais regrettable est la méconnaissance des peintres du XIXe siècle italien, qui, pour n'avoir pas eu l'importance des impressionnistes, n'en présentent pas moins un intérêt certain. Après la personnalité dominante de Fattori, Lega fut le plus important des représentants de ce mouvement caractéristique de la peinture italienne de la seconde moitié du XIXe siècle, que l'on désigne du terme de « Macchiaioli » (tachistes). De sa Romagne natale, il vint à Florence à l'âge de vingt ans. Il y suivit d'abord les cours de l'Académie, puis reçut les conseils de Luigi Mussini, adepte de la doctrine des « Puristes » qui, parallèlement au groupe des « Nazaréens » allemands fixés à Rome, et des « Préraphaélites » anglais, prônaient de revenir aux maîtres de la Renaissance italienne. Cette référence anachronique ne donna, dans le groupe des Puristes, qu'une production académique. Lega s'en contenta toutefois, dans une première période, pour des scènes de genre simplement agréables : *Fillettes jouant à la dame – La leçon*, etc. Fervent républicain et partisan de Mazzini, il prit part, en 1848, lors de la révolution manquée, aux combats de Curtatone et de Montanara. Revenu à Florence, où il retrouva les peintres « macchiaioli », qui s'étaient presque tous déclarés pour la révolution, il n'adhéra cependant pas aussitôt à leurs principes, les trouvant trop inspirés de l'impressionnisme français, et préférant traiter des sujets historiques ou allégoriques. Ce ne fut qu'à partir de 1860 qu'il fut convaincu par ses amis « macchiaioli ». Il délaissa les sujets ambitieux pour des scènes intimistes, sans aucun intérêt narratif, auxquelles la technique tachiste conférait seule, par des moyens purement picturaux, une expression poétique. Il se fit alors le peintre de la quiétude ouatée de la vie provinciale, dans des tableaux d'une grande qualité de lumière et de silence : *La visite*, de 1868, *La lecture, L'après-midi, Madame Bandini et ses filles à Poggio-a-Caiano.* S'il utilisait en effet la tache des « macchiaioli », c'était à des fins bien particulières de recréation d'atmosphères intimistes, et, comme il habitait à ce moment-là

Pergentina, un faubourg de Florence, avec Abbati, Sernesi, Telemaco Signorini, Borrani, ils se donnèrent pour l'école de Pergentina. Cette sérénité de bonheur calme qu'il traduisait dans ses peintures, il la connaissait et la vivait au sein d'une famille amie des environs de Florence. Après 1870, il vit mourir les uns après les autres ces êtres chers. À ces chagrins s'ajouta le souci d'une situation difficile. Une tentative pour ouvrir une galerie d'art où il aurait montré la peinture de ses amis « macchiaioli », le laissa dans la misère. Son tachisme personnel se fit plus elliptique et véhément, et s'il traitait encore les scènes familières d'avant 1870, il en négligeait complètement le récit pour la seule mise en place des taches de couleurs et de lumière. En 1880, il fut atteint d'une maladie des yeux, qui alla en empirant jusqu'à une quasi-cécité en 1892. Vivant de l'hospitalité de ses amis, il fut encore atteint d'un cancer et mourut à l'hôpital de Florence.

■ Jacques Busse

S Lega

Bibliogr. : Lionello Venturi : *La peinture italienne, du Caravage à Modigliani*, Skira, Genève, 1952 – D. F., in : *Diction. Univers. de l'Art et des Artistes*, Hazan, Paris, 1967.

Musées : Florence (Gal. d'Art Mod.) : *sept œuvres* – Florence (Prato. Gal. Antique et Mod.) : *Bersaglieri conduisant des prisonniers autrichiens* – Rome (Gal. Nat. d'Art Mod.) : *La visite* 1868.

Ventes Publiques : Londres, 15 nov. 1963 : *La petite coiffeuse* : **GNS 2 200** – Milan, 21 oct. 1969 : *Jeune fille*, past. : **ITL 1 200 000** ; *Portrait de femme au bonnet jaune* : **ITL 4 200 000** – Milan, 20 oct. 1970 : *Jeune femme à la fenêtre* : **ITL 3 800 000** – Rome, 15 nov. 1973 : *Portrait de fillette* : **ITL 5 500 000** – Milan, 14 déc. 1976 : *Paysan dans un paysage*, h/pan. (37x28,5) : **ITL 15 000 000** – Milan, 12 déc. 1983 : *Tête de paysanne*, h/pan. (40x32) : **ITL 29 000 000** – Milan, 12 déc. 1985 : *Etude pour un portrait de femme*, cr. (21x24) : **ITL 2 400 000** – Milan, 29 mai 1986 : *Paysage debout* 1886-1887, h/t : **ITL 200 000 000** – Milan, 13 oct. 1987 : *Gabbrigiane* 1887, h/pan. (36x23) : **ITL 145 000 000** – Milan, 1er juin 1988 : *Les chênes-lièges*, h/pan. (15x22,5) : **ITL 42 000 000** ; *Deux visages de femmes*, h./cruche de terre cuite (H. 38) : **ITL 35 000 000** – Milan, 14 mars 1989 : *Portrait d'homme* 1870, h/t (49,5x40,5) : **ITL 65 000 000** ; *Le lavoir* 1883, h/pan. (22,5x33,5) : **ITL 120 000 000** – Rome, 12 déc. 1989 : *Portrait du comte Cesare Fabbroni*, cr. et past./pap. (25,5x20) : **ITL 6 000 000** – Milan, 7 nov. 1991 : *La Musique sacrée* 1859, h/t (149x102) : **ITL 19 000 000**.

LE GAC Jean

Né le 6 mai 1936 à Tamaris (Gard). xxe siècle. Français.

Auteur de performances, dessinateur, pastelliste, technique mixte.

Dès l'âge de huit ans, il désire être peintre et comprend vite « qu'il a un don ». Il peint alors tous les jeudis puis suit des cours de peinture et de sculpture. En 1958, il est reçu au professorat de dessin et d'arts plastiques qui lui permet d'enseigner dans les collèges et lycées. L'année suivante, il est nommé, avec sa femme, Jacqueline Denoyel qui l'assistera dans son travail, professeur à Béthune (Nord). En 1968, il se fixe définitivement à Paris où il enseigne le dessin au lycée Jean Carnot.

À ses débuts, de 1969 à 1971, il se manifeste seul ou en groupe par des interventions dans des lieux non institutionnalisés : dans un appartement vide, dans le Salon de l'hôtel Moderne place de la République, au cinéma Action République... Il participe également à des expositions collectives dans des cadres plus traditionnels notamment : 1961, 1963, 1965, 1969, 1971, 1985 Biennale de Paris ; 1969, 1971, 1974 palais Galliera, Paris ; 1970 Salon de Mai, Paris ; 1972 Guggenheim Museum, New York ; 1972, 1976 Biennale de Venise ; 1972, 1977 Documenta, Kassel ; 1972, 1977 musée d'Art et d'Industrie, Saint-Étienne ; 1974, 1975 Cannaviello Studio d'Arte, Rome ; 1974, 1980 musée d'Art moderne de la Ville, Paris ; 1974, 1975, 1985 palais des Beaux-Arts, Bruxelles ; 1976 Israël Museum, Jérusalem ; 1977, 1981, 1987, 1989 musée national d'Art moderne, Paris ; 1977 The Art Institute, Chicago, Museum of Modern Art, San Francisco ; 1979 Museum of Contemporary Art, Chicago ; 1979 Biennale de Sydney ; 1981, 1989 Salon de Montrouge ; 1981 Biennale de São Paolo ; 1983 Museum of Modern Art, New York ; depuis 1984 FIAC (Foire Internationale d'Art Contemporain), Paris ; 1989 musée Pouchkine et salle de l'Union des peintres, Moscou et musée de l'Ermitage, Saint-Pétersbourg ; 1991 musée d'Art moderne et contemporain, Nice et ELAC (musée d'Art contemporain), Lyon ; 1992 galerie nationale, Budapest.

Il montre ses œuvres très fréquemment dans des expositions individuelles, dans le monde entier, notamment : depuis 1970 régulièrement à la galerie Daniel Templon, Paris ; 1972 Kunstmuseum, Lucerne et Museum of Art, Oxford ; 1974 Israël Museum, Jérusalem ; 1977 *Rétrospective*, Kunstverein, Hambourg ; 1978 musée national d'Art moderne, Paris ; depuis 1982 régulièrement à la galerie Catherine Issert, Saint-Paul-de-Vence ; 1984 *Un Peintre de rêve*, musée d'Art moderne de la Ville, Paris ; 1988 Institut français, Cologne ; 1992 *Un Peintre de quinze ans*, Hanovre, Espace Fortant de France, Sète et Centre d'art contemporain, Fribourg ; 1993 musée Léon Dierx, Saint-Denis de La Réunion ; 1997 centre d'art contemporain, Saumur et Espace d'art contemporain André Malraux, Colmar ; 1998 galerie Daniel Templon, Paris.

Jusqu'en 1968, Le Gac peint de grands paysages abstraits, puis introduit des éléments figuratifs, proches du pop'art, mais devant le peu de succès que ses tableaux rencontrent, il décide d'abandonner la peinture, mais non pas le monde de l'art. Aux côtés de Boltanski et Paul Armand Gette notamment, avec qui il entreprendra les *Promenades* (1970-1971), il pratique alors des interventions : *Bâches* (ou *Containers d'images*) – *Envois postaux – Messages personnels*. Dans des récits soignés, mystérieux, accompagnés de photographies d'amateur, il privilégie la réflexion sur le projet artistique aux dépens de la réalisation. Ainsi, en 1971, présente-t-il au public le fruit de trois années de travail sous le titre et la forme de *Cahiers* : vingt-six textes manuscrits et trente-deux photos (n'illustrant pas forcément le texte). Certaines de ses reproductions photographiques révèlent des galets et piquets ordonnés ou plantés par l'artiste lui-même sur une plage selon un ordre mystérieux (interventions qui ne sont pas sans évoquer le Land Art), d'autres un paysage, un pont, un arbre... Progressivement, les images se font histoire, la narration remplace l'œuvre. Désormais, Le Gac traque un personnage dont il ignore encore l'identité dans de sombres histoires policières, étranges romans d'aventures. Alors qu'il poursuit son travail avec l'œuvre illustrée *Jean Le Gac/Florent Max* (1971-1972), il cerne mieux le « héros » qu'il a mis en scène. Il lui confère un statut, celui de peintre. S'inspirant de sa propre existence, il se met à raconter de manière anecdotique les origines de l'artiste fictif, ses manies et tics, ses voyages et vacances, sans jamais néanmoins nous présenter son œuvre artistique. La figure de cet artiste fictif, Max Florent, est reprise dans le *Récit*, série constituée de coupures de journaux originales, arrangées puis agrandies, relatant le travail du « peintre de photos et de texte que l'on accroche au mur ». Concepteur d'images, Le Gac a décidé d'observer celui qui désormais hantera tous ses tableaux : le peintre « dans tous ses états ». Il se photographie lui-même, de dos en général, avec un appareil à retardement le plus souvent, alors qu'il peint, se promène, prend la fuite... Le texte, qui oscille entre le « je » et le « il », décrit toutes ces activités : « Il faisait de la peinture à temps perdu comme beaucoup de ses collègues (...). » Le Gac devient un « reporter enragé qui surveille sans arrêt un peintre », de son « genre » aux multiples pseudonymes : Florent Max, Ramon Nozaro, Ange Glacé (anagramme de Jean Le Gac), Asfalto Chaves, Jack Beauregard (...), paysagistes, peintres du dimanche avec chevalet, chapeau de paille et veste de velours. Le Gac est rapidement assimilé à l'Art narratif, à cause de son « utilisation systématique de la photographie couplée avec un texte, séparés dans l'espace mais liés par une relation mentale », choisissant « ses thèmes dans la vie quotidienne et dans l'environnement immédiat », puisant « dans le réservoir de ses souvenirs, de ses voyages ou de sa vie affective » (Anne Dagbert).

En 1981, avec les *Délassements du peintre*, son œuvre évolue sensiblement par l'introduction de dessins au pastel – cette technique mineure et désuète faisant directement référence à la peinture. Ces pastels ajoutent de la couleur, enrichissent les assemblages de photos, de textes manuscrits ou tapuscrits, présentés de manière traditionnelle sous forme de panneaux encadrés, les rendant moins austères. Ils modifient également la composition, en diptyques ou triptyques, sans pour autant modifier la problématique mise en scène par l'artiste depuis ses débuts. Ils sont un écho aux œuvres précédentes, d'autant plus lorsque Le Gac reprend certains de ses travaux antérieurs pour y ajoute de la couleur. Ainsi l'œuvre *Une anecdote*, exécutée en 1974, est-elle rehaussée de couleurs en 1984. Le Gac pourtant ne

s'adonne pas à la peinture, comme on aurait pu s'y attendre, il se fait illustrateur. Le pastel lui permet de fixer le souvenir, de même que la photographie, en copiant pour le plaisir, affirme-t-il, à la manière « d'un calligraphe d'Orient ou un enlumineur du Moyen Age », des dessins naïfs de ses livres d'enfant « qui autrefois l'ont éveillé à l'art ». Cette nouvelle référence évoque Max Ernst qui utilisa dans les années vingt des illustrations d'ouvrages d'aventures, de romans sentimentaux, dans ses « romans collages ».
Enfin le temps de la « récréation », une fiction mouvementée, un univers merveilleux, sont mis en place. D'une toile à l'autre, le peintre, acteur principal, parcourt le monde, des Indes à l'Afrique. À pied, en yacht ou en aéroplane, il doit échapper à de multiples dangers : voyou, Indien, gangsters ou bandits, mort dans le placard, bourreau, panique au museum, femme rousse et dément, panique à la guinguette (...). Généralement, la photographie et le texte reprennent le sujet du dessin. Le peintre Le Gac continue à s'effacer derrière le photographe, le copiste et l'écrivain (certains livres représentés dans ses tableaux sont signés de son nom). Il nous propose le fouillis de sa mémoire (bandes dessinées des années trente, romans noirs, peintres du dimanche...), le bric-à-brac de ses tiroirs (loupes, coupures de journaux, cartes de visite...), son intimité (bibliothèque personnelle, photos de famille). Ce goût des images et de la mise en scène se retrouve dans les *Story Art*, série abordée en 1986, plus installation que tableau. Désormais, de grandes toiles-écrans non tendues, plus souples que les toiles sur châssis, sont déroulées devant un appareil de projection posé sur un trépied rococo. Certaines de ses œuvres antérieures intégraient déjà de véritables objets, machine à écrire Remington, appareil photo à soufflet ou poste de radio, accessoires auparavant représentés sur la toile.
Dès le premier regard, un monde séduisant s'ouvre, monde si riche qu'un seul regard ne suffit à l'appréhender. L'artiste place le spectateur dans la durée, obligeant celui-ci à prendre son temps devant chaque toile, temps de lire, de regarder, d'écouter, d'établir le lien entre les images proposées, entre les tableaux déjà connus et ceux qu'il reste à découvrir. Un va-et-vient entre la partie et le tout s'instaure : de la photo au pastel, du pastel au texte, du texte à la photo, du tableau à la machine à écrire, du tableau au projecteur. Le commentaire s'amorce, intarissable, alors que l'artiste poursuit sans répit une même démarche : traquer l'image de celui qu'il se refuse d'être, dresser un tableau de la situation actuelle de la peinture, qui disparaît sous le discours. Le Gac lui-même n'ose pas mettre en scène la peinture, il préfère parler du peintre : « À part le Bénézit, je ne crois pas qu'il y a un autre livre que le mien qui contienne autant de fois le mot *peintre.* » Il préfère dissimuler la peinture en ayant recours à des modes de création autres, moins nobles, qu'il puise dans son quotidien : cartes postales, lettres, photos de famille, livres de chevet, dessins de sa femme : « Je revendique cette inadéquation de mes moyens pour arriver à mes fins. » Mais quelle fin, celle du simple délassement ?
Cette mise en abyme qu'il montre, cette aventure qu'il poursuit inlassablement pose toujours la même question : Qu'est-ce que la peinture aujourd'hui pour l'artiste qui n'a plus rien à inventer, qui ne peut que copier des doubles de doubles ? L'œuvre de Le Gac ne résout rien, elle laisse en suspens la question. Mais le pouvoir qu'elle a de faire rêver, de raconter des histoires au charme suranné, n'est-ce déjà pas beaucoup ?

■ Laurence Lehoux

Bibliogr. : Jean Le Gac : Catalogue de l'exposition *Jean Le Gac. Le Peintre, exposition romancée*, musée national d'Art moderne, Paris, 1978 – Catalogue de l'exposition : *Le Délassement du peintre Jean Le Gac*, Musée de Toulon, 1983 – Catalogue de l'exposition : *Jean Le Gac*, Galerie de l'ancienne poste, Calais, 1983 – Philippe Arbaizar : *Jean Le Gac La peinture pour seul horizon*, Artstudio n°5, Paris, été 1987 – Catalogue de l'exposition : *Jean Le Gac. Le Peintre laçant sa chaussure*, Galerie Isy Brachot, Bruxelles, 1988 – in : *Groupes, mouvements, tendances de l'art contemporain depuis 1945*, École Nationale Supérieure des Beaux-Arts, Paris, 1990 – Marc Le Bot : *Jean Le Gac. Autoportrait de dos*, Artstudio n°21, Paris, été 1991 – Catalogue de l'exposition *Jean Le Gac. Une sieste dans le Midi*, Espace Fortant de France, Sète, 1992 – Catalogue de l'exposition *Jean Le Gac. Dias con y sin pintura*, Palau dels Scala, Valence, 1994.

Musées : Charleville-Mézières – Genève (Mus. d'Art et d'Hist.) : *La Grande Sieste de Bages* 1984 – Grenoble – Jouy-en-Josas (Fond. Cartier) – Marseille (Mus. Cantini) – Nice – Nîmes – Paris (Mus. Nat. d'Art Mod.) : *La Sieste du peintre (avec petit chien)* – Paris (Cab. des Estampes) : *Miss Standish le modèle préféré du peintre qui avait posé pour son odalisque* 1987, litho. – La Roche-sur-Yon : *L'Hydravion et le peintre* 1976 – Saint-Étienne (Mus. d'Art Mod.) : *Les Vues* 1973 – Strasbourg.

Ventes Publiques : Paris, 3 déc. 1987 : *Étretat, une introduction aux œuvres d'un artiste dans mon genre*, techn. mixte (175x160) : **FRF 18 000** – Paris, 5 avr. 1987 : *Le délassement du peintre français* 1983, cr. past. et texte dactylographié (70x53) : **FRF 11 000** – Paris, 23 mars 1988 : *Le Délassement du peintre (avec évasion de l'héroïne)* 1985, mine de pb/pap. (63x48,5) : **FRF 8 200** – Paris, 23 avr. 1990 : *Le coin cinéma du peintre avec étrangleur* 1987, past., photo., texte et pince à dess. (85x71) : **FRF 50 000** – Paris, 11 juin 1990 : *Les Fresques du Kursaal de Venise (avec les loups)* 1986, peint. à la colle, photo. et texte, dyptique (106x112) : **FRF 80 000** – Paris, 26 nov. 1992 : *Le Délassement d'un peintre parisien (avec auto rouge)* 1984, past. photo. et texte, dyptique (152x212) : **FRF 18 000** – Paris, 6 déc. 1993 : *La Fourchette*, h. et past./t. et photocibachrome (88,5x62) : **FRF 4 700** – Paris, 29 juin 1994 : *Les Fresques du Cursaral à Venise avec princesse pubile* 1986, peint. à la colle, photo. et texte, diptyque (171x216) : **FRF 28 000** – Paris, 24 nov. 1996 : *Le Délassement du peintre parisien (avec paysagiste et deux personnages)* 1984, dess., photo. et texte, diptyque (150x350) : **FRF 40 000**.

LEGACHEFF Anton Michaïlovitch
Né en 1798. Mort en 1865 à Saint-Pétersbourg. XIXe siècle. Russe.
Peintre de portraits.

Musées : Moscou (Gal. Tretiakov) : *Portrait de l'architecte Michacloff* – *Portrait d'homme.*

Ventes Publiques : New York, 26 oct. 1990 : *Moine asiatique*, h/pap./cart. (27,3x19,1) : **USD 3 025**.

LÉGAL Charles Désiré
Né le 17 novembre 1794 à Rouen (Seine-Maritime). XIXe siècle. Français.
Portraitiste.
Élève de l'École des Beaux-Arts et de Girodet. Exposa au Salon de Paris, de 1824 à 1839.

LE GAL Gérard
Né en 1947 à Ferrières-Saint-Mary (Cantal). XXe siècle. Français.
Peintre.
Il vit et travaille dans son village natal. Il a participé à l'exposition : *De Bonnard à Baselitz – Dix ans d'enrichissements du cabinet des estampes 1978-1988* à la Bibliothèque nationale à Paris en 1992.

Musées : Paris (Cab. des Estampes) : *Arrêt autobus* 1979, litho.

LE GALIENNE Gwenn
Née le 5 novembre 1900 à Paris. XXe siècle. Française.
Peintre, sculpteur, graveur.
Elle a étudié à Paris et à Boston. À Paris, elle a figuré aux Salons d'Automne et des Tuileries.
Elle a peint de nombreux paysages solidement construits, dans le Midi de la France. Elle a exécuté les portraits de personnalités anglaises, américaines et françaises, dont *James Joyce*, *Ernest Hemingway*.

LE GALL Philippe
Né le 7 janvier 1951. XXe siècle. Français.
Peintre.
Il a étudié à l'école des beaux-arts de Valenciennes jusqu'en 1970. Il est ensuite venu à Paris et y a exposé en 1971. En 1975, il a exposé à Tokyo.

LÉGALL-DUTERTRE
Né à Nice (Alpes-Maritimes). XIXe siècle. Français.
Paysagiste et aquarelliste.
Exposa au Salon de Paris, en 1845 et 1846, des vues de Nice et des environs. Le Musée de Nice conserve de lui : *Portrait de l'écrivain J. R. Rancher* (1835).

LE GALLO Michèle
Née le 30 décembre 1950 à Paris. XXe siècle. Française.
Peintre. Abstrait-expressionniste.
Essentiellement autodidacte, elle a travaillé dans l'atelier du peintre expressionniste Cloarec à partir de 1980 et est sortie lauréate de l'Académie des Beaux Arts en 1988.
À partir de cette date, elle a participé à plusieurs expositions collectives, notamment au Salon des Artistes Français, où elle a

obtenu la médaille d'or en 1989. Elle a également présenté ses œuvres au Musée Hans Thoma à Bernau (Allemagne) en 1994. Individuellement, elle a exposé à Venise 1992 ; Paris 1993 et 1994 ; Brest 1994.
Michèle Le Gallo oscille entre la figuration et une abstraction qui peut être organique ou minérale, mais montre toujours des effets de matières superposées. Elle utilise des papiers froissés, de la poudre de bronze ou des feuilles de cuivre sur lesquelles elle repeint, quelquefois à l'encre de Chine, et pratique des grattages. Ses tonalités restent sobres, entre les bruns, les noirs et ors, d'où parfois surgissent un rouge ou un bleu, tandis qu'un visage, une figure ou même un cheval peuvent aussi apparaître.
Musées : Bernau (Mus. Hans Thoma) : *Composition sur cuivre* 1994.

LEGARCON Andrée. Voir **CLECH Andrée**

LEGARDEUR Georges
Né en 1942 à Besançon (Doubs). xxe siècle. Français.
Peintre de figures.
Il fut élève de Jean Ricardon à l'école des beaux-arts de Besançon, où il enseigne le dessin. Il a participé à des expositions de groupe à Besançon, et, en 1975, à la Maison de la culture de Saint-Étienne.
Il tient de son maître Jean Ricardon le goût de l'économie des couleurs et limite souvent sa gamme aux blanc, noir et rouge et aux combinaisons intermédiaires. À partir de 1961, il s'est intéressé à des personnages debout, étroits, formant par exemple des processions dans un esprit gothique. Les variations postérieures sur le corps humain ont été encore plus libre.
Musées : Besançon : *Procession.*

LÉGARÉ Joseph
Né le 10 mars 1789 à Québec. Mort en 1855 à Québec. xixe siècle. Canadien.
Peintre d'histoire, compositions religieuses, scènes de genre, portraits, paysages.
Il a commencé comme copiste de peintures religieuses et restaurateur de tableaux dont il faisait collection, notamment les toiles de Jean Louis Desjardins. puis il s'est mis à peindre des portraits ainsi que des scènes canadiennes et indiennes. Il est surtout connu comme portraitiste. Profeseur, il eut Antoine Plamondon, autre portraitiste québécois, comme élève. Partisan politique de Louis Joseph Papineau, il a été arrêté comme suspect après la rébellion de 1837 à Lower. Il ouvrit sa collection de tableaux et de gravures au public en 1838 et à nouveau en 1852, tandis que l'Université Laval de Québec, achètera, à sa mort, cette collection qui constitue le fonds de son musée.
Son goût pour la peinture européenne ancienne se retrouve fatalement dans le style de ses peintures d'histoire, ses tableaux religieux et même ses portraits, aux tonalités sombres, aux paysages romantiques. Mais il montre plus d'originalité dans ses paysages qui sont parmi les premiers paysages véritablement canadiens, tels : *Cascades de la rivière Saint-Charles à Jeune Lorette* et *L'incendie du quartier Saint-Jean à Québec, vue vers l'ouest.*
Bibliogr. : Dennis Reid : *A concise history of canadian painting,* Oxford University Press, Toronto, 1988.
Musées : Montréal (Mus. des Beaux-Arts) : *Québec vu de la Pointe-Lévis* 1842-1843 – Ottawa (Nat. Gal.) : *Portrait de Josephine Ourné* – *La bataille de Sainte-Foy* – Québec (Mus. du Québec) : *Le massacre des Hurons par les Iroquois* – *Cascades de la rivière Saint-Charles à Jeune-Lorette* – *Paysage au monument Wolfe* vers 1840 – Toronto (Art Gal. of Ontario) : *L'incendie du quartier Saint-Jean à Québec* 1845.

LÉGARÉ Paul
Né vers 1654 à Genève. Mort le 13 octobre 1723. xviie-xviiie siècles. Suisse.
Graveur.
Auteur présumé d'un frontispice pour un poème de Samuel Chapuzeau, intitulé : *Pour les quatre bonnes villes du pays de Vaud.*

LEGASTELOIS Julien Prosper
Né le 24 mai 1855 à Paris. xixe siècle. Français.
Sculpteur et graveur en médailles.
Élève de E. Carlier, Levasseur et G. Tonnelier. Mention honorable en 1896 ; médaille de troisième classe en 1899, de bronze à l'Exposition Universelle de Paris en 1900. Chevalier de la Légion d'honneur. Le Musée de Limoges conserve de lui : *La jeunesse.*

LEGASTELOIS Marcel
Né le 5 décembre 1883 à Paris. Mort pour la France durant la Première Guerre mondiale (1914-1918). xxe siècle. Français.
Sculpteur.
Il fut élève d'Antonin Mercié et H. Lemaire. Il exposa à Paris, au Salon des Artistes Français.

LEGAT Carl
xviiie siècle. Actif à Pilsen en 1758. Allemand.
Sculpteur.
Il travailla en Bohême.

LEGAT Francis
Né en 1755 à Edimbourg. Mort le 7 avril 1809 à Londres. xviiie siècle. Britannique.
Graveur.
Élève d'Alexander Runciman à Edimbourg. En 1780, il vint à Londres et y réussit rapidement. Il fut notamment employé par l'éminent éditeur Boydell. Il fut nommé graveur du prince de Galles. Il travailla dans la manière de sir Robert Strange.

LÉGAT Léon
Né le 2 août 1829 à Paris. xixe siècle. Français.
Peintre de genre, paysages.
Élève de Louis Martinet, il a participé au Salon de Paris en 1848, puis régulièrement de 1861 à 1891, et au Salon des Artistes Français en 1879.
Ses scènes villageoises, de foires, marchés, sont peuplées de personnages traités prestement, sous une lumière dorée, dans des compositions d'un style très flamand.

Bibliogr. : Gérald Schurr, in : *Les Petits Maîtres de la peinture 1820-1920, valeur de demain,* Les Éditions de l'Amateur, t. IV, Paris, 1979.
Ventes Publiques : Paris, 17 juin 1902 : *L'abreuvoir à Cernay* : **FRF 165** – Paris, 4 juil. 1927 : *Ferme au bord du Morin* : **FRF 950** – Paris, 9 fév. 1945 : *Dimanche au bord de l'eau* : **FRF 30 000** – Londres, 9 juil. 1947 : *Fin de la journée à la ferme* : **GBP 70** – Paris, 4 juin 1951 : *Cour de ferme* : **FRF 24 000** – Londres, 9 oct. 1970 : *Scène villageoise* : **GNS 400** – Versailles, 13 juin 1976 : *Effets du matin dans une cour d'auberge,* h/t (100x144) : **FRF 17 000** – Londres, 19 oct. 1978 : *La cour de ferme,* h/t (87,6x114,3) : **GBP 6 000** – New York, 2 mai 1979 : *Rue de village animée,* h/t (86,4x111,7) : **USD 7 000** – Enghien-les-Bains, 22 nov. 1981 : *Aux abords d'un vieux moulin,* h/t (77x95) : **FRF 72 000** – New York, 26 mai 1983 : *Cheval devant l'étable,* h/t (51x66) : **USD 5 000** – Londres, 22 mars 1985 : *Fin de journée à la ferme,* h/t (87,5x114,4) : **GBP 11 000** – New York, 28 oct. 1986 : *Retour du marché,* h/t (75x64,8) : **USD 10 500** – Paris, 24 fév. 1988 : *Un dimanche à la campagne,* h/t (91x116) : **FRF 20 200** – Londres, 6 juin 1990 : *Dans la cour de la ferme,* h/t (114x87) : **GBP 11 000** – Londres, 19 juin 1991 : *Dans la cour de ferme,* h/t (115x88) : **GBP 7 700** – New York, 28 mai 1992 : *Le chemin au bord de la rivière,* h/t (81,3x132,1) : **USD 27 500** – New York, 30 oct. 1992 : *Le plaisir de la pêche,* h/t (116x89) : **USD 35 200** – Londres, 18 mars 1994 : *Dimanche au bord de l'eau,* h/t (91,4x116,1) : **GBP 29 900** – New York, 16 fév. 1995 : *Cour de ferme,* h/t (115,9x89,5) : **USD 18 400** – Toulouse, 4 avr. 1995 : *Le moulin,* h/t (89x116) : **FRF 98 000** – Paris, 30 oct. 1996 : *L'Attelage,* h/t (55x46) : **FRF 38 000.**

LE GAUGNEUR Guillaume
Mort en 1642. xviie siècle. Français.
Miniaturiste.
Peintre d'Angers. Il composa un ouvrage sur la calligraphie.

LE GAY
xvie siècle. Français.
Sculpteur.
Il contribua à la partie décorative du tombeau d'Henri II, en 1564.

LE GAY
xviiie siècle. Français.
Portraitiste.
Le Musée de Versailles conserve de cet artiste le portrait de *Cagliostro* (Joseph Balsamo) signé Le Gay 1778.

LEGAY Claude Henri
Né en 1686 à Reims (Marne). xviiie siècle. Français.
Peintre.
Le Musée de Reims possède de lui un *Portrait du Cardinal François de Noilly.*

LE GAY Colart
XVe siècle. Actif en 1419. Français.
Peintre.

LEGAY Nicolas
XVIIIe siècle. Actif à Chesne en 1720. Français.
Peintre.

LEGAY Richard
XVIIIe siècle. Français.
Peintre de genre.
Le Musée de Reims conserve de lui : *La procession des pestiférés* (1721 ou 1724).

LEGEAY
XVIIIe siècle. Actif à La Flèche au début du XVIIIe siècle. Français.
Sculpteur.
Travailla à la chapelle du collège et aux églises Notre-Dame et Saint-Jean de la Flèche.

LEGEAY Jean Laurent
Né en 1710. Mort en 1786. XVIIIe siècle. Français.
Peintre d'architectures, graveur.
Élève de l'École des Beaux-Arts de Paris, il remporta en 1732 le prix de Rome. Il vécut quelque temps en Italie puis partit pour l'Allemagne où il connut très vite de brillants succès d'abord à la cour du duc de Mecklembourg-Schwerin, ensuite à Potsdam. Il eut une importante activité d'architecte.
VENTES PUBLIQUES : LONDRES, 7 juil. 1981 : *Le Temple des Sibylles, Tivoli*, sanguine (52,7x40,6) : **GBP 1 100** – NEW YORK, 15 jan. 1992 : *Capriccio animé avec les ruines d'un temple, d'un obélisque, d'une rotonde, d'une pyramide et d'une colonne*, craies et lav. (43,5x31,7) : **USD 4 400** – LONDRES, 18 avr. 1994 : *Capriccio de figures dans des ruines classiques*, aquar. et gche, une paire (chaque 18x26,4) : **GBP 1 380**.

LEGEL C. H.
Né à Strasbourg. XVIIIe siècle. Français.
Peintre de paysages et graveur.
A Francfort-sur-le-Main il travailla dans l'atelier de J. H. Nothnagel.

LEGELEUX Germaine
Née le 19 novembre 1910 à L'Épinay-le-Comte (Orne). XXe siècle. Française.
Peintre de paysages, fleurs.
Elle fut élève de l'académie de la Grande Chaumière. Elle participe à de nombreux Salons, notamment à Paris aux Artistes Français, où elle a reçu une médaille d'or en 1964 et dont elle est membre sociétaire depuis 1949 ainsi qu'au Salon de la Société Nationale des Beaux-Arts. Elle montre ses œuvres dans des expositions personnelles, notamment pour la première fois à Paris, en 1967. Elle est chevalier de l'ordre des Arts et Lettres. Elle peint avec une riche palette aux tons chauds de nombreux bouquets de fleurs.

G Legeleux

LÉGENDE, Maître de la. Voir **MAÎTRES ANONYMES**

LE GENDRE Augustin
XVIe siècle. Français.
Sculpteur.
Il prit part aux travaux de décoration du château de Fontainebleau, de 1537 à 1550.

LEGENDRE Christian
Né en 1948 à Paris. XXe siècle. Français.
Peintre, dessinateur, graveur.
Il fut élève de l'atelier de lithographie à l'école des beaux-arts de Paris. Il a participé à l'exposition : *De Bonnard à Baselitz – Dix ans d'enrichissements du cabinet des estampes 1978-1988* à la Bibliothèque nationale à Paris en 1992.
MUSÉES : PARIS (Cab. des Estampes).

LEGENDRE Danielle Laure
Née le 25 septembre 1947 à Nice (Alpes-Maritimes). XXe siècle. Française.
Peintre de figures typiques, aquarelliste, sculpteur.
Elle participe à des expositions collectives et montre ses œuvres dans des expositions personnelles, surtout dans les villes de la Côte-d'Azur, obtenant diverses distinctions. Elle peint d'après ses souvenirs de voyages, en particulier sur les métiers traditionnels. Elle a consacré une série importante de travaux aux populations afghanes.

LEGENDRE Isidore Julien
Né le 22 mars 1811 à Blois. XIXe siècle. Français.
Peintre.
Élève de C. Roqueplan, Blondel et Eugène Delacroix. Il se spécialisa dans les peintures de fleurs. Directeur du Musée de Blois. Le Musée d'Orléans conserve de lui : *Fleurs*.

LEGENDRE Joseph Alexandre
Né à Bléré (Indre-et-Loire). XIXe siècle. Français.
Peintre et aquarelliste.
Élève de l'École Nationale de dessin. Débuta au Salon en 1878. On cite de lui : *Tombeau de la famille Collard-Bigé au cimetière Montparnasse*.

LEGENDRE Léon Adolphe
Né à Paris. XIXe siècle. Français.
Peintre de portraits, paysages.
Il fut élève de Gérôme et d'Yvon. Il exposa au Salon de Paris à partir de 1874. On cite de lui : *Sentier à la villa Borghèse, à Rome*.
VENTES PUBLIQUES : NEW YORK, 1er nov. 1995 : *Jeune fille au papillon*, h/t (149,9x90,2) : **USD 11 500**.

LEGENDRE Léonce
Né vers 1840 à Bruges. XIXe siècle. Belge.
Peintre d'histoire.
Fit ses études à l'Académie de Bruges et y remporta le premier prix au Grand Concours de Peinture en 1860, avec *Jésus ressuscitant le fils de la veuve*.
MUSÉES : BRUGES : *Une esquisse* – LE PUY-EN-VELAY : *Vue de Bruges* – TOURNAI : *L'enfant au flageolet – Le capitaine Crespel*, trois aquarelles.

LEGENDRE Louis Félix
Né en 1794 à Paris. XIXe siècle. Français.
Peintre d'histoire, paysages.
Cité par Ris-Paquot. Il fut élève de David.

L.G.

LE GENDRE Louis Pierre
XVIIIe siècle. Actif à Bruxelles. Éc. flamande.
Peintre de portraits.
Il travailla à la cour de Charles de Lorraine.

LEGENDRE Nicolas
Né le 7 août 1619 à Étampes. Mort le 28 octobre 1671 à Paris. XVIIe siècle. Français.
Sculpteur.
Reçu académicien en 1664 avec une *Madeleine Pénitente*, en terre cuite, il fit de nombreuses sculptures à l'église Saint-Paul, à Paris : *Huit anges en adoration, Saint Pierre recevant les clefs du Paradis, Saint Pierre sur le lac de Tibériade, Martyre de saint Paul, Conversion de saint Paul, Vierge soutenant sur ses genoux le Christ mort, Statue de saint Pierre et de saint Paul*. Il fit la décoration de l'hôtel de Beauvais, rue Saint-Antoine, *Saint Elie* et *Sainte Thérèse*, aux Carmélites, une grande partie de la décoration du château de Vaux, une *Sainte Radegonde*, dans la cathédrale de Poitiers, *Saint Bruno*, dans la chartreuse de Gaillon, *Saint Luc et Saint Gilles*, dans l'église d'Étampes.

LEGENDRE Patricia
Née en 1952 à Neuilly-sur-Seine (Hauts-de-Seine). XXe siècle. Française.
Graveur, peintre.
Elle a participé à l'exposition : *De Bonnard à Baselitz – Dix ans d'enrichissements du cabinet des estampes 1978-1988* à la Bibliothèque nationale à Paris en 1992.
MUSÉES : PARIS (Cab. des Estampes) : *L'Éventail* 1985, eau-forte et aquat.

LEGENDRE-HÉRAL Jean François
Né le 21 janvier 1796 à Montpellier. Mort le 13 septembre 1851 à Marcilly (Seine-et-Marne). XIXe siècle. Français.
Sculpteur.
Élève de Chinard, à l'École de dessin, de Lyon. Il débuta au Salon en 1817 ; nommé professeur à l'École des Beaux-Arts de Lyon l'année suivante. Après un court séjour à Rome, il travailla à la décoration de plusieurs monuments publics, à Lyon. En 1839 il

s'établissait à Paris. Il eut un logement à l'Institut et un atelier à l'île des Cygnes. On lui doit la statue de *Jussieu* placée au Museum.

LEGENDY Peter
Né en 1948 à Budapest. XXe siècle. Hongrois.
Artiste. Conceptuel.
Il vit et travaille à Budapest. Il participe à des expositions collectives en Hongrie et à l'étranger depuis 1971, notamment à la Biennale de Paris en 1973.
Il travaille à partir de photocopies, imprimés, photographies, collages.

LEGENISEL Alexandre
Né vers 1860 à Paris. XIXe-XXe siècles. Français.
Graveur.
Il fut élève de Tassaert.

LEGÉNISEL Eugène
Mort le 12 novembre 1855 à Paris. XIXe siècle. Français.
Peintre de portraits et de genre.
Il exécuta les portraits de *Victor Hugo* et de *Paganini*.

LEGENTILE Louis Victor
Né en 1815 à Paris. Mort le 14 mars 1889 à Paris. XIXe siècle. Français.
Paysagiste.
Obtint une médaille de troisième classe en 1853. Il travailla à Guéret entre 1855 et 1875 et envoya au Salon de nombreuses vues de cette ville et de ses environs. Les Musées de Limoges et de Guéret conservent des œuvres de lui.
Ventes Publiques : Paris, 1867 : *Pont de bois traversant une rivière* : **FRF 760** – Paris, 11 fév. 1924 : *Cour de ferme aux environs de Guéret* : **FRF 450** – Berne, 2 mai 1979 : *Intérieur d'une ferme bretonne*, h/t (39x63) : **CHF 3 000** – Londres, 23 mai 1985 : *La cour de ferme*, h/t (27x46) : **CHF 6 200**.

LEGENVRE
XIXe siècle. Actif à Paris. Français.
Peintre de portraits.
Il exposa au Salon de Paris, entre 1817 et 1824.
Ventes Publiques : Paris, 14 et 15 mai 1926 : *Portrait de femme*, miniat. : **FRF 430** – Paris, 27 mai 1993 : *Atelier d'artiste avec modèle posant* 1822, h/t (45,5x54) : **FRF 111 000**.

LÉGER Alphonse
Né à Paris. XIXe siècle. Français.
Paysagiste.
Élève de Pelouse. Débuta au Salon de Paris en 1877.

LÉGER Fernand
Né le 4 février 1881 à Argentan (Orne). Mort le 18 août 1955 à Gif-sur-Yvette (Essonne). XXe siècle. Français.
Peintre, peintre de cartons de tapisseries, cartons de vitraux, décorateur, céramiste, sculpteur, dessinateur, illustrateur.
Son père était éleveur et marchand de bétail. Il mourut alors que son fils était encore enfant, ainsi celui-ci échappa-t-il à la destinée familiale. Après avoir travaillé, comme dessinateur, trois années chez un architecte à Caen, puis à Paris de 1900 à 1902, il étudie à l'école des arts décoratifs, à l'école des beaux-arts de Paris comme étudiant libre dans l'atelier de Léon Gérome et Ferrier (n'ayant pas été admis au concours d'entrée), ainsi qu'à l'académie libre Julian. En 1908-1909, il s'installe à La Ruche, où il se lie avec Archipenko, Chagall, Laurens, Lipchitz, Soutine, Delaunay et Blaise Cendrars. Il ne fréquente guère Picasso et Braque, alors installés à Montmartre. En 1909, il rencontre Henri Rousseau. En 1910, le marchand d'art Kahnweiler s'intéresse au travail de Léger et lui propose un contrat que celui-ci accepte, soit six cents francs par mois, somme conséquente pour l'époque. En 1911, il se joint au groupe de Puteaux où fut conçue la Section d'or, fréquentant Villon, Delaunay, Gleizes, Picabia et Kupka. Mobilisé durant la Première Guerre mondiale, il participe à la bataille de l'Argonne, est gazé en 1916 sur le front de Verdun, et, après un séjour à l'hôpital, est démobilisé. En 1920, il rencontre Le Corbusier. L'année suivante, il se lie avec Van Doesburg et Mondrian. En 1924, il fonde à Paris, avec Ozenfant, un atelier libre, l'académie moderne, où il enseigne avec Marie Laurencin et Alexandra Exter, faisant connaître les théories du purisme. En 1925, il exécute les premières peintures murales pour le pavillon de l'Esprit nouveau réalisé par Le Corbusier. Durant la Seconde Guerre mondiale, il se réfugie aux États-Unis, où il a déjà séjourné en 1931, 1935 et 1938, et où il est nommé professeur à l'université de Yale ainsi que dans différentes institutions. Il fréquente alors d'autres exilés, Masson, Tanguy, Breton, Ernst, Chagall, Mondrian, Ozenfant, Zadkine. En 1945, il revient en France et manifeste son engagement politique en s'inscrivant au parti communiste.
De son vivant, il participe à de nombreuses expositions de groupe : 1908 Salon d'Automne à Paris ; 1911 Salon des Indépendants à Paris ; 1912 *Le Valet de carreau* organisé par Malevitch à Moscou ; 1913 Armory Show à New York ; 1928 *La Peinture française contemporaine* à Moscou ; 1953 *Un Siècle d'art français* au Musée du Petit Palais à Paris ; 1955 Biennale de São Paulo et Documenta de Kassel ; et après sa mort : 1971 *Léger et les peintres puristes* à la Tate Gallery à Londres ; 1977 *Aspects historiques du constructivisme et de l'art concret* au musée d'Art moderne de la Ville de Paris ; 1997 *Les Années trente en Europe. Le temps menaçant* au musée d'Art moderne de la ville de Paris.
En 1912, il montre pour la première fois ses œuvres dans une exposition personnelle à la galerie Kahnweiler. Sa première rétrospective a lieu aux États-Unis, en 1935, au Museum of Modern Art de New York et à l'Art Institute de Chicago ; ces manifestations personnelles seront suivies de plusieurs autres : 1927 Institute of Fine Arts de Chicago ; 1933, 1935 Kunsthaus de Zurich ; 1935, 1937 galeries nationales du Grand Palais à Paris ; 1938 palais des Beaux-Arts de Bruxelles ; 1941 Museum of Art de San Francisco ; 1947 Stedelijk Museum d'Amsterdam. Après sa mort, nombreuses sont les expositions qui célèbrent son œuvre : 1949, 1953, 1956 musée national d'Art moderne de Paris ; 1950, 1958, 1970 Tate Gallery de Londres ; 1952, 1955, 1976 musée des Arts décoratifs de Paris ; 1955 musée des Beaux-Arts de Lyon ; 1964 Moderna Museet de Stockholm ; 1968 Museum des 20 Jahrhunderts de Vienne ; 1972 National Museum of Modern Art de Tokyo ; 1978 Kunsthalle de Cologne ; 1980 Kunsthalle de Berlin ; 1981, 1987, 1997 centre Georges Pompidou à Paris ; 1982 Albright-Knox Art Gallery à Buffalo ; 1990 Palazzo Reale de Milan et musée d'Art moderne de Villeneuve-d'Ascq ; 1994 *Fernand Léger, 1911-1924. Le rythme de la vie moderne* au Kunstmuseum de Bâle ; 1995 *Léger et le spectacle* au musée national Fernand Léger à Biot. Il a reçu de nombreux prix, notamment en 1955 le grand prix de la Biennale de São Paulo. En 1951, il fut élu membre de l'académie royale flamande.
Ses premières œuvres (portraits et paysages) influencées par l'impressionnisme évoluent alors que Léger découvre, au Salon d'Automne de 1904, le travail de Cézanne, la structure de l'espace en plans. On retrouvera cette approche de la réalité dès 1906, dans la série réalisée en Corse. Il s'intéresse, à la même époque, au cubisme, décomposant les formes en cônes et cylindres, s'attachant à multiplier les points de vue, jouant de l'infinie variété des nuances chromatiques. Ainsi *La Couseuse* (1909-1910), qui n'est « qu'une bataille de volumes » (Léger) est-elle synthétisée par un assemblage de tubes dans une gamme très réduite de tons bleu-gris. Léger connaît aussi les recherches futuristes, qui exaltent la machine, la vitesse, thèmes qui le fascineront tout au long de sa vie. Participant à la Section d'or, il en retient la volonté de réintroduire la couleur et le mouvement : « Quand j'ai bien tenu le volume comme je le voulais, j'ai commencé à placer la couleur » (id.). Avec la série *Contrastes de formes* (1913), il se détache du cubisme, trouvant son propre style, plus proche du travail de Delaunay ou Duchamp que de celui de Picasso ou Braque. Sa peinture est dès lors régie par « l'ordonnance simultanée des trois grandes qualités plastiques : les lignes, les formes, les couleurs » (id.). Il frôle à cette époque l'abstraction dans des constructions plastiques rigoureuses, où les plans géométriques cernés de noir dominent, fragmentés, l'intensité de la couleur (bleu, blanc, jaune et vert) étant chargée de rendre la lumière et la construction. Le sujet n'est que prétexte à mettre en avant la puissance des contrastes dynamiques. Profondément marqué par la guerre, durant laquelle il ne cesse de dessiner, il réintroduit le réel « utilisant ce qu'il avait senti au front » (id.) dans sa période dite « mécaniste », que l'on date généralement de 1919 à 1922. La machine, écho de cette culasse du canon de 75 qui lui « en a plus appris pour son évolution plastique que tous les musées du monde » (id.), devient sa principale source d'inspiration, en reprenant les structures tubulaires ou circulaires. Il les décompose en formes de couleurs primaires et en souligne la dynamique, la vitalité. Des *Disques* (1918), composés de cercles et courbes en aplats s'imbriquant habilement les uns dans les autres, aux couleurs gaies, rose, jaune, vert tendre, se dégage une énergie puissante : l'esprit imagine la machine en marche, rutilante. Léger insère parfois des mots et des chiffres

dans ses compositions, non comme commentaire mais pour leur valeur plastique et leur rapport direct avec la réalité ; en ceci, il est proche du cubisme synthétique. Il réintroduit, en 1918, l'être humain, au cœur de cet univers mécanisé. « Pour moi, la figure humaine, le corps humain n'ont pas plus d'importance que des clés ou des vélos » (id.). Ces figures inexpressives, robotisées, qui subissent les mêmes décompositions structurelles que les machines, deviennent le sujet principal de ses œuvres des années vingt. La représentation évolue, se fait progressivement plus réaliste et plus humaine. L'agencement des formes se simplifie, les volumes solides étant fortement soulignés par un cerne noir. L'homme et la femme, souvent accompagnée de son enfant, apparaissent, massifs, dans la ville, à la campagne, dans leur intérieur. La femme devient la figure exclusive de ses tableaux (*La Lecture – La Femme au compotier – Femme couchée*...), gouvernés par un registre de formes restreintes : ronds, ovales et cylindres sur fond géométrique et rectiligne. C'est à cette même époque que Léger aborde les grandes compositions décoratives non figuratives. L'abstraction lui semble possible dans l'art mural mais « faiblarde en peinture de chevalet » (id.). Destinées à l'architecture nouvelle, l'artiste manifeste, dans de telles œuvres, sa volonté de sensibiliser ceux dont il peint les figures, l'homme du peuple, l'ouvrier. Il est convaincu de la possibilité d'un art pour tous, élément de l'architecture, comme les tympans du Moyen Âge, cette « bible des pauvres ». Il commence à travailler avec Le Corbusier, posant, comme celui-ci et Ozenfant, un regard neuf et objectif sur les objets, afin d'en restituer la rigueur des formes et des couleurs. Le décor a disparu, des objets quotidiens sur fond monochrome évoluent de façon autonome, sans lien. Ce sont les formes qui sont chargées d'assumer l'équilibre de la représentation. Léger est alors proche des recherches du Bauhaus et du néo-plasticisme. Vers 1928, il renouvelle son iconographie, renonçant à une représentation frontale. La nature, qui avait disparu, est de nouveau mise en scène avec les motifs de la branche, du papillon, de la racine, auxquels se mêlent des structures abstraites, mais aussi des tuyaux, des machines, des poutrelles, dans une composition libre. Ses œuvres se font plus décoratives, la présence d'arabesques évoquant l'art de Matisse. Elles ne racontent rien, procèdent par associations de formes et de couleurs, non par unité narrative, ou décrivent un instant de vie sans en dire plus, sans s'inscrire dans le particulier. En 1940, un événement marque profondément Léger, entraînant une évolution dans son travail : « De jeunes dockers se baignaient dans le port. J'ai été tout de suite emballé par la trajectoire de leurs corps brunis dans le soleil puis dans l'eau. Un mouvement fluide épatant. Ces plongeurs, ça a déclenché tout le reste, les acrobates, les cyclistes, les musiciens. Je suis devenu plus souple, moins raide (...) À qui la tête, à qui les jambes, les bras, on ne savait plus. On ne distinguait plus. Alors j'ai fait les membres dispersés dans mon tableau... » Cette expérience l'invite à revisiter l'espace du tableau, à laisser libre court à son imagination. Ce ne sont plus que jambes, bras, corps démembrés, cernés de noir, dessinés et peints en aplats, aux couleurs vives, comme dans *Les Plongeurs noirs* (1941-1942), agglomérat de silhouettes debout, de côté, les pieds en l'air, en suspension dans l'espace de la toile. En 1943, il aborde de nouveau le thème des loisirs, avec une gouache, qu'il développera dans de nombreuses toiles, avant de se consacrer à la représentation des hommes au travail dans les *Constructeurs*. À partir de 1945, il dissocie formes et couleurs, la couleur en aplat devenant élément constitutif de la composition : « J'ai libéré la couleur de la forme en la disposant par larges zones sans l'obliger à épouser les contours de l'objet : elle garde ainsi toute sa force et le dessin aussi ». De retour en France, il se consacre aux sujets sociaux et revient à un de ses anciens thèmes de prédilection : le monde du cirque. *La Grande Parade*, 1954 (300x400 cm), l'une de ses ultimes œuvres, est un véritable hymne à l'allégresse, cercles, rectangles aux couleurs primaires viennent s'imprimer sur les acrobates, écuyères, équilibristes, silhouettes blanches cernées de noirs. La couleur a pris son indépendance par rapport au sujet, Léger ayant trouvé ses lois propres, s'étant ouvert au monde moderne, où quelques néons laissent apparaître la vie en rose, en bleu...

Outre ses peintures, Léger s'est livré à diverses activités artistiques. En 1922, il réalise les décors et costumes des ballets de Rolf de Maré sur des livrets de Blaise Cendrars : *Skating Rink* sur une musique d'Honegger, *La Création du monde* sur une musique de Darius Milhaud, en 1936 il travaille à ceux de *David triomphant* avec une chorégraphie de Lifar et en 1950 ceux de *Bolivar* opéra de Darius Milhaud. En 1937, il collabore à la décoration du vélodrome d'hiver à Paris, pour la fête des Syndicats. Parmi les nombreuses décorations et vitraux qu'il exécuta : 1937 une peinture murale pour le palais de la Découverte à Paris, 1938 une décoration pour l'appartement de Nelson A. Rockfeller à New York, 1949 une mosaïque pour l'église d'Assy, 1951 un panneau mural pour le siège de l'ONU à New York et les vitraux pour l'église d'Audincourt, 1954 des vitraux pour l'église de Coufaivre et l'université de Caracas, 1955 des sculptures, céramiques et mosaïques pour la cokerie du Gaz de France à Alfortville. Il s'est intéressé au cinéma, a collaboré en 1921, avec Blaise Cendrars, au film d'Abel Gance *La Roue* et a réalisé en 1924 *Ballet mécanique*, le « premier film abstrait de l'histoire du cinéma » (Luc Vezin), mettant en scène des objets filmés à différentes vitesses, avec pour photographe Man Ray. Il a illustré : de Blaise Cendrars *J'ai tué* en 1918 et l'année suivante *La Fin du monde filmée par l'ange Notre-Dame*, d'André Malraux *Lunes en papier* en 1921, de Rimbaud *Les Illuminations* en 1949, de Paul Éluard *Liberté* en 1953. Il a aussi réalisé de nombreuses tapisseries, ainsi que ses premières céramiques, à partir de 1949 à Biot. Il a fréquemment exposé ses thèses notamment dans des écrits : *Fonctions de la peinture*, et au cours de conférences à Paris au Collège de France en 1923, à la Sorbonne, à l'académie Wassilieff à Berlin (1913), en Belgique.

Faisant ses premiers pas alors que le cubisme naissait, Léger sut y prendre ce qui l'intéressait, comme il avait su saisir l'essentiel de l'œuvre de Cézanne comme il retiendra la guerre et ses canons, le Front populaire et son atmosphère de fête, l'Amérique et ses buildings... Alors que Picasso et Braque ressentent vers 1911 l'hermétisme de leur démarche et évoluent vers le cubisme synthétique, en réintroduisant le réel par l'introduction de lettres, de papiers collés, Léger développe un style personnel, indissociable de son expérience sensible. Novateur dans le choix de son sujet, l'homme et la machine, il exalte ce monde moderne qui, encore tout neuf, inspire craintes et mépris. Persuadé que la classe ouvrière sera réceptive à son travail, il prône un art social, « en parfaite connivence avec les techniques de l'époque » (Jean Cassou). Pour ce faire, il a recours à des moyens inédits. Sur de vastes surfaces, il souligne la puissance des formes et des volumes, célèbre la couleur, éclatante, celle de la rue, des affiches, de la publicité, traitée en aplats. Ainsi répond-t-il à son *vouloir vivre dans le vrai*... Résolument original dans son époque, il a réalisé une peinture sereine, profondément humaine, qui sut se dégager de l'imitatif, pour oser ce « mauvais goût qui devient beau ». ■ Laurence Lehoux

F. LEGER

F. LEGER

F. LEGER

Bibliogr. : Guillaume Apollinaire : *Les Peintres cubistes*, Figuière, Paris, 1913 – D. H. Kahnweiler, in : *Der Cicerone*, t. XII, n° 19, Leipzig, 1920 – Maurice Raynal : *Anthologie de la peinture en France de 1906 à nos jours*, Montaigne, Paris, 1927 – Maurice Raynal : *De La Fresnaye à Fernand Léger*, Plans, n° 1, Paris, 1931 – Divers, in : *Cahiers d'art*, n° 3/4, Zervos, Paris, 1933 – Christian Zervos, in : *Cahiers d'art*, n° 1/4, Zervos, Paris, 1934 – S. Giedion, in : *Magazine of Art*, Washington, 1945 – Paul Éluard : *Voir*, Genève, 1948 – D. Cooper et H. B. Muller : *Fernand Léger et le nouvel espace*, Genève, 1949 – René Huyghe : *Les Contemporains*, Tisné, Paris, 1949 – Christian Zervos : *Fernand Léger, œuvres de 1905 à 1952*, Cahiers d'art, Paris, 1952 – Maurice Raynal : *Peinture mod.*, Skira, Genève, 1953 – Frank Elgar, in : *Dict. de la peint. mod.*, Hazan, Paris, 1954 – P. Descargues : *Fernand Léger*, Cercle d'art, Paris, 1955 – André Verdet : *Le Dynamisme pictural*, Cailler, Genève, 1955 – Bernard Dorival : *Les Peintres du xxe s.*, Tisné, Paris, 1957 – Dora Vallier : *Fernand Léger – Carnet inédit*, Cahiers d'art, 1958 – R. Delevoy : *Fernand Léger*, Skira, Genève, 1962 – José Pierre : *Le Cubisme*, in : *Hre gle de la peinture*, Rencontre, Lausanne, 1966 – Frank Elgar, in : *Dict. univer. de l'art et des artistes*, Hazan, Paris, 1967 – Pierre Cabane, Pierre

Restany : *L'Avant-Garde au xxe siècle*, André Balland, Paris, 1969 – Frank Elgar, in : *Nouv. Dict. de la sculp. mod.*, Hazan, Paris, 1970 – Catalogue de l'exposition : *Fernand Léger*, Galeries nationales du Grand Palais, Paris, 1971 – *Hommage à Fernand Léger*, Cahiers d'art, xxe siècle, Paris, 1971 – in : *Les Muses*, Grange Batelière, t. IX, Paris, 1972 – in : *Dict. univer. de la peinture*, Le Robert, t. IV, Paris, 1975 – Catalogue de l'exposition : *Paris-Moscou 1900-1930*, Musée national d'Art moderne, Paris, 1979 – Georges Bauquier : *Fernand Léger : vivre dans le vrai*, Maeght, Paris, 1987 – in : *L'Art du xxe s.*, Larousse, Paris, 1991 – in : *Dict. de l'art mod. et contemp.*, Hazan, Paris, 1992 – Georges Bauquier : *Catalogue raisonné de l'œuvre peint, 1925-1928*, trois vol., Paris, 1990-1993 – Pierre Descargues : *Fernand Léger*, Cercle d'Art, Paris, 1997 – Christian Derouet : *Fernand Léger, aquarelles et gouaches*, coll. *Cabinet des dessins*, Flammarion, Paris, 1997 – Fernand Léger : *Fonctions de la peinture. Les Grands Textes de 1913 à 1955*, Folio Essais, Gallimard, Paris, 1997 – Catalogue de l'exposition : *Fernand Léger*, Centre Georges Pompidou, Paris, 1997.

Musées : Amsterdam (Stedelijk Mus.) – Antibes (Mus. Picasso) – Bâle (Kunstmus.) : *Femme en bleu* 1912 – *Village dans la forêt* 1914 – *Les Acrobates dans le cirque* 1918 – *Éléments mécaniques* 1919-1923 – *Femme et Enfant* 1922 – Biot (Mus. Fernand Léger) : *Le Jardin de ma mère* 1905 – *Passage à niveau* 1912 – *Composition abstraite* 1919 – *Composition murale* 1924 – *La Joconde aux clefs* 1930 – *Les Plongeurs polychromes* 1942-1946 – *L'Arbre dans l'échelle* 1943-1944 – *Les Constructeurs* 1950 – Chicago (Art Inst.) : *Racine rouge et noire*, céramique – Colmar (Mus. Unterlinden) : *Composition bleue et rouge* 1938 – Cologne (Mus. Ludwig) : *La Partie de campagne* 1954 – Düsseldorf (Kunstsamm. Nordrhein-Westfalen) : *L'Homme à la pipe* 1916 – Eindhoven (Stedelijk Van Abbe Mus.) : *L'Accordéon* 1926 – Épinal (Mus. départ. des Vosges) : *L'Oiseau rouge*, litho. – Essen (Folkwang Mus.) : *Les Maisons sous les arbres* 1913 – Grenoble (Mus. de peinture et sculpture) : *La Danse* 1919 – *Le Remorqueur* 1920 – Le Havre (Mus. des Beaux-Arts André Malraux) : *Les Deux Femmes sur fond bleu* – Lille (Mus. des Beaux-Arts) – Londres (Tate Gal.) : *Feuilles et coquilles* 1927 – *Deux Femmes tenant des fleurs* 1954 – Lyon (Mus. des Beaux-Arts) : *La Femme à la botte de navet* 1951 – Marseille (Mus. Cantini) : *Étude pour le cirque* 1919 – Minneapolis (Inst. of Art) : *Compotier sur une table* 1909 – Montréal (Mus. d'Art Contemp.) : *Lotus bleu* 1938, gche – *Femme aux feuilles*, bronze – Moscou (Mus. Pouchkine) : *Composition* 1918 – Munich (Neue Pina.) : *Typographe* 1919 – Nantes (Mus. des Beaux-Arts) – New York (Mus. of Mod. Art) : *Les Hélices* 1918 – *Le Grand Déjeuner* 1921 – *Parapluie et melon* 1926 – *La Grande Julie* 1945 – New York (Guggenh. Mus.) : *Les Fumeurs* 1911 – *Nu dans l'atelier* 1912 – *Variations d'une forme* 1913 – *La Montre* 1918 – *Peinture murale* 1924-1925 – *Composition* 1925 – *Femme tenant un vase* 1927 – Ottawa (Nat. Gal. of Canada) – Ottawa (New Gal.) : *Mécanicien* – Otterlo (Rijksmus. Kröller Mus.) : *Nu dans la forêt* 1909-1910 – *Partie de cartes* 1917 – *Le Typographe* 1919 – Paris (Mus. Nat. d'Art Mod.) : *La Couseuse* 1909 – *La Noce* 1911 – *Contrastes de formes* 1913 – *Le Réveil matin* 1914 – *Femme en rouge et vert* 1914 – *Le Cirque* 1918 – *Sous les arbres* 1921 – *Femme dans un intérieur* 1922 – *Élément mécanique* 1924 – *Composition* 1929 – *Nature morte aux clefs* 1930 – *Nature morte, Contraste d'objets* 1930 – *La Danseuse bleue* 1930 – *Composition aux trois figures* 1932 – *Composition aux perroquets* 1935-1939 – *Les Plongeurs noirs* 1944 – *Adieu New York* 1946 – *Les Loisirs* 1948-1949 – Paris (Mus. d'Art Mod. de la Ville) : *Les Disques* 1918 – *Contrastes de formes* 1918 – *Femme au miroir* 1920 – *Nature morte au chandelier* 1922 – *L'Homme à la pipe* 1923 – Paris (Cab. des Estampes) – Philadelphie (Mus. of Art) : *La Ville* 1919-1920 – Saint-Paul-de-Vence (Fond. Maeght) : *La Partie de campagne* 1954 – San Francisco – Tours – Zurich (Kunsthaus) : *L'Escalier* 1913.

Ventes Publiques : Paris, 13-14 juin 1921 : *Nu dans un paysage* : **FRF 2 000** – Paris, 4 juil. 1922 : *La Couseuse*, h/t (73x54) : **FRF 40** – Paris, 14 fév. 1927 : *L'Homme au chien* : **FRF 12 500** – Paris, 26 mars 1928 : *Éléments mécaniques* : **FRF 9 000** – Paris, 28 avr. 1930 : *Mécanicien dans l'usine* : **FRF 5 100** – Paris, 5 nov. 1937 : *La Table de travail*, dess. : **FRF 510** – Paris, 27 nov. 1940 : *Les Clés* : **FRF 3 000** – Paris, 19 mars 1942 : *À la cuisine*, aquar. : **FRF 2 000** – Paris, 30 nov. 1942 : *Profils* 1928 : **FRF 14 500** – New York, 13 avr. 1944 : *Abstraction avec des silhouettes* : **USD 300** – Paris, oct. 1945-juil. 1946 : *Femme cousant* : **FRF 40 000** – Munich, 8 déc. 1956 : *Composition avec personnages*, pierre noire : **DEM 1 850** – Paris, 15 déc. 1958 : *Nature morte au pot vert*, aquar. : **FRF 550 000** – Paris, 16 mars 1959 : *Liberté, j'écris en ton nom* : **FRF 1 060 000** – Stuttgart, 20 nov. 1959 : *Composition*, gche et encre de Chine : **DEM 12 000** – New York, 16 mars 1960 : *Le Fumeur* : **USD 82 500** – Londres, 28 juin 1961 : *Nature morte* : **GBP 5 400** – Londres, 2 avr. 1962 : *Les Maisons* : **GBP 13 000** – Paris, 24 mars 1963 : *Projet de vitraux*, aquar. : **FRF 15 000** – New York, 18 nov. 1964 : *Le Coq*, bronze patiné : **USD 3 700** – New York, 23 mars 1966 : *L'Escalier, 2e état* 1914 : **USD 100 000** – Genève, 7 nov. 1969 : *Branche R*, bronze : **CHF 54 000** – Paris, 26 nov. 1970 : *La Partie de campagne* 1970 : **FRF 87 000** – New York, 3 mai 1973 : *Arbres et Maisons* : **USD 225 000** – Paris, 12 juin 1974 : *Les Femmes aux perroquets*, gche/cart. : **FRF 650 000** – Paris, 24 juin 1976 : *Nature morte au couteau* 1950, h/t (64x91) : **FRF 210 000** – Londres, 30 juin 1976 : *Homme dans la rue* 1919, aquar. (40,5x30) : **GBP 22 000** – New York, 18 mars 1976 : *Étude pour Le Remorqueur* 1917, aquar. noire et lav. (23,5x28,3) : **USD 14 000** – Berne, 10 juin 1976 : *Jeune Fille de face* 1928, litho. (24,1x17,3) : **CHF 3 600** – Londres, 6 déc. 1977 : *Composition sur fond gris* 1937, h/t (65,5x91,5) : **GBP 25 000** – Londres, 7 déc. 1978 : *Grand coq* vers 1950, bronze (H. 49,5) : **GBP 3 200** – Berne, 21 juin 1979 : *L'Enfant à l'accordéon* 1953, aquat. coul. : **CHF 4 200** – Londres, 4 avr 1979 : *Le fumeur* vers 1921, cr. (31x24) : **GBP 13 000** – Londres, 4 déc 1979 : *Homme dans l'usine* 1920, aquar. (56x41) : **GBP 26 000** – Londres, 3 juil 1979 : *La tasse de thé* 1921, h/t (91,5x67,3) : **GBP 142 000** – New York, 6 nov 1979 : *La branche* 1941, bronze, patine verte (H. 65) : **USD 30 000** – Londres, 30 juin 1981 : *Les Arbres dans les maisons* 1913, h/t (73x92) : **GBP 460 000** – New York, 5 nov. 1981 : *Les Hommes dans la ville* 1919, h/t (65x54,3) : **USD 180 000** – New York, 20 mai 1981 : *Fleur courant*, bronze patine brune (H. 63,5) : **USD 13 000** – Londres, 30 mars 1982 : *Deux femmes à la toilette* 1920, cr. (41,5x29,5) : **GBP 17 000** – New York, 17 nov. 1983 : *Échafaudages* 1919, encre de Chine (37x30) : **USD 23 000** – New York, 18 mai 1983 : *Paysage* 1914, h/t (73x100) : **USD 500 000** – Londres, 25 juin 1984 : *La Grande Parade* 1952, gche/pap. (74,5x103) : **GBP 72 000** – Londres, 26 juin 1985 : *Le Remorqueur* 1918, pinceau, encre et aquar., étude (24,5x33,5) : **GBP 98 000** – New York, 14 mai 1985 : *Composition* 1931, h/t (73x92) : **USD 130 000** – Londres, 4 déc. 1985 : *L'étoile rouge*, plaque en céramique émaillée (37x48) : **GBP 10 000** – Londres, 3 déc. 1986 : *Les Quatre Cyclistes* 1943-1944, gche, encre de Chine et lav. (44x59) : **GBP 110 000** – Paris, 23 nov. 1987 : *Le Garçon de café* 1920, h/t (93x65) : **FRF 10 000 000** – Paris, 10 déc. 1987 : *Nadia* 1950, mine de pb (45x30,5) : **FRF 56 000** – New York, 13 mai 1987 : *Le vase* 1927, litho. en coul. (53,2x43) : **USD 17 000** – New York, 12 nov. 1987 : *Femme nue couchée* 1912, fus./pap. mar. (31,8x49,2) : **USD 140 000** – Londres, 30 juin 1987 : *Les Femmes à la toilette* 1920, h/t (92x73) : **GBP 900 000** – New York, 18 fév. 1988 : *Composition abstraite*, porcelaine émaillée, tirage à 250 exemp (44,4x34) : **USD 4 950** ; *Deux femmes*, gche et encre/pap. (70,5x54,6) : **USD 57 200** – Londres, 24 fév. 1988 : *Cheval noir* 1953, plaque de céramique (45,7x38,2) : **GBP 4 400** – Paris, 12 juin 1988 : *Composition abstraite*, relief en bronze (61,5x40) : **FRF 1 620 000** – Paris, 3 oct. 1988 : *Villa America* 1930, dess. (25x19) : **FRF 50 000** – Berne, 26 oct. 1988 : *Femme lisant*, aquar. (51x46) : **CHF 17 000** – New York, 12 nov. 1988 : *Étude pour la Grande Parade* 1953, gche et encre/pap. (55x69,5) : **USD 308 000** – Paris, 20 nov. 1988 : *Nature morte* 1927, aquar. et dess. cr. (17,4x14,5) : **FRF 220 000** – Paris, 21 nov. 1988 : *La femme couchée*, h/t : **FRF 6 000 000** ; *Deux têtes* 1920, dess. mine de pb (40x30) : **FRF 900 000** – Londres, 5 avr. 1989 : *Composition aux fusils* 1929, h/t (46x38) : **GBP 85 800** – Londres, 27 juin 1989 : *Le Clown* 1918, h/t (33x24) : **GBP 726 000** – Calais, 2 juil. 1989 : *Composition* vers 1942, gche (36x29) : **FRF 165 000** – Paris, 7 oct. 1989 : *Femme au perroquet* 1952 (18,5x15) : **FRF 310 000** – Paris, 8 oct. 1989 : *São Paulo, étude*, gche/pap. (41,5x33,5) : **FRF 535 000** – New York, 15 nov. 1989 : *La Racine jaune*, h/t (66x91,5) : **USD 1 210 000** – Paris, 19 nov. 1989 : *Le Godert, portrait de Philippon* 1917, aquar./cr. (35,5x26) : **FRF 2 500 000** – Paris, 23 nov. 1989 : *Sketch for the United Nations General Assembly Hall* 1952, gche (29x49) : **FRF 145 000** – Londres, 27 nov. 1989 : *Contrastes de formes* 1913, h/t (81x65) : **GBP 9 350 000** – New York, 26 fév. 1990 : *Composition n° 5, projet de céramique polychrome*, gche et encre/pap. (36x27) : **USD 35 200** – Paris, 20 mars 1990 : *Femme acrobate* 1940, gche et encre (59x44) : **FRF 1 120 000** – Paris, 25 mars 1990 : *Femme tenant une fleur* 1930, h/t (92x65) : **FRF 12 000 000** – New York, 15 mai 1990 : *Deux femmes couchées* 1913, gche et encre/pap. d'emballage/pap. (50,1x64,1) :

USD 770 000 – COPENHAGUE, 30 mai 1990 : *Composition* 1942, gche, esquisse pour l'Étoile de mer (18x23) : **DKK 260 000** – PARIS, 17 juin 1990 : *Nature morte au vase bleu* 1949, h/t (92,5x65) : **FRF 3 900 000** – LONDRES, 25 juin 1990 : *Nature morte aux losanges* 1928, h/t (65,2x54) : **GBP 330 000** – NEW YORK, 3 oct. 1990 : *La fleur qui marche*, bronze cire perdue (H. 66,3) : **USD 40 700** – NEW YORK, 14 nov. 1990 : *La Maison sous les arbres* 1913, h/t (92x73) : **USD 9 900 000** – PARIS, 28 nov. 1990 : *Nature morte au couteau* 1950, h/t (65x92) : **FRF 3 000 000** – LONDRES, 4 déc. 1990 : *Composition au perroquet* 1951, h. et gche/pap./t. (40x60,3) : **GBP 154 000** – LONDRES, 19 mars 1991 : *La ballerine* 1955, gche rouge et encre/pap. (44,2x37,5) : **GBP 7 700** – NEW YORK, 8 mai 1991 : *Le chat et le coq* 1953, gche et encre/pap. (40x60,3) : **USD 85 250** – PARIS, 25 mai 1991 : *Peinture* 1938, h/t (73x92) : **FRF 4 400 000** – LONDRES, 26 juin 1991 : *Trois Nus* 1920, cr. (41,5x62) : **GBP 506 000** – NEW YORK, 5 nov. 1991 : *Le Petit Déjeuner* 1921, h/t (96,5x129,5) : **USD 7 700 000** – LONDRES, 2 déc. 1991 : *Personnages et Plantes* 1938, h/t (74x90) : **GBP 286 000** – PARIS, 13 déc. 1991 : *Nature morte aux six fruits* 1938, h/t (54x65) : **FRF 780 000** – NEW YORK, 25 fév. 1992 : *Figure polychrome*, gche et encre de Chine/pap. (49,5x35,5) : **USD 52 800** – LUGANO, 28 mars 1992 : *Composition à la feuille jaune* 1930, h/t (65x92,5) : **CHF 550 000** – NEW YORK, 11 mai 1992 : *Trois Femmes* 1921, cr./pap. teinté (31,4x42) : **USD 308 000** – PARIS, 24 mai 1992 : *Composition mécanique*, aquar./pap./cart. (32x24) : **FRF 880 000** – NEW YORK, 12 nov. 1992 : *Nature morte* 1931, h/t (46,6x65,4) : **USD 165 000** – PARIS, 24 nov. 1992 : *André Mare au col dur* 1904, aquar. et lav. d'encre de Chine/pap. (25,5x15,5) : **FRF 135 000** – AMSTERDAM, 10 déc. 1992 : *Les vitrines*, gche/pap. (22,5x31,5) : **NLG 13 800** – LONDRES, 1er déc. 1992 : *Le moteur* 1918, h/t, 1er état (40,8x32,8) : **GBP 506 000** – PARIS, 4 déc. 1992 : *Paysage américain*, h. et collage/t. (62,5x51,7) : **FRF 450 000** – NEW YORK, 23-25 fév. 1993 : *La branche*, bronze cire perdue (H. 55,2) : **USD 28 750** – ZURICH, 21 avr. 1993 : *Le campeur*, sérig. en coul. (77x59) : **CHF 2 000** – NEW YORK, 11 mai 1993 : *Trois personnages, esquisse pour Les Quatre Personnages* 1920, h/t (54,6x64,8) : **USD 1 157 500** – PARIS, 3 juin 1993 : *Composition au vase bleu* 1919, gche, aquar. et encre de Chine/pap. (39,4x28,3) : **FRF 640 000** – HEIDELBERG, 15-16 oct. 1993 : *Composition aux dominos*, pochoir/grav. (64,5x49,7) : **DEM 2 500** – LONDRES, 29 nov. 1993 : *Nature morte aux trois fruits* 1936, h/t (89x130) : **GBP 331 500** – PARIS, 10 mars 1994 : *Étude pour Les Joueurs de cartes* 1917, dess. à la pl. (16,5x22,5) : **FRF 250 000** – PARIS, 29 avr. 1994 : *Le Vélo sur fond bleu* 1929, h/t (91,5x64,5) : **FRF 2 000 000** – NEW YORK, 11 mai 1994 : *Deux Femmes au bouquet* 1921, h/t (65,7x50,2) : **USD 827 500** – LOKEREN, 8 oct. 1994 : *L'Oiseau magique* 1953, aquat. (55,8x36,7) : **BEF 38 000** – PARIS, 15 nov. 1994 : *Nature morte, tête et grande feuille* 1927, h/t (102x83) : **FRF 1 500 000** – LONDRES, 29 nov. 1994 : *Contrastes de formes* 1913, gche et encre/pap. (49,5x63) : **GBP 441 500** – ZURICH, 7 avr. 1995 : *Le Tire-bouchon et l'Échelle*, h/t (64,8x54) : **CHF 100 000** – PARIS, 19 juin 1995 : *Papillons polychromes* 1938, h/t : **FRF 1 500 000** – RENNES, 24 oct. 1995 : *Acrobates et Musiciens* 1953, gche et encre de Chine (61x76) : **FRF 520 000** – NEW YORK, 8 nov. 1995 : *La Pipe* 1918, h/t (90,2x71,1) : **USD 6 602 500** – MILAN, 12 déc. 1995 : *Nature morte* 1930, h/t. cartonnée (33x41) : **ITL 82 800 000** – PARIS, 13 déc. 1995 : *L'Insecte dans la fleur* 1949, h/t (73x92) : **FRF 770 000** – NEW YORK, 1er mai 1996 : *Les Deux Profils* 1928, h/t (88,9x129,9) : **USD 772 500** – MILAN, 23 mai 1996 : *La Marseillaise guidant le peuple* 1950-1955, encre de Chine/pap. (41x31,5) : **ITL 10 350 000** – PARIS, 20 juin 1996 : *Cinq tournesols dans le paysage* 1951, h/t (55x46) : **FRF 452 000** – LONDRES, 24 juin 1996 : *Les Trois Figures* 1921, h/t (65x54) : **GBP 1 101 500** – PARIS, 14 oct. 1996 : *Deux femmes en buste* 1921, gche/pap. (36x26) : **FRF 470 000** – NEW YORK, 13 nov. 1996 : *Composition rurale* 1943, cr. et encre/pap. (30,8x45,7) : **USD 14 950** ; *La Pomme jaune*, céramique et vernis (H. 27,9) : **USD 14 950** – LONDRES, 2-3 déc. 1996 : *L'Homme à la pipe* 1920, h/t (63,5x52,7) : **GBP 826 500** – PARIS, 13 déc. 1996 : *Femme debout de dos*, encre de Chine (32x24) : **FRF 29 000** – NEW YORK, 13 nov. 1996 : *Nature morte* 1929, h/t (95,8x128,2) : **USD 552 500** – NEW YORK, 13 mai 1997 : *La Ville* 1919, h/t, étude (92,1x73) : **USD 2 202 500** – NEW YORK, 14 mai 1997 : *Composition à la fleur (Composition aux deux poupées)* 1937, h./fus./t. (184,8x250,2) : **USD 1 762 500** – PARIS, 17 juin 1997 : *Intérieur* 1917, aquar., encre, lav. et mine de pb/pap. (30,7x23,2) : **FRF 700 000** ; *Composition au perroquet* 1940, gche, fus. et lav. d'encre/pap. mar./t. (152x189) : **FRF 1 450 000** – PARIS, 18 juin 1997 : *La Cuisine roulante* 1915, encre de Chine/pap. (19,5x15,2) : **FRF 185 000** ; *Compositions* 1929, gche/pap., ensemble de quatre (29,5x52) : **FRF 235 000** – PARIS, 18 juin 1997 : *Le Royaume des cieux leur appartient*, aquar. et gche, de forme ronde (diam. 30) : **FRF 46 000** – PARIS, 19 juin 1997 : *Composition sur fond noir* 1927, h/cart. mar./pan. (40x29,5) : **FRF 665 000** – LONDRES, 23 juin 1997 : *Composition* 1919, h/t (46x55,5) : **GBP 342 500** – LONDRES, 25 juin 1997 : *La Partie de campagne* vers 1953-1954, gche et brosse et encre/pap. (54x75) : **GBP 111 500** – PRINCES RISBOROUGH (Buckinghamshire), 22 sep. 1997 : *Cirque, Paris, Tériade* 1950, litho. (40x32) : **GBP 3 220**.

LÉGER Jacques

XVIIIe siècle. Actif à Nantes entre 1743 et 1753. Français.

Peintre verrier.

LÉGER Johann

Né à Altona. Mort en 1830. XIXe siècle. Allemand.

Peintre de portraits et d'histoire.

Il fut élève de Lund à l'Académie de Copenhague.

LEGER Jules

XXe siècle. Français.

Dessinateur.

MUSÉES : ROUEN : *Vue de l'ancien pont suspendu de Rouen*.

LÉGER Louis Claude

Né en 1738 à Nantes. XVIIIe siècle. Français.

Peintre.

LÉGER Nadia, plus tard Mme **Bauquier**, née **Khodossievtich**

Née en novembre 1904 près de Vitebsk. Morte le 7 novembre 1982 à Grasse (Alpes-Maritimes). XXe siècle. Active en France. Russe.

Peintre, peintre de compositions murales, céramiste.

En 1919, elle fut élève de l'école d'art de Smolensk, où elle reçut les conseils de Below, Wladyslaw Streminsky et de Malevitch. Elle se maria en 1922 avec Stanislaw Grabowski, à Varsovie, où elle fréquenta l'école des beaux-arts. Après une halte à Vienne, elle arriva à Paris, et s'inscrivit à l'académie moderne de Léger et Ozenfant. Elle a été l'artisan de la fondation du musée Fernand Léger de Biot (Alpes-Maritimes).

L'ensemble de ses œuvres est très marqué par l'influence de Fernand Léger. À partir de 1972, elle pratiqua la céramique. Elle a aussi réalisé, en mosaïque, des portraits monumentaux de personnages célèbres.

BIBLIOGR. : In : *Dict. univer. de la peinture*, Le Robert, t. IV, Paris, 1975.

VENTES PUBLIQUES : PARIS, 6 fév. 1994 : *Composition suprématiste*, gche (36x27) : **FRF 4 200**.

LÉGER Raymond

Né en 1919 à Toulouse (Haute-Garonne). XXe siècle. Français.

Sculpteur.

De formation classique, il s'intéresse surtout à l'archéologie, puis entre à l'académie de la Grande Chaumière à Paris. C'est au Salon des Indépendants de 1964 qu'il a exposé pour la première fois : *Concatenation*.

Il travaille d'abord le métal martelé à froid, puis, à partir de 1963, découvre les possibilités d'expression de l'objet chaîne. Il utilise ensuite des chaînes en plastique pour créer une sculpture gaie qui rappelle les guirlandes.

LÉGER Raymond Georges

Né le 30 juin 1909 à Paris. XXe siècle. Français.

Peintre. Réalité poétique.

Il a été élève de Legueult. Il appartient au groupe de la réalité poétique. Il participe au Salon des Indépendants, à Paris, depuis 1952.

LÉGER René

Né à Paris. Mort pour la France durant la Première Guerre mondiale (1914-1918). XXe siècle. Français.

Sculpteur.

Il fut élève de Louis Gossin. Il reçut la médaille de troisième classe au Salon des Artistes Français, à Paris, en 1911.

LEGER Silviane

Née le 22 mai 1945. XXe siècle. Française.

Sculpteur de figures.

Elle vit et travaille dans le département du Nord. Elle participa au Salon d'Automne à Paris.

LÉGER Suzanne

Née le 23 décembre 1897 à Dorat (Haute-Vienne). XXe siècle. Française.

Peintre.
Elle fut élève de Gosselin. Elle exposa à Paris, aux Salons des Artistes Français et des Indépendants.

LEGER DE BUSSEROLLES
XVIIe siècle. Actif à Arras. Français.
Peintre de sujets religieux.

LEGERET Jean
Né en 1608. Mort le 18 juin 1683. XVIIe siècle. Français.
Sculpteur.
Il fut à partir de 1651 membre de l'Académie de Saint-Luc.

LEGERET Jean Louis
Né vers 1628. Mort le 26 décembre 1688. XVIIe siècle. Français.
Sculpteur.
A exécuté deux vases de marbre pour les jardins de Versailles. Fut agréé à l'Académie le 28 août 1683. Il était fils de Jean.

LEGERET Pierre
XVIIe siècle. Rouennais. Français.
Sculpteur.
Il fit, en 1628, une série de travaux dans l'église de Plainville (Eure).

LE GÉRYS Jean
XVIe siècle. Français.
Sculpteur.
Il travailla à la décoration de la chambre de la reine, au château de Fontainebleau, de 1535 à 1537.

LEGGETT Alexander
Né en 1828. Mort en 1884. XIXe siècle. Britannique.
Peintre de scènes et paysages animés, figures, paysages.
Ventes Publiques : Londres, 6 jan. 1976 : *La femme du pêcheur* 1882, h/t (110,5x84) : **GBP 260** – Perth, 28 août 1989 : *Brûleurs de varech* 1880, h/t (51x76) : **GBP 3 300** – Londres, 13 juin 1990 : *La pêche aux crabes ; La pêche à la truite*, h/t, une paire (chaque 30,5x38,5) : **GBP 2 200** – Glasgow, 5 fév. 1991 : *Les ricochets* 1880, h/cart. (29x23,5) : **GBP 825** – Édimbourg, 28 avr. 1992 : *L'horloge au coucou*, h/t (81x107) : **GBP 3 850** – Montréal, 23-24 nov. 1993 : *Jeune fille remplissant ses crûches d'eau d'un ruisseau de montagne* 1872, h/t (61x45,6) : **CAD 1 700** – Glasgow, 14 fév. 1995 : *La tour brisée*, h/t (71x93) : **GBP 1 150** – Perth, 20 août 1996 : *Sauvée du naufrage* 1861, h/t (94x79) : **GBP 2 990**.

LEGI Giacomo
Né en Flandre. Mort en 1640 à Milan ou à Gênes. XVIIe siècle. Italien.
Peintre de genre, natures mortes.
Parent et élève de Jean Rosa.

Musées : Bordeaux : *Nature morte* – Orléans : *Cuisinier, volailles et ustensile de cuisine*.
Ventes Publiques : Paris, 10 avr. 1996 : *Nature morte aux ustensiles de cuisine*, h/t (78x59,5) : **FRF 740 000**.

LEGIER-DESGRANGES Mercédès
Née le 10 novembre 1903 à Paris. Morte en février 1988. XXe siècle. Française.
Peintre de natures mortes, portraits.
Elle expose à Paris, au Salon des Indépendants et au Salon d'Automne des œuvres à la composition appuyée.

LE GILLON Jean François ou **Gillon**
Né le 1er septembre 1739 à Bruges. Mort le 23 novembre 1797 à Paris. XVIIIe siècle. Éc. flamande.
Peintre d'animaux, paysages, intérieurs, dessinateur.
Il travailla avec J. B. Descamp à Rouen puis en Italie.
Ventes Publiques : Gand, 1856 : *Paysage montagneux avec bergères et chèvres* : **FRF 125** – Gand, 22 jan. 1919 : *Âne portant un bât*, dess. à la pierre noire : **FRF 40** – Gand, 13 nov. 1922 : *Berger, bergères et troupeau ; Bergère et deux vaches*, cr. et blanc, les deux : **FRF 240** – Gand, 6 déc. 1923 : *Paysage avec ruines et cascades ; Paysage avec ruines*, deux sanguines : **FRF 1 200** – Gand, 23 juin 1941 : *La Bergère au puits*, mine de pb et reh. de gche : **FRF 500** – Paris, 19 nov. 1985 : *Le vieux moulin* 1784, h/t (28x41) : **FRF 6 000** – Monaco, 20 fév. 1988 : *Marché près d'une tente*, pierre noire/pap. (21x27,7) : **FRF 4 440** – Monaco, 7 déc. 1990 : *Un ruisseau dans un sous-bois*, craie noire et encre avec reh. de blanc (14,3x24,1) : **FRF 6 105** – Amsterdam, 2 mai 1991 : *Vache couchée dans son étable avec la laitière conversant avec un paysan près de la porte*, h/pan. (22,5x29) : **NLG 7 130** – New York, 15 jan. 1992 : *Études de têtes et de queues de cheval et d'un gamin sur un rocher* 1784, mine de pb (23x18,8) : **USD 1 650**.

LEGLER Thomas Joachim
Né en 1806 à Trondhjem. Mort en 1873 à Abo. XIXe siècle. Finlandais.
Peintre de paysages.
Le Musée d'Helsinki conserve de lui : *Bords du lac de Waldetettes*.

LEGLER Wilhelm
Né le 3 avril 1875 à Pisano. Mort en 1951. XXe siècle. Actif en Autriche. Italien.
Peintre, graveur.
Il fut élève de C. Moll à Vienne, où il s'établit.
Ventes Publiques : Londres, 8 oct. 1986 : *Paysage d'été* 1908, h/t (64x64) : **GBP 2 600** – New York, 15 oct. 1993 : *Eroicagasse et Kahlenbergergasse*, h/t (47,9x54) : **USD 3 450**.

LEGNAGHI Paolo
Né le 5 mai 1939 à Vérone (Vénétie). XXe siècle. Italien.
Sculpteur.
Il expose en Italie depuis 1968. Il réalise des reliefs très dépouillés proches du spatialisme.

LEGNANI Carlo
XIXe siècle. Actif à Bologne. Italien.
Portraitiste, aquarelliste et pastelliste.
Diplôme d'honneur à Dresde en 1892.

LEGNANI Sante
Né le 1er novembre 1760 à Crémone. XVIIIe siècle. Italien.
Peintre d'histoire.
Il fut élève de G. Febrari.

LEGNANI Stefano Maria ou **Leguanino**
Né en 1660. Mort en 1715. XVIIe-XVIIIe siècles. Actif à Milan. Italien.
Peintre de compositions religieuses, fresques, graveur.
Il travailla à Rome, Milan, Gênes et Turin, surtout comme fresquiste.
Ventes Publiques : Milan, 25 nov. 1976 : *Le repos pendant la fuite en Égypte*, h/t (101x146) : **ITL 4 800 000** – Milan, 4 déc. 1980 : *L'Adoration des Rois Mages*, h/t (150x176) : **ITL 7 500 000** – Milan, 20 mai 1982 : *Scènes mythologiques*, 4 h/t (2 de 180x1000 et 2 de 180x760) : **ITL 28 000 000** – Milan, 16 avr. 1985 : *Vénus apparaissant à Enée blessé pendant la bataille*, h/t (220x262) : **ITL 20 000 000**.

LEGNER Johan C. W.
Né le 2 novembre 1859 à Schiedam. XIXe siècle. Hollandais.
Peintre.
Il travailla à Haarlem. On lui doit des portraits et des paysages.

LEGNO Angelo et **Pietro del**. Voir **LIGNIS**

LEGOARAGUER Guillaume
Mort en mars 1514. XVIe siècle. Français.
Sculpteur et architecte.
Sans doute frère du suivant, ce Breton travailla avec lui à la cathédrale de Quimper. En 1479, il fit cinq niches avec des culs-de-lampe ; de 1486 à 1493, il bâtit les voûtes de la nef et celles du transept. Dans ce monument, il exécuta un reliquaire ogival surmonté d'un fronton triangulaire. Il exécuta, en outre, les plans du palais épiscopal, qui fut commencé en 1507.

LEGOARAGUER Pierre
XVe siècle. Français.
Sculpteur et architecte.
Ce Breton construisit le croisillon nord du transept de la cathédrale de Quimper, de 1477 à 1479, et travailla à Locronan (Finistère) en 1485.

LE GOARNIG Katell
Née en 1948 à Neuilly-sur-Seine (Hauts-de-Seine). XXe siècle. Française.
Peintre, graveur.
Elle a participé à l'exposition : *De Bonnard à Baselitz – Dix ans d'enrichissements du cabinet des estampes 1978-1988* à la Bibliothèque nationale à Paris en 1992.
Musées : Paris (Cab. des Estampes) : *Maner mor* 1981, eau-forte.

LE GOFF Elie Jules
Né le 1er mars 1858 à Saint-Brieuc (Côtes-d'Armor). XIXe siècle. Français.

Sculpteur.
Élève de Chapu et de Guibé. Médaille en 1929. Le Musée de Saint-Brieuc conserve de lui *Heureux âge* ainsi que les bustes de *Ch. Baratoux* et de *Villiers de l'Isle-Adam*.

LEGOIS Berthe
Née à Paris. XIXe siècle. Française.
Peintre sur porcelaine et pastelliste.
Élève de Mlle Poisson. Elle exposa au Salon de Paris à partir de 1877.

LE GOST Achille
Né à Vaas. XIXe siècle. Français.
Paysagiste.
Élève de Paul Huet. Exposa des dessins au Salon de Paris, de 1868 à 1870.

LE GOT Crespin. Voir **GOT**

LEGOT Francis
D'origine écossaise. XVIIIe siècle. Actif à Londres. Britannique.
Graveur au burin.
Il a gravé des portraits historiques.

LEGOT Pablo ou **Legote**
Né vers 1590 ou 1598 dans la province de la Marche. Mort en 1670 ou 1671 à Cadix ou à Séville. XVIIe siècle. Espagnol.
Peintre de compositions religieuses.
Venu de la province de la Marche, il arriva en Espagne vers l'âge de onze ans. Il exécuta des travaux importants pour les cathédrales de Cadix et de Séville, où il peignit notamment un *Saint Jérôme* en 1635. Sa production fut abondante.
Attaché à rendre le clair-obscur, il travailla dans un style proche de celui de Ribera et de Zurbaran.
Bibliogr. : In : *Dictionnaire de la peinture espagnole et portugaise du Moyen-Âge à nos jours*, coll. Essentiels, Larousse, Paris, 1989.
Ventes Publiques : Paris, 1852 : *Saint Jean dans l'île de Pathmos* : **FRF 1 100** – Paris, 1885 : *Sainte Famille* : **FRF 850.**

LE GOUAZ Yves Marie
Né en 1742 à Brest (Finistère). Mort le 12 janvier 1816 à Paris. XVIIIe-XIXe siècles. Français.
Graveur.
Il illustra d'après son beau-père, Nicolas Marie Ozanne les *Nouvelles vues perspectives des ports de France*.

LEGOUBIN François
XXe siècle. Français.
Peintre de figures, animaux.
Il montre ses œuvres dans des expositions personnelles, notamment en 1992 à Strasbourg et Bruxelles.
Dans cette peinture sombre, sur papier goudronné généralement, où se détachent quelque animal, quelques suppliciés, la couleur, des jaunes délavés, des verts fades, des noirs violacés, ne vient que renforcer cette atmosphère de désespoir, qui dénonce une humanité dénaturée.

LEGOUEZ Paul
Né le 30 avril 1882 à Elbeuf (Seine-Maritime). XXe siècle. Français.
Peintre de marines, paysages.
Il fut élève de Cormon. Il exposa à Paris, au Salon des Artistes Français.

LE GOUPIL, Le Goupy. Voir **GOUPI** et **GOUPY**

LEGOUST Arthur
Mort vers 1630. XVIIe siècle. Actif à Toulouse. Français.
Sculpteur et architecte.
Il exécuta une *Statue de Louis XIII* pour l'Hôtel de Ville de Toulouse.

LEGOUT Auguste Eugène
Né à Valenciennes (Nord). XIXe siècle. Français.
Sculpteur.
Il exposa à Paris au Salon de 1882 à 1894.

LEGOUT-GÉRARD Fernand Marie Eugène
Né le 29 octobre 1856 à Saint-Lô (Manche). Mort le 14 août 1924 à Paris. XIXe-XXe siècles. Français.
Peintre de scènes typiques, paysages animés, marines, peintre à la gouache, pastelliste, graveur.
Il a exposé à Paris, au Salon des Artistes Français, de 1889 à 1894, puis à la Société Nationale des Beaux-Arts à partir de 1894. Peintre du ministère de la Marine, il fut fait officier de la Légion d'honneur.
Il était bien connu dans les milieux artistiques étrangers. On lui doit un grand nombre de scènes de la vie des pêcheurs et paysans bretons.

Bibliogr. : Gérald Schurr, in : *Les Petits Maîtres de la peinture 1820-1920, valeur de demain*, Les Éditions de l'Amateur, t. II, Paris, 1982.
Musées : Paris (Mus. du Petit Palais) : *Les Tricoteuses*.
Ventes Publiques : Paris, 1900 : *Vue de Bretagne* : **FRF 450** – Paris, 8 mai 1919 : *Les Barques de pêche de Concarneau, effet de lune* : **FRF 1 600** – Paris, 29 avr. 1921 : *Dans le port de Concarneau* : **FRF 2 800** – Paris, 28 nov. 1924 : *Le Marché à Concarneau, claire journée d'automne* : **FRF 3 600** – Paris, 11 déc. 1926 : *Le marché de Vérone* : **FRF 4 000** – Paris, 26 fév. 1934 : *Chinon : La rue Voltaire* : **FRF 480** – Paris, 18 mai 1938 : *Concarneau* : **FRF 2 300** – Paris, 26 nov. 1941 : *Marché breton* : **FRF 3 400** – Paris, 20 oct. 1942 : *Marché à Pont-Aven* : **FRF 8 000** – Paris, 2 juin 1943 : *Le port breton au soleil couchant*, past. : **FRF 5 800** – Paris, 10 mai 1944 : *Marché en Bretagne* : **FRF 11 500** – New York, 22 nov. 1944 : *Le marché de Concarneau* : **USD 400** – Paris, 28 fév. 1947 : *Marché breton* : **FRF 8 400** – Paris, 12 jan. 1949 : *Bretonnes en bordure de mer* : **FRF 11 500** – Paris, 17 mars 1950 : *Coin de marché à Concarneau* : **FRF 23 000** – Paris, 15 juin 1954 : *Le port de Concarneau* : **FRF 135 000** – Paris, 20 oct. 1972 : *Port breton* : **FRF 4 700** – Paris, 17 mai 1976 : *Port de Bretagne*, h/t : **FRF 5 500** – St-Etienne, 9 oct. 1977 : *Port de pêche*, h/t (60x70) : **FRF 6 500** – Paris, 11 juin 1979 : *Venise*, past. (50x61) : **FRF 5 000** – Versailles, 10 juin 1979 : *Marché en Bretagne*, peint. et gche/t. (38x55) : **FRF 16 000** – Brest, 3 mars 1981 : *Le Port de Douarnenez*, h/t (60x73) : **FRF 34 500** – Brest, 15 mai 1983 : *Sardiniers à Concarneau*, past. (73x60) : **FRF 16 000** – Enghien-les-Bains, 26 juin 1983 : *Le Marché de Tunis*, h/t (38x46) : **FRF 105 000** – Rambouillet, 20 oct. 1985 : *Jeune Bretonne cousant*, fus. reh. de craie (34x28) : **FRF 7 200** – Brest, 19 mai 1985 : *Marché à Concarneau*, h/t (27x41) : **FRF 60 000** – Brest, 14 déc. 1986 : *Marché à Pontivy*, h/t (38x46,5) : **FRF 75 000** – Paris, 26 jan. 1987 : *Port de pêche breton au lever du jour* 1899, past. (46x55) : **FRF 29 000** – Bayeux, 7 fév. 1988 : *Concarneau, quai animé le soir*, h/t (60x73) : **FRF 35 500** – Versailles, 23 oct. 1988 : *Animation sur un port breton* 1896, aquar. (19,5x27,5) : **FRF 15 000** – Paris, 10 nov. 1988 : *Retour de pêche au crépuscule* (46x38) : **FRF 34 500** – Calais, 13 nov. 1988 : *Le départ de pêcheurs*, past. (64x80) : **FRF 36 000** – Paris, 14 déc. 1988 : *Marine*, h/t (54x65) : **FRF 72 000** – Paris, 24 juin 1988 : *Bretonnes cousant sur le port*, h/t (42,5x34) : **FRF 38 000** – New York, 23 fév. 1989 : *Un coin du marché de Concarneau*, h/t (46,3x38,1) : **USD 11 000** – Londres, 21 fév. 1989 : *Port breton*, h/t (57,8x71,1) : **GBP 9 900** – New York, 3 mai 1989 : *Pêcheurs au coucher du soleil*, h/t (59,5x73) : **USD 68 820** – Paris, 22 oct. 1989 : *Bretonnes à l'arrivée des bateaux de pêche au port*, h/t (46x55) : **FRF 123 000** – Paris, 1er déc. 1989 : *Le pardon de Kergoat*, h/t (22x27) : **FRF 65 000** – Londres, 16 fév. 1990 : *Une place de La Rochelle*, h/t (47x56) : **GBP 7 480** – New York, 1er mars 1990 : *Sur les quais à Audierne*, h/t (47x55,9) : **USD 11 000** – Paris, 3 avr. 1990 : *Retour de pêche au soleil couchant*, h/t (46x55) : **FRF 41 000** – Paris, 26 avr. 1990 : *Le port des Sables d'Olonne*, h/t (54x65) : **FRF 140 000** – Paris, 30 mai 1990 : *Bateaux à quai*, past. (36x44) : **FRF 39 000** – Versailles, 7 juin 1990 : *Retour des pêcheurs*, past. (58x71) : **FRF 76 000** – Paris, 20 juin 1990 : *l'attente des pêcheurs*, h/t (74x100) : **FRF 90 000** – Paris, 17 mars 1991 : *Scène de port en Bretagne* 1898, past. (54x65) : **FRF 61 000** – Lorient, 9 juin 1991 : *Le retour de pêche*, h/t (26x34,5) : **FRF 57 000** – Londres, 4 oct. 1991 : *La Place du marché à Concarneau*, h/pan. (21,3x27) : **GBP 3 850** – New York, 17 oct. 1991 : *La place du marché*, h/t (50,2x61) : **USD 13 200** – New York, 20 fév. 1992 : *Port de pêche breton au crépuscule*, h/t (53,3x64,1) : **USD 10 450** – Paris, 21 fév. 1992 : *Le Départ des pêcheurs*, h/t (55x65) : **FRF 91 000** – New York, 28 mai 1992 : *Le Port de La Rochelle* 1919, h/pan. (21,6x26,7) : **USD 5 225** – Calais, 5 juil. 1992 : *Marché à Concarneau*, h/t (54x65) : **FRF 63 000** – New York, 29 oct. 1992 : *Activités dans un port*, h/t (64,8x54,5) : **USD 7 700** – Paris, 6 avr. 1993 : *Le Port de Concarneau*, h/t (60x74) : **FRF 50 000** – New York, 26 mai 1993 : *Le Pardon de Sainte-Anne-de-la-Palud*, h/t (113,7x144,8) : **USD 26 450** – Paris, 8 juil. 1993 : *Le Port de La Rochelle*, h/t (54x64) : **FRF 72 000** – Paris, 27 mai 1994 : *Le Retour des*

pêcheurs, past. (46x55) : **FRF 21 000** – Londres, 17 juin 1994 : *Déchargement de la pêche*, h/t (50,8x61) : **GBP 6 670** – New York, 24 mai 1995 : *Le Marché aux poissons*, h/t (53,3x64,1) : **USD 10 350** – Calais, 24 mars 1996 : *Marché animé sur la place de l'église de Baud*, h/t (60x73) : **FRF 60 000** – Calais, 7 juil. 1996 : *La Tour de l'Horloge*, h/t (56x47) : **FRF 46 000** – Amsterdam, 5 nov. 1996 : *La Fin du jour, Venise*, h/t (70x52) : **NLG 15 340** – Paris, 24 nov. 1996 : *Concarneau, pêcheurs devant la ville close*, h/t (55x65) : **FRF 41 000** – Calais, 23 mars 1997 : *Bretonnes sur le quai du port au soleil couchant*, h/t (46x55) : **FRF 37 000** – Paris, 23 juin 1997 : *Voiliers au soleil couchant*, h/t (54x65) : **FRF 30 000** – Paris, 25 juin 1997 : *Le Marché sur le quai*, h/pan. (21x27) : **FRF 32 000**.

LEGOUX Jean I ou **Legoust** ou **Legouz**
xviie siècle. Actif à Nantes. Français.
Peintre.
On cite de lui un *Portrait de M. Louis de Harrangs*, maire de Nantes, entre 1623 et 1625.

LEGOUX Jean II ou **Legoust** ou **Legouz**
Mort le 28 janvier 1669 à Nantes. xviie siècle. Français.
Peintre.
On cite de lui les *Portraits de M. Beux du Theil* et de *M. Jean Charette de la Gascherre*, maire de Nantes. Il est certainement différent de l'autre peintre du même nom.

LEGOUX Jean III ou **Legoust** ou **Legouz**
xviiie siècle. Actif à Nantes en 1746. Français.
Peintre.
Descendant des peintres nantais du même nom qui vivaient au xviie siècle.

LEGOUX L.
xixe siècle. Actif à Paris vers 1800. Français.
Graveur.
Il travailla aussi à Londres où il exécuta des portraits de personnages appartenant à la haute noblesse britannique.

LEGRADY Andor
Né en 1883 à Budapest. Mort en 1914 en Serbie. xxe siècle. Hongrois.
Peintre de paysages.
En 1913, il exposa à Budapest.

LEGRAIN Edmond
Né le 24 avril 1821 à Vire (Calvados). Mort le 11 février 1871 probablement à Vire. xixe siècle. Français.
Peintre et sculpteur.
Élève de Paul Huet et de Guillard. Exposa au Salon de Paris à partir de 1861.
Musées : Saint-Lô : *Moine écrivant*, peint. – Vire : *La buvette des tribunaux*, peint. – *Portrait de Richard Seguin*, peint. – *Buste du docteur Buot-Lalande*, sculp.

LEGRAIN Émile Désiré Louis
Né vers 1837 à Aizy. Mort le 3 mars 1892 à Paris. xixe siècle. Français.
Sculpteur.
Il fut élève de Vigneron et se spécialisa dans les monuments funéraires.

LEGRAIN Eugène
Né vers 1837 à Paris. Mort le 10 janvier 1915 à Paris. xixe-xxe siècles. Français.
Sculpteur.
Élève de Carpeaux. Il exposa au Salon de 1872 à 1912. C'est lui, précise S. Lami, qui exécuta le globe terrestre orné des signes du Zodiaque supporté par les figures de Carpeaux, à la fontaine de l'Observatoire. On lui doit encore une *Jeanne d'Arc à cheval* et un *Apollon*.

LE GRAIN Jean et **Martin**. Voir **ZIARNKO Jan** et **Marcin**

LEGRAIN Jules Antoine
Né à Paris. xixe siècle. Français.
Peintre de sujets allégoriques.
Élève de Cogniet, Robert-Fleury et Hébert. Exposa au Salon de Paris, entre 1865 et 1875, des panneaux décoratifs, des peintures sur faïence, des aquarelles.
Ventes Publiques : Paris, 25 mai 1909 : *Vénus et l'Amour* : **FRF 190** – Paris, 1er juil. 1943 : *L'Amour à la guirlande*, cr. Conté, reh. de craie : **FRF 120**.

LEGRAIN Pierre
xvie siècle. Actif à Rouen. Français.
Sculpteur.
Il collabora aux sculptures de la façade de l'église Saint-Jean, de Rouen, en 1538.

LEGRAIN Pierre Émile
Né en 1889 à Levallois-Perret (Hauts-de-Seine). Mort en 1929 à Paris. xxe siècle. Français.
Dessinateur, illustrateur, décorateur.
Il fit ses études à l'école des arts appliqués Germain Pilon. Il est l'un des représentants du mouvement Art déco.
Il dessina pour *L'Assiette au beurre* – *La Baïonnette* – *Le Témoin et le mot* et participa à la décoration de nombreux appartements, notamment avec Paul Iribe. Il a réalisé de nombreuses reliures dans des matières inhabituelles, à partir de formes géométriques.
Bibliogr. : Catalogue de l'exposition : *Paris-Moscou 1900-1930*, Centre Georges Pompidou, Paris, 1979.

LEGRAND
xviiie siècle. Actif à Lille en 1784. Français.
Peintre de portraits et d'histoire.
Il exposa vingt-quatre peintures au Salon de 1784 à Lille.

LEGRAND Alexandre
Né le 15 mai 1822 à Paris. Mort le 14 octobre 1901 à Paris. xixe siècle. Français.
Peintre de genre, intérieurs.
Il fut élève de Léon Cogniet. Il exposa au Salon de Paris à partir de 1844.
Musées : Narbonne : *La Toilette*.
Ventes Publiques : New York, 26 oct. 1990 : *L'aile nord de la salle des Cariatides au Louvre*, h/t (64,8x54,6) : **USD 17 600** – Paris, 9 juil. 1992 : *Sapho*, h/t (38x31) : **FRF 13 000** – Paris, 15 déc. 1992 : *Les trois notables*, h/pan. (38x47) : **FRF 6 500**.

LEGRAND Auguste Claude Simon
Né en 1765 à Paris. Mort vers 1815 à Paris. xviiie-xixe siècles. Français.
Peintre de portraits, aquarelliste, graveur.
Il fut élève de Louis le Grand. Il a gravé au burin des sujets de genre, des vues et des portraits.
Ventes Publiques : Londres, 22 fév. 1995 : *Portrait d'une dame assise*, aquar. sur traces de cr. (38x30,5) : **GBP 747**.

LEGRAND Auguste Ernest
Né le 4 octobre 1872 à Lesmont (Aube). Mort en 1912 à Paris. xixe-xxe siècles. Français.
Sculpteur de bustes, peintre.
Il fut élève de Jules Thomas et d'Alfred Boucher. Il participa au Salon des Artistes Français, à Paris. Il reçut le premier second prix de Rome en sculpture en 1900, le prix Chenavard, le prix Trémond, ainsi qu'en 1895 une troisième médaille et une bourse de voyage. On lui doit un buste de *Fustel de Coulanges* commandé par l'état en 1904.
Musées : Troyes : *L'Orphelin* – *L'Ange déchu*.

LEGRAND Édouard. Voir **ÉDY-LEGRAND**

LEGRAND Edy. Voir **ÉDY-LEGRAND**

LEGRAND François
Né en juillet 1951 à Etampes (Essonne). xxe siècle. Français.
Peintre de figures, de portraits.
Licencié en Arts plastiques, il enseigne aux Beaux-Arts d'Orléans de 1974 à 1978. Après un voyage au Maroc, il commence à exposer dans différentes galeries à Paris et en province (Orléans, Etampes, Dourdan, Saint-Tropez). Certaines de ses œuvres ont été acquises par la ville et le musée d'Orléans.
Ses sujets de prédilection sont des portraits ou des compositions à personnages où figurent les membres de sa famille. La manière en est souvent assez dépouillée et austère, et il s'en dégage une certaine gravité, une grande densité humaine. Legrand peint aussi des « plats pays », paysages de la Beauce ou de plages vendéennes où le temps semble arrêté.

LEGRAND François de Servital
xviie siècle. Actif à Nancy vers 1670. Français.
Peintre.
Il fut peintre ordinaire du duc de Lorraine. Il travailla pour diverses églises de Nancy.

LEGRAND Franz
Né en 1807 à Munich. Mort en 1833 à Berlin. xixe siècle. Allemand.
Peintre de portraits.

On lui doit les portraits du roi *Louis Ier de Bavière* et de la *Princesse héritière de Prusse*.

LEGRAND Hélène

XXe siècle. Française.

Peintre de figures, nus, pastelliste, peintre de compositions murales, peintre de collages.

Elle participe à des salons de la banlieue parisienne. Elle montre ses œuvres dans des expositions personnelles depuis 1985, en France et en Belgique : notamment Contrast gallery de Bruxelles en 1994 et 1995.

Peintre de nus, elle s'est spécialisée dans les ébats amoureux. Les visages demeurent invisibles, pour mieux dire ces corps à corps violents, tourmentés. Toutefois, passant de ces ébats à d'autres plus ordinaires, elle peint, dans les premières années quatre-vingt-dix, les séries des *Éplucheuses de légumes* et des *Nettoyeuses de vaisselle*. Dans une technique éprouvée, de facture techniquement réaliste, elle perturbe cependant la perception de ses personnages par une dissociation, un éclatement des éléments, corporels ou accessoires, qui les composent. Elle a réalisé une peinture murale à l'hôpital départemental Stell à Rueil-Malmaison.

LEGRAND Henri

Né en 1621. Mort le 8 décembre 1673 à Paris. XVIIe siècle. Français.

Sculpteur.

Il fut membre de l'Académie de Saint-Luc et travailla au Louvre et à Versailles.

LEGRAND Henri

XIXe siècle. Actif à Paris. Français.

Graveur.

On connaît de lui une planche d'après Greuze intitulée *La pudeur agaçante*.

LEGRAND Hyacinthe

Né en 1755 en Lorraine. XVIIIe siècle. Français.

Graveur au burin.

Il a gravé des sujets de genre.

LEGRAND Jacques Théodore

Né en 1853 à Saint-Pierre-la-Vieille (Calvados). Mort en décembre 1897. XIXe siècle. Français.

Peintre de paysages et de portraits.

Élève de Pils. Il exposa au Salon de Paris entre 1876 et 1890. Le Musée de Vire conserve de lui : un *Paysage*, une *Vue de l'avenue de Saxe* ainsi que deux études.

LEGRAND Jenny

Née à Paris. XIXe siècle. Française.

Peintre d'intérieurs, natures mortes.

Élève de Leroy François de Lancourt, elle participa au Salon de Paris de 1801 à 1831, obtenant une médaille de troisième classe eb 1819.

Bibliogr. : In, catalogue de l'exposition : *Les années romantiques, la peinture française de 1815 à 1850*, musée des Beaux-Arts de Nantes, 1995-1996 et Galeries nationales du Grand Palais, Paris, 1996.

Musées : Cambrai : *Intérieur rustique représentant un fournil* 1829 – *Intérieur avec figures et ustensiles de ménage* 1837 – Montpellier : *Intérieur de cuisine* 1814.

Ventes Publiques : Paris, 1er déc. 1923 : *Scènes d'intérieur rustique*, deux gches : **FRF 510** – Paris, 25 mai 1927 : *L'aveu difficile* : **FRF 1 320** – Paris, 26 fév. 1947 : *Intérieur animé* : **FRF 31 000** – New York, 24 oct. 1989 : *Le va-et-vient* 1810, h/t, une paire (chaque 116,8x88,9) : **USD 39 600**.

LEGRAND Louis Auguste Mathieu

Né le 23 septembre 1863 à Dijon (Côte-d'Or). Mort le 12 juin 1951 à Livry-Gargan (Seine-Saint-Denis). XIXe-XXe siècles. Français.

Peintre, pastelliste, graveur, dessinateur.

Élève de l'école des beaux-arts de Dijon, il vint à Paris en 1884 suivre les leçons de Félicien Rops. Il a participé à Paris au Salon de la Société Nationale des Beaux-Arts, à l'Exposition universelle de 1900, où il reçut une médaille d'argent. Il a exposé en 1896 à Paris, à la galerie L'Art nouveau, deux cents gravures.

Son maître lui enseigna tous les secrets de la gravure ; il lui communiqua aussi son goût d'une galanterie épicée, mais il est rare que Legrand manifeste la morbidesse de son éducateur ; il a des ivresses physiques un sens plus optimiste. On pourrait dire que le bal du Moulin Rouge fut longtemps l'atelier de l'artiste. En 1891 note E. Joseph, le *Gil Blas illustré* publia un numéro spécial consacré par Legrand à ce temple du « chahut » ; la livraison fut tirée à 60.000 exemplaires. Il a édité en outre *Le Cours de danse fin de siècle* (1892) – *La Faune parisienne*, il a illustré de nombreux volumes, parmi lesquels *Morgate* de R. Dargens, *Cinq Contes parisiens* de G. de Maupassant, *Quelques-unes* de F. Carco, etc.

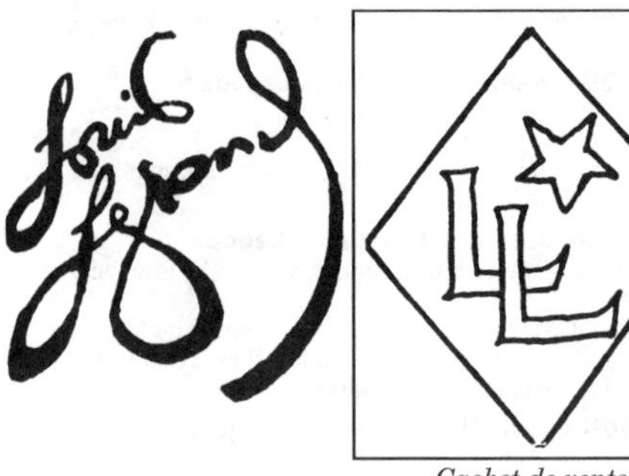

Cachet de vente

Bibliogr. : Camille Mauclair : *Louis Legrand, peintre et graveur*, Floury, Paris, 1910 – in : *Dict. des illustrateurs – 1800-1914*, Ides et Calendes, Neuchâtel, Paris, 1989.

Ventes Publiques : Paris, 8 fév. 1898 : *Complaisance*, dess. : **FRF 58** – Paris, 18 mai 1899 : *Danseuse*, past. : **FRF 600** – Paris, 23-24 avr. 1909 : *Offrande à l'amour* : **FRF 3 000** – Paris, 13 nov. 1918 : *Private bar*, dess. : **FRF 1 310** – Paris, 7 avr. 1924 : *Femme à la cigarette*, dess. reh. : **FRF 1 820** – Paris, 18 juin 1925 : *Danseuses en scène*, past. : **FRF 12 000** – Paris, 24-26 avr. 1929 : *Au café*, dess. : **FRF 3 150** – Paris, 18 mars 1938 : *Adam et Ève*, cr. noir : **FRF 620** – Paris, 1er avr. 1942 : *Rêverie* : **FRF 4 600** – Paris, 8 mars 1943 : *La blanchisseuse*, fus. : **FRF 800** – Paris, 23 mars 1945 : *L'heure du thé*, past. : **FRF 2 100** – Paris, 18 nov. 1946 : *Scène de mœurs dans la rue*, aquar. : **FRF 1 400** – Paris, 30 juin 1954 : *Les deux bonnes sœurs*, past. : **FRF 20 000** – Paris, 23 mars 1970 : *Farniente* : **FRF 7 200** – Versailles, 19 déc. 1971 : *Blonde aux seins nus*, h/t (73x60) : **FRF 4 200** – Zurich, 25 mai 1972 : *Léda et le Cygne*, past. : **CHF 3 400** – Versailles, 18 mars 1973 : *Sur l'oreiller* : **FRF 14 000** – Versailles, 24 oct. 1976 : *Jeunes femmes au café* vers 1920, h. reh. de past. (48x53) : **FRF 7 000** – Londres, 29 juin 1977 : *Digestion*, cr. coul. (48,5x58,5) : **GBP 2 000** – Paris, 11 mars 1977 : *Après le bain, jeune femme et sa camériste*, h/pan. (83x70) : **FRF 15 000** – Zurich, 10 mai 1978 : *Sur l'oreiller*, h/t (77x65) : **CHF 18 000** – Paris, 9 mai 1979 : *Élégantes au café*, past. (62x70) : **FRF 17 000** – Londres, 28 mai 1980 : *La sieste*, encre de Chine (31x41) : **GBP 400** – Zurich, 8 nov. 1980 : *Femme sur l'oreille*, h/cart. (77x65) : **CHF 14 000** – Paris, 10 déc. 1981 : *Aux Folies*, past. (50x65,5) : **FRF 60 000** – Londres, 31 mars 1982 : *Jeune femme à sa toilette*, fus. et past. (56x38,5) : **GBP 1 500** – Paris, 14 déc. 1983 : *La Repasseuse*, cr. et lav. (25x24) : **FRF 10 500** – Paris, 14 déc. 1983 : *Nu à la glace*, past. (65x63) : **FRF 72 000** – Zurich, 1er juin 1983 : *L'Actrice*, h/cart. (81x54) : **CHF 9 000** – Paris, 24 oct. 1984 : *Maîtresse* 1904, eau-forte et aquat./Japon : **FRF 20 000** – Versailles, 2 déc. 1984 : *La Sieste à l'orée du bois*, past. (61x49) : **FRF 28 000** – Paris, 6 déc. 1985 : *Maîtresse* 1904, eau-forte et aquat./Japon : **FRF 13 000** – VERSAILLES, 19 juin 1985 : *Jeune femme nue à sa coiffure*, past. (48x63) : **FRF 20 000** – PARIS, 21 fév. 1986 : *Souper galant*, cr. avec léger reh. d'encre de Chine (25x23) : **FRF 8 500** – VERSAILLES, 19 oct. 1986 : *Deux femmes s'habillant*, h/cart. (69x72) : **FRF 140 000** – LYON, 21 oct. 1987 : *Femme au café*, h/cart. (94x70) : **FRF 13 000** – PARIS, 27 avr. 1988 : *Maîtresse* 1904, eau-forte et aquat. : **FRF 10 000** – PARIS, 22 juin 1988 : *La lettre – femme écrivant*, h/cart. (54,5x73,5) : **FRF 75 000** – PARIS, 13 avr. 1989 : *Flamenco*, h/cart. (100x74) : **FRF 115 000** – PARIS, 8 nov. 1989 : *Suzanne*, cr. (25x20) : **FRF 17 000** – PARIS, 22 nov. 1989 : *Midinettes en face d'un café*, h/cart. (76,5x69,5) : **FRF 135 000** – PARIS, 26 nov. 1989 : *Le bébé*, past. (49x32) : **FRF 12 000** – PARIS, 7 juin 1991 : *Ballerine au repos*, cr. noir et aquar. (19x25,5) : **FRF 11 000** – PARIS, 4 mars 1992 : *Deux Filles de joie*, h/t (54x65) : **FRF 38 000** – PARIS, 2 avr. 1993 : *La petite classe* 1908, eaux-fortes et aquatintes, six planches (59x41) : **FRF 16 500** – PARIS, 13 déc. 1993 : *Paon et nymphe*, pan. pyrogravé et polychrome (31x19,5) : **FRF 12 000** – PARIS, 17 déc. 1993 : *Portrait de femme* 1923, cr. et past./pap. bistre (50x35) : **FRF 8 000** – LONDRES, 16 nov. 1994 : *Réversibilité*, past. et fus. (48x38) : **GBP 3 220** – PARIS, 20 nov. 1994 : *Coquetterie*, past. (50x65) : **FRF 44 000** – PARIS, 30 mars 1995 : *Danseuse*, h/cart. (70x68) : **FRF 135 000** – BERNE, 20-21 juin 1996 : *Le Bicycliste* 1898, grav. coul. : **CHF 6 600** – CANNES, 8 août 1997 : *Femme au grand chapeau* 1910, h/t (73x54) : **FRF 70 000**.

LEGRAND Louis Claude

Né le 12 février 1723 à Paris. Mort le 18 mai 1807 à Paris. XVIIIe siècle. Français.

Graveur, dessinateur.

Il grava entre autres d'après Moreau et Oudry.

LEGRAND Luc Paul Léon

Né en 1948 à Saint-Quentin (Aisne). XXe siècle. Français.

Peintre, graveur.

Il vit et travaille à Paris. Il a participé à l'exposition : *De Bonnard à Baselitz – Dix ans d'enrichissements du cabinet des estampes 1978-1988* à la Bibliothèque nationale à Paris en 1992.

MUSÉES : PARIS (Cab. des Estampes) : *Hôtel* 1979, burin.

LEGRAND Marcel

Né en 1890 à Bordeaux (Gironde). Mort en 1933. XXe siècle. Français.

Peintre de scènes typiques.

Il fut élève à Paris, de Jean Paul Laurens en 1909, puis suivit l'enseignement de l'académie Julian. Il fréquenta Modigliani et Foujita. Une rétrospective de son œuvre a été montrée à la galerie Arslonga, à Paris.

Artiste régional, il sut décrire la vie des ostréiculteurs du bassin d'Arcachon.

LEGRAND Marcel

Né le 24 novembre 1904 à Jumet. XXe siècle. Actif depuis 1929 en France. Belge.

Peintre. Symboliste.

Il eut pour professeur Delville à l'académie royale des beaux-arts de Bruxelles, de 1922 à 1926. Il expose à Paris et participe à diverses expositions collectives, dont le Salon d'Automne et des Indépendants.

À l'instar de son maître, Legrand est resté fidèle au symbolisme, symbolisme qu'il rend souvent théâtral par ses effets appuyés.

BIBLIOGR. : In : *Dict. biogr. illustré des artistes en Belgique depuis 1830*, Arto, Bruxelles, 1987.

LEGRAND Marie Mathilde

Née à Compiègne (Oise). XIXe siècle. Française.

Paysagiste.

Débuta au Salon en 1877.

LEGRAND Maurice

Né le 23 juillet 1906 à Bruxelles (Brabant). XXe siècle. Actif en France. Belge.

Peintre de paysages.

Il est autodidacte. Il expose dans le Midi et en Belgique. Il peint surtout la Normandie et le Midi, en particulier la Camargue et la côte varoise, où il vit à Sainte-Maxime. Il a également réalisé de nombreuses toiles au Liban, où il a séjourné.

BIBLIOGR. : In : *Dict. biogr. illustré des artistes en Belgique depuis 1830*, Arto, Bruxelles, 1987.

LEGRAND Mercédès

Née le 14 juillet 1893 à Almodavar-del-Campo, de parents belges. Morte le 17 juillet 1945 à Avignon (Vaucluse). XXe siècle. Active depuis environ 1920 en France. Belge.

Peintre de figures, portraits, paysages, fleurs, céramiste.

Après ses dix premières années en Espagne, elle fit ses études à Bruxelles, en Angleterre, Allemagne. Elle fut élève de l'Académie des Beaux-Arts de Bruxelles. Mariée avec le peintre, plus tard critique d'art, Roger Van Gindertael, elle participa à la création de la revue d'avant-garde *Héliante*, et tous deux vinrent se fixer à Paris dans les années vingt. Vers 1937, elle se remaria avec le peintre Edmond Kayser. En 1938, Kayser nommé directeur de l'École des Arts Décoratifs de Limoges, ils s'installèrent dans la ville, où elle s'initia à la céramique et à l'émaillage, jusqu'en 1941, lorsqu'il fut destitué de son poste en tant que juif. Ils se réfugièrent alors à Avignon, où tous deux continuèrent une production intense de peintures, et où Mercédès Legrand mourut prématurément, les poumons brûlés par les vapeurs d'acide nitrique utilisé pour les émaux. Elle avait des activités littéraires, tout en poursuivant sa carrière de peintre. À Paris, elle participait aux Salons des Tuileries et d'Automne, ainsi qu'à des groupes dans des galeries privées, surtout à Paris, mais aussi à Bruxelles, en compagnie de, entre nombreux autres, Mané-Katz, Pougny, Chirico, Dufy, Friesz, Lhote, Vuillard, Rouault, etc. Elle montrait des ensembles de ses peintures dans des expositions personnelles, à Paris, dont : l'une préfacée par le poète André Salmon, puis en 1935 galerie Zak préfacée par Eugenio d'Ors, ainsi qu'à Bruxelles.

De son style robuste, Eugénio d'Ors a écrit : « Une mélancolie grave, une épaisseur de technique, une sourde violence ont introduit leur levain amer dans la mousse des sens... »

VENTES PUBLIQUES : PARIS, 22 nov. 1990 : *La Suissesse*, h. (41x33) : **FRF 16 000** ; *Maquette de mode*, aquar. (35x19) : **FRF 11 000**.

LEGRAND Nicolas

Né le 29 mai 1817 à Mons. Mort le 17 novembre 1883. XIXe siècle. Belge.

Peintre de portraits, de genre et lithographe.

Il fut élève d'Hallez à l'Académie de Bruxelles. Le Musée de Mons possède de lui *Esmeralda*.

LEGRAND Nol

XVe siècle. Français.

Sculpteur.

Normand, il se chargea, en 1446, de sculpter deux culs-de-lampe au pilier de la chapelle Saint-Louis, dans l'église Saint-Maclou, de Rouen.

LEGRAND Omer

XXe siècle. Français.

Graveur, illustrateur.

Il a reçu le prix de Rome en 1946. Il a illustré la traduction de l'*Apocalypse selon Saint Jean* par A. Guillermon.

LEGRAND Paul

Né le 22 mars 1611 à Nancy (Meuthe-et-Moselle). XVIIe siècle. Français.

Peintre d'histoire et portraitiste.

Peut-être est-ce le même artiste que François Legrand de Servital.

LE GRAND Paul

XVIIIe-XIXe siècles. Français.

Graveur de portraits, paysages urbains.

Il était actif aux XVIIIe et XIXe siècles.

Il a gravé au burin des vues et des portraits d'acteurs.

LEGRAND Paul

Né à Brécy (Aisne). Mort après 1887. XIXe siècle. Français.

Sculpteur.

Il exposa des bustes au Salon de Paris à partir de 1883.

LEGRAND Paul Emmanuel

Né le 16 août 1860 à Vitry-sur-Seine (Val-de-Marne). XIXe-XXe siècles. Français.

Peintre de genre, paysages.

Il fut élève de Gérome et de Saint-Pierre. Il participa au Salon de Paris de 1898 à 1924, obtenant une mention honorable en 1893, une troisième médaille en 1900.

Ses compositions sont assez proches, dans leur préciosité, de l'art de Carolus-Duran. Il a également peint des paysages de la Suisse.

BIBLIOGR. : Gérald Schurr, in : *Les Petits Maîtres de la peinture 1820-1920, valeur de demain*, Les Éditions de l'Amateur, t. II, Paris, 1982.

MUSÉES : GRAY : *Femme au chien* – NANTES : *Devant le rêve de Detaille*.

Ventes Publiques : New York, 7 oct. 1977 : *Les amateurs de peinture*, h/t (36x28) : **USD 2 000** – New York, 25 jan. 1980 : *Les amateurs d'art, d'après Meissonier*, h/t (36x28) : **USD 3 500**.

LEGRAND Pierre François
XVIIIe siècle. Actif à Paris. Français.
Graveur.
On cite ses planches d'après Cipriani et Angelica Kauffmann.
Ventes Publiques : Londres, 30 juin 1983 : *Bouquet de fleurs*, mezzotinte et roulette en coul. (43,5x36) : **GBP 1 400**.

LEGRAND Raymond
Né le 8 juin 1929 à Harnes (Pas-de-Calais). XXe siècle. Français.
Peintre de fleurs, natures mortes, paysages.
Il fut élève de l'école des beaux-arts de Douai, en 1943, jusqu'en 1947. Boursier, il entra alors à l'école des beaux-arts de Paris, dans l'atelier Narbonne. Il fut logiste du prix de Rome, en 1950. Il montre ses œuvres dans des expositions personnelles à Arras et Roubaix, où il participe à des expositions de groupe.
La touche grasse, le dessin nerveux font parfois penser à la dernière manière de Friesz.
Musées : Arras.

LEGRAND René
Né le 22 mars 1847 à Paris. XIXe siècle. Français.
Peintre de genre, fleurs.
Il fut élève de Pils.

LEGRAND René
Né le 26 septembre 1923 à Nantes (Loire-Atlantique). XXe siècle. Français.
Peintre.
Il fut élève de l'école des arts décoratifs de Paris, en 1941-1942, puis de l'académie de la Grande Chaumière en 1943. Il reçut les conseils de Manessier et du sculpteur argentin Vitullo. Il a participé à Paris, au Salon de Mai, à partir de 1949. Il a montré ses œuvres dans une exposition personnelle, à Paris, en 1953.
Bibliogr. : Michel Seuphor : *Dict. de la peinture abstraite*, Hazan, Paris, 1957.
Ventes Publiques : Paris, 10 déc. 1993 : *La fillette à la fontaine*, h/pan. (17x12,5) : **FRF 5 000**.

LEGRAND Théodore. Voir **LEGRAND Jacques Théodore**

LEGRAND DE LERANT Scott Pierre Nicolas ou **Legrand**
Né le 29 mars 1758 à Pont-l'Evêque (Calvados). Mort le 11 mai 1829 à Berne. XVIIIe-XIXe siècles. Français.
Peintre d'histoire, portraits, lithographe.
Il fut élève de David. La Révolution l'amenant à quitter Paris en 1795, il vint s'établir à Berne et y vécut jusqu'à sa mort.
Musées : Berne : *Priam et sa famille pleurant Hector – Le pasteur Grimer – Portrait – Le pasteur et poète Salchli, beau-père de l'artiste – Offrande au Soleil – Études*.
Ventes Publiques : Paris, 25 fév. 1937 : *L'Heureuse Famille* ; *L'École de la Charité* : **FRF 1 550** – Paris, 25 mars 1987 : *Johan Burki, commissaire-général du canton de Berne et sa famille* 1797, h/t (112x132,5) : **FRF 1 000 000** – Milan, 21 avr. 1988 : *Cuisinière* 1792, h/t (152x110) : **ITL 26 000 000** – Monaco, 3 déc. 1988 : *Un bienfait ne reste jamais dans l'oubli : un couple d'aristocrates remerciant Joseph Cange de l'aide qu'il leur a secrètement donnée* 1794-95, h/t (63x80) : **FRF 880 000** ; *Portrait de Joseph Cange, gardien à la prison de Saint-Lazare pendant la Révolution portant le laisser-passer sur sa veste*, h/t (70x56) : **FRF 275 000** – Paris, 26 juin 1990 : *L'Enchanteresse*, h/t (63,5x55,5) : **FRF 8 000** – Toulouse, 12 déc. 1995 : *Allégorie de la République écrasant les privilèges*, h/t (81x102) : **FRF 100 000** – Paris, 19 déc. 1997 : *Marie-Thérèse présentant son fils aux Hongrois*, t. (76x97) : **FRF 10 000**.

LEGRAND DE SAINT-AUBIN Louise Amélie
Née en 1798 à Paris. XIXe siècle. Française.
Peintre de sujets religieux, scènes de genre, portraits.
L'église Saint-Étienne-du-Mont à Paris possède une *Descente de Croix* de cette artiste.
Ventes Publiques : Paris, 23 mars 1937 : *L'atelier du sculpteur Meunier* : **FRF 1 600** – Monaco, 3 déc. 1988 : *Portrait en buste d'une dame portant une robe noire et un bracelet de perles*, h/t (65x54) : **FRF 60 500**.

LEGRAND-TAREL Catherine
Née en 1957. XXe siècle. Française.
Peintre, technique mixte. Groupe Art-Cloche.
Autodidacte, elle a montré ses œuvres dans des expositions personnelles en France.
Elle est l'une des représentantes du groupe art cloche fondé en 1981, qui occupa un « squatt » de la rue d'Arcueil à Paris, groupe informel contestataire se réclamant de Dada et de Fluxus.
Bibliogr. : In : *Art Cloche. Élément pour une rétrospective. Squatt artistique*, catalogue de ventes, Me Pierre Cornette de Saint-Cyr, lundi 30 janvier 1989, Paris.

LEGRANDE Ramon
Né à Saint-Jacques-de-Compostelle. Mort le 7 août 1882 à Saint-Jacques-de-Compostelle. XIXe siècle. Espagnol.
Peintre et graveur.
On lui doit surtout des portraits comme celui du pape *Pie IX*.

LEGRANT Jacques et **Jean**
XIVe siècle. Actifs à Cambrai. Français.
Sculpteurs.
Ils prirent part à la décoration de la flèche de la cathédrale de Cambrai, en 1375 et 1376.

LEGRAS Auguste
Né le 21 février 1864. Mort le 1er novembre 1915 à Laren. XIXe-XXe siècles. Français.
Peintre, graveur.
Il fut élève d'Allebé à l'académie des beaux-arts d'Amsterdam.
Ventes Publiques : Stockholm, 16 mai 1990 : *Jeune paysanne distribuant le grain aux poules dans une grange* 1907, h/t (47x59) : **SEK 7 200** – Amsterdam, 11 sep. 1990 : *Palmiers dans un paysage oriental avec une mosquée*, h/t (37,5x25,5) : **NLG 1 035** – Amsterdam, 20 avr. 1993 : *Crépuscule à Kairouan, Tunisie*, h/t (48,5x149) : **NLG 4 830** – Amsterdam, 21 avr. 1994 : *Domestique nourrissant des pelicans et des cigognes* 1888, h/t (29x63,5) : **NLG 2 185** – Paris, 13 mars 1995 : *L'entrée du ksar* 1895, h/t (65x47) : **FRF 28 000**.

LEGRAS Auguste Jean François Jean Baptiste
Né le 2 juin 1817 à Périgueux (Dordogne). Mort en novembre 1887. XIXe siècle. Français.
Peintre de genre, de portraits et de natures mortes.
Élève de Bonnefond à l'École des Beaux-Arts de Lyon et de Ary Scheffer à Paris. Il exposa au Salon de Paris de 1847 à 1882. Médaille de troisième classe en 1857. On voit de lui au Musée de Périgueux *Portrait de l'artiste par lui-même* et au Musée de Cherbourg *Aréthuse*.

LEGRAS Marin
Mort le 7 juin 1762 à Nantes (loire-Atlantique). XVIIIe siècle. Français.
Peintre.

LEGRAY Gustave
Né à Villiers-le-Bel (Val-d'Oise). XIXe siècle. Français.
Peintre de genre et portraitiste.
Élève de P. Delaroche. Exposa au Salon de Paris en 1848 et 1853.

LEGREW James
Né en 1803 à Caterham (Surrey). Mort le 15 septembre 1857 à Londres. XIXe siècle. Britannique.
Sculpteur.
Il fut élève de Chantrey. Médaille d'or à la Royal Academy de Londres en 1824. Il exécuta des bustes et des statues d'inspiration mythologique.

LEGRIP Frédéric
Né le 5 septembre 1817 à Rouen (Seine-Maritime). Mort le 2 décembre 1871 à Paris. XIXe siècle. Français.
Peintre d'histoire, compositions religieuses, scènes de genre, portraits, paysages, illustrateur.
Élève de Michel Drolling et de David D'Angers, il participa au Salon de Paris de 1844 à 1870.
Il exécuta surtout des peintures historiques ou religieuses, dont certaines sont dans de nombreuses églises de Normandie, mais aussi des paysages aux nuances argentées. Il a illustré de lithographies ses *Souvenirs de voyage*.
Bibliogr. : Gérald Schurr, in : *Les Petits Maîtres de la peinture 1820-1920, valeur de demain*, Les Éditions de l'Amateur, t. III, Paris, 1976.
Musées : Alençon – Besançon – Caen – Rouen – Versailles.
Ventes Publiques : Paris, 25 mai 1992 : *Portrait de Guillon Lethière*, cr. noir (30x23,5) : **FRF 3 800** – Paris, 3 déc. 1993 : *Portrait d'une jeune musicienne*, h/t, d'après Zoé Groizier (129x198,5) : **FRF 7 000**.

LEGRIS
XVIIIe siècle. Actif à Arras. Français.
Peintre et dessinateur.
Il semble avoir été élève de François Watteau de Lille.

LE GRIX Henriette
Née le 23 octobre 1903 à Marseille (Bouches-du-Rhône). XXe siècle. Française.
Peintre de fleurs.
Elle fut élève de l'atelier d'Humbert. Elle exposa à Paris, aux Salons des Indépendants et d'Automne.
Ventes Publiques : Paris, 2 mars 1929 : *Fleurs au vase bleu* : **FRF 450** – Paris, 6 juin 1929 : *Fleurs des champs dans un vase* : **FRF 290.**

LEGROS Alphonse
Né le 8 mai 1837 à Dijon (Côte-d'Or). Mort le 8 décembre 1911 à Walford près de Londres. XIXe-XXe siècles. Actif puis naturalisé en Angleterre. Français.
Peintre de sujets de genre, portraits, sculpteur, graveur, dessinateur.
Il était le dernier enfant d'une famille peu aisée et son éducation avait été négligée au point qu'il ne savait pas lire, quand à onze ans, il fut mis en apprentissage chez un peintre en bâtiment. En 1851 il vint à Paris, travailla chez Cambon à des décors de théâtre puis entra à l'École de Lecocq de Boisbaudran. Legros débuta au Salon de Paris en 1857 avec un *Portrait de son père* actuellement au Musée de Tours. Il figurait avec Fantin-Latour et Whistler, au premier Salon des Refusés en 1859, début des tentatives de scission au sein du Salon officiel. En 1859 il exposa l'*Angélus*, en 1861, l'*Ex-Voto*, tableau pour lequel Flandrin demanda vainement une médaille, le jury décerna seulement une mention honorable. En 1863 Legros exposa une importante composition : *Le Lutrin* qui, comme les envois précédents ne valut à son auteur qu'un succès d'estime. Las de lutter à Paris, Legros accepta l'invitation que lui faisait son ami Whistler de venir le rejoindre à Londres ; il y fut merveilleusement accueilli et en 1876 il fut nommé professeur à l'University College, aux appointements de 25000 francs par an. Il se fit naturaliser anglais en 1880. Il avait commencé à Paris une série d'eaux-fortes, qui passèrent inaperçues sauf pour quelques rares amateurs ; il la compléta en Angleterre. Cet œuvre gravé comprend deux cents cinquante-huit pièces cataloguées. Legros eut sur l'enseignement du dessin en Angleterre une importance considérable. Il forma de nombreux élèves. Après des débuts réalistes, dans la lignée de Courbet, il s'inspira de la vie laborieuse, presque monacale de son enfance et fit des tableaux sombres et austères. Baudelaire appréciait cette peinture qui, selon lui, « fait penser aux plus solides compositions espagnoles ». Ses gravures, elles, sont marquées par l'influence de Rembrandt.

Bibliogr. : *M. Alphonse Legros au Salon de 1875*, Rouquette, Paris, 1875.
Musées : Tours : *Portrait du père de l'artiste.*
Ventes Publiques : Paris, 1894 : *Le maître de chapelle* : **FRF 6 560** – Paris, 13 et 14 déc. 1897 : *Portrait d'une petite fille tenant une poupée*, mine de pb : **FRF 320** – Paris, 18 et 19 mai 1903 : *Portrait de Daumier* : **FRF 400** – Paris, 24 déc. 1906 : *La leçon de géographie* : **FRF 1 300** – Paris, 24 et 34 fév. 1910 : *Portrait d'homme* : **FRF 120** – Paris, 15 et 16 nov. 1918 : *Portrait d'Edgar Degas*, dess. à la pointe d'argent sur pap. teinté : **FRF 3 000** – Paris, 2-4-juin 1920 : *Bords d'étang*, sépia : **FRF 2 700** – Paris, 30 novembre-2 déc. 1920 : *La ferme aux pigeonniers*, aquar. : **FRF 1 200** – Londres, 10 mai 1922 : *Le Baptême* : **GBP 300** – Londres, 10 juil. 1922 : *Portrait de T. Carlyle* : **GBP 105** – Londres, 9 fév. 1923 : *Un prêche* : **GBP 651** ; *Le bruleur d'herbes*, dess. reh. : **GBP 105** – Paris, 23 fév. 1945 : *Portrait présumé de Gustave Courbet* 1855 : **FRF 6 400** – Paris, 28 mars 1954 : *Portrait présumé de Courbet lisant* : **FRF 20 000** – Londres, 5 juin 1970 : *Personnages dans un intérieur* : **GNS 250** – Londres, 12 juil. 1973 : *Torse*, bronze patiné : **GNS 420** – Londres, 3 fév. 1978 : *Prêtres au lutrin* 1865, h/t (100,3x105,4) : **GBP 5 500** – New York, 12 oct 1979 : *La bénédiction*, h/t, haut arrondi (61x46,5) : **USD 2 000** – Berne, 19 juin 1980 : *Procession dans une église espagnole* vers 1860, eau-forte : **CHF 2 100** – Londres, 4 juil. 1980 : *Le joueur de viole* vers 1868, pl. et lav. reh. de blanc (21,3x22,3) : **GBP 700** – Londres, 14 mai 1980 : *Torso*, bronze (H. 53,5) : **GBP 750** – New York, 30 avr. 1982 : *Le retour du troupeau* 1903, pl. et lav./craie rouge (30,8x44,8) : **USD 1 000** – Londres, 27 juin 1984 : *Le manège* 1855, h/cart. (37x61,5) : **GBP 3 000** – Paris, 26 nov. 1984 : *Nu debout*, bronze patiné (H. avec socle 55) : **FRF 24 000** – Paris, 12 oct. 1986 : *Portrait d'un dessinateur* 1855, fus. (22x29) : **FRF 11 000** – New York, 29 oct. 1986 : *La Communion*, h/t (35,5x30,8) : **USD 8 500** – New York, 25 fév. 1988 : *Portrait d'une jeune femme de profil droit* 1888, pointe sèche (27,6x21) : **USD 5 280** – Londres, 7 avr. 1993 : *La Communion*, h/t (34x29) : **GBP 2 990** – New York, 15 oct. 1993 : *Portrait de jeune fille* 1901, pointe d'argent/pap. ciré (29,2x22,8) : **USD 2 760** – Paris, 8 juin 1994 : *Autoportrait de profil* 1906, sanguine (28x20,5) : **FRF 17 200** – New York, 20 juil. 1994 : *Sur le passage des seigneurs*, h/t/cart. (41,9x57,5) : **USD 2 300** – Paris, 10 avr. 1996 : *L'Italienne* 1880, cr. (52x38) : **FRF 9 000** – Paris, 2 avr. 1997 : *La Vierge tutélaire*, h/t (58x46,5) : **FRF 20 000** – Paris, 30 oct. 1997 : *Étude de tête, profil à droite* 1894, pointe d'argent et reh. de gche blanche/pap. préparé rose, d'après un maître italien (25x33,5) : **FRF 7 500.**

LEGROS Jacques Marie
Né en 1777 à Port-de-Pain (Haïti). Mort en 1825. XIXe siècle. Français.
Peintre.
Il fut à Paris élève d'Aubry et d'Isabey. On lui doit surtout des portraits comme celui du tzar *Alexandre Ier de Russie.*
Ventes Publiques : Paris, 18 déc. 1946 : *Jeune femme portant une robe blanche et une ceinture rose* 1831, miniat. : **FRF 7 000.**

LE GROS Jean
Né le 3 octobre 1671 à Paris. Mort le 27 janvier 1745 à Port-de-Pecq. XVIIe-XVIIIe siècles. Français.
Peintre de portraits.
Second fils de Pierre Legros, l'ancien, il fut élève de l'Académie de Paris.
Musées : Versailles : *Portrait de Coustou.*

LEGROS Jean, parfois **Jean Étienne**
Né le 19 février 1917 à Paris. Mort le 7 novembre 1981 à Malakoff (Hauts-de-Seine), suicidé. XXe siècle. Français.
Peintre, peintre à la gouache, peintre de cartons de vitraux, sculpteur. Abstrait-géométrique.
Des amitiés familiales lui valurent de connaître, dès son enfance, Despiau, Friesz, Francis Gruber, et bien d'autres artistes. Aussi marqua-t-il très tôt un net penchant pour les arts. Toutefois, il poursuivit d'abord des études de philosophie et de psychologie très poussées, avant de se vouer entièrement à la peinture, encouragé par Paul Éluard, Henri Laurens et Ossip Zadkine, le peintre Adolphe Péterelle. Durant la Seconde Guerre mondiale, il fut fait prisonnier comme résistant.
Après la guerre, il passa un CAP de berger et exerça ce métier pendant plus d'un an. Il participa, à Paris, à partir de 1947, ponctuellement aux Salons des Tuileries, de Mai, d'Automne et des Réalités Nouvelles. En 1954 et 1956, ses œuvres furent exposées à la Galerie Simone Heller à Paris. De 1956 à 1969, il s'abstint totalement d'exposer. En 1969, une exposition *Jean Legros : Reliefs et découpes* eut lieu au musée de Besançon. De 1971 à 1981, ses estampes furent présentées à Paris par la Galerie Monique Prouté, et de 1974 à 1981 ses œuvres étaient, toujours à Paris, à la Galerie Visconti. Après sa mort, en 1982, le Salon des Réalités Nouvelles à Paris lui rendit un hommage. Des expositions posthumes de son œuvre ont été présentées : 1986 musée de Pontoise ; 1988 musée de Mulhouse ; depuis 1988 galerie Repères à Paris, qui a présenté ses peintures en 1993 à la Foire de Bâle ; 1997 Centre Culturel *Noroit* d'Arras, Foire de Strasbourg (galerie Zéro-l'Infini de Besançon), galerie Lahumière à Paris (*Les Toiles à bandes*), galerie Cour Cassée à Nancy, galerie Art Gambetta à Metz et galerie Espace Suisse à Strasbourg.
Il n'avait guère été reconnu de son vivant, d'où cette réflexion : « On crée toujours seul, mais l'abandon des hommes rajoute à cette solitude », solitude qui le conduisit au suicide. Extrait de ses

notes personnelles, il a écrit *Peinture de bruit, peinture de silence* en 1966, resté inédit à ce jour. Il fut aussi l'auteur d'une *Grammaire picturale pour aujourd'hui*, également inédite.
Dans une première période, jusque environ 1960, travaillant souvent en Touraine, il semble avoir opté d'emblée pour les expressions abstraites. Pendant cette phase de recherches dans différentes directions, on remarque déjà la présence de peintures incluant des bandes, alors sans rigueur géométrique spéciale, comme générées par la seule sensibilité, mais surtout on est frappé par la subtilité chromatique qu'il développait à ce moment, comme pour concilier Bonnard, Jacques Villon et une formulation abstraite spirituellement déjà austère.
Dans la dernière partie de son œuvre, les peintures sont constituées de larges bandes, d'un tracé strict, de couleurs posées en aplats impeccables, vives, on est tenté de dire dures, parfois tempérées de bandes de couleurs plus tendres intercalées. Des séries y présentent des variations et combinatoires soit de l'orientation des bandes en obliques, soit du format en triangle ou en cercle, soit du matériau avec les *Tôles émaillées*. On peut y voir, justifiées par son sens panthéiste de la nature, des métaphores du paysage de la Beauce, où il travaillait depuis 1960, les larges bandes horizontales faisant écho à la terre et au ciel de chaque côté de l'horizon plat. Outre les séries sur format rond consacrées aux compositeurs contemporains, inattendues dans une austérité qu'on pouvait supposer sans faille, d'autres séries, spontanées, comme désinvoltes et heureuses, sont soudain inspirées par les grues du chantier du Centre Beaubourg ou par les oiseaux du ciel passant au-dessus des champs de Beauce.
■ J. B., A. G.

Bibliogr. : *Cahiers Jean Legros, n° 1*, Paris, 1982 – Eda Maillet, Andrei Nakov : catalogue du Musée Tavet-Delacour de Pontoise, 1986 – Monique Fuchs, Roger Leloup, Andrei Nakov, Claude Rossignol, Jean Legros : Préface du catalogue de l'exposition *Jean Legros*, Musée de Mulhouse, 1988 – in : *Dict. de l'art mod. et contemp.*, Hazan, Paris, 1992 – Catalogue de l'exposition *Hommage à Jean Legros, 1917-1981 Œuvres 1973-1981*, Centre Culturel *Noroit*, Arras, 1997.
Musées : Bâle (Fond. Marguerite Arp-Hagenbach) – Belfort (Mus. d'Art et d'Hist.) – Besançon (Mus. des Beaux-Arts) – Cholet (Mus. d'Art et d'Hist.) – Grenoble – Mâcon (Mus. des Ursulines) – Mulhouse – Paris (BN) – Paris (FNAC) – Paris (Mus. d'Art Mod. de la Ville) – Pontoise (Mus. Tavet-Delacour) – Saint-Étienne (Mus. d'Art Mod.) – Sélestat (FRAC) : *Les Grues de Beaubourg* 1975.

LEGROS Jean Pierre
Né en 1943 à Montréal (Québec). xxe siècle. Canadien.
Sculpteur.
Bibliogr. : Catalogue de l'exposition : *Les Vingt Ans du musée à travers sa collection*, Musée d'Art contemporain, Montréal, 1985.
Musées : Montréal (Mus. d'Art Contemp.) : *Continuum I* 1978, bois peint.

LEGROS Louis
xviie-xviiie siècles. Actif entre 1680 et 1700. Français.
Sculpteur.
Il travailla à Marly et à Versailles.

LEGROS Pierre, l'Ancien
Né le 27 mai 1629 à Chartres (Eure-et-Loir). Mort le 10 mai 1714 à Paris. xviie-xviiie siècles. Français.
Sculpteur.
Élève de Jacques Sarrazia. Il fut reçu académicien en 1666 avec un *Saint Pierre* en marbre. Il travailla beaucoup pour Versailles sous la direction de Le Brun, dont il sut ensuite interpréter les dessins pour certaines des sculptures du parc. Il fit notamment : à la balustrade de la cour de marbre à droite *L'Europe* (statues en pierre), à gauche *La Générosité*, façade du parterre à gauche *Pomone, Vertumne, Hespéride, Homme appuyé sur un tronc d'arbre* (statues en pierre), à la grille de l'Orangerie, côté de la ville, à droite *L'Aurore et Céphale, Vertumne et Pomone* (groupe en pierre), dans le parc, bassin du côté du parterre du midi *Groupe d'enfants*, côté du nord *Deux Nymphes*, à gauche de la fontaine du Point du jour *L'Eau* (statue de marbre), à la cascade de l'Allée d'eau *Fleuves et Enfants* (bas-reliefs en plomb), sur la façade latérale, côté droit *Nymphe, Enfants montés sur des dauphins, Enfants montés sur des poissons*, à l'Allée d'eau : *Trois petits Tritons, Trois petits danseurs, Trois petits satyres*, (groupes en bronze), au pourtour du parterre de Latone, côté du midi *Antinoüs du Belvédère* (statue de marbre), *Pandore, terme* (marbre), à la grande allée du Tapis vert *Vénus de Richelieu* (statue de marbre), au quinconce du nord *L'Hiver, terme* (marbre). Legros est aussi l'auteur d'un bas-relief en pierre, à la Porte-Saint-Martin, côté du faubourg *La prise de la ville de Limbourg*, et il travailla de 1681 à 1682 à la cathédrale de Chartres à la clôture du chœur où il sculpta *Guérison de l'aveugle-né*.
Musées : Montpellier : *La Religion terrassant l'Hérésie* – Paris (Mus. du Louvre) : *L'hiver – Le Printemps – L'Été – L'Automne*.
Ventes Publiques : Londres, 3 mai 1977 : *Esope*, bronze (H. 14,5) : **GBP 1 500**.

LEGROS Pierre, le Jeune
Né le 12 avril 1666 à Paris. Mort le 3 mai 1719 à Rome. xviie-xviiie siècles. Français.
Sculpteur.
Fils et élève de Pierre Legros. Prix de Rome en 1686, il alla finir ses études à Rome, qu'il ne quitta presque plus. On possède de lui, à Rome, dans l'église des Jésuites *La Loi renversant l'Hérésie* (groupe en marbre), *Saint Ignace avec trois anges* (groupe en argent), *Saint Louis de Gonzague* (bas-relief), *Tombeau du pape Grégoire XV*, à l'église Saint-Jean-de-Latran *Saint Thomas, saint Barthélémy* (statues de marbre) : *Tombeau du cardinal Casanata*, à Saint-Pierre *Statue de saint Dominique*, à l'église de la Minerve *Statue du cardinal Casanata*, à l'église Sainte-Marie Majeure : *Tombeau du pape Pie IV*, à l'église Saint-Pierre-aux-Lions *Tombeau d'un prélat de la maison Aldobrandini*, à la chapelle du couvent Sant'Andrea al Quirinal : *Stanislas Kostka*, sur son lit de mort, à la cathédrale de Turin *Sainte Thérèse et sainte Christine*, au Louvre *La Charité* et *La Géométrie*, à Cluny, des fragments du Mausolée de la famille Bouillon. Comme bien des sculpteurs français à cette époque, en Italie, il produisit des œuvres qui se souvenaient de Bernin. C'est une des raisons pour lesquelles il reçut de nombreuses commandes. Il savait fort bien jouer des effets de polychromie produits par les variétés de marbre.
Ventes Publiques : New York, 12 juin 1982 : *Académie d'homme*, sanguine : **USD 1 500**.

LEGROS Sauveur
Né le 27 avril 1754 à Versailles (Yvelines). Mort le 15 mars 1834 à Enghien (Val-d'Oise). xviiie-xixe siècles. Français.
Peintre de sujets de genre, paysages, graveur, lithographe, dessinateur.
Il voyagea beaucoup à travers l'Europe.
Ventes Publiques : Londres, 18 avr. 1994 : *Paysage fluvial animé* 1809, encre et lav. (17,6x24,4) : **GBP 1 092**.

LE GROUMELLEC Loïc
Né le 17 mai 1957 à Vannes (Morbihan). xxe siècle. Français.
Peintre, graveur, peintre de décors de théâtre.
Il fut élève de l'école des beaux-arts de Rennes, de 1975 à 1980. Il vit et travaille à Paris. Il participe à de nombreuses expositions collectives depuis 1982 : ELAC (Espace lyonnais d'Art contemporain) à Lyon ; 1984 musée cantonal des Beaux-Arts de Lausanne ; 1986, 1989 fondation Cartier à Jouy-en-Josas ; 1989 Kunstverein à Bonn ; 1991 SAGA (Salon d'Art Graphique actuel) ; 1992 musée d'Art moderne de Villeneuve d'Ascq. Il montre ses œuvres dans des expositions personnelles depuis 1983 à la galerie Yvon Lambert à Paris, ainsi que : 1985 fondation Cartier à Jouy-en-Josas ; 1989 Institut français de Cologne ; 1991 Espace d'Art contemporain à Marseille ; 1995 galerie Karsten Greve, Paris.
À partir de quelques thèmes, mégalithes, façades de maison, croix, arbres, il élabore des signes qui viennent s'inscrire, monumentaux, sur des fonds monochromes, ténébreux. Le gris domine, des petits aux très grands formats, créant une atmosphère brumeuse, où seul l'icône possède encore la force d'exister.
Bibliogr. : Catalogue de l'exposition : *Loïc Le Groumellec*, Hôtel de ville Salle Saint-Jean, Paris, 1987 – D. Baudier : *Loïc Le Groumellec*, Art Press, n° 146, Paris, avril 1990 – in : *Dict. de l'art mod. et contemp.*, Hazan, Paris, 1992.
Ventes Publiques : Paris, 24 avr. 1988 : *Paysage imaginaire 1 et 2* 1984, h/t, diptyque (195x135) : **FRF 15 000** – Paris, 9 déc. 1990 : *Sans titre* 1983, acryl./pap. (53x36,5) : **FRF 5 500** – Paris, 25 juin 1991 : *Mégalithe* 1988, laque/t. (100x86) : **FRF 36 000** – Paris, 4 nov. 1992 : *Paysage imaginaire* 1984, h/t (120x90) : **FRF 6 000** – Paris, 21 nov. 1992 : *Mégalithe*, laque/t. (53x35) : **FRF 11 000** – Paris, 4 oct. 1993 : *Mégalithes et maison*, laque/t. (30x30) : **FRF 8 000** – Paris, 30 mai 1994 : *Sans titre* 1990, laque/t., triptyque (85x240) : **FRF 9 500** – Paris, 19 nov. 1995 : *Mégalithe* 1988, laque ripolin (100x80) : **FRF 15 000** – Paris, 7 oct. 1996 : *Mégalithe* 1985, laque/t. mar./bois (45,5x29) : **FRF 9 000**.

LE GRU Francesco I
Né à Venise. Mort avant 1730 à Paris. XVIIIe siècle. Français.
Peintre.
Il se rendit à Paris en 1682 et exécuta en 1707 un tableau représentant un *Renne* destiné à la Galerie des Cerfs du Château de Chantilly. Il était le second fils de Giovanni Le Gru.

LE GRU Francesco II
Mort vers 1780. XVIIIe siècle. Actif à Vérone. Italien.
Peintre.
Il fut principalement peintre de portraits. Fils de Stefano le Gru.

LE GRU Giovanni ou **Jean**
Né vers 1620 à Paris. Mort en 1686 à Vérone. XVIIe siècle. Italien.
Peintre.
On mentionne de lui une *Annonciation* pour une chapelle de l'église S. Marco alle Carceri à Vérone.

LE GRU Giuseppe
Né vers 1715. Mort vers 1775. XVIIIe siècle. Italien.
Peintre.
Fils de Stefano. Parmi ses œuvres on cite à Vérone, au Palais Gazola (maintenant Arvedi) quatre tableaux de plafond, une esquisse pour une *Cléopatre mourante* et d'autres tableaux ; à Padoue, il fut chargé de peindre les figures des tableaux de plafond au Monastère des Franciscains ; en Allemagne, il peignit les fresques de plafond de l'hôpital Saint-Martin à Mergentheim, le tableau de plafond de l'église paroissiale de Gerlachsheim (chœur et nef). Il travailla également à Innsbruck, à Schönberg, à Lermoos.

LE GRU Jean. Voir **LE GRUE Jean**

LE GRU Stefano
Né vers 1663 à Venise. XVIIe siècle. Italien.
Peintre.
Fils de Giovanni le Gru. Il se fixa à Vérone et y exerça une grande activité comme peintre de portraits. On mentionne de lui un *Portrait du comte A. Pompei* à la Pinacothèque de Vérone.

LE GRU-PEROTTI Angelica
Née à Vérone. Morte le 1er septembre 1776 à Londres. XVIIIe siècle. Italienne.
Peintre.
Elle alla très jeune à Venise et fut élève de Rosalba Carriera. Elle épousa à Venise le peintre P. A. Perotti, en 1768 elle se rendit avec son mari à Londres où elle fit de nombreux portraits. Elle fit surtout des pastels.

LE GRUE Jean ou **Legru**
XVIIe siècle. Français.
Sculpteur ornemaniste.
Il fut reçu membre de l'Académie Saint-Luc à Paris en 1653 et fut chargé par le cardinal Mazarin en 1659 de la restauration des Antiques au château de Vincennes ; il travailla de 1664 à 1680 pour les Tuileries, le Louvre, le château de Fontainebleau, le château de Versailles, pour l'église du Val-de-Grâce. Il exécuta avec J. Derbais et H. Misson une grande cuve de marbre pour le Cabinet des Bains à Versailles qui fut placée par la marquise de Pompadour, dans le Parc de l'Ermitage en 1750.

LEGUA IBANEZ Francisco
Né à Cieza (Murcie). Mort en 1926 à Valence. XIXe-XXe siècles. Espagnol.
Peintre de portraits.
Il fut élève de l'école des beaux-arts San Carlos de Valence. Il participa à de nombreux concours à la Société Nationale des Beaux-Arts, de 1899 à 1910 notamment. Il montra ses œuvres dans des expositions individuelles.
Bibliogr. : In : *Cien Anos de pintura en Espana y Portugal, 1830-1930*, Antiqvaria, t. IV, Madrid, 1990.
Ventes Publiques : Milan, 18 déc. 1986 : *Le Déserteur*, h/t (230x320) : **ITL 32 000 000.**

LE GUASPRE. Voir **DUGHET Gaspard**

LE GUAY
XIXe siècle. Actif à Paris. Français.
Graveur.
Il a gravé des planches pour l'*Histoire de France* d'Anquetil.

LEGUAY Caroline, née **de Courtin**
XVIIIe-XIXe siècles. Française.
Peintre de genre, paysages, miniaturiste, dessinateur.
Elle fut élève de son mari. Elle exposa au Salon de Paris vers 1812.
Ventes Publiques : Paris, 3 mars 1926 : *Éducation de l'Amour*, mine de pb : **FRF 200** – Vienne, 14 mars 1984 : *La basse-cour*, h/t (25x41,5) : **ATS 60 000** – Berne, 30 avr. 1988 : *Paysage de Bourgogne*, h/pan. (25,5x39,5) : **CHF 3 000.**

LEGUAY Charles Étienne
Né le 25 avril 1762 à Sèvres (Hauts-de-Seine). Mort le 1er septembre 1846 à Paris. XVIIIe-XIXe siècles. Français.
Peintre de sujets de genre, figures, portraits, peintre à la gouache, peintre sur porcelaine, dessinateur.
Après avoir étudié le dessin à la manufacture de porcelaine de sa ville natale, il vint continuer son instruction à l'École de l'Académie Royale. Il exposa au Salon de Paris, entre 1795 et 1819.
Peintre de figures attaché à la Manufacture de Sèvres, il y traita des sujets dans le genre de Boucher et de Van Loo. Il a également réalisé un vase « étrusque » colossal, en porcelaine de Sèvres. Ce vase dit « du mariage de l'Empereur » est très inspiré dans sa composition générale d'une œuvre de Benjamin Zix qui représente le cortège nuptial de Napoléon et de Marie Louise traversant la Grande Galerie du Louvre (venant des Tuileries pour se rendre dans le Salon Carré), le 2 avril 1810, avant la célébration de leur mariage religieux. Ce vase ne fut jamais achevé et fut finalement détruit en 1814 sur ordre des autorités royales. Bien que Charles Étienne Leguay ait surtout peint des porcelaines, il a aussi fait des fixés sur verre.
Ventes Publiques : Paris, 1894 : *Les Baigneuses*, gche : **FRF 2 810** ; *Le Repas champêtre*, gche : **FRF 1 500** – Paris, 13-15 mars 1905 : *Portrait d'homme* : **FRF 5 300** ; *Chasse du prince de Condé* : **FRF 23 000** – Paris, 2-3 fév. 1911 : *Portrait de la marquise Drouhaut*, dess. : **FRF 62** – Paris, 8-10 juin 1920 : *Le Soulier vernis*, cr. : **FRF 1 320** – Paris, 30 novembre-3 déc. 1920 : *Portrait de jeune femme en deuil*, cr. : **FRF 4 900** – Paris, 7-8 mai 1923 : *La Promenade dans le parc*, lav. : **FRF 2 000** – Paris, 12 juin 1925 : *Jeune femme et sa fille se mettant à l'abri de l'orage* : **FRF 3 600** – Paris, 25 fév. 1929 : *Portrait de jeune femme*, dess. : **FRF 5 100** – Paris, 13-15 mai 1929 : *Jeune fille lisant*, dess. : **FRF 50 000** ; *La journée des brouettes*, dess. : **FRF 25 500** – Paris, 8 mai 1934 : *Le déjeuner en forêt* ; *La danse champêtre*, aquar. gchée, les deux : **FRF 36 500** – Paris, 18 mars 1937 : *Halte à l'orée d'une forêt*, aquar. gchée : **FRF 16 000** – Paris, 11 et 12 juin 1947 : *Amours musiciens* ; *Amours endormis*, lav. de bistre, deux pendants : **FRF 4 500** – Monte-Carlo, 11 févr 1979 : *Jeune fille à la lecture*, sanguine, pierre noire et craie blanche (40,5x28,7) : **FRF 21 000** – Monte-Carlo, 11 févr 1979 : *Vue de l'île Seguin prise de la manufacture de Sèvres, l'hiver* 1830, aquar. (32x46,6) : **FRF 18 000** – Paris, 28-29 jan. 1980 : *Plaisir d'amour*, aquar. (14x20) : **FRF 4 500** – New York, 31 oct. 1985 : *Le Char d'Apollon*, aquar. et pl. (37,5x29,5) : **USD 3 250** – Monte-Carlo, 7 déc. 1987 : *Portrait d'une dame de qualité*, h/t (83x66) : **FRF 80 000** – New York, 11 jan. 1989 : *Portrait d'un jeune homme, de profil droit* 1790, craies (diam. 108) : **USD 1 650** – Paris, 20 nov. 1992 : *Le déjeuner de chasse* ; *La danse champêtre*, gche, une paire (chaque 41x56) : **FRF 160 000** – Paris, 22 mars 1995 : *Jeune femme assise*, mine de pb (21x17,5) : **FRF 15 000.**

LEGUAY Eugène
Né le 12 août 1822 à Paris. XIXe siècle. Français.
Graveur à l'eau-forte.
Élève d'Antoine François Gelée. Il exposa au Salon, de 1846 à 1869 des portraits et des sujets d'histoire.

LE GUEN Jean
Né le 6 août 1926 à Lorient (Morbihan). XXe siècle. Français.
Peintre de paysages, marines.
Il participe à de nombreux salons parisiens : Peintres Témoins de leur temps, d'Automne, des Indépendants, de la Société Nationale des Beaux-Arts, des Artistes Français, Comparaisons. Il montre ses œuvres dans des expositions personnelles, notamment en 1992 à Paris à la galerie Saint-Roch.
Il a retenu de sa région natale ses côtes et ses falaises, la mer et ses tempêtes, qu'il peint tout en suggestion, dans une palette lumineuse.

LE GUEN Léopold
Né en 1828 à Brest (Finistère). Mort à Sèvres (Hauts-de-Seine). XIXe siècle. Français.
Peintre de sujets militaires, marines.
Peintre de batailles navales, il travailla également dans la tradition de Joseph Vernet, représentant des paysages naturalistes.
Bibliogr. : Gérald Schurr, in : *Les Petits Maîtres de la peinture 1820-1920, valeur de demain*, Les Éditions de l'Amateur, t. IV, Paris, 1979.
Musées : Brest : *L'anse de Minon, vue de l'entrée du goulet de Brest.*

LE GUENNEC Jean

Né le 21 septembre 1924 à Paris. Mort au printemps 1988 près de Combourg (Ille-et-Vilaine), par suicide. XXe siècle. Français.

Peintre animalier, de paysages, natures mortes, lithographe, illustrateur.

Sa vocation ayant été contrariée, il obtint son diplôme d'ingénieur agronome, puis entra à l'Académie de la Grande Chaumière et à l'École des Beaux-Arts de Paris, où il s'initia à la peinture, gravure et sculpture. Il fit des séjours en Sologne, surtout à la Grande-Breuille et à Montbouy, en Normandie, surtout à Honfleur et Trouville, en Bretagne. Il se suicida en forêt entre Combourg et Saint-Malo. Il exposa à Paris, aux Salons de Mai et d'Automne et, en 1960, la galerie Cardo Matignon de Paris lui consacra une exposition personnelle.

Il commença par faire beaucoup de dessin, pour se consacrer ensuite à la peinture. Il fit plusieurs illustrations de livres, dont *Vipère au poing* d'Hervé Bazin, *Les Tiroirs de l'inconnu* de Marcel Aymé, *Les grands chemins* de Jean Giono, *Une saison en enfer* d'Arthur Rimbaud, illustrée de lithographies originales. En lithographie aussi, il a réalisé des portraits.

Dans une première période à dominante sombre, dans une pâte souvent généreuse, il traitait des sujets mélancoliques. Sa palette s'est ensuite éclaircie pour des sujets plus sereins.

Ventes Publiques : Los Angeles, 19 juin 1979 : *La carriole à l'écluse*, h/t (59,5x81,2) : **USD 950** – Paris, 8 nov. 1989 : *La plage*, h/t (38x46) : **FRF 6 500**.

LEGUEULT Eugène

Né en 1858 à Saint-Sever (Calvados). XIXe siècle. Français.

Sculpteur.

Musées : Vire : *Portrait-médaillon de La Harwel-Durocher*.

LEGUEULT Raymond Jean

Né le 10 mai 1898 à Paris. Mort en juillet 1971 à Paris. XXe siècle. Français.

Peintre de figures, paysages, aquarelliste, peintre de cartons de tapisseries, décorateur. Réalité poétique.

De parents artistes, sa vocation ne fut guère contrariée. Après un essai dans une école commerciale, il fut, dès l'âge de dix-sept ans jusqu'en 1917, élève de l'école des arts décoratifs à Paris. Mobilisé en 1917, il fréquenta de nouveau cette école en 1920, où il retrouva son camarade Brianchon. Une bourse de voyage lui permit en 1922-1923 d'étudier les musées d'Espagne. Dès 1925, il fut nommé professeur à l'école des arts décoratifs. En 1952, il fut nommé professeur à l'école des beaux-arts de Paris, où sa culture et son ouverture d'esprit eurent les meilleures résultats sur l'épanouissement de ses élèves. Depuis 1923, il exposait à Paris, au Salon de la Société Nationale des Beaux-Arts, il participa ensuite aux Salons d'Automne et des Tuileries.

En 1925, il eut un atelier commun avec Brianchon, avenue du Maine, puis, dans les années trente, avec Roland Oudot, ils furent les principaux représentants de ce groupe que l'on disait de la « réalité poétique », ce qui n'impliquait pas un programme bien précis, laissait libre cours à la subjectivité poétique de chacun, et surtout affirmant la dépendance de leur peinture envers les apparences de la réalité, excluait toute possibilité de parenté avec les recherches abstractisantes de l'époque. C'était l'affirmation d'une peinture en accord avec les goûts et les besoins d'une bourgeoisie aux appétences intellectuelles modestes, produit de consommation courante où allait sombrer l'école de Paris de l'entre-deux-guerres. Essentiellement peintre de la lumière, il donna un prolongement aimable de l'œuvre de Bonnard. Dans les années de l'après-guerre, sa sensibilité et sa compréhension de l'évolution du goût le firent s'écarter résolument de la représentation étroite du monde extérieur, au profit d'une peinture poétique d'atmosphère. Son œuvre fut conditionnée par une époque et une société plus avides de séduction que de réflexion de « tradition française » ou d'universalité. En 1925-1928, Legueult et Oudot composèrent les décors et costumes pour *Grisélidis* et *La Naissance de la lyre*, à l'opéra de Paris. En 1937, il peignit une décoration murale pour le hall d'honneur du collège de jeunes filles de Fontainebleau ; en 1941, il composa le carton de tapisserie : *L'Atelier*. ■ J. B.

Legueult

Legueult

Bibliogr. : Raymond Cogniat : *Dict. de la peint. mod.*, Hazan, Paris, 1954 – Bernard Dorival : *Les Peintres du XXe s.*, Tisné, Paris, 1957 – in : *Dict. univer. de l'art et des artistes*, Hazan, Paris, 1967 – in : *Dict. univer. de la peinture*, Le Robert, t. IV, Paris, 1975.

Musées : Albi – Alger – Bagnols – Honfleur – Paris (Mus. Nat. d'Art Mod.) : *Figure à la rose* 1941 – *Le Bilboquet* – *Paysage à Val Suzon* – Paris (Mus. du Petit Palais).

Ventes Publiques : Paris, 20 juin 1944 : *Intérieur*, aquar. : **FRF 18 000** – Paris, 30 avr. 1945 : *Réception* : **FRF 12 200** – Paris, oct. 1945-juil. 1946 : *Jeunes filles aux tulipes*, aquar. : **FRF 16 100** – Paris, 10 juin 1955 : *Campagne de Saint-Rémy-de-Provence* : **FRF 545 000** – Londres, 26 mars 1958 : *Deux jeunes filles sur une plage*, aquar. : **GBP 250** – Paris, 14 déc. 1964 : *La femme en gris* : **FRF 10 000** – Versailles, 3 mars 1968 : *Le repos sur la plage* : **FRF 20 500** – Paris, 3 juin 1970 : *Le torrent* 1930 : **FRF 7 500** – Paris, 7 mars 1973 : *La magicienne* 1952 : **FRF 35 900** – Paris, 24 nov. 1974 : *Forêt normande* 1962 : **FRF 46 000** – Paris, 19 nov. 1976 : *Deux femmes* 1938, h/t (46x38) : **FRF 6 200** – Paris, 25 nov. 1976 : *La robe bleue* 1968, aquar. (48,5x64,5) : **FRF 105 000** – Paris, 23 fév. 1977 : *Les baigneuses* 1930, h/t (116x89) : **FRF 17 000** – Paris, 12 déc 1979 : *Jeune fille*, aquar. (41x53,5) : **FRF 12 500** – Londres, 4 avr 1979 : *Paysage du Midi* 1947, h/t (60x91) : **GBP 1 800** – Versailles, 22 mars 1981 : *La méridienne 2* 1960, h/t (89x116) : **FRF 45 000** – Versailles, 20 déc. 1981 : *Porquerolles* 1954, aquar. (42x53,5) : **FRF 15 000** – Paris, 26 oct. 1983 : *Porquerolles, bain de soleil* 1956, aquar. (42x53,5) : **FRF 18 000** – Versailles, 11 déc. 1983 : *La Liseuse* 1949, h/t (65x92,5) : **FRF 61 000** – Paris, 17 avr. 1985 : *Fête des vendanges* 1924, h/pap. mar./cart. (79x115) : **FRF 60 000** – Paris, 26 juin 1986 : *Deux jeunes filles près d'une table*, aquar. (41x54) : **FRF 37 500** – Paris, 27 nov. 1987 : *Émilienne et sa fille* 1956, aquar. et cr. (42x54) : **FRF 32 000** – Paris, 9 mai 1988 : *Noémie dans l'atelier* 1943, h/t (73x100) : **FRF 227 000** – Paris, 27 oct. 1988 : *Jeunes femmes aux fruits*, aquar. (42x54) : **FRF 33 000** – Paris, 22 nov. 1988 : *Le Petit Ru* 1946, h/t (50x66) : **FRF 55 000** – Paris, 24 nov. 1988 : *Intérieur* 1932, h/t (89x116) : **FRF 560 000** – Le Touquet, 12 nov. 1989 : *Jeune fille lisant*, aquar. (46x38) : **FRF 39 000** – Fontainebleau, 18 nov. 1990 : *L'Allée bordée d'arbres* 1941, h/t : **FRF 85 000** – Paris, 22 nov. 1991 : *Le printemps* 1937-38, h/t (116x73) : **FRF 100 000** – Paris, 14 fév. 1992 : *Les deux amies* 1970, aquar. (48x54) : **FRF 16 000** – New York, 26 fév. 1993 : *La Belle Odalisque devant la mer* 1968, aquar. et cr./pap. /cart. (48,9x64,8) : **USD 3 450** – Paris, 6 avr. 1993 : *Paysage normand*, h/t (72,5x92) : **FRF 44 000** – Paris, 14 juin 1993 : *Le Jeu d'échecs* 1937, h/t (72x93) : **FRF 100 000** – Paris, 16 oct. 1994 : *Nu au canapé rouge* 1951, h/t (73x92) : **FRF 165 000** – Paris, 17 avr. 1996 : *Noémie songeuse* 1939, h/t (55x46) : **FRF 32 000** – New York, 10 oct. 1996 : *Fenêtre sur la campagne* 1956, h/t (81,3x100,3) : **USD 9 775** – Paris, 24 mars 1997 : *Les Vignes* 1933, h/t (65x92) : **FRF 18 000** – Paris, 27 oct. 1997 : *Émilienne* 1948, aquar. (32x42) : **FRF 10 000**.

LEGUEY Luc

Né le 10 janvier 1876 à Paris. XXe siècle. Français.

Peintre, illustrateur.

Il fut élève de Robert-Fleury. Il collabora à plusieurs journaux.

LE GUIDE. Voir **RENI Guido**

LE GUISTRE Guillaume

XVe siècle. Actif à Rouen. Français.

Sculpteur.

Le chapitre de la cathédrale le chargea, en 1468, d'aller à Cambrai, à Douai et à Bruxelles pour y recruter des artistes capables de travailler aux stalles du chœur et de les ramener à Rouen.

LE GULUCHE Joseph

Né en 1849 à Plourivo (Côtes-d'Armor). XIXe-XXe siècles. Français.

Sculpteur de figures typiques. Orientaliste.

Pour traiter ses sujets typiques, en pied et de dimension moyenne, il utilisait souvent la technique de la terre cuite polychrome. Ses bustes sont grandeur nature.

Bibliogr. : J.-C. Fournier, M. Bloit, S. Richemond, in : *2 siècles de céramique de l'Isle-Adam, 1815-1950*, Mus. de l'Isle-Adam, 1998.

Musées : L'Isle-Adam (Mus. d'Art et d'Hist. Louis Senlecq) : donation importante.

Ventes Publiques : Paris, 8 déc. 1989 : *Buste d'un Arabe*, terre cuite polychrome (H. 58) : **FRF 5 500** – Paris, 6 avr. 1990 : *Buste de femme arabe* 1896, terre-cuite (H. 60) : **FRF 18 000** – Paris, 19 nov. 1991 : *Portrait de Caïd*, bronze (H. 56) : **FRF 10 000** – Paris, 18 juin 1993 : *Le guerrier à la cruche*, terre-cuite (H. 54) : **FRF 3 500** – Paris, 22 mars 1994 : *Caïd algérien*, terre-cuite polychrome (H. 60) : **FRF 8 000**.

LE HANNUYER Jacquemart
xve siècle. Actif à Bruges. Éc. flamande.
Peintre.
Cité par Siret comme l'un des artistes ayant travaillé, en 1468, aux entremets de Bruges.

LE HARDY F.
xviiie siècle. Actif à Londres. Britannique.
Peintre.
A partir de 1793 il exposa des portraits miniatures à la Royal Academy de Londres.

LE HARDY DE FAMARS Charles Alexandre François Joseph
Né en 1733 à Valenciennes (Nord). Mort le 20 septembre 1774. xviiie siècle. Français.
Peintre, graveur, graveur de reproductions.
Il fut aussi collectionneur d'art. Il grava, d'après sa propre esquisse le portrait de *N. de Boutault de Russy*, une planche *Berger et bergère*. D'après Brouwer il grava *Le bon papa*, d'après Watteau *La Vraie gaieté*, d'après C. Eisen *Bacchanale*. P. P. Choffard grava d'après lui *Vue de la Bourse de Dunkerque*.

LEHARIVEL-DUROCHER Victor Edmond
Né le 20 novembre 1816 à Chanu (Orne). Mort le 9 octobre 1878 dans la même commune. xixe siècle. Français.
Sculpteur.
Cet artiste entré à l'École des Beaux-Arts en 1838, débuta au Salon de Paris en 1846. Il travailla pour de nombreuses églises parisiennes, pour le palais du Louvre et le Théâtre Français. Les Musées d'Alençon et de Vire conservent ses modèles en plâtre. Chevalier de la Légion d'honneur en août 1870.

LE HAUDOUIN Catherine
Née le 18 juin 1886 à Issy-L'Évêque (Saône-et-Loire). xxe siècle. Française.
Peintre, pastelliste.
Elle fut élève de Thévenot et Vignal. Elle exposa à Paris, au Salon des Artistes Français.
Musées : Luxembourg.

LEHAUT Mathilde, née **Bounel de Longchamps**
Née le 24 octobre 1816 à Paris. xixe siècle. Française.
Peintre de portraits, miniaturiste et aquarelliste.
Élève de A. Chazal. Elle exposa au Salon de Paris, de 1845 à 1870. On cite d'elle des portraits de l'empereur et de l'impératrice.

LEHEL Maria
Née le 5 mars 1889 à Budapest. xxe siècle. Active en France. Hongroise.
Peintre de figures, natures mortes.
Elle travailla à Paris et peignit des têtes d'étude et des natures mortes.
Ventes Publiques : Paris, 23 déc. 1946 : *Femme au corsage bleu*, past. : **FRF 700**.

LE HENAFF François Alphonse
Né le 28 juillet 1821 à Guingamp (Côtes-d'Armor). xixe siècle. Français.
Peintre d'histoire.
Élève d'A. Deveria. Exposa au Salon de Paris en 1845, 1848, 1865. Cet artiste a décoré les églises Notre-Dame-du-Bon-Pont, à Nantes ; l'église Notre-Dame-de-Bon-Secours à Guingamp ; Saint-Eustache, Saint-Étienne-du-Mont, à Paris ; la cathédrale de Rennes ; l'église Saint-Gothard à Rouen.

LEHERB Helmut
Né en 1933 ou 1934 à Vienne. xxe siècle. Autrichien.
Peintre de portraits, compositions animées, sculpteur. Fantastique.
Il est autodidacte en peinture. Il fait partie du groupe de peintres viennois qui, à la suite de Albert Paris Guthersloh, créent un monde d'inspiration fantastique, matérialisé dans une technique minutieuse héritée des primitifs germaniques. Les musées viennois consacrent en permanence une large place à ce groupe d'artistes. Il figurait avec les principaux membres du groupe, à l'exposition qui leur était consacrée, à Paris, en 1970.
S'il peint des scènes insolites dont les protagonistes appartiennent à des espèces parfois indéterminables, on connaît aussi de lui des portraits d'une psychologie raffinée.
Bibliogr. : Jeanine Warnod : *Le Réalisme fantastique viennois*, Figaro, Paris, 1970 – in : *Dict. univer. de la peinture*, Le Robert, t. IV, Paris, 1975.
Ventes Publiques : Vienne, 13 sep. 1967 : *Ma vie fantastique* : **ATS 65 000** – Munich, 26 nov. 1974 : *Triomphe de Jean Jacob* : **DEM 8 000** – Vienne, 16 mars 1979 : *Ma fiancée en robe bleue*, h/t (60x80) : **ATS 50 000**.

LE HÉRISSÉ Renée
Née en 1935 à Plouec-sur-Lié (Côtes-d'Armor). xxe siècle. Française.
Peintre, graveur.
Elle a participé à l'exposition : *De Bonnard à Baselitz – Dix ans d'enrichissements du cabinet des estampes 1978-1988* à la Bibliothèque nationale à Paris en 1992.
Musées : Paris (Cab. des Estampes) : *Palimpseste n° 1* 1982, sérig.

LEHEUTRE Gustave
Né le 26 juillet 1861 à Troyes (Aube). xixe-xxe siècles. Français.
Peintre de paysages, graveur.
Il fut élève de Gervex. Il débuta au Salon des Artistes Français, à Paris, en 1889. Il rejoignit le groupe des Nabis. On lui doit plus de deux cents estampes, dont : *La Cathédrale de Chartres – La Rochelle, Les Chalutiers à La Rochelle – La Maison rouge*. Il a aussi illustré *Dominique* de Fromentin.
Bibliogr. : Loys Delteil : *Gustave Leheutre*, Le Peintre-graveur illustré, Paris, 1921.
Ventes Publiques : Paris, 1895 : *Un soir de neige à Montmartre* : **FRF 400** – Paris, 1900 : *Un pastel* : **FRF 110** – Paris, 31 mars 1920 : *La côte de Pors Even*, pl. : **FRF 360** – Paris, 5-6 juin 1925 : *Le petit bras de l'Eure à Chartres*, pl. : **FRF 200** – Paris, 14 nov. 1927 : *Soir de neige à Montmartre* : **FRF 480** – Paris, 29-30 mai 1929 : *Le canal à Troyes*, dess. : **FRF 500** – Paris, 2 juin 1933 : *Dormeuse*, past. : **FRF 250** – Paris, 26 oct. 1995 : *Notre-Dame de Chartres* 1913, eau-forte : **FRF 6 200** – Paris, 10 juin 1997 : *Notre-Dame de Chartres* 1913, eau-forte (41,5x28,5) : **FRF 3 800**.

LEHLEN Matthäus
xviie siècle. Actif à Geislingen. Allemand.
Peintre.
Il exécuta des peintures pour les églises de Stötten et de Böringen.

LEHMAN Carl Peter
Né en 1793. Mort en 1876. xixe siècle. Norvégien.
Miniaturiste.
Travaillait en Suède. Élève de Vibert, Picot et d'Henriquel-Dupont, deuxième prix de Rome en 1846. Il exposa au Salon de Paris entre 1857 et 1868. Le Musée de Stockholm conserve de lui un *Autoportrait*.
Ventes Publiques : Stockholm, 29 oct. 1985 : *Vue d'un fjord*, h/t (134x118) : **SEK 28 000**.

LEHMAN George
Né à Lancaster. Mort en 1870 à Philadelphie. xixe siècle. Américain.
Peintre graveur et lithographe.
On lui doit un grand nombre de paysages gravés à l'aquatinte.

LEHMAN Irving
xxe siècle. Américain.
Peintre. Abstrait.
Il a exposé au Salon des Réalités Nouvelles, à Paris, en 1950, avec deux compositions abstraites, se référant peut-être aux enchevêtrements bétonnés des cités modernes, dont les éléments simplifiés étaient réorganisés rythmiquement.

LEHMANN André
Né en 1948. xxe siècle. Suisse (?).
Peintre.
Musées : Aarau (Aargauer Kunsthaus) : *Hof bei Iffwill* 1973, h/t.

LEHMANN Auguste
Né le 17 avril 1822 à Lyon (Rhône). Mort en 1872 à Hyères (Var). xixe siècle. Français.
Graveur et dessinateur.
Élève d'Henriquel Dupont. Le Musée de Lyon conserve de lui un *Portrait du peintre Michel Grobon*.

LEHMANN Carl Ferdinand
xviiie siècle. Actif à Dresde. Allemand.

Sculpteur.
Il exécuta des sculptures religieuses pour des églises de Dresde.

LEHMANN Edvard
Né le 30 janvier 1815 à Copenhague. Mort le 7 décembre 1892 à Copenhague. XIXe siècle. Danois.
Peintre de genre, portraits, lithographe.
Cet artiste qui fit ses études à Copenhague est particulièrement bien représenté dans la collection Hansen.
Ventes Publiques : Copenhague, 25 fév. 1976 : *Retour du carnaval, Paris* 1849, h/t (41x32) : **DKK 14 100** – Copenhague, 18 avr. 1978 : *Jour de carnaval, Paris* 1848, h/t (41x32) : **DKK 30 000** – Londres, 3 oct 1979 : *Le singe savant* 1851, h/t (46x37) : **GBP 1 600** – Londres, 21 oct. 1983 : *Un point de vue intéressant* 1852, h/pan. (20,2x26) : **GBP 1 600** – Copenhague, 19 mars 1986 : *L'Incendie* 1832, h/t (24x37) : **DKK 38 000** – Copenhague, 19 nov. 1987 : *Paysage* 1874, h/t (55x79) : **DKK 25 000** – Copenhague, 23 mars 1988 : *Nurse promenant deux enfants dans un parc* (55x47) : **DKK 19 000** – Stockholm, 29 avr. 1988 : *Mère et enfant dans une cour de ferme avec un chien*, h/t (38x32) : **SEK 25 000** – Stockholm, 19 mai 1992 : *La parade du théâtre ambulant*, h/t (22,5x28) : **SEK 7 000** – Copenhague, 6 sep. 1993 : *Pêcheurs près de la côte avec Marina Piccola*, h/t (25x33) : **DKK 10 000** – Copenhague, 16 nov. 1994 : *Jeune Italienne au tambourin*, h/pap. (19x16) : **DKK 3 600** – Copenhague, 17 mai 1995 : *Repos après le repas* 1839, h/t (64x55) : **DKK 13 500**.

LEHMANN Elisabeth Frederika
Née le 31 juillet 1876 à Delft. XXe siècle. Hollandaise.
Peintre de paysages, paysages urbains, natures mortes.

LEHMANN Fr.
XIXe siècle. Actif à Düsseldorf vers 1839. Allemand.
Graveur.
Il a gravé des sujets religieux.

LEHMANN Frederich Leonhard
Né en 1787 à Darmstadt. XIXe siècle. Allemand.
Graveur.
Élève de Felsing. Il grava surtout des portraits et des scènes historiques d'après des artistes allemands.

LEHMANN Friedrich Ludwig
Né en 1787 à Leipzig. XIXe siècle. Allemand.
Peintre animalier et de paysages.
On lui doit des scènes de batailles.

LEHMANN G. W.
XIXe siècle. Actif à Berlin. Allemand.
Dessinateur et graveur.
Il a gravé des sujets religieux et des portraits historiques.

LEHMANN Gottfried Arnold
Né vers 1770. XVIIIe siècle. Actif à Berlin. Allemand.
Dessinateur et graveur au burin.
Il a gravé des sujets religieux et des portraits historiques. Peut-être le même artiste que le graveur G. A. Lehman signalé comme ayant travaillé à Amsterdam au XVIIIe siècle.

LEHMANN Grégoire ou **Yegor Leman**
Né le 21 février 1834 à Moscou. Mort le 29 août 1901 à Saint-Pétersbourg. XIXe siècle. Russe.
Peintre de portraits et de genre.
Il voyagea en Italie et séjourna à Paris.
Ventes Publiques : Paris, 1892 : *L'Heureux réveil* : **FRF 325** ; *L'Amazone* : **FRF 1 020**.

LEHMANN Henri. Voir **LEHMANN Karl Ernst Rodolphe Heinrich Salem**

LEHMANN Herbert
Né le 26 mai 1890 à Dresde (Saxe). XXe siècle. Allemand.
Peintre de paysages, illustrateur.
Il fut élève de Bracht à Dresde, où il vécut et travailla.

LEHMANN Jacques, dit **Nam**
Né le 11 septembre 1881 à Paris. Mort en 1974. XXe siècle. Français.
Peintre d'animaux, illustrateur, aquarelliste.
Il exposa à Paris, aux Salons d'Automne, des Artistes Décorateurs, des humoristes, de la Société Nationale des Beaux-Arts et des Indépendants. Il a été nommé chevalier de la Légion d'honneur.
Il obtint sa réputation pour ses animaux stylisés où l'effet décoratif l'emporte souvent sur le naturel. Il se plaît surtout à représenter les chattes et les fauves, on connaît également de lui des portraits féminins empreints de grâce féline. Il est l'auteur des illustrations de *Sept Dialogues de bêtes* et de *Chats* de Colette.

Jacques NAM

Ventes Publiques : Paris, 29 juin 1945 : *Jaguar*, cr. noir, sanguine et aquar. : **FRF 990** – Paris, 4 mars 1991 : *Le chat*, aquar. (46x38) : **FRF 8 000** – Paris, 30 mars 1992 : *Jeune tigre couché*, h/t (65x92) : **FRF 10 500** – Paris, 24 juin 1994 : *Trois panthères*, laque/pan. (93x117,5) : **FRF 32 000** – Paris, 17 avr. 1996 : *Trois chats blancs*, h/t (65x50) : **FRF 9 500**.

LEHMANN Karl Ernest Rodolphe Heinrich ou **Henri Salem**
Né le 14 avril 1814 à Kiel (duché de Holstein). Mort le 30 mars 1882 à Paris. XIXe siècle. Actif puis naturalisé en France. Allemand.
Peintre d'histoire, compositions religieuses, portraits, compositions murales. Néoclassique.
Fils du portraitiste Leo Lehmann, il fut élève de son père, puis de Hardoff et de Bendixen, avant d'arriver en 1831 à Paris, où il entra dans l'atelier d'Ingres. De 1838 à 1842, il travailla à Rome, puis s'installa à Paris et se fit naturaliser français en 1847, l'année où il fut décoré de la Légion d'honneur.
De 1835 à 1877, il participa au Salon de Paris, obtenant une médaille de deuxième classe en 1835, de première classe en 1840, 1848, 1855. Il fut membre de l'Institut en 1864 et, en 1875, nommé professeur à l'École des Beaux-Arts de Paris, où il resta jusqu'en 1881 et eut pour élèves, entre autres, Pissarro et Seurat.
Ce fut un artisan acharné du classicisme et il fonda un prix destiné à encourager la défense de la tradition académique. Il réalisa plusieurs peintures décoratives religieuses et civiles. On cite en 1842, le décor de la chapelle du Saint-Esprit en l'église Saint-Merri ; en 1843, ceux de la chapelle des Jeunes Aveugles et en 1847, de la chapelle de la Compassion à Saint-Louis-en-l'Ile, à Paris. Il prit une part marquante à la décoration de l'ancien Hôtel de Ville de Paris en 1852 ; au Palais du Luxembourg, 1855 ; au Palais de Justice, 1866 et à l'École de Droit, 1872. Toutes ces décorations ont beaucoup souffert de l'incendie de la Commune.
Parmi ses portraits, citons ceux de Franz Liszt, Charles Gounod 1841, Nieuwekerke 1846, Victor Cousin 1868. L'art de Lehmann montre une sensibilté aiguë, des compositions équilibrées, soutenues par un trait pur et un modelé précis.
Bibliogr. : Gérald Schurr, in : *Les Petits Maîtres de la peinture 1820-1920, valeur de demain*, Les Éditions de l'Amateur, t. II, Paris, 1982 – Isabelle Julia, in : catalogue de l'exposition *Les années romantiques, la peinture française de 1815 à 1850*, Musée des Beaux-Arts de Nantes, Galeries nat. du Grand Palais, Paris, 1996.
Musées : Azay-le-Rideau : *Diane de Poitiers au bain avec ses deux enfants* 1834 – Carcassonne : *Le pêcheur* – Compiègne (Mus. Nat. du château) : *Portrait de Nieuwekerke* 1846 – Dijon (Mus. Magnin) : *La douleur* 1839 – Gap : *La désolation des Océanides* – Hambourg (Kunsthalle) : *Le départ du jeune Tobie emmené par l'ange Gabriel* – *L'abbée Deguerry* 1857 – Lyon (Mus. des Beaux-Arts) : *Don Diego, père du Cid* – Mâcon (Mus. des Ursulines) : *Mme Galichon* – Montpellier (Mus. Fabre) : *Sainte Catherine d'Alexandrie portée au tombeau* – Moulins : *La France sous les Capétiens, les Valois et les Bourbons* – Nantes (Mus. des Beaux-Arts) : *Léonide* – Paris (Mus. Carnavalet) : *Marie d'Agoult* 1843 – *Portrait de Franz Liszt* – Paris (Mus. intrum. du Conserv.) : *Charles Gounod* 1841 – Rennes (Mus. des Beaux-Arts) : *Consolatrice des affligés*.
Ventes Publiques : Paris, 1872 : *Tobie recevant Sarah des mains de son père* : **FRF 9 100** – Paris, 1883 : *Le mariage de Tobie* : **FRF 7 600** ; *Vue prise à Biarritz*, aquar. : **FRF 1 050** – Paris, 17-19 nov. 1919 : *Portrait de Victor Cousin* : **FRF 2 350** – Côme, 1er juin 1971 : *Cordelia et le roi Lear* 1849 : **ITL 800 000** – Paris, 20 nov. 1981 : *Portrait de femme* 1858, h/t (66x55) : **FRF 26 000** – Londres, 5 oct. 1983 : *Nu au bord d'un lac* 1862, h/pan. (21,5x37,5) : **GBP 4 600** – Hambourg, 5 déc. 1986 : *Portrait d'homme* 1849, cr. reh. de blanc (30x21,5) : **DEM 2 200** – Londres, 17 juin 1986 : *Baigneuses dans un paysage fluvial*, h/t, haut arrondi (65x85) : **GBP 12 000** – Paris, 16 déc. 1987 : *La France sous les Capétiens, les Valois* 1854, lav. de sépia et reh. de blanc (40,2x102,5) : **FRF 15 000** – Paris, 16 déc. 1987 : *La France sous les Capétiens, les Valois et les Bourbons* 1854, lav. de sépia et reh. de blanc (40,2x102,5) : **FRF 15 000** – Paris, 11 mars 1988 : *Études d'enfants* 1851, pierre noire et reh. de blanc (29x34,8) : **FRF 4 100** – Londres, 7 juin 1989 : *Jeune paysanne italienne* 1862,

h/pan. (46x37) : **GBP 4 180** – PARIS, 15 juin 1990 : *Femme nue*, sanguine (29,2x18,9) : **FRF 6 000** – PARIS, 16 nov. 1990 : *Jeune femme nue se drapant*, cr. noir, sanguine et craie blanche (17,5x12) : **FRF 4 000** – PARIS, 24 mai 1991 : *Apôtre* 1842, h/t (46x38) : **FRF 21 000** – LONDRES, 19 juin 1991 : *Cordelia tentant d'éveiller son père* 1849, h/t (96x128) : **GBP 7 150** – MUNICH, 26-27 nov. 1991 : *Buste de jeune fille* 1851, cr. (24,5x18) : **DEM 1 840** – PARIS, 22 juin 1992 : *La baronne de Bridon* 1845, mine de pb (32,5x24) : **FRF 3 300** – NEW YORK, 17 fév. 1993 : *Étude de tête, mains et drapé*, craies noire et rouge/pap. (22,9x25,4) : **USD 4 025** – PARIS, 25 mars 1993 : *Portrait de Mr Nollet* 1850, h/pan. (13,5x10,5) : **FRF 6 000** – PARIS, 10 juin 1994 : *Le repos de Tobie* 1835, h/t (33,8x40,5) : **FRF 24 000** – PARIS, 6 mars 1996 : *Jeune femme de trois-quarts* 1878, h/t (55,5x46) : **FRF 6 000** – LONDRES, 20 nov. 1996 : *Tobie et l'Ange* 1835, h/t, haut cintré (61x79) : **GBP 4 600** – PARIS, 2 avr. 1997 : *Vénus désarmant l'Amour* 1869, h/pan. (26,5x21,5) : **FRF 25 000** – PARIS, 25 avr. 1997 : *Étude de buste, de bras et de drapé, pour la Vindicte* 1866, pierre noire, sanguine et reh. de blanc (30x43,3) : **FRF 52 000**.

LEHMANN Kurt
Né en 1905 à Coblence (Rhénanie-Palatinat). XXe siècle. Allemand.
Sculpteur.
Il étudie de 1924 à 1929, aux académies des beaux-arts de Kassel et de Berlin ; puis effectue des voyages d'études en France et en Belgique. Il obtient en 1930 le prix décerné par l'état pour la Villa Massimo, à Rome. De 1931 à 1933, il réside à Berlin puis à Kassel, jusqu'en 1948. Il est nommé professeur à l'école polytechnique de Hanovre en 1949. Il a pris part à l'Exposition internationale de sculpture contemporaine, à Paris en 1956, avec un bronze *Baigneuse*. Il montre ses œuvres dans de nombreuses expositions personnelles en Allemagne. Une rétrospective de son œuvre a été montrée à Kassel en 1954, à Hanovre en 1957.
Il a reçu, ainsi que son contemporain Blumenthal, la leçon de Lehmbruck, accusant par des déformations appropriées l'expression des sentiments intérieurs de ses personnages. À partir de 1950, il a créé des œuvres plus géométriquement construites, courbes et angles s'équilibrant, comme dans la *Femme accroupie* de 1955, voire même poussées dans la construction concertée, jusqu'à ne pouvoir être regardées que de face, comme le *Mère et enfant* de 1957.
BIBLIOGR. : Juliana Roh, in : *Nouv. de la sculpt. mod.*, Hazan, Paris, 1970.
VENTES PUBLIQUES : HAMBOURG, 9 juin 1979 : *Jeune homme debout, les mains au-dessus de la tête*, bronze patiné (H. 104) : **DEM 4 200** – COLOGNE, 7 déc. 1983 : *Le Joueur de flûte* 1950, bronze (H. totale 23) : **DEM 3 400** – COLOGNE, 31 mai 1986 : *Jeune garçon* 1946, bronze patine brun vert (H. 29) : **DEM 5 000**.

LEHMANN Leo
Né le 16 mars 1782 à Hambourg. Mort le 24 mars 1859 à Hambourg. XIXe siècle. Allemand.
Portraitiste.
Père de Rudolf-Heinrich Lehmann. On lui doit surtout des miniatures représentant des membres de familles bourgeoises d'Allemagne septentrionale.

LEHMANN Léon
Né le 11 janvier 1873 à Altkirch (Haut-Rhin). Mort le 5 novembre 1953. XXe siècle. Français.
Peintre de natures mortes, paysages, fleurs, intérieurs, figures.
Ardemment patriote, après ses études secondaires à Belfort, il avait opté pour la France. Travaillant comme ouvrier, il était venu à Paris, en 1891, pour préparer l'école des beaux-arts. Il peignait alors les soldats dont il suivait les exercices. Épuisé par son service militaire, il se retira en 1898, à la Trappe-d'Acey, où il resta pendant deux ans. Il fut alors accueilli comme un enfant de plus dans la famille de Georges Rouault, qu'il connut à l'atelier Gustave Moreau, et y resta pendant quatorze ans. Il fut également lié avec Matisse, Dufy, Asselin et Marquet. La guerre de 1914 éprouva de nouveau sa santé. Après la guerre, il reprit son activité. Après la Seconde Guerre mondiale, il venait d'achever la décoration de la chapelle des Voirons, quand la mort le frappa.
Il exposa à Paris, aux Salons des Artistes Français, des Indépendants et d'Automne, qui consacra une salle à un ensemble de ses œuvres en 1936. Une exposition rétrospective de son œuvre fut présentée en 1958 au musée des Beaux-Arts de Besançon et en 1963 dans une galerie parisienne.
On lui doit des œuvres dans une manière très lumineuse et largement brossée. René Jourdain, au sujet de celles-ci, évoque une présence, qui : « a fait d'un vide un espace vivant, anime ce qui était inanimé. Insinuée entre les objets, elle les unit, les enveloppe et leur confère ce dépouillement somptueux, cette suprême noblesse, et les feutre de silence... »
BIBLIOGR. : René Jourdain : *Catalogue de l'exposition Léon Lehmann*, Musée de Besançon, 1958.
MUSÉES : ÉPINAL (Mus. départ. des Vosges) : *Nature morte – Vase de fleurs*.
VENTES PUBLIQUES : PARIS, 2 juin 1935 : *Intérieur au fauteuil* : **FRF 1 600** – PARIS, 23 avr. 1937 : *Nature morte : azalée et violon* : **FRF 900** – PARIS, 13 déc. 1940 : *Le Panthéon* : **FRF 500** – PARIS, 10 juin 1955 : *Fruit* : **FRF 50 000**.

LEHMANN Ludwig
Né le 28 mars 1824 à Copenhague. Mort le 15 février 1901. XIXe siècle. Danois.
Peintre de portraits.
Il prit part à la décoration du Musée Thorvaldsen.

LEHMANN Max
XIXe siècle. Actif à Zittau. Allemand.
Peintre de genre.
Élève de Pauwels à l'Académie de Dresde. Médaillé dans cette ville en 1892. On cite de lui : *Le violoniste*.

LEHMANN Moritz
Né en 1819 à Dresde. Mort le 9 septembre 1877 à Rakosfalva. XIXe siècle. Allemand.
Peintre.
On lui doit surtout des décors de théâtre.

LEHMANN Paul
Né le 7 décembre 1854 à Furstenwalde. XIXe siècle. Allemand.
Peintre, illustrateur.
Il fut élève de l'académie des beaux-arts de Berlin.

LEHMANN Peter
Né le 9 juin 1786 à Copenhague. Mort le 3 novembre 1846 à Copenhague. XIXe siècle. Danois.
Miniaturiste.
On lui doit des portraits, des paysages, des tableaux de fleurs et d'oiseaux.

LEHMANN Rolf
Né en 1930 à Berne. XXe siècle. Suisse.
Peintre.
De 1946 à 1949, il fut élève de l'école des arts et métiers de Berne. Il séjourna en France en 1950, en Espagne en 1951 et 1952. Il participe à des expositions collectives, parmi lesquelles : Biennale des jeunes artistes à Paris en 1959 ; The 1960 International Biennal of Prints à Cincinnati en 1960, et en Allemagne. Il montre ses œuvres dans des expositions personnelles dans diverses villes suisses.
BIBLIOGR. : *Peintres contemporains*, Mazenod, Paris, 1964.

LEHMANN Rudolf Auguste Wilhelm
Né le 19 août 1819 à Ottensen. Mort le 27 octobre 1905 à Bournemede. XIXe siècle. Allemand.
Peintre d'histoire, scènes de genre, compositions religieuses, portraits.
Il visita la France, l'Italie, l'Angleterre. Médaillé de troisième classe à Paris en 1843 et de deuxième classe en 1845 et 1848.
MUSÉES : ANGERS (Mus. des Beaux-Arts) : *Jérémie prophète* – LILLE (Mus. des Beaux-Arts) : *Le pape Sixte Quint bénissant les marais Pontins* 1846 – *Sainte Cécile portée au tombeau*.
VENTES PUBLIQUES : PARIS, 1868 : *Moissonneurs italiens passant une rivière* : **FRF 910** – LONDRES, 13 mars 1980 : *Portrait de Chopin* 1847, cr. (18,7x14,5) : **GBP 500** – LONDRES, 29 fév. 1980 : *Mrs. Rudolf Lehmann dans l'atelier de l'artiste*, h/t (116,2x81,2) : **GBP 3 500** – NEW YORK, 11 fév. 1981 : *Madame Rudolf Lehmann*, h/t (121x86) : **USD 10 000** – LONDRES, 24 mars 1988 : *Au balcon* 1855, h/t (104x141) : **GBP 7 150** – PARIS, 12 oct. 1990 : *Femme jouant de l'orgue* 1847, h/t (146x100) : **FRF 18 000**.

LEHMANN Wilhelm Ludwig
Né le 7 mars 1861 à Zurich. Mort en 1932. XXe siècle. Suisse.
Peintre de figures, paysages.
Il travailla à Munich et à Zurich et exécuta pour le palais fédéral de Berne quatre paysages décoratifs.
VENTES PUBLIQUES : BERNE, 22 oct. 1976 : *Automne à Davos* 1910, h/t (90x130) : **CHF 2 000** – ZURICH, 3 nov 1979 : *Paysage des environs de Zurich* 1897, h/t (60x83) : **CHF 3 000** – LONDRES, 17 mars 1989 : *Voiliers le soir au large de Concarneau* 1901, h/t (48x64) : **GBP 3 300** – ZURICH, 22 juin 1990 : *Paysage d'hiver dans la région de Davos* 1911, h/t (90x130) : **CHF 2 600** – ZURICH, 17-18 juin 1996 : *Paysage fluvial* 1901, h/t (90x130) : **CHF 3 000**.

LEHMANN-BORGES Hans
Né le 20 juillet 1879 à Berlin. xxe siècle. Allemand.
Sculpteur.
Il travailla surtout à Berlin et à Zurich.

LEHMANN-SHARSICH Arno
Né le 2 décembre 1896 à Löbau. xxe siècle. Allemand.
Peintre de portraits, paysages.
Il peignit à Dresde et à Bautzen.

LEHMANS Jean
Né le 11 mars 1945 à Heide. xxe siècle. Actif depuis 1960 aussi en France. Allemand.
Peintre, sculpteur. Abstrait.
En 1965 à Paris, il fut diplômé de l'École des Arts Appliqués. En 1969, il fut lauréat de la Fondation de la Vocation. Depuis 1968, il entreprend de nombreux voyages : Espagne, Portugal, Canada, Mexique et Amérique Centrale, Amérique du Sud, Martinique à la suite d'une traversée de l'Atlantique en voilier, etc. Il est revenu se fixer en France en 1984.
Après des premières réalisations à vocation murale, il se consacre surtout à des expérimentations à vocation scientifique.

LEHMBRUCK Wilhelm
Né le 4 janvier 1881 à Duisburg-Meiderich (Rhénanie-Westphalie). Mort le 25 mars 1919 à Berlin. xxe siècle. Allemand.
Sculpteur de bustes, peintre, graveur.
Il était fils de mineur. Entre 1895 et 1899, il étudia la sculpture à l'école des arts décoratifs de Düsseldorf, puis à l'académie des beaux-arts de cette même ville, entre 1901 et 1907. Il fut notamment l'élève de Karl Janssen. Il avait été influencé par Rodin et, en 1910, année de son arrivée à Paris, il fait la connaissance de Matisse, Brancusi et devint l'ami d'Archipenko. Le désespoir de cet homme est le reflet de la vie de l'artiste qui supporte mal toutes les souffrances dont il est témoin à l'hôpital militaire de Berlin, où il est infirmier durant la Première Guerre mondiale. Malgré un séjour à Zurich, qui ne lui est pas salutaire, il retourne à Berlin, où il finit par se suicider.
En 1907, il exposa quatre sculptures au Salon de la Société Nationale des Beaux-Arts de Paris, et cinq au Salon d'automne de 1910. Il participa à Cologne à l'exposition de Sonderdund en 1912, à New York à l'Armory Show en 1913, à Berlin à la Sécession. Ses œuvres ont été présentées à Moscou en 1982 et à Prague en 1984.
Sa première œuvre *La Femme agenouillée*, aux formes allongées, devint un véritable symbole d'humilité et de piété. Lehmbruck a tendance à étirer les corps, leur donnant un caractère pathétique, de tristesse, de lassitude, de désespoir ; ainsi *L'Homme abattu* (1915-1916) ou *Jeune Homme assis* (1918). Il chercha et trouva la formule d'un classicisme moderne où le réalisme et la psychologie s'allient au sens du style. Il eut une influence profonde sur la sculpture allemande de l'après-guerre.
On connaît moins son œuvre picturale, bien qu'il ait laissé de nombreux dessins et lithographies, en revanche ses peintures sont extrêmement rares. On connaît seulement une trentaine de peintures soit sur toile, soit sur bois ou carton. En général celles-ci sont sobres, de conception libre et lumineuse, avec des couleurs appliquées légèrement et tendant vers les tons froids, pour rehausser les formes, les contours sont généralement soulignés de bleu clair, plus rarement de marron ou d'ocre. Il laisse souvent son œuvre inachevée sollicitant l'imagination du spectateur. Il maniait brosse, crayon et pointe sèche avec une habileté prodigieuse, projetant ses idées librement et donnant un mouvement qu'il ne pouvait exprimer par la sculpture. Il a profondément influencé la jeune génération allemande, Jörg Immendorf en a fait l'un des membres du *Café de Flore*, l'invitant à dialoguer sur l'art, aux côtés de Beuys et Duchamp notamment.
Bibliogr. : A. Hoff : *Wilhelm Lehmbruck*, Berlin, 1961 – Joseph Émile Muller, in : *Dict. de l'art et des artistes*, Hazan, Paris, 1967 – in : *Les Muses*, t. IX, Grange Batelière, Paris, 1972 – in : *L'Art du xxe s.*, Larousse, Paris, 1991 – in : *Dict. de l'art mod. et contemp.*, Hazan, Paris, 1992.
Musées : Berlin (Nat. Gal.) : *Homme foudroyé* – Duisbourg (W. Lehmbruck Mus.) : *Jeune Homme assis* 1918 – Essen (Folkwang Mus.) : *La Mère et l'enfant* 1907 – *Femme debout* 1910 – New York (Mus. of Mod. art) : *Femme agenouillée* 1911.
Ventes Publiques : Stuttgart, 3-4 mai 1962 : *Buste de femme à la tête penchée*, bronze patine grise : **DEM 56 000** – Cologne, 9 déc. 1965 : *Buste de Mme L.*, pierre : **DEM 72 000** – New York, 4 avr. 1968 : *Trois Femmes, pierre rouge*, bas-relief : **USD 10 000** – Berne, 12 juin 1969 : *Torse*, bronze : **CHF 65 000** – New York, 11 nov. 1970 : *Baigneuse*, bronze : **USD 15 500** – Düsseldorf, 19 juin 1973 : *Nu assis*, bronze : **DEM 70 000** – Munich, 28 mai 1974 : *Mère et enfant*, pierre : **FRF 55 000** – Zurich, 28 nov. 1974 : *Baigneuse* 1905, bronze : **CHF 28 000** – New York, 17 mars 1976 : *Jeune fille, jambe gauche levée* 1910, bronze, patine brune et verte (H. 64,1) : **USD 17 000** – Munich, 26 nov. 1976 : *Nu solitaire*, pointe-sèche aquarellée : **DEM 11 000** – Hambourg, 4 juin 1977 : *Nu debout* 1912, pointe-sèche : **DEM 4 200** – Munich, 26 mai 1978 : *Baigneuse* 1905, bronze patiné (H. 63,5) : **DEM 10 000** – Berne, 21 juin 1979 : *Le pèlerin* 1912, pointe sèche : **CHF 2 400** – Genève, 28 juin 1979 : *Nu debout* vers 1911, bronze (H. 53,5) : **CHF 19 400** – Londres, 17 juil. 1981 : *Ode au génie II* 1918, pointe-sèche (19,5x30,1) : **GBP 1 700** – Munich, 30 juin 1982 : *Nu debout* vers 1913, pl. et cr. (32x19) : **DEM 5 500** – Munich, 7 déc. 1982 : *Torso* vers 1910-1911, ciment laqué brun (H. 69,5) : **DEM 23 000** – Berne, 22 juin 1983 : *Crucifixion* 1912, pointe-sèche : **CHF 3 100** – Hambourg, 10 juin 1983 : *Tête de jeune fille*, craie bleue (39x38,5) : **DEM 11 000** – Munich, 29 nov. 1983 : *Tête de jeune fille* vers 1913-1914, pierre (43x34,5x20) : **DEM 75 000** – Cologne, 4 déc. 1985 : *La liseuse*, cr. bleu (27x39) : **DEM 8 000** – Londres, 24 juin 1985 : *Torso* 1910, bronze, patine brun foncé, cire perdue (H. 117) : **GBP 130 000** – Cologne, 31 mai 1986 : *Nu debout regardant vers l'arbre* 1914-1915, pierre calcaire (H. 93) : **DEM 140 000** – Munich, 8 juin 1988 : *Perdue dans ses pensées*, terre-cuite (H. 49) : **DEM 38 500** – New York, 13 nov. 1989 : *Torse de femme*, pierre brune (H. 71,4) : **USD 143 000** – Paris, 21 mai 1990 : *Buste de jeune femme*, bronze à patine brune (43,5x41x20) : **FRF 310 000** – Munich, 31 mai 1990 : *Personnage féminin*, bronze (H. 38) : **DEM 33 000** – New York, 3 oct. 1990 : *Deux nus masculin debout de dos* 1908, cr./pap. teinté (44,5x33,3) : **USD 11 000** – Londres, 4 déc. 1990 : *Loth et ses filles*, h/t (81x65,4) : **GBP 159 500** – Berlin, 30 mai 1991 : *Tête de femme inclinée*, fonte de pierre teintée (H. 49,5) : **DEM 188 700** – Berlin, 29 mai 1992 : *La petite rêveuse*, plâtre moulé et teinté en jaune (H. 53) : **DEM 62 150** – Berlin, 27 nov. 1992 : *Tête de jeune fille rêveuse*, bronze cire perdue (H. 39) : **DEM 81 360** – Londres, 20 mai 1993 : *Tête de femme inclinée*, bronze cire perdue (H. 44) : **GBP 41 100** – Zurich, 24 juin 1993 : *Torse féminin*, bronze (H. 69) : **CHF 60 000** – New York, 3 nov. 1993 : *Femme agenouillée*, pierre (H. 177,8) : **USD 1 212 500** – New York, 9 nov. 1994 : *Tête de femme inclinée*, terre-cuite peinte (H. 43,2) : **USD 87 750** – Londres, 29 nov. 1995 : *La Baigneuse* 1905, bronze (H. 64,1) : **GBP 8 000** – Londres, 9 oct. 1996 : *Tête d'un penseur* 1918, pierre (H. 62,5) : **GBP 133 500** – New York, 13 nov. 1996 : *Femme regardant derrière elle* vers 1914-1915, fonte de pierre (H. 92,1) : **USD 37 375** – Londres, 4 déc. 1996 : *Petite Fille pensive* 1911, pierre (H. 52,4) : **GBP 13 800** – Paris, 20 juin 1997 : *Tête de la jeune fille debout* 1913-1914, bronze patine brun rouge foncé (39,8x25,5x16,8) : **FRF 149 000**.

LEHMDEN Anton
Né en 1929 à Neutra. xxe siècle. Actif en Autriche. Tchécoslovaque.
Peintre de paysages. Fantastique.
Il fut élève de l'académie des beaux-arts de Vienne, fit un séjour à Rome, en 1958-1959, des voyages en Italie, en Hollande ; fut professeur à l'académie des beaux-arts d'Istanbul, en 1962-1963.
Il figurait avec les principaux membres du groupe viennois d'inspiration fantastique, dans une exposition à Paris, en 1970, organisée par les musées de Vienne, qui ont eu dès leur apparition, l'initiative d'en reconnaître la spécificité et de leur consacrer une large place. Il reçut le prix d'encouragement de la ville de Vienne en 1953, et le prix du journal *Mainichi* de Tokyo en 1957.
Un groupe d'artistes viennois, à la suite d'Albert Paris Gutherslоh, a créé depuis la fin de la Seconde Guerre mondiale, un univers fantastique, d'inspiration littéraire et surréaliste traduit dans le langage formel minutieux des primitifs germaniques. Parmi eux, avec Hutter, Brauer, Fuchs, Hausner, Leherb, Krejcar, Doxat, Pilcz : Lehmden. Dans des paysages parfaitement oniriques, soit déserts d'avant le commencement du monde, soit campagnes d'un étrange vert où des montagnes en gestation séparées par des fleuves portent des châteaux constitués de pyramides et de labyrinthes angoissants, se concertent des créatures faites d'éléments empruntés à l'homme, aux oiseaux et aux poissons.
Bibliogr. : In : *Peintres contemp.*, Mazenod, Paris, 1964 – Jeanine Warnod : *Le Réalisme fantastique viennois*, Figaro, Paris, 1970.

Musées : Vienne (Mus. du xxe s.).
Ventes Publiques : Hambourg, 6 juin 1980 : *Paysage avec oiseaux* 1967-1968, temp. et h/t (110x71,5) : **DEM 37 000** – Vienne, 18 mars 1981 : *Paysage* 1970, aquar. (14,5x25,5) : **ATS 35 000** – Vienne, 18 mars 1981 : *Nature morte* 1951-1952, h/isor. (49x26,5) : **ATS 100 000** – Vienne, 11 sep. 1984 : *Oiseau* 1960, pl. (16x24) : **ATS 25 000** – Vienne, 4 déc. 1984 : *Vue de la mer Noire* 1963, h/pan. (31x111) : **ATS 160 000** – Vienne, 18 juin 1985 : *Paysage* 1970, aquar. (22x14,5) : **ATS 32 000** – Vienne, 21 jan. 1986 : *Architecture* 1958-1959, aquar. (25,5x38) : **ATS 25 000**.

LEHNEN Jakob
Né le 17 janvier 1803 à Hinterweiler. Mort le 25 septembre 1847 à Coblence. xixe siècle. Allemand.
Peintre de genre, paysages animés, paysages, natures mortes.
Élève de l'Académie de Düsseldorf.
Bien qu'il ait surtout produit des fruits, du gibier mort, des fleurs, des oiseaux, des tables servies, des parties de chasse, on lui doit aussi des paysages.
Musées : Berlin – Kaliningrad, ancien. Königsberg – Liège.
Ventes Publiques : Munich, 15 sep. 1983 : *Nature morte aux huîtres* 1837, h/t (44x51) : **DEM 8 000** – Londres, 20 mai 1993 : *Nature morte avec un verre de vin, une salière, une orange, un citron et des huîtres et un homard sur une table* 1830, h/t (27,3x24,7) : **GBP 6 325**.

LEHNERT Adolf
Né le 20 juillet 1862 à Leipzig (Saxe). xixe-xxe siècles. Allemand.
Sculpteur de bustes.
Musées : Leipzig : *Buste de la cantatrice Hedwig Reicher-Kindermann*, marbre.

LEHNERT Hildegard
Née le 6 janvier 1857 à Berlin. xixe siècle. Allemande.
Peintre animalier, natures mortes, fruits.
Elle exposa à Vienne, Berlin, Munich, etc., à partir de 1886.
Ventes Publiques : Paris, 3 fév. 1919 : *Giroflées et jarre de cuivre* : **FRF 225** – Londres, 7 oct. 1987 : *L'Instruction de Cupidon*, h/t (59x18) : **GBP 2 000**.

LEHNERT Johann Georg
Né à Ratisbonne. xviiie siècle. Allemand.
Sculpteur.
Il travailla quelque temps à Troppau et fut un des représentants de l'école Rococo allemande.

LEHNERT Pierre Frédéric
Né le 31 janvier 1811 à Paris. xixe siècle. Français.
Peintre d'animaux, de sujets de chasse, aquarelliste, pastelliste, graveur et lithographe.
Élève de Bouton. Exposa fréquemment au Salon de Paris à partir de 1840.
Ventes Publiques : Paris, 17 nov. 1948 : *En promenade au Bois de Boulogne* : **FRF 15 000**.

LEHNHARDT Johann Georg
Né vers 1710 à Dantzig. xviiie siècle. Allemand.
Peintre.
On cite de lui : *Les Amours de Renaud et d'Armide*.

LE HOME Janin. Voir **LOMME**

LEHON Henri. Voir **HON**

LE HONGRE, de son vrai nom : **Étienne Bièvre**
xive-xve siècles. Français.
Peintre.
Cet artisan d'art travailla pour les ducs de Bourgogne et les rois de France.

LEHONGRE Étienne
Né en 1628 à Paris. Mort le 27 avril 1690 à Paris. xviie siècle. Français.
Sculpteur.
Élève de Sarrazin, il alla terminer ses études à Rome, d'où il revint en 1659. Il fut reçu à l'Académie en 1667 avec une *Sainte Madeleine* (médaillon en marbre) ; puis devint professeur en 1676. Les travaux qu'il fit au château de Choisy, pour Mlle d'Orléans, au Palais du Luxembourg et au Temple, sont détruits. Seuls ceux de Versailles subsistent : aux façades de la cour de marbre, *la Richesse, l'Autorité, l'Afrique* (statues de pierre), dans le parc, au bassin du parterre, côté du nord, *la Seine, La Marne* (statues en bronze), à droite en retour de la fontaine de Diane, *L'Air* (statue de marbre), au bassin des couronnes, un *Triton* et une *Sirène* (statues en plomb), à la cascade de l'allée d'eau, *Fleuve, Enfant* (bas-reliefs en plomb), à la façade latérale gauche, *Nymphes, Amours montés sur des poissons*, à l'entrée du Bosquet de la salle de bal, Quatre vases et quatre torchères en plomb. Ces œuvres furent dans l'ensemble exécutées à la suite d'indications de Le Brun, avec beaucoup de sûreté. D'autre part au Louvre, on voit une colonne et deux génies funèbres, en marbre, provenant du tombeau de Louis de Cossé-Brissac. Il exposa une seule fois au Salon, en 1673, une *Statue équestre du roi*.

LE HONGRE Louis
xviie siècle. Actif à Paris en 1668. Français.
Peintre.

LE HOUELLEUR Dominique
xxe siècle. Française.
Sculpteur.
Elle est vietnamiennne par sa mère, et française par son père. Elle vit en Afrique occidentale depuis l'âge de dix-sept ans.
La connaissance de l'Afrique, du pays dogon en particulier, lui a permis de se confronter et finalement de se laisser absorber par un code symbolique de valeurs tout à fait autre que celui de la société occidentale. Ce qu'elle recherche dans sa sculpture, c'est, à l'aide de la pensée animiste, de remonter aux significations des choses, afin de s'ouvrir à de nouvelles visualités possibles.
Bibliogr. : Alain Jouffroy : *L'Heure de Monique Le Houelleur*, in : *Opus international*, no 134, Paris, automne 1994.

LE HOUSSINE Malek
Né le 8 août 1950 à Paris. xxe siècle. Français.
Peintre de figures, groupes, graveur. Expressionniste.
Né à Paris, il est d'origine marocaine. Il fit d'abord des études supérieures de Sciences économiques. En 1974, il a étudié la gravure à Amsterdam. En 1976, il a collaboré aux cahiers hors-série du Nouvel Observateur. Il participe à des expositions collectives : de 1983 à 1987 Salon de Vitry ; de 1983 à 1988 Salon de Mai à Paris ; 1986 Salon de Montrouge ; 1988 Paris, *De Bonnard à Baselitz, dix ans d'enrichissements du Cabinet des estampes*, à la Bibliothèque nationale – 1990 à 1992 Mac 2000 à Paris ; 1992 Europ'Art à Genève ; 1994 Musée de la Poste de Paris. Il montre des ensembles de peintures dans des expositions individuelles, dont : 1987 à Rouen ; 1988 Los Angeles ; 1988, 1989, 1990, 1991 dans diverses galeries de Paris ; 1993-1994 Centre Culturel Français de Tanger ; 1994 galerie Targa de Paris.
Il peint des personnages, en buste ou en pied, aux traits indistincts, comme voilés, et situés dans un espace indéfini. Ses peintures sont travaillées en matière, par couches superposées en frottis et par griffures de tons adoucis, faisant jouer des effets de transparence délicats. Ses personnages ne se livrent pas, ils sont à peine des apparences qu'il faut deviner, et manifestent pourtant une forte présence dans l'ambiguïté.
Bibliogr. : Francis Parent : *Malek Lehoussine ou la traversée des apparences*, in : Artension, Rouen, août 1988.
Musées : PARIS (Bibl. Nat. – Cab. des Estampes).
Ventes Publiques : Paris, 8 oct. 1989 : *Portrait de groupe*, h/t (130x97) : **FRF 4 500** – Les Andelys, 19 nov. 1989 : *Conception de l'amour avant 1914*, h/t (130x97) : **FRF 3 600**.

LEHOUST Pierre
xvie siècle. Actif à Bourges. Français.
Sculpteur.
Il prêta son concours pour l'exécution des travaux faits dans la cathédrale de Bourges, en 1513.

LEHOUX Adrien Pierre Pascal
Né le 9 août 1844 à Paris. Mort le 27 mai 1896 à Paris. xixe siècle. Français.
Peintre d'histoire, compositions mythologiques, illustrateur.
Élève d'Alexandre Cabanel, il participa au Salon de Paris de 1869 à 1895.
Il fut selectionné parmi les cent artistes contemporains élus pour « représenter le mieux l'esprit et l'action du siècle » et, à ce titre, illustra le *Livre d'or de Victor Hugo*, publié en 1883. Il donne à ses figures, une ampleur sculpturale, d'un type baroque.
Bibliogr. : Gérald Schurr, in : *Les Petits Maîtres de la peinture 1820-1920, valeur de demain*, Les Éditions de l'Amateur, t. II, Paris, 1982.
Musées : Amiens – Nantes – Narbonne – Reims – Vire.

LEHOUX Pierre François
Né le 1er juin 1803 à Paris. Mort en 1892 à Paris. XIXe siècle. Français.
Peintre de genre, sujets typiques, paysages. Orientaliste.
Élève d'Horace Vernet, il participa au Salon de Paris à partir de 1831.
Il fut surtout peintre orientaliste, présentant des scènes typiques du Liban ou d'Égypte, mais fit aussi des paysages de la campagne française.
Bibliogr. : Gérald Schurr, in : *Les Petits Maîtres de la peinture 1820-1920, valeur de demain,* Les Éditions de l'Amateur, t. IV, Paris, 1979.

LEHR Christian Wilhelm Jacob
Né le 25 mars 1856 à Berlin. XIXe siècle. Allemand.
Sculpteur.
Il travailla surtout à Berlin, Aix-la-Chapelle et Méran.

LEHRHUBER Zacharias
XVIIIe siècle. Actif à Landshut à la fin du XVIIIe siècle. Allemand.
Peintre.
On cite ses travaux pour les églises d'Holzhausen et d'Altheim.

LEHRY-BUISSON Jeanne
Née en 1922 à Montfort-Lamaury-Méré (Yvelines). XXe siècle. Française.
Peintre, graveur.
Elle vit et travaille à Paris. Elle a participé à l'exposition : *De Bonnard à Baselitz – Dix ans d'enrichissements du cabinet des estampes 1978-1988* à la Bibliothèque nationale à Paris en 1992.
Musées : Paris (Cab. des Estampes) : *Les Baies du fusain* 1980, litho.

LE HUCHER Louis
XVIIe siècle. Rouennais, vivant au XVIIe siècle. Français.
Sculpteur et peintre.
En 1612, avec Jérémie Le Pilleur, il travailla à un tabernacle fait par Michel Lourdel pour l'église paroissiale de Saint-André, de Rouen.

LEHUÉDÉ Marcel Pierre
Né le 21 janvier 1886 au Pouliguen (Loire-Atlantique). Mort le 16 avril 1918 à Cempius (Oise). XXe siècle. Français.
Sculpteur.
Il fut élève de Coutan et de Peynol. Il fut premier second grand prix de Rome en 1913.

LE HUN Jean
XVe siècle. Actif à Rouen. Français.
Sculpteur.
Sous la direction de l'architecte Jenson Salvart, il travailla au grand portail de la cathédrale de Rouen, de 1407 à 1420 : il y sculpta de sa main dix-neuf statues qu'on voit du côté de la tour Saint-Romain.

LEIB Konrad. Voir **LAIB**

LEIBGEBEIN Konrad. Voir **LEITGEB**

LEIBL Wilhelm Maria Hubertus
Né le 23 octobre 1844 à Cologne. Mort le 4 décembre 1900 à Würzburg (Bavière), 1891 d'après le Mayer. XIXe siècle. Allemand.
Peintre de genre, portraits, paysages, dessinateur, graveur, illustrateur.
Élève de Piloty et de Romberg à Munich. À Paris en 1869, il travailla un an et retourna en Allemagne dès la déclaration de la guerre. Membre de l'Académie de Berlin depuis 1892. Médaille de première classe à Paris en 1889.
Ce peintre, aux moyens puissants, fut influencé un temps par la manière de Courbet. Si Böcklin, représentant du courant fantastique chez les post-romantiques allemands, ne cachait pas l'ennui que lui inspirait le réalisme de Leibl, celui-ci lui rendait la pareille, méprisant ce qui n'était pas fondé sur la poésie de la réalité. Dans le post-romantisme réaliste, parallèle à l'école de Barbizon et surtout à Courbet, qu'il admirait et qui l'appréciait, Leibl apporta une note personnelle de compréhension intime de la nature rustique. Les portraits de paysans de sa dernière période sont peut-être plus convenus. Son rôle dans l'art allemand des années 1900 fut accru du fait qu'il vit passer dans son atelier de Munich comme élèves, tous ces jeunes artistes qui devaient créer, plus tard dans cette ville les divers mouvements révolutionnaires qui orienteront, jusqu'à la domination de Hilter, tout l'essor pictural de l'Allemagne.

W. Leibl

Bibliogr. : Marcel Brion : *La peinture allemande,* Tisné, Paris, 1959 – Pierre du Colombier, in : *Diction. Univers. de l'Art et des Artistes,* Hazan, Paris, 1967.
Musées : Berlin : *Femmes de Dachau – Le Chasseur – Portrait d'homme – Les braconniers – Le bailli – Jeunes paysans – Tête de fillette – Le bourgmestre Klein – Femme de Dachau et son enfant* – Brême : Étude – Cologne : *Le père de l'artiste* – Étude – *Deux paysages,* en collaboration avec Joh. Sperl. – *Portrait de Heinrich Pallenberg – La cocotte* – Francfort-sur-le-Main : *Vieux paysan et jeune fille* – Hambourg (Kunsthalle) : *Vieille dame – Les dévotes* 1878-1881 – *Der Schütz* – Leipzig : *Dans l'attente* – Munich : *Dans la petite ville – Dans une chambre de paysans – Max von Perfall* – Étude – *J. Pfelinger* – Stuttgart : *Une illustration – Tête de paysan.*
Ventes Publiques : Paris, 1881 : *Pêcheuse hongroise* : **FRF 3 650** – New York, 3-4 fév. 1898 : *Les politiciens du village* : **FRF 75 000** – Paris, 19 au 29 oct. 1904 : *Portrait de Mme la conseillère X* : **FRF 9 250** – Paris, 30 mai au 13 juin 1912 : *Portrait de la femme de l'architecte Gedon* : **FRF 140 000** – Londres, 3 juil. 1922 : *Contemplation* : **GBP 78** – Berlin, 29 mai 1934 : *Portrait de Steglein* : **DEM 16 000** – Francfort-sur-le-Main, 13 mai 1936 : *Jeune paysanne* : **DEM 10 300** – Cologne, 28 avr. 1965 : *Portrait en buste d'une jeune femme en robe noire* : **DEM 117 300** – Munich, 11 juin 1970 : *Portrait de Carel Luibl* : **DEM 8 500** – Munich, 1er juin 1973 : *Portrait d'un paysan* : **DEM 4 000** – Munich, 28 nov. 1974 : *Portrait de vieille femme* 1870 : **DEM 30 000** – Munich, 23 nov. 1978 : *Portrait d'un jeune paysan de profil à droite* vers 1863/65, h/pap. mar./pan. (23x18) : **DEM 5 400** – Hambourg, 7 juin 1979 : *Portrait d'une jeune paysanne bavaroise,* fus. (25,3x22,5) : **DEM 5 200** – Hanovre, 17 mars 1979 : *Portrait d'Anton von Perfall* 1891, h/t mar./cart. (18,5x14,5) : **DEM 19 000** – Londres, 13 mai 1981 : *Sans titre* vers 1874, eaux-fortes, suite de onze : **GBP 1 900** – Munich, 29 juin 1982 : *Scène d'intérieur,* fus. (32x44) : **DEM 3 400** – Cologne, 25 nov. 1983 : *Portrait d'enfant,* h/pan. (31x23) : **DEM 48 000** – New York, 1er mars 1984 : *Trois femmes dans une église,* aquar. (43,2x31,7) : **USD 1 000** – Zurich, 1 déc. 1984 : *Le jeune violoniste,* craie noire (60x45) : **CHF 4 000** – Munich, 29 oct. 1985 : *La mère de l'artiste sur son lit de mort* 1880, cr. (14x27) : **DEM 2 500** – Londres, 20 juin 1989 : *Portrait d'un jeune Vénitien* 1872, h/t (40,5x32,5) : **GBP 220 000** – Amsterdam, 19 sep. 1989 : *Portrait d'une femme en buste, vêtue de sombre et portant un lorgnon,* h/t (67,5x54,5) : **NLG 1 265** – Londres, 24 nov. 1989 : *Portrait d'un homme jeune,* h/t (24,5x19) : **GBP 6 820** – New York, 28 fév. 1990 : *Petite fille en forêt* 1894, h/pan. (19,7x21) : **USD 198 000** – Munich, 31 mai 1990 : *Étude de main,* h/t (19,5x29) : **DEM 30 800** – Paris, 14 juin 1991 : *Étude pour le tableau Inderkirche* 1883, dess. à la pl. (24x17) : **FRF 40 000** – Londres, 19 juin 1992 : *Vieille femme,* cr./pap. (21x15,6) : **GBP 14 850** – Heidelberg, 5-13 avr. 1994 : *Jeune paysanne avec un chemisier à carreaux,* eau-forte (15x11,8) : **DEM 2 300.**

LEIBNITZ Heinrich
Né en 1811 à Stuttgart. Mort le 6 janvier 1889 à Tubingen. XIXe siècle. Allemand.
Peintre et lithographe.
Il peignit surtout des peintures religieuses dans le style des Nazaréens.

LEIBOVICI Michaël ou **Mickhaël**
XXe siècle. Français.
Peintre de figures, paysages, aquarelliste, pastelliste.
Il a exposé à Paris en 1992, 1994 et 1996 à la galerie Hansma.
Ses œuvres s'ouvrent au silence, elles sont nées de la contemplation, affirme l'artiste, non de la tristesse ou de la mélancolie. Dans une atmosphère feutrée, cotonneuse, un personnage se fige, comme absent à la foule qui s'agite autour de lui dans des architectures imaginaires.

LEIBOVITZ Edward
XXe siècle. Actif depuis 1972 en Belgique. Roumain.
Peintre, graveur, sculpteur, peintre de cartons de vitraux. Tendance surréaliste.
Il étudie la peinture en Israël, avant de s'installer en Belgique. Il montre ses œuvres dans des expositions personnelles en Belgique et en France.

Il utilise de nombreuses techniques, il a notamment réalisé des sculptures racontant l'histoire de femmes bottées de verre, associant une stèle de marbre noir gravé et le travail du verre.

LEICH Richard P.

XIXe siècle. Britannique.

Peintre et aquarelliste.

Visita l'Égypte. Exposa accidentellement à la Royal Academy de Londres, de 1844 à 1860. On voit de lui au Victoria and Albert Museum plusieurs aquarelles (vues d'Angleterre et une vue de Louqsor en Égypte).

LEICHER Andréas

Né vers 1772 à Vienne. Mort le 6 mars 1828 à Vienne. XVIIIe-XIXe siècles. Autrichien.

Graveur au burin.

Le Blanc cite de lui *Jésus-Christ à Emmaüs*, d'après Bast. Schidone.

LEICHER Félix Ivo

Né le 18 mai 1727 à Wegstadt. Mort après 1811. XVIIIe-XIXe siècles. Autrichien.

Peintre d'histoire, compositions religieuses.

Après avoir étudié à Freyberg, il fut élève de l'Académie de Vienne. Il se fit une réputation comme peintre de tableaux d'autel.

Musées : Vienne : *La Vierge et l'Enfant-Jésus.*

Ventes Publiques : Londres, 7 déc. 1988 : *L'Assomption de la Vierge avec la Trinité et saint Maurice*, h/t (80x46) : **GBP 1 650**.

LEICHNER Heinrich

Né en 1684 à Erfurt. Mort en 1769 à Leipzig. XVIIIe siècle. Allemand.

Peintre.

Il peignit en même temps des portraits et des copies d'après Lancret et Watteau. Le Musée de Leipzig possède de lui deux portraits.

LEICHSENRING. Voir **LEUCHSENRING**

LEICK Joël

Né en 1961 à Thionville (Moselle). XXe siècle. Français.

Peintre, peintre de collages, graveur, illustrateur. Abstrait.

Il vit et travaille à Thionville. Il participe à de nombreuses expositions collectives : 1986 musée Rimbaud à Charleville-Mézières ; 1988, 1992 Grands et Jeunes d'Aujourd'hui à Paris ; 1988, 1990, 1991 Salon de Montrouge ; 1991, 1992 Salon des Réalités Nouvelles à Paris ; 1992 Foire de Gand ; 1990, 1991, 1994 Mac 2000 à Paris ; 1993 SAGA (Salon d'Arts Graphiques Actuels) à Paris ; 1994 Salon Découvertes à Paris. Il montre ses œuvres dans des expositions personnelles régulièrement à la galerie du Fleuve à Paris ainsi que : 1987 Maison de la culture de Metz ; 1992 musée de Saint-Dié. Il a reçu le prix Mac 2000 à Paris en 1991, ainsi que celui de la IIe Triennale d'estampes de Chamalières.

Ses premières peintures et monotypes datent de 1985. Depuis 1987, il réalise de grandes peintures sur toile à partir de plaques de cuivre ou de zinc, encrées puis imprimées sur la toile par une ou plusieurs applications manuelles. Lignes, taches et couleurs sourdes sont le point de départ de son travail abstrait, frontal. Elles établissent un rythme qui doit beaucoup aux maîtres chinois. Écrivain lui-même, il réalise des livres d'artistes avec des poètes : Michel Butor, Mathieu Bénézet, Robert Marteau, Xavier Bordes...

Bibliogr. : Joël Leick : *Dessins de Mallorca*, Galerie Wagner, Thionville, Galerie du Fleuve, Paris, 1992 – Martine Arnault : *Joël Leick*, Cimaise, n° 218-219, Paris, juin-juil.-août 1992 – Jean Luc Chalumeau : *Joël Leick*, Opus International, n° 129, Paris, aut. 1992 – Joël Leick : *In vert – Monotypes 1992 notes du peintre*, Musée de Saint-Dié, 1992.

Musées : Paris (Cab. des Estampes) : *Mémoires des roches – Les Trois Peupliers – Paysage rocheux – L'Inondation* 1984, pointes sèches.

Ventes Publiques : Paris, 8 oct. 1989 : *Sans titre*, h/t (147x114) : **FRF 6 500** – Les Andelys, 19 nov. 1989 : *Peinture et creuset*, h/t (162x130) : **FRF 6 200** – Paris, 21 mars 1992 : *Correspondances 1991* 1991, h. et collage/pap. (50x65,5) : **FRF 3 000**.

LEICKERT Charles Henri Joseph

Né le 22 septembre 1818 à Bruxelles. Mort en décembre 1907 à Mayence. XIXe-XXe siècles. Belge.

Peintre de paysages animés, marines.

Élève de B.-J. Van Hove, W.J.J. Nuyen et de Andreas Schelfhout, il travailla à Amsterdam à partir de 1856.

Il peint des vues de canaux gelées, des scènes de patinage ou des sujets plus familiers, typiquement flamands.

Ch. Leickert

Bibliogr. : Gérald Schurr, in : *Les Petits Maîtres de la peinture 1820-1920, valeur de demain*, Les Éditions de l'Amateur, t. IV, Paris, 1979.

Musées : Amsterdam : *Panorama d'hiver* – La Haye (Mus. comm.) : *Un bac* – Mayence : *La tour de bois à Mayence.*

Ventes Publiques : Paris, 1869 : *Passage d'un bac* : **FRF 1 600** – Londres, 23 juin 1944 : *La rivière gelée* : **GBP 63** – Paris, 14 mars 1955 : *La plage* : **FRF 58 000** – Londres, 28 fév. 1973 : *Paysage d'hiver avec patineurs* 1870 : **GBP 18 000** – New York, 17 avr. 1974 : *Scène de rue en hiver* 1858 : **USD 19 000** – Amsterdam, 18 mai 1976 : *Paysage fluvial en hiver*, h/pan. (48x63) : **NLG 38 000** – Paris, 7 nov. 1977 : *Scène de patinage* 1851, h/t (66x96) : **FRF 86 000** – New York, 7 oct. 1977 : *Paysage d'hiver aux moulins avec patineurs* 1872, h/t (73,5x117) : **USD 30 000** – Londres, 29 nov 1979 : *Le retour des pêcheurs*, aquar., cr. et reh. de gche (32,5x51) : **GBP 1 600** – Londres, 3 mai 1979 : *Scène de bord de mer* 1855, h/t (40x52) : **GBP 15 000** – Amsterdam, 19 mai 1981 : *Paysage d'hiver à la rivière gelée animé de personnages* 1850, h/t (45,5x60) : **NLG 60 000** – Amsterdam, 25 avr. 1983 : *Enfants aux abords d'une ville* 1862, aquar. (21,8x29,9) : **NLG 2 500** – New York, 26 oct. 1983 : *Patineurs sur une rivière gelée* 1872, h/t (73,5x117) : **USD 27 000** – Amsterdam, 119 nov. 1985 : *Paysage de Hollande en hiver* 1862, h/t (67,5x90) : **NLG 85 000** – Anvers, 27 mai 1986 : *Paysage d'hiver avec patineurs* 1852, past. (66x97) : **BEF 1 350 000** – Bruxelles, 17 juin 1987 : *Paysage d'hiver avec patineurs*, h/pan. (38x54) : **BEF 700 000** – Amsterdam, 30 août 1988 : *Pêcheurs travaillant autour de leur barque halée sur la plage*, h/pan. (22,5x30) : **NLG 17 250** – Amsterdam, 3 sep. 1988 : *Scène de rue avec de nombreux villageois sur la place près de la fontaine*, h/pan. (16,5x11) : **NLG 8 625** – Amsterdam, 16 nov. 1988 : *La foire au village avec un clocher au fond*, encre et aquar./pap. (26x35) : **NLG 2 300** ; *Rue d'une ville flamande en hiver avec des passants*, h/pan. (55x42) : **NLG 23 000** – New York, 23 fév. 1989 : *Place de marché en hiver*, h/pan. (39x32,4) : **USD 9 900** – Cologne, 18 mars 1989 : *Paysage hollandais animé avec une église et des barques*, aquar. (29x44) : **DEM 3 500** – Londres, 5 mai 1989 : *Paysage d'hiver avec des personnages autour d'une tente* 1878, h/t (63,5x98) : **GBP 11 000** – Londres, 22 nov. 1989 : *Villageois près de la plage au crépuscule*, h/pan. (24x33) : **GBP 11 550** – Paris, 27 nov. 1989 : *vue de ville des Pays-Bas*, h/pan. (17x23,5) : **FRF 44 000** – New York, 1er mars 1990 : *Rue de village en hiver* 1873, h/pan. (47x37,5) : **USD 26 400** – Amsterdam, 2 mai 1990 : *Paysage hollandais hivernal avec un traineau de foin et d'autres patineurs* 1891, h/t (64,5x100) : **NLG 149 500** – Monaco, 16 juin 1990 : *Paysage de rivière avec une barque* 1840, h/pan. (24x30) : **FRF 59 940** – New York, 24 oct. 1990 : *Paysage fluvial animé*, h/pan. (26,6x35,6) : **USD 15 400** – Amsterdam, 30 oct. 1990 : *Moulin à vent dans un paysage d'hiver avec des patineurs et des paysans sur un sentier* 1852, h/pan. (47x64) : **NLG 46 000** – Amsterdam, 6 nov. 1990 : *Scène de la vie villageoise sur un canal gelé au pied d'une tour*, h/pan. (45x69) : **NLG 74 750** – Amsterdam, 5-6 fév. 1991 : *Personnages conversant près d'un portail*, h/pan. (22x17,5) : **NLG 5 175** – Amsterdam, 23 avr. 1991 : *Paysage hollandais avec un moulin à vent et des pêcheurs à la ligne au bord d'une rivière en été* 1854, h/t (63,5x95) : **NLG 155 250** – Amsterdam, 24 avr. 1991 : *Paysage fluvial avec des pêcheurs dans leurs barques amarrées à quai et la cathédrale de Dordrecht au fond*, h/t (38x47) : **NLG 74 750** – Londres, 19 juin 1991 : *L'approche de la bourrasque* 1848, h/pan. (57x89) : **GBP 18 700** – New York, 17 oct. 1991 : *Lomer*, h/pan. (30,5x40,6) : **USD 18 700** – Amsterdam, 5-6 nov. 1991 : *Paysage hivernal en Hollande* 1875, h/t (80x114) : **NLG 69 000** – New York, 20 fév. 1992 : *Paysage fluvial en été* 1863, h/t (62,9x95,3) : **USD 60 500** – Calais, 5 avr. 1992 : *Village et moulin sous la neige*, h/t (45x65) : **FRF 72 000** – Amsterdam, 14-15 avr. 1992 : *Paysage estival avec une barque sur une rivière*, h/pan. (20,5x28) : **NLG 32 200** – Londres, 17 juin 1992 : *Villageois sur une rivière gelée* 1868, h/t (96x134) : **GBP 34 100** – Amsterdam, 28 oct. 1992 : *L'ancienne douane : paysage fluvial animé avec Amsterdam à distance*, h/pan. (44x59) : **NLG 86 250** – New York, 30 oct. 1992 : *Village hollandais animé au bord d'une rivière*, h/t (62,2x102,2) : **USD 41 800** – Londres, 19 mars 1993 : *Le passeur*, h/pan. (63,5x95) : **GBP 80 700** – Amsterdam, 9 nov. 1993 : *Paysage esti-*

val avec des personnages longeant la rivière 1849, h/pan. (44x62,5) : **NLG 59 800** – AMSTERDAM, 21 avr. 1994 : *Paysage fluvial d'été avec des paysans bavardant avec des lavandières près de la barque du passeur et une ville au lointain,* h/t (84x131) : **NLG 184 000** – LOKEREN, 28 mai 1994 : *Paysage d'hiver avec des patineurs* 1870, h/t (45x62,5) : **BEF 300 000** – NEW YORK, 1er nov. 1995 : *Personnages sur une rivière gelée* 1863, h/t (58,4x73,7) : **USD 29 900** – AMSTERDAM, 7 nov. 1995 : *Paysage d'hiver avec des personnages sur une rivière près d'une tour,* h/pan. (49x66) : **NLG 77 880** – PARIS, 28 mars 1996 : *Vue d'un canal en Hollande,* h/pan. (19,5x26,1) : **FRF 45 000** – AMSTERDAM, 25 avr. 1996 : *Vue de Delft avec l'église d'Oude un jour d'été,* h/t : **NLG 109 250** – LONDRES, 14 juin 1996 : *Paysage d'hiver avec des patineurs près d'un moulin,* h/t (78,2x57) : **GBP 11 500** – AMSTERDAM, 5 nov. 1996 : *Personnages sur une place de marché dans une ville hollandaise en hiver,* h/t (30x22,5) : **NLG 11 800** ; *Moulin à vent près d'une rivière dans un paysage d'été,* h/pan. (19,5x26) : **NLG 28 320** – AMSTERDAM, 22 avr. 1997 : *Paysage d'hiver avec patineurs sur une rivière gelée et personnages à côté d'un koek en zopie près d'un moulin hollandais,* h/t (90,5x145,5) : **NLG 188 800** – NEW YORK, 23 mai 1997 : *Rivière gelée dans un village hollandais,* h/t (83,8x64,1) : **USD 13 800** – LONDRES, 21 nov. 1997 : *Familles de pêcheurs sur la plage à Scheveningen,* h/t/pan. (42,5x60,3) : **GBP 18 975** – NEW YORK, 23 oct. 1997 : *Patineurs et traîneaux sur une rivière gelée,* h/t (55,9x75,6) : **USD 17 250** – AMSTERDAM, 27 oct. 1997 : *Paysage d'été avec un bac près d'un moulin, une ville au loin,* h/t (90x145) : **NLG 171 100** ; *Patineurs sur une rivière gelée* 1878, h/t (64x98) : **NLG 92 040**.

LEIDENFROST Sandor
Né le 18 mars 1888 à Skoplie. XXe siècle. Hongrois.
Peintre de paysages, compositions religieuses.
Il fut élève de l'académie des beaux-arts de Budapest.

LEIDENHOFFER Philipp Jacob
Mort le 5 septembre 1714 à Augsbourg. XVIIIe siècle. Français.
Graveur au burin.
Il a gravé des sujets allégoriques et des portraits.

LEIDENSDORF Franz Anton von
Né en 1722 à Reute. Mort en 1795 à Mamheim. XVIIIe siècle. Allemand.
Peintre et graveur.
Il a gravé des sujets religieux et des figures académiques.

LEIDTGRADT Joseph. Voir **LEITKRATH**

LEIENDECKER Joseph, Mathias et **Paul Joseph**. Voir **LEYENDECKER**

LEIFCHILD Henry Stormont
Né en 1823. Mort le 11 janvier 1884 à Londres. XIXe siècle. Britannique.
Sculpteur.
Il exposa à la Royal Academy de Londres de 1844 à 1882.

LEIFERMAN Sylvia
Née à Chicago (Illinois). XXe siècle. Américaine.
Peintre. Abstrait-informel.
Elle expose aux États-Unis, en particulier au musée de Miami. Sa peinture est non figurative, tachiste ou informelle.

LEIGEB Gottfried
Né en 1630 à Freystadt. Mort en 1682. XVIIe siècle. Allemand.
Peintre et graveur à l'eau-forte.
Il a gravé des portraits.

LEIGEB Paul Carl ou **Leygebe**
Né en 1664 à Nuremberg. Mort après 1730 à Berlin. XVIIe-XVIIIe siècles. Allemand.
Peintre d'histoire et d'animaux.
Fils de Gottfried Leigeb, il fut peintre de la cour de Frédéric Ier.

LEIGEBEIN Konrad. Voir **LEITGEB**

LEIGEL Gottfried
Né dans le Holstein. XVIe siècle. Allemand.
Miniaturiste.
Élève et aide de Lucas Cranach. On le cite de 1527 à 1560. En 1550, il travaillait à Wittemberg pour Hans Laffit. On cite de lui une série de bois pour des figures de la Bible.

LEIGH Howard
Né le 9 août 1896 à Cecilia (Kentucky). XXe siècle. Américain.
Peintre, graveur.
Il fut élève de Paul Maurou. Il obtint une mention honorable au Salon de Paris en 1927. Il a réalisé des lithographies de la Grande Guerre.
MUSÉES : PARIS (Mus. de la Guerre).

LEIGH James Matthews
Né en 1808. Mort le 20 avril 1860 à Londres. XIXe siècle. Britannique.
Peintre d'histoire et de portraits.
Il fut élève d'Etty.

LEIGH Maud Boughton
Née vers 1881. Morte le 20 juin 1945. XXe siècle. Britannique.
Peintre de portraits, animaux.
Elle a d'abord étudié à la Slade School de Londres, puis dans l'atelier Cormon à Paris. De sa rencontre avec Gwen John naît une amitié. On a retrouvé après sa mort un grand nombre de toiles. Cette artiste ne semble pas identique à Dora BOUGHTON-LEIGH.
On a longtemps cru que la toile de la Tate Gallery était un autoportrait, alors que c'est en fait le portrait de Chloé, la sœur de l'artiste.
MUSÉES : LONDRES (Tate Gal.) : *Portrait de Chloé.*

LEIGH Rosa
Née en 1853 à Anvers. Morte en 1925. XIXe-XXe siècles. Belge.
Peintre de figures, paysages, natures mortes.
BIBLIOGR. : In : *Dict. biogr. illustré des artistes en Belgique depuis 1830,* Arto, Bruxelles, 1987.
MUSÉES : SAINT-JOSSE-TEN-NOODE – TOURNAI.

LEIGH T.
XVIIe siècle. Actif à Londres. Britannique.
Peintre.
On connaît de lui un *Portrait de Robert Davies,* signé et daté de 1643. Il fut élève de C. Jonson.
VENTES PUBLIQUES : LONDRES, 27 avr. 1925 : *Femme en robe noire* : **GBP 42.**

LEIGH William Robinson
Né le 23 septembre 1866 à Berkeley (Connecticut). Mort en 1955. XIXe-XXe siècles. Américain.
Peintre de scènes typiques, portraits.
À quatorze ans il commença ses études sous la direction de Hugh Russell à l'Institut Maryland de Baltimore, puis les poursuivit à l'Académie Raupp-Royal de Munich en 1883-1884. Il demeura en Europe jusqu'en 1896. Il obtint une mention honorable au Salon de Paris en 1892 et deux médailles d'argent à l'Académie des Beaux-Arts de Munich. De retour à New York, devint illustrateur pour les revues *Collier's* et *Scribner's*. Il fut membre du Salmagundi Club.
Ce n'est qu'à quarante ans, vers 1906, qu'il put voyager dans l'Ouest, et ses peintures traitant des mœurs de cette région et des Indiens le rendirent mondialement célèbre. Entre 1912 et 1927, il délaissa son atelier de New York pendant les mois d'été, pour se rendre dans le Sud-Ouest et prendre des croquis et photographies de la vie locale.

BIBLIOGR. : June Du Bois : *W.R. Leigh, Biographie illustrée,* Kansas City, 1977.
MUSÉES : OKLAHOMA CITY (Nat. Cowboy Hall of Fame and Western Heritage Center) : *Marquage du troupeau JJ* 1945.
VENTES PUBLIQUES : NEW YORK, 6 oct. 1945 : *Rustling* : **USD 410** – NEW YORK, 17 jan. 1946 : *Tempête de sable* : **USD 560** – NEW YORK, 14 mars 1968 : *Coucher de soleil dans le désert* : **USD 1 300** – NEW YORK, 19 mars 1969 : *Cow-boy attrapant un cheval au lasso* : **USD 6 500** – NEW YORK, 20 avr. 1972 : *Maternité* : **USD 14 000** – NEW YORK, 11 avr. 1973 : *Jeune Indienne prenant de l'eau* : **USD 23 000** – NEW YORK, 4 mars 1974 : *Indien assis* 1916 : **USD 8 000** – NEW YORK, 27 oct. 1977 : *Jeune Indien* 1917, h/t (35,5x35,5) : **USD 13 000** – LOS ANGELES, 6 juin 1978 : *Biche dans un paysage d'automne,* h/t (61x94) : **USD 6 500** – NEW YORK, 20 avr 1979 : *Woman grinding corn Taos,* h/cart. (30x40,5) : **USD 25 000** – NEW YORK, 22 oct. 1981 : *Zuni potterypainter* 1907, h/t (63,5x76,2) : **USD 135 000** – NEW YORK, 23 avr. 1982 : *The getaway* 1913, pl. (59,7x43,2) : **USD 8 500** – NEW YORK, 6 déc. 1984 : *A grizzly's end* 1948, h/t (63,5x102,2) : **USD 97 500** – NEW YORK, 30 mai 1985 : *The brilliant idea,* pl. (38,1x55,9) : **USD 6 500** – NEW YORK, 30 mai 1985 : *Indienne décorant une poterie,* h/cart. (30,5x38,1) : **USD 17 500** – LOS ANGELES, 9 juin 1988 : *Rodéo,* h/t (30,5x35,5) : **USD 2 475** – NEW YORK, 1er déc. 1988 : *Cow-boy au*

lasso 1913, h/t (71,1x55,9) : **USD 63 250** - New York, 24 mai 1989 : *Soleil couchant sur Phœnix Valley* 1948, h/t (33x43,2) : **USD 11 550** - New York, 30 nov. 1989 : *Le point d'eau à Oraibi* 1917, h/t (56,5x71,7) : **USD 187 000** - New York, 1er déc. 1989 : *La charge des éléphants* 1937, h/t (114,2x152,3) : **USD 77 000** - New York, 24 mai 1990 : *Poursuite* 1912, h/t (35,5x50,8) : **USD 74 250** - New York, 12 avr. 1991 : *La vendeuse de poteries*, h/cart. (25,4x20,3) : **USD 16 500** - New York, 23 mai 1991 : *Etude de tête d'enfant indien*, h/t (41,9x33) : **USD 13 200** - New York, 6 déc. 1991 : *Prêt à viser*, h/t (101,8x76,1) : **USD 159 500** - New York, 28 mai 1992 : *La recherche du bétail égaré* 1913, h/t (71,5x57,2) : **USD 132 000** - New York, 4 déc. 1992 : *Le potier Zuni* 1907, h./t. (63,5x76,9) : **USD 165 000** - New York, 2 déc. 1993 : *Indiens Hopi chassant le lièvre* 1913, h/t (101,6x152,4) : **USD 134 500** - New York, 25 mai 1994 : *Le trappeur d'ours* 1941, h/t (71,1x55,9) : **USD 156 500** - New York, 25 mai 1995 : *La lutte pour la vie* 1947, h/t (114,3x152,4) : **USD 178 500** - New York, 4 déc. 1996 : *Indiens à cheval dans un paysage*, h/t (41,9x52) : **USD 74 000** - New York, 26 sep. 1996 : *Jeune Indien à la chasse* 1911, h/cart. toilé (29,9x24,1) : **USD 14 950**.

LEIGHTON Charles Blair

Né le 6 mars 1823. Mort le 6 février 1855. xixe siècle. Britannique.

Peintre et graveur.

Il exposa à la Royal Academy de Londres, de 1843 à 1854, des portraits et des tableaux d'histoire.

LEIGHTON Clare

Née le 12 avril 1819 à Londres. xixe siècle. Britannique.

Dessinateur et graveur.

Elle fit ses études à Brighton. On lui doit surtout des illustrations de livres.

LEIGHTON Edmund Blair

Né le 21 septembre 1853 à Londres. Mort le 1er septembre 1922 à Londres. xixe-xxe siècles. Britannique.

Peintre de sujets religieux, scènes de genre, portraits.

Commença à peindre à l'âge de vingt-et-un ans. Il suivit les cours de la Royal Academy à Londres et y exposa à partir de 1878.

E.B.L

E BLAIR LEIGTON

E.B.L

Musées : Leeds : *Lady Godiva*.

Ventes Publiques : Londres, 27 mars 1909 : *La mariée étrangère* 1882 : **GBP 147** - Londres, 19 juin 1909 : *Un travail d'amour* : **GBP 486** - Londres, 16 juil. 1909 : *Laisse ta main dans la mienne et aie confiance en moi* 1891 : **GBP 420** - Londres, 24 mai 1910 : *Laisse ta main dans la mienne et aie confiance en moi* : **GBP 97** - Londres, 21 juil. 1922 : *Le roi Cophetua et la mendiante* : **GBP 105** - Londres, 21 mars 1924 : *Pelléas et Mélisande* : **GBP 231** - Londres, 27 fév. 1925 : *Chemin faisant* : **GBP 61** - Londres, 25 fév. 1927 : *Perspectives* : **GBP 77** - Londres, 10 juil. 1939 : *Vox Populi* : **GBP 76** - Londres, 10 avr. 1946 : *A mi-chemin de la maison*, dess. : **GBP 58** - Londres, 20 déc. 1946 : *Rubans et dentelles* : **GBP 199** ; *Dimanche matin sous la pluie* : **GBP 162** - Londres, 27 mars 1973 : *Espoir et désespoir* : **GNS 1 400** - Londres, 6 déc. 1977 : *Projets* 1883, h/t (42x59) : **GBP 4 200** - New York, 4 mai 1979 : *L'Aveugle à Siloam* 1879, h/t (102x127) : **USD 9 000** - Londres, 6 mars 1981 : *God Speed* 1900, h/t (157,5x114,2) : **GBP 9 500** - Londres, 18 mars 1983 : *Sainte Élisabeth de Hongrie faisant l'aumône* 1895, h/t (165x120) : **GBP 4 000** - Londres, 12 avr. 1985 : *Le jardin de roses* 1906, h/cart. (25,5x31) : **GBP 4 000** - Londres, 20 juin 1986 : *La Femme du gladiateur* 1884, h/t (155x94,5) : **GBP 6 000** - Londres, 17 juin 1987 : *Le Jardin des roses* 1906, h/pan. (25,5x30,5) : **GBP 9 000** - Londres, 23 sep. 1988 : *La lecture de la gazette* 1905, h/cart. (25,5x35,5) : **GBP 5 280** - Londres, 13 déc. 1989 : *Dimanche matin* 1901, h/pan. (33x24) : **GBP 15 400** - Londres, 9 fév. 1990 : *Olivia* 1887, h/t (48,2x61) : **GBP 10 450** - Londres, 15 juin 1990 : *Un entretien secret* 1888, h/t (76,2x50,8) : **GBP 7 920** - Londres, 8 fév. 1991 : *La Lettre d'amour*, h/pan. (20,3x12,7) : **GBP 5 280** - New York, 22 mai 1991 : *Sainte Elisabeth de Hongrie faisant la Charité* 1915, h/t (166,4x118,7) : **USD 29 700** - Londres, 3 juin 1992 : *Le Bonnet rose*, h/pan. (diam. 21,5) : **GBP 1 100** - Londres, 12 juin 1992 : *Dimanche matin pluvieux* 1896, h/t (101,6x70,5) : **GBP 8 250** - Londres, 3 mars 1993 : *Un regard interessé* 1897, h/pan. (36x25) : **GBP 10 120** - Londres, 4 nov. 1994 : *Un gage* 1898, h/t (91,4x51,5) : **GBP 23 000** - Londres, 29 mars 1996 : *Témoin de mes dernières volontés* 1878, h/t (76,2x127) : **GBP 9 200** - Londres, 9 oct. 1996 : *Une beauté* 1903, h/pan., de forme ovale (31x23,5) : **GBP 2 530** - Londres, 4 juin 1997 : *Jour de lessive* 1898, h/pan. (21,5x35) : **GBP 4 600** ; *Un esclave chrétien* 1881, h/t (61x51) : **GBP 5 750** - Londres, 5 nov. 1997 : *Attendant une réponse* 1879, h/pan. (22x17) : **GBP 4 600**.

LEIGHTON Frédérick, Lord

Né le 3 décembre 1830 à Scarborough. Mort le 25 janvier 1896 à Londres. xixe siècle. Britannique.

Peintre d'histoire, compositions mythologiques, portraits, sculpteur.

Appartenant à une excellente famille, Frédérick Leighton put en toute liberté se livrer à ses goûts artistiques. Il commença ses études en Italie. Dès 1840 il travaillait à Rome avec F. Meli et à quatorze ans, rencontrant à Florence le sculpteur américain Héram Powers, celui-ci déclarait que Leighton était déjà un artiste et qu'il deviendrait aussi éminent qu'il le voudrait. Il fut dans cette ville élève de Zanetti. Il travailla aussi à Francfort à l'Institut Staedel avec Steince. Après avoir résidé à Bruxelles, ou il peignit sa première peinture : *Cimabue rencontrant Giotto*, il vint à Paris et se lia avec Ary Scheffer, Robert-Fleury. En 1852, il retournait à Rome et y devenait l'élève de Cornelius. Il exécuta sa première œuvre marquante : *La Madone de Cimabue*. Leighton avait rencontré à Londres, Bouguereau et Gérôme, et il est généralement admis que leur fréquentation ne fut pas sans influencer sur son talent. *La Madone* fut exposée en 1852 à la Royal Academy et ce fut un début vraiment sensationnel. La reine Victoria acheta le tableau et Ruskin tout en adressant quelques critiques au jeune peintre lui fit de grands éloges. Leighton continua brillamment sa carrière ne rencontrant sur sa route que des succès. Ce ne fut qu'en 1860 qu'il se fixa à Londres. En 1864 il fut nommé associé et en 1868 membre de la Royal Academy. Il avait en 1866 visité l'Espagne et l'Égypte et ces voyages qu'il renouvela à plusieurs reprises ne furent pas sans influence sur le développement de sa conception artistique. Leighton fut nommé président de la Royal Academy et il y exerça une influence considérable. Vers la même époque il se livrait à d'intéressants essais de sculpture, dans lesquels il lui fut permis d'affirmer sa parfaite connaissance de l'art grec et de celui de la Renaissance. Il fut appelé à prendre part à la décoration du Victoria and Albert Museum. Nommé baronnet en 1886, il fut créé lord en 1896. Leighton fut membre honoraire de toutes les Académies d'Europe.

F.L.

Bibliogr. : Ernest Rhys : *Frederic Lord Leighton*, Londres, 1904 - Russel Barrington : *Life Letters and Work of Frederic Leighton*, Londres, 1906 - Leonée et Richard Ormond : *Lord Leighton*, Londres, 1975 - Christopher Newall : *L'art de Lord Leighton*, 1990.

Musées : Birmingham : *Un condottière* - une esquisse - Francfort-sur-le-Main : *L'artiste* - Hambourg : *Jeune fille* - Leeds : *Le retour de Perséphone* - Leicester : *Persée courant à la délivrance d'Andromède* - Liverpool : *Élie dans le désert* - Londres (Victoria and Albert) : *Les arts industriels appliqués à la Paix et à la Guerre*, esquisses de la composition décorant le musée - Londres (Nat. Portrait Gal.) : *Richard Francis Burton* - Londres (Tate Gal.) : *Et la mer rendit les morts* - *Le bain de Psyché* - *Le Paresseux*, sculpt. - *Athlète luttant avec un python*, sculpt. - Sydney : *Mariés*, aquar.

Ventes Publiques : Londres, 1886 : *Golden Hours* : **FRF 29 125** - Londres, 1891 : *La leçon de musique* : **FRF 61 670** ; *Justephané* : **FRF 26 770** - Londres, 1893 : *Daphnephoria* : **FRF 98 350** - Londres, 1895 : *Hélène sous les murs de Troie* : **FRF 39 370** - Londres, 1898 : *Phébé* : **FRF 14 425** - Londres, 1900 : *Hélios et Rodos* : **FRF 71 500** - Londres, 24 juin 1901 : *Partie de la grande mosquée de Damas* : **GBP 325** - Londres, 6 fév. 1909 : *Tête de jeune fille* : **GBP 115** - Londres, 9 juil. 1909 : *Cymon et Iphigénie* 1884 : **GBP 2 362** - Londres, 17 fév. 1922 : *Le rêve d'une mère* : **GBP 100** - Londres, 12 mai 1922 : *Jeune fille napolitaine* : **GBP 84** - Londres, 21 nov. 1924 : *La petite Fatima* : **GBP 84** - Londres, 8 mai 1925 : *La leçon de musique* : **GBP 3 255** - Londres, 16 juil. 1926 : *L'esprit des sommets* : **GBP 346** - Londres, 25 juil. 1930 : *Jardin arabe* : **GBP 199** - Londres, 25 oct. 1934 : *Fillettes* *grecques jouant à la balle* : **GBP 480** – New York, 23 nov. 1934 : *Crema, la nymphe de Dargle* : **USD 800** – Londres, 15 juil. 1938 : *Cymon et Iphigénie* : **GBP 493** – New York, 19 avr. 1945 : *Odalisque* : **USD 450** – Londres, 20 nov. 1964 : *Fiancée de Syracuse emmenant des fauves vers le temple de Diane* : **GNS 1 050** – Londres, 11 oct. 1968 : *Une Bacchante* : **GNS 800** – Londres, 15 oct. 1969 : *Contemplation* : **GBP 800** – Londres, 17 juin 1970 : *Poétesse tragique* : **GBP 3 600** – Londres, 17 fév. 1971 : *Invocation* : **GBP 5 200** – Londres, 22 fév. 1972 : *Portrait de jeune femme* : **GBP 1 100** – Londres, 27 mars 1973 : *Le peintre à son chevalet* : **GBP 1 250** – Londres, 4 juil. 1973 : *L'athlète*, bronze : **GBP 620** – Londres, 9 juil. 1974 : *Idylle* : **GBP 6 800** – Londres, 9 mars 1976 : *La Nana*, h/t (80x52) : **GBP 6 500** – Londres, 14 juin 1977 : *La Joueuse d'osselets*, h/t (88x50) : **GBP 2 600** – Londres, 12 jan. 1977 : *The Sluggard* vers 1890, bronze (H. 55) : **GBP 420** – Londres, 26 oct 1979 : *Amarilla*, h/t (125,7x73,6) : **GBP 24 000** – Londres, 4 juil 1979 : *The Sluggard* vers 1890, bronze patiné (H. 53) : **GBP 1 450** – Londres, 5 juin 1981 : *Lune de miel du peintre*, h/t (83,8x76,8) : **GBP 90 000** – Londres, 25 mars 1981 : *Athlète luttant avec un python* vers 1880, bronze patine brun-noir (H. 23,7) : **GBP 3 000** – Londres, 25 nov. 1983 : *Old Damascus : Jews' Quarter or Gathering citrons*, h/t (129,5x104,1) : **GBP 350 000** – Londres, 14 déc. 1983 : *The Sluggard* 1890, bronze patiné (H. 53) : **GBP 5 200** – Londres, 15 mai 1984 : *Garçon sauvant un bébé des griffes d'un aigle*, aquar. et gche, de forme ronde (diam. 31) : **GBP 7 500** – Londres, 29 oct. 1985 : *Study for Demeter in The Return of Persephone*, craies noire et blanche/pap. gris (28x17,8) : **GBP 3 000** – Londres, 22 mars 1985 : *Greek girl dancing (Spanish dancing girl : Cadiz in the old times)*, h/t (89x118) : **GBP 130 000** – Londres, 26 nov. 1986 : *The Sluggard* 1890, bronze patine brun foncé (H. 52) : **GBP 5 500** – Londres, 17 juin 1986 : *Eucharis* vers 1863, h/t (84x58) : **GBP 140 000** – Londres, 27 nov. 1987 : *Sibyl*, h/t (150,2x87) : **GBP 260 000** – New York, 24 mai 1988 : *Atalante*, h/t (68,5x49,5) : **USD 66 000** – Londres, 15 juin 1988 : *Jeune Italienne*, h/t (25,5x19) : **GBP 6 050** – New York, 22 fév. 1989 : *Antigone*, h/t (61x50,8) : **USD 154 000** – Londres, 20 juin 1989 : *Le paresseux*, bronze (H. 52) : **GBP 7 150** – New York, 25 oct. 1989 : *Le paresseux, : nu masculin*, bronze à patine noire (H. 52,6) : **USD 14 300** – Londres, 21 nov. 1989 : *Le paresseux*, bronze à patine brune (H. 52) : **GBP 11 000** – Londres, 24 nov. 1989 : *Eucharis, jeune fille avec une corbeille de fruits*, grisaille (54,5x37,5) : **GBP 28 600** – New York, 28 fév. 1990 : *Intérieur de Saint-Marc à Venise*, h/t/cart. (30,5x48,3) : **USD 28 600** ; *Le paresseux, nu masculin debout*, bronze patine brune (H. 52) : **USD 17 600** – Londres, 19 juin 1990 : *Dante en exil*, h/t (152,5x254) : **GBP 1 100 000** ; *Sœurs*, h/t (76x38) : **GBP 528 000** – New York, 9 jan. 1991 : *Etude de personnage féminin debout dans une tunique drapée*, craie noire avec reh. de blanc/pap. brun (51,7x29,5) : **USD 3 850** – New York, 22 mai 1991 : *Pavonia* 1859, h/t (53,3x41,9) : **USD 137 500** – York (Angleterre), 12 nov. 1991 : *Hercule luttant avec la mort pour conserver la corps d'Alceste*, craies blanche et noire/pap. gris (13x28) : **GBP 7 700** – Londres, 13 mars 1992 : *Lady Sybil Primrose âgée de 5 ans*, h/t (121,9x87) : **GBP 231 000** – Londres, 12 nov. 1992 : *Jeune jongleuse dans l'Antiquité*, h/t (107x61) : **GBP 440 000** – New York, 27 mai 1993 : *Antigone*, h/t (60,3x49,5) : **USD 90 500** – Londres, 8-9 juin 1993 : *Le vieux Damas*, h/t (134x108) : **GBP 441 500** – New York, 16 fév. 1994 : *Crénée – la nymphe des fontaines*, h/t (76,2x26,7) : **USD 277 500** – Londres, 30 mars 1994 : *Jeunes Grecques ramassant des galets sur un rivage*, h/t (84x129,5) : **GBP 881 500** – Londres, 5-7 juin 1996 : *Psyché au bain*, h/t (81x16,5) : **GBP 76 300** ; *Danseuse aux cymbales dans une robe blanche*, h/t : **GBP 100 500** – Londres, 6 nov. 1996 : *Portrait de miss Mabel Mills*, h/t (61x51) : **GBP 98 300** – Londres, 8 nov. 1996 : *Athlète luttant avec un python* 1895, plâtre (H. 24,7) : **GBP 6 500** ; *La Baie de Cadix à la lueur de la lune*, h/t (20,5x29) : **GBP 16 000** – Londres, 6 juin 1997 : *Portrait du professeur Giovanni Costa*, h/t (48,5x39) : **GBP 40 000** – Londres, 7 nov. 1997 : *Tête de modèle romain* vers 1856, h/pap./t. (24,6x20,6) : **GBP 16 100** – New York, 23 oct. 1997 : *Étude pour Jeunes filles grecques jouant à la balle*, h/t (17,1x28,9) : **USD 20 700**.

LEIGHTON John

Né le 15 septembre 1822 à Londres. Mort le 15 septembre 1912 à Harrow. XIXe-XXe siècles. Britannique.

Dessinateur et écrivain.

Élève d'Howard. Il collabora à différents journaux comme *The Graphic*.

LEIGHTON Scott ou **Nicholas Winfield Scott**

Né en 1847 ou 1849 à Auburn. Mort le 18 janvier 1898 à Waverly. XIXe siècle. Américain.

Peintre d'animaux.

On lui doit surtout des tableaux de chevaux.

Ventes Publiques : New York, 24 oct 1979 : *Un rafraîchissement au bord de la route* 1889, h/t (76,5x102) : **USD 6 000** – Washington D. C., 24 fév. 1980 : *Laboureur avec deux chevaux*, h/t (17,8x22,8) : **USD 1 700** – New York, 24 avr. 1981 : *Chevaux au pâturage* 1897, h/t (45,8x58,4) : **USD 3 200** – New York, 2 juin 1983 : *Passing*, h/t (40,6x61) : **USD 25 000** – Portland, 31 mai 1986 : *Deux chevaux de labour*, h/t (40,5x69) : **USD 2 500** – New York, 24 juin 1988 : *Trotteur en piste*, h/t (54,7x82,5) : **USD 6 050** – New York, 17 déc. 1990 : *Course de trot attelé dans la neige*, h/t (89x119,4) : **USD 12 100** – New York, 21 mai 1991 : *Jument et son poulain*, h/t. cartonnée (17,8x22,9) : **USD 1 650** – New York, 12 mars 1992 : *Le peloton des peaux de phoques*, h/t (81,5x138) : **USD 35 200** – New York, 25 sep. 1992 : *Prêt pour la chasse*, h/t (61x45,7) : **USD 1 980** – New York, 4 juin 1993 : *Une ferme et ses animaux domestiques*, h/t (61x91,4) : **USD 12 650** – Montréal, 6 déc. 1994 : *Bell knox* 1877, h/t (23,5x36,1) : **CAD 1 150**.

LEIGLE Charles

Français.

Graveur sur ivoire.

Cité par Ris-Paquot.

LEI GUIYUAN ou **Lei Kouei-Yuan** ou **Lei Kuei-Yuan**

Né en 1905 dans la province du Jiangsu. XXe siècle. Chinois.

Peintre, décorateur.

En 1926, il obtint le diplôme de l'académie nationale des beaux-arts de Pékin et, à partir de 1929, fait un séjour d'études en France. À son retour, il devient professeur de l'académie nationale de Hangzhou (province du Zhejiang) puis doyen de la faculté des beaux-arts de la province du Sichuan.

LEIJDEN Ernst

Né en 1892. Mort en 1969. XXe siècle. Hollandais.

Peintre de marines, aquarelliste, technique mixte.

Ventes Publiques : Amsterdam, 10 avr. 1990 : *Scène de port* 1921, h/t (70x78) : **NLG 4 140** – Amsterdam, 27-28 mai 1993 : *Le port de Urk* 1920, aquar., craie et cr./pap. (55,5x70,5) : **NLG 1 955**.

LEIJON Märta, pseudonyme de **Leijonhielm**

Née le 28 février 1922 à Stockholm. XXe siècle. Depuis 1949 active, depuis 1953 naturalisée en France. Suédoise.

Peintre de portraits, paysages, paysages urbains, natures mortes.

Dans son enfance, une collection familiale la familiarisa avec la peinture du XVIIIe siècle, d'où elle a gardé le goût de l'harmonie et de la technique classiques. En 1941 à Stockholm, elle commença sa formation artistique à l'Académie d'Edvin Ollers ; puis, de 1942 à 1945, à l'École d'Art et Typographie ; en 1944, à l'atelier d'Otte Sköld ; de 1945 à 1949, à l'Académie des Beaux-Arts, notamment avec Hugo Zuhr en 1948. L'obtention d'une bourse de voyage lui permit de venir étudier à Paris, en 1949, à l'Académie André Lhote, à Montparnasse. Elle s'est fixée en France. Depuis 1955, elle utilise son pseudonyme de Leijon.

Elle participe à des expositions collectives, dont : 1944 Stockholm, *Jeunes dessinateurs*, au Musée National ; 1950 Paris, Salon des Indépendants ; 1965 Paris, *Art Suédois Contemporain*, Musée Galliéra ; depuis 1969 régulièrement à Paris, *Salon de l'Association Artistique Suédoise* ; 1972 Orly, *Art Suédois Contemporain* ; 1973 Paris, *Le Portrait*, Institut de France ; et Vichy, *Artistes Suédois en France*, Centre culturel Valery Larbaud ; 1976 Paris, *Exposition Européenne*, Hôtel de Sully ; 1981 à 1989 Billom, expositions de l'Association Billom-Bataille ; etc.

Elle montre des ensembles de ses travaux dans des expositions personnelles, dont : 1948 Värnamo, Suède ; 1956 Madrid, galerie Carpa ; 1958 Paris, galerie de l'Odéon ; 1964 Paris, galerie Yves Michel ; 1975 Paris, Cercle Suédois ; 1976 Rochefort-sur-Mer, Musée des Beaux-Arts ; 1978 Rueil-Malmaison, Centre culturel André Malraux ; 1981 Bordeaux, Château de Lignère ; 1986 Paris, galerie Raspail ; 1996 Paris, *Rétrospective 1960-1990*, galerie Hartbye's ; etc.

La vision du monde de Märta Leijon résulte d'une interprétation libre à partir des modèles qu'elle s'est donnés, classiques et modernes, de Chardin puis Cézanne à Braque et Lhote. Ses thèmes sont divers : *Place de la Bastille* de 1964 ; *Les Mouettes* de 1969 ; *Coqs indiens* de 1979 ; *Les Statues* de 1980 ; *Marécage* de 1981 ; *Les Toits* de 1982 ; *Montmartre* de 1994 ; etc. D'emblée, sa peinture s'est établie dans un double équilibre entre images figuratives et formes abstraites, et entre romantisme et classicisme intimiste. Dans un climat psychologique serein et une lumière tamisée, les figures identifiables mettent en valeur des formes plus audacieuses, bien que discrètes, difficilement identifiables.

■ Frank Claustrat

LEIJS Bernard, pseudonyme de **Lys**

Né le 19 avril 1934 à Paris. XXe siècle. Français.

Peintre de compositions animées, figures, paysages, pastelliste, peintre de cartons de tapisseries, sculpteur, illustrateur. Expressionniste.

Il est de père belge et de mère française. Dès l'âge de quatorze ans, il peignit une centaine de toiles et pastels, dont une *Danse macabre*, qu'il considère comme ayant été le vivier de son œuvre à venir. Passionné en même temps par l'histoire de l'art, il fut encouragé dans cette voie par sa marraine, madame Gustave Coquiot. Faisant ses études secondaires à Blois, il y rencontra Bernard Lorjou, qui lui dispensa ses conseils et encouragements. S'étant ensuite fixé à Paris en 1953, il fréquenta pendant un an l'atelier de Busse à l'Académie Ranson. Au Louvre, il copiait Rembrandt et Delacroix. Tout en exerçant divers petits métiers pour les nécessités matérielles de l'existence, il commença à participer à des expositions collectives. De 1955 à 1957, il effectua un service militaire de vingt-huit mois au Maroc, et subit ensuite une série de graves dépressions nerveuses. Sa production de 1960 à 1968 fut acquise par un collectionneur américain. Celui-ci étant décédé accidentellement, il effectua de nombreuses années d'enseignement, en 1969-1970 à l'École Nationale des Arts Appliqués, dans le privé de 1970 à 1974, dans l'enseignement secondaire de 1974 à 1976, dans les ateliers de la Ville de Paris de 1976 à 1994. En 1972, il avait obtenu une bourse de la Fondation Desnoyer à Saint-Cyprien. Faisant de fréquents séjours en Belgique, en quête de ses racines, en 1977 il décida de signer désormais en flamand : Leijs. En 1978, il effectua un premier voyage à Marrakech.

À Paris, il participe à de nombreux Salons : au Salon des Indépendants, assez régulièrement de 1955 à 1960 ; au Salon d'Automne, assez régulièrement de 1960 à 1982, dont il devint sociétaire en 1969, puis, de 1983 à 1988 avec le groupe *Outre-Couleur* ; en 1980, 1981 Figuration critique ; en 1982, 1983, 1984 au Salon de la Jeune Peinture ; de 1985 à 1992 Salon de Mai ; de 1985 à 1990 MAC 2000 ; 1985 à 1995 Grands et Jeunes d'Aujourd'hui ; de 1986 à 1995 Comparaisons ; 1993, 1995 Groupe 109. Hors Paris et à l'étranger, Il participe à de nombreuses expositions collectives, dont : en 1972 à Londres galerie Golden Lane House ; 1981 Institut National des Sports de Vincennes *Le Mouvement* ; 1984 La Mairée *Bestiaire poitevin* ; fondé officiellement en 1985 avec Atila, le groupe *Outre-Couleur* expose hors du Salon d'Automne, avec Corneille, Lindström, Christoforou : à Saint-Émilion, au Château de Collioure, au Touquet, à Martigny (Suisse) ; en 1987, 1989 Ann Arbor (Detroit, U.S.A.), galerie Jacques ; 1989 Saint-Émilion, Le Doyenné ; etc.

Il montre des ensembles de ses réalisations dans des expositions personnelles, d'entre lesquelles : de 1973 à 1992 Paris, galerie Racine (Chambelland) ; ainsi qu'à Nantes en 1977, chez Alain Bourmeau ; 1987 Périgueux, galerie Lung-Jonville ; 1987 Ann Arbor (Detroit), galerie Jacques ; 1987, 1988, 1989 Saint-Émilion, galerie Bouvier ; 1993 Paris, Work-Shop Bastille ; 1996 Paris *Peintures et Sculptures*, avec Noël Lemonnier, Work Shop ; 1996 Tournai *Tapisseries et cartons, 1971 à 1981*, Musée de la Tapisserie ; etc.

Il a illustré de nombreux poètes, dont : Belli, Jean-Luc Maxence, M. Agenest, Chaleix, Cocteau, Hervé Douenel, Alfonso Jimenez, Philippe Pujas.

Lors de l'obtention de sa bourse, entre 1960 et 1968, il peignit une série de *Pêcheurs* et de *Ports* en Bretagne. En 1968, suivirent les *Masques en folie* et les *Foules*. De 1974 à 1980, s'intéressant à l'art japonais, avec les séries des *Couples* et des *Lutteurs*, il rechercha un dessin plus libre, une gamme de couleurs plus raffinée à l'acrylique. De 1980 à 1985, après plusieurs autres voyages au Maroc, il pratiqua une peinture plus géométrique, peignant des cartons de tapis et tapisseries, dont cinq furent réalisés au point par sa mère. Durant l'activité du groupe *Outre-Couleur*, de 1985 à 1992, il renoua avec l'expressionnisme libre et coloré de ses débuts. En 1994, bien que toujours reliée à l'expressionnisme, il est revenu à une manière plus sobre de grands rythmes contrastés, fondés sur un dessin et une construction élaborés.

■ J. B.

Leijs

Musées : Bègles – Jacksonville – Lagrasse (Fond. Cérès Franco) – Saint-Cyprien – Tournai.

Ventes Publiques : Paris, 26 oct. 1988 : *L'oiseau* 1983, past. (50x65) : **FRF 4 000**.

LEI KOUEI-YUAN. Voir **LEI GUIYUAN**

LEIKRATH. Voir **LEITKRATH**

LEI KUEI-YÜAN. Voir **LEI GUIYUAN**

LEIMBACHER Hans

Né en 1804 à Hottingen. Mort en 1829. XIXe siècle. Allemand.

Peintre.

Il fut élève de Pfenninger.

LEIMBERGER Johann Georg Gottlieb

Né le 6 février 1717 à Erlangen. Mort en juin 1798 à Ansbach. XVIIIe siècle. Allemand.

Peintre d'histoire.

Il travailla en Italie, puis en France, surtout à Lyon et à Paris.

LEIN. Voir **DELIN**

LEINARDI Ermanno

Né le 18 juin 1933 à Pontedera (Pise). XXe siècle. Italien.

Peintre. Abstrait-géométrique, puis Lettres et signes.

Il vit et travaille à Rome. En 1966, il fut co-fondateur du *Gruppo transazionale*. Il montre ses œuvres dans des expositions personnelles depuis 1961 à Cagliari, Palerme, Paris, Amsterdam, Zurich, La Chaux-de-Fonds, Rome, Munich. Depuis 1966, il a enseigné la peinture à l'Institut des Beaux-Arts de Rome.

Dans les années soixante, sa peinture se référait à l'abstraction géométrique, abstraction qui peu à peu s'est dépouillée pour aboutir, vers 1964-1965, à des compositions en blanc. Plus tard, il a fondé la composition sur la répétition de signes, parfois alphabétiques.

Musées : La Chaux-de-Fonds (Mus. der Mod. Kunst) – Pistoia (Mus. civ.) – Rome (Gal. Nat. d'Art Mod.) – Saarbrück (Mod. Gal. des Saarlandmus.) – Termoli (Mus. civ.).

Ventes Publiques : Lucerne, 23 mai 1992 : *« La O sugli scii »* 1979, acryl. et collage/t. (100x100) : **CHF 2 500** – Zurich, 3 avr. 1996 : *« La O sugli scii »* 1980, collage/t. (90x90) : **CHF 1 000**.

LEINBERGER Christian

Né le 17 juillet 1706 à Erlangen. Mort le 2 août 1770 à Erlangen. XVIIIe siècle. Hollandais.

Peintre et graveur à l'eau-forte.

Il travailla en Italie et produisit, des tableaux historiques et allégoriques. Il a gravé des sujets de mêmes genres.

LEINBERGER Hans

XVIe siècle. Actif à Landshut au début du XVIe siècle. Allemand.

Sculpteur.

Il est mentionné à Landshut en 1531, seule date connue dans son existence. On suppose qu'il s'est formé à Vienne, puis est entré au service du duc Louis de Bavière. Sa première œuvre datée de 1511-1514, est le *Retable de Moosburg*. Il travailla plus volontiers le bois, et particulièrement le tilleul. Il laissa en Bavière plusieurs statues en bois, dont une *Sainte Anne Trinitaire* à Ingolstadt, une *Vierge* à Landshut, un *Saint Georges* à Munich. Il exécuta, d'après un dessin de Dürer, la statue du comte Albert IV de Habsbourg, qui faisait partie du tombeau de l'empereur Maximilien à Innsbruck (1518). Son art est proche de celui de l'École du Danube, mais plus sage que celui des artistes rhénans, et devient encore plus classique vers 1520. Le Bayerisches National Museum de Munich conserve de lui un *Saint Jacques Majeur*, et le Kaiser Friedrich Museum de Berlin possède de lui une *Pietà* et une *Descente de Croix*.

Bibliogr. : Pierre du Colombier, in : *Dictionnaire de l'Art et des Artistes*, Hazan, Paris, 1967.

Ventes Publiques : Amsterdam, 24 avr. 1968 : *Sainte Élisabeth et le miracle des roses*, bois de pin polychrome : **NLG 21 000**.

LEINECKER Franz

Né le 25 juillet 1825 à Würzburg. Mort le 1er avril 1917 à Munich. XIXe-XXe siècles. Allemand.

Peintre de paysages.
Commença à exposer en 1866. On cite de lui : *Vue des Alpes bavaroises.*
VENTES PUBLIQUES : LONDRES, 22 jan. 1971 : *Lac alpestre* 1878 : **GNS 300.**

LEINEWEBER Anton Robert
Né le 7 février 1845 à Leipa. Mort le 21 décembre 1921 à Munich. XIXe-XXe siècles. Tchécoslovaque.
Peintre de genre.
Élève de l'Académie de Dresde et du professeur Hubner. Visita la Tunisie et de retour en Allemagne vécut à Dresde et à Munich.

LEINFELLNER Heinz
Né en 1911 à Steinbruck. Mort en 1973. XXe siècle. Autrichien.
Sculpteur d'intégrations architecturales, céramiste.
Il fut élève de l'école des arts et métiers de Graz ; puis de 1933 à 1939, de l'académie de Vienne, où il eut Anton Hanak pour maître. Il travailla, de 1947 à 1951, comme assistant de Wotruba. Il fut nommé professeur de céramique à l'école des arts décoratifs de Vienne, en 1959. Membre-fondateur de l'Art Club international de Vienne, il participe régulièrement aux expositions de ce groupement, aussi bien en Autriche que dans les pays étrangers. En outre, il a figuré dans de nombreuses autres expositions, parmi lesquelles les Biennales de Venise en 1954 et de São Paulo en 1956 ; à l'Exposition internationale de sculpture d'Anvers au Middelheim en 1959 et à la Documenta de Kassel la même année.
Héritée à travers les maîtres de la construction cubiste, sa sculpture est particulièrement apte aux intégrations architecturales. Il garde toujours contact avec l'apparence humaine. À la parenté accusée par ses premières figures avec celles de l'époque cubiste d'André Laurens et des premiers sculpteurs cubistes, s'est progressivement substituée l'influence du style plus onduleux d'Henry Moore. Il utilise des techniques très diversifiées, notamment la pierre agglomérée et la céramique.
BIBLIOGR. : Jorg Lampe, in : *Nouv. Dict. de la sculpture mod.*, Hazan, Paris, 1970.
VENTES PUBLIQUES : VIENNE, 17 mars 1978 : *Nu assis*, bronze (H. 20) : **ATS 12 000.**

LEINS Anton
Né le 27 mai 1866 à Vollmaringen. Mort le 24 février 1925 à Horb-sur-Neckar. XIXe-XXe siècles. Allemand.
Sculpteur de compositions religieuses.
Il travailla surtout pour les églises du Wurtemberg, de Bade et de Bavière.

LEINWEBER Heinrich
Né le 26 avril 1836 à Fulda. Mort le 11 février 1908 à Düsseldorf. XIXe siècle. Allemand.
Peintre de genre.
Élève des Académies de Kassel, Munich, Anvers. Exposa à Berlin à partir de 1868. On cite de lui : *Premiers pas.*
VENTES PUBLIQUES : VIENNE, 22 sep. 1970 : *La première arme* 1873 : **ATS 30 000.**

LEINWEBER Léopold
Né le 11 octobre 1861 à Hambourg. Mort le 18 décembre 1909 à Hambourg. XIXe siècle. Allemand.
Peintre, sculpteur et graveur.
Élève de E. Pfeiffer. Il travailla longtemps à Paris et dans le midi de la France.

LEIPOLD Karl
Né le 12 janvier 1864 à Duisbourg (Rhénanie-Westphalie). Mort en 1943. XIXe-XXe siècles. Allemand.
Peintre de genre, marines.
Après avoir travaillé à Düsseldorf, Munich et Paris, il se fixa à Stoort (Schleswig).
MUSÉES : MUNICH (Pina.) : *Pêcheurs à Schlepptau.*
VENTES PUBLIQUES : COLOGNE, 11 juin 1979 : *Paysage au moulin*, h/cart. (40x32) : **DEM 2 000.**

LEIPOLT J.
Allemand.
Graveur.
On cite un petit portrait ovale de *Marie Stuart* signé par cet artiste.

LEIRNER Jac
Née le 4 juillet 1961 à São Paulo. XXe siècle. Brésilienne.
Sculpteur, créateur d'installations.
Elle fut élève de l'école du College of Fine Arts de São Paulo, où elle vit et travaille. Elle participe à des expositions collectives depuis 1982 : 1984 Pinacoteca do Estado de São Paulo ; 1986 musée d'Art moderne de Cali ; 1988 musée d'Art moderne de São Paulo ; 1989 Biennale de São Paulo ; 1990 Biennale de Venise ; 1991 Konsthall de Stockholm ; 1992 Documenta IX de Kassel. Elle montre ses œuvres dans des expositions personnelles : 1987 Rio de Janeiro ; 1987 et 1989 São Paulo ; 1991 Museum of Modern Art d'Oxford et Walker Art Center à Minneapolis ; 1992 Freidberg.
Elle puise ses matériaux (dépliants, sacs en plastique, brochures ramassées dans les musées, enveloppes usagées, cendriers, paquets de cigarette) dans la vie quotidienne puis les agence selon un ordre logique : par couleur en bandes horizontales sur le mur, sous forme de pyramides... Dans diverses œuvres, elle a mis en scène l'inflation qui règne au Brésil, utilisant des billets de banque dévalués. Ses installations, par leur présentation en série répondant à une organisation préétablie, évoquent le travail de Carl Andre et de Tony Cragg mais, par le choix personnalisé des matériaux, elle souligne le pouvoir qu'à l'artiste de transformer un produit de consommation en œuvre d'art. ■ L. L.
BIBLIOGR. : Ami Barak : *By arrangement*, Art Press, n° 169, Paris, mai 1992 – Agnaldo Farias : *Brésil : petit manuel d'instructions*, Artpress, n° 221, Paris, févr. 1997.
MUSÉES : GAND (Mus. von Hedendaagse) : *Corpus delicti* 1992.

LEIRNER Nelson
Né en 1932. XXe siècle. Brésilien.
Auteur de performances.
Il participe à *Opinion 65* au musée d'Art moderne de Rio, au IVe Salon d'Art moderne de Brasilia, où il envoya son *Porc empaillé.*
BIBLIOGR. : Damian Bayon, Roberto Pontual : *La Peinture de l'Amérique latine au XXe siècle*, Mengès, Paris, 1990.

LEIRO Francisco
Né en 1957 à Pontevedra. XXe siècle. Espagnol.
Sculpteur de figures.
Il a montré ses œuvres dans une exposition personnelle en 1987 à la Fondation Amelio à Naples.
Ses sculptures, en bois peints, aux poses cocasses, mêlent les influences, art étrusque, égyptien, médiéval, et aussi art populaire de Galice.
BIBLIOGR. : In : *Dict. de l'art mod. et contemp.*, Hazan, Paris, 1992.
MUSÉES : NAPLES (Fond. Amelio) : *Eva* 1982.

LEIS Malle
Né en 1940 à Viljandie (Estonie). XXe siècle. Russe.
Peintre.
Il est diplômé de l'Institut d'art de Tatline et est membre de l'Union des artistes soviétiques.
Son travail est naïvement conceptuel.
VENTES PUBLIQUES : MOSCOU, 7 juil. 1988 : *Jour venteux n° 3* 1985, h/t (100x100) : **GBP 3 080.**

LEISEK Georg
Né le 30 juin 1869 à Vienne. XIXe-XXe siècles. Autrichien.
Sculpteur de monuments.
On cite ses travaux à l'hôtel de ville de Florisdorf et son *Monument à l'empereur François Joseph* à Prachatitz.

LEISERING Caspar
Mort en 1673 à Horn. XVIIe siècle. Autrichien.
Sculpteur.
Il travailla à l'église de Horn et pour le château de Rosenburg.

LEISGEN Barbara et **Michaël**
Barbara née en 1940 à Gengenbach, Michaël en 1941 à Spittal. XXe siècle. Actifs en Allemagne. Allemande, Autrichien.
Artistes multimédia.
Ils se rencontrent à l'école des beaux-arts de Karlsruhe. Ils travaillent ensemble depuis 1970. Exposant en 1972 à Karlsruhe, en 1973 à Liège, en 1974 à la Neue Galerie d'Aix-La-Chapelle et en 1975 au palais des Beaux-Arts de Bruxelles, ils furent invités à la Biennale de Paris en 1975. Ils ont figuré, en 1982, à l'exposition *Choix pour Aujourd'hui* aux galeries contemporaines du musée national d'Art moderne de Paris. Ils ont montré leurs œuvres dans des expositions personnelles : 1974 et 1987-1988 Nouvelle Galerie d'Aix-La-Chapelle, 1978 ARC au musée d'Art moderne de de la ville de Paris et Capc à Bordeaux, 1987 musée de La Roche-sur-Yon.
Comme certains artistes d'aujourd'hui, Barbara et Michael Leisgen utilisent la photographie comme matériau. Dans une sorte

d'osmose entre le geste et le paysage, leurs photographies montrent Barbara Leisgen évoquant par le geste (bras tendus, jambes jointes ou écartées, torse droit ou plié...) les lignes de force d'un paysage, lignes horizontales et verticales : jeu formel et jeu poétique proposant un certain dépassement de l'image. Depuis 1986, ils travaillent à partir de portraits, peignant sur les yeux de leurs amis des signes géométriques.
Bibliogr. : In : *La Collection du musée national d'Art moderne*, Centre Georges Pompidou, Paris, 1986 – in : *L'Art du xxe s.*, Larousse, Paris, 1991 – in : *Dict. de l'art mod. et contemp.*, Hazan, Paris, 1992.
Musées : Lille (FRAC) : *L'Œil* 1980 – Paris (Mus. Nat. d'Art Mod.) : *Autour de la beauté usée* 1979, 2 photo. triangulaires – Paris (Cab. des Estampes) – La Roche-sur-Yon.

LEISMANN Johann Anton. Voir **EISMANN**

LEISMÜLLER Johannes
Né en 1936 à Partenkirchen (Bavière). xxe siècle. Allemand.
Auteur d'assemblages.
De 1955 à 1960, il fut élève de l'académie des beaux-arts de Munich, puis l'année suivante de celle de Paris, avant d'obtenir son diplôme à Munich en 1962. De 1970 à 1971, il séjourna en Italie notamment à Rome et en Grèce.
Il participe à des expositions collectives, notamment : en 1967 au Kunstverein de Munich, depuis 1976 régulièrement au Salon de Mai à Paris, depuis 1978 au Salon de la Jeune Sculpture à Paris. Il montre ses œuvres dans des expositions personnelles en Allemagne et en France. Il a reçu une bourse du gouvernement français en 1960 et une de la Villa Massimo à Rome en 1970. En 1980, il obtint le prix de la Jeune Sculpture à Paris.
Il réalise des assemblages à partir de bois flottés, la forme du gouvernail revenant fréquemment. Les différents éléments, aux couleurs travaillées par la mer et le vent, se superposent, jouant des effets de découpes. Il réalise également des collages, avec ce même type de matériau.
Bibliogr. : *Leismüller – Maritime Skulpturen*, Fricke Verlag, 1987, Francfort-sur-le-Main.

LEISNIER Nicolas Auguste
Né le 15 janvier 1787 à Paris. Mort le 29 juillet 1857 à Clamart (Hauts-de-Seine). xixe siècle. Français.
Graveur au burin.
Élève de Lebarbier et de Halbun. Exposa au Salon de Paris, de 1822 à 1825 et fut médaillé en 1824. Il a gravé des vues, ainsi que des portraits et notamment ceux de *Marc-Antonio Raimondi* et de la *Fornarina* d'après Raphaël, et celui de *Cervantes*, d'après Vélasquez.

LEISSLER Friedrich
Né le 15 août 1862 près de Darmstadt (Hesse). Mort le 21 janvier 1926 à Darmstadt (Hesse). xixe-xxe siècles. Allemand.
Peintre de portraits.
Il fut élève de Kröh et de Raupp.

LEISTEN Jacobus
Né le 25 mars 1844 à Düsseldorf. Mort le 21 novembre 1918 à Düsseldorf. xixe-xxe siècles. Allemand.
Peintre d'histoire, scènes de genre.
On lui doit surtout des scènes de la vie populaire au Tyrol.
Ventes Publiques : Cologne, 14 juin 1976 : *Scène rustique* 1870, h/pan. (35,5x25,5) : **DEM 2 700** – Los Angeles, 23 juin 1980 : *Mécontent*, h/cart. (76,2x43,2) : **USD 1 600** – Cologne, 20 oct. 1989 : *L'écrivain public*, h/t (63x73) : **DEM 13 000** – Londres, 13 mars 1996 : *Jeune femme allongée sous un pêcher*, h/t (81x102) : **GBP 1 840**.

LEISTIKOW Walter
Né le 25 octobre 1865 à Bromberg. Mort le 24 juillet 1908 à Schlatensee (Berlin). xixe-xxe siècles. Allemand.
Peintre de paysages animés, paysages, peintre à la gouache, aquarelliste, graveur, décorateur, dessinateur. Tendance symboliste, Art-Nouveau.
Il fit ses études à Berlin, sous la direction de Hans Gude, puis fut fortement influencé par le poète Gerhart Hauptmann. Il fut professeur à l'Académie de Berlin de 1890 à 1893 et fut l'un des initiateurs de la Sécession de 1899, voulant se dégager de la peinture officielle.
Si, à ses débuts, il peint dans une manière plutôt réaliste ; après un voyage dans le Nord, un contact avec Munch et un séjour à Paris, son art s'oriente vers le symbolisme, simplifiant les volumes, donnant des couleurs plates. Il se rapproche plus précisément de l'Art-Nouveau lorsqu'il touche aux arts décoratifs et fait des reliures, des tapisseries ou des papiers peints. Il fut avec Endogouroff et Stabroosky l'un des paysagistes les plus réputés de son temps en Russie.
Bibliogr. : In : *Diction. de la peinture anglaise et américaine*, coll. Essentiels, Larousse, Paris, 1991.
Musées : Berlin – Leipzig – Munich.
Ventes Publiques : Lucerne, 19 juin 1971 : *Paysage* : **CHF 10 000** – Cologne, 24 nov. 1972 : *Jeune femme au bord d'une rivière* : **DEM 3 200** – Cologne, 23 mars 1973 : *La Maison au fond du jardin* : **DEM 11 000** – Hambourg, 3 juin 1976 : *Paysage*, h/t mar./cart. (49x59,5) : **DEM 1 600** – Cologne, 21 mai 1977 : *Paysage au lac*, h/t (75x101) : **DEM 29 000** – Cologne, 19 mai 1979 : *Sous-bois* 1908, gche et h/pap. (28,5x21,5) : **DEM 1 800** – Lindau (B.), 9 mai 1979 : *Paysage boisé à l'étang*, h/t (59x83) : **DEM 13 000** – Cologne, 1er déc. 1982 : *Grunewaldsee*, h/t (76x101) : **DEM 12 000** – Munich, 31 mai 1983 : *Bord de mer*, aquar. (32x48) : **DEM 5 100** – Munich, 14 mai 1986 : *Paysage au lac*, h/t (63,5x77) : **DEM 15 000** – Cologne, 28 nov. 1987 : *Jasmundsee* 1888, h/t (42x56) : **DEM 22 000** – Copenhague, 25 oct. 1989 : *Paysage montagneux enneigé avec une maison parmi les arbres*, gche et aquar. (50x66) : **DKK 8 000** – Munich, 12 juin 1991 : *Construction dans un parc*, past. (39,5x49) : **DEM 11 000** – Munich, 25 juin 1992 : *Un lac*, fus. (12x19) : **DEM 1 130** – Munich, 6 déc. 1994 : *Waldsee*, gche/pap. (48,5x62,5) : **DEM 29 900** – Vienne, 29-30 oct. 1996 : *Paysage avec lac, arbres et haie de jardin* 1905, h/t (73,5x93) : **ATS 195 500**.

LEISTNER Albrecht
Né le 6 novembre 1887 à Leipzig (Saxe). xxe siècle. Allemand.
Sculpteur de bustes, graveur.
On cite sa *Tête de Wagner* et son *Buste de Max Klinger*.

LEITAO Jose Joaquim
Mort en 1805. xviiie siècle. Actif à Mafra. Portugais.
Sculpteur.
On cite la statue qu'il exécuta pour le *Monument au roi José Ier à Lisbonne*.

LEITAO Pedro
Né à Lisbonne. xxe siècle. Portugais.
Peintre.
De 1940 à 1944, il étudie à Madrid puis à Rome en 1945, à Paris enfin jusqu'en 1953. Il vit ensuite à Barcelone jusqu'en 1955. Alors qu'il avait déjà participé au Salon d'Automne de Madrid en 1943, sa première exposition personnelle a lieu à Lisbonne en 1946. Il a de nouveau exposé à Madrid en 1952, à Rio la même année et à Paris en 1953.

LEITCH Richard Principal
xixe siècle. Actif à Londres au milieu du xixe siècle. Britannique.
Peintre.
Le Musée Albert et Victoria à Londres possède cinq aquarelles de cet artiste.
Ventes Publiques : New York, 23 mai 1979 : *Lake Otsego, Cooperstown, N.Y.*, h/t (77x63,5) : **USD 1 400** – Munich, 4 juin 1987 : *Vue de Heidelberg* 1877, aquar. (56x78,5) : **DEM 6 000**.

LEITCH William Leighton
Né le 22 novembre 1804 à Glasgow. Mort le 25 avril 1883 à Londres. xixe siècle. Britannique.
Peintre de paysages, aquarelliste.
Il fut à Glasgow élève de John Knox, puis travailla en Italie. Les aquarelles de cet artiste se voient dans beaucoup de musées anglais.

Cachet de vente

Ventes Publiques : Londres, 16 fév. 1923 : *Hôtel de Ville de Cologne*, dess. : **GBP 16** – Londres, 23 jan. 1924 : *Rassemblement du troupeau*, dess. : **GBP 17** – Londres, 7 mars 1924 : *Le lac de Garde*, dess. : **GBP 31** – Londres, 21 nov. 1924 : *Paysage d'Italie*, dess. : **GBP 26** – Londres, 17 juin 1926 : *Paysage avec un moulin*, dess. : **GBP 56** – Londres, 9 fév. 1944 : *Le palais des doges*, aquar. : **GBP 25** – Londres, 24 nov. 1978 : *La Villa de Lucullus à Misenum*, h/t (141x212,6) : **GBP 4 000** – Londres, 20 mars 1979 : *Capo Lago sur le lac de Lugano* 1880, aquar. et reh. de blanc (56x101,5) : **GBP 1 600** – Londres, 18 nov. 1983 : *A view of the Villa Lucullus at Miseneum*, h/t (147,2x159,9) : **GBP 9 500** – Rome, 20 nov. 1984 : *Amalfi, près de Sorrento* 1839, aquar. et cr. reh. de blanc (19,3x27,3) : **GBP 1 300** – LONDRES, 14 mars 1985 : *Paysage de Sicile* 1839, aquar./traits de cr. reh. de gche, une paire (22x32,5x et 21x32) : **GBP 1 500** – LONDRES, 18 mars 1986 : *Paysans et chèvres dans la campagne romaine* 1864, aquar. reh. de blanc (56x91,2) : **GBP 3 000** – LONDRES, 25 janv 1988 : *Voyageurs sur une route de campagne* 1872, aquar. (14,5x23) : **GBP 550** – LONDRES, 25 janv 1989 : *La vie quotidienne dans les Highlands* 1852, aquar. (21,5x29) : **GBP 412** ; *Paysage de rivière avec les ruines d'une tour* 1850, aquar. et gche (15x23,5) : **GBP 495** – CHESTER, 20 juil. 1989 : *Sur le Garlgliano à Naples* 1873, h/t (13,5x22) : **GBP 605** – GLASGOW, 6 fév. 1990 : *Paysage de rivière* 1870, aquar. (34x52) : **GBP 880** – LONDRES, 25-26 avr. 1990 : *Les pelouses de Wray Park à Reigate* 1870, aquar. (25,5x39,5) : **GBP 2 200**.

LEITER Roman. Voir **LEITNER**

LEITERITZ Woldemar
Mort en février 1915 à Dresde. XXe siècle. Actif à Dresde. Allemand.
Peintre, aquarelliste, lithographe.

LEITGEB Konrad ou **Leibgebein**
Mort le 2 août 1599 à Innsbruck. XVIe siècle. Actif à Innsbruck. Autrichien.
Peintre.
Il travailla à plusieurs reprises pour le grand-duc Ferdinand de Tyrol.

LEITH-ROSS Harry
Né le 27 janvier 1886 à Mauritius. Mort en 1973. XXe siècle. Américain.
Peintre.
Il fut élève de J. F. Carbson et Laurens à Paris. Il fut membre du Salmagundi Club et de la Fédération américaine des arts. Il obtint le prix Porter du Salmagundi Club et d'autres prix. Il figure régulièrement aux expositions internationales Carnegie.
VENTES PUBLIQUES : LOS ANGELES, 17 mars 1980 : *Les Sentinelles*, h/t (35,5x35,5) : **USD 1 300** – NEW YORK, 4 avr. 1984 : *The Hoffman House, New Hoppe, Pennsylvania*, h/t (76,7x91,5) : **USD 4 300** – NEW YORK, 3 déc. 1987 : *Brickyard Country*, h/t (76,2x91,5) : **USD 6 000** – NEW YORK, 24 juin 1988 : *Le canal à Point Pleasant*, h/t (50x65) : **USD 3 300** – NEW YORK, 30 sep. 1988 : *Rochers et mer à Annisquam*, h/pan. (21x26,5) : **USD 3 190** – NEW YORK, 22 sep. 1993 : *Lumière d'hiver*, h/t/cart. (36,8x36,7) : **USD 2 300** – NEW YORK, 21 mai 1996 : *Roseton Barns à Woodstock*, h/cart. (21x26) : **USD 4 025** – NEW YORK, 30 oct. 1996 : *Nuages de pluie*, h/cart. (30,5x40) : **USD 3 737** – NEW YORK, 3 déc. 1996 : *Ferme dans un paysage hivernal* 1914, h/t (61x76) : **USD 9 200**.

LEITHERER Hans
Né le 13 décembre 1885 à Frankenthal (Palatinat). XXe siècle. Allemand.
Sculpteur.
Il fut élève de l'académie des beaux-arts de Munich. Il exécuta de nombreux monuments commémoratifs dans différentes villes et surtout à Bramberg, où il vécut et travailla.

LEITHNER. Voir aussi **LEITNER**

LEITHNER Johann Georg. Voir **LEUTHNER**

LEITHNER Josef ou **Leitner**
XVIIIe siècle. Autrichien.
Peintre sur porcelaine.
Élève de l'Académie de Vienne. Il devint en 1785 peintre principal de la Manufacture de porcelaine de Vienne. Il créa plusieurs couleurs dont *le bleu Leithner* et *l'or Leithner*. Il fut peintre de fleurs.

LEITHNER Wolfgang ou **Leuthner**
Né vers 1632 à Munich. Mort le 9 novembre 1725 à Munich. XVIIe-XVIIIe siècles. Allemand.
Sculpteur.
Il fut nommé sculpteur de la cour en 1662. Il exécuta des panneaux et des bas-reliefs pour la Résidence de Munich.

LEITKRATH Joseph ou **Leidtgradt**
Né en 1736 à Eggental (Kaufbeuren). Mort en 1811. XVIIIe-XIXe siècles. Actif à Donauworth. Allemand.
Peintre.
On mentionne de sa main de nombreuses fresques d'église et des tableaux d'autel en Souabe bavaroise.

LEITNER
XVIIe siècle. Autrichien.
Peintre.
La Résidence grand-ducale d'Innsbruck possède des tableaux de sa main, ainsi que la maison religieuse pour dames à Halle. Il fut peintre de la cour à Innsbruck vers 1650.

LEITNER. Voir aussi **LEITHNER** et **LEUTNER**

LEITNER A.
XIXe siècle. Actif à Graz. Autrichien.
Graveur.
Il grava avec A. Bogner quelques planches d'après J. Welt, pour l'ouvrage *Description de Vienne, capitale et ville de la Résidence*, paru en 1832, ainsi que la composition : *Le Christ en Croix entre les deux larrons*.

LEITNER Gudrun von
Née le 17 août 1940 à Schwerin-Mecklenburg. XXe siècle. Active depuis 1968 aussi en France. Allemande.
Peintre, dessinatrice, graveur.
Elle vit et travaille à Hambourg où elle a étudié et à Paris. Elle a participé à Paris à la Biennale de gravure en 1968 et 1970 ainsi qu'à l'exposition : *De Bonnard à Baselitz – Dix ans d'enrichissements du cabinet des estampes 1978-1988* à la Bibliothèque nationale en 1992.
Ses gravures figuratives et même descriptives tendent à un décloisonnement de la réalité juxtaposant, par exemple, sur un même plan les vues intérieures et extérieures d'un appartement.
MUSÉES : PARIS (Cab. des Estampes) : *La Table de travail* 1976, eau-forte.

LEITNER Henrich
Né le 7 octobre 1842 à Vienne. Mort en 1913. XIXe siècle. Autrichien.
Peintre d'histoire, marines.
Fit ses études à Copenhague avec Melbye. Voyagea beaucoup, en Amérique, en Afrique et visita Sainte-Hélène. S'est fixé à Hambourg.
VENTES PUBLIQUES : HAMBOURG, 6 déc. 1985 : *La mer de Marmara au clair de lune* 1895, h/t (37,5x54,5) : **DEM 5 800** – PARIS, 28 mai 1991 : *Arrivée à Constantinople de la flotte impériale allemande saluée par la marine turque* 1873, h/t (29x49) : **FRF 30 000**.

LEITNER Ignaz Franz
Mort avant 1770 à Innsbruck. XVIIIe siècle. Autrichien.
Peintre.
Il peignit surtout des paysages. Le monastère des Franciscains de Salzbourg possède un *Saint André*, signé *Franz Leithner 1748*, qui lui est attribué.

LEITNER Johann Mathias ou **Leuthner**
Né à Thierhaupten (Bavière). Mort en 1763 à Graz. XVIIIe siècle. Allemand.
Sculpteur.
On cite parmi ses œuvres la chaire de l'église de la Miséricorde à Graz, des statues à la façade de l'église de Rein, un *Christ* et des autels dans cette même église.

LEITNER Johann Sébastien
Né en 1715 à Nuremberg. Mort en 1795 à Nuremberg. XVIIIe siècle. Allemand.
Graveur au burin.

LEITNER Leander
Né le 30 avril 1873 à Delphos (Ohio). XIXe-XXe siècles. Américain.
Peintre de paysages, fleurs, décorateur.
Il fut élève de l'Art Students' League de New York où il vécut et travailla. Il fut membre de la Société des Artistes Indépendants et de la Ligue américaine des artistes professeurs.

LEITNER Martin. Voir **LEUTNER**

LEITNER Roman ou **Leiter**
Né en 1805 au Tyrol. Mort le 26 février 1834 à Munich. XIXe siècle. Allemand.
Peintre et lithographe.
Il fut élève de l'Académie de Munich. Il fut d'abord peintre de portraits puis lithographe. Il fit des reproductions d'après les maîtres italiens et néerlandais et des lithographies de portraits. Il figura aux Expositions de l'Académie de Munich de 1826 à 1829 avec des dessins de nus et des figures antiques.

LEITNER Thomas
Né le 7 mars 1876. Mort en 1948. XIXe-XXe siècles. Autrichien.
Peintre de paysages.
Il fut élève de l'académie des beaux-arts de Vienne et figura

régulièrement aux expositions du Cercle des artistes. En 1924, une exposition collective de ses œuvres eut lieu à la galerie Holbein à Vienne. Il fut peintre de guerre en 1914-1918.
Musées : Vienne (Gal.).
Ventes Publiques : Vienne, 11 fév. 1976 : *Paysage fluvial boisé* 1915, h/t (80x100) : **ATS 7 500** – Vienne, 18 mars 1977 : *Paysage fluvial boisé* 1908, h/t (80x100) : **ATS 25 000** – Vienne, 14 mars 1980 : *Paysage d'Autriche* 1923, h/cart. (47x63) : **SEK 25 000** – Vienne, 17 mars 1981 : *Le Port de Capo d'Istria* 1919, h/t (130x170) : **ATS 90 000** – Vienne, 19 jan. 1983 : *Vue du Danube* 1912, h/t (67x98,5) : **ATS 50 000** – Vienne, 19 mars 1986 : *Le Chemin de l'église* 1909, h/t (73,5x100) : **ATS 65 000** – Vienne, 23 juin 1987 : *La Route du village* 1942, h/pan. (48,5x65) : **ATS 60 000** – Stockholm, 29 mai 1991 : *Paysage hivernal* 1906, h/t (74x100) : **SEK 5 000.**

LEITZEN Hans ou **Johannes**
Né le 13 novembre 1848. Mort le 30 décembre 1922. XIXe-XXe siècles. Actif à Brunswick. Allemand.
Aquarelliste et architecte.
Musées : Brunswick : *Portrait de L. Hänselmann.*

LEITZEN Karl
Né le 29 décembre 1801 à Brunswick. Mort le 25 mai 1859 à Stadtoldendorf. XIXe siècle. Allemand.
Peintre de portraits.
Élève des Académies de Munich et de Dresde. Il travailla à Quedlinbourg. Il peignit des portraits de petit format et des paysages de forêts. Le Musée de Wernigerode possède quelques-unes de ses œuvres.

LEIVA Nicolas
Né en 1958 à Tucuman. XXe siècle. Argentin.
Peintre, peintre de compositions murales.
Il étudia à l'École des Beaux-Arts de l'Université Nationale de Tucuman de 1972 à 1978, puis l'année suivante entra à la Faculté des Beaux-Arts et enseigna la peinture dans une école élémentaire. En 1981 il remporta le premier Prix de peinture murale à la Rencontre Mondiale « Throw ». En 1988 le Ministère de la Culture de Buenos Aires lui accorda une bourse pour se rendre sur la côte ouest des États-Unis. Il participe à de nombreuses expositions individuelles ou en groupe et remporte de nombreuses récompenses.
Ventes Publiques : New York, 18 mai 1994 : *De la série des tombes* 1991, h/t (109,5x123,2) : **USD 8 625** – New York, 16 nov. 1994 : *De la série A 498* 1991, h/t (127x114,3) : **USD 6 325** – New York, 25-26 nov. 1996 : *Série relative à la fuite* 1991, h/t (80,3x90,8) : **USD 6 900.**

LEIX Franz. Voir **LEUX**

LEIZELT Balthasar Friedrich
XVIIIe siècle. Actif à Augsbourg dans la seconde moitié du XVIIIe siècle. Allemand.
Graveur.
Parmi ses œuvres on cite six planches représentant le *Théâtre de la guerre entre Allemands et Français entre le Rhin et la Moselle 1794-1799,* six planches de *Vues de Versailles,* des *Vues de Ravensbourg, Coblence, New York, Intérieur de la Rotonde du jardin du Ranelagh à Chelsea.*

LEIZEROV Isaac Mikhaïlovitch
XXe siècle. Russe.
Peintre de marines.
Diplômé de l'Académie des Beaux-Arts de Moscou. Participe à des expositions de groupe depuis 1950.
Musées : Moscou (Gal. Tretiakov).

LEJAC Louis
XVIIe siècle. Français.
Peintre et sculpteur.
Travailla pour l'église de Saint-Calais entre 1615 et 1618, et pour l'église de Baillou (Loir-et-Cher).

LEJAULT Anaïs. Voir **BEAUVAIS Anaïs**

LEJEUNE Adolphe Frédéric
Né au XIXe siècle à Boulogne-sur-Mer (Pas-de-Calais). XIXe-XXe siècles. Français.
Peintre de genre et de paysages.
Élève de Bonnat. Il exposa, à partir de 1879, des peintures, des aquarelles, et des dessins à la plume. On cite de lui : *Tue-la.*
Ventes Publiques : New York, 24 nov. 1987 : *Sur la terrasse* 1882, h/pan. (61x50) : **USD 3 100.**

LEJEUNE Antoine Hubert. Voir **YUNG**

LEJEUNE Baptiste
Né en 1739 à Courseulles (Calvados). Mort en 1812. XVIIIe-XIXe siècles. Français.
Peintre d'histoire, scènes de genre, dessinateur.
Ventes Publiques : Paris, fév. 1882 : *Louis XVI à l'Assemblée nationale le 14 septembre 1791,* dess. au lav. et à l'encre de Chine : **FRF 320** – Paris, 12 mai 1995 : *Le lever* ; *La toilette* 1790, h/pan. (chaque diam. 21) : **FRF 37 000.**

LEJEUNE Émile
Né en 1885 à Genève. Mort en 1964 à Nice (Alpes-Maritimes). XXe siècle. Suisse.
Peintre de paysages.
Il séjourna à Paris, Cagnes et Nice et fréquenta Soutine, Modigliani, Picasso et Matisse.
Ventes Publiques : Zurich, 15 mai 1982 : *Cagnes-sur-Mer,* h/t (60x73) : **CHF 5 000** – Carcassonne, 27 oct. 1984 : *Nature morte aux fruits* 1931, h/t (46x55) : **CHF 2 800** – Londres, 24 mars 1992 : *Le jardin exotique* 1940, h/t (73x60) : **GBP 3 300** – Zurich, 2 juin 1994 : *Villefranche-sur-Mer* 1929, h/t (81x65) : **CHF 3 220.**

LEJEUNE Eugène Joseph
Né le 14 décembre 1818 à Beaumont-les-Autels. Mort en avril 1897 à Paris. XIXe siècle. Français.
Peintre de genre, portraits, animaux.
Élève de Paul Delaroche et de Gleyre. Exposa au Salon à partir de 1845.
Musées : Brest : *Intérieur de cuisine* – Chartres : *Le cardinal Pie – La niche aux lapins – Michel Chasles – Adolphe Chasles – Pierre Nicole.*
Ventes Publiques : Londres, 2 nov. 1973 : *La Basse-Cour* : **GNS 650** – New York, 30 mai 1980 : *Le Baptême,* h/t (55,9x71,1) : **USD 2 200** – Londres, 20 juin 1984 : *Le Petit Chaperon rouge et le Loup,* h/t (33,5x25,5) : **GBP 1 800** – Londres, 25 mars 1987 : *Le Repas de bébé,* h/t (60x48,5) : **GBP 4 500** – Londres, 23 mars 1988 : *Accident de charrette tirée par des chiens,* h/t (52x70) : **GBP 3 850** – Calais, 26 fév. 1989 : *Jeune mère embrassant son enfant dans un paysage,* h/t (60x47) : **FRF 37 000.**

LEJEUNE Henri
Né en 1930 à Ecaussines d'Enghien. XXe siècle. Belge.
Peintre, graveur. Tendance fantastique.
Bibliogr. : In : *Dict. biogr. illustré des artistes en Belgique depuis 1830,* Arto, Bruxelles, 1987.

LEJEUNE Henri Pierre
Né le 27 juin 1881 à Saint-Ouen (Seine-Saint-Denis). XXe siècle. Français.
Peintre de paysages, marines.
Il expose au Salon des Indépendants, à Paris. Il a beaucoup travaillé en Bretagne.

LEJEUNE Henry
Né en 1820 à Londres. Mort en octobre 1904 à Londres. XIXe siècle. Britannique.
Peintre de genre.
Élève de la Royal Academy, dont il fut associé en 1863.
Musées : Manchester – Salford.
Ventes Publiques : Londres, 16 juin 1922 : *Enfants cueillant des nénuphars* : **GBP 63** – Londres, 15 juin 1973 : *Enfant endormi* : **GNS 480** – Vienne, 11 fév. 1976 : *Le Départ des pêcheurs,* h/pan. (51x40,5) : **GBP 2 000** – Londres, 26 juil. 1977 : *Le Jeune Archer,* h/pan. (14,5x20) : **GBP 320** – Londres, 18 avr. 1978 : *Fleurs de printemps* 1872, h/pan. (44,5x33,5) : **GBP 2 600** – Londres, 3 juil 1979 : *Quelqu'un vient* 1868, h/pan. (48x34) : **GBP 3 000** – Tokyo, 15 fév. 1980 : *Fleurs de printemps* 1872, h/pan. (43x33) : **JPY 2 000 000** – Londres, 22 nov. 1982 : *Rêverie* 1880, h/t (53x43) : **GBP 1 600** – Londres, 13 juin 1984 : *Enfants pêchant* 1875, h/t (72,3x57,2) : **GBP 4 500** – Londres, 18 déc. 1985 : *Fleurs des champs,* h/t (61x74) : **GBP 7 000** – Londres, 31 oct. 1986 : *The babes in the wood,* h/t, haut arrondi (79x66) : **GBP 11 000** – Londres, 13 fév. 1987 : *Les Sœurs* 1868, h/pan. (48x34,5) : **GBP 5 200** – New York, 25 mai 1988 : *Le Jeu de bascule,* h/t (63,5x76,2) : **USD 9 900** – Londres, 9 fév. 1990 : *La Fillette au châle rouge* 1877, h/t (61,5x51) : **GBP 4 400** – Londres, 30 mars 1990 : *Un rafraîchissement bienvenu* 1876, h/pan. (59x44,2) : **GBP 18 150** – Londres, 13 juin 1990 : *Jeune fille dessinant,* h/t (27x31) : **GBP 792** – Londres, 13 fév. 1991 : *Le Nid* 1867, h/t (59x49) : **GBP 5 280** – Amsterdam, 21 mai 1992 : *Le Port d'Amsterdam* 1929, h/t (33x41) : **NLG 1 035** – Londres, 11 juin 1993 : *Au printemps* 1875, h/t (53,4x43,2) : **GBP 9 775** – Londres, 3 nov. 1993 : *Le triton,* h/pan. (76x63) : **GBP 17 250** – Londres, 25 mars

1994 : *Rêverie au bord de la rivière*, h/t (33,7x49,8) : **GBP 3 220** – Londres, 10 mars 1995 : *Repos au bord du chemin* 1872, h/pan. (43,2x29,8) : **GBP 3 680** – New York, 23-24 mai 1996 : *Au printemps* 1875, h/t (53,3x43,2) : **USD 14 375** – Londres, 6 nov. 1996 : *Les Jeunes Fermiers* 1855, h/pan. (12,5x20) : **GBP 1 725** – Paris, 2 avr. 1997 : *Le Jardin du couvent Saint-Bonaventure sur le Mont Palatin, à Rome* 1848, h/t (85x121) : **FRF 50 000** – Londres, 5 nov. 1997 : *Cendrillon* 1876, h/pan. (75,5x49) : **GBP 18 400**.

LEJEUNE Jacques

Né le 20 octobre 1931 à Etterbeck (Bruxelles). xxe siècle. Actif en France. Belge.

Peintre de nus, paysages, natures mortes, fleurs, peintre de cartons de mosaïques, fresquiste, sculpteur.

Il fut élève de l'école des arts décoratifs Saint-Luc de Bruxelles, puis de l'académie des beaux-arts d'Etterbaek, et de l'académie des beaux-arts de Bruxelles, où il eut pour professeurs Léon Devos et Anto Carte. Il compléta sa formation à l'Institut supérieur d'histoire de l'art et d'archéologie de Bruxelles. Professeur et conférencier, Lejeune cessa la peinture pendant plusieurs années. Il participe à des expositions collectives : 1977 *Meubles tableaux* au musée national d'Art moderne à Paris ; depuis 1989 à la galerie d'art de la Place Beauvau à Paris ; 1994 *Hommage à Nicolas Poussin*, musée Nicolas Poussin des Andelys ; depuis 1994 à Beaune, galerie de l'Hôtel de Saulx, où il a montré une exposition personnelle de ses peuvres en 1996. Il a reçu de nombreux prix et distinctions : plusieurs médailles d'argent, une médaille d'or de la création artistique à Dijon en 1986.

Ses œuvres savantes, composées à partir de lignes et du nombre d'or, s'inspirent de la peinture flamande du xviie siècle. Chaque objet, chaque animal, éléments symboliques qui s'opposent et se répondent, rayonnent d'une lumière particulière.

Bibliogr. : Plaquette de l'exposition : *Sur le chemin des primitifs*, Galerie d'Art de la place Beauvau, Paris, 1992.

LE JEUNE James

Né en 1910. Mort en 1983. xxe siècle. Irlandais.

Peintre de genre, paysages, peintre à la gouache, aquarelliste.

Ventes Publiques : Londres, 6 mars 1986 : *Les Châteaux de sable*, h/cart. entoilé (35x44,5) : **GBP 2 200** – Belfast, 30 mai 1990 : *Jours heureux*, h/t (71,1x99,1) : **GBP 4 950** – Dublin, 12 déc. 1990 : *Scène de marché en Provence*, aquar. (26,7x37,2) : **IEP 1 100** ; *Deux petits garçons sur une plage*, h/t. cartonnée (30,5x40,7) : **GBP 1 300** – Dublin, 26 mai 1993 : *La cathédrale de Beauvais*, aquar. et gche (47x34,3) : **IEP 935** ; *Le bassin de Blackmores dans le port de Dun Laoghaire*, h/t (63,5x76,2) : **GBP 8 800** – Londres, 9 mai 1996 : *Le bar du Club*, h/t. cartonnée (35,5x45,7) : **GBP 4 370**.

LEJEUNE Louis

Né le 10 février 1877 à Charlottenbourg (Prusse). xxe siècle. Allemand.

Peintre de paysages.

Il exposa à Berlin à partir de 1901.

Ventes Publiques : Cologne, 21 mars 1980 : *Bords de rivière*, h/t (66x79) : **DEM 2 200**.

LEJEUNE Louis Aimé

Né le 22 janvier 1884 à Livet-sur-Authou (Brionne). Mort en 1969. xxe siècle. Français.

Sculpteur de figures, bustes.

Il fut élève de Thomas et Injalbert. Il a reçu une médaille de troisième classe au Salon de 1911, année où il obtint le prix de Rome. Ensuite lui furent décernées une médaille d'argent en 1913, d'or en 1920, et la Légion d'honneur.

Il réalisa de nombreuses œuvres en marbre.

Musées : Brooklyn : *Sainte Thérèse* – Lausanne (Mus. canton. des Beaux-Arts) : *Éphèbe* 1913-1916 – *Femme à l'enfant* 1924 – Paris (Mus. d'Art Mod. de la Ville) : *Éphèbe* – *Buste de sir Joseph Duveen* – *Buste de saint Joseph*.

LEJEUNE Louis François, baron et général

Né le 3 février 1775 à Strasbourg (Bas-Rhin). Mort le 29 février 1848 à Toulouse (Haute-Garonne). xixe siècle. Français.

Peintre de sujets militaires, portraits, paysages.

Officier dans l'armée de Napoléon, il fut surtout peintre de batailles. Il mena de front une carrière militaire et artistique, fut élève du paysagiste Pierre Henri de Valenciennes, de 1795 à 1798, tout en étant aide de camp du général Berthier. Il participa aux Salons officiels à partir de 1798. En 1837, il devint directeur de l'École des Beaux-Arts et conservateur du musée de Toulouse.

Bibliogr. : Gérald Schurr, in : *Les Petits Maîtres de la peinture 1820-1920, valeur de demain*, Les Éditions de l'Amateur, t. III, Paris, 1976.

Musées : Strasbourg (Mus. des Beaux-Arts) : *Autoportrait en aide de camp du maréchal Berthier* – Versailles : *La bataille de Marengo* – *Un épisode du siège de Saragosse* – *Le combat de Somo-Sierra* – *Le bivouac de Napoléon Ier à la veille d'Austerlitz* – *Le passage du Rhin* – *La bataille des Pyramides* – *La bataille de Lodi* – *L'attaque du convoi à Salinas* – *La bataille de la Moscowa* – *L'entrée de Charles X à Paris*.

Ventes Publiques : Milan, 3 déc. 1992 : *Sujet napoléonien*, h/t (97x130) : **ITL 11 300 000** – Paris, 8 nov. 1996 : *La Chasse à l'ours vers la cascade du lac d'Oo près de Bagnères de Luchon*, h/t (181x152) : **FRF 158 000**.

LEJEUNE Lucien

Né en 1870 à Liège. xixe-xxe siècles. Belge.

Peintre de paysages, graveur.

Il fut élève de l'académie des beaux-arts de Liège.

Bibliogr. : In : *Dict. biogr. illustré des artistes en Belgique depuis 1830*, Arto, Bruxelles, 1987.

Musées : Liège.

LEJEUNE Nicaise

xvie siècle. Français.

Sculpteur.

Il prit part aux travaux de décoration du château de Fontainebleau, de 1540 à 1550.

LEJEUNE Nicolas

xviiie siècle. Actif à Paris. Français.

Aquafortiste et peintre.

Élève de l'Académie Royale et de Lagrenée. Il figura au Salon à partir de 1793. On connaît de lui : *Portraits de J. v. d. Mühle Faesch et sa femme*.

Ventes Publiques : Paris, 12 et 13 mars 1926 : *Cinq dessins de figures pour l'histoire d'Angleterre*, lav. : **FRF 1 220** ; *Onze dessins pour l'histoire de France*, lav. : **FRF 1 620**.

LEJEUNE Philippe

Né le 15 novembre 1924 à Montrouge (Hauts-de-Seine). xxe siècle. Français.

Peintre, graveur, illustrateur, peintre de cartons de vitraux.

En 1941, il fut élève de l'Atelier d'art sacré de Maurice Denis. Grand voyageur, il a fait le tour du monde, séjourné au Moyen-Orient et vécu en Océanie avant de se fixer près de Paris, à Étampes, dont il est le conservateur du musée. Il a montré ses œuvres dans une exposition personnelle à Paris, en 1970, avec des compositions : *Jésus chassant les vendeurs du temple* – *Le Portement de la croix* – *L'Inventeur* – *La Cellule* – *Le Coupable*, etc. En 1994, encore à Paris, la galerie Mouvances a montré un nouvel ensemble de ses compositions, souvent référées à des peintres très divers du passé, de Piero della Francesca à Rembrandt, et toujours inspirées de thèmes religieux : *La Tentation de saint Antoine* – *La Résurrection de Lazare* – *Moïse contemplant la Terre promise*. Il a réalisé les vitraux de plusieurs églises de l'Ouest de la France, notamment de celle du Mont Saint-Michel.

Après une longue période de formation, pendant laquelle il subit les influences les plus diverses, il a attiré l'attention par d'ambitieuses compositions, souvent d'inspiration religieuse, d'un réalisme traditionnel tempéré de quelques audaces diversifiées, notamment dans l'emploi de couleurs fortes lié à une symbolique d'ordre synesthésique.

LEJEUNE Philippe

Né en 1951 à Garches (Hauts-de-Seine). xxe siècle. Actif depuis 1984 aux États-Unis. Français.

Peintre, sculpteur, graveur.

Il a participé à l'exposition : *De Bonnard à Baselitz – Dix ans d'enrichissements du cabinet des estampes 1978-1988* à la Bibliothèque nationale à Paris en 1992.

Musées : Paris (Cab. des Estampes) : *Gratte-ciel* 1984, aquat.

LEJEUNE Pierre François

Né le 10 mars 1721 à Bruxelles. Mort le 30 décembre 1790 à Bruxelles. xviiie siècle. Belge.

Sculpteur.

Élève de Laurent Delvaux. Il vint à Rome où il travailla pendant douze ans, et fut membre de l'Académie Saint-Luc. Étant venu

s'établir à Stuttgart il fut, en 1753, sculpteur du duc de Wurtemberg. On cite de lui le *Tambour du cardinal de la Trémouille* à Saint-Louis-des-Français à Rome, *Hercule et Minerve, Le duc Charles Eugène, La Méditation et le Silence*, etc., au château de la Résidence à Stuttgart, et de nombreux bustes, statues, groupes à Ludwigsbourg, aux châteaux de la Solitude, de Monrepos, d'Hohenheim. Il travailla également pour la Manufacture de porcelaine de Ludwigsbourg. Son sens décoratif le fit souvent entreprendre des aménagements de parcs et jardins.
Musées : Bruxelles : *Méléagre vainqueur – Adonis.*
Ventes Publiques : Bruxelles, 10 déc. 1976 : *Combat de taureaux*, bronze (H. 54) : **BEF 42 000.**

LEJEUNE Pierre-Marie
Né le 3 juillet 1954 à La Celle Saint-Cloud (Yvelines). xxe siècle. Français.
Peintre, sculpteur.
Autodidacte en art, en 1983, il a bénéficié de la bourse du gouvernement français *Villa Médicis hors les murs* et passa huit mois en Égypte, à Karnak. Il vit et travaille en Normandie depuis 1985. En 1987, il a travaillé avec Niki de Saint-Phalle et Jean Tinguely sur leur projet monumental de Milly-la-Forêt, *Le Cyclope*. Il continue à être le collaborateur de Niki de Saint-Phalle ; de 1983 à 1998, il a participé à la réalisation de son *Jardin des Tarots*, notamment avec un ensemble de mobilier en céramique et l'aménagement de la boutique construite par l'architecte Mario Botta. À Paris, il a aussi réalisé le mobilier de deux espaces-boutiques pour les Éditions *Flammarion 4*. Mais sa vie et son travail sont doubles, il est artisan et artiste, réalisateur et créateur.
Il participe à des expositions collectives : 1982-1983 Grands et Jeunes d'Aujourd'hui à Paris ; 1983 Salon de Mai à Paris ; 1983, 1985, 1986 Salon de Montrouge ; 1985 Foire d'Art contemporain de Londres ; 1991 Hôpital éphémère à Paris ; 1992 Salon de Mars à Paris. Il montre ses œuvres dans des expositions personnelles : 1984 Centre culturel français du Caire ; 1985 Centre culturel d'Alexandrie ; 1986 galerie Façade à Paris ; 1992 *Œuvres récentes 1991-1992*, à Puligny Montrachet ; 1995, JGM Galerie à Paris.
On peut déjà distinguer deux périodes dans sa création personnelle : une première qu'on peut dire « baroque », fondée sur le principe d'assemblage d'éléments hétéroclites, dont certains de récupération, marquée du néodadaïsme d'époque ; la seconde qui vaut d'être qualifiée de « classique ». Ce qui frappe au premier abord chez Pierre-Marie Lejeune, c'est le savoir-faire, on devrait dire le savoir tout faire. Associant, assemblant les matériaux les plus divers, de préférence raffinés, marbres, bois d'essences variées, miroirs, toutes sortes de métaux, céramiques, et autres, et jusqu'à la lumière et à la mobilité, considérées aussi comme des matériaux, il propose des objets d'une finition parfaite, comme étaient finis les beaux meubles signés des xviie-xviiie siècles, ou ceux de 1930. Puis, au-delà du constat de la perfection manufacturée, la perplexité s'instaure, qu'est-ce que sont ces objets ? Sculptures ? on dirait des meubles ; meubles ? on dirait des sculptures. Peut-être doit-on arriver à cette conclusion que les créations de Pierre-Marie Lejeune sont des mobiliers ne pouvant servir à rien, ou des sculptures pouvant servir à tout. ■ J. B.
Bibliogr. : Catalogue de l'exposition : *P.-M. Lejeune – Œuvres récentes 1991-1992*, Puligny Montrachet, 1992 – Jean-Luc Chalumeau, in : Catalogue de l'exposition *P.-M. Lejeune*, JGM. Galerie, Paris, 1995.
Musées : Paris (FNAC).

LEJEUNE Rémy. Voir **LADORÉ Rémy**

LEJEUNE Théodore Michel
Né vers 1817. Mort en 1868. xixe siècle. Actif à Paris. Français.
Peintre et restaurateur de tableaux.
Il figura au Salon à partir de 1841 avec des paysages.

LE JEUNE CŒUR François. Voir **FRANÇOIS,** dit **Le Jeune Cœur**

LEJMANN Anna
Née le 18 juin 1860 à Hadersleben. xixe-xxe siècles. Danoise.
Peintre d'intérieurs, paysages, aquarelliste.
Elle fut élève de l'académie des beaux-arts de Copenhague. Elle figura avec sa sœur Thea à plusieurs expositions de Copenhague avec des peintures à l'huile et à l'aquarelle, notamment à Charlottenbourg à partir de 1906.

LEJMANN Thea
Née le 15 juin 1857 à Hadersleben. xixe-xxe siècles. Danoise.
Peintre de paysages.
Elle est la sœur d'Anna Lejmann.
Musées : Aalborg : *Vieux Moulin* – Ribe.

LE JOLIS DE VILLIERS
xixe siècle. Français.
Peintre.
Le Musée de Saint-Lô conserve de cet artiste une peinture : *Christophe Colomb.*

LE JOME Jean
xve siècle. Français.
Sculpteur.
Il collabora aux travaux de la cathédrale de Cambrai, en 1452.

LEJOSNE André
Né le 1er mai 1929 à Richebourg (Pas-de-Calais). xxe siècle. Français.
Peintre de paysages.
Il fut élève de l'école des beaux-arts de Paris, puis suivit durant cinq années les cours du soir de la ville de Paris, dans l'atelier Lesbounit. Il participe à Paris, aux Salons de la Jeune Peinture, des Réalités Nouvelles et Grands et Jeunes d'Aujourd'hui. Depuis 1968, il montre ses œuvres dans des expositions personnelles à Paris et Londres.
Curieusement, ce sont les fonds qui semblent s'imposer au premier abord, masquant le traditionnel sujet. Dans la composition et la simplification du dessin, on perçoit sans doute une influence du pop art.
Bibliogr. : Jean Louis Pradel : *Lejosne*, Galerie Liliane François, Paris, 1982.

LEJOSNE Marcel
Né le 2 avril 1903 à Créquy (Pas-de-Calais). Mort le 3 juin 1969 à Lille (Nord). xxe siècle. Français.
Sculpteur de figures et de compositions à personnages. Naïf et satirique.
Il fit de nombreux voyages en France et à l'étranger, mais son port d'attache resta toujours l'Artois. À partir de 1935, il exposa régulièrement, dans le Nord-Pas de Calais essentiellement : Lille, Arras, Boulogne, Hesdin, Dunkerque. Il participa quelquefois aux salons des Artistes Français et des Indépendants, à Paris.
Devant ses figures grotesques en terre cuite et ses visages expressifs, on pense inévitablement à l'art de Daumier sculpteur, mêlant la drôlerie et le tragique de la réalité humaine.
L'effet produit par ses œuvres (en ronde-bosse ou haut-relief) se trouve souvent amplifié par les titres qu'il leur donne, jouant volontiers de l'ironie ou du second degré. Dans ses hauts-reliefs, la représentation de la « comédie humaine » est généralement tirée du côté de la grivoiserie, voire de la paillardise : *Le Curé de Cucugnan*, 1956 ; *L'Enfance de Gargantua*, 1954 ; *La Ceinture de chasteté*, 1954 ; *Jeu de boules*, 1960 ; *La Fessée érotique*, 1964 ; etc. ■ A. G.

LEJOUR Jean
xve siècle. Français.
Sculpteur.
Il ornementa un escalier à vis et sculpta des gargouilles pour le beffroi d'Amiens, en 1410.

LEJOUR Jean
Né en 1913 à Ellezelles. xxe siècle. Belge.
Graveur de nus, paysages, aquarelliste.
Il fut élève de l'académie des beaux-arts de Tournai et de l'académie de la Grande Chaumière à Paris.
Bibliogr. : In : *Dict. biogr. illustré des artistes en Belgique depuis 1830*, Arto, Bruxelles, 1987.
Musées : Bruxelles (Cab. des Estampes) – Tournai.

LEJOUTEUX Jules Gontran
Né à Châteaudun (Eure-et-Loir). Mort en 1916 à Paris. xxe siècle. Français.
Peintre de paysages, fleurs.
Élève de Dardoize et Munie. Il figura au Salon avec des paysages et des tableaux de fleurs à partir de 1877.
Ventes Publiques : Paris, 20 déc. 1941 : *Chrysanthèmes* : **FRF 320** – Stockholm, 14 nov. 1990 : *Composition florale dans un vase*, h/t (120x80) : **SEK 35 000.**

LE JUGE G.
xviie siècle. Actif à Paris. Français.
Peintre et graveur à l'eau-forte.
On croit qu'il fut élève de Vouet. On cite de lui une *Sainte Famille*, gravure d'après l'une de ses peintures ou un dessin de lui. Il a aussi gravé d'après Agostino Carraci.

LEJUGE Jean
XVIIe siècle. Actif à Bourges. Français.
Sculpteur et architecte.
Il sculpta les armoiries du roi et de la ville au portail principal de l'hôpital ainsi qu'une *Vierge*, un *Saint Roch* et un *Saint Sébastien*, dans la chapelle Saint-Roch de l'hospice des lépreux, érigée par lui en 1638.

LEK RADJ
XVIIe siècle. Indien.
Peintre de miniatures.
La Bibliothèque Nationale de Rampour possède des miniatures de sa main.

LEKARSKI André
Né le 2 décembre 1940 à Sofia. XXe siècle. Actif depuis 1962 en France. Bulgare.
Peintre et sculpteur.
De 1954 à 1959, il fut élève de l'école de dessin de Moscou. Il est diplômé de l'école des beaux-arts de Paris.
Il a participé à des expositions internationales collectives, notamment à Paris, au Salon des Indépendants en 1964, au Salon de la Jeune Sculpture en 1974, à celui des Grands et Jeunes d'Aujourd'hui en 1978, 1980-81. Ses expositions personnelles se sont déroulées à Mexico en 1970 et à Paris, régulièrement entre 1972 et 1992.
Il a commencé sa carrière en tant que peintre, puis vers 1983, s'est orienté vers la sculpture, créant des œuvres de tendance surréaliste. Il avait déjà présenté un meuble tableau au musée national d'Art moderne à Paris, en 1977.
Musées : Paris (Mus d'art Mod. de la ville).
Ventes Publiques : Paris, 18 oct. 1992 : *La nuit américaine* 1978, h/t (100x100) : **FRF 8 500**.

LE KERMADEC Eugène Nestor. Voir **KERMADEC**

LE KEUX Henry
Né le 13 juin 1787 à Londres. Mort le 3 octobre 1868 à Bocking (Sussex). XIXe siècle. Britannique.
Graveur de reproductions.
Il travailla pour l'ouvrage de Britton *Cathédrales*, pour les *Restes monumentaux*, d'E. More, pour *l'Abbaye de Wesminster*, de Neale. On cite également ses gravures d'après Claude Lorrain et Canaletto pour la Société des Graveurs, parmi lesquelles *L'embarquement de sainte Ursule*.

LE KEUX John
Né le 4 juin 1783 à Londres. Mort le 2 avril 1846 à Londres. XIXe siècle. Britannique.
Graveur de reproductions.
Il travailla pour J. Britton, A. W. Pugin et J. P. Neale. On cite également des planches comme : *Rome, vue des jardins Farnèse* et l'*Abbaye de sainte Agathe à Easby*, ces deux planches d'après Turner, dans l'*Italie*, de Hakewill, et l'*Histoire du Richmondshire*, de Whitaker.

LE KEUX John Henry
Né le 23 mars 1812 à Londres. Mort le 4 février 1896 à Durham. XIXe siècle. Britannique.
Dessinateur d'architectures et graveur.
Fils et aide de John Le Keux. On cite de ses gravures dans les *Peintres modernes*, de Ruskin, dans *Études et exemples d'architecture anglaise*, de Weale, dans *Architecture médéviale de Chester*, de Parker. On mentionne également une série de 31 planches de sa main : *Vues de la cathédrale de Trondhjem*. Il figura de 1853 à 1865 avec des dessins d'architectures à la Royal Academy.

LEKIEFS Séraphin
Né le 24 juillet 1905 à Hénin-Liétard (Pas-de-Calais). XXe siècle. Français.
Peintre de paysages urbains.
Il expose à Paris, au Salon des Indépendants.
Marchand de légumes, Lekiefs peint avec bonhomie et une certaine naïveté les divers aspects de sa rue.

LE KINF Linda ou **Le Kinff**
Née en 1949 à Paris. XXe siècle. Française.
Peintre de figures.
Elle a participé à l'exposition : *De Bonnard à Baselitz – Dix ans d'enrichissement du cabinet des estampes 1979-1988*, à la Bibliothèque nationale à Paris, en 1992.
Musées : Paris (Cab. des Estampes) : *Japonaises* 1979, litho.
Ventes Publiques : Versailles, 24 sep. 1989 : *Jeune fille à la rose noire*, h/t (46x55) : **FRF 4 200** – Versailles, 29 oct. 1989 : *Jeune fille à la capeline bleue*, h/t (100x81) : **FRF 9 000** – Versailles, 10 déc. 1989 : *Jeune fille au chat*, h/t (92x73) : **FRF 5 000** – Versailles, 21 jan. 1990 : *Le Fauteuil bleu*, h/t (73x60) : **FRF 6 200** – Versailles, 25 mars 1990 : *Carnet de bal*, h/t (73x60) : **FRF 6 500**.

LEKSYCKI Franciszek ou **Leskzycki**. Voir **LEXYCKI**

LELADZE Avtandil
Né en 1952 à Tbilissi. XXe siècle. Russe-Géorgien.
Peintre de compositions à personnages. Symboliste.
Il fut lauréat de l'académie des beaux-arts de Tbilissi et membre de l'Union des Artistes Soviétiques.
Sous le titre global de *Cataclysme*, il peint des assemblées d'hommes nus, dans des attitudes de préparation à la lutte, sous une lumière rouge devant un ciel bleu de nuit étoilée.
Musées : Moscou (Gal. Tretiakov) – Tbilissi (Mus. d'Art Mod.).

LE LAGADEC Robert
XXe siècle. Français.
Sculpteur de figures.
Il travaille dans l'Essonne. Ancien forgeron, il réalise des sculptures en fer monumentales.

LELAND Henry
Né en 1850 à Walpole (Massachusetts). Mort le 5 décembre 1877. XIXe siècle. Américain.
Peintre de portraits et de genre.
Il fut élève de Bonnat à Paris où il se fixa en 1875.
Ventes Publiques : New York, 17 nov. 1978 : *Mischief* 1876, h/pan. (29x21,5) : **USD 1 700** – New York, 21 nov. 1980 : *Scène turque, d'après Tournemine* 1875, h/t (73,4x130,9) : **USD 4 000** – New York, 26 oct. 1984 : *Portrait of a gypsy musician* 1876, h/t (73,7x54,6) : **USD 2 750**.

LELARGE Léonce
XIXe siècle. Français.
Miniaturiste.
Le Musée de Rouen conserve une miniature de lui : *Portrait de Pillore*, offert par la veuve de l'artiste.

LELÉE Léopold
Né le 13 décembre 1872 à Chemazé (Mayenne). Mort le 26 juin 1947 en Arles (Bouches-du-Rhône). XIXe-XXe siècles. Français.
Peintre de figures, scènes typiques, illustrateur.
Élève de Lechevallier, Chevignard et Ch. Genuys, il commença comme peintre d'animaux, genre dont il s'échappa dès 1902. C'est en effet à cette date qu'il part pour un court séjour d'étude en Arles et que, conquis par la cité, il s'y fixe définitivement. Marié à une Arlésienne, il apprend le provençal, décore les édifices publics et il dessine des meubles. Charmé par le costume traditionnel des Arlésiennes, Lelée l'a présenté dans la plupart de ses œuvres ultérieures, fidélité qui lui a valu le surnom de « peintre des Arlésiennes ». Il a su en rendre la silhouette, la grâce et la dignité. S'intitulant lui-même « imagier de Provence », il est l'un des meilleurs témoins de la vie populaire. Ami des écrivains provençaux, il fut l'illustrateur de Mistral et Joseph d'Arbaud. Il fut également l'un des principaux artisans de la réfection du moulin de Daudet à Fontvieille et du musée adjacent.
Bibliogr. : Gérald Schurr, in : *Les Petits Maîtres de la peinture 1820-1920, valeur de demain*, Les Éditions de l'Amateur, t. VII, Paris, 1989.
Musées : Arles (Mus. Arlenten) – Laval (Mus. La Perrine) – Limoges : *Étude de singes*, aquar.

LELEN P. de
XVIIe siècle. Actif vers 1650. Hollandais.
Peintre.
Il fit peut-être partie de l'école de Rembrandt. Le docteur Wurzbach cite de lui un *Portrait de jeune homme* (au Musée de Vienne). Peut-être est-il identique à P. Lesire.

LELEU
XVIIIe siècle. Français.
Peintre sur porcelaine.
Il travailla à la Manufacture de Sèvres de 1745 à 1748.

LELEU Alexandre Félix
Né le 9 mars 1871 à Vicoigne (Nord). Mort le 23 avril 1937 à Paris. XIXe-XXe siècles. Français.

Peintre de scènes typiques, intérieurs, paysages, graveur.

Il fut élève d'abord de l'académie des beaux-arts de Valenciennes, puis à Paris des ateliers Gustave Moreau et Harpignies. Il expose régulièrement à Paris, au Salon des Artistes Français, dans la section peinture et gravure, où il est hors-concours et a obtenu une médaille d'argent. Il fut membre du comité et du jury. Il peignit des scènes de cabarets, puis des intérieurs d'églises et des sous-bois. Il réalisa de nombreuses lithographies.

Ventes Publiques : Paris, 21 mars 1990 : *Joueurs de cartes*, h/t (73x92) : **FRF 35 000**.

LELEU Charlotte Moorhouse

Née le 29 mars 1885 à New York. xxe siècle. Américaine.

Peintre.

On doit à cette artiste, élève d'Alexandre Leleu, de nombreux paysages de la région de Saint-Malo, qu'elle expose au Salon des Artistes Français.
Elle a également réalisé des lithographies.

LELEU Dominique

xviiie-xixe siècles. Français.

Peintre.

Il exposa au Salon de Paris de 1801 un portrait de *Pierre Guérin*.

LELEU Jules Émile

Né le 17 juin 1883 à Boulogne-sur-Mer (Pas-de-Calais). xxe siècle. Français.

Sculpteur.

Il fut élève de Deman. Il expose à Paris, au Salon des Artistes Français.

LELEU L. D.

xixe siècle. Actif à Paris. Français.

Graveur.

Il a gravé des planches pour des illustrations de livres.

LELEU René Marie Joseph

Né le 11 juin 1911 à Lille (Nord). Mort en juin 1984 à Paris. xxe siècle. Français.

Sculpteur de sujets religieux, figures.

Il fut élève de Blaise à l'école des beaux-arts de Lille, puis de Landowski, Gaumont et Lamourdedieu à Paris. Premier grand prix de Rome en 1939, il ne pourra séjourner à la villa Médicis à cause de la guerre. Il enseigna à l'école des beaux-arts de Valenciennes puis de Rouen.
Il participa à Paris, aux Salons des Artistes Français, des Indépendants et surtout au Salon d'Automne. Il fut des fondateurs et directeurs du Salon de la Jeune Sculpture, Comparaisons et de la Biennale Formes humaines. Il fut membre fondateur du syndicat national des sculpteurs statuaires et fit partie de la commission des achats de l'état.
Il s'écarte très tôt de la tradition académique donnant des œuvres puissantes marquées par un souffle expressionniste. À partir de 1950, il opte pour une forme plus dépouillée obéissant à la fois aux exigences des matériaux nobles comme la pierre et à celles d'une sculpture résolument monumentale. On trouve alors nombre de ses œuvres, commandes officielles ou encore privées : il faut citer le *Saint Denis* de l'église de Tournan en Brie, la *Connaissance et la Création* au lycée de Roubaix ou encore *Jeanne à l'étendard* à Rouen. Parallèlement, il poursuit la création d'une œuvre personnelle où il exprime dans une vision souvent tragique, toujours figurative, sa foi chrétienne et ses convictions profondément humanistes : *Job – La Chute d'un cycliste – L'Enfant prodigue – La Minotauromachie*. Philosophe et historien d'art, il a laissé un ouvrage sur le sculpteur Jean Emmanuel Mercier et surtout *Les Métamorphoses de l'art*, véritable somme de ses réflexions et de sa profonde culture.

Bibliogr. : J. C. Poinsignon : *Un Sculpteur face à l'éternel*, Association des amis des arts de Valenciennes et du Hainaut français, 1987.

Musées : Le Cateau-Cambrésis – Paris (Mus. d'Art Mod. de la Ville) – Les Sables-d'Olonne – Valenciennes.

LE LEUP Thomas de. Voir **LEU**

LELEUX Adolphe Pierre

Né le 15 novembre 1812 à Paris. Mort le 27 juillet 1891 à Paris. xixe siècle. Français.

Peintre d'histoire, scènes de genre, graveur.

Frère du peintre Armand Hubert Simon Leleux, il n'eut pas de maître pour la peinture et fut élève d'Alexandre Sixdeniers pour la gravure.
Il exposa au Salon de Paris à partir de 1835. Médaillé en 1842, 1843, 1848. Chevalier de la Légion d'honneur en 1855.
Il a peint des sujets de Bretagne, d'Algérie, et des vues des Pyrénées. On lui doit aussi des scènes de la Révolution de 1848.

Bibliogr. : Gérald Schurr, in : *Les Petits Maîtres de la peinture 1820-1920, valeur de demain*, Les Éditions de l'Amateur, t. V, Paris, 1981.

Musées : Anvers : *Bûcherons au repos* – Chantilly : *Bûcherons bretons* – Dijon : *Auberge en Vendée* – Lille : *Dépiquage des blés en Algérie* – Lyon : *Famille de Bédouins attaquée par des chiens* 1850 – Paris (Mus. d'Art Mod.) : *Noce en Bretagne – Le mot d'ordre* – Pontoise : *Portrait* – Toulon : *L'improvisateur arabe* 1848 – Toulouse : *Jeunes pâtres espagnols* – Versailles : *Le mot d'ordre*.

Ventes Publiques : Paris, 1873 : *Muletiers espagnols* : **FRF 825** – Paris, 1900 : *Le feu des bûcherons* : **FRF 470** – Paris, 18 nov. 1935 : *Pêcheurs à l'Étang, en Bourgogne* : **FRF 230** – Paris, 9 juil. 1941 : *Le campement chouan* 1841 : **FRF 1 900** – Paris, 20 nov. 1979 : *Départ pour la chasse*, h/t (78x107) : **FRF 10 000** – Paris, 20 nov. 1979 : *Le départ pour la chasse* 1879, h/t (78x107) : **FRF 10 000** – Londres, 5 fév. 1982 : *Enfants faisant des pâtés de sable* 1880, h/t (76,2x106,7) : **GBP 2 400** – New York, 17 oct. 1991 : *Enfants conduisant les oies* 1855, h/t (100x74) : **USD 15 400** – Londres, 19 juin 1992 : *L'Impératrice Eugénie avec ses dames d'honneur attendant la parade des troupes alliées place Vendôme à Paris en 1859*, h/t, de forme ovale (40,5x68,5) : **GBP 8 250** – Stockholm, 19 mai 1992 : *Jeune fileuse dans un intérieur* 1866, h/t (72x51) : **SEK 9 000** – Londres, 28 oct. 1992 : *La fileuse de laine* 1866, h/t (70,5x49) : **GBP 2 420**.

LELEUX Armand

Né le 1er janvier 1894 à Paris. xxe siècle. Français.

Peintre de paysages, scènes typiques, portraits, décorateur.

Il fut élève de l'école des arts décoratifs puis de Cormon et Humbert. Il expose habituellement à Paris, au Salon des Artistes Français, où il obtint une mention en 1924.
Il peignit en Haute-Savoie, puis réalisa des scènes et portraits de théâtre. On lui doit aussi quelques décorations murales.

Ventes Publiques : Paris, 7 mars 1955 : *Transhumance dans les Pyrénées* : **FRF 21 000** – Paris, 23 juin 1993 : *Femme se fardant*, h/t (100x85) : **FRF 8 000**.

LELEUX Armand Hubert Simon

Né en 1818 ou 1820 à Paris. Mort le 1er juin 1885 ou 1895 à Paris. xixe siècle. Français.

Peintre de genre.

Frère d'Adolphe Leleux. Élève d'Ingres, on dit qu'il l'accompagna à Rome, mais on ne perçoit pas l'influence du maître dans son œuvre. Il exposa au Salon de Paris, obtenant une médaille en 1844, 1847, 1848, 1857 et 1859. Chevalier de la Légion d'honneur en 1860. Il fit des séjours en Allemagne et en Suisse, ce qui lui permit de participer à toutes les expositions suisses et d'exposer en Allemagne de 1873 à 1882. Il fut chargé par le gouvernement d'une mission en Espagne en 1896.
Ses intérieurs ne sont pas sans rappeler ceux de Pieter de Hooch.

Bibliogr. : Gérald Schurr, in : *Les Petits Maîtres de la peinture 1820-1920, valeur de demain*, Les Éditions de l'Amateur, t. V, Paris, 1981.

Musées : Ajaccio : *L'écheveau embrouillé* – Bayonne : *Petit intérieur normand* – Bordeaux : *La leçon de couture* – Châteauroux : *Cuisine* – Cherbourg : *Le grand'père – Atelier de serrurier* – Genève (Mus. Ariana) : *Vieille femme et rouet* – Genève (Mus. Rath) : *Le repas à l'atelier* – Grenoble : *La fenaison* – Honfleur :

Repos sous les arbres de la Forêt Noire – MONTAUBAN : *Intérieur* – MOULINS : *L'indiscrète* – PARIS (Mus. d'Art Mod.) : *Mariage protestant* – *Une pharmacie à Rome* – TOULON : *Un artiste malheureux* 1847 – TOULOUSE : *Peintre du XVIIIe siècle* – TOURS : *Un intérieur espagnol.*
VENTES PUBLIQUES : PARIS, 1872 : *La leçon de grammaire* : **FRF 910** – PARIS, 26 avr. 1899 : *Jeunes couturières* : **FRF 640** – PARIS, 18 avr. 1945 : *La forge du village* : **FRF 800** – LUCERNE, 29 juin 1973 : *Paysage* : **CHF 8 000** – PARIS, 19 avr. 1983 : *Chez le forgeron*, h/pan. (34x27) : **FRF 13 500** – NEW YORK, 29 oct. 1986 : *Il Bello Cardillo, canzonetta napoletana* 1862, h/t (93,3x73,7) : **USD 4 000** – BERNE, 30 avr. 1988 : *Noce bretonne*, h/t (52x74) : **CHF 6 500**.

LELEUX-GIRAUD Louise Émilie, née **Giraud**
Née le 25 mars 1824 à Genève. Morte le 6 mai 1885 à Paris. XIXe siècle. Suisse.
Peintre de genre.
Élève de Lugardon à Genève, puis de Léon Cogniet à Paris. Elle épousa le peintre Armand Hubert Simon Leleux. Exposa à Paris au Salon de 1860 à 1881 de nombreuses toiles.
MUSÉES : BESANÇON : *Baisement des pieds de la statue de saint Pierre* – GENÈVE (Mus. Rath) : *Fumeur andalou* – *La lettre* – NICE : *La leçon de danse.*
VENTES PUBLIQUES : PARIS, 1875 : *Danse champêtre*, éventail : **FRF 130** – ENGHIEN-LES-BAINS, 28 fév. 1982 : *Chez le peintre*, h/pan. (46x66,5) : **FRF 21 000** – AUCH, 11 déc. 1983 : *Élégants personnages dans un intérieur*, h/pan. (54x72) : **FRF 34 000** – PARIS, 25 mai 1988 : *La partie d'échecs*, h/cart. (49x42) : **FRF 9 000**.

LELEWEL Joachim
Né le 22 mars 1786 à Varsovie. Mort le 29 mai 1861 à Paris. XIXe siècle. Polonais.
Dessinateur, graveur amateur.
Il étudia à Varsovie et à Vilna. Professeur à l'Université de Vilna et plus tard bibliothécaire à l'Université de Varsovie, il se fixa à Bruxelles, où il s'intéressa à la numismatique et s'adonna à des ouvrages scientifiques pour lesquels il exécuta les illustrations à l'eau-forte ou en gravure sur bois. Ces ouvrages furent publiés à Posen en 1854 dans l'*Album d'un graveur polonais*. Un grand nombre de ses originaux sur cuivre se trouvent au Musée Czapski à Varsovie.

LELEWEL Johan Paul
Né le 26 juin 1796 à Varsovie. Mort le 9 avril 1847 à Berne. XIXe siècle. Polonais.
Peintre et architecte.
Émigré de Pologne en France en 1831, il vécut quelque temps à Besançon, puis se fixa à Berne. Il peignit de nombreuses vues d'architectures, pour la plupart à l'aquarelle, et fut également dessinateur, lithographe et aquafortiste. Il illustra quelques-uns des ouvrages d'histoire de son frère Joachim Lelewel.

LELIBON Philibert
Né à Bayonne (Basses-Pyrénées). XIXe siècle. Français.
Sculpteur.
Élève de Jouffroy. Exposa au Salon de 1868 à 1877.

LELIE Adriaen de
Né le 19 mai 1755 à Tilbourg. Mort le 30 novembre 1820 à Amsterdam. XVIIIe-XIXe siècles. Hollandais.
Peintre de genre, portraits, aquarelliste.
Il fut élève de Peeters et d'Andreas Bernardus Van Quertemont à Anvers, puis travailla à Düsseldorf et à Amsterdam. Il a fait de nombreuses copies de portraits de Rubens et de Van Dyck. Il peignit à Amsterdam un grand nombre de portraits, dont certains étaient collectifs, des scènes de genre et de mœurs. Il est de ceux qui répètent les leçons du passé, non sans quelques réussites.

A De Lelie.

MUSÉES : AMSTERDAM : *Inauguration de l'édifice Félix Meritis en 1788* – *Dans cet édifice : La salle de dessin, la galerie de sculpture et Andreas Bonn enseignant le dessin d'après le nu* – *6 régents de Nieuwezijds Huiszitten-Aalmoesenier Armenhuis en 1799* – *4 régents de Oudezijds Huiszitten Aalmoeseniers Armenhuis en 1806* – *J.-G.-C. Rutger Remier, Van Breenen et Van Ramerns et sa famille* – *Les crêpes* – *Visite matinale* – *Barend Klyx Barendsz* – HAARLEM : *Wyrbrand Vandriks* – ROTTERDAM (Mus. Boymans) : *Tête d'homme*, aquar.
VENTES PUBLIQUES : PARIS, 1838 : *Les politiciens* : **FRF 500** – PARIS, 1888 : *Portrait de jeune fille* : **FRF 400** ; *Portrait présumé d'une princesse de Galles* : **FRF 1 050** – PARIS, 6 mai 1929 : *Les comptes autour du marché* ; *Scène d'intérieur* : **FRF 5 200** – COPENHAGUE, 2 nov. 1982 : *Scène d'intérieur* 1818, h/pan. (63x76) : **DKK 38 000** – AMSTERDAM, 15 mai 1984 : *Le boulanger soufflant dans une corne*, h/t (77,5x67,5) : **NLG 30 000** – AMSTERDAM, 5-6 nov. 1991 : *Personnages autour d'un étal de poissons*, h/t (53,5x69) : **NLG 17 250** – AMSTERDAM, 17 nov. 1994 : *Intérieur avec une famille faisant de la musique*, h/t (52,6x43) : **NLG 16 100** – AMSTERDAM, 10 nov. 1997 : *Portrait en buste de Pierre Saraber portant un costume brun et une chemise en dentelles* 1815, h/pan. (31,3x25,1) : **NLG 5 766** – AMSTERDAM, 11 nov. 1997 : *Portrait en buste d'un gentilhomme portant un manteau bleu et un col en dentelle* 1802, h/pan. (23,5x17,8) : **NLG 4 036** ; *Une vieille femme faisant des crêpes dans l'âtre d'une cuisine, une domestique et des enfants à ses côtés* ; *Un vieil homme lisant dans un intérieur, une domestique repassant sur une table à ses côtés*, h/t, une paire (60,2x52,2) : **NLG 94 562**.

LELIE Jan Adriaan Antoine de
Né en 1788 à Amsterdam. Mort le 8 avril 1845 à Amsterdam. XIXe siècle. Hollandais.
Peintre.
Élève de son père Adriaan de Lélie et de Haans. Ce fut un excellent peintre de genre, de fruits et de natures mortes. Il s'occupa aussi de restauration de tableaux.

LELIENBERGH Cornélis ou **Lelienburet** ou **Lilienberg**
Né en 1626. Mort après 1676. XVIIe siècle. Hollandais.
Peintre de natures mortes.
Membre de la Gilde de La Haye en 1646 et fondateur de la Pictura en 1656. Il quitta La Haye en 1666 pour un emploi au château Moerspeng. Il a peint dans la manière de Weenix au point d'être souvent confondu avec lui.

C. Lelienbergh. f. 1654. CLF

MUSÉES : AMSTERDAM : *Oiseaux morts et natures mortes*, 4 tableaux – AUGSBOURG : *Oiseaux morts* – BERLIN : *Nature morte* – DRESDE : *Gibier* – MUNICH : *Coq et autres oiseaux morts* – ROTTERDAM : *Gibier* – SCHWERIN : Deux tableaux – VIENNE (Mus. Czernin) : *Gibier* – SIBIU : *Oiseaux morts, sur une planche* – WEIMAR : *Volailles mortes.*
VENTES PUBLIQUES : PARIS, 1888 : *Oiseaux morts* : **FRF 2 075** – PARIS, 27 et 28 mai 1907 : *Le coq de bruyère blanc* : **FRF 750** – PARIS, 9 et 10 mai 1910 : *La Perdrix* : **FRF 680** – PARIS, 8 avr. 1910 : *Oiseau mort* : **FRF 260** – PARIS, 4 avr. 1928 : *Le pichet de grès* : **FRF 950** – PARIS, le 23 mars 1968 : *La perdrix* : **FRF 7 500** – LONDRES, 25 juin 1969 : *Nature morte* : **GBP 650** – COLOGNE, 26 nov. 1970 : *Nature morte* : **DEM 6 000** – LONDRES, 13 avr. 1973 : *Trophée de chasse* : **GNS 2 400** – VIENNE, 16 mars 1976 : *Trophée de chasse* 1660, h/t (52x61) : **ATS 90 000** – AMSTERDAM, 20 mai 1980 : *Nature morte aux volatiles*, h/pan. (56,5x80) : **NLG 11 000** – LONDRES, 15 juin 1983 : *Nature morte aux volatiles* 1675, h/pan. (57x46) : **GBP 5 000** – COPENHAGUE, 16 avr. 1985 : *Nature morte au gibier*, h/t (121x100) : **DKK 23 000** – NEW YORK, 11 jan. 1989 : *Canard de barbarie dans un panier de légumes près d'un lièvres sur un entablement* 1664, h/pan. (71x56) : **USD 10 450** – LONDRES, 21 avr. 1989 : *Intérieur de cuisine à la campagne avec une femme pelant des pommes de terre* 1656, h/t (48,5x65,5) : **GBP 24 200** – PARIS, 13 déc. 1989 : *Nature morte aux oiseaux* (49x33,5) : **FRF 24 600** – AMSTERDAM, 12 juin 1990 : *Tableau de chasse avec un lièvre, un tétras-lyre des passereaux près d'un fusil et d'un cornet à poudre*, h/t (80,3x68,5) : **NLG 23 000** – LONDRES, 31 oct. 1990 : *Nature morte de chasse avec un lièvre mort* 1688, h/t (75x62,5) : **GBP 3 300** – PARIS, 18 avr. 1991 : *Nature morte au lièvre et aux instruments de chasse*, h/pan. (40x33) : **FRF 23 000** – STOCKHOLM, 29 mai 1991 : *Nature morte de gibier à plumes mort*, h/t (46x66) : **SEK 85 000** – PARIS, 18 déc. 1991 : *Trophées de chasse à la trompe et au fusil*, h/t (81x62,5) : **FRF 50 000** – AMSTERDAM, 7 mai 1996 : *Lièvre et autre gibier suspendus par des cordes avec un cor de chasse, un fusil et une gibecière sur un entablement drapé* 1664, h/t (78,9x65) : **NLG 69 000** – NEW YORK, 16 oct. 1997 : *Un tétras-lyre un jeune coq et autres oiseaux morts sur un entablement de pierre*, h/pan., une paire (56,8x46,4) : **USD 23 000**.

LE LIEPVRE. Voir aussi **LELIÈVRE**

LE LIEPVRE Jehan
Né au XIXe siècle à Valenciennes (Nord). XIXe-XXe siècles. Actif à Paris. Français.
Peintre de paysages.
Il figura au Salon de la Société Nationale de 1897 à 1899, en 1902, 1910, 1913 et 1914, et au Salon de la Société des Artistes Indépendants en 1905, 1907, 1910-1912 et 1914.
Ventes Publiques : Paris, 10 oct. 1944 : *Jeune fille à l'ombrelle rose* : **FRF 650.**

LELIEVRE Charles Jean Baptiste
XIXe siècle. Actif à Paris. Français.
Portraitiste, pastelliste, peintre d'animaux, d'histoire et de genre.
Exposa au Salon de 1831 à 1848. On cite de lui : *Deux chiens se disputant un os, Résurrection de la fille de Jaïre* (Musée de Compiègne).

LELIÈVRE Eugène
Né le 13 mars 1856 à Paris. XIXe siècle. Français.
Sculpteur.
Expose au Salon des Artistes Français, où il obtint une médaille d'or.
Ventes Publiques : Paris, 18 avr. 1945 : *Nu* : **FRF 2 100** – Enghien-les-Bains, 4 mars 1984 : *Touaregs dans le Hoggar*, h/t (50x100) : **FRF 21 500** – Paris, 6 juil. 1989 : *Femme-fleur*, bronze (H. 33) : **FRF 10 000.**

LELIÈVRE Maurice Charles Marie ou **Le Liepvre**
Né en 1848 à Lille (Nord). Mort en 1897 à Paris. XIXe siècle. Français.
Peintre de sujets typiques, paysages.
Élève de Jean Paul Laurens, Harpignies, Édouard Dubufe, Alexis Mazerolle, il exposa au Salon de Paris de 1877 à 1896.
À côté de ses paysages français, il a brossé des sujets arabes et algériens.
Bibliogr. : Gérald Schurr, in : *Les Petits Maîtres de la peinture 1820-1920, valeur de demain*, Les Éditions de l'Amateur, t. V, Paris, 1981.
Musées : Béziers : *Bords de la Loire* – Bordeaux : *Le printemps.*
Ventes Publiques : Paris, 4 juin 1985 : *Bord de la Loire*, h/t (116x178) : **FRF 15 000.**

LELIÈVRE Octave Georges
Né le 8 août 1869 à Paris. XIXe-XXe siècles. Français.
Sculpteur.
Il fut élève de Barrau et Mayeux. Il expose à Paris, au Salon, où il obtint une médaille en 1902.

LELIEVRE Philippe
Né en 1731 à Nivelles (Brabant). Mort en 1815 à Nivelles (Brabant). XVIIIe-XIXe siècles. Belge.
Sculpteur ornemaniste.
Élève de L. Delvaux. On mentionne de sa main des sculptures à balustrade de la chaire de l'église Sainte-Gertrude à Nivelles.
Ventes Publiques : Paris, 15 mai 1931 : *Candélabres à quatre lumières* : **FRF 350.**

LELIÈVRE Philippe
Né en 1929 à La Rochelle (Charente-Maritime). Mort le 16 novembre 1975 à Paris. XXe siècle. Français.
Peintre de compositions animées, intérieurs, figures, pastelliste, graveur. Intimiste.
En 1948-49, il a été l'élève de l'Atelier Jaudon ; en 1950 d'André Lhote à l'Académie Julian ; en 1952 de l'École des Beaux-Arts. En 1958-59, il fut pensionnaire de la Casa Vélasquez à Madrid. En 1960, il obtint le premier Grand Prix de gravure en taille-douce de l'Académie des Beaux-Arts et le Grand Prix de Rome. De 1960 à 1964, il fut pensionnaire de la Villa Médicis à Rome. De 1966 à 1974, il fut professeur à l'École des Beaux-Arts d'Épinal ; en 1974 il fut nommé professeur de dessin et gravure à l'École Polytechnique de Paris.
En 1967, il participa à la fondation de la Biennale internationale de l'Estampe. Il était depuis 1968 membre sociétaire des Peintres Graveurs Français. Il montre des ensembles de travaux dans des expositions personnelles à Paris : 1962, galerie Vendôme ; 1975, rétrospective, galerie Sagot-Le Garec ; 1997 à Paris, la galerie Vieille-du-Temple a produit une exposition de ses *Peintures, Pastels, Gravures.*
Peintre et pastelliste, il traite des scènes intimes dans un esprit proche de l'art de Balthus. Il utilise plus particulièrement pour ses estampes la technique de la gravure au vernis mou. La bibliothèque Sainte-Geneviève de Paris possède de lui une gravure murale de douze mètres carrés.
Bibliogr. : In : *Les Peintres Graveurs français – 80e anniversaire*, Paris, 1968.

LELIO
XIVe siècle. Actif à Naples. Italien.
Mosaïste.
Dans la chapelle di S. Maria del Principio de la Basilique S. Restituta à Naples se trouve une mosaïque signée : *Hoc opus fecit Lellus*, et datée de 1322.

LELIO Stanislas, pseudonyme de **Lelièvre**
Né le 13 juillet 1927 à Montrouge (Hauts-de-Seine), D'origine polonaise par sa mère. XXe siècle. Français.
Sculpteur, céramiste, peintre, graveur, illustrateur. Abstrait.
Il est fils de musiciens. Il vit et travaille à Paris. Il participe à la Seconde Guerre mondiale comme agent de liaison, puis s'inscrit à l'École des Beaux-Arts de Paris, dans la section architecture, il étudie ensuite la sculpture avec Marcel Gimond à l'Académie Julian, en 1947. L'année précédente, il avait participé à l'expédition Ogooué-Congo dirigée par Noël Ballif et Francis Mazières. En 1950, il étudie, dans l'atelier des frères Atteni, la taille de la pierre et, chez Mario Busato, la fonte de bronze. Il travaille alors, pour gagner sa vie, dans le presse parisienne. En 1954, il se lie avec le sculpteur Étienne-Martin, dont il subit l'influence. Il s'initie à la gravure, en 1967, avec Elysabeth Guggenheim.
En 1948, il participe pour la première fois à une exposition collective avec une peinture et un poème, avec le groupe surréaliste « Comme ». Il expose à Paris, au Salon de la Jeune Sculpture en 1954 et, à partir de 1959, aux Salons des Réalités Nouvelles, dont il est devenu membre du comité, ainsi qu'aux Salons de Mai, et Grands et Jeunes d'Aujourd'hui. En 1994, il participe au groupe *Terres* à l'Abbaye Saint-Jean-des-Vignes de Soissons. Depuis 1965, il montre ses œuvres dans des expositions personnelles, dont à Paris : 1965 galerie Abel Rosenberg ; 1970 galerie de Messine ; 1978 galerie Brigitte Schehadé ; 1991 galerie Vallois. Il a réalisé plusieurs commandes publiques, notamment pour les C.E.S. Condorcet de Nîmes, et à Diemeringen (Bas-Rhin). En 1980, il a illustré et assumé la réalisation des trois livrets de poèmes de Bertrand Badiou *Entre lèvres*, salués par René Char.
D'abord figurative, sa sculpture était expressionniste, réservant une large place à la matière inerte d'où semblait surgir le sujet. Marqué par son séjour en Afrique, il réalise de grandes compositions abstraites en terre cuite, qui évoquent à la fois des formes totémiques et d'étranges concrétions naturelles. Avant de se consacrer à l'argile, il a expérimenté le bois et le marbre, le zinc et le bronze, dans les séries *Ubu, Chiron et Achille*. Puis, il aborde *Les Portes*, en 1963, en terre cuite ou en fonte à la cire perdue ; en 1966 apparaissent de nouvelles formes, ce sont les « effigies asexuées, tantôt ventrues, parfois callipyges, les membres absents, le cou démesuré » (Walter Léwino). Depuis 1978, il pratique la taille directe, sur d'importants troncs d'arbres.
Stanislas Lélio est un solitaire, plutôt farouche, aux amitiés fidèles. Sa passion dominante, la sculpture, est son meilleur moyen de communication. Ses contacts sociaux passent par elle. On n'atteint à l'intimité de Lélio que si l'on comprend sa sculpture. À travers ses périodes successives se manifestent des constantes, à sa ressemblance : l'isolement, fier mais non hautain, de chacune des œuvres ; le refus de l'anecdotique ou du gracieux qui en faciliteraient l'accès à un public qu'il ne recherche pas ; l'élan vertical, tendant à l'envol, qui, à son insu, trahit l'aspiration constante à la spiritualité. C'est une sculpture sans concessions, qui revendique le devoir de solitude de l'artiste et en accepte pleinement la condition austère. ■ L. L., J. B.
Bibliogr. : Jean-Dominique Rey : *33 Portes de Stanislas Lélio*, Catalogue de l'exposition, galerie Abel Rosenberg, Paris, 1965 – Jean Dominique Rey : *Stanislas Lélio*, Galerie Brigitte Schehadé, Paris, 1978 – François Chapon : *Entre lèvres*, Bulletin du Bibliophile II, Paris, 1981 – Walter Léwino : *Stanislas Lélio*, coll. *Carnet du sculpteur*, Vallois, Paris, 1991.
Musées : Genève (Mus. de l'Ariana) : *Fougère* – Paris (Mus. Nat. d'Art Mod.) : *La Reine*, terre cuite – Paris (Mus. d'Art Mod. de la Ville) : *La Porte végétale* 1965, sculpt. bronze – *L'Accord Panique* 1975 – Paris (BN, Cab. des Estampes) : *Attends, l'astronaute arrive* 1973 – *Paris LXXXVI* 1986 – Paris (Bibl. Jacques Doucet) : *Entre lèvres* 1981.
Ventes Publiques : Paris, 3 fév. 1992 : *Porte C* 1963, bronze (H. 25,5) : **FRF 3 500** – Paris, 5 oct. 1992 : *Porte I*, bronze cire perdue (16,7x13,5x10) : **FRF 3 200.**

LELIO da Novellara. Voir **ORSI Lelio**

LELIS Tobie de. Voir **LELLIO Tobias de**

LELLBOEHM, pseudonyme de **Faure Louise**
Née le 14 avril 1920 à Saint-Étienne (Loire). XXe siècle. Française.
Peintre. Abstrait-paysagiste.
Elle fut d'abord élève de l'École des Beaux-Arts de Saint-Étienne, puis de Jean Souverbie aux Beaux-Arts de Paris. Elle expose surtout dans la région lyonnaise.
Après des premières peintures surréalisantes, elle évolua rapidement vers un paysagisme abstrait, assez caractéristique de l'École de Paris du moment, qui n'est pas sans rappeler l'œuvre de Le Moal.

LELLI Ercole
Né en 1702 à Bologne. Mort en 1766 à Bologne. XVIIIe siècle. Italien.
Peintre de compositions religieuses, sculpteur, graveur, architecte.
Élève de J.-P. Zanotti. Il a gravé des sujets religieux. Comme peintre on ne connaît de lui que quelques tableaux dans les églises de Bologne et de Plaisance. Il fut directeur de l'Académie de Bologne.
Ventes Publiques : Londres, 27 oct. 1993 : *La Sainte Famille avec saint Jean Baptiste enfant* 1731, h/t (62x52,5) : **GBP 4 830**.

LELLI Giovanni Antonio ou **Lellio**
Né avant 1580 à Rome. Mort le 4 août 1640 à Rome. XVIIe siècle. Italien.
Peintre d'histoire.
Élève de Cigoli. Peignit de bonnes peintures dans plusieurs églises de Rome, notamment à San Matteo in Merulano où l'on admire une remarquable *Annonciation*, et dans le cloître de la Minerva où se trouve *La Vierge visitant sainte Élisabeth* ; mais produisit surtout des peintures de chevalet.

LELLI Giovanni Battista
Né en 1827 ou 1828 à Milan. Mort en 1887 à Milan. XIXe siècle. Italien.
Peintre de paysages, fusiniste.
Il exposa à Turin, Milan, Rome.
Musées : Milan (Art Mod.) : *Paysage*.
Ventes Publiques : Milan, 14 déc. 1976 : *Chalet alpin*, h/cart. (35x24) : **ITL 480 000** – Milan, 20 déc. 1977 : *Lac de Lombardie*, h/t (50x80) : **ITL 1 600 000** – Milan, 26 oct. 1978 : *Ile au milieu d'un lac* 1873, h/t (60x100) : **ITL 3 600 000** – Milan, 5 avr 1979 : *Vue du lac d'Orta*, h/t (46,5x76,5) : **ITL 1 800 000** – Milan, 19 mars 1981 : *Lac de Lombardie* 1862, h/t (60x100) : **ITL 9 000 000** – Londres, 16 mars 1983 : *Un lac alpestre* 1896, h/t (58,5x99) : **GBP 1 700** – Milan, 12 déc. 1985 : *Lago Maggiore, isola dei Pescatori*, h/t (60x100) : **ITL 11 000 000** – Milan, 28 oct. 1986 : *La Diligence sur la route de Porlezza Menaggio* 1883, peint. : **ITL 10 000 000** – Milan, 21 nov. 1990 : *Vue de Lugano depuis le Monastère de Loreto* 1863, fus. et craie/pap. (28x39,5) : **ITL 1 300 000** – Milan, 19 déc. 1995 : *L'île des pêcheurs dur le Lac Majeur* 1875, h/t (59,5x100) : **ITL 50 600 000** – Milan, 25 mars 1997 : *Lac de Saint-Moritz* 1877, h/t (70x150) : **ITL 43 105 000**.

LELLI Louis
XIXe siècle. Actif à Bruxelles dans la seconde moitié du XIXe siècle. Belge.
Graveur.
Élève de Calamatta.

LELLI Lucio Quirino
Né en 1824 à Genzano. Mort en février 1896 à Rome. XIXe siècle. Italien.
Graveur.
Élève de Calamatta à Bruxelles. Il exécuta surtout des planches à la manière noire, d'après Van Dyck, J. B. Van Eycken, Raphaël, Rubens, etc.

LELLIO. Voir aussi **LELLI**

LELLIO Tobias de ou **Lelis**
XVIIe siècle. Éc. flamande.
Sculpteur.
Il fut reçu maître de la Gilde de Bruxelles en 1650. L'église Sainte-Gertrude lui doit plusieurs statues d'apôtres, ainsi que l'église Notre-Dame-au-Sablon.

LELLIS Silverio de
XVIIIe siècle. Allemand.
Peintre et mosaïste.
Il travailla à la Cour de Munich. On cite parmi ses œuvres une *Sainte Famille*, une *Fuite en Égypte*. Il fut reçu en 1761 membre de l'Académie de Bayreuth et « Directeur de mosaïque ».

LELLO da Velletri
Éc. d'Ombrie.
Peintre.
La Pinacothèque de Pérouse conserve un tableau d'autel représentant la *Vierge avec l'Enfant et cinq saints* signé : *Lellus de Velletri pinxit*.

LELLOUCHE Jules
Né en 1903 à Monastir (Tunisie). Mort en 1963 à Paris. XXe siècle. Français.
Peintre de figures, paysages. Orientaliste.
Élève à l'École des Beaux-Arts de Tunis, il exposa, dès 1921, au Salon tunisien. Obtenant une bourse de voyage en 1926, il partit pour Paris, où il séjourna de 1926 à 1939. Il figura à Paris, aux Salons d'Automne, des Tuileries, des Indépendants et des Artistes Français. Entre 1926 et 1947, il fit plusieurs expositions personnelles à Tunis, puis à Paris, à partir de 1948. À la suite d'un voyage au Maroc et en Espagne, en compagnie de Mosès Levy, il rapporta plusieurs œuvres qu'il exposa en 1934.
Il a surtout peint, dans une pâte généreuse, les paysages typiques de Tunisie.
Bibliogr. : Catalogue de l'exposition : *Lumières tunisiennes*, Pavillon des Arts, Paris, 1995.
Musées : Narbonne (Mus. d'Art et d'Hist.) : *La Marsa, pointe de Gammarte* – Tunis (Mus. d'Art Mod.) : *Fatma de Gabès*.
Ventes Publiques : Paris, 8 avr. 1990 : *La Maja allongée*, h/t (49x78) : **FRF 7 000** – Paris, 14 avr. 1991 : *La Juive tunisienne*, h/t (35x26,5) : **FRF 4 500** – Paris, 17 juin 1991 : *Sidi-Bou-Saïd*, h/t (54x65) : **FRF 19 000** – Paris, 17 mai 1992 : *Vue de Sidi-Bou-Saïd*, h/t (55x46) : **FRF 11 000** – Paris, 4 avr. 1993 : *Paysage de Tunisie*, h/t (54x65) : **FRF 7 500** – Paris, 22 avr. 1994 : *Sidi-Bou-Saïd, le minaret*, h/t (44x90,5) : **FRF 18 000** – Paris, 11 déc. 1995 : *Place Bab-Souika et la mosquée Sidi Mahrez à Tunis*, h/cart. toilé (24x32,5) : **FRF 12 000** – Paris, 7 juin 1996 : *Mosquée Sidi Mahrez, Tunis*, h/cart. (27x34,5) : **FRF 10 500** ; *Rue animée à Tunis*, h/cart. (27x34,5) : **FRF 15 000** – Paris, 9 déc. 1996 : *Port de La Goulette-Vieille, Tunisie*, h/t (54,5x65) : **FRF 45 000** ; *Monastir, la forteresse*, h/t (46x55) : **FRF 30 000**.

LELLOUCHE Ofer
Né en 1947. XXe siècle. Israélien.
Peintre de paysages.
Ventes Publiques : Tel-Aviv, 2 jan. 1989 : *Paysage* 1983, h/t/cart. (55x75) : **USD 770** – Tel-Aviv, 12 juin 1991 : *Paysage* 1984, h/t/cart. (50x65) : **USD 1 320** – Tel-Aviv, 6 jan. 1992 : *Paysage méditerranéen* 1988, h/t/cart. (40,5x50,5) : **USD 1 650**.

LELLY Edmund. Voir **LILLY**

LELMI Federigo
Né à Città di Castello. XVIIe siècle. Actif à Venise vers 1680. Italien.
Peintre.
La cathédrale de Città di Castello possède de sa main un grand tableau : *La Présentation de Marie au Temple*.

LE LOERGAN Olivier
XVe siècle. Français.
Sculpteur.
Ce Breton fit, en 1480, le jubé en bois de la chapelle Saint-Fiacre, près du Faouet, aux environs de Quimperlé (Finistère) ; on y voit gravés son nom et la date.

LELOIR
XIXe siècle. Français.
Graveur sur bois.
Il a gravé des planches pour les *Beaux Arts* publiés par Curmer.

LELOIR Alexandre Louis
Né le 15 mars 1843 à Paris. Mort en 1884 à Paris. XIXe siècle. Français.
Peintre d'histoire, scènes de genre, aquarelliste, graveur.
Élève de son père Jean-Baptiste Auguste Leloir, de sa mère Héloïse Colin et de son grand'père Alexandre Colin. Second prix de Rome en 1861. Il participa au Salon de Paris, obtenant une médaille en 1864, 1868, et à l'Exposition Universelle de 1878. Chevalier de la Légion d'honneur en 1876.
Il abandonna la peinture d'histoire en 1868, pour s'orienter vers

les scènes de genre, peintes dans des coloris francs. Auteur de nombreuses aquarelles, il fut le fondateur de la Société des Aquarellistes français. Il illustra une édition des *Œuvres* de Molière en 1883. Il se fit une grande réputation de peintre d'éventails avec des sujets empruntés au répertoire du XVIIIe siècle. Il fut un spécialiste de l'histoire du costume.

Louis Leloir

BIBLIOGR. : Gérald Schurr, in : *Les Petits Maîtres de la peinture 1820-1920, valeur de demain*, Les Éditions de l'Amateur, t. II, Paris, 1982.

MUSÉES : CLERMONT-FERRAND : *Combat de Jacob avec l'Ange* – COLMAR : *Homère dans l'île de Scyros* – DOUAI : *Daniel dans la fosse aux lions* – GRAY : *Falaise d'Étretat* – NIORT : *Le massacre des Innocents* – VERSAILLES : *Baptême des indigènes aux îles Canaries*.

VENTES PUBLIQUES : PARIS, 1879 : *La sérénade* : **FRF 2 000** – PARIS, 8 juin 1891 : *Les fiançailles* : **FRF 8 100** – PARIS, 20-21 juin 1902 : *La musique*, aquar., éventail : **FRF 3 000** – NEW YORK, 16-17 fév. 1911 : *La terrasse* : **USD 290** – NEW YORK, 18 avr. 1945 : *Le portrait* : **USD 1 150** – PARIS, 20 avr. 1945 : *Scène turque* : **FRF 2 100** – LONDRES, 23 juin 1983 : *La Musicienne du harem* 1874, aquar. reh. de blanc (35x23,5) : **GBP 1 100** – NEW YORK, 19 oct. 1984 : *Le repos de la sentinelle* 1871, h/t (33x40,6) : **USD 3 500** – NEW YORK, 17 jan. 1990 : *Confidences d'après-midi*, h/pan. (29,3x32,4) : **USD 6 875** – LONDRES, 18 mars 1992 : *La troupe d'acteurs ambulants*, h/t (56x107) : **GBP 7 700** – NEW YORK, 16 fév. 1994 : *Les trompettes* 1870, h/t (96,5x198,1) : **USD 46 000** – NEW YORK, 16 fév. 1995 : *Flirt de l'après-midi*, h/pan. (40,6x29,2) : **USD 5 462**.

LELOIR Auguste. Voir **LELOIR Jean Baptiste Auguste**

LELOIR Héloïse Suzanne. Voir **COLIN Héloïse Suzanne**

LELOIR Jean Baptiste Auguste

Né le 27 juillet 1809 à Paris. Mort le 18 mars 1892 à Paris. XIXe siècle. Français.

Peintre d'histoire, sujets religieux, scènes de genre, portraits, compositions murales, aquarelliste, illustrateur.

Élève de François Édouard Picot, il débuta au Salon de Paris en 1837, obtenant des médailles en 1839 et 1841. Chevalier de la Légion d'honneur en 1870.

Il a exécuté des peintures décoratives à Saint-Merri, Saint-Germain-l'Auxerrois, Saint-Séverin et Saint-Jean de Belleville. Il illustra une trentaine d'ouvrages bibliophiliques.

MUSÉES : CARCASSONNE : *Sainte Cécile* 1839 – LE PUY-EN-VELAY : *Saint Vincent de Saragosse*.

VENTES PUBLIQUES : NEW YORK, 14 jan. 1977 : *La maison de Joseph et Marie*, h/t (51x40) : **USD 1 500** – PARIS, 7 déc. 1983 : *Les Deux Frères* 1847, h/t (115x158) : **FRF 120 000** – NEW YORK, 23 mai 1985 : *La toilette*, h/t (54,5x65,5) : **USD 7 500** – PARIS, 16 déc. 1992 : *Ruth et Noémie*, h/t (48x65) : **FRF 27 000**.

LELOIR Louis. Voir **LELOIR Alexandre Louis**

LELOIR Maurice

Né le 1er novembre 1853 à Paris. Mort le 7 octobre 1940 à Paris. XIXe-XXe siècles. Français.

Peintre d'histoire, de genre, aquarelliste, graveur, illustrateur.

Il était le fils de Jean Baptiste Auguste Leloir et de l'aquarelliste Héloïse Colin, et le frère d'Alexandre Louis Leloir. Il fut élève de son grand-père Alexandre Colin, de ses père, mère et frère aîné. Il exposait à Paris, au Salon des Artistes Français, dont il devint sociétaire. En 1906, il fut le fondateur de la Société de l'Histoire du Costume, qu'il présida de 1906 à 1940. Il a rassemblé les *Collections Maurice Leloir (XVIe-XXe siècles)*, qui, données à la Ville de Paris en 1920, et complétées à son décès en 1940, constituent, au nombre de plusieurs milliers de pièces, la base du Musée du Costume, dont il fut l'apôtre. Il est l'auteur du *Dictionnaire du Costume*, qu'il termina quelques jours avant sa mort, publié aux Éditions Gründ, dont il exécuta texte et dessins. Il fut membre, puis président de la Société des Aquarellistes Français. En 1929, il partit pour Hollywood, où il fut directeur artistique du film *Vingt ans après ou Le Masque de fer* avec Douglas Fairbanks et Mary Pickford, séjour à la suite duquel il publia *Cinq mois à Hollywood*. Il était aussi l'auteur de mises-en-scène de théâtre, avec Sarah Bernardt, Antoine, Albert Carré, Firmin Gémier.

Peintre, il eut une production très importante, de peintures à l'huile, et le plus souvent de dessins ou de dessins aquarellés, scènes de genre, scènes galantes, études pour des décors ou des illustrations, et bon nombre d'éventails alors à la mode. En tant qu'illustrateur, il eut une intense production : 1884 *Jacques le fataliste et son maître* de Diderot ; 1884 *Le Voyage sentimental* de Sterne ; 1885 *Manon Lescaut* de l'Abbé Prévost (225 illustrations) ; 1886 *Lazarille de Tormes* de Mendoza ; 1887 *Paul et Virginie* de Bernardin de Saint-Pierre (111 bois gravés) ; 1889 *Les Confessions* de Jean-Jacques Rousseau ; 1894 *Les Trois Mousquetaires* d'Alexandre Dumas ; 1894 *Le Bibliomane* de Charles Nodier ; 1899 *Gil Blas* de Lesage ; 1903 *La Dame de Monsoreau* d'Alexandre Dumas ; 1905 *Le Jeu de l'amour et du hasard* de Marivaux ; 1912 *Le Ménage de Molière* de Maurice Donnay ; 1920 *Une Vie* de Guy de Maupassant ; 1923 *Physiologie du goût* de Brillat-Savarin ; 1926 *La Princesse de Clèves* de Mme de La Fayette ; etc. Il illustra l'album de Gustave Toudouze *Le Roy-Soleil*. De son œuvre d'illustrateur, Jean Adhémar a écrit : « Maurice Leloir et ses élèves avaient inondé le marché de livres où l'image, inspirée des études de Meissonier ou bien des photographies, devait représenter avec une exactitude parfaite les costumes et les attitudes du passé ou de l'époque contemporaine, sans souci de recherche d'expression ou d'effet artistique. » On ne peut toutefois méconnaître qu'il revendiquait précisément une telle exactitude.

■ J. B.

Maurice Leloir

Maurice Leloir

BIBLIOGR. : Marcus Osterwalder, in : *Diction. des illustrateurs 1800-1914*, Ides et Calendes, Neuchâtel, 1989.

VENTES PUBLIQUES : PARIS, 7 fév. 1891 : *Le Concert*, aquar. : **FRF 1 520** – PARIS, 19 mars 1895 : *Georges Dandin* : **FRF 1 350** – PARIS, 3 mai 1901 : *La Femme au tambourin*, aquar. : **FRF 1 100** – NEW YORK, 3 avr. 1908 : *La dernière gerbe* : **USD 750** – PARIS, 4-5 déc. 1918 : *La Chaise de Manon*, aquar. : **FRF 2 150** – PARIS, 15 déc. 1920 : *Offrande à l'amour et le triomphe de l'amour*, sur éventail : **FRF 3 800** – LONDRES, 27 fév. 1925 : *Visite à l'atelier*, dess. : **GBP 34** – PARIS, 26 fév. 1931 : *Le Concert d'amateurs*, aquar. : **FRF 1 400** – PARIS, 16 avr. 1945 : *Dans le parc* : **FRF 3 750** – PARIS, 1er juin 1951 : *Patineurs sous le Pont-Neuf*, aquar. : **FRF 28 000** – PARIS, 23 nov. 1953 : *Odalisque au hamac* : **FRF 50 100** – NEW YORK, 31 oct. 1958 : *L'Inventaire*, aquar. : **USD 250** – NEW YORK, 12 nov. 1970 : *L'Inventaire ou la Saisie* : **USD 2 300** – BERNE, 21 oct. 1972 : *La Lecture* : **CHF 2 600** – NEW YORK, 7 oct. 1977 : *L'élégante pêcheuse* 1878, h/pan. (37x26) : **USD 3 250** – NEW YORK, 26 janv 1979 : *Scène de foire* 1877, h/t (39,5x31) : **USD 7 250** – SCOTTSDATE (Arizona), 13 fév. 1982 : *Scène de foire* 1877, h/pan. (39,5x31) : **USD 18 000** – PARIS, 14 nov. 1984 : *La caravane* 1918, aquar. (48x65) : **FRF 16 000** – LONDRES, 28 nov. 1985 : *Elégante au parc Monceau*, aquar. reh. de blanc (51,5x36) : **GBP 800** – BERNE, 2 mai 1986 : *Paris, les Cagnards de l'Ancien Hôtel-Dieu et le Petit Pont* 1873, h/t (50x71) : **CHF 11 000** – PARIS, 16 déc. 1988 : *Femme dans un jardin*, aquar. (22x17) : **FRF 4 600** – VERSAILLES, 5 mars 1989 : *Conversation galante*, h/pan. (35x26,5) : **FRF 13 000** – PARIS, 6 juil. 1990 : *La halte du cavalier*, h/pan. (24x32) : **FRF 4 800** – PARIS, 5 déc. 1990 : *Scène de marché*, aquar. (56x77,5) : **FRF 45 000** – LONDRES, 15 fév. 1991 : *L'amateur de potirons*, h/pan. (32,4x22,9) : **GBP 5 500** – NEW YORK, 20 fév. 1992 : *Les sept péchés capitaux* 1891, aquar./pap. (76,2x54,6) : **USD 6 600** – PARIS, 8 déc. 1993 : *Promenade en barque*, h/t (56,5x82) : **FRF 34 000** – NEW YORK, 18-19 juil. 1996 : *À l'opéra*, aquar. et gche/pap. (39,4x30,5) : **USD 1 150** – LONDRES, 12 juin 1997 : *Une fête galante*, aquar. et gche/pap., projet pour un éventail (21,5x65,6) : **GBP 3 220**.

LELOIR Suzanne

Née en 1890 à Paris. Morte en 1924. XXe siècle. Française.

Peintre de genre, paysages.

Elle était la fille de Maurice Leloir. Elle fut son élève et reçut également les conseils de Jules Lefebvre, Tony Robert-Fleury, Adolphe Dechenaud. Elle exposait à Paris, au Salon des Artistes Français.

LELONG, père et fils
XVIIIe siècle. Français.
Sculpteurs et sculpteurs sur bois.
Ils travaillèrent à la décoration de la chapelle du château de Versailles, à Saint-Louis des Invalides et au château de Fontainebleau.

LE LONG Jean. Voir **BOECKHORST Johann**

LELONG Paul
XVIIIe-XIXe siècles. Français.
Peintre de natures mortes, peintre à la gouache.
Il était actif à Paris vers 1820.
VENTES PUBLIQUES : PARIS, 17-18 déc. 1941 : *Fleurs ; Pain de sucre et Temple de l'Amour ; Serin ; Roses ; Tasse de chocolat*, gche : **FRF 2 700** – NEW YORK, 7 jan. 1943 : *Nature morte à la mandoline*, gche : **USD 370** ; *Nature morte aux colombes*, gche : **USD 320** – VERSAILLES, 25 oct. 1970 : *Natures mortes*, trois toiles formant pendants : **FRF 21 000** – LONDRES, 28 nov. 1985 : *Nature morte aux légumes et viande*, gche (18x25) : **GBP 900** – LONDRES, 19 juin 1986 : *Nature morte aux fruits et aux fleurs*, gches, trois pièces (15,9x21) : **GBP 2 000** – LONDRES, 25 juin 1987 : *Natures mortes aux vases, fleurs et autres objets sur une table*, gche, une paire (15,3x20,4) : **GBP 1 400** – PARIS, 7-12 déc. 1988 : *Nature morte au bouquet de fleurs, bouteilles et dominos*, gche (16x21) : **FRF 8 200** – PARIS, 18 avr. 1991 : *Mandoline et plateau de pèches*, gche (15x20,5) : **FRF 30 000** – PARIS, 27 juin 1992 : *Nature morte d'instruments de musique ; Nature morte au rouet et au perroquet*, gche, une paire (14,5x20) : **FRF 36 000** – PARIS, 28 avr. 1993 : *Nature morte à la cage ; Nature morte à la coupe de fleurs*, gche, une paire (chaque 16x21,5) : **FRF 42 000** – PARIS, 11 avr. 1994 : *Nature morte*, aquar., une paire (chaque 16x21) : **FRF 36 000** – PARIS, 17 juin 1994 : *Nature morte au vase de fleurs et à la mappemonde ; Nature morte à la chocolatière et au damier*, gche, une paire (17,5x22 et 17x21) : **FRF 24 000** – PARIS, 16 juin 1995 : *Nature morte aux instruments de musique, perroquet et bouquet de fleurs*, gche (17x21,5) : **FRF 15 000** – PARIS, 24 juin 1996 : *Nature morte avec violon, flûte, partition, vases, bouteille et verre ; Nature morte avec guitare, partition, vase, bocal de poissons rouges et boîte à ouvrage*, gche, une paire (chaque 14,5x20) : **FRF 24 000** – LONDRES, 2 juil. 1996 : *Nature morte avec des instruments de musique, un vase de fleurs, un citron pelé et un verre et une carafe ; Nature morte avec un perroquet perché au bord d'une assiette de fruits, une bouteille et des verres, une assiette de soupe et un vase de fleurs, une paire*, gche (chaque 16,2x21,6) : **GBP 2 300** – PARIS, 20 déc. 1996 : *Natures mortes composées*, gche, une paire (16x21) : **FRF 16 000**.

LELONG Paul
XIXe siècle. Français.
Peintre de compositions animées, sujets militaires.
VENTES PUBLIQUES : PARIS, 17-18 juin 1927 : *Retour des troupes d'Italie ; 1859, le défilé sur la place Vendôme* : **FRF 960** ; *La Promenade* : **FRF 530**.

LE LONG Pierre
Mort le 21 septembre 1645 à Laon. XVIIe siècle. Actif à Laon. Français.
Peintre de sujets religieuses, portraits, compositions murales.
Il fit des peintures pour la cathédrale, des décorations pour l'entrée du roi et peignit des tableaux religieux et des portraits.

LELONG Pierre
Né le 23 mars 1908 à Paris. Mort en 1984 à Paris. XXe siècle. Français.
Peintre de scènes animées, natures mortes, lithographe, illustrateur. Postcubiste.
Il fit un long séjour aux Antilles, et est venu tard à la peinture. À Paris, il participait à divers Salons : des Indépendants, d'Automne, de Mai, Comparaisons, des Peintres témoins de leur Temps, dont il a reçu le Grand Prix en 1972. Il montrait aussi des ensembles de ses peintures dans des expositions personnelles, d'entre lesquelles : 1967 New York ; 1969 Paris galerie Carlier ; 1971 Chicago ; 1972 Tokyo, Paris ; 1973 Cannes ; etc.
En dehors de ses peintures, il a réalisé plusieurs décorations murales, et des lithographies pour de nombreux ouvrages littéraires, dont Shakespeare, Colette, etc. Dans une gamme colorée et un dessin de tradition postcubiste, il évoque les différents moments de la vie contemporaine. Faite pour plaire, sa peinture sait être élégante et, dans un papillonnement de la touche, capter la lumière et ses reflets.

P Lelong

VENTES PUBLIQUES : PARIS, 11 déc. 1989 : *Nature morte aux attributs de la chasse* (14,5x20) : **FRF 51 000** – PARIS, 7 nov. 1990 : *Nature morte aux ustensiles de cuisine*, gche (14,5x20,5) : **FRF 42 000** – PARIS, 5 déc. 1990 : *Couple au chien sur la plage*, h/t (33x55) : **FRF 4 500** – PARIS, 22 mars 1991 : *Nature morte au ratafia de violette*, gche (14,5x20,2) : **FRF 25 000** – PARIS, 27 juin 1992 : *Menton – le parvis Saint-Michel*, h/t (92x73) : **FRF 8 800**.

LELONG René
Né à Arrou (Eure-et-Loir). XIXe-XXe siècles. Francais.
Peintre de scènes et paysages animés, figures, fleurs, aquarelliste, illustrateur.
Peintre, il exposait à Paris, au Salon des Artistes Français, dont il était membre depuis 1898, ayant auparavant obtenu une médaille de troisième classe en 1895.
Il fut un peintre de la femme, de figures dans des paysages, de scènes des champs de course. Il eut une importante activité d'illustrateur : 1907 *Peints par eux-mêmes* de Paul Hervieu ; 1909 *Braves gens* de Jean Richepin ; 1912 *Ballet contemporain* de V. Svetlow ; 1923 *Jacques le fataliste* de Diderot ; 1930 *Les Vrilles de la vigne* de Colette ; ainsi que *Chouchette* de Marcel Prévost ; *Manon Lescaut* de l'Abbé Prévost ; et de Guy de Maupassant *Notre Cœur, La Maison Tellier, Les Sœurs Rondoli* ; etc.
BIBLIOGR. : Marcus Osterwalder, in : *Diction. des illustrateurs 1800-1914*, Ides et Calendes, Neuchâtel, 1989.
VENTES PUBLIQUES : PARIS, 22 jan. 1943 : *Vase de fleurs*, aquar. : **FRF 450** – PARIS, 28 mai 1945 : *Au Pesage, quelques élégantes* : **FRF 3 100** – NEW YORK, 24 oct. 1962 : *Scène à Longchamp* : **USD 1 600** – BERNE, 24 oct 1979 : *La danse dans la campagne*, h/t (60x73) : **CHF 3 400** – NEW YORK, 23 mai 1989 : *Deux Femmes*, h/cart. (53,5x40) : **USD 14 300** – NEW YORK, 28 fév. 1991 : *Journée de printemps au bord de la mer*, h/t (47,3x33) : **USD 8 800** – MONACO, 18-19 juin 1992 : *Promenade sur la côte près de Monaco*, h/t (38x38) : **FRF 77 700** – NEW YORK, 20 juil. 1995 : *Les amoureux sous la pluie*, h/t (40,6x33) : **USD 6 900**.

LELONGE Robert. Voir **LONGE Robert de**

LELORRAIN Marguerite
Née le 10 août 1882 à Ivry (Val-de-Marne). XXe siècle. Française.
Peintre.
Elle fut élève de Tony Robert-Fleury et de Adolphe Dechenaud. Elle exposait à Paris, au Salon des Artistes Français.

LE LORRAIN Claude. Voir **LORRAIN Claude Gellée**

LE LORRAIN Guillaume. Voir **GUILLAUME Le Lorrain**

LE LORRAIN Louis Joseph
Né le 19 mars 1715 à Paris. Mort le 24 mars 1759 à Pétrograd. XVIIIe siècle. Français.
Peintre de sujets mythologiques, compositions religieuses, architectures, dessinateur, illustrateur, graveur à l'eau-forte.
Élève de Dumont le Romain. Premier prix de peinture en 1739 ; agréé à l'Académie le 29 janvier 1752, reçu académicien le 24 juillet 1756 ; directeur de l'Académie des Beaux-Arts de Saint-Pétersbourg en 1758.
Il exposa des sujets religieux et mythologiques, des projets de décoration, des fleurs, au Salon, en 1753, 1755, 1757. Ses gravures sont estimées. Il a fait des illustrations pour les *Contes* de la Fontaine et pour le *Roland Furieux*.
MUSÉES : MOSCOU (Mus. Roumianzeff) : *Le Jugement de Pâris*.
VENTES PUBLIQUES : PARIS, 12 juin 1925 : *Esquisse de saint Blaise, protecteur de Péronne* : **FRF 800** – PARIS, 24 jan. 1980 : *Lutrin et autel de fantaisie*, pl./trait de pierre noire (36x23,5) : **FRF 9 500** – PARIS, 18 juin 1993 : *Fantaisie architecturale*, pl. lav. et encre de Chine (25x15,5) : **FRF 10 000** – LONDRES, 30 oct. 1997 : *Sujet d'histoire romaine*, h/t (42,8x35) : **GBP 3 450**.

LE LORRAIN Robert
Né le 15 novembre 1666 à Paris. Mort le 1er juin 1743 à Paris. XVIIe-XVIIIe siècles. Français.
Sculpteur.
Élève de Mosnier et de Girardon, qu'il aidera à terminer le tombeau de sa femme en 1702. Prix de Rome en 1689, il entre en 1700 à l'Académie où il est professeur en 1717 et recteur en 1737. Son

morceau de réception à l'Académie est la *Galathée* en marbre, conservée à la National Gallery de Washington. Il expose en 1704 : *Vertumne, Pomone et un Amour* (groupe bronze), *Bacchante* (statue bronze), *Deux têtes de jeunes garçons* (marbre), en 1737, *Deux petits groupes de fantaisie* (terre cuite), *Fille qui frise son amant* et *Fille tenant un lapin, Fleuve* (terre cuite). Pour la chapelle de Versailles, il fait : *La Charité* (statue pierre), *La Charité et la Religion*, la *Libéralité* et le *Zèle* (bas-reliefs) ; pour le parc de Versailles, il exécute un *Bacchus* de marbre et, pour le château de Marly, un *Faune* et une *Andromède*. Il travaille à plusieurs reprises pour la famille de Rohan, à l'Hôtel de Soubise, et au fronton des Écuries de l'Hôtel de Rohan, où il crée les fameux *Chevaux du soleil*. Au palais épiscopal de Strasbourg, dont il surveille la décoration pour l'évêque Armand-Gaston de Rohan à partir de 1731, il exécute la *Religion et la Clémence*. Il a pour élève Pigalle.
Ventes Publiques : Paris, 11 mars 1931 : *Statuette en terre cuite représentant un fleuve* : **FRF 25 500**.

LE LORRAINE-ALBRIGHT Ivan. Voir **ALBRIGHT Ivan Le Lorraine**

LE LOUARN Yvan. Voir **CHAVAL**

LE LOUET Liliane
XXe siècle. Française.
Peintre de compositions à personnages.
Elle fréquenta l'École des Beaux-Arts de Versailles, puis des ateliers privés. Elle participe à de nombreuses expositions collectives, notamment dans la périphérie parisienne et dans le Midi méditerranéen, obtenant quantité de distinctions et Prix régionaux.
Dans une technique largement brossée et haute en couleur, elle peint des groupes de personnages ou même des foules à leurs occupations.

LELOUP Eugène, pseudonyme **Lépine**
Né en 1814 à Mortagne. XIXe siècle. Français.
Peintre de portraits, aquarelliste et dessinateur.
Élève d'Ingres. Exposa au Salon de 1865 à 1877.

LELOUP Pierre
Né en 1769 à Sillé-le-Guillaume. Mort le 20 janvier 1844 au Mans. XVIIIe-XIXe siècles. Français.
Graveur sur bois.

LE LOUP Remaele
Né en 1708. Mort en 1746. XVIIIe siècle. Français.
Graveur au burin et dessinateur.
Il a gravé des vues.

LELU Pierre
Né le 13 août 1741 à Paris. Mort le 9 juin 1810 à Paris. XVIIIe-XIXe siècles. Français.
Peintre d'histoire, sujets mythologiques, compositions religieuses, sujets allégoriques, scènes de genre, figures, nus, paysages, dessinateur, graveur.
Élève de Boucher et Doyen. Il a gravé des sujets de genre et des sujets religieux. Il exposa plusieurs œuvres au Salon en 1793. On cite de lui : *Mort de Virginie* et *L'Ouragan*.
Ventes Publiques : Paris, 22 et 23 avr. 1921 : *La Fontaine*, lav. : **FRF 300** – Paris, 7 et 8 mai 1923 : *Étude de nu*, sanguine : **FRF 900** – Paris, 22 mars 1928 : *Mlle Allard de l'Opéra, dansant*, sanguine : **FRF 1 650** – Paris, 26 oct. 1933 : *Étude de nu*, sanguine : **FRF 800** – Paris, 12 mai 1937 : *Mars et Vénus*, pl. et sépia : **FRF 170** – Paris, 14 nov. 1986 : *Cour de ferme* 1787, lav. de bistre et sanguine (43,5x58) : **FRF 21 000** – Paris, 23 mars 1987 : *Ruines antiques*, pl., lav., encre de Chine et bistre (24x34) : **FRF 21 000** – Paris, 11 mars 1988 : *Femme assise sur une ancre*, lav. sépia, aquar. et reh. de gche (28x21) : **FRF 2 800** – Paris, 27 mars 1991 : *Allégorie de la Paix et de l'Abondance*, encre et lav. (46x24) : **FRF 7 000** – Paris, 25 mai 1992 : *La fontaine* 1787, pl., lav. et sanguine (45x34,5) : **FRF 19 000** – Paris, 6 mai 1994 : *Allégories de la paix et de l'abondance*, pl., encre et lav. (46x24) : **FRF 21 000** – New York, 10 jan. 1995 : *Saül et la sorcière d'Endor*, craie noire, encre et lav. gris avec reh. de gche blanche (58,4x45,7) : **USD 1 610** – Paris, 12 avr. 1996 : *Personnages au pied d'un escalier monumental* ; *Vue d'un palais italien*, pierre noire et lav. gris/pap. bleuté (18,5x11) : **FRF 13 000** – Paris, 20 juin 1997 : *Le Temple de Janus*, pl. et lav. d'encre brune (26x33,5) : **FRF 12 000**.

LELUC Pauline Juliette Adrienne
Née le 21 janvier 1864 à Brie-Comte-Robert (Seine-et-Marne). XIXe siècle. Française.
Graveur sur bois.
Élève de Charles Barbant Sociétaire des Artistes Français depuis 1888 elle figura au Salon de ce groupement, où elle obtint une mention honorable (1890), médaille troisième classe (1892), médaille bronze (1900, Exposition Universelle).

LELY Gerrit Heyndricksz
XVIIe siècle. Hollandais.
Peintre.
Il travailla à Rome.

LELY Jacob Marhes
XVIIIe siècle. Actif vers 1750. Hollandais.
Peintre.
Musées : Gotha : *Volaille morte* – deux œuvres.

LELY John
Né en 1944 à La Haye. XXe siècle. Hollandais.
Peintre, sculpteur, céramiste. Abstrait.
Il reçut sa formation artistique à La Haye en 1966. En 1980 il fut initié à la céramique à Groningen. Il poursuivit sa formation en sculpture à Pietra Santa en 1985. Il participe à des expositions collectives depuis 1983, principalement en Hollande et en Suisse. Ses réalisations en technique mixte se rattachent à une abstraction matiériste.

LELY Pieter, Sir, pseudonyme de **Van der Faes,** dit **Sir Pieter**
Né le 14 octobre 1618 à Saest (Westphalie). Mort en 1680 à Londres. XVIIe siècle. Britannique.
Peintre de compositions religieuses, portraits.
Son père, capitaine d'infanterie, changea son nom de Van der Faes en celui de Lely. Pieter, pendant deux ans, fut élève de Frans Pietersz de Grebber, à Haarlem. À partir de 1637 il accompagna Guillaume II d'Orange en Angleterre, en 1641, à Londres lorsque ce prince alla épouser la fille de Charles Ier. Van Dyck était mort depuis un an ; Lely possédait quelques-unes des qualités du grand artiste ; il acquit une célébrité immense et succéda à Van Dyck dans la faveur du roi et des grands seigneurs. Lely fit le portrait de *Charles Ier* en prison peu de temps avant son exécution, comme plus tard il exécuta l'effigie de *Cromwell* qui tenait à un portrait ressemblant, lui précisant de bien noter *ces aspérités, ces boutons et ces verrues, tout ce que vous voyez, sans quoi je ne donnerai pas un liard de mon portrait*. Mais ce fut surtout le peintre de Charles II qui lui donna en 1660 les titres de peintre de la cour, de chevalier et de chambellan avec une forte pension ; il devint très riche, posséda une magnifique collection et mourut d'une attaque d'apoplexie en travaillant au portrait de la duchesse de Sommerset.
Ses meilleurs tableaux sont ceux qu'on appelle « Windsor Beauties », les dames de la galerie de Beauté de Charles II, mais surtout les portraits des *Greenwich Flagman*, amiraux anglais qui avaient infligé une défaite aux Hollandais. À ses débuts, Lely produisait un art très proche de celui de Van Dyck. Mais bientôt, il montra une prédilection pour les matériaux brillants et les physionomies alanguies, dont la grâce deviendra peu à peu dégénérée. On lui reproche une trop grande uniformité, mais il faut reconnaître que son art eut une très grande répercussion sur la peinture anglaise, quant à la qualité sensuelle de sa couleur. Son influence se fit sentir jusqu'en Amérique, par l'intermédiaire de Thomas Smith. Il se fit aider dans ses portraits par Gérard Uilenburg, J.-B. Jasper appelé Lelys Baptist, P.-H. Lankrink, Matthaus de Mele, Jan v. de Heyden II, etc. Il eut pour élèves John Greenhell, Willem Wissing, J. Buckshorn, Davenpoort, Largillière.

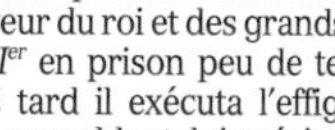

Musées : Bonn : *Portrait de Sir John Byron* – Brunswick : *Portrait de chevalier* – Budapest : *Francis Stewart, duchesse de Richmond et Lennox* – Cardiff : *Portrait* – Chantilly : *Henriette de France* – Copenhague : *Portrait de femme* – Dijon : *Portrait de jeune homme* – Dresde : *Charles Ier*, copie d'après Van Dyck – Dublin : *Olivier Cromwell* – *Marie de Modène, femme de Jacques II* – *Margaret Lemon* – Un pastel – La Fère : *Portrait* – Florence (Mus. des Offices) : *Milord Ossory* – *G. Monk* – *Robert, prince palatin et général anglais* – *Portrait de femme* – *L'auteur* – Florence (Palais Pitti) : *Cromwell* – Glasgow : *Nell Gwynne* – *Charles II* – Greenwich (Nat. Maritime Mus.) : *Greenwich Flagman* – Honfleur : *Jeune fille*, attr. – Londres (Victoria and Albert Mus.) : *Le comte Rochester* – Londres (Nat. Gal.) : *Jeune fille* – deux œuvres – Londres (Nat. Portrait Gal.) : *James Scott, duc de Monmouth* –

Simon Patrick - James Butler d'Ormonde - Th. Butler, comte d'Ossory - James Ussher - William Temple Bart - Anna Maria Brudenell, comtesse de Schrewsbury - Th. Wriothesley, comte de Southampton - Prince Rupert - Edward Montagu, comte de Sandwich - John Harman - Eleanor Gwyn - Elizabeth Hamilton, comtesse de Grammont - Thomas Flatman - Le duc d'Albe - George Villiers, duc de Buckingham - Harbottle Grinston - Th. Clifford, baron de Chudleigh - William Wycherley - Jane Middleton - Heneage Fink, comte de Nottingham - Roger North - Edward Nicholas - Thomas Stanley - L'auteur - Anne Styde, duchesse d'York - MAYENCE : *Portrait de femme* - MAYENCE (Tate Gal.) : *Deux dames de la famille Lake* - MELBOURNE (Nat. Gal. of Victoria) : *John Cockrane - John Graham de Claverhouse* - MONTRÉAL (coll. Learmont) : *Miss Dodds* - NEW YORK (Metropolitan Mus.) : *Les sœurs Capel* - NÎMES : *La duchesse de Portsmouth* - PARIS (Mus. du Louvre) : *Méléagre et Atalante - Portrait d'homme - Miss Carr, comtesse de Bedford* - RENNES : *Charles Ier enfant et le comte d'Araudel* - ROUEN : *Henriette de France - Portrait présumé de Ninon de Lenclos* - SALFORD : *Portrait* - VERSAILLES : *Duchesse de Lancastre - Henriette de France* - VIENNE : *Deux portraits de femme.*

VENTES PUBLIQUES : PARIS, le 17 fév. 1896 : *Ladie Francis* : **FRF 6 500** - PARIS, 14 avr. 1907 : *Portrait de la duchesse de Bedford* : **FRF 5 000** - PARIS, 16-17-18 mai 1907 : *Portrait de femme* : **FRF 4 700** - NEW YORK, 9 et 10 avr. 1908 : *La comtesse d'Exeter* : **USD 1 800** - NEW YORK, 17 et 18 mars 1909 : *Duchesse de Butland* : **USD 1 750** ; *Duchesse d'Albermale* : **USD 1 600** ; *Duchesse de Devonshire* : **USD 1 500** - LONDRES, 7 mai 1909 : *Portrait d'un gentilhomme* : **GBP 75** - LONDRES, 6 juil. 1909 : *Portrait de la duchesse de Cleveland* : **GBP 178** - LONDRES, 27 nov. 1909 : *Portrait de Newton* : **GBP 50** - LONDRES, 11 nov. 1909 : *Marie de Modène, femme de Jacques II* : **GBP 89** ; *Portrait de miss Hannah Waring* : **GBP 199** - LONDRES, 26 fév. 1910 : *Sir Ed. Hales et sa famille* : **GBP 430** - NEW YORK, 6 et 7 avr. 1911 : *Comtesse de Worcester* : **USD 1 400** - PARIS, 27 jan. 1921 : *Les deux sœurs* : **FRF 4 400** - PARIS, 24 jan. 1923 : *Portrait de Lady Anne O'Bryen* : **FRF 2 300** - LONDRES, 13 juil. 1923 : *Suzanne et les vieillards* : **GBP 178** - LONDRES, 27 mars 1925 : *Duchesse d'Albermale* : **GBP 189** - LONDRES, 1er mai 1925 : *Prince Rupert* : **GBP 609** ; *Philip Sidney et un gentilhomme* : **GBP 630** - LONDRES, 21 avr. 1926 : *Duc de Monmouth enfant* : **GBP 115** - PARIS, 28 et 29 juin 1926 : *Portrait de jeune femme en robe bleue* : **FRF 950** - LONDRES, 8 juil. 1927 : *Le duc de Landerdale* : **GBP 325** - PARIS, 23 nov. 1927 : *Portrait présumé de Lady Shaftesbury* : **FRF 3 700** - LONDRES, 20 jan. 1928 : *La duchesse de Cleveland* : **GBP 378** - LONDRES, 15 juin 1928 : *Duchesse de Portsmouth* : **GBP 525** ; *Comtesse de Meath* : **GBP 840** ; *Lady Anne Cavendish* : **GBP 504** ; *Léonard Grey* : **GBP 672** - PARIS, 19 nov. 1928 : *Portrait de femme en Madeleine* : **FRF 6 300** - NEW YORK, 10 avr. 1929 : *Sir Charles Lucas et sa femme* : **USD 500** - NEW YORK, 11 déc. 1930 : *Portrait d'une princesse royale* : **USD 1 150** - LONDRES, 20 nov. 1931 : *Lady Oxenden* : **GBP 178** - PARIS, 17 mars 1933 : *Portrait d'un jeune prince en armure* : **FRF 1 050** - LONDRES, 22 août 1933 : *Anne Hyde et son professeur de musique* : **GBP 1 050** - NEW YORK, 7 déc. 1933 : *Mary, comtesse de Southampton* : **USD 1 600** - KINGSTON-ON-THAMES, 25 juil. 1934 : *Portrait de femme* : **GBP 330** - NEW YORK, 12 avr. 1935 : *La Comtesse de Grammont* : **USD 4 500** - GENÈVE, 7 déc. 1935 : *La Comtesse de Moreton* : **FRF 15 125** - LONDRES, 28 mai 1937 : *Lord Delamere* : **GBP 1 680** - NEW YORK, 7 jan. 1939 : *La duchesse de Portsmouth* : **USD 3 000** - PARIS, 26 fév. 1942 : *Portrait présumé de Dorothy Brickdale*, attribué : **FRF 28 000** - NEW YORK, 14 jan. 1943 : *La comtesse de Coningsby et lady K. Jones* : **USD 1 600** - LONDRES, 16 juil. 1943 : *Richard Gibson et sa femme* : **GBP 199** - LONDRES, 13 juil. 1945 : *La duchesse de Portsmouth* : **GBP 325** - NEW YORK, 20 fév. 1946 : *La comtesse de Shrewsbury* : **USD 700** - LONDRES, 27 sep. 1946 : *Lady Persiana-Bard* : **GBP 110** - NEW YORK, 18 jan. 1947 : *La duchesse de Cleveland* : **USD 525** - NEW YORK, 7 déc. 1960 : *Portrait de Louise de Kerouaille* : **GBP 700** - NEW YORK, 7 avr. 1961 : *Lucy Waters* : **USD 2 600** - NEW YORK, 6 nov. 1963 : *Louise, duchess of Portsmouth, en bergère* : **USD 1 100** - LONDRES, 30 nov. 1966 : *Sir John Cotton avec sa famille* : **GBP 3 800** - LONDRES, 17 nov. 1967 : *Portrait du duc de Lauderbale* : **GNS 4 500** - LONDRES, 27 nov. 1968 : *Jeune fille jouant du luth* : **GBP 29 000** - LONDRES, 6 avr. 1973 : *Portrait of Diana Kirke, countess of Oxford* : **GNS 15 000** - LONDRES, 20 mars 1974 : *Portrait de Lady Jane Scott, 1st marchioness of Tweeddale* : **GBP 5 000** - LONDRES, 26 mars 1976 : *Portraits du duc de York, futur James II avec sa femme, Anne Hyde*, h/t (137,8x191,6) : **GBP 11 000** - LONDRES, 25 nov. 1977 : *Portrait d'Henry Marten*, h/t, forme ovale (73x61) : **GBP 2 400** - LONDRES, 24 nov. 1978 : *Portrait de Sir Robert Worsley*, h/t (124,4x99) : **GBP 3 000** - NEW YORK, 12 janv 1979 : *Portrait de Dorothy Sydney, Lady Sunderland*, h/t (103x117,5) : **USD 5 750** - LONDRES, 9 déc. 1981 : *Portrait de Margaret Lemon*, h/t (127x102) : **GBP 20 000** - LONDRES, 29 mars 1983 : *Portrait d'une jeune fille, probablement Elizabeth Seymour, comtesse de Ailesbury*, craies noire, rouge et blanche/pap. brun-gris (28x20) : **GBP 37 000** - LONDRES, 16 mars 1984 : *Portrait de Lady Killigrew-Hesse dans une robe bleue*, h/t (124,5x99) : **GBP 15 000** - NEW YORK, 7 nov. 1985 : *Portrait de Mary West*, h/t (124x99) : **USD 10 000** - LONDRES, 11 mars 1987 : *Portrait d'une jeune fille*, h/t (73,5x61) : **GBP 26 500** - STOCKHOLM, 15 nov. 1988 : *Portrait d'une dame en robe bleue et manteau brun*, h. (76x63) : **SEK 14 000** - STOCKHOLM, 19 avr. 1989 : *Portrait d'Oliver Cromwell*, h/t (73x60) : **SEK 8 200** - NEW YORK, 29 avr. 1989 : *Portrait de Thomas, 2e baron Crewe of Stone*, h/t (74x61,5) : **USD 5 225** - LONDRES, 12 juil. 1989 : *Portrait de Richard et Anne Gibson vêtus d'un habit rouge et d'une robe brune*, h/t (165x122) : **GBP 44 000** - LONDRES, 15 nov. 1989 : *Portrait de Dorothy Mason vêtue d'une robe jaune*, h/t (125x100) : **GBP 28 600** - HADDINGTON (Écosse), 21-22 mai 1990 : *Portrait de Mary, Comtesse de Dalhousie portant une robe brune et une écharpe grise*, h/t (132x107) : **GBP 18 700** - LONDRES, 11 juil. 1990 : *Portrait d'une dame, présumée Elizabeth Wharton, épouse de Robert, 3e Comte de Lindsey*, h/t (127x102) : **GBP 70 400** - LONDRES, 14 nov. 1990 : *Portrait de Lady Bovey, assise de trois-quarts et vêtue d'une robe argentée et garnie de perles*, h/t (116x91) : **GBP 52 800** - LONDRES, 10 avr. 1991 : *La découverte de Moïse*, h/t (94x134,5) : **GBP 5 500** - LONDRES, 10 juil. 1991 : *Portrait d' l'Honorable Margaret Wharton vêtue d'une robe jaune d'or sur une chemise blanche*, h/t (127x101,5) : **GBP 15 400** - LONDRES, 8 avr. 1992 : *Portrait de Barbara Villiers, Comtesse de Castlemaine et Duchesse de Cleveland assise et vêtue d'une robe orange et d'une mante bleue*, h/t (213x131) : **GBP 57 200** - STOCKHOLM, 19 mai 1992 : *Portrait de Nell Gwynne assise dans un parc et vêtue d'une robe rouge et d'un manteau bleu*, h/t (127x104) : **SEK 15 000** - LONDRES, 20 nov. 1992 : *Jeune fille jouant du luth théorbe*, h/t (144,7x94,6) : **GBP 396 000** - NEW YORK, 12 jan. 1994 : *Portrait d'une dame vêtue d'une robe de satin jaune, assise de trois-quarts près d'une fontaine dans un paysage*, h/t (124,5x104,1) : **USD 12 650** - LONDRES, 13 juil. 1994 : *Portrait de Charles II trônant en habits de cour et portant l'Ordre de la Jarretière*, h/t (102x163,5) : **GBP 27 600** - LONDRES, 6 nov. 1995 : *Portrait de Dorothy Stanley vêtue d'une robe bleue et d'une cape rouge, assise près d'une fontaine dans un parc*, h/t (125x100) : **GBP 18 400** - NEW YORK, 4 oct. 1996 : *Portrait de Mary Davis, assise sur une balustrade en pierre, la main gauche posée sur une urne*, h/t (127x101,6) : **USD 13 225** - NEW YORK, 30 jan. 1997 : *Portrait de l'honorable Leonard Grey*, h/t (75,3x61) : **USD 34 500** - LONDRES, 9 avr. 1997 : *Portrait de Richard et Ann Gibson* vers 1650, h/t (165x122) : **GBP 41 100**.

LELYVELD Theodor Bernhard Van

Né le 18 février 1867 à Semarang (Java). XIXe siècle. Actif à La Haye. Hollandais.

Peintre, dessinateur d'ex-libris et écrivain.

Il étudia à l'Académie d'Anvers, à l'Académie de La Haye et à l'Académie Julian à Paris. Il peignit des portraits, des paysages (vues de Hollande et d'Italie et des natures mortes.

LEMAGNEN Gabriel

XVIIe siècle. Actif à Grenoble. Français.

Peintre et dessinateur.

Fut un des fondateurs de l'Académie de dessin de Grenoble en 1664.

LEMAGNY Paul Pierre

Né le 11 février 1905 à Dainville (Meuse). Mort en juillet 1977 à Versailles (Yvelines). XXe siècle. Français.

Graveur.

Après de brillantes études à l'École des Beaux-Arts de Paris, où il remporta les récompenses d'usage, il a exposé régulièrement à Paris, aux Salons des Indépendants et des Tuileries. Devenu à son tour professeur aux Beaux-Arts de Paris, il s'est efforcé de laisser la plus grande liberté spirituelle à ses nombreux élèves, tout en les guidant dans la connaissance des techniques.

LE MAIGNIER Robert

XVIe siècle. Actif à Paris. Français.

Graveur et éditeur.

Le Blanc cite de lui : *Le vray pourtraict de l'assemblée des Estats tenuz à Bloys au moys de décembre l'an mil cinq cens soixante et treize.*

LEMAINIER
Actif à Lisieux. Français.
Sculpteur.
On connaît de cet artiste une statue de la *Vierge*, pour la chapelle Saint-Saturnin, dans l'église Saint-Jacques, à Lisieux.

LEMAINIER A.
XIXe siècle. Actif à Paris. Français.
Peintre de paysages.
Exposa au Salon en 1838 et 1839.

LEMAINQUE Maurice Marcel
Né le 25 septembre 1893 à Paris. XXe siècle. Français.
Peintre de paysages, aquarelliste et illustrateur.
Architecte, il se consacra ensuite à la peinture, illustra des ouvrages pour la jeunesse et *La leçon d'amour dans un parc*, de René Boylesve, et les *Contes merveilleux* d'Anatole France.

LE MAINS Gaston
Né le 4 décembre 1880 à Tours (Indre-et-Loire). XXe siècle. Français.
Peintre de genre, paysages, aquarelliste.
Il fut élève d'Henri Lehmann et d'Antoine Guillemet. Il figura à Paris, au Salon des Artistes Français depuis 1886, obtenant une mention honorable lors de l'Exposition Universelle de 1900. Il fut aussi associé au Salon de la Société Nationale des Beaux-Arts à partir de 1904.
Ses œuvres présentent souvent des scènes de la vie paysanne en Bretagne et en Vendée.
Bibliogr. : Gérald Schurr, in : *Les Petits Maîtres de la peinture 1820-1920, valeur de demain*, Les Éditions de l'Amateur, t. VI, Paris, 1985.
Ventes Publiques : Paris, 14 mars 1931 : *Chemin en Normandie*, aquar. : **FRF 65** – Paris, 29 nov. 1946 : *Pont sur la rivière* : **FRF 1 620**.

LEMAIRE
Né au Mans. XVIIIe siècle. Français.
Sculpteur de bustes.
Fils du sculpteur François Lemaire qui travailla à Saint-Symphorien du Mans. Il fut à Paris l'élève de Beauvalet. On cite de lui un buste de *Louis XVI* et de nombreux bustes de *Napoléon Ier*.

LEMAIRE
XIXe siècle. Actif à Paris. Français.
Graveur au burin.

LEMAIRE Adèle Étiennette
Née au XIXe siècle à Paris. XIXe siècle. Française.
Peintre de portraits et pastelliste.
Élève de Mme P. Cœffier, elle exposa au Salon en 1870 et 1872.

LEMAIRE Aline
Née au XIXe siècle à Paris. XIXe siècle. Française.
Graveur sur bois.
Élève de Trichou. Elle exposa au Salon de 1867, des *Vues des Antilles*, d'après M. de Bérard, et à celui de 1868, un *Intérieur de forêt*, d'après M. de Bar.

LEMAIRE Alphonse Auguste Joseph
Né au XIXe siècle à Tourcoing (Nord). XIXe siècle. Français.
Peintre de genre, d'histoire et portraitiste.
Élève de Flandrin et Barry. Exposa au Salon de 1859 à 1866. On cite de lui : *Le poème maternel*.

LEMAIRE Camille. Voir **FOURDRIN**

LEMAIRE Casimir
XIXe siècle. Français.
Peintre de genre, fleurs.
Musées : Dieppe : *Le rendez-vous sous les murs d'un parc*, aquar.
Ventes Publiques : Londres, 16 mars 1983 : *La Basse-cour*, h/t, une paire (39,5x29) : **GBP 950** – Londres, 24 nov. 1989 : *Le grand compagnon*, h/t (124,5x81,2) : **GBP 8 580** – New York, 23 mai 1991 : *Gerbe de fleurs assortie*, h/t (65,4x80) : **USD 8 800** – New York, 17 fév. 1993 : *La troupe ambulante*, h/t (47x55,9) : **USD 3 450**.

LEMAIRE Charles
XVIIIe siècle. Actif au Mans entre 1756 et 1769. Français.
Sculpteur.

LEMAIRE Denise
Née vers 1925 à Choisy-le-Roi (Val-de-Marne). XXe siècle. Française.
Peintre de paysages, compositions animées.
À l'École des Beaux-Arts de Paris, elle travailla dans le même atelier que Bernard Buffet. Elle participe à diverses expositions collectives, notamment à Paris au Salon des Peintres Témoins de leur Temps. En 1955, elle a obtenu le Prix des Jeunes Peintres, puis d'autres distinctions.
Elle traite avec aisance des paysages panoramiques, parfois animés de personnages.
Musées : Épinal (Mus. Départem. des Vosges) : *La Gare d'Ivry*.

LEMAIRE Émile
Né le 5 septembre 1864 à Paris. XIXe siècle. Français.
Graveur sur bois.
Il expose au Salon des Artistes Français.

LE MAIRE Éric
XXe siècle. Français.
Sculpteur.
Il a participé en 1993 à l'exposition *Future lies ahead* organisée par Ponthus Hulten à Taejon (Corée). En 1995, une exposition personnelle de ses œuvres a été présentée, à Paris, à la FIAC (Foire Internationale d'Art Contemporain) par la galerie Lucien Durand, qui l'a exposé individuellement de nouveau en 1998.
Il réalise des œuvres destinées à « évoluer », à « réagir » au contact du spectateur, aux modifications du climat.

LEMAIRE Ferdinand
Né le 10 mai 1851 à Chars (Val-d'Oise). XIXe siècle. Français.
Sculpteur.
Élève de Steiner. Sociétaire des Artistes Français depuis 1890, il figura au Salon de ce groupement.

LEMAIRE François, dit **le Petit Lemaire**
Né en 1620 à Maison-Rouge. Mort le 16 février 1688 à Paris. XVIIe siècle. Français.
Peintre de portraits.
Neveu de Pierre Lemaire, dit, par confusion, tantôt le petit Le Maire, tantôt Le Maire Poussin. Il fit deux *Portraits du sculpteur Jacques Sarrazin*, dont l'un se trouve au Louvre, l'autre au Musée de Versailles ; ce dernier fut son morceau de réception à l'Académie (5 août 1657). Il fut le maître de Santerre. Il exposa sept portraits au Salon en 1673.

Musées : Paris (Mus. du Louvre) : *Portrait du sculpteur Jacques Sarrazin* – Versailles : *Portrait du sculpteur Jacques Sarrazin*.

LEMAIRE François
XVIIIe siècle. Actif au Mans en 1780. Français.
Sculpteur.
Sculpta les anges de l'autel du Rosaire à Saint-Symphorien.

LEMAIRE Georges Henri
Né le 19 janvier 1853 à Bailly (Yvelines). Mort en 1914 à Paris. XIXe-XXe siècles. Français.
Sculpteur et graveur sur pierres fines.
Élève de M. J. Perrin. Sociétaire des Artistes Français depuis 1887, il figura au Salon de ce groupement et y obtint une mention honorable (1882), médaille troisième classe (1885), deuxième classe (1886), argent (1889) (Exposition Universelle), première classe (1894) ; chevalier de la Légion d'honneur (1896), Grand Prix (1900) (Exposition Universelle), médaille d'honneur (1908).
Ventes Publiques : Monte-Carlo, 24 sep. 1978 : *Femme en costume drapé à l'antique*, pierres dures, albâtre et bronze doré (H. 48,5) : **FRF 25 000** – Paris, 19 oct. 1983 : *La Musique*, lapis-lazuli, cristal de roche et bronze argenté (H. 25,5) : **FRF 31 000**.

LEMAIRE Hector Joseph
Né le 15 août 1846 à Lille (Nord). XIXe siècle. Français.
Sculpteur.
Élève de Dumont et Falguière. Lauréat au concours Wicar à Lille, il séjourna quatre ans à Rome. On cite de lui *La Musique* au théâtre de Bordeaux. Il a exposé au Salon de Paris à partir de 1869. Sociétaire des Artistes Français depuis 1883. Associé au Salon de la Nationale des Beaux-Arts depuis 1892. Il obtint comme récompenses : médaille troisième classe (1877), Prix du Salon (1878), médaille de deuxième classe (1878), première classe (1882), or (1889) (Exposition Universelle), chevalier de la Légion d'honneur (1892), médaille or (1900) (Exposition Universelle). Il fut professeur à l'École des Arts Décoratifs.
Musées : Besançon : *Charité romaine* – Dieppe : *Jeune mère* – Langres : *L'amour des biens de la nature* – *L'amour de la vérité* – *Mme Lescornel* – *De Failly* – *Le baron Duval de Fraville* – *Renard*

– *J. Vivey – De Beaufort – Banton – Vacherot – Le colonel baron Aubert – F. Roger – Charles X – Roger – Marguerite de Navarre – Andromède – Psyché – Pierre Durand* – Limoges : *Volupté – La vague – Marie d'Orléans – La roche qui pleure – La nature* – Lorient : *Samson et Dalila* – Paris (Mus. Nat. d'Art Mod.) : *Le matin* – Quimper : *Amour maternel* – Roubaix : *La marchande d'amours – L'étoile du berger – Le mariage antique – La première leçon d'équitation – La charité* – Vannes : *La musique profane – La musique sacrée.*

LEMAIRE Henri. Voir **LEMAIRE Philippe Joseph Henri**

LEMAIRE Jacques François

Né en 1712 à Vendin-lez-Béthune. Mort le 4 août 1780 à Saint-Omer. xviiie siècle. Français.

Peintre.

Le Musée de Saint-Omer conserve de lui : *Vue de l'abbaye de Saint-Bertin.*

LEMAIRE Jean, appelé **Lemaire-Poussin,** dit **le Gros Lemaire**

Né en 1598 à Dammartin. Mort en 1659 à Gaillon. xviie siècle. Français.

Peintre d'histoire, sujets mythologiques, compositions religieuses, architectures.

On ne sait très précisément s'il avait été élève de Vignon, on sait seulement qu'il a résidé à Rome durant une vingtaine d'années. Il y rencontra Poussin dont il devint l'assistant. À son retour en France, vers 1637, il est « Peintre du Roi » et collabora, en 1641, au projet de la décoration de la Grande Galerie du Louvre. Il fit surtout des perspectives, des vues d'architectures et son art est obligatoirement un peu froid. On l'a souvent confondu avec Pierre Lemaire, séjournant aussi à Rome et proche de Poussin, et François Lemaire dont on connaît peu de choses. En conséquence, ces deux artistes sont souvent appelés à tort Lemaire-Poussin.

Musées : Bordeaux : *Intérieur d'un temple dorique* – Fontainebleau : *Portique d'une ruine antique – Danse de muses devant un temple – Pasiphaé* – Paris (Mus. du Louvre) : *Vue de ruines romaines* – deux œuvres – Le Puy-en-Velay : *Ruine dans un paysage* – Rouen : *Vestibule du Palais Farnèse à Rome.*

Ventes Publiques : Milan, 22 mai 1969 : *Thésée retrouvant l'épée de son père* : **ITL 3 000 000** – Londres, 24 mars 1976 : *Figures dans un paysage avec ruines,* h/t (43x55) : **GBP 2 500** – Milan, 3 mars 1987 : *Capriccio,* h/t (108x140) : **ITL 26 000 000** – Milan, 12 déc. 1988 : *Paysage avec des ruines antiques et un personnage,* h/t (100x140) : **ITL 14 000 000** – Paris, 3 déc. 1993 : *Personnages romains devant le tombeau d'Achille,* h/t (92x126,5) : **FRF 150 000** – New York, 19 mai 1994 : *Scène classique avec des figures se précipitant vers une femme gisant sur le sol,* h/t (124,5x91,4) : **USD 6 325** – Paris, 12 déc. 1995 : *Moïse enterrant l'Égyptien,* h/t (122,5x155) : **FRF 190 000** – Londres, 13 déc. 1996 : *Caprice d'un arc de triomphe classique et de temples avec Alexandre et Diogène,* h/t (74,3x96,5) : **GBP 23 000.**

LEMAIRE Jean

xviie siècle. Parisien, vivant au xviie siècle. Français.

Sculpteur.

Il fit toute une série de travaux en pierre et en bois de 1687 à 1695, pour Versailles, Trianon, Choisy, Meudon et l'église de Versailles.

LEMAIRE Jean

xviiie siècle. Actif à Paris. Français.

Peintre, graveur.

Il a gravé des planches pour : *Traits de l'histoire sacrée et profane.*

LEMAIRE Jean Claude

xviiie siècle. Français.

Peintre d'histoire.

Ancien professeur à l'Académie Saint-Luc à Paris, où il exposa en 1751, 1752 et 1753, des tableaux et des portraits au pastel. On cite de lui : *Mariage de Camma avec le roi Synorix.*

LEMAIRE Jean Jacques

xviiie siècle. Actif au Mans entre 1737 et 1749. Français.

Sculpteur.

LEMAIRE Jean Joseph

xviiie siècle. Français.

Sculpteur.

Il fut reçu en 1766 membre de l'Académie Saint-Luc à Paris. Il exécuta avec Bostier des décorations ornementales pour le prince de Conti, ainsi que pour le *Tombeau du Prince Louis François de Bourbon* dans l'église de l'Isle-Adam.

LE MAIRE Julien ou **Maire**

Né à Bar-le-Duc. Mort en 1607 à Nancy. xvie siècle. Éc. lorraine.

Peintre et graveur.

Il fut peintre et graveur du duc de Lorraine en 1589.

LEMAIRE Louis

xviiie siècle. Actif au Mans entre 1756 et 1769. Français.

Sculpteur.

Travailla en collaboration avec son frère Charles Lemaire.

LE MAIRE Louis Alphonse Léon

Né le 30 août 1827. xixe siècle. Français.

Dessinateur et graveur à l'eau-forte, au burin et sur bois.

Il a gravé des sujets de genre, des portraits et des paysages. Il travailla à Paris. Il illustra, d'après G. Doré, les *Contes drôlatiques* de Balzac.

LEMAIRE Louis Marie

Né en 1824. Mort en 1910 à Paris. xixe-xxe siècles. Français.

Peintre de paysages, marines, fleurs, pastelliste.

Élève de Jules Dupré et d'Auguste Boulard père, il débuta au Salon de Paris en 1849 et fut sociétaire des Artistes Français à partir de 1814. Il obtint une mention honorable en 1883, une médaille de troisième classe en 1884, une mention honorable à l'Exposition Universelle de 1889, et une médaille de deuxième classe en 1899.

Auteur de tableaux de fleurs, le plus souvent exécutés au pastel, il montre aussi des vues de forêt au crépuscule, des plages au soleil couchant.

Louis Lemaire

Bibliogr. : Gérald Schurr, in : *Les Petits Maîtres de la peinture 1820-1920, valeur de demain,* Les Éditions de l'Amateur, t. IV, Paris, 1979.

Musées : Agen : *Fleurs* – Compiègne : *Roses coupées* – Londres (Victoria and Albert Mus.) : *Vase de fleurs – Un coin dans la forêt de Compiègne – Bouquet de pavots* – Pontoise : *Paysage* – Rouen : *Bouquet de lilas.*

Ventes Publiques : Paris, 1878 : *Lilas* : **FRF 240** ; *Rose et chèvrefeuille* : **FRF 260** – Paris, 3-4 mai 1923 : *Le soir à Villerville* : **FRF 600** – Paris, 8 jan. 1945 : *Fleurs* : **FRF 1 200** – Londres, 12 oct. 1984 : *Pivoines dans une urne dans un jardin,* h/t (231,2x185,5) : **GBP 12 000** – New York, 28 oct. 1986 : *Bouquet de fleurs dans un paysage,* h/t (116x89) : **USD 11 000** – Versailles, 19 nov. 1989 : *Moulin au crépuscule,* h/t (46x56) : **FRF 3 500** – Paris, 22 mars 1994 : *Brassée de lilas et tulipes* 1900, h/t (33,5x46,5) : **FRF 4 800.**

LEMAIRE Madeleine Jeanne, née **Coll**

Née en 1845 aux Arcs (Var). Morte le 8 avril 1928 à Paris. xixe-xxe siècles. Française.

Peintre de genre, figures, portraits, nus, natures mortes, fleurs et fruits, aquarelliste, pastelliste, illustratrice.

Elle fut élève de madame Jeanne Mathilde Herbelin, puis de Jules Chaplin. Elle débuta au Salon de Paris en 1864, avec un portrait, obtenant une mention honorable en 1977, une médaille d'argent pour l'Exposition Universelle de 1900. Depuis 1890, elle était aussi membre de la Société Nationale des Beaux-Arts depuis 1890. En 1906, elle fut décorée de la Légion d'Honneur. Elle tenait un salon, où se retrouvaient artistes, musiciens, écrivains.

Ses peintures et aquarelles de fleurs furent très appréciées. En tant que dessinatrice, illustratrice, elle collabora à la *Gazette des Beaux-Arts,* à *La Vie moderne.* Elle a illustré : en 1887 *L'Abbé Constantin* de Ludovic Halévy ; en 1888 a collaboré à l'illustration de *L'Art d'être grand-père* de Victor Hugo ; 1890 *Flirt* de Paul Hervieu ; 1904 *Autour du cœur* de M. Star ; 1912 *Lettres inédites* de Madame de Sévigné ; très liée avec Marcel Proust, elle en a illustré *Les Plaisirs et les Jours.*

Madeleine Lemaire

Bibliogr. : Marcus Osterwalder, in : *Diction. des illustrateurs 1800-1914,* Ides et Calendes, Neuchâtel, 1989.

Musées : Dieppe : *Le Char des fées* – Mulhouse : *Fleurs et fruits* – Reims : *Panier de fleurs* – Toulouse : *Œillets – Fleurs d'automne.*

Ventes Publiques : Paris, 13 mars 1873 : *La Bouquetière*, aquar. : **FRF 820** ; *La Sortie de l'église*, aquar. : **FRF 2 020** – Paris, 9-13 mai 1892 : *Avant le bal*, past. : **FRF 2 120** – Paris, 22 fév. 1919 : *La Femme au voile* : **FRF 1 000** – Paris, 29 déc. 1924 : *Roses, œillet et violettes*, aquar. : **FRF 1 000** – Paris, 31 jan. 1929 : *Espagnole jouant de la guitare* : **FRF 1 100** – Paris, 8 juil. 1931 : *Roses dans un vase de cuivre*, aquar. : **FRF 2 300** – Paris, 17 juin 1942 : *Roses*, aquar. : **FRF 2 100** – Paris, 11 jan. 1943 : *Bouquet de fleurs dans un vase bleu*, aquar. : **FRF 4 550** – Paris, 10 mai 1944 : *La Corbeille de framboises*, aquar. : **FRF 5 000** – Paris, 30 jan. 1947 : *Pot de fleurs* : **FRF 4 300** – Paris, 5 nov. 1948 : *Baigneuses dans un parc* : **FRF 40 500** – Paris, 4 avr. 1951 : *La Partie de cartes*, aquar. : **FRF 14 000** – Paris, 20 fév. 1970 : *Fleurs et fruits d'automne* : **FRF 3 000** – Versailles, 13 fév. 1972 : *Vase de roses*, aquar. (62x45) : **FRF 1 100** – Paris, 14 juin 1976 : *Diane chasseresse*, h/t (129x97) : **FRF 4 600** – Tokyo, 15 fév. 1980 : *Suzanne Lemaire à son piano*, aquar. (50x29) : **JPY 240 000** – New York, 30 mai 1980 : *Nature morte au fleurs*, h/t (129,5x91,4) : **USD 5 000** – Londres, 25 mars 1981 : *La Promenade*, h/t (59,5x39,5) : **GBP 2 300** – Londres, 19 juin 1984 : *Réception dans l'atelier de l'artiste*, h/t (115x140) : **GBP 64 000** – Paris, 14 juin 1985 : *Le panier de roses et de framboises*, aquar. (74x52) : **FRF 11 500** – New York, 28 oct. 1986 : *Odalisque*, aquar. (31,8x50,2) : **USD 7 000** – New York, 24 fév. 1987 : *La Dernière Touche*, aquar. (51,3x34,9) : **USD 5 500** – Monaco, 20 fév. 1988 : *Bouquet de roses*, aquar. (51,5x35) : **FRF 15 540** – Douai, 26 mars 1988 : *Jetée de roses*, aquar. (36,5x50,5) : **FRF 7 800** – Paris, 9 nov. 1988 : *Nature morte aux fruits et au gibier*, h/t (112x108) : **FRF 20 000** – New York, 23 fév. 1989 : *Nu allongé dans un intérieur élégant*, h/t (95,2x128,2) : **USD 28 600** – Versailles, 5 mars 1989 : *La promenade des élégantes au bord du lac* (45x36) : **FRF 17 000** – Londres, 20 juin 1989 : *Femme assise dans un fauteuil Dagobert*, h/t (178x120) : **GBP 22 000** – New York, 17 jan. 1990 : *Prière dans la cathédrale*, h/t (111,8x143) : **USD 4 675** – Versailles, 18 mars 1990 : *Bouquet de fleurs dans un panier*, aquar. (38x54) : **FRF 8 500** – New York, 15 nov. 1990 : *Nature morte de roses dans un verre de cristal*, aquar./pap. (38,1x27,3) : **USD 55 000** – Stockholm, 29 mai 1991 : *Portrait d'une jeune fille*, h/t (60x50) : **SEK 23 000** – Londres, 19 juin 1991 : *Bouquet de roses sur la berge d'une rivière*, h/t (160x128) : **GBP 23 100** – Calais, 7 juil. 1991 : *Portrait de l'acteur Coquelin sur scène*, aquar. (51x30) : **FRF 3 500** – Paris, 10 juin 1992 : *Roses dans un panier*, aquar., une paire (chaque 38x53) : **FRF 13 000** – Monaco, 18-19 juin 1992 : *Roses et livre*, aquar. (35x51) : **FRF 9 990** – Paris, 9 juin 1993 : *Vase fleuri*, aquar. (39x24) : **FRF 3 900** – New York, 19 jan. 1994 : *Panier de roses*, aquar./pap./pap. (31,8x40,6) : **USD 1 725** – Londres, 11 fév. 1994 : *Roses*, aquar./pap. (73,8x53,2) : **GBP 2 760** – New York, 24 mai 1995 : *Femme assise dans un fauteuil Dagobert*, h/t (177,8x118,7) : **USD 46 000** – Londres, 15 mars 1996 : *Dahlias avec le buste de Pan dans un jardin*, h/t (289,5x200,5) : **GBP 11 500** – Paris, 22 nov. 1996 : *La Coupe de cerises*, aquar. (23x32) : **FRF 3 800** – Calais, 15 déc. 1996 : *Nature morte aux oranges*, aquar. (52x71) : **FRF 11 200** – Paris, 20 mars 1997 : *Bouquet de fleurs*, h/t (55x43) : **FRF 7 200** – Londres, 21 mars 1997 : *L'Arrosage des fleurs*, h/t (47x32) : **GBP 7 475** – New York, 23 oct. 1997 : *Allégorie de l'Automne : la duchesse de Gramont présente un étalage de fruits et de gibier*, h/t (213,4x259,1) : **USD 43 700**.

LEMAIRE Marie Thérèse
Née le 31 mai 1861 à Paris. XIXe-XXe siècles. Française.
Peintre de fleurs et fruits, aquarelliste.
Elle exposait à Paris, au Salon des Artistes Français, dont elle était sociétaire depuis 1908.
Ventes Publiques : Paris, 17 fév. 1947 : *Bouquet de violettes, oranges et pot de grès*, aquar. : **FRF 450** – New York, 23 mai 1991 : *Gerbe de fleurs assorties*, h/t (65,4x80) : **USD 8 800**.

LE MAIRE Michel, dit **de Gand**
XVIe siècle. Actif à Bar-le-Duc vers 1549. Français.
Peintre verrier.
Il travailla pour l'église Saint-Laurent, de Pont-à-Mousson, avec Julien Gilbert.

LEMAIRE Philippe
XVIIe-XVIIIe siècles. Actif à Paris. Français.
Sculpteur.
Il travailla à la décoration de la chapelle du château de Versailles, ainsi qu'aux boiseries des appartements de Madame de Maintenon à Trianon.

LEMAIRE Philippe
XVIIIe siècle. Français.
Sculpteur.
Travailla à diverses églises de Nancy entre 1726 et 1741.

LEMAIRE Philippe Joseph Henri
Né le 9 janvier 1798 à Valenciennes. Mort le 2 août 1880 à Paris. XIXe siècle. Français.
Sculpteur.
Élève de Cartellier et de Milhomme. Grand Prix de Rome en 1821 ; il débuta au Salon en 1831. Médaille de première classe en 1827 ; chevalier de la Légion d'honneur en 1834, officier en 1843, membre de l'Institut en 1845. On considère le fronton de la Madeleine comme son chef-d'œuvre. Il a fait en outre une *Sainte Famille* pour l'église Sainte-Élisabeth ; *Le laboureur de Virgile* pour le jardin des Tuileries ; *La première distribution des croix de la Légion d'honneur au camp de Boulogne* pour la colonne de Boulogne-sur-Mer ; *Archidames* pour le jardin du Luxembourg ; *La mort de Marceau* pour l'Arc de Triomphe de l'Étoile ; *L'Espérance* pour l'église Notre-Dame de Lorette ; *Thémistocle* pour le Jardin des Tuileries ; *Racine* pour le Palais de l'Institut ; *Hoche* à Versailles ; *Le maréchal Chevert* à Verdun ; *Saint-Marc* pour l'église de la Madeleine ; *La religion consolant les prisonniers* fronton du palais de Justice de Lille ; *Napoléon* pour la Bourse de Lille ; *Henri IV* pour l'Hôtel de Ville de Paris (détruit en 1871) ; *La ville de Strasbourg* à la gare de l'Est ; *Froissart* à Valenciennes ; enfin *L'Escaut et la Ronelle* pour la façade du nouvel Hôtel de Ville de Valenciennes. Le Musée de cette ville possède de nombreux modèles de ses œuvres.
Musées : Paris (Mus. Carnavalet) : *Henri IV* – Paris (Mus. Nat. d'Art Mod.) : *Tête de Vierge* – Valenciennes : *Le duc de Bordeaux* – *La jeune fille au papillon* – *Jeune fille effrayée par un serpent* – *Résignation* – Versailles : *Fouquières* – *Kléber* – deux œuvres – *Corbineau* – *Louis XIV* – *Louis-Philippe Joseph d'Orléans* – *Racine* – *François d'Espinay*.

LEMAIRE Pierre
XVe siècle. Français.
Sculpteur.
Il travailla avec Pierre Lescot aux sculptures du portail Saint-Jean de la cathédrale de Rouen.

LE MAIRE Pierre, dit faussement **Le Maire-Poussin** et le **Petit Lemaire**
Né en 1612. Mort probablement le 13 mai 1688 ou 1682 à Rome. XVIIe siècle. Français.
Peintre d'histoire, graveur.
Souvent confondu avec Jean Lemaire, il peignait à la manière de Poussin. Il avait été élève de Claude Vignon. Il alla à Rome et y résida vingt ans. On cite de lui quatorze gravures représentant : *L'Histoire de Paris* et *David dansant devant l'Arche*.

LEMAIRE Pierre
Né le 24 août 1920 à Paris. XXe siècle. Français.
Peintre. Abstrait.
Il fit d'abord des études de physique optique. Il effectua ses études artistiques à partir de nombreux musées visités, en Italie, à Londres, Amsterdam. Il fréquenta, à Montmartre, l'Académie de Metzinger, puis celle de Fernand Léger. Il participe à des expositions collectives depuis 1948, notamment à Paris aux Salons des Moins de Trente Ans, de la Jeune Peinture, des Indépendants, d'Automne, des Réalités Nouvelles, Comparaisons, ainsi qu'à des groupements nombreux en province, à Copenhague, Luxembourg, La Chaux-de-Fonds. Dans les années cinquante et soixante, à Paris, il montrait des ensembles de ses peintures dans les galeries La Roue de Guy Resse, de Colette Allendy et d'Henriette Legendre. Continuant à peindre, il se manifesta cependant peu publiquement pendant plusieurs années, participant à la scénographie des festivals de Vaison-la-Romaine et d'Avignon de 1966 à 1969, et aux spectacles du Théâtre des Nations, du Théâtre de l'Ouest parisien, etc.
Vers 1970, avec la Grèce et la Crète, il découvrit la peinture byzantine, dont le frappa l'intemporalité. Il est réapparu, dans les années quatre-vingt, avec le retour de la peinture des années cinquante ; les galeries de Paris, Brigitte Schéadé en 1984, la galerie Arnoux en 1987, 1990, 1993, Sparts en 1990, 1992, Akka en 1994, 1996, 1998, montrant des expositions personnelles de ses œuvres, de même que la galerie Janssens de Knokke-le-Zoute en 1993, la galerie Demay-Debève du Touquet en 1993, 1994, etc.
Il se rallia à l'abstraction presque dès ses débuts, une abstraction assez typiquement française, intermédiaire entre le géométrique et le lyrique, et surtout référée à un regard préliminaire sur la réalité extérieure à partir de laquelle « abstraire » sa synthèse

purement plastique. Dans une première période, il s'était accommodé d'une palette de tons sombres et terreux que trouaient comme des échappées de lumière ou de ciel. Entre 1955 et 1960, au contraire, il traversa une période que lui-même qualifie de « blanche », dans laquelle il exploitait les infinies variations qui peuvent affecter le blanc. Après sa découverte de la Grèce et de la peinture byzantine, il s'inspira sans détour et du paysage de falaises et de villages blancs découpés sur l'azur de la mer et du ciel, et des icônes dans lesquelles il rencontre la source primordiale de Poliakoff, adoptant des gammes plus hautes en couleur, où le rouge souvent éclate sur le noir, pour des compositions orthogonales, fermement encloses sur elles-mêmes, parfois distribuées en triptyques qui en affirment le sourcement spirituel. Pierre Lemaire peintre de l'École de Paris abstraite des années cinquante-soixante, il a su le rester, sans chercher à biaiser. Dans l'actualité qui l'a retrouvé à sa place, il ne date pas, il est authentiquement d'époque. ■ J. B.

Bibliogr. : Lydia Harambourg et divers : Catalogue de l'exposition *Pierre Lemaire*, gal. Arnoux, Paris, 1990, bonne documentation.

Musées : Chamalières – Cholet – Nantes (Mus. des Beaux-Arts) – Paris (Mus. d'Art Mod. de la Ville).

Ventes Publiques : Saint-Germain-en-Laye, 4 juin 1989 : *Composition* 1985, h/t (80x80) : **FRF 12 000** ; *Composition* 1983, h/t (22x27) : **FRF 4 000** – Saint-Germain-en-Laye, 1er avr. 1990 : *Chemin faisant* 1976, h/t (60x120) : **FRF 19 000** ; *Composition* 1978, h/t (50x50) : **FRF 8 000**.

LEMAIRE-DERPRERSONNIER Hyacinthe

Né au XIXe siècle à Dunkerque (Nord). XIXe siècle. Français.

Miniaturiste.

Élève d'Aubry. On cite de lui un *Portrait de Charles Dupin* (grande miniature).

LEMAISTRE Alexis

Né au XIXe siècle à Paris. XIXe siècle. Français.

Peintre de genre.

Élève d'Ed. Brandon et de Bonnat. Débuta au Salon en 1873. On cite de lui : *Repas de noce*. Il obtint une médaille de bronze en 1889 (Exposition Universelle).

Ventes Publiques : Paris, 30 avr. 1951 : *Fête bretonne* : **FRF 15 000**.

LEMAISTRE Charles

Né le 15 janvier 1718 à Angoulême (Charente). Mort le 17 mars 1776. XVIIIe siècle. Français.

Sculpteur.

Il fut chargé d'exécuter les sculptures du nouveau portail de l'église Saint-Pierre, à Angoulême.

LEMAISTRE René

XVIIe siècle. Actif au Mans vers 1679. Français.

Peintre.

LE MAÎTRE. Voir **DIMITROV Vladimir**

LEMAITRE Albert

Né en 1886 à Liège. Mort en 1975 à Milhars. XXe siècle. Belge.

Peintre de figures, paysages, marines, natures mortes, créateur d'affiches. Postimpressionniste.

Il a travaillé dans le Midi de la France, en Italie et en Espagne, traitant ses paysages dans un style postimpressionniste teinté de fauvisme, par la violence de ses coloris.

albLemaitre

Bibliogr. : In : *Dict. biogr. illustré des artistes en Belgique depuis 1830*, Arto, Bruxelles, 1987 – Gérald Schurr, in : *Les Petits Maîtres de la peinture 1820-1920, valeur de demain*, Les Éditions de l'Amateur, t. VII, Paris, 1989.

Musées : Liège (Mus. d'Art wallon) : *Venise, l'Abbazia Deserto* 1912.

LEMAITRE Aline M.

Morte en 1907. XIXe siècle. Française.

Sculpteur.

Sociétaire des Artistes Français, elle figura au Salon de ce groupement. Peut-être identique à Drouin (Mme), née Lemaistre, sculpteur.

LEMAITRE André

Né en 1909 à Falaise (Calvados). XXe siècle. Français.

Peintre de figures, nus, sujets divers.

Sa vision de la réalité, franche et synthétique, sa technique, directe et construite, l'inscrivent bien dans l'École de Paris de l'entre-deux-guerres.

Ventes Publiques : Paris, 29 juin 1990 : *Bouquet de fleurs*, h/t (73x60) : **FRF 15 000** – Paris, 15 nov. 1994 : *La Dive à Croissanville*, h/t (73x92) : **FRF 5 500**.

LEMAÎTRE André Hubert

Né le 31 octobre 1885 à Paris. XXe siècle. Français.

Peintre de compositions murales, compositions religieuses, cartons de tapisseries.

À Paris, il fut élève de l'École des Arts Décoratifs, puis de l'École des Beaux-Arts. Il a exposé à Paris, régulièrement au Salon d'Automne dont il était membre depuis 1920. Mêlé aux mouvements littéraires de sa jeunesse, il est intervenu au théâtre, parmi les rénovateurs de la mise en scène.

La peinture monumentale et le plus souvent religieuse est ce qui doit être avant tout considéré dans son œuvre. Il a notamment réalisé la décoration de la chapelle publique des Dames-de-la-Charité à Toulouse ; en 1930 la décoration à fresque du Salon du maréchal Lyautey au Musée de la France d'Outre-mer ; la décoration de l'arc triomphal du chœur de l'église Sainte-Hélène de Paris ; la décoration de plusieurs autres églises parisiennes. Pour plusieurs de ces travaux, il eut pour collaboratrice sa femme, Ivanna Lemaître. De ces travaux monumentaux, Paul Fierens a écrit : « Le plain-chant convient à l'église aux courbes sévères, plus près du roman que du baroque. » Pour le paquebot *Touraine*, André Lemaître a fait exécuter une tapisserie par les ateliers des Gobelins.

Musées : Paris (Mus. d'Orsay).

LEMAITRE Anne Clara. Voir **CLÉMENT Anne Clara**

LEMAITRE Augustin François

Né en 1797 à Paris. Mort le 25 février 1870 à Paris. XIXe siècle. Français.

Dessinateur-lithographe, graveur et éditeur.

Élève de Michallon et de Fortier. Exposa au Salon de 1832 à 1855 ; deuxième médaille en 1834. Il a gravé des paysages et des sujets de genre.

LEMAITRE Charles Édouard

Né au XIXe siècle à Poissy (Yvelines). XIXe siècle. Français.

Peintre de genre.

Exposa au Salon à partir de 1876.

E Lemaitre

Ventes Publiques : Paris, 31 mai 1943 : *Bords d'un étang*, deux toiles : **FRF 3 000** – Vienne, 11 sep. 1985 : *Place de village ensoleillée*, h/t (47x38) : **ATS 65 000** – Londres, 18 juin 1993 : *La pause des porteurs d'eau arabes*, h/t (27,6x21,5) : **GBP 5 980**.

LEMAITRE Claire M.

Née au XIXe siècle à Paris. XIXe siècle. Française.

Pastelliste.

Élève de Jean Béraud. Figura au Salon des Artistes Français. Membre de cette société depuis 1888. Associée au Salon de la Nationale des Beaux-Arts depuis 1890.

LEMAÎTRE Églantine, née **Robert-Houdin**

Née à Saint-Gervais. XIXe-XXe siècles. Française.

Sculpteur.

Elle exposait à Paris, au Salon des Artistes Français, 1885 sociétaire, 1886 mention honorable, 1889 mention honorable pour l'Exposition Universelle.

Ventes Publiques : Chester, 5 mai 1983 : *Au coup de fusil*, bronze patiné (H. 28 et L. 46) : **GBP 2 400**.

LE MAITRE Frans

Né en 1903 à Alost. XXe siècle. Belge.

Peintre de figures, portraits, natures mortes de fleurs et fruits, sculpteur de statues, bustes, graveur.

Bibliogr. : In : *Dict. biogr. illustré des artistes en Belgique depuis 1830*, Arto, Bruxelles, 1987.

LEMAITRE Gustave

Né en 1860 à Marseille (Bouches-du-Rhône). Mort en 1920. XIXe-XXe siècles. Actif à la fin du XIXe siècle. Français.

Peintre de genre, sujets typiques, paysages.

Élève de Bouguereau et de Tony Robert-Fleury. Sociétaire des Artistes Français depuis 1888, il figura au Salon de ce groupement et obtint une mention honorable (1897). Prix Marie Bashkirtseff (1897).

Musées : Château-Thierry : *Harmonie verte.*
Ventes Publiques : Vienne, 11 sep. 1984 : *Prairie en fleurs,* h/t (42x65) : **ATS 45 000** – Paris, 6 déc. 1993 : *Orientale près d'un puits,* h/t (53x36,5) : **FRF 5 800** – Paris, 17 nov. 1997 : *Chemin des arcades à Alger ; Les Pins à Birtrana,* h/t, deux pendants (chaque 38x55) : **FRF 20 000.**

LEMAÎTRE Ivanna
Née à Saint-Pétersbourg. xxe siècle. Active en France. Russe.
Peintre de compositions animées, figures, peintre de compositions murales.
Femme d'André Hubert Lemaître, avec lequel elle collabora souvent. Elle exposa son œuvre personnel régulièrement au Salon d'Automne de Paris.
Ventes Publiques : Paris, 30 mai 1945 : *Le Couple,* aquar. : **FRF 5 100.**

LEMAITRE Jean
xixe siècle. Actif à Lyon (Rhône). Français.
Graveur sur bois.

LEMAITRE Jehan
xive siècle. Hollandais.
Copiste et enlumineur.
Il travailla en 1311 sous Philippe IV de France.

LEMAITRE Léon Jules
Né le 14 octobre 1850 à Longueville (Seine-Maritime). Mort en 1905. xixe siècle. Français.
Peintre de genre, paysages, paysages urbains. Post-impressionniste.
Clerc de notaire, mais attiré par l'art, il entre à l'Académie de peinture dirigée par Gustave Morin, avant d'aller à l'École des Beaux-Arts de Paris en 1873.
Peintre de plein air, il appartient à l'école rouannaise qui travaille dans un style impressionniste. Il est surtout connu pour ses vues de vieilles rues de Rouen et ses paysages des environs.

L. Lemaître

Musées : Rouen : *Vue de Rouen – Vue de Dieppe.*
Ventes Publiques : Paris, 4 avr. 1928 : *Le Palais de justice de Rouen* : **FRF 330** – Rouen, 7 juin 1973 : *Les quais à Rouen* : **FRF 9 000** – Rouen, 30 nov. 1980 : *Elégance sur la plage de Dieppe,* h/pan. (16x24) : **FRF 18 000** – Bruxelles, 9 oct. 1990 : *Enfant au cerceau* 1882, h/t (135x81) : **BEF 65 000** – Paris, 14 déc. 1990 : *La place,* h/pan. (26,3x18,3) : **FRF 30 000** – Paris, 30 nov. 1992 : *Vieille rue de Rouen,* h/pan. (33x19) : **FRF 33 000** – Paris, 2 juin 1993 : *Animation rue du Gros-Horloge ; Le Palais de Justice de Rouen,* h/pan., une paire (env. 33x17) : **FRF 88 000.**

LEMAITRE Louise
Née au xixe siècle à La Fère (Aisne). xixe siècle. Française.
Peintre de fleurs.
Peut-être élève de Mme Thorel. Exposa au Salon, à partir de 1878, des aquarelles et des gouaches.

LEMAITRE Marie
Née au xixe siècle à Paris. xixe siècle. Française.
Aquafortiste.
Élève de Henri Lefort. Figura au Salon des Artistes Français où elle obtint une mention honorable (1905).

LEMAÎTRE Maurice
Né le 23 avril 1926 à Paris. xxe siècle. Français.
Peintre, dessinateur, graphiste. Lettres et Signes. Groupe lettriste.
À ne pas confondre avec le paysagiste postimpressionniste homonyme. Avec Isidore Isou qui fonda le mouvement en 1946, il fut l'un des premiers animateurs, et non le moins activiste, du « lettrisme », participant aux manifestes, aux débats publics et spectacles, aux expositions, etc., et théorisant à tout-va. Pour sa part, Lemaître, bien que proclamant son propre génie et la médiocrité de tout le reste, s'immisce avec insistance dans les expositions mêmes qu'il prétend mépriser.
Après des débuts uniquement poétiques, le mouvement lettriste, dans son prolongement graphique, dénie, en dépit de la vraisemblance, toute attache avec l'art ancien des calligrammes, avec les expérimentations et réalisations des Khlebnikov, Illiazd, Schwitters, avec la poésie phonétique des Morgenstern, Jean Arp, Raoul Haussmann. Les dessins et peintures lettristes, regroupant simultanément peinture, écriture, phonétique, et pouvant s'élargir à la troisième dimension, consistent en lettres, latines ou inventées, et signes uniquement graphiques, revendiquant d'être à la fois picturaux et expressifs, sinon signifiants. Recouvrant en général la surface totale du support, les signes y sont disposés parfois selon une ordonnance de type géométrique ou bien à la façon des bandes dessinées. S'instaurant dès la théorie au-delà de tout raisonnement plastique, les œuvres lettristes se situent dans un statut indépendant.
Bibliogr. : In : *Lettrisme et hypergraphie,* Opus International, n° spécial, Paris, 1971 – Roland Sabatier, in : *Le Lettrisme. Les créations et les créateurs,* Z édit., Nice, 1989 – François Letaillieur, in : *Encyclopédie du lettrisme,* Paris, 1989.
Ventes Publiques : Paris, 23 oct. 1990 : *Triste citation (de Claude Monet à Zola)* 1981, h/t (55x46) : **FRF 20 000** – Paris, 11 juin 1991 : *Note à Mondrian,* h/t (61x50) : **FRF 22 000** – Paris, 16 déc. 1994 : *Exclamation de Mallarmé* 1988, acryl./t. (61x50) : **FRF 12 000** – Paris, 21 mars 1995 : *Mot imaginaire* 1989, acryl./t. (81x65) : **FRF 20 000.**

LEMAITRE Maurice
Né le 17 octobre 1929 à Gouy-sous-Bellone (Pas-de-Calais). xxe siècle. Français.
Peintre de paysages. Postimpressionniste.
À ne pas confondre avec le peintre lettriste homonyme. Il expose régulièrement à Paris, aux Salons des Artistes Français dont il est sociétaire, des Artistes Indépendants, et à Barbizon.
Peintre des paysages de France, il a planté son chevalet dans de nombreuses contrées, souvent là où l'avaient précédé les impressionnistes en Seine-et-Marne à Moret-sur-Loing, ou Van Gogh à Auvers, ainsi qu'en Bretagne, Vendée, dans la Brière, dans le Lot, dans le Nord et le Pas-de-Calais.

Lemaître

Ventes Publiques : Versailles, 12 déc. 1976 : *Marée basse à Kerity,* h/t (60x73) : **FRF 2 100** – Grenoble, 15 déc. 1980 : *Villeneuve-en Vaucluse,* h/t (54x65) : **FRF 5 100** – Versailles, 25 mai 1986 : *Les Bords du Loing à Moret,* h/t (46x60,5) : **FRF 15 000** – Versailles, 17 juin 1987 : *Automne à Corbehem,* h/t (54x73) : **FRF 21 500** – Calais, 8 nov. 1987 : *Printemps à Gerberoy,* h/t (47x62) : **FRF 15 000** – Versailles, 7 fév. 1988 : *Bord d'étang à Écourt Saint-Quentin (Pas-de-Calais),* h/t (33x46) : **FRF 12 500** – Paris, 22 fév. 1988 : *Paysage de neige,* h/t (54x73) : **FRF 30 000** – Calais, 28 fév. 1988 : *Champs fleuris en Seine-et-Marne,* h/t (46x65) : **FRF 18 500** – Versailles, 17 avr. 1988 : *Automne à Courchelettes (Nord),* h/t (46x61) : **FRF 20 000** – Versailles, 15 mai 1988 : *Automne à Tigeaux (Seine-et-Marne),* h/t (54x73) : **FRF 18 000** – La Varenne-Saint-Hilaire, 29 mai 1988 : *Pommiers en fleurs à Saints (Seine-et-Marne),* h/t (46x65) : **FRF 17 000** – Paris, 8 juin 1988 : *Le Plan d'eau du Canada, à Beauvais,* h/t (53,5x73) : **FRF 14 500** – Paris, 23 juin 1988 : *Voiliers à Auvers-sur-Oise,* h/t (65x92) : **FRF 21 500** – Calais, 3 juil. 1988 : *Barques et pêcheurs près de l'étang de Palhuel,* h/t (46x65) : **FRF 18 500** – La Varenne-Saint-Hilaire, 23 oct. 1988 : *L'abreuvoir de Courquetaine,* h/t (46x61) : **FRF 17 000** ; *Le Lot à Estoing,* h/t (65x92) : **FRF 20 500** – Versailles, 6 nov. 1988 : *Automne à Palhuel (Pas-de-Calais),* h/t (46x65) : **FRF 16 000** – Calais, 13 nov. 1988 : *Paysage de neige,* h/t (54x73) : **FRF 28 000** – Versailles, 18 déc. 1988 : *Moret-sur-Loing,* h/t (46x65) : **FRF 16 500** – Versailles, 11 jan. 1989 : *Bord de la Smagne (Vendée),* h/t (33x46) : **FRF 27 000** – La Varenne-Saint-Hilaire, 21 mai 1989 : *L'Île Fredrur, en Brière,* h/t (46x61) : **FRF 21 000** – Saint-Dié, 15 oct. 1989 : *Les bateaux de pêche au Guilvinec (Finistère),* h/t (60x73) : **FRF 21 000** – Paris, 22 oct. 1989 : *Dans le jardin fleuri en bord de rivière,* h/t (46x65) : **FRF 39 000** – Le Touquet, 12 nov. 1989 : *Jardin de fleurs en Vendée,* h/t (46x61) : **FRF 40 000** – La Varenne-Saint-Hilaire, 3 déc. 1989 : *Octobre à Palhuel,* h/t (46x65) : **FRF 22 000** – Paris, 4 mars 1990 : *Paysage d'automne à Airvault,* h/t (46x65) : **FRF 26 500** – Paris, 11 mars 1990 : *Paysage de Vendée,* h/t (55,5x73) : **FRF 30 000** – Versailles, 25 mars 1990 : *Hiver à Vaudoy, Seine-et-Marne,* h/t (54x73) : **FRF 38 000** – Paris, 13 juin 1990 : *Le Marais d'Écourt Saint-Quentin dans le Pas-de-Calais,* h/t (46x65) : **FRF 24 000** – Calais, 10 mars 1991 : *Canotage à Paluel,* h/t (46x65) : **FRF 21 000** – Neuilly, 23 fév. 1992 : *Hiver à Saint-Augustin,* h/t (46x65) : **FRF 24 000** – Calais, 5 avr. 1992 : *Paysage d'été dans la Vienne,* h/t (46x65) : **FRF 18 000** – New York, 26 fév. 1993 : *Barques et filets de pêche sur la plage,* h/t/cart. (34,3x48,3) : **USD 863** – Calais, 4 juil. 1993 : *Barque de pêche sur la Sèvre niortaise,* h/t (27x36) : **FRF 115 000** – New York, 24 fév. 1994 : *Pay-*

sage rural, h/t (50,8x61) : **USD 2 875** – Le Touquet, 22 mai 1994 : *Pont sur la rivière en Vendée*, h/t (33x46) : **FRF 14 000** – Calais, 15 déc. 1996 : *Champ de coquelicots près du village*, h/t (46x66) : **FRF 18 500**.

LEMAITRE Nathanaël
Né le 18 mai 1831 à Luneray. Mort le 8 décembre 1897 à Genève. xixe siècle. Français.
Peintre de paysages.
Élève du peintre Calame. Il passa presque toute sa vie à Genève et s'inspira des paysages suisses. Obtint en 1875 une médaille d'argent à Montpellier et une médaille de bronze à Genève en 1881.
Musées : Genève (Mus. Rath) : *Environs de Nernier – Environs d'Yroire – Rochers du Salève – Bords de l'Arbre – Scène champêtre.*
Ventes Publiques : Berne, 22 oct. 1976 : *Lac Léman* 1871, h/t (28,5x52,5) : **CHF 2 200** – Berne, 8 mai 1982 : *Bords du Lac Léman*, h/t (51,5x72,5) : **CHF 4 800** – Berne, 26 oct. 1988 : *Le lac de Genève*, h/t (29x41) : **CHF 3 100** – Paris, 31 mai 1995 : *Promenade en barque* 1878, h/t (46x37,5) : **FRF 12 500**.

LEMALIN
xxe siècle. Français.
Peintre. Polymorphe, tendance surréaliste.
Il vit et travaille à Antibes. Il se manifeste surtout dans la région Côte-d'Azur. Il réalise souvent des peintures ou événements en public, parfois collectivement.
Ses peintures les plus abouties font appel à une imagerie surréalisante, parfois proche de l'esprit d'Alfred Courmes.

LEMAN Jacques
Né le 15 septembre 1829 à Laigle (Orne). Mort le 28 décembre 1889 à Paris. xixe siècle. Français.
Peintre d'histoire, scènes de genre, portraits, aquarelliste.
Élève de François Édouard Picot, il débuta au Salon de Paris en 1852. Il a exposé à Vienne.
Ses sujets historiques prennent un caractère anecdotique, comme le montrent : *Les loisirs de Virgile* ou *Duel entre Coligny et le duc de Guise*. Ses compositions se déroulent souvent au milieu d'architectures habilement dessinées. Il a illustré des romans de Victor Hugo et des œuvres théâtrales de Molière.
Bibliogr. : Gérald Schurr, in : *Les Petits Maîtres de la peinture 1820-1920, valeur de demain*, Les Éditions de l'Amateur, t. III, Paris, 1976.
Musées : Alençon : *Les loisirs de Virgile – Le dépit amoureux* – Arras : *Louis XIV et Molière* – Bayeux – Caen : *Daniel Ramée, architecte* – Cahors : *Jehan Chandos* – Chaumont : *La Vierge* – Nantes : *Agnès et Arnolphe* – Rouen : *Un groupe d'amis – Michel Ange au lit de mort de Vittoria Colonna.*
Ventes Publiques : Paris, 30 mai 1951 : *Louis XIV posant pour son portrait* : **FRF 64 000** – Versailles, 5 mars 1989 : *Jeune femme et ses enfants dans un intérieur*, h/t (41x32,5) : **FRF 16 500**.

LEMAN Robert
Né en 1799. Mort en 1863. xixe siècle. Actif à Norwich. Britannique.
Peintre.
Musées : Norwich : *Cours d'eau rocailleux – Gouffre de Runton – Plage de Sheringham – N. W. Tower à Yarmouth.*
Ventes Publiques : Londres, 1er oct. 1973 : *Paysage fluvial avec un moulin* : **GNS 400** – Londres, 30 juin 1981 : *Prieuré de Castle Acre, Norfolk*, aquar. et cr. avec reh. de blanc (35,5x55,5) : **GBP 750** – Londres, 10 juil. 1986 : *Personnages sur une jetée sous l'orage*, aquar. reh. (28x45,5) : **GBP 1 550** – Londres, 16 juil. 1987 : *Barque sur la plage de Gorleston, Norfolk*, aquar./traits de cr. (23x33) : **GBP 1 100**.

LEMAN Yégor. Voir **LEHMANN Grégoire**

LEMANDJAVA
Né en Géorgie. xxe siècle. Russe.
Peintre. Réaliste-socialiste.
Peintre d'inspiration soviétique. Il a peint *Entretien de Staline avec Tsouloukidzé*.

LEMANNIER Éloi
xvie siècle. Français.
Peintre.
Peintre de la cour, de 1540 à 1579. On lui attribue des portraits que conserve le Musée de Chantilly.

LE MANNIER Germain ou **Lemaynier**
xvie siècle. Actif à Paris. Français.
Peintre.
Il fut de 1548 à 1559 valet de chambre du dauphin. Il peignit les portraits des enfants du roi Henri II et de Catherine de Médicis. Des dessins de portraits conservés à Chantilly lui sont attribués. Peut-être est-il identique à un peintre Germain Musnier qui travailla avec Primaticcio aux décorations d'armoires au château de Fontainebleau.

LEMANT Albert
Né en 1953 à Paris. xxe siècle. Français.
Graveur, peintre de compositions animées, illustrateur. Nouvelles figurations.
De 1972 à 1986, il est taille doucier à l'atelier George Leblanc à Paris. À partir de 1986, il installe son propre atelier à Bulan dans les Pyrénées.
Il participe depuis 1976 à de nombreuses expositions collectives, dont : 1988, Maison de l'Europe, Paris ; 1988, 1990, S.I.M.E., Paris ; 1989, Fondation Taylor, Paris ; 1989, 1990, 1992, 1993, 1994, Salon des Arts Graphiques, (Saga), Paris, présenté, entre autres, par Eric Lefebvre ; 1992, 1993, galerie Le Cercle Bleu, Metz ; 1992, galerie Eonnet Dupuy, Paris ; 1992, l'Art à la Page, Cagnes-sur-Mer ; 1992, Bibliothèque Jacques Delarue, Paris ; 1993, La Mai du Livre, Tarbes. Il montre ses œuvres dans des expositions personnelles depuis 1977 et, entre autres : 1978, galerie Belle et Belle, Paris ; 1981, 1985, 1987, galerie l'Angle Aigu, Bruxelles ; 1985, galerie de la Grande Masse des Beaux-Arts, Paris ; 1988, galerie des Éditions Universelles, Toulouse ; 1989, 1992, galerie Librairie Kieffer, Paris ; 1989, 1991, galerie Eonnet-Dupuy, Paris ; 1991, galerie Eonnet-Dupuy, Paris. Il a exécuté des illustrations pour le *Fou parle* ; *l'Arche* ; *l'Almanach* ; *Jules Vernes*, *Télérama*, etc.
Souvent combinées à des jeux de mots, les gravures de Lemant figurent, à coups de nervures épaisses et de hachurages, des personnages et des animaux, dans une composition éclatée, où l'humour le dispute à la dérision. S'inspirant de la broderie de Bayeux, de l'histoire de Christophe Colomb ou de toute autre source narrative, il recompose des aventures épiques et délirantes.
Bibliogr. : In : *Artension*, n° 33, Rouen, juin-jul.-août 1992.

LEMAR Marcel
Né le 21 juin 1892 à Paris. xxe siècle. Français.
Sculpteur animalier.
Il exposait à Paris, aux Salons des Indépendants, de la Société Nationale des Beaux-Arts, d'Automne, des Artistes animaliers. Il fut, au début du siècle, un des animaliers les plus appréciés.
Musées : Paris (Mus. d'Orsay) : *Gorille et son petit – Grue antigone – Oie de Toulouse – Pintade de Guinée – Jeune chien danois assis – Orang-outan – Chimpanzé marchant – Ours – Cheval – Dromadaire – Deux chimpanzés s'embrassant.*
Ventes Publiques : Versailles, 11 déc. 1977 : *Grand cerf couché aux aguets*, bronze, patine brune (H. 50, larg. 75) : **FRF 8 000**.

LEMARCHAND
xixe siècle. Actif à Paris. Français.
Peintre de natures mortes, miniaturiste.
Exposa au Salon en 1833 et 1834.
Ventes Publiques : Paris, 5 juin 1989 : *Nature morte aux fleurs et fruits* (73x60) : **FRF 14 000**.

LEMARCHAND Anne, née **Bénard**
Née au xixe siècle à Moulins (Allier). xixe siècle. Française.
Peintre d'histoire, natures mortes, fleurs et fruits, dessinateur.
Élève de Gronlaud, d'Yvon et de Mme de Cool. Exposa au Salon, de 1861 à 1877, des peintures, des dessins, des émaux.
Ventes Publiques : Paris, 21-23 nov. 1927 : *La corbeille de fleurs* : **FRF 395** ; *Le vase de fleurs* : **FRF 395** – Paris, 18 déc. 1991 : *Fleurs et fruits* 1877, h/t (72,5x59) : **FRF 14 000**.

LEMARCHAND David Hubert
Né en 1674 à Dieppe. Mort en 1726. xviie-xviiie siècles. Français.
Sculpteur.
Il travailla en Angleterre, traitant des sujets mythologiques et des portraits qu'il réalisa sur ivoire.
Musées : Brunswick : *Georges Ier* – Londres (Victoria and Albert Mus.) : *Vénus et Cupidon*, groupe ivoire – Londres (Brit. Mus.) : *I. Newton – S. Pepys* – Stockholm : *Portrait d'homme.*
Ventes Publiques : Londres, 13 déc. 1976 : *Portrait de Michel*

Garnault, ivoire relief (14,4x11,5) : **GBP 9 500** – Londres, 14 juil. 1977 : *Buste de Francis Sammbrooke* 1704, ivoire (H. 20) : **GBP 40 000** – Londres, 7 avr. 1981 : *Buste de Lady Cathcart*, ivoire relief, de forme ovale (10x9) : **GBP 7 500**.

LE MARCHAND Guillaume

Né le 1er janvier 1673 à Dieppe. Mort le 26 février 1719. XVIIe-XVIIIe siècles. Français.

Peintre d'histoire.

Le Musée de Dieppe conserve de lui : une *Nativité* et un *Christ en Croix*.

Ventes Publiques : New York, 30 mai 1979 : *Portrait d'Henri de Boulainvilliers, comte de St. Saire avec sa mère et deux enfants*, h/t (121x141) : **USD 7 500**.

LEMARCHAND Pierre

Né en 1906 à Stenay (Meuse). Mort en 1970. XXe siècle. Français.

Peintre de figures, nus, paysages animés, paysages, natures mortes.

Il participa quelque temps à Paris, au Salon des Artistes Français, jusque dans les années de l'après-guerre. Il montra surtout ses peintures dans des expositions personnelles, régulièrement à la galerie Weil de Paris, ainsi qu'en 1955 au château de la Jansonne, près d'Arles. Après sa mort, la galerie Weil organisa des hommages en 1975 et 1976.

Sauf quelques voyages, il se fixa, à la fin de la guerre, définitivement en Provence, à laquelle il était resté attaché. Il en peignit les aspects divers, Saint-Rémy, Arles, la garrigue, les étangs de Camargue, dans une manière souvent proche de Brayer.

Ventes Publiques : Versailles, 5 nov. 1989 : *Provence, Chemin au pied des montagnes*, h/t (65x81) : **FRF 6 000** ; *Vallons de Provence*, h/t (38x46) : **FRF 4 200** ; *Nature morte aux fruits sur la chaise*, h/t (54x73) : **FRF 14 000** ; *Femme à la fenêtre*, h/t (116x89) : **FRF 11 500** – Versailles, 8 juil. 1990 : *Village de Provence*, h/pap. (64,5x100) : **FRF 7 000**.

LEMARCHAND Yves

Né en 1946 à Semur-en-Auxois (Côte-d'Or). XXe siècle. Français.

Sculpteur. Polymorphe.

En 1963, il fut élève de l'École des Beaux-Arts de Dijon, en 1966 de l'École des Arts Appliqués de Paris, de 1968 à 1971 de l'École Normale Supérieure d'Enseignement Technique (ENSET) de Cachan, où il préparait le professorat d'Arts Plastiques. Depuis 1972, il est enseignant en Côte-d'Or, vivant et travaillant à Semur-en-Auxois. Depuis 1970, il participe à des expositions collectives, notamment en Côte-d'Or, ainsi qu'en province, aux foires d'art de Zurich, Chicago. Depuis 1979, il expose, collectivement et régulièrement seul à la galerie Alain-Oudin de Paris. En 1989, il fut le lauréat du concours de sculpture organisé par la ville de Semur, pour commémorer le *Génie de la Liberté* de la Bastille, dû au sculpteur Augustin Dumont, dont tout l'atelier est exposé au Musée de Semur.

Il crée des sculptures monumentales et des bas-reliefs, dont le caractère baroque a été mentionné. Après avoir subi quelque influence du surréalisme dans ses débuts, il a évolué vers des volumes plus épurés, bien qu'encore formellement composites et de technique mixte, dont certains tendent à une abstraction de caractère symbolique.

LE MARCHANT Jean

XVIIe siècle. Actif à Caudebec vers 1640. Français.

Peintre verrier.

LEMARCHANT Lise

XIXe siècle. Active à Paris. Française.

Miniaturiste.

Exposa au Salon en 1843 et 1848.

LE MARCIS Eugène Ernest Edmond, comte

Né le 4 avril 1829 au Havre (Seine-Maritime). Mort le 4 janvier 1900 à Paris. XIXe siècle. Français.

Peintre.

Inspiré par le grand poème de Dante, il décida de consacrer sa vie à le fixer sur la toile. Il apprit les rudiments de la peinture dans l'atelier d'Ary Scheffer et lors d'un voyage en Italie, où il copia Michel-Ange, se préparant à sa grande tâche. Pendant plus de quarante ans, il refusa obstinément d'interrompre ses efforts pour donner un visage à la souffrance, à l'horreur et l'angoisse de *L'Enfer* du Dante. De 1859 à 1880, il fit 80 grandes esquisses de 60 centimètres sur 70 et commença le 15 septembre 1880 la première de ses énormes toiles mesurant 3 mètres 60 sur 4 mètres 60. Ce tour de force est d'autant plus remarquable que l'artiste était conscient du fait qu'on le considérait unanimement comme un fou. En 1901, après sa mort, ces toiles furent exposées dans six salles au Salon des Indépendants, où elles suscitèrent un grand intérêt. Une exposition de ses œuvres de moindre envergure eut lieu à la galerie de Vollard, à la suite d'une exposition de 22 huiles de Cézanne. Il figura également à la rétrospective de la Société des Artistes Indépendants en 1926 avec douze œuvres.

LE MARE Georges

Né en 1866 à Coutances (Manche). Mort en 1942 à Tunis. XIXe-XXe siècles. Français.

Peintre de compositions animées, scènes typiques, compositions murales. Orientaliste.

Dès 1890, il prit contact avec la Tunisie, effectuant avec l'inspecteur des Beaux-Arts des relevés archéologiques du Nord au Sud, prenant en outre des croquis sur le vif. De 1900 à 1905, complétant ses dons de dessinateur, il fut élève de Marcel Baschet et de Jean-Paul Laurens à l'Académie Julian de Paris. Il revint en Tunisie en 1905 et s'y fixa avec ses sept enfants. Il y fut professeur au collège Alaoui, puis à l'École professionnelle Émile Loubet, et chargé des cours publics de dessin de la ville de Tunis, consacrant le reste de son temps à la peinture. Il prenait part aux expositions locales, dont le Salon annuel de l'Institut de Carthage de Tunis et le Salon des Artistes Tunisiens, ainsi qu'à l'exposition triennale de l'Afrique-du-Nord, qui se tenait alternativement à Tunis, Alger et Casablanca. Il était officier de l'Instruction Publique, et reçut une médaille d'or à l'exposition de Marrakech en 1926.

Gérald Schurr a écrit de Georges Le Mare qu'il « est par excellence le peintre des foules tunisiennes ; il excelle à traduire le grouillement bariolé des cafés maures, des souks, des marchés, des rues populaires ». À ces foules tunisiennes, il convient d'ajouter celles du Maroc, où il fit de fréquents séjours. Il a décoré la coupole de la cathédrale de Tunis, et composé un triptyque sur la vie de saint Vincent-de-Paul, destiné à orner le transept.

Bibliogr. : Gérald Schurr, in : *Les petits maîtres de la peinture, 1820-1920*, tome IV, Paris.

Musées : Chartres : *Une pochade du Maroc*.

LE MARE Pierre

Né le 14 mai 1904 à Tunis. Mort en février 1973. XXe siècle. Français.

Peintre de sujets divers.

Il était l'un des sept enfants de Georges Le Mare, et reçut de lui les premiers conseils. En 1925, il entra à l'École des Beaux-Arts de Paris sous la direction de Paul-Albert Laurens, puis de Pierre Laurens. À Paris, après avoir figuré au Salon des Artistes Français, il orienta ses recherches dans un sens plus actuel et exposa alors aux Salons des Indépendants et des Tuileries. Il était officier de l'Instruction Publique, et, en 1970, fut fait officier du Mérite Culturel et Artistique. Son épouse, Renée Le Mare, née Boisson, également peintre, professeur de dessin au lycée de Chartres, fut tuée dans cette ville avec ses deux fillettes, lors du bombardement de mai 1944.

Il a surtout peint dans la région méditerranéenne, dont il a su traduire la lumière éclatante.

LE MARÉCHAL

Né en 1928 à Paris. XXe siècle. Français.

Peintre, dessinateur, graveur de paysages, paysages urbains, compositions d'imagination. Surréaliste.

Jusqu'en 1952, il écrivait des poèmes d'inspiration surréaliste. Il fit des séjours parmi les Arabes de la région de Sousse en 1953, puis à Londres. Personnage secret, il vit à Paris, soigneusement à l'écart des milieux artistiques, son talent singulier ne fut révélé que lors de son exposition, à la galerie Éric Losfeld de Paris, en 1957.

Après sa période d'écriture, il s'exprima par des dessins visionnaires, dont l'extrême minutie dans le détail les apparente à ceux de Wols. Puis, il coloria ses dessins et passa à la peinture, qu'il pratique avec des moyens techniques particuliers, en général médium à l'œuf sur panneau de bois. Il effectua ses premières gravures à l'eau-forte en Angleterre, vers 1955. Il dessine, grave ou peint, pierre à pierre des villes de rêve, impossibles ailleurs, herbe par herbe, feuille à feuille, des paysages noyés de brumes et de pénombre qu'apaisent quelques coquelicots ou bien encore dans leurs détails mécaniques des machines infernales, héritières métalliques des hallucinations de Jérôme Bosch ou de Odilon Redon. De sa gravure *Vue de Londres à partir de Pica-*

dilly-Circus, André Pieyre de Mandiargues écrit : « ... la ville paraît une sombre Venise dressée en hallucinant désordre sur des canaux de métal incandescent. Infernale et merveilleuse, comment, à son sujet, ne pas évoquer les rêveries urbaines de Thomas de Quincey, ou, dans le domaine plastique, les images hallucinatoires gravées par Charles-Lewys Méryon ». En marge inférieure des gravures ou accompagnant les peintures, Le Maréchal inscrit furieusement les indications qui aident à leur compréhension, où Mandiargues distingue « des inquiétudes d'ordre mystique et des indignations de caractère social », par exemple : « La puissance de l'organisation mélange les savants calculs et les ingrédients chimiques à la viande, mais ne s'élève pas au-delà du premier ciel où le sang est à la Bourse. » Si ont pu être cités, au sujet de Le Maréchal, et avec les approximations impropres de toute comparaison, plusieurs antécédents et un contemporain possibles, on peut lui voir aussi en Fred Deux un continuateur, qui, comme lui, commença par l'écriture avant de figurer par l'image minutieuse les fantasmes issus des profondeurs de l'inconscient. ■ Jacques Busse

Bibliogr. : André Breton, in : *Le Surréalisme et la peinture*, Gallimard, Paris, 1965, texte repris de 1960 – José Pierre, in : *Le Surréalisme*, in *Hre Gle de la Peint.*, Rencontre, Lausanne, 1966 – André Pieyre de Mandiargues : *Le Maréchal*, in : Opus International, n° 123-124, Paris, avr.-mai 1991.

Ventes Publiques : Versailles, 5 juin 1977 : *Dans le trou*, h/pan. (35x75) : **FRF 37 300**.

LEMARECHAL Bienaimé

Né en avril 1808 à Cherbourg (Manche). XIXe siècle. Français.

Peintre de marines.

Élève de J. Bennetter, il exposa au Salon en 1865 et 1870. Le Musée de Cherbourg conserve de lui deux marines offertes par l'artiste.

LE MARÉCHAL Michel

XVIIe siècle. Actif à Sées (Orne). Français.

Sculpteur et maître-menuisier.

Il travailla à la décoration intérieure du château de Carrouges, de 1643 à 1649 et sculpta, en 1680, le maître-autel de l'église paroissiale de cette localité, Sainte-Marguerite.

LE MARESQUIER Charles Henri Camille

Né le 16 octobre 1870 à Sète (Hérault). XIXe-XXe siècles. Français.

Peintre, aquarelliste.

En 1900, il fut Second Grand Prix de Rome. Il fut professeur à l'École des Beaux-Arts de Paris.

Musées : Sète : deux œuvres.

LEMARESQUIER Louis

XIXe-XXe siècles. Actif à Sète (Hérault) aux XIXe et XXe siècles. Français.

Graveur.

LEMARIÉ

XVe siècle. Français.

Sculpteur sur bois.

Il collabora, sous la direction de Philippot Viart, à la décoration des stalles du chœur de la cathédrale de Rouen, en 1467.

LEMARIÉ Guillemin

XVIe siècle. Français.

Sculpteur.

Il travailla, pour l'abbesse Jeanne de Laval, au couvent d'Etival-en-Charnie (Mayenne) ; il exécuta une statue de la Madeleine, en 1508 et une statue de saint Mamer, en 1509.

LEMARIE Henry

Né le 3 décembre 1911 à Tours (Indre-et-Loire). XXe siècle. Français.

Dessinateur, illustrateur.

Depuis 1944, il illustre des ouvrages pour la plupart d'auteurs classiques français. Il a également illustré *Les Mille et Une Nuits*. Il est réputé pour la qualité de précision de ses dessins, pour les détails historiques qu'il recherche dans les vêtements, l'architecture et la décoration des lieux qu'il décrit.

LEMARIÉ DES LANDELLES Emile

Né en 1847 à Pontorson (Manche). Mort en mars 1903 à Saint-Jean-le-Thomas (Manche). XIXe siècle. Français.

Peintre de paysages.

Élève de Gérôme, Léon Pelouse, Alexandre Rapin, il a exposé au Salon de Paris, obtenant une médaille de troisième classe en 1881, et une mention honorable à l'Exposition Universelle de 1889. Il a surtout peint des paysages bretons et normands.

Bibliogr. : Gérald Schurr, in : *Les Petits Maîtres de la peinture 1820-1920, valeur de demain*, Les Éditions de l'Amateur, t. VI, Paris, 1985.

Musées : Cambrai : *La route de Batilli* – Vire : *Les saules du père Pierre*.

Ventes Publiques : Paris, 1887 : *Paysage* : **FRF 1 250** – Paris, 18-21 déc. 1918 : *Pommiers en fleurs, Normandie* : **FRF 800** – Londres, 15 juin 1979 : *Paysage* 1889, h/t (174x288) : **GBP 600** – Stockholm, 14 nov. 1990 : *Personnages dans un pré entourant une ferme*, h/t (64x91) : **SEK 31 000** – Stockholm, 10-12 mai 1993 : *Personnages dans un jardin en été*, h/t (64x91) : **SEK 32 000**.

LEMARIÉE Paul

Né le 22 mai 1836 à Paris. XIXe siècle. Français.

Paysagiste et aquarelliste.

Élève de Ribot. Débuta au Salon en 1866. On cite de lui : *Le faubourg de la Syrène, à Montargis*.

LEMARIEZ. Voir **LEMARRIEZ**

LEMARQUIER Charles Paul Alfred

Né au XIXe siècle à Caen (Calvados). XIXe siècle. Français.

Sculpteur.

Élève de Thomas et de Gauthier. Figura au Salon des Artistes Français où il obtint une mention honorable 1893.

Musées : Caen : *L'âge d'or*, bas-relief plâtre.

LEMARRIEZ ou **Lemariez**

XVIIIe siècle. Actif à Versailles. Français.

Sculpteur.

Exposa, au Salon de 1793, un *Bouquet de fleurs* (bas-relief en marbre).

LEMARYÉ Richart

XVIe siècle. Actif à Rouen. Français.

Sculpteur.

Il prit part, en 1507, aux travaux de décoration du château de Gaillon.

LEMASLE Louis Nicolas

Né le 3 décembre 1788 à Paris. Mort en 1870 à Paris. XIXe siècle. Français.

Peintre d'histoire et de genre.

Exposa au Salon de 1817 à 1849, obtint une deuxième médaille en 1822, fut nommé chevalier de la Légion d'honneur en 1825. Le Musée de Chantilly conserve de lui : *Intérieur d'église*, et celui de Nantes : *Raphaël montrant au pape Jules II l'Apollon du Belvédère*.

Ventes Publiques : Paris, 26 mai 1924 : *Portrait du roi Charles X*, croquis : **FRF 170** – Paris, 18 mai 1936 : *S. A. R. le prince de Palerme, Léopold de Bourbon, assistant à une fouille à Pompéi* 1828, aquar. : **FRF 170** – Paris, 30 nov. 1944 : *S. A. R. le prince de Palerme, Léopold de Bourbon, assistant à une fouille à Pompéi*, aquar. : **FRF 5 400** – Londres, 27 nov. 1981 : *Scène d'intérieur* 1822, h/t (39,5x35) : **GBP 5 500**.

LE MASQUERIER Gabrielle Marie, Mlle

Née au XIXe siècle à Caen (Calvados). XIXe siècle. Française.

Miniaturiste.

Élève de Q. Tissier et de Pommayrac. Débuta au Salon en 1875.

LEMASSON. Voir aussi **MASSON**

LEMASSON Albert

Né le 29 août 1892 à Saint-Mars-du-Désert (Loire-Atlantique). Mort en 1982. XXe siècle. Français.

Peintre de compositions religieuses, portraits, intérieurs, paysages, architectures, natures mortes, fleurs, aquarelliste, dessinateur, lithographe, illustrateur.

Entré à l'École des Beaux-Arts de Paris en 1919, il y fut élève de Fernand Cormon, et, pour la fresque, de Paul Baudoin. Il fit de nombreux voyages, en France, Italie, Espagne. Il participait à des expositions collectives, notamment à Paris : en 1935 et 1939 au Salon des Tuileries ; en 1951 et 1952 au Salon de la Société Nationale des Beaux-Arts, dont il était sociétaire. Il montrait des ensembles de ses peintures, aquarelles et dessins dans des expositions personnelles : de 1931 à 1934 à Nantes ; de 1936 à 1938 galerie Carmine à Paris ; 1948 Bordeaux ; 1950 Paris et Centre Culturel de Rome ; 1952 Paris.

Outre ses peintures, aquarelles, nombreux dessins et lavis, il a illustré de lithographies *Églises fortifiées de Thiérache*. Il a décoré de peintures à fresque : 1925 la coupole de l'église de

Saint-Martin-du-Cellier ; 1927-1930 intérieur de l'église de La Haie-Fouassière ; 1933-1935 église de Roche-Blanche ; 1941 commande de l'État de la décoration de l'église Sainte-Lucie à Issy-les-Moulineaux ; 1942 chœur de l'église de Saint-Mars-du-Désert ; 1943 crypte de l'église de Drancy ; 1944 et 1946 chœurs des églises de Couffé et Thouaré ; 1947 église de Pavillons-sous-Bois ; 1948 église de Féricy. Il était maître d'un dessin aisé et fidèle, dont il savait varier la lumière et les harmonies colorées selon les lieux traités. Dans ses décorations murales, le dessin et la composition s'ordonnent plus géométriquement en fonction de l'architecture.

Bibliogr. : Andréann Cannel : *Albert Lemasson artiste-peintre*, Édit. D.T., Paris, s.d.

LEMASSON Édouard

Né au XIXe siècle à Paris. XIXe siècle. Français.

Paysagiste.

Élève d'Achard. Exposa au Salon de 1865 à 1870.

LE MASSON François. Voir **MASSON François**

LEMASSON Liane

Née le 20 septembre 1926 à Paris. XXe siècle. Française.

Peintre de compositions à personnages, figures.

Elle fut élève de Jean Baldoui, peintre orientaliste au Maroc. À partir de 1965, elle expose à Paris, aux Salons d'Automne, des Femmes peintres et sculpteurs. Elle a obtenu le Prix du Portrait Émile Bernard en 1968.

L'univers qu'elle représente est fait de personnages sans pesanteur, dont les contours se dissolvent dans des sites étranges aux coloris fluides.

LE MASSON Louis

Né en 1743. XVIIIe siècle. Travaillant à Rome et à Paris. Français.

Dessinateur et architecte, ingénieur et graveur à l'eau-forte.

Élève de Clerisseau. Il a gravé : *Le panorama de Rome*.

LE MASURIER

XVIIIe siècle. Français.

Peintre de compositions religieuses, scènes de genre, portraits.

L'église Saint-Germain-des-Prés à Paris possède un tableau représentant la *Délivrance de Saint Pierre*, signé Le Masurier, 1772.

Ventes Publiques : Paris, 22 déc. 1944 : *Le précepteur et son élève* 1771 : **FRF 3 000** – Paris, 10 déc. 1993 : *Portrait de Maximilien de Choiseul-Meuse et de sa famille*, h/t (81,5x65,5) : **FRF 62 000**.

LE MASURIER Pierre

XVIe siècle. Français.

Sculpteur.

Il était actif à Rouen. Il travailla à la décoration du château de Gaillon avec Michel Descombert, en 1507.

LE MASURIER S. ou **Mazurier**

Né en 1710 à Anvers. XVIIIe siècle. Éc. flamande.

Graveur.

On mentionne de sa main 4 planches d'après David Téniers, Izaack Van Ostade et Philips (?) Wouwerman.

LEMATTE Jacques François Fernand

Né le 26 juillet 1850 à Saint-Quentin (Aisne). XIXe siècle. Français.

Peintre d'histoire, compositions religieuses, compositions mythologiques, portraits, compositions murales.

Élève d'Alexandre Cabanel, il obtint le Prix de Rome en 1870 et débuta au Salon de Paris la même année. Médailles de troisième classe en 1873, de première classe en 1876. Il exposa également à Vienne.

Il exécuta de nombreuses décorations au Conseil d'État et à la mairie du XIIIe arrondissement de Paris, où il est l'auteur de *La famille* ; à l'Hôtel de Ville de Reims et à l'université de Montpellier. On cite également de lui, des toiles orientalistes.

Bibliogr. : Gérald Schurr, in : *Les Petits Maîtres de la peinture 1820-1920, valeur de demain*, Les Éditions de l'Amateur, t. V, Paris, 1981.

Musées : Alger : *Tête de femme* – Caen : *La veuve* – Mulhouse : *Le fils de la Vierge* – Nantes : *Dryade* – Nice : *Le rapt de Déjanire* – Reims : *Les bourgeois de Reims recevant de Gaucher de Châtillon les lettres de création du conseil de la ville en 1358 – Retour de Pierre de Reims après Bouvines, 1214 – Les Volontaires de 1792 à Reims-Jouve, consul à Reims en 368 – Démolition du château de la porte de Mars à Reims* – Saint-Quentin : *Oreste et les furies*.

Ventes Publiques : Paris, 1880 : *Peinture* : **FRF 500** – Paris, 27 juin 1900 : *Allégorie de la pêche* : **FRF 170** – Paris, 21-23 mai 1929 : *Jeune femme à la chevelure noire* : **FRF 350** – Paris, 21 avr. 1943 : *Personnage* : **FRF 1 900** – Londres, 10 fév. 1978 : *La nymphe des eaux*, h/t (48,3x96,5) : **GBP 2 400** – Londres, 21 mars 1980 : *Arabes au puits*, h/t (59x90,2) : **GBP 1 200**.

LEMAY Olivier ou **Le May**

Né en 1734 à Valenciennes (Nord). Mort en 1797 à Paris. XVIIIe siècle. Français.

Peintre d'histoire, genre, paysages, marines, aquarelliste, graveur.

Élève de Loutherbourg. Visita l'Italie, membre de l'Académie de Valenciennes en 1785. Exposa au Salon en 1791 et 1796. Agréable coloriste et bon dessinateur. Il peignit aussi à la gouache. Le Musée de Valenciennes possède ses deux tableaux de réception à l'Académie : *Pêche de l'espadon entre la Sicile et la Calabre* et *Paysage historique*. Au Musée de Bourges on voit une gouache de lui.

Musées : Bourges – Valenciennes : *Pêche de l'espadon entre la Sicile et la Calabre – Paysage historique*.

Ventes Publiques : Paris, 13-14 déc. 1897 : *Famille réunie dans un salon* : **FRF 23** – Paris, 2-3 fév. 1911 : *Vue du pont de la Drôme* : **FRF 62** – Paris, 7-8 mai 1923 : *Paysage romain*, aquar. : **FRF 1 050** – Paris, 28-29 déc. 1923 : *Près le lac de Némi*, cr. : **FRF 155** – Paris, 7-8 juin 1928 : *Route de montagne ; Vue d'un lac*, deux dess. : **FRF 3 000** – Paris, 28 mai 1931 : *Fête donnée par le duc de Liancourt à la comtesse de Rochechouart, à Lisieux, en l'année 1771*, gche : **FRF 17 000** – Paris, 8 juil. 1949 : *Le lac ; Le défilé*, deux pl. et lav. : **FRF 15 000** – Paris, 19 juin 1950 : *Paysage de lac ; Paysage de montagne*, deux aq. : **FRF 18 000** – Paris, 12 avr. 1954 : *La chute d'eau*, aquar. : **FRF 30 000** – Londres, 9 déc. 1980 : *Vue de la chute du Teverone ; Vue des fabriques derrière le Capitole et au bas de la Roche Tarpéienne*, deux dess. aux craies blanche et noire/prépa. grise (41,4x30,8) : **GBP 1 200** – New York, 21 jan. 1983 : *Paysage* 1787, gche, de forme ronde (diam. 31) : **USD 1 500** – Paris, 15 déc. 1993 : *La halte des voyageurs ; Voyageurs demandant leur chemin*, gche, une paire (chaque 10x22) : **FRF 35 000**.

LE MAYEUR de MERPRÈS Adrien

Né le 16 mars 1844 à Boitsfort (Bruxelles). Mort en 1923 à Bruxelles. XIXe-XXe siècles. Belge.

Peintre de paysages, marines. Postimpressionniste.

Avec Isidore Meyers et Jacques Rosseels, il a fait partie du groupe de paysagistes de Termonde. Il débuta à Bruxelles en 1870, et a, depuis cette date, régulièrement exposé aux Salons de la ville. Il a également participé au Salon des Artistes Français de Paris, y obtenant deux médailles de bronze à l'occasion des Expositions Universelles de 1889 et 1900. En 1891, il a obtenu une médaille d'or à Munich. Il a été fait chevalier de l'Ordre de Léopold, et de l'Ordre de Saint-Michel de Bavière.

Il a interprété avec beaucoup de sentiment la grandeur de l'océan.

a. Le Mayeur

Bibliogr. : In : *Dict. biogr. illustré des artistes en Belgique depuis 1830*, Arto, Bruxelles, 1987.

Musées : Bruxelles : *L'Estacade* – Louvain – Mons : *Mer calme* – Munich : *Marée montante* – Namur : *Le Départ*.

Ventes Publiques : Bruxelles, 21 mai 1980 : *Dans du temple*, h/t (100x120) : **BEF 60 000** – Bruxelles, 13 mai 1987 : *Marine*, h/t (74x110) : **BEF 70 000** – Lokeren, 21 mars 1992 : *Marine*, h/pan. (15,5x24) : **BEF 30 000** – Lokeren, 15 mai 1993 : *Paysage fluvial avec des barques*, h/pan. (35,5x55) : **BEF 36 000** – Lokeren, 11 oct. 1997 : *Paysage de rivière*, h/pan. (26x36) : **BEF 33 000**.

LE MAYEUR de MERPRÈS Jean, ou **Adrien Jean**

Né en 1880 à Bruxelles. Mort en 1958. XXe siècle. Belge.

Peintre de scènes typiques, figures. Postimpressionniste, orientaliste.

En Belgique, il fut élève d'Ernest Blanc-Garin. En 1932, il se fixa à Bali, où il épousa la chorégraphe Nji Nyoman Polok, qui était son modèle. Il fit don de sa maison et de son atelier de Sanur au gouvernement indonésien, créant le musée Le Mayeur.

Il peignit, dans une manière postimpressionniste, des scènes typiques de la vie balinaise.

Bibliogr. : In : *Dict. biogr. illustré des artistes en Belgique depuis 1830*, Arto, Bruxelles, 1987.
Ventes Publiques : Bruxelles, 7 oct. 1991 : *L'Oasis*, h/cart. (20,5x25,5) : **BEF 50 000** – Amsterdam, 19 oct. 1993 : *Femmes balinaises prenant le thé dans un jardin*, aquar. et gche/pap. (52x67,5) : **NLG 36 800** – Amsterdam, 7 nov. 1995 : *Deux Balinaises en train de tisser*, h/t (45,5x55,5) : **NLG 118 000** – Amsterdam, 23 avr. 1996 : *Jeune femmes balinaises travaillant sur un métier à tisser*, h/t (76x90) : **NLG 295 000** – Singapour, 5 oct. 1996 : *Trois femmes tissant dans un jardin*, h/t (100x120) : **SGD 333 750** – Amsterdam, 5 nov. 1996 : *Cinq Femmes dans une fête*, aquar. et craies noire et brune (20,5x26) : **NLG 18 880** ; *Vue de Venise*, h/cart. (45x55) : **NLG 24 780** – Singapour, 29 mars 1997 : *Trois jeunes femmes balinaises*, h/t (73x89) : **SGD 190 750**.

LEMAYNIER Germain. Voir **LE MANNIER**

LE MAZURIER. Voir aussi **LE MASURIER**

LE MAZURIER Claude Alexandre
XVIIIe siècle. Français.
Sculpteur.
Il était actif à Nantes vers 1767.

LE MAZURIER Jean
XVIe siècle. Français.
Sculpteur.
Peut-être parent de Pierre Le Masurier de Rouen. Il travailla à l'église de Caudebec, en 1545. Certains lui attribuent la tribune des orgues.

LEMBECK Jack
XXe siècle. Américain.
Peintre de techniques mixtes.
Il peint depuis les années soixante-dix.
Ventes Publiques : New York, 16 oct. 1981 : *Urban Trophy n°1* 1977, acryl./t. (107,2x102,2) : **USD 6 500** – New York, 7 nov. 1985 : *Flip side* 1980, acryl. et craie noire/t. (183x167,5) : **USD 9 500** – New York, 6 mai 1987 : *Pale Red*, acryl./t. (223,6x183,5) : **USD 7 000** – New York, 13 mai 1988 : *Spring Street Echo* 1978, acryl./t. (106,7x91,4) : **USD 5 500** – New York, 14 fév. 1989 : *Les fonds perdus* 1979, acryl./t. (198,1x264,2) : **USD 15 400** – New York, 23 fév. 1990 : *Carré délimité et en haut* 1981, acryl./t. (96,5x152,4) : **USD 7 150** – New York, 27 fév. 1992 : *Anatomie d'un jouet* 1988, acryl./ t. mise en forme (72,4x92,1) : **USD 6 380**.

LEMBECKE Rotger. Voir **LEMBKE**

LEMBERGER Georg
XVe-XVIe siècles. Allemand.
Peintre et dessinateur pour la gravure sur bois.
Originaire de Landshut, il acquit le droit de bourgeoisie à Leipzig en 1523. Parmi ses œuvres de peinture sont mentionnés : un grand tableau de 1522 conservé par le Musée des Arts Plastiques de Leipzig, une *Crucifixion*, dans l'église de Lössen près de Mersebourg, également de 1522, une *Bataille*, à la cathédrale de Mersebourg. Parmi ses dessins on cite une œuvre conservée par le Cabinet des Estampes de Berlin : *Lansquenet et fille*. Ses gravures sur bois se trouvèrent vers 1520 dans les imprimeries de Leipzig et de Wittemberg. Sa gravure sur bois des *Armes du cardinal Albert de Mayence* est datée de 1525.

LEMBESSIS Polychronis
Né en 1849 à Salamina. Mort en 1913 à Athènes. XIXe-XXe siècles. Grec.
Peintre de paysages, de scènes de genre.
Il fut élève de l'École des Beaux-Arts d'Athènes, de l'Académie des Beaux-Arts de Munich.
Musées : Athènes (Pina. Nat.).

LEMBKE Hans
Né le 30 avril 1885 à Fribourg-en-Brisgau. XXe siècle. Allemand.
Peintre de compositions animées, paysages, graveur, lithographe.
Il fut élève des Académies des Beaux-Arts de Karlsruhe, Munich, Leipzig et Berlin.
Il peignit surtout des paysages de la Forêt-Noire, Baden-Baden, le lac de Constance, le Rhin. Il peignit aussi des scènes de ballets (les Ballets Russes), des sujets sportifs et champêtres, grava à l'eau-forte et exécuta des lithographies.

LEMBKE Johann Philipp ou **Lemke**
Né le 19 mai 1631 à Nüremberg. Mort en 1711 à Stockholm. XVIIe-XVIIIe siècles. Allemand.
Peintre d'histoire, sujets militaires, portraits, graveur.
Élève de Jacob Mathaüs Werger de Georg-Stranch. En 1653 il alla en Italie où il étudia les tableaux de Pieter Van Laer et de Courtais. Il vint ensuite en Suède où il fut premier peintre de Charles XII à Stockholm. Il y mourut dans la pauvreté. Il a gravé quelques planches.

Musées : Amsterdam : *Portrait de l'artiste par lui-même* – Drottningholm : *La bataille de Varsovie – La bataille de Philipov – La bataille de Gnesen – La bataille de Golub-Potocki à Sandomir – Koniecpolski prête serment – Le passage du Petit Belt – Le passage du Grand Belt – Charles X Gustave à Varsovie – Charles X Gustave à la bataille d'Iverness – Les hauts faits de Charles XI* – Gatchina : *L'artiste et sa femme* – Göteborg : Dessins – Gripsholm : *Charles X Gustave à la bataille de Varsovie* – Heidelberg : *Batailles* – Posen (Mielzynski) : *Bataille – Combat de cavaliers* – Prague (Rud.) : *Bataille* – Sibiu (Mus. Bruckenthal) : *Batailles* – Stockholm (Acad.) : *Portrait de l'artiste* – Vienne : *Combat de cavaliers* – Würzburg (Univ.) : *Combat de cavaliers* – deux œuvres.
Ventes Publiques : Cologne, 24 mai 1982 : *Paysage fantastique*, h/t (63x90) : **DEM 5 500** – Stockholm, 1er nov. 1983 : *Charles XI*, h/t (34x46) : **SEK 33 000** – Stockholm, 14 nov. 1990 : *Engagement de cavalerie*, h/t (100x124) : **SEK 23 000** – Stockholm, 29 mai 1991 : *Escarmouche de cavalerie*, h/t (77x121) : **SEK 22 000**.

LEMBKE Rotger ou **Lembecke**
XVIIe siècle. Allemand.
Peintre.
Originaire de Hambourg, il est mentionné en 1641 à Münster (Westphalie). Il acquit le droit de bourgeoisie à Lübeck en 1659 et y fut peintre de portraits.

LEMBKES Diederich. Voir **LEMKUS**

LEMBOURG Paul
Né en 1948 à Peruwelz. XXe siècle. Belge.
Peintre. Expressionniste-abstrait.
Il fut élève de l'Académie des Beaux-Arts de Mons.
Dans des tonalités raffinées, sa figuration expressive tend à l'abstraction.
Bibliogr. : In : *Dict. biogr. illustré des artistes en Belgique depuis 1830*, Arto, Bruxelles, 1987.
Musées : Bruxelles (Mus. d'Art Mod.).

LEMBRI Pere
XVe siècle. Actif entre 1400 et 1420 vers Castellon. Espagnol.
Peintre de compositions religieuses. Gothique.
Selon A. José y Pitarch, certaines des œuvres attribuées à Domenigo Valls seraient de la main de Pere Lembri, notamment le *Retable des deux saints Jean* de l'église d'Albocacer, la *Transfiguration* de l'église de Chiva de Morella et plusieurs autres panneaux dispersés dans des musées. La raison de cette attribution vient des nouveautés picturales du retable d'Albocacer qui, en conséquence, a sans doute été peint plus tardivement, à l'époque de Lembri et non à celle de Valls.
Bibliogr. : In : *Dictionnaire de la peinture espagnole et portugaise du Moyen Âge à nos jours*, coll. Essentiels, Larousse, Paris, 1989.
Musées : Barcelone (Mus. de Bellas Artes de Cataluna) – Boulogne : *Scène de la vie d'Ursule* – New York (Hispanic Society) – Perpignan : *Scène de la vie d'Ursule* – Worcester (Art Mus.) : *L'Entrée du Christ à Jérusalem*, attr.

LEMBRUCK Wilhelm. Voir **LEHMBRUCK**

LE MEAUX Guy
Né en 1947 à Hennebont (Morbihan). XXe siècle. Français.
Peintre, pastelliste.
Il fut élève de l'école des Beaux-Arts de Lorient puis de Paris. De 1972 à 1977, il obtint des bourses d'études à la Casa Velasquez à Madrid, puis à l'académie de France à Rome.

Il participe à de nombreuses expositions de groupe à Paris, notamment : depuis 1985 régulièrement à la galerie Clivages ; 1985, 1988, 1990 FIAC (Foire Internationale d'Art Contemporain) ; 1989, 1990 Salon de Mars. Il montre ses œuvres dans des expositions personnelles depuis 1980 : 1985, 1987, 1988, 1991 galerie Clivages à Paris ; 1985 Maison de la culture de La Rochelle ; 1986 musée municipal d'Art et d'Archéologie de la Roche-sur-Yon.

LEMÉE Jean-Philippe
XXe siècle. Français.
Peintre, dessinateur. Conceptuel.
En 1990, une exposition personnelle de ses travaux a été montrée par la galerie J. Dutertre de Rennes, qui l'a montré à nouveau en 1991 à Paris, dans le cadre de l'exposition *Découvertes* au Grand-Palais. Il a été ensuite montré au FRAC (Fonds Régional d'Art Contemporain) de Bretagne en 1992-93.
Il produit des séries de croquis sommaires, qu'il fait surtout dessiner par n'importe qui, avec n'importe quoi, sur le thème qu'il indique ou décrit, par exemple une peinture de quelque grand artiste du passé, le déroulement d'une partie de tennis, etc. Ces thèmes fonctionnent comme des jeux qui poseraient des questions sous forme de devinettes amusantes ou d'interrogations plus sérieuses. Ce qui résulte de ce processus, les croquis tracés « sous la dictée », est plutôt informe, en tout cas rudimentaire. Lemée leur confère alors le statut d'œuvre d'art en les faisant agrandir sur toile et format crédibles par un peintre en lettres. Cette démarche ludique et critique a suscité des enthousiasmes relatifs chez quelques commentateurs.
Bibliogr. : Jean-Marie Huitorel : *Jean-Philippe Lemée, tableaux faits main*, in : Opus International, n° 122, Paris, nov.-déc. 1990 – Pierre-Alain Tilliette : *Jean-Philippe Lemée*, in : Art Press, n° 178, Paris, mars 1993.

LEMÉE Léontine, née **Roullin**
Née à Paris. XIXe siècle. Française.
Peintre d'histoire, pastelliste.
Elle fut élève d'Alexandre Antigna et d'Auguste Couder. Elle exposa à Paris, au Salon en 1865, 1866, 1868.

LEMÉE Valentine
XIXe siècle. Active à Paris. Française.
Peintre.
Sociétaire des Artistes Français depuis 1889, elle figura au Salon de ce groupement.

LE MEILLEUR Georges
Né le 31 janvier 1861 ou 1865 à Rouen (Seine-Maritime). Mort en juin 1945. XIXe-XXe siècles. Français.
Peintre de paysages, graveur, illustrateur. Postimpressionniste.
Il commença à travailler chez Puvis de Chavannes, puis fut élève de Fernand Cormon et Raphaël Collin. Il exposait à Paris, au Salon des Artistes Français, dont il était membre depuis 1898, ainsi qu'associé de la Société Nationale des Beaux-Arts depuis 1908. Il fut fait chevalier de la Légion d'Honneur.
Outre des peintures de paysages, il fut connu pour ses eaux-fortes et illustrations, notamment pour les *Poésies* d'Alfred de Musset.
Bibliogr. : Gérald Schurr, in : *Les Petits Maîtres de la peinture 1820-1920, valeur de demain*, Les Éditions de l'Amateur, t. V, Paris, 1981.
Musées : Paris (Mus. de la guerre) : *Le Cimetière américain.*
Ventes Publiques : Paris, 29-30 mai 1929 : *Le Petit-Andelys*, sépia : **FRF 210** – Paris, 18 juin 1989 : *Paysage de campagne* 1903, h/t (81x100) : **FRF 40 000**.

LE MEILLEUR Henri et **Jean**, les frères
XVIe siècle. Français.
Sculpteurs.
Les deux frères travaillèrent à l'église de Sainte-Avoye, commune de Pluneret (Morbihan), de 1554 à 1560. Le jubé qui orne encore cette église doit être leur œuvre.

LE MELEDER Alix
Née en 1955. XXe siècle. Française.
Peintre. Expressionniste-abstrait, puis abstrait-lyrique.
Elle a exposé individuellement en 1994 à Villeneuve-d'Ascq. Le 10 février 1990, la centaine de peintures qu'elle avait réalisées a été détruite dans l'incendie des Entrepôts de Paris, avec la cinquantaine d'ateliers qui y étaient installés.
Après avoir peint des portraits, inspirés de l'expressionnisme-abstrait de De Kooning et Jorn, elle a ensuite renoncé à toute figuration, pour des peintures uniquement gestuelles, reflets de ses sensations quotidiennement renouvelées.
Bibliogr. : Dominique Boudou : *Alix Le Meleder*, in : Beaux-Arts, n° 119, Paris, jan. 1994.

LEMÉNOREL Ernest Émile
Né le 27 juin 1848 à Paris. XIXe-XXe siècles. Français.
Peintre d'histoire, scènes de genre.
Élève d'Albert Maignan et d'Évariste Luminais, il participa au Salon de Paris de 1878 à 1922. Sociétaire des Artistes Français depuis 1883, il obtint une mention honorable en 1890, une médaille de troisième classe en 1893, et une médaille de bronze à l'Exposition Universelle de 1900.
Bibliogr. : Gérald Schurr, in : *Les Petits Maîtres de la peinture 1820-1920, valeur de demain*, Les Éditions de l'Amateur, t. IV, Paris, 1979.
Ventes Publiques : San Francisco, 21 juin 1984 : *Pamela* 1909, h/t (62x51) : **USD 1 000** – Londres, 12 fév. 1986 : *Portrait d'une élégante au chapeau bleu*, h/t (104x71) : **GBP 1 600**.

LEMENS Balthazar Van
Né en 1637 à Anvers. Mort en 1704 à Londres. XVIIe siècle. Éc. flamande.
Peintre d'histoire et portraitiste.
Il a peint des portraits et des tableaux d'histoire dans lesquels il eut recours à d'autres artistes pour peindre les détails et notamment les draperies.

B.L.

Ventes Publiques : Monte-Carlo, 12 déc. 1982 : *Halte de cavaliers*, h/t (46,5x58) : **FRF 28 000**.

LEMENS Jeanne Thérèse Van
Née le 15 mai 1631 à Anvers. XVIIe siècle. Active à Anvers. Éc. flamande.
Graveur.

LE MERCHE Jehan
XVe siècle. Actif à Arras en 1454. Français.
Peintre.

LEMERCIER
XVIIIe siècle. Français.
Peintre de portraits.
Actif à Angers et à La Flèche entre 1737 et 1779. On connait de lui quelques portraits de femme assez remarquables.

LEMERCIER
XVIIIe siècle. Actif à Paris. Français.
Sculpteur.
Élève de l'Académie Royale il en obtint un troisième prix en 1789. En 1791 il figura à l'Exposition de la Jeunesse avec une statuette et un groupe.

LEMERCIER
XIXe siècle. Actif à Paris. Français.
Graveur au burin, illustrateur.
Il a gravé des planches pour le *Voyage pittoresque de la Suisse.*

LEMERCIER Alfred Léon
XIXe siècle. Actif à Paris. Français.
Lithographe.
Élève de Gigoux et de Lasalle. Il exposa au Salon de 1863, plusieurs œuvres en collaboration avec Bocquin, d'après des aquarelles de Gavarni.

LE MERCIER Antoine
XVIIe siècle. Travaillant à Paris vers 1633. Français.
Dessinateur et graveur à l'eau-forte.
Il a gravé des planches d'architectures et des sujets religieux.

LEMERCIER Charles Nicolas
Né en 1795 ou 1797 à Paris. Mort le 7 avril 1859. XIXe siècle. Français.
Peintre d'histoire, paysages, marines, pastelliste.
Élève de Léthière, il participa au Salon de Paris, où il était encore présent en 1852, obtenant une médaille en 1821 et 1822.
Musées : Douai : *Paysage – Étude* – Dunkerque : *Deux Marines* – Limoges : *Fleurs et fruits devant un arbre* – Montargis : *Fleurs et fruits.*
Ventes Publiques : Paris, 2 déc. 1946 : *Paysanne jetant du grain à ses poules*, aquar., reh. de gche : **FRF 1 450** – Paris, 31 oct. 1991 : *Portrait d'un homme en habit noir*, h/t (92x73) : **FRF 8 000**.

LEMERCIER Clément
XVIIIe siècle. Actif à Paris. Français.

Peintre de genre.
Professeur à l'Académie Saint-Luc, dont il était membre ; il y exposa, en 1753 : *L'oisiveté ou Le chat qui va au fromage*, et, en 1756, *Trois Civettes* et *Soldat en congé*.

LEMERCIER Eugène Emmanuel
Né le 7 novembre 1886 à Paris. Mort le 6 avril 1915 aux Éparges (Meuse), assassiné. xxe siècle. Français.
Peintre de figures, portraits.
Il fut élève de Fernand Cormon et de Jean-Paul (?) Laurens. De 1903 à 1914, à Paris, il figura au Salon des Artistes Français.

LE MERCIER Jacques
Né vers 1585 à Pontoise. Mort en 1654 à Paris. xviie siècle. Français.
Architecte, dessinateur et graveur à l'eau-forte.
Il a gravé des sujets d'histoire et des portraits. Il est surtout connu comme architecte.

LEMERCIER Philippe. Voir **MERCIER**

LEMERCIER-SCHMIT G.
Morte en 1900. xixe siècle. Française.
Peintre.
Sociétaire des Artistes Français, elle figura au Salon de ce groupement.

LE MERCILLON Jean ou **Le Merillon**
xvie siècle. Parisien, vivant au xvie siècle. Français.
Sculpteur.
Sous la direction du Primatice, il collabora à la décoration du tombeau d'Henri II, en 1565. Il est peut-être identique à Jean Mérillon, sculpteur au Mans au xvie siècle.

LE MERDIER François
xve siècle. Actif à Saint-Mihiel. Français.
Peintre verrier.
Il était prêtre.

LE MERDY Jean
Né le 10 octobre 1928 à Concarneau (Finistère). xxe siècle. Français.
Peintre de scènes et paysages animés, figures, portraits, paysages, marines, natures mortes, peintre à la gouache, aquarelliste, illustrateur, dessinateur.
Il fut d'abord, de 1946 à 1948 élève de l'École des Beaux-Arts de Rennes, puis, à partir de 1949, élève de Jean Souverbie à l'École des Beaux-Arts de Paris, où, en 1956, il obtint le Second Grand Prix de Rome et devint pensionnaire de la Casa Vélasquez à Madrid. Il expose dans divers Salons, à Paris : de la Société Nationale des Beaux-Arts, des Artistes Français (1966 médaille d'argent), des Indépendants, Comparaisons, du Dessin et de la Peinture à l'eau, depuis 1974 de la Marine, et en province, notamment à Quimper et Rennes. Il montre surtout des ensembles de ses œuvres dans des expositions personnelles, depuis la première en 1956, galerie Saluden de Quimper, et, en 1957, sa première à Paris, galerie Bernard, deux galeries auxquelles il est resté longtemps fidèle. Depuis 1979, il est peintre titulaire de la Marine. En 1996, le Musée de la Marine de Paris lui a consacré une importante exposition d'ensemble de son œuvre. En 1957, il a été nommé professeur à l'École des Beaux-Arts de Quimper. En 1993, il a été fait chevalier des Arts et Lettres, en 1994 chevalier du Mérite Maritime.
Peintre de la Bretagne, il en parcourt les côtes, les ports et les îles, et n'en néglige pas l'arrière-pays rural. Peintre de la mer par tous temps, il pratique aussi le genre du « portrait » de bateaux. Il a aussi travaillé en Espagne, lors de son séjour à Madrid. Il a illustré plusieurs ouvrages consacrés à la Bretagne. Il peint sur nature, souvent à la gouache, par larges touches franches, elliptiques.
Bibliogr. : Benoît Landais, divers : *Le Merdy*, Édit. Palantines, Quimper, 1995 – Catalogue de l'exposition *Jean Le Merdy*, Mus. de la Marine, Paris, 1996.
Ventes Publiques : Paris, 22 déc. 1989 : *Paysage* 1957, h/t (89x100) : **FRF 4 500.**

LE MÈRE Barthélemy
xvie siècle. Actif à Grenoble. Français.
Sculpteur.
Sans doute parent de Marquet Le Mère et de son fils. Il est révélé par un acte de vente, passé à Grenoble en 1593, où il est qualifié imagier.

LE MÈRE Jean
Né au xve siècle à Genève. xve siècle. Suisse.
Peintre.
Reçu bourgeois de Genève en 1499.

LE MÈRE Marquet
Né à Grenoble. xve siècle. Français.
Sculpteur.
Il fut chargé, en 1484, du tombeau de François d'Orléans, comte de Longueville, et de Dunois. Ce monument était composé d'une table d'albâtre, représentant la Cène, avec les douze apôtres ; d'un côté étaient les images de saint François, du comte et de son fils ; de l'autre, celles de sainte Claire, de la comtesse et de sa fille ; il fut élevé à Notre-Dame de Cléry, près d'Orléans, dans la chapelle de Longueville. Quand le comte mourut, en 1491, il y fut enterré.

LEMERE Perrin ou **Pierre** ou **Lemire**
xive siècle. Français.
Sculpteur.
Sous les ordres de Jean de Marville, il travailla au tombeau de Philippe le Hardi, à Dijon, de 1386 à 1389.

LE MÈRE Pierre, dit **Marquet**
Né à Grenoble. xvie siècle. Français.
Sculpteur sur bois.
Fils aîné de Marquet Le Mère, il travailla pour l'église de Villars-de-Lans, en 1509, et se chargea de sculpter un crucifix en noyer.

LE MERILLON Jean. Voir **LE MERCILLON**

LEMERRER Jean-François
Né en 1941 à Paris. xxe siècle. Français.
Peintre. Abstrait-paysagiste.
Il peint depuis 1963. Il participe à de nombreuses expositions collectives, notamment : 1982, 1983 Salon de Montrouge ; 1988 Salon Comparaisons à Paris ; 1989 Salon de Mai à Paris ; etc. En 1987 il a fait une exposition personnelle à Paris, en 1995 à la galerie Pascal Gabert à Paris.
Ses sortes de paysages oniriques, sont issus d'un cubo-surréalisme à tendance géométrique, et utilisent des couleurs acidement contrastées.

LEMERSION Madeleine
Graveur amateur.
On cite d'elle une estampe : *Paysage avec animaux*, rappelant la manière de Danckerts ou de Berghem.

LEMESLE
xviiie siècle. Actif à Paris. Français.
Peintre et dessinateur.
Élève de l'Académie Royale, il en obtint le Grand Prix en 1731.

LEMESLE Christian
Né le 10 juillet 1932 à Paris. xxe siècle. Français.
Peintre, peintre de collages. Abstrait.
En 1960 lui fut décerné le Prix Fénéon. Il participe à Paris à divers Salons : de Mai en 1961 et 1962, ainsi qu'à Comparaisons. Il expose aussi à New York. Sa peinture, abstraite, est toutefois marquée par le surréalisme.
Musées : Châteaugiron (FRAC Bretagne) : *Intérieur de l'atelier* 1993.
Ventes Publiques : Paris, 21 nov. 1989 : *Petit joueur d'échec sur fond jaune*, h/t (73x60) : **FRF 4 500.**

LE MESLE Pierre
xve siècle. Français.
Sculpteur.
Il fit une *Notre-Dame et un angelot*, à la porte du pont Saint-Privé, à Bourges, en 1489.

LEMET L. ou **Le Met**
xixe siècle. Américain.
Dessinateur et graveur.
Il est mentionné en 1804 à Philadelphie et en 1805 à Albany. Il grava d'après ses propres esquisses les portraits de *B. Rush, J. Shippen, J.-C. Williams.*

LE METAIS Cécile
xixe siècle. Active à Levallois-Perret. Française.
Peintre.
Sociétaire des Artistes Français depuis 1894, elle figura au Salon de ce groupement.

LEMÉTAYER E.
xxe siècle. Français.
Peintre de marines.
Il est plus peintre de bateaux que de marines.
Ventes Publiques : Paris, 4 déc. 1987 : *Trois-mats-barque vu par*

tribord avant 1921, h/t (41x56) : **FRF 9 500** ; *Brick en fuite par gros temps*, h/cart. (37x49) : **FRF 11 000**.

LEMETAYER Georges F. J.
Mort en 1897. XIXe siècle. Français.
Peintre.
Sociétaire des Artistes Français, il figura au Salon de ce groupement.

LEMÉTO, pseudonyme de **Lepavzof Métodi**
Né le 12 mai 1905 à Prilep. XXe siècle. Actif en Suisse. Yougoslave.
Peintre, pastelliste.
Il fit ses études artistiques à Munich, Prague et en Italie. Il voyagea beaucoup, faisant des expositions personnelles. Il s'est fixé à Neuchâtel. Il s'est spécialisé dans le pastel, pour lequel il s'est créé une technique particulière.

LE METTAIS Charles Joseph. Voir **METTAIS Charles Joseph**

LE METTAIS Pierre Joseph, ou **Pierre Charles** ou **Le Mettay**
Né en 1726 à Fécamp, baptisé le 28 février 1728. Mort le 29 mars 1759 à Paris. XVIIIe siècle. Français.
Peintre.
Élève de Boucher, il obtint le premier Grand Prix de Peinture en 1748. Ne prit part qu'à l'exposition de 1757, avec son tableau : *Bacchus naissant remis entre les mains des nymphes*. Fut agréé à l'Académie le 30 juillet de cette même année et fut peintre personnel de Louis XV. Au cours d'un voyage à Turin il peignit de nombreux tableaux de marine.

P C Lemettay.

Ventes Publiques : Monaco, 3 juil. 1993 : *Diane surprise par Actéon*, h/t (160x129) : **FRF 166 500** – Monaco, 14 juin 1996 : *Vénus désarmant Cupidon*, h/t (93,5x80) : **FRF 222 300**.

LE MEUNIÉ C.
XVIIIe siècle. Actif à Paris. Français.
Graveur ornemaniste.
Il collabora avec Berthault, Foin et Saint-Morien aux *Œuvres diverses de Lalonde...*, à *La Nouvelle Iconologie historique*, etc.

LEMEUNIER Basile
Né en 1852 à Antoigny. XIXe siècle. Français.
Peintre de genre, portraits.
Élève d'Hédin et de Detaille. Mention honorable en 1889 (Exposition Universelle), médaille de troisième classe en 1891, de bronze en 1900 (Exposition Universelle), de deuxième classe en 1907.

B LEMEUNIER

Musées : Reims (Mus. de) : *Portrait de Simon Dauphinot, maire de Reims et sénateur*.
Ventes Publiques : New York, 17-18 mars 1909 : *Le Charmeur d'oiseaux des Tuileries* : **USD 365** – New York, 23 fév. 1989 : *La Paye des moissonneurs*, h/t (76,2x95,8) : **USD 10 450** – Paris, 12 juin 1992 : *La Foire du Trône*, h/t (60x45) : **FRF 60 000** – New York, 13 oct. 1993 : *La Foire du Trône*, h/t (60x44,8) : **USD 8 050** – New York, 23 mai 1996 : *Parisienne en promenade à la campagne* 1895, h/t (224,8x81,9) : **USD 20 700** – Paris, 5 mars 1997 : *Scène de la guerre de 1870* 1891, h/t (136,8x240) : **FRF 60 000**.

LEMEUNIER Carolus Albert Denis
Né le 31 mars 1881 à Saint-Georges-des-Groseilles (Orne). Mort le 30 octobre 1918. XXe siècle. Français.
Peintre, aquarelliste.
Il fut élève de Édouard Detaille et Gabriel Ferrier. Il exposait à Paris, au Salon des Artistes Français, dont il était membre depuis 1907.
Ventes Publiques : Paris, 12 mai 1923 : *Un cuirassier* : **FRF 190** – Paris, 24 jan. 1990 : *La Mouche*, h/t (67x53) : **FRF 10 000** – Paris, 18 nov. 1994 : *Le bien et le mal*, h/pan. (92x55) : **FRF 22 000**.

LE MEUNIER Louis. Voir **MEUNIER Louis**

LE MEUR Pierre
Né le 12 août 1886 à Callac (Côtes-d'Armor). XXe siècle. Français.
Sculpteur de statues.
Il fut élève de l'atelier de Antonin Mercié. Il exposait à Paris, aux Salons des Artistes Français et des Indépendants.

LEMEURE Youri
Né en Belgique. XXe siècle. Belge.
Peintre.

LEMEUX Simon
XVe siècle. Actif à Amiens. Français.
Sculpteur.
Il exécuta un devant d'autel, représentant *le Baptême de Jésus-Christ*, pour l'église Saint-Pierre de Roye (Somme) en 1488.

LEMEZ Jules
XIXe siècle. Actif à Saint-Omer (Pas-de-Calais). Français.
Peintre de marines.
Exposa au Salon en 1841, 1847 et 1848.

LEMIESZKA
XVIIIe siècle. Polonais.
Peintre.
Il exécuta des peintures pour l'église de Loubiechovo sous le règne d'Auguste III.

LEMIEUX Annette
Née en 1957 à Norfolk (Virginie). XXe siècle. Américaine.
Sculpteur d'assemblages, d'installations, peintre, peintre de collages, sérigraphe, technique mixte. Conceptuel.
Elle fut élève de l'Université de Hartford jusqu'en 1980, commençant à exposer dans la ville la même année. Depuis, elle participe à de nombreuses expositions collectives, dont : 1989 au New Museum de New York ; 1990 Biennale de Venise ; etc. La galerie Montenay de Paris a montré, en 1991, une exposition personnelle de ses réalisations.
Ses œuvres s'attachent à dénoncer par des images, parfois insoutenables, l'horreur toujours présente dans le monde des humains, des bourreaux aux victimes, cruauté, torture, meurtre, génocide, héritée de l'histoire la pratique encore actuelle du fouet, de la potence, du pilori. Ses assemblages associent souvent la reproduction sérigraphique de documents réels à leur prolongement symbolique, dans l'une de ses images les plus fortes : l'agrandissement de la photo d'un amas de chaussures abandonnées à Auschwitz, prolongé au sol par une multitude de modelages de pieds de tailles corespondantes. Elle a également publié, en 1989, à New York, un ouvrage illustré *Mémoires d'un survivant*.
Bibliogr. : Ami Barak : *Annette Lemieux*, in : Art Press, n° 164, Paris, déc. 1991 – in : *L'art du XXe siècle*, Larousse, Paris, 1991.
Ventes Publiques : New York, 19 nov. 1992 : *Peinture avec les doigts sur pages jaunes*, h. rés. et collage de pap./t. (182,3x137) : **USD 6 600** – Londres, 25 mars 1993 : *Modèle pour calendrier* 1987, montage de photo. noir/blanc (125,8x101,4) : **GBP 2 530** – New York, 8 nov. 1993 : *Pollution de bateaux*, photo. sépia (60,6x50,8) : **USD 1 840** – New York, 10 nov. 1993 : *Différences, connections, poupée de papier, mercredi des cendres*, quatre photo. montées sur pan. d'aggloméré (chaque 50,8x60,6) : **USD 4 025** – New York, 16 nov. 1995 : *Roulette* 1987, photo. en noir et blanc (64,1x94) : **USD 4 025**.

LEMIEUX Jean-Paul
Né le 18 novembre 1904 à Québec. Mort en décembre 1990. XXe siècle. Canadien.
Peintre de scènes de genre, figures, compositions à personnages, paysages animés, paysages. Tendance symboliste.
Il fut élève de l'École des Beaux-Arts de Montréal, vers 1925. En 1929, au cours d'un séjour à Paris, il fréquenta les académies libres de la Grande Chaumière et Colarossi. En 1934, il exposa pour la première fois à la Royal Canadian Academy, où il figurera jusqu'en 1954. En 1957, il fut invité à la Biennale de São Paulo. Il exposa ensuite régulièrement. En 1967-1968, les musées du Québec de Montréal, et la Galerie Nationale du Canada lui ont consacré une rétrospective, que le Musée du Québec renouvela en 1992. Il fut d'abord professeur à l'École du Meuble. En 1937, il fut nommé professeur à l'École des Beaux-Arts de Montréal, et il est rapporté qu'il eut une influence bénéfique sur ses élèves à une époque où sa peinture était encore en retrait de l'actualité. En 1965, il quitta l'enseignement pour se consacrer exclusivement à la peinture. Il quitta alors le monde public et se retira sur l'Île-aux-Coudres.
Son premier tableau à l'huile date de 1923. À son retour de Paris

en 1930, il commença une carrière académique. Il était alors connu, en tant que peintre de la réalité, pour ses paysages pittoresques et ses scènes d'actualité et de rue teintées d'humour. Ce ne fut qu'en 1956, âgé de cinquante-deux ans, qu'il aboutit à un œuvre, en dehors de tous courants historiques, néanmoins solide et capable de refléter une certaine éternité du Canada. Sa peinture y apparut soudain comme une révélation. Le renouveau avait commencé au début des années cinquante. En 1951, des peintures comme *Les Ursulines* annonçaient déjà ce que sera l'œuvre à venir. La peinture de Lemieux se dépouille, se structure ; il use de raccoursis, d'aplats. Tout se passe désormais sur une scène presque nue, immensité blanche en hiver, verte l'été, que limite, floue juste avant le ciel suggéré, une ligne d'horizon sur laquelle se détachent un ou quelques personnages vêtus d'une seule couleur, et dont les visages reflètent l'infini. Il est alors devenu un peintre des espaces sans fin et des dimensions intérieures. Anne Hébert en décrit bien l'atmosphère : « Ces apparitions se fixent un instant, puis s'estompent, peu à peu disparaissent, basculent au-delà de l'horizon. » Peintre de paysages, mais aussi peintre de personnages, Lemieux a décrit peut-être mieux que quiconque l'infinité des espaces canadiens, les perspectives enneigées, les horizons lointains. Fidèle à son univers, il en a écrit : « J'essaie d'exprimer dans mes paysages et mes personnages la solitude dans laquelle nous vivons tous, et, dans chaque tableau, le monde intérieur de mes souvenirs. » Peintre du silence, il a figuré par le symbole le dialogue muet de l'homme avec le silence de l'univers, celui même des « espaces infinis » de Pascal, et son interrogation des étranges sollicitations surgies de ses propres profondeurs. ■ Jacques Busse

JEAN PAUL LEMIEUX

Musées : Montréal (Mus. du Québec) : *Jeune fille dans le vent* 1964 – Toronto (Gal. d'Art) : *Lazare* 1941.
Ventes Publiques : Montréal, 3 mai 1974 : *Le Port* : **CAD 4 200** – Toronto, 30 oct. 1978 : *La Chasse* 1957, h/t (54,5x104) : **CAD 14 000** – Toronto, 26 mai 1981 : *La Capitale* 1961, h/t (82,5x128,8) : **CAD 18 000** – Toronto, 26 nov. 1984 : *Jacquie*, h/t (35x20) : **CAD 11 000** – Montréal, 17 oct. 1988 : *Tête d'une nonne* 1982, h/t (41x31) : **CAD 21 000** – Montréal, 19 nov. 1991 : *Femme portant un collier*, encre/t. (66,5x51,5) : **CAD 11 000**.

LEMIRE, de son vrai nom : **Charles Gabriel Sauvage**
Né en 1741 à Lunéville. Mort en 1827 à Paris. XVIIIe-XIXe siècles. Français.
Sculpteur.
Exposa au Salon de 1808 à 1819 et fut médaillé en 1808. On cite de lui *L'Innocence*, marbre pour le Ministère de l'intérieur, maintenant au Musée de Tours, et *Le génie de la poésie* (au Musée de Marseille). Le Musée du Louvre conserve de lui : *L'amour mettant une corde à son arc*, celui de Colmar un groupe allégorique en biscuit.
Ventes Publiques : Madrid, 23 oct. 1985 : *Cupidon à l'arc*, bronze (H. 52) : **ESP 225 000**.

LEMIRE Achille Romain
Né le 16 octobre 1825 à Bec-de-Mortaigne. XIXe siècle. Français.
Peintre de marines, paysages, aquarelliste.
Exposa au Salon en 1869 et 1870.

LEMIRE Antoine Sauvage, junior
Né en 1773 à Lunéville. XVIIIe-XIXe siècles. Français.
Peintre d'histoire.
Élève de son père Charles Gabriel Lemire et de Regnault. Exposa au Salon de 1806 à 1814 ; médaillé en 1806 et 1808. Il fit un *Portrait en pied du duc d'Angoulême*, pour la salle du conseil de l'École polytechnique.

Lemire A.

Musées : Douai : *La mort d'Hannibal* – Lille (Wicar) : *Le débarquement de Napoléon en Égypte*.

LEMIRE Charles, l'Aîné
XVIIIe-XIXe siècles. Français.
Peintre de genre et dessinateur.
Il fut professeur de dessin à l'École polytechnique à Paris. Exposa au salon de 1793 à 1819. On voit de lui à Trianon : *Trajan et Subruramus*. Peut-être est-il le même artiste que Joseph Lemire, dit aussi Lemire Aîné.

LEMIRE Élisa Émilie
Née au XIXe siècle à Paris. XIXe siècle. Française.
Peintre de fleurs, aquarelliste.
Élève de Van Dael et de Redouté. Exposa au Salon de 1836 à 1864.
Ventes Publiques : Paris, 4 juin 1997 : *Bouquet de fleurs sur un entablement de marbre* 1849, aquar. (36,5x27) : **FRF 17 000**.

LEMIRE Gilles ou **Le Mire**
XVIIe siècle. Actif à Nancy en 1674. Français.
Sculpteur.
Cité par A. Jacquot dans son *Répertoire des Artistes Lorrains*.

LEMIRE Joseph, Aîné. Voir l'article **LEMIRE Charles**

LE MIRE Louis
Né en 1736. Mort en 1757. XVIIIe siècle. Travaillant à Paris. Français.
Graveur au burin.
Frère de Noël Le Mire.

LEMIRE Louis
Né le 8 avril 1929 à Vire (Calvados). XXe siècle. Français.
Peintre de paysages, marines.
Il est autodidacte en peinture. Il expose à Paris, au Salon de la Marine.

LEMIRE Nicolas
XVIe siècle. Français.
Sculpteur.
Sous la direction de Jean Gailde, il prit part à l'ornementation du jubé de l'église Sainte-Madeleine, de Troyes, en 1512.

LE MIRE Noël
Né le 20 novembre 1724 à Rouen. Mort le 21 mars 1800 à Paris. XVIIIe siècle. Français.
Dessinateur, graveur à l'eau-forte et au burin.
Élève de Le Bas et de Descamps. Il a gravé des sujets d'histoire, des sujets religieux, des portraits et des vues. On lui doit aussi de très intéressantes illustrations pour les *Contes de La Fontaine* (1762), *Les Métamorphoses* d'Ovide (1767-1771) et 10 planches, d'après Eisen, pour *Le Temple de Guide*, de Montesquieu. Il convient de citer aussi une pièce satirique curieuse sur le partage de la Pologne : *Le Gâteau des rois*, d'après Moreau le Jeune, dont les épreuves furent saisies et la planche détruite. Membre de l'Académie royale et impériale des Beaux-Arts de Vienne, le 29 juillet 1768.
Ventes Publiques : Paris, 25 et 26 mai 1923 : *Académie pour les Armes, tenue par le Sieur Prévost*, dess. : **FRF 105**.

LE MIRE Noël Jules
Né le 17 mars 1814 à Clairvaux (Jura). Mort le 4 février 1878 à Pont-de-Poitte. XIXe siècle. Actif à Pont-de-Poitte (Jura). Français.
Peintre.
Cet artiste amateur peignit des vues de villes et des paysages.

LEMIRE Perrin ou **Pierre**. Voir **LEMERE Perrin**

LEMIRE Sophie, née **Brinisholtz**
Née en 1785 à Versailles. XIXe siècle. Française.
Peintre d'histoire et de genre.
Femme et élève de Lemire junior. Exposa au Salon de 1810 à 1819, et obtint une médaille de troisième classe en 1812. On cite d'elle : *Glycère au tombeau de sa mère, Jeune fille fuyant*.
Ventes Publiques : Paris, 1818 : *Mademoiselle de La Vallière au couvent des Carmélites* : **FRF 499**.

LEMKE Johann Philipp. Voir **LEMBKE**

LEMKUS Diederich ou **Lembkes**
XVIIe siècle. Actif à Hambourg. Allemand.
Graveur.
Il grava des plans d'importants monuments de Hambourg et des portraits de personnalités de cette ville.

LEMLY Bessie Cary
Née le 4 juin 1871 à Jackson. XIXe-XXe siècles. Américaine.
Peintre de paysages.
Elle fut élève de l'Art Students' League de New York. Elle était membre de la Fédération Américaine des Arts.

LEMM Georg
Né le 15 juillet 1867 à Berlin. XIXe siècle. Allemand.

Peintre de paysages et graveur.
Il fut élève des Académies de Berlin et de Düsseldorf.

LEMM Guy
XXe siècle. Français.
Peintre.

LEMME Hans Martin
Né le 23 mars 1871 à Greifswald. XIXe-XXe siècles. Allemand.
Peintre de sujets religieux, paysages.
Il fut élève des Académies des Beaux-Arts de Dresde, Berlin et Munich. Il fut actif à Ostorf (Mecklemburg-Schwerin).
L'église de Sainte-Hedwige de Berlin conserve de lui un *Corps du Christ.*
Musées : Bruxelles : *Kapungu (Afrique centrale).*

LEMMEN Georges
Né le 25 novembre 1865 à Schaerbeck-Bruxelles. Mort le 15 juillet 1916 à Uccle-Bruxelles. XIXe-XXe siècles. Belge.
Peintre de figures, nus, portraits, intérieurs, paysages, paysages urbains, natures mortes, fleurs, peintre à la gouache, dessinateur, graveur, lithographe, auteur d'affiches, cartons de tapisseries, mosaïques, céramiques, bijoux, décorateur. Néo-impressionniste.
Fils d'un architecte, il fut élève de Amédée Bourson à l'Académie de Dessin de Saint-Josse-ten-Noode. En 1884, Octave Maus créait à Bruxelles le *Cercle des XX.* Dès ses débuts, ce Salon eut sur le monde des arts en Belgique une influence considérable, faisant connaître au public les œuvres de Seurat, Signac et autres. En 1889, Lemmen fut convié à faire partie du Cercle. De 1889 à 1893, il exposa à Paris, au Salon des Indépendants, se liant avec le groupe des néo-impressionnistes. En 1893, Van de Velde l'invita à l'Association *Pour l'Art* d'Anvers. À partir de 1894, le *Cercle des XX* fut remplacé par la *Libre Esthétique.* En 1911, il fit un voyage dans le Sud de la France. En 1906 et 1908, le galerie Druet de Paris lui consacra deux expositions personnelles. En 1913, sa première exposition personnelle à Bruxelles affirma sa notoriété. Il collabora, en 1908, à une édition allemande du *Also sprach Zarathustra* de Nietzsche, pour laquelle il créa un caractère d'imprimerie. Comme illustrateur, il collabora aussi à plusieurs revues, et illustra plusieurs ouvrages. Il publia des articles de critique d'art dans la revue *L'Art moderne.*
Dès l'époque de la création du *Cercle des XX,* Lemmen adopta la technique pointilliste. Sur des sujets divers, Lemmen a pratiqué une peinture se rattachant au néo-impressionnisme. De cette époque, dans son ouvrage *Le Post-impressionnisme,* John Rewald cite *Le Port* de Lemmen. Puis, sa peinture se fit plus souple, plus nuancée, à la manière peut-être de Van Rysselberghe, qui était également membre du Cercle. À partir de la *Libre Esthétique,* sa peinture devint intimiste, dans des portraits, nus, paysages, natures mortes, influencés par Bonnard et Vuillard, puis, après son voyage de 1911 dans le Midi, par Renoir. Dès cette époque, il contribua au renouveau des arts graphiques et décoratifs, en accord avec le projet social de la *Libre Esthétique,* et dans un esprit encore lié au symbolisme et à l'« Art nouveau ». Dans la suite, alors que les dessins gardent toute leur finesse et leur pureté, les peintures se font plus imprécises, grasses, sensuellement empâtées, comme si l'impatience de l'émotion troublait la composition. ■ Jacques Busse

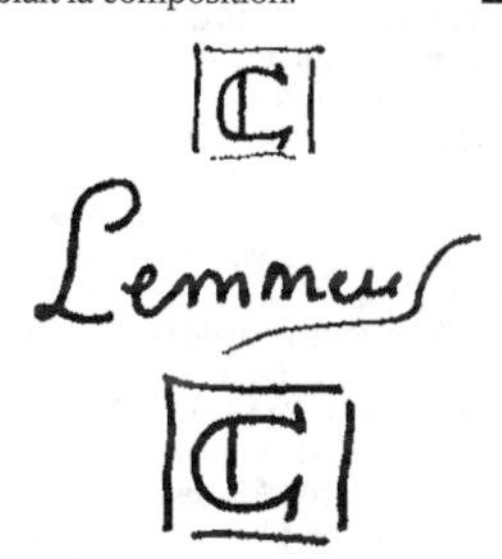

Bibliogr. : Marcus Osterwalder, in : *Diction. des illustrateurs 1800-1914,* Ides et Calendes, Neuchâtel, 1989-in : *Diction. de la peint. flamande et hollandaise, du Moyen Age à nos jours,* Essentiels, Larousse, Paris, 1989 – Roger Cardon : *Georges Lemmen. Monographie générale suivie du catalogue raisonnée de l'œuvre gravé,* Petraco-Pandora, Anvers, 1990.
Musées : Brême (Kunsthalle) : *Nu debout se peignant* – Bruxelles (Mus. roy. des Beaux-Arts) : *La Chambre des enfants,* aquar. – *La Lecture – La Couture – Jeune fille au bord de la mer* 1913 – Gand – Ixelles : Des affiches – Paris (Mus. d'Orsay) : *Vue de la Tamise – Portrait de Mme Lemmen,* dess.
Ventes Publiques : Paris, 18 mars 1931 : *Le Modèle* : **FRF 1 550** – Bruxelles, 2 déc. 1950 : *La Baigneuse* : **BEF 4 500** – Paris, 10 déc. 1966 : *Nature morte aux immortelles* : **FRF 9 200** – Londres, 24 avr. 1968 : *Portrait de Madame Lemmen* : **GBP 2 800** – Versailles, 8 mars 1970 : *Portrait de Madame Georges Lemmen* : **FRF 33 000** – Genève, 18 juin 1972 : *Esquisse pour La Couture* : **CHF 12 000** – Los Angeles, 28 nov. 1973 : *Jeune Fille attablée* 1909 : **USD 9 000** – Londres, 6 déc. 1973 : *Barques sur la Meuse* : **GBP 6 900** – Zurich, 16 mai 1974 : *Chaland sur le fleuve* 1891 : **CHF 41 000** – Bruxelles, 25 mars 1976 : *Jeune femme endormie au salon,* h/t (72x89) : **BEF 180 000** – Bruxelles, 14 juin 1977 : *Femme à l'éventail* 1910, h/t (70x60) : **BEF 90 000** – Versailles, 20 juin 1979 : *Mathilde assise* 1905, fus. et aquar. (27,5x21) : **FRF 5 600** – Londres, 4 juil 1979 : *Nus dans un paysage* vers 1895, h/t (150x90,5) : **GBP 11 000** – New York, 1er nov. 1980 : *La Libre Esthétique,* litho. coul., affiche entoilée (51,3x36,5) : **USD 1 700** – New York, 14 mai 1980 : *Femme assise, lisant,* aquar., pl. et lav. (53x58,4) : **USD 1 500** – Paris, 18 mars 1981 : *Jeune femme cousant,* sanguine (50x42,5) : **FRF 15 500** – New York, 18 mai 1983 : *Buste de jeune fille* 1896, h/cart. (48,5x29,5) : **USD 32 000** – Paris, 20 juin 1984 : *Jeunes femmes au chat* 1906, aquar. (20x23) : **FRF 15 000** – New York, 22 fév. 1985 : *Femme assise* 1880, craie noire (25,6x34) : **USD 2 200** – Londres, 26 juin 1985 : *Femme assise à l'éventail* 1911, h/cart. (64x94,5) : **GBP 18 500** – Paris, 5 déc. 1986 : *Jeune femme à la rose* 1909, gche et past. (70x50) : **FRF 55 000** – Paris, 3 juin 1987 : *Femmes à la couture* 1887, pl. et lav. d'encre de Chine (25x34) : **FRF 16 000** – Lokeren, 5 mars 1988 : *Femme au miroir,* past. (27x31) : **BEF 40 000** – Londres, 30 mars 1988 : *Londres, la nuit,* h/pan. (50x61) : **GBP 60 500** – New York, 12 mai 1988 : *Garçonnet au manteau rouge* 1909, h/cart. (61x50) : **USD 20 900** – Lokeren, 28 mai 1988 : *Nature morte aux fruits* 1914, h/cart./pan. (59,5x72,5) : **BEF 650 000** – Lokeren, 8 oct. 1988 : *Jeune modèle de 15 ans* 1886, past. (65x47) : **BEF 60 000** – Paris, 3 mars 1989 : *Femme nue,* h/t (65x33) : **FRF 43 500** – Paris, 10 avr. 1989 : *Garçonnet au manteau rouge* 1909, h/cart. (60,5x48,5) : **FRF 235 000** – Londres, 28 juin 1989 : *Jeune femme assise,* h/pap./t. (46,5x39) : **GBP 11 000** – Londres, 19 oct. 1989 : *Toits à Uccle,* h/pap./cart. (40x57,2) : **GBP 49 500** – New York, 26 fév. 1990 : *Jeune fille avec un chat* 1891, h/pap./t. (44,5x34,5) : **USD 20 900** – Paris, 14 mars 1990 : *Les Jardins* 1906, h/pan. (30x35) : **FRF 73 000** – Bruxelles, 27 mars 1990 : *Femme accoudée* 1908, aquar. (38x48) : **BEF 580 000** – New York, 18 mai 1990 : *Londres, la nuit,* h/pan. (50x61) : **USD 121 000** – New York, 2 oct. 1990 : *Vase de fleurs,* h/t (71,1x61) : **USD 24 200** – Paris, 7 nov. 1990 : *Scène du Médecin malgré lui,* lavis, sanguine et gche (65x90) : **FRF 4 000** – Paris, 26 nov. 1990 : *Garçonnet au manteau rouge* 1909, h/cart. (61x50) : **FRF 250 000** – Paris, 29 juin 1992 : *Femmes à la toilette,* aquar. (52x62) : **FRF 21 000** ; *Jardin,* h/bois (49,5x65) : **FRF 45 000** – Londres, 1er juil. 1992 : *Vase de fleurs,* h/t (71x60,5) : **GBP 12 100** – Lokeren, 10 oct. 1992 : *La lecture* 1908, aquar. (37x47) : **BEF 700 000** – New York, 11 nov. 1992 : *Coucher de soleil sur la Meuse,* h/pan. (26,7x34,9) : **USD 88 000** – Lokeren, 5 déc. 1992 : *Femme de ménage* 1896, past. (35,5x41) : **BEF 65 000** – Paris, 10 fév. 1993 : *Femme endormie* 1901, mine de pb reh. à l'aquar. (24x31,5) : **FRF 9 200** – New York, 23-25 fév. 1993 : *Nature morte au citron,* h/cart. (38,1x46) : **USD 8 050** – New York, 12 mai 1993 : *Nu dans l'atelier,* past./pap. (57,8x48,9) : **USD 17 250** – Le Touquet, 30 mai 1993 : *Fillette lisant* 1910, aquar. (13x20) : **FRF 7 000** – Paris, 16 déc. 1993 : *Études de jeune femme* 1909, sanguine avec reh. de craies colorées/pap. chamois (48x62) : **FRF 9 500** – Lokeren, 9 oct. 1993 : *Nature morte* 1910, h/cart. (35,5x52) : **BEF 300 000** – Lokeren, 8 oct. 1994 : *Nu au coussin bleu* 1907, h/pap./cart. (53,5x66) : **BEF 240 000** – Paris, 28 nov. 1994 : *Au jardin,* h/t (100,5x95,5) : **FRF 105 000** – Lokeren, 10 déc. 1994 : *Nu,* h/cart. (94,5x70) : **BEF 2 400 000** – Londres, 14 mars 1995 : *Bord de mer,* h/t/pan. (17,7x26) : **GBP 2 990** – Lokeren, 7 oct. 1995 : *La musique au bord de la mer* 1910, h/pan. (100x60) : **BEF 1 600 000** – Amsterdam, 6 déc. 1995 : *Deux chevaux* 1889, cr. et aquar./pap. (18x21) : **NLG 4 600** – Lokeren, 5 oct. 1996 : *Après la sieste* 1905, h/cart. (28,5x36) : **BEF 440 000** – Lokeren, 18 mai 1996 : *Enfants au jardin* 1904, h/cart. (33x68) : **BEF 600 000** – Paris, 24 mars 1997 : *Le Jardin* vers 1905, h/pan. (49,5x65) : **FRF 29 000** – New York, 14 mai 1997 : *Le Parfum* 1913, h/pan. (87,6x69,2) : **USD 51 750** – Londres, 23 juin 1997 : *La Couturière* vers 1904-1908, h/pap./t.

(19x27) : **GBP 10 925** – PARIS, 19 oct. 1997 : *Le Thé (Madame Georges Lemmen)* 1902, h/cart. (31x46) : **FRF 430 000** – LOKEREN, 11 oct. 1997 : *Femme assise*, sanguine (59x45) : **BEF 130 000** – LOKEREN, 6 déc. 1997 : *Intérieur à deux personnages* 1903, h/pap./cart. (29x42) : **BEF 950 000**.

LEMMENS Lambert
Né en 1893 à Gotem. Mort en 1952. xxe siècle. Belge.
Peintre de paysages. Expressionniste.
Il fut élève de Louis Taeymans.
Il a essentiellement peint les paysages de la Hesbaye. Il fut d'abord influencé par les peintres de l'École de Laethem-Saint-Martin. Il évolua à une peinture plus fluide et raffinée.
BIBLIOGR. : In : *Dict. biogr. illustré des artistes en Belgique depuis 1830*, Arto, Bruxelles, 1987.

LEMMENS Théophile Victor Émile
Né le 13 mars 1821 à Senlis (Oise). Mort en 1867 à Senlis. xixe siècle. Français.
Peintre de sujets mythologiques, scènes de genre, intérieurs, paysages animés, paysages, marines.
Élève de Louis Lassalle. Exposa au Salon de 1842 à 1866.
MUSÉES : GLASGOW : *Basse-cour* – SAINT-ÉTIENNE : *Intérieur*.
VENTES PUBLIQUES : PARIS, 9-10-11 avr. 1902 : *Diane et les nymphes ; Diane surprise par Actéon* : **FRF 600** – PARIS, oct. 1945-juil. 1946 : *Paysage au bord de rivière* : **FRF 9 500** ; *Paysage au bord de rivière* : **FRF 6 500** – PARIS, 24 avr. 1947 : *Marine* : **FRF 6 000** – NEW YORK, 15 oct. 1976 : *Cavaliers sur une route*, h/t (33x46,5) : **USD 1 300** – PARIS, 20 fév. 1978 : *Cour de ferme* 1853, h/t (25x33) : **FRF 5 100** – NEW YORK, 28 mai 1980 : *La basse-cour*, h/pan. (17x24) : **USD 2 000** – BARBIZON, 2 mai 1982 : *Le Clapier*, h/t (19x26) : **FRF 16 000** – AUCH, 27 mars 1983 : *Paysage au moulin*, h/t (40,5x32) : **FRF 16 200** – NEW YORK, 30 oct. 1985 : *La Basse-cour*, h/pan. (17,8x26,7) : **USD 1 900** – VERSAILLES, 26 avr. 1987 : *Le Retour des champs* 1855, h/t (41x54) : **FRF 25 500** – BERNE, 26 oct. 1988 : *La chasse aux canards* 1855, h/t (37,5x54) : **CHF 3 800** – PARIS, 29 juin 1993 : *Paysage de campagne*, h/t (22x32) : **FRF 8 000** – PARIS, 10-11 juin 1997 : *Sortie en caïque*, h/t (32,5x41) : **FRF 32 000**.

LEMMER August
Né en mars 1862 à Cologne. xixe-xxe siècles. Allemand.
Peintre de paysages animés, marines.
Il fut élève de l'Académie des Beaux-Arts de Karlsruhe, où il résida.
Il peignit des vues de la Carniole, de Trieste, de Venise.
VENTES PUBLIQUES : BERNE, 26 oct. 1988 : *Pêcheurs sur la lagune vénitienne*, h/t (50x40) : **CHF 1 200** – HEIDELBERG, 9 oct. 1992 : *Vue de Besigheim*, h/bois (69x55) : **DEM 1 150** – HEIDELBERG, 3 avr. 1993 : *Barques de pêche à voiles*, h/t (50x40) : **DEM 1 400**.

LEMMERS Georges ou **Ferdinand Georges**
Né le 13 mai 1871 à Anvers. Mort le 7 novembre 1944 à Estoril près de Lisbonne. xixe-xxe siècles. Belge.
Peintre de compositions animées, de genre, portraits, nus, intérieurs, paysages, paysages urbains, marines, natures mortes, fleurs, animalier, pastelliste, aquarelliste, sculpteur. Postimpressionniste.
Après des études de notariat, il fut élève de Walter De Vriendt en peinture, et de Franz Jozef Joris en sculpture à l'Académie Royale des Beaux-Arts d'Anvers, ainsi que des Académies de Malines et de Bruxelles. La plus grande partie de sa carrière s'effectua à Bruxelles à partir de 1902. Après la guerre de 1914-1918, il voyagea beaucoup à travers la France. Il passa en France, puis au Portugal, en 1940-41, pour échapper à l'occupation allemande de la Belgique. Il participa à de nombreuses expositions collectives, nationales et internationales, de 1906 à 1911 au Salon de la Société Royale de Bruxelles et à celui de la Société des aquarellistes ; jusqu'en 1925 à Anvers ; à Buenos Aires, Lisbonne, Munich, etc., et figura plusieurs fois au Salon des Artistes Français de Paris, obtenant une médaille de bronze à l'occasion de l'Exposition Universelle de 1900. Il montra aussi des ensembles d'œuvres dans des expositions personnelles multiples, dont : Anvers 1904, 1908 ; Cercle artistique de Bruxelles 1907, 1914 ; etc.
Il fut assez polymorphe dans sa technique : classique dans les portraits et figures typiques, réaliste dans les nus, impressionniste et parfois expressionniste dans les paysages et marines, intimiste dans les intérieurs et natures mortes. Il peignit des portraits tout au long de sa carrière. Les paysages se multiplièrent au cours de ses voyages à travers la France entre les deux guerres. Lors de ses dernières années au Portugal, il pratiqua surtout l'aquarelle.

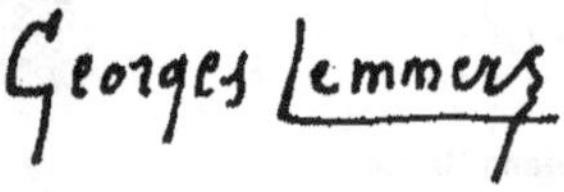

BIBLIOGR. : C. Ritzenthaler, in : *Les animaliers*, Ed. Van Wilder, s. d – *Le peintre Georges Lemmers 1871-1944*, in : La Libre Belgique, Bruxelles, 13 mai 1971 – in : *Dict. biogr. illustré des artistes en Belgique depuis 1830*, Arto, Bruxelles, 1987.
MUSÉES : ANVERS – BRUGES – BRUXELLES (Mus. comm.) : Trois peintures de sites caractéristiques – IXELLES (Hôtel comm.) : *Trois portraits de bourgmestres* – SAINT-JOSSE-TEN-NOODE (Mus. Charlier) : *La Dame en noir – Le Marché Saint-Josse* – SAINT-JOSSE-TEN-NOODE (Maison communale) : *Bassin d'Ostende*.
VENTES PUBLIQUES : BRUXELLES, 29 sep. 1982 : *Sur la plage*, h/t (85x68) : **BEF 94 000** – BRUXELLES, 23 mars 1983 : *Musette*, h/t (50x40) : **BEF 90 000** – ANVERS, 22 oct. 1985 : *La Lecture* 1920, h/t (168x200) : **BEF 550 000** – BRUXELLES, 16 mars 1987 : *Intérieur ensoleillé*, h/t (152x117) : **BEF 500 000** – LOKEREN, 28 mai 1988 : *La Famille*, h/t (84,5x125,5) : **BEF 280 000** – LOKEREN, 8 oct. 1988 : *Rue de Chambéry*, aquar. et fus. (57,5x46,5) : **BEF 36 000** – LOKEREN, 21 mars 1992 : *La partie de tric-trac* 1917, h/t (111x36) : **BEF 170 000** – PARIS, 30 mars 1992 : *Petit lapin*, cr. gras et fus. (30x24,4) : **FRF 4 000** – LOKEREN, 23 mai 1992 : *Vue d'une ville de France*, h/pan. (19x24,5) : **BEF 26 000** – LOKEREN, 20 mars 1993 : *Église près de Diest*, h/t (60x75) : **BEF 80 000** – LOKEREN, 9 oct. 1993 : *Cap-Martin*, h/t (33,5x44) : **BEF 40 000** – LOKEREN, 4 déc. 1993 : *L'allée*, h/pan. (33,5x44) : **BEF 50 000** – LOKEREN, 12 mars 1994 : *Vue de Diest*, h/t (60x75) : **BEF 65 000** – LOKEREN, 11 mars 1995 : *Vieilles maisons sur la Jordane à Aurillac*, h/t (73x100) : **BEF 140 000**.

LEMMI Angiolo
xixe-xxe siècles. Italien.
Peintre de sujets religieux, figures.
En 1900, il prit part au Concours Alinari, avec *Madone et enfant*.
VENTES PUBLIQUES : NEW YORK, 19 fév. 1992 : *La Vestale* 1903, h/t (219,7x166,3) : **USD 22 000**.

LEMMI Marco
Né le 26 février 1834 à Livourne. xixe siècle. Italien.
Peintre de genre.
Élève de Betti. Il termina ses études à Paris. Débuta vers 1860. Chevalier de l'Ordre d'Isabelle la Catholique.

LEMMI Stefano
Mort vers 1730. xviiie siècle. Actif à Fivizzano (Toscane). Italien.
Peintre.
Il fut élève de Guido Reni. On cite de ses œuvres au dôme de Carpi, et des fresques au Palais Ducal de Modène.

LEMMPUT Remi Van. Voir **LEEMPUT**

LE MOAL Jean
Né le 30 octobre 1909 à Authon-du-Perche (Eure-et-Loir). xxe siècle. Français.
Peintre, aquarelliste, peintre de compositions murales, cartons de tapisseries, vitraux, décors de théâtre. Cubo-expressionniste, puis abstrait.
Il est né dans le Perche, où son père, ingénieur des Travaux Publics breton, était en poste, sa mère étant d'une famille ardéchoise. Pour composer avec sa vocation, ses parents l'envoyèrent à Lyon, afin qu'il s'inscrivît en architecture à l'École des Beaux-Arts, tandis que lui avait en tête de faire de la sculpture, et qu'il se retrouva finalement en section de décoration. Puis, il arriva à Paris, où à l'enseignement de l'École des Arts Décoratifs il préférait la fréquentation du Louvre. Y copiant, en 1930, *Nature morte à la pipe* de Chardin, *Bacchanale à la joueuse de luth* de Poussin, *Gabrielle à la rose* de Renoir, et d'autres, il rencontra, qui copiait Rembrandt, Alfred Manessier, duquel tout devait le rapprocher toujours plus au fil des années. En 1934, il fit une seconde rencontre déterminante, celle de Roger Bissière, qui enseignait la fresque à l'Académie Ranson, et dont on peut supposer qu'il lui donna, plus qu'un enseignement technique, l'exemple de la modestie et de la conscience artistique. Élève de l'Académie Ranson jusqu'en 1938, il y travailla aussi la sculpture avec Malfray, y rencontrant Jean Bertholle et Étienne-Martin. En 1937, avec Bazaine, il a travaillé pour l'Auberge de la Jeunesse de la Porte d'Italie à Paris. Camille Bourniquel a rappelé,

dès le début de l'étude qu'il a consacrée à Le Moal, le mot de Katherine Mansfield : « Je ne crois qu'aux hommes qui ont des racines. » En effet, Jean Le Moal paraît être l'homme le plus enraciné qui soit ; cet homme, si discret, comme fragile, délicieusement amical, qui s'ouvre soudain à des crises de gaieté, donne cette impression que sans l'ensemble de ses racines, celles de ses origines, celles de son enracinement dans la peinture et celles de ses amitiés, il n'aurait plus guère d'intérêt dans l'existence. Cet enraciné a pourtant voyagé : l'Espagne en 1935, Belgique et Hollande de 1935 à 1938, l'Amérique du Sud en 1965-66. On se doute que ces itinéraires étaient dictés par la topographie des musées. En 1939, il alla à New York, où il travailla en équipe, avec Bertholle, à un plafond de 1400 mètres carrés pour le pavillon français à l'Exposition Internationale. Mobilisé à la déclaration de guerre de 1939, il fut rapidement libéré. De 1939 à 1942, il avait été régisseur de la Compagnie des Quatre Saisons, et était parti en tournée avec Jean Dasté et André Barsacq. À partir d'octobre 1940, il conçut les décors pour *L'Étoile de Séville* de Lope de Vega, *Charlotte Corday* de Drieu La Rochelle. Après sa démobilisation, les circonstances le firent devenir régisseur et décorateur de la compagnie théâtrale de Maurice Jacquemont, à Lyon. Puis, à partir de 1945, ce furent ceux pour le Théâtre de l'Ouest à Rennes : 1950 Le Chapeau de paille d'Italie, 1952 Intermezzo ; pour le Studio des Champs-Élysées : 1952 *Noces de sang* de Lorca. Il réalisait aussi des décorations murales : en 1939 pour l'école d'Eaubonne (Val-d'Oise). Cette activité dévorante l'écarta parfois de la réalisation de ses peintures personnelles. Toutefois, en 1938 à la galerie Breteau de Paris, et en 1939 à Lyon, il commença à exposer avec le groupe Témoignage ; en 1939, il participa au premier Salon des Jeunes Artistes et au premier Salon d'Art mural ; en 1942, à la galerie Braun de Paris, il participa à l'exposition historique des *Peintres de tradition française*, où, avec Bazaine, Singier, Manessier, Pignon, Gischia, entre autres, quelques jeunes peintres proclamaient, devant l'occupation allemande, la permanence d'un fait français et leur attachement à des formes d'expression artistique décrétées « dégénérées » par l'occupant. Dans le même esprit, Le Moal participa, en 1943, à l'exposition *Douze peintres d'aujourd'hui*. Il devait ensuite participer à de nombreuses autres expositions collectives, à Paris, en province, à l'étranger, notamment au Salon de Mai de Paris, dont il fut un des membres-fondateurs en 1945. Il a d'ailleurs préférentiellement participé aux expositions de groupe où il retrouvait ses amitiés d'homme et de peintre, notamment à la Galerie de France à Paris. Des expositions personnelles lui furent régulièrement consacrées, depuis les premières, notamment en 1962 galerie Roque à Paris ; jusqu'aux rétrospectives, de 1961 dans les musées de Lübeck et Wuppertal ; de 1963 dans les musées de Metz et de la ville de Luxembourg ; de 1971 dans les musées de Caen et Lille. De 1949 à 1956, la disparition de sa femme, le laissant seul avec leurs deux enfants, le tint souvent éloigné de son atelier. Il reprit son activité de décorateur de théâtre, avec pour la Comédie de Saint-Étienne, de 1954 à 1968 : *Les Frères Karamazov*, 1955 *L'Annonce faite à Marie*, puis *Le Mystère de Notre-Dame*, *La Vie est un songe*. En 1956, il reçut commande de la grande verrière du chœur de Notre-Dame de Rennes ; en 1957, de quatre vitraux pour le baptistère Saint-Martin de Brest réalisés en 1961-62, et de seize vitraux pour la crypte d'Audincourt, où il réalisa aussi une mosaïque ; en 1958, en collaboration avec Manessier, de vitraux pour l'église du Pouldu ; en 1962 vitraux pour le Couvent des Carmes à Paris ; en 1966 d'une mosaïque pour le lycée français de Bruxelles et de vitraux pour l'église Saint-Louis de Besançon ; en 1968 des vitraux pour les cathédrales Saint-Vincent de Saint-Malo et de Nantes. Il a créé encore des cartons de tapisseries pour la Manufacture d'Aubusson et le Mobilier National : 1950 *La Comédie*, ainsi que pour les ateliers de Plasse-Lecaisne : 1953 *Arbres*, 1962 *Espaces*. En 1953, lui avait été décerné le Prix de la Critique.

Dans ses premières années d'activité, de 1935 à 1939, sa peinture découlait d'un expressionnisme dramatique, teinté de néocubisme picassien, allié à un sens décoratif de bon ton typiquement français, qui caractérisaient alors l'ensemble de l'École de Paris non académique ni surréaliste. De son ascendance paternelle, les fenêtres ouvrant sur la mer des départs, les ports bretons, avec leurs enchevêtrements de mâtures, jouèrent un rôle important dans toute sa première époque, qu'on dira néocubiste par commodité, dont il s'écarta assez tôt, surtout après un séjour à Vannes en 1942, en accordant de plus en plus d'importance à la structuration de ses compositions par un réseau de lignes verticales et de courtes horizontales obliques, rompues de courbes pouvant se prolonger jusqu'au cercle. À partir de 1953 ce fut la découverte de l'Ardèche maternelle qui allait provoquer une mutation décisive dans son œuvre. Il a dit lui-même qu'il eut alors « l'impression de découvrir la peinture », qu'il pratiqua, à partir de 1957-1960, autant à l'aquarelle qu'à l'huile. Sans s'arrêter au paysage immédiatement pittoresque de ces Cévennes abruptes et arides, il en dépasse l'apparence globale, s'arrêtant plutôt aux détails qui la constituent, rocailles, sources qui en sourdent, racines noueuses, pour en traduire la poésie, par les seuls jeux du rythme des lignes et des vibrantes touches de couleurs lumineuses, qui, issus de l'observation préliminaire de la nature, en font, selon Camille Bourniquel « éclater la forme de l'intérieur ». Son voyage en Amérique du Sud, en 1965-66, lui fit retrouver des accords colorés plus vibrants, les variations de la lumière traduites en ruissellements de couleurs éclatantes restant, par-delà les prétextes locaux, son thème fondamental.

Alors, Le Moal a pleinement rejoint l'abstraction française de la période d'après-guerre, abstraction paysagiste fondée sur la poésie du réel, prenant la suite de la peinture d'atmosphère de la dernière période de Claude Monet, dont on retrouve des interprétations différentes chez Bazaine, Manessier ou Singier.

■ Jacques Busse

Jean le Moal

Jean le Moal

Bibliogr. : Bernard Dorival, in : *Les Étapes de la peinture française contemporaine*, Gallimard, Paris, 1944 – Camille Bourniquel, in : Catalogue de l'exposition *Trois peintres*, gal. René Drouin, Paris, 1946 – B. Dorival, in : *Les peintres du* XXe *siècle*, Tisné, Paris, 1957 – Camille Bourniquel : *Le Moal*, Musée de poche, Paris, 1960 – Ponompe, in : *Tendances contemporaines*, Skira, Genève, 1960 – Jacques Lassaigne, Denys Chevalier : Catalogue de l'exposition *Le Moal*, gal. Roque, Paris, 1962 – B. Dorival : Catalogue de l'exposition *Le Moal*, Musée de Metz, 1963 – Guichard Meili, in : *Peintres contemporains*, Mazenod, Paris, 1964 – in : *Les Muses*, Grange-Batelière, Paris, 1972 – in : *Diction. Univers. de la Peint.*, Le Robert, Paris, 1975 – in : *L'Art du* XXe *siècle*, Larousse, Paris, 1991 – in : *Diction. de l'Art mod. et contemp.*, Hazan, Paris, 1992.

Musées : Bergen – Bremen – Essen – Luxembourg, ville – Lyon – Mannheim – Metz – Mexico : *Intérieur ou Hommage à Bonnard* 1966-67 – Oslo (Onstad Mus.) : *Composition* 1955 – Paris (Mus. Nat. d'Art Mod.) : *La Saint-Jean d'été* vers 1955 – *L'Océan* 1958-59 – *Intérieur* 1964 – Rennes (Mus. des Beaux-Arts) : *Conleau* 1944 – Saint-Étienne (Mus. d'Art et d'Industrie) – Turin – Wellington, Nouvelle-Zélande.

Ventes Publiques : Milan, 21-23 nov. 1962 : *Composition* : **ITL 850 000** – Paris, 12 déc. 1969 : *Composition* : **FRF 5 000** – Genève, 18 juin 1972 : *Composition* : **CHF 6 000** – Versailles, 12 juin 1974 : *Composition multicolore sur fond vert* 1957 : **FRF 14 000** – Paris, 22 juin 1976 : *Composition* 1963, h/t (33x82) : **FRF 3 500** – Paris, 8 mars 1977 : *Composition* 1963, h/t (33x82) : **FRF 5 000** – Versailles, 10 juin 1979 : *Les pins* 1947, h/t (45x54) : **FRF 5 500** – Paris, 15 avr. 1983 : *Composition lyrique multicolore* 1955, h/t (80x80) : **FRF 24 000** – Enghien-les-Bains, 8 juin 1986 : *Lumière et branche* 1959, h/t (92x65) : **FRF 51 000** – Neuilly, 16 juin 1987 : *Composition* 1959, aquar. (46x32) : **FRF 13 000** – Neuilly-sur-Seine, 16 mars 1989 : *Espace marin* 1961, h/t (82x33) : **FRF 63 000** – Paris, 19 mars 1989 : *Composition* 1970, h/t (15x25) : **FRF 16 500** – Londres, 26 oct. 1989 : *Bretagne* 1956, h/t (61x38,2) : **GBP 35 200** – Paris, 15 fév. 1990 : *Composition* 1975, h/t (116x88,5) : **FRF 165 000** – Paris, 25 mars 1990 : *L'orage* 1957-1958, h/t (116x89) : **FRF 400 000** – Londres, 18 oct. 1990 : *Sans titre* 1962, aquar./pap. (15x27) : **GBP 2 200** – Paris, 21 mai 1992 : *Composition* 1955, h/t (80x80) : **FRF 64 000** – Paris, 19 mars 1993 : *Composition* 1962, aquar. (16x16) : **FRF 4 300** – Paris, 21 oct. 1993 : *L'Automne* 1954, h/t (92x73) : **FRF 150 000** – Copenhague, 3 nov. 1993 : *L'Enfant* 1948, h/t (41x25) : **DKK 19 000** – Paris, 30 mai 1994 : *Le Port* 1953, h/t (73x100) : **FRF 75 000** – Paris, 10 déc. 1995 : *Sans titre* 1962, aquar. (10x35) : **FRF 4 000** – Londres, 15 mars 1996 : *Brisants* 1959, h/t (54x130) : **GBP 5 520** – Paris, 19 juin 1996 : *Composition* 1966, h/t (27x22,2) : **FRF 9 000** – Paris, 5 oct. 1996 : *Mai 1954* 1954, h/t (74x50) : **FRF 24 000** – Paris, 16 déc. 1996 : *Le Crotoy* 1954, h/t (73x100) : **FRF 35 000**.

LEMOIGNE Jean
XVe siècle. Français.
Sculpteur et architecte.
Pour le compte de l'historien Philippe de Commines, et de sa femme, Hélène de Chambes, il travailla, vers 1487, à la chapelle du château de Dreux. Il prit part à la construction de l'église Saint-Germain, à Argentan, en 1498, ainsi qu'en fait foi l'inscription gravée sur un des piliers.

LE MOIGNE Simone
Née le 1er juin 1911 à Magoar par Trégornan-en-Glomel (Côtes-d'Armor). XXe siècle. Française.
Peintre de scènes et paysages typiques, peintre à la gouache, lithographe. Naïf.
Elle a vécu son enfance dans la ferme familiale. En 1935, s'étant mariée avec un sabotier, elle s'occupa de la décoration des sabots. Elle fut ensuite cuisinière à Paris. Ce n'est qu'à l'âge de cinquante-huit ans qu'elle se mit à peindre, en 1969. Elle fut découverte en 1972. Depuis, elle a participé à des expositions collectives d'art naïf, notamment en 1973 à *The Primitives*, à Chicago ; ainsi qu'aux Salons des Indépendants, d'Automne, de la Société Nationale des Beaux-Arts, Comparaisons, à Paris ; dans de nombreuses autres villes en France et à l'étranger. Des ensembles de ses peintures ont été montrés dans des expositions personnelles : 1973, 1975 à Nantes ; 1974 à Paris ; puis à Eygalières, Saint-Brieuc, Rostrenen ; 1983 à Nantes ; 1988 à Rennes. Une exposition rétrospective lui a été consacrée en 1987, à l'Hôtel-de-Ville de Saint-Herblain et au Musée du Vieux Château de Laval.
Cuisinière à Paris, pour oublier la tristesse de sa petite chambre sous les toits, elle se mit à retracer sur les toiles la Bretagne de ses souvenirs heureux. Son œuvre fut ensuite abondante ; le catalogue de la rétrospective de Saint-Herblain en 1987, en divise les thèmes selon la classification suivante : Village natal ; À la maison ; Travaux de la ferme et des champs ; Fêtes et rêves ; Animaux, arbres et fleurs ; Monuments. N'ayant reçu aucune formation, les matériaux de peinture lui étant advenus par hasard, elle commença à peindre, sans pinceaux, directement des tubes de couleurs avec les doigts, technique qu'elle continuera à pratiquer, même lorsqu'elle utilisera simultanément les pinceaux. Ses peintures sont essentiellement narratives, l'écriture en est authentiquement naïve. Les problèmes proprement picturaux ne sont pas de sa compétence, pourtant, souvent, elle atteint à des trouvailles de dessin et à des atmosphères colorées étonnantes. ■ J. B.
BIBLIOGR. : Anatole Jakovsky : Catalogue de l'exposition *Simone Le Moigne*, Paris, 1974 – divers : Catalogue de l'exposition rétrospective *Simone Le Moigne*, Hôtel-de-Ville de Saint-Herblain, 1987, très complète documentation.
MUSÉES : LAVAL (Mus. du Vieux Château) : *La Vallée du Gouët* – LUGANO (Mus. Civico) : *Veillée et grillades de châtaignes* – NANTES (Mus. des Beaux-Arts) : *Le Verger en fleurs ; Le Village de Preux ; La Veillée enchantée* – NICE (Mus. Internat. d'Art Naïf Anatole Jakovsky) : *L'Heure de la messe* – PARIS (Mus. d'Art naïf Max Fourny) : *Nuit de Noël chantante* – SAINT-HERBLAIN (divers bâtiments officiels) – VICQ (Mus. d'Art naïf d'Île-de-France) : *Musique de plein air.*

LEMOINE
XVIIIe siècle. Français.
Graveur au burin.

LEMOINE. Voir aussi **LEMOYNE** et **MOINE**

LEMOINE Alfred
XIXe siècle.
Peintre.
On connaît de lui un *Portrait du compositeur Glinka.*

LEMOINE Alfred François
Né le 20 janvier 1824 à Paris. Mort en 1881. XIXe siècle. Français.
Lithographe.
Exposa au Salon, depuis 1849 jusqu'à sa mort, des portraits et des sujets de genre. Il obtint une mention honorable en 1879.

LEMOINE André
Né le 21 février 1894 à Paris. XXe siècle. Français.
Graveur.
Il fut élève de l'Atelier Lacourrière et de l'Académie Charpentier à Paris, où il exposait au Salon des Indépendants.

LEMOINE Augusta Charlotta
Née le 10 septembre 1809. Morte le 30 janvier 1839. XIXe siècle. Suédoise.
Peintre de portraits.
Elle était la fille du peintre Erik Wilhelm Lemoine et vécut à Uppsala.

LEMOINE Auguste Charles
Né le 20 septembre 1822 à la Ferté-sous-Jouarre (Seine-et-Marne). Mort le 16 mai 1869 à Paris. XIXe siècle. Français.
Lithographe.
Élève de Lehmann et d'Émile Lassalle. Exposa au Salon de 1841 à 1870 ; médailles en 1851 et 1865. Il a fait des dessins à l'estompe et des lithographies d'après ses professeurs et aussi d'après Delaroche, Diaz, Winterhalter.

LEMOINE Benoît
Né en 1961. XXe siècle. Français.
Peintre. Polymorphe.
La Bibliothèque Nationale de Paris lui a consacré une exposition en 1993.
Après des débuts expressionnistes et cinétiques, il a évolué à une abstraction gestuelle, constituée de signes et d'écritures.

LEMOINE Carl Gustaf
Né vers 1700 à Stockholm. Mort en 1727 à Paris. XVIIIe siècle. Suédois.
Graveur.
Il fut élève de Brenner et devint son successeur comme peintre d'armoiries à la « Maison de la Chevalerie », à Stockholm. Grâce à une bourse de l'État il étudia à Paris. Parmi ses œuvres sont mentionnées des planches représentant des médailles suédoises du XVIIe siècle, ainsi que la médaille de la fondation de la ville de Göteborg. On cite également sa gravure d'un portrait du *Maréchal K. G. Rehnsklöd.*

LEMOINE Charles
Né à Paris. XIXe siècle. Français.
Graveur à la manière noire.
Il fut élève du sculpteur et graveur Jean-Jacques Feuchère. Il exposa au Salon de Paris, de 1861 à 1869. Peut-être identique au suivant.

LEMOINE Charles
Né en 1839 à Paris. XIXe siècle. Français.
Sculpteur.
Élève de Mehl (le graveur A.S. Mehl ?). Exposa au Salon de Paris en 1865, 1868, 1869. Peut-être identique au précédent.

LE MOINE Charles Alfred
Né le 24 mai 1872 à Saint-Aubin (Aube). Mort le 24 décembre 1918 à Sceaux (Hauts-de-Seine). XIXe-XXe siècles. Français.
Peintre de scènes typiques.
Après le baccalauréat, il fut élève libre de Luc-Olivier Merson à l'École des Beaux-Arts de Paris. Il partit pour Tahiti en 1902, et resta soit à Tahiti même, soit dans les îles Gambier ou Marquises, jusqu'à la maladie qui l'obligea à revenir en France pour y mourir. En 1978, le Musée Gauguin de Papeari a organisé une exposition rétrospective de l'ensemble de son œuvre, puisqu'il n'a pas peint ailleurs.
Cet œuvre est assez important et consiste en scènes de genre typiquement locales et en combats de chevaux sauvages, alors encore nombreux sur l'île.
BIBLIOGR. : Patrick O'Reilly : Catalogue de l'exposition *Charles Alfred Le Moine*, Mus. Gauguin, Papeari, 1978.

LE MOINE Elisabeth, née **Bocquet,** et non **Bouchet** ni **Boquet**
XVIIIe siècle. Française.
Peintre, dessinatrice et graveur.
À Paris, elle était active vers 1783. Elle a gravé des sujets de genre et des paysages.
VENTES PUBLIQUES : PARIS, 1867 : *La jolie crémière* : **FRF 420** – NEW YORK, 6 juin 1984 : *Portrait de jeune femme* 1783, h/t, forme ovale (80x61) : **USD 7 500** – NEW YORK, 13 oct. 1989 : *Les frères de Joseph le vendant comme esclave* 1783, h/t (89x117) : **USD 14 300** – PARIS, 22 juin 1990 : *Portrait d'une jeune femme tenant une partition*, h/t (88,5x69) : **FRF 330 000**.

LEMOINE Emmanuel Jacques
XVIIIe siècle. Actif à Rouen. Français.
Peintre.

LE MOINE Erik Wilhelm
Né le 16 avril 1780 à Ramnäs. Mort le 6 mai 1859 à Strängnäs. XIXe siècle. Suédois.
Peintre.

Il fut élève des Académies de Stockholm et d'Hilleström. Parmi ses œuvres on cite : *Motifs du port d'Helsinki* et *Vue de Stockholm* (tableaux que possède la Société finnoise des Beaux-Arts d'Helsinki), *Portrait du poète Erik Sjöberg*, un portrait miniature d'*Eric Westerberg*, ainsi que de nombreux autres portraits.

LEMOINE Francisque
Né le 7 août 1844 à Saint-Brieuc (Côtes-du-Nord). Mort en février 1911 à Saint-Brieuc. XIXe-XXe siècles. Français.
Paysagiste.
Le Musée de Saint-Brieuc conserve de lui : *Villa Main Gay*. Élève de Trouillebert.

LE MOINE François ou **Le Moyne, Lemoyne**
Né en 1688 à Paris. Mort le 4 juin 1737 à Paris d'un accès de fièvre. XVIIIe siècle. Français.
Peintre d'histoire, scènes mythologiques, compositions religieuses, sujets allégoriques, scènes de genre, portraits, compositions décoratives, peintre à la gouache, pastelliste.
Agé de 13 ans il entra dans l'atelier de Louis Galloche et obtint le Grand Prix de l'Académie en 1711. Agréé à l'Académie en 1716, il fut reçu en 1718. Il exécuta concurremment avec le peintre vénitien Antonio Pellegrini l'esquisse d'un grand plafond pour la décoration de l'Hôtel de Nevers devenu Hôtel de la Banque Royale. En 1723 il commença une *Transfiguration* pour le chœur de l'église des Jacobins. Il interrompit ce travail pour un voyage en Italie où il admira les plafonds dus aux pinceaux de Michel-Ange, de Pietro de Cortone. Revenu en France, il acheva son tableau pour l'église des Jacobins. En 1727, il concourut pour un Prix de l'Académie et partagea le prix avec De Troy. De 1729 à 1731 il peignit divers tableaux pour le château de Versailles et pour l'église Saint-Sulpice. En 1733 il fut nommé professeur à l'Académie. Ce fut à cette époque qu'il commença, à Versailles, la décoration du Salon d'Hercule, qui ne fut terminée qu'en 1736. Ce travail lui valut d'être nommé premier peintre du roi, et une pension de 3500 livres.
Lemoine est resté sur la lancée des peintres décorateurs du siècle précédent et demeure sous l'influence de Pierre de Cortone, Véronèse, Parmesan. Il réalisa la plupart de ses décorations aimables et fastueuses, à l'huile sur des toiles marouflées.

F lemoyne.

MUSÉES : ABBEVILLE : *Le Temps découvrant la Vérité – Hercule et Omphale – Persée et Andromède – Baigneuse et sa suivante – Le peintre lui-même* – ANGERS : *Laban et Rachel* – BAYONNE (Mus. Bonnat) : Esquisse d'un plafond – BERNAY : *Une Muse* – BESANÇON : *Tancrède rendant les armes à Clorinde* – BUDAPEST : *Samson et Dalila* – CHAUMONT : *Diane et Endymion – Vénus et Vulcain* – DIJON : *Message* – ÉPINAL : *Scène du déluge – Profil de jeune fille* – FONTAINEBLEAU : *Junon, Iris et Flore* – HAMBOURG : *Narcisse* – LE HAVRE : *La toilette de Vénus* – HELSINGSFORS : *Vue de Stockholm* – Deux aquarelles – LONDRES (coll. Wallace) : *Le Temps découvrant la Vérité – Persée et Andromède – Enlèvement d'Europe – Naissance de Bacchus* – LE MANS : *Allégorie* – MONTPELLIER : Esquisse – MUNICH : *Chasse* – NANCY : *Continence de Scipion – Apothéose de saint Louis – Hercule délivrant Hésione* – NANTES : *Martyre de saint Jean* – ORLÉANS : *Adieux d'Hector à Andromaque et à Astyanax* – PARIS (Mus. du Louvre) : *Junon, Iris et Flore – Hercule et Omphale – Éducation de l'Amour – L'Apothéose d'Hercule*, Esquisse – RENNES : Pastel – SAINT-BRIEUC : *Tête de jeune fille* – SAINT-PÉTERSBOURG (Mus. de l'Ermitage) : *Apollon et Daphné – L'Amour – Io et Jupiter – Femme au bain – Dans l'île d'Armide* – STOCKHOLM : *Adonis prend congé de Vénus – Apothéose d'Hercule* – STRASBOURG : Allégorie – TOULOUSE : *Apothéose d'Hercule* – VERSAILLES : *Louis XV donnant la paix à l'Europe*.

VENTES PUBLIQUES : PARIS, 1777 : *Adam et Ève dans le Paradis terrestre* : **FRF 7 000** – PARIS, 1792 : *Les chevaliers danois venant arracher Renaud aux enchantements d'Armide* : **FRF 15 000** ; *Hercule et Omphale avec l'Amour* : **FRF 12 000** – PARIS, 1876 : *Le Perruquier d'Amiens* : **FRF 8 000** – PARIS, 1883 : *Portrait de Mademoiselle Duthé*, lav. d'aquar. et encre de Chine reh. de blanc : **FRF 6 000** – PARIS, 1885 : *L'Assomption* : **FRF 1 600** – PARIS, 1899 : *La Toilette de Diane* : **FRF 1 450** – PARIS, 14 juin 1900 : *Galathée* : **FRF 11 300** – PARIS, le 4 juin 1903 : *La Bergère endormie ; Le Retour de la bergère* : **FRF 18 000** – PARIS, 13-15 avr. 1905 : *Portrait de l'artiste* : **FRF 2 020** – PARIS, 14 déc. 1908 : *Portrait de femme* : **FRF 600** – PARIS, 27-29 avr. 1909 : *La Baigneuse* : **FRF 11 100** – PARIS, 6-7 mai 1920 : *La Jeune Mère* : **FRF 13 200** ; *Atalante et Méléagre* : **FRF 4 100** – LONDRES, 9 juil. 1926 : *Mort d'Adonis* : **GBP 58** ; *La Source* : **GBP 86** – LONDRES, 27 avr. 1928 : *Latone, Apollon et Artémis* : **GBP 168** – PARIS, 15 mai 1931 : *Scène mythologique*, esquisse : **FRF 1 720** – LONDRES, 24 mai 1935 : *Latone et ses enfants* : **GBP 81** – PARIS, 7 juin 1939 : *Le Triomphe d'Amphitrite*, esquisse : **FRF 9 000** – PARIS, 6 juil. 1942 : *La Grappe convoitée ; L'Amour timbalier*, deux toiles. Attr. : **FRF 58 000** – PARIS, 17 mars 1943 : *Iris*, attr. : **FRF 40 000** – LONDRES, 21 fév. 1945 : *Diane et ses nymphes* : **GBP 175** – LONDRES, 29 juin 1945 : *Sacrifice d'Iphigénie* : **GBP 157** – PARIS, 24 mars 1947 : *Académie d'homme*, pierre noire et gche : **FRF 1 350** – PARIS, 6 juin 1951 : *Le sacrifice d'Iphigénie* : **FRF 185 000** – PARIS, 14 juin 1955 : *Le sacrifice d'Iphigénie* : **FRF 650 000** – PARIS, 1er avr. 1965 : *Jeune Femme et Enfants* : **FRF 25 500** – LONDRES, 6 juil. 1966 : *Charité* : **GBP 1 300** – VIENNE, 16 sep. 1969 : *Psyché et Cupidon* : **ATS 90 000** – PARIS, 22 nov. 1972 : *Narcisse* : **FRF 38 000** – PARIS, 29 nov. 1976 : *Le Sommeil de Diane*, h/t (87x128) : **FRF 68 000** – MONTE-CARLO, 11 févr 1979 : *Le martyre d'un saint évêque*, pl. et lav. brun et gris avec reh. de blanc (48,8x29) : **FRF 8 000** – LONDRES, 12 déc 1979 : *Benigne Comeau*, h/t (116x89) : **GBP 4 000** – MONTE-CARLO, 26 oct. 1981 : *Les Amours oiseleurs*, h/t (95x129) : **FRF 60 000** – NEW YORK, 30 avr. 1982 : *Académie d'homme assis*, pierre noire/pap. gris (38x49) : **USD 1 500** – LONDRES, 2 juil. 1984 : *Femme debout*, craie noire et blanche et estompe/pap. bleu, étude (51,8x32,2) : **GBP 2 600** – LONDRES, 4 avr. 1984 : *Hercule et Omphale*, h/t (139x97) : **GBP 28 000** – ROUEN, 15 déc. 1985 : *Etude de femme assise*, pierre noire, reh. de blanc/pap. gris-bleu (38x26) : **FRF 82 000** – LONDRES, 30 juin 1986 : *Un homme couronné de lauriers*, pierre noire reh. de blanc/pap. gris (27,8x47,9) : **GBP 5 500** – LONDRES, 11 avr. 1986 : *L'Adoration des Rois Mages*, h/t (99,6x81,2) : **GBP 65 000** – PARIS, 9 mars 1988 : *Jeune homme debout servant du vin*, sanguine (24,5x16) : **FRF 280 000** – ROME, 7 mars 1989 : *La Charité*, h/t (79x98) : **ITL 31 000 000** – PARIS, 26 juin 1989 : *Vierge à l'Enfant*, h/t (83x67) : **FRF 360 000** – PARIS, 12 déc. 1989 : *L'Assomption de la Vierge*, h/t, ovale (88,5x111) : **FRF 7 000 000** – PARIS, 5 déc. 1990 : *Le cuvier*, h/t (39,5x49) : **FRF 90 000** – NEW YORK, 8 jan. 1991 : *Etude de tête d'un homme barbu et de mains l'une tenant un bâton*, craies noire et rouge avec reh. de blanc/pap. beige (36,6x25) : **USD 6 050** – LONDRES, 2 juil. 1991 : *Tête de Vénus*, craies noire, rouge et blanche/pap. bleu (22x18,2) : **GBP 12 100** – LONDRES, 5 juil. 1991 : *Télémaque découvrant Calypso*, h/t (120x119,8) : **GBP 33 000** – MONACO, 7 déc. 1991 : *Paysage pittoresque*, h/t (65,8x81) : **FRF 133 200** – NEW YORK, 14 jan. 1992 : *Étude de tête de jeune femme*, sanguine avec reh. de blanc (18,2x16,4) : **USD 18 700** – NEW YORK, 21 mai 1992 : *Les Baigneuses*, h/t (156,2x120,7) : **USD 451 000** – LONDRES, 6 juil. 1992 : *Étude de deux chevaux se cabrant parmi les nuages*, craies noire et blanche/pap. bleu (24x21,2) : **GBP 1 012** – MONACO, 4 déc. 1992 : *Paysage des Apennins*, h/t (76x72) : **FRF 111 000** – NEW YORK, 13 jan. 1993 : *Saint Jean Baptiste prêchant*, sanguine (24,7x19) : **USD 3 080** – NEW YORK, 12 jan. 1995 : *Portrait du roi Louis XV*, craie noire et past./pap. brun (28,9x20,8) : **USD 211 500** – LONDRES, 3 juil. 1995 : *Étude de jambes avec une draperie d'un personnage assis*, craie noire et reh. de blanc/pap. (20,7x22,8) : **GBP 6 900** – NEW YORK, 10 jan. 1996 : *Allégorie du Dessin*, craie noire et blanche/pap. brun clair (20,5x21) : **USD 29 900** – PARIS, 11 déc. 1996 : *Portrait du roi Louis XV*, past. (40x32) : **FRF 45 000**.

LEMOINE Georges Marie Jacques
Né au XIXe siècle à Nancy (Meurthe-et-Moselle). XIXe siècle. Français.
Graveur sur bois et au burin.
Élève de M. Tauxier. Sociétaire des Artistes Français depuis 1890, il obtint une mention honorable en 1897.

LEMOINE Gervais
XVIIe siècle. Actif au Mans, vers 1625. Français.
Peintre et sculpteur.

LE MOINE J.
XVIIIe siècle. Actif à Paris vers 1760. Français.
Graveur au burin.
Il a gravé des sujets de genre.

LE MOINE Jacques
XVIe siècle. Français.
Sculpteur.
Sans doute parent de Mathieu Le Moine ; son nom est révélé par un acte notarié passé à Beauvais, en 1526, où il est qualifié imagier.

LEMOINE Jacques Antoine Marie
Né en 1751 à Rouen. Mort le 7 février 1824 à Paris. XVIIIe-XIXe siècles. Français.
Peintre de genre, sujets mythologiques, portraits, dessinateur, miniaturiste.
Élève de Delatour. Il exposa au Salon de la correspondance en 1785 ; parmi les œuvres qu'il exposa au Salon de 1795 à 1817, se trouvent des miniatures, des dessins et des peintures sur porcelaine.

Musées : Louviers : *Cavalier couronnant un buste de femme* – Paris (Mus. du Louvre) : *Portrait de femme*, miniat. – Rouen : *Portrait de femme* – *Portrait de Laurent Parfait.*
Ventes Publiques : Paris, 8 avr. 1919 : *Portrait présumé de Madame Molé Raymond*, miniat. : **FRF 8 100** – Paris, 26 mai 1919 : *Portrait de Mirabeau*, miniat. : **FRF 6 600** – Paris, 24 mars 1920 : *Mercure, Argus et Io* : **FRF 4 900** – Paris, 6-8 déc. 1920 : *Portrait d'homme*, cr. : **FRF 6 000** – Paris, 8 juin 1925 : *Portrait de Mlle Duthé*, cr., quelques reh. de lav. : **FRF 74 100** – Paris, 19 et 20 mai 1926 : *Jeune femme au masque*, cr. : **FRF 5 520** – Paris, 7 et 8 juin 1928 : *Portraits d'homme et de jeune femme*, deux dessins : **FRF 12 200** – Paris, 13-15 mai 1929 : *Portrait de l'artiste*, dess. : **FRF 62 000** ; *Portrait de Rosalie Duthé à sa toilette*, dess. : **FRF 105 000** ; *Portrait de Mme Molé-Raymond*, dess. : **FRF 92 000** ; *Portrait de Mme de Rohan-Guémenée*, dess. : **FRF 32 000** ; *Portrait de Mlle Dugazon*, dess. : **FRF 63 000** ; *Portrait de Mme Vigée-Lebrun*, dess. : **FRF 25 100** ; *Portrait de Mlle Contat, l'aînée*, dess. : **FRF 8 500** ; *Portrait d'une actrice en sultane*, dess. : **FRF 4 300** – Paris, 7 déc. 1934 : *Portrait de Rosalie Duthé* : **FRF 31 000** – Paris, 14 déc. 1936 : *Le galant sculpteur*, pierre noire : **FRF 10 000** – Paris, 15 juin 1938 : *Le boudoir*, pierre noire et lav. de Chine : **FRF 8 000** – Paris, 28 nov. 1941 : *Portrait d'une jeune femme*, dess. reh. d'aquar. : **FRF 2 500** – Paris, 14 mai 1945 : *Portrait présumé de Mr. de Monnier*, cr. noir, reh. de gche : **FRF 2 100** – Paris, 4 juin 1947 : *Portrait de Madame Le Hayer née Françoise Le Cornu de Bimorel* 1785, dess. au cr. noir, reh. légers d'aquar. : **FRF 12 500** – Paris, 1er avr. 1949 : *Portrait d'homme en costume bleu* : **FRF 23 500** – Paris, 9 mars 1951 : *Buste de jeune femme, de profil* : **FRF 21 000** – Paris, 6 avr. 1957 : *Portrait présumé de Mme Vigée-Lebrun*, pierre noire reh. de blanc : **FRF 156 000** – Londres, 1er juin 1959 : *Portrait de l'artiste*, fusain et pierre noire : **GBP 550** – Genève, 13 juin 1960 : *Portrait de Mme de Rohan-Guéménée*, pierre noire : **CHF 1 500** – Paris, 29 nov. 1976 : *Portrait de Zamor* 1785, h/t (65x55) : **FRF 42 000** – Paris, 4 nov. 1981 : *Portrait de jeune femme* 1796, pierre noire et estompe (25x31) : **FRF 16 000** – Monte-Carlo, 22 fév. 1986 : *Portrait de Mademoiselle Joly de la Comédie-Française* 1785, pierre noire et estompe (17,5x14,4) : **FRF 10 000** – Paris, 22 nov. 1988 : *Portrait de femme*, trois cr./pap. beige (26x22) : **FRF 3 800** – New York, 8 jan. 1991 : *Portrait d'un homme de profil gauche* 1797, craie noire (29x25,3) : **USD 6 600** – Paris, 26 avr. 1993 : *Portrait de Zamor* 1785, h/t (65x54) : **FRF 500 000** – New York, 29 jan. 1997 : *Autoportrait* 1783, craies noire et rouge avec reh. de blanc (27x21,9) : **USD 13 800.**

LE MOINE Jean
XVIe siècle. Parisien, vivant au XVIe siècle. Français.
Sculpteur.
Sa réputation était grande comme sculpteur de tombes ; il en exécuta un grand nombre, de 1523 à 1530, aussi bien pour Paris que pour la province. Son nom figure sur une pierre tombale richement ornée, qui sert de table à l'autel de la chapelle du Vivier-en-Brie.

LEMOINE Jean. Voir aussi **LEMOIGNE**

LEMOINE Marie Victoire
Née en 1754 à Paris. Morte le 2 décembre 1820 à Paris. XVIIIe-XIXe siècles. Française.
Peintre de genre, portraits, miniaturiste.
Élève de Ménageot. Elle exposa au Salon de la Correspondance en 1779 et 1785, puis au Salon de 1796 à 1814. On cite d'elle *Jeune fille faisant du fromage.*
Musées : Stockholm : *Daniel M. Schedvin*, portrait miniature.
Ventes Publiques : Paris, 21 nov. 1919 : *Portrait de jeune fille*, attr. : **FRF 4 600** – Paris, 6 et 7 déc. 1926 : *Portrait de la princesse de Lamballe* : **FRF 81 000** – Paris, 14 déc. 1934 : *Mme de Lucque et son enfant* : **GBP 336** – New York, 19 jan. 1984 : *Portrait d'une dame de qualité* 1781, h/t, vue ovale (58,5x48) : **USD 4 750** – New York, 5 juin 1986 : *Portrait présumé de Mademoiselle de Rochechouart Mortemart*, h/t, de forme ovale (44x36,5) : **USD 17 000** – New York, 12 jan. 1989 : *Portrait d'une Lady portant une capeline garnie de fleurs et tenant à la main un petit bouquet* 1783, h/t (80x62) : **USD 16 500** – Monaco, 16 juin 1989 : *Portrait présumé de Madame de Genlis* 1781, h/t (60x50) : **FRF 399 600** – Paris, 6 nov. 1991 : *L'offrande sur l'autel de l'Amour*, gche/vélin (25x19) : **FRF 11 500** – Paris, 26 juin 1992 : *Portrait d'un jeune homme en habit bleu*, h/t (71x58,5) : **FRF 92 000** – New York, 15 jan. 1993 : *Portrait de Madame de Genlis* 1781, h/t, de forme ovale (59,7x48,9) : **USD 40 250** – Monaco, 2 juil. 1993 : *Portrait du Baron de Malouet* 1818, past. (54x44,5) : **FRF 33 300.**

LE MOINE Mathieu
XVIe siècle. Parisien, vivant au XVIe siècle. Français.
Sculpteur.
Parent de Jean et Nicolas Le Moine. Il fit, pour l'église Saint-Pierre de Beauvais, le tombeau en cuivre de Louis Villiers de l'Isle-Adam, évêque de Beauvais, mort en 1520 : l'effigie de l'évêque était gravée dans un encadrement gothique avec l'inscription : *Fet par Mathieu Le Moine, tombier à Paris.* Il en reste un dessin de Gaignières, à la Bibliothèque Nationale. Mathieu Le Moine fit encore, en 1524, trois tombes pour l'église de la Chapelle-Iger (Seine-et-Marne).

LE MOINE Nicolas
XVIe siècle. Parisien, vivant au XVIe siècle. Français.
Sculpteur.
Parent de Mathieu et Jean Le Moine. Son nom, avec la date 1563, sont gravés sur une table de pierre, fixée au second pilier du chœur de l'église annexe de Saint-Fiacre de la Ville-du-Bois, à Nozay (Val-d'Oise).

LEMOINE Raoul E.
Né le 20 juin 1853 à Paris. XIXe-XXe siècles. Français.
Lithographe.
Élève de Papillon et de Maurou. Figura au Salon des Artistes Français. Membre de cette société depuis 1909, il obtint une mention honorable en 1906, une médaille de bronze en 1920, d'argent en 1925.

LE MOINE René Jean ou **Lemoine**
Mort en 1791. XVIIIe siècle. Français.
Peintre de paysages et graveur à l'eau-forte.
Élève de l'Académie Royale. Fut reçu membre de l'Académie Saint-Luc le 14 août 1759, avec un *Paysage*, et exposa à cette Académie en 1762.

LEMOINE Suzanne. Voir **SILVESTRE Suzanne Élisabeth**

LEMOINE Xainte Edmée, née **Blot**
Née à la fin du XVIIIe siècle près de Paris. XVIIIe-XIXe siècles. Française.
Miniaturiste.
Exposa au Salon, sous le nom de Blot, en 1810 et 1812, et sous le nom de Lemoine, en 1814, 1817, 1824.

LEMOINE Yvonne
Née le 19 janvier 1903. Morte le 1er avril 1982. XXe siècle. Française.
Peintre.
Elle fut élève, à Paris, des Académies de la Grande-Chaumière et Julian, pendant sept ans. Elle exposait au Salon des Indépendants, dont elle fut sociétaire de 1923 à 1970, et au Salon des Artistes Français, dont elle fut sociétaire de 1933 à 1979, y obtenant Prix et médailles.

LEMOINE-BENOIT Victor Philippe François
XIXe siècle. Actif à Paris. Français.
Peintre de genre et aquarelliste.
Exposa au Salon, de 1831 à 1850, des portraits, des paysages d'Italie, des scènes algériennes.
Ventes Publiques : New York, 12 mai 1978 : *Les montgolfières*, h/t (71x91,5) : **USD 1 900.**

LEMOINE-LAGRON Thérèse
Née le 23 août 1891 à Gournay-sur-Marne (Seine-Saint-Denis). XXe siècle. Française.
Peintre-aquarelliste.
Elle fut élève d'Eugénie Faux-Froidure. Elle exposait à Paris, au Salon des Artistes Français.

LEMOINE-MONTIGNY A. A. Didier
XIXe siècle. Français.
Peintre.
Sociétaire des Artistes Français depuis 1884, il figura au Salon de ce groupement.

LE MOITURIER Pierre Antoine ou **le Mouturier**, appelé aussi **Maistre Anthoniet**
Né vers 1425 à Avignon. Mort vers 1497 à Dijon. XVe siècle. Français.
Sculpteur.
Neveu et élève de Jacques Morel, il travailla à l'abbaye Saint-Antoine de Vienne, en Dauphiné, de 1452 à 1461. Il se chargea, en 1464, de terminer le tombeau que Philippe le Bon, duc de Bourgogne, voulait faire élever, dans le chœur de l'église de la Chartreuse de Champmol, de Dijon, à Jean sans Peur et à Marguerite de Bavière. Un sculpteur espagnol, Jean de la Huerta ou Werta, l'avait commencé en 1444 et l'avait abandonné en 1457, n'ayant fait que les anges, les pleurants, les angelots et une partie des tabernacles du cénotaphe. Le Moiturier acheva en 1470 cette œuvre admirable qui, détruite pendant la Révolution et restaurée depuis, figure au Musée de Dijon, ainsi que le tombeau de *Jacques Germain* qu'on lui attribue également. Il avait fait, en 1461, pour le maître-autel de l'église Saint-Pierre d'Avignon un très important retable de sept mètres de haut comprenant : une *Pietà*, un *Jugement dernier* et un *Christ*. On lui attribue le tombeau de Philippe Pot, grand sénéchal de Bourgogne, fait entre 1477 et 1483, provenant de l'abbaye de Cîteaux et qu'on voit au Louvre, ainsi que la statue de *Thomas de Plaine, président du Parlement bourguignon, en prières*, également au Louvre. On sent, à travers l'œuvre de Le Moiturier, l'importance de l'influence de Claus Sluter sur la sculpture du XVe siècle.

LEMOKH Kirill Vikentievitch
Né en 1841 à Moscou. Mort en 1910. XIXe-XXe siècles. Russe.
Peintre et aquafortiste.
Élève de l'Académie de Saint-Pétersbourg, il en devint membre en 1893 et membre du Conseil en 1895. Il représenta des scènes de la vie des moujiks et grava des portraits à l'eau-forte.
Musées : Moscou (Gal. Tretiakov) : *Jeune fille au chat – Matin dans la loge du portier* – Saint-Pétersbourg (Mus. Russe) : *L'architecte Chockhin – Sans soutiens* – Saratoff (Radichtcheff) : *Jeune fille aux fleurs*.

LE MOL Gilles
XIVe siècle. Français.
Peintre.
Mentionné en 1386 et 1387 dans les comptes de la cour de Bourgogne.

LE MOLT Philippe
Né en 1895 à Senlis (Oise). XXe siècle. Français.
Peintre de figures, intérieurs, paysages, fleurs. Réalité-poétique.
Au lendemain des périodes expérimentales du début de siècle, il participa, dans le groupe dit de la « réalité-poétique », au mouvement de retour à la réalité, en même temps que retour au grand public, avec Brianchon, Legueult, Oudot, et autres.
Ses compositions délicates privilégient la sensibilité au détriment de la construction plastique.
Musées : Paris (Mus. Nat. d'Art Mod.) : *Intérieur – Le Jardin*.

LEMON Arthur
Né le 14 avril 1850 dans l'île de Man. Mort le 17 avril 1912 à Londres. XIXe-XXe siècles. Britannique.
Peintre.
Il passa sa jeunesse à Rome et fut pendant dix ans cow-boy en Californie, où il fit des études d'indiens et d'animaux. Il étudia deux ans à Paris où il fut élève de Carolus Duran. Il exposa ses œuvres à partir de 1880 à la Royal Academy. La Tate Gallery conserve : *Un campement*.

LEMON Henry
XIXe siècle. Actif à Londres. Britannique.
Graveur de reproductions.
Il figura de 1855 à 1866 aux expositions de la Royal Academy. Parmi ses œuvres, on cite les portraits de la *Reine Victoria à cheval*, d'après d'Orsay, et d'*Edouard VII*.

LEMONNE Jehan
XVe siècle. Actif à Tournai. Éc. flamande.
Sculpteur et peintre.
Travailla en 1424 pour l'église Saint-Piat.

LEMONNIER
XVIIIe siècle. Français.
Sculpteur.
Actif à Paris, il fut élève de Coustou et travailla pour le château de Versailles.

LEMONNIER André
Né le 16 mai 1937 à Paris. XXe siècle. Français.
Peintre de paysages.
Il fut élève de la Manufacture Nationale de Tapisseries des Gobelins, où il étudia les travaux de Chevreul sur les phénomènes de contrastes simultanés des couleurs. Ensuite, pendant dix ans, coloriste conseil industriel lui-même, il travailla aux côtés du coloriste conseil Jacques Fillacier, collaborant à la conception et réalisation du *Polyton*, permettant la création optique d'un nombre illimité de teintes. Il constitua alors le remarquable ensemble de planches iconographiques qui fit l'objet, en 1974, de l'exposition *André Lemonnier : Couleur. échelles et schémas*, organisée par le Centre de Création Industrielle (C.C.I.) du Centre Beaubourg, au Pavillon de Marsan du Louvre, et d'une publication comportant 24 diapositives reproduisant les planches de l'exposition. L'exposition fut reprise, en 1977 au Kunstgewerbemuseum de Zurich. En 1970, il ouvrit son propre atelier de recherches et poursuit une carrière de plasticien-coloriste en architecture industrielle et de créateur d'animations murales. En 1992 lui fut décerné un Prix de la Ville de Neuilly-sur-Seine.
Depuis 1985, il a repris la pratique de la peinture à l'huile dans des paysages fondés sur des variations chromatiques.
Bibliogr. : André Lemonnier, divers : *Couleur. échelles et schémas*, C.C.I., édit. audio-visuelles, Centre Beaubourg, Paris, 1974.
Musées : Paris (Centre de Création Industrielle) : ensemble de travaux de recherche sur la couleur – Paris (Mus. Nat. d'Art Mod.).

LEMONNIER Anicet Charles Gabriel
Né le 6 juin 1743 à Rouen (Seine-Maritime). Mort le 17 août 1824 à Paris. XVIIIe-XIXe siècles. Français.
Peintre d'histoire, compositions religieuses, sujets allégoriques, scènes de genre, portraits, dessinateur.
Il fut Prix de Rome en 1772, agréé à l'Académie le 30 juillet 1785, académicien le 26 septembre 1789 ; administrateur de la manufacture des Gobelins du 6 avril 1810 au 4 mai 1816 ; chevalier de la Légion d'honneur le 27 décembre 1814. Il exposa au Salon de 1785 à 1814.
On cite de lui : *Hommages rendus au roi Louis XVI par la chambre de commerce de Normandie*, pour la Chambre de commerce de Rouen ; une *Sainte Famille* pour les Ursulines de Rouen ; plusieurs tableaux religieux pour Saint-Pierre de Lisieux.

lemonnier f.

Musées : Oldenbourg : *Le duc Pierre-Louis d'Oldenbourg* – Paris (Faculté de Médecine) : *Fourcroy – Corvisart des Marets – Thouret – Sabatier – Chaptal* – Rouen : *La mort d'Antoine* – Rouen (École de Dessin) : *La mort de Caton*.
Ventes Publiques : Paris, 1899 : *Portrait de Mademoiselle Louise Contat, de la Comédie-Française* : **FRF 3 000** – Paris, 10 et 11 mai 1926 : *Illumination de la croix à Saint-Pierre de Rome pendant la Semaine sainte*, pl., lav. de sépia : **FRF 3 500** – Paris, 11 mars 1949 : *Allégorie en l'honneur du duc de Choiseul* : **FRF 50 000** – Paris, 18 mars 1959 : *Une soirée chez Madame Geoffrin en 1755* : **FRF 1 250 000** – Monte-Carlo, 5 mars 1984 : *Portrait d'un abbé* 1781, h/t (117x94) : **FRF 20 000** – Londres, 10 juin 1994 : *Saint Charles Borromée parmi les victimes de la peste à Milan*, h/t (59x36,2) : **GBP 6 900**.

LEMONNIER Camille
Né le 23 février 1833 à Paris. Mort en 1891. XIXe siècle. Français.
Peintre de genre, de portraits, d'animaux.
Élève de Vetter. Il débuta au Salon en 1868. On cite de lui : *Chaque âge a ses plaisirs*.

LE MONNIER Gabriel Jean Joseph Hubert
Né vers 1761 à Thionville. Mort le 30 juillet 1853 à Copenhague. XVIIIe-XIXe siècles. Français.
Peintre de miniatures.
Il émigra en Suède vers 1792 et se fixa à Copenhague. On mentionne de sa main *Portrait du maréchal comte Axel de Fersen* (à Gripsholm).

LEMONNIER Guy
XXe siècle. Français.
Créateur d'environnements.
Il fut élève de l'école des beaux-arts de Rouen, où il a montré son travail en 1992.
Bibliogr. : Dominique Aubé : *Guy Lemonnier*, Art Press, n° 172, Paris, sept. 1992.

LEMONNIER Henry
Né en 1837 à Paris. XIXe siècle. Français.
Peintre de genre et de natures mortes.
Exposa au Salon de 1868 à 1870.

LEMONNIER Louis
Né au XIXe siècle à Brest (Finistère). XIXe siècle. Français.
Peintre de paysages.
Débuta au Salon en 1878.

LEMONNIER Louis
Né le 9 mai 1907 à Fougères (Ille-et-Vilaine). Mort en 1950. XXe siècle. Actif en Tunisie. Français.
Peintre de paysages, marines, compositions murales.
Il participa à Paris, au Salon de la Société Nationale des Beaux-Arts, et à Tunis, au Salon tunisien et au Salon des artistes tunisiens. Entre les années vingt et 1940, il fut le décorateur du Théâtre municipal de Tunis. En 1942, il fut l'un des créateurs du Syndicat des peintres tunisiens. Avec André Le Mare, il collabora à la décoration intérieure de la cathédrale de Tunis.
Bibliogr. : Catalogue de l'exposition : *Lumières tunisiennes*, Pavillon des Arts, Paris, 1995.

LEMONNIER Lucie
Née en 1865 à Terrenoire (Haute-Loire). Morte en 1950. XIXe-XXe siècles. Française.
Peintre de paysages.
En 1885, elle alla étudier la peinture à Paris, chez Colarossi et Gaston Roullet. Elle fit de nombreux voyages en Hollande, Bretagne, Venise, Afrique du Nord, d'où elle rapporta des paysages pris sur le vif. Ses sujets préférés sont la mer, mais aussi les crassiers qui appartiennent aux paysages de son enfance, traités en tourbillons de pâte généreuse.
Bibliogr. : Gérald Schurr, in : *Les Petits Maîtres de la peinture 1820-1920, valeur de demain*, Les Éditions de l'Amateur, t. V, Paris, 1981.
Ventes Publiques : Honfleur, 2 jan. 1983 : *Le Quai de Zaterres à Venise*, h/t (65x81) : **FRF 25 000** – Paris, 11 avr. 1989 : *Le porche aux herbes folles*, h/cart. (20x26) : **FRF 10 500** – Paris, 12 déc. 1990 : *Maison de pêcheur dans la calanque*, h/pan./contreplaqué (20,3x27) : **FRF 14 000** – Paris, 19 nov. 1993 : *Place à la fontaine*, h/t/pan. (21x26) : **FRF 5 600**.

LEMONNIER Robert
Né le 1er février 1883 à Paris. XXe siècle. Français.
Peintre de paysages.
Il fut élève de Jean-Paul Laurens. Il exposait à Paris, au Salon des Artistes Français depuis 1905.
Musées : Chambéry (Mus. des Beaux-Arts) : *Les Aiguilles de Chamonix*.
Ventes Publiques : Paris, 25 nov. 1946 : *Paysage* : **FRF 320**.

LEMONNIER Théodore
Mort en 1888. XIXe siècle. Français.
Peintre.
Sociétaire des Artistes Français, il figura au Salon de ce groupement.

LEMORDANT Jean Julien
Né en 1878 ou 1882 à Saint-Malo (Ille-et-Vilaine). Mort en 1968 à Paris. XXe siècle. Français.
Peintre de compositions à personnages, portraits, paysages, marines, peintre à la gouache, aquarelliste.
Grièvement blessé pendant la guerre de 1914-1918, il perdit la vue. Sa très brillante jeune carrière fut ainsi définitivement interrompue. Il avait jusque là figuré régulièrement au Salon des Artistes Français de Paris. En 1910, il avait obtenu une bourse de voyage. En 1957, une exposition de son œuvre fut organisée à Rennes. Il consacra le reste de sa vie à une action militante internationale pacifiste. Il fut fait grand officier de la Légion d'Honneur. Il fut en peinture le chantre de la Bretagne, mais chez lui rien de commun avec la foule des peintres bretonnants. Dans une facture large et sonore, il a traité en vastes panneaux hardiment composés, les rudes acteurs de la tragédie marine : pêcheurs arrimant leurs bateaux, hâlant un chalut, femmes raccommodant les filets, et nombre de paysages côtiers, de ports et de marines. Il eut l'heureuse occasion d'exécuter un ensemble de peintures murales pour l'Hôtel de l'Épée à Quimper, et la commande de la décoration du plafond du Théâtre de Rennes.

J.J. Lemordant
J.J. Lemordant

Bibliogr. : L. Chancerel : *Jean-Julien Lemordant*, J. Quesnel, Coutances, 1920.
Musées : Nantes (Mus. des Beaux-Arts) : *Les Pêcheurs* – Paris (Mus. Nat. d'Art Mod.) : Esquisse pour le plafond du Théâtre de Rennes – Quimper (Mus. des Beaux-Arts) : *Le Pardon* 1905-1907 – *Le Pardon* vers 1905-1907, Étude – *Dans le vent* 1905-1907 – *Le Port* 1905-1908 – *Le Ramassage du goémon* 1905-1908.
Ventes Publiques : Paris, 5 juin 1923 : *Une Bigoudenne*, aquar. : **FRF 665** ; *Le Bain de pieds* : **FRF 1 920** ; *Le Rocher au milieu des vagues* : **FRF 1 750** ; *Études pour les décorations de l'hôtel de l'Épée à Quimperet du plafond du Théâtre de Rennes*, 2 cartons, ensemble : **FRF 6 500** – Paris, 30-31 mai 1927 : *La Plage de Porscam* : **FRF 1 650** – Paris, 10 fév. 1932 : *Vieux Breton fument la pipe*, dess. au cr. noir : **FRF 620** – Paris, 30 avr. 1943 : *Terrassiers* : **FRF 5 400** – Paris, oct. 1945-juil. 1946 : *Bretonnes devant la mer*, aquar. gchée : **FRF 10 900** – Paris, 25 mai 1955 : *Ramasseurs de varech* : **FRF 30 000** – Versailles, 14 mars 1971 : *Rochers dans la mer* : **FRF 3 600** – Brest, 13 mai 1979 : *Les haleurs*, h/t (67x52) : **FRF 4 100** – Lyon, 18 déc. 1983 : *Danse bretonne*, past. gché (78x100) : **FRF 12 000** – Lyon, 18 déc. 1983 : *Danse bretonne vers le ciel*, h/t (150x150) : **FRF 33 000** – Brest, 15 déc. 1985 : *Le Ramasseur de varech* 1906, aquar. (55x44) : **FRF 8 800** – Lorient, 17 mai 1986 : *La Danse*, h/t, étude pour le plafond du Théâtre de Rennes (47x66) : **FRF 19 000** – Paris, 7 déc. 1987 : *Bigoudenne à l'entrée du village*, h/t (65x81) : **FRF 48 000** – Lorient, 7 nov. 1987 : *Le Sauvetage*, past. (52x73) : **FRF 35 000** – Versailles, 15 mai 1988 : *Côte bretonne*, h/t (46x55) : **FRF 25 000** – Versailles, 23 oct. 1988 : *Jour de marché en Bretagne* 1913, h/cart. (46x38) : **FRF 21 500** – Paris, 11 avr. 1989 : *Côte bretonne*, h/t (46x55) : **FRF 38 000** – Paris, 19 juin 1989 : *Barque à quai en Bretagne*, h/t (60x73) : **FRF 36 000** – Paris, 19 juin 1989 : *Femme bretonne*, h/t (65x54) : **FRF 29 000** – Paris, 9 mars 1990 : *La Bretonne*, h/t (65x54) : **FRF 45 000** – Louviers, 14 avr. 1991 : *Les enfants de Pont-Aven* 1903, h/pan. (33x40) : **FRF 81 000** – Paris, 28 sep. 1992 : *Le naufrage*, aquar./pap. (73,5x101) : **FRF 6 500**.

LE MORE Arlette
Née le 15 décembre 1930. XXe siècle. Française.
Peintre de compositions à personnages, sujets divers. Expressionniste.
En 1951, elle fut admise à l'École des Beaux-Arts de Paris, dans l'atelier de sculpture monumentale d'Alfred Janniot, en 1952 en gravure avec Robert Cami. En 1952, elle fut 9e logiste, en 1953 2e logiste au grand Prix de Rome de Sculpture, obtint divers Prix et médailles, ainsi qu'une bourse pour un voyage d'étude en Grèce. De 1962 à 1965, elle a travaillé dans l'atelier de peinture de Claude Schurr à l'Académie Julian, y obtenant en 1964 le 1er Prix de Dessin, en 1965 le 1er Grand Prix de Peinture.
Elle participe à des expositions collectives, dont à Paris : les Salons d'Automne, dont elle est sociétaire depuis 1975 ; depuis 1963 de la Société Nationale des Beaux-Arts, dont elle est sociétaire ; depuis 1970 Comparaisons, et du Dessin et de la Peinture à l'eau ; du Groupe 109 dont elle est devenue présidente ; et à quantité de Salons et groupes de la périphérie et en province, obtenant de nombreuses distinctions. Elle montre aussi des ensembles de ses peintures dans des expositions personnelles nombreuses depuis 1983, régulièrement à Paris, depuis 1990 galerie Maig Davaud ; et, entre autres, en 1984 Marseille galerie Jouvenne, Bordeaux ; 1986 Aix-en-Provence ; 1987 Saint-Dié ; 1988 Troyes, Vannes ; 1991 Châlons-sur-Marne, Antibes ; etc.
Ses peintures sont vigoureusement construites, de préférence sur de grands formats ou polyptyques, par un dessin plus souvent sinueux et tourmenté que rigide, et dans un registre énergique et chaleureux de rouges, orangés, jaunes, tempéré de rares bleus et verts. Tout en privilégiant la figure et les groupes, elle n'a aucune hésitation à les traiter avec une habile désinvolture, qui frôle souvent la non-figuration.

Bibliogr. : In : *L'Officiel des Arts,* Édit. du Chevalet, Paris, 1988 – Jean Cathelin : *Cohérence d'une œuvre,* Imprimerie T.A.G., Paris,, 1993, bonne documentation.
Musées : Carcassonne – Cherbourg – Dreux – L'Isle-Adam.

LE MORE Gabrielle, Mme, née **Fermer**
Née au XIXe siècle à Paris. XIXe siècle. Française.
Peintre de fleurs et aquarelliste.
Élève de Mme Leloir. Débuta au Salon en 1874.

LEMORE Paul
Né au XIXe siècle à Caen (Calvados). XIXe siècle. Français.
Peintre de genre, aquarelliste.
Élève de Couture. Il débuta au Salon en 1863. Sociétaire des Artistes Français depuis 1883. On cite de lui : *Les trois amis ; Le gué.*
Ventes Publiques : Paris, 10 mai 1926 : *Chasse à courre en forêt* : **FRF 1 405** – Rouen, 18 mars 1984 : *Le départ pour la chasse,* h/t (42x65) : **FRF 11 500** – Paris, 17 juin 1990 : *Pyrhus first,* h/t (60x81) : **FRF 8 000** – New York, 7 juin 1991 : *La halte pendant la chasse,* h/t (233,7x162,6) : **USD 22 000**.

LEMORT Jean
Né à Saint-Omer. XVIe siècle. Français.
Sculpteur.
Il sculpta des statues pour l'église de l'abbaye de Saint-Bertin, à Saint-Omer.

LEMORT Jean Baptiste
XVIIIe siècle. Français.
Peintre.
Exposa au Salon de la Correspondance, en 1787, un *Portrait du marquis de Condorcet,* qui fut gravé par Saint-Aubin. Le Musée du Louvre conserve de cet artiste un dessin, *Portrait d'homme.*
Ventes Publiques : Paris, 8 mai 1926 : *Portrait de femme,* miniature : **FRF 450**.

LEMOS Fernando
Né en 1926 à Lisbonne. XXe siècle. Actif depuis 1953 au Brésil. Portugais.
Peintre, dessinateur de sujets divers.
Il est diplômé de l'École des Arts Décoratifs de Lisbonne. Il a commencé à exposer en 1952. Depuis 1953, vivant à São Paulo, il participe à des expositions collectives, aux États-Unis, au Japon, en Israël, dans les pays d'Amérique latine, en Argentine et notamment régulièrement à la Biennale de São Paulo, y ayant obtenu le Prix de peinture portugaise lors de la seconde, et au Prix national de Dessin du Brésil. Il voyage en Europe, aux États-Unis, au Japon. Entre 1955 et 1962, il ne produisit que des dessins de grands formats. L'ensemble de ses œuvres se caractérise par un dessin énergique et généreux, apte à traduire un répertoire formel très étendu.
Bibliogr. : In : *Peintres contemporains,* Mazenod, Paris, 1964.

LEMOS Luis
Né en 1954 à Belmonte. XXe siècle. Depuis 1965 actif en France. Portugais.
Peintre de figures, nus, animalier. Expressionniste.
Vivant et travaillant à Paris, s'il participe à des expositions collectives, il montre ses peintures surtout dans des expositions personnelles nombreuses, dont : 1983, 1985, 1988, 1991 Cannes ; 1984 Berlin ; 1985, 1988 Luxembourg ; 1985, 1986, 1987 Madrid ; 1986, 1988 galerie Charles Sablon, Paris ; 1988 Fondation Gulbenkian, Lisbonne ; 1989, 1992 Bordeaux ; 1989, 1991, 1993 Francfort ; 1989, 1991, 1993 Genève ; 1990, 1992 1994 galerie Vidal-Saint-Phalle, Paris ; 1991 Lisbonne ; 1991 galerie Punto, Valence ; 1993 La Colle-sur-Loup ; etc.
Ligne et couleur, forme et fond, corps épanoui sur fond ornemental, dénotent l'influence directe de Matisse. Toutefois Lenos situe les corps qui, isolément ou par couple, sont le thème unique de ses compositions, dans une mouvance plus contemporaine, proche d'un certain expressionnisme, dans une technique plus spontanée et gestuelle, avec des initiatives empruntées au collage, par exemple le support des peintures étant préalablement recouvert de cartes postales. En définitive, l'ensemble de son œuvre est une célébration heureuse du corps humain ou parfois du corps harmonieux des animaux. ■ J. B.

Bibliogr. : Catalogue de l'exposition *Luis Lemos,* Mus. des Beaux-Arts, Carcassone, 1988 – André Verdat : *Luis Lemos ou l'ardeur du corps-à-corps en fête,* in : Cimaise, n° 206, Paris, juin-août 1990 – Patrick-Gilles Persin : *Luis Lemos,* Arthème Édition, 1994.
Ventes Publiques : Paris, 15 juin 1988 : *Sans titre* 1986, acryl./pap./t. (157x118) : **FRF 6 000** – Paris, 28 nov. 1989 : *Nu* 1984, acryl. et cr./t. (98,5x69) : **FRF 4 000**.

LEMOS Pedro J.
Né le 25 mai 1882 à Austin (Nevada). XXe siècle. Américain.
Peintre de paysages, graveur, illustrateur.
Il fut élève de l'Institute of Art de San Francisco. Il vivait et travaillait à Palo-Alto (Californie).
Outre ses peintures de paysages, il a illustré : *Élo, l'aigle ; Premiers pas dans la Bible,* etc.

LEMOSNIER. Voir **MOSNIER**

LEMOSSE Alain
Né le 3 novembre 1944 à Champnier (Charente). XXe siècle. Français.
Peintre, sculpteur d'assemblages. Lettres et signes.
Il a montré ses travaux dans des expositions personnelles à Paris, en 1974 et 1975.
Son travail est difficile à définir, alliant peinture et sculpture. Dans des sortes de reliquaires, d'étranges constructions sont associées à des peintures évoquant le langage des murs : lézardes, graffitis. L'esthétisme n'est pas l'essentiel dans cette architecture de boîtes d'allumettes ou lamelles de bois, où s'inscrivent signes et écritures, composant un étonnant journal des instants.
Ventes Publiques : Paris, 6 déc. 1986 : *12 – 10 – 73,* bois, pap. et tiges de métal entre deux plaques de Plexiglas (23x57) : **FRF 6 000**.

LEMOT François Frédéric, baron
Né le 4 novembre 1772 à Lyon (Rhône). Mort le 6 mai 1827 à Paris. XVIIIe-XIXe siècles. Français.
Sculpteur.
Élève de Dejoux. Premier Grand Prix de Rome en 1790, médaille du Salon en 1804, membre de l'Institut en 1805, professeur à l'École des Beaux-Arts en 1810 ; officier de la Légion d'honneur et chevalier de l'ordre de Saint Michel. Quand éclata la Révolution, il dut quitter Rome pour se rendre à l'armée du Rhin ; il fut appelé à Paris en 1795 pour y exécuter une *Statue colossale du peuple français,* proposée par David et décrétée par la Convention. Il exposa de nombreux travaux tels que la *Statue de Numa Pompilius,* pour le Conseil des Cinq-Cents ; *Ciceron,* pour la salle du Tribunal ; *Léonidas aux Thermopyles,* pour le Sénat ; *Statues de Brutus et de Lycurgue,* pour le corps Législatif ; *Un bas-relief allégorique* pour la tribune de la Chambre des députés ; *Le char et les deux figures* qui accompagnent les chevaux de Venise au sommet de l'Arc de Triomphe du Carrousel ; *Napoléon sur un char de triomphe,* pour le grand fronton de la colonnade du Louvre ; la *Statue de Henri IV* pour le pont Neuf, 1818 ; une *Statue équestre de Louis XIV,* pour la place Bellecour, à Lyon, 1825 ; *La Renommée,* bas-relief en pierre, pour le vestibule du Palais du Luxembourg ; la sculpture de l'Arc de Triomphe du pont de Châlons-sur-Marne ; *La religion soutenant Marie-Antoinette,* pour la chapelle expiatoire.
Musées : Bordeaux : *Apollon* – Dunkerque : *Jean Bart* – Versailles : *Murat – Henri IV.*

LEMOT J., pseudonymes : **Uzès** et **Lilio**
Né en 1847 à Reims (Marne). Mort fin septembre 1909 à Asnières. XIXe siècle. Français.
Dessinateur caricaturiste.
Sous les pseudonymes Uzès et Lilio, il collabora à des revues illustrées. Il fit des vignettes de livres et des illustrations.

LEMOTTES J. F. B.
Français.
Peintre.
Le Musée de Dijon conserve de lui un tableau, *Trompe-l'œil.*

LE MOUEL Eugène Louis, pseudonyme : **Masque**
Né en 1859 à Villedieu (Manche). XIXe-XXe siècles. Français.
Peintre, dessinateur humoriste, illustrateur, caricaturiste.
Peu connu comme peintre, il se consacra presqu'exclusivement à la littérature, champion modeste d'une poésie bretonnante qui précéda celle de Théodore Botrel. Il a surtout illustré ses propres ouvrages pour la jeunesse, nombreux de 1890 à 1925, dont : *Nain Goëmon ; Les deux gars de Roz-Gouët ; Louis d'or de Kerjégou ;*

Sabot d'Hervé Moëlic ; Un vaillant petit mousse. Il a illustré quelques ouvrages d'autres auteurs, et collaboré à l'illustration des *Pirouettes* de Coquelin cadet. Il a publié des albums : 1885 *Voyage du haut-mandarin Ka-li-Ko* ; 1890 *Ma petite ville.* Sous le pseudonyme de *Masque*, il collabora aux revues *La Journée, Charivari, Le Chat noir, La Caricature.* Il créa aussi des affiches.
Bibliogr. : Marcus Osterwalder, in : *Diction. des illustrateurs 1800-1914*, Ides et Calendes, Neuchâtel, 1989.

LE MOUEL Éveline
Née le 3 août 1951 à Lanester (Morbihan). xxe siècle. Française.
Peintre, technique mixte. Abstrait.
Elle participe à des expositions collectives, parmi lesquelles : 1982, 1984, Salon Grands et Jeunes d'Aujourd'hui, Paris ; 1982, 1991, Salon de Montrouge ; 1987, 1994, Salon Mac 2000, Paris ; 1988, 1989, galerie Jacqueline Moussion, Carnac ; 1988, Salon des Réalités Nouvelles, Paris ; 1989, 1990, Salon de Mai, Paris. Elle montre ses œuvres dans des expositions personnelles, dont : 1986, galerie Aire du Verseau, Paris ; 1989, 1991, 1995, galerie Nicole Buck, Strasbourg ; 1990, galerie Bercouy-Fugier, Paris ; 1992, galerie Anne Fugier, Paris ; 1995, galerie Convergence, Nantes ; galerie Askeo, Paris.
Éveline Le Mouel a commencé par réaliser des tapisseries, œuvres qui ont rapidement évolué vers des créations à trois dimensions, sortes de bas-reliefs en laine. Le support en grillage, qui demeurait caché, est rapidement devenu l'élément principal de son travail. Elle abandonne alors les matériaux, coton et laine, pour le carton et le papier, et une utilisation plus franchement la couleur. Fin 1986, elle peint sa première toile sur laquelle elle coud des morceaux de tissus de structures et de formes différentes. Couleurs et matières vibrent dans des effets de texture variés généralement architecturés en plans verticaux.

LEMOULNIER Jean
xvie siècle. Actif au Mans vers 1514. Français.
Peintre et peintre verrier.

LE MOULT Kristian, pseudonyme de **Maréchal Christian**
Né le 10 mars 1941 à Liège. xxe siècle. Belge.
Peintre de compositions à personnages. Surréaliste.
Il fut élève de l'Académie des Beaux-Arts de Liège. Il y obtint le Prix Watteau en 1965. Il expose à Bruxelles, Paris, São Paulo, Tokyo, Milan, Rome, Turin, Bâle, Amsterdam, etc. En 1969, Patrick Waldberg l'a fait figurer dans l'exposition qu'il organisa à Bruxelles sur le thème d'un *Renouveau Surréaliste.*
En 1991, le Centre Rops à Namur a montré un ensemble de ses peintures.
Son œuvre se situe dans le climat très spécial du surréalisme belge, à la suite des Magritte, Delvaux, Labisse. Une technique inspirée des maîtres anciens, germaniques surtout, lui permet de matérialiser avec une grande précision d'inquiétants personnages, au physique aristocratique, aux gestes hautains et menaçants, aux parures luxueuses, se livrant à des jeux pervers et probablement cruels.
Bibliogr. : In : *Dict. biogr. illustré des artistes en Belgique depuis 1830*, Arto, Bruxelles, 1987.

LE MOUTURIER Pierre Antoine. Voir **LE MOITURIER**

LEMOYNE. Voir aussi **LEMOINE** et **MOINE**

LE MOYNE Blaise
xvie siècle. Actif à Tours. Français.
Sculpteur.
Il prit part, en 1545, à l'ornementation d'une fontaine élevée en face de l'église Saint-Martin, à Tours.

LE MOYNE Estévenin
xve siècle. Actif à Châlons-sur-Marne. Français.
Sculpteur.
Il fit, en 1409, une statue de Notre-Dame, destinée à Pancy (Aisne).

LE MOYNE François. Voir **LE MOINE**

LE MOYNE Jacques, appelé **de Morgues**
Né vers 1533 à Dieppe. Mort en 1588 à Londres. xvie siècle. Français.
Peintre de portraits, animaux, fleurs et fruits, aquarelliste, dessinateur.
Il accompagna en 1564 René de Laudonnière dans son expédition en Floride et y fit des études à l'aquarelle, surtout des portraits d'Indiens. Il écrivit une relation de son voyage qui fut illustrée de gravures d'après ses dessins et publiée à Boston en 1875. Le Victoria and Albert Museum, à Londres, conserve un album contenant 59 aquarelles d'études de plantes de la main de cet artiste, signé cependant Demorgues. Ces études semblent avoir servi de modèles pour les gravures d'un petit volume intitulé *La clef des champs, pour trouver plusieurs animaux, tant bestes qu'oiseaux avec plusieurs fleurs et fruits... Imprimé pour J. Le Moyne, 1586.*
Bibliogr. : Paul Hulton : *The works of Jacques Le Moyne De Morgues*, British Museum, Londres, 1977.
Musées : Londres (Victoria and Albert Mus.).
Ventes Publiques : New York, 29 jan. 1997 : *Œillets et un petit papillon tortue*, gche et feuille or/velin (14,6x11) : **USD 140 000**.

LEMOYNE Jean
Né en 1638 à Paris. Mort le 27 janvier 1709 au palais du Louvre à Paris. xviie siècle. Français.
Peintre et graveur.
Conseiller et peintre ordinaire du roi ; il fut reçu académicien le 2 novembre 1686 avec : *Un trophée d'armes* et obtint le brevet de logement aux Galeries du Louvre le 2 janvier 1693.

J Lemoine.

LEMOYNE Jean Baptiste
Né en décembre 1679 ou le 14 septembre 1681 à Paris. Mort le 20 octobre 1731 à Paris. xviiie siècle. Français.
Sculpteur de groupes, monuments, dessinateur.
Frère de Jean-Louis Lemoyne. Il fut reçu académicien en 1715 avec ce sujet : *la Mort d'Hippolyte*, aujourd'hui au Louvre.
Ventes Publiques : Paris, 3 nov. 1922 : *Hercule et Omphale* : **FRF 600** – Paris, 10 et 11 avr. 1929 : *Tombeau d'un cardinal*, pl. : **FRF 160** – New York, 22 nov. 1980 : *Buste de femme*, terre cuite (H. 50,8) : **USD 5 500**.

LEMOYNE Jean Baptiste
Né le 15 février 1704 à Paris. Mort le 24 mai 1778 à Paris. xviiie siècle. Français.
Sculpteur de bustes, statues, monuments.
Élève de son père Jean-Louis Lemoyne et de Le Lorrain. Exposa au Salon de 1737 à 1771. Premier prix de sculpture en 1725, agréé à l'Académie le 29 mai 1728, académicien le 26 juillet 1738 ; adjoint à professeur le 2 juillet 1740, professeur le 28 mars 1744, adjoint à recteur le 1er août 1761, recteur le 30 janvier 1768, directeur le 2 juillet 1768.
On cite de lui : le *Tombeau de Mignard*, à l'église Saint-Roch et deux *Statues équestres de Louis XV*, une pour la ville de Bordeaux, l'autre pour la ville de Rennes. Mais il fit surtout des bustes, dont ceux de *Réaumur* (1751, Louvre) ; *Montesquieu* (1760, Bordeaux) ; de la *comtesse de Brionne* (1763, Stockholm) ; *Hélène d'Egmont* (1767) ; et quelques actrices de la Comédie Française.
Il montre, à travers ses œuvres, le goût du pittoresque et sait saisir l'instantané d'une attitude, d'une expression.
Musées : Angers : *Lowendal* – Blois : *Le Charpentier* – *Dyé Gendrier* – Bordeaux : *Montesquieu* – *Louis XV* – Dijon : *Mausolée de Crébillon* – La Haye (Mauritshuis) : *Lyonnel* – *Flore* – Montpellier : *Louis XV à cheval* – Paris (Mus. du Louvre) : *Lowendal* – *Coypel* – *Réaumur* – *Trudaine* – *Louis XV* – même sujet – *Modèle d'un monument à Louis XV* – *J. A. Gabriel* – Paris (Jacquemart-André) : *Buste de femme coiffée d'un voile* – *Une actrice* – *Le chancelier Maupou* – *Marquis de Marigny* – *Une jeune femme* – *J.-A. Gabriel* – Paris (Arts Décoratifs) : *A. Arnaud de la Briffe* – Paris (Fac. de Médecine) : *Lapeyronie* – *Lamartinière* – Paris (Monument Français) : *Coysevox* – *Louis XV* – *Madame Dubarry* – Paris (Comédie Française) : *Mlle Clairon* – *Mlle Dangeville* – *Mlle Clairon*, terre cuite – Potsdam (Sans-Souci) : *Apollon* – Rouen : *Louis XV* – *C. N. Le Cat* – Saint-Germain-en-Laye : *Mme Adélaïde* – *Claude de Ferrières* – *Apollon* – *Saint Grégoire* – Stockholm : *La comtesse Egmont* – *La comtesse Brionne* – Strasbourg : *Louis XV* – Toulouse : *Mme de la Popelinière* – Tours : *Le lieutenant général Jean-Florent de Vallière* – Versailles : *La Vrillière* – *L'Océan* – *Réaumur* – *Fontenelle* – Vienne : *Marie-Antoinette.*
Ventes Publiques : Paris, 18 mars 1937 : *Portrait présumé de l'Abbé Terray, contrôleur des Finances*, marbre blanc, buste grandeur nature : **FRF 6 550** – Londres, 22 nov. 1963 : *Buste de Madame de Roissy*, terre cuite : **GBP 2 600** – Londres, 17 avr. 1964 : *Buste de Noël-Nicolas Coypel*, terre cuite : **GBP 2 900** –

Paris, 7 mars 1967 : *Buste de Louis XV*, marbre blanc : **FRF 32 000** – Paris, 3 avr. 1968 : *Portrait présumé de la marquise de Pompadour*, marbre : **FRF 60 000** – Stockholm, 19 avr. 1972 : *Marie-Anne de Mailly de Nesles*, terre cuite : **SEK 45 000** – Londres, 1er juil. 1976 : *Bustes de François Boucher et sa femme* 1767, deux terres cuites (H. 26) : **GBP 2 800** – Paris, 21 mars 1977 : *L'Enfant royal*, terre cuite (H. 32) : **FRF 10 500** – Versailles, 22 fév. 1981 : *Deux enfants près d'un autel sur lequel se penche une jeune déesse*, gche (25x19) : **FRF 14 000** – Paris, 16 juin 1983 : *Fillette, la tête couverte d'un fichu* 1769, plâtre (H. totale 41) : **FRF 90 000**.

LEMOYNE Jean Louis
Né en 1665 à Paris. Mort le 5 mai 1755 à Paris. XVIIe-XVIIIe siècles. Français.
Sculpteur.
Élève de Coysevox. Il eut le premier prix de sculpture, en 1687, avec : *Le Déluge Universel* ; il fut reçu académicien en 1703 avec le buste en marbre de *Mansart*, aujourd'hui au Louvre. Il exposa en 1704 : *Céphale et Procris* (groupe), *Tête de jeune homme* et *Portrait de M. Mansard, surintendant des bâtiments* (buste bronze) ; en 1737 : *Portrait de M. Largillière* (buste terre cuite). Sa renommée fut tôt éclipsée par celle de son fils Jean-Baptiste.
Musées : Bordeaux : *Pierre Michel, seigneur Duplessy* – Cambrai : *Fénelon* – Paris (Mus. du Louvre) : *J. Hardouin Mansart* – Paris (Jacquemart André) : *Gabriel* – Versailles : *Mansart* – *Philippe d'Orléans*.

LE MOYNE Marin
XVIe siècle. Actif à Paris. Français.
Sculpteur.
Sous la direction du Primatice, il collabora à la décoration du tombeau d'Henri II, de 1564 à 1570.

LEMOYNE Paul ou **Lemoyne Saint-Paul**
Né en 1784 à Paris. Mort le 23 mai 1873 à Rome. XIXe siècle. Français.
Sculpteur.
Troisième prix de Rome en 1808 ; il exposa au Salon de 1814 à 1837 ; il reçut une médaille de deuxième classe en 1817, et fut chevalier de la Légion d'honneur en 1837. Il exécuta à Rome un *Buste du Poussin*, pour l'église San Lorenzo in Lucina et les monuments de *N.-D. Boguet* et de *Claude Lorrain* pour l'église Saint-Louis-des-Français. On voit de lui au Palais de Compiègne : *Bacchante et jeune faune* et au Musée de Bordeaux le même sujet.

LEMOYNE Pierre Antoine ou **Lemoine**
Né en 1605 à Paris. Mort le 19 août 1665 à Paris. XVIIe siècle. Français.
Peintre d'histoire, fleurs, fruits.
Il fut aussi musicien. Reçu académicien le 1er août 1654. On cite de lui : *Le deuxième mai de Notre-Dame*, en 1631, *Les Miracles de la sainte Vierge arrivés dans l'église Notre-Dame en 1625 et 1628*.
Ventes Publiques : Paris, 10 avr. 1992 : *Grappes de raisin, figues et grenades sur un entablement*, h/t (84x69,5) : **FRF 1 400 000** – Paris, 17 déc. 1997 : *Grappes de raisin, figues et grenades sur un entablement*, t. (84x69,5) : **FRF 1 000 000**.

LEMOYNE Serge
Né en 1941 à Acton Vale. XXe siècle. Canadien.
Peintre, technique mixte, artiste de happenings. Néodadaïste.
Le Musée du Québec à Montréal, lui a consacré une exposition en 1988.
Il a produit des happenings picturaux en public. Il pratique le collage, découpe ses peintures en morceaux qu'il distribue. Il s'inspire de tous les mouvements contemporains.
Bibliogr. : In : *Diction. de l'art mod. et contemp.*, Hazan, Paris, 1992.

LEMPAD I. Gusti Nyoman
Né en 1865 à Bedulu (Bali). Mort en 1978. XIXe-XXe siècles. Indonésien.
Dessinateur de figures, peintre à la gouache.
Artiste à multiples facettes, c'est sans doute pour ses puissants dessins à l'encre qu'il est le plus apprécié. Il figure dans de nombreux musées indonésiens, et aussi en Europe.
Musées : Amsterdam (Tropen Mus.) – Leyde (Rijksmuseum voor Volkenkund).
Ventes Publiques : Amsterdam, 23 avr. 1996 : *Un combat*, encre, gche et peint. or (27x26) : **NLG 14 160** – Singapour, 5 oct. 1996 : *Garuda*, encre et lav. gris (45x36) : **SGD 8 280**.

LEMPEL Conrad
XVIIe siècle. Actif à Munich. Allemand.
Graveur au burin.
Il a gravé des sujets religieux.

CLM

LEMPENZEDER Balthazar
Né le 29 octobre 1822. Mort le 27 novembre 1860 à Munich. XIXe siècle. Allemand.
Peintre d'histoire.
Il fit des tableaux d'église et des cartons pour tableaux sur verre. La Collection graphique de Munich, le Musée National de cette ville et la Galerie des Beaux-Arts de Hambourg possèdent de ses dessins.

LEMPEREUR Catherine Elise. Voir **COUSINET-LEMPEREUR Elizabeth**

LEMPEREUR Edmond
Né en 1876 à Oullins (Rhône). Mort le 24 novembre 1909 à Oullins. XIXe siècle. Français.
Peintre de paysages animés, paysages.
Membre de la Société des Artistes Indépendants, il figura aux expositions de ce groupement. Une exposition rétrospectives de ses œuvres y eut lieu en 1926.
Il subit l'influence de Monet, pour ses éclairages, mais donnait une touche large, onctueuse, riche à ses bords de Seine, bords de Marne, jardins publics, fêtes foraines, bals populaires, champs de course.
Bibliogr. : Gérald Schurr, in : *Les Petits Maîtres de la peinture 1820-1920, valeur de demain*, Les Éditions de l'Amateur, t. VII, Paris, 1989.
Musées : Moscou (coll. Morosoff).
Ventes Publiques : Paris, 19 mai 1920 : *La guinguette* : **FRF 175** – Paris, 18 avr. 1921 : *Vue d'un jardin à Fontenay-aux-Roses*, sanguine : **FRF 700** – Paris, 7 avr. 1924 : *Sur l'eau* : **FRF 250** – Paris, 30 mai 1990 : *La corrida*, h/t (50x61) : **FRF 25 000** – Paris, 13 juin 1990 : *Femme au chapeau*, h/t (23,2x32,5) : **FRF 20 000** – Paris, 18 juin 1992 : *Dans la corrida*, h/t (50x61) : **FRF 17 000** – Paris, 11 avr. 1996 : *Aux courses*, h/t (46x81) : **FRF 45 000**.

LEMPEREUR François
Né à Rupt (Haute-Saône). Mort en 1904. XIXe siècle. Français.
Sculpteur.
Élève de Fourdrin et des Écoles des Beaux-Arts de Paris et de Genève. Débuta au Salon en 1874.

LEMPEREUR Jean Baptiste Denis
Né en 1726 à Paris. Mort en 1796. XVIIIe siècle. Français.
Graveur à l'eau-forte et au burin.
Fils de Jean Denis Lempereur. Il a gravé des sujets religieux et des paysages.
Ventes Publiques : Paris, 16 et 17 mai 1929 : *Paysage avec chaumière, animé de personnages*, dess. : **FRF 480** – Paris, 22 mars 1995 : *Cour de ferme*, encre brune et aquar. (12,5x19,5) : **FRF 9 000**.

LEMPEREUR Jean Denis
Né en 1701. Mort après 1765. XVIIIe siècle. Français.
Dessinateur et graveur amateur.
Il vécut à Paris. Il a gravé des paysages et des sujets mythologiques.

Ventes Publiques : Paris, 22 fév. 1937 : *Une ville italienne*, sanguine : **FRF 250**.

LEMPEREUR Jules
Né en 1903 à Nivelles (Brabant). XXe siècle. Belge.
Peintre de compositions d'imagination. Tendance surréaliste.
Il fut élève de l'Académie des Beaux-Arts de Bruxelles.
Bibliogr. : In : *Dict. biogr. illustré des artistes en Belgique depuis 1830*, Arto, Bruxelles, 1987.

LEMPEREUR Louis Simon
Né en 1728 à Paris. Mort le 6 avril 1807 à Paris. XVIIIe siècle. Français.
Graveur au burin.
Élève de P. Aveline. Académicien en 1776. Il a gravé des sujets de genre, d'après Van Loo, Watelet, Lagrenée, etc. Il alla à Londres

et y obtint un grand succès. Cette réussite ne l'empêcha pas de revenir à Paris. Il exposa au Salon de 1761 à 1789.
Ventes Publiques : Paris, 10 juin 1949 : *La pompe à feu de Chaillot*, aquar. : **FRF 42 000**.

LEMPEREUR-HAUT Marcel
Né le 16 janvier 1898 à Liège. Mort en 1986 à Lille (Nord). xxe siècle. Actif depuis 1922 en France. Belge.
Peintre, peintre de collages, dessinateur. Abstrait-géométrique.
Dès 1916-1917, son travail avait été influencé par les cubistes, puis se développa à l'écart de tous les courants reconnus, bien qu'en ayant connaissance. Fixé en France en 1922, il vécut à Lille, où son épouse était députée. En 1924, il connut Del Marle et Kupka dans le groupe *Vouloir*, et s'intéressa à l'œuvre de Mondrian. Après la Seconde Guerre mondiale, il se lia avec Herbin, à l'occasion du Salon des Réalités Nouvelles, fondé en 1946, et en devint le trésorier. Connu de tous les artistes de la mouvance abstraite, il resta pourtant assez ignoré de la critique. Dans ses dernières années, toujours attaché au Salon des Réalités Nouvelles, il continuait à envoyer les photographies de ses œuvres pour être reproduites dans le catalogue, mais n'envoyait plus les peintures. En 1985, le Musée d'Art Moderne de Villeneuve-d'Ascq lui consacra une exposition.
Tout son art est fondé à partir des figures géométriques élémentaires néo-platoniciennes. L'œuvre consiste essentiellement dans son dessin, la couleur y étant conférée de surcroît. Développement et combinaison du triangle, de l'étoile, de la volute, produisent des variations à l'infini. Il resta fidèle à une abstraction radicale, dont la géométrie complexe, et finalement ornementale, est servie par une technique précise et une mise en couleurs raffinée, compas et tire-lignes se montrant aptes à l'expression d'une poésie cosmique aux éclats de gemmes.
■ J. B.
Bibliogr. : Catalogue de l'exposition *Lempereur-Haut*, gal. Lucien Duriez, Paris, 1973 – in : *Diction. de l'art mod. et contemp.*, Hazan, Paris, 1992.
Musées : Saint-Étienne (Mus. d'Art et d'Industrie) : une peinture en collaboration avec Auguste Herbin.
Ventes Publiques : Paris, 1er juin 1988 : *Composition* 1947, dess. aux cr. de coul. et à l'estompe (34,5x17) : **FRF 8 000** – Paris, 6 déc. 1991 : *Sans titre* 1923, h/t. en trois châssis montés/pan. (97x41,5) : **FRF 14 000**.

LEMPERIÈRE Emmanuel François
Né à Saint-Nazaire (Loire-Atlantique). Mort peut-être en janvier 1948. xxe siècle. Français.
Peintre de natures mortes, peut-être céramiste.
Il exposait à Paris, au Salon des Indépendants depuis 1907. Un certain Lemporière, sans prénom, peintre et céramiste, est mort en janvier 1948.

LEMPICKA Tamara de
Née le 16 mai 1898 à Varsovie. Morte le 18 mars 1980 à Guernavaca (banlieue mexicaine de Beverly Hills). xxe siècle. Active depuis 1925 en France, puis depuis 1938 aux États-Unis. Polonaise.
Peintre de compositions à personnages, figures, portraits, nus, natures mortes. Postcubiste.
Elle fut élève de l'Académie des Beaux-Arts de Saint-Pétersbourg. Venue tôt à Paris, en 1915, elle y fut élève de Maurice Denis et d'André Lhote. En 1927, elle obtint le Prix d'honneur à l'Exposition Internationale de Bordeaux, pour son tableau *Enfant ou Kizette, au balcon*. En 1938, elle se rendit en Californie, puis à New York, et Houston où elle se fixa définitivement, séjournant fréquament à Paris. Lors d'un de ces séjours, autour de 1960, elle souhaita exposer au Salon de Mai, dont le comité ne sut pas reconnaître son originalité, n'identifiant que sa stylisation datée. Elle ne fut redécouverte à Paris qu'en 1967. En 1972, eut lieu à Paris une exposition d'ensemble de ses portraits mondains. En 1980, les cendres de la vieille dame jadis indigne furent dispersées d'un hélicoptère sur le Popocatepetl.
Essentiellement portraitiste de la société féminine mondaine des années trente, elle appliquait au portrait et au nu les recettes stylistiques issues d'un cubisme synthétique dilué et du « tubisme » de Léger. Ce qui constitue finalement son style personnel, c'est, outre la maîtrise professionnelle technique, la diversité multiple de ses références, dont elle a su effectuer la synthèse dans un certain maniérisme qui lui convenait. Se souvenant du *Bain turc*, elle n'hésitait pas à affronter les grands sujets avec ses *Femmes au bain* de 1930. Habitant dans un immeuble de Mallet-Stevens, où elle donnait des réceptions recherchées, « Tamara la splendide » connut alors un grand succès d'époque, en tant que femme plus que courtisée, mais aussi en tant que peintre beaucoup plus sérieux que sa vie mouvementée pourrait le laisser supposer. En tant que peintre, vivant en France mais cosmopolite, elle s'attacha à la même société déliquescente et aux mêmes personnages désenchantés, sensuels et pourtant glacés, que le romancier américain Francis Scott Fitzgerald. Son exposition de 1972 a toutefois révélé une qualité d'exécution ingresque que le côté « années folles » avait risqué d'estomper, et qui différencie son œuvre de celle d'un Jean-Gabriel Domergue. Après la Seconde Guerre mondiale, elle s'essaya, pour elle hors sujet, à des thèmes religieux, et à des peintures décoratives frôlant l'abstraction.
■ J. B.

T Lempicka
T de Lempicka

Bibliogr. : Germain Bazin : *Tamara de Lempicka*, Paris, 1980 – Kizette de Lempicka-Foxhall, Charles Phillips : *Passion by Design, The Art and Times of Tamara de Lempicka*, New York, 1987 – Kizette de Lempicka-Foxhall, Charles Phillips : *Tamara de Lempicka*, Pierre Belfond, Paris, 1987 – in : *L'art du xxe siècle*, Larousse, Paris, 1991 – in : *Diction. de l'art mod. et contemp.*, Hazan, Paris, 1992.
Musées : Cagnes-sur-Mer : *Portrait de Suzy Solidor* 1932 – Nantes (Mus. des Beaux-Arts) : *Kizette en rose* – Paris (Mus. Nat. d'Art Mod.) : *Kizette au balcon* 1927 – *Jeune Fille aux gants* 1930.
Ventes Publiques : Paris, 26 nov. 1976 : *Portrait de la duchesse de Valmy*, h/t (73x49,5) : **FRF 19 000** – Genève, 28 juin 1979 : *La guitariste*, h/t (34,5x27) : **CHF 3 000** – New York, 2 avr. 1981 : *Femme endormie*, h/t (38x48) : **USD 6 000** – Londres, 24 mars 1983 : *Portrait d'une femme dans une loge* 1937, cr. (43,7x27,3) : **GBP 700** – New York, 26 mai 1983 : *Nu aux buildings* 1930, h/t (90x72) : **USD 190 000** – New York, 14 nov. 1985 : *Portrait du docteur Boucard* vers 1928, h/t (137x78) : **USD 255 000** – New York, 15 mai 1986 : *Nu assis aux bras levés* vers 1929, cr./pap. mar./cart. (23,5x14,3) : **USD 6 000** – New York, 19 nov. 1986 : *Femme à la colombe* vers 1928, h/t (121,2x63,5) : **USD 190 000** – Paris, 27 nov. 1987 : *La Balustrade* vers 1950, h/t (147x89) : **FRF 200 000** – New York, 12 nov. 1987 : *Portrait de Mme Boucard* 1931, h/t (153x75) : **USD 775 000** – New York, 18 fév. 1988 : *Tête de Madame Alan Bolt*, cr./pap. (35,8x25,4) : **USD 12 100** ; *La jolie jeune fille*, cr./pap. (48,2x30,9) : **USD 1 870** – Paris, 20 mars 1988 : *Etude pour femmes au bain* vers 1929, h/pan. (60x92) : **FRF 220 000** – New York, 12 mai 1988 : *Femme avec cigarette* 1937, gche/cr./pap. (31,4x24,1) : **USD 33 000** ; *Les deux amies* 1927, h/pan. (73x38) : **USD 297 000** – Paris, 15 juin 1988 : *Composition cubiste*, h/t (35x27) : **FRF 95 000** – Paris, 22 juin 1988 : *Nu assis*, h/t (61,5x38,5) : **FRF 500 000** – Londres, 28 juin 1988 : *Le paysan*, h/pan. (40x28,5) : **GBP 16 500** – Paris, 5 juil. 1988 : *Portrait de Gino Puglisi*, h/t (22,5x16) : **FRF 47 500** ; *Étreinte*, cr. (44x25) : **FRF 20 100** – New York, 6 oct. 1988 : *Vase de fleurs*, h/t (41x31,1) : **USD 33 000** – Neuilly, 22 nov. 1988 : *La Sagesse*, h/t (55x38) : **FRF 175 000** – Paris, 9 avr. 1989 : *Portrait de femme*, h/t (37x35,5) : **FRF 175 000** – New York, 10 mai 1989 : *Portrait de Mrs Alan Bolt* 1930, h/t (162x97) : **USD 1 320 000** – Paris, 12 juin 1989 : *Jeune femme en buste* 1933, h/pan. (46x38) : **FRF 1 800 000** – New York, 5 oct. 1989 : *Saint Antoine* 1936, h/pan. (34,9x27) : **USD 20 900** – New York, 6 oct. 1989 : *Femme nue*, h/t (81x53,7) : **USD 41 250** – Paris, 8 oct. 1989 : *La sagesse*, h/t (55x38) : **FRF 230 000** – New York, 16 nov. 1989 : *Portrait de Madame M.* 1933, h/t (99,5x64,8) : **USD 990 000** – Paris, 9 déc. 1989 : *Ville de rochers*, peint. (34x25,5) : **FRF 90 000** – Paris, 24 jan. 1990 : *L'Enfant blonde* 1924, h/t (32x25) : **FRF 230 000** – Paris, 4 fév. 1990 : *Vase de fleurs*, h/t (76x51) : **FRF 132 000** – Paris, 18 fév. 1990 : *Jeune fille au châle blanc* (46x35,5) : **FRF 100 000** – New York, 26 fév. 1990 : *Femme nue* 1924, h/t (70x58,4) : **USD 57 750** – New York, 18 mai 1990 : *Jeunes filles*, h/pan. (41x33) : **USD 198 000** – New York, 10 oct. 1990 : *Nature morte aux pommes*, h/t (50,8x40,7) : **USD 30 800** – Milan, 24 oct. 1990 : *Intérieur*, h/t (48x65) : **ITL 160 000 000** – Paris, 7 déc. 1990 : *Les arums* vers 1975, h/t (81x54) : **FRF 215 000** – New York, 5 nov. 1991 : *Femme au turban*, h/t (42x33) : **USD 12 100** – Paris, 2 déc. 1991 : *Le modèle aux cheveux courts*, fus. et sanguine (50x32) : **FRF 26 000** – New York, 25 fév. 1992 : *Portrait de*

la belle M. 1948, h/t (92x60) : **USD 20 900** – New York, 9 mai 1992 : *Femme au chapeau à voilette* 1925, gche et aquar./cart. (37,8x25,4) : **USD 3 300** – New York, 14 mai 1992 : *Portrait de Mademoiselle Poum Rachou* 1934, h/t (92,1x46,4) : **USD 418 000** – Rome, 25 mai 1992 : *La femme au turban rouge,* h/t (27x21) : **ITL 13 800 000** – Londres, 1er juil. 1992 : *Femme à la robe noire* 1923, h/t (185x60,5) : **GBP 59 400** – Paris, 9 juil. 1992 : *Portrait de femme,* h/pan. (37x36) : **FRF 71 000** – New York, 11 nov. 1992 : *Les deux fillettes aux rubans bleus,* h/t (100x73) : **USD 148 500** – Paris, 23 juin 1993 : *Femme nue assise,* dess. à la mine de pb (25x20) : **FRF 8 500** – New York, 3 nov. 1993 : *New York,* h/t (46x37,8) : **USD 40 250** – Rome, 19 avr. 1994 : *La vierge bleue* 1934, h/pan. (20x13,5) : **ITL 94 300 000** – New York, 11 mai 1994 : *La dormeuse* 1934, h/pan. (30,8x40,6) : **USD 398 500** – Paris, 21 juin 1994 : *Portrait du Comte de Furstenberg-Hendringen,* h/t (41x27) : **FRF 370 000** – New York, 9 nov. 1995 : *Portrait de Marjorie Ferry* 1932, h/t (100x64,8) : **USD 552 500** – New York, 10 oct. 1996 : *Deux pigeons* vers 1961, acryl./t. (45,7x61) : **USD 5 750** – New York, 14 nov. 1996 : *Le Coquillage* 1939, h/t (40,2x51) : **USD 51 750** – Paris, 17 juin 1997 : *Portrait de jeune femme,* h/t (27x22) : **FRF 460 000** – Paris, 20 juin 1997 : *Baronne Kizette* 1954, h/t (28x23) : **FRF 82 000** – New York, 9 oct. 1997 : *La Bretonne* vers 1975, h/t (41,2x33) : **USD 29 900**.

LEMPORIÈRE
Mort en janvier 1948. xxe siècle. Français.
Peintre et céramiste.

LEMPRIERE C.
xviiie siècle. Britannique.
Dessinateur.
Il était capitaine de vaisseau. Il dessina avec J. H. Bastide une série de vues de Jersey qui furent gravées sous le titre *Vues d'ensemble et de détail des îles de Jersey, Guernesey,* etc., par W. H. Toms et comportent huit planches ; une série de *Vues de Lisbonne* (quatre planches) gravées par Fourdrinier, J. Mason et Walker ; des esquisses, en collaboration avec H. Gravelot, pour les gravures de l'œuvre de J. Pine *Les Tapisseries ornant la Chambre des Lords,* représentant les engagements entre les infanteries anglaises et espagnoles en 1588 (seize planches) ; une série de marines avec bateaux de guerre (neuf planches), gravées par W. H. Toms.

LEMPUT Remi Van. Voir **LEEMPUT**

LEMUD Ferdinand de
Né à Thionville. xixe siècle. Français.
Peintre de genre.
Frère et élève de F. J. A. de Lemud ; il exposa, au Salon de 1852, *Le tueur de rats.*

LEMUD François Joseph Aimé de
Né en 1817 à Thionville (Moselle). Mort en 1887 à Nancy (Meurthe-et-Moselle). xixe siècle. Français.
Peintre, graveur, lithographe et statuaire.
Fils d'un receveur des finances, il songea d'abord à l'École Polytechnique puis entra à l'École des Arts de Metz, vint ensuite à Paris, fort jeune, et y fut élève de P. Delaroche. Ses relations, son plaisant caractère, son talent aimable et facile lui donnèrent une réputation. Il se classa parmi les romantiques mais sa conception n'offusquait personne. Médaillé en 1844 pour la peinture, en 1863 pour la gravure ; chevalier de la Légion d'honneur en 1865. Le Musée de Metz conserve de lui : *Le prisonnier* ; celui de Pontoise *Maître Wolfrain,* aquarelle ; celui de Nancy, *Adam et Ève chassés du paradis* et celui de Langres, *Moïse.* Lemud a fait aussi de l'illustration, notamment pour les *Chansons de Béranger.*
Ventes Publiques : Paris, 1868 : *La rencontre* : **FRF 320** ; *Jeune femme jouant avec un perroquet* : **FRF 290** – Paris, 1880 : *Trois illustrations des « Œuvres » de Béranger et une illustration de Notre-Dame de Paris,* dess. à la sépia/pap. : **FRF 699**.

LE MUET. Voir au prénom

LEMUS Y OLMO Eugenio
Né vers 1845 à Torrelavega (Santander). xixe siècle. Espagnol.
Peintre et graveur.
Élève de l'Académie de Madrid, il grava d'après des Maîtres espagnols et italiens.

LE MYSTE. Voir **LESCHALIER Jehan**

LEN. Voir **LENORMAND André**

LENAERTS Carlo
Né en 1911. xxe siècle. Belge.
Peintre de figures. Postcubiste.
Il a vécu et travaillé à Bruxelles. Il fut membre du groupe de jeunes artistes belges *Apport,* au lendemain de la Seconde Guerre mondiale. Il a particulièrement étudié les figures de Juan Gris.

LENAERTS Fernand
Né en 1941 à Anderlecht. xxe siècle. Belge.
Peintre de compositions animées, figures, animaux.
Il expose fréquemment à Bruxelles, notamment galerie Albert Ier en 1993.
Dans des gammes colorées, il traite volontiers des sujets imaginaires. À propos de ses villes parcourues de chevaux, Chirico est parfois cité. Il peint aussi de grandes figures synthétiquement structurées.
Bibliogr. : In : *Dict. biogr. illustré des artistes en Belgique depuis 1830,* Arto, Bruxelles, 1987.
Ventes Publiques : Lokeren, 9 oct. 1993 : *Nu,* cr. noir et aquar. (17x35) : **BEF 28 000**.

LENAERTS Henri Hubert
Né en 1923 à Molenbeek-Saint-Jean (Brabant). xxe siècle. Belge.
Peintre, sculpteur de figures.
Il fut élève en peinture monumentale de l'Académie des Beaux-Arts de Bruxelles, et en sculpture de celle de Molenbeek. En 1971, il devint docteur en philosophie indienne à l'Université de Bénarés. Il effectue de nombreux voyages en Europe, au Proche-Orient, en Turquie, Égypte, Afrique du Nord, Perse, Inde. Il a été professeur de sculpture.
Outre des statues et figures féminines, il a créé l'horloge monumentale de l'Albertina de Bruxelles.
Bibliogr. : In : *Dict. biogr. illustré des artistes en Belgique depuis 1830,* Arto, Bruxelles, 1987.
Musées : Bruxelles – Ostende (Mus. des Beaux-Arts) : *Rythme de vie.*

LENAIL Marie Joseph Ernest
Né au xixe siècle à Blois (Loir-et-Cher). xixe siècle. Français.
Peintre.
Le Musée de Liège conserve de lui un *Paysage d'automne.* Il débuta au Salon de 1868.
Ventes Publiques : Paris, 1er et 2 déc. 1920 : *Chasse à courre : La Curée,* aquar. : **FRF 650** – Paris, 16 mai 1955 : *Elf, monté par E. Watkins* : **FRF 16 000** – Versailles, 16 juin 1984 : *Chiens et veneur en tunique rouge,* h/t mar/pan : **FRF 15 000** – New York, 11 avr. 1997 : *Tilbury en bord de mer* 1880, h/pan. (28,6x40,6) : **USD 6 900** – Paris, 21 avr. 1997 : *Le Cheval Go to bed,* aquar. (16,5x23) : **FRF 6 200**.

LENAIN
Né à Auxerre (Yonne). xixe siècle. Français.
Peintre de paysages, aquarelliste.
Il travaillait en 1887.
Musées : Sens : deux œuvres.

LE NAIN Antoine, Louis, Mathieu, les frères
xviie siècle. Français.
Peintres d'histoire, genre, portraits.
La disparition presque totale des documents d'époque concernant les frères Le Nain, et la destruction d'un nombre considérable de leurs peintures, notamment lors de la Révolution, ont contribué à la confusion exceptionnelle qui règne sur leurs biographies respectives comme sur l'attribution des œuvres à chacun d'entre eux. La confusion est ancienne ; contrairement à une idée répandue, ils n'ont jamais été totalement oubliés de l'histoire de la peinture française du xviie siècle, seulement négligés, les sujets de leurs peintures ne corespondant sans doute pas aux goûts et aux modes des époques successives. Il reste toutefois certain que leur existence et leurs œuvres ne furent ramenées en lumière que par Champfleury, en 1850, c'est à dire, au déclin du romantisme, au moment même de l'apparition d'un courant réaliste dans la littérature et l'art français et par l'action de son théoricien.
Après Champfleury, il fallut attendre, en 1934, l'exposition, organisée par Charles Sterling et Paul Jamot, des *Peintres de la réalité en France au xviie siècle,* pour que l'attention fût portée de nouveau sur les chefs-d'œuvre des frères Le Nain, Georges de La Tour, Claude Vignon et Philippe de Champaigne. Depuis les années vingt, Paul Jamot s'investissait complètement dans ses recherches sur les frères Le Nain ; même désormais controversées, il n'est plus possible de les ignorer. Autour de la grande exposition de 1978, Jacques Thuillier a remis en question à-peu-

près tout ce que Champfleury et Paul Jamot avaient successivement cru pouvoir élucider des énigmes enveloppant l'existence des frères Le Nain et de leur œuvre. Il ne sera pas question ici de prendre parti sur des travaux d'érudits, mais seulement de tâcher de présenter leurs positions et leurs divergences. Toutefois, les propositions de Paul Jamot étant de nature positive, documents, dates, faits, avec tout ce qu'ils peuvent comporter en effet d'incertitudes, et celles de Jacques Thuillier étant plutôt des objections d'humeur (on ne sait rien de certain, donc on en reste là), force est bien de préserver tout ce que Paul Jamot aura pu retrouver.

Il a été beaucoup discuté sur l'ordre de primogéniture de Louis et Antoine ; les auteurs varient pour leur accorder à l'un ou à l'autre le droit d'aînesse. D'aucuns s'arrêtèrent à la liste des nominations d'académiciens du 7 mars 1648, qui mentionne les frères Le Nain : Louis l'aîné, dit le Romain ; Antoine le jeune. Les extraits des registres Saint-Sulpice nous fixent définitivement sur les dates de décès et la qualité de chevalier donnée tour à tour à Antoine et à Mathieu, elle appartient à ce dernier, mentionnée dans son acte de décès, « chevalier de Malte », alors que celui d'Antoine porte seulement la qualité de « Peintre du Roy en l'Académie ». L'acte de décès de Mathieu mentionne que sa mère, Anne Thuilleau, veuve d'Estienne Le Nain, a assisté à l'enterrement. Ainsi donc, on a pu alors établir comme suit les dates de naissance des frères Le Nain : vers 1588 pour Louis, 1593 pour Antoine et 1607 pour Mathieu. Depuis ces premières recherches, il semblerait établi que les frères seraient nés tous trois entre 1602 et 1610 et que l'incertitude subsiste sur la qualité d'aîné entre Louis et Antoine. D'autre part, des mémoires manuscrits de M. de Lau, sur la ville de Laon, affirment que les trois frères Louis, Antoine et Mathieu travaillèrent d'abord à Laon durant une année avec un peintre étranger à la ville, puis vinrent à Paris. Antoine y fut reçu peintre le 16 mars 1629, non pas à Paris, mais à Saint-Germain-des-Prés, où l'on pouvait acquérir plus facilement une maîtrise et à meilleur compte ; d'ailleurs, sans doute par économie, seul Antoine prit le titre.

Antoine est cité comme excellant dans la miniature et dans les petits portraits. En 1630, on lui connaît un élève : Létoffe. Louis faisait des portraits en buste. Mathieu fut nommé peintre de la ville de Paris le 22 août 1633. Les Le Nain paraissent jouir d'une certaine aisance, ce que confirmera Jacques Thuillier ; le 29 du même mois d'août 1633, Mathieu est nommé lieutenant de la compagnie bourgeoise du sieur Duré en la colonelle de M. de Sève. Le 7 mars 1648, les trois frères sont nommés académiciens et tous trois assistent à la séance de l'Académie du même mois de mars de la même année. En 1648 aussi, Louis et Antoine tombent malades et meurent à deux jours d'intervalle : Louis le 23 mai et Antoine le 25 ; leur corps est pris chez M. Bolière, rue du Vieux-Colombier. Mathieu vécut encore près de trente ans et mourut dans sa maison rue Honoré-Chevalier, le 20 avril 1677.

Il a toujours été et il est toujours extrêmement difficile de faire dans l'œuvre global des trois frères, la part revenant à chacun d'eux. Depuis une centaine d'années et surtout à la suite des recherches de Paul Jamot, on a pu penser que la physionomie de chacun des trois frères se dégageait, en même temps que les œuvres, bien que ne portant aucune indication de prénom, pouvaient être restituées à leurs auteurs respectifs. Antoine, qui était l'aîné d'après P. Jamot, serait l'auteur de petits tableaux sur cuivre. Louis, dit le Romain, d'après la même source, serait l'auteur des incomparables scènes de la vie rustique. On pense qu'il aurait rencontré à Rome, en 1627, Vélasquez, ce qui expliquerait la similitude frappante entre *La Forge* de l'un et de l'autre. Mathieu serait vraisemblablement l'auteur d'œuvres plus légères mettant en scène, non plus les paysans, mais des gentilshommes fumant la pipe et jouant aux cartes. C'est à ce moment que se poserait, dans l'évolution de l'art français, la question d'une possible influence espagnole, qui vient d'être constatée pour Louis Le Nain ; il peut être rappelé aussi que les œuvres de Georges de La Tour seront attribuées, jusqu'au XXe siècle, souvent à divers maîtres espagnols.

Dans l'hypothèse émanant des recherches de Paul Jamot, la personnalité de Louis Le Nain domine, à plusieurs points de vue, la production des trois frères, bien que l'on continue, par commodité et en se conformant à leur vœu implicite, à ne pas les dissocier.

En 1978, à l'occasion de l'exposition presqu'exhaustive des peintures subsistantes des frères Le Nain et surtout de la publication, sous la forme du catalogue de l'exposition, du considérable travail que leur a consacré Jacques Thuillier, des articles de presse hâtifs crurent pouvoir répandre que Jacques Thuillier refusait radicalement toute discrimination selon chacun de la production des trois frères et qu'il affirmait au contraire leur collaboration constante et indivisible. Une lecture plus attentive de l'étude de Jacques Thuillier rétablit vite sa thèse dans sa vérité. Pour lui, comme pour Paul Jamot, il reste évident qu'on distingue aisément dans l'œuvre global des frères trois regards et trois mains, même si parfois ces trois manières se rejoignent, ce qui n'étonne pas de la part de trois frères ayant toujours travaillé de compagnie. L'apport de Jacques Thuillier dans la connaissance des Le Nain consiste en ceci que, d'une part, il remet en cause les dates de naissance traditionnellement transmises, ce qui n'entraîne pas de conséquences majeures, que d'autre part il remet en cause l'attribution exclusive à Antoine des assemblages frontaux de personnages portraiturés archaïquement, et l'attribution exclusive à Louis de l'ensemble des sujets paysans, considérant que ces deux attributions pourraient aussi bien être interverties, ce qui, de nouveau, n'entraîne de conséquences qu'envers les auteurs et non envers l'œuvre même. Enfin, il argumente fortement l'opinion que la collaboration entre les trois frères pourrait avoir été plus fréquente que selon celle admise jusqu'ici, ce qui n'empêcherait nullement dans les œuvres communes de reconnaître la part de chacun.

Cette nouvelle approche de l'identification de l'œuvre des Le Nain n'en altère en rien la lecture. Jacques Thuillier, au lieu de tenter arbitrairement de répartir les œuvres en fonction de leur attribution hypothétique à l'un ou l'autre des trois frères, les divise objectivement en fonction du sujet et de la facture. Partant de cette méthode, continuent de se dégager la personnalité plus forte du peintre des familles de paysans en situation, celle plus sommaire des portraits de groupe alignés en rang, et celle des assemblées de jeunes seigneurs ou militaires. De cette nouvelle classification apparaissent plus nettement la quasi certitude que chacun des frères n'avait pas le monopole de tel ou tel type de sujets, mais qu'ils étaient éventuellement traités par l'un ou l'autre, et de fréquentes collaborations à une même œuvre, de l'un ou l'autre type, tout particulièrement dans les très rares compositions mythologiques et religieuses qui nous soient parvenues, d'ailleurs difficilement situables dans l'œuvre et de ce fait souvent attribuées en début d'activité, peut-être à la fin d'obtenir la maîtrise ou l'admission à l'Académie ?

Si Georges de Latour fut totalement rayé de l'histoire de la peinture jusqu'en 1915, les frères Le Nain ne furent pas tout-à-fait oubliés mais grandement négligés par la postérité. On peut chercher à expliquer ce phénomène de censure, qui a concerné en premier lieu le Caravage lui-même, par deux sortes de raisons. Des raisons d'ordre esthétique : la profondeur de pensée, la rigueur morale que dénotaient ces peintures au dessin hiératique et à la couleur austère, ne correspondaient plus du tout, après le règne de Louis XIII, aux fastes de celui de Louis XIV et encore moins aux frivolités du XVIIIe siècle. Mais plus importantes peuvent paraître les raisons d'ordre moral et politique. Aussi bien pour l'Italie dominée par la papauté que pour la France qui dominait temporellement l'Europe, étaient parfaitement inopportuns tous ces peintres dont les œuvres mettaient implicitement en cause l'ordre établi, soit qu'en traitant des évangiles, ils en aient figuré les protagonistes sous l'aspect des simples pêcheurs ou artisans qu'ils furent en vérité, rappelant ainsi insidieusement la parabole du riche et du chameau, soit qu'ils aient attiré directement l'attention sur l'existence bien réelle des humbles et de leurs misères à côté de la richesse ostentatoire des seigneurs.

Dans l'ordre de l'esthétique, quant aux sujets paysans des Le Nain, quel qu'en ait été l'auteur ou les auteurs, peints en clair-obscur presqu'incolore, de gris-bleu et de brun, ils ne s'attachent qu'à la structure essentielle et immuable du modèle, négligeant l'apparence accidentelle d'une amorce de mouvement, d'une couleur seulement adjective, comme de tous autres effets. Ces paysans paraissent figés dans une attitude éternelle, tournés sans sourire vers le spectateur. C'est en cette recherche de la forme seule, la couleur, transitive, n'intervenant que pour la préciser, que les peintures de paysans des Le Nain apporteront la caution du passé, avant tout ce qui en découlera, d'abord à Cézanne, qui, d'autre part, avait pu voir au Musée d'Aix les *Soldats jouant aux cartes*, sans doute lointainement à l'origine de ses propres *Joueurs de cartes*.

Dans l'ordre des mœurs et du goût, la peinture italienne, après le Caravage, s'affadit dans le contexte de sa sujétion à la hiérachie de la cour papale. En France, en dépit des beautés de leurs

œuvres, Poussin et le Lorrain, célébrant, avec l'équilibre des forces de la composition picturale, la permanence de l'ordre social, préparaient la voie aux coquetteries roses, même si talentueuses, des Boucher et Fragonard. Les époques ont la peinture qui leur ressemble. Il aura fallu bien des crises de conscience et des retournements des mœurs pour que l'humanité méritât de nouveau de supporter l'implacable regard des grands paysans secs des Le Nain.
Pour des raisons de préservation historique de la trace des attributions d'œuvres qui ont pu être soutenues entre les trois frères, ont été conservées ci-après d'anciennes rubriques muséographiques et de prix en ventes publiques, concernant d'abord indistinctement les trois frères, puis chacun d'eux, respectivement Antoine, Louis, Mathieu. ■ Jacques Busse

Bibliogr. : Champfleury : *Essai sur la vie et les œuvres des Le Nain*, Laon, 1850 – Champfleury : *Documents positifs sur la vie des frères Le Nain*, Paris, 1865 – Paul Jamot : *Études sur les frères Le Nain*, in : Gazette des Beaux-Arts, Paris, 1922 et 1923 – Paul Jamot : *Les Le Nain*, Laurens, Paris, 1929 – Paul Fierens : *Les Le Nain*, Floury, Paris, 1933 – Charles Sterling, in : Catalogue de l'exposition *Les peintres de la réalité en France au XVIIe siècle*, Musée de l'Orangerie, Paris, 1934 – Jacques Thuillier : Catalogue de l'exposition *Les Le Nain*, Galeries nationales du Grand Palais, Paris, 1978.
Musées : Avignon : *Portrait présumé d'une marquise de Forbin, religieuse* – Béziers : *Ménage de paysans* – Cologne (Wallraf-Richartz Mus.) : *Le jardinier* – Épinal : *Scène du déluge* – Le Puy-en-Velay : *Une vieille femme* – Lille : *Le repas de l'artisan* – *La chambre de la grand-mère* – Lyon : *Un chevalier de l'ordre de Saint-Michel* – Madrid : *Bénédiction épiscopale* – Montauban : *Des gueux* – Munich : *Peintre au travail* – Nantes : *Portrait d'un jeune prince* – *Intérieur rustique* – Paris (Mus. du Louvre) : *Le repas des paysans* – *Procession dans l'intérieur de l'église* – *Henri II de Montmorency* – *Le reniement de saint Pierre* – Reims : *Vénus dans la forge de Vulcain* – Rennes : *La Vierge et des saints* – Rome (Gal. Nat. d'Art ancien) : *Les petits chanteurs* – Rouen : *Tour de cartes* – Saint-Pétersbourg (Mus. de l'Ermitage) : *Le bénédicité* – Semur-en-Auxois : *Tête de villageois.*
Ventes Publiques : Paris, 1781 : *Le Repas de famille* : **FRF 2 401** – Paris, 1865 : *Six seigneurs réunis autour d'une table* : **FRF 17 500** – Londres, 1875 : *Intérieur avec deux jeunes garçons et une petite fille* : **FRF 12 387** – Paris, 1883 : *Portrait d'un savant* : **FRF 6 000** – Londres, 1894 : *The Basting* : **FRF 2 730** – Londres, 11 avr. 1919 : *Intérieur de cuisine* : **FRF 725** – Londres, 6 et 7 mai 1920 : *La Collation* : **FRF 3 400** – Londres, 4 déc. 1920 : *Famille de paysans* : **FRF 1 350** – Londres, 16 juin 1923 : *Famille de villageois réunis devant une ferme*, attr. : **FRF 4 110** – Londres, 1er mars 1924 : *La Partie de cartes* : **FRF 6 300** – Londres, 6 mai 1925 : *La Collation* : **FRF 4 700** – Londres, 12 déc. 1925 : *Soldats au cabaret* : **FRF 4 400** – Londres, 28 juin 1929 : *La Cène*, Antoine et Louis Le Nain : **GBP 357** – Londres, 9 mai 1930 : *Groupe de paysans*, Antoine et Louis Le Nain : **GBP 819** – Londres, 14 mai 1930 : *Intérieur rustique avec une femme et deux enfants* : **GBP 115** – Londres, 18 juil. 1930 : *Paysans*, Antoine et Louis Le Nain : **GBP 682** – Londres, 12 juin 1931 : *Trois enfants* : **GBP 1 890** – New York, 15 juin 1932 : *Le joueur de flûte* : **USD 400** – Londres, 24 fév. 1937 : *Les petits chanteurs* : **GBP 1 100** – Londres, 2 juil. 1937 : *Les tendres adieux* : **GBP 504** ; *Fête bachique* : **GBP 409** – Londres, 9 juin 1939 : *Famille de paysans* : **GBP 136** – Londres, 13 juil. 1945 : *Une femme et deux gentilshommes dînant* : **GBP 2 940** – Londres, 12 déc. 1945 : *Danse rustique* : **GBP 400.**

LE NAIN Antoine, dit parfois **l'Aîné,** parfois **le Jeune**
Né vers 1593, ou après 1602 et avant 1610 à Laon. Mort le 25 mai 1648 à Paris. XVIIe siècle.
Musées : Avignon : *Portrait présumé d'un membre de la famille de Perussis* – La Fère : *Marché aux volailles* – Florence : *Adoration des bergers* – Glasgow : *Intérieur* – Le Puy-en-Velay : *La mère qui peigne sa fille*, peut-être Antoine Le Nain – Londres (Nat. Gal.) : *Groupe* – Nancy : *Repas de pauvres gens* – Paris (Mus. du Louvre) : *Réunion de famille* – *Portraits dans un intérieur* – Rouen : *Intérieur rustique.*
Ventes Publiques : Paris, 1777 : *Les musiciens* : **FRF 1 401** ; *Une basse-cour* : **FRF 1 600** – Londres, 1899 : *Le goûter* : **FRF 3 650** – Paris, 11 avr. 1924 : *Le violoniste*, lav. de sépia : **FRF 850** – Paris, 12 mai 1950 : *Portrait du marquis de Troisvilles* : **FRF 600 000** – Paris, 14 mars 1952 : *Les petits danseurs* : **FRF 3 700 000.**

LE NAIN Louis, dit **le Romain,** parfois **l'Aîné**
Né vers 1588, ou après 1602 et avant 1610 à Laon. Mort le 23 mai 1648 à Paris. XVIIe siècle.
Musées : Abbeville : *Pierrot* – Boston : *Paysans devant leur maison* – Leipzig : *Enfants jouant et chantant* – Lille : *Repas en plein air* – Londres (Nat. Gal.) : *Le Bénédicité* – Londres (Victoria and Albert Mus.) : *La halte du cavalier* – Nantes (Mus. des Beaux-Arts) : *Portrait d'un jeune prince* – Paris (Mus. du Louvre) : *La crèche*, présumé – *Repas de paysans* – *Réunion de famille* – *La forge* – *Le retour de la fenaison* – Rotterdam (Mus. Boymans) : *Deux petites filles* – Saint-Pétersbourg (Mus. de l'Ermitage) : *La famille de la laitière* – *La visite à la grand-mère* – Sens : *Têtes de jeunes femmes* – Troyes : *Messire Georges de Vaudrey* – Valenciennes : *Joueurs de cartes.*
Ventes Publiques : Paris, 1884 : *Intérieur d'une ferme* : **FRF 800** – Paris, 9 et 10 mars 1923 : *Portrait de jeune garçon*, pierre noire et sanguine : **FRF 2 400** – Londres, 9 juin 1944 : *Paysans dans un paysage* : **GBP 2 100** – Londres, 1er juil. 1966 : *La Sainte Famille* : **GNS 45 000.**

LENAIN Louis
Né le 22 novembre 1851 à Estiennes-au-Val (Hainaut). Mort en 1903 à Schaerbeek. XIXe siècle. Belge.
Graveur de reproductions.
Il fut élève de Auguste Danse. Il figura au Salon de Paris, où il obtint une médaille de troisième classe en 1882, de bronze à l'Exposition universelle de Paris de 1889, d'or à celle de 1900.
Traduisant au burin les grandes compositions de Rubens, il a su avec souplesse rendre les couleurs chatoyantes, et en faire vibrer la lumière.
Bibliogr. : In : *Dict. biogr. illustré des artistes en Belgique depuis 1830*, Arto, Bruxelles, 1987.

LE NAIN Mathieu, dit **le Chevalier**
Né vers 1607, ou avant 1610 à Laon. Mort le 20 avril 1677 à Paris. XVIIe siècle.
Musées : Aix-en-Provence : *Soldats jouant aux cartes* – Besançon : *Tête de vieille femme* – Laon : *Portrait de jeune homme* – Paris (Mus. du Louvre) : *Une réunion d'amateurs* – *Joueurs de trictrac* – *Joueurs de cartes* – Le Puy-en-Velay (Mus. Crozatier) : *Portrait d'homme.*
Ventes Publiques : Paris, 1786 : *Procession dans l'intérieur d'une église* : **FRF 1 003** – Paris, 1891 : *Les deux sœurs* : **FRF 1 220** – Paris, 23 mai 1924 : *Gentilhomme Louis XIII*, pl. et lav. : **FRF 2 100** – Paris, 27 et 28 mai 1926 : *Portrait présumé de Cinq-Mars* : **FRF 130 000** – Londres, 16 déc. 1938 : *Leçon de danse* : **GBP 262** – Londres, 8 mai 1942 : *Famille de paysans prenant son repas* : **GBP 89** – New York, 24 mai 1944 : *Atelier d'un peintre* : **USD 1 300** – Paris, 21 mars 1958 : *Intérieur de ferme* : **FRF 420 000** – Paris, 4 déc. 1968 : *Intérieur de paysans* : **FRF 25 000** – Versailles, 7 juin 1972 : *Intérieur de ferme* : **FRF 78 000** – Monaco, 15 juin 1990 : *Trois musiciens jouant du luth, de la guitare et du flageolet pour accompagner le chant d'un enfant*, h/t (77x87) : **FRF 1 221 000.**

LENARD Imre
Né le 29 mars 1889 à Zombor (Comitat de Bacs). Mort le 17 décembre 1918 à Budapest. XXe siècle. Hongrois.
Peintre de genre, figures, paysages, graveur.
Il fut élève de Karoly Ferenczy. Il exposa à Budapest, à partir de 1909, des peintures à l'huile et des eaux-fortes.
Ses thèmes se situent entre la scène de genre et l'intimisme : *La Couturière ; Abandonnée.*
Musées : Budapest (Mus. Nat.) : *Matin au lac Balaton* – *Hôpital Zita.*

LENARD Robert
Né le 30 avril 1879 à Krefeld (Rhénanie). XXe siècle. Depuis 1884 actif en Hongrie. Allemand.
Graveur, lithographe de paysages, paysages urbains.
Il se donnait comme graveur amateur. Il gravait paysages et vues de villes au cours de ses voyages : 1908 en France ; 1911 en Italie ; 1914 en Angleterre ; ainsi que dans les Balkans et les Dolomites.

LENARDI Giovanni Battista ou **Leonardi**
Né en 1656 à Rome. Mort en septembre 1704 à Rome. XVIIe siècle. Italien.
Peintre.
Il fut reçu membre de l'Académie de Saint-Luc en 1690. Plu-

sieurs églises de Rome possèdent de ses œuvres (S. Andrea delle Fratte, S. Giovanni Calabita, S. Giuseppe dei Falegnami, S. Paolino alla Regola). Plusieurs de ses œuvres furent gravées par H. Vincent, J. F. Leopold, A. Westerhout, J. C. Allet, etc.
Ventes Publiques : Paris, 4 déc. 1925 : *La Ronde* : **FRF 320** – Paris, 7 fév. 1927 : *Fleurs et fruits* : **FRF 350** – Paris, 16 jan. 1928 : *Les Ondines*, aquar. gchée : **FRF 215**.

LENARDI Jacopo. Voir **LEONARDIS**

LENARDI Pietro Paolo ou **Leonardi**
Mort en 1691 à Rome. XVIIe siècle. Italien.
Peintre.
Frère de Giovanni Battista Lenardi.
Ventes Publiques : Londres, 12 déc. 1996 : *A philosopher teaching in a classical landscape ; Nymphs dancing around a herm (...)* 1796, gche, une paire (22,7x31,3) : **GBP 1 840**.

LENARTOWICZ Sophie, née **Szymanowska**
Née à Otwozk. Morte en 1870 à Miloslaw. XIXe siècle. Polonaise.
Peintre de portraits.
Elle était la femme du sculpteur Teofil Lenartowicz.
Musées : Posen (Mielzynski) : *Portrait de l'artiste par elle-même – Portrait du mari de l'artiste.*

LENARTOWICZ Teofil
Né le 27 février 1822 à Varsovie. Mort le 3 février 1893 à Florence. XIXe siècle. Polonais.
Sculpteur et poète.
Il séjourna à Bruxelles, Fontainebleau et Florence, où il commença à étudier la sculpture. Il figura de 1873 à 1889 aux expositions de Cracovie avec des bustes, des groupes, des bas-reliefs. L'église Sainte-Croix à Florence possède des œuvres de sa main, parmi lesquelles un bas-relief en mémoire d'un capitaine italien, S. Bechi, fusillé par les Russes en 1863 et la porte en bronze d'une chapelle. Il exécuta également des portraits-médaillons.

LENARTS Jacob
XVIe siècle. Actif à Amsterdam. Hollandais.
Peintre et peintre sur verre.
Il est mentionné de 1563 à 1587. Van Mander le cite comme maître de Gerrit Pieterszen Sweelinck.

LENASSI Janez
XXe siècle. Yougoslave.
Sculpteur. Abstrait.
En 1988, il montra une exposition rétrospective de son œuvre dans des galeries de Piran et Ljubljana.

LE NATIER Jean
XVIe siècle. Français.
Sculpteur.
Il travailla à Troyes en 1526, à l'église Saint-Jacques et, de 1529 à 1530, à l'autel de la chapelle Notre-Dame-de-Lorette, dans l'église Saint-Nicolas. On trouve encore à Troyes, à une époque contemporaine, Pierre et Étienne Le Natier ; celui-ci, sculpteur et orfèvre, collabora à l'exécution de la pièce d'orfèvrerie que la ville offrit à François Ier pour son entrée solennelle, en 1521.

LE NATUR Jules Maurice
Né le 10 février 1851 à Poitiers (Vienne). XIXe siècle. Actif à Paris. Français.
Peintre de portraits, natures mortes, dessinateur, illustrateur.
Élève de Gérôme. Exposa au Salon, à partir de 1874, des fleurs peintes sur faïence, des natures mortes, des dessins. Il a fait beaucoup d'illustration.
Musées : Poitiers : *Portrait de M. Le Natur père.*
Ventes Publiques : Le Touquet, 10 nov. 1991 : *L'hirondelle messagère d'amour* 1881, h/t (22x16) : **FRF 15 000**.

LENBACH Franz Seraph von
Né le 13 décembre 1836 à Schrobenhausen. Mort le 6 mai 1904 à Munich. XIXe siècle. Allemand.
Peintre de figures, portraits, peintre à la gouache.
Élève de l'Académie de Munich, il se perfectionna à Rome. De retour il s'adonna au portrait. Il fit aussi de très nombreuses copies des maîtres. Il fut membre de l'Académie de Berlin depuis 1883 et de celle d'Anvers depuis 1891, il reçut une médaille d'or à Munich en 1869 ; une première médaille d'or à Vienne en 1882. Bien qu'étant passé par le célèbre atelier de Piloty, à Munich, avant son séjour à Rome, il s'était surtout formé seul. A Rome, il se lia avec Böcklin, Hans von Marées, faisant ainsi partie de ceux que l'on appelait alors les « Romains », pour mieux marquer l'attirance que l'art italien exerça sur les peintres allemands du XIXe siècle, après le goût de l'Antiquité que cultivèrent les Allemands du XVIIIe. Pour le comte Schack, dont le mécénat lui avait permis ce séjour romain, ainsi qu'un bref voyage en Espagne, il exécuta de nombreuses copies de maîtres anciens, s'assimilant leur technique, mais également, dans son cas, l'empêchant de s'arrêter à une manière qui aurait pu constituer son style propre. Après 1868, revenu à Munich, il y mena la carrière bien remplie d'un portraitiste bénéficiant de l'engouement de toute la société allemande du temps, et mettant en œuvre, selon les cas, dans ses portraits tantôt sa connaissance de Rembrandt, ou de Van Dyck, ou de Reynolds, dans un éclectisme adroit, au détriment de l'expression intérieure. A partir de 1878, très ami avec Bismarck, de qui il peignit une grande quantité de portraits, il eut également l'occasion de peindre ceux des principaux fondateurs de l'Empire, Von Moltke et l'Empereur lui-même. Sa facilité lui permit d'exécuter plus de quatre mille peintures. Le luxe de sa villa de Munich était célèbre. L'engouement de l'époque ne fut pas confirmé par la postérité, qui lui préféra, d'une part les étonnants paysagistes romantiques, d'autre part, pour rester plus près du domaine de Lenbach, des peintres moins éclatants, mais ayant su mieux comprendre la leçon de réalisme de Courbet.

Lenbach.

Bibliogr. : Marcel Brion : *La peinture allemande*, Tisné, Paris, 1959 – Pierre du Colombier, in : *Diction. Univers. de l'Art et des Artistes*, Hazan, Paris, 1967.
Musées : Aix-la-Chapelle : *Bismarck* – Bergame (Acad. Carrara) : *Le sénateur Giovani Marelli* – Berlin : *Comte de Moltke – Chancelier de Bismarck – Le prince de Hohenlohe Schillingsfurt – Richard Wagner – Le professeur Th. Mommsen – Reinhold Begas – Le prince Otto de Bismarck – Karl Ed. von Liphart – Temple de Vesta à Rome* – deux études – Berne : un pastel – Brême : *Volupté – Bismarck* – Breslau, nom all. de Wroclaw : *Bismarck – Arnold Boecklin* – Bruxelles : *Mgr. Strossmayer – Le chanoine Dollinger* – Cologne : *Léon XIII – Bismarck* – Darmstadt : *Baron Van Liphoort de Passini – F. Makart – R. Begas* – Düsseldorf : *Bismarck* – Édimbourg : *Bismarck* – Francfort-sur-le-Main : *Guillaume I – Moltke – Bismarck – Brentano* – Kaliningrad, ancien. Königsberg : *Bismarck* – Leipzig : *Bismarck*, deux oeuvres – *Guillaume Ier – Albert de Saxe – Moltke – Richard Wagner – Otto Gottscholk* – Madrid : *Portrait de l'Infante Dona Paz* – Magdeburg : *L'orage* – Munich : *Léon XIII – Luitpold de Bavière – Bismarck – Dollinger – La fille d'Hérodiade – Dr van Bereyer – Hermann Lingg – Piloty – Dr Schanzenbach – Guillaume Ier – Mme Joest – Portrait d'homme – esquisse – Le chancelier Chlodwag de Hohenlohe Schillingfurst – E. von Bergmann – Franz Defregger – Rue de village à Aresing – L'arc de Titus* – Presbourg : *L'arc de Titus* – Stockholm : *Le théologien von Dollinger – L'architecte Lorenz Gedon* – Stuttgart : *Guillaume Ier – Bismarck* – Vienne : *Le conseiller J. Rubinstein* – Weimar : *La cantatrice Barbi.*
Ventes Publiques : New York, 1er-2 avr. 1902 : *Portrait de Léon XIII* : **FRF 5 000** – Londres, 9 juil. 1909 : *Portrait de la Duse* : **GBP 588** – Londres, 26 mai 1922 : *Tête de femme* : **GBP 52** – New York, 19 avr. 1923 : *Portrait de Bismarck* 1896, h/t (95x87) : **USD 2 600** – Londres, 21 nov. 1924 : *Portrait de Graf May* : **GBP 231** – New York, 7 déc. 1934 : *La mère et l'enfant* : **USD 600** – Cologne, 30 oct. 1937 : *Le Prince de Bismarck* : **DEM 9 500** – Londres, 5 mai 1939 : *Le Prince de Bismarck en uniforme* : **GBP 441** – Paris, 22 nov. 1940 : *Portrait de jeune femme, en buste* : **FRF 880** – New York, 17 jan. 1942 : *Le Prince Otto de Bismarck* : **USD 4 000** – New York, 11 déc. 1942 : *Eleonora Duse*, pl. et past. : **USD 400** – Paris, 15 avr. 1944 : *Tête de jeune femme*, past. : **FRF 3 600** – New York, 28 mars 1946 : *Marion Lenbach* : **USD 1 150** – Londres, 8 mai 1946 : *Un peintre autrichien* : **GBP 100** – New York, 26 fév. 1947 : *Miss Goldammer* : **USD 375** – Lucerne, 1950 : *Portrait de Bismarck casqué*, fus. reh. : **CHF 600** – Munich, 14-16 mai 1962 : *Portrait du prince Bismarck en uniforme des cuirassiers de la garde* : **DEM 5 000** – Cologne, 20 oct. 1967 : *Marion, fille de l'artiste* : **DEM 8 000** – Berlin, 5 mai 1970 : *Portrait de Bismarck* : **DEM 7 000** – Cologne, 15 nov. 1972 : *Portrait d'Otto von Bismarck* 1896 : **DEM 10 000** – New York, 15 fév. 1973 : *Portrait de jeune fille* 1898 : **USD 5 000** – Cologne, 6 juin 1973 : *Portrait d'Otto von Bismarck* : **DEM 16 000** – New York, 12 jan. 1974 : *Portrait de la fille de l'artiste* 1898 : **USD 7 200** – New York, 14 mai 1976 : *Portrait de Bismarck* 1896, h/t (95x87) :

USD 5 000 – Cologne, 12 nov. 1976 : *Portrait de femme* 1901, h/t (116x88) : **DEM 6 000** – Londres, 4 nov. 1977 : *Portrait de Bismarck* 1893, h/cart. (76x66) : **GBP 1 600** – Londres, 16 juin 1978 : *Portrait de jeune fille*, h/cart., forme ronde (diam. 43) : **GBP 3 200** – Hambourg, 9 juin 1979 : *Portrait de Katharina Wertheimber* 1889, past. (62x54,2) : **DEM 5 000** – New York, 3 mai 1979 : *Portrait de Bismarck* 1892, h/t (120x100) : **USD 7 750** – Hambourg, 4 juin 1980 : *Portrait de Bismarck*, craie (71,2x65) : **DEM 3 600** – Hambourg, 11 juin 1981 : *Portrait de femme*, craie (80,8x61,5) : **DEM 4 000** – Munich, 29 juin 1982 : *Portrait d'Otto von Bismarck* vers 1895, h/t (84,5x60) : **DEM 14 000** – Cologne, 9 mai 1983 : *Portrait d'Otto von Bismarck* 1896, h/t (80x71) : **DEM 13 000** – Munich, 29 oct. 1985 : *Portrait de Franz von Stuck*, past. et cr. (52,5x49) : **DEM 6 000** – Berne, 19 juin 1986 : *Portrait de jeune fille* 1886, past./traits cr. (43x33) : **CHF 6 000** – Cologne, 19 nov. 1987 : *Portrait de femme*, craies de coul. (62x46,5) : **DEM 8 000** – Rome, 22 mars 1988 : *Portrait de Schopenhauer*, h/pan. dans un beau cadre ancien (60x46) : **ITL 12 000 000** ; *Portrait de petite fille* 1875, h/pan. (40x30) : **ITL 8 000 000** – Londres, 25 mars 1988 : *Portrait de la comtesse Ilse Seilern* 1902, h/cart. (93x72) : **GBP 8 580** – Londres, 24 juin 1988 : *Portrait de deux enfants* 1889, h/cart. (47x57) : **GBP 6 820** – Cologne, 15 oct. 1988 : *Portrait de la reine Marguerite d'Italie*, h/t (109x78,5) : **DEM 5 000** – Cologne, 18 mars 1989 : *Portrait de l'épouse de l'artiste avec sa fille Marion* 1894, fus. et craie (75,5x59) : **DEM 8 000** – New York, 24 oct. 1989 : *Portrait de la chanteuse Lola Betz* 1898, h/t (128,3x101,6) : **USD 4 950** – Londres, 16 fév. 1990 : *Tête de petite fille* 1879, h/pan. (42,2x33) : **GBP 6 050** – Munich, 12 déc. 1990 : *Portrait d'un jeune garçon* 1874, cr. et h/t (45x36) : **DEM 27 500** – New York, 22 mai 1991 : *Portrait du professeur Edwin Emerson* 1894, h/t (109,2x83,8) : **USD 5 225** – New York, 20 fév. 1992 : *Portrait d'une petite fille tenant un fruit* 1903, h/cart. (76,2x68,6) : **USD 24 750** – Heidelberg, 9 oct. 1992 : *Portrait en buste de Otto von Bismarck en grand uniforme*, gche et craie (80x70) : **DEM 10 200** – New York, 20 jan. 1993 : *Portrait de Louis II*, h/t (50,8x38,7) : **USD 4 025** – Paris, 6 avr. 1993 : *Femme en buste de trois quarts* 1903, past. (100x75) : **FRF 10 500** – Munich, 7 déc. 1993 : *Portrait de Otto von Bismarck* 1889, h/t (76,5x59,5) : **DEM 16 100** – Munich, 25 juin 1996 : *Otto von Bismarck* 1890, h/pan. (96x76) : **DEM 55 200** – Vienne, 29-30 oct. 1996 : *Portrait d'un gentleman* 1888, h/t (125,5x95) : **ATS 51 750** ; *Portrait d'une dame en robe noire et col de fourrure* 1898, h/pan. (100x75) : **ATS 276 000** – Munich, 23 juin 1997 : *Portrait d'une dame, sans doute la baronne Cahn* 1891, h/t (146x99) : **DEM 14 400**.

LENCK Adam
XVIIe siècle. Actif dans la seconde moitié du XVIIe siècle. Italien.
Sculpteur sur ivoire.
Musées : Venise (Correr) : *Enlèvement de Proserpine* – Vienne (Gal. Nat.) : *Groupe burlesque d'un satyre et de la nymphe Corisca.*

LENCK Albert
Né le 29 janvier 1857 à Passau (Bavière). Mort le 26 septembre 1915 à Munich. XIXe-XXe siècles. Allemand.
Peintre.
Il peignit des paysages, des études de têtes, des nus.

LENCKHARDT Adam
Né vers 1610 à Würzburg. Mort le 14 mars 1661 à Vienne. XVIIe siècle. Autrichien.
Sculpteur.
De 1647 à 1655 il exécuta plusieurs œuvres pour le *Cabinet de curiosités de Liechtenstein*, parmi lesquelles un inventaire de 1678 mentionne de sa main onze sculptures sur ivoire. L'une d'elles un *Saint Sébastien*, fut confiée par le prince de Liechtenstein au Musée de Troppau. Un autre *Saint Sébastien* (au Conservatoire des Arts et Métiers de Hambourg) lui est attribué.

LENCS Vilmos Lajos
Né le 3 mai 1849 à Tata. Mort le 23 janvier 1922 à Vac. XIXe-XXe siècles. Hongrois.
Peintre de portraits, décorations murales.
Il travaillait à Vac.

LENCZ Michael. Voir **LENZ**

LENDECKE Otto Friedrich Carl
Né le 4 mai 1886 à Lemberg. Mort le 17 octobre 1918 à Vienne. XXe siècle. Autrichien.
Sculpteur de statuettes, bustes, peintre, illustrateur.
Il débuta comme sculpteur, à Paris en 1910, au Salon des Artistes Français, avec un buste de la femme peintre *Katharina de Szabo-Hindi*, qu'il épousa.
Il a créé surtout des bustes : *Ilse Lubich* en bronze, *Marie Hernried* en porcelaine, des statuettes de femmes pour la manufacture de porcelaine de Karlsbad. Il dessina des illustrations pour des revues : *Jeunesse ; Ombres et Lumières ; Fantasio*, ainsi que pour des journaux de mode : *Mode de Vienne ; Le Monde féminin.*
Musées : Vienne (Gal. Autrichienne) : sept études.

LENDENSTREICH Valentin
Mort en 1506 à Saalfeld. XVe siècle. Actif à Saalfeld. Allemand.
Peintre.
Il dirigea un atelier pour décoration d'autels. On cite de ses œuvres dans l'église du château de Schwarzbourg, dans l'église de Munich-Bernsdorf, près de Gara. On lui attribue les peintures et sculptures des régions de l'Orla et de la Saale, deux autels au château de Landsberg, près de Meiningen ainsi qu'un autel qui se trouve au Musée germanique de Nuremberg et quelques sculptures sur bois à Graba, près de Saalfeld, à Saalfeld, et à Meiningen (Musée Henneberg).

LENDER William
Né au XIXe siècle à Hoppenheim. XIXe siècle. Allemand.
Graveur sur bois.
Figura au Salon des Artistes Français à Paris où il obtint une mention honorable (1901).

LENDINARA Cristoforo da, appelé aussi **Canozzi** ou **Zanesini**
Né à Lendinara (près de Rovigo). Mort en 1491. XVe siècle. Italien.
Peintre de sujets religieux, sculpteur.
Après s'être séparé de son frère Lorenzo avec lequel il travailla, il se fixa à Parme.
Sculptant exclusivement sur bois, il décora le studiolo du duc Borso d'Este, à Belfiore. Il acheva les stalles du chœur de la cathédrale de Parme. Pour la cathédrale de Modène, il réalisa quatre panneaux ornés de figures d'évangélistes, ainsi que des bancs et des armoires pour la sacristie. Comme peintre, il fut l'auteur de deux *Vierge à l'Enfant.*
Musées : Lucques : boiseries – Modène : *Vierge au collier* 1482, h.

LENDINARA Lorenzo da, appelé aussi **Canozzi** ou **Zanesini**
Né à Lendinara (près de Rovigo). Mort en 1477. XVe siècle. Italien.
Sculpteur.
Il travailla la plupart du temps avec son frère Cristoforo da Lendinara, d'abord à Ferrare où il fit les esquisses des stalles du chœur de la cathédrale, puis à Modène, où il exécuta les stalles, encore conservées, du chœur et de la cathédrale ; et au Santo de Padoue. Les stalles du Santo, qui furent son œuvre, ont été détruites par un incendie mais des restes sont conservés aux confessionnaux du Santo.
Musées : Padoue (Mus. dell'Arca) : restes de stalles du Santo.

LENDORFF Hans
Né en 1863 à Bâle. XIXe siècle. Suisse.
Peintre.
Élève de Gustave Boulanger, Jules Lefebvre et Benjamin Constant. Il obtint une médaille de bronze en 1900 à l'Exposition Universelle à Paris. Le Musée de Bâle conserve de lui un *Paysage italien avec montagnes* et *La chaudière* (1903). On cite encore parmi ses œuvres : *A la fontaine* (Bâle) et quelques toiles au Musée de Coire, dont *Un port écossais*. L'artiste obtint la troisième médaille à l'Exposition de Paris en 1900.

LENEARTS Thomas. Voir **LEONARDI Tommaso**

LE NEGRE Pierre
XVIIe siècle. Actif à Paris. Français.
Sculpteur et fondeur.
Il travailla pour le château de Versailles : vases de bronze et motifs décoratifs. Il exécuta avec Jean Arnould douze médaillons de bronze, dont cinq sont maintenant au Louvre ; ils étaient destinés à la décoration de candélabres entourant la statue de Louis XIV érigée sur la place des Victoires.

LE NEN Bernard
XXe siècle. Français.
Peintre de compositions animées. Nouvelles Figurations.

Il montre ses œuvres dans des expositions personnelles, notamment en 1995 à la galerie L'Œil de Bœuf à Paris.
Il réalise des œuvres vivement colorées, qui mêlent primitivisme et symbolisme.

LENEPVEU Jules Eugène
Né le 12 décembre 1819 à Angers (Maine-et-Loire). Mort en 1898 à Paris. XIXe siècle. Français.
Peintre d'histoire, compositions religieuses, sujets allégoriques, scènes de genre, portraits, compositions murales, décorateur.
Élève de Picot. Il obtint le Grand Prix de Rome en 1847. Il exposait au Salon depuis 1843. Il obtint une troisième médaille en 1847, une deuxième médaille en 1855 à l'Exposition Universelle ; il fut décoré de la Légion d'honneur en 1861 et promu officier en 1876. En 1869, il fut nommé membre de l'Institut en remplacement de Hesse et fut, de 1872 à 1878, directeur de l'Académie de France, à Rome.
Il fit des portraits, mais fut surtout un décorateur. On cite de lui l'*Histoire de Jeanne d'Arc* (au Panthéon), les plafonds du nouvel Opéra, du théâtre d'Angers, et de nombreuses peintures dans diverses églises de Paris et d'Angers.
Musées : Angers : *La robe de Joseph présentée à Jacob – Samuel sacrant David – Cincinnatus recevant les députés du Sénat – Jésus dans le prétoire – Maladie d'Alexandre – Martyre de Saint Saturnin – Antigone et Polynice – Le peintre J. M. Mercier – La France – L'Italie – Les Flandres – L'Allemagne* – Florence (Mus. des Offices) : *Portrait de l'artiste par lui-même* – Laval : *Le pape Pie IX à la chapelle Sixtine* – Nantes : *La Vierge au calvaire* – Paris (Art Mod.) : *Les martyrs aux catacombes.*
Ventes Publiques : Paris, 19 juin 1986 : *Charles Garnier à Bordighera* 1883, h/t : **FRF 49 000** – New York, 26 oct. 1990 : *La roche des Nasons dans la campagne romaine,* past./pap. (29,2x44,5) : **USD 1 760.**

LE NÉRU E., Mlle. Voir **ADAM LE NÉRU E., Mlle**

LENET Jean. Voir **LAINÉ**

LÉNETSKY Richard
Né le 29 novembre 1950 à Québec. XXe siècle. Canadien.
Peintre, sérigraphe. Expressionniste-abstrait.
Il a fait ses études littéraires et artistiques à l'Université de Montréal et à l'École Nationale de Théâtre du Canada. Il mène de front une carrière littéraire et picturale. Entre 1976 et 1990, il a dirigé un atelier de sérigraphie à Montréal. De 1983 à 1986, il fit un premier séjour en France, puis s'y fixa de nouveau depuis 1994. Il présente des ensembles de ses peintures dans des expositions personnelles : la première en 1976 à Montréal, puis régulièrement tous les deux ans ; en France : 1994 à Noirmoutier, 1995 à Paris.
Plus proche de l'abstraction, bien que laissant déchiffrer parfois quelque figuration humaine, il pratique une peinture violemment gestuelle et colorée à laquelle sa densité dans le format confère, même si non préméditée, une qualité de composition formelle.

LE NEUTHIEC Jean
Né le 13 mars 1911 à Lorient (Morbihan). Mort le 10 mai 1985 à Brest (Finistère). XXe siècle. Français.
Peintre de marines, paysages, portraits, pastelliste, dessinateur.
Il participait à de nombreuses expositions collectives régionales, notamment à Mantes-la-Jolie, Camaret, Guilvinec, Trouville, Cherbourg, Brest, etc., obtenant diverses distinctions, et à Paris : de 1966 à 1972 au Salon de l'Art Libre, en 1966 au Salon des Peintres de la Marine, de 1967 à 1973 au Salon Violet.

LENEVA Elizaveta
Née en 1898 à Riazovo (région de Tchernigovsk). XXe siècle. Russe.
Peintre, affichiste.
Elle fut élève de Robert Falk à l'Institut d'Art et de Technique Vhutein de Moscou, qui y fit suite en 1927 aux Vhutemas, et dont elle fut diplômée en 1928. En 1930-31, elle a créé des objets pour l'usine de porcelaine de Doulevo.
Bibliogr. : In : Catalogue de l'exposition *Paris-Moscou,* Centre Georges Pompidou, Paris, 1989.

LE NEVEU Adin. Voir **ADIN Le Neveu**

LENEY William Satchwell
Né le 16 janvier 1769 à Londres. Mort en 1831 à Longue Pointe (près de Montréal, Canada). XVIIIe-XIXe siècles. Britannique.
Graveur.
Élève de Tomkins. Il travailla surtout au pointillé et fut employé par Boydell pour la *Shakespeare Gallery.* Il alla ensuite en Amérique, grava du papier monnaie, puis alla finir ses jours au Canada, comme fermier aux environs de Montréal.

LENFANT Albert
XIXe siècle. Actif à Nanterre (Seine). Français.
Peintre.
Sociétaire des Artistes Français depuis 1889, il figura au Salon de cette société. Chevalier de la Légion d'honneur.
Ventes Publiques : Paris, 24 mars 1924 : *La mare devant la ferme* : **FRF 110.**

LENFANT Alexandre Louis
Né vers 1666 à Paris. Mort le 13 avril 1708 à Paris. XVIIe siècle. Français.
Graveur.
Fils de Jean Lenfant.

LENFANT François Louis, dit **Lanfant de Metz**. Voir **LANFANT**

LENFANT Jean
Né vers 1615 à Abbeville. Mort en 1674 à Paris. XVIIe siècle. Français.
Peintre et graveur au burin.
Élève de Cl. Mellan dont il imita le style. Il a gravé quelques sujets religieux et surtout des portraits, d'après Le Brun, J. Dieu, Mignard, Ponchel, etc.

LENFANT Léon
XIXe siècle. Actif à Paris. Français.
Graveur.
Sociétaire des Artistes Français depuis 1888, il figura au Salon de ce groupement.

L'ENFANT Marcel
Né à Paris. XXe siècle. Français.
Peintre de paysages.
Il exposait à Paris, au Salon des Indépendants depuis 1912.

LENFANT Pierre
Né le 26 août 1704 à Anet (près de Dreux). Mort le 26 juin 1787 aux Gobelins. XVIIIe siècle. Français.
Peintre de batailles et de paysages.
Élève de Ch. Parrocel. Reçu académicien le 30 octobre 1745. Il fut dessinateur des camps et armées du roi. Exposa au Salon de 1741 à 1761.
Musées : Reims : *Le siège de Mons sous Louis XIV – Cavaliers* – Tours : *Vue d'Amboise – Vue du château de Chanteloup* – Versailles : *Siège de Mons – Bataille de Lawfeld – Le combat de Melle – Prise de Gand – Bataille de Fontenoy,* trois toiles – *Siège de Tournai – Siège de Fribourg – Prise de Menin – Bataille de Rocoux – Siège d'Ypres – Siège d'Anvers.*
Ventes Publiques : Paris, le 12 déc. 1896 : *Le Camp* : **FRF 260** – Paris, 22 fév. 1937 : *Présentation des troupes au roi Louis XIV par le maréchal de Luxembourg* : **FRF 4 600** – Paris, 30 mars 1942 : *Étude de cavalier vu de face,* trois cr. : **FRF 2 100** ; *Étude de cavalier vu de dos,* trois cr. : **FRF 1 500** – Paris, 7 nov. 1966 : *Scènes des campagnes de Louis XV,* deux pendants : **FRF 15 200** – Paris, 24 juin 1968 : *La bataille de Fontenoy* : **FRF 11 500.**

LENFESTEY Giffard Hocart
Né le 6 septembre 1872 à Faversham. XIXe-XXe siècles. Britannique.
Peintre de paysages.
Il exposait presque annuellement depuis 1897, à la Royal Academy de Londres.

LENGAJUOLO, il grasso. Voir **AMMANNATINI Manetto**

LÊNG CH'IEN. Voir **LENG QIAN**

LENGELACHER Ignaz ou **Längelacher**
Né le 25 juillet 1698 à Unterpeissenberg (Bavière). Mort vers 1780. XVIIIe siècle. Éc. bavaroise.
Sculpteur.
Il travailla à Vienne, puis pour le prince de Dietrichstein à son château de Nikolsbourg, où l'on mentionne de sa main un *Saint Jean Népomucène* et un *Neptune.* En Moravie on cite encore de cet artiste deux statues à la tour de l'église de pèlerinage de Kiritein et des autels dans un grand nombre d'églises. Il est mentionné à Karlsruhe en 1760 (château de la Résidence) et à Rastadt de 1771 à 1776 : *Bernard le Bienheureux.*

LENGELÉ Maerten ou **Martinus** ou **Langele**
Né en 1604 à La Haye. Mort le 27 mai 1668 à Paris. XVIIe siècle. Hollandais.
Peintre de portraits.
Il fit partie de l'Académie de La Haye de 1656 à 1665 et en fut directeur, il peignit en 1650 un grand tableau d'arquebusiers pour la maison de tir aujourd'hui disparue.
Musées : Budapest : *Portrait de Berestyn* – La Haye : *Un membre de la famille Beaufort* – *Portrait de dame* – La Haye (Mus. comm.) : *Jeune guerrier* – *Portrait de femme* – Saint-Pétersbourg (Mus. de l'Ermitage) : *Portrait de famille.*

LENGELLE Paul
XXe siècle. Français.
Peintre de sujets de sport, peintre à la gouache, aquarelliste.
Peintre officiel de l'armée de l'air.
Ventes Publiques : Paris, 10 fév. 1988 : *Ballon captif, le sous-lieutenant Jean de Cagny, observateur, juil. 1918*, aquar. gchée (63x48) : **FRF 2 800** – Reims, 27 avr. 1997 : *Patrouille de chasseurs D 520 en vol*, aquar. gchée (50x100) : **FRF 7 500**.

LENGENVRE
XIXe siècle. Actif à Paris. Français.
Miniaturiste.
Exposa des portraits au Salon en 1824 et 1827.

LENGERICH Imanuel Heinrich
Né le 5 juin 1790 à Stettin. Mort le 8 octobre 1865 à Berlin. XIXe siècle. Allemand.
Peintre d'histoire.
Élève de Wach. Il visita l'Italie à partir de 1815 et y étudia particulièrement les œuvres de Raphaël et de Correggio. Revenu en Allemagne il fut professeur à l'Académie de Berlin. On cite de lui une *Descente de croix* dans l'église Saint-Jacques, à Stettin.

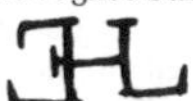

Musées : Gdansk, ancien. Dantzig : *Sainte Marie-Madeleine.*

LENGERINCX. Voir **LANKRINK**

LENGERKE Gustav von
Né le 17 février 1801 à Hambourg. XIXe siècle. Allemand.
Lithographe.
Il séjourna à Dresde, Munich, Venise et Vienne. Parmi ses œuvres on cite : *Bélisaire aveugle*, d'après G. von Kügelgen ; *Le Pasteur Schäffer*, d'après Schwarz ; la *Sainte Famille*, d'après Romanelli.

LENGGEL Justin
Né probablement à Londres. Mort en 1483 à Berne. XVe siècle.
Peintre.

LENGGENHAGEN Wilhelmine
Née le 15 octobre 1867 à Bâle. XIXe siècle. Suisse.
Paysagiste dessinateur.
Étudia à Bâle. Voyagea en Italie.

LENG Hong
Né le 13 septembre 1955 à Shanghai. XXe siècle. Actif aussi en France. Chinois.
Peintre de figures, paysages.
En 1978, il fut diplômé pour la peinture chinoise. En 1981, il fut admis comme membre de l'Association des Artistes de Chine à Shanghai. Il enseigne dans divers organismes. Il participe à des expositions collectives, surtout à Shanghai et Pékin, ainsi qu'au Japon, en Allemagne, à New York, en France. Il a obtenu plusieurs distinctions et Prix.
Bien que ses peintures soient précisément titrées, elles tendent à une abstraction gestuelle.

LENG K'IEN. Voir **LENG QIAN**

LENGLART
XVIIIe siècle. Français.
Peintre de sujets mythologiques.
Ventes Publiques : Paris, 7 avr. 1943 : *Renaud abandonne Armide* 1765 : **FRF 3 500** – Lyon, 5 mars 1980 : *Scène animée* 1791, h/pan. (71x61) : **FRF 24 000** – Reims, 14 mars 1993 : *Diane au bain*, h/pan. (50x72,5) : **FRF 30 000**.

L'ENGLE William
Né le 22 avril 1884 à Jacksonville (Floride). XXe siècle. Américain.
Peintre.
Il fut élève de Richard Miller sans doute à Paris, où il fut aussi élève de Jean-Paul Laurens, Raphaël Collin, Louis Biloul, et où il exposa au Salon des Indépendants, dont il fut sociétaire.

LENGLES Jean
XVIe siècle. Actif à Beauvais. Français.
Sculpteur sur bois.
Il sculpta des colonnes et des anges pour le maître-autel de l'église Saint-Martin de Beauvais.

LENGLET Alfred Adolphe
Né le 31 mai 1842 à Douai (Nord). XIXe siècle. Français.
Peintre de genre, portraitiste et aquarelliste.
Élève de Gleyre, Petit et Cabanel. Débuta au Salon en 1865.

LENGLET Charles Antoine Armand
Né en 1791 à Levergies. XIXe siècle. Français.
Sculpteur.
Élève de Cartellier. Exposa au Salon de 1846 à 1855 et obtint une deuxième médaille en 1848.

LENGLET Hilaire
XIXe siècle. Actif à Paris. Français.
Paysagiste et peintre de genre.
Exposa au Salon de 1836 à 1848.

LENGLET Jacques ou **Jean** ou **Lenglesch**
XIVe siècle. Actif à Cambrai. Français.
Sculpteur.
Il collabora aux travaux d'ornementation de l'église Saint-Géry, en 1394 et 1395, et à ceux de la flèche de la cathédrale de Cambrai, en 1398 et 1399.

LENGLET, l'Aîné
XIXe siècle. Actif à Paris. Français.
Sculpteur.
Frère de Charles Lenglet. Il exposa au Salon en 1848 et 1849.

LENGLEZ. Voir **ENGELS Gabriel**

LENG MEI, surnom : **Jichen** ou **Chi-Chên** ou **Ki-Tch'en,** nom de pinceau : **Jinmen Huashi**
Originaire de Jiaozhou, province du Shandong. XVIIIe siècle. Actif dans la première moitié du XVIIIe siècle. Chinois.
Peintre.
Disciple de Jiao Bingzhen (actif 1680-1720), peintre de la cour et portraitiste des grandes dames, il est chargé, en 1713, par l'empereur d'illustrer un recueil sur les cérémonies ayant eu lieu à l'occasion de son soixantième anniversaire. Il exécute aussi trente-six gravures sur bois : *Illustrations des villégiatures.*
Musées : Boston (Mus. of Fine Arts) : *Dame et ses suivantes dans un jardin*, encre, coul. et or sur soie, rouleau en hauteur, signé – *Dame marchant sur la terrasse d'un jardin*, signé – *Jeune fille jouant de la flûte à une dame* – Londres (British Mus.) : *Portrait d'une dame*, cachet de l'artiste, anciennement attribué à Xu Fang – *Haut personnage dans le studio de son jardin*, signé.

LENGO Y MARTINEZ Horacio
Mort le 12 juillet 1890 à Madrid. XIXe siècle. Espagnol.
Peintre de genre.
Musées : Madrid (Gal. Mod.) : *Manrique.*
Ventes Publiques : Londres, 12 fév. 1986 : *Toros de Malaga* 1874, h/t (103,5x71) : **GBP 3 800** – Madrid, 24 fév. 1987 : *Palomas*, h/t (84x63,5) : **ESP 500 000** – New York, 22 mai 1990 : *Déclaration*, h/t (86,3x67,3) : **USD 8 800** – New York, 26 mai 1993 : *Amour non partagé*, h/t, une paire (119,4x55,9) : **USD 17 250** – New York, 16 fév. 1994 : *La surprise* 1878, h/pan. (74,3x57,2) : **USD 25 300**.

LE NGOC HAN
Né en 1933 à Hanoi (région du Tonkin). XXe siècle. Vietnamien.
Peintre de figures, portraits, peintre à la gouache. Occidental.
Il a été élève de l'École des Beaux-Arts de Hanoi. Plusieurs de ses œuvres ont figuré à l'exposition *Vietnam. 30 ans de peinture de la guerre à la paix*, organisée à Paris en 1996. Il a reçu diverses récompenses, dont : 1985 médaille d'or au concours national ; 1993 premier prix des Arts Décoratifs.
On lui doit notamment : *Jeune fille en blanc* ; *Mère et enfant.* Les traits des visages y sont très stylisés.
Musées : Hanoi (Mus. Nat.).

LENGOULLANT Raphaël
XVIIe-XVIIIe siècles. Actif à Nantes vers 1699. Français.
Peintre verrier.

LENG QIAN ou **Lêng Ch'ien** ou **Leng K'ien**, surnom : **Qijing,** nom de pinceau : **Longyangzi**
Originaire de Wuling, province du Hunan. XIIIe-XIVe siècles. Chinois.
Peintre.
Personnage taoiste légendaire, il aurait eu cent ans pendant l'ère Zhiyuan (1335-1340) et serait devenu musicien de la cour au cours de l'ère Hongwu (1368-1398). Il aurait fait des paysages dans le style de Li Sixun (651-716), mais sera cité à propos de peintures de styles divers qui ne peuvent être l'œuvre d'un seul et même maître.

LENGRAND Jules Henri
Né le 17 avril 1907 à Marly-lez-Valenciennes (Nord). XXe siècle. Français.
Peintre, graveur, peintre de décorations murales, cartons de vitraux.
Il fut élève d'Adolphe Crauk, à Valenciennes. En 1930, il remporta le Premier Grand Prix de Rome de gravure. Il se tourna ensuite vers la peinture. Il exposait à Paris, au Salon des Artistes Français, médaillé en 1928. À partir de 1934, il fut professeur à l'École des Arts Décoratifs de Nice.
Il a réalisé d'importantes peintures murales et des vitraux.

LENGYEL-RHEINFUSS Ede
Né le 23 février 1873 à Barka (Comitat de Gömör). XIXe-XXe siècles. Hongrois.
Peintre de sujets militaires, animaux.
Il fut élève de l'Académie des Beaux-Arts de Budapest, et étudia aussi à Munich. Il travailla à Cassovie et à Budapest.
Il peignit surtout des chevaux et des cavaliers.
Ventes Publiques : New York, 22-23 juil. 1993 : *Officier hongrois avec deux chevaux*, h/t (97,2x120,7) : **USD 2 185**.

LENHARD ou **Lenhardt**. Voir **LEHNERT** et **LEHNHARDT**

LENHARD-FALKENSTEIN Alice
Née le 3 octobre 1882 à Berlin. XXe siècle. Allemande.
Peintre de portraits, paysages.
Elle travailla à Wiesbaden et à Francfort-sur-le-Main.
Musées : Wiesbaden : *Portrait d'un peintre.*

LÉNI-DAEL, pseudonyme de **Kouliche Danielle**, épouse **Peccoux**
Née le 2 juin 1953 à Boulogne-Billancourt (Hauts-de-Seine). XXe siècle. Française.
Peintre. Tendance expressionniste-abstrait.
Elle participe à des expositions à Paris, notamment au Salon des Indépendants en 1994, 1996, 1997, ainsi que dans la périphérie, en province, en Belgique, à Miami Beach (Floride).
Par des rythmes graphiques et chromatiques abstraits, elle évoque les forces de la nature.

LÉNICA Alfred
Né en 1899 à Pabianice. XXe siècle. Polonais.
Peintre. Expressionniste, puis abstrait-lyrique.
Il a vécu et travaillé à Poznan. Il n'a suivi aucun enseignement institué. Il a commencé à exposer en 1928. En 1947, au lendemain de la Seconde Guerre mondiale, il a fondé le groupe *4F + R*, initiales en polonais de Forme, Peinture, Texture, Imagination + Réalisme. En 1962, lui a été décerné le Grand Prix du Festival de Peinture Moderne de Szczecin.
Après avoir pratiqué une peinture marquée par l'expressionnisme de l'Europe centrale, à partir de la création de son groupe *4F + R*, il s'est rallié à l'abstraction de l'Action Painting. Ses œuvres tachistes sont surtout travaillées dans des matières généreuses et sensuelles et dans des jaillissements de couleurs éclatantes. Dans son art, le rôle du hasard n'est pas incompatible avec une organisation délibérée de la composition et des effets esthétiques.
Bibliogr. : In : *Diction. Univers. de la Peint.*, Le Robert, Paris, 1975.
Musées : Varsovie (Narodowe Muz.) : *Les Fleurs du mal* 1961.

LÉNIER Christiane
Née en 1926. Morte le 15 août 1989 à Sens (Yonne). XXe siècle. Française.
Peintre.
Elle reçut les conseils d'Othon Friesz, à l'Académie de la Grande-Chaumière, et travailla dans l'entourage du groupe de L'Échelle. Elle participa à plusieurs Salons, Salon de Mai en particulier, et expositions collectives. Elle abandonna la peinture pour une carrière théâtrale. Elle fut ensuite la femme de Pierre Dmitrienko. Bien qu'ayant profité de l'exemple d'André Marchand et de Francis Grüber, ses œuvres très personnelles furent remarquées pour la sensibilité du dessin et le sens de la belle matière.
Ventes Publiques : Paris, 3 juil. 1992 : *Vue d'un port de l'Empire ottoman*, h/t (42x93) : **FRF 13 500**.

LENIERS. Voir **LEYNIERS**

LENIQUE DE FRANCHEVILLE Clémence Andrée
Née le 15 janvier 1875 à Paris. XXe siècle. Française.
Pastelliste, miniaturiste.
Elle fut élève de Benjamin-Constant, Jean-Paul Laurens, Jules Lefebvre. Elle exposait à Paris, au Salon des Artistes Français, 1989 mention honorable, 1900 médaille de bronze lors de l'Exposition Universelle.

LENK Franz ou **Frank**
Né en 1898 ou 1875 à Langenbernsdorf. Mort en 1968 à Schwäbisch-Hall. XXe siècle. Allemand.
Peintre de portraits, paysages, paysages de montagne, paysages d'eau, aquarelliste.
Ventes Publiques : Munich, 30 nov. 1976 : *La cabane de montagne* 1945, h/t mar./isor. (35,5x45) : **DEM 1 650** – Cologne, 3 déc. 1976 : *Ronnebürg in Thuringen*, aquar. (23x32) : **DEM 3 000** – Cologne, 31 mars 1979 : *Paysage montagneux, Kitzbühel* 1943, aquar. (25x49) : **DEM 2 200** – Cologne, 4 déc. 1980 : *Vue d'une ville* 1924, h/t (83x101) : **DEM 26 000** – Munich, 26 mai 1992 : *Maison au bord du lac*, h. et temp./t. (53,5x75,5) : **DEM 23 000** – Munich, 6 déc. 1994 : *Portrait de Anneliese Lenk la femme du peintre* 1929, h/contre plaqué (73,5x57,5) : **DEM 28 750** – Heidelberg, 8 avr. 1995 : *Premiers contreforts des Alpes* 1931, aquar. (21,6x39,8) : **DEM 2 500**.

LENKEI-HOFFMANN Ilona
Née le 27 février 1869 à Budapest. Morte le 3 octobre 1914 à Budapest. XIXe-XXe siècles. Hongroise.
Peintre.
Elle peignit des natures mortes et des portraits.

LENKEY Zoltan
Né en 1936. XXe siècle. Hongrois.
Graveur, graphiste.
Il fut élève de Sandor Ek à l'Académie des Beaux-Arts de Budapest, où il termina ses études en 1960. Il obtint une bourse de voyage en 1964. Il a fait partie du groupe *Miskolc*, dont il remporta le Prix de la Biennale d'Arts Graphiques. Il participe à des expositions collectives d'arts graphiques, en Hongrie et à l'étranger, notamment à Cracovie, à la Biennale d'Arts Graphiques de Tokyo, en Allemagne, Angleterre, Italie, à l'exposition d'Art Hongrois Contemporain à Paris en 1970.
Bibliogr. : Géza Csorba, in : Catalogue de l'exposition *Art Hongrois Contemporain*, Mus.Galliéra, Paris, 1970.

LENKHARD Adam ou **Lenkhart**. Voir **LENCKHARDT**

LENLACHER Iganz. Voir **LENGELACHER Ignaz**

LENMICO Domenico
Mort vers 1700 à Padula (Province de Salerne). XVIIe siècle. Italien.
Sculpteur.
Il étudia à Naples et à Rome. Il sculpta plusieurs statues pour la Chartreuse de S. Lorenzo près de Padula (Province de Salerne).

LENNARTH Éric
XXe siècle. Suédois.
Peintre, sculpteur, technique mixte. Abstrait-géométrique.
En 1953, 1954, 1955, il a figuré, à Paris, au Salon des Réalités Nouvelles, avec des œuvres tridimensionnelles, d'inspiration nettement néo-constructiviste.

LENNEP Elias Van
Originaire de Borkeloo. Mort en 1694 à Vienne. XVIIe siècle. Éc. flamande.
Graveur.
Il étudia en 1689 à Vienne un ouvrage intitulé *Problemata mathematica* orné de ses propres burins et grava avec son frère Henrich Van Lennep, d'après J. E. Schäfler, des portraits de personnalités princières de la famille de Hesse. On cite également de sa main une planche : *Christine de Wurtemberg*, datée de 1665.

LENNEP Henrich Van
Originaire de Borkeloo. Mort en 1710 à Kassel. XVIIIe siècle. Hollandais.

Graveur.
Il grava avec son frère Elias Lennep des portraits de personnalités princières de la famille de Hesse. Le Musée National de Kassel possède le globe céleste de cuivre, de Jobst Byrgi, qu'il acheva et sur lequel il grava les étoiles.

LENNEP Jacques Van
Né le 11 juillet 1941 à Uccle-lez-Bruxelles. XXe siècle. Belge.
Peintre, sculpteur, technique mixte. Polymorphe.
Il fut élève de l'Académie des Beaux-Arts Saint-Luc de Bruxelles. Il a également poursuivi des études de philosophie, lettres, archéologie, histoire de l'art. Il est attaché aux musées royaux des Beaux-Arts de Bruxelles. En 1966, il a publié *Art et Alchimie*. En 1972, il a fondé un groupe pour développer le concept d'un art « relationnel ».
Il participe à des expositions collectives, notamment : en 1977 à l'Institut d'Art Contemporain d'Ottawa ; 1979 Musée National d'Art Moderne de Paris, Musée d'Art Moderne de São Paulo ; 1980 Biennale de Venise ; etc. Il a obtenu diverses distinctions : 1972 Prix de la Jeune Peinture à Bruxelles ; 1977 Premier Prix de peinture figurative à Anvers ; 1980 médaille de bronze au Prix Europe de peinture à Ostende.
Après avoir produit des œuvres cinétiques, il a évolué à des productions conceptuelles, et a abordé l'hyperréalisme.
Bibliogr. : In : *Dict. biogr. illustré des artistes en Belgique depuis 1830*, Arto, Bruxelles, 1987.

LENNEP Maria M. Voir **SCHUYLENBURCH Van**

LENNEY William. Voir **LENEY William Satchwell**

LENNGREN Carl Emil Edward
Né le 7 avril 1842 à Helsingfors (Helsinki). Mort le 25 décembre 1903 à Helsingfors. XIXe siècle. Finlandais.
Sculpteur.
Il étudia à Stockholm, Paris et Rome. Parmi ses œuvres on cite : *Bacchante endormie, Andromède enchaînée*.

LENNIVAUX Louis Gabriel
Né au XIXe siècle à Paris. XIXe siècle. Français.
Portraitiste.
Élève de Carolus Duran. Il débuta au Salon en 1880.

LENNON Ciaran
Né en 1947 à Dublin. XXe siècle. Irlandais.
Peintre. Abstrait-géométrique.
Il participe à des expositions collectives, notamment : 1984, Festival de Dublin/Édimbourg ; 1994, Biennale de São Paulo. Il montre des ensembles d'œuvres dans des expositions personnelles, dont : 1989 Londres, galerie Annely Juda ; 1991, 1992, Dublin, galeries privées ; 1993, 1995 Dublin, Green on Red Gallery ; 1995 Dublin, Musée d'Art Moderne ; 1996 Paris, galerie Lahumière.

LENOBLE
XIXe siècle. Actif à Paris au début du XIXe siècle. Français.
Sculpteur.
Exposa au Salon de 1806 à 1810.

LENOBLE Alexandre
XIXe siècle. Actif à Paris. Français.
Peintre de paysages.
Exposa au Salon de 1836 à 1844.

LENOBLE Louis Julien
Né en 1815. Mort en 1876 à Coutances (Manche). XIXe siècle. Français.
Peintre de paysages et décorateur.
Le Musée de Coutances conserve de lui : *Bricqueville, Le Blouette*.

LENOIR Adélaïde, née **Binart**
Née en 1771 à Paris. Morte en septembre 1832 à Paris. XVIIIe-XIXe siècles. Française.
Portraitiste.
Élève de Regnault et de son père. Elle exposa au Salon de 1795 à 1817. Elle était femme du chevalier Alexandre Marie Lenoir.

LENOIR Albert
Mort en 1727 à Nancy. XVIIIe siècle. Français.
Peintre.
Membre de l'ordre des Capucins.

LENOIR Albert Alexandre
Né en 1801 à Paris. Mort en 1891 à Paris. XIXe siècle. Français.
Peintre et architecte.
Élève de Debret. Le Musée de Reims conserve de lui *Portrait du vicomte Ruinart de Brunont, maire de Reims*.
Ventes Publiques : Zurich, 2 nov 1979 : *Paysages d'hiver* l'un daté 1857, deux h/pan., de forme ovale (36,5x49,5) : **CHF 9 000** – Lille, 11 déc. 1983 : *Paysage d'hiver* 1857, h/pan. (14x26,5) : **FRF 12 500**.

LENOIR Alexandre Marie, chevalier
Né le 26 décembre 1761 à Paris. Mort le 11 juin 1839 à Paris. XVIIIe-XIXe siècles. Français.
Peintre et archéologue.
Élève de Doyen. Il fit de la peinture mais fut surtout amateur d'art. Lors de la Révolution, Lenoir usa de toute son influence et de ses relations pour atténuer le désastre résultant de la destruction des œuvres d'art. Il obtint de l'Assemblée Nationale de réunir dans le couvent des Petits-Augustins toutes les œuvres d'art et débris de monuments ecclésiastiques et, sous le titre de *Musée des Monuments français*, il en fit le catalogue descriptif, comprenant huit volumes. Lors de la Restauration, le Musée des Monuments Français fut dispersé, mais Lenoir fut nommé administrateur des monuments de Saint-Denis. Il a écrit une histoire sur l'art français. Il avait réuni une remarquable collection de *Portraits* qui fut achetée par un riche amateur anglais.
Ventes Publiques : Paris, 12 juin 1925 : *Tête d'Italienne* : **FRF 60** ; *Portrait*, mine de pb : **FRF 120** – Paris, 24 juin 1932 : *Portrait de l'acteur Lekain en costume oriental*, pierre noire, sanguine et aquar. : **FRF 1 000**.

LENOIR Alfred Charles
Né en 1850 à Paris. Mort le 27 juillet 1920 à Paris. XIXe-XXe siècles. Français.
Sculpteur.
Élève de Guillaume et Cavelier. Il débuta au Salon en 1874, il obtint une médaille de deuxième classe en 1874. Aux Expositions universelles de Paris, il a reçu une médaille de deuxième classe en 1878, une médaille d'or en 1889 et 1900. Il fut fait chevalier de la Légion d'honneur en 1886, officier en 1900. On cite de lui le buste en marbre d'*Auguste Couder* (au Ministère des Beaux-Arts).
Musées : Mulhouse : *Frise représentant les joies de l'enfance* – Nice : *Jeune faune faisant combattre deux coqs* – Paris (Art Mod.) : *Mlle Louise Pélissier – Saint Jean-Baptiste enfant* – Paris (Faculté de Médecine) : *Laugier* – Paris (École Arts Décoratifs) : *A. Moreau* – Versailles : *Edmond de Goncourt*.
Ventes Publiques : Paris, 6 nov. 1935 : *Paysages d'hiver*, deux toiles : **FRF 270**.

LENOIR André Alfred Alexandre
Né à Paris. XIXe-XXe siècles. Français.
Sculpteur de figures.
Il exposait à Paris, au Salon des Artistes Français, obtenant une bourse de voyage en 1905, année où il devint membre sociétaire du Salon de la Société Nationale des Beaux-Arts.
Ventes Publiques : New York, 14 oct. 1993 : *Arabe en caftan debout* 1906, bronze (H. 45) : **USD 1 725**.

LE NOIR Antoine
Mort avant 1630. XVIIe siècle. Actif à Commercy. Français.
Peintre.

LENOIR Auguste Henri
Né le 29 septembre 1885 à Nancy (Meurthe-et-Moselle). Mort en 1915, pour la France au combat. XXe siècle. Français.
Sculpteur.
Il fut élève d'Antoine Injalbert. Il exposa à Paris, au Salon des Artistes Français, mention honorable en 1910.

LENOIR Berthe, née **Hardy**
XIXe siècle. Active à Paris. Française.
Peintre.
Sociétaire des Artistes Français depuis 1889, elle figura au Salon de ce groupement.

LENOIR Charles Amable
Né le 22 octobre 1861 à Chatelaillon (Charente-Maritime). XIXe-XXe siècles. Français.
Peintre de compositions religieuses, scènes de genre, portraits, fleurs.
Il eut des débuts difficiles, devant se placer comme maître d'études à Rochefort-sur-Mer en 1878. En 1881, il vint à Paris et entra à l'École des Beaux-Arts. En 1888, il obtint le Second Grand Prix de Rome. Il débuta à Paris, au Salon des Artistes Français en 1890, 1892 troisième médaille, 1896 deuxième médaille, 1900 médaille de bronze pour l'Exposition Universelle, 1903 décoré de la Légion d'Honneur.

À ses débuts, il exposa des portraits. Outre des compositions religieuses, il se consacra ensuite à la peinture de genre. Il se montra dessinateur sensible et coloriste délicat.

Musées : Rochefort-sur-Mer : *Sur la terrasse, en Grèce* – La Rochelle : *Jésus guérissant un paralytique – Le Reniement de saint Pierre – Amour au guet* – Saintes : *Heure douce.*

Ventes Publiques : New York, 20 mai 1908 : *Guirlande de roses* : **USD 100** – Paris, 11 déc. 1926 : *Sapho* : **FRF 720** – Paris, 25 mai 1951 : *La jeune harpiste* : **FRF 11 800** – Los Angeles, 9 avr. 1973 : *La jeune bergère* : **USD 2 000** – New York, 7 oct. 1977 : *Rêverie* 1901, h/t (142x91,5) : **USD 2 500** – New York, 28 oct. 1981 : *La Cueilleuse de cerises* 1900, h/t (139x83,2) : **USD 28 000** – Paris, 20 déc. 1983 : *Baigneuse au coquillage sur le sable,* past. (40x32) : **FRF 9 500** – New York, 27 mai 1983 : *Rêverie,* h/t (147,3x87) : **USD 8 000** – New York, 22 mai 1986 : *Printemps,* h/t (117,3x73,6) : **USD 7 000** – New York, 19 mai 1987 : *Contemplation,* h/t (125x81,5) : **USD 13 000** – Versailles, 5 mars 1989 : *Paysans près des chaumières sous la neige* 1857, h/pan. (12,5x32,5) : **FRF 20 000** – New York, 1er mars 1990 : *Nymphe dans la forêt,* h/t (138,4x90,8) : **USD 88 000** – New York, 24 oct. 1990 : *La rose rose,* h/t (118,8x73,8) : **USD 22 000** – New York, 17 oct. 1991 : *Contemplation,* h/t (125,1x81,6) : **USD 27 500** – Calais, 14 mars 1993 : *Patineurs sur la rivière gelée,* h/pan. (32x41) : **FRF 18 100** – New York, 26 mai 1994 : *Pandora* 1902, h/t (175,3x100,3) : **USD 123 500** – Paris, 15 juin 1995 : *La sieste au bord du lac bordé d'iris* 1899, h/t (65x49) : **FRF 29 000** – Londres, 13 mars 1996 : *Un couple admirant le coucher du soleil,* h/t (49x64) : **GBP 3 220.**

LENOIR Charles Joseph

Né le 6 décembre 1844 à Paris. Mort le 17 juin 1899 à Rennes (Ille-et-Vilaine). XIXe siècle. Français.

Sculpteur.

Élève de Jouffroy, Léon Cogniet, Carpeaux et Farochon. Il débuta au Salon en 1870 et obtint une médaille de troisième classe en 1874.

Musées : Châlons-sur-Marne : *Idylle* – Nantes : *Combat de coqs* – Nice : *Combat de coqs* – Rennes : *Combat de coqs – L'Amour blessé* – Versailles : *J.-L. Duc.*

LENOIR Françoise. Voir **ROUILLARD**

LENOIR Henriette

XIXe siècle. Suisse.

Peintre d'émaux.

Elle exposa à Genève, en 1843 et 1845, des copies du Titien et de Ph. de Champaigne et prit part à l'exposition de Zurich en 1844.

LE NOIR Jean

XIVe siècle. Français.

Enlumineur.

Actif à Paris, il travailla pour Yolande de Flandre, comtesse de Bar, pour les rois Jean II (1358) et Charles V ; Jean le Bon lui donna une maison à Paris, ainsi qu'à sa fille Bourgot, enlumineuse.

LENOIR Louis

Né vers 1712 à Nancy. Mort le 8 janvier 1772 à Nancy. XVIIIe siècle. Français.

Sculpteur.

Exécuta en 1760 et 1761 divers travaux pour l'Hôtel de Ville de Nancy et des groupes pour la Porte Saint-Nicolas.

LENOIR Lut

Née en 1946 à Roulers. XXe siècle. Belge.

Peintre. Abstrait-minimaliste.

Elle fit des études d'arts plastiques à Bruges.

Elle crée des peintures monochromes rompues de quelques lignes colorées.

Bibliogr. : In : *Dict. biogr. illustré des artistes en Belgique depuis 1830,* Arto, Bruxelles, 1987.

LENOIR M. Voir **GALIEN-LALOUE Eugène**

LENOIR Marcel. Voir **MARCEL-LENOIR**

LENOIR Marie Julie, née **Mirande**

Née au XIXe siècle à Rouen. XIXe siècle. Française.

Miniaturiste.

Élève de Mme de Cool. Elle débuta au Salon en 1876.

LENOIR Marie-Louise

Née le 1er août 1883 au Creusot (Saône-et-Loire). XXe siècle. Française.

Peintre.

Elle fut élève d'Henri-Martin. Elle exposa à Paris, au Salon des Artistes Français.

LENOIR Mathilde

Née le 17 janvier 1878 à Paris. Morte en 1965. XXe siècle. Française.

Peintre de paysages. Orientaliste.

Elle exposa à Paris, aux Salons des Indépendants, des Orientalistes, de la Société Coloniale des Artistes Français, des Tuileries, ainsi qu'aux Pays-Bas, à Genève et Tokyo.

Ventes Publiques : Paris, 12 juin 1995 : *Fête sur la place du Gouvernement à Alger,* h/t (33x46) : **FRF 13 000.**

LENOIR Maurice

XIXe-XXe siècles. Français.

Peintre de portraits, paysages urbains.

Ventes Publiques : Paris, 29 déc. 1920 : *Portrait d'une actrice en muse* : **FRF 3 000** – Paris, 24 fév. 1936 : *La Place de l'église à Meaux, crépuscule après la pluie* : **FRF 460** – La Varenne-Saint-Hilaire, 20 juin 1987 : *Le Marché de Mortagne dans l'Orne,* h/t (38x55) : **FRF 28 000** – Paris, 15 fév. 1995 : *Le moulin d'Egly,* h/t (33x41) : **FRF 14 000** – Paris, 10 avr. 1996 : *L'Étang,* h/t (40x64,5) : **FRF 5 200.**

LENOIR Paul Marie

Né en 1843 à Paris. Mort en avril 1881 au Caire. XIXe siècle. Français.

Peintre de genre, paysages. Orientaliste.

Élève de Gérôme et Jalabert. Il exposa au Salon de 1870 à 1880.

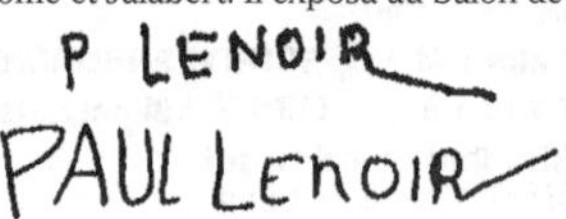

Ventes Publiques : Paris, 1883 : *Le Bac japonais* : **FRF 1 500** – Paris, 19-21 mai 1928 : *Vue générale du Caire* : **FRF 120** – New York, 28 oct. 1986 : *La Cour du Pacha,* h/t (85,5x199,5) : **USD 140 000** – New York, 15 nov. 1990 : *La servante des chats* 1877, h/t (40,7x27) : **USD 7 150.**

LENOIR Pierre Charles

Né le 22 mai 1879 à Paris. XXe siècle. Français.

Sculpteur de monuments, médailles.

Il fut élève de son père Charles Joseph Lenoir, ainsi que de Jules Chaplain et Antonin Mercié. Il exposait à Paris, au Salon des Artistes Français, dont il était sociétaire depuis 1890, 1904 mention honorable, 1905 et 1907 médailles de deuxième classe, 1911 bourse de voyage. Il fut fait chevalier de la Légion d'Honneur. Il réalisa de nombreuses œuvres : outre diverses médailles, monument aux morts du Conservatoire National de Musique et Déclamation, monument aux morts de Penmarch', monuments du statuaire Charles Lenoir, de Théodore Botrel, bustes de Stendhal, Charles Le Goffic, etc.

Musées : Châteauroux : *Bucolique – Enfance de Bacchus,* plaquette bronze – Le Mans : *Maquette d'un monument aux morts,* plâtre – Paris (Mus. d'Orsay) : *Fillette assise,* bronze.

Ventes Publiques : New York, 17 déc. 1983 : *Allégorie de l'Abondance,* bronze (H. 25) : **USD 1 500** – Londres, 18 juin 1985 : *Pacha dans son sérail,* h/t (85x200) : **GBP 85 000.**

LENOIR Robert

XXe siècle. Français.

Peintre de figures, portraits, nus, graveur.

Ventes Publiques : Paris, 21 mars 1938 : *Femme nue assise* : **FRF 250** – Paris, 20 nov. 1942 : *Femme au béret bleu* : **FRF 700.**

LE NOIR Simon Bernard ou **Lenoir**

Né en 1729 à Paris. Mort en 1791 à Paris. XVIIIe siècle. Français.

Peintre de portraits, pastelliste.

Simon Bernard Le Noir mérite de nous arrêter un moment : il compte parmi les meilleurs portraitistes du XVIIIe siècle et on ne le connaît généralement pas assez. Il fut membre de l'Académie de Saint-Luc et prit part à ses expositions en 1762, 1764 et 1774. Il exposa aussi au Salon de la Correspondance en 1779. La même année il était agréé à l'Académie Royale et exposait au Louvre, où il parut encore en 1783. Il ne fut pas reçu académicien, mais nous croyons que le fait doit être imposé à sa nomination comme directeur de l'enseignement du dessin à l'Académie de Besançon où il remplaça Wyrsch. Il convient de mentionner que l'Intendant de Franche-Comté, M. de Caumartin Saint-Ange ayant demandé à Pierre, alors directeur de l'Académie un artiste de réelle valeur pour occuper le poste vacant, ce fut Le Noir que Pierre désigna. Il ne manquait donc pas de protecteurs influents dans l'honorable compagnie, Le Noir fut installé à Besançon le 24 mars 1786 ; il y obtint un succès assez grand pour que le conseil de la ville par une délibération des plus élogieuses, l'admit au nombre des citoyens de la ville. Le Noir revint à Paris l'année de sa mort. Outre les œuvres figurant dans les musées, on cite de lui les portraits de *Voltaire* et du *Duc de Bourbon*. Les œuvres de Le Noir peintes à l'huile sont extrêmement intéressantes, mais c'est surtout comme pastelliste qu'il mérite d'être recherché.

Musées : Besançon : *Figure académique d'homme – Le père Elisée*, pastel – *Portrait de femme* – Dijon : *Le sculpteur Attiret* – Montargis : *Portrait du docteur Trioson* 1783 – Orléans : *Portrait des juriconsultes Pothier et Jousse* – Paris (Carnavalet) : *Portrait de Ledru-Conins*, pastel – Paris (Comédie-Française) : *Portraits de Le Kain dans trois rôles différents – Portrait de Regnard – Portrait de Madame Vestris*.

Ventes Publiques : Paris, 20 mars 1920 : *Portrait de M. de Glatigny*, past., attr. ; *Portrait de Mme de Glatigny par Boze*, les deux : **FRF 34 500** – Paris, 29 avr. 1921 : *Portrait de femme en buste en corsage bleu*, past. : **FRF 1 205** – Paris, 4 mai 1921 : *Portrait de femme*, past. : **FRF 5 000** – Paris, 26 mars 1927 : *Portraits d'homme et de femme*, deux pastels : **FRF 3 000** – Paris, 27 juin 1935 : *Portrait de femme*, past. : **FRF 3 400** – Paris, 4 fév. 1949 : *Portrait de Le Kain* : **FRF 83 000** – Paris, 6 mai 1955 : *La dame en bleu*, past. : **FRF 19 000** – Paris, 29 oct. 1976 : *Portrait de femme* 1784, h/t (60,5x49,5) : **FRF 2 300** – Rouen, 15 déc. 1985 : *Portrait d'homme tenant un livre*, past. (57x48) : **FRF 11 000** – Paris, 22 mars 1991 : *Portrait d'homme vu de trois quarts* 1764, past. (59x48,5) : **FRF 12 000** – Paris, 4 juin 1993 : *Portrait d'homme au gilet marron*, past. (62x53) : **FRF 26 000** – Paris, 29 nov. 1995 : *Portrait de jeune femme* 1778, past., ovale (61x53) : **FRF 14 000** – Paris, 26 mars 1996 : *Portrait présumé de Maurice Quentin de La Tour*, past. (53,5x43) : **FRF 19 500**.

LENOIR-OUDRY Georgette Jeanne
Née le 14 mai 1885 à Paris. XXe siècle. Française.
Peintre.
Elle fut élève de Jean-Paul Laurens et Henri Royer. Elle exposait à Paris, au Salon des Artistes Français, 1929 médaille d'argent.

LENORDEZ Pierre
Né au Vaast. XIXe siècle. Français.
Sculpteur de statuettes, figures, animaux.
Il exposa au Salon de Paris de 1855 à 1877.
Il se spécialisa dans la représentation des chevaux vainqueurs des grandes courses.

Musées : Avranches : *Le capitaine d'Estouteville partant pour la défense du Mont Saint-Michel*, plâtre.

Ventes Publiques : Londres, 28 nov. 1973 : *Le Cheval Saucebox*, bronze patiné : **GBP 650** – Londres, 19 déc. 1977 : *Cheval de course*, bronze (larg. 33) : **GBP 1 200** – Paris, 27 nov 1979 : *Jockey sur Étoile*, bronze (L. 41) : **FRF 8 500** – Enghien-les-Bains, 22 fév. 1981 : *Pur-sang sellé*, bronze patine brun-noir (H. 39) : **FRF 26 200** – Londres, 10 nov. 1983 : *Seconde Croisade* vers 1880, bronze patiné (H. 32) : **GBP 1 400** – Londres, 5 juil. 1985 : *Cheval égyptien (que l'empereur monta en 1806)*, bronze patine brune (H. 36) : **GBP 6 400** – Londres, 6 nov. 1986 : *Pur-sang et lévrier* vers 1870, bronze patine brun foncé (H. 39,5) : **GBP 3 000** – Paris, 8 déc. 1987 : *Au cirque, travail en liberté*, bronze patine brune (H. 18) : **FRF 3 200** – Paris, 3 juin 1988 : *Cheval*, bronze patine brune (36x37x12) : **FRF 10 000** – New York, 9 juin 1988 : *Deux chevaux au galop*, bronze (H. 35,6) : **USD 1 980** – Paris, 16 mars 1989 : *Vermout* (30x40) : **FRF 14 000** – Paris, 26 jan. 1991 : *Jockey et cheval au galop*, bronze (L. 50) : **FRF 33 000** – Paris, 25 mars 1991 : *Cheval de course au galop*, bronze (H. 33,5) : **FRF 29 000** – New York, 30 oct. 1992 : *Cheval et chien de meute*, bronze (H. 28, L. 35,5) : **USD 6 050** – Paris, 8 nov. 1995 : *Le pur-sang Angelo avec un chien aboyant*, bronze (H. 39,5) : **FRF 83 000** – Londres, 13 nov. 1996 : *Cheval et son jockey*, bronze (H. 32, L. 50) : **GBP 4 140** – Paris, 26-27 nov. 1996 : *Cheval attaqué par un python*, bronze (H. 25) : **FRF 4 800** – Londres, 12 nov. 1997 : *Un cheval et son jockey*, bronze patine brune (23x33) : **GBP 4 600**.

LENORMAND Albert et par erreur **Charles**
Né le 14 mai 1915 à La Roche-Vineuse (Saône-et-Loire). XXe siècle. Français.
Peintre, peintre de compositions murales, fresquiste. Abstrait.
Après sa formation artistique à Lyon et à Paris, il se fixa à Lyon, où il adhéra au groupe *Témoignage*, avec Bertholle, Claude Idoux, entre autres, qui tentait une synthèse entre surréalisme et mysticisme. Il exposa alors avec les peintres du groupe, au Salon d'Automne de Lyon. Après la guerre, il vint à Paris, participant aux premiers Salons de Mai. Il fut nommé professeur de fresque à l'École des Beaux-Arts de Nancy, vers 1957, puis à celle de Paris.
À partir de son installation à Paris, au lendemain de la guerre de 1939-1945, il a produit des compositions à vocation murale, désormais résolument abstraites. Il a également réalisé des cartons de tapisseries.

Bibliogr. : In : *Peintres contemporains*, Mazenod, Paris, 1964.

Musées : Paris (Mus. Nat. d'Art Mod.).

LENORMAND André, dit **Len**
XXe siècle. Français.
Peintre de paysages, dessinateur, caricaturiste. Abstrait-paysagiste.
Il fut autodidacte, pour incompatibilité d'humeur avec l'école. En 1958, il découvrit l'œuvre de Bissière et lui voue une admiration que sa propre peinture répercute. De 1942 à 1973, il exposa épisodiquement à Paris, au Salon de la Société Nationale des Beaux-Arts, dont il est sociétaire. Entre 1956 et 1967, il exposa plus régulièrement de nouveau à Paris au Salon Comparaisons. En 1975, le Musée de Nantes lui a consacré une exposition personnelle.
D'abord surréalisant, il se voua ensuite aux paysages de sa Bretagne natale, qu'il transposait : Ouessant, Saint-Guénolé, les côtes de granit rose. L'influence de Bissière le fit évoluer à l'abstraction, qu'il pratique en continuant à se laisser guider par le côté minéral des choses.

Musées : Nantes (Mus. des Beaux-Arts) – Paris (Mus. Nat. d'Art Mod.).

LENORMAND Pierre Jules Augustin
Né au XIXe siècle à Paris. XIXe siècle. Français.
Sculpteur.
Figura au Salon des Artistes Français où il obtint une mention honorable (1890).

LE NORMANT Pierre
XIVe-XVe siècles. Actif à Paris. Français.
Enlumineur.

LENORTS Jacob. Voir **LENARTS**

LENOT Louise. Voir **LOGEROT**

LE NOURRICHEL Constant Édouard
Né le 16 février 1803 à Bayeux. Mort le 10 septembre 1869 à Caen. XIXe siècle. Français.
Paysagiste et lithographe.
Élève de Noël et Robert Lefèvre. Exposa aux Salons de 1835 et 1839. Le Musée de Bayeux conserve de lui : *Vue de Port-en-Bessin*, et celui de Caen un *Portrait* (copie).

LENRENDU Jules
Né au XIXe siècle à Paris. XIXe siècle. Français.
Lithographe.
Élève de Paul Mourou, Pépard et Broquelet. Figura au Salon des Artistes Français. Membre de cette société depuis 1889, il obtint une mention honorable (1899), une médaille de troisième classe (1900), une médaille de bronze (1900) à l'Exposition Universelle, une médaille de deuxième classe (1902).

LENS Andrew Benjamin
XVIIe siècle. Britannique.
Peintre de miniatures.

Musées : Londres (British Mus.) : *Portrait de J. Claus, d'après T. Gibson*, sanguine.

LENS Andries ou **Andreas Cornelis**
Né le 31 mars 1739 à Anvers. Mort le 30 mars 1822 à Bruxelles. XVIIIe-XIXe siècles. Éc. flamande.
Peintre d'histoire, sujets mythologiques, compositions religieuses, pastelliste.
Fils du peintre de fleurs Cornelis Lens. Il eut pour maître Carel Ykens jusqu'en 1758, puis Balthazar Beschey. Il reçut du duc Charles de Lorraine, en 1764, le titre de peintre de la cour et les moyens d'aller en Italie où il étudia particulièrement Raphaël et les maîtres de la Renaissance, mais il fut surtout intéressé par les découvertes de Pompéi. Il travailla, de 1765 à 1768, à Rome au contact de Winckelmann et de Mengs ; il revint en 1768. En 1769 il fit les nouveaux statuts de l'Académie qui, avec le règlement de Marie-Thérèse, de 1773, causèrent la désorganisation de la vieille Gilde Lukas d'Anvers, tendant à la supprimer. Il écrivit

aussi un *Traité du Bon goût, ou de la Beauté en peinture* ; il avait publié en 1776 un *Traité du costume*. Ses écrits eurent davantage d'influence, à son époque, que ses peintures sans grandes nouveautés. Il se maria à Bruxelles en 1781 et, le 1er décembre 1781, renonça à ses fonctions de professeur et directeur de l'académie d'Anvers. La même année il s'établit à Bruxelles et y exécuta d'importants travaux dans les églises et les bâtiments publics. L'empereur Joseph II ne réussit pas à l'attirer à Vienne.
Il figura dans les espositions : *1770-1830, Autour du néoclassicisme en Belgique*, au Musée d'Ixelles, en 1985 ; *A. C. Lens*, au Musée Royal des Beaux-Arts d'Anvers, en 1989.
Il fut l'un des rares représentants de l'art flamand au XVIIIe siècle. Fidèle à l'italianisme d'école qui croyait unir Michel-Ange à Raphaël. Ses mythologies, raides et froides, furent sauvées de l'oubli par l'élégance du coloris.

Bibliogr. : Denis Coekelberghs : *Les peintres belges à Rome de 1700 à 1830*, Bruxelles-Rome, 1976.
Musées : Anvers : *Le graveur P. F. Martenaise – Hercule protégeant la muse des Beaux-Arts contre l'attaque de la Jalousie et de l'Ignorance – Diane et ses nymphes surprises par Actéon – L'Annonciation* – Anvers (Église des Augustines) : *Offrande au temple* – Bâle : *Jeunes filles au sacrifice* – Bruxelles : *Ariane et Bacchus – Sacrifice à Bacchus – François II* – Gand (Saint-Michel) : *Annonciation* – Malines (Cathédrale) : *Vie de Saint Romuald* – Vienne : *Jupiter et Héro endormie sur le mont Ida – Les adieux d'Hector*, pastel – *Minerve*, pastel.
Ventes Publiques : New York, 15 fév. 1973 : *Pyrame et Thisbée* : **USD 3 750** – Londres, 1er oct. 1980 : *Vénus et Cupidon*, h/t (103,5x60) : **GBP 700** – Londres, 17 juil. 1981 : *Le Mariage de Cupidon et Psyché*, h/t (313,7x247,6) : **GBP 4 200** – Londres, 1er nov. 1991 : *Un héro couronné par les nymphes*, h/t (120,5x94,5) : **GBP 8 800** – Paris, 10 avr. 1992 : *Adam et Ève*, h/t (62,2x50) : **FRF 7 000** – Monaco, 4 déc. 1992 : *Le jugement de Pâris*, h/t (40x53) : **FRF 38 850** – Londres, 7 déc. 1994 : *Agrippine restituant les cendres de Germanicus*, h/t (153x120) : **GBP 4 370** – Paris, 5 avr. 1995 : *Énée, Anchise et Ascanius fuyant l'incendie de Troie*, h/t (81x111) : **FRF 40 000** – Londres, 19 avr. 1996 : *Alexandre dans la tente de Darius* 1796, h/pan. (58,4x83,5) : **GBP 5 175.**

LENS Bernard, l'Ancien
Né en 1659. Mort en 1725 à Londres. XVIIe-XVIIIe siècles. Britannique.
Dessinateur et graveur.
Fils et élève d'un peintre peu connu. Il grava à la manière noire et à l'eau-forte des sujets religieux ou mythologiques et des paysages. On lui doit aussi de bons dessins à l'encre de Chine. le British Museum à Londres conserve de lui une série de vues d'Angleterre.

Ventes Publiques : Londres, 10 juil. 1973 : *Mars, Minerve et Cérès*, gche/parchemin : **GNS 700.**

LENS Bernard, le Jeune, pseudonyme : **Goupy**
Né en 1682 à Londres. Mort le 30 décembre 1740 à Knightsbridge. XVIIIe siècle. Britannique.
Peintre de compositions religieuses, portraits, miniatures, aquarelliste, graveur, dessinateur.
Fils et élève de Bernard Lens l'Ancien, ce fut un miniaturiste distingué. Bon dessinateur également, il eut pour élève le duc de Cumberland. Le roi Georges II le nomma peintre en miniature et émailleur de la cour. On cite encore de Bernard Lens le Jeune de remarquables copies à l'aquarelle de Van Dyck et de Rubens. Il a gravé quelques portraits et des cahiers d'études de paysages.
Musées : Londres (Nat. Portrait Gal.) : *Portrait de l'artiste – Martin Folkes* – Londres (British Mus.) : *Sir Thomas Tipping à cheval* – Londres (Victoria and Albert) : *Sarah, duchesse de Marlborough* – Oxford (Ashmolean) : *Portrait de l'artiste.*
Ventes Publiques : Londres, 7 juil. 1983 : *Portrait de Rubens avec sa seconde femme, Helena Fourment et son enfant*, aquar. et gche/parchemin, d'après Peter Paul Rubens (40x30) : **GBP 2 000** – Londres, 19 nov. 1985 : *The Grenadiers Exercise of the Granade* 1735, aquar. gche et cr. reh. d'or, album de dix sept (30,5x18,5) : **GBP 5 000** – New York, 31 mai 1990 : *Mary reine d'Ecosse avec son fils Jacques 1er dans un intérieur*, h/cuivre (32,4x23,8) : **USD 17 600** – Ickworth, 12 juin 1996 : *La Vierge et l'Enfant*, h./vélin, ovale (diam. 9) : **GBP 2 300.**

LENS Cornelis
Né le 19 février 1713 à Tilf près d'Anvers. Mort en 1770 à Anvers. XVIIIe siècle. Travaillant à Anvers en 1738. Éc. flamande.
Peintre de fleurs.
Ventes Publiques : New York, 15 oct. 1992 : *Composition avec une tulipe, un narcisse, des roses, des boules de neige, des pavots et autres fleurs dans une corbeille*, h/t (55,2x52,1) : **USD 8 800.**

LENS Johannes Jacobus
Né le 23 février 1746 à Anvers. Mort en 1814. XVIIIe-XIXe siècles. Éc. flamande.
Peintre.
Frère de Andries Lens, il voyagea avec lui en Italie et en France. On cite de lui à l'église des Augustiniens à Anvers : *Présentation au Temple*. Le *Bryan Dictionary* mentionne de lui, au Musée de Bruxelles, un portrait de l'empereur *Léopold*, qui ne figure plus au catalogue.

LENS Paul Peter
Né à Londres. XVIIIe siècle. Britannique.
Peintre de miniatures.
Fils de Bernard Lens l'Ancien et frère de Andrew B. Lens. Plusieurs collections privées d'Angleterre possèdent de ses œuvres.

LENS Y VILLAVERDE Francisco
Né en 1724 à Saint-Jacques de Compostelle. Mort après 1784. XVIIIe siècle. Espagnol.
Sculpteur.
La cathédrale de Saint-Jacques-de-Compostelle lui doit différentes œuvres (reliefs, autel), ainsi que l'église des Huerfanas dans la même ville. L'église du Monastère del Carmen à Padron lui doit également des autels. Le maître-autel de l'église paroissiale S. Maria de Alon est aussi de sa main.

LENSKI Ernst
Né le 6 mars 1894 à Marienwerder (Prusse-Orientale). XXe siècle. Allemand.
Peintre de portraits, paysages, natures mortes.
Il fut élève des Académies des Beaux-Arts de Munich et de Königsberg.
Musées : Kaliningrad, ancien. Königsberg (coll. d'Art).

LENSKI Joseph François Stanislas
Né le 2 avril 1760. Mort le 13 juillet 1825 à Varsovie. XVIIIe-XIXe siècles. Polonais.
Miniaturiste.
La Galerie du roi Stanislas Auguste conserve de lui : *Portrait de Franklin ; Portrait de la Générale Hitt.*

LENSKI-SCHWEERS Erna
Née le 21 octobre 1884 à Saalfeld (Prusse-Orientale). XXe siècle. Allemande.
Peintre de portraits, paysages.
À partir de 1918, elle figura dans des expositions collectives à Königsberg.
Ses paysages sont inspirés par la Prusse-Orientale.

LENSSEN Alexis
Né en 1848 à Liège. Mort en 1923. XIXe-XXe siècles. Belge.
Peintre de genre, d'intérieurs.
Bibliogr. : In : *Dict. biogr. illustré des artistes en Belgique depuis 1830*, Arto, Bruxelles, 1987.

LENSSENS Monika
Née en 1928 à Termonde. XXe siècle. Belge.
Peintre, graveur.
Elle fut élève de l'Académie des Beaux-Arts de Termonde et de Piet Gillis.
Bibliogr. : In : *Dict. biogr. illustré des artistes en Belgique depuis 1830*, Arto, Bruxelles, 1987.

LENSVELT Frits
Né le 7 mars 1886 à Ryswyk (près de La Haye). XXe siècle. Hollandais.
Peintre, graveur, illustrateur.
Il étudia à La Haye et à Amsterdam, puis séjourna deux années à Londres.
En 1908, il illustra *La Profession de mrs Warren* de Bernard Shaw, et *Les joyeuses commères de Windsor* de Shakespeare.

LENTELLI Leo
Né le 29 octobre 1879 à Bologne. Mort en 1962. XXe siècle. Actif aux États-Unis. Italien.

Sculpteur, peintre de décorations murales.
Il peignit des compositions religieuses, des frises ornant certains théâtres américains. Une de ses sculptures orne la façade du Steinway Building à New York.
Ventes Publiques : New York, 14 mars 1991 : *Femme-archer*, bronze (H. 61) : **USD 7 700**.

LENTHE Friedrich Christoph Georg
Né le 22 août 1774 à Grabow. Mort le 14 mars 1851 à Ludwigshut. XVIIIe-XIXe siècles. Allemand.
Peintre de portraits et d'histoire et graveur.
Élève de Grassi et de Graff. Fut directeur de la Galerie de Ludwigshut et peintre de la cour. Lenthe fut un peintre religieux fort intéressant. On voit de lui, dans la cathédrale de Schwerin, une *Mort du Christ*, d'une grande élévation de sentiment. Le Musée de Dresde conserve de sa main une *Vierge* d'après Raphaël et *La Nuit*, d'après le Corrège.

LENTHE Gaston
Né le 9 août 1805 à Dresde. Mort le 27 décembre 1860 à Schwerin. XIXe siècle. Allemand.
Peintre d'histoire.
Fils de Friedrich Christoph G. Lenthe dont il fut l'élève. Il se perfectionna à l'Académie de sa ville natale, puis à Berlin et à Karlsruhe. En 1835, il visita l'Italie et Paris. En 1836, il se fixa à Schwerin où il devint, deux ans plus tard, peintre de la cour. De nombreuses églises du Mecklenbourg possèdent de ses œuvres.

LENTINI Giovanni
Né en 1830 à Trapani (Sicile). Mort vers 1890 à Palerme, fou. XIXe siècle. Italien.
Peintre décorateur.
Plusieurs de ses œuvres se trouvent dans les bâtiments publics et les palais de Palerme.

LENTINI Rocco
Né en 1858 à Palerme. Mort en 1943. XIXe-XXe siècles. Italien.
Peintre d'histoire, paysages, marines.
Il fit ses études artistiques à Bologne, puis à Paris.
Ventes Publiques : Rome, 11 déc. 1990 : *Barques sur la lagune* 1920, h/t (65x101) : **ITL 4 600 000** – Rome, 16 avr. 1991 : *Paysage lacustre*, h/t (62x100) : **ITL 4 600 000** – Rome, 24 mars 1992 : *Rue Vendramin à Venise*, h/pan. (18x32) : **ITL 1 955 000**.

LENTNER Josef Friedrich
Né le 18 décembre 1814 à Munich. Mort le 23 avril 1852 à Méran. XIXe siècle. Allemand.
Peintre, illustrateur et écrivain.
On cite parmi ses œuvres dix planches, lithographiées par F. Bergmann, avec illustrations *(Chansons à boire d'étudiants)*, une collection de proverbes allemands, un livre de piété *(Sons de harpe)* avec dessins, des fresques à Peiting, près de Schongau et au château de Lebenberg, près de Meran.

LENTS CROON Jean Baptiste
Baptisé à Malines le 13 mai 1653. XVIIe siècle. Éc. flamande.
Peintre.

LENTULOV Aristarkh Vasiliévich ou **Lentoulov** ou **Lentouloff Vassiliévitch**
Né en 1882 à Niznij Lomov (gouvernement de Penza) ou Vorona. Mort en 1943 à Moscou. XXe siècle. Russe.
Peintre. Expressionniste, puis cubo-futuriste, puis réaliste. Groupe du Valet de carreau.
De 1898 à 1900, puis en 1905, il fut élève de l'Institut d'Art N. Sileverstov à Penza ; de 1900 à 1904 de l'Institut d'Art de Kiev ; de 1905 à 1910 de l'Atelier de D. Kardovsky à Saint-Pétersbourg ; en 1911-1912 de Le Fauconnier et Metzinger à l'Académie de La Palette à Paris. Dès 1908, avec Larionov et Gontcharova, il participa à l'exposition *Le Lien*, organisée à Saint-Pétersbourg par les frères Burliuk. En 1910-1911, il organisa et participa à l'exposition du groupe du *Valet de carreau*, avec Kontchalovsky, Machkov, Robert Falk. Le groupe du *Valet de carreau*, et le groupe contemporain de la *Rose bleue* étaient issus du mouvement *Mir Izkousstva* (Le Monde des arts). En 1911, à partir de Paris, il visita l'Italie. En 1912, il participa à la deuxième exposition du *Valet de carreau*. En 1913, il fit un séjour à Kislovodsk dans le Caucase. En 1926, il devint membre de l'Association des Artistes de la Russie Révolutionnaire (AKhRR) ; en 1928 de la Société des Artistes de Moscou. Entre 1916 et 1926, il créa des décors pour les théâtres de Moscou, et enseigna aux anciens Vhutemas, devenus en 1919 Institut des Arts Plastiques de Moscou.
Tout son œuvre, à travers ses fluctuations diverses, restera ancré dans le folklore russe, caractère qu'on retrouve d'ailleurs chez la plupart des artistes russes, de cette époque en tout cas. Au cours de son évolution, il restera également un coloriste né, dans la tradition orientale, que la découverte de l'œuvre de Matisse renforça encore. Après des débuts impressionnistes, influencés ensuite par Cézanne, sa peinture plus personnelle s'inscrivit dans le contexte de l'expressionnisme de l'Europe centrale. Au moment de la fondation du *Valet de carreau* en 1910, sa série des *Apôtres* eut une influence directe sur la période expressionniste de Malévitch. La plupart des artistes du *Valet de carreau* se référaient alors à Cézanne, tout en se montrant attentifs au fauvisme et bientôt au cubisme. Lors de son séjour parisien de 1911-1912, l'exemple de Le Fauconnier et Metzinger, et surtout l'œuvre de Léger, ainsi sans doute que son voyage en Italie, lui firent infléchir relativement sa manière, jusque-là assez cézannienne, outre des déformations expressionnistes hardies, dans un sens cubiste et futuriste, ce qui lui valut, lors de la deuxième exposition du *Valet de carreau* au début de 1912, l'appellation de « cubo-futurisme ». Les paysages qu'il rapporta de son séjour dans la Caucase en 1913, sont caractérisés par leur éclatement en facettes de couleurs vives, issues du morcellement cubiste et du dynamisme coloré futuriste. Jusqu'en 1915, ses œuvres resteront profondément marquées par cette recherche du dynamisme futuriste. D'ailleurs, à cette époque, les artistes russes, bien qu'en toute connaissance du cubisme français, furent encore plus vivement intéressés par le futurisme italien. Toutefois, Lentoulov, pour sa part et contrairement à un grand nombre des autres peintres russes qui élaborèrent les divers courants du constructivisme, n'accéda pas à l'abstraction. Jusqu'en 1917, il revint à un expressionnisme très coloré, tout en lui gardant une structure géométrique, notamment dans sa série sur *Saint Basile*. Dans cette manière, après les premières peintures très éclatantes de rythme et de chromatisme, il systématisa ensuite le procédé dans des peintures plus décoratives. Puis, après 1920, il fut lui aussi touché par les directives académiques des instances culturelles du régime, et s'y conforma définitivement, en négation de son beau parcours antérieur, où il s'était montré l'un des artistes russes les plus prospectifs du moment.
■ Jacques Busse

Bibliogr. : Catalogue de l'exposition *A.V. Lentoulov*, Moscou, 1968 – Catalogue de l'exposition *Aristarkh Lentoulov*, Moscou, 1987 – in : *Collection du professeur Aram Abrahamian*, Le Musée d'Art Russe, Erevan, 1989 – in : Catalogue de l'exposition *Paris-Moscou*, Centre Georges Pompidou, Paris, 1989 – in : *Diction. de l'art mod. et contemp.*, Hazan, Paris, 1992.
Musées : Iaroslavl (Mus. d'Art) : *Le Firmament, Moscou décoratif* 1915 – Moscou (Gal. Trétiakov) : *Peinture* 1913 – *L'Église, le Monastère Novodévitchi* 1916-1917, aquar. – *Portes à tour de la Nouvelle Jérusalem, près de Moscou* 1917 – Saint-Pétersbourg (Mus. Russe) : *Le Samovar* 1913.
Ventes Publiques : Londres, 12 avr. 1972 : *Vue d'une petite ville de Russie vers 1914* : **GBP 1 000** – Londres, 13 mars 1980 : *Projet de décor pour « L'Oiseau de Feu »* 1919, aquar. et cr. (21,5x28) : **GBP 400** – Londres, 2 avr. 1987 : *Composition*, aquar., pinceau et encre de Chine (21,8x19,2) : **GBP 2 400** – Londres, 6 oct. 1988 : *Composition avec des roses*, h/t (59,1x64,8) : **GBP 10 450** – Londres, 5 oct. 1989 : *Baigneurs à Agra* 1912, h/t (102,2x101,7) : **GBP 15 400** – Lugano, 28 mars 1992 : *Costume pour « Les Contes d'Hoffmanm »* 1918, cr. et temp./pap. (53,5x37,5) : **CHF 4 800** – Milan, 10 nov. 1992 : *Solitude*, aquar./pap. (24x16) : **ITL 2 400 000**.

LENTZ. Voir aussi **LENTZE** et **LENZ**

LENTZ Carl Libert August
Né le 16 février 1827 à Hambourg. Mort le 15 décembre 1898 à Tunis. XIXe siècle. Allemand.
Peintre.
Il étudia à Berlin, puis longtemps à Munich. Il séjourna à Anvers, à Hambourg et en Espagne. Il se rendit en Afrique en 1875 puis à Venise, Paris et Londres. Il revint plus tard à Tunis et travailla à Biskra, Alger et Oran. Il peignit des portraits et des tableaux de genre.
Musées : Hambourg (Kunsthalle) : *Danse paysanne*, dess. à la pl. – *Jeune garçon tzigane*.

LENTZ Michel
Né en 1936 à Stavelot. XXe siècle. Belge.
Peintre, sculpteur. Minimal art, conceptuel.
Il fut élève de l'Académie des Beaux-Arts de Liège. Ayant séjourné six ans en Colombie, il y enseigna à l'Université du Tolima. Il est devenu professeur à l'Académie de Liège.

Il a surtout créé des sculptures minimalistes en extérieur, et poursuit des recherches d'ordre conceptuel.
Bibliogr. : In : *Dict. biogr. illustré des artistes en Belgique depuis 1830*, Arto, Bruxelles, 1987.

LENTZ Stanislas
Né en 1863 à Varsovie. Mort le 19 octobre 1920 à Varsovie. XIXe-XXe siècles. Polonais.
Peintre de genre, portraits.
Il fut élève de Gyula von Benczur et Alexander von Wagner à l'Académie des Beaux-Arts de Munich. Il figura au Salon des Artistes Français de Paris, où il obtint une mention honorable lors de l'Exposition universelle de 1900 à Paris.
Musées : Cracovie.
Ventes Publiques : Paris, 27 nov. 1944 : *Au commissariat de police* : **FRF 1 550** – Paris, 10-11 avr. 1997 : *Sultan Soliman Constantinople*, aquar. (42x54) : **FRF 15 000**.

LENTZE Johannes T. W.
Mort en 1678 ou 1698. XVIIe siècle. Actif à Cologne. Allemand.
Sculpteur.
Il exécuta en 1659 la statue de *Sainte Ursule* sur le tombeau érigé pour cette sainte à l'église Sainte-Ursule à Cologne.

LENTZEN Jan Frans. Voir **LENZEN Johannes Franciscus**

LENTZNER Johann Nikolaus
Né en 1711 à Schleiz. Mort en 1749 à Francfort. XVIIIe siècle. Allemand.
Peintre de paysages et de sujets rustiques.
D'abord élève de Dietrich à Weimar, puis de Hamilton. Il peignit de nombreux paysages animés dans le genre de ses maîtres, de Wouwerman et de H. Roos. On cite aussi de nombreux dessins de lui d'après les maîtres qu'il imita.

LENZ. Voir aussi **LENTZ**

LENZ Alfred David
Né en 1872 à Fond-du-Lac (Wisconsin). Mort le 16 février 1926 à La Havane (Cuba). XIXe-XXe siècles. Américain.
Sculpteur de figures, portraits, sujets typiques.
Ventes Publiques : New York, 31 mai 1990 : *Portrait en relief d'un Apache Jicarilla*, bronze/pan. de bois (H. 51,5) : **USD 1 760**.

LENZ Clara
Née en 1863 à Inowrazlaw. XIXe-XXe siècles. Allemande.
Peintre de paysages, fleurs. Postimpressionniste.
Elle fut élève de l'Académie des Beaux-Arts de Königsberg, où elle vécut.

LENZ Clara
Née en 1875 à Lubeck. XXe siècle. Allemande.
Peintre de figures, intérieurs, paysages, natures mortes.
Elle fut élève de l'Académie Julian à Paris.
Elle peignit des vues de Lubeck, de Paris, etc.

LENZ Elisabeth
Née à Iserlohn. XIXe-XXe siècles. Suisse.
Paysagiste.
Étudia à Karlsruhe et à Munich. Fut élève du paysagiste Bernhard Buttersack. Parmi ses œuvres : *Ronco* (vue du lac Majeur). Cette artiste s'est fixée à Ascona.

LENZ G.
XVIIIe siècle. Actif dans la seconde moitié du XVIIIe siècle. Français.
Peintre de portraits.
Il peignit surtout des portraits en miniatures.

LENZ Johann Jakob Anton von ou **Lentz**
Né en 1701. Mort en 1764 à Constance. XVIIIe siècle. Allemand.
Peintre.
On mentionne des tableaux d'autel de la main de cet artiste dans les églises de Glattbourg (Canton de Saint-Gall) et de Messkirch, dans la chapelle de la Croix à Oberdorf et dans l'église paroissiale de Donaueschingen.

LENZ Johann Philipp Wilhelm
Né vers 1788 à Leipzig. Mort le 10 décembre 1856 à Leipzig. XIXe siècle. Allemand.
Peintre de paysages amateur et aquafortiste.
Ses sujets de paysages sont inspirés de l'Erzgebirge et des environs de Leipzig, et sont surtout des clairs de lune, avec lesquels il figura en 1828 et 1830 à l'Exposition de l'Académie de Berlin. Parmi ses eaux-fortes on cite : *Vues de châteaux dans l'Erzgebirge* ; cinquante études de paysages (trente-quatre planches) de l'Erzgebirge et des environs de Leipzig. Son œuvre principale est une vue de Leipzig à l'aquarelle, prise du Sud, que possède le Musée municipal d'histoire de Leipzig.

LENZ Karl Gottlieb
Né en 1753 à Dresde. Mort en 1790 à Rome. XVIIIe siècle. Allemand.
Peintre d'histoire et de genre.
Élève de Hutin. Résida à Schenau avant d'aller se fixer à Rome.

LENZ Maximilian
Né le 4 octobre 1860 à Vienne. Mort en 1948. XIXe-XXe siècles. Autrichien.
Peintre de genre, portraits, sculpteur. Postimpressionniste.
Il fut élève de Karl Wurzinger et August Eisenmenger à l'Académie des Beaux-Arts de Vienne. Il maîtrisait une technique traditionnelle, parfois teintée d'impressionnisme. Il peignit souvent des portraits de femmes situées dans des parcs ou jardins, des scènes de genre dans des intérieurs au décor assez chargé, des sujets mythologiques.
Musées : Budapest : *Un monde* – Leipzig : *Centaure marin et sirènes*.
Ventes Publiques : Londres, 27 juil. 1973 : *La Fée* : **GNS 4 000** – Vienne, 18 mai 1976 : *Nature morte* 1919, h/t (50x60) : **ATS 7 000** – Londres, 27 nov. 1984 : *Jeune femme dans un jardin fleuri* 1912, h/t (96x209,5) : **GBP 7 000** – Vienne, 18 mars 1986 : *Réception à Schönbrunn le 24 juillet 1915*, techn. mixte/t. (121x120) : **ATS 40 000** – Enghien-les-Bains, 25 oct. 1987 : *Plaisir d'été* 1900, h/t : **FRF 160 000** – Paris, 7 mars 1989 : *Portrait de femme au bord d'un étang*, h. et temp./cart. (46x38) : **FRF 25 000** – Londres, 16 nov. 1994 : *La ronde du printemps*, h/t (162x201) : **GBP 31 050**.

LENZ Michael ou **Lencz**
Mort en 1540. XVIe siècle. Actif à Cracovie. Polonais.
Peintre.
Peintre de l'archevêque Konarski à Cracovie, il fit surtout des tableaux d'inspiration religieuse parmi lesquels on cite : *La conversion de Saint Paul* (dans l'église Notre-Dame de Cracovie) ; *Saint Jérôme* (dans la cathédrale de Posen) et toute une série de tableaux dans l'église des Carmélites de Cracovie. On lui attribue le triptyque de Bodzentyn.

LENZ Oscar
Né en 1874 à Providence (Rhode Island). Mort le 25 juin 1912 à New York. XIXe-XXe siècles. Américain.
Sculpteur.
Élève de l'École de dessin de Rhode Island à Providence et de l'Art Student League à New York, il termina ses études à Paris. Parmi ses œuvres on cite les sculptures ornementales du nouveau pont de Buffalo, et une partie des sculptures de la station du chemin de fer de Pennsylvanie à New York.

LENZ Peter, appelé en religion **Desiderius**
Né le 12 mars 1832 à Haigerloch (Hohenzollern). Mort le 28 janvier 1928 à Beuron. XIXe-XXe siècles. Allemand.
Sculpteur, peintre et architecte.
Élève de l'Académie de Munich, membre de l'ordre de Saint Benoît. Il fut le fondateur et le chef de l'école de Beuron. Parmi ses œuvres on cite des statuettes de *Cassandre* et d'*Iphigénie* au Monastère de Beuron, un relief de la *Mise au tombeau* dans l'église S. Alfonso dei Liguori à Rome, des fresques au Monastère d'Emaus à Prague, des stations de chemin de croix à l'église Notre-Dame à Stuttgart. Son œuvre principale est la décoration de l'église basse du Mont-Cassin, mosaïques, reliefs en marbre, autels, qui furent exécutés d'après ses esquisses et sous sa direction.

LENZ Philipp. Voir **LENZ Johann P. W.**

LENZBAUER Franz Josef Anton
Mort en 1754 à Vienne. XVIIIe siècle. Allemand.
Sculpteur-modeleur de cire.
Il est mentionné en 1729 et 1732. On lui attribue des sculptures décoratives *(Amours sur des rochers)* à la façade de l'ancienne Université de Vienne ainsi que des fontaines à l'ancien Hôtel de Ville.

LENZEN Johannes Franciscus ou **Jan Frans** ou **Lentzen**
Né en 1790 à Anvers. Mort le 16 mars 1840. XIXe siècle. Belge.
Paysagiste.

On le cite surtout pour ses nombreuses copies d'après Ommeganck.

LENZI Domenico
Né en 1619. XVIIe siècle. Actif à Pistoia. Italien.
Peintre.
Il était moine. La cathédrale de Pistoia ainsi que les églises S. Pietro Maggiore et S. Maria della Neve possèdent de ses œuvres.

LENZI Marc
Né le 30 août 1942 à Nice (Alpes-Maritimes). XXe siècle. Français.
Peintre de natures mortes, paysages, peintre de cartons de tapisseries. Postcubiste.
De 1954 à 1956, il fut élève d'un cours de dessin à Nice. Il a commencé sa carrière professionnelle en 1960 à Nice, où il réside. Il participe à des expositions collectives régionales, dont : 1971, 1973, 1975 Biennale de la Jeune Peinture Méditerranéenne ; 1972, 1974 Prix d'Art Contemporain de Monte-Carlo ; 1976 *Les peintres de Provence* à la Fondation Paul Ricard, obtenant diverses distinctions. Il montre des séries de ses peintures dans des expositions personnelles dans les villes de la Côte-d'Azur.
Son thème presque exclusif est celui de la nature morte d'objets et de fruits. À partir de 1968, ses natures mortes sont situées devant un décor d'intérieur, puis, à partir de 1972 devant une ouverture sur le paysage méditerranéen ou sur une vue de Nice. La construction de ses compositions vient d'un cubisme tempéré, leur caractère décoratif de l'exemple de Matisse.
Musées : Nice (Fonds mun.) – Paris (Fonds mun.).

LENZI Michele
Né au XIXe siècle à Bagnoli Irpino (province d'Avellino). XIXe siècle. Italien.
Peintre de paysages.
Débuta vers 1875. Exposa à Naples, Turin, Milan.

LENZNER. Voir **LENTZNER**

LEO
XIe siècle. Italien.
Calligraphe.
Il écrivit deux volumes d'*Homelies* qui se trouvent actuellement à Monte Cassino et dans lesquels l'auteur exécuta deux miniatures, l'une le représentant, l'autre présentant l'archiprêtre Johannes pour lequel ils furent exécutés.

LEO Alexander Nicolaïévitch
Né le 4 août 1868 à Moscou. XIXe siècle. Russe.
Graveur.
Il fit des illustrations, des ex-libris, et travailla à Leningrad.

LÉO Jo, pseudonyme de **Joris Léontine**
Née en 1870 à Tournai. Morte en 1962 à Bruxelles. XIXe-XXe siècles. Belge.
Peintre de paysages, natures mortes, caricaturiste.
Elle était autodidacte en art. Elle débuta avec le groupe de *La Libre Esthétique* en 1899, et y participa encore en 1900 et 1912. Ses caricatures furent publiées par *Le Rire* de Paris, *Lustige Blätter* et *Simplicissimus* de Berlin.
Bibliogr. : In : *Dict. biogr. illustré des artistes en Belgique depuis 1830*, Arto, Bruxelles, 1987 – Marcus Osterwalder, in : *Diction. des illustrateurs 1800-1914*, Ides et Calendes, Neuchâtel, 1989.

LEO Ottavio. Voir **LEONI Ottavio**

LEOCAT André
Né en 1949. XXe siècle. Français.
Peintre.
Il participe à des expositions collectives : 1981 *Ateliers 81* à l'ARC (Art, Recherche, Confrontation) au Musée d'Art Moderne de la Ville de Paris ; 1983 Biennale de Paris ; 1985 Chapelle des Visitandines d'Amiens ; 1986 Musée de Reims ; 1987 Centre d'Art de Quimper ; etc.
Ventes Publiques : New York, 9 mai 1989 : *Sans titre*, détrempe et craies de coul. /pap. (149,5x318,7) : **USD 990**.

LEOCHARES I
Originaire d'Athènes. IVe siècle avant J.-C. Vivant en 372 avant Jésus-Christ. Antiquité grecque.
Sculpteur.
Il fit deux statues de *Jupiter*, dont l'une, colossale, près du Parthénon ; la statue du général athénien *Isocrate* ; *Ganymède enlevé par l'Aigle* ; les statues d'*Amynthas*, de *Philippe* et d'*Alexandre le Grand, rois de Macédoine*, en or et en ivoire, enfin celles d'*Eurydice* et d'*Olympias*, consacrées à Olympie, après la bataille de Chéronée. Avec Scopas, Timotheos et Bryaxis, il collabora à la décoration du Mausolée d'Halicarnasse entre 353 et 350. Tandis que Scopas aurait travaillé à l'Est ; Bryaxis, au Nord ; Timotheos, au Sud ; Leochares aurait exécuté la frise Ouest.
Son style violent et pathétique cherche à rivaliser et même à dépasser l'art de Scopas.

LEOCHARES II
Ier siècle avant J.-C. Antiquité grecque.
Sculpteur.
Trois inscriptions de cet artiste sont conservées, dont deux à Athènes et une sur un marbre de l'Acropole de Lindos qui date de l'an 80 environ avant Jésus-Christ.

LEOCRATES
VIe siècle avant J.-C. Antiquité grecque.
Sculpteur.
Anacréon, dans une de ses épigrammes, le cite comme auteur d'une belle statue de *Mercure*.

LEODEGARIO ou **Olegario**
XIIe siècle. Espagnol.
Sculpteur.
Une *Vierge* de la main de cet artiste est conservée au portail de l'église paroissiale Nuestra Maria la Real, à Sanguesa (Navarre). Peut-être est-il l'auteur de toutes les sculptures de ce portail.

LEOFANTI Adolphe Pierre François
Né le 10 juin 1838 à Rennes (Ille-et-Vilaine). Mort en mars 1890. XIXe siècle. Français.
Peintre d'histoire et sculpteur.
Élève de Picot et Lanno. Il débuta au Salon en 1864 et obtint une mention honorable en 1882. Le Musée de Rennes conserve de lui le *Buste de Lanno* et *Œdipe et le Sphinx*. On cite encore de lui *Saint Simon Stock recevant le scapulaire des mains de la Vierge*, pour la chapelle des Carmes, à Passy. Il se suicida dans le train Paris-Rennes.
Musées : Rennes : *G. A. Lanno*, bronze, buste – *Pro patria mori*, plâtre, relief – *Œdipe et le Sphinx*, plâtre, groupe – Riom : *Le Christ mort*.

LÉOGNANY
XXe siècle. Français.
Graveur, médailleur.
Il obtint le Second Grand Prix de Rome, en 1945.

LEOMBRUNO Lorenzo. Voir **LEONBRUNO**

LEOMENIL Boucher de. Voir **LA FARGUE Ambroisine Laure Gabrielle de**

LEON
XIXe siècle. Français.
Graveur.
Publia chez Cadart, vers 1863-1864, des eaux-fortes originales, entre autres des vues de Provence.

LÉON, pseudonyme de **Léon Van Roey**
Né en 1921 à Anvers. XXe siècle. Belge.
Peintre, graphiste, dessinateur humoriste.
Bibliogr. : In : *Dict. biogr. illustré des artistes en Belgique depuis 1830*, Arto, Bruxelles, 1987.

LEON de. Voir aussi au prénom

LEON Alonso de
XVIe siècle. Espagnol.
Peintre.
Actif à Séville en 1571. Il travailla pour l'église d'Utrera.

LÉON Alveringue ou **l'Auvergnat**. Voir **ALVERINGUE**

LEON Andres de, fray
Mort le 11 septembre 1580 à Escurial. XVIe siècle. Espagnol.
Miniaturiste.
Moine du monastère de Saint-Géronimo à Mejorada, il peignit, en 1568, quelques-unes des miniatures des livres de chœur de l'Escurial. Ces miniatures, exécutées dans le style de Don Julio Clovio, ont une très grande valeur. Les livres de chœur qui les renferment furent commandés par le roi Philippe II. Parmi les artistes qui y travaillèrent figurent : Cristobal Ramirez, Fray Andrès de Léon, Fray Julian de Fuente de el Saz, Ambrosio Salazar, Fray Martin de Palencia, Francisco Hernandez, Pedro Salavarte et Pedro Gomez.

LÉON Anna
Née le 6 juin 1912 à Ghifalo (Transylvanie). XXe siècle. Depuis environ 1935 active, puis naturalisée en France. Roumaine.

Sculpteur, peintre, aquarelliste. Abstrait.
Elle fit ses premières études artistiques en Roumanie, travaillant notamment la sculpture avec Joan Jaléa, mais retenant surtout l'exemple de Brancusi. Fixée à Paris, elle fut élève de Zadkine et de Mané-Katz. Elle y expose aux Salons des Artistes Français, d'Automne et des Indépendants. Elle a montré des ensemble de ses réalisations dans des expositions personnelles à Paris, en 1963 et en 1969 avec un *Hommage à Baudelaire*.

LEON Carlos
Né en 1948 à Ceuta. XXe siècle. Espagnol.
Peintre. Abstrait-lyrique, Lettres et signes.
Il se consacre entièrement à la peinture depuis 1968. Il vit à Madrid. En 1980, une bourse lui permit un séjour à Paris. Il participe à des expositions collectives, dont : 1976 *Espagne : l'avant-garde artistique et la réalité sociale, 1936-1976* à la Biennale de Venise ; 1976 *Le Pavillon espagnol à la Biennale de Venise : Espagne 1936-1976* à la Fondation Joan Miro de Barcelone ; 1979 Triennale de New Dehli ; 1982 *Salon des 16* au Musée espagnol d'Art Contemporain de Madrid ; etc. Des expositions personnelles lui ont été consacrées : 1970 Valladolid ; 1976, 1979, 1982 Madrid...
Il peint sur des toiles étendues à même le sol. Dans une technique gestuelle et informelle, il trace brutalement des signes, dont certains se rapprochent de lettres ou de chiffres.
Bibliogr. : In : Catalogue de l'exposition : *Écritures dans la peinture*, Villa Arson, Nice, 1984.

LÉON Charles
XIXe siècle. Français.
Paysagiste et animalier.
Il vécut et travailla à Paris. Exposa au Salon, de 1831 à 1845. On ne sait s'il a un lien de parenté avec Charles Herrmann-Léon.

LÉON Cristobal de. Voir **CRISTOBAL de Léon** et aussi **GUERRERO de Léon Cristobal**

LÉON Édouard Henri
Né le 10 novembre 1873 à Paris. XIXe-XXe siècles. Français.
Graveur, illustrateur.
Il fut élève de Léon Bonnat, Jules Jacquet, Eugène Gaujean. Il exposait à Paris, au Salon des Artistes Français, dont il devint sociétaire en 1906, ayant obtenu une mention honorable en 1902, médaille de troisième classe 1904, puis médaille de deuxième classe 1907, le Prix Belin-Dollet 1908. Il fut membre du jury de gravure, et fait chevalier de la Légion d'Honneur.
Il gravait à l'eau-forte. Il a illustré *L'Âme et la Danse* de Paul Valéry.
Musées : Chicago – New York – Paris – San Francisco.

LEON Ernesto
Né en 1956. XXe siècle. Vénézuélien.
Peintre. Expressionniste.
Ventes Publiques : New York, 12 juin 1991 : *La main* 1987, acryl./bois (223,5x83,8) : **USD 2 200**.

LEON Francisco
XVIIe siècle. Travaillant à Séville vers 1601. Espagnol.
Sculpteur.

LEON Jose de
XVIIIe siècle. Actif à Séville. Espagnol.
Sculpteur.

LEON Juan de
Mort vers 1800 à Madrid. XVIIIe siècle. Espagnol.
Sculpteur et stucateur.
Il acheva en 1765 le tombeau de marbre de la reine Barbara, épouse de Ferdinand VI, tombeau qui se trouve dans le chœur de l'église de la Visitation à Madrid, et sculpta pour l'église Notre-Dame de Atocha dans cette ville une statue de *Saint Nicolas*.

LEON Juan Valdelmira de. Voir **VALDELMIRA de Léon Juan**

LÉON Madeleine
Née à Fontainebleau (Seine-et-Marne). XXe siècle. Française.
Peintre, lithographe, illustrateur.
Elle fut élève de l'Académie de la Grande-Chaumière, à Paris, de 1952 à 1954. Depuis 1956, elle participe à des expositions collectives, à Lyon, Bruxelles, Hyères, Lille, Paris, en 1981, 1983 aux Salons de la Société Nationale des Beaux-Arts et d'Automne. Elle montre des ensembles d'œuvres dans des expositions personnelles depuis la première à Hyères en 1967, notamment : 1968 Saint-Paul-de-Vence, 1970 Hyères, 1976 au Musée d'Hyères, 1980 Hyères. Elle a illustré *Pages d'Histoire d'Hyères* de Gustave Roux.
Musées : Hyères.

LEON Marta
Née en 1931 à Paris. XXe siècle. Active et naturalisée au Chili. Française.
Sculpteur, céramiste, peintre.
Elle est la femme du sculpteur chilien Sergio Castillo. Elle fit ses études artistiques à Buenos Aires, Santiago, New York. Dans les premières années de sa participation à des Salons officiels, elle obtint des Prix divers, en 1955, 1956. En 1957, elle voyagea en Europe avec son mari, et ils exposèrent ensemble à Rome ; ensuite à New York. En 1958, elle abandonna la sculpture, et exposa des peintures à Santiago.
Bibliogr. : In : *Peintres contemp.*, Mazenod, Paris, 1964.

LEON Martin de
XVIe siècle. Espagnol.
Sculpteur.
Fils du sculpteur Nicolas de Leon, il sculpta en 1554 pour la chapelle de Saint-Grégoire à la cathédrale de Séville, un *Saint Grégoire*.

LEON Martin de
XVIIe siècle. Actif à Séville au commencement du XVIIe siècle. Espagnol.
Peintre.
Cité dans un document de 1612.

LÉON Maurice de
XXe siècle. Français.
Peintre de paysages, marines.
Ventes Publiques : Versailles, 29 oct. 1989 : *Le port de Saint-Tropez* 1970, h/t (46x55) : **FRF 4 100**.

LÉON Maurits
Né le 10 avril 1838 à La Haye. Mort le 7 octobre 1865 à La Haye. XIXe siècle. Hollandais.
Peintre de genre, paysages.
Élève de V. Hove et de Greive.
Musées : Amsterdam : *Deux tableaux* – La Haye (Mus. mun.).
Ventes Publiques : Montréal, 23-24 nov. 1993 : *Partie de cartes ; La sérénade*, h/pan., une paire (chaque 27,3x21) : **CAD 3 750**.

LÉON Nicolas de
XVIe siècle. Actif à Séville vers 1528. Espagnol.
Sculpteur.
Cet artiste paraît être le même que celui qui travailla avec l'architecte Diego de Riano. Le 9 septembre 1532, il sculpta sur une pierre les armes de S. M. le Roi.

LEON Omar D'
Né en 1929 au Nicaragua. XXe siècle. Nicaraguayen.
Peintre de figures, technique mixte.
Ventes Publiques : New York, 20 déc. 1980 : *Couple dans un jardin municipal* 1976, h/t (50,7x61) : **USD 750** – New York, 1er mai 1990 : *Ma famille* 1989, h. et craies/t. (76,2x61) : **USD 3 300** – New York, 19 mai 1992 : *Les obèses de Pochomil* 1986, h. et craie grasse/t. (40,5x51) : **USD 2 750**.

LEON Pedro
XXe siècle. Équatorien.
Peintre de sujets typiques.
Il travaille en Équateur. Il a parfois tenté l'expression d'une tradition indienne, comme, par exemple, avec : *Rythme indien* ou *Morts*.

LEON Rafael de
XVIe siècle. Actif à Tolède. Espagnol.
Sculpteur sur bois.
Il remplit en 1586 à la cathédrale de Tolède les fonctions d'expert et exécuta de 1561 à 1571 les célèbres stalles du Monastère Saint-Martin à Valdeiglesias, qui se trouvent maintenant à la cathédrale de Murcie.

LEON Tomas
XVIIe siècle. Travaillant à Séville en 1657. Espagnol.
Sculpteur.

LÉON ASTRUC Manuel
Né le 8 décembre 1889 à Saragosse. Mort le 20 novembre 1965 à Madrid. XXe siècle. Espagnol.
Peintre de portraits, dessinateur d'affiches.

Il fut élève de l'École des Beaux-Arts San Fernando de Madrid. Il a participé à de nombreuses expositions collectives à Madrid, Saragosse, Cordoue, Barcelone, dont : l'Exposition Nationale des Beaux-Arts de Madrid, de 1924 jusqu'en 1954, obtenant en 1930 une troisième médaille, en 1950 une deuxième médaille. Il reçut une médaille d'or à Cordoue en 1924 ; exposa aussi au Salon de Printemps en 1942, au Salon d'Automne en 1944. Il a été professeur à l'École des Arts et Métiers de Madrid.
Outre ses nombreux portraits et figures de femmes, il eut une importante activité de créateur d'affiches publicitaires, et remporta plusieurs fois le concours d'affiche pour les fêtes de Notre-Dame de Pilar de Zaragosse.
Bibliogr. : In : *Cent ans de peinture en Espagne et au Portugal, 1830-1930*, Antiqvaria, Madrid, 1990.

LEON Y ESCOSURA Ignacio
Né en 1834 à Oviedo. Mort en 1901. xixe siècle. Espagnol.
Peintre de genre.
Élève de Federico de Madrazo. Il se fixa à Paris. Il obtint la médaille de deuxième classe à Madrid et à Londres. Chevalier de l'ordre de Charles III et commandeur de l'ordre d'Isabelle la Catholique. Exposa à Vienne en 1882.

Ventes Publiques : Paris, 16-17 mai 1892 : *Les Dernières Nouvelles* : **FRF 620** ; *Brodeuses* : **FRF 600** – Paris, 10-12 déc. 1892 : *Soldat Louis XIV* : **FRF 1 005** – Paris, 8 mai 1900 : *Le Plan de bataille* : **FRF 550** – New York, 22 jan. 1903 : *Visite d'après-midi* : **USD 260** – New York, 13 mars 1903 : *Salon Louis XIV* : **USD 350** – Paris, 17 juin 1905 : *Intérieur* : **FRF 50** – New York, 15-16 avr. 1909 : *La Querelle des favoris* : **USD 525** – Londres, 8 juil. 1966 : *L'Heure de musique* : **GNS 800** – New York, 24 sep. 1969 : *Le Repas de l'ecclésiastique* : **USD 3 500** – New York, 15 oct. 1976 : *Le Déjeuner du moine*, h/pan. (45x55) : **USD 7 000** – Londres, 11 fév. 1977 : *Rêverie*, h/t (28x22) : **GBP 650** – Londres, 20 avr 1979 : *La Partie d'échecs* 1873, h/t (59x75) : **GBP 1 500** – New York, 17 mai 1982 : *Gentilhomme lisant devant une assemblée élégante* 1879, h/cart. (50,7x76) : **USD 14 000** – Barcelone, 27 oct. 1983 : *Marie de Médicis*, h/pan. (40x58) : **ESP 500 000** – Paris, 6 juin 1984 : *Le Jardin*, h/pan. (24x14) : **FRF 10 000** – New York, 13 fév. 1985 : *L'Arrivée* 1876, h/pan. parqueté (97,6x129) : **USD 21 000** – New York, 27 fév. 1986 : *Élégante dans un intérieur*, h/t (43,1x28) : **USD 7 250** – Madrid, 26 mai 1987 : *Élégante dans un intérieur arrangeant des fleurs*, h/t (42x28) : **ESP 2 250 000** – New York, 25 mai 1988 : *Personnages dans un salon élégant* 1879, h/pan. (38,5x57) : **USD 24 200** – New York, 23 mai 1989 : *Chez l'armurier* 1878, h/pan. (32,7x44,2) : **USD 30 800** – New York, 25 oct. 1989 : *La Présentation à la cour* 1873, h/t (45,8x61) : **USD 26 400** – New York, 24 oct. 1990 : *Rencontre amicale* 1864, h/pan. (27,3x35,6) : **USD 9 900** – New York, 23 mai 1991 : *Le Contrat de mariage* 1874, h/t (40x58,4) : **USD 46 200** – New York, 15 oct. 1993 : *Cavalier se servant un verre de vin* 1865, h/pan. (26,8x21) : **USD 2 530** – New York, 26 mai 1994 : *Midi au Caire* 1881, h/pan. (17,8x27) : **USD 11 500** – Ludlow (Shropshire), 29 sep. 1994 : *Partie de dés* 1868, h/pan. (46x62) : **GBP 17 250** – New York, 16 fév. 1995 : *Partie de cartes*, h/pan. (37,8x29,8) : **USD 13 800** – Paris, 21 mars 1996 : *Le Repas du patriarche*, h/pan. (45,5x55) : **FRF 93 000** – Londres, 31 oct. 1996 : *Le Retour d'un gentleman* 1871, h/pan. (24x32) : **GBP 7 475** – Londres, 21 nov. 1996 : *La Distraction*, h/pan. (29,8x24,2) : **GBP 4 025** – Édimbourg, 15 mai 1997 : *Les Joueurs de jacquet* 1866, h/pan. (33x25,3) : **GBP 9 775**.

LÉON-GARD. Voir **GARD Léon**

LEON Y GARRIDO Eduardo. Voir **GARRIDO Eduardo Leon**

LEON Y LEAL Simon de
Né vers 1610 à Madrid. Mort en 1687 à Madrid. xviie siècle. Espagnol.
Peintre d'histoire et de portraits.
Élève de Pedro de Las Cuevas, il s'inspira surtout du style et de la couleur de Van Dyck. Il exécuta d'importants travaux dans les édifices religieux de Madrid. On cite notamment un tableau d'autel pour les frères Prémontrés, représentant *Saint Norbert triomphant de l'Hérésie*, et une autre peinture : *Saint Norbert recevant des vêtements de la Vierge*. Il exécuta, pour l'église du Noviciat des Jésuites, une série de tableaux sur l'*Enfance du Christ*. Il faut mentionner encore, à l'église des Capucins, une *Immaculée Conception*. Léon y Leal fut nommé peintre de la reine.

LEON Y SALGEDO Ignacio de
xviie siècle. Actif à Séville. Espagnol.
Peintre.
Élève de Valdes Leal à l'Académie de Séville de 1666 à 1667. On le voit déjà cité en 1661. Il imita le style de son maître. On cite de lui, au couvent de la Merci, une peinture représentant *San Pedro Nolosko corrigeant des novices de son ordre*.

LEONARD
xve siècle. Éc. flamande.
Sculpteur.
Il exécuta en 1466-1467 un autel pour la chapelle Saint-Léonard de l'église de Léau avec des groupes de statues. Le Musée du Cinquantenaire de Bruxelles conserve une copie en plâtre de cette œuvre.

LEONARD
Peintre de marines.
Musées : Calais : *Côtes de Bretagne*, marines.

LEONARD, pseudonyme de **Schwartz Leonard**
Né le 10 août 1923 à Cincinnati (Ohio). xxe siècle. Américain.
Sculpteur.
Orphelin à l'âge de deux ans, il a vécu à Detroit (Michigan), où, âgé de seize ans, il devint le protégé d'un sculpteur, qui le fit travailler l'anatomie dans un style académique. Il fit également des études universitaires, et étudia notamment la philosophie pendant quatre années, jusqu'à la guerre où il servit dans la marine. En 1945, il put reprendre ses études artistiques, et, en 1946, venir à Paris grâce à une bourse d'ancien combattant. Il y travailla avec Zadkine, mais sembla plutôt sensible à l'œuvre d'Henri Laurens. En 1949, une nouvelle bourse Guggenheim lui permit de retrouver l'émulation de Paris, où il a participé à d'importantes expositions collectives.
Son art, d'inspiration européenne, a retenu l'attention par l'harmonie des volumes et le sens de la belle matière, car il sculpte directement les pierres les plus diverses.
Bibliogr. : Ionel Jianou : *L. Schwartz*, Collection Les Maîtres de la Sculpt. Contemp., Paris, 1977.

LEONARD Agathon, pseudonyme de **Van Weydeveldt**
Né en 1841 à Lille, de parents belges. xixe siècle. Français.
Sculpteur de statues, bustes.
Élève de Delaplanche et de l'Académie des Beaux-Arts de Lille. Figura au Salon des Artistes Français. Membre de cette société depuis 1887. Fut sociétaire au Salon de la Nationale des Beaux-Arts en 1897. Il obtint à Paris comme récompenses : une médaille de troisième classe 1879, une de deuxième classe 1895, une d'argent en 1889 à l'Exposition Universelle ; d'or en 1900 à l'Exposition Universelle. Naturalisé français, il fut fait Chevalier de la Légion d'honneur en 1900.
Il acquit une grande notoriété pour ses sujets tout à fait représentatifs de l'esprit Art Nouveau, en particulier pour ses danseuses dites du *jeu de l'écharpe* exposées en 1897 au foyer de la danse. L. Bénédite l'a qualifié de « précieux artiste rapprochant la sculpture de l'orfèvrerie, des bijoux et du bibelot. »
Musées : Abbeville : *Sainte Cécile*, bronze, bas-relief – Nantes :, bronze, buste.
Ventes Publiques : Paris, 21 déc. 1976 : *Jeune femme debout*, bronze doré : **FRF 14 900** – Enghien-les-Bains, 27 nov. 1977 : *Chamelier sur son chameau*, bronze doré et ivoire (H. 25,5) : **FRF 7 500** – Londres, 28 févr 1979 : *La cothurne* vers 1900, bronze doré (H. 52,5) : **GBP 3 800** – Paris, 13 déc. 1982 : *La femme chauve-souris*, bronze patine brune (H. 39) : **FRF 70 000** – Monte-Carlo, 7 oct. 1984 : *Joueuse de flûte* vers 1900, bronze doré (H. 50) : **FRF 60 000** – Monte-Carlo, 6 oct. 1985 : *La cothurne* vers 1900, bronze doré (H. 52,5) : **FRF 44 000** – Monte-Carlo, 13 avr. 1986 : *Allégorie* vers 1900, bronze patiné et doré (H. 62) : **FRF 27 000** – Paris, 1er juil. 1987 : *La femme chauve-souris*, bronze, patine médaille (H. 38,5) : **FRF 150 000** – Paris, 25 mars 1988 : *La Danse du voile*, bronze doré, et ivoire, pierres de coul. (H. 35) : **FRF 34 000** – Paris, 24 nov. 1989 : *La couture* (H. 53) : **FRF 80 000** – Lyon, 15 juin 1992 : *Femme chauve-souris*, bronze (H. 85) : **FRF 106 000**.

LEONARD Alexandre. Voir **LÉONARD Lambert Alexandre**

LEONARD Antoine
xviie siècle. Actif à Besançon vers 1674. Français.
Sculpteur.

LEONARD Beatrice
Née le 11 juillet 1889 à Marion (Indiana). XXe siècle. Américaine.
Peintre.
Élève de l'Académie des Beaux-Arts de Chicago. Membre de la Société des Artistes Indépendants.

LÉONARD Charles
Né à Lille (Nord). XIXe-XXe siècles. Français.
Sculpteur.
Il a exposé à Paris, au Salon des Artistes Français, obtenant une mention honorable en 1891.

LÉONARD Charly
Né en 1894 à Saint-Gilles-Bruxelles. Mort en 1953. XXe siècle. Belge.
Peintre de figures, intérieurs, paysages, natures mortes.
Il fut élève d'Alfred Bastien à l'Académie des Beaux-Arts de Bruxelles. Surtout, il fut son collaborateur pour la réalisation du *Panorama du Congo*, peinture de 1700 mètres carrés qui figura dans le Pavillon du Congo à l'Exposition Internationale de Gand de 1913, puis, après les années de guerre, pour la nouvelle réalisation d'un *Panorama de l'Yser*, retraçant les combats de l'armée belge, sur une toile de 15 mètres de hauteur sur 115 de large. De 1930 à 1953, il a exposé ses propres œuvres à peu près annuellement. D'autres expositions lui furent consacrées à titre posthume, notamment à la galerie du Cheval de Verre en 1970.
Dans le même temps qu'il collaborait au *Panorama de l'Yser*, il peignait des intérieurs d'églises, les vieilles fermes de la Campine, des vues de Bruges, et des natures mortes de fleurs et fruits. Léonard voyagea ensuite beaucoup, en Hollande, en France, surtout en Espagne d'où il rapporta de solides paysages de la Côte basque, d'Andalousie, et des vues de nombreuses villes, Tolède, Ségovie, Salamanque.
Bibliogr. : In : *Dict. biogr. illustré des artistes en Belgique depuis 1830*, Arto, Bruxelles, 1987.
Musées : Bruxelles (Mus. de l'Armée).

LEONARD Émile
Mort en 1898. XIXe siècle. Français.
Peintre.
Sociétaire des Artistes Français, il figura au Salon de ce groupement.
Ventes Publiques : Paris, 25 juin 1943 : *Chalet dans la forêt* : **FRF 250**.

LEONARD George Henry
Né le 3 mai 1869 à Boston (Massachusetts). XIXe siècle. Américain.
Peintre de paysages.
Élève de Gérôme, Bouguereau et Aman-Jean à Paris. Membre de l'Association américaine artistique de Paris, et de la Fédération américaine des arts.

LEONARD Gilbert
Né le 23 janvier 1888. Mort le 21 juin 1960 à Londres. XXe siècle. Britannique.
Sculpteur de figures, monuments.
Il a réalisé des monuments en pierre et en bronze.
Musées : Londres (Tate Gal.) : *Monolith*.

LEONARD Jean Pierre
Né en 1790 à Montpellier. XIXe siècle. Français.
Peintre d'histoire, de genre et de natures mortes.
Élève de Guérin. Il exposa au Salon, de 1827 à 1848. On cite de lui, à la cathédrale de Montpellier : *Le Baptême du Christ* et *Le Baptême de l'Eunuque*, et à l'église de la Charité, à Nîmes : *La Mort de Saint Joseph*.
Ventes Publiques : Paris, 31 mars 1900 : *Un intérieur de cave* : **FRF 155**.

LEONARD Johann Friedrich. Voir **LEONART**

LEONARD John Henry
Né le 14 août 1834 à Patrington (Yorkshire). Mort le 21 mars 1904 à Londres. XIXe siècle. Britannique.
Peintre de paysages et d'architectures.
Il se fixa en 1862 à Londres où il remplit les fonctions de professeur de peinture de paysages au Queen's College, de 1886 à sa mort.

LEONARD Jules
Né en 1827 à Silenrieux (Belgique). Mort en 1897 à Valenciennes (Nord). XIXe siècle. Belge.
Peintre de scènes de genre.
Élève de J. Potier à l'Académie de Valenciennes.
Musées : Valenciennes : *Le Médecin des pauvres*.
Ventes Publiques : Versailles, 18 juin 1980 : *Jeune gouvernante et enfants dans la nursery*, h/t (65x54) : **FRF 7 200** – Paris, 20 déc. 1996 : *Le Retour du troupeau ; Jeune fille gardant un troupeau*, h/t, une paire (80x100) : **FRF 11 500**.

LEONARD Lambert Alexandre
Né en 1821 ou le 18 mars 1831 à Paris. Mort en 1877. XIXe siècle. Français.
Sculpteur animalier.
Élève de Jacquot, Rouillard et Barye. Il exposa au Salon, de 1851 à 1873.
Ventes Publiques : New York, 23 nov. 1977 : *Arabe sur son chameau*, bronze doré et ivoire (H. 25) : **USD 750** – Paris, 6 avr. 1990 : *Le chamelier*, bronze doré et ivoire (H. 28) : **FRF 8 000**.

LEONARD Laurent
Né vers 1709. Mort le 26 septembre 1788 à Paris. XVIIIe siècle. Français.
Graveur.
Fut graveur du roi.

LEONARD Léon
XIXe siècle. Actif à Paris. Français.
Sculpteur.
Associé au Salon de la Nationale des Beaux-Arts, il figura aux expositions de cette société.

LÉONARD Marie-Louise
Née en 1949 à Etterbeck (Bruxelles). XXe siècle. Belge.
Peintre. Réaliste.
Elle fut élève de l'Académie des Beaux-Arts de Liège.
Bibliogr. : In : *Dict. biogr. illustré des artistes en Belgique depuis 1830*, Arto, Bruxelles, 1987.
Musées : Liège (Mus. d'Art Wallon).

LÉONARD Maurice
Né le 27 juin 1899 à Paris. Mort en 1971. XXe siècle. Français.
Peintre de paysages, décorateur.
Il exposait à Paris, aux Salons des Artistes Français, des Indépendants, d'Automne.

Ventes Publiques : Reims, 21 avr. 1996 : *Maisons en Bretagne*, h/t (50x61) : **FRF 5 000** – Calais, 7 juil. 1996 : *Hameau en Bretagne*, h/t (50x60) : **FRF 6 800**.

LÉONARD Maurice
Né en 1914 à Herstal. XXe siècle. Belge.
Peintre. Expressionniste, puis abstrait.
Il fut élève de l'Académie des Beaux-Arts de Saint-Luc à Liège, où il vit et travaille. Il fut membre du groupe *Apport*, et eut des contacts avec les artistes de COBRA.
Dans un premier temps, il peignit des visions d'enfer dans de grandes compositions d'une sorte de surréalisme associé à une truculence toute flamande. Il a ensuite évolué en direction de l'abstraction.
Bibliogr. : In : *Dict. biogr. illustré des artistes en Belgique depuis 1830*, Arto, Bruxelles, 1987.
Musées : Bruxelles (Mus. roy. des Beaux-Arts) – Liège – Ostende.

LÉONARD Michel Jean
Né le 7 mars 1951 à Kénitra (Maroc). XXe siècle. Français.
Peintre de figures. Cubo-expressionniste.
En 1971-1972, il fréquenta l'École des Beaux-Arts de Toulouse. De 1973 à 1987, il a exposé à Paris au Salon des Artistes Indépendants. Il participe à des concours régionaux.
Dans une technique issue lointainement de la déformation cubiste, il peint des têtes de caractère, violemment colorées.

LÉONARD Michèle
Née en 1950 à Uccle. XXe siècle. Belge.
Graveur, technique mixte, lithographe.
Elle pratique l'eau-forte, l'aquatinte, des techniques mixtes, etc. Elle se situe aux franges de la figuration et de l'abstraction.
Bibliogr. : In : *Dict. biogr. illustré des artistes en Belgique depuis 1830*, Arto, Bruxelles, 1987.

LEONARD de Vinci. Voir **VINCI**

LEONARDELLI Giovanni di Buccio, fra
XIVe siècle. Actif à Orvieto. Italien.
Peintre et mosaïste.
Membre de l'ordre des Franciscains. En 1357 il peignit des fresques et collabora à l'exécution de nombreuses mosaïques et de quelques fenêtres du dôme d'Orvieto. C'est sans doute lui qui peignit, en 1330, deux anges en bronze à la façade du Dôme, sous le nom de Guidotto Leonardelli.

LEONARDI Candido
Mort en 1852. XIXe siècle. Actif à Gênes. Italien.
Peintre de théâtres et de décorations.
On cite de sa main des fresques décoratives dans la chapelle de Saint-Antoine de l'église S. Maria delle Vigne et au Palais De Mari (ancien Palais Grimaldi), à Gênes.

LEONARDI Federigo
Mort vers 1860. XIXe siècle. Actif à Gênes. Italien.
Peintre.
On mentionne de sa main à Gênes des fresques à l'église S. Maddalena, dans la salle des séances du Municipio et au Palais Durazzo.

LEONARDI Francesco. Voir **LEONARDINI**

LEONARDI Giovanni Battista. Voir **LENARDI**

LÉONARDI Michel
Né en 1951 à Liège. XXe siècle. Belge.
Peintre, lithographe.
Il fut élève de l'Académie des Beaux-Arts de Saint-Luc à Liège, où il est devenu professeur.
Bibliogr. : In : *Dict. biogr. illustré des artistes en Belgique depuis 1830*, Arto, Bruxelles, 1987.

LEONARDI Oliviero
Né le 7 juillet 1926 à Vezzano (Trentin). XXe siècle. Italien.
Sculpteur, peintre. Polymorphe.
Issu d'une famille de céramistes, il prit très jeune contact avec les fours. Au lendemain de la Seconde Guerre mondiale, après des études à Florence, Venise, Ravenne et un passage à Paris, il passa six ans à Capri, puis se fixa à Rome, où il expose.
Il expérimenta d'abord plusieurs matériaux : toile, bois, argile, plastique. À Rome, il découvrit les ressources de l'acier et des hautes températures. Avec l'acier émaillé à près de mille degrés et les effets de fusion des couleurs, il mit au point la technique propre à son expression. Il détruisit alors tout ce qu'il avait fait auparavant. Tantôt figuratif, tantôt abstrait, son travail se définit surtout par la technique. Il a réalisé des grands panneaux pour des lieux de passage : Hôtel Hilton de Rome, Pan American Air Line de New York, Pan Air do Brasil à Rio de Janeiro, United Arab Airlines du Caire.

LEONARDI Pietro Paolo. Voir **LENARDI**

LEONARDI Tommaso ou **Thomas Lenaerts** ou **Lenaers**
Mort le 8 avril 1718 à Maestricht. XVIIIe siècle. Actif à Maestricht. Éc. flamande.
Peintre.
Membre de l'ordre des Dominicains. On sait qu'il exécuta en 1682 à Rome une *Bataille de Lépante*.

LEONARDI Vincenzo, pseudonyme **Cocchiara**
Né à Palerme. Mort en 1820 à Palerme. XIXe siècle. Italien.
Peintre.

LEONARDINO. Voir **FERRARI Leonardo**

LEONARDIS Jacopo ou **Giacomo del** ou **Lenardi**
Né en 1723 à Palma. Mort après 1782. XVIIIe siècle. Italien.
Peintre, dessinateur et graveur.
Élève de M. Benville et G.-B. Tiepolo. Il obtint le premier prix à l'Académie de Venise. Il a gravé des sujets mythologiques, des sujets de genre et des paysages, surtout d'après ses contemporains. Il est intéressant pour la fidélité de ses reproductions.

LEONARDO
XIIIe siècle. Italien.
Sculpteur.
Il sculpta les reliefs des fonts baptismaux de marbre dans l'église Saint-Pierre-aux-Liens, à Castello S. Pietro près de Pise.

LEONARDO. Voir aussi **NARDO**

LEONARDO, appelé aussi **Puzzuolano**
XVIIe siècle. Actif à Naples. Italien.
Peintre.
Il acheva une *Visitation de la Vierge*, commencée par Stanzioni, à l'église du Gesu Nuovo. On lui attribue d'autres œuvres à l'église S. Nicola alla Carità (une *Sainte Madeleine*, un *Saint Jean*).

LEONARDO J. F.
XVIIIe siècle. Actif à Madrid. Espagnol.
Graveur.
On cite parmi ses œuvres des gravures de sujets religieux (*Notre-Dame-de-Roncevaux*), des gravures de portraits, des frontispices, des cartes géographiques.

LEONARDO José
Né en 1601 à Calatayud. Mort en 1656 à Saragosse. XVIIe siècle. Espagnol.
Peintre d'histoire, compositions religieuses, sujets militaires, portraits.
Ce fut un des bons élèves de Pedro de Las Cuevas et d'Eugenio Cajés. Il fut peintre du roi. Il aurait été pris de folie en 1648, ce qui explique son abandon de la peinture. On croit qu'il mourut emprisonné.
Spécialiste de batailles, il les situe dans de vastes paysages. Il exécuta, en 1634, deux tableaux historiques pour le salon des Royaumes au Buen Retiro, aujourd'hui conservés au Musée du Prado. Ses compositions religieuses gardent parfois un caractère maniériste et montrent une influence de Velazquez.

J Leonardo.

Bibliogr. : In : *Dictionnaire de la peinture espagnole et portugaise du Moyen-Âge à nos jours*, coll. Essentiels, Larousse, Paris, 1989.
Musées : Madrid (Mus. du Prado) : *Le marquis de Spinala recevant les clefs de la place de Jülich – Prise de Brisach par le duc de Feria – Naissance de la Vierge – Saint Sébastien* – Madrid (Acad. S. Fernando) : *Moïse et le serpent de bronze* – Madrid (Mus. de l'Artillerie) : *Portrait du roi Alaric.*
Ventes Publiques : New York, 12 jan. 1996 : *Saint François de Paule bénissant le poisson*, h/t (125,7x106,7) : **USD 27 600**.

LEONARDO Miguel
XVIe siècle. Actif à Séville. Espagnol.
Peintre.

LEONARDO DE ARGENSOLA Agustin
Né à Valence. Mort en 1640 à Madrid suivant Palomino, ou à Valence à une date plus récente d'après Cean Bermudez. XVIIe siècle. Espagnol.
Peintre d'histoire et de portraits.
On croit qu'il prit l'habit des frères de la Merci à Xativa. En 1620, on le cite comme appartenant à cet ordre, à Puig et exécutant dans la sacristie quatre importantes peintures représentant : *Le Siège de Valence, La Reddition de la Ville au roi Jacques, La Bataille de Peing, La Découverte de l'image de la Vierge à Puig.* En 1624, on le signale à Séville, peignant un *Christ et la Samaritaine*. La même année, il va à Madrid et peint deux grandes peintures dans l'escalier du couvent des frères de la Merci. On mentionne aussi Leonardo comme bon peintre de portraits et l'on cite notamment celui qu'il fit du poète *Gabriel Bocangel.*
Ventes Publiques : Paris, 26 fév. 1943 : *Portrait présumé de Alvaro de Bassano en armure à mi-jambes* : **FRF 2 000**.

LEONARDO di Bartolomeo di Gherardo della Scarperia Mugello, appelé aussi **Lastra**
Né en 1424. Mort à Pise. XVe siècle. Italien.
Peintre sur verre.
Il peignit en 1453 avec ses frères Bartolomeo et Goro trois fenêtres pour le dôme de Pise et avec son parent Bartolomeo d'Andrea della Scarperia huit fenêtres pour le Camposanto de cette ville. En 1465, avec Sandro di Giovanni, appelé Agolanti, il peignit une fenêtre pour l'église de la Sainte-Trinité à Florence.

LEONARDO di Bernardino da Pistoia
XVIe siècle. Italien.
Peintre.
Il était actif à Pistoia dans la première moitié du XVIe siècle. Probablement identique à Leonardo Grazia et non à Leonardo Malatesta.

LEONARDO da Brescia, appelé **Brescia** et **Mascararo**
Mort le 26 mars 1598. XVIe siècle. Actif à Ferrare. Italien.
Peintre et sculpteur.
Lanzi pense qu'il fut élève de Nicolo Rossi dont il imita la

manière et le coloris rosé qui « tient du pastel ». Il travailla pour le duc Alphonse II de Ferrare. Il exécuta les cartons pour la fabrique de tapis grand-ducale. Plusieurs églises de Ferrare possèdent ou possédèrent des tableaux d'autel de sa main (*L'Assomption* à l'église di Gesu, *L'Annonciation* à l'église de la Madonna del buon Amorete, *La Résurrection* à Santa Monica), ainsi que l'église paroissiale de Quacchio, près de Ferrare.
Ventes Publiques : Rome, 9 déc. 1997 : *Jésus parmi les docteurs* 1584, h/pan. (53x65) : **ITL 17 250 000**.

LEONARDO di Checco da Marti
Mort en 1461. XVe siècle. Actif à Lucques. Italien.
Sculpteur sur bois, marqueteur et graveur.
Il travailla au baldaquin des stalles du dôme de Pise. Père d'un Francesco.

LEONARDO di Cione. Voir **NARDO Cione Leonardo**

LEONARDO di Desiderio fiorentino
Né vers 1459 à Vérone. Mort entre le 22 avril 1524 et le 1er avril 1528. XVe-XVIe siècles. Italien.
Peintre.
Le maître-autel de l'église S. Maria à Bonavigo possède de cet artiste une *Vierge à l'Enfant avec Saints.*

LEONARDO Fiamingo. Voir **THIRY Leonard**

LEONARDO di Giovanni da Colle
XVe siècle. Italien.
Peintre de miniatures.

LEONARDO da Milano
XVIe siècle. Italien.
Peintre.
Élève de Ricciarelli da Volterra, il peignit sous sa direction un tableau de plafond à l'église S. Pietro in Montorio à Rome.

LEONARDO da Monchio
Né en 1497. Mort en 1554. XVIe siècle. Actif à Parme. Italien.
Peintre.
Il travailla pour les moines de Saint-Jean-l'Évangéliste.

LEONARDO da Murano. Voir **CORONA Leonardo**

LEONARDO da Pavia
XVe siècle. Actif dans la seconde moitié du XVe siècle. Italien.
Peintre.
On mentionne de sa main au Palais Bianco, à Gênes, une *Vierge sur un trône avec l'Enfant Jésus et des saints,* daté de 1466.

LEONARDO da Pistoia. Voir **GRAZIA Leonardo** et **MALATESTA Leonardo**

LEONARDO da Teramo ou **Nardo da Teramo**
XIVe-XVe siècles. Actif à Sulmona (Abruzzes). Italien.
Peintre.

LEONARDO da Vinci. Voir **VINCI Leonardo da**

LEONARDONI Francesco ou **Leonardi**
Né en 1654 à Venise. Mort en 1711 à Madrid. XVIIe-XVIIIe siècles. Italien.
Peintre d'histoire, de portraits et miniaturiste.
Cet artiste visita plusieurs contrées de l'Europe et vint enfin, en 1680, s'établir à Madrid. Il s'y créa rapidement la réputation d'excellent peintre religieux par les œuvres qu'il exécuta dans les églises, notamment au couvent d'Atocha, où se voient encore : *Le Mariage* et *La Mort de Saint Joseph,* et dans l'église de San Geronimo el Real qui possède de lui une *Annonciation,* tableau d'autel. Leonardoni cependant fut particulièrement estimé pour ses portraits en miniature.

LEONARDUS. Voir aussi **LEONARDO** et **LEONHARDUS**

LEONARDUS de Bisuccio. Voir **BESOZZO Leonardo Molinari da**

LEONARDUS Tyrius. Voir **THIRY Leonard**

LEONART Johann Friedrich ou **Leonard**
Né en 1633 probablement à Dunkerque. Mort après 1680 à Berlin. XVIIe siècle. Éc. flamande.
Dessinateur et graveur.
Il vint à Bruxelles jeune ; vers 1660, il alla à Nuremberg comme secrétaire du consul Hartesheim ; en 1670, il était à Prague, puis à Regenbourg, et après la mort de sa femme, à Berlin, en 1673. Il fit les portraits des patriciens de Nuremberg. Il travailla à l'eau-forte et à la manière noire.

I.F.L.f

J.FL

LEONART Vicente. Voir **LLEONART**

LEONBRUNO Lorenzo ou **Liombeni**
Né en 1489 à Mantoue. Mort en 1537 probablement à Mantoue. XVIe siècle. Italien.
Peintre d'histoire.
Cet artiste fut élève de Lorenzo Costa vers 1508, mais il s'inspira surtout des œuvres de Mantegna. En 1521, on le cite à Rome. La tradition rapporte qu'il exécuta d'importantes décorations à Mantoue, mais soit qu'elles aient disparu, soit qu'elles soient attribuées à d'autres peintres, on n'en cite aucune.
Musées : Berlin (Kais. Fried.) : *Le jugement de Midas* – Budapest : *Vénus,* attr. à L. Costa – Florence (Mus. des Offices) : *Bacchanale,* dess. – *Allégorie* – Milan (Acad. Brera) : *La calomnie d'Apelle* – Vérone : *Allégorie.*
Ventes Publiques : Londres, 8 juil. 1977 : *La Nativité,* h/pan. (44,5x36,8) : **GBP 34 000**.

LEONCILLO, pseudonyme de **Leonardi Leoncillo**
Né en 1915 à Spolète. Mort en 1968 à Rome. XXe siècle. Italien.
Sculpteur-céramiste de figures. Expressionniste, puis abstrait-informel.
De 1939 à 1942, il a dirigé une fabrique de céramiques dans le village de Umbertide, en Ombrie, où subsiste une tradition populaire, formation qui lui fut plus profitable que le fait d'avoir été élève de l'Institut d'Art de Pérouse, puis, à partir de 1935, de l'Académie des Beaux-Arts de Rome. Il commença alors la réalisation de ses œuvres personnelles. L'ensemble de son œuvre a été réalisé dans la technique de la céramique, qu'il a enseignée à l'Institut d'Art de Rome, où il s'est fixé en 1942. Dans ces dernières années du régime fasciste, l'alibi de l'artisanat laissait une certaine liberté à une expression plastique non conforme, et Leoncillo reçut même alors un Prix de sculpture très officiel. S'étant dans le même temps engagé dans la Résistance clandestine, lorsque la guerre prit fin, il fut parmi les artistes qui cherchèrent le moyen de concilier leurs pratiques avant-gardistes avec les directives communistes, et, en 1946, il signa le manifeste du *Fronte Nuovo delle Arti.* En 1940, il s'est manifesté pour la première fois à la Triennale de Milan. En 1947, il exposa à le Triennale de Milan avec le groupe du Fronte, ainsi qu'à la Biennale de Venise de 1948. Hors d'Italie, il ne se manifesta guère qu'aux Biennales de Sculpture de Middelheim. En 1955, il a figuré à la Quadriennale de Rome. En 1957, il se sépara du parti communiste. En 1967, une de ses céramiques couronnait le Pavillon Italien de l'Exposition Internationale de Montréal. En 1979, la Galerie d'Art Moderne de Rome a consacré à son œuvre une exposition rétrospective posthume.
Son œuvre peut être divisé en plusieurs périodes : d'abord un expressionnisme figuratif, influencé par Médardo Rosso et Boccioni, jusqu'en 1939 : *La Harpie, L'Hermaphrodite,* deux *Fables de Phèdre,* un *Saint Sébastien ;* à l'époque du *Fronte Nuovo delle Arti* : *Partisane aux mains blessées* de 1943, *Mère romaine tuée par les Allemands* de 1944 ; après 1945 : des vases, des figures, en fait des formes disloquées, pour parties issues encore de la tradition expressionniste de Rosso et de Henry Moore ; ensuite, de 1949 à 1956, un passage à des œuvres de construction néo-cubiste : *Colombe* de 1953, *Bombardement nocturne* 1954, *Partisane* 1955 ; une nouvelle période importante, au cours de laquelle il s'est progressivement détaché de l'apparence de la réalité, jusqu'à aboutir, à partir de 1958, au moment de sa rupture avec le parti communiste, à une abstraction-informelle, reposant surtout sur les qualités épidermiques des émaux de grand feu. À cette dernière période appartiennent *Heures d'insomnie* de 1958, *Saint Sébastien blanc* 1960, les *Affinités pathétiques,* exposées à Spolète en 1962, affrontement de deux silhouettes abstraites dont toute l'expressivité émane des qualités plastiques pures dont il a su doter le travail de la terre cuite émaillée, que, alternativement, il lacère, fracture, blesse profondément, afin de révéler par « ses stratifications visibles l'histoire vraie de la création de la sculpture ». Il est revenu ensuite à la figure humaine, notamment avec la *Pietà* de 1964, les *Amants antiques* de 1965. Outre ses sujets et figures, il a créé des objets utilitaires en céramique polychrome. ■ Jacques Busse

Bibliogr. : Giovanni Carandente, in : *Nouveau diction. de la sculpt. mod.,* Hazan, Paris, 1970 – in : *Les Muses,* Grange Batelière, Paris, 1972 – in : *Diction. de l'art mod. et contemp.,* Hazan, Paris, 1992 – in : *Diction. de la Sculpture,* Larousse, Paris, 1992 – in : *Diction. de l'Art Mod. et Contemp.,* Hazan, Paris, 1992.
Ventes Publiques : Rome, 4 déc. 1984 : *Sans titre* vers 1960-1963,

terre cuite polychrome (H. 58) : **ITL 4 900 000** – ROME, 25 nov. 1986 : *Buste de jeune fille* 1936, terre cuite polychrome (H. 62) : **ITL 9 000 000** – ROME, 7 avr. 1988 : *Tête de femme* 1950-1955, céramique polychrome (22x18x12) : **ITL 4 000 000** ; *Plat avec deux poissons*, céramique polychrome (diam. 23) : **ITL 2 200 000** – ROME, 15 nov. 1988 : *Satyres musiciens* 1949, groupe de trois terres cuites polychromes (respectivement : 84x48x20 ; 88x45x20 ; 40x77x15) : **ITL 17 500 000** – ROME, 17 avr. 1989 : *Paysanne avec des fleurs* 1950, céramique polychrome (45x28x18) : **ITL 8 500 000** – ROME, 28 nov. 1989 : *Présage* 1959, terre-cuite polychrome partiellement émaillée (56x40x30) : **ITL 34 000 000** – MILAN, 27 mars 1990 : *Le chat* 1951, céramique peinte (11x21x19) : **ITL 6 700 000** – ROME, 10 avr. 1990 : *Le soldat tué* 1957, terre cuite polychrome vernissée (65x71x10) : **ITL 36 000 000** – MILAN, 14 avr. 1992 : *Saint Sébastien* 1959, terre cuite (H. 54) : **ITL 19 000 000** – ROME, 14 nov. 1995 : *Éléments de balustrade*, céramique polychrome vernissée (82x72x16) : **ITL 24 150 000** – MILAN, 25 nov. 1996 : *Vase de fleurs* 1950, céramique polychrome (20x35x10) : **ITL 2 760 000** – MILAN, 19 mai 1997 : *Taglia* 1942, terracotta vernie (52,5x11,5x11) : **ITL 14 950 000**.

LEONCINI Andrea Giovanni ou **Leoncino**
Né le 29 novembre 1701 à Campofreddo. Mort en 1760 à Gênes. XVIIIe siècle. Italien.
Peintre de décorations et de natures mortes.
Il travailla pour les églises et monuments publics de Gênes.

LEONCINI Francesco di Michele, pseudonyme : **Gimignano**
Né au XVIe siècle à San Gimignano. XVIe siècle. Italien.
Peintre et graveur.
On cite de lui une *Fuite en Égypte*, estampe d'une exécution libre et spirituelle, signée « Francesco Leoncini de S. Ceminianoff et mo ». Plusieurs églises de Pistoia possèdent de ses œuvres.

LEONCINI Santi
Né le 1er novembre 1723 à Gênes. Mort vers 1753 à Gênes. XVIIIe siècle. Italien.
Peintre de portraits.
Vers 1750 il fut peintre de la Cour à Dresde.

LEONE
Né sans doute au XIe siècle à Amalfi. Mort peut-être au XIIe siècle. XIe-XIIe siècles. Italien.
Miniaturiste.
Membre de l'ordre des Bénédictins. En 1072 il écrivit à Monte-Cassino un *Homitiae diversae* qu'il enrichit de miniatures, portraits et scènes bibliques d'une exécution remarquable. On le croit identique avec Leo, cardinal évêque d'Ostie, qui fut secrétaire évêque du pape Urbain II, et qui mourut en 1115.

LEONE. Voir aussi **LEONI, LION** et **LYON**

LEONE Andrea di. Voir **LIONE**

LEONE Giovanni del ou **Lione Giovanni dal**. Voir **JEAN de Lyon**

LEONE Giustino
Mort en 1851. XIXe siècle. Actif à Naples. Italien.
Sculpteur.
Il débuta en 1837 au Musée Borbonico à Naples. Il sculpta des statuettes de genre et des statuettes mythologiques. L'Institut des Beaux-Arts de Naples possède de sa main un *Diomède* et deux reliefs : *Massacre des Innocents* et *Périclès*.

LEONE Greghetto da. Voir **LEEUW Govaert**

LEONE Leoni. Voir **LEONI Leone**

LEONE Onofrio da ou **Lione**
XVIIe siècle. Actif à Naples. Italien.
Peintre.
Frère d'Andrea di Leone et élève de B. Corenzio. De nombreuses églises napolitaines conservent de ses œuvres.

LEONE Romolo ou **Leoni**
XIXe-XXe siècles. Italien.
Peintre de genre, paysages.
Il a surtout travaillé dans les environs de Naples. Tantôt Leone, tantôt Leoni, il pourrait s'agir de deux peintres.
VENTES PUBLIQUES : ROME, 11 déc. 1990 : *Paysages napolitains*, h/contre-plaqué, une paire (chaque 18x23) : **ITL 1 150 000** – MILAN, 12 déc. 1991 : *Maison rustique à Naples* ; *Ferme des environs de Naples*, h/pan., une paire (35,5x50) : **ITL 2 000 000** – MILAN, 29 oct. 1992 : *Le bal*, h/pan. (43,5x37,5) : **ITL 1 600 000** – ROME, 31 mai 1994 : *Fillette cousant*, h/bois (41x34) : **ITL 3 064 000** – ROME, 7 juin 1995 : *Pêcheurs dans la baie de Naples*, h/t (49x69) : **ITL 3 680 000** – ROME, 5 déc. 1995 : *Village sous la neige*, h/t (30x40) : **ITL 1 414 000** – ROME, 4 juin 1996 : *Paysage*, h/t (41x57) : **ITL 1 265 000**.

LEONE Wilhelm da. Voir **LEEUW Govaert**

LEONELLI
XIXe siècle. Italien.
Peintre de miniatures.
D'origine italienne il travailla à Strasbourg et Karlsruhe.
MUSÉES : MUNICH (Mus. nat.) : *Portrait du roi Maximilien Ier de Bavière*.

LEONELLI. Voir aussi **LIONELLI**

LEONELLO da Crevalcore Antonio ou **Leonelli**, dit aussi **da Bologna**
Né à Bologne. Mort vers 1525. XVe-XVIe siècles. Italien.
Peintre de sujets religieux, peut-être natures mortes, fleurs, fruits.
Il travaillait à Bologne et à Mantoue à la fin du XVe et au début du XVIe siècle.
MUSÉES : BERLIN (Kais. Friedrich Mus.) : *Sainte Famille* – MUNICH (Alte Pina.) : *La famille d'Este* – STRASBOURG : *Sainte Famille*.
VENTES PUBLIQUES : MONTE-CARLO, 5 mars 1984 : *Vierge à l'Enfant adorée par un ange* ; *Saint Pierre* ; *Saint Paul*, temp., suite de trois œuvres (170x175) : **FRF 3 600 000**.

LEONELLO SPADA. Voir **SPADA Leonello**

LÉONÉSI Alain
XXe siècle. Français.
Sculpteur d'assemblages.
Il participe à des expositions collectives, dont : 1990 Cabinet d'amateur à Sète, École des Beaux-Arts d'Angers ; 1991 Artem à Quimper. Il montre ses réalisations dans des expositions personnelles : 1990 École d'Art d'Avignon ; 1991 Mécen'Art à Saint-Rémy-de-Provence ; etc.
Tout en refusant les affiliations aux avant-gardes, tant historiques que modernes ou post-modernes, la pratique d'Alain Léonési procède des assemblages dadaïstes, des objets symboliques surréalistes, des accumulations du Nouveau Réalisme, des installations conceptuelles. Sous le titre générique de *Fantaisies*, il assemble de toutes sortes de façons des pièces de vaisselles de récupération, finalement assez soucieux du jeu des formes et des couleurs obtenu.
BIBLIOGR. : Gérard-Georges Lemaire : *Alain Léonési ou comment dévoyer la réalité*, in : Opus international, n° 129, Paris, automne 1992.

LEONESSA Enrico della ou **Lionne**
Né le 15 juillet 1865 à Naples. Mort le 18 juin 1921 à Naples. XIXe-XXe siècles. Italien.
Peintre de genre, figures, portraits, paysages animés, natures mortes, fleurs et fruits, illustrateur.
Il travailla à Naples et à Rome, privilégiant la représentation de la vie du peuple romain.
MUSÉES : ROME (Gal. Mod.) : *Les Gras et les Maigres* – *Roses d'hiver* – *Le Retour de la fête du Divin Amour*.
VENTES PUBLIQUES : NEW YORK, 24 jan. 1980 : *La marchande de fruits* 1907, h/t (113x77,5) : **USD 5 500** – MILAN, 7 nov. 1985 : *Coucher de soleil sur le golfe*, h/t, de forme ovale (45x60) : **ITL 4 000 000** – ROME, 25 mai 1988 : *Nature morte* (39x50,5) : **ITL 1 200 000** – MILAN, 8 mars 1990 : *Nature morte avec un vase de fleurs* 1904, h/t (99x74) : **ITL 40 000 000** – ROME, 11 déc. 1990 : *Au concert*, h/pan. (13x24) : **ITL 4 600 000** – NEW YORK, 15 oct. 1993 : *Au café* 1911, h/t (130,2x119,4) : **USD 48 300** – ROME, 23 mai 1996 : *Allée Capanelle* 1919, h/t (60x85) : **ITL 8 050 000** – MILAN, 18 déc. 1996 : *Vase de fleurs rouges* 1911, h/t (81x60) : **ITL 9 553 000** – ROME, 27 mai 1997 : *Villa Borghese* 1916, h/t (79x122) : **ITL 13 800 000**.

LEONETTI Giovanni Battista
Mort avant 1830. XIXe siècle. Actif à Rome. Italien.
Graveur.
Il a gravé, notamment, d'après Guercino, F. Gessi et Leonardo da Vinci.

LEONHARD Johann Friedrich. Voir **LEONART**

LEONHARD Johannes
Né le 14 février 1858 à Darmstadt. Mort le 14 mai 1913. XIXe-XXe siècles. Actif à Munich. Allemand.

Peintre de genre.
Exposa à Munich à partir de 1889. On cite de lui : *Marché à Samarcande.*
Musées : Darmstadt : *Jeune fille malade dans un fauteuil – A l'hôpital des « ressuscités »* – Tiflis : *Portraits de généraux russes.*

LEONHARDI August
Né le 10 juin 1867 à Loschwitz. XIXe-XXe siècles. Allemand.
Peintre de paysages.
Fils d'Emil A. E. Leonhardi. Il fut élève de l'Académie des Beaux-Arts de Dresde. Il étudia aussi à Munich. Il exposa à partir de 1889.
Dans ses paysages, il se montra sensible aux variations atmosphériques de la lumière.

LEONHARDI Emil August Edouard
Né le 19 janvier 1826 à Freiberg. Mort le 25 juillet 1905 à Loschwitz. XIXe siècle. Allemand.
Paysagiste et aquarelliste.
Élève de Ludwig Richter à l'Académie de Dresde, dont il fut plus tard membre honoraire. Il travailla à Düsseldorf, exposa très fréquemment entre 1850 et 1887 et obtint des récompenses à Dresde en 1864 et 1887. On voit de ses œuvres dans les Musées de Cologne, Dresde, Görlitz, Frankfort et Bautzen.
Musées : Karlsruhe : *Dans les bois.*

LEONHARDT Adolf
XIXe siècle. Actif à Dresde. Allemand.
Peintre de genre.
Élève de l'Académie de Dresde et de Pauwels. Exposa à partir de 1880. On cite de lui : *Dans l'atelier.*

LEONHART. Voir **LEONHARD**

LEONI A.
XVIIe siècle. Actif à la fin du XVIIe siècle.
Peintre de paysages.
On le croit d'origine néerlandaise. Le musée de Brunswick conserve de lui un *Paysage italien.*

A. Leoni f.

LEONI Alessandro de. Voir **ALESSANDRO da Milano**

LEONI Angelo
XVIIe siècle. Actif à Venise. Italien.
Peintre.
L'église S. Felice à Venise possède un tableau d'autel daté de 1615 et signé par cet artiste. Il peignit également un *Saint Dominique* et un *Saint François* sur l'entrée principale de l'église Saint-Jean et Saint-Paul.

LEONI Antonio
Né au XVIIe siècle à Venise. XVIIe siècle. Italien.
Sculpteur sur ivoire.
Le Musée National Bavarois à Munich conserve quatorze œuvres qui sont de la main de cet artiste ou lui sont attribuées. Ce sont pour la plupart des reliefs représentant des scènes bachiques ou de mythologie gréco-romaine, parmi lesquels on cite le *Sacrifice d'Iphigénie, L'Enlèvement de Proserpine,* ainsi que des sujets religieux : *Martyre de Saint Laurent, Conversion de Saint Paul.*

LEONI Carlo
Mort en 1700. XVIIe siècle. Actif à Rimini. Italien.
Peintre.
L'église Saint-François-de-Paul à Rimini lui doit un tableau d'autel représentant les Saints *Cosme et Damien* et l'église de l'Oratoire de l'Espérance un grand tableau : *David repentant.*

LEONI Carlos Antonio
Né à Florence. XVIIIe siècle. Actif au Portugal vers 1720. Portugais.
Peintre et graveur.

LEONI Girolamo dal, ou **Dai**
XVIe siècle. Actif à Plaisance. Italien.
Peintre.
Il peignit avant 1584 à Maleo près de Lodi, dans une salle du Palais Trivulzi, d'après les esquisses de B. Campis, et en collaboration avec D. Cunio, les hauts-faits de l'empereur Charles Quint.

LEONI Guglielmo da. Voir **LEEUW Govaert**

LEONI Ippolito ou **Leoni de Marsari**
Né en 1616 à Rome. Mort en juillet 1694. XVIIe siècle. Italien.
Peintre.
Il était fils du peintre Ottavio Leoni. Ses portraits du *Cardinal M. A. Franciotti* et de *P. Fagnani* furent gravés par G. B. Bonacina.

LEONI Leone ou **Lioni d'Arezzo** ou **Aretino**
Né en 1509 à Menaggio. Mort en 1590 à Milan. XVIe siècle. Italien.
Sculpteur, orfèvre et médailleur.
Son plus grand titre de gloire fut peut-être d'avoir été le père de Pompeo Leoni et son premier maître. De nombreuses et très belles œuvres lui étaient attribuées sans conteste autrefois ; aujourd'hui la plupart des critiques affirment que les œuvres qui le rendirent célèbre ne sont pas de lui, mais de son fils. On ne lui dispute pas cependant la paternité des bustes du *Duc d'Albe,* de *Charles V,* de *Philippe II* (1553) et de *Vincenzo Gonzaga* (1564). Ces portraits s'adaptent mieux au goût de Leoni pour le rendu de l'expression, souligné par un modelé très sûr. L'art de Leoni est marqué par l'influence de Michel-Ange, particulièrement visible pour le tombeau de Gian Giacomo de' Medici, exécuté entre 1560 et 1563, placé dans la cathédrale de Milan. Les célèbres statues du duc et de la duchesse de Lerme avaient longtemps été considérées comme le chef-d'œuvre de Leone Leoni, mais aujourd'hui on les déclare de Pompeo Leoni ou d'Arfa. Il travailla en Italie, en Espagne, en Allemagne. Plusieurs de ses œuvres furent terminées par Pompeo.
Musées : Londres (Victoria and Albert Mus.) : *Ferrante de Gonzagues* – Madrid (S. Fernando) : *Charles Quint* – Madrid (Prado) : *Charles Quint aux pieds de la Furie enchaînée – Buste de Charles Quint – Philippe II – Isabelle de Portugal – Marie de Hongrie – Eléonore de France* – Paris (Mus. du Louvre) : *Charles Quint* – Vienne (Mus. d'Art Historique) : *Charles Quint* – même sujet – *Marie de Hongrie.*
Ventes Publiques : Amsterdam, 24 avr. 1968 : *Buste de l'Empereur Charles Quint,* bronze patiné : **NLG 36 000**.

LEONI Ludovico, dit **il Padovanino**
Né en 1542 à Padoue. Mort en 1612 à Rome. XVIe-XVIIe siècles. Italien.
Peintre de portraits, sculpteur-modeleur de cire.
Il peignit à l'huile et à fresque des tableaux d'histoire et des paysages. On lui doit aussi des petits médaillons en cire.

LEONI Michele dai
XVIe siècle. Actif à Vérone. Italien.
Sculpteur et architecte.
Il érigea en 1523 la colonne Saint-Marc sur la place dell' Erbe à Vérone.

LEONI Miguel Ange
XVIe siècle. Travaillant à Madrid et à Valladolid. Espagnol.
Sculpteur.
Fils de Pompeo, il fut aussi son élève et jouit d'une assez grande célébrité. Son talent, sans avoir la force mélangée de grâce de celui de Pompeo, fut très apprécié de son temps et plusieurs de ses œuvres que l'on peut encore voir à l'Escurial témoignent de qualités artistiques au-dessus du niveau commun. Ses collaborateurs les plus fréquents sont Antonio Morales et Milan Vimeready.

LEONI Nestore
Né le 14 février 1862 à Aquila. XIXe siècle. Italien.
Peintre et miniaturiste.
Il illustra *Les Triomphes* de Pétrarque, les *Sonnets* de Shakespeare, *La Constitution Argentine,* etc.

LEONI Ottavio Maria, le chevalier ou **Leoni de Marsari**
Né vers 1587 à Rome. Mort en 1630 à Rome. XVIIe siècle. Italien.
Peintre de sujets mythologiques, compositions religieuses, sujets allégoriques, portraits, dessinateur, graveur à l'eau-forte.
Bien qu'on cite de lui plusieurs peintures qu'il exécuta pour les églises romaines, notamment *L'Annonciation,* à Saint-Eustache, *La Vierge et l'enfant Jésus,* à Santa Maria della Minerva, *Saint Charles, Saint François* et *Saint Nicolas,* à Sant'Urbano, *Le martyre de Saint Martin,* à l'église de l'Académie, ce fut surtout un remarquable peintre de portraits.
Très en faveur à la cour romaine, il peignit et dessina un grand nombre d'effigies de papes, de cardinaux et de grands personnages de son époque. Comme graveur, on lui doit notamment une remarquable série de portraits de peintres.
Musées : Angers : *Portrait d'homme* – Douai : *L. Ghiberti* – Londres (Victoria and Albert Mus.) : *J. Stradanus* – Paris (Mus.

du Louvre) : *Galilée* – *Le duc de Bracciano* – *Paolo Giordano II* – ROUEN : *Portrait d'homme* – même sujet – VIENNE (Albertina) : *Portrait d'homme* – *Portrait de femme*.

VENTES PUBLIQUES : PARIS, 1778 : *La Religion* : **FRF 2 601** – LONDRES, 1802 : *Déjanire et le Centaure* : **FRF 7 090** – PARIS, 1880 : *Portraits en buste de trois jeunes femmes*, dess. au cr. noir, reh. de blanc : **FRF 60** – PARIS, 10-12 mai 1900 : *Portrait d'une femme florentine*, dess. : **FRF 90** – LONDRES, 29-30 mars 1911 : *Portrait de Paolo Véronèse*, dess. : **GBP 2** – PARIS, 26-27 mai 1919 : *Portrait de jeune homme*, pierre d'Italie, rehauts de blanc : **FRF 350** – PARIS, 8-10 juin 1920 : *Portrait de Don Pietro Aldobrandini*, cr. : **FRF 4 700** – PARIS, 25 fév. 1924 : *Portrait de Duca Cesarino* : **FRF 1 050** – LONDRES, 16 jan. 1925 : *Six têtes de femmes italiennes*, sanguine et pierre noire : **GBP 29** – PARIS, 10 et 11 mai 1926 : *Portrait d'homme en buste en habit à collerette*, pierre noire : **FRF 1 050** – PARIS, 14 mai 1936 : *Portrait d'une dame*, cr. noir, reh. de blanc : **FRF 1 250** – PARIS, 26 mai 1937 : *Dona Fra Aldobrandina*, pierre noire, légers reh. de blanc : **FRF 600** – PARIS, 11 jan. 1943 : *Portrait de jeune garçon portant collerette*, cr. noir, reh. de blanc : **FRF 4 500** – PARIS, 18 jan. 1945 : *L'incrédulité de Saint Thomas*, plume, attr. : **FRF 21 700** – PARIS, 15 juin 1945 : *Jeune homme en buste*, pierre noire et sanguine reh. de blanc. attr. : **FRF 6 000** – PARIS, 24 mars 1947 : *Portrait d'homme* 1614, pierre noire et blanche : **FRF 3 500** – PARIS, 25 mai 1955 : *Buste de profil*, pierre noire, reh. de past. : **FRF 12 000** – LONDRES, 5 avr. 1977 : *Portrait de jeune femme* 1625, craies noire, blanche et rouge (22,5x15,4) : **GBP 1 300** – LONDRES, 11 déc 1979 : *Portrait d'Angela Gratiani* 1624, craies noire, rouge et blanche/pap. gris-bleu (21,8x14,9) : **GBP 2 000** – LONDRES, 23 mars 1982 : *Portrait d'un jeune homme* 1602, craies noire et blanche/pap. bleu (21,4x14,6) : **GBP 950** – LONDRES, 2 juil. 1984 : *Portrait d'un jeune aristocrate*, craie rouge, noire et blanche/pap bleu (23,3x15,5) : **GBP 11 000** – PARIS, 27 mars 1985 : *Portrait de femme*, pierre noire, reh. de blanc (19,5x14) : **FRF 23 000** – MONTE-CARLO, 20 juin 1987 : *Portrait de gentilhomme portant une fraise* 1613, pierre noire, de forme ovale (21,7x15,7) : **FRF 58 000** – LONDRES, 2 juil. 1990 : *Portrait d'un homme jeune* 1618, craie noire/pap. bleu (21,2x15,2) : **GBP 7 920** – LONDRES, 2 juil. 1991 : *Portrait d'Antonio Tempesta en buste* 1623, craies noire, blanche et rouge/pap. bleu (22,8x16,1) : **GBP 14 300** – NEW YORK, 13 jan. 1993 : *Portrait d'une dame*, craies/pap. bleu (19,4x14,2) : **USD 3 520** – LONDRES, 4 juil. 1994 : *Portrait d'une jeune femme* 1644, craies rouge et noire (22,1x15,5) : **GBP 4 600** – NEW YORK, 10 jan. 1996 : *Portrait d'une dame en buste*, craies noire et blanche/pap. bleu (21,3x15,9) : **USD 4 025** – PARIS, 26 nov. 1996 : *Portrait d'une Florentine*, pierre noire et reh. de blanc/pap. bleu (21,5x16,5) : **FRF 24 000** – PARIS, 25 avr. 1997 : *Portrait d'un jeune enfant* 1625, pierre noire, sanguine et reh. de blanc/pap. bleu (21,7x14,7) : **FRF 138 000**.

LEONI Pompeo

Né vers 1533 à Pavie. Mort le 13 octobre 1608 à Madrid. XVIe siècle. Travaillant à Valladolid et Madrid. Espagnol.

Sculpteur médailleur et peintre.

Fils de Leone Leoni, cet artiste, un des plus grands parmi ceux qui illustrèrent l'Espagne au XVIe et au XVIIe siècle, eut son père pour premier maître. Une des caractéristiques de cet artiste, c'est de s'être départi dans ses œuvres de la note religieuse qui jusque-là dominait absolument. Ses principales œuvres furent faites pour des églises et se trouvent actuellement encore dans des églises ; toutefois la pensée religieuse n'est plus seule à les inspirer, la Renaissance a pris définitivement le dessus. C'est à lui que sont dues toutes les statues de bronze du retable de l'Escurial, à Madrid, et les magnifiques statues du duc et de la duchesse de Lerme en prière, qui étaient dans l'église du Monastère de Saint-Paul à Valladolid et sont aujourd'hui dans le musée de cette ville. On lui doit les groupes monumentaux de Charles Quint et Philippe II entourés de leur famille (1591-1598), dans la chapelle royale de l'Escurial. Il existe aussi une belle statue de l'évêque de Tolède due à cet artiste. Quoique évidemment disciple de Michel-Ange, Pompeo Leoni a une personnalité très accusée, c'est un indépendant qui du reste a fait école. Comme beaucoup d'artistes de son temps, il travailla en collaboration avec d'autres maîtres, ses proches ou ses égaux, aussi plusieurs critiques attribuent-ils ses œuvres à un groupe de sculpteurs ; toutefois l'unité qui les caractérise, unité portant avec la dernière évidence l'empreinte propre de Pompeo, permet de soutenir que ceux qui lui prêtèrent leur concours, le firent uniquement à titre de seconds et que seul il est l'auteur des dessins et des maquettes.

MUSÉES : MADRID (Prado) : *Isabelle de Portugal*, en collaboration avec Leone – *Philippe II*, albâtre, buste – VALLADOLID : *Le duc et la duchesse de Lerme*.

VENTES PUBLIQUES : PARIS, 5 déc. 1984 : *Etude de soldats en armure*, pl. et aquar./croquis à la pierre noire (20,2x28,5) : **FRF 39 000**.

LEONID. Voir **BERMAN Leonid**

LÉONIE

XIXe-XXe siècles. Français.

Peintre de genre.

MUSÉES : BAGNÈRES-DE-BIGORRE : *Le vieux soldat et sa famille*.

VENTES PUBLIQUES : TROYES, 28 fév. 1988 : *La Marchande de fleurs*, h/t (65x64) : **FRF 9 000**.

LEONILSON José

Né en 1957 à Fortaleza. Mort en 1993. XXe siècle. Brésilien.

Peintre, dessinateur, créateur d'installations.

Il participe à des expositions collectives, en particulier il était représenté à la Nouvelle Biennale de Paris en 1985. Il expose aussi individuellement : 1981 à la Maison du Brésil de Madrid ; 1982 à Bologne ; 1983 au Brésil à Porto Allegre, Rio de Janeiro et São Paulo ; etc.

Il fut influencé par l'œuvre de Arthur Bispo do Rosario. Son travail est un récit personnel, une sorte de journal intime, réunissant peintures à l'acrylique et dessins sur toiles non tendues, broderies et objets cousus, mais aussi signes abstraits, dont certains tendent au symbole. Il relate les expériences, interrogations et angoisses de l'artiste, mort du Sida.

BIBLIOGR. : Agnaldo Farias : *Brésil : petit manuel d'instructions*, Art press, n° 221, Paris, févr. 1997.

LÉONNEC Georges Paul Gaston

Né vers 1870 à Brest (Finistère). XIXe-XXe siècles. Français.

Illustrateur.

Fils du dessinateur Paul Félix Léonnec. Il est l'auteur des illustrations sur les catalogues des magasins *Au Palais de la Nouveauté*, mais aussi des couvertures de *Fantasio ; Bagatelle ; Le Sourire ; La Vie parisienne*. Il a créé l'image de la Parisienne souriante, coquette, au menton volontaire, au nez grec.

BIBLIOGR. : Gérald Schurr, in : *Les Petits Maîtres de la peinture 1820-1920, valeur de demain*, Les Éditions de l'Amateur, t. VI, Paris, 1985.

LEONNEC Paul Félix

Né le 25 mai 1842 à Brest. Mort le 4 octobre 1899 à Brest. XIXe siècle. Français.

Dessinateur.

Officier de marine, il dessina des scènes de la vie des marins. Il illustra, en 1934, *Daphnis et Chloé* de Longus.

LEONORI

XVIe siècle. Actif à Aquila (Abruzzes). Italien.

Peintre.

MUSÉES : AQUILA (Mus. mun.) : *Vierge à l'Enfant*.

LEONORI Pietro Giovanni

XVe siècle. Actif à Bologne vers 1400. Italien.

Peintre.

Il peignit des fresques dans différents édifices de Bologne, notamment une *Vierge entourée de Saints* à la Maison de la douane.

LEONTE François

Né en 1846 à Tournai. Mort en 1921. XIXe-XXe siècles. Belge.

Peintre-aquarelliste de paysages.

Il peignit surtout les vues pittoresques du Tournaisis.

BIBLIOGR. : In : *Dict. biogr. illustré des artistes en Belgique depuis 1830*, Arto, Bruxelles, 1987.

LEONTISKOS

IIIe siècle avant J.-C. Actif à Sikyon. Antiquité grecque.

Peintre.

LEONY Louis Nicolas, dit **du Lys**

Né vers 1660 à Nancy. Mort le 29 novembre 1730 à Nancy. XVIIe-XVIIIe siècles. Français.

Peintre.

Il était fils d'un certain Nicolas de Bar (sans doute Nicolas F. Lorrain). Il revint s'établir à Nancy dès 1713, et travailla pour les couvents de Nancy, de Pont-à-Mousson. Son surnom *du Lys* lui fut donné en raison de sa parenté avec Jeanne d'Arc. L'église Saint-Sébastien de Nancy conserve un tableau : *La Pentecôte* qui lui est attribué.

LEONYSIG Johann
XVIIe siècle. Allemand.
Peintre de portraits.
Le Musée National d'histoire de Dresde possède de sa main le *Portrait du duc François de Poméranie et de sa femme Sophie, fille du grand-électeur Christian Ier de Saxe*. Ces portraits sont datés de 1616.

LEONZI Annibale
Né le 22 mai 1622. Mort le 17 avril 1705. XVIIe siècle. Actif à Pérouse. Italien.
Peintre.
Il fit pour l'église du Gésu à Pérouse un *Saint François-Xavier* et une *Vierge avec un Saint.*

LEOPARDI Alessandro
Né à Venise. Mort en 1522 ou 1523 à Venise. XVe-XVIe siècles. Italien.
Sculpteur, architecte et fondeur.
Il exécuta la statue équestre de *Colleoni* au Campo S. Giovanni e Paolo, achevée en 1492, et en 1504, avec A. Lombardo le *Tombeau du cardinal Zen* à l'église Saint-Marc. Un certain nombre d'œuvres lui sont attribuées à Venise (au Palais des Doges, à l'église Saint-Étienne).
Musées : Paris (Mus. Jacquemard-André) : *Saint-Michel combattant le dragon.*

LEOPARDI Marcello
Né à Potenza Picena. Mort en 1795 ou 1796 à Rome. XVIIIe siècle. Italien.
Peintre d'histoire.
Il vécut longtemps à Pérouse où il exécuta de nombreuses œuvres.

LEOPARDUS
XIIe siècle. Polonais.
Sculpteur et orfèvre.
Moine bénédictin à Zwiefalten, il exécuta un grand crucifix pour l'église du monastère. Les portes de bronze de la cathédrale de Gnesen lui sont attribuées.

LÉOPOLD François
XVIIIe siècle. Français.
Peintre.
Il était actif à Nancy vers 1730.

LEOPOLD Franz Joseph
Né en 1783 à Hildesheim. Mort le 26 avril 1832 à Hanovre. XIXe siècle. Depuis 1814 actif en Suisse. Allemand.
Peintre de portraits, dessinateur, aquafortiste et lithographe.
Il fut élève, de 1802 à 1814, de l'Académie de Berlin, aux expositions de laquelle il figura jusqu'en 1812. Il fut à partir de 1814 professeur de dessin à l'Institut Fellenberg à Hofwyl (Canton de Berne).
Il exécuta en 1807 un portrait lithographié de *Frédéric Guillaume III* et dessina en 1813 le frontispice de la première édition de *Peter Schlemihl*, de Adalbert von Chamisso. Il peignit des portraits, fit des eaux-fortes de cinq vues de Hofwyl et dessina soixante-quatorze planches d'albums contenant des portraits de professeurs et d'élèves d'Hofwyl.

LEOPOLD Josef Friedrich
Né en 1668. Mort en 1726 à Augsbourg. XVIIe-XVIIIe siècles. Allemand.
Graveur et éditeur.
Il était actif à Augsbourg.
Il grava les portraits du *Tsar Jean III*, du *Grand-Électeur Clement Auguste de Cologne*, du *Duc Charles Frederic d'Holstein-Gottorp*. Parmi ses éditions un grand nombre d'ouvrages furent gravés par lui-même. On cite entre autres des vues de villes (Copenhague, Genève, Strasbourg, Francfort-sur-le-Main, Ratisbonne, Mulhouse).

LÉOPOLD II d'Autriche, archiduc, grand duc de Toscane et plus tard empereur d'Autriche
Né en 1747. Mort en 1792. XVIIIe siècle. Autrichien.
Dessinateur et graveur à l'eau-forte.
Musées : Vienne (Albertina) : *Paysan à cheval conduisant un autre cheval en main et descendant une colline – Paysan vu par derrière et portant un mouton.*

LEOPOLD de Bourbon, prince, comte de Syracuse
Né le 22 mai 1813. Mort le 4 octobre 1860 à Pise. XIXe siècle. Italien.
Sculpteur.
Il vécut presque toujours à Naples et exécuta les projets d'un certain nombre de sculptures qui furent exécutées sous sa direction.

LÉOPOLD-LÉVY, pseudonyme de **Lévy Léopold**
Né le 5 septembre 1882 à Paris. XXe siècle. Français.
Peintre de portraits, figures, paysages, natures mortes, aquarelliste, graveur. Post-cézannien.
Refusé au concours d'entrée à l'École des Beaux-Arts de Paris, il alla chercher sa formation au Musée du Louvre. Il était aussi de ce cénacle du Luxembourg dont l'une des vedettes fut un certain Florentin Linaret, mort très jeune, dont l'œuvre brève est perdue, que Derain citait souvent, et duquel Léopold-Lévy a pu dire : « Il m'apparut et reste, au fond de mon cœur, un maître ». En 1900, Léopold-Lévy exposa pour la première fois au Salon des Indépendants, alors dans les baraquements forains du Cours-La-Reine. Ensuite, il exposa aussi aux Salons d'Automne et des Tuileries. Pendant un certain nombre d'années, il fut directeur et professeur à l'École des Beaux-Arts d'Istanbul. Peintre lettré, lié à de nombreux écrivains et poètes, bien que graveur il ne fut pas illustrateur, ayant déclaré qu'il n'aimait « pas les mariages de raison », attendant qu'un éditeur choisisse dans ses cartons ce qui pourrait correspondre à tel ou tel texte. C'est après la guerre de 1914-1918 que Léopold-Lévy s'en fut peindre en Provence, se remettant à l'école de Cézanne, découvert dans les galeries parisiennes, en allant travailler devant ses « motifs ». Le critique Adolphe Basler le qualifia de « Watteau d'après Cézanne ». Durant son séjour à Istanbul, il peignit de nombreuses vues du Bosphore. Ce fut par lui que la Turquie prit contact avec l'art moderne. Son œuvre, considérable, est celle d'un peintre qui, parti du Fauvisme, a toujours tendu à dépasser les grâces du moment pour toucher à la grâce en soi. Il tend au classicisme en « évitant la surcharge ». Il a peint des portraits : *Portrait de M. Tériade*, des portraits de dames turques, des paysages de Provence : *La Sainte-Victoire*, du Bosphore : *Le Port de Constantinople*, des natures mortes aux poissons, des tableaux de fleurs, œuvres d'une extrême variété, dans un rare sentiment de continuité réfléchie. Dès 1930, André Salmon écrivait de lui : « Assuré d'une forte personnalité que rien n'entame, et si aisée, il traduit en même temps l'esprit du siècle, entier, de la manière la plus expressive. » ■ D'après André Salmon, J. B.
Ventes Publiques : Paris, 24 fév. 1936 : *L'Arbre solitaire sur la hauteur* : **FRF 150** – Paris, 21 déc. 1942 : *Corbeille de fleurs* : **FRF 350** – Paris, 12 déc. 1946 : *Paysage*, aquar. : **FRF 5 000** – Paris, 18 juin 1971 : *Paysage du Midi*, h/t (38x55) : **FRF 1 100** – Paris, 20 mars 1988 : *Paysage du Midi* 1929, h/t : **FRF 6 000** – Paris, 8 avr. 1990 : *Paysage de Saint-Cyr*, h/t (46x55) : **FRF 12 000** – Paris, 17 mai 1992 : *Paysage* 1946, aquar. (49x63) : **FRF 9 000** – Paris, 4 avr. 1993 : *Vase de fleurs*, h/pan. (55x46) : **FRF 8 000**.

LEOPOLSKI Guillaume
Né en 1830 à Drohobytch (Galicie). Mort le 26 janvier 1892 à Vienne. XIXe siècle. Polonais.
Peintre de genre et de portraits.
Élève de l'École des Beaux-Arts de Cracovie sous la direction du professeur Statler et Loustkiewitch, puis de l'Académie de Vienne. On voit de lui, au Musée de Cracovie : *Portrait de M. Grocholsky* ; *Portrait du sculpteur Joseph Brzostovsky* ; *Portrait de Lucien Siemiensky*. Exposa à Vienne vers 1880.

LEOPRECHTING Marquard von, baron
Né le 30 juillet 1839 à Straubing. Mort le 9 janvier 1897 à Munich. XIXe siècle. Allemand.
Peintre de genre et dessinateur.
Élève de l'Académie de Munich et de Wilhelm Diez.

LEORNARDY Henri Charles
Né au XIXe siècle à Forbach. XIXe siècle. Français.
Sculpteur.
Élève de l'École Nationale de dessin. Débuta au Salon en 1876.

LEOSTRATIDE
Ier siècle avant J.-C. Antiquité grecque.
Sculpteur et ciseleur.
Il représentait avec talent, au dire de Pline, des guerriers et des combats.

LEOTARD Alice
Née au XIXe siècle à Bruxelles. XIXe siècle. Française (?).
Peintre de genre.
Élève de Van Damme Sylva. Figura au Salon de Paris où elle obtint une mention honorable en 1901. Le Musée d'Arras conserve d'elle *Congédiés*.

LEOTHAUD Jeanne M. E.
Née le 28 janvier 1871 à Livron (Drôme). XIXe-XXe siècles. Française.
Peintre.
Elle fut élève de Gabrielle Debillemont-Chardon. Elle exposait à Paris, au Salon des Artistes Français, dont elle était sociétaire depuis 1905.

LEOU KOUAN. Voir **LOU GUAN**

LEPAGE Céline
Née en 1882 à Varsovie, de parents français. Morte en 1928 à Paris. XXe siècle. Française.
Sculpteur, décoratrice.
Elle exécuta des sculptures décoratives et des reliefs pour le Pavillon de Pomone, à l'Exposition internationale des Arts Décoratifs de Paris, en décembre 1925.
VENTES PUBLIQUES : PARIS, 7 juil. 1981 : *La Mauresque*, bronze patine verte (H. 52) : **FRF 17 000**.

LEPAGE Charles Edmond Constant
Né au XIXe siècle au Havre. XIXe siècle. Français.
Peintre d'architectures.
Il exposa au Salon de Paris entre 1865 et 1870.

LEPAGE François
Né en 1796 à Lyon. XIXe siècle. Français.
Peintre de fleurs.
Élève de l'École des Beaux-Arts de Lyon, où il fut nommé professeur en 1826. Il exposa au Salon de Paris de 1822 à 1835.
VENTES PUBLIQUES : MONTE-CARLO, 22 juin 1985 : *Fleurs de printemps dans un vase en bronze* 1826, h/t (30,5x23,5) : **FRF 620 000**.

LEPAGE Jean
XVe siècle. Actif à Orléans. Français.
Sculpteur.
Avec le sculpteur Antoine de Bruxelles, il fit, en 1448, des armoiries et une série de personnages dans l'escalier de la tour de l'ancien Hôtel de Ville, dont la construction avait été confiée à l'architecte Colin Galier. Ce monument sert aujourd'hui de Musée à la ville d'Orléans.

LEPAGE Jules Bastien. Voir **BASTIEN-LEPAGE Jules**

LEPAGE Marc
XXe siècle. Canadien.
Sculpteur, technique mixte.
Depuis les *Cerfs-volants* de 1966, les sculptures de Lepage demandent la participation du public. Ce fut aussi le cas pour ses sculptures gonflables. Moins objets de contemplation qu'objets de sensation, ils conjuguent texture, couleur, mouvement, terre, eau, air, lumière, et font également appel à des effets mécaniques et physiques, par exemple des effets stroboscopiques.

LEPAGE Paul Hubert
Né le 4 avril 1878 à Frimay (Ardennes). XXe siècle. Français.
Peintre de paysages, architectures.
Il fut élève de Gustave Moreau et de Fernand Cormon. Il exposait à Paris, au Salon des Artistes Français, où il obtint une médaille d'argent, le prix Marie Bashkirtseff en 1924, et le prix de l'Yser en 1926. Il s'est surtout fait connaître pour ses vues de Reims en ruines.

LEPAGE Pierre
Né en 1906 à Épinal (Vosges). Mort en 1984. XXe siècle. Français.
Peintre de figures, nus, paysages, marines.
En 1924, il fut élève de Victor Prouvé à l'École des Beaux-Arts de Nancy. En 1929, à Paris, il fut élève de l'atelier d'André Lhote. À partir de ce moment il fit de fréquents séjours au Maroc. À la suite de son mariage en 1935, il séjourna et travailla souvent en Bretagne. Il exposait régulièrement à Paris, au Salon d'Automne, dont il était sociétaire depuis 1940. En 1935, il fit une première exposition personnelle à Paris. Il exposa ensuite dans de nombreuses villes de province. En 1939, il avait reçu le prix de la Villa Abdel-Tif du Gouvernement de l'Algérie. Il ne put gagner Alger qu'en 1941, après sa démobilisation. Entre 1943 et 1945, il fut nommé peintre de l'Armée en Afrique du Nord. Il a été fait commandeur dans l'Ordre des Arts, Sciences et Lettres. En 1983, le Salon d'Automne organisa un Hommage après sa disparition.

Pierre Lepage

MUSÉES : ALGER – CONSTANTINE – ÉPINAL (Mus. départemental des Vosges) : *Paysage – Marine – Nu assis* – PONT-AVEN – RABAT – SAINT-DIÉ – VANNES.
VENTES PUBLIQUES : PARIS, 12 déc. 1990 : *Le modèle cubiste* 1928, h/t (61x50) : **FRF 11 000** ; *Le port de Toulon*, h/t (32x43) : **FRF 6 000**.

LEPAGE-MARTIN Louis Évariste Julien
Né en 1850 à Saint-Mammès. XIXe siècle. Français.
Peintre de genre.
Élève de l'Académie de Saint-Pierre-les-Calais, de Bellier, de P. Franco et de Boësnilwald. A obtenu, en 1889, une médaille de première classe et une de bronze (Exposition Universelle). Le Musée de Reims conserve de lui : *Saint Nicaise* (reconstitution archéologique).

LE PAGELET ou **Lepagellet**
XVIIIe siècle. Français.
Graveur à l'eau-forte.
Il était actif à Paris.

LEPAGNEZ François
Né à Lyon. Mort en 1870. XIXe siècle. Français.
Peintre de genre.
Exposa au Salon en 1864 et 1866.
MUSÉES : LYON : *Rivière*.

LEPAINTEUR
XIXe siècle. Français.
Sculpteur-ivoirier.
Dieppois, actif au commencement du XIXe siècle, il fit, en 1810, pour l'empereur : *L'Ile Minorque* (médaillons payés 80 livres l'un) et *Suzanne au bain* (tabatière payée 40 livres).

LE PAINTRE Jean ou **Guillaume**
XIVe siècle. Actif à Château-Gonthier. Français.
Peintre.
Travailla, en 1379, aux préparatifs de l'entrée du duc d'Anjou dans sa capitale.

LE PAN DE LIGNY Joseph
Né vers 1868 à Guignen (Ille-et-Vilaine). Mort le 22 mars 1908 à La Cambre (Loire-Atlantique). XIXe siècle. Français.
Peintre de genre, paysages.
Élève de Eugène Carrière et de Louis Picard. Médaille de bronze en 1900 (Exposition Universelle).
MUSÉES : SAINT-BRIEUC : *Coteaux de Suresnes*.

LE PAON Jean Baptiste, dit Louis
Né en 1736 ou 1738 près de Paris. Mort le 27 mai 1785 à Paris. XVIIIe siècle. Français.
Peintre d'histoire, batailles, scènes de genre, portraits, décorateur, aquarelliste, graveur.
Au début de la guerre de sept ans, il s'engagea dans les dragons et fit la campagne de Hanovre. Blessé mais ayant obtenu son congé en 1756, il vint à Paris, montra à Boucher et à Carle Van Loo des croquis exécutés durant la campagne et, sur leur conseil, fut élève de Casanova. Il se fit une réputation comme peintre de batailles et fut nommé premier peintre du prince de Condé. Il se présenta à l'Académie Royale de peinture, mais y fut refusé. Il exposa au Salon de la Correspondance en 1779 et 1782. Le Paon peignit plusieurs batailles pour le Palais Bourbon et prit une part considérable à la décoration de l'École militaire. Son œuvre est important. Ses tableaux sont intéressants par leur mouvement, mais laissent souvent à désirer pour la correction du dessin. On lui doit une gravure de *Trompette* et Lemire grava d'après lui le portrait de *Washington* et celui de *La Fayette*.
MUSÉES : ANGERS : *Bataille*, deux oeuvres – CHANTILLY : *Chasse du prince de Condé en 1776 – Chasse au cerf* – NANTES : *Hallali d'un cerf qui s'était refugié dans les carrières de Montmartre* – ROCHEFORT : *Bataille* – VARSOVIE (Gal. Lozinski) : *Le prince de Nassau chassant le tigre (?), pendant son voyage en Afrique* – VERSAILLES : *Bataille*, deux oeuvres.
VENTES PUBLIQUES : PARIS, 15-16-17 fév. 1897 : *Un hallali à Chantilly*, aquar. : **FRF 785** – PARIS, 18 mai 1898 : *Troupes en campagne*, dess. à la sépia : **FRF 320** – PARIS, 10-11-12 mai 1900 : *Revue de la Maison du roi au Trou d'Enfer* : **FRF 5 200** – PARIS, 17 juin 1921 : *Foire de campagne*, lav. : **FRF 1 850** – PARIS, 7 et 8 mai 1923 : *Le Factionnaire*, pl. et sépia : **FRF 600** – PARIS, 7 et 8 juin 1928 : *Foire de village*, dess. : **FRF 11 600** – PARIS, 16 et 17 mai 1929 : *Le convoi militaire sous la tempête*, dess. : **FRF 2 000** – PARIS, 25 mai 1934 : *Équipage du duc d'Orléans Louis Philippe-Joseph (Philippe Égalité)*, aquar. : **FRF 1 150** – PARIS, 5 mars

1937 : *Épisode du siège d'une ville des Flandres*, pl. et lav. de bistre : **FRF 3 200** – Paris, 23 juin 1943 : *Hussard hongrois* 1776, pl. et lav. d'encre de Chine : **FRF 3 250** – Paris, 2 juil. 1951 : *Troupeau traversant un village*, pl. et lav. : **FRF 12 100** – Deauville, 28 août 1969 : *Départ pour la chasse* : **FRF 15 000** – Monte-Carlo, 26 nov 1979 : *La revue de la Maison du roi au Trou d'Enfer près de Marly* 1770, pl. et lav. reh. de blanc (46,5x73,7) : **FRF 28 000** – New York, 30 avr. 1982 : *L'arrivée de Marie-Antoinette à Strasbourg* 1776, mine de pb, pl. et lav., reh. de blanc/pap. (48,2x100,4) : **USD 23 000** – Paris, 3 nov. 1983 : *Le Chariot sur le chemin du camp* ; *La Corvée de bois* ; *La Halte à l'auberge* ; *L'Arrivée du maréchal au Luxembourg (?)*, h/t, quatre pièces (65x48,5) : **FRF 80 100** – Paris, 16 oct. 1985 : *Portrait en buste de George Washington*, h/t (63x52) : **FRF 55 000** – Paris, 30 nov. 1990 : *Troupes en campagne*, h/t (53x64) : **FRF 21 000**.

LEPAPE Claude
Né le 9 février 1913 à Paris. xxe siècle. Français.
Peintre de portraits, natures mortes, peintre de compositions murales. Réaliste-photographique, réaliste-symbolique, trompe-l'œil.

Il est le fils du peintre Georges Lepape. Il fit ses études à l'École Nationale des Beaux-Arts de Paris, puis dans divers ateliers, enfin à la Art Student's League de New York, en 1931-32. Il participe à des expositions collectives, notamment à Paris, aux Salons Comparaisons, du Dessin et de la Peinture à l'eau, des Peintres Témoins de leur Temps, à l'Exposition internationale des Peintres de la Réalité. Il montre aussi des ensembles d'œuvres dans des expositions personnelles, qui se succèdent à Paris depuis 1938, ainsi que dans des villes de province.
Peintre de la réalité, spécialiste du trompe-l'œil, il crée, en 1954, le *Portrait par l'Objet*, nature morte psychologique qui se propose de dépeindre le modèle, non par son aspect physique, mais, plus profondément peut-être, par les objets qui l'entourent, qui lui sont familiers. De cette série : les portraits des auteurs dramatiques *Marcel Achard* et *André Roussin*. Ces assemblages d'objets, minutieusement peints, prennent souvent une connotation surréelle, dans la mesure où ils traduisent la compréhension intime que le peintre peut avoir des êtres et des objets. Il est aussi l'auteur de plusieurs décorations de grandes dimensions, dont celle de la Chapelle Saint-Joseph du Beausset dans le Var. ■ J. B.

Bibliogr. : Tristan Klingsor : *Claude Lepape*, Flammarion, Paris, 1958.

Ventes Publiques : Monaco, 6 déc. 1992 : *Trompe-l'œil*, h/isor. (21,5x14) : **FRF 7 215**.

LEPAPE Georges
Né le 26 juin 1887 à Paris. Mort le 15 février 1971 à Bonneval (Eure-et-Loir). xxe siècle. Français.
Peintre de portraits, décorations murales, décors et costumes de théâtre, affiches, peintre à la gouache, aquarelliste, graveur, dessinateur, illustrateur.

À Paris, il fut élève de l'Atelier Fernand Humbert, où il rencontra Braque, Picabia, Marie Laurencin, avant de s'inscrire à l'École des Beaux-Arts dans l'atelier de Fernand Cormon. Dès 1909, il connut le grand couturier et mécène Paul Poiret, avec qui il allait souvent collaborer. Il a voyagé aux États-Unis en 1927-28, en 1931-32.
Il mettait en images les inventions du couturier dans *Les choses de Paul Poiret vues par Georges Lepape*, en 1911 ; dans *Modes et manières d'aujourd'hui*, en 1912. De 1912 à 1925, il collabora à la *Gazette du Bon Ton*. Pendant la première guerre mondiale, il collabora à *Fémina*, et, après la guerre, à la revue américaine *Vogue*, en dessinant presque toutes les couvertures jusqu'en 1933. Il eut de nombreuses collaborations moins importantes à d'autres publications. Il a créé de nombreux costumes de théâtre, en 1922 pour *L'Oiseau bleu* de Mæterlinck ; de cinéma, pour *Villa Destin* de Marcel L'Herbier ; ainsi que pour de nombreux spectacles de ballets et de revues. Il créa encore des affiches : 1914 *Spinelly*, 1954 *Premier Festival de la Radio-Télévision française* ; divers travaux de décoration, pour le paquebot *Normandie*, à la Mairie de Vincennes. Il a peint des portraits, et a illustré Paul Géraldy, Sacha Guitry, Colette, les *Œuvres complètes* d'Alfred de Musset.
La grâce personnelle de son dessin en arabesques montrait l'influence synthétisante de l'estampe japonaise, accentuée par des cadrages osés, des aplats de couleurs rares. À un moment, le Musée d'Art Moderne de Paris conservait de lui une *Figure de mode* dans la salle consacrée aux Fauves ; dans son domaine, il figurait en effet l'avant-garde, au même titre que Dufy qui donnait aussi des projets pour les créations de Paul Poiret, même si, aujourd'hui, son style a été très marqué par l'évolution de la mode. ■ J. B.

Bibliogr. : Henry Bidou, in : *Costumes de théâtre, ballets et divertissements*, Vogel, Paris, 1920 – Catalogue de l'exposition-vente *Georges Lepape*, Étude Claude Robert, Paris, 1971 – in : Catalogue de l'exposition *Paris-Moscou*, Centre Georges Pompidou, Paris, 1989 – in : *L'Art du xxe siècle*, Larousse, Paris, 1991.

Musées : Londres (Victoria and Albert Mus.) – New York (Brooklyn Mus.) – Paris (Mus. Nat. d'Art Mod.) : *Figure de mode* – Paris (Mus. des Arts Décoratifs) – Tours.

Ventes Publiques : Paris, 18 mai 1934 : *Le Miroir rouge*, gche : **FRF 100** – Paris, 25 juin 1971 : *Jeune fille au clair de lune*, gche (18x15) : **FRF 2 800** – Paris, 28 mars 1974 : *Jeune fille au clair de lune* 1908 : **FRF 5 100** – New York, 13 juin 1980 : *Baigneuse*, gche, aquar. et encre de Chine (33,3x22,2) : **USD 1 300** – Paris, 16 déc. 1984 : *Tourisme à la Belle Epoque* 1908, aquar. (15x25) : **FRF 17 000** – Londres, 13 fév. 1985 : *Femme au bateau* 1926, aquar./trait de cr. (26,2x33,5) : **GBP 950** – Paris, 8 avr. 1986 : *Le Bouquet* 1926, aquar. (25x22) : **FRF 25 000** – Paris, 22 juin 1988 : *Le chapeau rouge* 1928, gche (30x25) : **FRF 15 000** – Paris, 5 juil. 1988 : *Étude de trois costumes pour « Les Jeux d'Ops », d'Autant-Lara* 1920, gche (29x54) : **FRF 14 900** ; *Vanity Fair* 1928, gche pour la couverture de l'ouvrage (37,5x30) : **FRF 26 000** ; *Modèle de chapeau* 1931, aquar. et cr. (35,5x29) : **FRF 14 900** ; *Écrit dans le ciel* 1928, gche pour la couverture de Vogue (34x25) : **FRF 33 500** – Paris, 14 juin 1989 : *Le Fox-trott* 1921, h/t (105,5x110,5) : **FRF 154 000** – Paris, 26 jan. 1990 : *Rose dans un verre*, gche (28x25) : **FRF 4 600** – Paris, 21 nov. 1990 : *Portrait de Pierre Brisseau* 1908, h/t (201x150) : **FRF 75 000** – Monaco, 11 oct. 1991 : *Vue de la maison de Mr Paul Poiret*, encre et aquar. (21x19,5) : **FRF 31 080** – Paris, 30 jan. 1995 : *Petrouchka (Nijinski)*, gche (30x23) : **FRF 55 000**.

LE PAPE Jean Baptiste
Né en 1724 à Nantes. Mort le 2 décembre 1770 à Nantes. xviiie siècle. Français.
Graveur et sculpteur.

LE PARC Julio
Né en 1928 à Santa Fe (province de Mendoza). xxe siècle. Actif depuis 1958 en France. Argentin.
Sculpteur, peintre, peintre de collages. Lumino-cinétique. Groupe de recherche d'art visuel (GRAV).

Il commença ses études artistiques, à l'âge de quinze ans en 1943, à l'École des Beaux-Arts de Buenos Aires, s'intéressant d'emblée aux mouvements d'avant-garde dans une Amérique latine en effervescence sur tous les plans, et notamment au mouvement « spatialiste » de Lucio Fontana. Il sortit de l'École, en 1946, avec son diplôme de professeur de dessin et de peinture. Il entra ensuite en contact avec Vasarély à l'occasion de son exposition de 1958. Avec une bourse du gouvernement français, il vint, en 1958 aussi, se fixer à Paris, où il retrouva le soutien de Vasarély, et prit place dans le groupe d'artistes géométriques de la galerie Denise René. Entre 1960 et sa dissolution en 1968, Le Parc fut un des fondateurs et animateurs du Groupe de Recherche d'Art Visuel (GRAV), avec Garcia-Rossi, Morellet, Sobrino, Joël Stein et Yvaral, participant à toutes ses manifestations collectives. En 1968, à la suite des mouvements sociaux qui secouèrent la société française et auxquels il s'était intéressé de près, il fut écarté de France, mais, à la suite de pétitions d'artistes, il obtint rapidement d'y revenir. Dans ces mêmes années, l'Institut Di Tella de Buenos Aires soutenait les mouvements les plus progressistes de l'art latino-américain, décernant certains de ses prix à Kosice ou Le Parc. Soit à titre individuel, soit dans les manifestations collectives du GRAV pendant les quelques années de son existence, soit ensuite de nouveau individuellement, il a figuré et continue de figurer dans de nombreuses expositions collectives, notamment : de façon continue au mouvement international *Nouvelle Tendance* ; en 1963 à la Biennale de Paris ; en 1966 à Eindhoven, à l'exposition *Kunst-Licht-Kunst*, qui constitua la première manifestation internationale importante sur la lumière artificielle comme moyen d'expression ; en 1966 encore, à la Biennale de Venise, où lui fut attribué le Grand Prix International de Peinture ; au Salon de Mai de Paris, dont il fut, un temps très court, membre du comité ; etc. Il montre évidemment des ensembles de ses réalisations dans des expositions personnelles, depuis la première en 1966 à Paris, nombreuses à travers le monde, notamment : en 1968 au Moderna Museet de Stockholm et au Musée d'Art Moderne de Rio de Janeiro ; en 1975 au Musée d'Art Contemporain de Mexico.

Le principe fondamental des recherches du GRAV était la notion d'« instabilité », à l'origine d'effets optiques produits par des éléments, statiques ou mobiles, se répétant « en série ». Les réalisations de Le Parc sont vouées, avec une continuité totale, à la recherche des phénomènes optiques dans toute leur diversité, par : les effets de contrastes séquentiels statiques de couleurs ; puis, afin de se distancier du caractère encore pictural de l'œuvre de Vasarély : la mise en mouvement de plusieurs éléments, l'utilisation de lumières artificielles, les effets de reflets et de transparence, l'utilisation des mouvements du spectateur lui-même par rapport à l'objet ou par sa participation directe à la mise en mouvement de cet objet, etc. Après ses premières œuvres planes, de 1953 à 1959, en noir et blanc et en couleurs ; vint, de 1960 à 1969, la période des projections, où il disposait à l'intérieur de coffrets verticaux des éléments, colorés ou transparents, qui s'animaient sous l'effet de la chaleur de l'éclairage électrique. Ensuite, il réalisa des sortes d'aquariums remplis de liquides phosphorescents au travers desquels se brisaient par réfraction des rayons lumineux ou encore utilisa la vision à travers un prisme de Newton. D'autres de ses productions requéraient l'intervention du spectateur. Cette tendance, après les soulèvements sociaux de 1968, s'accentua avec des réalisations cinétiques qui, de ludiques prirent une orientation critique, mettant en cause l'activité de l'artiste dans la société, ce qui le conduisit à son engagement politique et à sa participation à des peintures collectives à finalité politique. Ensuite, après la dissolution du GRAV en 1968, Le Parc revint à des peintures bidimentionnelles, toujours fondées sur des effets optiques cinétiques, par des combinatoire de quatorze couleurs sur les thèmes des *Ondes* ou *Volumes virtuels*, puis en 1974 des *Modulations*. Il n'y a pas qu'un seul principe développé dans les œuvres de Le Parc, mais au contraire elles en mettent en œuvre des très différents, ce qui en assure la diversité, qui ne peut être décrite dans une relativement brève notice. On peut toutefois y retrouver quelques constantes : il joue essentiellement du blanc et du noir, de matériaux métalliques et de matériaux transparents (Plexiglas), de sources lumineuses, de la mise en mouvement de ces différents éléments, d'où il obtient des modifications optiques de leur apparence, des déformations successives, soit programmées, soit aléatoires. Par exemple, dans un objet dont il a donné de nombreuses variantes, et qui a été très répandu, un ruban métallisé et souple est mis en mouvement continu autour de deux axes, à la façon des torsions du corps d'un serpent, et les courbures subies par sa surface, tantôt concave, tantôt convexe, transmettent au spectateur la déformation ininterrompue du reflet des lignes alternées blanches et noires d'un écran de fond immobile. Mais, il obtient des effets très spectaculaires par de nombreux autres moyens, par des faisceaux de lumière rasante ou la vision à travers des optiques déformantes, etc.

Au-delà de leur diversité, les réalisations de Le Parc ont tous pour but la recherche d'effets optiques, si ce n'est d'illusions optiques, obtenus principalement par l'activation réciproque de l'espace, de la lumière et du mouvement. Lui-même rejette absolument toute destination esthétique de ses créations, ce qui les différencierait essentiellement de toute l'abstraction géométrique issue du néo-constructivisme. En réalité, les choses ne sont pas si simples, et les commentateurs les plus autorisés de ses œuvres ne se font pas faute d'en dégager, avec leur pouvoir fascinateur, des vertus qui relèvent bien de la contemplation esthétique. Chez les néo-constructivistes comme ches les cinétiques, on retrouve le rejet, très caractéristique d'une époque de contestation, de la subjectivité de l'artiste, au profit de la seule objectivité ou prétendue telle, des phénomènes purement visuels proposés par des objets conçus selon des normes impératives, soit qu'elles découlent, comme autour de Mondrian, d'une conception intellectuelle à coloration mystique, soit, chez les cinétiques, de constats plus ou moins scientifiques. L'émergence, dans les années soixante, d'un engouement pour l'art cinétique, en tant que prolongement et radicalisation de l'art construit, a mis en évidence deux options divergentes de la création artistique, entre les artistes pour lesquels elle est un véhicule médiateur de l'expression de la sensibilité individuelle, exerçant une fonction de langage ou de signifié, et ceux pour lesquels elle se donne pour but la conception et la réalisation d'objets finis en soi et n'exprimant rien d'autre que leur seule réalité matérielle de signifiant. La vogue dont bénéficia Julio Le Parc, a subi, avec tout l'art cinétique, une éclipse, due sans doute à un épuisement de l'intérêt pour une répétitivité des phénomènes optiques surexploités. ■ Jacques Busse

Bibliogr. : Frank Popper, in : *Naissance de l'Art cinétique*, Gauthier-Villars, Paris, 1967 – in : *Nouveau diction. de la Sculpt. mod.*, Hazan, Paris, 1970 – Damian Bayon, Roberto Pontual : *La Peinture de l'Amérique latine au xxe siècle*, Mengès, Paris, 1990 – in : *L'Art du xxe siècle*, Larousse, Paris, 1991 – in : *Diction. de l'art mod. et contemp.*, Hazan, Paris, 1992 – Jean Louis Pardel : *Le Parc*, Severgnini, Paris, 1996.

Ventes Publiques : Paris, 18 mars 1972 : *Continuel mobile transparent sur blanc* : **FRF 6 800** – Paris, 4 juil. 1972 : *Collage*, série 29 : **FRF 6 500** – Rome, 4 avr. 1974 : *Collage, série 26*, 1-3/3-1 : **ITL 2 400 000** – New York, 20 oct. 1977 : *Relief noir et blanc* 1964, bois peint. (94x94x10,5) : **USD 1 700** – Milan, 7 nov. 1978 : *Série 29, n° 8-1 avec prolongation 1-8* 1972, acryl./t. (75x75) : **ITL 1 100 000** – New York, 6 nov. 1980 : *Modulation 370 Theme 60 A variation* 1980, acryl./t. (115,5x89) : **USD 2 000** – Paris, 7 avr. 1986 : *Série 3 n° 1*, h/t (170x170) : **FRF 20 000** – Paris, 20 juin 1988 : *Série 26 D n° 1-3 3-1 3-1 1-3* 1972, acryl./t. (170x170) : **FRF 24 000** – Paris, 23 juin 1989 : *Série 15, n°8* 1972, h/t (100x100) : **FRF 48 000** – Paris, 15 déc. 1989 : *Série 14, n° 6*, h/t (80x80) : **FRF 50 000** – Paris, 18 fév. 1990 : *Machine à ombres*, sculpt. cinétique et lumineuse (82x50x20) : **FRF 12 000** – Douai, 11 nov. 1990 : *Modulation 552*, acryl./t. (81x60) : **FRF 46 000** – New York, 17 nov. 1994 : *Cercle en contorsion sur trame* 1966, construction techn. mixte (123,2x123,2) : **USD 6 900** – Milan, 5 déc. 1994 : *Continuelle lumière*, petits morceaux de tôle appliqués sur pan. peint. (103,5x73,5) : **ITL 2 760 000**.

LEPARMENTIER Auguste Joseph

Né à Paris. Mort en 1880. xixe siècle. Français.

Peintre d'histoire, aquarelliste.

Il fut élève de François E. Picot et de Viollet-le-Duc. Il exposa au Salon de Paris, en 1845 et 1855.

Musées : Châlons-sur-Marne : *Vitrail de la Vierge à l'Église Notre-Dame-de-Chalons*, aquar.

LEPÂTRE Philippe

Né le 19 août 1900. Mort en 1979 à Paris. xxe siècle. Français.

Peintre. Abstrait-lyrique, abstrait-paysagiste.

Il s'est peu manifesté. En 1970, il a participé à une exposition, à Paris, d'huiles sur papier, avec Olivier Debré, Kijno, Bryen, Tal-Coat. En 1978, il a montré un ensemble d'œuvres dans une exposition personnelle à Paris.

La peinture sur papier, le matériau réceptif des Extrêmes-Orientaux, a mis en lumière son graphisme gestuel, par lequel, détaché des apparences, il dépeint ses sensations face aux rythmes de l'univers.

LEPAULLE François Gabriel Guillaume

Né le 21 janvier 1804 à Versailles. Mort en 1886 à Aï (Marne). xixe siècle. Français.

Peintre d'histoire, sujets mythologiques, compositions religieuses, scènes de genre, portraits, animaux, compositions murales.

Élève de Regnault, Vernet et Bertin ; il entra à l'École des Beaux-Arts en 1819. Il a exposé au Salon à partir de 1824 et a obtenu une médaille de deuxième classe en 1831.

Artiste d'une prodigieuse fécondité, il a peint une *Vierge avec l'enfant Jésus* pour le Ministère de l'Intérieur, et exécuté les peintures de la chapelle de Saint-Vincent-de-Paul, à l'église Saint-Merry.

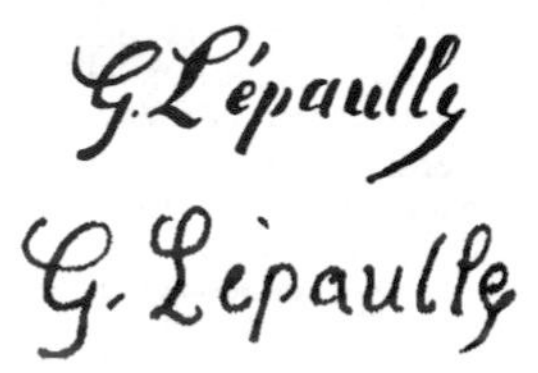

Musées : Alençon : *Le général Valazé au siège du Trocadéro* – Bagnères-de-Bigorre : *La beauté flamande* – Bernay : *Pêcheur* – Budapest : *Portrait du général Cavaignac* – Carcassonne : *Saint Vincent de Paul, esclave à Tunis* – Dijon (Mus. Magnin) : *Léda* 1834 – *Portrait de femme en grand chapeau, sur fond de parc* – Épinal : *Le duc de Choiseul Stainville* – Paris (Mus. Carnavalet) : *L'attentat de Fieschi* – Rennes (Mus. des Beaux-Arts) : *Portrait de Léo Lucas* – Saint-Lô : *Prince Le Brun* – Valenciennes : *Portrait de H. Lemaire* – Versailles : *Bataille de Rivoli* 1797 – *Prince Le Brun* – *Vice-amiral H. Gauthier de Rigny* – *Duc de Choiseul Stainville*.

Ventes Publiques : Paris, 8-9-10 mai 1911 : *Femme en toilette de*

bal : **FRF 200** – PARIS, 18 mars 1920 : *Bacchante* : **FRF 400** – PARIS, 26 et 27 mai 1924 : *La leçon de solfège* : **FRF 550** – PARIS, 12 juin 1929 : *Coquetterie* : **FRF 950** – PARIS, 12 mars 1937 : *Plantation d'un arbre de la Liberté dans un carrefour parisien en 1848. Défilé de troupes* : **FRF 680** – PARIS, 27 juin 1941 : *Cavaliers au galop* : **FRF 300** – PARIS, 18 jan. 1943 : *Cheval de course et son jockey* : **FRF 700** – PARIS, 18 mars 1955 : *Le rendez-vous de chasse* : **FRF 24 000** – PARIS, 23 juin 1978 : *Piqueur de vénerie*, h/t : **FRF 17 000** – PARIS, 30 jan. 1989 : *Portrait du duc d'Osuna portant l'Ordre d'Isabelle la Catholique*, h/t (105x81,5) : **FRF 11 000** – REIMS, 5 mars 1989 : *Nature morte aux objets curieux*, h/t (74x93) : **FRF 28 500** – MONACO, 17 juin 1989 : *Jeune homme au gilet rouge*, h/t (64x54) : **FRF 28 860** – PARIS, 8 nov. 1989 : *Armes, statuettes et grès* 1877, h/t (74x93) : **FRF 42 000** – REIMS, 17 juin 1990 : *Portrait présumé du sculpteur Dantan dans son atelier*, h/t (65x55) : **FRF 109 500** – PARIS, 13 avr. 1992 : *Le pacha et son harem*, h/t (92x73) : **FRF 200 000** – LOKEREN, 10 oct. 1992 : *Cheval de course et son jockey*, h/t (46x64) : **BEF 130 000** – LONDRES, 16 juin 1993 : *Jeune femme turque* 1843, h/t (101x81) : **GBP 33 350** – LOKEREN, 7 oct. 1995 : *Cheval de course et son jockey*, h/t (46x64) : **BEF 110 000** – LONDRES, 15 nov. 1995 : *Chasse à courre à Baden-Baden dans le forêt de Sandweier* 1859, h/t (97x134) : **GBP 31 050**.

LEPAULTRE. Voir **LEPAUTRE**

LEPAUTRE Jacques

Mort en 1684 à Paris. XVIIe siècle. Actif à Paris. Français.

Graveur.

Il était le fils de l'aquafortiste Jean Lepautre. Il fit des esquisses pour des costumes de théâtre. Pour le livre de serrurerie de Jean Lepautre, il grava le frontispice et 11 planches.

LEPAUTRE Jacques

XVIIe-XVIIIe siècles. Français.

Dessinateur et graveur d'architectures.

Il grava des plans pour l'Hôtel de Jars, l'Hôtel Carnavalet, le dôme des Invalides.

LEPAUTRE Jean ou **Le Paultre**

Né le 28 juin 1618 à Paris. Mort le 2 février 1682 à Paris. XVIIe siècle. Français.

Dessinateur et graveur.

Ce grand artiste commença sa carrière chez un constructeur charpentier pour lequel il dessinait des plans et des ornements. Mais sa brillante imagination demandait un champ plus vaste. Il s'adonna à la gravure et durant sa longue carrière produisit près de quinze cents planches à l'eau-forte et au burin de décorations architecturales, frises, plafonds, vases et ornements de toutes sortes. Cet œuvre immense, sauf quelques reproductions d'après Farinati, fut exécuté d'après ses propres compositions, toutes portant la marque d'une remarquable personnalité. Ses recueils relatifs à la décoration (*Suite de lambris*, de *Vases à la moderne*, etc.) sont de véritables répertoires de ce qu'on appelle le style Louis XIV, qui s'est propagé en Europe en partie par l'intermédiaire de Lepautre. On lui doit aussi quelques planches de portraits et de sujets religieux et d'histoire, intéressantes sans doute, mais d'une exécution moins libre que ses ornements. Il fut membre de l'Académie en 1667. Il signait I. P. ou I. le P.

VENTES PUBLIQUES : PARIS, 13 déc. 1897 : *Quatre trophées, ornés d'arabesques*, dess. : **FRF 46** – PARIS, 23 mars 1921 : *Vases décoratifs et fleurs* : **FRF 380** – PARIS, 13 nov. 1924 : *Projet de plafond*, pl., reh. aquar. : **FRF 335** – PARIS, 30 mars 1925 : *Trois bas-reliefs*, sanguine et lav., feuille d'études : **FRF 300**.

LEPAUTRE Pierre

Né le 6 septembre 1660 à Paris. Mort le 22 janvier 1744 à Paris. XVIIe-XVIIIe siècles. Français.

Sculpteur de groupes, statues, dessinateur, graveur.

Fils de Jean Lepautre. Élève de Magnier, il obtint le grand prix de Rome ; il partit pour cette ville et y demeura quinze ans. En 1716, il y fit un groupe en marbre : *Énée portant Anchise et tenant à la main le jeune Ascagne*, qui est actuellement aux Tuileries, et il acheva le groupe qui lui fait pendant : *Arria et Paetus*, qui avait été commencé par Théodon. Il exécuta un marbre que possède le Louvre : *Faune portant un chevreau*, copie d'antique, dont l'original est aujourd'hui au Musée de Madrid. Une autre copie d'antique, *Atalante*, statue en marbre, figure aux Tuileries. On lui doit encore les sculptures en bois de l'œuvre de Saint-Eustache, à la chapelle du château de Versailles, *Saint Grégoire* et *Saint Ambroise*, statues en pierre, au chevet, un groupe d'anges en plomb, à l'intérieur, deux anges en bronze et la *Modestie* et la *Pureté*, bas-relief. Il grava une eau-forte de la statue de Louis XIV, œuvre de Coysevox, qui fut érigée à Paris en 1689. On voit, au Musée d'Angers, un dessin original du groupe des Tuileries *Énée et Anchise* et au Musée de l'Ermitage, à Saint-Pétersbourg, une réplique du même sujet.

MUSÉES : ANGERS : *Énée et Anchise*, dess.

VENTES PUBLIQUES : PARIS, 18 mars 1981 : *Énée, Anchise et Ascanius fuyant devant Troie*, bronze patine brune (H. 89) : **FRF 150 000** – LILLE, 21 avr. 1986 : *Énée portant Anchise et tenant à la main Ascanius fuyant devant Troie*, bronze : **FRF 90 000**.

LEPCKE Ferdinand. Voir **LEPKE**

LEPE Jan Anthonie Van der. Voir **LEEPE**

LEPEC Charles

Né le 5 avril 1830 à Paris. XIXe siècle. Français.

Peintre de sujets allégoriques, scènes de genre, portraits, peintre d'émaux, aquarelliste. Symboliste.

Élève d'Hippolyte Flandrin, il participa au Salon de Paris de 1857 à 1880, obtenant une médaille en 1864. Décoré de la Légion d'honneur en 1867.

Son métier de peintre émailleur l'a sans doute incité à donner un aspect brillant à ses couleurs posées sur un dessin au graphisme solide.

BIBLIOGR. : Gérald Schurr, in : *Les Petits Maîtres de la peinture 1820-1920, valeur de demain*, Les Éditions de l'Amateur, t. V, Paris, 1981.

VENTES PUBLIQUES : LONDRES, 23 mars 1984 : *La Tarrasque* 1874, h/t (118x75) : **GBP 4 500**.

LE PÊCHEUR

XVIIIe siècle. Français.

Peintre.

Exposa au Colysée, en 1776 : *Régulus retournant à Carthage pour remplir sa parole d'honneur.*

L'ÉPÉE

Né en 1942 à Neuchâtel. XXe siècle. Suisse.

Peintre. Expressionniste-abstrait.

De 1956 à 1963, il fut élève de l'Académie des Beaux-Arts de Meuro. Il vit et travaille à Boudry. Il participe à des expositions collectives au Musée de La Chaux-de-Fonds. En 1968, il reçut un Prix de peinture. Il montre des ensembles d'œuvres dans des expositions personnelles, à Auvernier en 1969 et 1973.

LEPEINTRE Charles

Né le 9 septembre 1735 à Paris. Mort en 1803. XVIIIe siècle. Français.

Peintre de genre, portraits, aquarelliste, dessinateur.

Élève de Pierre. Il fut peintre du duc de Chartres et membre de l'Académie Saint-Luc. Il exposa au Salon entre 1796 et 1799. Il avait exposé aussi à l'Académie Saint-Luc en 1774.

MUSÉES : BÉZIERS : *Portrait du comédien Mayeur.*

VENTES PUBLIQUES : PARIS, 1899 : *La Cage symbolique*, dess. : **FRF 580** – PARIS, 7 juil. 1919 : *La Tricherie reconnue*, aquar. reh. de gche : **FRF 500** – PARIS, 14 nov. 1927 : *Portrait de jeune femme coiffée d'un turban* : **FRF 1 000** – PARIS, 7-8 juin 1928 : *Concert dans le parc ; Conversation galante dans un parc*, deux dess. : **FRF 6 000** – PARIS, 26 fév. 1942 : *La Leçon de chant interrompue* : **FRF 70 000** – PARIS, 7 juin 1974 : *Les Dangers de la bascule* : **FRF 19 000** – PARIS, 12 avr. 1991 : *La Tasse de chocolat* 1766, h/t (65x54) : **FRF 20 000** – PARIS, 28 oct. 1996 : *Jeune Fille assise devant une tasse de thé*, h/pan. (27x35) : **FRF 35 500**.

LEPEL-GNITZ Hedwige. Voir **GREVE Hedwige**

LEPELAER Arent

XVIIe siècle. Actif à Gouda. Hollandais.

Dessinateur.

Copia les vitraux de Gouda en 1673-1676.

LE PELEH Jean

XXe siècle. Français.

Peintre, décorateur de théâtre. Polymorphe.

Il vit et travaille à Nice. Il participe à des expositions collectives, et s'est produit dans quelques expositions personnelles, sur la Côte d'Azur, en Bretagne et à Paris.

Il peint en pleine pâte, dans des styles différents, en général inspirés de la nature.

LEPELLE Marie

XIXe siècle. Active à Paris. Française.

Peintre de fleurs et aquarelliste.

Exposa au Salon en 1846 et 1848.

LE PELLETIER Jehannot
xve siècle. Français.
Sculpteur.
Le sculpteur Henri de Montrichart et lui firent, en 1479, un portail entre le Petit-Fort et Amboise ; ils sculptèrent, sur la face regardant la rivière, les armes du roi, soutenues par deux anges. Il était également architecte.

LEPELLETIER Nicolas
xvie siècle. Français.
Sculpteur sur bois.
Il sculpta la clôture et les stalles du chœur dans l'église Saint-Gervais et Saint-Protais de Gisors, de 1584 à 1585.

LEPELLETIER de La Pelleterie, Mme, née **de Cauvigny de la Rozire**
Morte en 1812 à Mesnil-Gilbert. xviiie-xixe siècles. Française.
Portraitiste.
Le musée de Coutances conserve d'elle son portrait et celui de son mari.

LE PELTIER Jean ou **Lepeltier**
Né à Rennes. Mort avant 1677. xviie siècle. Français.
Peintre.
Travailla, en 1643, à l'abbaye Saint-Vincent du Mans.

LEPELTIER Léon
Né en 1877 à Paris. xxe siècle. Français.
Peintre d'architectures, intérieurs, restaurateur.
Il fut élève de Gustave Moreau, François Flameng, Fernand Cormon. Il exposait à Paris, au Salon des Artistes Français, mentions honorables en 1899 et en 1900 à l'occasion de l'Exposition Universelle. On cite de lui un paysage à la mairie du VIIIe arrondissement.
Bibliogr. : Gérald Schurr, in : *Les Petits Maîtres de la peinture 1820-1920, valeur de demain*, Les Éditions de l'Amateur, t. II, Paris, 1982.
Musées : Calais : *Intérieur de l'église Saint-Sulpice* – Paris (Mus. Carnavalet) : *Démolition du couvent de l'Assomption, rue Saint-Honoré.*

LEPELTIER Odette
Née en 1914 à Paris. xxe siècle. Française.
Sculpteur-céramiste de sujets de genre.
Elle fut élève de Jean-Paul Laurens.
Musées : Paris (Mus. Nat. d'Art Mod.) : *La Coquette.*

LEPELTIER Robert
Né en 1913 à Paris. xxe siècle. Français.
Peintre de portraits, paysages, marines, natures mortes.
Fils de Léon Lepeltier. Il fut élève de Pierre et Paul-Albert Laurens. Il exposait à Paris, au Salon des Indépendants.
Qu'il travaille sur les côtes normandes ou atlantiques, sur les bords de l'Oise ou à Venise, il montre une prédilection pour les paysages d'eau.
Ventes Publiques : Paris, 2 mars 1987 : *Venise sous la pluie*, h/t (59x61) : **FRF 4 500** – Paris, 22 nov. 1988 : *Arromanches : la digue*, h/t (50x61) : **FRF 7 000** – Paris, 16 déc. 1988 : *Saint-Martin-de-Ré*, h/t : **FRF 5 000** – Paris, 15 fév. 1989 : *L'Oise à L'Isle Adam*, h/t (54x65) : **FRF 6 000** – Paris, 18 juin 1989 : *Saint-Martin-en-Ré*, h/t (54x65) : **FRF 4 500** – Paris, 8 nov. 1989 : *Venise : la lagune* (54x65) : **FRF 8 000** – Paris, 21 nov. 1989 : *Arromanches : la digue*, h/t (50x61) : **FRF 8 000** – Paris, 24 jan. 1990 : *Bords de l'Oise*, h/t (65x81) : **FRF 5 000** – Paris, 27 juin 1990 : *L'Estacade à L'Isle-Adam*, h/t (50x61) : **FRF 8 000** – Paris, 20 jan. 1991 : *Promenade sur le pont Louis-Philippe*, h/t (60x73) : **FRF 11 500** – Paris, 18 mars 1992 : *Marie-Claire*, h/t (61x49) : **FRF 12 000**.

LEPENDRY
xixe siècle. Actif à Paris. Français.
Portraitiste, paysagiste et aquarelliste.
Il exposa au Salon en 1831 et 1836.
Ventes Publiques : Paris, 20-22 mai 1920 : *Le Faubourg du Temple*, aquar. : **FRF 1 320**.

LE PEQUEUX
xxe siècle. Français.
Peintre de paysages.
Il ne paraît pas être identique à Guy Péqueux.

Ventes Publiques : Paris, 8 déc. 1944 : *Paysage* : **FRF 2 000** ; *Paysage* : **FRF 1 900**.

LEPÈRE Alfred Adolphe Édouard
Né le 15 mai 1827 à Paris. Mort en 1904 à Bourg-la-Reine (Hauts-de-Seine). xixe siècle. Français.
Sculpteur et peintre.
Élève de Ramey, Dumont, Toussaint et Gleyre. Il obtint le Prix de Rome 1852, médaille troisième classe 1859. Rappel 1863, médaille 1865, chevalier de la Légion d'honneur 1870 ; médaille deuxième classe 1878 (Exposition Universelle). On cite de lui : *L'enfant Dieu montre aux hommes le symbole de la souffrance* (pour l'église Notre-Dame-des-Champs).
Musées : Alger : *L'écluse de la Monnaie* – Amiens : *Faune chasseur* – Compiègne : *Diogène.*

LEPÈRE Auguste Louis
Né le 30 novembre 1849 à Paris. Mort le 20 novembre 1918 à Domme (Dordogne). xixe-xxe siècles. Français.
Peintre de figures, paysages, natures mortes, graveur, illustrateur.
Fils du sculpteur François Lepère, il fut élève du graveur anglais Burn Smeeton. Il débuta au Salon de Paris en 1870 en exposant un tableau, mais dès 1876, il se consacra plus spécialement à la gravure. Il obtint une troisième médaille en 1881, une deuxième médaille en 1887, une médaille d'or à l'Exposition Universelle de 1889. Il fut l'un des premiers membres de la Société Nationale des Beaux-Arts, dès 1890. En 1900, il fut membre du jury. La même année il fut décoré de la Légion d'honneur, il sera officier en 1911.
Graveur au burin d'un talent indiscutable, il s'est surtout fait un nom comme graveur sur bois. Il est un des rares artistes modernes ayant fait de la gravure sur bois originale, notamment des scènes de Paris et de la banlieue parisienne. Il a reproduit dans le *Monde illustré* des dessins de Daniel Vierge et d'Edmond Morin. On cite de lui deux séries de bois originaux : *La forêt de Fontainebleau* et *Les grandes villes de France*. Il a également fait des illustrations de Maupassant, de Jean Richepin et de Huysmans.

Cachet de vente

Bibliogr. : Lotz-Brissoneau : *L'œuvre gravé de Auguste Lepère*, Sagot, Paris, 1905 – Charles Saunier : *Auguste Lepère peintre et graveur, décorateur de livres*, Paris, 1931 – Gérald Schurr, in : *Les Petits Maîtres de la peinture 1820-1920, valeur de demain*, Les Éditions de l'Amateur, t. II, Paris, 1982.
Musées : Lisieux : *Le retour de l'école* – Nantes : *La route, matinée d'automne* – *La route de Challans* – Paris (Mus. d'Art Mod.) : *Les pins* – *Paysage* – *Nature morte* – *Le mendiant* – *L'averse* – Paris (Mus. Carnavalet) : *La rue des Rosiers.*
Ventes Publiques : Paris, 12 mai 1919 : *Le soir* : **FRF 500** – Paris, 28 nov. 1924 : *Le bocage*, cr. : **FRF 3 400** – Paris, 21 déc. 1942 : *Vase de fleurs* 1874 : **FRF 3 600** – Paris, 5 déc. 1946 : *Paysage aux grands arbres, Saint-Jean-de-Monts*, aquar. gchée, reh. de past. : **FRF 7 000** ; *Le pont de Domme, Dordogne*, cr. noir, aquar. et past. : **FRF 7 000** – Paris, 19 nov. 1976 : *La récolte*, h/t (39x62) : **FRF 3 400** – Londres, 1er déc. 1981 : *Nature morte d'automne*, h/t (46,5x61,5) : **GBP 1 400** – Paris, 5 juil. 1988 : *Madame Lepère convalescente au bord de la mer* 1892, bois coul./vergé : **FRF 67 000** – Paris, 7 nov. 1988 : *Paris vu des Tours de Notre-Dame*, h/t (56,5x72,5) : **FRF 29 000** – Paris, 7-12 déc. 1988 : *Paysage au moulin*, h/t (38x56) : **FRF 30 000** – Paris, 16 fév. 1989 : *Le*

marché aux bestiaux, h/t (32x40) : **FRF 14 000** – Paris, 18 juin 1989 : *Ferme en campagne*, h/pan. (27x41) : **FRF 5 500** – Paris, 19 mars 1990 : *Pêcheurs et barque sur la dune*, h/t (49x67) : **FRF 22 000** – Paris, 10 avr. 1990 : *Le Jeu de boules*, h/cart. (41x32) : **FRF 28 000** – Paris, 11 juin 1993 : *Rouen illustré* 1913, suite de 23 vues de Rouen gravées sur 14 planches (66x50) : **FRF 15 000** – Paris, 21 mars 1994 : *L'or du soir*, past. (25,5x28,5) : **FRF 7 800** – New York, 19 jan. 1995 : *Nature morte d'automne*, h/t (47x61,3) : **USD 4 600** – Paris, 14 fév. 1996 : *Le Palais de Justice vu du pont Notre-Dame* 1889, bois (19,1x30,2) : **FRF 36 000** – Paris, 11 juin 1997 : *Carrière dans un paysage montagneux, avec rivière en premier plan*, past. (26x40) : **FRF 19 000**.

LEPÈRE Christian

Né le 25 juillet 1942 à Paris. XXe siècle. Français.

Peintre de compositions à personnages, aquarelliste, graveur. Tendance fantastique.

Il fut élève de l'École des Arts Appliqués de Paris, de l'École Normale Supérieure de l'Enseignement Technique (ENSET) pour le professorat de Dessin, qu'il exerça longtemps. Il participe à des expositions collectives, dont à Paris : les Salons des Artistes Français où il obtint une médaille d'or pour la gravure en 1987, de la Société Nationale des Beaux-Arts, d'Automne, Comparaisons, du Dessin et de la Peinture à l'eau ; ainsi que : à la Biennale d'Épinal, à des groupes à Melbourne, Sydney, dans les Antilles, en 1987 au Festival d'Osaka dont il obtint le Premier Prix. Il montre des ensembles d'œuvres dans des expositions personnelles, depuis la première à Paris en 1970, au Chesnay en 1987, puis régulièrement galerie Nunki de Paris.

Depuis 1961, il est surtout graveur à l'eau-forte, noir et couleur, à la pointe-sèche, au burin. Il ne vint à la peinture à l'huile et à l'aquarelle que dans les années quatre-vingt. De la gravure, sa peinture a gardé l'acuité du trait qui soigne le moindre détail du monde et des personnages de ses compositions oniriques. Des apparitions, dans leurs vêtures grotesques ou gracieuses, venues d'on ne sait où ni de quelles époques, survolent, parfois à bicyclette, des paysages cosmiques ou au contraire bien de chez nous ; des anges exterminateurs traquent une humanité de bouffons ; des jeunes filles s'abandonnent au plaisir solitaire ; selon les thèmes alternent ou se mêlent truculence, érotisme, humour, dans ces mises en scène chargées dont on découvre et déchiffre linéairement les épisodes et les intentions implicites, et qui sont plus des jolies illustrations narratives que des productions picturales. ■ J. B.

LEPÈRE François

Né le 7 septembre 1824 à Paris. Mort en 1871. XIXe siècle. Français.

Sculpteur.

Élève de Rude. Père du graveur Auguste Lepère. Il exposa au Salon, de 1863 à 1870. Le Musée de Chartres conserve de lui cinq terres cuites (statuettes).

LE PERSAN RAFFY. Voir **RAFFY Jean,** dit **Le Persan**

LE PERUGIN. Voir **PERUGINO il**

LEPESQUEUR Hyacinthe Florentin

Né au XIXe siècle à Rouen (Seine-Maritime). XIXe siècle. Français.

Peintre de genre.

Élève de Morin et Pils. Il débuta au Salon en 1874. Le Musée de Pontoise conserve de lui : *Moutons sous bois* et *Moutons en plaine et bergère*.

LEPETIT A.

XIXe siècle. Actif à Paris. Français.

Graveur.

Exposa au Salon en 1837 et 1841.

LE PETIT Alexander ou **le Petyt**

Mort avant le 10 octobre 1659. XVIIe siècle. Actif à La Haye. Hollandais.

Peintre.

La Galerie du château de Bamberg possède un paysage signé Alexander Petyt.

Ventes Publiques : Paris, 24-26 avr. 1929 : *Canal à Rotterdam le soir* : **FRF 120**.

LE PETIT Alfred

Né le 8 juin 1841 à Aumale (Seine-Maritime). Mort le 15 novembre 1909 à Levallois-Perret (Hauts-de-Seine). XIXe siècle. Français.

Peintre, lithographe et dessinateur de caricatures.

Il travailla pour des revues humoristiques et publia deux albums de caricatures en lithographie : *Fleurs, fruits, légumes* et *Les Hommes de la Commune*. En 1878 il exécuta une série d'assiettes contenant des caricatures intitulées : *Les Contemporains dans leur assiette*. Il fit des illustrations de livres, des plaquettes. Le Musée d'Art Moderne à Paris et les musées de Pontoise et de Rouen conservent de ses œuvres.

Ventes Publiques : Paris, 1895 : *La chiffonnière, rue Ménilmontant* : **FRF 40** ; *Famille bohémienne en Picardie* : **FRF 90** – Paris, 15 mai 1931 : *Paysans se rendant au marché* : **FRF 95**.

LE PETIT Alfred-Marie

Né le 12 décembre 1876 à Fallencourt (Seine-Maritime). Mort en 1953 à La Frette (Val-d'Oise). XXe siècle. Français.

Peintre de genre, figures, paysages, paysages urbains, graveur, illustrateur. Postimpressionniste.

Il fut élève de Fernand Cormon et de Léon Bonnat. Il reçut aussi les conseils d'Albert Lebourg. Il fut tôt attiré par l'impressionnisme. Il exposa régulièrement à Paris, au Salon de la Société Nationale des Beaux-Arts, dont il était sociétaire depuis 1908, ainsi qu'aux Salons des Indépendants, d'Automne et des Tuileries. Il a illustré, entre autres, *Sur l'eau* de Maupassant, *Dédicaces* de Verlaine.

Il a peint au hasard de randonnées nombreuses, dans les environs du Tréport et de Rouen dans ses premières années, vers 1897 ; à Paris, de 1900 à 1910, dont peu de sites lui ont échappé ; en Corse, à partir de 1908, qui donna lieu à sa période la plus impressionniste ; enfin, à partir de 1930, les bords de la Seine, près de La Frette ou travaillait aussi Marquet.

Bibliogr. : Catalogue de l'exposition-vente *A.M. Le Petit*, Étude Me Cl. Robert, Paris, 1971.

Musées : Le Havre – Honfleur – Paris (Mus. du Petit Palais).

Ventes Publiques : Paris, 20 nov. 1942 : *La Seine à Clichy* : **FRF 3 000** – Paris, 20 mars 1944 : *Les Meules au soleil levant* : **FRF 800** – Calais, 8 nov. 1987 : *Le Laboureur du Pays de Bray*, h/t (101x73) : **FRF 4 000** – Versailles, 25 sep. 1988 : *La Voiture du boulanger dans la rue du village*, h/t (73x115) : **FRF 5 200** – Paris, 19 nov. 1990 : *Le lecteur obèse* 1898, h/t (47x64) : **FRF 5 500** – Paris, 4 mars 1992 : *Rully* 1907, h/pan. (26x41) : **FRF 3 800**.

LE PETIT Bernardus ou **Petyt**

Mort après février 1669. XVIIe siècle. Actif à La Haye. Hollandais.

Peintre.

Il entra dans la gilde d'Alkmaar en 1663. Il peignit des paysages et des sujets bibliques. Le Musée de Mannheim et la Galerie de Schleissheim possèdent des tableaux signés *B. Le Petit*, ainsi que la Collection Bredius à La Haye. Il vécut probablement à Rome vers 1650.

LE PETIT Lodewyck ou **Petyt**

XVIIe siècle. Actif à La Haye. Hollandais.

Peintre.

Dans un inventaire de 1659 sont mentionnés de la main de cet artiste : un portrait, un tableau (*Vanitas*), un *Mathieu l'Évangéliste*, une nature morte et deux panoramas.

LE PETIT Maurice

Né à Boulogne-sur-Mer (Pas-de-Calais). XXe siècle. Français.

Peintre de paysages, natures mortes.

Il exposait à Paris, au Salon des Indépendants depuis 1912.

Ventes Publiques : Paris, 9 mars 1945 : *Panier de pommes* : **FRF 498**.

LEPETIT Napoléon Victor

Né le 20 septembre 1806 à Metz (Moselle). XIXe siècle. Français.

Sculpteur.

Il était également cordonnier.

Musées : Metz : *Le père et la mère de l'artiste – L'artiste dans son atelier – Une famille de bohémiens*.

LEPETIT Philips ou **Petyt**

Mort entre le 15 juin 1669 et le 21 avril 1673 en Italie. XVIIe siècle. Hollandais.

Peintre.

En 1649, il figurait dans la gilde de La Haye.

LEPEUT Armide

Née au XIXe siècle à Paris. XIXe siècle. Française.

Portraitiste.

Élève d'Ary Scheffer. Elle exposa au Salon, de 1844 à 1869, et obtint une troisième médaille en 1845.

LEPEUT Philippe
Né en 1957 à Nantes (Loire-Atlantique). XXe siècle. Français.
Créateur d'installations, peintre.
Il fut pensionnaire de l'Académie de France, à Rome, à la Villa Médicis en 1991-1992. Il est professeur à l'école des beaux-arts de Nantes.
Il participe à des expositions collectives : 1984 foire de Bâle ; 1985 Art 85 au Grand-Palais à Paris ; 1988 galerie des beaux-arts de Nantes ; 1991 Espace Electra à Paris ; 1992 CREDAC d'Ivry-sur-Seine ; 1993 FDAC (Fonds départemental d'Art Contemporain) ; 1994 musée de la Roche-sur-Yon. Il montre ses œuvres dans des expositions personnelles depuis 1984 à Paris, ainsi que : 1990 manufacture des tabacs/Artothèque de Nantes, 1991 galerie municipale Edouard Manet à Genevilliers.
Il réalise des installations, constituées de montage d'images. Sur fond monochrome, une structure architecturale en bois s'élève, dessus des photographies qui échappent à la tradition sont disposées.
Bibliogr. : Catalogue de l'exposition : *Barbier, de Busschère, Lepeut*, Musée municipal, La Roche-sur-Yon, 1994.
Musées : Caen (FRAC Basse Normandie) : *Transfert*.

LEPGÉ Ferdinand. Voir **LEPIÉ**

LE PHO
Né le 2 août 1907 à Hadong (province de Ha Tay). XXe siècle. Depuis 1938 actif en France. Vietnamien.
Peintre de compositions à personnages, scènes animées, figures, portraits, fleurs.
En 1925, il entra à l'École des Beaux-Arts d'Hanoï, où il fut élève de Victor Tardieu, qui avait créé l'École l'année précédente, et de Joseph Inguimberty. Il y resta cinq années. En 1931, il vint en France comme assistant de Tardieu, chargé de la direction artistique de la reconstitution du temple d'Angkor-Vat à l'Exposition coloniale. En 1932, il fréquenta l'École des Beaux-Arts de Paris, et visite la Belgique, la Hollande, l'Italie. En 1933, il retourna au Viêt Nam, nommé professeur à l'École des Beaux-Arts. En 1934, il visita les musées de Pékin. En 1937, il fut directeur artistique de la section Indochine à l'Exposition Internationale de Paris, avant de se fixer définitivement en France.
En 1928, il a commencé à participer à des expositions collectives à Hanoï. Il expose à Paris, notamment au Salon d'Automne, en 1996 à l'exposition *L'Âme du Vietnam*. En 1933, il fit sa première exposition personnelle à Hanoï, suivie de nombreuses autres : 1938, première exposition à Paris ; 1941 Alger, galerie Romanet ; 1945 Paris, galerie Roux-Hentschel ; 1948 Bruxelles, galerie Van Loo ; 1962 San Francisco ; 1963 New York et Saïgon ; 1964 Palm Beachn Chicago, New York, galeries Findlay ; etc.
En 1934, lors d'un passage à Hué, il fit les portraits de l'empereur Bao Dai et de l'impératrice.
Après un voyage en Italie, en 1932, il entame une période où ses œuvres reflètent, par la légèreté du trait, la finesse des visages, l'influence des Primitifs. Il privilégie ensuite les fleurs et les portraits de femmes et d'enfants dans un style délicat, où se conjuguent les influences de l'édénisme de Puvis de Chavannes et du chromatisme de Bonnard.

Bibliogr. : In : catalogue de l'exposition *Paris-Hanoï-Saigon, l'aventure de l'art moderne au Viêt Nam*, Paris, 1998.
Musées : Paris (Mus. Nat. d'Art Mod.) : *Femmes dans un jardin*.
Ventes Publiques : Versailles, 24 avr. 1983 : *Le Couple*, peint./soie (67,5x47,5) : **FRF 10 800** – Versailles, 17 mai 1987 : *Jeune femme aux fleurs*, peint./soie (40,5x28,5) : **FRF 19 500** – Versailles, 15 mai 1988 : *Jeune femme brodant*, peint./soie (28,5x21) : **FRF 11 500** – New York, 27 fév. 1992 : *Deux Jeunes Filles dans le jardin*, h/t (73x91,5) : **USD 880** – New York, 9 mai 1992 : *Vase de fleurs*, h/t (81,3x64,8) : **USD 1 320** – New York, 12 juin 1992 : *La Cueillette des pavots*, h/t (54,6x64,8) : **USD 2 420** – New York, 10 nov. 1992 : *Femmes aux fleurs*, h/t (60,3x73) : **USD 2 640** – New York, 22 fév. 1993 : *Vase de fleurs au fond bleu*, h/t (80,6x64,8) : **USD 1 210** – Boulogne-sur-Seine, 12 mars 1995 : *Dahlias jaunes et rouges*, gche (50x40) : **FRF 5 500** – Paris, 1er fév. 1996 : *Jeune Vietnamienne*, peint. sur soie (32x24,5) : **FRF 16 000** – Singapour, 5 oct. 1996 : *Mère et Enfant*, h/t/cart. (21x14) : **SGD 11 500** – Singapour, 29 mars 1997 : *La Lettre*, h./soie (81x46) : **SGD 32 200** – Paris, 20 juin 1997 : *Enfant au bol de riz* vers 1938, gche/soie (28,5x21,5) : **FRF 54 000**.

LEPIC Ludovic Napoléon, vicomte ou **Le Pic**
Né le 17 septembre 1839 à Paris. Mort le 27 décembre 1889. XIXe siècle. Français.
Peintre de paysages, marines, aquarelliste, graveur, sculpteur.
Élève de Charles Gleyre, d'Alexandre Cabanel, de Charles Verlet et de Gustave Wappers, il exposa au Salon de Paris, dans tous les arts, à partir de 1869 et obtint une médaille de troisième classe en 1877. Il a également pris part à la seconde exposition impressionniste en avril 1876, rue Le Peletier.
Bibliogr. : Gérald Schurr, in : *Les Petits Maîtres de la peinture 1820-1920, valeur de demain*, Les Éditions de l'Amateur, t. II, Paris, 1982.
Musées : Amiens : *La plage de Berck – La tentation* – Avignon : *Atelier de fourbisseurs au XVIe siècle* – Béziers : Une aquarelle – Chambéry (Mus. des Beaux-Arts) : *Cadavres dans une grotte* – Grenoble : *Aux halles – Chevaux morts dans la neige* – Lille : *La plage de Berck – Bateaux de pêche rentrant à Berck* – Nantes : *Pêche de nuit au chien de mer* – Reims : *La pêche aux harengs d'Écosse* – Valenciennes : *Bateaux à marée basse à Berck – Le départ des bateaux pour la pêche*.
Ventes Publiques : Paris, 1891 : *Marine* : **FRF 1 290** – Paris, 11-13 juin 1923 : *Composition*, aquar. : **FRF 1 800** – Paris, 27 nov. 1944 : *Marine* : **FRF 1 100** – Paris, 19 jan. 1945 : *Bords de lac* 1871, aquar. : **FRF 950** – Paris, 29 nov. 1989 : *Chien dans son panier*, past. (77x100) : **FRF 14 000** – Paris, 22 mars 1991 : *Au large de Dordrecht*, h/t (66x81) : **FRF 40 000** – Calais, 12 déc. 1993 : *Une tenue décente est de rigueur*, h/t (92x73) : **FRF 7 500** – Paris, 19 oct. 1994 : *Paysage sur l'Escaut ; Paysage aux arbres*, eau-forte et aquat. et contre-épreuve tirée sur plaque : **FRF 7 000** – Calais, 7 juil. 1996 : *Partie de croquet sur la plage*, h/t (46x65) : **FRF 43 000**.

LE PICART Nicolas
XVIIe siècle. Français.
Graveur ornemaniste.
Peut-être identique à Picart (Nicolas). Il fut serrurier d'art.

LEPICIÉ Bernard François ou **l'Epicier**
Né en 1698 à Paris. Mort en 1755 à Paris. XVIIIe siècle. Français.
Graveur et écrivain.
Élève de Duchange et de Jean Mariette, agréé à l'Académie le 26 juin 1734, secrétaire historiographe le 16 avril 1737, académicien le 31 décembre 1740. Il exposa au Salon, de 1737 à 1748, quelques tableaux et surtout des gravures. Il a gravé d'après Raphaël, Rembrandt, Teniers, Coypel, Jules Romain, mais surtout, d'après les maîtres de son temps, notamment Largillière, Rigaud, Jeaurat. Le meilleur de son œuvre consiste dans ses gravures d'après les tableaux de Chardin. On lui doit comme écrivain : *Vues des premiers peintres du roy depuis Lebrun* et *Catalogue raisonné des tableaux du roy*.

Ventes Publiques : Paris, 28 fév. 1945 : *Femme en buste, coiffée d'un bonnet*, pierre noire : **FRF 450** – Paris, 29 juin 1945 : *La servante*, cr. noir et sanguine : **FRF 7 500**.

LÉPICIÉ Nicolas Bernard Michel
Né le 16 juin 1735 à Paris. Mort le 14 septembre 1784 à Paris. XVIIIe siècle. Français.
Peintre de genre.
Fils et élève de Bernard Lepicié, graveur et historiographe de l'Académie, Nicolas Bernard Lepicié dut, à cause de sa vue défectueuse, abandonner de bonne heure la gravure. Il se consacra entièrement à la peinture qu'il étudia près de Carle Van Loo, peintre d'histoire. Désireux de briller dans ce genre alors fort à la mode, il débuta, au Salon de 1765, avec un tableau : *La Descente de Guillaume le Conquérant en Angleterre*, qui lui attira les critiques trop sévères de Diderot. Il ne se laissa pas décourager. Sans délaisser les grandes compositions historiques, il s'essaya à peindre des scènes d'intimité familiale, et présenta, au Salon de 1767, plusieurs tableaux de genre, dont l'un, intitulé *Tableau de Famille*, recueillit les suffrages du public qui crut y voir une réplique catholique au tableau de Greuze : *Lecture de la Bible*. Dans celui-ci, en effet, c'est le père de famille qui lit la Bible ; dans le tableau de Lépicié, c'est un prêtre. Encouragé par cette faveur du public, il exécuta une série de tableaux de style familier, parmi lesquels on peut citer : *La Demande accordée*, *L'Enfant en Pénitence*, *Le Repos*, *La Fileuse*, *Une Douane*, et enfin le tableau qui

peut être considéré comme l'un de ses plus beaux, le *Portrait de Carle Vernet enfant* (actuellement au Louvre). La renommée de Nicolas Bernard Lépicié grandit rapidement. Il devint membre de l'Académie en 1769, et peintre du Roi. En 1777, il fut nommé adjoint à professeur à l'Académie, et professeur en 1779. Sa vogue fut assez grande au XVIIIe siècle, mais ses tableaux d'histoire n'eurent pas la faveur de la postérité. Il n'y montre aucune originalité, et peu de science quant à l'exécution, particulièrement dans la distribution de la lumière, dans le style des draperies et le manque de force du modelé. Dans ses tableaux de genre, par contre, on s'est plu parfois à le comparer à Greuze et à Chardin. Comparaison inexacte, du reste : moins expert que Greuze dans la mise en scène, Lépicié est moins sentimental, plus sobre dans ses moyens d'expression. Et s'il a de Chardin une similitude dans le choix des sujets, il n'a, du peintre du *Bénédicité*, ni la technique, ni le dessin expressif. Il faut cependant lui reconnaître une grande souplesse dans l'exécution de ses figures, beaucoup de naturel et de distinction. Parmi ses tableaux historiques, mythologiques, et de sainteté, il faut citer : *Le Repos du Soldat ; Achille instruit de la musique par le Centaure Chiron ; Narcisse changé en la fleur qui porte son nom ; La Colère de Neptune ; Jésus-Christ baptisé par saint Jean ; Saint Crépin et saint Crépinien distribuant leurs biens aux pauvres ; La Conversion de saint Paul*, etc. Mieux que ses tableaux d'apparat, les dessins d'après nature, et les études de Nicolas Bernard Lépicié révèlent sa personnalité. Une crise de mysticisme lui fit détruire, à la fin de sa vie, tout ce qui dans son œuvre pouvait paraître frivole, en particulier les études de femmes. Dans les dernières années de sa vie, ce peintre reproduisit avec passion des scènes de la vie champêtre. Il réussit dans ce genre, et ses tableaux connurent une vogue qui fut peut-être à l'origine du talent de l'un de ses élèves préférés : Carle Vernet.

Bibliogr. : Philippe Gaston-Dreyfus, F. Ingersoll-Smouse : *Catalogue raisonné de l'œuvre peint et dessiné de Nicolas Bernard Lépicié*, Paris, 1923.

Musées : Abbeville : *Portrait de l'auteur* – Amiens : *Portrait de femme âgée – Études* – Bayonne : *Portrait d'homme – Portrait de l'artiste* – Besançon : *Vieille femme* – Bourges : *Tête de vieille femme* – Brest : *La demande en mariage* – Caen : *Vieillard* – Carcassonne : *Le départ de Régulus* – Chartres : *La piété de Fabius Dorso – Enfants et chien* – Châteauroux : *Tête de vieillard* – Cherbourg : *La demande accordée* – Grenoble : *Portrait d'homme* – Le Havre : dix dessins – Lille : *Dévouement de Porcia* – Londres (coll. Wallace) : *Une mère donnant à manger à son enfant – La leçon de lecture* – Lyon : *L'enfant en pénitence* – Nantes : *Tête de femme*, attr. aussi à Chardin – Narbonne : *Jeune paysan endormi* – Orléans : *La fileuse – Un jeune peintre* – Paris (Mus. du Louvre) : *Cour d'une ferme – Carle Vernet enfant – Trois enfants mangeant des crêpes* – Périgueux : *La Dévideuse* – Reims : *Marché avec une fontaine* – Saint-Omer : *Le lever de Fanchon* – Saint-Pétersbourg (Mus. de l'Ermitage) : *L'aiguiseur de ciseaux – Portrait d'enfant* – Tours : *Une douane – Matthias poignardant un Juif et l'officier qui le faisait sacrifier – Louis XVI – Louis-Charles de France, dauphin* – Troyes : *Le centaure et Achille* – Versailles (Trianon) : *Vénus et Adonis – Mort de Narcisse* – Vire : *Jeune garçon.*

Ventes Publiques : Paris, 1779 : *Une visite à la douane ; Le marché d'une ville*, ensemble : **FRF 3 821** – Paris, 1856 : *La promesse approuvée* : **FRF 3 015** – Paris, 1870 : *La canonnière brisée* : **FRF 6 200** – Paris, 12 fév. 1872 : *Jeune femme tricotant* : **FRF 4 010** – Paris, 8 mai 1891 : *La réponse désirée* : **FRF 15 000** – Paris, 1892 : *Portrait de jeune femme* : **FRF 13 000** – Paris, 2 mai 1894 : *La femme du braconnier* : **FRF 9 950** ; *La petite paysanne* : **FRF 3 000** – Paris, 1899 : *Portrait de femme* : **FRF 4 100** – Paris, 1899 : *La bouillie* : **FRF 12 000** – Paris, 26 et 27 mai 1902 : *Le mendiant* : **FRF 6 000** – Paris, 17 au 21 mai 1904 : *Jeune femme en buste* : **FRF 5 100** – Paris, 13-14-15 mars 1905 : *La Petite fille en bonnet*, 2 dessins : **FRF 2 200** – Paris, 21 avr. 1910 : *Le déjeuner*, dess. : **FRF 5 500** – Paris, 16-19 juin 1919 : *Portrait de fillette*, pierre noire et sanguine : **FRF 5 300** – Paris, 8-10 juin 1920 : *La petite fille au bonnet*, cr. : **FRF 4 500** – Paris, 6-8 déc. 1920 : *Portrait d'enfant* : **FRF 5 000** – Paris, 21 et 22 nov. 1922 : *La jeune mère* : **FRF 3 800** – Paris, 15 déc. 1922 : *La liseuse* : **FRF 3 100** – Paris, 22 nov. 1923 : *Fillette à la fanchon* : **FRF 21 500** – Paris, 26 juin 1924 : *Portrait de jeune garçon tenant son chapeau de ses deux mains*, pierre noire, sanguine et reh. blancs : **FRF 12 050** – Paris, 17 et 18 juin 1925 : *La Seine en amont du pont de la Tournelle* : **FRF 23 100** – Paris, 27 et 28 mai 1926 : *Le petit dessinateur* : **FRF 22 000** – Londres, 12 mai 1927 : *Deux scènes d'intérieur* : **GBP 300** – Paris, 7 mars 1932 : *Portrait d'un artiste* : **FRF 12 300** – New York, 15 fév. 1934 : *Petite fille et son chien* : **USD 130** – Paris, 29 mai 1935 : *La bonne mère* : **FRF 21 600** – Paris, 14 déc. 1935 : *L'étude* : **FRF 66 000** – Londres, 22 juil. 1937 : *Petite fille et son chat* : **GBP 380** – Paris, 28 fév. 1938 : *La petite mendiante*, cr. de coul. : **FRF 2 900** – Paris, 15 juin 1938 : *Le petit savoyard*, pierre noire, sanguine et reh. de blanc : **FRF 14 500** – Paris, 27 juin 1941 : *Étude pour Fanchon* 1772 : **FRF 67 000** ; *Le petit dessinateur*, attr. : **FRF 28 500** – Paris, 17 juil. 1941 : *Le petit savoyard*, pierre noire et sanguine, reh. de blanc : **FRF 23 500** ; *Étude pour « La demande en mariage »*, pierre noire, lav. et reh. de blanc : **FRF 7 200** – Paris, 28 nov. 1941 : *La jeune mère* : **FRF 7 010** – Paris, 8 mai 1942 : *Portrait de jeune homme* : **FRF 40 000** – Paris, 11 fév. 1943 : *Daniel dans la fosse aux lions* : **FRF 19 000** – Paris, 11 mai 1945 : *Portrait présumé de Mme Journu, mère* : **FRF 75 000** – Paris, 19 fév. 1946 : *Portrait de Louis Livio Vernet* 1771 : **FRF 460 000** – Londres, 25 mars 1946 : *Cupidon* : **GBP 500** – Londres, 30 juil. 1947 *Jeune femme en rose et vert* : **GBP 1 600** – Paris, 30 mai 1951 : *Portrait de Madame Lagrenée* : **FRF 600 000** – Paris, 4 juin 1958 : *Vue de l'intérieur d'une grande halle* : **FRF 2 100 000** – Londres, 10 juin 1959 : *La servante* : **GBP 650** – Cologne, 9 nov. 1960 : *Portrait d'un gentilhomme* : **DEM 2 400** – Paris, 7 mars 1961 : *L'élève curieux, ou Portrait de Carle Vernet à l'âge de quatorze ans* : **FRF 25 000** – Paris, 9 déc. 1961 : *Les accords ou La promesse approuvée* : **FRF 36 000** – Londres, 26 juin 1963 : *Jeune fille dessinant* : **GBP 2 000** – Paris, 1er déc. 1966 : *Intérieur d'une douane* : **FRF 150 000** – Londres, 7 juil. 1972 : *Le devoir maternel ou la Bouillie* : **GNS 8 500** – Londres, 20 mars 1973 : *Un coup difficile*, aquar. et pl. : **GNS 1 300** – Mentmore, 25 mai 1977 : *Famille de paysans dans un intérieur* 1777, h/pan., forme ovale (49x59) : **GBP 17 000** – New York, 5 juin 1979 : *Portrait de Jean-Baptiste Siméon Chardin*, pl. et lav./trait de sanguine (22x15,5) : **USD 3 800** – Londres, 16 juil. 1980 : *Portrait d'un vieux paysan ; Portrait de vieille paysanne*, h/t., une paire (44,5x36,5) : **GBP 9 000** – Monte-Carlo, 8 fév. 1981 : *Portrait d'une jeune fille*, h/t (44,5x36) : **FRF 40 000** – Paris, 1er mars 1983 : *La Cour de ferme*, aquar. gchée (23,7x32,8) : **FRF 8 000** – Monte-Carlo, 5 mars 1984 : *Le violoniste* 1781, h/t (65x53,5) : **FRF 105 000** – New York, 16 jan. 1986 : *Un jeune garçon debout*, craie noire et estompe reh. de blanc (35,8x22,4) : **USD 8 750** – Paris, 13 mars 1987 : *Tête de femme*, cr. noir et reh. de craie (26x19) : **FRF 40 000** – Paris, 18 mars 1988 : *Étude de jeune homme assis*, pierre noire, estompe et reh. de blanc (29x23) : **FRF 38 000** – Monaco, 17 juin 1988 : *La dévideuse* 1774, h/t (80x100) : **FRF 144 300** – Paris, 19 oct. 1988 : *Le pauvre vieillard*, h/t (60x50) : **FRF 70 000** – Monaco, 16 juin 1989 : *Nature morte avec sculpture antique, globe terrestre et livres*, h/t (45x35,5) : **FRF 654 900** – New York, 13 oct. 1989 : *Allégorie de Louis XV en Apollon* 1772, h/t (129,5x87,5) : **USD 16 500** – Monaco, 15 juin 1990 : *La voiture à chevaux*, lav. sur pierre noire (18,7x29,8) : **FRF 37 740** – Paris, 25 juin 1990 : *Le Joueur de cartes*, pierre noire et sanguine (24x20) : **FRF 190 000** – New York, 26 oct. 1990 : *Etude d'une tête d'homme barbu*, h/pap./cart. (17,1x11,4) : **USD 3 850** – New York, 8 jan. 1991 : *Etude d'une tête de fillette avec un fichu*, craie noire avec reh. de blanc/pap. parcheminé (27,6x21,4) : **USD 11 000** – Londres, 3 juil. 1991 : *Portrait de Madame Lagrenée* 1775, h/pan. (40x27,5) : **GBP 57 200** – New York, 9 oct. 1991 : *Portrait d'une jeune garçon vêtu d'un manteau gris et d'un bonnet marron et tenant un portefolio sous son bras*, h/t (45,4x36,7) : **USD 93 500** – Paris, 12 juin 1992 : *Les joies de la famille*, h/t (33,5x27) : **FRF 62 000** – Paris, 19 nov. 1992 : *Le joueur de cartes*, pierre noire et reh. de sanguine (24x20) : **FRF 80 000** – Londres, 21 avr. 1993 : *Une femme et deux fillettes en train de filer* 1774, h/t (80x100) : **GBP 8 625** – Paris, 25 juin 1993 : *Jeune femme cousant, pierre noire*, sanguine et reh. de craie blanche (34,8x26) : **FRF 102 000** – New York, 9 jan. 1996 : *Étude d'une tête de femme au menton levé*, craie noire avec reh. de blanc (17,2x21,7) : **USD 6 037** – Bayeux, 8 avr. 1996 : *La fille du braconnier*, h/t (45x37) : **FRF 380 000** – Londres, 3 juil. 1996 : *Nu masculin*, sanguine (55x35,5) : **GBP 1 035**.

LÉPICIÉ Renée Élisabeth, née **Marlié** ou **Marlier**

Née en 1714. Morte le 26 mars 1773 à Paris. XVIIIe siècle. Active à Paris. Française.

Graveur au burin.

Femme de Bernard Lépicié, dont elle fut l'élève et la compagne de travail. Elle a gravé des sujets religieux et des sujets de genre.

LEPICIER
XVIIIe siècle. Actif à la fin du XVIIIe siècle à La Flèche. Français.
Peintre.

LEPIÉ Ferdinand ou **Lepgé**
Né le 8 juin 1824 à Prague. Mort le 11 novembre 1883 à Vienne. XIXe siècle. Actif aussi en Autriche. Tchécoslovaque.
Peintre de paysages.
Il fut élève de l'Académie de Prague et se fixa vers 1860 à Vienne où il donna des leçons de dessin à la Cour. Il peignit des vues de Prague (cathédrale et château), de Baden près de Vienne, etc.
VENTES PUBLIQUES : VIENNE, 7 nov. 1972 : *Vue de Prague* : **ATS 28 000** – VIENNE, 16 mars 1976 : *Vue de Salzbourg* 1866, h/t (52x67) : **ATS 35 000** – VIENNE, 10 mai 1977 : *Vue de Grinzing* 1860, h/t (74x100) : **ATS 32 000** – VIENNE, 19 sep. 1978 : *Vue de Salzbourg*, h/pan. (22,5x37,5) : **ATS 35 000** – VIENNE, 13 févr 1979 : *Vue de Gmunden* 1863, h/t (55x69) : **ATS 40 000** – VIENNE, 20 mai 1987 : *Vue de Haarlem* 1870, h/t (99x137) : **ATS 50 000** – LUCERNE, 30 sep. 1988 : *Village au bord de l'eau* 1872, h/t (73x100) : **CHF 1 700** – LONDRES, 28 oct. 1992 : *Une ville au bord d'un lac le soir* 1871, h/t (53x66,5) : **GBP 990**.

LE PIEDECHAUX
XVIe siècle. Actif à Nancy. Français.
Sculpteur et imagier.
Travaillait, en 1531, au Palais ducal de Gondreville.

LE PILLEUR Jérémie
XVIIe siècle. Actif à Rouen. Français.
Sculpteur et peintre.
Avec Louis Le Hucher, il visita, en 1612, un tabernacle fait par Michel Lourdel, dans l'église paroissiale Saint-André de Rouen.

LE PILLEUR Matthieu
XVIIe siècle. Actif à Limoges. Français.
Sculpteur sur bois.
Il est probablement identique à Mathieu Le Pilleux de Rouen, qui exécuta en 1652 un autel de bois sculpté pour l'église des Jésuites de Périgueux.

LEPINAY Prosper ou **Lépinoy**
Né le 3 ou 31 octobre 1792 à Beauquesne. XIXe siècle. Français.
Peintre de portraits, miniatures.
Il fut élève de Delécluze et exposa à Paris de 1831 à 1859.
VENTES PUBLIQUES : PARIS, 28-29 mai 1923 : *Portrait de femme*, miniat. : **FRF 750**.

LEPINE
XVIIIe siècle. Actif à Bordeaux. Français.
Peintre de genre.
Il fut membre fondateur de l'Académie de Bordeaux en 1768. Il est mentionné à Paris en 1771. On perd sa trace en Russie vers 1781.

LEPINE C.
Mort en 1808. XVIIIe siècle. Actif à Paris. Français.
Graveur.
Il a gravé des scènes de l'époque révolutionnaire. Exposa au Colysée en 1797 et au Salon en 1793 et 1808.

LÉPINE Eugène. Voir **LELOUP Eugène**

LÉPINE Georges
Né à Latronquière (Lot). XXe siècle. Français.
Peintre, pastelliste.
Il exposait à Paris, au Salon des Indépendants depuis 1905.

LÉPINE Joseph Louis François
Né en 1867 à Rochefort-sur-Mer (Charente-Maritime). Mort en 1943 à Paris. XIXe-XXe siècles. Français.
Peintre de paysages, natures mortes. Néo-impressionniste.
Élève de Louis Cabié à Bordeaux, il suivit ensuite les cours de l'Académie Julian à Paris. Il exposait au Salon de Paris à partir de 1897, puis au Salon de la Société Nationale des Beaux-Arts, dont il était sociétaire depuis 1901.
Il commença à peindre selon la technique pointilliste à partir de 1900, donnant des compositions de plus en plus lumineuses, ce que Philippe Greig, lors de l'exposition rétrospective de Lépine en 1985 à Mérignac, expliquait ainsi : « sa palette s'enrichit en particulier de cette gamme de jaunes qu'il fait parfois vibrer jusqu'à l'incandescence ». Comme Claude Monet. Il s'est aussi intéressé aux effets de la lumière, changeant selon l'heure et la saison, sur les pierres des cathédrales de Rouen et d'Amiens.

BIBLIOGR. : Gérald Schurr, in : *Les Petits Maîtres de la peinture 1820-1920, valeur de demain*, Les Éditions de l'Amateur, t. VII, Paris, 1989.
VENTES PUBLIQUES : NEW YORK, 15 nov. 1929 : *La Marne près de Charenton* : **USD 200** – PARIS, 7 mars 1955 : *Route à l'entrée d'un village* : **FRF 16 000** – PARIS, 16 déc 1979 : *Pont fortifié sur le Lot à Cahors*, h/t (60x72,5) : **FRF 6 800** – TOULOUSE, 9 déc. 1986 : *Nature morte à l'ombrelle*, h/t (53x65) : **FRF 53 500** ; *Village sous la neige*, h/t (81x114) : **FRF 115 000** – PARIS, 16 nov. 1990 : *Chemin de campagne* 1895, h/pan. (30x52) : **FRF 15 500** – BORDEAUX, 8 oct. 1992 : *La Table dressée*, h/t (98x81) : **FRF 120 000** – PARIS, 17 fév. 1995 : *Paysage*, h/cart. (39x45) : **FRF 11 000** – PARIS, 28 juin 1996 : *Promenade aux abords d'un village* 1898, h/pan. (30x52) : **FRF 12 200**.

LÉPINE Louis
XIXe siècle. Actif à Paris. Français.
Sculpteur.
Élève de Levasseur et Osbach. Il débuta au Salon en 1880.

LÉPINE Stanislas Victor Édouard
Né le 3 octobre 1835 à Caen (Calvados). Mort le 28 septembre 1892 à Paris. XIXe siècle. Français.
Peintre de scènes de genre, portraits, architectures, paysages animés, paysages, paysages urbains, paysages d'eau, animaux, pastelliste.
Il fut élève de Corot à Paris, entre 1860 et 1875. Ses premiers tableaux ne firent guère sensation. L'artiste fût peut-être demeuré longtemps inconnu si le comte Armand Doria, frappé du sentiment qui se manifestait dans ses paysages, ne l'eût pris sous sa protection en même temps qu'Adolphe Félix Cals et ne lui eût offert la plus large hospitalité à son château d'Orrouy. Lépine put ainsi travailler sans souci des nécessités matérielles. La fortune sourit peu à l'artiste, sans que la sérénité de son regard sur les choses en fût affectée.
Il débuta au Salon de Paris en 1859. Les impressionnistes, n'ignorant pas ses mérites, l'invitèrent à participer à leur exposition de 1874. En 1993, la galerie Schmit de Paris a montré une exposition d'un ensemble de ses peintures.
Il a passé sa vie à parcourir la vallée de la Seine, en passant par Paris et jusqu'à l'estuaire, et s'est spécialisé dans la reproduction des berges, dont il a rendu toute la vie mouvementée et toute la poésie. S'il tient de son maître cette belle simplicité dans l'art de ressentir des émotions sincères et de savoir les communiquer sans emphase, il a aussi bien regardé Jongkind et en a parfaitement pénétré les secrètes recettes pour traduire la profondeur des ciels et la limpidité de l'onde. Outre ses mérites poétiques propres, Lépine fait partie de ces petits maîtres du paysage français au XIXe siècle, qui préparèrent la voie aux impressionnistes, et qui commencèrent d'éduquer l'œil du public à une vision plus synthétique de la nature.

S. Lépine S. Lépine
S. Lépine

BIBLIOGR. : Raymond Cogniat, in : *Diction. de la peint. mod.*, Hazan, Paris, 1954 – *Catalogue raisonné de l'Œuvre peint de Stanislas Lépine*, gal. Schmit, Paris, 1993.
MUSÉES : ANGOULÊME – CAEN : *Vue de Montmartre* – CHICAGO (Art Inst.) : *Un fleuve* – ÉDIMBOURG : *La Seine à Bercy* – LONDRES (Nat. Gal.) : *Le Pont de la Tournelle* – PARIS (Mus. d'Orsay) : *Le grand bassin des Tuileries* – *Portrait du fils de l'artiste* – *Le marché aux pommes* – PARIS (École des Beaux-Arts) : *Le Pont des Arts* – REIMS : *Vue de la Seine* – *Le quai aux fleurs* – *Bateaux sur le fleuve* – *Paysage avec rives* – ROUEN (Mus. des Beaux-Arts) – SAINT-ÉTIENNE (Mus. d'Art et d'Industrie).
VENTES PUBLIQUES : PARIS, mars 1900 : *La Seine à Bercy* : **FRF 10 400** ; *Le Pont de Sèvres* : **FRF 7 700** – LONDRES, 21 mai 1909 : *La Seine* : **GBP 399** – PARIS, 20 mai 1921 : *Les laveuses : bords de la Seine à Charenton* : **FRF 14 200** – PARIS, 23 juin 1936 : *Le Pont Neuf et le petit bras de la Seine, effet du soleil en automne* : **FRF 7 310** – LONDRES, 8 oct. 1943 : *Scène de rivière* : **GBP 89** – PARIS, 17 mars 1950 : *Le pont Sully à Notre-Dame* : **FRF 316 000** – NEW YORK, 14 jan. 1959 : *Pont Saint-Michel, Paris* : **USD 2 100** – BERNE, 10 nov. 1960 : *Vue de Paris* : **CHF 3 200** – LONDRES, 12 juin 1963 : *Le Quai Henri IV* : **GBP 3 400** – NEW YORK,

13 mai 1970 : *Le pont de Bercy* : **USD 26 000** – PARIS, 4 déc. 1972 : *La Seine à Paris* : **FRF 100 000** – LONDRES, 4 avr. 1974 : *Le moissonneur* : **GBP 1 100** – PARIS, 30 juin 1976 : *Canal au clair de lune*, h/t (46x55) : **USD 8 500** – PARIS, 15 juin 1977 : *Le pont Louis-Philippe en 1878*, h/t (32x26) : **FRF 28 000** – VERSAILLES, 4 mars 1979 : *Panorama de Rouen*, pl. (21x26,5) : **FRF 5 000** – PARIS, 16 mai 1979 : *Bords de canal*, aquar. (15,5x25,5) : **FRF 13 500** – LONDRES, 6 déc 1979 : *Bords de rivière*, h/t (24x33) : **GBP 19 500** – LONDRES, 31 mars 1982 : *L'Île Saint-Louis, le bras droit de la Seine*, h/t (40x60) : **GBP 15 000** – NEW YORK, 26 oct. 1983 : *Le Port de Caen*, h/t (45x62) : **USD 36 000** – NEW YORK, 25 avr. 1985 : *Le Pont Saint-Michel* 1873, aquar. et cr. (15x22,9) : **USD 5 500** – LONDRES, 24 juin 1986 : *La Seine à Paris* vers 1880-1885, h/t (27x41) : **GBP 31 000** – PARIS, 27 nov. 1987 : *Bords de rivière*, h/pan. (14x19) : **FRF 79 000** – VERSAILLES, 10 juin 1987 : *Le Bois de Boulogne*, past. (29,5x44) : **FRF 29 000** – PARIS, 28 mars 1988 : *Les Moissons*, h/pap. mar./t. (15x22) : **FRF 83 000** – PARIS, 15 avr. 1988 : *La Cour du Musée de Cluny*, h/pan. (23,5x15,5) : **FRF 78 000** ; *L'Arc-de-triomphe du Carroussel*, h/pan. (23,5x15,5) : **FRF 108 000** – NEW YORK, 25 mai 1988 : *La Seine au Pont-Neuf*, h/t (33x55,8) : **USD 4 180** – PARIS, 23 juin 1988 : *La Seine à Saint-Ouen*, h/pan. (16,3x24,5) : **FRF 19 000** – LONDRES, 28 juin 1988 : *La Seine à Paris* 1862, h/t (45x75) : **GBP 33 000** – CALAIS, 3 juil. 1988 : *La clairière au bois de Boulogne*, past. (29x45) : **FRF 39 000** – BERNE, 26 oct. 1988 : *Entrée de port avec une jetée et un phare*, h/pan. (24x35) : **CHF 20 000** – LONDRES, 21 oct. 1988 : *Vaches au clair de lune*, h/t (46,4x55,3) : **GBP 4 620** – PARIS, 24 nov. 1988 : *Bord de rivière animé*, h/t (21x57) : **FRF 660 000** – PARIS, 16 jan. 1989 : *Estuaire de la Dives*, h/t (46x60) : **FRF 31 000** – PARIS, 10 avr. 1989 : *Charroi de sable sur les quais* 1969, h/t (30x60) : **FRF 500 000** – PARIS, 22 juin 1989 : *Le quai d'Ivry, avec vue de la Seine et de Paris*, h/t (59,5x112,5) : **FRF 1 200 000** – LONDRES, 27 juin 1989 : *Vue des quais de la Seine au pont de Solférino* 1862, h/t (44,5x84) : **GBP 132 000** – NEW YORK, 18 oct. 1989 : *La place de la Concorde*, h/t (26,6x40,6) : **USD 77 000** – PARIS, 20 nov. 1989 : *Rue de village et l'abside de l'église* 1870-1874, h/pan. (23,8x16) : **FRF 190 000** – PARIS, 21 mars 1990 : *Vue de port*, h/t (35x54,5) : **FRF 120 000** – LONDRES, 3 avr. 1990 : *Un coin du port à Caen*, h/pan. (15,6x23,7) : **GBP 19 800** – PARIS, 10 avr. 1990 : *L'Orne à Caen, vers la route de Louvigny*, h/t (16x31) : **FRF 95 000** – BERNE, 12 mai 1990 : *Un quai de la Seine*, h/cart. apprêté (26x40) : **CHF 13 000** – PARIS, 22 juin 1990 : *Quais sur la Seine*, h/t (24,5x46) : **FRF 610 000** – AMSTERDAM, 6 nov. 1990 : *Clair de lune sur le canal Saint-Martin*, h/t (36x53) : **NLG 34 500** – AMSTERDAM, 12 déc. 1991 : *Paysage côtier*, h/cart. (15,2x23,5) : **NLG 4 600** – NEW YORK, 20 fév. 1992 : *Les bords de la Marne près de Créteil*, h/t (46,4x55,9) : **USD 23 100** – PARIS, 26 juin 1992 : *Mariage à Saint-Étienne du Mont*, peint./pan. (24x14) : **FRF 70 000** – NEW YORK, 26 mai 1993 : *Au bord de la rivière*, h/pan. (15,2x23,5) : **USD 12 650** – LONDRES, 23 juin 1993 : *Les Bords de la Marne à Créteil*, h/t (46,5x55,9) : **GBP 20 700** – NEW YORK, 8 nov. 1994 : *Caen, le bassin Saint-Pierre*, h/t (54,9x46) : **USD 54 625** – PARIS, 16 déc. 1994 : *Le Pont-Marie*, h/t (24,5x33) : **FRF 172 000** – LONDRES, 14 mars 1995 : *La Seine au pont de Sèvres*, h/t (19,5x33,2) : **GBP 28 750** – PARIS, 23 juin 1995 : *La Seine à Charenton* vers 1872-77, h/t (29x59,5) : **FRF 658 000** – PARIS, 10 déc. 1996 : *La Seine au Pont-Marie* vers 1874-1877, h/t : **FRF 280 000** – LONDRES, 21 nov. 1996 : *Un chemin montant*, h/pan. (25,4x20,6) : **GBP 5 175** – NEW YORK, 12 mai 1997 : *Vue de la Seine*, h/cart. (35,4x44,5) : **USD 255 500** – LONDRES, 13 juin 1997 : *Montmartre, la rue du Mont-Cenis* vers 1876-1879, h/t (40x27) : **GBP 16 100** – NEW YORK, 12 fév. 1997 : *Le Canal St Martin au clair de lune* vers 1876-1882, h/t (45,7x54,6) : **USD 34 500** – PARIS, 17 juin 1997 : *Montmartre, la rue des Saules* vers 1872-1876, h/t (46,5x38) : **FRF 580 000** – AMSTERDAM, 1er déc. 1997 : *Rivière au clair de lune*, h/t (38x55) : **NLG 49 560** – NEW YORK, 23 oct. 1997 : *La Seine près du pont d'Iéna*, h/t (52,1x85,7) : **USD 46 000**.

LEPINOIS Pierre Jean Baptiste Ernest de Buchère de
Né le 4 janvier 1799 à Versailles. Mort le 9 septembre 1848 à Provins. XIXe siècle. Français.
Paysagiste, peintre de genre.
Élève de Valenciennes. En 1826, il devint maire de Provins et fut décoré de la Légion d'honneur. Il a exposé au Salon en 1833 et 1834.

LE PIPER François ou **Le Pipre**
Né en 1640 dans le comté de Kent. Mort en 1698 à Londres. XVIIe siècle. Britannique.
Dessinateur et graveur.
Son père, d'origine flamande, le destinait au négoce et lui permit d'apprendre le dessin comme art d'agrément. Le Piper, après avoir visité une grande partie de l'Europe étudiant en amateur, vint mener à Londres une vie de dissipation au cours de laquelle il dessina des paysages et grava des couvercles de tabatières pour ses amis. Devenu presque pauvre, il dut travailler et fut employé par Becket, qui lui faisait dessiner ses planches à la manière noire. Il dessina aussi une part des portraits de sultans dans *l'Histoire des Turcs* de Rycaut. La mort de sa mère lui ayant procuré une nouvelle fortune, il reprit ses habitudes premières.

LEPIPPRE Emeric Marie Septime
Né en 1833 à Montfort-L'Amaury (Yvelines). Mort le 22 janvier 1871 au Mans (Sarthe). XIXe siècle. Français.
Peintre de sujets militaires, scènes de genre, marines, caricaturiste.
Élève de Thomas Couture et d'Armand Dumaresq, il a exposé au Salon de Paris de 1859 à 1866.
Ses sujets militaires, inspirés de la guerre de Crimée, lui ont donné l'occasion de peindre des chevaux élégants et racés. Ses caricatures sont exécutées dans un style aussi pertinent que celui de Thomas Rowlandson.
BIBLIOGR. : Gérald Schurr, in : *Les Petits Maîtres de la peinture 1820-1920, valeur de demain*, Les Éditions de l'Amateur, t. III, Paris, 1976.
MUSÉES : BAYEUX : *Cavalcade sous Louis VIII* – Quatre aquarelles.
VENTES PUBLIQUES : PARIS, 15 mars 1943 : *Famille d'artistes – Un bal devant Sébastopol*, deux aquar. : **FRF 900**.

LEPKE Ferdinand ou **Lepcke**
Né le 23 mars 1866 à Cobourg. Mort le 13 mars 1909 à Berlin. XIXe siècle. Allemand.
Sculpteur.
Élève de l'Académie de Berlin ; il travailla comme praticien dans l'atelier des frères Begas. Le Musée de Berlin conserve de lui : *Le sculpteur* (grès), celui de Weimar un *Groupe colossal de Phidias avec la tête de Zeus*.
VENTES PUBLIQUES : LONDRES, 26 fév. 1980 : *Le baiser*, bronze (H. 28) : **GBP 700** – LONDRES, 16 mars 1982 : *Danseuse* 1905, bronze (H. 51,2) : **GBP 2 200**.

LEPLA
XIXe siècle. Polonais.
Sculpteur.
Sculpteur impressionniste. Ses scènes composées, ses statuettes s'ingénient d'inclure l'atmosphère environnante.

LE PLA Gilles ou **Leplae**
Né vers 1656 à Gand. Mort en 1724. XVIIe-XVIIIe siècles. Éc. flamande.
Peintre.
Fils de Pieter Le Pla ; maître de la Gilde de Gand en 1692.

LE PLA Jacques. Voir **PLA**

LE PLA P. Fr.
XVIIe siècle. Actif à Gand. Éc. flamande.
Graveur au burin.
Il a gravé des portraits.

LE PLA Pieter ou **Leplae**
Né en 1630 à Gand. Mort après 1685. XVIIe siècle. Français.
Peintre.
Il a travaillé pour de nombreux monuments publics de Gand.

LEPLAE Agnès
Née en 1933 à Bruxelles. XXe siècle. Belge.
Peintre-aquarelliste, sculpteur, céramiste, sculpteur de compositions monumentales, peintre de cartons de mosaïques.
Elle fut élève de l'École d'Art de la Cambre et d'une école italienne à Paris.
Elle a créé des réalisations monumentales en céramique et mosaïque à Mons, à Liège.
BIBLIOGR. : In : *Dict. biogr. illustré des artistes en Belgique depuis 1830*, Arto, Bruxelles, 1987.
MUSÉES : BRUXELLES (Mus. roy. des Beaux-Arts) – BRUXELLES (Mus. roy. d'Hist.) – FAENZA – OSLO.

LEPLAE Charles
Né en 1903 à Louvain. Mort en 1961 à Bruxelles. XXe siècle. Belge.
Sculpteur de nus, bustes, graveur en médailles, céramiste. Néoclassique.

Il fut élève de l'Académie des Beaux-Arts de Louvain. Ensuite, il fit un séjour de quatre années à Oxford, et revint effectuer des études de droit à l'Université de Louvain. Il choisit alors de se consacrer à la sculpture et vint recevoir les conseils de Charles Despiau à Paris. Il a été membre des *Compagnons de l'Art*, et de l'Académie Picard. Il était rattaché au mouvement « animiste ». En 1948, il a pris part au Salon d'Art Moderne et Contemporain à Liège, où il montrait surtout des bustes, d'un modelé délicat. Il est devenu professeur à l'École Nationale d'Architecture et d'Arts Décoratifs de La Cambre.

Il a surtout sculpté des nus d'enfants et de jeunes gens, ainsi que de nombreux bustes, dans un esprit de retour au classicisme. D'entre ses œuvres : une *Jeune fille agenouillée* pour la façade de la Banque Nationale de Bruxelles ; deux grandes frises en céramique por la Banque du Congo Belge de Bruxelles ; une grande effigie d'évêque en bronze à la cathédrale de Namur.

Bibliogr. : Paul Fierens, in : *Trois sculpteurs*, Bruxelles, 1949 – Albert Dasnoy : *Charles Leplae*, Anvers, 1950 – Francine-Claire Legrand, in : *Diction. de la sculpt. mod.*, Hazan, Paris, 1960 – in : *Dict. biogr. illustré des artistes en Belgique depuis 1830*, Arto, Bruxelles, 1987.

Ventes Publiques : Bruxelles, 24 oct 1979 : *Les Petits Rats de l'Opéra*, bronze : **BEF 80 000** – Lokeren, 25 avr. 1981 : *Buste* 1942, terre cuite (H. 70) : **BEF 170 000** – Bruxelles, 24 oct. 1984 : *Tête d'éphèbe*, bronze (H. 33) : **BEF 65 000** – Lokeren, 16 fév. 1985 : *La mère de l'artiste*, bronze, patine brun foncé (H. 26,5) : **BEF 140 000** – Lokeren, 9 oct. 1993 : *Jeune fille agenouillée*, buste en plâtre (H. 61,5, l. 43) : **BEF 220 000** ; *Danseuse*, buste en bronze (H. 28, l. 17) : **BEF 85 000** – Lokeren, 4 déc. 1993 : *Femme enceinte*, bronze (H. 41, l. 11,5) : **BEF 44 000** – Amsterdam, 31 mai 1994 : *Tête de jeune homme*, bronze (H. 36,5) : **NLG 4 600**.

LEPLAT

xviie siècle. Actif à Gand. Éc. flamande.

Peintre de portraits et de compositions religieuses.

On cite ses images pieuses.

LEPLAT France

Née en 1895. Morte en 1953. xxe siècle. Française.

Peintre de figures, paysages, natures mortes, fleurs.

Ventes Publiques : Paris, 7 fév. 1927 : *Tête de femme* : **FRF 800** – Paris, 17 mai 1943 : *La Moisson* : **FRF 980** – Versailles, 18 nov. 1973 : *Le Bouquet d'anémones* : **FRF 6 500** – Zurich, 28 nov. 1974 : *La Meule de foin* : **CHF 23 000** – Zurich, 18 nov. 1976 : *Route champêtre*, h/t (54x65) : **CHF 14 000** – Zurich, 23 nov. 1978 : *Anémones et marguerites* 1951, h/t (50,5x61) : **CHF 6 500** – Zurich, 30 mai 1979 : *Nature morte aux huîtres* 1952, h/t (33x41) : **CHF 4 800**.

LEPLAT Jean

xve siècle. Français.

Peintre verrier.

Travailla vers 1440 aux vitraux de l'église de la Trinité de Châlons-sur-Marne.

L'ÉPLATTENIER Charles

Né en 1874 à Neuchâtel. Mort en 1946 à Côtes-du-Doubs. xxe siècle. Suisse.

Peintre de paysages, paysages animés, paysages de montagne.

Il vécut à La Chaux-de-Fonds. En 1909, il exposa à Munich. Il mourut accidentellement, ainsi que le relate le catalogue de l'exposition : *Exposition d'œuvres choisies de Charles l'Éplattenier* au Musée des Beaux Arts de Neuchâtel, 1947 : « Le 7 juin au matin, il retouchait *Bassin du Doubs* au bord de la rivière et, au début de l'après-midi, par une sente escarpée, se dirigeait vers Les Brenets, quand il fit une chute du haut d'une roche. Nul ne s'en douta jusqu'à la nuit noire où, le recherchant, on découvrit son corps détrempé par l'orage qui s'était déchaîné entretemps. »

Peintre des paysages typiques de la Suisse, il fut donc aussi un peintre de montagnes.

Ventes Publiques : Lucerne, 16 juin 1972 : *Paysage* : **CHF 10 000** – Zurich, 12 mai 1977 : *Lac de Gruyère et Moléson* 1904, h/t (50x61) : **CHF 5 500** – Berne, 2 mai 1979 : *Paysage du Jura* 1930, h/t (73x93) : **CHF 2 400** – Zurich, 13 nov. 1982 : *La Résurrection*, h/t (120x162) : **CHF 12 000** – Berne, 22 oct. 1983 : *Les Bûcherons*, h/t (110x110) : **CHF 11 000** – Zurich, 20 nov. 1987 : *Bord du Doubs, temps gris* 1945, h/t (89x116) : **CHF 5 000** – Berne, 26 oct. 1988 : *Chevaux au pré près d'une mare dans une ferme du Jura* 1937, h/t (81x100) : **CHF 6 000** – Londres, 21 fév. 1989 : *Le Cervin après le coucher du soleil*, h/t (71,4x90,1) : **GBP 4 950** – Zurich, 24 nov. 1993 : *Soleil de printemps* 1946, h/t (89x116) : **CHF 23 000** – Zurich, 14 nov. 1995 : *Une âme* 1911, h/t (110x110) : **CHF 40 000** – Zurich, 4 juin 1997 : *Femme surprise* 1932, h/t (100x81) : **CHF 11 500**.

LE PLU Jacques. Voir **PLA**

LE POER G. ou **L'Poer**

xviiie siècle. Italien.

Graveur.

Il grava à l'eau-forte une série de 7 planches de scènes bibliques. On mentionne également de sa main une vue à l'eau-forte du dôme de Milan, de 1728.

LE POINGNÈRE. Voir **POINGNÈRE**

LEPOITEVIN Claude

xxe siècle. Français.

Peintre. Abstrait.

En 1995, la galerie Mantoux-Gignac de Paris a montré une exposition personnelle de ses œuvres.

Il pratique une peinture abstraite à tendance géométrique, dans des harmonies sobres et une matière travaillée avec sensibilité.

LEPOITTEVIN Eugène Modeste Edmond, pseudonyme de **Poidevin**

Né le 31 juillet 1806 à Paris. Mort le 6 août 1870 à Auteuil. xixe siècle. Français.

Peintre d'histoire, sujets militaires, scènes de genre, paysages animés, paysages, marines, graveur.

Élève de Hersent et de Xavier Le Prince, Le Poitevin débuta au Salon en 1831. Il y exposa un nombre assez considérable de marines qui furent remarquées. Il fut un fidèle des Salons de Paris jusqu'à sa mort et y obtint des médailles en 1831, 1836, 1848 et 1855. Il fut membre des Académies d'Anvers et de Berlin. Il exposa à plusieurs reprises en Allemagne, notamment à Berlin et à Dresde.

Ce fut un peintre délicat qui mérite une place parmi les artistes de l'École de 1830. Il a touché à tous les genres, mais ses meilleures toiles sont ses marines et ses bords de rivières. Comme lithographe, il a produit divers ouvrages assez remarquables. Là encore ses sujets de marine sont peut-être les mieux traités, mais il a également lithographié avec charme et d'une façon très vivante des *Scènes de la Révolution de 1830* et des *Scènes de Paris*. En dehors de ses toiles de musées, on peut citer de lui : *Le Berger et la Mer* (au Ministère de l'Intérieur).

Musées : Abbeville : *Vue de la côte du Mont* – Amiens (Mus. de Picardie) : *Les Naufragés* – *Les femmes franques* – *La ferme Lécuier à Étretat* – Amiens (Mus. Napoléon) : *Les naufragés* – Amsterdam : *Jeune berger* – Angers : *Chasseurs de glace* – Auch : *Sarcleuses aux environs d'Étretat* – Avignon : *Le rêve de Cendrillon* – Beauvais (Mus. départ. de l'Oise) : *Hivernage d'un équipage de marins hollandais sur la côte orientale de la Nouvelle-Zamble* 1839 – Berlin (Nat. Gal.) : *Flibustier* – Béziers : *Sauvetage d'épaves* – Brest (Mus. des Beaux-Arts) : *Darsie sauvé et enlevé par Redgauntlet* 1839 – Bruxelles : *Deux Marine*, aquar. – Caen : *Les plaisirs de l'été* – Cambrai : *Les plaisirs de l'été* – Dieppe : *Marée basse en Bretagne* – Dijon (Mus. Magnin) : *Pêcheurs et pêcheuses conversant* 1831 – *Valet de chiens* – Épinal : *Festival au château* – Fécamp : *Marine* – Flers : *Cheval de halage* – Hambourg : *Baptême d'un bateau* – Kaliningrad, ancien. Königsberg : *Le golfe de Naples entre Capri et Sorrente* – Laval : *Gardeuse de dindons* – Leipzig : *Pêcheur sauvant une épave* – Liège : *Paysage* – Lons-le-Saulnier : *Les cyprès de la villa d'Este* – Marseille : *Le fort de l'Œuf* – Mulhouse (Mus. des Beaux-Arts) : *La mort d'Adonis* 1829 – Munich : *Adrien Brouwer peignant une enseigne d'auberge* – Nantes : *Marine* – Orléans : *Intérieur de cour en Normandie* – La Rochelle : *Pilotes hollandais* – Rotterdam (Mus. Boymans) : *Le peintre Ludolf Backhuysen offrant sa bourse à des marins* – Rouen : *Les amis de la ferme* – *Lever de lune* – *La montée de Bénouville* – *Sancho et son âne* – Sète : *Promenade sur la plage* – Soissons : *Écurie* – Versailles : *Prise de Baruth* 1109 – *Bataille navale d'Encho* 1346 – *Combat de Wertingen* 1805.

Ventes Publiques : Paris, 1844 : *L'arrivée de Van de Velde à Scheveningue* : **FRF 780** – Paris, 1850 : *Guillaume Van de Velde dessinant le combat naval de 1600* : **FRF 2 500** – Paris, 1876 : *Combat naval* : **FRF 3 050** – Paris, 1891 : *Marine et figures* : **FRF 560** – Paris, 22-24 avr. 1901 : *Château de Versailles* :

FRF 280 – Paris, 5 avr. 1909 : *La Charité* : **FRF 405** – Paris, 30 mai-1er juin 1921 : *Portrait de la famille Havin* : **FRF 1 320** – Paris, 3 mai 1926 : *Le déchargement du poisson (Étretat)* : **FRF 1 600** – Paris, 26 jan. 1927 : *Se rendant à la ville* : **FRF 1 300** – Paris, 26 nov. 1928 : *Une route sur les bords de la Seine* : **FRF 2 050** – Paris, 4 déc. 1931 : *Le déjeuner sous la tente au mont d'Orléans le lundi 4 septembre 1843 à deux heures de l'après-midi* : **FRF 15 000** – Paris, 30 avr. 1941 : *Panorama de Rome* 1840, dess. : **FRF 400** – Paris, 1er mars 1943 : *Marine au cabestan* : **FRF 3 100** – Paris, 12 mars 1943 : *La Terrasse au bord de la mer* 1841 : **FRF 16 500** – Paris, oct. 1945-juil. 1946 : *Femme de pêcheur* : **FRF 6 300** – Paris, 12 nov. 1948 : *Le baptême de la barque* : **FRF 16 800** – Paris, 15 mai 1951 : *Les quatre saisons*, quatre panneaux : **FRF 90 000** – Londres, 4 fév. 1972 : *William Van de Velde dessinant une bataille navale* : **GNS 750** – Versailles, 10 mars 1974 : *Les trois enfants sur la plage près des barques* : **FRF 9 000** – New York, 15 oct. 1976 : *Bataille navale* 1853, h/t (46x67) : **USD 1 100** – Londres, 30 nov. 1977 : *Scène champêtre*, h/t (42,5x65) : **GBP 1 300** – Berne, 3 mai 1979 : *Scène de bord de mer*, h/t (33x46) : **CHF 3 000** – Paris, 29 oct. 1981 : *Expédition polaire* 1839, h/t (109x157,5) : **FRF 45 000** – Londres, 18 mars 1983 : *Scène de bord de mer* 1835, h/t (88x114) : **GBP 6 000** – Fécamp, 20 juil. 1986 : *Petite pêcheuse sur la falaise* 1868, h/t (33x24) : **FRF 31 500** – Fécamp, 12 avr. 1987 : *La Chasse aux guillemots* 1868, h/t (38,5x46) : **FRF 26 000** – Cologne, 15 juin 1989 : *Salve d'honneur à l'approche de la côte* 1841, h/t (41x60) : **DEM 6 000** – Paris, 19 juin 1989 : *Le peintre à son chevalet*, h/t (32x40,5) : **FRF 27 000** – Paris, 6 juin 1990 : *Débarquement de la marée à Etretat*, h/pan. (38x47) : **FRF 20 000** – Versailles, 25 nov. 1990 : *Étretat*, h/pan. (38,5x47) : **FRF 42 500** – Londres, 21 juin 1991 : *Activités des pêcheurs près de leurs barques abritées par des falaises* 1835, h/t (88x116) : **GBP 10 120** – Paris, 10 avr. 1992 : *Baignade à Etretat*, h/pan. (21,5x48,5) : **FRF 66 000** – Paris, 9 juin 1993 : *Scène de barricade*, h/t (46x38) : **FRF 13 200** – New York, 13 oct. 1993 : *Repos au bord d'un ruisseau* 1846, h/t (38,7x65,1) : **USD 11 500** – Londres, 17 nov. 1995 : *Chevaux emballés piétinant des captives* 1844, h/t (65x54) : **GBP 8 050** – New York, 23-24 mai 1996 : *La Chasse au marais* 1846, h/t (38,1x45,7) : **USD 8 050**.

LEPOITTEVIN Louis
Né en 1847 à la Neuville-Champ-d'Oisel (Seine-Maritime). Mort en 1909. xixe siècle. Français.
Peintre de paysages animés, paysages, paysages d'eau, marines.
Il fut élève de G. Morin, Zacharie, Bouguereau et Tony Robert-Fleury. Il débuta au Salon de 1877. Figura au Salon des Artistes Français, il obtint une mention honorable 1883, médaille troisième classe 1886 ; deuxième classe 1888 ; bronze 1889 (Exposition Universelle) ; bronze 1900 (Exposition Universelle).
Sans lien de parenté avec Eugène Lepoittevin, il semble en avoir imité la manière.

Musées : Reims : *Les toiles d'araignée* – Rochefort : *Lever de lune* – Saint-Brieuc : *Berge fleurie* – *Le printemps* – Sète : *Le petit val* – Troyes : *Plage d'Étretat*.

Ventes Publiques : Paris, 1898 : *Le lavoir de Blarn, près de Vernon* : **FRF 420** ; *Les saules près de Vernonnet (Eure)* : **FRF 750** ; *Fin de journée au Petit Andelys : vaches buvant* : **FRF 450** – Paris, 1899 : *La rentrée des vaches, le soir* : **FRF 310** ; *Les chardons (vue prise des hauts des côtes de Giverny)* : **FRF 400** – Paris, 5 nov. 1923 : *Environs de Dieppe* : **FRF 350** – Paris, 20 nov. 1942 : *Les adieux à la jeune bonne* : **FRF 10 000** – Paris, 10 nov. 1943 : *Au cabaret du camp* : **FRF 3 500** – Nice, 26 jan. 1945 : *Berger et troupeau sur la falaise* : **FRF 8 500** – Nice, 21 mars 1951 : *Lavandières* : **FRF 18 000** – Paris, 25 fév. 1976 : *Barques de pêche*, h/cart. (13x32) : **FRF 2 100** – Reims, 26 oct. 1980 : *La chaumière au bord du Steir en Bretagne*, h/t (53x91) : **FRF 8 500** – Versailles, 14 mars 1982 : *Lavandières aux abords d'un étang*, h/t (131x187) : **FRF 32 000** – Londres, 8 juin 1983 : *Berger et troupeau*, h/t (53x79,5) : **GBP 900** – Londres, 30 mai 1986 : *Lavandières au bord de la rivière*, h/t (58,4x80) : **GBP 2 000** – Paris, 28 mars 1988 : *Bergère et son troupeau près de la rivière*, h/t (39x61) : **FRF 12 000** – Paris, 23 juin 1988 : *Retour de la pêche*, h/pan. (21,5x40,5) : **FRF 23 500** – Paris, 16 déc. 1988 : *Paysage champêtre*, h/t (38x61) : **FRF 10 000** – Paris, 16 jan. 1989 : *Bords d'étang*, h/t (46x65) : **FRF 3 200** – Bruxelles, 27 mars 1990 : *Pêcheurs sur la plage*, h/t (50x80) : **BEF 85 000** – Paris, 12 juin 1990 : *Les Chardons, vue prise du haut des côtes de Giverny*, h/t (59,5x81) : **FRF 40 000** – Paris, 22 déc. 1993 : *Vaches dans un pré*, h/t (40x65) : **FRF 6 500** – Paris, 6 mai 1994 : *Marines*, h/t, une paire (37x46) : **FRF 35 000** – Paris, 2 avr. 1997 : *Le Retour de la pêche*, h/t (92x71) : **FRF 12 500** – Paris, 20 oct. 1997 : *Les Lavandières*, h/t (65x92) : **FRF 11 000** – Paris, 26 sep. 1997 : *Bord de rivière*, h/t (65,5x91) : **FRF 12 000**.

LEPOLLART Célestin
Né le 19 novembre 1820 à Douai. xixe siècle. Français.
Paysagiste.
Élève de C. Dutilleux et E. Delacroix. Il exposa au Salon en 1888. Il fut nommé conservateur du Musée de Douai. Ce Musée possède de lui : *Vue prise aux environs de Douai*, et *Impression d'Italie* (d'après Corot).

LE POOT Nicolas
xviie siècle. Actif à Lille. Français.
Sculpteur.

LE PORTRE François
xive siècle. Actif à Saint-Omer. Français.
Sculpteur sur bois.
Il fit, pour l'abbaye de Sainte-Claire, à Saint-Omer, en 1322, un Crucifiement, figurant *Le Christ en Croix, entre la Vierge et saint Jean*.

LE POT Jean I, l'Ancien
Né à Bailleulval (près d'Arras). Mort le 12 juillet 1563 à Beauvais. xvie siècle. Français.
Sculpteur.
Il travailla à la cathédrale de Beauvais ; il y fit les clôtures des chapelles Saint-Vincent et du Saint-Sacrement et les portes des transepts. Sur celle du transept nord, il figura les *Quatre Évangélistes* ; sur celle du transept sud, la *Conversion de saint Paul* et la *Guérison du boiteux par saint Pierre à la porte du Temple* (un moulage de cette dernière œuvre est au Musée de sculpture comparée du Trocadéro). Le Pot avait épousé, en 1520, à Beauvais, la fille du grand artiste verrier Enguerrand Le Prince.

LE POT Jean II, le Jeune
Mort en 1581. xvie siècle. Actif à Beauvais. Français.
Sculpteur.
Il était fils et élève de Jean I l'Ancien.

LE POT Nicolas
xvie siècle. Éc. flamande.
Peintre verrier et sculpteur.

LE POT Thomas
Mort en 1587. xvie siècle. Actif à Beauvais. Français.
Peintre.
Il était fils du sculpteur Jean I l'Ancien. Voir aussi Pot Thomas.

LE POUTRE Jean A.
xviie siècle. Actif à Anvers vers la fin du xviie siècle. Éc. flamande.
Peintre et graveur à l'eau-forte et en manière noire.
Il a gravé des portraits et des sujets religieux.

LEPPE Carlos
Né en 1952. xxe siècle. Chilien.
Artiste de happenings.
Il fut le premier à réaliser un happening au Chili. Il semble être resté ensuite fidèle aux « actions directes », de type conceptuel.
Bibliogr. : Damian Bayon, Roberto Pontual : *La Peinture de l'Amérique latine au xxe siècle*, Mengès, Paris, 1990.

LEPPER Gereon
xxe siècle. Allemand.
Sculpteur. Cinétique.
À Düsseldorf, il a été l'assistant de Klaus Rinke, dont l'œuvre l'a nettement influencé. Sur des structures souples, sur des surfaces ou dans des volumes déformables, il fait agir la pression de l'air ou de l'eau.

LEPPERT Rudolf E.
Né le 20 décembre 1872 à New York. xixe-xxe siècles. Américain.
Peintre, illustrateur.
Élève de Baron de Grimm. Membre du Salmagundi Club et de la Fédération américaine des arts.

LEPPIEN Jean
Né le 8 avril 1910 à Lunebourg. Mort le 19 octobre 1991 à Paris. xxe siècle. Actif depuis 1933 et depuis 1953 naturalisé en France. Allemand.

Peintre, lithographe, illustrateur. Abstrait-constructiviste.

Il naquit au nord de l'Allemagne, d'une ancienne famille d'origine française huguenote, traditionnellement de négociants et de pasteurs. Il commença à dessiner et peindre dès 1927. En 1929, il fut étudiant au Bauhaus de Dessau, élève de Albers, Paul Klee et Kandinsky, duquel il traduisit ensuite les œuvres en français, à la demande de Nina Kandinsky. En 1931 et 1932, à Berlin, il travailla en peinture avec Moholy-Nagy et apprit la photographie avec Lucia Moholy à l'École Itten. En 1933, à l'arrivée des nazis au pouvoir, en tant que pouvant être taxé d'« artiste dégénéré », il quitta l'Allemagne et se fixa définitivement à Paris. Des travaux alimentaires divers, publicité, photo, décoration, aménagement d'expositions, ne lui laissaient alors que peu de temps pour peindre. En 1939, pour contribuer au combat contre le nazisme, qu'il haïssait encore plus que la guerre, par une passion viscérale pour la liberté et par attachement à son pays d'adoption, comme ce fut le cas de Hans Hartung, il s'engagea dans la Légion Étrangère. Démobilisé en décembre 1940, il vécut dans la clandestinité, à Roquebrune dans le Sud de la France, avec sa femme Suzanne. Engagé dans la Résistance, il fut arrêté et déporté pendant un an et demi en forteresse. Libéré en 1945 par les armées alliées, il retrouva à Paris sa femme, elle-même rescapée d'Auschwitz. Dans ces années d'après-guerre, il retrouva l'art abstrait en plein essor. Il se lia avec les critiques Charles Estienne, Michel Seuphor, Léon Degand, Herta Wescher, et les artistes Jean Deyrolle, Hans Reichel, Gilioli, entre autres.

En 1946, il participa à la première exposition des Réalités Nouvelles en tant que Salon. Il en devint ensuite membre du comité, attentif à la représentation du courant constructiviste, et y exposa jusqu'à sa mort, une exposition d'hommage lui y étant consacrée en 1992. Il participa ensuite, à partir de 1947, à de très nombreuses expositions collectives en France et internationales, dont, par exemple dans les premières années : le Salon de Mai à Paris, 1947 Galerie Colette Allendy, 1948 Galeries Denise René et Lydia Conti, 1949 dans les deux mêmes galeries, 1953 aux musées d'Amsterdam et de Rome, 1954 *Kandinsky et six peintres de Paris* à Sarrebrück, 1969 l'exposition du *Bauhaus* au Musée National d'Art Moderne de Paris, etc.

En 1949, la galerie Colette Allendy lui organisa sa première exposition personnelle, répétée en 1951 et 1953 ; qui furent suivies d'une centaine d'autres dans le monde, dont, en 1954 New York, Bruxelles, Milan ; 1955 Buenos Aires ; 1956 Zurich, Lausanne ; 1957 galerie Dina Vierny Paris ; 1961 galerie La Roue Paris ; 1964 New York ; 1969 Paris et Auvernier-Neuchâtel ; 1973 Cannes ; 1979-1980 exposition itinérante dans les Musées et Centres culturels en France ; et depuis 1987, celles de la galerie Franka Berndt à Paris. En 1997, la galerie Lahumière de Paris, a organisé une rétrospective de son œuvre.

En 1987, il fut promu Officier de l'Ordre des Arts et Lettres. En 1991, furent publiés ses mémoires, *Regards par-delà*.

Du premier tableau qu'il peignit en 1927, il est rapporté qu'il était déjà abstrait. Sa fréquentation du Bauhaus n'a pu que conforter ce tropisme. Travaillant ensuite avec Moholy-Nagy à Berlin en 1931-1932, il s'appliqua dans sa pratique picturale et dans la continuité du Bauhaus, à l'analyse des couleurs, des formes géométriques et de leurs réciproques correspondances. À Paris, dans le répit que lui laissaient ses activités alimentaires, ses rares peintures approfondissaient les recherches antérieures. Mais, après guerre, Résistance, déportation, revenu à Paris, il constata que toute sa production, de la période berlinoise comme de l'installation en France, était disparue. Parce qu'il avait auparavant traversé toutes les épreuves, qui l'avaient rendu résolument « insolent et drôle », comme dit Alain Anceau, il ne s'attarda pas en désespérance et repartit de rien. Dès lors, son œuvre s'est développé dans sa totalité et sa diversité, toujours attaché à l'originelle abstraction constructiviste, mais sans que lui-même s'inféodât à quelque appartenance restrictive, allant à son pas à lui : « Je ne veux pas me priver du plaisir de découvrir, je ne veux pas savoir où mène le chemin, ni même savoir si c'en est un. » Michel Seuphor a défini la pratique picturale de Leppien comme « un art de peindre où règne la géométrie brève et nette, la géométrie dans toute sa rigueur connue, avec, discrètement, un grain d'humour », ajoutant que ses œuvres « cherchent seulement à faire sourire l'ennuyeuse sagesse ».

S'ensuivirent les innombrables variations à partir des quelques constantes qui ont fondé tout son œuvre : maintenir les formes peintes sur la planéité de la toile et dans son format, limiter leurs signes linguistiques à quelques formes simples, évidentes, d'essence géométrique mais sans raideur et d'autant moins qu'il s'offrait souvent le plaisir de matières gustativement travaillées, exploiter les ressources des phénomènes synesthésiques entre formes et couleurs, ne pas refuser les inévitables correspondances d'une ligne horizontale avec l'horizon, d'un disque solaire avec le soleil. C'est ce que dit excellemment Gilles Plazy : « Leppien... marque la peinture de quelques signes humbles (de ces signes qui sont à tout le monde : cercles, carrés, croix qu'il suffit de saisir d'une main levée dans les constellations) ». On a pu tenter de distinguer des périodes ou des séries dans l'ensemble de son œuvre : d'abord des peintures constituées de surfaces délimitées par l'entrecroisement de grandes lignes courbes, évitant horizontales et verticales ; une série ultérieure de peintures composées de rectangles isolés les uns des autres ; puis, délaissant les variations sur les rectangles, des variations sur les cercles, peints dans une matière travaillée en épaisseur, soit concentriques à la façon des halos autour de la lune, soit extérieurs les uns aux autres, pouvant évoquer des satellites autour d'un astre. Il est vrai que ces diverses stratégies se sont souvent manifestées simultanément, voire additionnées dans des mêmes œuvres, notamment dans les dernières séries *UFO* et *OVNI*. Ainsi, au-delà d'une apparente austérité de sa pratique plastique, Jean Leppien a-t-il su communiquer avec chaleur ses émotions nostalgiques comme ses élans de jubilation, ce qui l'a fait dire par Danièle Giraudy « adepte d'un Bauhaus réchauffé par la Méditerranée ». ■ Jacques Busse

Jean Leppien

Bibliogr. : Peter Lufft : *Bauhausgeist in Frankreich*, Frankfurter Allgemeine Zeitung, 27 jan. 1951 – Sibert : *Jean Leppien*, in : Art d'aujourd'hui, Paris, fév. 1954 – Michel Seuphor, in : *Diction. de la peint. abstraite*, Hazan, Paris, 1957 – in : Catalogue de l'exposition *Bauhaus*, Mus. Nat. d'Art Mod., Paris, 1969 – Georges Boudaille : *Présence de Leppien*, in : XXe siècle, Paris, 1969 – Catalogue de l'exposition *Leppien*, Neuer Berliner Kunstverein, Berlin, 1976 – Catalogue de l'exposition *Jean Leppien, peintures récentes*, Gal. Michelle Lechaux, Paris, 1978, bon appareil documentaire – Gilles Plazy, Gérard Xuriguéra : Catalogue de l'exposition *Jean Leppien*, itinérante dans les Musées et Centres culturels français, 1979-80, bon appareil documentaire – Walter Vitt : *Jean Leppien*, Édit. Libris Artis, Hanovre, 1986 – Catalogue de l'exposition rétrospective *Leppien*, Galeries Franka Berndt, Lahumière, Paris, Arts et Civilisations, Quimper, 1988, abondante documentation – Danièle Giraudy, Éric Michaudin, in : Catalogue de l'exposition *Jean Leppien, 40 ans de peinture*, Musée Picasso, Antibes, 1988 – Catalogue de l'exposition *Jean Leppien*, Gal. Franka Berndt Bastille, Paris, 1991 – in : *Diction. de l'art mod. et contemp.*, Hazan, Paris, 1992 – Helmut Leppien : Catalogue de l'exposition *Jean Leppien. Peintures 1947-1978*, gal. Lahumière, Paris, 1997.

Musées : Antibes (Mus. Picasso) – Berlin (Graphotek) – Berlin (Neuer Berliner Kunstverein) – Berlin (Bauhaus-Archiv) – Berne (Kunstmus.) – Binghampton (American Civic Association) – Cagnes-sur-Mer (Château-Musée) – Cholet (Mus. des Arts) – Grenoble (Mus. d'Art Mod.) – Kaiserslautern (Pfalzgal.) – Legnano (Mus. d'Arte Mod.) – Liège (Mus. des Beaux-Arts) – Luxembourg (Mus. des Beaux-Arts) – Lyon (Mus. des Beaux-Arts) – Nantes (Mus. des Beaux-Arts) – New York (State University of New York at Binghampton) – Oldenburg (Landesmus.) – Paris (Mus. Nat. d'Art Mod.) – Paris (CNAC) – Paris (BN) – Paris (Mus. d'Art Mod. de la Ville) – Paris (FRAC d'Île-de-France) : *Composition* 1970 – Saint-Étienne (Mus. d'Art Mod.) – Sarrebruck – Strasbourg (Mus. de la Ville) – Stuttgart (Staatsgal.) – Witten (Märkisches Mus.) – Wolfsburg (Städtischesmus.) – Zurich (Kunstgewerbemus.).

Ventes Publiques : Paris, 20 mars 1988 : *Composition n° 39* 1979, h. et collage/t. (65x54) : **FRF 9 500** – Paris, 20-21 juin 1988 : *Composition* 1964, h/t (55x46) : **FRF 12 500** – Londres, 28 juin 1988 : *Composition* 1948, h/t (45x36) : **GBP 6 600** – Paris, 23 mars 1989 : *Composition* 1948, h/isor. (45x36) : **FRF 80 000** – Paris, 18 fév. 1990 : *Composition* 1948, h/isor. (45,5x36,5) : **FRF 75 000** – Versailles, 25 mai 1990 : *Composition* 1954, h/t (100x81) : **FRF 95 000** ; *Composition* 1959, h/t (81x65) : **FRF 90 000** – Paris, 6 déc. 1992 : *Composition* 1949, h/t (45x55) : **FRF 25 000** – Milan, 22 nov. 1993 : *Sans titre* 1962, h/t (81x65) : **ITL 6 128 000** – Stock-

HOLM, 30 nov. 1993 : *Composition* 1987, h/pan. (54x44) : **SEK 26 000** – PARIS, 25 mai 1994 : *Composition* 1959, h/t (46x55) : **FRF 24 000** – ZURICH, 14 nov. 1995 : *Composition* 1950, encre (24,2x32) : **CHF 1 500** – PARIS, 24 mars 1996 : *Composition* 1959, h/t (92x73) : **FRF 16 000** – PARIS, 5 oct. 1996 : *Composition* 1964, h/t (55x46) : **FRF 13 000**.

LEPRAT Pierre

Né en 1849 à Moulins. Mort en 1936. XIXe-XXe siècles. Français.

Peintre de paysages.

Fut élève de l'École de Dessin de Moulins, puis d'Harpignies, à Paris. Débuta au Salon des Artistes Français, en 1877. Fut nommé professeur de dessin au Lycée de Moulins, lors de sa création en 1882. Autour de 1900, peignit de nombreuses aquarelles et gouaches de fleurs et de paysages. Fonda l'association des « Amis de Montluçon ».

MUSÉES : ALENÇON : *Chiens – Sous-Bois*.

LE PRAVAY Jean

XVIe siècle. Actif à Tournai. Éc. flamande.

Peintre.

Il fit en 1586 une *Assomption de la Vierge* pour l'église Sainte-Madeleine.

LEPREAU Claude

XVIIIe siècle. Français.

Sculpteur.

Il exécuta pour l'église Saint-Michel à Rouen une chaire, maintenant dans l'église Saint-Vincent de la même ville.

LE PRESTINIEN Jehan ou **Jehan** ou **Pestinien, Pestivien** ou **Prestivien,** ou **Jehan de Pestinien**

Né en 1380 à Paris. Mort le 26 janvier 1463 à Dijon. XVe siècle. Français.

Peintre et enlumineur.

Le duc Philippe de Bourgogne lui avait conféré les fonctions de « valet de chambre, enlumineur et relieur de livres », qu'il occupa de 1441 à 1446. Il peignit pour son maître un calendrier, un psautier, un livre de prières et exécuta deux miniatures importantes dans un grand livre d'heures. Il fit, vers 1438, avec Antoine Orcet et Jean de Maisoncelles, un tableau donné à la cathédrale de Besançon, par son archevêque le cardinal Jean de Rochetaille.

LEPREUX Albert

Né en 1868 à Meaux (Seine-et-Marne). Mort en 1959. XIXe-XXe siècles. Français.

Peintre de paysages, aquarelliste, graveur, lithographe. Postimpressionniste.

Autodidacte, il se forme en suivant les Académies libre de Montmartre.

Il expose d'abord au Salon des indépendants depuis 1909, participe à Bruxelles au Salon La Libre Esthétique, avec Monet, Sisley, Pissaro. Il expose également au Salon d'Automne, et dans différentes galeries parisiennes, Marcel Bernheim, Georges Petit, Druet. Il fut fidèlement membre de la Société des Peintres-graveurs et lithographes Indépendants (Le Trait), il réalisa, à partir de ses paysages de France et de ses marines, des eaux-fortes, pointes-sèches et lithographies.

Au cours des années 20, il découvre le sud algérien et en rapporte des paysages qui figureront à l'Exposition Coloniale de Marseille en 1922 dans la section de la Société Coloniale des Artistes Français.

Dans les années 1930 il sillonne le Maroc et en rapporte des paysages des collines après la pluie, des panoramas de villes sous des ciels tourmentés, mais aussi des ruelles des médinas, des scènes de villages, de la vie quotidienne, des casbahs du Haut-Atlas, etc., dont certaines figureront à l'Exposition Coloniale de Naples en 1934 et aux Expositions artistiques de l'Afrique Française. Il a surtout peint des paysages enneigés.

MUSÉES : ALGER (Mus. Nat. des Beaux-Arts) : *Vue de Safi*, aquar. – *Vue de Fès*, aquar. – PARIS (BN, Cab. des Estampes).

VENTES PUBLIQUES : PARIS, 8 déc. 1989 : *Quatre dessins, y compris Le Marché aux laines et Le Conteur*, aquar. et fus., ensemble (entre 11,5x20 et 13,5x21,5) : **FRF 2 800** – PARIS, 27 avr. 1990 : *Rabat*, aquar. et cr., 18 vues (de 33x25 à 12x17,5) : **FRF 8 000** – CALAIS, 9 déc. 1990 : *Église sous la neige*, h/pan. (55x46) : **FRF 5 000**.

LEPREVOST, Mme

XIXe siècle. Active à Paris. Française.

Peintre de genre.

Exposa au Salon de 1839 à 1846.

LEPREVOST Gauthier

XVIe siècle. Français.

Sculpteur.

Il sculpta, de 1527 à 1529, deux figures de la Danse macabre, au cimetière Saint-Maclou à Rouen, et, en 1543, il fit les médailles des claires-voies de la tour de l'église Saint-André. On trouve encore un Jacques Leprevost, qui fit, à Rouen, de 1512 à 1517, le jubé de l'église Saint-Étienne et qui est peut-être le frère de Gauthier.

LE PRI Gioacchino

XIXe siècle. Italien.

Peintre, graveur.

Il travailla à Rome, où il obtint en 1810 un prix de l'Académie Saint-Luc. Il était graveur au burin.

LEPRI Stanislas

Né en 1905. Mort en 1980. XXe siècle. Italien.

Peintre de compositions animées, natures mortes, peintre de décors de théâtre, de ballets.

Il fut l'ami de Léonor Fini et de Pavel Tchelitchew.

Il créa les décors et costumes du ballet de Boris Kochno *Le Bal des blanchisseuses*, et aussi pour le ballet *L'œuf à la coque* créé par les Ballets de Paris en 1949.

VENTES PUBLIQUES : PARIS, 6 avr. 1987 : *Les Enfants cruels*, h/t (32x46) : **FRF 45 000** – PARIS, 10 déc. 1990 : *Le Cauchemar* 1949, h/pan. (90x70) : **FRF 31 000** – PARIS, 28 mars 1991 : *Face à la mort* 1946, h/t/cart. (39,5x30) : **FRF 7 000** – MONACO, 11 oct. 1991 : *Le Bal des blanchisseuses* 1946, temp./pan. (35x25) : **FRF 44 400** – ROME, 9 déc. 1991 : *Jeux aquatiques* 1965, h/t (73x50) : **ITL 3 220 000** – PARIS, 20 mai 1992 : *Étude*, h/pan. (40,5x27) : **FRF 4 200** – LONDRES, 15 oct. 1992 : *Nature morte de livres et de branches*, h/t (46,5x38,5) : **GBP 2 200** – PARIS, 13 déc. 1993 : *La Chute* 1947, h/pan. (61x26,5) : **FRF 11 000** – PARIS, 4 mars 1994 : *Le Souper*, h/t (45x60) : **FRF 10 500** – PARIS, 5 avr. 1995 : *Les Contes d'Hoffman par Offenbach*, h/isor. (32x40) : **FRF 11 500** – LONDRES, 25 oct. 1995 : *Débris* 1945, temp./bois (23,5x30) : **GBP 2 530** – PARIS, 28 oct. 1996 : *Le Tombeau d'Attila* 1938, h/t (61x38) : **FRF 7 000**.

LEPRIEUR Adrien

XVIIIe siècle. Français.

Peintre.

Le Musée d'Angers conserve de lui un *Portrait d'ecclésiastique*.

VENTES PUBLIQUES : NEW YORK, 18 avr. 1934 : *Marine* : **USD 300** – LONDRES, 23 mars 1979 : *Paysage fluvial boisé animé de personnages*, h/t (51,3x91,4) : **GBP 2 400**.

Le PRIMATICE. Voir **PRIMATICCIO Francesco**

LEPRIN Marcel François

Né le 12 janvier 1891 à Cannes (Alpes-Maritimes). Mort le 31 janvier 1933 à Paris. XXe siècle. Français.

Peintre de portraits, paysages, paysages urbains, natures mortes. Populiste.

Rien ne le destinait à la peinture. Il fut d'abord mousse, puis, à Barcelone, apprenti torero. Revenu à Marseille, peintre décorateur de bars, il peignit notamment les compositions du *Bar Pierre* admirées par Francis Carco, qui le qualifia de « peintre maudit ». Arrivé enfin à Paris en 1921, s'étant fixé à Montmartre, il fut admis pour la première fois au Salon d'Automne, et reçu sociétaire la même année. Ses premiers succès l'ayant libéré de l'extrême pauvreté, lui permirent les évasions qui élargirent son champ d'observation. En 1964, le Musée Galliéra de Paris lui consacra une exposition rétrospective. En 1967, la galerie Pacitti de Paris montra l'exposition *Leprin – Montmartre des années 20*. En 1987, le Salon d'Automne organisa une exposition d'hommage *Marcel Leprin, peintre de la réalité intérieure*.

Il avait d'abord peint des rues du vieux Montmartre et des coins assez sordides de la banlieue parisienne, puis, après Paris, il peignit tour à tour le port de Honfleur, Moret, Auxerre, etc., des vues de rues de villes, de villages, des humbles églises campagnardes ou d'imposantes cathédrales, d'une manière et d'une technique un peu naïves, mais d'un sentiment très poignant, qui rappellent, en un peu plus coloré de gris teintés très fins et plus soucieux du détail, celles de Maurice Utrillo. Il se développa ensuite dans un sens plus classique, avec, dans ses paysages urbains, un sens inné de la perspective, sans rien renier de sa fraîcheur naturelle. Ayant élargi son horizon, il élargit aussi son champ d'observation, avec des natures mortes de produits de la nature et de fleurs, des scènes de la vie populaire de la rue, des scènes de tauromachie, sa seule passion avec la peinture, des portraits : touchante *La Belle cabaretière*, des autoportraits, souvent d'autant plus émouvants que déguisés : *L'Homme au Shako, Le Torero blessé*. L'œuvre de Leprin est empreint à la fois du bonheur de communiquer son émotion devant le monde que l'homme s'est bâti pour se protéger ou se magnifier, et d'une profonde tristesse intérieure. ■ J. B.

LEPRIN

M. LEPRIN

LEPRIN

Bibliogr. : J.-P. Crespelle : Catalogue de l'exposition *Leprin – Montmartre des années 20*, gal. Pacitti, Paris, 1967 – Pierre Bureau : *Témoignage sur Marcel Leprin mon ami*, Édit. Mayer, Paris, 1984.

Musées : Chambéry (Mus. des Beaux-Arts) : *Maison dans la campagne* – Paris (Mus. Nat. d'Art Mod.).

Ventes Publiques : Paris, 18 nov. 1925 : *Faubourg* : **FRF 1 250** – Paris, 29 juin 1928 : *La Voie ferrée* : **FRF 2 100** – Paris, 2 mars 1929 : *La Lieutenance d'Honfleur* : **FRF 8 100** – Paris, 31 jan. 1938 : *Rue Mouffetard* : **FRF 1 000** – Paris, 20 juin 1941 : *Le Pont Paul-Bert à Auxerre* : **FRF 9 200** – Paris, 27 nov. 1942 : *Course de taureaux* : **FRF 25 100** – Paris, 24 fév. 1947 : *Canal Saint-Martin* : **FRF 56 000** – Paris, 16 mai 1956 : *Les Pavillons du coin (Écouen), Rue à Villiers-le-Bel*, ensemble : **FRF 680 000** – Paris, 1er déc. 1959 : *La Place Pigalle* : **FRF 600 000** – Paris, 24 fév. 1961 : *Le Bal du Moulin de la Galette* : **FRF 4 500** – Milan, 9 avr. 1968 : *Le Port de Marseille*, past. : **ITL 1 500 000** – Paris, 16 juin 1969 : *Place Pigalle* : **FRF 27 500** – Marseille, 9 déc. 1972 : *Rue de village* : **FRF 42 500** – Versailles, 12 juin 1974 : *Pêcheur près de l'écluse dans le village* : **FRF 22 600** – Versailles, 2 juin 1976 : *Montmarte, le débit de tabac*, h/t (73x60) : **FRF 15 000** – Londres, 18 mai 1977 : *Personnages à Montmartre près du Sacré-Cœur*, h/t (64,5x81) : **FRF 18 500** – New York, 11 mai 1979 : *Rue Lepic* 1921, h/cart. (59x74) : **USD 1 000** – Versailles, 3 juin 1981 : *Une passe du toréador Belmonte* 1919-1920, h/cart. mar./t. (238x225) : **FRF 29 000** – Versailles, 11 déc. 1983 : *Entrée du village sous la neige*, h/t (65x81) : **FRF 91 500** – Rambouillet, 20 oct. 1985 : *Femme nue allongée*, past. (42x63) : **FRF 7 500** – Paris, 8 déc. 1986 : *La Rue Mouffetard*, h/t (65x67) : **FRF 91 000** – Versailles, 13 déc. 1987 : *L'Église de Val-de-Mercy*, h/t (59,5x72) : **FRF 65 000** – Versailles, 10 juin 1987 : *Marchande des quatre saisons, rue Mouffetard* 1924-1925, h/t (65x81) : **FRF 80 000** – Versailles, 20 mars 1988 : *Les Espagnoles* vers 1920, h/t, d'après Zuloaga (238x178) : **FRF 100 000** – New York, 13 mai 1988 : *Église à Caen* 1930, h/t (45,7x55,3) : **USD 9 900** – Versailles, 15 mai 1988 : *Poitiers, Notre-Dame la Grande*, h/cart. (26,5x34,5) : **FRF 15 000** – Paris, 30 mai 1988 : *Montmartre, une rue*, h/pan. (26x35) : **FRF 18 000** – Paris, 12 juin 1988 : *La sortie du port d'Honfleur*, h/t (54x73) : **FRF 66 000** ; *Le Sacré-Cœur de Montmartre*, h/t (73x60) : **FRF 48 000** – Versailles, 15 juin 1988 : *Terrasse du Moulin de la Galette* 1924, h/t (60x73) : **FRF 100 000** – Paris, 23 juin 1988 : *Nu au divan bayadère*, h/t (65x53) : **FRF 52 000** – Versailles, 25 sep. 1988 : *Vénus et Vulcain*, détrempe/t. (132x121,5) : **FRF 71 000** – Paris, 20 nov. 1988 : *Saint-Pierre-sous-Vezelay*, h/t (73x60) : **FRF 80 000** – Paris, 22 nov. 1988 : *Chemin de Saint-Ouen*, h/t (65x92) : **FRF 108 000** – Versailles, 18 déc. 1988 : *Paris, le Lapin Agile*, h/t (32,5x40,5) : **FRF 46 000** – Paris, 13 mars 1989 : *La Seine à Bercy*, h/t (46x55) : **FRF 66 000** – Paris, 7 avr. 1989 : *Église Saint-Pierre de Montmartre* 1921, h/t : **FRF 78 000** – Paris, 11 juil. 1989 : *L'atelier rue de La Rochefoucaud*, h/t (50x61) : **FRF 75 000** – Versailles, 29 oct. 1989 : *Autoportrait*, h/t (65x54) : **FRF 12 500** – Paris, 13 déc. 1989 : *Village*, dess. au cr. noir (35x47) : **FRF 10 000** – Paris, 21 juin 1990 : *Paris, Montmartre, le Moulin de la galette, rue Lepic*, h/t (73x92) : **FRF 900 000** – New York, 10 oct. 1990 : *Nature morte de fleurs*, h/t (73,1x60,3) : **USD 5 225** – Paris, 25 nov. 1990 : *L'église Saint-Pierre de Montmartre*, h/t (50x61) : **FRF 300 000** – Paris, 7 déc. 1990 : *Marseille, les filles*, h/t (73x92) : **FRF 250 000** – Paris, 2 déc. 1991 : *Avallon*, h/t (89x115) : **FRF 129 000** – Calais, 5 avr. 1992 : *Vase de fleurs*, h/t (65x54) : **FRF 84 000** – Paris, 13 mai 1992 : *Marché sur la place du village*, h/t (61x50) : **FRF 89 000** – La Varenne-Saint-Hilaire, 13 juin 1993 : *Rue montante auprès du Sacré-Cœur à Montmartre*, h/t (73x60) : **FRF 150 000** – Paris, 22 juin 1994 : *Marchande des quatre saisons, rue Mouffetard à Paris* 1924, h/t (65x81) : **FRF 110 000** – Paris, 22 nov. 1994 : *La Seine et Notre-Dame*, h/t (46x56) : **FRF 75 000** – Paris, 1er fév. 1996 : *La rue au cycliste*, h/t (46x33) : **FRF 20 500** – Paris, 19 fév. 1996 : *Terrasse de café*, h/t (69x95) : **FRF 51 000** – Carry-le-Rouet, 9 juin 1996 : *Montmartre* 1922, h/t (73x60) : **FRF 70 200** – Calais, 7 juil. 1996 : *Le Marin sénégalais en permission*, h/t (46x55) : **FRF 44 500** – Paris, 13 nov. 1996 : *Le Port de Marseille* vers 1910, past. (45x60) : **FRF 40 000** – Paris, 12 mars 1997 : *Le Moulin de la Galette* vers 1918, h/cart. (52x68) : **FRF 90 000** – Paris, 27 oct. 1997 : *Toréadors*, h/t (65x81) : **FRF 75 000**.

LE PRINCE

xviiie siècle. Français.

Sculpteur.

Il exécuta en 1747 les deux lions au-dessus de l'entrée de l'Hôtel de Klinglin à Strasbourg. Il est probablement identique au sculpteur Martin Le Prince, mentionné à Paris en 1736 et 1764, et peut-être à Claude Le Prince à Rouen en 1749 et 1777.

LE PRINCE Anne Pierre. Voir l'article **LEPRINCE Robert Léopold**

LEPRINCE Auguste Xavier

Né le 28 août 1799. Mort le 26 décembre 1826 à Nice (Alpes-Maritimes). xixe siècle. Français.

Peintre de genre, paysages.

Né d'une famille d'artistes, il participa au Salon de Paris de 1819 à 1827, obtenant une médaille en 1819. Malgré sa mort prématurée, il laissa un œuvre assez important.

Ses paysages et scènes de genre sont peints dans le goût hollandais, très en vogue à l'époque de la Restauration, et dans un style très apparenté à celui de Louis Léopold Boilly.

Bibliogr. : Sylvain Boyer, in : catalogue de l'exposition : *Les années romantiques, la peinture française de 1815 à 1850*, Musée des Beaux-Arts de Nantes, Galeries nat. du Grand Palais, Paris, 1996.

Musées : Angoulême : *L'ordination* – Auxerre : *Portrait en pied de Chenard* 1821 – Baltimore (Peabody Inst.) : *La visite au curé du village* – *Voyageurs* – Bordeaux : *Paysage* – Châlons-sur-Marne : *Voyageurs* 1820 – Chambéry (Mus. des Beaux-Arts) : *Paysage* – Chartres : *Pierre Leprince* – *Gustave Leprince* 1824 – Dieppe : *Le thé au jardin* – Dijon (Mus. Magnin) : *Pêcheur ficelant une bourriche de poissons* – *Marché aux chevaux dans un bourg normand* – Le Havre : *Un enclos* – Honfleur : *Paysage du Susten en Suisse* – Narbonne : *Vieillard enchaîné dans un cachot* – Paris (Mus. Carnavalet) : *Barrière du Trône sous la Restauration* – Le Puy-en-Velay : *Chasseurs à l'affût* 1824 – Rochefort : *Royat* 1819 – Rouen (Mus. des Beaux-Arts) : *Paysage* 1817.

Ventes Publiques : Paris, 1859 : *Fête de village* : **FRF 700** – Paris, 9-11 juin 1909 : *Le départ de la diligence* – *L'arrivée de la diligence* : **FRF 34 000** – Lille, 1er juin 1928 : *Le départ de la diligence* – *L'arrivée de la diligence* : **FRF 130 000** – New York, 11 déc. 1930 : *Cour de ferme* : **USD 650** – Paris, 16 juin 1950 : *Les chevaux emballés*, aquar. gchée : **FRF 50 000** – Paris, 28 juin 1954 : *Porte de ville* : **FRF 65 000** – New York, 14 jan. 1977 : *Plaisirs champêtres* 1819, h/t (49x60) : **USD 11 000** – Paris, 5 oct. 1978 : *La place de l'église*, h/t (41x33) : **FRF 29 000** – Paris, 30 mars 1980 : *La marchande de légumes*, h/t (32,5x24,5) : **FRF 8 500** – Louviers, 6 juin 1982 : *Le marché* ; *Le mariage*, 2 h/t (50x66) : **FRF 265 000** – New York, 23 fév. 1983 : *Trois personnages en conversation* 1822, cr. et lav. (13,5x13,8) : **USD 750** – Lindau, 4 mai 1983 : *Après le duel* 1819, h/t (9x11) : **DEM 4 500** – Monte-Carlo, 5 mars 1984 : *Bergères et leurs animaux au bord d'une rivière* 1824, gche (20,3x27,6) : **FRF 8 500** – New York, 17 jan. 1990 : *Les troubadours* 1825, h/t (37,5x45,2) : **USD 10 450** – Paris, 12 avr. 1991 : *Fête en Espagne au pied des Pyrénées* 1820, h/t (25x41,5) : **FRF 135 000** – Paris, 26 juin 1992 : *Le marché sur la place du bourg*, h/t (46x38) : **FRF 50 000** – Calais, 14 mars 1993 : *Porte ancienne et rempart de Boulogne*, h/t (11x16) : **FRF 5 400** – Paris, 28 avr. 1993 : *Pêcheurs au bord d'une plage* 1823, h/t (32,5x40,5) : **FRF 28 000** – Londres, 16 juin 1993 : *Militaires devant un chateau* ; *Cour de ferme animée de figures et d'animaux* 1820, h/pan., une paire (chaque 31,5x39) : **GBP 34 500** – Paris, 24 nov. 1993 : *La pause des bateliers*, h/t (32x41) : **FRF 17 000** – Paris, 31 mars 1994 : *Les ramasseurs de coquillages*, h/t (22x16) : **FRF 16 000** – Londres, 8 juil. 1994 : *Paysanne vendant des légumes et du pain*, h/t (25x32,5) : **GBP 6 325** – Paris, 13 oct. 1995 : *En promenade* 1820, h/pan. (12x15) : **FRF 15 000**.

LEPRINCE Céline, Mme

Française.

Peintre de fleurs.
Le musée de Bagnères conserve deux aquarelles de cette artiste.

LE PRINCE Charles Édouard, baron de Crespy. Voir **CRESPY LE PRINCE Charles Édouard de**

LEPRINCE Claude ou **Le Prince**
XVIIIe siècle. Français.
Sculpteur.
Il sculpta en 1749 les décorations de la Porte Guillaume-Lion et une niche dans l'église Saint-Michel à Rouen. Il travailla en 1777 dans le chœur de la cathédrale. La Salle de réunion des Marchands de Rouen possède des sculptures sur bois de sa main.

LE PRINCE Engrand ou **Enguerrand**
Mort en 1530. XVIe siècle. Français.
Peintre sur verre.
On lui a attribué la plupart des vitraux des églises de Beauvais.

LEPRINCE Gustave
Né le 5 juin 1810 à Paris. Mort en 1837 à Paris. XIXe siècle. Français.
Peintre de paysages animés, paysages.
Frère et élève d'Auguste Xavier Leprince et de Robert Léopold Leprince, il exposa au Luxembourg en 1830 et au Salon de Paris de 1831 à sa mort.
Il a peint de vastes paysages panoramiques.
Bibliogr. : Gérald Schurr, in : *Les Petits Maîtres de la peinture 1820-1920, valeur de demain*, Les Éditions de l'Amateur, t. IV, Paris, 1979.
Musées : Douai : *Environs de Fontainebleau* – Versailles (Mus. du Trianon) : *Une ferme à Graville.*
Ventes Publiques : Paris, 1887 : *La fête des Loges – Le carnaval sur les Boulevards* : **FRF 2 300.**

LE PRINCE Jean
Mort en 1547. XVIe siècle. Actif à Beauvais. Français.
Peintre sur verre.
Les églises Saint-Martin et Saint-Étienne, à Beauvais, possèdent de ses œuvres.

LEPRINCE Jean Baptiste
Né le 17 septembre 1734 à Metz (Moselle). Mort le 30 septembre 1781 à Saint-Denis-du-Port (près de Lagny). XVIIIe siècle. Français.
Peintre d'histoire, compositions religieuses, scènes de genre, portraits, paysages animés, dessinateur, graveur.
Né à Metz au sein d'une famille nombreuse, il étudia la peinture d'abord à Metz, puis résolut d'aller à Paris. Il sut gagner l'estime et la bienveillance du maréchal de Belle-Isle, gouverneur de Metz, qui pourvut le jeune homme d'une pension destinée à faciliter ses études académiques et le fit entrer dans le meilleur atelier de l'époque, celui de François Boucher. Près de ce maître, Jean Baptiste Leprince développa rapidement ses propres qualités de grâce piquante et d'élégance.
Ses dessins au bistre et à la pierre noire eurent d'autant plus de succès près du public que celui-ci y reconnut l'influence de Boucher dont les œuvres faisaient fureur. Dans ses paysages, Leprince mêlait le réalisme à un conformisme hérité des paysagistes hollandais, Ruysdaël, Van de Velde, par exemple. Il y introduisit un pittoresque inconnu de ses prédécesseurs, se plaisant à imaginer, ou à mettre en relief, des décors rustiques ou l'amusant désordre d'un intérieur paysan, d'une humble cour de ferme. Voyant la vogue de ses dessins, Jean Baptiste Leprince chercha de bonne heure à les reproduire par la gravure, et expérimenta lui-même plusieurs procédés. Il perfectionna le procédé inventé par son compatriote lorrain, Jean-Charles François, l'aquatinte, qui avait l'avantage de laisser à ses dessins leur finesse d'exécution, et leur caractère. Ce procédé qui, en outre, était plus rapide que les autres, ne fut pas longtemps un secret. Janinet en usa pour ses remarquables gravures en couleurs. Mais Leprince demeura inimitable dans ses gravures au lavis, d'une exécution si délicate qu'il faut l'œil exercé d'un connaisseur pour les distinguer des dessins. Le nombre de ses planches dépasse cent soixante. Il fixa de cette manière les scènes les plus diverses : pastorales, marines, scènes champêtres, intérieurs, effets de lumière.
Plus tard, il utilisa beaucoup ce procédé pour faire connaître les dessins innombrables qu'il rapporta de son voyage en Russie. Il entreprit ce voyage en 1758 pour se soustraire aux difficultés issues d'un mariage malheureux. S'étant enfui en Hollande, il s'embarqua pour la Russie. Après plusieurs aventures – son bateau fut capturé par des corsaires, et Leprince dut de n'avoir pas ses bagages pillés à l'habileté et au sang-froid avec lequel il jouait du violon pendant l'abordage –, il arriva à Saint-Pétersbourg. Le maréchal de Belle-Isle l'avait recommandé à l'ambassadeur de France, le marquis de L'Hôpital, qui le présenta au Tzar. Celui-ci l'accueillit avec bienveillance, et le pria d'exécuter plusieurs plafonds du palais impérial. Cependant, le peintre n'était pas venu en Russie dans le but d'y exercer son talent, mais pour le perfectionner, recueillir des dessins originaux, étudier des paysages et des décors nouveaux, des scènes de la vie publique et familiale différentes de celles qu'il avait pu observer en France. Il dessina donc ou peignit tout ce qui s'offrait à sa curiosité : palais somptueux ou maisons de bois, meubles princiers ou rustiques, draperies orientales, épais manteaux, fourrures opulentes. Il nota chaque détail des intérieurs dans lesquels il était admis à pénétrer, s'introduisit dans les casernes et y observa l'habillement, la physionomie, l'allure des soldats. Il saisit sur le vif des scènes de la vie publique russe, assista à des cérémonies civiles et religieuses, à des parades militaires. Pour rendre sa documentation plus complète, plus originale, il parcourut la Livonie, se rendit chez les Samoyèdes, poussa enfin jusqu'à la Sibérie orientale et au Kamchatka.
Dès le retour à Paris de Jean-Baptiste Leprince, à la fin de 1764, les dessins, lavis, esquisses peintes, les gravures qu'il rapportait de Russie connurent le plus vif succès. À cette époque, la mode était à l'orientalisme, à l'exotisme. L'enthousiasme suscité par le talent de Leprince fut tel que le peintre fut agréé, dès 1765, à l'Académie de peinture, où il présenta, pour sa réception, *Le Baptême Russe*, qui fut très applaudi. Diderot, habituellement critique très sévère, ne ménagea pas ses louanges à l'artiste. L'originalité des décors, le pittoresque des scènes représentées, la bizarrerie des costumes avaient, pour les Parisiens, l'attrait de la nouveauté. Les tableaux de Leprince devinrent célèbres. On admira, au Salon de 1765, plusieurs compositions : *Halte des Tartares, Départ d'une horde, Parti de Cosaques, Vue de Saint-Pétersbourg, le Berceau pour Enfants*, où un hamac suspendu à un arbre remplaçait suivant la coutume russe, le traditionnel berceau français. Au Salon de 1767, Leprince exposa encore avec succès deux pastorales : *Le musicien champêtre* et *L'oiseau retrouvé*, et d'autres sujets composés d'après ses souvenirs de Russie : *La Guinguette de Moscou, La Bonne Aventure*, et *le Réveil des Petits Enfants*, dont Diderot, cette fois encore, vanta la touche moelleuse, les suaves couleurs et le fini merveilleux. Dans les années qui suivirent son retour, il exécuta un grand nombre de dessins et de gravures exécutés d'après les notes et les esquisses rapportées de Russie. Ce sont des *Suites* pittoresques de personnages habillés et coiffés à l'orientale, des paysages russes qui, n'étant pas d'un réalisme assez parfait pour déconcerter les Français, plurent extrêmement par tout l'inattendu et l'exceptionnel qu'ils offraient à la curiosité du public : les *Cris de Moscou*, les *Jeux russiens*, tissés pour la Manufacture de Beauvais.
Sentant pourtant la nécessité de se renouveler, afin de garder la faveur de ses admirateurs, Jean-Baptiste Leprince dessina des paysages et des pastorales selon le genre mis à la mode par Fragonard et Boucher. Jean-Baptiste Leprince était logé au Louvre ; il s'y lia d'amitié avec son voisin, le sculpteur Pajou, qui fit en médaillon le portrait du peintre. Sur la fin de sa vie, en 1781, Leprince se retira à la campagne, près de Lagny, entouré des soins affectueux d'une nièce, Marie-Anne Leprince, qui fut en même temps son auxiliaire pour la reproduction de ses gravures à l'aquatinte. Leprince, comme tous les créateurs d'un genre nouveau, a été beaucoup imité, notamment par Hilair et par Tillard. Ses œuvres très nombreuses, peintures, dessins, gravures, synthétisèrent l'esprit de désinvolture de son époque.
Musées : Angers : *Fête russe* – Besançon : *La place Louis XV* – Dijon : *Jeune femme endormie* – Épinal : *Jeune fille russe* – deux œuvres – Montpellier : *Quatre Levantines – Étude d'arbre* – Munich : *Scène de jardin* – Nancy : *La promenade dans le parc* – Orléans : *Paysage* – Paris (Mus. du Louvre) : *Le corps de garde – Baptême russe* – Rouen : *Paysans russes* – Saint-Pétersbourg (Mus. de l'Ermitage) : *Le Chiromancien* – Tarbes (Massey) : *Portrait de l'artiste.*
Ventes Publiques : Paris, 1777 : *Corps de garde* : **FRF 1 500** – Paris, 1784 : *Port de mer avec un charlatan* : **FRF 3 600** – Paris, 1862 : *Deux compositions décoratives*, ensemble : **FRF 4 500** – Paris, 1885 : *Les Bords de la Néva* : **FRF 2 600** – Paris, 28 mai 1897 : *Personnages en costumes orientaux*, six panneaux décoratifs : **FRF 19 300** – Paris, 1898 : *Le chemin du marché*, dess. à la sépia : **FRF 1 500** – Paris, 10-18 fév. 1898 : *Projet d'un panneau décoratif*, aquar. gchée : **FRF 4 700** ; *Paysages avec figures et*

animaux, deux dessins formant pendants : **FRF 6 200** – PARIS, 4 juin 1903 : *L'Amour à l'espagnole*, esquisse en grisaille : **FRF 1 120** – NEW YORK, 1909 : *Portrait de Gresset* : **USD 250** – PARIS, 12-13 mai 1919 : *Un château*, lav. d'encre de Chine : **FRF 1 050** – PARIS, 16-19 juin 1919 : *Paysage russe*, aquar. : **FRF 5 000** – PARIS, 6-7 mai 1920 : *La présentation au pacha* : **FRF 8 200** – PARIS, 21-22 juin 1920 : *La joueuse de guitare* : **FRF 4 050** – PARIS, 6-8 déc. 1920 : *Intérieur d'une chambre de paysan russe* : **FRF 15 600** – PARIS 21-22 NOV. 1922 : *Un Oriental* : **FRF 4 950** – PARIS, 22-23 mai 1924 : *La Petite Laitière* : **FRF 7 100** – PARIS, 17-18 juin 1925 : *Cour de ferme*, lav. de sépia : **FRF 9 000** – PARIS, 20-21 nov. 1925 : *Pastorale*, lav. : **FRF 5 800** – LONDRES, 12 mars 1926 : *La vertu au cabaret* : **GBP 152** – PARIS, 10 et 11 mai 1926 : *Le chien savant*, lav. : **FRF 8 000** – PARIS, 6-7 déc. 1926 : *L'air, L'eau* : **FRF 250 000** – PARIS, 21-22 mars 1927 : *Pêcheurs et lavandières* : **FRF 34 000** – PARIS, 21-23 nov. 1927 : *Réunion musicale dans un parc*, lav. de Chine : **FRF 17 200** – PARIS, 14-15 déc. 1927 : *Jeune femme debout dans un paysage*, sanguine : **FRF 9 800** – PARIS, 13-15 mai 1929 : *La fermière*, dess. : **FRF 21 000** – NEW YORK, 1er mai 1930 : *Danse orientale* : **USD 275** – PARIS, 19 juin 1931 : *Intérieur villageois en Russie* : **FRF 22 000** – PARIS, 26 mai 1933 : *La petite laitière* : **FRF 5 300** – PARIS, 14 déc. 1935 : *Le petit joueur de pipeau*, sanguine : **FRF 6 100** – PARIS, 14 mai 1936 : *Jeune fille russe*, cr. de coul. : **FRF 2 300** – PARIS, 18 mars 1937 : *La Cour de l'Hôtellerie* : **FRF 7 000** ; *La Fenaison* : **FRF 7 000** – LONDRES, 22 juil. 1937 : *Colin-Maillard*, dess. : **GBP 42** – PARIS, 15 juin 1938 : *L'aubade champêtre*, pierre noire et lav. d'encre de Chine : **FRF 10 500** – PARIS, 22 nov. 1940 : *Annibal chez les filles de Lycomède* : **FRF 18 000** – PARIS, 13-14 fév. 1941 : *Le Message envoyé* 1766 ; *Le Message reçu* 1767, deux pendants : **FRF 56 000** – PARIS, 31 mars 1943 : *Les Bouviers russes*, lav. d'encre de Chine : **FRF 5 500** – PARIS, 16 avr. 1943 : *Les Baigneuses* 1776, lav. de bistre : **FRF 29 500** ; *Le Pavillon au bord de l'eau* 1776, lav. de bistre : **FRF 16 000** – LONDRES, 9 juin 1944 : *La Danse russe*, sanguine : **GBP 336** ; *Voyageurs*, dess. : **GBP 220** – PARIS, 8 fév. 1945 : *Le pavillon russe* 1764, pl. et lav. d'encre de Chine : **FRF 70 000** – PARIS, 11 avr. 1945 : *L'esclave chrétienne* : **FRF 30 000** – PARIS, oct. 1945-juil. 1946 : *La dormeuse surprise* : **FRF 33 000** – PARIS, 18 déc. 1946 : *Le concert champêtre* 1769, pl. et sépia : **FRF 6 000** – PARIS, 5 mai 1947 : *Les plaisirs de la campagne*, attr. : **FRF 48 000** – PARIS, 9-10 juin 1953 : *Le repos pendant la fuite en Égypte* : **FRF 170 000** – PARIS, 18 déc. 1957 : *Femme de chambre russe portant un plateau à son maître*, encre de Chine, lav. : **FRF 240 000** – LONDRES, 14 mai 1958 : *La crainte, ou le Départ inattendu* : **GBP 1 500** – PARIS, 29 mai 1959 : *Jeune homme assis en habit à la Turque*, sanguine : **FRF 185 000** – PARIS, 25 mai 1960 : *La présentation au Pacha* : **FRF 8 000** – PARIS, 16 juin 1961 : *Le potier chinois* : **FRF 11 000** – LONDRES, 29 juin 1962 : *La crainte ou le Départ inattendu* : **GNS 1 200** – LONDRES, 10 juil. 1968 : *Le concert russe* : **GBP 11 000** – DEAUVILLE, 29 août 1969 : *Intérieur russe* : **FRF 20 000** – VERSAILLES, 22 fév. 1970 : *La crainte* : **FRF 60 000** – VERSAILLES, 27 mai 1973 : *Paysans et pêcheurs au bord de la rivière* : **FRF 34 000** – VERSAILLES, 27 mars 1977 : *L'offrande à l'Amour*, h/t (84,5x76) : **FRF 13 100** – MONTE-CARLO, 11 fév. 1979 : *Deux femmes russes assises dans un intérieur*, pl. et lav. gris (14,8x22) : **FRF 5 000** – GENÈVE, 28 juin 1979 : *Scène d'auberge avec des moines et un cavalier* 1781, h/pan. (53,4x74) : **CHF 62 000** – PARIS, 30 mai 1980 : *Paysage au petit pont*, aquar./esq. à la pierre noire (14x22) : **FRF 15 000** – PARIS, 4 mai 1983 : *L'Extérieur d'un cabaret de village* ; *Voyageurs attendant un bac* 1775, peint./bois, deux pendants (49x65,5 et 47,5x65) : **FRF 510 000** – LONDRES, 4 juil. 1984 : *Paysans attablés dans une cour de ferme*, craie noire et lav. de gris (42,5x37,2) : **GBP 5 200** – ROUEN, 15 déc. 1985 : *La petite russe*, aquar. (17x12) : **FRF 9 500** – PARIS, 14 nov. 1986 : *Jeune femme au turban*, sanguine (22x18) : **FRF 77 000** – PARIS, 21 déc. 1987 : *Repos pendant la fuite en Égypte* 1769, sanguine, lav. de sanguine et encre de Chine (32x35) : **FRF 51 000** – MONACO, 20 fév. 1988 : *Paysans russes dans un village enneigé* 1765, encre (17x22,8) : **FRF 15 540** – MONACO, 3 déc. 1988 : *Parc au bord d'un lac avec des personnages élégants* 1775, h/t (261x247) : **FRF 715 000** – PARIS, 20 déc. 1988 : *Paysage animé* 1776, h/t (120x177) : **FRF 850 000** – NEW YORK, 12 oct. 1989 : *Pêcheur à la ligne et une femme portant son bébé sur son dos au bord d'un ruisseau devant une maison*, h/t en bleu monochrome (88,3x149,8) : **USD 26 400** – MONACO, 7 déc. 1990 : *Le bonnet d'âne*, craie noire et gche/pap. (30,4x24,5) : **FRF 66 600** – NEW YORK, 9 jan. 1991 : *Paysage boisé avec un berger jouant de la flûte pour une bergère*, craie noire et lav. brun (35,2x25,4) : **USD 6 600** – NEW YORK, 22-23 mars 1991 : *Couple de paysans dans la cour d'une ferme* 1776, craie noire et lav. (19,4x28,3) : **USD 10 450** ; *Intérieur de taverne avec un client essayant de lutiner la servante et deux enfants* 1771, h/t (42x50,2) : **USD 20 900** – PARIS, 9 avr. 1991 : *Chinoiserie aux pêcheurs*, h/t, de forme chantournée (166x118) : **FRF 250 000** – MONACO, 21 juin 1991 : *Femmes adossée aux coussins d'un canapé* 1772, h/t (73x91) : **FRF 5 661 000** – MONACO, 22 juin 1991 : *Une fête villageoise*, h/t (92x156,5) : **FRF 610 500** – PARIS, 29 nov. 1991 : *Portrait d'un enfant en costume de fantaisie*, h/t (50x37) : **FRF 140 000** – NEW YORK, 14 jan. 1993 : *Noble dame vêtue d'une robe de satin rose assise dans une bergère tenant une lettre posant devant un rideau jaune* ; *Noble dame en robe de brocard brodant devant une fenêtre avec une cage à oiseau*, h/t, une paire (chaque 41,3x33,3) : **USD 41 800** – NEW YORK, 20 mai 1993 : *Tarquin et Lucrèce*, h/t (45,7x53,3) : **USD 57 500** – LONDRES, 7 juil. 1993 : *Paysage russe imaginaire avec des paysans* 1763, h/t (27,5x39) : **GBP 5 175** – PARIS, 22 mai 1994 : *Bord de rivière* 1777, cr. et lav. bistre (19x26,5) : **FRF 11 000** – PARIS, 4 oct. 1994 : *Paysage avec lavandières* 1776, pinceau et lav. (20,8x29,4) : **FRF 13 000** – LONDRES, 24 fév. 1995 : *Vaste paysage fluvial avec un âne et des pêcheurs sur la berge*, h/pan. (27,7x35,5) : **GBP 4 830** – NEW YORK, 12 jan. 1996 : *Le jaloux, amoureux dans un jardin*, h/t. en grisaille (37x45,5) : **USD 17 250** – PARIS, 22 nov. 1996 : *Portrait de femme en costume turc*, pierre noire (17,7x20) : **FRF 8 000** – PARIS, 27 juin 1997 : *Portrait d'un Oriental*, t., de forme ovale (60x49,5) : **FRF 90 000** – PARIS, 17 déc. 1997 : *Le Défilé des montreurs d'ours* ; *Le Théâtre de marionnettes sur la place du village*, pan., une paire (24x32) : **FRF 100 000**.

LEPRINCE Louis F.
XIXe siècle. Français.
Peintre.
Sociétaire des Artistes Français depuis 1897, il figura au Salon de ce groupement. Il travaillait à Rosny-sous-Bois.

LEPRINCE Nicolas
Né à Beauvais. XVIe siècle. Français.
Sculpteur.
Il fit un *Christ en croix, entouré des quatre évangélistes*, pour la cathédrale de Beauvais, en 1564. Il était sans doute parent d'Enguerrand Leprince et de son fils Nicolas, les célèbres verriers de Beauvais.

LEPRINCE Robert Léopold
Né le 14 novembre 1800 à Paris. Mort le 6 février 1847 à Chartres (Eure-et-Loir). XIXe siècle. Français.
Peintre d'histoire, scènes de genre, portraits, paysages, graveur.
Frère et élève des peintres Auguste Xavier Leprince et de Gustave Leprince, il était le fils d'Anne Pierre Leprince, également peintre. Il exposa au Salon de Paris de 1822 à 1844, obtenant une première médaille en 1824. Il s'établit à Chartres, où il se fit une certaine réputation de peintre de paysages.
BIBLIOGR. : Gérald Schurr, in : *Les Petits Maîtres de la peinture 1820-1920, valeur de demain*, Les Éditions de l'Amateur, t. V, Paris, 1981.
MUSÉES : BAGNÈRES-DE-BIGORRE : *Fête au village* – BESANÇON : *Un troupeau* – CHARTRES : *Vue des Alpes* – CLAMECY : *Intérieur de cuisine* – *Paysage et villageois* – *Vaches* – DIJON (Mus. Magnin) : *Le pont de Moret* – NARBONNE : *Paysage de rivière* 1825 – ORLÉANS (Mus. des Beaux-Arts) : *Paysage* 1826 – QUIMPER (Mus. des Beaux-Arts) : *Scène mythologique* – *Paysage avec figures* 1827 – ROCHEFORT : *Vue de Royat* – TOURS : *Paysage* – VERSAILLES (Mus. du Trianon) : *Les petits pêcheurs* – *Vue de Suisse* – *Enfant jouant avec un chien*.
VENTES PUBLIQUES : PARIS, 16 fév. 1927 : *Vue prise aux environs de Honfleur* : **FRF 2 000** – PARIS, déc. 1941 : *Paysage animé* : **FRF 5 400** – PARIS, 23 nov. 1942 : *L'allée ombreuse* – *La masure* 1822, deux pendants : **FRF 8 600** – PARIS, 14 juin 1951 : *La halte en forêt* : **FRF 22 000** – ENGHIEN-LES-BAINS, 25 févr 1979 : *Le retour du troupeau*, h/t (38x46) : **FRF 6 600** – PARIS, 30 mars 1980 : *Scène de marché* 1842 (38x46) : **FRF 14 000** – REIMS, 24 mars 1984 : *Le rendez-vous de chasse*, h/t (33x48) : **FRF 15 000**.

LEPRINCE Thérèse
Née le 20 janvier 1743 à Orléans. XVIIIe siècle. Française.
Pastelliste.
Cette distinguée portraitiste que nous connaissons pour un pastel de François Meusnier l'aîné possédait de sérieuses qualités de dessinatrice et de coloriste.

LEPRINCE-RINGUET Auguste Émile
Né au XIXe siècle à Laval. XIXe siècle. Français.

Peintre de genre.
Exposa au Salon en 1859 et 1861.

LEPRINCE-RINGUET Louis
Né en 1901 à Alès (Gard). XXe siècle. Français.
Peintre.
Il fut d'abord et surtout un physicien. Il fut membre, à partir de 1949, de l'Académie des Sciences. D'esprit brillant, il s'adonne aussi à la peinture.
Il montra ses œuvres dans des expositions personnelles, à Paris, en 1969 puis en 1971. La première exposition était consacrée à des vues de villes, de nuit, les fenêtres allumées, des alignements d'immeubles trouant l'ombre. L'exposition de 1971, par contre, donnait une réplique à la nuit et aux alignements des peintures de l'exposition précédente, en évoquant les hommes emprisonnés derrière des barreaux dans le monde entier.

LEPRIX Paul Denis
Né au XIXe siècle à Paris. XIXe siècle. Français.
Graveur.
Élève de J.-A. Allais. Il exposa de 1847 à 1868 et obtint une troisième médaille en 1849.

LEPROMPT Marie Léonie Adèle
Née au XIXe siècle à Paris. XIXe siècle. Française.
Portraitiste et miniaturiste.
Élève de Dauzat et de Levasseur. Débuta au Salon de 1878 et y exposa des peintures sur porcelaine, des gouaches, des miniatures.

LEPROUST Thierry
Né le 5 juin 1948 dans la Nièvre. XXe siècle. Français.
Dessinateur.
Il a été élève à l'École Boule de Paris.
Il a figuré, en 1977, à Paris, à l'exposition *Meubles Tableaux*, au Centre Georges Pompidou. Il a exposé chez Odermatt, à Paris. Il a obtenu le premier prix international de dessin de la Fondation Cornette de Saint-Cyr en 1977.

LE PROVOST Jean-Paul
Né en 1944 à Quitin (Côtes-d'Armor). XXe siècle. Français.
Peintre, graveur.
Il a figuré à l'exposition intitulée *De Bonnard à Baselitz* à la Bibliothèque nationale à Paris en 1992.
Bibliogr. : In : *De Bonnard à Baselitz - Dix ans d'enrichissements du Cabinet des Estampes 1978-1988*, catalogue de l'exposition, Bibliothèque nationale, Paris, 1992.
Musées : Paris (Cab. des Estampes).

LEPSIUS Reinhold
Né le 14 juin 1857 à Berlin. Mort le 16 mars 1922 à Berlin. XXe siècle. Allemand.
Peintre de portraits.
Il fut élève de Loefftz et de Lenbach à Munich. Il a obtenu une mention honorable, à Paris, en 1900, dans le cadre de l'Exposition universelle.
Musées : Berlin (Gal. Nat.) : *Carl Justi - Ernst Curtius - Le Dr von Gniest - La Fiancée de l'artiste* - Berlin (BN) : *Le Père de l'artiste* - Francfort-sur-le-Main : *Le Maréchal von Eichhorn.*

LEPSIUS Sabine, née **Graef**
Née le 15 janvier 1864 à Berlin. XIXe siècle. Active à Berlin. Allemande.
Peintre de portraits.
Elle fut élève de Gussow à Berlin et de Lefèvre et Benjamin Constant à Paris.
Musées : Berlin (Gal. Nat.) : *Portrait de la fille de l'artiste.*

LEPSZY Edward
Né en 1854. XIXe-XXe siècles. Polonais.
Peintre.
À Riga et Libau il peignit des marines, en Lituanie et en Russie Blanche des portraits. En 1900 il créa à Lemberg une École des Beaux-Arts qu'il dirigea lui-même. La Société des Beaux-Arts de Varsovie et l'église Notre-Dame de Lemberg possèdent de ses œuvres.

LEPUSCHÜTZ Johann
Né le 9 avril 1838 en Carinthie. Mort le 31 janvier 1903 à Graz. XIXe siècle. Autrichien.
Peintre.
Il étudia à Graz et à l'Académie de Vienne, puis à Munich. Parmi ses œuvres on cite les portraits de l'empereur *François Joseph*, pour l'Université de Graz, et celui du prince évêque *V. Wiery de Klagenfurt.*

LEPY Joseph
Né au XVIIIe siècle à Nancy. XVIIIe siècle. Français.
Sculpteur.
Troisième fils et élève de Nicolas Adrien Lepy.

LEPY Nicolas I
Né vers 1748 à Nancy (Meurthe-et-Moselle). XVIIIe siècle. Français.
Sculpteur.
Fils et élève de Nicolas Adrien Lepy.

LEPY Nicolas II
Né le 2 mai 1785 à Nancy (Meurthe-et-Moselle). Mort le 21 juin 1869 à Nancy. XIXe siècle. Français.
Sculpteur de statues, bustes.
Il fit, pour la ville de Nancy, une statue équestre, en plomb, du *Duc de Lorraine René II.* Il travailla à Vienne.
Musées : Nancy : *Buste du duc Léopold de Lorraine.*

LEPY Nicolas Adrien
XVIIIe siècle. Actif à Nancy. Français.
Sculpteur.
Il fut le fondateur de la dynastie artistique des Lepy.

LEPY Nicolas Joseph
Né le 29 septembre 1759 à Nancy. XVIIIe siècle. Français.
Sculpteur.
Fils et élève de Nicolas Adrien et père de Nicolas II Lepy qui fut le plus illustre de la famille.

LEQUESNE Eugène Louis ou **Le Quesne**
Né en 1815 à Paris. Mort en 1887 à Paris. XIXe siècle. Français.
Sculpteur de statues, groupes.
Élève de Pradier. Après de brillantes études, il devint un artiste quasi officiel. Il exposa au Salon à partir de 1842, obtint un deuxième Prix de Rome en 1843, un premier prix en 1844, une médaille de première classe en 1851 et une autre médaille en 1855 (Exposition Universelle), chevalier de la Légion d'honneur la même année.
On cite de lui un *Faune dansant*, pour le jardin du Luxembourg, une statue du docteur Laënnec, pour la ville de Quimper, un *Saint Cloud*, pour l'église Sainte-Clotilde, un *Saint Louis*, pour l'église Saint-Paul-Saint-Louis. On lui doit des cariatides et statues des pavillons Mollien et Denon au Louvre, une statue de l'Empereur Napoléon III, la statue de Notre-Dame de la Garde à Marseille. Il utilise aussi bien des matériaux classiques tels que le marbre et le bronze que des techniques nouvelles de la fonte de fer.
Musées : Amiens (Picardie) : *Thuillier Constant - Du Cange - L'industrie - La Sculpture* - Amiens (Mus. Napoléon) : *M. C. Thuillier* - Beaufort : *Masque d'Homère* - Bordeaux : *Faune dansant* - Cambrai : *Prêtresse de Bacchus* - Chartres : *A quoi rêvent les jeunes filles - Vercingétorix vaincu bravant les soldats romains* - Lille : *Camulogène* - Paris (Fac. Médec.) : *Laënnec* - Roanne : *Thuillier* - Versailles : *Le maréchal de Saint-Amand.*
Ventes Publiques : Enghien-les-Bains, 8 avr. 1979 : *Danseuse*, bronze doré (H. 75) : **FRF 6 200** - New York, 14 déc. 1982 : *Faune dansant*, bronze patiné (H. 49,5) : **USD 1 200** - Paris, 6 avr. 1990 : *Faune dansant*, bronze (H. 28) : **FRF 5 500** - Paris, 7 déc. 1992 : *Cheval anglo-arabe* 1867, fonte de fer (H. 200, terrasse 198x83) : **FRF 500 000**.

LE QUESNE Fernand
Né en 1856 à Paris. XIXe-XXe siècles. Français.
Peintre de genre, portraits.
Élève de Henri Gervex et d'Albert Maignan, il débuta au Salon de Paris en 1887, obtenant une mention honorable en 1889, une médaille de troisième classe en 1893, une de deuxième classe en 1894. Il figura également au Salon des Artistes Français, devenant membre de cette société à partir de 1891. Médaille d'argent à l'Exposition Universelle de 1900.
Outre ses compositions pleines de verve, comme *La Tentation*, on lui doit des paysages d'Égypte, d'Afrique du Sud et d'Inde.
Bibliogr. : Gérald Schurr, in : *Les Petits Maîtres de la peinture 1820-1920, valeur de demain*, Les Éditions de l'Amateur, t. II, Paris, 1982.
Musées : Agen - Tourcoing : *Le torrent.*
Ventes Publiques : Londres, 24 mai 1978 : *Les Esprits de la Nuit*, h/t (61x45,5) : **GBP 480** - Londres, 16 févr 1979 : *La naufragée*, h/t (190,2x159,4) : **GBP 1 900** - New York, 25 fév. 1983 : *Le Réveil*, h/t (194,3x162,6) : **USD 8 000**.

LEQUEU
Né au XVIIIe siècle à Alençon. XVIIIe siècle. Français.

Peintre et dessinateur.
Fit, en 1762, une *Vue perspective de l'Abbaye de Notre-Dame de Perseigne*, conservée à Neuchâtel.

LEQUEU Jean Jacques
Né en 1757 à Rouen. Mort vers 1825. XVIIIe-XIXe siècles. Français.
Architecte et dessinateur d'architectures.
Sans travail, il n'eut l'occasion de faire construire que deux « folies » dans la région de Rouen ses projets d'architectures ne dépassèrent pas le stade graphique, dans les quatre volumes de lavis, qu'il légua à la Bibliothèque Royale, en 1824-25, aujourd'hui conservés au Cabinet des Estampes. Dans ses débuts à Rouen, il avait reçu deux prix de l'Académie, en 1776 et 1778. Après la Révolution, qui ruina ses espoirs, il fut employé du Cadastre, de 1793 à 1801, puis cartographe, jusqu'en 1815, avant de connaître la misère. A la suite de Claude Nicolas Ledoux, et avec ses contemporains Desprez et Boullée, il avait rêvé une architecture nouvelle pour une société nouvelle, fondée sur le culte des grands hommes et de l'Etre éternel, faisant, entre autres, les projets pour un *Tombeau de Porsenna, roi d'Étrurie*, en 1792, et dont il faut remarquer qu'à cette date il était déjà conçu en fer ; ou celui pour un *Temple de la Terre*. Il bénéficia aussi de la lecture des grands récits de voyages en Extrême-Orient, abondamment illustrés sur place. Nombre de ses projets architecturaux en furent fortement marqués, orientalisme qui les rendait encore moins réalisables, d'autant que son imagination n'était limitée par aucun espoir de réalisation. Dessinateur d'ombres aussi étonnant que Boullée, aquarelliste d'une adresse rare, faute d'avoir été grand bâtisseur, Lequeu a laissé ses lavis, dont l'originalité de conception et de technique, mêlant néoclassicisme, Orient de fantaisie et une évidente mégalomanie liée à une absence totale du sens des réalités, en fait un événement à part dans l'époque préromantique. ■ J. B.

LEQUEUTRE Hippolyte Joseph
Né le 14 août 1793 à Dunkerque (Nord). Mort en 1877 à Paris. XIXe siècle. Français.
Peintre d'histoire, aquarelliste et miniaturiste.
Élève d'Isabey père. Il exposa de 1822 à 1863 et obtint une deuxième médaille en 1831. Le Musée de Dunkerque conserve de lui : *Jésus et la Samaritaine*. Il a fait quelques lithographies. La Résidence à Salzbourg possède de lui un *Portrait de la Princesse Louise de Bourbon-Artois*.
Ventes Publiques : Paris, 5 mars 1937 : *Portrait de S. A. R. la duchesse de Berry, en robe de velours rouge* : **FRF 590** – Londres, 29 nov 1979 : *Chasseur et trophées de chasse dans un paysage* 1842, aquar., cr., lav. de coul. et reh. de gche blanche (29x21) : **GBP 1 600**.

LEQUEUX Émile
Né à Haute-Ville (Marne). XXe siècle. Français.
Graveur.
Il fut membre, à Paris, du Salon des Artistes Français à partir de 1909, où il exposa et obtint une mention honorable en 1906. Il gravait au burin.

LEQUEUX Martial
XIXe siècle. Actif à Paris. Français.
Portraitiste, peintre d'histoire et de genre.
Exposa de 1847 à 1849.

LEQUIEN Alexandre Victor
Né le 17 janvier 1822 à Paris. Mort en 1905. XIXe siècle. Français.
Sculpteur.
Élève de M. Devaulx. Il débuta au Salon en 1853. Il a exécuté un buste en marbre de *Villemain*, pour le Ministère des Beaux-Arts.
Musées : Ajaccio : *Ph. Antoine d'Ornano – Napoléon III* – Saintes : *Bernard Palissy* – Troyes : *Le maréchal d'Ornano.*

LE QUIEN Henry
XVe siècle. Actif à Tournai de 1405 à 1423. Éc. flamande.
Peintre.

LEQUIEN Justin
Né le 1er novembre 1826 à Paris. Mort le 2 juin 1882. XIXe siècle. Français.
Sculpteur.
Probablement fils de Justin Marie Lequien. Il fut élève de Nicolas (?) Taunay et Astyanax-Scaevola Bosio. Il débuta au Salon de Paris en 1875. Certaines confusions peuvent se produire entre Justin Marie et Justin Lequien.

LEQUIEN Justin Marie
Né le 9 décembre 1796 à Paris. Mort le 18 novembre 1881 à Villevoyer (Yonne). XIXe siècle. Français.
Sculpteur de statues, bustes.
Probablement père de Justin Lequien. Il fut élève de Nicolas (?) Taunay et Astyanax-Scaevola Bosio. En 1819, il obtint le Second Grand Prix de Rome. De 1831 à 1857, il exposa au Salon de Paris. En 1863, il fut fait chevalier de la Légion d'honneur. Certaines confusions peuvent se produire entre Justin Marie et Justin Lequien.
Musées : Versailles : *Buste du connétable Gauthier de Brienne – Buste de Molière.*

LEQUINE Claude François
Né au XIXe siècle à Paris. XIXe siècle. Français.
Sculpteur et fondeur.
Cet artiste, dit S. Lami, se rendit en Allemagne où il fut, à Berlin, élève de Rauch. De retour à Paris il exposa au Salon en 1848 et 1864, 12 médaillons de plâtre, parmi lesquels un *Portrait du Lord Maire de Londres*, 2 bustes de plâtre, etc.

LE RALLIC Étienne
XIXe-XXe siècles. Français.
Dessinateur humoriste, illustrateur, graveur, affichiste.
Il participa au Salon des Humoristes à partir de 1912.
Ses dessins humoristiques traitent, pour la plupart, du cheval et des courses, selon un humour très britannique, proche de celui de la revue *Punch*. Francis Carco écrit à son sujet : « Un talent net et vivant, précis, souvent cocasse dans la drôlerie et pittoresque dans le comique ». Il a collaboré aux *Pages Folles*, au *Rire*, au *Sourire*, à *Le Vie Parisienne* et au *Journal*.
Bibliogr. : Gérald Schurr, in : *Les Petits Maîtres de la peinture 1820-1920, valeur de demain*, Les Éditions de l'Amateur, t. VII, Paris, 1989.

LERAMBERT François
XVIe siècle. Parisien, actif au XVIe siècle. Français.
Sculpteur.
Il prit part aux travaux de décoration du château de Fontainebleau de 1537 à 1540 et travailla, en 1549, dans l'hôtel d'Étampes, au tombeau de François Ier et en 1570 à celui d'Henri II.

LERAMBERT Germain
Né à Paris. Mort le 13 août 1619 à Paris. XVIIe siècle. Français.
Peintre et sculpteur.
On ne sait rien des œuvres de cet artiste.

LERAMBERT Henri
Mort en 1609. XVIe siècle. Français.
Peintre.
Il était « peintre pour les tapisseries » et « peintre ordinaire du roi » et travailla pour le château de Fontainebleau. Le Cabinet des Estampes à Paris conserve de ses dessins, parmi lesquels 27 appartiennent à une série : *Vie du Christ* pour l'église Saint-Merry à Paris.

LERAMBERT Louis
Né vers 1538 à Paris. Mort le 22 août 1614 à Paris. XVIe-XVIIe siècles. Français.
Sculpteur de monuments.
Il travailla en 1567 au château de Fontainebleau, sous la direction du Primatice, puis au tombeau d'Henri II et continua à s'adonner à cette œuvre en 1570. Il fut nommé garde des marbres du Louvre, en 1597, de ceux des Tuileries et de Saint-Germain-en-Laye, en 1602, et reçut un logement au Louvre. Il eut deux fils sculpteurs : l'un, Nicolas, en 1587, mourut le 22 juin 1616 ; l'autre, Simon, recueillit sa charge de garde des marbres du roi et fut père de Louis Lerambert, sculpteur et académicien.

LERAMBERT Louis
Né à Paris, en 1610, 1614 ou 1620. Mort le 15 juin 1670. XVIIe siècle. Français.
Sculpteur de groupes, peintre.
Fils de Simon Lerambert, garde des marbres du roi Louis XIII, qui était son parrain. Élève de Le Brun, de Vouet et de Sarrazin. Il fut reçu à l'Académie en 1663, et lui donna, en 1664, le portrait grandeur nature du *Cardinal Mazarin*, terre cuite. Il y a de lui à Versailles : au perron du milieu de la terrasse du parterre d'eau, à droite et à gauche, *Deux sphinx* en marbre portant chacun un amour en bronze tenant des guirlandes, à l'allée d'eau, *Deux amours tenant une jeune nymphe* (groupe en marbre), *Trois Enfants* (groupe), *Trois petits joueurs d'instruments* (groupe), *Trois petits termes* (groupe en marbre) ; douze *Termes* au par-

terre sur l'Orangerie. Ces œuvres ont été gravées par Lepautre et Thomassin. Dans sa jeunesse, il avait passé dix années à Rome, copiant les Carrache, dont ses œuvres propres conserveront la grâce. Avant ses travaux à Versailles, il avait été au service de Fouquet pour le château de Vaux-le-Vicomte, puis avait été employé aux Tuileries.
En résumé, il fut l'un des créateurs de l'art de plein air, caractéristique de la France de cette époque, y apportant le charme de ses groupes d'enfants rieurs, venus de l'Antiquité romaine à travers les Italiens.

L Lerambert.

LE RAT Léonie Amelina
Morte en 1900 à Oran (Algérie). XIXe siècle. Française.
Aquafortiste.
Elle exposa ses œuvres à partir de 1892.

LERAT Louis
Né en 1905 à Peruwelz. XXe siècle. Belge.
Peintre de compositions à personnages, portraits, nus, peintre de cartons de vitraux.
Il fut élève des Académies des Beaux-Arts de Tournai et de Bruxelles.
Il débuta comme créateur de vitraux ; à ce titre, il réalisa la grande verrière de la cathédrale de Rouen. En tant que peintre, il montrait une prédilection pour le nu.
Bibliogr. : In : *Dict. biographique illustré des artistes en Belgique depuis 1830*, Arto, Bruxelles, 1987.
Musées : Mons.

LE RAT Paul Edme
Né le 10 septembre 1849 à Paris. Mort en 1892 à Paris. XIXe siècle. Français.
Graveur.
Élève de Lecoq de Boisbaudran et de L. Gaucherel. Il débuta au Salon en 1869 et obtint une médaille de troisième classe en 1875 et une de deuxième classe en 1879.

LERAY Auguste Eugène
Né au XIXe siècle à Paris. XIXe siècle. Français.
Graveur sur bois.
Élève de Maurand et de Bocourt. Sociétaire des Artistes Français depuis 1883, il figura au Salon de ce groupement où il obtint une mention honorable en 1885, une médaille de troisième classe en 1900.

LERAY Léon
Né le 28 septembre 1901 à Saint-Méen-le-Grand (Ille-et-Vilaine). Mort en 1976. XXe siècle. Français.
Peintre, professeur.
Il fut élève de l'École des Beaux-Arts de Paris. Il exposa, à Paris, au Salon des Artistes Français, où il obtint une médaille de bronze, et au Salon d'Automne.

LERAY Prudent Louis
Né le 29 août 1820 à Couëron (Loire-Atlantique). XIXe siècle. Français.
Peintre d'histoire, compositions religieuses, scènes de genre, portraits, natures mortes.
Élève de P. Delaroche. Il débuta au Salon en 1844. On cite de lui : *Jésus guérissant les malades*, pour l'église Saint-Julien-le-Pauvre à Paris.
Musées : Béziers : *Viandes et légumes – Fête du village* – Nantes : *Charles IX et sa cour visitant les gibets de Montfaucon – Scène aux Champs-Élysées sous le Directoire* – La Rochelle : *Lebatelet* – Rouen : *Mme Belmont-Joly – Le joueur de vielle* – Saint-Étienne : *Le magot trouvé*.
Ventes Publiques : Paris, 1879 : *Les rêves d'un croyant* : **FRF 1 200** ; *Le départ de la diligence* : **FRF 300** ; *Le Haut du Pavé, à Angers* : **FRF 615** – Paris, le 12 fév. 1909 : *Soldat ivre* : **FRF 50** – Londres, 6 nov. 1909 : *Amoureux* : **GBP 9** – Paris, 29 juin 1945 : *L'aïeule* : **FRF 800** – Paris, 2 juin 1950 : *Le bal* : **FRF 14 000** – Vienne, 4 déc. 1973 : *Le départ du gentilhomme* : **ATS 60 000** – Versailles, 14 oct 1979 : *La soubrette*, h/pan. (32x23) : **FRF 4 500** – Berne, 26 oct. 1988 : *Le rendez-vous*, h/pan. (32x24) : **CHF 2 900** – Londres, 14 fév. 1990 : *La procession des moines*, h/t (164,5x110,5) : **GBP 6 160** – Londres, 7 avr. 1993 : *Un conseil avisé*, h/pan. (34x25,5) : **GBP 1 265**.

LERBERGHE Jan Van
Né vers 1755 à Courtrai. Mort vers 1810. XVIIIe-XIXe siècles. Belge.
Graveur et orfèvre.
Il travailla à Gand.

J. V. L. fe

LERBERGHE Karel Van
Né en 1899 à Woumen. Mort en 1953 à Gand (Flandre-Orientale). XXe siècle. Belge.
Peintre de paysages.
Il fut élève des Académies des Beaux-Arts de Bruges et de Gand.
Bibliogr. : In : *Diction. biographique illustré des artistes en Belgique*, Arto, Bruxelles, 1987.
Ventes Publiques : Lokeren, 28 mai 1988 : *Pastorale*, h/t (80x65) : **BEF 50 000** – Lokeren, 8 oct. 1988 : *Place de village sous la neige* 1918, aquar. (23x31) : **BEF 11 000** – Lokeren, 5 déc. 1992 : *Lisseweghe sous la neige*, h/t (65,5x80) : **BEF 26 000** – Lokeren, 9 oct. 1993 : *Après la pluie* 1942, h/pan. (65x80) : **BEF 26 000** – Lokeren, 4 déc. 1993 : *Église de village à Rivier*, h/t (65x80) : **BEF 25 000**.

LERCH Jakob
XVIIe siècle. Suisse.
Peintre verrier.
Travailla à la décoration de plusieurs monuments publics de Lucerne.

LERCH Joseph
Né le 16 février 1740. Mort vers 1810 à Munich. XVIIIe-XIXe siècles. Allemand.
Peintre, aquarelliste.
Il travailla à Augsbourg et à Munich et fut, de 1764 à 1770, peintre de fleurs et d'oiseaux à la Fabrique de porcelaine de Nymphembourg.

LERCH Leo ou **Léon**
Né le 13 août 1856 à Somichow près de Prague. Mort le 6 mai 1892 à Somichow. XIXe siècle. Tchécoslovaque.
Peintre d'histoire.
Élève de Lötffz à l'Académie de Munich. La Pinacothèque de cette ville conserve de lui une *Pietà*, le Rudolphinum à Prague un *Buste de vieillard*. Médaille de bronze à Paris en 1889 (Exposition Universelle).
Ventes Publiques : Paris, 28 jan. 1924 : *Portrait du graveur en médailles Rautsch* : **FRF 210**.

LERCH Magda von
Née en 1871 à Presbourg. XIXe-XXe siècles. Autrichienne.
Peintre de paysages, natures mortes, nus, graveur.
Elle étudia à Vienne et travailla à Innsbruck où elle peignit des paysages, des natures mortes, des nus et exécuta des eaux-fortes.
Ventes Publiques : Vienne, 21 sept 1979 : *Paysage au moulin* 1905, h/t (27x49) : **ATS 13 000**.

LERCH Nicolas, appelé aussi **Nicolas de Leyen** ou **Nikolaus Gerhaert Van Leyden**
D'origine néerlandaise. Mort vers 1473 ou 1493 à Vienne-Neustadt. XVe siècle. Hollandais.
Sculpteur.
Il vécut à Strasbourg de 1462 à 1467 et y obtint le droit de cité en 1464 ; il y travailla pour le tabletier Symon Haider. Il sculpta des bustes très réalistes, dont son *Autoportrait* (1467). Il fit, à Constance, les stalles du chœur et travailla longtemps au tombeau de l'empereur Frédéric III dans la cathédrale Saint-Étienne à Vienne, mais mourut en le laissant inachevé. Il travailla aussi au tombeau de l'impératrice Eléonore, morte en 1467 ; il fut appelé à Baden Baden par la duchesse de Bade, sœur de l'empereur. Il semble que Lerch ne travailla que sur des dessins et modèles d'autres artistes, en particulier de Erwein von Stege, maître de la Monnaie de l'empereur qui est connu comme graveur sous le nom du Maître E. S. (en 1466).
Musées : Berlin (Mus. Au) : *Sainte Anne* – Francfort-sur-le-Main (Liebieghaus) : *Tête de Sybille* – New York (Metropolitan Mus.) : *Buste de femme* – deux œuvres – Strasbourg (Mus. de l'Œuvre Notre-Dame) : *Autoportrait* – Trèves (Mus. Dioc.) : *Tombeau du cardinal J. von Sierck*.

LERCHE Hans Stoltenberg
Né en 1867 à Düsseldorf. Mort le 17 avril 1920 à Rome. XIXe-XXe siècles. Allemand.
Sculpteur, médailleur et céramiste.
Probablement fils de Vincent Stoltenberg Lerche. Il travailla deux ans dans une petite manufacture allemande de céramique. Il voyagea en Italie, à Florence en 1886, il vint ensuite à Paris où il

travailla chez Carrière. De 1895 à 1912 il exposa au Salon de la Société Nationale des Beaux-Arts à Paris. A partir de 1900 il se fixa à Rome.

LERCHE Horst
Né en 1938 à Hambourg. XXe siècle. Allemand.
Artiste. Conceptuel.
Il a été élève de l'Académie des Beaux-Arts de Düsseldorf de 1957 à 1961.
Il participe à des expositions collectives, depuis 1967 dans différents musées d'Allemagne, et figura notamment à la 8e *Biennale de Paris*, en 1973. Il présente son travail dans des expositions personnelles : 1963, à Düsseldorf ; 1969, à Ramscheid ; 1970, à Brême ; 1971, à Witten au Musée Märkisches ; 1972, à Karlsruhe ; 1972, à Krefeld, au Kaiser-Wilhelm Museum ; 1973, à Essen au Musée Folkwang.
BIBLIOGR. : In : *8e Biennale de Paris, manifestation internationale des jeunes artistes*, catalogue de l'exposition, Paris, 1973.

LERCHE Vincent ou **Stoltenberg Lerche**
Né le 5 septembre 1837 à Tonsberg. Mort le 28 décembre 1892 à Düsseldorf. XIXe siècle. Norvégien.
Peintre de genre, intérieurs, architectures, aquarelliste, dessinateur.
Élève de Gude. Vint à Düsseldorf en 1856, et s'y fixa pour toujours. A commencé par donner des peintures moyenâgeuses (architectures et intérieurs). Puis, peu à peu, il y joignit des personnages. En des toiles humoristiques, il a croqué la vie privée des moines (huile et aquarelle). Les voyageurs de l'Italie septentrionale et ceux des bords du Rhin lui ont fourni ample matière également à garnir ses portefeuilles de dessins amusants.

Vinc: St. Lerche 70

MUSÉES : BERGEN : *Intérieur de l'église Saint-Lambert à Düsseldorf* – BRÊME : *Dans la bibliothèque du couvent* – GÖTEBORG : *La visite du cardinal* – *Intérieur de cloître* – *Intérieur d'église* – OSLO : *Jour de dîme dans un couvent* – *« Cardinal », boisson préparée par un moine* – *Bibliothèque de couvent*.
VENTES PUBLIQUES : LONDRES, 20 juin 1980 : *Les Amateurs d'arts* 1883, h/t (62,2x51,4) : **GBP 2 000** – NEW YORK, 29 mai 1980 : *Dévotions matinales* 1860, h/t (66x66) : **USD 3 200** – LONDRES, 28 nov. 1984 : *Scène de taverne à Cologne sous l'occupation française* 1880, h/t (115,5x98,5) : **GBP 8 000** – ZURICH, 22 mai 1987 : *L'Amateur d'art* 1889, h/pan. (27x18) : **CHF 4 400** – LONDRES, 26 fév. 1988 : *Un petit somme* 1877, h/pan. (42x38) : **GBP 3 080**.

LERDICH Hans ou **Laerdich, Lardich, Leerdich**
XVIe siècle. Actif à Amsterdam. Hollandais.
Peintre de portraits.
On mentionne de sa main un tableau daté de 1551 : *Portrait d'homme*.
VENTES PUBLIQUES : AMSTERDAM, 7 mai 1996 : *Portrait d'un gentilhomme debout vêtu d'un habit sombre, d'un béret noir et portant une chaîne d'or et tenant un livre de prières* 1551, h/pan. (diam. 18,5) : **NLG 1 840**.

LERE Jules Bertrand
Né au XIXe siècle à Sourich. XIXe siècle. Français.
Peintre de natures mortes.
Élève de E. Villain. Il exposa en 1864 et 1865.

LEREBOURS Denis
XVIe siècle. Actif à Rouen. Français.
Sculpteur.
Il fit des armoiries et des ornements au château de Gaillon, en 1507, et prit part, en 1510, sous la direction de Roullant Leroux, aux sculptures du grand portail de la cathédrale de Rouen.

LEREBOURS Favorin ou **Le Rebourg**
Né vers 1773. XVIIIe-XIXe siècles. Allemand.
Peintre de miniatures.
Le Musée du château de Mannheim possède de la main de cet artiste des portraits-miniatures.

LEREBOURS Richard
XVIe siècle. Rouennais, vivant au XVIe siècle. Français.
Sculpteur.
Peut-être fils de Denis Lerebours. Il fit, pour la cathédrale de Rouen, en 1553, un angelot de bois.

LE RÉE A.
XIXe siècle. Actif à Paris. Français.
Paysagiste.
Exposa de 1831 à 1840.

LÉREIN Guy
XXe siècle. Français.
Peintre.
Il a figuré, à Paris, au Salon des Réalités Nouvelles, de 1950 à 1955, avec des compositions abstraites d'esprit différent.
VENTES PUBLIQUES : VERSAILLES, 10 déc. 1989 : *Composition*, h/t (65x81) : **FRF 4 500** – VERSAILLES, 21 oct. 1990 : *Composition* 1951, h/t (65x81) : **FRF 6 500**.

LERFELDT Hans Henrik
XXe siècle. Danois.
Peintre de compositions à personnages, figures, aquarelliste.
Une exposition de ses œuvres fut organisée à la Maison du Danemark, à Paris, en 1986.
VENTES PUBLIQUES : COPENHAGUE, 14-15 nov. 1990 : *Modèle*, h/t (24x32) : **DKK 25 000** – COPENHAGUE, 4 déc. 1991 : *Modèle « Punk »* 1986, aquar. (65x47) : **DKK 28 000** – COPENHAGUE, 4 mars 1992 : *Modèle* 1978, h/t (30x23) : **DKK 11 000** – COPENHAGUE, 20 mai 1992 : *Modèle* 1985, cr. (42x30) : **DKK 4 000** – COPENHAGUE, 6 sep. 1993 : *Seul dans la maison* 1980, aquar. (35x24) : **DKK 11 000** – COPENHAGUE, 15 juin 1994 : *Hollywood-blues* 1985, aquar. (50x35) : **DKK 22 000** – COPENHAGUE, 12 mars 1996 : *Composition à personnage* 1976, aquar. (28x20) : **DKK 7 000**.

LERGAARD Niels
Né en 1893 à Vorup (près de Randers). Mort en 1983. XXe siècle. Danois.
Peintre de paysages, marines, figures.
Il fut élève de l'Académie Royale de Copenhague, de 1917 à 1920. Il a effectué des voyages à travers l'Europe et des séjours en Norvège. Il est devenu professeur à l'Académie Royale de Copenhague.
À partir de 1931, il fut membre de l'Exposition Libre de Gronningen, à Copenhague. Il a participé à de nombreuses expositions collectives, parmi lesquelles la Biennale de Venise en 1942. Il a obtenu la médaille d'Eckersberg en 1937.
Après une période caractérisée par une palette sombre, il éclaircit progressivement sa gamme colorée jusqu'à atteindre à une pureté prismatique. Il procède par grands plans simplifiés, tout en gardant le contact avec les apparences réelles. Il a réalisé plusieurs travaux de décoration murale, notamment l'amphithéâtre de l'École d'Esbjerg, en 1947 ; l'École Nationale d'Haderslev ; une mosaïque pour l'École de Frederiksborg.

Niels Lergaard

BIBLIOGR. : In : *Peintres contemporains*, Mazenod, Paris, 1964.
MUSÉES : AARHUS : *Paysage de printemps* 1943 – COPENHAGUE (Mus. d'État des Beaux-Arts) : *Deux femmes* 1936 – *Matin au bord de la mer* 1953.
VENTES PUBLIQUES : COPENHAGUE, 30 juin 1969 : *Bord de mer, le matin* : **DKK 9 700** – COPENHAGUE, 18 nov. 1971 : *Paysage* : **DKK 15 000** – COPENHAGUE, 14 mars 1973 : *Paysage* : **DKK 17 000** – COPENHAGUE, 29 mai 1974 : *Bord de mer* : **DKK 18 500** – COPENHAGUE, 20 oct. 1976 : *Bord de mer*, h/t (85x101) : **DKK 13 000** – COPENHAGUE, 5 oct. 1977 : *Bord de mer*, h/t (68x85) : **DKK 24 000** – COPENHAGUE, 11 oct 1979 : *Bord de mer, Gudhjem*, h/t (65x80) : **DKK 20 600** – COPENHAGUE, 13 oct. 1981 : *Mouton au pâturage*, h/t (55x65) : **DKK 20 500** – COPENHAGUE, 2 juin 1983 : *Gudhjem* 1975, h/t (50x65) : **DKK 25 000** – COPENHAGUE, 15 oct. 1985 : *Bord de mer* 1941, h/t (100x110) : **DKK 48 000** – COPENHAGUE, 24 sep. 1986 : *Paysage d'été*, h/t (86x110) : **DKK 47 000** – COPENHAGUE, 30 sep. 1987 : *Paysage aux deux arbres*, h/t (65x80) : **DKK 42 000** – COPENHAGUE, 4 mai 1988 : *Salenevejen à Bornholm* (67x84) : **DKK 27 000** – COPENHAGUE, 30 nov. 1988 : *Le soir à Spellingmosen*, h/t (64x81) : **DKK 25 000** – COPENHAGUE, 20 sep. 1989 : *Près de Salenebugten à Bornholm* 1954, h/t (70x84) : **DKK 31 000** – COPENHAGUE, 9 mai 1990 : *Vue d'une église à Bornholm*, h/t (93x105) : **DKK 34 000** – COPENHAGUE, 31 oct. 1990 : *Paysage de Norvège*, h/t (76x81) : **DKK 16 000** – COPENHAGUE, 1er avr. 1992 : *Le soir à Byen* 1978, h/t (55x65) : **DKK 14 000** – COPENHAGUE, 19 oct. 1994 : *Chevaux au bord de la mer*, h/t (65x81) : **DKK 17 000** – COPENHAGUE, 17 avr. 1996 : *Gudhjem à la lumière du printemps*, h/t (92x105) : **DKK 38 000**.

LE RIBOT Marguerite
Née le 27 septembre 1945 à Rouen (Seine-Maritime). XXe siècle. Française.
Sculpteur.
Elle fut élève de Couturier, qui dit de ses sculptures qu'elles « sont toujours un témoignage poignant de la présence humaine ». Elle obtint le prix Bourdelle en 1969.
Ses compositions sont souvent déchiquetées, « ruiniformes », laissant parfois l'armature visible, évoquant un univers de désolation.

LE RICHE
XVIIIe siècle. Français.
Peintre de fleurs, décorateur.
Il fut, à Versailles, à partir de 1780, « peintre des Bâtiments de la Reine » et fit des peintures décoratives au Belvédère du Petit Trianon. Probablement identique à I. S. J. Le Riche. Voir aussi Pierre Le Riche. L'attribution des œuvres figurant dans la nomenclature des prix suivante n'est que probable.
Ventes Publiques : Paris, 1884 : *Panneau de décoration* : **FRF 750** - Paris, 19 fév. 1900 : *Bouquet de fleurs dans un vase* : **FRF 480** - Paris, 20 et 21 mai 1935 : *La Peinture ; La Musique*, deux médaillons à l'imitation du marbre, en collaboration avec P. J. Sauvage : **FRF 6 000** - Paris, 13 et 14 fév. 1941 : *Amour et guirlande de fleurs*, dessus-de-porte. Attr. : **FRF 4 200** - Versailles, 20 juin 1974 : *Fleurs autour d'un vase en bronze doré*, deux pendants : **FRF 18 100** - Paris, 24 mai 1996 : *Bouquets de fleurs sur un entablement*, h/t, une paire (chacune 65x54) : **FRF 135 000**.

LE RICHE Henri, dit **Hirné**
Né le 12 avril 1868 à Grenoble (Isère). XXe siècle. Français.
Peintre, dessinateur, sculpteur, pastelliste, illustrateur, compositions murales.
Élève de Bouguereau et de Tony Robert-Fleury, il a obtenu le Grand Prix de Rome en 1888. À partir de 1894, il a exposé, à Paris, aux Salons des Artistes Français et de la Société Nationale des Beaux-Arts. Il obtint une médaille d'argent en 1922 et fut fait chevalier de la Légion d'honneur. Il a figuré à l'exposition *Le Portrait en Dauphiné au XIXe siècle* à La Tronche, en 1981.
Son voyage en Chine et au Japon lui a inspiré plusieurs toiles. Il a décoré d'une grande fresque un mur de la Préfecture de Nice. Parmi ses illustrations, citons : *Venise* d'Alfred de Musset, en 1928 ; les *Nouvelles asiatiques* de Gobineau et *La cathédrale de Chartres* de Gillet, en 1929. Il a exercé également une activité d'émailleur et d'orfèvre. Les œuvres de Le Riche se font remarquer par des qualités extrêmes de composition et une grande science du dessin. Il s'est fait aussi connaître comme sculpteur sous le pseudonyme de Hirné.
Bibliogr. : Gérald Schurr, in : *Les Petits Maîtres de la peinture 1820-1920, valeur de demain*, Les Éditions de l'Amateur, t. V, Paris, 1981.
Musées : Grenoble : *Lions buvant*.
Ventes Publiques : Paris, 18 mai 1925 : *Le repos du modèle*, aquar. : **FRF 105** - Paris, 13-15 mai 1929 : *L'amour couronné - L'offrande à l'Amour*, deux aquar. : **FRF 26 100** - Paris, 5 mai 1937 : *Enterrement en Chine*, aquar. : **FRF 55** - Paris, 1er fév. 1996 : *Femmes asiatiques*, h/cart. (33x41) : **FRF 4 500**.

LE RICHE I. S. J.
XVIIIe siècle. Français.
Peintre de natures mortes, fleurs et fruits.
Probablement identique à Le Riche, peintre à Versailles au XVIIIe siècle. On pense qu'il était le fils de Josse François Le Riche, modéliste en chef de la manufacture de Sèvres. L'attribution des œuvres figurant dans la nomenclature des prix suivants n'est que probable.
Ventes Publiques : Paris, 4-6 déc. 1919 : *Enfant jouant*, deux lavis : **FRF 4 100** - Paris, 8 et 9 déc. 1919 : *Fleurs dans un vase d'albâtre ; Vase de fleurs* : **FRF 3 300** - Paris, 10 et 11 mai 1920 : *Brûle-parfums*, deux toiles : **FRF 14 000** - Lucerne, 23-26 nov. 1962 : *Bouquet de Fleurs*, deux pendants : **CHF 12 000** - Monaco, 2 déc. 1989 : *Bouquets de fleurs*, h/t, une paire (chaque 105x75) : **FRF 288 600** - Paris, 30 jan. 1991 : *Vase de fleurs sur un entablement*, h/t (55x46) : **FRF 55 000** - Londres, 27 oct. 1993 : *Nature morte de fruits et fleurs dans un vase de terre cuite avec un cadran solaire et des coquillages sur un entablement*, h/t (84,5x103,5) : **GBP 6 900** - Paris, 26 mars 1996 : *Bouquet de fleurs dans un vase en marbre et bronze doré*, h/t (63x52,5) : **FRF 30 000**.

LE RICHE Jacques
XIVe-XVe siècles. Actif à Paris. Français.
Enlumineur.

LERICHE Josse François Joseph
Né en 1741 à Mons. Mort vers 1812 à Mons. XVIIIe-XIXe siècles. Belge.
Sculpteur.
Il entra à la Manufacture de Sèvres le 1er juin 1757 et dès 1775 les registres de l'année mentionnent plusieurs modèles fournis par lui : *La grande Vestale ; L'Amour caressant la Jeunesse ; Groupe de la Toilette ; La danseuse de menuet ; La danseuse polonaise.* Il exposa au Salon de 1801. Le Musée d'Orléans conserve de lui : *Portrait de Louis XVII*, biscuit de Sèvres, daté de 1788.

LE RICHE Marc
Né le 1er décembre 1885 à Roanne. Mort le 15 octobre 1918 à Lyon. XXe siècle. Français.
Sculpteur.
Élève d'Injalbert, il obtint le Grand Prix de Rome en 1914.

LE RICHE Pierre
Mort en 1811. XIXe siècle. Français.
Peintre.
Connu par l'œuvre suivante passée en vente publique. Voir aussi Le Riche, peintre à Versailles au XVIIIe siècle.
Ventes Publiques : Paris, oct. 1945-juil. 1946 : *Bouquet de fleurs dans un vase Directoire* : **FRF 20 800**.

LERIN Fernando
Né le 28 mai 1929 à Barcelone (Catalogne). XXe siècle. Actif depuis 1956 aussi en France. Espagnol.
Peintre. Abstrait, tendance nuagiste.
À partir de 1950, il a d'abord étudié aux cours du soir du *Circulo Artistico* de Barcelone, puis est venu, grâce à une bourse de l'Institut Français de Barcelone en 1956, étudier puis s'installer à Paris jusqu'en 1970. Il a ensuite vécu deux années, de 1970 à 1972, à New York, où il s'est lié d'amitié avec les peintres Rothko et Rivers. Depuis 1973, il partage son temps entre Paris, Madrid, puis Port de la Selva (Gérone).
Il a participé, à Paris, aux Salons Comparaisons, Antagonismes, des Réalités Nouvelles dont il est membre du comité, et de Mai, de même qu'à des expositions collectives en Belgique, en Grande-Bretagne et en Italie.
Sa première exposition personnelle eut lieu à Barcelone en 1954 à la galerie Layetana ; puis il a exposé à Paris en 1959 à la galerie Breteau ; à Bruxelles en 1961 au Palais des Beaux-Arts ; de nouveau à Paris en 1966 à la galerie Paul Fachetti ; à Madrid en 1975, 1979 rétrospective au Palacio Velasquez, 1984, et à la galerie Aele en 1987 et 1990. Une exposition rétrospective a été organisée à l'Abbaye de Beaulieu-en-Rouergue et à la Sala Gaspar de Barcelone en 1988. À Paris de nouveau, la galerie Philipp en 1988, la galerie Carole Brimaud en 1992, la Société de Psychanalyse Freudienne en 1996, ont présenté des ensemble de ses œuvres.
Influencé à ses débuts par Wols et Fautrier, sa peinture, abstraite, gestuelle, se rattache, à partir des dernières années cinquante à ce que l'on nomme en France le « nuagisme », soutenu par le critique Julien Alvard. Il a d'ailleurs fondé avec Benrath, Duvillier, Duque, le groupe *Yann*, représentatif de cette tendance, et expose avec eux en 1959 à la galerie Breteau, à Paris, avant de se séparer du groupe.
Techniquement, il peint dans une matière fluide et donc particulièrement ductile. Les formes floconneuses évoquent des cieux chargés. Il utilise surtout des teintes sourdes, où, comme l'écrivit Julien Alvard en 1959 : « L'Imagination poétique de Lerin se meut dans une condensation opaque, dans une brume à couper au couteau. » L'œuvre est cohérent depuis les premières peintures informelles des années soixante jusqu'à celles de la tentation du monochrome après 1975. Depuis les peintures opaques et inquiétantes des débuts, Lerin a évolué vers une plénitude sereine, instaurée dans des compositions amples d'où irradie une lumière venue d'ailleurs. ■ J. B.
Bibliogr. : Geneviève Bonnefoi, in : *Les Années fertiles*, Paris, 1988 - Geneviève Bonnefoi, in : *Catalogue de l'exposition rétrospective*, Abbaye de Beaulieu et Sala Gaspar de Barcelone, 1988 - in : *L'Art du XXe siècle*, Larousse, Paris, 1991 - François Lévy : *Peut-on peindre le Tout ?*, in : Catalogue de l'exposition *Lerin*, Société de Psychanalyse Freudienne, Paris, 1996.
Musées : Beaulieu (Abbaye de) - Bruges (Mus. d'Art Contemp.) - Paris (FNAC) - Paris (Mus. d'Art Mod. de la Ville) - Vitoria.

LÉRINE
XVIIIe siècle. Français.
Miniaturiste.

La collection Wallace, à Londres, renferme une œuvre : *La comparaison*, signée de ce nom.

LERIUS Joseph Henri François Van
Né le 23 novembre 1823 à Boom près Anvers. Mort le 29 février 1876 à Malines. XIXe siècle. Belge.
Peintre d'histoire, compositions mythologiques, sujets allégoriques, scènes de genre, portraits.
Élève du baron Wappers et des Académies de Bruxelles et d'Anvers. Lerius ne tarda pas à se placer parmi les maîtres les plus autorisés de l'école belge. Il fut professeur à l'Académie d'Anvers. Chevalier de première classe de l'ordre de Saint-Michel de Bavière en 1869.

Musées : Anvers : *Le dévouement de lady Godiva – L'artiste – Portrait de femme – L'enlèvement d'Europe* – Bruxelles : *Érasme*.
Ventes Publiques : Amsterdam, 1880 : *Jeune fille de Dalécarlie* : **FRF 6 720** – Paris, 1884 : *Peinture* : **FRF 4 851** – New York, les 3 et 4 fév. 1898 : *Tête de vieille femme* : **FRF 2 125** – Bruxelles, 25 oct. 1978 : *Le miroir* 1860, h/bois (64x50) : **BEF 120 000** – Londres, 15 juin 1979 : *Vénus et Adonis*, h/t (150x194) : **GBP 600** – Londres, 12 oct. 1984 : *Portrait d'une jeune Arabe*, h/t (68,6x57,1) : **GBP 1 300** – New York, 21 mai 1987 : *Plutôt la mort* 1866, h/pan. (142,9x106,8) : **USD 15 000** – Londres, 28 mars 1990 : *Portrait d'une dame* 1857, h/t (142x106,5) : **GBP 8 800** – Londres, 28 nov. 1990 : *Allégorie de l'Été*, h/t (184x175) : **GBP 31 900** – Londres, 7 avr. 1993 : *Jeune fille*, h/t (31x26) : **GBP 598** – Londres, 26 mars 1997 : *La Colombe familière* 1844, h/t (69x59) : **GBP 8 050**.

LERIVEREND Augustine, née **Rossignol**
XIXe siècle. Active à Paris. Française.
Portraitiste et pastelliste.
Élève de Granger. Exposa de 1845 à 1877.

LERLA. Voir **LALA**

LERMA Francesco
XVIe-XVIIe siècles. Travaillant à Valladolid. Espagnol.
Peintre.

LERMA Juan Francisco de
XVIIe-XVIIIe siècles. Vénézuélien.
Peintre.
En 1686, le nom de Juan Francisco de Lerma apparaît dans les comptes de la confrérie de San Pedro, comme peintre et doreur ; dans quelques-uns de ces documents on l'appelle maître peintre, alors qu'à la confrérie du Rosaire du couvent de San Jacinto on le nomme maître doreur. Depuis 1679, on trouve la trace de Juan Francisco de Lerma et, vers 1719, on sait qu'on le nomme Capitaine, ce qui laisse à supposer une certaine notabilité. En revanche on ne connaît rien de sa peinture.

LERMA Y VILLEGAS Francisco Jose
Mort en 1753 à Caracas. XVIIIe siècle. Actif au Venezuela. Vénézuélien.
Peintre.
Sa vie artistique a dû commencer avant 1719, car plusieurs de ses œuvres connues semblent antérieures ; pourtant la première œuvre signée de son nom date de 1719. Entre 1719 et 1753, date de sa mort, on n'a que peu de traces de sa vie. En 1727 il est appelé pour évaluer des tableaux laissés par Dona Germana Mejia de Escobedo, et l'année suivante on sait qu'il travaille à la restauration de la cathédrale de Caracas. En 1731 il est nommé « Oficial de Pintura » (spécialiste en peinture) et en 1732 Maître-Peintre. On cite en 1738 dans les archives de Valence un « spécialiste d'art et de sculpture » du nom de Jose Villegas qui semble être notre artiste. Ce qui laisse supposer un voyage en Espagne, voyage non définitif car on sait qu'il meurt à Caracas. Il a dû surtout peindre des sujets religieux. On cite de lui : *La Sagrada Familia, San Miguel Arcangel, Virgen de la Merced*.

LERMANS Pieter. Voir **LEERMANS**

LERMIER
XIXe siècle. Français.
Peintre de paysages de montagne.
Ventes Publiques : Paris, 11 fév. 1929 : *Vues de la Suisse*, deux gouaches : **FRF 110** – Paris, 2 déc. 1946 : *Quatre paysages de montagne* 1855 ou 1866, gche, vendus avec une aquarelle de Ravignat : **FRF 2 150**.

L'ERMITE. Voir **SWANEVELT Hermann Van**

LERMONTOV Mihail Juriench
Né en 1814. Mort en 1841. XIXe siècle. Russe.
Poète et peintre.
On connaît de lui un *Autoportrait*.

LERNAY Olympe M. de
XIXe siècle. Française.
Portraitiste.
Exposa de 1835 à 1837. Elle travailla à Paris et Orléans.

LERNETTE Antoine et **Jean** ou **Lernet**. Voir **LARNETTE**

LERNON René Jacques
Né le 21 janvier 1921 à Rouen (Seine-Maritime). XXe siècle. Français.
Peintre de paysages.
Il a suivi les cours du soir à l'École des Beaux-Arts de Rouen et s'est inspiré des conseils des peintres de l'École rouennaise et de ceux notamment de Robert Pinchon, de Magdelaine Hue et de Brad Berry.
Il a peint les bords de Seine et les paysages normands.

LE ROCK Joseph
Né le 25 novembre 1825 à Vannes (Morbihan). XIXe siècle. Français.
Peintre d'architectures et de paysages.
Élève de Comte. Il exposa au Salon, de 1865 à 1869.

LEROHE Henri Louis
XIXe siècle. Français.
Peintre de genre, portraits.
Élève de Yvon, il exposa à Paris, où il travaillait, entre 1849 et 1852.

LE ROI, Mlle
XVIIIe siècle. Française.
Peintre de genre.
Elle était active à Versailles à la fin du XVIIIe siècle. Elle exposa au Salon de Paris en 1791.

LEROI. Voir aussi **LEROY** et **ROY**

LE ROI Hans. Voir **ROY Hans**

LE ROLLE Alphonse
Né au XIXe siècle à Paris. XIXe siècle. Français.
Sculpteur.
Élève de Pradier. Exposa au Salon en 1852 et 1854.

LEROLLE Édouard Louis Henri
Né le 20 mai 1868 à Paris. XIXe-XXe siècles. Français.
Sculpteur.
Élève de Larche et Gauquié, expose au Salon. Médaille en 1924.

LEROLLE Henry
Né le 3 octobre 1848 à Paris. Mort le 22 avril 1929. XIXe-XXe siècles. Français.
Peintre d'histoire, scènes de genre, nus, portraits, paysages, compositions murales.
Élève de Louis Lamothe, il participa au Salon de Paris de 1868 à 1928. En 1890, il passa à la Société Nationale des Beaux-Arts dont il fut un des fondateurs, et où il exposa régulièrement. Membre du jury à l'Exposition Universelle de 1889, il obtint une médaille d'or en 1900. Décoré de la Légion d'honneur en 1889. Dès 1874, il commença à s'adonner à la peinture religieuse en laquelle il devait assez longtemps se spécialiser. Plusieurs de ses toiles décorent églises et monuments publics, citons : *Le baptême de saint Agard et de saint Aglebert*, à l'église de Créteil ; *La communion des apôtres*, à la chapelle des Capucins ; *Albert le Grand au couvent* et *Saint Jacques*, à la Sorbonne ; *La Fuite en Égypte*, à la chapelle des Dominicains à Paris ; *La Science et la Vérité instruisant la Jeunesse*, fresque pour l'Hôtel de Ville de Paris.

Bibliogr. : Gérald Schurr, in : *Les Petits Maîtres de la peinture 1820-1920, valeur de demain*, Les Éditions de l'Amateur, t. V, Paris, 1981.
Musées : Boston : *Au bord de la rivière* – Bucarest (Mus. Simu) : *Flore* – Budapest (Nat. Mus.) : *Le bain* – Carcassonne : *L'arrivée*

des bergers – LE HAVRE : *Moissonneuse* – IXELLES : *Autoportrait* – MINNEAPOLIS (Mus. Walker) : *La moisson* – MULHOUSE : *Moissonneuses* – NEW YORK (Metropolitan Mus.) : *À l'orgue* – NICE : *Jacob chez Laban* – ORLÉANS – PARIS (Mus. d'Art Mod.) : *Le bain* – *Dans la campagne* – PARIS (Mus. des Beaux-Arts) : *L'enseignement de la Science* – *Le couronnement de la Science* – PARIS (Mus. du Petit Palais) – PAU – SEMUR-EN-AUXOIS : *Les pleurs de Marie-Madeleine* – *Sainte Vierge*.

VENTES PUBLIQUES : PARIS, 17 fév. 1896 : *La moisson* : **FRF 2 750** – PARIS, 14 mai 1900 : *Vue de Paris* : **FRF 155** – NEW YORK, 1908 : *Restes pour l'importun* : **USD 320** – PARIS, 10 nov. 1944 : *Deux paysannes sur la route* : **FRF 3 000** – PARIS, 30 avr. 1979 : *Paysage à la ferme*, h/t (34x34) : **FRF 1 400** – NEW YORK, 25 fév. 1983 : *Retour des champs*, h/t (63x63,5) : **USD 1 700** – NEW YORK, 13 fév. 1985 : *L'audition*, h/t (101,5x152,5) : **USD 6 000** – ROME, 14 déc. 1988 : *Le baptême des vierges* 1877, h/t (151x215) : **ITL 19 000 000** – PARIS, 3 mars 1989 : *Sur le canapé* 1912, h/t (54x65) : **FRF 4 200** – NEW YORK, 16 fév. 1994 : *Repos dans un pré*, h/t (72,4x85,1) : **USD 6 900**.

LEROLLE Paul Alexis
Né le 25 mars 1874 à Paris. XXe siècle. Français.
Peintre.
Il fut élève de Castelucho. Il expose, à Paris, au Salon des Artistes Français et au Salon des Indépendants.

LEROLLE Timothée
Né au XIXe siècle à Paris. XIXe siècle. Français.
Paysagiste.
Débuta au Salon en 1875.

LERONDEAU André D.
Né au XIXe siècle à Paris. XIXe-XXe siècles. Français.
Graveur sur bois.
Élève de Tilly et de Bellanger. Figura au Salon des Artistes Français. Membre de cette société depuis 1906, il obtint une mention honorable en 1906, une médaille deuxième classe en 1909.

LERONDEAU Henri
Né le 30 mars 1899 à Boulogne. XXe siècle. Français.
Peintre, sculpteur.
Il fut, à Paris, sociétaire du Salon d'Automne. Il est aussi connu pour ses laques.

LEROSE Cosimo
Né en 1939 à Lucania. XXe siècle. Italien.
Peintre. Art optique.
Il participe à de nombreuses expositions de groupe en Italie, et, depuis 1961, a également montré souvent son travail lors d'expositions personnelles en Italie du Nord, surtout à Vérone où il vit et enseigne. Sa peinture rejoint l'art optique.

LE ROUGE Jean Nicolas
Né vers 1776. XIXe siècle. Travaillant à Paris. Français.
Graveur au burin.
Élève de Albon et Godefroy. Il a gravé des sujets mythologiques et des portraits historiques et fait de la gravure d'illustration.

LEROUGE Maurice
Né au XIXe siècle à Mantes (Yvelines). XIXe-XXe siècles. Français.
Sculpteur.
Élève de Thomas Injalbert et Peynot. Figura au Salon des Artistes Français où il obtint une mention honorable en 1906.

LEROUGE Nicolas Édouard
Né au XIXe siècle à Paris. XIXe siècle. Français.
Graveur.
Fils et élève de Jean Nicolas Lerouge. Il travailla aussi avec Forsters. Il a exposé en 1864.

LE ROUGE de Chablis, famille d'imprimeurs et calligraphes
XVe siècle. Français.
Graveurs, peintres de miniatures.
Ils prirent une grande part aux débuts de l'illustration du livre.
BIBLIOGR. : H. Monceaux, in : *Les Le Rouge de Chablis*, Paris, 1896.

LEROUILLÉ Maurice Ernest
Né à Versailles (Yvelines). XXe siècle. Français.
Peintre de paysages.
Il expose, à Paris, au Salon des Indépendants depuis 1912.
VENTES PUBLIQUES : VERSAILLES, 29 oct. 1989 : *Lac de Gaube dans les Hautes-Pyrénées* 1938, h/t (61,5x92) : **FRF 4 800**.

LEROUX
XVIIIe siècle. Actif à Nancy. Français.
Sculpteur sur bois.

LEROUX
XVIIIe siècle. Éc. flamande.
Sculpteur.
On mentionne de sa main un groupe de marbre : *Héloïse et Abélard*, daté de 1780 au château de Chératte près de Liège.

LE ROUX
XXe siècle. Français.
Peintre. Surréaliste.
Autodidacte, il peint depuis 1955 dans la solitude de la banlieue. Il travaille en usine et refuse le contact des milieux de la peinture. Ses œuvres sont nettement surréalistes.

LEROUX A.
XVIIe-XVIIIe siècles. Actif à Paris. Français.
Graveur au burin.
Il a gravé des sujets de genre.

LEROUX Alexandre
Né le 15 juin 1825 à Paris. XIXe siècle. Français.
Paysagiste et dessinateur.
Élève de P. Delaroche et H. Jacob. Exposa de 1833 à 1874.

LEROUX André Paul
Né le 25 janvier 1870 à Fécamp (Seine-Maritime). XXe siècle. Français.
Peintre.
Il fut élève de A. Guillement. Il fut sociétaire, à Paris, du Salon des Artistes Français à partir de 1896, où il exposa.
VENTES PUBLIQUES : BERNE, 12 mai 1990 : *Nature morte*, h/t (50x67) : **CHF 3 900**.

LE ROUX Antoinette
XIXe siècle. Active à Paris. Française.
Peintre.
Sociétaire des Artistes Français depuis 1891, elle figura au Salon de ce groupement.

LEROUX Auguste. Voir **LEROUX Jules Marie Auguste**

LEROUX Bertha
Née en 1894 à Donstiennes-sur-Hainaut. XXe siècle. Active aussi en France. Belge.
Peintre de paysages, portraits, natures mortes, fleurs.
Elle fut élève de Decluse et de Carré. Elle a copié les maîtres anciens au Louvre.
BIBLIOGR. : In : *Diction. biographique illustré des artistes en Belgique*, Arto, Bruxelles, 1987.

LE ROUX Célestin
Né le 30 août 1827 à Nantes (Loire-Atlantique). Mort en février 1865 à Nantes. XIXe siècle. Français.
Paysagiste.
Frère de Charles Leroux. Élève de Th. Rousseau. Il exposa de 1851 à 1861.

LEROUX Charles. Voir **LEROUX Marie Guillaume Charles**

LE ROUX Claude
Né vers 1580 à Dôle. Mort après 1612. XVIIe siècle. Français.
Peintre verrier.
Fils de Girard Le Roux.

LE ROUX Constantin
Né au XIXe siècle à Paris. Mort le 14 novembre 1909 à Conches (Eure). XIXe siècle. Français.
Paysagiste.
Figura au Salon des Artistes Français où il obtint une mention honorable en 1891, une médaille de troisième classe en 1893. La même année, il exposa à Munich : *La lecture*.

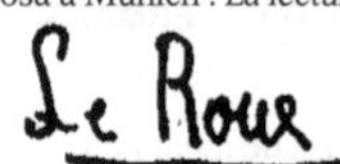

VENTES PUBLIQUES : PARIS, 4 mars 1926 : *Brûleuse d'herbes, le soir* : **FRF 100** – PARIS, 22 jan. 1927 : *Jeune femme récurant un chaudron* : **FRF 390**.

LEROUX Edmond
XIXe siècle. Français.
Graveur à la manière noire.
Exposa au Salon en 1849 et 1850.

LEROUX Émile
XIXe siècle. Actif à Paris. Français.
Paysagiste.
Exposa de 1842 à 1844.

LEROUX Étienne. Voir **LEROUX Frédéric Étienne**

LEROUX Étienne Eugène
Né au XIXe siècle à Paris. XIXe siècle. Français.
Peintre.

LEROUX Eugène
Né en 1807 à Caen. Mort le 27 août 1863 à Paris. XIXe siècle. Français.
Lithographe.
Exposa au Salon, de 1845 à 1861. Il a travaillé d'après Decamps et Bodmer. Médaillé en 1851, 1852, 1855.

LEROUX Eugène. Voir aussi **LEROUX Louis Eugène**

LE ROUX François
Né en 1943 à Taulé (Finistère). XXe siècle. Français.
Peintre.
Après avoir travaillé plusieurs années dans l'industrie automobile, il se consacre exclusivement à la peinture. Il a exposé en 1987 et 1988 à la galerie Mostini, à Paris.
Son vocabulaire expressif est figuratif et sa figuration dessinée.
Ventes Publiques : Paris, 18 juin 1989 : *Symphonie rouge*, h/t (195x130) : **FRF 26 000** ; *Sans titre* 1988, past. gras/pap. (120x78) : **FRF 13 500** – Paris, 8 oct. 1989 : *Sans titre*, past./pap. (120x80) : **FRF 13 000** – Paris, 7 mars 1990 : *L'oiseleur* 1988, h/t (195x130) : **FRF 25 000** – Paris, 26 avr. 1990 : *Sans titre*, past. /pap. (120x88) : **FRF 17 000** – Paris, 31 oct. 1990 : *Funambule n° 13* 1989, h/t (100x100) : **FRF 18 000** – Paris, 5 avr. 1992 : *Sans titre*, techn. mixte/pap. (104x74) : **FRF 6 000** – Paris, 29 nov. 1992 : *Funambule* 1989, h/t (100x100) : **FRF 10 500** – Paris, 4 avr. 1993 : *Composition*, past./pap. (120x80) : **FRF 4 800** – Paris, 4 oct. 1994 : *Les dénicheurs n° 12* 1989, h/t (146x114) : **FRF 4 800** – Paris, 26 mars 1995 : *Composition* 1989, h/pap. (76x56,5) : **FRF 4 200.**

LEROUX Frédéric Étienne
Né le 3 août 1836 à Écouché (Orne). Mort en 1906 à Paris. XIXe siècle. Français.
Sculpteur.
Élève de Jouffroy. Il entra à l'École des Beaux-Arts en 1859. Il débuta au Salon en 1863, obtint des médailles en 1866, 1867, 1870 et 1878 et fut décoré de la Légion d'honneur cette dernière année ; médailles d'argent aux Expositions Universelles de 1889 et 1900. A fait un *Buste de l'Impératrice*, marbre, pour la salle des mariages du troisième arrondissement, *Somnolence*, pour le Ministère des Beaux-Arts, une *Victoire*, pour la ville de Bastia, un *Saint Denis*, pour le portail de l'impasse de Saint-Eustache.
Musées : Alençon : *Achille et Thétis – Les saintes femmes au Tombeau – Étude de jeune femme* – Caen : *Démosthène* – Châteauroux : *George Sand* – Cherbourg : *La jeune mère* – Compiègne : *Jeanne d'Arc* – Lille : *La petite marchande de fleurs* – Marseille : *Vaudoyer* – Paris (Mus. Nat. d'Art Mod.) : *La marchande de violettes* – Rouen : *Rachel* – Vire : *Renan – Théodore Aubanel – L'abbé Croquet – Paysans priant – Scène de la vie de sainte Geneviève.*

LE ROUX Gaston Louis. Voir **ROUX**

LEROUX Gaston Veuvenot
Né le 14 septembre 1854 à Paris. Mort en 1942. XIXe-XXe siècles. Français.
Peintre, sculpteur de scènes de genre, portraits. Orientaliste.
Il fut élève de François Jouffroy à l'École des Beaux-Arts de Paris et de Jean-Baptiste Deloye. Il exposait à Paris, au Salon des Artistes Français, 1882 mention honorable, 1883 mention honorable et sociétaire, 1885 médaille de troisième classe et bourse de voyage, 1889 médaille de bronze pour l'Exposition Universelle, 1900 médaille de bronze pour l'Exposition Universelle, 1908 chevalier de la Légion d'honneur.
Musées : Beaufort : *Lionel Bonnemère – Rosa Bonheur – Paul Sébilleau*, bustes.
Ventes Publiques : Londres, 2 nov. 1977 : *La porteuse d'eau*, bronze doré (H. 82,5) : **GBP 550** – Lyon, 28 juin 1979 : *Aïda*, bronze, à deux tons (H. 73) : **FRF 14 000** – New York, 5 oct. 1982 : *Aïda*, bronze (H. 83,7) : **USD 4 800** – Paris, 6 nov. 1984 : *Guerrier arabe*, bronze, patine brun nuancé (H. 95) : **FRF 41 300** – Toulouse, 9 mai 1985 : *Aïda*, bronze, patine polychrome (H. 75) : **FRF 50 600** – Londres, 20 mars 1986 : *Rébecca* vers 1900, bronze patine brune (H. 78) : **GBP 1 900** – New York, 22 mai 1991 : *Scène de rue* 1898, h/t (57,2x83,8) : **USD 11 000** – New York, 14 oct. 1993 : *Femme arabe avec un éventail*, bronze (H. 90,8) : **USD 9 775** – Paris, 8 déc. 1993 : *L'animation dans la cité*, h/pan. (42,5x58) : **FRF 10 500** – Paris, 22 mars 1994 : *La lecture du Coran*, bronze (H. 66,5) : **FRF 50 000** – New York, 19 jan. 1995 : *Aïda*, bronze (H. 57,8) : **USD 7 475** – Paris, 13 mars 1995 : *Aïda*, bronze (H. 57,5) : **FRF 25 000** – Lokeren, 9 déc. 1995 : *Aïda*, bronze (H. 73) : **BEF 150 000.**

LEROUX Georges Paul
Né le 3 août 1877. Mort en 1957. XIXe-XXe siècles. Français.
Peintre d'histoire, paysages, illustrateur.
Il fut élève de Bonnat. Il figura, à Paris, au Salon des Artistes Français, où il obtint une médaille de troisième classe en 1903, une deuxième médaille en 1911. Il obtint également le Prix de Rome en 1906 et le Prix Henner en 1920. Chevalier de la Légion d'honneur.
Ses paysages sombres, peu modelés, se rattachent au synthétisme de Gauguin. Après 1918, il a peint de grandes frises évoquant, de manière très réaliste, les drames de la guerre, comme *Le dernier communiqué* 1918, au musée du Petit Palais à Paris. Il réalisa des illustrations, entre autres, pour *Le puits de Sainte-Claire* d'Anatole France.

GEORGES LEROUX
Georges Leroux

Bibliogr. : Gérald Schurr, in : *Les Petits Maîtres de la peinture 1820-1920, valeur de demain*, Les Éditions de l'Amateur, t. III, Paris, 1976.
Musées : Dijon : *Le Parc de Saint-Cloud en automne* – Paris (Mus. d'Art Mod.) : *Paysage d'Italie* – Paris (Mus. du Petit Palais) : *Le dernier communiqué* 1918 – Tours : *Salomé reçoit la tête de saint Jean Baptiste.*
Ventes Publiques : Paris, 17 et 18 juin 1927 : *Rome, le couvent de la Trinité* : **FRF 220** – Paris, 29 mars 1943 : *La Forêt au soleil* : **FRF 600** – Milwaukee (Wis.), 28 août 1977 : *Paysage avec ruines*, h/t (81,5x99) : **USD 1 100** – Paris, 12 oct. 1986 : *Le Jury du Salon 1927*, mine de pb et fus. (32x48,5) : **FRF 10 600** – Paris, 4 nov. 1987 : *Baigneuse se peignant*, h/t : **FRF 17 000** – Paris, 4 déc. 1991 : *Le Moulin et les peintres*, aquar. gchée (28x34) : **FRF 18 000** – Paris, 3 juil. 1992 : *Paysage aux cyprès*, h/t (33x46) : **FRF 3 800** – Paris, 11 fév. 1994 : *Le lac d'Annecy*, h/t (20x53,5) : **FRF 6 200** – Paris, 31 jan. 1995 : *Cabaret des noctambules Marcel Le Gay* 1906, cr. et fus. (36x54,5) : **FRF 14 000** – Paris, 19 fév. 1996 : *Promenade dans le parc*, h/t (60x90) : **FRF 7 500.**

LE ROUX Girard
XVIe siècle. Français.
Peintre et peintre verrier.
Travailla à divers monuments publics de Dôle entre 1575 et 1588.

LEROUX Guy
XXe siècle. Français.
Peintre de paysages.
Ventes Publiques : Paris, 30 nov. 1925 : *La Terrasse* : **FRF 300.**

LEROUX Hector. Voir **LEROUX Louis Hector**

LEROUX Henri
Né en 1872. Mort en 1942. XXe siècle. Belge.
Peintre. Impressionniste, tendance fauve.
Jusqu'en 1920, ses toiles possèdent une des caractéristiques « fauves », la couleur. Il évolua ensuite vers des représentations de paysages et des vues du Pays noir dans un chromatisme plus sombre. Dans les années trente, il peignit des scènes intimistes d'intérieurs qui le rapprochent de Vuillard.
Bibliogr. : Serge Goyens Heusch : *L'Impressionnisme et le Fauvisme en Belgique.*
Ventes Publiques : Lokeren, 28 mai 1988 : *Intimité* 1909, h/t (160x140) : **BEF 240 000** – Lokeren, 21 mars 1992 : *Intérieur* 1938, h/t (50x40) : **BEF 48 000** – Lokeren, 10 déc. 1994 : *Dans le jardin* 1938, h/pan. (25x35) : **BEF 40 000** – Lokeren, 8 mars 1997 : *Devant le miroir* 1937, h/t (60x50) : **BEF 70 000.**

LE ROUX Jack
Né le 22 avril 1943 à Rennes (Ille-et-Vilaine). XXe siècle. Français.

Peintre de techniques mixtes. Abstrait-lyrique.
Formé à l'école des Beaux-Arts de Rennes, puis à celle de Paris, il présente des expositions personnelles à partir de 1963, en France (Paris : galerie Herouet et Centre Chaillot-Galliera en 1986, galerie Weymans en 1990) et à l'étranger (Miami en 1966, Bâle en 1990). Il participe également à des salons, notamment à Paris : Salon de la jeune peinture (1965), des Artistes Français (1990), de Mai (1992).
Il y a dans la peinture de Le Roux un lyrisme certain, mais aussi une tentation de chaos et de primitivité, un déchaînement épique des forces telluriques.

LEROUX Jacques
XVIe siècle. Français.
Sculpteur.
Il collabora aux travaux de décoration du château de Fontainebleau, de 1537 à 1540.

LEROUX Jean, appelé aussi **Picard**
XVIe siècle. Français.
Peintre, mosaïste, sculpteur de monuments, architecte.
Il travailla au château de Fontainebleau en 1536, puis, de 1540 à 1550, à différentes statues en bronze, fondues d'après des moules rapportés de Rome. Avec Dominique Florentin, il exécuta une série de travaux de mosaïque. Le cardinal de Lorraine l'occupa, en 1552, à son château de Meudon. Sur les dessins du Primatice, il commença, en 1562, un monument pour le cœur de François II ; ce monument, complété par Jérôme della Robbia, qui y sculpta deux enfants en marbre blanc, fut achevé en 1570 et placé dans la chapelle d'Orléans, aux Célestins de Paris. Jean Leroux collabora encore avec Dominique Florentin, en 1561, au tombeau du cœur d'Henri II, dans l'église des Célestins, et aussi au tombeau de Claude de Lorraine, duc de Guise, autrefois dans l'église Saint-Laurent, à Joinville (Haute-Marne), détruit pendant la Révolution et dont les parties qui ont survécu sont aujourd'hui dispersées (voir Dominique Florentin).
Musées : Paris (Mus. du Louvre) : *Triomphe du duc de Guise.*

LEROUX Jean
XVIe siècle. Actif à Rouen. Français.
Sculpteur.
Peut-être parent de Roullant Leroux, il fit plusieurs figures d'anges, en 1577, pour l'église Saint-Nicaise, à Rouen.

LEROUX Jean Marie
Né le 6 janvier 1788 à Paris. Mort le 31 décembre 1870 à Paris. XIXe siècle. Français.
Graveur.
Élève de David. Il exposa au Salon, de 1819 à 1855, et obtint une médaille de deuxième classe en 1824 et une médaille de première classe en 1831. Il fut décoré de la Légion d'honneur en 1838.

LEROUX Jules Marie Auguste
Né le 14 avril 1871 à Paris. Mort en 1954. XXe siècle. Français.
Peintre d'histoire, scènes de genre, portraits, figures, nus, paysages, natures mortes, dessinateur, illustrateur.
Il fit ses études chez Bonnat. Il a obtenu le Grand Prix de Rome en 1894. Il exposa, à Paris, au Salon des Artistes Français, dont il devint membre en 1904. Il y obtint une médaille de deuxième classe en 1898, de bronze en 1900 dans le cadre de l'Expositon universelle, à Paris.
Il illustra de nombreux ouvrages, parmi lequels : *Eugénie Grandet,* de H. Balzac (1911) ; *Mémoires,* de Casanova de Seingalt ; *Sapho,* d'Alphonse Daudet (1925) ; *Un cœur simple,* de G. Flaubert (1913) ; *Les Noces Corinthiennes* (1902) ; *Werther,* de Goethe ; *À rebours,* de J. K. Huysmans (1920) ; *Erinnyes,* de Leconte de Lisle (1912) ; *Aziyadé,* de Pierre Loti (1937) ; *Une vie,* G. de Maupassant ; *L'Abbesse de Castro,* de Stendhal ; *Le Tour du monde en 80 jours,* de Jules Verne ; *La Rôtisserie de la Reine Pédauque,* d'A. France ; *Bouvart et Pécuchet,* de Gustave Flaubert.

-AUGUSTE LEROUX-

Bibliogr. : In : *Diction. des illustrateurs, 1800-1914,* Ides et Calendes, Neuchâtel, 1989.
Musées : Bayeux : *Samson et Dalila* – Dijon : *Étude de nu* – Paris (Mus. d'Art Mod.) : *Enfant endormi* – Paris (Mus. Victor Hugo) – Saint-Omer : *Le Commandant baron Joseph du Teil* – *Le colonel baron Georges du Teil.*
Ventes Publiques : Paris, 17 juin 1927 : *L'Heure du bain* : **FRF 2 500** – Paris, 29 mars 1943 : *Baraque de bains* : **FRF 2 500** – New York, 5 déc. 1946 : *Le Pont* : **USD 400** – Paris, 2 mai 1955 : *Nature morte à la casserole* : **FRF 31 000** – Berne, 3 mai 1979 : *Nu debout devant un miroir,* h/t (65x54) : **CHF 3 200** – Paris, 31 oct. 1980 : *La petite Bretonne,* h/t (32x40) : **FRF 5 800** – Paris, 30 mai 1983 : *La Lavandière* 1908, h/t (45x37) : **FRF 11 000** – Londres, 11 fév. 1987 : *Nu agenouillé au bord de la mer,* h/t (81x65) : **GBP 1 600** – Calais, 13 nov. 1988 : *Ballerine,* h/t (65x54) : **FRF 5 900** – Paris, 22 nov. 1988 : *Jeune Bretonne,* h/t (81x65) : **FRF 21 000** – Reims, 17 déc. 1989 : *La Jeune Danseuse,* h/t (65x54) : **FRF 15 500** – Paris, 23 mars 1990 : *Ballerine rose,* h/t (65x54) : **FRF 9 500** – Paris, 3 juil. 1992 : *Rousse au miroir,* h/t (177x137) : **FRF 51 000** – New York, 27 mai 1993 : *Le reflet,* h/t (177x134) : **USD 21 850** – Paris, 18 nov. 1993 : *Jeune fille nue,* h/t (61x50) : **FRF 10 000** – Paris, 31 jan. 1995 : *Leçon de peinture au bassin des Tuileries,* h/t (137,5x222) : **FRF 88 000** ; *Nature morte à la statue indoue,* h/t (170x120) : **FRF 6 500**.

LEROUX Julien
XVIIIe siècle. Actif au Mans en 1718. Français.
Sculpteur.
Sculpta un retable pour l'église de Jarnon.

LE ROUX Louis
XVIIe siècle. Français.
Peintre de sujets mythologiques, graveur.
Il était actif à Paris. Il a gravé, à l'eau-forte, des sujets mythologiques.

LEROUX Louis
Né au XVIIe siècle à Paris. XVIIe siècle. Français.
Miniaturiste.
Il fut agréé à l'Académie en 1687. Peut-être identique au précédent.

LEROUX Louis Eugène
Né le 28 septembre 1833 à Paris. Mort en 1905. XIXe siècle. Français.
Peintre de genre.
Élève de François Édouard Picot, il entra à l'École des Beaux-Arts en 1851. Il exposa au Salon de Paris à partir de 1861 et obtint des médailles en 1864, 1873 et 1875. Il exposa un *Intérieur breton* à Vienne en 1873. Il fut décoré de la Légion d'honneur en 1871.
Bibliogr. : Gérald Schurr, in : *Les Petits Maîtres de la peinture 1820-1920, valeur de demain,* Les Éditions de l'Amateur, t. III, Paris, 1976.
Musées : Arras : *Avant l'ensevelissement* – Lille : *Servante bretonne* – Paris (Mus. d'Art Mod.) : *Le nouveau-né* – Rennes (Mus. des Beaux-Arts) : *Intérieur breton.*
Ventes Publiques : Paris, 1879 : *La lettre de recommandation* : **FRF 2 550** – Paris, 18 déc. 1942 : *Allégorie pour un frontispice,* gche : **FRF 11 000** – Paris, oct. 1945-juil. 1946 : *La route dans la neige* : **FRF 5 500** – Paris, 8 juin 1978 : *La Seine près des Andelys,* h/t (81x170) : **FRF 16 000** – New York, 3 mai 1979 : *Alexandre II de Russie recevant en audience G.V. Fox* 1866, h/t (103x149) : **USD 1 600** – Lucerne, 2 juin 1981 : *Paysage fluvial* 1894, h/pan. (60x32,5) : **CHF 5 500** – Paris, 5 fév. 1986 : *La carte à payer* 1873, h/t (57x47) : **FRF 35 000** – Paris, 7 oct. 1991 : *La carte à payer* 1873, h/t (57,5x46,5) : **FRF 160 000** – Paris, 21 mars 1994 : *Jeune paysanne,* aquar., forme d'éventail (16x57) : **FRF 4 000**.

LEROUX Louis Hector
Né le 27 décembre 1829 à Verdun (Meuse). Mort le 11 novembre 1900 à Angers (Maine-et-Loire). XIXe siècle. Français.
Peintre d'histoire, scènes de genre.
Élève de François Édouard Picot, il entra à l'École des Beaux-Arts de Paris en 1849 et obtint le deuxième prix de Rome en 1857. Il débuta au Salon de Paris en 1863 et obtint des médailles de troisième classe en 1863, 1864 et à l'Exposition Universelle de 1878 ; une médaille de deuxième classe en 1874. Décoré de la Légion d'honneur en 1877.
Très intéressé par l'histoire antique, il montre une prédilection pour les sujets qui mettent en scène des vestales, l'attente de la mort à Herculanum ou à Pompéi.
Bibliogr. : Gérald Schurr, in : *Les Petits Maîtres de la peinture 1820-1920, valeur de demain,* Les Éditions de l'Amateur, t. III, Paris, 1976.
Musées : Abbeville : *Minerve Poliade sur l'Acropole* – Ajaccio : *La vestale Lucinia laissant éteindre le feu sacré* – Bayonne (Mus. Bonnat) : *Visite à l'atelier de Phidias* – Brooklyn (Br. Inst.) : *Le porteur d'eau* – Carpentras : *Adam, Ève et Abel* – Cherbourg : *Un*

trait de la jeunesse de Pascal – Dijon : *Une vestale* – *Les funérailles au columbarium de la Maison des Césars* – Dunkerque : *La pierre mystérieuse de Pompéi* – New York (Metropolitain Mus.) : *Romaines sur la tombe de leurs ancêtres* – Paris (Mus. du Louvre) : *L'ode à Vénus, Junon à Nauplie*, plafond – *Union des poésies grecques et latines* – Paris (Mus. d'Art Mod.) : *Funérailles à Rome* – *Herculanum* – Paris (Mus. des Beaux-Arts) : *L'éloquence* – Provins : *Une nouvelle vestale* – *Coriolan chez les Volsques* – *Jésus guérissant le paralytique* – *Frère et sœur* – La Rochelle : *Une vestale* – Verdun : *Une nouvelle vestale* – Washington D. C. : *La vestale Tuccia*.
Ventes Publiques : Paris, 1886 : *Vestale endormie* : **FRF 8 375** – New York, 15-16 avr. 1909 : *Aurélie et Pomponne* : **USD 320** – Paris, 18 juin 1930 : *La vestale sur les bords du Tibre* : **FRF 250** – Paris, 10 fév. 1943 : *Le festin grec* 1866 : **FRF 4 000** – Ciry-le-Noble, 31 oct. 1948 : *Une armée en Italie* : **FRF 20 500** – New York, 13-14 déc. 1977 : *La Tombe de Virgile*, h/t (93x63,5) : **USD 1 900** – New York, 14 mai 1980 : *Vestales au bord du Tibre*, h/pan. (67x41,5) : **CHF 4 200** – New York, 28 mai 1981 : *Le Refus* 1868, h/t (65x49,5) : **USD 2 000** – Londres, 22 juin 1984 : *Les Vestales* 1864, h/t (82,5x139,5) : **GBP 4 500** – New York, 15 fév. 1985 : *La diseuse de bonne aventure* 1868, h/t (61x76,8) : **USD 2 200** – New York, 27 fév. 1986 : *Sacrarium*, h/t (131,5x86) : **USD 8 000** – Paris, 11 mars 1988 : *Etude de femme en pied*, cr. noir et blanc (46x27) : **FRF 1 500** – New York, 13 oct. 1993 : *Supplication adressée aux dieux*, h/t, une paire (chaque 53,3x36,2) : **USD 8 050** – Monaco, 19 juin 1994 : *Herculanum le 23 août 79*, h/t (75x110,6) : **FRF 77 700**.

LEROUX Lucienne
Née le 20 juillet 1903 à Paris. Morte en 1981. XXe siècle. Française.
Peintre de compositions animées, figures.
Fille d'Auguste Leroux. Elle fut élève de Fernand Humbert. Elle obtint le Prix de Rome en 1926 et l'année suivante le Premier Prix Roux de l'Institut de France. Elle devint professeur certifié en 1931, et se consacra à l'enseignement d'abord à Dijon, puis dans la région parisienne, tout en continuant à peindre. Elle fut pensionnaire de la Casa Velasquez de Madrid en 1935. Elle exposa, à Paris, au Salon des Artistes Français à partir de 1924 et obtint une médaille d'argent la même année. Elle obtint la médaille d'argent à l'Exposition Internationale de Paris en 1937.
Elle pratique un métier traditionnel.
Ventes Publiques : Paris, 3 juil. 1992 : *Femme en blouse blanche*, h/t (100x73) : **FRF 3 700**.

LEROUX Madeleine
Née le 30 juin 1902 à Paris. XXe siècle. Française.
Peintre.
Elle fut élève d'Humbert et exposa, à Paris, au Salon des Artistes Français, obtenant une médaille d'or en 1926.

LEROUX Marie Guillaume Charles, père
Né le 25 avril 1814 à Nantes (Loire-Atlantique). Mort en 1895 à Nantes. XIXe siècle. Français.
Peintre de paysages.
Élève de Corot, il débuta au Salon de Paris en 1833, obtenant une médaille en 1843, 1846, 1847, 1859. Chevalier de la Légion d'honneur en 1859, officier en 1869. Il fut député des Deux-Sèvres en 1860. Il fit des paysages tristes et désolés, d'un réalisme que déplorait Baudelaire.

charles le Roux

Musées : Beaufort : *Marais près de Cholet* – Besançon : *Paysage poitevin* – Nantes : *Les bords de la Loire* – *L'Erdre au dessus de Niort* – *Effet d'orage* – Paris (Mus. du Louvre) : *Prairies et marais de Corsept au mois d'août* – Paris (Mus. d'Art Mod.) : *L'embouchure de la Loire* – *Les cerisiers*.
Ventes Publiques : Berne, 6 mai 1983 : *Paysage fluvial au crépuscule*, h/t (27x41) : **CHF 3 300** – Berne, 26 oct. 1988 : *Nature morte avec du raisin, du fromage, un cruchon et une bouilloire de cuivre*, h/t (46x55) : **CHF 3 200**.

LEROUX Marie Guillaume Charles, fils
Né en 1846 à Nantes (Loire-Atlantique). XIXe siècle. Français.
Peintre de paysages.
Fils et élève de Charles Guillaume Marie Leroux, il exposa au Salon de 1870 : *Embouchure de la Loire à Paimbœuf*.
Musées : Nantes : *L'Erdre en hiver* – *Bords de la Loire au printemps*.
Ventes Publiques : Paris, 3 mai 1926 : *Pâturage près du village* : **FRF 355** – Paris, 26-27 fév. 1934 : *Les marais* : **FRF 260**.

LEROUX Paul Joseph
Né en 1724 à Cambrai. Mort le 5 mars 1798 à Cambrai. XVIIIe siècle. Français.
Sculpteur.
Il exécuta avec Cormon en 1748 la chaire de l'église des Carmélites ; en 1754 un encadrement de porte pour la Salle du Consistoire de l'Hôtel de Ville et, en 1787, pour ce même bâtiment, des chapiteaux.

LEROUX Pierre Albert
Né le 10 novembre 1890 à Versailles (Yvelines). XXe siècle. Français.
Peintre de paysages.
Il fut élève de Cormon et Pierre Laurens à l'École des Beaux-Arts de Paris. Il exposa, à Paris, au Salon des Artistes Français.
Ventes Publiques : Paris, 1er mars 1991 : *Matinée de novembre en Seine-et-Marne* 1926, h/t (46x55) : **FRF 5 000** – Calais, 26 mai 1991 : *Trompette d'artillerie de la garde impériale*, aquar. et gche (60x49) : **FRF 4 200**.

LEROUX Richard
XVIe siècle. Français.
Sculpteur.
Probablement parent de Roullant Leroux. Il fit, de 1513 à 1520, des statues pour le portail de la cathédrale de Rouen.

LEROUX Roullant
Né à Rouen. Mort en 1527 à Rouen. XVIe siècle. Français.
Sculpteur.
Il succéda à son oncle Jacques Leroux comme maître de l'œuvre de la cathédrale de Rouen, en 1508. Chargé de l'exécution du grand portail, il fut secondé par Pierre Desaubeaux, Jean Théroulde, Pierre Dulis, Richard Leroux, Nicolas Quesnel, Denis Lerebours, Hance de Bony, etc., et fit lui-même plusieurs figures en pierre, dont *l'Arbre de Jessé*. Le décor est très riche, foisonnant de détails, et la rose est l'un des plus beaux exemples de l'art gothique flamboyant. L'œuvre, commencée en 1509, fut achevée en 1530. De 1520 à 1525, il fit, dans la chapelle de la Vierge de la cathédrale de Rouen, le magnifique tombeau du cardinal Georges d'Amboise, archevêque de Rouen. Les collaborateurs susnommés prêtèrent leur concours, mais on attribue plus spécialement à Pierre Desaubeaux, à Regnaud Thérouyn et à André le Flament les figures d'apôtres de la partie supérieure. Le caractère composite de cette œuvre s'explique par la collaboration d'artistes venus du chantier de Gaillon. Nommé architecte du Palais de Justice, il y travailla à la grande salle ; on lui donne aussi une part dans les travaux de l'hôtel Bourgtheroulde. Roullant Leroux réédifia et suréleva d'un étage la flèche de la cathédrale qui avait été détruite en 1514 par l'incendie. Simon Vitecoq lui succéda comme architecte de la cathédrale.

LEROUX DE LINCY Gabrielle Emma, née **Destailleur**
Née au XIXe siècle à Paris. XIXe siècle. Française.
Portraitiste et peintre de genre.
Élève de M. et Mme Hersent. Elle exposa au Salon, de 1839 à 1853, et obtint une médaille de deuxième classe en 1845. On cite d'elle une *Tête de jeune fille* (au Musée de Chalon-sur-Saône) et *Sainte Thérèse* (pour la chapelle des sœurs des pauvres de Marenne-de-Breteuil).

LEROUX-REVAULT Laura
Née au XIXe siècle à Dun-sur-Meuse (Meuse). XIXe siècle. Française.
Portraitiste.
Élève de son père Hector Leroux, Henner et Jules Lefebvre. Figura au Salon des Artistes Français. Membre de cette Société depuis 1892, elle obtint comme récompenses : Mention honorable 1893, Prix Marie Bashkirtseff 1893, médaille troisième classe 1896. Le Musée de Nancy conserve d'elle *Anne et Jehanne*, et celui de Provins, *L'attente*.

LE ROY
XVIIe siècle. Actif au Mans vers 1652. Français.
Peintre.
Travailla à l'église d'Aix-le-Boisne.

LE ROY
XVIIIe siècle. Actif en Russie.

Peintre de portraits, miniatures.
L'Ermitage de Saint-Pétersbourg possède des œuvres de cet artiste, datées entre 1772 et 1779. Peut-être est-il identique à un peintre de portraits qui travailla en 1781 à La Rochelle.
Musées : Saint-Pétersbourg (Mus. de l'Ermitage) : *Portrait du jeune comte de Provence – Portraits de femmes.*

LEROY. Voir aussi **ROY** et **LEROI**

LEROY Adolphe
Né le 25 février 1810 à Abbeville (Somme). Mort en 1888. xixe siècle. Français.
Peintre de portraits, paysages, dessinateur.
Élève de Leygue. Il exposa au Salon de Paris en 1866 et 1867. Il a travaillé à La Réunion en 1870.
Il a surtout peint des paysages de bords de Seine, sous de grands ciels gris, qui ne sont pas sans évoquer ceux de Boudin.
Bibliogr. : Gérald Schurr, in : *Les Petits Maîtres de la peinture 1820-1920, valeur de demain,* Les Éditions de l'Amateur, t. II, Paris, 1982.
Musées : Abbeville : *Une pâture à Noyelles-sur-Mer.*
Ventes Publiques : Rouen, 23 oct. 1969 : *Voiliers sur la Seine,* h/t (64x38) : **FRF 3 000.**

LE ROY Albert Edmond Laurent
xixe-xxe siècles. Français.
Peintre de paysages.
Le Musée d'Abbeville et du Ponthieu conserve de cet artiste : *L'église de Triel* et *Les bords du Loing à Nemours.*

LEROY Alphonse
Né en 1780 à Paris. Mort en 1840. xixe siècle. Français.
Paysagiste.
Élève de Bertin. Il exposa au Salon entre 1822 et 1833.

LEROY Alphonse Alexandre
Né en juin 1821 à Lille. xixe siècle. Français.
Graveur.
Élève de Cousin. Figura au Salon à partir de 1847 ; médaille troisième classe 1853 et 1855 (Exposition Universelle). Rappel 1859 et 1863. Il a surtout produit, avec beaucoup de talent, des fac-similé de dessins de maîtres. On lui doit aussi des illustrations pour l'*Histoire de France* d'Anquetil.

Cachet de vente

LEROY André
Né au xixe siècle à Paris. xixe-xxe siècles. Français.
Peintre animalier.
Il figura, à Paris, au Salon des Artistes Français où il obtint une mention honorable en 1904.
Ventes Publiques : Paris, 27 mai 1993 : *Chien de meute* 1868, h/t (60x50) : **FRF 7 300.**

LEROY Augustine
Née au xixe siècle à Paris. xixe siècle. Française.
Miniaturiste et aquarelliste.
Élève d'Isabey. Elle exposa au Salon, de 1834 à 1859.

LEROY Céline
Née au xixe siècle à Paris. xixe siècle. Française.
Peintre d'animaux, fleurs.
Élève de Redouté. Elle exposa au Salon entre 1831 et 1837. Elle a réalisé des tableaux de fleurs et papillons.

LEROY Charles
Mort en 1898. xixe siècle. Français.
Peintre.
Sociétaire des Artistes Français, il figura au Salon de ce groupement. Officier de la Légion d'honneur.

LEROY Christian
Né le 17 janvier 1931 à Charleroi. xxe siècle. Belge.
Sculpteur.
Il fut élève de l'Institut Saint-Luc et de l'Académie des Beaux-Arts à Bruxelles ainsi que de l'Institut Supérieur d'Anvers. Il est professeur de sculpture à l'Institut Supérieur des Arts Plastiques et Visuels de Mons. Il est membre fondateur du groupe *Maka* et du groupe *Art cru.*
Il a obtenu le prix Godecharle en 1955, le prix de Rome en 1957, le prix du Hainaut en 1958 et celui de l'Académie Royale de Belgique en 1971.
Bibliogr. : P. Caso : *Christian Leroy, sculpteur,* 1978 – in : *Diction. biographique illustré des artistes en Belgique,* Arto, Bruxelles, 1987.
Musées : Charleroi.

LEROY Claire
Née au xixe siècle à Paris. xixe siècle. Française.
Peintre de fleurs.
Élève de Rivoire. Elle débuta au Salon de 1879. Elle a surtout exposé des gouaches.

LE ROY Claude
Né vers 1712 à Vendôme. Mort le 3 octobre 1792. xviiie siècle. Français.
Peintre et graveur.
A gravé des portraits, notamment ceux du cardinal Fleury, du cardinal Dubois, de Boileau, de Bossuet.

LEROY Denis Sébastien
Né à Paris. Mort en 1832 à Paris. xixe siècle. Français.
Peintre d'histoire.
Élève de Peyron. Il obtint en 1798 le deuxième Grand Prix de Rome. Il exposa au Salon de 1795 à 1831. On cite de lui : *Adieux d'Ariane et de Thésée avant la lutte contre le Minotaure,* et *Vénus arrêtant Énée prêt à venger la reine de Troie sur Hélène* (au Musée du Mans), ce dernier sujet également au Ministère de l'Intérieur à Paris.
Ventes Publiques : Paris, 14 jan. 1929 : *François Ier et la Joconde,* dess. : **FRF 295.**

LEROY Dominique
Né en 1903 à Nancy (Meurthe-et-Moselle). xxe siècle. Français.
Sculpteur.
Cité par A. Jacquot dans son *Répertoire des Artistes Lorrains.*

LEROY Elisa. Voir **DESRIVIÈRES**

LEROY Elvire
Née au xixe siècle à Paris. xixe siècle. Française.
Miniaturiste.
Élève de Belloc et Delacroix. Elle débuta au Salon en 1861 ; mention honorable en 1863.

LEROY Émile André
Né le 25 septembre 1899 à Saint-Amand-Montrond (Cher). xxe siècle. Français.
Sculpteur.
Il fut élève de Jean Boucher. Il exposa, à Paris, au Salon des Artistes Français et obtint une médaille de bronze en 1927.
Musées : Paris (Mus. d'Art Mod. de la Ville) : *Buste de jeune Haïtien.*

LEROY Étienne
Né le 26 octobre 1828 à Paris. xixe siècle. Français.
Peintre de genre, nus, paysages.
Élève de Picot. Il exposa de 1850 à 1873.
Ventes Publiques : New York, 12 oct. 1993 : *Paysage côtier* 1888, h/t (81,9x127,6) : **USD 8 050** – Londres, 14 juin 1995 : *Nu allongé près d'un tambourin,* h/t (40,5x76,5) : **GBP 5 175.**

LE ROY Etienne Victor
Né le 23 juin 1808. Mort le 25 janvier 1878 à Bruxelles. xixe siècle. Belge.
Peintre d'intérieurs d'églises, restaurateur de tableaux.
Restaurateur de la *Descente de Croix* de Rubens (église Notre-Dame à Anvers).
Ventes Publiques : Amsterdam, 8 oct. 1994 : *Intérieur de la Vieille Église de Delft vers le chœur,* h/pan. (27,2x20,5) : **NLG 3 220.**

LEROY Eugène
Né en 1910 à Tourcoing (Nord). xxe siècle. Vivant à Wasquehal, près de Lille. Français.
Peintre de figures, nus, portraits, graveur, dessinateur.
Il passa sa jeunesse aux environs de Tournai, au bord de l'Escaut. Son père était peintre et mourut très jeune, en 1911. Il commença lui-même à peindre vers 1925, visitant les musées, attiré d'emblée par Rembrandt. Il voyagea en Italie, en 1928, travaillant le dessin. Il commença à peindre à l'huile en 1930. Il fit un bref passage dans les écoles des Beaux-Arts de Lille et de Paris, en 1932. En 1933, il s'installa pour deux années dans les

Ardennes, où il mena sa vie dans l'intimité des choses de la campagne. Il se fixa ensuite à Croix, près de Roubaix, à partir de 1935. Il effectua de nombreux voyages à la découverte des maîtres anciens. D'abord en Hollande, en 1936 à bicyclette, allant voir les Rembrandt et Van Gogh dans les musées, puis il fit de fréquents et déterminants séjours sur la mer du Nord. En 1952, il voyagea à plusieurs reprises en Allemagne, où il vit les œuvres de Klee et de Kandinsky à Munich, lors d'une grande exposition ; en Italie, il découvrit Giorgione à Castelfranco et Venise ; en 1956, il se rendit en Espagne pour admirer les peintures de Goya, Zurbaran, Velasquez et du Gréco. En 1958, il s'installa à Wasquehal près de Lille, où il vit depuis. Il enseigna quelques années à l'École des Beaux-Arts de Lille. Il voyagea en 1972 aux États-Unis, où il s'intéressa aux œuvres de Rothko, en 1974 en U.R.S.S. où il s'initia à une nouvelle approche du contre-jour devant une icône russe. Il a obtenu le prix Othon Friesz.
Il figure dans quelques salons parisiens, notamment, en 1946 et 1947 au Salon d'Automne, en 1956, 1967 et 1968 au Salon de Mai. En 1964, il figure à l'International Carnegie Institute, à Pittsburgh et, en 1981, il participe à la Biennale de Gravelines. Il montre ses œuvres dans des expositions personnelles, dont : 1937, galerie Monsallut, Lille ; 1957, Musée de Dunkerque ; 1958, Musée des Beaux-Arts, Tourcoing ; 1961, 1963, galerie Claude Bernard, Paris ; 1977, École des Beaux-Arts, Lille ; 1978, 1979, galerie Jean Leroy, Paris ; 1979, IVe Biennale de Gravelines ; 1980, galerie K, Washington ; 1982, Museum van Hedendaagse Kunst, Gand ; 1983, 1985, 1987, galerie Michaël Werner, Cologne ; 1983, 1985, galerie Winter, Vienne ; 1986, galerie Gillespie-Laage-Salomon, Paris ; 1987, Musée d'Art Moderne, Villeneuve d'Ascq ; 1988, Stedelijk Museum, Amsterdam ; 1988, ARC Musée d'Art Moderne, Paris ; 1996, triple exposition : Musée des Beaux-Arts et à La Criée de Rennes et Domaine de Kerguéhennec ; 1997, Musée des Beaux-Arts, Tourcoing.
Longtemps apprécié uniquement par les amateurs de la région du Nord, l'œuvre d'Eugène Leroy n'a été reconnu qu'assez tardivement. Solitaire dans sa pratique de peintre et de graveur, sa figuration, dit-on, n'est pas issue de la tradition classique française. Elle se nourrirait de l'influence de Rembrandt et de l'expressionnisme flamand, plus que de Poussin ou des couleurs matisséennes. Ce détour géographique, culturel et historique, s'il est probant à bien des égards, ne circonscrit pas cet œuvre qui en dépasse l'aparté. En première approche visuelle, Bernard Marcadé écrit fort justement : « L'œuvre d'Eugène Leroy ne flatte pas le regard. Pas de séduction ici ; pas de maquillage. Plutôt, au premier abord, quelque chose comme une muraille de peinture. » Les œuvres de Leroy figurent pourtant, inlassablement en couches épaisses, des nus, des têtes ou des paysages. Le peintre charge la surface de matière qu'il triture longuement, chacune des toiles pouvant être reprise à intervalles de temps, sur des années parfois. Ainsi, il ajoute plutôt qu'il ne réduit. Il fait en sorte que de cette pâte colorée, ces mélanges aux tons sourds affleurants de rouge, jaune, bleu ou vert, finissent par s'exprimer, créer de la lumière par des clairs-obscurs, au regard de sa pensée imagée de peintre. Un effort tendu pour vaincre un difficile engagement, ô combien riche et entier ! – celui, dit-il, de « restituer la trace, le résidu de l'émotion du début, l'émotion d'un geste ». Cette remontée se fait par et dans la peinture. « On est dans une ambiguïté, là où la peinture se perd au profit de l'image », dit-il encore, mais si la sienne triomphe, elle ne rompt pas cependant l'attache qui la lie à la vie, au contraire, l'enveloppe. C'est à cette confrontation entre l'image et la peinture, cette « chimie » vieille de plusieurs siècles, qu'Eugène Leroy mène seul son ancrage au monde. ■ Christophe Dorny

Bibliogr. : *Leroy et l'âme de l'art septentrional*, in : *Prisme des Arts*, n° 19, Paris, 1959 – Jean Clair, in : *Eugène Leroy, peinture, lentille du monde – entretien avec Iremline Lebeer, lettre d'Eugène Leroy*, Lebeer Hossmann, Bruxelles, 1979 – Roland Jooris, in : *Eugène Leroy*, catalogue de l'exposition, Museum Van Hedendaagse Kunst, Gand, 1982 – Maxime Deswarte, in : *Eugène Leroy. Bilder 1955-1982*, catalogue de l'exposition, Galerie Ascan, Hambourg, 1983 – Dominique Vieville, in : *Eugène Leroy*, catalogue de l'exposition, Frac Nord-Pas-de-Calais, 1983 – Gilbert Perlein, Georg Baselitz, Bernard Marcadé, Rafael Jablonka, R. H. Fuchs, Jonathan Lasker, in : *Eugène Leroy*, catalogue de l'exposition, Musée d'Art Moderne, Villeneuve d'Ascq, 1987 – Bernard Marcadé, R. H. Fuchs, Denys Zacharopoulos, in : *Eugène Leroy*, catalogue de l'exposition, Stedelijk Museum, Amsterdam, Arc Musée d'Art Moderne de la Ville de Paris, 1988 – *Eugène Leroy. Dessins*, catalogue de l'exposition, Musée de Poitiers, 1990 – Maïten Bouisset : *Eugène Leroy, l'Ermite de Wasquehal*, in : *Beaux-Arts*, Paris, déc. 1991 – in : *Dictionnaire de l'art moderne et contemporain*, Hazan, Paris, 1992 – Bernard Marcadé : *Eugène Leroy*, Flammarion, Paris, 1994.

Ventes Publiques : Paris, 18 fév. 1990 : *Figure* vers 1960, h/t (41x27) : **FRF 68 000** – Paris, 11 juin 1990 : *Sans titre*, h/t (82x44) : **FRF 120 000** – Calais, 9 déc. 1990 : *Composition*, h/pan. (250x100) : **FRF 85 000** – Lille, 10 déc. 1990 : *Nu*, h/t (116x81) : **FRF 118 000** – Paris, 11 juin 1991 : *Portrait de jeune fille*, h/t (81x60) : **FRF 80 000** – Douai, 30 juin 1991 : *Ferme en Flandres* 1950, h/t (50x60) : **FRF 65 000** – Calais, 7 juil. 1991 : *Nativité* 1947, h/pan. (27x22) : **FRF 14 000** – Paris, 19 jan. 1992 : *Ciel*, h/t (73x100) : **FRF 140 000** – Paris, 12 déc. 1992 : *Marina blanche* 1988, h/t (100x81) : **FRF 85 000** – Paris, 28 mai 1993 : *Composition* 1955, h/bois (64,5x53,5) : **FRF 35 000** – Paris, 17 mars 1994 : *Le Vieil Homme* 1988, h/t (100x81) : **FRF 84 000** – Paris, 27 nov. 1994 : *Pour un homme* 1990, h/t (195x130) : **FRF 170 000** – Paris, 7 mars 1995 : *Le chapeau mexicain* 1985, h/t (130x97) : **FRF 98 000** – Paris, 29-30 juin 1995 : *Marina jaune* 1990, h/t (163x130) : **FRF 115 000** – Lokeren, 9 déc. 1995 : *Sous-bois*, h/t (80,5x65) : **BEF 650 000** – Paris, 7 déc. 1995 : *Noire présence*, h/t (195x130) : **FRF 123 000** – Lille, 12 fév. 1996 : *Nu*, h/t (100x81) : **FRF 79 000** – Lokeren, 9 mars 1996 : *Vue du port*, h/t (60x73) : **FRF 330 000** – Amsterdam, 5 juin 1996 : *Nu allongé* 1961, h/t (63x122) : **NLG 21 850** – Paris, 20 juin 1996 : *L'Arbre* 1989, h/t (73x54) : **FRF 24 000** – Londres, 5 déc. 1996 : *Personnage blanc*, h/t (160x130) : **GBP 18 400** – Londres, 27 juin 1997 : *Nu 13* 1987, h/t (131x97) : **GBP 9 200** – Paris, 3 oct. 1997 : *Fleurs* 1963, h/t (81x54,5) : **FRF 49 000** – Paris, 19 oct. 1997 : *Figure*, h/t (61x50) : **FRF 23 000**.

LEROY François
Né au XIXe siècle à l'Ile Maurice. XIXe siècle. Français.
Paysagiste et aquarelliste.
Fixé à Nantes. Il exposa au Salon de Paris de 1865 à 1870.

LEROY Fred
Né en 1928 à Cheny-sur-Samois. XXe siècle. Belge.
Peintre, dessinateur, graveur, aquarelliste, sculpteur, céramiste.
Il suit les cours de sculpture et de céramique des Kölner Werkschulen. Il est le fondateur de l'atelier de céramique pour malades et handicapés de l'hôpital de Cologne. Il est l'auteur de la stèle Adrien de Prémorel à Bleid (Virton).
Bibliogr. : In : *Diction. biographique illustré des artistes en Belgique*, Arto, Bruxelles, 1987.

LEROY Gaston Georges
Né à Villeneuve-Saint-Georges (Val-de-Marne). XXe siècle. Français.
Peintre de paysages, aquarelliste.
Il fut élève de M. Coquart. Il débuta, à Paris, au Salon des Artistes Français en 1880.

LEROY Grégoire
Né en 1862 à Gand. Mort en 1943. XIXe-XXe siècles. Belge.
Peintre d'intérieurs, genre.
Bibliogr. : In : *Diction. biographique illustré des artistes en Belgique*, Arto, Bruxelles, 1987.

LE ROY Guillaume dit le Flamand
Mort entre 1525 et 1528. XVIe siècle. Actif à Lyon. Éc. flamande.
Peintre.

LE ROY Guillaume
Né le 28 juillet 1938 à Blaricum. XXe siècle. Hollandais.
Peintre, graveur.
Il a étudié à la Rietveld Academy d'Amsterdam jusqu'en 1961. Il a fait sa première exposition en 1964 à Amsterdam. Depuis, il expose surtout en Hollande.
Non-figuratives, ses peintures proposent surtout des formes en liberté.

LEROY Gustave Jules
Né au XIXe siècle à Paris. XIXe siècle. Français.
Graveur et architecte.
Élève de Lassus. Exposa une gravure au Salon de 1853.

LE ROY Hans. Voir **ROY Hans**

LE ROY Harold M.
Né en 1905 à New York. XXe siècle. Actif depuis 1969 aussi en France. Américain.
Peintre de fleurs, paysages, figures, illustrateur, décorateur.

Après des études diverses, à New York, il fut élève de l'atelier de Hans Hoffman, de l'École d'Art du Brooklyn Museum et de l'Art Students' League. Il passa une partie de son enfance à Paris où son père avait un atelier et un commerce de fleurs artificielles. Il fut dans les années trente décorateur et concepteur de costumes. Il collabora aussi à des magazines de mode. Il est aussi écrivain. Il vit et travaille en France et aux États-Unis.
Depuis 1963, il participe à de nombreuses expositions, surtout à New York et dans quelques villes des États-Unis. Il montra une exposition en 1979 à New York aux Randall Galleries portant sur les jardins exotiques de Monaco.
Il travailla d'abord dans le commerce paternel de fleurs artificielles. À partir de 1959, il décida de consacrer toute son activité à la peinture, il garda le goût de ces couleurs et de ces textures artificielles. Surtout peintre de fleurs donc, on pourrait le dire peintre de fleurs artificielles. Triturant des matières généreuses, qui peuvent faire penser à Bouche, il peint aussi des paysages rustiques et simples, curieusement presque naïfs, sans recherche du point de vue pittoresque. En 1986, il est invité, en France, par les descendants de la famille de Monet, ayant réalisé une série de vues de paysages à Giverny.
Bibliogr. : Eleonor Flomenhaft : *The Unique Art of Harold M. Le Roy*, Fine Arts Museum of Long Island,, 1981.
Musées : Athènes (Georgia Mus. of Art) – Charlotte (Mint Mus. of Art) – Hempstead (Mus. of Fines Art) – Los Angeles (Skirball Mus. of Art) – Miami (Mus. of Mod. Art) – Norfolk (The Chrysler Mus.) – Norwich (Slater Memorial Mus.) – Safed – Washington D. C. (Smithsonian Inst.) – Youngstown (Butler Mus. of American Art).

LEROY Henri
Né le 26 juin 1851 à Paris. xixe siècle. Français.
Peintre d'animaux, paysages, natures mortes.
Élève de Oudry et Defaux. Il débuta au Salon en 1875.
Ventes Publiques : Paris, 22 déc. 1993 : *Canards sur l'étang*, h/t (30x50) : **FRF 4 800** – New York, 17 jan. 1996 : *Cour de ferme*, h/t (65,1x74,9) : **USD 4 312**.

LEROY Henry
Né en 1579. xviie siècle. Français.
Graveur au burin.
Il a gravé des planches d'insectes dans la manière de Hollar. Elles sont signées : *Henry Le Roy fecit*, 1651.

h.l.R.f.

LEROY Hippolyte
Né le 4 avril 1857 à Liège. Mort en 1943 à Bruxelles. xxe siècle. Belge.
Peintre de portraits, intérieurs, paysages, sculpteur, médailleur.
Il fut élève des Académies des Beaux-Arts de Saint-Joss-ten-Nood et de Gand. Il poursuivit ses études à l'École Nationale des Beaux-Arts de Paris.
Bibliogr. : In : *Diction. biographique illustré des artistes en Belgique*, Arto, Bruxelles, 1987.
Musées : Amiens : *Héro* – Anvers : *La princesse Clémentine*, médaillon – Berlin – Gand – La Haye – Munich – Saint-Pétersbourg – Verviers : *Salambô*.

LEROY Hugh
Né en 1939 à Montréal. xxe siècle. Canadien.
Sculpteur. Abstrait.
Il a participé à l'Exposition universelle de Montréal en 1967. Il a fait sa première exposition à Montréal et a exposé à Toronto en 1967.
Après avoir taillé des formes abstraites, il en est venu, entre 1967 et 1970, à explorer quelques dérivations du minimal art. Ensuite, il a axé sa production sur des recherches plus spatiales.

LEROY Jacques
xvie siècle. Français.
Peintre et sculpteur, décorateur.
Peut-être frère de Simon Leroy. En 1535, il était occupé à Fontainebleau.

LEROY Jacques
xvie siècle. Français.
Sculpteur.
Il était actif à Reims vers 1544.
Bibliogr. : H. Jadart, in : *Les Artistes Rémois inconnus*.

LE ROY Jacques
Né en 1739 à Paris. xviiie siècle. Français.
Graveur de portraits, ornemaniste.
Il a gravé, au burin, des planches d'ornements et des portraits, notamment celui de *Voltaire*, exécuté après la mort de l'illustre écrivain (1778).

LE ROY Jas ou **Jaes** ou **Joseph** ou **du Roy**, appelé aussi **Jaspar Coninckx** (?)
Né à Dam près de Bruges. Mort en 1624 à Bordeaux. xvie-xviie siècles. Depuis 1594 actif en France. Flamand.
Peintre de portraits, ornemaniste.
Il se fixa à Bordeaux en 1594 et y peignit des portraits de magistrats et des décorations de fêtes.

LE ROY Jean
xve siècle. Actif à Mons. Éc. flamande.
Peintre de miniatures.
Il décora, de 1468 à 1481, un grand nombre de livres de chœur pour l'église Sainte-Waudru à Mons.

LEROY Jean
Né en 1896 à Peruwelz. Mort en 1939 à Tournai. xxe siècle. Belge.
Peintre de figures, nus, scènes de genre, dessinateur.
Bibliogr. : In : *Diction. biographique illustré des artistes en Belgique*, Arto, Bruxelles, 1987.
Musées : Tournai.

LEROY Jean Jacques
Né en 1797 à Paris. xixe siècle. Français.
Graveur.
Élève de Lesueur. Il exposa de 1835 à 1841.

LE ROY Joseph
Né vers 1728. Mort en 1797 à Grenoble (Isère). xviiie siècle. Français.
Portraitiste et pastelliste.
On connaît de cet artiste une *Vue de l'Isère*.

LE ROY Joseph. Voir aussi **ROY Jose**

LEROY Joseph Anne Jules
Né en 1814 à Bruxelles. Mort en 1860 à Bruxelles. xixe siècle. Belge.
Peintre de genre.
Élève de son frère, Pierre François Leroy, et de Verbœckhoven.
Ventes Publiques : Paris, 2 et 3 déc. 1926 : *Scène de guerre*, aquar. : **FRF 1 550** ; *Tête de Suissesse*, past. et cr. : **FRF 600**.

LEROY Joseph François
Né en 1768 à Paris. Mort en 1829 à Paris. xviiie-xixe siècles. Français.
Peintre miniaturiste et dessinateur.
Élève de Suvée. Il exposa de 1795 à 1827.

LEROY Jules
Né le 20 mars 1833 au Mans (Sarthe). Mort le 2 novembre 1865 à Paris. xixe siècle. Français.
Peintre de natures mortes, fleurs et fruits.
Il fut élève de Philippe Rousseau, il exposa au Salon de Paris, de 1859 à sa mort en 1865.
Musées : Mans : *Fruits et instruments de jardinage sur un banc*.
Ventes Publiques : Paris, 25 nov. 1925 : *Nature morte aux écrevisses, crevettes roses, etc.* : **FRF 200**.

LE ROY Jules Gustave
Mort après 1920. xixe-xxe siècles. Français.
Peintre animalier.
Il a essentiellement représenté des chats.

J. LeRoy

J. LeRoy

Ventes Publiques : Paris, 22 fév. 1900 : *Chatte et ses petits sur un coussin de soie* : **FRF 840** – Paris, 4 mars 1926 : *Le Rêve (chats)* : **FRF 1 150** – Paris, 15 avr. 1943 : *Famille de chats* : **FRF 3 100** – Paris, 2 juil. 1945 : *Trois Petits Chats* : **FRF 3 000** – Paris, 13 jan. 1947 : *Jeunes chats jouant* : **FRF 2 100** – Paris, 11 fév. 1954 : *Chats jouant* : **FRF 18 000** – Londres, 19 mai 1976 : *Chatons explorant le panier du pique-nique*, h/t (51x65) : **GBP 600**

– PARIS, 25 oct. 1978 : *Chatte et chatons*, h/t (47x39) : **FRF 5 500** – PARIS, 21 nov 1979 : *Chatons dans un panier de fleurs*, h/t, une paire (38x46 ; 33x41) : **FRF 7 800** – SAN FRANCISCO, 3 oct. 1981 : *Les Chatons*, h/t 46x38) : **USD 1 800** – LONDRES, 16 mars 1983 : *Chatons jouant*, h/t (88x115) : **GBP 11 000** – NEW YORK, 13 fév. 1985 : *Chatons jouant dans un intérieur* 1899, h/pan. (45,7x37,5) : **USD 3 000** – STOCKHOLM, 10 déc. 1986 : *Chatons dans un boudoir*, h/t (66x55) : **SEK 38 000** – NEW YORK, 21 mai 1987 : *Une tournée en province* 1885, h/t (74x117) : **USD 16 000** – PARIS, 27 mai 1988 : *Le Jeu des trois chatons*, h/pan. (27x22) : **FRF 4 500** – CALAIS, 13 nov. 1988 : *Trois chatons jouant dans la boîte à bijoux*, h/t (27x21,5) : **FRF 12 000** – VERSAILLES, 5 mars 1989 : *Les Chats et la corbeille à ouvrages*, h/pan. (41x32,5) : **FRF 21 200** – PARIS, 11 avr. 1989 : *Les Chats sur la pelisse*, h/t (47x99) : **FRF 62 000** – LONDRES, 7 juin 1989 : *Famille de chats*, h/t (73x60,5) : **GBP 4 400** – LONDRES, 21 juin 1989 : *Chatons dans un panier*, h/t (46,5x59,5) : **GBP 3 300** – LONDRES, 4 oct. 1989 : *Chatte et sa portée*, h/t (24x39) : **GBP 2 200** – PARIS, 1er déc. 1989 : *Chatons et Perroquet*, h/t (64x50) : **FRF 51 000** – LONDRES, 14 fév. 1990 : *Chatte et ses petits dans un panier à fleurs*, h/t (63x78) : **GBP 4 400** – NEW YORK, 7 juin 1991 : *Jeux de chatons*, h/t (50,8x64,8) : **USD 7 700** – LONDRES, 16 juil. 1991 : *Tolérance*, h/pan. (40,7x32,4) : **GBP 1 760** – COUTANCES, 1er déc. 1991 : *Trois chatons jouant*, h/pan. (23x30) : **FRF 11 500** – AMSTERDAM, 24 sep. 1992 : *Dans la boîte à couture*, h/t (54,5x66) : **NLG 4 600** – NEW YORK, 18 fév. 1993 : *Les Chatons curieux*, h/t (74x93) : **USD 16 500** – CALAIS, 14 mars 1993 : *Chatons devant un vase brisé*, h/pan. (24x19) : **FRF 13 000** – LONDRES, 16 mars 1994 : *Chatons jouant dans une guitare*, h/t (54x45,5) : **GBP 6 670** – AMSTERDAM, 11 avr. 1995 : *Chatons jouant avec des pelotes de laine*, h/cart. (16x22) : **NLG 3 540** – LONDRES, 12 juin 1996 : *Chatons*, h/t (32,5x41) : **GBP 1 955** – CALAIS, 7 juil. 1996 : *Chatons dans un panier de roses*, h/pan. (18x24) : **FRF 8 500** – CALAIS, 15 déc. 1996 : *Chatons dans le panier de fleurs*, h/pan. (18x24) : **FRF 9 000** – LONDRES, 10 oct. 1996 : *Les Faiseurs de dégats* 1920, h/t (53,3x45,7) : **GBP 3 200** – PARIS, 18 juin 1997 : *Le Désordre*, h/pan. (46x38) : **FRF 28 000**.

LE ROY Lodovico ou **de Roy**
Originaire de Paris. XIVe siècle. Français.
Sculpteur.
Il travailla en 1389 pour le dôme de Milan. On lui attribue une *Pietà* conservée par le Trésor du dôme.

LEROY Louis Joseph
Né en 1812 à Paris. Mort en 1885 à Paris. XIXe siècle. Français.
Paysagiste, pastelliste et graveur à l'eau-forte et auteur dramatique.
Exposa au Salon de 1835 à 1861 et obtint une troisième médaille en 1838. Le Musée de Bourges conserve de lui : *Pâturage à la lisière d'un bois*. C'est lui qui, en 1874, trouva l'épithète *impressionnisme* que relevèrent les peintres dont l'exposition était raillée par le critique.

LE ROY Louis Nicolas
XIXe siècle. Actif à Paris en 1815. Français.
Graveur au burin.

LEROY Marc
Né en 1906. XXe siècle. Français.
Peintre.
Il participa, à Paris, au premier Salon de Mai en 1945.

LEROY Marie
XIXe siècle. Active à Paris. Française.
Sculpteur.
Sociétaire des Artistes Français depuis 1889, elle figura au Salon de ce groupement.

LE ROY Martin
XVIe siècle. Français.
Sculpteur.
Il sculpta les armes du roi sur la façade de l'Hôtel de Ville de Compiègne, en 1505 et 1508.

LEROY Maurice
XXe siècle. Français.
Dessinateur humoriste, décorateur, illustrateur, affichiste.
Il collabora à la plupart des publications humoristiques de la première moitié du XXe siècle. Il exécuta aussi quelques décorations et des affiches. Il illustra, entre autres, *Les Liaisons dangereuses* de Laclos, *Le Malade imaginaire* de Molière, *Candide*, de Voltaire, etc.

LEROY Michel
XXe siècle. Français.
Peintre. Abstrait.
Il a figuré, de 1947 à 1943, au Salon des Réalités Nouvelles, à Paris, avec des compositions abstraites.

LEROY N., vicomte de Borde ou de Barde
Né le 15 février 1777 à Montreuil-sur-Mer. Mort le 5 mai 1828 à Paris. XIXe siècle. Français.
Peintre.
En même temps qu'artiste spécialisé dans la représantation de sujets d'histoire naturelle, il fut collectionneur et les tableaux réunis par lui furent achetés à sa mort, par la ville de Boulogne-sur-Mer.

LE ROY P.
XVIIIe siècle. Français.
Graveur de portraits.
Actif à Paris, il a gravé des portraits au burin.

LEROY Patrick
Né en 1948. XXe siècle. Français.
Peintre de genre, scènes animées, figures, paysages.
Il a pu être influencé par un postcubisme tempéré. Il a évolué à des scènes pittoresques de régates, de baigneuses, d'élégantes en promenade ou de courses de chevaux.

Leroy
Patrick

VENTES PUBLIQUES : CALAIS, 8 juil. 1990 : *Composition cubiste*, techn. mixte (59x48) : **FRF 7 500** – LE TOUQUET, 11 nov. 1990 : *Jeune Homme et lévrier dans une construction cubiste*, techn. mixte (64x52) : **FRF 10 500** – CALAIS, 9 déc. 1990 : *Composition à la montre*, techn. mixte (63x52) : **FRF 7 500** – CALAIS, 10 mars 1991 : *Détente en forêt*, h/pan. (90x71) : **FRF 9 500** – LE TOUQUET, 19 mai 1991 : *Belle de Nuit*, h/pan. (79x58) : **FRF 7 500** – CALAIS, 7 juil. 1991 : *Couple sur les marches*, h/pan. (72x54) : **FRF 8 000** – CALAIS, 5 avr. 1992 : *Élégantes près de la vasque fleurie*, h/pan. (89x69) : **FRF 5 000** – CALAIS, 14 mars 1993 : *Élégantes et jeune chien*, h/t (55x46) : **FRF 4 500** – LE TOUQUET, 14 nov. 1993 : *Maisons dans les arbres*, h/pan. (64x54) : **FRF 5 500** – LE TOUQUET, 22 mai 1994 : *Trot attelé devant les élégantes*, h/pan. (80x64) : **FRF 6 000** – CALAIS, 3 juil. 1994 : *Baigneuse*, h/pan. (65x81) : **FRF 5 500** – LE TOUQUET, 21 mai 1995 : *Le Peintre et son modèle*, h/pan. (65x53) : **FRF 5 000** – CALAIS, 25 juin 1995 : *Retour de pêche*, h/pan. (74x63) : **FRF 4 200** – PARIS, 25 fév. 1996 : *Les Régates*, h/pan. (75x63) : **FRF 7 000** – CALAIS, 23 mars 1997 : *Composition*, h/pan. (72x59) : **FRF 5 000** – PARIS, 25 mai 1997 : *Femmes, enfant et voilier*, h/pan. (70x58) : **FRF 6 500** – PARIS, 19 oct. 1997 : *La Régate*, h/pan. (79,5x63,5) : **FRF 8 500**.

LE ROY Paul Alexandre Alfred
Né le 27 novembre 1860 à Paris. Mort en 1942. XIXe-XXe siècles. Francais.
Peintre de compositions religieuses, scènes de genre, portraits, paysages. Orientaliste.
Installé avec sa famille à Odessa, il commença ses études artistiques dans cette ville, puis fut élève d'Alexandre Cabanel à Paris. Une bourse de voyage lui permit de passer deux ans en Égypte, de 1885 à 1887. À partir de cette date, il séjourna chaque année en Algérie, allant parfois jusque Constantinople ou en Perse. Avec le peintre Étienne Dinet, soutenu par le baron Chassériau, neveu du peintre Théodore Chassériau, il fonda la Société des Orientalistes Français en 1899.
Il figura, à Paris, au Salon des Artistes Français, dont il devint sociétaire en 1886. Lors de ses participations à ces Salons, il obtint des récompenses : médaille de troisième classe en 1882 et la même année une bourse de voyage ; le prix du Salon en 1884, une médaille de deuxième classe en 1888, une médaille d'argent en 1900 dans le cadre de l'Exposition Universelle à Paris. Chevalier de la Légion d'honneur en 1908.
Très attiré par la lumière orientale, il traite ses paysages dans une esthétique proche de l'impressionnisme. Le goût de l'Orient l'a également incité à peindre des sujets religieux, comme *Les aveugles à Jéricho*. Un Paul Leroy a illustré un *Paul et Virginie*, paru en 1900.

PAUL-LEROY

BIBLIOGR. : Gérald Schurr, in : *Les Petits Maîtres de la peinture*

1820-1920, valeur de demain, Les Éditions de l'Amateur, t. III, Paris, 1976.
Musées : Abbeville : *Saint-Riquier* – Ajaccio : *Joueur de guzla* – Cambrai : *Samson* – Dijon : *Étretat* – Guéret : *Promenade au jardin* – Paris (Mus. du Louvre) : *Portrait du père de l'artiste* – Paris (Mus. d'Art Mod. de la Ville) : *L'oasis d'El Kantara* – *Tisseuse à Biskra* – Rome (Mus. du Vatican) : *Les aveugles de Jéricho* 1890 – Rouen (Mus. des Beaux-Arts) : *Jésus chez Marthe et Marie*.
Ventes Publiques : Paris, 30 nov.-2 déc. 1920 : *Course à Epsom* 18 mai 1920 : **FRF 3 420** – Paris, 7-9 avr. 1924 : *Arabe* : **FRF 500** – New York, 12 nov. 1970 : *Les Filles d'Atlas* : **USD 1 350** – Paris, 1er déc. 1975 : *La caravane*, h/t (70x115) : **FRF 16 000** – Paris, 24 mai 1976 : *La cour au figuier* 1885, h/t (38x55) : **FRF 4 200** – Paris, 1er mars 1978 : *Les musiciennes (Égypte)* vers 1900, h/t (81x65,5) : **FRF 8 500** – Londres, 18 jan. 1980 : *Conversation au sérail* 1901, h/t (64x64) : **GBP 2 800** – Londres, 20 juin 1984 : *Les jeunes tisseuses* 1894, h/t (160x200) : **GBP 19 000** – Londres, 17 mai 1985 : *Arabes assis dans une rue*, h/t (38x56) : **GBP 5 500** – Londres, 26 juin 1987 : *Maternité* 1899, h/t (65x54) : **GBP 5 800** – New York, 24 mai 1989 : *Pénélope* 1894, h/t (160x200,5) : **USD 115 500** – New York, 1er juin 1989 : *Les filles d'Atlas* 1896, h/t (210,8x261,6) : **USD 71 500** – Monaco, 3 déc. 1989 : *Femme dans une mosquée*, h/t (73x59) : **FRF 22 200** – New York, 21 mai 1991 : *Le musicien préféré*, h/pan. (41x32,4) : **USD 4 400** – Paris, 13 avr. 1992 : *La Brodeuse*, h/t (41x33) : **FRF 28 000** – Paris, 5 avr. 1993 : *Jeune Arabe dans la palmeraie* 1894, h/t (35x27) : **FRF 15 000** – Londres, 19 nov. 1993 : *Le Vendredi à Alger* 1885, h/t (126,2x142,1) : **GBP 21 850** – Paris, 17 nov. 1997 : *Bab Jamal*, h/t (65x54) : **FRF 15 000**.

LE ROY Pierre
Mort au XVIIIe siècle à Blois. XVIIIe siècle. Français.
Graveur.
Peut-être identique au suivant.

LE ROY Pierre
XVIIIe siècle. Français.
Sculpteur.
Il était actif à Nantes entre 1763 et 1767.

LE ROY Pierre François
Né le 14 janvier 1739 à Namur. Mort le 27 juin 1812 à Bruxelles. XVIIIe-XIXe siècles. Belge.
Sculpteur.
Élève de Laurent Delvaux en 1760, de l'Académie de Paris de 1762 à 1766 et de l'Académie Bridon ; c'est en tant qu'étudiant de cette académie qu'il alla en Italie. Il travailla pour les couvents belges.
Musées : Bruxelles : *Saint Charles en prières* – *Van der Noot* – Courtrai : *Patineur* – Namur : *Joseph II*, portrait médaillon – *Charles II*, médaillon – Namur (Mus. Archéol.) : *Le prince de Starhemberg* – *Statuette de Vierge*, terre cuite – *Vierge*, statuette.

LE ROY Pierre François
Né vers 1815. Mort le 25 décembre 1861 à Bruxelles. XIXe siècle. Belge.
Peintre.

LEROY Pierre François Charles
Né en 1803 à Bruxelles. Mort en 1833 à Bruxelles. XIXe siècle. Belge.
Peintre de genre.
Élève de son père Pierre François Leroy et de Verdelhoven.
Ventes Publiques : Paris, 2 et 3 déc. 1926 : *Le vieux soldat*, aquar. : **FRF 5 000** ; *Entrée de Léopold Ier à Bruxelles* 1831 : **FRF 4 000** ; *L'espion* : **FRF 2 800**.

LEROY Pierre Jean Baptiste
Né en 1784 à Namur. Mort en 1862 à Bruxelles. XIXe siècle. Belge.
Peintre et graveur.
Fils du sculpteur Pierre Le Roy. Il peignit des batailles et des animaux.

LEROY Prudent Louis
XIXe siècle. Actif à Paris. Français.
Peintre d'histoire.
Il fut élève de Delaroche. On cite de sa main un grand tableau *Le Christ guérit les malades* (à l'église Saint-Julien le Pauvre, à Paris).

LE ROY S.
XVIIIe siècle. Actif en Hollande. Hollandais.
Peintre et dessinateur de portraits.

LEROY Simon
XVIe siècle. Français.
Peintre et sculpteur.
Il travailla à la grande galerie du château de Fontainebleau, de 1534 à 1540, puis vint à Paris et y sculpta, de 1541 à 1544, six anges pour le jubé de Saint-Germain-l'Auxerrois que construisait Pierre Lescot. On rencontre un Jacques Leroy, peintre et sculpteur, occupé à Fontainebleau, en 1535 ; c'était peut-être un frère de cet artiste.

LEROY Stéphane
Né le 18 novembre 1877 en Belgique. XXe siècle. Naturalisé en France. Belge.
Peintre.
Élève de Flameng et Cormon. Expose au Salon, où il obtint une médaille d'argent en 1928. Naturalisé français.

LEROY DE CHAVIGNY M. F.
Mort en 1909. XIXe siècle. Français.
Peintre.
Sociétaire des Artistes Français, il figura au Salon de cette Société.

LE ROY D'ÉTIOLLES Helen
Née le 10 juin 1866 à Londres, de parents français. XIXe siècle. Française.
Peintre de genre et de portraits.
Élève de Benjamin-Constant. Figura au Salon des Artistes Français ; elle obtint une médaille de troisième classe (1890), mention honorable (1900) (Exposition Universelle), médaille d'or (1921).
Ventes Publiques : New York, 1er et 2 avr. 1902 : *Tête de vieillard* : **USD 550** – Versailles, 6 nov. 1988 : *Jeune fille lisant à l'éventail rouge*, h/pan. (33x23,5) : **FRF 17 000**.

LEROY DE LIANCOURT François
Né en 1741 ou 1742 à Liancourt (Oise). Mort en 1835 à Paris. XVIIIe-XIXe siècles. Français.
Peintre de genre, portraits, paysages animés.
Élève de Joseph Vien, il prit part au Salon de la Jeunesse en 1782 et aux Salons de Paris de 1795 à 1833.
S'il retient de son maître un goût pour les attitudes théâtrales, il montre un intérêt pour la vraie nature, et donne un souffle romantique à certaines de ses œuvres. Le musée de Bourges conserve une gouache : *La repasseuse* 1774 qui paraît pouvoir lui être attribuée.
Bibliogr. : Gérald Schurr, in : *Les Petits Maîtres de la peinture 1820-1920, valeur de demain*, Les Éditions de l'Amateur, t. IV, Paris, 1979.
Musées : Arras : *Bacchantes* – Versailles : *Napoléon visitant les environs du château de Brienne*.
Ventes Publiques : Paris, 14-15 mars 1921 : *Paysage, rivière et personnages*, gche : **FRF 400** – Londres, 25 mars 1927 : *La fillette et le hanneton* ; *La fillette et son chien*, une paire : **GBP 252** – Paris, 18 mars 1937 : *La Coquette indécise* : **FRF 5 100** – Versailles, 11 oct. 1981 : *Le Musicien et les Enfants*, h/t (32,5x41) : **FRF 13 000** – New York, 7 nov. 1984 : *Élégants personnages dans un parc*, gche, une paire : **USD 4 000**.

LEROY-SAINT-AUBER Charles
Né en octobre 1852 ou 1856 à Lille (Nord). Mort en 1907. XIXe siècle. Français.
Peintre de genre, portraits, architectures, paysages, marines.
Il travailla dans l'atelier de Léon Bonnat et exposa au Salon de Paris pour la première fois en 1880. Après quelques succès à Paris, il retourna dans sa ville natale.
Pendant sa vie parisienne il peignit des compositions animées dans lesquelles il était possible de reconnaître des personnalités du tout-Paris de l'époque, Sarah Bernhardt, Adolphe Brisson, Guy de Maupassant, Réjane, etc.
Ventes Publiques : Londres, 27 nov. 1984 : *Jeune femme au balcon regardant le Châtelet*, h/t (73x88,5) : **GBP 10 000** – New York, 26 mai 1994 : *Une brasserie au quartier latin* 1884, h/t (182,2x254,3) : **USD 607 500**.

LE ROYER Jean
XVIe siècle. Actif à Paris. Français.
Graveur sur bois.
Frère du graveur en médailles Aubin Olivier Le Royer. Il fut au service de Henri II et en 1553, il obtenait des lettres patentes comme imprimeur ordinaire du Roy spécialement pour les mathématiques, mais il nous intéresse surtout comme dessinateur et graveur sur bois, ami et collaborateur de Jean Cousin, qui

dessina sa marque de libraire. En 1560, Jean grava sur bois avec son frère Aubin Olivier, les planches du *Livre de Perspective* du maître Simonais.

LE ROYER Léon J. A.
Né le 28 avril 1858 à Nancy (Meurthe-et-Moselle). XIXe siècle. Actif à Meaux. Français.
Peintre.
Sociétaire des Artistes Français depuis 1889, il figura au Salon de ce groupement.

LERPINIÈRE Daniel
Né vers 1745 à Londres. Mort en 1785. XVIIIe siècle. Français.
Graveur à l'eau-forte et au burin.
Élève de F. Vivares, dont il imita le style. Il a gravé des sujets de genre, des marines et des portraits.
VENTES PUBLIQUES : LONDRES, 13 nov. 1997 : *Vues de Londres* 1779 et 1786, grav., trois pièces : **GBP 3 220**.

LERSY Roger
Né le 2 avril 1920. XXe siècle. Français.
Peintre d'intérieurs, natures mortes, paysages, sculpteur, graveur, peintre de cartons de tapisseries. Polymorphe.
Son père étant décorateur, c'est naturellement qu'il entra à l'École des Arts Appliqués. Il eut ensuite une activité de décorateur, mais, parallèlement, il avait commencé à peindre et menait également des études musicales poussées, auxquelles il renonça en 1954, sauf pour son plaisir personnel. Il effectua un séjour aux États-Unis, de 1961 à 1968.
Il a participé à de nombreuses expositions collectives et Salons, notamment au Salon des Peintres Témoins de leur Temps. Il a figuré à l'exposition intitulée *De Bonnard à Baselitz* à la Bibliothèque nationale à Paris en 1992. Il fit une première exposition de ses peintures, dès 1946, suivie de nombreuses autres, notamment en 1970, surtout à Paris, et aussi à Londres, Genève, Houston, Los Angeles, New York, etc. Il a obtenu le Prix des Amateurs d'Art en 1953 et le Prix de la Ville de Marseille en 1955.
Dans une première période, il peignait des natures mortes, intérieurs, paysages, toute la réalité extérieure qui pouvait le solliciter, dans une gamme claire, assez peu colorée sauf des accents stridents, souvent de jaune citron, en reprenant sur les fonds colorés tout le dessin avec un pinceau fin, manié avec une incroyable virtuosité, hachurant toute la surface de la toile de traits incisifs. Dans la suite, il renonça quelque peu aux vertiges de cette virtuosité, au profit de la plénitude des surfaces, en même temps qu'il était attiré par l'expression abstraite, y tendant et la pratiquant souvent, sans pour autant renoncer à continuer d'exprimer la réalité, selon sa fantaisie et l'occasion.
BIBLIOGR. : In : *Peintres contemporains*, Mazenod, Paris, 1964 – Patrick d'Elme : *Seul un poète aurait pu dire*, in : *Galerie des Arts*, Paris, mai, 1970 – in : *De Bonnard à Baselitz – Dix ans d'enrichissements du Cabinet des Estampes 1978-1988*, catalogue de l'exposition, Bibliothèque nationale, Paris, 1992.
MUSÉES : PARIS (Mus. Nat. d'Art Mod.) – PARIS (Mus. d'Art Mod. de la Ville) – PARIS (Cab. des Estampes).
VENTES PUBLIQUES : PARIS, 31 mai 1954 : *Rues de banlieue* : **FRF 30 000** – PARIS, 17 juin 1960 : *Bateaux au port* 1957 : **FRF 1 200** – AURAY, 22 mai 1983 : *Le Motocycliste*, h/t (54x81) : **FRF 10 000** – PARIS, 14 déc. 1987 : *Paysage de neige*, h/t (60x73) : **FRF 5 000** – PARIS, 21 avr. 1988 : *Nature morte aux cerises* 1952, h/t (55x38) : **FRF 4 700** – LA VARENNE-SAINT-HILAIRE, 29 mai 1988 : *Village près du pont*, h/t (92x76) : **FRF 3 700** – PARIS, 12 oct. 1988 : *Oiseau* 1959, past. et aquar. (63x48) : **FRF 3 000** – PARIS, 30 mai 1990 : *Le café du commerce*, h/t (104x85) : **FRF 16 000** – SCEAUX, 10 juin 1990 : *Neige à Paris*, h/t (55x65) : **FRF 6 500** – ZURICH, 16 oct. 1991 : *Pont de Tancarville* 1961, h/t (98x147) : **CHF 2 400** – LONDRES, 13 oct. 1993 : *Marée basse* 1960, h/t (98x146) : **GBP 575**.

LERTODIERE
XVIIIe siècle. Actif à Mantes en 1720. Français.
Graveur.

LE RUPT Antoine
Originaire de Dijon. XVIe siècle. Français.
Sculpteur-architecte.
Il prit part à la décoration de la porte d'Ouche, à Dijon, puis quitta cette ville pour aller résider à Dôle.

LE RUPT Denis
XVIe siècle. Français.
Sculpteur-architecte.
Fils d'Antoine. Il fit, en 1555, une chaire en marbre polychrome pour l'église Notre-Dame de Dôle ; il sculpta, dans la même église de 1562 à 1570, le jubé, la tribune des orgues et un bénitier, enfin des armoiries, en 1575, dans la chapelle de la Chambre des Comptes.

LE RUPT Hugues
Né vers 1560 à Dôle. XVIe siècle. Français.
Sculpteur-architecte.
Fils de Denis. Il construisit à Dôle la chapelle de la Sainte-Hostie, de 1608 à 1614, et fit, en 1613, un Calvaire sur la place de Vuillafans (Doubs).

LE RUYET Lucien
Né le 31 décembre 1934. XXe siècle. Français.
Sculpteur.
Il a d'abord étudié avec Zadkine, puis, à partir de 1962, en est devenu l'aide. Il semble que, depuis, il ait eu quelques difficultés à s'évader de cette glorieuse proximité. Il expose peu.

LÉRY Jean
XXe siècle. Français.
Peintre de paysages.
VENTES PUBLIQUES : PARIS, 18 oct. 1946 : *Vue de Paris* : **FRF 4 100**.

LE SACHÉ Georges
Né au XIXe siècle à Pau (Basses-Pyrénées). XIXe siècle. Français.
Paysagiste et aquarelliste.

LESAERT Philip. Voir **LISAERT**

LESAGE Antoine Firmin
XIXe siècle. Actif à Paris. Français.
Peintre d'histoire.
Élève de Girodet. Il exposa au Salon de 1810 à 1837.

LESAGE Auguste Louis
Né le 27 mai 1827 à Douai (Nord). XIXe siècle. Français.
Dessinateur.
Élève des Écoles académiques de Douai. Le Musée de cette ville conserve un dessin de lui.

LESAGE Augustin
Né en 1876 à Saint-Pierre-lez-Auchel (Pas-de-Calais). Mort en 1954 à Burbure (Pas-de-Calais). XXe siècle. Français.
Peintre. Art-brut.
D'une famille de mineurs, il fut lui-même mineur. Autodidacte complet en matière artistique, il ne commença à peindre qu'en 1911, après avoir entendu, au fond de la mine, une voix lui dire « un jour tu seras peintre ». Il s'initia alors au spiritisme. Il devint même médium-guérisseur. Confiant dans les esprits qui lui servaient de guide, il réalisa son premier tableau qui fut une grande toile de trois mètres sur tois, qu'il n'acheva qu'en 1912 ou 1913. Il renonça à son métier de mineur en 1923, pour se consacrer entièrement à la peinture. En 1951, il cessa de voyager, souffrant de la cataracte et d'artériosclérose. Il aurait peint environ huit cents toiles.
En 1925, le Congrès spirite lui organise une exposition à Paris. L'année suivante il exposa au Salon d'Automne, à Paris, et, de 1929 à 1938, au Salon des Artistes Français dont il devint sociétaire. À partir de 1936, il exposa également en Afrique du Nord, à Londres, au Caire... Une rétrospective itinérante de ses œuvres fut organisée à partir des villes de Béthune et d'Arras en 1988, pour ensuite être montrée à la Collection de l'Art Brut à Lausanne, aux Instituts français de Florence et du Caire.
Les toiles de Lesage se caractérisent au premier regard par l'agencement minutieux de petites structures animées d'un riche coloris le tout dans un esprit de symétrie scrupuleuse à caractère décoratif. Il ne peignait rien qu'en état médiumnique, à la merci des esprits qui le guidaient dans son travail. On peut lire dans un compte rendu de l'époque de la revue *Métaphsychique* : « Quand je commence une toile croyez-moi, je ne sais pas ce que ma main va peindre. À aucun moment je ne sais ce qui va suivre. Et j'ignore à quel endroit de la toile le tableau sera terminé. » On s'aperçut, au cours d'examens à l'Institut Métapsychique International, que si on le plaçait dans l'obscurité, ses peintures perdaient toute précision.
BIBLIOGR. : José Pierre : *Le Surréalisme*, in : *Histoire générale de la peinture*, tome 21, Rencontre, Lausanne, 1966 – A. Notter, Deroeux, D. Thévoz : *Augustin Lesage*, Paris, 1988 – in : *Dictionnaire de l'art moderne et contemporain*, Hazan, Paris, 1992 – Françoise Monnin : *Tableaux choisis. L'art brut*, Editions Scala, Paris, 1997.

Musées : Lausanne (coll. de l'Art brut).
Ventes Publiques : Paris, 24 mars 1976 : *Symbole des pyramides*, h/t (190x140) : **FRF 19 500** – Paris, 7 nov. 1982 : *Composition*, h/t (147x94) : **FRF 18 000** – Paris, 21 juin 1984 : *Composition*, h/t (200x142) : **FRF 31 000** – Paris, 23 juin 1988 : *Composition* 1946, peint. à l'essence/t. (200x141) : **FRF 55 000** – Paris, 16 déc. 1996 : *Composition décorative*, h/t (74x71,5) : **FRF 47 000**.

LESAGE Camille Alexandre
Né le 3 mars 1877 à Paris. xxe siècle. Français.
Graveur, lithographe.
Il expose, à Paris, au Salon des Artistes Français à partir de 1910, où il obtient une mention en 1911, une médaille de bronze en 1913, d'or en 1921. Chevalier de la Légion d'honneur.

LESAGE Louis Ernest. Voir **SAHIB**

LE SAGE P.
D'origine française. Mort après 1776. xviiie siècle. Travaillant à La Haye. Hollandais.
Peintre de miniatures.
S'établit en Hollande, où il vécut d'abord à Amsterdam. Il fut, à partir de 1763, membre de la gilde Saint-Luc de La Haye, où on le signale encore en 1776.
Musées : Amsterdam : *Portrait du prince Guillaume d'Orange et de sa famille.*

LESAGE Pierre. Voir **DAVAIN LESAGE**

LESAGE Pierre Alexis
Né le 20 août 1872 à Nantes (Ille-et-Vilaine). xxe siècle. Français.
Peintre de portraits, paysages.
Il travailla à Nantes.
Musées : Nantes (Mus. des Beaux-Arts) : *Portrait d'Émile Boissier* – *Portrait de l'artiste* – *Roses blanches* – *Portrait de femme* – *La Mère de l'artiste* – *M. Pinard père* – *L'Église d'Ault-Onival* – *Falaise à Ault* – *Nature morte* – *Paysage* – deux œuvres – *Porte Saint-Georges à Florence* – *Portrait de Madame Bonjour.*

LESAINT Charles Louis
Né en 1795 à Paris. xixe siècle. Français.
Peintre de genre, architectures, intérieurs d'églises, paysages animés, aquarelliste.
Élève de Bouton. Il débuta au Salon en 1819 et obtint des médailles en 1822 et 1827.
Musées : Avranches : *Intérieur de cloître* – deux œuvres – Montpellier : *Aquarelle.*
Ventes Publiques : Paris, 1869 : *Intérieur de la cathédrale d'Amiens* : **FRF 1 000** – Paris, 11 mars 1929 : *L'Église du village* : **FRF 1 050** – Paris, 30 oct. 1978 : *Intérieur de la cathédrale d'Amiens*, aquar. : **FRF 210** – Paris, 3 déc. 1991 : *Personnages dans des ruines* 1826, h/t (68x52) : **FRF 16 000** – Monaco, 18-19 juin 1992 : *Un atelier de peintre*, h/t (31x40) : **FRF 288 600** – Londres, 17 nov. 1994 : *L'atelier de l'artiste*, h/pap./t. (32,4x39,7) : **GBP 17 825**.

LE SAIVE Jean ou **Le Sayve,** ou **Le Save,** ou **de Layve**. Voir **SAIVE**

LESAK Frantisek
Né en 1943 à Prague. xxe siècle. Actif depuis 1964 en Autriche. Tchécoslovaque.
Sculpteur, dessinateur.
Il a été élève de l'Académie des Arts Appliqués à Vienne.
Il figure à des expositions collectives depuis 1969, notamment à la 8e *Biennale des Jeunes Artistes*, à Paris, en 1973. Il présente aussi ses œuvres dans des expositions personnelles : 1971, Bochum, au Musée ; 1972, Shiedam, au Stedelijk Museum ; 1973, à Venise.
Bibliogr. : In : *8e Biennale de Paris, manifestation internationale des jeunes artistes*, Paris, 1973.

LESAUVAGE Marie Hippolyte
Née au xixe siècle à Fontenay-le-Comte (Vendée). xixe siècle. Française.
Peintre de genre et dessinateur.
Élève de G. Boulanger. Débuta au Salon de 1878.
Musées : Lisieux : *Portrait de Jules Simon.*

LESBOTHÉNIS
Né à Mytilène. Antiquité grecque.
Sculpteur.
Auteur d'une statue de *Muse tenant une flûte*. On ignore à quelle époque il vivait.

LESBROS Alfred
Né en 1873 à Montfavet (Vaucluse). Mort en 1940. xxe siècle. Français.
Peintre de paysages, paysages urbains, marines.
Il exposait, à Paris, aux Salons des Indépendants et d'Automne entre 1908 et 1930, à Lyon et surtout en Provence. Il était ami d'Auguste Chabaud.
L'art de Lesbros est passé par plusieurs étapes, allant du pointillisme au cubisme, pour finalement adopter une manière proche du fauvisme, sans doute influencée par celle de Chabaud, cernant très franchement des volumes noueux, déchiquetés. Il peignait la Provence profonde, rayonnant à partir d'Avignon et poussant parfois jusqu'à la côte.

A-Lesbros

Bibliogr. : G. Shurr : *Les Petits Maîtres de la peinture, valeur de demain*, Paris, Ed. de la Gazette, 1969.
Musées : Aix-en-Provence – Arles – Avignon – Marseille – Montpellier.
Ventes Publiques : Neuilly, 3 fév. 1991 : *Maison en Provence*, h/t (54x73) : **FRF 19 000** – Neuilly, 7 avr. 1991 : *Le vieux moulin*, h/cart. (39x52) : **FRF 11 000** – Neuilly, 20 oct. 1991 : *La chartreuse de Villeneuve-les-Avignon*, h/t (54x73) : **FRF 19 000** – Neuilly, 17 juin 1992 : *La Vierge au jardin* 1932, h/cart. (73x53) : **FRF 22 000** – Neuilly, 12 déc. 1993 : *La descente des Angles le soir* 1933, h/t (92x65) : **FRF 20 500** – Neuilly, 19 mars 1994 : *Chemin en automne dans l'île Piot*, h/cart. (73x53,2) : **FRF 15 000** – Paris, 27 mars 1994 : *Vallon des grenadiers sauvages* 1937, h/t (51x71) : **FRF 30 500** – Paris, 22 nov. 1994 : *Falaise en Provence*, h/cart. (65x92) : **FRF 12 000**.

LESCA Louisa, née **Estevenot**
xixe siècle. Française.
Peintre.
Le musée de Besançon conserve d'elle : *Vase de fleurs et nid d'oiseau*, et celui d'Angoulême : *Fleurs et fruits.*

L'ESCALIER Jean. Voir **LESCHALIER Jehan,** dit **Le Myste**

LESCARTS René
Né en 1885 à Mons. xxe siècle. Belge.
Peintre de paysages, marines.
Il fut un ancien officier de cavalerie.
Bibliogr. : In : *Diction. biographique illustré des artistes en Belgique*, Arto, Bruxelles, 1987.

LESCAULT Pierre
Né le 19 mai 1938 à Rennes (Ille-et-Vilaine). xxe siècle. Français.
Peintre, graveur, dessinateur, créateur de tapisseries, sculpteur.
De 1957 à 1960, il a été élève à l'École des Beaux-Arts de Rennes où il apprend à graver. Il réalise sa première pointe-sèche en 1959. En 1960, il s'installe à Paris comme graveur au burin. Depuis 1960, il a travaillé comme technicien dans l'imprimerie et la presse parisiennes. De 1994 à 1998, il est maquettiste pour les éditions Gallimard Jeunesse.
Il expose surtout ses gravures, parfois complétées de travaux annexes. Il participe à des expositions collectives dans plusieurs galeries parisiennes, dont la Galerie des Peintres Graveurs, et les Salons de villes de province. Il a figuré notamment à : 1986, 1992, 1994 Paris, *Pointe et Burin*, galerie Bréhéret ; 1986, 1988 Paris, Salon du Dessin et de la Peinture à l'eau ; 1991, 1993 Salon de la Société Nationale des Beaux-Arts ; 1992 Paris, *De Bonnard à Baselitz*, Bibliothèque Nationale ; 1994, 1997 Chamalières, Triennale de l'Estampe ; 1997 Paris, *Le Bestiaire et l'Estampe*, galerie La Hune-Eschenbrenner. Il montre ses gravures dans des expositions personnelles, dont : 1974 Maisons-Alfort, monotypes et gravures ; 1984 Barbizon, galerie La Grange, et 1988, avec des peintures ; 1988 aussi, à Champcueil et Viry-Chatillon ; 1989 Paris, librairie-galerie La Rage de Lire ; 1993 Barbizon, avec peintures, dessins, sculptures, tapisseries, galerie Artes, et au Château de Tourrettes-sur-Loup ; 1997 et 1998 Paris, librairie-galerie Graphes ; etc.
Son registre est particulièrement étendu, en techniques diverses, livres d'artiste, livres-objets et jusqu'à des livres en métal, et en thèmes, dont *Les désastres de la guerre*, *Corps flottants*, *Rencontre au Musée des Horreurs*, quelques paysages, des variations érotiques considérées du côté de l'humour, etc.

Essentiellement graveur, il en maîtrise toutes les techniques, essentiellement narratif, illustrateur, il sait adapter son dispositif de styles selon le sujet. Dans tous les aspects de sa pratique, il se montre un artiste du trait dans la diversité et toujours un metteur en page rigoureux.
Bibliogr. : In : *De Bonnard à Baselitz – Dix ans d'enrichissements du Cabinet des Estampes 1978-1988*, Bibliothèque nationale, Paris, 1992.
Musées : Paris (Cab. des Estampes).

LE SCELLN Jehan
XIVe siècle. Parisien, actif au XIVe siècle. Français.
Sculpteur sur ivoire.
Travailla pour Mahaut, comtesse d'Artois (1315-1325) et pour Philippe le Long.

LESCH Bernhard
Né le 20 mai 1870 à Zurich. Mort en 1919 à Schaffhouse. XIXe-XXe siècles. Suisse.
Portraitiste et paysagiste.
Fréquenta l'Académie de Munich et de 1897 à 1899 l'Académie Colarossi et l'Académie Julian, à Paris. Après quelques voyages en Italie, cet artiste s'est fixé dans son pays natal où il a exposé des portraits et des vues de Venise.
Musées : Schaffhouse : *Hommes dans la rivière*, pastel.

LESCH Berthold
XVIe siècle. Allemand.
Peintre et sculpteur.
L'église Saint-Ulrich de Ratisbonne possède de sa main un relief : *Le Christ en Croix, Marie et saint Jean*.

LESCHALIER Jehan, dit **le Myste**
Mort en 1522 à Tours. XVIe siècle. Actif à Tours. Français.
Peintre et verrier.
Il fit en 1511 les peintures décoratives de la Fontaine de Beaune à Tours et celles d'un autel de l'église Notre-Dame à Châtellerault.

LESCHHORN Paul
Né le 9 octobre 1876 à Metz. XXe siècle. Actif à Strasbourg. Français.
Peintre et graveur.
Il peignit des natures mortes et des paysages à l'aquarelle et à la détrempe et fit des gravures sur bois en couleur.

LESCHNITZER Georg
Né le 27 janvier 1885 à Tarnovitz (Haute-Silésie). XXe siècle. Allemand.
Sculpteur de bustes, figures.
On cite de sa main des groupes de danseuses, des bustes, des figures décoratives au Nouvel Opéra de Berlin.

LESCLIVE Jean
XVIe siècle. Français.
Sculpteur.
Il travailla à la décoration du château de Fontainebleau, de 1540 à 1550.

L'ESCLUSE Ysoret de
XVe siècle. Actif à Bruges à la fin du XVe siècle. Éc. flamande.
Peintre et sculpteur.

LESCORNEL Joseph Stanislas ou **Lescorné**
Né le 16 septembre 1799 à Langres. Mort le 18 avril 1872 à Paris. XIXe siècle. Français.
Sculpteur.
Élève de Cartellier et de Petitot. Il exposa au Salon de 1831 à 1870 et fut médaillé en 1836 et 1848. On cite de lui le *Buste du marquis Barbé de Marbois* (marbre) et le *Buste de M. Roger*, pour le Ministère de l'Intérieur ; *Monsigny*, pour l'Opéra-Comique ; *Diderot*, pour le Théâtre-Français ; *Dufrénoy*, pour le Palais de l'Institut ; l'*Archevêque Morlot*, pour Notre-Dame de Paris ; un *Saint Jacques le majeur*, pour l'église de la Trinité ; enfin une statue de *Joinville*, pour la ville de ce nom.
Musées : Amiens : *Clytie* – Chaumont : *Bouchardon* – Dijon : *Ariane* – Langres : *Edme Bouchardon* – *Mme Lescornel* – *Le colonel Aubert* – *François Roger* – *Andromède*, deux œuvres – *Charles X* – *Marguerite de Navarre* – *Psyché* – *Le docteur Pierre Durand* – *Le député de Failly*, médaillon en plâtre – *Le député Duval de Fraville*, médaillon en plâtre – *Le député Renard Athanase*, médaillon en plâtre – *Le député F. Varey de Beaufort*, médaillon en plâtre – *Le docteur Bauton*, médaillon en plâtre – *Alexis Pierron*, médaillon en plâtre – *Vacherot*, médaillon en plâtre – Langres (Hôtel du Breuil) : *Diderot* – *Andromède* – Narbonne : *Andromède* – Paris (Comédie-Française) : *Diderot* – Troyes : *Edme Bouchardon* – Versailles : *Louis X le Hutin* – *Philippe V d'Espagne* – *Brisson* – *Duc d'Aumale* – *Maréchal Vertillac* – *Théodore Ducos* – *Timoléon de Cassé*.

LESCORNEL Nicolas
Né en 1806 à Langres (Haute-Marne). Mort en 1879 à Roanne (Loire). XIXe siècle. Français.
Sculpteur.
On voit de lui au Musée de Langres : *J. Lescornel*, deux œuvres, et à celui de Roanne : *François Populle, Mulsant Fleury, Le curé Arbel*.

LESCOT
XIXe-XXe siècles. Français.
Peintre et aquarelliste de genre.
On peut se demander s'il ne s'agit pas de Haudebourg (Antoinette), née Lescot.
Ventes Publiques : Paris, 23 mars 1937 : *Le coiffeur galant*, aquar. : **FRF 500** – Paris, 6 avr. 1945 : *Bateaux* : **FRF 500** – Paris, oct. 1945-juil. 1946 : *Les poires* 1944 : **FRF 3 000** – Paris, 20 juin 1947 : *Conversation galante*, aquar. : **FRF 580** – Paris, 11 juin 1954 : *Le jeune paysan* : **FRF 10 200**.

LESCOT Hector, dit **Jacquinot**
XVIe siècle. Actif à Orléans. Français.
Sculpteur et fondeur.
Il se chargea, en 1570, de reconstruire le monument de Jeanne d'Arc. Ce monument élevé en 1458 et endommagé en 1567 par les protestants, était en bronze, composé de personnages grandeur nature, figurant la Vierge, le Christ, Jeanne d'Arc et Charles VII ; placé sur un pont qui menaça de s'écrouler, il fut transporté dans un hangar de l'Hôtel de Ville, en 1745, puis placé en 1771, à l'angle des rues Royale et de la Vieille-Poterie ; détruit pendant la Révolution, son bronze servit à faire des canons.

LESCOT Jacquemart
XVe siècle. Français.
Sculpteur.
Avec Damien Hédiart, il travailla, en 1498, à la décoration de la chapelle de Notre-Dame-la-Flamande ou Notre-Dame-de-Pitié, dans la cathédrale de Cambrai.

LESCOT Jean
XVe siècle. Rouennais, vivant au XVe siècle. Français.
Sculpteur.
Sous la direction de l'architecte Jenson Salvart, il fit, en 1407, quelques-unes des statues du grand portail de la cathédrale de Rouen et exécuta, en 1412, différentes images pour la porte de Martainville.

LESCOT-FLEURIOT Jean Baptiste Edmond
Né en 1761 à Bruxelles. XVIIIe siècle. Éc. flamande.
Sculpteur.
Il fut membre de la Convention et maire de Paris et exécuté avec Robespierre en 1794.
Musées : Versailles : *Buste du député Lepelletier*.

LE SCOUËZEC Maurice
Né le 1er octobre 1881 au Mans (Sarthe). Mort le 1er mai 1940 à Douarnenez (Finistère). XXe siècle. Français.
Peintre de figures, nus, scènes animées, paysages, marines, natures mortes, dessinateur, graveur, illustrateur, décorateur, aquarelliste, fresquiste. Naturaliste.
Entre 1897 et 1900, recherchant l'aventure, il devient marin. Il s'engage ensuite dans l'armée en 1901 jusqu'à son rapatriement, en 1906, en France, pour raisons sanitaires. Il entre, en tant qu'employé, dans la Société des Chemins de fer de l'Ouest et, une nouvelle fois, s'engage à servir l'armée, mais, peu avant son incorporation, ne résiste pas à son désir d'aventure et part en Amérique du Sud puis au Mexique. Vers 1910, il retourne en France. Considéré comme insoumis, il sera finalement réformé. Maurice Le Scouëzec est alors pris sous la protection de la comtesse de Saint-Germain qui s'intéresse à son talent d'artiste. À nouveau, il s'engage dans l'armée, en 1914. Blessé, il est rapatrié en 1916 à Aix-en-Provence et se met véritablement à peindre, puis, réformé définitivement, il s'établit à Paris dans le quartier de Montparnasse, y devenant une « figure » du milieu. En 1925, il obtient, à Paris, au Salon de la Société Coloniale des Artistes Français, une bourse pour l'Afrique Occidentale Française. Il ira au Soudan et au Niger. En 1931, il obtient le prix de Madagascar et part peindre à Tananarive. Entre ses voyages, il ne cesse de vagabonder en Bretagne, sa terre natale. En 1932-1933, il réalise la décoration de la chapelle Saint-Roch à Saint-

Mards-d'Ouilly en Normandie. À partir de 1934, sa santé se dégradant, ses peintures se font plus rares. Il réalise néanmoins, en 1936, une fresque pour la chapelle de l'école Saint-Blaise à Douarnenez. Cette époque est celle de sa conversion à la foi chrétienne. Il a illustré, d'aquarelles et de dessins, un ouvrage de M. Delelée-Desloges : *Madagascar et dépendances* (1931). Demeurent aujourd'hui des projets d'ouvrages et des manuscrits illustrés de ses journaux de voyages.
Il a exposé dans des groupements : 1919, 1920, 1921, 1923, 1926, Salon d'Automne, Paris, dont il fut sociétaire ; 1920, 1922, 1925, Salon des Indépendants, Paris, dont il fut sociétaire ; 1927, 1930, 1931, Salon de la Société Coloniale des Artistes Français, Paris, dont il fut membre ; 1932, Salon des Artistes Français, Paris. Il a montré ses œuvres dans neuf expositions particulières, la première en 1917 à Aix-en-Provence. Une rétrospective de ses œuvres eut lieu au Salon d'Automne en 1949, une autre, en 1970, dans la salle des Fêtes de Deauville.
Sa première période, de 1917 à 1925, est parfois caractérisée par un naturalisme assez violent avec des représentations de visages, de nus, des scènes familières, où s'expriment misère physique et morale. De 1925 à 1934, durant sa période de maturité, il a surtout peint des figures, en général de femmes et jeunes filles, beaucoup de nus, des paysages de Bretagne, des scènes de port, de marché ou des occupations de la vie quotidienne dans les petites villes bretonnes et les quartiers de Paris. Il a aussi rapporté de nombreuses vues de ses voyages et surtout d'Afrique. Pour certains, il devient même le spécialiste de l'Afrique Noire. La facture de ses peintures force la simplicité des traits et dépouille la composition de tout superflu. Le commentaire d'André Salmon tirée de la *Revue de France* du 1er février 1926, interprète bien la vision de ce peintre : « d'étranges compositions, extrêmement personnelles et assez peu dans le sentiment de l'époque. Des compositions profondément préparées, travaillées dans leur dessous avec quelque chose d'inachevé ». ■ C. D.
Bibliogr. : Gwenc'hlan Le Scouëzec : *Le Peintre Maurice Le Scouëzec*, Association des Amis du peintre Le Scouëzec, 1984.
Ventes Publiques : Paris, 4 juin 1926 : *Paysage africain* : **FRF 150** ; *Le Fret* : **FRF 280** – Paris, 21 juin 1945 : *La Sortie de l'église*, aquar. : **FRF 200** – Brest, 16 déc. 1979 : *Paysage synthétique*, h/t (65x81) : **FRF 2 000** – Paris, 30 mai 1984 : *Pêcheurs bretons* 1921, h/cart. (54x73) : **FRF 3 300** – Brest, 19 mai 1985 : *Le Canal de l'Ourcq* 1924, h/cart. (49x64) : **FRF 5 000** – Douarnenez, 26 juil. 1985 : *Jardin à la française*, h/t (65x80) : **FRF 5 200** – Brest, 15 déc. 1985 : *Jeunes Bretonnes à la Pointe-du-Raz* 1921, h/cart. (52x72) : **FRF 5 000** – Brest, 25 mai 1986 : *La Mer à Pors-Guen*, h/pap. mar. (53x72) : **FRF 9 100** – Douarnenez, 2 août 1986 : *Maison bretonne au pignon rouge* 1930, h/t (65x81) : **FRF 10 200** – Brest, 25 mai 1986 : *Groupe de femmes en coiffes à Landivisiau* 1933, fus. reh. d'aquar. (48x63) : **FRF 8 200** – Brest, 17 mai 1987 : *Visage de femme*, h/t (64x49) : **FRF 9 800** – Londres, 30 juin 1987 : *La Chambre bleue, Villefranche-sur-Mer*, h/t (73x92) : **GBP 50 000** – Brest, 13 déc. 1987 : *Grands arbres d'hiver*, h/pap. mar./t. (78x51) : **FRF 21 000** ; *Procession de Fête-Dieu à Douarnenez*, h/pap. mar./t. (65x92) : **FRF 30 000** – Morlaix, 15 mai 1989 : *Nue devant la glace*, h/pap. mar./t. (65x49) : **FRF 38 000** ; *Paysage*, h/pap. mar./t. (47x59) : **FRF 25 000** – Brest, 21 mai 1989 : *L'Homme et la femme*, aquar. (50x65) : **FRF 18 500** ; *La Conversation*, aquar. (65x50) : **FRF 13 000** – Lyon, 22 mai 1989 : *Paysage* 1929, h/t (56x87) : **FRF 42 000** – Nantes, 12 nov. 1989 : *Le Retour du marché*, h/pan. (54x65) : **FRF 46 500** – Morlaix, 4 déc. 1989 : *Boucher au travail* 1927, aquar. et fus. (61x48) : **FRF 18 000** – Brest, 17 déc. 1989 : *Nu de face aux pommettes roses*, h/pap. mar./t. : **FRF 39 500** ; *Femmes africaines* 1931, aquar. (61x45) : **FRF 24 500** – Blouet, 18 fév. 1990 : *Femme de profil*, h/pan. (60x48) : **FRF 63 500** – Nantes, 24 mars 1990 : *Nu debout*, h/isor. (71x55) : **FRF 33 000** – Brest, 13 mai 1990 : *Marins sur le quai ou La Conversation* 1921, h/pan. (54x73) : **FRF 142 000** ; *Pichet de faïence au bouquet de fleurs*, h/pap. (55x44) : **FRF 33 000** – Paris, 29 juin 1990 : *Marché à Saint-Pol-de-Léon* 1926, dess. aquar. (43x53,5) : **FRF 13 000** – Paris, 14 déc. 1990 : *Bateau sur le Niger* 1928, aquar. (34x43,5) : **FRF 6 500** – Brest, 16 déc. 1990 : *Vents sur les Monts d'Arrée*, h/pap. mar./t. (113x145) : **FRF 150 000** ; *Nu au coussin bleu*, h/t : **FRF 64 000** ; *Femme au buste nu*, fus. et aquar. (56x44) : **FRF 30 000** – Brest, 17 mai 1992 : *Femme au chapeau cloche*, h/pap. mar./pan. (60x45) : **FRF 56 000** ; *Nu au fond bleu*, h/pap. mar./pan. (75x51) : **FRF 75 000** ; *Vue sur la baie de Douarnenez*, h/pan. (45x63) : **FRF 30 000** – Douarnenez, 25 juil. 1992 : *Jeune fille à la robe rose*, h/pap. mar./t. (73x60) : **FRF 33 500** ; *Nu au miroir*, h/pap. mar./t. (58x69) : **FRF 54 000** – Grandville, 25 oct. 1992 : *Nu à la mer* 1921, h/pap. (76x52) : **FRF 38 000**.

LESCOULIÉ Jacques
Né en 1935 à Lyon (Rhône). xxe siècle. Français.
Peintre, lithographe.
Il a figuré à l'exposition intitulée *De Bonnard à Baselitz* à la Bibliothèque nationale à Paris en 1992.
Bibliogr. : In : *De Bonnard à Baselitz – Dix ans d'enrichissements du Cabinet des Estampes 1978-1988*, catalogue de l'exposition, Bibliothèque nationale, Paris, 1992.
Musées : Paris (Cab. des Estampes).

LESCOUVÉ François ou **Lescowé**
Mort en 1666. xviie siècle. Actif à Paris. Français.
Graveur au burin et éditeur.
Le Blanc cite de lui : *Le Sauveur du monde*.

LESCOW Adolf August
Né le 13 juin 1737 à Eutin. Mort le 20 novembre 1798 à Eutin (Schleswig-Holstein). xviiie siècle. Allemand.
Peintre.
Fils du peintre Simon Bénédict Lescow, il fut comme lui peintre de la cour à Eutin.

LESCOW Simon Benedict
xviiie siècle. Allemand.
Peintre.
Peintre de la cour à Eutin, il fit le portrait du duc *Adolphe Frédéric de Schleswig-Holstein Gottorp*, au château d'Eutin.

LE SCRIBE Claude
Né en 1937. xxe siècle. Belge.
Peintre, peintre de compositions murales. Tendance expressionniste.
Il fut élève de R. Somville à l'Académie des Beaux-Arts de Watermael-Boitsfort.
Bibliogr. : In : *Diction. biographique illustré des artistes en Belgique*, Arto, Bruxelles, 1987.

LESCRINIER J. G. de
Né à Paris. xviie siècle. Actif probablement à la fin du xviie siècle. Français.
Peintre.
Le Musée de Guéret conserve de lui un *Portrait d'homme*.

LESCURE Nicole France
Née en 1944 en Dordogne. xxe siècle. Française.
Peintre de sujets religieux.
Elle expose depuis 1984. Elle a montré ses œuvres en 1989 à la galerie de la Maison des Beaux-Arts à Paris. Elle a obtenu le prix d'honneur d'art sacré à Loudun en 1988.

LESCUYER Adenet ou **Adam** ou **Lescuier**
xve siècle. Français.
Peintre de miniatures.
Il décora pour Jeanne de Laval en 1457 un *Miroir des Dames*, en 1458 un graduel en cinq volumes pour la cathédrale d'Angers avec dix-huit miniatures, en 1471 pour le Chapitre de l'église Saint-Laud d'Angers un livre d'épîtres et un évangéliaire.

LESCUYER Léonie. Voir **GASTALDI-LESCUYER**

LESCUYER Robert ou **Lescuier**
xive-xve siècles. Actif à Paris. Français.
Enlumineur.

LESCUYOT Louise
Née au xixe siècle à Paris. xixe siècle. Française.
Miniaturiste et peintre d'émaux.
Élève de M. Lepic. Débuta au Salon en 1864.

LESECQ Henri
Né en 1818 à Paris. xixe siècle. Français.
Peintre de genre et graveur à l'eau-forte.
Élève de P. Delaroche et Granger. Il débuta au Salon de 1842 et obtint une troisième médaille en 1845. Il exposait encore en 1880.

LE SECQ Julien
Né le 20 mai 1874 à Flers-de-l'Orne (Orne). xxe siècle. Français.
Graveur.
Il fut élève de Charles Smatchens.
Il figura, à Paris, au Salon des Artistes Français. Il fut membre de cette société à partir de 1905 où il obtint une mention honorable.

LESEIGNEUR Henri L. M.
Né au xixe siècle à Paris. xixe-xxe siècles. Français.

Graveur au burin.
Figura au Salon des Artistes Français où il obtint une mention honorable (1895), une médaille de troisième classe (1904).

LESELIN Adam et **Denis**, les frères
XVIe siècle. Actifs à Rouen. Français.
Sculpteurs.
C'étaient deux frères qui travaillèrent aux figures de la *Danse macabre* du cimetière de Saint-Maclou, à Rouen, de 1527 à 1529.

LESELLIER Edmond
Né le 5 juillet 1885 à Paris. Mort en novembre 1920 à Paris, des suites de la Première Guerre mondiale (1914-1918). XXe siècle. Français.
Peintre de paysages, figures, sujets militaires.
Il fut élève de Cormon à l'École des Beaux-Arts de Paris.
MUSÉES : PARIS : *Ypres – Le Convoi – Saint-Nazaire (Débarquement des troupes américaines).*
VENTES PUBLIQUES : PARIS, 4 avr. 1990 : *Berger antique*, h/t (102x82) : **FRF 6 200.**

LE SÉNÉCHAL DE KERDRÉORET Gustave Édouard
Né le 9 octobre 1840 à Hennebont (Morbihan). Mort en 1920. XIXe siècle. Français.
Peintre de paysages, marines, aquarelliste.
Capitaine au long-cours, il s'initia à la peinture auprès de Jules Noël, Pierre Auguste Cot, Antoine Vollon. Il débuta au Salon de Paris en 1869, obtenant une médaille de troisième classe en 1883, de deuxième classe en 1888. Médaille de bronze à l'Exposition Universelle de 1889 et une médaille d'argent à celle de 1900. Chevalier de la Légion d'honneur en 1900.

BIBLIOGR. : Gérald Schurr, in : *Les Petits Maîtres de la peinture 1820-1920, valeur de demain*, Les Éditions de l'Amateur, t. IV, Paris, 1979.
MUSÉES : ABBEVILLE : *La digue à Cancale* – ARRAS : *La rade de Brest* – CAMBRAI : *Bateau échoué dans la baie de Cancale* – CHALON-SUR-SAÔNE : *Coup de vent* – LOUVIERS (Gal. Roussel) : *Le Tréport* – MULHOUSE : *La rentrée au port* – NÉRAC : *Novembre au Tréport* – PARIS (Art Mod.) : *Convoi d'artillerie – À l'ancre* – STRASBOURG : *Pêcheuses à l'embouchure de la Somme.*
VENTES PUBLIQUES : PARIS, 1891 : *Bateaux de pêche* : **FRF 870** – PARIS, 15 mai 1931 : *Port de pêche en Bretagne* : **FRF 100** – PARIS, 26 mars 1945 : *Bateau en cale sèche* : **FRF 1 700** ; *Le vieux mendiant* : **FRF 1 900** ; *Paysages et Marines*, quatre aquarelles : **FRF 2 200** ; *Steamer à quai*, aquar. : **FRF 1 100** ; *Les quais de Paris sous la neige*, aquar. : **FRF 4 000** – PARIS, oct. 1945-juil. 1946 : *Le Tréport en 1878* : **FRF 5 000** – VERSAILLES, 22 oct. 1972 : *La promenade en barque* : **FRF 4 500** – MUNICH, 24 mai 1976 : *Antibes*, h/pan. (35x26,5) : **DEM 3 200** – ZURICH, 30 oct. 1982 : *Attelage de chevaux sur la plage*, h/t (64x90) : **CHF 3 800** – BERNE, 26 oct. 1988 : *Voiliers près de la jetée*, h/pan. (27x35) : **CHF 2 600** – PARIS, 27 nov. 1989 : *Port de Martigues*, h/pan. (27x35) : **FRF 7 500** – CALAIS, 10 déc. 1989 : *Les ramasseuses de coquillages*, h/pan. (24x32) : **FRF 23 000** – PARIS, 7 nov. 1990 : *Paramé (Ille et Vilaine)*, aquar. (23x33,5) : **FRF 3 600** – CALAIS, 10 mars 1991 : *Bateaux à marée basse*, h/t (38x55) : **FRF 12 000.**

LE SENESCHAL Pierre
XVIIe siècle. Actif à Rouen. Français.
Sculpteur.
Il restaura la croix du cimetière Saint-Maur à Rouen, en 1609, et décora en 1616, une cheminée dans la chambre du maître des enfants de chœur de la cathédrale.

LE SEUR Nicolas
XVIIIe siècle. Actif à Nantes vers 1767. Français.
Sculpteur.

LESEURRE Berthe
XIXe siècle. Active à Paris. Française.
Peintre.
Sociétaire des Artistes Français depuis 1900, elle figura au Salon de ce groupement.

LESG Désiré
Né le 6 février 1806 à Bruges. Mort le 5 janvier 1859 à Gand. XIXe siècle. Belge.
Paysagiste.
Élève de De Noter.

VENTES PUBLIQUES : LONDRES, 20 avr 1979 : *Berger et troupeau dans un paysage boisé à la rivière*, h/t (87x118,8) : **GBP 1 000.**

LE SIDANER Henri
Né le 7 août 1862 à Port-Louis (Île Maurice). Mort en 1939 à Versailles (Yvelines). XIXe-XXe siècles. Français.
Peintre d'animaux, paysages, intérieurs, fleurs. Tendance symboliste.
Son enfance se déroula sous les Tropiques. Il s'établit à Paris en 1880, où il fut élève de Cabanel à l'École des Beaux-Arts à partir de 1884. Il abandonna l'enseignement académique pour le travail en solitaire. En 1898 et 1899, il séjourna à Bruxelles, notamment à Bruges. Après 1900, il s'installa dans l'Oise à Gerberoy, puis à Versailles.
Ayant débuté, à Paris, au Salon des Artistes Français en 1887, il y obtint en 1891 une troisième médaille et une bourse de voyages. Il figura ensuite, à Paris, au Salon de la Société Nationale des Beaux-Arts, à Bruxelles au Salon de la Libre Esthétique. Il a obtenu une médaille de bronze à l'Exposition universelle de 1900, à Paris. En 1930, Le Sidaner, officier de la Légion d'honneur était élu membre de l'Institut en remplacement de E. Laurent à l'Académie des Beaux-Arts. Une rétrospective de son œuvre a été présentée en 1996 au musée d'Art moderne et contemporain de Liège, puis à Carcassone et Limoux.
L'art de ce peintre se situe curieusement entre celui des derniers impressionnistes, dont il pratique le divisionnisme, et celui d'Eugène Carrière dont les tons indéterminés, le goût d'une certaine atmosphère brumeuse sont les caractéristiques. Il peignit souvent à Venise et à Bruges. On a particulièrement vanté ses effets de crépuscule. C'est C. Mauclair, un écrivain pénétré de l'esprit du symbolisme, qui a le plus heureusement défini ce talent. Parmi les principales œuvres de l'artiste : *La Bénédiction de la mer* ; *La Ronde au clair de lune* ; *Le Canal à Bruges* ; *Le Palais ducal et le Grand Canal à Venise.*

LE SIDANER

LE SIDANER

BIBLIOGR. : Yann Farinaux-Le Sidaner et Rémy Le Sidaner : *Le Sidaner. L'Œuvre peint, l'œuvre gravé*, André Sauret, Paris, 1989.
MUSÉES : CHÂLONS-SUR-MARNE : *Bénédiction de la mer* – DOUAI : *Tapis rouge – Tombe du soldat – Communion in-extrémis* – DUBLIN : *Le Goûter* – DUNKERQUE : *La Promenade des orphelins* – LIÈGE (Mus. d'Art Mod. et Contemp.) – NANTES (Mus. des Beaux-Arts) : *Table servie dans un parc – Soir de mai* – PARIS (Mus. d'Art Mod.) : *Le Soleil dans la maison – La Table* – PITTSBURGH : *Le Grand Canal par un clair de lune* – ROME (Art Mod.) : *Véranda.*
VENTES PUBLIQUES : PARIS, 1er mai 1899 : *Soir* : **FRF 350** – PARIS, 26 mai 1909 : *Cour de ferme en hiver* : **FRF 105** – PARIS, 4-5 déc. 1918 : *Sur la ville* : **FRF 4 206** – PARIS, 23 juin 1924 : *La Neige* : **FRF 4 150** – LONDRES, 19 fév. 1926 : *La Neige au soleil* : **GBP 99** – PARIS, 16 déc. 1927 : *Le Bassin du Palais-Royal au crépuscule* : **FRF 6 150** – LONDRES, 30 mars 1928 : *Beauvais, maison se reflétant dans l'eau* : **GBP 173** – PARIS, 22 nov. 1930 : *Vieilles Maisons à Gisors* : **FRF 2 350** – NEW YORK, 7 déc. 1933 : *Paysage d'hiver*, past. : **USD 100** – PARIS, 19 mars 1937 : *Maisons au bord d'un canal à Bruges* : **FRF 1 120** – PARIS, 20 fév. 1942 : *Campagne 1893* : **FRF 3 000** – PARIS, 25 mars 1944 : *La Place de l'église* : **FRF 9 800** – PARIS, 26 mars 1945 : *Le Moulin gris* : **FRF 55 000** – PARIS, 20 juin 1947 : *Les Pots de fleurs* : **FRF 25 000** – PARIS, 12 déc. 1949 : *La Table devant la fenêtre* : **FRF 31 000** – PARIS, 27 juin 1954 : *Paysage* : **FRF 90 000** – PARIS, 29 avr. 1963 : *Le Port du Croisic* : **FRF 8 400** – LONDRES, 29 avr. 1964 : *Dans l'ombre des branches* : **GBP 1 100** – PARIS, 18 juin 1969 : *Déjeuner sous bois* : **FRF 76 000** – PARIS, 17 déc. 1971 : *Jardin à Gerberoy* : **FRF 21 000** – LONDRES, 5 juil. 1973 : *Le Moulin* : **USD 6 200** – PARIS, 4 avr. 1974 : *Le Port de Saint-Jean Cap Ferrat* : **GBP 6 000** – PARIS, 11 juin 1974 : *Versailles, le Pavillon de Musique au printemps* : **FRF 31 000** – PARIS, 27 oct. 1976 : *La Bénédiction de la mer* 1891, h/t (54x78) : **FRF 7 000** – LONDRES, 6 déc. 1977 : *Le seuil fleuri* 1934, h/t (65x81) : **GBP 9 000** – LONDRES, 4 déc 1979 : *Le café du port* 1923, h/t (140x93) : **GBP 8 000** – LONDRES, 26 nov. 1980 : *La Ronde* 1897, past. (66x91,5) : **GBP 5 000** – LONDRES, 1er juil. 1981 : *Baraques foraines* 1920, h/t (100,5x125,5) : **GBP 17 000** – NEW YORK, 5 nov. 1982 : *L'Étang de Marly-le-Roy* 1900-1901, past. (60x81) : **USD 13 000** – PARIS, 21 juin 1983 : *Gerberoy : la table*

blanche, h/t (101x81) : **FRF 385 000** – New York, 7 juin 1984 : *Moret-sur-Loing* 1918, aquar. et cr. (15,9x19,3) : **USD 900** – New York, 31 mai 1984 : *Le jardin de l'artiste*, cr. (35x46) : **USD 900** – New York, 16 mai 1985 : *Le Petit Trianon*, h/t (66x80) : **USD 46 000** – Saint-Étienne, 21 sep. 1986 : *Jeune femme en barque sur le Thonnet*, h/t (44x64) : **FRF 190 000** – Paris, 19 nov. 1986 : *La Sérénade à Venise*, h/t (133x183) : **FRF 660 000** – New York, 14 mai 1986 : *L'Étang de Marly-le-Roi* 1900-1901, past./t. (61x81) : **USD 19 500** – Londres, 3 déc. 1986 : *La Maison de l'été* vers 1920, h/t (73x92) : **GBP 100 000** – Paris, 11 déc. 1987 : *Le Jardin de l'artiste*, h/t (50x40) : **FRF 315 000** – Hambourg, 12 juin 1987 : *Le Buste de Gerberoy* 1902, craies coul. (32,4x26,1) : **DEM 7 500** – Londres, 1er juil. 1987 : *La Sérénade, Venise*, h/t (137x184) : **GBP 225 000** – Paris, 28 fév. 1988 : *Rue de Lisieux à la tombée du jour*, h/pan. (19x24) : **FRF 86 000** – Londres, 30 mars 1988 : *Maison sur la rivière au clair de lune*, h/t (73x92) : **GBP 95 700** – Londres, 24 fév. 1988 : *La Pergola*, h/pan. (13,5x18,3) : **GBP 7 150** – New York, 18 fév. 1988 : *Hampton Court Palace*, h/t (64x100,5) : **USD 46 750** – Paris, 2 juin 1988 : *La Gardeuse d'oies* 1891, h/t (46,5x61,5) : **FRF 75 000** ; *Canal à Malines* 1929, h/t (73x60) : **FRF 410 000** – Londres, 28 juin 1988 : *La Terrasse devant la baie de Saint-Tropez* 1929, h/t (81x116) : **GBP 132 000** ; *La Place Saint-Marc à Venise* 1914, h/t (63,2x84,5) : **GBP 82 500** – Londres, 29 juin 1988 : *Jeune Couple de bergers*, h/t (46x60,5) : **GBP 24 200** ; *La Table du thé dans le jardin*, h/t (66x91,4) : **GBP 185 900** – Grandville, 16-17 juil. 1988 : *Fougères* 1920, h/pan. (18x23) : **FRF 54 000** – New York, 6 oct. 1988 : *L'Atelier de l'artiste à Gerberoy* 1925, h/pan. (32,2x45,6) : **USD 35 200** – Londres, 19 oct. 1988 : *Prairie au bord de l'eau* 1896, h/pan. (26,5x35,5) : **GBP 11 000** – Grandville, 30 oct. 1988 : *La Petite Église*, h/pan. (20x14,5) : **FRF 100 000** – Calais, 13 nov. 1988 : *Le Jardin à Gerberoy* 1930, h/pan. (35x27) : **FRF 90 000** – Paris, 24 nov. 1988 : *Maison au clair de lune*, h/t (61x50) : **FRF 520 000** – Londres, 22 fév. 1989 : *Vue de Villefranche*, h/pan. (33x41) : **GBP 20 900** – Paris, 3 avr. 1989 : *Les arbres fleuris de Gerberoy* 1902, h/t (54x73) : **FRF 935 000** – Londres, 5 avr. 1989 : *Les baraques foraines*, h/t (126,5x151) : **GBP 330 000** – Paris, 11 avr. 1989 : *Les trois roses*, h/pap. (21x27) : **FRF 155 000** – Paris, 13 avr. 1989 : *La fenêtre du Croisic* 1924, h/pan. (21x16) : **FRF 195 000** – Montréal, 1er mai 1989 : *Pont près de Bruges*, h/t (47x56) : **CAD 88 000** – New York, 11 mai 1989 : *La table sous la tonnelle* 1932, h/t (113,6x96,5) : **USD 440 000** – Paris, 17 juin 1989 : *La Gloriette, Gerberoy* 1929, h/t (91x72) : **FRF 520 000** – Le Touquet, 12 nov. 1989 : *Village méditeranéen*, h/pan. (24x18) : **FRF 230 000** – New York, 15 nov. 1989 : *Table mise pour la collation dans un intérieur* 1928, cr., encre et h/t (92,4x73,6) : **USD 495 000** – Paris, 20 nov. 1989 : *Vieille Rue au crépuscule, Gerberoy* 1929, h/t (125x150) : **FRF 2 000 000** – Londres, 28 nov. 1989 : *La Petite Place de Gravelines au soleil couchant* 1902, h/t (46x61,6) : **GBP 88 000** – Lille, 4 fév. 1990 : *Vue de la maison et du jardin*, h/t (80x100) : **FRF 2 400 000** – Paris, 22 mars 1990 : *Scène de théâtre*, h/pan. (32,5x40,5) : **FRF 28 000** – Paris, 30 mars 1990 : *Le Rendez-vous* 1932, h/t (111x96,5) : **FRF 3 200 000** – Paris, 1er avr. 1990 : *La Porte du Beguinage au clair de lune* 1906, h/t (48x62) : **FRF 320 000** – Londres, 3 avr. 1990 : *Les Arbres fleuris à Gerberoy* 1902, h/t (55x74) : **GBP 143 000** – New York, 16 mai 1990 : *Le Canal, Venise* 1914, h/t (54,6x65,4) : **USD 143 000** – Paris, 30 mai 1990 : *Le Jardin sous la neige*, aquar. (22,5x16,5) : **FRF 45 000** – Londres, 26 juin 1990 : *Le Goûter, sous-bois à Gerberoy* 1925, h/t (150,5x126) : **GBP 748 000** – Calais, 8 juil. 1990 : *La Maison de l'aveugle au clair de lune à Gerberoy* 1933, past. (24x28) : **FRF 100 000** – New York, 2 oct. 1990 : *Les Roses au clair de lune* 1923, h/t (73,6x92,7) : **USD 198 000** – New York, 15 nov. 1990 : *La Table de campagne* 1918, h/t (88,6x106,4) : **USD 385 000** – Paris, 25 nov. 1990 : *La Théière dorée*, h/cart. (46x33) : **FRF 250 000** – Londres, 5 déc. 1990 : *La Nappe mauve*, h/t (66x81,2) : **GBP 121 000** – Amsterdam, 22 mai 1991 : *Ruelle à Paris*, cr. noir et coul./pap. (45x34) : **NLG 13 800** – Londres, 26 juin 1991 : *L'Escalier du jardin de Gerberoy* 1931, h/t (80x64) : **GBP 132 000** – Paris, 17 nov. 1991 : *Le 14-Juillet, Gerbevoy* 1910, h/t (82x100) : **FRF 450 000** – New York, 25-26 fév. 1992 : *La Grande Porte de Hampton Court* 1908, h/t (78,7x99,1) : **USD 110 000** – New York, 11 nov. 1992 : *La Terrasse à Gerberoy* 1903, h/t (60x73) : **USD 49 500** – Londres, 1er déc. 1992 : *La Maison du jardinier au clair de lune à Gerberoy* 1926, h/t (85,3x100) : **GBP 24 200** – Amsterdam, 10 déc. 1992 : *Neige sur le vieux village de Gerberoy*, h/pan. (26,5x36) : **NLG 20 700** – Genève, 11-12 mai 1993 : *La Maison du jardinier au clair de lune à Gerberoy*, h/t (85,3x100) : **FRF 433 000** – New York, 13 mai 1993 : *Le Pont des Soupirs à Venise* 1914, h/t (66x54,7) : **USD 63 000** – Reims, 20 juin 1993 : *La Table dans le jardin*, h/t (69x92) : **FRF 930 000** – Montréal, 23-24 nov. 1993 : *Le Port de Villefranche-sur-Mer au soleil* 1911, h/pan. (28x35,5) : **CAD 34 000** – Londres, 28 juin 1994 : *L'Abreuvoir* 1912, h/t (61x74) : **GBP 28 300** – Paris, 16 oct. 1994 : *La Porte Guillaume à Chartres* 1902, h/t (50x61) : **FRF 245 000** – New York, 9 nov. 1994 : *La Table sous la tonnelle* 1932, h/t (110,8x95,9) : **USD 310 500** – New York, 9 nov. 1995 : *La Nappe jaune* 1928, h/t (81,9x64,8) : **USD 178 500** – Londres, 20 mars 1996 : *Le Bassin du refuge*, h/t (73x92) : **GBP 36 700** – Paris, 21 juin 1996 : *L'Âne*, h/t (40,5x61) : **FRF 20 000** – New York, 13 nov. 1996 : *La Table sous les arbres* 1922, h/t (60x73) : **USD 382 000** – Londres, 3-4 déc. 1996 : *Les Maisons sur la rivière, Chartres* 1929, h/t (92x73) : **GBP 29 900** ; *La Barrière verte, Gerberoy* 1929, h/t (60x73) : **GBP 60 900** – Paris, 16 déc. 1996 : *La Table aux lanternes, Gerberoy* 1924, dess. reh. d'aquar./pap. calque, étude (24,5x29,5) : **FRF 50 000** – Londres, 23 oct. 1996 : *L'âne* 1891, h/t (47x61) : **GBP 2 875** – New York, 9 oct. 1996 : *Le pavillon de musique* 1930, h/t (91,4x71,8) : **USD 36 800** – Londres, 25 juin 1996 : *La fontaine, Saint-Paul-de-Vence* 1925, h/pan. (39x31) : **GBP 18 975** – New York, 14 nov. 1996 : *La Table de campagne* 1918, h/t (88,6x106,4) : **USD 519 500** – Londres, 10 déc. 1997 : *La table blanche, Gerberoy* 1920, h/t (81,1x100,4) : **USD 331 500** – New York, 15 mai 1997 : *La Table de pierre* 1919, h./cr./t. (65,4x80,7) : **USD 343 500** – Londres, 25 juin 1997 : *Le seuil fleuri* 1934, h/t (65x81) : **GBP 69 700** – Calais, 6 juil. 1997 : *Place sous la neige à Gerberoy* 1910, h/t (60x74) : **FRF 265 000** – Londres, 10 déc. 1997 : *La Table blanche, Gerberoy* 1920, h/t (81,1x100,4) : **GBP 331 500**.

LESIECKA Jadwiga

Née le 19 février 1921 à Varsovie. XXe siècle. Polonaise.

Peintre de paysages, natures mortes, figures.

Elle expose en Pologne et en France. Elle participe à de nombreuses expositions collectives en Pologne, où elle vit, à Sopot, entre Gdansk et Gdynia, sur les rivages de la Baltique. Sa première exposition personnelle a eu lieu en Pologne en 1958. En 1959 elle expose à Varsovie et, en 1960, à Paris. En 1966, elle expose personnellement au Musée du Vieux Toulon. En 1962, elle a reçu un prix au Salon des Femmes-Peintres à Paris.

LESIEUR

Français.

Peintre d'histoire.

L'église de Saint-Pierre, à Douai, conserve de lui *Le martyre de saint Sébastien* et *Le martyre de saint Laurent*.

LESIEUR Pierre

Né le 21 mai 1922. XXe siècle. Français.

Peintre, graveur.

En 1940, il ne passa que trois jours à l'École des Beaux-Arts. Il fréquenta assez peu les ateliers d'André Lhote et d'Othon Friesz. Plus tard, il aima reconnaître avoir reçu les conseils de Garbell. Il travaillait surtout seul dans les différents ateliers qu'il occupa, peignant d'après des notes rapportées du Midi de Renoir et Bonnard, qu'avec Matisse, il admira d'emblée et définitivement, de la Normandie proustienne ou du Londres de Verlaine, dont il a gardé le goût un rien de fin de siècle. En 1959, il fit un voyage qui le mena en Extrême-Orient, avec retour par les États-Unis et le Mexique.

À partir de 1953, il a participé régulièrement au Salon de Mai ; à l'*École de Paris* ; il a aussi exposé plusieurs fois au Salon des Tuileries, et fut invité à de nombreuses manifestations internationales au Japon, en U.R.S.S., en Pologne, Italie, Angleterre, etc. Il participa en 1962, à Paris, au Salon Grands et Jeunes d'Aujourd'hui. Il fit la première exposition particulière de ses peintures, en 1952, à Paris ; autres expositions particulières : 1955, Paris ; 1957, Londres ; 1958, Paris ; 1960, Paris ; 1961, Londres ; 1962, Paris ; 1963, New York ; 1964, Paris ; 1965, New York ; 1966, Musée Picasso, Antibes ; 1967, Londres ; 1968, Paris, etc. En 1958, lui fut décerné le Prix de la Critique.

Peintre de la réalité, la réalité lui importe assez peu, il ne la considère que comme le support de la lumière et de la couleur, son véritable et seul sujet. Aussi indifféremment peint-il natures mortes de poissons et crustacés, des bœufs tirant la charrue, étals de boucherie, l'ensemble des chevalets dans son atelier, une vue de la Tamise. Il a le toucher aérien de Bonnard, raffinant toujours plus et jamais satisfait de la qualité d'un rose aurore, d'un or de midi ou d'un orangé de couchant. Pierre Courthion, lui, regrette un certain manque d'audace. L'audace n'est ni son propros ni dans sa nature, mais bien la délectation discrète.

Bibliogr. : Pierre Courthion : *L'Art Indépendant*, Albin Michel, Paris, 1958 – Roger Van Gindertael : *Pierre Lesieur*, Cahiers Art Document, n° 131, Pierre Cailler, Genève, 1960 – in : *Peintres contemporains*, Mazenod, Paris, 1964.
Musées : Paris (Mus. Nat. d'Art Mod.).
Ventes Publiques : Paris, 8 nov. 1976 : *Village au bord de la rivière*, h/t (60x72) : **FRF 2 500** – Paris, 20 juin 1985 : *L'étal* 1963, h/t (85x85) : **FRF 42 000** – Paris, 12 mars 1986 : *Scène d'intérieur* 1958, h/t (130x124) : **FRF 17 000** – Paris, 11 déc. 1987 : *Sans titre*, h/t (19x33) : **FRF 4 500** – Paris, 22 avr. 1988 : *Femme à la charrette* 1960, h/t (86x81,5) : **FRF 30 000** – Paris, 20-21 juin 1988 : *Nature morte aux bouteilles* 1964, h/t (162x114) : **FRF 36 000** – Paris, 21 nov. 1989 : *Le pont*, h/t (81x54) : **FRF 26 000** – New York, 21 fév. 1990 : *Nu devant un miroir* 1965, h/t (112,4x112,4) : **USD 5 500** – Paris, 27 mars 1990 : *Nature morte aux fruits* 1960, h/t (95x90) : **FRF 60 000** – Paris, 3 avr. 1990 : *Nu devant un miroir*, h/t (252x222) : **FRF 53 000** – Paris, 12 déc. 1990 : *Le port* 1956, h/t (41x60) : **FRF 46 000** – Paris, 19 nov. 1991 : *Les coquillages* 1967, h/t (157x157) : **FRF 75 000** – Paris, 13 avr. 1992 : *Personnage endormi dans un paysage* 1970, h/t (220x220) : **FRF 70 000** – New York, 9 mai 1992 : *Coquillages* 1970, h/t (81,3x76,2) : **USD 2 200** – New York, 12 juin 1992 : *Nu devant la glace* 1963, h/t (139,7x139,7) : **USD 5 500** – Paris, 27 jan. 1993 : *Nu devant la fenêtre* 1982, past. et fus./pap. Japon (36x32) : **FRF 4 000** – New York, 29 sep. 1993 : *Le port de Monte-Carlo* 1957, h/t (83,8x81,3) : **USD 3 450** – Paris, 13 avr. 1994 : *Autobus à Londres* 1963, h/t (81x82) : **FRF 30 000** – Paris, 13 fév. 1995 : *La fenêtre* 1975, h/t (80x40) : **FRF 12 500**.

LESIEUX Augustin
Né au XIXe siècle à Sombrin. XIXe siècle. Français.
Sculpteur.
Élève de Barrias et de Coutan. Figura au Salon des Artistes Français. Membre de cette société depuis 1909. Il obtint une mention honorable en 1902.

LE SIGNERRE Pierre. Voir **LESVIGNIÈRES**

LESIJ. Voir **LESY**

LESINE Ievgueni
Né en 1917 à Penza. XXe siècle. Russe.
Peintre de paysages, paysages animés.
Il étudia à l'École des Beaux-Arts de Leningrad et à l'Institut Répine. Il fut membre de l'Union des Peintres d'U.R.S.S.
Ses peintures sont des expressions enjouées et vivifiantes de la campagne russe au printemps, animées d'enfants, et exécutées dans un style qui privilégie la légèreté des teintes vertes baignées d'une forte lumière.
Musées : Moscou (min. de la Culture) – Novgorod (Mus. des Beaux-Arts) – Saint-Pétersbourg (Mus. d'Hist.) – Saint-Pétersbourg (Mus. Acad. des Beaux-Arts).
Ventes Publiques : Paris, 18 fév. 1991 : *Les petits poussins*, h/t (57x79) : **FRF 6 000** – Paris, 26 avr. 1991 : *La datcha fleurie*, h/t (56,5x74,7) : **FRF 6 000** – Paris, 24 sep. 1991 : *Sur le banc*, h/t (62x86) : **FRF 4 500**.

LESIRE Paulus ou **Lesier** ou **Lesyre** ou **Lezier**
Né en 1611 à Dordrecht. Mort après 1656. XVIIe siècle. Hollandais.
Peintre d'histoire, portraits.
Fils de Augustyn Lesyre de Devonshire (mentionné en 1611 dans la gilde de Dordrecht), élève probablement de J. G. Cupp, il fut maître à Dordrecht en 1631, épousa en 1634 Lowize de Claar de La Haye et travaillait à La Haye en 1648.
Musées : Dordrecht : *Portrait d'un conseiller* – Graz : *Guerrier à genoux* – Hanovre : *Buste de jeune homme* – La Haye : *La reine d'Angleterre quittant Scheveningen* – La Haye (Mus. comm.) : *Le capitaine Van Conwenlieven* – Metz : *Portrait d'un officier de marine* – Vienne : *Étude de tête*.
Ventes Publiques : Cologne, 14 juin 1976 : *Portrait d'une dame de qualité* 1651, h/pan. (50x37,5) : **DEM 11 000** – Londres, 9 mars 1983 : *Portrait de Reynier Johansz. Strik ; Portrait d'Alida Pietersz. Van Scharlaken* 1637, h/pan., une paire (84x65) : **GBP 5 600** – New York, 17 jan. 1985 : *Portrait de Reynier Johansz. Strik et d'Alida Pietersz. Van Scharlaken* 1637, h/pan., une paire (84x63,5) : **USD 11 000** – Londres, 27 oct. 1989 : *Philosophe assis devant un livre ouvert sur un pupitre*, h/pan. (69x60) : **GBP 5 500** – Amsterdam, 17 nov. 1993 : *Le départ de la reine Henrietta Maria d'Angleterre de Scheveningen en 1643* 1644, h/t/pan. (95,5x128,5) : **NLG 71 300**.

LESKER Hans
Né le 23 novembre 1879 à Munich. Mort le 23 septembre 1914. XXe siècle. Allemand.
Peintre.
Fils de Ludwig Lesker. Il a peint des figures et des nus. La Galerie de la Sécession de Schleissheim et les Musées de Stuttgart et de Copenhague possèdent de ses œuvres.

LESKER Ludwig
Né le 28 novembre 1840 à Schwerin. Mort le 8 décembre 1890 à Munich. XIXe siècle. Allemand.
Décorateur, peintre d'histoire.
Élève de Pape à Schwerin. Travailla en Suisse, puis à Stuttgart, à Vienne, à Florence. De retour en Allemagne, il se fixa à Munich.

LESKI Jozef
Né le 2 avril 1765. Mort le 15 juillet 1825 à Cracovie. XVIIIe-XIXe siècles. Polonais.
Peintre et aquafortiste amateur.
Il peignit des portraits miniatures et fit aussi des eaux-fortes. On cite parmi ces dernières : *Le 3 mai 1791*, d'après Norblin. Il grava des portraits et des illustrations de livres dont il fit les esquisses. Le Cabinet des Estampes et la Collection de manuscrits de la Bibliothèque de l'Université de Varsovie, ainsi que le Musée National de Cracovie possèdent de ses dessins.

LESKOSCHEK Axel
Né le 3 septembre 1889 à Graz (Styrie). Mort en 1975. XXe siècle. Autrichien.
Peintre, graveur.
Pendant le conflit de la Seconde Guerre mondiale, Leskoschek fait partie de ces artistes qui ont effectué un passage au Brésil, où il eut, entre autres, des contacts avec le peintre naïf Djanira da Mota e Silva à Santa Teresa.
On cite de sa main des peintures à l'huile et à l'aquarelle – des paysages du Sud et des nus – et des séries de gravures sur bois : *Enfance de Jésus* ; *Fiançailles à Saint-Dominique* et, parmi ses plus grandes planches, *Saint Sébastien* et *Danse des morts*.
Bibliogr. : Damian Bayon et Roberto Pontual : *La Peinture de l'Amérique latine au XXe s.*, Mengès, Paris, 1990.

LESLEY Allen Voorhes
Né en 1822 à Philadelphie. Mort en 1881. XIXe siècle. Américain.
Peintre de marines, aquarelliste et dessinateur.
Après avoir exercé son métier de chirurgien aux États-Unis, il entreprend, dans les années 1850, un long périple aux Caraïbes qui décidera de sa vocation de peintre, assez tardive donc. À chacune de ses étapes – Cuba, Saint-Thomas, Sainte-Croix – il fixe par des notations à l'aquarelle souvent rapides les principaux sites et la flore de la contrée. C'est ainsi que Lesley laisse pour son seul séjour à Cuba, plus de cent soixante-dix dessins pour la plupart datés et situés. Ils décrivent souvent l'architecture coloniale de l'île, d'où leur précieux intérêt historique, largement reconnu par les contemporains du peintre. Celui-ci avait longuement observé chacun des détails du paysage traité, et ses planches de format libre représentant les différentes espèces de la végétation tropicale ont fréquemment retenu l'attention de botanistes.

LESLIE Alexander J.
Né le 27 novembre 1873 à Londres. Mort le 12 juin 1930 à Lynton (Devonshire). XXe siècle. Britannique.
Sculpteur.
Il a étudié à la Royal Academy, à Londres, et y a exposé de 1901 à 1922. Il a obtenu un prix en 1900 avec *Samson et les Philistins*.
Musées : Liverpool (Walker Art Gal.) : *Hylas* – Londres (Tate Gal.) : *Doux farniente* – Manchester (City Art Gal.) : *Iphigénie en Aulide*.

LESLIE Alfred
Né en 1927 à New York. XXe siècle. Américain.
Peintre de figures. Réaliste.
Après la fin des études à l'université de New York, en 1948, il se forma à peu près seul à la peinture, sous l'influence de l'œuvre de De Kooning. Il a figuré à l'importante exposition *Seize Américains*, au Museum of Modern Art de New York en 1959. Il participe également à des expositions de groupe, au Jewish Museum et au Whitney Museum de New York ; au Musée d'Art Moderne de Tokyo ; au Baltimore Museum ; etc. Il a également participé à l'exposition *22 réalistes* au Whitney Museum de New York. Il a montré ses œuvres dans de nombreuses expositions particulières, à partir de 1951, presque toutes à New York.
Cette exposition des *22 réalistes* a mis l'accent sur la permanence d'une peinture réaliste aux États-Unis et a révélé au public les premiers essais de ce que l'on a nommé ensuite l'hyperréalisme.

Si Leslie diffère considérablement de cet hyperréalisme tel qu'un Close, un Estes ou un Don Eddy le pratiquent, on tend néanmoins à l'en considérer, avec un Pearlstein, comme un précurseur.

Bibliogr. : In : *Peintres contemporains*, Mazenod, Paris, 1964.

Musées : Bâle (Kusnthalle) – New York (Mus. of Mod. Art) – New York (Whitney Mus.).

Ventes Publiques : New York, 28 mai 1976 : *Jane Elford* 1968, fus. (178x101,5) : **USD 2 000** – New York, 8 nov. 1983 : *Warm left* 1959, h/t (152,5x167,5) : **USD 12 000** – New York, 23 fév. 1985 : *Sans titre* 1960, collage, h. et agrafes/cart. (50,8x50,8) : **USD 3 600** – New York, 12 nov. 1986 : *Constance West, enceinte de quatre mois* 1970, fus. (76,2x101,6) : **USD 7 500** – New York, 12 nov. 1986 : *Constance West* 1968-1969, h. et acryl./t. (274,3x181,8) : **USD 45 000** – New York, 3 mai 1989 : *Richard Miller et Floriano Vecchi* 1971, h/t (274,3x183) : **USD 44 000** – New York, 5 oct. 1989 : *Sans titre* 1959, h/pap./cart. (45,7x51) : **USD 13 200** – New York, 4 oct. 1990 : *Monnaie* 1961, h/t (243x168) : **USD 27 500** – New York, 1er mai 1991 : *Richard Miller et Floriano Vecchi*, h/t (273,7x185,2) : **USD 22 000** – New York, 6 mai 1992 : *Pythonisse* 1959, h/t (173x220) : **USD 44 000** – New York, 7 mai 1993 : *Portrait de Mikey Besch*, h/t (147,5x112) : **USD 2 760** – New York, 11 nov. 1993 : *Number 5* 1960, h. et collage de pap./t. (49,5x74,9) : **USD 13 800**.

LESLIE Charles

Né en 1840. xixe siècle. Britannique.

Peintre de paysages.

Il a surtout travaillé en Galles du Nord, dans les Highlands entre montagnes et lacs.

Ventes Publiques : Londres, 14 déc. 1976 : *Snowdon, North Wales* 1879, deux h/t (24x44,5) : **GBP 320** – Londres, 27 sep. 1989 : *Le soir à Moel Hebog en Galles du Nord*, h/t (38x30,5) : **GBP 2 200** – Londres, 13 déc. 1989 : *Moel-Siabod à Capel Curig* 1862, h/t (49,5x65) : **GBP 1 100** – Londres, 21 mars 1990 : *Petit matin à Llyn-yfoel, Galles du Nord ; La mare de Arrenig Bach, Galles du Nord* 1874, h/t, une paire (30,5x61) : **GBP 1 650** – Londres, 7 oct. 1992 : *La région des lacs* 1880, h/t (30x60,5) : **GBP 825** – New York, 20 jan. 1993 : *Les Highlands* 1881, h/t (76,2x128,3) : **USD 5 175** – Londres, 3 fév. 1993 : *Une route dans les Highlands*, h/t (40,5x66) : **GBP 632** – Londres, 12 mai 1993 : *Un lac en Galles du Nord* 1884, h/t (77x127) : **GBP 2 127** – Glasgow, 14 fév. 1995 : *Lac des Highlands entouré de montagnes*, h/t (76x127) : **GBP 1 840** – Londres, 14 mars 1997 : *Château près d'un loch* 1879, h/t (76,2x127,3) : **GBP 4 945**.

LESLIE Charles Robert

Né en 1794 à Londres, de parents américains. Mort en 1859 à Londres. xixe siècle. Britannique.

Peintre d'histoire, scènes de genre, portraits, paysages, aquarelliste.

Né de parents américains il partit fort jeune pour les États-Unis, mais revint en Angleterre en 1811 et entra à l'École de la Royal Academy où il fut élève de Benjamin West et Washington Alleton. Associé en 1821 il fut académicien en 1826, et professeur à la Royal Academy de 1847 à 1852. En 1833 il était allé en Amérique occuper le même poste à l'École militaire de West Point. Père de Robert Charles Leslie.

Il réussit rapidement comme peintre d'histoire et de portraits, mais, après un voyage sur le continent en 1817, il adopta les sujets d'actualité qui en font un intéressant peintre documentaire. On lui doit deux ouvrages : *Le Handbook for young painters* et *Les Mémoires de Constable*.

Cachet de vente

Musées : Dublin : *L'oncle Coby et la veuve Wadman dans la guérite de la sentinelle*, scène tirée de « Tristram Shandy » – Londres (Victoria and Albert) : *La mégère apprivoisée – Principaux personnages des Joyeuses commères de Windsor – Que veut dire ceci – De qui cela vient-il – Scène de Tristram Shandy – Florizel et Perdita – Autolicus chantant sa ballade – Le Bourgeois gentilhomme – Les Femmes savantes – Le Malade imaginaire – Don Quichotte et Dorothée – Scène de Gil Blas de Santillane – Tête de femme – La reine Catherine et Patience (Henri VII) – Amy Robsart, comtesse de Leicester – Les enfants d'Édouard – La toilette – La princesse royale, devenue impératrice Frédéric – Portia, le Marchand de Venise – Griselda – La reine Victoria dans son costume de couronnement – Scène de jardin – Scènes de Don Quichotte*, trois aquarelles – Londres (Tate Gal.) : *Sancho Pança dans l'appartement de la duchesse – L'oncle Coby et la veuve Wadman – Scène de Milton* – Manchester : aquarelles – Melbourne : *La leçon d'humilité du Christ* – Nottingham : aquarelle – Preston : *Consultation – Le présent – Olivia levant son voile – Sir John Falstaff – Perdita*.

Ventes Publiques : Londres, 1863 : *L'Héritière* : **FRF 31 500** – Londres, 1870 : *La mèche de cheveux* : **FRF 34 120** – Londres, 1875 : *Scène from Henry VIII* : **FRF 34 125** ; *An Elopement* : **FRF 28 875** – Londres, 1877 : *Hermione* : **FRF 9 180** ; *Falstaff* : **FRF 38 500** – Londres, 1879 : *Le Pot-Pourri* : **FRF 28 750** – Londres, 1883 : *La lecture du testament* : **FRF 13 125** – Londres, 1891 : *Poule et poulet* : **FRF 16 015** – Londres, 1891 : *L'Été* : **FRF 9 445** – Londres, 1896 : *La Fontaine* : **FRF 6 040** – Londres, 6 mai 1910 : *Falstaff personnifiant le roi Henri* : **GBP 126** – Londres, 17 juin 1910 : *Les Joyeuses Commères de Windsor* : **GBP 567** – Londres, 21 nov. 1924 : *Sancho Pança et la duchesse* : **GBP 57** – Londres, 26 avr. 1946 : *Sir Roger de Coverley à l'église* : **GBP 115** ; *Scène du Vicaire de Wakefield* : **GBP 241** – Londres, 19 mars 1958 : *Hyde Park, au-delà de Aspley House* : **GBP 320** – Londres, 19 oct. 1971 : *Portrait de jeune fille cueillant des roses* : **GBP 1 200** – Londres, 22 fév. 1972 : *Enfants jouant dans un intérieur* : **GBP 950** – Londres, 10 juil. 1973 : *Le pique-nique* : **GBP 6 000** – Londres, 25 jan. 1974 : *Le Bourgeois gentilhomme* : **GNS 850** – Londres, 29 juin 1976 : *L'amoureux timide* 1823, h/t (61x74) : **GBP 550** – Londres, 25 oct. 1977 : *Enfants jouant dans un intérieur*, h/t (65x82) : **GBP 6 000** – Londres, 2 oct 1979 : *Paysage montagneux au lac*, h/t (73,5x120) : **GBP 1 400** – Londres, 21 juin 1983 : *Scène de Don Quichotte*, h/t (141x187) : **GBP 7 000** – New York, 23 mai 1989 : *Scène de Henry VIII*, h/t (111,8x142,3) : **USD 6 600** – Londres, 8-9 juin 1993 : *Jeanie Deans et la Reine Caroline*, h/t (99x84) : **GBP 5 980** – New York, 20 juil. 1995 : *L'abécédaire*, h/t (73,7x58,4) : **USD 7 475** – Londres, 17 nov. 1995 : *La chambre de la Reine à Hampton Court Palace*, h/pan. (22,2x29,5) : **GBP 11 500**.

LESLIE Frank. Voir **CARTER Henry**

LESLIE George Dunlop

Né le 2 juillet 1835 à Londres. Mort le 21 février 1921 à Londres. xixe-xxe siècles. Britannique.

Peintre de genre, portraits, fleurs, aquarelliste.

Élève de son père Charles Robert Leslie, puis de la Royal Academy dont il devint membre, médaille de bronze à Paris aux Expositions universelles de 1889 et 1900.

GDLeslie
GDL

Bibliogr. : Christopher Wood : *Dictionary of Victorian Painters*, 1971.

Musées : Aberdeen : *Portrait de l'artiste* – Bristol : *En temps de guerre* – Hambourg : *Tonnelle de Celia – Nausicaa – La Musique – La saison des roses* – Londres (Tate) : *Le moulin abandonné – Fillettes à l'école* – Londres (Art Gal.) : *Fleurs de soleil et fleurs de lune* – Londres (Diploma Gal.) : *La jeune fille de Richmond Hill* – Manchester : une aquarelle – *La visite de la citadine à ses cousins de la campagne* – Sydney : *Mon devoir envers mon prochain*.

Ventes Publiques : Londres, 3 avr. 1909 : *Dame assise* : **GBP 443** – Londres, 4 mars 1910 : *A la Fontaine* : **GBP 42** – Londres, 24 juin 1910 : *Primevères* : **GBP 126** – Londres, 18 juin 1926 : *Tempête sur la rivière* : **GBP 50** – New York, 14 déc. 1933 : *Lavinia* : **USD 100** – Londres, 23 avr. 1937 : *Matilda*, dess. : **GBP 46** – Londres, 10 juin 1970 : *La cour de l'école* : **GNS 1 900** – Londres, 23 juin 1971 : *Vilaine Kitty !* : **GBP 600** – Londres, 6 fév. 1973 : *Le bac sur la Tamise* 1884 : **GBP 500** – Londres, 27 juil. 1976 : *La cathédrale de Canterbury*, h/t (121x85) : **GBP 600** – Londres, 25 oct. 1977 : *Les Jeunes Jouteurs*, h/t (50x74) : **GBP 800** – Londres, 6 juin 1980 : *Frozen out* 1866, h/t (59,7x44,5) : **GBP 4 000** – Londres, 20 oct. 1981 : *La Servante aux cheveux châtains*, h/t (137x91,5) : **GBP 3 500** – Melbourne, 8 nov. 1984 : *Le Jeune Jardinier* 1889, h/t (50x34) : **AUD 4 800** – Londres, 10 oct. 1985 : *A pensive moment* 1867, aquar./traces de cr. et touches de blanc (43x55) : **GBP 2 000** – Londres, 13 fév. 1987 : *In the Walled Garden* 1869, aquar. reh. de blanc (63,5x47,7) : **GBP 3 500** – New York, 19 juil.

1990 : *Personnages sur la berge d'une rivière* 1891, h/t (122x87,8) : **USD 2 640** – LONDRES, 5 juin 1991 : *Une pause au bord du chemin*, h/t (112x86) : **GBP 20 900** – LONDRES, 8-9 juin 1993 : *Fille de pêcheur* 1861, h/t/cart. (42x30) : **GBP 920** – LONDRES, 5 nov. 1993 : *Promenade un jour d'hiver* 1866, h/t (59,7x44,5) : **GBP 7 130** – LUDLOW (Shropshire), 29 sep. 1994 : *Bouton de rose* 1867, h/t (60x44,5) : **GBP 16 100** – MILAN, 20 déc. 1994 : *Rêve d'été*, h/pan. (35,5x58,5) : **ITL 14 950 000** – LONDRES, 6 nov. 1995 : *Les Glaneuses* 1861, h/t (61x50,5) : **GBP 3 335** – LONDRES, 6 nov. 1996 : *Pot-pourri*, h/t (99x99) : **GBP 131 300**.

LESLIE John, Sir, baronet
Né en 1822. Mort le 24 janvier 1916 à Londres. XIXe-XXe siècles. Britannique.
Peintre de portraits.
Il fut élève de K. F. Sohn à Düsseldorf. Il était actif à Londres, où il exposa de 1853 à 1867 à la Royal Academy.

LESLIE Peter
Né en 1877 à Londres. XXe siècle. Britannique.
Peintre de genre.
Fils et élève de George Dunlop Leslie. Il exposa de 1899 à 1919, et travailla à Londres.

LESLIE Robert Charles
XIXe siècle. Britannique.
Peintre de marines.
Fils aîné de Charles Robert Leslie. Il travailla à Londres et Southampton et exposa de 1843 à 1887.

LESLIE William
Mort en octobre 1812 à Londres. XIXe siècle. Britannique.
Peintre.
Il peignit des fleurs et des fruits.

LESLIE-COTTON Marietta
Née à New York. XIXe-XXe siècles. Américaine.
Peintre de genre, portraits.
Élève de Carolus Duran et de Henner, à Paris. Après avoir peint des scènes de danse et de tauromachie, elle se consacra à l'art du portrait, tant en Amérique qu'à Londres et Paris, où elle figure aux Salons de la Nationale des Beaux-Arts, jusqu'en 1931, et des Artistes Français. Elle obtint une médaille d'argent. Parmi ses très nombreux portraits, citons ceux de *Rodin*, d'*Édouard VII*, du *Président Alexandre Millerand*, du *Duc de Montmorency*.
VENTES PUBLIQUES : PARIS, 9 déc. 1981 : *Lady Mendl, infirmière pendant la guerre de 14-18*, h/t (73x58) : **FRF 5 000** – LONDRES, 12 mars 1985 : *Portrait d'un jeune garçon*, h/t (178x86) : **GBP 480**.

LESMA Antonio
XVIIIe siècle. Actif à Naples. Italien.
Peintre de portraits.
On cite parmi ses œuvres une copie d'après Le Titien *(La fille de R. Strozzi)* qu'il exécuta en 1706 pour L. Magalotti, et un *Portrait du cardinal F. De Abdua*, gravé par H. Cause.

LESNÉ Camille
Née en 1905 ou 1908. XXe siècle. Française.
Peintre de figures, paysages animés, paysages.

VENTES PUBLIQUES : VERSAILLES, 7 nov. 1976 : *Jeux sur la plage*, h/pan. (19x26) : **FRF 1 500** – PARIS, 23 juin 1988 : *La femme peintre*, h/pan. (23,5x34,5) : **FRF 7 000** – VERSAILLES, 15 mai 1988 : *Plage du Touquet*, h/pan. (22,5x28) : **FRF 6 500** – LA VARENNE-SAINT-HILAIRE, 29 mai 1988 : *Partie de pêche*, h/pan. (18x26) : **FRF 5 600** – VERSAILLES, 10 déc. 1989 : *La plage*, h/pan. (23x27,5) : **FRF 7 100** – SCEAUX, 10 juin 1990 : *Conversation dans les rochers*, h/pan. (22x31) : **FRF 9 800** – VERSAILLES, 8 juil. 1990 : *Le Tréport*, h/pan. (35x26,7) : **FRF 7 000**.

LESNICK Adolf
Né le 13 août 1888 à Neumunster-in-Holstein. XXe siècle. Allemand.
Sculpteur de figures, de sujets allégoriques.
Il fut élève de l'Ecole des Métiers d'Art de Hambourg et de l'Académie des Beaux-Arts de Dresde. Il a sculpté un Christ pour une église de sa ville natale. Il a sculpté le marbre et le bronze. Aux sujets traditionnels, Vénus ou allégories telles *Le Souvenir*, il a ajouté des têtes de jeunes garçons typiquement allemands, ce qui lui valut d'être sélectionné pour l'exposition présentée par le régime nazi comme exemplaire en opposition à celle de l'*Art dégénéré*, inaugurée par Hitler à Munich en 1937.

LESNOVO Michael von
XIXe siècle. Yougoslave.
Peintre.
Il fit le portrait de *Stephan Dushan*.

LE SOUDIER Jane
Née le 18 février 1885 au Mans (Sarthe). XXe siècle. Française.
Sculpteur, pastelliste.
Elle expose, à Paris, au Salon des Artistes Français et au Salon des Indépendants.
VENTES PUBLIQUES : PARIS, 1er déc. 1983 : *Envol de mouettes*, bronze patiné (H. 68) : **FRF 9 000** – PARIS, 25 sep. 1997 : *Paon*, bronze doré (H. 74) : **FRF 10 500**.

LE SOUDOYER Jean
XIVe siècle. Français.
Sculpteur.
Il travailla au collège de Dormans-Beauvais, en 1387, et se chargea la même année, avec le maître maçon Jean Filleul, de la construction d'un corps de logis situé rue du Mont-Saint-Hilaire-des-Carmes.

LESOURD-BEAUREGARD Ange Louis Guillaume
Né le 14 avril 1800 à Paris. Mort en 1885. XIXe siècle. Français.
Peintre de natures mortes, fleurs et fruits.
Élève de Van Spaendonck. Il fut nommé professeur au Musée d'Histoire naturelle en 1841 en remplacement de Redouté. Il exposa au Salon de 1822 à 1869 et obtint une médaille de troisième classe en 1842.
VENTES PUBLIQUES : PARIS, 6 mai 1925 : *Pêches, raisins, fleurs* : **FRF 1 350** – NEW YORK, 27 mai 1983 : *Nature morte aux fleurs et aux fruits*, h/t (81,3x64,7) : **USD 28 000** – NEW YORK, 28 oct. 1986 : *Nature morte aux légumes et homard*, h/t (53x64) : **USD 22 000** – LONDRES, 21 juin 1989 : *Nature morte de légumes*, h/t (39x45,3) : **GBP 6 600** – LONDRES, 22 juin 1990 : *Tulipes dans un vase et roses dans un panier sur un entablement de pierre*, h/t (87x73) : **GBP 13 750** – MONACO, 21 juin 1991 : *Panier de roses blanches, myosotis et pensées*, h/t (50x61) : **FRF 99 900** – PARIS, 10 avr. 1992 : *Nature morte de fruits disposés sur un entablement de marbre*, h/t (32,5x40,6) : **FRF 70 000** – LONDRES, 19 juin 1992 : *Nature morte de pêches, raisin, melon, volubilis et autres fleurs dans un paysage*, h/pan. (59x50,8) : **GBP 8 800** – LONDRES, 18 nov. 1994 : *Nature morte de pêches, de raisin et de cerises sur un entablement de pierre*, h/pap./t. (39x46,3) : **GBP 4 830** – LONDRES, 26 mars 1997 : *Nature morte de raisin, pêches et roses trémières*, h/pan. (55x43) : **GBP 13 225**.

LESOURD-DELISLE Augustine. Voir **GIRAULT Augustine,** Mme

LESOURT-RUTTINGER Ghislaine
Née au XXe siècle. XXe siècle. Française.
Peintre.
Elle participe, à Paris, au Salon des Indépendants, au Salon d'Automne et à des rencontres de groupe aux États-Unis. Elle montre ses œuvres dans une première exposition personnelle à Paris en 1961. Elle expose depuis très régulièrement à Paris, Lyon, Lille, et Cannes.

LESPAGNANDELLE Mathieu ou **Espagnandel**
Né vers 1617 à Paris. Mort le 28 avril 1689 à Paris. XVIIe siècle. Français.
Sculpteur.
Admis à l'Académie en 1672, il en fut exclu en 1681, comme protestant, puis réintégré, après avoir abjuré en 1685. Il décora plusieurs églises de Paris. On a de lui, au parc de Versailles : au pourtour du parterre du nord le *Flegmatique* (statue marbre), au pourtour du parterre de Latone, côté du midi, un *Prisonnier barbare* (statue marbre) et côté du nord *Diogène* (terme en marbre). L'église Saint-Paterne (Indre-et-Loire) conserve de lui un bas-relief provenant de l'abbaye de la Clarté-Dieu.

L'ESPAGNOLET. Voir **RIBERA Josef**

LESPARDA Louise de
XIXe siècle. Active à Paris. Française.
Peintre de fruits et de fleurs et aquarelliste.
Exposa au Salon entre 1831 et 1841.

LES PEDIET Oddot
XVe siècle. Français.
Enlumineur.
Il travaillait à Dijon, au service du duc de Bourgogne, vers 1415.

LESPIER Jakob de
Mort avant 1713. XVIIIe siècle. Actif à Salzbourg. Autrichien.

Graveur.
On cite parmi ses œuvres une *Allégorie politique* concernant le prince électoral Joseph Ferdinand, des *Armoiries* sur le portrait du doyen de la cathédrale Ernest Max, comte Scherffenberg, un ostensoir, pour le monastère Sainte-Marie d'Einsiedeln.

LESPILLEZ Cornil Casimir
Né en 1840 à Bollezèle. XIXe siècle. Belge.
Peintre de genre.
Élève de Chérier.
Ventes Publiques : Paris, 2 fév. 1910 : *Fontaine monumentale*, dess. : **FRF 155**.

LESPINASSE Herbert
Né le 13 juin 1884 à Standford (Connecticut). Mort le 3 septembre 1972 à Standford (Connecticut). XXe siècle. Actif aussi en France. Américain.
Graveur, peintre de paysages.
Il a suivi des cours à l'École des Beaux-Arts de Paris, a fréquenté l'atelier du Bateau-Lavoir, s'est lié avec Juan Gris qui l'a initié au cubisme, et a séjourné quelque temps à Saint-Tropez.
Associé, à Paris, au Salon de la Société Nationale des Beaux-Arts à partir de 1909, il exposa au Salon de cette société, ainsi qu'aux Salons d'Automne et des Tuileries.
Ses compositions, quelque peu chaotiques, qui montrent des bords de mer, des bateaux, des gratte-ciel, sont dessinées cependant avec rigueur.

H. Lespinasse

Bibliogr. : Gérald Schurr, in : *Les Petits Maîtres de la peinture 1820-1920, valeur de demain*, Les Éditions de l'Amateur, t. VII, Paris, 1989.

LESPINASSE Louis Nicolas de
Né en 1734 à Pouilly (Nièvre). Mort en 1803 ou 1808 à Paris. XVIIIe siècle. Français.
Peintre d'architectures, paysages, aquarelliste, peintre à la gouache.
Chevalier de l'ordre royal et militaire de Saint-Louis ; académicien le 30 juin 1787, il exposa jusqu'en 1801.
Musées : Paris (Mus. du Louvre) : *Vue de Paris* – trois aquarelles – Versailles : *Vue des Tuileries en 1794*, gche.
Ventes Publiques : Paris, 29 mars-10 avr. 1897 : *Paysage*, dess. : **FRF 620** – Paris, 10-12 mai 1900 : *Vue de Versailles* : **FRF 2 750** ; *Vue du château de Madrid* : **FRF 3 300** – Paris, 13-15 mars 1905 : *Vue du château de Madrid*, aquar. : **FRF 4 350** – Paris, 19 mars 1906 : *Le quai des Tuileries*, aquar. : **FRF 1 050** – Paris, 16-19 juin 1919 : *Vue de Versailles prise de la butte de Picardie* ; *Vue de Versailles prise des hauteurs de Satory*, deux aquarelles : **FRF 19 100** – Londres, 22 mai 1925 : *Louis XVI, Marie-Antoinette et le Dauphin près d'un artiste* ; *Louis XVI, Marie-Antoinette et le dauphin, faisant l'aumône*, dess., les deux : **GBP 399** – Paris, 7 mars 1928 : *Coin du château de Versailles*, pl. et aquar. : **FRF 8 500** – Paris, 14 mai 1936 : *Vue de la Place de la Révolution en 1795, prise de l'intérieur des Tuileries, près les Terrasses en fer à cheval*, mine de pb : **FRF 1 850** – Paris, 30 nov. 1936 : *Perspective de la Place Louis XV vue du côté des Champs-Élysées en 1778*, aquar. légèrement gchée/sur trait de pl. : **FRF 36 000** ; *Vue du château de Versailles, de l'Orangerie et de la pièce d'eau des Suisses*, aquar. légèrement gchée : **FRF 35 000** – Paris, 31 mars 1938 : *Vue du Port Saint-Paul à Paris* 1782, lav. de Chine : **FRF 2 700** – Paris, 14 mai 1947 : *Vue du Grand Trianon*, aquar. et reh. de gche/traits de pl. : **FRF 126 000** ; *Bords de la Seine à Paris*, pl., lav. d'aquar. et reh. de gche : **FRF 126 000** – Paris, 10 déc. 1982 : *Vue de Paris prise de la maison du Prince de Montburay à l'Arsenal*, aquar. : **FRF 61 000** – New York, 18 jan. 1984 : *Vue d'un parc, supposé être le parc du château de Bellevue*, aquar. pl. et gche (20,2x30,6) : **USD 2 200** – Londres, 13 déc. 1984 : *Vue de La Mecque* 1787, pl. et lav. et aquar. reh. de blanc (39,2x58) : **GBP 2 600** – Paris, 12 juin 1987 : *Vue de la Seine et des Invalides*, pl. et lav. d'encre de Chine (20x32) : **FRF 13 500** – Paris, 9 mars 1988 : *Vue du Grand Trianon, prise du côté du canal, animée de personnages*, aquar. et gche/traits de pl. (20,8x34) : **FRF 115 000**.

LESPINAY
XIXe siècle. Actif au début du XIXe siècle. Français.
Peintre de genre.
Élève de Vestier. Il exposa au Salon de 1802.

L'ESPINAY Marie Françoise
XXe siècle. Française.
Peintre de figures, paysages urbains, marines, nus, dessinateur, aquarelliste.
Elle a voyagé à plusieurs reprises en Italie et plus particulièrement à Venise, d'où elle a rapporté nombre d'aquarelles. Elle s'est plu également à figurer des danseuses.
Son trait précis, sa touche légère, conviennent parfaitement à ses compositions qui touchent parfois à l'anecdote.

LESPINE. Voir **LÉPINE**

LESPONGOLA François
Né en 1644 à Joinville (Meuse). Mort le 18 juillet 1705 à Paris. XVIIe siècle. Français.
Sculpteur.
Il fut envoyé à Rome comme pensionnaire du roi, en 1666 et entra à l'Académie en 1676 avec un bas-relief : *Jonction des Académies de France et de Rome*. Le catalogue de ses œuvres mentionne : *Bérénice* (statue en marbre, d'après l'antique, au pourtour du bassin de Neptune à Versailles, 1673), *La Victoire* (statue en pierre, à la façade du château de Versailles, 1678), *Pœtus et Aria* (groupe en marbre, d'après l'antique au parterre de Latone, dans le parc de Versailles, 1684), *Enfants debout sur des dauphins* (groupe en bronze, au bassin du côté du parterre du midi, dans le Parterre d'Eau du parc de Versailles), une série de sculptures en stuc dans la salle de L'œil-de-Bœuf au château de Versailles, 1692, *Le Pape donnant sa bénédiction à saint Louis et à ses enfants* (bas-relief en pierre dans l'église des Invalides, 1691).

LESREL Adolphe Alexandre
Né le 19 mai 1839 à Genets (Manche). Mort en 1929. XIXe-XXe siècles. Français.
Peintre d'histoire, scènes de genre.
Sociétaire des Artistes Français à partir de 1885, il figura au Salon de cette Société où il obtint une mention honorable en 1889 à l'Exposition Universelle. Associé au Salon de la Nationale des Beaux-Arts en 1890, il exposa au Salon de cette société.
Très influencé par la conception artistique et la facture de Meissonnier, il peignit dans le genre de ce maître.

A. LESREL

Musées : Digne : *Jeanne d'Arc quitte la maison paternelle* – Nantes : *Le buveur* – New York (Pub. Libr.) : *Joueurs d'échecs* – Rouen : *Gentilshommes dans un tripot* – Saint-Lô : *L'Aurore* – Sydney : *Les Connaisseurs*.
Ventes Publiques : Londres, 5 mars 1910 : *Joueurs d'échecs* : **GBP 115** – Paris, 16 juin 1925 : *Émouvant récit de chasse* : **FRF 5 300** – New York, 31 jan. 1946 : *Grand-père Clock* : **USD 710** – Londres, 19 mai 1971 : *Le banquet* 1903 : **GBP 5 200** – New York, 12 jan. 1974 : *La signature du contrat de mariage* : **USD 11 000** – Londres, 20 fév. 1976 : *Les joueurs d'échecs* 1910, h/pan. (70x89) : **GBP 4 200** – Londres, 22 juil. 1977 : *La répétition* 1894, h/pan. (56x44,7) : **GBP 3 500** – Londres, 16 févr 1979 : *La partie de cartes* 1918, h/pan. (80,6x61) : **GBP 3 500** – Londres, 25 mars 1981 : *Le Trio* 1912, h/pan. (60x49,5) : **GBP 4 200** – Londres, 22 juin 1983 : *Les Amateurs d'art* 1895, h/pan. (58,5x48) : **GBP 3 500** – New York, 31 oct. 1985 : *Les Amateurs d'art* 1895, h/pan. parqueté (58,5x48,2) : **USD 10 000** – Londres, 26 nov. 1986 : *Le lys est mort* 1873, h/t (159x119,5) : **GBP 45 000** – Londres, 5 mai 1989 : *Le poker* 1895, h/pan. (25x18) : **GBP 6 600** – New York, 28 fév. 1991 : *Le Porte-drapeau* 1893, h/pan. (57,8x47,6) : **USD 16 500** – New York, 21 mai 1991 : *Cavalier debout* 1875, h/t (28x17) : **USD 2 200** – Saint-Omer, 5 avr. 1992 : *Les muses de la Tragédie et de la Poésie se recueillant sur la tombe de Rachel*, h/t (110,5x89) : **FRF 90 000** – New York, 28 mai 1992 : *Bacchante ivre* 1882, h/t (87x200) : **USD 27 500** – Paris, 22 juin 1992 : *Fileuses à Lorient* 1916, h/pan. (46x37,5) : **FRF 24 000** – Londres, 25 nov. 1992 : *Discussion de chasseurs* 1899, h/pan. (57x47) : **GBP 7 920** – Londres, 18 juin 1993 : *Le lys est mort* 1873, h/t (159,4x119,5) : **GBP 45 500** – New York, 12 oct. 1993 : *Les musiciens* 1887, h/t (86,4x66,7) : **USD 19 550** – New York, 13 oct. 1993 : *La dernière maquette* 1912, h/pan. (59,7x73,7) : **USD 26 450** – New York, 15 fév. 1994 : *Le Baptême du prince de Condé*, h/t (82,5x117,5) : **USD 173 000** – Londres, 17 mars 1995 : *Les connaisseurs* 1910, h/pan. (58,5x47,5) : **GBP 10 925** – New York, 24 mai 1995 : *Visite chez l'antiquaire* 1869, h/pan. (40x32,4) : **USD 3 450** – Paris, 21 mars 1996 : *Retour de chasse*, h/pan. (56x66,5) : **FRF 95 000** – New York, 23-24 mai 1996 : *Francesca da Rimini* 1869, h/t (64,8x53,3) : **USD 54 625** – Calais, 7 juil. 1996 : *Les Fileuses, Lorient* 1916, h/pan. (46x38) : **FRF 12 000** –

LONDRES, 13 juin 1997 : *Musique de chambre* 1907, h/pan. (58,3x48,2) : **GBP 17 825** – NEW YORK, 12 fév. 1997 : *Le Jeu de cartes* 1900, h/pan. (66x90,2) : **USD 63 000** – LONDRES, 21 nov. 1997 : *Le Prix de tir-à-l'arc*, h/pan. (72,7x93) : **GBP 42 200** – NEW YORK, 23 oct. 1997 : *Retour de chasse* 1888, h/pan. (54x46) : **USD 13 800**.

LESSANT
XVIIIe siècle. Actif à Paris. Français.
Dessinateur.
Exposa au Salon en 1793.

LESSEL Johann Otto
Mort après 1790 à Hambourg. XVIIIe siècle. Allemand.
Peintre sur porcelaine et modeleur.
Il travailla à Meissen et Hambourg.

LESSEN Heinrich ou **Jobst Henrich**, l'Ancien
XVIIe siècle. Actif à Goslar. Allemand.
Sculpteur sur bois.
Il exécuta les stalles de l'église Saint-Jacques à Goslar ainsi que les stalles de l'église du monastère de Lamspringe.

LESSEN Jobst Heinrich, le Jeune
XVIIe-XVIIIe siècles. Allemand.
Sculpteur sur bois.
L'église du monastère de Lamspringe lui doit des boiseries de stalles et la chaire, l'église de Frankenberg à Goslar lui doit aussi une chaire et un lutrin. Il est identique au sculpteur sur bois Lupin à Goslar.

LESSER Alexander
Né à Varsovie, le 13 mai 1814, ou en 1812 selon Friedrich von Baetticher. Mort le 7 mars 1884 à Cracovie. XIXe siècle. Polonais.
Peintre.
Élève de Blanke, Mulinski à l'Université de Varsovie et, de 1832 à 1835, élève de l'Académie de Dresde, enfin de celle de Munich où il obtint des médailles en 1840 et 1842. Au Musée de Cracovie : *L'Enterrement de cinq victimes de l'année*, 1861.

LESSER Ury. Voir **URY Lesser**

LESSER-KNAPP Marianne
Née le 5 juin 1879 à Strasbourg (Bas-Rhin). XXe siècle. Française.
Peintre de paysages, natures mortes, graveur.

LESSERRE Marcel P. F.
Mort en 1908. XIXe-XXe siècles. Français.
Peintre.
Sociétaire des Artistes Français, il figura au Salon de ce groupement.

LESSERTISSEUR Hélène
Née en novembre 1933 au Havre (Seine-Maritime). XXe siècle. Française.
Peintre.
Elle a suivi une formation musicale tout en ayant été élève de l'école des Beaux-Arts de Rouen. À Paris, elle a travaillé avec les peintres Hakki Anli, Henri Goetz et Paul Frank. Elle vit et travaille à Paris.
Elle participe à des expositions collectives, dont : 1971, Salon des Femmes Peintres et Sculpteurs, Paris ; 1976, 1979, 1980, 1982, Salon des Artistes Français, Paris ; 1971, 1975, 1983, Salon d'Automne, Paris ; 1991, *La nouvelle école de Montparnasse*, Espace d'art contemporain de la Ville de Paris. Elle montre ses œuvres dans des expositions personnelles : 1962, Istanbul et Musée d'Ankara, puis : 1965, Lorient ; 1970, Musée de Pont-Aven ; 1989, Musée du Faouët (Morbihan), de même que dans différents lieux et galeries.
Elle a traversé différentes périodes, non figuratives, de tendance lyrique, cubiste, et expressionniste dans le cas de certains de ses nus. Pendant une quinzaine d'années, elle s'est attachée à figurer des structures-images puisées dans notre environnement machiniste : ouvre-boîtes, clés à molette, tire-bouchons... Les formes de ces objets, aux couleurs sourdes, voire froides, sont stylisées, la ligne y jouant un grand rôle. Après les outils et les mécaniques absurdes, elle a réalisé une autre série de peintures à partir des rochers de Bretagne, sujets de métamorphoses constantes dans ses œuvres, puis une série d'images de vaches, faisant ressortir à cette occasion l'architecture d'ensemble des troupeaux.

LESSERTISSEUX Maurice L. P. J.
Né le 26 février 1864 à Paris. XIXe siècle. Français.
Peintre.
Figura au Salon des Artistes Français depuis 1898 ; il y obtint une mention honorable (1899).

LESSEUR-LESSEROVITCH Vincent de
Né en 1745 à Varsovie. Mort le 31 mai 1813 à Varsovie. XVIIIe-XIXe siècles. Français.
Miniaturiste et portraitiste.
Fils d'un Français et d'une Polonaise. Il fit ses études de peinture avec le professeur Bacciarelli. Citons parmi ses œuvres principales : *Portrait du roi Stanislas Auguste* (copie de Bacciarelli), *Portrait de la comtesse Potocka, Portrait miniature du duc Radzivill, Portrait de Michel Mniszech* (pastel).

LESSHAFFT Franz
Né le 8 mars 1862 à Berlin (Allemagne). XIXe siècle. Américain.
Peintre.
Étudia à l'Académie Royale des Beaux-Arts de Berlin. Membre de la Société des Artistes Indépendants de New York. Il obtint une mention honorable à Berlin.

LESSI Giovanni
Né en 1852 à Florence. Mort en 1922. XIXe-XXe siècles. Italien.
Peintre de genre, paysages animés, paysages urbains.

VENTES PUBLIQUES : LOS ANGELES, 9 mars 1977 : *Scène de taverne*, h/t (68,5x108) : **USD 2 250** – NEW YORK, 12 oct 1979 : *La danse des grand-parents* 1889, h/t (46x68,5) : **USD 7 250** – NEW YORK, 27 oct. 1982 : *La promenade*, h/pan. (20,3x12) : **USD 3 100** – LONDRES, 12 oct. 1984 : *Scène de rue à Florence* 1877, h/t (22,1x14,6) : **GBP 3 600** – PARIS, 8 nov. 1985 : *Allée du bois de Boulogne animée* vers 1895, h/pan. (22x18) : **FRF 20 000** – MILAN, 18 mars 1986 : *Piazza del Duomo à Florence, la nuit*, h/cart. (45x61) : **ITL 15 000 000** – LONDRES, 26 juin 1987 : *Paris, les Grands Boulevards*, h/pan. (32x47) : **GBP 6 000** – MILAN, 16 juin 1992 : *Place de l'Opéra à Paris*, h/t/cart. (25x19) : **ITL 21 000 000** – LONDRES, 27 oct. 1993 : *Cavalier et moine attablés dans une auberge*, h/pan. (17x24) : **GBP 1 092** – NEW YORK, 20 juil. 1995 : *Après-midi de fête*, h/t (68,6x106,7) : **USD 7 475**.

LESSIEUX Edme Adolphe
XIXe siècle. Actif à Paris. Français.
Paysagiste.
Exposa au Salon entre 1837 et 1850.

LESSIEUX Ernest Louis
Né le 3 août 1848 à La Rochelle (Charente-Maritime). Mort le 4 janvier 1925 à Menton (Alpes-Maritimes). XIXe-XXe siècles. Français.
Peintre de paysages, sujets typiques, aquarelliste, fusiniste. Orientaliste.
Élève de l'École municipale de Nantes, il fut professeur de dessin au lycée de Rochefort. Il s'est surtout fait connaître comme fusiniste. Il a exposé au Salon à partir de 1878.
Lessieux a dessiné ou peint à l'aquarelle un grand nombre de vues d'Espagne et des côtes méditerranéennes.
MUSÉES : ROCHEFORT – LA ROCHELLE – SAINTES.
VENTES PUBLIQUES : PARIS, 15 fév. 1907 : *Salomé*, aquar. : **FRF 18** – PARIS, 10 juil. 1983 : *Personnages sur le pont d'un navire*, gche (67x98) : **FRF 13 000** – PARIS, 14 juin 1996 : *Marchand de lanternes à Fez*, aquar. (28x46,5) : **FRF 10 000** – PARIS, 13 nov. 1996 : *Petite Porteuse d'eau au patio*, aquar. (33x23) : **FRF 9 000** – PARIS, 27 mai 1997 : *Le Défilé* 1911, aquar. (44x55) : **FRF 25 000**.

LESSIEUX Louis Ernest
Né le 29 novembre 1874 à Rochefort-sur-Mer (Charente-Maritime). Mort en 1925. XXe siècle. Français.
Peintre de compositions mythologiques, sujets allégoriques, aquarelliste, graveur.
Il fut élève de Maxime Lalanne. Il figura, à Paris, au Salon à partir de 1898 et au Salon des Artistes Français à partir de 1909.
Il a pratiqué la pyrogravure qui convient à son goût des arabesques.
BIBLIOGR. : Gérald Schurr, in : *Les Petits Maîtres de la peinture 1820-1920, valeur de demain*, Les Éditions de l'Amateur, t. III, Paris, 1976.
VENTES PUBLIQUES : PARIS, 9 déc. 1988 : *Cour de ferme*, h/t (24x41) : **FRF 4 200** – PARIS, 30 mai 1990 : *Princesse et chevalier*

du Graal 1905, aquar. (96x56) : **FRF 30 000** – PARIS, 10 juin 1990 : *Jeune Femme au turban*, aquar. (54,5x39) : **FRF 23 000** – PARIS, 16 nov. 1992 : *Jeune Marocaine au turban*, aquar. (54,5x39) : **FRF 26 000** – PARIS, 19 mai 1995 : *Scène orientale*, aquar. (17x26) : **FRF 4 500**.

LESSIEUX S. E.
XIXe siècle. Actif à Menton (Alpes-Maritimes). Français.
Dessinateur et peintre de marines et de paysages.
Sociétaire des Artistes Français depuis 1887, il figura au Salon de ce groupement.
VENTES PUBLIQUES : PARIS, 14-16 jan. 1926 : *Villa dans les jardins à Menton*, aquar. : **FRF 600**.

LESSING Heinrich
Né le 29 mai 1856 à Düsseldorf. XIXe siècle. Allemand.
Peintre de genre.
Fils et élève de K. F. Lessing. Il se fixa à Berlin. Il exposa à partir de 1881. On cite de lui : *Au château, Kermesse, Portrait de Guillaume II.*
MUSÉES : KARLSRUHE : *Portrait du père de l'artiste.*

LESSING Karl Friedrich
Né le 15 février 1808 à Breslau. Mort le 5 juin 1880 ou 1890 à Karlsruhe. XIXe siècle. Allemand.
Peintre d'histoire, scènes de genre, paysages animés, paysages, dessinateur, graveur à l'eau-forte.
Dut triompher de l'opposition de sa famille pour se livrer à la peinture. Élève de Dähling, de Reösel et de Schadow à l'Académie de Berlin. En 1858 il fut nommé directeur de la Galerie de peinture de Karlsruhe. Membre des Académies de Berlin et de Dresde.
Il se fit vite remarquer par une série de peintures sur la vie de Jean Huss, qui excitèrent d'aussi violentes critiques que de bruyantes acclamations. Ces luttes convenaient à son caractère violent et combattif. Il chercha ses effets dans un puissant réalisme.
MUSÉES : AIX-LA-CHAPELLE : *Pèlerins au Tombeau – Deux femmes au Moyen Âge* – BÂLE : *Paysage avec figures* – BERLIN : *Huss devant le bûcher* – deux paysages – BRÊME : *Paysages du Harz – Bords du Rhône* – BRESLAU, nom all. de Wroclaw : *Matin* – COLOGNE : *Cour de couvent dans la neige – Paysage* – DARMSTADT : *Environs de la Moselle* – DRESDE : *Cloître – Paysage hercynien* – DÜSSELDORF : *Paysage animé – Étude de tête – Grand paysage de l'Eifel* – FRANCFORT-SUR-LE-MAIN : *Jean Huss à Constance – Ezzelin dans sa prison – Le chevalier revenant chez lui – Paysage montagneux – Le chêne millénaire* – HAMBOURG : deux paysages – HANOVRE : *L'empereur Henri IV excommunié* – KALININGRAD, ancien. Königsberg : *Moine priant sur le cercueil de l'empereur Henri IV* – KARLSRUHE : *Luther et Eck – Croisés dans le désert – Paysage – Bivouac polonais – Vallée dans le Harz* – LEIPZIG : trois paysages – OSLO : *Environs du Rhin* – STUTTGART : *Paysage de la Suisse franconienne.*
VENTES PUBLIQUES : VIENNE, 1878 : *Incendie d'un couvent* : **FRF 21 425** – PARIS, 1898 : *Le château de Ragenstein par un temps d'orage* : **FRF 1 300** – NEW YORK, 30 oct. 1980 : *Paysage de Westphalie* 1852, t. mar./pan. parqueté (58,5x94) : **USD 27 000** – NEW YORK, 27 oct. 1982 : *Paysage de Westphalie* 1852, h/isor. (58,8x94) : **USD 18 000** – MUNICH, 28 juin 1983 : *Ruine au bord de la mer* 1875, pl. et lav./traits cr. (29,5x39,5) : **DEM 2 200** – NEW YORK, 13 fév. 1985 : *Les Montagnes du Hartz à l'aube* 1855, h/t (61x78,9) : **USD 6 500** – NEW YORK, 24 fév. 1987 : *Trois bandits dans un paysage escarpé au coucher du soleil*, h/t mar./pan. (119,5x165) : **USD 16 000** – MUNICH, 12 juin 1991 : *Paysage fluvial avec des cavaliers faisant boire leurs chevaux* 1860, h/t (68x98) : **DEM 35 200** – NEW YORK, 16 fév. 1993 : *Huss devant le concile de Constance*, h/t (63,5x114,4) : **USD 4 620** – MUNICH, 7 déc. 1993 : *Ermite dans une grotte*, cr. et encre/pap. (28x35,5) : **DEM 3 220** – MUNICH, 21 juin 1994 : *Cavalier dans un paysage montagneux* 1874, h/t (70x103) : **DEM 48 300**.

LESSING Konrad Ludwig
Né le 23 avril 1852 à Düsseldorf. Mort le 7 mars 1916 à Berlin. XIXe-XXe siècles. Allemand.
Paysagiste.
Élève de son père Karl-Friedrich Lessing, de W. Riefstahl et de Hans Gude à Karlsruhe. Le Musée de Berlin conserve de lui *Château dans l'Eifel*, et celui de Leipzig *Paysage d'hiver*. Mention honorable à Berlin en 1886.
VENTES PUBLIQUES : LUCERNE, 23 mai 1985 : *Lavandières près d'un moulin à eau*, h/t (80x111) : **CHF 12 000** – VIENNE, 18 mars 1987 : *Paysage du Tyrol* 1893, h/t (52x78) : **ATS 75 000**.

LESSING Otto
Né le 24 février 1846 à Düsseldorf. Mort le 22 novembre 1912 à Berlin. XIXe-XXe siècles. Allemand.
Peintre et sculpteur.
D'abord élève de son père, le peintre Karl Friedrich Lessing, il étudia la sculpture à Karlsruhe et dans l'atelier de A. Wolf à Berlin. En 1884, il fut nommé membre de l'Académie de Berlin. Depuis 1872, il se consacrait à la sculpture et reçut de nombreuses commandes pour les bâtiments publics de Berlin.
MUSÉES : BERLIN (Gal. Nat.) : *Ludwig Knaus*, buste marbre – BERLIN (Hohenzollern) : *Masque mortuaire de Moltke* – BRESLAU, nom all. de Wroclaw : *C. F. Lessing*, buste marbre.

LESSORE Émile Aubert
Né en 1805 à Paris. Mort en 1876 à Marlotte (Seine-et-Marne). XIXe siècle. Français.
Peintre de genre, portraitiste, graveur. Orientaliste.
Élève de Louis Hersent et Ingres, il participa au Salon de Paris de 1831 à 1869, obtenant une médaille de deuxième classe en 1831. Il a fourni des dessins pour la Manufacture de Sèvres. Il compose aussi bien des scènes orientalistes que des vues de Paris, pour lesquelles il lui arrive de montrer une vivacité d'exécution rappelant Delacroix.
BIBLIOGR. : Gérald Schurr, in : *Les Petits Maîtres de la peinture 1820-1920, valeur de demain*, Les Éditions de l'Amateur, t. V, Paris, 1981.
MUSÉES : NANTES : *L'âne de la ferme* – REIMS : *Famille arabe*, aquar.
VENTES PUBLIQUES : PARIS, 1er-2 fév. 1897 : *Vue de Paris, quai Henri IV* : **FRF 450** – PARIS, 19-20 mai 1926 : *Enfants jouant avec un chien* : **FRF 620** – PARIS, 28 mai 1951 : *La place des Victoires*, aquar. gchée : **FRF 10 500** – PARIS, 23 mai 1980 : *La chaumière*, h/t (18x35) : **FRF 4 000** – PARIS, 23 mai 1980 : *La chaumière*, h/t (18x35) : **FRF 4 000** – NEUILLY, 3 fév. 1991 : *Vue du Grand Canal à Venise avec le Rialto* 1834, aquar. (21x37,3) : **FRF 23 500** – PARIS, 19 jan. 1992 : *Enfants se désaltérant près de la fontaine*, h/t (57x43,5) : **FRF 8 500**.

LESSORE Henri Émile
Né en 1830 à Paris. Mort en 1895. XIXe siècle. Français.
Graveur et peintre.
Fils d'Émile Aubert Lessore. Élève de A. Flandrin. Il débuta au Salon en 1879.

LESSORE Jules
Né en 1849 à Paris. Mort en 1892. XIXe siècle. Français.
Peintre de paysages, marines, aquarelliste.
Fils de Émile Aubert Lessore. Élève de Barrias et Lessore père. Exposa au Salon de 1864 à 1877. L'Art Association de Montréal conserve de lui *Little Hampton (Sussex)*, et la galerie Roussel, à Louviers, une aquarelle.
BIBLIOGR. : C. Wood, in : *Dictionnaire des Peintres victoriens.*
VENTES PUBLIQUES : LONDRES, 6 avr. 1923 : *La baie de Boston*, dess. : **GBP 18** ; *Venise*, dess. : **GBP 18** – PARIS, 6 mai 1925 : *Navires à quai dans le port de Rouen*, aquar. : **FRF 100** – PARIS, 30 déc. 1925 : *La Seine au Bas-Meudon* : **FRF 70** – LONDRES, 27 juil. 1930 : *Vue de l'Hull*, dess. : **GBP 23** – LONDRES, 11 mai 1984 : *Fleurs dans un chaudron*, h/t (91,4x61,6) : **GBP 1 000** – MONTRÉAL, 19 nov. 1991 : *Rouen*, aquar. (73,7x53,4) : **CAD 2 500**.

LESSUE Martin de
Mort le 11 mars 1773 à Bruges. XVIIIe siècle. Actif à Bruges. Éc. flamande.
Peintre verrier.
Le Musée archéologique de Bruges conserve de sa main un cahier daté de 1722, contenant 180 projets en couleur.

LESTACHE Pierre ou **l'Estache**
Né vers 1688 à Paris. Mort le 28 novembre 1774 à Rome. XVIIIe siècle. Français.
Sculpteur.
Il fut de 1712 à 1715 élève de l'Académie Royale à Paris et de 1715 à 1721 pensionnaire de l'Académie de France à Rome. Il travailla pour l'église Saint-Louis des Français à Rome.
MUSÉES : PARIS (Jacquemart-André) : *Buste d'un général français.*

LESTAGE Jean Marie
Né le 21 septembre 1902 à Castelnaudary (Aude). XXe siècle. Français.
Peintre de paysages, graveur.
Il exposa, à Paris, au Salon des Indépendants.

LESTAIN Jean Baptiste. Voir l'article **LESTIN Jacques**

L'ESTAIN Jean Ninet de. Voir **LESTIN Jacques de**

LESTANG-PARADE Alexandre de, le chevalier
Né à la fin du XVIIIe siècle à Aix-en-Provence. XVIIIe-XIXe siècles. Français.
Miniaturiste.
Il exposa au Salon entre 1802 et 1817.

LESTANG-PARADE Joseph Léon Roland de
Né à Aix-en-Provence (Bouches-du-Rhône), le 5 avril 1801 à Paris, ou le 5 octobre 1810. Mort le 18 janvier 1887 à Paris. XIXe siècle. Français.
Peintre d'histoire.
Élève de Paul Delaroche et de François Granet, il exposa au Salon de Paris de 1833 à 1847, obtenant une médaille de deuxième classe en 1835 et une médaille de première classe en 1838. Il était le neveu du chevalier Alexandre de Lestang-Parade, miniaturiste aixois.
On cite de lui, une *Assomption*, pour Notre-Dame de Saint-Mandé ; *Jésus appelant à l'apostolat Jacques et Jude ; Dernière entrevue de saint Benoist et de sainte Scholastique*, pour la préfecture de la Seine. Sa peinture reste purement narrative.
Bibliogr. : Sylvain Boyer, in : Catalogue de l'exposition : *Les années romantiques, la peinture française de 1815 à 1850*, Mus. des Beaux-Arts de Nantes, Gal. nat. du Grand Palais, Paris, 1996.
Musées : Aix-en-Provence : *Le Camoëns meurt à l'hôpital de Lisbonne* – Alençon : *Guérison miraculeuse de sainte Agathe* – Arras : *Le Titien et l'Aretin à Venise* – Mirande : *Assomption de la Vierge* – Versailles : plusieurs copies de portraits – *Pierre l'Ermite – Pierre le Grand et le Régent passent la revue de la maison du roi dans la cour des Tuileries – Saint Bernard*.

LESTAQUOY Louis Julien
Né au XIXe siècle à Versailles (Yvelines). XIXe siècle. Français.
Paysagiste.
Exposa au Salon de 1840 à 1870.

LESTIÉ Alain
Né le 6 août 1944 à Hossegor (Landes). XXe siècle. Français.
Peintre.
Vivant à Bordeaux, il expose d'abord dans le Sud-Ouest, puis à Paris en 1973 et à New York.
On a évoqué la mémoire à propos de la peinture de Lestié, mais c'est plus aux pense-bêtes qu'aux souvenirs qu'elle se réfère. Dora Vallier, préfaçant un exposition qu'elle définissait ainsi : « La peinture de Lestié procède d'un monde d'images, toutes aussi distantes de l'artiste, qui s'articulent en face de lui ». En fait tout se passe comme si Lestié ne peignait pas quelque chose, mais peignait un tableau, avec toute la distance que cela implique. Jouant aussi du trompe-l'œil, ses toiles se présentent souvent comme une juxtaposition de plusieurs « moments », parfois « distanciés » par un cadre lui aussi en trompe-l'œil.

LESTIENNE Madeleine
Née le 17 avril 1905 à Douai (Nord). XXe siècle. Française.
Peintre.
Elle fut élève de Pierre Laurens. Elle a exposé, à Paris, au Salon des Artistes Français, où elle obtint le prix Marie Bashkirtseff en 1927.

LESTIN Jacques de ou **Létin,** ou **Lettin**
Né en 1597 à Troyes. Mort en 1661 à Troyes. XVIIe siècle. Français.
Peintre de compositions religieuses, portraits.
La plus grande confusion a régné jusqu'à il y a peu, sur l'identité de ce peintre. La principale source de confusion à son sujet vint de l'existence d'un autre peintre troyen contemporain : Nicolas Ninet, et il se produisit une contraction entre les deux artistes sous le nom de Jacques Ninet de Lestin, ou Létin, ou Lettin. En 1636, un Jean-Baptiste Lestain, peut-être également identique à Jacques de Lestin, peignit un tableau pour Notre-Dame de Paris. Jacques de Lestin fit son apprentissage à Troyes, demeuré un centre artistique très actif depuis la Renaissance. On a ensuite retrouvé sa trace à Rome, entre 1622 et 1625, où il profita certainement des conseils de Simon Vouet, dont l'influence apparaît dans ses propres œuvres, qui ne se distingueraient guère de l'abondante production de peintures religieuses des disciples de Vouet, s'il n'y mêlait une sincérité, que l'on peut dire provinciale, voire paysanne, du sentiment de la réalité. Revenu à Troyes, en 1626, il partagea son temps et son activité entre la Champagne et Paris, multipliant les grandes compositions religieuses réclamées par l'officialisation de la religion. Travailla pour la cathédrale de Troyes.
Musées : Paris (Église Saint-Paul et Saint-Louis) : *La mort de saint Louis* – Troyes : *Autoportrait – Adoration des bergers – La Visitation*.
Ventes Publiques : Monaco, 5-6 déc. 1991 : *L'apparition du Christ aux disciples d'Emmaüs*, h/t (141x124) : **FRF 133 200**.

LESTIVOUDOIS Claude
XVIIe siècle. Français.
Sculpteur.
Travaillant à Caudebec (Seine-Maritime), il sculpta en 1697 une *Sainte Anne* pour l'autel de l'église de Betteville (Seine-Maritime).

L'ESTOCART Charles ou **Claude**
XVIIe siècle. Français.
Sculpteur.
Sur les dessins de La Hire, il fit l'admirable chaire de Saint-Étienne du Mont à Paris ; supportée par une colossale statue de Samson, agenouillé sur un lion, ses panneaux portent deux bas-reliefs séparés par des Vertus et, sur l'abat-voix, est un ange tenant une trompette.

LESTRADE Gabriel Théodore
Mort en 1825. XVIIIe-XIXe siècles. Actif à Paris. Français.
Sculpteur.
Élève de P. Julien. Exposa au Salon de 1793 à 1819.

LESTRADE Yves
XIXe siècle. Actif à Paris. Français.
Paysagiste.
Exposa à Paris en 1838 et 1842.

LE STRANGE Henry L. S.
Né en 1815 à Norfolk. Mort en 1862 à Londres. XIXe siècle. Britannique.
Peintre.
Il peignit la nef de Ely Cathedral ; ce travail, interrompu par la mort subite de l'artiste, fut terminé par Gambier Parry.

LESTRILLE Jacques Luc Henri
Né en 1904 à Ault (Somme). XXe siècle. Français.
Peintre de genre, nus, fleurs.
Aimable artiste de cette génération qui prétendit, vers les années 1930, à une crise de l'art révolutionnaire et revint à une conception humaniste et dépourvue de toute ambition.
Ventes Publiques : Paris, 12 nov. 1941 : *Fleurs* : **FRF 850** – Paris, 20 juin 1944 : *Les Petits Pêcheurs* : **FRF 5 500** – Neuilly, 5 déc. 1989 : *Nu allongé*, h/t (60x73) : **FRF 6 600**.

LESTRINGANT
Né à Corbeil-Essonnes (Essonne). XXe siècle. Français.
Peintre animalier, dessinateur, illustrateur.
Chasseur confirmé vivant au cœur de la Sologne, les bécassines, canards, cochons, cerfs, troupeau de buffles et autres animaux sont les thèmes de prédilection de sa peinture. Il les figure de façon traditionnelle, composant avec les différentes lumières du jour, ciels chargés ou purs, et jouant souvent avec les reflets de l'eau. Son travail rencontre un écho certain dans la presse spécialisée des chasseurs.
Ventes Publiques : Orléans, 17 juin 1989 : *Paysage d'étang*, h/t (22x16) : **FRF 4 000**.

LESTUDIER-LATOUR Gabriel Louis
Né le 1er janvier 1800 à Abbeville (Somme). Mort en 1849 en Angleterre. XIXe siècle. Français.
Graveur.
Élève de Langlois. Entra à l'École des Beaux-Arts en 1819. Il exposa au Salon, de 1833 à 1841, des sujets de genre et d'histoire, et en 1847.

LESTYAN Janos
XIXe siècle. Hongrois.
Peintre.
Il figura à l'Exposition de Pest en 1841 avec des portraits et une *Vénus au bain*. K. Vidéky grava d'après lui des types du peuple de Bölcske.

LESUEUR
XVIIIe siècle. Français.
Peintre sur émail.
Actif vers 1750. La Collection Wallace et le Musée Victoria et Albert à Londres, ainsi que la Collection Robert de Rothschild à Paris possèdent des boîtes et des bonbonnières peintes de scènes de chasse, paysages, scènes de bergers dans le style de Boucher, signées Lesueur. Peut-être est-il identique à Pierre Lesueur.
Musées : Londres (Mus. Victoria et Albert).

LE SUEUR Antoine, Philippe, Pierre, frères
XVIIe siècle. Français.
Peintres d'histoire.
Frères d'Eustache Le Sueur dont ils furent les collaborateurs dans diverses décorations. Antoine né vers 1616 à Paris ; Pierre né le 12 octobre 1608 à Paris.
Ventes Publiques : Paris, 10-11 mai 1897 : *Saint Bonaventure* : **FRF 125** – Paris, 5-6 mai 1898 : *Sujet biblique*, dess. : **FRF 160** – Paris, 19 fév. 1900 : *Figure allégorique de femme assise sur des nuages*, dess. à la sanguine, projet de plafond : **FRF 160** – Paris, 8 mai 1900 : *L'Histoire écrivant sur les ailes du Temps* : **FRF 225** ; *Allégorie de la Peinture* : **FRF 315** – Paris, 10-12 mai 1900 : *Figure drapée vue de dos* : **FRF 165**.

LESUEUR Augustine Camille
XIXe siècle. Active à Paris. Française.
Portraitiste.
Exposa au Salon, de 1847 à 1850.

LESUEUR Blaise Nicolas
Né en 1716 à Paris. Mort en 1783 à Berlin. XVIIIe siècle. Français.
Peintre d'histoire et dessinateur.
Le Musée de Caen conserve de lui *Salomon devant l'arche*. Le Musée de Bruxelles possède des dessins de sa main.
Ventes Publiques : Paris, 31 mai 1972 : *La marchande de gaufres* : **FRF 8 000** – Versailles, 11 nov. 1973 : *La marchande de macarons* : **FRF 20 000**.

LESUEUR Charles
XIXe siècle. Actif à Paris. Français.
Portraitiste.
Exposa au Salon, de 1837 à 1848.

LESUEUR Charles Alexandre
Né le 1er janvier 1778 au Havre. Mort en 1846 à Sainte-Adresse (Seine-Inférieure). XIXe siècle. Actif à Paris. Français.
Peintre animalier.
Exposa en 1808 et 1812. Le Musée d'Histoire Naturelle à Paris possède des dessins de lui.

LE SUEUR E.
XVIIIe siècle. Actif vers 1779. Français.
Dessinateur pour la gravure.
On cite les gravures suivantes exécutées d'après cet artiste : *Pygmalion amoureux de sa statue, L'Amour châtié par sa mère, Imprudence de Candaule, Le rendez-vous à la fontaine*.

LE SUEUR Eustache ou **Lesueur**
Baptisé à l'église Saint-Eustache à Paris le 19 novembre 1617 ou 1616 selon Jal. Mort le 30 avril 1655 à Paris. XVIIe siècle. Français.
Peintre d'histoire, sujets mythologiques, compositions religieuses, scènes de genre, compositions décoratives, dessinateur.
Il était fils d'un tourneur et sculpteur sur bois Cathelin Le Sueur, originaire de Montdidier, qui, frappé des dispositions de son fils, le fit entrer dans l'atelier de Simon Vouet. Il s'y trouva avec Lebrun et tous deux reçurent également des conseils de Poussin. Il débuta en dessinant des frontispices et des vignettes de livres. Il fut admis dans la confrérie des maîtres peintres et s'en sépara au moment de la création de l'Académie royale de peinture et sculpture le 1er février 1648, dont il fut un des douze fondateurs. Ses premiers tableaux relèvent directement de la manière de Simon Vouet. De cette époque datent huit tableaux tirés du *Songe de Polyphile*, qui furent reproduits en tapisserie des Gobelins ; puis la décoration de l'hôtel de M. Lambert de Thorigny, président de la Chambre des comptes, et son tableau de *Saint Paul guérissant les malades* qui lui valut le surnom de Raphaël français. En 1645 il exécuta des décorations qui sont actuellement au Louvre dans la salle dite « Cabinet de l'Amour ». La même année, il commença pour le petit cloître des Chartreux de Paris la suite de 22 tableaux relatifs à *L'histoire de saint Bruno* qui furent terminés en 1648. Il peignit ensuite de nombreuses décorations pour des hôtels particuliers, pour les églises de Saint-Étienne du Mont, de Saint-Germain-l'Auxerrois, de Saint-Gervais. Enfin en 1649 il peignit le tableau du *Mai* de Notre-Dame représentant *saint Paul à Éphèse*.
Le Sueur mérite une place à part parmi les maîtres français du XVIIe siècle. A l'heure où la technique de l'Académie, et l'italianisme allaient se partager l'influence en France, il sut conserver une sensibilité toute personnelle et qui ne relève d'aucune école. On a raconté à son sujet des anecdotes très apocryphes relatives à son duel, à la mort de sa femme, et à la douleur mortelle qu'il en ressentit. Ce sont là autant de légendes dont l'histoire a fait justice. L'emphase lui était totalement étrangère. Ses peintures expriment une sincère méditation intérieure. Dans ses compositions, un détail familier, une caresse de lumière, introduisent une note de tendresse. Dans la série consacrée à la *Vie de saint Bruno*, dégagée de l'influence de Vouet, il atteint à une qualité d'émotion picturale, qui devrait aider à mieux préciser la place qui lui revient dans la peinture française de la première moitié du XVIIe siècle, dans cette école de la réalité, où se conjuguèrent diversement les influences de Raphaël, des Carrache et du Caravage. Commentant la mort à trente-huit ans de Le Sueur, Charles Perrault, dans sa chronique des *Hommes Illustres*, écrivit : « Si ce peintre avait vécu, il aurait surpassé ou du moins égalé tout ce qu'il y a jamais eu de grands peintres. »

eustache Le Sueur

Bibliogr. : G. Rouchès : *Eustache Le Sueur*, Paris, 1923 – Catalogue de l'exposition *Le XVIIe siècle français*, Musée du Petit Palais, Paris, 1958 – S. A. : *notice sur Eustache Le Sueur*, in : *Diction. Univers. De l'Art et des Artistes*, Hazan, Paris, 1967 – Alain Mérot : *Eustache Le Sueur. Catalogue raisonné des peintures, dessins, gravures*, Arthéna, Paris.
Musées : Amiens (Mus. Napoléon) : *Communion de saint Norbert – Sa défense devant le Concile – Son entrevue avec l'évêque de Cambrai – Miracles de saint Norbert – Charité de saint Norbert – Prédication de saint Norbert – Conversion de saint Norbert – Son sacre – Son entrée à Rome – Un miracle – Apparition de la Vierge à saint Norbert – Vision expliquée par saint Norbert – L'apparition de saint Géréon à saint Norbert – Vénération des reliques – La mort de saint Norbert – Ardent buisson à Moyse Admirable – De jubilé belle Ville air résonne – Terre d'où prit la vérité naissance – Le feu sacré que le saint puits conserve – Roche d'où sort la fontaine d'eau vive – Tableau de Notre-Dame du Puy – Approbation de l'ordre de Prémontré* – Aurillac : *Prédication de saint Paul à Éphèse* – Berlin : *Saint Bruno dans sa cellule* – Besançon : *Le Christ mort veillé par un ange – La Sagesse – La Fortune – Ange vu de dos – Figures portant les emblèmes de la Passion* – Bordeaux : *Uranie*, d'après Le Sueur – Bristol : *Le serpent d'airain* – Bruxelles : *Le Christ bénissant* – Caen : *Le sacrifice de Manué – Salomon devant l'arche d'Alliance* – Carpentras : *Saint Bruno* – Chartres : *L'archange Raphaël* – Châteauroux : *Saint Bernard*, d'après Le Sueur – Cherbourg : *Jésus enseignant sa doctrine* – Darmstadt : *Résurrection du jeune homme de Naïm* – Dijon : *Le Christ sur la croix* – Erlau (Gal. Épisc.) : *Le retour du jeune Tobie* – Genève (Rath) : *Pestiférés implorant la protection de saint Charles Borromée* – Grenoble : *La famille de Tobie et l'ange Raphaël* – Guéret : *Portrait de M. Albert* – Langres : *Mort de saint Bruno* – Lille : *Saint Bruno fait construire la grande Chartreuse – Sainte Madeleine en prières* – Limoges : *Le passage de la Mer Rouge* – Londres (Nat. Gal.) : *La Sainte Famille – Le martyre de saint Laurent* – Lyon : *Martyre de saint Gervais et de saint Protais* – Mannheim (Château) : *Descente de Croix – Prédicateur en chaire* – Le Mans : *Saint Bruno en prière – La chasse de Diane – Polyphile assistant au triomphe de Bacchus* – Marseille : *La présentation au temple* – Montauban : *Le sacrifice de Manué* – Montpellier : *La nuit de noces de Tobie* – Munich (Vieille Pina.) : *Le Christ chez Marthe* – Nantes : *Le lever de l'Aurore* – Paris (Mus. du Louvre) : *Ganymède enlevé par Jupiter – Calliope – Terpsichore – Uranie – Melpomène, Érato et Polymnie – Clio, Euterpe et Thalie – Phaéton et Apollon – L'Amour dérobe la foudre de Jupiter – L'Amour et Mercure – L'Amour reçoit l'hommage des dieux – L'Amour, Vénus et Cérès – Vénus présente l'Amour à Jupiter – La naissance de l'Amour – Réunion d'artistes – Dédicace de l'Église des Chartreux – Plan de l'ancienne chartreuse de Paris, porté par deux anges – Saint Bruno examine le plan de la Chartreuse de Rome – Saint Bruno et ses compagnons distribuent leurs biens aux pauvres – Saint Bruno est enlevé au ciel – Mort de saint Bruno – Apparition de saint Bruno au comte Roger – Saint Bruno rencontre le comte Roger – Saint Bruno en prières dans sa cellule – Saint Bruno refuse l'archevêché de Reggio – Arrivée de saint Bruno à Rome – Saint Bruno reçoit un message du Pape – Saint Bruno donne l'habit à plusieurs personnes – Le pape Victor III confirme l'institution des Chartreux – Saint Bruno prend l'habit monastique – Saint Bruno fait construire le monastère – Voyage à*

la Chartreuse – Arrivée de saint Bruno chez saint Hugues – Songe de saint Bruno – Saint Bruno engage ses disciples à quitter le monde – Saint Bruno enseigne la théologie – Saint Bruno en prières – Raymond Diocrès parlant après sa mort pour annoncer sa damnation – Mort de Raymond Diocrès – Saint Bruno assiste au sermon de R. Diocrès – La messe de saint Martin – Apparition de la Vierge à saint Martin – Prédication de saint Paul à Éphèse – Saint Gervais et saint Protais devant Astasius – Jésus apparaît à sainte Madeleine – Descente de croix – Jésus portant sa croix – La salutation angélique – Le père de Tobie donnant des instructions à son fils – L'ange du Seigneur apparaît à Agar – Le Christ à la colonne, attr. – *Apparition de sainte Scholastique à saint Benoît – Ganymède enlevé par Jupiter – Le martyre de saint Laurent* – Potsdam (Sans-Souci) : *Le Christ guérit les aveugles* – Potsdam (Palais Neuf) : *Le jugement de Pâris*, attr. – *Le baptême du Christ* – Quimper : *Le martyre de saint Laurent* – La Rochelle : *L'adoration des bergers* – Rouen : *Femme vêtue à l'antique – Religieuse méditant sur des tablettes – Un homme, un genou en terre – Le songe de Polyphile* – Saint-Pétersbourg (Mus. de l'Ermitage) : *Moïse exposé sur le Nil – Nativité de la Vierge – La Vierge conduite au temple – La présentation de Jésus au temple – Mort de la Vierge – Mort de saint Étienne – Darius – Hitaspe ouvrant le tombeau de Nicrotis* – Schleissheim : *Saint Louis* – Schwerin : *Saint Paul à Éphèse* – Stuttgart : *Mise au tombeau* – Toulouse : *Le sacrifice de Manué* – Tours : *Saint Sébastien – Saint Louis pansant les malades – La messe de saint Martin – Marthe et Marie devant Jésus* – Vienne (Czernin) : *Joseph et la femme de Putiphar* – Vienne (Acad.) : *Le mariage de la Vierge* – Vienne (Harrach) : *L'infanticide de Bethléem – Renaud et ses compagnons combattant un dragon* – Vienne (Liechtenstein) : *Les funérailles de l'Amour* – Vire : *Un bénédictin*.

Ventes Publiques : Paris, 1770 : *Le martyre de saint Laurent* : **FRF 7 500** – Paris, 1777 : *Le Ministre d'État* : **FRF 10 000** ; *Esquisses du plafond de l'hôtel Lambert : l'histoire de l'Amour* : **FRF 3 801** – Paris, 1793 : *Alexandre et son médecin* : **FRF 7 500** – Paris, 1801 : *L'Annonciation* : **FRF 11 000** ; *Le Christ chez Marthe et Marie* : **FRF 10 300** – Paris, 1845 : *Jésus chez Marthe et Marie* : **FRF 14 800** – Londres, 1849 : *L'Annonciation* : **FRF 4 465** – Paris, 1862 : *La Religion* : **FRF 1 127** – Paris, 1892 : *La Justice*, projet de plafond : **FRF 860** – Paris, 1892 : *Prédication de saint Paul à Éphèse* : **FRF 10 000** – Paris, 4 fév. 1924 : *Portrait d'un géographe* : **FRF 3 600** – Paris, 11 jan. 1943 : *Groupe de moines*, pl. : **FRF 1 000** – Londres, 16 mars 1966 : *La présentation au temple* : **GBP 580** – Londres, 11 juil. 1980 : *Deux philosophes discutant devant un empereur*, h/t (103,5x88,2) : **GBP 11 000** – Paris, 10 déc. 1982 : *La Vierge et l'Enfant avec saint Jean-Baptiste, offrant des cerises*, h/t (99x73) : **FRF 24 000** – Monte-Carlo, 5 mars 1984 : *Phaéton demande à Apollon de lui confier le char du Soleil*, h/t (54,5x69,5) : **FRF 100 000** – New York, 15 jan. 1986 : *Vénus et Cupidon*, h/t (76,2x80,5) : **USD 7 000** – New York, 31 mai 1990 : *Le triomphe de Galatée*, h/t (83x94) : **USD 154 000** – Londres, 2 juil. 1990 : *Personnage agenouillé vu de côté*, craies noire et blanche/pap. gris (35x18,3) : **GBP 990** – Londres, 2 juil. 1991 : *Homme debout avec les bras levés et une expression de frayeur*, craies blanche et noire/pap. gris (42,6x23) : **GBP 20 900** – New York, 13 jan. 1993 : *David dansant devant l'Arche d'Alliance*, craie noire et lav. gris (25,5x36,2) : **USD 16 500** – Londres, 10 juin 1994 : *Le Christ en Croix avec Madeleine et la Vierge et saint Jean l'Évangéliste*, h/t (109x73,2) : **GBP 397 500** – Londres, 2 juil. 1996 : *Le baptême du Christ*, craie noire, encre et lav. (25,5x20,8) : **GBP 3 220**.

LESUEUR François Xavier

Né au XIXe siècle à Paris. XIXe siècle. Français.

Graveur à l'eau-forte.

Élève de Champollion et Urbain Bourgeois. Figura au Salon des Artistes Français où il obtint une mention honorable (1901), une médaille de troisième classe (1905).

LE SUEUR Gabrielle Marie, Mme

Née en 1854. Morte en 1900. XIXe siècle. Française.

Peintre.

Sociétaire des Artistes Français, elle figura au Salon de ce groupement.

LE SUEUR Hubert

Mort en 1670 à Londres. XVIIe siècle. Français.

Sculpteur.

Réputé élève de Jean de Bologne, il fut nommé sculpteur du roi, en 1619, et eut une grande notoriété pour ses bronzes. Parti pour l'Angleterre en 1630, au service de Charles Ier, il y fit de nombreuses œuvres : une statue équestre de ce souverain, jadis à Rohampton et aujourd'hui disparue, une autre statue équestre du roi, à Charing Cross (1633), un *Mercure* sur une fontaine, trois modèles en cire (un *Bacchus* et deux *Vénus*), un buste de *Charles Ier* avec une couronne dorée, un buste en bronze de *Jacques Ier* à Whitehall, la statue de *Sir Georges Villiers* et le monument du juge *Sir Thomas Richardson* (1635), à Westminster, *Caïn et Abel*, groupe à Yorkhouse, six statues pour le jardin de Saint-James, la fontaine de Sommerset House, la statue du *Comte de Pembroke*, au Musée d'Oxford. Revenu entre temps en France, il fut chargé, en 1643, par la duchesse d'Aiguillon, nièce de Richelieu, de faire, d'après les modèles de Jean Warin, quatre bustes en bronze du cardinal.

Musées : Londres (Vict. and Alb.) : *Charles Ier*, buste marbre.

LE SUEUR J. B.

XVIIIe siècle. Français.

Peintre.

La chapelle de l'hospice de la Salpêtrière à Paris possède un grand tableau à l'huile *Le Christ chez Marthe et Marie*, signé J. B. Le Sueur 1778. On cite d'un aquafortiste du même nom un *Portrait de Rembrandt* d'après G. Flinck, le *Portrait d'un vieillard en costume oriental* et deux planches de têtes d'apôtres d'après G. Lanfranco.

LESUEUR Jacques Philippe

Né en 1757 à Paris. Mort le 4 décembre 1830 à Paris. XVIIIe-XIXe siècles. Français.

Sculpteur.

Prix de Rome en 1780. Il exposa au Colisée en 1797 et au Salon, de 1791 à 1824. Chevalier de la Légion d'honneur, membre de l'Institut. On cite de lui : *La paix de Presbourg*, pour l'Arc de Triomphe du Carrousel, le *Couronnement de l'Empereur*, pour le Corps législatif, une *Statue du bailli de Suffren*, pour le pont Louis XVI.

Musées : Fairmount, États-Unis : *Hippomène et Atalante – Fête de Flore* – Paris (Monum. Franç.) : *Eustache Le Sueur – Elysa Joly* – Paris (Fac. Méd.) : *Corvisart des Marets* – Philadelphie (Pennsylv. Mus.) : *Fête de Flore*, plâtre – *Hippomène et Atalante*, plâtre – Versailles : *La paix de Presbourg*, plâtre.

LESUEUR John Francis

Né en 1760. Mort en 1837. XVIIIe-XIXe siècles. Britannique.

Paysagiste.

Le Musée de Nottingham conserve une sépia de cet artiste.

Ventes Publiques : Paris, 28 fév. 1938 : *Bergers et troupeau*, gche : **FRF 4 400**.

LE SUEUR Louis

Né en 1746 à Paris. XVIIIe siècle. Travaillant à Paris, en Italie et en Allemagne. Français.

Peintre d'animaux, paysages, aquarelliste, peintre à la gouache, dessinateur, graveur à l'eau-forte.

Il a gravé des vues et des paysages.

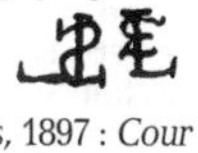

Ventes Publiques : Paris, 1897 : *Cour de ferme*, dess. au bistre, retouché de pl. : **FRF 385** – Paris, 1898 : *La Ferme*, dess. à l'encre de Chine : **FRF 390** – Paris, 3 mai 1924 : *Ferme* ; *Moulin*, deux aquarelles : **FRF 1 000** – Paris, 27-28 juin 1927 : *Le moulin à eau* : **FRF 1 120** – Paris, 7-8 juin 1928 : *Paysage avec moulin et pêcheur*, dess. : **FRF 2 400** – Paris, 28 mai 1931 : *La Pêche devant le moulin*, gche : **FRF 1 600** – Paris, 5 déc. 1936 : *Cour de ferme*, pl. et lav. de bistre : **FRF 1 320** – Londres, 14 déc. 1945 : *Pastorale* ; *Animaux et paysage*, deux gches : **GBP 451** – New York, 15 jan. 1992 : *Une ferme sous un arbre*, sanguine (20,5x28,5) : **USD 1 540** – Londres, 18 avr. 1996 : *Paysage avec des paysans menant leur bétail sur un chemin* 1779, craie noire et lav. brun (17,8x27) : **GBP 517**.

LESUEUR Nicolas

Né en 1691 à Paris. Mort en 1764 à Paris. XVIIIe siècle. Français.

Graveur.

Il se fit une spécialité de la gravure en camaïeu. Il a gravé d'après les maîtres italiens, notamment Caravaggio, Julio Romano, Pinturricchio, etc. Il était fils du graveur Pierre Lesueur II.

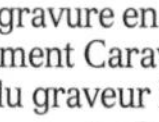

LE SUEUR Philippe

Mort en 1579. XVIe siècle. Français.

Sculpteur sur bois.
Il sculpta des autels, des statues de saints et des *Crucifiements* pour des églises de Beauvais et environs.

LE SUEUR Philippe. Voir **LE SUEUR Antoine**

LE SUEUR Pierre. Voir **LE SUEUR Antoine**

LE SUEUR Pierre I ou **Lesueur**, dit **l'Ancien**
Né en 1636 à Rouen (Seine-Maritime). Mort en 1716 à Rouen. XVIIe-XVIIIe siècles. Français.
Graveur.
Élève de Du Bellay. Ce fut un des meilleurs graveurs sur bois du XVIIe siècle.

LE SUEUR Pierre II ou **Lesueur**
Né en 1663 à Rouen (Seine-Maritime). Mort en 1698 à Rouen. XVIIe siècle. Français.
Graveur.
Fils de Pierre I.

LE SUEUR Pierre III, dit **le Jeune**
Né en 1669 à Rouen (Seine-Maritime). Mort en 1750. XVIIe-XVIIIe siècles. Français.
Graveur.
Fils du graveur rouennais Pierre Le Sueur l'Ancien, dont il fut l'élève. Ce fut un graveur sur bois ne manquant pas de mérite et l'on cite de lui divers sujets bibliques, des illustrations pour les *Fables* d'Ésope, 1678 ; pour le *Cours de Mathématiques* d'Ozanam, 1693 ; pour l'*Éloge de la Folie* d'Érasme, 1745.

P.S. P. S P L S

LE SUEUR Pierre
Né à Paris. Mort en 1786 à Bordeaux (Gironde). XVIIIe siècle. Français.
Peintre d'histoire, portraits.
Petit-neveu d'Eustache Le Sueur. Il fut reçu académicien en 1747. Il exposa au Salon de Paris (exposition de la Jeunesse et Académie royale) entre 1734 et 1753.
Il fut essentiellement peintre de portraits.
Musées : Paris (Mus. du Louvre) : *Robert Levrac-Tournières – Carle Van Loo* – Versailles : *L'abbé Desmonceaux de Villeneuve – Robert Tournières – Carle Van Loo.*
Ventes Publiques : Paris, 14 déc. 1931 : *Portrait présumé de la marquise Louis de Villeneuve, née Catherine Pernot* : **FRF 5 850** – Paris, 25 mars 1938 : *Portrait de femme assise, coiffée d'un bonnet de dentelle* : **FRF 350**.

LESUEUR Pierre Étienne
Né à Nîmes (Gard). Mort le 4 décembre 1802 à Hambourg. XVIIIe siècle. Français.
Peintre décorateur, peintre de théâtre.
Il séjourna vers 1790 à Copenhague où il fit les peintures décoratives du Palais Erichsen.

LESUEUR Pierre Étienne
XVIIIe-XIXe siècles. Actif à Paris entre 1791 et 1810. Français.
Peintre de genre, architectures, paysages, marines, peintre à la gouache.
Élève de Pillement. Exposa au Salon, de 1791 à 1810.
Ventes Publiques : Paris, 10 oct. 1941 : *Les Portiques d'un palais* ; *Le Messager* 1793, gche, deux pendants : **FRF 9 150** – Paris, 16 déc. 1981 : *Portrait d'homme* ; *Portrait de femme*, h/t, deux pendants (chaque 91x72) : **FRF 10 100** – Vienne, 29-30 oct. 1996 : *Personnages sous des voûtes romaines* 1793, gche (70x105) : **ATS 138 000** – Londres, 1er nov. 1996 : *Homère et Cassiopée dans un paysage classique* 1785, h/t (64,8x81,3) : **GBP 8 050**.

LE SUEUR Vincent
Né en 1668 à Rouen. Mort en 1743 à Paris. XVIIe-XVIIIe siècles. Français.
Graveur sur bois.
Fils de Pierre Le Sueur l'Ancien dont il fut d'abord l'élève. Il vint à Paris poursuivre ses études avec Papillon. Ce maître le mentionne comme un artiste de talent. On cite de lui les *Adieux du soldat* (1702) et plusieurs bois en clair-obscur, d'après Farinato. Il marquait ses planches des initiales *V. L. S.*

LESUIRE
XVIIIe siècle. Actif à Rouen en 1777. Français.
Peintre.
Le Musée du Havre conserve de lui les portraits du roi *George III d'Angleterre* et de *Sophie Charlotte*, sa femme.

LE SUIRE Hermann von
Né en 1861. XIXe siècle. Actif à Munich. Allemand.
Paysagiste.
Exposa à Munich, Berlin, etc., à partir de 1889. On cite de lui *Paysage d'automne* et *Printemps dans les bois*.

LE SUIRE Justine, née **Corranson**
Née en 1753 à Paris. XVIIIe siècle. Française.
Peintre de miniatures et peintre sur émail.
Elle exposa au Salon en 1791. Femme du peintre Pierre André Le Suire.
Musées : Laval : *Sainte Madeleine d'après Lebrun*, miniat. – *Portrait du mari de l'artiste*, miniat.

LE SUIRE Pierre André
Né le 30 novembre 1742 à Rouen. XVIIIe siècle. Français.
Peintre de miniatures et peintre sur émail.
Musées : Laval : *Pêcheurs et pêcheuses*, émail, d'après J. Vernet – *La leçon de flûte*, émail, d'après Boucher – *Mort de Cléopâtre*, émail sur montre d'or – *Portrait d'homme*, émail – *Portrait d'homme*, miniat. sur ivoire – *Portrait de la femme de l'artiste*, émail.

LESUISSE René
Mort en 1966. XXe siècle. Belge.
Peintre.
Il est allé étudier les peintres italiens, de 1923 à 1926, en tant que boursier de la fondation Darchis. Il a été professeur et conservateur des musées de Nivelles. On connaît de lui une série d'intérieurs de la collégiale Sainte-Gertrude.

LE SUR
XVIIe siècle. Actif à Salins. Français.
Graveur.
Le Musée de Salins conserve de lui une grande planche de cuivre.

LESUR Claude Michèle
Née le 25 novembre 1931 à Batna (Algérie). XXe siècle. Française.
Peintre de paysages, portraits.
La lumière de la Provence lui dicte une palette très colorée.

LESUR Henri Victor
Né le 28 avril 1863 à Roubaix (Nord). Mort en 1932, 1900 selon d'autres sources. XIXe-XXe siècles. Français.
Peintre de genre, paysages, marines.
Élève de François Flameng, il figura au Salon de Paris de 1885 à 1927 et au Salon des Artistes Français, où il obtint une médaille de troisième classe en 1887. Il eut une bourse de voyage en 1887. Médailles de bronze à l'Exposition Universelle de 1889 et à celle de 1900.
Il a parfois traité des sujets folkloriques, très en vogue à l'époque.

V. HENRY LESUR

Bibliogr. : Gérald Schurr, in : *Les Petits Maîtres de la peinture 1820-1920, valeur de demain*, Les Éditions de l'Amateur, t. IV, Paris, 1979.
Ventes Publiques : New York, 21-22 jan. 1909 : *Le Critique* : **USD 140** – Paris, 23 mai 1950 : *La réception devant le pavillon de chasse* : **FRF 23 000** – Paris, 11 juin 1951 : *Les Bouquinistes sur les quais de Paris* : **FRF 40 000** – Londres, 14 nov. 1973 : *Élégante compagnie dans les jardins des Tuileries* : **GBP 1 400** – New York, 15 oct. 1976 : *Chez Manette*, h/pan. (55x45,5) : **USD 3 900** – Paris, 14 juin 1977 : *Élégantes*, h/pan. (53x43) : **FRF 8 900** – Londres, 4 mai 1977 : *La marchande de fleurs*, h/pan. (35,5x27) : **GBP 1 800** – Londres, 19 oct. 1978 : *Le 17e des dragons*, h/pan. (56x46) : **GBP 1 500** – New York, 4 mai 1979 : *Au jardin du Luxembourg*, h/pan. (45,5x54,5) : **USD 6 750** – Tokyo, 15 fév. 1980 : *Rendez-vous aux Tuileries*, h/pan. (43x59,5) : **JPY 1 500 000** – New York, 13 fév. 1981 : *Gentilhomme au bouquet de fleurs*, h/pan. (33x23,8) : **USD 2 200** – New York, 26 oct. 1983 : *La Marchande de galettes*, h/pan. (41x32,5) : **USD 4 000** – New York, 15 fév. 1985 : *Le marché aux fleurs, quai de l'Horloge*, h/pan. (45,7x54,6) : **USD 8 500** – New York, 28 oct. 1986 : *La Coquette et son galant*, h/pan. parqueté (47x38,1) : **USD 3 800** – New York, 21 mai 1987 : *Scène de rue à Paris au siècle de Louis XIV*, h/pan. (63,5x81,3) : **USD 19 000** – Reims, 22 oct. 1989 : *Vue de Moret-sur-Loing*, h/t (50x65) : **FRF 14 500** – New York, 25 oct. 1989 : *Retour du marché*

aux fleurs, h/pan. (45,8x54) : **USD 6 600** – New York, 1er mars 1990 : *Propos galants*, h/pan. (38,1x46,3) : **USD 8 800** – New York, 24 oct. 1990 : *Le rendez-vous*, h/pan. (55,9x45,8) : **USD 7 150** – New York, 23 oct. 1990 : *Marché aux fleurs sur les quais de la Seine*, h/pan. (45,7x54,9) : **USD 19 800** – Versailles, 25 nov. 1990 : *La côte rocheuse avec un phare en Bretagne*, h/t (38x55) : **FRF 10 000** – Reims, 9 juin 1991 : *Maison aux abords de la forêt*, h/t (54x65) : **FRF 9 000** – Londres, 19 juin 1991 : *Promenade sur le Pont-Neuf*, h/pan. (62x79,5) : **GBP 8 250** – New York, 19 fév. 1992 : *Un gentilhomme et une bouquetière près des éventaires des bouquinistes le long de la Seine*, h/pan. (39,4x31,8) : **USD 7 700** – Londres, 7 avr. 1993 : *Deux jeunes élégantes en promenade*, h/pan. (36x43) : **GBP 2 990** – New York, 15 fév. 1994 : *Marché aux fleurs*, h/pan. (46x37,5) : **USD 9 775** – New York, 19 jan. 1995 : *Le colporteur*, h/pan. (55,9x45,7) : **USD 8 050** – New York, 2 avr. 1996 : *Les Quais de la Seine et les bouquinistes à Paris*, h/pan. (54,9x44,5) : **USD 6 900** – New York, 23-24 mai 1996 : *La Marchande de fleurs*, h/pan. (45,7x54,6) : **USD 27 600**.

LESVIGNES Théodore. Voir **LEVIGNE**

LESVIGNIÈRES Pierre ou **Le Signerre**

xve siècle. Rouennais, vivant au xve siècle. Français.

Sculpteur.

Il se chargea, sur l'ordre de Dunois, de sculpter, en 1467, dans le prieuré de Longueville, avec Jean Le Conte et Geoffroy des Vignes, des dais ou tabernacles pour les monuments de Duguesclin, de La Hire et de Dunois, qui étaient comtes de Longueville. En 1474, Guillaume d'Estouteville, archevêque de Rouen, lui demanda le modèle du tombeau qu'il voulait se faire construire dans la nef de la cathédrale.

LESY Désiré ou **Lesij**

Né le 6 février 1806 à Bruges. Mort le 5 janvier 1859 à Gand. xixe siècle. Belge.

Paysagiste.

Élève de Noter.

Ventes Publiques : Gand, 1856 : *Paysage* : **FRF 25**.

LESYRE. Voir **LESIRE**

LESZAI Anna

Née en 1885. Morte en 1966. xxe siècle. Active depuis 1930 aux États-Unis. Hongroise.

Dessinateur, décorateur.

Elle fut aussi poète. Dans les années vingt, elle vécu en Tchécoslovaquie, à Berlin puis Vienne. De 1930 à sa mort elle travailla à New York.

En 1911, elle est invitée par le groupe des *Huit* à participer à leur exposition avec ses broderies et plusieurs de ses dessins. Elle figure, à Saint-Étienne puis à au Musée d'Art Moderne de la Ville de Paris, à l'exposition *L'Art en Hongrie 1905-1930 – Art et Révolution*, en 1980-1981.

Bibliogr. : In : *L'Art en Hongrie 1905-1930 – Art et Révolution*, Musée d'Art et d'Industrie de Saint-Étienne et Musée d'Art Moderne de la Ville de Paris, 1980-1981.

Musées : Pécs (Mus. Janus Pannonius) : *Grand dessin de broderie Andrassy – Arlequin I. dessin de broderie – Dessin de broderie bidermeyer, chinois*.

LESZKOVSZKY György

Né le 21 mars 1891 à Budapest. xxe siècle. Hongrois.

Peintre, sculpteur.

On cite parmi ses œuvres des fresques au Palais de la civilisation de Marosvasarhely, dans l'église de Zebegény et dans la chapelle du nouvel hôpital Saint-Jean à Budapest, ainsi que des esquisses de fenêtres pour une église de la même ville.

LETAILLEUR Alfons

Né le 7 juin 1876 à Aix-la-Chapelle. xxe siècle. Allemand.

Peintre.

Il fut élève de Herterich, Seitz et Gebhardt à Munich, de Meurer à Berlin. Il travailla à Aix-la-Chapelle.

Musées : Aix-la-Chapelle (Suermondt) : triptyque.

LE TAILLEUR Jehannin

xve siècle. Actif à Troyes dans la première moitié du xve siècle. Français.

Sculpteur sur bois.

Il travailla en 1420 pour les orgues de la cathédrale de Troyes.

LE TALEC Cécile

xxe siècle. Française.

Sculpteur.

Elle a résidé une année dans un atelier Fonds Régional d'Art Contemporain Bretagne à Pont-Aven.

Elle a montré son travail en 1994 à la galerie du FRAC et en 1995 à l'école régionale des Beaux-Arts de Rennes.

Elle s'intéresse aux phénomènes physiques et à leur visualisation. Dans *Pièces de souffle*, un des caissons posés au sol, contenait du silicate de soude qui, sous l'effet de la respiration des visiteurs, donnait naissance à des gouttelettes d'humidité, pendant qu'un autre caisson, relié au premier par un tuyau, recueillait cette eau.

Bibliogr. : Jean Marc Huitorel : *Cécile Le Talec*, Art Press, no 200, Paris, mars 1995.

L'ETANG Henri de

Né le 25 avril 1809 à Paris. Mort en 1873. xixe siècle. Français.

Peintre d'histoire.

Formé sous la direction de David d'Angers, il figura au Salon avec ses tableaux d'histoire, de 1837 à 1844. Obtint une médaille de troisième classe en 1838. On voit de lui, au Musée d'Angers, *Clotilde, demandée en mariage par Clovis, est emmenée par Aurélien, ambassadeur de France*, à celui de Calais, *La fuite en Égypte*, et à celui de Carpentras, *Jugement de la chaste Suzanne*.

Ventes Publiques : Paris, 26 fév. 1943 : *Le Petit Déjeuner ; La Coiffure*, deux pendants : **FRF 6 250**.

L'ÉTANG Jules Matthey de. Voir **MATTHEY**

LE TANNEUR Jacques

Mort en 1935 à Bordeaux (Gironde). xxe siècle. Français.

Dessinateur de paysages, graveur.

Il exécuta surtout des motifs du pays basque.

LETARD Jean

xviiie siècle. Actif à Nantes vers 1741. Français.

Peintre verrier.

LETAROUS

xiiie siècle. Français.

Sculpteur.

Sa signature se trouve sur le tombeau de Robert III de Dreux et Braine, à Saint-Yved-en-Braine.

LE TAVERNIER Jean

Né à Audenarde. xve siècle. Éc. flamande.

Peintre de miniatures.

Vivant dans la première moitié du xve siècle, Maître à Tournai vers 1440, il s'établit ensuite à Audenarde. Il est l'auteur des enluminures illustrant les *Chroniques et Conquêtes de Charlemagne* (1458-1461). Cette œuvre s'apparente à la grisaille, mais est moins aérée et prend une tonalité générale argentée. Le fond est gris, les rehauts sont blancs, bleus et mauves. Les détails nombreux donnent un caractère anecdotique aux scènes parfois savoureuses. Étant donné la technique particulière de Le Tavernier, on suppose qu'il est aussi l'auteur des grisailles du *Livre d'Heures* de Philippe le Bon (1454).

LETCHEV Georges

Né en 1949 à Varna. xxe siècle. Bulgare.

Peintre, graveur.

Il a figuré à l'exposition intitulée *De Bonnard à Baselitz* à la Bibliothèque nationale à Paris en 1992.

Bibliogr. : In : *De Bonnard à Baselitz – Dix ans d'enrichissements du Cabinet des Estampes 1978-1988*, Bibliothèque nationale, Paris, 1992.

Musées : Paris (Cab. des Estampes).

LETELLIER

xviie siècle. Éc. flamande.

Peintre de natures mortes, fleurs.

Le catalogue du Musée de Dunkerque mentionne avec les dates de 1668-1694 un tableau *Roses, un crâne, un coquillage* d'un peintre du nom de Letellier, sans indication de prénom.

LETELLIER

xixe siècle. Actif à Paris. Français.

Peintre de paysages.

Exposa à Paris de 1831 à 1836.

LETELLIER Arsène

Né à Rouen. Mort en 1884 à Paris. xixe siècle. Français.

Sculpteur.

Élève de Duret et de Dehay. Il débuta au Salon en 1869.

LE TELLIER Charles François

Né en 1743 à Paris. Mort en 1800. xviiie siècle. Français.

Peintre et graveur au burin.

Il a gravé des portraits et des sujets d'histoire.

Ventes Publiques : Paris, 1898 : *Portrait de petite fille*, miniat. :

FRF 800 – LONDRES, 11 déc. 1930 : *Mlle Jeanne de Vanbes* : GBP 325 – PARIS, 10 déc. 1954 : *Portrait en buste d'un jeune seigneur* : FRF 12 000.

LETELLIER Hector
Mort en 1954 à Bruxelles. XXe siècle. Belge.
Peintre de paysages, figures.
BIBLIOGR. : In : *Diction. biographique illustré des artistes en Belgique*, Arto, Bruxelles, 1987.
VENTES PUBLIQUES : LOKEREN, 7 oct. 1995 : *Vue d'un parc* 1923, h/t (53x80) : **BEF 110 000**.

LETELLIER Jan
XVIIe siècle. Actif à Nantes entre 1683 et 1687. Français.
Sculpteur.

LETELLIER Jean. Voir **LE TELLIER Pierre**

LETELLIER Jean Baptiste Joseph
XVIIIe-XIXe siècles. Français.
Peintre de miniatures.
Il exposa à Paris, où il travaillait, en 1793 et en 1812.
MUSÉES : STOCKHOLM : *Portrait d'une jeune femme*.

LETELLIER Jorge
Né au Chili. XXe siècle. Chilien.
Peintre de paysages.
Il a figuré en 1946 à l'exposition ouverte à Paris, au Musée d'Art Moderne, par l'Organisation des Nations Unies.

LETELLIER Louis Alphonse
Né en 1780 à Versailles. Mort le 14 mars 1830 à Paris. XIXe siècle. Français.
Paysagiste.
Élève de Bidault et de Girodet. Il exposa de 1808 à 1824.

LETELLIER Pierre
Né en 1614 à Vernon (Eure). Mort en 1676 à Rouen (Seine-Maritime). XVIIe siècle. Français.
Peintre de sujets religieux.
Neveu et élève de Poussin.

letellier.

MUSÉES : ROUEN : *Saint Joseph et l'enfant Jésus – Le Christ mort soutenu par un ange – Vision de saint Bernard – Le Christ en croix – Notre-Dame du Rosaire – Le repos en Égypte – Domine quo vadis – Assomption – Jésus monte au ciel – Nunc dimittis – Trois demi-figures d'anges*.

LE TELLIER Pierre
XVIIe siècle. Français.
Graveur de portraits.
Il était actif à Paris. Il a gravé des portraits, au burin.

LETELLIER Pierre
Né le 23 août 1928 à Caen (Calvados). XXe siècle. Français.
Peintre, graveur, peintre de cartons de tapisseries, cartons de vitraux, illustrateur.
Il a fait ses études artistiques dans sa ville natale.
Il commence à exposer en 1957, puis ensuite à Paris, aux Salons des Indépendants, d'Automne, des Peintres Témoins de leur temps, du Dessin et de la Peinture à l'eau, et des Terres Latines. Il a également participé à l'exposition *Expressionnismes*, au Musée Galliera, en 1961, à Paris. Il commence alors à montrer ses œuvres à New York, Caracas, Londres, Tokyo, Bruxelles. Il a figuré à l'exposition intitulée *De Bonnard à Baselitz* à la Bibliothèque nationale à Paris en 1992. En 1960, il a obtenu le prix Pacquement.
Il a composé des cartons de tapisseries pour Aubusson et a réalisé des vitraux pour des églises du Calvados. Enfin, il a illustré différents livres, dont *La Loire*, de Maurice Genevoix ; *Terre d'Or*, de Jean Giono ; *Le Roman de Renart* et *Le Lion*, de Joseph Kessel.
D'un dessin très sûr, son art est figuratif presque impressionniste, il peint n'importe quel sujet, avec une préférence pour les paysages d'eau et les nus dont il aime les reflets et les tons nuancés.
BIBLIOGR. : In : *De Bonnard à Baselitz – Dix ans d'enrichissements du Cabinet des Estampes 1978-1988*, catalogue de l'exposition, Bibliothèque nationale, Paris, 1992.
MUSÉES : PARIS (Mus. Nat. d'Art Mod.) – PARIS (Mus. d'Art Mod. de la Ville) – PARIS (Cab. des Estampes).
VENTES PUBLIQUES : CALAIS, 13 nov. 1988 : *Les saules au bord de l'étang*, h/t (55x73) : **FRF 10 200** – PARIS, 6 fév. 1991 : *Neige sur les saules*, h/t (50x73) : **FRF 12 000** – NEW YORK, 12 juin 1991 : *La raccommodeuse de filets* 1961, h/t (55,2x46,4) : **USD 880**.

LETELLIER Raymond, dit **Ray**
Né le 30 avril 1921 à Paris. XXe siècle. Français.
Peintre.
Il fut élève du peintre paysagiste R. David et de O. Frize, puis il suivit les cours de Narbonne à l'École Nationale des Beaux-Arts. Il part vivre à Bordeaux en 1967.
Il participe à des expositions collectives : 1946, sociétaire du Salon de l'Art Libre ; 1966, Biennale Internationale de Juvisy ; 1968, Les Indépendants Bordelais ; 1978, Salon d'Automne, à Paris ; 1981, sociétaire du Salon de la Société Nationale des Beaux-Arts, à Paris ; 1982, Salon des Artistes Français, à Paris. Il a reçu des récompenses.

LE TELLIER-BELLADAME Désiré François Joseph ou **Beldame**
Né le 23 mars 1809 à Frévent (Pas-de-Calais). Mort en 1887. XIXe siècle. Français.
Peintre de portraits.
Il exposa au Salon de Paris de 1841 à 1848. Il fut directeur de l'École des Beaux-Arts d'Amiens.
BIBLIOGR. : In : Catalogue de l'exposition : *Les années romantiques, la peinture française de 1815 à 1850*, Mus. des Beaux-Arts de Nantes, Gal. nat. du Grand Palais, Paris, 1996.
MUSÉES : AMIENS : *Le lutrin vivant* 1845, d'après Grasset – *Portrait d'une petite fille* 1848 – *Portrait de M. Sujol* 1848.
VENTES PUBLIQUES : REIMS, 28 juin 1992 : *Jeune femme portant un enfant* 1871, h/t (87x52) : **FRF 19 500**.

LETENDRE Auguste
Né à Guingamp (Côtes-du-Nord). XIXe-XXe siècles. Français.
Peintre de paysages, marines.
Expose au Salon des Indépendants depuis 1911.
VENTES PUBLIQUES : PARIS, 4 déc. 1946 : *Marine avec bateau à voile* : **FRF 2 800** – PARIS, 24 mai 1996 : *Le Brick de Sa Majesté impériale le Palinur ; La Frégate anglaise La Circée chassant Le Palinur*, h/t, une paire (38,5x57) : **FRF 52 000**.

LETENDRE Rita
Née en 1929 à Drumondville. XXe siècle. Canadienne.
Peintre, peintre de compositions murales. Tendance surréaliste, puis abstrait-géométrique.
Elle fut élève à l'École des Beaux-Arts de Montréal. En 1962, elle vint en France avec une bourse du Conseil des Arts du Canada. De 1965 à 1970, elle s'installa à Los Angeles et suivit des cours de gravure.
En 1950, elle expose à *Rebelles* et, en 1955, elle participe à *Espace 55* au Musée des Beaux-Arts de Montréal. Elle montre ses œuvres dans des expositions personnelles à Montréal en 1955, 1956, 1958, 1959, 1961, 1962 (Musée des Beaux-Arts) 1963, à Toronto en 1962 et 1963.
En 1961, elle obtint le prix de la Province du Québec.
À la sortie des Beaux-Arts, elle fait une peinture teintée de surréalisme, orientée vers l'automatisme le plus instinctif, peinture impétueuse et tourmentée aux lourdes pâtes. Pendant l'exécution d'une peinture murale, en 1965, elle découvre les possibilités de l'aplat et l'utilise peu à peu dans une langue plus linéaire, puis nettement géométrique vers 1972, usant alors de couleurs stridentes et déployant une intense énergie. Elle a réalisé plusieurs peintures murales intérieures et extérieures à Toronto, Dallas, New York et Washington, selon cette abstraction géométrique.
VENTES PUBLIQUES : MONTRÉAL, 27 avr. 1986 : *Les Départs*, h/t (139,5x127) : **CAD 6 500** – MONTRÉAL, 20 oct. 1987 : *Koumer* 1975, acryl./t. (150x206) : **CAD 4 100**.

LETENIER P.
XIXe siècle. Français.
Graveur à l'eau-forte.
Le Musée de Gray conserve une eau-forte de lui *Le matin, étang de Gué de Selle (Mayenne)*.

LETERRIER Paul Émile
Né au XIXe siècle à Gesvres. XIXe siècle. Français.
Peintre et graveur à l'eau-forte.
Élève de Chauvel, Carolus-Duran et Waltner. Il figura au Salon des Artistes Français où il obtint des mentions honorables en 1886, une médaille de troisième classe en 1888. Le Musée Vivenel, à Compiègne, conserve de lui un *Paysage d'automne*.

LE TESSIER Joseph
Né en 1867 à Marseille (Bouches-du-Rhône). Mort le 6 juillet 1949 à la Ferté-Milon. XIXe-XXe siècles. Français.

Peintre de paysages, natures mortes.
Il eut une activité commerciale jusqu'en 1900. Ce ne fut qu'à l'âge de trente-trois ans qu'il abandonna sa situation pour se consacrer à la peinture. Résidant alors à Lyon, il se forma par l'étude des peintres lyonnais, Carand, Vernay, Ravier. Après un court passage à Paris, il se fixa dans un village de l'Aisne.
On ne put voir une première exposition d'un ensemble de ses peintures qu'après sa mort, à Lyon, en 1952. Ensuite, certaines peintures furent exposées à Luxembourg et à Montréal.
Il a peint sans arrêt paysages et natures mortes, qu'il n'eut pas souvent l'occasion de montrer. Les critiques en louangeaient les ciels et la belle matière.
Musées : Lyon (Mus. des Beaux-Arts) : *Rougets.*

LETEURTRE F.
XIXe-XXe siècles. Français.
Aquarelliste.
Ventes Publiques : Paris, 18 oct. 1943 : *Le Pont des Saint-Pères,* aquar. : **FRF 230**.

LETH Andries de. Voir **LETH Hendrick de,** l'Ancien

LETH Harald
Né en 1899. Mort en 1986. XXe siècle. Danois.
Peintre de scènes et paysages animés, paysages, natures mortes.
Ventes Publiques : Copenhague, 29 avr. 1976 : *Nature morte aux citrons* 1926, h/t (32x53) : **DKK 3 500** – Copenhague, 9 oct. 1980 : *Un port en hiver,* h/t (18x37) : **DKK 6 500** – Copenhague, 4 mai 1988 : *Les Champs* 1941 (65x81) : **DKK 4 000** – Copenhague, 10 mai 1989 : *Paysage d'été* 1970, h/t (33x41) : **DKK 9 000** – Copenhague, 31 oct. 1990 : *Chevaux dans un paysage,* h/t (26x32) : **DKK 11 500** – Copenhague, 1er avr. 1992 : *Paysage hivernal* 1941, h/t (65x54) : **DKK 3 400** – Copenhague, 13 avr. 1994 : *Poulailler* 1945, h/t (65x80) : **DKK 6 200** – Copenhague, 26 avr. 1995 : *Un atelier en hiver,* h/t (28x31) : **DKK 6 500** – Copenhague, 12-14 nov. 1997 : *Paysage d'hiver,* h/bois (29x39) : **DKK 10 500**.

LETH Hendrick de, l'Ancien
XVIIIe siècle. Hollandais.
Dessinateur, graveur et éditeur.
Il était actif à Amsterdam au début du XVIIIe siècle. Un Andries Kartensz de Leth fut graveur et se maria à Amsterdam en 1693. Son œuvre qui comprend près de 200 feuilles de *Vues de Hollande*, paraît se confondre avec celui de son fils Hendrick de Leth le Jeune. Le père et le fils sont cités de 1720 à 1762.

LETH Hendrick de, le Jeune
Mort vers 1766. XVIIIe siècle. Actif à Amsterdam. Hollandais.
Dessinateur de paysages, graveur.
Il était également marchand.
Ventes Publiques : Heidelberg, 14 oct. 1988 : *Vue de la forteresse de Oberwesel* 1763, lav. bleu, vert et brun (17,7x28,1) : **DEM 2 900**.

LETHABY W. R.
Né le 18 janvier 1857 à Barn Staple. Mort le 17 juillet 1931 à Londres. XIXe-XXe siècles. Britannique.
Architecte, peintre amateur.
En tant qu'écrivain d'art il s'intéressait surtout à l'art médiéval et à l'archéologie. Les aquarelles et dessins qu'il réalisait pendant les vacances en été n'avaient jamais été exposés pendant sa vie. La Tate Gallery les a montrés en 1932 ; elle en conserve encore six.

LETHBRIDGE Julian
Né en 1947. XXe siècle. Américain.
Peintre.
Ventes Publiques : New York, 22 fév. 1993 : *Sans titre* 1988, acryl./tissu (68,6x53,2) : **USD 5 500** – New York, 8 nov. 1993 : *Sans titre* 1988, acryl. et cr./pap. (57,1x48,2) : **USD 978** – New York, 10 nov. 1993 : *Sans titre,* h/t (214,5x172,5) : **USD 29 900** – New York, 3 nov. 1994 : *Sans titre* 1988, h/tissu (137,2x111,8) : **USD 12 650** – New York, 16 nov. 1995 : *Sans titre* 1990, cr. et acryl./pap. (32,4x25,4) : **USD 4 887**.

LETHBRIDGE Walter Stephens
Né en 1771. Mort en 1831. XVIIIe-XIXe siècles. Britannique.
Miniaturiste.
La National Portrait Gallery, à Londres, conserve de lui les portraits sur ivoire de *Samuel Horsley* et de *John Wolcot*. A probablement une parenté avec Saunders (George Lethbridge).

LETHERBROW Thomas
XIXe siècle. Actif à Manchester. Britannique.
Peintre et aquarelliste.
Le Musée de Warrington conserve de lui deux aquarelles, notamment une *Vue de Rouen* (1870).

LETHGAU Walter
Né le 18 janvier 1886 à Guttstadt (Prusse). XXe siècle. Allemand.
Peintre et graveur.
Il étudia à Königsberg, Munich et Berlin et peignit des portraits, des tableaux de figures, des paysages.

LETHIAIS Jean-Claude
Né le 12 janvier 1941 à Rouen (Seine-Maritime). XXe siècle. Français.
Peintre et sculpteur. Abstrait-paysagiste, abstrait-lyrique.
Il a eu sa première exposition personnelle en 1965 à Rouen. Depuis, il a présenté ses œuvres dans des galeries à Paris et en Normandie, et dans des manifestations collectives comme le Salon Comparaisons de Paris en 1976, 1978, 1988, 1990, 1995.
Ses sculptures mettent en œuvre des formes assez ludiques et parfois vivement colorées, quand ses peintures sont souvent plus austères.

LE THIÈRE Clémence, née **Laurent**
Née le 19 octobre 1820 à Rouen. Morte le 14 mars 1902 au château de Bérou (Eure). XIXe siècle. Française.
Peintre.
Épouse de Charles Guillon Le Thière, lui-même petit-fils de Guillaume Guillon Le Thière. Élève de Scheffer et de Marinez. Peintre de portraits et de paysages. Le Musée d'Évreux conserve de ses toiles.

LE THIÈRE René Clément
Né à Rouen. Mort au XIXe siècle à Paris. XIXe siècle. Français.
Portraitiste.
Élève de A. Scheffer, Muraton et Robert-Fleury. Débuta au Salon en 1877. Certainement apparenté à Clemence le Thière.

LE THIMONNIER Paul
XIXe siècle. Actif à Asnières. Français.
Peintre.
Sociétaire des Artistes Français depuis 1889, il participa aux Salons de ce groupement.

LETIERS. Voir **LETHIÈRE**

LETIN Jacques Ninet de. Voir **LESTIN Jacques de**

LETMERT F.
XIXe siècle. Travaillant vers 1860. Français.
Peintre animalier.

LETO Antonio ou **Antonino**, dit **Leto de Capri**
Né le 14 juin 1844 à Monreale (près de Palerme). Mort le 31 mai 1913 à Capri. XIXe-XXe siècles. Italien.
Peintre de genre, paysages animés, paysages, marines.
Il fit ses études à Florence auprès des artistes *macchiaioli*, puis travailla à Naples auprès de Domenico Morelli. Il débuta vers 1880 et exposa à Rome, à Palerme et à Turin.
Ce fut son séjour à Paris et la fréquentation des jeunes impressionistes et de Giuseppe de Nittis qui influencèrent définitivement son style.

Ventes Publiques : Paris, 1899 : *Villa à Capri* : **FRF 195** ; *Une maison à Capri* : **FRF 260** – Londres, 7 mai 1901 : *Scène sur une route d'Italie* 1875 : **GBP 3** – Milan, 26 nov. 1968 : *Marine* : **ITL 680 000** – Londres, 13 juin 1969 : *Le pique-nique* : **GNS 800** – Milan, 17 oct. 1972 : *Paris* 1876 : **ITL 1 700 000** – Rome, 12 nov. 1974 : *Marina di Capri* : **ITL 850 000** – Milan, 28 oct. 1976 : *Marine,* h/pan. (14x35) : **ITL 600 000** – Londres, 5 oct 1979 : *Bougival* 1878, h/t (25x33) : **GBP 6 000** – Londres, 24 juin 1981 : *Vue de Capri,* h/t (44x73) : **GBP 1 900** – Milan, 8 nov. 1983 : *Marina col monte Pellegrino,* h/t (24x45) : **ITL 6 500 000** – Rome, 16 mai 1985 : *Vue de Capri,* h/t (27x42) : **ITL 5 000 000** – Rome, 16 mai 1986 : *Strada a Boccadifalco,* h/pan. (33x21) : **ITL 4 000 000** – New York, 25 fév. 1988 : *Près du puits,* h/t (34,8x52) : **USD 8 250** – Londres, 5 mai 1989 : *Dorothy et ses tantes à Naples* 1897, h/t (36x52) : **GBP 3 300** – Londres, 6 oct. 1989 : *Près de Naples,* h/pan. (32x18,5) : **GBP 10 450** – Londres, 16 fév. 1990 : *Les*

ramasseurs de fagots, h/pan. (20,6x29,9) : **GBP 2 640** – ROME, 29 mai 1990 : *L'escalier*, h/t (35,5x25,5) : **ITL 27 600 000** – ROME, 4 déc. 1990 : *Ischia vue depuis Portici*, h/pan. (10x18) : **ITL 2 400 000** – ROME, 16 avr. 1991 : *Capri*, h/pan. (30x16,5) : **ITL 40 250 000** – LONDRES, 29 nov. 1991 : *Après-midi d'été*, h/t (38,7x64,2) : **GBP 39 600** – MILAN, 19 mars 1992 : *Barques sur une plage*, h/t (36x57) : **ITL 18 400 000** – LONDRES, 19 nov. 1993 : *Capri*, h/pan. (26x42,1) : **GBP 8 740** – MILAN, 22 nov. 1993 : *La femme du pêcheur*, h/t (41x28,5) : **ITL 35 355 000** – LONDRES, 16 mars 1994 : *Scène de rue à Florence* 1876, h/t (49x82,5) : **GBP 71 900** – ROME, 6 déc. 1994 : *Sous la pergola*, h/t (53x73) : **ITL 21 213 000** – ROME, 5 déc. 1995 : *Petite marine à Capri*, h/bois (21x35) : **ITL 15 321 000** – ROME, 23 mai 1996 : *A la plage*, h/pan. (28x17) : **ITL 11 500 000** – ROME, 28 nov. 1996 : *Pêcheurs à Sorrente*, h/t (18x30) : **ITL 6 000 000** – LONDRES, 26 mars 1997 : *Montrant le chemin*, h/t (28x40) : **GBP 6 900** – LONDRES, 21 nov. 1997 : *Enfants nageant à Capri avec le Vésuve en arrière-plan*, h/t (50,5x81,8) : **GBP 13 800**.

LETOFFE
XVIIe siècle. Français.
Peintre de genre et de portraits.
Élève d'Antoine Le Nain vers 1630. Il imita son maître et ses œuvres sont généralement attribuées à Le Nain.

LE TOMBE Philippe
XVIIe-XVIIIe siècles. Éc. flamande.
Peintre.
Il fut reçu maître à Anvers en 1705.

LÉTONNÉ Henry
XVIIIe siècle. Actif à Paris. Français.
Sculpteur sur bois.
Il fut reçu maître en 1753.

LETORSAY-TAINE Virginie
Née au XIXe siècle à Vouziers (Ardennes). XIXe siècle. Française.
Portraitiste et peintre de fruits.
Élève de Duchesne, Sabatier et Lix. Elle débuta au Salon de 1876.

LE TORT Jacques
XVIIe siècle. Actif au Mans. Français.
Sculpteur.
Il fit pour l'église de Parigné-l'Évêque, en 1637, une statue de la *Vierge* et une statue de *Saint Jean-Baptiste* et il sculpta, en 1651, la boiserie de l'autel de Congé-sur-Orne.

LETORT V.
XIXe siècle. Active à Paris. Française.
Portraitiste.
Elle exposa au Salon, en 1831 et 1834.

LETOULA Jules
Né le 1er août 1832 à Paris. XIXe siècle. Français.
Peintre et lithographe.
Élève de J.-P. Laurens. Il débuta au Salon de 1877. Il a gravé d'après les maîtres anciens, Salvator Rosa, Rembrandt, et d'après les maîtres modernes, J.-P Laurens, Delacroix, Henner, etc. A partir de 1896 il exposa à la Nationale des Beaux-Arts. Il a participé aux Salons du Blanc et Noir. Médaille de 3e classe en 1884, mention honorable en 1900 (Exposition Universelle).

LE TOUMELIN Yahne
Née le 27 juillet 1923 à Paris. XXe siècle. Française.
Peintre, aquarelliste, peintre de décors de théâtre.
Née à Paris, mais fille de marin (et sœur du navigateur solitaire homonyme), elle a passé une grande partie de son enfance au Croisic et son nom dit assez qu'elle appartient au pays de la mer. La mer, on la retrouvera toujours présente, en transparence, derrière ses peintures les moins figuratives. Elle a commencé par fréquenter l'atelier de la Grande Chaumière, à Paris, en 1944. De 1950 à 1952, elle réalisa des travaux graphiques pour l'Institut Français de Mexico.
Elle figura, à Paris, de 1957 à 1959, au Salon Comparaisons, en 1960 à l'Exposition *Essai pour une peinture de demain*, présentée par René Drouin, de 1961 à 1967 au Salon des Surindépendants, de 1962 à 1964 au Salon de Mai, en 1966 et 1969 au Salon d'Art Sacré. En 1966, elle participe aux *Rencontres d'Octobre*, au Musée de Nantes et, en 1967, au Salon des Artistes Français, à Paris ; etc. Après une première exposition à Paris, préfacée par André Breton, en 1957, elle continua à montrer ses œuvres dans des expositions personnelles, à Paris, en 1963 et en 1970.
Les rares femmes peintres que compte chaque génération ont du mal à imposer leur peinture, et pourtant ils ne sont pas foule les peintres qui ont bénéficié d'une présentation d'exposition par André Breton comme ce fut le cas de Yahne Le Toumelin, en 1957, ni foule les peintres qui dominent comme elles, une technique apparemment entre informel et « dripping ». En 1969, elle réalisa les décors et costumes du ballet : *Les Vainqueurs*, pour la Compagnie de Maurice Béjart. Ajoutons que Yahne Le Toumelin est rattachée, depuis 1968, à un monastère Tibétain, ce qui complète le portrait spirituel du peintre de qui André Breton, dès 1957, écrivait : « La réussite d'une œuvre dépend de l'*état* intérieur (supposant l'équilibre au plus haut degré de tension vers la sagesse) de celui qui la crée ». ■ J. B.
VENTES PUBLIQUES : PARIS, 25 nov. 1987 : *Transparence* 1958-1959, h/pan. (65x50) : **FRF 4 500** – PARIS, 11 mars 1991 : *Composition*, h/pap./t. (236x102) : **FRF 3 500**.

LÉTOURNEAU Édouard
Né en 1851 à Paris. Mort en 1907. XIXe-XXe siècles. Français.
Sculpteur, peintre.
Il débuta au Salon de 1874.
VENTES PUBLIQUES : LONDRES, 7 juin 1984 : *Cheval arabe sellé* vers 1890, bronze patine brune (H. 41) : **GBP 1 100** – LONDRES, 6 nov. 1986 : *Guerrier indien à cheval* vers 1880, bronze patine brune (H. 58) : **GBP 1 900** – NEW YORK, 14 oct. 1993 : *Guerrier arabe à cheval*, bronze (H. 87,6) : **USD 4 830** – PARIS, 11 déc. 1995 : *Cheval arabe sellé*, bronze (40,5) : **FRF 20 000**.

LETOURNEAU Eugène
Né au XIXe siècle à Paris. XIXe siècle. Français.
Miniaturiste.
Élève de H. Deon. Il exposa des portraits-miniatures, de 1865 à 1870.

LETOURNEAU Louis Alexis
Né vers 1850 à Paris. Mort en 1909 à Paris. XIXe-XXe siècles. Français.
Portraitiste et peintre de genre.
Élève de Bouguereau, T. Robert-Fleury et Blin. Il débuta au Salon en 1880. Il obtint une mention honorable en 1895, une médaille de bronze en 1900 (Exposition Universelle), une médaille de troisième classe en 1903.

LETOURNEAU-LOIS-PENNROZE L. M., Mlle
Née au XXe siècle à Paris. XXe siècle. Française.
Peintre.
Elle fut, à partir de 1900, sociétaire du Salon des Artistes Français, à Paris.

LETOURNEUR David
XVIIe siècle. Travaillant à Dieppe vers 1686. Français.
Sculpteur-ivoirier.

LETOURNEUR France Marie
Née en 1915. XXe siècle. Française.
Peintre, technique mixte, aquarelliste, graveur. Polymorphe.
À Paris, elle fut élève des écoles des Arts Appliqués et des Beaux-Arts. Elle fut professeur de dessin des lycées.
Elle participe à des Salons régionaux, obtenant diverses distinctions. En 1992, elle a figuré à l'exposition intitulée *De Bonnard à Baselitz* à la Bibliothèque nationale à Paris.
Elle intègre dans sa peinture des matériaux insolites, verre, cailloux, ardoise. Sa peinture évolue du réalisme à l'abstraction, s'inspirant des mouvements des quatre éléments naturels.
BIBLIOGR. : In : *De Bonnard à Baselitz – Dix ans d'enrichissements du Cabinet des Estampes 1978-1988*, catalogue de l'exposition, Bibliothèque nationale, Paris, 1992.
MUSÉES : PARIS (Cab. des Estampes).

LE TOURNEUR J.
XVIIe siècle. Français.
Peintre.
L'église de Pont-de-l'Arche (Eure) possède de sa main un tableau d'autel signé et daté de 1642.

LETOURNEUR René
Né le 26 novembre 1898 à Paris. XXe siècle. Français.
Sculpteur.
Il fut élève de l'École des Beaux-Arts à Paris. Il exposa, à Paris, au Salon des Artistes Français. Il y obtint une médaille de bronze et mérite, avec Jacques Zwoboda, le prix pour le monument Bolivar édifié à Quito. Il obtint le grand prix de Rome en 1926.
Il a réalisé depuis la guerre de nombreux reliefs et groupes à intégrer dans des ensembles administratifs. Il a également reçu

des commandes officielles pour des lycées. En 1961, il a réalisé le buste de S. M. Mohamed V à Rabat.
Ventes Publiques : Paris, 27 fév. 1997 : *Nu* 1971, bronze (H. 36) : **FRF 3 500.**

LE TOURNIER J. M.
xxe siècle. Français.
Peintre, dessinateur.
L'écrivain Jules Romain a préfacé une exposition générale de ses œuvres en 1929.
Ventes Publiques : Paris, 20 juin 1944 : *Paysage en Beauce*, aquar. : **FRF 17 000** – Paris, 19 jan. 1945 : *Lorient. Le Port*, aquar. : **FRF 8 000.**

LETOURNILLE de
xviiie-xixe siècles. Français.
Peintre de genre, portraits.
Il exposa à Paris où il travaillait en 1808 et en 1812.

LE TRIVIDIC Pierre
Né en 1898 en Bretagne. Mort en 1960. xxe siècle. Français.
Peintre de marines, paysages d'eau animés. Postimpressionniste.
On le compte au nombre des peintres de l'École de Rouen. Le thème central de l'œuvre de Le Trividic est en effet Rouen, le port, les bords de Seine, les régates.

Ventes Publiques : Paris, 12 fév. 1989 : *Paquebots à quai à Rouen*, aquar. (49x58) : **FRF 12 000** – Paris, 18 juin 1989 : *Vieilles Maisons à Elbeuf* 1956, h/t (65x81) : **FRF 19 000** – Rouen, 2 déc. 1990 : *Le port de Rouen vu de Canteleu* 1934, h/t (54x73) : **FRF 100 000** – Paris, 24 juin 1991 : *Remorqueur sur la Seine* 1925, h/cart. (40x61) : **FRF 22 000** – Douarnenez, 20 juil. 1991 : *Noce au pays bigouden*, h/t (73x92) : **FRF 41 000** – Paris, 30 nov. 1992 : *Rouen, le port*, aquar. avec reh. de gche (50x65) : **FRF 32 000** – Paris, 2 juin 1993 : *Le Repas familial* 1943, h/t (50x61) : **FRF 47 500** – Paris, 24 nov. 1996 : *Rouen, le port* vers 1932, aquar. et reh. de gche/pap. (50x65) : **FRF 11 500.**

LETRONC Ludovic ou **Letronne**
Né au xixe siècle à Bonnétable (Sarthe). Mort en 1889 à La Motte-sur-Céton (Orne). xixe siècle. Français.
Peintre de marines.
Élève de Th. Rousseau. Il débuta au Salon en 1864 et exposait encore en 1881. Le Musée de Narbonne conserve de lui *Bords de la Nive* et le Musée du Mans, *Vue de la rivière de Fontarabie, Un séchoir ou jardin abandonné.*
Ventes Publiques : Paris, 1880 : *Grève près de Saint-Jean-de-Luz* : **FRF 115.**

LETRONNE Louis René
Né en 1790 à Paris. Mort en 1842 à Paris. xixe siècle. Français.
Peintre et dessinateur.
Élève de David. En 1817, il se rendit à Varsovie et y ouvrit une école de dessin et de peinture. En 1829 il revint à Paris, mais il quitta cette ville pour se rendre à Dresde et à Munich ; après quelques années il retourna à Paris où il se suicida en 1842. Pendant son séjour à Varsovie, il peignit un *Portrait du Comte Stanislas Potocki, ministre et président du Sénat* (collection du comte Potocki à Vilanov près de Varsovie).
Musées : Posen (Mielzynski) : *Luise Nakwaska.*
Ventes Publiques : Paris, 1er mars 1943 : *Portrait de Franz Schubert* : **FRF 1 750.**

LE TROSNE Charles
xviie siècle. Travaillant à Paris de 1645 à 1649. Français.
Peintre.

LETSCH Louis
Né le 19 août 1856 à Wolfurt près de Bregenz. xixe siècle. Autrichien.
Peintre de fleurs.
Le Musée de Mulhouse conserve de lui *Azalées.*

LETSCHERT Jean
Né en 1939 à Bruxelles. xxe siècle. Belge.
Peintre, sculpteur. Symboliste.
Il a été très influencé par la philosophie indienne.
Bibliogr. : In : *Diction. biographique illustré des artistes en Belgique*, Arto, Bruxelles, 1987.

LETTENBÜHLER Mathias ou **Lettenbichler**
xviie siècle. Actif à Passau (Bavière). Allemand.
Peintre.
L'église de Brunnenthal et la sacristie de l'église collégiale de Saint-Florian possèdent de ses œuvres.

LETTER Franz
Né en 1621 à Zug. Mort le 25 février 1693. xviie siècle. Suisse.
Peintre.

LETTER Joseph
Né le 12 août 1845 à Oberaegeri (Suisse). Mort le 7 novembre 1907 à Oberaegeri (Suisse). xixe-xxe siècles. Suisse.
Peintre d'histoire et de portraits.
Il étudia à Zug et Stans. La chapelle de Mitteldorf-Oberaegeri possède de sa main un *Saint Sébastien.*

LETTER Kaspar
Né le 16 novembre 1608 à Zug. Mort le 10 janvier 1663 à Zug. xviie siècle. Suisse.
Peintre de fresques.
Marié le 1er octobre 1628, membre de la corporation de Saint-Luc dès 1625. Il orna de fresques les églises de Zurzach.

LETTER Kaspar, le Jeune
Né le 11 août 1637 à Zug. Mort le 16 avril 1703. xviie siècle. Suisse.
Peintre de sujets religieux.
Membre de la Corporation de Saint-Luc en 1659 ; marié en 1661. Son œuvre comprend un grand nombre de toiles représentant toute la *Vie de saint François et de sainte Claire* (au couvent des Capucines de Zug) et *Le baptême de Jésus-Christ* (au maître-autel de l'église de Menzingen).

LETTERINI. Voir **LITTERINI**

LETTIERI Giuseppe
Né le 24 juin 1860 à Naples. xixe siècle. Italien.
Sculpteur.
On cite, parmi ses œuvres, des statues de saints à la façade de la cathédrale de Naples, des statues d'anges au cimetière de Sorrente, celles de *Saint Dominique* et de *Saint Thomas* à l'église S. Sominique à Naples et celles du *Tasse* et de *D. Cotugno* dans la salle des fêtes de l'Université de Naples.

LETTIN Ninet Jacques de. Voir **LESTIN Jacques de**

LETTON Thomas
xviiie siècle. Actif vers 1790. Britannique.
Graveur.
On cite parmi ses œuvres la planche *Présence d'esprit de Marguerite d'Anjou* (en collaboration avec V. M. Picot), d'après James Barrallet et *Monument pour Garrick*, d'après J. P. Loutherbourg, ainsi que des ex-libris pour A. Shepherd.

LETTRE Eusebio de
Né au xixe siècle à Barcelone. xixe siècle. Actif à Madrid. Espagnol.
Lithographe.
Il collabora aux illustrations de différents ouvrages, parmi lesquels *Historia del Escorial*, d'A. Rotondo, et *Histoire de Madrid*, d'Amador de los Rios. Il lithographia des *Vues de Paris.*

LETTRE Pieter de ou **Letter**
xviie siècle. Hollandais.
Peintre.
Il fut reçu à la gilde de Saint-Luc en 1644. Il travailla de 1648 à 1650 à Leid.

LETTRISTE, Groupe
xxe siècle.
Voir par exemple ISOU Isidore, LEMAÎTRE Maurice.

LETTU Gabriel
xixe siècle. Travaillant à Auch (Gers). Français.
Peintre de portraits et de paysages et aquarelliste.
Le Musée d'Auch conserve quatre de ses œuvres d'intérêt local.

LETUAIRE Pierre
Né le 6 août 1798 à Toulon (Var). Mort le 5 septembre 1884 à Toulon. xixe siècle. Français.
Peintre de sujets militaires, paysages, aquarelliste, caricaturiste, graveur.
Étant chef de famille dès l'âge de seize ans, il dut gagner sa vie en

dessinant des en-têtes de papier à lettre et en étant décorateur de tissus. Il ne put, malgré son désir, aller étudier à Paris ; il fut seulement, pendant de longues années, professeur de dessin au collège et dans les écoles de Toulon.
Il est l'auteur de plusieurs aquarelles, retraçant des épisodes de l'épopée napoléonienne, la guerre de Crimée, l'expédition d'Afrique, mais aussi des paysages de la côte toulonnaise. Ses caricatures prennent un caractère expressionniste et lui ont valu le surnom de « Daumier toulonnais ». Il a également illustré plusieurs ouvrages, dont : *Les cinq parties du monde* en 1829.
Bibliogr. : Gérald Schurr, in : *Les Petits Maîtres de la peinture 1820-1920, valeur de demain*, Les Éditions de l'Amateur, t. III, Paris, 1976.
Musées : Toulon.
Ventes Publiques : Paris, 13 déc. 1935 : *Petit cours de géométrie humoristique*, deux aquar. contenant 46 sujets : **FRF 40** – Paris, 1976 : *La prise de Contanstinople* 1837, aquar. (50x72) : **FRF 2 100**.

LETY Hippolyte
Né le 24 janvier 1878 à Vienne (Isère). xxe siècle. Français.
Peintre de portraits.
Il fut élève de Bonnat et de Ferdinand Humbert.
Il figura, à Paris, au Salon des Artistes Français où il obtint une médaille de troisième classe en 1908, le prix Raigecourt-Goyen en 1925 et une médaille d'or en 1926.
Musées : Sydney : *Venise*.

LEU August, le Jeune
Né le 18 avril 1852 à Düsseldorf. Mort le 10 mai 1876 à Düsseldorf. xixe siècle. Allemand.
Peintre de paysages et d'animaux.
Élève de son père August Wilhelm Leu et de Rudolph Koller à Zurich.

Ventes Publiques : Lucerne, 2 juin 1981 : *Lavandières et barques au bord du lac* 1872, h/t (80,5x112) : **CHF 30 000**.

LEU August Wilhelm
Né en 1819 à Munster. Mort en 1897. xixe siècle. Allemand.
Peintre de paysages animés, paysages d'eau, paysages de montagne.
Élève de Shirmer à l'Académie de Düsseldorf, il se perfectionna en séjournant en Norvège, en Suisse, en Autriche et en Italie. Il fut professeur et devint membre de l'Académie de Berlin. Il prit part à l'Exposition Universelle de Paris en 1878. Il avait obtenu des mentions honorables en 1855 (Exposition Universelle) et en 1863.
Musées : Brême : *Montagnes et cascade en Norvège – Fjord de Hardanger* – Breslau, nom all. de Wroclaw : *Oehsenfjord* – Hanovre : *Cascade – Défilé* – Kaliningrad, ancien. Königsberg : *Chute d'eau – Plateau norvégien – Tristelwand près d'Alt-Russee* – Oslo : *Paysage norvégien avec cascade* – Stuttgart : *Haute montagne* – Vienne (coll. Czernin) : *Lac Inférieur*.
Ventes Publiques : Amsterdam, 1880 : *Paysage en Norvège* : **FRF 6 550** ; *Autres paysages* : **FRF 3 100** – Paris, 15 juin 1934 : *Le Village dans la vallée* : **FRF 1 200** – Londres, 21 jan. 1966 : *Paysage norvégien* : **GNS 420** – Cologne, 15 nov. 1972 : *Vue d'un fjord* 1867 : **DEM 5 000** – Vienne, 20 mars 1973 : *Paysage montagneux* 1867 : **ATS 50 000** – New York, 9 oct. 1974 : *Paysage montagneux* : **USD 4 000** – Bruxelles, 15 juin 1976 : *Paysage fluvial au coucher de soleil* 1862, h/t (39x62) : **BEF 36 000** – New York, 11 oct 1979 : *Lac alpestre* 1856, h/t (59,5x76,2) : **USD 4 800** – Lucerne, 6 nov. 1981 : *Vue d'une ville d'Italie* 1864, h/t (115,5x160) : **CHF 38 000** – Genève, 25 nov. 1983 : *Paysage montagneux* 1856, h/t (62,5x89) : **CHF 8 200** – Vienne, 11 sep. 1985 : *Paysage fluvial montagneux*, h/t (102x141) : **ATS 70 000** – Londres, 26 nov. 1986 : *Vue d'un fjord au ciel nuageux* 1876, h/t (88x124) : **GBP 5 500** – Vienne, 18 mars 1987 : *Vue d'un fjord* 1861, h/t (91,5x127) : **ATS 90 000** – Glasgow, 22 nov. 1990 : *Paysage alpestre avec une ferme près d'un torrent* 1846, h/t (92,1x125,7) : **GBP 3 850** – Douai, 24 mars 1991 : *La Forêt de Fontainebleau* 1879, h/cart. (25x35) : **FRF 12 000** – Londres, 11 avr. 1995 : *Village du sud de l'Italie au soleil couchant* 1865, h/t, une paire (chaque 88x123) : **GBP 14 950** – Munich, 27 juin 1995 : *Paysage de montagne* 1851, h/t (120,5x180) : **DEM 11 500** – Londres, 12 juin 1996 : *Accostage* 1845, h/t (82x110) : **GBP 2 645** – Vienne, 29-30 oct. 1996 : *Bergère endormie avec son troupeau devant un lac de montagne* 1870, h/t (119,5x163,5) : **ATS 276 000** – Amsterdam, 5 nov. 1996 : *Voyageurs sur un chemin dans un paysage montagneux* 1853, h/t (92x130) : **NLG 9 204**.

LEU Franz Anton
xixe siècle. Actif à Saint-Gall. Suisse.
Peintre de portraits.
La Bibliothèque de la ville de Saint-Gall possède les portraits du *Doyen C. Zollikofer* et du *Docteur Forrer*, signés de cet artiste et datés respectivement 1804 et 1807.

LEU Hans, l'Ancien ou **Leuw** ou **Low**
Né entre 1465 et 1475 probablement à Bade. Mort en 1507 ou 1508. xve-xvie siècles. Suisse.
Peintre de compositions religieuses, paysages.
Marié en 1496, il se fixa à Zurich, où il travailla une bonne partie de sa vie. On cite de lui deux *Vues de Zurich*, de 1497, à la salle de l'hôtel de ville de Melling et au Schweizerisches Landesmuseum et deux tableaux d'autel, dont le premier représente *Sainte Marie-Madeleine et saint Jean-Baptiste entourant le Christ* et le deuxième *Sainte Barbe et saint Jérôme* (l'un et l'autre au Schweizerisches Landesmuseum). Souvent identifié au Maître à l'Œillet de Zurich (voir aussi ce nom).
Bibliogr. : In : *Diction. de la peint. allemande et d'Europe centrale*, coll. Essentiels, Larousse, Paris, 1990.

LEU Hans, le Jeune
Né vers 1490 à Zurich. Mort le 24 octobre 1531, sur le champ de bataille de Kappel. xvie siècle. Suisse.
Peintre.
Fils de Hans Leu l'Ancien, il voyagea en Allemagne après la mort de son père, et y fut fortement impressionné par les œuvres de Dürer, d'Altdorfer et de Baldung Grien. En 1513, il retourna dans son pays et se maria avec Verena Ott. Celle-ci étant morte en 1519, l'artiste se remaria en 1524 avec Regula Haldenstein. Parmi ses œuvres on cite deux pendants d'autel, *Maurice et la Légion thébaine* et *Sainte Marguerite, saint Nicolas et saint Martin*, de 1510 (tous les deux au musée suisse de la Campagne). Le Musée de Bâle conserve aussi plusieurs de ses ouvrages. Après la Réforme, couvents et églises de Suisse, complètement appauvris, ne procuraient plus aucun travail aux artistes, que la nouvelle religion, iconoclaste, réduisait au seul art du portrait. En outre, l'Europe du début du xvie siècle était déchirée par les guerres et leurs séquelles de misère et de crime. C'est pourquoi, on trouva alors cette étrange engeance des « peintres-lansquenets », dont les trois cas les plus connus furent : Nicolas Manuel Deutsch, qui réussit à consacrer plus de temps à son art qu'aux armes, finissant même sa vie dans la peau d'un bon bourgeois, Urs Graf et Hans Leu le Jeune, seul d'entre eux à avoir laissé la vie sur un champ de bataille. Si celui-ci commença de signer ses œuvres de l'œillet de l'atelier paternel, il adopta bientôt le poignard, dont les autres peintres-lansquenets accompagnaient leurs initiales. Comme ceux-ci, il mena une existence orageuse, dont on ne connaît guère les détails qu'à travers les dossiers des procès engagés contre lui, jusqu'à son emprisonnement à Wellenberg. S'il adopta la technique de la détrempe sur toile, que pratiquait Manuel Deutsch, c'est l'influence de Baldung Grien, de qui il fut l'élève à Fribourg-en-Brisgau, après avoir été celui de Dürer à Nuremberg, qui marqua ses propres œuvres, dans le sentiment du tragique, l'obsession de la mort et une coloration fantastique généralisée. Son œuvre, rendue rare par ses occupations guerrières et sa vie dissolue, reflète les violences d'une époque qu'il prit à l'abordage, en « gibier de potence », frère des compagnons de François Villon, pratiquant cet humour noir que les Allemands disent « galgenhumor » (humour de la potence), dont on retrouvera l'écho, à la charnière des xixe-xxe siècles, dans les *Galgenlieder* (Chansons de la potence) de Christian Morgenstern, dont le nom désigne aussi la masse d'armes précisément utilisée par les lansquenets du temps de Hans Leu. Pourtant ses œuvres échappèrent souvent aux atrocités de sa vie aventureuse, et il retrouva des accents idylliques pour peindre un *Orphée charmant les animaux*, ou pour dessiner les paysages rencontrés au hasard de son errance. ■ Jacques Busse
Bibliogr. : Marcel Brion : *La Peinture allemande*, Tisné, Paris, 1959 – Pierre du Colombier, in : *Diction. Univers. de l'Art et des Artistes*, Hazan, Paris, 1967.
Musées : Bâle : *L'emprisonnement du Christ – Orphée et les animaux sauvages* – Rotterdam (Boymans) : *Sainte famille* – Vienne (Albertina) : *Convives attablés* – Zurich : *Saint Jean et un autre saint – Loth et ses filles – Martyre des saints de Zurich – Saints*.
Ventes Publiques : Londres, 14 juil. 1936 : *Pietà*, pl. : **GBP 336** –

Monte-Carlo, 3 avr. 1987 : *Saint Jean Baptiste présentant la Vierge et l'Enfant* 1521, h/pan./t., fond or (102x63) : **FRF 400 000**.

LEU Heinrich
Né en 1528 à Zurich. Mort en décembre 1577 ou janvier 1578 à Aarau. xvie siècle. Suisse.
Peintre verrier.
Petit-fils d'Hans Leu l'Ancien, il travailla à Zurich et Aarau. Deux vitres peintes de sa main sont conservées dans le chœur de l'église d'Ober-Erlinsbach.

LEU Max
Né le 26 février 1862 à Soleure. Mort le 4 février 1899 à Bâle. xixe siècle. Suisse.
Sculpteur.
Fit ses premières études dans sa ville natale, puis se rendit à Bâle où il fréquenta l'atelier du sculpteur Gürtler. En 1880 nous le trouvons à Lyon, en 1881 à Paris ; il devient élève de l'École des Beaux-Arts dans l'atelier de Cavelier. En 1898, l'artiste retourne en Suisse où il mène une vie laborieuse coupée de quelques voyages. Il meurt très jeune, en pleine activité. Il est l'auteur du monument de *Daniel Richard*, à Locle, ainsi que des bustes de l'évêque *Fiala* (à Soleure) et du conseiller *Frey* (à Berne).

LEU Oscar
Né le 23 mars 1864 à Düsseldorf. Mort en 1942. xixe-xxe siècles. Actif à Munich. Allemand.
Peintre de paysages.
Il fut élève des Académies de Munich et de Berlin, ainsi que de son père August Wilhelm Leu. Il travailla à Dessau et Munich. On cite de sa main dans une collection de Lübeck le tableau *Après la pluie*.
Ventes Publiques : Cologne, 26 oct. 1984 : *Paysage alpestre*, h/t (60x80) : **DEM 4 000**.

LEU Otto Friedrich
Né le 18 avril 1855 à Düsseldorf. Mort le 30 janvier 1922 à Berne. xixe-xxe siècles. Allemand.
Paysagiste et peintre de genre.
Élève de son père August Wilhelm Leu. Se fixa à Berlin où il exposa à partir de 1887. On cite de lui *Paysage hercynien* et *Idylle au bord d'un lac*.

LEU Thomas de ou **Leeuw** ou **Le Leup**
Né en 1560, d'origine néerlandaise. Mort en 1612. xvie-xviie siècles. Français.
Graveur.
Il fit ses débuts à Anvers, influencé tout d'abord par les Wieriex. On cite de lui une série de 25 planches sur *La Vie de saint François* et de nombreux portraits historiques. Th. de Leu, qui travailla surtout à Paris, à partir de 1576, chez Jean Rahel, est regardé comme un des plus importants graveurs de portraits de son temps. Il épousa la fille du peintre Antoine Caron.
Ventes Publiques : Paris, 4 mai 1927 : *La tonte des moutons* ; *Le travail de la vigne*, les deux : **FRF 3 300**.

LEUBNER Johann Christian
xviie siècle. Actif à Zittau. Allemand.
Peintre.
Il peignit en 1659 le plafond de l'église de Kleinschönau près de Zittau. D'après ses esquisses furent gravés plusieurs portraits par M. Bodenehr, J. C. Boecklin, B. Kilian.

LEUBNER Philipp
xviiie siècle. Actif à Reichenberg (Bohême). Tchécoslovaque.
Peintre.
On cite de sa main des tableaux d'autel dans plusieurs églises de Bohême, parmi lesquels une *Décollation de saint Jacques*, dans l'église de Zapy, une *Assomption*, dans l'église catholique d'Ostritz, et un *Martyre de saint Borromée* dans l'église de Königshain.

LEUCA Liviu
Né le 3 mars 1914 à Satulung-Sacele. xxe siècle. Roumain.
Peintre de paysages, fleurs, portraits, scènes typiques.
Il a été élève à l'Académie de Commerce et d'Industrie de Cluj de 1934 à 1938. Il fut blessé durant la Seconde Guerre mondiale. Il suivit ensuite les cours de l'École d'Art Populaire à Brasov de 1960 à 1963. Il quitta la Roumanie en 1974 pour aller s'établir à Tübingen puis, à Munich, où il vit et travaille. Il a voyagé dans plusieurs pays d'Europe.
Il participe à plusieurs expositions de groupe en Roumanie, en Allemagne alors République Fédérale, en France et en Belgique. Il montre ses œuvres dans une première exposition personnelle en 1970 à Brasov qui fut suivie de trois autres en Roumanie et de cinq autres en Allemagne.
Son œuvre, qui ne s'inscrit dans aucune tendance bien définie aux mouvements d'avant-gardes, est bien le reflet de son attachement à ses racines roumaines. Dans l'ensemble figuratif, son art est une appréciation somme toute traditionnelle de la réalité.
Bibliogr. : Ionel Jianou et divers, in : *Les Artistes roumains en Occident*, American Romanian Academy of Arts and Sciences, Los Angeles, 1986.

LEUCH Karl Joseph
Né le 17 septembre 1871 à Zurich. Mort en 1913 à Zurich. xixe-xxe siècles. Suisse.
Sculpteur.
Il travailla au Palais du Parlement de Berne et participa aux expositions de Zurich en 1897 et de Bâle en 1898.

LEUCHSENRING Carl Christian
Mort vers 1809. xviiie-xixe siècles. Actif à Dresde vers 1775. Allemand.
Graveur.
Il a gravé des portraits et des paysages.

LEUCHT Friedrich
Né en 1728 à Bâle. Mort en 1792. xviiie siècle. Suisse.
Paysagiste et peintre d'architectures.

LEUCHTE Paul
Né le 26 octobre 1798 à Ulm. Mort le 4 juin 1854 à Ulm. xixe siècle. Allemand.
Lithographe et graveur.
La Bibliothèque municipale et le Musée d'Ulm conservent de sa main des esquisses et des études de nus. Il grava des *Vues d'Ulm* à l'aquatinte.

LEUCHTENBERG August Karl Eugen Napoleon de, duc
Né le 9 décembre 1810 à Milan. Mort le 28 mars 1835 à Lisbonne. xixe siècle. Autrichien.
Dessinateur et graveur à l'eau-forte, amateur.
Il a gravé des animaux et des paysages.
Musées : Munich (mun.) : *Un grenadier couronne le buste de Napoléon*.

LEUCK Hector
Né en 1934 à Bavay (Nord). xxe siècle. Français.
Peintre. Groupe Art-Cloche.
Il est également poète et éditeur. Il fut assimilé à la mouvance de l'art cloche, groupe informel fondé en 1981, qui occupa un « squatt » de la rue d'Arcueil à Paris, se réclamant de Dada et de Fluxus.
Bibliogr. : In : *Art Cloche. Élément pour une rétrospective. Squatt artistique*, catalogue de ventes, Me Pierre Cornette de Saint-Cyr, lundi 30 janvier 1989, Paris.
Ventes Publiques : Paris, 24 jan. 1986 : *La Lame de rasoir* 1985, plâtre et bois (H. 150) : **FRF 8 100** – Paris, 9 avr. 1989 : *Loques de Leuck N°18*, techn. mixte/pan. (136x51) : **FRF 5 500** – Paris, 10 juin 1990 : *Loques de Leuck n° 36 – Défenestration*, techn. mixte/t. (81x116) : **FRF 6 000** – Paris, 7 fév. 1991 : *Loques de Leuck n° 69*, plâtre, tissu et peint./t. (130x90) : **FRF 9 000**.

LEUCZELLBURGER. Voir **LÜTZELBURGER**

LEUDEL André
xviie siècle. Actif vers la fin du xviie siècle. Français.
Peintre.
Le Musée du Prado, à Madrid, conserve de lui *Masinissa pleurant la mort de Sophonisbe*.

LEUDESDORF David Jacob
Né vers 1794 à Neviges près d'Elberfeld. Mort le 2 mars 1871 à Hambourg. xixe siècle. Allemand.
Lithographe.
Il fonda un Institut de lithographie à Hambourg et publia de nombreuses vues après l'incendie de cette ville.

LEUDET Suzanne
Née le 16 juin 1868 à Paris. xixe-xxe siècles. Française.
Peintre.
Figura au Salon des Artistes Français. Membre de cette société depuis 1903.

LEUDNER Joseph
Né en 1813 à Oberkirch (Bade). Mort en 1853 à Munich. xixe siècle. Allemand.
Graveur et peintre.

On cite, parmi ses œuvres, *L'Annonciation*, d'après J. Von Schraudolph et *Les Vierges folles et les Vierges sages*, d'après J. Führich.

LEUENBERGER Ernst Otto
Né le 13 septembre 1856 à Berne. Mort en 1937. XIXe-XXe siècles. Suisse.
Peintre d'histoire, scènes de genre, paysages.
De 1876 à 1878 élève de l'École des Beaux-Arts de Stuttgart, puis élève de Alexander von Wagner à l'Académie de Munich. On cite de lui *Mendiant espagnol* (Zurich), *Vue en février, effet de neige* (à l'Exposition de Genève, 1896), *L'ami de l'oiseau ; Un Décret inattendu*, et, parmi ses œuvres humoristiques *Le Gardien de nuit*.
Musées : Berne : *Tête d'étude – Peleuse de pommes – Au printemps.*
Ventes Publiques : Zurich, 3 avr. 1996 : *Enfants jouant avec une luge* 1893, h/t (57x38) : **CHF 1 000.**

LEUENSTEDE Hinrick. Voir **LEVENSTEDE**

LEUFERT Gerd
Né en 1914 en Lituanie. XXe siècle. Actif au Venezuela. Lituanien.
Peintre, dessinateur. Abstrait-géométrique.
Il reçut sa formation artistique, d'abord à Hanovre et à Munich, puis aux États-Unis, dans les Instituts d'Art Pratt et dans l'Iowa, enfin à l'École des Arts Graphiques de Caracas.
Il montra ses œuvres graphiques dans des expositions personnelles à San Francisco, Los Angeles, Caracas (1954), Bogota, Munich, Linz, etc.
Il abandonna progressivement le seul graphisme, pour l'intégrer dans la pratique de la peinture.
Bibliogr. : In : *Peintres contemporains*, Mazenod, Paris, 1964 – Damian Bayon et Roberto Pontual : *La Peinture de l'Amérique latine au XXe s.*, Mengès, Paris, 1990.

LEUHUSEN Adelaïde, baronne, née **Valerius**
Née en 1828. XIXe siècle. Suédoise.
Peintre de portraits.
Elle travailla à Helsingborg, Stockholm et Berlin. Sans doute parente de Bertha Valerius.
Musées : Norrkoping : *Étude* – Stockholm (Nordique) : *Portrait de Tekla Kistner.*

LEUIS Daniel ou **Leunis**. Voir **LOUIS**

LEULER A.
XIXe siècle. Actif à Paris. Français.
Lithographe.
Il exposa au Salon en 1831. Il a surtout gravé d'après Charlet.

LEULIE Charles Achille
Né le 12 novembre 1826 à Paris. XIXe siècle. Français.
Sculpteur et graveur en médailles.
Il exposa au Salon, de 1848 à 1869.

LEULLIER Louis Félix
Né le 14 novembre 1811 à Paris. Mort le 23 février 1882 à Paris. XIXe siècle. Français.
Peintre d'histoire, sujets de genre, scènes de chasse.
Élève de Gros. Il exposa au Salon de 1839 à 1870 et obtint une troisième médaille en 1839 et une deuxième médaille en 1841. A décoré la chapelle Saint-Fiacre de l'église Saint-Médard.
Musées : Arras : *Départ des croisés pour la terre sainte – Chasse aux tigres dans les jungles* – Lille : *Les inondés de la Loire* – esquisse – Lyon : *Naufrage du Vengeur* – Marseille : *Scène au Maroc.*
Ventes Publiques : New York, 23 oct. 1990 : *Combats dans l'arène* 1840, h/t (180x259,4) : **USD 27 500.**

LEUMONT Thieri ou **Dirk**
XVIe siècle. Belge.
Peintre verrier.
Actif à Liège, il est mentionné en 1595.

LEUNENS Guillaume
Né en 1914 à Hal. XXe siècle. Actif depuis 1957 en France. Belge.
Peintre. Abstrait.
Il a fait des études classiques à Herentals. Il voyage en Europe, aux États-Unis et au Canada. Il expose depuis 1954 à Bruxelles. Il a également exposé en 1959 à Paris. Il fait partie, depuis 1968, du groupe fondé par Rauschenberg *Art and Technology*. Il vit et travaille également en France, à Paris et en Ardèche.
Son travail est issu de l'expressionnisme flamand avant de connaître un développement par motifs abstraits sur aluminium.
Bibliogr. : In : *Diction. biographique illustré des artistes en Belgique*, Arto, Bruxelles, 1987.
Musées : Bruxelles (Cab. des Estampes) – Neguev – New York (Rockefeller Art Center) – Paris (Cab. des Estampes) – São Paulo – Tel-Aviv – Vienne (Albertina Mus.).

LEUNG Kui-Ting
Né en 1947 à Canton. XXe siècle. Chinois.
Graveur. Abstrait.
Il vit à Hong-Kong et participe à la neuvième Biennale Internationale de l'Estampe de Tokyo, en 1974.

LEUPE Antoine
XVIIIe siècle. Actif à Ypres. Éc. flamande.
Sculpteur.
Il exécuta à Ypres pour la Confrérie de la Bonne Mort deux bas-reliefs, *La Mort* et *Le Mourant*.

LEUPENNIUS Johannes ou **Lupenius** ou **Leupen**
Né en 1647. Mort le 24 décembre 1693 à Amsterdam. XVIIe siècle. Hollandais.
Peintre de paysages, dessinateur, graveur.
Élève de Rembrandt, on croit qu'il travailla à Utrecht. Il épousa, en 1677, Maria Minnyt.
Ses eaux-fortes sont traitées avec une remarquable maîtrise. Elles représentent généralement des vues de Hollande. Il fut également cartographe.
Musées : Amsterdam (Fodor) : *Vue d'Amsterdam* – Bruxelles : *Vue d'une ville* – Vienne (Albertina) : *Un fleuve.*
Ventes Publiques : Paris, 13-15 mai 1929 : *Ville de Hollande au bord d'une rivière*, dess. : **FRF 6 800** – Londres, 14 juil. 1936 : *Paysage*, pl. : **GBP 35** – Paris, 19 nov. 1992 : *Passerelle sur un ruisseau*, pl. en brun (19x23) : **FRF 5 200** – Amsterdam, 17 nov. 1993 : *Chemin à travers bois avec une église à distance*, encre et lav. (8,6x15,3) : **NLG 3 220** – Amsterdam, 15 nov. 1995 : *Paysage avec une passerelle sur une rivière avec une rangée d'arbres au fond*, encre et lav. (11,4x18) : **NLG 5 900.**

LEUPOLD Abraham
Né en 1700 à Aarau. XVIIIe siècle. Suisse.
Peintre verrier.
Marié à Anna-Maria Landolt.

LEUPOLD Isaac
Né vers 1704 à Aarau. Mort le 1er décembre 1759 à Berne. XVIIIe siècle. Suisse.
Peintre.
On cite de lui *Intérieur d'église* (à Berne).

LEUPOLD Jean Jacques
Né vers 1730 dans le canton de Berne. Mort le 19 septembre 1795 à Bordeaux. XVIIIe siècle. Suisse.
Peintre.
Son tableau *Mercure endormant Argus* lui valut son admission comme membre de l'Académie de Vienne en 1760. En 1767 il fut nommé peintre ordinaire de l'hôtel de ville de Bordeaux. Il figura avec de nombreux portraits et tableaux de figures au Salon de Bordeaux.
Musées : Bordeaux : *Portrait d'un membre de la famille Duviella.*

LEUPPI Léo
Né le 28 juin 1893 à Zurich. Mort en 1972 à Zurich. XXe siècle. Suisse.
Peintre, sculpteur de statues, lithographe. Cubiste, puis tendance abstrait-constructiviste.
Il a été élève à la Kunstgewerbeschule de Zurich. Après avoir fait partie du Mouvement Dada à Zurich et avoir travaillé dans une manière cubiste, il fut le fondateur, en 1937, et président de la Société *Die Allianz*, qui regroupait toutes les tendances modernes et d'avant-gardes en Suisse : surréaliste, réaliste, et concrétiste avec Bill, Graeser, Loewensberg et Lohse. En 1940, il a participé à la publication de l'*Almanach neuer Kunst in der Schweiz* qui présentait toutes les tendances en question.
Il a figuré à des expositions de groupe en Italie, en Amérique du Sud, à Paris au Salon des Réalités Nouvelles. En Suisse, il est naturellement présent à toutes les expositions de la peinture moderne suisse. Il a figuré, à Paris, à l'exposition intitulée *Aspects historiques du constructivisme et de l'art concret*, au Musée d'Art Moderne de la Ville de Paris, en 1977, de même qu'à l'exposition *De Bonnard à Baselitz* à la Bibliothèque nationale à Paris en 1992. Il a exposé personnellement à Paris, à Zurich en 1944, 1945 et 1946 à la galerie des Eaux-Vives, et à Genève.

Après sa période cubiste, où il figura des paysages, des personnages et des natures mortes, il a pratiqué une abstraction classique, à tendance constructiviste, en composant de complexes assemblages de plans dans l'espace, évoquant peut-être ce que l'on peut voir à travers les montants d'une fenêtre.

Bibliogr. : Michel Seuphor, in : *Dictionnaire de la peinture abstraite*, Hazan, Paris, 1957 – in : *L'Art du xxe siècle*, Larousse, Paris, 1991 – in : *De Bonnard à Baselitz – Dix ans d'enrichissements du Cabinet des Estampes 1978-1988*, catalogue de l'exposition, Bibliothèque nationale, Paris, 1992.

Musées : Aarau (Aargauer Kunsthaus) : *Renversement* 1950 – Paris (Cab. des Estampes).

Ventes Publiques : Zurich, 24 oct 1979 : *Pietà* 1928, h/t (90x79,5) : **CHF 5 500** – Zurich, 9 nov. 1983 : *Sans titre* 1961, h/t (130x90) : **CHF 6 500** – Zurich, 30 nov. 1985 : *Composition abstraite* 1953, gche /collage (48,7x65,4) : **CHF 2 800** – Zurich, 3 déc. 1987 : *Nocturne II* 1957, h/t (90,5x60) : **CHF 11 000** – Zurich, 25 oct. 1989 : *Composition abstraite* 1933, h/cart. (52,2x64,5) : **CHF 12 000** – Lucerne, 15 mai 1993 : *Sans titre* 1954, gche/pap. (45x61) : **CHF 2 800** – Zurich, 9 juin 1993 : *Variation 2*, cr. et temp./t. (99,5x91) : **CHF 11 500** – Lucerne, 20 nov. 1993 : *Sans titre* 1967, collage de pap. blanc/fond noir (32x46) : **CHF 1 300** – Zurich, 8 déc. 1994 : *Composition* 1957, gche/pap. (61x46) : **CHF 4 600** – Zurich, 30 nov. 1995 : *Figures dans l'espace III* 1937, h/t (65x53) : **CHF 14 950** – Zurich, 25 mars 1996 : *Transformation gris-bleu* 1947, h/t (76x53) : **CHF 8 625** – Zurich, 8 avr. 1997 : *Nature morte* 1932, h/cart. (23x29,5) : **CHF 3 000**.

LEUQUET Paul
Né le 29 novembre 1932 à Caudéran (Gironde). xxe siècle. Français.
Graveur au burin et à l'eau-forte, illustrateur, paysages, portraits.
Il suivit les cours de dessin de l'École des Beaux-Arts de Bordeaux, de 1953 à 1957, et s'initia seul à la gravure. Il expose surtout à Bordeaux. Il a illustré plusieurs ouvrages, dont *Monuments de Bordeaux* 1964, *Paysages d'Aquitaine* 1972, *Images du Bassin* 1974, etc.
Sa gravure totalement académique, le plus souvent documentaire, contraste avec ses aquarelles, « travaillées dans l'eau », technique qui leur confère un flou « turnerien », parfois proche de l'abstraction informelle ou « nuagiste ».

LEUR Nicolaas Van der
Né en 1657 ou 1667 à Breda. Mort en 1726. xviie-xviiie siècles. Hollandais.
Peintre de portraits et d'histoire.
Il fut le maître de Wevermann.

LEUREUX. Voir aussi **LHEUREUX**

LEUREUX Jean ou **Lheureux**
xvie siècle. Français.
Sculpteur.
Sans doute parent de Simon Leureux. Il travailla à l'abbaye de Saint-Waast, à Arras, en 1525.

LEUREUX Simon
xvie siècle. Français.
Sculpteur.
En 1507 et 1508, il répara une image de Notre-Dame, à l'église Sainte-Croix d'Arras. Il fit, en 1519, des gargouilles pour l'abbaye de Saint-Waast. Peut-être identique à Simonet Lheureux.

LEURIDAN Francine
Née en 1936 à Uccle (Brabant). xxe siècle. Belge.
Peintre, peintre à la gouache aquarelliste.
Sa peinture est une évocation de son environnement.
Bibliogr. : In : *Diction. biographique illustré des artistes en Belgique*, Arto, Bruxelles, 1987.

LEURS Godefroid
Né le 13 avril 1829 à Anvers. Mort le 3 novembre 1904 à Anvers. xixe siècle. Éc. flamande.
Sculpteur.
Il fut élève de l'Académie d'Anvers de 1848 à 1852. Il sculpta des bustes et des sujets de genre.

LEURS Henk
Né en 1890. Mort en 1956. xxe siècle. Hollandais.
Peintre de paysages, marines.
Ventes Publiques : Amsterdam, 5 juin 1990 : *Bateaux de pêche amarrés dans le port de Volendam*, h/t (50,5x70,5) : **NLG 1 265** – Amsterdam, 11 sep. 1990 : *Vaste paysage de polders avec du bétail se désaltérant*, h/t (40x60,5) : **NLG 1 092** – Amsterdam, 18 fév. 1992 : *Bateaux amarrés dans le port de Volendam*, h/t (50,5x70,5) : **NLG 1 265**.

LEURS Johannes Karel ou **Hendrik Johannes**
Né en 1865. Mort en 1938. xixe-xxe siècles. Hollandais.
Peintre d'animaux, paysages animés, paysages.

Ventes Publiques : Londres, 1er juin 1923 : *Bergers et leurs moutons* : **GBP 22** – Londres, 19 déc. 1924 : *Le troupeau*, dess. : **GBP 13** – Londres, 11 fév. 1976 : *Bord de canal aux moulins*, h/t (63,5x79) : **GBP 350** – Londres, 20 oct. 1978 : *Paysage fluvial avec pêcheurs*, h/t (66,5x103) : **GBP 1 000** – New York, 29 mai 1980 : *berger et son troupeau*, h/t (74x56) : **USD 1 900** – Montréal, 25 avr. 1988 : *Septembre ensoleillé*, h/t (46x61) : **CAD 2 100** – Amsterdam, 30 août 1988 : *Berger et son troupeau sur un sentier près d'une ferme*, h/t (82x67) : **NLG 2 760** – Montréal, 1er mai 1989 : *Scène de ferme*, h/t (46x61) : **CAD 1 100** – New York, 16 juil. 1992 : *Paysage avec des moulins à vent et des vaches*, h/t (40x60,3) : **USD 1 650** – Amsterdam, 9 nov. 1993 : *Canards sous les saules*, h/t/pan. (26x38) : **NLG 1 495** – Amsterdam, 8 nov. 1994 : *Rue de village animée*, h/t (58,5x43) : **NLG 3 910** – Amsterdam, 16 avr. 1996 : *Une ferme au bord de l'eau*, h/t (50x70) : **NLG 1 534**.

LEUSCH Max Ernst Albert
Né le 11 décembre 1877 à Altona. xxe siècle. Allemand.
Peintre de portraits, paysages, décorateur.
Il a décoré des églises et des bâtiments publics de ses peintures.

LEUSDEN Willem Van
Né le 25 septembre 1886 à Utrecht. Mort en 1974 à Maarsen. xxe siècle. Hollandais.
Peintre, dessinateur, graveur. Abstrait-constructiviste.
Il a été élève à l'Académie des Beaux-Arts de La Haye. Il s'initie à la gravure, de 1907 à 1910, à Amsterdam. Il entre en contact avec l'architecte Rietveld puis avec le mouvement néo-plasticiste De Stijl. Il subira aussi l'influence de El Lissitsky avant d'évoluer vers le Réalisme magique aux Pays-Bas et plus franchement vers le surréalisme.
Il participe alors à des expositions collectives regroupant les artistes de la tendance néo-plasticiste à Paris, en 1923, à la galerie de l'Effort Moderne, mais aussi, à Berlin, avec le *Novembergruppe*. Il figure, en 1977, à l'exposition *Aspects historiques du constructivisme et de l'art concret*, au Musée d'Art Moderne de la Ville de Paris.
Willem Van Leusden est surtout connu pour ses dessins de sa période « concrétiste ».
Bibliogr. : In : *L'Art du xxe siècle*, Larousse, Paris, 1991.
Ventes Publiques : Amsterdam, 15 nov. 1976 : *Museum* 1967, h/t (100x125) : **NLG 2 200** – Amsterdam, 20 mars 1978 : *Paysage*, h/pan. (37x65) : **NLG 2 100** – Amsterdam, 24 avr 1979 : *Nature morte*, h/t (25x37,5) : **NLG 2 400** – Amsterdam, 10 avr. 1989 : *Composition constructiviste* 1929, cr. (52,5x39,5) : **NLG 3 450** – Amsterdam, 13 déc. 1989 : *Composition abstraite* 1929, craie noire/pap. (33,5x52,5) : **NLG 6 325** – Amsterdam, 22 mai 1991 : *Marienhof à 7 heures 45* 1961, h/t (75x126) : **NLG 5 750** – Amsterdam, 26 mai 1993 : *Composition abstraite* 1929, craie noire/pap. (52x33) : **NLG 4 600** – Amsterdam, 9 déc. 1993 : *Composition*, cr. noir et coul./pap. (54x41,5) : **NLG 2 530** – Amsterdam, 2-3 juin 1997 : *Sans titre*, cr. coul. et cr./pap. (53x41,5) : **NLG 4 720**.

LEUSE. Voir **LEUZE**

LEUTCHTWEISS Heinrich Ludwig Karl
Né le 28 mars 1816 à Francfort-sur-le-Main. Mort le 1er novembre 1890 à Francfort-sur-le-Main. xixe siècle. Allemand.
Lithographe.
Il exécuta des lithographies humoristiques d'après Franz Graf Pocci.

LEUTCHTWEISS Karl Gottfried
Né le 28 janvier 1814 à Francfort-sur-le-Main. Mort le 15 août 1888 à Hanau. xixe siècle. Allemand.

Sculpteur.
Il fut à partir de 1840 professeur à l'Académie de dessin d'Hanau. On cite parmi ses œuvres un bas-relief *Vénus et Adonis* et un *Monument aux Combattants de 1870-1871* pour Hanau.

LEUTEMANN Gottlob Heinrich
Né le 7 octobre 1824 à Grosszschocher. Mort en 1905. XIXe siècle. Allemand.
Peintre d'histoire, d'animaux et dessinateur.
Élève de Hennig et Neher à l'Académie de Leipzig. Il peignit, à Stuttgart, des cartons pour les vitraux de l'église collégiale. Il exposa à partir de 1885. On cite de lui *Jupiter et les Titans*.

LEUTENEZ Richard Léon
Né en 1871 ou 1884 à Audenarde (Flandre-Orientale). XXe siècle. Belge.
Peintre de paysages, intérieurs, natures mortes. Tendance impressionniste.
Bibliogr. : In : *Diction. biographique illustré des artistes en Belgique*, Arto, Bruxelles, 1987.

LEUTHNER Johann Georg ou **Leithner**
Né le 28 mars 1725 à Graz. Mort le 6 septembre 1785 à Vienne. XVIIIe siècle. Autrichien.
Sculpteur.
Musées : Berlin (Kaiser Friedrich) : *Le corps du Christ et ange en prières*, relief en plomb.

LEUTHNER Johann Mathias. Voir **LEITNER**

LEUTHNER Wolfgang. Voir **LEITHNER**

LEUTNER
XIXe siècle. Actif à Leipzig vers 1820-1830. Allemand.
Peintre de miniatures.

LEUTNER. Voir aussi **LEITNER**

LEUTNER Martin ou **Leitner**
XVIIe siècle. Actif à Straubing. Allemand.
Sculpteur et sculpteur sur bois.
Il sculpta le maître-autel de l'église du Saint-Sépulcre à Deggendorf, dont le motif du milieu représentant *La Cène* est encore conservé dans une chapelle de cette église. On lui attribue à l'église Saint-Jacques de Straubing un autel de 1611 et des épitaphes, ainsi qu'un autel de 1620 dans l'église Saint-Pierre de la même ville et des épitaphes.

LEUTNER Thomas
XVIIe siècle. Actif à Straubing. Allemand.
Sculpteur.

LEUTNER Wolfgang
Né en 1642 à Straubing. XVIIe siècle. Allemand.
Peintre.
Fils de Thomas Leutner, il travailla à Straubing et Passau. En 1703 il fit les peintures décoratives de l'église Saint-Guy à Straubing.

LEUTTNER Christopher Ferdinand
Né le 14 décembre 1722 à Mitau (nom allemand de Ielgava, Lettonie). Mort le 22 novembre 1788 à Mitau. XVIIIe siècle. Éc. balte.
Peintre.
Fils de Johann Andreas Leuttner.
Musées : Riga : *Allégorie de la musique*.

LEUTTNER Johann Andreas
Né en mars 1678. Mort le 23 avril 1745 à Mitau (nom allemand de Ielgava, Lettonie). XVIIIe siècle. Éc. balte.
Peintre de portraits.

LEUTZE Emmanuel Gottlieb
Né le 24 mai 1816 à Schwäbish Gmünd. Mort le 18 juillet 1868 à Washington. XIXe siècle. Allemand.
Peintre d'histoire, portraits.
Il fut emmené tout enfant à Philadelphie. Il y commença ses études avec Joh.-A. Smith. En 1841 il vint à Düsseldorf et travailla sous la direction de Lessing, mais ne s'entendant pas avec ce maître il prit un atelier particulier. En 1842, il visita Munich, Venise et Rome et revint à Düsseldorf en 1845. Il y produisit un nombre important de peintures. Il fit plusieurs voyages en Amérique en 1851, 1859 et il s'y établit définitivement en 1863.
Musées : Brême : *Washington traversant le Delaware* – Cincinnati : *Le brigand* – Düsseldorf : *Portrait* – *Même sujet* – *Même sujet* – *Étude de tête* – Hambourg : *Le colonel Lottner* – New York (Metrop.) : *W. Whittredge* – *Washington traversant le Delaware* – Philadelphie (Wilstach) : *Cromwell et ses filles* – Stuttgart : *Mlle Lottner* – *Portrait de femme*.
Ventes Publiques : New York, 14 déc. 1933 : *Général U. S. Grant* : **USD 425** – Düsseldorf, 20 juin 1973 : *Cromwell chez Milton* : **DEM 14 000** – New York, 21 nov. 1980 : *Après la bataille* 1850, h/t (94x73,7) : **USD 5 000** – New York, 24 fév. 1982 : *Étude pour Westward Ho*, cr. reh. de blanc (60,4x66) : **USD 1 000** – New York, 27 jan. 1983 : *Portrait de Albert George Emerick* vers 1836, h/t, de forme ovale (61x49,5) : **USD 1 300** – New York, 31 oct. 1985 : *Charles Ier signant l'arrêt de mort de Thomas Wentworth* 1849, h/t (122x106,6) : **USD 3 000** – New York, 24 fév. 1987 : *John Knox bénit la reine Mary dans sa chapelle* 1845, h/t (168,3x124,5) : **USD 14 000** – New York, 24 sep. 1992 : *Portrait de George Washington* 1851, cr./pap. (33x25,5) : **USD 6 600**.

LEUTZGEN Johannes
XVIIIe siècle. Allemand.
Peintre.
Une salle de l'hôpital de Cues-sur-la-Moselle possède de ses œuvres, datées de 1756.

LEUTZNER J. H.
XVIIIe siècle. Actif vers 1797. Allemand.
Aquafortiste.
Il grava des animaux et des paysages d'après N. Berchem et autres artistes.

LEUUS Jesus Mariano
Né en 1931. XXe siècle. Mexicain.
Peintre de scènes et figures typiques, technique mixte.
Ventes Publiques : New York, 21 nov. 1988 : *Homme mangeant de la pastèque* 1960, h/rés. synth. (42,9x32,8) : **USD 4 180** ; *Peones* 1966-1967, acryl./t., deux peint. (61x64,3 et 50,2x60,3) : **USD 3 025** – New York, 21 nov. 1989 : *Femme et petite fille* 1962, h/rés. synth. (53x32,5) : **USD 2 860** – New York, 1er mai 1990 : *L'attente* 1967, h. et sable/rés. synth. (56x71) : **USD 4 620** – New York, 2 mai 1990 : *Famille* 1985, acryl./rés. synth. (120x80) : **USD 7 150** – New York, 20-21 nov. 1990 : *Idylle* 1960, acryl./t. (85x60) : **USD 3 300**.

LEUW Friedrich August de ou **Leeuw**
Né en 1817 à Grafrath. Mort en juin 1888 à Düsseldorf. XIXe siècle. Travaillant à Düsseldorf. Allemand.
Peintre de paysages animés, paysages.
Il fut élève de l'Académie des Beaux-Arts de Düsseldorf.
Musées : Hanovre : *Paysage d'hiver*.
Ventes Publiques : Cologne, 25 juin 1982 : *Paysage d'hiver animé de personnages* 1862, h/t (124x156) : **DEM 30 000** – Cologne, 20 oct. 1989 : *Rencontre sur un chemin à travers champs*, h/t (60x91) : **DEM 1 300** – Amsterdam, 28 oct. 1992 : *Voyageurs pris dans une tempête de neige dans une rue de village* 1850, h/t (42x59) : **NLG 9 200**.

LEUW Hans, l'Ancien. Voir **LEU**

LEUW Jan Van der ou **Leeuw**
Né en 1660 à La Haye. XVIIe siècle. Hollandais.
Graveur.
Il a gravé, à l'eau-forte et au burin, des portraits historiques de la plupart des souverains de son temps. Il a illustré, entre autres, *L'Histoire du règne de Louis XIII*, parue en 1700. Un J. Van Leewven est mentionné à La Haye en 1610.

LEUW Louis
Né le 17 novembre 1828 à Stans. Mort le 29 mai 1892 à Stans. XIXe siècle. Suisse.
Peintre amateur.
Le Musée de Stans possède de ses œuvres.

LEUX Franz ou **Luycx** ou **Luyckx von Leuxenstem**
Mort le 1er mai 1668 à Vienne. XVIIe siècle. Éc. flamande.
Peintre de portraits et d'histoire.
Baptisé à Anvers le 17 avril 1604. Élève de Remacle de Sina en 1618, il fut maître à Anvers en 1620, travailla dans l'atelier de Rubens, alla à Rome, et en 1651 fut peintre de la cour de l'empereur Ferdinand III à Prague. En 1652, il vint à Anvers, mais retourna la même année à Prague ; le 14 août il reçut de l'empereur le domaine de Potzleinsdorff, près Vienne, qui fut détruit par les Suédois. En 1658, il fut maintenu dans son titre de peintre de la cour avec une pension de 8739 gulden par l'empereur Léopold Ier. Il eut deux fils, peintres ; en 1684 l'un d'eux fut inspec-

teur de la Galerie de Prague. En 1719 un Julius Franz von Luxenstein travaillait encore à Prague.

Musées : Prague : *Octavio Piccolomini* – *L'Annonciation* – Stockholm : *Archiduc Léopold-Guillaume* – Vienne : *Une dame noble* – *La fragilité* – *Cardinal* – *Infant Ferdinand* – Vienne (coll. Liechtenstein) : *Le Christ ressuscité apparaît aux saintes femmes.*

LEUZE René Hyacinthe de ou **R. H. Deleuse**
Né en 1726. Mort en 1811. xviiie-xixe siècles. Français.
Peintre décorateur.
Membre de l'Académie Saint-Luc, il travailla seul ou en collaboration avec Guillet et Moulins pour le Palais Royal, l'Opéra, le grand théâtre du Louvre, le Palais Bourbon et les châteaux de Versailles et Chantilly.

LEUZE-HIRSCHFELD Emmy
Née le 4 décembre 1884 à Vienne (Autriche). xxe siècle. Active puis naturalisée en France. Autrichienne.
Peintre de paysages.
Elle fut élève de l'École des Arts et Métiers de Vienne. Elle figura, à Paris, au Salon des Artistes Français où elle obtint une mention honorable en 1919.

E - LEUZE - HIRSCHELD

Ventes Publiques : Londres, 30 mai 1984 : *Un marché en Tunisie*, h/t (58x79,5) : **GBP 1 000** – New York, 23 mai 1985 : *Paysanne et troupeau dans un champ*, h/t (116,2x149,9) : **USD 5 500** – Paris, 22 juin 1990 : *Le souk de Tahanaouat, Atlas*, gche/cart. (30x38) : **FRF 5 800.**

LEUZINGER Johannes
Né le 1er mars 1845 à Netstal-Glarus. Mort le 2 mai 1881 à Kappel. xixe siècle. Suisse.
Sculpteur.
La Collection d'art de Glarus possède de sa main un *Satyre jouant de la flûte*, un groupe, *Charité*, un relief, *Saint Marc*, et un buste de *J. Blumer*.

LEUZINGER-KOCH Constantia Eugénie Adèle
Née le 18 janvier 1829 à Thoune. Morte le 10 avril 1895 à Berne. xixe siècle. Suisse.
Paysagiste, peintre de fleurs et sur porcelaine.

LE VA Barry
Né en 1941 à Long Beach (Californie). xxe siècle. Américain.
Sculpteur, créateur d'installations, multimédia. Post-minimaliste.
Il a reçu une formation d'architecte et de mathématicien. Outre ses participations à des expositions collectives, il montre ses œuvres dans des expositions personnelles depuis 1969 à Cologne, San Francisco, Munich, New York, notamment en 1979 lors d'une rétrospective organisée par le New Museum de New York, puis : 1988, Rijksmuseum Kröller-Müller, Otterlo ; 1989, 1990, David Nolan Gallery, New York ; 1989, Stadtisches Museum Abteibert, Monchengladbach ; 1991, Sonnabend Gallery, New York ; 1992, galerie Fred Jahn, Munich ; 1993, galerie Georges-Philippe Vallois, Paris ; 1994, exposition rétrospective itinérante, Neue Pinakothek de Munich, Musée de Leverkusen et Musée de Dresde.
Même si cet artiste n'a point figuré à l'exposition *Antiform* organisée en 1968 par Robert Morris, Barry Le Va fait partie, avec Eva Hesse, Bruce Nauman, Morris et d'autres, de ces sculpteurs que l'on a regroupés sous la bannière du « post-minimalisme ». *Equal quantities : places of dropped in, out and on in relation to specific boudaries*, 1967 (« Quantités égales : positions de ce qui est tombé dedans, dehors et dessus en relation avec des limites précises ») se présente comme une dissémination sur le sol, sans a priori d'ordre, de morceaux plus ou moins grands de feutre que parcourent, ici et là, dans une idée de mouvement, des billes d'acier et des baguettes d'aluminium. Cette installation appartient à la série des *Distribution pieces* qui mette l'accent, du point de vue sculptural, non plus sur la linéarité spécifique et la volonté de transparence mentale de l'œuvre, exploitées par les concepteurs minimalistes, mais ici, par exemple, sur le matériau et sa capacité d'expression intrinsèque et déliée. Dans les années quatre-vingt, Barry Le Va transforme son maniement de la forme plastique de façon plus constructive ou, par bien des côtés, « concrétiste », mais sans la finitude achevée que l'on associe aujourd'hui à ce terme. Ce qu'il nous montre ce sont des structures géométriques – plus d'une dizaine de pièces à chaque fois – en acier ou en acier et bois, occupant le sol et une partie des cimaises. Ces ensembles possèdent certaines caractéristiques des œuvres précédentes, mais nouvellement exprimées, comme le nombre d'éléments en jeu qui créent impressions de mouvement et de va-et-vient, et le souci d'une appropriation de l'espace par l'œuvre. ■ C. D.

Bibliogr. : Catalogue de l'exposition rétrospective, Carnegie Mellon Art Gallery, Pittsburgh, 1988 – in : *L'Art du xxe siècle*, Larousse, Paris, 1991 – Catherine Francblin : *Barry Le Va, des œuvres en expansion*, in : *Art Press*, Paris, sept. 1993.

Musées : Los Angeles (County Mus.) – Montréal (Mus. d'Art Contemp.) : *Diagram For Two Installations Combined into One Installation in Two Perspectives* 1982.

Ventes Publiques : New York, 5 mai 1987 : *Tangent to tangent-centers : 4 circles, 4 lines* 1974, encre noire/pap. vert (106,7x209,6) : **USD 5 500** – New York, 9 nov. 1989 : *Sections et segments – échange partiel*, encre/pap. (106,7x152,5) : **USD 16 500** – New York, 1er mai 1991 : *Soit ou #1... centres et segments, positions exactes, baguette* 1974, encre de Chine/pap. teinté vert (106,9x213,5) : **USD 8 800** – New York, 19 nov. 1992 : *Sculptures actives : vertes* 1986, bombage de vernis et collage de pap./t. (153x154) : **USD 4 620** – New York, 5 mai 1994 : *# 9477* 1979, cr. de coul. et encre/pap. et vélin (177,8x132,1) : **USD 8 625.**

LE VACHAT Jacquet ou **Le Vachier**
xve siècle. Actif à Troyes. Français.
Sculpteur, tailleur de pierres et architecte.
Il travailla à la cathédrale de Troyes, de 1452 à 1484.

LE VACHAT Jean ou **Le Vachier**
xve siècle. Actif à Troyes. Français.
Sculpteur.
Sans doute frère de Jacquet Le Vachat. Il exécuta une série de travaux dans la chapelle Saint-Louis, à la cathédrale de Troyes, en 1462.

LE VACHER Jean ou **Levacher**
xviie siècle. Actif à Nantes entre 1639 et 1642. Français.
Peintre de portraits.
On cite de lui le portrait de *Paullain de la Vincendière*, maire de Nantes.

LEVACHEZ Charles François Gabriel, et son fils
xviiie-xixe siècles. Actifs de 1760 à 1820. Français.
Graveurs de genre, portraits, scènes de chasse.
On a peu de détails sur ces deux graveurs à l'aquatinte et en couleurs, dont il paraît assez difficile de diviser l'œuvre. Imprimeurs en taille-douce et marchands d'estampes, se furent surtout d'habiles commerçants, serrant de près l'actualité, qui surent fort bien choisir les sujets à offrir au public. Leurs ouvrages se vendent encore très cher. Il convient de citer : *Bonaparte, premier consul*, d'après Boilly, *Cambacérès*, d'après Devosge, *Napoléon*, d'après Carle Vernet, *Alexandre Ier*, deux remarquables portraits équestres, *Joséphine, Napoléon* et *Marie-Louise, Louis XVIII, La Danse des chiens*, d'après C. Vernet, et de nombreuses estampes de modes, de chasse, de sujets divers. La plupart ont été publiées en noir et imprimées en couleurs, Duplessis, Bertaux et Carle Vernet leur fournirent un grand nombre de sujets.

LEVADÉ Georges H.
xixe siècle. Actif à Paris. Français.
Peintre et graveur.
Figura au Salon des Artistes Français. Membre de cette société depuis 1903.

LEVAILLANT DE BRUSLE Claude Charles Antoine Marie
Né au xixe siècle à Fresnes. xixe siècle. Français.
Paysagiste.
Il exposa toujours sous le nom de Brusle, de 1843 à 1848.

LEVALLOIS Pierre Ernest
Né au xixe siècle à Paris. xixe siècle. Français.
Peintre de genre.
Élève de F.-R. Forcade. Il débuta au Salon de 1876.
Ventes Publiques : New York, 23 mars 1961 : *Marché aux fleurs, Paris* : **USD 275.**

LE VAN DE. Voir **DÊ LÊ-VAN**

LEVANON Mordechai ou **Mordecaï**

Né en 1901 en Transylvanie. Mort en 1968 à Jérusalem. XXe siècle. Israélien.

Peintre, peintre à la gouache, aquarelliste.

En 1921, il s'établit en Palestine, en 1939 il part vivre à Jérusalem. À partir de 1963, il partage son temps entre Jérusalem et Safed dans la région montagneuse de Haute-Galilée.

Il a participé, pour le pavillon Israélien, à la Biennale de Venise et de São Paulo. Il a montré ses œuvres dans des expositions personnelles à Rome en 1951, à Paris en 1960 et une rétrospective de ses œuvres fut organisée, en 1968, par le Musée Israël, à Jérusalem.

La peinture de Levanon est qualifiée de mystique. Il a souvent peint les villes de Jérusalem et de Safed acquérant sous ses pinceaux un caractère onirique et céleste renforcé par des compositions ascendantes et par ses teintes de bleu et bleu-violet.

Bibliogr. : In : *L'Art du XXe siècle*, Larousse, Paris, 1991.

Musées : Jérusalem (Mus. Israël) – New York (Mus. of Mod. Art) – Rome (Gal. d'Art Mod.).

Ventes Publiques : Tel-Aviv, 4 mai 1980 : *Lifta-Jerusalem* 1948, h/t (53,5x64,5) : **ILS 210 000** – Tel-Aviv, 16 mai 1983 : *Jérusalem* vers 1961, gche (48,5x68) : **ILS 43 050** – Tel-Aviv, 16 mai 1983 : *Jérusalem* 1944, h/t (54x61,5) : **ILS 266 900** – Tel-Aviv, 17 juin 1985 : *Maisons au bord de l'eau* 1930, h/t (32x42) : **ILS 1 600 000** – Tel-Aviv, 2 jan. 1989 : *Safed* 1950, h/t (60x41) : **USD 3 960** ; *Safed* 1963, h/t (73x50,5) : **USD 4 620** – Tel-Aviv, 3 jan. 1990 : *Maison et arbres dans un paysage*, h/t (62x50) : **USD 6 820** – Tel-Aviv, 19 juin 1990 : *Safed*, h/t (46,5x35) : **USD 4 400** – Tel-Aviv, 1er jan. 1991 : *Jérusalem* 1946, h/t (59,5x73) : **USD 7 700** – Tel-Aviv, 12 juin 1991 : *Safed* 1962, h/t (46x65,5) : **USD 3 520** – Tel-Aviv, 6 jan. 1992 : *Village en Galilée* 1963, h/t (30,5x45) : **USD 2 090** – Tel-Aviv, 4 oct. 1993 : *À Jérusalem* 1962, h/t (73x99) : **USD 8 050** – Tel-Aviv, 27 sep. 1994 : *Ville sainte* 1956, h/t (50x62) : **USD 8 970** – Tel-Aviv, 14 jan. 1996 : *La Route de Jérusalem*, h/t (83,5x66) : **USD 16 675** – Tel-Aviv, 7 oct. 1996 : *Synagogue The Hurva* 1944, h/t (64x51) : **USD 24 150** – Tel-Aviv, 12 jan. 1997 : *Les Collines de Jérusalem* 1942, h/t (60,5x71) : **USD 14 950** – Tel-Aviv, 25 oct. 1997 : *Historic Mount Zion, Jerusalem* 1955, h/t (84,5x113) : **USD 26 450**.

LEVANT Jacques

Né le 10 juillet 1935. XXe siècle. Français.

Peintre, peintre lissier.

Il a participé, à Paris, à différents Salons Comparaison. Il a exposé personnellement à Paris en 1974 et 1975. Il fut aussi écrivain d'art.

Il définit sa peinture comme « une synthèse entre le signe oriental et les conceptions occidentales de la peinture pour créer un dynamisme nouveau ». Il réalise des compositions colorées, parfois traduites en tapisseries à l'aide de laines collées.

Bibliogr. : In : *De Bonnard à Baselitz – Dix ans d'enrichissements du Cabinet des Estampes 1978-1988*, catalogue d'exposition, Bibliothèque nationale, Paris, 1992.

Musées : Paris (Cab. des Estampes).

LEVANTAL Philippe

Né le 15 juillet 1934 à Boulogne-Billancourt (Hauts-de-Seine). XXe siècle. Français.

Peintre de paysages, marines, intérieurs, natures mortes, aquarelliste, dessinateur, graveur.

Après des études universitaires en Lettres, Art et Archéologie, à partir de 1961 il a mené de front sa carrière de peintre et celle de chargé de missions nombreuses et diverses auprès du Ministère de la Culture et des institutions qui en dépendent, ainsi que de collaborateur de nombreuses publications et organes de presse, notamment du journal *Le Monde*. En 1970, il a été nommé chevalier dans l'Ordre des Arts et Lettres ; en 1992 officier ; en 1997 chevalier de la Légion d'honneur.

En 1951, il fut lauréat de la Fondation des Bourses Zellidja ; en 1961 de la Fondation de la Vocation ; en 1967 lui fut décerné le Prix Fénéon.

Il participe à des expositions collectives, d'entre lesquelles, en 1992 à Paris, *De Bonnard à Baselitz*, à la Bibliothèque Nationale. Il montre surtout ses travaux dans des expositions personnelles, dont à Paris : 1966, galerie du Passeur ; 1967 *Dessins et aquarelles de France et d'Espagne*, et 1968, 1972, 1974 galerie Le Nouvel Essor ; 1975 *Adieu aux Halles*, et 1979, 1982 *Huiles et aquarelles*, 1982 *Eaux-fortes*, galerie de Nevers ; 1989 *Huiles et aquarelles*, 1992 *Atelier et Littoral*, 1995 *Espace et Lumière*, 1997 *Flavigny, Thomery, Paris*, galerie Étienne de Causans ; ainsi que hors Paris : 1970 Chicago, galerie Bergman ; 1985 à l'Abbaye de Fontenay *Lumière de Fontenay, aquarelles* ; 1987 Maisons-Laffitte, Château de Maisons.

Il a reçu les encouragements de Dunoyer de Segonzac, de Jean Giono, d'André Jacquemin, qui, tous trois, l'ont incité à rester lui-même et fidèle à la nature. L'aquarelle est un de ses moyens d'expression plastique privilégiés, au point qu'il transfère à la peinture à l'huile ses subtilités et transparences. Il a d'abord produit des œuvres sensibles, traditionnelles, inspirées par et en hommage à Dunoyer de Segonzac. Au cours de son évolution, il a donné libre cours à ses impressions personnelles, empruntant à l'héritage post-cubiste les éléments d'une construction abstraite de l'espace et des formes, qui structure radicalement la délicatesse du jeu, chez lui souverain et toujours renouvelé, de la lumière, source de toutes couleurs et révélatrice de toute réalité, sur les paysages de France, surtout d'Île-de-France et de Bourgogne, l'intérieur de son atelier à Paris, ou, vu depuis la verrière, l'océan des toits, qui ouvre sur celui du ciel. ■ J. B.

Bibliogr. : Jean Giono : Présentation de l'exposition *Levantal*, gal. du Passeur, Paris, 1966 – Dunoyer de Segonzac : Présentation de l'exposition *Levantal*, gal. du Nouvel Essor, Paris, 1967 – Jean Dalevèze : Présentation de l'exposition *Levantal*, gal. du Nouvel Essor, Paris, 1972 – Jean Cassou : Présentation de l'exposition *Levantal : Adieu aux Halles*, gal. de Nevers, Paris, 1975 – André Jacquemin : Présentation de l'exposition *Levantal*, gal. de Nevers, Paris, 1982 – Jean-Marie Dunoyer : Présentation de l'exposition *Levantal*, gal. Étienne de Causans, Paris, 1989 – in : Catalogue de l'exposition *De Bonnard à Baselitz – Dix ans d'enrichissements du Cabinet des Estampes 1978-1988*, Bibliothèque nationale, Paris, 1992 – Laure Meyer : Présentation de l'exposition *Levantal*, gal. Étienne de Causans, Paris, 1995.

Musées : Montauban : *Paysage de l'Ariège*, dess. – Paris (BN, Cab. des Estampes) – Paris (Mus. Carnavalet) : *Paysage de toits depuis l'atelier*.

LEVASSEUR. Voir aussi **LEVAVASSEUR** et **VASSEUR**

LEVASSEUR A. Louis Auguste

Mort en 1885. XIXe siècle. Français.

Peintre.

Sociétaire des Artistes Français, il figura au Salon de ce groupement.

LEVASSEUR Alexandre Gustave Adolphe

Né au XIXe siècle à Paris. XIXe siècle. Français.

Peintre d'histoire.

Élève de Picot. Il exposa de 1859 à 1864.

LEVASSEUR Arthur Louis

Né au XIXe siècle à Paris. XIXe siècle. Français.

Graveur sur bois.

Élève de Yon. Il débuta au Salon en 1879.

LEVASSEUR Eugène

Né le 17 novembre 1822 à Paris. XIXe siècle. Français.

Portraitiste, pastelliste et peintre d'histoire.

Élève de Mme Monvoisin. Il exposa de 1849 à 1866.

LEVASSEUR François

XIXe siècle. Actif à Paris. Français.

Peintre d'histoire, paysagiste et aquarelliste.

Exposa au Salon de 1831 à 1837.

LEVASSEUR Henri Louis

Né le 16 avril 1853 à Paris. Mort en 1934. XIXe-XXe siècles. Français.

Sculpteur de figures, statues allégoriques, médailleur.

Il fut élève de Émile Thomas, Eugène Delaplanche. Il exposait à Paris, au Salon des Artistes Français, 1882 mention honorable, 1885 médaille de troisième classe et nommé sociétaire, 1888 médaille de deuxième classe, 1889 médaille de bronze à l'occasion de l'Exposition Universelle, 1898 médaille de première classe, 1900 médaille d'argent à l'Exposition Universelle.

Musées : Copenhague (Ny Carlsberg glyptothek) : *Delaplanche sur son lit de mort*, relief plâtre – Reims : *Après la bataille*.

Ventes Publiques : Madrid, 1er avr. 1976 : *Ange enchaîné*, bronze (H. 56) : **ESP 46 000** – New York, 1er déc. 1978 : *Le couple*, bronze, patine brune (H. 54) : **USD 1 500** – New York, 1er mars 1980 : *Jeune fille et enfant*, bronze patine verte (H. 76,9) : **USD 1 500** – Paris, 14 mai 1982 : *La danse*, bronze doré et ivoire, quatre pièces (H. 33,5 et 32 et 31,5 et 36) : **FRF 39 000** – Londres, 10 nov. 1983 : *Le Songe*, bronze patiné (H. 122) : **GBP 1 300** –

New York, 19 fév. 1985 : *Buste de Napoléon*, bronze, patine brune (H. 62,5) : **USD 1 900** – Paris, 2 nov. 1992 : *Le réveil*, bronze (H. 72) : **FRF 5 000** – Lokeren, 10 déc. 1994 : *La semeuse*, bronze (H. 73, L. 25) : **BEF 75 000** – Paris, 25 sep. 1997 : *Diane chasseresse*, bronze patiné (H. 54) : **FRF 3 800**.

LEVASSEUR Jean
Né en 1935 au Havre (Seine-Maritime). xxe siècle. Français.
Peintre de paysages.
Il a fréquenté l'École des Beaux-Arts du Havre. Il participe à des expositions régionales et, à Paris, au Salon des Artistes Français, puis des Indépendants, de la Marine, etc. Il obtient des distinctions diverses. Il se consacre aux paysages de sa région.

LEVASSEUR Jean Charles
Né le 21 octobre 1734 à Abbeville. Mort le 29 novembre 1816 à Paris. xviiie-xixe siècles. Français.
Sculpteur, graveur.
Élève de J.-F. Beauvarlet. Il devint académicien en 1771. Il exposa, au Salon, de 1769 à 1789.
Ventes Publiques : Bruxelles, 7 oct. 1976 : *La Charité*, bronze (H. 77) : **BEF 15 000**.

LEVASSEUR Jules Clément
Né vers 1831 à Paris. Mort le 18 avril 1888 à Paris. xixe siècle. Français.
Sculpteur.
Élève de Michel Pascal. Il débuta au Salon en 1874.

LEVASSEUR Jules Gabriel
Né le 6 novembre 1823 à Paris. xixe siècle. Français.
Graveur.
Élève de Girard et Henriquel. Il entra à l'École des Beaux-Arts en 1843. Il débuta au Salon vers 1857 et obtint une troisième médaille en 1867, une deuxième médaille en 1877 et une première médaille en 1878. Il a gravé d'après les maîtres anciens et modernes.

LEVASSEUR Léon
Né au xixe siècle à Paris. xixe siècle. Français.
Peintre de fleurs.
Élève de Durand de Palisch. Il débuta au Salon en 1876.

LEVASSEUR Léon Gustave
xixe siècle. Actif à Paris. Français.
Peintre.
Sociétaire des Artistes Français depuis 1886, il figura au Salon de ce groupement.

LEVASSEUR Marguerite Emma
Née le 14 mars 1883 à Paris. xxe siècle. Française.
Peintre de genre.
Élève de Bouguereau, G. Ferrier et Toudouze. Sociétaire des Artistes Français, elle figura au Salon de ce groupement.

LEVASSEUR-DELAROCQUE Cécile
Née au xixe siècle à Paris. xixe-xxe siècles. Française.
Miniaturiste.
Elle figura au Salon des Artistes Français et était membre de cette société depuis 1906.

LEVATI Giuseppe
Né en 1739 à Concorezzo près de Milan. Mort en 1828 à Milan. xviiie-xixe siècles. Italien.
Architecte et peintre d'architectures.
Il travailla d'abord chez un décorateur puis, ayant étudié les œuvres des maîtres particulièrement celles de Barbaro et Zanotti, il s'établit comme peintre. En 1802, il fut nommé directeur de perspective à Milan. Il décora de perspectives plusieurs palais et édifices de cette ville. On lui doit de nombreux dessins d'architectures.

LEVAVASSEUR. Voir aussi **LEVASSEUR** et **VASSEUR**

LEVAVASSEUR Cyprien Louis Pierre Edmond
xixe siècle. Actif à Avranches. Français.
Peintre.
Sociétaire des Artistes Français depuis 1891, il figura au Salon de ce groupement.
Ventes Publiques : Paris, 22 nov. 1946 : *Chantier dans la baie du Mont-Saint-Michel* 1866 : **FRF 3 000**.

LEVAVASSEUR Marie Françoise Adèle
Née à Paris. xixe siècle. Française.
Peintre.
Élève de Colin. Elle exposa au Salon, en 1865 et 1866, des copies à l'aquarelle, d'après Murillo, Greuze, le Corrège.

LEVAVASSEUR Marthe
Née le 19 septembre 1882 à Hallière (Eure-et-Loir). xxe siècle. Française.
Peintre.
Elle exposa, à Paris, au Salon des Artistes Français, où elle obtint une médaille d'argent en 1927.

LEVAVASSEUR Maurice Jules Adolphe
Né en 1862 à Vire. Mort en 1898 à Paris. xixe siècle. Français.
Paysagiste et peintre de genre.
Le Musée de Vire conserve de lui *L'étang de Campigny* et une aquarelle.

LEVAVASSEUR Pierre Désiré
Né en 1810 à Caen (Calvados). Mort en 1872 à Caen. xixe siècle. Français.
Peintre de genre, paysages, marines.
Une géométrisation générale définit ses compositions qui, par ailleurs, sont adoucies par des tonalités de gris veloutés.
Bibliogr. : Gérald Schurr, in : *Les Petits Maîtres de la peinture 1820-1920, valeur de demain*, Les Éditions de l'Amateur, t. IV, Paris, 1979.
Musées : Caen : *Vue de Saint-Vaast de la Hougue* – Saint-Lô : *Vue de Saint-Lô en 1852*.
Ventes Publiques : Paris, 1890 : *Marine* : **FRF 170**.

LEVÉ André
Né le 21 juillet 1917 à Kassa. xxe siècle. Hongrois.
Peintre de portraits, natures mortes, fleurs. Tendance expressionniste.
En dépit d'une vocation précoce pour le pinceau, ce n'est qu'en 1940, après des débuts littéraires et journalistiques, qu'André Levé commence à travailler sérieusement la peinture avec Kohary. En France, en 1950, il recommence à fréquenter les Académies et se consacre de plus en plus à la peinture. Il est alors élève d'Aujame. Mais c'est à Soutine que va son admiration et, à la limite, c'est de Soutine que naît sa peinture.
En 1959, il fait sa première exposition à Paris, exposition suivie de nombreuses autres à Paris également (1961, 1963, 1964, 1965, 1972...), mais aussi à New York et en Suisse.
Sa peinture se situe donc dans la lignée de l'expressionnisme de Soutine, et, comme lui, il emploie les pâtes lourdes et les teintes sombres et chaudes. Surtout peintre de portraits, il est aussi peintre de natures mortes, de fleurs en particulier. En revanche le paysage reste rare dans son œuvre.
Bibliogr. : R. Vrinat : *André Levé*, AAI, Paris, 1960.
Musées : Cincinnati – Rehovot (Centre d'Art Contemp.).

LEVÉ Denis
Né en 1731. xviiie siècle. Français.
Peintre ornemaniste et peintre de fleurs.
Il travailla à la Manufacture de Sèvres, de 1754 à 1805.

LEVÉ Félix
xviiie siècle. Français.
Peintre de fleurs.

LEVÉ Frédéric Louis
Né le 3 juillet 1877 à Paris. xxe siècle. Français.
Peintre, graveur.
Il fut élève de Gérôme.
Il figura, à Paris, au Salon des Artistes Français et fut membre de cette société à partir de 1905. Il y obtint une mention honorable en 1908. Il gravait à l'eau forte.

Fred. Levé

Ventes Publiques : New York, 1er mars 1990 : *Beauté de harem assise sur une peau de léopard*, h/t (176,5x137,8) : **USD 13 200** – Londres, 1er oct. 1993 : *Versailles en hiver*, h/t (107x136) : **GBP 1 610**.

LEVÉ Louis Charles
Né le 4 avril 1828 à Paris. xixe siècle. Français.
Sculpteur.
Élève de Pomateau. Il exposa au Salon, de 1859 à 1870.

LEVEAU Alphonse
xixe siècle. Actif à Paris. Français.
Portraitiste et peintre de genre.
Il exposa en 1846 et 1847. A rapprocher d'Alphonse Hippolyte Leveau.

LEVEAU Alphonse Hippolyte
Né le 7 août 1815 à Saint-Quentin. xixe siècle. Français.

Portraitiste et peintre d'histoire.
Élève de L. Cogniet. Il exposa de 1839 à 1869 ; mentions honorables en 1861 et 1863. On voit de lui, au Musée de Sète, un *Portrait de Paul Bousquet*, et à celui de Tourcoing, *Sainte Acliana, martyre*.
Ventes Publiques : Paris, 11 juin 1942 : *Baignade sous bois* 1851 : **FRF 4 520**.

LEVEAU Auguste
Né au xixe siècle à Paris. xixe siècle. Français.
Peintre de paysages et de marines.
Élève d'Allongé. Il exposa des fusains au Salon à partir de 1880.

LE VEAU Jean Jacques
Né en 1729 à Rouen. Mort en 1785 à Paris. xviiie siècle. Français.
Graveur au burin.
Il vint très jeune à Paris et y devint un des bons élèves de J.-P. Le Bas dont il adopta la manière. Il a gravé un peu tous les genres, notamment des paysages d'après Van der Neer, Mellay, J. Vernet, De La Croix, Berghem, Ruysdaël, Aubry, et des sujets de genre ; d'après Baudouin et Loutherbourg.

LE VEAU Victoire
xviiie siècle. Active à Paris. Française.
Graveur.
On cite parmi ses œuvres : *Les curieux satisfaits* d'après Grangeret, *L'industrie*, *L'indolence* d'après Morland.

LEVECQ Jacobus ou **La Vecq** ou **L'Evesque** ou **Leveck**
Né en octobre 1634 à Dordrecht. Mort le 2 septembre 1675 à Dordrecht. xviie siècle. Hollandais.
Peintre.
Élève de Rembrandt en 1653 dont il adopta le style au point que ses œuvres furent fréquemment attribuées au génial Hollandais. Membre de la Gilde de Dordrecht en 1655. Il demeura longtemps à Paris et à Sedan. Nous croyons qu'il y peignit un certain nombre des évêques ayant occupé le siège épiscopal de cette ville. Il eut pour élève Arn. Houbraken. On cite parmi ses œuvres : *Portrait d'homme* (Londres, Collection du duc de Leicester), *Portrait d'homme* (Paris, Collection Jules Porges), *Ensevelissement du Christ* (Vienne, Galerie Liechtenstein).
Ventes Publiques : Londres, 21 fév. 1934 : *Petit garçon en manteau gris* : **GBP 75** – Paris, 18 juin 1979 : *Deux enfants admirant un oiseau*, h/bois (60x51) : **FRF 12 000** – Amsterdam, 3 déc. 1985 : *Portraits d'Adrien Braets et de sa femme Maria, née Van der Graaff* 1664, h/t, une paire (93x71) : **NLG 40 000**.

LEVECQUE Honoré
Né en 1892 à Nieuport. xxe siècle. Belge.
Dessinateur, aquarelliste, pastelliste, illustrateur.
Il a illustré des ouvrages littéraires et scientifiques. On cite des dessins à la plume.
Bibliogr. : In : *Diction. biographique illustré des artistes en Belgique*, Arto, Bruxelles, 1987.

LEVEDAG Fritz
Né en 1899 à Munster. Mort en 1951 à Wesel. xxe siècle. Allemand.
Peintre, dessinateur.
Il avait déjà enseigné le dessin dans une école privée de Munich, en 1923, lorsqu'il suivit des cours de sculpture à l'Académie de Düsseldorf, de 1924 à 1926, avec le professeur Langer, puis fut élève du Bauhaus de Dessau, de 1926 à 1928, suivant, entre autres, le cours préparatoire d'Albers et les cours de Kandinsky et Klee. Au Bauhaus, parallèlement à sa pratique de la peinture et du dessin, il reçoit une formation d'architecte. Lorsque Gropius quitte le Bauhaus en 1929 pour ouvrir un cabinet d'architecture à Berlin, Levedag devient un de ses assistants jusqu'en 1931. De retour à Düsseldorf en 1933, il y pratique la peinture, ayant aussi ouvert un atelier libre jusqu'en 1937, date où il est contraint de fermer son atelier du fait de l'hostilité du pouvoir politique à l'art moderne. En 1939, il est incorporé au génie militaire, en Norvège, puis sur le front russe. En 1945 il s'installa à Ringenberg près de Wesel et donna encore des leçons particulières de peinture.
De 1946 à 1990, les œuvres de Levedag ont fait l'objet de plus de cent expositions à Berlin, New York, Paris, Londres, Tokyo... Une exposition rétrospective de son œuvre a été organisée en 1991 au Musée de Münster. Un ensemble de ses dessins fut exposé à la galerie Franka Berndt Bastille, à Paris, également en 1991.
Son œuvre est empreinte de ce modernisme issu de la tradition du Bauhaus où formes et couleurs constituent les linéaments de la peinture.
Bibliogr. : In : *Bauhaus*, catalogue de l'exposition, Mus. Nat. d'Art Mod., Paris, 1969 – in : *Catalogue de l'exposition rétrospective*, Musée de Münster, 1991.
Ventes Publiques : Düsseldorf, 14 nov. 1973 : *Sans titre* : **DEM 15 000** – Munich, 5 juin 1981 : *Composition*, h/t (90x70) : **DEM 4 600**.

LEVEE John Harrison
Né le 10 avril 1924 à Los Angeles (Californie). xxe siècle. Actif depuis 1949 aussi en France. Américain.
Peintre. Polymorphe.
Il fut élève de l'Art Center School de New York, puis de l'Académie Julian, à Paris. Il a participé, en 1944, à la libération de la France. Il a enseigné dans les universités de l'Illinois, de Washington, de New York et du sud de la Californie. Depuis 1949, il vit et travaille essentiellement à Paris.
Américain de Paris, il commence à y exposer, au Salon d'Automne en 1951, au Salon de Mai à partir de 1954 jusqu'en 1979, puis en 1994, au Salon des Réalités Nouvelles de 1954 à 1994, au Salon Comparaisons de 1978 à 1992. Il participe, en outre, à l'exposition circulante en Allemagne *Amerikanische Künstler in Frankreich*, à diverses expositions de groupe à Paris, notamment en 1956, avec Gillet et Maryan. Il figure, en 1994, à l'occasion de la commémoraion du débarquement, à l'exposition *Les Peintres Gi's*, avec notamment John Franklin Koening et Joe Downing, dans le cadre de la manifestation *Style des années 40 – de la paix à la paix* présentée, entre autres, au Musée Thomas Berry à Cherbourg. Il montre ses œuvres dans des expositions personnelles : 1957-1959, 1962, 1966, galerie Emmerich Gallery, New York ; 1958, 1960, 1966, galerie Gimpel Fils, Londres ; 1961, 1962, 1964, 1969, galerie de France, Paris ; 1963, Musée d'Art Moderne de Jérusalem et de Haïfa ; de 1964, Phœnix Museum of Art ; 1969, Musée de Tel-Aviv ; 1970 galerie Margo Leavin, Los Angeles ; 19778, Musée de Palm Springs ; 1980, Musée de Nice ; 1983, 1986, galerie Closerie des Lilacs, Paris ; 1986, galerie Le Gall, Paris ; 1983, rétrospective au Musée de Toulouse ; 1989, 1990 à la galerie Callu Mérite à Paris ; 1990 à la galerie 1900-2000, Paris ; 1990, galerie de Poche, Paris ; 1993, Espace Croix Baragnon, Toulouse.
Il a réalisé plusieurs compositions murales ou autres décorations monumentales, dont celles : pour le groupe scolaire de Noisy-le-Grand ; pour le groupe scolaire C.E.S. de Trignac (1974) ; pour l'hôtel de Vaudreuil, Paris (1975) ; pour le groupe scolaire de Château de France à Marne-la-Vallée (1976) ; pour la Prudential Insurance compagny à Los Angeles (1978) ; pour le lycée d'enseignement professionnel de la ville de Château-Chinon (1985).
Il obtint, à Paris, le prix de l'Académie Julian en 1950, une distinction à la première Biennale des Jeunes Artistes, à Paris, en 1959. Aux États-Unis, il a obtenu le prix de l'Association de la peinture à l'eau, en 1955 et 1956 ; il obtint encore un prix de la Virginie, en 1966 ; une bourse Ford, en 1969.
D'une activité fébrile, ce trait de caractère se retrouve dans son œuvre. Il a occasionnellement travaillé comme designer. Anxieux de l'actualité (qui, par définition est éphémère), son œuvre personnelle en a accompagné les détours. D'entre ses très nombreuses époques, on a remarqué les œuvres gestuelles, apparentées à la mouvance Hartung, Soulages, Franz Kline ; une période influencée par le dripping américain ; géométrisant des formes souvent arrondies, il a abouti à une abstraction plus froide, quoique vivement colorée et gaie, aux teintes acidulées. Après cette dernière période qu'il considéra comme « protestante » et dont il détruisit en grande partie les œuvres, il réinvestit sa période expressionniste abstraite, mais en gardant les leçons acquises depuis, de rigueur et de compositon. Ainsi que l'écrit Gérald Gassiot-Talabot : « John Levee apparaît comme un peintre de synthèse, non entre des emprunts extérieurs, combinés et surajoutés, mais entre les éléments d'un vocabulaire personnel, stratifiés au cours des années et constitutifs d'un rapport original à la création ».
Bibliogr. : Jean-Clarence Lambert : *La Jeune École de Paris*, Éditions Georges Fall, Paris – Michel Seuphor : *Diction. de la peint. abst.*, Hazan, Paris, 1957 – Sir Herbert Reed : *The Concise History of modern Art*, 1960 – Michel Seuphor : *L'Art abstrait*, Paris, 1961 – in : *Peintres contemporains*, Mazenod, Paris, 1964 – Michel Ragon, Michel Seuphor : *Histoire de la peinture moderne*, 1969.
Musées : Amsterdam (Stedelijk Mus.) – Bâle (Kunstmus.) – Balti-

more – Cincinnati – Colombus, Ohio (Gal. of Fine Arts) – Dallas (Mus. of Contemp. Art) – Djakarta (Mus. of Mod. Art) – Haïfa – Le Havre – Los Angeles – New York (Mus. of Mod. Art) – New York (Whitney Mus.) – New York (Solomon R. Guggenheim Mus.) – Paris (Mus. d'Art Mod.) – Phoenix (Art Mus.) – Pittsburgh (Carnegie Inst.) – Santa Barbara – Tel-Aviv – Washington D. C. (New Washington Gal. of Mod. Art).

Ventes Publiques : La Varenne-Saint-Hilaire, 29 nov. 1987 : *Composition* 1957, gche et past. (39,5x47,5) : **FRF 8 300** – Paris, 25 nov. 1987 : *Composition* 1954, h/t (114x145) : **FRF 19 000** – La Varenne-Saint-Hilaire, 29 mai 1988 : *Rythme et couleurs* 1957, gche (49x63) : **FRF 15 000** – Paris, 12 juil. 1988 : *Idea N°9* 1965, h. et collages/cart. (16x14,5) : **FRF 3 800** – La Varenne-Saint-Hilaire, 23 oct. 1988 : *Composition rythmique* 1955, gche (50x70) : **FRF 43 000** – Neuilly, 22 nov. 1988 : *Composition abstraite* 1955, h/t (50x61) : **FRF 7 800** – Copenhague, 20 sep. 1989 : *Composition* 1958, h/t (81x100) : **DKK 17 000** – Paris, 29 nov. 1989 : *Composition* 1963, techn. mixte/pan. (70x100) : **FRF 4 300** – Neuilly, 7 fév. 1990 : *Composition* 1956, h/t (57x76) : **FRF 42 000** – Douai, 1er avr. 1990 : *Composition* 1959, gche (65x50) : **FRF 15 200** – Paris, 19 avr. 1991 : *June II* 1961, h/t (89x130) : **FRF 11 000** – Douai, 30 juin 1991 : *Composition* 1953, h/t (130x162) : **FRF 43 500** – Paris, 4 nov. 1991 : *January two*, techn. mixte (150x150) : **FRF 7 500** – Paris, 16 avr. 1992 : *Juin V* 1955, h/t (72x60) : **FRF 9 800** – Copenhague, 1er déc. 1993 : *Composition 1er avril* 1959, h/t (81x100) : **DKK 18 000** – Paris, 28 fév. 1994 : *Composition* 1957, gche bleue et jaune (44x48) : **FRF 4 000** – Lucerne, 4 juin 1994 : *Composition* 1955, h/t (14x24) : **CHF 1 600** – Paris, 31 mai 1995 : *Composition* 1954, h/t (195x130) : **FRF 12 000**.

LE VÉEL Armand Jules
Né le 26 janvier 1821 à Bricquebec (Manche). Mort le 21 juillet 1905 à Cherbourg. xixe siècle. Français.
Sculpteur.
Élève de Rude. Il débuta en 1850 et fut décoré de la Légion d'honneur en 1863. On cite de lui *Statue équestre de Napoléon Ier*, à Cherbourg, et deux statues en pierre pour le portail de l'église Saint-Laurent.
Musées : Avranches : *Daniel Huet* – Cherbourg : *Tourville – La Pucelle d'Orléans* – Nice : *Adolphe Blanqui* – Rouen : *Le docteur Billard* – Saint-Lô : *Jean Dubois – Julienne Couillard défendant Saint-Lô en 1572 – Le représentant du peuple – La Marseillaise – Le grenadier de 1792 – Julien Travers – Le général Le Marois – Louis XVIII*, deux fois – *Louis-Philippe Ier – Napoléon Ier – L'impératrice Eugénie.*
Ventes Publiques : Londres, 8 mars 1984 : *Le tambour* vers 1860, bronze, patine brune (H. 48) : **GBP 1 150** – Paris, 25 sep. 1997 : *Le Ligueur ; Le Huguenot* 1847, bronze patine brune, deux pendants (H. 56 et 72) : **FRF 8 500**.

LEVEIL Jean Arnould
Né le 29 août 1806 à Paris. Mort en 1866 à Paris. xixe siècle. Français.
Dessinateur d'architectures.
Il publia un *Traité élémentaire pratique d'architecture illustré* et, en collaboration avec G. L. Adam, le *Recueil des maisons modernes* et *l'Architecture moderne*. Il illustra l'œuvre de L. C. Dezobry : *Rome au siècle d'Auguste.*

LEVEILLÉ André
Né le 9 mai 1880 à Lille (Nord), en 1886 selon René Huyghe. Mort en 1963. xxe siècle. Français.
Peintre de figures, portraits, paysages, illustrateur.
Vice-Président du Salon de la Société des Artistes Français, à Paris, il y exposa ses tableaux, ainsi qu'au Salon des Indépendants. Chevalier de la Légion d'honneur.
Il fit des projets pour des ouvrages d'orfèvrerie, dessina des bijoux. Il frôla les expériences cubistes pour en conserver dans ses œuvres très réalistes, un souci de rigueur et de construction.
Bibliogr. : Gérald Schurr, in : *Les Petits Maîtres de la peinture 1820-1920, valeur de demain*, Les Éditions de l'Amateur, t. II, Paris, 1982.
Musées : Auxerre – Paris (Mus. d'Art Mod.) : *Repas familial – Paysage bourguignon* – Sens.
Ventes Publiques : Paris, 8 juil. 1942 : *La Seine au Pont Mirabeau*, aquar. : **FRF 520** – Paris, 23 déc. 1943 : *Les Quais de la Seine* : **FRF 3 100** – Genève, 10 déc. 1970 : *Automne* : **CHF 12 000** – Versailles, 2 juin 1976 : *La prairie ensoleillée près du village* 1912, h/t (116x89) : **FRF 11 000** – Londres, 31 mars 1977 : *La prairie ensoleillée* 1912, h/t (115,5x89,5) : **GBP 1 600** – Versailles, 9 juin 1982 : *Les Moissonneurs* vers 1920, h/t (129,5x195) : **FRF 20 500** – Paris, 19 mars 1983 : *Le Retour des moissonneurs*, h/t (38x46) : **FRF 200 000** – Versailles, 7 déc. 1986 : *Paysage*, h/cart. (30x36,5) : **FRF 18 000** – Londres, 3 juil. 1987 : *Route près du village*, h/t (64x92) : **GBP 3 800** – Paris, 11 avr. 1988 : *Au café*, h/t (50x64) : **FRF 16 200** – Paris, 23 juin 1988 : *Promeneurs sur le boulevard* 1903, h/t (63x54) : **FRF 62 000** – Londres, 21 oct. 1988 : *Le Pont-Neuf à Paris*, h/t (55x65,5) : **GBP 12 100** – Paris, 23 jan. 1989 : *Scène Champêtre* 1880 (33x46) : **FRF 38 000**.

LÉVEILLÉ Auguste Hilaire
Né en 1840 à Joué-du-Bois (Orne). Mort en 1900 à Paris. xixe siècle. Français.
Graveur sur bois.
Élève de Best et de Hotelin. Il exposa au Salon à partir de 1873. Il a laissé de beaux bois dans *Le Magasin pittoresque, La Revue illustrée* et *La Gazette des Beaux-Arts*. Il a gravé les bois d'un certain nombre d'ouvrages, parmi lesquels : *Monsieur, Madame et Bébé* (d'après E. Morin), *Pape Blanc* (d'après J. P. Laurens), *Le Chevalier de Maison Rouge* (d'après Le Blant), *La Famille Cardinal* (d'après Léandre). Il fut également le graveur de Rodin.

A Léveille

Ventes Publiques : Paris, 25 mai 1955 : *Coiffures et chapeaux de femme*, cray. reh. de sépia et d'aquar. : **FRF 135 000**.

LÉVEILLÉ Charles Stanislas
xviiie-xixe siècles. Actif à Caen. Français.
Peintre d'architectures.
Il exposa aux Salons de 1796 et 1802. Il était également ingénieur.

LÉVEILLÉ Ernest
Né au xixe siècle à Paris. xixe siècle. Français.
Graveur sur bois.
Fils et élève de Auguste Hilaire Léveillé. Figura au Salon des Artistes Français où il obtint des mentions honorables en 1886 et 1900 (Exposition Universelle). Par la suite, il abandonna la gravure pour la musique.

LÉVEILLÉ J. Augustin
Né à Orléans. xviiie siècle. Français.
Graveur et dessinateur.
Élève de Janinet. On cite notamment de lui *Le Charlatan* et *La Bascule*, gravée en 1785, d'après Borel. Ces œuvres ont été à tort attribuées à un Pierre Léveillé, également originaire d'Orléans.
Ventes Publiques : Paris, 1897 : *Jeune Dame, vêtue d'une polonaise avec une coiffure à la marmotte*, dess. à la pl., lavé de bistre : **FRF 123**.

LÉVEILLÉ Pierre
Mort à Orléans. xvie siècle. Français.
Peintre.
Voir l'article sur J. Augustin Léveillé.

LÉVEILLER François
Né à Sancerre. xviiie siècle. Français.
Peintre.
Il habitait Genève en 1769.

LEVEL Hélène
Née au xixe siècle à Rio de Janeiro. xixe siècle. Américaine.
Sculpteur.
Elle obtint une mention honorable en 1896 au Salon des Artistes Français.

LEVELT Heinrich Jacob
Né en 1808 à Amsterdam. xixe siècle. Hollandais.
Peintre de paysages animés.
Ventes Publiques : New York, 8 oct. 1993 : *Deux hommes nourrissant des cygnes sur un canal d'une ville hollandaise*, h/pan. (32,4x46,7) : **USD 4 600**.

LEVEN Hugo
Né le 15 mars 1874 à Benrath, près de Düsseldorf. xxe siècle. Allemand.
Peintre, sculpteur animalier.
Il travailla à Düsseldorf et Brême et fut, à partir de 1910, professeur et directeur de l'Académie d'Hanau.
Musées : Stuttgart (Mus Nat.) : trois reliefs.

LEVEN Pierre
Né le 7 février 1891 à Marseille. xxe siècle. Français.
Peintre de paysages, portraits, illustrateur, affichiste.

Il fut élève de l'école des Beaux-Arts de Marseille. Une bourse de voyage lui permit d'effectuer un séjour à Florence et en Italie. Tout en continuant à peindre, il fut, à Paris, un affichiste de renom et le directeur d'une revue *La Gazette de Paris*.
Admirateur de Seyssaud, il a pris place parmi les paysagistes de la Provence colorée. Il a peint le portrait de *Cécile Sorel*. Il a aussi illustré quelques ouvrages.
Bibliogr. : In : Catalogue de la vente *Pierre Leven*, CL. Robert, Hôtel Drouot, Paris, 18 fév. 1974.

LEVENSTEDE Hinrick ou **Leuenstede**
XVIe siècle. Actif à Lunebourg. Allemand.
Peintre.

LEVENTSEV Nikolaï
Né en 1930. XXe siècle. Russe.
Peintre d'histoire, portraits, paysages, dessinateur.
Il étudia à l'Écoles des Beaux-Arts Sourikov de Moscou sous la direction de Yakov Sokolov.
Il aime représenter des scènes de la Russie du XIXe s. et se livre à de scrupuleuses recherches documentaires afin de reconstituer les architectures, les vêtements, les traditions, les objets de la vie quotidienne de l'époque.
Ventes Publiques : Paris, 29 nov. 1993 : *Devant le monastère*, h/t (90x120) : **FRF 28 000** – Paris, 4 mai 1994 : *Aux courses*, h/t (60x70) : **FRF 7 000** ; *Classe de danse*, h/t (50x90) : **FRF 15 200** – Paris, 1er déc. 1994 : *La salle de danse*, h/t (65x120) : **FRF 34 000** – Paris, 5 déc. 1994 : *En répétition*, h/t (70x120) : **FRF 18 000** – Paris, 7 juin 1995 : *Les barzoï*, h/t (60x130) : **FRF 5 500**.

LÉVÊQUE. Voir aussi **LÉVESQUE**

LÉVÊQUE Auguste
Né en 1864 ou 1866 à Nivelles (Brabant). Mort en 1921 à Saint-Josse-ten-Noode (Brabant). XIXe-XXe siècles. Belge.
Peintre d'histoire, sujets allégoriques, mythologiques, portraits, décorateur, sculpteur.
Il fut élève des académies de Nivelles et de Bruxelles sous la direction de Portaels. Il a obtenu le prix Godecharle en 1892. Il est membre des groupes de *L'Essor* et *Pour l'art*.
Musées : Anvers – Bruxelles – Gand – Tournai.
Ventes Publiques : Bruxelles, 21 avr. 1987 : *Bacchanale*, h/t (100x128) : **BEF 500 000** – Londres, 22 nov. 1989 : *Bacchanale*, h/t (96,5x127) : **GBP 33 000** – Londres, 13 mars 1996 : *Allégories des Arts* 1907, h/t (222x190) : **GBP 25 300**.

LÉVÊQUE Charles
Mort le 3 mars 1889 à Paris. XIXe siècle. Actif à Beauvais. Français.
Peintre verrier.
Les églises de Saint-Samson à Clermont et de Saint-Jacques à Compiègne, possèdent des vitraux de sa main, ainsi que les églises de Neuilly et de Montreuil-sous-Bois.

LÉVÊQUE Claude
Né vers 1945. XXe siècle. Français.
Sculpteur.
Il vit à Vosve. Il accompplit un travail méritoire de taille directe dans la pierre. Il fut peut-être sensible à la partie sculptée de l'œuvre de Raoul Ubac. Ses œuvres, à vocation monumentale, se présentent comme des ensembles de plis d'étoffes largement drapés.

LÉVÊQUE Claude
Né en 1958 à Nevers (Nièvre). XXe siècle. Français.
Artiste, créateur d'installations, multimédia.
Il a été élève de l'École des Beaux-Arts de Bourges.
Il participe à des expositions collectives, dont : 1982, Biennale de Paris ; 1983, *Anthropologie de la Biennale de Paris*, Musée Sarah Hilden, Tampere (Finlande) puis Olso et Copenhague ; 1984, *Atelier 84*, ARC, Musée d'Art Moderne de la Ville de Paris ; 1984, *Pour vivre heureux vivons cachés*, Nevers ; 1988, *Artistes Français*, Musée d'Alborg (Danemark) ; 1989, *Nos années 80*, Fondation Cartier, Jouy-en-Josas ; 1993, FRAC, Pays de la Loire, Garenne Lemot. Il montre son travail dans une première exposition, personnelle en 1984, galerie Éric Fabre, à Paris, puis : 1986, Centre d'Art Contemporain, Nevers ; 1987, Musée Bossuet, Meaux ; 1987, Institut Français, Édimbourgh ; 1988, 1990, galerie de Paris. 1998 Nice, Villa Arson.
L'œuvre de Claude Lévêque se réfère au monde de l'enfance que nimbe un sens poétique du secret. Ses installations, des premières œuvres qui figurent des jeunes garçons parés d'ampoules électriques jusqu'à celles où ce sont les apparences et leurs ombres que l'artiste recherche, fonctionnent sur le mode narratif. Il utilise dans ses réalisations des photographies, du plâtre, des bâches, des projecteurs, souvent la lumière artificielle du néon, et autres objets courants. Selon l'exacte expression d'Anne Tronche, il « théâtralise » son expression et la forme qu'elle revêt. Dans certaines de ses installations plus récentes, son engagement social semble s'affirmer visant à dénoncer un environnement, parfois violent, tout en remémorant en demi-teinte les voies initiatiques de son désir de révéler.
Bibliogr. : In : *Atelier 84*, catalogue de l'exposition, ARC, Musée d'Art Moderne de la Ville de Paris, 1984 – Anne Tronche, in : *Opus International*, Paris, été 1984 – Jim Palette : *Claude Lévêque*, in : *City Magazine*, mars 1988 – Anne Tronche, in : *Fonds National d'Art Contemporain. Acquisitions 1990*, Paris, 1991.
Musées : Paris (FNAC) : *La Peur du vide* 1987.

LÉVÊQUE Edmond Louis Auguste
Né le 1er juillet 1814 à Abbeville (Somme). Mort le 6 janvier 1875 à Paris. XIXe siècle. Français.
Sculpteur, peintre.
Élève à l'École des Beaux-Arts, de Guersant, David d'Angers et Rude. Il exposa de 1833 à 1874, figurant aussi dans la section de peinture aux Salons de 1848, 1869 et 1872.
Musées : Abbeville : *Samson de Pongerville* – *Andromède* – Amiens (Picardie) : *Dallery* – *Andromède* – *Amazone* – *Lesbie* – Amiens (Napoléon) : *Amazone* – Bernay : *Lesbie* – Blois : *Femme couchée* – Paris (Mus. du Louvre) : *Diane chasseresse* – *Nymphe de Diane* – Paris (Comédie Française) : *Mme de Girardin* – Versailles : *Le général Saint-Pol* – *Le général Drouot*.
Ventes Publiques : Paris, 4 mars 1980 : *Esclaves*, bronze patiné (H. 48,5) : **FRF 7 000** – Paris, 2 juin 1992 : *Les deux esclaves*, bronze (H. 47, terrasse 23,5x17) : **FRF 10 000**.

LÉVÊQUE François
XVIIIe siècle. Actif à Saint-Calais en 1766. Français.
Peintre d'histoire.

LÉVÊQUE Henri ou **Lévesque**
Né le 27 décembre 1769 à Genève. Mort en 1832 à Rome. XVIIIe-XIXe siècles. Suisse.
Peintre de portraits, paysages, miniatures, aquarelliste, peintre sur émail, graveur.
Après avoir travaillé dans plusieurs fabriques, il entreprit de nombreux voyages en Espagne, au Portugal et en Angleterre où il se maria.
On cite de lui une gravure, *Essai sur le Feu*, d'après Pictet, quelques gravures des environs de Genève et une plaque émaillée : *La leçon du grand-père*.
Musées : Darmstadt (Palais Neuf) : *Portrait de femme*, miniat. – Genève (Mus. Rath) : *Mme Chaponnière-Verdier*, miniat. – *La leçon du grand-père*, miniat. sur cuivre – Londres (Brit. Mus.) : *Vue de Frascati*, aquar.
Ventes Publiques : Paris, 13-14 avr. 1920 : *Paysage de Provence ou d'Italie*, aquar. gchée : **FRF 2 600** – Paris, 16 mai 1950 : *Portrait d'Ignace Pleyel* : **FRF 62 000** – Londres, 30 nov. 1978 : *L'Embarquement du général Junot après la convention de Cintra*, aquar. et pl. (32x50,5) : **GBP 2 100** – Londres, 8 avr. 1981 : *La Baie de Naples*, h/t (57x78) : **GBP 2 000** – Londres, 24 juin 1988 : *Vue de Rome*, aquar. (54,5x81,2) : **GBP 5 280** – Zurich, 10 déc. 1996 : *Vue de Genève des bains du bas de Chevelu*, grav. (19x25) : **CHF 4 600**.

LÉVÈQUE Marielle
Née le 4 mai 1946 à Villingen (Allemagne). XXe siècle. Française.
Peintre et sculpteur.
Après une formation solide à Paris, elle commence véritablement à exposer ses œuvres à partir de 1990 seulement, dans des galeries et des lieux alternatifs en France et à l'étranger.
Elle compose un monde imaginaire et peuplé de figures fantasmagoriques, peintes dans des ambiances de nuits bleues et fauves.

LÉVÊQUE Yves
Né le 2 janvier 1937 à Boulogne-sur-Seine (Hauts-de-Seine). XXe siècle. Français.
Peintre de paysages, dessinateur, graveur, pastelliste.
Il se forma seul à la peinture. Il vit et travaille à Paris et à Gaudreville-Grandville dans l'Eure-et-Loir.
Il figure dans de nombreuses expositions de groupe, parmi lesquelles : *École de Paris* en 1961 à la galerie Charpentier, Salon

d'Automne en 1962, 1963 et 1964, à Paris ; Biennale des Jeunes en 1963, à Paris ; Salon de Mai en 1967 et 1968, à Paris. Il exposa pour la première fois, personnellement, à Chicago, en 1961. Il exposa également pour la première fois à Paris en 1962 à la galerie Simone Badinier ; toujours à Paris en 1964 et 1969 ; puis, en 1970, à la galerie du Dragon, en 1975 à la galerie Daniel Gervis, en 1986 au Musée des Chartes (Chartres), en 1989 la galerie Éolia (Paris). Il est lauréat du Prix Lefranc en 1964.
Il utilise souvent la technique du pastel, qui influence ses peintures à l'huile. Il procède par thèmes successifs : *Les Batailles* (1962) ; *Les Choux, les arbres, les fermes* (1964) ; *Les Tatouages*, de 1965 à 1969 ; *Les Livres* (1970) ; *Les Matériels de la ferme* (1975). Fervent du beau métier, il est issu, comme Janson ou Martin Dieterle, d'un nuagisme tendant à un paysagisme abstrait exprimé dans une technique s'inspirant du XVIIIe siècle. Avec les *Instruments de la ferme*, il a emprunté de l'illusionnisme des hyperréalistes.

Bibliogr. : Jacques Damase : *Yves Lévêque*, catalogue de l'exposition, Gal. du Dragon, Paris, 1969 - Jacques Damase, in : *Yves Lévêque*, catalogue de l'exposition, Maison de la Culture de Rennes, 1974.
Musées : Chartres (Mus. des Chartres) - Marseille (Mus. Cantini) : *Tatouage, le dos à la pensée* - Paris (Mus. d'Art Mod. de la Ville) - Paris (CNAC) - Paris (FNAC) - Skopje (Mus. d'Art Mod.).

LEVER Hayley Richard
Né le 28 septembre 1876 à Adelaïde. Mort en 1958. XIXe-XXe siècles. Actif depuis 1911 puis naturalisé aux États-Unis. Australien.
Peintre de marines, graveur.
Il arriva aux États-Unis en 1911. Auparavant, il avait étudié à Paris et en Angleterre. Pendant son séjour en Angleterre il fréquenta le groupe des peintres de St Ives et commença à peindre des marines. Sa réputation s'établit dès son arrivée aux États-Unis et il participa à de nombreuses expositions jusqu'à la crise économique survenue en 1929. Ayant obtenu la nationalité américaine, il donna des cours à l'Art Students' League de 1919 à 1931. Il obtint un prix de la Fondation Carnegie en 1914.
Il fut profondément influencé par Van Gogh à ses débuts et fut un peintre de marines réputé.

Musées : Baltimore : *Bateaux* - Brooklyn (Inst.) : *Hiver à St Ives* - Dallas (Art Mus.) : *Campement de pêcheurs* - Los Angeles (Harrison Gal.) : *Bateaux de pêche à St Ives* - New York (Metropolitan) : *Voiles* - New York (Nat. Art Club) : *L'Hudson* - Philadelphie (Acad. des Beaux-Arts de Pennsylvanie) : *Clarté - St Ives, Cornouailles* - Sydney (Art Gal.) : *Quartier de St Ives* - Washington D. C. (Corcoran Gal.) : *Crépuscule* - Washington D. C. (Maison Blanche) : *Le Yacht présidentiel Mayflower*.
Ventes Publiques : Philadelphie, 30 mai 1932 : *Le Port de Gloucester* : **USD 105** - New York, 1er oct. 1969 : *Le Port de St Ives, Cornouaillesl* : **USD 5 300** - New York, 28 oct. 1976 : *Vue du port de New York* 1928, h/cart. (20,5x40,5) : **USD 1 600** - Los Angeles, 8 nov. 1977 : *Le port de Gloucester* 1916, h/t (33x40,5) : **USD 2 300** - New York, 20 avr 1979 : *Vue de New York* 1933, h/t (63,5x76,2) : **USD 6 250** - New York, 25 sep. 1980 : *Le Port de Gloucester*, aquar. et cr. (28,2x39) : **USD 950** - New York, 29 mai 1981 : *Allegheny River, Pittsburgh* vers 1924, h/t (101,6x127) : **USD 17 000** - New York, 18 mars 1983 : *Hiver*, h/t (101,7x127) : **USD 2 800** - New York, 31 mai 1984 : *Armistice celebration parade, Fifth Avenue* 1919, h/t (63,5x76,2) : **USD 36 000** - Portland, 11 mai 1985 : *St Ives* 1904, aquar. (22,8x30,6) : **USD 3 400** - New York, 14 mars 1986 : *Holiday at East Gloucester, Massachusetts*, aquar. (49x61) : **USD 3 200** - New York, 4 déc. 1987 : *Brandt Estuary, Massachusetts* 1913, h/t (101,5x127,3) : **USD 18 000** - New York, 24 juin 1988 : *Nature morte florale*, h/t (50x40) : **USD 4 400** - New York, 30 sep. 1988 : *Gloucester*, h/t (102x127) : **USD 28 600** - New York, 24 jan. 1989 : *Pittsburgh* 1916, h/cart. (47,9x57,5) : **USD 8 250** - New York, 28 sep. 1989 : *Yachting à Marblehead*, h/t (61x91,4) : **USD 18 700** - New York, 30 nov. 1989 : *Barques de pêche en Bretagne* 1930, h/t (101,6x127) : **USD 29 700** - New York, 24 jan. 1990 : *Vue de New York depuis Weehawken dans le New Jersey* 1913, aquar. et cr./pap./cart. (38,1x50,2) : **USD 2 750** - New York, 14 fév. 1990 : *La table aux accessoires*, h/pan. (76,2x91,4) : **USD 6 600** - New York, 16 mars 1990 : *Le port de Gloucester*, h/t (64,1x76,2) : **USD 22 000** - New York, 30 mai 1990 : *La danse des barques*, h/t (102,2x127) : **USD 17 600** - New York, 26 sep. 1990 : *Le débarquement de la pêche*, h/t (76,2x101,6) : **USD 22 000** - New York, 14 mars 1991 : *Barques de pêche à Gloucester*, h/t (51,3x61) : **USD 11 000** - New York, 21 mai 1991 : *Good Harbor Beach à Gloucester*, h/t (50,8x61) : **USD 14 300** - New York, 25 sep. 1991 : *La course de J. Boat à Larchmont, New York*, h/t (76,2x101,6) : **USD 23 100** - New York, 14 nov. 1991 : *St. Ives en Cornouailles*, h/cart. (33x41,2) : **USD 4 400** - New York, 10 juin 1992 : *Dimanche matin à St. Ives en Cornouailles*, h/t (19,7x24,2) : **USD 1 320** ; *La lessive sechant en plein vent*, h/t (40,6x50,8) : **USD 3 080** - New York, 24 sep. 1992 : *Vue de Gloucester*, h/t (184,2x176,5) : **USD 14 300** - New York, 4 déc. 1992 : *Les Quartiers laborieux de Manhattan*, h/t (63,4x76) : **USD 33 000** - New York, 27 mai 1993 : *Après-midi d'été dans le port de St Ives en Cornouailles*, h/t (127x152,4) : **USD 40 250** - New York, 21 sep. 1994 : *Les drapeaux*, h/t (63,5x76,2) : **USD 71 250** - New York, 14 sep. 1995 : *Parade pour la célébration de l'armistice sur la Cinquième Avenue* 1919, h/t (63,5x76,2) : **USD 57 500** - Montréal, 5 déc. 1995 : *Barques de pêche se préparant à quitter le port*, h/t (35,5x44,5) : **CAD 2 600** - New York, 30 oct. 1996 : *Nocturne, Marblehead*, h/cart. (61x91,8) : **USD 10 925** - New York, 3 déc. 1996 : *Gloucester, Massachusetts* 1923, h/t (51,5x62,2) : **USD 4 600** - New York, 27 sep. 1996 : *Nantucket, village de pêcheurs* 1936, h/t (61x90,2) : **USD 12 650** - New York, 25 mars 1997 : *Brise fraîche sur la rivière Exe, Devon* 1913, h/t (41x51,1) : **USD 7 475** ; *Horizon de New York City* 1935, aquar./pap (38,1x56,5) : **USD 2 875** - New York, 23 avr. 1997 : *Hyde Park* 1905, h/t, une paire (25,3x33) : **USD 5 520** ; *Bateaux quittant Marblehead*, h/t (61x91,4) : **USD 14 950** ; *Scène de rue, St Ives*, h/t (59x75,6) : **USD 9 775**.

LEVERD Léon Alfred
Né au XIXe siècle à Hesdin (Pas-de-Calais). XIXe siècle. Français.
Portraitiste et peintre de natures mortes.
Il débuta au Salon en 1876.

LEVERD Louis ou **Le Verd**
Né vers 1745. XVIIIe siècle. Actif à Saint-Omer. Français.
Sculpteur.
Parmi les œuvres de sa succession vendues aux enchères en 1776 figurèrent : *Léda, Enfants jouant, Satyre et Bacchante* (ces trois œuvres en marbre).

LEVERD René
Né en 1872 à Hesdin (Pas-de-Calais). Mort en 1938. XIXe-XXe siècles. Français.
Peintre de paysages, paysages urbains, paysages animés, animalier, dessinateur, graveur, illustrateur, aquarelliste. Postimpressionniste.
Élève de son père Léon Alfred Leverd puis de Franck Lamy et Jobbé Duval.
Il a figuré, à Paris, au Salon des Artistes Français, à partir de 1906, puis au Salon des Arts Décoratifs. Il a reçu plusieurs récompenses.
Il a surtout peint les paysages parisiens et notamment les bords de Seine. Aquarelliste narratif et délicat, il a, pour son propre compte, illustré quelques-unes des *Fables* de La Fontaine. Il a également réalisé toute une série d'aquarelles commémorant la présentation publique, place de la Concorde, de l'artillerie et des avions pris aux Allemands après la victoire de 1918.

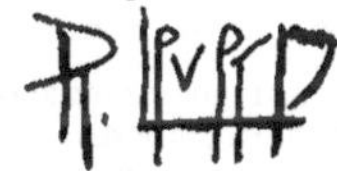

Bibliogr. : Gérald Schurr, in : *Les Petits Maîtres de la peinture 1820-1920, valeur de demain*, Les Éditions de l'Amateur, t. IV, Paris, 1979.
Musées : Paris (Mus. Carnavalet) - Paris (Mus. du Petit Palais).
Ventes Publiques : Paris, 15-16 déc. 1924 : *Rue des Deux-Points ; Rue de la Montagne Sainte-Geneviève*, deux aquar. : **FRF 240** - Paris, 14 déc. 1927 : *Route plantée de peupliers, au bord de l'eau* : **FRF 220** - Paris, 29 nov. 1937 : *L'Abside de Notre-Dame de Paris sous la neige*, aquar. : **FRF 220** - Paris, 24 mai 1944 : *Le Bassin des Tuileries*, aquar. : **FRF 1 800** - Enghien-les-

Bains, 24 mars 1985 : *Les bouquinistes en hiver*, aquar. (82x105) : **FRF 8 000** – La Varenne-Saint-Hilaire, 28 fév. 1988 : *Les bouquinistes près de Notre-Dame* 1915, aquar. (19x25) : **FRF 8 500** ; *Promeneurs sur le quai Voltaire à Paris* 1916, aquar. (20x13) : **FRF 5 000** ; *Passants sur le Pont d'Austerlitz à Paris* 1912, aquar. (13x20) : **FRF 4 800** – Versailles, 15 mai 1988 : *Le port d'Alger*, aquar. (37x55) : **FRF 4 000** – La Varenne-Saint-Hilaire, 12 mars 1989 : *Le long des quais à Bruges*, aquar. (38x51) : **FRF 6 500** – Paris, 22 oct. 1989 : *Quai de la Seine à Paris en hiver*, gche et aquar. (79x105) : **FRF 29 000** – La Varenne-Saint-Hilaire, 3 déc. 1989 : *Attelages devant le pont à Paris* 1909, aquar. (19,5x25) : **FRF 7 400** – Versailles, 10 déc. 1989 : *Paysage aimé*, aquar. (23,5x31,5) : **FRF 4 800** – Paris, 11 mars 1990 : *Les deux pigeons*, aquar. (49x39) : **FRF 10 000** ; *Le lièvre et la tortue*, aquar. (49x32) : **FRF 11 000** – La Varenne-Saint-Hilaire, 16 juin 1990 : *Le coq, les poules et la perle*, aquar. (49x32) : **FRF 10 500** – Paris, 23 mars 1993 : *Semur* 1904, aquar. (52x71) : **FRF 5 000** – Paris, 29 juin 1993 : *Senlis*, aquar. (26,5x20) : **FRF 4 000** – Calais, 11 déc. 1994 : *Paris, place de la Concorde*, aquar. (21x30) : **FRF 8 000**.

LEVERING Daniel
Né en 1871 à Anvers. xxe siècle. Belge.
Peintre de paysages, natures mortes, peintre verrier.
Il fut élève de Ch. Verlat et de Jul. De Vriendt. Il est aussi restaurateur de tableaux.
Bibliogr. : In : *Diction. biographique illustré des artistes en Belgique*, Arto, Bruxelles, 1987.

LEVEROTTI Julian
Né en 1844. Mort en 1915. xixe-xxe siècles. Italien.
Sculpteur.
La National Portrait Gallery, à Londres, conserve de lui un médaillon de *Robert Ouen*.

LEVERRIER Marie Hélène
Née en 1949 à Ceaucé (Orne). xxe siècle. Française.
Graveur.
Elle a figuré à l'exposition intitulée *De Bonnard à Baselitz* à la Bibliothèque nationale à Paris en 1992.
Bibliogr. : In : *De Bonnard à Baselitz – Dix ans d'enrichissements du Cabinet des Estampes 1978-1988*, catalogue de l'exposition, Bibliothèque nationale, Paris, 1992.
Musées : Paris (Cab. des Estampes).

LE VERRIER Max
Né en 1891. Mort en 1973. xxe siècle. Français.
Sculpteur de statuettes de genre, animalier.
Ventes Publiques : New York, 26 mars 1983 : *Janie, danseuse exotique*, bronze argenté (H. totale 30,8) : **USD 2 800** – Paris, 17 avr. 1991 : *Pierrot*, bronze et ivoire (H. 44) : **FRF 7 000** – Paris, 25 nov. 1991 : *Hippopotame*, bronze (8,5x18) : **FRF 5 800** – Zurich, 8 avr. 1997 : *Panthère*, bronze (26x59x8) : **CHF 3 800**.

LE VERRIER Pierre. Voir **PIERRE** dit **le verrier**

LEVERT Jean Baptiste
Né en 1828 à Paris. xixe siècle. Français.
Peintre de paysages, dessinateur.
Dessinateur de costumes militaires, il s'orienta vers l'art du paysage, grâce à Degas. Il participa à la première exposition impressionniste chez Nadar en 1874, avec un *Paysage d'Auvers* et des *Bords de l'Essonne*.
Bibliogr. : Gérald Schurr, in : *Les Petits Maîtres de la peinture 1820-1920, valeur de demain*, Les Éditions de l'Amateur, t. IV, Paris, 1979.

LÉVESQUE. Voir aussi **LÉVÊQUE**

LEVESQUE Benjamin
xxe siècle. Français.
Peintre.
Il a montré ses œuvres dans une exposition personnelle en 1996 à la galerie Art Connection à Bordeaux.
Dans ses œuvres, la couleur noire, dont il exploite les variations du mat au brillant, prédomine, interrompue parfois par des touches de couleurs vives, acidulées.

LEVESQUE Erik
xxe siècle. Français.
Peintre. Figuration libre.
Il a exposé à Paris en 1987 avec Martin Bissière.

L'ÉVESQUE Jacobus. Voir **LEVECQ**

LÉVESQUE Laurent ou **Lévêque**
Mort entre 1653 et 1697 à Paris. xviie siècle. Français.
Peintre.
Il fut reçu en 1644 Maître de la Gilde de Saint-Luc à Rouen, de 1644 à 1648 il fut « peintre de la Maison du roi ».

LÉVESQUE Marie
Née au xixe siècle à Paris. xixe siècle. Française.
Pastelliste et peintre sur faïence.
Élève de Mlle A. Dubas. Elle exposa au Salon à partir de 1872.

LEVESQUE Pierre Charles
Né en 1736 à Paris. Mort en 1812 à Paris. xviiie-xixe siècles. Français.
Graveur à l'eau-forte amateur.
Il a gravé avec talent des sujets d'histoire et des sujets de genre, d'après les maîtres anciens et ceux de son époque. On lui doit aussi des portraits.

LÉVESQUE Sophie
Née au xixe siècle à Paris. xixe siècle. Française.
Pastelliste et peintre sur faïence.
Au moins sœur de Marie Lévesque. Élève de Mlle A. Dubas. Débuta en 1879.

LÉVESQUE DE GRAVELLE Michel Philippe
xviiie siècle. Actif à Paris. Français.
Dessinateur et graveur amateur.
Il rédigea un *Recueil de pierres gravées antiques* avec 205 planches qu'il grava lui-même. Il grava également des planches isolées.

LÉVESQUES Marthe. Voir **LA LYRE**

LEVET Emma
Née le 5 août 1926 à Marseille. xxe siècle. Française.
Peintre.
Elle a été élève d'Yves Brayer, à l'Académie de la Grande Chaumière à Paris. Elle expose, à Paris, au Salon d'Automne et au Salon des Indépendants.

LEVET Louise
Née le 20 octobre 1888 à Thorens (Haute-Savoie). xxe siècle. Française.
Peintre miniaturiste.
Elle exposa, à Paris, au Salon des Artistes Français.

LE VEXIER Louis
xviiie siècle. Actif à Nantes vers 1715. Français.
Sculpteur.

LEVI Basile
Né le 17 septembre 1878 à Saint-Pétersbourg. xxe siècle. Actif en Scandinavie. Russe.
Peintre de figures, paysages.
Avocat dans sa ville natale, il ne vint à la peinture que vers l'âge de quarante ans, sous l'influence d'Elia Répine. À la mort de celle-ci en 1930, il s'installa à Paris, ne retournera à Stockholm qu'en 1939.
Il a exposé en Hollande, à Paris et dans les pays scandinaves où l'on voit de ses œuvres dans les musées. Il est connu pour ses paysages de neige en Scandinavie.

LEVI Carlo
Né le 29 novembre 1902 ou 1908 à Turin. Mort en 1975 à Rome. xxe siècle. Actif en France. Italien.
Peintre. Réaliste.
Abandonnant l'étude de la médecine pour la peinture, il prit part dès 1923 aux principales expositions italiennes, dont les Biennales de Venise et Quadriennales de Rome. Il a aussi exposé à Paris et à New York.
Ce peintre s'est rendu célèbre par divers écrits, notamment *Le Christ s'est arrêté à Eboli*.
Il fut un représentant de la tendance réaliste de la peinture italienne entre les deux guerres, celle qui s'est la plus fortement opposée au fascisme. Carlo Levi se prononça publiquement contre ce régime politique. Pour ce fait, il fut assigné à résidence pendant un an avant d'émigrer en France.

Musées : Londres (Tate Gal.) – Moscou (Mus. d'Art Occidental) – Turin (Gal. d'Art Mod.).
Ventes Publiques : Milan, 26 mai 1970 : *Bosquet* : **ITL 1 400 000** – Rome, 21 mai 1974 : *Marine* : **ITL 1 800 000** – Rome, 18 mai 1976 : *L'oliveraie*, h/t (50x70) : **ITL 2 200 000** – Milan, 13 déc.

1977 : *Popolo*, h/t (66x50) : **ITL 2 000 000** - Rome, 27 nov 1979 : *Paysage boisé et marine*, h/t (50x70) : **ITL 3 930 000** - Milan, 17 nov. 1981 : *Mère et Enfant*, pl. (45x33,5) : **ITL 1 400 000** - Milan, 10 mars 1982 : *Paysage* 1946, h/t (73x92) : **ITL 6 500 000** - Rome, 18 mai 1983 : *Sous-bois*, h/t (70x80) : **ITL 4 200 000** - Rome, 22 mai 1984 : *Portrait* 1970, craies de coul. (54x49) : **ITL 2 000 000** - Rome, 18 nov. 1985 : *La forêt* 1965, h/t (73x100) : **ITL 5 200 000** - Rome, 18 mars 1986 : *Paysanne*, fus. (70x52) : **ITL 1 100 000** - Rome, 25 nov. 1986 : *Famille de paysans de Calabre* 1953, h/t (73x93) : **ITL 6 500 000** - Rome, 25 nov. 1987 : *Le Jardin*, h/t (49x64) : **ITL 4 200 000** - Rome, 15 nov. 1988 : *Mère et enfants*, h/t (50x65) : **ITL 5 200 000** ; *Nature morte avec des têtes d'ail, des citrons un drap blanc*, h/t (38x46) : **ITL 18 500 000** - Rome, 8 juin 1989 : *Nus féminins* 1927, h./contreplaqué (100x121) : **ITL 44 000 000** - Rome, 28 nov. 1989 : *Nature morte avec des légumes et des citrons sur une nappe blanche* 1938, h/t (80x80) : **ITL 17 000 000** - Rome, 10 avr. 1990 : *Tête d'homme*, past. gras/pap. (31,5x24) : **ITL 2 000 000** - Milan, 12 juin 1990 : *Nature morte*, h/t (80x80) : **ITL 6 500 000** - Milan, 24 oct. 1990 : *Sous-bois*, h/t (80x100) : **ITL 8 000 000** - Rome, 9 avr. 1991 : *Nature morte avec des légumes et des grenades* 1936, h/t (46x37,5) : **ITL 15 000 000** - Rome, 3 déc. 1991 : *Paysage d'Alassio* 1962, h/t (73x92) : **ITL 7 500 000** - Rome, 12 mai 1992 : *Nature morte aux figues et maïs* 1970, h/t (50x70) : **ITL 8 500 000** - Milan, 9 nov. 1992 : *Les amants*, h/t (70x100) : **ITL 7 000 000** - Rome, 14 déc. 1992 : *La vie de l'arbre* 1974, h/t (80x100) : **ITL 8 050 000** - Rome, 25 mars 1993 : *Portrait de Linuccia Saba* 1972, h/t (60x50) : **ITL 5 200 000** - Milan, 5 déc. 1994 : *Fleurs*, h/t (58x46) : **ITL 4 600 000** - Rome, 28 mars 1995 : *La famille* 1964, h/t (51,5x72,5) : **ITL 5 175 000** - Milan, 22 juin 1995 : *Nature morte*, h/t (55x75) : **ITL 6 900 000** - Milan, 2 avr. 1996 : *Autoportrait au paysage romain* 1950, h/t (38x46) : **ITL 8 625 000** - Venise, 12 mai 1996 : *Nature morte de fruits*, h/t (70x50) : **ITL 5 600 000**.

LEVI Clemente ou **Pugliese-Levi Clemente**
Né le 29 ou 30 septembre 1855 à Verceil. Mort en 1936 à Milan. XIXe-XXe siècles. Italien.
Peintre de paysages, de figures et de portraits et aquafortiste.
Ce fut un des maîtres de l'École contemporaine impressionniste italienne. Il a exposé à Turin, à Venise, à Bologne et en 1921 à Milan.
Ventes Publiques : Milan, 18 mai 1971 : *Dopo un temporale* : **ITL 500 000** - Milan, 6 nov. 1980 : *Le retour du troupeau*, h/t (50x81) : **ITL 3 000 000** - Milan, 23 mars 1983 : *Il torrione di Spelanberto*, h/t (51x82) : **ITL 2 000 000** - Milan, 7 nov. 1985 : *Coucher de soleil sur le lac Orta* 1914, h/t (45,4x81) : **ITL 4 000 000** - Milan, 14 juin 1989 : *Nocturne*, h/t (54x82) : **ITL 3 300 000** - Milan, 6 déc. 1989 : *Nocturne* 1917, h/t (55x81) : **ITL 5 400 000** - Milan, 21 déc. 1993 : *Nocturne*, h/t (53,5x82) : **ITL 2 530 000** - Milan, 22 mars 1994 : *Nature morte d'un bol et d'un bouquet de fleurs des champs dans un vase de verre*, temp./pap. (23x31,5) : **ITL 1 610 000** - Milan, 8 juin 1994 : *Paysage pluvieux et animé*, h/pan. (26x35) : **ITL 1 380 000** - Milan, 19 déc. 1995 : *Le printemps reverdit* 1893, h/t (59x82) : **ITL 8 970 000**.

LEVI Giovanni Battista
Né vers 1552. Mort après 1605. XVIe siècle. Italien.
Peintre.
Deux églises de Legnago lui doivent des tableaux d'autel.

LEVI Isacco Gioachino
Né en 1821 à Busseto près de Parme. XIXe siècle. Italien.
Peintre d'histoire, de genre et de portraits.
Il fut, à partir de 1860, professeur à l'Académie de Milan. On cite parmi ses œuvres : *Les juifs en exil, Portrait de l'artiste, La famille Lévi, La mort de Don Carlos.*

LÉVI Juan de. Voir **JUAN de Lévi**

LEVI Julian Clarence
Né le 8 décembre 1874 à New York. XXe siècle. Américain.
Peintre, graveur.
Il fut élève de Scellier de Gisors à l'École des Beaux-Arts de Paris. Il fut membre de la Fédération américaine des arts.
Il obtint une mention honorable, à Paris, au Salon de Paris en 1904 et une mention au concours du Prix Carnegie en 1945.

LEVI Luigi
XIXe-XXe siècles.

LEVI Max
Né le 27 septembre 1865 à Stuttgart. Mort le 5 juin 1912 à Berlin. XIXe-XXe siècles. Allemand.
Sculpteur.
Élève de l'Académie de Berlin. On cite parmi ses œuvres un buste de *Strindberg*.
Musées : Dresde (Albertinum) : *Agnes Sorma - Le conseiller Schmidt*.
Ventes Publiques : Stockholm, 9 avr. 1985 : *August Strindberg*, bronze patiné (H. 86) : **SEK 70 000**.

LEVI Pietro
Né en 1874 à Mendrisio. XIXe-XXe siècles. Suisse.
Sculpteur.
Il obtint des médailles en 1894 et 1903 pour différents centenaires.

LEVI BIANCHI Fulvia
Née vers 1935 à Trieste. XXe siècle. Italienne.
Peintre, sculpteur.
Elle participe à de nombreuses expositions de groupe, en Italie surtout. Elle montre ses œuvres dans des expositions personnelles, à Milan : 1957, 1962, 1965, 1968, 1970 ; à Rome en 1965 ; à Paris en 1966 ; à Bruxelles en 1966.
Tout son œuvre est consacré à l'obsession de la forme parfaite de l'œuf, et au symbolisme de la maturation du fœtus dans le réceptacle vaginal.
Bibliogr. : In : *Fulvia Levi Bianchi*, catalogue de l'exposition, Gall. d'Arte Cortina, Milan, 1970.

LEVI-MONTALCINI Paola
Née en 1909 à Turin. XXe siècle. Italienne.
Peintre.
Elle fut élève de l'atelier de Felice Casorati. Elle a commencé à exposer seule, en 1935, notamment à la Biennale de Venise en 1936, 1948 et 1950 ; à la Quadriennale de Rome en 1931, 1935, 1955, 1959 ; à la Biennale de São Paulo en 1961.
Elle obtint un prix *Morgan's Paint*, à Rimini, en 1957.
Après 1957, elle évolua à une abstraction décorative.
Bibliogr. : In : *Peintres contemporains*, Mazenod, Paris, 1961.
Musées : Modène - Rome - Tel-Aviv - Turin.

LEVI-STRAUSS Raymond Urbain Élie
XXe siècle. Français.
Peintre de scènes de genre, portraits.
Il figura, de 1905 à 1921, à Paris dans différents Salons de Paris.

LEVICK Ruby Winifred, plus tard Mrs **Gervase Bailey**
Née à Leandaff. XIXe-XXe siècles. Britannique.
Sculpteur.
Elle travailla à Londres, où elle participa de 1894 à 1909 aux expositions de la Royal Academy et à l'Art and Crafts Society.

LEVICOMTE Paul Frédéric
Né en 1806 à Paris. Mort en 1881 à Paris. XIXe siècle. Français.
Peintre d'architectures.
Élève de Guénepin. Il débuta au Salon de 1870.

LEVIEIL Guillaume I ou **Le Vieil**
Mort en 1697 à Rouen. XVIIe siècle. Français.
Peintre verrier.
L'église de l'hôpital de Rouen et l'église Sainte-Croix d'Orléans possèdent des vitraux de sa main.

LEVIEIL Guillaume II
Né vers 1676 à Rouen. Mort en 1731 à Paris. XVIIIe siècle. Français.
Peintre verrier.
Fils de Guillaume I. Il fit des vitraux à l'église Sainte-Croix d'Orléans étant encore très jeune, puis il vint à Paris et sur la présentation de Jouvenet fut employé par Mansart aux vitraux de la chapelle du palais de Versailles et à ceux des Invalides. Il fit également quelques verrières pour l'église des Dominicains.

LEVIEIL Jean ou **le Vieil**
XVIIIe siècle. Actif à Paris. Français.
Peintre verrier.
Il était fils de Guillaume II Levieil. La chapelle du château de Versailles possède des vitraux de lui.

LEVIEIL Pierre
Né en 1708 à Paris. Mort le 23 février 1772 à Paris. XVIIIe siècle. Français.
Peintre verrier.
Fils de Guillaume II Levieil. Il travaillait en 1734 aux vitraux de Saint-Étienne-du-Mont, et plus tard à ceux de Notre-Dame et de Saint-Victor.

LEVIER Adolf
Né le 3 janvier 1873 à Trieste. XXe siècle. Italien.

Peintre de portraits, genre, natures mortes.
Il travailla à Vienne, Paris et Trieste.
Ventes Publiques : Londres, 19 mars 1986 : *Élégante en robe blanche avec son chien*, h/t (150x148) : **GBP 3 000**.

LEVIER Charles
Né en 1920. xxe siècle. Actif depuis 1945 environ aux États-Unis. Français.
Peintre de compositions animées, figures, paysages, fleurs.
Il fut élève de l'École des Arts Décoratifs de Paris. Au lendemain de la Seconde Guerre mondiale, il eut une activité de cinéaste à Hollywood. Il a exposé à Los Angeles.
Il a souvent peint les paysages de Corse. Dans les figures comme dans les paysages, il a une écriture directe, cernée.

Ventes Publiques : New-York, 23 mars 1961 : *Au restaurant* : **USD 1 500** – Los Angeles, 10 juin 1976 : *Fleurs sauvages devant la plage*, h/t (101,5x76,2) : **USD 850** – Los Angeles, 12 mars 1979 : *Fleurs rouges*, h/t (101,6x76,2) : **USD 1 000** – Washington D. C., 6 mars 1983 : *Scène de port* 1961, h/t (76,2x101,5) : **USD 1 300** – L'Isle-Adam, 11 juin 1988 : *Sur la plage*, h/t (75x60) : **FRF 4 600** – Montréal, 1er mai 1989 : *La chaise rouge*, h/t (76x61) : **CAD 900** – New York, 21 fév. 1990 : *Parisiennes*, h/t (106,7x165,3) : **USD 5 500** – Nantes, 18 juil. 1990 : *Le Village*, h/t (60x92) : **FRF 30 000** – New York, 10 oct. 1990 : *Châteaux de la Loire*, h/t (73,7x100,4) : **USD 4 125** – Paris, 1er mars 1991 : *Bouquets*, h/t (76x102) : **FRF 11 000** – New York, 7 mai 1991 : *Fleurs sur la plage*, h/t (76,2x101,6) : **USD 3 850** – New York, 12 juin 1991 : *Île de la Cité*, h/t (51,4x127) : **USD 1 760** – New York, 5 nov. 1991 : *À la fenêtre*, h/t (101,5x76,2) : **USD 2 420** – New York, 27 fév. 1992 : *Fleurs sur la mer*, h/t (101,5x76,2) : **USD 3 300** – New York, 9 mai 1992 : *Mois de mai*, h/t (75,6x101,6) : **USD 1 320** – New York, 10 nov. 1992 : *Fleurs sauvages*, h/t (101,3x76,2) : **USD 3 410** – New York, 8 nov. 1994 : *La Promenade*, h/t (101,6x76,2) : **USD 2 070** – Paris, 6 nov. 1995 : *Au café*, h/t (60x90) : **FRF 6 000** – New York, 7 nov. 1995 : *Femme nue*, h/t (101,6x76,5) : **USD 1 035** – New York, 10 oct. 1996 : *Le square*, h/t (102,2x76,5) : **USD 2 530** ; *Au café, Paris*, h/t (102,6x76,2) : **USD 2 070**.

LE VIEUX Lucien
xviiie siècle. Actif à Paris. Français.
Sculpteur.
Le Jardin des Plantes de Paris lui doit un buste en terre cuite du botaniste *B. de Jussieu*.
Musées : Londres (Nat. Portrait Gal.) : *Buste en marbre de J. Cook* – Versailles : *Jussieu*, plâtre.

LEVIEUX Renaud, Reynaud ou **Reynier**
Né vers 1625 à Nîmes. Mort en 1690. xviie siècle. Français.
Peintre de sujets religieux, graveur, dessinateur.
Il était fils d'un orfèvre, et fit son éducation artistique en Italie. Il travaillait à Rome en 1685.
On cite de lui une gravure très rare représentant une *Sainte Famille*, ainsi que *Jésus et les pèlerins d'Emmaüs*, à la cathédrale de Nîmes, *La Visitation*, à l'église de la Madeleine, à Aix et un *Saint Bruno* à l'église Saint-Jean, à Aix.
Musées : Avignon : *Crucifixion* – *Zacharie bénit son fils Jean partant pour le désert* – *Jacob et Laban* – *L'ange Gabriel apparaissant à Zacharie* – Nîmes : *Saint Jean-Baptiste au désert* – *Saint Jean devant Hérode* – *La Décollation*.
Ventes Publiques : Monte-Carlo, 25 juin 1984 : *Madone et l'Enfant à l'oiseau*, h/t (103,5x84,5) : **FRF 210 000** – Paris, 13 juin 1986 : *Sainte vue à mi-corps*, h/t (62,5x52,5) : **FRF 32 000** – New York, 15 jan. 1988 : *Sainte Catherine devant la Vierge et l'Enfant*, h/t (121x89,5) : **USD 7 700** – Monaco, 17 juin 1989 : *Vierge à l'Enfant et saint Jean-Baptiste*, h/t (72x56) : **FRF 111 000** – Paris, 28 juin 1996 : *Saint évêque bénissant un enfant*, encre de Chine et lav. (21,5x25) : **FRF 4 800** – Paris, 9 déc. 1996 : *Nature morte avec ara et épagneuls nains*, h/t (81,5x102) : **FRF 105 000**.

LEVIEZ K.
xviiie siècle. Actif à Paris. Français.
Graveur au burin.
Il a gravé des paysages.

LEVIGNE Renaud
Né en 1938. xxe siècle. Hollandais.
Dessinateur, graphiste.
Il vit à Maastricht. Il fut élève de l'Académie municipale d'Art de Bâle, et de l'Académie Jan Van Eyck de Maastricht. Il participe à des expositions collectives en Hollande et dans plusieurs pays d'Europe, ainsi qu'à New York.
Il s'est spécialisé dans le dessin graphique en grandes dimensions. Son style, son art de la composition, sont apparentés à la bande dessinée.

LEVIGNE Théodore ou **Lévigne,** par erreur **Lesvignes**
Né en 1848 à Noirétable (Loire). Mort le 11 novembre 1912 à Lyon (Rhône). xixe-xxe siècles. Français.
Peintre de genre, portraits, paysages animés, marines.
Il était établi à Lyon. En 1998, l'Atrium de Tassin la demi-lune a présenté une exposition rétrospective de son œuvre.
Ses paysages, bien souvent présentés en hiver, suggèrent, dans des demi-teintes, l'atmosphère brumeuse, humide des bords des cours d'eau du Lyonnais, mais aussi des marines aux bords ensoleillés de la Méditerranée.
Bibliogr. : Gérald Schurr, in : *Les Petits Maîtres de la peinture 1820-1920, valeur de demain*, Les Éditions de l'Amateur, t. IV, Paris, 1979.
Musées : Chambéry (Mus. des Beaux-Arts) : *Paysage d'Automne* – Lyon (Mus. Saint-Pierre) : *Portrait d'homme* – Nice (Mus. Chéret) : *La vogue à la Croix-Rousse à Lyon* – Nuits-Saint-Georges : *Bataille de Nuits* – Rumilly (Mus. de l'Albanais) : *Portrait de femme* – Tournus (Mus. Greuze) : *Départ pour le pâturage*.
Ventes Publiques : Paris, 28 oct. 1942 : *La halte devant le sabotier* 1888 : **FRF 8 100** – Paris, oct. 1945-juil. 1946 : *Moutons dans un paysage* : **FRF 2 200** – La Flèche, 19 juin 1977 : *Chalet au bord de la cascade*, h/t (46x38) : **FRF 1 450** – Cannes, 25 jan. 1977 : *Bord de rivière*, h/t (50x65) : **FRF 2 900** – Versailles, 26 nov. 1978 : *La conversation galante*, h/t (26x36) : **FRF 3 950** – Lindau, 7 mai 1980 : *Cavalier dans un paysage de neige demandant son chemin à deux enfants*, h/pan. (29x52) : **DEM 10 000** – Amsterdam, 19 mai 1981 : *L'Héritier de la famille*, h/t (71,5x98) : **NLG 6 400** – Grenoble, 12 déc. 1983 : *La diligence arrivant chez l'aubergiste Laroche par temps de neige*, h/t (68x92) : **FRF 24 000** – Grenoble, 9 déc. 1985 : *La bergère et les vaches au ruisseau*, h/t (81x60) : **FRF 14 000** – Lyon, 22 oct. 1985 : *Le Passage de Saint-Pierre-de-Bœuf, Loire* 1841, h/pan. (35,5x58,5) : **FRF 26 000** – Lyon, 9 déc. 1987 : *Diligence dans la neige*, h/t (50x65) : **FRF 180 000** – Lyon, 1er déc. 1987 : *L'Aubergiste sous la neige*, h/t (60x78) : **FRF 33 500** – Lyon, 27 avr. 1989 : *Paysage avec bergère et moutons*, h/t (62x92) : **FRF 13 000** – Lyon, 13 nov. 1989 : *Bergère et son troupeau*, h/t (73,101) : **FRF 18 000** – Paris, 22 sep. 1992 : *Chalet en montagne*, h/t (67x92) : **FRF 10 500** – Lyon, 17 déc. 1994 : *La diligence d'Annonay*, h/t : **FRF 43 500** – Londres, 31 oct. 1996 : *Fête en plein air*, h/t (81x99) : **GBP 3 450**.

LEVIKOVA Bela
Née en 1939 à Moscou. xxe siècle. Russe.
Peintre.
Elle est diplômée d'histoire de l'art de l'Université Lemonosov de Moscou. Elle est membre du comité de la Ville de Moscou pour les Arts Graphiques. Elle vit et travaille à Moscou. Expose depuis 1975.
Les sujets de ses peintures sont à peine suggérés, le rythme formel l'intéresse d'abord. Elle associe à ses toiles une mystique du cosmos. Elle réalise le plus souvent des diptyques et des polyptyques.
Bibliogr. : In : *Art contemporain soviétique*, galerie de France, Paris, 1987 – in : *Dictionnaire de l'art moderne et contemporain*, Hazan, Paris, 1992.
Ventes Publiques : Moscou, 7 juil. 1988 : *Trois dimensions* 1980, h/t (113x132) : **GBP 2 750** – Londres, 15 oct. 1992 : *ME = ME, ME= YOU* 1980, h/t./quatre pan. (en tout 179x236) : **GBP 2 090**.

LE VILAIN Gerard René
Né vers 1740 à Paris. Mort en 1836 à Paris. xviiie-xixe siècles. Français.
Graveur au burin.
Il a gravé des portraits et des sujets de genre. Il collabora aux publications : *Galeries de Florence*, *Galerie du Palais-Royal* et *Le Musée Français*.

LE VILLAIN Ernest Auguste ou **le Vilain**
Né en 1834 à Paris. Mort en 1916 à Paris. xixe-xxe siècles. Français.
Peintre de genre, paysages, natures mortes, peintre à la gouache, aquarelliste.
Encouragé par Corot, il suivit ses conseils, fut l'ami de Boudin et de Stanislas Lépine. Il participa parfois au Salon de Paris, entre 1870 et 1914.

Ses paysages laissent toujours une place au support blanc, ce qui éclaircit les compositions, par ailleurs très contrastées.
Bibliogr. : Gérald Schurr, in : *Les Petits Maîtres de la peinture 1820-1920, valeur de demain*, Les Éditions de l'Amateur, t. VI, Paris, 1952.
Musées : Arras : *Nature morte*, gouache – Bordeaux.
Ventes Publiques : Paris, 1890 : *Bords de la Seine à Melun*, aquar. : **FRF 305** – Enghien-les-Bains, 12 fév. 1984 : *Femmes cueillant les fleurs dans la prairie*, h/t (176x240) : **FRF 65 000** – Paris, 23 avr. 1993 : *Paysage*, h/t (125x200) : **FRF 9 500** – Paris, 23 juin 1997 : *La Prairie en été*, h/t (176x241) : **FRF 57 000**.

LEVILLAIN Ferdinand
Né en 1837 à Passy. Mort en janvier 1905 à Paris. XIXe siècle. Français.
Sculpteur et graveur en médailles.
Élève de Jouffroy, il débuta au Salon de Paris en 1861. Médaille d'argent à l'Exposition Universelle de 1889. Chevalier de la Légion d'honneur en 1892. Le Musée de Lyon conserve de lui *Histoire de Diogène* (vase en bronze doré) ; un autre exemplaire de cette œuvre figure au Musée d'Art Moderne à Paris. Le Musée de Beaufort possède de lui un médaillon en biscuit de Sèvres, *Le tourneur*.

LE VILLAIN François
XIXe siècle. Actif à Paris au début du XIXe siècle. Français.
Lithographe et imprimeur.
Il figura au Salon de 1819 à 1822. Son imprimerie fut fréquentée par les plus célèbres peintres lithographes de l'École romantique et faisait concurrence à celle d'Engelmann.

LEVILLY
XIXe siècle. Actif à Paris. Français.
Lithographe et peintre.
Il exposa en 1833 et 1836.

LEVILLY J. P.
XVIIIe siècle. Actif à Paris vers 1792. Français.
Graveur et dessinateur.
Il grava des scènes galantes, d'après ses propres projets ou d'après ceux de différents artistes. On cite de lui *L'Amant poète*, d'après L. Boilly.
Ventes Publiques : Paris, 1879 : *Paul et Virginie*, six dessins au bistre sur la même feuille : **FRF 100**.

LEVILLY Philead Salvator
Né en 1803 à Paris. XIXe siècle. Français.
Lithographe.
Il a lithographié d'après Vinci, Poussin. On cite encore de lui une suite de *Vues de Paris*.

LEVIN Joseph
Né le 7 novembre 1894 à Saint-Pétersbourg. XXe siècle. Russe.
Peintre, graveur, décorateur, illustrateur.
Il a exposé, en Russie, France et aux États-Unis. Il a illustré des livres pour enfants.

LEVIN Phoebus
Né au XIXe siècle à Berlin. XIXe siècle. Allemand.
Peintre de genre, figures, portraits.
Élève de l'Académie de Berlin de 1836 à 1844. Il figura aux expositions de celle-ci jusqu'en 1868.
Ventes Publiques : Londres, 30 mars 1994 : *Un visiteur malvenu*, h/cart. (31x26) : **GBP 805**.

LÉVINE Aleksei
Né en 1893 à Sébastopol. Mort en 1965 à Moscou. XXe siècle. Russe.
Affichiste, illustrateur, créateur de décors.
Il fut élève de l'École de Peinture, Sculpture, Architecture de Moscou. Il a participé à des expositions collectives à partir de 1928. Il créa des caractères typographiques.
Bibliogr. : In : Catalogue de l'exposition *Paris-Moscou*, Centre Beaubourg, Paris, 1989.

LEVINE David
Né en 1926 à Brooklyn (New York). XXe siècle. Américain.
Peintre de figures, portraits, paysages, aquarelliste.
Il fréquenta l'école des Beaux-Arts de Tyler et travailla avec Hans Hoffman. En 1995, la galerie Claude Bernard a montré une exposition personnelle de ses œuvres à la Foire internationale d'Art contemporain à Paris.
Il est plus connu comme caricaturiste dans *Esquire Magazine*.

Musées : New York (Metropolitan Mus. of Art).
Ventes Publiques : New York, 30 mai 1986 : *La Blouse bleue* 1978, aquar. (37,6x25,8) : **USD 4 200** – New York, 24 jan. 1990 : *La plage*, aquar. et cr./pap. (15,4x22,6) : **USD 1 760** – New York, 17 déc. 1990 : *Place de la Grande Armée*, h/cart. (20,3x40,7) : **USD 1 980** – New York, 14 nov. 1991 : *Femme au burnous pêche* 1979, aquar. et cr./pap. (46,4x36,2) : **USD 1 045** – New York, 11 mai 1992 : *Portrait de Douglas Cooper* 1985, encre de Chine/cr./pap. (35x28) : **USD 1 430** – New York, 3 déc. 1992 : *The railway* 1982, aquar./pap. (31,8x24,8) : **USD 4 950** – New York, 28 sep. 1995 : *Famille sur une plage*, h/pan. (16,2x19,1) : **USD 3 450**.

LEVINE Erik
Né en 1960. XXe siècle. Américain.
Sculpteur. Post-minimaliste.
Il a montré son travail, à Paris, en 1991, galerie Georges-Philippe Vallois.
Il réalise des sculptures qui mêlent à la rigueur de leur constitution un imaginaire déstabilisant et presque sensuel.
Bibliogr. : *Erik Levine*, coédition Centre d'art contemporain de Vassivère, Städtische Galerie im Lenbachhaus de Munich, 1993.

LEVINE Jack
Né en 1915 à Boston (Massachusetts). XXe siècle. Américain.
Peintre, dessinateur, illustrateur. Expressionniste social.
Dès l'enfance, il manifesta des dons artistiques et fut encouragé dans cette voie par sa famille. Il fit son apprentissage au Roxbury Community Center, au M.F.A. de Boston, puis à l'université de Harvard. Il fut aussi l'élève préféré de Denman Ross, d'abord à l'École du Fogg Museum, où il était entré dès l'âge de quatorze ans, puis à l'Université de Harvard. Durant la crise de 1929, il participa au Federal Arts Project. Il rallia ensuite les membres du *Groupe Réaliste Social* dans les années trente.
Il a figuré à la Biennale du Mexique, en 1960. Depuis 1939, il a montré, ses œuvres dans de très nombreuses expositions personnelles. Des rétrospectives de son œuvre ont été organisées à plusieurs reprises, par exemple : l'exposition d'ensemble du Boston Museum of Contemporary Art en 1953, l'exposition circulante, de 1953 à 1955, à partir du Whitney Museum ; l'exposition au Jewish Museum de New York en 1978. Il est un artiste qui, sur le plan officiel, fut très honoré. Il est membre du National Institute of Arts and Letters ; reçut des distinctions du Metropolitan Museum et de la Corcoran Gallery.
Expressionniste à la manière allemande, il devint, par ses images satiriques, un critique sévère de l'hypocrisie et de la corruption de la société où se mêlent gangsters, policiers, politiciens et les effets d'un capitalisme rude. Il collabora avec ses illustrations à *Time Magazine*. Son travail est à rapprocher de celui de Philipp Evergood, autre peintre de même tendance. Vers le milieu des années soixante, Levine a évolué vers la représentation de sujets à caractère religieux ou mythologique. Il allie un métier somptueux à sa vision proprement originale. Sa situation dans l'art américain contemporain est ambiguë : il y est à la fois célèbre et méconnu. La peinture qu'il pratique, bien que spectaculaire, n'est peut-être pas celle qu'aurait dû produire un peintre né en 1915. Elle aurait mieux appartenu à un contemporain d'Otto Dix ou de Georg Grosz. Il n'est jamais question de lui aux côtés de Jackson Pollock, Rothko, Franz Kline, De Kooning, ses contemporains. Il est néanmoins un des peintres authentiques de l'École américaine et le chef de la Boston School of Painting.

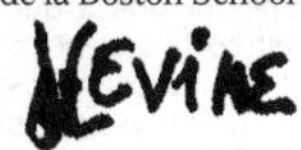

Bibliogr. : In : *Peintres contemporains*, Mazenod, Paris, 1964 – Michel Ragon : *L'Expressionnisme*, in : *Histoire générale de la peinture*, tome 17, Rencontre, Lausanne, 1966 – in : *Dictionnaire universel de la peinture*, Le Robert, Paris, 1976 – Stephen Robert Frankel : *Jack Levine*, Rizzoli, New York, 1989 – in : *L'Art du XXe siècle*, Larousse, Paris, 1991.
Musées : Boston (Mus. of Fine Arts) – Chicago (Art Inst.) – New York (Mus. of Mod. Art) : *La Fête de la pure raison* 1937 – *La Rue* 1938 – *La Nuit des élections* 1954 – New York (Whitney Mus.) : *Les Funérailles du gangster* 1952-53 – Pennsylvanie (Acad. of Fine Arts).
Ventes Publiques : New York, 13 jan. 1965 : *Fillette en bleu* : **USD 3 500** – New York, 19 oct. 1967 : *Apteka* : **USD 15 000** – New York, 14 oct. 1970 : *Mars et le couple d'amoureux*, gche : **USD 1 600** – New York, 23 mai 1974 : *Reconstruction* :

USD 13 000 – New York, 28 oct. 1976 : *Les magistrats* 1953, h/t (91,5x102) : **USD 12 000** – New York, 21 avr. 1977 : *Pawnshop n° 2* 1949, h/cart. entoilé (45x61) : **USD 3 750** – New York, 27 oct. 1978 : *Deux femmes* 1956, gche (44,4x28,5) : **USD 1 400** – New York, 23 mai 1979 : *Jocaste*, h/t (53,5x61) : **USD 14 000** – New York, 4 juin 1982 : *Last study for gangster's funeral* 1954-1955, h/cart. entoilé (72,4x38,1) : **USD 7 500** – New York, 23 mars 1984 : *The Shriner*, temp. (65,5x52) : **USD 1 300** – New York, 6 déc. 1984 : *String quartet, n° 2* 1938-1939, h/t (50,8x69,9) : **USD 17 500** – New York, 20 juin 1985 : *La Belle Epoque*, h/t (40,6x35,5) : **USD 5 500** – New York, 26 sep. 1986 : *Cheval*, fus. et encre brune (49,5x78) : **USD 1 100** – New York, 29 mai 1986 : *Postscript to the roaring twenties*, h/t (91,4x101,6) : **USD 12 500** – New York, 4 déc. 1987 : *La Prison espagnole*, h/t (71,1x81,2) : **USD 38 000** – New York, 24 juin 1988 : *Adam et Eve* 1951, h/pan. (30x20,7) : **USD 18 150** – New York, 1er déc. 1988 : *La vendeuse de cigarettes* 1957, h/t (101,6x89) : **USD 46 750** – New York, 24 jan. 1989 : *Expulsion* 1951, h/t (48,8x68,7) : **USD 15 400** – New York, 24 mai 1989 : *Volpone à Saint Marc* 1977, h/t (101,6x88,9) : **USD 46 750** – New York, 16 mars 1990 : *Femme dans les bois* 1963, h/t (66x81,4) : **USD 41 800** – New York, 23 mai 1990 : *Jocaste ou L'enfance d'un critique d'art*, h/t (61,3x53,6) : **USD 52 800** – New York, 30 mai 1990 : *Etude pour les Trois Grâces*, encre et cr./pap. (31,2x23,5) : **USD 2 860** – New York, 27 sep. 1990 : *Le Belle époque*, h/t (41x35,5) : **USD 7 480** – New York, 30 nov. 1990 : *Le tribunal*, h/t, étude (91,5x102,5) : **USD 59 400** – New York, 23 mai 1991 : *Matroneia* 1979, h/t (106,7x121,9) : **USD 30 800** – New York, 23 sep. 1992 : *Lolita*, h/t (71,4x81,5) : **USD 33 000** – New York, 11 mars 1993 : *Cain et Abel*, h/t (121,9x106,7) : **USD 29 900** – New York, 25 mai 1995 : *Le retour des militaires* 1946, gche/pap. (58,4x66) : **USD 28 750** – New York, 14 mars 1996 : *Le patriarche de Moscou en visite à Jérusalem* 1975, h/t (214x244,5) : **USD 51 750** – New York, 3 déc. 1996 : *Acte de législature*, h./masonite, étude (61x50) : **USD 2 990** – New York, 5 déc. 1996 : *Course* 1985, h/t (153x122,6) : **USD 8 050**.

LEVINE Les

Né en 1935 ou 1936 à Dublin. xxe siècle. Actif en Angleterre, depuis 1957 au Canada. Irlandais.

Artiste, auteur de happenings, environnements, multimédia.

Il manifeste très tôt un goût pour la photographie. Il part pour Londres et fréquente la Central School of Arts and Crafts. Il commence alors une carrière de designer et crée surtout des bijoux. En dépit de son succès en Angleterre, il est attiré par le nouveau-monde, en particulier par la technologie qui semble s'y développer, et il part s'installer au Canada en 1957.

Il fait sa première exposition de peinture et de sculpture au Canada, en 1963, puis un peu partout dans le monde. Il a exposé, à Paris, à la galerie Montaigne, en 1980. Il a acquis une notoriété qui fit de son restaurant un des centres actifs de l'avant-garde en Amérique.

À l'époque, où il commence d'exposer au Canada, se manifeste déjà son sens de l'événement d'un certain goût surréaliste. C'est ce qui ressort de sa première construction, *Rocker Column* (1963), tour oscillante de plus de trois mètres de haut, tour apparemment instable et qui semblait menacer de tomber sur les spectateurs. L'année suivante, il réalise à Toronto son premier environnement où il tentait de modifier l'espace de la galerie en y plaçant principalement des objets qui en débordaient. Dès cette époque, Levine remporte un énorme succès. Les happenings et environnements se succèdent ensuite : *Slipcover* (1966), *Electric Shock* (1967)... Il faudrait décrire une à une ces manifestations. Néanmoins elles faisaient surtout appel à des phénomènes de perception, rendant visible sur écran l'énergie ou reconstituant un état d'apesanteur. Si Levine a beaucoup utilisé une certaine forme de technologie, son œuvre ne renvoie pourtant pas à la science, mais bien à l'homme, à la civilisation américaine et à la décrépitude ; le vieillissement de toute sa production insistant, du même coup, sur le côté inachevé de l'œuvre d'art. Il a ensuite surtout utilisé la télévision et les vidéo-cassettes.

Bibliogr. : In : *De Bonnard à Baselitz – Dix ans d'enrichissements du Cabinet des Estampes 1978-1988*, catalogue de l'exposition, Bibliothèque nationale, Paris, 1992.

Musées : Montréal (Mus. d'Art Contemp.) – Paris (Cab. des Estampes).

Ventes Publiques : New York, 28 mai 1976 : *Toilet* 1972, photo. et encre (51x40,5) : **USD 950** – New York, 4 mai 1989 : *Mine de diamant* 1978, peau, bois, velours et vernis (109,2x78,7) : **USD 3 300** – Paris, 31 oct. 1990 : *Light*, feutre et gche/pap. (17x38) : **FRF 8 000** – Paris, 5 fév. 1991 : *Reflect. Appear mirror* 1986, gche/pap. (17,5x38) : **FRF 7 000**.

LEVINE Marilyn

Née en 1935. xxe siècle. Américaine.

Sculpteur.

Elle a exposé à Montréal, New York, Bruxelles, Tokyo et Kyoto. Elle sculpte des objets quotidiens avec le souci du réalisme. On a associé son travail à la vague de l'hyperréalisme.

Ventes Publiques : New York, 2 nov. 1984 : *Brown suitcase* 1971, grès peint. (45,5x56x21,5) : **USD 2 800** – New York, 23 fév. 1990 : *La trousse du médecin fermée* 1972, céramique peinte (36,8x19x21,6) : **USD 8 800** – New York, 25-26 fév. 1994 : *Sac de golf, gantelet et sacoche* 1989, céramique vernissée, bois, métal et cuir : **USD 23 000**.

LEVINE Sherrie

Née en 1947 à Hazleton (Pennsylvanie). xxe siècle. Américaine.

Photographe, peintre, dessinateur, aquarelliste, lithographe, créateur d'installations. Postmoderne, art de l'appropriation.

De 1969 à 1973, elle est élève de l'université du Wisconsin, à Madison, où elle étudie la photographie. Après l'obtention de son diplôme, elle vit à Berkley puis s'établit à New York.

Elle participe à de nombreuses expositions de groupe, dont : 1977, *Pictures*, Artists Space, New York ; 1977, *Couches, Diamonds and Pie*, P. S. 1, New York ; 1982, Documenta 7, Kassel ; 1983, *Seventy-Fourth American Exhibition*, Art Institute of Chicago ; 1984, *Difference : on sexuality and Representation* ; 1984, *Ailleurs et autrement*, ARC Musée d'Art Moderne, Paris ; 1985, 1989, *Biennial*, Whitney Museum of American Art, New York ; 1988, *The Image of Abstraction*, The Museum of Contemporary Art, Los Angeles ; 1988, *Carnegie International*, Carnegie Museum of Art, Pittsburgh ; 1989, *A Forest of signs : art in the crisis of representation*, Museum of Contemporary Art, Los Angeles ; 1989, *Image world, art and media culture*, Whitney Museum of American Art, New York ; 1990, *Culture and Commentary*, Hirshhorn Museum and Sculpture Garden, Washington D.C.

Elle montre ses travaux dans des expositions personnelles depuis 1974, et, entre autres : 1977, 1978, 3 Mercer Street, New York ; 1983, 1985, galerie Baskerville + Watson, New York ; 1983, 1985, galerie Richard Kuhlenschmidt, Los Angeles ; 1987, 1989, galerie Donald Young, Chicago ; 1987, Wadsworth Atheneum, Hartford ; 1988, Hirshhorn Museum and Sculptures Garden, Washington D.C. ; 1989, 1991, galerie Mary Boone, New York ; 1991, Museum of Modern Art, San Francisco ; 1991 et 1992, rétrospective itinérante de son œuvre organisée par la Kunsthalle de Zurich, Munster, Malmö et Paris ; 1993, Museum of Modern Art, Philadelphie ; 1996, Fonds régional d'Art contemporain Bretagne à Nantes.

L'exposition *Pictures*, en 1977, à New York, à laquelle Sherrie Levine participe aux côtés de Jack Goldstein, Robert Longo, Philipp Smith et Brauntuch, marque, pour certains, le début public de cette forme d'expression postmoderne qu'est la critique de la représentation. Sherrie Levine fait partie de la première génération d'artistes regroupés sous le terme d'« appropriationniste », genre qui a connu un indéniable succès aux États-Unis. Elle se fait remarquer au début des années quatre-vingt en photographiant des clichés photographiques d'Edward Weston, figurant des nus d'adolescents ou des études documentaires sur la crise de 1929 de Walker Evans ou encore des photographies de Rodtchenko. Au milieu des années quatre-vingt, elle exécute des aquarelles qui reproduisent des œuvres des maîtres les plus célèbres de la modernité du xxe siècle tels Picasso, Mondrian, De Kooning, Schiele ou Kandinsky (*D'après Wassily Kandinsky*, 1985). Puis, renonçant provisoirement à ses citations, elle peint des compositions sous le titre de *Generic paintings*. Celles-ci se conçoivent comme des modèles généraux de peinture, renvoyant soit à l'abstraction (les tableaux de nœuds de bois comme *White Knot 2*, 1986), soit à l'abstraction géométrique (les tableaux de réseaux quadrillés : *Lead Checks 3*, 1987) ou bien au surréalisme. Pour son exposition au Museum of Art de Philadelphie en 1993, elle a réalisé une installation, *Nouveau-nés*, à partir de l'exacte réplique en six exemplaires en verre de la sculpture *Nouveau-né* (1908) de Brancusi ; chacune posée sur un piano.

Très tôt, en tant qu'artiste, Sherrie Levine a dû faire face à un sentiment particulier : le poids des générations précédentes d'artistes sur sa possibilité créatrice. Un des enjeux de ce conflit étant de sauvegarder sa personnalité, elle retournera ce sentiment asservissant en force décomplexée par le biais de l'appropriation. Cet antidote, qui prend acte du développement de la reproduction de l'image dans notre société, va mettre à mal certaines des lois de l'art. Par exemple, la notion d'œuvre d'art originale. En photographiant des clichés déjà existants qui possèdent le statut d'œuvres à part entière, en peignant d'après des originaux ou en œuvrant selon un genre de peinture, Levine démythifie les notions voisines d'œuvre d'art et d'artiste créateur qui en possède les droits d'auteur. Une remise en cause qui s'effectue aussi au nom d'un certain postmodernisme. Une critique qui, à un moment donné, décline la fin de l'art en tant qu'histoire linéaire et des styles érigés en formules, et dénonce le conventionnalisme moderne. En second lieu, Levine tire argument de la création elle-même. L'originalité n'a jamais exclu la répétition créative, elle lui est associée. Preuve en est le travail des créateurs d'hier. Brancusi, par exemple, ne fait que répéter toute sa vie quelques principes, au moins d'ordre formel. Soumis à la loi du genre, celui-ci a, du reste, insisté sur le fait que les différentes versions de ses sculptures issues d'un même modèle étaient originales. Plus proche de Levine, cette répétition n'est-elle pas inhérente à l'art minimal ? D'ailleurs, lorsque Levine réalise *Fountain (After Marcel Duchamp : 1)* en bronze poli à partir du célèbre urinoir, elle le fait encore moins à partir d'un original, puisque celui-ci a été perdu, mais d'une copie réalisée par Duchamp lui-même quelques années plus tard. Stratagème qui n'a en rien diminué l'aura de cette œuvre. De fait, avec la multiplication à grande échelle des images artistiques loin de tout original, l'histoire moderne de l'art, pourrait se résumer aujourd'hui en une collection de copies dans laquelle on puiserait librement : un « ready-made en attente ». Au travers de ces œuvres-modèles que Levine s'approprie, elle tente, par ses manipulations, d'en restituer à chacune un supplément d'âme. Cette approche ambiguë, voire subversive, favorise l'appréhension de l'œuvre en signes qui ne manque pas de poser le problème d'une nouvelle définition de l'art ou peut-être d'un « après art ». Un autre pôle critique de l'œuvre de Levine est celui de l'évolution de la représentation en tant qu'inscrite dans l'histoire patriarcale de l'art. De façon plus discrète que dans l'œuvre de Cindy Shermann ou Jenny Holzer, elle use de cette critique féministe, principalement américaine. On peut même légitimement se demander si l'ensemble de son œuvre n'est pas déterminé par cette forme de « complexe ». Quoi qu'il en soit, sa pratique de l'aquarelle, genre dit « mineur » longtemps réservé aux femmes qui désiraient « faire de l'art », dénonce ce langage qui leur a été attribué et cette image de la femme, passive en général, figurée par les grands maîtres de la peinture. Ce qui l'intéresse par contre chez Brancusi et Duchamp, c'est le caractère androgyne de leur création, accordant la place qui lui revient à l'imaginaire en propre de la femme. ■ Christophe Dorny

Bibliogr. : Claude Gintz : *Appropriation, simulation, critique de la représentation*, in : *Groupes, mouvements, tendance de l'art contemporain depuis 1945*, École Nationale Supérieure des Beaux-Arts, Paris, 1990 – *The Picture after the last Picture*, catalogue de l'exposition, galerie Metropol, Vienne, 1991 – *Sherrie Levine : Fountain*, catalogue de l'exposition, Mary Boone Gallery, New York, 1991 – *Sherrie Levine*, catalogue de l'exposition, Münster, Malmöe, Paris Hôtel des Arts, 1991 – Catherine Francblin : *Sherrie Levine. L'âge d'or de la reproduction*, in : *ArtPress*, Paris, n° 156, mars 1991 – in : *L'Art du xxe siècle*, Larousse, Paris, 1991 – in : *Dictionnaire de l'art moderne et contemporain*, Hazan, Paris, 1992 – Ann Temkin, in : *Sherrie Levine. Newborn*, catalogue de l'exposition, Museum of Modern Art, Philadelphie, 1993.

Musées : Genève (Mus. d'Art Mod. et Contemp.) – Montréal (Mus. d'Art Contemp.) – Paris (FNAC) : *After Degas* 1987, détail – San Francisco (Mus. of Mod. Art) : *Melt down (After Monet : 1).*

Ventes Publiques : New York, 10 Nov. 1988 : *Le nœud blanc n° 2* 1986, caséine/contre-plaqué (76,1x60,8) : **USD 14 300** – New York, 21 fév. 1990 : *Profiles* 1978, temp. fluorescente/pap. graphique/cart. (55,9x71,2) : **USD 7 700** – New York, 7 mai 1992 : *Larges rayures #9* 1985, caséine et cire sur bois (61,3x49,8) : **USD 8 800** – New York, 19 nov. 1992 : *Large rayure #1* 1985, caséine et craie grasse/acajou (61x50,8) : **USD 14 300** – New York, 24 fév. 1993 : *Nœud doré #1* 1985, acryl./bois encadré par l'artiste (53,3x43,2) : **USD 12 100** – New York, 5 mai 1993 : *La fortune* 1990, feutre, acajou et trois boules de billard, d'après Man Ray (84x279x152,4) : **USD 16 100** – New York, 10 nov. 1993 : *Sans titre (le larbin du célibataire)* 1989, verre dépoli dans une vitrine (vitrine 174,6x50,8x50,8 – objet 30,5x12,6x12,6) : **USD 29 900** – New York, 5 mai 1994 : *Sans titre (nœuds de cuivre #2-5)* 1990, peint. métallique sur contre plaqué, 4 pan. (chaque 115,6x92,1) : **USD 57 500** – New York, 3 mai 1995 : *Large rayure #7* 1985, caséine/acajou (61x50,8) : **USD 15 525** – New York, 8 mai 1996 : *Sans titre (étroite rayure #7)* 1986, caseine et cire/pan. (60,9x50,8) : **USD 10 120** – New York, 19 nov. 1996 : *Après K. Malévitch* 1981, mine de pb/pap., quatre dessins (chaque 35,6x28) : **USD 15 525** – New York, 21 nov. 1996 : *Fontaine, après Marcel Duchamp* 1991, bronze (66,1x38,2x35,6) : **USD 63 000.**

LE VINGNE Piérart de. Voir **PIÉRART de Le Vingne**

LEVINSEN Sophus Theobald

Né en 1869 à Copenhague. Mort en 1943. xixe-xxe siècles. Actif et naturalisé en France. Danois.

Peintre de paysages, marines.

Élève de Diogène Maillart, il figura au Salon des Artistes Français, société dont il fut membre depuis 1909. Il a surtout peint dans les environs des Martigues, mais aussi à Paris.

S. Levinsen

Bibliogr. : Gérald Schurr, in : *Les Petits Maîtres de la peinture 1820-1920, valeur de demain*, Les Éditions de l'Amateur, t. IV, Paris, 1979.

Ventes Publiques : Paris, 24 mars 1980 : *La grande place de Bruxelles*, h/t (98x72) : **FRF 14 500** – Londres, 26 fév. 1988 : *Les Martigues*, h/t (50x60) : **GBP 935** – Neuilly, 20 oct. 1991 : *Les Martigues*, h/t (28x36) : **FRF 7 500** – Paris, 26 juin 1992 : *Cour de ferme*, h./contre-plaqué (26,5x34,5) : **FRF 7 200** – Lokeren, 4 déc. 1993 : *Les Martigues*, h/t (50x60) : **BEF 30 000.**

LEVIS. Voir aussi **LEVI**

LEVIS Giuseppe Augusto

Né le 19 août 1873 à Chiomonte (Piémont). Mort le 14 juin 1926 à Racconigi. xxe siècle. Italien.

Peintre de paysages.

Une exposition spéciale de ses œuvres impressionnistes et divisionnistes eut lieu au Quirinal à Rome en 1912.

Ventes Publiques : Milan, 12 mars 1991 : *L'arrivée de l'orage*, h/pan. (31x44,5) : **ITL 2 200 000** – Milan, 17 déc. 1992 : *Montagne*, h/pan. (37,5x24) : **ITL 2 200 000** – Milan, 19 déc. 1995 : *Lac alpin* 1897, h/pan. (45x31,5) : **ITL 5 520 000.**

LEVIS Henri Jean Baptiste

Né au xixe siècle à Paris. xixe siècle. Français.

Peintre de paysages et aquarelliste.

Élève de Berthon. Il exposa de 1844 à 1874.

Ventes Publiques : Paris, 10 avr. 1924 : *Vue de la tour Saint-Jacques et son quartier vers 1830*, aquar. : **FRF 650** – Paris, 30 nov. 1927 : *Notre-Dame de Paris* 1845, aquar. : **FRF 2 200** – Paris, 14 déc. 1936 : *L'Église Saint-Sulpice, de Paris surmontée du télégraphe aérien de Chappe*, aquar. : **FRF 520.**

LEVIS Juliette

Née vers 1826. Morte le 2 décembre 1902 à Paris. xixe siècle. Française.

Pastelliste.

Elle exposa au Salon de Paris, de 1844 à 1877.

LEVIS Maurice

Né le 11 novembre 1860 à Paris. Mort en 1940. xixe-xxe siècles. Français.

Peintre de genre, aquarelliste.

Il fut élève de Harpignies, Jules Lefèbvre et P. Billet. Il fut sociétaire, à Paris, du Salon des Artistes Français à partir de 1888, y obtint une mention honorable en 1895, une médaille de troisième classe en 1896, une d'or en 1927.

maurice Lévis

M. Levis

Ventes Publiques : Paris, 1897 : *Vue de l'hôtel de Lauzun et du quai d'Anjou*, aquar. : **FRF 265** – Londres, 30 jan. 1909 : *Crépus-*

cule 1884 : **GBP 10** – Londres, 16 avr. 1910 : *Atelier de serrurerie à la campagne* 1891 : **GBP 16** – Londres, 2 juin 1927 : *Laveuse au bord de l'Yonne* : **GBP 48** – Paris, 22 mai 1931 : *Ruisseau aux approches d'un village* : **FRF 210** – Paris, 23 juin 1943 : *La Tour de Beaugency et Le Pont sur la rivière*, ensemble : **FRF 3 400** – Paris, 9 juin 1947 : *Paysage au château en ruines* : **FRF 3 200** – Londres, 3 déc. 1965 : *Le Petit Bras de la Seine*, printemps : **GNS 550** – Londres, 6 mars 1974 : *Château au bord d'une rivière* : **GBP 850** – Londres, 11 fév. 1976 : *Matinée d'été, bords de l'Yonne* 1893, h/pan. (16x25) : **GBP 700** – Londres, 30 nov. 1977 : *Le petit bras de la Seine*, h/t (26x46) : **GBP 1 900** – Londres, 1er nov 1979 : *Le château de Laroche (Belgique)*, h/pan. (16,5x25,5) : **GBP 1 700** – Versailles, 30 nov. 1980 : *Les Maisons au bord de la rivière*, aquar. (30,5x40) : **FRF 8 800** – Versailles, 4 oct. 1981 : *Le Port de Saint-Servan*, h/t mar./pan. (39,5x52) : **FRF 29 000** – Versailles, 12 juil. 1983 : *La Rivière de Josselin*, h/t (97x130) : **FRF 60 000** – Paris, 26 juin 1985 : *Le Château de Josselin*, h/t (50x73) : **FRF 38 000** – Saint-Dié, 7 mai 1988 : *Village au bord d'une rivière*, h/pan. (21x26) : **FRF 15 800** – Paris, 24 juin 1988 : *La Seine au pont de Courbevoie*, h/t (60,5x81) : **FRF 45 000** – Calais, 3 juil. 1988 : *Le port de Boulogne*, h/pan. (16x22) : **FRF 25 000** – Calais, 13 nov. 1988 : *Le Château féodal*, h/t (15x18) : **FRF 9 500** – La Varenne-Saint-Hilaire, 29 mai 1988 : *Lavandière à la rivière*, h/pan. (13,5x19) : **FRF 11 000** – New York, 23 fév. 1989 : *Les Ruines d'Hérisson*, h/t (33,1x41,2) : **USD 5 500** – Londres, 7 juin 1989 : *La forteresse de Mombasa dans le sultanat de Zanzibar*, h/t (48,5x59) : **GBP 3 300** – Paris, 19 juin 1989 : *Bénarès*, h/t (36x48) : **FRF 18 000** – Calais, 10 déc. 1989 : *Pêcheur au bord de l'étang*, aquar. (53x68) : **FRF 30 000** – Reims, 17 déc. 1989 : *Maison et barques de pêche au bord de l'eau*, aquar. et fus. (22x28) : **FRF 7 000** – Londres, 16 fév. 1990 : *Paysage fluvial à Saint Saulge dans la Nièvre* 1892, h/t (33,3x55,2) : **GBP 4 400** – Bruxelles, 27 mars 1990 : *Notre Dame*, h/pan. (38x45) : **BEF 40 000** – Paris, 10 avr. 1990 : *Bateau à Etaples*, h/pan. (25x33) : **FRF 13 000** – Édimbourg, 26 avr. 1990 : *Le château de Clisson*, h/t (50,8x73,6) : **GBP 5 280** – Londres, 5 oct. 1990 : *Matin en Corrèze*, h/t (46x65) : **GBP 4 180** – Paris, 20 nov. 1990 : *Campement à Biskra*, h/t (38x55) : **FRF 30 000** – Calais, 10 mars 1991 : *Bords de Seine*, peint. sur contreplaqué (16x25) : **FRF 16 000** – Amsterdam, 30 oct. 1991 : *Le printemps au bord de la Sèlune*, h/pan. (13,5x21,5) : **NLG 7 475** – Londres, 17 juin 1992 : *La Canche à Étaples*, h/pan. (23x33) : **GBP 4 950** – New York, 16 juil. 1992 : *Petite ferme à Saint Léonard*, h/t (45,7x64,8) : **USD 4 950** – Reims, 18 oct. 1992 : *La jetée dans la baie*, h/t (16x22) : **FRF 5 800** – Paris, 22 mars 1993 : *Vue du château d'Uzerche*, h/t (51x67) : **FRF 36 000** – Londres, 7 avr. 1993 : *Le vieux pont à Mende*, h/t (42x60) : **GBP 3 200** – Amsterdam, 20 avr. 1993 : *La vallée de l'Aumanée*, h/pan. (23,5x34,5) : **NLG 3 450** – Londres, 17 juin 1994 : *Devant la ferme* 1895, h/pan. (35,6x22,3) : **GBP 3 450** – Paris, 22 mars 1994 : *Village en bord de rivière*, h/t (38x55) : **FRF 14 000** – Paris, 12 juil. 1995 : *Djibouti*, h/cart. (24x33) : **FRF 8 000** – Londres, 15 nov. 1995 : *La Plage de Saint-Malo*, h/t (45x65) : **GBP 2 875** – Calais, 7 juil. 1996 : *Berges et bateaux-lavoirs à Pontoise*, h/pan. (13x17) : **FRF 10 000** – Paris, 5-7 nov. 1996 : *Biskra, l'oasis et la chaîne des Aurès* 1892, h/t (29x41) : **FRF 15 000** – Paris, 23 juin 1997 : *Paysage de bord de rivière*, h/t (36x53) : **FRF 14 500**.

LEVIS Max

Né le 27 janvier 1863 à Hambourg. Mort en 1930. XIXe-XXe siècles. Allemand.

Peintre de figures, portraits.

Il étudia à l'Académie de Karlsruhe puis à Munich et se fixa à Vienne en 1888.

Ventes Publiques : Londres, 10 fév. 1988 : *Dame élégante avec une ombrelle* 1889, past. (121,5x81) : **GBP 7 700**.

LEVISON Brigitte ou **Gitel**, née **Neumann-Pitschpatsch**

Née le 18 juin 1832 à Copenhague. Morte en 1916. XIXe-XXe siècles. Danoise.

Peintre de portraits et de genre.

Elle fit les illustrations du *Livre pour enfants* de Carl Andersen et fit également des dessins décoratifs.

Musées : Copenhague (Beaux-Arts) : *Portrait de l'artiste par elle-même*.

LEVISSE Marius

XXe siècle. Français.

Peintre.

Sa peinture, figurative, exprime l'homme face à la souffrance. Il a exposé à Paris en 1974.

LÉVITAN Isaac Ilyitch ou **Il'Ich** ou **Ilych**

Né en 1860 à Virbalis (Lithuanie). Mort en 1900 à Moscou. XIXe siècle. Russe.

Peintre de figures, paysages. Impressionniste.

Il fut élève de Savrassov et de V. Polénov, à l'École de Peinture, Sculpture et Architecture de Moscou, de 1873 à 1884, où il devint professeur de l'atelier de paysage, de 1898 jusqu'à sa mort. Il vint à Paris en 1889 et y découvrit Corot, Daubigny et Dupré dont il mit les leçons à profit dans ses paysages de la Volga.

Il fit partie de plusieurs groupements, de l'Association des « peintres itinérants », qui regroupait les peintres traditionnalistes de la fin du siècle ; de la Société des Amateurs d'Art de Moscou ; et il eut encore le temps de faire partie de l'Association « Le Monde des Arts », qui amorçait le renouveau de la peinture en Russie. D'origine juive, sa peinture en garde profondément la marque. Il sut exprimer la poésie mélancolique des paysages russes en retenant ceux qui s'accordent avec sa tristesse intime. On voit de lui au Musée Russe, à Saint-Pétersbourg, six études, au Musée Roumianzeff, à Moscou, deux paysages, et à la Galerie Tretiakov, dans la même ville, vingt-six tableaux (études, paysages d'Italie, de Savoie et de Russie, types Russes).

Musées : Moscou (Mus. Roumianzeff) : *Paysages* – Moscou (Gal. Tretiakov) – Saint-Pétersbourg (Mus. Russe).

Ventes Publiques : New York, 18 avr. 1974 : *Paysage* : **USD 4 400** – New York, 15 oct. 1976 : *Lac aux nénuphars*, h/t (42x66) : **USD 8 750** – Göteborg, 31 mars 1977 : *La route de campagne*, past. (62x47) : **SEK 12 000** – Lucerne, 19 nov. 1977 : *Paysage fluvial*, h/t (40x60) : **CHF 3 800** – Vienne, 18 sept 1979 : *Paysage boisé à la rivière*, h/t (42x61) : **ATS 90 000** – Londres, 27 nov. 1981 : *Chasseur dans un paysage boisé* 1898, h/t (69x55) : **GBP 3 800** – New York, 1er mars 1984 : *Vue d'une ville de Russie* 1887, gche et h. (16,2x15,2) : **USD 1 200** – Londres, 6 mars 1986 : *Chasseurs dans un paysage d'hiver* 1876, aquar. (39,5x30,5) : **GBP 2 400** – Londres, 22 oct. 1987 : *Le Silence éternel*, h/t, étude (50,3x68,5) : **GBP 2 200** – Londres, 6 oct. 1988 : *Soleil levant sur la forêt en automne*, h/t (47x36) : **GBP 9 900** – Londres, 5 oct. 1989 : *Les cloches du soir* 1891, h/t (44x66) : **GBP 28 600** – Tel-Aviv, 19 juin 1990 : *Les montagnes de Daghestan*, aquar. (16,5x10,5) : **USD 5 280** – New York, 17 oct. 1991 : *Les bords d'une rivière*, h/t (46,4x65,4) : **USD 19 800** – Paris, 31 oct. 1991 : *Le pont sur le lac*, h/t/cart. (18x27) : **FRF 11 500** – Tel-Aviv, 20 oct. 1992 : *Dans le parc*, h/t (50,5x40,5) : **USD 33 000** – Londres, 15 juin 1995 : *Allée des bouleaux* 1897, h/cart. (10x18) : **GBP 18 975** – New York, 29 juin 1995 : *Chemin forestier en été*, h/t (64,8x57,2) : **USD 16 100** – Londres, 17 juil. 1996 : *Église de campagne en hiver*, h/pan. (26x15) : **GBP 9 775** – Londres, 11-12 juin 1997 : *Prairie en bordure de forêt*, past./cart. (67x53) : **GBP 23 000** – Tel-Aviv, 12 jan. 1997 : *Au bord du lac* 1896, h/t/pan. (16,5x26,5) : **USD 12 650**.

LEVITINE Anatol ou **Levitin Anatoli**

Né en 1922 à Léningrad. XXe siècle. Russe.

Peintre de genre, figures, nus.

Il fut élève à l'Académie des Beaux Arts de Léningrad (Institut Répine), où il eut Boris Ioganson comme professeur. Membre de l'Union des Artistes d'U.R.S.S., artiste du Peuple, il fut nommé professeur à l'Académie des Beaux-Arts de Léningrad.

Depuis 1948, il participe à des expositions d'art russe à Moscou et à Léningrad. À partir de 1958, il expose à l'étranger participant, entre autres, aux manifestations d'art russe de Bruxelles en 1958, de Paris en 1960, de Tokyo en 1975 et 1978, de Londres en 1979, de Madrid en 1984, et de Montréal en 1986.

Il a entièrement assumé les consignes esthétiques définies par la doctrine du réalisme socialiste. Il se plaît à retracer les moments de repos entre les travaux de la journée, comme dans *Une douce journée*, de 1957. Son style, loin d'être audacieux, se rapproche parfois d'une facture postimpressionniste.

Bibliogr. : In : *Peintres contemporains*, Mazenod, Paris, 1964 – in : Catalogue de la vente *L'École de Léningrad*, Drouot, Paris, 19 nov. 1990.

Musées : Bratislava (Gal. Nat.) – Dresde (Gal. Nat.) – Helsinki (Gal. d'Art Contemp.) – Irkoutsk (Mus. des Beaux-Arts) – Khabarovsk (Mus. de l'Art Contemp.) – Madrid (Mus. des Beaux-Arts) – Moscou (Gal. Tretiakov) – Moscou (min. de la Culture de l'U.R.S.S.) – Moscou (Mus. Central de la Révolution de l'U.R.S.S.) – Novosibirsk (Mus. d'Art Soviétique) – Saint-Pétersbourg (Mus. Russe).

Ventes Publiques : Paris, 11 juin 1990 : *Aux champs* 1949, h/cart. (47x64) : **FRF 9 500** – Paris, 19 nov. 1990 : *Portrait de Genia Levitina*, h/t (70x60) : **FRF 13 000**.

LEVITT Joel J.
Né le 19 février 1906 à Kiev. XXe siècle. Actif aux États-Unis. Russe.
Peintre.
Il fut élève de l'École d'Art d'Odessa et de l'Académie de Dessin de Petrograd. Il fut membre du Salmagundi Club et de la Ligue américaine des artistes professeurs.

LEVITZKY
XIXe siècle. Russe.
Peintre de portraits.
On voit de lui au Musée Roumiantzeff, à Moscou, les portraits du tsar *Théodor Alexisvish*, du poète *H.-M. Jasikoff*, de *l'Impératrice Maria Feodorovna*.

LEVITZKY Dimitri Gregoriovitch ou **Lewitzki**
Né en 1735 à Kiev. Mort en 1822 à Saint-Pétersbourg. XVIIIe-XIXe siècles. Russe.
Peintre de portraits.
Son père, qui était graveur, lui donna ses premiers conseils. Il poursuivit ses études, à Kiev, chez A. Antropov, ainsi qu'à Saint-Pétersbourg. En 1770, il fut élu à l'Académie des Beaux-Arts et comme membre du Conseil Académique, enseigna la peinture de portrait. À Saint-Pétersbourg, il avait reçu les conseils de Lagrenée, mais c'est surtout la manière de Tocqué qu'il imita, notamment dans les portraits de *L'architecte Kokorinov*, de 1770 ; et de *Diderot*, qu'il put peindre en 1773, quand celui-ci vint rendre visite à Catherine II, qui le tenait, comme on sait, en haute estime. Dans la suite, il fut influencé par le Suédois de Paris, Roslin, dont il imita la manière de traiter les étoffes soyeuses, comme on le voit dans la série de portraits qu'il fit des jeunes pensionnaires de l'Institut Smolny, d'où sortaient les demoiselles d'honneur de la cour. Nommé portraitiste de la cour, en 1780, il peignit plusieurs portraits de l'impératrice. Il reçut encore commande pour un cycle de portraits, représentant les *Chevaliers de l'Ordre de Saint Vladimir*, que Catherine II venait de fonder, en 1782. Sa carrière ne dura guère au-delà de 1790 ; la faveur de la cour s'étant alors reportée sur les peintres étrangers, fraîchement arrivés : Lampi, Madame Vigée-Lebrun, etc.
Bibliogr. : L. R., in : *Diction. Univers. de l'Art et des Artistes*, Hazan, Paris, 1967 – *Catalogue de l'exposition : L'Art Russe, des Scythes à nos jours*, Musée du Grand Palais, Paris, 1967-68.
Musées : Montauban : *Portrait de l'impératrice Catherine II* – Moscou (Gal. Tretiakov) : *Portrait de Mme M. Lvov* – huit autres portraits – Moscou (Mus. Roumiantzev) : *Portrait d'Alexandre 1er – sept autres portraits* – Paris (Mus. du Louvre) : *Portrait de Marie Pavlovna Narichkine* – Paris (Mus. Jacquemart-André) : *Portrait de la grande-duchesse Alexandra Pavlovna*, copie – Saint-Pétersbourg (Mus. Russe) : *Le tsar Paul 1er – L'impératrice Catherine II – Portrait de la Pupille N. Bortcheva* – quatre autres portraits.
Ventes Publiques : Paris, 9 et 10 mai 1910 : *Portrait de la comtesse Michèle Miniszech* : **FRF 10 500** – Paris, 29 et 30 avr. 1920 : *Portrait de femme* : **FRF 6 000** – Paris, 20-24 oct. 1927 : *Portrait d'homme* : **FRF 4 700** – Londres, 21 juin 1929 : *Portrait de Plato Zouloff* : **GBP 20** – Londres, 6 mars 1986 : *Portrait d'un gentilhomme* 1780, h/t (63x49,7) : **GBP 7 000** – Monaco, 16 juin 1989 : *Portrait de Grégoire Nikolaewitch Teploff* 1771, h/t (90x72) : **FRF 355 200** – Londres, 3 juil. 1997 : *Portrait de Denis Diderot*, h/t (69,5x52,3) : **GBP 58 700**.

LEVITZKY Grigori Kirilovitch
Mort le 19 mai 1769. XVIIIe siècle. Actif à Kiev. Russe.
Graveur.
Homme d'église, il exécuta des illustrations, des vignettes et des frontispices de bibles et livres. Il est le père de Dimitri Grigorievitch.

LEVIZANI Giovanni Battista ou **Levizzani**
XVIIe siècle. Actif à Modène. Italien.
Peintre et poète.
Il travailla pour les églises de sa ville natale.

LEVKOVITCH Léon
Né le 25 avril 1936 à Lodz. XXe siècle. Actif depuis 1961 en France. Polonais.
Peintre, sculpteur, illustrateur.
En France, depuis 1961, il reste un peintre marginal. Il a néanmoins exposé à Paris en 1969 et 1970.
Sa peinture semble une description de personnages lunaires qu'il fait naître de crayonnages accusés, de graffiti aux tons crayeux.
Ventes Publiques : Neuilly, 3 fév. 1991 : *Cinq personnages*, bronze (15x14x14) : **FRF 10 000** – Paris, 7 oct. 1991 : *Nu couché* 1987, bronze (16x26,5x18) : **FRF 9 000**.

LEVNI
XVIIIe siècle. Actif au début du XVIIIe siècle. Turc.
Miniaturiste.
Ce grand artiste fut l'un des derniers miniaturistes turcs. Il illustra le *Surname-i Vehbi*, recueil de poèmes écrits en l'honneur de la circoncision des fils d'Ahmet III. Les miniatures représentent les fêtes qui se déroulèrent en cette circonstance. Suivant la tradition, dans ce genre de peinture, Levni utilisa des couleurs vives, des compositions étagées, empreintes d'une certaine naïveté plus personnelle.
Bibliogr. : O. Grabar, in : *Dictionnaire de l'Art et des Artistes*, Hazan, Paris, 1967.

LEVO Domenico
XVIIIe siècle. Actif à Vérone. Italien.
Peintre de natures mortes.

LE VOLEUR Jean
Mort avant 1421. XVe siècle. Éc. flamande.
Peintre.
Il travailla à Hesdin et Bruges et était valet de chambre des ducs Philippe le Hardi et Jean-sans-Peur. Il fut chargé par Philippe le Hardi de l'exécution de carreaux de faïence pour la décoration d'appartements. Le Musée de Boulogne-sur-Mer possède un spécimen de ces œuvres.

LE VOLEUR Nicolas ou **Colart** ou **Colin**
Mort après 1453. XVe siècle. Français.
Peintre.
Fils de Jean Le Voleur. Il fut peintre de la cour du duc Philippe le Bon, pour lequel il exécuta de nombreux travaux décoratifs.

LEVOLLE Henri
Né vers 1838 à Paris. Mort en 1898 à Roscoff (Finistère). XIXe siècle. Français.
Portraitiste et peintre d'histoire.
Élève de Picot et L. Cogniet. Il exposa de 1857 à 1867.

LEVORATI Ernesto
Né au XIXe siècle à Padoue. XIXe siècle. Italien.
Peintre de genre, portraitiste et aquarelliste.
Il débuta à Turin en 1880. Il a également exposé à Rome, Venise, Vienne.
Ventes Publiques : Londres, 4 nov. 1909 : *Jour de pluie à Venise* 1882 : **GBP 25** – Londres, 30 nov. 1977 : *Rêverie* 1882, h/t (95x65) : **GBP 1 700**.

LE VOYER Robert
XVIe siècle. Actif à Orléans dans la seconde moitié du XVIe siècle. Français.
Peintre.
Grâce à une copie qu'il exécuta du *Jugement dernier* de Michel-Ange, il fut reçu par la Ville de Rome bourgeois et sénateur de cette ville. Cette copie, signée Robert Le Voyer Aurel. Fac. Romae 1570 est conservée par le Musée de Montpellier.
Ventes Publiques : Paris, 1843 : *Copie réduite du Jugement dernier de Michel Ange*, composition de quatre cent douze figures : **FRF 1 305**.

LEVRAC-TOURNIÈRES Robert ou **Tourniers**
Né en 1667 ou 1668 à Caen (Calvados). Mort le 18 mai 1752 à Caen. XVIIe-XVIIIe siècles. Français.
Peintre d'histoire, sujets mythologiques, portraits.
Élève de Lucas de La Haye de l'Ordre des Carmes et de Bon Boulogne. Il fut reçu académicien comme portraitiste en 1702 et comme peintre d'histoire en 1716. Il fut nommé adjoint à professeur en 1725. Il a exposé aux Salons de Paris entre 1704 et 1748. Il exposa sous les noms de *Tourniers* et *Tournières*.
Il pratiquait une très belle technique de peinture lissée sur des panneaux de bois, obtenant des tons d'émail par transparence. Ses compositions, empreintes d'une certaine raideur provinciale, qui en font d'ailleurs le charme, font déjà présager les peintres de fêtes galantes.
Musées : Aix : *Joueuse de mandoline* – Angers : *La mort de Léandre* – Bâle : *Diane au bain* – Caen : *Racine et Chapelle – Un magistrat – Le graveur Audran – Le sculpteur Brodan* – Cherbourg : *Portrait d'un architecte* – Dijon : *Voltaire* – Grenoble : *Charles de Beauharnais* – Hambourg : *Desmotins* – Louviers : *Le chancelier Pontchartrain* – Marseille : *La famille Saint-Cannat* – Moscou : *Homme en armure* – Nantes : *La famille de Mautpertuis*

– *Une famille dans un paysage – Même sujet – Une famille dans un salon* – NEW YORK (hist. Society) : *Portrait d'un général* – ORLÉANS : *Grégoire de Saint-Gemès* – PARIS (Mus. du Louvre) : *Michel Corneille – Pierre Mosnier* – PARIS (Beaux-Arts) : *La découverte du dessin* – PARIS (Arts Décoratifs) : *Le chancelier d'Aguesseau – La femme d'Aguesseau – Portrait de femme – Portrait d'homme* – PARIS (Comédie Française) : *Molière* – PARIS (Jacq.-André) : *Portrait de femme* – QUIMPER : *Mairot – Corneille* – RENNES : *Le maréchal Berwick* – ROUEN : *Été – Automne – d'Aguesseau – Lavergne de Tressan, archevêque* – SAINT-PÉTERSBOURG (Mus. de l'Ermitage) : *Une cantatrice* – STOCKHOLM : *Pomone* – VERSAILLES : *Mosnier – Le souper d'Auteuil* – VIRE : *Capitaine Darçon.*

VENTES PUBLIQUES : PARIS, 10 et 11 mai 1926 : *Portrait d'un magistrat*, pierre noire et encre de Chine : **FRF 1 100** – LONDRES, 18 déc. 1929 : *Portrait d'un échevin* : **USD 180** – PARIS, 7 juin 1950 : *Portrait d'une jeune femme* : **FRF 32 000** – PARIS, 11 fév. 1972 : *Une famille dans un intérieur* : **FRF 6 500** – PARIS, 8 déc. 1974 : *Portrait d'un homme de qualité* : **FRF 5 000** – PARIS, 21 mars 1977 : *Chasseur assis près de son chien*, h/t (47x38) : **FRF 17 000** – PARIS, 28 mars 1979 : *Monsieur de Vence dans son cabinet*, h/t (33x25) : **FRF 30 000** – PARIS, 3 avr 1979 : *Un gentilhomme avec un jeune garçon dans un intérieur ; Une femme avec un jeune garçon dans un parc*, deux h/t, formant pendants (chaque 130x110) : **FRF 258 000** – PARIS, 15 nov. 1982 : *Portrait d'homme*, h/t (117x80) : **FRF 57 000** – MONTE-CARLO, 25 juin 1984 : *Portrait d'un gentilhomme*, h/t, esq. (42x34) : **FRF 34 000** – NEW YORK, 17 jan. 1985 : *Portrait d'un aristocrate*, h/t (82x63,5) : **USD 6 000** – LONDRES, 20 fév. 1986 : *Portrait d'une dame de qualité en Hébé*, h/t (44x34) : **GBP 4 800** – PARIS, 30 mars 1987 : *Monsieur de Vence dans son cabinet*, h/t (33x25) : **FRF 200 000** – NEW YORK, 7 avr. 1989 : *Portrait d'un élégant gentilhomme*, h/t (82x63,5) : **USD 7 700** – MONACO, 17 juin 1989 : *Portrait d'un gentilhomme*, h/t (104x79) : **FRF 38 850** – PARIS, 11 déc. 1989 : *Portrait d'homme*, t. (74,5x61) : **FRF 35 000** – PARIS, 14 déc. 1989 : *Portrait de Matthieu Douars de Fleurance*, t. (145x114,5) : **FRF 58 000** – PARIS, 20 juin 1991 : *Portrait de Monsieur de La Roche*, h/t (79x63) : **FRF 42 000** – LYON, 5 nov. 1991 : *Portrait d'un magistrat* 1716, h/t (216x138) : **FRF 360 000** – MONACO, 5-6 déc. 1991 : *Portrait de Grégoire de Saint-Génies* 1734, h/pan. (51x38) : **FRF 49 950** – PARIS, 20 juin 1994 : *Portrait de la famille La Tour du Breuil*, h/t (70x90) : **FRF 100 000** – NEW YORK, 21 oct. 1997 : *Portrait de Noël Beaudet de Morlet portant une cape de velours gris doublé de brun et tenant à la main un plan de jardin fait par un architecte ; Portrait de trois quarts de sa femme, née Mademoiselle Gallyot, assise dans un fauteuil, portant une robe bleue brodée d'or et un châle rose et tenant un chien sur ses genoux*, h/t, une paire (116x89) : **USD 34 500**.

LEVRAT Christiane

Née le 19 avril 1921 à Versailles (Yvelines). XXe siècle. Active depuis 1923 au Maroc. Française.

Peintre de figures, portraits, nus, paysages, natures mortes, fleurs. Postimpressionniste.

Jusqu'en 1965, elle signait PLATEAU-LEVRAT. Elle est autodidacte en peinture, en a cependant une pratique affirmée. Après avoir vécu au Maroc elle est retournée en France.

Elle participe à des expositions collectives, notamment à Paris au Salon des Artistes Français depuis 1950, où elle obtint mention honorable en 1954, des médailles d'argent en 1959 et 1987, et plusieurs Prix. Elle participe aussi au Salon de la Société Nationale des Beaux-Arts dont elle est également sociétaire. Elle a obtenu divers Prix et distinctions dans des concours régionaux et le prix de la Fondation Taylor au Salon des Artistes Français en 1993.

Ayant résidé à Casablanca, elle peint souvent des personnages, des scènes et des paysages typiques.

LEVRAY Nicolas I

Mort le 26 août 1678 à Toulon (Var). XVIIe siècle. Français.

Sculpteur.

Il fut chargé par la ville de Toulon d'exécuter, en 1648, les fontaines d'Astour et du portail d'Aumont, qu'il fit avec Gaspard Puget. En 1649, il fit, avec Pierre Puget, une fontaine sur la place Saint-Lazare et une statue de *Saint Louis* pour la fontaine de la Poissonnerie. A partir de 1662, il se consacra exclusivement à la décoration des vaisseaux, notamment du *Saint-Philippe* et du *Royal-Louis*, sur les dessins de Le Brun et de *La Trompeuse*, sur ceux de Pierre Puget.

LEVREAU Georges

Né le 11 juillet 1867 à Nantes (Loire-Atlantique). XIXe-XXe siècles. Français.

Peintre de compositions à personnages, intérieurs, natures mortes. Symboliste.

Élève de Léon Bonnat, Jules Lefebvre, Benjamin Constant, à l'École des Beaux-Arts de Paris. Il figura au Salon des Artistes Français, société dont il était membre depuis 1902.

Il donne souvent une teinte érotique à ses compositions symbolistes.

BIBLIOGR. : Gérald Schurr, in : *Les Petits Maîtres de la peinture 1820-1920, valeur de demain*, Les Éditions de l'Amateur, t. III, Paris, 1976.

MUSÉES : VANNES : *Nature morte.*

LEVREL René Joseph Marie

Né le 12 mars 1900 à Nantes (Loire-Atlantique). Mort en 1981. XXe siècle. Français.

Peintre de sujets typiques, paysages animés, paysages urbains, fleurs, graveur.

Il eut une bourse du gouvernement de l'Algérie et fut pensionnaire de la Villa Abd el Tif, entre 1928 et 1930.

Exposant du Salon des Indépendants à partir de 1925, il fut sociétaire également du salon d'Automne. Il a figuré à l'exposition intitulée *De Bonnard à Baselitz* à la Bibliothèque nationale à Paris en 1992. Il a montré ses œuvres dans des expositions personnelles notamment en 1973.

Habitant de longue date le quai des Tournelles, il a peint les sites parisiens. Voyageur, il a aussi peint les quais de la Tamise à Londres et le port d'Amtersdam.

BIBLIOGR. : In : *De Bonnard à Baselitz – Dix ans d'enrichissements du Cabinet des Estampes 1978-1988*, Bibliothèque nationale, Paris, 1992.

MUSÉES : ALGER – CAMBRAI – NANTES – PARIS (Mus. d'Art Mod. de la Ville) – PARIS (Cab. des Estampes).

VENTES PUBLIQUES : PARIS, 7 nov. 1946 : *Bouquet de fleurs* : **FRF 650** – PARIS, 31 mai 1954 : *Soir d'Automne à Paris* : **FRF 16 500** – PARIS, 11 déc. 1987 : *Place du Châtelet*, h/t (50x61) : **FRF 5 500** – PARIS, 23 fév. 1990 : *Paysage*, h/t (46x55) : **FRF 5 500** – SCEAUX, 11 mars 1990 : *Quais à Paris*, h/t (60x73) : **FRF 5 800** – PARIS, 17 nov. 1997 : *Détente à l'orientale*, h/t (160x180) : **FRF 24 000**.

LÉVY Albert

Né le 4 mai 1864 à Paris. XIXe siècle. Français.

Sculpteur.

Élève d'Étienne Leroux. Il débuta au Salon des Artistes Français en 1886. Le Musée de Gray conserve de lui : *Une trouvaille de Pompéi.*

LEVY Alexander Oscar

Né le 26 mai 1881 à Bonn. Mort en 1947. XXe siècle. Allemand.

Peintre.

Il fut élève de Duveneck, Chase et Henri. Il fut membre, à Paris, de la Société des Artistes Indépendants.

VENTES PUBLIQUES : NEW YORK, 30 sep. 1985 : *L'éventail en plumes d'autruche*, h/t (121,5x122,8) : **USD 3 000** – NEW YORK, 28 mai 1987 : *Deux belles*, h/t (91,4x71,7) : **USD 7 500**.

LÉVY Alice

Née au XIXe siècle à Paris. XIXe siècle. Française.

Peintre de genre et miniaturiste.

Élève de Le Poitevin et Levasseur. Elle débuta au Salon de Paris en 1878.

LÉVY Alphonse Jacques, dit **Saïd**

Né en 1843 à Marmoutier (Bas-Rhin). Mort en 1918 à Alger. XIXe-XXe siècles. Français.

Peintre de genre, graveur, illustrateur.

Élève de Gérôme, il débuta au Salon de Paris en 1874 et y obtint une mention honorable à l'Exposition Universelle de 1900. Il était membre associé au Salon de la Société Nationale des Beaux-Arts depuis 1901.

Il a peint des scènes juives et nord-africaines. Il a illustré *Les Contes juifs* de Sacher-Masoch. Il collabora au *Monde comique*, au *Journal amusant*, à *L'Éclipse*, sous le pseudonyme de Saïd.

ALPH. LEVY

BIBLIOGR. : Gérald Schurr, in : *Les Petits Maîtres de la peinture 1820-1920, valeur de demain*, Les Éditions de l'Amateur, t. V, Paris, 1981.

VENTES PUBLIQUES : JÉRUSALEM, 18 mai 1985 : *Types juifs*, fus. (61x46) : **USD 1 000** – JÉRUSALEM, 18 mai 1985 : *Portrait du grand* *rabbin Bloch de Strasbourg* vers 1880, h/t (100x80) : **USD 2 500** – PARIS, 24 mars 1996 : *Personnages dans le synagogue de Djerba*, h/t (95x68) : **FRF 38 000**.

LÉVY Amélie. Voir **ERNST Amélie**

LÉVY Anton

Né en 1845. Mort en 1897. XIXe siècle. Tchécoslovaque.

Peintre de paysages.

MUSÉES : LEIPZIG (Mus. d'Hist.) : *Vues de Leipzig*, aquar. – MUNICH (Mus. mun.) : *Vue de l'ancienne Wieskapelle*, aquar.

VENTES PUBLIQUES : PARIS, oct. 1945-Juillet 1946 : *Le château de Prague, le pont et la ville haute* : **FRF 5 500**.

LEVY Béatrice S.

Née le 3 avril 1892 à Chicago (Illinois). XXe siècle. Américaine.

Peintre, graveur.

Elle fut élève de l'Institute of Arts de Chicago et de Charles Hawthorne. Elle obtint une médaille d'or à Chicago en 1928.

MUSÉES : PARIS (BN).

LEVY Benoît. Voir **BENOIT-LÉVY**

LÉVY Charles

Né au XIXe siècle à Paris. XIXe siècle. Français.

Pastelliste.

Élève de Bonnat, Sociétaire des Artistes Français depuis 1905, il figura au Salon de ce groupement.

LÉVY Charles Octave

Né à Paris. Mort en 1899 à Paris. XIXe siècle. Français.

Sculpteur de statues.

Élève de Toussaint. Il figura au Salon de Paris, de 1873 à 1898 ; troisième médaille en 1889.

VENTES PUBLIQUES : WASHINGTON D. C., 29 fév. 1976 : *Amour désarmé*, bronze (H. 71,5) : **USD 2 900** – PARIS, 14 nov. 1978 : *Salomé*, bronze patine (H. 84) : **FRF 8 600** – ENGHIEN-LES-BAINS, 28 oct 1979 : *Salomé*, bronze, patine brune (H. 84) : **FRF 8 000** – PARIS, 2 déc. 1983 : *Salomé*, bronze patine dorée (H. 85) : **FRF 14 200** – LOKEREN, 19 oct. 1985 : *Le faneur*, bronze, patine brun foncé (H. 80) : **BEF 300 000** – LOKEREN, 7 oct. 1995 : *Le faneur* 1885, bronze (H. 79, l. 28) : **BEF 95 000**.

LÉVY Clarisse

Née le 31 juillet 1896 à Saint-Maurice (Val-de-Marne). XXe siècle. Française.

Sculpteur.

Elle fut élève de Segoffin et Sicard. Elle a exposé, à Paris, au Salon des Artistes Français, où elle obtint une médaille d'argent en 1929.

LÉVY Émile

Né le 29 août 1826 à Paris. Mort le 4 août 1890 à Paris. XIXe siècle. Français.

Peintre d'histoire, scènes de genre, portraits, pastelliste, compositions murales.

Élève d'Abel de Pujol et de François Édouard Picot, il obtint le grand prix de Rome en 1854. Il débuta au Salon de Paris en 1848, étant médaillé en 1859, 1864, 1866, et aux Expositions Universelles de 1867 et de 1878.

Il a fait des peintures décoratives pour l'hôtel Furtado à Paris ; la chapelle de la Vierge, à la Trinité ; la salle des mariages, à la mairie du VIIe arrondissement et pour le grand café du boulevard des Capucines. Ses compositions soignées montrent souvent des attitudes théâtrales.

EMILE LEVY
1870

EMILE LEVY

MUSÉES : AMIENS : *Le souper libre* – AURILLAC : *Noé maudissant Cham* – LE HAVRE : *Les écus* – LAON : *La vasque, idylle* – LE MANS : *L'alliance des arts* – MONTPELLIER : *Le jugement de Midas* – NANTES : *Scène des champs* – PARIS (Mus. du Louvre) : *Portrait de jeune homme* – PARIS (Mus. d'Art Mod.) : *Mort d'Orphée* – *La Meta Sudans* – PAU : *Idylle* – PÉRIGUEUX : *Le buveur d'eau* – REIMS : *Bergère italienne* – *Bureau-Deverchi* – Un pastel – ROUEN : *Enfant couché dans un paysage* – *M. de Heredia* – *Noémie* – *Portrait de Mlle Lévy* – SYDNEY : Pastel – VALENCIENNES : *Henri Coroënne* – VERSAILLES (Mus. du château) : *Portrait de Barbey d'Aurevilly*.

VENTES PUBLIQUES : PARIS, 1873 : *Le charmeur d'oiseaux* : **FRF 4 900** – PARIS, 1881 : *Le nid* : **FRF 2 400** – PARIS, 20 juin 1900 : *La petite Japonaise* : **FRF 265** – NEW YORK, 1er-3 avr. 1908 : *Paysanne de la Campanie* : **USD 160** – LONDRES, 4 avr. 1924 : *Éducation de Cupidon* : **GBP 115** – PARIS, 9 mars 1951 : *Le secret* : **FRF 16 000** – LONDRES, 20 fév. 1976 : *Le bain*, h/pan. (32x22) : **GBP 600** – TOKYO, 15 fév. 1980 : *La ronde* 1876, h/pan. (38,6x29,2) : **JPY 750 000** – NEW YORK, 26 oct. 1983 : *La Charmeuse* 1872, h/t (123x85) : **USD 5 000** – LONDRES, 19 juin 1985 : *Couple au bord d'un précipice* 1867, h/t (74x41) : **GBP 2 400** – MONTE-CARLO, 22 juin 1986 : *Vénus et Cupidon* 1860, h/t (93,5x145,5) : **FRF 19 000** – LONDRES, 9 oct. 1987 : *Mère et enfant* 1870, h/t (96,5x58,4) : **GBP 2 200** – AMSTERDAM, 3 avr. 1988 : *La Sécurité*, h/t (55x28) : **NLG 9 775** – LE TOUQUET, 10 nov. 1991 : *Rêve antique*, h/pan. (60x41) : **FRF 18 000** – NEW YORK, 16 fév. 1994 : *Les filles de Jethro près du puits*, h/t (31,8x48,3) : **USD 14 950** – NEW YORK, 16 fév. 1995 : *Lettre d'amour* 1872, h/t (120,7x160) : **USD 43 125** – LONDRES, 22 nov. 1996 : *Portrait d'une fillette assise près d'un mur* 1876, h/t (47,6x31,7) : **GBP 2 300**.

LÉVY Fanny

Née le 10 août 1854 à Königsberg. XIXe siècle. Allemande.

Peintre de portraits, de genre, de paysages, de natures mortes et pastelliste.

Élève de A. Volkmar, Eschke et Gussord à Berlin, de O. Gunther à Königsberg et de Carolus-Duran et Henner à Paris. Elle exposa à partir de 1877. On cite d'elle : *Fleurs de printemps sous la neige*.

LEVY Gaston

Né à Rio de Janeiro. XIXe-XXe siècles. Actif en Espagne puis en France. Brésilien.

Peintre.

Il a été élève de l'École des Beaux-Arts de San Fernando, à Madrid. Il fut un disciple en peinture de Sorolla. Il s'est ensuite fixé à Paris.

BIBLIOGR. : In : *Cien anos de peinture en Espana y Portugal – 1830-1930*, Antiqvaria, Tome IV, Madrid, 1990.

LÉVY Gustave

Né en 1819 à Toul (Meuthe-et-Moselle). Mort en 1894 à Paris. XIXe siècle. Français.

Graveur.

Élève de Geille et L. Cogniet. Il débuta au Salon de Paris en 1844. Il exposait encore en 1881 et obtint une troisième médaille en 1846. Il a gravé des portraits et des tableaux religieux. Le Musée de Toul conserve, à côté de plusieurs de ses gravures, un dessin de lui *(Tête de Méduse)*.

LÉVY Henri Léopold

Né le 23 septembre 1840 à Nancy (Meurthe-et-Moselle). Mort en 1904 à Paris. XIXe siècle. Français.

Peintre d'histoire, compositions mythologiques, scènes religieuses, sujets allégoriques.

Il fut élève de François Édouard Picot, d'Eugène Fromentin et d'Alexandre Cabanel, à l'École des Beaux-Arts de Paris, où il entra en 1856. Il participa au Salon de Paris à partir de 1865, obtenant des médailles en 1865, 1867, 1869. Médaille de première classe à l'Exposition Universelle de 1878. Il fut décoré de la Légion d'honneur en 1872.

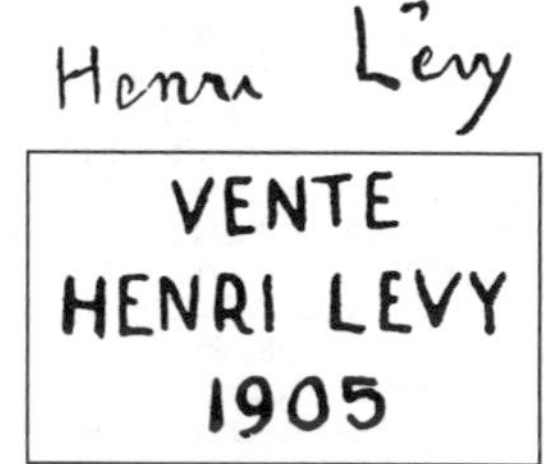

Cachet de vente

BIBLIOGR. : Gérald Schurr, in : *Les Petits Maîtres de la peinture 1820-1920, valeur de demain*, Les Éditions de l'Amateur, t. II, Paris, 1982.

MUSÉES : ARRAS : *Joas sauvé* – BEAUFORT : *Pomone* – BUCAREST (Mus. Simu) : *Tête d'étude* – CHAMBÉRY (Mus. des Beaux-Arts) : *Sarpedon* – DIJON : *Les gloires de la Bourgogne* – DOUAI : *Le dieu de la bayadère* – MULHOUSE : *Bonaparte à la grande mosquée du Caire* – NANCY : *Hébreux captifs* – *La jeune fille et la mort* – PARIS (Mus. d'Art Mod.) : *Sarpédon* – PARIS (Mus. des Beaux-Arts) : *Liberté, Égalité, Fraternité* – REIMS : *Jésus au tombeau* – ROUBAIX :

Hercule retrouvant au bord de la mer le cadavre de son fils Polydore – ROUEN : *Tête de femme* – VALENCE : *Amphitrite*.
VENTES PUBLIQUES : PARIS, 1881 : *Le Giaour* : **FRF 3 100** – PARIS, 1889 : *Hérodiade* : **FRF 9 100** – PARIS, 5 mars 1903 : *Allégorie de la Paix* : **FRF 2 800** – PARIS, 27 nov. 1926 : *Le chemin* : **FRF 4 000** – PARIS, 26 déc. 1944 : *Faust* : **FRF 3 900** – PARIS, 16 avr. 1945 : *Nu de femme couché* : **FRF 3 600** – PARIS, 25 fév. 1972 : *Christ au tombeau*, h/t (32x51) : **FRF 1 100** – PARIS, 23 fév. 1977 : *Jésus au jardin des Oliviers*, h/t (61x49) : **FRF 6 200** – BARBIZON, 27 fév. 1983 : *Nature morte au pichet et aux fruits sur un drapé blanc* 1876, h/t (65x54) : **FRF 11 000** – NEW YORK, 23 mai 1985 : *Pirates mettant à sec une ville côtière*, h/t (80x131) : **USD 6 000** – PARIS, 23 juin 1988 : *Allégorie de l'Automne*, gche (222x86) : **FRF 16 000** – MONACO, 17 juin 1989 : *Allégorie de l'Industrie – Allégorie du Commerce*, h/t, une paire (chaque 193x170) : **FRF 188 700** – NEW YORK, 26 mai 1993 : *Mercure*, h/t (180x197,2) : **USD 9 775** – PARIS, 31 jan. 1994 : *Esther*, h/t (117,5x90) : **FRF 50 000** – PARIS, 18 nov. 1994 : *Diane chasseresse*, h/t (99x160) : **FRF 31 000** – PARIS, 23 avr. 1996 : *Scène de palais, le Sac de l'église Sainte-Sophie de Constantinople*, h/t (65x54) : **FRF 11 000**.

LÉVY Henri Michel. Voir **MICHEL-LÉVY**

LEVY Isabelle
Née le 1er mars 1950 à Sallanches (Haute-Savoie). XXe siècle. Française.
Peintre. Abstrait.
Elle a participé aux côtés de Charles Bézie et de Claude Pasquier à une exposition intitulée *Processus d'engendrement*, à la Galerie 30, à Paris, en 1982.
Elle réalise des compositions abstraites en toile de lin avec des fils de différentes couleurs, rouge, bleu et jaune qu'elle tend en utilisant une machine à coudre.
BIBLIOGR. : Patrick Rousseau, in : Catalogue de l'exposition *Processus d'engendrement. Forme-Couleur de trois positions picturales*, gal. 30, Paris, 1982.

LÉVY Isadore
Né le 4 mars 1899 à Scranton (Pennsylvanie). Mort le 19 décembre 1989 à Maisons-Laffitte (Yvelines). XXe siècle. Actif depuis 1920 en France. Américain.
Peintre de paysages, paysages urbains, figures, intérieurs, natures mortes. Réalité-poétique, tendance abstraite.
En 1916, il entra à l'Académie des Beaux-Arts de Pennsylvanie à Philadelphie, où il s'initia aux principes de base et aux diverses techniques artistiques. Il obtint en 1920 la bourse *Cresson Travel Scholarship* de six mois qui lui permit de poursuivre sa formation artistique à l'étranger et choisit Paris. Il voyagea à plusieurs reprises en Italie et en Espagne. En France, il séjourna en Bretagne sur les traces de Gauguin. En 1934, lui et sa femme Marie-Joseph Renié, partirent vivre aux États-Unis puis retournèrent travailler en France en 1950.
Il exposa, à Paris, aux Salons des Indépendants, d'Automne et des Tuileries en 1925. Il participa, en 1932, à Paris, à l'exposition *Artistes américains à Paris* avec Abraham Rattner, à la galerie de la Renaissance de même qu'à l'exposition *Peintres américains en France*, à la galerie Craven, à Paris, en 1953. Il montra ses œuvres dans des expositions personnelles à partir de 1929, à Paris, à la galerie Vignon. Il a exposé aussi personnellement aux États-Unis, surtout à New York, notamment à la galerie Wildenstein, en 1937, puis à d'autres reprises dans cette même ville en 1965, 1969 et 1973. Une importante rétrospective de ses œuvres abstraites (1963-1983) eut lieu en 1989 à la galerie de la Poste à Paris. En 1990, une autre rétrospective, mais posthume, fut organisée au Centre culturel de Maisons-Laffite.
Il a débuté par des œuvres académiques, proches d'un certain hyperréalisme. Il copia les maîtres primitifs italiens et leur approche de la lumière lors de son séjour en Italie. Puis, sous influence d'un certain style et esprit présents dans l'École de Paris, il peignit alors des intérieurs, des figures, des natures mortes, toutes compositions posées, construites, usant de touches libres ou faisant jouer la transparence subtile des chromatismes. Son retour aux États-Unis marque le début d'une évolution dans son œuvre marquée par la simplification des formes et la disposition en aplats des couleurs. Puis des couleurs vives (rouge écarlate, bleu de cobalt...) vont faire leur apparition et les formes et les volumes se délocaliser dans l'espace. Sa « vision » est alors proche de l'abstraction, mais une abstraction qui trouve ses racines dans une approche quasi-mystique de la réalité.
BIBLIOGR. : Nesto Jacometti : *Têtes de Montparnasse*, Oreste Zeluk, Paris, 1930 – *Isadore Levy*, catalogue de l'exposition rétrospective, Centre culturel, Maisons-Laffite, 1990.

LÉVY Jane
Née le 28 octobre 1894 à Paris. XXe siècle. Française.
Pastelliste.
Elle fut élève de Sabatté et Hannaux. Elle expose, à Paris, aux Salons des Artistes Français et des Indépendants.

LÉVY Jeanne
Née au XIXe siècle à Paris. XXe siècle. Française.
Peintre, miniaturiste.
Elle fut élève de Jeanne Burdy et de Mme Darribère. Elle fut sociétaire, à Paris, des Artistes Français à partir de 1908, y exposa et y obtint une médaille de troisième classe en 1906.

LEVY Judith
Née en 1950 à Baltimore (Maryland). XXe siècle. Active depuis 1977 en France. Américaine.
Peintre, graveur.
Elle a figuré à l'exposition intitulée *De Bonnard à Baselitz* à la Bibliothèque nationale à Paris en 1992.
BIBLIOGR. : In : *De Bonnard à Baselitz – Dix ans d'enrichissements du Cabinet des Estampes 1978-1988*, catalogue de l'exposition, Bibliothèque nationale, Paris, 1992.
MUSÉES : PARIS (Cab. des Estampes).

LÉVY Laure
Née le 24 juillet 1866 à Paris. Morte le 31 mars 1954 à Beaumont-du-Périgord (Dordogne). XXe siècle. Française.
Peintre, miniaturiste.
Elle fut élève de Lenglet et Spiridon. Elle fut, à Paris, sociétaire du Salon des Artistes Français à partir de 1889.
VENTES PUBLIQUES : PARIS, oct. 1945-juil. 1946 : *La Soubrette*, peint. sur porcelaine : **FRF 3 800**.

LEVY Lazar, dit aussi **Lazare-Levy**
XXe siècle. Français.
Peintre de compositions animées, marines. Orientaliste.
Originaire de Odratzheim en Alsace. Il a peint des scènes tunisiennes qu'il a exposées dans les Salons parisiens. Il a également participé aux expositions coloniales de 1922 et 1931.
VENTES PUBLIQUES : PARIS, 8 avr. 1990 : *Voilier rentrant au port*, h/t (46x61) : **FRF 8 000** – PARIS, 10 juin 1990 : *Tunis*, h/t (93x65) : **FRF 4 500** – PARIS, 2 juin 1992 : *Marché tunisien*, h/t (46x61) : **FRF 4 000** – PARIS, 22 juin 1992 : *Coin de la Casbah de Tunis*, h/t (92x65) : **FRF 12 000** – PARIS, 21 juin 1993 : *Caravane au clair de lune*, h/t (47x61) : **FRF 6 600** – PARIS, 6 nov. 1995 : *Souk des étoffes à Tunis*, h/t (65x92) : **FRF 25 000** – PARIS, 18-19 mars 1996 : *Promeneurs à Tunis*, h/t (65x92) : **FRF 21 000** – PARIS, 25 juin 1996 : *Rue à Tunis*, h/cart. (17x24) : **FRF 7 000** – PARIS, 10-11 avr. 1997 : *Promeneur à Bab al-Djazíra*, h/t (65x54) : **FRF 70 000**.

LÉVY Léopold. Voir **LÉOPOLD-LÉVY**

LÉVY Louis
Né en 1845 à Clermont-Ferrand (Puy-de-Dôme). XIXe siècle. Français.
Peintre en émail et lithographe.
Élève de J. Laurens. Il exposa de 1865 à 1870.

LEVY M.
Né au XVIIIe siècle, originaire de Courlande. XVIIIe siècle. Russe.
Peintre et graveur.
Élève de l'Académie de Berlin, il y exposa les portraits des rois *Frédéric II* et *Frédéric Guillaume II*. On cite de sa main la gravure sur cuivre, en couleurs, *Le grand-électeur dans le camp de Bréda*.

LEVY Margrethe, née **Erichsen**
Née le 21 mars 1881 à Copenhague. XXe siècle. Danoise.
Peintre de portraits, figures, illustrateur.
Elle étudia à l'Académie de Copenhague et compléta sa formation artistique à Rome, Florence et Paris.
Elle peignit des portraits et des tableaux de figures et illustra des livres pour enfants.

LÉVY Marguerite
Née au XIXe siècle à Paris. XIXe siècle. Française.
Peintre de fruits et aquarelliste.
Élève de Mme B. Matignon. Elle débuta au Salon en 1880.

LÉVY Michel. Voir aussi **MICHEL-LÉVY**

LEVY Michel
XIXe siècle. Français.

Peintre de paysages, natures mortes.
Peut-être est-ce le même artiste que Henri MICHEL-LÉVY, dont le Musée de Honfleur conserve : *Boudin peignant des animaux*.
Ventes Publiques : Paris, 30 mai 1945 : *Nature morte* : **FRF 500** ; *Le coffre à bijoux* : **FRF 200** – Versailles, 25 nov. 1990 : *Bord de mer – Les roches noires*, h/t (27x46) : **FRF 16 500**.

LEVY Michel
Né en 1949 à Alger. xxe siècle. Français.
Sculpteur de figures, statues. Symboliste.
En 1961, il a été élève de l'Atelier Delesalle à Paris, a entrepris ensuite des études de médecine à la Faculté Henri Mondor à Paris. « Arthérapeute » durant quatre ans à l'Assistance Publique de Paris, il est le fondateur du centre d'« arthérapie », à l'Hôpital Émile-Roux dans le service de gérontologie.
Il expose collectivement et a montré ses œuvres dans des expositions personnelles. Il a obtenu la Médaille de bronze de la Ville de Paris.
Il puise, souvent dans la mystique judaïque, les thèmes et les symboles qu'il se propose de concrétiser dans ses sculptures fondues en bronze. Vie et mort, corps et âme, esprit et matière, spirituel et temporel, ces dualismes d'idées se retrouvent directement figurés dans ses statues et sculptures qui oscillent formellement entre baroque et classicisme.
Ventes Publiques : Paris, 5 fév. 1990 : *Athnanor* 1988, bronze à patine verte (104x40x35) : **FRF 55 000** – Paris, 4 mai 1990 : *Élégantes au lac*, h/t (46x61) : **FRF 7 500** – Paris, 21 mai 1990 : *Le peuple* 1983, bronze à patine vert (84,5x30x20) : **FRF 24 000** – Paris, 3 juil. 1992 : *Le printemps* 1986, bronze (80x18x26) : **FRF 29 000** – Paris, 6 juil. 1992 : *Athanor*, bronze cire perdue (H. 41) : **FRF 16 000** – Paris, 11 avr. 1994 : *Le voyage*, bronze (17x12x6) : **FRF 8 000** – Paris, 26-27 nov. 1996 : *Grande Ève sur socle*, bronze, épreuve (H. 183) : **FRF 41 500**.

LÉVY Moses
Né en 1885 à Gibraltar. Mort en 1968 à Viareggio (Italie). xxe siècle. Actif en Tunisie. Britannique.
Peintre de scènes typiques, paysages, graveur.
Né à Tunis d'un père britannique et d'une mère italienne, Il étudia aux Académies de Lucques, de Florence et dans l'atelier de Fattori. Il travailla à Viareggio et passa presque toute sa vie en Tunisie, étant toujours partagé entre ces deux pôles, au nord et au sud de la Méditerranée. Il participa à la Biennale de Venise en 1921 et 1923, régulièrement au Salon tunisien, aux expositions de l'Afrique française et aux expositions coloniales en métropole. Ses premières expositions personnelles eurent lieu à Florence, Milan, Lucques, Pise, Livourne, Viareggio, puis à Tunis entre 1923 et 1957. Il fit partie du Groupe des quatre en 1936, du Groupe des dix en 1947. Membre de l'École de Tunis à partir de 1950, il s'installa finalement à Viareggio, où il mourut.
On distingue deux périodes dans son œuvre : l'une, tout d'abord, où il montre un attachement à l'art nouveau par son dessin qui cherche à lier intimement ligne et masses colorées ; l'autre, à partir de 1928, où il travaille à grands coups de pinceau, rendant, par exemple, les foules en une succession de stries. Son art prolifique ne s'est pas arrêté à ces deux styles, mais, dans l'ensemble, Mosès Levy a beaucoup été influencé par Marquet, peignant surtout la vie animée des souks, du quartier juif de Tunis et des scènes de plage, où dominent les bleus, rouges, roses et ocres.

Moses Levy

Bibliogr. : Catalogue de l'exposition : *Lumières tunisiennes*, Pavillon des Arts, Paris, 1995.
Musées : Tunis (Mus. d'Art Mod.) : *Hafsia* 1927 – *Portrait*.
Ventes Publiques : Milan, 13 juin 1978 : *Venise* 1956, h/cart. (38x61) : **ITL 1 800 000** – Milan, 24 juin 1980 : *La balançoire* 1933, h/cart. (33x40) : **ITL 1 500 000** – Milan, 8 juin 1982 : *Fiera di San Biagio a Pietrasanta* 1919, h/cart. (60x100) : **ITL 8 400 000** – Milan, 14 juin 1983 : *Bal Tabarin* 1933, h/cart. (72,5x100) : **ITL 3 000 000** – Paris, 11 mars 1987 : *Les Régates* 1933, h/pap. mar./bois (32x41) : **FRF 31 000** – Rome, 15 nov. 1988 : *Tabarin*, techn. mixte/pan. (11,5x9) : **ITL 500 000** – Versailles, 5 nov. 1989 : *Levy Moses*, h/cart. (11x9) : **FRF 11 000** – Paris, 18 juil. 1990 : *Manège à la fête foraine* 1948, h/cart. (32x44,5) : **FRF 39 000** – Milan, 22 nov. 1993 : *Viareggio* 1961, h. et techn. mixte/t./cart. (50x70) : **ITL 4 714 000** – Milan, 21 juin 1994 : *Baigneuse sur une plage (recto)* ; *Port (verso)* 1959, encre et past./pap. (13x20,5) : **ITL 1 150 000** – Milan, 12 déc. 1995 : *Paysage* 1935, h/t (32x40) : **ITL 4 025 000** – Venise, 7-8 oct. 1996 : *La Plage du Viareggio* 1920, h/t (47x51) : **ITL 37 950** – Paris, 16 mars 1997 : *Scène de mariage en Tunisie* 1925, h/t (74x100) : **FRF 78 000**.

LEVY Nello
Né le 26 janvier 1921 à Viareggio. xxe siècle. Actif en Tunisie, puis et naturalisé en Angleterre, et depuis 1962 actif en France. Italien.
Peintre.
Fils de Moses Levy. Il a aussi vécu en Tunisie où il exposé dès 1969.

LEVY Raanan
Né en 1954 à Jérusalem. xxe siècle. Israélien.
Peintre, graveur.
Il a figuré à l'exposition intitulée *De Bonnard à Baselitz* à la Bibliothèque nationale à Paris en 1992.
Bibliogr. : In : *De Bonnard à Baselitz – Dix ans d'enrichissements du Cabinet des Estampes 1978-1988*, catalogue de l'exposition, Bibliothèque nationale, Paris, 1992.
Musées : Paris (Cab. des Estampes).

LEVY Rudolf
Né le 15 juillet 1875 à Stettin (plus tard Szczecin). Mort en 1943. xixe-xxe siècles. Actif en France. Allemand.
Peintre de paysages, natures mortes.
Il étudia à l'Académie de Munich et vécut à Berlin et Paris, où il subit l'influence de Matisse.
Il peignit surtout des paysages du sud de la France et des natures mortes.

R Levy

Bibliogr. : Susanne Thesing : *Der Maler Rudolf Levy. Monographie und Werkvereeichnis*, Dissertation an der Maximilian-Ludwig-Universität, Munich, 1979.
Ventes Publiques : Paris, 29 oct. 1926 : *Portrait de femme* : **FRF 3 200** – Berlin, 3 juil. 1969 : *Bouquet de fleurs* : **DEM 7 700** – Hambourg, 10 juin 1972 : *Nature morte au masque* : **DEM 7 200** – Munich, 28 mai 1974 : *Nature morte aux camélias* : **DEM 16 000** – Londres, 25 mai 1977 : *Paysage du Midi* 1915, h/t (54x65) : **GBP 600** – Munich, 12 déc. 1978 : *Rue d'un village de Provence* 1925, h/t (54x65) : **DEM 8 000** – Cologne, 17 mai 1980 : *Scène de bazar marocain* 1912-1913, esq. h/pap. (29,3x41,5) : **DEM 6 000** – Munich, 2 juin 1981 : *Nature morte* 1906, h/t (50x61) : **DEM 13 500** – Cologne, 8 déc. 1984 : *Bords de Seine à Saint-Germain-l'Auxerrois, Paris* 1909, h/t (50x60,7) : **DEM 30 000** – Munich, 14 juin 1985 : *Portrait de Mme Levy* 1935 ou 1938, h/t (76x59) : **DEM 6 400** – Cologne, 30 mai 1987 : *Nature morte aux dahlias rouges* 1942, h/t (55x46,4) : **DEM 56 000** – Munich, 8 juin 1988 : *Portrait du peintre Rudolf Craemer en costume espagnol*, h/t (97,5x75,5) : **DEM 16 500** ; *Gloxinias I*, h/t (52x65) : **DEM 35 200** – Munich, 26 oct. 1988 : *Nature morte* 1911, h/t (61x50) : **DEM 50 600** – Londres, 19 oct. 1988 : *Portrait d'un adolescent blond*, h/t (46,3x38,3) : **GBP 1 100** – Munich, 7 juin 1989 : *Dahlias dans un vase bleu* 1942, h/t (74x60,5) : **DEM 35 200** – New York, 15 nov. 1990 : *Nature morte de fleurs* 1921, h/t (78,7x60,3) : **USD 28 600** – New York, 29 juin 1995 : *Nature morte avec des tulipes*, h/t (61,6x53,3) : **USD 18 400** – Tel-Aviv, 12 oct. 1995 : *Nature morte avec une carafe et une sculpture* 1911, h/t (61x50) : **USD 11 500**.

LÉVY Simon. Voir **SIMON-LÉVY**

LEVY Vaclav
Né le 14 septembre 1820 à Nebreziny. Mort le 30 avril 1870 à Prague. xixe siècle. Tchécoslovaque.
Sculpteur.
Il étudia à Prague, Munich et Rome. On cite parmi ses œuvres : *Adam et Ève*, groupe, dans la « Beseda Umelecka » à Prague, *Saint Ferdinand de Castille et Sainte Anne* au couvent des Sœurs de la Charité à Prague, *Saint Jacques* et des reliefs pour la chaire de Policka (Bohême), une maquette pour la décoration de l'arsenal de Vienne, le tombeau de la *Famille Feyereisl* à Zebrak.

LEVY William Auerbach
Né le 14 février 1889 à New York. Mort en 1964. xxe siècle. Américain.
Peintre, graveur de portraits.
Il fut élève de l'Académie Nationale de Dessin de New York et de l'Académie Julian à Paris où il fut élève de Laurens. Il devint pro-

fesseur de gravure à l'eau-forte à l'Académie Nationale de Dessin et à l'Educational Alliance de New York.
Il grava des portraits figurant de types sémitiques.
Ventes Publiques : New York, 22 jan. 1986 : *Jeune garçon tenant une cruche*, h/t (77x63,5) : **USD 3 200** – New York, 31 mars 1993 : *Portrait d'un homme en chemise bleue*, h/cart. (49,5x39,4) : **USD 575.**

LÉVY-BLOCH Rachel
Née le 27 août 1894 à Vesoul (Haute-Savoie). xxe siècle. Française.
Peintre de scènes typiques.
Elle fut élève de l'École des Beaux-Arts de Marseille et de Luc-Olivier Merson à Paris.
Elle expose, à Paris, aux Salons des Indépendants, d'Automne et des Tuileries.
Elle a dépeint avec beaucoup de verve et de tendresse les scènes typiques de la vie des petits commerçants juifs de Paris.

LEVY-DHURMER Lucien
Né le 30 septembre 1865 à Alger. Mort en 1953. xxe siècle. Francais.
Peintre de scènes de genre, figures, nus, portraits, paysages, marines, pastelliste, sculpteur, dessinateur. Symboliste.
Sans avoir suivi la filière traditionnelle de l'enseignement des Beaux-Arts, il fut néanmoins élève des peintres Raphaël Collin, Vio et Wallet. Il fut, de 1887 à 1895, ornemaniste dans une manufacture de faïences à Golfe-Juan, technique qui influença certainement son maniement du pastel. Il effectua un voyage en Italie en 1895.
Il figura, à Paris, au Salon des Artistes Français à partir de 1882. Il fut associé, à partir de 1906, à Paris, au Salon de la Nationale des Beaux-Arts. Il montra ses œuvres dans des expositions particulières, notamment en 1896, à la galerie Georges Petit, à Paris, exposition qui connut un grand succès et qui le fit apprécier tant des milieux artistiques que littéraires. Quelques décennies après, l'exposition des galeries du Grand Palais, à Paris, en 1973, *Autour de Lévy-Dhurmer* a montré l'évolution d'une tendance de l'art, injustement méconnue, certes restée en marges des grands courants novateurs du xxe siècle, mais que sa qualité interdit de négliger. Il obtint, au Salon des Artistes Français, une mention honorable en 1896 ; une médaille de bronze en 1900 dans le cadre de l'Exposition Universelle, à Paris. Il est chevalier de la Légion d'honneur en 1902.
De cette époque, datent les *Portraits de Rodenbach*, de *Pierre Loti*, de *Marguerite Moreno*. Il n'avait pas suivi l'enseignement de Puvis de Chavannes, ni celui de Gustave Moreau, mais il semblait bien proche de ces visionnaires, « peintres de l'âme » qui exposaient depuis plusieurs années aux Salons de la Rose-Croix : Edmond Aman-Jean, Louis Welden Hawkins, Henri Martin, Charles Maurin ou Alphonse Osbert. À l'exemple de certains d'entre eux d'ailleurs, il admirait l'art italien de la Renaissance, comme en témoignent des pastels tels que *La Femme à la médaille, Méduse, Circé* ou *Florence*. S'il apparaît toujours évidemment visionnaire quand il traduit les thèmes symbolistes en relation avec la musique et transpose en variations colorées les partitions de Beethoven (*L'Appassionata*) de Fauré ou de Debussy, son esthétique semble après 1900 se modifier en laissant une grande place au paysage. En fait, seule la présentation et le style ont changé. Il ne cesse pas en définitive de suggérer des sentiments, des interprétations, des émotions, cette fois sans le secours d'aucune allégorie traditionnelle. Il s'inscrit alors dans le mouvement « intimiste » que devaient illustrer Ernest Laurent, Charles Cottet, Henri Le Sidaner et René Ménard, dont plusieurs pastels annoncent déjà le classicisme des années trente.

L.L.Dhurmer
L.L.Dhurmer

Bibliogr. : In : Catalogue de l'exposition *Autour de Lévy-Dhurmer*, Gal. du Grand Palais, Paris, 1973 – in : *Dictionnaire universel de la peinture*, Le Robert, Paris, 1976.
Musées : Bayonne (Mus. Basque) : *Portrait de Pierre Loti* – Beauvais – Brest (Mus. des Beaux-Arts) : *Circé* – Gray – Mulhouse : *Vendanges* – Paris (Mus. Nat. d'Art Mod.) : *Les Aveugles de Tanger* – *Portrait de Rodenbach* – Paris (Mus. de la Guerre) : *L'Épouvante* – Paris (Mus. du Louvre, Cab. des Dessins) : *La Femme à la médaille* – *Méduse* – *La Calanque* vers 1936 – Paris (Petit Palais) : *L'Appassionata* – Pontoise – Saint-Étienne – Sète.
Ventes Publiques : Paris, 12 et 13 jan. 1921 : *Tête de femme marocaine* : **FRF 330** – Paris, 4 déc. 1941 : *Portrait de Coquelin cadet* : **FRF 320** – Paris, 25 mars 1942 : *Fillette bretonne* : **FRF 550** – Paris, 27 juin 1945 : *Femme en buste*, voilée : **FRF 550** – Londres, 9 mars 1970 : *Ariette* : **GBP 880** – Londres, 30 nov. 1972 : *Trois muses et le laboureur* : **GBP 1 000** – Paris, 27 fév. 1974 : *Trois figures de femmes*, triptyque : **FRF 34 500** – Versailles, 7 nov. 1976 : *Maternité*, h/t (33,5x24) : **FRF 3 150** – Paris, 9 déc. 1976 : *Symphonie en jaune*, past. (84x65,5) : **FRF 14 000** – Londres, 23 fév. 1977 : *L'odalisque*, h/t (107x198) : **GBP 2 900** – Versailles, 25 nov 1979 : *Personnages symbolistes* 1896, fus. et past./pap. gris (46x60) : **FRF 4 000** – Cannes, 4 sept 1979 : *Jeune Femme de trois-quarts* 1892, past. (58x44) : **FRF 56 000** – Versailles, 25 avr 1979 : *Le Belvédère de Versailles* 1946, h/t (73x54) : **FRF 13 100** – Enghien-les-Bains, 29 mars 1981 : *Aux portes de l'Enfer, ou Évocation de la Loïe Fuller*, past. (81,5x60) : **FRF 127 500** – New York, 27 mai 1982 : *Adam et Ève au paradis* 1899, h/t (103x246,5) : **USD 29 000** – Paris, 23 mars 1983 : *Jeune femme au châle mauve* 1897, past. (59x31) : **FRF 105 000** – Versailles, 11 déc. 1983 : *Nu à la draperie orange* 1946, h/t (92x62) : **FRF 31 000** – Enghien-les-Bains, 21 oct. 1984 : *Marchandes voilées assises* 1935, lav. d'encre de Chine et sépia/pap. cloqué (48x64) : **FRF 30 000** – Paris, 16 déc. 1985 : *Femme à l'éventail*, fus. et past. reh. d'or (43x49) : **FRF 45 000** – Paris, 7 mars 1986 : *Profil de femme* 1916, past. (38,5x30,5) : **FRF 30 100** – Paris, 11 déc. 1987 : *Apparition bleue*, past. (37x29) : **FRF 40 500** – Paris, 18 avr. 1988 : *L'apprenti fondeur* 1908, past./pap. beige (88x62) : **FRF 6 000** – Paris, 21 avr. 1988 : *Gitane*, past. (60,5x45,5) : **FRF 5 800** – Paris, 2 juin 1988 : *Les trois Parques* 1913, h/t (230x300) : **FRF 257 000** ; *La Sagesse entourée de la Vanité et de l'Insouciance* 1913, h/t (230x300) : **FRF 470 000** – Paris, 3 juin 1988 : *Buste de jeune fille brune*, past. (83x60) : **FRF 21 000** – Paris, 21 juin 1988 : *Le réveil*, h/t (65x46) : **FRF 70 000** – Londres, 24 juin 1988 : *La bourrasque*, past. (61x77,5) : **GBP 990** – Calais, 13 nov. 1988 : *Nu allongé*, past. (40x55) : **FRF 22 500** – Paris, 28 nov. 1988 : *Elégante à la parure de diamants*, past. (76x57) : **FRF 15 500** – Paris, 23 jan. 1989 : *Nu de dos*, past. : **FRF 21 000** – Paris, 8 fév. 1989 : *Lutèce* 1951, h/t (38x61) : **FRF 155 000** – Paris, 13 mars 1989 : *Visage de femme au bandeau bleu*, past. (60x46,5) : **FRF 7 500** – Paris, 20 mars 1989 : *Femme nue de profil*, past. (78x58,5) : **FRF 85 000** – La Varenne-Saint-Hilaire, 21 mai 1989 : *Jeune femme nue endormie*, past. (45x60) : **FRF 75 000** – New York, 23 mai 1989 : *Artiste peignant une odalisque*, past./pap. (45,7x60,2) : **USD 13 200** – New York, 24 oct. 1989 : *Fantasmagorie*, h/t (157,5x238,7) : **USD 264 000** – Paris, 8 déc. 1989 : *Noce marocaine*, past. (48,5x63) : **FRF 171 000** – Paris, 24 jan. 1990 : *Portrait de femme*, past. (66x47,5) : **FRF 30 000** – Paris, 27 avr. 1990 : *Portrait d'une Berbère marocaine*, past. (49x46) : **FRF 310 000** – Paris, 1er juin 1990 : *La Ballerine*, past. (160x110) : **FRF 60 000** – Paris, 19 juin 1990 : *Agnès* 1891, past. (75x36,5) : **FRF 80 000** – Paris, 22 juin 1990 : *La Koutoubia, Marrakech, après la pluie*, past. (79x54) : **FRF 280 000** – Paris, 2 déc. 1991 : *Pins parasols*, encre et lav. (49,5x70) : **FRF 4 300** – New York, 16 juil. 1992 : *L'enlacement*, past. et fus./pap., double face (60,3x41,3) : **USD 1 100** – Le Touquet, 8 nov. 1992 : *Nu de dos*, past. (58x43) : **FRF 4 200** – Paris, 29 nov. 1992 : *Femme de Grenade*, h/t (46,5x61) : **FRF 60 000** – New York, 17 fév. 1993 : *La Bourrasque*, h/t (100x66) : **USD 112 500** – Londres, 18 juin 1993 : *Grandes eaux à Versailles*, past./pap./cart. (87x63) : **GBP 5 290** – Paris, 30 juin 1993 : *Nu pudique*, h/t (65x46) : **FRF 80 000** – Paris, 6 fév. 1994 : *Portrait de femme*, past. (78x59) : **FRF 45 000** – Londres, 29 nov. 1994 : *Venise*, past. (46x107) : **GBP 45 500** – Paris, 22 juin 1995 : *Reflets en bord de mer* 1912, past./pap. (62x86) : **FRF 75 000** – New York, 1er nov. 1995 : *Les Roses d'Ispahan*, h/t, d'après Gabriel Fauré (156,8x207,6) : **USD 43 125** – Paris, 22 mai 1996 : *Gondole à Venise*, cr. et reh. de pl. (43x58) : **FRF 12 000** – Paris, 16 oct. 1996 : *Jeune Femme au missel* 1904, past. (61x45) : **FRF 168 000** – Paris, 14 mars 1997 : *La Musique*, fus. et reh. de coul. (56x44) : **FRF 3 600** – Paris, 21 nov. 1997 : *Portrait d'une femme Bouddha*, past. (136x84,5) : **FRF 80 000** – New York, 23 oct. 1997 : *Les Roses d'Ispahan* vers 1906-1908, h/t, d'après Gabriel Fauré (160x210,8) : **USD 41 400.**

LÉVY-DORVILLE Eugène Henri
Né au xixe siècle à Paris. xixe siècle. Français.

Peintre, dessinateur d'animaux et graveur.
Élève de A. et R. Gilbert. Il débuta au Salon de Paris en 1880.

LÉVY-ENGELMANN Yvonne
Née le 17 juin 1894 à Paris. XXe siècle. Française.
Peintre, miniaturiste.
Elle fut élève de Bougleux. Elle exposa, à Paris, au Salon des Artistes Français, où elle obtint en 1929 le Prix Maxime David. On lui doit surtout des portraits.

LÉVY-LAMBERT T., née **Paraf-Javal**
XIXe siècle. Active à Abbeville. Française.
Peintre.
Sociétaire des Artistes Français depuis 1885, elle figura au Salon de ce groupement.

LEVY-MORELLE Jacqueline
Née en 1921 à Bruxelles. Morte en 1986 à Paris. XXe siècle. Belge.
Peintre, dessinateur, graveur.
Elle fut, à Paris, élève du graveur et peintre Hayter.
Bibliogr. : In : *Diction. biographique illustré des artistes en Belgique*, Arto, Bruxelles, 1987.
Musées : Bruxelles (Cab. des Estampes).

LÉVY-SALOMON Henriette
Née le 2 septembre 1866 à Paris. XXe siècle. Française.
Peintre, miniaturiste.
Elle fut élève de Cuyer et Bougleux. Elle expose, à Paris, au Salon des Artistes Français.

LEVYN Cruyl ou **Lievin** ou **Livius**. Voir **CRUYL Liévin**

LEW Heinrich
Né le 22 janvier 1701 à Berne. Mort en août 1781 à Burgdorf. XVIIIe siècle. Suisse.
Peintre.

LE WALLON Georges
XVIIe siècle. Actif à Lyon. Français.
Sculpteur.
D'origine flamande, il décora de ses statues plusieurs maisons de Lyon. Peut-être est-il identique à Georges Hannicq, sculpteur de Mons en Hainault, qui travaillait également à Lyon à la même époque *(voir ce nom)*.

LEWANDOVSKY Stanislas Roman
Né le 28 février 1859. XIXe siècle. Polonais.
Sculpteur et médailleur.
Élève de Gadomsky, puis de l'Académie des Beaux-Arts de Vienne avec Zumbusch. Il obtint une médaille en or à Vienne. Il s'installa à Vienne en 1894. Le Musée de Cracovie conserve de lui : *Un Slave déchirant les chaînes* (plâtre), *Portraits d'Arthur Grossger* (bronze), *Portrait d'Orlovsky* (plâtre).

LEWANDOWSKI Edmund D.
Né en 1914. XXe siècle. Américain.
Peintre.
Il a figuré, en 1946, à l'Exposition du Prix Carnegie.
Ventes Publiques : New York, 27 oct. 1978 : *R.R. Diesels* 1948, gche (51,5x41) : **USD 3 250** – New York, 2 févr 1979 : *Steel mills, Gary* 1949, caséïne/cart. (45x29,1) : **USD 2 500** – New York, 19 juin 1981 : *Bateaux au port* 1937, aquar. (43,2x61) : **USD 1 800** – New York, 7 avr. 1982 : *Mardi Gras* 1950, h/t (43x30,6) : **USD 1 500** – New York, 23 juin 1983 : *Steel mill Nr. 5* 1967, h/t (75x104,1) : **USD 2 000** – New York, 11 mars 1993 : *La grange blanche dans le Wisconsin*, gche, cr./cart. (43x71,2) : **USD 3 680** – New York, 28 sep. 1995 : *Transbordeur sur le quai d'un lac*, h/t (76,2x61) : **USD 2 760** – New York, 3 déc. 1996 : *Signaux routiers* 1946, gche/pap./cart. (44,2x60,7) : **USD 4 370**.

LEWANDOWSKI Tadeusz A.
Né en 1941 à Varsovie. XXe siècle. Actif depuis 1967 en France. Polonais.
Peintre, sérigraphe, affichiste, photographe.
Il est diplômé de la Faculté de Peinture de l'Académie des Beaux-Arts de Varsovie en 1966. Il est professeur à l'École Nationale d'Art de Cergy-Pontoise.
Il a figuré à l'exposition intitulée *De Bonnard à Baselitz* à la Bibliothèque nationale à Paris en 1992. Il montre ses œuvres dans des expositions personnelles, parmi lesquelles, en 1973, galerie Vercamer, Paris ; 1973, galerie Alisarine, Reims ; 1978, Institut Polonais, Paris ; 1981, École des Beaux-Arts, Angers ; 1983, galerie de l'Ancienne Poste, Montluçon.
Bibliogr. : O. Kaeppelin : *La Profondeur de Champ*, in : *Opus International*, Paris, été 1983 – in : *De Bonnard à Baselitz – Dix ans d'enrichissements du Cabinet des Estampes 1978-1988*, catalogue de l'exposition, Bibliothèque nationale, Paris, 1992.
Musées : Paris (Cab. des Estampes).

LEWEND J. B.
XIXe siècle.
Peintre.
Connu par l'œuvre suivante, mentionnée dans les annuaires de ventes publiques.
Ventes Publiques : Paris, oct. 1945-Juillet 1946 : *La danse dans le parc* 1826 : **FRF 11 500**.

LEWENSZTADT Zvi ou **H.**
Né en 1893 à Lublin. Mort en 1962 à Tel-Aviv. XXe siècle. Actif de 1930 à 1937 en France, depuis 1947 en Israël. Polonais.
Peintre de figures, portraits, paysages, technique mixte. Expressionniste.
En 1928, il exposait trois paysages au pastel à la Section Polonaise du Salon d'Automne, organisée par la Société d'Échanges Littéraires et Artistiques entre la France et la Pologne et le Cercle des Artistes Polonais de Paris. Il exposa à Paris, durant son séjour, entre 1930 et 1937. De 1947 à sa mort en 1962, il se manifesta en Israël. En 1996 à Paris, la galerie Saphir a pu montrer un ensemble de ses œuvres exécutées en Israël.
Au long de sa vie d'errance, ses œuvres ont presque toutes été détruites, sauf toutes celles de la période israélienne. Il pratique une technique de frottage, qui mêle étroitement huile, pastel et plume. Frôlant le fantastique, sa peinture ressortit au courant de l'art réaliste expressionniste propre à l'Europe Centrale, et en particulier à sa composante juive.

LEWI Léo
Né en 1909. Mort en 1970. XXe siècle. Belge.
Peintre de paysages, portraits, natures mortes, fleurs.
Il fut élève de l'Académie des Beaux-Arts à Anvers et élève d'Opsomer. Il est connu pour ses études de portraits.
Bibliogr. : In : *Diction. biographique illustré des artistes en Belgique*, Arto, Bruxelles, 1987.

LEWICKI Jan
Né en 1802 à Osiek (Pologne). Mort le 26 mai 1871 à Paris. XIXe siècle. Polonais.
Peintre et graveur.
Il étudia à Cracovie, à Varsovie et à Vienne, et travailla à Strasbourg, Nancy et Paris. Il peignit à l'huile, à la gouache, dessina et lithographia des portraits, des vues, des compositions religieuses.

LEWIGUE, pseudonyme de **Sommier Jean Marie**
Né le 20 juin 1938 à Montereau-Fault-Yonne (Seine-et-Marne). XXe siècle. Français.
Peintre, dessinateur, graveur.
Bien qu'il ait subi un enseignement traditionnel de plusieurs années dans un Atelier parisien, ce qui lui permit de pratiquer outre le dessin, la gravure, la lithographie, la sculpture, il a toujours prétendu travailler la peinture en solitaire. Il a réalisé des illustrations pour : *Au Propre*, de Jean Rousselot, en 1975.
Il a participé depuis les années soixante à maintes expositions de groupe, tant en France qu'à l'étranger. Il figure à des Salons en France : Nationale des Beaux-Arts (Paris), Salon de l'Art Libre, Salon de Marly. Il montre ses œuvres dans des expositions particulières depuis 1964 et à peu près tous les ans. Il a été primé à la Biennale d'Ancône en 1967 et à l'Annuale Italiana d'Arte Grafica d'Ancône en 1968.

LEWIN Arthur
Né le 4 mai 1860 à Schönbrunn (Troppau). Mort le 7 juin 1923 à Leipzig. XIXe-XXe siècles. Allemand.
Dessinateur de costumes, illustrateur.
Il se fixa à Leipzig en 1874. Il a illustré des œuvres humoristiques, parmi lesquelles les écrits d'Edwin Bormann.

LEWIN John William
XIXe-XXe siècles. Britannique.
Graveur.
Ce naturaliste se fixa à Paramatta (Nouvelle-Galles du Sud, Australie) et publia différents ouvrages avec des gravures originales en couleur : *Entomologie*, dix-huit planches, *Les Oiseaux de la Nouvelle Hollande*, etc., vingt-deux planches, *Les Oiseaux de la Nouvelle-Galles du Sud*, vingt-six planches. Il était le frère de William Lewin.
Musées : Londres (British Mus.) : Deux aquarelles – Sydney (Art Gal.) : *Vue de Sydney*, aquar.

LEWIN Karin
Née en 1948 à Göteborg. xxe siècle. Active depuis 1968 en France. Suédoise.
Peintre, lithographe.
Elle a figuré à l'exposition intitulée *De Bonnard à Baselitz* à la Bibliothèque nationale à Paris en 1992.
Bibliogr. : In : *De Bonnard à Baselitz – Dix ans d'enrichissements du Cabinet des Estampes 1978-1988*, catalogue de l'exposition, Bibliothèque nationale, Paris, 1992.
Musées : Paris (Cab. des Estampes).

LEWIN Leopold
Né le 16 juillet 1860 à Oswiecim (Pologne). xixe siècle. Polonais.
Peintre et illustrateur.
Il étudia à Vienne. Il fit les illustrations de revues viennoises et étrangères. Il peignit des portraits, des paysages et des sujets militaires.

LEWIN Stephen
xixe-xxe siècles. Actif de 1890 à 1910. Britannique.
Peintre de genre.
Il figura aux expositions de Londres de 1890 et 1908.
Musées : Sheffield : *La Toilette – Un petit somme.*
Ventes Publiques : Londres, 15 mars 1925 : *Répétition* : **GBP 18** – Londres, 17 sep. 1943 : *La Fin de l'histoire* : **GBP 99** – Londres, 11 oct. 1968 : *La Vente du butin* : **GNS 1 000** – Londres, 14 juin 1972 : *Sincérité et Ridicule* : **GBP 750** – Londres, 2 oct 1979 : *Difficile à convaincre* 1890, h/t (94x75) : **GBP 3 200** – Londres, 6 fév. 1981 : *Secret Courtship* 1893, h/t (105,4x86,4) : **GBP 2 200** – Londres, 31 oct. 1986 : *The loser* 1885, h/t (106,5x80) : **GBP 1 600** – Londres, 3 nov. 1989 : *Les joueurs* 1907, h/t (76x63,5) : **GBP 3 850** – Londres, 5 juin 1991 : *L'anniversaire de grand'mère*, h/t (71x91) : **GBP 2 640** – Londres, 19 déc. 1991 : *Le cerf abattu* 1903, h/t (61x81,2) : **GBP 2 200** – Londres, 5 mars 1993 : *La dernière partie* 1908, h/t (62,2x82,5) : **GBP 7 130** – Londres, 2 nov. 1994 : *La Querelle* 1900, h/t (61x76) : **GBP 2 980** – Londres, 6 nov. 1996 : *L'Anniversaire de grand-mère*, h/t (71x92) : **GBP 3 795** – Londres, 14 mars 1997 : *Les Nouvelles* 1905, h/t (61x81,2) : **GBP 6 785.**

LEWIN William
Mort vers 1795 à Londres. xviiie siècle. Britannique.
Peintre d'animaux, fleurs, dessinateur, graveur, illustrateur.
Naturaliste. Frère de John William Lewin. Il figura à la Free Society of Artists en 1764 et 1782 avec des dessins et peintures de fleurs. Il publia les œuvres suivantes avec des gravures originales : *Les Oiseaux de Grande-Bretagne*, 8 volumes et 267 planches, *Les Insectes de Grande-Bretagne*, 1 volume et 46 planches et *Des papillons de Grande-Bretagne*, 1 volume et 46 planches.

LEWIN-FUNKE Arthur Wilhelm Otto
Né le 9 novembre 1866 à Dresde. xixe siècle. Allemand.
Sculpteur.
Il travailla à Charlottenbourg, après avoir fait ses études à l'Académie de Berlin, à Rome et à Paris.
Musées : Berlin : *A la source*, marbre – *Enfant courant*, bronze – Chemnitz : *Jeune fille attachant sa sandale* – New York (Metrop.) : *La mère*, marbre.

LEWINO Walter Affroville
Né le 31 octobre 1887 à Londres. Mort le 3 avril 1959 à Godstone (Surrey). xxe siècle. Actif en France. Britannique.
Peintre de paysages, marines, intérieurs, aquarelliste.
Presque toute sa carrière s'est passée en France. Après un bref séjour à l'École des Beaux-Arts de Bordeaux, il arriva à Paris en 1913, où il s'est lié d'amitié avec Roger Bissière. Il participa à la Guerre de 1914-1918 dans l'armée anglaise, puis se fixa définitivement à Montparnasse et dans le Lot. En 1937, il fit un voyage en Provence et en 1938 en Corse. Pendant l'occupation allemande, jusqu'en 1944, Britannique d'origine juive, il fut recueilli et caché par Roger Bissière dans sa propriété de Boissiérettes dans le Lot. Il a beaucoup exposé en France, à Paris aux Salons des Indépendants, d'Automne et des Tuileries. Jacques Faneuse dans *La Vie Artistique*, Roger Dardenne dans *Le Figaro Artistique*, Charles Künstler dans *Le Monde Illustré*, ont souligné son originalité.
Très influencé par Constable, il a adapté la sensibilité britannique aux paysages d'Île-de-France et du Quercy. C'est avec ses *Baigneuses*, où la nature, l'eau et la lumière importent davantage que les corps nus, et avec ses *Ports*, tout empreints de romantisme nordique, qu'il a atteint le meilleur de son œuvre. Vers la fin de sa vie, il s'est consacré à de grands paysages fantastiques, inspirés des enseignements de la Société Théosophique.
Avant tout peintre de la lumière, les voyages en Provence et en Corse de 1937 et 1938 lui avaient fait découvrir « la tyrannie de la couleur ».
Ventes Publiques : Paris, 30 avr. 1931 : *Port* : **FRF 410** – Paris, 31 mai 1943 : *Bouquet de lilas* : **FRF 420** – Paris, 10 nov. 1943 : *Paysage à la rivière* : **FRF 700** – Deauville, 11 fév. 1990 : *Paysage* : **FRF 7 200** – Limoges, 25 avr. 1991 : *Baigneuses* : **FRF 7 500.**

LEWIS A. Neville
Né le 8 octobre 1895 à Cape Town (Le Cap). xxe siècle. Britannique.
Peintre de portraits.
Il a étudié à la Slade School de Londres. Il a fait sa première exposition en 1920 et, cette même année, il fut membre du New English Art Club.
Surtout peintre de portraits, il fut également peintre officiel des Forces armées sud-africaines pendant la Seconde Guerre mondiale.
Musées : Londres (Tate Gal.).

LEWIS Allen ou **Arthur Allen**
Né le 7 avril 1873 à Mobile (Alabama). xxe siècle. Américain.
Peintre, graveur, illustrateur.
Il fut élève de G. Bridgman à Buffalo et de Gérôme à Paris. Il travailla à New York et Southington (Connecticut).
Il fut membre de la Fédération américaine des arts. Il obtint une médaille d'or à l'Exposition Panama-Pacific de San Francisco en 1915 et de nombreuses récompenses lors d'autres manifestations. Il illustra plusieurs livres.
Musées : Paris (BN).

LEWIS Arthur James
xixe siècle. Actif à Londres. Britannique.
Peintre.
Il figura de 1848 à 1893 aux expositions de Londres avec des paysages et quelques portraits.

LEWIS Charles
Né en 1753 à Gloucester. Mort en 1795 à Edimbourg. xviiie siècle. Britannique.
Peintre de natures mortes.
Fut d'abord décorateur de plateaux pour services à thé. Après un voyage en Hollande, en 1781, il s'établit comme peintre de fruits et d'oiseaux.
Ventes Publiques : Londres, 12 mars 1986 : *Nature morte au gibier* 1793, h/t (89x107) : **GBP 4 000.**

LEWIS Charles George
Né en 1808. Mort en 1880. xixe siècle. Britannique.
Graveur à l'eau-forte, au burin et à l'aquatinte.
Fils de Frederick Chr. l'Ancien. Cet habile artiste a reproduit avec un grand talent surtout les peintres modernes et notamment les animaliers, Rosa Bonheur et surtout Landseer. Il tient une place marquante dans la reproduction de l'œuvre de cet artiste publié par les éditeurs Graves et Cie.

LEWIS Charles James
Né en 1830 ou 1836 à Londres. Mort le 28 février 1892 à Chelsea (Londres). xixe siècle. Britannique.
Peintre de genre, paysages.
Il débuta à la Royal Academy en 1853 et figura dans les principales expositions londoniennes. Il fut membre du Royal Institute en 1882 et de la Société des Peintres à l'huile.
Ce fut un peintre de talent, très habile coloriste, très minutieux dans les détails et cherchant généralement dans ses sujets la note poétique.

C. J. Lewis

Ventes Publiques : Londres, 9 juil. 1974 : *La récréation* : **GBP 1 650** – Londres, 14 mai 1976 : *Mère et enfant* 1866, h/pan. (43x33) : **GBP 800** – Londres, 13 mai 1977 : *Scène de moisson* 1866, h/pan. (35,5x45,7) : **GBP 780** – Londres, 27 mars 1979 : *Le petit tambour* 1859, h/cart., coins supérieurs arrondis (20x13,5) : **GBP 800** – Londres, 29 jan. 1980 : *Enfants dans une barque, pêchant à la ligne*, aquar. et gche (51x101,5) : **GBP 600** – Londres, 26 nov. 1982 : *Mère et enfant dans une cour de ferme*, h/t (35x31,1) : **GBP 1 700** – Londres, 13 juin 1984 : *Les petits* *pêcheurs* 1863, h/pan. (30,5x41,3) : **GBP 4 800** – LONDRES, 12 juin 1985 : *Enfants jouant à l'école*, h/cart. (44,5x59,5) : **GBP 6 200** – LONDRES, 30 sep. 1987 : *Notre pique-nique, New Lock, Bershire* 1872, h/t (95,5x75) : **GBP 18 500** – LONDRES, 3 juin 1988 : *Enfants jouant dans une barque échouée sur une plage*, h/t (22,8x35,5) : **GBP 1 760** – LONDRES, 3 nov. 1989 : *Vue de Battersea*, h/t (41x66) : **GBP 4 620** – LONDRES, 26 sep. 1990 : *Missenden dans le Buckinghamshire* 1876, h/cart. (26x37) : **GBP 4 400** – LONDRES, 13 fév. 1991 : *Le printemps dans les bois* 1858, h/pan. (30,5x25,5) : **GBP 9 350** – NEW YORK, 21 mai 1991 : *Hurley-sur-Tamise*, h/t (33x55,9) : **USD 2 750** – LONDRES, 14 juin 1991 : *Sur le chemin de l'église* 1886, h/t (38x54,5) : **GBP 5 280** – LONDRES, 12 juin 1992 : *Chemin au travers du champ d'orge*, h/cart. (25,4x40,6) : **GBP 5 720** – LONDRES, 4 nov. 1994 : *Dimanche après-midi sur la rivière*, h/t (39,4x81,6) : **GBP 3 220** – LONDRES, 6 nov. 1996 : *Cueillette des nénuphars*, h/cart. (22,5x42) : **GBP 4 025**.

LEWIS E. Goodwyn
XIXe siècle. Actif à Londres. Britannique.
Peintre et dessinateur.
MUSÉES : LONDRES (Nat. Portrait Gal.) : *Portrait du comédien Ch. J. Kean.*

LEWIS Edmonia
Née en 1843 ou 1845 dans l'État de New York. XIXe siècle. Américaine.
Sculpteur.
Elle était la fille d'une mère indienne Chippewa et d'un Noir. Orpheline à l'âge de quatre ans, elle fut élevée dans la tribu de sa mère à Albany. En 1856, elle put entrer au College Oberlin. C'est au cours d'un voyage à Boston en 1862 qu'elle découvrit les statues publiques de la ville et décida de sa carrière. Elle montra d'extraordinaires dispositions pour la sculpture et s'instruisit presque seule. Elle exposa pour la première fois à Boston en 1865. Elle gagna assez d'argent pour entreprendre un voyage à Rome en 1867. Elle y fréquenta les femmes sculpteurs de la colonie artistique américaine telles que Harriet Hosmer et Anne Whitney. Par la suite, elle exécuta un grand nombre de commandes pour la société européenne mais aussi pour des personnalités américaines.
VENTES PUBLIQUES : NEW YORK, 27 mai 1992 : *Le mariage de Hiawatha*, marbre blanc (H. 73,7) : **USD 68 750** – NEW YORK, 17 mars 1994 : *Vieil Indien fabricant les flèches avec sa fille* 1866, marbre blanc sur base de marbre gris (H. 61) : **USD 87 750** – NEW YORK, 21 sep. 1994 : *Malheureux Cupidon*, marbre (H. 69,9) : **USD 9 775** – NEW YORK, 14 sep. 1995 : *Le mariage de Hiawatha*, marbre (H. 73,7) : **USD 39 100** – NEW YORK, 26 sep. 1996 : *Le vieil Indien fabricant de flèches avec sa fille* 1860-1867, marbre blanc (H. 53,3) : **USD 85 000**.

LEWIS Edmund Darch
Né en 1835 à Philadelphie. Mort en 1910 à Philadelphie. XIXe-XXe siècles.
Peintre de paysages, paysages urbains, marines, peintre à la gouache, aquarelliste.
Il fut élève de Paul Weber. Il participa quasiment à toutes les expositions importantes aux États-Unis.
Il peignit surtout des paysages de Nouvelle-Angleterre, de l'État de New York et du Delaware. Luministe, il s'attacha à rendre les différents effets de la lumière et de l'atmosphère.
VENTES PUBLIQUES : NEW YORK, 30 jan. 1976 : *Yacht Race* 1887, aquar. (32x66) : **USD 900** – NEW YORK, 10 juin 1976 : *Paysage fluvial au moulin* 1883, h/t (61x107) : **USD 525** – NEW YORK, 21 avr. 1978 : *Cape May, New Jersey* 1899 : **USD 2 400** – NEW YORK, 17 nov. 1978 : *Paysage au crépuscule* 1867, h/t (94,6x160) : **USD 1 700** – NEW YORK, 2 févr 1979 : *Bord de mer du New Jersey* 1903, gche (36,2x72,4) : **USD 1 000** – NEW YORK, 2 févr 1979 : *Lac de montagne* 1868, h/t (69,2x101,6) : **USD 3 000** – NEW YORK, 23 sep. 1981 : *Paysage de la Nouvelle-Angleterre* 1875, h/t (76,2x124,4) : **USD 4 000** – NEW YORK, 23 juin 1983 : *Village au bord d'un lac* 1906, aquar. (54x84,4) : **USD 2 600** – NEW YORK, 21 oct. 1983 : *Lac Willoughby, New Hampshire* 1867, h/t (111,8x188,6) : **USD 7 250** – NEW YORK, 27 mars 1985 : *Bateaux au port* 1881, h/t mar./cart. (74x123) : **USD 2 600** – SAN FRANCISCO, 27 fév. 1986 : *Jeune pêcheur dans un sous-bois* 1876, h/t (76x51) : **USD 2 500** – NEW YORK, 4 déc. 1987 : *Paysage de Pennsylvanie* 1860, h/t (66x96,8) : **USD 17 000** – NEW YORK, 17 mars 1988 : *Atlantic City, New Jersey*, aquar. et gche/pap. (21x18) : **USD 1 760** – LOS ANGELES, 9 juin 1988 : *La Côte Est*, aq.et gche/pap. (23x48) : **USD 605** – NEW YORK, 30 sep. 1988 : *Cascade* 1905, h/t (61x107) : **USD 2 200** ; *Calme journée d'été* 1874, h/t (74,9x127) : **USD 10 450** – NEW YORK, 30 nov. 1989 : *La Vallée de Susquehanna* 1870, h/t (81,3x138,4) : **USD 13 200** – NEW YORK, 24 jan. 1990 : *Cap May* 1899, aquar. et gche/pap. (28,6x76,2) : **USD 6 600** – NEW YORK, 30 mai 1990 : *Vaches se désaltérant au bord d'un lac* 1896, aquar./pap. (18,4x67) : **USD 1 100** – NEW YORK, 27 sep. 1990 : *Paysage tropical* 1862, h/t (134,7x223,5) : **USD 25 300** – NEW YORK, 17 déc. 1990 : *Paysage fluvial vallonné avec un voilier* 1884, h/t (76,3x127) : **USD 3 570** – NEW YORK, 15 mai 1991 : *Après l'orage* 1869, h/t (78,7x127) : **USD 8 250** – NEW YORK, 14 nov. 1991 : *Bateaux au large d'un phare* 1891, aquar. et gche/pap. (24,1x50,8) : **USD 1 760** – NEW YORK, 12 mars 1992 : *Vue de l'Exposition Internationale du Centenaire à Philadelphie* 1876, h/t (91,4x152,3) : **USD 22 000** – NEW YORK, 23 nov. 1992 : *Le Château mauresque dans le port de La Havane à Cuba* 1869, h/t (76,8x128) : **USD 24 200** – NEW YORK, 3 déc. 1992 : *Voilier au large de côtes rocheuses* 1903, aquar., cr. et gche/pap. (25,4x53,3) : **USD 2 750** – NEW YORK, 9 sep. 1993 : *Enfants pêchant au bord d'une rivière* 1891, h/t (76,2x127) : **USD 4 025** – NEW YORK, 31 mars 1994 : *Paysage avec une chute d'eau*, h/t (71,1x101,6) : **USD 4 313** – NEW YORK, 28 nov. 1995 : *Paysage sud américain*, h/t (77,5x127) : **USD 19 550** – NEW YORK, 4 déc. 1996 : *Paysage au soleil couchant* 1865, h/t (38,1x63,5) : **USD 9 200**.

LEWIS Frederick Christian, l'Ancien
Né en 1779 à Londres. Mort en 1856 à Enfield. XIXe siècle. Britannique.
Peintre de paysages, aquarelliste et graveur.
Frère de William et George Robert Lewis. Élève du graveur Stadler et de l'École de la Royal Academy. Il grava d'abord au pointillé des portraits d'après Lawrence, mais il travaillait aussi le paysage d'après nature. Il exposa des aquarelles à la Water-Colours Society, à la British Institution et à la Royal Academy. Il fut graveur de la Cour sous les règnes de George IV, Guillaume IV et de la reine Victoria. Il convient de citer parmi ses gravures les plus intéressantes treize aquatintes d'après les *Vues de Paris* de Girtin.
MUSÉES : LONDRES (Vict. and Alb.) : quatre paysages – LONDRES (Brit. Mus.) : *Paysage.*
VENTES PUBLIQUES : LONDRES, 19 mai 1978 : *L'Avenue Louise à Bruxelles animée de personnages*, métal (34,3x44,4) : **GBP 2 500** – LONDRES, 18 mars 1980 : *Pêcheur à la ligne au bord d'une rivière*, aquar. reh. de blanc (18,1x25,5) : **GBP 900**.

LEWIS Frederick Christian, le Jeune, dit **le Lewis Indien**
Né en 1813. Mort en 1875 à Gênes. XIXe siècle. Britannique.
Peintre de genre.
Fils de Frederick Christian Lewis et frère de John Frederick Lewis. Élève de Thomas Lawrence. Il visita la Perse, l'Asie Mineure, l'Inde, et peignit des costumes, des cérémonies, des scènes de ces contrées.

LEWIS George Robert
Né en 1782 à Londres. Mort en 1871 à Hampstead. XIXe siècle. Britannique.
Peintre de genre, de paysages et de portraits et graveur.
Frère de Frederick Christian Lewis l'Ancien. Il fut élève de Füssli à l'École de la Royal Academy. En 1818 il visita la France et l'Allemagne. Il exposa à la Royal Academy de 1820 à 1859 et se classa comme bon peintre de portraits.
VENTES PUBLIQUES : LONDRES, 15 mai 1968 : *La moisson* : **GBP 680** – LONDRES, 22 juin 1979 : *Portrait of a gentleman* 1820, h/pan. (74,9x62,1) : **GBP 1 600** – LONDRES, 9 déc. 1981 : *Chasseur avec ses chiens dans un paysage* 1820, h/pan. (74x62) : **GBP 2 000** – LONDRES, 15 nov. 1983 : *Moissonneurs aiguisant leurs faux*, aquar. et cr. (20,3x30,5) : **GBP 1 500** – LONDRES, 13 mars 1986 : *Paysans aiguisant leurs faux*, aquar./traces de cr. (20x30) : **GBP 1 700** – LONDRES, 20 juil. 1987 : *Portail d'un chasseur avec ses chiens* 1828, h/pan. (76x64,5) : **GBP 5 200**.

LEWIS Henry
Né vers 1819 en Angleterre. Mort le 16 septembre 1904 à Düsseldorf. XIXe-XXe siècles. Actif à Düsseldorf. Allemand.
Peintre de paysages, fleurs et fruits.
Il exposa à partir de 1880. On cite de lui *Clair de lune aux bords du Rhin.*
VENTES PUBLIQUES : NEW YORK, 22 jan. 1982 : *Vue de Bad Godesberg*, h/pan. (25,5x40) : **USD 1 500** – NEW YORK, 19 mai 1987 : *Vue de Heidelberg* 1870, h/t (97,8x142,8) : **USD 5 500** – NEW YORK, 21 mai 1991 : *Village au bord d'un lac* 1881, h/t (63,5x94) : **USD 1 320** – LONDRES, 5 juin 1991 : *Célébration de la pleine lune* 1863, h/t (85x119) : **GBP 4 620**.

LEWIS J. O.
XIXe siècle. Américain.

Graveur.
On cite de sa main le portrait gravé du *Secrétaire d'État à la guerre Lewis Cass*, d'après Tuthill. Il publia en 1835 à Philadelphie le *Carton des aborigènes nord-américains*, lithographie de portraits d'Indiens.

LEWIS Jane, Lady. Voir **DEALY Jane M.**

LEWIS Jeanette Maxfield
Née le 19 avril 1894 à Oakland (Californie). Morte en 1982. XXe siècle. Américaine.
Peintre, graveur.
Elle fut élève de Armin Hansen. Elle fut membre de la Ligue américaine des artistes professeurs et de la Fédération américaine des arts.
Ventes Publiques : New York, 18 déc. 1991 : *Scène de rue*, h/cart. (40,6x50,8) : **USD 990**.

LEWIS John
XVIIIe siècle. Actif à Dublin. Irlandais.
Peintre.
Il fut peintre de théâtre et peintre décorateur.
Musées : Dublin (Nat. Gal.) : *Portrait de la comédienne Peg Woffington.*

LEWIS John
XVIIIe siècle. Actif à Londres. Britannique.
Peintre de portraits, paysages, natures mortes.
Il fut membre de la Société des Artistes et figura aux expositions de celle-ci, de 1762 à 1776.
Ventes Publiques : Slane Castle (Irlande), 25 juin 1979 : *Portrait of Fanny Francesca Fust* 1747, h/t (75x62,5) : **GBP 1 800** – Londres, 25 mai 1984 : *Portrait of Peg Woffington* 1753, h/t, vue ovale (76,2x63,5) : **GBP 6 500** – Londres, 18 nov. 1992 : *Portrait de Diana Pryce représentant Diane chasseresse, vêtue d'une robe rose et tenant un arc et des flèches* 1752, h/t (125x100) : **GBP 6 600** – Londres, 9 oct. 1996 : *Portrait d'une lady*, h/t (75x62) : **GBP 2 300**.

LEWIS John Frederick
Né en 1805 à Londres. Mort en 1876 à Wallon-on-Thames. XIXe siècle. Britannique.
Peintre de sujets typiques, animaux, paysages, aquarelliste. Orientaliste.
Fils aîné du graveur Frederick Christian Lewis l'Ancien dont il fut l'élève. Il exposa à la British Institution à partir de 1820 et à la Royal Academy à dater de l'année suivante. Associé en 1828, puis membre en 1830 de la Old Water Colour Society. En 1832, il partit pour l'Espagne et y passa deux ans, et en 1840, il visita la Grèce, Smyrne, Constantinople, arriva en Égypte en 1842. Au Caire, où il séjourna dix ans, il adopta le mode de vie oriental, adoptant le costume des locaux et vivant en seigneur ottoman. Il fut président de la Society of Painters in Water Colour de 1855 à 1858, Associé de la Royal Academy en 1859 et académicien en 1865.
Il fit ses débuts en tant que peintre animalier, puis, vers 1827 se consacra à l'aquarelle. Son voyage en Espagne, puis à Tanger, modifia sa palette et fut à l'origine de son interêt croissant pour l'architecture musulmane. Son long séjour en Égypte lui a permis de faire de nombreuses études de mosquées, souks, intérieurs de harem, dont il détaillait tous les éléments décoratifs avec une extrême précision. À son retour à Londres en 1851, sur les conseils de l'écrivain d'art John Ruskin, il abandonna l'aquarelle, technique dans laquelle il excellait, pour la peinture à l'huile.
Bibliogr. : Lynne Thornton, in : *Les orientalistes peintres voyageurs*, ACR Édition, Paris 1993-1994.
Musées : Birmingham : *La monnaie suspecte* – dix-huit études relatives à la monnaie suspecte – Blackburn : *Vieux moulin*, aquar. – Cambridge (Fitz W. Mus.) : *Sheik arabe* – Dublin : Une aquarelle – Édimbourg : *Gibraltar – Romain faisant ses dévotions – Intérieur de la Tribune à Florence* – Londres (Nat. Gal.) : *La sieste* – Londres (Victoria and Albert Mus.) : *Intérieur oriental* – quinze aquarelles – Londres (Tate Gal.) : *Edfon, Égypte* – Londres (roy. Acad.) : *Entrée d'un café au Caire* – Manchester : *Rue et mosquée de Ghooreyah au Caire* – Une aquarelle – Oxford (Ashmolean Mus.) : *Scène en Égypte* – Preston : *Dans le jardin du bey – À Bashi Bazouk – Le garçon de bain* – Une aquarelle – Warrington : *Plaine de Thèbes.*
Ventes Publiques : Londres, 12 mai 1922 : *Un magasin du Caire*, dess. : **GBP 280** – Londres, 16 mai 1924 : *Intérieur d'une maison du Caire* : **GBP 651** – Londres, 22 avr. 1959 : *Le déjeuner au Caire* : **GBP 900** – Londres, 15 mars 1967 : *La réception* : **GBP 5 200** – Londres, 15 juin 1973 : *Portrait d'un mameluk* : **GNS 6 500** – Londres, 9 avr. 1974 : *Guerrier arabe*, aquar. : **GBP 1 400** – Londres, 24 nov. 1976 : *La rue des marchands de tapis*, aquar. (46x89) : **GBP 600** ; *Le marchand de tapis* 1860, h/pan. (58x44,5) : **GBP 20 000** – Londres, 1er mars 1977 : *Lilium Auratum* 1871, aquar. et reh. de blanc (54,5x35) : **GBP 25 000** – Londres, 18 mars 1977 : *Chameaux et chameliers au bord du Nil* 1859, h/pan. (33x80.6) : **GBP 7 500** – Londres, 22 nov 1979 : *Arabes déjeunant au Caire* 1875, aquar. et gche (49,5x63,5) : **GBP 75 000** – Londres, 25 mai 1979 : *La correspondance interceptée, Le Caire* 1869, h/pan. (76,1x88,8) : **GBP 220 000** – Londres, 10 juil. 1980 : *Matadors et picador espagnols* 1835, cr. et craies de coul., aquar. et gche (26x35) : **GBP 4 600** – Londres, 23 juin 1981 : *Abdul Hadi*, h/pan. (40,5x30,5) : **GBP 75 000** – Londres, 29 mars 1983 : *Musiciens arabes*, craies noire et blanche et aquar. reh. de blanc/pap. gris (28,5x43,5) : **GBP 3 800** – Londres, 6 juil. 1983 : *Un gondolier, Venise*, h/t (56,5x45) : **GBP 7 500** – Londres, 12 juil. 1984 : *Une halte dans le désert* 1856, aquar. et gche/traces de cr. (37x49,5) : **GBP 28 000** – Londres, 119 nov. 1985 : *Arabe assis près de son chameau*, cr, craie rouge et noire et aquar. reh. de blanc/pap. bis (38,3x55) : **GBP 7 500** – New York, 22 mai 1985 : *La lettre interceptée, le Caire* 1869, h/pan. (74,3x87,3) : **USD 1 150 000** – Londres, 13 mars 1986 : *Chameaux, Thèbes* 1850, aquar. et cr. reh. de gche (50x35) : **GBP 12 000** – Londres, 12 mars 1987 : *The Court of the Myrtles, the Alhambra, Granada* 1833, cr. reh. de blanc (26x36) : **GBP 6 200** – New York, 22 fév. 1989 : *Le café maure à Scutari en Asie Mineur* 1858, h/pan. (53,3x78,7) : **USD 1 100 000** – Londres, 25-26 avr. 1990 : *Intérieur de la mosquée du sultan Al-Ghuri au Caire*, aquar. et gche (54,5x38) : **GBP 20 900** – Londres, 22 juin 1990 : *L'entrée d'un café du Caire* 1866, h/pan. (30,5x20,3) : **GBP 99 000** – Londres, 9 avr. 1992 : *Paysans espagnols*, aquar. et gche (30,5x42) : **GBP 8 800** – Londres, 13 juil. 1993 : *Moine napolitain*, aquar. et gche (41,2x26,6) : **GBP 2 875** – Londres, 30 mars 1994 : *Le bazar Dellàl au Caire* 1875, h/pan. (76x53,5) : **GBP 188 500** – Londres, 12 juil. 1995 : *Scène de chasse aux lapins de garenne avec des furets à Ampthill Park, près des ruines de Houghton dans le Bedfordshire* 1825, h/t (77,5x101) : **GBP 53 200** – Londres, 17 avr. 1996 : *La caravane : campement arabe près de Edfou*, aquar. et reh. de blanc (17,5x45,5) : **GBP 45 500** – Londres, 20 nov. 1996 : *Lilium Auratum* 1871, aquar. et gche (54x33,5) : **GBP 826 500** – Londres, 5 nov. 1997 : *Une dame arménienne, Le Caire – la lettre d'amour* 1854, h/pan. (46x35) : **GBP 727 500**.

LEWIS John Hardwicke
Né en 1842 à Haiderabad. Mort en 1927 à Veytaux près de Chillon. XIXe-XXe siècles. Britannique.
Peintre de portraits, de genre, de paysages et illustrateur.
Élève de son père Frederick Christian Lewis, surnommé le Lewis Indien, et de Couture à Paris. Travailla en Californie pour des journaux entre 1875 et 1885. Il se fixa à Veytaux et exposa surtout en Angleterre et en Suisse. Le Victoria and Albert Museum, à Londres, conserve de lui *L'Agneau favori* (aquarelle).

LEWIS Joseph L.
XIXe siècle. Actif à New York. Américain.
Graveur.

LEWIS Lennard
Né le 18 mars 1826 à Londres. XIXe siècle. Britannique.
Peintre et écrivain.
Fils de Georges Robert Lewis. Il figura de 1848 à 1893 aux expositions de Londres avec des paysages à l'huile et à l'aquarelle et le portrait de sa femme. Le Musée Victoria et Albert de Londres et l'Art Gallery de Sydney (Australie) possèdent de ses œuvres.
Ventes Publiques : Londres, 22 mai 1979 : *Le couvent des Carmélites, Rennes* 1886, aquar. et reh. de blanc (46x63,5) : **GBP 480**.

LEWIS Mark
XXe siècle.
Artiste.
Il a participé en 1996 à l'exposition *Les Contes de fées se terminent bien*, au château de Val Freneuse à Sotteville-sous-le-Val, aux côtés notamment de Paul Mac Carthy, Stephan Balkenhol, Patrick Corillon, Pierre et Gilles, Lawrence Weiner.
Bibliogr. : Armelle Pradalier : *Il était une fée... et tout finit par s'arranger*, Beaux-Arts, n° 151, Paris, déc. 1996 – Catalogue de l'exposition : *Les Contes de fées se terminent bien*, Les Impénitents, FRAC Normandie, Rouen, 1996.

LEWIS Martin

Né en 1883. Mort en 1962. XXe siècle. Américain.

Peintre de genre, paysages, aquarelliste, graveur, designer.

Au début de sa carrière il dut travailler sur commande, réalisant des couvertures de catalogues pour d'importantes sociétés. De 1920 à 1922 il séjourna au Japon où il réalisa des paysages, soit à l'aquarelle soit à l'huile. Il fut d'abord connu comme graveur, mais utilisait aussi l'aquarelle et l'huile, notamment pour des paysages de New York.

Barbara Blackwell écrit : « Martin Lewis demeure un réaliste d'instinct au travers des plus turbulentes décades de l'art américain... Son réalisme persistant ne découle pas de l'ignorance de l'avant-garde mais d'un choix délibéré ».

Bibliogr. : P. Mc Carron : *Martin Lewis. The Graphic Work*, New York, 1973 – Barbara Blackwell : *L'art de Martin Lewis*, Herbert F. Johnson Museum of Art, Cornell University, 1983.

Ventes Publiques : New York, 18 mai 1977 : *Bay windows* 1929, pointe-sèche : **USD 1 100** – Los Angeles, 24 sept 1979 : *Nuit in New York* 1926, eau-forte (21,4x22,5) : **USD 1 500** – New York, 10 oct 1979 : *La Famille en promenade*, aquar. (51,5x44) : **USD 1 100** – New York, 23 sep. 1981 : *Reliques* 1928, pointe-sèche (30,2x25,1) : **USD 4 600** – New York, 9 mars 1983 : *Stoops in snow* 1930, pointe-sèche (25,2x37,8) : **USD 5 500** – New York, 21 sep. 1984 : *Eighty-ninth Street rooftop*, fus. (38,4x55,5) : **USD 4 800** – New York, 6 mars 1985 : *Glow of the city* 1929, pointe-sèche (29,2x36,8) : **USD 7 000** – New York, 30 sep. 1985 : *Factories, Brattleboro, Vermont*, cr et pl. (21,6x28) : **USD 2 500** – New York, 15 mars 1985 : *The old post office* vers 1913, h/t mar./isor. (45x33) : **USD 6 500** – New York, 26 sep. 1986 : *Sur le pont*, aquar. (45,4x52,6) : **USD 6 500** – New York, 24 jan. 1990 : *Somebody's Darling, rêverie d'un automate*, aquar. et fus./pap. (50,8x30,2) : **USD 2 310** – New York, 2 déc. 1992 : *Le Pont de Brooklyn depuis le bas de New York*, aquar. et cr./pap. (41,4x27,4) : **USD 1 320** – New York, 9 mars 1996 : *Vue d'une vallée*, h/t (84x76) : **USD 40 250**.

LEWIS Morland

Né le 25 mai 1903 à Carmarthen. Mort le 4 août 1943, lors d'une opération militaire en Afrique du Nord. XXe siècle. Britannique.

Peintre de genre, portraits.

Il a exposé avec le London Groupe à partir de 1929 et en fut membre en 1931.

Musées : Londres (Tate Gal.).

LEWIS Norman

Né en 1909 à New York. XXe siècle. Américain.

Peintre.

Il se forma seul, à partir de 1935.

Il figura à des expositions à New York, notamment celle en 1951, au Musée d'Art Moderne de New York intitulée *Abstract Painting and Sculpture in America* ; ainsi qu'à l'exposition *Le Dessin aux États-Unis*, au Musée d'Art Moderne de Paris, en 1954.

Il réalise des compositions abstraites d'un graphisme délicat.

Bibliogr. : Michel Seuphor : *Diction. de la peinture abstraite*, Hazan, Paris, 1957.

LEWIS Roberto

Né en 1874 à Panama. Mort en 1969. XXe siècle. Actif aussi en France. Panaméen.

Peintre de genre, figures, paysages, sculpteur.

C'est à son arrivée en France, en 1903, en tant que consul de son pays à Paris, qu'il commença à suivre les cours de Léon Bonnat à l'École des Beaux-Arts. Entre 1905 et 1910, il passa ses étés à Pont-Aven, ce qui influença son art. Vers 1911, il retourna dans son pays, où il se consacra à la peinture et à la sculpture.

Il illustra la vie bretonne, dans des tonalités sobres d'ocres, de bruns rougeâtres.

Bibliogr. : Gérald Schurr, in : *Les Petits Maîtres de la peinture 1820-1920, valeur de demain*, Les Éditions de l'Amateur, t. VII, Paris, 1989.

LEWIS William

XIXe siècle. Britannique.

Paysagiste amateur.

Frère de Frédérick Christian Lewis l'Ancien, il exposa à la Royal Academy, à la British Institution, à la New Water-Colours Society et à Suffolk Street à Londres entre 1804 et 1838. Le Victoria and Albert Museum conserve une aquarelle de lui.

LEWIS Wyndham, pour **Percy Wyndham**

Né en 1882, d'autres sources donnent 1884, sur un yacht au large des côtes de la Nouvelle-Écosse, naissance enregistrée à Amherst (Canada). Mort en 1957 à Londres. XXe siècle. Britannique.

Peintre, illustrateur, écrivain, critique d'art.

Il est né de père américain et de mère anglaise. Il a suivi les cours de la Slade School, à Londres de 1989 à 1901. Il voyage, de 1902 à 1906, en Allemagne, Hollande, Espagne et en France, puis retourne en Angleterre. En 1909, il fait la rencontre de l'écrivain américain Ezra Pound et deviendra l'animateur en sa compagnie de la revue *Blast* (Conflagration), créée en 1914. Il partage son activité entre la peinture et la littérature. Il fut également critique d'art et journaliste. En 1917, il est peintre des armées. Il vit à New York de 1939 à 1940, puis à Toronto de 1940 à 1945. Il revient par la suite en Angleterre. Il devient aveugle en 1951, continue cependant d'écrire jusqu'à sa mort.

Il figure, en peinture, dans des groupes tels que le *Camden Town Group* qu'il fonde en 1911 avec Ezra Pound, l'*Allied Artists Association*, le *London Group* dont il est un des co-fondateurs ou le *Rebel Art Center* qu'il fonde aussi en 1914. En 1912, il figure avec une composition abstraite à la deuxième exposition postimpressionniste aux Grafton Galleries, à Londres. Il participe en 1915 aux expositions du vorticisme à la galerie Dore de Londres et à la Tate Gallery. Des rétrospectives de son œuvre eurent lieu à Londres, en 1949 à la Redfern Gallery et, en 1956, à la Tate Gallery. Il quitte pendant la guerre le *London Group* pour fonder le *Groupe X*. Dans le domaine de l'écrit, en 1921, il publie la revue *Tyro* (deux numéros), puis la revue *The Enemy*. Il publie aussi certains de ses écrits dans *The English Review*. Il écrit des romans qui sont des satires de la société de son temps et de son incompréhension des phénomènes contemporains : *The Human Age* (1928-1955) ; *Time and the Western Man* ; *Tarr* ; *The Apes of God* (1930), Après 1945, en Angleterre, il devient critique d'art à la revue *The Listener* de 1946 à 1950.

Dans le texte *Les Exposants au public* qui figurait dans le catalogue de leur exposition de 1912, à Paris, les futuristes définissaient la notion de « lignes-forces », qui indiquaient les directions essentielles des objets en fonction de leurs mouvements appropriés. On retrouve l'équivalent de ses « lignes-forces » des futuristes dans le rayonnisme de Larionov et Gontcharova, et aussi dans la définition du vorticisme, lancée par Wyndham Lewis en 1913 et théorisée dans la revue *Blast* et naturellement matérialisée dans ses propres œuvres. Le « vortex » est un mot formé du latin au XIXe siècle et qui désigne le tourbillon creux des liquides qui s'écoulent des lavabos, baignoires ou gouffres. Lewis définit le vortex comme un point maximum d'énergie, et crée le nom du mouvement « vorticisme », dont il est l'ardent protagoniste avec les peintres Edward Wadsworth, David Bomberg, Christopher Nevinson, William P. Roberts, Etchells et les sculpteurs Henri Gaudier-Brzeska et Jacob Epstein. Il s'agit de dégager la poésie de la machine. Il est en effet indéniable que le vorticisme de Lewis fut influencé par le cubisme des peintres de Paris, ainsi que par les futuristes italiens. Il conduit même la peinture anglaise aux frontières d'une abstraction fondée sur la verticalité, et caractérisée par l'aspect impersonnel, presque métallique, des surfaces qui la charpentent. Il est honnête de préciser que Wyndham Lewis se défendait, dans ses écrits théoriques et de critique, de toute influence du futurisme, en attaquant ce qu'il appelait « l'automobilisme » ou le « marinettisme ». Avec le recul, la parenté apparaît aujourd'hui évidente. En juin 1914, Wyndham Lewis exposa sa peinture *Plan de campagne*, dont les masses parallèles figuraient des armées au combat, alors que nul ne soupçonnait l'imminence de la déflagration mondiale. L'essor du mouvement est écrasé par la guerre de 1914-1918.

Durant la guerre son style s'infléchit vers un retour à une figuration. Il peignit alors plusieurs portraits et autoportraits. Il réserva ensuite la peinture à l'illustration de ses écrits (*Blasting and Bombardiering* 1914-1923 ; *The Artist from Blast to Burlington House*, 1939 ; *The Demon of Progress in the Arts*, 1914) qui justifiaient son engagement pour le vorticisme. Après le cataclysme, il avait été un des premiers à introduire en Angleterre les principes rigoureux de l'esthétique contemporaine et, à ce titre, il est licite de voir en Wyndham Lewis le créateur de la peinture moderne anglaise. ■ Jacques Busse

Bibliogr. : Maurice Raynal : *Peinture moderne*, Skira, Genève, 1953 – Frank Mc Ewen, in : *Dictionnaire de la peinture moderne*, Hazan, Paris, 1954 – divers : *Wyndam Lewis on art*, Londres, 1969 – Walter Michel : *Wyndham Lewis. Paintings and Drawings*, Thames & Hudson, Londres, 1971 – in : *Dictionnaire universel de la peinture*, Le Robert, Paris, 1976 – in : *L'Art du xxe siècle*, Larousse, Paris, 1991.

Musées : Leicester (Art Gal.) : *Inferno* 1937 – Londres (Tate Gal.) : *Composition* 1913 – *Portrait d'Edith Sitwell* 1923-1935 – *Scène rouge* – *La Rédition de Barcelone* 1936 – *Crowd* 1915 – *Coucher de soleil dans l'Atlas* 1915 – Londres (Imperial War Mus.) : *Battery Position in a Wood* 1918 – ensemble de peintures décoratives – Londres (Victoria and Albert Mus.) : *Cactus* 1913 – Manchester (City Art Gal.) : *Self-Portrait* 1921 – *Ezra Pound* 1939.

Ventes Publiques : Londres, 9 fév. 1923 : *Femme fumant* : **GBP 10** – Londres, 20 nov. 1968 : *Études de personnages*, quatre pan. : **GNS 800** – Londres, 22 nov. 1972 : *Red portrait* : **GBP 4 000** – Londres, 12 juil. 1974 : *Mr Wyndham Lewis as Tyro* : **GNS 7 500** – Londres, 16 nov. 1977 : *Mr. Wyndham lewis as a Tyro* 1920-1921, h/t (75x44,5) : **GBP 6 000** – Londres, 15 nov. 1978 : *Study for « The wipe out »* 1918, craie noire et aquar. (34x50) : **GBP 2 000** – New York, 9 juin 1979 : *Portrait de la femme de l'artiste, Froanna* 1940, craie noire, past. et cr./pap. bleu (49,8x33,3) : **USD 7 800** – Londres, 13 juin 1980 : *Les danseurs* 1912, aquar. et pl. (30x29,5) : **GBP 18 000** – Londres, 6 nov. 1981 : *Composition animée* 1913, aquar., gche et pl. (30,6x21) : **GBP 9 000** – Londres, 19 mai 1982 : *Jeune femme lisant* 1921, cr. (32x31) : **GBP 1 900** – Londres, 9 mars 1984 : *Red and Black Olympus* 1922, aquar. gche et pl. (25,3x43) : **GBP 28 000** – Londres, 9 mars 1984 : *Arghol* 1914, pl. et lav. (32,5x20,3) : **GBP 16 000** – Londres, 9 nov. 1984 : *L'Homme surréaliste et Femme surréaliste* 1929, h/pan., suite de quatre panneaux (76,2x48,3) : **GBP 20 000** – Londres, 15 mars 1985 : *Nu aux bras levés* 1930, pl. cr. gras et aquar. (37x35) : **GBP 4 000** – Londres, 21 mai 1986 : *Portrait de Elizabeth* 1944, h/t (74x56) : **GBP 12 000** – Londres, 6 mars 1987 : *Portrait of a Lady* 1922, cr. et lav. brun (45,7x32,5) : **GBP 3 000** – Londres, 9 juin 1988 : *Portrait de Miss Pauline Bondy* 1944, craies/pap. (46,4x31,3) : **GBP 1 650** – Londres, 3 mai 1990 : *Femme assise accoudée à une table*, cr. (15x17,5) : **GBP 5 280** – Londres, 8 nov. 1990 : *Portrait de Edward Wadsworth* 1920, cr. (44,5x30,5) : **GBP 6 820** – Londres, 7 mars 1991 : *La femme du Sheik* 1936, h/t (50x60,5) : **GBP 19 800** – Londres, 7 nov. 1991 : *Nu accroupi* 1919, cr. et aquar. (28,5x25,5) : **GBP 3 850** – Londres, 5 juin 1992 : *Tête d'Ezra Pound* 1939, cr. (30,5x22,8) : **GBP 8 250** – Londres, 6 nov. 1992 : *La bêtise* 1931, cr. et aquar. (28x24) : **GBP 6 050** – New York, 10 oct. 1996 : *Mère et enfant* 1955, fus./pap. (35,9x29,9) : **USD 575**.

LEWIS Indien, le. Voir **LEWIS Frederick Christian, le Jeune**

LEWIS-BROWN John. Voir **BROWN John Lewis**

LEWISOHN Raphaël

Né en 1863 à Hambourg. Mort en 1923 à Paris. xixe-xxe siècles. Actif à Paris. Allemand.

Peintre de genre.

Exposa à Munich en 1891 et 1893. Associé de la Nationale des Beaux-Arts depuis 1897. On cite de lui *Jeune paysanne bretonne*.

Ventes Publiques : Stockholm, 10-12 mai 1993 : *Trois jeunes femmes sur la place d'un village méditerranéen*, h/t (65x81) : **SEK 12 000**.

LEWITIN Landès

Né en 1892 au Caire, de parents roumains. xxe siècle. De 1929 à 1939 en France, depuis 1939 actif aux États-Unis. Roumain.

Peintre, graveur.

Il étudie en Égypte, puis à l'Académie Libre de Paris, et à l'Art Students' League et à la National Academy of Design de New York. De 1929 à 1939, il vécut en France, où il figura, en 1937, au Salon des Surindépendants. À New York, à partir de 1939, il figura au Stable Annuals ainsi qu'à l'exposition *Seize Américains*, au Museum of Modern Art, en 1960, et montra par ailleurs dans cette même ville des expositions personnelles en 1947, 1949, 1959, 1961 et 1962.

Bibliogr. : In : *Peintres contemporains*, Mazenod, Paris, 1964.

LEWITSKA Sonia

Née le 9 mars 1882 à Tchenstochowa (Pologne russe). Morte après 1914. xxe siècle. Polonaise.

Peintre de paysages, portraits, aquarelliste, graveur, illustrateur.

Cette artiste trop tôt disparue exposa pour la première fois à Paris en 1909, au Salon d'Automne. On l'invita aussi au Salon des Tuileries et elle prit part à des expositions officielles en Suisse, en Suède et aux États-Unis.

Elle a su tendre à un art très achevé sans rien abandonner de ce qu'un poète a défini : « Le don d'enfance ». Typiquement indépendante, elle fait fi de toute théorie pour ne rechercher que les meilleurs moyens de traduire plastiquement sa vision intérieure propre. Elle est avant tout le peintre des paysages féeriques. Le folklore slave l'a souvent inspirée. On lui doit une suite de portraits. Elle a gravé : *La Délivrance de la Pologne* ; *Poèmes fantaisistes*. Elle a illustré : *Le Serpent*, de P. Valéry ; *Veillées des hameaux*, de Gogol ; la traduction de *Tristan et Yseult*, de J. Bédier.

Musées : Le Havre – Luxembourg – Vienne (Albertina).

Ventes Publiques : Paris, 27 nov. 1926 : *Paysage* : **FRF 300** – Paris, 15 jan. 1943 : *Les Oliviers*, aquar. : **FRF 320** – Paris, 20 jan. 1947 : *La Lecture*, aquar. : **FRF 350**.

LE WITT Jan

xxe siècle. Britannique.

Peintre.

Artiste à tendance nettement moderniste.

LEWITT Sol

Né en 1928 à Hartford (Connecticut). xxe siècle. Actif en Italie. Américain.

Peintre à la gouache, créateur d'installations, sculpteur, graveur, dessinateur, illustrateur. Abstrait-minimaliste, conceptuel.

Il a étudié à l'Université de Syracuse, à New York, de 1945 à 1949. En 1951-1952, il effectue son service militaire au Japon et en Corée. En 1953, il est élève à la Cartoons Illustrators, à New York, qui deviendra plus tard la School of Visual Arts. Il travaille au magazine *Seventeen* puis est graphiste au service de l'architecte I. M. Pei jusqu'en 1960. Il fait la rencontre de Mangold, Flavin et Ryman qui sont employés au Museum of Modern Art de New York comme gardiens. À New York, il fut enseignant au Museum of Modern Art School entre 1964 et 1967, à la Cooper Union en 1967 et 1968, à la School of Visual Arts en 1969, et à la New York University en 1970. En 1976, LeWitt et Lucy Lippard fondent la maison d'édition *Printed Matter* destinée à éditer des livres d'artistes. Il vit et travaille à New York.

Il participe à une multitude d'expositions collectives depuis la fin des années soixante, parmi lesquelles : 1963, Église Saint-Mark, New York ; 1966, *Primary Structures*, Jewish Museum, New York ; 1969, *When attitudes become form*, Kunsthalle, Berne puis Londres et Amsterdam ; 1969, *Young American Artists*, Wide White Space Gallery, Anvers ; 1970, *Information*, Museum of Modern Art, New York ; 1971, *Guggenheim International*, Guggenheim Museum, New York ; 1972, Documenta, Kassel ; 1974, *Kunst über Kunst*, Kunstverein, Cologne ; 1976, 1980, 1988, Biennale de Venise ; 1979, *The reductive object*, Institute of Contemporary Art, Boston ; 1985, *Art Minimal I*, Capc Musée d'Art Contemporain, Bordeaux ; 1990, *Contemporary Illustrated Books : World and Image 1967-1988*, exposition itinérante aux États-Unis ; 1992, *Allegories of Modernism, Contemporary Drawing*, Museum of Modern Art, New York.

Il montre également ses œuvres dans de très nombreuses expositions personnelles à travers le monde, dont : 1965, la première, Daniel Gallery, New York ; 1966, 1967, 1968, 1970, 1971, Dwan Gallery, New York ; depuis 1968 et régulièrement, Konrad Fischer Galerie, Düsseldorf ; 1969, Museum Haus Lange, Krefeld ; 1970, 1971, 1975, Art & Project, Amsterdam ; depuis 1970 et régulièrement, galerie Yvon Lambert, Paris ; 1970, Gemeemtemuseum, La Haye ; 1970, Museum of Art, La Jolla (Californie) ; depuis 1971 et régulièrement, Lisson Gallery, Londres ; 1971, Guggenheim Museum, New York ; 1971, Museum of Modern Art, New York ; depuis 1973 et régulièrement, John Weber Gallery ; 1972, Kunsthalle, Berne ; 1974, Palais des Beaux-Arts, Bruxelles ; 1974, Stedelijk Museum, Amsterdam ; 1978, rétrospective, Museum of Modern Art, New York ; 1979, Museum of Modern Art, Chicago ; 1980, 1982, 1983, 1987, Hugo Ferranti, Rome ; 1983, Capc Musée d'Art Contemporain, Bordeaux ; 1984, rétrospective de l'œuvre graphique, Stedelijk Museum, Amsterdam ; 1986, Magasin, Musée National d'Art Contemporain, Grenoble ; 1987, Art Recherche Confrontation, Musée d'Art Moderne de la Ville de Paris ; 1990, Museum of Contemporary Art, Tokyo ; 1992-1995, *Sol LeWitt Drawings*, exposition itinérante présentée également au Musée National d'Art Moderne à Paris en 1994 ; 1994, *25 years of Wall drawings*, Espace Renn, Paris ; 1994, *Wall drawings, 1980*, galerie Marc Blondeau, Paris ; 1995, *Sol LeWitt Prints*, Museum of Modern Art, New York.

Dans les années soixante, aux États-Unis, en réaction à la prédominance de l'expressionnisme abstrait, la pensée artistique avant-gardiste fut traversée par des courants parfois contradictoires. L'art minimal et l'art conceptuel sont de ceux qui ont déplacé le plus fortement le champ d'expérimentation vers l'idée. L'appellation art minimal fut souvent critiquée par les artistes que l'on range sous cette référence, réduisant selon eux leurs positions à un formalisme simplifié de nature géométrique. Ils n'eurent de cesse dans leurs écrits d'expliquer leur démarche, faire valoir les processus qui donnaient existence à leurs œuvres. Le cas de Sol LeWitt paraît en marge. Intégré à l'art minimal dans les années soixante aux côtés de Carl André, Dan Flavin, Don Judd..., il est parfois considéré comme le moins minimal et le plus conceptuel de ces artistes. Une confusion certaine règne à cet endroit. Quoi qu'il en soit, pour LeWitt, comme pour tout minimaliste d'ailleurs, l'art doit se réinventer – c'est une nécessité ontologique – hors conventions et catégories artistiques traditionnelles. Son domaine est celui de l'abstraction non illusionniste. Démarche qui eut le mérite de la constance pendant une vingtaine d'années. Les premières œuvres de Sol LeWitt datent de 1962. Elles témoignent de son intérêt pour les théories du Bauhaus et du constructivisme russe. Dès 1963, son travail est rigidifié par un certain nombre de conventions fixes et, de peinture, tend vers l'objet. Vers 1965, apparaissent les premières structures modulaires, à partir du cube à arêtes évidées, qui se développent au mur et au sol. Un travail que l'on peut comparer dans l'esprit à celui de Stella. Ces travaux le décident à rompre « officiellement » avec l'art minimal, en qualifiant son travail de conceptuel. En 1967 et 1969, il publie deux célèbres manifestes : *Paragraphs on conceptual Art* dans la revue *Artforum* (été 1967) et *Sentences on conceptual Art* dans *Art Language* (1969). Tels des axiomes, ils sont à la base de son art. Un d'entre eux affirme que « Dans l'Art Conceptuel, l'idée ou le concept est l'aspect le plus important du travail. » Une telle proposition n'est pas en soi fondamentalement nouvelle. On la retrouve formulée différemment depuis la Renaissance jusqu'au néo-plasticisme. Elle reprend son importance dans le climat expressionniste abstrait de l'époque. Sol LeWitt est allé encore plus loin, comme suit : « Quand un artiste utilise une forme conceptuelle d'art, cela signifie que tout ce qui concerne la programmation ou les décisions est accompli d'avance et que l'exécution est une affaire sans importance. L'art devient la machine qui fabrique l'art ». En effet, ses structures ouvertes que l'on peut approximativement assimiler à des sculptures et ses *Wall drawings* ou dessins muraux, sont d'abord mis en place sous forme de modèles ou de textes indicateurs et, ensuite, exécutés par des ateliers spécialisés ou par des assistants. Ainsi donc, le plan définit l'art, chez LeWitt. L'objet est le produit d'une idée, l'idée est la marque indubitable de l'auteur, et la réalisation en est détachée. Il est intéressant de noter l'influence du métier d'architecte dans sa conception de l'art.

Une fois le système mis en place, qu'en est-il du fond, du contenu de son art ? L'œuvre en trois dimensions de LeWitt ne s'éloigne pas des préceptes qu'il s'est imposés. C'est la visualisation d'une structure conceptuelle servie par un système qui, de forme, devient également contenu de l'œuvre. Ses « sculptures » sont des structures, tridimensionnelles, cubiques à volumes ouverts, ordonnées suivant des principes logico-mathématiques assez simples. Elles sont en métal ou en bois, noires au début, puis peintes en laque blanche. Par exemple : *Pièce en 5 unités (cubes ouverts) en forme de croix* (1966-1969) est une réalisation de quatre cubes disposés en croix, au sol, créant en leur centre un cube virtuel dans la mesure où chacun de ses côtés emprunte un des côtés des quatre autres cubes. La sérialité, c'est-à-dire les différentes combinaisons possibles, est une caractéristique de son travail. En 1968, LeWitt établit des *Principes fondamentaux du dessin* à partir de lignes en quatre directions : verticale, horizontale et deux diagonales. Plus tard, *Arcs de cercles à partir des coins et des côtés, cercles et grilles et toutes leurs combinaisons* (1972) est une publication qui, en effet, systématise en cent quatre-vingt-quinze dessins au crayon noir les diverses combinaisons possibles des données du titre. Ces dessins sont à la base de ses *wall drawings*, des lignes tirées en combinaisons diverses sur des murs à partir d'énoncés écrits. Il réalise son premier *Wall drawing* à la galerie Paula Cooper à New York en 1968, puis y introduit la couleur en 1969. Certains dessins muraux (*wall drawings*) sont davantage liés à un site spécifique que d'autres, mais tous – il y en a à peu près sept cents – ont été conçus pour un site spécifique.

Ainsi donc, les catégories traditionnelles de la peinture et de la sculpture sont contournées vers de nouvelles approches. Conceptuelle au départ, c'est-à-dire saisie dans l'esprit, son abstraction est arithmétique, en ce sens que la forme n'est pas déterminée par une hiérarchie visuelle et relationnelle entre éléments (masse, forme, volume, facture, plein et vide...) comme dans la sculpture traditionnelle. Elle n'est pas non plus l'illustration d'une vérité transcendante, une forme vraie. De même que les lignes tirées des *wall drawings* ne le sont pas dans un souci illusionniste ou symbolique, bien que l'illusionnisme soit de fait suggéré par le présence même d'une seule ligne. Pour Marjorie Welish qui tente une généralisation, « si l'on est tenté d'y voir une manipulation spatiale (dans son œuvre), il ne s'agit pas d'espace de perception, il s'agirait au-delà de toute image de projeter la notion d'organisation en tant que telle. » Le travail de LeWitt fut aussi rapproché dans son esprit de l'analyse structurale linguistique en tant que modèle évolutif de signes (droites, obliques, verticales, horizontales, etc.) déterminé par un système de règles préalablement défini.

Le travail de LeWitt fut, à l'origine, réglé par des principes mécaniques, voire idéologiques ; l'affect y était absent et pour certain la création-même. Il n'a, néanmoins jamais exclu de sa démarche (Le voulait-il ? Le pouvait-il ?) les principes de relativité et d'interprétation. LeWitt a choisi un système, il est arbitraire, et n'est basé sur aucune justification théorique. De plus, cet ensemble de conventions arithmétiques ne prétend pas à ce qu'il ne peut : l'art comme méthode pour connaître et expliquer des phénomènes. Il y intègre souvent des données qui, au vue du résultat, s'apparentent souvent à un jeu formel. Il tient lui-même à préciser dans ses *Sentences* : « Les artistes conceptuels sont mystiques plus que rationalistes. » D'autre part, l'objet n'est pas évacué au profit d'une définition comme chez Kosuth. Les énoncés linguistiques sont le point de départ de la réalisation. Mais ce passage de l'écriture au dessin est une transmission qui laisse place à l'interprétation textuelle (par exemple *lignes non courtes...* !) et au choix de la surface de réception, grandeur, position, facture du mur par exemple. Enfin, cette réception, souvent occultée dans les commentaires qui privilégient la source de l'œuvre, est ouverte : « Cela n'a aucune importance que le spectateur comprenne les concepts de l'artiste en voyant son art » affirme LeWitt. Et l'artiste lui-même tend à « transgresser » – mais finalement c'est toujours une question de relativité du système – les principes d'hier. Ne remarque-t-il pas que « l'évolution d'une œuvre est parfois étrange. Tout a sa propre évolution. La pensée ne reste pas toujours pareille à elle-même ». Certaines de ses œuvres des années quatre-vingt, comme la série des *Pyramids*, ne sont plus essentiellement bidimensionnelles. L'illusionnisme est ouvertement accepté, les couleurs ne sont plus primaires, mais vertes, violettes, oranges. Elles sont toutes issues de la superposition des couleurs primaires et de gris. D'autres, plus simplement, consistent en des lavis de couleurs superposés. ■ Christophe Dorny

Bibliogr. : Sol LeWitt : *Paragraphs on Conceptual Art*, in : *Artforum*, juin, 1967 – Sol LeWitt : *Sentences on Conceptual Art*, in : *Art-Language*, mai, 1969 – *Sol LeWitt*, catalogue de l'exposition, Gemeente Museum, La Haye, 1970 – Alfred Pacquement : *Sol LeWitt et les systèmes de combinaisons*, in : *Opus International*, Paris, 1970 – Catherine Millet : *Don Judd, Sol LeWitt, à propos du Minimal Art*, in : *Art Press*, n°2, Paris, fév. 1973 – *Sol LeWitt*, catalogue de l'exposition rétrospective de son œuvre, Museum of Modern Art, New York, 1978 – Divers : *Sol LeWitt. Wall Drawings 1968-1984*, catalogue de l'exposition, Stedelijk Museum, Amsterdam, 1984 – Catherine Strasser : *Sol LeWitt, l'esthétique du concept*, in : *Art Press*, Paris, mai 1983 – *Art Minimal I*, catalogue de l'exposition, Capc Musée d'Art Contemporain, Bordeaux, 1985 – *Sol Lewitt. Prints 1970-1986*, Tate Gall., Londres, 1986 – Bernard Marcadé : *Il est difficile de gâcher une bonne idée*, in : *Artstudio*, n°1, Paris, été 1986 – Marjorie Welish : *Idées d'ordre*, in : *Artstudio*, n° 6, Paris, automne 1987 – Paul-Hervé Parsy : *Art minimal*, Paris, Éditions du Centre Pompidou, Paris, 1992 – in : *Dictionnaire de l'art moderne et contemporain*, Hazan, Paris, 1992 – in : *Dictionnaire de sculpture*, Larousse, Paris, 1992 – *La Logique irrationnel de Sol LeWitt*, interview par Claude Gintz, in : *Art Press*, n°195, Paris, oct. 1994.

Musées : Amsterdam (Stedelijk Mus.) – Buffalo (Albright-Knox Art Gal.) – Canberra (Australian Nat. Gal.) – Detroit (Inst. of

Arts) - GENÈVE (Mus. d'Art Mod. et Contemp.) - GRENOBLE (Mus. de Peinture et de Sculpture) : *Six variations chromatiques* - LONDRES (Tate Gal.) - LOS ANGELES (Mus. of Art) - MARSEILLE (Mus. Cantini) - MONTRÉAL (Mus. d'Art Contemp.) - NEW YORK (Mus. of Mod. Art) - PARIS (CNAC) - PARIS (Mus. Nat. d'Art Mod.) : *Wall drawing n° 95* 1971, certificat - *Wall drawing n° 346* 1981 - *Pièce en 5 unités (cubes ouverts) en forme de croix* 1966-1969 - TORONTO (Art Gal. of Ontario).

VENTES PUBLIQUES : LONDRES, 3 avr. 1974 : *Sept cubes de métal peint* : **GBP 7 000** - MILAN, 5 déc. 1974 : *Sculpture* : **ITL 9 000 000** - PARIS, 2 déc. 1976 : *Sculpture en six éléments* 1968, métal peint en blanc (35x40) : **FRF 16 500** - PARIS, 17 nov. 1977 : *Composition*, métal peint en blanc (105x105x105) : **FRF 14 000** - LONDRES, 5 avr 1979 : *The location of a black broken line, red circle, yellow square and blue straight line* 1976, cr. et encres de coul. (38,5x38,5) : **GBP 1 000** - LONDRES, 5 avr 1979 : *Composition R 257* 1975, bordure florale découpée (49x34) : **GBP 500** - NEW YORK, 18 mai 1979 : *Variations de cubes ouverts incomplets* 1974, alu. peint (42x42x42) : **USD 6 000** - NEW YORK, 10 nov. 1982 : *Incomplete open cube* 1974, alu. peint (107x107x107) : **USD 9 000** - NEW YORK, 10 nov. 1983 : *The location of twenty one connected lines* 1974, cr. et pl. (55,8x55,8) : **USD 1 000** - NEW YORK, 2 nov. 1984 : *Wall grid* 1966, grille de bois peinte en blanc (181x181x4,5) : **USD 17 000** - NEW YORK, 2 mai 1985 : *Incomplete open cube*, alu. peint. (105x105x105) : **USD 5 500** - NEW YORK, 11 nov. 1986 : *Quasi-cube* 1973, alu. et peint émail/métal (105x105x105) : **USD 9 000** - NEW YORK, 5 mai 1987 : *4 Color Drawing* 1970, pl. et encres de coul. (45,1x44,5) : **USD 26 000** - LONDRES, 25 fév. 1988 : *Dessin géométrique en quatre couleurs* 1971, encre/pap. (25,5x25,5) : **GBP 1 650** - PARIS, 18 mai 1988 : *Papier déchiré R.68* 1972, collage onze pièces (50x65) : **FRF 14 800** - LONDRES, 20 oct. 1988 : *Lignes droites à partir du côté gauche et lignes tremblées à partir du haut* 1972, encre/pap. (36,5x36,5) : **GBP 1 100** - NEW YORK, 14 fév. 1989 : *Plan pour la décoration murale de l'appartement de Françoise Essellier à Paris* 1970, encre/pap./tissu (35,6x35,3) : **USD 24 200** - PARIS, 6 mars 1989 : *Stars-dark center 4 point 1983*, aquat./pap. (52,5x52,5) : **FRF 10 000** - NEW YORK, 4 mai 1989 : *Sans titre*, lav. d'encre de Chine/pap. sur les deux faces/cart., paravent cinq panneaux (182,9x382,2) : **USD 57 200** - PARIS, 24 mai 1989 : *Uncomplete open cube* 1974, encre/pap. (29x29) : **FRF 24 000** - NEW YORK, 9 nov. 1989 : *Structures géométriques en quatre parties* 1979, vingt éléments de bois peint/cinq pan. de bois (35,5x182,8x335) : **USD 110 000** - PARIS, 17 déc. 1989 : *Three part Variation on Cube* 1967-69, plastique (H. 30,5) : **FRF 230 000** - PARIS, 18 fév. 1990 : *Cube structures* 1969, métal laqué blanc (38x20x20) : **FRF 185 000** - LONDRES, 22 fév. 1990 : *30 lignes* 1971, encre/pap./cart. (29,5x29,5) : **GBP 7 150** - NEW YORK, 23 fév. 1990 : *Sans titre* 1969, encre/pap. (26,7x53,3) : **USD 27 500** - NEW YORK, 8 mai 1990 : *B2, 5, 8* 1967, vernis cuit sur des armatures de plastique et d'acier (205,7x205,7x762) : **USD 165 000** - PARIS, 10 juil. 1990 : *Incomplete open cube* 1974, dess. à l'encre de Chine (30x30) : **FRF 31 000** - NEW YORK, 4 oct. 1990 : *Lignes rouges depuis un point central* 1975, cr. et encre/pap. (38x38) : **USD 8 800** - MILAN, 23 oct. 1990 : *Cercles noirs, gris et jaunes* 1972, encre/pap./contre-plaqué (33x33) : **ITL 14 000 000** - PARIS, 20 jan. 1991 : *Sans titre*, sculpt. de bois peint en blanc (80x80x80) : **FRF 365 000** - NEW YORK, 14 fév. 1991 : *Formes irrégulières* 1988, gche/pap. (38,3x55,5) : **USD 5 280** - NEW YORK, 15 fév. 1991 : *Grille jaune, cercles rouges et arcs noir et bleu sur les côtés opposés* 1972, encre/pap. (33x33) : **USD 9 350** - NEW YORK, 30 avr. 1991 : *13/1* 1980, bois peint en blanc (157,5x157,5x157,5) : **USD 60 500** - NEW YORK, 13 nov. 1991 : *Toutes les variantes de cubes ouverts incomplets*, installation de 122 sculpt. de bois peint et de 131 photo. et dess. sur pap. (base 30,5x605,2x548,6, chaque sculpt. 20,5x20,5x20,5, chaque photo. 35,5x66) : **USD 126 500** - PARIS, 19 jan. 1992 : *Sans titre - variations en trois parties sur trois sortes de cubes*, fer peint et plaque émaillée (137x46x46) : **FRF 190 000** - NEW YORK, 7 mai 1992 : *Projet n°1 pour une série (set C)*, vernis cuit sur alu. (H. totale de la structure 230) : **USD 82 500** - PARIS, 26 juin 1992 : *Paravent* 1987, techn. mixte/t. (174,5x74) : **FRF 170 000** - NEW YORK, 19 nov. 1992 : *Cube modulaire en quatre parties*, émail sur acier (320x320x320) : **USD 52 800** - PARIS, 14 mars 1993 : *1, 2, 3, 4, 5, 4, 3, 2, 1* 1980, structure en bois (33x212x43) : **FRF 94 000** - NEW YORK, 11 nov. 1993 : *Dessin mural n° 273* 1975, lignes de cr. rouge, jaune, bleu et grille de cr. noir : **USD 79 500** - MILAN, 22 nov. 1993 : *Sans titre* 1988, aquar./pap. (38x56) : **ITL 7 071 000** - ZURICH, 3 déc. 1993 : *Papier froissé R 133* 1973, collage (50x70) : **CHF 2 000** - PARIS, 24 juin 1994 : *Structure*, construction de bois peint en blanc (62x62x62) : **FRF 45 000** - NEW YORK, 3 mai 1995 : *Quatre bandes de couleurs dans quatre directions* 1991, gche/pap. (75,6x56,5) : **USD 21 850** - PARIS, 26 juin 1995 : *1, 2, 3, 4, 5* 1979, structure composée de cinq éléments cubiques en bois peint (33x128x43) : **FRF 72 000** - NEW YORK, 5 mai 1996 : *Bandes de lignes de un pouce de large dans quatre directions et quatre couleurs* 1985, sérig. coul. (58,5x226) : **USD 4 600** - PARIS, 10 juin 1996 : *Sans titre* 1972, pap. déchiré (13x78) : **FRF 8 500** - PARIS, 16 oct. 1996 : *Drawing for four-part modelar* 1969, encre/pap. (30x60) : **FRF 9 500** - LONDRES, 5 déc. 1996 : *Sans titre* 1995, gche/pap. (29x38) : **GBP 2 760** - AMSTERDAM, 10 déc. 1996 : *Tehuis* 1980, h/t (150x150) : **NLG 11 532** - NEW YORK, 10 oct. 1996 : *Two part piece, 1 2 3* 1967, bois peint (H. 30,5 et L. 30,5) : **USD 6 900** - NEW YORK, 21 nov. 1996 : *Cube ouvert incomplet 5-7* 1974, vernis/alu. (106,8x106,8x106,8) : **USD 23 000** - NEW YORK, 20 nov. 1996 : *9-8-7-6-5-4-3-2-1 half off* 1977, bois peint (110,5x110,5x13,3) : **USD 42 550**.

LEWITZKI. Voir **LEVITZKY**

LEWY Fritz

Né le 22 mai 1893 à Cologne (Rhénanie-Westphalie). XXe siècle. Allemand.

Peintre, graveur.

MUSÉES : MUNICH (Mus. du Théâtre) : plusieurs tableaux.

LEWY Kurt

Né en 1898 à Essen (Rhénanie-Westphalie). Mort en 1963 à Bruxelles. XXe siècle. Actif depuis 1935 puis en 1951 naturalisé en Belgique. Allemand.

Peintre, peintre d'émaux, peintre de cartons de tapisseries. Tendance abstraite.

Il fut élève à la Folkwangschule à Essen, puis de l'École des Arts Appliqués de Berlin, de 1919 à 1923. En 1924, il apprit la sculpture de l'émail, à Pforzheim (Bade). Il fut, à Essen, professeur à la Folkwangschule jusqu'en 1933. Une source indique qu'il aurait professé au Bauhaus. Le catalogue très complet de l'exposition du Bauhaus, à Zurich et Paris, ne le mentionne absolument pas.

Il a figuré, à Paris, au Salon des Réalités Nouvelles de 1955. Il a fait des expositions de ses œuvres à Essen en 1925 et à Londres en 1929. Après son installation en Belgique, il a montré ses œuvres en 1947 et 1952 à Bruxelles, en 1955 à Aix-la-Chapelle, en 1955 à Düsseldorf, en 1957 à Gand. En 1959, il exécute les vitraux de la synagogue d'Essen.

Après des œuvres consacrées souvent à des évocations religieuses, peintes dans une technique impersonnelle, d'une construction sévère, il évolua, à partir de 1951, à une abstraction apparentée au néo-plasticisme, non dénuée d'une grande délicatesse dans le choix des accords discrets des couleurs remplissant en aplats les surfaces strictes délimitées par l'entrecroisement d'autres surfaces simples et géométriques. À ce propos, il disait : « L'art ne se conçoit pas pour moi dans le vague, l'indéterminé, l'effervescent, mais bien dans la clarté et la netteté des éléments de mon choix ».

BIBLIOGR. : Michel Seuphor : *Dictionnaire de la peinture abstraite*, Hazan, 1957 - in : *Peintres contemporains*, Mazenod, Paris, 1964 - in : *Diction. biographique illustré des artistes en Belgique*, Arto, Bruxelles, 1987.

VENTES PUBLIQUES : ANVERS, 6 avr. 1976 : *Bleu-rouge, n° 188* 1962, h/t (116x80) : **BEF 50 000** - LOKEREN, 23 mai 1992 : *Composition* 1954, aquar. et fus. (46,5x35) : **BEF 28 000** - LOKEREN, 10 oct. 1992 : *Trois femmes*, émail (18x14) : **BEF 40 000** - LOKEREN, 4 déc. 1993 : *Intérieur avec des personnages*, aquar. et cr. (26x35) : **BEF 26 000** - LOKEREN, 20 mai 1995 : *Composition* 1960, sculpt. de cuivre émaillé (61x35,5) : **BEF 65 000**.

LEWY Walter

Né en 1905 à Oldesloe. XXe siècle. Actif depuis 1937 au Brésil. Allemand.

Peintre, graveur. Surréaliste.

De 1923 à 1927, il étudie à l'École d'Art de Dortmund.

Il fut membre de l'Union des peintres de Westphalie en 1928, il participe à des expositions collectives à Bochum et Dortmund. En 1932, il fait une première exposition particulière en Allemagne, dès l'année suivante il est considéré par le régime nazi comme « artiste dégénéré » : on lui interdit d'exposer. En 1937, il émigre au Brésil et s'y fixe. Vivant à São Paulo, il s'intègre rapidement aux milieux artistiques brésiliens. Vite considéré comme un pionnier du surréalisme au Brésil, il a, à ce titre, participé à de très nombreuses expositions surréalistes ou d'art fantastique au

Brésil, dont celle organisée par Labisse lors de la Biennale de São Paulo en 1965. Il avait dans le passé participé à cette même Biennale en 1951, 1961, 1965, puis en 1969. Outre de très nombreuses expositions particulières et collectives, il faut mentionner la rétrospective de *35 ans de peinture* que le Museu de Arte Moderne de São Paulo a organisé autour de son œuvre en 1974. Ses débuts se rattachent au courant du réalisme magique. Son œuvre tend rapidement à un certain surréalisme, peut-être inspiré par le climat brésilien, sa flore, le cactus par exemple qui revient fréquemment dans son œuvre et dont il a constitué une importante collection. Fidèle au surréalisme, quelques thèmes reviennent souvent dans son œuvre : la feuille, démesurée ou tendant à l'anthropomorphisme, les cubes suspendus dans les airs, comme des planètes menaçantes, la pierre, les grottes.
Musées : Olinda-de-Pernambouc – São Paulo (Mus. d'Art Contemp.).

LEWY Wenzel. Voir **LEVY Vaclav**

LEX C. Edmond
Né le 5 avril 1898 à Mâcon (Saône-et-Loire). xxe siècle. Français.
Peintre.
Il fut élève de Cormon à l'École des Beaux-Arts et de Pierre Laurens.
Il a exposé, à Paris, au Salon des Artistes Français, où il obtint une médaille d'argent en 1922.

LEXA Joseph
Né au xviie siècle à Jessenitz. xviie siècle. Tchécoslovaque.
Peintre de paysages et d'architectures.
Il travailla à Prague. On cite de lui des *Panoramas* de villes européennes.

LEXHALLER ou **Lexthaller**. Voir **LÖXHALLER**

LEXMOND Johannes Van
Né le 6 juillet 1769 à Dordrecht. Mort le 2 novembre 1838 à Dordrecht. xviiie-xixe siècles. Hollandais.
Peintre de paysages animés, paysages, dessinateur.
Élève de A. et de J. Van Stry. Il fut surtout professeur.
Musées : Dordrecht : *Cour d'une maison bourgeoise à Dordrecht* – Dordrecht (Van Gyn) : *Vue de Dordrecht.*
Ventes Publiques : Amsterdam, 25 nov. 1991 : *Vue de la cour de maisons dans une ville avec une servante balayant*, cr., encre et aquar. (20,3x14) : **NLG 4 370** – Londres, 9 déc. 1994 : *Citadins se promenant le long d'un canal hors des murs de Dordrecht*, h/t (35x44,6) : **GBP 4 830.**

LEXOW-HANSEN Sören
Né en 1845. Mort en 1918. xixe-xxe siècles. Norvégien.
Sculpteur.
Le Musée d'Oslo conserve de lui *Vala* (bronze), qu'il exposa en 1886.

LEXYCKI Franciszek ou **Leksycki** ou **Lekszycki**
Mort en 1668 à Grodno. xviie siècle. Actif à Cracovie. Polonais.
Peintre de sujets religieux.
Il fit ses études de peinture en Italie. Moine de Saint-Bernard.
Musées : Cracovie : *Sainte Thérèse*, miniat. sur parchemin – Varsovie : *Saint François.*

LEY Hans Christian Clausen
Né le 30 mars 1828 à Copenhague. Mort le 19 décembre 1875 à Copenhague. xixe siècle. Danois.
Peintre de genre, portraits.
Il fit des tableaux de genre et des portraits parmi lesquels son portrait par lui-même (1857) ; il peignit également des scènes de rues avec des personnages en costume du xviiie siècle.
Musées : Frederiksborg : *Dessins.*
Ventes Publiques : Calais, 4 juil. 1993 : *L'atelier du peintre*, h/pan. (20x17) : **FRF 9 500.**

LEY Sophie
Née le 20 mai 1859 à Bodman-am-Bodensee. Morte le 16 août 1918 à Karlsruhe. xixe-xxe siècles. Allemande.
Peintre de paysages, fleurs, graveur.
Élève de l'École des Beaux-Arts de Stuttgart, ainsi que de Gude et de Bracht à Karlsruhe. Elle obtint des récompenses aux écoles de Stuttgart, Berlin, Melbourne et se fixa à Karlsruhe. Elle exposa, à partir de 1880, à Berlin, Munich, etc. On cite d'elle *Un logis paisible au bord de l'eau.*
Ventes Publiques : New York, 15 oct. 1993 : *Nature morte de pensées et de pivoines dans un vase près d'une corbeille* 1892, h/t (96,5x71,2) : **USD 9 200.**

LE YAOUANC Alain
Né le 18 mai 1940 à Alençon (Orne). xxe siècle. Français.
Peintre, peintre de collages, lithographe, dessinateur, illustrateur, sculpteur, peintre de décors de théâtre, écrivain. Surréaliste.
Il séjourne aux États-Unis en 1956, où il exécute ses premières peintures. En 1957, premières expositions : New Britain et Mattatuck Museum, Waterbury, Connecticut. En 1958, suit des cours à l'Art Students League à New York et installe son premier atelier. Il se fixe à Paris en 1965, réalise ses premiers collages. Rencontre André Breton et Alexandre Jodorowsky. Participation au Festival de la Libre Expression au Centre culturel américain. Fait la connaissance de Patrick Waldberg en 1967 qui le présente à Aimé Maeght et participe l'année suivante à *L'art vivant 1965-1968* à la Fondation Maeght, Saint-Paul-de-Vence, ainsi qu'à l'exposition *Les Trésors du Surréalisme* à Knokke-le-Zoute en Belgique.
Il participe dès lors à de nombreuses expositions collectives dont : 1972 *L'Estampe et le Surréalisme au xxe siècle* organisée par Vision Nouvelle ; 5e Biennale de l'Art, Ibiza ; 1973 exposition itinérante *Surréalisme encore et toujours* organisée par Patrick Waldberg en Italie ; 1974 exposition organisée par la Galerie Maeght au Centre international des expositions, Téhéran ; Ve Foire internationale de l'Affiche, Varsovie ; 1975 présenté par Jean Selz, participe à l'exposition itinérante de peintures contemporaines en Extrême-Orient, organisée par l'Association Française d'Action Artistique ; 1978 *Maîtres du xxe siècle*, galerie Odermatt, Paris ; 1980 *European Trends in Modern Art, One Hundred Paintings*, Pierre Cardin, New York ; 1981 commence ses travaux architecturaux monumentaux et expose, dans le cadre du Festival français à Abou Dhabi, une grande marqueterie de marbre ; 1982 *Cabinet idéal d'un Amateur*, 93e Salon des Indépendants, Grand Palais, organisé par Pierre Cardin ; *Aragon et son siècle de peintres*, La Courneuve ; 1984 réalise de nombreuses compositions destinées aux mosaïques de marbre et expose deux marqueteries monumentales à Art Expo, Dallas et à la Texas Society of Architects en 1985, présenté par la Revue du xxe siècle ; nombreuses autres expositions de groupe en France et à l'étranger.
Ses deux premières expositions personnelles à la Galerie Maeght en 1969 et 1970 le font rencontrer Alain Bosquet et Louis Aragon qui publie son premier texte sur Le Yaouanc dans *Les lettres Françaises* en 1971. Parmi les nombreuses expositions personnelles : 1973 Palais des Arts et de la Culture, Brest ; 1976 Centre international de Réflexions sur le Futur, fondation Claude-Nicolas Ledoux, Arc-et-Senans ; Galerie Carmen Martinez, Paris ; 1979 FIAC (Foire Internationale d'Art Contemporain), présenté par la Galerie Carmen Martinez ; Centre international de Rencontres Sophia-Antipolis, Valbonne ; 1981 invité d'honneur du Salon de Rouen, au Musée des Beaux-Arts ; 1984 Maison de la Culture, Metz ; 1994 exposition pour l'inauguration de la Fondation Elsa Triolet-Louis Aragon, St-Arnoult-en-Yvelines ; 1996 Université de Poitiers ; Rétrospective, Château de Saint-Ouen.
Il réalise en 1973 les décors du ballet de Roland Petit, La Rose malade, inspiré par William Blake. Il publie plusieurs albums de lithographies, dont : *Magnificat* (1977) avec des poèmes de Guillevic, *Le Chemin de Ronde* (1977) avec une préface de Louis Aragon et un de ses textes, *Stone upon Stone* (1977) sur un texte de Louis Aragon. À la demande de l'UNESCO, il réalise en 1985 une affiche pour l'opération *Mémoire des rues, Mémoire du monde* au profit du Patrimoine mondial. En 1988, il travaille sur plusieurs projets de timbres-poste. Il réalise une affiche pour l'IRCAM en 1991.
Indépendamment de la peinture à l'huile, du dessin et des différents modes d'expression classiques, Alain Le Yaouanc affectionne tout particulièrement l'assemblage et la technique du collage qui évoque celle pratiquée par Max Ernst dans les années trente. Depuis vingt-cinq ans, Le Yaouanc travaille sur *L'Encyclopédie métaphysique*, une suite de collages réunissant aujourd'hui de nombreuses œuvres et un important texte qu'il a écrit. Il s'agit, selon le précepte recueilli de Lautréamont par les surréalistes, de faire se rencontrer ce qui ne l'aurait jamais pu. Ses assemblages insolites, à base de découpages dans des parutions désuètes mais aussi dans des gravures du xviiie siècle ou des planches d'architecture, se singularisent par l'introduction d'éléments géométriques, carré, cercle,..., qu'il organise avec rigueur. Parfois, des objets récupérés au gré du hasard sont détournés de leur destin et viennent s'insérer dans ces composi-

tions éclatées dont Aragon a écrit : « Il a poussé le collage, c'est à dire l'emploi d'une *figure* (comme on dit en grammaire) jusqu'aux confins de la sculpture ». Dans l'œuvre d'une fécondité peu commune, les dessins, les monotypes et les gouaches libèrent une imagination et une maîtrise remarquables, en particulier dans la construction de l'espace, des surfaces et des volumes, qui semble être l'une des préoccupations plastiques essentielles de son travail, sur lequel Lionel Ray a écrit : « ... un espace où le délire des songes insaisissables s'ordonne selon une géométrie exacte et imprévue... ». De la même manière, il exerce aussi son art de la métamorphose et du détournement des objets dans la création d'objets-sculptures d'un équilibre subtil qui prennent forme dans la fulgurance de sa pensée, entre rêve et conscience, réel et virtuel. ■ Philippe Bouchet, J. B.

Bibliogr. : *Derrière le miroir*, n° 176, préface de Patrick Waldberg, Éd. Maeght, Paris, 1969 - *Derrière le miroir*, n° 189, préface de Le Yaouanc, Éd. Maeght, Paris, 1970 - Alain Bosquet : *Pour saluer Le Yaouanc*, in : Chroniques de l'Art Vivant, Paris, déc. 1970 - Aragon : *Le Quatrième Chant*, in : Les Lettres Françaises, n° 1370, 27 janv.-2 Févr. 1971 - Patrick Waldberg : *L'engagement corporel de Le Yaouanc*, in : Revue du XXe siècle, n° 36, Paris, 1971 - in : Encyclopédie des Arts *Les Muses*, vol. 15, Grange Batelière, Paris, 1969-1974 - Catalogue de lithographies avec un texte de Louis Aragon, La Pierre d'Angle Éd., Paris, 1975 - Catalogue de l'exposition à la fondation Claude-Nicolas Ledoux, texte de Iannis Xenakis, Arc-et-Senans, 1976 - in : *Dictionnaire universel de la peinture*, Le Robert, Paris, 1976 - Aragon : *Le Yaouanc*, Monographie, Éd. Carmen Martinez, Paris, 1979 - Aragon, in : *Écrits sur l'art moderne*, Flammarion, Paris, 1981 - Catalogue de l'exposition Art Expo, Dallas, préface de Lionel Ray, Éd. Revue du XXe siècle, Paris, 1984 - Wolfgang Babilas : *Un peintre d'ailleurs, Aragon sur Alain Le Yaouanc*, in : *Écrire et voir, Aragon, Elsa Triolet et les arts visuels*, Centre Aixois de Recherches sur Aragon, Université de Provence, Aix-en-Provence, 1991 - in : *Faites entrer l'Infini*, n° 16, déc. 1993, journal de la Société des amis de Louis Aragon et Elsa Triolet - Catalogue de l'exposition à la Fondation Elsa Triolet-Louis Aragon, St Arnoult-en-Yvelines, 1994.

Musées : Saint-Ouen (château) - Vitry-sur-Seine.

Ventes Publiques : Paris, 30 nov. 1974 : *Unité d'origine II* : **FRF 30 000** - Versailles, 5 déc. 1976 : *Composition surréaliste* 1971, h/t (100x100) : **FRF 8 000** - Paris, 22 mars 1977 : *L'enfant prodige* 1970, col. (31x23) : **FRF 6 000** - Paris, 6 déc 1979 : *Composition* 1976, h/t (162x130) : **FRF 9 000** - Paris, 5 juil. 1982 : *Composition* 1971, h/t (180x140) : **FRF 10 500** - Paris, 5 déc. 1983 : *Composition* 1971, h/t (180x140) : **FRF 25 000** - Paris, 31 mai 1983 : *Assemblage dans une boîte*, collage d'objets sous verre (80x65) : **FRF 15 000** - Paris, 24 mars 1984 : *La bête apocryphe* 1967, gche (49x64,5) : **FRF 45 000** - Paris, 22 mars 1985 : *L'âge secondaire* 1957, h/t (sculpture et collage sous verre (130x97) : **FRF 10 000** - Paris, 5 avr. 1987 : *Sans titre* 1968, aquar., collage, cart., bois et pap. dans une boîte (172x141) : **FRF 18 000** - Paris, 20 mars 1988 : *Composition, bois, carton*, tissu/pan. (75x60,5) : **FRF 18 000** - Paris, 29 avr. 1988 : *Composition* 1975, h/t (146x114) : **FRF 9 500** - Paris, 8 nov. 1989 : *Ulysse* 1977, techn. mixte (13,5x17) : **FRF 15 000** - Paris, 4 avr. 1990 : *Sans titre* 1975, h/t (181x140) : **FRF 44 000** - Paris, 3 mai 1990 : *Composition* 1970, h/t (120x120) : **FRF 100 000** - Lyons-la-Forêt, 24 juin 1990 : *Collage* 1974, collage : **FRF 48 000** - Paris, 25 juin 1990 : *Collage aux chevalets* 1977, collage (40,5x33,5) : **FRF 60 000** - Le Touquet, 11 nov. 1990 : *Personnages et constructions*, collage (35x41) : **FRF 36 000** - Paris, 29 nov. 1991 : *Composition et personnage dans l'espace* 1971, collage (33x23) : **FRF 8 100** - Paris, 12 déc. 1992 : *Composition*, techn. mixte et collage (25,5x18,5) : **FRF 4 500** - Paris, 19 mars 1993 : *Logs* 1977, collage (21x29) : **FRF 5 100** - Paris, 13 déc. 1993 : *Composition spatiale*, h/t (180x140) : **FRF 7 000** - Paris, 4 mars 1994 : *Composition* 1974, acryl./t. (180x146) : **FRF 18 500** - New York, 24 fév. 1995 : *N° 11, situation métamorphique* 1972, gche/t. (132,1x179,7) : **USD 1 380** - Paris, 29 mars 1995 : *Sans titre* 1968, gche et collage/pap. (21x27) : **FRF 5 000** - Paris, 26 mai 1997 : *Sans titre*, h/pap. (49,5x60,5) : **FRF 4 500**.

LEYAT Paul J.

Né au XIXe siècle à Genève, de parents français. XIXe siècle. Français.

Graveur sur bois.

Élève de M. Martin. Il figura au Salon des Artistes Français à Paris, où il obtint une mention honorable en 1904.

LEYBAERT Clément

Né en 1935 à Termonde. XXe siècle. Belge.

Peintre de paysages, paysages urbains, portraits, fleurs.

Il fut élève, à Termonde, de l'Académie des Beaux-Arts et de l'Institut supérieur d'Anvers.

Bibliogr. : In : *Diction. biographique illustré des artistes en Belgique*, Arto, Bruxelles, 1987.

LEYBOLD. Voir aussi **LEUPOLD** et **LEYPOLD**

LEYBOLD Eduard Friedrich

Né le 4 juin 1798 à Stuttgart. XIXe siècle. Allemand.

Peintre, et lithographe.

Il travailla à Vienne. Il fit des portraits miniatures et des dessins, ainsi que des planches lithographiées. En 1847, il figura encore à l'Exposition de l'Académie de Vienne.

LEYBOLD Gustav Heinrich Adolf

Né en 1794 à Stuttgart. XIXe siècle. Allemand.

Graveur au burin.

Élève de son père Johann Friedrich. Il a gravé des portraits et des sujets religieux.

LEYBOLD Johann Friedrich

Né en 1755 à Stuttgart. Mort en 1838 à Vienne. XVIIIe-XIXe siècles. Allemand.

Peintre de miniatures et graveur au burin.

Élève de Bauer et Guibal pour le dessin et la peinture, de G. von Muller pour la gravure. Il alla à Cobourg en 1797, puis à Vienne l'année suivante. Il fut surtout connu comme bon miniaturiste. On lui doit quelques gravures sur des sujets d'histoire.

LEYBOLD Karl Jakob Theodor

Né le 19 mars 1786 à Stuttgart. Mort le 20 juillet 1844 à Stuttgart. XIXe siècle. Allemand.

Peintre d'histoire, compositions mythologiques, portraits.

Fils de Johann Friedrich Leybold. Élève de Wachter à l'Académie de Vienne. Résida à Rome de 1807 à 1815, puis revint à Vienne. Il y acquit la réputation d'un bon peintre de portraits. En 1821 il alla s'établir à Stuttgart où il fut professeur à l'Académie en 1829 et inspecteur de la Galerie de peintures en 1842.

Musées : Stuttgart : *Dannecker* - *Madame Dannecker* - *Nymphes dormant près de la source*.

Ventes Publiques : Vienne, 12 sep. 1984 : *La caserne*, aquar. (15x18) : **ATS 22 000** - Vienne, 29-30 oct. 1996 : *Portrait de deux enfants avec vaste paysage en arrière-plan* 1823, h/t (78,5x97,5) : **ATS 630 000**.

LEYBOLD Maria

XIXe siècle. Allemande.

Peintre de paysages.

Fille de Karl Leybold. Elle figura de 1839 à 1842 à l'Union des Artistes de Stuttgart.

LEYBOLD Moritz

Né le 10 août 1806 à Vienne. Mort le 13 avril 1857 à Vienne. XIXe siècle. Autrichien.

Peintre et graveur.

Il figura en 1842 et 1844 à l'Académie de Vienne.

LEYBOS P. ou **G.**

XVIIIe siècle. Travaillant à Leyde, de 1706 à 1708. Hollandais.

Graveur.

LEYBOWICZ Herszek

Né en 1700. Mort en 1770. XVIIIe siècle. Polonais.

Graveur sur métal et sur bois.

Graveur des princes Radziwill, il fit des illustrations des livres imprimés à Nieswicz sous le protectorat des princes. Il grava cent soixante-quatre portraits de *Membres de la famille Radziwill*, d'après des portraits d'ancêtres de la Galerie de Nieswicz.

LEYDE Kurt

Né le 12 juin 1881 à Berlin. XXe siècle. Allemand.

Peintre de figures, portraits, paysages, graveur.

Il fut élève des Académies de Munich et de Königsberg (Kaliningrad). Il voyagea en France et en Italie et séjourna de nombreuses années à Madrid.

LEYDE Otto Théodor

Né en 1835 à Wehlau. Mort le 11 janvier 1897 à Édimbourg. XIXe siècle. Allemand.

Peintre de genre, portraits, aquarelliste, graveur, lithographe.

Élève de Rossenfelder à Königsberg. Il vint s'établir à Édimbourg en 1854 et s'y fit une place comme lithographe. Il s'adonnait entre temps à la peinture, exposa à la Royal Scottish Aca-

demy à partir de 1858, y fut nommé associé en 1870 et académicien en 1880. Il fut bibliothécaire de l'Académie. À la fin de sa carrière il s'adonna à l'eau-forte et produisit un nombre important de gravures originales et de reproductions de ses tableaux.
Musées : Édimbourg : *Auld Robin Gray.*
Ventes Publiques : Londres, 15 mars 1974 : *La maison du vagabond* 1867 : **GNS 1 300** – Auchterarder (Écosse), 30 août 1983 : *Asleep*, h/t (56x63,5) : **GBP 1 600** – Glasgow, 30 jan. 1985 : *Le jeu de cache-cache*, h/t (92x61) : **GBP 2 000** – Perth, 28 août 1989 : *Les jeunes conspirateurs* 1889, aquar. avec des reh. de blanc (54x43) : **GBP 1 430** – Perth, 27 août 1990 : *Un toast*, h/cart. (22,5x32) : **GBP 1 760** – Perth, 26 août 1996 : *Le cadeau de réconciliation*, h/t (80,5x108,5) : **GBP 8 625**.

LEYDEN Van. Voir aussi au prénom

LEYDEN Aert Van. Voir **CLAESZ Aert**

LEYDEN Ernst Van

Né le 16 mai 1892 à Rotterdam. Mort en 1969 à Versailles (Yvelines). xxe siècle. Actif depuis 1928 en France et depuis 1940 naturalisé aux États-Unis, actif aussi en Italie. Hollandais.

Peintre de paysages, portraits, natures mortes, peintre de collages.

Ernst Van Leyden fut élève de l'Académie des Beaux-Arts de Rotterdam. Vers 1916, il connut Mondrian, Van Doesburg, Van der Leck et le tout jeune Willem de Kooning venant lui rendre visite à son atelier. Il travailla à Loosdrecht, près d'Amsterdam. Il effectua des voyages autour de la Méditerranée : Maroc, Égypte, Sicile, Syrie, d'où il rapporta quantité de paysages. Il séjourna à Paris, s'y fixant en 1928, puis choisit de s'établir près de Cintra au Portugal avec Karin sa future femme, artiste peintre également. Dans leur peinture, ils évoluèrent parfois de concert. En 1935, l'incendie de son atelier à Londres détruisit une grande partie de ses œuvres figuratives antérieures. La Seconde Guerre mondiale l'obligea, lui et sa femme, à s'exiler aux États-Unis. De New York, ils s'établirent en Californie près de Los Angeles. Là, il fréquenta des écrivains et des musiciens, dont il fit parfois les portraits : Thomas Mann, Henri Miller, Aldous Huxley, Brecht, Dali, Stravinsky. En 1958, il décida de retourner vivre à Paris puis dans la région parisienne (Montfort l'Amaury) où il se fixa définitivement en 1962.
Il figura, entre autres, à la Biennale de Venise en 1932, à l'Exposition universelle de Bruxelles en 1935 où il remporta une médaille d'or, au Salon des Réalités Nouvelles, à Paris, en 1961.
Dès les années vingt, il montra ses œuvres dans des expositions personnelles, par exemple à La Haye, Utrecht, Rotterdam, Anvers, Bruxelles, New York, Paris (galerie Bernheim-Jeune, galerie Georges Bernheim, galerie Zak), Lisbonne et Londres en 1935, Amsterdam en 1937. Pendant et après la Seconde Guerre mondiale, il se fit connaître aux États-Unis : à New York à la galerie Vivienne en 1940, à Los Angeles, San Francisco..., puis de nouveau à Bruxelles au Musée des Beaux-Arts en 1949 et à Paris à la galerie Suffrene en 1959 (préface Waldemar George). À partir de 1962, Ernst Van Leyden continua de montrer régulièrement ses œuvres dans des expositions personnelles, notamment, galerie Iris Clert à Venise, galerie Creuse à Paris, galerie Anderson-Meyer à Paris, au Whitney Museum à New York, au Kunstverein de Cologne. En 1988 et 1989, La galerie Arnoux, à Paris, a réuni un ensemble de ses œuvres des années cinquante et soixante.
Il peignit à Amsterdam des vues de canaux et de marches, et à l'île Urk dans le Zuyderzee, des scènes de vie des pêcheurs. On connaît de lui des tableaux de fleurs et des portraits, de l'époque où il séjourna en France. À partir des années cinquante, il évolua à l'abstraction. Les historiens et critiques d'art, Herbert Read, Gindertael, Michel Ragon, se sont intéressés à son œuvre. Ce dernier écrivait en 1962 : « La peinture de Van Leyden a une qualité rare, qui pourra paraître démodée et quelque peu choquante : elle est belle. Circonstance aggravante : elle est sereine et joyeuse ». ■ C. D.

Bibliogr. : *Atelier de Ernst Van Leyden*, catalogue de vente aux enchères publiques, Hervé Chayette, Laurence Calmels, vendredi 18 mars 1994, Paris.
Musées : Amsterdam (Stedelijk Mus.) – Bruxelles (Mus. des Beaux-Arts) – Budapest – Le Caire – Lisbonne – Londres (Tate Gal.) : *Portrait de Karin* – Londres (Tate Gal.) – New York (Solomon R. Guggenheim) – New York (Whitney Mus.) – Paris (Mus. d'Art Mod. de la Ville) – Paris (Mus. du Jeu de Paume) – Rome – Rome – Rotterdam (Boyemans Mus.) – Santa Barbara.
Ventes Publiques : Paris, 12 oct. 1986 : *Lolita* 1961, h. et collage/t. (130x195) : **FRF 15 000** – Paris, 12 fév. 1989 : *Composition* 1969, h/t (60x360) : **FRF 28 000** – Amsterdam, 10 avr. 1989 : *De hooge wilgen* 1923, h/t (83,5x99) : **NLG 4 025** – Amsterdam, 22 mai 1990 : *Le port de Urk*, h/cart. (54,5x72) : **NLG 1 840** – Douai, 1er juil. 1990 : *Portrait de James Ensor*, h/t (75x50) : **FRF 11 500** – Amsterdam, 11 sep. 1990 : *Portrait du poète J. R. Rensburg assis de trois-quarts dans un fauteuil, vêtu d'un smoking et d'une chemise à plastron* 1925, h/t (90x80) : **NLG 4 370** – Milan, 24 oct. 1990 : *Sans titre* 1961, techn. mixte et décollage/cart. (40x47) : **ITL 3 700 000** – Amsterdam, 17 sep. 1991 : *Paysage de Sicile*, h/t (83x90) : **NLG 2 990** – Amsterdam, 9 déc. 1992 : *Prinseneiland* 1916, h/pan. (48,2x55,5) : **NLG 3 680** – Paris, 18 mars 1994 : *Le chapeau noir – portrait de Karin* 1931, h/t (51x42) : **FRF 3 900** – Amsterdam, 1er juin 1994 : *Fruits*, h/t (61x82,5) : **NLG 1 840** – Amsterdam, 31 mai 1995 : *Automne* 1924, h/t (90x80) : **NLG 4 720**.

LEYDEN Jan Van

xviie siècle. Actif vers 1660. Hollandais.

Peintre de marines.

Musées : Amsterdam : *La flotte hollandaise devant Chatham en juin 1667* – Middelburg : *Destruction de la flotte anglaise.*
Ventes Publiques : New York, 19 mars 1981 : *Bateau par forte mer*, h/pan. (37,5x49,5) : **USD 4 600** – Amsterdam, 7 mai 1993 : *Navigation dans un estuaire*, h/pan. (58x83) : **NLG 17 250**.

LEYDEN Karin Van, née **Kluth**

Née le 23 juillet 1906 à Berlin. Morte en juin 1977 à Lugano (Suisse). xxe siècle. Active en Hollande, en France, aux États-Unis, en Italie. Allemande.

Peintre de portraits, compositions à personnages, dessinateur, aquarelliste, peintre de compositions murales. Tendance figuration-onirique.

Karin Van Leyden a étudié, entre 1925 et 1927, à l'École des Beaux-Arts de Cologne (*Kölner Werkschule*) avec Richard Seewald et Torn Prikker. Elle fit, à cette même époque, la rencontre du peintre Ernst Van Leyden qui deviendra son époux. Dans leur peinture, ils évoluèrent parfois de concert. Elle suivit les cours de l'Académie de Florence dans l'atelier du fresquiste Chigi. Jusqu'en 1938, elle vécut à Paris et Loosdrecht, près d'Amsterdam, en compagnie d'Ernst Van Leyden. Ils séjournèrent quelque temps près de Cintra au Portugal. En 1939, devant l'imminence d'un conflit généralisé, ils prirent la décision de s'exiler aux États-Unis, à New York. En 1941, le couple s'installa en Californie, dans les faubourgs de Los Angeles. En 1947, elle effectua un voyage au Mexique et, à partir de cette même date, séjourna de plus en plus fréquemment en Europe, finissant par s'y fixer à nouveau, au milieu des années cinquante, avec son mari, et plus précisément en France. Continuant de résider à temps partiel à New York ou en Italie, Karin Van Leyden décida ensuite de s'établir définitivement à Lugano en Suisse près de sa sœur. À la fin des années trente, elle réalisa de grandes peintures murales au château de Hatherop dans le Gloucestershire (Angleterre), puis, après la guerre, aux États-Unis et en France, notamment pour le restaurant *La Méditerranée* à Paris.
Elle montra ses œuvres pour la première fois dès 1928 au Kunstverein de Cologne, puis, entre autres : 1928, galerie Van Lier, Amsterdam ; 1930, galerie Zak, Paris ; 1933, Kunstkring, Amsterdam ; 1937, Leicester Galleries, Londres (préface d'Aldous Huxley) ; 1939, Tate Gallery, Londres ; entre 1942 et 1946, Los Angeles et San Francisco ; au début des années cinquante, galerie René Breteau, Paris.
Dans un premier temps, celle, dont Man Ray réalisa un superbe portrait photographique, excella particulièrement dans la représentation d'un monde imprégné par les effluves du rêve. *Femme et chats* (1926), *La Famille juive* (1927) retiennent l'attention du spectateur, moins pour leur composition que pour la qualité psychologique des scènes, où la fatalité semble être l'amie du destin. À la fin des années trente, sa figuration gagne en précision linéaire, ce qu'elle perd en picturalité (*La Sieste* 1937), caractéristique qui lui permet, sans doute, d'exceller, aux États-Unis, comme portraitiste du « tout hollywood ». Au début des années cinquante, une influence picassienne (cubiste et post-cubiste)

structure ses compositions de figures : *Marchands indiens* (1952), *Vendeurs de figues et ananas* (1956). Karin Van Leyden personnalise ainsi sa peinture dont on peut interpréter le sens plastique comme un souci de complémentarité entre les sujets traités, souvent exotiques, et le style qui ne manque pas de charme. Elle s'orienta ensuite vers une abstraction poétique non sans accointances avec celle d'un Klee par exemple. ■ C. D.

BIBLIOGR. : *Atelier de Ernst Van Leyden*, catalogue de vente aux enchères publiques, Hervé Chayette, Laurence Calmels, vendredi 18 mars 1994, Paris.
MUSÉES : AMSTERDAM (Stedelijk Mus.) – COLOGNE – LISBONNE (Mus. d'Art Contemp.) – LONDRES (Tate Gal.) – PARIS (Mus. du Jeu de Paume) – PORTO.
VENTES PUBLIQUES : PARIS, 18 mars 1994 : *Les joueurs* 1926, gche (38,5x29) : **FRF 4 200** ; *Café chinois*, h/t (105x120) : **FRF 11 000**.

LEYDEN Lucas Van. Voir **LUCAS Van Leyden**

LEYDEN Peter Van, pseudonyme : **Ram**
Peintre.
Artiste inconnu dont le portrait est à Rotterdam.

LEYDERDORP Andries
Né le 6 décembre 1789 à Delfshaven. XIXe siècle. Hollandais.
Peintre de genre et de paysages et graveur.
Élève de Pieter Gerardus Van Os à Amsterdam pour la peinture et de Veelward sen. et W. Nseuwhoff pour la gravure.

VENTES PUBLIQUES : LONDRES, 14 juin 1974 : *Vue de Dordrecht* : **GNS 600**.

LEYDET Jean
Né en 1807 à Turin. XIXe siècle. Actif à Paris. Français.
Peintre et aquarelliste.
Il exposa de 1831 à 1841.

LEYDET Louis
Né en 1873 à Aix-en-Provence (Bouches-du-Rhône). Mort en 1944 à Nice (Alpes-Maritimes). XXe siècle. Français.
Peintre de portraits, paysages, fleurs.
Fils du peintre Victor Leydet, il fut élève de Bonnat. Il devint inspecteur de l'enseignement des Beaux-Arts.
il vécut à Aix-en-Provence, où il reconnut le génie de Cézanne, sans pour autant essayer de l'imiter. Ses formes baroques, traitées à larges coups de pinceau, dans une pâte généreuse, rapprochent son art de celui de Monticelli.
BIBLIOGR. : Gérald Schurr, in : *Les Petits Maîtres de la peinture 1820-1920, valeur de demain*, Les Éditions de l'Amateur, t. VII, Paris, 1989.

LEYDET Victor
Né le 21 juillet 1845 à L'Isle-sur-Sorgue (Vaucluse). Mort le 20 octobre 1904 à Sorgues (Vaucluse). XIXe siècle. Français.
Peintre de portraits, scènes de genre, paysages.
Il fut élève de Gabriel Bourgès et de Gérome. Père du peintre Louis Leydet.
Son art, teinté de piété vécue dans l'humilité, la résignation, la désespérance, est traité avec une extrême précision, dans des tonalités où ressortent les gris et les noirs veloutés. Ses paysages donnent une vision plus libre, presque impressionniste, peints d'une touche plus légère, dans des tons plus clairs.
BIBLIOGR. : Gérald Schurr, in : *Les Petits Maîtres de la peinture 1820-1920, valeur de demain*, Les Éditions de l'Amateur, t. VII, Paris, 1989.
MUSÉES : ALAIS : *Tête d'enfant* – AVIGNON (Mus. Calvet) : *Le débarquement des saintes Maries près de La Couronne – Avant la messe* – LA ROCHELLE : *Le Vendredi Saint.*
VENTES PUBLIQUES : PARIS, 4 fév. 1928 : *Glaïeuls* : **FRF 1 100** ; *Le bastidon provençal* : **FRF 1 400** – PARIS, 6 déc. 1944 : *Toréador* : **FRF 1 000** – AVIGNON, 4 avr. 1950 : *Intérieur* : **FRF 10 000** – LONDRES, 14 févr 1979 : *Au Harem*, h/t (72x88) : **GBP 1 800**.

LEYE Jan Van der
XIVe siècle. Actif à Bruges en 1351. Éc. flamande.
Peintre.
Il travailla à la chapelle de l'Hôtel de Ville de Bruges.

LEYE Roger Van der
XVIIe siècle. Actif à Bruges. Éc. flamande.
Peintre.
Il travailla en 1648 pour les fêtes à l'occasion du mariage de Charles le Téméraire.

LEYEN Hélène von der
Née le 5 janvier 1874 à Hambourg. XXe siècle. Active aux États-Unis. Allemande.
Peintre de portraits.
Elle a vécu et travaillé à New Haven (Connecticut).
MUSÉES : MANNHEIM (Kunsthalle) : *Jeune fille au chapeau.*

LEYEN Nicolas de. Voir **LERCH Nicolas**

LEYENDECKER Francis Xavier
Né en 1877 en Allemagne. Mort en 1924 aux États-Unis. XXe siècle. Depuis 1897 actif aux États-Unis. Allemand.
Peintre, dessinateur, illustrateur, peintre de cartons de vitraux.
Il est le frère de Joseph Christian Leyendecker. D'abord apprenti chez le maître-verrier Carl Brandt, à Vienne, il rejoignit son frère à Paris pour y étudier à l'Académie Julian et Colarossi. Il s'établit en 1897 à Chicago.
Illustrateur pour des magazines américains, il réalisa aussi des affiches et exécuta des cartons de vitraux. Il illustra notamment *American art by american artists* et *The City of delight.*
BIBLIOGR. : In : *Diction. des illustrateurs 1800-1914*, Ides et Calendes, Neuchâtel, 1989.
VENTES PUBLIQUES : NEW YORK, 20 avr 1979 : *Scène de cirque (illustration pour Life Magazine)*, h/t (81,3x64,8) : **USD 4 000** – NEW YORK, 20 avr. 1982 : *City Park*, h/pan. (37,2x26) : **USD 4 750** – MONTE-CARLO, 15 fév. 1983 : *La Fileuse*, h/t (55,5x46) : **FRF 15 000** – NEW YORK, 15 mai 1991 : *Le violon enchanté*, h/cart. (50,8x40,6) : **USD 1 980** – NEW YORK, 10 mars 1993 : *Athlète devant une mosaïque*, h/t (91,4x66) : **USD 5 175**.

LEYENDECKER Joseph ou **Leiendecker**
Né vers 1810 à Dernau (Prusse). Mort en 1867 à Paris. XIXe siècle. Français.
Portraitiste et peintre d'histoire.
Il travailla exclusivement en France. Élève de P. Delaroche et de Heim. Il exposa de 1848 à 1867. Le Musée de Versailles conserve de lui : *Portrait du comte de Muraire.*
VENTES PUBLIQUES : PARIS, 27 mai 1943 : *L'Incroyable à l'éventail* : **FRF 1 150**.

LEYENDECKER Joseph Christian
Né le 23 mars 1874 à Montabaur (Eifel, Rhénanie). Mort le 25 juillet 1951 à New Rochelle (New York). XXe siècle. Actif aux États-Unis. Allemand.
Peintre, illustrateur, affichiste.
Il a étudié à l'Art Institute de Chicago et à l'Académie Julian, à Paris. Aux États-Unis, il ouvrit avec son frère un atelier d'illustration à Chicago. Il fut membre du Salmagundi Club.
Il figura, à Paris, au Salon du champ de Mars. Il collabora à des magazines et revues américaines dont : *Saturday Evening Post ; The Inland Printer ; The Century.* Il illustra certains ouvrages et publications parmi lesquels : *A song of faith, 23 psalm* ; la Bible en 1894, *Love songs.*
BIBLIOGR. : In : *Diction. des illustrateurs, 1800-1914*, Ides et Calendes, Neuchâtel, 1989.
VENTES PUBLIQUES : LOS ANGELES, 22 mai 1973 : *Jeune garçon à la lanterne* : **USD 1 300** – NEW YORK, 29 avr. 1976 : *New Year's World* 1917, h/t (61x48,3) : **USD 1 400** – NEW YORK, 2 févr 1979 : *Black tie*, h/t (55,2x50,8) : **USD 5 100** – NEW YORK, 25 sep. 1980 : *Illustration for Art in Dress*, aquar. (41,2x33,2) : **USD 1 200** – NEW YORK, 2 déc. 1982 : *Hailing you for US Navy*, h/t (101,6x71,1) : **USD 15 000** – NEW YORK, 2 juin 1983 : *Circus Parade*, h/t (59,7x49,5) : **USD 15 000** – NEW YORK, 30 mai 1986 : *Sous l'ombrelle*, h/t (52x50) : **USD 12 000** – NEW YORK, 10 nov. 1987 : *Musicien du Marching Band*, h/t (70x52) : **USD 13 000** – NEW YORK, 30 sep. 1988 : *Des fleurs pour la dame*, h/t (68x49,5) : **USD 13 200** – NEW YORK, 28 sep. 1989 : *A votre service*, h/t (54,6x50,8) : **USD 28 600** – NEW YORK, 24 mai 1990 : *Lanceur en action sur un terrain de baseball*, h/t (76,2x53,4) : **USD 28 600** – NEW YORK, 30 nov. 1990 : *Le retour*, h/t (71,6x107,5) : **USD 19 800** – NEW YORK, 2 déc. 1993 : *George Washington*, h/t (73,7x53,3) : **GBP 17 250** – NEW YORK, 21 sep. 1994 : *L'année nouvellement née*, h/t (68,6x50,8) : **USD 14 950** – NEW YORK, 20 mars 1996 : *Banlieusard au printemps*, h/t (71,1x50,8) : **USD 21 850**.

LEYENDECKER Mathias ou **Leiendecker**
Né en 1822 à Dernau (Prusse). Mort le 24 mai 1871 à Paris. XIXe siècle. Allemand.

Peintre de portraits, natures mortes.

Élève de Michel Drolling et de Franz Xaver Winterhalter, il exposa de 1848 à 1871.

Ses natures mortes sont peintes avec une telle minutie qu'elles se rapprochent du trompe-l'œil. Certaines œuvres sont directement inspirées de l'art de Desportes ou d'Oudry.

Bibliogr. : Gérald Schurr, in : *Les Petits Maîtres de la peinture 1820-1920, valeur de demain,* Les Éditions de l'Amateur, t. V, Paris, 1981.

Musées : Berlin (Nat. Gal.) : *Perdrix* – Lyon : *Cailles et alouettes.*

Ventes Publiques : Londres, 4 oct. 1991 : *Gibier à plume attaché par les pattes et suspendu à un clou* 1869, h/t (35,5x22,2) : **GBP 1 430.**

LEYENDECKER Paul Joseph ou **Leiendecker**

Né en 1842 à Paris. XIXe siècle. Français.

Peintre de genre, paysages. Orientaliste.

Fils et élève de Joseph Leyendecker, il travailla également sous la direction de Gérome et d'Émile Signol. Il participa au Salon de Paris de 1865 à 1891.

Des couleurs chatoyantes, posées avec légèreté, caractérisent ses scènes orientales.

LEYENDECKER

Bibliogr. : Gérald Schurr, in : *Les Petits Maîtres de la peinture 1820-1920, valeur de demain,* Les Éditions de l'Amateur, t. V, Paris, 1981.

Musées : Bourges : *Joseph dans sa prison expliquant les songes de Pharaon.*

Ventes Publiques : Paris, 1891 : *Sujet de genre* : **FRF 450** – Paris, 8 déc. 1924 : *La lecture d'une pièce chez Molière* : **FRF 1 400** – Paris, 27 déc. 1927 : *L'amateur de peinture* : **FRF 155** – Londres, 23 juil. 1976 : *Fillette jouant avec son chien* 1869, h/pan. (30,5x23) : **GBP 1 000** – Londres, 30 nov. 1977 : *Molière lisant une de ses pièces devant une élégante compagnie* 1874 (57x79) : **GBP 3 600** – Versailles, 23 nov. 1980 : *Incroyable et Merveilleuse,* h/pan. : **FRF 3 500** ; *Le couple heureux* 1877, h/pan. : **FRF 4 200** – New York, 26 fév. 1986 : *Jeune femme dans une volière* 1870, h/pan. (35,2x26,6) : **USD 6 000** – Paris, 8 déc. 1987 : *La Péniche* 1887, h/t (114x146) : **FRF 20 000** – New York, 20 jan. 1993 : *Deux gentilshommes en forêt* 1875, h/t (32,4x24,1) : **USD 460** – Paris, 26 juin 1995 : *Scène de genre,* h/t (54x65) : **FRF 11 000.**

LEYERDORP Andries. Voir **LEYDERDORP**

LEYGEBE. Voir **LEIGEB**

LEYGUE Eugène

Né vers 1813 à Toulouse (Haute-Garonne). Mort en 1877 à Paris. XIXe siècle. Français.

Peintre d'histoire, scènes de genre, portraits.

Élève d'Eugène Delacroix. Il exposa au Salon de Paris de 1839 à 1877.

Musées : Chambéry (Mus. des Beaux-Arts) : *Les Fiancés* – Rochefort : *Charles VI distrait de sa folie par Odette et par son fou* – Toulouse : *Orphelins.*

Ventes Publiques : Londres, 14 juin 1995 : *Jeune fille contemplant une étoile de mer,* h/t (48x33) : **GBP 2 760.**

LEYGUE Louis

Né le 25 août 1905 à Bourg-en-Bresse (Ain). Mort le 5 mars 1992. XXe siècle. Français.

Sculpteur, graveur.

En 1921, il fut élève de Wlérick, à l'École Germain Pilon ; en 1923, il fut élève de l'École des Arts Décoratifs, puis de l'École des Beaux-Arts, dans l'atelier de Coutan, puis dans celui de Sicard. Il effectua des séjours et voyages à Rome, en Italie, en Grèce, en Turquie, et à travers l'Europe. En 1938-1939, il exécute des travaux de commande au Canada et voyage aux États-Unis. Il est déporté en Allemagne en 1941. Après la guerre, il est nommé professeur à l'École des Beaux-Arts de Paris, en 1945.

Il participe à plusieurs salons annuels parisiens parmi lesquels : Tuileries, Automne, Jeune Sculpture, Peintre Témoins de leur Temps, ainsi qu'à des expositions de groupe en France et à l'étranger, comme la Biennale de Carrare, en 1959. Il montre ses œuvres, dessins et petites sculptures, pour la première fois à Paris, en 1945, puis en 1946, 1947, 1959 et à l'occasion de l'exposition rétrospective du Musée Rodin en 1974. Les commandes de sculptures monumentales deviennent nombreuses à partir de 1947. Il a figuré à l'exposition intitulée *De Bonnard à Baselitz* à la Bibliothèque nationale à Paris en 1992.

Il obtint le grand Prix de Rome, en 1931. Il est élu membre de l'Institut, en 1969 ; chevalier de la Légion d'honneur, depuis 1955 ; officier des Arts et Lettres.

De 1935 date la taille directe de son premier monument : *Ossuaire des soldats français tombés sur le Piave,* au nord de Venise. En 1950, il commence vraiment le travail du métal. Parmi ses travaux personnels on cite : *Triptolème,* fer, 1950 ; *Grand Cheval,* cuivre, 1952 ; *Le Prisonnier politique inconnu,* bronze, 1953 ; *Le fusillé* (ou *Saint Sébastien*), bronze, 1954 ; *Le Cortège,* bronze, 1958 ; *Le Grand Cervidé,* cuivre rouge, 1961 ; *Le Centaure,* 1970 ; etc. Parmi ses sculptures monumentales : *Monument aux déportés de l'Ain,* 1948-49 ; *Phénix,* bronze et cuivre, 1955, pour l'université de Caen ; *La France renaissante,* bronze, 1956, pour l'Ambassade de France à Tokyo ; *Monument du pont d'Abidjan,* 1957 ; décoration pour le Grand Auditorium de la Maison de l'O.R.T.F., Paris, 1962 ; *Le Cortège,* 1967, pour Saint-Denis ; etc. Il a su dépasser l'enseignement traditionnel qu'il a reçu, d'abord pour traduire dans un langage plus contemporain le choc ressenti devant la sculpture baroque italienne, puis pour intégrer à son propre travail l'apport des Lipchitz ou Zadkine, notamment dans son groupe *Cortège.*

Bibliogr. : Renée Moutard-Uldry : *Louis Leygue,* in : *Cahiers Art-Document,* Cailler, Genève, 1960 – Denys Chevalier, in : *Nouveau Dictionnaire de la sculpture moderne,* Hazan, Paris, 1970 – in : *De Bonnard à Baselitz – Dix ans d'enrichissements du Cabinet des Estampes 1978-1988,* catalogue de l'exposition, Bibliothèque nationale, Paris, 1992.

Musées : Bourg-en-Bresse : *Maquette du mouvement des déportés de l'Ain* – Orléans : *Le Grand Cervidé* – Paris (Mus. Nat. d'Art Mod.) : *Jeunesse,* bronze – Paris (Mus. mun. d'Art Mod.) : *Triptolème* – *Le Fusillé* – Rome (Palais Taverna) : *Copie du Louis XIV du Bernin* – Versailles (Mus. du Château) : *Copie du Louis XIV du Bernin.*

Ventes Publiques : Paris, 19 nov. 1995 : *L'ange de la Victoire,* bronze (H. 27) : **FRF 5 000** – Paris, 23 juin 1997 : *Femme à la colombe,* bronze patine vert foncé nuancée de brun (29x24) : **FRF 5 800.**

LEYGUES James

Né en 1827 à Villeneuve-sur-Lot (Lot-et-Garonne). Mort en 1881. XIXe siècle. Français.

Peintre de compositions religieuses, mythologiques, scènes de genre, paysages.

Il fut élève à l'École des Beaux-Arts de Toulouse, entre 1846 et 1857. Une rétrospective lui a été consacrée au musée Gaston-Rapin de Villeneuve-sur-Lot en 1972.

Ses paysages, scènes de ferme, retours de foire, très détaillés conservent une harmonie classique.

Bibliogr. : Gérald Schurr, in : *Les Petits Maîtres de la peinture 1820-1920, valeur de demain,* Les Éditions de l'Amateur, t. IV, Paris, 1979.

Musées : Villeneuve-sur-Lot (Mus. Gaston Rapin) : *Un dépiquage à la ferme.*

LEYLAND Joseph Bentley

Né le 31 mars 1811 à Halifax. Mort le 26 janvier 1851 à Halifax. XIXe siècle. Britannique.

Sculpteur.

On cite, parmi ses œuvres, la statue du *Dr. Beckwith* à la cathédrale d'York.

Musées : Halifax : *Kilmeny, jeune fille pure* – Salford : *Fauconnier de Thrace* – *Braques africains.*

LEYMAN Mark

XXe siècle.

Sculpteur.

Il travaille le bois, assemblant divers volumes, pour donner naissance à une forme sans nom, qui évoque quelque architecture, quelque personnage.

LEYMARIE Auguste Louis

Né à Brive-la-Gaillarde (Corrèze). XIXe-XXe siècles. Français.

Peintre de genre, paysages, aquarelliste.

Il fut élève de Gérome, Gabriel Ferrier et Guillemet. Il participa à Paris, au Salon des Artistes Français, où il obtint une mention honorable en 1910.

Ventes Publiques : Paris, 18 avr. 1945 : *Place devant une église en Italie,* aquar. : **FRF 650.**

LEYMARIE Camille

Né en 1845 à Limoges (Haute-Vienne). XIXe siècle. Français.

Aquarelliste.

Le Musée de Limoges conserve de lui une *Vue des environs* de Limoges.

LEYMARIE Hippolyte
Né en 1809 à Lyon (Rhône). Mort en 1844 à Saint-Rambert-en-Bugey (Ain). XIXe siècle. Français.
Peintre de paysages, graveur.
Élève d'Antoine Guindrand, à l'École des Beaux-Arts de Lyon, il voyagea de l'Écosse à la Provence, avant de s'installer, en 1836 à Saint-Rambert-de-Bugey.
Sa facture est à la fois libre et minutieuse.
Bibliogr. : Gérald Schurr, in : *Les Petits Maîtres de la peinture 1820-1920, valeur de demain*, Les Éditions de l'Amateur, t. V, Paris, 1981.
Musées : Lyon : *Vue de Lyon, prise en aval du pont Tilsit – Paysage.*

LEYMERS Huybrecht ou **Lymers**
XVIe-XVIIe siècles. Actif à Dordrecht. Éc. flamande.
Peintre.

LEYMEYERS Heribrecht ou **Leynnes** ou **Leynertz**
XVIe siècle. Danois.
Peintre.
Il fut, de 1588 à 1598, directeur de la Manufacture d'Helsingor.

LEYNIERS Antoine ou **Leniers**
XVIe siècle. Actif à Bruxelles. Éc. flamande.
Peintre.
Il exécuta en 1562 des tapis pour l'église Saint-Pierre de Louvain.

LEYNIERS Daniel I ou **Leniers**
Né le 8 mai 1618. Mort le 27 octobre 1688. XVIIe siècle. Actif à Bruxelles. Éc. flamande.
Peintre de natures mortes.

LEYNIERS Daniel II ou **Leniers**
Né le 24 mai 1669. Mort le 16 août 1728. XVIIe-XVIIIe siècles. Actif à Bruxelles. Éc. flamande.
Peintre.

LEYNIERS Daniel III ou **Leniers**
Né le 25 septembre 1705. Mort le 7 février 1770. XVIIIe siècle. Actif à Bruxelles. Éc. flamande.
Peintre.

LEYNIERS Everaert ou **Leniers**
Né le 16 juin 1597. Mort le 29 janvier 1680. XVIIe siècle. Actif à Bruxelles. Éc. flamande.
Peintre.

LEYNIERS Giels ou **Leniers**
Né en 1641. Mort le 15 mai 1703. XVIIe siècle. Actif à Bruxelles. Éc. flamande.
Peintre.
Fils d'Everaert.

LEYNIERS Jan ou **Leniers**
Né en 1630. Mort le 13 décembre 1686. XVIIe siècle. Actif à Bruxelles. Éc. flamande.
Peintre.
Fils d'Everaert.

LEYNIERS Nicolas ou **Leniers**
XVIe siècle. Actif à Bruxelles. Éc. flamande.
Peintre.

LEYNIERS Urbanus ou **Leniers**
Né le 26 février 1674. Mort le 18 mars 1747. XVIIe-XVIIIe siècles. Actif à Bruxelles. Éc. flamande.
Peintre.

LEYNNES Heribrecht. Voir **LEYMEYERS**

LEYPOLD Johann
XVIIe siècle. Allemand.
Dessinateur et graveur au burin.
Il a gravé des portraits.

LEYPOLD Karl Julius von
Né le 24 juin 1806 à Dresde. Mort le 31 décembre 1874 à Niederlœssnitz (près de Dresde). XIXe siècle. Allemand.
Paysagiste.
Élève de Claussen Dahl à l'Académie de Dresde. Il exposa fréquemment à partir de 1828. Membre honoraire de l'Académie de Dresde. La Galerie de cette ville conserve de lui : *Ville au bord d'une rivière, L'ancien bastion de Mercure à Dresde, le même, vu d'un autre côté, Montagne dans la neige*. Le Musée de Chemnitz possède de cet artiste : *Porte d'une petite ville.*

Ventes Publiques : Cologne, 30 mars 1979 : *Paysage d'hiver* 1866, h/cart. (20,5x30,5) : **DEM 22 000**.

LEYRITZ Jeanne Hélène de, née **Vesques d'Ourche**
Née le 21 août 1885 à Paris. Morte le 31 mai 1940 à Paris. XXe siècle. Française.
Sculpteur.
Elle fut élève de Marqueste à l'école des beaux-arts de Paris. Elle a exposé à partir de 1910, au Salon des Artistes Français. On cite d'elle *Iocchus*, buste en terre cuite acquis par l'État.

LEYRITZ Léon Albert Marie de, baron
Né le 7 janvier 1888 à Paris. Mort le 26 mars 1976 à Fréjus (Var). XXe siècle. Français.
Sculpteur de bustes, monuments, peintre, fresquiste, peintre de décors de théâtre.
Il fut élève de J. P. Aubé et, à partir de 1906, d'Antonin Mercié à l'école des beaux-arts de Paris.
Il a exposé à Paris, aux Salons des Artistes Français, d'Automne, des Artistes décorateurs, groupements dont il est sociétaire respectivement depuis 1912, 1923, 1926 ; il y obtint deux médailles de bronze, deux médailles d'argent, une médaille d'or (1931). Il reçut le prix Chenavard en 1914.
On cite de lui *À la mer* statue en marbre actuellement au palais de Rambouillet, *Saint François d'Assise prêchant aux oiseaux* groupe céramique (bourse de voyage 1923), *Skieur* statue monumentale de granit pour l'école nationale du ski de Val d'Isère, *Serge Lifar* et *Lorcia* statues de plomb, *Maurice Ravel* buste en pierre conservé au foyer de l'opéra de Paris, *Comtesse d'Indy Becdelièvre* buste en aluminium, *Princesse Armande de Polignac – Comtesse Terray* et *Denis Huisman* bustes en pierre, *Philippe Kohlmann* buste en marbre, *L'Espérance* petite sculpture en plomb que l'artiste considéra comme son œuvre la plus expressive, avec ses *Diane* peintes et sculptées ainsi que le *Portrait de France Grandmaison* en marbre. On doit d'autre part à Léon de Leyrits les *Monuments aux morts de la guerre 1914-1918* de Belfort (bronze), Belbeuf-les-Rouen (pierre), Neuilly-en-Thelle (pierre), les *Armoiries* de Castilleja en Andalousie (plomb doré), de Charmes département des Vosges (céramique), de Delle, territoire de Belfort (céramique), ainsi que le *Fronton du palais de l'élégance* de l'Exposition internationale de 1937, qui valut à l'artiste une médaille d'or et le bas-relief décorant le club royal de chasse et de pêche d'Alexandrie (1950). Parmi ses peintures, il convient de citer : *La Rue Saint-Roch – Les Chevaux de Saint-Marc à Venise – Corrida – Venise*. Léon de Leyrits a dressé un certain nombre de décors de théâtre, notamment pour la comédie des Champs Élysées (*Intermezzo* de Jean Giraudoux, *Petrus* de Marcel Achard), pour le théâtre Saint-Georges (*Fils de personne* d'Henry de Montherlant), pour l'opéra (*Boléro* et *Pavane pour une infante défunte* de Maurice Ravel, *Le Festin de l'araignée* d'Albert Roussel, *Gisèle* d'Adam), pour l'opéra comique (*Ma Mère L'Oye* de Maurice Ravel). Parmi les intérieurs qu'il a décorés, signalons celui de Maurice Ravel.
Musées : Alexandrie (Mus. d'Art Mod.) : *La Rue Saint-Roch* – Saint-Jean-de-Luz : *Décors d'intérieur de Maurice Ravel.*
Ventes Publiques : Paris, 19 mars 1988 : *Scène de cabaret*, h/t (103x132) : **FRF 26 000** – Paris, 15 juin 1988 : *Éphèbe* 1930, alu. (H. 50) : **FRF 5 000** – Paris, 1er déc. 1989 : *Soirée au music-hall*, h/t (103x132) : **FRF 130 000** – Paris, 8 mars 1993 : *Homme debout*, alu. (H. 50) : **FRF 10 000**.

LEYS Ferdinand
Mort en 1960. XXe siècle. Belge.
Peintre, aquarelliste.

LEYS Hendrik ou **Henri Jan Augustyn**, baron
Né le 18 février 1815 à Anvers. Mort le 26 août 1869 à Anvers. XIXe siècle. Belge.
Peintre d'histoire, scènes de genre, portraits, fresques, graveur à l'eau-forte.
Il fut élève de l'Académie d'Anvers et de son beau-frère Ferdinand de Brackleer (1830-1835). Il vint à Paris et fut séduit par la conception grandiose de Delacroix. Un voyage en Hollande où il étudia longuement Terburch, Ochlenburg, Metzu, Ostade et surtout Rembrandt, compléta son éducation artistique. Il fit encore un voyage en Allemagne où il fut particulièrement intéressé par Dürer et Holbein. Leys connut tous les succès, obtint tous les honneurs. Chevalier de l'Ordre de Léopold en 1840, officier en 1856, commandeur en 1867. Membre de l'Académie Royale de Belgique membre de l'Académie d'Anvers, médaille d'honneur à l'Exposition Universelle de Paris en 1855. Créé baron en 1862, médaille d'honneur à l'Exposition Universelle de Paris en 1867.

Sa mort fut, à Anvers, considérée comme un deuil public et le jour même le conseil communal décida qu'une statue serait élevée en son honneur.
À la suite de ses divers enthousiasmes, il se tourna vers une forme d'art proche de la peinture antérieure à Rubens, comme d'autres, à la même époque, voulaient se rapprocher de la peinture antérieure à Raphaël. Il composa alors de grandes scènes historiques. En 1861 il fut chargé de décorer la salle d'honneur de l'hôtel de ville d'Anvers. Ce travail, commencé en 1863, fut poursuivi par le peintre jusqu'à sa mort sans qu'il pût l'achever complètement.

Cachet de vente

Musées : Amsterdam (État) : *Intérieur XVIIe siècle* – Amsterdam (mun.) : *Le roi des miliciens – Cour de maison* – Anvers : *Rubens se rendant à une fête à lui offerte au jardin des Arquebusiers à Anvers – Noce flamande au XVIIe siècle – Pifferari – Jean Ier, Jean II et Jean III de Brabant – Sigismond, roi des Romains – Maximilien, archiduc d'Autriche – Henri Ier duc de Lotharingie – Henri VII, roi des Romains – Godefroy de Bouillon – La femme de l'artiste – Sa fille Lucia – Cour de maison du vieil Anvers – Ancienne cour intérieure de l'Hôtel de Ville d'Anvers – L'entrée en ville – La messe est finie – Vieille façade – L'artiste – L'architecte Alfons Balat* – Trois esquisses – Quatre études – Berlin : *Société hollandaise, XVIIe siècle – Durer faisant le portrait d'Érasme* – Bruxelles : *Les Trentaines de Berthal de Haze – L'atelier de Frans Floris – Le prêche – L'artiste à quarante ans – La furie espagnole à Anvers – Le bourgmestre Van Wresele remettant à l'échevin Van Spangen le commandement de la garde bourgeoise en 1541 – Rétablissement du culte dans l'église Notre-Dame à Anvers – Marie de Bourgogne – Philippe le Bon – Philippe le Beau – Le serment de joyeuse entrée de l'archiduc Charles d'Autriche, plus tard Charles Quint – Marguerite de Parme, gouverneur des Pays-Bas, remettant les clefs de la ville aux magistrats d'Anvers pendant les troubles* – Trois études – Chantilly : *La ménagère* – Courtrai : *Le marché* – Francfort-sur-le-Main : *La vie dans les Pays-Bas, vieux temps* – Leipzig : *Intérieur hollandais, XVIIe siècle* – Lille : *Faust – L'escalier des brasseurs à Bruxelles* – Londres (coll. Wallace) : *Les hôtes de la fête* – Une aquarelle – Montréal : *Intérieur* – Munich : *Ruelle de village hollandais* – Nice : *Le mouvement d'une petite ville* – Stockholm : Deux esquisses.

Ventes Publiques : Paris, 1850 : *Intérieur avec personnages à table* : **FRF 5 200** – Paris, 1861 : *Invités se rendant à un gala* : **FRF 16 000** – Paris, 1er-2-3 juin 1865 : *Les Bouquinistes* : **FRF 12 200** – Paris, 1874 : *Portraits d'Antoine de Bourgogne et de Philippe le Bon* : **FRF 38 500** ; *Pèlerinage au Calvaire* : **FRF 35 000** – Paris, 1877 : *Intérieur de Luther* : **FRF 23 500** – Amsterdam, 1884 : *L'atelier de Rembrandt* : **FRF 10 395** – Paris, 1887 : *Anvers sous l'occupation espagnole* : **FRF 36 750** – Paris, les 16 et 17 mai 1892 : *Le Bibliophile* : **FRF 1 800** – Paris, 18 et 19 mai 1897 : *La Ronde* : **FRF 10 500** – Paris, 20-21 juin 1902 : *Érasme dictant ses mémoires* : **FRF 6 500** – Paris, 7 juin 1904 : *L'amateur de gravures* : **FRF 1 640** – Paris, 15 nov. 1906 : *La partie de tric-trac* : **FRF 3 700** – Londres, 9 juil. 1909 : *Martin Luther lisant la Bible à ses compagnons* 1865 : **GBP 588** – Paris, 1910 : *L'Étalage du libraire* : **FRF 13 600** – Londres, 27 mai 1910 : *Capestro prêchant à Anvers* : **GBP 231** – Paris, 30 avr. 1919 : *Prise du moulin d'Austrewel* : **FRF 405** – Paris, 26 mai 1920 : *Épisode des guerres des Flandres* : **FRF 1 250** – Paris, 22 et 23 mai 1924 : *Le Conventicule protestant* : **FRF 47 200** – Londres, 22 juil. 1927 : *Le Départ* : **GBP 75** – Londres, 21 juin 1929 : *Réception d'un Ambassadeur* : **GBP 861** – Paris, 18 juin 1930 : *Le peintre dans son atelier* : **FRF 15 600** – Bruxelles, 12 mai 1934 : *Intérieur de cabaret* : **FRF 6 000** – Paris, 26 jan. 1942 : *Le Sermon* : **FRF 1 150** – New York, 14 jan. 1943 : *Les ménestrels* : **USD 350** – Paris, 13 et 14 déc. 1943 : *Le Cabaret* 1836 : **FRF 26 000** – New York, 2 mars 1944 : *L'atelier de Rembrandt* : **USD 525** – New York, 18 avr. 1945 : *Lucas Cranach faisant le portrait de Martin Luther* : **USD 1 150** ; *Éducation de Charles V* : **USD 1 350** – Bruxelles, 25 jan. 1947 : *L'étal du boucher* : **BEF 50 000** – Bruxelles, 26 avr. 1947 : *Le retour* : **BEF 22 000** – Bruxelles, 12 oct. 1949 : *Adrien Van Heemstede prêchant la réforme à Anvers* : **BEF 250 000** – Londres, 20 oct. 1951 : *Intérieur de taverne* : **GBP 189** – Paris, 24 mars 1953 : *La dentellière* : **FRF 200 000** – Bruxelles, 1er-2-3 mars 1966 : *Intérieur avec jeune femme et cavalier* : **BEF 95 000** – Londres, 13 déc. 1967 : *Scène de rue à Anvers* : **GBP 1 100** – New York, 31 oct. 1968 : *Pallavicino à Anvers en 1541* : **USD 7 000** – New York, 12 fév. 1970 : *Lucas Cranach peignant Martin Luther* : **USD 4 000** – Londres, 13 juin 1973 : *Scène d'intérieur* : **GBP 11 000** – Lokeren, 4 mai 1974 : *Scène de marché*, aquar. : **BEF 70 000** – Anvers, 6 avr. 1976 : *La lecture*, aquar. (14x14) : **BEF 11 000** – Amsterdam, 27 avr. 1976 : *L'atelier de l'artiste* 1849, h/pan. (45x35) : **NLG 31 000** – Bruxelles, 25 oct. 1978 : *Faust et Marguerite*, h/pan. (70x110) : **BEF 180 000** – Lokeren, 31 mars 1979 : *La conversation*, aquar. (26x41) : **BEF 40 000** – New York, 12 oct 1979 : *L'Éducation de Charles V* 1861, h/pan. (92x117) : **USD 35 000** – Londres, 25 mars 1981 : *La Vieille Dentelière* 1841, h/pan. (49,5x39,5) : **GBP 6 000** – Bruxelles, 15 déc. 1983 : *Réunion de nombreux personnages dans une église* 1851, h/bois (57x70) : **BEF 100 000** – New York, 27 fév. 1986 : *La Forge*, h/pan. (56,5x69,2) : **USD 5 000** – New York, 21 mai 1987 : *Le Banc des femmes à la synagogue de Prague* 1855, h/pan. (45,7x77) : **GBP 70 000** – Paris, 19 juin 1991 : *Cathédrale d'Anvers*, h/t, étude (65x55) : **FRF 9 000** – Lokeren, 21 mars 1992 : *L'atelier de l'artiste* 1850, h/pan. (35x46) : **BEF 170 000** ; *La furie espagnole*, h/pan. (65x53,5) : **BEF 330 000** – Lokeren, 10 oct. 1992 : *Christoffel Plantijn et l'humaniste Arias Montanus* 1855, h/pan. (66x52,5) : **BEF 400 000** – Lokeren, 15 mai 1993 : *Intérieur d'église*, h/pan. (86x68,5) : **BEF 40 000** – Lokeren, 4 déc. 1993 : *Christoffel Plantijn et l'humaniste Arias Montanus* 1855, h/pan. (66x52,5) : **BEF 280 000** – Amsterdam, 30 oct. 1996 : *Le Départ de l'église*, h/pan. (84x65) : **NLG 11 532** – Londres, 21 nov. 1997 : *Le Bobinage de l'écheveau* 1841, h/pan. (85,7x75,9) : **GBP 27 600**.

LEYS Jan
XVIe siècle. Actif à Anvers en 1534. Éc. flamande.
Peintre de décorations.
Élève d'art de Beer. En 1555 et 1559 il est mentionné avec Jan Mandyn d'Anvers dans des documents.

LEYSALLE Pierre Émile
Né en 1847 à Paris. XIXe siècle. Actif à Paris. Français.
Sculpteur et médailleur.
Élève de M. Moreau et de J.-B. Carpeaux. Il fut pendant dix ans professeur de sculpture à l'École des Arts industriels à Genève. Il figura au Salon de Paris, de 1873 à 1905. La Ville de Genève possède de sa main un groupe : *Le Temps protégé par la Vérité*.
Musées : Lyon : *Le coureur*.

LEYSEBETTEN P. Van. Voir **LISEBETTEN**

LEYSENS
Éc. flamande.
Peintre de fruits.
Le Musée d'Ypres conserve deux tableaux de lui : *Fruits dans une corbeille*.

LEYSER Elwine von
Née le 30 août 1805 à Gross-Cotta (près de Pirna). Morte le 8 décembre 1885 à Gross-Cotta. XIXe siècle. Allemande.
Peintre amateur.
Musées : Leipzig (Mus. mun. d'Hist.) : *Portrait de Clara Wieck à l'âge de dix-sept ans*.

LEYSER Ernst Polycarp von, baron
Né le 18 février 1792 à Dresde. XIXe siècle. Allemand.
Dessinateur, aquarelliste et lithographe.
Il dessina les portraits d'artistes de la scène de Dresde, qui furent gravés sur cuivre par C. E. Stölzel. Il lithographia le *Portrait du Gouverneur de Dresde. H. A. von Gablenz, à cheval*, d'après sa propre esquisse, et le *Portrait du prince Frederic-Auguste*, d'après M. Retzsch. Le Musée Municipal de Dresde possède de ses œuvres.

LEYSING Piet
Né en 1885 à Doorneburg. Mort en 1932 ou 1933 à Düsseldorf. XXe siècle. Allemand.
Peintre de scènes typiques.
Ventes Publiques : Cologne, 12 nov. 1976 : *Le Ravaudage des filets*, h/t (55x75) : **DEM 3 700** – Cologne, 22 juin 1979 : *Repos dans les champs* 1922, h/t (88x106) : **DEM 5 500** – Cologne, 20

mars 1981 : *Le Ravaudage des filets*, h/bois (43,5x63,5) : **DEM 8 500** – COLOGNE, 26 oct. 1984 : *Bord du Rhin*, h/pan. (41x59,5) : **DEM 4 000** – COLOGNE, 20 oct. 1989 : *Vieux pêcheur réparant ses filets dans un intérieur*, h/pan. (89x79) : **DEM 2 200** – COLOGNE, 23 mars 1990 : *Cale sèche*, h/t (33x41,5) : **DEM 1 700**.

LEYSNER Sebastian Johann
Né le 27 janvier 1728 à Veitshöchleim (Würzburg). Mort en 1781 à Angers (Maine-et-Loire). XVIIIe siècle. Allemand.
Sculpteur.
Travailla à Angers entre 1759 et 1781.

LEYSSALE Pierre Émile. Voir **LEYSALLE**

LEYSSENNE Jeanne
XIXe siècle. Active à Paris. Française.
Peintre.
Sociétaire des Artistes Français depuis 1894, elle figura au Salon de ce groupement.

LEYSSENS Jacob ou **Lyssens**
XVIIe siècle. Actif à Anvers. Éc. flamande.
Peintre.
Il fut reçu dans la gilde de Saint-Luc en 1698. Peut-être est-il identique à N. Lyssens qui, après un séjour à Rome peignit des figures pour des peintres de fleurs.

LEYSSENS Nicolaas ou **N.**, appelé aussi **Nussknacker** ou **Nootenkraaker** ou **Cassenoix**
Né en 1661 à Anvers. Mort en 1710. XVIIe-XVIIIe siècles. Éc. flamande.
Peintre.
Élève de Pieter Ikens. Il alla jeune à Rome, mais en revint rapidement pour soigner son père ; il peignit des décorations murales et des tableaux d'histoire, souvent ornés de fleurs et de fruits par Bossaert et Verbruggen.

LEYSTER Judith, appelée aussi **Molenaer**
Née vers 1600 ou 1610 à Haarlem. Morte en 1660 à Haarlem. XVIIe siècle. Hollandaise.
Peintre de genre, fleurs, dessinateur, peintre à la gouache.
Fille d'un brasseur de Haarlem, elle était déjà connue, en tant que peintre, en 1628, avant d'avoir rencontré F. Hals, en 1629. Elle fut membre de la gilde d'Haarlem en 1633 et eut pour élève Willem Wouters en 1635 ; elle épousa le 1er juin 1636 Jan Miense Molenaer qui l'emmena à Heemstedt. Ses tableaux sont quelquefois vendus comme étant de Fr. Hals, bien que sa facture soit plus légère et plus souple que celle de F. Hals.

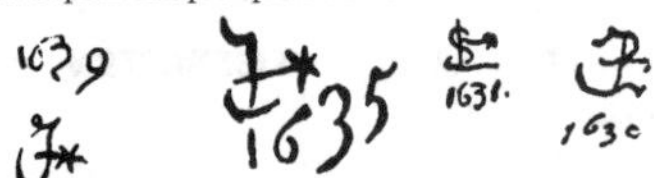

MUSÉES : AMSTERDAM : *Joyeux buveur* – *La sérénade* – BERLIN : *Joyeux buveur* – BONN : *Danse dans la rue du village* – DUBLIN : *Intérieur hollandais* – LA HAYE : *L'offre refusée* – KARLSRUHE : *Le joyeux buveur* – OLDENBOURG : *Joyeuse compagnie* – PARIS (Mus. du Louvre) : *Joyeuse compagnie* – PARIS (Jacquemard-André) : *Un enfant qui rit* – STOCKHOLM : *Joueur de flûte*.
VENTES PUBLIQUES : LONDRES, 8 juil. 1910 : *Petit garçon tenant un chat près de sa jeune sœur* : **GBP 756** – PARIS, 12 et 13 juin 1925 : *Le Joueur de luth* : **FRF 37 000** – LONDRES, 16 avr. 1926 : *Portrait de l'artiste* : **GBP 756** – LONDRES, 8 fév. 1928 : *Trois joyeux garçons* : **GBP 183** – LONDRES, 27 nov. 1936 : *Intérieur paysan* : **GBP 320** – LONDRES, 17 fév. 1939 : *Petit garçon et petite fille jouant avec un chat* : **GBP 966** – LONDRES, 29 mars 1940 : *Jeune paysanne* : **GBP 336** – LONDRES, 9 juin 1944 : *Musical party* : **GBP 1 680** – LONDRES, 25 oct. 1946 : *Jeune fille* : **GBP 178** – NEW YORK, 26 fév. 1947 : *Jeune fille endormie* : **USD 400** – PARIS, 25 mai 1949 : *Portrait d'homme* : **FRF 210 000** – PARIS, 10 juin 1954 : *La sérénade* : **FRF 1 600 000** – LONDRES, 8 juil. 1959 : *Une réception musicale* : **GBP 2 200** – LONDRES, 5 déc. 1969 : *Enfants jouant aux cartes* : **GNS 7 000** – LONDRES, 21 mars 1973 : *Volume comprenant quarante-sept dessins de tulipes*, gche : **GBP 32 000** – LOS ANGELES, 7 nov. 1977 : *Enfant riant*, h/pan. (26x21) : **USD 5 750** – LONDRES, 1er déc. 1978 : *Enfants souriant*, h/pan. (25,4x20,3) : **GBP 3 500** – LONDRES, 30 nov 1979 : *Garçon avec des cerises dans un chapeau*, h/pan. (25,4x21) : **GBP 4 800** – NEW YORK, 11 jan. 1989 : *Deux enfants rieurs avec un chat* 1649, h/t (61x52) : **USD 528 000** – NEW YORK, 1er juin 1989 : *Le concert*, h/t (61x87) : **USD 143 000** – NEW YORK, 11 avr. 1991 : *Jeune garçon regardant à l'intérieur d'un pichet de pierre : allégorie du Sens de la Vue*, h/pan. (31x21n5) : **USD 115 500**.

LEYTEN Gerhart von der
XVe-XVIe siècles. Actif à Marbourg-sur-la-Lahn. Allemand.
Peintre.

LEYTEN Heinrich von der
XVIe siècle. Actif à Marbourg-sur-la-Lahn. Allemand.
Peintre.
Il était fils de Gerhart von der Leyten.

LEYTEN Johann von der
Mort en 1530. XVIe siècle. Actif à Marbourg-sur-la-Lahn. Allemand.
Peintre.
Il était le deuxième fils de Gerhart von der Leyten.

LEYTENS Gisbert ou **Lytens Gysbrecht**, dit aussi **Maître aux Paysages d'Hiver** ou **de Neige**
Né en 1586 ? à Anvers. Mort entre 1643 et 1656. XVIe-XVIIe siècles. Éc. flamande.
Peintre de paysages.
Il était élève de Jacques Vrolyck à Anvers en 1598, ce qui paraît infirmer la date de 1586 donnée parfois pour sa naissance à Anvers ; il fut reçu maître à Anvers en 1617. Il fut identifié avec le Maître anonyme dit des Paysages d'hiver ou de neige.
Son œuvre se rattache aux paysagistes flamands et hollandais des XVIe et XVIIe siècles, en partant de Brueghel l'Ancien, passant par Avercamp, puis Josse Momper et Van Alsloot. Il fit des paysages dont les premiers plans restent durs et les arrière-plans un peu flous. Il sait introduire dans ses compositions aux coloris bruns et blancs teintés de jaune, quelques touches plus vives de rouge et rose.
BIBLIOGR. : J. Lassaigne et R. L. Delevoy, in : *La peinture flamande, de Jérôme Bosch à Rubens*, Skira, Genève, 1958 – R. Genaille, in *Dictionnaire de l'Art et des Artistes*, Hazan, Paris, 1967.
MUSÉES : BRUNSWICK : *Paysage* – NANCY : *Paysage d'hiver* – NANTES : *Patineurs sur un canal* – VALENCIENNES : *Paysage d'hiver*.
VENTES PUBLIQUES : VIENNE, 30 mai 1967 : *Paysage d'hiver* : **ATS 75 000** – New York, 4 avril 1973 : *Paysage d'hiver* : **USD 14 000** – LONDRES, 19 juil. 1974 : *Paysage d'hiver* : **GNS 4 500** – AMSTERDAM, 30 oct 1979 : *Paysage d'hiver*, h/pan. (56,5x72,5) : **NLG 133 000** – LONDRES, 21 avr. 1982 : *Paysage d'hiver*, h/pan. (33x54) : **GBP 25 000** – LONDRES, 19 déc. 1985 : *Patineurs sur un lac gelé*, h/t (50,5x63,5) : **GBP 9 200** – LONDRES, 8 avr. 1987 : *Paysage à la rivière gelée*, h/pan. (53,5x77) : **GBP 70 000** – MONACO, 17 juin 1989 : *Paysage d'hiver*, h/t (30,5x39) : **FRF 177 600** – PARIS, 27 juin 1989 : *Paysage d'hiver avec bûcherons*, pan. de chêne (57x80) : **FRF 390 000** – LONDRES, 5 juil. 1989 : *Paysage d'hiver avec des patineurs et des paysans ramassant du bois*, h/pan. (114x141) : **GBP 77 000** – AMSTERDAM, 22 mai 1990 : *Paysage avec des ruines près d'un lac*, h/pan. (24x33) : **NLG 9 200** – LONDRES, 11 déc. 1991 : *Paysage boisé en hiver avec des ramasseurs de fagots*, h/pan. (55,5x77) : **GBP 63 800** – AMSTERDAM, 10 mai 1994 : *Paysage d'hiver*, h/pan. (43x64) : **NLG 63 250** – NEW YORK, 12 jan. 1996 : *Paysage d'hiver avec des patineurs sur un canal gelé*, h/pan. (30x40) : **USD 79 500** – AMSTERDAM, 7 mai 1997 : *Ramasseurs de bois dans un paysage d'hiver*, h/pan. (36,5x55,6) : **NLG 230 460**.

LEYTENS Jean
Né en 1930 à Woluwe-Saint-Lambert (Brabant). XXe siècle. Belge.
Peintre de paysages, compositions animées.
Il fut élève de l'académie des beaux-arts Saint-Luc à Bruxelles.
BIBLIOGR. : In : *Dict. biogr. illustré des artistes en Belgique depuis 1830*, Arto, Bruxelles, 1987.

LEYTO Andrés
XVIIe siècle. Actif à Madrid vers 1680. Espagnol.
Peintre d'histoire et d'intérieurs.
En collaboration avec Josef de Sarabia. Il exécuta des peintures dans le cloître du couvent de San Francisco, à Ségovie. Leyto, cependant, est généralement plus connu et apprécié pour ses tableaux d'intérieurs, dans lesquels il a mis un charme d'intimité que l'on trouve rarement à un degré plus élevé chez n'importe quel artiste ayant traité le même genre.
VENTES PUBLIQUES : PARIS, 1848 : *Les Disciples d'Emmaüs* : **FRF 380**.

LEYVA Diego, appelé aussi **Frère Jacques**
Né vers 1580 à Haro. Mort en 1637 à Burgos. XVIIe siècle. Espagnol.
Peintre d'histoire et de portraits.
On croit qu'il vécut jeune à Rome où il fit son éducation, puis vint s'établir à Burgos. En 1628 le chapitre de cette ville le chargea d'exécuter les portraits de plusieurs dignitaires et un tableau de la *Présentation au Temple*, destinés à la cathédrale. Diego Leyva se retira à la Chartreuse de Miraflores en 1633 et l'année suivante y prononça ses vœux. Il exécuta encore un certain nombre de peintures pour la décoration de son couvent, notamment quinze compositions sur la *Vie de Saint Bruno*, plusieurs sujets sur la Vierge, une *Crucifixion des martyrs* et des effigies de saints de son ordre.

J D Leyva.

LEYVA Horatio
Né en 1904. XXe siècle. Cubain.
Peintre. Tendance surréaliste.
Il était coupeur de cannes à sucre avant de venir, en autodidacte, à la peinture. Ses œuvres ont été revendiquées par les surréalistes.
Bibliogr. : José Pierre : *Le Surréalisme*, in : *Hre gle de la peinture*, Rencontre, t. XXI, Lausanne, 1966.

LEYVASTRE Léo
Né le 20 octobre 1889 à Aubenas (Ardèche). XXe siècle. Français.
Peintre de paysages.
Il a exposé à Paris, aux Salons des Indépendants et d'Automne.

LEYVIN
Actif à Troyes. Français.
Peintre verrier.
L'un des auteurs du *Jugement dernier* de la cathédrale de Sens.

LEZA Y AGOST Irene
Née à Séville. XXe siècle. Espagnole.
Peintre de fleurs, natures mortes.
Elle se forma avec son frère, le peintre Julio Ramiro Leza y Agost. Elle a exposé en 1895 à la Société Nationale des Beaux-Arts de Madrid.
Bibliogr. : In : *Cien anos de pintura en Espana y Portugal – 1830-1930*, Antiqvaria, t. IV, Madrid, 1990.

LEZA Y AGOST Julio Ramiro
Né à Madrid (Castille). XIXe-XXe siècles. Espagnol.
Peintre de genre, sujets religieux.
Il a été élève de l'école des beaux-arts de San Fernando, à Madrid. Il a participé à des expositions collectives, telles les expositions des Beaux-Arts, à Madrid, de 1895, où il a obtenu une mention honorifique, et de 1897.
Bibliogr. : In : *Cien Anos de pintura en Espana y Portugal, 1830-1930*, Antiqvaria, t. IV, Madrid, 1990.

LEZA Y AGOST P.
XXe siècle. Espagnol.
Peintre.
Il est le frère du peintre Julio Ramiro Leza y Agost. Comme lui, il fut élève de l'école des beaux-arts de San Fernando, à Madrid. Il participa à diverses expositions collectives, notamment à la Société Nationale des Beaux-Arts de Madrid en 1892. Il montra ses œuvres dans des expositions personnelles.
Bibliogr. : In : *Cien Anos de pintura en Espana y Portugal, 1830-1930*, Antiqvaria, t. IV, Madrid, 1990.

LEZALDE ou **Lezaldi**. Voir **ELEZADI Miguel**

LEZAMA Maria
Née à Cuenca (Castille-La Manche). XXe siècle. Espagnole.
Peintre de paysages.
Elle a participé à des expositions locales et régionales, ainsi qu'au Salon de la Société Nationale des Beaux-Arts de Madrid, en 1892.
Bibliogr. : In : *Cien anos de pintura en Espana y Portugal, 1830-1930*, Antiqvaria, t. IV, Madrid, 1990.

LEZAMA Y ECHEVARRIA Eladio
Né à Oquendo (Pays Basque). XXe siècle. Espagnol.
Peintre de paysages.
Il fut élève de l'académie des beaux-arts San Fernando de Madrid et participa aux expositions de la Société Nationale des Beaux-Arts en 1890 et de 1892 à 1899.
Bibliogr. : In : *Cien Anos de pintura en Espana y Portugal, 1830-1930*, Antiqvaria, t. IV, Madrid, 1990.

LEZARDIERE Aymar de
Né en 1917 à Nantes (Loire-Atlantique). XXe siècle. Français.
Peintre de paysages, dessinateur, graveur, aquarelliste.
Il vit et travaille à Paris.
Il a participé en 1992 à l'exposition *De Bonnard à Baselitz – Dix ans d'enrichissements du Cabinet des Estampes 1978-1988* à la Bibliothèque nationale, à Paris. Dans cette même ville, la galerie Marcel Bernheim a montré, en 1983, ses œuvres dans une exposition personnelle intitulée *Étangs et Marais*.
Il puise son inspiration dans des paysages désertés par l'homme, les étangs et marais de sa Vendée natale. Dans un style réaliste et serein, il en transmet l'ambiance silencieuse.
Musées : Paris (BN) : *Étang de Blaizières* 1981.

LEZATKA Johann
XVIIIe siècle. Actif à Kremsier. Tchécoslovaque.
Sculpteur.
Il exécuta en 1767 le maître-autel de l'église collégiale de Kremsier et en 1784 des sculptures à l'église de Drahotusch (Moravie). L'église Saint-Jacques à Brünn et l'église de Königsfeld près de Brünn lui doivent également des autels.

LEZAY-MARNÉSIA DE NETTANCOURT Marie Claudine de, marquise
Morte en 1793 à Londres. XVIIIe siècle. Française.
Peintre amateur.
Elle fit des miniatures et des peintures à l'huile.
Ventes Publiques : Londres, 1er nov. 1991 : *Château en ruines au bord d'une rivière*, h/pan. (18x24) : **GBP 3 300**.

LEZCANO-FERNANDEZ Carlos
Né en 1860 ou 1871 à Madrid (Castille). Mort en 1929. XIXe-XXe siècles. Espagnol.
Peintre de figures, marines, paysages.
Il fut disciple de Sorolla. Durant vingt années, il se consacra au négoce et à sa vie familiale, avant de s'adonner régulièrement à la peinture.
Il participa à des expositions collectives nationales des Beaux-Arts en 1885, 1892 (exposition internationale), 1899, 1901, 1906, à l'Exposition Internationale de Barcelone en 1929. Il a montré ses œuvres dans une exposition personnelle au Cercle des Beaux-Arts de Madrid en mai 1923. De 1922 à 1929, il a exposé quatre fois à Paris à la galerie Georges Petit, à Buenos Aires et Boston. Il a reçu de nombreuses distinctions, notamment une médaille d'or à l'Exposition internationale de Barcelone en 1929.
Il a peint des scènes de vie de famille et, à la mort de son fils unique, des paysages de Castille et du Pays Basque. Bien que sa touche nerveuse puisse être apparentée à celle des impressionnistes, ses compositions et le chromatisme qui les sert est, lui, de tradition ibérique.
Bibliogr. : In : *Cien Anos de pintura en Espana y Portugal, 1830-1930*, Antiqvaria, t. IV, Madrid, 1990.
Musées : Madrid (Mus. d'Art Mod.) : *Castillo de Penaranda del Duero* – Paris (Mus. du Luxembourg) : *Eau dormante*.
Ventes Publiques : Paris, 10 mai 1933 : *Le vieux port de Pasencia, Espagne* : **FRF 200** ; *Cuença, Espagne* : **FRF 170** – Madrid, 13 déc. 1973 : *La Plaza Mayor de Torrelobaton* : **ESP 280 000** – Madrid, 18 déc 1979 : *Vue de Tolède* 1923, h/t (90x100) : **ESP 300 000** – Madrid, 22 fév. 1983 : *Castillo de Olite*, h/t (100x90) : **ESP 190 000** – Londres, 17 fév. 1989 : *Sepulveda à Ségovie*, h/t (90x100) : **GBP 16 500** – Londres, 10 fév. 1995 : *La cathédrale de Ségovie*, h/t (90x101) : **GBP 4 370**.

LEZIER Paulus. Voir **LESIRE**

LEZLA Albert Jean Baptiste
Né le 4 mars 1850 à Dijon (Côte-d'Or). XIXe siècle. Français.
Portraitiste.
Élève de Cabanel. Il exposa aux Salons de Paris de 1869 et 1876.

L'HARDY-DUFOUR Anne Octavie, née **Dufour**
Née le 20 mai 1818 à Genève. Morte le 9 février 1891 à Genève. XIXe siècle. Suisse.
Portraitiste.
Élève d'Adam Topffer, de Joseph Hornung et de Léonard Lugardon. Elle se maria en 1850. Elle est l'auteur d'un nombre considérable de portraits, souvent à la mine de plomb. L'artiste se fit la spécialité des portraits d'enfants. On cite d'elle les portraits suivants : *Comtesse Potocka, Docteur Conneau, Général Dufour, Alfred du Moni*. Une toile de sa main se trouve à la Bibliothèque de Genève.

LHARDY Y GARRIGUES Agustin

Né en 1848 à Madrid. Mort en 1918 à Madrid. XIXe-XXe siècles. Espagnol.

Paysagiste.

Élève de Haes. Il exposa en Allemagne, de 1882 à 1892. La Galerie moderne de Madrid conserve de lui : *Pyrénées, Rives de l'Adour, Paysage.*

L'HAY Michel Eudes de

Né en 1849 à Paris. Mort en 1900. XIXe siècle. Français.

Peintre de paysages, marines.

Élève d'Alexandre Defaux, il participa au Salon de Paris de 1874 à 1898.

Très littéraire, véritable peintre-bohème, L'Hay était lié au groupe des Parnassiens et des Symbolistes. Ses paysages sont d'une sensibilité proche de celle de Corot.

Ventes Publiques : New York, 24 mai 1984 : *Paris, quai de la Rapée* 1883, h/t (131x200) : **USD 14 000** – Versailles, 19 nov. 1989 : *Vase de fleurs,* h/t (46x32) : **FRF 13 500** – Neuilly, 23 fév. 1992 : *Bord de mer* 1982, h/t (39x56) : **FRF 5 000.**

LHÉRIE Ferdinand

Né en 1803 à Paris. Mort en 1848 à Paris. XIXe siècle. Français.

Graveur.

Élève du baron Wapper. Il obtint une médaille de troisième classe au Salon de Paris en 1836. Il mourut fou.

LHÉRITIER

Né en 1809. Mort en 1885. XIXe siècle. Français.

Caricaturiste.

Comédien au Palais-Royal, il est l'auteur de portraits-charges d'auteurs et d'acteurs de son époque.

LHERMITE Jehan

Né le 18 février 1560 à Anvers. Mort en 1622 à Madrid. XVIe-XVIIe siècles. Éc. flamande.

Dessinateur.

Il resta longtemps au service des rois d'Espagne. Son livre *Le passe-temps* (deux volumes) contient des illustrations de sa main *Trône et catafalque de Philippe II, Acrobates devant l'Alcazar de Madrid, Combats de taureaux,* etc.).

LHERMITTE Léon Augustin

Né le 31 juillet 1844 à Mont-Saint-Père (Aisne). Mort le 28 juillet 1925 à Paris. XIXe-XXe siècles. Français.

Peintre de scènes typiques, paysages, graveur, pastelliste, décorateur, illustrateur.

Fils d'un modeste instituteur, il peignit dès son plus jeune âge et vint s'installer à Paris en 1863, où il s'inscrit à l'école impériale de dessin. Il eut pour professeur Lecocq de Boisboudran. Pour vivre, il réalisa, à ses débuts, des illustrations pour boîtes de friandises et catalogues des ébénistes du Faubourg Saint-Antoine ainsi que pour des maisons d'édition. En 1879, il se rendit en Grande-Bretagne, où il retournera fréquemment. La même année, il rencontra le marchand Paul Durant-Ruel qui exposa ses œuvres. Il fut, en 1890, l'un des fondateurs de la Société Nationale des Beaux-Arts, dont il devint vice-président. Il débuta à Paris, au Salon des Artistes Français de 1864. Il participa ensuite à de très nombreuses expositions collectives, notamment à l'Exposition universelle de 1900, où il montra sept tableaux, trois pastels et quatre dessins. Ses premiers essais lui valurent une troisième médaille en 1874, une deuxième médaille en 1880 et le Grand Prix à l'Exposition universelle de 1889 à Paris. Il reçut le diplôme d'honneur à Dresde en 1890 et fut décoré de la Légion d'honneur en 1884, promu officier en 1894, puis commandeur en 1911 et élu membre de l'Institut en 1905.

Il débuta par des fusains qui révélèrent en lui un profond sentiment de la nature. Son premier essai, *Bords de Marne près d'Alfort,* fit sensation. Par la suite, il donna des toiles où il se manifesta paysagiste très délicat et dessinateur très habile. Lhermitte peignit presque exclusivement des scènes empruntées à la vie rurale ; il bénéficia de l'intérêt exceptionnel provoqué par les prix atteints par les œuvres de J. F. Millet. Lhermitte bien qu'il ait été très sensible à l'œuvre du peintre de *L'Angélus,* contrairement à celui-ci, ne rechercha que l'élément pittoresque et non une traduction synthétique. Sa vision toute objective le rapproche beaucoup d'autres maîtres français de la même époque, tels que Bastien Lepage, Roll, J. C. Cazin, Rafaelli ; comme ces derniers, il adopta très tôt la « peinture claire » mise à la mode par les recherches impressionnistes. Mais ce groupe d'artistes n'emprunta à ses méthodes que ce qui flattait le goût du public, sans adopter les recherches chromatiques, dont celui-ci ne saisissait pas alors la raison. Aussi Lhermitte connaît-il aujourd'hui la rançon des succès faciles des premiers jours. Ses paysans, qui obtinrent de suite la faveur générale, paraissent bien timides de nos jours à côté des mêmes sujets traités par C. Pissarro. Cependant pour juger un artiste tel que Lhermitte, il faut se reporter au moment où seul le réalisme était admis. C'est dans l'atmosphère du *Théâtre libre* d'Antoine, des romans de Maupassant, de Zola et de ses imitateurs, qu'un art tel que celui-ci s'est développé. Il est compréhensible que notre temps, avec des recherches nettement opposées, ne lui ait pas conservé la même faveur. Cependant, on se plaît à reconnaître qu'il peignit les mœurs des paysans avec une puissance d'observation objective et une grande pénétration des types et des physionomies : rien n'échappe à son œil presque implacable, et sa main hardie et nerveuse obéit à un cerveau lucide. C'est un art réaliste et véridique. Mais rien de plus. Sa matière est riche, son métier franc. Les aspects les plus simples de la nature prennent sous sa main une véritable grandeur, malgré ce qu'il y a de romantique et de sentimental dans sa peinture. Il reste fort estimé, tant en France qu'à l'étranger, par les amateurs qui se refusent à rechercher dans un tableau autre chose qu'un sujet pittoresque traité avec maîtrise. Parmi ses œuvres les plus remarquables, indépendamment de celles figurant dans les musées, il faut citer *Les Halles – Le Lavage des moutons – La Fenaison* et son grand panneau décoratif pour la Sorbonne : *Claude Bernard.* Il a illustré *La Vie rustique* d'A. Thieuret.

L.Lhermitte

L-Lhermitte

Bibliogr. : Monique Le Pelley Fonteny : *Catalogue raisonné : Léon Augustin Lhermitte,* Cercle d'art, Paris, 1991.

Musées : Albany (hist. and Art Soc.) : *Paysage* – Amiens : *La Mort et le bûcheron* – Boston (Mus. des Beaux-Arts) : *L'Âme des humbles* – Buffalo (Acad. des Beaux-Arts) : *La Fenaison* – Carcassonne : *La Moissson* – Château-Thierry (Mus) : *Vue de Château-Thierry* – Chicago (Art Inst.) : *La Mise en gerbes* – Florence (Mus. des Offices) : *Portrait de l'artiste* – Montréal (Learmon) : *Ruines de Château-Thierry* – Moscou (Gal. Tretiakov) : *Le Tréport – Petite cour en Normandie* – New York (Metrop. Mus. of Art) : *Les Vendanges – L'Âme des humbles* – Paris (Mus. d'Orsay) : *La Paye des moissonneurs* – Paris (Mus. d'Art Mod.) : *Quartette* – Paris (Mus. du Petit Palais) : *Les Halles* – Reims : *Le Pressoir* – Saint-Louis (City Art Mus.) : *La Moisson* – Saint-Quentin : *Le Pardon de Ploumanac'h* – Washington D. C. (Corcoran Mus) : *Famille de moissonneurs.*

Ventes Publiques : Paris, mai 1890 : *Les moissonneurs* : **FRF 850** – Londres, 1894 : *Scène d'intérieur,* aquar. : **FRF 4 200** – Paris, 1897 : *Le marché* : **FRF 2 050** – Paris, 1900 : *Le faucheur,* past. : **FRF 8 100** – New York, 11 mars 1909 : *Au printemps,* past. : **USD 1 900** – New York, 6 jan. 1911 : *Glaneuse* : **USD 5 350** – Paris, 4-5 déc. 1918 : *Le repas du soir* : **FRF 18 600** – Londres, 22 mars 1922 : *Un champ de blé,* past. : **GBP 72** – Paris, 18 mai 1925 : *La rentrée des oies,* past. : **FRF 21 100** – Londres, 19 avr. 1929 : *Les blanchisseuses,* past. : **GBP 199** – New York, 23 nov. 1934 : *La moisson* : **USD 2 200** – Paris, 12 mars 1941 : *La plantation des pommes de terre,* past. : **FRF 16 000** – Paris, 17 mai 1944 : *Le repos des moissonneurs,* past. : **FRF 40 000** – Londres, 14 fév. 1947 : *Laveuses,* past. : **GBP 152** – Marseille, 18 déc. 1948 : *Ferme à Châtelguyon,* past. : **FRF 35 000** – Paris, 16 fév. 1951 : *L'affûtage de la faux* : **FRF 65 000** – New York, 23 oct. 1957 : *Au puits* : **USD 1 700** – Tokyo, 3 oct. 1969 : *Les cabanes au bord de l'eau,* past. : **JPY 330 000** – New York, 17 avr. 1974 : *Les lavandières* : **USD 12 500** – Paris, 27 fév. 1976 : *Rue de village,* past. (29x38) : **FRF 10 000** – New York, 15 oct. 1976 : *Retour des champs,* h/t (57x46) : **USD 6 250** – New York, 14 jan. 1977 : *Scène de moisson,* h/t (47x34) : **USD 4 750** – Londres, 3 avr 1979 : *Jour de marché,* fus. (47,5x60,5) : **GBP 2 000** – Londres, 4 juil 1979 : *La moisson,* past./pap. mar./t. (77x99) : **GBP 1 500** – Londres, 20 avr 1979 : *Bords de rivière avec pêcheur à la ligne dans une barque,* h/t (79,3x114,3) : **GBP 6 500** – Versailles, 25 oct. 1981 : *Cour de ferme,* past. (40x56) : **FRF 39 500** – New York, 27 mai 1982 : *La première communion* 1890, h/t (89,5x69) : **USD 8 000** – New York, 27 mai 1983 : *Paysans moissonnant au crépuscule,* past. (30,2x40,3) : **USD 5 200** – Londres, 29 nov. 1984 : *Paysans attablés* 1891, craie noire et brune (47x64,6) : **GBP 4 500** – New York, 24 mai 1984 : *Les moissonneurs* 1909, h/t (96,5x126) : **USD 24 000**

– Paris, 14 juin 1985 : *Bourges : la cathédrale vue du jardin de l'archevêché*, past. (54x65) : **FRF 60 000** – New York, 29 oct. 1986 : *Portrait d'homme* 1874, craie noire (48,3x38,4) : **USD 3 800** – New York, 21 mai 1986 : *Les Moissonneuses*, h/t (76,5x95,3) : **USD 60 000** – Paris, 10 déc. 1987 : *Les lavandières*, past. (32,5x25) : **FRF 49 000** – New York, 25 fév. 1987 : *Portrait d'homme barbu* 1874, craie noire (44,2x34) : **USD 3 600** – Californie, 3 fév. 1988 : *Les glaneuses*, h/t (51x74,5) : **USD 71 500** – Monaco, 20 fév. 1988 : *Le déjeuner des moissonneurs*, fus. (29,8x44,3) : **FRF 24 420** – Paris, 6 mai 1988 : *La jeune paysanne* 1871, past./t. (35x23) : **FRF 9 500** – Londres, 24 juin 1988 : *Les pêcheurs de la Marne*, past. (93x72) : **GBP 38 500** – Toronto, 30 nov. 1988 : *Fin de journée à Mont Saint Père dans l'Aisne*, h/t (26x37,5) : **CAD 5 000** – Paris, 15 fév. 1989 : *Étude de paysanne assise*, dess. au fus. : **FRF 10 100** – Paris, 8 avr. 1989 : *Les glaneuses* 1898, h/t (76x95) : **FRF 1 450 000** – Paris, 13 avr. 1989 : *Paysanne devant l'âtre*, past./pap. (34x42) : **FRF 60 000** – New York, 23 mai 1989 : *La moisson en fin d'après midi*, h/t (65,4x83,8) : **USD 88 000** – Londres, 20 juin 1989 : *Le cabaret*, h/t (180x195) : **GBP 165 000** – New York, 24 oct. 1989 : *Les moissonneurs*, past./pap. (55x43) : **USD 27 500** – New York, 25 oct. 1989 : *La faneuse*, h/t (54x40,9) : **USD 66 000** – Paris, 22 nov. 1989 : *Au verger*, h/t (27x35,5) : **FRF 205 000** – Paris, 24 jan. 1990 : *Paysage*, past. (22x30) : **FRF 37 000** – Versailles, 18 mars 1990 : *Femme dans la clairière*, past./cart. (9,5x16) : **FRF 12 000** – New York, 23 mai 1990 : *La lecture*, h/t (58,4x54) : **USD 55 000** – New York, 23 oct. 1990 : *Maternité*, past./pap. (33x25,4) : **USD 23 100** – Monaco, 8 déc. 1990 : *Intérieur rémois en Marne*, past. (34x40) : **FRF 55 500** – New York, 23 mai 1991 : *Vue de Nuremberg*, past. et craie noire/pap. teinté/t. (34,6x44,7) : **USD 26 400** – Londres, 21 juin 1991 : *Chemineaux le soir* 1911, h/t (55,2x77,5) : **GBP 20 900** – New York, 17 oct. 1991 : *La fenaison* 1887, h/t (215,9x264,2) : **USD 528 000** – Paris, 27 nov. 1991 : *Esquisse du tableau Chez les humbles* 1903, past./pap. mar./t. (28x5) : **FRF 45 000** – New York, 27 mai 1992 : *Le soir au jardin à Chartèves (Le jardinage)* 1893, past./pap. (44x57) : **USD 33 000** – New York, 30 oct. 1992 : *Glaneuses devant de vieilles meules*, h/t (78,8x101,6) : **USD 99 000** – Paris, 6 avr. 1993 : *Après la moisson*, past. (26x43,5) : **FRF 14 000** – Paris, 14 juin 1993 : *Étude pour Les Chemineaux, la ferme de Sombre* 1909, past. (42x53) : **FRF 40 000** – Londres, 11 fév. 1994 : *Dans le verger* 1878, fus./pap./cart. (61,4x49,5) : **GBP 14 375** – New York, 15 fév. 1994 : *Les Laveuses au bord de la Marne*, past./pap. (44,5x53,6) : **USD 49 450** – Paris, 29 avr. 1994 : *Pont sur la rivière*, past. (23,5x30,5) : **FRF 17 000** – New York, 26 mai 1994 : *Le Retour des glaneuses le soir* 1891, h/t (101,6x78,7) : **USD 228 000** – St. Asaph (Angleterre), 2 juin 1994 : *Le soir au bord de la Seine*, past. (68,5x81) : **GBP 13 225** – New York, 24 mai 1995 : *En moisson* 1884, fus./pap. (45,7x61) : **USD 37 950** – Édimbourg, 23 mai 1996 : *Partie de pêche familiale*, past./pap. glacé (76,6x58) : **GBP 18 400** – New York, 23-24 mai 1996 : *Intérieur de taverne ou Intérieur de ferme*, h/t (180,3x194,9) : **USD 398 500** – New York, 12 fév. 1997 : *La Sortie du troupeau* 1910, past./pap. (62,2x85,1) : **USD 33 350** – Londres, 26 mars 1997 : *Le Marché au beurre*, h/t (57x39) : **GBP 6 900** – Édimbourg, 15 mai 1997 : *Faneuse au repos, ou Debout* vers 1919, past. (44,5x31) : **GBP 7 475** – Paris, 16 juin 1997 : *Les Glaneuses*, past. (25x33,5) : **FRF 60 000** – Paris, 18 juin 1997 : *La Samaritaine*, past. (40x56) : **FRF 32 000** – Paris, 24 oct. 1997 : *Femme bretonne tenant un enfant dans les bras* 1878, mine de pb reh. de craie blanche, étude pour le Marché aux pommes de Landerneau (31,5x24) : **FRF 4 500** – New York, 23 oct. 1997 : *Carriole à Wissant*, past./pap./t. (36,2x51,4) : **USD 17 250** ; *La Fin du travail*, fus./pap. (31,8x50,2) : **USD 10 925** – New York, 22 oct. 1997 : *La Samaritaine au puits*, past./t. (40x55,9) : **USD 17 250**.

L'HERMITTE Lucas

Né en 1943 à Gouville-sur-Mer (Manche). XXe siècle. Français.

Peintre. Abstrait.

Il vit et travaille à Regnéville-sur-Mer.

Il participe à des expositions collectives : 1985 centre Georges Pompidou, musée national d'Art moderne de Paris ; 1988 musée Saint-Pierre de Lyon ; 1991 Biennale d'Art contemporain de Lyon ; 1993 Fonds Régional d'Art Contemporain de Basse-Normandie à Caen ; 1994 Fonds Régional d'Art Contemporain de Picardie à Amiens. Il montre ses œuvres dans des expositions personnelles : depuis 1990 régulièrement à la galerie Arnaud Lefebvre à Paris ; 1992 galerie de l'Ancienne Poste à Calais ; 1997 Fonds Régional d'Art Contemporain de Basse-Normandie à Caen.

Il renonce à la figuration en 1980, pour adopter une technique originale qui consiste à appliquer du noir d'acétylène une toile blanche en frottant un tampon d'ouate sur un panneau de polyester. Les monochromes obtenus sont aussi soumis à une recherche sur la temporalité, l'artiste s'imposant des contraintes, obéissant aux changements de temps, à la durée de l'ensoleillement, mais aussi sur le souvenir, quand après avoir peint la moitié d'un tableau il le cache pour en atteindre le lendemain de mémoire la même teinte sur l'autre moitié (*Mémoire hier et aujourd'hui* 1990). La technique et le support d'une œuvre à l'autre demeurent semblables, en revanche le format et la présentation des œuvres varient, toiles sur châssis, plaques d'aluminium ou simplement agrafées au mur. L'œuvre, témoin d'un moment, est dès lors chaque fois autre.

Bibliogr. : Paul Ardenne : *Lucas L'Hermitte*, Art Press, n° 173, Paris, oct. 1993 – Thierry Larcher : *Lucas L'Hermitte*, Profil d'une collection, Fonds Régional d'Art Contemporain de Basse-Normandie, Caen, 1997.

Musées : Caen (FRAC Basse-Normandie) : *Beuzeville la Bastille* 1993 – Paris (FNAC) : *Mémoire* 1993.

L'HERNAULT Just

Né au XIXe siècle à Remiremont (Vosges). XIXe siècle. Français.

Peintre de genre, aquarelliste.

Il débuta au Salon de Paris en 1865.

Musées : Dieppe : *Pêcheurs bretons*, aquar.

Ventes Publiques : New York, 1er nov. 1995 : *Dans la bibliothèque*, h/t (46,4x38,1) : **USD 6 900**.

LHEUREUX. Voir aussi **LEUREUX**

L'HEUREUX Gaspard

Né le 11 novembre 1783 à Mons. Mort le 3 décembre 1846 à Mons. XIXe siècle. Belge.

Peintre et lithographe.

Élève de l'Académie de Mons. Il introduisit l'un des premiers, avec Ph. Bron, la lithographie en Belgique. On cite de sa main : *Collection de vues prises dans l'ancienne enceinte de Mons*.

LHEUREUX Pierre

XVIe siècle. Actif à Abbeville au XVIe siècle. Français.

Sculpteur.

De 1501 à 1504, il prit part à la décoration de l'église Saint-Vulfran d'Abbeville, au moyen de statues d'une *Notre-Dame* et de deux *Marie*. Il était peut-être parent des suivants.

LHEUREUX Pierre et **François**

XVIe siècle. Actifs à Paris. Français.

Sculpteurs.

Ils étaient frères et travaillèrent au Louvre, sous les ordres de Pierre Lescot, dès 1561. En 1562 et 1563, ils firent différentes décorations pour les appartements de la reine, du côté de la cour. Ils décorèrent, en 1566, la première partie de l'ancienne galerie longeant la Seine et touchant au jardin de l'Infante. François Lheureux fit, en 1565, d'importants travaux de sculpture en bois pour le plafond et les panneaux de la chambre de la reine et pour la chambre située au-dessous, au rez-de-chaussée. Il serait l'auteur d'un lion ornant le portail de l'hôtel d'O, rue Vieille-du-Temple.

LHEUREUX Simonet ou **Leureux**

XVe siècle. Français.

Sculpteur.

Il se chargea, en 1483, de sculpter en bois une fleur de lis double ; son modèle servit à couler des fleurs en plomb, qui furent placées sur le puits de la Belle-Croix à Amiens. En 1484, il fit une statue de saint Pierre, qui prit place sur la porte de Beauvais. Peut-être identique à Simon Leureux.

L'HEUREUX Victor

Né le 2 mai 1812 à Mons. Mort le 16 janvier 1888 à Mons. XIXe siècle. Belge.

Peintre et dessinateur.

Il dessina ou peignit à l'aquarelle des vues de Mons, Gand, Namur et Aulne.

L'HOEST Engelbert

Né en 1919. XXe siècle. Hollandais.

Peintre de paysages.

Ventes Publiques : Amsterdam, 19 mai 1992 : *Paysage*, h/cart. (70x59,5) : **NLG 4 600** – Amsterdam, 10 déc. 1992 : *Paysage*, h/cart. (70x60) : **NLG 2 990** – Amsterdam, 26 mai 1993 : *Paysage*, h/cart. (70x59,5) : **NLG 2 530** – Amsterdam, 1er juin 1994 : *Sans titre*, h/t (38,5x29) : **NLG 1 150**.

L'HOEST Eugène Léon
Né le 12 juillet 1874 à Paris. Mort en 1937. XIXe-XXe siècles. Français.
Sculpteur de bustes, médailleur.
Il entra en 1891 à l'école des beaux-arts dans l'atelier de Thomas. Il travailla ensuite avec A. Lanson.
Il débuta à Paris, au Salon des Artistes Français en 1893 et exposa aux Indépendants en 1921. Sociétaire du Salon des Artistes Français, il obtint une mention honorable en 1895, une troisième médaille en 1900 et une bourse de voyage en 1906. Il est chevalier de la Légion d'honneur.
Il a surtout fait des bustes. On cite encore de lui *Maestitia* offerte à la ville d'Angers, *Pro Patria - Le Souvenir* et la *Méditation* pour la chapelle funéraire de Verges. Il est l'auteur de la statue *Corée* à l'Exposition universelle de 1900, à Paris.
Musées : Angers : *Le Docteur Monprofit*, bronze - *Mauvaises pensées*, plâtre.
Ventes Publiques : Londres, 16 mars 1977 : *La famille de nomades*, bronze (H. 33, L. 76) : **GBP 460** - Paris, 12 juin 1985 : *La caravane*, bronze patiné, cire perdue (H. 32) : **FRF 20 000** - New York, 14 oct. 1993 : *La grande caravane*, bronze (L. 84) : **USD 1 840**.

LHOMME Jacques ou **l'Homme**
Né le 13 février 1600 à Troyes (Aube). XVIIe siècle. Français.
Peintre et graveur.
Élève de Simon Vouet à Paris et à Rome. On cite de lui une *Sainte Catherine* et *Dame jouant du luth* ; il grava ce dernier tableau.

L'HOMME Louis Jean
Né le 28 décembre 1879 à Saint-Romain-en-Viennois (Vaucluse). XXe siècle. Français.
Sculpteur.
Élève de Louis Martin, expose à Paris, au Salon des Artistes Français.
Musées : Avignon (Mus. Calvet).

LHOMME Modeste Jean
Né en 1883 à Liège. XXe siècle. Belge.
Peintre de paysages.
Il s'est spécialisé dans les peintures de l'Ardenne et de la Lesse.
Bibliogr. : In : *Dict. biogr. illustré des artistes en Belgique depuis 1830*, Arto, Bruxelles, 1987.

L'HOMME DE MERCEY Bernard
Né le 30 juillet 1820 à Autun (Saône-et-Loire). Mort en 1907. XIXe siècle. Français.
Sculpteur.
Élève de David d'Angers et de Rude. Il exposa à Paris, au Salon de 1848 à 1865 (troisième médaille en 1849). On voit de lui au Musée de l'Hôtel de Ville d'Autun : *Statue de Pierre Jeannin, Buste du Général de Gassendi*, et à celui de Dijon : *Le démon du jour*. Il exposa quelquefois sous le nom de Mercey.

L'HOMMEAU Jules Aurèle
Né au Mans (Sarthe). XIXe siècle. Français.
Sculpteur.
Élève de Barrias. Il travailla à Paris de 1897 à 1916. Il fit des bustes, des médailles, des plaquettes.

LHOPITAL Christian
Né en 1953 à Lyon (Rhône). XXe siècle. Français.
Peintre, dessinateur, peintre de collages, technique mixte.
Il vit et travaille à Lyon.
Il participe à des expositions collectives : 1983, 1985 ELAC (Espace Lyonnais d'Art Contemporain) à Lyon ; 1984 Ire Biennale du dessin à Clermont-Ferrand ; 1985, 1992 Maison des expositions de Genas ; 1986 et 1987 Salon de Montrouge ; 1988 SAGA (Salon d'Arts Graphiques actuels) à Paris ; 1990 musée d'Art contemporain de Lyon. Il montre ses œuvres dans des expositions personnelles : 1984 Maison des expositions à Genas ; 1985 musée d'Art contemporain de Lyon ; 1988 Centre d'arts plastiques de Saint-Fons ; 1989 Centre d'art contemporain de Troyes ; 1992 Centre d'art contemporain de Castres ; 1993 Centre d'arts plastiques de Villefranche-sur-Saône.
Sur le papier, Lhopital accumule, dans un désordre apparent, des images (photos de mode, publicité...), des objets (jouets d'enfant, strass...) et des taches que la peinture ou le crayon recouvrent, métamorphosent, effacent par grattage, soulignant tel trait pour mieux faire oublier tel autre. Lhopital dit le trop-plein, la vie qui s'écoule, entre visible et invisible, entre abstraction et figuration.
Bibliogr. : Chaké Matossian : *Grattement et écorchures*, Maison des expositions, Genas, 1992 - Chaké Matossian : catalogue de l'exposition : *Christian Lhopital*, Centre d'art contemporain, Castres, 1992 - Claire Peillod : *Christian Lhopital*, Art Press, n° 185, Paris, nov. 1993.
Musées : Paris (BN) : *Promeneur dans un paysage de neige* 1986.

L'HOPITAL Louise
Née au XIXe siècle à Paris. XIXe siècle. Française.
Peintre et dessinateur.
Élève de Mme Colin-Sibour. Elle débuta en 1877.

L'HÔPITAL René LE BRUN de, comte
Né le 5 mai 1877. XXe siècle. Britannique.
Peintre de portraits, illustrateur.
Il était fils du sixième duc de Vitry et élève de la Royal Academy de Londres. On cite de sa main les portraits du *Prince Arthur de Connaught*, de *Sir Alfred S. Scott-Gathey*, du *Pape Léon XIII*, ainsi que des illustrations pour l'*Encyclopaedia Britannica*.

L'HOSPITAL de
XIXe siècle. Français.
Peintre de portraits.
Il semble bien s'agir de René Le Brun de L'Hôpital. Il exposa au Luxembourg, en 1830, *Portrait du célèbre docteur Franklin*, peint d'après nature. Il travailla à la Manufacture de Sèvres.

LHOSTE Claude Achille
Né le 27 juin 1929 à Charenton (Val-de-Marne). XXe siècle. Français.
Sculpteur d'animaux.
Il vit et travaille à Paris.
Il participe à diverses expositions collectives, parmi lesquelles : Salon de la Jeune Sculpture à Paris ; Biennale de Paris en 1959, 1961 et 1963 ; Biennale d'Anvers ; musée des beaux-arts de Strasbourg en 1966. Il montre ses œuvres dans des expositions personnelles notamment à Paris et en 1964 au musée municipal de Cognac. Il a reçu le grand prix de sculpture de la Société Nationale des Beaux-Arts en 1965.
Il réalise de nombreux animaux, les saisissant dans un moment révélateur, dans une pose caractéristique. Sa sculpture est parfois abstraite et déploie des formes symboliques. Il a sculpté pour les cristalleries Daum.
Ventes Publiques : Paris, 1er fév. 1988 : *Petite Chouette*, rés. (35x23x25) : **FRF 8 200** - Paris, 3 oct. 1988 : *Chat, queue droite n° 2*, rés. patinée noir (72x19x15) : **FRF 15 000** - Paris, 3 juin 1991 : *Chat, queue droite n° 1*, bronze (65x25x23,5) : **FRF 38 000** - Paris, 3 fév. 1992 : *La petite poule*, bronze (26x32x14) : **FRF 20 000** - Paris, 23 jan. 1995 : *Le chat rond* 1993, bronze (16x28x14) : **FRF 19 000**.

LHOSTE Gabriel. Voir **LHOUSTE**

LHOSTE Georges
Né le 7 mars 1860 à Paris. Mort le 26 août 1914 à Cambrai (Nord), pour la France. XIXe-XXe siècles. Français.
Peintre de genre.
Il figura au Salon de la Société des Artistes Français à Paris, de 1895 à 1911 avec des tableaux de figures.

LHOTA Anton
Né en 1812 à Kuttemberg. Mort en 1905. XIXe siècle. Actif à Prague. Autrichien.
Peintre d'histoire.
Élève de Ruben. Il exposa vers 1846. On cite de lui : *L'empereur Charles IV à la chapelle Sainte-Catherine, à Karlstein* ; *La dernière nuit de Wallenstein* ; *Charles IV et Pétrarque à Mantoue*, etc.

LHOTAK Kamil
Né le 25 juillet 1912 à Prague. XXe siècle. Tchécoslovaque.
Peintre, illustrateur, dessinateur.
Il participe à de nombreuses expositions collectives, notamment à celles du groupe 42, ainsi qu'à des présentations de l'art tchécoslovaque, soit en Tchécoslovaquie, comme l'exposition commémorative du cinquantenaire de la fondation de la république en 1968, soit à l'étranger : 1964 Biennale de Venise, 1965 Bochum, 1966 académie des beaux-arts de Berlin, 1967 Stockholm. Il montre ses œuvres dans de très nombreuses expositions personnelles depuis 1939, dans différentes galeries de Prague. Il s'est formé seul à la peinture, ce qui explique sa technique très particulière, entre la minutie de constat de peintres réalistes de second plan du XIXe siècle et celle des naïfs. Son imagerie très personnelle lui donne une place à part, mais considérable, dans la peinture tchécoslovaque contemporaine. Tout son œuvre se

replace aux origines des techniques modernes, début des bicyclettes, début de l'automobile, de l'avion, du dirigeable, etc. Il a une bien curieuse façon d'aborder ces objets, brisés, éclatés, dispersés, et comme laissés au rebut, en manière d'ordures, à la surface de larges paysages désolés ; ce qui confère à ses œuvres, pourtant minutieusement objectives, un certain caractère surréaliste, phénomène que l'on observe d'ailleurs fréquemment chez les naïfs.

Bibliogr. : *Peintres contemp.*, Mazenod, Paris, 1964 – Catalogue de l'exposition : *Cinquante Ans de peintures tchécoslovaques 1918-1958*, Musées tchécoslovaques, 1968.

LHOTE

XIXe siècle. Actif à Paris. Français.

Peintre de genre.

Exposa au Salon de Paris en 1833 des vues orientales.

LHOTE André

Né le 5 juillet 1885 à Bordeaux (Gironde). Mort le 24 janvier 1962 à Paris. XXe siècle. Français.

Peintre de sujets de sport, nus, portraits, paysages, marines, natures mortes, peintre à la gouache, graveur, illustrateur.

À Bordeaux, il avait passé dix années en apprentissage chez un sculpteur-décorateur et suivait les cours de sculpture décorative à l'école des beaux-arts. Il faut admirer que cet érudit soit un autodidacte. Sculptant le bois, c'est en lisant les *Salons* de Diderot, le *Journal* de Delacroix ou les *Curiosités esthétiques* de Baudelaire, qu'il vint à la peinture. Il apprit à connaître les impressionnistes, admira Gauguin et copia Rubens et Delacroix. Il vint se fixer en 1907 à Paris. Dès 1918, il professa dans différentes académies, jusqu'à la fondation, en 1922, de sa propre académie, rue d'Odessa. Cet enseignement, il l'a ordonné en de nombreux ouvrages et articles, abondamment illustrés de reproductions, pour compenser par des exemples l'irremplaçable mise en pratique de la théorie, telle qu'il la guide au cours du travail matériel de l'atelier, tenant de 1918 à 1940, la rubrique artistique de la *Nouvelle Revue française*. Voulant malicieusement montrer que ce n'est pas parce qu'il écrit sur l'art que son œuvre doit être obligatoirement négligé, il a réuni, sous le titre *De la palette à l'écritoire*, des textes souvent surprenants, de nombreux grands maîtres, parmi lesquels, on s'en doute de Léonard de Vinci. Mais l'essentiel de son enseignement réside dans ses deux *Traité du paysage* et *Traité de la figure*. C'est un maître incomparable qui a su dégager tous les éléments transmissibles des œuvres du passé et de nos jours. Ce qui n'est plus enseigné dans une vaine école des beaux-arts, la composition, la tradition, bref l'intelligence du métier d'artiste, c'est auprès de lui que les jeunes générations ont été le quérir et si ce maître à forte personnalité fut parfois dangereux auprès de certains élèves qui en manquaient, c'est auprès de ceux pour qui tout autre maître eût été aussi dangereux.

Il participa à Paris, aux Salons des Indépendants dès 1906, d'Automne en 1907, à l'exposition de la Section d'or en 1912, et, en 1910, la galerie Druet lui organise sa première exposition particulière. Il participe aux premières expositions cubistes. Une importante exposition de l'ensemble de son œuvre eut lieu, en 1943, dans sa ville natale de Bordeaux. Une rétrospective de son œuvre a été montrée au musée national d'Art moderne à Paris, en 1958.

Peut-être acquit-il lors de sa formation le sens du monumental, qui plus tard caractérisera sa manière et lui permettra l'exécution aisée de grandes compositions, telle *L'Escale* de 1913. Dès 1907, il comprend pleinement la leçon de Cézanne. Charles Morice, Apollinaire, André Gide et Maurice Denis remarquent aussitôt ses dons. André Lhote se comprend tout naturellement dans cette fraction du mouvement cubiste que l'on qualifie de « française » et que représentait assez complètement le groupe la Section d'or. Pour ces artistes, il s'agissait de concilier le facteur émotif offert par la réalité extérieure, avec l'intérêt spirituel, dégagé de la traduction en langage plastique de cette réalité extérieure. Dans cette branche française du cubisme, il faut rapprocher, outre André Lhote, La Fresnaye, Delaunay, Jacques Villon, sans omettre leur descendance, issue en grande part de l'enseignement d'André Lhote : Pignon, Singier, Manessier, et bien d'autres, tout au moins dans leur première manière. L'art d'André Lhote fut souvent taxé de timidité alors que c'est de mesure qu'il s'agit. Le peintre s'est justement efforcé de demeurer à égale distance de la sensation pure et de la spéculation esthétique. Curieusement, comme les autres cubistes que nous avons dits « français », c'est dans l'art de manier les « passages » qu'il a excellé. Rappelons en bref qu'un « passage » est la transcription plastique de ce phénomène optique par lequel se trouvent supprimés certains contours, par exemple lorsque la partie ombrée d'un volume se confond avec l'ombre du fond, passe dans le fond. Ce n'est point là un quelconque exercice de rhétorique picturale, mais bien un des plus sûrs moyens vers l'unification du tableau, puisque ces « passages », maniés avec dextérité, en intègrent réciproquement les différents éléments. Cette excellence à manier les passages, chez les cubistes français, doit être interprétée comme une volonté de classicisme, en tant que par classicisme on entend une recherche de l'unité de l'œuvre par opposition aux styles gothique ou baroque. Et, c'est bien comme un peintre classique, typiquement français, qu'apparaît André Lhote, à travers ses œuvres maîtresses : *Dimanche* de 1910, *Escale* de 1913, *Jugement de Pâris* de la même année, *Hommage à Watteau* de 1918, *Le Marin à l'accordéon* de 1920, *La Plage* de 1922, *Rugby* de 1924, *Les Amies* de 1925, *Léda* de 1930. Il eut encore une activité importante d'illustrateur, avec, entre autres, *Le Dit du vieux marin* de Coleridge, *Escales* de Jean Cocteau, *Les Animaux et leurs hommes, les hommes et leurs animaux* de Paul Éluard, etc. Pour l'Exposition internationale de 1937 à Paris, il exécuta une décoration *Les Dérivés du charbon*. Il réalisa également d'autres décorations murales : *Le Gaz* pour le Palais de la Découverte à Paris, et, pour la faculté de médecine de Bordeaux, *La Gloire de Bordeaux*. En vérité, André Lhote est un travailleur infatigable et outre d'innombrables activités, il a produit énormément. Aussi, alors que certaines de ses toiles resteront irremplaçables, dans le panorama de l'école de Paris de 1900 à 1950, d'autres seront moins prisées, mais jamais comme chez tant d'artistes, parce qu'il aura sacrifié à la facilité, plutôt au contraire par excès de science.

Peu d'artistes du XXe siècle sont aussi connus qu'André Lhote et pourtant son œuvre peint est l'objet, de la part du public spécialisé, d'une réserve injustifiée. Nous ne savons plus l'origine de cet adage, qui touche la superstition qu'il est impossible en art d'être à la fois juge et partie, critique et créateur. Ne pouvant nier la qualité de ses nombreux écrits théoriques ni l'influence universelle qu'il exerça, de son académie, de ses milliers de disciples, venus de tous les continents, c'est son œuvre même que l'on a voulu abaisser à des titres divers. Il était trop commode de taxer cet œuvre de sécheresse et de pédantisme, d'autant plus que le reproche est parfois exact, mais quel artiste n'a jamais produit que des œuvres égales à elles-mêmes ? Le jugement de l'après-guerre fut plus sévère envers son œuvre propre et envers son enseignement ; la découverte tardive en France des Kandinsky, Klee, Mondrian, accusa le systématisme de sa leçon. Mais peut-il raisonnablement être tenu pour responsable de l'aveuglement de toute une société, tandis qu'il restait fidèle à une certaine idée qu'il s'est faite du cubisme. ■ Jacques Busse

Bibliogr. : Maurice Raynal : *Anthologie de la peinture en France, de 1906 à nos jours*, Montaigne, Paris, 1927 – René Huyghe : *Les Contemporains*, Tisné, Paris, 1949 – Maurice Raynal : *Peinture moderne*, Skira, Genève, 1953 – Frank Elgar, in : *Dict. de la peinture mod.*, Hazan, Paris, 1954 – Bernard Dorival : *Les Peintres du XXe s.*, Tisné, Paris, 1957 – J. Cocteau, P. Courthion : *A. Lhote*, Presses artistiques, Paris, 1958 – Pierre Courthion : *Art indépendant*, Albin Michel, Paris, 1958 – Frank Elgar, in : *Dict. univers. de l'art et des artistes*, Hazan, Paris, 1967 – in : *Les Muses*, Grange Batelière, t. IX, Paris, 1972 – in : *Dict. univer. de la peinture*, Le Robert, t. IV, Paris, 1975 – in : Catalogue de l'exposition *Paris-Moscou*, Musée nat. d'Art mod., Paris, 1989 – in : *L'Art du XXe s.*, Larousse, Paris, 1991 – in : *Dict. de l'art mod. et contemp.*, Hazan, Paris, 1992.

Musées : Aarau (Aargauer Kunsthaus) : *Nature morte* 1929 – *Nu*

naturel vers 1930 – BORDEAUX (Mus. des Beaux-Arts) : *Paysage* 1906 – CHICAGO – GENÈVE (Mus. du Petit-Palais) : *Dimanche avec Alain-Fournier* 1912 – GRENOBLE – LIÈGE – LOS ANGELES – NANTES – PARIS (BN) : *Nu étendu à mi-corps* vers 1934 – PARIS (Mus. Nat. d'Art Mod.) : *L'Escale* 1913 – *Rugby* 1917 – *Léda* 1930 – *Le 14 Juillet en Avignon* – *la Moisson* 1955 – *La Vie de famille* – *Femme à sa toilette* – *La Moisson* – *Vue d'Avignon* – *Maisons à Mirmande* – PARIS (Mus. d'Art Mod. de la Ville) – SAINT-TROPEZ (Mus. de l'Annonciade) : *Omnes docet* 1935 – STOCKHOLM.

VENTES PUBLIQUES : PARIS, 15 mars 1921 : *Paysage* : **FRF 280** – PARIS, 18 juin 1925 : *Baigneuse* : **FRF 700** – PARIS, 10 mai 1926 : *La Maison aux volets verts* : **FRF 650** – PARIS, 22 juin 1928 : *Portrait* : **FRF 2 200** – PARIS, 30 mai 1929 : *Les Trois Grâces* : **FRF 5 000** – PARIS, 6 mai 1932 : *Torse de femme nue* : **FRF 1 000** – PARIS, 27-28 nov. 1935 : *Le Jugement de Pâris* : **FRF 2 000** – PARIS, 20 juin 1941 : *Bateaux* : **FRF 550** – PARIS, 25 mars 1944 : *Gordes, village sur les rochers*, aquar. : **FRF 5 200** – PARIS, oct. 1945-juil. 1946 : *Paris, le pont de Grenelle* : **FRF 20 000** – PARIS, 10 mai 1950 : *La femme à la rose, Marseille*, aquar. : **FRF 17 500** – PARIS, 26 fév. 1954 : *Le Repas du matelot* : **FRF 75 000** – PARIS, 16 mai 1958 : *Paysage* 1912 : **FRF 370 000** – MUNICH, 17 nov. 1960 : *Trois Courtisans* : **DEM 4 000** – NEW YORK, 16 fév. 1961 : *Village de pêcheurs* : **USD 800** – NEW YORK, 27 mars 1963 : *Le Jardin public à Bordeaux* : **USD 3 500** – GENÈVE, 26 mars 1966 : *Le Rugby* : **CHF 16 600** – GENÈVE, 15 nov. 1968 : *Rue d'Assas* vers 1907 : **CHF 34 000** – LONDRES, 10 déc. 1969 : *Dimanche* : **GBP 7 500** – LONDRES, 6 juil. 1973 : *Paysage fauve* : **FRF 55 000** – PARIS, 14 mars 1974 : *Le Rugby* : **FRF 90 000** – VERSAILLES, 4 avr. 1976 : *Les Joueurs de football*, aquar. gchée (23x30) : **FRF 4 850** – GENÈVE, 29 juin 1976 : *Fleurs cubistes* 1915, h/t (35x27) : **CHF 9 100** – ENGHIEN-LES-BAINS, 11 déc. 1977 : *La Bacchante* 1911, h/t (105x105) : **FRF 50 000** – LONDRES, 4 déc 1979 : *Village au bord d'une rivière*, aquar./trait de cr. (31x49) : **GBP 2 000** – PARIS, 18 déc 1979 : *Les Trois Grâces*, h/t (180x180) : **FRF 68 000** – PARIS, 10 déc. 1980 : *Salle Bullier, fête de nuit à Montparnasse, 30 juin 1922, bal costumé*, litho. coul., affiche (95x134) : **FRF 6 800** – NEW YORK, 26 fév. 1981 : *Rochers dans l'Aude* 1912, h/t (72,5x59) : **USD 18 000** – ENGHIEN-LES-BAINS, 17 avr. 1983 : *Paris : la Seine au point du jour, le Trocadéro, la Tour Eiffel et la statue de la Liberté* vers 1915, h/pan. (45x92) : **FRF 125 000** – NEW YORK, 7 juin 1984 : *La Liseuse* 1917, gche et cr./pap. mar./cart. (38,3x25,3) : **USD 17 000** – LONDRES, 28 mars 1984 : *Portrait de Jean Cocteau* 1917, cr. (43x26) : **GBP 1 300** – PARIS, 10 déc. 1985 : *Mirmande* 1925, aquar. (50x81) : **FRF 40 000** – NEW YORK, 8 oct. 1986 : *Nu cubiste* 1917, h/t (90x63,5) : **USD 42 000** – PARIS, 16 déc. 1987 : *Cabane de pêcheur sur le bassin d'Arcachon* vers 1909, h/t (55x46) : **FRF 28 000** – PARIS, 1er juin 1988 : *Nu allongé*, gche (23x37) : **FRF 37 000** – PARIS, 12 juin 1988 : *La Ville*, gche (28x38) : **FRF 51 000** ; *Le Puits*, gche (38x28) : **FRF 41 000** ; *Le Modèle* 1929, past. (47x62) : **FRF 80 000** – VERSAILLES, 15 juin 1988 : *L'Espagnole*, h/t (55x38) : **FRF 80 000** – NEUILLY, 20 juin 1988 : *Marins sur le bassin d'Arcachon*, gche (24x30) : **FRF 62 500** – PARIS, 23 juin 1988 : *Simone sur la terrasse à Mirmande*, h/pap./t. (81x66,5) : **FRF 140 000** ; *La cueillette des kakis* 1907, h/t (46x55) : **FRF 38 000** – LONDRES, 29 juin 1988 : *Les joueurs de rugby*, h/t (148x179) : **GBP 97 900** – GRANDVILLE, 16-17 juil. 1988 : *Portrait de femme*, h/pap. mar. (47,5x30) : **FRF 27 500** ; *Nature morte à la cafetière*, gche (31x26) : **FRF 35 000** – NEW YORK, 6 oct. 1988 : *Femme nue allongée*, h/pap. (54x64,1) : **USD 17 600** – PARIS, 7 oct. 1988 : *Nature morte*, h/t (53,5x64) : **FRF 200 000** – LONDRES, 19 oct. 1988 : *Voiliers*, h/t (32,2x40,6) : **GBP 12 100** – PARIS, 28 oct. 1988 : *Le modèle*, dess. à l'encre de sépia (34x27) : **FRF 20 000** – GRANDVILLE, 30 oct. 1988 : *Le parc à Bordeaux* 1908, h/cart. (18,5x23,8) : **FRF 45 000** – CALAIS, 13 nov. 1988 : *Les moissons*, h/t (73x54) : **FRF 100 000** – PARIS, 20 nov. 1988 : *Nu cubiste*, h/pan. (33x41) : **FRF 92 000** – PARIS, 12 déc. 1988 : *Rotterdam : le port*, aquar. (32x50) : **FRF 39 500** – VERSAILLES, 18 déc. 1988 : *Nature morte*, gche (25x35) : **FRF 30 000** – PARIS, 12 fév. 1989 : *Le Village de Mirmande*, h/t (65x81) : **FRF 210 000** – PARIS, 12 fév. 1989 : *Portrait d'homme*, h/cart. (46x32) : **FRF 16 000** – NEW YORK, 16 fév. 1989 : *Nu rythmé* 1946, h/t (50,5x61) : **USD 26 400** – LONDRES, 22 fév. 1989 : *Nu assis* 1927, h/t (106,5x75,1) : **GBP 60 500** – CALAIS, 26 fév. 1989 : *La Cueillette*, h/t (46x55) : **FRF 106 000** – PARIS, 22 mars 1989 : *Paysage aux animaux*, h/t (38x46) : **FRF 50 000** – PARIS, 13 avr. 1989 : *Vue de Paris*, h/t (60x81) : **FRF 175 000** – NEW YORK, 11 mai 1989 : *Port de Bordeaux le 14 juillet*, h/t (64,8x81,3) : **USD 165 000** – AMSTERDAM, 24 mai 1989 : *Rochers de Provence* 1925, h/t (54x65) : **NLG 74 750** – PARIS, 9 juin 1989 : *Femme à l'éventail*, h/t (55x38) : **FRF 95 000** – LONDRES, 27 juin 1989 : *Nu couché*, h/t (81x105) : **GBP 165 000** – NEW YORK, 5 oct. 1989 : *Femme endormie* 1925, past./pap. (47,9x62,8) : **USD 19 800** – PARIS, 11 oct. 1989 : *Scène de café*, h/t (53,5x64) : **FRF 350 000** – PARIS, 19 nov. 1989 : *Bord de rivière* 1912, h/t (58x81) : **FRF 600 000** – PARIS, 22 nov. 1989 : *Nu allongé*, h/t (50x73) : **FRF 145 000** – PARIS, 26 nov. 1989 : *Village de mirmande*, h/t (50x61) : **FRF 360 000** – PARIS, 15 déc. 1989 : *La Villa Medicis Libre* 1911, h/t (63,5x79) : **FRF 1 030 000** – PARIS, 26 jan. 1990 : *Toits dans la ville*, dess. à la mine de pb (14,5x16) : **FRF 5 500** – PARIS, 11 mars 1990 : *Le hameau cubiste*, h/t (73x54) : **FRF 480 000** – NEW YORK, 21 fév. 1990 : *La Cadière* 1956, h/t (58,4x72,5) : **USD 27 500** – PARIS, 30 mars 1990 : *Paysage sous le vent*, h/t (60x62) : **FRF 200 000** – PARIS, 10 avr. 1990 : *Petite ferme à Mirmande* 1935, dess. à la pl. (24x31) : **FRF 26 000** – NEW YORK, 16 mai 1990 : *Village de la Côte d'Or*, h/t (64,2x81,2) : **USD 77 000** – PARIS, 13 juin 1990 : *Au bazar* 1929, aquar. et cr./pap. (54x38,5) : **FRF 450 000** – PARIS, 19 juin 1990 : *Portrait de Marguerite*, h/t (164x86) : **FRF 1 400 000** – TEL-AVIV, 20 juin 1990 : *Les toits du village*, h/t/cart. (14,5x22,5) : **USD 12 000** – NEW YORK, 15 nov. 1990 : *Les oliviers morts* 1957, h/toile d'emballage (46x38) : **USD 46 750** – STOCKHOLM, 5-6 déc. 1990 : *Paysage*, aquar. (37x56) : **SEK 23 000** – LONDRES, 20 mars 1991 : *Paysage d'arbres*, h/t (80x54) : **GBP 26 400** – LONDRES, 16 oct. 1991 : *Nu à la psyché*, h/t (72x59) : **GBP 16 500** – PARIS, 22 nov. 1991 : *La baignade*, h/t (54x81) : **FRF 140 000** – PARIS, 14 fév. 1992 : *Fleurs, glaieuls et roses* 1945, aquar. (48x34,5) : **FRF 14 500** – NEW YORK, 25 fév. 1992 : *Maison à travers les arbres*, h/toile d'emballage (54x65) : **USD 22 000** – LONDRES, 25 mars 1992 : *Le Jardin*, h/t (65x48) : **GBP 18 700** – NEW YORK, 8 oct. 1992 : *Nu assis*, h/t (38x55) : **USD 33 000** – LOKEREN, 10 oct. 1992 : *Course cycliste à Bordeaux*, h/t (38x55) : **BEF 480 000** – LE TOUQUET, 8 nov. 1992 : *Vue du village*, aquar. (23x54) : **FRF 21 000** – LONDRES, 1er déc. 1992 : *Course cycliste à Bordeaux*, h. et sable/t. (64,8x120,4) : **GBP 46 200** – AMSTERDAM, 10 déc. 1992 : *Portrait d'Anna*, past. /pap. (69x53) : **NLG 6 900** – PARIS, 14 mars 1993 : *Bateaux au port de Bordeaux*, aquar. (51x61,8) : **FRF 30 000** – DEAUVILLE, 11 avr. 1993 : *Hommage à Watteau* 1918, gche (73x60) : **FRF 105 000** – ZURICH, 21 avr. 1993 : *Personnages dans un paysage*, h/t (49x64) : **CHF 15 000** – AMSTERDAM, 26 mai 1993 : *Portrait de l'Alassan*, h/t (75x50) : **NLG 40 250** – PARIS, 21 juin 1993 : *Hommage à Georges de la Tour* 1950, h/t (116x89) : **FRF 240 000** – TEL-AVIV, 4 oct. 1993 : *Scène campagnarde*, h/cart. (59x79,4) : **USD 15 525** – PARIS, 16 oct. 1993 : *La grappe* 1908, h/t (70x154,5) : **FRF 480 000** – NEW YORK, 4 nov. 1993 : *Grasse matinée ou le Petit Déjeuner* 1914, h/t (175,9x144,1) : **USD 244 500** – PARIS, 10 fév. 1994 : *La Grande Écoutille*, h/t (130x97) : **FRF 320 000** – LOKEREN, 8 oct. 1994 : *Bassin d'Arcachon* 1913, aquar. et fus. (13x21,5) : **BEF 50 000** – LONDRES, 30 nov. 1994 : *Nu allongé* 1918, h/t (54x80,7) : **GBP 45 500** – PARIS, 8 déc. 1994 : *Le Port de Bordeaux*, aquar. gchée (24x32) : **FRF 50 000** – AMSTERDAM, 31 mai 1995 : *Nu assis*, gche/pap. (24,5x18,5) : **NLG 7 080** – NEW YORK, 8 nov. 1995 : *L'Architecture* 1929, h/pap./t. (82x117,5) : **USD 34 500** – PARIS, 28 mars 1996 : *Nu allongé, mélancolie* 1929, h/t (50x116) : **FRF 190 000** – PARIS, 13 juin 1996 : *Marguerite au madras* vers 1919, aquar. (63x50) : **FRF 39 000** – NEW YORK, 13 nov. 1996 : *Nu allongé dans l'atelier*, h/t (38,1x55,3) : **USD 14 375** – PARIS, 13 nov. 1996 : *Demoiselle à Thonon* 1935, h/t (130x310) : **FRF 600 000** – LONDRES, 3 déc. 1996 : *La Danse au bar* vers 1920-1925, h/t (144,5x174) : **GBP 133 500** – PARIS, 10 déc. 1996 : *Sans titre*, litho. (28x22,2) : **FRF 4 200** – PARIS, 16 mars 1997 : *Paysage*, aquar./ pap. (28,5x38,5) : **FRF 14 000** – PARIS, 23 fév. 1997 : *Bateaux au port* 1930, aquar./pap./cart. (38x58) : **FRF 28 000** – PARIS, 20 mars 1997 : *Nu assis*, gche (50x44,5) : **FRF 8 800** – PARIS, 24 mars 1997 : *Paysage, maisons au toit rouge* 1919, h/t (82x54) : **FRF 101 000** – LONDRES, 19 mars 1997 : *Nu au miroir*, h/t (61x50) : **GBP 12 420** – PARIS, 16 juin 1997 : *Nature morte à l'éventail*, h/t (61x50) : **FRF 140 000** ; *Avignon* 1930, aquar. (38x57,7) : **FRF 22 000** – LONDRES, 25 juin 1997 : *Le Jugement de Pâris* 1928, h/pap./t. (50x74) : **GBP 32 200** – CALAIS, 6 juil. 1997 : *Paysage du Midi* 1918, h/t (82x54) : **FRF 165 000**.

LHOTE Hélène

Née en 1962. xxe siècle. Française.

Peintre technique mixte.

Vit et travaille à Paris. Elle est diplômée de l'École des Beaux-Arts de Paris. Elle participa à une exposition collective à la Capitol Hill Gallery de Washington (USA.). Elle eut une exposition personnelle en 1989 à la Maison des Beaux-Arts de Paris, en 1990 à la Galerie Alumine à Paris.

VENTES PUBLIQUES : PARIS, 18 oct. 1990 : *Les deux plongeurs* 1989, techn. mixte/t. et bois (70x35) : **FRF 3 000**.

L'HOTE Hippolyte Antoine Nestor
Né le 24 mars 1842. XIXe siècle. Français.
Peintre et graveur à l'eau-forte.
Élève de L. Coignier.

LHOTE Jules Louis Marie
Né au XIXe siècle à Boulogne-sur-Mer (Pas-de-Calais). XIXe siècle. Français.
Peintre de paysages et aquarelliste.
Élève de Verreaux et Picot. Il débuta au Salon de Paris en 1864.

LHOTELLIER Émile
Né en août 1833 à Paris. XIXe siècle. Français.
Dessinateur et portraitiste.
Il a laissé de jolis dessins. Il exposa entre 1855 et 1863.

LHOTELLIER Henry
Né en 1908 à Calais (Pas-de-Calais). XXe siècle. Français.
Peintre, peintre de cartons de vitraux. Abstrait.
Il suivit les cours de peinture de l'école des arts décoratifs et industriels de Calais, tout en poursuivant sa licence de droit. Il abandonna la carrière juridique, en 1935, pour se consacrer à la peinture et d'abord à la technique du vitrail qu'il étudia à Boulogne-sur-mer, où il vit et travaille.
Il participa à Paris, au Salon des Réalités Nouvelles, de 1949 à 1955.
En 1938, il réalisa vingt-quatre petits vitraux abstraits pour le pavillon de l'Artois, à l'exposition de Lille-Roubaix, en 1951, dix-neuf vitraux abstraits pour le petit séminaire de Boulogne-sur-Mer, en 1952 un vitrail pour un immeuble à Hardelot (Pas-de-Calais).
Parti d'une abstraction encore fondée sur l'observation de la nature, avec des effets de matière importants, il a évolué à une abstraction de tendance constructiviste, assez proche parfois de la rigueur d'un Auguste Herbin.
Bibliogr. : Michel Seuphor : *Dict. de la peinture abstraite*, Hazan, Paris, 1957.

LHOUSTE Gabriel ou **Lhoste**
XVIe siècle. Actif à Verneuil. Français.
Sculpteur.
Il se chargea, entre 1533 et 1538, pour le compte de Claude de la Fédézie, dame de Lévéville, de faire un groupe de pierre pour l'église de Bailleau-l'Évêque, près de Chartres. Ce groupe devait être composé d'une Notre-Dame de Pitié, d'un Christ, d'une Madeleine et d'un saint Jean l'Évangéliste.

LHUER Gaston Théophile
Né le 9 mars 1868 à Bucarest, de parents français. XIXe-XXe siècles. Français.
Peintre de figures, paysages, illustrateur.
Il fut élève de Cormon et Renard. Il travailla à partir de 1890. Il reçut une médaille en 1910.
Il fit de nombreux dessins humoristiques pour la presse.
Bibliogr. : In : *Dict. des illustrateurs 1800-1914*, Ides et Calendes, Neuchâtel, 1989.
Musées : Gray : *Après la messe de Cancale* – Troyes : *Dimanche d'été au jardin du Luxembourg.*

LHUER Jules Jean
Né à Paris. XIXe-XXe siècles. Français.
Peintre de paysages, marines, aquarelliste.
Il fut élève de Lahalle. Il débuta à Paris, au Salon des Artistes Français en 1878.

LHUILLIER Charles Marie ou **Lhullier**
Né vers 1824 à Granville (Manche). Mort en 1898 au Havre (Seine-Maritime). XIXe siècle. Français.
Peintre de genre.
Élève de Picot fils et Achora. Il exposa au Salon de Paris à partir de 1859. On connaît peu son œuvre, mais l'homme a mérité le souvenir et la reconnaissance de Raoul Dufy, Othon Friesz et Georges Braque, desquels il fut le professeur à l'École des Beaux-Arts du Havre et qu'il guida sagement vers Paris plutôt que de ses conseils. On connaît son portrait par Othon Friesz, une des premières œuvres du maître.
Musées : Le Havre : *Le café des turcos – Pifferari – Un ordre* – Mulhouse : *La sentinelle avancée* – Saint-Lô : *Retour des champs.*
Ventes Publiques : Paris, 7 fév. 1898 : *Combat entre turcos et Autrichiens* : **FRF 150** ; *Les tambours du régiment de Champagne* : **FRF 765** – Paris, 21 fév. 1910 : *Arabe jouant avec un chat* : **FRF 180** – Paris, 20-22 mai 1920 : *Table servie* : **FRF 350** – Paris, 12 mars 1941 : *Jeune femme en bonnet blanc* : **FRF 160** – Le Havre, 21 mars 1980 : *Femme dans un jardin*, h/t (33x24) : **FRF 4 500** – Le Havre, 14 nov. 1983 : *Arabes dans un intérieur*, h/t : **FRF 90 000**.

LHUILLIER Didier Alphonse
Né à Langres (Haute-Marne). Mort à Pons (Charente-Maritime). XIXe siècle. Français.
Peintre de genre.
Élève de P. Delaroche. Il exposa au Salon de Paris, de 1848 à 1870. Le Musée de Langres conserve de lui : *Sabine et Eponine.*

L'HUILLIER Eugène Louis
Né le 27 octobre 1871 à Genève. XIXe-XXe siècles. Suisse.
Peintre de paysages, portraits, sculpteur, médailleur.
Il étudia à Genève et à Paris. Il peignit des paysages de Suisse et exécuta des portraits médaillons.

L'HUILLIER Jacques
Né le 9 octobre 1867 à Paris. XIXe-XXe siècles. Français.
Peintre de paysages.
Il fut élève de Luigi Loir. Il exposa à Paris, au Salon des Artistes Français, à partir de 1894.

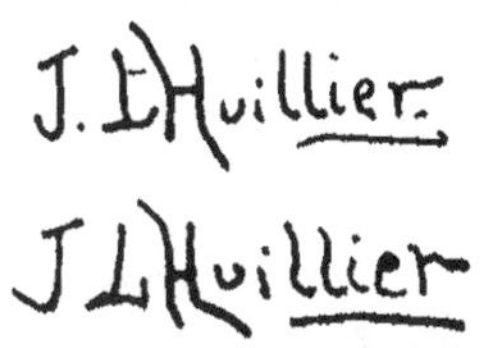

Ventes Publiques : Versailles, 18 mars 1990 : *Le retour des champs*, h/t (81x64,5) : **FRF 9 000** – New York, 28 mai 1992 : *Soleil levant sur la Seine*, h/t (109,2x208,3) : **USD 11 000** – Paris, 13 fév. 1995 : *Promenade au jardin du Luxembourg*, h/t (97x162) : **FRF 95 000**.

LHUILLIER Léonce
XIXe siècle. Actif à Paris. Français.
Graveur.
Il exposa au Salon de Paris, de 1835 à 1846.

LHUILLIER Nicolas François Daniel ou **Lhuilier** ou **Lhullier**
Mort le 8 juin 1793 à Paris. XVIIIe siècle. Français.
Sculpteur.
Il fit des sculptures décoratives à Paris sous la direction de F. Belanger pour l'Hôtel de Brancas et sous la direction de Pajou pour la Fontaine des Innocents, ainsi que dans les châteaux de Maisons-Laffitte et de Bagatelle. On lui attribue la copie de deux bronzes d'après des reliefs antiques, dont un se trouve au Musée du Louvre et l'autre dans la Collection Wallace à Londres.

L'HUILLIER Pierre ou **Luillier**
XVIIe siècle. Actif à Troyes. Français.
Graveur de marines et peintre.

LHUILLIER Sophie. Voir **LHUILLIER DE PUGET Sophie**

LHUILLIER Victor Gustave
Né au XIXe siècle à Alkirch, de parents français. XIXe siècle. Vivant à Londres. Français.
Graveur.
Élève de Gaucherel. Il débuta en 1875.

LHUILLIER DE PUGET Sophie
Née en 1720 à Paris. Morte le 22 décembre 1802 à Varsovie. XVIIIe siècle. Française.
Peintre de miniatures.
Une miniature de *Mme Krakovska* fit partie de la collection du roi Stanislas Auguste.

LI. Voir aussi **LEE**

LI, prince
XVIIe-XVIIIe siècles. Actif sous le règne de Qing Kangxi (1662-1722). Chinois.
Peintre.
Membre de la famille impériale, on connaît de lui : *Bateau rentrant au port*, signé et daté 1730, accompagné d'un poème daté 1732.

LI-MIR Gloria
Née en 1943. XXe siècle. Active en France. Péruvienne.
Peintre technique mixte.

À Thonon-les-Bains, elle est représentée par la galerie Galise Petersen.

LIA. Voir **LIANO Felipe**

LIABASTRE Marcellin
Né en 1813 à Rodez (Aveyron). Mort en 1867 à Melun (Seine-et-Marne). XIXe siècle. Français.
Peintre d'architectures.
Il exposa au Salon de Paris entre 1839 et 1866. Le Musée de Rodez conserve de lui une *Vue de la Chapelle des Perses.*

LIAGATCHEV Vladimir
Né en 1945. XXe siècle. Russe.
Peintre de compositions animées, peintre à la gouache, aquarelliste.
Il a exposé en Allemagne, en France et aux États-Unis. Il figurait à l'exposition *Paris-Moscou* du Centre Georges Pompidou durant l'hiver 1988 et est référencé dans le catalogue.
Ventes Publiques : Paris, 11 fév. 1983 : *Composition* 1979, gche (58x42) : **FRF 8 100** – Paris, 20 juin 1988 : *Espaces croisés*, aquar. (60x45) : **FRF 4 600** – Paris, 7 nov. 1988 : *Rêve de Kandinsky N°2* 1975, aquar. (62,5x47,5) : **FRF 4 500** – Paris, 26 mai 1989 : *Choix de Virgile* 1980, aquar./pap. (62,5x48) : **FRF 3 800** – Paris, 8 oct. 1989 : *Baignade du cheval vert*, h/t (92x73) : **FRF 4 300** – Les Andelys, 19 nov. 1989 : *Promenade sur cheval noir*, acryl./t. (81x65) : **FRF 3 000** – Paris, 26 avr. 1990 : *La Force de l'action*, acryl./t. (100x81) : **FRF 5 800** – Paris, 10 juin 1990 : *La Grande Promenade bleue*, acryl./t. (116x89) : **FRF 5 000** – Paris, 26 avr. 1991 : *Le repos du guerrier*, gche (28x23) : **FRF 5 100**.

LIAGNIO Filippo di ou **Diliagno**
Actif à Norcia. Italien.
Peintre.
L'église S. Benedetto de Norcia lui doit un grand tableau représentant une scène de la vie du saint. Peut-être est-il identique à Filippo d'Angeli.

LIAGNO
XVIIe siècle. Actif à Naples. Italien.
Graveur.
Ventes Publiques : Londres, 5 déc. 1985 : *Saint Jean prêchant dans le désert*, eau-forte (50,3x40,2) : **GBP 2 800**.

LI AI-CHIH. Voir **LI AIZHI**

LI Ai Wei ou **Li Ai Vee**
Née en 1932 à Shanghai. XXe siècle. Active depuis 1958 en Suisse. Chinoise.
Peintre. Traditionnel.
Artiste Chinoise, vivant à Genève. Elle commença ses études artistiques en 1952 avec Lu Yi Fei, puis avec Lin Feng Mian, jusqu'en 1958 quand elle quitta Shanghai pour vivre en Suisse. Elle fut également l'élève de Zhang Da Qian qu'elle rencontra en Suisse en 1965.
Ventes Publiques : Hong Kong, 4 mai 1995 : *Oiseau et lotus ; Orchidée*, encre et pigments légers/pap. et encre/pap., une paire (chaque 32,7x29) : **HKD 8 050**.

LI AIZHI ou **Li Ngai-Tche,** ou **Li Ai-Chih**, nom de pinceau : **Jinpo Chushi**
Xe siècle. Actif à Huayin (province du Shânxi) sous la dynastie des Liang Postérieurs (910-925). Chinois.
Peintre.
Il fait des paysages mais est surtout connu pour ses portraits de chats.

LIAN AN ou **Lien an,** ou **Lien Ngan**
Mort au début du XVe siècle. XIVe-XVe siècles. Chinois.
Théoricien de la peinture.
Dans le recueil posthume des écrits de cet historien de l'art, *Jinchuan Yuxie Ji*, se trouve un bref, mais célèbre passage sur la théorie esthétique. C'est un commentaire sur la distinction faite par Su Dongpo (1036-1101) entre « la forme constante » et « le principe constant », qui amène à cerner l'essence même de la peinture : celle-ci n'est pas la reproduction mécanique des apparences formelles mais consiste à saisir la nature intérieure des choses, c'est-à-dire une opération spirituelle que seule l'élite des lettrés est à même de réaliser.
Bibliogr. : Pierre Ryckmans : *Les Propos sur la Peinture de Shitao*, Bruxelles, 1970.

LIAN BU ou **Lien Pou,** ou **Lien Pu**, surnom : **Xuanzhong,** nom de pinceau : **Shezi Laonong**
XIIe siècle. Actif à Shanyang (province du Henan). Chinois.
Peintre.
Il est le gendre de Zhang Bangchang, dernier premier ministre de l'empereur Song Huizong (1101-1126) et est connu pour ses paysages avec de vieux arbres et des pierres baroques. Le National Museum de Stockholm conserve de lui, *Paysage d'automne*, portant le nom du peintre et la date de 1131, mais datant probablement de la dynastie Ming (1368-1644).

LI AN CHONG. Voir **LI ANZHONG**

LI AN-CHUNG. Voir **LI ANZHONG**

LIANG BAIPO ou **Leang Pai-P'o,** ou **Liang Pai-P'o**
XXe siècle. Chinoise.
Peintre.
Elle fait ses études à l'université de Shangai et, pendant la Seconde Guerre mondiale, voyage au Tibet.

LIANG BAOCI ou **Leang Pao-Ts'eu** ou **Liang Pao-Tz'u**
XXe siècle. Actif en Malaisie. Chinois.
Peintre, dessinateur.
Peintre et dessinateur industriel, il fait ses études aux États-Unis. En 1939, il monte un centre d'art industriel à Shangai. Il vit maintenant en Malaisie.

LIANG CHANGLIN
Né en 1951. XXe siècle. Chinois.
Peintre de figures. Traditionnel.
Il fut élève de l'Institut central des beaux-arts, où il enseigne. Il a participé à l'exposition : *Peintres traditionnels de la République populaire de Chine*, à Paris, à la galerie Daniel Malingue, en 1980. Il peint dans le style traditionnel, avec des encres et des pigments de couleurs sur des supports papier.

LIANG CHE-MIN. Voir **LIANG SHIMIN**

LIANG CHIH-CHUNG. Voir **LIANG ZHIZHONG**

LIANG-CH'ÜAN. Voir **LIANGQUAN**

LIANG DINGMING ou **Leang Ting-Ming** ou **Liang Ting-Ming**
XXe siècle. Chinois.
Peintre de scènes militaires.
Originaire de Canton, il fait des études en France, à partir de 1926. Il est bien connu comme artiste du front pendant la Seconde Guerre mondiale.

LIANG DONG
Né en 1926. XXe siècle. Chinois.
Graveur.
Il a participé, en 1992, à l'exposition *De Bonnard à Baselitz – Dix Ans d'enrichissement du cabinet des estampes 1978-1988* à la Bibliothèque nationale, à Paris.
Musées : Paris (BN) : *À la saison de pêche.*

LIANG KAI ou **Leang K'ai** ou **Liang K'ai**, nom de pinceau : **Fengzi**
Originaire de Dongping, province du Shandong. XIIIe siècle. Actif au milieu du XIIIe siècle. Chinois.
Peintre.
À l'inverse d'autres écoles du bouddhisme, le bouddhisme chan (mieux connu en Occident sous son nom japonais de zen) a suscité quelques-une des plus hautes créations de la peinture chinoise. La peinture chan parvient à son apogée au XIIIe siècle avec l'œuvre de Liang Kai et de Muqi. De fait, et comme le dit fort bien P. Ryckmans, le bouddhisme chan « trouve dans la pratique de la peinture et de la calligraphie un exercice articulé à l'image de sa propre démarche spirituelle : la longue et austère discipline technique que requièrent la peinture et la calligraphie répond à l'ascèse monastique ; elle culmine dans l'œuvre exécutée à la faveur d'une minute d'ivresse inspirée, quand le peintre a si totalement assimilé son métier qu'il peut oublier l'existence de l'encre et du pinceau : ainsi *l'illumination* du moine, saisie intuitive et instantanée de l'absolu, survient-elle à ce point suprême de mobilisation et de concentration des facultés conscientes où le détachement de toutes les apparences devient communion à la totalité du réel. » On trouve, toutefois, dans l'œuvre de Liang Kai, fondateur de l'école, des antécédents assez manifestes qui la rattachent aussi bien à la peinture lettrée du IXe siècle (Mi Fu 1051-1107 et Su Dongpo 1036-1101), à la peinture de style cursif du Xe siècle (Shi Ke) qu'aux traditions picturales de l'académie des Song du Sud (1127-1279). Liang Kai est lui-même initié à la peinture par Jia Shigu, peintre académique actif vers 1131-1162, qui travaille dans le style linéaire de Li Longmian (1040-1106). Il fait une brillante carrière à l'Acadé-

mie Impériale de Hangzhou, où il reçoit, vers 1201-1204, une distinction honorifique *(daizhao)* que son caractère non conformiste le pousse à abandonner pour se retirer au monastère de Liutong, l'un des grands centres chan de Hangzhou. Le *Portrait de Tao Yuanming* (Taipei : National Palace Museum) est un exemple des débuts de Liang Kai, dans un style assez académique. Mais c'est cette solide formation picturale et cette pratique du graphisme linéaire qui lui permettront, dans les œuvres ultérieures, de faire preuve d'une éblouissante audace plastique, véhémente explosion de l'« encre éclaboussée », qui ne souffre ni arrêt ni repentir car la course du pinceau semble devancer tout contrôle conscient. En réalité, pour le peintre chan, cette course est essentiellement une opération de la conscience dont le pinceau n'est que le prolongement hypersensible. Là réside le secret de cette densité interne qui imprègne son *Portrait de Li Bo* ou encore son *Portrait d'un immortel ivre* où chaque touche du pinceau semble répondre à une inéluctable nécessité qui règle la séquence rythmique de l'ensemble. Tout superflu est écarté et la peinture s'en trouve réduite à une brutale nudité, engagement de tout l'être qui échappe aux hasards de la matière. Cette école restera en Chine assez marginale, ne représentant pas, pour les lettrés, l'élégance culturelle suffisante aux esprits distingués. On en trouvera seulement l'écho chez quelques individualistes, tels Xu Wei au XVIe siècle, Zhu Da et Daoji au XVIIe siècle, voire Qi Baishi au XXe siècle. Très vite, par contre, le Japon en saisira l'essence, ce qui explique que la presque totalité des œuvres de Liang Kai soient conservées dans ce pays.

Bibliogr. : James Cahill : *La peinture chinoise*, Genève, 1960 – Pierre Ryckmans : *Leang K'ai et Mou-K'i*, in : *Encyclopaedia Universalis*, vol. 9, Paris, 1971.

Musées : Cambridge (Fogg Art Mus.) : *Paysage d'hiver avec un arbre mort et des oiseaux*, encre et coul. légères sur soie, feuille d'album signée – Pékin (Mus. du Palais) : *Personnages*, feuille d'album attribuée – Taipei (Nat. Palace Mus.) : *Portrait d'un immortel ivre*, encre sur pap., feuille d'album signée – *Portrait de Tao Yuanming*, encre et coul. sur soie, rouleau en hauteur – Tokyo (Nat. Mus.) : *Portrait de Li Bo*, encre sur pap., rouleau en hauteur, au registre des Biens Culturels Importants – *Le moine Huineng taillant un bambou*, encre sur pap., rouleau en hauteur, au registre des Biens Culturels Importants – *Paysage de neige*, encre et coul. sur soie, rouleau en hauteur, au registre des Trésors Nationaux – Tokyo (Mus. Nezu) : *Ahrat assis*, attribution.

LIANG PAI-P'O. Voir **LIANG BAIPO**

LIANG PAO-TZ'U. Voir **LIANG BAOCI**

LIANG Qichao
Né en 1873. Mort en 1928. XIXe-XXe siècles. Chinois.
Peintre. Traditionnel.

Ventes Publiques : Hong Kong, 29 oct. 1992 : *Calligraphie en écriture courante*, encre/pap., kakémono (131x62,5) : **HKD 13 200** – Hong Kong, 5 mai 1994 : *Strophes en calligraphie kai shu*, encre/pap., kakémonos, une paire (chaque 163,2x25,5) : **HKD 43 700**.

LIANG QINGFU ou **Liang Chingfu**
Né en 1948 à Taipei. XXe siècle. Chinois.
Peintre de compositions à personnages, scènes typiques.

En 1971, il obtint le diplôme du collège national d'art. En 1987, il reçut le prix Pierre Cardin et la même année le prix du meilleur dessin de la République de Chine.
Dans des atmosphères brumeuses, il décrit, d'une touche nerveuse, la vie de tous les jours.

Ventes Publiques : Hong Kong, 30 mars 1992 : *La vie devant soi* 1991, h/t (63x81) : **HKD 82 500** – Hong Kong, 28 sep. 1992 : *Les temps pacifiques* 1992, h/t (79x91) : **HKD 95 000**.

LIANGQUAN ou **Liang-Ch'üan** ou **Leang-Ts'iuan**, noms de pinceau : **Keweng, Wushi** et **Sikan**
XIIIe siècle. Actif à la fin du XIIIe siècle. Chinois.
Peintre.

Ce peintre n'est pas mentionné dans les annales chinoises, mais d'après des textes japonais (voir : *Shimbi Shoin album XII*) il serait allé au Japon en 1299. En outre, il existe un moine nippon du nom de Liangquan (Ryôsen), actif ultérieurement et qui peint dans le style chinois, comme le prouve un petit rouleau en longueur représentant un ahrat et qui lui est attribué.

LIANG SHIH-MIN. Voir **LIANG SHIMIN**

LIANG SHIMIN ou **Leang Che-Min** ou **Liang Shih-Min**, surnom : **Xunde**
Né à Kaifeng. XIIe siècle. Actif sous le règne de l'empereur Song Huizong (1101-1126). Chinois.
Peintre.

Gouverneur de Zhongzhou, il commence par écrire de la poésie tout en faisant preuve d'un grand talent pour la peinture. Il peint des fleurs et des bambous mais aussi des paysages. Le Musée du Palais de Pékin conserve de lui : *Paysage hivernal de rivière avec des roseaux et des canards mandarins*, rouleau en longueur sur soie, accompagné d'une inscription de l'empereur Huizong.

LIANG SHUNIAN
Né en 1912 à Pékin. XXe siècle. Chinois.
Peintre de paysages. Traditionnel.

Il est professeur de l'Institut central des beaux-arts. Il a participé à l'exposition : *Peintres traditionnels de la République populaire de Chine*, à Paris, à la galerie Daniel Malingue, en 1980.
Il peint dans le style traditionnel, avec des encres et des pigments de couleurs sur des supports papier, les fleuves et les hautes montagnes de Chine.

LIANG TING-MING. Voir **LIANG DINGMING**

LIANG YANG
Né en 1960. XXe siècle. Chinois.
Peintre.

Il fit des études littéraires à l'université de Pékin, puis travailla avec l'association des calligraphes de Chine.
Il expose régulièrement en Occident, notamment à la galerie Jean Claude Riedel à Paris.
Il pratique la calligraphie, tout en restant à l'écoute de l'art moderne ocidental.

LIANG YIFEN ou **Liang Yi-Fen**
Né en 1937 à Zhanghua. XXe siècle. Actif depuis 1987 aux États-Unis. Taiwanais.
Peintre de compositions à personnages, natures mortes.

De 1954 à 1957, il étudia l'art au Collège Normal de Taipei, puis, l'art moderne, sous la direction de Li Zhougsheng de 1958 à 1963. Il fut un actif promoteur de l'art moderne à Taïwan. Il participe à de nombreuses expositions nationales et internationales, notamment aux États-Unis, où il vit depuis 1987 à New York.
Ses œuvres décoratives, travaillées par aplats de couleurs vives, évoquent le travail de Matisse.

Ventes Publiques : Hong Kong, 30 mars 1992 : *Nature morte sur une table* 1991, h/t (122x91,5) : **HKD 93 500** – Hong Kong, 28 sep. 1992 : *Miroir* 1992, h/t (73x62) : **HKD 77 000** – Hong Kong, 30 avr. 1996 : *Femme au chat* 1995, h/t (121,9x91,4) : **HKD 92 000**.

LIANG YONGTAI ou **Leang Yong-T'ai** ou **Liang Yung-T'ai**
XXe siècle. Chinois.
Graveur de scènes typiques.

Il vit dans la province de Guangdong. Il travaille avec une troupe de théâtre le long de la voie ferrée Canton-Hankou, d'où son amour pour les trains qu'il décrit et peint dans un style minutieux mais un peu mécanique. Il a publié un album de gravures sur bois intitulé : *La Voie de fer*.

LIANG YUNG-T'AI. Voir **LIANG YONGTAI**

LIANG ZHIZHONG ou **Leang Tche-Tchong** ou **Liang Chih-Chung**
XVIIe siècle. Actif vers 1630. Chinois.
Peintre.

Il n'est pas mentionné dans les biographies officielles mais on connaît de lui : *Arbres dénudés et bambous près d'un ruisseau*, avec des poèmes de Wei Zhihuang (datés 1635), de Zheng Zhong et du peintre.

LIANO Felipe, appelé aussi **el Pequeno**
Né en 1566 à Madrid. Mort en 1625 à Madrid. XVIe-XVIIe siècles. Espagnol.
Peintre portraitiste et graveur.

Élève d'Alonso Sanchez Coello. Il excella dans l'exécution des petits portraits, il était souvent appelé *El Titiano Pequeno* ou simplement *le Pequeno*. Le Musée du Prado, à Madrid, conserve de lui un *Portrait en pied de l'infante Isabelle Claire Eugénie* et le Musée Kaiser Friedrich à Berlin, un portrait-miniature d'*Isabelle d'Espagne*. On cite, parmi ses gravures, *Saint Jean dans le désert* et *Nymphe et satyre*. Il signait *F. Felippo Lia*, ou encore *Teodo Filioppo da Liagno*.

Ventes Publiques : New York, 15 mars 1946 : *Portrait de l'infante Isabelle* : **USD 700**.

LIANO Francesco ou **Llanos, Lliani, Aliani**
Né en 1712 à Fidenza. Mort à Naples. XVIIIe siècle. Italien.

Peintre d'histoire, compositions religieuses, portraits.
Il fut de 1765 à 1777 peintre de la cour à Naples. Il travailla également à Parme.
Musées : Copenhague (Amalienborg) : *Portrait en pied du roi Ferdinand IV de Naples.*
Ventes Publiques : Milan, 18 juin 1981 : *Portrait de Charles IV d'Espagne ; Portrait de Ferdinand IV, roi de Naples,* h/t, une paire (chaque 101x75) : **ITL 7 500 000** – Rome, 13 avr. 1989 : *Ecce Homo,* h/t (95x76) : **ITL 5 000 000** – Rome, 19 nov. 1991 : *Portraits du marquis et de la marquise de Campolattaro Blanch,* h/t, ovale (chaque 100x72) : **ITL 31 000 000** – Londres, 13 déc. 1996 : *Portrait équestre de François, duc de Lorraine, plus tard empereur d'Autriche,* h/t, de forme ovale (76,1x63,5) : **GBP 13 225.**

LIANO Lope de
XVIe siècle. Actif à Cordoue. Espagnol.
Sculpteur.
La cathédrale de Cordoue lui doit la *Décoration du Vendredi Saint,* encore conservée.

LIANO Teodoro Filippo di. Voir **LIAGNO**

LIANO d'Angeli Filippo. Voir **ANGELI Filippo d'**

LIANORI Pietro Giovanni. Voir **LEONORI**

LI AN-PEN ou **Li Anben**
Née en 1954. XXe siècle. Chinoise.
Peintre.
Femme peintre du district de Huxian, elle est membre de la brigade de Potou, commune populaire de Yutchan. (Voir HUXIAN, peintres paysans du).

LIAN QI ou **Lien Ch'i** ou **Lien K'i**
Originaire de Yangzhou. XIXe siècle. Actif vers 1862. Chinois.
Peintre.
Moine peintre, il vit à Shanghai ; il est connu pour ses peintures de bambous, de rochers, d'oiseaux et d'animaux.

LI ANZHONG ou **Li An-Chung** ou **Li Ngan-Tchong**
XIIe siècle. Actif dans la première moitié du XIIe siècle. Chinois.
Peintre de fleurs et oiseaux.
Membre de l'Académie Impériale de Peinture sous le règne de l'empereur Song Huizong (1101-1126), à Kaifeng, il suit l'académie lors de l'exode de la cour vers le sud, à Hangzhou, en 1127. C'est là que Li Anzhong reçoit la « ceinture dorée », décoration honorifique attribuée à un membre de l'académie. Il est surtout connu pour ses peintures de cailles ; ses paysages, peu nombreux, reflètent l'influence de Zhao Danian (actif 1070-1100).
Musées : Cleveland (Mus. of Art) : *Chaumière dans un bosquet dans la brune à l'automne* signé et daté 1117, encre et coul. sur soie, plusieurs cachets – Londres (British Mus.) : *Chien et faucons poursuivant un lièvre,* feuille d'album – New York (Metropolitan Mus.) : *Deux moineaux sur une tige de millet,* éventail – Pékin (Mus. du Palais) : *Deux cailles picorant sur le sol,* feuille d'album carrée – Seattle (Art Mus.) : *Faucon et faisan* daté 1129, encre et coul. légères sur soie, feuille d'album signée – Taipei (Nat. Palace Mus.) : *Pie-grièche,* encre et coul. sur soie, feuille d'album – Tokyo (Mus. Nezu) : *Caille,* coul. sur soie, feuille d'album, au registre des Trésors Nationaux.

LI AO ou **Li Ngao**
Chinois.
Peintre.
Peintre de la dynastie Ming (1368-1644).

LIAO BINGXIONG. Voir **LIAO XINXUE**

LIAO Chi-ch'un ou **Jichun**
Né en 1902 à Fung-yuen. Mort en 1976. XXe siècle. Chinois.
Peintre de paysages, natures mortes. Post-fauve.
Diplômé de l'Institut des beaux-arts de Tokyo en 1927, il devint professeur à l'université nationale normale. Il fut l'un des fondateurs de la *Ruddy Island Association.* Il participa à des expositions à Taiwan et au Japon, et remporta de nombreuses distinctions. À l'invitation du département d'État des États-Unis, il visita l'Europe en 1962. Il fut également récompensé pour ses travaux littéraires.
Sa palette d'une grande richesse tout au long de son œuvre, et déjà en 1927 dans ses représentations d'arcs antiques et de ruines, fut employée durant ses dernières années pour composer des natures mortes plus cloisonnées, nettement abstractisantes, gestuellement expressionnistes, savoureuses de matières, puis des paysages d'un post-fauvisme, tardif certes, mais vigoureusement efficace.
Ventes Publiques : Taipei, 22 mars 1992 : *Nature morte en bleu,* h/t (60,7x72,7) : **TWD 5 940 000** ; *L'île de Kuei-shan,* h/t (72,5x91) : **TWD 7 040 000** – Taipei, 18 oct. 1992 : *Barques à Yeh Liu* 1974, h/t (37,8x45,5) : **TWD 2 420 000** – Taipei, 10 avr. 1994 : *Roses,* h/pan. (41x32) : **TWD 1 092 500** – Taipei, 16 oct. 1994 : *Scène de la rivière Tamsui* 1958, h/cart. (38x45) : **TWD 874 000** ; *Venise* 1964, h/t/cart. (33,2x24,2) : **TWD 1 535 000** – Taipei, 20 oct. 1996 : *Jardin,* h/t (116x91) : **TWD 9 290 000.**

LIAO HSIN-HSÜEH. Voir **LIAO XINXUE**

LIAO KAIMING
Né en 1940. XXe siècle. Chinois.
Graveur.
Il vit et travaille à Pékin. Il a participé, en 1992, à l'exposition *De Bonnard à Baselitz – Dix Ans d'enrichissement du cabinet des estampes 1978-1988* à la Bibliothèque nationale, à Paris.
Musées : Paris (BN) : *Printemps* 1961.

LIAO PING-HSIUNG. Voir **LIAO XINXUE**

LIAO SIN-HIO. Voir **LIAO XINXUE**

LIAO XINXUE ou **Leao Ping-Hsiong, Leao Sin-Hio, Liao Bing-Xiong, Liao Hsin-Hsüeh, Liao Ping-Hsiung, Liao Sin-Hio**
Né le 14 janvier 1906 dans la province du Yunnan. XXe siècle. Chinois.
Sculpteur, peintre, dessinateur.
Il fit ses études à Shanghai. Il vint en France en 1934, et entra à l'École des beaux-arts de Paris dans l'atelier de Boucher puis de Goumont. Il exposa à Paris, au Salon d'Automne, dont il fut membre sociétaire et, en 1946, reçut la médaille d'or.
Il est connu pour ses caricatures anti-japonaises. Sa peinture révèle sa double formation orientale et occidentale, tandis que sa sculpture est totalement européenne.

LIARD Robert
Né en 1911 à La Louvière. XXe siècle. Belge.
Peintre de paysages, portraits, aquarelliste, graveur. Réalité poétique.
Il fut élève de l'académie des beaux-arts de Liège, où il enseigna par la suite.
Bibliogr. : In : *Dict. biogr. illustré des artistes en Belgique depuis 1830,* Arto, Bruxelles, 1987.
Musées : Bruxelles – Charleroi – Liège – La Louvière – Mons – Namur – Tournai.

LIARDET Marie
Née le 3 décembre 1826. Morte le 1er mars 1900. XIXe siècle. Active à Belmont-sur-Lausanne. Française.
Peintre de fleurs.
Elle fut professeur à Lausanne. Elle exposa à Zurich en 1879.

LIARDO Filippo
Né le 14 mai 1840 à Leonforte (Sicile). Mort le 9 février 1917 à Asnières (Hauts-de-Seine). XIXe-XXe siècles. Italien.
Peintre de genre, figures, portraits, paysages, illustrateur, sculpteur, aquafortiste.
Élève et ami de J. L. Gerôme. Il peignit des tableaux de figures, des portraits, des paysages et fit des sculptures, parmi lesquelles le buste de bronze de *Jules Cardane.* Il collabora à des revues illustrées, le *Monde illustré ; l'Illustration.*
Ventes Publiques : Paris, 21 juin 1926 : *Paysans se rendant au marché (neige)* : **FRF 410** – Londres, 24 mars 1982 : *La route du marché,* h/pan. (18x9) : **GBP 1 300** – Rome, 6 déc. 1994 : *L'enjeu perdu,* h/t (55x70) : **ITL 14 142 000.**

LIART Matthew ou **Liard**
Né en 1736 à Londres, de parents français. Mort vers 1782 à Londres. XVIIIe siècle. Britannique.
Graveur au burin.
Élève de Ravenet et des Écoles de la Société des Artistes et de la Royal Academy. Il travailla notamment pour l'éditeur Boydell. Il a surtout produit des estampes d'après les maîtres italiens et anglais.

LIAUSU Camille
Né en 1894 à Biarritz (Pyrénées-Atlantiques). Mort en 1975. XXe siècle. Français.
Peintre de figures, portraits, nus, paysages, natures mortes, aquarelliste, peintre de cartons de tapisseries.
Élève à l'école des Beaux-Arts de Bordeaux, il suit ensuite les cours de Cormon à Paris.

Influencé par André Lhote et Bissière, il ne retint de la leçon cubiste que quelques principes constructifs, étayant l'expression de sa sensation. Ses compositions sont faites de formes sculpturales simples. Décorateur, il a également dessiné des costumes de théâtre, quelques cartons de tapisseries pour les Gobelins.
Bibliogr. : Gérald Schurr, in : *Les Petits Maîtres de la peinture 1820-1920, valeur de demain*, Les Éditions de l'Amateur, t. IV, Paris, 1979.
Ventes Publiques : Paris, 4 juin 1925 : *La Jeune Mère* : **FRF 200** – Paris, 19 mai 1926 : *Groupe sur un canapé* : **FRF 320** – Paris, 4 juil. 1928 : *Village provençal* : **FRF 250** – Paris, 10 mai 1985 : *Jeune femme assise*, h/t (64x48) : **FRF 49 000** – Paris, 2 juin 1986 : *Scène de plage*, h/t (33x41) : **FRF 25 000** – Paris, 12 déc. 1988 : *Paysage à la meule de foin* 1935, h/t (33x46) : **FRF 19 000** – Londres, 24 mai 1989 : *Le Mardi-Gras*, h/pan. (99,5x81) : **GBP 1 100** – Montauban, 26 nov. 1989 : *Le Bar*, h/t (207x103) : **FRF 140 000** – La Varenne-Saint-Hilaire, 3 déc. 1989 : *Baigneuses au sous-bois*, h/t : **FRF 62 500** – Paris, 23 nov. 1990 : *Portrait de Roger Bissière*, h/cart. (60x49,5) : **FRF 4 500** – Paris, 7 fév. 1992 : *Femme au piano* (54x65) : **FRF 7 000** – Deauville, 20 août 1992 : *Nu allongé de dos*, h/t (53x105) : **FRF 35 000** – Paris, 15 mai 1996 : *L'Abbatiale*, aquar. (22x22) : **FRF 1 800** ; *Le Moulin bleu*, h/t (50x61) : **FRF 9 500** – Paris, 24 juin 1996 : *L'Arc-en-ciel*, h/t (54x81) : **FRF 15 000**.

LIAUTAUD Georges
Né en 1899 à Croix-des-Bouquets. XXe siècle. Haïtien.
Sculpteur. Naïf.
Mécanicien-forgeron, il se fixa dans son village natal, forgeant divers instruments pour la culture et le bétail ; puis des croix pour les tombes, les ornant des motifs de la mythologie vaudou. Il fut remarqué à partir de 1953 : une salle lui fut consacrée à la Biennale de São Paulo, en 1959.
Il a créé un type de sculpture en fer devenu traditionnel dans son pays. Travaillant tous les matériaux qui lui viennent en mains, fil de fer, chaînes usées, tôle, bidons d'essence, etc, il mêle instinctivement culte vaudou, veine populaire et une certaine drôlerie. On peut parler d'un sculpteur naïf en Haïti qui compte justement une école florissante de peintres naïfs, inspirés par le vaudou.
Bibliogr. : Maria Rosa Gonzalez, in : *Nouv. Dict. de la sculpture mod.*, Hazan, Paris, 1970 – Catalogue de l'exposition : *Les Magiciens de la terre*, Centre Georges Pompidou et la Grande Halle La Villette, Paris, 1989 – in : *Dict. de l'art mod. et contemp.*, Hazan, Paris, 1992.
Ventes Publiques : New York, 30 mai 1984 : *Baron Samedi et Brigette*, métal découpé et forgé (H. 75) : **USD 1 000** – New York, 29 mai 1985 : *Figures lisant*, sculptures en acier, une paire (45,8x53,3) : **USD 1 200**.

LIBALT Gottfried
XVIIe siècle. Actif vers 1660. Hollandais.
Peintre de genre, natures mortes.
Ventes Publiques : Amsterdam, 7 mai 1992 : *Gentilshommes jouant aux cartes dans une forêt avec une vallée au lointain* 1656, h/t (72,5x98,5) : **NLG 5 520** – New York, 4 oct. 1996 : *Choux, navets, pommes, poires, un melon, petites branches de prunier, autres fruits et oiseaux chanteurs sur une table* ; *Une assiette de pommes, pêches, poires, choux, raisins dans un chaudron de cuivre, vigne et oiseaux chanteurs sur une table* 1642, h/t, une paire (71,7x94) : **USD 79 500**.

LIBAUDIÈRE Émile ou **Joseph**
Né à Nantes (Loire-Atlantique). XIXe-XXe siècles. Français.
Peintre.
Il fut élève de Pascal. Il exposa à Paris, au Salon des Artistes Français à partir de 1878.

LIBAY Karoly Lajos
Né le 13 mai 1814 en Hongrie. Mort le 16 janvier 1888 à Vienne. XIXe siècle. Hongrois.
Peintre.
Élève de l'Académie de Vienne. Il devint le compagnon de voyage du comte Breuner dans les Alpes autrichiennes où il fit des aquarelles et des dessins de vues. Il voyagea également en Toscane, en Égypte et en Nubie. Soixante planches de ses voyages en Orient furent reproduites en lithographie par Alt et Nowotny. On cite encore de sa main des albums du Tyrol, de Salzbourg et du Salzkamergut (cinquante planches). Le Musée des Arts Plastiques à Budapest possède de cet artiste cent vingt-huit dessins et aquarelles.

LIBERA Giovanni Battista della
Né le 26 février 1826 à Padoue. Mort le 25 avril 1886. XIXe siècle. Italien.
Peintre.
Il s'est inspiré, comme presque tous les peintres vénitiens, des costumes et des vues de la belle ville des Doges. Il a participé à de nombreuses expositions, notamment celle de Milan, en 1872, où il envoya *Fra Paolo Scarpi a Santa Fosca*, scène vénitienne du XVIe siècle, et *La Cour du Palais Pisani à Santo Stefano*. Il exposa à Venise, en 1881 : *Les Paroissiennes de Venise* ; *Le Palais Ducal* ; *Le Sénat entrant en séance* ; *Les perlières à San Gregorio* ; *Rue à Castel di Codego* ; à Turin, en 1880 : *La dernière entrevue du Sénat et de Fra Paolo Scarpi* ; à Rome, en 1883 : *Tribune du Sénat vénitien* ; *Aristocratie et Peuple* ; enfin à Milan, la même année : *Le Palais Pisani à Santo Stefano* et *La salle de l'Anticollegio du Palais Ducal*.
Musées : Arras : *Le jugement de Foscari* – Venise (Correr) : *Scène du siège de Venise en 1849*.
Ventes Publiques : Venise, 1894 : *Une dame artiste dans son atelier* : **FRF 222**.

LIBERAKI Aglae ou **Bouba**
Née en 1923 à Athènes. XXe siècle. Active depuis 1955 en France. Grecque.
Sculpteur, graveur.
Élève de Tombros, à l'École des beaux-arts d'Athènes, elle quitte la Grèce une première fois en 1947, vient à Paris, et découvre l'art moderne occidental. En 1955, elle s'installe à Paris, passant ses étés dans son pays natal.
De retour en Grèce, elle expose pour la première fois en 1949 à Athènes, avec le groupe *Armos* y recevant en 1950, les encouragements d'Henri Moore. En 1955 a lieu sa première exposition à Paris, puis elle participe aux Salons des Réalités Nouvelles, de la Jeune Sculpture à partir de 1957, Comparaisons à partir de 1962, de Mai à partir de 1966, ainsi que : 1957 *Hommage à Brancusi* ; 1964 Caen, Florence et Rome ; 1965 Rome, Stockholm et Royan ; 1967 Ve Biennale de sculpture de Carrare ; 1968 *L'Art vivant 1965-1968* à la fondation Maeght de Saint-Paul-de-Vence. Elle a participé, en 1984, à la *IIe Biennale Européenne de Sculpture de Normandie*, au Centre d'art contemporain de Jouy-sur-Eure. En 1964, elle fut invitée à l'Exposition internationale de l'Institut Carnegie à Pittsburgh. En 1957, elle montre ses œuvres dans une exposition personnelle à Paris, puis en 1959 sur les thèmes des *Oiseaux de nuit* et des *Bateaux échoués*, en 1962 sur le thème des *Îles*, en 1965 sur le thème des *Antres*, puis en 1970.
À partir de 1956, elle utilise de l'antimoine, qu'elle coule dans des moules, elle commence aussi à utiliser du fer soudé. Après les thèmes des *Oiseaux de nuit* et des *Épaves*, la sculpture de Libéraki s'est de plus en plus écartée d'inspirations de rencontre, pour une non-figuration où le symbole des *Antres* a pris une place prédominante et le travail du métal une toute virile assurance.
Bibliogr. : Michel Conil-Lacoste, in : *Nouv. Dict. de la sculpture mod.*, Hazan, Paris, 1970 – in : *Les Muses*, Grange Batelière, t. IX, Paris, 1972 – in : Catalogue de la *IIe Biennale Européenne de Sculpture de Normandie*, Centre d'Art Contemp., Jouy-sur-Eure, 1984.

LIBERALE, il. Voir **BEVILACQUA Giovanni Ambrogio**

LIBERALE Ercole et **Orazio**, les frères
XVIe siècle. Actifs à Udine. Italiens.
Sculpteurs sur bois.
On cite de leurs travaux en commun à la cathédrale de Cividale un buffet d'orgue et un autel de marbre.

LIBERALE Giorgio ou **Liberal**
XVIe siècle. Actif à Udine. Italien.
Peintre.
Il fut de 1558 à 1572 au service du grand-duc Ferdinand et travailla à Görz, Innsbruck et Prague. Il a peint des tableaux d'animaux et spécialement les différentes sortes de poissons de l'Adriatique pour le grand-duc. On le cite exécutant à Meissen, en collaboration, avec Miererpeck, des bois de plantes et d'animaux, pour les *Commentaires sur Dioscoride*, de Mattioli, publiés à Venise en 1565.

LIBERALE di Biagio da Campo
XVe siècle. Actif vers 1418. Italien.
Peintre.
Il est l'auteur d'un tryptique sur l'autel « della piccola Madonna » dans la cathédrale de Trévise.

LIBERALE da Santacroce. Voir **SANTACROCE Liberale da**

LIBERALE da Verona ou **Liberale di Jacopo Dalla Biava**

Né vers 1445 à Vérone. Mort entre 1526 et 1529 à Vérone. xve-xvie siècles. Italien.

Peintre et miniaturiste.

Sans doute formé à Vérone, il était à Padoue aux environs de 1465, à une époque où l'atelier de Squarcione, plus que Squarcione lui-même (il meurt en 1468), était tout puissant et orientait la peinture vers une formule plutôt sèche, tournée vers l'Antiquité. Marqué par cette tendance, il arrive en Toscane où il reste entre 1466 et 1476 et fait connaître aux artistes siennois les nouvelles recherches de Padoue. En ce sens, on peut dire que Liberale da Verona a contribué à répandre le « squarcionisme » à Sienne, laissant une influence certaine sur quelques artistes siennois, mais aussi sur Girolamo da Cremona, son collaborateur, avec lequel il a été parfois confondu. De cette période passée en Toscane, datent des miniatures exécutées pour le Monte Oliveto Maggiore et le Dôme de Sienne. Leur style quelque peu précieux fait penser à un art gothique renouvelé, mais vient plutôt de la tendance donnée par le « squarcionisme ». Liberale aime les lignes brisées et enroulées, les rythmes sinueux, qui conduisent à un art irréel, comme le prouve l'*Adoration des Mages* (Dôme de Sienne). A son retour à Vérone, vers 1488, il montre également sa connaissance de l'art de Mantegna et des Vénitiens ; il est vrai que Mantegna a fait partie de ce fameux atelier de Squarcione et avait été touché par l'art de Venise. En plus, Liberale, donne un caractère expressionniste à certaines de ses figures, comme peuvent en témoigner les quelques dessins qu'il a exécutés.

Bibliogr. : R. Longhi, in : *Paragone*, 1955, n° 65 – C. del Bravo, in : *Arte Veneta*, 1963 – *Catalogue de l'exposition : « Le cabinet d'un grand amateur P. J. Mariette »*, Paris, 1967.

Musées : Berlin (Kaiser Friedrich) : *Saint Sébastien – Vierge au trône avec saints* – Budapest : *Vierge à l'Enfant* – Londres (Nat. Gal.) : *Vierge à l'Enfant avec anges – La mort de Didon – Le Christ en Galilée – Sir Kenneth Muir Mackenzie* – Milan (Brera) : *Saint Sébastien* – Munich (Pina.) : *Pietà* – Rome (Gal. Nat.) : *Vierge avec anges* – Vérone (Mus. Civique) : *Adoration des mages – Saint Pierre – La naissance du Christ – Sainte Famille – Descente de croix – La naissance du Christ avec saint Jérôme – Saint Jean et autres saints – Saint Jérôme, saint Paul et saint François – Saint Sébastien – Vierge et deux anges – Triomphe de la chasteté et de l'amour* – Vicence : *Vierge à l'Enfant*.

Ventes Publiques : Londres, 7 mai 1926 : *La Vierge et l'Enfant entourés de saints* : **GBP 367** – New York, 22 jan. 1931 : *Saint Sébastien* : **USD 175** – Milan, 10 mai 1967 : *La Vierge et l'Enfant* : **ITL 4 600 000** – Londres, 27 nov. 1970 : *La Nativité* : **GNS 2 200** – Londres, 9 avr. 1986 : *Jeune homme regardant une jeune fille à sa fenêtre*, temp./pan. (33x41) : **GBP 44 000** – Milan, 27 oct. 1987 : *L'Adoration de l'Enfant*, temp./pan. (57,5x44) : **ITL 140 000 000** – Milan, 27 mars 1990 : *Vierge à l'Enfant*, h/pan. (75x55) : **ITL 21 000 000**.

LIBERALI Giulio Angelo

Né le 20 juillet 1874 à Trieste. xixe-xxe siècles. Autrichien.

Peintre de figures, paysages, sculpteur de statues, bustes.

Il fut élève de l'Académie des beaux-arts de Vienne et de Munich et voyagea en Italie, dans les Balkans, en Orient, en Russie.

LIBERATORE Fausto Maria

Né en 1923 à Lucques (Toscane). xxe siècle. Italien.

Peintre de nus, dessinateur.

Il expose surtout en Italie, à Lucques, Florence (1947), Viareggio (1953), Rome (1970), Milan (1948, 1972, 1974)... Il a eu une activité politique importante et a été élu député en 1958.

Surtout peintre de nus, il y montre beaucoup de brio.

LIBERATORE Niccolo di. Voir **NICCOLO da Foligno**

LIBERECHTS Marcellis, dit **Papagey**

xviie siècle. Actif à Anvers. Belge.

Peintre.

Élève de Jacques Jordaens en 1666.

LIBERI Antonio

xvie siècle. Actif à Faenza. Italien.

Peintre et architecte.

LIBERI Marco ou **Marcus**

Né vers 1640 à Padoue. Mort après 1687. xviie siècle. Italien.

Peintre d'histoire, sujets mythologiques, scènes allégoriques.

Fils et élève de Pietro Liberi dont il imita le style. Comme son père, il travailla à Padoue et à Venise et peignit surtout des tableaux de chevalet. Il fit aussi un grand nombre de copies des œuvres de son père.

M Liberi

Musées : Budapest : *Jupiter et Mnémosyne* – Stuttgart : *Portrait de deux hommes*.

Ventes Publiques : Londres, 3 avr. 1985 : *Personnification de l'Afrique*, h/t (99x144) : **GBP 5 200** – New York, 21 oct. 1988 : *Allégorie avec une femme et deux angelots*, h/t (85x62) : **USD 2 750** – Rome, 21 nov. 1989 : *Allégorie*, h/t (83x72) : **ITL 17 500 000** – Paris, 18 avr. 1991 : *Loth et ses filles*, h/t (135x166,5) : **FRF 800 000** – Milan, 21 mai 1991 : *Vénus*, h/t (77,5x62,5) : **ITL 16 950 000** – Milan, 5 déc. 1991 : *Vénus et la Paix désarmant Cupidon*, h/t (95x205) : **ITL 21 000 000** – Londres, 21 avr. 1993 : *Allégorie de la Justice et de la Paix*, h/t (99x134) : **GBP 25 300** – New York, 19 mai 1995 : *Vénus et Cupidon*, h/t (97,2x118,1) : **USD 18 400** – Rome, 29 oct. 1996 : *Le Sacrifice de Moïse*, h/t (69x44) : **ITL 20 970 000** – Paris, 18 déc. 1996 : *Jupiter et Antiope*, h/t (182x118) : **FRF 70 000**.

LIBERI Pietro, dit **Libertino**

Né en 1614 à Padoue. Mort en 1687 à Venise. xviie siècle. Italien.

Peintre de compositions religieuses, scènes allégoriques.

Élève d'Alessandro Varotari, il étudia ensuite Raphaël et Michel-Ange, à Rome, et Corregio, à Parme. Ses dessins d'une liberté remarquable contrastent avec la minutie d'exécution de certaines peintures. Dans ses décorations d'églises, l'artiste se manifeste avec toute sa largeur de vue. C'est dans tous les cas, un des maîtres vénitiens du xviie siècle les plus intéressants. On cite notamment parmi ses œuvres décorant des monuments publics, à Venise : *Bataille des Dardanelles*, au palais des Doges ; *Allégorie*, à l'Académie ; *Venise implorant saint Antoine*, Santa Maria della Salute ; *La Sainte*, San Stefano ; *Sainte Thérèse*, Madonna del Carmine ; *L'invention de la Croix*, San Moïse ; *Le Christ en croix*, San Giovanni e San Paolo ; *Saint Jean écrasant l'Apocalypse*, San Giovanni Evangelista ; *Sacrifice de Noé*, cathédrale à Bergame ; *Mariage de sainte Catherine*, à Santa-Maria Maggiore. Dans ses tableaux sur des sujets mythologiques, il montra une grâce rappelant Titien et Giorgione et quelquefois avec une liberté qui lui valut son surnom.

Musées : Berlin (Kaiser Friedrich) : *Le Bain de Diane* – Bordeaux : *Sainte Apolline et un ange – La Charité – Les Grâces lutinant les Amours* – Brême : *Madeleine repentante* – Brunswick : *Sainte Ursule* – Budapest : *Arténus et la Victoire* – Caen : *Vénus, les Grâces et les Amours* – Chambéry : *Bataille d'Amazones* – Dresde : *Le Jugement de Pâris – Vieillesse et Jeunesse* – Florence (Mus. des Offices) : *L'Artiste* – Graz : *Amour entouré des Grâces* – Kassel : *Suzanne au bain – Bethsabée et ses servantes au bain* – Lucques (Pina.) : *Portrait de jeune femme* – Montauban : *Vision de saint François* – Moscou (Roumianzeff) : *Nymphes et Amours dans les nuages* – Saint-Pétersbourg (Mus. de l'Ermitage) : *Les Grâces et les Amours – Le Bain de Diane – Diane et Callysto* – Schleissheim : *Médor et Angélique – Faune et jeune fille* – Stockholm : *Vénus* – Venise (Gal. roy.) : Sujet mythologique – Venise (Palais ducal) : *Lazare Morenigo battant les Turcs près des Dardanelles* – Venise (Ste Maria Assanta du Gesuite) : *Saint François-Xavier* – Venise (Ste Maria della Salute) : *Venise devant saint Antoine de Padoue* – Vienne : *Vénus et l'Amour – Allégorie de la Géométrie – Allégorie de la Peinture*.

Ventes Publiques : Paris, 1777 : *Diane et quatre nymphes ; Les Trois Grâces et un Amour*, deux pendants : **FRF 264** – Paris, 1814 : *Jeune Fille à la cage* : **FRF 201** – Milan, 21 mai 1970 : *Scène allégorique* : **ITL 2 600 000** – Milan, 23 nov. 1972 : *Bethsabée* : **ITL 3 800 000** – Londres, 28 juin 1979 : *Foi, Espérance et Charité*, pl. et lav. reh. de blanc (30,4x41,5) : **GBP 550** – Milan, 17 mai 1979 : *Vénus et Amour*, h/t (98x79) : **ITL 5 500 000** – Milan, 3 nov. 1982 : *Vénus et les Trois Grâces*, h/t (152x22) : **ITL 47 000 000** – Londres, 6 juil. 1983 : *Allégorie : Juin (Cancer)*, h/t (118,5x151,5) : **GBP 4 500** – Rome, 16 mai 1985 : *Vénus et Mars*, h/t, de forme ovale (117x94) : **ITL 15 000 000** – Milan, 4 juin 1987 : *Diane et Actéon*, h/t (116x146) : **ITL 45 000 000** – Milan, 10 juin 1988 : *Vénus et Cupidon et deux servantes*, h/t (135x122) : **ITL 21 000 000** – Milan, 25 oct. 1988 : *Diane et Actéon*, h/t (117x149) : **ITL 14 000 000** – Paris, 30 jan. 1989 : *Allégorie de la Prudence*, h/t (73x66) : **FRF 23 500** – New York, 1er juin 1989 : *Mercure et Vénus*, h/t (160x229,1) : **USD 33 000** – Rome, 8 mai 1990 : *Vénus et ses servantes*, h/t (113x150) :

ITL 24 000 000 – LONDRES, 18 mai 1990 : *Vénus et Cupidon*, h/t (83,8x83,8) : **GBP 11 000** – NEW YORK, 11 oct. 1990 : *Femme assise tenant un agneau sous le regard de deux enfants* 1681, h/t (96x111) : **USD 17 600** – LONDRES, 17 avr. 1991 : *Vénus et Cupidon*, h/t (81,5x72) : **GBP 9 680** – PARIS, 15 déc. 1991 : *Le Temps enchaînant la Beauté*, h/t (201x150,5) : **FRF 600 000** – NEW YORK, 17 jan. 1992 : *Allégorie de la constance de l'Amour*, h/t (117,5x153,7) : **USD 38 500** – NEW YORK, 21 mai 1992 : *Allégorie de la Prudence*, h/t (91,5x77,5) : **USD 44 000** – LA ROCHELLE, 17 avr. 1993 : *Jupiter entouré des Trois Grâces*, h/t (147x197,5) : **FRF 210 000** – NEW YORK, 8 oct. 1993 : *Diogène et son tonneau*, h/t (135,3x119,4) : **USD 18 975** – LONDRES, 8 déc. 1993 : *Vénus entourée de putti*, h/t (139x177) : **GBP 36 700** – NEW YORK, 14 jan. 1994 : *Joseph et la femme de Putiphar*, h/t (113x149,2) : **USD 20 700** – MILAN, 16 mars 1994 : *Bacchus et Vénus*, h/t (141x175) : **ITL 41 400 000** – ROME, 21 nov. 1995 : *Vénus désarmant un Amour*, h/t (117x100) : **ITL 77 781 000** – PARIS, 27 mars 1996 : *Vénus portée par les Amours*, h/t (139x177) : **FRF 400 000** – LONDRES, 30 oct. 1996 : *Vieille Femme portant des pierres sur ses épaules accompagné d'une jeune garçon*, h/t (104x87) : **GBP 4 600** – MILAN, 21 nov. 1996 : *Vénus et un Amour*, h/t (93x69) : **ITL 51 260 000**.

LIBERICH Nicolai Ivanovitch

Né en 1828. Mort le 29 mai 1883 à Saint-Pétersbourg. XIXe siècle. Russe.

Sculpteur, animalier.

Il étudia à l'Académie de Saint-Pétersbourg et fut admis académicien en 1861. Il sculpta surtout des animaux, en particulier des chevaux, et exécuta une grande quantité de statuettes, dont des moulages en bronze et argent furent répandus à l'étranger.

MUSÉES : SAINT-PÉTERSBOURG (Mus. Russe) : *Cerf*, bronze.

VENTES PUBLIQUES : LONDRES, 27 nov. 1974 : *Groupe de chasse*, bronze : **GBP 900** – LONDRES, 12 fév. 1976 : *Ours*, fer (H. 57) : **GBP 300** – NEW YORK, 1er déc. 1978 : *Esquimeau sur un traîneau tiré par trois rennes*, bronze (L. 91,5) : **USD 5 000** – NEW YORK, 17 mai 1983 : *Ours attaquant un chasseur*, bronze doré (H. 39,5) : **USD 2 600** – NEW YORK, 27 sep. 1986 : *Lapon menant son traîneau tiré par deux rennes*, bronze patiné (H. 26,7 et L. 92,1) : **USD 3 000**.

LIBERMAN Alexander

Né en 1912 à Kiev. XXe siècle. Actif depuis 1941 aux États-Unis. Russe.

Peintre, sculpteur. Abstrait-géométrique.

Il résida en Angleterre en 1920, en France en 1924, où il fut l'élève d'André Lhote, de 1929 à 1931, de l'École des beaux-arts de Paris, de 1930 à 1932, y étudiant aussi l'architecture avec Auguste Perret. Il travailla comme graphiste à ses débuts. Il réalisa en 1936, avec le concours du musée du Louvre, un des premiers films sur l'art *La Femme française*. Il se fixa définitivement à New York en 1941, où il travailla dans la publicité, dans la presse et l'édition, comme directeur artistique, notamment au magazine *Vogue* et fut aussi photographe.

Il participe à d'importantes expositions de groupe, parmi lesquelles : 1954 *Jeunes Peintres américains* au Guggenheim Museum de New York ; 1961 *L'Art en Amérique* à New York, *Peinture américaine contemporaine* à l'Art Institute de Chicago et *Six Peintres abstraits américains* à Londres ; 1962 *Abstraction géométrique en Amérique* au Whitney Museum de New York ; 1968 *L'Art du réel U.S.A. 1948-1968* aux Galeries nationales du Grand Palais à Paris ; 1977 *Aspects historiques du constructivisme et de l'art concret* au musée d'Art moderne de la Ville de Paris. Il montre ses œuvres dans des expositions personnelles, notamment en 1966 au Jewish Museum de New York.

Il débuta avec des natures mortes, des paysages et des portraits dans un style académique. Le titre générique de l'exposition collective de 1962 ainsi que le fait qu'il ait également participé à l'exposition Max Bill, de Zurich, en 1959, indique clairement que sa peinture se rattache au courant de l'abstraction géométrique, que l'on est parfois tenté de dire suisse. Ayant poussé cette réduction de l'œuvre à ses composantes sensorielles premières, il a été revendiqué comme l'un des précurseurs du Minimal Art. En 1949, il adopta la forme du cercle, dans une série de peinture *hard-edged*, industrielle et laquée. Pour élaborer certaines de ses œuvres, Liberman lançait des jetons de poker sur la toile, puis peignait leur point de chute, mettant en scène la caractère aléatoire mais aussi impersonnel de son travail, puisqu'il confiait la tâche à des assistants techniques. Il réalisa aussi des sculptures monumentales sans socle, peintes en rouge, à partir d'objets de récupération (bidons, tuyaux), les assemblant dans des compositions dynamiques, d'allure classique. Il alterne lignes, cercles, carrés et triangles, selon une structure rigoureuse, qui fait oublier les objets retenus pour en retenir la forme constitutive. On cite *Eve* de 1970 au musée en plein air Hakone à Kanagawa.

BIBLIOGR. : Alexander Liberman : *The Artist in his studio*, The Viking Press, New York, 1960 – Barbara Butler : *Alexander Liberman*, Art International, Zurich, mars 1962 – *Peintres contemporains*, Mazenod, Paris, 1964 – Sam Hunter : *Alexander Liberman, recent sculpture*, Jewish Museum, New York, juin 1966 – E. C. Goossen : catalogue de l'exposition *L'Art du réel U.S.A. 1948-1968*, Centre National d'Art Contemporain, Paris, 1968 – in : *L'Art du XXe siècle*, Larousse, Paris, 1991 – Daniel Wheeler : *L'Art du XXe siècle*, Flammarion, Paris, 1981 – Robert G. Edelman : *Alexander Liberman*, Art Press, no 188, Paris, fév. 1994.

MUSÉES : BUFFALO (Albright-Knox Art Gal.) : *Iota IV* 1961 – NEW YORK (Guggenheim Mus.) : *Sixteen Waye* 1951 – NEW YORK (Mus. of Mod. Art) : *Minimum* 1950.

VENTES PUBLIQUES : NEW YORK, 24 mai 1968 : *Omicron VII* : **USD 2 000** – NEW YORK, 22 mars 1979 : *Sans titre* vers 1965, h./alu. (122x122) : **USD 1 000** – NEW YORK, 6 mai 1982 : *Omega* 1972, bronze laqué (92,5x39,5x37,5) : **USD 3 200** – NEW YORK, 11 mai 1983 : *Sacred precinct III* 1973, bronze (89x72,5x45,5) : **USD 4 000** – NEW YORK, 8 mai 1984 : *Omega I* 1961, acryl./t. (152,4x203,2) : **USD 4 000** – NEW YORK, 13 mai 1988 : *ERG XVI* 1977, acryl./t. (152,3x244) : **USD 7 480** – NEW YORK, 5 oct. 1990 : *O jaune* 1963, acryl./t. (diam. 203,2) : **USD 5 500** – NEW YORK, 10 oct. 1990 : *Bouclier* 1971, chrome poli (H. 25,4) : **USD 1 650** – NEW YORK, 6 nov. 1990 : *Sans titre* 1980, acier inox. (H. 84,5) : **USD 5 280** – NEW YORK, 12 nov. 1991 : *Gyroscope* 1966, acier soudé et peint en noir (360,7x421,6x325,1) : **USD 66 000** – NEW YORK, 30 juin 1993 : *Sans titre* 1982, acryl./t. (153,7x229,9) : **USD 3 450** – NEW YORK, 3 mai 1994 : *Sans titre* 1971, alu. poli (25,1x21,9x16,9) : **USD 1 380**.

LIBERO, pseudonyme de **Mazzone Libero**

Né le 7 avril 1937 à Barcelone (Catalogne). XXe siècle. Depuis 1964 actif en France. Espagnol.

Peintre de portraits, paysages, aquarelliste, sculpteur de figures, statues.

Il a passé son enfance en Sicile et a fréquenté l'école d'art de Palerme, de 1955 à 1957. En 1963, il s'établit à Varèse et y enseigne le dessin. En 1964, il s'installe sur la Côte d'Azur. Il vit et enseigne à Saint-Yriex-la-Perche. Il ne cesse d'entreprendre des voyages d'étude proches et internationaux. En 1989, il s'établit à Salon-de-Provence.

Il a vite participé à diverses expositions collectives à Messine (1957), Rome (1959), Pise (1960). Il a exposé aussi à Nice (1968), Menton (1968-1969) et Beaulieu-sur-Mer.

Outre ses aquarelles, notamment de nombreuses vues de Venise, il pratique la sculpture, depuis les années quatre-vingt, façonnant le bois, la pierre, taillant directement la masse. Il a réalisé de nombreuses œuvres monumentales, notamment en 1991 à la collégiale de Saint-Yriex-la-Perche, en 1991 à Aix-en-Provence, a réalisé des œuvres en porcelaine et bronze en 1992 à Limoges et créé une fresque monumentale en 1993 à Saint-Yriex-la-Perche.

MUSÉES : BEAULIEU-SUR-MER.

LIBERSKI Benon

Né en 1926. Mort en 1983. XXe siècle. Polonais.

Peintre de compositions militaires. Réaliste-socialiste.

Il fut diplômé de l'École supérieure des beaux-arts de Katowice en 1954. Il rejoignit le groupe des Peintres Réalistes en 1962. Il est surtout connu pour ses affiches et ses compositions révolutionnaires et militaires. Il obtint de nombreux prix.

MUSÉES : POZNAN (Mus. Nat.) – SKOPJE (Mus. d'Art Mod.) – VARSOVIE (Mus. Nat.) – VARSOVIE (Mus. de l'Armée polonaise).

VENTES PUBLIQUES : PARIS, 29 mai 1991 : *Le pouvoir au Conseil* 1970, h/t (126x186) : **FRF 5 450**.

LIBERT Georg Emil ou **Liebert**

Né en 1820 à Copenhague. Mort en 1908 à Copenhague. XIXe siècle. Danois.

Peintre de paysages.

Il exposa à Vienne en 1873.

MUSÉES : COPENHAGUE : *Paysage d'hiver* – COPENHAGUE (Thorwaldsen) : *Vue de la Langelinje* – HELSINKI : *Paysage danois* – ODENSE : *Le fjord d'Hardanger*.

Ventes Publiques : Copenhague, 30 avr. 1981 : *Jour d'hiver*, h/t (70x87) : **DKK 13 500** – Londres, 30 nov. 1984 : *Salzburg* 1845, h/t (91,5x128) : **GBP 8 000** – Copenhague, 12 août 1985 : *Vue d'une ferme*, h/t (74x107) : **DKK 28 000** – Londres, 26 fév. 1988 : *Moens klint*, h/t (49x68,5) : **GBP 1 650** – Londres, 16 mars 1989 : *Un lac boisé* 1896, h/cart. (29x42) : **GBP 1 320** ; *Bornholm* 1874, h/t (72x99) : **GBP 4 400** – Copenhague, 5 avr. 1989 : *Littoral rocheux à Bornholm* 1873, h/t (85x115) : **DKK 19 000** – Londres, 21 juin 1989 : *Personnages sur une mare gelée près d'un château* 1850, h/t (55,5x80) : **GBP 2 200** – Copenhague, 25-26 avr. 1990 : *Moulin à eau dans un paysage montagneux*, h/t (37x46) : **DKK 5 000** – Stockholm, 16 mai 1990 : *Côte rocheuse à Bornholm*, h/t (86x120) : **SEK 20 000** – Copenhague, 6 mars 1991 : *Un fjord en Scandinavie* 1865, h/t (50x74) : **DKK 8 500** – Amsterdam, 14-15 avr. 1992 : *Le Hardangerfjorden*, h/t (91x130) : **NLG 2 300** – Copenhague, 6 mai 1992 : *Le château d'Heidelberg surplombant la ville* 1859, h/t (47x64) : **DKK 27 000** – Londres, 27 oct. 1993 : *Un fjord*, h/t (66x94) : **GBP 2 760** – Londres, 16 mars 1994 : *Un torrent dans les Alpes*, h/t (95x131) : **GBP 3 450** – Munich, 21 juin 1994 : *Le château d'Heidelberg surplombant la ville* 1859, h/t (47x63) : **DEM 20 700**.

LIBERTÉ Jean
xxe siècle. Américain.
Peintre.
Il participa à des expositions internationales du prix Carnegie, en 1946 et 1947.

LIBERTI Carlos
Né en 1930. xxe siècle. Argentin.
Peintre.
Ventes Publiques : New York, 20-21 nov. 1990 : *Temps de rencontre dans l'espace* 1987, h/t (110x85) : **USD 7 700**.

LIBERTS Ludolfs
Né en 1895 à Tirza (Vidzème). Mort en 1945. xxe siècle. Russe.
Peintre de portraits, paysages, paysages urbains, natures mortes, peintre de décors de théâtre.
Il étudia à l'École Stroganof de Moscou, puis à l'École des beaux-arts de Kazan. Il exposa ses œuvres peintes à Paris, Bruxelles, Berlin et Stockholm. Il obtint une médaille d'or à Barcelone en 1931 et une médaille d'or et un grand prix à Paris, en 1937.
Il brossa longtemps des décors de théâtre pour Riga, Helsinki, Malmö, Kaunas et Zagreb.
Ventes Publiques : Cologne, 29 juin 1990 : *Boulevard parisien*, h/t (81x100) : **DEM 3 300** – Paris, 8 juil. 1993 : *Église*, h/t (85x60) : **FRF 5 000** – Paris, 18 déc. 1996 : *Venise, le Grand Canal, voiles et gondoles*, h/t (81x100) : **FRF 4 500**.

LIBESKIND Daniel
xxe siècle.
Sculpteur d'assemblages.
Musées : Orléans (FRAC Centre) : *Bauaustellung, Site modeloverview* 1987, maquette.

LI BIN ou **Li Pin**, surnom : **Wenzhong**
Actif à Siming (province du Zhejiang). Chinois.
Peintre.
On connaît un rouleau signé de ce peintre de figures sous la dynastie Ming (1368-1644) : *La transhumance des bergers*.

LI BIN
Né en 1949. xxe siècle. Chinois.
Peintre.
Il obtint le diplôme de l'Académie Centrale des Beaux-Arts pour la peinture à l'huile en 1984. En 1989 il partit pour le Japon étudier la peinture occidentale à l'Université de Tokyo. Il vit en général à New York.
Ventes Publiques : Hong Kong, 4 mai 1995 : *Le pays des rêves* 1995, h/t (41,9x61) : **HKD 40 250**.

LI BINGSHOU ou **Li Ping-Cheou** ou **Li Ping-Shou**, surnom : **Yunfu,** noms de pinceau : **Peizhi** et **Zhuping**
xviiie siècle. Actif à Lingquan (province du Jiangxi). Chinois.
Peintre.
Calligraphe et peintre de fleurs de prunier, de fleurs et de bambous, il vit à Guilin, dans la province du Guangxi.

LIBITOWSKI Kasimir
Mort en 1669 à Lemberg. xviie siècle. Polonais.
Peintre.
Il peignit des tableaux religieux et exécuta des décorations murales. Sa veuve fit don d'une *Vierge* à l'église Sainte-Anne à Lemberg et de douze tableaux religieux à l'Union du Rosaire de l'église des Dominicains.

LIBNAN Joachim
xve siècle. Actif à Dresde. Allemand.
Peintre.
Il se fixa vers 1494 à Cracovie. Il est probablement identique au peintre Joachim Libnan qui peignit des tableaux pour l'église Sainte-Catherine de cette ville et pour l'église Notre-Dame et mourut à Cracovie le 16 janvier 1526.

LIBON
xviiie siècle. Français.
Peintre de miniatures.
Il fut peintre à l'Académie d'Amiens. Il habitait Grenoble en 1780.

LIBON François
xvie siècle. Français.
Sculpteur et fondeur.
Il était parmi les artistes employés par le Rosso, Philibert de l'Orme et le Primatice et collabora vraisemblablement aux travaux du château de Fontainebleau et à ceux du Louvre.

LIBON D'HAUTECOMBE ou **d'Autecombe**
xviiie siècle. Français.
Peintre de portraits.
Élève de l'Académie Royale à Paris et « sous-élève » de Largillière. Il travailla à La Rochelle en 1772 et à Reims en 1773.

LIBONIS Léon Charles
Né vers 1847 à Paris. Mort le 30 juin 1901 à Paris. xixe siècle. Français.
Sculpteur.
Élève de Dumont, Bonassieux et Chambard. Il débuta au Salon en 1866.

LIBOUR Esprit Aimé
Né en septembre 1784 à Laval. xixe siècle. Français.
Peintre d'histoire et portraitiste.
Il vint faire ses études à Paris et fut élève de David, Regnault et Gros. Il exposa au Salon, de 1808 à 1844. Il a peint un *Jésus-Christ au jardin des oliviers*, pour le Ministère de l'Intérieur.

LIBRECHTS Marcellis. Voir **LIBERECHTS**

LIBRI Callisto dai
Né vers 1446 ou 1483 à Vérone. xve siècle. Italien.
Miniaturiste.
Fils de Stefano dai Libri et frère cadet de Girolamo, dont il fut peut-être l'élève et avec lequel il paraît avoir travaillé. On suppose que l'œuvre de Callisto a dû se confondre avec celui de son aîné, les deux dates de naissance que nous donnons proviennent la première des indications du recensement fait à Vérone en 1492, dans lequel on l'appelle « maestro » âgé de 46 ans, et la dernière de la tradition généralement admise.

LIBRI Francesco dai, l'Ancien
Né en 1452 à Vérone. Mort entre 1502 et 1514. xve siècle. Italien.
Peintre.
Fils de Stefano dai Libri et père de Girolamo dai Libri. Il est connu comme enlumineur de missels pour les églises de sa cité. Ce fut un artiste fort remarquable. Il travailla à l'aquarelle et à la gouache et aucun peintre ne sut rendre dans ce genre un sujet avec plus de puissance.

LIBRI Francesco dai, le Jeune
Né en 1500 à Vérone. xvie siècle. Vivant tantôt à Venise et tantôt à Padoue. Italien.
Peintre.
Fils de Girolamo dai Libri. Il fut d'abord peintre de miniatures, puis il fit de la peinture à l'huile et de l'architecture. Il fut élève de son père.

LIBRI Girolamo dai
Né en 1474 à Vérone. Mort en 1555 à Vérone. xve-xvie siècles. Italien.
Peintre.
Fils de Francesco dai Libri. Son père le forma pour son métier d'enlumineur de missels, mais il ne s'attarda pas dans cette voie et se livra au grand art. Cependant, ses miniatures étaient un modèle d'équilibre et d'élégance. Ses débuts rappellent André Mantegna. Sa première peinture, qu'il fit alors qu'il n'avait que 16 ans pour l'église de Malcesine, sur le lac de Garde, représente : *La descente de Croix avec la Vierge et les Saints*. Ses principales œuvres furent exécutées pour des églises d'Italie, en particulier à Sant'Anastasia de Vérone, où il fit une *Madone avec*

Saints. Il ne fit jamais de fresques. On mentionne parmi ses élèves son fils Francesco dai Libri le Jeune, et l'illustre peintre miniaturiste Guilio Clovio.
Musées : Bergame (Acad. Carrara) : *Saint Jean* – Berlin : *La Vierge, l'enfant Jésus et deux saints* – Londres (Nat. Gal.) : *La Vierge, l'enfant Jésus et sainte Anne* – Paris (Mus. du Louvre) : *La Vierge et l'enfant Jésus* – Vérone : *Adoration des Mages* – *Vierge avec saints*.
Ventes Publiques : Paris, 1877 : *La Vierge et l'Enfant entourés d'anges, avec saint Jean-Baptiste* : **FRF 2 700** – Londres, 24 mars 1965 : *Saint Pierre ; Saint Jean l'Évangéliste*, deux panneaux : **GBP 4 200**.

LIBRI Stefano dai
Né vers 1410. Mort vers 1475. xve siècle. Actif à Vérone. Italien.
Miniaturiste.
Cité comme miniaturiste fameux vers la fin du xve siècle et fondateur de la dynastie des dai Libri. Il paraît avoir eu au moins deux fils, Francesco Vecchio (le Vieux) et Callisto, qui tous deux suivirent la carrière paternelle, le premier que l'on fait naître en 1452 et le second en 1483, mais ces dates nous paraissent sujettes à caution. Dans le recensement fait à Vérone en 1492, Callisto est appelé « maestro » et on lui donne 46 ans, ce qui porterait sa naissance vers 1446, c'est-à-dire plusieurs années avant la date donnée pour son aîné.

LIBROWICZ Katherine
Née le 1er novembre 1915 à Varsovie. xxe siècle. Active et naturalisée en France. Polonaise.
Peintre de portraits.
Elle a d'abord étudié à l'académie des beaux-arts de Varsovie, puis est venue à Paris, entrant à l'académie d'André Lhote, en 1937 et 1938. Fixée en France, elle a pris la nationalité française. Elle expose à Paris et participe à divers salons parisiens.
Elle s'intéresse surtout aux dessins d'enfants.

LIBUDA Walter
xxe siècle.
Peintre.
En 1988, il fit une exposition personnelle à Munich.

LICALDE Juan ou **Elizalde**
Mort après 1628. xviie siècle. Espagnol.
Peintre et dessinateur.
Élève de Pedro de Las Cuevas. On sait fort peu de choses de cet artiste, qui mourut jeune. Jean Bermudez cite de lui un beau dessin daté du 10 novembre 1628. On cite aussi un remarquable portrait à la plume du *duc d'Olivares*.

LICATA Antonio
Né en 1810 à Licata. Mort en 1892 à Naples. xixe siècle. Italien.
Peintre d'histoire.
Élève de l'Académie des Beaux-Arts de Naples. Exposa à Rome et Naples.

LICATA Augusto
Né au xixe siècle à Rome. xixe siècle. Italien.
Peintre de genre.

LICATA Ricardo
Né en 1929 à Turin (Piémont). xxe siècle. Actif depuis 1957 en France. Italien.
Peintre, graveur, peintre de cartons de mosaïques, céramiste, peintre de décors de théâtre. Abstrait.
Élève du lycée artistique et de l'Académie des beaux-arts de Venise, c'est la découverte de Paul Klee qui détermine son destin d'artiste. En 1957, il s'installe à Paris. Après avoir enseigné à l'école italienne de Paris, il a été professeur de mosaïque à l'École des beaux-arts de Paris, et professeur de gravure à l'académie Goëtz.
Il participe à de nombreuses expositions collectives et à la plupart des grandes rencontres internationales : Biennale de Venise (1952, 1954, 1956, 1958, etc), Quadriennale de Rome, Biennale de São Paulo, Biennale de Paris, ainsi qu'aux Biennales de gravure à Tokyo, Cracovie, Ljubljana. Sa première exposition personnelle a lieu à Venise, puis il expose à Rome (1956), Helsinki, Paris (1960), de nouveau à Venise, Londres (1961), Milan, Paris (1964, 1966, 1970, 1974, 1992, 1993), Venise encore (1965, 1972), Florence (1974). Il a reçu le premier prix d'art graphique de la Biennale de Venise, en 1965.
Il a pratiqué une abstraction non privée de références allusives à une réalité réinventée. Pourtant, c'est l'utilisation qu'il fait du signe qui semble le mieux caractériser sa peinture. Les allusions aux écritures anciennes y sont nombreuses et on a pu définir sa peinture comme une écriture pictographique, composée de signes, d'éléments semblables aux idéogrammes chinois et aux hiéroglyphes égyptiens, aux écritures cunéiformes ou à celle des plus anciennes civilisations d'Afrique ou d'Amérique.
Bibliogr. : In : *L'Art du xxe s.*, Larousse, Paris, 1991.
Musées : Alessandria – Florence – Gorizia – Ivrea – Milan – New York – Paris (BN) : *Reflets* 1985 – Reggio Emilia – Rome – Turin – Varsovie – Venise – Vienne.
Ventes Publiques : Paris, 9 fév. 1989 : *Neige et soleil*, temp. à l'œuf/t. (146x114) : **FRF 24 000** – Paris, 9 avr. 1989 : *Musique 80* 1980, techn. mixte/ t. (116x85) : **FRF 15 000** – Paris, 8 oct. 1989 : *Composition*, temp. et h/t (68x48) : **FRF 11 000** – Les Andelys, 19 nov. 1989 : *Composition*, temp. et h/t (54x45) : **FRF 19 000** – Paris, 11 mars 1990 : *Composition* 1989, gche et past. (115x83) : **FRF 30 000** – Paris, 26 avr. 1990 : *Composition*, h/t (60x81) : **FRF 24 100** – Chalon-sur-Saône, 14 oct. 1990 : *Composition* 1990, h/t (92x73) : **FRF 13 500** – Rome, 9 déc. 1991 : *Composition* 1976, détrempe à l'œuf/t. (81x65) : **ITL 3 450 000** – Milan, 9 nov. 1992 : *Composition* 1963, temp./pap. entoilé (54,5x50,5) : **ITL 1 600 000** – Milan, 15 mars 1994 : *Sans titre* 1970, temp./t. (61x50) : **ITL 2 875 000** – Paris, 22 déc. 1994 : *Mosaïque 8*, sérig. sur pap. (50x70) : **FRF 4 000** – Milan, 25 nov. 1996 : *C4* 1962, h/t (65x100) : **ITL 3 680 000** – Paris, 25 mai 1997 : *Forêt* 1995, verre massif (26x28x8,5) : **FRF 7 000**.

LICATA-FACCIOLI Orsola
Née en 1826 à Venise. xixe siècle. Italienne.
Peintre d'architectures et de paysages.
Élève de l'Académie de Venise. Elle débuta en 1848. Les Musées de Vicence, Capodimonte, Naples possèdent de ses toiles. Elle était femme du peintre Antonio Licata. Elle fut une des meilleures femmes-peintres de l'École italienne contemporaine. Travailla surtout à Naples.

LICEN Albert
Né le 3 juillet 1928 à Rifenbergo. xxe siècle. Italien.
Peintre de portraits, animaux, paysages, fleurs.
Il fut élève de l'école internationale de peinture. Pendant la Seconde Guerre mondiale, il adopta le nom de Branik.
Il participe à de nombreuses expositions collectives, notamment au Salon d'Automne, à Paris, en 1989 et 1990.
Il traque chaque détail, pour rendre avec le plus de réalisme possible, dans un style léché, parfois naïf, un visage, une scène pittoresque, un sous-bois.

LICENCIADO El, ou **le** ou **Licencié, Licenciate**. Voir **FERRER Garcia** et **GONZALEZ DE VEGA Diego,** et **VALPUESTA Pedro da**

LICENOSKI Lazar
Né en 1901. Mort en 1964. xxe siècle. Yougoslave.
Peintre de sujets militaires, compositions animées.
Peintre macédonien, il fut à l'origine d'un art moderne en Macédoine. Il avait étudié à Belgrade et fit un séjour à Paris, vers 1930. Après 1944, pour répondre aux exigences de la nouvelle société socialiste, il a le plus souvent orienté sa production vers l'imagerie ou l'illustration des faits de la guerre et de la révolution sociale.

LICENZIATO Melia
Née en 1936 à Buenos Aires. xxe siècle. Argentine.
Peintre, graveur.
Elle a participé, en 1992, à l'exposition : *De Bonnard à Baselitz – Dix Ans d'enrichissement du cabinet des estampes 1978-1988* à la Bibliothèque nationale, à Paris.
Musées : Paris (BN) : *Mujer, luna y gato* 1973.

LI CHAN. Voir **LI SHAN**

LI CHAO-HÊNG. Voir **LI ZHAOHENG**

LI CHAOJIN ou **Lee Chau-Chin**
Né en 1941 à Tainan. xxe siècle. Chinois.
Peintre.
Il commença ses études sous la direction de Guo Bochuan à l'Université Cheng-kun et les poursuivit à l'Académie nationale d'art dans la section de peinture occidentale ; il obtint son diplôme en 1965. Il fut professeur dans une école supérieure d'engineering et ouvrit sa propre galerie. Il eut sa première exposition personnelle en 1960.
Ventes Publiques : Taipei, 18 oct. 1992 : *La chasse* 1989, h/t

(89,3x130,4) : **TWD 715 000** – HONG KONG, 22 mars 1993 : *Dans la chambre, hors de la chambre*, h/t (91x73) : **HKD 82 800**.

LI CHAO-K'I. Voir **LI SHAOQI**

LI CHAO-TAO. Voir **LI ZHAODAO**

LI CHE-FAN

Né en 1907 à Hsin-chu. Mort en 1989. XXe siècle. Chinois.

Peintre, aquarelliste.

Il fit ses études à l'école normale de Taipei sous la direction du peintre japonais Ishikawa Kinichino. Il reçut un prix de la Société d'Aquarelle de Taiwan en 1929, et partit pour le Japon poursuivre ses études. Après la guerre, il devint professeur à l'école normale Hsin-chu et en 1956 devint professeur adjoint d'art à l'université normale nationale de Taiwan. Il se retira en 1973 se consacrant à la peinture et aux voyages.

Sa peinture, aux thèmes conventionnels et de facture très classique, reste influencée par son maître Ishikawa.

VENTES PUBLIQUES : TAIPEI, 22 mars 1992 : *Roses* 1984, aquar./pap. (39,2x27,4) : **TWD 242 000**.

LI CHE-HING. Voir **LI SHIXING**

LI CHÊN. Voir **LI ZHEN**

LI CHENG. Voir aussi **LI SHENG**

LI CHENG ou **Li Ch'êng** ou **Li Tch'eng**, surnom : **Xianxi**

Xe siècle. Actif à Yingjiu (province du Shandong) vers 960-990. Chinois.

Peintre.

Bien que Li Cheng domine l'âge d'or du paysage chinois classique, il reste pour les historiens de la peinture chinoise une personnalité entourée d'obscurité. Et si les auteurs anciens sont unanimes sur l'importance de son œuvre qui, avec celle de Fan Kuan (mi-Xe siècle) et de Guan Tong (fin IXe-début Xe siècle), ouvrira la voie du paysage Song, en lui conférant d'emblée sa plus haute expression, il ne subsiste aujourd'hui aucune œuvre qui puisse lui être directement attribuée. Sa date de naissance même est incertaine : certaines sources le font naître en 918 et mourir en 967, d'autres décalent ces dates d'environ deux décennies. Sa famille, originaire de Changan, s'installe dans la province du Shandong pour fuir les troubles qui accompagnent la chute de la dynastie Tang, en 969. Li Cheng reçoit une excellente formation de lettré, mais, descendant de la famille impériale Tang, il semble que sa vie soit celle d'un aristocrate déchu, réfugié dans un individualisme hautain, dans l'art, la poésie et le vin. On lui attribue, d'ailleurs, un penchant immodéré pour le vin ; il serait mort d'ivresse à l'âge de quarante-neuf ans, dans une auberge. On dit aussi qu'il aurait obtenu le titre de licencié au milieu de l'ère Kaibao (968-976), ce qui paraît étrange étant donné son caractère indépendant qui, en d'autres occasions, lui fait refuser la protection d'un riche mécène, au nom d'une création picturale pure et solitaire. Enfin, la tradition prétend qu'il est l'élève de Guan Tong, puis le professeur de Fan Kuan, ce qui suffit à suggérer, en tout cas, une séquence chronologique entre ces trois artistes, dont rien ne prouve qu'ils se sont vraiment connus. La disparition des peintures de Li Cheng, moins de cinquante ans après sa mort, reste d'autant plus mystérieuse que son talent est vite reconnu et que sa célébrité n'ira qu'en grandissant. Au IXe siècle, Mi Fu (1051-1107), connaisseur très averti, dit ne connaître que deux originaux de Li Cheng et quelque trois cents faux, ajoutant même qu'il souhaiterait développer la thèse de « *l'inexistence des œuvres de Li Cheng* ». Plus tard pourtant, le catalogue des collections impériales de l'empereur Song Huizong (1101-1126) mentionne cent cinquante œuvres de Li Cheng : il est difficile de croire qu'elles soient toutes fausses. On sait seulement que le petit-fils de Li Cheng, gouverneur de Kaifeng, avait entrepris de racheter toutes ses peintures ; il est possible aussi que Li Cheng n'ait peint que pour sa satisfaction personnelle, refusant de vendre ou de travailler sur commande, ce qui expliquerait peut-être une production peu abondante. Paysagiste, Li Cheng passe pour avoir aimé particulièrement les thèmes de neige et de forêts hivernales, selon une conception de l'espace de type *pingyuan*, distance en plan, peu fréquente dans la peinture chinoise. Le point de vue est placé au niveau du sujet, ce qui donne une ligne d'horizon basse pour un paysage de plaine ou de colline, mais une sorte d'écran surplombant, sorte de *gaoyuan*, distance en hauteur, pour une vue de montagnes. De ce point de vue, le *Temple bouddhiste dans la montagne* (Kansas City, Nelson Gallery of Art), bien que postérieur d'environ un siècle à Li Cheng, laisse transparaître un reflet de son prodigieux pouvoir créateur : la montagne est un écran majestueux qui domine le spectateur ; les arbres nus se découpent sur un fond de brumes légères, noirs au premier plan, leurs contours sont précis puis s'estompent progressivement pour ne devenir que de pâles silhouettes dans le lointain. Le paysage n'est plus cet assemblage d'éléments minutieusement décrits et chaudement colorés qu'il était à l'époque Tang ; il est au contraire appréhendé dans son ensemble et respire d'une très belle cohésion interne. L'artiste est en communion avec la nature et, comme le disent certains textes anciens, les formes qu'il projette sur la soie surgissent comme de la source de la vie. Il faut d'ailleurs souligner qu'à l'instar de Jing Hao, Guan Tong et Fan Kuan, Li Cheng est un homme du nord et que la conception classique du paysage chinois, du Xe ou XIIe siècle, est largement tributaire d'un milieu naturel grandiose et austère. Son art influencera surtout Guo Xi (vers 1020-1101) comme en témoignent précisément les sources littéraires. ■ M. Mathelin

BIBLIOGR. : James Cahill : *La peinture chinoise*, Genève, 1960 – Pierre Ryckmans : *Li Tch'eng et Fan K'ouan*, in : *Encyclopaedia Universalis*, vol. 9, Paris, 1971.

MUSÉES : BOSTON (Mus. of Fine Arts) : *Voyageurs dans les collines enneigées*, couleurs sur soie, rouleau en hauteur – KANSAS CITY (Nelson Gal. of Art) : *Temple bouddhiste dans la montagne*, encre et coul. légères sur soie, rouleau en hauteur – TAIPEI (Nat. Palace Mus.) : *Forêt hivernale*, encre sur soie, rouleau en hauteur – *Pêche sur une rivière d'hiver*, encre sur soie, rouleau en hauteur – *Arbres sur une plaine hivernale*, encre sur soie, rouleau en hauteur.

LI CHEN-HUA. Voir **HUXIAN Peintres paysans du**

LICHERIE DE BEURIE Louis

Né le 6 juillet 1629 à Houdan (Yvelines). Mort le 3 décembre 1687 à Paris. XVIIe siècle. Français.

Peintre d'histoire, compositions religieuses.

Élève de Ch. Lebrun, il fut reçu académicien en 1679 et nommé adjoint à professeur en 1681. Il n'exposa pas aux Salons et fut professeur à la Manufacture royale des Gobelins.

Licherie.

MUSÉES : BESANÇON : *Le Christ en croix* – CHERBOURG : *Sainte Famille* – NANTES : *Ravissement de saint Joseph*.

VENTES PUBLIQUES : PARIS, 30 juin 1989 : *Guerrier antique sortant de son tombeau*, h/t (57x64,5) : **FRF 33 000**.

LI CHE-TA. Voir **LI SHIDA**

LI CHE-TCHO. Voir **LI SHIZHUO**

LI CHI. Voir **LI JI**

LI CHIEN. Voir **LI JIAN**

LI CHIH. Voir **LI ZHI**

LI CHIH-KENG. Voir **LI ZHIGENG**

LI CHIN-FA. Voir **LI JINFA**

LI CH'IU-CHUN. Voir **LI QIUJUN**

LI CHOUN-HSIAO ou **Li Shunxiao**

Né en 1955. XXe siècle. Chinois.

Peintre.

Il est peintre du district de Huxian et membre de la brigade de Tingtchun, commune populaire de Kanho. (Voir HUXIAN, peintres paysans du).

LI CHOU-TCHENG ou **Li Shuzheng**

Né en 1955. XXe siècle. Chinois.

Peintre.

Il est peintre du district de Huxian et membre de la brigade de Peikouan, commune populaire de Tawang. (Voir HUXIAN, peintres paysans du).

LICHT Anna

XXe siècle. Américaine.

Peintre.

Elle figurait en 1947 à l'Exposition internationale du prix Carnegie.

LICHT Ferdinand

Né en 1750 à Troppau. Mort à Brünn. XVIIIe siècle. Allemand.

Peintre d'histoire et de portraits.

Élève de Joseph Burkart. On cite de lui deux tableaux d'autel dans l'église d'Obrowitz. La date de sa mort n'est pas connue.

LICHT Hans

Né le 16 avril 1876 à Berlin. Mort en 1935 à Berlin. XXe siècle. Allemand.

Peintre de paysages, peintre de compositions murales.
On cite de lui *Les Anciens Temps - Cloches du soir* que la Société des amis des arts d'Allemagne possède, ainsi que *Grand Lac de Luzin après le coucher du soleil - Crépuscule* que l'état de Prusse conserve.
Musées : Berlin-Schöneberg (Hôtel de Ville).
Ventes Publiques : Stockholm, 19 avr. 1989 : *L'Elbe vu du chemin de Lauenburg,* h/pan. (58x70) : **SEK 8 000** - Cologne, 23 mars 1990 : *Ruisseau en été,* h/cart. (59x70) : **DEM 2 400** - Amsterdam, 9 nov. 1994 : *Vue d'un village dans le Mecklenbourg,* h/cart. (59x71) : **NLG 2 185.**

LICHT... Voir aussi **LIECHT...**

LICHTEISEN ou **Lichteis**
Né en 1740 à Mayence. xviiie siècle. Allemand.
Peintre.
Frère de Anton Bartholomäus Lichteisen.

LICHTEISEN Anton Bartholomäus ou **Lichteis**
Né en 1744 à Rheingau. xviiie siècle. Allemand.
Peintre de natures mortes.

LICHTEMONT Jacob de. Voir **LITTEMONT**

LICHTENAUER Joseph Mortimer
Né le 11 mai 1876. xxe siècle. Américain.
Peintre de portraits, décorateur.
Il fut élève de Mowbray à New York, de Merson et de Laurens à Paris, puis étudia en Italie. Il est membre du Salmagundi Club et de la Fédération américaine des arts.
Il peignit des portraits et des panneaux décoratifs dont trente-cinq d'entre eux figurent au théâtre Schubert de New York.

LICHTENBERG Franz Josef
Né le 29 janvier 1879 à Huls (Rhénanie-Westphalie). xxe siècle. Allemand.
Peintre, graveur, dessinateur, décorateur.
Il étudia à Munich et à l'académie Colarossi à Paris, ainsi qu'en Italie et en Hollande. Il vécut et travailla à Cologne.
Il fit des esquisses pour des peintures et des plafonds, pour des étoffes, des céramiques, des meubles, des tombeaux. Il fut aussi critique d'art.

LICHTENBERG Heinrich
xviie siècle. Suédois.
Sculpteur.
Il sculpta des statues allégoriques et des trophées pour la décoration de la Maison des Chevaliers à Stockholm. Le château de Karlberg possède aussi de ses œuvres.

LICHTENBERG-ETTINGER Bracha
Née à Tel-Aviv. xxe siècle. Active depuis 1981 en France. Israélienne.
Créateur d'assemblages, auteur de performances.
Elle fit des études de psychologie à Jérusalem, puis à Londres. Elle participe à de nombreuses expositions collectives : 1982 Biennale de Paris ; 1983 Centre National d'Art Contemporain à Paris ; 1984, 1986, 1987 Salon de Montrouge ; 1986 Maison de la culture d'Amiens ; 1987 Frau Museum de Bonn ; 1991 FIAC (Foire internationale d'Art Contemporain) à Paris et musée d'Art de Tel-Aviv ; 1992 The Israël Museum de Jérusalem ; 1996 Whitechapel Art Gallery de Londres. Elle montre son travail dans des expositions personnelles : 1987 musée national d'Art moderne à Paris ; 1988 musée des Beaux-Arts de Calais ; 1990 Goethe Institut à Paris ; 1992 Le nouveau Musée/Institut d'Art contemporain à Villeurbanne ; 1993 Centre Saint-Vincent à Herblay et musée russe de Saint-Pétersbourg.
Elle réalise, dans ses premières œuvres, comme la série des *Oiseaux migrateurs,* des peintures composées d'images éclatées. Poursuivant ses recherches sur la fragmentation de la représentation, elle utilise, dès 1984, des documents préexistants, cartes géographiques, extraits de journaux, d'ouvrages de Freud, Lacan, essais scientifiques comme *La Forme des fesses dans les races supérieures,* diagrammes psychiatriques, photographies d'un album de famille (...), qu'elle photocopie dans une machine détériorée de manière à n'obtenir qu'une trace du document original. Aux images brouillées, retravaillées à l'encre de Chine, redessinées, commentées, elle superpose des signes (croix, lettres des alphabets grecs, hébreux), qui surchargent le contenu de ses œuvres sur papier.
Bibliogr. : Catalogue de l'exposition : *Bracha Lichtenberg-Ettinger - Matrixial Borderline,* Les Cahiers des regards, Centre d'art, Herblay, 1993 - Anna Dagbert : *Bracha Lichtenberg-Ettinger,* Art Press, n° 176, Paris, janv. 1993.
Musées : Calais (Mus. des Beaux-Arts) - Jérusalem (The Israël Mus.) - Orléans (FRAC) - Oxford (Mus. of Mod. Art) - Paris (BN) - Paris (FNAC) : *Cent vues aériennes de la Palestine* - Tel-Aviv (Mus. d'Art Mod.) - Villeurbanne (Nouveau Mus.).

LICHTENBERGER Hans Reinhold
Né le 9 avril 1876 à Berlin. Mort en 1957 à Munich (Bavière). xxe siècle. Allemand.
Peintre de figures, paysages, intérieurs, sujets typiques, peintre à la gouache.
Il fut élève de Knirr à Munich, où il vécut et travailla.
Il fit des tableaux de figures impressionnistes et des paysages à l'huile et à la gouache. Il représenta des scènes de théâtre, de cirque, de restaurant, de boudoir.
Musées : Brême (Kunsthalle) : *Pendant la toilette* - Nuremberg (Gal. Mod.) : *Paysage* - Stuttgart : *Restaurant.*
Ventes Publiques : Munich, 25 nov. 1977 : *Scène de carnaval* 1905, gche (26x20,5) : **DEM 2 400** - Cologne, 18 mars 1989 : *Sortie du bal,* h/pap. (55x44,5) : **DEM 1 600** - Munich, 1er-2 déc. 1992 : *Promenade d'automne,* h/pap. (41x68) : **DEM 3 795.**

LICHTENBERGER Hermann Julius
Mort le 9 février 1897 à Dresde. xixe siècle. Allemand.
Peintre de genre, portraits, dessinateur.
Élève d'Eduard Bendemann à l'Académie de Dresde, il obtint une bourse de cette Académie. Il exposa entre 1844 et 1868.
Parmi ses œuvres, on cite : *Amoureux à la fontaine* et *Tombeaux dans la cour d'une église de village.*
Bibliogr. : In : Catalogue de l'exposition : *Les années romantiques, la peinture française de 1815 à 1850,* Mus. des Beaux-Arts de Nantes, Gal. nat. du Grand Palais, Paris, 1996.
Musées : Strasbourg : *Portrait de Jean Hippolyte Leroux* vers 1850 - *Portrait de Louis François Leroux* vers 1850.
Ventes Publiques : Munich, 12 juin 1991 : *La barque du passeur à Schreckenstein* 1843, h/t (67x141) : **DEM 35 200** - Munich, 21 juin 1994 : *La traversée de la peur* 1843, h/t (67x141) : **DEM 43 700.**

LICHTENFELS Edouard Peithner de, ou **Eduard**, chevalier ou **Lichtenfelds**
Né le 18 novembre 1833 à Vienne. Mort le 22 janvier 1913 à Berlin. xixe-xxe siècles. Autrichien.
Peintre de paysages animés, paysages, paysages de montagne, aquarelliste.
Il fut élève de Thomasender et de Franz Steinfeld à l'Académie de Vienne, puis de Lessing à Düsseldorf. Professeur et membre de l'Académie de Vienne pour le paysage, depuis 1872, il devint membre honoraire de la Société royale belge des aquarellistes. Il reçut une médaille d'or à Berlin en 1880, ainsi qu'à Vienne en 1883.
Musées : Brême : *Paysage* - Innsbruck (Ferdinandeum) : *Près de Gmünd* - Linz : *Paysage* - Même sujet - Prague (Rudolf) : *Près de Gmünd* - Vienne (Albert) : *Paysage,* aquar. - Même sujet, aquar. - Vienne (Liechtenstein) : *Paysage près de Ludenburg.*
Ventes Publiques : Paris, 1883 : *Un lac dans la montagne* : **FRF 100** - Vienne, 12 mars 1974 : *Paysage de montagne* : **ATS 80 000** - Vienne, 2 nov. 1976 : *Paysage alpestre,* h/cart. (40,5x30,5) : **ATS 20 000** - Vienne, 14 sep. 1983 : *Paysage du Tyrol* 1907, aquar. et pl. (45x33) : **ATS 25 000** - Vienne, 5 déc. 1984 : *La vieille scierie* 1894, h/cart. (38x50,5) : **ATS 60 000** - Vienne, 20 mars 1985 : *Le vieux moulin* 1892, h/pap. mar./t. (31,5x44,5) : **ATS 45 000** - Amsterdam, 21 avr. 1993 : *Paysanne et son enfant sur un chemin rocailleux* 1888, h/pan. (33,5x52,5) : **NLG 4 025.**

LICHTENFELS Georg Abraham
xviie-xviiie siècles. Allemand.
Peintre.
La cathédrale de Glogau conserve encore de sa main six grands tableaux représentant la *Passion.*

LICHTENFURTNER Anton. Voir **LIECHTENFURTNER**

LICHTENHELD Wilhelm
Né le 13 octobre 1817 à Hambourg. Mort le 25 mars 1891 à Munich. xixe siècle. Allemand.
Paysagiste et aquarelliste.
Élève de l'Académie de Munich.
Musées : Dresde : *Au clair de lune* - Hambourg : *Paysage près de Dachau* - Leipzig : *Repos après la chasse* - Linz : *Nuit de lune* - Munich (Nouvelle Pina.) : *Vieille cour de château au clair de lune* - *Paysage nocturne* - *Veilleur de nuit avec sa hallebarde* - Rostock : *Ruines d'un château* - Zurich : *Paysage nocturne.*

Ventes Publiques : Brême, 8 oct. 1977 : *Paysage au clair de lune* 1861, h/t (94x140) : **DEM 9 000**.

LICHTENREITER Franz ou **Liechtenreiter**

Né en 1700 à Passau (Bavière). Mort en 1775 probablement à Prague. XVIIIe siècle. Allemand.

Peintre d'histoire et de portraits.

Il alla faire ses études à Venise avec Vincentini. Après avoir séjourné en Allemagne, il se fixa à Prague.

Musées : Prague (Nostitz) : *Portrait d'un savant*.

LICHTENREITER Johann Michael

Né à Gorizia. XVIIe siècle. Italien.

Peintre d'histoire et de genre.

Le Musée provincial de Gorizia et l'église du Monte Santo près de Gorizia possèdent des tableaux de sa main.

LICHTENSTEGER Georg ou **Lichtenstecher**

Né en 1700 à Nuremberg. Mort en 1781 à Nuremberg. XVIIIe siècle. Allemand.

Graveur au burin.

Il a gravé des portraits et des pièces anatomiques.

LICHTENSTEIN Johann

XVIIe siècle. Allemand.

Peintre.

Une église de Dresde possède de sa main une *Mise au tombeau*, datée de 1677.

LICHTENSTEIN Roy

Né en 1923 à New York. Mort le 29 septembre 1997 à New York. XXe siècle. Américain.

Peintre, dessinateur, sculpteur. Pop'art.

Il fit ses études en 1939 à l'Art Students' League de New York, où il eut pour professeur Reginald Marsh, puis de 1940 à 1949 à l'Université d'État de l'Ohio, période interrompue par son service militaire en Europe de 1943 à 1946. Revenu dans l'Ohio, il eut une activité de designer et d'enseignant de 1951 à 1957, à Cleveland. Dans les années soixante, il fut nommé au Douglass College de l'Université de Rutgers. En 1979, il reçoit sa première commande pour une sculpture dans un lieu public : *La Sirène* pour le Theater of Performing Arts à Miami Beach (Floride). Il vécut et travailla à New York et Southampton.

Il participa depuis 1949, aux États-Unis et à travers le monde, aux innombrables expositions consacrées à la jeune peinture américaine, et, en particulier, au pop, notamment : 1962 *New Paintings of common objects* au Pasadena Museum, *The New Realists* à New York ; 1964 Salon de Mai à Paris ; 1964, 1974 Tate Gallery de Londres ; 1965, 1969, 1974, 1975, 1978, 1982 Whitney Museum of American Art de New York ; 1966, 1968 et 1970 Biennale de Venise ; 1967 Biennale de São Paulo ; 1967, 1971 Museum of Modern Art de New York ; 1968 et 1972 Documenta de Kassel ; 1969 *Pop Art* à la Hayward Gallery de Londres ; 1971 Palais des Beaux-Arts de Bruxelles ; 1973 Moderna Museet de Stockholm ; 1977 Kunstsammlung Nordrhein-Westphalen de Düsseldorf ; 1980 Hirshorn Museum and Sculpture Garden de Washington ; 1982 Stedelijk Museum d'Amsterdam.

Il montre ses œuvres dans de nombreuses expositions personnelles : depuis 1951 régulièrement à New York ; en 1963 pour la première fois à Paris et Los Angeles ; en 1966 au Museum of Modern Art de Cleveland et au Stedelijk Museum d'Amsterdam ; en 1969 au Solomon R. Guggenheim Museum de New York ; en 1972 au Contemporary Arts Museum de Houston ; en 1975 au Staatliche Museum Preussicher Kulturbesitz de Berlin et au Centre national d'Art contemporain de Paris ; en 1978 à l'Institute of Contemporary Art de Boston ; en 1981 à l'Art Museum de Saint Louis, au Whitney Museum of American de New York ; à partir de 1983 à la galerie Daniel Templon à Paris ; en 1988 *Dessins de Roy Lichenstein* exposition rétrospective itinérante organisée par le Museum of Modern Art de New York ; en 1993-1994 rétrospective au Solomon R. Guggenheim Museum de New York.

S'il est difficile de démêler d'où vient le pop'art, de Dada en tout cas, et si le groupe anglais Independant Group précéda les Américains, il est certain que Roy Lichtenstein en est l'un des principaux représentants ; il en représente peut-être la tendance la plus typique ; il en est aussi le plus âgé. Il peignait à ses débuts des sujets historiques, en particulier des années vingt, spécifiquement américains : cow-boys, indiens, etc. Il traversa ensuite, de 1957 à 1960, l'inévitable période d'abstraction lyrique. Ce fut à partir de 1960 qu'il introduisit dans ses peintures les premiers personnages de cartoons, Mickey Mouse, Donald Duck, Popeye ; c'était le début de sa production pop. Dans ce mouvement, Lichtenstein s'est nettement caractérisé par le choix qu'il a fait d'extraire des images de bandes dessinées (aux premiers personnages de dessins animés se sont bientôt substitués les héros de romans photos), de les isoler de leur contexte et de les agrandir démesurément, agrandissant également l'imitation de la trame d'impression à l'aide d'un écran perforé, en trichromie (jaune, rouge, bleu), leur conférant ainsi le caractère d'étrangeté souhaité à partir duquel peuvent fonctionner les différents ressorts de sa propre systématique du pop : 1) C'est une peinture de constat à un double titre : ainsi est le monde américain moderne et ainsi l'Américain moyen voit-il le monde dans lequel il vit. 2) C'est (probablement) un constat critique et humoristique : on a le monde et la représentation de ce monde (art) que l'on mérite. Comme l'écrit Michel Faure : « Son officier de bande dessinée est l'homme robot type, le cadre téléguidé, toujours disponible, jamais heureux ou malheureux. Des *bulles* lui sortent de la tête, par lesquelles il nous communique ses pensées. Il ne pense pas, il obéit aux ordres... Des êtres qui ont des yeux qui ne voient plus, des oreilles qui n'entendent plus, des mains qui ne sentent plus. » Ce à quoi Otto Hahn ajoute : « Rêves vides, plats. Pourtant ce sont là les seuls rêves dont il dispose, d'où l'énorme dérision glaciale qui parcourt son œuvre, dérision contre soi-même et contre la société. » Lichtenstein poursuivant le constat apparemment impersonnel, des divers éléments qui constituent notre cadre de vie habituel, si ce n'est naturel, ce que l'on appellerait aujourd'hui notre environnement, tels qu'ils nous sont imposés par les mass media, y a fait entrer ensuite des acquis culturels parfaitement « récupérés » (déconnectés de leur pouvoir contestataire d'origine, digérés) : reproductions de reproductions de tableaux de Cézanne, Monet, Léger, Matisse et même de Picasso ; puis fabrication amusée d'objets « Modern Style », pour répondre au deuxième degré à un engouement subit pour l'époque 1900. Trente ans plus tard, il reprend les images de ses débuts. On peut penser que Lichtenstein continuera désormais de guetter les petits soulèvements épidermiques par lesquels nos contemporains se croient sincèrement remués, et qu'il continuera de leur en restituer les simulacres : « Poupées trop sucrées ou surhomme domptant un avion à réaction, réfrigérateur ou tableau de Picasso. » En « accusant » les détails, Lichtenstein dépasse de beaucoup l'impartialité du miroir : d'abord il est à l'affût de tout ce qui n'est que superficiel, ce qui constitue déjà un jugement, ensuite il isole puis il charge. Il a la causticité d'un imitateur.

■ Jacques Busse

Bibliogr. : Otto Hahn : *L'Homme moderne*, L'Express, Paris, 29 août 1964 – Pierre Restany : *Les nouveaux Réalistes*, Planète, Paris, 1968 – Lucy Lippard et divers auteurs : *Pop'art*, Hazan, Paris, 1969 – Michel Chilo : *Pop'art*, Chronique de l'art vivant, Paris, déc. 1969 – D. Waldman : *Roy Lichtenstein*, Le Chêne, Paris, 1971 – Lawrence Alloway : *Roy Lichtenstein*, Abbeville Press, New York, 1983 – Cartler Ratcliff : *Interview : Roy Lichtenstein, Donald Duck et Picasso*, Art Press, n° 140, Paris, oct. 1989 – in : *L'Art du XXe s.*, Larousse, Paris, 1991 – in : *Dict. de l'art mod. et contemp.*, Hazan, Paris, 1992 – Geneviève Breerette : *La Mort de Roy Lichtenstein, peintre du détournement*, Le Monde, Paris, 1er octobre 1997.

Musées : Aix-la-Chapelle (Neue Gal.) : *Vicky* 1964 – Amsterdam (Stedelijk Mus.) : *As I opened fire* 1964 – Chicago (Art Inst.) – Cologne (Wallraf-Richartz Mus.) : *I know... Brad* 1963 – *M. Maybe* 1965 – *La Paix par la chimie* 1968 – *La Grange rouge* 1969 – Detroit (Inst. of Arts) – Düsseldorf (Kunstsammlung Nordrhein-Westphalen) : *Big Painting VI* 1965 – Humlebaek (Louisiana Mus.) – Londres (Tate Gal.) : *Whaam* 1963 – Londres (Victoria and Albert Mus.) – Los Angeles (County Mus. of Art) – Melbourne (Nat. Gal. of Victoria) – Minneapolis (Walker Art Center) – Montréal (Mus. d'Art Contemp.) : *Brushtrokes* 1969 – *Mirror n° 8* 1972 – Nagaoka : *Peinture moderne avec deux cercles* 1967 – New York (Metropolitan Mus. of Art) – New York (Mus. of Mod. Art) :

Drowning Girl 1963 – New York (Solomon R. Guggenheim Mus.) – New York (Whitney Mus.) : *Brushstrokes* 1965 – *Nature morte avec coupe de cristal, citron et raisins* 1973 – Nice (Mus. d'Art Mod. et d'Art Contemp.) : *Figure with banner* 1978 – Paris (Mus. Nat. d'Art Mod.) : *Modular painting with four panels* 1969 – Rotterdam (Mus. Boymans-Van Beuningen) – San Francisco (Mus. of Mod. Art) – Stockholm (Mod. Mus.) – Téhéran (Mus. d'Art Contemp.) : *Brattata* 1962 – Tokyo (Seibu Art Mus.) – Vienne (Mus. Mod. Kunst) : *Red Horseman* 1974 – Washington D. C. (Nat. Portrait Gal.) : *Modern Painting with clef* 1967 – Washington D. C. (Nat. Gal. of Art) – Washington D. C. (Nat. Mus. of American Art).

Ventes Publiques : New York, 18 nov. 1970 : *Big Painting n° 6* : **USD 75 000** – New York, 26 oct. 1972 : *Femme essuyant la vaisselle* : **USD 25 000** – New York, 4 mai 1973 : *Sculpture en céramique 10*, céramique : **USD 6 000** – Genève, 7 déc. 1973 : *Paysage 239* 1964 : **CHF 63 000** – Londres, 3-4 avr. 1974 : *Thunderbolt*, gche et collage : **GBP 2 800** ; *Miroir* : **GBP 17 000** – Munich, 28 mai 1974 : *Tête* 1970, cuivre : **DEM 6 700** – New York, 21 oct. 1976 : *Roto Broil* 1961, h/t (174x174) : **USD 75 000** – New York, 20 oct. 1977 : *Paysage* 1964, h/t (61x73,5) : **USD 11 000** – New York, 30 nov. 1977 : *Photo ocean motion* 1966, construction rowlux, vinyl. et pap. avec moteur (66x56) : **USD 2 600** – New York, 2 nov. 1978 : *Brushstroke* 1965, cr. et encre de Chine (53,3x73,7) : **USD 10 500** – New York, 3 nov. 1978 : *Pot à thé* 1965, céramique (H. 22) : **USD 5 000** – New York, 23 mars 1979 : *Peace through chemistry II* 1970, litho. et sérig. en coul. (80,5x146) : **USD 5 000** – New York, 18 mai 1979 : *Crépuscule* vers 1964, stylo-feutre et mine de pb (11x16) : **USD 2 200** – New York, 5 nov 1979 : *Red painting* 1925, h/t (162,5x162,5) : **USD 100 000** – New York, 18 mai 1979 : *Modern sculpture with intersecting arcs* 1968, alu. et Plexiglas (80x37x37) : **USD 19 000** – New York, 27 fév. 1980 : *Thunderbolt* 1968, collage, feutre (254x117) : **USD 3 000** – New York, 6 oct. 1981 : *Tête moderne n° 2* 1970, litho. et linograv. (61,5x47) : **USD 1 900** – New York, 12 mai 1981 : *Peinture moderne* 1967, h/t (43x43) : **USD 23 000** – New York, 27 fév. 1981 : *Pendentif* 1967, cloisonné (8,8x4,6) : **USD 6 000** – New York, 4 mai 1982 : *Standing explosion* 1965, émail/acier (H. 96,5) : **USD 20 000** – New York, 16 nov. 1983 : *Sweet dreams, Baby* 1965, sérig. coul. (91x65) : **USD 4 250** – New York, 9 nov. 1983 : *Red Barn II* 1969, cr. coul., étude (58,5x73,6) : **USD 20 000** – New York, 9 nov. 1983 : *Flatten... Sandfleas !* 1962, Magna et h/t (86,4x111,8) : **USD 140 000** – New York, 1er nov. 1984 : *Modern sculpture with intersecting arcs* 1968, alu. et Plexiglas (H. 80 diam. 37) : **USD 45 000** – New York, 2 mai 1985 : *Reclining nude* 1977, h. et Magna/t. (213,4x304,8) : **USD 475 000** – New York, 12 nov. 1986 : *Blang* 1962, h. et Magna/t. (172,7x203,2) : **USD 720 000** – New York, 5 nov. 1987 : *Brushstroke* 1965, cr. et encre de Chine/pap. (56,6x76,5) : **USD 170 000** – New York, 17 nov. 1987 : *Sweet Dreams Baby !* 1965, sérig. en coul. (95,5x69,7) : **USD 22 000** – New York, 4 mai 1987 : *Mirror II* 1997, bronze peint (152x76,3x30,5) : **USD 210 000** – New York, 20 fév. 1988 : *Pelote de ficelle* 1963, cr./pap. (47,4x39) : **USD 18 700** – New York, 2 mai 1988 : *Voiliers* 1974, h. et médium Magna/t. (162,5x228,6) : **USD 605 000** – New York, 8 oct. 1988 : *Soleil levant* 1965, vernis/acier (57,2x91,5) : **USD 71 500** – New York, 9 nov. 1988 : *Double miroir* 1970, h. et Magna/t. (167,7x91,4) : **USD 286 000** – Londres, 23 fév. 1989 : *Paysage*, collage dans une boîte de bois (33,5x63) : **GBP 1 210** – Paris, 23 mars 1989 : *Hot dog* 1964, émail cuit/tôle (61,2x122) : **FRF 650 000** – New York, 2 mai 1989 : *Duridium* 1964, Magna/t. (66x91,5) : **USD 506 000** – New York, 5 oct. 1989 : *Sans titre* 1961, h/t (45,7x40,7) : **USD 473 000** – Paris, 9 oct. 1989 : *Airplane* 1978, techn. mixte, acryl. et collage/pan., sous Plexiglas (200x480) : **FRF 3 500 000** – New York, 7 nov. 1989 : *« Torpedo... Los ! »* 1963, h/t (172,2x203,8) : **USD 5 500 000** – Paris, 13 déc. 1989 : *Sculpture multiple*, signée (160x200) : **FRF 75 000** – Paris, 18 fév. 1990 : *Blue landscape*, rowlux, vinyl. et collage (49x30) : **FRF 200 000** – New York, 23 fév. 1990 : *Sans titre (miroir)* 1970, h. et Magna/t. avec un cadre d'alu. poli (diam. 83,2) : **USD 198 000** – New York, 7 mai 1990 : *Baiser II* 1962, h/t (145x172) : **USD 6 050 000** – New York, 5 oct. 1990 : *Deux figures* 1977, h. et Magna/t. (91,4x121,9) : **USD 330 000** – New York, 6 nov. 1990 : *Pendentif en forme de tête moderne* 1968, émail/métal (7,6x6,4) : **USD 4 510** – New York, 15 fév. 1991 : *Tête VI* 1986, h. et collage de pap./pap. (58,5x43,3) : **USD 55 000** – New York, 30 avr. 1991 : *Entablement* 1974, h. et enduit/t. (152,3x254) : **USD 242 000** – New York, 1er mai 1991 : *« Razzmatazz »* 1978, h. et enduit/t. (243,9x304,8) : **USD 1 650 000** – New York, 13 nov. 1991 : *Sans objectif I* 1964, mélange/t. (142,3x122) : **USD 935 000** – New York, 27 fév. 1992 : *Ohh...Alright...* 1964, cr. de coul. et graphite/pap. (14,9x14,9) : **USD 88 000** – New York, 6 mai 1992 : *Tête surréaliste* 1986, bronze peint (200,7x72,4x41,9) : **USD 165 000** ; *Étude pour « De beaux rêves, Baby ! »*, cr. feutres de coul. et cr. de coul./pap. (14x12,6) : **USD 99 000** – New York, 6 oct. 1992 : *Tête V* 1986, acryl. et collage/pap. (65,4x42,5) : **USD 38 500** – New York, 17 nov. 1992 : *Jeune fille au piano* 1963, enduit/t. (172,7x121,9) : **USD 1 815 000** – New York, 18 nov. 1992 : *Femme avec une fleur* 1978, h. et mélange/t. (252,7x111,2) : **USD 385 000** – New York, 3 mai 1993 : *Plus et moins III* 1988, h. et médium Magna/t. (101,6x81,3) : **USD 178 500** – New York, 4 mai 1993 : *Coup de pinceau blanc I* 1965, h. et médium Magna/t. (121,9x1422,3) : **USD 728 500** – Zurich, 13 oct. 1993 : *Imparfait* 1988, bois gravé colorié, sérig. coul. et collage (170x201) : **CHF 18 000** – Paris, 3 déc. 1993 : *Vache devenant abstraite* 1982, triptyque, sérig. coul. (60x71,5) : **FRF 7 500** – New York, 3 mai 1994 : *Peinture moderne avec des segments verts* 1967, h. et médium Magna/t. (172,7x172,7) : **USD 464 500** – Paris, 17 oct. 1994 : *« Pour mes petits... pour le France »* 1963, sérig. (54x72) : **FRF 22 000** – Rome, 8 nov. 1994 : *Triptyque de la vache*, ensemble de trois sérig. (chacune 65x77) : **ITL 10 350 000** – New York, 2 mai 1995 : *L'infirmière* 1964, enduit et h/toile (121,9x121,9) : **USD 1 652 000** – Londres, 26 oct. 1995 : *Trait de brosse*, mélange de médium dans une boîte originale de Perspex (46,5x118,5x7) : **GBP 3 450** – New York, 15 nov. 1995 : *Émeraudes* 1961, h/t (174x174) : **USD 1 762 500** – Paris, 19 juin 1996 : *Diptyque imparfait* 1988, grav./bois, sérig. coul. et collage (116x230) : **FRF 35 000** – Paris, 1er juil. 1996 : *Girl* 1965, cr. coul./pap. (14,5x14,5) : **FRF 410 000** – New York, 9 nov. 1996 : *Nu pensif* 1994, litho. coul. (89,5x142) : **GBP 27 600** – New York, 20 nov. 1996 : *Tex !* 1962, h. et mine de pb/t. (172,7x203,2) : **USD 3 962 500** – New York, 19 nov. 1996 : *Scène de forêt* 1980, h/t (243,8x325,1) : **USD 2 092 500** – New York, 7-8 mai 1997 : *La Conversation* 1984, bronze peint (123,2x106,7x23,5) : **USD 266 500** – New York, 7 mai 1997 : *Blang* 1962, h. et Magna/t. (172,7x203,2) : **USD 2 862 000** – Paris, 19 oct. 1997 : *Cow going abstract*, sérig. coul., tryptique (65x76) : **FRF 11 500**.

LICHTFUS Yvette

Née en 1925 à Arlon. XXe siècle. Belge.

Peintre de paysages, portraits, natures mortes, fleurs. Postimpressionniste.

Elle fut élève de l'Académie des beaux-arts de Bruxelles.

Elle a réalisé de nombreux paysages de la Semois, de Bretagne, de la Flandre et du Brabant.

Bibliogr. : In : *Dict. biogr. illustré des artistes en Belgique depuis 1830*, Arto, Bruxelles, 1987.

LICHTMANEGGER

XVIIIe siècle.

Peintre.

Peut-être est-il identique à Johann Georg Liechtmanegger.

Musées : Innsbruck (Ferdinandeum) : *Portrait de l'artiste par lui-même.*

LICHTWARK Paul

Né le 9 janvier 1872 à Lubeck (Schleswig-Holstein). XIXe-XXe siècles. Allemand.

Peintre de paysages, graveur.

Il vécut et travailla à Hambourg. Parmi ses portraits en lithographie, on cite celui d'*Alfred Lichtwark.*

LICHTWERDT Bernhard

XIXe siècle. Allemand.

Peintre et lithographe.

Élève de l'Académie de Berlin. Il devint, en 1824, professeur de dessin à Potsdam. Il lithographia un *Portrait de Luther* d'après L. Cranach.

LI CHU. Voir **LI ZHU**

LI CH'ÜAN. Voir **LI QUAN**

LI CH'ÜEH. Voir **LI QUE**

LI CHUNG-HSÜAN. Voir **LI ZHONGXUAN**

LICINI Osvaldo

Né le 22 mars 1894 à Monte Vidon Corrado (Piémont). Mort le 11 octobre 1958 à Monte Vidon Corrado. XXe siècle. Italien.

Peintre.

Il fit ses études à l'Académie des beaux-arts de Bologne, en compagnie de Morandi. Engagé volontaire à la guerre et démobilisé à la suite d'une blessure, il vint à Paris en 1917 et y resta

jusqu'en 1925, se liant à Montparnasse avec de nombreux artistes entre autres Modigliani, Picasso, Cocteau, Cendrars, Ortiz, Kisling, Zborowski. En 1931, il voyagea à Zurich, Copenhague, Helsinki, Stockholm. Il retourna la même année à Paris, rencontrant Magnelli et en 1935, où il fit la connaissance de Kandinsky, Vantongerloo, Kupka. En 1938, il signe le manifeste de Marinetti pour la *Ligne italienne de l'art*.
Il participa à de nombreuses expositions collectives : 1914 exposition futuriste à Milan avec Morandi ; 1923 et 1924 Salon des Indépendants à Paris ; 1926 Mostra del Novecento Italiano à Milan ; 1930 *L'Art italien* à Berne et Bâle ; 1932 *L'Art italien* à Oslo ; 1935 *Art abstrait italien* à Turin et Quadriennale de Rome ; 1936 *Art abstrait* à Rome ; 1948, 1950 et 1958 Biennale de Venise ; 1971 *Arte concreta* au Westfälischer Kunstverein de Münster ; 1978 *Abstraction-création 1931-1936* au musée d'Art moderne de la Ville de Paris. Il montre ses œuvres dans de nombreuses expositions personnelles, parmi lesquelles : 1947 au Palazzo Reale de Milan et au Palazzo Strozzi de Florence ; 1968-1969 rétrospective à la galleria civica d'Arte Moderna de Turin ; 1974-1975 au Museum am Ostwall de Dortmund. En 1958, il obtient le premier grand prix international de peinture à la Biennale de Venise.
De 1925 à 1930, il peignit sous les influences de Cézanne, Van Gogh et Matisse. Il fut ensuite influencé par les artistes d'inspiration néo-plasticiste, réalisant des œuvres abstraites géométriques. Pendant la Seconde Guerre mondiale, il évolua de nouveau : apparaissent d'étranges petits personnages et objets, tenant des hommes-volants, des serpents ailés, des fusées interplanétaires ; monde désinvolte de fantaisie non dénuée d'angoisse, entre l'imagination poétique de Paul Klee et la liberté graphique du Picasso des petits faunes, qui peut rappeler dans son mode mineur, les agréables imaginations d'un Papazoff.
Bibliogr. : Zeno Birolli, Aldo Passoni : Catalogue de l'exposition *Licini*, Galleria Civica d'Arte Moderna, Turin, 1968 – Giuseppe Marchiori : *Les Rêves d'Osvaldo Licini*, XXe siècle, n° 32, Paris, juin 1969 – in : *Dict. univer. de la peinture*, Le Robert, t. IV, Paris, 1975 – in : *Dict. de l'art mod. et contemp.*, Hazan, Paris, 1992.
Ventes Publiques : Milan, 29 nov. 1966 : *Amalassunta fondo rosso*, aquar. : **ITL 950 000** – Milan, 26 mai 1970 : *Ange sur fond rouge* : **ITL 110 000** – Rome, 28 nov. 1972 : *Ange sur fond jaune* : **ITL 7 500 000** – Milan, 4 juin 1974 : *Missile lunaire* : **ITL 12 500 000** – Milan, 6 avr. 1976 : *Ange sur fond bleu* 1956, h/pan. (28x22) : **ITL 4 800 000** – Milan, 5 avr. 1977 : *Amalassunta n° 5* 1950, h/t (33,5x44,5) : **ITL 9 000 000** – Milan, 26 avr 1979 : *Ange sur fond bleu* 1957, h/cart. entoilé (22x28) : **ITL 5 500 000** – Rome, 19 juin 1980 : *Arma di Taggia*, cr. double face (19,5x29) : **ITL 1 700 000** – Milan, 8 juin 1982 : *Ciel sans lune* 1955, h/cart. entoilé (21,5x31) : **ITL 9 000 000** – Milan, 9 juin 1983 : *Angelo ribelle* 1948, cr. (24x33) : **ITL 3 500 000** – Milan, 12 juin 1984 : *Amalassunta n° 8*, techn. mixte/t. mar./isor. (18x32) : **ITL 22 000 000** – Milan, 12 juin 1984 : *Notturno* 1956, h/pap. mar./t. (20x28) : **ITL 18 000 000** – Rome, 3 déc. 1985 : *L'Ange rebelle*, cr. (25x34,5) : **ITL 4 000 000** – Milan, 9 déc. 1986 : *Composition abstraite* 1932, temp./t. mar./isor. (15,5x23,5) : **ITL 32 000 000** – Milan, 25 mai 1987 : *l'Angelo*, cr. (24x33) : **ITL 6 400 000** – Milan, 16 déc. 1987 : *Nocturne* 1955, temp. et h/cart. (24x18) : **ITL 48 000 000** – Milan, 14 mai 1988 : *Ange rebelle*, cr. (23x30,5) : **ITL 6 000 000** – Rome, 21 mars 1989 : *Hollandais volant* 1950, cr./pap. (17,8x26,8) : **ITL 6 500 000** – Milan, 27 mars 1990 : *L'Assomption de l'âme* 1955, h. et collage/t. (16,5x22) : **ITL 125 000 000** ; *Amalassunta* 1946, h/t (60,5x73,5) : **ITL 510 000 000** – Rome, 13 mai 1991 : *Nocturne*, h/pap./t. (10,8x13,4) : **ITL 100 050 000** – Milan, 21 mai 1992 : *Composition*, cr. (17,5x26) : **ITL 11 000 000** – Milan, 9 nov. 1992 : *Ange rebelle*, cr. (24,5x32) : **ITL 10 500 000** – Milan, 5 mai 1994 : *Paysage*, cr./pap. (20,5x25) : **ITL 6 900 000** – Milan, 24 mai 1994 : *Fleur fantastique*, h/pap./t. (11x22,5) : **ITL 73 600 000** – Milan, 27 avr. 1995 : *Paysage* 1925, h/t (48x64) : **ITL 63 250 000** – Milan, 27 mai 1996 : *Personnage* 1955, h/pap./t. (28,5x23,5) : **ITL 103 000 000** – Milan, 25 nov. 1996 : *Composition*, cr./pap. (20x27) : **ITL 8 050 000** – Milan, 10 déc. 1996 : *Sans titre*, temp./pap. (2,5x3) : **ITL 6 407 000**.

LICINIO Arrigo
Né vers 1489. Mort après 1556. XVIe siècle. Italien.
Peintre.
Il fut admis membre de l'École de Saint-Marc à Venise en 1525. Un tableau d'autel de l'église S. Zaccaria à Venise, *Vierge sur un trône entourée de six saints*, lui est attribué.

LICINIO Bernardino
Né vers 1489. Mort avant 1565 à Venise. XVIe siècle. Italien.
Peintre d'histoire, compositions religieuses, portraits.
Parent éloigné de Pordenone, dont il fut peut-être l'élève. Les œuvres de Licinio ont souvent été confondues avec celles de son parent. Il a surtout peint des portraits et des groupes de familles. Ses œuvres sont datées de 1524 à 1541 et l'on cite de lui dans les monuments publics à Venise un important tableau d'autel, considéré comme son chef-d'œuvre : *La Vierge, l'Enfant Jésus et des saints* ; à Brescia, à la cathédrale : *Le Christ portant la croix* ; à Gênes, au Palais Brignoli : *Portrait de Franco Pluletin*.
Musées : Bassano : *Portrait de femme* – Brescia : *Portrait de jeune homme* – Budapest : *Portrait de femme* – Dresde : *Portrait de femme* – Florence (Mus. des Offices) : *Une jeune femme* – Grenoble : *Vierge et saints* – Hanovre : *Portrait – Vénus, Mars et l'Amour* – Londres (Nat. Gal.) : *Portrait de jeune homme* – Madrid : *Portrait de femme* – Milan (Brera) : *La Vierge, Jésus enfant et saint Jean – Portrait de femme* – Munich : *Portrait d'homme* – Munich (Pina.) : *Portrait de femme* – Munster : *Portrait d'homme* – Naples : *La dispute des docteurs* – Paris (Mus. du Louvre) : *Portrait de jeune homme* – Paris (Jacquemart-André) : *Portrait d'homme* – Rome (Doria-Pamphili) : *Portrait d'homme* – Saint-Pétersbourg (Mus. de l'Ermitage) : *Portrait de famille – Vierge à l'Enfant* – Venise (Gal. Nat.) : *Portrait de femme* – Vicence : *Portrait de Feramosca* – Vienne : *Octave Grimani*.
Ventes Publiques : Londres, 19 juil. 1922 : *Un noble vénitien et son fils* : **GBP 80** – Londres, 2 mars 1923 : *La Vierge et l'Enfant Jésus entourés de saints* : **GBP 304** – Londres, 27 juin 1930 : *La famille ducale de Modena* : **GBP 136** – Londres, 28 nov. 1945 : *Adoration des bergers* : **GBP 280** – Londres, 11 oct. 1946 : *Gentilhomme en noir* : **GBP 273** – Rome, 11 juin 1973 : *Salomé recevant la tête de saint Jean-Baptiste* : **ITL 10 000 000** – Rome, 6 mars 1984 : *Buste de Sibylle* vers 1530-1540, h/pan. (47x40) : **ITL 6 500 000** – Milan, 21 avr. 1986 : *Vénus*, h/t (102x141) : **ITL 45 000 000** – New York, 11 oct. 1990 : *La Sainte Famille avec saint Jean-Baptiste*, h/pan. (49,5x57) : **USD 15 400** – New York, 11 jan. 1991 : *Vierge à l'Enfant avec saint Pierre et saint Jérôme*, h/pan. (62x84,5) : **USD 88 000** – Londres, 4 juil. 1997 : *Portrait d'une dame, de trois-quarts, vêtue d'une robe avec des manches à crevés, tenant une paire de gants à la main* 1532, h/t (98,1x82,5) : **GBP 89 500**.

LICINIO Fabio
Né en 1521 à Venise. Mort le 8 novembre 1565 à Venise. XVIe siècle. Italien.
Graveur.
Il était fils d'Arrigo Licinio. Il est mentionné en 1565 au sujet d'un avis de paiement pour une carte géographique exécutée pour l'empereur d'Autriche.

LICINIO Giovanni Antonio, de son vrai nom : **Giovanni Antonio de Lodesanis** ou **de Sachis**. Voir **PORDENONE**

LICINIO Giovanni Antonio, le Jeune, dit **il Sacchiense**
Né vers 1515 probablement à Pordenone. Mort vers 1576 à Côme. XVIe siècle. Italien.
Peintre.
Frère de Giulio Licinio, neveu et élève de Pordenone.

LICINIO Giulio, dit **il Romano**
Né vers 1527 probablement à Pordenone. Mort après 1593. XVIe siècle. Italien.
Peintre.
Considéré ainsi que son frère Giovanni Antonio, comme neveu et probablement élève de Pordenone. Il vécut plusieurs années à Rome, puis alla à Augsbourg, où on le cite jusqu'en 1561. On lui attribue des vestiges de fresques, représentant *Pluton, Vénus et Janus*, décorant une maison de la Philippine-Welser Strasse.
Musées : Bordeaux : *Jésus endormi et deux anges* – Venise : *Plafond de la Libreria Vecchia : La Nature et Jupiter – La Théologie et les Dieux – La Philosophie*.
Ventes Publiques : Londres, 24 juin 1927 : *La Vierge et l'Enfant* : **GBP 168**.

LICITSKI. Voir **LISSITSKY**

LICK Armand Van der. Voir **VANDERLICK Armand Joseph**

LI CONGXUN ou **Li Ts'ong-Hiun** ou **Li Ts'ung-Hsün**
XIIe siècle. Actif à Hangzhou (province du Zhejiang). Chinois.
Peintre.
Membre de l'Académie Impériale de Peinture à la cour de Kai-

feng puis de Hangzhou, il est connu pour ses peintures de figures, de fleurs et d'oiseaux.

LICOURT Paul

Né au XIXe siècle à Sivry (Meuse). XIXe siècle. Actif à Paris. Français.

Peintre de paysages.

Les Musées de Rouen et de Toul possèdent chacun un tableau de sa main.

LI DAOXI

Né en 1921. XXe siècle. Chinois.

Peintre de fleurs, oiseaux, paysages. Traditionnel.

Il enseigne à l'École des beaux-arts. Il a participé à l'exposition : *Peintres traditionnels de la République populaire de Chine*, à Paris, à la galerie Daniel Malingue, en 1980.

Il peint dans le style traditionnel, avec des encres et des pigments de couleurs sur des supports papier. Il privilégie les paysages du sud-ouest de la Chine.

LIDBERG Sven

Né en 1929. XXe siècle. Suédois.

Peintre de compositions animées.

Ventes Publiques : Stockholm, 21 nov. 1988 : *Jolies femmes de Paris*, h/pap. (46,5x34,5) : **SEK 4 300** – Stockholm, 28 oct. 1991 : *Couple âgé dans un jardin en été*, h/pan. (53x44) : **SEK 6 000** – Stockholm, 13 avr. 1992 : *« Vitabergsparken » au carrefour de la Söder à Stockholm*, h/pan. (27x21) : **SEK 5 100**.

LIDBERG Sylvia

Née le 2 février 1965 à Sundsvall. XXe siècle. Active en France. Suédoise.

Peintre, technique mixte.

Elle fut élève de l'Académie Idun Lovén, de 1984 à 1986, puis de l'École des beaux-arts de Paris dans l'atelier de Jean-Pierre Mattey, de 1986 à 1990. Elle participe à des expositions collectives depuis 1987 : de 1988 à 1992 Salon de Printemps du Cercle suédois à Paris ; depuis 1990 à la galerie Hartbye's à Paris ; 1992, 1994 Salon de Bagneux ; 1992, 1993 Salon de la jeune Peinture à Paris. Elle montre ses œuvres dans des expositions personnelles depuis 1988 : 1988, 1991 Sundsvall ; 1990, 1992 Göteborg ; 1991, 1993, 1994 galerie Hartbye's à Paris ; 1993 Cercle suédois à Paris. Elle a reçu le prix artistique de la ville de Sundsvall en 1987, le prix de peinture de la ville d'Härnösand en 1990, le premier prix de la ville de Saint-Quentin en 1992.

Des petites figures primitives, aux grosses têtes, en train de pleurer, dans lesquelles elle se reconnaissait, elle a évolué dans des œuvres moins intimes. « Un arbre coupé à Paris, un château d'eau à Sundsvall, un coq sur un toit à Ténériffe... » donnent naissance au premier trait, puis jaillissent spontanément d'autres formes sombres : « Un bon peintre m'a fait comprendre la nécessité de l'étonnement. Je veux l'aventure, la fête, le rire. » Le mystère naît de ces toiles sombres, du noir au gris, éclairées par quelques jaunes ou mauves. Il lui arrive d'utiliser comme support de son travail des livres, établissant un lien poétique entre typographie et peinture.

Bibliogr. : Emmanuel Dayde : *Sylvia Lidberg hors des chemins du serpent*, Galerie Hartbye's, Paris, 1992 – Françoise Monnin : *Sylvia Lidberg*, Artension, n° 33, Rouen, été 1992.

Musées : Sundsvall : *Girouette* 1993.

LIDDELL Siobhan

Née en 1965 à Worksop. XXe siècle. Active aux États-Unis. Britannique.

Artiste, créateur d'installations, multimédia.

Elle vit et travaille à New York. Elle participe à des expositions collectives, dont en 1995 la Whitney Biennial au Whitney Museum of American Art à New York, en 1996 à *Life/Live. La scène artistique au Royaume-Uni en 1996* au Musée d'Art Moderne de la Ville de Paris. Elle montre ses œuvres dans des expositions personnelles en 1992 et 1993 à New York, en 1995 à Toulouse, galerie Éric Dupont.

Pour l'exposition *Life/Live* à Paris, elle encourageait les visiteurs à écrire librement sur une surface d'un mur à l'aide d'un crayon attaché par une ficelle dont la longueur du rayon dessinait la circonférence autorisée pour les interventions du public. Sur le mur d'en face, elle demandait à un artiste participant à l'exposition de lui écrire quelque chose.

LIDDELL T. Hodgson

Né en 1860 à Édimbourg. Mort en 1925 à Londres. XIXe-XXe siècles. Britannique.

Peintre de marines, de paysages.

Il vécut et travailla à Worcester. Il fut membre de la Society of British artists.

Ventes Publiques : Paris, 20 nov 1942 : *Marine* : **FRF 550** – Édimbourg, 23 mai 1996 : *La maison du passeur sur la Ouse à Holywell dans le Hants* 1893, h/t (52x77) : **GBP 805**.

LIDDERDALE Charles Sillem

Né en 1831. Mort en 1895. XIXe siècle. Britannique.

Peintre de genre, figures.

Il fut membre de la Society of British Artists de Londres.

Musées : Londres (London Art Gal.) : *Mai*.

Ventes Publiques : Londres, 20 juin 1972 : *Jeune Fille au panier de fleurs* : **GBP 340** – Londres, 14 mai 1976 : *Rêverie*, h/t (59,5x42) : **GBP 700** – Londres, 25 mai 1979 : *Portrait de jeune fille* 1877, h/t (59,6x50) : **GBP 2 000** – Londres, 20 oct. 1981 : *Heureux* 1859, h/t (53,5x70) : **GBP 4 200** – New York, 20 avr. 1983 : *In a balcony at Granada* 1871, h/t (114x91) : **USD 3 250** – Londres, 30 mai 1985 : *Jeune fille en robe rose* 1874, aquar. reh. de blanc (41x29,5) : **GBP 680** – New York, 24 fév. 1987 : *La Lettre d'amour* 1871, h/t (111,8x79,5) : **USD 8 000** – Londres, 15 juin 1988 : *La Servante* 1856, h/t (91x67,5) : **GBP 11 000** – New York, 23 fév. 1989 : *La Jeune Chasseresse* 1882, h/t (90,2x67,3) : **USD 8 250** – Londres, 27 sep. 1989 : *Rêverie* 1881, h/t (104x78) : **GBP 6 820** – Londres, 9 fév. 1990 : *Les Intrus* 1868, h/t (62,3x91,5) : **GBP 5 500** – Perth, 26 août 1991 : *Intérieur de cottage* 1893, h/t (91,5x63,5) : **GBP 2 200** – Édimbourg, 2 mai 1991 : *Jeune Paysanne*, h/t (106,7x76,2) : **GBP 4 620** – Londres, 11 oct. 1991 : *Une señorita* 1870, h/t (47x39,3) : **GBP 990** – Londres, 12 nov. 1992 : *Le Tricot* 1888, h/cart. (91,5x51) : **GBP 4 400** – Londres, 8-9 juin 1993 : *Jeune Servante avec un pot à bière Toby* 1891, h/t (76,5x50) : **GBP 4 140** – New York, 12 oct. 1993 : *Le Pichet brisé* 1878, h/t (91,4x60,3) : **USD 12 650** – Londres, 30 mars 1994 : *Bouderie* 1885, h/t (57x37) : **GBP 9 430** – Londres, 6 nov. 1995 : *Promenade dans les bois* 1883, h/t (75x63) : **GBP 5 520** – Londres, 9 mai 1996 : *Beauté campagnarde* 1879, aquar. (32x27,5) : **GBP 747** – Londres, 6 juin 1996 : *Sans permission* 1887, h/cart. (51,4x41,9) : **GBP 2 300** – Londres, 6 nov. 1996 : *Hésitation* 1879, h/t (66x41,5) : **GBP 4 370** – Londres, 8 nov. 1996 : *La Ramasseuse de fagots* 1878, h/t (76,5x53,3) : **GBP 4 000** – Londres, 12 mars 1997 : *Rêveries*, h/t (50,5x30) : **GBP 3 450** – New York, 22 oct. 1997 : *La Rêverie* 1871, h/t (105,4x73,7) : **USD 14 950**.

LIDFL Jacob Balth.

XVIIIe siècle. Actif à Augsbourg vers 1760. Allemand.

Graveur.

LI DI ou **Li Ti**

Né vers 1100. Mort après 1197. XIIe siècle. Actif à Heyang (province du Henan). Chinois.

Peintre.

Membre de l'Académie Impériale de Kaifeng, puis vice-président de celle de Hangzhou, pendant l'ère Shaoxing (1131-1161), il reçoit la récompense honorifique de *Ceinture d'Or*. Il fait des paysages mais est surtout connu comme peintre de fleurs, de bambous, d'oiseaux et d'animaux. Il fait preuve d'une certaine élégance et d'une grande habileté technique, comme le prouve : *Buffles et vachers fuyant l'orage* (Taipei, National Palace Museum) où les deux buffles sont minutieusement dépeints, dans une atmosphère orageuse faite de lavis, de cernes légers réhaussés, pour les rochers, de contours plus épais.

Musées : Boston (Mus. of Fine Arts) : *Bambou et rocher sous un vieil arbre*, encre et coul. sur soie, feuille d'album – Nara (Yamato Bunkakan) : *Bouviers rentrant à l'étable*, coul. sur soie, deux feuilles d'album, dont l'une est signée – Pékin (Mus. du Palais) : *Deux poulets*, coul. sur soie, feuille d'album signée – *Su Wu gardant le mouton*, coul. sur soie, éventail – *Oiseau d'hiver sur un arbre enneigé* signé et daté 1187 – *Saules pleureurs et terrasses*, feuille d'album – *Pruniers et bambous hivernaux*, éventail – *Oiseau Mynah sur un arbre dénudé*, éventail – Taipei (Nat. Palace Mus.) : *Buffles et vachers fuyant l'orage* signé et daté 1174, inscription de l'empereur Lizong datée entre 1234 et 1364, encre et coul. légères sur soie, rouleau en hauteur – *Chat* signé et daté 1193, coul. sur soie, feuille d'album – Tokyo (Nat. Mus.) : *Hibiscus rouge et blanc* signés et datés 1197, deux feuilles d'album.

LIDICKY Karel

Né en 1900 à Hlinsko. XXe siècle. Tchécoslovaque.

Sculpteur de nus.

Il a figuré à Paris, à l'Exposition internationale de la sculpture contemporaine.

Musées : Prague (Gal. Nat.) : *Nu* 1943, bronze.

LIDL Johann Jacob ou **Liedel**
Né en 1696. Mort en 1771. XVIIIe siècle. Actif à Vienne. Autrichien.
Graveur.
Il grava une perspective de théâtre d'après G. Bibenia, des vues de Mehavia et Orsova, une *École d'équitation à Vienne*.

LIDON DUARTE Andres
Né à Villamanin (Castille-Leon). XXe siècle. Espagnol.
Peintre de paysages.
Il participa au Salon de la Société Nationale des Beaux-Arts de Madrid, avec des paysages de sa région natale.
Bibliogr. : In : *Cien Anos de pintura en Espana y Portugal, 1830-1930*, Antiqvaria, t. IV, Madrid, 1990.

LIDSTONE Arthur
Né en 1904. XXe siècle. Canadien.
Peintre de compositions animées.
Ventes Publiques : Toronto, 18 mai 1976 : *Enfants jouant dans une cour enneigée* 1967, h/cart. (40x50) : **CAD 170**.

LIDTS Jacob ou **Lits**
Mort en 1657. XVIIe siècle. Éc. flamande.
Peintre.
Élève d'Abraham Haeck à Anvers, maître en 1643. On connaît de lui un *Intérieur d'église*, dans la manière de Steenvoyck.

LIE Emil
Né en 1897. XXe siècle. Norvégien.
Sculpteur.

LIE Jonas
Né le 29 avril 1880. Mort en 1940. XXe siècle. Actif aux États-Unis. Norvégien.
Peintre de paysages, marines, natures mortes.
Il fut élève de l'Art Students' League de New York. Il fut membre du Salmagundi Club et de la Fédération américaine des arts. Il obtint de nombreuses récompenses dont un prix Carnegie en 1927.

Musées : Chicago (Art Inst.) : *Reflets d'après-midi* – New York (Metropolitan Mus.) : *Les Conquérants* 1920 – Paris (Mus. d'Art Mod.) : *La Moisson* – Pittsburgh (Inst. Carnegie) : *Bateaux de pêcheurs au coucher du soleil*.
Ventes Publiques : Los Angeles, 8 mars 1976 : *Retour de la flotte de guerre*, h/t (84x76) : **USD 900** – New York, 17 nov. 1978 : *La baie de Douarnenez* 1929, h/t (63,5x91,5) : **USD 1 500** – New York, 23 mai 1979 : *Bateaux de pêche à l'aube* 1909, h/t (90x108) : **USD 3 300** – New York, 26 juin 1981 : *Le Port de Gloucester*, h/t (40,4x51,5) : **USD 6 000** – New York, 3 juin 1983 : *The inner harbor*, h/t (76,2x114,2) : **USD 14 000** – New York, 6 juin 1985 : *Chasseur et ses chiens*, h/t (59x86,4) : **USD 4 750** – San Francisco, 27 fév. 1986 : *Bateaux de pêche au large de la côte du Maine*, h/t (89x107) : **USD 4 500** – New York, 29 mai 1987 : *Dames dans un parc*, h/t (66,5x51,2) : **USD 34 000** – New York, 26 mai 1988 : *Personnages sur des voiliers*, h/t (89x106,7) : **USD 37 400** – New York, 30 sep. 1988 : *Southward*, h/t (76,2x114,2) : **USD 16 500** – New York, 24 jan. 1989 : *Voiliers le long de la côte* 1924, h/t (75x100) : **USD 25 300** – New York, 24 mai 1989 : *Après une chute de neige* 1908, h/t (90,2x107,3) : **USD 19 800** – New York, 26 sep. 1990 : *Mer d'émeraude à l'aube*, h/t (127x152,4) : **USD 13 200** – New York, 30 nov. 1990 : *Vue de la Seine* 1909, h/t (76,5x101,7) : **USD 82 500** – New York, 14 mars 1991 : *Port enneigé* 1930, h/t (50,5x76,2) : **USD 7 700** – New York, 12 mars 1992 : *À l'abri dans un port*, h/t (91,5x76) : **USD 7 150** – New York, 25 sep. 1992 : *Barques dans un port de pêche* 1919, h/t (45,7x61) : **USD 4 400** – New York, 26 mai 1993 : *Après une chute de neige* 1908, h/t (89x107) : **USD 9 200** – New York, 14 sep. 1995 : *Le port de Bar dans le Maine*, h/t (55,9x83,8) : **USD 4 887** – New York, 23 mai 1996 : *La côte de Nouvelle Angleterre*, h/t (85,7x91,4) : **USD 63 000** – New York, 26 sep. 1996 : *Jefferson Harbor*, h/t (63,5x76,2) : **USD 9 200** – New York, 5 juin 1997 : *Le Port de Gloucester*, h/t (63,5x76,2) : **USD 32 200**.

LIE-GJEMRE Johan
XXe siècle. Norvégien.
Peintre.

LIE-JORGENSEN Thorbjorn
XXe siècle. Norvégien.
Peintre.
Il appartient à la jeune école nationale coloriste.

LIE-MOERCH Edvarda
XXe siècle. Norvégienne.
Peintre.

LIEAUTAUD Joseph. Voir **LIEUTAUD**

LIEB Carl
XVIIIe siècle. Actif à Potsdam. Allemand.
Sculpteur.
Il travailla au château de Sans-Souci et au Nouveau Palais.

LIEB Joseph
Né en 1811. Mort le 15 octobre 1871. XIXe siècle. Actif à Sins (canton d'Aargau). Suisse.
Peintre.
Il fit des portraits à l'aquarelle et des tableaux religieux d'après des gravures anciennes.

LIEB Leopold
Né en 1771 à Vienne. Mort le 6 décembre 1836 à Vienne. XVIIIe-XIXe siècles. Autrichien.
Peintre sur émail et sur porcelaine.
À la Manufacture de porcelaine de Vienne il fut peintre dans tous les domaines, sauf les fleurs et l'ornement (compositions historiques et mythologiques, vues, scènes champêtres, portraits, chiens). Parmi ses œuvres on cite *La fuite des Vestales*, d'après Lampi ; service de tête à tête, à l'Office de l'argenterie du Palais Pitti ; trois vases, à Vienne, au Musée autrichien qui possède également six copies à l'huile d'après Rubens (Galerie Lichtenstein). Le Musée de la Résidence de Munich conserve des oeuvres de cet artiste et notamment les portraits des enfants de Maximilien Ier.

LIEB Michael von. Voir **MUNKACSY Mihaly**

LIEBACH Lucas
Né le 20 avril 1684 à Mulhouse. Mort le 2 août 1728 à Mulhouse. XVIIIe siècle. Français.
Peintre de portraits et de figures.
Le Musée d'histoire de Mulhouse, conserve de sa main quatre portraits signés dont trois sont datés de 1712.

LIEBAERT Thomas Joseph
Né en 1785, originaire de Bruges. Mort en 1848. XIXe siècle. Belge.
Peintre de paysages.

LIEBANA Toribio de
XVIe siècle. Travaillant à Séville vers 1540. Espagnol.
Sculpteur.
Sculpta une frise dans le vestibule du Palais Municipal, trois chérubins et un serpent dans l'escalier. Il fut chargé, d'autre part, d'apprécier la *Transfiguration*, sculptée par Heredia au cours des années 1538, 1540, 1542.

LIEBARD Yann
Né le 9 juillet 1943 à Avranches (Manche). XXe siècle. Français.
Peintre, peintre de cartons de mosaïques, sculpteur.
Il a étudié à l'École des arts décoratifs de 1963 à 1967, puis a fait un séjour à la Casa Velasquez à Madrid. En 1967, il participe à Paris, au Salon de Mai ainsi qu'en 1970.
Lors de son séjour à Madrid, il a fait des recherches sur la lumière et le mouvement. Il a réalisé plusieurs mosaïques pour des C.E.S à Saint-Lô, Malakoff. Il a réalisé des sculptures en polyester qui s'inspirent de formes organiques.

LIÉBAULT
Mort en avril 1752 à Paris. XVIIIe siècle. Français.
Peintre.
Il fut professeur à l'Académie de Saint-Luc. Un tableau d'autel de sa main se trouve à Ajou près de Bernay (Eure). P. Drevet grava d'après lui un *Portrait du curé J. Desmoulins*, et J. C. Flipart, un *Portrait du missionnaire D. du Bois*.
Ventes Publiques : Paris, 18 et 19 mars 1927 : *Portrait de femme, les mains dans un manchon de fourrure* : **FRF 130** – Paris, 22 nov. 1935 : *Le Tzar Pierre Le Grand et Catherine à Saardam* : **FRF 380**.

LIEBE Christian Gottlob
Né en 1696 en Saxe. Mort en 1753 à Halle. XVIIIe siècle. Allemand.
Dessinateur et graveur au burin.
Il a gravé surtout des portraits.

LIEBE Gottlob August
Né en 1746 à Halle. Mort en 1819 à Halle. XVIIIe-XIXe siècles. Actif à Leipzig. Allemand.

Dessinateur et graveur au burin.
Fils de Christian Gottlob Liebe. Élève d'Oeser à Leipzig. Il a gravé des *Portraits*, des sujets religieux et des *Vues*. On a souvent confondu ses œuvres avec celles de son père.

LIEBENWEIN Maximilien
Né en 1869 à Vienne. Mort en 1926 à Munich (Bavière). XIXe-XXe siècles. Autrichien.
Peintre, graveur, illustrateur, peintre de décorations murales.
Il fut élève des Académies de Vienne et de Munich.
On cite parmi ses œuvres des fresques décoratives dans la salle des séances de la caisse d'épargne municipale de Linz, dans la maison de Schiller de la même ville, dans une salle de l'hôtel de ville de Burghausen. Il fit les esquisses d'une tapisserie pour l'église Sainte-Marie-Majeure à Trente et pour un cycle des Niebelung. Il a illustré d'autre part de nombreux ouvrages pour la jeunesse de Munich.
Musées : Bautzen (Mus. mun.) : *Paysans de Bosnie* – Graz (Gal. Mod.) : *Sirènes* – Linz (Gal. Nat.) : *Le Miracle du rosaire de Sainte-Élisabeth* – Vienne (Gal. autrichienne) : *Les Rois Mages.*
Ventes Publiques : Düsseldorf, 20 juin 1973 : *La Tentation de saint Antoine*, temp./t. : **DEM 5 000** – Londres, 6 mai 1987 : *Le Conte de saint Georges* 1904, gche, encre et reh. d'or/cart. (89x69,5) : **GBP 4 200** – Munich, 10 mai 1989 : *La Mare enchantée* 1907, aquar./cart. (59x75) : **DEM 26 400.**

LIEBER August
Né en 1828 à Weimar. Mort le 23 novembre 1850 à Weimar. XIXe siècle. Allemand.
Peintre, aquarelliste, aquafortiste et graveur sur bois.
Fils de K. W. Lieber. On cite parmi ses eaux-fortes : *Portrait de l'artiste par lui-même ; Portrait du père de l'artiste à son chevalet ; Portrait de Walter von Goethe*, ainsi que des natures mortes, des animaux, et aussi des portraits d'après Rembrandt, Schmidt, et autres artistes.
Musées : Weimar (Mus. du Château) : *Jeune paysanne – Jeune garçon et poules – Bord de mer avec pêcheurs et barques* – Weimar (Mus. Nat. Goethe) : *Parc d'Ettersbourg.*

LIEBER Karl Wilhelm
Né en 1791 à Weimar. Mort le 5 octobre 1861 à Weimar. XIXe siècle. Allemand.
Peintre de paysages, aquafortiste et restaurateur de tableaux.
Élève d'Heinrich Meyer à Weimar et de Friedrich et Kersdings à Dresde. Il fut encouragé par Goethe.
Musées : Weimar (Mus. Nat. Goethe) : *Femmes à la fontaine – Vue de Ehringsdorf* – Weimar (Mus. du Château) : *Le cloître de Ruïsdael.*

LIEBER Max
Né le 29 janvier 1851 à Kolberg. Mort le 2 février 1918 à Karlsruhe. XIXe-XXe siècles. Allemand.
Peintre et aquafortiste.
Il peignit des vues (dunes et landes, canaux hollandais, collines du sud de l'Allemagne, intérieurs d'églises).
Musées : Karlsruhe (Kunsthalle) : *Verger.*

LIEBERG Max
Né en 1856. Mort en 1912. XIXe-XXe siècles. Allemand.
Peintre d'histoire et de genre.
Il fit ses études à Düsseldorf et se fixa à Bettenhausen près de Kassel. Il exposa à partir de 1892. On cite de lui *L'enfant malade* et *Jérémie.*
Ventes Publiques : Lucerne, 19 nov. 1976 : *La lecture de la proclamation*, h/t (70,5x100,5) : **CHF 15 500** – Cologne, 12 juin 1980 : *L'entrée à Strasbourg de l'Empereur d'Allemagne*, h/t (52,5x55,5) : DEM 10.000.

LIEBERHERR Jakob
Né le 16 octobre 1868 à Elgg. XIXe-XXe siècles. Suisse.
Peintre.
Il étudia à Winterthur et à Berne, et eut à partir de 1903 son propre atelier à Frauenfeld. On cite de ses tableaux sur verre aux églises d'Elgg et Kruzdorf, à la bibliothèque municipale ainsi qu'au conservatoire des arts et métiers de Winterthur.

LIEBERICH. Voir **LIBERICH**

LIEBERMANN Ernst
Né le 9 mai 1869 à Langemüss. XIXe-XXe siècles. Allemand.
Peintre de genre, figures, nus, paysages, illustrateur.
Il fut élève de l'Académie des beaux-arts de Berlin. Il fut professeur à la Knirrschule de Munich.
Musées : Carlsruhe : *La Femme peintre* – Erfurt : *Coup d'œil dans la campagne* – Munich (Nouv. Pina.) : *Clair de lune* – Nuremberg : *La Récréation* – Rosenheim : *Paysage avec château-fort* – Zwickau : *Tête de jeune fille.*
Ventes Publiques : Cologne, 23 mars 1990 : *Jeune femme lisant dans un bois* 1916, h/t (74x65) : **DEM 3 000** – Munich, 22 juin 1993 : *Nu allongé* 1914, h/t (53x63,5) : **DEM 5 175.**

LIEBERMANN Ferdinand
Né le 15 janvier 1883. XXe siècle. Allemand.
Sculpteur de portraits, nus, monuments.
Il vécut et travailla à Munich. Son œuvre comprend des portraits, des nus de femmes, des monuments funéraires, des fontaines, des sculptures de porcelaine pour la manufacture de Berlin et pour Rosenthal & Co.
Musées : Munich (Gal. Nat.) – Munich (Gal. Lenbach).

LIEBERMANN Max
Né le 20 juillet 1847 à Berlin. Mort en 1935 à Berlin. XIXe-XXe siècles. Allemand.
Peintre de genre, portraits, paysages, graveur, illustrateur.
À vingt et un ans, quand il eut terminé ses études secondaires, son père, industriel assez fortuné, le fit inscrire à l'Université de Berlin, comme étudiant en philosophie. Mais il voulait être peintre et sans rien en dire à ses parents, au lieu d'étudier la philosophie, il fréquenta l'école de peinture de Karl Steffeck. Au bout d'un an, il était capable de travailler au grand tableau de Steffeck : *Sadowa*. Se rendant compte de la nécessité d'une formation plus sérieuse, il partit l'année suivante pour Weimar, cette fois avec le consentement de son père. Il y suivit le cours de dessin de Thumann et les leçons du peintre belge Pauwels. Son premier grand tableau *Les Plumeuses d'oies*, jugé scandaleux mais trouvant acheteur, cela permit à Liebermann de se rendre à Paris, où il se lia avec Munkaczy. Il avait vingt-six ans, le Hongrois, déjà connu, vingt-neuf. Puisqu'il était méconnu dans sa patrie, il prit la décision de se fixer à Paris. Malgré 1871, si récent encore, le talent de Liebermann et l'amitié de Munkaczy lui ouvrirent toutes les portes. En 1874, il était à Barbizon, recevant la profonde impression de l'école de Fontainebleau. Troyon n'était plus, mais il y trouva Daubigny, Corot, Millet surtout qui devait mourir l'année suivante, mais dont les paysans produisirent sur lui une empreinte ineffaçable. En 1878, sur le désir de ses parents, il revient à Berlin ; mais s'étant cassé la jambe, il va passer deux mois à Venise, où il fait la connaissance de plusieurs peintres munichois, entre autres, Lenbach, qui le décident à s'établir à Munich. En 1884, il quitte Munich et s'établit définitivement à Berlin où il se marie et où il est nommé directeur de l'École des Beaux-Arts.
Selon les opportunités, il participait à des expositions ou exposait seul. Sur les conseils du peintre belge Verlat, qu'il avait connu à Weimar, il envoya son tableau *La Fabrique de conserves* (die Konservenmacherinnen) à Anvers, à l'exposition de 1873. Ce fut un grand succès. À tel point que les marchands belges et français firent au jeune Berlinois les offres les plus flatteuses. Au Salon de 1876, il exposa *Travailleurs dans un champ de navets*, deux hommes et sept femmes aux attitudes d'une variété et d'une vérité étonnantes. Membre du Cercle des XV, à Paris, il exposait chaque année au Salon Petit. Il figura aussi régulièrement au Salon officiel. En 1917, il montra cent quatre-vingt-onze de ses œuvres dans une exposition à Berlin.
Un jour, la vue des paysans travaillant dans un champ lui avait révélé sa vocation : comme Millet, il ferait partager au public la beauté et la noblesse des tâches simples et familières, des activités humaines les plus terre à terre, des métiers les plus obscurs, des intérieurs les plus modestes. En 1873, il réalisait son premier grand tableau. Ce fut un beau scandale en Allemagne : à Weimar, Hambourg et Berlin, où il l'exposa, on s'indigna qu'il osât montrer de « vieilles laides bonnes femmes », attelées dans une sombre grange, à un travail, utile certes, mais commun au dernier point. On le traita d'« apôtre de la laideur », on l'appela « rhyparographe » (du grec : bas, trivial). Une excursion en Hollande lui fournit le sujet d'un second tableau du même genre : *La Fabrique de conserves* : il y peint une douzaine d'ouvrières, visiblement de conditions diverses, assises et nettoyant des légumes à l'aide d'un couteau court. À Munich, il termine un grand tableau *Jésus au milieu des docteurs*, pour l'exposition de 1879. La façon simple et réaliste dont il avait traité son sujet lui valut les compliments du jury, mais une explosion telle de la part du clergé bavarois et des attaques si véhémentes jusqu'au Landstag

même qu'il ne peignit plus jamais de sujets religieux (à moins qu'on ne veuille qualifier ainsi le *Bénédicité* hollandais de 1884) et pendant des années il envoya toutes ses peintures à Paris. Il envoya au Salon de 1880 *L'École maternelle d'Amsterdam* ainsi qu'une réédition en plus clair de *La Fabrique de conserves* que Munkaczy avait trouvée trop sombre. Il devait éclaircir encore ses noirs, en remplaçant le noir d'ivoire par du bitume, sur le brun transparent duquel ses couleurs demeurent chaudes et presque lumineuses pour s'atténuer sans doute plus tard, grâce à la force désagrégeante du bitume. Bien qu'on ait pu dire que Millet est le père de l'art de Liebermann, qui, se conformant au conseil du peintre, « a mis l'homme vrai dans son milieu vrai », son coloris le rapproche davantage de Courbet. *Les Fileuses* sont de cette même année 1880. L'année suivante *Vieille femme à la fenêtre* reprisant un bas et *L'Asile de vieillards d'Amsterdam* qui lui valut une médaille, la première accordée en France à un Allemand depuis 1871. En 1881, il réalisa : *L'Atelier de cordonnier* – *La Dentellière* – *La Cour de l'orphelinat d'Amsterdam* ; en 1882 *La Blanchisserie* – *Intérieur hollandais* – *Jeux d'enfants au Tiergarten* ; en 1883 *Le Tisserand* – *Concert de brasserie munichoise*. La Hollande ne cessa d'être pour lui une source inépuisable d'inspiration et de sujets. Ce fut en 1885, *Rue de village en Hollande* – *Jeunes orphelines* cousant, des moineaux picorant à leurs pieds, ensemble calme et simple d'une délicieuse fraîcheur. Puis vinrent *Une Famille de porc* (1886), *La Grange au lin* (1887) qui rappelle ses plumeuses et sa *Fabrique de conserves* mais en beaucoup plus clair (la grange où s'affairent une bonne vingtaine de personnes reçoit le jour de cinq grandes baies), *Les Remmailleuses de filets* (1888), *École de couture* (1889), *Femme aux chèvres* (1890), et d'autres, outre quelques œuvres d'inspiration allemande, comme *Fête du souvenir de l'empereur Frédéric* (1888). Après 1890, il se mit au portrait. Peintre des humbles travaux et du mouvement, ses portraits sont sans doute les seuls sujets qui aient pris la pose, et encore pas toujours, tel son *Constantin Meunier* (1879) qui parle ou qui va parler. En tout cas, ce sont les seuls personnages de ses tableaux qui regardent l'artiste, tous ses travailleurs sont à leur travail. Citons le portrait de *Wilhelm Bode* (1890), de *Gerhart Hauptmann* pastel (1894), d'*Edouard Grisebach* (1896), ceux de son père et de sa mère, ceux de sa femme, de son bébé. Un voyage au Tyrol le mit aux prises avec le difficile problème du scintillement, du papillotement de la lumière du soleil sous le vert des arbres. La réponse fut *Brasserie en plein air à Brannenbourg* (1893), *Paysan marchant* (1894), *Dans les dunes* (1895), *Promenade d'école* (1898), *Journée d'été à Laren* (1898), *Allées à Rosenheim* où le soleil filtrant à travers les hêtres fait danser ses rayons sur le sol de la forêt. Il s'est intéressé également à la gravure, réussissant aussi bien la taille douce que l'eau-forte, spécialement le procédé au vernis mou : *Le Batteur de faux* (1880), *Maisons du rivage* (1895), *Enfants au bain* (1896). Il manie avec le même bonheur la plume : *Portrait d'enfant* (1892), le pastel : *Jeune Fille à la vache* (1897) et divers portraits, le crayon et même la craie : *Portrait de Théodore Fontane* (1896), *Retour au logis* (1899).

Max Liebermann par son œuvre et son action a ouvert l'Allemagne à l'influence des grands courants de la peinture étrangère, du naturalisme de Courbet, de Constantin Meunier, de Millet, jusqu'à l'impressionnisme de Manet et Degas. On a, à juste titre, comparé son rôle dans la peinture allemande du XIXe siècle, à celui de Manet en France.

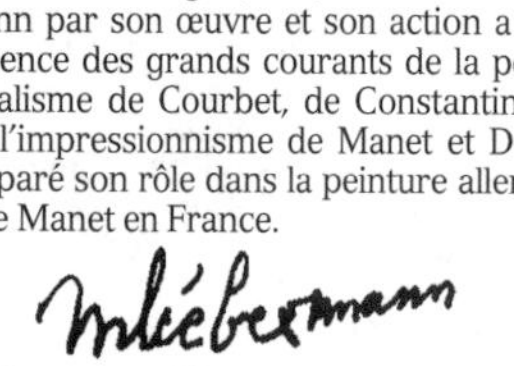

BIBLIOGR. : Gustav Schiefler : *Max Liebermann. Sein graphisches Werk 1876-1923*, Bruno Cassirer, Berlin, 1923 – in : *Les Muses*, Grange Batelière, t. IX, Paris, 1972 – in : *Diction. univer. de la peinture*, Le Robert, t. IV, Paris, 1975 – in : *Diction. des illustrateurs 1800-1914*, Ides et Calendes, Neuchâtel, 1989 – in : *Diction. de la peinture allemande et d'Europe centrale*, Larousse, Paris, 1990.

MUSÉES : BERLIN (Nat. Gal.) : *Les Plumeuses d'oies* 1873 – *L'Atelier de cordonnier* 1881 – *La Grange au lin* 1887 – BRÊME (Kunsthalle) : *L'Allée des perroquets au zoo d'Amsterdam* 1902 – *La Maison Kloven à Haarlem* – CARLSRUHE : *La Rue des juifs à Amsterdam* – CHEMNITZ : *Portrait de l'artiste* – COLOGNE (Wallraf Richartz Mus.) : *Les Blanchisseuses* 1882 – *La Marchande de légumes* – DRESDE : *Enfants jouant* – DÜSSELDORF : *Le Bain* – *Un Jardin* – ERFURT : *Frères et Sœurs* – ESSEN (Folkwang Mus.) : *Le Gardien des perroquets* 1902 – *Dr Luther* – FRANCFORT-SUR-LE-MAIN : *Samson et Dalida* – FRANCFORT-SUR-LE-MAIN (Stadel Mus.) : *Le Liseur* – *La Cour de l'orphelinat à Amsterdam* – GDANSK, ancien. Dantzig : *Jardin* – HAMBOURG (Kunsthalle) : *Eva* 1883 – *Les Joueurs de polo* 1902 – *Le Bourgmestre Carl Petersen* – *Alfred von Berger* – *Dr C. W. St Strebel* – *Réunion des professeurs hambourgeois* – Treize études du tableau précédent – *La Ravaudeuse de filets* – *Prière au moment du repas* – *La Coutellière* – *Orpheline à Amsterdam* – *Le Chariot dans la dune* – *Coin de village en Hollande*, past. – *Le Curé Naumann* – HANOVRE (Mus. mun.) : *Von Hindenburg* – HANOVRE (Mus. provincial) : *Étude d'un tissage* – LA HAYE (Mesdag Mus.) : *Portrait de l'artiste* – KOENIGSBERG : *Sortie de l'école à Edam* – *Homme dans les dunes* – LEIPZIG : *Dans les dunes* – *Fabricantes de conserves* – MUNICH : *Vieille Femme avec des chèvres* – NEW YORK (Metropolitan Mus.) – NUREMBERG : *Portrait de l'artiste* – *L'Étang à Etzenhausen* – PRAGUE (Mod. Gal.) : *Portrait du Dr Linde* – *Le Jardin* – SARREBRUCK : *Autoportrait* – SCHWERIN : *Portrait de von Hindenburg* – *Poste de pilotage* – *Le Cordier* – STETTIN : *Un Tennis* – *Le Peintre Crohn* – *Portrait de l'artiste* – STRASBOURG : *Orphelin hollandais* – STUTTGART : *Asile de vieillards à Amsterdam* 1880 – *Charrette dans les dunes* – TRIESTE : *Portrait* – VENISE (Gal. d'Art Mod.) : *Brodeuses* – VIENNE (Gal. autrichienne) : *La Fille de l'artiste* – WASHINGTON D. C. (Corcoran Gal.) : *Chèvres* – WEIMAR : *Au bord de la mer* – WINTERTHUR : *Course de chevaux* – WUPPERTAL (von der Heydt Mus.) : *École de couture en Hollande* 1876 – *La Mer à Scheveningen* – ZURICH : *Vieillard* – *Oude Vink* – *Portrait du peintre* – *Le Bain*.

VENTES PUBLIQUES : PARIS, 1886 : *Le Jeu des quatre coins* : **FRF 1 300** – COLOGNE, 1899 : *Un pâturage* : **FRF 5 375** – PARIS, 27 avr. 1929 : *Les Petits Gardeurs d'oies* : **FRF 20 000** – PARIS, 8 mai 1936 : *Cheval sur une plage* : **FRF 420** – NEW YORK, 20 avr. 1944 : *Pique-nique dans les bois* : **USD 800** – PARIS, 9 avr. 1945 : *Femme et enfant miséreux* : **FRF 14 000** – NEW YORK, 6 fév. 1947 : *Le pape Léon XIII bénissant les pèlerins* : **USD 800** – BERLIN, 23 fév. 1950 : *Jeune hollandaise tricotant dans les champs* : **DEM 2 400** – PARIS, 19 avr. 1951 : *Paysan et vache* : **FRF 85 000** – BERLIN, 28 fév. 1957 : *Au jardin zoologique* : **DEM 10 300** – COLOGNE, 31 mai 1960 : *Portrait de Otto Braun* : **DEM 36 000** – STUTTGART, 3 mai 1961 : *Le premier pas*, past. : **DEM 19 500** – MUNICH, 6-8 nov. 1963 : *La course de chevaux* : **DEM 22 000** – LUCERNE, 27 nov. 1964 : *Promeneurs au bord de Wannsee* : **CHF 42 000** – HAMBOURG, 18 nov. 1967 : *Cavaliers sur la plage* : **DEM 62 000** – HAMBOURG, 5 juin 1970 : *Jardin au Wannsee* : **DEM 28 500** – DÜSSELDORF, 20 juin 1973 : *Amsterdam : le café en plein air*, past. : **DEM 260 000** – LONDRES, 5 juil. 1974 : *Enfants patinant dans un paysage boisé* : **GNS 4 500** – MUNICH, 28 mai 1976 : *La rue aux Juifs, Amsterdam* vers 1907, pl. (59x49,5) : **DEM 3 000** – BERNE, 10 juin 1976 : *Chasseur avec chiens* 1914, 3 eaux-fortes et pointes-sèches : **CHF 3 900** – LONDRES, 1er juil. 1976 : *La plage de Scheveningen* 1902, h/cart. (32x39,5) : **GBP 5 600** – HAMBOURG, 4 juin 1977 : *Rue de village en Hollande* vers 1888, craie noire et reh. de blanc (24x31,1) : **DEM 2 600** – HAMBOURG, 4 juin 1977 : *La plage de Nordwijk* 1896, h/cart. (35,7x46) : **DEM 33 000** – BERNE, 8 juin 1978 : *Les bains de mer* 1890, litho. en noir, bleu et rouge : **CHF 2 900** – MUNICH, 26 mai 1978 : *Bord de mer* vers 1910, past. (12x19,5) : **DEM 7 400** – ZURICH, 30 mai 1979 : *Paysage du Wannsee* 1918, eau-forte (17x23) : **CHF 3 800** – MUNICH, 28 mai 1979 : *Le fiacre* vers 1911, fus. (25,5x33) : **DEM 8 000** – LONDRES, 5 juil 1979 : *Sur la plage*, past. (29,5x46) : **GBP 3 800** – HANOVRE, 17 mars 1979 : *La Rue aux Juifs à Amsterdam*, h/pan. (35,5x54) : **DEM 70 000** – LONDRES, 4 déc. 1981 : *Moutons à l'abreuvoir* 1895, eau-forte (22,8x25,8) : **GBP 1 050** – LONDRES, 26 mars 1982 : *La plage de Noordwyk* 1908, h/pan. (54,5x72,5) : **GBP 40 000** – LONDRES, 16 mars 1983 : *Autoportrait*, fus. (22x13,5) : **GBP 1 300** – NEW YORK, 18 mai 1983 : *Der Biergarten* 1903, h/t (71,5x101) : **USD 190 000** – LONDRES, 29 nov. 1984 : *Baigneurs sur la plage*, past. (31,6x49) : **GBP 8 500** – MUNICH, 29 nov. 1985 : *Un jardin du Wannsee* vers 1921, past. (20x29) : **DEM 29 000** – LONDRES, 2 déc. 1986 : *Étude pour Papageienallee* vers 1902, past. et fus./pap. gris (47x37) : **GBP 32 000** – NEW YORK, 25 fév. 1988 : *Un marché hollandais*, craie noire (13x18,5) : **USD 4 730** – TEL-AVIV, 25 mai 1988 : *Le marché aux bestiaux de Leyde* 1900, eau-forte (29,3x30) : **USD 935** – PARIS, 22 juin 1988 : *Le tombereau sur la* *plage*, past. (40x54,5) : **FRF 105 000** – LONDRES, 28 juin 1988 : *Adolescents à la baignade* 1896, h/t (45x54,5) : **GBP 60 500** – LUCERNE, 30 sep. 1988 : *Femme occupée aux travaux des champs*, eau-forte (26x31) : **CHF 600** – LONDRES, 4 avr. 1989 : *L'allée de la ferme avec des personnages* 1885, h/cart. (36x45) : **GBP 30 800** – NEW YORK, 24 oct. 1989 : *Sur la terrasse*, h/pan. (40,7x50,5) : **USD 88 000** – LONDRES, 27 nov. 1989 : *Café en plein air au bord de l'Elbe*, h/t (40,5x50,7) : **GBP 220 000** – MUNICH, 29 nov. 1989 : *Jeune vachère tricotant* 1899, past. (60x75) : **DEM 110 000** – TEL-AVIV, 3 jan. 1990 : *La rue des Juifs à Amsterdam* 1904, estampe (19,2x24,1) : **USD 1 100** – PARIS, 26 jan. 1990 : *Trois hommes assis*, dess. à la mine de pb (23x22) : **FRF 40 500** – NEW YORK, 28 fév. 1990 : *Dans le parc*, past./pap. (28,5x46,3) : **USD 44 000** – LONDRES, 3 avr. 1990 : *Une allée*, h/pan. (36x26) : **GBP 60 500** – MUNICH, 31 mai 1990 : *Le chemin de halage*, h/t (60x49) : **DEM 176 000** – LONDRES, 25 juin 1990 : *La maison de retraite* 1880, h/t (53,5x71,5) : **GBP 484 000** – TEL-AVIV, 19 juin 1990 : *Les pêcheurs de coquillages*, h/cart. (21,5x25,5) : **USD 30 800** – TEL-AVIV, 20 juin 1990 : *La moisson au Tyrol*, h/t (29,5x62) : **USD 77 000** – ZURICH, 18 oct. 1990 : *Sous les arbres*, fus. (11x19) : **CHF 6 500** – NEW YORK, 23 oct. 1990 : *Le parc zoologique de Berlin* 1912, h/t (33x45,1) : **USD 148 500** – LONDRES, 28 nov. 1990 : *Une allée dans un jardin public de Berlin*, h/t (39x49) : **GBP 93 500** – TEL-AVIV, 1er jan. 1991 : *Portrait d'un homme* 1911, fus. (32x20) : **USD 1 870** – NEW YORK, 28 fév. 1991 : *Un jardin à Wannsee* 1929, h/t (55,2x76,2) : **USD 363 000** – LONDRES, 19 mars 1991 : *Ramasseur de moules sur une plage*, past./pap. (25,4x31,7) : **GBP 9 900** – NEW YORK, 23 mai 1991 : *Pique-nique dans les bois* 1920, h/t (49,5x35,5) : **USD 165 000** – MUNICH, 12 juin 1991 : *Un chasseur avec ses chiens*, fus. (29x34,5) : **DEM 6 600** – TEL-AVIV, 26 sep. 1991 : *Maison dans le jardin*, h/t (59x71) : **USD 181 500** – NEW YORK, 20 fév. 1992 : *Sous les arbres*, past./pap. (11,4x17,1) : **USD 13 200** – BERLIN, 29 mai 1992 : *Une allée dans Tiergarten*, h/t (47,5x60,5) : **USD 485 900** – MUNICH, 25 juin 1992 : *Jardin public à Berlin* 1921, h/t (39x59) : **DEM 350 300** – TEL-AVIV, 20 oct. 1992 : *Autoportrait avec sa palette et un pinceau*, h/t (76x54,8) : **USD 71 500** – LONDRES, 20 mai 1993 : *Femme cousant à l'ouvroir* 1893, past./cart. (57,1x79,1) : **GBP 67 500** – LONDRES, 22 juin 1993 : *La petite fille du peintre avec sa nurse dans le parc de Wannsee* 1923, h/t (75,5x100) : **GBP 166 500** – TEL-AVIV, 4 oct. 1993 : *Jardin près de Noordwyk*, past. (34x40) : **USD 51 750** – NEW YORK, 12 oct. 1993 : *Autoportrait* 1923, craie noire et blanche/pap. beige (29,8x23,2) : **USD 20 700** – NEW YORK, 13 oct. 1993 : *La petite fille du peintre avec sa nurse dans un parc*, h/t (90,8x71,1) : **USD 200 500** – HEIDELBERG, 5-13 avr. 1994 : *Courses* 1922, litho. (18x28,5) : **DEM 1 400** – LONDRES, 13 oct. 1994 : *Terrasse de café au bord du lac de Wann*, h/t (60x74) : **GBP 606 500** – TEL-AVIV, 25 sep. 1994 : *Maisons dans les dunes à Katwijk* 1889, fus. avec reh. de blanc/pap. chamois (29,8x44,5) : **USD 17 250** ; *Le parc* 1929, h/t (76,3x94) : **USD 123 500** – NEW YORK, 16 fév. 1995 : *Le parc zoologique de Berlin*, h/pan. (39,4x50,2) : **USD 129 000** – HEIDELBERG, 8 avr. 1995 : *Autoportrait à la casquette* 1926, litho. (26,5x20,5) : **DEM 1 500** – LONDRES, 14 juin 1995 : *Scène de plage à Scheveningen* 1899, h/cart. (266,5x44,5) : **GBP 74 100** – MUNICH, 27 juin 1995 : *Scène de plage avec des barques*, h/cart. (23x30,5) : **DEM 51 750** – LONDRES, 11 oct. 1995 : *Le jardin de la famille Arnhold à Wannsee* 1911, h/t (70,3x88,3) : **GBP 507 500** – PARIS, 21 nov. 1995 : *Nu* 1921, encre de Chine (188x14) : **FRF 6 000** – ZURICH, 12 nov. 1996 : *Travailleuse des champs* 1973, h/t/cart. (43x25,5) : **CHF 15 000** – TEL-AVIV, 23 oct. 1997 : *Villa à Wannsee*, h/t (41x51) : **USD 173 000**.

LIEBERT Edwin Mackinnon

XIXe siècle. Actif en Amérique. Américain.

Peintre de genre et de natures mortes.

Il travaillait à Paris en 1891 et obtint une mention honorable à Berlin la même année.

LIEBERT Georg Emil. Voir **LIBERT**

LIEBERT Philippe

Né en 1732. Mort en 1804. XVIIIe siècle. Canadien.

Sculpteur.

Une des personnalités les plus représentatives de la sculpture à Montréal au XVIIIe siècle. Son inspiration est à la fois populaire et chrétienne.

LIEBHERR Josef

Né vers 1719. Mort le 18 juin 1803 à Innsbruck. XVIIIe siècle. Actif à Innsbruck. Autrichien.

Peintre.

Il fut surtout peintre d'églises. On cite de ses tableaux d'autel à l'église collégiale de Wilten, à l'église paroissiale Saint-Pierre à Ellbögen et à l'église du monastère de Rott sur l'Inn.

LIEBICH Curt

Né le 17 novembre 1868 à Wesel. XIXe-XXe siècles. Allemand.

Peintre, sculpteur, illustrateur, graveur.

Il étudia aux Académies des beaux-arts de Dresde et Berlin, ainsi qu'à l'École des beaux-arts de Weimar. Il est l'auteur des monuments des combattants de Gutach, Schapbach, Rhina sur le Rhin, Laufenbourg, Reichenbach, Messenheim et Dunningen. Il fit des études de costumes et de paysages.

MUSÉES : FRIBOURG : *Moulin dans la Forêt Noire – Ruche*.

LIEBIEDIEV Mikhaïl Ivanovitch

Né le 8 novembre 1811 à Dorpat (Tartu, Estonie). Mort le 19 juin 1837 à Naples. XIXe siècle. Russe.

Peintre de paysages.

Élève de M. N. Vorobiev (ou Worobieff) à l'Académie des Beaux-Arts de Saint-Pétersbourg de 1829 à 1833, il est envoyé en Italie, comme pensionnaire de l'Académie de Rome, en 1833. Il meurt du choléra, trois ans plus tard, lors de son séjour à Naples.

Ses paysages montrent son admiration pour Ruysdaël, dont il a vu des œuvres à l'Ermitage. Il joue des effets de lumière à travers les feuillages, qu'il traite dans des empâtements nourris et des effets chromatiques très riches.

BIBLIOGR. : In : Catalogue de l'exposition : *La peinture russe à l'époque romantique*, Galeries nationales du Grand Palais, Paris, 1976-1977.

MUSÉES : MOSCOU (Mus. Roumianzeff) : *Paysage – Vue d'Albano – Paysage italien – Paysage* – Moscou (Gal. Tretiakov) : *Paysage académique – Forêt près de Derpt (Dorpat) – Paysages italiens – Vue des environs d'Albano* – Diverses études – SAINT-PÉTERSBOURG (Mus. Russe) : *Vue de Castel Gandolfo, près de Rome – Vue du Parc Parloosk – Paysage des environs de Rome – Étude d'arbre*.

LIEBIG Georg Bernhard

Né le 17 mars 1873 à Wernersdorf (Silésie). XIXe-XXe siècles. Allemand.

Peintre de paysages, figures, natures mortes, portraits, graveur.

Il fut élève de l'Académie des beaux-arts de Berlin. Il pratiqua aussi l'eau-forte.

LIEBIG Klaus

Né en 1936 à Datteln (Westphalie). XXe siècle. Allemand.

Peintre, graveur.

Il expose en Allemagne depuis 1959, à Stuttgart en 1962 et à Munich en 1964.

Sa peinture est proche d'une certaine figuration narrative, jouant sur des compositions éclatées, à la manière de puzzle ou de jeux de cubes plus ou moins en désordre.

LIEBING Alfred Friedrich

Né le 19 mai 1867 à Leipzig (Saxe). XIXe-XXe siècles. Allemand.

Peintre de paysages, dessinateur, graveur, illustrateur.

Il fut élève de l'Académie des beaux-arts de Leipzig. Il fit des illustrations et des placards publicitaires, en même temps que des paysages.

LIEBING Lotte Marianne, épouse **Geidel**

Née le 26 novembre 1891 à Leipzig. XXe siècle. Allemande.

Peintre de paysages, natures mortes, graveur.

Elle est la fille du peintre Alfred Friedrich Liebing. Outre ses peintures, elle a fait des gravures sur bois et sur linoléum.

LIEBL Simon

Né le 1er décembre 1873. XIXe-XXe siècles. Allemand.

Sculpteur de monuments.

Il vécut et travailla à Munich. On cite de sa main des tombeaux et de nombreux monuments aux combattants, parmi lesquels ceux d'Ostermünchen, Pfaffing, Frassdorf, Riedering, etc.

LIEBMANN

XIXe siècle. Hollandais.

Peintre.

Cité dans les annuaires de ventes publiques.

VENTES PUBLIQUES : PARIS, 27 nov. 1944 : *Boulanger au travail* 1827 : **FRF 5 100**.

LIEBMANN Alexander

Né le 31 octobre 1871 à Berlin. XIXe-XXe siècles. Allemand.

Peintre de paysages, graveur.

Il fut élève de l'Académie des beaux-arts de Munich et de l'Académie Julian à Paris. Il vécut et travailla à Munich.

Il fit des paysages à l'eau-forte et en lithographie, la plupart en couleur, des ex-libris, des décorations de livres.

LIEBMANN Gerhardt

Né en 1928 en Californie. XXe siècle. Américain.

Peintre. Hyperréaliste.

Il a exposé à Genève en 1975.

Architecte de formation, il est également peintre. Réaliste selon une tradition américaine remise à l'honneur avec le succès de l'hyperréalisme vers 1970, il se rapproche en effet de ce réalisme photographique.

LIEBMANN Hans Harry

Né le 18 septembre 1876 à Berlin. XXe siècle. Allemand.

Sculpteur de statues, portraits, monuments.

Il sculpta des statues et des statuettes, des portraits en relief, des tombeaux et des monuments aux combattants. Sa statue de bronze *Diane* orne la Johannaplatz de Berlin-Wilmersdorf. On cite ses bronzes *Jeunesse* et *Tresseuse de nattes*, pour l'État de Saxe.

Ventes Publiques : Milan, 16 déc. 1981 : *Diane chasseresse*, bronze (H. 180) : **ITL 11 000 000**.

LIEBMANN Pinehas

Né en 1777 à Mecklembourg-Schwerin. Mort le 10 décembre 1832 à Hambourg. XIXe siècle. Danois.

Peintre de portraits.

Il fut élève de l'Académie de Copenhague de 1797 à 1805 et obtint en 1807 et 1809 la médaille d'argent. Il se fixa à Copenhague comme portraitiste, puis en 1822 à Göteborg.

Musées : Göteborg : *Portrait-miniature sur ivoire*.

LIEBSCH E. W. Arthur

Né le 8 mai 1851 à Leipzig. XIXe siècle. Allemand.

Peintre et aquafortiste.

Élève de l'Académie de Leipzig. Il grava des *Vues de Leipzig*, des paysages, etc.

LIEBSCH Ferdinand

Né le 21 janvier 1816 à Hanovre. Mort le 4 décembre 1905 à Hanovre. XIXe siècle. Allemand.

Paysagiste.

Il exposa à Hanovre en 1872, 1880, 1882. On cite de lui : *Paysage du Harz*.

LIEBSCHER Adolf

Né le 11 mars 1857 à Prague. XIXe siècle. Tchécoslovaque.

Peintre.

Il peignit des fresques au Théâtre National de Prague, à l'Hôtel de Ville de Cologne... Il créa des œuvres d'art industriel et exécuta des illustrations ; parmi celles-ci on cite un album de costumes du peuple slave. En 1904 parut une série d'esquisses de peintures à la détrempe : *Élégies de Bohême*.

LIEBSCHER Karl

Né en 1851. Mort en 1906. XIXe siècle. Actif à Prague. Polonais.

Paysagiste.

Il exposa à Vienne à partir de 1889. On cite de lui : *Soir d'automne*.

K. Liebscher

Musées : Prague (Gal. Mod.) : *Paysage* – Prague (Rudolfinum) : *Paysage* – Même sujet.

LIECHERT Charles Henri Joseph

Né le 22 septembre 1818 à Bruxelles. XIXe siècle. Belge.

Peintre.

Élève de Wynand, de Jan Joseph Noyen et d'Andreas Schelflent.

LIECHT. Voir aussi **LICHT**

LIECHTENFURTNER Anton

Né vers 1721 à Freysing. Mort le 9 avril 1758 à Gars (Haute-Bavière). XVIIIe siècle. Allemand.

Peintre.

Frère lai de l'ordre des Augustins. Le monastère de Gars lui doit trois fresques de plafond (chapelle Saint-Félix), quatorze médaillons et des peintures d'autels.

LIECHTENREITER. Voir **LICHTENREITER**

LIECHTMANEGGER Johann Georg

XVIIIe siècle. Actif à Velden. Allemand.

Peintre.

Il peignit en 1770, douze tableaux d'apôtres pour l'église de Feldkirch. Voir Lichtmanegger.

LIECK Joseph

Né le 22 mai 1849 à Aix-la-Chapelle. XIXe siècle. Allemand.

Peintre de genre et de portraits.

Élève de Julius Schrader à l'Académie de Berlin. Il fit un voyage d'études en Italie et revint à Berlin. Il exposa à partir de 1876. On cite de lui : *Pâris et Hélène ; Paysannes ; Sieste*.

Ventes Publiques : Copenhague, 9 nov. 1977 : *Portrait de jeune fille* 1899, h/t (48x38) : **DKK 26 000** – Zurich, 25 mai 1979 : *Jeune fille au verre de vin* 1888, h/t (60x48) : **CHF 5 300** – San Francisco, 28 fév. 1985 : *La belle endormie* 1889, h/t (48x61) : **USD 3 750**.

LIEDEKERKE Anne de

Née en 1896. XXe siècle. Belge.

Sculpteur de nus.

Ventes Publiques : Lokeren, 10 oct. 1992 : *Nu allongé*, bronze à patine brune (H. 19 et L. 41) : **BEF 44 000**.

LIEDEL Johann Jacob. Voir **LIDL**

LIEDER Friedrich, Jr.

Né le 27 février 1807 à Vienne. Mort le 21 mars 1884 à Vienne. XIXe siècle. Autrichien.

Peintre de portraits.

Fils de F. J. G. Lieder. Il fit les portraits de la noblesse de son temps. L'Albertina à Vienne possédait de sa main un *Portrait du père de l'artiste en capitaine de la Garde municipale*.

LIEDER Friedrich Johann Gottlieb, dit **Franz**

Né le 3 juillet 1780 à Potsdam. Mort le 13 mai 1859 à Pest. XIXe siècle. Allemand.

Peintre de portraits, de genre, d'histoire, miniaturiste et lithographe.

Élève de David à Paris. Membre de l'Académie de Vienne en 1824. Il travailla à Paris, Vérone, Tyrnau, Presbourg, Vienne et Pest.

Musées : Berlin (Hohenzollern) : *Le prince Frédéric – Le prince Guillaume – Le prince Charles – Le prince Albert – La princesse Louise – La princesse Alexandrine – La princesse Charlotte – Le Kronprinz Frédéric-Guillaume* – Berlin (Château) : *Frédéric-Guillaume III, en uniforme de hussard* – Budapest (Beaux-Arts) : *Portrait de l'artiste* – Treize aquarelles – Budapest (Gal. hist.) : *Cornelie Hollosy – A. von Kubinyi* – Linz : *Kress von Kressenstein* – Vienne (Acad.) : *Le comte Czernin von Chudenitz* – Vienne (Nat.) : *Portrait d'homme – Portrait de l'artiste* – Vienne (Liechtenstein) : *J. Clätzer*, aquar. – Vienne (Mus. hist.) : *Portrait de l'artiste par lui-même*.

Ventes Publiques : Londres, 12 juin 1974 : *Scènes de chasse*, deux pendants : **GBP 1 000**.

LIÉDET Loiset ou **Lyédet**

XVe siècle. Éc. flamande.

Miniaturiste et enlumineur.

Un excellent miniaturiste de Bruges, de 1445 à 1475. Ses enluminures pour les « Histoires Romaines » de Jean Mansel (entre 1454 et 1460), conservées à la Bibliothèque de l'Arsenal, à Paris, accusent l'influence de la manière de Simon Marmion, ce qui laisse supposer qu'il fit peut-être son apprentissage chez celui-ci. Il travailla pour le duc de Bourgogne, de 1467 à 1470, et son nom figura sur la liste de la Confrérie des enlumineurs, de 1470 à 1478. Il exécuta les miniatures du premier volume de l'histoire générale du Hainaut qui va des origines du monde à l'an 380. Dans cet ouvrage il représenta le duc de Bourgogne Philippe le Bon et, ce qui est fort curieux c'est que la figure du duc est nettement un portrait. Leidet peignit aussi les miniatures d'une copie de « Regnault de Montauban », celle d'une « Bible moralisée », celle de « La vengeance de Notre-Seigneur ». Ces miniatures sont d'un genre semblable à celles que l'on voit dans les œuvres néerlandaises du XVe siècle, comme les chroniques exécutées pour Edouard IV d'Angleterre. Enfin Liédet peignit des miniatures pour « l'Histoire de Charles Martel et de ses successeurs » écrite en quatre volumes par David Aubert entre 1469 et 1475, et qui se trouve actuellement à la bibliothèque royale de Bruxelles, et dont l'une des miniatures est signée, fait rarissime à l'époque.

LIÉDET Willaume

XVe siècle. Actif à Lille entre 1407 et 1414. Éc. flamande.

Peintre.

Il était peut-être le père de Loiset Liédet.

LIEDTKE Alfred

Né le 2 janvier 1877 à Pfaueninsel (Brandebourg). Mort le 23 novembre 1914 à Laon (Aisne). XXe siècle. Allemand.

Peintre de paysages, marines, aquarelliste, peintre de décors de théâtre.
Il fut élève de l'Académie des beaux-arts de Berlin. Il fit des peintures pour des décors de théâtre, des paysages, des vues de villes et de ports à l'huile, à l'aquarelle et en lithographie.
Musées : Potsdam (Mus. de la ville) : *Vieux Pont.*

LIEDTS Abraham ou **Liets**
xviie siècle. Actif à Hoorn, au milieu du xviie siècle. Hollandais.
Peintre.
Maître de Jan Claes Rietschoof.
Musées : Amsterdam : *Pieter Ilorisz* – Hoorn : *Le bourgmestre Meyndert Merens et son épouse.*

LIEFERINXE Josse. Voir **MAÎTRE de SAINT SÉBASTIEN**

LIEFFKOOP Johann ou **Liefkoop**
xviie siècle. Actif à la fin du xviie siècle. Allemand.
Graveur à la manière noire.
Il a gravé des sujets d'histoire, en particulier d'après Rubens.

LIEFFKOOP Johann Isaak ou **Liefkoop**
Né en 1697 à Stuttgart. Mort en 1775. xviiie siècle. Allemand.
Peintre.
Il était probablement fils de Johann Lieffkoop. Il fut peintre de la cour de Wurtemberg.

LIEFFRINCK. Voir **LIEFRINCK**

LIEFLAND Joannes Van
Né en 1809 à Utrecht. Mort le 30 juin 1861 à Utrecht. xixe siècle. Hollandais.
Peintre de paysages, paysages urbains, aquarelliste.
Peintre d'Utrecht, il fut élève de Jonxis, B. Van Straaten et de R. Craey-Vanger. Sa production est rare.
Musées : Bruxelles : *Moulin à vent et étang,* aquar.
Ventes Publiques : Amsterdam, 20 oct. 1976 : *Vue d'une petite ville* 1840, h/pan. (36,5x26,5) : **NLG 4 800** – Amsterdam, 20 avr. 1993 : *Paysage d'hiver avec des personnages sous les murailles d'une ville,* h/pan. (21,5x25,5) : **NLG 2 760.**

LIEFOOGHE Frank Willem
Né en janvier 1943 à Ypres (Flandre-Occidentale). xxe siècle. Belge.
Peintre.
Il fut élève de l'Académie des beaux-arts de Gand. Il a fondé en 1967 le groupe *Nieuwe rococco* qui indique bien l'orientation de son expression. Il expose depuis 1967. Il participe à des expositions collectives consacrées soit au surréalisme, soit à la science-fiction.
En 1970, il a réalisé un mobile *Iris* de quatre-vingts mètres de haut et exposé à Amsterdam sur l'initiative du Stedelijk Museum. Ses œuvres utilisent des images de la vie quotidienne.
Bibliogr. : In : *Dict. biogr. illustré des artistes en Belgique depuis 1830,* Arto, Bruxelles, 1987.

LIEFRINCK Cornelis I
Mort avant 1545. xvie siècle. Actif à Anvers. Hollandais.
Graveur sur bois.
Il alla à Augsbourg travailler à la publication du *Triomphe de l'empereur Maximilien* et des *Saints Autrichiens* par H. Burgkmair.

LIEFRINCK Cornelis II ou **Lieffrinck**
Né vers 1581 à Leyde. xviie siècle. Hollandais.
Peintre et graveur.
Il fut avec Jan Van Goyen expert dans la succession du peintre A. Elsevier en 1626.

LIEFRINCK Hans I et **II**
Nés probablement au xvie siècle à Leyde ou à Anvers. xvie siècle. Hollandais.
Peintres de portraits, cartons de tapisseries, graveurs.
« Tailleurs d'images », ils travaillèrent à Anvers entre 1538 et 1573. Hans I fut enterré le 28 février 1573. Hans II entra comme « fils de maître » en 1581 dans la gilde d'Anvers et dessina en 1584 un modèle de tapisserie pour la ville de Leyde. Un Hans Johann Liefrinck vivait à Leyde en 1578, mais on ne sait si on peut l'identifier avec Hans II Liefrinck d'Anvers. On leur doit surtout des portraits sur bois et sur cuivre. Le graveur cité avec le prénom de Willem paraît être identique à l'un de ces deux artistes.

Ventes Publiques : Paris, 26 fév. 1923 : *Le grand rocher,* cr. : **FRF 130.**

LIEFRINCK Hans Johann. Voir l'article **LIEFRINCK Hans I** et **II**

LIEFRINCK Willem. Voir l'article **LIEFRINCK Hans I** et **II**

LIÈGE Jean de. Voir **JEAN de LIÈGE**

LIEGEL Friedrich
Né en 1805 à Wernigerode. xixe siècle. Allemand.
Peintre.
Il fut élève des Académies de Munich et de Dresde. Il peignit des paysages et des tableaux de figures, ainsi que des portraits à l'huile. Le Musée Municipal de Nordhausen et le Musée du Prince-Otto à Wernigerode possèdent de ses œuvres.

LIÉGENT Olivier
xxe siècle. Français.
Sculpteur.
Il montre ses œuvres dans des expositions personnelles : 1997 musée des beaux-arts de Reims.
Il a d'abord réalisé des tables ou des fauteuils. Par la suite, ses œuvres portent le nom de la technique utilisée : « Découpage-pliage ». Après avoir déterminé une forme à partir d'une feuille de papier, il la réalise en acier peint. Il présente ces compositions en volume, neutres, au mur, comme une peinture.
Bibliogr. : Karim Ghaddab : *Olivier Liégent – David Renaud,* Art Press, n° 224, Paris, mai 1997.

LIEGEOIS Paul
xviie siècle (?). Français.
Peintre de natures mortes de fruits.
Ventes Publiques : Paris, 15 déc. 1980 : *Pêches et raisins sur un tapis bleu,* h/t (46x55) : **FRF 70 000** – New York, 17 juin 1982 : *Natures mortes aux fruits,* 2 h/t (33,5x44,5) : **USD 10 500** – Monte-Carlo, 29 nov. 1986 : *Abricots, prunes et cerises sur un entablement,* h/t (36x45,5) : **FRF 82 000** – Paris, 28 juin 1988 : *Pêches, raisins et prunes sur un entablement recouvert de velours bleu,* h/t (64x78,5) : **FRF 70 000** – Paris, 19 avr. 1989 : *Nature morte de pêches et raisins sur un entablement de velours rouge,* pan. de sapin (32x46) : **FRF 300 000** – Paris, 22 juin 1990 : *Raisins, prunes et pêches sur un velours à crépine et un entablement de pierre,* h/t (39x50) : **FRF 350 000** – Paris, 31 jan. 1991 : *Nature morte aux fruits,* h/t (41,5x52,5) : **FRF 140 000** – Paris, 9 avr. 1991 : *Prunes, pêches et figues sur un entablement,* h/t (64x88,5) : **FRF 320 000** – New York, 15 oct. 1992 : *Pêches et raisins sur un entablement avec une nappe verte,* h/t (31,1x43,2) : **USD 24 200** – Paris, 3 avr. 1995 : *Pêches, raisins et pommes disposés sur un drapé de velours rouge,* h/t (49x60,5) : **FRF 42 000.**

LIÉGEOIS Simon Michel
Né vers 1687. Mort en 1775 à Paris. xviiie siècle. Actif à Paris. Français.
Peintre de marines.
Membre de l'Académie de Saint-Luc. Il exposa au Salon entre 1751 et 1756.

LIEGI Ulvi, pseudonyme de **Levi Luigi**
Né en 1859 ou 1868 à Livourne (Toscane). Mort en 1939. xixe-xxe siècles. Italien.
Peintre de scènes typiques, paysages animés, paysages urbains, paysages, fleurs.
Né dans une famille aisée, il fit ses études à l'Académie des Beaux-Arts de Florence, où il fut élève de Corsi, de Marko junior, de Ciaranfi et de Ferroni. Il voyagea ensuite à Paris et à Londres où il rencontra des impressionnistes et des préraphaélites. Il débuta à Florence en 1882. Il a également exposé à Venise, Bologne, Londres et Paris. Collectionneur, il travailla à faire connaître l'art de Livourne.
En Italie il fut influencé par le peintre « macchiaiolo » Telemaco Signorini. Il s'affranchit de l'influence des macchiaioli et adopta une palette plus brillante. Peintre d'extérieurs, Liegi travailla dans les environs de Florence. À la fin de sa vie, et sans doute à cause de la montée de l'antisémitisme, il se tourna vers des sujets

typiquement juifs, peints à l'intérieur de la synagogue de Livourne.
Bibliogr. : In : Catalogue Sotheby's, New York, 29 juin 1995.
Musées : Florence (Gal. d'Art Mod.).
Ventes Publiques : Milan, 21 oct. 1969 : *Paysage* : **ITL 900 000** – Milan, 4 juin 1970 : *La Plage de Viareggio* : **ITL 1 800 000** – Milan, 16 nov. 1972 : *La Route de campagne* : **ITL 2 200 000** – Londres, 11 fév. 1976 : *Paysage*, h/pan. (17x26) : **GBP 700** – Milan, 20 déc. 1977 : *Roncegno, Val Sugana*, h/t (42,2x36,5) : **ITL 3 700 000** – Milan, 5 avr 1979 : *Les Jardins de l'Ardenza* 1929, h/cart. (24x39) : **ITL 6 500 000** – Milan, 19 mars 1981 : *Scène de parc à Florence* 1917, h/t (25x35) : **ITL 6 500 000** – Milan, 23 mars 1983 : *Via Cento Stelle, Firenze*, h/pan. (34,5x41) : **ITL 7 500 000** – Milan, 2 avr. 1985 : *Figure al parco delle Cascine a Firenze* 1888, h/pan. (32x22,5) : **ITL 10 000 000** – Milan, 18 déc. 1986 : *Une petite plage à Livourne* 1928, h/cart. (27x38,5) : **ITL 9 000 000** – Milan, 13 oct. 1987 : *Paysage de Livourne*, h/pan. (23x31) : **ITL 14 000 000** – Rome, 24 mai 1988 : *Lido all Ardenza* 1933, h./contreplaqué (30x45) : **ITL 12 000 000** – Milan, 14 juin 1989 : *Pêche au carrelet à l'embouchure de l'Arno près de Pise* 1925, h/pan. (43,5x64,5) : **ITL 20 000 000** – Milan, 30 mai 1990 : *Canal vénitien*, h/t (22,5x32,5) : **ITL 15 000 000** – Rome, 4 déc. 1990 : *La route de Centostelle à Florence*, h/pan. (43x80) : **ITL 31 000 000** – Rome, 16 avr. 1991 : *Ardenza* 1922, h/pan. (18x25) : **ITL 17 250 000** – Rome, 19 nov. 1992 : *Les bains à Livourne* 1922, h/pan. (24,5x35) : **ITL 20 700 000** – Milan, 22 mars 1994 : *Paysage de l'Arno près de Ballariva à Florence* 1888, h/pan. (29x19) : **ITL 8 050 000** – Rome, 31 mai 1994 : *Les fleurs jaunes* 1883, h/pan. (37,5x29,5) : **ITL 11 785 000** – Rome, 6 déc. 1994 : *Viale d'Ardenza* 1936, h/cart. (37x49) : **ITL 20 035 000** – New York, 29 juin 1995 : *Autoportrait*, h/pan. (34,9x20,3) : **USD 8 050** – Milan, 25 oct. 1995 : *Potager aux environs de Livourne*, h/cart. (29x36,5) : **ITL 27 600 000** ; *La promenade des Colli à Florence* 1901, h/t (30,5x76,5) : **ITL 109 250 000** – Rome, 28 nov. 1996 : *Paysage animé*, h/bois (24,5x15) : **ITL 5 000 000**.

LIEGME Adrien
Né le 10 décembre 1922 à La Chaux-de-Fonds (Neuchâtel). xxe siècle. Suisse.
Sculpteur.
Il fit l'apprentissage de la taille chez un marbrier de Genève. Il vint travailler à Paris, en 1946, dans l'atelier Zadkine, à l'académie de la Grande-Chaumière. Il commença à figurer dans les salons annuels de Paris, à partir de 1949. Il figurera par la suite dans les Salons de la Jeune Sculpture et des Réalités Nouvelles. Sa première exposition personnelle eut lieu en 1960.
À la suite de son séjour en France, il évolua progressivement d'une figuration interprétée à un constructivisme abstrait. 1958-1959 marque à peu près la plénitude de cette période : granit, marbre, pierre dure confirment la rigidité des formes géométriques simples qui définissent les espaces qui les séparent dans une tradition postbrancusienne qui se soucierait plus des espaces extérieurs que du volume intérieur. Il revint à une certaine figuration dans les années soixante.
Bibliogr. : Denys Chevalier, in : *Nouv. Dict. de la sculpt. mod.*, Hazan, Paris, 1970.

LIEGME Jean-François
Né le 10 mai 1922 à Genève. Mort le 29 juillet 1977 à Genève. xxe siècle. Suisse.
Peintre, peintre de cartons de mosaïques, graveur, illustrateur, décorateur. Abstrait-paysagiste.
De 1941 à 1945, il fut Élève de l'école des Beaux-Arts de Genève. Puis, il séjourne deux ans à Paris, travaillant quelque temps chez André Lhote. En 1946, il séjourne au Maroc, en 1947-1948 à Florence. En 1963, il visite la Grèce, et en 1967 la Sicile, lieux où il séjournera plusieurs fois par la suite.
Il participe à diverses expositions de groupe : 1949 Salon de l'Art Libre à Paris, 1953 IIe Exposition d'Art international de Tokyo, 1957 musée des Beaux-Arts de Neuchâtel, 1958 *La Peinture abstraite en Suisse* à Berlin, 1959 Salon des Réalités Nouvelles à Paris, 1960 Salon Comparaisons à Paris et Kunstmuseum de Saint-Gall, 1974 Maison de la culture de Châlon-sur-Saône, 1978 Kunsthaus de Munich, etc. Il montre ses œuvres dans des expositions personnelles depuis 1948, à Genève, Zurich, Paris, etc. Sa première grande rétrospective eut lieu à Genève, au musée Rath, en 1986.
En 1955, il abandonne la figuration. Il peint à larges touches, jouant des effets de matière, tour à tour fluide ou épaisse. Il pratique un paysagisme abstrait de facture très libre, cherchant l'extrême simplification du signe pictural. Il a réalisé des mosaïques à Genève, Berne, et a collaboré à la décoration de l'aéroport de Genève Cointin en 1968-1969.

LIEL M. von
xixe siècle. Allemand.
Peintre.
A sans doute peint un : *Portrait de Gustav-Albert Lortzing*.

LIEMAKERE Jacques de ou **Liemaecker**
Mort en 1630 à Gand. xviie siècle. Éc. flamande.
Peintre verrier.
Maître en 1597, il fit les vitraux de l'église Saint-Martin d'Ackerghem-lez-Gand, en 1620, avec Cornelis Hoorenbault ; un *Christ en croix* en 1622, pour l'église Saint-Michel ; une verrière pour la cathédrale de Gand, en 1629. Il eut pour fils Nicolas de Liemakere dit Roose.

LIEMAKERE Nicolaas de ou **Liemaecker**, pseudonyme **Roze** ou **Roose**
Né en 1601 à Gand. Mort en 1644 à Gand. xviie siècle. Éc. flamande.
Peintre d'histoire.
Élève de son père Jacques Liemakere, peintre verrier, de Marcus Geerards le Jeune, puis de Otto Van Veen en même temps que Rubens. Il fut maître à Gand en 1624 et doyen en 1626 et 1636. Il travailla à la cour de l'évêque de Paderborn ; mais ne put supporter le climat et revint à Gand. Il fit douze grands tableaux avec Caspar de Crayer pour l'entrée du cardinal infant Ferdinand, qui existent encore à Gand. L'église Saint-Nicolas à Gand, conserve de lui : *Le bon Samaritain* – *Saint Nicolas* – *La chute des anges* ; d'autres églises de Gand possèdent également de ses œuvres.

N^e Liemaecker

Musées : Bruges : *Trinité* – Gand (Beaux-Arts) : *La Trinité* – *Sainte Famille* – *Glorification de la Vierge Marie* – *Sainte Famille dans un jardin* – *Couronnement de la Vierge* – *Vision de sainte Hyacinthe* – *Saint Norbert* – *Saint Bernard et saint Bénédict priant devant la Vierge* – Gand (Byloke) : *Alexandre et Diogène*.

LIEN Carsten
xxe siècle. Norvégien.
Peintre.

LIEN Jacques François De. Voir **DELYEN**

LIEN AN. Voir **LIAN AN**

LIENARD Émile Désiré
Né le 1er août 1842 à Paris. xixe siècle. Français.
Peintre de genre, paysages, dessinateur.
Il fut élève de A. Lucas, L. Verraux et A. Defaux. Il débuta au Salon de Paris en 1868.
Ventes Publiques : New York, 25 oct. 1984 : *Chevaux et volatiles dans une cour de ferme* 1880, h/t (88,9x114,2) : **USD 2 500** – New York, 29 oct. 1986 : *Chevaux et volatiles près d'une chaumière* 1880, h/t (89x114,2) : **USD 4 000** – Paris, 22 fév. 1988 : *La Mare* ; *La Route du village* une datée de 1900, deux h/t (27x40) : **FRF 14 000**.

LIENARD Jean Auguste Édouard
Né en 1779 à Paris. Mort le 10 février 1848 à Lille (Nord). xixe siècle. Français.
Peintre et miniaturiste.
Fils de Jean-Baptiste Liénard, graveur. Élève de Regnault et d'Isabey. Il succéda à François Watteau en 1823 comme professeur à l'Académie de Lille.
Musées : Douai : *Le général Delcambre* – Lille : *L'aïeule et l'aïeul de Pierre Legrand, ancien ministre du commerce* – *Mme Saint-Léger* – Lille (Wicar) : *Un officier*, miniat. – *Une vieille dame*, miniat.
Ventes Publiques : Paris, 30 et 31 jan. 1924 : *Portrait d'homme* ; *Portrait de femme*, ensemble : **FRF 380**.

LIENARD Jean-Baptiste
Né en 1750 à Lille. Mort après 1807. xviiie siècle. Français.
Graveur.
Élève de J.-P. Le Bas. Artiste de talent, il grava d'après J.-B. Le Prince et H. Robert. On lui doit aussi trois planches pour la première édition du *Mariage de Figaro*. Il collabora à la gravure du *Voyage pittoresque du Royaume de Naples et de Sicile* de l'abbé de Saint-Non.

LIÉNARD Jean Baptiste
Né en 1782 à Reims. Mort en 1857 à Châlons-sur-Marne (Marne). XIXe siècle. Français.
Peintre d'histoire.
Élève de David et de l'École de Perseval à Reims. Il obtint une pension de sa ville natale. Il exposa au Salon de 1804 à 1819. Professeur de dessin à Châlons vers 1848. Le Musée de Reims conserve de lui *Serment de fidélité de Gaucher de Chastillon au siège de Reims en 1359*, et celui de Châlons, *Henri IV*, *de Jessaint*, *Mlle Courtois* et *Portrait d'un officier russe*.
Ventes Publiques : Paris, 7 juin 1955 : *L'écrivain* : **FRF 85 000**.

LIENARD Michel Joseph Napoléon
Né le 17 septembre 1810 à La Bouillie (près de Rouen). XIXe siècle. Français.
Sculpteur.
Il fit des dessins pour des orfèvres comme E. Froment-Meurice. Peut-être est-il identique à un sculpteur ornemaniste, Liénard, qui travailla pour les églises Saint-Vincent-de-Paul (sculptures à l'orgue) et Sainte-Clotilde, aux Fontaines Saint-Michel et des Arts et Métiers, à la chapelle royale de Dreux. Peut-être est-il également l'auteur d'un buste de femme exposé au Salon de 1864, du groupe *A la fontaine*, et d'une *Baigneuse* (Salon de 1866), œuvres pour lesquelles il est désigné par Lami sous le nom de Paul Liénard.

LIENARD P. G.
XIXe siècle. Actif à Paris. Français.
Sculpteur et graveur.
On cite de sa main une série de portraits sur cuivre de personnalités de la Révolution et du Ier Empire.

LIÉNARD Paul
Né en 1849 à Paris. Mort en décembre 1900 à Cannes (Alpes-Maritimes). XIXe siècle. Français.
Sculpteur.
Élève de Duret. Selon S. Lami, il était sans doute parent du sculpteur ornemaniste Liénard qui a travaillé à la chapelle royale de Dreux. Il a exposé aux Salons de 1864, 1866 et 1890. On lui doit la statue de *Lord Brougham* érigée à Cannes et le buste de *Fragonard* au jardin public de la même ville. Peut-être identique à Michel Joseph Napoléon Liénard.

LIENARD Simone
Née en 1912 à Evere. XXe siècle. Belge.
Peintre de paysages, marines, portraits, fleurs, natures mortes.
Elle fut élève de l'Académie des beaux-arts de Bruxelles.
Bibliogr. : In : *Dict. biogr. illustré des artistes en Belgique depuis 1830*, Arto, Bruxelles, 1987.
Musées : Schaerbeek.

LIENAS BUXADERES Antonio
Né à Barcelone (Catalogne). XXe siècle. Espagnol.
Peintre de paysages, décorateur.
Il a participé à de nombreux Salons et fut membre de l'Institut américain des décorateurs.
Bibliogr. : In : *Cien Anos de pintura en Espana y Portugal, 1830-1930*, Antiqvaria, t. IV, Madrid, 1990.

LIENAUX Fernand François
Né en 1897 à La Louvière. Mort en 1980. XXe siècle. Belge.
Peintre de paysages, marines.
Il s'attacha à peindre les paysages des Ardennes, de la Flandre, de Hollande et de Bretagne.
Bibliogr. : In : *Dict. biogr. illustré des artistes en Belgique depuis 1830*, Arto, Bruxelles, 1987.
Musées : La Louvière (Mus. cant.).
Ventes Publiques : Bruxelles, 27 mars 1990 : *Chapelle en Bretagne*, h/t (90x80) : **BEF 34 000**.

LIEN CH'I. Voir **LIAN QI**

LIENDER Jacobus Van
Né le 28 août 1696 à Utrecht. Mort le 1er août 1759 à Utrecht. XVIIIe siècle. Éc. flamande.
Dessinateur de paysages, paysages urbains.
Il dessina principalement des vues de villages et de villes. Cet artiste était aussi médecin.
Musées : Amsterdam (Cab. des Estampes) – Bruxelles – Haarlem (Mus. Teyler) – Londres (British Mus.) – Vienne (Albertina).
Ventes Publiques : Amsterdam, 25 nov. 1991 : *Paysage vallonné et boisé avec un château*, encre et aquar. (10,9x17,7) : **NLG 2 070**.

LIENDER Paul ou **Paulus Van**
Né le 25 septembre 1731 à Utrecht. Mort le 26 mai 1797 à Haarlem. XVIIIe siècle. Hollandais.
Peintre de paysages, paysages urbains, paysages d'eau, fleurs, aquarelliste, graveur, dessinateur.
Frère de Pieter Van Liender, il fut élève de son oncle Jacob Van Liender et de C. Pronk à Amsterdam.
Ventes Publiques : Paris, 27 nov. 1931 : *Jardin antique*, pl. et lav. de Chine ; *Paysage*, sanguine, les deux : **FRF 27** – Londres, 14 déc. 1939 : *Scène de rivière*, dess. : **GBP 43** – Londres, 1er juil. 1969 : *Paysage au pont animé de personnages*, aquar. : **GNS 260** – Amsterdam, 29 oct 1979 : *Carrosse et personnages sur une route*, pl. et aquar. (15,5x20) : **NLG 3 600** – Londres, 24 juin 1980 : *Château parmi les arbres*, aquar. (13x18,7) : **GBP 650** – Amsterdam, 25 avr. 1983 : *Voyageurs dans un sous-bois*, pl. et aquar. (18,7x24,7) : **NLG 2 800** – New York, 16 jan. 1985 : *Vue d'une ville de Hollande* 1781, aquar. (27,8x25,6) : **USD 1 400** – Amsterdam, 14 nov. 1988 : *Paysage boisé avec deux hommes près d'un puits*, encre (23,5x30,2) : **NLG 1 035** – New York, 12 jan. 1990 : *Paysage avec une chaumière près d'une mare*, craie noire et lav. (23,6x30) : **USD 1 650** – Amsterdam, 25 nov. 1991 : *Vue de l'église ancienne d'Amsterdam*, encre et aquar. (21,8x18) : **NLG 16 100** – Paris, 2 juin 1993 : *Paysage* 1781, pl. et aquar. (27,8x25,5) : **FRF 5 500** – Londres, 5 juil. 1993 : *Les bords d'une rivière* 1784, aquar. (chaque 12,5x17,4) : **GBP 1 265** – Paris, 20 oct. 1994 : *L'orée du village*, encre de Chine (18x25,4) : **FRF 5 800** – Amsterdam, 15 nov. 1994 : *Port fluvial à Vianen* 1795, encre et aquar. (22,4x28) : **NLG 1 840** – New York, 9 jan. 1996 : *Le mur d'enceinte de la ville d'Utrecht* 1755, encre et lav. (21x29,8) : **USD 5 462**.

LIENDER Pieter Jan Van
Né le 23 décembre 1727 à Utrecht. Mort le 26 novembre 1779 à Utrecht. XVIIIe siècle. Hollandais.
Peintre de paysages, aquarelliste, graveur, dessinateur.
Frère de Paulus Van Liender, il fut élève de son oncle Jacob. Il était dans la gilde d'Utrecht en 1759.
Musées : Utrecht : *Vue du Pont Gaard à Utrecht*.
Ventes Publiques : Paris, 27 avr. 1921 : *Ville de Hollande traversée par un canal* : **FRF 520** – Paris, 25-26 juin 1926 : *Le Canal* : **FRF 5 650** – Paris, 24 mars 1947 : *Paysage de rivière*, aquar./trait de pl., deux pendants : **FRF 1 250** – Londres, 24 avr. 1970 : *Vue d'une ville allemande* : **GNS 600** – Londres, 27 mai 1977 : *Paysage boisé animé de personnages* 1759, h/pan. (25,4x33,5) : **GBP 2 400** – Londres, 18 mai 1979 : *Ville au bord d'un canal* 1759, h/pan. (35x53,2) : **GBP 5 500** – Amsterdam, 18 mai 1981 : *Vue d'Utrecht*, pl. et lav. (18,7x28,9) : **NLG 1 500** – Londres, 14 déc. 1984 : *Scène de canal à Utrecht* 1756, h/pan. (28x37,5) : **GBP 6 500** – Cologne, 22 mai 1986 : *Rue de village animée de personnages* 1766, h/pan. (26,5x37,5) : **DEM 12 000** – Amsterdam, 18 mai 1988 : *Paysage de rivière avec une famille de paysans se reposant sur le chemin et un couple regardant la rivière par-dessus le parapet, avec une ville au loin* 1760, h/pan. (25x34) : **NLG 17 250** – Amsterdam, 14 nov. 1988 : *L'Enceinte de Weyde* 1763, encre (13,3x19,7) : **NLG 3 450** – Paris, 28 mai 1993 : *Les Douze Mois de l'année dans une petite ville* 1767, pl. et lav., ensemble de douze dessins (chaque 13x14) : **FRF 62 000** – Amsterdam, 11 nov. 1997 : *Vue de la ville de Hall et église à Gorinchem* 1752, plume, encre noire et cire (16,7x26,9) : **NLG 5 310**.

LIÉNEAUX Fernand. Voir **LIÉNAUX**

LIENHARD Emilie, née **Baudier**
Née à Rouen. XIXe siècle. Française.
Peintre de paysages.
Élève de J.-J. Bellet. Elle exposa des fusains au Salon de 1849 à 1870.

LIENHART
XVe siècle. Actif à Strasbourg. Français.
Peintre.
Il peignit des fresques dans le chœur et le jubé de la cathédrale de Strasbourg.

LIEN K'I. Voir **LIAN QI**

LIEN NGAN. Voir **LIAN AN**

LIEN POU. Voir **LIAN BU**

LIEN PU. Voir **LIAN BU**

LIENTOULOFF. Voir **LENTULOV**

LIEOU CHANG. Voir **LIU SHANG**

LIEOU CHE-JOU. Voir **LIU SHIRU**

LIEOU CHEN-CHAN. Voir **LIU SHENSHAN**

LIEOU FANG. Voir **LIU FANG**

LIEOU HAI-SOU. Voir **LIU HAISU**

LIEOU K'AI-TS'IU. Voir **LIU KAIQU**

LIEOU K'ANG. Voir **LIU KANG**

LIEOU KIEN-NGAN. Voir **LIU JIANAN**

LIEOU KING. Voir **LIU JING**

LIEOU KIUE. Voir **LIU JUE**

LIEOU KOUANG. Voir **LIU GUANG**

LIEOU KOUAN-TAO. Voir **LIU GUANDAO**

LIEOU KOUO-SONG. Voir **LIU GUOSONG**

LIEOU LOUEN. Voir **LIU LUN**

LIEOU MIN-CHOU. Voir **LIU MINSHU**

LIEOU PIN. Voir **LIU BIN**

LIEOU P'ING-TCHE. Voir **LIU PINGZHI**

LIEOU SONG-NIEN. Voir **LIU SONGNIAN**

LIEOU SSEU-I. Voir **LIU SIYI**

LIEOU TA-HIA. Voir **LIU DAXIA**

LIEOU TCHE-P'ING. Voir **LIU ZHIPING**

LIEOU TCHE-TEH. Voir **HUXIAN Peintres paysans du**

LIEOU T'IE-HOUA. Voir **LIU TIEHUA**

LIEOU TÖ-LIEOU. Voir **LIU DELIU**

LIEOU TOU. Voir **LIU DU**

LIEOU TS'AI. Voir **LIU CAI**

LIEOU TSEU-YU. Voir **LIU ZIYU**

LIEOU TSIE. Voir **LIU JIE**

LIEOU TSIUN. Voir **LIU JUN**

LIEOU YIN. Voir **LIU YIN**

LIEOU YONG-NIEN. Voir **LIU YONGNIAN**

LIEOU YU. Voir **LIU YU**

LIEOU YUAN. Voir **LIU YUAN**

LIEOU YUAN-K'I. Voir **LIU YUANQI**

LIEPERT Hans. Voir **LIPPERT**

LIEPINS Janis

Né en 1893 à Riga. XXe siècle. Russe.

Peintre de portraits, natures mortes, paysages.

Il étudia à l'École des beaux-arts de Kazan et à Saint-Pétersbourg. Il obtint en 1930 et 1934 des prix du Fonds de la culture.

Musées : Riga.

LIEPMANN Jacob

Né en 1803. Mort fin octobre 1865 à Berlin. XIXe siècle. Allemand.

Peintre.

Élève de l'Académie de Berlin. Il figura aux expositions de celle-ci en 1822, 1830 et 1832 avec des compositions de figures et des portraits.

Ventes Publiques : Londres, 20 mai 1966 : *Nature morte à la Thora et livre de prière juive* : **GNS 750**.

LIEPVRE. Voir **LE LIEPVRE**

LIER Abraham Van

XVIIe siècle. Actif vers 1606. Hollandais.

Dessinateur et graveur.

On cite de lui une *Flagellation du Christ* d'après Martin de Vos.

LIER Adolf Heinrich

Né le 21 mai 1826 à Herrnhut. Mort le 30 septembre 1882 à Wahren (Tyrol). XIXe siècle. Allemand.

Peintre de paysages animés, paysages.

Élève de l'Académie de Dresde, il suivit des cours à Bâle en 1848, puis travailla avec Richard Zimmerman à Munich en 1849, avant de venir en France en 1861, notamment à Paris et à Barbizon, où il se lia avec Daubigny, Corot, Dupré et Rousseau. En 1865, il séjourna en Angleterre et rentra ensuite dans son pays où il fonda une école de paysage. Il devint membre honoraire à l'Académie de Dresde en 1868 et de Munich en 1877, où il fut professeur à partir de 1881. Il fut médaillé à Vienne en 1873 et médaille d'or à Berlin en 1877. Il prit part à l'Exposition Universelle de 1878.

Alier

Bibliogr. : Gérald Schurr, in : *Les Petits Maîtres de la peinture 1820-1920, valeur de demain*, Les Éditions de l'Amateur, t. III, Paris, 1976.

Musées : Berlin : *Soir sur l'Isar – Matin près de Seefeld – Jour d'été dans la prairie* – Brême : *Retour de la moisson* – Carlsruhe : *Le laboureur* – Dresde : *Paysage* – Elberfeld : *Paysage* – Franc-fort-sur-le-Main : *La Récolte des pommes de terre* – Koenigsberg : *Le soir – Matin d'automne* – Leipzig : *Moisson dans la Bavière* – Munich : *La prairie – Thérésien avec le Bavaria – Partie de village* – Oldenbourg : *Trois Paysages* – Stuttgart : *Grande route – Coucher de soleil sur la côte écossaise* – Wiesbaden : *Paysage*.

Ventes Publiques : Londres, 17 fév. 1922 : *Clair de lune* : **GBP 42** – Londres, 8 avr. 1927 : *Paysage avec des paysans* : **GBP 71** – Munich, 7 déc. 1956 : *Tempête sur le lac Staffel* : **DEM 10 000** – Munich, 6 juin 1968 : *La Moisson* : **DEM 25 000** – Cologne, 16 juin 1972 : *Berger et son troupeau dans un paysage* : **DEM 4 400** – Munich, 21 mars 1974 : *Lac de montagne* : **DEM 4 200** – Munich, 25 nov. 1976 : *Paysage au moulin* vers 1860, h/t (47x65,5) : **DEM 9 800** – Cologne, 23 nov. 1977 : *Paysage*, h/t (25x47) : **DEM 9 500** – Munich, 30 mai 1979 : *Bord de canal*, h/cart. (20,5x29) : **DEM 5 200** – Cologne, 21 mai 1981 : *Paysage fluvial*, h/t (103x176) : **DEM 30 000** – Düsseldorf, 12 oct. 1983 : *Paysage au soir couchant*, h/t (70x115) : **DEM 24 000** – Chester, 4 oct. 1985 : *Les joies de l'hiver*, h/t (81,5x67) : **GBP 19 500** – Zurich, 21 nov. 1986 : *Le Retour du troupeau à la tombée du jour*, h/t (58,5x83) : **CHF 63 000** – Munich, 23 sep. 1987 : *Heuberg près de Brennenburg*, h/pap. mar./cart. (19,5x24) : **DEM 8 000** – Munich, 18 mai 1988 : *La Moisson*, h/pan. (21x44) : **DEM 27 500** – Munich, 12 juin 1991 : *Le Feu de bois*, h/pan. (15,5x32) : **DEM 37 400** – Munich, 21 juin 1994 : *Paysage des environs de Lochkow en Bohême*, h/pan. (17x23) : **DEM 13 800** – Londres, 13 oct. 1994 : *Paysage boisé*, h/pap./cart. (30x37,5) : **GBP 1 610** – Vienne, 29-30 oct. 1996 : *Fermière faisant les foins*, h/t (29,5x44) : **ATS 86 250**.

LIER Leendert Van

Né le 15 janvier 1910. XXe siècle. Hollandais.

Peintre de paysages, aquarelliste.

Il participe à des expositions collectives au Centraal Museum d'Utrecht, au Stedelijk Museum d'Amsterdam, au Singer Museum de Laren.

Il a peint de nombreux paysages du sud de la France. Sa touche tourmentée évoque l'œuvre de Van Gogh.

LIER Volckard Adrian Van

XVIIe siècle. Hollandais.

Peintre.

Il est mentionné à Vienne à partir de 1651. Il travailla de 1669 à 1703 à la cathédrale de Krems. Le château de Dessau possède de lui un paysage daté de 1672.

Ventes Publiques : Londres, 10 avr. 1970 : *Bateaux de pêche sur la plage* : **GNS 600**.

LIERDE Nadine Van

Née en 1941 à Uccle (Brabant). XXe siècle. Belge.

Peintre. Nouvelles figurations.

Elle fut élève des Académies des beaux-arts de Bruges, Bruxelles et Gand. Elle enseigne à l'Académie des beaux-arts de Gand. Elle a été lauréate du prix Godecharle en 1967, et, en 1968, du prix de la Jeune Peinture belge.

Musées : Ostende : *Masques africains – Portrait de Norman Moral – Voyageant sur des nuages*.

Ventes Publiques : Bruxelles, 13 déc. 1990 : *« Si vous pouvez l'attraper »* 1964, h. et collage/t. (98x94) : **BEF 79 800**.

LIERE Josse Van ou Lierre

Né en 1530 à Bruxelles. Mort en 1583 à Swyndrecht. XVIe siècle. Hollandais.

Peintre de paysages.

Il fut doyen de la gilde à Anvers. Van Mander dit qu'il quitta les Pays-Bas, car il appartenait à la religion calviniste, et se réfugia à Frankenthal après 1569. Le prince électeur Ferdinand III laissant toute liberté aux protestants néerlandais, il fut membre de la Municipalité et prêcha à Swyndrecht. L'Albertina, à Vienne, possède de lui un *Paysage* (dessin) dans la manière de Brueghel.

LIERMANN Frieda

Née le 21 décembre 1877 à Bâle. Morte en 1958 à Locarno. XXe siècle. Suisse.

Peintre de portraits, paysages.

Elle fut élève de W. Balmer à Munich et de l'école de Jules Simon

à Paris. Elle participa aux expositions de Bade, Genève, Iéna, Berlin, Zurich.
Musées : Berne : *Paysan fumant.*
Ventes Publiques : Berne, 12 mai 1990 : *Paysan à la pipe*, h/t (55x46) : **CHF 3 500**.

LIERNUR Alexander
Né le 17 février 1770 à La Haye. Mort en 1815 à Amsterdam. xviiie-xixe siècles. Hollandais.
Portraitiste, dessinateur.
Fut élève de l'Orphelinat luthérien. En 1794 il alla à Rome et y demeura un an. Établi à Amsterdam il y eut autant de succès comme graveur que comme dessinateur.

LIERNUR Maria Elisabeth, plus tard Mme **B. S. Nayler**
Née le 22 février 1802 à Paris. xixe siècle. Française.
Portraitiste, miniaturiste et lithographe.
Fille et élève d'Alexander Liernur. Elle épousa B. S. Nayler en 1824.

LIERNUR Martinus Wilhelmus
xixe siècle. Actif à La Haye. Hollandais.
Peintre.
A la Grande Exposition des Beaux-Arts de Berlin de 1895 se trouvait son tableau *Pour le pain quotidien.*

LIERNUR Willem Adrianus Alexander
Né le 7 février 1856 à La Haye. xixe siècle. Hollandais.
Peintre de genre.
Le Musée d'Amsterdam conserve de lui : *Intérieur d'une maison de pêcheurs à Scheveningue.*

LIEROW Anny
Née le 1er octobre 1879 à Berne. xxe siècle. Suisse.
Peintre d'animaux, paysages.
Elle étudia à Munich, jusqu'en 1903 auprès de Wolff et Kandinsky, puis à Paris. Elle épousa le peintre R. Francillon vers 1909.
Elle participa à des expositions à Berne en 1903, au Salon suisse de 1904 et au Salon de Berne en 1905. Elle figura également à Paris, aux Salons des Indépendants et d'Automne.
Musées : Paris (BN).

LIERRE Josse Van. Voir **LIERE**

LIERRES Étienne de
Né à Nantes (Loire-Atlantique). xxe siècle. Français.
Peintre, décorateur.
Il participa à Paris, aux Salons de la Société Nationale des Beaux-Arts, des Artistes décorateurs, des Peintres animaliers.
Ventes Publiques : Enghien-les-Bains, 24 mars 1985 : *Femme dans le verger à la Ferté-Macé* 1904, h/t (37,5x46) : **FRF 41 000** – Paris, 19 jan. 1990 : *L'Escaut à Gand*, h/t (50x61) : **FRF 5 000** – Paris, 8 avr. 1991 : *Gand sur l'Escaut*, h/t (50x61) : **FRF 5 000**.

LIES Jozef Heindrik Hubert
Né le 8 juillet 1821 à Anvers. Mort le 3 janvier 1865 à Anvers. xixe siècle. Belge.
Peintre d'histoire, portraits, paysages, marines, graveur.
Élève de Nicaise Keyser et de Henri Leys. Il fit un voyage en Italie, d'où il rapporta des paysages. Médaille d'or à Bruxelles en 1853.
Il est surtout connu pour *Les maux de la guerre*, que Baudelaire analysait ainsi : « la première impression que l'œil reçoit fatalement en tombant sur ce tableau, est l'impression désagréable, inquiétante, d'un treillage. Il a cerclé de noir, non seulement le contour général de ses figures, mais encore toutes les parties de leur accoutrement, si bien que chacun des personnages apparaît comme un morceau de vitrail ». Il lui reprochait également sa lumière trop généralement répandue et sa couleur monotonement claire. Ses paysages et marines sont plus largement traités, avec davantage de liberté.

Bibliogr. : Gérald Schurr, in : *Les Petits Maîtres de la peinture 1820-1920, valeur de demain*, Les Éditions de l'Amateur, t. V, Paris, 1981.
Musées : Anvers : *Les maux de la guerre – L'ennemi approche – Albert Dürer descendant le Rhin – Un contraste – La baronne Hendrick Leys – Maria Leys* – Bruxelles : *Prométhée – Martin Van Rossum devant Anvers – Épisode du règne de Baudoin à la Hache* – Tours : *Famille Foulon de Vaulx* 1849.
Ventes Publiques : Paris, 7-8 déc.1891 : *L'alchimiste* : **FRF 2 500** – Paris, 27 fév.1929 : *Rendez-vous d'amour* : **FRF 3 000** – Londres, 27 sep. 1946 : *Mariage de raison* : **GBP 78** – Londres, 18 juil. 1968 : *La lettre d'amour* : **GBP 550** – Bruxelles, 26 fév. 1974 : *Les joies de l'hiver* : **BEF 180 000** – Bruxelles, 4 oct. 1977 : *Jeune femme à l'ombrelle*, h/pan. (48x38) : **BEF 60 000** – Anvers, 21 mai 1985 : *Scène d'amour*, h/pan. (37x47) : **BEF 140 000**.

LIESBORN, Maître de. Voir **MAÎTRES ANONYMES**

LIESEBETTEN Peeter Van. Voir **LISEBETTEN**

LIESEGANG Helmuth
Né le 18 juillet 1858 à Duisbourg (Rhénanie-Westphalie). Mort en 1945 à Leipzig (Saxe). xixe-xxe siècles. Allemand.
Peintre de paysages, marines, pastelliste, graveur.
Il fut élève de l'Académie des beaux-arts de Düsseldorf et du graveur Forberg.
Musées : Cologne (Wallraf-Richartz Mus.) : *Dernier Soleil* – Düsseldorf : *Paysage – Le Soir – Paysage du Bas-Rhin* – Elberfeld : *Soir d'hiver* – Emmerich : *Le Vieil Emmerich* – Wiesbaden : *Ferme rhénane.*
Ventes Publiques : Düsseldorf, 13 nov. 1973 : *Paysage boisé* : **DEM 3 800** – Cologne, 26 mars 1976 : *Vue d'une ville*, h/t (51x64) : **DEM 3 300** – Cologne, 21 oct. 1977 : *Troupeau dans un paysage*, h/t (77x104) : **DEM 3 500** – Cologne, 11 juin 1979 : *Paysage de neige*, h/pan. (27,5x38,5) : **DEM 8 000** – Düsseldorf, 17 mars 1982 : *Paysannes sur la route du village*, h/t (60x80) : **DEM 12 000** – Cologne, 18 mars 1983 : *Retour de pêche*, h/t mar./pan. (31x47,5) : **DEM 6 000** – Cologne, 22 mars 1985 : *Eglise de village*, h/pan. (56x46) : **DEM 6 000** – Cologne, 22 mai 1986 : *Un canal de Hollande*, h/t (86x110) : **DEM 9 000** – Cologne, 25 juin 1987 : *Scène de canal* 1900, h/pan. (23,5x33) : **DEM 6 000** – Cologne, 15 oct. 1988 : *Paysage hollandais avec une ferme près d'un canal et une église à l'arrière-plan*, h/t (100x132) : **DEM 13 000** – Cologne, 23 mars 1990 : *Moulin au bord de la Laer*, h/t (60x80) : **DEM 10 000** – Cologne, 28 juin 1991 : *Port de pêche en Hollande*, h/t (60x76) : **DEM 6 500** – Munich, 7 déc. 1993 : *Habitations de pêcheurs au bord de la côte*, h/t (42x58) : **DEM 5 520** – Munich, 25 juin 1996 : *Sur une place de village*, h/t/pan. (55,5x65) : **DEM 10 459**.

LI ESHANG ou **Li O-Cheng** ou **Li O-Shêng**
xviiie siècle. Actif à Jiangdu (province du Jiangsu). Chinois.
Peintre.
Spécialiste de fleurs et d'oiseaux.

LIESHOUT Joep Van
Né en 1963. xxe siècle. Hollandais.
Sculpteur, créateur d'installations.
Il vit et travaille à Rotterdam. Il montre ses œuvres dans des expositions personnelles, notamment à Amsterdam en 1991, à Paris en 1994 et 1997 à la galerie Roger Pailhas.
Avec des caisses et des pavés, Lieshout réalise, dans le milieu des années quatre-vingt, des assemblages, puis, en 1989, il met en avant les qualités plastiques de ces matériaux usinés, dans des sculptures minimales. Bientôt, pourtant, il réintroduit le quotidien, reproduisant, dans des installations, des lieux familiers, salles de bain, cuisines, toilettes, chambres à coucher. Il donne naissance à des objets fonctionnels, à partir de formes basiques, vivement colorées, recouvertes d'aggloméré en fibre de verre polyester. Simples et austères, ces pièces architecturales et objets de série évoquent le Bauhaus et pourraient retrouver, hors du musée, leur fonction initiale. Tous ces objets participeraient également d'une proposition de société inclinant à vivre en autarcie.
Bibliogr. : Annie Jourdan : *Joep Van Lieshout*, in : *Art Press*, n° 155, Paris, fév. 1991 – Paul Ardenne : *Joep Van Lieshout*, in : *Art Press*, n° 225, Paris, juin 1997.
Musées : Rotterdam (Boymans-Van Beuningen Mus.).

LIESKE Karl
Né en 1816. Mort en 1878 à Munich. xixe siècle. Allemand.
Paysagiste.
Saxon, il vécut longtemps à Munich. Il peignit de préférence les montagnes et exposa très fréquemment en Allemagne entre 1844 et 1874.
Musées : Saint-Gall : *Paysage.*

Ventes Publiques : Munich, 20 oct. 1983 : *Chevaux dans un paysage*, h/t (36,5x32) : **DEM 4 300**.

LIESLER Josef

Né le 19 septembre 1912 à Vidolice (Bohême). XXe siècle. Tchécoslovaque.

Peintre de figures, sujets militaires, fresquiste, graveur, illustrateur.

Il fit ses études artistiques à Prague. Il fit partie, de 1939 à 1941, du groupe *Les 7 d'Octobre*, qui se donnait pour but d'exprimer le destin de l'homme.

Il participe aux expositions importantes de la jeune peinture tchécoslovaque, notamment : 1946 *Art tchécoslovaque* à Paris, Bruxelles, Anvers ; 1947 *Art graphique tchécoslovaque* à Moscou, Stockholm, Göteborg, Oslo, etc. ; 1954 à Lugano, Moscou, Leningrad, Varsovie ; et encore en Yougoslavie, Chine, aux Indes, etc. Depuis 1943, il montre ses œuvres dans de nombreuses expositions personnelles à Prague et en URSS.

S'inspirant de Goya et des romantiques, il peignait à ses débuts des scènes entre rêve et réalité : magistrats énigmatiques, acteurs jouant les grands actes de la destinée humaine, portraits imaginaires des poètes disparus, scènes d'horreurs et de guerres. Parallèlement à ses œuvres peintes, Liesler poursuivait une œuvre graphique importante. De 1950 à 1960, il décrivit une réalité plus paisible, puis revint à l'expression du tragique de l'existence.

Bibliogr. : In : *Peintres contemp.*, Mazenod, Paris, 1964 – Catalogue de l'exposition : *Cinquante ans de peinture tchécoslovaque, 1918-1968*, Musées tchécoslovaques, Prague, 1968.

Musées : Prague (Gal. Nat).

LIESSE Antoine

Originaire de Calais. XVIIe siècle. Français.

Sculpteur.

Il collabora, avec Adam Lottman, à l'exécution du retable de l'église Notre-Dame de Calais, en 1628, puis alla à Boulogne-sur-Mer et y travailla, avec Grégoire Wautier, à la décoration de l'église Notre-Dame.

LIESSNER-BLOMBERG Elena

Née en 1897 à Riga. Morte en 1978. XXe siècle. Active depuis 1921 en Allemagne. Russe.

Peintre.

De père autrichien et de mère russe, elle étudia à Moscou sous la direction de son oncle Ernst Liessner. Elle appartint à l'avant-garde russe et fut élue secrétaire de l'IZO en 1919 collaborant avec Maïakovsky et Iakoulov. Elle travailla avec Malevitch, Kandinsky, Rodchenko et quelques années plus tard avec Popova et Pougny. En 1921, elle émigra à Berlin, où elle épousa le décorateur Albrecht Blomberg en 1923.

Ventes Publiques : Londres, 13 fév. 1985 : *Dame im Sessel* 1922, pl. et cr. (39x28) : **GBP 850** – Londres, 5 oct. 1989 : *Dessin des costumes pour le ballet Petrouchka : Colombine, Petrouchka et Arlequin* 1920, cr., encre et gche/cart. (24,5x26,5) : **GBP 4 400**.

LIESTE Cornelis

Né le 26 octobre 1817 à Haarlem. Mort le 25 juin 1861 à Haarlem. XIXe siècle. Hollandais.

Peintre de paysages.

Il fut élève de J. Reckers et de N.-J. Roosenboom.

Musées : Amsterdam (Mus. mun.) : *Bruyère au soleil couchant*.

Ventes Publiques : Amsterdam, 18 déc. 1946 : *Paysage* : **NLG 800** – Amsterdam, 27-28 fév. 1968 : *Patineurs* : **NLG 5 100** – Amsterdam, 26 mai 1970 : *Paysage d'été* : **NLG 7 500** – Amsterdam, 22 oct. 1974 : *Paysage d'hiver au moulin* : **NLG 16 000** – Amsterdam, 15 nov. 1976 : *Voyageur au bord d'un torrent*, h/pan. (37,5x58,5) : **NLG 9 800** – Amsterdam, 24 mai 1977 : *Paysage montagneux au coucher du soleil*, h/t (37x49) : **NLG 7 000** – Amsterdam, 24 avr 1979 : *Homme et son chien dans un paysage*, h/pan. (36,8x48,5) : **NLG 3 000** – Amsterdam, 9 nov. 1982 : *Cavalier et amazone dans un paysage*, h/pan. (35x49,2) : **NLG 7 200** – Amsterdam, 15 mai 1984 : *Un lac de montagne*, h/t (83,5x119,2) : **NLG 11 000** – Londres, 20 mars 1985 : *Maison et personnages au bord d'une rivière gelée*, h/t (70,5x81) : **GBP 9 000** – Amsterdam, 2 mai 1990 : *Chèvre près d'un ruisseau de montagne boisé*, h/pan. (20x17) : **NLG 2 185** – Amsterdam, 11 sep. 1990 : *Un homme et son chien se promenant dans les dunes*, h/t (68x100) : **NLG 3 680** – Amsterdam, 5-6 nov. 1991 : *Petite fille sur un sentier dans la lande*, h/pan. (55x78) : **NLG 9 200** – Amsterdam, 3 nov. 1992 : *Bergère dans un paysage montagneux*, h/pan. (23,5x31) : **NLG 1 840**.

LIETAER Célestin

Né le 29 novembre 1874 à Paris. XIXe-XXe siècles. Français.

Peintre, aquarelliste.

Il a exposé à Paris, au Salon des Artistes Français. Ses œuvres sont surtout répandues dans le Pays Basque.

LIETI, de son vrai nom : **Allegri Antonio**. Voir **CORREGGIO, dit il**

LIETO Alexandre

Né au XIXe siècle en Italie, de parents français. XIXe siècle. Français.

Peintre.

Élève de Corot. Le Musée de Nice conserve de lui : *Entrée du port de Marseille* et *Le Mont-Dore*.

LIETS Abraham. Voir **LIEDTS**

LIETZMANN Hans

Né le 2 avril 1872 à Berlin. XIXe-XXe siècles. Allemand.

Peintre, graveur.

Il fut élève des Académies des beaux-arts de Berlin et de Munich. Parmi ses œuvres, on cite un tableau d'autel, *La Crucifixion* dans l'église de Liebenberg, sept portraits de recteurs de l'université de Tubingen, un tableau d'autel dans l'église de Friedeberg, une *Cène* pour la maison commune de Berlin-Nikolassee. Parmi son œuvre gravé, on mentionne *Les Souffrances de Notre-Seigneur*.

Ventes Publiques : Londres, 11 fév. 1994 : *Adolescents cueillant du raisin* 1920, h/t (127,6x100,3) : **GBP 6 325**.

LIEURE Jules Pierre Émile

Né le 28 août 1866 à Grenoble (Isère). XIXe-XXe siècles. Français.

Graveur de portraits.

Il était membre de la Société des Artistes Français, à Paris. Il pratiqua l'eau-forte. On cite de sa main les portraits de *L. Jouvet ; C. Petit ; Georges Clémenceau*, etc. Il est chevalier de la Légion d'honneur.

LIEUTAUD Joseph ou **Lieautaud**

Né le 25 juillet 1644 à La Ciotat. Mort le 28 décembre 1726 à La Cadière (Var). XVIIe-XVIIIe siècles. Français.

Sculpteur.

Après avoir séjourné une vingtaine d'années en Italie, où il fut élève du Bernin, il alla à Toulon et travailla dans l'atelier de Pierre Puget. Il fit en 1678, le maître-autel et la décoration du fond du sanctuaire de l'église de Saint-Maximin (Var).

LIEVAIN. Voir **DESSALLES Etienne**

LIEVEN. Voir aussi **CRUYL Lievin**

LIEVEN ou **Lievin** ou **Livien** ou **Livieno**

XVIe siècle. Actif à Anvers. Éc. flamande.

Miniaturiste.

Il est peut-être un des artistes auquel l'Anonyme de Morelli en 1521 assigna les miniatures du bréviaire Grima à Venise, acheté par le cardinal Domenico d'un certain Grima Antonio Siciliano et offert à la seigneurie de Venise. L'Anonyme (qu'on suppose avoir été Marc Antonio Michieli, un noble vénitien) attribue ces miniatures à trois maîtres, bien connus : Hans Memlinc, Gerard de Gand et Livieno d'Anvers. Il n'existe aucune preuve pour le premier ; le second pourrait peut-être être identifié à Gérard Horenbout. Quant à Livieno d'Anvers, bien que Pinchart le place au temps de Charles le Téméraire, rien ne prouve l'exactitude de cette hypothèse à moins qu'il ne soit le même artiste que Hugo Van der Goes, ou bien encore identique à Lieven de Witte (Voir cet article).

LIEVEN Karin

Née le 6 juillet 1899 à Riga. XXe siècle. Active et naturalisée en Suisse. Russe-Lettone.

Peintre, aquarelliste, graveur.

Elle expose à Paris, aux Salons des Indépendants et d'Automne.

LIEVEN Louis

XVIe siècle. Hollandais.

Peintre verrier.

Il travailla à l'église d'Eckerg-ken.

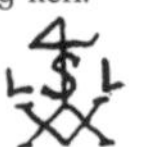

LIEVENS Henri

Né en 1920 à Anvers. XXe siècle. Belge.

Peintre de marines, fleurs, portraits, sculpteur, illustrateur.

Il fut élève de l'Académie et de l'Institut supérieur des beaux-arts d'Anvers.

Il réalisa de nombreuses vues du port d'Anvers. Ses dessins sont d'inspiration fantastique.
Bibliogr. : In : *Dict. biogr. illustré des artistes en Belgique depuis 1830*, Arto, Bruxelles, 1987.

LIEVENS Jacop
XVIe siècle. Actif à La Haye. Hollandais.
Peintre.
Travailla à La Haye et à Haarlem entre 1607 et 1640.

LIEVENS Jan ou **Johanis**, l'Ancien ou **Lyvins, Leyvens, Livius**, appelé aussi **Lievens de Oude,** dit également **Johannis**
Né le 24 octobre 1607 à Leyde. Mort en 1674, enterré à Amsterdam le 8 juin 1674. XVIIe siècle. Hollandais.
Peintre d'histoire, compositions religieuses, portraits, paysages, graveur, dessinateur.
D'après le Dr Von Wurzbach, il était fils d'un tapissier, Lieven Hendricksz. À 8 ans, il était élève de Joris Van Schoten à Leyde. Plus tard il travailla deux ans chez Pieter Lastman à Amsterdam, mais pas en même temps que Rembrandt. Cependant ses premières œuvres ont une grande ressemblance avec celles de Rembrandt et sont souvent attribuées à ce dernier. D'après d'autres sources, il fut son compagnon de jeunesse et collabora à ses premières recherches dans la technique de la gravure, de 1624 à 1632. À 12 ans il avait copié avec la précision d'un maître le *Democrite et Héraclite* de Cornelis Van Haarlem et, à 18 ans, il s'était déjà créé la réputation d'excellent peintre. Il alla en 1631 ou plus probablement en 1629 en Angleterre, y resta jusqu'en 1632 et peignit les portraits des membres de la famille royale, beaucoup de ses tableaux de cette époque sont attribués aujourd'hui à Van Dyck. En 1632, il revint à Leyde ; en 1634 il entra dans la gilde d'Anvers, se maria à Anvers avec Suzanna Colyns de Noie en 1638, y acquit le droit de cité en 1640 et y demeura jusqu'en 1643. Il travailla avec Daniel Seghers et Johannes de Heem et connut aussi Paul Pontius et Van Dyck ; en 1642 il peignit *La continence de Scipion* pour la ville de Leyde. Il eut pour protecteurs l'Électeur de Brandebourg, le statthalter Frédéric Henri et sa femme Amalla Van Solms. En 1643 il vivait à Amsterdam, en 1644, dans la maison de Jan Mienze Molenaer ; en 1661 il alla à La Haye, fut membre de la Pictura, y acheta une maison et y demeurait encore en 1671 ; il y peignit le plafond de la salle des États généraux. Il eut pour élèves Hans Van den Wyngaerde à Anvers en 1636 et Hendrik Schook ; il vécut à Anvers d'une façon luxueuse mais mourut dans la misère. Ses dessins à la plume et à la pierre noire, ainsi que ses gravures, sont considérés comme la meilleure part de son œuvre.

I.L. 1652 J.L. IL

Bibliogr. : Werner Sumowski : *Peintres de l'école de Rembrandt*.
Musées : Amsterdam : *Samson et Dalila – Apothéose de la Paix – Maerten Harpertsz Tromp – Cornelia Teding Van Berckhort* – Bergame (Acad. Carrara) : *Tête de vieillard* – Berlin : *Portrait d'enfant – Paysage* – Besançon : *L'enfant aux bulles de savon* – Brunswick : *Sacrifice d'Abraham* – Copenhague : *Buste de jeune homme* – Trois portraits – Dresde : *Profil de guerrier – Profil de vieillard* – Hanovre : *Portrait de fillettes*, deux fois – *Portrait d'un vieillard* – La Haye : Étude – Leyde : *Portrait d'homme – Scipion* – Lille : *Salomé – Étude* – Londres (Nat. Gal.) : *Anna Maria Schurman – Portrait d'homme* – Mayence : *Un vieillard* – Munich : *Vieillards* – Nancy : *Le Christ expirant* – Paris (Mus. du Louvre) : *La Vierge visitant sainte Elisabeth* – Rotterdam : *Tête d'enfant* – Saint-Pétersbourg (Mus. de l'Ermitage) : *Vieillard* – Vienne : *Vieillard – Rembrandt enfant* – Vienne (coll. Czernin) : *Portrait d'homme* – Weimar : *Portrait de jeune homme*.
Ventes Publiques : Paris, 1773 : *Job sur le fumier* : **FRF 903** – Amsterdam, 1847 : *Portrait de Jean Uildenbogaerd en 1650*, dess. à la pierre d'Italie : **FRF 700** – Amsterdam, 1862 : *Portrait d'homme* : **FRF 475** – Paris, 14 oct. 1898 : *La mise au tombeau* : **FRF 450** – Paris, 1900 : *Portrait de Rubens* : **FRF 410** – Londres, 30 nov. 1910 : *Un foyer flamand, paysage avec bestiaux*, dess. : **GBP 37** – Paris, 30 nov. et 1er déc. 1922 : *Bords de rivière*, dess. au bistre : **FRF 425** – Paris, 28 juin 1926 : *Bâtiments de ferme*, pl. et sépia : **FRF 75** – Paris, 13 mai 1927 : *Portrait présumé du père de Rembrandt* : **FRF 3 900** – Paris, 8 déc. 1938 : *Paysage*, lav. de bistre : **FRF 4 100** – Londres, 2 fév. 1944 : *Jacob Van Voudel et Dirk Maes*, pierre noire : **GBP 45** – Londres, 14 fév. 1958 : *Jeune fille en robe blanche assise dans un paysage* : **GBP 525** – Genève, 13 juin 1960 : *Route bordée d'arbres*, dess. à la pl. : **CHF 5 000** – Londres, 3 juil. 1963 : *Le père de Rembrandt* : **GBP 3 000** – Londres, 6 déc. 1967 : *Paysage boisé animé de personnages* : **GBP 1 000** – Londres, 27 nov. 1968 : *Élie instruisant Samuel* : **GBP 7 500** – New York, 22 oct. 1970 : *Portrait d'une dame de qualité* : **USD 1 700** – Vienne, 27 mai 1974 : *Jeune homme à la grappe de raisin* : **ATS 80 000** – Amsterdam, 26 avr. 1977 : *L'homme au sablier*, h/t (84x69) : **NLG 12 000** – Londres, 12 déc. 1978 : *Une ferme dans les arbres*, pl./pap. Japon (22,4x37) : **GBP 4 500** – Amsterdam, 29 oct 1979 : *Les ruines du château de Brederode*, pl. (29,2x38,3) : **NLG 29 000** – Amsterdam, 30 oct 1979 : *Portrait d'homme* 1651, h/pan., forme ovale (34,5x25) : **NLG 11 500** – Londres, 1er juil. 1980 : *Buste de vieillard barbu*, eau-forte (16x14,2) : **GBP 480** – New York, 14 nov. 1981 : *Saint Jérôme*, eau-forte et grav./cuivre (24,7x21,2) : **USD 1 400** – Amsterdam, 19 avr. 1982 : *Un artiste dessinant dans un bois*, pl. (24x36,2) : **NLG 35 000** – Berne, 24 juin 1983 : *Portrait de jeune fille* vers 1645, eau-forte : **CHF 2 900** – Amsterdam, 26 nov. 1984 : *Chaumière dans un paysage boisé*, pl. et encre brune (24,2x33) : **NLG 26 000** – Londres, 26 juin 1985 : *La Résurrection de Lazare*, eau-forte (35,1x30,8) : **GBP 4 000** – New York, 6 juin 1985 : *Portrait de Bacchus enfant*, h/pan. (47,5x35,5) : **USD 28 000** – New York, 17 nov. 1986 : *Portrait d'un gentilhomme*, craie noire (21,6x19,8) : **USD 52 500** – New York, 14 jan. 1988 : *Portrait de la mère de Rembrandt*, h/pan. (43,5x35) : **USD 319 000** – Amsterdam, 22 nov. 1989 : *Dame vêtue à l'oriental et tenant un éventail*, h/cuivre (25x19) : **NLG 78 200** – New York, 31 mai 1990 : *Les cinq sens*, h/pan. (78,2x124,4) : **USD 231 000** – Paris, 24 jan. 1991 : *Étude pour saint Jérôme*, pl. et lav. brun et gris, reh. de craie blanche/pap. chamois (26,5x16,1) : **FRF 4 800** – New York, 14 jan. 1993 : *Tête d'un vieil homme barbu*, h/pan. (55,6x39,3) : **USD 44 000** – Londres, 23 avr. 1993 : *Vieil homme barbu*, h/pan. (59,5x52) : **GBP 27 600** – Londres, 8 juil. 1994 : *Joueurs de trictrac dans une auberge*, h/t (100x105,5) : **GBP 36 700** – Paris, 28 oct. 1994 : *Paysage boisé avec un chemin*, encre brune (22,5x38) : **FRF 480 000** – Amsterdam, 15 nov. 1994 : *Étude d'une femme endormie*, encre (14x8,8) : **NLG 36 800** – Londres, 4 juil. 1997 : *Bethsabée lisant la lettre du Roi David*, h/t (76,5x58,5) : **GBP 32 200**.

LIEVENS Jan Andreas, le Jeune ou **Livenz de Jonge**
Né en 1644 à Anvers. Mort en 1680 à Amsterdam. XVIIe siècle. Éc. flamande.
Peintre de genre, portraits.
Il était, croit-on, fils de Jan Lievens l'Ancien. Il travailla à Amsterdam en 1668 et vécut à Paris vers 1680. Il eut pour élève J. Verkolie. En 1661 un Jan Lievens fut enlumineur et élève de Peeter Lissau à Anvers ; en 1691 un autre Jan Lievens est mentionné. On cite parmi ses œuvres : *Le vice-amiral Engel de Ruyter* et *Jan Van Gelder, capitaine de vaisseau*.

AL 1660

Musées : Amsterdam : *Deux hommes à table, buvant*.

LIEVIN Cruyl ou **Levyn** ou **Livius**. Voir **CRUYL Lievin**

LIÉVIN Eugène. Voir **GALIEN-LALOUE Eugène**

LIÉVIN J. ou **Jacques**. Voir **GALIEN-LALOUE Eugène**

LIÉVIN Scrivere. Voir **SCRIVERE**

LIEVRAT Léon Henri
Né au XIXe siècle à Vailly-sur-Aisne (Aisne). XIXe siècle. Français.
Peintre sur porcelaine et aquarelliste.
Élève de Collot, Lalanne et Gérôme. Il débuta au Salon de 1878.

LIEVRE Édouard
Né en 1829 à Blamont (Meurthe). Mort le 26 novembre 1886 à Paris. XIXe siècle. Français.
Peintre de genre et graveur.
Élève de T. Couture. Il exposa au Salon de 1855 à 1868. Lièvre s'occupa aussi d'archéologie, de décoration et d'ornement. On lui doit aussi un ouvrage *Les œuvres d'art en Angleterre*.
Ventes Publiques : Paris, 1884 : *Fleurs* : **FRF 380** ; *Nature morte* : **FRF 250**.

LIÈVRE Justin
Né le 22 septembre 1828 à Blamont (Meurthe). XIXe siècle. Français.

Graveur.
Débuta au Salon en 1872. Il travailla avec son frère Édouard.

LIÈVRE Lucien
Né le 27 mai 1878 à Paris. xxe siècle. Français.
Peintre de fleurs, intérieurs.
Il fut élève de Jules Lefebvre et Tony Robert-Fleury. Il exposa à Paris, au Salon des Artistes Français, où il obtint une médaille d'argent en 1924, d'or en 1927, et dont il fut membre sociétaire et hors-concours.

LIÈVRE Pascal
Né le 3 avril 1963 à Lisieux (Calvados). xxe siècle. Français.
Peintre de figures, peintre de collages, technique mixte.
En 1968, il s'installe à Paris.
Il participe à des expositions collectives, notamment en 1992 à New York. Il montre ses œuvres dans des expositions personnelles : 1988, 1989 galerie Impressions à Paris ; 1993 musée de la Poste à Paris ; 1994 galerie Philippe Gand à Paris et Institut français de Thessalonique ; 1996 hôpital Broussais à Paris.
Des silhouettes se dressent, anonymes elles trouvent leur personnalité dans le choix et le traitement des matériaux, chaque fois renouvelés. Pastel, utilisé depuis peu exclusivement pour tracer les contours des figures, huile de lin, encre, gouache, papiers de récupération assemblés, papiers collés recouverts de cire, Lièvre fait appel à diverses techniques, joue des effets de contraste, pour donner vie à ces hommes et femmes morcellés.

LIEZEN-MAYER Alexander von
Né le 24 janvier 1839 à Raab. Mort le 18 février 1898 à Munich. xixe siècle. Hongrois.
Peintre d'histoire et de portraits.
Élève de l'Académie de Vienne et de Piloty à Munich. Il se fixa dans cette ville et y devint professeur de peinture d'histoire ; il fut aussi directeur de l'École des Beaux-Arts de Stuttgart. Le Musée de Cologne conserve de lui *Élisabeth d'Angleterre signant l'arrêt de mort de Marie Stuart*, le Musée des Beaux-Arts à Budapest ; *Sainte Élisabeth, Vénus et Tannhäuser* ; et le Musée Bruckenthal à Sibiu, *Sainte Élisabeth*.
Ventes Publiques : New York, 25 jan. 1980 : *Le retour du blessé*, h/t (234x323) : **USD 5 250** – Londres, 3 fév. 1984 : *Portrait de jeune femme au chapeau à plumes*, h/t, forme octogonale (67,3x59) : **GBP 1 200**.

LIF Jonas
xixe-xxe siècles. Américain.
Peintre.
Cité par le Art Prices Current.
Ventes Publiques : New York, 14 oct. 1943 : *Old logging Road* : **USD 350**.

LI FAN, surnoms : **Sufu** et **Jieren**
xviiie siècle. Actif à Huating (province du Jiangsu) vers 1720. Chinois.
Peintre de paysages.

LI FANGYING, surnom : **Qiuzhong,** noms de pinceau : **Qingjiang** et **Qiuchi**
Né en 1695. Mort en 1754. xviiie siècle. Actif à Tongzhou (province du Jiangsu). Chinois.
Peintre.
Peintre lettré que l'on compte parmi les *Huit Excentriques de Yangzhou (Yangzhou baguai)*, il se spécialise, avec Wang Shishen, dans les représentations de fleurs de prunier, de pins, de bambous, d'épidendrums et de chrysanthèmes, d'une manière délibérément gauche et d'un pinceau assez grossier avec une composition souvent mal assise. Après avoir occupé plusieurs postes de fonctionnaire, dont celui de magistrat de district dans la province du Anhui, il doit, vers la fin de sa vie, vivre de sa peinture, à Yangzhou, phénomène rare chez les peintres-lettrés. A propos de Yangzhou et de ses mécènes, on peut se référer à la biographie du peintre Hua Yan.
Musées : Pékin (Mus. du Palais) : *Études de bambous, avec une longue inscription* – *Études de bambous*, six feuilles d'album – Shanghai : *Étude à l'encre de fleurs de prunier*, encre sur pap., rouleau en longueur – Tokyo (Nat. Mus.) : *Fleurs de prunier*, encre sur pap.

LI Fangyuan
Né en 1883. Mort en 1947. xxe siècle. Chinois.
Peintre. Traditionnel.
Ventes Publiques : New York, 31 mai 1990 : *Lettré à cheval avec son serviteur*, encre et pigments/pap., kakémono (135,9x66,7) : **USD 1 100**.

LIFAR Serge
Né en 1905 à Kiev. Mort en 1986 à Lausanne. xxe siècle. Actif en France. Russe.
Dessinateur.
Danseur et chorégraphe célèbre, il a aussi exécuté des dessins pour le théâtre.
Ventes Publiques : Paris, 20 juin 1974 : *Picasso* : **FRF 12 000**.

LI FENGBAI ou **Li Feng-Pai** ou **Li Fengbo** ou **Ly Fon-Pei** ou **Li Fong-Poo**
Né le 6 avril 1910 dans la province de Zhejiang. xxe siècle. Chinois.
Peintre, sculpteur.
En 1925, il arrive en France où il devient l'élève de Bourdelle, puis il rentre à l'École des beaux-arts de Paris, en 1927, dans l'atelier de Boucher. De retour en Chine, il est nommé professeur à l'Académie nationale de Hangzhou, de 1929 à 1933, et l'année suivante il est envoyé en mission en France. Il expose en Chine, au Japon et à Paris et fait partie de l'Association des Artistes chinois en France.

LI FENGBO. Voir **LI FENGBAI**

LI FENGGONG ou **Li Feng-Kong** ou **Li Feng-Kung**, nom de pinceau : **Fengting**
Né en 1883 à Canton. xxe siècle. Chinois.
Peintre. Traditionnel.
Il est peintre de l'école lettrée.

LI FENG-KONG. Voir **LI FENGGONG**

LI FENG-KUNG. Voir **LI FENGGONG**

LI FENGLAN. Voir **HUXIAN Peintres paysans du**

LI FENGLAN ou **Lee Fong-Lan**
Née vers 1920. xxe siècle. Chinoise.
Peintre de compositions à personnages, compositions murales.
Elle a commencé par suivre des cours de dessin organisés sur le chantier du réservoir de Huxian où elle travaillait, puis se mit à faire énormement de croquis pendant son travail aux champs, dans les réunions, au marché, jusqu'à acquérir une solide base technique. Elle a illustré dans de nombreux dessins l'exploitation des paysans par le propriétaire foncier, avant la Révolution. Ensuite, elle a dépeint, souvent dans de grandes compositions murales joyeusement colorées le nouvel aspect de la campagne sous le socialisme, le sarclage du blé, la récolte du coton. Depuis 1958, dans ses heures de loisir, elle a produit plus de trois cents peintures, dont trois ont figuré à l'exposition de 1973 à Pékin (Voir HUXIAN, peintres paysans du).

LI FENG-PAI. Voir **LI FENGBAI**

LI FONG-POO. Voir **LI FENGBAI**

LIFRAUD Suzanne
Née le 22 février 1892 à Paris. xxe siècle. Française.
Sculpteur.
Elle fut élève de Marqueste. Elle exposa à Paris, au Salon des Artistes Français, où elle obtint une médaille de bronze en 1929.

LIFSHITZ Uri
Né en 1936 au kibboutz Givat Hashlosha. xxe siècle. Israélien.
Peintre de scènes typiques, compositions animées.
Autodidacte, il quitte, en 1966, le kibboutz où il passa son enfance, pour voyager en Europe.
Il exposa en Israël et à l'étranger participant en 1965 à la Biennale de Paris. Il remporta, en 1966, le Prix Kolb.
Il appartint au *Groupe 10* de Tel-Aviv, qui souhaitait s'éloigner de l'abstraction lyrique de l'école *Horizons nouveaux*. Il pratique une peinture figurative, décrivant des scènes du quotidien, jouant d'effets de contraste, afin de rendre la violence du monde contemporain.

Bibliogr. : In : *Dict. univer. de la peinture*, Le Robert, t. IV, Paris, 1975.
Ventes Publiques : Tel-Aviv, 23 nov. 1980 : *Chère grand-mère* 1968, h/t (162x131) : **ILS 19 000** – Tel-Aviv, 16 mai 1983 : *Manchair* vers 1967, h/t (100x100) : **ILS 150 000** – Tel-Aviv, 17 juin 1985 : *La Toilette* 1968, h/t (162x140) : **ILS 4 800 000** – Tel-Aviv, 1er juin 1987 : *Sculptures* 1971, h/t (115x115) : **USD 6 880** – Tel-Aviv, 26 mai 1988 : *La famille* 1971, h/t (98x130) : **USD 8 250** –

TEL-AVIV, 2 jan. 1989 : *Homme assis devant une tête*, h/t (92x73) : **USD 3 630** – TEL-AVIV, 3 jan. 1990 : *Homme dans un fauteuil* 1968, h/t (146x113,5) : **USD 6 600** – TEL-AVIV, 19 juin 1990 : *Lutteurs* 1980, h/t (130x100) : **USD 9 900** – TEL-AVIV, 20 juin 1990 : *Traitement de la schizophrénie* 1967, h/t (61,5x53) : **USD 3 520** – TEL-AVIV, 1er jan. 1991 : *Boxeurs*, h/t (130x100) : **USD 8 250** – TEL-AVIV, 12 juin 1991 : *Figures* 1968, h/t (92x73) : **USD 2 860** – TEL-AVIV, 6 jan. 1992 : *Figures* 1969, h/t (131x100) : **USD 7 480** – TEL-AVIV, 20 oct. 1992 : *La corrida*, h. encre de Chine et past./t. (78x112) : **USD 11 550** – TEL-AVIV, 30 juin 1994 : *Figures*, h/t (151x200) : **USD 8 625** – TEL-AVIV, 27 sep. 1994 : *Joueur de billard*, h/t (130x113,5) : **USD 6 900** – TEL-AVIV, 14 jan. 1996 : *Figures dans un paysage* 1990, h/t (130x97,5) : **USD 10 350**.

LI FUHUA, appelé aussi **Lee Ariès**
Né en 1943. XXe siècle. Chinois.
Sculpteur.
VENTES PUBLIQUES : HONG KONG, 31 oct. 1991 : *Harmony*, cuivre (23,5x22x27) : **HKD 46 200** – HONG KONG, 30 avr. 1992 : *Sur le trajet*, bronze (H. 27) : **HKD 41 800**.

LI Fuyuan
Né en 1942. XXe siècle. Chinois.
Peintre d'animaux. Traditionnel.
VENTES PUBLIQUES : HONG KONG, 29 avr. 1993 : *Chèvres*, encre et pigments/pap., kakémono (64,5x65,7) : **HKD 23 000** – HONG KONG, 28 avr. 1997 : *Calao*, encre et pigments/pap. (56,5x55,5) : **HKD 25 300**.

LIGABUE Antonio
Né en 1899 à Zurich. Mort en 1965 à Gualtieri (Reggio d'Emilia). XXe siècle. Actif en Italie. Suisse.
Peintre d'animaux, sculpteur. Naïf.
Tiraillé par la faim et interné à plusieurs reprises, Ligabue met dans son œuvre son mal d'être. Ses toiles torturées, aux vigoureux coups de pinceaux et couleurs violentes, sont hantées par des animaux domestiques en train de se battre ou de communier avec la nature, pi par des fauves du musée d'Histoire naturelle de Reggio d'Emilia.
BIBLIOGR. : In : *Dict. de l'art mod. et contemp.*, Hazan, Paris, 1992.
VENTES PUBLIQUES : MILAN, 24 juin 1980 : *La ferme*, h/isor. (40x70) : **ITL 20 000 000** – MILAN, 8 juin 1982 : *Retour des champs*, h/isor. (49x70) : **ITL 40 000 000** – MILAN, 14 juin 1983 : *La Ferme* 1941, h/pan. (40,5x71) : **ITL 36 000 000** – MILAN, 9 mai 1985 : *Antilope*, fus. (22,5x28) : **ITL 2 400 000** – MILAN, 12 nov. 1985 : *Le Guépard* 1952-1962, h/t (30x50) : **ITL 15 000 000** – MILAN, 11 mars 1986 : *Autoportrait*, h/t (70x50) : **ITL 36 000 000** – MILAN, 16 déc. 1987 : *Zèbres et lion fuyant*, h/pan. (61,5x76) : **ITL 50 000 000** – MILAN, 14 déc. 1988 : *Zèbre*, h./contre-plaqué (25x31,5) : **ITL 17 500 000** – MILAN, 7 juin 1989 : *Autoportrait*, h/rés. synth. (33x26) : **ITL 21 000 000** – MILAN, 15 mars 1994 : *Tigre royal*, h/rés. synth. (61x46) : **ITL 32 200 000** – ROME, 8 nov. 1994 : *Jeune cerf*, cr./pap. (48x33) : **ITL 3 450 000** – MILAN, 9 mars 1995 : *Tapir dans la forêt attaqué par un guépard*, h/t (80x120) : **ITL 115 000 000** – VENISE, 12 mai 1996 : *Lièvre s'enfuyant* 1952-1962, h/t (11x11) : **ITL 8 500 000** – ROME, 8 avr. 1997 : *Paysage africain avec des giraffes et un zèbre* vers 1952-1962, h/t (80x100) : **ITL 53 590 000**.

LIGARE David
Né en 1945. XXe siècle.
Peintre.
La Grèce est l'une de ses sources d'inspiration.
VENTES PUBLIQUES : NEW YORK, 10 oct. 1990 : *Patmos* 1979, h/t (81,4x101,6) : **USD 9 900** – NEW YORK, 17 nov. 1992 : *Milos (draperie envolée)* 1980, h/t (200x280,6) : **USD 6 600**.

LIGARI Angelo ou **Ligario**
XIXe siècle. Actif en 1827. Français.
Peintre.
Descendant de G. P. Ligari. L'Ambrosiana à Milan possède des œuvres de cet artiste.

LIGARI Cesare ou **Ligario**
Né en 1716 à Sondrio. Mort en 1770 à Côme. XVIIIe siècle. Italien.
Peintre d'histoire, paysages.
Il fut élève de son père G. P. Ligari, puis, à Venise, de G. Pittoni.
VENTES PUBLIQUES : MILAN, 3 avr. 1996 : *La mort de saint André Avellino*, h/pap. (43,5x24) : **ITL 9 775 000**.

LIGARI Giovanni Pietro ou **Ligario**
Né en 1686 à Ligari. Mort en 1752. XVIIIe siècle. Italien.
Peintre de sujets religieux, portraits.
Il étudia d'après les grands maîtres, subissant surtout l'influence du Titien, puis il fut élève de Lazzaro Baldi. Marié et père de deux enfants, Cesare et Vittoria, il retourna dans son pays et travailla pendant longtemps à Coire.
Dans les églises de la région on admire le : *Martyre de Saint George* (à Sondrio), *Saint Benoît* (couvent de Sondrio), *Descente de Croix* et *La descente du Saint-Esprit* (à Morbegno).

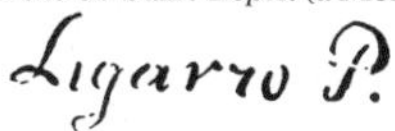

MUSÉES : MILAN (Gal. Ambrosiana) : *Giovan Andrea Ligari – Apparition de Marie au B. Mario Amodei di Tirano – L'âme heureuse – Vittoria Ligari* – MILAN (Gal. di Brera) : *Le père du peintre – L'abbé Mottalini*.
VENTES PUBLIQUES : MILAN, 24 oct. 1989 : *Sainte famille*, h/t (127x137) : **ITL 11 000 000**.

LIGARI Vittoria ou **Ligario**
Née le 14 février 1713. XVIIIe siècle. Italienne.
Peintre.
Fille et élève de son père G. P. Ligari. On cite de sa main *Moïse devant Pharaon ; Moïse sauvé des eaux*.

LIGBER Johann
XVIIIe-XIXe siècles. Polonais.
Graveur et médailleur.
Il grava des vues et les illustrations des ouvrages (*Les églises et les peintures de Rome ; Chansons de franc-maçonnerie*, d'après Kurczynski ; les *Calendriers politiques de 1808, 1809, etc.*) ainsi que des portraits (*Napoléon*, d'après Vogel ; *Frédéric-Auguste de Saxe ; Pierre le Grand ; Le roi Michel chez sa mère*). On cite également de sa main une *Scène d'Andromède*, un frontispice pour les *Fables d'Ésope* et la *Capitulation de Dantzig*.

LI Geng
Né en 1947. XXe siècle. Chinois.
Peintre.
Il obtint le diplôme du College Normal de Pékin dans la section Beaux-Arts en 1986. Il travaille ensuite pour l'Opéra National de Pékin.
VENTES PUBLIQUES : HONG KONG, 4 mai 1995 : *Bazar* 1993, h/t (87,9x176,2) : **HKD 241 500** – HONG KONG, 30 oct. 1995 : *La barque du passeur sur le Fleuve Jaune* 1995, h/t (103,2x185,1) : **HKD 132 250** – HONG KONG, 30 avr. 1996 : *Brise du matin* 1994, h/t (97,2x130,2) : **HKD 132 250**.

LIGER
XIXe siècle. Actif à Paris vers 1800. Français.
Graveur.
Il collabora avec J. Moulinier aux illustrations du *Voyage pittoresque de l'Espagne* d'A. L. J. de la Borde (1806).

LIGER-BELLAIR Henriette
Née en 1914 à La Gouchère par Millançay (Loir-et-Cher). XXe siècle. Française.
Peintre, graveur.
Elle vit et travaille en Ardèche. Elle a participé, en 1992, à l'exposition : *De Bonnard à Baselitz – Dix Ans d'enrichissement du cabinet des estampes 1978-1988* à la Bibliothèque nationale, à Paris.
MUSÉES : PARIS (BN) : *Château de Liviers* 1984.

LIGERET Antonie
XIXe siècle. Actif à Paris. Français.
Miniaturiste.
Exposa au Salon de 1848.

LIGERON René
Né le 31 mai 1880 à Paris. XXe siècle. Français.
Peintre, graveur.
Il exposa à Paris, aux Salons des Artistes Français et des Aquarellistes Français.
VENTES PUBLIQUES : PARIS, 17-18 déc. 1925 : *Vieux pont sur la rivière : soleil couchant* : **FRF 300** – PARIS, 13 déc. 1989 : *Clairière*, h/t (38x55) : **FRF 3 500**.

LIGETI Antal
Né le 10 janvier 1823 à Nagy-Karoly. Mort le 5 janvier 1890 à Budapest. XIXe siècle. Hongrois.
Peintre de portraits, paysages animés, paysages.
Élève de Karl Marko à Florence, il travailla à Rome, parcourut la Sicile, l'Asie Mineure, l'Égypte. Il exécuta des travaux pour la Galerie Nationale de Pest et exposa à Vienne, où il obtint une médaille en 1873.

Musées : Budapest : *Portrait de l'artiste par lui-même* - *Palmès* - *Le retour de la chasse du roi Mathias* - *Capri* - *Fleuve* - *Bethléem*.
Ventes Publiques : Londres, 15 mars 1996 : *Rue d'une ville ottomane*, h/t (34,3x47) : **GBP 9 200**.

LIGETI Miklos
Né le 19 mai 1871 à Budapest. xixe-xxe siècles. Hongrois.
Sculpteur de monuments, bustes.
Il étudia à Budapest, Vienne et Paris, où il subit l'influence de Rodin. On cite parmi ses œuvres les monuments commémoratifs pour la reine Elisabeth à Szeged et pour le prince héritier Rudolphe à Budapest ainsi qu'une *Mise au tombeau* (prix Ipolyi 1914) et des statuettes et bustes.

LIGGET Jane Stewart
Née le 4 septembre 1893 à Atlantic City (New Jersey). xxe siècle. Américaine.
Peintre.
Elle étudia à l'Académie des beaux-arts de Philadelphie. Elle fut membre de la Fédération américaine des arts.

LIGHTBODY Maya
Née en 1931 à Lwow. xxe siècle. Active au Canada. Polonaise.
Peintre, technique mixte.
Musées : Montréal (Mus. d'Art Contemp.) : *Black Goddess* 1964.

LIGHTFOOT William
Mort vers 1671 à Londres. xviie siècle. Britannique.
Peintre de paysages et de perspectives et graveur.
Il fit à Londres d'importantes décorations, notamment à la Bourse. Ce fut en outre un habile graveur.

LIGIER Bernard
xvie siècle. Actif à Besançon vers 1522. Français.
Peintre.
Travailla au retable de la cathédrale Saint-Jean.

LIGIER Jean, l'Ancien
Mort vers 1700. xviie siècle. Actif à Besançon. Français.
Sculpteur.

LIGIER Jean ou **Jean Baptiste**, le Jeune
xviie-xviiie siècles. Français.
Sculpteur.
Neveu et élève de Jean Ligier, il devint gendre du sculpteur Doby. Il a exécuté de nombreux travaux dans les couvents de Franche-Comté. Il travaillait déjà en 1685 à Besançon et il est encore cité en 1730.

LIGIER Jean Claude
Né vers 1687. Mort le 25 avril 1721 à Besançon. xviiie siècle. Français.
Sculpteur.
Fils aîné de Jean Ligier le Jeune.

LIGIER Nicolas
Né en 1695. Mort le 31 août 1749 à Besançon. xviiie siècle. Français.
Sculpteur.
Fils et élève de Jean Ligier le Jeune.

LIGIER de LA PRADE Jean François Ernest
Né au xixe siècle à Paris. xixe siècle. Français.
Peintre de paysages, de marines et de genre.
Élève de Wyssant. Il débuta au Salon en 1873.

LIGIER-RICHIER. Voir **RICHIER Ligier**

LIGLI Ventura ou **Lilio**, pseudonyme **Lirios**
Né à Naples. xviie siècle. Vivant à Madrid en 1682. Italien.
Peintre de batailles.
Élève de Luca Giordano. Il alla en Espagne et l'on cite de lui à Madrid une *Bataille d'Almanza*.

LIGNE Charles Joseph Emmanuel de, prince
Né le 25 septembre 1759 à Vienne. Mort le 14 décembre 1792. xviiie siècle. Autrichien.
Aquafortiste.
On cite de sa main une série d'eaux-fortes de six planches exécutées en 1786. Une édition complète de ses eaux-fortes comprenant trente-trois planches parut sous le titre : *Recueil des estampes gravées à l'eau-forte par Monseigneur le Prince Charles de Ligne*.

LIGNIER James Camille
Né au xixe siècle à Aignay-le-Duc (Côte-d'Or). xixe-xxe siècles. Français.
Peintre.
Élève de Cabanel et H. Lehmann. Il fit surtout des portraits et des tableaux de genre. Il figura au Salon de la Société Nationale de 1880 à 1914.
Musées : Dijon : *Portrait de magistrat*.

LIGNIÈRES Pierre Jean Baptiste ou **Lignierre**
xviie siècle. Français.
Peintre.
Élève de l'Académie royale de Paris il reçut en 1689 un premier Grand Prix (*Ivresse de Noé*).

LIGNIS Angelo, appelé aussi **Vandenauta** ou **Van den Houte**
Né en 1608 à Rome. Mort en 1656 à Rome. xviie siècle. Italien.
Peintre.
Fils de Pietro de Lignis. Membre de l'Académie Saint-Luc.

LIGNIS del Legno Pietro ou **Pierre de Ligne**, appelé aussi **Pieter Dubois**
Né à Malines. Mort en 1627 à Rome. xviie siècle. Éc. flamande.
Peintre d'histoire.
Vivait à Rome en 1599. Il appartient à la famille de Lignis qui compte plusieurs peintres, à cette époque, à Anvers et à Tournai, et qui fait partie de la famille Van den Houte de Malines. Le Musée du Prado, à Madrid, renferme une *Adoration des rois* de Pietro de Lignis.

LIGNON Étienne Frédéric
Né en 1779 à Paris. Mort le 25 avril 1833 à Paris. xixe siècle. Français.
Graveur.
Élève de Morel. Il exposa au Salon de 1810 à 1833 et y obtint des médailles en 1810 et 1819. Il a gravé des portraits et quelques tableaux d'après les maîtres de l'école italienne.

LIGNON Jean Louis. Voir **DELIGNON**

LIGNY A. de
xixe siècle. Actif à Paris. Français.
Peintre et aquarelliste.
Exposa au Salon de 1839.

LIGNY Charles
Né en 1819 à Mons. Mort le 12 décembre 1889 à Ixelles. xixe siècle. Belge.
Paysagiste.
Musées : Courtrai : *Entrée de la grotte de Han*.

LIGNY Claude Félix Théodore de, et **Jean**. Voir **DELIGNY**

LI GONGLIN ou **Li Kong-Lin** ou **Li-Kung-Lin**, surnom : **Boshi,** nom de pinceau : **Longmian Jushi**
Né en 1040 à Shucheng (province de Anhui). Mort en 1106. xie siècle. Chinois.
Peintre.
Li Gonglin, plus célèbre sous son nom de Li Longmian, toponyme d'une montagne proche de son village natal, appartient à une grande famille du Jiangnan. Son père, ancien haut fonctionnaire démis, a rassemblé d'importantes collections d'antiquités auxquelles Longmian doit le meilleur de sa formation. Il fera lui aussi preuve d'une grande compétence dans le jugement des objets anciens. Il rentre jeune dans la carrière administrative : il y restera pendant trente ans, jusqu'à ce qu'une paralysie partielle le frappe, à la tombée de sa vie. Bien que pris par de hautes fonctions mandarinales, il réalise, de l'âge de vingt ans à celui de quarante-cinq ans environ, une considérable production picturale, qui lui vaut, de son vivant, une célébrité certaine et la fréquentation des esprits les plus brillants de l'époque tels Su Dongpo (1036-1101), Huang Tingjian et Wang Anshi. S'il aborde tous les genres picturaux, ce sont ses peintures de figures et de chevaux qui restent les mieux connues, deux thèmes fort pratiqués sous les Tang (618-906) mais supplantés peu à peu par le paysage. Li Gonglin assurera magistralement leur renaissance. Bien que pétri de l'étude et de l'imitation des maîtres anciens comme Gu Kaizhi (né vers 345), Wu Daozi (dynastie Tang), Han Gan (viiie siècle) et Yan Liben (mort en 673), il n'en développe pas moins un style qui lui est propre : la peinture au trait sans nul rehaut de lavis ni couleurs : *bai miao*, exécutée généralement sur papier (dont la fabrication connaît un bel essor à ce moment). Ce style était antérieurement réservé aux épures ; on doit à Longmian d'en avoir fait un langage pictural autonome, exigeant toutefois une parfaite maîtrise technique. Son aisance fait qu'il

échappe à toute froideur académique et que ses personnages, leurs gestes, leurs attitudes acquièrent une profonde intensité d'expression alliée à un délicat sens des rythmes. Cette formule sera indéfiniment reprise dans les siècles ultérieurs et l'on peut souligner avec P. Ryckmans, qu'un de ses épigones les plus inattendus, au XXe siècle, est constitué par les bandes dessinées populaires (*lian huan tu*) dont la filiation avec les longs rouleaux narratifs de Gonglin est assez claire.

Bibliogr. : James Cahill : *La peinture chinoise*, Genève, 1960 – Pierre Ryckmans : *Li Long-mien*, in : *Encyclopaedia Universalis*, vol. 9, Paris, 1971.

Musées : Berlin (Staatliche Mus.) : *Paysage avec une cascade*, encre sur soie, feuille d'album – Pékin (Mus. du Palais) : *Chefs barbares adorant le Bouddha* inscriptions de Zhao Yong datées 1343 et d'autres écrivains des dynasties Yuan et Ming, rouleau en longueur signé – *Les dix-huit arhats franchissant les flots pour aller rendre hommage à Guanyin* signé et daté 1080, cachets de Zhao Mengfu, colophon de Song Wu (1260-1340) – *Guanyin et les dix-huit ahrats*, feuille d'album, cachet du peintre – *Homme dans une barque en forme de racine flottant sur l'eau*, éventail, attr. – *Les seize ahrats*, éventail, attr. – *Nombreux chevaux conduits aux champs par les lads*, coul. sur soie, rouleau en longueur – Taipei (Nat. Palace Mus.) : *Guo Ziyi rencontrant les Ouighours*, encre sur pap., rouleau en longueur, attr. – *Madame Guoguo partant faire une promenade à cheval*, encre et coul. sur soie, d'après Zhang Xuan (VIIIe siècle), rouleau en longueur, attr. – Washington D. C. (Freer Gal. of Art) : *Royaumes des immortels, paysage imaginaire peuplé de fées*, encre sur pap., rouleau en longueur – *Pavillons et galeries le long des jardins et des canaux*, encre sur pap., rouleau en longueur, probablement copie de l'époque Ming.

LIGORIO Pirro

Né vers 1500 à Naples. Mort le 30 octobre 1583 à Ferrare. XVIe siècle. Italien.

Peintre d'histoire, sujets religieux, figures, paysages, architectures, fresquiste, dessinateur.

Il fut à partir de 1542 quelques années à Rome peintre de façades (figures et scènes des légendes et de l'histoire de Rome), œuvres aujourd'hui disparues. On cite de sa main une fresque *Danse de Salomé* dans l'église S. Giovanni Decollato. Il s'adonna ensuite à l'archéologie et à l'architecture.

Musées : Florence (Mus. des Offices) : Dessins – Paris (BN) : Fessins.

Ventes Publiques : Paris, 5 déc. 1946 : *Un Pape adorant la Vierge*, pl. et lav. de bistre : **FRF 1 600** – Londres, 28 juin 1979 : *Femme marchant vers la droite*, craie rouge (37,8x24,5) : **GBP 800** – Londres, 9 déc. 1982 : *Groupe de trois femmes*, pl. (24,5x20,2) : **GBP 550** – Londres, 8 avr. 1986 : *Le Massacre des Niobides*, craie rouge, de forme irrégulière (35,8x68,3) : **GBP 4 800** – Londres, 19 fév. 1987 : *Allégorie de la Peinture*, sanguine (18,5x12,5) : **GBP 3 400** – Londres, 2 juil. 1991 : *Deux princes de la famille d'Este : Philippe II et Jean IV*, craie noire, encre brune et lav. (19,3x11,7) : **GBP 7 700** – New York, 12 jan. 1994 : *Vénus avec deux satyres et de nombreux putti jouant*, sanguine (32,5x49,4) : **USD 20 700**.

LIGOTSKI Ivan

XVIIIe siècle. Russe.

Peintre.

Il exécuta de 1753 à 1759 des peintures décoratives au château de Peterhof et au Palais d'hiver de Saint-Pétersbourg pour la Cour de Russie.

LIGOZZI Bartolommeo

Né vers 1630 à Vérone. Mort en 1695. XVIIe siècle. Italien.

Peintre de genre, natures mortes, fleurs.

Il est le fils de Francesco Ligozzi, petit-fils de Giovanni Ermanno, arrière-petit-fils du peintre florentin Jacopo Ligozzi. En 1660 et 1666 il reçut des commandes du cardinal Carlo pour des peintures de fleurs. Il travailla également pour le Cavalier Luigi Nartoloni qui exposa deux de ses natures mortes à la chapelle San Luca de la Sainte Annonciation en 1767. En 1686, dix-huit de ses œuvres furent exposées au Palais Pitti, à Florence.

Bibliogr. : Marinella Mosco et Minella Rizzotto : catalogue de l'exposition *Floralia, florilegio dalle collezioni fiorentine del Sei-Settocento*, Palais Pitti, 1988.

Ventes Publiques : Rome, 10 mai 1988 : *Vase de fleurs*, h/t (85x69) : **ITL 16 000 000** – New York, 11 jan. 1995 : *Composition florale avec des tulipes, des œillets, des narcisses et des fleurs variées dans un vase de terre cuite sur un entablement de pierre*, h/t (61,5x47,3) : **USD 24 150** – Londres, 8 déc. 1995 : *Fleurs dans un vase d'argent avec un épagneul nain sur un coussin*, h/t (114x143,2) : **GBP 16 100**.

LIGOZZI Francesco

Mort avant 1635. XVIIe siècle. Italien.

Peintre.

Fils de Giovanni Ermanno, et père de Bartolommeo. S. Bartolomeo della Levata à Vérone possédait une *Vierge avec saints* de sa main.

LIGOZZI Giovanni Ermanno

Né à Vérone. XVIe siècle. Italien.

Peintre d'histoire.

On croit qu'il était fils de Jacopo Ligozzi. On voit de lui à l'église des Apôtres, à Vérone, une peinture, *Le Nom de Jésus*, datée de 1573 et à l'église des Saints Nazzaro e Celso une fresque sur la grande porte, de ses œuvres aussi à Sainte Euphémie et dans un palais de Valeggio.

LIGOZZI Jacopo ou **Giacomo**, dit **Jacopo il Vignali**

Né vers 1547 à Vérone (Vénétie). Mort en 1632, selon certains biographes en 1626 ou 1627 à Florence (Toscane). XVIe-XVIIe siècles. Italien.

Peintre de compositions religieuses, scènes mythologiques, sujets allégoriques, portraits, animaux, natures mortes, fresques, miniatures, dessinateur.

Il fut élève de Paolo Caliari. Il travailla d'abord à Venise, puis le duc Francesco Ier de Médicis l'appela à Florence en 1575. Il occupa dans cette ville une place considérable et y apporta l'élégance de forme de la conception vénitienne. Il devint membre de l'Académie de Saint-Luc en 1578. À la fin de sa carrière, le grand duc Ferdinand II le nomma peintre de sa cour et surintendant de sa galerie de tableaux. Il collabora avec Bernardo Buontalenti. Plusieurs de ses ouvrages sont conservés à Venise. Il exécuta d'importants travaux dans les édifices florentins, notamment dans le cloître des Ognissanti, à Santa Maria Novella, en 1600. On cite comme son chef-d'œuvre le *Martyre de sainte Dorothée* dans l'église San Francesco, au couvent de Pescia. Il a produit également un grand nombre de tableaux de chevalet ; et dessiné des sujets allégoriques, sur papier coloré rehaussé d'or.

Jacob Ligo p

Musées : Berlin (Kaiser Friedrich Mus.) : *Portrait d'une jeune femme* – Chambéry (Mus. des Beaux-Arts) : *Portrait d'homme* – *Saint François d'Assise en prières* – Cleveland – Empoli (Pina.) : *Saint Jean à Patmos* – Florence (Gal. des Mus. des Offices) : *Adoration des Rois mages* – *Autoportrait* – *Sacrifice d'Abraham* – *Portrait de Francesco Ier de Médicis* – Florence (Palais Pitti) : *Apparition de la Vierge et l'Enfant Jésus à saint François d'Assise* – *Judith* – Lucques (Pina.) : *Saint Dominique et la Vierge* – New York (Pierpont Morgan Library) – Paris (Mus. du Louvre) – Prato : *Adoration des Mages* – Ravenne (Acad. des Beaux-Arts) : *Martyre des quatre saints couronnés* – Vienne (Albertina Mus.).

Ventes Publiques : Paris, 22 fév. 1934 : *La Vierge, l'Enfant Jésus et deux saints*, pl. et lav. de bistre : **FRF 220** – Londres, 11 déc 1979 : *Le Massacre des Innocents* 1609, craie noire, pl. et lav. reh. d'or/pap. bis (39,6x26,3) : **GBP 3 000** – Londres, 4 juil. 1984 : *Berger agenouillé (étude pour une Adoration des bergers)*, pl. et lav. reh. de blanc (19,8x125,7) : **GBP 1 200** – New York, 16 jan. 1986 : *Un Persan avec un chameau*, temp. reh. d'or (27x21,5) : **USD 46 000** – New York, 15 jan. 1988 : *Jahel et Sisara*, h/t (124,5x101,6) : **USD 22 000** – Milan, 24 avr. 1988 : *Apitoiement sur le Christ mort*, h/pap. mar./t. (48,5x37,5) : **ITL 4 000 000** – Stockholm, 19 avr. 1989 : *Fête en l'honneur de « l'idole aux cinq têtes »*, h/pan. (62x61) : **SEK 19 000** – New York, 11 jan. 1990 : *L'enlèvement des Sabines*, h/t (130x186,5) : **USD 396 000** – Londres, 2 juil. 1990 : *Scène allégorique*, encre et lav. avec reh. de blanc/pap. gris-vert (46,5x31,5) : **GBP 1 012** – Rome, 23 avr. 1991 : *Vase de fleurs avec des pivoines et des lis*, h/t (53x38,5) : **ITL 80 000 000** – New York, 22 mai 1992 : *L'Adoration des Mages*, h/cuivre (34,3x24,1) : **USD 308 000** – New York, 14 jan. 1993 : *Le Christ portant sa Croix*, h/t : **USD 104 500** – Londres, 9 déc. 1994 : *Vénus, Diane et Minerve*, h/t (43,3x57,2) : **GBP 41 100** – Londres, 6 déc. 1995 : *Allégorie de la Rédemption : La Vierge veillant sur le corps du Christ avec le péché et la mort enchaînés à la Croix*, h/pan. (48x32) : **GBP 56 500** – New York, 16 mai 1996 : *Saint Louis de France (Louis IX)*, h/t (137,2x99,7) : **USD 101 500**.

LIGOZZI Paolo

XVIe-XVIIe siècles. Italien.

Peintre.
Les églises de Vérone et de ses environs possèdent de ses œuvres.

LIGTELIJN Evert Jan
Né en 1893 à Amsterdam. Mort en 1977. XXe siècle. Hollandais.
Peintre de scènes typiques, paysages.
VENTES PUBLIQUES : AMSTERDAM, 16 nov. 1988 : *Ville le long d'un canal avec une péniche échouée*, h/pan. (60x50) : **NLG 920** – AMSTERDAM, 2 mai 1990 : *Fillette nourrissant des oies près d'une ferme*, h/t (57x47) : **NLG 2 875** – AMSTERDAM, 2 mai 1990 : *Vue d'Amsterdam avec le Montelbaanstoren*, h/t (60,5x80) : **NLG 4 600** – AMSTERDAM, 23 avr. 1991 : *La baie de Willemstad à Curaçao* 1949, h/cart. (50x40) : **NLG 2 185** – AMSTERDAM, 18 fév. 1992 : *Vue du Kalkmarkt à Amsterdam*, h/t (71x108) : **USD 1 725** – AMSTERDAM, 22 avr. 1992 : *Vue de la Loenen à Vecht avec des lavandières au premier plan*, h/t (51x41) : **NLG 2 070** – AMSTERDAM, 3 nov. 1992 : *Ferme au bord de l'eau*, h/t (39x49,5) : **NLG 2 070** – AMSTERDAM, 20 avr. 1993 : *Paysage de polder près de Rhenen*, h/t (38x78) : **NLG 4 370**.

LI GUO
Né en 1933. XXe siècle. Chinois.
Graveur.
Il a participé, en 1992, à l'exposition *De Bonnard à Baselitz – Dix Ans d'enrichissement du cabinet des estampes 1978-1988* à la Bibliothèque nationale, à Paris.
MUSÉES : PARIS (BN) : *Chants de pêcheurs sur le lac Qinhai* 1978.

LI GUOHAN ou **Lee Kwok-Hon**
Né en 1950 à Hong Kong. XXe siècle. Chinois.
Peintre. Réaliste-photographique.
Diplômé de l'Institut d'Art Linghai de Hong-Kong en 1970, il entra à l'École des Beaux-Arts de Paris en 1971 et demeura en France jusqu'en 1976. Il a participé à des expositions collectives à Paris, en Belgique, aux États-Unis. et à Hong Kong.
VENTES PUBLIQUES : TAIPEI, 10 avr. 1994 : *Cheminée* 1992, h/t (130x97) : **TWD 207 000**.

LIGUORO Antonia di
XVIIIe siècle. Active à Naples. Italienne.
Peintre.
Le château de Prescicce possède de sa main des tableaux mythologiques. Elle fut élève de Solimena.

LI HANGZHI ou **Li Hang-Chih** ou **Li Hang-Tche**, surnom : **Sengfa**
XVIIe siècle. Chinois.
Peintre.
Fils de Li Liufang (1575-1629), il laisse quelques paysages signés et datés.

LI HENG, surnom : **Changshi**
XIVe siècle. Actif vers 1335-1340. Chinois.
Peintre.
Disciple de Wang Yuan (actif entre 1310-1350), Li Heng n'est pas mentionné dans les biographies officielles de peintres et les informations sur lui nous sont fournies par le colophon de Jian Gu (1508-1572) qui accompagne la peinture de Li Heng intitulée : *Plantes et buissons sortant d'une roche verticale.*

LI HIAO. Voir **LI XIAO**

LI HI-T'AI. Voir **LI XITAI**

LIHL Heinrich ou **Lill**
Né en 1690. Mort le 13 février 1756 à Rastatt. XVIIIe siècle. Allemand.
Peintre.
Les églises de Rastatt, Appenweier et Ettlingen, ainsi que le château de Rastatt possèdent de ses œuvres.

LI HONGZHANG
Né en 1823. Mort en 1901. XIXe siècle. Chinois.
Calligraphe. Traditionnel.
VENTES PUBLIQUES : NEW YORK, 31 mai 1990 : *Poèmes en écriture courante*, encre/pap. décoré, une paire de kakémono (127x30,2) : **USD 3 850** – HONG KONG, 30 oct. 1995 : *Calligraphies strophes en écriture Xing shu*, deux kakémonos encre/pap. (chaque 125x30,8) : **HKD 23 000** – NEW YORK, 27 mars 1996 : *Calligraphie en écriture courante*, encre et pigments/pap. monté sur un cadre (107,9x61) : **USD 2 300** – HONG KONG, 29 avr. 1996 : *Calligraphies de strophes en Kai shu*, encre/pap. moucheté d'or, kakémono, une paire (chaque 181x25,5) : **HKD 18 400**.

LIHOU
Né en 1942. XXe siècle. Français.
Peintre.
Depuis 1967, il a réalisé des œuvres à partir d'études d'arbres, recherche qui ont eu leur prolongement en 1972 avec la série des flèches.

LI HOUA. Voir **LI HUA**

LI HSIAO. Voir **LI XIAO**

LI HSIONG-TS'AI. Voir **LI XIONGCAI**

LI HSI-T'AI. Voir **LI XITAI**

LI HSIU-I. Voir **LI XIUYI**

LI HSIUNG-TS'AI. Voir **LI XIONGCAI**

LI HUA ou **Li Houa** ou **Li Hwa**
Né en 1907 à Guangzhou. XXe siècle. Chinois.
Peintre de figures, graveur.
Sorti diplômé en 1925 de l'École des beaux-arts de Canton, Li Hua part poursuivre ses études au Japon, de 1925 à 1930. De retour chez lui, il se joint à la société de recherche sur gravure sur bois moderne, centre de la Chine du Sud. Pendant la guerre, il fut artiste officiel du front. Il dirigea la section gravure de l'Association des artistes de Chine, dont il devint membre directeur, et fut le fondateur à l'Institut central de Pékin du département gravure.
L'ampleur de sa vision plastique et son habileté technique le situe, d'emblée, au-dessus de la masse des artistes prolétaires, et de fait, son style révèle une maîtrise du matériau dont manque de nombreux autres graveurs, également sincères mais sans doute moins doués. Son pinceau sait appréhender l'essentiel d'un personnage et ne se contente pas de l'évoquer simplement de quelques traits sourds et convenus. Chaque courbe, chaque ride des mains ou du visage semble minitieusement explorée avec une sympathie passionnée, signe d'un humanisme nouveau. Voilà pourquoi les œuvres de Li Hua se placent à un niveau qui n'est pas celui du seul réalisme.
BIBLIOGR. : Michael Sullivan : *Chinese Art in the XXth Century*, Londres, 1959 – in : *Dict. de l'art mod. et contemp.*, Hazan, Paris, 1992.
MUSÉES : PARIS (BN) : *Aube dans la capitale* 1979.

LI HUANMIN
Né en 1930 à Pékin. XXe siècle. Chinois.
Graveur.
Il a participé, en 1992, à l'exposition : *De Bonnard à Baselitz – Dix Ans d'enrichissement du cabinet des estampes 1978-1988* à la Bibliothèque nationale, à Paris.
MUSÉES : PARIS (BN) : *Fouler le chemin doré pour la première fois* 1963.

LI HUASHENG
Né en 1944. XXe siècle. Chinois.
Peintre de paysages. Traditionnel.
VENTES PUBLIQUES : HONG KONG, 15 nov. 1990 : *Album de paysages* 1988, en douze pages, encre et pigments/pap. (chaque 35x34,3) : **HKD 55 000** – HONG KONG, 2 mai 1991 : *Pin dans un paysage au clair de lune*, encre et pigments/pap., kakémono (152x68,5) : **HKD 55 000** – HONG KONG, 29 oct. 1992 : *Le jardin des immortels*, encre et pigments/pap., kakémono (94x50,2) : **HKD 35 200** – NEW YORK, 16 juin 1993 : *Paysage de montagne ; Paisible été*, encre et pigments/pap., une paire (chaque 47,6x50,8) : **USD 2 875**.

LI HWA. Voir **LI HUA**

LI I-HO. Voir **LI YIHE**

LI I-PO. Voir **LI YIBO**

LIIPOLA Yrjö
Né le 22 août 1922 à Koskis. XXe siècle. Finlandais.
Sculpteur.
Il étudia à Helsinki, où il se fixa par la suite, à Florence, Rome, Paris et Berlin.
MUSÉES : ABO : *La Fille de Jaïre* – BUDAPEST (Mus. des Arts plastiques) : *Aux aguets* – HELSINKI (Atheneum) : *Buste de la femme de l'artiste* – *Réveil d'énergie.*

LIISBERG Carl Frederik
Né le 15 mai 1860 à Aarhus. Mort le 19 avril 1909 à Copenhague. XIXe siècle. Danois.
Sculpteur et peintre sur porcelaine.
Il travailla pour la Manufacture de porcelaine de Copenhague à

partir de 1885. Ses œuvres figurent au Musée des Arts Décoratifs à Paris et au Musée de Sèvres.

LIISBERG Carl Hugo
Né le 23 juin 1896. XXe siècle. Danois.
Sculpteur de figures.
Il obtint en 1927 la médaille d'or pour sa sculpture *Homme et femme*.
Musées : Copenhague (Mus. des Beaux-Arts) : *Jeune Homme*.
Ventes Publiques : Copenhague, 10 mai 1989 : *Le favori debout* 1924, bronze (H. 110) : **DKK 12 000**.

LI JAGYONG
Née le 8 octobre 1943 à Séoul. XXe siècle. Active depuis 1970 en France. Coréenne.
Peintre, sculpteur d'intégrations architecturales. Art-optique.
Elle a étudié à la Faculté des beaux-arts de Séoul, dans la section peinture, puis, grâce à une bourse du gouvernement français, à l'École des beaux-arts de Toulouse en 1970 et à l'École des beaux-arts de Paris. Elle a enseigné le dessin à Séoul, la sérigraphie à Saint-Ouen, à Mézel, à l'École des arts décoratifs de Paris de 1976 à 1978, à Créteil, aux ateliers de l'ADAC à la Mairie de Paris. Elle vit et travaille à Paris.
Elle participe à de nombreuses expositions collectives depuis 1966 : 1973, 1976, 1993 Salon Grands et Jeunes d'Aujourd'hui à Paris ; 1977 *Artistes contemporains coréens* au musée d'Art moderne de Séoul ; 1978 Bibliothèque nationale à Paris ; 1980 Salon Comparaisons à Paris ; 1981 musée de Brooklyn à New York ; 1982 VIIe Biennale de l'estampe au musée de Bradford ; 1984, 1985, 1986, 1989 Salon des Réalités Nouvelles à Paris ; 1990 MAC 2000 à Paris ; 1991, 1993 SAGA (Salon d'art Graphique actuel) à Paris ; 1991, 1994 Triennale mondiale d'estampes petit format à Chamalières. Elle montre ses œuvres dans des expositions personnelles : 1968, 1976, 1977, 1978, 1986 Séoul ; 1975, 1977, 1981, 1983, 1985, 1993 Paris ; 1976 Centre culturel de Reims ; 1979 Maison des jeunes de Créteil ; 1984 Grenoble et Tulle ; 1988 musée Francisque Mandet de Riom ; 1989 musée national d'Art contemporain de Séoul ; 1994 Centre culturel coréen à Paris. Elle a reçu plusieurs prix.
Elle découpe dans du carton ondulé des formes simples, qu'elle assemble de façon géométrique. Ce support « en volume », sur lequel elle applique de violentes couleurs, turquoise, rose vif, vert, lui permet de jouer des effets optiques, de rendre la sensation de mouvement de la lumière. À partir de ce travail, qu'elle considère comme maquette à des œuvres monumentales à venir, en tôle, amiante-ciment, matières plastiques, elle réalise des sérigraphies, mises à plat de son travail sur l'ombre et le reflet. Elle utilise aussi la photographie. Ainsi dans sa série sur la gare d'Austerlitz, souligne-t-elle les effets de tension entre lignes verticales (câbles, pylônes), et horizontales (rails, aiguillages, fils électriques). Elle a réalisé un bas-relief et une sculpture monumentale pour l'IUT d'Evry. ■ L. L.
Bibliogr. : Catalogue de l'exposition : *Li Jagyong*, Musées de Riom, 1988.
Musées : Clamecy (Mus. d'Art et d'Hist. Romain Rolland) – Férrol (Mus. mun. des Beaux-Arts) – Paris (BN) : *Voiles de nuit* 1988, deux sérig. – Paris (FNAC) – Riom (Mus. Françisque Mandet) – Séoul (Mus. d'Art Contemp.).

LI JEU-HOUA. Voir **LI RIHUA**

LI JI ou **Li Chi** ou **Li Ki**
Originaire de Kaifeng, province du Henan. Actif sous la dynastie des Song du Nord (960-1127). Chinois.
Peintre.
Membre de l'Académie de Peinture, il peint des fleurs et des oiseaux dans le style de Huang Quan (vers 900-965). Le Musée du Palais de Pékin conserve : *Pêches, abricots, melon, aubergines*, rouleau en longueur, signé.

LI JIAN ou **Li Chien** ou **Li Kien**, surnoms : **Jianmin** et **Weicai,** nom de pinceau : **Erqiao**
Né en 1747, originaire de Shunde, province du Guangdong. Mort en 1799. XVIIIe siècle. Chinois.
Peintre de paysages.
Licencié *(juren)* à la capitale provinciale en 1789, il laisse plusieurs œuvres signées.
Ventes Publiques : New York, 1er juin 1992 : *Bambous, vieil arbre et rocher d'après les maîtres de Yuan*, encre/pap., kakémono (50,8x42,9) : **USD 8 800**.

LI JIH-HUA. Voir **LI RIHUA**

LI JINFA ou **Li Chin-Fa** ou **Li Tsin-Fa**
Né dans la province du Guangdong. XXe siècle. Chinois.
Sculpteur, peintre.
Artiste de l'école moderne, il vint étudier en France, au début des années vingt. En 1930, il fonde une revue d'art intitulée *Mi-yo Magazine* où il se révèle dans ses écrits, imprégné de cosmopolitisme et de faux romantisme. Les traductions de Croce et de Lamartine font face, dans ce journal, aux reproductions de Bourdelle et Bouguereau, tandis que la poésie symboliste de Li s'accompagne de photos de d'Annunzio et de Mary Philbin.
Son art, comme celui du groupe auquel il appartient, relève presque exclusivement de l'influence française.
Bibliogr. : Michael Sullivan : *Chinese Art in the XXth Century*, Londres, 1959.

LIJN Liliane
Née le 22 décembre 1939 à New York. XXe siècle. Active depuis 1966 en Angleterre. Américaine.
Sculpteur, peintre. Cinétique.
De 1958 à 1964, elle réside à Paris, de 1964 à 1966, elle s'installe à Athènes et travaille en collaboration avec Takis, puis part à Londres, où elle vit depuis 1966.
Elle a participé, en 1992, à l'exposition *De Bonnard à Baselitz – Dix Ans d'enrichissement du cabinet des estampes 1978-1988* à la Bibliothèque nationale, à Paris.
À New York, en 1962, elle a tenté diverses expériences à partir de Plexiglas et de feu, et abouti aux *Echo-lights* exposés en 1963 à Paris. Son travail est surtout fondé sur les propriétés lumineuses ou cinétiques et elle a mis au point ses *Liquid reflexions* où elle fait jouer des rayons lumineux sur des gouttes condensées à l'intérieur des volumes en plexiglas.
Bibliogr. : In : *Dict. de l'art mod. et contemp.*, Hazan, Paris, 1992.
Musées : Paris (BN) : *Song 8. Trigam* 1983.

LI JONG-KIN. Voir **LI RONGJIN**

LI JOUEI-NIEN. Voir **LI RUINIAN**

LI JUNG-CHIN. Voir **LI RONGJIN**

LI KAI
Né en 1947 à Pékin. XXe siècle. Chinois.
Peintre d'architectures.
De 1963 à 1967, il fit ses études à l'Académie centrale et travailla sous la direction de Ai Xuan et de Sun Weimin. Après quatre années de service militaire, il revint à Pékin et fut nommé peintre résident de la Cité interdite. Ses peintures sont exposées au Japon, à Hong Kong, à Singapour, aux États-Unis et en Europe.
Il représente avec minutie l'architecture de son pays, en particulier les palais et les sculptures qui les ornent. Il se consacre à étudier les perspectives et les détails architecturaux au cours des différentes saisons de la Cité interdite.
Ventes Publiques : Hong Kong, 30 mars 1992 : *Chapiteau représentant la tête de Ji* 1987, h/t (90x81,4) : **HKD 60 500** ; *Corridor (série Cité Interdite)* 1991, h/t (99,5x79,5) : **HKD 60 500** – Hong Kong, 28 sep. 1992 : *Douve dans la Cité Interdite* 1991, h/t (80,5x100,4) : **HKD 55 000**.

LI K'AI-HIEN. Voir **LI KAIXIAN**

LI K'AI-HSIEN. Voir **LI KAIXIAN**

LI KAIXIAN ou **Li K'ai-Hien** ou **Li K'ai-Hsien**
XVIe siècle. Actif à partir de 1530. Chinois.
Critique d'art.
Fonctionnaire et lettré célèbre, Li Kaixian est l'auteur d'un ouvrage de critique d'art, le *Zhonglu Huapin* où il se sert de classifications critiques peu traditionnelles. Au lieu de classer les artistes en différentes classes hiérarchiques, il les examine sous plusieurs angles successifs, selon des critères collectifs de six qualités et quatre défauts. En outre, il fait preuve d'une particulière audace dans ses jugements, en osant préférer la peinture Ming à la peinture Yuan et en défendant l'école de Zhe contre celle de Wu, autant de jugements si extravagants qu'aux époques Ming et Qing, Li passera pour tout à fait incompétent.
Bibliogr. : Pierre Ryckmans : *Les « Propos sur la Peinture » de Shitao*, Bruxelles, 1970.

LI KAN ou **Li K'an**, surnom : **Zhongbin,** nom de pinceau : **Xizhai Daoren**
Né en 1245. Mort en 1320. XIIIe-XIVe siècles. Actif à Jiqiu, près de Pékin. Chinois.
Peintre.
Haut fonctionnaire, il est envoyé en mission en Indochine. Bon

peintre de bambous, il aime se promener dans les bambouseraies pour observer le comportement des branches dans le vent et la pluie, dans le soleil et la brume. D'où le caractère très vivant de ses compositions. Il est l'auteur d'un recueil sur les bambous, le *Zhupu*.
Musées : Kansas City (Nelson Gal. of Art) : *Grandes touffes de bambous aux branches largement étalées* colophon de Zhao Mengfu daté 1308, fait pour son ami Xuanqing – Pékin (Mus. du Palais) : *Bambous et rochers* colophon du peintre daté 1307, encre sur pap., rouleau en longueur qui aurait formé un ensemble avec celui de Kansas City – *Bambous sur une falaise sous la pluie*, encre et coul. verte sur pap. – *Trois grands bambous*, encre et coul. verte sur pap., signé – *Deux bambous* signé et daté 1310 – Shanghai : *Bambous, arbres et rochers*, encre sur soie – Taipei (Nat. Palace Mus.) : *Pins jumeaux et buissons de jujubes*, cachet du peintre – *Trois jeunes bambous près d'une pierre*, encre sur soie, signé et deux cachets du peintre.

LI KANG ou **Li K'ang**, surnom : **Ningzhi**
Originaire de Tonglu, province du Zhejiang. XIVe siècle. Actif vers 1340-1360. Chinois.
Peintre.

LI K'E-JAN. Voir **LI KERAN**

LI KERAN
Né en 1907 à Xuzhou (province du Jiangsu). Mort en 1989. XXe siècle. Chinois.
Peintre d'animaux, paysages. Traditionnel.
Il fut formé à l'École moderne avec Lin Fengmian. Il enseigna à l'École des beaux-arts de Xuzhou, de Chongqing et à l'Institut central des beaux-arts de Pékin. Il est vice-président de l'association des artistes de Chine. Il a participé à l'exposition : *Peintres traditionnels de la République populaire de Chine*, à Paris, à la galerie Daniel Malingue, en 1980.
À la suite de ses études, il se tourne vers une peinture plus lettrée, plus traditionnelle, peignant avec des encres et des pigments de couleurs sur des supports papier.
Ventes Publiques : Hong Kong, 12 jan. 1987 : *Evening Tune*, encre et coul./rouleau de pap. (68,5x46,3) : **HKD 75 000** – New York, 2 juin 1988 : *Jeune vacher tirant son buffle*, encre/pap., kakémono (67,3x45) : **USD 2 090** – Hong Kong, 17 nov. 1988 : *Paysage*, encre et pigments/pap., kakémono (68,5x44,2) : **HKD 55 000** – Hong Kong, 16 jan. 1989 : *Navigation sur la rivière Li* 1980, encre et pigments/pap., kakémono (68,6x44,5) : **HKD 110 000** – Pékin, 6 mai 1989 : *La pluie passée, la source gronde*, encre de Chine/pap. (102x52,5) : **FRF 255 200** – Hong Kong, 15 nov. 1989 : *Lijiang*, encre et pigments, kakémono (70x89) : **HKD 198 000** – Hong Kong, 15 nov. 1990 : *Paysage avec un arc-en-ciel* 1965, encre et pigments/pap., kakémono (69,7x46) : **HKD 121 000** – Hong Kong, 2 mai 1991 : *Li Jiang*, encre et pigments/pap., kakémono (70x89) : **HKD 440 000** – New York, 29 mai 1991 : *Jeune Bouvier et son buffle sous un arc-en-ciel*, encre et pigments/pap. (68,6x45,7) : **USD 7 700** – Hong Kong, 31 oct. 1991 : *Le Mont Jiuhua* 1979, encre et pigments/pap. (83,9x50,7) : **HKD 682 000** – New York, 25 nov. 1991 : *Paysage*, encre et pigments/pap., kakémono (68,5x44,2) : **USD 12 100** – Hong Kong, 30 mars 1992 : *Paysage après la pluie*, encre et pigments légers/pap., makémono encadré (68,3x95,4) : **HKD 495 000** – Hong Kong, 29 oct. 1992 : *Le Huang Shan*, encre et pigments/pap. (68,5x46,2) : **HKD 374 000** – New York, 2 déc. 1992 : *Jeune Garçon sur un buffle*, encre et pigments/pap., kakémono (69,2x46,4) : **USD 5 500** – Hong Kong, 22 mars 1993 : *Paysage du Mont Huang*, encre et pigments/pap. (96,7x60,8) : **HKD 368 000** – New York, 29 nov. 1993 : *Village de montagne*, encre et pigments/pap., kakémono (74,3x46,4) : **USD 14 950** – Hong Kong, 3 nov. 1994 : *Paysage aux cent sources* 1981, encre et pigments/pap. (94,5x66,5) : **HKD 790 000** – New York, 18 sep. 1995 : *Promenade nocture à la falaise rouge*, encre et pigments/pap., kakémono (78,7x57,2) : **USD 12 650** – Hong Kong, 29 avr. 1996 : *Scène de rivière*, encre et pigments/pap. (54,5x65,4) : **HKD 253 000** – Hong Kong, 4 nov. 1996 : *Li Jiang* 1963, encre et pigments/pap., kakémono (67,5x45) : **HKD 161 000** – New York, 18 mars 1997 : *Paysage* 1961, encre/pap. (64,1x45,7) : **USD 16 100** ; *Buffles d'eau*, encre et pigments/pap., kakémono (68,5x45,7) : **USD 8 050** – Hong Kong, 28 avr. 1997 : *Montagnes élevées* 1982, encre et pigments/pap. (68,5x97,2) : **HKD 1 230 000** ; *Zhong Kui*, encre et pigments/pap. (111,7x106,7) : **HKD 119 000**.

LI KI. Voir **LI JI**

LI KIEN. Voir **LI JIAN**

LI K'IUAN. Voir **LI QUAN**

LI K'IUE. Voir **LI QUE**

LI K'O-JAN. Voir **LI KERAN**

LI KONG-LIN. Voir **LI GONGLIN**

LI KONGXIU ou **Li K'ong-Sieou** ou **Li K'ung-Hsiu**, surnoms : **Zichang** et **Baozhenzi**
Originaire de Xunde, province du Guangdong. XVe-XVIe siècles. Actif à la fin du XVe et au début du XVIe siècle. Chinois.
Peintre.
Peintre de paysages et d'oiseaux, il vit à Guangzhou et est ami du peintre de fleurs de prunier Chen Xianzhang (1428-1500).

LI K'OUEN. Voir **LI KUN**

LI Kuchan
Né en 1898 à Shandong (dans le district de Gaomi). Mort en 1983. XXe siècle. Chinois.
Peintre d'animaux, paysages.
Il étudia la peinture occidentale à l'Institut artistique national puis travailla avec le peintre Qi Baishi. Il enseigna à l'Institut artistique national et à l'Institut central des beaux-arts.
Il a participé à l'exposition : *Peintres traditionnels de la République populaire de Chine*, à Paris, à la galerie Daniel Malingue, en 1980.
Il peint dans le style traditionnel, avec des encres et des pigments de couleurs sur des supports papier.
Bibliogr. : *Les œuvres essentielles des artistes chinois contemporains*, Crafts Import and Export Company, Pékin, 1992.
Ventes Publiques : Hong Kong, 19 mai 1988 : *Aigle*, encres noires et coul./pap. (161,5x47) : **HKD 24 200** – Hong Kong, 17 nov. 1988 : *Deux aigles* 1981, kakémono, encre et pigments/pap. (179x95,5) : **HKD 41 800** – Hong Kong, 18 mai 1989 : *Oiseaux*, encre/pap., kakémono (131,5x65) : **HKD 49 500** – New York, 11 avr. 1990 : *Coq*, encre/pap. (68,6x47) : **USD 1 760** – Hong Kong, 2 mai 1991 : *Oiseau noir et chrysanthèmes*, encre et pigments/pap., kakémono (136x68) : **HKD 46 200** – New York, 1er juin 1992 : *Oiseaux d'après Bada Shanren*, encre et pigments/pap., kakémono (98,4x54,6) : **USD 2 750** – Hong Kong, 22 mars 1993 : *Lotus*, encre et pigments/pap., kakémono (94,6x44,7) : **HKD 32 200** – New York, 16 juin 1993 : *Bambou avant la pluie*, encre/pap., kakémono (136,2x47) : **USD 7 188** – Hong Kong, 3 nov. 1994 : *Grenouilles jouant dans une mare* 1931, kakémono, encre/pap. (136x34) : **HKD 43 700** – Hong Kong, 4 mai 1995 : *Oiseaux sur un rocher* 1972, kakémono, encre/pap. (72,5x54,5) : **HKD 11 500**.

LI KUN ou **Li K'ouen** ou **Li K'un**, surnom : **Liangye,** nom de pinceau : **Bolong Shanren**
Originaire de Huating, province du Jiangsu. XVIIIe siècle. Actif vers 1784. Chinois.
Peintre de figures et de paysages.
Le British Museum de Londres conserve *Album d'études de fleurs*, exécuté au stylet chaud, signé et avec un poème daté 1784.

LI K'UNG-HSIU. Voir **LI KONGXIU**

LI KUNG-LIN. Voir **LI GONGLIN**

LILENBERGH Cornelis. Voir **LELIENBERGH**

LILIE Walter
Né le 1er juin 1876 à Leipzig (Saxe). Mort le 13 juillet 1924 à Schwetzingen. XXe siècle. Allemand.
Peintre de paysages, portraits, graveur.
Il fut élève de l'académie des beaux-arts de Dresde.
Il peignit de nombreux portraits d'enfants, réalisa des eaux fortes et des lithographies.
Musées : Dresde (Gal. d'Art) : *Cheval au pâturage au Langensee* – Hildburghausen (Hôtel de Ville) : *Jeune berger*.

LILIEN Ephraïm Mose ou **Moses** ou **Moshe**
Né le 23 mai 1874 à Drohobytch (Galicie). Mort en 1925 à Brunswick. XIXe-XXe siècles. Actif en Allemagne. Polonais.
Peintre, graveur, illustrateur.
Après avoir été apprenti chez un peintre en lettres, il fut élève de l'école d'art de Cracovie. De 1896 à 1899, il vécut à Munich, où il travailla pour plusieurs journaux socialistes. Il fonda sa propre maison d'édition à Berlin, où il cumulait les fonctions de rédacteur, illustrateur et de chef de fabrication. Palestinien d'origine, il fut l'un des fondateurs de l'école Bezalel de Jérusalem.
Parmi ses œuvres, on cite les illustrations pour l'ouvrage *Juda*, pour les *Chants de Börries, baron de Münchhausen*, pour les

Chansons de ghetto de Morris Rosenfeld, pour les *Chants* de d'Annunzio, pour la Bible ; on mentionne également ses eaux-fortes. Dans de nombreuses scènes, il a choisi de représenter les artisans juifs polonais.

Bibliogr. : In : *Dict. univer. de la peinture,* Le Robert, t. IV, Paris, 1975 – in : *Dict. des illustrateurs 1800-1914,* Ides et Calendes, Neuchâtel, 1989.
Ventes Publiques : Tel-Aviv, 16 mai 1983 : *Pierres mortuaires dans la vallée de Josaphat,* pl. et encre (51x36,5) : **ILS 51 660** – Jérusalem, 18 mai 1985 : *La tombe d'Absalon,* encre/pap. (41x31) : **USD 1 800** – Tel-Aviv, 2 jan. 1989 : *Femmes au Mur des Lamentations,* estampe (49x33,5) : **USD 1 705** – Tel-Aviv, 3 jan. 1990 : *Panorama du quartier des Temples à Jérusalem,* encre (30x39) : **USD 3 190** – Tel-Aviv, 1er jan. 1991 : *Salomon* 1912, grav. à l'eau-forte (29,5x54) : **USD 1 370**.

LILIEN-WALDAU Karl von
Né le 20 octobre 1875. xxe siècle. Allemand.
Sculpteur de figures, bustes.
Il fut élève de l'académie des beaux-arts de Carlsruhe. Il vécut et travailla à Munich.
On cite parmi ses œuvres une terre cuite *Mère et Enfant,* des bronzes pour les châteaux d'Hirschberg, et de Neu-Egling, le buste de l'architecte C. Hocheder, etc.

LILIENBERGH Cornelis. Voir **LELIENBERGH**

LILIENBRUNN K. A. von
xixe siècle. Actif à Vienne. Autrichien.
Dessinateur.
On mentionne son album *Panorama de Linz à Vienne à vol d'oiseau,* gravé par H. Hummitzsch.

LILIENFELD Otto. Voir **FELD Otto**

LI LIEOU-FANG. Voir **LI LIUFANG**

LILIIS. Voir **LIGLI**

LI LIN, surnom : **Cigong**
Originaire de Siming, province du Zhejiang. xviie siècle. Actif vers 1635. Chinois.
Peintre.
Élève de Ding Yunpeng (actif 1584-1638), il peint des personnages bouddhiques en noir et blanc. Il aime signer ses œuvres du nom de Longmian housheng, Longmian ressuscité.
Musées : Cologne (Museum für Ostasiatische Kunst) : *Ode à la falaise rouge,* encre sur papier tacheté d'or, d'après Su Dongpo, éventail signé.

LI LINGSHEN ou **Li Ling-Chen** ou **Li Ling-Shen**
ixe siècle. Actif vers 806-821. Chinois.
Peintre.
Peintre individualiste, il ne se laisse pas lier par les règles et les coutumes. Son inadaptation est d'ailleurs considérée à l'époque comme une marque de supériorité. Il ignore les prérogatives des princes et ne peint que quand il en a envie, le plus souvent sous l'inspiration du vin. Paysagiste non-conformiste, il commence sa peinture par un point et un trait puis l'image surgit naturellement avec parfois des pics isolés émergeant de la brume ou de petites îles au long de rivières. Ne se rangeant dans aucune catégorie, on dit que dans ses esquisses il saisit l'essence des choses, comme par spontanéité. Liang Kai et Muqi s'inspireront de son exemple.

LILIO. Voir **LEMOT J.**

LILIO Andrea, dit **Andrea da Ancona Nella Marca**
Né en 1555 à Ancône. Mort en 1610 à Ascoli. xvie-xviie siècles. Italien.
Peintre de scènes mythologiques, compositions religieuses, graveur, dessinateur.
Il vint à Rome et fut protégé par le pape Sixte-Quint et décora la bibliothèque du Vatican et l'église de Saint-Jean de Latran. Il peignit aussi à Santa-Maria Maggiore et à la Chiesa Nuova et dans différentes églises romaines. On cite aussi de lui à San-Stefano d'Ancône une *Lapidation de Saint Étienne.* On lui doit aussi un certain nombre de sujets mythologiques que nous connaissons par la gravure. Il a aussi gravé des sujets de thèses.

Musées : Ancone (Pina.) : *Quatre saints* – Milan (Ambrosiana) : *Étude pour une sibylle.*
Ventes Publiques : Munich, 26 nov. 1981 : *Saints personnages soignant les plaies de saint Sébastien,* pierre noire (26x25) : **DEM 5 200** – Londres, 23 juin 1982 : *Salvator Mundi,* h/pan. (61x47) : **GBP 2 000** – Londres, 5 juil. 1984 : *Ange assis sur un nuage, jouant du violon,* craie noire et reh. de craie rouge/pap. gris (15,8x11,5) : **GBP 5 500** – Londres, 4 juil. 1985 : *L'ouïe,* craie noire/pap bleu (19,3x24,5) : **GBP 3 500** – New York, 12 jan. 1994 : *Allégorie féminine tenant un bateau,* craie noire avec reh. de blanc/pap. bleu (36x22,5) : **USD 14 950**.

LILIO Ventura. Voir **LIGLI**

LI LIUFANG ou **Li Lieou-Fang** ou **Li Liu-Fang**, surnom : **Changheng,** nom de pinceau : **Tanyuan**
Né en 1575 à Xiexian (province du Anhui). Mort en 1629. xviie siècle. Chinois.
Peintre d'animaux, paysages, fleurs.
Il vit et travaille à Jiading, dans la province du Jiangsu et fait partie du groupe les « Neuf Amis de la Peinture ». C'est un peintre de paysages et de fleurs et d'oiseaux. Pour ses paysages, il est dans le style de Wu Zhen (actif vers 1610).
Musées : Boston (Mus. of Fine Arts) : *Six études de paysage, illustrant des poèmes de la dynastie Tang* datées 1618, encre et coul. légères sur pap., feuilles d'album – Cleveland (Mus. of Art) : *Arbres épars et montagnes lointaines* daté 1628, encre sur pap., rouleau en hauteur signé, inscription et poème du peintre – Cologne (Mus. für Ostasiatische Kunst) : *Pavillon avec deux hommes, au pied de hautes roches* signé et daté 1625, encre et coul. légères sur pap. doré, éventail – New York (Metropolitan Mus.) : *Personnage dans les arbres épars* daté 1613, éventail signé – Paris (Mus. Guimet) : *Paysage de montagnes* daté 1625, encre sur pap. doré, éventail signé – *Paysage de montagnes,* encre sur pap. doré, signé Paoan Li Liufang – Pékin (Mus. du Palais) : *Vieil arbre, narcisses et bambous près d'un rocher* signé et daté 1627 – *Études de buissons et de plantes en fleurs,* encre sur pap., six feuilles d'album – Shanghai : *Vue de rivière* signé et daté 1625, d'après Ni Zan – *Scènes de Suzhou,* encre sur pap. tacheté d'or, dix feuilles d'album.
Ventes Publiques : New York, 4 déc. 1989 : *Montagnes et rivières,* encre/pap., makémono (19x241,5) : **USD 22 000** – New York, 25 nov. 1991 : *Paysage,* encre/pap., kakémono (118,4x33,2) : **USD 30 800** – New York, 1er juin 1992 : *Ensemble de deux éventails,* encre/pap. doré (16,8x52,7, et 19,7x56,2) : **USD 2 200** – New York, 2 déc. 1992 : *Album de paysages,* encre/pap., huit feuilles (chaque 17,5x15,9) : **USD 30 800** – Taipei, 10 avr. 1994 : *Sujets variés,* encre/pap., ensemble de quatre éventails (chaque 17,5x54) : **TWD 207 000**.

LILJE Peter Andersen
Mort en 1711. xviiie siècle. Norvégien.
Peintre.
Il fut à Trondjem à partir de 1670 peintre de sujets religieux et de portraits.

LILJEFORS Bruno Andreas
Né le 14 mai 1860 à Upsal. Mort en 1939. xixe-xxe siècles. Suédois.
Peintre d'animaux.
Élevé à la campagne, il y acquit l'amour de la nature. Il étudia pendant trois ans à l'académie des beaux-arts de Stockholm, de 1879 à 1882, puis il parcourut la Bavière, l'Italie et la France.
Il fit deux expositions personnelles en 1895 et 1901. Il obtint une médaille d'argent à l'Exposition universelle de Paris en 1889 et deux médailles d'or en 1898 à Munich et à Berlin.
Il découvrit l'art japonais qui fut pour lui une révélation. Ses premiers tableaux en portent nettement la trace. On distingue deux périodes dans sa vie artistique, la première japonisante où l'animal, peint par des procédés très simples, accapare tout l'intérêt. Dans la seconde période, l'animal cesse de l'intéresser exclusivement, et il fait participer le paysage au drame qui se joue. La nature sera le témoin indifférent de la lutte, où elle soulignera son caractère tragique en agrandissant la scène. Il peignit surtout des aigles. La mer l'inspira beaucoup dans ses dernières œuvres.

Bruno Liljefors 87

Bibliogr. : In : *Dict. univer. de la peinture*, Le Robert, t. IV, Paris, 1975.
Musées : Buffalo (Acad.) : *Renards* – Copenhague : *Oies sauvages* – Helsinki : *Coqs de bruyère dans un paysage* – Munich : *Coq de Bruyère* – Saint Louis : *Oies sauvages* – Stockholm (Nationalmus.) : *Le chien et le renard* 1885 – *Renards mangeant une oie* – *Canards à duvet* – *Faucons à collier* – *Coq de Bruyère* – *Abattage d'oies sauvages* – *Nid de faucon à collier* – *Alouettes de mer.*
Ventes Publiques : Stockholm, 7 nov. 1934 : *Bétail* : **SEK 2 000** – Stockholm, 25 sep. 1935 : *Tempête* : **SEK 4 200** – New York, 24 sep. 1946 : *Chat dans un champ en fleurs* : **USD 2 100** – Londres, 16 mars 1951 : *Daim dans la neige* : **GBP 168** – Stockholm, 15-18 avr. 1969 : *Chien poursuivant un lièvre* : **SEK 22 000** – Göteborg, 8 nov. 1973 : *Les canards sauvages* : **SEK 35 000** – Londres, 14 juin 1974 : *Canards sauvages* 1927 : **GNS 3 200** – Göteborg, 24 mars 1976 : *Autoportrait*, h/t (100x130) : **SEK 34 000** – Göteborg, 9 nov. 1977 : *Volatiles dans un paysage boisé* 1906, h/t (100x150) : **SEK 91 000** – Göteborg, 5 avr. 1978 : *Paysage d'hiver* 1912, h/t (71x101) : **SEK 62 000** – Stockholm, 30 oct 1979 : *Paysage d'été avec renard et renardeaux* 1912, h/t (69x99) : **SEK 131 000** – Stockholm, 11 nov. 1981 : *Mouettes en vol*, h/t (64x109) : **SEK 103 000** – Stockholm, 27 oct. 1981 : *Faucons* 1930, bronze (H. 62) : **SEK 31 000** – Stockholm, 27 avr. 1983 : *Le Peintre d'après nature*, pl. (31x40) : **SEK 20 500** – Stockholm, 1er nov. 1983 : *Perdrix dans un paysage de neige* 1914, h/t (75x100) : **SEK 230 000** – Stockholm, 14 nov. 1984 : *Portrait du frère de l'artiste* 1884, past. (32x45) : **SEK 27 000** – Stockholm, 28 oct. 1985 : *Chat parmi des fleurs* ; *Oisillons sur une branche* 1887, h/t, une paire (60x75 et 60x45) : **SEK 960 000** – Stockholm, 13 nov. 1986 : *Nu penché en avant*, bronze patiné (H. 15) : **SEK 25 000** – Stockholm, 4 nov. 1986 : *Chat dans les feuillages* 1886, encre de Chine (44x29) : **SEK 52 000** – Stockholm, 4 nov. 1986 : *Oiseau sur son nid* 1889, h/pan. (24x32) : **SEK 465 000** – Stockholm, 13 nov. 1987 : *Paysage d'été avec un renard près d'une barrière*, h/t (100x140) : **SEK 430 000** – Londres, 24 mars 1988 : *Renard tenant dans sa gueule un corbeau* 1884, h/t (50,8x64,2) : **GBP 176 000** – Los Angeles, 9 juin 1988 : *Départ pour la chasse* 1884, h/pan. (21,5x16) : **USD 33 000** – Stockholm, 15 nov. 1988 : *Coq de bruyère en vol*, h. (32x40) : **SEK 85 000** – Londres, 16 mars 1989 : *Renarde entourée de ses petits emportant un canard dans les marécages* 1922, h/t (65,4x100,3) : **GBP 99 000** – Stockholm, 19 avr. 1989 : *Un lièvre blanc dans une forêt de sapins enneigés* 1929, h/t (55x80) : **SEK 710 000** – Stockholm, 15 nov. 1989 : *Paysage forestier avec une couvée de faisans au printemps* 1914, h. (69x100) : **SEK 900 000** – Londres, 27-28 mars 1990 : *Aigle attaquant un canard* 1912, h/t (95x132) : **GBP 165 000** – Stockholm, 16 mai 1990 : *Bouvreuils dans un buisson enneigé*, h/t (49x40) : **SEK 300 000** – Stockholm, 14 nov. 1990 : *Oiseaux de proie chassant un jeune canard à l'aube*, h/t (105x160) : **SEK 320 000** – Stockholm, 29 mai 1991 : *Chat sauvage grimpant à un arbre pour échapper aux chiens de chasse en forêt*, h/pan. (22x28) : **SEK 37 000** – Londres, 19 juin 1991 : *Le hibou blessé*, h/t (100x139) : **GBP 10 450** – Stockholm, 28 oct. 1991 : *Paysage des Highlands* 1924, h/pan. (31x41) : **SEK 63 000** – Stockholm, 19 mai 1992 : *Aigles des mers attaquant un eider sur une côte rocheuse*, h/t (105x160) : **SEK 240 000** – Stockholm, 10-12 mai 1993 : *Renard avec un canard mort faisant face à deux pies dans les hautes herbes*, h/t (40x55) : **SEK 600 000**.

LILJEFORS Lindorm
Né en 1909. Mort en 1985. XXe siècle. Suédois.
Peintre de scènes de chasse, paysages.
Ventes Publiques : Cologne, 12 nov. 1976 : *Scène de chasse*, h/cart. (38x46) : **DEM 4 400** – Malmö, 2 mai 1977 : *Paysage* 1955, h/t (52x65) : **SEK 12 200** – Stockholm, 30 oct 1979 : *Paysage d'été*, h/t (64x88,5) : **SEK 16 300** – Stockholm, 26 oct. 1982 : *Renne et chien dans un paysage boisé* 1943, h/t (88x114) : **SEK 27 000** – Stockholm, 1er nov. 1983 : *Renne dans un paysage* 1944, h/t (68x97) : **SEK 24 000** – Stockholm, 29 oct. 1985 : *Renne dans un paysage boisé* 1946, h/t (70x99) : **SEK 31 000** – Stockholm, 27 mai 1986 : *Paysage boisé* 1974, h/t (89x129) : **SEK 52 000** – Copenhague, 19 nov. 1987 : *Rennes dans un paysage boisé* 1942, h/t (90x117) : **DKK 90 000** – Stockholm, 15 nov. 1988 : *Paysage de plaine avec des canards sur un étang gelé* 1970, h. (33x45) : **SEK 54 000** – Londres, 16 mars 1989 : *Vol de canards sauvages* 1963, h/cart. (36,9x49,9) : **GBP 4 620** – Stockholm, 19 avr. 1989 : *Deux mésanges dans un paysage hivernal* 1956, h/pan. (16x24) : **SEK 38 000** – Stockholm, 14 nov. 1990 : *Paysage de forêt avec des élans et un chien gris*, h/pan. (62x75) : **SEK 50 000** – Stockholm, 28 oct. 1991 : *« Myr »*, *paysage automnal* 1952, h/pan. (45x53) : **SEK 6 500** – Stockholm, 13 avr. 1992 : *Traîneau à cheval dans un paysage hivernal* 1939, h/pan. (45x53) : **SEK 14 000** – Stockholm, 19 mai 1992 : *Paysage avec des canards prenant leur envol au-dessus des étangs*, h/t (89x115) : **SEK 38 000** – Stockholm, 30 nov. 1993 : *Chasse aux canards dans un paysage d'automne au bord d'un cours d'eau*, h/t (62x89) : **SEK 32 000**.

LILJELUND Emmanuel Arvid
Né le 20 janvier 1844. Mort le 21 juillet 1899. XIXe siècle. Finlandais.
Peintre.
Il étudia à Abo, Helsingfors, Düsseldorf, Munich et Paris et travailla à Helsingfors et Paris. Il peignit des tableaux de figures (scènes de la vie du peuple), des intérieurs et des portraits.
Musées : Abo : *Course de voiliers* – *Intérieur de château* – Helsinki (Atheneum) : *Portrait de l'artiste par lui-même* – *Préparatifs du départ pour l'église* – *Portrait du peintre F. de Wright* – *Intérieur* – *Achat de costumes folkloriques à Säkylä.*

LILJENSTOLPE Axel Frederik
Mort le 11 avril 1888 probablement à Stockholm. XIXe siècle. Suédois.
Peintre de paysages et de miniatures amateur.
Musées : Göteborg : *Portrait miniature de prince héritier, plus tard roi Frédéric VII de Danemark.*

LILJESTROM Gustave
Né en 1882. Mort en 1958. XXe siècle. Américain.
Peintre de fleurs.
Ventes Publiques : Los Angeles-San Francisco, 10 oct. 1990 : *Fleurs sauvages au pied des collines près de Santa Barbara*, h/t (41x66) : **USD 1 430** – New York, 27 sep. 1996 : *Le Cordon du Grand Canyon* vers 1928, h/t (71,1x91,4) : **USD 1 265**.

LILL Friedrich Carl Alex.
Né le 2 avril 1807 à Francfort-sur-le-Main. Mort le 22 mars 1879 à Francfort-sur-le-Main. XIXe siècle. Allemand.
Peintre et lithographe.
On cite parmi ses œuvres les lithographies de l'*Album pour les amis Heligoland* et les dessins de l'ouvrage de Bueck *Hambourg et ses environs*. Il fit également des portraits et des costumes du peuple de Hambourg lithographiés, ainsi que des vues du grand incendie de Hambourg de 1842.
Musées : Hambourg (Mus. Historique) : *L'église Saint-Pierre avant l'incendie*, aquar. – *Vues d'Heligoland.*

LILL Heinrich. Voir **LIHL**

LILLEI Edmund. Voir **LILLY**

LILLEY John
XIXe siècle. Britannique.
Peintre de portraits.
Il figura aux Expositions de la Royal Academy à Londres, de 1834 à 1846.

LILLI Andrea. Voir **LILIO A.**

LILLIE Johann Dietrich ou **Lilly**
Né en 1705. Mort en 1792 à Lübeck. XVIIIe siècle. Allemand.
Peintre.
On cite de lui un *Portrait du pasteur E. F. Mylius.*

LILLIENBERG Andreas
Né en 1804 à Copenhague. Mort en 1844. XIXe siècle. Danois.
Graveur et lithographe.
Élève de l'Académie de Copenhague et de J. L. Lund. Il fut probablement aussi élève d'O. O. Bagge.

LILLJEDAHL Jakob
Né en 1788 à Göteborg. Mort en 1861 à Stockholm. XIXe siècle. Suédois.
Peintre.
Il était fils de Johan Lilljedahl. Élève de l'Académie de Stockholm il se fixa dans cette ville. Il peignit principalement des tableaux d'autel.

LILLJEDAHL Johan
Né en 1756 à Alfsborgs Län. Mort en 1811 à Göteborg. XVIIIe-XIXe siècles. Suédois.
Peintre décorateur et peintre de fleurs.

LILLJEQVIST Adèle, née **Wieland**
Née le 6 octobre 1862 à Berne. Morte le 8 mai 1927 à Berne. XIXe-XXe siècles. Suisse.

Peintre de paysages, natures mortes, dessinatrice.
Elle fut élève de Linck à Berne et de Le Beau à Paris.
Musées : Berne : *Un petit jardin* – Ulm : *Peupliers*.

LILLONI Umberto ou **Liloni**
Né en 1898 à Milan (Lombardie). Mort en 1980 à Milan. xxe siècle. Italien.
Peintre de paysages, natures mortes, fleurs et fruits, aquarelliste, dessinateur.
En 1946, il reçut le second prix de peinture Burano.
Il a peint des aspects forestiers et fluviaux entre le lac de Côme et le lac de Garde.

lilleni

Bibliogr. : *Catalogo generale delle opere di Lilloni*, Alberto Schubert, Milan, 1974.
Ventes Publiques : Milan, 27 oct. 1970 : *La Place de Medole* : **ITL 1 200 000** – Rome, 28 nov. 1972 : *Vase de fleurs* : **ITL 1 300 000** – Milan, 4 juin 1974 : *Paysage de Lombardie* : **ITL 200 000 000** – Milan, 9 nov. 1976 : *Roses* 1948, h/cart. (66,5x47) : **ITL 2 400 000** – Milan, 13 déc. 1977 : *Canal à Venise* 1946, h/t mar./isor. (64,5x42,5) : **ITL 3 000 000** – Rome, 23 mai 1978 : *Piroscaphe à Venise*, h/cart. entoilé (49x66) : **ITL 2 900 000** – Milan, 26 avr 1979 : *Stockholm*, h/t (50x65) : **ITL 4 400 000** – Milan, 26 fév. 1981 : *Pescarenico* 1945, h/pan. (70x100) : **ITL 13 500 000** – Milan, 24 oct. 1983 : *Villa Bigoni à Lecco* 1938, h/t (66x90) : **ITL 16 000 000** – Milan, 4 avr. 1984 : *Stockholm*, gche (26,5x34,5) : **ITL 2 500 000** – Milan, 12 nov. 1985 : *La maison rose* 1933, h/t (85x110) : **ITL 18 000 000** – Milan, 27 nov. 1986 : *Bardoneccia* 1952, cr. (23x32) : **ITL 1 200 000** – Milan, 11 mars 1986 : *Levanto*, h/t (70x100) : **ITL 20 000 000** – Milan, 19 mai 1987 : *Vase de fleurs*, aquar. (48x32) : **ITL 2 500 000** – Rome, 15 nov. 1988 : *Nu* 1958, h/t (50x70) : **ITL 14 000 000** – Milan, 14 déc. 1988 : *La route à Medole*, h/t (64x49,5) : **ITL 13 000 000** – Milan, 6 juin 1989 : *Fleurs*, h/cart. (65x46) : **ITL 15 000 000** – Milan, 7 nov. 1989 : *Venise* 1932, h/t (68x59) : **ITL 18 500 000** – Rome, 28 nov. 1989 : *Le chemin longeant le bois* 1967, h/t (40x50) : **ITL 12 000 000** – Milan, 19 déc. 1989 : *« Pescarenico »* 1948, h/pan. (70x101) : **ITL 26 000 000** – Milan, 27 mars 1990 : *Venise*, h/t (65x55) : **ITL 19 000 000** – Milan, 24 oct. 1990 : *Paysage lacustre*, h/t (83,5x110) : **ITL 24 000 000** – Rome, 13 mai 1991 : *Bois dans la région de Parme*, h./contre-plaqué (48x67) : **ITL 18 400 000** – Milan, 20 juin 1991 : *Feriolo* 1945, h/pan. (45x60) : **ITL 22 000 000** – Milan, 19 déc. 1991 : *Fleurs dans un vase chinois* 1964, h/t (70x60) : **ITL 13 000 000** – Milan, 14 avr. 1992 : *Voiliers sur la lagune* 1948, h/t (38x54,5) : **ITL 11 500 000** – Milan, 9 nov. 1992 : *Personnage sur la grève* 1955, h/pan. (46,5x52,5) : **ITL 11 500 000** – Rome, 19 nov. 1992 : *Le lac de Lugano* 1968, h/t (30x40) : **ITL 9 000 000** – Milan, 15 déc. 1992 : *Ponte Ticinese* 1952, h/t (30x40) : **ITL 13 500 000** – Milan, 22 juin 1993 : *Petit bois à Corniglio* 1960, h/t (50x73,5) : **ITL 17 500 000** – Milan, 5 déc. 1994 : *Lecco* 1943, h/t (50,5x65) : **ITL 16 675 000** – Milan, 9 mars 1995 : *Chute de neige à Bardonecchia* 1949, h/t (27x41) : **ITL 10 350 000** – Milan, 26 oct. 1995 : *Portrait à Bellagio* 1939, h/t. double (96,5x114) : **ITL 16 675 000** – Rome, 14 nov. 1995 : *Vue de Stockholm* 1949, h/t (38x50) : **ITL 18 400 000.**

LILLY Edmund ou **Lelly** ou **Lillei**
Né à Richmond. Mort en 1716 à Norwich. xviiie siècle. Actif à Londres. Britannique.
Peintre de portraits, graveur.
On cite de cet artiste un portrait de la *Reine Anne à Blenheim*, daté de 1703. Il fit aussi un *Portrait du duc de Gloucester*.
Ventes Publiques : Londres, 26 avr. 1929 : *Portrait de sir Whitmore* : **GBP 84** – Londres, 20 juil. 1990 : *Portrait de la Reine Anne, debout, portant la robe du couronnement et tenant le sceptre avec le globe et la couronne posés sur une table près d'elle*, h/t (238,1x146,6) : **GBP 4 400** – New York, 5 oct. 1995 : *Portrait de la Reine Anne debout de trois quarts vêtue d'une robe blanche et portant l'Ordre de Saint-Georges et tenant le sceptre, sa couronne posée sur une table près d'elle*, h/t (149,3x116,5) : **USD 6 900.**

LILLY Johann Dietrich. Voir **LILLIE**

LILLY-STEINER. Voir **STEINER Lily**

LILO, pseudonyme de **Bouskila Elie**
Né en 1934 à Casablanca. xxe siècle. Actif depuis 1960 en France. Marocain.
Peintre, sculpteur.
Il vit et travaille à Paris, où il a participé, en 1992, à l'exposition : *De Bonnard à Baselitz – Dix Ans d'enrichissement du cabinet des estampes 1978-1988* à la Bibliothèque nationale.
Musées : Paris (BN) : *Le Violoniste*.

LI LONGMIAN. Voir **LI GONGLIN**

LI LONG-MIEN. Voir **LI GONGLIN**

LILOTTE Friedrich
Né en 1818 à Menden. xixe siècle. Allemand.
Illustrateur et peintre.
Élève de l'Académie de Düsseldorf. Il figura aux Expositions de Berlin et de Mayence en 1839 et 1842.

LI LUNG-MIEN. Voir **LI GONGLIN**

LIM HANN
Née le 11 juillet 1955 à Phnom Penh. xxe siècle. Active en France. Cambodgienne.
Peintre, dessinateur, décorateur.
Elle fut élève de l'école des beaux-arts de Phnom Penh. De 1973 à 1975, elle décora des salles de cinéma de Phnom Penh, dessina des affiches publicitaires pour le cinéma et le théâtre. De 1975 à 1977, elle poursuivit ses activités artistiques à Bangkok. En 1977, elle étudia avec le décorateur Claude Gozlan. Elle exposa à Tokyo, en Grèce, à la Biennale de Florence, au Vénézuela, aux États-Unis et au Canada.

LIM Kim
Née en 1936. xxe siècle. Active et naturalisée en Angleterre. Singapourienne.
Sculpteur. Abstrait-minimaliste.
À partir de 1956, elle fut élève de la Slade School de Londres. Elle participe à des expositions collectives à Londres, Tôkyô, Düsseldorf, Montréal (Exposition internationale de 1967), etc.
Elle se rattache au mouvement américain de Minimal Art, qui recherche la grande simplicité plastique qu'offrent ce qu'ils appellent des structures primaires.
Bibliogr. : Catalogue de l'exposition : *IIIe Salon des Galeries Pilote du Monde*, musée cantonal, Lausanne, 1970.
Musées : Anvers – Negaoka.

LIMA Jose
Né en 1934 à Recife. xxe siècle. Brésilien.
Graveur.
Il a exposé au Chili, au Canada, en 1961, à la IIe Biennale des Jeunes de Paris, en 1988 à l'exposition.

LIMA Marcelo
Né en 1952 à Rio de Janeiro. xxe siècle. Brésilien.
Peintre, dessinateur, graveur.
Il vit et travaille à São Paulo. Il a participé, en 1992, à l'exposition : *De Bonnard à Baselitz – Dix Ans d'enrichissement du cabinet des estampes 1978-1988* à la Bibliothèque nationale, à Paris.
Musées : Paris (BN) : *Portrait d'homme* 1979.

LIMA Victor Meirelles de. Voir **MEIRELLES de Lima**

L'IMAGIER. Voir **AUBERT** et autre prénom

LIMANSKY Olga
Née en 1903. Morte en 1988. xxe siècle. Active depuis 1922 au Liban. Russe.
Peintre de paysages, intérieurs, aquarelliste, illustrateur. Naïf.
Autodidacte, elle n'aborda la peinture qu'à l'âge de cinquante-cinq ans. Elle participa à des expositions collectives, notamment en 1961 et 1962 aux salons du musée Sursock à Beyrouth, en 1989 à l'exposition *Liban – Le Regard des peintres – 200 ans de peinture libanaise*, à l'Institut du monde arabe de Paris. Elle montra ses œuvres dans des expositions personnelles à partir de 1962, dans des galeries et dans son atelier à Beyrouth, ainsi qu'à Tripoli, Paris (1969), Aix-en-Provence, Marseille. En 1988, le musée Sursock lui rendit hommage. Elle reçut le prix du ministère libanais de l'éducation nationale.
Son travail évoque avec fraîcheur, sans fioriture, son pays d'adoption et ses traditions.
Bibliogr. : In : Catalogue de l'exposition *Liban – Le Regard des peintres – 200 ans de peinture libanaise*, Institut du monde arabe, Paris, 1989.

LIMBORCH Hendrik Van ou **Limborgh**
Né le 19 mars 1681 à La Haye. Mort le 3 février 1759 à La Haye. xviiie siècle. Hollandais.
Peintre d'histoire, scènes mythologiques, sujets allégoriques, portraits, graveur.

Il fut élève de J.-H. Brandon, puis en 1696 de Robert Duval, puis de J. de Baen à La Haye et enfin en 1699 de Adriaen Van der Werft à Rotterdam dont il imita la manière. Il fut maître à La Haye en 1706.
On cite deux gravures de lui : *Pandore* et *Hercule et Lycas*.

Musées : Ajaccio : *Repos de Diane* – Amsterdam : *L'Artiste* – *Bergers* – *L'Amour et Psychée* – *Enfants jouant* – Budapest : *Apollon et les Muses* – *Jugement de Pâris* – Dresde : *Vénus et l'Amour* – Leyde : *Personnages déguisés en berger et bergère* – Paris (Mus. du Louvre) : *Les plaisirs de l'âge d'or* – Potsdam (Palais neuf) : *Vénus et Adonis* – Le Puy-en-Velay : *Le repos de la Sainte Famille* – Riga : *Bethsabée au bain* – Rotterdam : *Achille reconnu par Ulysse*.
Ventes Publiques : Paris, 1757 : *La Sainte Famille dans un paysage* : **FRF 2 500** – Londres, 29 mai 1981 : *Moïse et les filles de Jethro*, h/t (107x138,5) : **GBP 1 700** – New York, 18 jan. 1983 : *Moïse avec les filles de Jethro*, h/t (107x138,5) : **USD 2 800** – Londres, 23 avr. 1993 : *Gyges dans la chambre du roi Candaules*, h/pan. (49,8x61,5) : **GBP 3 910**.

LIMBORG Michiel D. Van ou **Limburg**
xviie siècle. Hollandais.
Portraitiste.
En 1647 il appartenait à la gilde de Middelbourg.
Musées : Leyde (Lakenhal) : *Paysage avec deux portraits*.

LIMBOURG Pol, Hennequin ou **Jean, Hermann** ou **Manuel**
Né peut-être à Limbricht (près de Maeseyck). xve siècle. Éc. flamande.
Enlumineurs.
Pol, mort après 1416 ; Hennequin ou Jean, mort avant 1439 ; Hermann, parfois nommé Manuel, mort avant 1439 ; tous trois, neveux du peintre Jean Malouel, auraient fait leur apprentissage dans la boutique d'un orfèvre à Paris. Dès 1402, les deux aînés (Pol et Hennequin) sont attachés, à Dijon, à la cour de Bourgogne, successivement au service de Philippe le Hardi († 1404) et de Jean sans Peur ; pour ce dernier Pol aurait exécuté le *Bréviaire de Jean sans Peur* (Londres, British Museum). Les trois frères furent ensuite invités, vers 1405, à travailler pour Jean de France, duc de Berry, frère de Philippe le Hardi, l'un des plus grands mécènes et collectionneurs de tous les temps. C'est dans l'ambiance fastueuse de la cour de Berry (à Bourges, à Poitiers, etc.), où tous trois sont mentionnés en 1411 avec le titre de valets de chambre, que s'épanouit l'art des Limbourg, qui y recueille la brillante succession de Jacquemart de Hesdin. Entre 1406 et 1414 ils réaliseront pour le duc les *Belles Heures* dites *Heures d'Ailly* (Paris, Coll. M. de Rothschild) « très bien et richement historiées » : cette œuvre, dont on s'est plu à souligner le caractère intime, accuse l'étonnante unité d'un style parfaitement défini dans des tonalités claires, pures et lumineuses (bleu azur intense, verts, rouges, ornements et nuages dorés). À deux reprises les trois artistes offrirent des « estraines » à leur maître : en 1410, un « livre contrefait », c'est-à-dire « une pièce de bois paincte en semblance d'un livre à deux fermaux d'argent doré » et en 1414 une « petite salière d'agathe garnie d'or et de perles ». C'est vraisemblablement vers 1415 que les Limbourg commencèrent l'exécution de leur œuvre la plus importante, connue sous le nom des *Très Riches Heures du duc de Berry* (Chantilly, Musée Condé), authentifiée par une mention de l'Inventaire posthume du duc, établi en 1416 : « Item en une layette plusieurs cayers d'unes très riches heures que faisoient Pol et ses frères, très richement historiez et enluminez ». (Le fait que seul Pol est ici désigné a fait présumer que c'est « son génie qui assura la gloire de l'association fraternelle »). L'exécution du manuscrit fut malheureusement interrompue par la mort du duc (15 juin 1416) (l'œuvre fut achevée plus tard entre 1485 et 1489, par Jean Colombe de Bourges). Les miniatures dues aux Limbourg comportent, outre quatre-vingt-six lettres ornées, trente-neuf grandes compositions et vingt-quatre petites, les unes inspirées par l'Ancien et le Nouveau Testament, les autres, qui constituent la partie la plus originale, formant le fameux *Calendrier* où chaque mois nous fait assister à quelque scène de la vie champêtre ou seigneuriale : tondaille des moutons, semailles, moissons, fenaisons, cavalcades princières, hallali du sanglier, festins magnifiques. Tandis que les compositions bibliques dénotent de sensibles influences italiennes (l'une des pages, notamment, est inspirée par la *Présentation de la Vierge au Temple* de Taddeo Gaddi, Florence, Santa-Croce ; une autre présente un plan de Rome), celles qui composent le Calendrier « si elles continuent les vieux calendriers de pierre où l'imagier des cathédrales abrégeait en quelques sobres figures les travaux et les jours de l'année chrétienne » (Focillon), elles n'en fourmillent pas moins d'inventions savoureuses, actualisent avec une exquise minutie les gestes de la vie quotidienne et décrivent la nature avec un sens aigu du réel. « Une joie de vivre, à la fois intense et subtile, un luxe sublimé baignent l'univers de ces miniatures. C'est un monde où de nobles dames et de courtois gentilshommes sont éternellement engagés dans des jeux et des divertissements, où les gens du peuple ressemblent à des princesses et à des courtisans déguisés. Il est permis de croire que les traits les plus *modernes* des Heures, tels que l'introduction du costume contemporain dans les scènes bibliques, la représentation de nus, le traitement précis des architectures répondaient aux désirs du mécène éclairé ». (Grete Ring). En fait, ces pages accusent avec une nouvelle vigueur l'essence de l'irréalisme médiéval ; elles sont encore essentiellement formulées selon la poétique du *signe coloré* où l'espace, suggéré par la répartition dynamique des couleurs, demeure « sous-entendu ». Une année à peine sépare les *Heures de Turin*, où l'on a cru reconnaître la main des Van Eyck, et les *Heures de Chantilly* : « l'impressionnisme » des premières (conception aérienne, sentiment du plein-air, technique des valeurs, apparition du clair-obscur) inaugure l'ère moderne, qui brisera la poétique médiévale cependant encore pleine de « possibles », puisqu'aussi bien l'œuvre des Limbourg, loin d'être « décadente », nous en soumet l'un des monuments les plus « classiques ». En promettant la peinture aux mirages de la nature, les Van Eyck ont inscrit les termes d'une nouvelle interprétation du monde ; l'art expressionniste des Limbourg est resté étranger à cette métamorphose. Ce fut donc une fausse vue qui attribua naguère aux Limbourg un rôle décisif dans l'évolution de la peinture flamande. Encore qu'il convienne de noter que, au contact d'un milieu qu'ils assimilèrent parfaitement, les Limbourg ont engendré une œuvre dont le style trahit à peine leurs origines nordiques et appartient, en fait, à l'art français : précieux et raffiné, dominé par un souci d'observation et un goût de l'individuel que traduisent des moyens synthétiques d'une rare élégance, cet art apparaît comme un aboutissement logique du style international (franco-italo-flamand) de la fin du xive siècle dont il se dégage nettement pour affirmer la maturité du génie de l'Ile-de-France. On retrouve les éléments de ce style français et « limbourgien » dans un dessin à la plume inséré dans le manuscrit inachevé de la « Bible moralisée » et figurant *Saint Jérôme dans son cabinet* (Paris, Bibliothèque Nationale, Ms. 166), dessin dont il existe une étude préparatoire à la pointe d'argent (Rotterdam, Musée Boymans) : l'attribution de ces pages aux Limbourg est généralement admise ; on leur donne avec plus de réticence une *Arrestation du Christ*, dessin à la pointe d'argent (Londres, British Museum) ; enfin, une *Vierge au croissant*, miniature insérée dans un Livre de prières de Philippe le Hardi (Bruxelles, Bibliothèque Royale, Ms. 11035) serait, selon F. Lyna, la seule feuille subsistant d'un manuscrit disparu, illustré par les Limbourg. Ajoutons que l'œuvre des Limbourg exerça une influence évidente sur le maître anonyme qui élabora les fameuses *Grandes Heures de Rohan* (Paris, Bibliothèque Nationale), dont on situe l'exécution entre 1420 et 1425. ■ Robert L. Delevoy

Bibliogr. : L. L. Delisle : *Les Livres d'Heures du Duc de Berry*, Gazette des Beaux-Arts, 1884, p. 401 – Hulin de Loo : *Les Très Riches Heures du Duc de Berry*, Bulletin de la Société d'Histoire et d'Archéologie de Gand, 1903, p. 181 – P. Durrieu : *Les Très riches Heures de Jean de France, duc de Berry*, Paris, 1904 – Fierens-Gevaert : *La Renaissance septentrionale et les Premiers maîtres des Flandres*, Bruxelles, 1905 – P. Durrieu : Gazette des Beaux-Arts, 1906, p. 265 – R. Fry : *On two miniatures by the Limbourg*, Burlington Magazine, 1905, p. 435 – F. Winkler : *Paul de Limbourg in Florence*, Burlington Magazine, 1930, p. 95 – F. Lyna : *Un Livre de prières de Philippe le Hardi*, Mélanes Hulin de Loo, Bruxelles, 1931, p. 249 – P. Wescher, Poebus, 1946, p. 33 – Grete Ring : *La Peinture française du xve siècle*, Londres, 1949.

LIMBURG Josef
Né le 10 juillet 1874 à Hanau (Hesse). xixe-xxe siècles. Allemand.
Sculpteur.
Parmi ses œuvres, on cite un groupe de la *Crucifixion*, bronze

(dans l'église catholique de Spandau) et une *Vierge avec anges* (dans l'église catholique de Berlin-Zehlendorf) ainsi que des bustes, parmi lesquels ceux de *Cléo de Mérode*, du *Prince de Wedel*, de *Borries, baron de Munchhausen* et des monuments commémoratifs.
Musées : Grottaferrata : *Pie X* – Rome (Vatican) : *Pie X*.

LIMBURG Michiel D. Van. Voir **LIMBORG**

LIMBURG Paul, Jean et **Armand de**. Voir **LIMBOURG**

LIM CHUL-SOON
Né en 1954. XXe siècle. Coréen.
Peintre.
Il est diplômé de la High School of Music and Art et de l'école des beaux-arts de Séoul, où il vit et travaille.
Il participe à des expositions collectives depuis 1980 très régulièrement à Séoul. En 1987, il a montré une exposition personnelle de ses œuvres à Séoul.
Il peint des espaces dépouillés, en aplats, dans lesquels viennent se perdre quelque motif, une cerise, un corps nu...

LI MEI-SHU
Né en 1902 à San-hsia. Mort en 1983. XXe siècle. Chinois.
Peintre de paysages animés. Postimpressionniste.
Diplômé de l'École japonaise de Taipei, il partit en 1928 poursuivre ses études à l'Institut des Beaux-Arts de Tokyo sous la direction de Okada Saburo. De retour à Taiwan, il exposa et fut l'un des fondateurs de l'Association des Beaux-Arts taiwanaise. En 1973, il participa à la fondation de l'Association de Peinture à l'huile de Chine. Il enseignait à l'Académie Nationale d'Art et à l'Université de Culture Chinoise et présidait l'Association des Beaux-Arts de Chine de 1977 à 1983.
Paysages animés de lavandières et de barques légères sur des eaux dormantes. Tels sont les thèmes fréquents de cette peinture paisible et populiste.
Ventes Publiques : Taipei, 22 mars 1992 : *Paysage de San-Hsia*, h/t (50x65) : **TWD 3 850 000** – Taipei, 18 oct. 1992 : *Grange* 1928, h/pan. (23,4x33) : **TWD 1 045 000** – Taipei, 18 avr. 1993 : *Paysage animé de Sanxia*, h/t (61x73) : **TWD 5 000 000** – Taipei, 10 avr. 1994 : *La campagne*, h/cart. (41x32) : **TWD 1 260 000**.

LIMÉRAT Francis
Né en 1946 à Alger. XXe siècle. Français.
Auteur d'assemblages, illustrateur, graveur. Abstrait.
Il vit et travaille à Paris. Il participe à des expositions collectives depuis 1969, régulièrement à Paris : 1971 Salon de la Jeune Peinture ; 1974 Grands et Jeunes d'Aujourd'hui ; 1976 FIAC (Foire Internationale d'Art Contemporain) ; 1980 Biennale de Paris ; ainsi que : 1977 Foire de Bologne, 1981 musée Bonnat de Bayonne, depuis 1982 Salon de Montrouge... Il montre ses œuvres dans des expositions personnelles : 1978 Maison de la culture d'Amiens, 1981 Centre culturel de Tarbes, 1981-1982 *Ateliers 81-82* au musée d'Art moderne de la Ville de Paris, 1984 musée d'Art moderne de Villeneuve d'Asq et musée des Beaux-Arts de Chartres, 1990 galerie Leif Stahle à Paris ; 1992 galerie Le Troisième Œil à Bordeaux, 1994 *Bois peints* galerie Le Troisième Œil à Bordeaux.
Ayant recours d'abord à des allumettes et en exploitant les propriétés plastiques, il en est venu à utiliser des baguettes, bûchettes, tiges, verges ou planchettes de bois peints, les assemblant en une trame picturale libre. Tissant un réseau de lignes dynamiques, il joue des effets de textures, d'épaisseurs, de volume et laisse apparaître le mur par endroits, le vide participant de la composition de l'œuvre. Son travail évoque, avec des moyens originaux, les recherches constructivistes des années vingt, mais aussi celles de l'Action Painting et du groupe Support-Surface.
Bibliogr. : Catalogue de l'exposition : *Francis Limérat – Œuvres de 1971 à 1984*, Musée des Beaux-Arts, Chartres, 1984.

LIMET Jean François Germain
Né en 1855. Mort en 1941. XIXe-XXe siècles. Français.
Dessinateur de paysages, pastelliste.
Ventes Publiques : Reims, 22 oct. 1989 : *Paysage à l'église*, past. (50x65) : **FRF 4 000**.

LIMET Nicolas
XVIIe siècle. Actif à Dôle en 1633. Français.
Peintre verrier.
Il travailla aux verrières de l'église Notre-Dame de Dôle.

LIMET Pierre
XVIIe siècle. Actif à Dôle en 1676. Français.
Peintre verrier.
Sans doute parent de Nicolas Limet. Peut-être le même artiste que Pierre Limettre cité comme né à Sainte-Marie-aux-Mines au XVIIe siècle.

LIM HAK TAI. Voir **LIN XUEDA**

LIM Kac-keong ou **Lin Kegong**, dit **K. K. Lim**
Né en 1901 à Taipei. Mort en 1992. XXe siècle. Actif depuis 1973 aux États-Unis. Chinois.
Peintre de compositions à personnages.
Il commença ses études au collège St-Stephen de Hong Kong et les poursuivit à l'université de Cambridge en 1924. Par la suite, il fréquenta plusieurs écoles d'art européennes, en France, à Londres, en Suisse. Sa première exposition eut lieu à la Royal Academy de Londres alors qu'il n'avait que vingt-quatre ans. Il exposa dans son pays et aussi aux États-Unis où il vécut à partir de 1973.
Arabesque de couleurs en cascade, son œuvre se réfère peut-être à Van Dongen, lorsqu'il peint ces silhouettes de femmes sous l'eau de *La source*.
Ventes Publiques : Taipei, 22 mars 1992 : *À la source* 1967, h/cart. (61x50) : **TWD 528 000** – Taipei, 18 oct. 1992 : *Les collines du nord de Taiwan* 1971, h/pan. (38x45,5) : **TWD 462 000** – Taipei, 10 avr. 1994 : *Midi à Kulangsoo* 1936, h/cart. (38x45,7) : **TWD 322 500**.

LIMMER Emil
Né le 20 juillet 1854 à Borna. XIXe siècle. Allemand.
Peintre de genre.
Élève de Pauwels à l'Académie de Dresde. Il travailla dans cette ville comme illustrateur de journaux. Il exposa à partir de 1880. On cite de lui : *À la fenêtre*, *Bon conseil*, *Le retour du marché*.

Musées : Brunswick : *Vue de Brunswick*.
Ventes Publiques : Cologne, 13 nov. 1973 : *Le vieux professeur à l'honneur* : **DEM 16 000** – Cologne, 27 juin 1974 : *Le vieux professeur à l'honneur* : **DEM 12 500**.

LIMMER Peter Christian
Né à Copenhague. Mort en 1700 à Celle. XVIIe siècle. Allemand.
Sculpteur sur bois.
Il acquit en 1667 à Celle le droit de bourgeoisie et travailla pour l'église de cette ville de 1681 à 1697 ; il y exécuta une chaire de style baroque, avec figures et ornements.

LIMMER Philipp Johann Conrad
Né le 27 août 1791. Mort le 25 janvier 1868 à Hambourg. XIXe siècle. Allemand.
Peintre.
Il peignit à Hambourg un tableau d'autel, pour la nouvelle église Saint-Paul et fit les peintures décoratives du Théâtre Français. La Société pour l'histoire de Hambourg possède plus de 100 dessins de sa main.

LIMNELL Emanuel
Né le 24 mars 1764 à Karlscrona. Mort le 2 mars 1861 à Stockholm. XVIIIe-XIXe siècles. Suédois.
Peintre.
Élève de l'Académie de Stockholm.
Musées : Norrkoping : *Intérieur de cuisine* – *Le grand prêtre conduit la femme de Pompilius devant l'autel de Cérès* – Stockholm : *La mort de Didon*.

LIMOELAN Victor de
Né au XIXe siècle à Nantes (Loire-Atlantique). XIXe siècle. Français.
Peintre de genre, de portraits, d'architectures.
Élève de Cogniet. Il exposa des peintures et des pastels au Salon, de 1842 à 1866.

LIMON François
Né en 1931 à Gand (Flandre-Orientale). XXe siècle. Belge.
Sculpteur.
Il fut élève de l'académie des beaux-arts de Gand.
Il travaille le bois ou le fer.
Bibliogr. : In : *Dict. biogr. illustré des artistes en Belgique depuis 1830*, Arto, Bruxelles, 1987.

LIMONE Guy
XXe siècle. Français.

Sculpteur, peintre de collages.
Il a réalisé en 1996 une commande publique du ministère de la culture et de la caisse des dépôts à Paris, *Collection rouge*.
Musées : Marseille (FRAC Alpes-Côtes d'Azur) : *24 % des français refusent de se classer à droite ou à gauche* 1988, sculpt.

LIMOSIN, généalogie de la famille
XVIe-XVIIe siècles.
L'histoire de cette famille, la plus célèbre parmi celles des émailleurs de Limoges, présente beaucoup d'obscurités. Des recherches entreprises aux Archives de la Haute-Vienne n'ont pu les élucider entièrement. J. Labarte a dressé la généalogie probable des membres de cette famille :

Limosin François, courtier er aubergiste

Léonard I, *émailleur, né vers* 1505, † *avant* 1577.	**Martin**, *émailleur,* † *vers* 1571.	**Jean I**, *né vers* 1528, † 1610,
Léonard II, *émailleur, né vers* 1550, † *avant* 1625.	*Fille mariée à François Limosin*, † 1579.	**Jean II**, *émailleur, né vers* 1516, † *après* 1646.
Léonard III, Joseph, *émailleur, né entre* 1606 *et* 1615, *vivait en* 1666.	**François II**, *émailleur, né avant* 1554, † 1646.	**Jean III**, *émailleur, vivait en* 1679.

LIMOSIN François II
Né avant 1554 à Limoges. Mort en 1646. XVIe-XVIIe siècles. Français.
Peintre émailleur.
On sait qu'il était le neveu de Léonard II et son cohéritier dans la succession des biens de Léonard I, son grand-oncle, et de Martin, son grand-père. Ses émaux sont signés tantôt François Limosin, tantôt F. L. Il a moins subi que ses oncles Jean II et Léonard II l'influence des de Court. Il a fréquemment reproduit des sujets de Virgile Solis et d'Étienne Delaune. Ses émaux, rehaussés d'or ou posés sur paillon, sont souvent couchés sur des fonds violet foncé, de fines hachures accusent le modelé. Six plaques, conservées au Musée du Louvre, attribuées à un François III, mort avant 1646, sont vraisemblablement de sa main.
Parmi ses oeuvres classées, on mentionne : plaque rectangulaire (1633) : *Neptune sur les Flots* ; plaque ovale : *Orion percé de flèches par Apollon* ; plaque ovale : *Psyché implorant Vénus* ; plaque ovale : *Orphée devant Pluton et Proserpine* ; plaque ovale montée en cuivre doré pour servir de revers à un miroir : *Vénus et l'Amour.*
Ventes Publiques : Paris, 1885 : *Plaque ; Portrait de femme*, émail à fond bleu, attr. : **FRF 1 400** – Arras, 1897 : *Bassin ; La Cène et, au revers : les armes de Charles Quint*, émail translucide : **FRF 6 500**.

LIMOSIN Jehan I, dit **Jean de Limoges**
Né avant 1528 à Limoges. Mort vers 1610. XVIe-XVIIe siècles. Français.
Émailleur.
Certains auteurs affirment qu'il ne fut pas émailleur mais consul vers 1610.

LIMOSIN Jehan II
Né vers 1561. Mort après 1646. XVIe-XVIIe siècles. Français.
Peintre émailleur.
D'après les documents les plus récents, il était fils de Jehan I, frère cadet de Léonard Limosin. On connaît de Jehan II le portrait qu'il fit de Bardon de Brun, fondateur à Limoges de confréries de Pénitents, tableau qu'il exécuta en 1597. À citer encore une girouette émaillée, exécutée pour l'église de Salignac. Elle est signée sur une face : Jehan Limosin, Esmailleur du Roy, 1619 ; de l'autre elle porte les lettres I. L. séparées par une fleur de lys. S'il est, comme on le croit, neveu du grand Léonard, il était trop jeune lorsque celui-ci mourut pour recevoir l'influence du maître. Son style paraît plutôt inspiré par les œuvres de Jean et de Suzanne de Court. Son dessin a beaucoup de vigueur. Les visages de ses portraits ont le profil aigu avec lequel tant de figures furent représentées à la fin du XVIe siècle. Il pratiqua l'émail en grisaille, relevant les figures de ses tableaux par de fines hachures en bistre rouge. Sacrifiant au goût du jour, il a recours aux rehauts d'or, aux paillons étincelants. Il a peint surtout des scènes de chasse sur des fonds verts rehaussés d'or. Il exécuta également quelques pièces de vaisselle émaillée, auxquelles manquent la grâce et le goût que surent donner à leurs œuvres d'autres artistes limosins.
Parmi ses oeuvres classées, on mentionne : *Plat ovale* (fin du XVIe siècle) ; *Esther aux pieds d'Assuérus* ; *Plaque octogone* fin du XVIe siècle ; *Plaque rectangulaire repoussée* fin du XVIe siècle ; *Croix*, fin du XVIe siècle ; *Plat ovale*, fin du XVIe siècle ; *Plat ovale*, fin du XVIe siècle ; *Salière pentagone en piédouche*, garnie en cuivre doré au XVIIe siècle ; *Écuelle* ovale garnie d'argent ; *Plaque circulaire repoussée*, XVIIe siècle ; *Plaque circulaire repoussée*, XVIIe siècle ; *Julie, femme de Pompée* ; *Plaque rectangulaire*, XVIIe siècle ; *l'Amour divin vainqueur de l'Amour profane*.
Ventes Publiques : Paris, 1874 : *Reine de France agenouillée*, émail : **FRF 2 500** – Paris, 1897 : *Psyché traversant le Styx*, émail de couleurs : **FRF 740**.

LIMOSIN Joseph. Voir **LIMOSIN Léonard III**

LIMOSIN Léonard
Né vers 1505 à Limoges. Mort entre janvier 1575 et février 1577. XVIe siècle. Français.
Peintre émailleur, dessinateur et graveur.
Il était fils du courtier et aubergiste François Limosin. Une certaine obscurité entoure les débuts de sa carrière. On croît qu'il fut élève de Nardon Penicaud. Certains biographes le font venir à Fontainebleau en 1528, bien que l'École d'art dirigée par la suite par Rosso et le Primatice n'y existât pas encore. Du reste, les premières œuvres de Léonard témoignent de l'influence allemande. Peintre du Roi dès 1530, mais peu ou mal payé par François Ier, il exécute de nombreux émaux pour les églises ; son talent ne s'y épanouit pas encore. Cependant en 1532, date la plus éloignée de ses travaux signés, il exécute dix-huit plaques d'après la Passion d'Albrecht Durer. Très habile dessinateur, il copie en émaux les estampes du « Maître au Dé » et fait aussi en grisaille une suite de pièces représentant les divers épisodes de la fable de Psyché d'après Raphaël. En 1537 il émaille avec beaucoup de talent des coupes et des échiquiers que l'on peut admirer aujourd'hui au Louvre et qui sont des chefs-d'œuvre du genre. En 1541 il est établi à Limoges avec son frère Martin. Sa renommée est considérable. Ses portraits très appréciés. En 1544, il exécute celui de la reine Claude de France, femme de François Ier, et reproduit également presque toutes les célébrités contemporaines. À cette époque il s'essaye aussi dans la gravure, qui dessert plutôt son talent, privé du prestige de la couleur. En 1545, le peintre Michel Rochetel lui fournit les dessins de la série des douze apôtres qui décorèrent le château d'Anet et furent transférés plus tard à l'église Saint-Père de Chartres. Il dut reproduire plusieurs fois cette suite, dont deux sujets se trouvent aujourd'hui au Louvre. Les émaux dont le château d'Anet s'enorgueillissait attirèrent sans doute l'attention de Diane de Poitiers qui y résidait, car Léonard fut bientôt chargé de faire le portrait de la royale favorite. Il la représente en croupe derrière Henri II. Ce tableau est peut-être le chef-d'œuvre du peintre. L'histoire de Diane fut reprise par lui et répétée presque à l'infini. En 1548, il est nommé valet de chambre du Roy. Il signe ses œuvres : « Léonard Limosin, Esmailleur, Peintre, valet de chambre du Roy ». En 1551, il peint à l'huile : *L'Incrédulité de saint Thomas*, tableau d'autel, que possède le Musée de Limoges. En 1558, Henri II commande à son émailleur deux tableaux destinés à orner deux autels appliqués à des boiseries disposées assez maladroitement en travers de la nef de la Sainte-Chapelle. Henri II voulait que François Ier et Léonore d'Autriche fussent représentés sur l'un de ces tableaux, lui-même et Catherine de Médicis sur l'autre. Cette œuvre, constituée par quarante-six plaques d'émail, fut achevée en un an. Léonard y appliqua tout son talent. A cette époque il exécuta *Une belle Blonde nue* et *Une Déesse à la Table des Dieux*. Il s'agissait encore de Diane de Poitiers. Puis la série des portraits se poursuit : *François II, duc de Guise, Marguerite de Valois, le Cardinal de Lorraine, Amyot* et beaucoup d'autres. Étourdi par le succès et la popularité, Limosin exécute œuvre sur œuvre, travaillant trop vite, et de cette époque date sa décadence. Sous François II, il conserve son titre de « Serviteur de la Chambre du Roy notre Syre et son Maître esmailleur », avec le traitement annuel de 80 livres. Émailleur et

peintre, Léonard fut encore arpenteur et dressa à ce titre des « figures de lieux et tenues », conservées aux Archives de la Haute-Vienne. En 1571, il perd son frère et associé Martin Limosin. Il est nommé consul en même temps que l'émailleur Jean III Penicaud. Les derniers émaux de Léonard Limosin sont datés de 1574. Ils n'ont pas la valeur des précédents. Ce sont des plaques figurant Catherine de Médicis en Vénus, faisant suite à deux autres figurant Henri III en Jupiter, et Charles IX en Apollon. L'œuvre de Léonard Limosin est considérable. On peut évaluer à 1840 les émaux qu'il signa et data entre les années 1532 et 1574. Ce n'est pas seulement leur nombre qui fit la célébrité du peintre, mais leur qualité et leur variété. Avec une grande hardiesse et une grande habileté, il a usé de tous les procédés jusque-là connus dans l'art de l'émailleur ; il les a souvent unis avec bonheur dans une même composition. L'effet de ses émaux est clair, éclatant, harmonieux. Léonard emploie tous les coloris, depuis les bleus vifs qui dominent dans ses œuvres sur les verts et les pourpres, jusqu'aux grisailles sur noir et sur bleu, savamment recouvertes d'un glacis violet ou bleuâtre. Aucun émailleur n'a manié mieux que lui la pointe dans les ombres, ni obtenu un modelé aussi parfait par hachure ou pointillé. Parfois il dessine seulement ses sujets en bistre, au pinceau, sur un fond d'émail blanc, et se contente de glacer le tout en émaux colorés du côté de l'ombre. Il sait choisir ses couleurs suivant la nature des fonds, et ménage des transitions entre les tons les plus vifs et les ombres les plus intenses. Son dessin, influencé par l'École de Fontainebleau, témoigne d'une grande exagération dans l'allongement des formes. On croit que la plupart de ses émaux furent exécutés sur des dessins qui lui étaient fournis par des peintres, Nicolo del Abbate et Étienne de Laulne en particulier. Léonard interprétait ces dessins avec une grande liberté, mais dans ses admirables portraits, il s'appliqua à rendre toute la sincérité naïve des crayons français de l'époque. Par l'ensemble de ses qualités : sûreté du dessin, merveilleuse entente des ressources de l'émail, aisance de l'exécution, activité qui tient du prodige, Léonard Limosin se place en tête des émailleurs de Limoges, et même des émailleurs français de la Renaissance.

Parmi ses oeuvres classées, on mentionne : Plaque rectangulaire (1535) : *Psyché emportée par Zéphyr,* – Tablier double, pliant, pour le tric-trac et les échecs, monté sur bois, composé de vingt plaques (1557), – Cinq plaques. L'une centrale et les quatre autres en trapèze allongé formant encadrement et comprises dans une bordure en bois doré (1543) : *Le Père de Psyché consultant l'oracle d'Apollon,* – Cinq plaques. L'une centrale et les quatre autres en trapèze allongé, formant encadrement et comprises dans une bordure de bois doré : *La Toilette de Psyché,* – Plaque ovale (1550), – *Portrait de Jean Philippe, baron de Rhingrave,* – Plaque ovale (vers 1550) : *Portrait d'homme,* – Plaque rectangulaire (vers 1550) : *Mélanchton* ? Tableau votif dit de la Sainte-Chapelle. Assemblage de vingt-trois plaques d'émail réunies dans une monture en bois (1553), pièce centrale : *La Crucifixion,* – Tableau votif, dit de la Sainte-Chapelle. Assemblage de vingt-trois plaques d'émail réunies dans une monture en bois (1553) : pièce centrale : *La Résurrection,* – Plaque ovale (1555) : *Vénus et l'Amour,* – Plaque rectangulaire (vers 1555) : *Neptune et Doride,* – Tableau en forme de cuir découpé, composé de neuf plaques d'émail montées en bois doré (1556) : *Portrait d'Anne de Montmorency,* – Plaque ovale (1557) : *François de Lorraine, duc de Guise,* – Plaque circulaire (antérieure à 1559) : *Henri II roi de France,* – Tableau composé de neuf plaques : une grande et huit petites servant d'encadrement : *Saint Thomas, sous les traits de François Ier* (antérieur à 1559), – *François II, roi de France* (plaque ovale, postérieure à 1560), – Plaque rectangulaire (1565 à 1568) : *Catherine de Médicis,* et deux personnages inconnus, – Plaque concave ovale (1572) : *Scène de famille,* – Plaque ovale concave (1572) : *La Chasse,* – Plaque rectangulaire (fin de Léonard) : *Portrait de Françoise d'Orléans, princesse de Condé,* – Plaque rectangulaire (fin de Léonard) : *Hippolyte,* – Plaque rectangulaire (fin de Léonard) : *Buste de Femme,* – Plaque rectangulaire (fin de Léonard) : *Un concert.*

Parmi les oeuvres classées de son atelier : Deux plaques rectangulaires sur trois côtés cintrées en dedans sur le quatrième, même sujet pour chacune : *Une Sybille ?,* – Deux plaques rectangulaires : même sujet pour chacune : *Colonne de Trophées,* – Plaque ovale : *Siège d'une ville,* – Quatre assiettes : Le Mois de Janvier, Le Mois de Mars, Le Mois d'Avril, le Mois de Juin, – Assiette : *Adam et Ève,* – Coupe plate portée sur un piédouche : *Psyché transportée par Zéphyr,* – Coupe avec son couvercle : *Sacrifice de Noé après la sortie de l'Arche,* – Coupe avec son couvercle : *Dieu apparaissant à Abraham,* – Gobelet à pied : *La Création de l'Homme.*

Bibliogr. : P. Lavedan : Léonard Limosin, coll. Les Grands Artistes, 1913.

Musées : Limoges (A. Dubouché) : *Les douze apôtres – Anne de Montmorency – L'incrédulité de saint Thomas* – Paris (Mus. du Louvre) : *Saint Paul – Eléonore d'Autriche – Anne de Montmorency.*

Ventes Publiques : Paris, 1859 : *Plaque ; la vendange,* émail colorié, rehaussé d'or : **FRF 7 400** ; *Plaque ; Le cortège funèbre de Psyché,* émail colorié, rehaussé d'or : **FRF 4 400** – Paris, 1861 : *Portraits de François Ier et de Claude de France,* émail : **FRF 52 500** ; *Portrait de Jean duc de Bourbon,* émail : **FRF 17 700** – Paris, 1884 : *Le banquet des Dieux : portraits de Henri II, de Catherine de Médicis, de Diane de Poitiers et du connétable Anne de Montmorency,* émail, plat ovale : **FRF 183 750** – Londres, 1892 : *Portrait de Charles IX ; Portrait d'Elisabeth d'Autriche* 1573, deux émaux : **FRF 78 750** ; *Portrait du cardinal de Guise ; Portrait de la duchesse de Guise, sa mère,* deux émaux sur fond bleu : **FRF 76 125** – Londres, 1899 : *Portrait d'homme,* émail sur fond bleu, chairs colorées : **FRF 31 000** – Londres, 12 mai 1938 : *Portrait d'homme,* attr. : **FRF 10 000** – New York, 20 avr. 1939 : *Le comte de Montpensier* : **USD 1 500** – Paris, 1er avr. 1965 : *Tableau d'autel* : **FRF 17 000**.

LIMOSIN Léonard II

Né vers 1550 à Limoges. Mort vers 1625. XVIe-XVIIe siècles. Français.

Peintre émailleur.

Il était le fils de Martin Limosin, on croit qu'il fut élève et aide de son oncle Léonard I, dont il conserva l'atelier avec son neveu François II. Sa sœur avait épousé François Limosin, membre d'une autre branche de cette famille. Il paraît avoir occupé dans l'atelier le rôle qu'y occupait son père. On sait qu'il exécuta entre 1576 et 1580 plusieurs peintures pour les registres et les panonceaux de la Confrérie du Saint-Sacrement. À cette époque, l'atelier Limosin, victime de la concurrence, semble éloigné de la prospérité, puisque les deux associés, vers 1570, sont poursuivis pour le paiement d'une rente et qu'une de leurs maisons est hypothéquée à cet effet. Les œuvres authentiques de Léonard II Limosin sont très rares. Il les signe tantôt L. Limosin, tantôt L. L... Lui aussi semble avoir subi l'influence des de Court. Le Musée de Limoges possède de lui une pièce émaillée représentant saint Martial prié par les notabilités de Limoges.

LIMOSIN Léonard III ou **Joseph**

Né entre 1606 et 1615. Mort après 1666. XVIIe siècle. Français.

Émailleur.

On sait peu de choses sur cet émailleur, sauf qu'il est nommé parmi les héritiers du grand Léonard. On suppose qu'il était arrière-neveu de celui-ci et fils de Léonard II. Le Musée du Louvre possède deux salières signées de cet artiste. Son style semble avoir été influencé par celui des de Court. Il modèle ses figures, exagérément allongées, par hachures en bistre roux. Il abuse un peu, comme les émailleurs de son temps, des rehauts d'or et des paillons sous les vêtements des personnages.

Parmi ses oeuvres classées, on mentionne deux salières en forme de piédouche, à six pans, base et faîte circulaires, aux Musées du Louvre et d'Amsterdam.

LIMOSIN Martin ou **Martial**

Mort vers 1571 à Limoges. XVIe siècle. Français.

Peintre émailleur.

Associé de Léonard, son frère, il figure avec lui dans tous les actes de la profession et de la propriété. On pense qu'il mourut vers 1571. Il semble avoir été plus spécialement chargé de l'exécution matérielle des émaux dessinés par Léonard. On ne cite pas de pièces de lui.

LIMOUSE Roger Marcel

Né le 19 octobre 1894 à Collo. Mort en 1990. XXe siècle. Actif depuis 1919 en France. Algérien.

Peintre de compositions animées, figures, intérieurs, natures mortes, fleurs.

Employé de l'administration de Tunis, il quitta son emploi et la ville en 1919, pour venir étudier la peinture dans l'atelier de P. A. Laurens, à l'académie Julian. Il fut reçu en 1922 au concours de professorat des écoles de la Ville de Paris. Il eut l'occasion de

nombreux voyages en Italie, Norvège, Hollande, Belgique, Espagne, Maroc.
Il exposa avec les peintres de la Réalité poétique, notamment dans une exposition collective rétrospective en 1956. En 1933, il obtint le prix des Vikings avec *Les Crustacés*. Il expose à Paris, aux Salons des Artistes Français, des Indépendants, d'Automne et des Tuileries.
René Huyghe classe cet artiste délicat parmi ceux qu'il nomme les conciliateurs. En effet, après la fièvre des recherches fauves et cubistes, il semble que toute une génération à des titres divers ait recherché la sécurité et le repos d'un art rallié à l'apparence extérieure. Pour sa part, Limouse ne dédaigne pas de tenir compte des acquisitions des fauves. Bonnard aussi parlait à son cœur, sensuel et intime. C'est un décorateur, son pinceau transmue le corps de la femme en une fleur éclatante et délicate à la fois.

R Limouse

Bibliogr. : René Huyghe : *Les Contemporains*, Tisné, Paris, 1949 – Bernard Dorival : *Les Peintres du xxe siècle*, Tisné, Paris, 1957.
Musées : Paris (Mus. d'Art Mod. de la Ville) : *Le Dolman de hussard – Le Fauteuil jaune – Le Toréador.*
Ventes Publiques : Paris, oct. 1945-juil. 1946 : *Le Port de Begen* 1933, dess. : **FRF 3 500** – Paris, 12 déc. 1946 : *Intérieur* : **FRF 14 000** – Paris, 17 juin 1949 : *Nature morte* : **FRF 19 000** – Paris, 25 fév. 1954 : *Vase de fleurs* : **FRF 57 000** – Paris, 27 mars 1974 : *Bouquet de fleurs devant la fenêtre* : **FRF 8 000** – Versailles, 12 mai 1976 : *Pichet de fleur et nature morte aux fruits*, h/t (50x60) : **FRF 2 350** – Paris, 10 juil. 1983 : *Fruits*, h/t (54x46) : **FRF 12 000** – Londres, 26 mars 1985 : *Menton*, h/t (81,5x100) : **GBP 5 000** – Lokeren, 19 avr. 1986 : *Femme arabe assise* 1939, h/t (100x81) : **BEF 130 000** – Paris, 23 nov. 1987 : *Nature morte*, h/t (50x60) : **FRF 35 000** – Paris, 21 avr. 1988 : *Fleurs et fruits sur la table*, h/t (89x118) : **FRF 50 000** ; *Homard et tourteau*, h/t (54x73) : **FRF 8 000** – Paris, 23 juin 1988 : *La corbeille* 1976, h/t (60x73) : **FRF 41 000** – Versailles, 23 oct. 1988 : *Vase de fleurs sur la table*, h/t (73x54) : **FRF 34 000** ; *Le bistro sur le port*, h/t (81x100) : **FRF 53 000** – Versailles, 6 nov. 1988 : *Paysage de Menton*, h/t (81x100) : **FRF 41 000** ; *Jeune femme berbère dans un intérieur* 1937, h/t (55x38) : **FRF 6 500** – Paris, 16 déc. 1988 : *Nature morte aux fruits*, h/t (46x55) : **FRF 23 000** – Paris, 17 avr. 1989 : *Nature morte*, h/t (46x61) : **FRF 28 000** – Le Touquet, 14 mai 1989 : *Le Bistrot sur le port*, h/t (81x100) : **FRF 90 000** – Paris, 11 oct. 1989 : *Nature morte au bouquet*, h/t (92x73) : **FRF 65 000** – Calais, 10 déc. 1989 : *Jeune femme pensive*, h/pan. (24x19) : **FRF 15 000** – Paris, 20 fév. 1990 : *Intérieur au bouquet* 1940, h/t (93x73) : **FRF 110 000** – New York, 21 fév. 1990 : *Bateaux*, h/t (81,4x100,4) : **USD 31 900** – La Varenne-Saint-Hilaire, 20 mai 1990 : *Le fauteuil jaune*, past. (16x19) : **FRF 5 200** – Le Touquet, 11 nov. 1990 : *Port méditerranéen* 1932, h/t (65x92) : **FRF 40 000** – Neuilly, 7 avr. 1991 : *Port provençal* 1932, h/t (65x92) : **FRF 50 000** – Paris, 21 fév. 1992 : *Composition au bouquet de fleurs*, h/t (61,5x50) : **FRF 20 000** – Paris, 6 avr. 1993 : *Nature morte* 1943, h/t (60x73) : **FRF 18 000** – Paris, 19 nov. 1993 : *Village au bord de la mer* 1976, h/t (60x73) : **FRF 25 000** – Paris, 22 nov. 1994 : *Le port de Cassis* 1932, h/t (65x92) : **FRF 28 000** – Londres, 20 mars 1996 : *Le Pot bleu* 1950, h/t (60x73) : **USD 1 495** – Paris, 29 nov. 1996 : *Bouquet de fleurs*, h/t (74x60) : **FRF 6 000** – Calais, 15 déc. 1996 : *Nature morte aux fruits*, h/t (38x55) : **FRF 9 600** – Paris, 25 mai 1997 : *Paysage*, h/pap. mar./t. (47x61) : **FRF 6 000**.

LIMPACH Jacob
Originaire de Prague. xviiie siècle. Éc. de Bohême.
Graveur.
Il travailla à Rome pour l'imprimerie du Vatican. Il était le frère de Maximilien Joseph Limpach.

LIMPACH Maximilian Joseph
Originaire de Prague. xviiie siècle. Éc. de Bohême.
Graveur.
Il travailla à Rome, à l'imprimerie du Vatican. On cite de sa main une série de gravures d'ornements de cent planches d'après G. Giardini.

LIN. Voir aussi **LYN**

LIN Hans ou **Hermann** ou **Lint**, pseudonyme : **Stilheid**
Né en 1630 à Utrecht. Mort après 1670. xviie siècle. Hollandais.
Peintre de batailles, scènes de chasse, paysages animés, graveur.
Il est quelquefois appelé Hans ou Jean et parfois aussi confondu avec Hendrik Van Lint ; il travailla à Utrecht où il fut inspecteur de 1659 à 1667 et doyen de la gilde de 1668 à 1670 ; en 1668, il reçut le droit de cité à Utrecht. Ses peintures sont souvent signées H. V. L. On cite deux estampes d'animaux de lui.

H. L. Lin fe 1650 H. V. Lin Se. 1664.

Musées : Dresde : *Combat de cavalerie devant un fort – Équipage de chasse – Repos des chasseurs* – Karlsruhe : *Bataille devant Rome* – Munich : *Pillage des soldats morts sur un champ de bataille* – Schwerin : *Bataille de cavaliers en montagne* – Sienne : *Bataille de cavaliers* – Vienne (Czernin) : *Quatre petits paysages avec animaux.*
Ventes Publiques : Paris, 1886 : *Choc de cavalerie* : **FRF 610** – Paris, 13 juin 1978 : *Halte des chasseurs* 1649, h/pan. (71x91) : **FRF 48 000** – Londres, 4 mai 1979 : *Cavaliers jouant aux cartes* 1651, h/pan. (44,4x61,5) : **GBP 3 800** – New York, 21 mai 1992 : *Escarmouche de cavalerie*, h/pan. (16,8x21,6) : **USD 11 000** – Saint-Jean-Cap-Ferrat, 16 mars 1993 : *Scène orientale de combat*, h/t (94x140) : **FRF 105 000** – Londres, 7 déc. 1994 : *Engagement de cavalerie*, h/t (60,5x96,6) : **GBP 7 475**.

LIN Johannes Josephus Nicolaus de. Voir **DELIN**

LIN Richard, pseudonyme de **Lin Show Yu**
Né en 1933 à Taiwan. xxe siècle. Actif depuis 1952 et depuis 1963 naturalisé en Angleterre. Chinois.
Peintre. Abstrait.
En 1949, il quitte Taiwan pour Hong Kong, puis il part en Grande-Bretagne en 1952, où il se fixe.
Il participe à de nombreuses expositions collectives, dont la Documenta de Kassel en 1964. En 1959, il montre ses œuvres à Londres pour la première fois, exposition suivie de quelques autres en 1961, 1964, 1970... Il expose également à New York, Rome, Bruxelles, Zurich.
Comme pour de nombreux Asiatiques, les correspondances entre calligraphie et peinture gestuelle ont profondément influencé sa peinture et c'est par une abstraction lyrique qui se souvenait des signes orientaux qu'il commence. Pourtant, de cette peinture de spontanéité naît plus tard une autre peinture, toujours abstraite mais plus structurée, d'une géométrie assouplie.
Ventes Publiques : Breda, 26 avr. 1977 : *Yellow, white and grey*, h/t (96x101) : **NLG 3 400** – Lokeren, 23 mai 1992 : *« Et cela arriva... »* 1970, alu. et h/t (76x102) : **BEF 50 000** – Amsterdam, 1er juin 1994 : *De « BPG » à « ER »*, alu. et h/t (96,5x101,6) : **NLG 3 220**.

LINAAE Paul
Né en 1791 à Langesund. Mort en 1866 à Porsgrund. xixe siècle. Norvégien.
Peintre de paysages et de marines.
Il était élève de l'Académie de Stockholm.

LINAIUOLO Berto ou **Linajuolo**. Voir **BERTO Linaiuolo**

LINARD Henri
Né le 15 août 1906 à Beaune (Côte-d'Or). xxe siècle. Français.
Peintre de fleurs, paysages.
Il participa à Paris, au Salon des Artistes Français, dont il devint membre sociétaire, et du Salon d'Hiver.
Surtout peintre de fleurs, il peint aussi des paysages dans la brume.

LINARD Jacques
Né vers 1600. Mort en 1645. xviie siècle. Actif à Paris. Français.
Peintre de natures mortes, fleurs et fruits.
La connaissance de ce peintre du xviie siècle est encore très récente. Actuellement sont répertoriées une vingtaine de natures mortes, signées de lui, et datées de 1627 à 1644. Sa signature elle-même a donné lieu à des conjectures. En effet, le nom de Linard est tantôt écrit en italique, tantôt en capitales romaines ; quant au prénom, il est soit indiqué par un J, soit par Is (pour Iacques). On a pu retrouver sa trace à partir de 1627, travaillant d'abord dans l'Ile de la Cité, puis dans le quartier de Saint-Nicolas-des-Champs. Il épousa la fille d'un peintre. Il fut titulaire du titre de peintre et valet de chambre du Roi. Ses natures mortes représentent le plus souvent des plats parés de

fruits ; des corbeilles ornées de fleurs, primevères, tulipes, anémones ; mais aussi des compositions plus élaborées dans l'esprit de ce que l'on nommait des « Vanités » : *Les cinq sens au paysage*, de 1638, au Musée de Strasbourg ; et surtout : *Voilà comment tous nos beaux jours deviennent*, de 1644, et qui paraît avoir été la dernière œuvre qu'il peignit. Certains critiques avaient cherché à voir en lui un peintre d'origine flamande, formé par l'exemple de peintres de fleurs dans la suite de Brueghel de Velours, les Boschaert par exemple. ■ J. B.

Bibliogr. : Charles Sterling : *Catalogue de l'exposition « Les peintres de la réalité en France au XVIIe siècle »*, Musée de l'Orangerie, Paris, 1934 – M. H., in : *Diction. Univers. de l'Art et des Artistes*, Hazan, Paris 1967.

Musées : Athènes (Pina.) : *Nature morte de fruits* 1629 – Même sujet, même date – Paris (Mus. du Louvre) : *Panier de fleurs* – Strasbourg : *Les cinq sens au paysage* 1638.

Ventes Publiques : Copenhague, 14 avr. 1970 : *Nature morte* : **DKK 27 500** – Paris, 23 nov. 1972 : *Nature morte : les cinq sens* : **FRF 380 000** – Versailles, 16 juin 1976 : *Femme aux fleurs*, h/pan. (113x89) : **FRF 91 000** – Paris, 17 juin 1980 : *Coupe de fruits et noix posées sur une table ; Vase de fleurs, fleurs et papillons posés sur un entablement*, h/métal, deux pendants (9,5x16,5 et 9,3x 16,6) : **FRF 190 000** – New York, 14 jan. 1988 : *Nature morte d'un panier de fruits et légumes disposés sur une nappe rouge*, h/pan. (56,5x76,5) : **USD 61 600** – Paris, 14 avr. 1989 : *Nature morte aux fleurs, huîtres, poissons et homard*, h/t (59x77,5) : **FRF 220 000** – Londres, 21 avr. 1989 : *Pêches dans un compotier d'argent sur un entablement*, h/pan. (32,4x43,5) : **GBP 154 000** – Paris, 22 juin 1990 : *Nature morte avec citrons et oranges dans une coupe en faïence posée sur une boîte de copeaux*, h/t (44,2x47,5) : **FRF 400 000** – Londres, 11 avr. 1990 : *Nature morte avec des coquillages, une branche de corail et un coffret de bois* 1640, h/t (53,5x62) : **GBP 385 000** – New York, 30 mai 1991 : *Nature morte de coquillages exotiques et d'une branche de corail sur un entablement*, h/pan. (19,5x22) : **USD 71 500** – Paris, 10 fév. 1992 : *Vanité au papillon*, h/pan. (32,5x43) : **FRF 450 000** – Paris, 29 mars 1993 : *Corbeille de raisins, pêches et grenades avec des figues sur un entablement*, h/t (52x53) : **FRF 580 000** – Paris, 17 déc. 1993 : *Nature morte à la boîte de copeaux et aux coquillages* 1640, h/pan. (36,5x54) : **FRF 1 080 000** – Paris, 29 mars 1994 : *Nature morte aux fleurs, huîtres, poisson et homard*, h/t (59,5x78) : **FRF 190 000** – New York, 19 mai 1995 : *Nature morte de pêches et cerises avec des roses et des tulipes dans un vase de verre sur une boîte de bois*, h/pan. (47x36,8) : **USD 112 500** – New York, 30 jan. 1997 : *Primevères dans une corbeille en osier avec un pétale et deux feuilles sur une table de pierre*, h/pan. (46,4x63,5) : **USD 112 500**.

LINARD Jacques

Né en 1931 à Nancy (Meurthe-et-Moselle). XXe siècle. Français.

Peintre, graveur.

Il vit et travaille à Nancy.

Il a participé, en 1992, à l'exposition *De Bonnard à Baselitz – Dix Ans d'enrichissement du cabinet des estampes 1978-1988* à la Bibliothèque nationale, à Paris.

Musées : Paris (BN) : *Racine* 1982.

LINARD Jean

XXe siècle. Français.

Artiste, sculpteur, céramiste. Art-brut.

Il étudia la gravure, la céramique et la sculpture. Il s'est consacré durant de nombreuses années à la réalisation d'une maison, puis d'une « cathédrale » ornée de céramiques multicolores, de somptueuses rosaces en verre et morceaux de miroir, de sculptures peintes. Travaillant seul, sans plan, Linard exprime sa foi « à travers la céramique, le ciment, la terre, le verre... », mêlant les styles et les références. Cette « création » fait songer au « Palais idéal » de ce travailleur infatigable que fut le Facteur Cheval.

Bibliogr. : Claude Arz, in : *Guide de la France insolite*, Hachette, Paris, 1990 – Claude Arz : *Jean Linard*, Artension, n° 35, Rouen, avr.-mai 1992.

LINARES Felipe

Né le 18 juin 1936. XXe siècle. Mexicain.

Sculpteur.

Il invente des figures à tête de mort qui lui ont été inspirées par les visions de son père agonisant : « il voyait des figures étranges, à tête de mort, danser autour de lui pour l'emporter. Il nous confia ses rêves, et nous reproduisons depuis ces figures de rêve, leur donnant le nom d'*alebrijes*, mot inventé, aussi irréel que l'étaient ces créatures oniriques ». Pour donner corps à ces inventions, il emploie des matériaux brillants et des couleurs très vives.

Bibliogr. : Catalogue de l'Exposition : *Magiciens de la terre*, Centre Georges Pompidou et la Grande Halle de La Villette, Paris, 1989.

Musées : Paris (FNAC) : *Sans titre (9 monstres) – Sans titre (2 monstres)*.

LINARES Francisco

Mort en 1575. XVIe siècle. Actif à Tolède. Espagnol.

Sculpteur.

Il sculpta les statues du poète *Garcilaso de la Vega* et de son fils *Garcilaso de la Vega y Zuniga* pour l'église du monastère de Saint-Pierre martyr.

LINARES FERNANDEZ Juan Hidalgo

Né le 29 août 1880 à Séville. XXe siècle. Espagnol.

Peintre de paysages, scènes typiques.

Il fut élève de Fernando Tirado et de Andres Pariadi, à l'école des beaux-arts de Séville. Il participa à de nombreux salons, notamment en 1904, à celui de la Société Nationale des Beaux-Arts, où il obtint une mention honorable.

Bibliogr. : In : *Cien Anos de pintura en Espana y Portugal, 1830-1930*, Antiqvaria, t. IV, Madrid, 1990.

LINARET Georges Florentin

Né en 1878. Mort en 1905 à Paris. XIXe-XXe siècles. Français.

Peintre de figures.

À l'atelier Moreau, ami de Laprade et de Puy, il aurait tenu sa place parmi les Matisse, Rouault, Derain et son talent était fort considéré déjà de ses condisciples, lorsqu'il mourut prématurément en copiant Rubens au Louvre.

Sa touche était solide et rapide.

Ventes Publiques : Paris, 6 fév. 1929 : *Le château de Cinq-Mars*, pl. : **FRF 280**.

LINAZASORO Y ALMELA Agustin

Né à Madrid (Castille). XXe siècle. Espagnol.

Peintre de scènes typiques, compositions animées.

Il fut élève d'Alejandro Ferrant et de l'école des beaux-arts de Madrid. Il participa au Salon de la Société Nationale des Beaux-Arts de Madrid de 1887, présentant un *Mendiant*.

Bibliogr. : In : *Cien Anos de pintura en Espana y Portugal, 1830-1930*, Antiqvaria, t. IV, Madrid, 1990.

L'INCARNATINI

XVIe-XVIIe siècles. Travaillant probablement à Rome. Italien.

Peintre.

Il était parent de Romanelli et fut son premier maître.

LINCE Marcel de

Né en 1886 à Oupey. Mort en 1958. XXe siècle. Belge.

Peintre.

Il fut élève d'A. de Witte et d'E. Berchmans à l'académie des beaux-arts de Liège.

M. de Lincé

Bibliogr. : In : *Dict. biogr. des artistes en Belgique depuis 1830*, Arto, Bruxelles, 1987.

Musées : Liège – Namur.

Ventes Publiques : Liège, 11 déc. 1991 : *Rue Roture*, h/t (92x70) : **BEF 135 000**.

LIN CHAN. Voir **LIN SHAN**

LIN CH'I. Voir **LIN QI**

LIN CHIH-FAN. Voir **LIN ZHIFAN**

LIN CHOU. Voir **LIN SHU**

LIN CHÜAN-A. Voir **LIN JUANA**

LIN CHUN. Voir aussi **LIN JUN**

LIN CHUN ou **Lin Ch'un** ou **Lin Tch'ouen**

Originaire de Qiantan, province du Zhejiang. XIIe siècle. Actif dans la seconde moitié du XIIe siècle. Chinois.

Peintre.

Membre de l'Académie de Peinture de Hangzhou, vers 1174-1189, c'est un peintre de fleurs et d'oiseaux, dans le style de Zhao Chang (actif début IXe siècle). Le Musée du Palais de Pékin conserve : *Oiseau sur une branche de pêcher*, feuille d'album signée, et le National Palace Museum de Taipei : *Dix pies sur un pin de la falaise*, signé.

LINCK, les ou **Lingg** ou **Link**
XVIe-XVIIe siècles. Suisses.
Peintres verriers.
Ils travaillèrent en Suisse, en Alsace et en Bade, où se trouvent encore nombre de leurs œuvres.

LINCK. Voir aussi **LINK**

LINCK Ernst
Né en 1874 à Windisch. XIXe-XXe siècles. Suisse.
Peintre de paysages, figures.
MUSÉES : BERNE : *Temps d'avril* – *Lansquenet*.

LINCK J. Friedrich
XIXe siècle. Actif à Berlin. Allemand.
Dessinateur, peintre et graveur.
Il publia douze cahiers de quatre planches *Vues de Potsdam et ses environs*.

LINCK Jean Antoine
Né le 14 décembre 1766 à Genève. Mort le 20 septembre 1843 à Genève. XVIIIe-XIXe siècles. Suisse.
Peintre de paysages, graveur.
Fils du graveur Jean Conrad Linck. À l'exposition de peinture à Genève en 1789, il envoya une *Vue du Saut d'Arpenaz* et une *Cascade de Pissevache* ; à celle de 1816, il montra : *Vue du Mont-Blanc* ; et en 1820 : *Vue de Servaz* et *Vue du pont Pélissier*.
Il se spécialisa dans les vues de montagne, paysages souvent grandioses, montrant de grands espaces où, sur le ciel clair, se découpent des sommets neigeux.
BIBLIOGR. : Gérald Schurr, in : *Les Petits Maîtres de la peinture 1820-1920, valeur de demain*, Les Éditions de l'Amateur, t. VI, Paris, 1985.
VENTES PUBLIQUES : PARIS, 1812 : *Paysage avec animaux*, dess. colorié : **FRF 62** – BERNE, 22 oct. 1976 : *Paysage à la cascade*, gche (37x29,5) : **CHF 2 400** – LONDRES, 21 fév. 1978 : *Vue du Mont-Blanc, des montagnes environnantes et de Genève, prise depuis Morisson*, gche (25,7x38) : **GBP 3 800** – GENÈVE, 8 oct. 1980 : *Vue du château de Vufflens*, aquar. (14x20,5) : **CHF 3 000** – LONDRES, 23 juin 1983 : *Vue du glacier de Bosson* ; *Vue de la source de l'Arveron*, gche, une paire (40x49,5) : **GBP 5 000** – LONDRES, 19 juin 1986 : *Voyageurs dans un paysage alpestre* 1812, aquar. et gche (55,8x74,3) : **GBP 4 200** – PARIS, 21 mars 1990 : *Paysages de montagne*, paire d'aquar./pap. (17x22) : **FRF 40 000** – ZURICH, 8 déc. 1994 : *Vue de Lausanne* ; *Vue de Morges*, eau-forte aquarellée, une paire (chaque 41x52) : **CHF 6 325** – ZURICH, 30 nov. 1995 : *Vue du lac de Chede et du Mont-blanc*, eau-forte en coul. (41,5x52,5) : **CHF 8 050**.

LINCK Jean Conrad
Né vers 1735 à Erlangen. Mort le 29 avril 1801 à Genève. XVIIIe siècle. Suisse.
Graveur et peintre d'émaux.
Il fut reçu habitant de Genève le 7 décembre 1763. Père et professeur de Jean Antoine et Jean Philippe Linck.

LINCK Jean Philippe, le Jeune
Né le 25 janvier 1770 à Genève. Mort le 16 octobre 1812 à Montbrillant. XVIIIe-XIXe siècles. Suisse.
Peintre à la gouache et graveur sur cuivre.
Frère de Jean Antoine Linck. Il travailla dans l'atelier de son frère et grava son œuvre. De lui aussi deux cahiers de vues des montagnes suisses et du Mont-Blanc. Il illustra l'ouvrage de Salt : *Voyage en Abyssinie*.

LINCK Konrad Franz
Né le 16 décembre 1730 à Spire. Mort le 13 octobre 1793 à Mannheim. XVIIIe siècle. Allemand.
Sculpteur et modeleur.
Élève de son père, également sculpteur, puis de l'Académie de Vienne. Il travailla aux statues pour Sans-Souci chez G. F. Ebenhecht, puis s'établit à Mannheim, où il exécuta des œuvres diverses, parmi lesquelles de nombreux tombeaux.
MUSÉES : HEIDELBERG : *Charles Théodore* – MANNHEIM (Château) : *Bacchantes avec un bouc*.

LINCK Walter
Né en 1903 à Berne. XXe siècle. Suisse.
Sculpteur.
Il fit ses études artistiques en Suisse, puis à l'académie des beaux-arts de Berlin. Il vint travailler à Paris, de 1930 à 1939, retournant ensuite à Berne, sauf en 1956-1957, quand il enseigna à l'académie des beaux-arts de Kassel.
Jusqu'en 1950, il réalisait des sculptures figuratives, dans lesquelles la forme était toutefois subordonnée à l'expression du mouvement. À partir de 1950, il abandonna la figuration et adoptant le métal comme matériau, construisit d'élégants assemblages de formes géométriques simples, utilisant les propriétés cinétiques des matériaux métalliques, essentiellement les mouvements produits par l'effet de ressort, soit qu'il résulte d'un simple souffle d'air, soit qu'un jet d'eau ne le provoque. Tiges, ressorts, boules, spirales évoluant avec une apparente spontanéité définissent l'espace qu'ils parcourent.
BIBLIOGR. : Frank Popper : *Naissance de l'art cinétique*, Gauthier-Villars, Paris, 1967 – Franz Meyer, in : *Nouv. Dict. de la sculpture mod.*, Hazan, Paris, 1970.

LINCKE
XVIIIe-XIXe siècles.
Peintre de miniatures.
VENTES PUBLIQUES : LONDRES, 1882 : *Portrait de femme en robe bleue*, miniat. : **FRF 918** ; *Portrait du prince Charles Murat*, miniat. : **FRF 5 250** ; *Portrait du même personnage en habit rouge*, miniat. : **FRF 1 100**.

LINCKE Johann August ou **Lingke**
Né en 1764 ou 1769 à Zittau. Mort en 1842 à Dresde. XVIIIe-XIXe siècles. Allemand.
Peintre d'histoire, portraits, paysages.
Fils et élève d'un Johann David Lincke, également peintre à Zittau. Il s'installa à Dresde. La Bibliothèque de Zittau conserve de lui : *Bethsabée* et *Le Christ au Mont des Oliviers*.

LINCKE Karl Ludwig
Né le 22 octobre 1822 à Berlin. Mort avant 1886 à Berlin. XIXe siècle. Allemand.
Paysagiste, graveur, aquarelliste et dessinateur.
Élève de l'Académie de Berlin et du graveur Heim Fincke. Il ressentit l'influence de Ed. Biermann et de F.-W. Schimer. Il peignit de nombreuses vues prises en Allemagne, dans le Tyrol, en Suisse, en Italie, en Sicile. Il exposa à partir de 1861.

LINCKER Ernst
Né le 20 août 1883 à Strasbourg (Bas-Rhin). XXe siècle. Français.
Peintre de portraits, figures, graveur.
Il fut élève de l'école des arts et métiers de Strasbourg et de l'académie des beaux-arts de Munich et remporta le prix Schack pour son triptyque *Amour*.
MUSÉES : HILDESHEIM (Roemer) : *La Mort et l'Enfant* – STRASBOURG : *La Mort et la Mère*.

LINCLER L. de
XVIIe siècle. Français.
Dessinateur.
F. Collignon grava d'après lui des vues de villes françaises. Il signa tantôt de son nom, tantôt de ses initiales suivies de « delineavit ad vivum ».

LINCOLN James Sullivan
Né le 13 mai 1811 à Taunton (Massachusetts). Mort le 19 janvier 1887 à Providence (Rhode Island). XIXe siècle. Américain.
Peintre de portraits et graveur.

LIND Axel
XXe siècle. Danois.
Peintre de paysages.
MUSÉES : MONTRÉAL (Mus. d'Art Contemp.) : *La Nuit tombe sur l'Atlantique* 1954.

LIND Christian Georg
Né le 10 mars 1800 à Copenhague. Mort le 18 mai 1856 à Copenhague. XIXe siècle. Danois.
Peintre.
Élève de l'Académie de Copenhague. Il exposa en 1836 et 1837 des paysages. Il peignit principalement des portraits miniatures dont *Napoléon* et *l'Impératrice de Russie*. On lui attribue quelques gravures sur cuivre en couleur.

LIND Eduard
Né le 28 novembre 1827 à Hambourg. Mort le 12 février 1904 à Marbourg. XIXe siècle. Yougoslave.
Peintre.
Il peignit des portraits de bourgeois de Marbourg, des paysages et des tableaux d'architectures. L'église évangélique de Marbourg lui doit *Le Christ en croix*.

LINDA JANUARY, pseudonyme de **Amba John Linda**
Né en 1947. XXe siècle. Actif en Tanzanie. Mozambicain.

Peintre.
Cousin de Tinga Tinga, il travailla avec lui puis se consacra lui-même à la peinture pendant plusieurs années.
Ses œuvres furent exposées au musée national de Tanzanie, avec celles de son cousin.
Il est connu pour l'expressivité et la violence caractéristique de ses peintures sur carré, s'inspirant des thèmes de son environnement et de la vie quotidienne. On cite de lui la représentation du bateau *Manhattan*.
Bibliogr. : Jutta Stöter-Bender : *L'Art contemporain dans les pays du « tiers-monde »*, L'Harmattan, Paris, 1995.

LINDAHL Karl Barthold
Né en 1861. Mort en 1895. XIXe siècle. Suédois.
Peintre.
Musées : Göteborg : *Portrait du peintre B. Nordenberg.*

LINDAU Dietrich Wilhelm
Né le 19 juin 1799 à Dresde. Mort le 24 septembre 1862 à Rome. XIXe siècle. Allemand.
Peintre d'histoire, sujets de genre, portraits, dessinateur.
Élève de Ferdinand Hartmann à Dresde; ayant obtenu une bourse, il se rendit à Rome en 1821 et s'y fixa. Il exposa à partir de 1825.
Musées : Copenhague (Ny Carlsberg) : dessin à la plume – Copenhague (Thorwaldsen) : *Portrait de Thorwaldsen* – Frederiksborg : *Excursion des artistes à Rome* – Leipzig : *Fête d'automne dans une vigne romaine* – Riga : *Scène de rues en Italie.*
Ventes Publiques : Londres, 10 fév. 1978 : *Les Trois Grâces*, h/t (96,5x127) : **GBP 2 000** – Londres, 26 mars 1982 : *Paysans et abbé à dos d'âne, avec vue de Rome à l'arrière-plan* 1825, h/t (49,5x70) : **GBP 6 000** – Heidelberg, 20 avr. 1985 : *Carriole transportant un bloc de pierre* 1833, cr. (22,7x40) : **DEM 3 600** – Copenhague, 12 nov. 1985 : *Gardians et taureaux devant la pyramide de Cestius à Rome*, h/t (100x130) : **DKK 100 000** – Londres, 30 mars 1990 : *Le Ruban neuf* 1838, h/t (100x86,4) : **GBP 17 050** – Rome, 16 déc. 1993 : *Le Transport du costume*, cr./pap. (25x35) : **ITL 1 380 000** – Londres, 21 nov. 1996 : *Musiciens devant un autel de rue dédié à la Vierge* 1835, mine de pb et aquar. (23,2x30,2) : **GBP 2 990.**

LINDAU Paul
Né le 23 octobre 1881. XXe siècle. Allemand.
Sculpteur.
Il fut élève de l'académie des beaux-arts de Dresde, où il vécut et travailla.
On cite parmi ses œuvres *Mélancolie* pour un parc des environs de Dresde.
Musées : Dresde (Mus. mun.) : *Danseuse* – Dresde (Mus. des Arts et Métiers) : *Buste de la femme du sculpteur.*

LINDAUER Edmond Eugène Émile
Né le 30 juillet 1869 à Paris. XIXe-XXe siècles. Français.
Graveur, médailleur.
Il fut élève de Perrin et de Keltz. Il exposa à Paris, au Salon des Artistes Français. On lui devait l'ancienne pièce de 25 centimes en nickel.

LINDBERG Alf
Né en 1905 à Göteborg. Mort en 1990. XXe siècle. Suédois.
Peintre. Intimiste.
De 1927 à 1931, il fut élève de l'école des beaux-arts de Valand, à Göteborg. Il fit des voyages d'étude en France, Hollande, Espagne.
Il figura à la Biennale de Venise, en 1954.
Il montre ses œuvres dans des expositions personnelles à Stockholm et à Göteborg, notamment en 1944.
Il pratique une peinture intimiste, aux teintes douces, avec une prédilection pour la gamme des verts, parfois fondée sur une construction post-cézannienne. Dans les œuvres plus tardives s'est manifesté un certain expressionnisme dans la touche plus nerveuse.
Bibliogr. : *Peintres contemp.*, Mazenod, Paris, 1964.
Musées : Göteborg – Oslo – Stockholm.
Ventes Publiques : Göteborg, 28 nov. 1973 : *Paysage boisé* : **SEK 4 200** – Göteborg, 7 nov. 1984 : *Maisons*, h/pan. (60x90) : **DEK 10 500** – Stockholm, 7 déc. 1987 : *Chaude journée* 1952, h/t (49x60) : **SEK 29 000** – Göteborg, 18 mai 1989 : *Paysage boisé*, h/t (61x61) : **SEK 29 000** – Stockholm, 22 mai 1989 : *Un alignement de maisons* 1944, h/t (54x65) : **SEK 39 000** – Stockholm, 5-6 déc. 1990 : *Paysage boisé*, h/t (70x104) : **SEK 35 000** – Stockholm, 30 mai 1991 : *Buisson sous un ciel bleu*, h/t (40x47) : **SEK 13 000** – Stockholm, 30 nov. 1993 : *Paysage*, h/t (56x68) : **SEK 30 000.**

LINDBERG Harald
Né en 1901. Mort en 1976. XXe siècle. Suédois.
Peintre de compositions animées, paysages, marines.
Ventes Publiques : Stockholm, 23 avr. 1980 : *Scène de port*, h/t (80x64) : **SEK 9 000** – Stockholm, 25 nov. 1982 : *Le départ pour le travail*, h/t (79x122) : **SEK 36 000** – Stockholm, 23 avr. 1983 : *Scène de ville*, h/t (53x64) : **SEK 15 000** – Stockholm, 6 juin 1988 : *Gamins s'évadant de l'école*, h. (60x49) : **SEK 16 000** – Stockholm, 22 mai 1989 : *Journée d'automne à Kramfors*, h/pan. (32x40) : **SEK 7 200** – Stockholm, 6 déc. 1989 : *Côte rocheuse animée avec un phare à l'arrière-plan*, h/pan. (37x45) : **SEK 17 500** – Stockholm, 13 avr. 1992 : *Marine avec des bateaux par un jour venteux*, h/pan. (24x36) : **SEK 7 200.**

LINDBERG Johan Adolf
Né en 1839 à Stockholm. Mort en 1916. XIXe-XXe siècles. Suédois.
Sculpteur et médailleur.
On voit de lui au Musée de Stockholm, les médaillons de *K. Snoilsky*, de *G.-W. Palm, peintre d'Oscar II*, etc.

LINDBERG Johan Erik
Né en 1873 à Stockholm. XIXe-XXe siècles. Suédois.
Sculpteur, médailleur.
Il est le fils de J. A. Lindberg. Il fut élève de l'école des beaux-arts de sa ville natale, puis vint travailler à Paris. Il fut membre de l'académie des beaux-arts de Stockholm.
Musées : Stockholm (Mus) : *Le Peintre Vils Forsberg* – *Nobel*, médaillons.

LINDBERG Otto
Né en 1880. Mort en 1955. XXe siècle. Suédois.
Peintre de paysages.
Ventes Publiques : Stockholm, 13 avr. 1992 : *Paysage boisé au coucher du soleil* 1924, h/t (54x78) : **SEK 4 700.**

LINDBERG Pehr
XIXe siècle. Suédois.
Peintre de figures et de portraits.
On cite parmi ses œuvres les portraits de *Napoléon Ier* (pastel) et de *Joséphine de Leuchtenberg, épouse d'Oscar Ier*.

LINDBERG Thorsten Harald Frederick
Né le 13 janvier 1878 à Stockholm. XXe siècle. Actif aux États-Unis. Suédois.
Peintre.
Il fut membre de la Ligue américaine des artistes professeurs.

LINDBERG Uno
Né en 1912. XXe siècle. Suédois.
Peintre de natures mortes.
Ventes Publiques : Göteborg, 17 oct. 1989 : *Nature morte de fleurs* 1938, h/t (50x58) : **SEK 3 200.**

LINDBERG Vilhelm Maurits Gustaf
Né en 1852 à Stockholm. XIXe siècle. Suédois.
Sculpteur.
Le Musée de Stockholm conserve de lui *La Vague* (statuette) et *la Brume* (statue), celui de Göteborg *Amours jouant avec un escargot.*

LINDBERGH Alika, pseudonyme de **Lindbergh-Dubois Monique**
Née le 23 décembre 1929 à Liège. XXe siècle. Belge.
Peintre, illustrateur. Tendance surréaliste.
Elle fut élève de l'académie des beaux-arts de Liège. Elle fréquenta André Breton, dont elle publia quatre romans. Outre sa peinture, elle est l'auteur de romans.
Bibliogr. : In : *Dict. biogr. illustré des artistes en Belgique depuis 1830*, Arto, Bruxelles, 1987.
Ventes Publiques : La Trinité-sur-Mer, 3 juin 1979 : *L'île*, h/t : **FRF 7 500.**

LINDBLAD Pär
Né en 1907. XXe siècle. Suédois.
Peintre de figures, paysages.
Ventes Publiques : Stockholm, 6 juin 1988 : *Vu sur la mer*, h. (65x70) : **SEK 3 700** – Stockholm, 22 mai 1989 : *Modèle sur un sofa bleu*, h/t (50x61) : **SEK 6 700** – Stockholm, 6 déc. 1989 : *Pignons de maisons de Paris*, h/t (42x55) : **SEK 14 500** – Stockholm, 14 juin 1990 : *Modèle sur un fond bleu*, h/pan. (41x33) : **SEK 9 700** – Stockholm, 5-6 déc. 1990 : *Jeune fille au chapeau*, h/pan. (38x31) : **SEK 5 000.**

LINDBLOHM Louis Theodor
Né le 27 novembre 1860 à Tula. XIXe-XXe siècles. Russe.

Peintre de scènes de chasse, graveur.
Il étudia à Riga et à l'école des beaux-arts de Weimar, où il se fixa.

LINDE Genaro Jimenez. Voir **JIMENEZ LINDE Genaro**

LINDE Hermann
Né le 26 août 1863 à Lubeck (Schleswig-Holstein). Mort en 1926 à Arlesheim (Suisse). XIXe-XXe siècles. Allemand.
Peintre de paysages, scènes typiques, animaux.
Il est le frère de H. E. Linde-Walther. Il travailla à Etzenhausen, près de Dachau, et visita Tunis, l'Égypte, l'Inde. Il exposa à partir de 1889.
Musées : Aix-la-Chapelle (Suermondt) : *Sur le chemin du retour* – Brême : *Procession aux Indes* – Dachau : *Paysanne de Dachau* – Hambourg (Kunsthalle) : *Le Bénédicité – À Lubeck* – Lubeck : *Deux Lévriers – Savetier arabe* – Munich (Neue Pina.) : *Troupeau de chèvres.*
Ventes Publiques : Cologne, 23 oct. 1981 : *Les Joueurs d'échecs*, h/t (35,5x51) : **DEM 10 000**.

LINDE Hjalmar. Voir **LINDE-JOHANSSON Hjalmar**

LINDE Jan Van der
Né en 1864. Mort en 1945. XIXe-XXe siècles. Hollandais.
Peintre de paysages.
Ventes Publiques : Amsterdam, 5 juin 1990 : *Le « Scheveningen 78 » par mer mauvaise*, h/t (60x100) : **NLG 1 265** – Amsterdam, 5-6 fév. 1991 : *Paysage de polder avec des moulins à vent et une ville au loin*, h/t (50x65) : **NLG 1 380** – Amsterdam, 21 avr. 1993 : *Navigation sur l'Ij avec l'église Saint-Nicolas derrière*, h/t (27x41) : **NLG 1 150**.

LINDE Johann Heinrich
XIXe siècle. Actif à Riga. Russe.
Peintre de portraits et lithographe.

LINDE Matthias von der
XVIIe siècle. Actif à Stettin. Allemand.
Sculpteur sur bois.
Il fit les sculptures du buffet d'orgue de l'église Saint-Jacques de Stettin.

LINDE Ossip L.
XIXe-XXe siècles. Actif aux États-Unis. Russe.
Peintre.
Il étudia à Chicago et fut élève de Laurens à Paris. Il fut membre du Salmagundi Club. Il obtint une mention honorable au Salon de Paris en 1907 et une médaille de troisième classe en 1910.
Musées : Oakland (Art Gal.).
Ventes Publiques : New York, 30 sep. 1985 : *Le vieux pont, Bruges*, h/t (101,8x127,7) : **USD 4 500**.

LINDE Paulino de La. Voir **LA LINDE**

LINDE Wladimir
Né le 15 mars 1862 à Riga. XIXe-XXe siècles. Actif en Allemagne. Russe-Letton.
Peintre d'intérieurs, natures mortes, paysages, marines.
Il travailla à Hambourg et Munich. Il fut aussi restaurateur de tableaux.

LINDE-JOHANSSON Hjalmar ou **Linde**
Né en 1864. Mort en 1948. XIXe-XXe siècles. Suédois.
Peintre de paysages.
Ventes Publiques : Göteborg, 18 mai 1989 : *Journée d'été dans la cour*, h/t (60x82) : **SEK 5 000** – Stockholm, 16 mai 1990 : *Rue bordée de maisons rouges dans un village de pêcheurs*, h/t (48x73) : **SEK 16 000**.

LINDE-WALTHER Heinrich Eduard ou **Linde Walther Heinrich Eduard**
Né le 16 août 1868 à Lubeck (Schleswig-Holstein). XIXe-XXe siècles. Allemand.
Peintre de portraits, paysages, illustrateur.
Il fut élève de l'académie des beaux-arts de Munich et de l'académie Julian à Paris. Il vécut et travailla à Berlin.
Musées : Berlin (Mus. Nat.) : *Heine Rath au travail* – Berlin (Mus. mun.) : *Enfants de pêcheur – La Petite Maman* – Hanovre : *Repasseuses* – Lubeck : *Le Nourrisson – Enfants jouant.*
Ventes Publiques : Londres, 26 fév. 1988 : *Portrait de deux enfants près d'un arbre*, h/t (38,5x48) : **GBP 1 540**.

LINDEBURG Hans Peter
Né le 15 juillet 1854 à Copenhague. Mort en 1932. XIXe siècle. Danois.
Peintre d'histoire, genre, intérieurs, natures mortes, illustrateur.
Il exposa à Charlottenborg, de 1881 à 1917.
Ventes Publiques : Copenhague, 18 avr. 1985 : *Grand-mère faisant la lecture à ses petit-enfants* 1887, h/t (96x90) : **DKK 26 000** – Copenhague, 21 fév. 1990 : *Une partie de billard* 1859, h/t (54x62) : **DKK 4 000**.

LINDEGGER Albert. Voir **LINDI**

LINDEGREN Amalia
Née en 1814 à Stockholm. Morte en 1891 à Stockholm. XIXe siècle. Suédoise.
Peintre de genre et de portraits.
Elle commença ses études à l'Académie de Stockholm. En 1850 elle alla à Düsseldorf, puis vint jusqu'en 1854 travailler à Paris avec L. Cogniet et Tissier. Après avoir visité Munich puis Rome elle revint séjourner à Paris en 1855-1856. Elle visita également Londres.

Musées : Göteborg : *Mendiant italien – A. Tidemand – Le pantin* – Gripsholm : *Le général Lefren* – Norrkoping : *L'homme au rat* – Orebro : *Déjeuner* – Oslo : *La veuve et ses enfants* 1853 – *L'enseignement du grand-père* 1883 – Stockholm : *Jeune fille avec une orange – Danse dans une chaumière – La reine Louise, femme de Charles XV* – Stockholm (Nat.) : *Le professeur A. Fryxell* – Stockholm (Acad.) : *Qvarnström* – Stockholm (Mus. Nord.) : *L. A. Lindholm.*
Ventes Publiques : Stockholm, 20 avr. 1983 : *Enfants dans un intérieur* 1881, h/t (58x48) : **SEK 20 900** – Stockholm, 15 nov. 1989 : *Nu féminin*, h. (33x25) : **SEK 12 000**.

LINDEGREN August
Né le 29 décembre 1858. XIXe siècle. Suédois.
Aquafortiste, illustrateur et architecte.

LINDEKRANTZ Ivar
XXe siècle. Suédois.
Sculpteur. Abstrait.
Il participe à diverses expositions, notamment en 1976, à Borlänge, à la manifestation *L'Art dans la rue* qui réunissaient divers sculpteurs contemporains suédois.

LINDEKRANTZ Per
Né en 1913 à Göteborg. XXe siècle. Suédois.
Peintre, peintre de compositions murales.
Il fut élève de l'école des beaux-arts de Valand à Göteborg, de 1933 à 1937. Il fit des voyages d'étude en Europe, puis en 1946 un tour du monde comme marin. Il a enseigné à l'académie des beaux-arts de Stockholm, ainsi qu'à l'école Gerleborg.
Il fut sélectionné pour l'Exposition internationale Guggenheim de 1959 à New York. Il montra ses œuvres dans des expositions personnelles à Stockholm en 1949 et 1961.
Il fut l'un des représentants de l'école de Göteborg qui se développa parallèlement à celle de Stockholm. Il a réalisé une mosaïque pour le gouvernement de la province de Blekinge à Karlskrona, une façade en céramique de la Maison du peuple de Västeras, des fresques dans des usines.
Bibliogr. : Folke Edwards : Catalogue de l'exposition *Aspects de la jeune peinture suédoise*, Galerie Massol, Paris, 1962.
Musées : Göteborg (Mus. des Beaux-Arts) – Stockholm (Mus. Nat.).

LINDELL Lage
Né en 1920 à Stockholm. Mort en 1980. XXe siècle. Suédois.
Peintre. Abstrait.
Il fut élève de l'académie des beaux-arts de Stockholm. De 1941 à 1946, il voyagea en France, Espagne, Afrique du Nord.
Il participe aux expositions de la jeune peinture suédoise, notamment : 1954 Stuttgart, 1955 Rome, 1962 *Douze Peintres suédois* aux États-Unis, etc.
Après des débuts marqués par des expérimentations allant de la technique pointilliste à la décomposition de la forme selon le cubisme, il évolua de bonne heure à l'abstraction, trouvant son style dans les constructions de grandes formes sombres en contre-jour.
Bibliogr. : In : *Peintres contemp.*, Mazenod, Paris, 1964.
Musées : Lund – Oslo – Stockholm.
Ventes Publiques : Stockholm, 13 avr. 1981 : *Scène de plage* 1945, craies de coul. (20x28) : **SEK 4 600** – Stockholm, 25 nov. 1982 : *Composition*, h/t (34x99) : **SEK 14 000** – Stockholm, 16

avr. 1984 : *Composition*, gche (19x33) : **SEK 6 000** – STOCKHOLM, 7 déc. 1987 : *Scène de bord de mer*, past. (14x31) : **SEK 10 500** – STOCKHOLM, 14 juin 1990 : *Composition aux formes noires*, h/pan. (62x122) : **SEK 200 000** – STOCKHOLM, 5-6 déc. 1990 : *Du blanc vers le noir - composition*, h/t (64x70) : **SEK 61 000** – STOCKHOLM, 30 mai 1991 : *Composition en blanc et noir*, h/t (33x63) : **SEK 43 000**.

LINDEMAN Léonard
XXe siècle.
Peintre.
MUSÉES : HELSINKI (Mus.) : *Petite terre corvéable*, gche.

LINDEMANN Christian Philipp
Né en 1700 à Dresde. Mort en 1754 à Nuremberg. XVIIIe siècle. Actif en Italie, à Ratisbonne et à Nuremberg. Hollandais.
Graveur au burin.
Il a gravé des sujets mythologiques, surtout d'après les maîtres italiens.

CPZ. C.P.L. 1725

LINDEMANN Christoph
Mort le 25 août 1629 à Meissen. XVIIe siècle. Actif à Meissen. Allemand.
Peintre.
L'Hôtel de Ville de Freiberg possède de sa main un portrait en pied du grand électeur *Christian II* et un portrait du duc *Henri le Pieux* (d'après Cranach).

LINDEMANN Emil
Né en 1864. Mort en 1939. XIXe-XXe siècles. Polonais.
Peintre de genre, paysages urbains.
Il a travaillé à Paris.
VENTES PUBLIQUES : LONDRES, 17 mars 1995 : *Les Grands Boulevards, la Porte Saint-Martin à Paris* 1891, h/t (59x73) : **GBP 11 500** – NEW YORK, 18-19 juil. 1996 : *Danse villageoise* 1909, h/t (104,1x82,6) : **USD 8 050**.

LINDEMANN Johann Heinrich
XVIIIe siècle. Actif à Breslau. Allemand.
Peintre.
On mentionne de sa main une *Crucifixion* de 1725.

LINDEMANN Johannes
XVIIIe siècle. Italien.
Graveur.
Il grava deux planches pour l'ouvrage publié par I. Hughford en 1762 : *Recueil de cent pensées diverses d'A. D. Gabbiani*. On mentionne de sa main une gravure d'après Hans von Aachen : *Marie avec l'Enfant Jésus et saint Jean Baptiste*.

LINDEMANN Josef
Né le 23 avril 1880 à Cologne (Rhénanie-Westphalie). XXe siècle. Allemand.
Peintre de figures, paysages, natures mortes.
Il fut élève des académies des beaux-arts de Düsseldorf et de Stuttgart. Il travailla à Cologne.

LINDEMANN Kai
Né en 1931. XXe siècle. Danois.
Peintre de paysages, natures mortes, aquarelliste.
Il expose depuis 1958, participe à de nombreuses expositions collectives, dans divers pays. Depuis 1969, il montre ses peintures dans des expositions personnelles au Danemark, en Suède, France, aux États-Unis, en Italie etc.
Dans des gammes toujours très colorées, il pratique différentes manières, des paysages postimpressionnistes aux natures mortes matisséennes...
MUSÉES : HOBRO (Kunstmus.) – KOGE (Skitsemus.) – VELJE.
VENTES PUBLIQUES : COPENHAGUE, 26 fév. 1986 : *La Chapelle* 1972, h/t (130x162) : **DKK 21 000** – COPENHAGUE, 25 fév. 1987 : *Composition*, h/t (97x130) : **DKK 18 000** – COPENHAGUE, 22 nov. 1989 : *Scène de rue à Rome* 1978, h/t (125x190) : **DKK 15 000** – COPENHAGUE, 14-15 nov. 1990 : *Composition* 1967, h/t (114x146) : **DKK 6 000** – COPENHAGUE, 2-3 déc. 1992 : *Menuiserie* 1980, h/t (81x65) : **DKK 6 500** – COPENHAGUE, 10 mars 1993 : *Composition* 1982, h/t (147x89) : **DKK 12 500** – COPENHAGUE, 6 sep. 1993 : « *Vota si* » 1979, h/t (135x135) : **DKK 15 000** – COPENHAGUE, 8-9 mars 1995 : *Composition* 1985, h/t (81x65) : **DKK 6 800** – COPENHAGUE, 12 mars 1996 : *Paysage* 1987, h/t (175x200) : **DKK 30 000**.

LINDEMANN P.
XVIIIe siècle. Allemand.
Peintre de portraits.
Les châteaux d'Eisenach et de Seusslitz (Saxe) possèdent de ses œuvres, dont l'une est datée de 1710.

LINDEMANN-FROMMEL Karl August
Né le 19 août 1819 à Markirch. Mort le 16 mai 1891 à Rome. XIXe siècle. Français.
Peintre de genre, paysages, aquarelliste, dessinateur, lithographe.
Il fut élève de son oncle et père adoptif K.-L. Frommel à Karlsruhe et de Rottmann à Munich. Il se fixa à Rome en 1856, après avoir travaillé à Munich et à Paris. Il fut professeur à l'Académie de Saint-Luc, à Rome, dont il était membre.
MUSÉES : FRANCFORT-SUR-LE-MAIN : *Sur le chemin de Sorente* – KALRSRUHE : *Le golfe de La Spezia* – STRASBOURG : *Dans l'île de Capri*.
VENTES PUBLIQUES : LONDRES, 18 mars 1992 : *Vue de Rome* 1872, h/t (92x179) : **USD 25 300** – HEIDELBERG, 11 avr. 1992 : *Paysage rocheux d'Ariccie* 1845, encre et cr. (25,5x35) : **DEM 1 600** – LONDRES, 15 juin 1994 : *Vue de Palerme* 1868, h/t (32x86) : **GBP 6 900** – NEW YORK, 19 jan. 1995 : *Vue de la campagne romaine* 1866, h/t (50,8x109,5) : **USD 7 187**.

LINDEMANN-FROMMEL Manfred
Né le 18 novembre 1852 à Munich. XIXe siècle. Allemand.
Paysagiste.
Élève de Baisch et de Schönleber à l'Académie de Karlsruhe. Il se fixa à Berlin, où il exposa à partir de 1884.
MUSÉES : MAYENCE : *Le croiseur « Mainz »*.

LINDEMANS Mortsel
Né en 1956. XXe siècle. Belge.
Peintre, illustrateur.
BIBLIOGR. : In : *Dict. biogr. illustré des artistes en Belgique depuis 1830*, Arto, Bruxelles, 1987.

LINDEMEIER Daniel. Voir **LINDMEIER**

LINDEMEYER Wulf Ernst
XVIIe siècle. Actif à Halberstadt. Allemand.
Peintre.
Des portraits de sa main, peints en 1663, se trouvent dans l'église Saint-Étienne d'Halberstadt.

LINDEN Clara Van der
Née le 2 mai 1870 à Louvain (Brabant). XIXe-XXe siècles. Belge.
Peintre de paysages, fleurs.
Elle était fille de Gérard Van der Linden et Louise de Vigne son épouse. Elle fut élève de l'académie des beaux-arts de Louvain.
BIBLIOGR. : In : *Dict. biogr. illustré des artistes en Belgique depuis 1830*, Arto, Bruxelles, 1987.
MUSÉES : LOUVAIN.

LINDEN Erich
Né en 1898 à Alfter (Rhénanie-Westphalie). XXe siècle. Allemand.
Peintre de natures mortes, sculpteur.
Il fut élève de l'école des arts et métiers d'Aix-la-Chapelle, ville où il s'installa ensuite.
MUSÉES : AIX-LA-CHAPELLE (Mus. Suermondt) : *Nature morte*.

LINDEN Franz
Né le 2 décembre 1873 à Aix-la-Chapelle (Rhénanie-Westphalie). XIXe-XXe siècles. Allemand.
Sculpteur de statues, monuments, sujets religieux.
Il fut élève de l'académie des beaux-arts de Düsseldorf. On cite parmi ses œuvres : *Saint Pierre*, statue monumentale dans la basilique de Trêves ; un autel de la Vierge dans l'église Saint-Antoine à Düsseldorf, un monument aux morts dans l'église du Saint-Esprit à Düsseldorf.

LINDEN Gaston
Né vers 1855 à Bruxelles. XIXe siècle. Belge.
Peintre de genre, dessinateur.
Mention honorable à Berlin en 1891. On cite de lui : *L'incorrigible*.
Il a surtout travaillé en Bretagne, à Pont-Aven, sachant rendre avec beaucoup de sensibilité la vie des paysans bretons.
BIBLIOGR. : Gérald Schurr, in : *Les Petits Maîtres de la peinture 1820-1920, valeur de demain*, Les Éditions de l'Amateur, t. VI, Paris, 1985.
VENTES PUBLIQUES : PARIS, 1899 : *Peut-on entrer ?* : **FRF 425** ; *Par la neige* : **FRF 250**.

LINDEN Gérard Van der
Né le 8 février 1830 à Anvers. Mort le 6 juin 1911 à Louvain. XIXe-XXe siècles. Belge.
Sculpteur de bustes, sujets d'histoire, sujets allégoriques, religieux.
Élève de l'Académie d'Anvers. Il fut directeur de l'Académie de Louvain en 1865.
On cite parmi ses œuvres : *Caliste hésite dans son choix entre le paganisme et le christianisme*, statue de bronze à l'Hôtel de Ville de Louvain ; *La Ville de Liège*, statue de pierre à la gare de Liège ; groupe du *Crucifiement*, groupe de pierre à la façade de l'église Saint-Jacques d'Anvers ; *Les Flandres de l'Est*, statue de pierre pour le monument du roi Léopold Ier, à Laeken.
Musées : Bruxelles (Mus. Peinture Mod.) : *La Force*.

LINDEN Jan Van ou **Van der**
XVIIIe siècle. Actif à Dordrecht vers 1765. Hollandais.
Sculpteur et architecte.
On croit qu'il fournit le dessin de la « Chaire de Vérité » de la Groote Kerk, à Dordrecht, vers 1765.

LINDEN Lode Van der
Né en 1888 à Anvers. Mort en 1960 à Wilrijk. XXe siècle. Belge.
Peintre de paysages.
Il fut élève de l'académie des beaux-arts et de l'Institut supérieur d'Anvers. Il étudia aussi la musique et l'architecture. Il fut fait prisonnier pendant la Première Guerre mondiale en Allemagne où il resta jusqu'en 1927, puis y retourna après la Seconde Guerre mondiale. Il séjourna également en Scandinavie et en Italie.
Bibliogr. : In : *Dict. biogr. illustré des artistes en Belgique depuis 1830*, Arto, Bruxelles, 1987.

LINDEN Louise Van der, née **de Vigne**
Née le 18 juin 1844 à Gand. Morte le 15 septembre 1911 à Louvain. XIXe-XXe siècles. Belge.
Peintre de paysages, fleurs.
Épouse de Gérard Van der Linden.

LINDEN Mauritz Van der
Né à La Haye. XVIIe siècle. Actif à La Haye en 1672. Hollandais.
Peintre.
Élève de G. Netscher. Il fut ingénieur au service de la ville.
Ventes Publiques : Gand, 1837 : *Paysage avec ruines, figures et animaux* : **FRF 150**.

LINDEN Max Van der
Né en 1922 à Nodebais. XXe siècle. Belge.
Sculpteur de sujets religieux, céramiste.
Il étudia la philosophie, la théologie et les sciences politiques et sociales et fut élève de Pierre Caille à l'académie de la Cambre. Ses compositions ont une simplicité pleine de fraîcheur.
Bibliogr. : In : *Dict. biogr. illustré des artistes en Belgique depuis 1830*, Arto, Bruxelles, 1987.

LINDÉN Ragnard
Né en 1919. XXe siècle. Suédois.
Peintre de paysages, natures mortes.
Ventes Publiques : Stockholm, 6 juin 1988 : *Nature morte d'une cruche avec des fleurs des champs posée sur un rebord de fenêtre*, h. (52x35) : **SEK 28 000** – Stockholm, 14 juin 1990 : *Feu de joie à Valborg* 1988, h/pan. (20x15) : **SEK 9 700**.

LINDENAU Heinrich
Né le 15 février 1858. XIXe siècle. Actif à Königsberg. Allemand.
Peintre de portraits, de figures et de paysages.
Il fut élève de l'Académie de Königsberg.

LINDENBERG Eugen
Né le 31 janvier 1877 à Berlin. XXe siècle. Allemand.
Peintre de paysages et graveur.
Il travailla à Berlin.

LINDENBERG Hedwig
Née le 13 novembre 1866 à Remscheid. XIXe siècle. Active à Düsseldorf-Oberkassel. Allemande.
Peintre de marines.
La Société des Beaux-Arts de Hanau possède de sa main un tableau *Soir sur la mer*.

LINDENFELD Emil
Né en 1905 à Hodmezovasarhely. Mort en 1986. XXe siècle. Hongrois.
Peintre de portraits, paysages, natures mortes, nus.
Il commença à étudier sous la direction du peintre Janos Tornyai, puis voyagea en Italie, en 1962, où il vécut durant trente-quatre années.
Il montre ses œuvres dans de nombreuses expositions en Italie, à New York. Il a reçu de nombreux prix et distinctions.
Il peint un monde en suspens, à caractère onirique, dans une atmosphère dorée. L'Apocalypse semble proche.
Musées : Budapest (Gal. Nat. hongroise) – Milan (Gal. d'Arte Mod.) – Padoue (Mus. civico) – Rome (Mus. naz. Forestale) – Verone (Gal. d'Art Mod.) – Vicence (Mus. civico).

LINDENFELD Giselle
XXe siècle.
Peintre de portraits.
Elle est la femme du peintre Emil Lindenfeld.

LINDENFELDER Kaspar ou **Lindtenfelder**, appelé aussi **Honeger** ou **Honegger** ou **Honoger**
XVIe-XVIIe siècles. Suisse.
Peintre de sujets religieux.
Il est l'auteur de fresques ornant la chapelle du couvent Wesemlin à Lucerne (1586). On cite de lui, à Lucerne encore, dans l'église paroissiale : *Jésus au jardin des Oliviers*.

LINDENMUTH Tod
XXe siècle. Américain.
Peintre.
Il fut élève de Henri, Webster et Brown. Il travailla à Princetown.
Ventes Publiques : New York, 6 mars 1985 : *Marée basse* vers 1915, linograv. en coul./pap. Japon (38,1x35,9) : **USD 1 800**.

LINDENSCHMIT Hermann Karl Heinrich ou **Lindenschmidt**
Né le 13 septembre 1857 à Francfort. Mort en 1939. XIXe-XXe siècles. Allemand.
Peintre de genre.
Il fut élève de l'Académie des Beaux-Arts de Munich.
Musées : Görlitz : *Une cuisine tyrolienne* – Linz : *Recueillement dans la forêt* – Munich (Pina.) : *Atout* – Würzburg (Université) : *Les joueurs*.
Ventes Publiques : Munich, 13 sep. 1984 : *Arrêt de la diligence devant une auberge*, h/t (61x49) : **DEM 6 000** – Vienne, 18 mars 1987 : *Scène de taverne*, h/t (49x60) : **ATS 40 000** – Londres, 26 fév. 1988 : *Bavardages à temps perdu*, h/t (54,6x69,8) : **GBP 2 420** – Londres, 6 juin 1990 : *Conversation dans une auberge*, h/t (53x68) : **GBP 2 090**.

LINDENSCHMIT Ludwig
Né le 4 septembre 1809 à Mayence. Mort le 14 février 1893 à Mayence. XIXe siècle. Allemand.
Peintre d'histoire, dessinateur.
Frère de Wilhelm Lindenschmit. Élève de Cornelius, à l'Académie de Munich et de l'Université de la même ville. Il était antiquaire. Il fut nommé, en 1851, directeur du Central Museum romano-germanique de Mayence. Il exposa à partir de 1826. On cite de lui : *Épisode de la bataille de Leipzig en 1813*.

LINDENSCHMIT Wilhelm
Né le 9 mars 1806 à Mayence. Mort le 12 mars 1848 à Mayence. XIXe siècle. Allemand.
Peintre d'histoire, batailles, portraits, aquarelliste, dessinateur.
Frère de Ludwig Lindenschmit, il fut élève des Académies de Munich et de Vienne et de Cornelius. Il était peintre à la cour du grand duc de Hesse.
Musées : Karlsruhe : *La bataille d'Arminius* – Mannheim : *Scène historique* – Mayence : *Mort de Léopold de Bavière à la bataille de Presbourg – Entrée de l'empereur Otto à Augsbourg après la bataille de Sechfeld – La mélancolie – Arminius et ses serviteurs à la chasse* – Deux esquisses – Nuremberg (Germ. Mus.) : *Tête de jeune homme*.
Ventes Publiques : New York, 1899 : *Luther et les Réformateurs à Marburg en 1529* : **FRF 2 250**.

LINDENSCHMIT Wilhelm von, le Jeune
Né le 20 juin 1829 à Munich. Mort le 8 juin 1895 à Munich. XIXe siècle. Allemand.
Peintre d'histoire, scènes mythologiques, sujets de genre, dessinateur.
Il fut élève de l'Académie de sa ville natale et de celle de Francfort. Il se perfectionna à l'Académie d'Anvers, passa par Paris et retourna à Francfort où il vécut jusqu'à ce qu'il fut nommé pro-

fesseur de peinture d'histoire à l'Académie de Munich, à la mort de Ramberg en 1875. Membre des Académies de Berlin en 1874, de Vienne en 1888 ; il obtint une médaille d'or à Berlin en 1870, une deuxième médaille à Munich en 1888.
Musées : Breslau, nom all. de Wroclaw : *La leçon* – Brunswick : *Luther à Rome* – Gorlitz : *L'entrée d'Alaric à Rome* – Hambourg : *La moisson* – Kaliningrad, ancien. Königsberg : *Sir Walter Raleigh, enfermé dans la tour de Londres, est visité par sa famille* – Leipzig : *Ulrich von Hutten combattant contre cinq Français à Viterbe en 1516* – Mayence : *L'archevêque Willigis de Mayence réclamant les écoles* – *Prométhée enchaîné* – Munich (Schack) : *Le pêcher* – Munich (Nouv. Pina.) : *Les musiciens* – *La dame bleue* – *Têtes d'étude* – *Cléopâtre* – *Vénus pleure Adonis* – Nuremberg : *François Ier est fait prisonnier à Pavie* – Saint-Gall : *Les Goths traversent la péninsule balkanique* – Vienne : *Les funérailles de Guillaume d'Orange à Delft* – Wiesbaden : *Lecture dominicale* – *Luther.*
Ventes Publiques : Cologne, 19 oct 1979 : *Moine lisant dans un intérieur*, h/pan. (36x30) : **DEM 4 500** – New York, 30 juin 1981 : *Le Portique au clair de lune* 1858, h/t (91,5x81,5) : **USD 3 250** – Munich, 10 déc. 1991 : *La Fête des artistes* 1865, fus. et lav./cart./t. (156x190) : **DEM 9 200** – Londres, 25 nov. 1992 : *La Lecture dominicale dans la Frauerkirche de Munich*, h/pan. (51x37) : **GBP 8 250** – Vienne, 29-30 oct. 1996 : *Le Meurtre de Guillaume d'Orange*, h/t (48,5x38) : **ATS 55 200** – New York, 23 mai 1997 : *Lecture dominicale dans la Frauerkirche de Munich*, h/pan. (52,1x38,1) : **USD 33 350**.

LINDER Émilie
Née le 11 octobre 1797 à Bâle. Morte le 12 février 1867 à Munich. XIXe siècle. Suisse.
Portraitiste et peintre de sujets religieux.
En 1824 élève de l'Académie de Munich. Après son mariage, elle voyagea beaucoup en Italie et se plongea dans une vie mystique et religieuse. Son chef-d'œuvre est le portrait de *Clemens Brentano*, qui se trouve au Musée Historique de la ville de Munich.

LINDER Franz ou **Linderen**
Né en 1738 à Klagenfurt. Mort en 1802 à Vienne. XVIIIe siècle. Allemand.
Peintre de portraits et graveur.
Il étudia à Laybach. Il a résidé à Venise, puis à Vienne. En 1776, l'impératrice l'envoya à Rome où il passa deux années. De retour à Vienne il peignit des portraits dans le style de Palko et fut très apprécié parmi les membres de l'aristocratie autrichienne.
Musées : Vienne (Acad.) : *Bélisaire aveugle.*

LINDER Henry
Né le 26 septembre 1854 à Brooklyn (New York). Mort le 7 janvier 1910 à Brooklyn (New York). XIXe-XXe siècles. Américain.
Sculpteur.
Élève de J. Knabl à Munich.
Musées : New York (Metrop.) : *Art médiéval* – Saint Louis : *Art oriental.*

LINDER Lambert
Né en 1841 à Risstissen. Mort en 1889 à Risstissen. XIXe siècle. Allemand.
Peintre de genre.
Élève de l'École des Beaux-Arts de Munich et de Rustige à Stuttgart. On voit de lui, au Musée de Munich *Dans la chambre du boulanger*, à celui de Stuttgart, *Les faucheurs*, et à celui de Bamberg, *L'église Saint-Jean à Munich.*
Ventes Publiques : New York, 30 oct. 1985 : *Un aprés-midi tranquille* 1869, h/t (64,8x53,3) : **USD 5 500**.

LINDER Philippe Jacques
Né vers 1835 à Sarrelouis, de parents français. XIXe siècle. Français.
Peintre de genre.
Élève de Charles Gleyre, il participa au Salon de Paris de 1857 à 1880.
Les tonalités de ses toiles sont très délicates.
Bibliogr. : Gérald Schurr, in : *Les Petits Maîtres de la peinture 1820-1920, valeur de demain*, Les Éditions de l'Amateur, t. IV, Paris, 1979.
Musées : Haarlem (Mus. Teyler) : *Rêverie* – Pontoise : *Jeune femme gantée.*
Ventes Publiques : Paris, 25 mai 1832 : *Soubrette se mettant du rouge* – *La jardinière*, deux past. : **FRF 450** – Paris, 1891 : *La petite fleuriste* : **FRF 310** – Paris, 17-18 fév. 1944 : *La jolie pêcheuse* : **FRF 7 200** – Paris, 20 juin 1949 : *La bergère* – *La cocotte*, deux pendants : **FRF 16 000** – Paris, 19 oct 1979 : *La Partie de pêche*, h/t (63x47) : **FRF 37 000** – New York, 26 oct. 1983 : *La Partie de pêche*, h/t (64,5x47,5) : **USD 12 000** – Paris, 20 mars 1985 : *Jeune femme en bottines se promenant sur la plage avec son chien*, h/t (45x29) : **FRF 17 000** – New York, 27 fév. 1986 : *Sur la plage*, h/t (46,4x30,5) : **USD 2 500** – Versailles, 13 déc. 1987 : *Jeune femme au petit chien sur la plage d'Étretat*, h/t (45x29) : **FRF 15 000** – Bayeux, 7 fév. 1988 : *Femme élégante aux pigeons*, aquar. (40,5x25) : **FRF 9 000** – Le Touquet, 12 nov. 1989 : *Jeune lady dans un parc*, h/t (24x16) : **FRF 10 500** – Paris, 20 nov. 1989 : *Élégante sur la plage*, h/t (45,5x29) : **FRF 12 000** – New York, 16 fév. 1994 : *Jeunes femmes jetant du pain aux canards*, h/t (47x61,6) : **USD 25 300** – Londres, 14 juin 1995 : *Dans la roseraie*, h/pan. (27,5x17) : **GBP 1 610**.

LINDER Sophie
Née le 4 juin 1838 à Bâle. Morte le 17 avril 1871 à Bâle. XIXe siècle. Suisse.
Peintre et illustrateur.
On mentionne de sa main de petites vues de Bâle et des illustrations pour l'ouvrage d'A. Stifter, *Études.*

LINDERATH Hugo
Né en 1828. XIXe siècle. Actif à Düsseldorf. Allemand.
Sculpteur.
De l'ordre des Franciscains, il sculpta une *Vierge*, un *Saint Antoine* et un *Saint François* pour le monastère de Warendorf, ainsi qu'un autel du Rosaire, et des groupes pour l'église des Franciscains à Düsseldorf.

LINDERUM Richard
Né le 16 mars 1851 à Dresde. XIXe siècle. Allemand.
Peintre d'histoire, genre, compositions murales.
Il fut élève de Pauwels à l'Académie des Beaux-Arts de Dresde. Il obtint la petite médaille d'argent en 1877 ou 1878. Il fut appelé à Ypres pour l'exécution de peintures murales. On cite de lui : *Bacchantes se reposant, dans un paysage.*

R.Linderum

Ventes Publiques : Paris, 30 jan. 1900 : *La Brasserie du couvent* : **FRF 682** – New York, 16 nov. 1945 : *Don au monastère* : **USD 925** – Lucerne, 28 juin 1969 : *La partie d'échecs* : **CHF 5 200** – Londres, 21 juil. 1976 : *Moine endormi*, h/pan. (26x20) : **GBP 1 000** – Los Angeles, 12 mars 1979 : *Moines dans un intérieur*, h/pan. (49,5x60,4) : **USD 5 500** – New York, 25 fév. 1982 : *Les trésors du monastère*, h/t (91,5x123) : **USD 9 500** – Stockholm, 20 avr. 1983 : *Moines dans une bibliothèque*, h/t (78x120) : **SEK 46 000** – Munich, 21 oct. 1987 : *Chez le cardinal*, h/t (81x120) : **DEM 12 500** – New York, 25 mai 1988 : *La partie de l'archevêque*, h/t (40,6x50,8) : **USD 5 280** – Munich, 29 nov. 1989 : *L'anniversaire du père supérieur*, h/t (70,5x98,5) : **DEM 11 000** – Munich, 31 mai 1990 : *La répétition* 1893, h/t (63,5x88) : **DEM 16 500** – Londres, 18 juin 1993 : *La Vérité* 1882, h/pan. (62x43) : **GBP 2 300**.

LINDEUNAST Gabriel
Originaire de Pfallendorf. XVe siècle.
Copiste et enlumineur.
Johann Werner, baron de Limbern, l'employa à écrire et à orner un grand nombre de livres qui ne tardèrent pas à constituer dans leur ensemble une fort belle bibliothèque. En 1480, Lindeunast écrivit un ouvrage qui se trouve actuellement à Donaueschingen.

LINDFORS Anton
Né le 10 novembre 1881 à Helsinki. XXe siècle. Finlandais.
Peintre de paysages, natures mortes, portraits.
Musées : Abo : *Moulin près de Sampolinna.*

LINDGAARD Jacob Pederson
Né en 1719 à Sandefjord. Mort en 1789 à Tjömö. XVIIIe siècle. Norvégien.
Peintre de portraits, natures mortes.
Il réalisa également des tableaux d'église. Le Musée de Tjömö possède de ses œuvres. Il était le fils de Peder Jacobsen Lindgaard.

LINDGAARD Peder Jacobson
Mort en 1737. XVIIIe siècle. Norvégien.
Peintre de portraits.

Il réalisa de nombreux tableaux d'église. Le Musée de Larvik possède de ses œuvres.

LINDGREN Armas Élie
Né le 28 novembre 1874 à Tavastehus. XIXe-XXe siècles. Finlandais.
Graveur.
Il vécut et travailla à Helsinki. Il fut architecte et pratiqua l'eau-forte.

LINDGREN Emil
Né en 1866. Mort en 1940. XIXe-XXe siècles. Suédois.
Peintre de scènes typiques, paysages, intérieurs.
Ventes Publiques : Stockholm, 24 avr. 1984 : *Jeune fille et musicien dans un intérieur* 1894, h/t (50x69) : **SEK 25 000** – Göteborg, 18 mai 1989 : *Intérieur avec une vue sur la vallée* 1931, h/t (90x72) : **SEK 4 800** – Stockholm, 13 avr. 1992 : *Moissonneurs dans un champ de blé* 1917, h/t (79x109) : **SEK 8 500**.

LINDGREN Greta
Née à Bjorkand. XXe siècle. Suédoise.
Sculpteur.
Elle fut élève de Bourdelle. Elle exposa à partir de 1928 à Paris, au Salon des Artistes Français.

LINDGREN Hilda
Née en 1833 à Göteborg. XIXe siècle. Suédoise.
Peintre.
Élève d'Amalia Lindegren, et, à Paris de A. Tissier.
Musées : Stockholm (Acad) : *Amalia Lindegren*.

LINDH Bror
Né en 1877. Mort en 1941. XXe siècle. Suédois.
Peintre de paysages.
Il fut l'un des principaux artistes regroupés autour de Gustaf Fjaestad dans le groupe de Racken.
Musées : Göteborg : *Paysage*.
Ventes Publiques : Stockholm, 20 oct. 1987 : *Paysage d'hiver*, h/t (56x55) : **SEK 195 000** – Londres, 23 mars 1988 : *Paysage d'automne*, h/t (71,5x79) : **GBP 16 500** – Londres, 16 mars 1989 : *Une forêt en hiver*, h/t (99,6x115,6) : **GBP 11 000** – Stockholm, 19 avr. 1989 : *Faubourg, constructions près d'un lac en hiver*, h/t (101x136) : **SEK 22 000** – Stockholm, 16 mai 1990 : *Brindilles givrées*, h/pan. (33x39) : **SEK 11 000** – New York, 23 oct. 1990 : *Automne*, h/t (144x105) : **USD 46 750**.

LINDH Johan Erik
Né le 4 octobre 1793 en Suède. Mort le 21 janvier 1865 à Helsingfors. XIXe siècle. Actif en Finlande. Suédois.
Peintre de genre, portraits.
Il est considéré comme l'un des meilleurs portraitistes finlandais du XIXe siècle.
Musées : Abo (Mus. d'Hist.) : *Portrait de la femme de l'artiste* – Helsinki : *Portraits du comte Henri Rehbinder, du comte Walléen et de la femme de lettres Sarah Wacklin*.
Ventes Publiques : Londres, 6 oct. 1989 : *La leçon de tricot*, h/t (76,7x59,7) : **GBP 3 520**.

LINDH Max
Né le 1er juin 1890. XXe siècle. Actif à Königsberg. Allemand.
Peintre et graveur.

LINDHBERG Peter
Né en 1785 en Scanie. Mort en 1868 à Stockholm. XIXe siècle. Suédois.
Peintre.
Élève de l'Académie de Copenhague.
Musées : Norrkoping : *Marine* – Stockholm : *C. F. Fagerström – C. A. Agardh*.

LINDHOLM Berndt Adolf
Né en 1841 à Lovisa. Mort en 1914 à Göteborg. XIXe-XXe siècles. Actif à Göteborg. Finlandais.
Peintre de paysages, paysages d'eau, marines.
Il fut membre des Académies de Saint-Pétersbourg et de Stockholm. Il prit part à des expositions collectives, dont : 1878 Philadelphie et Paris, pour l'Exposition Universelle ; 1891 Berlin, obtenant une mention honorable.

Musées : Helsinki : Onze paysages et marines – Liverpool : *Forêt en Finlande* – Moscou (Roumianzeff) : *Paysage* – Stockholm : Trois marines.
Ventes Publiques : Stockholm, 11 oct. 1950 : *Bord de mer* : **SEK 3 325** – Stockholm, 15-18 avr. 1969 : *Paysage d'été* : **SEK 7 250** – Stockholm, 19 avr. 1972 : *Paysage boisé* : **SEK 23 100** – Göteborg, 24 mars 1976 : *Bord de mer* 1900, h/t (62x94) : **SEK 39 000** – Göteborg, 9 nov. 1977 : *Sous-bois*, h/t (63x98) : **SEK 62 000** – Stockholm, 30 oct 1979 : *Paysage boisé*, h/pan. (26x33) : **SEK 13 500** – Stockholm, 22 avr. 1981 : *Paysage boisé*, h/t (59x77) : **SEK 79 000** – Göteborg, 9 nov. 1983 : *Sous-bois* 1883, h/t (39x68) : **SEK 115 000** – Copenhague, 12 nov. 1985 : *Voiliers au large de Helsingfors* 1881, h/t (30x53) : **DKK 170 000** – Göteborg, 9 avr. 1986 : *Bord de mer escarpé*, h/t (55x42) : **SEK 100 000** – Copenhague, 19 nov. 1987 : *Paysage boisé*, h/t (49x68) : **DKK 220 000** – Londres, 24 mars 1988 : *Côte rocheuse*, h/t (35x55,2) : **GBP 22 000** – Stockholm, 15 nov. 1988 : *Côte rocheuse et voiliers au large*, h. (65x93) : **SEK 570 000** – Stockholm, 19 avr. 1989 : *Bateau à vapeur et voilier navigant sur la mer gelée au soleil couchant*, h/pan. (22x35) : **SEK 270 000** – Stockholm, 15 nov. 1989 : *Brisants sur une côte rocheuse*, h/t (38x58) : **SEK 205 000** – Stockholm, 14 nov. 1990 : *Côte rocheuse avec des voiliers dans la brume matinale*, h/t (65x93) : **SEK 115 000** – Stockholm, 30 nov. 1993 : *Côte rocheuse avec un voilier au large*, h/pan. (22x34) : **SEK 26 000**.

LINDHOLM Lorenz August
Né en 1819 à Stockholm. Mort en 1854 à Rome. XIXe siècle. Suédois.
Peintre de genre, intérieurs.
Il montra toujours une grande fraîcheur d'inspiration. Son chef-d'œuvre est *L'écheveau embrouillé* (intérieur de chaumière française), peint à Paris alors qu'il revenait de Düsseldorf. Il peignit une humanité vertueuse et ses physionomies expriment la douceur, la simplicité d'âme.
Musées : Stockholm : *Famille villageoise – L'écheveau embrouillé*.
Ventes Publiques : Stockholm, 31 jan. 1947 : *Le Cercle de famille* : **SEK 6 100** – Stockholm, 19 mai 1992 : *Petite fille avec des fleurs*, h/t (30x25,5) : **SEK 12 000**.

LINDI, pseudonyme de **Lindegger Albert**
Né en 1904 à Berne. XXe siècle. Suisse.
Peintre, dessinateur.
Ventes Publiques : Berne, 26 oct. 1988 : *L'essayage des chemises*, encre et h/t (73x60) : **CHF 900**.

LINDIN Carl Olaf Eric
Né le 15 juillet 1869 à Fellingsbro. XIXe-XXe siècles. Actif aux États-Unis. Suédois.
Peintre de portraits, paysages. Groupe de Woodstock.
De bonne heure émigré aux États-Unis, cet artiste se forma à Chicago et à Paris, où il fut élève de Benjamin-Constant et d'Aman-Jean. En 1902, il arriva à Byrdcliffe, la communauté artistique de Woodstock à ses débuts. Il devint l'un des premiers peintres résidents permanents.
Il est connu comme peintre de scènes nocturnes et de clairs de lune.

Ventes Publiques : New York, 23 fév. 1989 : *Portrait d'une dame vêtue d'une robe lavande* 1894, h/t (161,9x71,4) : **USD 3 300** – New York, 28 nov. 1995 : *Lune d'été*, h/t (55,4x71,7) : **USD 5 980**.

LINDINNER Hans Heinrich
Né en 1587. Mort après 1626. XVIIe siècle. Actif à Zurich. Suisse.
Peintre verrier.
La Bibliothèque de Berne possède trois vitraux de sa main.

LINDINNER Matthias
Né en 1562. Mort en 1611. XVIe-XVIIe siècles. Actif à Zurich. Suisse.
Peintre verrier.
Il travailla pour Zurich et ses environs.

LINDL Hans
Né en 1885 dans le Palatinat. XXe siècle. Allemand.
Sculpteur, peintre, médailleur.
Il fut élève de Jank et de Kurz à l'académie des beaux-arts de Munich. Il travailla à Munich et dans les environs.

LINDLAR Johann Wilhelm
Né le 9 décembre 1816 à Bergisch Gladbach. Mort le 23 avril 1896 à Düsseldorf. XIXe siècle. Allemand.

Peintre de paysages, paysages de montagne, dessinateur.
Il fut élève de Schirmer et de l'Académie de Düsseldorf. Membre de l'Académie d'Amsterdam, il obtint une mention honorable à Paris.
Il a peint des paysages du Tyrol, de l'Italie et du Sud de la France.
Musées : Aix-la-Chapelle : *Paysage des Alpes* – Besançon : *Le Mont Rose* – Hanovre : *Lac de Thoune.*
Ventes Publiques : Amsterdam, 15 nov. 1976 : *Paysage montagneux*, h/t (105x80) : **NLG 11 500** – Cologne, 21 oct. 1977 : *Bord de mer* 1867, h/t (26x34) : **DEM 3 000** – Cologne, 12 juin 1980 : *Paysage alpestre*, h/t (55x81) : **DEM 3 800** – Cologne, 21 mai 1981 : *Vue d'un village du Tyrol*, h/pan. (42x57) : **DEM 8 000** – Zurich, 9 nov. 1985 : *Lauterbrunnental*, h/t (137x110) : **CHF 25 000** – Cologne, 25 juin 1987 : *La Côte d'Italie*, h/t (95x126) : **DEM 8 500** – Londres, 24 juin 1988 : *Le Wetterhorn ; Paysage de montagne* 1868, cr. et aquar., une paire (chaque 32,4x43,9) : **GBP 495**.

LINDMAN Knut Axel
Né en 1848 à Gefle. Mort en 1930. XIXe-XXe siècles. Suédois.
Peintre de paysages, marines, dessinateur.
Il interpréta avec élégance la nature française, puis du Götland, de Stockholm, de l'Italie et du nord de l'Afrique.
Musées : Stockholm : une esquisse.
Ventes Publiques : Malmö, 2 mai 1977 : *Paysage boisé* 1930, h/t (43x69) : **SEK 12 000** – Stockholm, 30 oct 1979 : *Paysage d'hiver* 1919, h/t (72x100) : **SEK 7 000** – Stockholm, 20 oct. 1987 : *Visby* 1882, h/pan. (34x54) : **SEK 75 000** – Stockholm, 15 nov. 1989 : *La forêt en été* 1909, h. (43x35) : **SEK 4 700** – Stockholm, 14 nov. 1990 : *Vue de la partie orientale de Stockholm le matin*, h/t (23x38) : **SEK 22 000**.

LINDMEIER Daniel ou **Lindemeier**
XVIIe siècle. Actif à Halberstadt vers 1600. Allemand.
Graveur, peintre et orfèvre.
Peut-être est-il parent de W. E. Lindemeyer. On connaît surtout de lui des gravures, dont une *Vue de Goslar*, un *Siège de Brunswick* et des portraits.

LINDMEYER Daniel. Voir **LINDTMAYER**

LINDNER Christian
Né vers 1728. Mort le 8 mai 1806 à Meissen. XVIIIe siècle. Allemand.
Peintre.
Il fit surtout des portraits, et fut également peintre sur porcelaine à la Manufacture de Meissen.
Musées : Munich (Nat.) : *Johanna von Falkenstein.*

LINDNER Christian August
Né en 1772 à Meissen (Saxe-Anhalt). Mort en 1832 à Dresde. XVIIIe-XIXe siècles. Allemand.
Peintre.
Fils de Christian Lindner. Élève de J. E. Schenau à Dresde. Il peignit des portraits et des tableaux d'histoire.

LINDNER Ferdinand
Né en 1847 à Dresde. Mort en 1906 à Berlin. XIXe siècle. Actif à Kiel. Allemand.
Peintre de paysages, de marines et dessinateur.
Il exposa dès 1889.

LINDNER Franz. Voir **LINDER Franz**

LINDNER Friedrich Paul
XVIIIe siècle. Actif à Nuremberg. Allemand.
Peintre et graveur.
Il travailla à Nuremberg et Bamberg. On cite de lui une *Vue de Ratisbonne*, gravée en 1714.

LINDNER Hedda. Voir **LINDNER-LATT**

LINDNER Johann
Né le 5 juin 1839 à Alfeld près de Ratisbonne. Mort le 20 août 1906 à Munich. XIXe siècle. Allemand.
Graveur.
Élève de Karl Mayer à Nuremberg. Il se fixa à Munich en 1864. Il obtint une médaille d'or à Vienne en 1873.

LINDNER Karl
Né le 21 octobre 1871 à Vienne. XIXe-XXe siècles. Autrichien.
Peintre.
Il fut élève de Matsch, Berger et Marr.

LINDNER Moffat
Né en 1854 à Birmingham. XIXe siècle. Britannique.
Paysagiste et aquarelliste.
Membre du New English Art Club et du Royal Institute of Painters in Water-Colours. Médaillé à Paris en 1900 (Exposition Universelle). Le Musée de Bradford conserve de lui *Rivière hollandaise*, et celui de Liverpool, *Paysage hollandais.*
Ventes Publiques : Londres, 6 avr. 1923 : *La sentinelle*, dess. : **GBP 18**.

LINDNER Richard
Né le 6 mai 1856 à Berlin. XIXe siècle. Allemand.
Peintre de paysages, marines, lithographe.
Il fut élève des Académies des Beaux-Arts de Berlin et de Munich.

LINDNER Richard
Né en 1901 à Hambourg. Mort le 16 avril 1978 à New York. XXe siècle. Actif depuis 1941 et depuis 1948 naturalisé aux États-Unis. Allemand.
Peintre de figures. Pop'art.
Sa mère était américaine. Il passa son enfance à Nuremberg, y étudiant la musique, puis la peinture à l'école des beaux-arts. En 1924, il alla poursuivre ses études artistiques à Munich, à l'école des beaux-arts puis à l'académie. Il s'installa à Berlin, puis revint à Munich, il devint directeur artistique d'une maison d'édition, s'y familiarisant avec l'efficacité de l'image. D'origine juive et d'opinions socialistes, il dut fuir l'Allemagne lors de la prise du pouvoir par Hitler en 1933. Fixé à Paris, il fréquentait Montparnasse, mais y peignit relativement peu. La guerre, l'invasion de la France par les nazis, le poussèrent jusqu'à Marseille. Il dut encore fuir, en compagnie de son ami Saül Steinberg, s'embarquant pour New York en 1941, et découvrant ensemble avec enthousiasme le folklore new yorkais, son décor, ses figurants. Parmi les émigrés européens, il connut spécialement Fernand Léger. Il travailla d'abord comme illustrateur pour plusieurs journaux de mode américains. Il fut professeur au Pratt Institute de Brooklyn, de 1952 à 1965, puis après 1967 de la Yale University School of Art and Architecture de New Haven.
Depuis la reprise de son activité de peintre, Lindner prend part aux expositions importantes d'art américain ; à différentes expositions de groupe, par exemple au Salon de Mai à Paris, dans les musées d'art moderne de New York, Chicago, etc. Il a aussi montré de nombreuses expositions personnelles de ses œuvres : 1954, 1956, 1959, 1961, etc., New York ; 1965 Paris ; à partir de 1974 une exposition d'ensemble au musée d'Art moderne de Paris, au musée Boymans-van Beuningen de Rotterdam, à la Kunsthalle de Düsseldorf et au Kunsthaus de Zurich ; 1978 Museum of Modern Art de New York.
S'étant remis à peindre à son arrivée aux États-Unis, les œuvres de cette période relevaient encore des souvenirs d'Europe : *Les Enfants aux jeux mystérieux*, images faussement naïves pour capter la fraîcheur de l'enfance et en exorciser l'obsession. Ensuite, délaissant la figuration naïve pour une imagerie bariolée, dont l'éclatement des formes indique une certaine influence postcubiste sans doute héritée de l'admiration pour Léger et de sa faune, d'un regard à la fois critique et voyeur, critique comme l'avait été le Georg Grosz du Berlin de la défaite, voyeur à la façon du cinéma érotico-expressionniste allemand de la même époque. Les femmes sont plus des péripatéticiennes au rancard, à demi-dévêtues de cuir et de fourrure exhibant leurs zones érogènes délabrées, que la « star » femme-objet, clef de voûte de la société de consommation. Les hommes, sans équivoque, sont des gangsters ou souteneurs, en costumes italiens, feutres mous et lunettes de soleil. Ces personnages stéréotypés, constitués de formes découpées, bariolées, sur des tons vifs, font d'autant plus penser aux figures d'un insolite jeu de cartes, qu'ils sont flanqués d'emblêmes et de symboles divers : lettres, chiffres, signaux de la vie urbaine, accessoires, érotiques, éléments d'habillement fétichisés, soit accolés comme dans les collages, soit décrits en trompe-l'œil.
Dans le domaine de la peinture proprement dite et plus spécialement de la peinture figurative, Richard Lindner s'est révélé comme l'un des peintres américains les plus importants des années soixante. Cette révélation tardive (alors qu'il était âgé d'une soixantaine d'années) s'explique de deux façons : par le fait qu'il ne se consacra entièrement à la peinture qu'à partir de 1950, et par l'autre fait, que figuratif en pleine période abstraite, il fallut attendre le pop'art pour que sa figuration parût prémonitoire.
■ Jacques Busse

R. LINDNER

BIBLIOGR. : *Peintres contemporains*, Mazenod, Paris, 1964 – Catalogue de l'exposition : *Richard Lindner*, Musée national d'Art moderne, Paris, 1974 – in : *Dict. univer. de la peinture*, Le Robert, t. IV, Paris, 1975 – Hilton Kramer : *Richard Lindner*, Flammarion, Paris, 1978 – in : *L'Art du XXe s.*, Larousse, Paris, 1991 – in : *Dict. de l'art mod. et contemp.*, Hazan, Paris, 1992.
MUSÉES : CLEVELAND – COLOGNE (Wallraf-Richartz Mus.) : *Leopard Lily* - *L'Oreiller* 1966 – DALLAS – HAMBOURG (Kunsthalle) : *Le Cycliste* 1951 – LONDRES (Tate Gal.) – MINNEAPOLIS – NEW YORK (Mus. of Mod. Art) : *La Réunion* – NEW YORK (Whitney Mus.) – PARIS (Mus. Nat. d'Art Mod.) : *Et Ève* 1970 – WASHINGTON D. C. (Hirshhorn Mus. and Sculpture Garden) : *New York City IV* 1964.
VENTES PUBLIQUES : NEW YORK, 26 oct. 1972 : *The keyboard* : **USD 35 000** – LONDRES, 5 juil. 1973 : *Room for rent*, gche : **GBP 10 500** – NEW YORK, 3 mai 1974 : *Étude pour Banne 3*, aquar. : **USD 12 000** ; *Lune sur l'Alabama* : **USD 135 000** – NEW YORK, 28 mai 1976 : *Couples dansant* vers 1941, aquar. (55x49,5) : **USD 3 200** – LONDRES, 1er juil. 1976 : *John* 1960, h/t (46x30,5) : **GBP 8 800** – NEW YORK, 12 mai 1977 : *We are all one* 1967, cr. et mine de pb (56,5x44) : **USD 10 000** – ZURICH, 26 nov. 1977 : *Femme de profil* 1957, techn. mixte (19,5x11) : **CHF 7 300** – NEW YORK, 2 nov. 1978 : *Femme* 1967, aquar. (57x44) : **USD 16 000** – NEW YORK, 19 oct 1979 : *Banner n° 3* 1968, collage vinyl. avec poche à fermeture éclair (216x127) : **USD 3 000** – NEW YORK, 19 oct 1979 : *Spoleto* 1967, aquar. et collage (49x33) : **USD 9 500** – NEW YORK, 13 nov. 1980 : *Sans titre* 1962, collage, mine de pb, aquar. et h./ pap. mar./cart. (23x14) : **USD 2 800** – NEW YORK, 17 juil. 1981 : *Les Deux Sœurs*, pl. et lav. coul. (27,5x21,5) : **USD 850** – NEW YORK, 12 mai 1981 : *Pillow and almost a circle* 1969, aquar. (61x51) : **USD 26 000** – NEW YORK, 10 nov. 1982 : *The Walk* 1961, h/t (152,5x101,5) : **USD 200 000** – NEW YORK, 21 mai 1983 : *Jacques* 1965, gche, cr. de coul., encre de coul. et collage (43x34) : **USD 9 000** – NEW YORK, 10 mai 1983 : *L'As de trèfle* 1973, h/t (200x180,5) : **USD 300 000** – NEW YORK, 2 nov. 1984 : *Boy with toy* 1954, mine de pb en coul. et aquar. (72,5x57) : **USD 26 000** – HAMBOURG, 7 juin 1985 : *Marilyn was here* 1967, gche (81,3x74) : **DEM 160 000** – NEW YORK, 11 nov. 1986 : *Fifth Avenue* 1968, aquar./pap. (60,8x51) : **USD 32 000** – NEW YORK, 4 nov. 1987 : *Nude Art* 1964, mine de pb coul. (22,9x30,2) : **USD 6 000** – NEW YORK, 3 nov. 1987 : *Le Visiteur* 1953, h/t (127,3x76,3) : **USD 170 000** – NEW YORK, 30 mai 1988 : *Acteur de nuit* 1960, h/t (102,2x76,8) : **USD 121 000** – NEW YORK, 10 Nov. 1988 : *Jacques* 1965, aquar. collage et cr./cart. (43,5x34) : **USD 28 600** – NEW YORK, 3 mai 1989 : *Fillette* 1955, cr. et aquar./pap. (72,5x57,2) : **USD 35 750** ; *Hommage à Brecht* 1968, cr. et aquar./pap. (51x35,5) : **USD 46 750** – NEW YORK, 5 oct. 1989 : *Deux femmes* 1977, aquar., graphite et marker/pap. (108x86) : **USD 49 500** – NEW YORK, 7 nov. 1989 : *L'ange en moi* 1966, h/t (177,8x153) : **USD 220 000** – AMSTERDAM, 13 déc. 1989 : *Acteur français* 1961, cr. de coul., gche, h. et collage/pap. (70x57) : **NLG 34 500** – NEW YORK, 21 fév. 1990 : *Croquis pour Le Nu dans l'art* 1964, cr. coul./ pap. (21,2x14) : **USD 4 400** – PARIS, 2 juil. 1990 : *Nude art* 1964, cr. coul. (21x14) : **FRF 30 000** – NEW YORK, 7 nov. 1990 : *On* 1968, aquar. et collage/pap. (61x51) : **USD 16 500** – NEW YORK, 1er mai 1991 : *L'acteur* 1963, h/t (152,7x102,2) : **USD 165 000** – PARIS, 12 oct. 1991 : *Deux profils* 1977, past. et mine de pb/pap. (127x97) : **FRF 165 000** – NEW YORK, 12 nov. 1991 : *Le couple* 1971, h/t (183x198) : **USD 319 000** – ZURICH, 29 avr. 1992 : *Femme au perroquet* 1969, litho. en coul. (54,5x36) : **CHF 2 000** – MUNICH, 26 mai 1992 : *Autoportrait dans un miroir convexe* 1974, cr. et craie (10,5x13) : **DEM 3 105** – NEW YORK, 6 oct. 1992 : *Jacques* 1965, cr. de coul., aquar. et collage de pap./cart. (43,5x34) : **USD 19 800** – NEW YORK, 17 nov. 1992 : *Sans titre* 1941, encre et gche/pap. (45,1x33,6) : **USD 4 400** – NEW YORK, 25-26 fév. 1994 : *Couple n^o2* 1961, cr. noir et coul. encre et aquar./pap. (69,5x45,4) : **USD 47 150** – NEW YORK, 4 mai 1994 : *Coney Island* 1961, h/t (151,8x101) : **USD 112 500** – HEIDELBERG, 8 avr. 1995 : *Le Baiser* 1971, litho. en coul. (60x50) : **DEM 3 500** – NEW YORK, 2 mai 1995 : *N° 5* 1961, aquar. encre, cr./pap. (73,3x58,1) : **USD 47 150** – AMSTERDAM, 30 mai 1995 : *Cercle et coussin*, litho. en coul. (61x50,3) : **NLG 2 750** – LONDRES, 30 nov. 1995 : *As de trèfle*, aquar. et cr./ pap. (60x49) : **GBP 17 250** – NEW YORK, 8 mai 1996 : *Jupe fendue* 1964, aquar., cr. et collage/pap. (80x60,3) : **USD 46 000** – NEW YORK, 10 oct. 1996 : *Sans titre* 1962, gche/pap. (23,5x26,4) : **USD 862** – LONDRES, 29 mai 1997 : *Le Chevalier à la Rose* 1977, aquar. et cr./pap. (78,7x58,4) : **GBP 9 775** – NEW YORK, 8 mai 1997 : *À Norma et Bill* 1965, mine de pb, cr. de coul., past. et collage tissu/pan. (49x38,8) : **USD 20 700**.

LINDNER-LATT Hedda
Née le 30 mai 1875 à Stralsund. XXe siècle. Active à Berlin. Allemande.
Sculpteur.
Élève de J. Dampt, A. Roubard et J. Heinemann. Elle épousa le sculpteur Hans Latt en 1910.

LINDO Philipp M.
Né en 1821 à Londres. Mort le 14 septembre 1892 à Delft. XIXe siècle. Britannique.
Peintre de genre.
Élève de Kiederich à l'Académie de Düsseldorf. Le Musée de Melbourne conserve de lui *Portrait d'Augustus Tulk*.

LINDOE D.
XVIIIe siècle. Britannique.
Peintre.
Il figura en 1797 et 1798 à la Royal Academy avec des paysages.

LINDON Kurt
Né en 1910. XXe siècle. Suédois.
Peintre de scènes typiques, paysages.
VENTES PUBLIQUES : STOCKHOLM, 5-6 déc. 1990 : *« Skeppsbron » à Stockholm*, h/t (35x50) : **SEK 5 500** – STOCKHOLM, 13 avr. 1992 : *« Sieste », le repos des artistes*, h/t (37x39) : **SEK 3 600**.

LINDQVIST Axel Hjalmar
Né le 20 juillet 1843 à Stockholm. Mort le 24 avril 1917 à Lund. XIXe-XXe siècles. Suédois.
Peintre de figures, paysages.
Il fut élève de l'Académie des Beaux-Arts de Stockholm. Il subit l'influence à Paris de l'École de Barbizon.
MUSÉES : LUND – MALMÖET.
VENTES PUBLIQUES : STOCKHOLM, 15 nov. 1989 : *Paysage animé avec un arbre près du lac* 1890, h. (31x46) : **SEK 5 000** – STOCKHOLM, 28 oct. 1991 : *Forêt en Suède en hiver*, h/pan. (46x59) : **SEK 5 700** – LONDRES, 27 oct. 1993 : *Paysage avec un pêcheur à la ligne*, h/t (70x100) : **GBP 747**.

LINDQVIST Carl Magnus
Né en 1884. Mort en 1977. XXe siècle. Suédois.
Peintre de paysages.
VENTES PUBLIQUES : STOCKHOLM, 28 oct. 1991 : *Paysage fluvial dans le nord en automne* 1933, h/t (40x49) : **SEK 5 500** – STOCKHOLM, 13 avr. 1992 : *Personnages au bord d'un lac en Laponie en automne*, h/t (48x60) : **SEK 5 200**.

LINDQVIST Herman
Né en 1868 à Stockholm. Mort en 1923. XIXe-XXe siècles. Suédois.
Peintre de paysages.
Il fut élève de l'académie des beaux-arts de Stockholm.
MUSÉES : HUDIKSVALL : *Clair de lune*.
VENTES PUBLIQUES : STOCKHOLM, 19 avr. 1989 : *« Après-midi ensoleillé », fillette sur un banc au bord d'un chemin* 1896, h/t (27x35) : **SEK 28 000** – STOCKHOLM, 15 nov. 1989 : *Maison rouge au bout d'une prairie avec une vache, l'été en Suède* 1908, h. (50x61) : **SEK 9 200** – STOCKHOLM, 16 mai 1990 : *« Mellan akrarna », chemin campagnard en été*, h/t (49x60) : **SEK 8 000**.

LINDQVIST Rurik Nestor
Né le 26 janvier 1870 à Saint-Michel. XIXe-XXe siècles. Finlandais.
Peintre de paysages, figures.
Il étudia à Helsinki.

LINDROTH Hans
Né en 1938 à Stockholm. XXe siècle. Suédois.
Peintre, graveur.
Il a participé, en 1992, à l'exposition *De Bonnard à Baselitz – Dix Ans d'enrichissement du cabinet des estampes 1978-1988* à la Bibliothèque nationale, à Paris.
MUSÉES : PARIS (BN) : *Le Pont d'Arstra* 1979.

LINDSAY Caroline Blanche Elizabeth, née **Fitz Roy**
Morte le 10 août 1912 à Londres. XXe siècle. Britannique.
Peintre de fleurs et de natures mortes.
Elle était la femme de sir Coutts Lindsay.

LINDSAY Coutts, Sir, bart
Né le 2 février 1824. Mort le 7 mai 1913 à Londres. XIXe-XXe siècles. Britannique.
Peintre amateur.
Officier de carrière, sir Coutts Lindsay exécuta principalement des tableaux de genre et des portraits.

LINDSAY Doreen
Née en 1934 à London (Ontario). XXe siècle. Canadienne.
Peintre, graveur de natures mortes.
Elle suivit des cours de peinture, puis de gravure, dans sa ville natale, puis privilégia la photogravure.
Posant un regard sensible sur les objets les plus communs, elle en rend la complexité, en retrouve l'essence, dans des mises en scène dépouillées.
Musées : Montréal (Mus. d'Art Contemp.) : *Sans Titre*, extrait de l'album – *La Nourriture* 1979.

LINDSAY Lionel, Sir
Né en 1874. Mort en 1965. XIXe-XXe siècles. Australien.
Graveur.
Il est le frère de Norman Lindsay. Il vécut et travailla à Sydney.
Bibliogr. : In : *Creating Australia – 200 years of art 1788-1988*, The Art Gallery of South Australia, Adelaïde, 1988.
Musées : Adelaïde (Gal. of South Australia) : *Syrian goat and rhodendrons* 1925.
Ventes Publiques : Sydney, 29 oct. 1987 : *Cobb and Co*, pointe-sèche et eau-forte (21,5x30) : **AUD 3 000** – Sydney, 3 juil. 1989 : *Et Palace Antiquara*, aquar. (28x39) : **AUD 1 700** – Sydney, 16 oct. 1989 : *Segovia*, techn. mixte (38x56) : **AUD 2 200** – Sydney, 26 mars 1990 : *Journée d'été à midi*, eau-forte (17x21) : **AUD 800** – Sydney, 2 juil. 1990 : *Le vieux Ségovie*, aquar. (34x26) : **AUD 1 300**.

LINDSAY Norman Alfred William
Né en 1879 à Victoria. Mort en 1969 en Nouvelles-Galles du Sud. XXe siècle. Australien.
Peintre, aquarelliste, graveur, illustrateur, sculpteur.
Il vécut et travailla à Sydney. Ses œuvres à tendance anti-religieuse : *Le Triomphe de la chair sur l'ascète – La Voix du diable* (...) l'ont fait connaître.

Norman Lindsay

Bibliogr. : In : *Dict. de l'art mod. et contemp.*, Hazan, Paris, 1992.
Musées : Springwood (Norman and Lindsay Mus. & Art Gal.) : *Femme et perroquet* 1918.
Ventes Publiques : Londres, 29 juil. 1932 : *Raisin*, dess. : **GBP 46** ; *Sérénade*, dess. : **GBP 36** – Melbourne, 14 mars 1974 : *Nu couché* : **AUD 10 000** – Sydney, 1er oct. 1974 : *L'enlèvement*, aquar. : **AUD 4 000** – Rosebery (Australie), 29 juin 1976 : *Light lyrics* 1920, aquar. (41,5x33) : **AUD 1 200** – Sydney, 6 oct. 1976 : *Allégorie de la Terre* 1919, pl. (60,5x48,5) : **AUD 6 800** – Rosebery (Australie), 21 juin 1977 : *Fate*, aquar. (54x41) : **AUD 2 600** – Melbourne, 11 mars 1977 : *Nu aux plumes roses*, h/t (60,7x45,5) : **AUD 2 800** – Melbourne, 19 juin 1978 : *The Lady in black*, h/t mar./cart. (50,8x37,4) : **AUD 3 000** – Sydney, 10 sept 1979 : *La sirène*, cr. (50x38) : **ATS 1 200** – Sydney, 10 sept 1979 : *La grande prêtresse* 1961, aquar. (52x37) : **AUD 4 750** – Sydney, 21 mars 1979 : *Inez*, h/t mar. (49x39) : **AUD 4 600** – Sydney, 30 juin 1980 : *Julia Frisk and Mr. Brisk*, eau-forte (26x22,5) : **AUD 1 100** – Sydney, 2 mars 1981 : *The purple drape*, h/t (74x50) : **AUD 13 500** – Londres, 23 avr. 1981 : *Jour d'été, andante* 1965, eau-forte (33,7x38) : **GBP 600** – Sydney, 29 mars 1982 : *The lady and her parrot*, aquar. (39x34) : **AUD 5 500** – Sydney, 14 mars 1983 : *Bonjour* 1921, eau-forte (29x32) : **AUD 1 400** – Armadale (Australie), 11 avr. 1984 : *Vénus et Diane* 1925, aquar. (76,5x59,5) : **AUD 19 000** – Armadale (Australie), 11 avr. 1984 : *The Birth of life* 1918, encre (70x51) : **AUD 3 500** – Melbourne, 8 nov. 1984 : *Le rideau bleu* 1949, h/t (34,5x40) : **AUD 13 000** – Sydney, 25 nov. 1985 : *Welcome home*, cr. (44x51) : **AUD 2 000** – Sydney, 25 nov. 1985 : *The Buccaneer*, h/cart. (39x29) : **AUD 3 000** – Melbourne, 21 avr. 1986 : *The Garden Party* 1920, aquar./pap. (41,5x40,5) : **AUD 17 000** – Sydney, 24 nov. 1986 : *The purple drape*, h/t (75x49) : **AUD 11 000** – Sydney, 17 avr. 1988 : *Civilisation*, encre et aquar. (46x42) : **AUD 2 000** – Sydney, 4 juil. 1988 : *Chère Mabel*, encre et lav./carte (14x8) : **AUD 1 500** – Sydney, 20 mars 1989 : *Nu couché*, h/t (60x51) : **AUD 12 000** – Sydney, 3 juil. 1989 : *Europe et les sirènes*, cr. (45x41) : **AUD 3 000** – Sydney, 16 oct. 1989 : *L'éventail*, aquar. (33x26) : **AUD 11 500** – Sydney, 26 mars 1990 : *Le Sphinx*, bronze (H. 20) : **AUD 1 200** – Sydney, 15 oct. 1990 : *Le galion*, h/t (57x47) : **AUD 5 000** – Londres, 28 nov. 1991 : *Les jeunes amants*, cr. et aquar. avec reh. de blanc (21,6x22,8) : **GBP 1 650** – Sydney, 2 déc. 1991 : *Le Feulement du fauve*, grav. (36x30) : **AUD 1 600** – Hobart, 26 août 1996 : *Nymphe* 1916, aquar. (28,8x22,2) : **AUD 11 500** – Melbourne, 20-21 août 1996 : *La vieille femme qui rit*, aquar. et cr. (36,5x27,5) : **AUD 17 250**.

LINDSAY Percival Charles ou **Percy**
Né en 1870. Mort en 1952. XIXe-XXe siècles. Australien.
Peintre de scènes typiques.
Ventes Publiques : Melbourne, 11 mars 1977 : *Porter's cottage, Melbourne road, Creswick* 1907, h/pan. (29,5x45,7) : **AUD 1 700** – Sydney, 20 oct. 1980 : *Dirving the first piles on the Southern End of Sydney harbour bridge*, h/cart. (24x32,5) : **AUD 1 200** – Sydney, 30 mai 1983 : *Pastoral scene, Pymble*, h/cart. (42x58) : **AUD 2 800** – Londres, 28 nov. 1991 : *Les orpailleurs*, h/t (40,7x30,5) : **GBP 11 550**.

LINDSAY Thomas
Né vers 1793 à Londres. Mort le 23 janvier 1861 près de Brecon. XIXe siècle. Britannique.
Peintre de paysages et aquarelliste.
Il peignit des vues de la Tamise, particulièrement des levers et des couchers de soleil. On lui doit aussi des vues du pays de Galles. Membre en 1833 de la New Water-Colours Society, il exposa aussi à la British Institution. Le Victoria and Albert Museum conserve de lui une peinture *(Soleil couchant sur un lac)* et deux aquarelles.
Ventes Publiques : Londres, 10 juil. 1980 : *Sur la plage, Brighton* 1837, aquar./trait de cr. (22x33) : **GBP 1 300** – Londres, 12 mars 1987 : *Harlech Castle, Merionetshire*, aquar./traits de cr. (33,5x62,5) : **GBP 1 500**.

LINDSAY Violet. Voir **GRANBY de**

LINDSTRÖM Arvid Maurits
Né en 1849 en Västmanland. Mort en 1923. XIXe-XXe siècles. Suédois.
Peintre de paysages.
Il travailla à Londres, de 1882 à 1889.
Musées : Stockholm : *En Écosse – Paysage d'automne*.
Ventes Publiques : Göteborg, 5 avr. 1978 : *Paysage d'hiver*, h/t (126x77) : **SEK 10 600** – Paris, 18 mars 1980 : *Composition*, h/t (162x96,5) : **FRF 8 000** – Stockholm, 8 avr. 1981 : *Paysage à l'étang*, h/t (66x116) : **SEK 13 500** – Stockholm, 1er nov. 1983 : *Paysage d'hiver*, h/t (74x126) : **SEK 24 000** – Stockholm, 29 oct. 1985 : *Paysage d'hiver*, h/t (74x126) : **SEK 19 000** – Stockholm, 15 nov. 1988 : *La forêt en hiver avec un ruisseau gelé et des arbres givrés*, h. (127x74) : **SEK 51 000** – Göteborg, 18 mai 1989 : *La lande écossaise*, h/t (16x24) : **SEK 5 300** – Stockholm, 16 mai 1990 : *Chemin en forêt menant à un lac*, h/t (75x125) : **SEK 44 000** – Stockholm, 14 nov. 1990 : *Sous-bois de bouleaux au printemps*, h/t (110x190) : **SEK 36 000** – Stockholm, 19 mai 1992 : *Paysage suédois avec un ruisseau bordé d'arbres en automne*, h/t (75x128) : **SEK 31 000**.

LINDSTRÖM August Frederik, dit **Fritz**
Né le 5 juillet 1874 à Stockholm. Mort en 1962. XIXe-XXe siècles. Suédois.
Peintre de paysages.
Musées : Göteborg : *Vue de Visby – Portrait de Björn Ahlgrenson* – Stockholm : *Visby – Les murs de Visby*.
Ventes Publiques : Stockholm, 20 oct. 1987 : *Paysage au grand arbre* 1905, h/t (57x74) : **SEK 120 000** – Stockholm, 29 mai 1991 : *Paysage enneigé au clair de lune* 1908, h/t (116x150) : **SEK 58 000** – Stockholm, 28 oct. 1991 : *Autoportrait*, h/t (33x23) : **SEK 6 000**.

LINDSTRÖM Bengt
Né le 3 septembre 1925 à Storjökapell (Härjedalen). XXe siècle. Actif depuis 1947 aussi en France. Suédois.
Peintre de figures, portraits, paysages, animaux, peintre à la gouache, peintre de technique mixte, compositions murales, sculpteur, graveur, dessinateur, illustrateur. Expressionniste.
Il fut élève en 1944 de l'école d'art d'Isaac Grünewald, ancien élève de Matisse, à Stockholm, l'année suivante il étudie à l'école des beaux-arts de Copenhague, en 1946-1947 à l'Institut d'art de Chicago, où il rencontre Joan Mitchell, puis, à partir de 1947, travaille à Paris dans les ateliers de Fernand Léger et d'André Lhote. En 1953, il se lie avec Bogart, Marfaing, Maryan et Pouget, et quelques années plus tard avec le peintre Cobra Asger Jorn, dont il subira l'influence. Il vit en France, à Savigny-sur-Orge depuis 1965, et l'été en Suède, à Sundvall.
Depuis 1951, il participe à grand nombre d'expositions collectives à Paris, notamment aux Salons de Mai et des Réalités Nouvelles, à Stockholm, Londres, Gand, au Cincinnati Art Museum à Tôkyô, au musée national d'Art moderne de Paris, etc. Il montre

ses œuvres dans des expositions personnelles depuis 1954 : 1964 Konstmuseum de Boras et de Sundsvall ; 1966 Konstmuseum de Göteborg et de Norrköpings ; 1973 musée Galliera à Paris ; 1977 Centre culturel de Montévidéo ; 1979 Konstmuseum de Varberg et de Sundsvall ; 1981 Centre culturel suédois à Paris ; 1983 musée historique de Stockholm ; 1986 musée de Salamanque et Centre d'art contemporain de Rouen ; 1988 Konsthall de Kiruna ; 1990 château de Collioure ; 1991 musée d'Art moderne de Aland et Institut français de Stockholm ; 1992 musée de Vésoul ; 1993 pinacothèque de Ravennes ; 1995 galerie Guy Bärtschi à Genève.

Découvrant, en 1946, les œuvres gravées de Chagall et les premiers *Papes* de Bacon, il réalise ses premières lithographies : *Méditation* et *Le Modèle étendu*, technique qu'il reprendra dix ans plus tard. Après sa période abstraite-organique des années cinquante, il revient à la figuration avec des figures primitives, inspirées de la mythologie du Grand Nord. S'inspirant de ses souvenirs de la nature rude de la Suède du Nord, dans des œuvres de très grandes dimensions, aux pâtes épaisses et aux couleurs violentes (rouge, vert, jaune) directement sorties du tube, il trouve une synthèse entre abstraction informelle et expressionnisme nordique, démarche dans laquelle il est accompagné à Paris, par le Français Pouget et le Grec d'Angleterre Christoforou. Ami du peintre Cobra Jorn, il en a subi l'influence. Il a également réalisé des sculptures, notamment *Le Marteau de Tor* en 1983, en bronze, en papier mâché, des bijoux, et peint une voiture pour Volvo ainsi que d'énormes bâches pour protester contre la création d'un barrage en Suède. Il joua un rôle intéressant dans la jeune école de Paris, où il représente une tendance traditionnellement peu florissante dans l'école française.

Bibliogr. : In : *Dict. univer. de la peinture*, Le Robert, t. IV, Paris, 1975 – Anne Tronche : *Bengt Lindström : un bruit d'avant l'image*, Opus international, n° 75, Paris, hiver 1980 – in : *L'Art du XXe s.*, Larousse, Paris, 1991 – in : *Dict. de l'art mod. et contemp.*, Hazan, Paris, 1992.

Musées : Boras (Kommun Konstmus.) : *Smiling Witch* 1963 – Calais – Dunkerque (Mus. d'Art Contemp.) – Gand (Mus. Van Hedendaagse Kunst) – Göteborg (Konstmus.) – Humlebaek (Louisiana Mus. of Mod. Art) – Koblenz (Mus. Ludwig) : *Jour à saute-mouton* 1967 – Londres (Tate Gal.) – Lunds – Mälmo – Nantes (Mus. des Beaux-Arts) – Norrköpings (Konstmus.) : *The Golden Ape* vers 1968 – Ostende (Mus. de la Ville) – Paris (BN) : *Le Lion de Nemée* 1977 – Paris (FNAC) : *Personnage* 1981 – Paris (Mus. Nat. d'Art Mod.) : *Le Cri* 1967 – Paris (Mus. d'Art Mod. de la Ville) : *Les Vikings* 1973 – Séoul – Silkeborg – Stockholm (Mod. Mus.) : *Portrait de grand-père* 1966 – Sundsvalls : *Sitting Woman* 1962 – *Conversation* vers 1967 – Toulouse (Mus. des Beaux-Arts).

Ventes Publiques : Milan, 16 oct. 1973 : *Tête* : **ITL 1 500 000** – Rome, 20 mai 1974 : *L'Onde bleue* : **ITL 1 900 000** – Milan, 18 nov. 1974 : *Le Loup et le Masque*, techn. mixte : **ITL 950 000** – Lokeren, 6 nov. 1976 : *Figure*, gche (65x50) : **BEF 40 000** – Paris, 2 déc. 1976 : *Dompteur de fauves* 1962, h/t (160x114) : **FRF 17 000** – Rome, 24 mai 1979 : *Très ému*, h/t (120x120) : **ITL 2 000 000** – Versailles, 11 déc. 1983 : *Composition*, gche (76x57) : **FRF 11 000** – Göteborg, 9 nov. 1983 : *Le Monstre* 1968, h/t (145x114) : **SEK 24 000** – Londres, 25 juin 1985 : *Convoitise* 1972, h/t (145x114) : **GBP 3 500** – Paris, 3 déc. 1987 : *Comedia dell'arte*, gche/pap. (75x55) : **FRF 11 000** – Paris, 4 juin 1987 : *Double personnage*, gche (57x76) : **FRF 13 000** – Paris, 15 juin 1988 : *Couple*, peint./pap. mar./t. (106x150) : **FRF 34 000** – Calais, 3 juil. 1988 : *Composition*, h/t (64x81) : **FRF 35 000** – Douai, 23 oct. 1988 : *Sans titre*, gche (56x77) : **FRF 6 300** – Paris, 28 oct. 1988 : *Composition*, h/t (120x120) : **FRF 55 500** – Rome, 15 nov. 1988 : *La boule de cristal* 1970, h/t (46x38) : **ITL 3 800 000** – Paris, 20 nov. 1988 : *Femme sauvage*, h/t (116x89) : **FRF 45 600** – Paris, 12 déc. 1988 : *Croque-os* 1967, h/t (46x38) : **FRF 19 000** – Rome, 21 mars 1989 : *Sans titre*, h/t (116x89) : **ITL 11 000 000** – Paris, 22 mars 1989 : *Visage et personnage jaune*, h/pap. (73x52) : **FRF 35 000** – Göteborg, 18 mai 1989 : *Composition avec personnages*, acryl./t. (76x55) : **SEK 13 000** – Paris, 24 mai 1989 : *Tête rouge*, pap. mâché (H 30) : **FRF 9 500** – Milan, 6 juin 1989 : *Le loup garou*, h/t (130,5x162) : **ITL 26 000 000** – Paris, 23 juin 1989 : *Figure*, h/t (61x50) : **FRF 50 000** – Pont-Audemer, 24 sep. 1989 : *Portrait de Van Gogh*, h/t (147x114) : **FRF 141 000** – Paris, 7 oct. 1989 : *Personnage*, h/t (55,5x46) : **FRF 62 000** – Copenhague, 22 nov. 1989 : *Dieux inconnus*, h/t (81x65) : **DKK 71 000** – Paris, 18 fév. 1990 : *Personnages*, h/t (65x54) : **FRF 75 000** – Copenhague, 21-22 mars 1990 : *Rendez-vous en vert* 1984, h/t (81x65) : **DKK 72 000** – Milan, 27 mars 1990 : *Têtes*, gche/pap. entoilé (56x75,5) : **ITL 5 500 000** – Paris, 30 mars 1990 : *Personnage jaune*, h/t (61x50) : **FRF 131 000** – Rome, 10 avr. 1990 : *La Boule de cristal* 1970, h/t (46x38) : **ITL 8 500 000** – Paris, 26 avr. 1990 : *Sans titre*, h/pan. (76x56) : **FRF 60 000** – Paris, 3 mai 1990 : *Combat*, h/pap. (57x77) : **FRF 42 000** – Neuilly, 10 mai 1990 : *Randonnée nordique*, h/t (65x54) : **FRF 85 000** – Amsterdam, 22 mai 1990 : *Personnage*, h/t (32,5x24,5) : **NLG 7 475** – Paris, 30 mai 1990 : *Personnage*, h., acryl., gche/pap. (107x77) : **FRF 92 000** – Stockholm, 14 juin 1990 : *Composition avec deux personnages*, h/t (130x162) : **SEK 160 000** – Paris, 18 juin 1990 : *Portrait de Van Gogh*, h/t (116x89) : **FRF 75 000** – Paris, 10 juil. 1990 : *Tête*, h/t (250x200) : **FRF 110 000** – Chalon-sur-Saône, 14 oct. 1990 : *Nu* 1990, gche mar./pan. (90x61) : **FRF 65 000** – Rome, 30 oct. 1990 : *Volto* 1970, h/t (71x58,5) : **ITL 10 000 000** ; *Composition animée en vert et rouge*, h/t (120x120) : **SEK 77 000** – Rome, 9 avr. 1991 : *Le Loup bleu*, h/t (54x65) : **ITL 9 500 000** – Stockholm, 30 mai 1991 : *Glissade en luge*, h/t (116x90) : **SEK 72 000** – Milan, 14 nov. 1991 : *Figure* 1973, h/t (57x46) : **ITL 10 000 000** – Amsterdam, 12 déc. 1991 : *Sans titre* 1977, h/cart. (46x38) : **NLG 7 475** – Copenhague, 4 mars 1992 : *Composition*, h/t (145x114) : **DKK 55 000** – Lokeren, 21 mars 1992 : *L'Amphibie* 1965, h/t (98x131) : **BEF 800 000** – Lokeren, 23 mai 1992 : *Homme et chien*, h/t (147x112) : **BEF 850 000** – Paris, 3 juin 1992 : *Rouge et vert* 1986, acryl./pap./pan. (107x75) : **FRF 32 000** – Lokeren, 10 oct. 1992 : *Les nains* 1967, h/t (163x114) : **BEF 900 000** – Paris, 27 oct. 1992 : *Grande tête*, acryl./t. (250x200) : **FRF 125 000** – Amsterdam, 10 déc. 1992 : *Rekordhopparen*, h/t (92x73,5) : **NLG 17 250** – Paris, 3 fév. 1993 : *Réalités Nouvelles*, h/t (65,5x55,5) : **FRF 25 000** – Paris, 10 juin 1993 : *Man and Bird* 1986, acryl./t. (205x195) : **FRF 70 000** – Milan, 16 nov. 1993 : *Femmes se déshabillant*, h/t (130x89) : **ITL 15 525 000** – Stockholm, 30 nov. 1993 : *Figure polychrome*, h/t (130x97) : **SEK 50 000** – Lokeren, 4 déc. 1993 : *La Querelle*, gche (55x75) : **BEF 150 000** – New York, 24 fév. 1994 : *Convoitise* 1972, h/t (146,7x114,3) : **USD 7 188** – Copenhague, 2 mars 1994 : *Composition*, acryl./pap./t. (77x56) : **DKK 9 000** – Paris, 29 juin 1994 : *Cinq personnages*, h/t (130x163) : **FRF 45 000** – Amsterdam, 31 mai 1995 : *Visage*, h/pap./t. (65x50) : **NLG 3 776** – Lokeren, 9 déc. 1995 : *Héraclès* 1977, acryl./pap. (75x55) : **BEF 100 000** – Paris, 5 juin 1996 : *Profil d'animaux*, h/t (50x61) : **FRF 15 000** – Amsterdam, 5 juin 1996 : *Composition avec une tête*, gche/pap. (72x54) : **NLG 1 725** – Paris, 19 juin 1996 : *Personnages*, h/t (65x81) : **FRF 21 000** – Paris, 5 oct. 1996 : *Regard*, h/t (116x145) : **FRF 30 000** – New York, 10 oct. 1996 : *Composition*, acryl./t. (61x73,7) : **USD 3 450** – Lokeren, 18 mai 1996 : *Figures*, acryl./pap. (56x76) : **BEF 75 000** – Copenhague, 29 jan. 1997 : *Composition*, h/t (92x83) : **DKK 36 000** – Paris, 28 avr. 1997 : *Trois têtes* 1973, gche/pap. (76x57) : **FRF 7 000** – Paris, 12 mars 1997 : *Personnages*, h/t (162x130) : **FFR 42 000** – Paris, 26 mai 1997 : *Sans titre*, h/pap. mar./t. (116x81) : **FRF 8 200** – Amsterdam, 4 juin 1997 : *Gifle IV*, h/t (100x81) : **NLG 10 378** – Paris, 4 nov. 1997 : *L'Homme d'Espagne* vers 1987, h/t (100x81) : **FRF 27 000** – Paris, 23 nov. 1997 : *La Nuit des chasseurs* 1981, gche/pap. mar./t. (106,5x150) : **FRF 34 000**.

LINDSTRÖM Charles Victor Peter

Né le 11 janvier 1867 à Copenhague. XIXe siècle. Danois.

Sculpteur.

Élève de l'Académie de Copenhague.

Musées : Copenhague : *Buste*.

LINDSTRÖM Karl Johan

Né en 1801 en Ostergötland. Mort après 1846 à Naples. XIXe siècle. Suédois.

Peintre et graveur.

Élève de l'Académie de Stockholm. Il s'établit à Naples vers 1830. Il y exécuta des aquarelles et des gravures, en grande partie inspirées de la vie de Naples et de ses habitants.

LINDSTRÖM Richard ou **Rikard**

Né en 1882 à Stockholm. Mort en 1943. XXe siècle. Suédois.

Peintre de paysages, marines.

Musées : Helsinki – Norrköpping – Stockholm.

Ventes Publiques : Stockholm, 19 avr. 1972 : *Marine* : **SEK 9 100** – Malmö, 2 mai 1977 : *Marine*, h/t (80x100) : **SEK 10 000** – Anvers, 8 mai 1979 : *Têtes*, gche (75x54) : **BEF 40 000** – Stockholm, 30 oct 1979 : *Marine* 1943, h/pan.

(68x39,5) : **SEK 12 500** – STOCKHOLM, 22 avr. 1981 : *Hamnbild* 1936, h/t (100x80) : **SEK 25 000** – STOCKHOLM, 1er nov. 1983 : *Bateaux à l'ancre* 1939, h/t (81x99) : **SEK 27 500** – STOCKHOLM, 13 nov. 1985 : *Bord de mer* 1940, h/t (69x99) : **SEK 37 500** – STOCKHOLM, 10 déc. 1986 : *Paysage d'hiver*, h/t (78x109) : **SEK 20 000** – STOCKHOLM, 20 avr. 1987 : *Bateaux au port, Lofoten* 1927, h/pan. (69x99) : **SEK 37 000** – STOCKHOLM, 6 juin 1988 : *Marine avec voiliers et personnages au large*, h. (57x66) : **SEK 23 500** – STOCKHOLM, 15 nov. 1989 : *Port de pêche à Rezine dans la région de Lofoten, entouré de montagnes enneigées*, h. (90x98) : **SEK 47 000** – STOCKHOLM, 14 nov. 1990 : *Chasse dans les Lofoten*, h/t (103x74) : **SEK 26 000** – STOCKHOLM, 29 mai 1991 : *Voilier à l'ancre dans l'archipel*, h/pan. (100x85) : **SEK 27 000** – STOCKHOLM, 28 oct. 1991 : *Barcelone, le port avec les entrepôts*, h/t (77x108) : **SEK 5 500** – COPENHAGUE, 23 mai 1996 : *Depuis les Spetsbergen* 1926, h/t (80x92) : **DKK 4 200** – CALAIS, 23 mars 1997 : *Portrait*, h/t (61x73) : **FRF 24 000**.

LINDSTRÖM Soen Otto ou **Sven**
Né en 1883. Mort en 1932. XXe siècle. Suédois.
Peintre de paysages.

VENTES PUBLIQUES : LONDRES, 24 mars 1988 : *Le Port de Honfleur* 1911, h/t (61x46) : **GBP 2 090**.

LINDT Johann Georg
XVIIIe siècle. Actif en Bavière. Allemand.
Sculpteur.

Il travailla surtout pour Burghausen et ses environs. On le mentionne de 1759 à 1790.

LINDTENFELDER Kaspar. Voir **LINDENFELDER**

LINDTMAYER Baschion ou **Lindmeyer**
Mort en 1519. XVIe siècle. Actif à Schaffhouse. Suisse.
Peintre verrier.

Les Musées de Karlsruhe et de Schaffhouse possèdent de ses œuvres.

LINDTMAYER Daniel, l'Ancien ou **Lindtmeyer**
Né à Schaffhouse. Mort en 1559 à Passau. XVIe siècle. Suisse.
Peintre.

Fils de Félix Lindtmayer l'ancien.

LINDTMAYER Daniel, le Jeune
Né en 1552 à Schaffhouse. Mort sans doute en 1607 à Lucerne. XVIe siècle. Suisse.
Peintre de sujets religieux, paysages, peintre verrier, dessinateur et graveur.

Fils et élève de Félix Lindtmayer le jeune. Il passa ses premières années dans sa ville natale et vers 1574 se rendit à Bâle où il se perfectionna dans la technique de l'École d'Holbein. En 1580 il est aux environs de Berne où il orne de fresques et de toiles diverses des églises et des couvents. C'est ainsi que dans cette région on retrouve d'innombrables œuvres de lui. En 1586 il travaille au couvent Saint-Blaise (Forêt noire), en 1588 pour le comte de Solm et aussi pour Berne, Bâle, Zurich et Soleure. En 1587 il orne la maison du greffier de Schaffhouse, Forrer, de fresques représentant des scènes de l'Ancien Testament (*Le jugement de Salomon, Moïse en prière, Adam et Ève*, etc.) et quelques paysages. Vers la fin de 1590 il est à Constance, en 1591 à Bâle. En 1593 il travaille pour le duc Henry d'Orléans-Longueville, comte de Neuchâtel. Dans les dernières années du XVIe siècle on perd la trace de cet artiste, dont on a cependant retrouvé des dessins datés de 1590 à 1600 et même 1601. De nombreux musées allemands et suisses, possèdent de ses œuvres.

MUSÉES : LILLE (Wicar) : *Saint Jean à Patmos* – LONDRES (Brit. Mus.) : *Armes de la famille Fulach – Armes de la famille Reischach – Armes de Lucerne* – NEW YORK (Metrop.) : *Le fils prodigue* – ZURICH : *Armes – Un jugement – On boit*.

VENTES PUBLIQUES : PARIS, 21 et 22 fév. 1919 : *Portrait en pied d'un guerrier*, encre de Chine : **FRF 300** – PARIS, 29 nov. 1934 : *La Charité*, pl. et lav. de Chine : **FRF 550** – LONDRES, 6 mars 1946 : *Bourgeois assis autour d'une table*, dess. : **GBP 62** – BERNE, 22 nov. 1956 : *Bethsabée au bain*, pl. et cr. noir : **CHF 4 900** – AMSTERDAM, 6 juin 1977 : *Figures allégoriques* 1591, pl. et lav. (35,3x24,8) : **NLG 13 500** – LONDRES, 3 mai 1979 : *Le martyre d'une sainte (étude pour un vitrail)*, pl. et lav. (22,2x21,8) : **GBP 600** – PARIS, 16 nov. 1984 : *Job raillé par sa famille* 1581, pl. et lav. d'encre de Chine (38x30,5) : **FRF 72 000**.

LINDTMAYER Felix, l'Ancien
Mort vers 1543. XVIe siècle. Actif à Schaffhouse. Suisse.
Peintre verrier.

Fils probablement de Baschion Lindtmayer. Le Musée suisse de Zurich et le Musée du Château de Berlin possèdent de ses œuvres.

LINDTMAYER Félix, le Jeune, dit **Félix Glaser**
Mort le 5 octobre 1574 à Schaffhouse. XVIe siècle. Suisse.
Peintre verrier.

Fils de Félix Lindtmayer l'ancien, il prit la succession de son père et se maria en 1544. Mais malheureux en ménage il quitta son pays, fit partie d'une compagnie de mercenaires qui servait à Chalon-sur-Saône et plus tard à Calais. De retour à Schaffhouse il se remaria et mourut des suites d'une chute qu'il fit d'une fenêtre.

LINEK Lajos
Né le 17 novembre 1859 à Gyönk. XIXe siècle. Hongrois.
Peintre et illustrateur.

Élève de l'Académie de Budapest. Il fit surtout des portraits et des illustrations de revues. Il émigra en Amérique du Nord en 1910.

LINEN George
Né en 1802 à Greenlaw en Écosse. Mort en 1888 à New York. XIXe siècle. Britannique.
Peintre de portraits.

Élève de l'Académie d'Édimbourg. Le Metropolitan à New York possède une œuvre de lui.

LINER Carl August
Né le 8 juin 1871 à Saint-Gall. Mort en 1946 à Appenzell. XIXe-XXe siècles. Suisse.
Peintre de paysages, graveur, illustrateur.

Il fut élève de l'académie des beaux-arts de Munich.

MUSÉES : SAINT-GALL : *Une vallée suisse* – ZURICH (Kunsthaus) : *Le Lait*.

VENTES PUBLIQUES : ZURICH, 8 nov. 1974 : *Hiver à Paris* 1914 : **CHF 5 200** – ZURICH, 29 nov. 1978 : *Portrait de jeune garçon* 1917, h/t (55x45) : **CHF 3 600** – ZURICH, 31 oct. 1980 : *Senn vu de dos*, h/t (100x70) : **CHF 13 500** – BERNE, 25 nov. 1982 : *Étude de deux enfants*, h/cart. (24x16) : **CHF 9 000** – ZURICH, 9 nov. 1985 : *La Procession* 1896, aquar. (26,8x37,4) : **CHF 7 500** – ZURICH, 3 déc. 1987 : *Nu agenouillé* 1953, gche et encre de Chine (30,5x22) : **CHF 2 800** – PARIS, 9 avr. 1989 : *Composition*, h/t (116x89) : **FRF 40 000** – BERNE, 12 mai 1990 : *Ruisseau de montagne*, h/t (65x81) : **CHF 8 000** – ZURICH, 18 oct. 1990 : *Deux paysannes*, dess. aux cr. de coul. (12,5x19,5) : **CHF 1 200** – ZURICH, 4 juin 1992 : *Procession*, h/t (71x101) : **CHF 124 300** – ZURICH, 21 avr. 1993 : *Paysage*, h/t (46x55) : **CHF 2 400** – ZURICH, 8 déc. 1994 : *Arosa*, h/t/rés. synth. (28x38) : **CHF 10 350** – ZURICH, 8 avr. 1997 : *Composition* 1970, h/pap. (74,5x46) : **CHF 2 400**.

LINER Carl Walter ou **Karl**
Né le 17 août 1914 à Saint-Gall. XXe siècle. Actif depuis 1946 en France. Suisse.
Peintre, peintre de technique mixte. Abstrait.

Son père, peintre impressionniste, fut son premier maître. En 1930, il étudie à l'école d'art graphique appliqué à Aarau, puis dans l'académie privée de son père. En 1936, il séjourne en Égypte et l'année suivante vient à Paris, où il étudie à l'école des beaux-arts et à l'académie de la Grande Chaumière dans l'atelier d'Othon Friesz et de Milich. En 1939, il retourne en Suisse, où il est mobilisé jusqu'à la fin de la guerre. En 1946, il revient à Paris et fait plusieurs voyages d'étude en Algérie, Corse, Espagne et Italie. Il s'installe en 1951 dans un atelier à Montparnasse, fréquentant Vlaminck, Braque, Zadkine, Schneider, Erich Heckel. Depuis de nombreuses années, il partage son temps entre Paris, la Provence et l'ancienne maison paternelle en Suisse.

Il participe à des expositions collectives, notamment en 1938, 1944, 1953, 1957 aux musées de Zurich, Berne, Lucerne, Lausanne, ainsi qu'à Paris au Salon des Réalités Nouvelles à partir de 1962. Il montre ses œuvres dans des expositions personnelles à Paris, Neuchâtel, Luxembourg... En 1961 a lieu la première rétrospective de son œuvre au Kunstmuseum de Saint-Gall.

Il peint dans des tons chauds, des œuvres abstraites, pleines de

fougue, réseau de formes géométriques qui se heurtent, s'interpénètrent dans une composition solide, concentrée.
Bibliogr. : Catalogue de l'exposition : *Carl Liner*, galerie Artuel, Paris, 1991.
Musées : Aarau (Aargauer Kunsthaus) : *Landschaft, Mallorca* 1949 – Neuchâtel (Mus. des Beaux-Arts) – Saint-Gall (Kunstmus.) – Thun.
Ventes Publiques : Zurich, 5 mai 1976 : *Composition*, techn. mixte/isor. (92x63) : **CHF 3 600** – Zurich, 13 nov. 1976 : *Ville d'Italie* 1955, aquar. (31x47) : **CHF 1 100** – Lucerne, 18 nov. 1978 : *Trois femmes en costume du canton d'Appenzell*, h/t (79x113) : **CHF 10 000** – Zurich, 30 mai 1979 : *El Qued* 1950, h/t (73x100) : **CHF 2 600** – Zurich, 1er juin 1983 : *San Angelo, Ischia* 1954, h/t (73x100) : **CHF 4 200** – Berne, 4 mai 1985 : *Charrette de bois dans un paysage d'hiver* 1935, aquar./trait de cr. (36x32) : **CHF 2 500** – Berne, 30 avr. 1988 : *Personnage sur fond rouge* 1970, h/rés. synth. (60x50) : **CHF 3 500** – Paris, 18 juin 1989 : *Sans titre* 1973, h/t (100x81) : **FRF 18 500** – Berne, 12 mai 1990 : *Paysage fluvial*, h/pan. (33,7x50,5) : **CHF 5 000** – Zurich, 18 oct. 1990 : *Composition*, h/t (73x50) : **CHF 4 200** – Lucerne, 24 nov. 1990 : *Sans titre* 1956, h/t (41x33) : **CHF 5 500** ; *La Corse*, h/t (81x100) : **CHF 12 000** – Zurich, 4 déc. 1991 : *Abstraction* 1956, h/t (73x60,5) : **CHF 2 200** – Zurich, 13 oct. 1993 : *Composition* 1972, h/t (100x73) : **CHF 4 000** – Lucerne, 20 nov. 1993 : *Sans titre* 1941, h/rés. synth. et bois (33x47) : **CHF 3 800** – Zurich, 24 nov. 1993 : *Dans le jardin* 1948, aquar./pap. (17x24,5) : **CHF 1 035** – Lucerne, 4 juin 1994 : *Composition* 1961, h/t (146x96) : **CHF 6 000** – Paris, 26 juin 1995 : *Composition* 1965, techn. mixte/pap. (65x50) : **FRF 4 000** – Zurich, 14 nov. 1995 : *Abstraction* 1961, h/t (160x97) : **CHF 8 500** – Paris, 1er avr. 1996 : *Composition* 1960, h/pan. (74x59) : **FRF 10 000** – Paris, 3 juin 1996 : *Composition* 1970, h/pap. (65x50) : **FRF 5 000** – Zurich, 12 nov. 1996 : *Chutes d'eau*, h/t (80x59) : **CHF 4 800** – Paris, 4 oct. 1997 : *Composition* 1972, h/t (130x162) : **FRF 36 000**.

LINES F.
xixe siècle. Actif à Londres. Britannique.
Peintre de portraits et d'architectures.
Il exposa à la Royal Academy de Londres en 1828 et 1829.

LINES Henry Harris
Né en 1800 ou 1801. Mort le 20 février 1889 à Worcester. xixe siècle. Britannique.
Peintre de paysages animés, paysages, aquarelliste.
Il est le fils aîné de Samuel Lines. Il travailla longtemps à Birmingham. Il exposa à la Royal Academy, à la British Institution et à Suffolk Street, à Londres, entre 1818 et 1846.
Musées : Birmingham : *Cromlech à Hendrewaebod – Versant ouest des collines de Malvern – Matinée brumeuse dans la vallée de Habberley – Sablière dans les landes de Storridge* – Londres (Victoria and Albert Mus.) : une aquarelle.
Ventes Publiques : Londres, 21 juin 1972 : *Paysage* : **GBP 400** – Londres, 26 oct 1979 : *Le repos au bord de la route* 1828, h/t (49,6x65,5) : **GBP 1 500** – Londres, 9 fév. 1990 : *Enfants pêchant à la ligne près du château de Warwick*, h/t (50,5x65,7) : **GBP 2 090** – Londres, 12 juil. 1991 : *Paysage boisé avec des enfants jouant sur le bord d'un sentier*, h/cart. (35,5x45,5) : **GBP 2 200**.

LINES Samuel
Né en 1778 à Allersby. Mort en 1863 à Birmingham. xixe siècle. Britannique.
Peintre de paysages.
Destiné d'abord à l'agriculture il fit du dessin industriel et vers 1807 il s'adonna à l'art, fit du paysage et fut professeur de dessin. Il occupa une place importante à Birmingham. Le Musée de cette ville conserve de lui une *Vue de Birmingham*.

LINES Samuel Restell, Jr.
Né le 15 janvier 1804 à Birmingham. Mort le 9 novembre 1833 à Birmingham. xixe siècle. Britannique.
Peintre de genre et lithographe.
Troisième fils et élève du professeur d'art et peintre Samuel Lines. Il exposa à Suffolk Street et à la New Water-Colours Society. Le Victoria and Albert Museum, à Londres, conserve une aquarelle de cet artiste. Ce fut un habile dessinateur et on lui doit d'intéressantes vues d'architectures et des paysages. On lui doit aussi des illustrations lithographiques pour des ouvrages.

LINET Louise
xixe siècle. Active à Paris. Française.
Peintre et aquarelliste.
Elle exposa des fleurs (à l'aquarelle) aux Salons de 1838 et 1839.

LINET Octave
Né en 1870 à Bléré (Indre-et-Loire). Mort en 1962. xixe-xxe siècles. Français.
Peintre de paysages, d'intérieurs.
Il exposa à Paris, à partir de 1888, au Salon de la Société Nationale des Beaux-Arts. Il participa au Salon d'Automne, dont il fut membre sociétaire dès sa fondation, en 1903.
On cite ses œuvres sur le théâtre.
Bibliogr. : Gérald Schurr, in : *Les Petits Maîtres de la peinture 1820-1920, valeur de demain*, Les Éditions de l'Amateur, t. III, Paris, 1976.
Musées : Paris (Mus. Carnavalet) – Tours (Mus. des Beaux-Arts).
Ventes Publiques : Paris, 30 avr. 1976 : *Intérieur à la campagne*, h/t (56x38) : **FRF 1 500**.

LIN FA
Né en 1936 à Kwantong. xxe siècle. Actif depuis 1953 en France. Chinois.
Peintre de paysages urbains, intérieurs, natures mortes, marines, compositions animées. Figuration onirique.
Son père étant peintre et professeur à l'école des beaux-arts, il reçoit une éducation artistique dès son plus jeune âge. En 1953, il s'installe en France, à Montauban, puis l'année suivante à Paris, où il étudie à l'école des beaux-arts.
Il participe à des expositions collectives, notamment à Paris : 1959 Salon des Artistes Français ; 1960, 1987 Salon d'Automne à Paris ; 1961, 1962, 1965, 1966, 1991 Salon de la Société Nationale des Beaux-Arts ; 1990, 1992, 1993 Salon Comparaisons. Il montre ses œuvres dans des expositions personnelles à Paris depuis 1956.
Les fenêtres, vitrines et embrasures de porte, servent souvent de cadre à des scènes du quotidien, régi par les lignes verticales et horizontales. Dans des tonalités sourdes, qui évoquent le reflet du monde vu à travers la peinture, Li Fan dévoile un monde submergé par la lumière, presque surexposé, invitant à regarder au-delà des apparences.
Bibliogr. : Catalogue de l'exposition : *Lin Fa*, Espace AGF Île de France, 1990, Paris.
Ventes Publiques : Paris, 14 jan. 1991 : *Le sommeil et l'aveugle* 1983, h/t (106x89) : **FRF 11 000**.

LIN FENG MIAN
Né en 1900 ou 1901 à Mei Xian (province du Guangdong). Mort en 1991. xxe siècle. Chinois.
Peintre de scènes de genre, portraits, paysages, natures mortes, aquarelliste.
Il vint étudier en France en 1918, notamment à l'atelier de Cormon à l'école des beaux-arts de Paris et était déjà connu lorsqu'il retourna dans son pays sept ans plus tard. Il occupa des postes importants : président de l'académie d'art de Pékin et de l'académie nationale d'art de Hangzhou, conférencier à l'association des Artistes Chinois de Shanghai. En 1927, il fonda l'école des beaux-arts de l'université provinciale du Sichuan, à Changdu. Il a formé plusieurs artistes qui allèrent à leur tour en Europe, dont Zao Wou-Ki.
À Paris, il participa en 1924 au Salon d'Automne et l'année suivante à l'exposition des Arts décoratifs, en 1946 à l'exposition *Peinture chinoise contemporaine* au musée Cernuschi. Il montra ses œuvres en 1962 à Hong Kong et en 1967 à Pékin. En 1979, il eut une exposition personnelle en France.
Peintre de paysages et de personnages, il est très influencé par Matisse, Vlaminck, mais il s'est créé un style personnel en introduisant dans la peinture chinoise les techniques occidentales de l'huile ou de l'aquarelle, dégageant un lyrisme propre, à partir de thèmes réalistes très convenus, qu'il traite avec une naïveté affectée. Les portraits sont occidentaux par le sujet, la pose et le choix des couleurs tout en gardant la ligne souple continue, chère au calligraphe chinois. Les paysages, eux, sont traités plus à l'occidentale avec des lavis inspirés des impressionnistes. Il aime les couleurs voyantes et travaille extrêmement vite, son atelier étant rempli d'une pile de toile.
Bibliogr. : Michael Sullivan : *Chinese art in the XXth Century*, Londres, 1959 – in : *Dict. de l'art mod. et contemp.*, Hazan, Paris, 1992.
Ventes Publiques : Hong Kong, 28 mai 1980 : *Jeune femme assise*, dess. à l'encre de coul. (67x64,5) : **HKD 32 000** – Hong Kong, 12 jan. 1987 : *Boating on the Willow River*, encre et coul./pap. (68x67,5) : **HKD 32 000** – Hong Kong, 19 mai 1988 : *L'étang aux nénuphars*, encre noire et pigments (65,5x65,5) : **HKD 418 000** ; *Nu*, encre noire et pigments/pap. (31,6x44,6) :

HKD 63 800 - New York, 2 juin 1988 : *Dame tenant un livre*, encre/pap. (66,7x65,5) : **USD 3 850** ; *Maisons près de la mer*, encre et aquar./pap. (67x67) : **USD 8 800** - Hong Kong, 17 nov. 1988 : *Paysage d'automne*, encre et pigments/pap. (66x66,7) : **HKD 165 000** ; *Jeune femme jouant du qin*, encre et pigments/pap. (67,5x65,5) : **HKD 506 000** - Hong Kong, 16 jan. 1989 : *Soirée nuageuse*, encre et pigments/pap. (66x66) : **HKD 99 000** ; *L'Étang aux lotus*, encre et pigments/pap. (64,7x68,6) : **HKD 264 000** - Hong Kong, 15 nov. 1989 : *La Dame en bleu*, encre et pigments/pap. (66x65,8) : **HKD 286 000** - New York, 4 déc. 1989 : *Maisons battues par la mer*, encre et pigments/pap. (65,5x66) : **USD 24 200** - New York, 31 mai 1990 : *Une dame en blanc*, encre et pigments/pap. (68,6x66) : **USD 17 600** - Hong Kong, 15 nov. 1990 : *Dames dans un jardin*, encre et pigments/pap. (67,4x65) : **HKD 242 000** - New York, 26 nov. 1990 : *Flore et Faune sur un lac*, encre et pigments/pap. (66,8x66,8) : **USD 6 050** - Hong Kong, 2 mai 1991 : *Nu allongé*, encre et pigments/pap. (33,8x33,8) : **HKD 330 000** - New York, 29 mai 1991 : *Dame*, encre et pigments/pap. (64,8x66,4) : **USD 14 300** - Hong Kong, 31 oct. 1991 : *Nature morte*, encre et pigments/pap. (68x67,8) : **HKD 198 000** - New York, 25 nov. 1991 : *Personnages d'opéra*, encre et pigments/pap. (66,7x65,7) : **USD 15 400** - Taipei, 22 mars 1992 : *Le Marché aux poissons*, h/t (71,5x90,5) : **TWD 2 640 000** - Hong Kong, 30 mars 1992 : *Voiliers*, encre et pigments/pap., makémono encadré (37x65) : **HKD 242 000** - Hong Kong, 30 avr. 1992 : *Figures dansantes*, encre et pigments/pap. (68x66,5) : **HKD 440 000** - Hong Kong, 28 sep. 1992 : *Nature morte de poissons et de fleurs*, encre et pigments/pap. (66,5x66,8) : **HKD 242 000** - Taipei, 18 oct. 1992 : *L'Étang aux nénuphars* 1965, h/t (73,6x74,5) : **TWD 1 320 000** - Hong Kong, 29 oct. 1992 : *Liliums*, encre et pigments/pap. (66,5x66,5) : **HKD 286 000** - New York, 2 déc. 1992 : *Personnages d'opéra*, encre et pigments/pap. (64,1x68,6) : **USD 19 800** - Hong Kong, 22 mars 1993 : *Figures d'opéra féminines*, encre et pigments/pap. (71,5x71,5) : **HKD 230 000** - Taipei, 18 avr. 1993 : *Portrait d'une femme*, encre et pigments/pap. (39x29) : **TWD 345 000** ; *Nature morte* 1963, h/t (67,5x68) : **TWD 1 315 000** - Taipei, 10 avr. 1994 : *Figure d'opéra*, gche et acryl./pap. (72x68) : **TWD 920 000** - Hong Kong, 5 mai 1994 : *Dame allongée*, encre et pigments/pap. (69x69,5) : **HKD 207 000** - New York, 21 mars 1995 : *Nature morte avec une cruche et un poisson*, encre et pigments/pap. (64,8x59,1) : **USD 13 225** - Taipei, 15 oct. 1995 : *Les Guerrières*, encre, pigments et gche/pap., paravent en quatre panneaux (chaque 146,4x39,4) : **TWD 6 650 000** - Taipei, 14 avr. 1996 : *Le Partage de la pêche* 1960, h/t (78x78) : **TWD 3 130 000** - Hong Kong, 4 nov. 1996 : *Hérons*, encre et pigments/pap. (70x68,5) : **USD 207 000** - New York, 22 sep. 1997 : *Femme à la fleur*, encre et pigments/pap. (68,6x67,3) : **USD 8 050** - Taipei, 13 avr. 1997 : *Dame jouant d'un instrument à cordes*, encre et pigments/pap. (68x65) : **TWD 552 000** ; *Lotus blanc* vers 1977, encre, pigments et acryl./pap. (69x136) : **TWD 2 250 000** - Hong Kong, 28 avr. 1997 : *Oiseaux*, encre et pigments/pap., album de huit feuilles (tailles variables) : **HKD 138 000** - Hong Kong, 2 nov. 1997 : *Personnages d'opéra*, encre et pigments/pap. (71,8x65) : **HKD 299 000**.

LIN FENG-MIEN. Voir **LIN FENGMIAN**

LIN FONG-MIEN. Voir **LIN FENGMIAN**

LINFORD Charles

Né en 1846 à Pittsburgh (Pennsylvanie). Mort en 1897. xixe siècle. Américain.

Peintre de paysages.

La Ville de Philadelphie possède plusieurs de ses œuvres.

Ventes Publiques : New York, 1899 : *Paysage* : **FRF 2 250** - New York, 16 jan. 1982 : *October days*, h/t (96,5x142) : **USD 1 600** - New York, 12 sep. 1994 : *Clairière*, h/t/pap. (43,2x30,5) : **USD 1 495** - New York, 28 sep. 1995 : *Paysage boisé* 1888, h/t (76,8x101,6) : **USD 4 312**.

LI NGAI-TCHE. Voir **LI AIZHI**

LI NGAN-TCHONG. Voir **LI ANZHONG**

LI NGAO. Voir **LI AO**

LING BIZHENG ou **Ling Pi-Chêng** ou **Ling Pitcheng**, surnoms : **Zhenqing** et **Mengqiu,** nom de pinceau : **Yuean**

Originaire de Taicang, province du Jiangsu. xviie siècle. Actif dans la première moitié du xviie siècle. Chinois.

Peintre.

En 1631, il passe les examens triennaux à la capitale et reçoit le grade de *jinshi*, lettré accompli. Il peint des paysages ainsi que des fleurs et des oiseaux. Le Musée du Palais à Pékin conserve : *Études de fleurs et d'oiseaux*, six feuilles d'album, couleurs sur papier.

LING CHOU-HOUA. Voir **LING SHUHUA**

LINGCKH. Voir **LINCK**

LINGE Abraham Van

xviie siècle. Hollandais.

Peintre d'histoire et peintre verrier.

Peut-être fils ou frère de Bernard Van Linge, il travailla en Angleterre de 1631 à 1641. On cite parmi ses vitraux : *Destruction de Sodome et de Gomorrhe*, *Le Christ parmi les Docteurs* (à l'église du Christ à Oxford), *Résurrection* (Queens College). D'autres vitraux se trouvent à Halfeld, Wroxton, Oxfordshire (lord Guilford), à Lincolns-inn-Capel, Cambridge (Peterhouse).

LINGE Bernard Van

Né au xviie siècle en Hollande. xviie siècle. Hollandais.

Peintre verrier.

Il alla en Angleterre sous le règne de Jacques Ier et y passe pour le fondateur de l'art des vitraux. Il fit une *Histoire du Sauveur* (1622) pour le Wadham College et peut-être aussi les sept fenêtres de Lincoln-College qui furent offertes par l'archevêque Williams (1629-1631).

LINGE Jules Dominique

Né le 31 mai 1884 à Paris. xxe siècle. Français.

Peintre de paysages, fleurs, scènes typiques. Post-impressionniste.

Il exposa à Paris, au Salon des Indépendants.

LINGÉE Charles Louis

Né en 1748 à Paris. Mort en 1819 à Paris. xviiie-xixe siècles. Français.

Graveur.

On cite de lui *Les Vendangeurs*, d'après Lautherbourg ; *Bonaparte à la Malmaison*, d'après Isabey ; *Le baiser rendu*, d'après Fragonard ; *La promenade du matin*, d'après Freudeberg ; *Les Confidences*, d'après Freudeberg.

LINGÉE Thérèse Éléonore ou **Hemery**, née **Lefebvre**

Née en 1753 à Paris. xviiie siècle. Française.

Graveur.

Femme du graveur Charles-Louis Lingée. Elle grava des sujets religieux, des scènes de genre (*Le plaisir des bonnes gens*, d'après Cochin ; *Validé ou Sultane mère*, d'après A. de Saint Aubin), des portraits (*La Marquise de Villette*, d'après A. Pujos ; *J. B. Cottereau*, d'après Cochin).

L'INGEGNIO ou **Ingenio**, pseudonyme de **Andrea Alovigi**, ou **Alois, Aloisi, Aloysii, di Luigi**

Né vers 1470 à Assise. xve-xvie siècles. Italien.

Peintre.

Cet artiste a donné lieu à de nombreuses discussions ; les renseignements fournis par Vasari ne se trouvant pas confirmés par les dates. Cependant, s'il convient de noter les erreurs du célèbre historien des peintres d'Italie, on ne doit pas méconnaître que les faits auxquels elles se rapportent n'étaient pas assez éloignés pour échapper au contrôle de la critique lors de l'apparition de la *Vie des peintres*. On trouve dans Vasari des erreurs de date, mais ces affirmations reposent sur un fond de vérité. Le peintre historien rapporte que l'Ingenio fut le compagnon d'études de Sanzio, dans l'atelier du Perugino, et qu'il travailla en sa collaboration au Cambio de Pérouse, à Assise et dans la chapelle Sixtine. Vasari ajoute que, devenu prématurément aveugle, l'Ingegnio reçut une pension du pape Sixte IV. Ce dernier point constitue une erreur matérielle, ce souverain pontife, étant mort en 1484, c'est-à-dire alors que ce peintre était âgé d'environ quatorze ans, et Raphaël n'entra chez le Pérugin que vers 1496. Néanmoins, la collaboration des deux artistes paraît certaine, aussi bien que la cécité de l'Ingegnio. Un grand nombre d'œuvres, dispersées en Europe lui sont attribuées ; l'une d'elles, une *Madone et l'Enfant Jésus*, à la National Gallery de Londres, signée des initiales A. A. P., a été depuis attribuée à Pinturricio. Beaucoup de ces ouvrages sont exécutés dans la manière de Fiorenzo di Lorenzo. Dans l'état actuel des connaissances, on peut dire que l'existence de l'artiste ne saurait être mise en doute, mais aucune peinture ne peut lui être donnée indiscutablement. À l'Exposition de peinture ombrienne de 1907, à Pérouse se trouvait un *Saint Pierre et saint Paul* que l'on croit être de sa main.

LINGELBACH Johannes

Baptisé à Francfort le 11 octobre 1622. Mort en novembre 1674 à Amsterdam. XVIIe siècle. Hollandais.

Peintre de genre, paysages animés, graveur.

Il vint jeune à Amsterdam avec ses parents, alla à Paris de 1642 à 1644, puis en Italie où il resta six ans, en Allemagne et revint en Hollande, vers 1650. Il épousa le 26 avril 1653 Trutje Hendriks Vouw à Amsterdam et reçut le droit de cité le 31 octobre. On croit qu'il est l'élève de Wouwerman à Haarlem. Il peignit des tableaux en collaboration avec A. Beerstraten, J. Hackert, W. De Heusch, Hobbema, J. Van Hessel, Ph. Koninck, Jan Looten, Fred. de Moucheron, A. Verbom, Waterloo, J. Wynants, etc. Ses tableaux sont signés de son nom entier ou J. L. D'après le docteur von Wurzbach, ceux qui lui sont parfois attribués et qui portent le monogramme L. B. paraissent plutôt venir de Leendert Brasser.

B B I. LINGELBACH 1664 JL

MUSÉES : AMIENS : *Repos de chasse – Brigands à l'affût* – AMSTERDAM : *L'arracheur de dents – Au camp – Leçon d'équitation – Paysage avec figures – Retour de la chasse – Combat naval devant Livourne* 1653 – *Port italien – Port méditerranéen – Retour du marché – Chemin rural,* en collaboration avec Wynants – ASCHAFFENBOURG : *Le Repos de midi* – BÂLE : *Fleuve italien* – BAMBERG : *La victoire de Constantin sur Maxence – Bataille navale* – BATH : *La surprise* – BORDEAUX : *Buveurs flamands* – BRUXELLES : *Place du Peuple à Rome – Le Campo Vaccino* – CARCASSONNE : *Ruines d'un temple* – COPENHAGUE : *Port méridional avec rochers* – DOUAI : *Halte à la porte d'un cabaret* – DRESDE : *Port de mer et phare – Paysans* – DUBLIN : *Partie de chasse* – DULWICH : *Port de mer – Forgeron italien* – ÉDIMBOURG : *Porte de cabaret* – ÉPINAL : *Marché* – LA FÈRE : *Paysage* – FLORENCE : *Paysage avec chasseurs* – FRANCFORT-SUR-LE-MAIN : *Portrait d'homme – Villageois romains – Port méditerranéen* – GLASGOW : *Esclaves et marchands d'esclaves maures – Port italien* – GRAZ : *Port de mer* – HAMBOURG (Kunsthalle) : *Chasseurs – Charrette de foin* – HANOVRE : *Retour des champs – Livourne – Paysage* – LA HAYE : *Port levantin – La fenaison – Marche du stathouder Guillaume II sur Amsterdam – Charles II à Scheveningue, s'embarquant pour l'Angleterre* – HELSINKI (Ateneum) : *Le départ pour la chasse* – HERMANNSTADT : *Le départ pour la chasse* – INNSBRUCK (Ferd.) : *Sur la grève* – KALININGRAD, ancien. Königsberg : *Muletier et ses bêtes – La grève* – KARLSRUHE : *Scène de rues en Italie – Voyageurs devant une auberge en Italie* – KASSEL : *Paysans devant la récolte* – KIEV (Mus. Ukr.) : *Chargement de marchandises* – LILLE : *Marché aux poissons* – LONDRES (Nat. Gal.) : *La fenaison* – MAYENNE : *Bergers se reposant* – MOSCOU (Roumiantzeff) : *Embarcadère* – MUNICH : *La fenaison* – NEW YORK (Metrop.) : *Danse paysanne – Scène de combat* – NEW YORK (hist. Soc.) : *Combat naval* – NOTTINGHAM : *Fête à la campagne – Fête villageoise* – NUREMBERG : *Scène dans un parc italien* – PARIS (Mus. du Louvre) : *Marché aux herbes à Rome – Port italien – Paysans buvant – Paysage* – ROME (Art Mod.) : *Cavalier – Un camp* – ROTTERDAM : *Paysage italien* – ROUEN : *Une foire* – SAINT-PÉTERSBOURG (Mus. de l'Ermitage) : *Livourne – Grande place italienne – Port italien – Improvisateur italien – Halte de chasseurs* – Même sujet – VIENNE : *Port de mer – Paysans* – VIENNE (Czernin) : *Carnaval romain – Manège – Fenaison* – WEIMAR : *Maraudeurs pillant une voiture.*

VENTES PUBLIQUES : PARIS, 1771 : *Un port de mer italien* : **FRF 3 150** – PARIS, 1843 : *Halte de chasseurs* : **FRF 2 620** – PARIS, 1858 : *Le départ pour la chasse* : **FRF 4 550** – LONDRES, 1863 : *Un port de mer en Orient* : **FRF 3 750** – PARIS, 1870 : *Halte de muletiers à la porte d'une auberge* : **FRF 2 650** – PARIS, 6-9 mars 1872 : *La chasse au faucon* : **FRF 1 800** – LONDRES, 1872 : *La voiture de foin* : **FRF 17 575** – LONDRES, 1874 : *Sur la colline* : **FRF 21 775** – PARIS, 1880 : *Les moissonneurs* : **FRF 5 000** – LONDRES, 1893 : *Vue près d'une ferme* : **FRF 5 250** – PARIS, 1898 : *Le marché sur le Campo Vaccino à Rome* : **FRF 2 900** – PARIS, 21 nov. 1900 : *Le Repos au camp* : **FRF 1 250** – LONDRES, 7 déc. 1908 : *Un marché* : **GBP 13** – PARIS, 13 mars 1909 : *Le camp* : **FRF 400** – PARIS, 12 juin 1919 : *Le savetier ambulant* : **FRF 1 300** – PARIS, 3 juin 1921 : *Le repos du chasseur* : **FRF 1 100** – PARIS, 23 mars 1923 : *Le port de Livourne* : **FRF 2 350** – PARIS, 22 mai 1924 : *Vue d'un port* : **FRF 4 800** – LONDRES, 8 juil. 1924 : *Réunion en plein air ; Personnes de cette réunion se reposant* : **GBP 105** – PARIS, 12-13 juin 1925 : *Le Fauconnier* : **FRF 9 300** – PARIS, 25-26 juin 1926 : *Le Départ* : **FRF 10 100** – PARIS, 9 fév. 1928 : *Vue de Rome* : **FRF 15 700** – LONDRES, 8 juil. 1929 : *Un port de mer* : **GBP 141** – LONDRES, 18 juil. 1930 : *Paysage* : **GBP 945** – PARIS, 23 nov. 1936 : *Scène de Carnaval* : **FRF 2 010** – PARIS, 16 oct. 1940 : *Débarquement d'un gouverneur hollandais* : **FRF 5 000** – PARIS, 18 nov. 1942 : *Cavaliers à la fontaine,* attr. : **FRF 14 000** – PARIS, 23 nov. 1942 : *Le Marché aux chevaux,* attr. : **FRF 20 100** – PARIS, 21 oct. 1946 : *Bergers et leur troupeau,* attr. : **FRF 3 000** – LONDRES, 28 fév. 1947 : *Retour de la chasse* : **GBP 105** – LONDRES, 23 mars 1960 : *Scène de port méditerranéen* : **GBP 600** – NEW YORK, 14 jan. 1961 : *Partie de chasse* : **USD 825** – MILAN, 20 nov. 1963 : *Port de mer* : **ITL 1 600 000** – PARIS, 18 juin 1964 : *Un port* : **FRF 15 000** – LONDRES, 29 oct. 1965 : *Vue d'un petit port* : **GNS 2 000** – LONDRES, 6 juil. 1966 : *Marché à Rome* : **GBP 3 500** – LONDRES, 25 juin 1969 : *Scène de carnaval* : **GBP 4 400** – LONDRES, 21 mars 1973 : *Voyageuse se reposant devant une auberge* : **GBP 3 800** – LONDRES, 29 mars 1974 : *Paysans et musiciens à l'extérieur d'une taverne* : **GNS 9 500** – LONDRES, 2 juil. 1976 : *Scène de marché, Rome,* h/t (52x62,2) : **GBP 6 000** – LONDRES, 29 juin 1979 : *Le repos des charretiers,* h/t mar./pan. (22,5x28,5) : **GBP 2 600** – AMSTERDAM, 17 nov. 1980 : *Trois mulets,* lav./craie noire (14,7x19,1) : **NLG 5 400** – PARIS, 5 mars 1982 : *Port méditerranéen animé de personnages* 1661, h/t (83,5x108) : **FRF 330 000** – NEW YORK, 7 juin 1984 : *Berger et bergère avec leur troupeau dans un paysage,* h/t (44,5x39) : **USD 56 000** – LONDRES, 13 déc. 1985 : *Scène de marché autour de la fontaine de Bernini à Rome* 1674, h/t (129x99,7) : **GBP 28 000** – NEW YORK, 4 juin 1987 : *Paysans assis près d'un moulin à eau,* h/t (40x41) : **USD 36 000** – LONDRES, 20 avr. 1988 : *Paysans jouant aux cartes sous un auvent, Campo Vaccino, Rome,* h/t (49,5x44) : **GBP 12 100** – AMSTERDAM, 14 nov. 1988 : *Personnages sur un quai, le mur d'enceinte d'une ville méditerranéenne au fond,* h/t (64,5x52) : **NLG 35 650** – PARIS, 26 juin 1989 : *La bataille de Lépante en 1591,* h/t (94x116) : **FRF 220 000** – LONDRES, 7 juil. 1989 : *Capriccio du port de Leghorn avec une élégante jeune femme s'embarquant et des marchands à l'arrière-plan,* h/t (104,2x91,8) : **GBP 26 400** – LONDRES, 8 déc. 1989 : *Fauconnier et sa suite s'approchant de marchands se reposant sur la grève d'un port méditerranéen* 1668, h/pan. (40,5x52,7) : **GBP 33 000** – PARIS, 9 avr. 1990 : *Vue du Tibre,* h/t (75,5x100) : **FRF 125 000** – PARIS, 22 juin 1990 : *Halte de cavaliers avant la chasse au faucon,* h/t (57x63) : **FRF 100 000** – AMSTERDAM, 14 nov. 1990 : *Paysans chargeant la récolte sur une charrette dans un paysage rhénan,* h/t (55x67) : **NLG 48 300** – AMSTERDAM, 13 nov. 1990 : *Violoniste aveugle jouant pour un forgeron et sa famille dans une cour de ferme en Italie,* h/pan. (64,5x49,3) : **NLG 23 000** – MADRID, 30 oct. 1990 : *Le Molo à Rome,* h/t (89x117) : **ESP 10 080 000** – PARIS, 30 nov. 1990 : *Vue du Tibre,* h/t (75,5x100) : **FRF 80 000** – LONDRES, 12 déc. 1990 : *Paysans dansant devant une auberge dans un paysage méridional,* h/t (109x90) : **GBP 110 000** – LONDRES, 14 déc. 1990 : *Forgeron au travail sous l'œil de jeunes paysans et d'une femme dans les faubourgs d'une ville italienne,* h/t (52x42,5) : **GBP 16 500** – NEW YORK, 10 jan. 1991 : *Kermesse de village dans un vaste paysage,* h/t (81x89,5) : **USD 33 000** – PARIS, 9 avr. 1991 : *La Bataille de Lépante en 1571,* h/t (63x80,5) : **FRF 135 000** – MONACO, 21 juin 1991 : *Vue d'un port italien,* h/t (76x65,5) : **FRF 377 400** – LONDRES, 11 déc. 1991 : *Port italien avec des personnages débarquant des marchandises d'une embarcation à quai,* h/t (51x68,5) : **GBP 13 200** – TOURS, 1er juin 1992 : *Port méditerranéen* 1673, h/t (111x156) : **FRF 330 000** – AMSTERDAM, 10 mai 1994 : *Orientaux et marins sur le quai d'un port méditerranéen,* encre et lav. (18,1x28,2) : **NLG 57 500** – LONDRES, 7 déc. 1994 : *Rome, la place du Peuple avec un savetiers et d'autres marchands et acheteurs,* h/t (77x66,5) : **GBP 40 000** – PARIS, 21 déc. 1994 : *Scène de marché sur la place d'une ville italienne* 1671, h/t (56x66) : **FRF 400 000** – LONDRES, 5 avr. 1995 : *Scène de port avec un couple élégant, des marins et des orientaux* 1665, h/t (71,5x79,8) : **GBP 31 050** – PARIS, 6 juil. 1995 : *Vue d'un port en Méditerranée animée de nombreux personnages* 1673, h/t (114x158) : **FRF 250 000** – LONDRES, 11 déc. 1996 : *Port méditerranéen avec des Orientaux et autres personnages conversant sur le quai, capriccio* 1657, h/t (83x118,5) : **GBP 25 300** – AMSTERDAM, 7 mai 1997 : *At the blacksmith's,* h/t (65,4x61,9) : **NLG 21 900** – COPENHAGUE, 3-5 déc. 1997 : *Personnages devant un château-fort,* h/t/bois (80x64) : **DKK 25 000** – LONDRES, 3 déc. 1997 : *Femme faisant un jeu avec un boulanger à l'extérieur d'une taverne sur une place publique,* h/t (37,2x47) : **GBP 56 500.**

LINGELEN. Voir **LENGELE**

LINGEMAN Lambertus

Né le 26 avril 1829 à Amsterdam. Mort le 10 octobre 1894 à Abcoude. XIXe siècle. Hollandais.

Peintre.
Il fut élève de P.-F. Greive. Il travailla à Amsterdam jusqu'en 1875.
Musées : Amsterdam (Mus. Nat.) : *Réunion dans un intérieur au XVIIe siècle* – Amsterdam (Mus. mun.) : *Le Forgeron – Trois guerriers.*
Ventes Publiques : Paris, 1881 : *Le partage du butin* : **FRF 750** – Rotterdam, 1891 : *Nouvelle importante* : **FRF 258** – Amsterdam, 14-15 avr. 1992 : *L'atelier de l'artiste* 1871, h/pan. (43x53,5) : **NLG 13 225** – Amsterdam, 11 avr. 1995 : *Le vanier* 1844, h/pan. (49x37) : **NLG 6 844**.

LINGÉNIEUX David
XVIIe siècle. Actif à Châteauroux. Français.
Sculpteur sur bois.
On le mentionne en 1632 aux églises Saint-Martin et Notre-Dame, où il travailla aux stalles du chœur.

LINGER Anton
XVIIe siècle. Actif à Venise vers 1650. Italien.
Peintre.
L'École de la Charité à Venise possède de ses œuvres.

LINGER Friedrich Wilhelm
Né en 1787 à Berlin. XIXe siècle. Allemand.
Graveur et aquafortiste.
Élève, puis professeur, à l'Académie de Berlin. Il exécuta principalement des portraits.

LINGER Helene von
Née le 23 novembre 1856 à Saarn. XIXe siècle. Active à Halle. Allemande.
Peintre de paysages.
Élève de Wittroider et Wopfner à Munich.
Musées : Bruxelles : *Paysage*, aquar.

LINGG ou **Lingk**. Voir **LINCK**

LING JUHUI
XXe siècle. Chinois.
Créateur d'installations, sculpteur.
Il est professeur de l'école des beaux-arts de Guangzhou.
La présence de la couleur est très forte dans ses sculptures aériennes.
Bibliogr. : Jean Paul Fargier : *La Queue de l'éléphant*, Art Press, n° 194, Paris, sept. 1994.

LINGKE Johann August. Voir **LINCKE**

LINGNER Otto
Né le 25 août 1856 à Kolberg. XIXe siècle. Allemand.
Peintre de genre, portraits.
Il fut élève de Thumann, Knille et de Michael, à l'Académie des Beaux-Arts de Berlin. Il voyagea pour se perfectionner et se fixa quelque temps à Brême.
Ventes Publiques : Cologne, 14 juin 1976 : *La naïade* 1906, h/t (69x95) : **DEM 7 000** – New York, 29 juin 1983 : *Une beauté exotique*, h/t (69x53,5) : **USD 1 900**.

LING PI-CHÊNG. Voir **LING BIZHENG**

LING PI-TCHENG. Voir **LING BIZHENG**

LING SHUHUA ou **Ling Chou-Houa** ou **Ling Shu-Hua**
Née à Pékin. XXe siècle. Chinoise.
Peintre. Traditionnel.
Peintre traditionnel de l'école lettrée, elle vit à Pékin comme assistant conservateur du département peinture et calligraphie du musée du Palais. Elle est aussi connue comme écrivain.

LING-TCHO. Voir **XIAO LINGZHUO**

LING TSAI-HSIA
Né en 1936. XXe siècle. Chinois.
Peintre. Abstrait-lyrique.
En 1957 il fut co-fondateur du groupe « Ton-Fan ». Il a exposé en 1980 au Musée de Wuppertal ; 1982 Paris, Goethe Institut ; Bourges, Musée de la ville ; Londres, Goethe Institut ; Festival d'Édimbourg ; 1983 Musée de Mülheim.
Bien que se rattachant à l'abstraction gestuelle internationale, la peinture de Ling Tsai Hsia conserve la trace de la calligraphie chinoise.
Ventes Publiques : Paris, 27 mars 1995 : *« Paint 1959 »*, h/t (79x52,5) : **FRF 8 000**.

LINGUET Henri
Né à Paris. XIXe-XXe siècles. Français.
Peintre de paysages, architectures.
Il figura au Salon de Paris de 1881 à 1914.
Musées : Auxerre : *Les châtaigniers.*
Ventes Publiques : Paris, 12 mai 1919 : *La Seine au Pont d'Austerlitz* : **FRF 300** – Paris, 4 déc. 1944 : *Paysage* : **FRF 600** – Londres, 6 mai 1987 : *Le Jardin des Tuileries en automne*, h/t (115,5x88) : **GBP 3 000** – Stockholm, 15 nov. 1988 : *Ville au bord d'un canal en France*, h. (26x35) : **SEK 9 500**.

LINHART
XIVe siècle. Actif en 1322. Allemand.
Peintre de miniatures.
Il était moine. Le Musée Germanique de Nuremberg possède une œuvre de lui.

LIN HSIUE-TA. Voir **LIN XUEDA**

LIN HSUEH. Voir **LIN XUE**

LIN HSÜEH-TA. Voir **LIN XUEDA**

LINIERS Louise de, née **Courbot**
Née le 17 octobre 1864 à Paris. XIXe siècle. Française.
Peintre.
Élève de J. L. Brown et de Barrias. Elle exposa au Salon de Paris depuis 1889 et obtint une médaille d'argent en 1921.

LINIGIANA. Voir **GIOVANNI di Paolo d'Ambrogio**

LIN JUANA ou **Lin Chüan-A** ou **Lin Kiuan-A**, surnom : **Zihuan**, nom de pinceau : **Youyousheng**
XIVe siècle. Actif dans la seconde moitié du XIVe siècle. Chinois.
Peintre de paysages.
Disciple du peintre taoïste Fang Congyi (actif dans la seconde moitié du XIVe siècle) et du poète Zhang Shuai, ami des peintres Ni Zan (1301-1374) et Zhao Yuan (XIVe siècle), il aurait étudié le style de Guo Xi (vers 1020-1100). Le National Palace Museum de Taipei conserve *Sur la falaise près de la rivière*, rouleau en longueur, encre sur papier, œuvre signée et datée 1373.

LIN JUN ou **Lin Chün** ou **Lin Kiun**, surnom : **Yishan**
XVIIe siècle (?). Chinois.
Peintre.
Il n'est pas mentionné dans les annales officielles, mais on connaît un paysage de lui, *Arbres près d'un ruisseau*, signé et daté 1640 (?).

LINK, famille d'artistes
XVIIIe siècle. Actifs dans les environs de Bamberg. Allemands.
Peintres.
On cite parmi les membres de cette famille Michael, Georg, Andréas, et Jacob. Deux battants d'un tableau d'autel de la main d'Andréas sont conservés par le Musée de Kronach.

LINK. Voir aussi **LINCK**

LINK Jacob. Voir **LINKH**

LINK Johann
Né au XVIIe siècle en Styrie. XVIIe siècle. Autrichien.
Peintre.

LINK Wilhelm
Né le 13 octobre 1877 à Karlsruhe (Bade-Wurtemberg). XXe siècle. Allemand.
Peintre de natures mortes, animaux, céramiste.
Il fut élève de l'académie des beaux-arts de Carlsruhe.

LINKE Bronislaw Wojciech
Né en 1916 à Dorpat. Mort en 1962 à Varsovie. XXe siècle. Polonais.
Peintre, dessinateur.
Après avoir terminé ses études artistiques à Cracovie, puis à l'école des beaux-arts de Varsovie, il fit partie, à partir de 1932, d'un groupe d'artistes, Loge de Francs-Peintres. Il suivit de prêt les activités du groupe communiste Czapka Frygijska (Bonnet phrygien), proche du réalisme socialisme. Il a passé la Seconde Guerre mondiale en Union Soviétique.
Lauréat d'un prix d'état qui lui fut décerné en 1962, Linke prit part à plusieurs expositions en Pologne et à l'étranger. Une rétrospective Linke a été organisée au musée national de Varsovie en 1963.
Son style personnel de peintre, dessinateur et caricaturiste s'est élaboré en 1933 environ, et consistait en l'alliance d'une observation minutieuse de motifs réels et des détails les plus subtils de leur structure avec une liberté visuelle d'association et un élément fantastique dans leur transformation. Son ingéniosité dans le discernement du détail révélateur, sa tendance à un anthropo-

morphisme des objets et à l'identification de la forme de l'homme avec la matière inanimée, avaient leur origine dans sa connaissance du surréalisme et des lois qui gouvernent l'art de la caricature. L'œuvre de Linke est toute imprégnée d'un contenu social et politique, empli de pressentiments tragiques et de souvenirs douloureux évoquant le drame de la destruction et les tourments de la guerre.
Bibliogr. : Mieczyslaw Porebski : catalogue de l'exposition *Peinture moderne polonaise - Sources et recherches*, Musée Galliera, Paris, 1969 - in : *Dict. de l'art mod. et contemp.*, Hazan, Paris, 1992.
Musées : Varsovie (Mus. Nat.).

LINKE Paul Rudolf
Né le 29 juin 1844 à Breslau. Mort en 1917 à Breslau. XIXe-XXe siècles. Allemand.
Peintre de genre, portraits, paysages.
Il étudia à l'Académie de Berlin, puis en Italie, en Orient et revint se fixer à Breslau.
Musées : Breslau, nom all. de Wroclaw : *Le Ziegenrucken.*
Ventes Publiques : New York, 26 fév. 1982 : *La vendangeuse* 1884, h/t (91x70,5) : **USD 2 200** - Londres, 17 nov. 1994 : *La Porte du sud à Karnak* 1889, h/t (45,1x32,4) : **GBP 4 830.**

LINKE Simon
Né en 1958. XXe siècle. Britannique.
Peintre. Conceptuel.
Il montre ses œuvres dans des expositions personnelles à Londres.
Pendant plusieurs années, il a peint scrupuleusement, à l'huile, les publicités parues dans le magazine d'art américain *Artforum* d'un numéro de l'été 1975, réduisant la peinture à n'être que reproduction d'images de consommation.
Ventes Publiques : New York, 13 nov. 1991 : *« Ed Ruscha, October 1986 »*, h/tissu (182,8x182,8) : **USD 11 000** - New York, 7 mai 1992 : *« Lee Krasner, octobre 1986 »* 1987, h/t (183x183) : **USD 11 000** - Londres, 25 mars 1993 : *« George Sugarman, décembre 85 »* 1986, h/t (152,5x152,5) : **GBP 2 760** - New York, 4 mai 1993 : *« Gary Stephan, octobre 1986 »* 1987, h./tissu (182,9x182,9) : **USD 5 750** - New York, 3 mai 1994 : *« Juan Hamilton - Avril 1987 »* 1988, h/t (182,9x182,9) : **USD 1 380.**

LINKELS Josy
Né le 24 septembre 1943 à Luxembourg. XXe siècle. Luxembourgeois.
Peintre de paysages.
Ayant d'abord suivi une formation scientifique, il peint depuis 1970.
Il participe à des expositions collectives régionales, ainsi qu'à Paris, au Salon d'Automne en 1990. Il a reçu diverses distinctions. Il est membre de nombreuses associations, dont, en France, la *Légion violette.*
Essentiellement peintre de paysages, le nom de Vlaminck est cité à son sujet.

LINKH Jacob ou **Link**
Né en 1786 à Cannstatt. Mort le 4 avril 1841 à Stuttgart. XIXe siècle. Allemand.
Peintre de paysages.
Il fit de nombreux séjours à Rome et un voyage en Grèce.

LIN K'I. Voir **LIN QI**

LIN KIUAN-A. Voir **LIN JUANA**

LIN KIUN. Voir **LIN JUN**

LINLEY J.
XVIIIe siècle. Britannique.
Miniaturiste.
Exposa à la Royal Academy de Londres de 1786 à 1793.

LIN LIANG, surnom : **Yishan**
Originaire de la province du Guangdong. XVe-XVIe siècles. Actif à la fin du XVe et au début du XVIe siècle. Chinois.
Peintre.
Peintre à la cour impériale pendant l'ère Hongzhi (1488-1505), il fait des fleurs et des oiseaux ainsi que des arbres à l'encre monochrome. Très connu de son vivant, sa renommée ira en déclinant.
Musées : Honolulu (Acad. of Art) : *Deux cormorans*, signé - Londres (British Mus.) : *Oie sauvage près d'un ruisseau de montagne* - New York (Metropolitan Mus.) : *Oiseau Fenghuang et bambou*, signé - *Canards sauvages*, signé - Princeton (University) : *Aigrette blanche sous une branche de saule*, signé - Stockholm (Nat. Mus.) : *Trois aigles sur un pin près d'un rocher*, signé - Taipei (Nat. Palace Mus.) : *Deux faucons*, encre sur soie, rouleau en hauteur, signé - *Faucon et corbeau*, signé.

LIN LINGXU ou **Lin Ling-Hiu** ou **Lin Ling-Hsü**, surnom : **Yuzhong,** nom de pinceau : **Qingjiang**
Originaire de Luxian, province du Jiangsu. XVIIIe siècle. Actif dans la première moitié du XVIIIe siècle. Chinois.
Peintre.
En 1730, il passe les examens triennaux à la capitale et reçoit le grade de *jinshi*, lettré accompli. Il peint des fleurs, des oiseaux et des pruniers en fleur, à l'encre. On connaît de lui un album de huit peintures de *Fleurs de Prunier*, signées et datées 1741.

LIN MEISHU ou **Mei-Shu**
XXe siècle. Chinois.
Peintre de paysages. Traditionnel.
Ventes Publiques : New York, 16 juin 1993 : *Paysages*, encre/pap., album de quatre feuilles (32,4x31,8) : **USD 920.**

LINN Steve
Né le 3 mai 1943 à Chicago (Illinois). XXe siècle. Américain.
Sculpteur de compositions animées.
Il est présenté régulièrement dans de nombreuses collections publiques des États-Unis, ainsi qu'au Musée des Arts Décoratifs de Lausanne. En France, il expose régulièrement à la galerie H. D. Nick, à Aubais (Gard).
En 1994, le château communal d'Hauterives a présenté un ensemble de ses œuvres consacrées au *Palais Idéal du Facteur Cheval.*

LINNEL James Thomas ou **Linnell**
Né en 1826 ou 1830. Mort en 1905. XIXe siècle. Britannique.
Peintre d'histoire, genre, paysages.
Il est le fils de John Linnel. Il exposa pour la première fois à la Royal Academy de Londres en 1850.
Musées : Manchester : *Printemps* - Sheffield : *Les faneurs.*
Ventes Publiques : Londres, 26 nov. 1923 : *Printemps* : **GBP 50** - Londres, 29 jan. 1926 : *L'arc-en-ciel* : **GBP 189** - Londres, 11 déc. 1942 : *Monts et vallées* : **GBP 115** - Londres, 28 jan. 1972 : *Paysage fluvial animé de personnages* : **GNS 7 500** - Londres, 29 juin 1976 : *Chasseurs dans un paysage*, h/t (61x74) : **GBP 480** - Londres, 6 déc. 1977 : *Berger et troupeau dans un paysage* 1858, h/t (53x76) : **GBP 2 000** - Londres, 3 nov. 1989 : *Enfants jouant dans les bois*, h/t (46x61) : **GBP 3 300** - Londres, 18 mai 1990 : *La fenaison* 1872, h/t (78,7x121,9) : **GBP 6 600** - Londres, 31 oct. 1990 : *Les moissonneurs*, h/t (40x68) : **GBP 1 870** - Londres, 3 juin 1992 : *Gamins à la pêche dans le Somersetshire* 1899, h/t (53,5x77) : **GBP 3 080** - Londres, 5 mars 1993 : *L'époque de la moisson* 1865, h/t (77,8x102,2) : **GBP 14 375** - Londres, 9 juin 1994 : *Pluie d'orage* 1859, h/t (112x155) : **GBP 34 500** - Londres, 6 nov. 1995 : *Arc-en-ciel* 1853, h/t (114,5x160) : **GBP 4 370.**

LINNEL John, l'Ancien ou **Linnell**
Né en 1792 à Londres. Mort en 1882 à Redhill. XIXe siècle. Britannique.
Peintre de portraits, paysages, aquarelliste, pastelliste, peintre de miniatures, graveur.
Il est le fils d'un sculpteur sur bois et marchand de tableaux. Élève de Benjamin West, de John Varley, puis des écoles de la Royal Academy de Londres. Il était l'ami de William Blake et sa fille épousa Samuel Palmer. Il figura à la Royal Academy à partir de 1807 ; une collection de ses œuvres y fut exposée après sa mort.
Linnel fut souvent peintre de sujets pittoresques et il sut traduire la nature avec une grande supériorité. Il peignit aussi de nombreux portraits et des miniatures sur ivoire.

J. LINNELL

Bibliogr. : Alfred J. Story : *The Life of John Linnell*, 1892 - David Linnel : *Blake, Palmer, Linnell and Co : La vie de John Linnell*, 1994.
Musées : Birmingham : *Troupeau de moutons* - Bristol : *Les bûcherons* - Dublin : *Portrait de femme* - Glasgow : *Rayons de soleil couchant* - *L'orage approche* - *Le prophète rebelle* - Hambourg : *Paysage* - Leeds : *Un gentleman* - Liverpool (Walker) : *Paysage* - *Le dernier rayon de soleil avant l'orage* - Londres (Victoria and Albert) : *La cueillette des fleurs champêtres* - *La traite des vaches* - *Doux paysages* - *Portrait de femme* - *Le soir, le troupeau regagnant la ferme* - *Halte sur les bords du Jourdain* - Trois aquarelles - Londres (Nat. Portrait Gal.) : *Sir Robert Peel* - Un

pastel - *Samuel Rogers* - LONDRES (Tate Gal.) : *Bûcherons* - *Le moulin à vent* - *Mrs Ann Hawkins* - *Repos de midi* - *Contemplation* - LONDRES (Corpor. Art Gal.) : *Sur la côte* - *Vue de Hampstead Heath* - *Le grand chemin* - MANCHESTER : *Coucher de soleil en automne* - *Les émigrants* - *Un coup de bec au bord de la route* - Une aquarelle - MELBOURNE : *Dans les blés* - MONTRÉAL (Learmont) : *Paysage avec moutons* - NEW YORK (Métrop.) : *Le roi de la forêt* - NORWICH : *Rev. E.-T. Daniell* - PRESTON : *L'allegro* - *Les sablières* - *Le roi de la forêt abattu* - *Le repos des voyageurs* - *Soir d'été* - *La vallée de Dolwyddelau* - *Sur la Tamise* - SHEFFIELD : *Le wagon, plein de bois* - *Paysages* - SYDNEY : *Bayswater en 1814* - WOLVERHAMPTON : *Les poussins* - *Jardin à Redhill.*

VENTES PUBLIQUES : LONDRES, 1860 : *Paysage* : **FRF 9 000** - LONDRES, 1870 : *Les Bûcherons* : **FRF 34 120** - LONDRES, 1875 : *Devant l'orage* : **FRF 65 000** - LONDRES, 1888 : *Hampstead Heath* : **FRF 39 150** - LONDRES, 1890 : *Bois et forêts* : **FRF 49 870** ; *La récolte de l'orge* : **FRF 30 180** - LONDRES, 1891 : *Ferme du Hilside, Ile de Wight* : **FRF 52 500** - LONDRES, 1892 : *Le chariot de bois* : **FRF 81 400** - LONDRES, 1894 : *Le wagon de bois* : **FRF 16 275** - LONDRES, 1896 : *Paysage du pays de Galles* : **FRF 21 000** - LONDRES, 1898 : *La Sieste* : **FRF 19 375** ; *Le nuage blanc* : **FRF 23 625** - LONDRES, 1899 : *La prairie* : **FRF 7 075** - LONDRES, 1899 : *Orage pendant la moisson* : **FRF 16 480** ; *Le troupeau* : **FRF 8 625** - LONDRES, 4 déc. 1909 : *Le joueur de cornemuse* : **GBP 173** - LONDRES, 12 fév. 1910 : *Paysage* : **GBP 52** - LONDRES, 7 juil. 1922 : *Bûcherons* : **GBP 257** - LONDRES, 6 avr. 1923 : *Paysage de forêt* : **GBP 273** - LONDRES, 23 mai 1924 : *Hampstead* : **GBP 315** - LONDRES, 30 mai 1924 : *Retour d'Ulysse* : **GBP 168** - LONDRES, 23 mars 1925 : *La vallée heureuse* : **GBP 73** - LONDRES, 24 juin 1927 : *La Dune* : **GBP 283** - LONDRES, 3 mars 1930 : *Ferme galloise* : **GBP 199** - NEW YORK, 24 mars 1944 : *Troupeau* : **USD 350** ; *Orage pendant la moisson* : **USD 400** - NEW YORK, 18 avr. 1945 : *Le roi des chênes* : **USD 1 025** - LONDRES, 26 avr. 1946 : *Les collines de Kensington* : **GBP 99** ; *La forêt de Windsor* : **GBP 210** ; *Le rassemblement du troupeau* : **GBP 168** - LONDRES, 18 juil. 1946 : *Paysage* : **GBP 94** - LONDRES, 16 déc. 1949 : *Route de campagne* : **GBP 126** - LONDRES, 22 nov. 1963 : *Le jeu de cricket* : **GNS 820** - LONDRES, 17 avr. 1964 : *Paysage animé de personnages* : **GNS 900** - LONDRES, 22 nov. 1967 : *La dernière charge* : **GBP 800** - LONDRES, 11 juil. 1969 : *Paysage du Surrey* : **GNS 850** - LONDRES, 17 juil. 1974 : *Paysage fluvial boisé* : **GBP 4 200** - LONDRES, 29 juin 1976 : *Bergers et troupeau au bord de la mer* 1863, h/t (70x99) : **GBP 3 000** - LONDRES, 29 juil. 1977 : *The proud rooster* 1846, h/pan. (53,3x68,5) : **GBP 1 800** - LONDRES, 30 nov. 1978 : *Paysages* 1815 et 1819, trois aquar. : **GBP 1 200** - LONDRES, 20 juil 1979 : *Moissonneurs sous un ciel orageux* 1873, h/t (125,1x180,1) : **GBP 4 500** - LONDRES, 13 nov. 1980 : *Troupeau au pâturage*, aquar./trait de cr. (16x23,5) : **GBP 420** - LONDRES, 17 nov. 1981 : *Le Repos des bûcherons, Windsor* 1827, aquar., cr. et pl. (16,5x27) : **GBP 4 000** - LONDRES, 7 juil. 1982 : *Moutons sur un chemin de campagne* 1863 (48x70) : **USD 1 900** - LONDRES, 19 juil. 1983 : *Stacking Barley near Witley, Surrey* 1863, aquar. reh. de blanc (22,3x35,5) : **GBP 1 100** - LONDRES, 18 mars 1983 : *Portrait de Cornelia Maria Darling et de son frère Frederick* 1825, h/t (47x36,9) : **GBP 7 500** - LONDRES, 119 nov. 1985 : *Bayswater : Corn harvest* 1811, aquar. (10x14,5) : **GBP 5 500** - LONDRES, 13 mars 1986 : *Ève offrant le fruit défendu à Adam*, pl. et encre brune/aquar. et cr. (21x16,5) : **GBP 1 200** - LONDRES, 16 déc. 1986 : *Feeding sheep* 1863, h/pan. (71,5x99) : **GBP 14 000** - LONDRES, 23 juin 1987 : *Harvest Dinner* 1860, h/t (99x135) : **GBP 42 000** - LONDRES, 3 juin 1988 : *Retour du marché* 1841, h/t (99x138,5) : **GBP 2 420** - LONDRES, 25 jan. 1989 : *Personnages sur la berge d'une rivière avec des arbres au fond*, encre/pap. (16,5x20,5) : **GBP 550** - LONDRES, 26 mai 1989 : *Paysage boisé avec un moulin à vent et une chaise de poste*, h/pan. (17,6x28,5) : **GBP 1 100** - LONDRES, 15 nov. 1989 : *Tombereau de sable dans les collines du Surrey*, h/pan. (66x94) : **GBP 16 500** - NEW YORK, 28 fév. 1990 : *L'arrivée de l'orage*, h/t (49,8x71,1) : **USD 44 000** - LONDRES, 11 juil. 1990 : *Le chemin de la ferme le soir* 1827, h/pan. (37x47) : **GBP 42 900** - LONDRES, 14 nov. 1990 : *Les ouvriers des carrières de gravier de Kensington*, h/t (61,5x95) : **GBP 11 000** - GLASGOW, 22 nov. 1990 : *Orage sur la moisson* 1856, h/t (94x135,2) : **GBP 46 200** - LONDRES, 25 oct. 1991 : *Une journée dans une ferme du Pays de Galles* 1847, h/pan. (27,2x40,6) : **GBP 7 150** - LONDRES, 8 avr. 1992 : *Le retour des glaneurs* 1856, h/pan. (33,5x45,5) : **GBP 5 720** - LE TOUQUET, 8 juin 1992 : *Fillette lisant* 1838, past. sanguine, craie et fus. (38x47) : **FRF 17 000** - LONDRES, 13 nov. 1992 : *Jeanie Deans et Madge Widfire dans le jardin de l'église* 1835, h/t (39,7x49) : **GBP 1 320** - LONDRES, 11 juin 1993 : *Bûcherons dans une clairière* 1881, h/t (53x74) : **GBP 7 130** - LONDRES, 10 nov. 1993 : *Les faucheurs* 1855, h/t (66x98) : **GBP 29 900** - LE TOUQUET, 14 nov. 1993 : *Cottage anglais*, aquar. (37x53) : **FRF 6 000** - LONDRES, 25 mars 1994 : *Paysage boisé anglais* 1868, h/t (101x140) : **GBP 58 700** - LONDRES, 6 nov. 1995 : *Repos* 1857, h/pan. (67x99) : **GBP 43 300** - LONDRES, 29 mars 1996 : *Régions vallonnées du Kent* 1853, h/t (64,5x91,5) : **GBP 14 950** - LONDRES, 6 nov. 1996 : *Le Parc de Windsor* 1863, h/t (51x71) : **GBP 4 600** - LONDRES, 13 mars 1997 : *Portrait de G.W. Wood, assis, de trois quarts, vêtu d'un manteau noir et d'un gilet blanc, tenant un journal dans la main gauche* 1835, h/pan. (48,2x38,7) : **GBP 2 400**.

LINNEL John, le Jeune

XIXe siècle. Britannique.

Peintre de fleurs.

Il est le fils de John l'Ancien. Il figura en 1858 à la Royal Academy de Londres.

LINNEL William ou **Linnel**

Né en 1826 à Londres. Mort en 1906 ou 1910. XIXe siècle. Britannique.

Peintre de genre, animaux, paysages animés, paysages.

Il est le fils de John l'Ancien. Il figura à la Royal Academy de Londres, avec des paysages et des tableaux rustiques, de 1851 à 1891.

MUSÉES : SALFORD - SHEFFIELD.

VENTES PUBLIQUES : LONDRES, 27 avr. 1923 : *Le berger mercenaire* : **GBP 68** - LONDRES, 3 juil 1979 : *Paysans sur une route de campagne* 1870, h/t (98x133) : **GBP 1 800** - LONDRES, 3 oct. 1984 : *Paysans sur un chemin de campagne* 1875, h/t (94x132) : **GBP 1 400** - LONDRES, 3 nov. 1989 : *Troupeau de chèvres dans les Appenins* 1864, h/t (68x115) : **GBP 7 920** - LONDRES, 9 fév. 1990 : *Bergers et leur troupeau dans un paysage boisé* 1866, h/t (72x101,5) : **GBP 2 420** - LONDRES, 1er nov. 1990 : *« Over the heath... »*, h/t (104x160) : **GBP 3 080** - LONDRES, 14 juin 1991 : *Berger et son troupeau dans un paysage boisé ensoleillé* ; *Sous le bouleau* 1875, h/t, une paire (51x66,5 et 46x63,5) : **GBP 5 280** - LONDRES, 13 nov. 1992 : *Bergers*, h/t (58,5x82) : **GBP 3 960** - LONDRES, 12 nov. 1992 : *Gardiens de chèvres dans les Appenins* 1864, h/t (66x113) : **GBP 3 300** - NEW YORK, 18 fév. 1993 : *La Vallée d'Avoe* 1880, h/t (91,5x127,5) : **USD 9 900** - LONDRES, 5 sep. 1996 : *Redhill, Surrey* 1876, h/t/pan. (54x68,6) : **GBP 1 150**.

LINNELL. Voir **LINNEL**

LINNEMANN Alexander

Né en 1839 à Francfort-sur-le-Main. Mort en 1902 à Francfort-sur-le-Main. XIXe siècle. Allemand.

Dessinateur, peintre verrier et architecte.

Il travailla à Dresde et à Francfort. On lui doit des cartons pour les fenêtres de la cathédrale de Francfort et trois verrières pour le Palais du Parlement (Reichtag) à Berlin.

LINNEMANN Otto

Né le 20 avril 1876 à Francfort-sur-le-Main (Hesse). XXe siècle. Allemand.

Peintre, peintre verrier, illustrateur.

Il fut le fils d'Alexander Lenneman et l'élève de Kampf et P. Janssen.

LINNEMANN Rudolf

Né le 27 avril 1874 à Francfort. Mort le 19 mars 1916 à Feld. XIXe-XXe siècles. Allemand.

Peintre et peintre verrier.

Fils d'Alexander Linnemann.

LINNERHIELM Jonas Karl

Né en 1758 à Elleholm. Mort en 1829. XVIIIe-XIXe siècles. Suédois.

Peintre de paysages, aquarelliste, graveur.

On lui doit des eaux-fortes.

VENTES PUBLIQUES : STOCKHOLM, 20 fév. 1989 : *Château de Wästeras* ; *Vue de Wästeras depuis Klockarebacken*, aquar., une paire (chaque 13,5x18,5) : **SEK 6 700**.

LINNIG Ben

Né en 1956 à Mortsel. XXe siècle. Belge.

Peintre, illustrateur.

Il fut lauréat du prix F. de Boeck en 1978. Il illustre surtout des livres pour enfants.

BIBLIOGR. : In : *Dict. biogr. illustré des artistes en Belgique depuis 1830*, Arto, Bruxelles, 1987.

LINNIG Egidius

Né le 25 août 1821 à Anvers. Mort le 13 octobre 1860 à Saint-Villebords. XIXe siècle. Belge.

Peintre de marines, graveur.
Frère de Jan Theodor Joseph Linnig et de Willem l'Ancien, il fut élève de M. Van Brée à Anvers, puis chez le lithographe Jacques Van Gingelen. En 1844, il s'installa à La Haye et à partir de 1849, exposa en Allemagne.
Il peignit avec précision des bateaux dont il faisait de véritables portraits, tel le *Trois-mâts belge Macassar arrivant des Indes orientales à Flessingue et lâchant un coup de canon pour demander un pilote de rivière* ou *Portrait du trois-mâts barque Marie*. Il contribua, dans la mesure de ses moyens, au renouveau de la gravure en Belgique.

BIBLIOGR. : Gérald Schurr, in : *Les Petits Maîtres de la peinture 1820-1920, valeur de demain*, Les Éditions de l'Amateur, t. III, Paris, 1976.
MUSÉES : ANVERS – BRÊME : *Paysage avec rivière* – COURTRAI : *Entrée au port* – *Entrée des navires dans le port d'Anvers* – *Marine*.
VENTES PUBLIQUES : LONDRES, 8 nov. 1972 : *Scène d'estuaire* : **GBP 1 500** – NEW YORK, 9 oct. 1974 : *Bateaux de pêche par grosse mer* : **USD 2 250** – LONDRES, 14 févr 1979 : *Le « Courrier » par grosse mer*, h/t (47,5x61,5) : **GBP 1 200** – LOS ANGELES, 8 fév. 1982 : *La promenade en barque* 1853, h/pan. (40x57,5) : **USD 4 000** – COLOGNE, 9 mai 1983 : *Paysage fluvial avec barque* 1848, h/pan. (52x70) : **DEM 12 000** – LONDRES, 27 nov. 1985 : *Barques de pêcheurs par forte mer* 1849, h/pan. (59x77) : **GBP 3 000** – BRÊME, 7 nov. 1987 : *Voiliers au large de la côte*, h/t (96x129) : **DEM 16 000** – LONDRES, 6 juin 1990 : *Clair de lune* 1850, h/pan. (46x62) : **GBP 1 100** – NEW YORK, 26 mai 1993 : *La prise du jour* 1849, h/t (74,3x99,1) : **USD 17 250** – AMSTERDAM, 9 nov. 1993 : *Péniche de foin sur une rivière* 1859, h/pan. (39x48) : **NLG 7 820** – NEW YORK, 15 fév. 1994 : *Le Fort du nord à Anvers* 1860, h/pan. (49,5x66) : **USD 21 850** – AMSTERDAM, 27 oct. 1997 : *Voiliers sur le rivage*, h/t (93x73) : **NLG 8 260**.

LINNIG Jan Theodor Joseph
Né en 1815 à Anvers. Mort le 14 novembre 1891. XIXe siècle. Belge.
Peintre de paysages, architectures, graveur.
Frère aîné d'Egidius et Willem Linnig, il fut élève d'Erin Corr en 1842 et de J.-B. de Jonghe. Il grava les planches de l'*Histoire d'Anvers* par Mertens et Torfs.

VENTES PUBLIQUES : LONDRES, 5 mai 1989 : *Le port d'Anvers*, h/t (28x38) : **GBP 1 760**.

LINNIG Willem, l'Ancien
Né le 7 avril 1819 à Anvers. Mort le 8 août 1885 à Anvers. XIXe siècle. Belge.
Peintre de genre, natures mortes, graveur.
Frère d'Egidius et de Jan Theodor Joseph Linnig et père de Willem le jeune, il fut élève d'Hendrik Leys. Il travailla quelque temps à Weimar.

BIBLIOGR. : Gérald Schurr, in : *Les Petits Maîtres de la peinture 1820-1920, valeur de demain*, Les Éditions de l'Amateur, t. II, Paris, 1982.
MUSÉES : ANVERS : *Ruines de la bourse d'Anvers* – *Atelier de Geert de Winter, chaudronnier et ciseleur anversois du XVIIe siècle* – STRASBOURG : *La petite Savoyarde* – STUTTGART : *Intérieur d'une taverne au XVIIe siècle*.
VENTES PUBLIQUES : LONDRES, 2 mars 1928 : *Intérieur d'un cabaret flamand* : **GBP 69** 6 d – LONDRES, 14 juin 1946 : *Cabaret hollandais* : **GBP 105** – LONDRES, 28 fév. 1973 : *Scène de taverne* : **GBP 4 600** – LONDRES, 23 fév. 1977 : *La répétition* 1850, h/pan. (40,5x32) : **GBP 1 800** – LONDRES, 19 avr. 1978 : *Deux hommes attablés devant une auberge*, h/pan. (36,5x28) : **GBP 1 600** – COLOGNE, 11 juin 1979 : *Jeune femme préparant un poisson* 1854, h/pan. (57,5x47,5) : **DEM 6 500** – VIENNE, 15 déc. 1982 : *Le musicien de l'auberge* 1857, h/t (56x69) : **ATS 40 000** – NEW YORK, 26 mai 1983 : *Le Vieux Violoniste*, h/pan. (47,5x59,7) : **USD 4 000** – LONDRES, 5 oct. 1989 : *Christophe Colomb à bord de la Santa Maria* 1884, h/t (104x130) : **GBP 3 850** – LONDRES, 28 oct. 1992 : *Dîner à l'auberge* 1848, h/pan. (63x88) : **GBP 5 060** – NEW YORK, 18 fév. 1993 : *Portrait d'un vieil homme fumant une pipe*, h/pan. (29,8x22,2) : **USD 3 738** – LONDRES, 17 mars 1993 : *Enfants et leur petit chien dans une grange* 1856, h/pan. (51x39) : **GBP 3 565** – LONDRES, 7 avr. 1993 : *Portrait du bien-aimé* 1857, h/pan. (62,5x46) : **GBP 2 645** – PITHIVIERS, 17 sep. 1995 : *Scène animée* 1852, h/pan. (93x113) : **FRF 51 000** – PARIS, 21 mars 1996 : *Le Repas familial*, h/pan. (47,5x59) : **FRF 37 000** – LOKEREN, 5 oct. 1996 : *Le Restaurateur de meubles* 1873, h/pan. (65x90) : **BEF 320 000**.

LINNIG Willem, le Jeune
Né le 20 août 1842, 1847 ou 1849 à Anvers. Mort le 3 septembre 1890 à Anvers. XIXe siècle. Belge.
Peintre d'histoire, genre, paysages urbains, compositions murales, graveur.
Il eut pour maître son père : Willem Linnig l'Ancien. Il fut professeur à l'Académie de Weimar de 1876 à 1883 et y fut décoré de l'Ordre du Faucon Blanc. Il fut également médaillé à Sydney en 1881.
On lui doit des eaux-fortes. En 1865, il signa des planches, d'un métier probe, parmi lesquelles : la *Démolition des portes d'Anvers*.

MUSÉES : ANVERS : *Mariage anversois*.
VENTES PUBLIQUES : AMSTERDAM, 16 nov. 1988 : *Un alchimiste dans son laboratoire*, h/pan. (48,2x39,7) : **NLG 1 725**.

LINNING Christian Arvid
Né en 1781 à Stockholm. Mort en 1843. XIXe siècle. Suédois.
Sculpteur et céramiste.
Fils d'un ébéniste de Stockholm. Élève de l'Académie de Stockholm.
MUSÉES : STOCKHOLM (Nat.) : *Gustave Adolphe IV couronné par le génie de la gloire*, groupe en terre cuite.
VENTES PUBLIQUES : AMSTERDAM, 3 juin 1969 : *Chalutiers* : **NLG 10 000**.

LINNOVAARA Juhani
Né le 7 janvier 1934 à Hämeenlina (Finlande). XXe siècle. Finlandais.
Peintre. Tendance surréaliste.
De 1951 à 1953, il étudie à l'Académie d'Art finnoise, puis il commence une vie itinérante qui, jusqu'en 1969, le conduira en France, Belgique, Hollande, Scandinavie, Italie, Espagne et dans l'ensemble de l'Europe, ainsi qu'aux États-Unis vers 1960, au Mexique, etc.
Il expose en Finlande, mais aussi à Göteborg, à Varsovie et New York. Il a participé à la Biennale de Paris en 1969 et à celle de Venise en 1970.
C'est en Espagne que sa peinture est devenue surréalisante, telle que nous la connaissons. Pendant son voyage aux États-Unis, il eut l'occasion d'approcher les œuvres des surréalistes américains, continuateurs d'Arshille Gorky, lui-même ayant peut-être été surtout influencé par Yves Tanguy. C'est aussi aux États-Unis que sa peinture s'est mise de plus en plus à ressembler à un rêve. Il peint des personnages dans des intérieurs ou des paysages, accumulant, minutieusement traités, les détails d'une multitude d'objets, qui contribuent à créer un climat d'étrangeté, fantaisiste et impertinent. Doué d'imagination et d'humour, ses « portraits » sont des clins d'œil à l'absurde.

LINNQVIST Hilding
Né en 1891 à Stockholm. Mort en 1984. XXe siècle. Suédois.
Peintre, décorateur, peintre de décors de théâtre, peintre de compositions murales, cartons de mosaïques, cartons de tapisseries. Naïf.
Pour beaucoup, Linnqvist fait figure de peintre naïf, quand au contraire, il reçut une formation très complète : de 1910 à 1912, à l'Académie des Beaux-Arts de Stockholm ; et de 1920 à 1923, en Angleterre, en Italie et surtout en France ; effectuant en outre de nombreux voyages, en Espagne (1929), Afrique du Nord, Grèce et Égypte. Il participe à la fondation du groupe *Falangen* (*La Phalange*) et, à partir de 1934, il est membre de *Färg och Form* (*Couleur et Forme*).
Il figure dans les expositions de peinture suédoise contemporaine, entre autres : à Paris, en 1929 ; à la Biennale de Venise, en 1938 et 1942 ; à San Francisco, en 1939 ; à Londres, en 1945 ; etc.
Il a montré ses œuvres dans des expositions personnelles notamment en 1950 et 1954.

Le fait qu'on l'ait souvent classé parmi les artistes dits naïfs, vient de ce qu'il fut, dans une première période, l'animateur d'un groupe de peintres qui s'inspiraient délibérément de l'art folklorique paysan de l'ancienne Suède des XVIIIe et XIXe siècles, tout en étant intéressé à l'œuvre de Munch et à celui de Josephson. De cette première période, il a conservé le goût de représenter des scènes complexes, aux personnages multiples, répartis selon les articulations perspectives de paysages panoramiques. C'est ce style d'imagerie narrative, aux accents populaires, qui crée l'unité reliant les premières œuvres, comme *La Place à Chinon* de 1921-1922 ou les célèbres peintures murales pour la Bibliothèque Municipale de Stockholm (1927-1928) aux grandes décorations murales de la maturité, comme ses célèbres décors pour *Ariane à Naxos*, en 1944 ; *La Flûte enchantée*, en 1956 ; ou pour les fresques de *La Vie au bord du fleuve*, et *La Légende de la Suède*, en 1952-1953 ; ou des mosaïques et des tapisseries, par exemple *Le Songe de Disa*, de 1960. ■ J. B.

Bibliogr. : Linnqvist : *Réflexions sur l'Art*, 1949 - in : *Peintres contemporains*, Mazenod, Paris, 1964 - P. V., in : *Dictionnaire universel de l'art et des artistes*, Hazan, Paris, 1967 - in : *Dictionnaire universel de la peinture*, Le Robert, Paris, 1975.

Musées : Göteborg - Hambourg - Lubeck - Stockholm.

Ventes Publiques : Stockholm, 24 avr. 1947 : *Paysage italien* : **SEK 2 750** - Göteborg, 8 nov. 1973 : *La Petite Place, Chinon* : **SEK 20 000** - New York, 8 nov 1979 : *Pêcheur grec*, h/t (55x38) : **USD 4 000** - Stockholm, 26 nov. 1981 : *Nature morte*, h/pan. (104x156) : **SEK 71 000** - Stockholm, 18 nov. 1984 : *Nature morte aux tulipes*, aquar. (51,5x38,5) : **SEK 41 000** - Stockholm, 16 mai 1984 : *Vue d'une ville en hiver* 1926, h/t (114x145) : **SEK 140 000** - Stockholm, 20 avr. 1985 : *Bord de mer, Mykonos*, h/t (114x102) : **SEK 27 000** - Stockholm, 27 mai 1986 : *Nature morte*, h/t (62x46) : **SEK 55 000** - Stockholm, 5-6 déc. 1990 : *Nature morte avec un lis dans une cruche*, aquar. (66,5x38) : **SEK 27 000** - Stockholm, 30 mai 1991 : *Nature morte avec un lis dans une cruche*, aquar. (66,5x38) : **SEK 18 000** - Stockholm, 21 mai 1992 : *Sieste dans dans Bastugatans park à Stockholm*, h/t (81x60) : **SEK 65 000** - Stockholm, 30 nov. 1993 : *Nature morte avec des coquillages et des récipients*, h/t (62x46) : **SEK 72 000**.

LINO, pseudonyme de **Linossier Edmond**
Né le 20 mai 1894. XXe siècle. Français.
Peintre.
Sa peinture est traditionnelle. Il expose au Salon des Indépendants, à Paris.

LINO Gustave
Né en 1893 à Mulhouse. XXe siècle. Français.
Peintre de scènes typiques, portraits. Orientaliste.
Né en Alsace, il voyagea beaucoup, allant à Marseille, puis, après la seconde guerre mondiale, séjournant en Espagne, Algérie, Tunisie. Jusqu'en 1950, il figura au Salon tunisien et aux diverses expositions artistiques de l'Afrique du Nord.
Peintre de paysages, il est aussi l'auteur de portraits très réalistes, traités dans une pâte fluide, presque tranparente.

Bibliogr. : Catalogue de l'exposition : *Lumières tunisiennes*, Pavillon des Arts, Paris, 1995.

Ventes Publiques : Paris, 2 juin 1992 : *Au café maure*, h/cart. (27x34) : **FRF 3 800** - Paris, 21 juin 1993 : *Mauresques sur le port d'Alger*, h/pan. (47x78) : **FRF 30 000** - Paris, 22 avr. 1994 : *Port de La Goulette en Tunisie*, h/t (50x61,5) : **FRF 15 000** - Paris, 11 déc. 1995 : *Rue de Djerba*, h/t (54x65) : **FRF 21 000** - Paris, 18 nov. 1996 : *Le Pont Alexandre III*, h/t (50,5x61) : **FRF 10 000**.

LINO de MAGALHAES Acacio
Né en 1878 à Travanca. Mort en 1956 à Porto. XXe siècle. Portugais.
Peintre d'histoire, paysages, peintre de compositions murales. Académique.
Il fut élève de l'Académie des Beaux-Arts de Porto et poursuivit ses études à l'École des Beaux-Arts de Paris sous la direction de Jean-Paul Laurens et de F. Cormon. À son retour de France, il fut professeur de dessin d'histoire à l'École des Beaux-Arts de Porto.
Il figura à la Société Nationale des Beaux-Arts avec des paysages. Une exposition rétrospective de ses œuvres fut organisée en 1942.
Sa peinture est de type académique. Il a réalisé des compositions murales pour le Musée d'Artilharia en 1907, pour le Palais S. Bento en 1921-1923, et à l'hôtel de ville de Porto, œuvre pour laquelle il obtint une médaille d'or.

Bibliogr. : In : *Cien anos de pintura en Espana y Portugal, 1830-1930*, t. IV, Antiqvaria, Madrid, 1990.

Musées : Caldas da Rainha (Mus. José Malhoa) - Lisbonne (Mus. Soares dos Reis) - Porto.

LINO de MATTOS GASTAO Francisco
Né le 24 octobre 1739 à Porto de Moz (Brésil). XVIIIe siècle. Brésilien.
Peintre de portraits miniatures.

LINOSEN H.
XIXe siècle. Actif à Paris. Français.
Portraitiste et paysagiste.
Il exposa au Salon de 1836 à 1840. Peut-être le même artiste que Linssen, travaillant à Roermond, cité par le Dr Würzbach.

LINOSSIER Claudius
Né le 21 novembre 1893 à Lyon (Rhône). Mort le 8 avril 1953 à Lyon (Rhône). XXe siècle. Français.
Dinandier, médailleur, sculpteur, graveur.
Fils de tisseurs de soie de la Croix-Rousse, il est d'abord apprenti orfèvre à Lyon. En 1911, il vient à Paris et y mène une existence difficile. Après cinq ans de vie militaire, il perfectionne sa technique d'orfèvre et, dès 1921, s'intéresse à la dinanderie et expose au Salon des Artistes Décorateurs. Il retourne à Lyon et construit sa maison à la Croix-Rousse.
Il fait la connaissance, à Lyon, de Pompron avec qui il se lie d'amitié et avec lequel il figure, en 1923 et 1924, au Salon d'Automne. Il expose régulièrement à Paris mais aussi, en 1930, à New York, Boston, Chicago, Athènes, Bucarest. Plus tard, en 1936, il expose encore à Milan, Prague, Montréal et Sydney. Puis, de nouveau, en 1938, à New York.
Si Linossier n'a point inventé de formes inconnues, il a néanmoins insufflé un sang neuf à la dinanderie, découvrant de nouveaux alliages et parvenant, sous l'effet du feu, à donner aux métaux des couleurs ignorées jusque-là. S'il fut surtout dinandier, il fut aussi médailleur, graveur et sculpteur.

Musées : Lyon : *Tête de femme*, feuille de cuivre martelée.

LINOSSIER Fleury François
Né le 19 août 1902 à Bois-Colombes (Hauts-de-Seine). XXe siècle. Français.
Peintre, aquarelliste.
Après des études secondaires à Paris, il entre à l'École des Beaux-Arts de Toulon en 1917. De famille lyonnaise, il se destinait à la peinture et à la sculpture.
Il montre ses œuvres dans des expositions collectives parisiennes : Salon des Surindépendants, Salon de la Société Nationale des Beaux-Arts (1973 et 1975), Salon des Artistes Français, dont il devient sociétaire. En 1972, il participe au Salon international de la Peinture contemporaine de la Principauté de Monaco, et en 1972 et 1973 au Festival de peinture au Musée d'Art et d'Archéologie de Toulon. En 1970, une exposition de son œuvre fut organisée au Vieux Musée de Toulon et, en 1971, au Musée d'Art et d'Archéologie de la même ville.
Devenu architecte, son talent d'aquarelliste ne fut à aucun moment marqué par son activité professionnelle. Peintre paysagiste, Fleury Linossier transforme son sujet où l'influence de Turner et de Corot laisse libre cours à des recherches qui marquent son œuvre.

LINOSSIER François, pseudonyme : **Patasson**
Né le 1er janvier 1819 à Saint-Étienne. Mort le 1er décembre 1871 à Saint-Étienne. XIXe siècle. Français.
Peintre de décorations.
Personnalité stéphanoise intéressante, plus peut-être par son caractère que par son talent de peintre. Patasson publia à diverses époques des poésies populaires et des pièces de théâtre en patois de Saint-Étienne qui eurent un certain succès. En 1848 il fut pendant quelque temps commandant de place et, d'après l'intéressant catalogue du musée de Saint-Étienne à qui nous empruntons ces détails, il peignit son portrait, offert au musée par sa sœur en 1872, pour rappeler le souvenir de ses fonctions militaires. On cite des peintures d'attributs.

LINOT, Mlle
XVIIIe siècle. Active à Paris vers 1770. Française.
Peintre.
A. L. Romanet grava d'après elle le *Portrait d'A. Court de Gebelin*.

LINOTTE Georges
Né en 1956 à Liège. XXe siècle. Belge.

Peintre, dessinateur, pastelliste, émailleur.
Son œuvre se veut « baroque ».
BIBLIOGR. : In : *Dict. biogr. illustré des artistes en Belgique depuis 1830*, Arto, Bruxelles, 1987.

LIN QI ou **Lin Ch'i** ou **Lin K'i**
XVIIe siècle. Actif au début de la dynastie Qing (1644-1911). Chinois.
Peintre.
Il n'est pas mentionné dans les biographies de peintres, mais on connaît : *Fleurs et bambous près de rocailles*, signé et daté 1652.

LINS Adolf
Né le 21 octobre 1856 à Kassel. Mort le 26 mars 1927 à Düsseldorf. XIXe-XXe siècles. Allemand.
Peintre de genre, animaux, paysages.
Il fut élève de l'Académie des Beaux-Arts de Kassel. Il obtint des mentions honorables à Berlin en 1891 et à Dresde en 1892.

Ad. Lins

MUSÉES : DÜSSELDORF : *Au ruisseau.*
VENTES PUBLIQUES : COLOGNE, 19 oct. 1973 : *Paysage de printemps* : **DEM 6 500** – COLOGNE, 14 juin 1976 : *La mare aux canards*, h/t (62x80) : **DEM 3 000** – COLOGNE, 17 mars 1978 : *La basse-cour*, h/t (60,5x50) : **DEM 5 000** – COLOGNE, 11 juin 1979 : *La Gardeuse d'oies*, h/t (40,9x50,4) : **DEM 13 000** – COLOGNE, 20 mars 1981 : *Troupeau dans un paysage boisé*, h/t (60x80) : **DEM 13 000** – LONDRES, 28 nov. 1984 : *Enfant jouant avec un bateau en papier*, h/t (78,5x56) : **GBP 2 200** – COLOGNE, 28 juin 1985 : *Oies au bord de l'étang*, h/t (60x80) : **DEM 9 500** – COLOGNE, 25 juin 1987 : *Paysage à la rivière*, h/t (61x81) : **DEM 9 000** – NEW YORK, 25 mai 1988 : *Les porcs*, h/pan. (31,5x40,6) : **USD 4 400** – NEUILLY, 27 mars 1990 : *Les Martigues*, h/pan. (23x31) : **FRF 13 600** – COLOGNE, 29 juin 1990 : *Journée d'été sur la lande*, h/pap. (27x38) : **DEM 3 300** – HEIDELBERG, 11 avr. 1992 : *Vaches et oies au bord d'un ruisseau*, h/t (59,5x79,5) : **DEM 19 000** – NEW YORK, 18 fév. 1993 : *Les bulles de savon* 1885, h/t (102x86,5) : **USD 17 600**.

LINSAC Claude Dominique. Voir **VINSAC**

LINSCHOTEN Adriaen Cornelisz Van
Né en 1590 à Delft. Mort en juillet 1677 à La Haye. XVIIe siècle. Hollandais.
Peintre.
Fils d'un peintre verrier, Cornelis Adriansz L. et probablement élève de Ribera. Il alla en Brabant en 1634, s'y maria et revint après 1645 à La Haye avec sa femme et deux filles ; il gagna peu d'argent et mourut nécessiteux. Ses tableaux sont souvent attribués à Ribera ou à Caravaggio.

AL:

MUSÉES : SAINT-PÉTERSBOURG (Mus. de l'Ermitage) : *Moine franciscain mendiant.*

LINSCHOTEN Jan Huygen Van
Né en 1563 à Haarlem. Mort le 8 février 1611 à Enkhuysen. XVIe-XVIIe siècles. Hollandais.
Peintre.

LINSE Johannes
Né le 30 mars 1875 à Rotterdam. XXe siècle. Hollandais.
Peintre de portraits.
Il travailla à Rotterdam et La Haye.

LINSELL C.
XIXe siècle. Britannique.
Peintre de miniatures.
Il exposa à la Royal Academy, de 1801 à 1830.

LINSEN Jan, dit **Hermafrodito**
Né en 1602 ou 1603 à Hoorn. Mort en 1635 à Hoorn. XVIIe siècle. Actif à Hoorn. Hollandais.
Peintre de sujets religieux, marines.
Venu à Rome, il fut fait prisonnier par des pirates mais réussit à s'échapper. Il a peint son aventure dans un tableau. On dit qu'il fut tué à la suite d'une querelle de jeu.
Il peignit des marines et des batailles navales.
VENTES PUBLIQUES : PARIS, 23 juin 1995 : *Joseph enfant racontant le songe des gerbes*, h/pan. (16x23) : **FRF 5 700**.

LINSEN L.
XIXe siècle. Actif à Berlin. Allemand.
Graveur.
Il figura aux Expositions de l'Académie de Berlin de 1839 à 1856.

LIN SHAN ou **Lin Chan**
Actif pendant la dynastie Ming (1368-1644). Chinois.
Peintre.

LIN SHENGYUAN
Né en 1965. XXe siècle. Actif aux États-Unis. Chinois.
Peintre de figures. Style occidental.
Il fut diplômé de l'Institut de Technologie de Hefei en 1985. Il a exposé à la Galerie Nationale d'Art de Pékin, au Musée d'Art de Guangzhou, ainsi que dans différentes galeries aux États-Unis, dans l'East Village, l'Université de Colombia. Il réside aux États-Unis.
VENTES PUBLIQUES : HONG KONG, 30 avr. 1996 : *Modèles* 1995, h/t (61x86,4) : **HKD 46 000**.

LIN SHOW YU. Voir **LIN Richard**

LIN SHU
Né en 1852. Mort en 1924. XIXe-XXe siècles. Chinois.
Peintre de paysages. Traditionnel.
Il peignait dans le style traditionnel des XVIIe-XVIIIe siècles, notamment de Wang Hui.
VENTES PUBLIQUES : NEW YORK, 6 déc. 1989 : *Paysage* 1924, kakémono, encre et pigments/pap. (137,1x56,8) : **USD 2 200** – NEW YORK, 31 mai 1990 : *Paysage dans le style de Wang Hui*, encre/pap., kakémono (58,4x34,3) : **USD 1 320** – NEW YORK, 26 nov. 1990 : *Paysage d'automne d'après Wang Hui*, encre/pap., kakémono (129,6x64,2) : **USD 3 850** – HONG KONG, 2 nov. 1997 : *Paysage du Minshan* 1908, encre/pap., kakémono (174x47) : **HKD 43 700**.

LIN SIUE. Voir **LIN XUE**

LINSON Corwin Knapp
Né le 25 février 1864 à Brooklyn (New York). Mort en 1959, ou 1934. XIXe-XXe siècles. Américain.
Peintre de portraits, paysages.
Il fut élève de l'École des Beaux-Arts ; de l'Académie Julian, de Gérome et Laurens à Paris. Il était membre du Salmagundi Club.
VENTES PUBLIQUES : NEW YORK, 5 déc. 1985 : *Allée bordée d'iris* 1930, h/t (76,8x86,4) : **USD 6 250** – NEW YORK, 17 mars 1988 : *Boulevard Montparnasse*, h/pan. (34,3x26) : **USD 42 900** – NEW YORK, 24 sep. 1992 : *Soleil d'hiver dans un sous-bois ensoleillé* 1923, h/t (101x120,7) : **USD 6 600** – NEW YORK, 30 oct. 1996 : *Le Vaisseau d'argent*, h/cart. (22,9x25,4) : **USD 4 025**.

LINSTOW Hans Ditlev Frants
Né en 1787. Mort en 1851 à Oslo. XIXe siècle. Norvégien.
Architecte et peintre.
Il peignit des paysages et des figures.

LINT Hans ou **Hermann**. Voir **LIN**

LINT Hendrik ou **Hendrik F. Van**, appelé aussi **Monsu Studio**
Né le 26 janvier 1684 à Anvers. Mort le 23 septembre 1763 à Rome. XVIIIe siècle. Éc. flamande.
Peintre de sujets mythologiques, paysages animés.
Benjamin des fils de Peter Van Lint, il fut élève de Peter Van Bredael et alla à Rome en 1710, y épousa Rosa Fiorelli et fut l'ancêtre de la famille de peintres italiens Lint. On cite, dans son œuvre gravé : *La Chasse au faucon* et *Le Temple de la Sibylle à Tivoli*.

HF Van Lint . F 1724

MUSÉES : BRUNSWICK : *Retour de la chasse près de Rome* – PRAGUE (Rudolfinum) : *Nymphe et Satyre* – *Paysage italien* – TURIN : *Paysage avec un pont* – SIBIU : *Ports et ruines*, quatre tableaux.
VENTES PUBLIQUES : PARIS, 1852 : *Le Départ pour la chasse* ; *Le Retour de la chasse*, ensemble : **FRF 400** – PARIS, 12 mai 1928 : *Vue d'un port italien* : **FRF 510** – LONDRES, 15 juin 1928 : *Vue de Gênes* : **GBP 57** – NEW YORK, 16 mars 1934 : *Pastorales* : **USD 220** – PARIS, 11 jan. 1943 : *Village d'Italie avec troupeau sur une route* ; *Vue d'Italie avec troupeau au pâturage*, deux pendants : **FRF 16 000** – PARIS, oct. 1945-juil. 1946 : *Paysage d'Italie* : **FRF 3 800** – LONDRES, 7 déc. 1960 : *Vue de la Baie de Naples* : **GBP 900** – LONDRES, 20 mars 1964 : *Paysage avec un lac animé de personnages* : **GNS 1 300** – LONDRES, 10 nov. 1967 : *Paysages classiques*, deux pendants : **GNS 3 400** – LONDRES, 13 déc. 1968 : *Vue de la campagne romaine* : **GNS 1 400** – LONDRES, 26 mars 1969 : *Diane se reposant dans un paysage* ; *Mercure et Bacchus enfant* : **GBP 6 400** – LONDRES, 24 juin 1970 : *Bacchus et Ariane*

dans un paysage : **GBP 5 500** – Londres, 11 juil. 1973 : *Paysages animés de personnages*, deux toiles : **GBP 17 000** – Londres, 10 juil. 1974 : *Vue du Colisée à Rome* : **GBP 4 500** – Londres, 7 juil. 1976 : *Vénus et Apollon dans un paysage*, h/t (45x72) : **GBP 6 500** – Londres, 25 mars 1977 : *Paysages d'Italie*, deux h/t (22x33,5) : **GBP 4 800** – Londres, 28 mars 1979 : *Ponte Milvio, Rome* 1732, h/t (46,5x71) : **GBP 5 000** – Londres, 8 avr. 1981 : *Vue de Ronciglione* 1732, h/t (46x71) : **GBP 16 000** – Milan, 24 nov. 1983 : *Vue de San Marco, Venise*, h/t (48x79,5) : **ITL 44 000 000** – Londres, 3 juil. 1985 : *Paysage avec des ruines animés de personnages* 1736-1737, h/t, une paire (55x56) : **GBP 40 000** – Londres, 10 déc. 1986 : *Vues de Venise*, h/t, une paire (46,5x73) : **GBP 70 000** – Londres, 9 déc. 1987 : *Rome vue de San Giovanni dei Fiorentini* 1739, h/t (46,5x72) : **GBP 46 000** – New York, 14 jan. 1988 : *Place du Peuple à Rome ; Place Saint-Marc à Venise* 1750, h/t, deux pendants (26,5x73 chaque) : **USD 165 000** – Paris, 11 mars 1988 : *Deux caprices d'architecture en ruine*, deux h/t (24,5x18,5) : **FRF 30 000** – New York, 3 juin 1988 : *Vue de Valmontone* 1750, h/t (47x73) : **USD 36 300** – Londres, 8 juil. 1988 : *Nourrissez-vous de mes moutons*, h/t (75,5x99,5) : **GBP 27 500** – Stockholm, 15 nov. 1988 : *Paysages des côtes du sud avec des embarcations et des personnages*, h., une paire (chaque 31x36) : **SEK 44 000** – Londres, 21 avr. 1989 : *Vaste paysage avec un temple en haut d'une colline et au premier plan de jeunes paysannes apprivoisant un oiseau* 1750, h/t (48,5x74,3) : **GBP 41 800** – Milan, 24 oct. 1989 : *Paysage avec des bergers sous les murailles d'une cité*, h/t (43,5x61) : **ITL 20 000 000** – Rome, 21 nov. 1989 : *Vue animée de Rome avec des voyageurs et des vagabonds*, h/t (50x66,5) : **ITL 140 000 000** – New York, 11 jan. 1990 : *Paysages arcadiens avec bacchanales*, h/t, une paire (chaque 32x42) : **USD 115 500** – Londres, 20 juil. 1990 : *Paysage italien avec des voyageurs au premier plan et une villa en surplomb de la rivière*, h/cuivre (26,8x22,5) : **GBP 19 800** – Londres, 5 juil. 1991 : *Vaste paysage fluvial avec un capriccio du Colisée parmi des tours au sommet d'une colline, paysans se reposant au premier plan* 1740, h/t (48x72,3) : **GBP 66 000** – Monaco, 18-19 juin 1992 : *Vue d'un lavoir antique*, h/t (35x46) : **FRF 277 500** – Londres, 10 juil. 1992 : *Carnaval sur l'île de S. Giorgio avec S. Maria della Salute et la Piazzetta à l'arrière-plan*, h/t (57,6x110,2) : **GBP 115 500** – Londres, 7 juil. 1993 : *Le Bassin Saint-Marc avec le palais des Doges et l'entrée du Grand Canal* 1729, h/t (58x110) : **GBP 166 500** – New York, 12 jan. 1994 : *Château et Pont Saint-Ange à Rome avec Saint-Pierre et le Vatican, barques sur le Tibre* 1734, h/t (47x72) : **USD 107 000** – Rome, 10 mai 1994 : *Paysage avec un lac et un chasseur ; Paysage avec des voyageurs et un bourg au fond*, h/t, une paire (chaque 44,5x36) : **ITL 81 650 000** – New York, 12 jan. 1995 : *Paysage italien classique avec des voyageurs près d'un pont*, h/t (27,9x55,9) : **USD 20 700** – Londres, 5 juil. 1995 : *Paysage italien avec une ville fortifiée sur un éperon rocheux et un berger et son troupeau au premier plan ; Paysage italien avec un paysan et des animaux chargés de marchandises sur un chemin et au fond un temple classique au sommet d'une colline* 1745, h/t, une paire (24x33) : **GBP 32 200** – Milan, 28 nov. 1995 : *Paysage avec des baigneurs*, h/t (21x35,5) : **ITL 43 700 000** – Londres, 17 avr. 1996 : *Rome, le château Saint-Ange et le Vatican au fond*, h/t (47x73,5) : **GBP 36 700** – Paris, 25 juin 1996 : *Vue de l'entrée du port de Naples avec le Maschio Angioino et le Vomero*, h/t (48x73) : **GBP 480 000** – Londres, 13 déc. 1996 : *Berger jouant de la flûte dans un vaste paysage fluvial ; La Fuite en Égypte*, h/cuivre, ovale, deux pendants (14,3x18) : **GBP 17 250** – Paris, 18 juin 1997 : *Paysage imaginaire de la campagne italienne animé de personnages* 1756, h/t, une paire (25x40) : **FRF 134 000** – Londres, 3 juil. 1997 : *Vue de Ronciglione près de Rome* 1735, h/t (38,3x47,8) : **GBP 47 700**.

LINT Jacob ou **Giacomo Van**

Né le 8 février 1723 à Rome. Mort le 1er août 1790 à Rome. XVIIIe siècle. Éc. flamande.

Peintre.

Fils d'H. F. Van Lint.

Ventes Publiques : Vienne, 19 mai 1981 : *La Place Saint-Pierre de Rome* 1746, h/t (44x71) : **ATS 100 000** – Rome, 13 avr. 1989 : *Vue du Colisée*, h/t (45x70) : **ITL 42 000 000** – Londres, 9 avr. 1990 : *Vues de Rome : La place Monte Cavallo avec le Palais du Quirinal ; Le Ponte Sisto*, h/t, une paire (30,5x46,3) : **GBP 121 000** – Rome, 8 avr. 1991 : *Paysage romain avec le Colisée*, h/t (70x90) : **ITL 34 500 000** – Rome, 10 mai 1994 : *Vue des jardins Farnèse*, h/t (34,5x47,5) : **ITL 24 725 000**.

LINT Louis Van

Né en 1909 à Bruxelles. Mort en 1986 à Bruxelles. XXe siècle. Belge.

Peintre, technique mixte, dessinateur. Expressionniste, puis néo-cubiste, puis néo-constructiviste, puis abstrait-paysagiste. Groupe La Route libre.

Il fit ses études à l'Académie Saint-Josse-ten-Noode, de 1924 à 1938, où il fut élève de Ottevaere et de Jacques Maes.

Entre 1936 et 1939, il fut l'un des membres-fondateurs, avec Anne Bonnet et Gaston Bertrand, du groupe *La Route libre*. De 1941 à 1945, il eut à tâche d'organiser les expositions annuelles du groupe *Apport*, qui contribuait à maintenir la jeune peinture belge en activité, à travers les événements. Au lendemain de la guerre, en 1945, on le retrouva parmi les fondateurs du groupe de *La Jeune Peinture belge*, prenant part aux nombreuses manifestations de groupe, tant en Belgique que dans les pays étrangers. De 1948 à 1951, il participa à quelques manifestations du groupe *Cobra*, sans être rattaché très nettement aux objectifs du groupe, notamment à l'Exposition internationale que le groupe organise à Liège en 1951. Il participa aux expositions de la peinture belge contemporaine, notamment : au Salon de Mai de Paris, en 1947 ; à la Biennale de Venise, en 1948 et 1956 ; à la Biennale de São Paulo, en 1951 ; à l'Exposition internationale annuelle de la Fondation Carnegie, à Pittsburgh, en 1951 ; à l'Exposition du prix Lissone, en Italie, en 1956, où lui fut décerné le prix du meilleur envoi belge, etc. Il montra ses œuvres dans des expositions personnelles depuis sa première en 1941 au Palais des Beaux-Arts de Bruxelles. En 1943, il remporta le Grand Prix de l'art populaire, en 1948 le prix Picard, en 1952 le prix Lugano pour le dessin, en 1958 le Grand Prix de la critique à Charleroi, en 1971 le prix de la peinture à Cagnes-sur-Mer. Il fut membre de l'Académie Royale de Belgique.

Vers la fin des années trente, ses œuvres, encore hésitantes, se partageaient entre des *Intérieurs* en clair-obscur, et des études aux intentions psychologiques appuyées. Si dans sa première époque, il avait pratiqué une peinture que l'on peut dire d'apprentissage, peut-être influencé par la tradition de l'expressionnisme belge, le groupe de *La Jeune Peinture belge* se fondait sur la découverte, après la guerre, de ce qui leur semblait alors important : le néo-cubisme de Pignon, Estève, Manessier, découverte qui, en effet, dans les années 1946-1947, marqua profondément toute la jeune peinture belge. Lint fut plus particulièrement impressionné par la peinture de Bazaine. Dans la plus grande désinvolture joyeuse, il peignit alors des *Villes*, des *Fêtes foraines*, des *Poulaillers*, où il alliait l'élément rythmique des barreaux d'une échelle à l'éclat coloré des plumages. À partir de 1949, les éléments constructifs deviennent prépondérants dans une série de peintures constituées par des sortes d'échafaudages ou de palissades, qui marquèrent le début de son évolution à l'abstraction, les éléments allusifs se réduisant progressivement à un jeu, de verticales et d'horizontales. Dans la période 1952-1956, il pratiqua un ascétisme abstrait d'inspiration néo-constructiviste. Puis, il revint à une expression plus libre, dans une sorte de paysagisme abstrait, opérant la synthèse de ses recherches successives : *Feu de forêt*, de 1958 ou *Cumulus*, de 1959. Dans ces œuvres, l'abstraction apparente des taches de couleurs, où les rouges et les verts dominent, soit qu'elles soient contenues dans des formes pleines, soit déchiquetées, se réfère sans équivoque aux spectacles de la nature. Parmi ses diverses activités, il a réalisé des décorations murales, et des décors et costumes pour les spectacles du Palais, notamment pour *L'Histoire du Soldat* de Stravinsky. ■ J. B.

Van Lint

Bibliogr. : L. L. Sosset : *Van Lint*, De Sikkel, Anvers, 1951 ou 1953 – Michel Seuphor : *Dictionnaire de la peinture abstraite*, Hazan, Paris, 1957 – in : *Peintres contemporains*, Mazenod, Paris, 1964 – S. A., in : *Dictionnaire universel de l'art et des artistes*, Hazan, Paris, 1967 – in : *Dictionnaire universel de la peinture*, Le Robert, Paris, 1975 – in : *Dict. biogr. illustré des artistes en Belgique depuis 1830*, Arto, Bruxelles, 1987 – in : *Dictionnaire de l'Art Moderne et Contemporain*, Hazan, Paris, 1992.

Musées : Anvers – Brooklyn – Bruxelles : *Démons folâtrant* 1950 – Gand (Mus. des Beaux-Arts) : *Coupe géologique* – New York (Guggenheim Mus.).

Ventes Publiques : Anvers, 23 oct. 1973 : *Composition* : **BEF 50 000** – Anvers, 22 oct. 1974 : *Lumière hivernale* 1963 : **BEF 40 000** – Lokeren, 13 mars 1976 : *Vie nocturne* 1965, h/t (164x135) : **BEF 100 000** – Anvers, 19 oct. 1976 : *Composition*, gche (50x70) : **BEF 30 000** – Anvers, 25 oct. 1977 : *La fête foraine*, h/t (143x125) : **BEF 80 000** – ANVERS, 23 oct 1979 : *Romain couronné* 1961, h/t (146x117) : **BEF 130 000** – ANVERS, 28 avr. 1981 : *Cavalier*, lav. (54x43) : **BEF 12 000** – ANVERS, 29 avr. 1981 : *Composition* 1947, gche (43x56) : **BEF 28 000** – ANVERS, 25 oct. 1983 : *Nazare* 1960, aquar. (32x50) : **BEF 40 000** – ANVERS, 23 oct. 1984 : *Composition* 1948, h/t (81x54) : **BEF 100 000** – LOKEREN, 5 mars 1988 : *Tordera*, h/t (89x130) : **BEF 480 000** – LOKEREN, 28 mai 1988 : *Varechs à Saint-Enogat* 1959, h/t (100x200) : **BEF 480 000** – LOKEREN, 8 oct. 1988 : *Composition*, pointe sèche et gche (34x53) : **BEF 28 000** – AMSTERDAM, 13 déc. 1990 : *Arrêt à Fuyanville* 1966, h/t (200x316) : **NLG 47 150** – AMSTERDAM, 21 mai 1992 : *Soleil révélateur* 1968, h/t (148x200) : **NLG 51 750** – LOKEREN, 23 mai 1992 : *Composition* 1964, aquar. et collage (40,5x49,5) : **BEF 44 000** – AMSTERDAM, 9 déc. 1992 : *Paysage brabançon*, h/t (80x70) : **NLG 5 980** – LOKEREN, 15 mai 1993 : *Les jardins* 1947, gche et aquar. (37,5x47) : **BEF 65 000** – PARIS, 8 juil. 1993 : *Composition*, gche (49x62) : **FRF 5 500** – LOKEREN, 9 oct. 1993 : *Autoportrait* 1954, h/pan. (60x44,5) : **BEF 100 000** – AMSTERDAM, 9 déc. 1993 : *Végétation imaginaire* 1961 (120x180) : **NLG 23 000** – LOKEREN, 8 oct. 1994 : *Route à Mykonos*, h/t (80x90) : **BEF 330 000** – AMSTERDAM, 31 mai 1995 : *Filets de pêcheurs* 1950, gche/pap. (50x65) : **NLG 4 956** – LOKEREN, 9 mars 1996 : *Printemps vert* 1966, h/t (130x162) : **BEF 440 000**.

LINT Michaël Van
Né le 8 janvier 1767 à Rome. XVIIIe siècle. Italien.
Sculpteur.
Fils de Jacob Van Lint.
VENTES PUBLIQUES : LONDRES, 24 avr. 1986 : *Lion couché*, terre cuite, d'après Canova (H. 14 et L. 34) : **GBP 7 000**.

LINT Peter Van
Baptisé à Anvers le 28 juin 1609. Mort le 25 septembre 1690 à Anvers. XVIIe siècle. Éc. flamande.
Peintre de scènes mythologiques, compositions religieuses, compositions murales.
Élève de Roland Jacobs en 1619, il était maître à Anvers en 1633. Il partit peu après pour l'Italie et entra au service du cardinal Dominico Gimasio et peignit sur son ordre trois tableaux pour l'église d'Ostie et les peintures murales de la chapelle de la Sainte-Croix à Rome. Il travailla aussi pour Christian IV, roi de Danemark. En 1643, il était de retour à Anvers et épousa le 2 juin Isabella Willemyns ; il en eut deux enfants. Sa femme étant morte en 1679, il épousa l'année suivante sa servante Anna Morren qui lui donna trois fils. Il eut de nombreux élèves : les archives en mentionnent dix-sept.

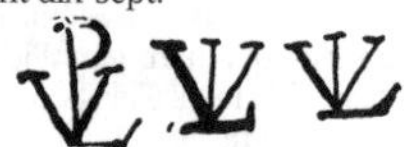

MUSÉES : ANVERS : *Le Gué – Portrait d'enfants – Miracle de saint Jean de Capistrano – Un saint franciscain* – BERLIN : *Adoration des bergers* – BRUXELLES : *L'Artiste – Saint Pierre – Saint Paul – Jésus et le Paralytique* – BUDAPEST : *Portrait d'homme* – CAMBRAI : *Repos de la Sainte Famille* – MONTPELLIER : *Les Vierges sages et les Vierges folles* – SAINT-PÉTERSBOURG (Mus. de l'Ermitage) : *Retour de Jephté après la guerre contre les Hammonites* – TROYES : *Jésus montant au Calvaire – Descente de croix* – VIENNE : *Le Christ guérissant le goutteux*.
VENTES PUBLIQUES : LONDRES, 4 mars 1927 : *Le Palais Caprarole* : **GBP 68** – LONDRES, 9 juin 1944 : *Vue de Rome ; Pont en ruine* : **GBP 126** – LONDRES, 1er déc. 1944 : *Rome et le Tibre* : **GBP 68** – PARIS, 14 mai 1945 : *Un apôtre*, attr. : **FRF 2 000** – PARIS, 10 avr. 1970 : *Achille et les filles de Lycomède* : **GNS 1 400** – LONDRES, 3 mai 1979 : *Descente de Croix*, pl. et lav. reh. de blanc/pap. gris-bleu (25,3x43,2) : **GBP 500** – NEW YORK, 4 juin 1980 : *Renaud et Armide*, h/métal (70x87) : **USD 3 200** – AMSTERDAM, 18 mai 1981 : *Achille chez les filles de Lycomède* : **NLG 20 000** – NEW YORK, 19 jan. 1984 : *Renaud et Armide*, h/métal (70x87) : **USD 4 500** – PARIS, 9 déc. 1985 : *Renaud et Armide au Jardin des Délices*, h/bois (49x64) : **FRF 24 000** – LONDRES, 11 avr. 1986 : *Achille et les filles de Lycomède*, h/t (173,1x204,4) : **GBP 10 000** – MONACO, 17 juin 1988 : *Le Mariage de la Vierge*, h/cuivre (73,5x89,5) : **FRF 77 700** – PARIS, 20 oct. 1988 : *Le Triomphe d'Apollon* 1639, pl. et lav. de bistre (19,5x13,5) : **FRF 19 000** – PARIS, 26 juin 1992 : *Jeune femme à son miroir*, h/pan. (35x24,5) : **FRF 38 000** – LONDRES, 11 déc. 1992 : *La Résurrection de Lazare*, h/t (132,7x200,6) : **GBP 3 960** – LONDRES, 23 avr. 1993 : *Silvio et Linco portant Dorinda blessée*, h/t (231x234) : **GBP 25 300** – AMSTERDAM, 16 nov. 1994 : *La Fuite en Égypte*, h/t (111x201) : **NLG 14 375** – LONDRES, 24 fév. 1995 : *Narcisse* 1648, h/cuivre (38,1x43,2) : **GBP 6 900** – PARIS, 30 juin 1995 : *Adam, Ève et le serpent*, encre et lav. (19x12,6) : **FRF 23 000** – NEW YORK, 31 jan. 1997 : *Laissez venir à moi les petits enfants*, h/t (122x176) : **USD 18 400** – AMSTERDAM, 7 mai 1997 : *Portrait d'un gentilhomme* 1645, h/pan. (44,5x33,7) : **NLG 25 370** – NEW YORK, 17 oct. 1997 : *Bacchus, Cérès, Proserpine et Pluton*, h/t/pan. (113x160) : **USD 19 550**.

LINT Suse de
Née le 5 octobre 1878. XXe siècle. Hollandaise.
Peintre de paysages, natures mortes, graveur.
Elle vécut et travailla à La Haye.

LIN TAIHENG ou **Lin T'ai-Heng**, surnom : **Zhaoqing**
Originaire de Putian, province du Fujian. XVIIe siècle. Actif dans la première moitié du XVIIe siècle. Chinois.
Peintre.
En 1621, il passe les examens triennaux à la capitale provinciale et devient *juren*. Poète et peintre, il fait des paysages et des fleurs. On connaît deux œuvres de lui, signées : *Bambous et rochers*, daté 1626 et *Paysage*, daté 1631.

LIN TCHE-FAN. Voir **LIN ZHIFAN**

LIN TCH'OUEN. Voir **LIN CHUN**

LINTELO Jan Van
XVIIe siècle. Actif au début du XVIIe siècle.
Peintre verrier.
Cité par les Annuaires de ventes publiques.
VENTES PUBLIQUES : PARIS, 8 déc. 1938 : *La décollation d'une sainte*, pl., lav. et reh. de blanc : **FRF 750** – AMSTERDAM, 26 nov. 1984 : *Loth et ses filles* 1625, pl. et lav. (30,3x35,8) : **NLG 5 000**.

LINTHORST Johannes ou **Jacobus**
Né en 1745 ou 1755 à Amsterdam. Mort le 7 août 1815 à Amsterdam. XVIIIe-XIXe siècles. Hollandais.
Peintre de natures mortes, fleurs et fruits.
MUSÉES : AMSTERDAM : un tableau de fruits 1808.
VENTES PUBLIQUES : LONDRES, 27 avr. 1923 : *Fruits et fleurs sur une table de marbre* : **GBP 102** – LONDRES, 20 avr. 1928 : *Fleurs dans un vase* : **GBP 199** – PARIS, 12 juin 1929 : *Vases de fleurs*, deux toiles : **FRF 25 500** – LONDRES, 24 mai 1935 : *Fleurs dans un vase* : **GBP 92** – LONDRES, 26 juin 1964 : *Nature morte aux fleurs* : **GNS 4 000** – LONDRES, 8 déc. 1972 : *Nature morte aux fleurs et aux fruits* : **GNS 6 000** – LONDRES, 7 juil. 1976 : *Nature morte aux fleurs* 1793, h/t (102x86,5) : **GBP 24 000** – LONDRES, 24 mai 1978 : *Fleurs d'été dans un vase* 1789, h/t (60x45) : **GBP 9 000** – NEW YORK, 24 mai 1984 : *Fleurs et fruits sur un entablement en marbre* 1793, h/t (102x86,5) : **USD 40 000** – NEW YORK, 15 jan. 1985 : *Natures mortes aux fleurs et aux fruits* 1812, h/pan., une paire (58,5x48,2) : **USD 60 000** – LONDRES, 12 déc. 1986 : *Nature morte aux fruits sur un entablement* 1811, h/pan. (77,2x61) : **GBP 35 000** – LONDRES, 28 nov. 1990 : *Importante nature morte de fleurs, fruits et insectes sur un entablement*, h/pan. (56x45) : **GBP 7 150**.

LIN TIANRUI ou **Lin Tien-Jui**
Né en 1927 à Gaoxiang (Taïwan). XXe siècle. Chinois.
Peintre de paysages.
Il fut élève de Yan Shuilang et de Li Shiqiao. Pendant les trente dernières années il a eu quinze expositions personnelles notamment à Tokyo en 1968 et une exposition itinérante aux États-Unis en 1984.
VENTES PUBLIQUES : HONG KONG, 28 sep. 1992 : *Clocher* 1982, h/t (72,5x60,5) : **HKD 143 000**.

LIN TIANSHI ou **Lin T'ien-Shih**
Né en 1934 à Taipei. XXe siècle. Chinois.
Peintre. Traditionnel.
Jeune, il enseigna dans différents établissement dont l'Académie nationale d'art de Taiwan. Il a participé à de nombreuses expositions et remporté le Grand Prix de l'exposition des professeurs d'art de la province de Taiwan en 1963. Il remporta également le prix spécial de l'exposition des échanges culturels d'art sino-japonais à Tokyo en 1969. Actuellement, il est le dessinateur exclusif de la série des timbres-poste consacrée à la poésie classique chinoise. Il est spécialiste de la peinture de paysages classiques chinois.
VENTES PUBLIQUES : TAIPEI, 18 avr. 1993 : *L'île de Guishan*, encre et pigments/pap. (28x60,3) : **TWD 632 500**.

LIN TINGGUI ou **Lin T'ing-Kouei** ou **Lin T'ing-Kuei**
XIIe siècle. Actif à Ningbo (province du Zhejiang) vers 1160-1180. Chinois.
Peintre.

Avec Zhou Jichang, actif à Ningbo à la même époque que lui, ils ne sont connus que par une série de cent peintures, rouleaux en hauteur en couleurs sur soie, représentant *Les cinq cents ahrats* et exécutés ensemble en 1178. Quatre-vingt-deux de ces rouleaux sont conservés au temple Daitoku-ji de Kyoto, dix au Musée de Boston et deux dans des collections particulières.

LINTMAYER. Voir **LINDTMAYER**

LINTON Frank B. A.

Né le 26 février 1871 à Philadelphie (Pennsylvanie). XXe siècle. Américain.

Peintre de portraits, paysages, genre.

Il fut élève à Philadelphie de Thomas Eakins et à Paris de Gérome, Bonnat, Benjamin-Constant, J.-P. Laurens et Bouguereau. Il obtint une médaille, à Paris, au Salon des Artistes Français en 1927.

LINTON Henry Duff

Né en 1815. Mort le 18 juin 1899 à Norbiton. XIXe siècle. Britannique.

Graveur sur bois.

Il collabora aux *Illustrated London News*, ainsi qu'à la revue *Plume et crayon*. Il fit des gravures sur bois pour *La Dame de Bourbon*, de Mary-Lafon et pour *Les artistes au XIXe siècle*, de Castagnary.

LINTON James Dromgole, Sir

Né en 1840 à Londres. Mort en 1916 à Londres. XIXe-XXe siècles. Britannique.

Peintre de compositions religieuses, scènes de genre, portraits, aquarelliste, dessinateur, illustrateur.

Élève de Leigh et de l'École Saint-Martin, à Londres, il devint membre du Royal Institute of Painters in Watercolours. Il exposa en Allemagne. Il a illustré une édition du *Marchand de Venise* de Shakespeare.

Bibliogr. : In : *Athenaeum*, 25 avril 1875.

Musées : Leicester : *Valentine* – Londres (Victoria and Albert) : aquarelles – Manchester : *Jessica*.

Ventes Publiques : Londres, 3 avr. 1911 : *Shylock et Jessika* : **GBP 33** – Londres, 6 fév. 1925 : *L'Exécution*, dess. : **GBP 16** – Londres, 20 avr. 1925 : *Cecilia, comme il vous plaira*, dess. : **GBP 17** – Philadelphie, 31 mars 1932 : *Les Émigrés* : **USD 200** – Londres, 25 jan. 1974 : *L'Admonestation* : **GNS 700** – Londres, 15 oct. 1976 : *The Pet* 1893, h/t (84x58,5) : **GBP 320** – Los Angeles, 18 juin 1979 : *La bénédiction des chevaliers*, h/t (112x249) : **USD 5 250** – Londres, 21 oct. 1980 : *Les Amours et le Temps* 1879, aquar. (40,5x100) : **GBP 650** – Londres, 16 oct. 1981 : *La Vierge et l'Enfant* 1901, h/t (183x86,4) : **GBP 1 600** – Londres, 16 avr. 1986 : *La Pétition*, h/t (46x66) : **GBP 1 700** – Londres, 24 sep. 1987 : *Cecilia dans « Comme il vous plaira »*, aquar. reh. de gche (121x58,5) : **GBP 1 300** – Londres, 29 oct. 1991 : *Femme assise tenant un éventail* 1889, cr. et aquar. (25,3x35,5) : **GBP 825** – Londres, 12 mai 1993 : *Alice Lee* 1884, aquar. (46,5x28) : **GBP 1 092** – Édimbourg, 13 mai 1993 : *L'Attente*, h/pan. (45,7x30,5) : **GBP 2 860** – Londres, 5 nov. 1993 : *Dans la bibliothèque* 1897, h/cart. (33x27,3) : **GBP 1 265** – Londres, 5 juin 1996 : *Dante et son chien ; Surplombant Florence* 1899, h/t, une paire (chaque 59,5x43,5) : **GBP 5 750** – Londres, 7 juin 1996 : *Les Lotophages* 1874, cr. et aquar. avec reh. de blanc (63,5x101) : **GBP 4 140** – New York, 18-19 juil. 1996 : *Alice Lee* 1885, aquar. et cr./pap. (51,1x39,1) : **USD 920**.

LINTON William

XVIIe-XVIIIe siècles. Actif à Londres entre 1678 et 1714. Britannique.

Sculpteur.

LINTON William

Né en 1791 à Liverpool. Mort en 1876 à Londres. XIXe siècle. Britannique.

Peintre de paysages d'eau, marines.

Il fut d'abord employé de commerce, étudiant pour son plaisir les œuvres de Claude Gellée et de Wilson. Il exposa en 1817 deux peintures à la Royal Academy, puis il continua à exposer à Londres, à la British Institution et à la Society of British Artists dont il fut l'un des fondateurs. Linton voyagea beaucoup sur le continent et en rapporta un grand nombre d'études, qu'il exposa en 1842. Ce fut en Angleterre un distingué représentant de l'École du paysage classique.

Musées : Cambridge (Fitz. William) : *Vue de Taormine* – Quatre vues de Venise – *Vue de Mistra* – Londres (Tate Gal.) : *Le temple de Pœstum* – Londres (Brit. Mus.) : *Le lac Nemi* – Werrington : *Vieille chaloupe sur les sables de la Dee* – *Agamemnon à Argos, s'embarquant pour Troie*.

Ventes Publiques : Paris, 1865 : *Vue d'un bord de mer par gros temps* : **FRF 700** – Londres, 21 nov. 1908 : *Vue de Venise* : **GBP 23** – Londres, 25 juin 1965 : *Vue de Hampstead Heath* : **GNS 1 200** – Londres, 4 avr. 1973 : *Mégalopolis* : **GBP 4 400** – Londres, 17 juil. 1974 : *Vue de Vico et la Baie de Naples* : **GBP 1 500** – Londres, 19 nov. 1976 : *Hornby Castle* 1820, h/t (68,5x101,5) : **GBP 1 600** – Londres, 23 mars 1977 : *Vue panoramique de Derwentwater*, h/t (119,5x179,5) : **GBP 1 050** – Londres, 20 mars 1979 : *Vue du Tibre avec l'église St. Andrea, Rome*, h/t (79x120) : **GBP 1 200** – Chester, 7 oct. 1983 : *Broad Oak Printworks near Accrington, Lancashire* 1827, h/t (124,5x175) : **GBP 4 800** – Londres, 19 nov. 1986 : *Paysage du Lancashire* 1827, h/t (124,5x175) : **GBP 9 000** – Londres, 28 oct. 1987 : *Ruines dans la campagne*, h/t (69x89,5) : **GBP 5 200** – Londres, 16 mai 1990 : *Vallée du nord Lancashire* 1833, h/t (86,5x126,5) : **GBP 4 400** – Londres, 8 fév. 1991 : *Pêcheurs sur le Tibre*, h/t (81,2x122) : **GBP 11 220** – Londres, 10 avr. 1991 : *Vue de la plage de Chesil avec la carrière de Portland au premier plan*, h/cart. (24,5x34,5) : **GBP 9 350** – Londres, 10 nov. 1993 : *Le passeur de Windermere Lake* 1861, h/pan. (38x59) : **GBP 3 680** – Londres, 9 nov. 1994 : *Le lac de Lugano et le Mont San Salvatore*, h/cart. (21,5x32) : **GBP 1 495**.

LINTON William James

Né le 7 décembre 1812 à Londres. Mort le 1er janvier 1898 à New Haven (États-Unis). XIXe siècle. Britannique.

Graveur sur bois.

Un des plus remarquables graveurs sur bois. En 1828 il s'associa avec Orrin Smith. Il illustra un nombre considérable d'ouvrages et ne compta que des succès. En 1866 il alla se fixer aux États-Unis et y prit une place importante. Membre de la National Academy en 1882.

LINTOTT Edward Barnard

Né en 1875. Mort en 1951. XXe siècle. Américain.

Peintre.

Il exposa aux Salons annuels du Prix Carnegie à Pittsburgh.

Ventes Publiques : New York, 18 déc. 1991 : *Promenade dans un parc*, h/t (63,5x76,2) : **USD 1 870**.

LINTOTT Henry John

Né en 1877. Mort en 1965. XIXe-XXe siècles. Britannique.

Peintre de paysages.

Cité par le *Art Prices Current*.

Ventes Publiques : Londres, 2 juil. 1926 : *Crépuscule* : **GBP 57** – Glasgow, 9 avr. 1981 : *Vue de ma fenêtre* 1919, h/t mar./cart. (121x82) : **GBP 1 000**.

LINTZ Ferdinand Ernst

Né le 2 mars 1833 à La Haye. XIXe siècle. Hollandais.

Peintre.

Élève de J. J. Mœrenhout. Il a peint seulement des animaux, surtout des chiens et des chevaux.

LINTZ Frederik

Né le 22 décembre 1824 à Bruxelles. Mort en 1909. XIXe siècle. Belge.

Peintre de genre.

Il fut élève de H. Van Hove.

Ventes Publiques : Paris, 18 juin 1930 : *L'Homéopathe* : **FRF 140** – Amsterdam, 22 avr. 1992 : *Le taste-vin*, h/pan. (32,5x25,5) : **NLG 4 830** – New York, 13 oct. 1993 : *Le petit caniche joueur*, h/t (90,8x65,4) : **USD 13 800**.

LINTZ Giovanni ou **Linz**. Voir **LYN**

LINTZSAI Jan

Né en 1759 à Bialystok. Mort le 2 février 1822 à Varsovie. XVIIIe-XIXe siècles. Polonais.

Paysagiste et architecte.

Il fit ses études de peinture et d'architecture à Rome. En rentrant en Pologne il construisit plusieurs églises et palais, surtout dans la propriété du prince Stanislas Poniatowski. Il fit aussi des paysages à l'aquarelle.

LIN WENQIANG ou **Lin Wen-Ch'iang**

Né en 1943 à Nantou. XXe siècle. Chinois.

Peintre de compositions animées.

Il a été sélectionné pour le Salon d'Automne de Paris en 1981, 1983 et 1985. Il a remporté la médaille d'or de l'Exposition nationale des Beaux-Arts de Taïwan.

Il peint essentiellement à l'huile, mêlant intimement les couleurs par touches rapides, dans une composition sombre, où se dégagent des formes massives.

Ventes Publiques : Taipei, 18 oct. 1992 : *Mère*, h/t (130,3x90,8) : **TWD 1 430 000** – Taipei, 10 avr. 1994 : *Fermière*, h/tissu (130x96,5) : **TWD 598 000** – Taipei, 16 oct. 1994 : *Mère avec ses deux enfants* 1992, h/t (145x112) : **TWD 437 000**.

LIN XUE ou **Lin Hsüeh** ou **Lin Siue**, surnom : **Tiansu**
xviie siècle. Active dans la première moitié du xviie siècle. Chinoise.
Peintre.
Courtisane dans la province du Fujian ou à Nankin, elle peint des paysages et des épidendrons. On connaît d'elle *Paysage de rivière et pêcheur dans une barque*, éventail signé et daté 1620, *Jeune prunier en fleurs et deux petits bambous*, signé et daté 1621, enfin, au Museum für Ostasiatische Kunst de Cologne, *Paysage dans le style de Huang Gongwang*, éventail signé et daté 1620-1621, encre sur papier tacheté d'or.

LIN XUEDA ou **Lin Hsiue-Ta** ou **Lin Hsüeh-Ta**, connu sous le nom de **Lim Hak Tai**
Né en 1895 à Amoy. xxe siècle. Actif à Singapour. Chinois.
Peintre. Traditionnel.
Il reçoit sa formation artistique à l'école normale de Fushou (province du Fujian), puis, en 1937, part s'installer à Singapour. Il fait donc partie de ces artistes chinois d'Asie du Sud-Est dont les conditions de travail sont très différentes de celles de la Chine propre. Singapour est d'ailleurs la seule ville de ce Sud-Est asiatique qui connaisse un certain développement artistique, grâce, notamment à Lim Hak Tai qui, en 1938, y fonde une petite école d'art privée, *Nanyang Yishu Yuan*, à laquelle il faut rattacher les noms des principaux peintres de cette région, qu'ils y soient étudiants ou professeurs.
Bien que traditionnaliste, dans sa peinture à l'encre comme dans ses œuvres à l'huile, Lim a un talent certain et saura résister à l'influence dominante de Gauguin dont les couleurs et les sujets fournissent aux peintres malais des années 1940, une inspiration toute trouvée et des formules toutes faites pour dépeindre le monde exotique qui est le leur.
Bibliogr. : Michael Sullivan : *Chinese Art in the XXth Century*, Londres, 1959.

LIN YEOU-TCH'OUEN. Voir **LIN YOUCHUN**

LIN YILIN
xxe siècle. Chinois.
Créateur de performances, sculpteur.
Il fait intervenir les spectateurs dans ses performances, les invitant à casser des briques. Il expose aussi des sculptures géométriques, assemblage de briques encadrées d'armatures de métal.
Bibliogr. : Jean Paul Fargier : *La Queue de l'éléphant*, Art Press, n° 194, Paris, sept. 1994.

LIN YOUCHUN ou **Lin Yeou-Tch'ouen** ou **Lin Yu-Ch'un**, surnom : **Changying**
Originaire de Linzhang, province du Fujian. xviie siècle. Actif vers 1640. Chinois.
Peintre.
Peintre de paysages, il n'est pas mentionné dans les biographies d'artistes. On connaît une de ses œuvres signée et datée 1639, rouleau en longueur représentant un *Paysage illustrant le Guiqulai* (le Chant du Retour) *de Tao Yuanming*.

LIN YÜAN
Né en 1913 à Nantou. Mort en 1991. xxe siècle. Chinois.
Peintre d'animaux, graveur. Art-brut.
Il fut fermier pendant une grande partie de sa vie et ce n'est qu'à soixante-cinq ans qu'il commença à graver sur la pierre. À soixante-neuf ans, il commença à peindre et à exécuter des œuvres brodées. En 1978, il eut une exposition personnelle à Taichung et a participé à l'exposition *Trois Cents Ans d'art taiwanais*. Ses sujets animaliers, peut-être trouvés dans des contes populaires, donnent à ses peintures un charme enfantin : *Vache* aux allures anthropomorphiques héritées de l'Art Brut occidental.
Ventes Publiques : Taipei, 22 mars 1992 : *Vache* 1991, peint./t. (65x80) : **TWD 143 000**.

LIN YU-CH'UN. Voir **LIN YOUCHUN**

LIN YUSHAN
Né en 1907 à Chiayi. xxe siècle. Chinois.
Peintre, aquarelliste. Traditionnel.
Attiré par la peinture dès son plus jeune âge, il s'initia seul à l'aquarelle. En 1926, il partit pour le Japon et commença ses études à l'Institut des Beaux-Arts Kawabata. À son retour, il anima plusieurs associations artistiques. En 1935 il retourna au Japon pour entrer à l'École de l'Art Impressionniste Rehon. De retour à Taipei après la guerre, il enseigna et termina sa carrière à l'Université Normale Nationale de Taipei. Retiré, il se consacre exclusivement à la peinture.
Ventes Publiques : Taipei, 10 avr. 1994 : *L'aigle blanc* 1940, encre et pigments/soie (126x41,2) : **TWD 920 000**.

LINZ Peter
xixe siècle. Actif à Karlsruhe. Allemand.
Sculpteur.
Il exposa à Mayence. On cite parmi ses œuvres des bustes du *Grand-duc Léopold de Bade*, de *Hebels Vrenele* et du *Prince Frédéric de Bade*.

LINZEN Heinrich
Né le 8 septembre 1886 à Aix-la-Chapelle (Rhénanie-Westphalie). xxe siècle. Allemand.
Peintre, lithographe.
Il étudia à Berlin et Weimar. Il fit des lithographies pour *Peer Gynt ; Simplicissimus ; Gösla Berling*, etc. Il vécut et travailla à Weimar.
Musées : Aix-la-Chapelle (Suermondt) : *Saint Sébastien*.

LINZEN-GEBHARDT Hilde
Née le 27 août 1890. xxe siècle. Allemande.
Peintre de portraits, fleurs.
Elle fut l'épouse de Heinrich Linzen. Elle étudia à l'École des Beaux-Arts de Weimar.
Musées : Weimar (Mus. Nat.) : *Portrait de l'artiste par elle-même*.

LIN ZHIFAN ou **Lin Chih-Fan** ou **Lin Tche-Fan**, surnom : **Kongshi,** nom de pinceau : **Hanzhai**
xviie siècle. Actif dans la province du Fujian vers le milieu du xviie siècle. Chinois.
Peintre.
Magistrat de la ville de Jiaxing, dans la province du Zhejiang, il passe les examens triennaux de la capitale, en 1643, et reçoit le rang de *jinshi*, lettré accompli. Il peint des fleurs et des paysages ; une de ses œuvres est signée et datée 1644 : *Les Quatre Gentilshommes* : fleurs de prunier, bambous, orchidées et chrysanthèmes.

LINZINGER Ludwig Max
Né le 18 juin 1860 à Munich. Mort le 14 février 1929 à Linz. xixe-xxe siècles. Autrichien.
Sculpteur.
On cite parmi ses œuvres : les stalles du chœur, les confessionnaux et la chaire de la cathédrale de l'Annonciation à Linz ; un *Saint Sépulcre* ; l'autel de *Saint-Léopold* ; un autel au Trésor et des confessionnaux dans la cathédrale Saint-Étienne à Vienne.

LINZO Johann. Voir **LYN Giovanni**

LI O-CHENG. Voir **LI ESHANG**

LIAO DEZHENG
Né en 1920 à Taichung. xxe siècle. Chinois.
Il partit en 1938 étudier au Japon au Kawabata Art Institute, puis à la Tokyo School of Art, où il fut initié à la peinture occidentale par Yasui Sotaro et Kunzo Minami. À son retour à Taiwan, il entra au National Fine Art Institute. Il prit part à des expositions collectives en 1954 et 1989 à Taichung. Une rétrospective de ses œuvres eut lieu en 1991 au Taipei Fine Arts Museum.
Ventes Publiques : Taipei, 20 oct. 1996 : *Instant ensoleillé II* 1994-1995, h/t (91,2x72,8) : **TWD 4 670 000**.

LIOMBENI Lorenzo. Voir **LEONBRUNO**

LION. Voir aussi **LYON**

LION Alexander Louis
Né en 1823 à Bruxelles. Mort en 1852 à Bruxelles. xixe siècle. Belge.
Peintre de genre, graveur.
Élève d'Eugénius-Frans de Block.
Musées : Alais : *L'Heureuse Mère*.
Ventes Publiques : Londres, 22 juin 1983 : *La Fête dans la rue* 1845-1848, h/pan. (97,5x77,5) : **GBP 2 500** – Londres, 27 fév. 1985 : *Famille dans un intérieur rustique ; Famille devant une chaumière* 1844, h/pan., une paire (44,5x54) : **GBP 2 400** – Londres, 31 oct. 1996 : *L'Aiguille enfilée* 1847, h/pan. (40x32) : **GBP 1 610**.

LION Flora
Née vers 1876 ou 1880. Morte vers 1958 ou 1956. xxe siècle. Britannique.

Peintre de genre, portraits, lithographe.
Elle vécut et travailla à Londres. Elle fut élève de la Royal Academy à Londres et de J. P. Laurens à Paris. Elle figura aux expositions de la Royal Academy à partir de 1900.
Musées : Londres (Tate Gal.) : *Portrait de la mère de l'artiste*.
Ventes Publiques : Londres, 13 nov. 1985 : *Portrait of Mrs. Doris Pain, née Rutter-Etteridge* 1919, h/t (163x125) : **GBP 1 450**.

LION Jules
XIXe siècle. Actif à Paris. Français.
Lithographe.
Il exposa au Salon de 1831 à 1836.

LION Marie
Née au XIXe siècle à Marseille. XIXe siècle. Française.
Portraitiste et miniaturiste.
Élève de Mme Mouchette. Elle débuta au Salon en 1878.

LION Noël de
XVIIe siècle. Français.
Peintre de genre.
Le Musée d'Aix conserve de lui : *Fête populaire*. Cet artiste sur lequel on ne donna aucun renseignement appartenait peut-être à la famille de peintres Lion travaillant dans les Pays-Bas au XVIIe siècle.

LION Pierre Joseph ou **Lyon**
Né le 7 mai 1729 à Dinant. Mort le 1er septembre 1809 à Dinant. XVIIIe siècle. Éc. flamande.
Peintre et pastelliste.
Élève de Vien à Paris. Il travailla et peignit des paysages et des portraits à Londres, à Vienne, à Bruxelles ; en 1760 il fut peintre de Marie-Thérèse, et peignit pour ses appartements vingt paysages ; en 1787 il travailla au château de Sorinne près de Dinant. On voit de lui au Musée d'Ypres : *L'impératrice Marie-Thérèse et l'empereur Joseph II* (portraits signés *P. Lion Viennae (1784)*.

Lion

Ventes Publiques : Londres, 18 nov. 1927 : *Les demoiselles Carpenter* : **GBP 493**.

LION Pietro
Mort en 1692. XVIIe siècle. Actif à Vacallo. Suisse.
Sculpteur.
Il signait Mendrisio.

LION TCHE YUGAN Renée
Née en 1939 à Bruxelles. XXe siècle. Active en France. Belge.
Peintre de figures, compositions animées, paysages urbains.
Elle a été élève de l'École des Beaux-Arts de Paris. Elle participe à des expositions collectives, notamment à Paris, régulièrement au Salon Figuration Critique et à plusieurs reprises au Salon de la Jeune Peinture. Elle montre ses œuvres dans des expositions personnelles, principalement à la galerie Liliane François à Paris.
Sa figuration, haute en couleurs, insiste sur des effets attrayants de perspective. Ses compositions semblent dériver de clichés photographiques.
Ventes Publiques : Paris, 14 oct. 1989 : *Triathlon*, acryl./t. (115x80) : **FRF 9 000** – Paris, 31 oct. 1990 : *Coup franc* 1990, acryl./t. (146x97) : **FRF 13 000**.

LIONARDO. Voir **LEONARDO**

LIONE Andrea di ou **Leone**
Né en 1596, ou 1610 à Naples. Mort en 1685 à Naples. XVIIe siècle. Italien.
Peintre d'histoire, scènes mythologiques, compositions religieuses, scènes de batailles, paysages.
Il fut l'élève de Corenzio, des Greco de Naples et de Salvator Rosa. Il succéda à Corenzio, lorsque celui-ci quitta Naples, comme peintre du Vice-Roi.
Par le style et le sujet plusieurs des œuvres de Di Lione font penser au peintre gênois Giovanni Benedetto Castiglione. Il s'inspira aussi d'Aniello Falcone dans ses tableaux de batailles. On cite de lui plusieurs peintures à Saint-Paul-Majeur et dans la cathédrale de Naples.
Bibliogr. : Arnauld Brejon de Lavergnée : *Nouvelles toiles d'Andrea di Lione – Essai de catalogue*, 1984 – Scott Schaefer et Peter Fusco, in : *Peinture et sculpture européennes au Musée d'Art du district de Los Angeles*, 1987.
Musées : Madrid (Prado) : *Combat de Jacob avec l'Ange* – Naples (Pina.) : *Bataille dans un paysage de montagnes*.
Ventes Publiques : Rome, 4 avr 1979 : *Le triomphe de David*, h/t (101x127) : **ITL 10 500 000** – Orléans, 6 nov. 1982 : *Scène de bataille entre Turcs et Chrétiens* 1641, h/t (104x136) : **FRF 75 000** – Rome, 30 mars 1982 : *Scène de bataille entre Chrétiens et Turcs*, h/t (87x126) : **ITL 19 000 000** – Milan, 9 juin 1983 : *Scène biblique*, h/t (174x123) : **ITL 22 000 000** – La Loggia (Turin), 22 sep. 1987 : *Le Martyre de saint Érasme*, h/t (128x96) : **ITL 14 000 000** – Milan, 21 avr. 1988 : *Paysage avec Vénus et Adonis*, h/t (76x102) : **ITL 110 000 000** – Milan, 10 juin 1988 : *L'Exode en Égypte*, h/t (75x75) : **ITL 36 000 000** – New York, 1er juin 1989 : *Tobit enterrant les morts*, h/cuivre (61,6x115,6) : **USD 99 000** – Monaco, 7 déc. 1990 : *Choc de cavalerie*, h/t (43x92) : **FRF 199 800** – New York, 10 jan. 1991 : *Jacob avec le troupeau de Laban*, h/t (79,5x107) : **USD 60 500** – Monaco, 5-6 déc. 1991 : *Choc de cavalerie*, h/t (43x92) : **FRF 155 400** – Paris, 13 déc. 1992 : *Bataille entre Turcs et chrétiens*, h/t (122,5x165,5) : **FRF 290 000** – New York, 12 jan. 1994 : *La résurrection de Lazare*, h/t (126,7x167) : **USD 14 950** – Rome, 22 nov. 1994 : *Bataille équestre*, h/t (37,5x48,5) : **ITL 7 475 000** – Rome, 14 nov. 1995 : *Le Voyage de Jacob*, h/t (diam. 62) : **ITL 6 325 000** – Rome, 23 mai 1996 : *Cavalier et trompette à cheval avec un archer turc assistant à une bataille de cavalerie*, h/t (73x88) : **ITL 43 700 000**.

LIONE Giovanni dal. Voir **JEAN de Lyon**

LIONE Onofrio da. Voir **LEONE**

LIONEL, pseudonyme de **Perrotte Lionel**
Né en 1949 à Paris. XXe siècle. Français.
Peintre, peintre de collages, technique mixte, graveur. Abstrait.
Il étudia la gravure puis créa son propre atelier de gravure. Depuis 1996,
il vit et travaille à Brion (Anjou).
Il participe à des expositions collectives : depuis 1990 régulièrement au SAGA (Salon des Arts Graphiques Actuels) à Paris ; 1992 Foire de Bâle ; 1994, 1995 Salon du Dessin à Dresde ; 1995 Foires de Stockholm et Gand. Il montre ses œuvres dans des expositions personnelles : 1990 Tokyo ; 1990, 1992, 1994, 1996 galerie Art Selection de Zürich ; 1992 Centre culturel d'Oslo ; 1994 Bâle, Düsseldorf ; 1995 Cloître des Billettes à Paris.
Il réalise des œuvres abstraites, lumineuses, matiéristes, jouant des effets de superposition, de transparence, de grattage.
Bibliogr. : Catalogue de la vente : *Lionel*, Hôtel Drouot, Paris, 21 avr. 1996.
Ventes Publiques : Paris, 8 juin 1994 : *La pierre occulte*, techn. mixte/t. (91,8x73) : **FRF 15 100** – Paris, 16 oct. 1994 : *Le cœur du secret*, techn. m. /t. (60x73) : **FRF 13 000**.

LIONEL Jules
XVIe siècle. Français.
Peintre.
Musées : Paris (Mus. Cluny) : trois panneaux de bois peints datés 1515.

LIONELLI
XVIIe siècle. Italien.
Peintre de fruits.
Le Musée de Nantes conserve deux tableaux de cet artiste.

LIONETTI Edoardo
Né en décembre 1862 à Naples. Mort le 26 mars 1912 à Naples. XIXe-XXe siècles. Italien.
Sculpteur.
Débuta en 1884 à Turin. Il exposa également à Rome et à Londres. On cite, parmi ses œuvres, *Au Lido*.

LIONI d'Arezzo. Voir **LEONI Leone**

LIONNE. Voir **LEONESSA Enrico della**

LIONNET Félix
Né en 1832 à La Chataigneraie (Vendée). Mort en 1896 à Nantes (Loire-Atlantique). XIXe siècle. Français.
Peintre de genre et de paysages.
Élève de Corot. Il exposa au Salon en 1864 et 1869. Le Musée de la Roche-sur-Yon conserve de lui : *Le Forum*, et une *Vue de Capri*, celui de Bayonne *Paysage*, celui de Nantes, *Paysage, Souvenir de Capri, Vue de Naples, Paysage* et *Études pompéiennes*.

LIONNET Marie
Née le 24 mars 1843 à Paris. XIXe siècle. Française.
Peintre et dessinateur.
Élève de M. de la Noe et L. Cogniet. Exposa de 1868 à 1870.

LIOSCAR
IXe siècle. Français.

Peintre de miniatures.
Il termina la décoration d'un Évangéliaire pour l'abbaye de Marchiennes.

LI O-SHÊNG. Voir **LI ESHANG**

LIOT
XVIIIe siècle. Actif à Paris. Français.
Peintre sur émail.
Chef de l'atelier des peintres et doreurs à la Manufacture de Sèvres de 1741 à 1749. Le Musée du Louvre conserve une tabatière qu'il orna de sujets d'après Boucher.

LIOT
XVIIIe siècle. Français.
Illustrateur.
Il fit dix illustrations gravées par Le Villain dans l'ouvrage *Le Comte de Valmont* ou *Les Égarements de la Raison*, de l'Abbé L.-P. Gérard (Paris, 1774).

LIOT Éric
Né le 25 avril 1964 à Caen (Calvados). XXe siècle. Français.
Sculpteur, peintre, technique mixte.
Il a été élève en architecture à Rouen, puis à Paris.
Il participe à des expositions de groupe et des salons à Paris : 1992, Salon de Mai ; 1993, Salon Figuration Critique. Il montre ses œuvres dans des expositions personnelles principalement à la galerie Sabine Herbert en 1990, 1992 et 1993.
Dans son travail de sculpteur ou de peintre, Éric Liot semble dresser un catalogue de pièces de machines singulières. Il rend apparent les rouages et leur facture résistante. Une poétique de la machine dont l'origine se réfère à notre propre modernité (Fernand Léger) mais que Liot aime à transformer matériellement en leurres : sensation de métal fait de carton, de bois, de plastique, illusion de rouille par la peinture, etc.

LIOT Paul Louis Frédéric
Né en 1855 à Paris. Mort le 10 septembre 1902 à Rethondes (Oise). XIXe siècle. Français.
Peintre de paysages, marines.
Élève de Jules Noël et d'Antoine Guillemet, il participa au Salon de Paris, obtenant une mention honorable en 1888, une médaille de troisième classe en 1895 et une médaille de bronze à l'Exposition Universelle de 1900.
Peintre de la campagne de l'Ile-de-France, il fut aussi peintre officiel de la Marine.
Bibliogr. : Gérald Schurr, in : *Les Petits Maîtres de la peinture 1820-1920, valeur de demain*, Les Éditions de l'Amateur, t. IV, Paris, 1979.
Ventes Publiques : Paris, 1890 : *Environs de Morte* : **FRF 40** – Enghien-les-Bains, 25 fév. 1979 : *L'entrée du village*, h/t (48x70) : **FRF 2 600** – Vienne, 4 déc. 1984 : *Bord d'étang*, h/t (41,62) : **ATS 25 000**.

LIOTARD Jean Étienne
Né le 22 décembre 1702 à Genève, de parents français. Mort le 12 juin 1789 à Genève. XVIIIe siècle. Suisse.
Peintre de portraits, natures mortes, pastelliste, miniaturiste, peintre sur émail, dessinateur.
Bien que né en Suisse, Liotard était d'origine française. Son père, Antoine Liotard, orfèvre établi à Montélimar, s'était expatrié, comme la plupart des calvinistes français, à la suite de la révocation de l'Édit de Nantes. À Genève, un bref séjour dans l'atelier de Gardelle l'aîné et quelques portraits exécutés d'après nature suffirent à révéler les dons du jeune homme et à déterminer son père à l'envoyer parfaire son éducation à Paris. Il y arrive en 1723. Il quitta l'atelier du miniaturiste Massé où il travaillait depuis un peu moins de trois ans. Quelques commandes obtenues par l'intermédiaire d'un intendant du comte de Lauzun, et des gravures, notamment d'après Watteau, commencent à faire connaître le jeune artiste dans la société parisienne, particulièrement brillante en ce début du règne de Louis XV. Il fait ainsi la connaissance du marquis de Puysieux, ambassadeur de France en Italie qu'il accompagne à Rome en 1736. Mais, en dépit des commandes les plus flatteuses et de la faveur dont il jouit dans les milieux ecclésiastiques, ainsi qu'en témoigne un portrait du Pape Clément XII, l'atmosphère monotone de la Ville Éternelle commence à lui peser. Il saisit avec joie l'occasion d'un voyage en Orient que lui offre un ami anglais, le chevalier Ponsomby, futur comte de Besborough. Après un séjour dans les îles grecques, arrivé à Constantinople où il reste cinq ans, il fait entre autres le portrait du célèbre Achmed Pacha, comte de Bonneval. Il se rend ensuite en Moldavie. De même qu'il avait adopté précédemment les coutumes et les mœurs turques, il a la bonne idée de laisser pousser sa barbe à la manière moldave, détail qui contribuera à accroître et à étendre considérablement sa renommée. À Vienne en particulier, où il arrive en 1743, son succès est éclatant : toute la Cour, après l'Impératrice elle-même, tient à poser devant « le peintre turc ». C'est à Vienne également qu'il peint *La Chocolatière* du Musée de Dresde, qui est sans doute son tableau le plus connu. Puis commence une nouvelle ère de voyages entre-coupés de séjours plus ou moins importants à Venise, Darmstadt (portrait de la princesse de Hesse), Lyon (il y peint *La Liseuse*), Paris enfin, où il connaît la grande vogue (1748), et où l'on admire son caftan, sa longue barbe et les fantaisies de son caractère. Les princesses royales, la Dauphine, les grands seigneurs (le maréchal de Saxe) sont ses modèles. Nouveau séjour à Lyon où il reste juste le temps d'exécuter *Le petit déjeuner de famille* et *Le déjeuner des demoiselles Lavergne*, ses nièces. Les voyages recommencent. Londres le fête à l'égal de Paris ; son ami Ponsomby lui procure la clientèle du prince de Galles, de la princesse Louise-Anne. Il part pour La Haye, où il doit faire le sacrifice de sa barbe pour épouser en 1756, la fille d'un négociant français du nom de Fargues. Il repart ensuite pour Paris (portraits des époux Favart), puis, de là, pour Genève où il a l'intention de se fixer. Son tempérament vagabond l'empêche bientôt de donner une suite à ce projet. Après quelques portraits de notabilités genevoises (M. et Mme Thélusson, la famille Tronchin, le professeur De la Rive), le voilà de nouveau à Vienne où Marie-Thérèse pose devant lui pour la seconde fois. Retour à Genève, où il peint quelques-uns de ses plus beaux portraits (ses enfants, le syndic Mussard). Il y acquiert une propriété et, sitôt installé, repart pour Paris peindre, sur la demande de Marie-Thérèse, le portrait de Marie-Antoinette, depuis peu Dauphine de France. Après un court séjour à Londres, il rentre à Genève définitivement. Du moins le croit-il car, au bout de trois ans de stabilité, son étonnant besoin de mouvement le reprend. À plus de soixante-quinze ans, il se rend une dernière fois à Vienne où, malgré la faveur que lui accordent les membres de la famille Impériale, il ne retrouve plus la vogue de jadis. Faut-il attribuer ce revirement de la fortune à la perte de sa barbe, qui avait tant contribué à son succès lors de son premier séjour dans la capitale autrichienne ? Quoi qu'il en soit, Liotard rentre amèrement déçu à Genève. Cette fois, il ne quittera plus sa ville natale. Il a encore le temps de mener à bien la rédaction d'un ouvrage technique (*Traité des principes et règles de la peinture*) et de se livrer à d'intéressantes et hardies recherches dans les domaines de la peinture sur verre et sur porcelaine. Puis il meurt, un mois avant la Révolution.
À la fin de sa vie, il exécuta des natures mortes d'une extrême simplicité, presque naïves, ne recherchant ni des compositions complexes, ni un amoncellement d'objets. Ces natures mortes au pastel sont exécutées dans des tonalités claires, et les ombres elles-mêmes sont colorées. Leur facture diffère de ce qu'offre la peinture de cette époque, tout en se plaçant volontiers dans la lignée de Chardin. Par certains côtés également, Liotard annonce la peinture du siècle suivant. Ainsi le portrait présumé de la *Comtesse de Coventry*, dont l'orientalisme est peu exagéré, à peine discernable, la composition paraît inexistante, mais est en fait audacieuse, avec cette façon de couper le canapé sur lequel la comtesse est assise. Simplicité aussi dans la pose naturelle, d'une négligence retenue ; enfin simplicité du coloris limité aux rouges, bleus, et gris. Tout ici fait penser à Degas. Ainsi Liotard apparaît-il parfois comme un peu à part dans ce XVIIIe siècle galant et mondain où il s'était si bien mêlé.
Bibliogr. : F. Fosca : *La vie, les voyages et les œuvres de Jean Étienne Liotard, citoyen de Genève, dit le peintre turc*, Bibliothèque des Arts – *Liotard*, Genève, 1928 – Renée Loche et Marcel Roethlisberger : *L'opera completa di liotard*, Rizzoli Editore, Milano / Flammarion, Paris, 1978.
Musées : Amsterdam : *Marie-Thérèse – Liseuse – Marie-Thérèse*, émail – *Mlle Lavergne ou la belle liseuse – Marie-Thérèse – Joseph II – Le grand-duc Maximilien – Louis de Bourbon – Francesco Algarotti – Marie-Joséphine de Saxe – William Ponsomby, lord Besborough – Hendrick Bicker – Claire-Madeleine Dedel – M. Bœre – Mme Bœre – Mme Congnardon, la dame aux dentelles – Mary Gunning, comtesse de Coventry – Comtesse de Marlborough – Maurice de Saxe – Mme Eyrell – Nymphe endormie – Gamins de la rue à Rome – Environs de Genève* – Berne : *Fr. De Steiger* – Brunswick : *François Ier* – Darmstadt : *La comtesse de Hesse* – Dresde : *Liotard en Turc – Mlle Lavergne – La Chocolatière – Maurice de Saxe* – Florence : *L'auteur* – Genève (Ariana) :

Portrait de femme – GENÈVE (Rath) : *L'auteur, jeune – M. Liotard, de Plaimpalais, et sa femme – Mme Liotard, de la Servette – M. Sarasin – Liotard à la barbe – Mme d'Épinay – Fruits – Marie-Thérèse – Le syndic Mussard – L'auteur riant* – GENÈVE (Mus. d'Art et d'Hist.) : *Portrait de la comtesse de Coventry* – GOTHA : *Frédéric de Saxe-Gotha* – LEMBERG (Ossolineum) : *Marie-Thérèse* – LONDRES (Victoria and Albert Mus.) : *Turc assis – Profil* – MUNICH (Nati. Bav.) : *Marie-Thérèse* – NOTTINGHAM : *E. F. Dixie* – PARIS (Mus. du Louvre) – SAINT-PÉTERSBOURG (Mus. de l'Ermitage) : *Dame costumée en Turque* – VIENNE : *Grappes de raisins – Marie-Thérèse*, miniat. – WEIMAR : *Maréchal de Saxe – L'archiduchesse Marie-Antoinette – Elisabeth-Christine, femme de Charles VI – Prince Charles de Lorraine – Marie-Thérèse – L'empereur François Ier – Joseph, plus tard François-Joseph II.*

VENTES PUBLIQUES : PARIS, 1777 : *Le maréchal de Saxe en uniforme*, past./peau : **FRF 181** – PARIS, 1883 : *Portrait de Mlle Bertin, modiste de la reine Marie-Antoinette*, cr. noir et mine de pb : **FRF 180** – PARIS, 30 avr. 1898 : *Portrait de Mme Favart*, dess. : **FRF 240** – PARIS, 8 mars 1920 : *Portrait de Benjamin Franklin*, past. : **FRF 5 400** – PARIS, 21 juin 1920 : *Portrait de femme*, past. : **FRF 7 600** – LONDRES, 20 fév. 1925 : *Femme en costume oriental*, past. : **GBP 168** – PARIS, 15 nov. 1928 : *Portraits d'homme et de femme*, deux dessins : **FRF 5 500** – LONDRES, 21 juin 1929 : *La comtesse de Lonsdale*, dess. : **GBP 162** – LONDRES, 10 juil. 1930 : *Mrs Yates* : **GBP 157** – LONDRES, 28 mai 1935 : *Femme en costume oriental* : **GBP 600** – LONDRES, 16 fév. 1945 : *Mrs Macartney*, past. : **GBP 52** – LONDRES, 26 juin 1946 : *L'Impératrice Marie-Thérèse*, past. : **GBP 62** – LONDRES, 3 mars 1950 : *Portrait d'un jeune gentilhomme* : **GBP 336** – ZURICH, 15 mars 1951 : *Portraits de Jan Maximilian Van Tuyll Van Serooskerken et de sa femme Jeanne Elisabeth de Geer*, deux past. : **CHF 12 000** – PARIS, 9 mars 1952 : *Portrait d'une jeune femme* : **FRF 180 000** – BERNE, 1er mars 1966 : *La cantatrice*, past. : **CHF 15 000** – BERNE, 14 juin 1967 : *Portrait de l'impératrice Marie-Thérèse ; Portrait de l'empereur François de Lorraine*, deux portraits formant pendants : **CHF 31 500** – PARIS, 2 juin 1970 : *Portrait de William Brabazon, premier baron Ponsomby*, past. mar. : **FRF 43 000** – BERNE, 17 oct. 1974 : *Portrait de vieille femme, un livre à la main*, past. : **CHF 11 000** – ZURICH, 12 nov. 1976 : *Jeune femme en costume oriental*, past. (60x44) : **CHF 20 000** – PARIS, 20 avr. 1977 : *Portrait de femme en costume oriental*, h/t (47x35,5) : **FRF 12 000** – LONDRES, 12 déc. 1978 : *Jean-Étienne Liotard, le fils de l'artiste, à son déjeuner*, craies rouge, noire et blanche/pap. bleu (46,7x57,2) : **GBP 60 000** – LONDRES, 10 déc 1979 : *Portrait de femme en costume maltais*, past./pap. (82,5x53,5) : **GBP 68 000** – PARIS, 19 juin 1981 : *La Belle Romaine*, cr. noir et reh. de cr. (20,5x17) : **FRF 48 000** – LONDRES, 21 avr. 1982 : *Princesse Sophie de France*, h/t (60x49,5) : **GBP 16 000** – LONDRES, 5 juil. 1983 : *Portrait d'un jeune Anglais* 1774, past./pap. mar./t. (62x48,6) : **GBP 20 000** – ZURICH, 29 nov. 1985 : *Portrait de Suzanne Odier, née Baux* vers 1775, past. de forme ovale (65x55) : **CHF 23 000** – LONDRES, 8 juil. 1987 : *Plateau de thé avec tasses et bols en porcelaine Imari*, h/t (53,5x63) : **GBP 30 000** – PARIS, 4 juin 1993 : *Portrait de Mr. Levett et de Melle Glavani en costumes orientaux, assis sur un divan*, h/cart. (28x36) : **FRF 9 000 000** – NEW YORK, 9 jan. 1996 : *Portrait de Marie Josephe Furstin von Clary und Aldringen*, craie noire et sanguine avec reh. de blanc (30x24,5) : **USD 79 500** – ZURICH, 14 avr. 1997 : *Portrait de l'impératrice Marie-Thérèse* 1762, past./pap. (79x60,5) : **CHF 137 000** – NEW YORK, 22 mai 1997 : *Nature morte d'un jeu de loto sur un plateau de table recouvert de feutre bleu-vert*, past./pap./cart. (39,1x46,4) : **USD 992 500** – LONDRES, 17 oct. 1997 : *Portrait de Margaret Fremeaux, née Margaret Cooke*, past. (50,6x38,2) : **GBP 109 300**.

LIOTARD Jean Michel
Né le 22 décembre 1702 à Genève. Mort le 15 mai 1796 à Genève. XVIIIe siècle. Suisse.
Dessinateur et graveur à l'eau-forte et au burin.
Frère jumeau du portraitiste Jean-Étienne Liotard, il fit ses études à Paris. Puis il se rendit à Venise où il grava des fresques de Carlo Cignani et des sujets religieux de Sébastien Ricci. De retour à Paris il grava de nombreux ouvrages de Watteau, d'Eustache Le Sueur, de Tocqué, etc.
VENTES PUBLIQUES : PARIS, 12 et 13 oct. 1942 : *Portrait d'homme de profil à gauche*, mine de pb et estompe : **FRF 420**.

LIOTARD de LAMBESC Pascal
Né en 1805 à Lambesc (Bouches-du-Rhône). Mort en 1886. XIXe siècle. Français.
Sculpteur.
Élève de David d'Angers. Il exposa au Salon de 1835 à 1875.

LIOTÉ Denise
Née en 1925 à Paris. XXe siècle. Française.
Peintre, peintre à la gouache, pastelliste, dessinateur. Abstrait.
Élève de François Desnoyer, puis diplômée en 1946 de l'École Nationale des Arts Décoratifs. Elle participe depuis 1957 à des expositions collectives, à Paris surtout et aussi Rouen, Le Havre, New York, ainsi qu'au Salon des Réalités Nouvelles en 1973, 1974, puis chaque année depuis 1987. Expositions personnelles à partir de 1963 à Paris, Galerie Dumay, puis aux Galeries Christiane Colin en 1972 et 1976, Olivier Nouvellet et Darial en 1987.
Partie d'un dessin trés structuré dont Desnoyer lui a inculqué les régles, Lioté oriente d'abord ses recherches, avec la découverte de Vieira da Silva et de De Staël, vers une figuration allusive sur des thèmes de villes et de chantiers en construction. La lecture de Bachelard, capitale pour elle, oriente sa peinture à partir de 1958 vers des séries sur les Quatre Éléments, commençant alors par l'eau, le feu en 1960, puis la terre avec des structures solides – racines et souches d'arbres – à partir de 1962. Un sombre univers de terres calcinées gagne et envahit ses tableaux, courant 1966. Un long séjour aux États-Unis en 1970 et la connaissance des travaux de Joseph Sima et de Léon Zack lui permet ensuite de libérer ses formes, le noir disparaissant progressivement de ses tableaux. C'est à partir de 1974 que *l'air et les songes* l'entraînent dans des envols, des nuages aux tons bleus où les touches se superposent en dégradés. La fin des années 70, période de méditation et de recherche spirituelle pour Lioté est aussi celle, où, dans sa peinture, l'espace cosmique succède à l'espace aérien. Glacis sur de grandes toiles aux structures géométriques amorcées se fondant en textures transparentes. De son travail elle dit peu aprés : « Je cherche à montrer la lumière en ses mouvements, tant visibles qu'invisibles, émergeant des ombres indispensables à sa présence, dans un silence de vibrations magnétiques en gris colorés et blancs ». Cette abstraction, où la lumière est devenue en effet le thème unique, est basée sur la fragmentation de cette dernière en combinaison de plans croisés aux longs faisceaux à dominante gris-bleu ou dans un jeu de couleurs pastels avec de grands rais blancs. ■ Alain Pizerra
BIBLIOGR. : Georges Coppel, Alain Pizerra, Guy Prévan : *Denise Lioté : Paysagiste des espaces inconnus*, avec une importante biographie établie par Georges Coppel, Édit. L'œil du Griffon, Paris, 1991.
VENTES PUBLIQUES : PARIS, 29 nov. 1989 : *Réfraction* 1985, h/t (61x61) : **FRF 4 200** – PARIS, 21 mai 1990 : *Sans titre* 1986, h/t (59x80) : **FRF 3 800**.

LIOTTA-CRISTALDI Pasquale
Né en 1850 à Catane. Mort en 1909. XIXe siècle. Italien.
Peintre d'histoire.
Il débuta en 1877 et exposa à Naples, Turin, Milan, Rome et Venise.

LIOTTIER Élise Caroline
Née en 1763 à Paris. XVIIIe siècle. Française.
Graveur.
Fille du sculpteur Jean-Aimé Liottier. Elle figura au Salon de 1774 avec douze gravures d'ornement, d'après les projets de G. P. Cauvet qui fut son professeur. D'après Gibelin elle grava deux planches en couleur *Saint Jérôme* et *Les sources de la vie et du bonheur* et travailla pour l'ouvrage de Cauvet *Recueil d'ornements.*

LIOTTIER Françoise Charlotte
XVIIIe siècle. Française.
Graveur.
Elle était fille de Jean-Aimé Liottier et sœur d'Élise-Caroline.

LIOTTIER Jean Aimé
XVIIIe siècle. Français.
Sculpteur.
Il fut membre de l'Académie Saint-Luc à partir de 1762.

LIOUBIETSKI Ivan
XVIIIe siècle. Russe.
Graveur.
Il grava de petits tableaux religieux, des illustrations de livres et des vignettes. Peut-être est-il identique à un peintre du même nom qui travailla à la décoration du château de Monplaisir près de Peterhof.

LIOUBIMOVA Nanalia
Née en 1924 à Moscou. XXe siècle. Russe.

Peintre de paysages, paysages animés, paysages urbains, natures mortes.
Elle termine, en 1950, ses études à l'Institut des Beaux-Arts Sourikov de Moscou.
Elle s'est spécialisée dans le paysage sous toutes ses formes ainsi que dans la représentation d'objets domestiques.
Bibliogr. : In : Catalogue de la vente *Tableaux soviétiques*, Salle Drouot, Paris, 3 oct. 1990.

LIOU CHOUAN-TSIN ou **Liu Shuanjin**
Née en 1953. xxe siècle. Chinoise.
Peintre.
Femme peintre du district de Huxian, membre de la brigade de Tsinsan, commune populaire de Tsintou. (Voir : HUXIAN, peintres paysans).

LIOU FANG ou **Liu Fang**
Née en 1954. xxe siècle. Chinoise.
Peintre.
Femme peintre du district de Huxian, elle fut membre de la brigade de Sihantchun, commune populaire de Kouangming. (Voir : HUXIAN, peintres paysans).

LIOU HOUEI-CHENG ou **Liu Huisheng**
Né en 1946. xxe siècle. Chinois.
Peintre.
Peintre du district de Huxian, il fut membre de la brigade de Chewangtchun, commune populaire de Tsangyou. (Voir : HUXIAN, peintres paysans).

LIOU KOUANG-TCHENG ou **Liu Guangzheng**
Né en 1952. xxe siècle. Chinois.
Peintre.
Peintre du district de Huxian, il fut membre de la brigade de Nioutchong, commune populaire de Nioutong. (Voir : HUXIAN, peintres paysans).

LIOU MIN-TCHEN ou **Liu Minzhen**
Né en 1955. xxe siècle. Chinois.
Peintre.
Peintre du district de Huxian, membre de la brigade de Wangchaou, commune populaire de Tawang. (Voir : HUXIAN, peintres paysans).

LIOU TCHE-TEH. Voir **HUXIAN, peintres paysans**

LIOUX DE SAVIGNAC Claude Edme Charles de
xviiie siècle. Français.
Peintre de miniatures.
On mentionne de sa main des couvercles de boîtes, avec des paysages à la manière de J. Vernet ou avec des portraits. Fut reçu à l'Académie de Saint-Luc.
Ventes Publiques : Paris, 1863 : *Boîte dont le couvercle et le fond sont décorés de petites scènes familières dans le genre flamand*, miniat. : **FRF 3 000** – Paris, 1886 : *Paysage accidenté avec cascade et torrent*, miniat. : **FRF 3 600** – Paris, 14 mai 1892 : *Une fête sur le Tibre : au fond le pont et le château Saint-Ange*, miniat. sur le couvercle d'une tabatière : **FRF 990** – Paris, 22 et 23 fév. 1929 : *Paysage traversé par une rivière*, gche : **FRF 8 100** – Paris, 29 oct. 1942 : *Scènes villageoises* 1777, lav., deux pendants : **FRF 2 700**.

LIOU YING-KONG ou **Liu Yinggong**
Né en 1940. xxe siècle. Chinois.
Peintre.
Peintre du district de Huxian, instituteur de l'école secondaire de Yuantchun de la commune populaire de Weifong. (Voir : HUXIAN, peintres paysans).

LIOZU Charles
Né aux Cabannes (Tarn). xixe-xxe siècles. Français.
Peintre.
Élève de Cormon et de J.-P. Laurens. Peintre régionaliste. Conservateur du Musée H. De Toulouse-Lautrec, à Albi, de 1911 à 1935. Des peintures et dessins de l'artiste sont conservés au Musée d'Albi.

LIOZU Gabrielle
xxe siècle. Française.
Peintre de portraits, natures mortes.
Elle travailla à Albi (Tarn).

LIOZU Jacques
Né à Albi (Tarn). xxe siècle. Français.
Peintre, illustrateur, décorateur.
Il est le fils de Charles Liozu. Il fut élève de Sabatté. Des décorations de cet artiste sont au Musée d'Albi.

LIPA
Né le 10 juillet 1907 à Grodno (Russie). Mort le 9 avril 1976 à Gattières (Alpes-Maritimes). xxe siècle. Actif puis naturalisé en France. Russe.
Sculpteur, peintre.
Venu en France, il étudia la peinture à l'École des Beaux-Arts de Paris et ne pratiqua que postérieurement la sculpture.
Il subit longtemps l'influence de Rodin. Travaillant à Toulouse, il orienta ses recherches sur la traduction plastique du mouvement et de l'expression.
Musées : Grenoble.
Ventes Publiques : Paris, 3 fév. 1992 : *Pingouin* 1960, bronze (47x20x7) : **FRF 10 000** – Paris, 18 mai 1992 : *Idole noire* 1960, bronze (37x22x10) : **FRF 9 000**.

LIPARI Onofrio
xviiie siècle. Actif à Palerme. Italien.
Peintre.
On mentionne de sa main dans l'église Saint-François-de-Paule, à Palerme, deux grands tableaux représentant le *Martyre de sainte Olive*. Cette œuvre est attribuée aussi à G. Serenari.

LIPARINI Lodovico. Voir **LIPPARINI**

LIPCHITZ Chaïm Jacob, dit **Jacques**
Né le 30 août 1891 à Druskieniki (Gouvernement de Grodno, Lituanie). Mort le 27 mai 1973 à Capri. xxe siècle. Actif depuis 1909 et depuis 1924 naturalisé en France, depuis 1941 actif aux États-Unis. Russe.
Sculpteur de figures, sujets mythologiques, sujets religieux, peintre à la gouache, dessinateur, graveur. Cubiste, puis tendance lyrique, expressionniste.
Lipchitz a tout d'abord étudié l'architecture à l'École des Beaux-Arts de Vilna. Il arrive, une première fois, à Paris, en 1909, et s'installe à La Ruche, passage de Dantzig. Il suit, très traditionnellement, les cours de l'École des Beaux-Arts dans l'atelier d'Injalbert ; puis leur préférant les cours libres des Académies Julian, Colarossi, et du Cours de dessin municipal du boulevard Montparnasse, à côté de l'atelier de Brancusi. Il est rappelé en Russie, pour son service militaire, en 1912-1913. Il est de retour à Paris en 1914. Il se lie avec Raymond Radiguet, Max Jacob, et surtout Juan Gris. Il fait la connaissance du Dr Barnes en 1922. La Fondation Barnes lui passe alors commande de cinq bas-reliefs. Pendant la Seconde Guerre mondiale, fuyant l'Occupation, il s'installe aux États-Unis en 1941. Lipchitz n'est revenu à Paris qu'une seule fois, en 1946, à l'occasion d'une exposition de son œuvre.
Il a montré ses œuvres dans des expositions collectives, participant à des Salons parisiens, à partir de 1912, comme il était coutume à cette époque : des Indépendants, de la Nationale, d'Automne et des Tuileries. De nombreuses expositions personnelles lui ont été consacrées. La première, par Léonce Rosenberg dans sa galerie de l'Effort Moderne en 1920 à Paris. En 1937, il figure à l'Exposition des *Maîtres de l'art indépendant*, au Petit Palais, il présente un ensemble important de ses œuvres, dont : *Danseuse*, 1915 (bronze) ; *Marin et guitare*, 1917 (pierre) ; *Le Compotier*, 1918 (bas-relief, pierre) ; *L'Homme assis*, 1920 (pierre) ; *Bas-relief*, 1921 (pierre polychromée) ; *Homme et guitare*, 1922 (pierre) ; *Baigneuse*, 1924 (plâtre) ; *Arlequin et guitare*, 1925 (bas-relief plâtre) ; *Instrument de musique*, 1925 (bronze) ; *Ploumanach*, 1926 (ébène) ; *Femme couchée*, 1926 (bas-relief, bronze) ; *Joie de vivre*, 1927 (plâtre) ; *Acrobate à cheval*, 1927 (bas-relief) ; *L'Homme accoudé*, 1928 (onyx) ; *Femme couchée et guitare*, 1928 (basalte) ; *Le Couple*, 1928 (bronze) ; *Harpistes*, 1930 (bronze) ; *La Mère et l'enfant*, 1930 (plâtre) ; *Le Retour de l'Enfant prodigue*, 1931 (plâtre) ; *Le Chant des voyelles*, 1931 (plâtre) ; *La Lutte de Jacob avec l'ange*, 1932 (bronze) ; *Les Mains*, 1933 (bronze) ; *L'Étreinte*, 1934 (plâtre), etc. Un *Hommage à Lipchitz : œuvres de 1914 à 1963* fut montré à la galerie Marwan Hoss à Paris en 1988 ; en 1998, un ensemble de ses sculptures a été présenté durant l'été dans les jardins des Tuileries.
Jusqu'en 1913, il sculpte des figures observées d'après nature dont le modelé est assez traditionnel. Ce ne fut qu'à la suite de son retour à Paris, en 1914, qu'il commença d'orienter son travail dans le sens des cubistes, soumettant, dans un premier temps, la forme à une géométrisation superficielle et plus stylistique que structurale, avant d'arriver progressivement à « penser cubiste » de l'intérieur, de la *Tête*, de 1915, encore influencée par Brancusi et les sculptures de Modigliani (qui peignait alors son portrait, quand tous les deux hantaient l'étrange « Ruche », à Vaugirard), à la *Nature morte* de la Fondation Barnes, de 1918, et

à l'*Homme à la guitare*, de cette même année. Le sujet de ses compositions s'est alors complètement subordonné, ne jouant plus qu'un rôle de prétexte, de point de départ, à l'édification d'une architecture spatiale et volumétrique et au développement de ses variations. Avant de se couler dans l'éventuelle apparence d'une chose appartenant à la réalité quotidienne, dans une apparence corporelle par exemple, la sculpture est d'abord jeu de plans, de volumes et d'espaces. Membre du groupe *L'Esprit nouveau*, il transcrit en sculpture les principes plastiques de ses amis les peintres cubistes. On peut, non sans une systématisation artificielle, séparer l'œuvre de Lipchitz en deux époques très tranchées : l'époque cubiste et, à partir de 1925, l'époque que l'on peut dire baroque. Il serait bien vain de rechercher la raison de son revirement de la discipline classique du cubisme à la liberté d'expression usant de la courbe et de la volute, dans ses origines juives. Dans les mêmes moments, Henri Laurens suivait une évolution parallèle. Donc, à partir de 1925, il délaissa l'étude analytique du volume, pour une expression plus spontanée par le contour, l'arabesque et les vides (la série des *Transparents*, des sculptures à claire-voie qu'il réalise à la cire perdue). Il fut peut-être encouragé dans cette voie par les premières réalisations contemporaines des précurseurs de la sculpture métallique, Archipenko, Gargallo, Gonzalès. Le mouvement se substitua à la stabilité. Durant cette période, il produisit de nombreuses figures représentant des danseuses et des arlequins. Après une période de transition, où ces arabesques s'enroulent et se conjuguent selon des schémas encore géométriques, il s'enhardit progressivement à un baroquisme croissant dans la prolifération tout organique de la forme dans l'espace, et à un retour à l'apparence humaine et naturelle. Le surgissement de la forme répondant désormais plus à l'expression de sensations et d'émotions subjectives, qu'à la résolution d'un problème formel, objectif : *L'Enfant prodigue ; Le Couple*, de 1928-1929 ; *Le Chant des voyelles*, de 1931-1932. Le choix des sujets de Lipchitz va désormais suivre les linéaments de sa vie personnelle et de l'environnement politique de l'époque. Les thèmes bibliques et mythologiques s'accentuent alors qu'Hitler arrive au pouvoir, que l'antisémitisme gagne du terrain et que l'Europe centrale connaît des troubles graves. Pour certains, la pièce *Figure*, de 1930, est une œuvre capitale dans l'évolution du travail du sculpteur dans la mesure où l'on y trouve encore les dernières résonances cubistes mais surtout l'utilisation nouvelle des espaces ouverts. À cette époque, Lipchitz apporta même une proposition, qui n'a pas perdu de son acuité en un temps où le constructivisme issu du Bauhaus tend toujours à une annexion totale du domaine de l'animation de l'espace architectural. Il adopta, en accord avec l'évolution générale de son œuvre, le postulat que l'animation sculpturale d'une architecture ne pouvait se satisfaire d'une subordination à celle-ci, et qu'elle devait bien au contraire s'en détacher à la façon d'une ligne mélodique par rapport à l'ensemble de la construction harmonique et contrapuntique : à cette conception répondait le *Prométhée*, qu'il réalisa pour l'Exposition internationale de Paris, en 1937, thème qu'il développe encore, en 1943-1944, pour la façade du ministère de l'Éducation nationale, à Rio de Janeiro. Depuis qu'il s'est fixé, en 1941, aux États-Unis, à New York d'abord, puis, à la suite de l'incendie de son atelier, en 1950, à Hastings-on-Hudson, Lipchitz a encore affirmé l'orientation baroque de son œuvre. Ses sculptures se sont hérissées de pointes, d'épines, de lianes : *Printemps*, de 1942. Elles ont développé le symbolisme organique et foisonnant de la reproduction, dans des formes ovoïdes et des éclatements procréateurs : *La Mère et l'Enfant*, 1931-1945 ; *Prométhée en lutte avec le vautour*, 1944 ; *La Vierge*, de l'église du Plateau d'Assy, 1948 ; *L'Esprit d'entreprise*, pour le Fairmont Park à Philadelphie.

Lipchitz fait partie intégrante d'une époque capitale de l'école de Paris : l'épopée cubiste, à partir de laquelle, comme pour les autres de ses participants, son œuvre s'est développé selon la découverte de sa propre originalité. ■ Jacques Busse

Bibliogr. : Henry Hope : *The Sculpture of Jacques Lipchitz*, Museum of Modern Art, New York, 1954 – A. M. Hammacher : *Jacques Lipchitz. His Sculpture.*, Harry N. Abrams, New York, 1960 – Raymond Cogniat, in : *Nouveau Diction. de la sculpture moderne*, Hazan, Paris, 1970 – J. Lipchitz : *My Life in Sculpture*, Londres, 1972 – in : *Les Muses*, t. IX, Grange Batelière, Paris, 1972 – A. M. Hammacher : *Jacques Lipchitz*, New York, 1975 – *Jacques Lipchitz*, catalogue de l'exposition, Musée National d'Art Moderne – in : *Paris-Moscou*, catalogue de l'exposition, Centre Georges Pompidou, Paris, 1989 – in : *L'Art du xxe s.*, Larousse, Paris, 1991 – in : *Dictionnaire de l'art moderne et contemporain*, Hazan, Paris, 1992.

Musées : Amsterdam (Stedelijk Mus.) – Grenoble : *Guitariste couchée* – New York (Mus. of Mod. Art) – New York (Metropolitan Mus. of Art) – Otterlo (Mus. Kröller-Müller) – Paris (Mus. Nat. d'Art Mod.) : *Le Chant des voyelles* 1913-32 – *Figure assise* 1915, plâtre – *Tête* 1915, plâtre patiné – *Homme à la mandoline* 1917 – *Buste de Gertrude Stein* – *Marin à la guitare* 1914 – *L'Enlèvement d'Europe* – *Femme et enfant* vers 1919 – *Étude pour le couple* 1929 – *Figure* 1930 – Paris (BN) – Philadelphie (Mus. of Art) : *Prométhée en lutte avec le vautour* 1944 – Zurich (Kunsthaus) : *Le Chant des voyelles* 1931-1932.

Ventes Publiques : Paris, 19 mai 1926 : *Verre et Pipe*, dess. : **FRF 230** – Paris, 25 nov. 1942 : *Portrait* : **FRF 2 000** – Paris, 29 mars 1960 : *Nature morte à la mandoline*, fus. : **FRF 3 500** – New York, 25 jan. 1961 : *Thésée*, techn. mixte : **USD 3 750** – New York, 21 nov. 1964 : *Liseuse*, bronze : **USD 9 250** – Paris, 3 déc. 1967 : *Le Picador*, bronze patiné : **FRF 28 000** – New York, 5 nov. 1969 : *Étude pour Le Couple*, temp./pan. : **USD 5 000** – Londres, 10 déc. 1969 : *Homme assis à la guitare*, peint. essence et sable : **USD 2 800** – Londres, 1er déc. 1972 : *Nature morte*, gche : **GNS 3 200** – New York, 2 mai 1973 : *Sculpture*, pierre : **USD 70 000** – New York, 3 mai 1974 : *Ariane*, gche : **USD 2 400** – Londres, 30 avr. 1976 : *Nu assis*, bronze patine verte (H. 16,5) : **GBP 300** – New York, 22 oct. 1976 : *Étude pour Le chemin de l'exil* 1941, gche et encre de Chine (32x24) : **USD 1 700** – Londres, 30 mars 1977 : *Ploumanach* 1926, bronze (H. 77) : **GBP 10 000** – Paris, 13 déc. 1978 : *Le Guitariste*, h/pan. (27x22) : **FRF 82 000** – Londres, 28 juin 1978 : *Buste de femme* 1915, pierre (62x24x20) : **GBP 27 000** – New York, 8 nov 1979 : *Figure assise* 1916, fus. (55,6x38) : **USD 12 000** – New York, 8 nov 1979 : *La danse* 1936, bronze, patine brune (H. 110) : **USD 4 000** – Milan, 26 nov. 1980 : *Figure debout* 1915, aquar. et past. (49,5x32,5) : **ITL 15 000 000** – New York, 22 mai 1981 : *Nature morte cubiste* vers 1917, gche et cr./cart. (21,2x29,4) : **USD 18 000** – New York, 3 nov. 1982 : *Homme assis à la guitare I* vers 1918, bronze patine brune (H. 76,3) : **USD 92 000** – New York, 15 nov. 1983 : *Seated bather* 1917, bronze patine brune (H. 83) : **USD 130 000** – New York, 31 mai 1984 : *Prométhée et l'aigle* 1936, gche, aquar. et encre noire sur traits de cr. (42,5x32) : **USD 2 000** – New York, 18 oct. 1984 : *Etude pour « Sacrifice »* 1947-1948, fus. encre de Chine et gche (89x58,5) : **USD 6 000** – New York, 13 nov. 1985 : *Pierrot à la clarinette* 1919, bronze, patine noir et vert (H. 75,5) : **USD 225 000** – New York, 18 nov. 1986 : *Figure* 1926, bronze patine vert foncé (H. 213) : **USD 1 000 000** – Paris, 5 déc. 1986 : *Prométhée*, gche et lav. (29x21,5) : **FRF 16 000** – New York, 11 nov. 1987 : *Arlequin à l'accordéon* 1919, bronze, patine brun foncé (H. 65) : **USD 290 000** – New York, 18 fév. 1988 : *Jacob et l'Ange*, bronze (H. 23 l. 28) : **USD 8 250** – Paris, 20 juin 1988 : *Composition* 1936, cr., encre de Chine et lav./pap. (21x17) : **FRF 5 000** – Londres, 29 juin 1988 : *Pierrot assis* 1921, plâtre (H. 35,5) : **GBP 28 600** – Paris, 27 oct. 1988 : *Étude pour deux sculptures*, lav. d'encre et mine de pb (24x13,5) : **FRF 15 000** – Paris, 30 jan. 1989 : *Danseuse aux pommes de pin, chryséléphantine*, bronze à patine d'argent, ivoire (46x12x11) : **FRF 25 000** – New York, 10 mai 1989 : *Hagar I* 1948, bronze (H. 88,5) : **USD 220 000** – Calais, 26 fév. 1989 : *La Guitare*, encre de Chine (25x18) : **FRF 31 000** – New York, 11 mai 1989 : *La femme à la tresse* 1914, bronze (H. 82) : **USD 275 000** – Rome, 8 juin 1989 : *Portrait* 1966, bronze (H. 36) : **ITL 12 000 000** – Paris, 17 juin 1989 : *L'homme à la guitare* 1918, h/cart. (22x16) : **FRF 1 160 000** – New York, 6 oct. 1989 : *Prométhée et le vautour* 1936, bronze cire perdue (H. 44,5) : **USD 55 000** – New York, 14 nov. 1989 : *Figure*, bronze à patine brune (H. 216,5) : **USD 1 540 000** – Paris, 19 nov. 1989 : *Composition à la guitare*, h/cart. (20,5x28,5) : **FRF 320 000** – Paris, 17 déc. 1989 : *Femme assise* 1921, bronze (13,5x13x7) : **FRF 130 000** – New York, 26 fév. 1990 : *Le combat de Prométhée contre le vautour* 1943, bronze à patine noire (H. 47,6) : **USD 68 750** ; *Etude pour Thésée* 1943, encre et lav. avec reh. de gche blanche/pap.

(30,2x45,7) : **USD 9 900** – New York, 16 mai 1990 : *Tête* 1915, bronze à patine verte et noire (H. 61) : **USD 396 000** – Londres, 4 déc. 1990 : *Homme à la guitare*, temp./pap./pan. (26x20,3) : **GBP 23 100** – New York, 5 nov. 1991 : *Homme assis à la clarinette I*, bronze à patine verte (H. 75) : **USD 297 000** – Paris, 28 nov. 1991 : *Figure avec une guitare* 1925, bronze (19,5x26,5) : **FRF 310 000** – New York, 25 fév. 1992 : *Étude pour la sculpture Le Couple*, encre et lav./rés. synth. traitée au gesso (64,7x61,3) : **USD 6 600** – New York, 13-14 mai 1992 : *Guitariste*, gche, sable et h/pan. (27,3x21,6) : **USD 132 000** – New York, 11 nov. 1992 : *Miracle II*, bronze à patine brune (H. 76,8) : **USD 41 250** – Tel-Aviv, 14 avr. 1993 : *Pierrot assis*, ciment moulé (H. 33,5) : **USD 26 400** – Paris, 3 juin 1993 : *Le Liseur*, terre-cuite (H. 39) : **FRF 150 000** – Paris, 16 juin 1993 : *L'Acrobate à cheval* 1914, bronze (H. 54) : **FRF 500 000** – New York, 3 nov. 1993 : *Mère et enfant* 1930, bronze (H. 140,9) : **USD 310 500** – Londres, 23-24 mars 1994 : *L'enlèvement d'Europe*, bronze (H. 11,3) : **GBP 4 370** – New York, 9 nov. 1994 : *Hagar*, bronze (H. 165,1) : **USD 332 500** – Amsterdam, 30 mai 1995 : *Jeune Fille à la tresse*, bronze (H. 83,8) : **NLG 287 500** – Paris, 13 oct. 1995 : *Figure*, terre-cuite (H. 25,5, L. 20, prof. 17,5) : **FRF 78 000** – Londres, 29 nov. 1995 : *Relief avec des instruments de musique*, bronze cire perdue (H. 49,5) : **GBP 15 000** – Amsterdam, 6 déc. 1995 : *Étude pour une sculpture*, encre/pap. (21x14) : **NLG 8 050** – New York, 30 avr. 1996 : *Baigneuse assise*, bronze (H. 71,4) : **USD 266 500** – New York, 1er mai 1996 : *Étude de femme debout*, cr./pap. (33,7x26,4) : **USD 17 250** – New York, 13 nov. 1996 : *Baigneuse III* 1917, bronze (H. 71,1) : **USD 288 500** – Tel-Aviv, 26 avr. 1997 : *Étude pour un monument*, bronze (H. 16,1) : **USD 8 625** – New York, 14 mai 1997 : *Marin et guitare* 1914, bronze patine brune (H. 76,2) : **USD 651 500** – Paris, 17 juin 1997 : *L'Acrobate à cheval* 1914, bronze patine brune (H. 54) : **FRF 1 300 000** – Paris, 18 juin 1997 : *Arlequin à la clarinette* 1919, terre cuite (H. 42,5) : **FRF 94 000** – Paris, 20 juin 1997 : *Nature morte aux instruments de musique* 1918, bronze patine vert foncé, bas-relief (57,5x71) : **FRF 150 000**.

LIPECKA Zofia
Née en 1957 à Leczyca. xxe siècle. Active depuis 1972 en France. Polonaise.
Peintre, graveur.
Depuis 1972 elle vit et travaille à Paris. Elle a effectué un séjour de deux années aux États-Unis. Elle a participé à l'exposition intitulée *De Bonnard à Baselitz* à la Bibliothèque nationale à Paris en 1992. La galerie Nicolle Ferry a organisé une exposition personnelle de ses œuvres en 1990.
Elle inscrit sur ses toiles des signes et des gribouillis, qui sont autant d'éléments botaniques, de lettres, et de chiffres.
Bibliogr. : In : *De Bonnard à Baselitz*, catalogue de l'exposition, Bibliothèque nationale, Paris, 1992.
Musées : Paris (BN).

LIPEZ Johann
xve siècle. Actif à Laybach vers 1484. Allemand.
Sculpteur.
Cet artiste aurait exécuté les statues d'*Adam et Ève* à la façade de l'Hôtel de Ville de Laybach. Ces statues sont conservées depuis 1717 par le Musée de cette ville.

LIPHARDT Hans. Voir **LIPPERT**

LIPHART Ernest Friedrich von, baron
Né en 1847 à Ratshof. Mort en 1934. xixe-xxe siècles. Allemand.
Peintre d'histoire, compositions mythologiques, dessinateur, graveur.
Il étudia surtout en copiant les maîtres anciens qu'il a vus en Espagne, à Paris, Florence, Venise. Entre 1873 et 1886, il vécut à Paris, où il suivit l'enseignement de Jules Lefebvre. Il partit ensuite à Saint-Pétersbourg, où il devint administrateur au musée de l'Ermitage. Il a publié des eaux-fortes chez Cadart.
Bibliogr. : Gérald Schurr, in : *Les Petits Maîtres de la peinture 1820-1920, valeur de demain*, Les Éditions de l'Amateur, t. III, Paris, 1976.
Musées : Pontoise (Mus. Tavet) : *Victor Hugo et ses petits-enfants*, dess. – Saint-Pétersbourg (Mus. Russe) : *Femme et papillon*.
Ventes Publiques : Paris, 22 avr. 1899 : *Femme au chien* : **FRF 125** – Paris, 27 jan. 1943 : *Baigneuse au lévrier* : **FRF 6 800** – Paris, 6 juin 1945 : *Portraits d'Edmond et de Jules de Goncourt*, deux dess. à la pl. : **FRF 320** – San Francisco, 4 mai 1980 : *L'éducation de Cupidon*, h/t, une paire (126x56) : **USD 3 500**.

LIPICS Vilmos
Né en 1962 à Dunaujvaros. xxe siècle. Hongrois.
Peintre. Abstrait.
Il vit et travaille à Dunaujvaros. Il est membre du *Studio des jeunes artistes*. Il expose en Hongrie.
Cet artiste semble, dans son abstraction, jouer à la fois sur les effets de sobriété des formes, carré, rectangle ou losange, et sur la maîtrise retenue des couleurs.

LI PIN. Voir **LI BIN**

LI PING-CHEOU. Voir **LI BINGSHOU**

LI PING-SHOU. Voir **LI BINGSHOU**

LIPINSKI Hippolyte
Né en 1846 à Nowytarg. Mort le 28 juin 1884 à Cracovie. xixe siècle. Polonais.
Peintre de genre, paysages, aquarelliste.
Il fut élève de l'École des Beaux-Arts de Cracovie, puis de l'Académie de Munich où il collabora avec Anschütz, il revint ensuite travailler à Cracovie avec Jan Mateyko.
Musées : Cracovie : *Un cortège religieux* – Posen (Mielzynski) : *En ville* – *Au ruisseau* – Varsovie : *Le pêcheur* – *La foire* – Vienne : *L'église Sainte-Barbe à Cracovie*, aquar.
Ventes Publiques : Vienne, 12 sep. 1984 : *Jeux d'enfants* 1872, h/t (36x61) : **ATS 120 000** – Londres, 22 nov. 1990 : *L'arrivée de l'ours savant* 1873, h/t (159,5x106,5) : **GBP 8 800**.

LIPINSKI Stanislaus
Né en 1840. Mort le 5 janvier 1882 à Cracovie. xixe siècle. Polonais.
Sculpteur.
Il fit ses études à l'École des Beaux-Arts de Varsovie avec Hegel. En 1861 il partit pour la France. En 1863 il prit part à la révolution en Pologne et il fut exilé en Sibérie, d'où il revint en 1869. Il continua ses études de sculpture à Cracovie et Florence. En 1872, il s'installa à Cracovie. Le Musée de Cracovie conserve de lui *La Madone* (plâtre).

LIPINSKY Sigmund
Né le 29 juin 1873 à Gaudenz. xixe-xxe siècles. Actif en Italie. Allemand (?).
Peintre, peintre de compositions murales, peintre de cartons de mosaïques, graveur.
Il vécut et travailla à Rome. Il peignit en 1899 la fresque *Entrée des Français à Lubeck le 6 novembre 1806* pour le château de Creisau en Silésie. Il collabora, de 1900 à 1902, aux cartons des mosaïques pour la coupole de la nouvelle cathédrale de Berlin.
Ventes Publiques : Munich, 22 juin 1993 : *Portrait de Zenny Engels-Birmingham* 1908, fus. et craie blanche/pap. (33x26) : **DEM 2 070**.

LIPIT Jean Pierre
Né en 1937. xxe siècle. Belge.
Peintre, graveur. Néo-expressionniste.
Il fut élève en gravure de R. Kayser et S. Rahir à l'Académie des Beaux-Arts de Watermael-Boitsfort.
Bibliogr. : In : *Dict. biogr. illustré des artistes en Belgique depuis 1830*, Arto, Bruxelles, 1987.

LIPKE Alexis Christian
Né le 9 mars 1819 à Copenhague. Mort le 5 décembre 1885 à Copenhague. xixe siècle. Danois.
Peintre de portraits et lithographe.

LIPKOWITCH Eugen, dit **Lipi**
Né en 1924 à Cantavir. Mort en 1987 à Paris. xxe siècle. Actif en France. Yougoslave.
Peintre.
Il participe à des expositions collectives à Paris notamment : 1962 Musée d'Art juif ; 1967, 1969, 1970, 1972, 1974, 1980 Salon Comparaisons ; 1980 Musée National d'Art Moderne ; 1981, 1982 FIAC (Foire Internationale d'Art Contemporain). Il montre ses œuvres dans des expositions personnelles : 1963, 1966, 1973 à Paris ; 1964, 1966, 1969 à Marseille ; 1967 à Tel-Aviv.
Il assemble des images, planche d'anatomie, crâne, portrait classique, les unit par la matière picturale et la couleur.

LIPMAN-WULF Lucie
Née le 29 avril 1878 à Berlin. xxe siècle. Allemande.
Sculpteur, graveur.
On mentionne de sa main des portraits ainsi que des céramiques pour décoration de table.

LIPMAN-WULF Peter
Né le 27 avril 1905 à Berlin. xxe siècle. Actif en Suisse. Allemand.

Sculpteur.
Il était le fils de Lucie Lipman-Wulf. Il sculptait le bois et travailla en Suisse.

LIPNICKI Feliks
XIXe siècle. Polonais.
Dessinateur et lithographe.
Il travailla à Cracovie où il possédait un institut de lithographie, puis à Lemberg. On mentionne de sa main des portraits et des compositions de genre.

LIPNICKI Wojciech
XVIIe siècle. Polonais.
Peintre amateur.
Chanoine de Sandomir et de Cracovie, il exécuta en 1646 quelques tableaux religieux à Sandomir.

LIPOTH Ferenc
Né en 1886. Mort en 1919. XXe siècle. Hongrois.
Peintre.
Il peignit à Budapest des tableaux muraux d'une technique personnelle. Il reçut une médaille d'argent à l'Exposition Nationale de San Francisco en 1915.

LIPOUILLE
XIXe siècle. Français.
Peintre.
Il travailla en Russie. On mentionne de sa main des portraits de personnalités russes.

LIPPA Giacomo della. Voir **LIPPI Giacomo**

LIPPARINI Giovanni Battista, dit **il Rosolino**
Mort en 1788. XVIIIe siècle. Actif à Bologne. Italien.
Sculpteur.
On cite parmi ses œuvres le buste de marbre de l'anatomiste *Laura Bassi*, à l'entrée du Musée de Pathologie de l'Université de Bologne, et un relief en terre cuite *La Vierge et l'enfant* dans l'église de la Madonna del Baracono.

LIPPARINI Lodovico ou **Liparini**
Né le 17 février 1800 à Bologne. Mort le 10 mars 1856 à Venise. XIXe siècle. Italien.
Peintre d'histoire, portraits.
Il fit ses études à Bologne et à l'Académie de Venise. Il était célèbre dès 15 ans. Il visita Rome et Naples en 1820, 1821, 1822 et 1823, et devint, à Venise, professeur de dessin, puis de peinture à l'Académie.
Musées : Ferrare (Pina.) : *L. Cicognara* – Trévise (Pina.) : *Le serment de Byron – Arabe* – Venise : *Le maréchal Marmont – Cicognara* – Vienne : *Vittore Pisani.*
Ventes Publiques : Londres, 14 juin 1995 : *La mort de Botzaris*, h/t (58x73) : **GBP 26 750**.

LIPPAY Berthold Dominik
Né le 21 septembre 1864 à Turzovka. Mort le 17 janvier 1920 à Vienne. XIXe-XXe siècles. Hongrois.
Peintre.
Élève de l'Académie de Bruxelles et de Cabanel à Paris. Il travailla pour la cour pontificale.
Musées : Rome (Vatican) : *Pie X.*

LIPPELT Julius August Martin
Né en 1829 à Hambourg. Mort le 17 août 1864 à Hambourg. XIXe siècle. Allemand.
Sculpteur.
Auteur d'une statue de *Schiller* à Hambourg.
Musées : Berlin : *Le peintre Otto Brandt* – Hambourg : *Brandt – Inspiration – Ève et ses enfants – Jeune fille – Danseuse.*

LIPPENS Piet
Né en 1890 à Gentbrugge. Mort en 1981 à Gand (Flandre-Orientale). XXe siècle. Belge.
Peintre de paysages, paysages urbains.
Il fut élève de l'Académie des Beaux-Arts de Gand.

Piet-R-Lippens

Bibliogr. : In : *Dict. biogr. illustré des artistes en Belgique depuis 1830*, Arto, Bruxelles, 1987.
Musées : Berlin – Chicago – Gand – Montréal.
Ventes Publiques : Lokeren, 13 oct 1979 : *Rue sous la neige*, h/t (50x80) : **BEF 85 000** – Lokeren, 25 avr. 1981 : *Le Pont d'Avignon*, h/t (70x100) : **BEF 95 000** – Lokeren, 23 mai 1992 : *Roulottes*, h/t (55x46) : **BEF 40 000** – Lokeren, 15 mai 1993 : *Maison de Laetem*, h/t (50x60) : **BEF 28 000** – Lokeren, 10 déc. 1994 : *La roulote*, h/t (50x60) : **BEF 40 000**.

LIPPERT Friedrich Karl
Né le 10 avril 1894 à Hanovre (Basse-Saxe). XXe siècle. Allemand.
Peintre de paysages, scènes de chasse.
Musées : Berlin (Mus. de la Marche) – Hanovre (Mus. prov.).

LIPPERT Hans ou **Liphardt** ou **Liepert**
XVe siècle. Allemand.
Peintre.
Il acquit le droit de bourgeoisie à Würzburg où il travailla.

LIPPERT Joseph
Né en 1764 à Neubourg. Mort en 1812 à Presbourg. XVIIIe-XIXe siècles. Allemand.
Peintre de portraits.
Commença ses études à l'Académie de sa ville natale, puis alla à Vienne où il s'associa avec le peintre Gerringer et voyagea avec lui pendant sept ans.

LIPPERT Patricia
Née en 1956 à Luxembourg. XXe siècle. Luxembourgeoise.
Peintre, technique mixte, animalier.
Elle fut élève de l'École des Arts et Métiers de Luxembourg, et de l'École Supérieure d'Art de Offenbach-sur-le-Main.
Bibliogr. : In : Catalogue de l'exposition *150 Ans d'Art Luxembourgeois*, Mus. Nat. d'Histoire et d'Art, Luxembourg, 1989.

LIPPERT Philipp Daniel
Né le 9 septembre 1702 à Dresde. Mort le 28 mars 1785 à Dresde. XVIIIe siècle. Allemand.
Peintre.
Le Cabinet des Estampes de Berlin possède trois dessins de la main de cet artiste.

LIPPI Filippo, ou **Filippo di Tomaso**, fra
Né vers 1406 à Florence. Mort le 8 octobre 1469 à Spolète. XVe siècle. Italien.
Peintre d'histoire.
Par des ruelles étroites et sinueuses, on atteint le cœur de ce quartier populeux de l'Oltrarno où se trouvent deux églises, dont l'intérêt est pour l'histoire de l'Art capital : San Spirito, une des plus belles réalisations de la maturité de Brunelleschi et Santa Maria del Carmine où naîtra avec Masaccio la Renaissance florentine. C'est dans ce couvent de Carmes que Filippo Lippi orphelin, entra à l'âge de huit ans. Il y montra de grandes dispositions pour le dessin et la peinture et y copia les fresques de Masaccio ; mais il quitta en 1431 la paisible retraite du Carmine et bien que Vasari prétende le contraire, il semble que Filippo Lippi portait à ce moment-là le froc des Frères. Au sortir du couvent des Carmes, Filippo connut une existence aventureuse et fut même selon Vasari, enlevé par des pirates barbaresques qui croisaient au large d'Ancône et emmené en captivité ; relâché au bout de dix-huit mois il aurait regagné Florence, après avoir séjourné à Naples et il ne cessa de produire des œuvres importantes. À Prato où il travaillait pour les Religieuses de Sainte-Marguerite, se place l'événement le plus blamâble de la vie de Lippi, en tant que moine ; le peintre avait alors cinquante-et-un ans et fut autorisé à prendre comme modèle une pensionnaire du couvent, Lucrezia Butti. Le frère et la novice se plurent et ils s'enfuirent ensemble ; malgré les supplications et les menaces de son père, Lucrezia refusa de revenir et bientôt après elle donnait (en 1457) le jour à un fils qui fut, lui aussi, un grand peintre, Filippino Lippi ; la *Nativité* qui fut la cause indirecte de ce scandale aux conséquences heureuses, se trouve au Musée du Louvre. Filippo Lippi put pourtant reprendre ses travaux à Prato au couvent de Saint-Dominique et à la cathédrale. Les magistrats de Spolète devaient enfin fournir à Lippi l'occasion d'entreprendre une importante décoration, mais il ne lui fut pas donné de la terminer, car il mourut le 8 octobre 1469 et ce fut son élève Fra Diamante qui reçut la mission d'achever sa dernière œuvre. Fra Filippo Lippi fut enterré dans cette cathédrale de Spolète, qu'il rendra célèbre et où Laurent de Médicis lui fit élever un splendide tombeau.
Si l'on ne peut douter que Filippo Lippi ait entendu dans sa prime jeunesse à Santa Maria del Carmine la grande leçon de Masaccio et de Masolino, il apparaît que son œuvre ne reflète pas les mêmes préoccupations ; il n'a pas été comme eux et Uccello obsédé par le problème de l'espace et son œuvre n'a pas l'austérité de ces chercheurs. Il était donné à deux peintres de montrer comment la peinture traditionnelle de Giotto s'était

accommodée avec la science ; ils furent tous deux moines, l'un Fra Angelico, dominicain exemplaire, l'autre Fra Filippo, carme de peu de vertu ; les madones de l'Angelico apparaissent dans leur or et leur azur comme des créatures asexuées, celles de Lippi semblent être émues de se voir transportées sur la terre. « De bonne heure, écrit Hourticq, dans l'église de son couvent, devant les fresques de Masaccio, Lippi a reçu la révélation d'un monde nouveau. Cette soumission de la peinture à la nature eut cette première conséquence d'expulser l'or de la palette, l'or n'est pas une couleur pour imiter les choses, c'est une lumière surnaturelle, un peu de ciel sur lequel apparaissent les figures divines... La clarté égale de la peinture de Giotto s'est assombrie quand les choses réelles sont entrées dans le monde des images. » Filippo Lippi a eu le rare mérite de combiner les deux modes dans une vision à la fois mystique et réaliste, ses Madones sont déjà des portraits et ses amis seront les personnages de ses scènes de l'Évangile et de la Bible ; dans la danse de Salomé, de la cathédrale de Prato, l'envolée de la jupe annonce les danseuses de la Primavera de Botticelli, dont il eut la gloire et le mérite d'être l'annonciateur. ■ Jean Dupuy

FP

Bibliogr. : Alfred Scharf : *Filippino Lippi. Étude critique et catalogue raisonné des œuvres*, Anton Schroll, 1935 – A. Chastel : *Filippo Lippi*, Florence, 1949.

Musées : Bagnols : *Les disciples d'Emmaüs*, d'après – Bayonne (Bonnat) : *Tête de sainte* – Berlin (Kais. Gried.) : *Le Christ et saint Jean enfant – Portrait de femme – La Vierge et l'enfant Jésus – La Vierge adorant l'enfant Jésus – La Vierge miséricordieuse – Scène de l'enfance d'un saint* – Besançon : *Anges chantant – Vierge à l'Enfant*, attr. – Bonn : *Le Christ au tombeau*, école – Bottle : *La Vierge et l'enfant Jésus* – Chantilly : *La Vierge, saint Pierre et saint Antoine* – Dijon : *Vierge à l'Enfant – Vierge en adoration* – Florence (Mus. des Offices) : *Saint Augustin – La Vierge adorant l'enfant Jésus – Vierge avec saints – Le couronnement de la Vierge* – Florence (Pitti) : *La Vierge et l'enfant Jésus* – Karlsruhe : *Vierge à l'Enfant* – Kassel : *Saint François présentant aux religieux les règles de l'Ordre* – Londres (Nat. Gal.) : *Vision de saint Bernard – La Vierge et un ange lui présentant l'enfant Jésus – Annonciation – Saint Jean-Baptiste et six saints* – Lugano (coll. Thyssen) : *Madone sur un trône* – Milan (Castello Sforzesco) : *Madone, l'Enfant et des Saints Dominicains* – Munich : *Annonciation – La Vierge et l'enfant Jésus* – New York (Metrop.) : *Portrait – Quatre saints* – Paris (Mus. du Louvre) : *Nativité – La Vierge à l'Enfant avec deux abbés – Couronnement de la Vierge* – Périgueux : *La Vierge et l'enfant Jésus* – Poitiers : *La Vierge et l'enfant Jésus* – Prato : *L'archange Gabriel et saint Jean-Baptiste – Annonciation et saint Antoine – La Vierge, Jésus et saints – Trois scènes sacrées – Couronnement de la Vierge – Saint Jérôme* – Prato (Cathédrale) : *La vie de saint Étienne – La vie de saint Jean-Baptiste – Le festin d'Hérode* – Rome (Colonna) : *La Vierge et l'enfant Jésus* – Rome (Vatican) : *Couronnement de la Vierge* – Rome (Mus. d'Art ancien) : *L'Annonciation* – Spolete (Cathédrale) : *Vie de la Vierge* – Tarquinia : *Madone*.

Ventes Publiques : Paris, 1854 : *La vision de Saint Bernard* : **FRF 10 000** – Londres, 1864 : *Le couronnement de la Vierge* : **FRF 23 380** – Londres, 1874 : *L'Adoration des Mages* : **FRF 18 370** ; *Vierge sur un trône* : **FRF 12 725** – Paris, 1875 : *Étude pour un saint Michel, archange*, dess. à la mine d'argent reh. de blanc : **FRF 1 650** – Londres, 1886 : *Vierge aux anges avec fond de paysage* : **FRF 16 540** – Londres, 1892 : *Portrait de la Simonetta* : **FRF 31 600** – Paris, 1892 : *Esther et Assuérus* : **FRF 82 000** – Londres, 1895 : *La Vierge avec l'Enfant Jésus, saint Jean et l'Ange* : **FRF 13 125** – New York, 20 jan. 1911 : *Adoration de Jésus* : **USD 1 350** – Paris, 26 et 27 mai 1919 : *Deux figures drapées*, dess. pointe d'argent : **FRF 5 700** – Londres, 13 juil. 1923 : *La Vierge et l'Enfant et le petit saint Jean* : **GBP 115** – Londres, 26 mars 1926 : *La Nativité* : **GBP 252** – Londres, 8 juin 1928 : *Un appartement Renaissance* : **GBP 231** – Londres, 15 juin 1928 : *La reine de Saba devant Salomon* : **GBP 577** – Londres, 28 juin 1929 : *La Vierge adorant l'Enfant* : **GBP 1 050** – Londres, 3 juil. 1929 : *La Vierge* : **GBP 950** – Londres, 14 juil. 1936 : *Deux études de silhouettes d'homme*, pointe d'argent : **GBP 1 365** – Londres, 16 fév. 1945 : *La Vierge, l'Enfant, saint Jean et deux anges* : **GBP 120** – New York, 2 mars 1950 : *Vierge à l'Enfant* : **USD 3 100** – New York, 11 juin 1981 : *Saint Jérôme*, h/pan. (50x34,3) : **USD 40 000** – Londres, 3 juil. 1985 : *Un Saint tenant un livre (Saint Jean l'Evangéliste ?)* ; *Une Sainte debout*, temp./pan. fond d'or, une paire (48x12,5) : **GBP 35 000**.

LIPPI Filippo, dit **Filippino**

Né en 1457 à Prato. Mort en 1504 à Florence. xve siècle. Italien.

Peintre d'histoire, compositions religieuses, portraits.

Autant la vie de Fra Filippo Lippi fut aventureuse et romanesque autant celle de Filippino, bon fils, bon époux et bon père, fut simple et laborieuse. Elle s'écoula dans le calme et le travail. Fra Filippo mourant recommanda son fils à Fra Diamante, son ami, qui était lui-même un peintre habile ; l'orphelin avait deux ans. Mais le vrai maître de Filippino fut bien Sandro Botticelli, dont Filippo Lippi avait été en quelque sorte le précurseur. Filippino fut, comme son père, gratifié de dons exceptionnels et dès 1484 il peignit pour l'église de la Badia à Florence un tableau qui s'y trouve encore et qui est un incontestable chef-d'œuvre : *L'Apparition de la Vierge à saint Bernard* ; le miracle s'accomplit dans un merveilleux paysage où contrastent des rochers aux arêtes vives et de puissantes verdures ; au premier plan, appuyé à une table rustique, saint Bernard écrit et médite, lorsque lui apparaît la Vierge entourée par une troupe d'anges ; le fond du tableau est en opposition très marquée avec la scène principale ; au bas d'un chemin escarpé qui se perd dans le haut et devant la porte de leur monastère, des moines étrangers au Miracle qui s'accomplit à leurs pieds, prient et discutent avec sérénité. « C'est, dit André Suarès, une des dernières œuvres où le métier consommé de peintre n'empoisonne pas l'esprit et le sentiment de la féerie chrétienne, tout ce qui fut la vie ardente et fraîche du Moyen Age. Le dialogue de saint Bernard et de la Vierge a la grâce angélique de l'amour sans péché », et pourtant à l'imitation de son père, il a donné à chacun de ses personnages une individualité précise. Saint Bernard emprunte les traits du donateur Francesco del Pugliese, la Vierge et les anges, ceux de sa femme et de ses enfants, enfin les détails du paysage, les rochers revêtus de lichen et de mousse, les arbres, les moindres buissons sont rendus avec la même précision qui ne nuit pourtant pas à l'intérêt de l'ensemble de l'œuvre. Ces débuts heureux procurèrent au jeune artiste l'honneur d'être appelé à terminer dans la chapelle Brancacci à l'église del Carmine, les fresques que Masaccio et Masolino da Panicale avaient laissées inachevées. Quelle fut la part de Filippino dans ces fresques ? Elle est encore très discutée ; il apparaît toutefois comme à peu près certain que, complétant l'œuvre de Masaccio, il a achevé la grande composition qui représente la *Résurrection du Fils de l'Empereur* et qu'il a peint *Saint Bernard visité dans sa prison par saint Paul, La Délivrance de saint Pierre* et son *Crucifiement*. Enfin après avoir commencé les fresques de la chapelle Strozzi, à Santa Maria Novella, des scènes de la vie de saint Jean l'Évangéliste et de saint Philippe, Filippino se rendit à Rome pour décorer l'église de Santa Maria sopra Minerva et il y exécuta des fresques sur la vie de saint Thomas d'Aquin. De retour à Florence, Filippino continuait sa vie paisible de grand artiste laborieux et célèbre, lorsqu'il fut emporté en pleine gloire par une angine maligne, au moment où il achevait les fresques de la chapelle Strozzi, à Santa Maria Novella. Filippino Lippi hérita de son père cette élégance et cette facilité gracieuse qui donne tant d'attrait à ses compositions : confronté avec Masaccio dans la chapelle des Brancacci du Carmine, s'il y semble quelque peu fragile à côté de ce grand rival, son style apparaît toujours habile et séduisant. « Il est, dit Louis Hourticq, de ces maîtres à l'originalité changeante qui assurent le passage entre les générations. » Peu de peintres le firent avec plus de bonheur que Filippino Lippi. ■ Jean Dupuy

Bibliogr. : K. B. Neilson : *Filippino Lippi*, Cambridge, 1938.

Musées : Berlin : *Allégorie de la musique – La Vierge et l'enfant Jésus*, deux œuvres – *Le Christ sur la croix, la Vierge et saint François – Buste de jeune homme* – Chantilly : *Esther et Assuérus – La Vierge et l'enfant Jésus* – Copenhague : *Rencontre de Joachim et d'Anne à la porte dorée de Jérusalem* – La Fère : *Sainte Famille* – Florence (Mus. des Offices) : *Femmes allégoriques – Adoration des rois – La Vierge et l'enfant Jésus sur un trône* – Florence (Badia) : *Apparition de la Vierge à saint Bernard* – Florence (Chapelle Brancacci de l'Église del Carmine) : *Saint Pierre et saint Paul devant Néron – Crucifixion de saint Pierre – Saint Paul visitant saint Pierre en prière – L'ange délivrant saint Pierre* – Florence (Église Santa Maria Novella) : *Épisodes de la vie de saint Jean-Baptiste et de saint Philippe* – Gênes : *saints Sébastien, Jean-Baptiste et François d'Assise, la Vierge, l'enfant Jésus et des anges en adoration* – Londres (Nat. Gal.) : *La Vierge et l'enfant*

Jésus adorés par saint Jérôme et saint Dominique – Adoration des mages – Même sujet – Saint François en gloire – Ange en adoration – La Vierge, l'enfant Jésus et saint Jean – Munich : *Apparition du Christ à la Vierge – Le Christ pleuré* – Naples : *Annonciation* – Paris (Mus. du Louvre) : *Scènes de l'histoire de Virginie – Pietà avec deux saints* – Prato : *Quatre épisodes religieux – Saint Jérôme – Saint Jean-Baptiste – Sainte Marie-Madeleine* – Rome (Église Santa Maria Sopra Minerva) : *Vie de saint Thomas d'Aquin* – Strasbourg : *Ange* – Turin : *Les trois archanges* – Vienne (Liechtenstein) : *Esther.*

Ventes Publiques : Paris, 23-24-25 mai 1892 : *Esther et Assuérus* : **FRF 82 000** – Paris, 25 juin 1892 : *Portrait de la Simonetta* : **FRF 41 600** – Londres, 7 juil. 1922 : *La Vierge et l'Enfant* : **GBP 630** – Londres, 2 mars 1923 : *Histoire de Laocoön,* pl. : **GBP 105** – Londres, 9 juil. 1926 : *Notre Seigneur et les douze apôtres* : **GBP 525** – Londres, 9 mai 1929 : *La Vierge priant,* pl. : **GBP 310** – Londres, 13 mai 1931 : *L'Enfant, saint Jean priant* : **GBP 400** – Londres, 4 juin 1937 : *Saint chassant un mauvais esprit* : **GBP 178** – Londres, 19 juin 1940 : *L'Ange de l'annonciation* : **GBP 360** – New York, 4 nov. 1944 : *La Vierge et l'Enfant* : **USD 30 000** – Londres, 11 oct. 1946 : *La Vierge et l'Enfant* : **GBP 210** – Londres, 8 juil. 1959 : *La Vierge et l'Enfant avec deux anges* : **GBP 1 700** – Londres, 24 mars 1961 : *La Sainte Famille avec le jeune Baptiste* : **GBP 7 350** – Londres, 28 avr. 1976 : *Étude ornementale,* pl. (16,8x25,9) : **GBP 12 000** – Londres, 28 juin 1979 : *Deux figures agenouillées au pied d'un arbre,* pl. et lav., forme ronde (8,5x8,2) : **GBP 500** – Milan, 13 mai 1993 : *Saint Jean Baptiste ; Saint Jean l'Évangéliste,* h/pan., une paire (42x23,5) : **ITL 125 000 000.**

LIPPI Giacomo, appelé aussi **Giacomo** ou **Giacomone da Budrio** et **Giacomo della Lippa**
XVIe siècle. Actif à la fin du XVIe siècle. Italien.
Peintre d'histoire.
Élève de Lodovico Carracci. Il exécuta avec une grande force d'expression une suite de fresques représentant l'*Histoire de la Vierge* pour l'église de l'Annonciation à Bologne.

Llippi.

LIPPI Giovanni di Bartolomeo. Voir **NANNI di Baccio Bigio**

LIPPI Lorenzo
Né en 1606 à Florence. Mort en 1665 à Florence. XVIIe siècle. Italien.
Peintre de compositions religieuses, portraits.
Élève de Rosselli, Lorenzo Lippi partagea son temps entre la peinture et la poésie, dans lesquelles il montra un égal talent. On cite notamment son poème : *Il Malmantile riacquistato,* œuvre qui compte dans la littérature italienne. Comme peintre, il exécuta des tableaux religieux et son mérite lui valut le poste de peintre de la cour à Innsbruck. Ce fut un intime ami de Salvator Rosa.

LF.

Musées : Angers : *La femme au masque* – Douai : *Tobie et l'ange* – Florence (Mus. des Offices) : *Salvator Rosa – Jésus crucifié, la Vierge, saint Jean et Madeleine – L'artiste – Sainte Agathe – Sainte Catherine* – Lille : *Portrait d'homme* – Prato : *Olinde et Sophronie délivrées par Clorinde* – Vienne : *Le Christ et le Samaritain.*

Ventes Publiques : Milan, 20 nov. 1963 : *La courtisane* : **ITL 3 300 000** – Londres, 4 oct. 1967 : *Portrait d'Agnolio Medicis* : **GNS 1 200** – Londres, 11 juil 1979 : *Autoportrait,* h/t (72,5x58) : **GBP 5 500** – Londres, 2 juil. 1984 : *Jeune homme penché,* sanguine (39,3x25,1) : **GBP 550** – Monte-Carlo, 22 juin 1985 : *Le théâtre ; La musique,* h/t, une paire de forme octogonales (80,5x61) : **FRF 150 000** – Londres, 17 avr. 1991 : *Sainte Catherine,* h/t (50,5x35) : **GBP 11 000** – Londres, 5 juil. 1993 : *Herminie et les bergers,* h/t (115,5x145,3) : **GBP 11 500** – Londres, 27 oct. 1993 : *Erminie et les bergers,* h/t (115,5x145,3) : **GBP 12 650** – Paris, 9 déc. 1996 : *La Vierge à l'Enfant avec saint Jean-Baptiste,* h/t (117x86) : **FRF 150 000.**

LIPPI Ruberto di Filippo
XVIe siècle. Actif à Florence. Italien.
Peintre.
Il fut admis à l'Académie de Saint-Luc en 1553.

LIPPICH Teréz
Née en 1808. XIXe siècle. Hongroise.
Peintre.
Elle étudia à Laybach et à l'Académie de Venise. En 1833 elle exposa des miniatures et en 1838 des tableaux à l'huile. On mentionne le portrait qu'elle fit de son frère *Ferenc Vilmos Lippich* et que conserve l'Hôpital de Vienne.

LIPPINCOTT William Henry
Né en 1849 à Philadelphie. Mort en 1920 à New York. XIXe-XXe siècles. Américain.
Peintre de genre, portraits, paysages.
Élève de Bonnat à Paris. Il exposa aux Salons de cette ville et à la National Academy de New York ; il prit part à l'Exposition Universelle de 1878. Membre de la National Academy en 1897. Il mit surtout en scènes des enfants.

Musées : New York (Metropolitan Mus.) : *Hélène.*

Ventes Publiques : Genève, 21 mars 1972 : *Portrait d'enfant* : **CHF 4 000** – New York, 17 nov. 1978 : *Love's ambush* 1890, h/t (73,6x110,5) : **USD 8 000** – New York, 2 juin 1983 : *Love's ambush* 1890, h/t (74x109,2) : **USD 14 000** – New York, 25 mai 1989 : *Étretat* 1890, h/t (27,5x35,7) : **USD 18 700** – New York, 16 mars 1990 : *Traîneau apportant le grain à moudre au moulin* 1894, h/pan. (11,5x20) : **USD 3 300** – New York, 26 sep. 1990 : *Sentier forestier,* aquar. et gche/t. (81,9x115,6) : **USD 15 400** – New York, 3 déc. 1992 : *Les falaises d'Étretat* 1890, h/t (27,3x35,6) : **USD 13 200** – New York, 11 mars 1993 : *Juste une petite pause,* h/pan. (27x35,8) : **USD 1 725.**

LIPPISCH Franz
Né en 1859 en Brandebourg. Mort en 1941. XIXe-XXe siècles. Actif à Munich. Allemand.
Peintre de genre et paysagiste.
Exposa à Berlin en 1888. On cite de lui : *Printemps à Capri, Beatus ille qui procul negotus.*

Musées : Brunswick : *Le pont des rêves.*

Ventes Publiques : Londres, 19 mars 1980 : *Jeunes paysannes au puits* 1885, h/t (59,5x40,5) : **GBP 400.**

LIPPMANN Alexandre
XIXe-XXe siècles. Français.
Peintre.

Ventes Publiques : Paris, oct. 1945-Juillet 1946 : *Ramasseurs de varech à marée basse* : **FRF 1 300.**

LIPPMANN Alphonse
Né dans la première moitié du XIXe siècle à Besançon (Doubs). Mort après 1875. XIXe siècle. Français.
Sculpteur.
Élève de Oliva. Il exposa au Salon de 1870 à 1875.

LIPPMANN Johannes
Né le 14 janvier 1858 à Offenbach-sur-le-Main. XIXe siècle. Actif à Lichtenberg dans l'Odenwald. Allemand.
Peintre de paysages et de figures.

LIPPMANN Karl Friedrich
Né le 27 octobre 1883 à Offenbach-sur-le-Main (Hesse). XXe siècle. Allemand.
Peintre de figures, fleurs, paysages.
Il était le fils du peintre Johannes Lippmann.

LIPPO
Né vers 1354. Mort vers 1410 ou 1430. XIVe-XVe siècles. Italien.
Peintre, fresquiste, cartons de mosaïques.
Il fut confondu par Vasari avec Lippo di Corso et Lippo di Benivieni. Parmi les œuvres nommées par Vasari (tableaux d'autel et fresques) ne subsistent que des restes de fresques dans le Dôme d'Arezzo.

LIPPO di Benivieni
XIVe siècle. Italien.
Peintre.
Il peignit en 1315 les portes de l'ancien tabernacle de l'église Saint-Jean à Florence. On cite de sa main dans une collection privée de Florence cinq parties d'un ancien tableau avec figures à demi-corps : *Vierge à l'Enfant avec les saints Pierre et Paul.*

Ventes Publiques : New York, 12 juin 1981 : *Saint Jean Baptiste,* h/pan. fond or, fronton cintré (79x35,5) : **USD 65 000.**

LIPPO di Corso, appelé aussi **Filippo di Corso**
Né vers 1357 à Florence. Mort vers 1404. XIVe-XVe siècles. Italien.
Peintre et mosaïste.
Il exécuta en 1402 avec Donato di Donato des travaux de mosaïque au Baptistère et en 1404 à la façade de S. Miniato al Monte à Florence.

LIPPO di Dalmasio. Voir **SCANNABECCHI**

LIPPO di Giovanni. Voir **VANNI**

LIPPO MEMMI. Voir **MEMMI Lippo**

LIPPO VANNI ou **di Giovanni**. Voir **VANNI**

LIPPOLD Franz ou **Lippoldt**

Né en 1688 à Hambourg. Mort en 1768 à Francfort. XVIIIe siècle. Allemand.

Peintre de portraits.

Élève de Denner. Travailla pour plusieurs cours allemandes. Il s'établit à Francfort en 1720. Il peignit les portraits de plusieurs souverains.

Musées : Bamberg : *Le conseiller Lamer et son épouse* – Francfort-sur-le-Main (Mus. historique) : *Tiepolo* – Francfort-sur-le-Main (Bibl. mun.) : *Le conseiller H. von Barkhaus et son épouse* – *L'échevin Seiffart von Klettenberg* – *L'échevin Hupka* – *Le docteur Pritius.*

LIPPOLD Richard

Né en 1915 à Milwaukee (Wisconsin). XXe siècle. Américain.

Sculpteur.

Il est né de parents allemands. Son père est ingénieur. Lui-même, fait des études de dessin industriel, à l'Art Institute de Chicago, de 1933 à 1937. Jusqu'en 1940, il travaille comme dessinateur industriel dans sa ville natale. Ayant pris un collaborateur, il commence à enseigner le dessin industriel, activité qu'il n'a pas abandonnée, l'exerçant depuis 1952, au Hunter College de New York. Parallèlement à son activité professionnelle, s'il a été passionné de musique, jouant de l'orgue, ce fut à la sculpture qu'il s'initie en autodidacte, puis s'y consacre pleinement. En 1955 il séjourne à Paris.

Il montre en 1947 et 1948 ses premières constructions spatiales, de dimensions modestes, exécutées depuis 1942, dans des expositions personnelles à New York. Sa troisième exposition, en 1950, est entièrement consacrée à une seule œuvre immense : *Pleine lune*, aussitôt acquise par le Musée d'Art Moderne de New York. Le Metropolitan Museum de New York lui commanda à son tour une œuvre rappelant la *Pleine lune* du Musée d'Art Moderne. Ce fut le *Soleil*, qu'il exécuta entièrement en fils d'or, de 1953 à 1956, qui nécessita plus de quinze mille points de soudure, et dont la mise en place dans le Musée prit encore deux semaines. En 1952, il expose à New York et Boston ; etc. En 1973, la Willard Gallery de New York présente un ensemble de ses œuvres.

Il fut l'un des lauréats du concours pour le *Monument au prisonnier politique inconnu*, organisé par la Tate Gallery de Londres. Certainement influencé par les œuvres de Pevsner et Gabo, il entreprit à son tour de construire des sculptures en fils métalliques, tendus à travers l'espace selon des figures géométriques dont la complexité ne s'exerce pas au détriment de la beauté formelle et de l'incitation au rêve. Les figures géométriques, quand même non comprises, ouvrent aux espaces infinis. Parmi ses œuvres, à New York : *Orphée et Apollon* (1962), pour le Philarmonic Hall du Lincoln Center ; *Vol* (1963), pour le Pan American Building. La géométrie dans l'espace de Lippold est fondée sur la multiplicité des figures que l'on peut obtenir à partir de l'entrecroisement de fils tendus. En vertu du principe qu'une ligne est le résultat de la translation d'un point ; qu'une surface est le résultat de la translation de la ligne ; et qu'un volume résulte de la translation d'une surface, on peut obtenir les figures les plus complexes à partir d'éléments simples. C'est là, la base des réalisations de Lippold qui, par opposition à l'apparente simplicité des œuvres de Pevsner souvent fondées sur la géométrie plus troublante des dièdres plans, compte sur les effets décoratifs de la surcharge, accentués par des éclairages appropriés. ■ J. B.

Bibliogr. : Frank Popper : *Naissance de l'art cinétique*, Gauthier-Villars, Paris, 1977 – S. A., in : *Dictionnaire universel de l'art et des artistes*, Hazan, Paris, 1967 – Robert Goldwater, in : *Nouveau dictionnaire de la sculpture moderne*, Hazan, Paris, 1970 – in : *L'Art du XXe s.*, Larousse, Paris, 1991.

Musées : New York (Metropolitan Mus.) : *Soleil* 1953-1956 – New York (Mus. of Mod. Art).

LIPPS Richard

Né le 26 octobre 1857 à Berlin. Mort le 9 octobre 1926 ou 1927 à Starnberg. XIXe-XXe siècles. Allemand.

Peintre de paysages, architectures, aquarelliste.

Élève de l'Académie de Düsseldorf ; il alla travailler à Munich et fit un voyage d'études en Italie. Il prit part à diverses expositions collectives, obtenant une médaille à Melbourne en 1889, un diplôme d'honneur à Dresde en 1892.

On lui doit de nombreuses vues de Venise.

Ventes Publiques : New York, 31 oct. 1929 : *Scène vénitienne* : **USD 230** – Londres, 5 oct. 1990 : *Le marché du Pont du Rialto*, h/t (83,8x112,7) : **GBP 4 950** – New York, 19 fév. 1992 : *Place de marché très animée*, h/t (111,8x80,7) : **USD 16 500**.

LIPS Jacob Friedrich Ferdinand

Né en 1825 à Hofwill. Mort le 23 février 1885 à Berne. XIXe siècle. Suisse.

Dessinateur, graveur, miniaturiste, peintre sur émail et lithographe.

Fit ses premières études à Saint-Gall, puis à Paris et à Schaffhouse. Il travailla tour à tour à Genève, à Munich, à Berne. Il illustra les œuvres de l'anatomiste Aebi d'après nature.

LIPS Johann Heinrich

Né le 29 avril 1758 à Kloten. Mort le 5 mai 1817 à Zurich. XVIIIe-XIXe siècles. Suisse.

Peintre portraitiste, dessinateur et graveur au burin.

Vers 12 ans il devint élève du graveur Jean Rodolphe Schellenberg et du peintre Henri Fusali, de Londres. En juin 1780 visita l'Allemagne pour se perfectionner. En 1782 nous le trouvons à Rome, puis à Naples. De cette époque datent bien des gravures d'après l'œuvre de Raphaël, de Philippe Hackert, de Nicolas Poussin. Après un court séjour dans son pays, Lips de nouveau à Rome rencontre Goethe qui l'attira à Weimar où l'artiste se fixa alors pendant cinq ans de 1789 à 1794. De retour en Suisse, Lips se maria et mena une existence sédentaire jusqu'à ce qu'une mort prématurée l'enlève à son art.

Ventes Publiques : Paris, 17 oct. 1984 : *La barque de Caron* 1779, pl. (23x50) : **FRF 24 000** – Amsterdam, 18 juin 1997 : *Portrait d'un gentilhomme, en buste, portant un costume gris clair, une chemise à dentelles, une perruque et un tricorne et, tenant des partitions de musique* 1777, h/t (35x26) : **NLG 13 838**.

LIPS Johann Jacob

Né le 28 avril 1791 à Birmensdorf. Mort le 29 avril 1833 à Zurich. XIXe siècle. Suisse.

Dessinateur et graveur.

Fils et élève de Joh. H. Lips, puis de l'Académie de Munich, en 1811 il se fixa à Stuttgart. En 1818, il vint habiter Zurich et s'adonna complètement à son art.

LIPSCHITZ Jacques. Voir **LIPCHITZ**

LIPSDORF Eduard

XIXe siècle. Actif à Berlin. Allemand.

Peintre d'architectures et de paysages amateur.

Il figura de 1828 à 1834 aux expositions de l'Académie de Berlin.

LIPSI Morice ou **Maurice**, pseudonyme de **Lipszyc Moryce**

Né le 22 mai 1898 à Lodz. Mort le 7 juin 1986 à Zurich. XXe siècle. Actif depuis 1912 puis en 1933 naturalisé en France. Polonais.

Sculpteur, lithographe. Abstrait.

Il vint à Paris, en 1912, rejoindre son frère, sculpteur sur ivoire, qui fut son premier professeur. À Paris, il s'installe jusqu'en 1927 à La Ruche, passage de Dantzig, où il a comme voisins de quartier Chagall, Zadkine, Soutine, Maïk... En 1916, il fréquente peu de temps l'École des Beaux-Arts, dans les ateliers de Coutan, Mercié et Injalbert. De 1927 à 1932, il fréquente un atelier à Montparnasse. En 1927 il fait la connaissance de Hildegard Weber, jeune artiste-peintre originaire de Zurich, il l'épousera en 1930. Premier séjour en Suisse en 1929 où il retournera souvent et premier séjour en Italie, dans les montagnes du Nord, où il y reviendra travailler chaque été. En 1933, il se fixe dans une ancienne ferme, à Chevilly-Larue, au sud de Paris. En 1933 il est naturalisé français. En 1936 et 1938 il voyage en Angleterre. Mobilisé en 1939, il passa les années de guerre, après sa démobilisation, en Charente, dans le Midi de la France, puis en Savoie, finalement il passe en Suisse et s'installe à Genève, où il sculpta des formes inspirées du monde végétal, origine de son évolution à l'abstraction. Il revient en France en 1945. Il voyage en Hollande en 1948.

Il participe à de nombreuses expositions collectives, notamment : 1937 lors de l'Exposition universelle à Paris, pour laquelle il exécute au pont Alexandre III une œuvre, *Ondes généreuses* ; 1955 à la Biennale de sculpture en plein air, à Middelheim-Anvers ; 1959 à la Documenta II de Kassel ; 1961 à la 6e Biennale de Middelheim ; 1963 au 1er Salon International des Galeries Pilotes, au Musée Cantonal de Lausanne ; 1963 au Symposium International de la Sculpture Moderne à Manazuru (Japon) ;

1965 Panathénées de la Sculpture mondiale à Athènes ; 1966 à l'Exposition de Sculpture à la Grande-Motte ; 1967 au premier Symposium français de sculpture à Grenoble dont il est président, etc. Il fut membre des groupes *Espace* organisé par la revue *Art d'Aujourd'hui* et *Architecture-Principe*. Il exposa également dans les Salons parisiens annuels : des Indépendants, d'Automne, de Mai (1948, 1949, 1950, 1951 et 1965), des Grands et Jeunes d'Aujourd'hui (1964 et 1965), de Comparaisons (1957 et 1958), de la Jeune Sculpture (1949 à 1957), Art Sacré (1962) et régulièrement au Salon des Réalités Nouvelles depuis 1956, dont il fut vice-président. Il montra ses œuvres dans des expositions personnelles, à Paris, en 1922 (galerie Hébrard), 1927 (galerie Art Contemporain) et 1935 (galerie Druet) et, après la guerre, à Paris, en 1946 (galerie Pierre Maurs), 1959 (galerie Denise René), en 1964 à la Kunsthalle de Mannheim, en 1980 au Musée de Pontoise, en 1985 au Centre national des arts plastiques. Parmi les expositions personnelles posthumes : 1991 Musée Georges Garret, à Vesoul ; 1992 galerie Michèle Heyraud à Paris ; 1998 Musée Hébert, La Tronche-Grenoble. En 1990 fut inauguré le Centre Morice Lipsi à Rosey.

Parmi les principales œuvres monumentales de Lipsi : *La Roue*, pierre volcanique, 1959-1960, à Mannheim ; *La Grande Galbée*, pierre volcanique, 1959-1960 ; *Saint Christophe*, pierre de 5m 40 de hauteur, en Charente, sur la route Paris-Bordeaux ; *Atlantique*, pierre volcanique, 1961 ; *Le Grand Granit*, granit, 1961-1963 ; *L'Océanique I*, pierre volcanique, 1963, à Manazuru, Japon ; *Complexe en élévation I*, lave, 1965 ; cinq éléments pour l'église Sainte-Bernadette de Nevers, 1965-1966 ; *La Monumentale*, pierre volcanique, 1966 ; *au Tatry*, travertin, 1966, à Wysne Ruzbachy (Slovaquie) ; *Ouverture dans l'espace* (colonne Olympique), granit de 11 mètres de hauteur, 1967, à l'entrée de Grenoble ; *Complexe en élévation II*, lave, 1968 ; *Sculpture fontaine*, granit rose, 1969, passage piétonnier dans la ville de Vitry-sur-Seine, etc.

Les sculptures de jeunesse de Lipsi traitaient de la réalité dans une transposition d'inspiration post-cubiste. Lorsqu'il aborda, en Suisse, de 1943 à 1945, les séries des *Masques*, des *Feuilles* et des *Escargots*, il abandonna le modelage pour la taille directe. De 1948 à 1955, ce furent les transpositions de rythmes végétaux, qui achevèrent de l'amener à l'abstraction monumentale, qui caractérise désormais l'ensemble de son œuvre. « La pierre nous apprend l'histoire de la terre et celle de l'homme qui a laissé les traces de son existence à travers les siècles », dit-il lors d'une conférence donnée à Tokyo en 1963. Ces blocs monolithiques, purs de toute surcharge et de tout ornement, captent doucement la lumière dégradée à la surface d'une courbe tendue ou bien opposent son éclat soudain à la dureté d'une ombre correspondante selon les versants d'une arête vive. Le silence qui dure et résiste est leur propos, bien plus que le langage direct, et l'on ne peut guère en attendre d'agrément immédiat. À l'opposé de tout baroquisme, dans la lignée brancusienne, ces « calmes blocs » ne deviennent présence qu'au prix d'une contemplation où le Je se résout dans le Tout. ■ Jacques Busse

Bibliogr. : Roger Van Gindertael : *Lipsi*, Prisme, Paris, janvier 1959 – Michel Seuphor : *La Sculpture de ce siècle*, Griffon, Neuchâtel, 1959 – Roger Van Gindertael : *Morice Lipsi*, Grifon, Neuchâtel, 1965 – Denys Chevalier, in : *Nouveau Dictionnaire de la sculpture moderne*, Hazan, Paris, 1970 – Jean Leymarie, in : *Morice Lipsi*, catalogue de l'exposition, Musée de Pontoise, 1980 – in : *L'Art du XXe s.*, Larousse, Paris, 1991.

Musées : Amiens (Mus. de Picardie) – Bielefeld (Kunsthaus) : *Le Trou* – Francfort-sur-le-Main – Grenoble – Jérusalem (Mus d'Aïn Harod) – Jérusalem (Mus. Nat. Bezalel) – Jérusalem (Mus. Israël) – Mannheim (Stadtl. Kunsthalle) : *L'Architecturale* – Middelheim-Anvers (Mus. de Sculpture en plein air) : *Marbre blanc* – Paris (Mus. Nat. d'Art Mod.) : *Sirènes debout* 1946 – *La Grande Lave* 1960 – Paris (Mus. d'Art Mod. de la Ville) – Paris (Parc Montsouris) : *Groupe de baigneuses* – Paris (BN) – Port-Barcarès (Mus. de Sable) : *La Méditerranéenne* – Quercetta Di Serranezza (Mus. de Sculpture Henraux) : *Rencontre dans l'Espace* – Saint-Étienne (Mus. d'Art et d'Industrie) – Tel-Aviv – Vienne (Mus. du XXe s.) : *Le Cratère*.

Ventes Publiques : Versailles, 13 nov. 1977 : *Tête de jeune femme*, bronze, patine brune (H. 26) : **FRF 4 100** – Zurich, 23 juin 1995 : *Tête*, bronze (H. 25, larg. 20) : **CHF 1 600** – Paris, 31 oct. 1997 : *Sans titre*, pierre de lave, sculpture (35,5x20) : **FRF 5 000**.

LIPSKI Donald

Né en 1947 à Chicago. XXe siècle. Américain.

Sculpteur, auteur d'installations.

Il vit et travaille à New York.

Il montre ses œuvres dans des expositions personnelles : 1994 South Eastenn Contemporary Art Center de Winton-Salem, galerie Lelong à New York ; 1995 galerie Lelong à Paris.

Son travail repose sur le principe de la collection, il fait revêtir diverses formes à un objet quotidien – une lame de rasoir (*Razor Tubble* de 1994), le tabac et ses dérivés (cigarettes, emballages de cigarettes...), sans jamais maltraiter le spécimen d'origine retenu. Il expose ensuite, famille par famille, l'ensemble de ses « bricolages » sur le mur de la galerie, les fixant côte à côte, les épinglant comme des insectes. Il réalise aussi des œuvres de dimension plus importante et introduit dans certaines œuvres la notion temporelle : ainsi dans *Water Lilies* (1989-1990) présente-t-il des bocaux de verre contenant des matières organiques (fleurs, légumes, herbes) baignant dans un liquide, qui avec le temps sont vouées à pourrir.

Bibliogr. : Barry Schwabsky : *Donald Lipski – Sultan des objets*, Art Press, n° 203, juin 1995.

Ventes Publiques : New York, 27 fév. 1990 : *Sans titre (assemblage 138)* : **USD 2 475** – New York, 10 oct. 1990 : *Seau de verre*, seau de tôle galvanisée avec du verre et du plastique noir (h. 30,5) : **USD 3 300** – New York, 23-25 fév. 1993 : *Construction à la vapeur # 249* 1984, louche, paraffine et balle de baseball (68,6x17,8x5,08) : **USD 4 025** – New York, 16 nov. 1995 : *Sans titre, n° 104* 1987, ficelle et roue métallique (diam. 74,9) : **USD 4 887**.

LIPSKI Jakob

Né en 1787 à Varsovie. Mort en 1854 à Varsovie. XIXe siècle. Polonais.

Peintre.

Il fit ses études avec Bacciarelli. Il peignit les portraits des membres de la famille du comte Skarbek. Il exposa à Varsovie en 1828.

Musées : Posen (Mielzynski) : *Portrait de vieillard*.

LIPSKI Wladislaus

Né en 1824. Mort en 1873 à Varsovie. XIXe siècle. Polonais.

Peintre de sujets religieux et de genre.

Fils de Jakob Lipski.

LIPSOE Bernhard

Né en 1950 à Frederiksberg. XXe siècle. Danois.

Peintre, sculpteur, lithographe.

Il a figuré à l'exposition intitulée *De Bonnard à Baselitz* à la Bibliothèque nationale à Paris en 1992.

Bibliogr. : In : *De Bonnard à Baselitz*, catalogue de l'exposition, Bibliothèque nationale, Paris, 1992.

Musées : Paris (BN).

LIPSZYC Moryce. Voir **LIPSI Morice**

LIPTON Seymour

Né en 1903 à New York. Mort en 1986. XXe siècle. Américain.

Sculpteur. Expressionniste, puis tendance abstraite et symboliste.

Après des études de chirurgie dentaire, au Brooklyn Polytechnic Institute, au City College de New York et à la Columbia University, il se forma seul à la sculpture, à partir de 1928, lui consacrant tout son temps à partir de 1932.

Il figura à l'exposition *Abstract Painting and Sculpture in America*, au Museum of Modern Art de New York en 1951. Il montra une exposition de ses œuvres, dès 1938, à l'ACA Gallery de New York. D'autres furent organisées encore à New York en 1943 à la Betty Parsons Gallery, puis d'autres encore répertoriées en 1950, 1952, 1954. Une salle lui fut consacrée à la Biennale de Venise en 1958. La Philipps Memorial Collection de Washington lui consacra une rétrospective en 1964. Il fut lauréat de la Biennale de São Paulo en 1957, de la Logan Medal du Chicago Art Institute la même année, et du prix Ford en 1961.

Pendant une dizaine d'années, il fit une sculpture réaliste, ne travaillant que le bois, représentant des personnages expressionnistes, à contenu social. De 1945 à 1950 environ, il fait un apprentissage du travail du métal feuilles de plomb, tôles d'acier soudées. Les œuvres de cette époque s'inspiraient des formes d'ossements d'animaux préhistoriques. Ces œuvres, exposées en 1948, toujours à New York, marquaient le début de son évolution vers une certaine abstraction, tout en exprimant, selon les termes de Lipton lui-même : « une vie organique, douée d'une férocité sous-jacente ». À partir de 1950, combinant l'acier, le nickel et l'argent, il continua de s'inspirer parfois de formes animales, mais se tourna vers le règne végétal : *Floraison nocturne*,

1951 ; *Floraison dans la jungle*, 1954, en dégageant « des formes courbes, se développant en volutes, mais incomplètement déployées ». Ces sculptures, aux formes volontairement lourdes, ne sont pas sans présenter des analogies avec les idoles nègres, surtout dans les rapports des éléments pleins avec les espaces qu'ils déterminent entre eux : *La Forge terrestre*, 1955 ; *Sorcier*, 1957. Parmi ses sculpture monumentales, on peut relever celles : pour le temple Israël, à Tulsa (Oklahoma) en 1954 ; pour le temple Beth El, à Gary (Indiana) en 1955 ; pour l'aéroport Dulles, à Washington, en 1964 ; pour le Philharmonique Hall du Lincoln Center, à New York, en 1964 ; pour l'Inland Steel Building, à Chicago, en 1967.
Le symbolisme abstractisant de Lipton, entre Brancusi et sculpture nègre, fit de lui, au lendemain de la Seconde Guerre mondiale, l'un des premiers sculpteurs abstrait américains.
■ J. B.

Lipton

Bibliogr. : S. A., in : *Dictionnaire universel de l'art et des artistes*, Hazan, Paris, 1967 – Robert Goldwater, in : *Nouveau dictionnaire de la sculpture moderne*, Hazan, Paris, 1970 – in : *Les Muses*, t. IX, Grange Batelière, Paris, 1972 – in : *L'Art du xxe s.*, Larousse, Paris, 1991.
Musées : Buffalo (Albright-Knox Art Gal.) : *Roi de la mer* 1955, métal et nickel argenté – New York (Whitney Mus.) : *Sorcier* 1957, métal et nickel argenté – New York (Brooklyn Mus.) : *La Forge terrestre* 1955 – New York (Mus. of Mod. Art) : *Imprisoned figure* 1948 – *Sanctuary*.
Ventes Publiques : New York, 21 oct. 1964 : *The Thorn*, nickel argenté : **USD 3 500** – New York, 11 mai 1983 : *Maquette for Archangel* 1963, bronze (23,5x23x16) : **USD 2 400** – New York, 23 fév. 1985 : *Model for an ancestor*, bronze (H. 30,5) : **USD 2 000** – New York, 10 oct. 1990 : *Sans titre* 1963, cr./pap. (28x20,9) : **USD 715** – New York, 14 nov. 1990 : *Maquette pour un diadème* 1968, bronze sur base de marbre (H. 36,8) : **USD 18 700** – New York, 7 mai 1992 : *Viking* 1956, nickel argenté sur métal (l. 81,3) : **USD 33 000** – New York, 11 nov. 1993 : *Sans titre*, métal soudé (190,5x66x40,6) : **USD 20 700**.

LI QIUJUN ou **Li Ch'iu-Chün** ou **Li Ts'ieou-Kiun**
Née en 1899. Morte en 1973. xxe siècle. Chinoise.
Peintre.
Peintre de l'école traditionnelle lettrée de la province du Zhejiang, en 1934 ; elle est co-fondatrice de l'Association Chinoise des Femmes Artistes, la *Zhongguo Nuzi Shuhua Hui*.
Ventes Publiques : Hong Kong, 29 oct. 1992 : *Lettré ; Chalet au clair de lune dans un jardin* 1954, deux éventails, encre et pigments/pap. (13,5x40,3 et 17,2x49,6) : **HKD 16 500** – Hong Kong, 29 avr. 1993 : *La relecture des livres dans la dynastie Qi d'après Yan Liben* 1937, makémono, encre et pigments/pap. (30,5x129,8) : **HKD 40 250**.

LI QUAN ou **Li Ch'üan** ou **Li K'iuan**
Originaire de Qiantang, province du Zhejiang. xiiie siècle. Actif dans la seconde moitié du xiiie siècle. Chinois.
Peintre.
Il est membre de l'Académie de Peinture à la cour de Hangzhou, pendant l'ère Xianchun (1265-1274) et fait des figures et des paysages dans le style de Liang Kai (actif au milieu xiiie siècle).

LI QUANWU
Né en 1957 à Wuhan. xxe siècle. Chinois.
Peintre de compositions à personnages.
Il fréquenta la classe de peinture à l'huile du collège des Beaux-Arts de Hubei, où il enseigna par la suite. De 1982 à 1984, il étudia la peinture à l'huile à l'Académie des Beaux-Arts de Pékin. Il séjourna aux États Unis en 1985.
Il participe à des expositions en Chine. Il a reçu de nombreux prix tant en Chine qu'à l'étranger notamment en Suisse.
Musées : Pékin (Mus. Nat.).
Ventes Publiques : Hong Kong, 22 mars 1993 : *Le chant de l'été* 1992, h/tissu (127x101,6) : **HKD 126 500** – Hong Kong, 4 mai 1995 : *Composition de poèmes* 1989, h/t (61x45,7) : **HKD 69 000** – Hong Kong, 30 oct. 1995 : *Jeune femme récitant un poème* 1989, h/t (45,7x45,7) : **HKD 57 500**.

LI QUE ou **Li Ch'üeh** ou **Li K'iue**
xiiie siècle. Actif vers le milieu du xiiie siècle. Chinois.
Peintre.
Membre de l'Académie de Peinture de la dynastie Song du Sud (1127-1279), il suit le style de Liang Kai (actif au milieu du xiiie siècle).

LIQUIER Adam ou **Laquir** ou **Lecuir** ou **Luiquir**
D'origine picarde. Mort en 1586. xvie siècle. Français.
Sculpteur.
Élève, puis aide d'Elias Godefroy au château de Kassel. Il travailla également pour le duc Jules II de Brunswick-Wolfenbuttel. Certaines de ses œuvres se trouvent à Kassel, Brême, Helmstedt et Celle.

LIQUIER Gabriel, pseudonyme : **Trick** et, à partir de 1880, **Trock**
Né le 25 mars 1843. Mort le 20 août 1887 à Paris. xixe siècle. Français.
Dessinateur de caricatures.

LI QUN
Né en 1912 à Shanxi. xxe siècle. Chinois.
Graveur, illustrateur.
Il a été élève à l'Institut des Beaux-Arts du Zhejiang (*Hang zhou*). Il est professeur à l'Académie d'art Luxun de 1940 à 1945. Fondateur du journal *L'Illustré du peuple*, il est vice-président de l'Association littéraire du Shanxi et membre directeur de l'Association Nationale des graveurs.
Il a participé, en 1988, à l'exposition : *De Bonnard à Baselitz – Dix Ans d'enrichissement du cabinet des estampes 1978-1988* à la Bibliothèque nationale, à Paris.
Bibliogr. : In : *Dictionnaire de l'art moderne et contemporain*, Hazan, Paris, 1992.
Musées : Paris (BN) : *Au fond de la forêt* 1980.

LIRA Armando
Né au Chili. xxe siècle. Chilien.
Peintre de paysages.
Il a figuré, en 1946, à l'exposition ouverte à Paris, au Musée d'Art Moderne, par l'Organisation des Nations Unies.

LIRA Giovanni ou **Zoane**
xve siècle. Actif à Ferrare. Italien.
Peintre de miniatures.
Il participa aux décorations de la célèbre *Bible de Borso*, que possède la Bibliothèque Estense à Modène.

LIRA Pedro Francisco
Né vers 1850 à Santiago du Chili. xixe siècle. Chilien.
Peintre d'histoire, portraits.
Après avoir suivi des cours à l'École des Beaux-Arts de sa ville natale, il étudia à Paris sous la direction d'Évariste Luminais et d'Elie Delaunay. Il figura au Salon des Artistes Français à Paris de 1872 à 1884, en 1888 et en 1900-1901. Il fut directeur de l'Académie de Santiago du Chili et écrivain d'art.
Bibliogr. : Gérald Schurr, in : *Les Petits Maîtres de la peinture 1820-1920, valeur de demain*, Les Éditions de l'Amateur, t. IV, Paris, 1979.
Ventes Publiques : New York, 17 oct. 1991 : *Lady Jennifer* 1877, h/t (139,7x90,2) : **USD 12 650** – New York, 1er nov. 1995 : *La réprimande*, h/pan. (60x73) : **USD 37 375**.

LIRA Zohane ou **Zoane**. Voir **LIRA Giovanni**

LI RIHUA ou **Li Jeu-Houa** ou **Li Jih-Hua**, surnom : **Zichang,** noms de pinceau : **Jiuyi** et **Zhulan**
Né en 1565 à Jiaxing (province du Zhejiang). Mort en 1635. xvie-xviie siècles. Chinois.
Peintre.
Fonctionnaire, peintre de paysages, calligraphe et critique, il écrit beaucoup sur les sujets les plus variés, célèbre qu'il est pour sa vaste culture. Les passages sur la peinture que l'on trouve dans plusieurs de ses recueils sont d'un intérêt extrême, que ce soient les théories esthétiques, les jugements critiques ou les anecdotes historiques.

LIRIOS Ventura. Voir **LIGLI**

LI RONGJIN ou **Li Jong-Kin** ou **Li Jung-Chin**, surnom : **Gongyan**
xive siècle. Actif dans la première moitié du xive siècle. Chinois.
Peintre.
Il travaille dans le style de Wang Zhenpeng (actif au xiiie siècle) et est connu pour ses peintures d'architecture. Le National Palace Museum de Taipei conserve : *Palais impériaux de la dynastie*

Han, rouleau en hauteur à l'encre sur soie, qui donne des indications sur ce que pouvaient être les palais de l'époque.

LIRONI Giuseppe
Né en 1689. Mort en 1749 à Rome. XVIIIe siècle. Italien.
Sculpteur.
Il fut à partir de 1733 membre de l'Académie Saint-Luc. On cite parmi ses œuvres à Rome : à Saint-Jean-de-Latran, une *Justice*, à l'église S. Maria della Scala, des reliefs de stuc, à Sainte-Marie-Majeure, un relief, à l'église Saint-Pierre, une *Prudence* et une *Espérance*, et deux bénitiers portés par des amours.

LIRONI Pietro
Né en 1645. Mort en 1724 à Rome. XVIIe-XVIIIe siècles. Italien.
Sculpteur.
On cite parmi ses œuvres, à Cosme : à la cathédrale, la statue d'un prophète, à l'église Sainte-Cécile, des sculptures au portail, une *Sainte Marguerite* à la façade.

LI RUIJING ou **Li Shui-Ch'ing** ou **Li Jouei-Ts'ing**
Né en 1867. Mort en 1920. XIXe-XXe siècles. Chinois.
Peintre.
Peintre de l'école traditionnelle lettrée, il ouvre en 1906 un département « arts et métiers » à l'École normale supérieure de Nankin (*Liangjiang Sifan*), qui dispense le premier enseignement artistique au sens où cette notion est entendue en Europe. On y enseigne la peinture, surtout la peinture à l'huile, l'artisanat et la musique. Ce département fermera en 1909, mais l'École normale deviendra bientôt l'Université Centrale de Nankin qui, jusqu'en 1949, aura une section des Beaux-Arts assez florissante.
Bibliogr. : Michael Sullivan : *Chinese Art in the XXth Century*, Londres, 1959.
Ventes Publiques : New York, 6 déc. 1989 : *Calligraphie en écriture populaire* 1916, kakémono, encre/pap. (177,2x47) : **USD 1 320** – New York, 31 mai 1990 : *Bouddha sous un vieux pin*, encre et pigments/pap., kakémono (121,6x47) : **USD 6 600** – Hong Kong, 2 mai 1991 : *Calligraphies de strophes de poêmes en écriture officielle* 1913, encre/pap., une paire de kakémono (chaque 176,2x46) : **HKD 26 400** – New York, 16 juin 1993 : *Pin et rocher*, encre/soie, éventail rond (diam. 24,8) : **USD 1 955** – Hong Kong, 5 mai 1994 : *Strophe de calligraphie*, encre/pap., kakémonos, une paire (chaque 181,3x47,5) : **HKD 43 700**.

LI RUINIAN ou **Li Jouei-Nien** ou **Li Shui-Nien**, appelé parfois **Li Jou-Nien**
XXe siècle. Chinois.
Peintre.
Il fut un peintre de l'école moderne qui a été élève à l'Université Nationale Centrale, puis à Paris. En 1947, il a un poste à l'Académie Nationale de Pékin.
Il fait partie des artistes essayant de retrouver une inspiration proprement nationale tout en pratiquant les techniques de la peinture à l'huile.

LIS D.
XVIIIe siècle.
Peintre.
Musées : Emden : *Dames et messieurs buvant le café.*

LIS Jan, dit **Pan** ou **Liss** ou **von Lys**
Né vers 1595 à Oldenburg. Mort en 1629 à Venise. XVIIe siècle. Hollandais.
Peintre d'histoire, scènes mythologiques, sujets de genre, portraits.
Élève de Hendrik Goltzius à Haarlem, dont il imita la manière. Il voyagea beaucoup, résidant à Paris, à Rome, à Venise où il subit l'influence du Caravage. À son retour en Hollande il trouva de nombreuses commandes, mais il aimait la bonne chère et perdait beaucoup de temps à satisfaire ses goûts des plaisirs. Il séjourna longtemps à Rome, en compagnie de peintres qui n'engendraient pas la mélancolie, et fut surnommé « Pan ». Son œuvre reflète sa vie de débauche, soit à travers des scènes de genre, soit à travers des scènes mythologiques, mettant en valeur des chairs abondantes et colorées. C'est à travers Goltzius qu'il avait connu l'art de Spranger et des baroques nordiques, dont il sait se souvenir. Il a souvent été confondu avec Honthorst, Jordaens et Rubens. Ayant décidé d'aller revoir à Rome son ami Sandrart, il fut atteint de la peste à Venise et y mourut. Bien qu'on cite de lui quelques tableaux d'histoire, il peignit surtout des sujets plaisants : *Intérieurs d'auberges, mascarades, baigneuses*, etc. On cite dans son œuvre gravé : *Hercule sur le bûcher, Jeune homme tenant un masque à la main, Cavalier causant à une dame et un autre jouant de la guitare près de sa dame, Scène de conversation avec cinq figures.*

J L fecit J. L. fe. J Lis

Musées : Amsterdam (Rijks) : *Le bordel* – Berlin (Kais. Fried.) : *La halte des brigands – La vision de saint Paul* – Bologne (Pina.) : *Le bordel*, copie – Budapest : *Noce villageoise – Ecce Homo – Judith* – Dresde : *Joueur de luth – Madeleine repentante – Hercule* – Florence (Mus. des Offices) : *Le fils prodigue – Portrait d'un architecte – La toilette de Vénus – Le Sacrifice d'Abraham – La vision de saint Jérôme* – Florence (Pitti) : *Vénus et Adonis* – Graz : *Le bordel*, copie – Helsinki : *Christ* – Innsbruck (Ferd.) : *Lutte de paysans* – Kassel : *Le quatuor – Italien et Italienne jouant à la Morra – Soldats et filles* – Lille : *Moïse sauvé des eaux* – Londres (Nat. Gal.) : *Mercure et Argus* – Mayence : *Loth et ses filles* – Mexico (Acad. San Carlo) : *La toilette de Vénus* – Modène (Campori) : *La vision de saint Jérôme* – Moscou (Nat.) : *Vieille femme à sa toilette* – Nuremberg (Germ.) : *Le bordel – Lutte de paysans* – Pommersfelden : *Musiciens – La toilette de Vénus* – Rome (Gal. Nat.) : *La décollation de saint Jean Baptiste* – Saint-Pétersbourg (Mus. de l'Ermitage) : *Le bordel*, copie – Turin (Pina.) : *Le soldat et la fille* – Venise (Acad.) : *Le fils prodigue – David* – Vicence : *La vision de saint Jérôme* – Vienne (Acad.) : *Le fils prodigue* – Vienne (Kunsthistoriches Mus.) : *Judith* – Washington D. C. : *Le satyre et les paysans* – Würzburg (Mus. de l'Université) : *L'adoration des bergers.*
Ventes Publiques : Amsterdam, 1703 : *Une maison publique* : **FRF 960** – Paris, 18 mai 1707 : *Le bain de Diane* : **FRF 70** – Paris, 1863 : *Mascarade* : **FRF 245** – Paris, 6-9 mars 1872 : *Portrait de femme* : **FRF 1 300** – Paris, 24 mars 1953 : *Le départ pour la chasse* : **FRF 190 000** – Vienne, 22 mars 1966 : *Les noces de Bacchus et d'Ariane* : **ATS 130 000** – Londres, 8 juil. 1977 : *Bacchanale*, h/pan. (34,2x27,3) : **GBP 15 000** – Londres, 9 déc. 1994 : *Pécheresse repentante se détournant de la tentation et recevant une palme salvatrice d'un ange*, h/t (98,8x125,8) : **GBP 991 500**.

LISAERT Philip ou **Lesaert** ou **Elizaert**
XVIe siècle. Éc. flamande.
Peintre.
Il vécut à Anvers de 1549 à 1588 et dans cette dernière année eut pour élève Bernard Van Somer.

LISAERT Pieter
XVIe-XVIIe siècles. Actif à Anvers. Éc. flamande.
Peintre de compositions religieuses.
David Remeeus, nommé doyen de la Gilde d'Anvers en 1601, fut son élève.
Musées : Dijon : *Le Jugement dernier.*
Ventes Publiques : New York, 15 mai 1996 : *L'Adoration des bergers*, h/pan. (45,2x31,2) : **USD 4 025** – Paris, 9 déc. 1996 : *Les Vierges sages et les Vierges folles*, h/pan. (68x101) : **FRF 225 000**.

LISALBA. Voir **LAMA Giulia**

LISANDER ou **Lizander**
Né en 1783. Mort le 8 août 1841 à Varsovie. XIXe siècle. Polonais.
Peintre décorateur et portraitiste.
Il fit ses études à l'Académie de Vilna. En 1814 il fut nommé décorateur au théâtre de Varsovie. Il exposa à Varsovie en 1819, 1821 et 1823.

LI SANWEI ou **Li San-Wei**, surnom : **Jiliu,** nom de pinceau : **Bofu**
Originaire de Chongming, province du Jiangsu. XVIIIe siècle. Chinois.
Peintre.
Peintre de bambous, de fleurs et de paysages.

LISARD Nicolas. Voir **LYSARD**

LISARDO Philips. Voir **LISAERT**

LISBOA Antonio Francisco. Voir **ALEIJADINHO**

LISCEWSKY. Voir **LISZEWSKA** et **LISZEWSKI**

LISCHEWITZ Georg von
Né en 1809 à Riga. Mort le 23 novembre (15 octobre) 1887. XIXe siècle. Letton.
Peintre d'histoire et de portraits.
Il étudia à Dresde et à Munich. Des églises de Livonie et de Courlande possèdent des tableaux d'autel de sa main.

LISCHKA Johann Christoph. Voir **LISZKA**

LISCHKE Emmy

Née le 13 novembre 1860 à Elberfeld. Morte le 14 mai 1919 à Munich. XIXe-XXe siècles. Allemande.

Peintre de paysages et de natures mortes.

LISCONET Jakob, le Jeune. Voir **LISCORNET**

LISCORNET Jakob, l'Ancien ou **Lisscornet**

Né vers 1596. Mort en 1676. XVIIe siècle. Actif à Dantzig. Allemand.

Peintre d'histoire.

On cite parmi ses œuvres : *Les cinq sens.*

LISCORNET Jakob, le Jeune ou **Lisconet**

Né vers 1650. Mort en 1696. XVIIe siècle. Actif à Dantzig. Allemand.

Peintre d'histoire, paysages.

Il fut reçu maître en 1674. Il introduisit à Dantzig la peinture de plafond à la manière française. On cite parmi ses œuvres la *Concorde*, dans l'antichambre de l'Hôtel de Ville de Rechsstadt.

LISCOVIUS Friedrick Salomon

XVIIIe siècle. Allemand.

Peintre.

Le Cabinet des Estampes de Berlin possède de sa main un portrait de *Raphaël Mengs* désigné ainsi *R. Mengs, d'après son propre tableau, dessiné par Liscov.*

LISEBETTEN Peter Van ou **Lysebetten** ou **Liesebetten** ou **Leysebetten**

Né en 1630 à Anvers. Mort vers 1678 à Anvers. XVIIe siècle. Hollandais.

Graveur, dessinateur.

Il était en 1653 dans la Gilde d'Anvers. Il a gravé d'après Rubens, Teniers, Van Dyck et les anciens maîtres italiens.

VENTES PUBLIQUES : PARIS, 18 nov. 1994 : *Feuille d'études*, pierre noire, encre et lav. gris (27,7x21,4) : **FRF 8 000**.

LI SHAN ou **Li Chan**

Originaire de Pingyang, province du Shanxi. XIIIe siècle. Actif au début du XIIIe siècle. Chinois.

Peintre de paysages.

MUSÉES : WASHINGTON D. C. (Freer Gal.) : *Ruisseau de montagne entre les rives rocheuses.*

LI SHAN ou **Li Chan**, surnom : **Zongyang,** nom de pinceau : **Futang**

Né en 1686, originaire de Yangzhou, province du Jiangsu. Mort après 1754. XVIIIe siècle. Actif à partir de 1711 environ. Chinois.

Peintre de figures, oiseaux, paysages, fleurs.

Li Shan fait partie du groupe des Huit Excentriques de Yangzhou *(Yangzhou Baguai)* dont les principales personnalités sont Jin Nong (1687-1764), Hua Yan (1683-1765), Zheng Banqiao (1693-1765) et Luo Bin (1733-1799). Vivant tous à Yangzhou, ils se retrouvent chez les commerçants enrichis dans le négoce du sel ou autres denrées et se font, fortune faite, protecteurs des arts, se concurrençant jusque dans ce mécénat. Ainsi règne-t-il un climat très particulier à Yangzhou, et les artistes lui doivent une précieuse liberté de créer. Li Shan fait preuve d'une habileté technique certaine et d'un grand sens de la couleur. En 1711, il reçoit le rang de licencié *(juren)* à la capitale provinciale.

MUSÉES : PARIS (Mus. Guimet) : *Fleurs de prunus*, encre sur pap. Corée – PÉKIN (Mus. du Palais) : *Vieux pin et plantes grimpantes* 1730 – *Études de fleurs*, six feuilles d'album – SHANGHAI : *Couleurs de printemps* 1754, rouleau en hauteur, couleurs sur papier – STOCKHOLM (Nat. Mus.) : *Narcisse et laurier rose* signé et daté 1749 – *Vieux tronc d'arbre*, signé et accompagné d'un poème – TOKYO (Nat. Mus.) : *Pivoines*, rouleau en hauteur, couleurs sur papier – *Pins*, encre et coul. légères sur pap., rouleau en hauteur.

VENTES PUBLIQUES : NEW YORK, 2 juin 1988 : *Sauterelle, cosses de haricots et vieil arbre*, encre/pap., kakémono (80,5x52) : **USD 33 000** – HONG KONG, 18 mai 1989 : *Paysage*, encre et pigments/pap., kakémono (86,5x44) : **HKD 44 000** – NEW YORK, 31 mai 1990 : *Bambous, cosses de pois et insectes*, encre et pigments/pap., éventail peint (18x51,5) : **USD 3 300** – NEW YORK, 26 nov. 1990 : *Glycine s'enroulant autour d'un arbre et rosier*, encre et pigments/pap., kakémono (135,2x70,8) : **USD 7 150** – NEW YORK, 25 nov. 1991 : *Fleurs*, encre et pigments/pap., kakémono (69,8x39,7) : **USD 5 225** – NEW YORK, 2 déc. 1992 : *Arbres verts et montagnes bleues*, encre et pigments/pap., feuille d'album montée en kakémono (23,2x29,8) : **USD 13 200**.

LI SHAN

Né en 1926. XXe siècle. Chinois.

Peintre de paysages animés.

Il exploite l'image mythique en Asie du chameau.

VENTES PUBLIQUES : HONG KONG, 2 mai 1991 : *Chameaux dans la neige*, encre et pigments/pap. (60,4x97,5) : **HKD 49 500** – NEW YORK, 29 mai 1991 : *Chameaux dans la neige*, encre et pigments/pap. (68x68) : **USD 4 950** – HONG KONG, 28 sep. 1992 : *Caravane de chameaux*, encre et pigments/pap. (68,8x137,8) : **HKD 60 500**.

LI SHAOQI ou **Li Chao-K'i** ou **Li Shao-Ch'i**, surnom : **Maocheng**

Originaire de Huating, province du Jiangsu. XVIe-XVIIe siècles. Actif à la fin du XVIe et au début du XVIIe siècle. Chinois.

Peintre.

Beau-fils du peintre Gu Zhengyi (actif vers 1580), il fait des paysages dans le même style que ce dernier. Le National Palace Museum de Taipei conserve un *Paysage* signé et daté 1589.

LI SHAOYAN

Né en 1918 à Shandong. XXe siècle. Chinois.

Graveur.

Il a participé, en 1988, à l'exposition *De Bonnard à Baselitz – Dix Ans d'enrichissement du cabinet des estampes 1978-1988* à la Bibliothèque nationale, à Paris.

MUSÉES : PARIS (BN) : *Les Vieilles Rues font peau neuve* 1960.

LI SHENG ou **Li Cheng**, surnom : **Jinnu**

Originaire de Changdu, province du Sichuan. Xe siècle. Actif pendant la dynastie des Shu Antérieurs (908-925). Chinois.

Peintre.

Célèbre paysagiste qui aurait, au début de sa carrière, étudié le style de Li Sixun (651-716), hypothèse qui n'est sans doute destinée qu'à établir la tradition selon laquelle il serait descendant de ce dernier. On l'appelle d'ailleurs « le petit général Li » surnom déjà attribué à Li Zhaodao, fils de Li Sixun. Il peint aussi des sujets bouddhistes et des scènes à personnages, mais le paysage constitue la partie la plus significative de son œuvre. D'après certaines sources littéraires, c'est en contemplant un paysage de Zhang Zao des Tang, qu'il décide de peindre les paysages de son pays natal en se fiant à sa propre inspiration, et notamment les sites fameux tel le Mont Emei. Le critique Guo Ruoxu (Song du Nord, 960-1127) dit justement avoir vu une peinture intitulée *Les vingt-quatre transformations de la montagne*, peut-être le Mont Emei aux vingt-quatre heures du jour ? Li Sheng aura une influence fort importante dans les siècles ultérieurs, mais aucune de ses œuvres ne nous est parvenue ; toutefois le *Xuanhe huapu*, catalogue des collections impériales de peintures sous la dynastie Song, mentionne cinquante-deux œuvres de lui, mais classées dans les sujets bouddhistes. De plus, ce même ouvrage dit que l'on attribue souvent par erreur les œuvres de Li Sheng à Wang Wei (699-759) et Mi Fu (1051-1107) dans son *Huashi* (Histoire de la peinture) raconte comment, ayant acheté un paysage de Li Sheng, il l'échange contre un autographe ancien avec un ami qui, effaçant la signature de la peinture : Li Sheng, homme de Shu, y inscrivit les caractères de Li Sixun. « Aujourd'hui », dit Mi Fu, « les gens aiment le faux et n'aiment pas le vrai : c'est déplorable ».

LI SHENG ou **Li Cheng**, surnom : **Ziyun,** nom de pinceau : **Ziyunsheng**

Originaire de Haoliang. XIVe siècle. Actif à la fin de la dynastie Yuan (vers le milieu du XIVe siècle). Chinois.

Peintre.

Il est connu comme paysagiste et peintre de bambous et de rochers à l'encre monochrome. Il ne reste que peu d'œuvres de lui ; le Musée de Shanghai en conserve deux : *Adieu près du lac*, en couleurs sur papier, qui représente une vue du lac Tianshan, et un *Paysage de montagne* avec des petits pavillons dans les pins, rouleau en longueur portant une inscription du peintre datée 1346.

LI SHIDA ou **Li Che-Ta** ou **Li Shih-Ta**, surnom : **Yanghuai**

Originaire de Suzhou, province du Jiangsu. XVIe-XVIIe siècles. Actif pendant l'ère Wanli (1573-1619). Chinois.

Peintre de figures, paysages.

Il écrit un essai sur les cinq qualités et les cinq défauts de la peinture de paysage, à savoir, la vénérabilité, la sincérité, la rareté, la profondeur et l'harmonie d'une part, la délicatesse (mièvrerie), la raideur, la lourdeur, l'étrangeté et la stupidité d'autre part.

Son propre style est plutôt personnel et il se défend contre les influences extérieures.
Musées : Cologne (Mus. für Ostasiatische Kunst) : *Paysage avec personnages*, encre et coul. légères sur pap. tacheté d'or, éventail signé et accompagné d'une inscription – Pékin (Mus. du Palais) : *Trois vieux bossus* 1617, signé, accompagné de poèmes de quatre poètes de la même époque – Stockholm (Nat. Mus.) : *Village dans la montagne* signé et daté 1615 – Taipei (Nat. Palace Mus.) : *En écoutant le vent dans les pins* signé et daté 1616, encre et coul. légères sur soie, rouleau en hauteur – *Zhong Kui et les démons* signé et daté 1614 – *Tempête dans la vallée* accompagné de quelques vers datés 1620 – Tokyo (Nat. Mus.) : *Bruit du ruisseau dans les bambous*, coul. sur soie, rouleau en hauteur.
Ventes Publiques : New York, 6 déc. 1989 : *Paysage printanier*, encre et pigments/soie, kakemono (26x32,4) : **USD 5 500**.

LI SHIH-CH'IAO ou **Shiqiao**
Né en 1908 à Shin-chuan. Mort en 1995. xxe siècle. Chinois.
Peintre de scènes animées, portraits, paysages.
Il fit ses études à l'École Normale de Taipei et en 1924 il travailla sous la direction de Ishikawa Kinichiro. En 1929, il commença à étudier la peinture à l'Institut des Beaux-Arts de Tokyo. Il remporta les plus hautes distinctions du Japon à l'Exposition Impériale. Il fut l'un des co-fondateurs de l'Association des Beaux-Arts taïwanaise. Après la Deuxième Guerre mondiale, il enseigna dans son propre atelier et à l'Université Nationale normale de Taïwan. Retiré, à la fin de sa vie, il se consacra exclusivement à sa création personnelle.
Imprégnée dans ses thèmes et pour sa facture par la culture occidentale, cette peinture évolue de tendances cubistes vers des formes atténuées où la couleur paraît être la principale préoccupation de l'artiste.
Ventes Publiques : Taipei, 22 mars 1992 : *Le Lac vert* 1981, h/t (65,1x80,2) : **TWD 3 960 000** – Taipei, 18 oct. 1992 : *Le Parc* 1982, h/t (38x46) : **TWD 1 760 000** – Taipei, 18 avr. 1993 : *Sur la plage* 1989, h/t (74x91) : **TWD 2 250 000** – Taipei, 10 avr. 1994 : *Parc au bord de la mer au printemps* 1977, h/t (45,5x53) : **TWD 1 205 000** – Taipei, 20 oct. 1996 : *Poissons rouges* 1972, h/t (65x80,5) : **TWD 2 580 000** – Taipei, 13 avr. 1997 : *Nature morte au buste de Vénus* 1967, fus./pap. (78,5x54,5) : **TWD 230 000** ; *Roses dans un vase* 1978, h/t (41x31) : **TWD 1 370 000** – Taipei, 19 oct. 1997 : *Lady Rose* 1979, h/t (52,5x42,5) : **TWD 2 030 000**.

LI SHIH-CHO. Voir **LI SHIZHUO**

LI SHIH-HSING. Voir **LI SHIXING**

LI SHIH-TA. Voir **LI SHIDA**

LISHITZ Israël, dit **Lippy**
Né le 8 mai 1903 en Lituanie. xxe siècle. Lituanien.
Sculpteur.
Sculpteur de taille directe, il travaille en France et expose, à Paris, aux Salons des Indépendants, d'Automne et des Tuileries.

LI SHIXING ou **Li Che-Hing** ou **Li Shih-Hsin**, surnom : **Zundao**
Né en 1282. Mort en 1328. xive siècle. Chinois.
Peintre.
Très versé dans la poésie et la calligraphie, c'est un bon peintre de bambous et de rochers dans le style de son père Li Kan (1245-vers 1320), bien connu pour ses peintures de bambous.
Musées : Cambridge (Fogg Art Mus.) : *Deux vieux pins sur la rive*, encre sur soie, rouleau en hauteur, signé – Pékin (Mus. du Palais) : *Hautes montagnes s'élevant au-dessus d'un ruisseau*, signé – *Paysage de rivière à la fin de l'automne*, rouleau en longueur, cachet du peintre et plusieurs inscriptions contemporaines et ultérieures – Taipei (Nat. Palace Mus.) : *Bambou et rochers sous un vieux pin*, encre sur soie, rouleau en hauteur signé.

LI SHIZHUO ou **Li Che-Tcho** ou **Li Shih-Cho**, surnom : **Hanzhang**, noms de pinceau : **Guzhai, Qingzai Jushi**, etc.
Né en 1687 au sud de la Corée, originaire de Sanhan. Mort en 1765. xviiie siècle. Chinois.
Peintre de figures, oiseaux, paysages, fleurs.
Il étudie la peinture de paysages avec Wang Hui (1632-1717) et Ma Yi, mais pratique aussi la peinture de figures dans le style de Wu Daozi (actif vers 720-760) et de fleurs et d'oiseaux dans celui de son oncle, Gao Qipei (vers 1672-1734). Il est actif à la cour vers 1750.
Musées : Chicago (Field Mus.) : *La falaise rouge*, illustration d'un poème de Su Dongpo – Cleveland (Mus. of Art) : *Cascade dans les falaises abruptes*, encre sur pap., rouleau en hauteur, inscription de l'artiste – Taipei (Nat. Palace Mus.) : *Le Mont Duisong*, signé, poème de Qianlong – *Le temple Gaodu dans les Collines de l'Ouest à Pékin*, signé, poème de Qianlong – *Paysage à la manière de Ni Zan*, feuille d'album, signée.
Ventes Publiques : New York, 31 mai 1990 : *Album de paysages*, encre et pigments/soie, huit pages (chaque 28,5x25,7) : **USD 16 500** – New York, 1er juin 1993 : *Lettré au sommet d'une montagne*, encre/pap., kakémono (80x45,7) : **USD 5 750** – New York, 21 mars 1995 : *Paysage hivernal*, encre/pap., kakémono (220,3x49,2) : **USD 4 370**.

LI SHUI-CH'ING. Voir **LI RUIJING**

LI SHUI-NIEN. Voir **LI RUINIAN**

LI SHUTONG
Né en 1880. Mort en 1942 à Hedong. xxe siècle. Chinois.
Peintre, graveur.
En 1905, il séjourne au Japon et étudie à l'École des Beaux-Arts d'Ueno où il apprend les principales techniques des beaux-arts, ainsi que le piano et fonde une troupe de théâtre. Il est de retour en Chine en 1910. Il y enseigne, notamment la peinture et la musique occidentale à l'École Normale du Zhejiang (Hangzhou). En 1916, il se fait bonze et écrit des livres de théologie.
Méconnu, il est un pionnier dans sa tentative de synthèse du style chinois traditionnel et de la peinture occidentale.
Bibliogr. : In : *Dictionnaire de l'art moderne et contemporain*, Hazan, Paris, 1992.

LISIE Isaac
Né en 1892 en Pologne. Mort en 1983. xxe siècle. Actif depuis 1925 en France. Polonais.
Peintre de paysages ruraux, paysages urbains, fleurs, natures mortes, portraits, figures, nus. Postimpressionniste.
Il fut élève, pendant quatre ans, de l'Académie de Peinture de Cracovie, puis, pendant cinq ans, de l'Académie des Beaux-Arts de Vienne. Fixé à Paris, il exposa aux Salons des Artistes Indépendants de 1927 à 1968, et occasionnellement des Tuileries, d'Automne, de l'Association des Artistes Peintres et Sculpteurs Juifs de France. Il a montré ses œuvres dans des expositions personnelles, à Paris, notamment en 1938, 1966, à Tel-Aviv en 1967, etc. Il a traité un peu tous les thèmes, montrant aptitude et prédilection pour le portrait, quelque naïveté touchante quand il ose une composition comme *La Toilette* vers 1930, un certain post-impressionnisme utrillesque dans ses vues des vieilles rues de Montmartre. Paysagiste, il a visité diverses régions de France, mais peint aussi les paysages d'Israël.
Ventes Publiques : Paris, 11 avr. 1988 : *Paysage de Provence*, h/t (65x81) : **FRF 5 000** – Paris, 11 mars 1991 : *Modèle accoudé aux tentures roses*, h/pan. (55x46) : **FRF 3 000** ; *Safed, Israël, vue de village*, h/t (46x55) : **FRF 3 000** ; *La toilette* vers 1930, h/t (116x90) : **FRF 2 500**.

LI SIEOU-I. Voir **LI XIUYI**

LISIEWICZ Thomas Anton
Né en 1857 à Cracovie. xixe siècle. Polonais.
Peintre.
Il étudia à l'École Polytechnique de Lemberg et à l'École des Beaux-Arts de Cracovie. Il peignit des tableaux de genre, d'histoire et des compositions religieuses. Plusieurs musées polonais possèdent de ses œuvres.

LISITSKII. Voir **LISSITSKY El**

LI SIXUN ou **Li Sseu-Hiun** ou **Li Ssû-Hsün**, surnom : **Jianjian**
Né en 651. Mort en 716. viie-viiie siècles. Chinois.
Peintre.
Traditionnellement, Li Sixun occupe une place fort importante dans l'histoire de la peinture chinoise puisqu'il est considéré comme le premier à ériger le paysage en genre tout à fait autonome. Il reste néanmoins un artiste de cour, un décorateur aux panoramas féeriques, minutieusement peints et rutilants de couleurs rouge, vert et or dont l'influence restera limitée, ultérieurement. Il faut attendre Wang Wei (699-759) et Zhang Zao pour que le paysage devienne l'image intime et subjective que l'on connaît. Li Sixun est le petit-fils d'un neveu du fondateur de la dynastie Tang (618-906) et accède donc rapidement aux honneurs et aux dignités et finit sa carrière comme général d'un corps de la garde impériale. C'est pourquoi on le surnomme

souvent, le général Li aîné, tandis que son fils, Li Zhaodao (actif 670-730), peintre lui aussi, est appelé le petit général. Li Sixun est, en effet, l'aîné d'une dynastie familiale de cinq artistes. La technique de Li, *or et azur (jinbi)*, faite de rehauts imaginaires de verts et de bleus, avec des contours poudrés d'or, confère à l'œuvre un aspect compassé et décoratif répondant aux goûts de la cour. La peinture, *Barques et résidence riveraine*, rouleau en hauteur à l'encre et en couleurs sur soie, que conserve le National Palace Museum de Taipei, est probablement une copie de l'époque Song mais reste quand même un point de référence assez concret. Pour la première fois, le paysage n'est plus une simple toile de fond, grâce à une diagonale qui divise la composition entre un premier plan peint et un arrière plan évoquant la fuite illimitée d'un espace vide. Non seulement, la peinture ouvre sur l'infini, mais en outre elle rompt avec le système de proportions symboliques de l'époque antérieure en inversant les relations hiérarchiques entre personnages et architectures d'une part et paysage d'autre part. Une anecdote, bien connue, parle d'une compétition entre Li Sixun et Wu Daozi (actif vers 720-760), chargés par l'empereur Tang Xuanzong de peindre chacun un panneau mural représentant la route de la province du Sichuan. Wu aurait achevé son œuvre en un seul jour, tandis qu'il aurait fallu plusieurs mois à Li. Histoire légendaire qui n'en est pas moins révélatrice de deux styles absolument opposés, elliptique et calligraphique chez Wu, précis et décoratif chez Li. C'est le premier qui sera appelé à prévaloir chez les lettrés.

Bibliogr. : James Cahill : *La peinture chinoise*, Genève, 1960 – Pierre Ryckmans : *Li Sseu-hiun* in *Encyclopaedia Universalis*, vol. 9, Paris, 1971.

Musées : Taipei (Nat. Palace Mus.) : *Barques et résidence riveraine*, encre et coul. sur soie, rouleau en hauteur, copie probable de l'époque Song – Washington D. C. (Freer Gal. of Art) : *Palais et jardins à Fanghu, l'une des Trois Iles des Immortels*, rouleau en longueur, imitation tardive.

LISKA Emanuel Krescenc

Né en 1852 à Nikolowitz. Mort en 1903 à Prague. xixe siècle. Hongrois.

Peintre d'histoire, compositions religieuses, portraits.

Il fut élève de Jean Siverts à l'Académie de Prague et de O. Seitz à Munich. Il alla à Rome en 1884 et y exécuta : *L'empereur Maximin* et *Le Christ au mont des Oliviers*. Médaillé à Munich en 1888, il fut nommé en 1889 professeur à l'École des Beaux-Arts.

Ventes Publiques : Londres, 13 mars 1996 : *Couple de jeunes mariés dans une gondole à Venise* 1887, h/t (111x80,5) : **GBP 5 750.**

LISKA Johann Christoph. Voir **LISZKA**

LISLE Marie

Née au xixe siècle à Compiègne. xixe siècle. Française.

Portraitiste.

Élève de H. Scheffer. Elle exposa au Salon en 1869 et 1870.

LISMANN Hermann

Né le 4 mai 1878 à Munich (Bavière). Mort en 1943 à Majdanek. xxe siècle. Allemand.

Peintre, graveur.

Il travailla à Paris et, à partir de 1918, à Francfort-sur-le-Main.

Musées : Elberfeld : *Récolte de pommes* – Francfort-sur-le-Main (Mus. mun.) : *Jeune fille* – Stadel : *Amoureux dans un jardin* – *Portrait de femme*.

Ventes Publiques : Heidelberg, 15 oct. 1994 : *Jeune fille accroupie à demi nue ; Étude de nu*, deux dess. encre et lav. (19,4x15 et 30,5x20) : **DEM 1 500** – Heidelberg, 8 avr. 1995 : *Couple d'amoureux* 1920, aquar. et cr. (39,5x26,8) : **DEM 1 800.**

LISMER Arthur

Né en 1885 à Sheffield (Angleterre). Mort en 1969 à Montréal. xxe siècle. Actif depuis 1911 au Canada. Britannique.

Peintre de paysages, natures mortes. Groupe des Sept.

Arrivé à Toronto en 1911, il devint un véritable artiste canadien, faisant partie du Groupe des Sept à partir de 1920 et devenant membre du Canadian Group of Painters en 1933. Il fut davantage connu et influent par ses qualités d'enseignant que par sa peinture. Après avoir été professeur à l'Ontario College of Art de Toronto entre 1919 et 1927, il devint directeur de l'Éducation à l'Art Gallery de Toronto de 1929 à 1936, et réalisa un programme d'enseignement de l'art pour enfants qui eut un vif succès et qui servit de modèle à l'établissement d'un projet semblable en Afrique du Sud en 1936. Il fut directeur et enseignant au Musée des Beaux-Arts de Montréal à partir de 1949.

Il peint des paysages canadiens grandioses, tels : *La Pluie dans le nord, Ontario* 1924 ou *Cathedral Mountain* 1928, découpant les formes, accusant, de manière presque cubiste, les reliefs. Son style, quelque peu décoratif, montre une sensibilité à la peinture chinoise et le rapproche des œuvres de Tom Thomson ou de A. Y. Jackson.

Bibliogr. : Dennis Reid : *A concise history of canadian painting*, Oxford University Press, Toronto, 1988.

Musées : Calgary (Glenbow Mus.) : *Pink sand and tide* 1950 – Edmonton (Art Gal.) : *Rock and pine* 1935 – Montréal (Mus. des Beaux-Arts) : *Cathedral Mountain* 1928 – *Back water, Georgian Bay* 1948 – *Nature morte* 1951 – Ottawa (Nat. Gal. of Canada) : *September gale, Georgian bay* 1921 – *Pine wrack* 1933 – *Undergrowth* 1946 – *Neil's Harbour* 1946 – *Georgian Bay Backwater* 1948 – *Growth and undergrowth, Forest British Colombia* 1960 – Toronto (Art Gal.) : *Mon jardin, John Street, Thornhill* 1916 – *Soleil dans un bois* 1930 – *Scène africaine* 1937, aquar. – *Dark boulders* 1958 – Vancouver (Art Gal.) : *Skunk cabbage I* 1953 – *Stream in the forest* 1960.

Ventes Publiques : Toronto, 17 mai 1976 : *Starfish, Vancouver Island* 1958, h/cart. (30x40) : **CAD 1 300** – Toronto, 27 oct. 1977 : *Paysage au lac*, h/t (54x66,5) : **CAD 10 500** – Toronto, 11 nov. 1980 : *La Baie Mc Gregor*, h/pan. (22,5x30) : **CAD 15 000** – Toronto, 26 mai 1981 : *La Baie de Georgian Island* 1947, h/pan. (40x48,8) : **CAD 30 000** – Toronto, 8 nov. 1983 : *Spring on the Sackville River* 1920, h/t (87,5x107,5) : **CAD 70 000** – Toronto, 28 mai 1985 : *Mattawa, Ontario* 1922, h/t (80x100) : **CAD 55 000** – Toronto, 3 juin 1986 : *Copper mining town, Ontario* 1924, h/t (54,6x64,8) : **CAD 36 000** – Montréal, 17 oct. 1988 : *Nocturne à Ingonisa, Cape Breton* 1946, h/pan. (31x41) : **CAD 5 200** – Toronto, 12 juin 1989 : *Etoiles de mer à Vancouver* 1952, h/cart. (30,5x40,6) : **CAD 5 000.**

LISMONDE Jules

Né en 1908 à Bruxelles. xxe siècle. Belge.

Peintre de paysages, dessinateur, décorateur, peintre de cartons de tapisseries, cartons de vitraux, lithographe. Expressionniste, tendance abstraite.

Il fut élève du peintre graveur Apol à l'Académie de Bruxelles et à celle de Saint-Josse-ten-Noode. Il fréquenta également l'École des Arts et Métiers de Bruxelles.

En 1945, il fut l'un des fondateurs du groupe de la *Jeune Peinture belge* et du groupe *Cap d'encre* en 1963. Il participe à de nombreuses expositions collectives, parmi lesquelles : *Biennale du « Noir et Blanc »* à Lugano, 1952, 1955 ; *Peinture belge contemporaine*, Milan, 1954 ; *Dessins de peintres belges*, Cologne, 1956 ; Paris et Charleroi, 1961 ; etc. Il montre ses œuvres dans une première exposition personnelle à Bruxelles en 1937, puis à d'autres reprises en 1942, 1953, 1956 ; à Amsterdam en 1952 ; à Anvers en 1955 et 1956 ; à Liège en 1956 ; etc. Il obtint le prix de la Biennale de São Paulo en 1959, le prix Renato Carain à Venise en 1958. Il a exécuté un panneau décoratif pour l'Université de Liège et des cartons de vitraux pour l'hôtel Provincial du Brabant. Il lui est passé commande de la première tapisserie pour la Bibliothèque royale de Belgique.

Vers 1930, il peignait des paysages expressionnistes, par grandes masses contrastées. Il abandonna à peu près totalement la peinture pour le dessin, en même temps qu'il évoluait progressivement vers une construction de l'espace de plus en plus rigide : tout un réseau de lignes droites indiquent les grandes directions et la perspective ; certains plans sont repris en hachures ou en pointillés. L'espace s'édifie selon la géométrie urbaine. Il applique la même construction à de nombreux portraits. Dans son évolution récente, Lismonde s'est de plus en plus détaché de la réalité, perspective et directions continuant de construire un espace, se satisfaisant désormais de soi-même, vide de toute représentation, bâti d'un décor que chacun peut construire à son gré. ■ J. B.

Lismonde

Bibliogr. : Louis Lebeer : *Lismonde*, Bruxelles, 1956 – in : *Peintres contemporains*, Mazenod, Paris, 1964 – Philippe Jones : *Lismonde*, Bruxelles, 1977 – in : *Dict. biogr. illustré des artistes en Belgique depuis 1830*, Arto, Bruxelles, 1987.

Musées : Amsterdam – Bruxelles – Liège – Paris.

Ventes Publiques : Anvers, 28 oct. 1980 : *Avant toute chose* 1966, dess. (71x113) : **BEF 60 000** – Anvers, 25 oct. 1983 : *Itinéraires à trois dimensions*, dess. (92x60) : **BEF 55 000** – Lokeren, 5 mars 1988 : *Face au ciel*, fus. (76,5x42) : **BEF 40 000** – Lokeren, 21 mars 1992 : *Croix* 1970, fus. (68x53) : **BEF 80 000** – Lokeren, 4 déc. 1993 : *Composition* 1960, fus. (47,5x62) : **BEF 25 000** – Lokeren, 7 oct. 1995 : *Paysage* 1948, fus. (49x63,5) : **BEF 30 000** – Lokeren, 8 mars 1997 : *L'espace est sans bornes III* 1977, fus./pap./pan. (49,5x64,5) : **BEF 30 000**.

LI SONG ou **Li Sung**

Originaire de Hangzhou, province du Zhejiang. XIIe-XIIIe siècles. Actif à la fin du XIIe et au début du XIIIe siècle. Chinois.

Peintre.

Fils de charpentier et charpentier lui-même, Li Song est adopté par un peintre de l'Académie Impériale des Song du Sud, avant de devenir aussi membre de cette même Académie, de 1190 à 1230 environ. Grand maître de la peinture de genre il est connu pour ses représentations de figures et ses dessins méticuleux d'architecture, dans un style appelé *jiai hua* (peinture des limites). Il se sert aussi de cette technique pour les personnages ce qui donne d'éblouissantes démonstrations de virtuosité. Mais la finesse du dessin n'est pas son unique qualité et une œuvre comme *Le colporteur*, conservée au National Palace Museum de Taipei, petite feuille d'album en forme d'éventail signée et datée 1210, montre son talent à saisir les détails vivants, les regards et les expressions, de telle sorte qu'il va bien au-delà de la simple prouesse technique.

Musées : Cleveland (Mus. of Art) : *Le colporteur* daté 1212, encre et coul. sur soie – Kansas City (Nelson Gal. of Art) : *Quatre hommes dans un bateau sur une mer démontée*, encre et coul. légères sur soie, éventail signé – Shanghai : *Paysage du Lac de l'Ouest à Hangzhou*, rouleau en longueur, inscriptions de Shen Zhou et Qianlong – Taipei (Nat. Palace Mus.) : *Le colporteur* signé et daté 1210, encre et coul. légères sur soie, feuille d'album en forme d'éventail – *Le mascaret à Hangzhou*, encre et coul. sur soie, feuille d'album en forme d'éventail, signée et accompagnée d'un court poème par Yang Meizi, belle-sœur de l'empereur Ningzong, règne 1195-1224 – *Ahrat*, encre et coul. sur soie, rouleau en hauteur – *Le jour de l'an*, encre et coul. sur soie, rouleau en hauteur.

LISQUI Pierre ou **Lixe**

Mort le 22 décembre 1728. XVIIIe siècle. Français.

Sculpteur.

D'origine allemande, il fut naturalisé en 1680 et travailla à Versailles, Clagny, Meudon, Marly, Fontainebleau et Saint-Germain-en-Laye, puis à l'église des Invalides et à Notre-Dame de Paris.

LISS Jan. Voir **LIS**

LISSAC Pierre

Né le 19 mars 1878 à Limoges (Haute-Vienne). XXe siècle. Français.

Dessinateur humoriste, illustrateur, peintre.

Il fut élève de J. Lefebvre et Tony Robert-Fleury. Il exposa des scènes de genre, à Paris, au Salon des Artistes Français.

Il publia de nombreux dessins dans les principaux périodiques humoristiques de France et d'Angleterre. Il illustra différents ouvrages, dont *Le Mal*, de François Mauriac.

LISSANT Nikolaas

Né à La Haye. XVIIe siècle. Hollandais.

Peintre de miniatures.

Élève de Mytens en 1661, membre de la Confrérie de La Haye en 1668.

LISSCORNET Jakob, l'Ancien. Voir **LISCORNET**

LISSE Dirck Van der, appelé aussi, mais à tort, **Jan Van der Lisse**

Né en 1586 à Breda. Enterré à La Haye le 31 janvier 1669. XVIIe siècle. Hollandais.

Peintre de scènes mythologiques, sujets allégoriques, paysages.

Il fut élève à Utrecht de Cornelis Poelenburg qu'il imita à tel point que l'on confond leurs œuvres ; il épousa le 30 octobre 1639 Anna Van der Houve et se remaria le 3 mai 1648 avec Maria Both Van der Eem. En 1644 il fit parti de la Gilde de La Haye ; en 1656, il fut l'un des fondateurs de la Confrérie « Pictura » ; en 1660 il fut bourgmestre.

Musées : Abbeville : *Jeune captive amenée devant des princes africains* – Aix-la-Chapelle : *Andromède* – Berlin (Kaiser Fried.) : *Diane au bain* – *Paysage* – Brunswick : *Paysages animés* – Caen : *Paysage*, ancien catalogue – Cambridge (Fitzw.) : *Diane et Actéon* – Copenhague : *Diane et ses nymphes* – Dresde : *Même sujet* – Glasgow : *Paysage classique* – *Le guerrier endormi* – La Haye (comm.) : *Pastorale* – Innsbruck : *Satyre observant des nymphes endormies* – Mannheim : *Diane et nymphes* – Munich : *Pan dansant dans un paysage ensoleillé* – Nottingham : *La Madeleine* – Saint-Pétersbourg (Mus. de l'Ermitage) : *Les baigneuses* – Stockholm : *Diane dans un paysage* – Vienne : *Paysage avec Saint Benoît*.

Ventes Publiques : Londres, 1er juil. 1938 : *Basil, vicomte Feilding et sa femme* : **GBP 178** – Londres, 3 déc. 1969 : *Diane endormie* : **GBP 1 300** – Versailles, 16 juin 1976 : *Le passage du gué*, h/bois (22x30,5) : **FRF 4 000** – New York, 9 juin 1978 : *Meléagre et Atalante*, h/pan. (27x38) : **USD 8 000** – Londres, 30 nov 1979 : *Paysage d'Italie avec nymphes près d'une cascade*, h/pan. (28,6x40) : **GBP 9 000** – Londres, 3 juin 1981 : *Diane et Callyste*, h/pan. (49,5x41) : **GBP 3 000** – Amsterdam, 25 avr. 1983 : *Satyre surprenant une nymphe endormie*, pinceau et encres brune et de coul. sur craies rouge et noire (19,7x20) : **NLG 17 500** – New York, 18 jan. 1984 : *Nymphes dans un paysage fluvial montagneux*, h/pan. (37,5x49,5) : **USD 4 800** – Paris, 24 juin 1987 : *Paysage vallonné animé de baigneuses*, h/t (162x204) : **FRF 94 000** – Londres, 11 avr. 1990 : *Diane et ses nymphes se baignant dans un paysage montagneux*, h/t (72x65) : **GBP 48 400** – Amsterdam, 14 nov. 1990 : *Baigneurs dans un paysage boisé*, h/pan. (16,5x22) : **NLG 55 200** – New York, 9 oct. 1991 : *Diane et Actéon dans un paysage fluvial montagneux*, h/t (113x150,5) : **USD 17 600** – New York, 10 oct. 1991 : *Paysage avec des nymphes faisant une ronde autour d'une statue d'Hermès*, h/pan. (31,1x26,7) : **USD 4 950** – Londres, 21 nov. 1991 : *Acteon découvrant Diane et les Nymphes au bain*, h/cart./pan. (21,6x32,4) : **GBP 2 860** – Londres, 11 déc. 1992 : *Diane et Acteon*, h/pan. (35,3x38) : **GBP 1 540** – Paris, 27 mai 1994 : *Le bain des nymphes*, h/pan. (33x40,5) : **FRF 90 000** – Londres, 5 juil. 1995 : *Nymphes se sèchant après le bain*, h/pan. (28,5x23) : **GBP 7 475** – Amsterdam, 7 mai 1997 : *Vaches s'abreuvant dans des ruines classiques*, h/pan. (30x37,2) : **NLG 10 955** – Paris, 13 juin 1997 : *La Toilette de Diane dans un paysage vallonné*, pan. chêne (49x59) : **FRF 60 000**.

LI SSEU-HSIUN. Voir **LI SIXUN**

LISSIGNOL Jean Abraham

Né le 7 mai 1749 à Genève. Mort le 28 juin 1819 à Plaimpalais. XVIIIe-XIXe siècles. Suisse.

Peintre d'émaux et miniaturiste.

Élève de Jean-Marc Roux, fit un séjour à Paris pour se perfectionner. Revenu à Genève il est directeur de l'école de figure de 1793 à 1797. Le Musée Rath, à Genève conserve de lui : *Portrait de l'auteur*, d'après Saint-Ours (émail), *Silhouette de femme* (émail), ainsi qu'une miniature : *Portrait de vieillard*.

LISSIM Simon

Né le 24 octobre 1900 à Kiev (Ukraine). XXe siècle. Actif depuis 1921 en France. Russe.

Peintre, dessinateur, aquarelliste.

C'est en 1921 que cet artiste se fixa à Paris. Ayant exposé, à Paris, au Salon des Artistes Décorateurs, il figura bientôt au Salon des Indépendants et au Salon d'Automne, prenant part aux expositions de Londres et Barcelone. En 1929, il obtenait la seconde médaille au Salon des Arts Décoratifs.

Son travail est associé à celui du théâtre dont l'esprit fut proche des Ballets russes. Il pratiqua aussi la céramique.

Musées : Paris (Mus. d'Art Mod. de la Ville).

Ventes Publiques : Paris, 22 mai 1945 : *Décor*, aquar., reh. d'argent et d'or : **FRF 580**.

LISSITZKY Eliezer, dit **el** ou **Lissitsky Lazare Markovitch** ou **Lasar Morduchovitch**

Né en 1890 dans le Gouvernement de Smolensk à Potchinok ou Polschinock (Russie). Mort en 1941 à Schodnia (près de Moscou). XXe siècle. Russe.

Architecte, peintre, sculpteur, dessinateur, graphiste, peintre de décors de théâtre, affichiste, illustrateur, lithographe. Constructiviste, suprématiste.

L'Académie de Saint-Pétersbourg n'ayant pas retenu sa candidature parce que Juif, Lissitzki quitte en 1909 son bourg natal pour aller étudier à la Faculté d'Architecture de l'École Polytechnique de Darmstadt. En Allemagne jusqu'en 1914, il en profite pour visiter la France et l'Italie en 1912 et 1913 (1200 kilomètes à pied précise-t-il dans son autobiographie). De retour à Moscou en 1914, alors que la Première Guerre mondiale éclate, il collabore à divers cabinets d'architecture. Il participe à cette époque à quelques expositions organisées par *Le Monde de l'art* à Moscou. Dès 1915, il part pour Riga poursuivre ses études à l'Institut Polytechnique jusqu'en 1916. Séjour ponctué, en 1916, d'un voyage d'étude à la Synagogue de Mogilev. Il adhère à la Révolution d'octobre en 1917 et devient membre de la Commision des arts, travaillant même à l'élaboration du premier drapeau soviétique. En 1918, il obtient son diplôme de l'Institut de Riga. Après la Révolution, Lounatcharski, qui dirige les affaires culturelles, attribue les plus importantes responsabilités aux artistes et écrivains d'avant-garde, dans la conviction que la révolution doit s'exercer dans tous les domaines des activités humaines, en accord en cela avec le principe de la révolution permanente de Trotsky, et avec Lénine, qui, se sachant incompétent en ces matières et conscient de l'anachronisme de ses goûts petit-bourgeois, laisse justement la plus grande liberté de manœuvre à Lounatcharski. Ce dernier charge Maïakovski de l'agit-prop et offre aux peintres des postes de responsabilités. Chagall fut nommé directeur de l'Académie de Vitebsk, y appelle, en 1919, Lissitzky pour enseigner l'architecture et les arts graphiques, et peu de temps après Malevitch. C'est à cette époque, importante dans l'éclosion de l'artiste, que Lissitzky se rallie au suprématisme, adhérant également au groupe *Unovis* (*Les Apôtres de l'Art Nouveau* ou *Affirmation des nouvelles formes de l'art*) constitué par Malevitch. Très vite Chagall entre en désaccord avec les conceptions artistiques diffusées par Malevitch à l'Académie. Il quitte l'institution pédagogique de Vitebsk en 1919. De retour à Moscou en 1921, Lissitzky devient responsable du département d'architecture aux *Vkhoutémas*, les Ateliers Supérieurs d'États d'Art et Technique, mais surtout voyage en Europe en qualité d'« ambassadeur » du constructivisme russe. À partir de 1922 et jusqu'en 1923, il est à Berlin, où il organise l'*Exposition d'art russe* de 1922, complétant la salle des constructivistes de reliefs muraux, dans l'esprit du constructivisme de Tatlin. Exposition qui a lieu également à Amsterdam en 1923. En Allemagne, il fait surtout la connaissance de Moholy-Nagy, qui fut le principal véhicule auprès du Bauhaus de ses idées qui rejoignent celles de Gropius. Il se lie également avec Hans Richter, avec qui il publie, en 1922 et 1923, la revue « G » pour « Gestaltung » (Formation). Il participe à la grande *Exposition d'art de Berlin* en 1923. À Hanovre, il entre en contact avec Kurt Schwitters, et rencontre Sophie Küppers qui deviendra son épouse quelques années plus tard, en 1927, à Moscou. En 1923, en Hollande, il noue des contacts avec Théo Van Doesbourg, collabore à la revue *De Stijl*, et rencontre aussi Oud et Vilmos Huszar. Au début de l'année 1924, atteint de tuberculose, il part en Suisse se soigner dans un sanatorium près de Locarno. Parmi ses activités, durant ces années, il participe encore à de nombreuses revues, parmi lesquelles : la revue, de courte durée, *A.B.C.*, dont il est le fondateur, en 1922-1923 *Vechtch-Gegenstand-Objet* en collaboration avec Ilya Ehrenbourg, première tentative concrète d'organiser un contact entre les avant-gardes soviétique et d'Europe occidentale. Deux numéros seulement seront publiés. En 1925, en collaboration avec Hans Arp, il publie *Die Kunstismen* (*Les Ismes de l'art*), important travail critique et théorique. Toujours en 1925, à Zurich, il publie un essai sur l'art suprématiste *Kunst und Pangeometrie* (*L'Art et la pangéométrie*). En 1925 il est une nouvelle fois de retour à Moscou et devient professeur d'architecture intérieure et de mobilier aux *Vhkoutémas*. À partir de 1931, il est nommé responsable de l'exposition permanente d'architecture dans le parc de la Culture Gorki à Moscou.

Une importante rétrospective consacrée à El Lissitzki fut organisée en 1991 par le Stedelijk Van Abbe Museum d'Eindhoven et la Galerie Trétiakov de Moscou – les deux institutions qui possèdent la majeure partie de l'œuvre de l'artiste – à Eindhoven d'abord, à la Caixa de Pensiones à Madrid ensuite, et au Musée d'Art Moderne de la Ville de Paris.

L'œuvre de Lissitzky est multiple mais se conjugue de façon cohérente selon des principes esthétiques qu'il définira après la Révolution au contact de Malevitch. Encore étudiant en architecture, durant ses voyages à travers la France et l'Italie, il s'initie aux diverses techniques artistiques, exécutant notamment de nombreux croquis. Attaché à ses origines et cherchant un sens à son devenir, il milite pour la renaissance de l'art juif en participant à la conception et à la réalisation de livres pour enfants, des contes tirés de la tradition juive : *La Légende de Prague* ; *Histoire d'une chèvre*. L'influence de Chagall s'y fait sentir. Son premier travail véritablement novateur s'étend de 1919-1920 à 1924 et concerne d'abord la peinture. Si Lissitzky emprunte picturalement au suprématisme sa formulation abstraite et géométrique, depuis sa rencontre avec Malevitch à Vitebsk, il la dépasse dans une conception de l'espace qui lui est propre et qu'il désigne du terme générique de *Proun*. C'est un mot codé formé de la combinaison du préfixe « pro » pour « projet » et des initiales d'*Unovis* (le groupe suprématiste *Unovis* qui signifie approximativement « Affirmation du nouveau en art »), ce qui donne pour *Proun* : *Projet pour l'affirmation du nouveau* ou, selon les traductions, *Projet pour affirmer le neuf*. Ce projet développe selon les termes de l'artiste : « une station d'aiguillage de la peinture à l'architecture ». Ce qu'il cherche, en effet, c'est l'abolition de la frontière traditionnelle entre l'art pictural et l'architecture. Une conception qui se détache radicalement des contingences de la perspective illusionniste euclidienne : de monoculaire celle-ci devient parfois axonométrique. Lissitzky dénonce, à son tour, la faille contradictoire du système traditionnel : la représentation conventionnelle de l'infini par le point de fuite alors que ce point est, dans le monde phénoménal, inexistant. Mais l'art de Lissitzky n'est en rien une formulation mathématique. Ce qu'il nous donne à voir, c'est d'abord un espace recréé en toute liberté graphique en jouant de toutes les possibilités d'aberrations, notamment par des figures géométriques inobjectives. Il tourne par ce biais autour de la notion, que les poètes partagent volontiers avec les scientifiques, de la quatrième dimension. Dans un article baigné par l'environnement esthético-révolutionnaire de l'époque, *Le Suprématisme dans le travail créateur* (1920) il écrit : « Au moyen de son pinceau l'artiste construit un nouveau signe. Ce signe n'est pas une forme reconnaissable de quelque chose de déjà achevé, déjà construit, existant dans ce monde ; c'est le signe d'un nouveau monde, dont la construction se poursuit et qui existe grâce à l'homme ». Le Bauhaus reprendra à son compte le sens de cette modernité. Chez Lissitzky, les lignes sont dorénavant tirées à la règle, les volumes simulés, la gamme chromatique est réduite au maximum : noir, gris, blanc cassé, parfois des bruns et la couleur rouge utilisée en « éclair ». Les figures ainsi imaginées « flottent » le plus souvent dans l'espace. Lissitzky est architecte, et ses figures qui dépassent les éléments plans du suprématisme purement pictural, sont surtout vus comme des modèles architectoniques, grâce à l'invention d'un espace. Si Lissitzky a été de façon déterminante influencé par Malevitch, il a également été touché par les idées constructivistes, Tatlin, Pevsner, Gabo, avec lesquels il avait été en contact à Moscou.

De 1924 à 1941, il réalise des projets d'architecture et notamment, entre 1923 et 1927, ses fameux *Espaces prouns*, tous situés en Allemagne. Ils sont aujourd'hui considérés comme capitaux dans l'histoire de l'art moderne car fondent le passage du suprématisme à l'architecture, par l'intermédiaire du volume. Le premier est réalisé dans le cadre de la *Grande exposition d'art de Berlin* de 1923, espace qui a été reconstitué en 1965 par le Van Abbe Museum de Eindhoven. Cet *Espace* applique, dans un cadre réel à trois dimensions, les principes développés dans les peintures. Il constitue le premier cas d'« environnement », dirait-on aujourd'hui, considéré comme œuvre d'art à part entière. Les deux autres *Espaces prouns* sont l'*Espace pour l'art constructiviste* pour l'*Exposition de l'art international de Dresde* en 1926 et, en 1927, il réalise, à la demande de Dorner, directeur de la Kestnergesellschaft le *Cabinet abstrait* (ou *Cabinet des Modernes*) pour le Provinzial Museum à Hanovre, Cabinet qui sera plus tard détruit par les nazis, sous prétexte d'« art dégénéré ». Il sera néanmoins reconstruit en 1969 d'après les plans originaux de l'artiste. Dans l'un comme dans l'autre, il s'agit pour Lissitzky de concevoir un « cabinet abstrait », regroupant dans un lieu architectural précis et façonné par l'artiste, des œuvres abstraites d'autres artistes tels Picabia, Léger, Gabo, Moholy – Nagy, Baumeister. Chacune participant à une autre œuvre globale. On peut considérer cette approche comme étant à l'origine de la pratique muséale contemporaine de générer des œuvres *in situ* ou d'intégrer les œuvres à montrer au cadre architectural. De la période suisse (1924-1925) datent deux autres projets architecturaux. L'un, commencé en 1920 *La Tribune Lénine* proche du *Monument pour la IIIe Internationale* de Tatline (1919-1920) qui aurait été construite sur des diagonales symbolisant l'échange entre haut et bas, l'autre, pour un immeuble de bureau qui devait être construit à Moscou, le *Wol-*

kenbügel (*Gratte-ciel horizontal*). Il travaille aussi à des décors et costumes pour une représentation « électro-mécanique » de l'opéra *Victoire sur le soleil*, de Krutchenik, qui en font, comme le remarque Frank Popper, l'un des précurseurs, avec les autres constructivistes russes, du lumino-cinétisme. Il est aussi actif dans le domaine de la photographie et du photomontage.
Dès 1921, et jusqu'à sa mort, Lissitzky appliquera certaines de ses conceptions esthétiques à la mise en page de livres, revues, catalogues d'exposition et encarts publicitaires. Innovateur inégalé dans le domaine de la typographie, c'est durant son séjour à Berlin, en 1922 et 1923, qu'il achève ou termine ses œuvres les plus intéressantes, dont : l'*Histoire de deux carrés*. Elle se présente comme une suite de six dessins abstraits, dans une conception de l'espace typiquement *Proun*, à contenu symboliquement politique, que Lissistzky avait composés en Russie en 1920 et que Théo Van Doesbourg fit publier en Hollande en 1922. Il collabore avec Schwitters à Hanovre à un numéro spécial de la revue *Merz* : *Nasci* (juillet 1924), où il présente un ensemble de ses réalisations et expérimente des collages intégrés. Il réalise d'autre part la mise en page et la couverture, très audacieuse à cette époque d'un recueil de poèmes *Pour la voix* de Maïakovski, édité à Moscou en 1923. Elle lui vaut d'être admis de droit comme membre de la Société Gutenberg. Jusqu'à sa mort il se consacre à la mise en page de la revue *URSS en construction*. Lissitzky sera aussi inventif pour la composition d'affiches, dans lesquelles il associera bientôt peinture et photomontage, prenant ainsi également place parmi les précurseurs de la technique du « collage ». Il compose d'ailleurs, en 1919, la première affiche politique abstraite : *Frappe les Blancs avec le coin Rouge*.
Lors de son retour définitif à Moscou en 1928, Il doit, dans la nouvelle conjoncture, limiter son activité. Malade, il doit subir également l'hostilité croissante des représentants du régime envers l'art nouveau. En effet, l'autorité de Lounatcharski a décliné. La situation extérieure clarifiée permet dorénavant aux politiques de reporter leur attention à l'intérieur et surtout de se donner les moyens d'y affermir leur autorité et d'éliminer tout ce qui peut comporter un risque de devenir ferment de contestation : le principe de la révolution permanente cède le pas à la volonté d'affirmer un pouvoir récemment conquis. Lissitzky se consacre, d'une part à la publication de nombreux livres pour enfants, d'autre part de 1928 à 1941, à l'aménagement des salles des pavillons soviétiques aux expositions internationales à Moscou, Dresde (1925 et 1930), Cologne (1928), Stuttgart (1929), Leipzig (1930), Paris, New York, et Belgrade. Il fut cependant obligé de composer avec la doctrine du régime.
Lissitzky demeura assez longtemps aux avant-postes des mouvements artistiques qui bouleversèrent le début du siècle pour les avoir influencés et enrichis de ses idées esthétiques, morales et politiques. La personnalité de Lissitzki demeura le plus souvent effacée par son illustre confrère, Malevitch, mais la diversité de son activité dans le mouvement constructiviste des premières années de la Russie socialiste fut cependant capitale. Dans ce contexte révolutionnaire russe, l'art et la politique furent liés dans une relation passionnelle, inédite dans l'histoire européenne. C'est la principale origine de la divergence entre le suprématisme de Malevitch et la dimension socialo-politique de sa propre conception de l'activité artistique. Lissitzky ne partageait pas l'attitude de détachement esthétique incluse dans le suprématisme de Malevitch, malgré l'admiration qu'il lui vouait, et était au contraire convaincu que l'art devait se placer au service de l'humanité et de la révolution : « Entre 1918 et 1921, beaucoup de fatras a été détruit. En Russie aussi, nous avons arraché l'art à son trône sacro-saint et nous avons *craché sur son autel* ». Une dialectique – on la retrouve aussi au Bauhaus – que l'on peut qualifier facilement, avec le recul de l'histoire, d'utopiste et d'idéaliste. Elle exprime pourtant bien ce que le renouveau de l'art, hors conventionnalisme, devait, selon Lissitzky, à la lutte sociale. ■ Jacques Busse, Christophe Dorny

Bibliogr. : El. Lissitzky : *Prouns. 11 lithographies*, Vitebsk, Moscou, 1920 – El. Lissitsky : *Contes suprématistes sur deux carrés*, Berlin, 1922 – Kallai : *El Lissitsky*, Jahrbuch der jungen Kunst, Leipzig, 1924 – *El. Lissitsky, constructeur d'un livre*, Berlin, 1923 – A. Barr : *Cubism and Abstract Art*, Museum of Modern Art, New York, 1936 – A. Dorner : *Art of this Century*, Museum of Modern Art, New York, 1942 – Michel Seuphor, in : *Dictionnaire de la peinture moderne*, Hazan, Paris, 1954 – N. Khardjiev : *À la mémoire de l'artiste Lissitsky*, in : *L'Art décoratif d'U.R.S.S.*, n°2, 1961 – Michel Seuphor : *Le Style et le Cri*, Seuil, Paris, 1965 – Herta Wescher, in : *Dictionnaire universel de l'art et des artistes*, Hazan, Paris, 1967 – *El Lissitsky, Maler, Architekt, Typograf, Fotograf*, Veb Verlag der Kunst, Dresde, 1967, Londres, 1968 – Lissitzky-Küppers : *El Lissitzky*, Dresde, 1967, Londres – Michel Seuphor et Michel Ragon : *L'Art abstrait*, Maeght, Paris, 1971.. – in : *Les Muses*, t. IX, Grange Batelière, Paris, 1972 – S. Khan-Magomedov : *Lissitsky et l'architecture*, in : *L'Architecture*, n°1, Moscou, 1975 – in : *Dictionnaire universel de la peinture*, Le Robert, Paris, 1975 – *El. Lissitzky*, catalogue de l'exposition, Galerie Gmurzynska, Cologne, 1976 – *El Lissitzky*, catalogue de l'exposition, Musée d'Art Moderne de la Ville de Paris, 1991 – in : *L'Art du xxe s.*, Larousse, Paris, 1991 – in : *Dictionnaire de l'art moderne et contemporain*, Hazan, Paris, 1992.

Musées : Bâle (Kunstmuseum) : *Proun 1 D* – *Proun 7 A* – Cambridge, Massachusetts (Busch Reisinger Mus.) : *Proun 23 N 6* 1919 – Eindhoven (Stedelijk Van Abbemuseum) : *Broom* 1922 – *Espace Proun* 1923 – *Pour la voix* 1923 – *Le Constructeur* 1924 – *Proun* 1924 – *Schaumaschinerie* 1923 – *Cabinet abstrait* 1926 – Hanovre (Mus. Sprengel) : *Proun RVN 2* 1923 – Montréal (Mus. d'Art Contemp.) : *Proun IV* 1923 – Moscou (Gal. Tretiakov) : *Maquette pour l'emblème de l'exposition « Pressa »* 1928 – *Kestnermappe-Proun* – New York (Mus. of Mod. Art) – Philadelphie (Mus. of Art) : *Proun 2 C* 1920.

Ventes Publiques : Milan, 21 nov. 1961 : *Proon-23* : **ITL 12 500 000** – Londres, 4 juil. 1974 : *Construction Proun*, Construction Proun, aquar. gche, cr., encre de Chine : **GBP 4 000** – Berne, 10 juin 1976 : *Globetrotter (dans le temps)* 1923, litho. en coul. pl. 5 de la suite Sieg über die Sonne : **CHF 16 000** – New York, 10 nov. 1977 : *Die plastiche Gestaltung der Elektro-Mechanischen Schausieg über die Sonne : Posten* 1923, litho. en coul. (39x20) : **USD 4 500** – New York, 4 mai 1978 : *Proun V*, litho. en noir et gris (30,3x52,7) : **USD 4 500** – New York, 3 nov. 1978 : *Proun 4 B* vers 1920, gche, aquar. et cr. (22x17,5 ; 13,5x12,5) : **USD 26 000** – New York, 19 mai 1978 : *Proun 3A* vers 1920, h/t (71x58,5) : **USD 95 000** – Londres, 17 mai 1979 : *Proun Ic* 1919, litho./pap. bleuâtre (23,2x23,1) : **GBP 4 700** – Londres, 4 déc. 1981 : *Proun 5A* 1919, litho. coul. (27,6x26,9) : **GBP 38 000** – New York, 15 nov. 1983 : *Die platische Gestaltung der Elektromechanischen Schau Sieg über die Sonne* 1923, litho. en coul. (30,5x32) : **USD 15 500** – Londres, 6 oct. 1988 : *Angle et carré rouge*, aquar. et gche/pap. (42x41,3) : **GBP 33 000** – New York, 16 mai 1990 : *« Proun » n° 95*, gche, cr. et collage/cart. (59x49) : **USD 605 000** – Londres, 10 oct. 1990 : *Composition*, gche/pap. (36,5x47) : **GBP 22 000** – Paris, 27 mars 1994 : *« Chad Gadya » (l'histoire d'une chèvre), Kiev, Kultur lige* 1919, onze planches zincographiées en coul. sur pap. crème (chaque 25,7x23,5) : **FRF 220 000**.

LISSKA Johann Christoph. Voir **LISZKA**

LISSMANN Friedrich

Né le 4 octobre 1880 à Brême. Mort le 27 septembre 1915 devant Ypres. xxe siècle. Allemand.

Peintre et graveur sur bois.

Il travailla à Hambourg et peignit les oiseaux et les animaux de la Baltique, de la Mer du Nord, de l'Elbe, et surtout de l'Islande. La Galerie d'Art de Hambourg possède quatre tableaux de sa main.

LISSO Louis

xixe siècle. Actif à Berlin. Allemand.

Peintre de genre et de portraits.

Il figura en 1844, 1848, 1856 et 1877 aux expositions de l'Académie de Berlin.

LISSOVSKI

xviiie siècle. Polonais.

Peintre.

A l'église de Moravitz (près de Cracovie) se trouve son tableau : *La Sainte Famille*, peint en 1764.

LI SSŬ-HSÜN. Voir **LI SIXUN**

LIST C. P.

xviie siècle. Autrichien.

Peintre.

Deux tableaux d'autel de sa main se trouvent dans l'église collégiale de Mondsee.

LIST Georg Nikolaus

Né à Ulm. Mort après 1672. xviie siècle. Allemand.

Peintre de portraits.

Travailla à la cour de Stuttgart et y peignit, notamment, les *Por-*

traits du duc de Wurtemberg, Evrard III, et de *la duchesse son épouse,* qui ont été gravés par E.-C. Heiss et Ph. Kilian.

LIST Gerrit
Né le 20 mars 1795 à Texel. XIXe siècle. Hollandais.
Peintre de portraits et de natures mortes.

LIST Wilhelm
Né le 22 novembre 1864 à Vienne. Mort le 9 février 1918 à Vienne. XIXe-XXe siècles. Autrichien.
Peintre de portraits, natures mortes, compositions à personnages, sujets mythologiques, graveur, illustrateur, aquarelliste, pastelliste. Symboliste.
Il a été élève de Christian Griepenkerl à l'Académie de Vienne de 1885 à 1889, et il poursuivit ses études à celle de Munich ; il fréquenta ensuite l'atelier de Bouguereau à Paris. Il fut l'un des fondateurs, avec Klimt, de la *Secession* de Vienne dont il fut membre de 1899 à 1905. Il la quitta pour suivre Klimt et d'autres artistes, exposant en 1908 et 1909 à la *Kunstchau.*
Ses paysages sont sobres et froids et ses compositions mythologiques atteignent le monumental. Il a illustré des textes, notamment ceux de Rilke, et conçut plusieurs créations pour le journal *Ver Sacrum.*
Bibliogr. : Gérald Schurr, in : *Les Petits Maîtres de la peinture 1820-1920, valeur de demain,* Les Éditions de l'Amateur, t. V, Paris, 1981.
Musées : Quimper (Mus. des Beaux-Arts) : *L'Offrande* vers 1900 – Vienne (Gal. Autrichienne) : *Thème en blanc* – Vienne (Hist. Mus. der Stadt) : *La femme en blanc et noir* 1904.
Ventes Publiques : Vienne, 21 mars 1973 : *La Femme en noir et blanc* : **ATS 60 000** – Londres, 29 mars 1982 : *Magnolia,* h/t (110x100) : **GBP 2 200** – Vienne, 15 nov. 1983 : *Dämmerung* vers 1903, h/t (212x91) : **ATS 150 000** – Londres, 8 oct. 1986 : *La Nuit sort de l'Eau* vers 1904, temp. et peint. d'argent/t. (158x64,5) : **GBP 80 000** – Londres, 10 fév. 1988 : *Ophélie,* h/t (87x153) : **GBP 19 800** ; *Portrait de Ida B.,* h/t (221x157) : **GBP 5 500** – Londres, 21 nov. 1989 : *Apollon charmant les cygnes,* h/t (123x351) : **GBP 110 000** – Londres, 30 mars 1990 : *Mère et enfant,* h/t (90,5x55) : **GBP 9 900** – Londres, 28 nov. 1990 : *Fée de la nuit,* past. (44x33) : **GBP 5 720** – Munich, 25 juin 1992 : *Après-midi ensoleillé à Helenental près de Vienne,* aquar. (38x43,5) : **DEM 5 650** – Londres, 12 juin 1996 : *La Mort d'un ange,* temp. et traces de peint. or (161x79) : **GBP 31 050** – Londres, 11 juin 1997 : *La Nuit surgissant de la mer,* temp. et peint. argent/t. (158x64,5) : **GBP 73 000.**

LISTA Stanislao
Né le 8 décembre 1824 à Salerne. Mort le 12 février 1908 à Naples. XIXe siècle. Italien.
Sculpteur et peintre.
Élève, à Bologne, de Tamburini. Il débuta vers 1845. Il exposa à Naples, Rome, Parme et à Paris. En 1878 il fut décoré de l'Ordre de la Couronne d'Italie.
Musées : Naples (Nat.) : *Rocco Beneventano.*

LISTER Martin
Né vers 1638. Mort en 1711. XVIIe-XVIIIe siècles. Britannique.
Dessinateur et graveur.
Il fut d'abord médecin. Il dessina et grava pour ses ouvrages de nombreux sujets d'histoire naturelle. Il publia avec l'aide de ses deux filles : *Historia Animalium Angliae* (1678) et *Historia Conchyliorum* (1685-1693).

LISTER-LISTER William
Né en 1859 en Australie. Mort en 1943. XIXe-XXe siècles. Australien.
Peintre de paysages d'eau, marines, aquarelliste, dessinateur.
Il fit ses études en Angleterre et en France. Il retourna dans son pays natal en 1888 et fut élu président de the Royal Art Society en 1897.
Musées : Sydney : *La mer toujours en mouvement – Le gué* – quatre aquarelles.
Ventes Publiques : Paris, 9 fév. 1927 : *Mont Kemblé,* aquar. : **FRF 880** – Sydney, 6 oct. 1976 : *Scène de plage,* aquar. (55x95,7) : **AUD 800** – Melbourne, 11 mars 1977 : *Canberra* 1912, cart. (86x109) : **AUD 1 500** – Sydney, 17 oct. 1984 : *Scène de plage, Sydney,* aquar. (28x77,6) : **AUD 3 200** – Armadale (Australie), 11 avr. 1984 : *National Park, N.S.W.,* h/t (66,5x70) : **AUD 4 500** – Londres, 6 nov. 1985 : *Cabbage Palms près d'Omega, côte sud,* aquar./traits de cr. reh. de blanc (25,5x76) : **GBP 1 350** – Sydney, 24 nov. 1986 : *Scène de rivière,* h/t (50x62) : **AUD 3 400** – Sydney, 29 oct. 1987 : *Long Reef,* aquar. (24x57,5) : **AUD 3 000** – Londres, 1er déc. 1988 : *Les Arbres à gomme,* cr. et aquar. (31,7x48,2) : **GBP 1 045** – Sydney, 3 juil. 1989 : *Le Lookout dans les Blue Mountains,* h/cart. (41x48) : **AUD 1 200** – Sydney, 26 mars 1990 : *Rolling Hills,* h/t (51x61) : **AUD 4 000** – Sydney, 29-30 mars 1992 : *Parc Royal National,* aquar. : **AUD 800.**

LI SUNG. Voir **LI SONG**

LISZEWSKA Anna Dorothea ou **Dorotea** ou **Liscewsky** ou **Lisiewski**, plus tard **Therbusch**
Née en 1721 ou 1722 à Berlin. Morte en 1782 à Berlin. XVIIIe siècle. Allemande.
Peintre de portraits.
Elle fit ses études avec son père George Liszewski, et à Paris en 1767 elle devint membre de l'Académie des Beaux-Arts. Elle fut aussi membre de l'Académie de Berlin. Elle épousa un sieur Therbusch, en 1770 et retourna à Berlin. Elle peignit des portraits et des tableaux d'histoire pour les cours de Prusse et de Russie. Au château à Potsdam, à celui de Sans-Souci se trouvent plusieurs de ses œuvres.
Musées : Berlin (Kaiser Fried.) : *Un collectionneur, portrait – Autoportrait* – Berlin (Gal. Nat.) : *Henriette Herz – Portrait de l'artiste* – Berlin (Acad.) : *Le peintre Harper* – Berlin (Hohenzollern) : *La comtesse Lichtenau* – Berlin (École des Beaux-Arts) : *Le buveur* – Brunswick : *L'artiste* – Dessau : *Guillaume de Bayreuth* – Düsseldorf : *L'architecte Pigage* – Leipzig : *Le peintre P. C. Ziest* – Leyde : *Portrait de femme – Portrait d'homme* – Mannheim : *Le prince-électeur Charles-Théodore* – Potsdam (Sans-Souci) : *Diane et nymphes* – Potsdam (Palais neuf) : *La quatrième ode d'Anacréon – Frédéric-Guillaume II* – Stuttgart : *L'artiste par elle-même* – Versailles : *Frédéric II* – Vienne (Mus. baroque) : *P. Hackert* – Weimar : *L'artiste à la fenêtre.*
Ventes Publiques : Biarritz, 18 mars 1984 : *Portrait d'un savant,* h/t (101x81) : **FRF 200 000** – Paris, 31 mars 1994 : *Portrait de femme à la robe aux nœuds roses,* h/t (81,5x65) : **FRF 29 000** – New York, 19 mai 1994 : *Portrait de Frédéric le Grand,* h/t (82x65) : **USD 74 000.**

LISZEWSKA Anna Rosina ou **Liscewsky**, plus tard Mme **Mathieu,** puis **de Gasc**
Née le 10 juin 1716 à Berlin. Morte en 1783 à Dresde. XVIIIe siècle. Allemande.
Peintre de portraits.
Elle fit ses études avec son père, Georg Liszewski. Très jeune elle fit déjà un portrait de la duchesse Anhalt Lerbst. En 1741 elle épousa le peintre David Mathieu ; en 1755 elle perdit son mari et elle se rendit à Lerbst pour faire pour le Salon des Beautés les portraits des femmes les plus jolies de cette époque. En 1764 elle fut invitée à Brunswick pour faire le portrait du duc. En 1769 elle fut élue membre de l'Académie de Dresde.
Musées : Berlin (Mus. des Marches) : *Une dame en Aurore* – Brunswick : *Madame von Branconi* – Hanovre (prov.) : *Portrait de l'artiste par elle-même.*
Ventes Publiques : New York, 4 nov. 1982 : *Portrait d'Elisabeth Christina von Braunschweig-Bevern, reine de Prusse,* h/t (138,5x113) : **USD 3 750** – Hanovre, 19 mai 1984 : *Portrait de femme,* h/t (92x71) : **DEM 3 500** – Londres, 13 nov. 1996 : *Portrait du roi George III* ; *Portrait de la reine Charlotte,* h/t, une paire (chaque 143x98) : **GBP 65 300.**

LISZEWSKA Friderike Julie ou **Liscewsky**
Née le 26 décembre 1772 à Dessau. Morte le 27 avril 1856 à Wismar. XVIIIe-XIXe siècles. Polonaise.
Portraitiste.
Elle fit ses études avec son père, Christian F. R. Liszewski. En 1792 elle vint à Berlin où elle fit les portraits de plusieurs personnages célèbres. Elle fut élue membre de l'Académie de Berlin. Plusieurs fois elle exposa à Berlin.
Musées : Berlin (Acad.) : *Portrait du père de l'artiste* – Nuremberg (Germ.) : *Portrait de l'artiste.*

LISZEWSKA Julie ou **Liscewsky**
Née en 1723 à Berlin. Morte en 1794 à Ludwigslust. XVIIIe siècle. Allemande.
Portraitiste et peintre de genre.
Fille et élève de Georg Liszewski.

LISZEWSKI Christian Friedrich Reinhold ou **Liscewsky**
Né en 1725 à Berlin. Mort le 11 juin 1794 à Ludwigslust. XVIIIe siècle. Allemand.

Peintre de portraits.
Fils et élève de Georg Liszewski. Il fut invité à la cour d'Anhalt-Dessau et il y fit le portrait du duc Eugène d'Anhalt. En 1768 il travailla à Dresde, en 1772 il se rendit à Berlin où il peignit plusieurs portraits, enfin il devint peintre à la cour de Mecklenburg-Schwerin.
Musées : Berlin (Acad.) : *Portrait de femme* – Berlin (Hohenz.) : *F. B. Schönberg von Brenckenhoff* – Berlin (Mus. des Marches) : *C. F. Wilke* – Schwerin : *La princesse Ulrique.*
Ventes Publiques : New York, 18 mai 1994 : *Portrait présumé de la Princesse Louise Albertine von Anhalt Bernburg vêtue d'une robe verte à manches de dentelle avec une étole orange ; Portrait présumé du Prince Frederick Altrecht Van Anhalt Bernberg portant une armure barrée d'une étole de moire bleue* 1766, h/t, une paire (82,8x66,1) : **USD 20 700**.

LISZEWSKI Georg ou **Liscewsky**
Né en 1674 à Olesek. Mort le 6 janvier 1750 à Berlin. xviie-xviiie siècles. Polonais.
Portraitiste.
Il fit ses études comme boursier du baron Eosandre, général de Prusse. En 1692, il se rendit à Berlin où il devint peintre de la cour royale. Il fit plusieurs portraits de la famille royale.
Musées : Berlin (Hohenz.) : *Von Grumbkow* – Dessau (Château) : *Un prince d'Anhalt – Un prince d'Anhalt.*

LISZKA Johann Christoph ou **Lisska** ou **Liska** ou **Lischka**
Né en 1650 à Breslau ou Wrodaw. Mort en 1712 à Leubus (Silésie) ou Lubiaz. xviiie siècle. Actif à Breslau et à Prague. Allemand.
Peintre d'histoire, compositions religieuses, fresques.
En 1660 il était à Prague où il exécuta des fresques. On cite également plusieurs de ses ouvrages dans les églises de Bohême.
Musées : Prague (Assoc. des Amis des Arts Patriotes) : *La stigmatisation de saint François.*
Ventes Publiques : Paris, 18 déc. 1995 : *L'assassinat de Venceslas*, h/t/pan. (48x38) : **FRF 10 000**.

LI TANG ou **Li T'ang**, surnom : **Xigu**
Né vers 1050, originaire de Heyang, province du Henan. Mort après 1130. xie-xiie siècles. Chinois.
Peintre.
Rien n'est sans doute plus différent, apparemment, qu'un paysage des Song du Nord (960-1127) et des Song du Sud (1127-1279). La monumentalité, l'équilibre du premier cherchent à conférer à l'œuvre la puissance d'un macrocosme et la force de la permanence. Le second, par contre, rompt volontairement l'équilibre des forces naturelles et, sensible à l'impermanence des choses, se fait le porteur d'un message émotionnel plus intense. Le premier trouve son expression la plus accomplie dans l'œuvre de Fan Kuan (mi-xe siècle), le second dans celles de Ma Yuan et Xia Gui (actifs vers 1190-1230). L'œuvre de Li Tang, pour sa part, assure la liaison entre ces deux conceptions si différentes, qui ne sont pas le fruit d'une rupture mais plutôt d'une évolution. En effet, il travaille d'abord à l'Académie Impériale de Kaifeng, sous le règne de l'empereur Huizong, puis, après que Kaifeng est tombée aux mains des Tartares Jin, il suit la dynastie Song dans son exode vers le sud et, avec d'autres membres de l'Académie de Huizong, forme le noyau de l'Académie réorganisée par l'empereur Gaozong à Hangzhou, la nouvelle capitale. Héritier des grands paysagistes du nord, son influence est telle à Hangzhou qu'il n'est guère de grands maîtres du sud qui, de près ou de loin, ne se réclament de lui. Une évolution est perceptible au sein même de son œuvre ; *Le son du vent dans les pins d'une gorge montagneuse*, conservé au National Palace Museum de Taipei, exécuté au nord en 1124, reste fidèle à la monumentalité de Fan Kuan, à ses défilés sombres et étroits, à ses masses rocheuses usées par le temps et couronnées de végétation broussailleuse. Mais la peinture est moins suggestive d'un univers vaste et complet que d'un coin de nature où l'on pénètre plus facilement, grâce à l'inversion des proportions traditionnelles et plus d'ampleur étant donnée au premier plan qu'à l'arrière-plan de telle sorte que l'œuvre est d'emblée plus avenante pour la promenade spirituelle et une compréhension plus intimiste de la nature. Cette tendance nouvelle s'affirme dans une feuille d'album, *Une infinité d'arbres sur des pics étranges*, conservée dans la même collection et vraisemblablement exécutée après le transfert de l'Académie à Hangzhou ; cette peinture ouvre directement la voie au paysage des Song du Sud. Le spectateur ne domine plus un vaste panorama de montagnes mais pénètre directement dans l'espace qui se devine au cœur de cette vision fraîche et calme, entre les pics mystérieux qui émergent des nuages. La conception classique d'une composition tournant autour d'un axe central est toujours là, mais l'axe se fait diagonale, divise la surface picturale de façon plus subtile et se perd dans l'évanescence d'une brume de fonds, cependant que l'avant-plan est singulièrement souligné par les éléments les plus lourds, eux-mêmes accentués par un jeu de diagonales et de larges coups de pinceau de biais appelés « coups de hache » (*pima cun*). Ainsi, sont ici réunis les éléments fondamentaux de la grammaire et du vocabulaire des paysagistes du sud et notamment de l'école Ma-Xia.
Bibliogr. : James Cahill : *La peinture chinoise*, Genève, 1960 – Pierre Ryckmans : *Li T'ang et Ma Yuan* in *Encyclopaedia Universalis*, vol. 9, Paris, 1971.
Musées : Boston (Mus. of Fine Arts) : *Le retour de la fête villageoise au printemps*, feuille d'album, attribution ancienne – *Deux garçons vachers conduisant deux buffles sous les saules*, accompagné d'un poème de Qianlong – Kyoto (Temple Koto-In) : *Deux paysages* – Pékin (Mus. du Palais) : *Le fleuve Changjiang pendant l'été*, encre et coul. verte sur soie, rouleau en longueur, signé – *Le retour d'un bateau par la pluie et le vent*, colophons de Zheng Yuanyu, Dong Qichang et Qianlong – *Le médecin de village* – *La collecte de fleurs*, éventail, attribution – *Personnages bavardant sous un abri*, éventail, attribution – *En train de garder les buffles*, éventail, attribution – Taipei (Nat. Palace Mus.) : *Son du vent dans les pins d'une gorge montagneuse* signé et daté 1124, encre et coul. sur soie, rouleau en hauteur – *Une infinité d'arbres sur des pics étranges*, encre et coul. légères sur soie, feuille d'album – *Buffles*, encre et coul. légères sur soie, rouleau en hauteur – *Montagnes près de la rivière* inscription de Dong Qichang datée 1633, colophon du peintre Cheng Zhengkui daté 1660, encre et coul. sur soie, rouleau en longueur – *Paysages des quatre saisons*, petits rouleaux en longueur montés en album, attribué à Li Tang par un colophon de Dong Qichang – *Clair ruisseau et ermite pêchant dans les roseaux* colophon de Zhao Mengjian daté 1237 – *Tempête sur les monts enneigés près d'une rivière* datant peut-être de la dynastie Yuan, copie – *Paysage de rivière sous la neige*, attribué à Li Tang par un colophon de Dong Qichang.

LI TCHAO-TAO. Voir **LI ZHAODAO**

LI TCHE. Voir **LI ZHI**

LI TCHE-KENG. Voir **LI ZHIGENG**

LI TCHEN. Voir **LI ZHEN**

LI TCH'ENG. Voir **LI CHENG**

LI TCHONG-SIUAN. Voir **LI ZHONGXUAN**

LI TCHOU. Voir **LI ZHU**

LITEMONT Jacob de. Voir **LITTEMONT**

LITHEN Johan ou **Lithen af Litheim**
Né en 1663. Mort le 4 mars 1725 à Göteborg. xviie-xviiie siècles. Suédois.
Dessinateur.
Officier du génie. Après son ennoblissement, il devint Lithen af Litheim. Il dessina les esquisses pour les illustrations d'une *Histoire de Charles XI* et d'une *Histoire de Charles XII*. Les Archives de Stockholm possèdent de sa main de nombreux dessins et le *Portrait de Charles XII*.

LITHGOW David Cunningham
Né le 12 novembre 1868 à Glasgow. xixe siècle. Britannique.
Peintre de portraits, paysages.
Il se fixa en 1888 à New York, puis à Albany (New York).
Musées : Albany (Inst. Gal.) : *Forêt de pins au crépuscule.*
Ventes Publiques : New York, 9 juin 1988 : *La chasse et le dîner des chasseurs*, deux panneaux (116,8x472,4) : **USD 11 000**.

LI TI. Voir aussi **LI DI**

LI TI ou **Li T'i**, surnom : **Shihong**, nom de pinceau : **Yuanqiao Zhenyi**
Originaire de Taiyuan, province du Shanxi. xive siècle. Chinois.
Peintre.
Répétiteur de l'empereur pour les textes classiques, c'est un peintre de bambous dans le style de Wen Tong (mort en 1079).

LI T'IE-FOU. Voir **LI TIEFU**

LI TIEFU ou **Li T'ie-Fou**, ou **Li T'ieh-Fu**
Né vers 1868 dans la province du Guangdong. xixe-xxe siècles. Actif aux États-Unis. Chinois.

Peintre.
Peintre de l'école moderne, il rallie le mouvement révolutionnaire très jeune puis part étudier en Angleterre. À son retour, il s'installe à Hong Kong ; ultérieurement, il vivra aux États-Unis.

LI T'IEH-FU. Voir **LI TIEFU**

LITIIS Giulio Cesare de
Né le 19 septembre 1734 à Vasto. Mort le 2 octobre 1816. XVIIIe-XIXe siècles. Italien.
Peintre d'histoire.
La Pinacothèque Municipale de Vasto possède de sa main trois grands tableaux : *Suzanne, Agar dans le désert, Loth et ses filles.*

LITIO. Voir **DELITIO**

LITITCHEVSKY Gueorguy
Né en 1956. XXe siècle. Russe.
Peintre, technique mixte. Tendance figuration libre.
Il possède une formation d'historien. Il vit et travaille à Moscou. Il peint sur tissu. Sa figuration est proche de la figuration libre occidentale.

LITKE Theodor
Né le 19 juillet 1847 à Berlin. Mort le 18 novembre 1902 à Berlin. XIXe siècle. Allemand.
Sculpteur.

LITKEI Antal
Né le 15 août 1880 à Bia. XXe siècle. Hongrois.
Peintre de paysages, genre.
Il fut élève de l'Académie des Beaux-Arts de Budapest.
Musées : Budapest (Mus. des Arts Plastiques) – Budapest (Mus. de la Capitale).
Ventes Publiques : Amsterdam, 2-3 nov. 1992 : *Rêverie,* h/t (68x54,5) : **NLG 1 725**.

LITNIANSKI Bohdan
Né vers 1910 en Ukraine. XXe siècle. Actif depuis 1930 en France. Russe.
Sculpteur d'assemblages. Art-brut.
Il arriva en France comme maçon. Dans le jardin de deux-cents mètres carrés de sa maison de Chauny (Aisne), il accumule tout ce qu'il peut trouver dans les décharges publiques et en érige une sorte de palais dédié à la société de consommation.

LITOVTCHENKO Alexander Dmitriévitch
Né en 1835 à Krementchoug. Mort en 1890 à Saint-Pétersbourg. XIXe siècle. Russe.
Peintre d'histoire et de genre.
Élève de l'Académie de Pétersbourg où il obtint deux prix. On voit de lui au Musée Russe à Leningrad, *Ivan le terrible montrant ses trésors à l'ambassadeur d'Angleterre, Fauconniers du temps du tsar Alexis-Michaëlovitch,* et à la galerie Tretiakov, à Moscou, *La Résurrection, L'excursion du patriarche, Études, Portrait de l'archevêque Nicone, Portrait du peintre W. G. Schwartz.*

LITS Jacob. Voir **LIDTS**

LI TSAI. Voir **LI ZAI**

LI TSAN-HOUA. Voir **LI ZANHUA**

LI TSAN-HUA. Voir **LI ZANHUA**

LITSCHAUER Karl Joseph
Né le 1er mars 1830 à Vienne. Mort le 8 août 1871 à Düsseldorf. XIXe siècle. Autrichien.
Peintre de genre.
Il fut élève de Ferdinand Waldmuller à l'Académie des Beaux-Arts de Vienne et de Tidemand à Düsseldorf. Il travailla dans ces deux villes.
Musées : Vienne (Liechtenstein) : *Un soldat mourant reçoit la communion* – Wiesbaden : *Faux monnayeurs.*
Ventes Publiques : New York, 21 jan. 1978 : *Les faussaires,* h/t (73x104) : **USD 3 500** – Cologne, 19 oct 1979 : *Le garde-chasse et les braconniers,* h/t (65x84) : **DEM 24 000** – Stuttgart, 9 mai 1981 : *Le Rétameur,* h/pan. (34x28,5) : **DEM 5 500** – New York, 25 fév. 1988 : *L'alchimiste,* h/t (66x84,4) : **USD 5 500**.

LI TS'IEOU-KIUN. Voir **LI QIUJUN**

LI TSIN-FA. Voir **LI JINFA**

LI TS'ONG-HIUN. Voir **LI CONGXUN**

LI TSONG-MO. Voir **LI ZONGMO**

LI TSONG-TCH'ENG. Voir **LI ZONGCHENG**

LI TSUNG-CH'ÊNG. Voir **LI ZONGCHENG**

LI TS'UNG-HSÜN. Voir **LI CONGXUN**

LI TSUNG-MO. Voir **LI ZONGMO**

LITT Ginette
Née en 1934 à Verviers (Liège). XXe siècle. Belge.
Graveur de natures mortes, fleurs, illustrateur.
Elle a été élève à Liège et à Paris dans l'atelier Friedlander. Elle a réalisé des albums *Natures mortes, Ronces pour un herbier.* Elle a illustré *Le Christ aux oliviers* de Nerval ; *Du côté de l'aurore* de G. Chatelain ; *Le Voyage* de Baudelaire.
Bibliogr. : In : *Dict. biogr. illustré des artistes en Belgique depuis 1830,* Arto, Bruxelles, 1987.

LITT Henri
Né en 1898 à Andrimont. Mort en 1984 à Verviers (Liège). XXe siècle. Belge.
Peintre. Polymorphe, tendance abstraite.
Il fut élève de l'Académie des Beaux-Arts de Liège.
Bibliogr. : Léon Norgez : *Henri Litt, sorcier des transparences,* Paris, 1978 – in : *Dict. biogr. illustré des artistes en Belgique depuis 1830,* Arto, Bruxelles, 1987.

LITTECZKY Endre
Né en 1880. XXe siècle. Hongrois.
Peintre de paysages.
Élève de l'Académie de Budapest.

LITTEMONT Jacob de ou **Lichtemont** ou **Litemont** ou **Lytemont**
XVe siècle. Actif à Bourges (Cher). Français.
Peintre.
Il était peintre de la Cour du roi Louis XI. Il est probablement identique au « peintre du Roi » Jacob, mentionné dans un inventaire du financier Jacques Cœur. On lui attribue les peintures de plafond de la chapelle du Palais Jacques Cœur à Bourges.

LITTERINI Agostino ou **Letterini**
Né en 1642 à Venise. Mort en 1730. XVIIe-XVIIIe siècles. Italien.
Peintre.
Élève de Pietro della Vecchia. On voit de cet artiste, dans l'église de San Geronimo à Vienne, deux peintures religieuses. Les églises Ognisanti et Sainte-Marie-des-Anges à Venise possèdent également de ses œuvres.

LITTERINI Bartolommeo ou **Letterini**
Né en 1669 à Venise. Mort en 1745 à Venise. XVIIe-XVIIIe siècles. Italien.
Peintre d'histoire.
Fils d'Agostino Litterini. Imitateur du Titien. Le Musée de Budapest conserve de lui : *Le denier de César* et *Le Christ et saint Pierre.* Les églises de Venise et Murano possèdent également de ses œuvres.

LITTERINI Caterina ou **Letterini**
Née en 1675. Morte vers 1727. XVIIIe siècle. Italienne.
Peintre de miniatures.
Elle était fille d'Agostino Litterini.

LITTLE George Léon
Né en 1862 à Londres. XIXe siècle. Britannique.
Peintre.
Élève du Royal College of Art. Il exécuta des paysages et des tableaux représentant des animaux.

LITTLE John Geoffrey Carruthers
Né en 1920 ou 1928. XXe siècle. Canadien-Québécois.
Peintre de paysages urbains.
Outre quelques paysages des environs, il peint surtout les vues typiques, voire pittoresques des vieux quartiers à Québec et Montréal.
Ventes Publiques : Toronto, 14 mai 1979 : *Les courts de tennis, McGill Campus,* h/cart. (61x76,2) : **CAD 5 000** – Toronto, 26 mai 1981 : *Rue Saint-Stanislas, Québec* 1960, h/cart. entoilé (40x50) : **CAD 12 000** – Toronto, 3 mai 1983 : *The corner of Chateauguay and Victoria streets, Québec* 1978, h/t (60x75) : **CAD 5 500** – Toronto, 26 nov. 1984 : *Saguenay river, a village in winter* 1952, h/cart. (55x70) : **CAD 5 500** – Toronto, 28 mai 1985 : *Edifice juste en face de la gare, rue Saint-Paul, Québec* 1969, h/t (55x70) : **CAD 6 000** – Toronto, 18 nov. 1986 : *McGill Campus* 1972, h/t (38,8x48,8) : **CAD 5 000** – Montréal, 17 oct. 1988 : *Rue Laval, autrefois* 1987, h/t (31x41) : **CAD 3 200** ; *L'épicerie de Milton street à Durocher* 1959, h/pan. (41x31) : **CAD 7 500** – Montréal, 1er mai 1989 : *Rue Fleurie à Québec* 1966, h/pan. (41x51) : **CAD 5 200** – Montréal, 30 oct. 1989 : *Vue depuis Mont Royal*

1966, h/pan. (31x41) : **CAD 4 180** – MONTRÉAL, 30 avr. 1990 : *Rue Saint Denis à Québec* 1966, h/pan. (23x32) : **CAD 2 090** – MONTRÉAL, 5 nov. 1990 : *Le lac doré – Province de Québec* 1952, h/pan. (54x76) : **CAD 5 500** – MONTRÉAL, 4 juin 1991 : *Le bazar de la ville* 1951, h/t (50,8x61) : **CAD 6 000** ; *L'église Bon Secours* 1954, h/t (61x76,2) : **CAD 8 000** – MONTRÉAL, 23-24 nov. 1993 : *Rue St Ignace et l'église St Malo à Québec* 1988, h/t (30,5x40,6) : **CAD 2 750** – MONTRÉAL, 21 juin 1994 : *Une journée humide, rue Bagot à Québec* 1973, h/t (51x61) : **CAD 5 750** – MONTRÉAL, 18 juin 1996 : *Stanley Street, Montréal* 1964, h/pan. (30,5x40,5) : **CAD 4 300**.

LITTLE John Wesley
Né en 1867 à Forksville (Pennsylvanie). Mort en 1923 à Williamsport (Pennsylvanie). XIXe-XXe siècles. Américain.
Peintre de paysages.
On cite ses peintures murales dans le bâtiment Franklin à Williamsport.
VENTES PUBLIQUES : NEW YORK, 26 juin 1981 : *Job Lot 149*, h/t (30,5x61) : **USD 3 500**.

LITTLE Philip
Né le 6 septembre 1857 à Swampscott (Massachusetts). Mort en 1942. XIXe-XXe siècles. Américain.
Peintre de paysages, graveur.
On cite de ses œuvres dans la Galerie de la Collection Bowdoin à Brunswick (Maine), à l'Académie de Pennsylvanie de Philadelphie, à l'Institut Essex à Salem (Massachusetts), à l'École de dessin de Rhode Island à Providence. Il fut membre de la Fédération Américaine des Arts.
MUSÉES : BOSTON – SAINT-LOUIS (City Art Mus.).
VENTES PUBLIQUES : SAN FRANCISCO, 24 juin 1981 : *Freight*, h/t (92x127) : **USD 7 000** – SAN FRANCISCO, 8 nov. 1984 : *Train traversant un pont*, h/t (91,5x127) : **USD 8 000** – NEW YORK, 28 mai 1987 : *Mississipi gelé* 1904-1912, h/t (73,6x91,5) : **USD 12 000** – NEW YORK, 28 mai 1992 : *Soirée pluvieuse à Washington* 1910, h/t (76,5x76,5) : **USD 9 350** – NEW YORK, 31 mars 1994 : *Voiliers dans un port*, h/t (55,9x68,6) : **USD 1 150** – NEW YORK, 28 sep. 1995 : *Vue plongeante sur le port de Kingston en Jamaïque* 1927, h/t (73,7x91,4) : **USD 1 150**.

LITTLE Robert
Né vers 1854-1855 à Greenock (Écosse). Mort en 1944. XIXe-XXe siècles. Actif à East Grinstead. Britannique.
Peintre de figures, paysages, peintre à la gouache, aquarelliste, lithographe.
Il étudia à Édimbourg, à Rome et à Paris. On trouve de ses œuvres dans les Galeries de Manchester et d'Huddersfield, à l'Institut Watt à Greenock et à la Guidhall Gallery à Londres.
VENTES PUBLIQUES : ÉDIMBOURG, 23 mars 1993 : *Édimbourg*, aquar. et gche (33,5x47) : **GBP 805**.

LITTLEFIELD John Harrison
Né en 1835 à Cicero (New York). Mort en 1902 à Brooklyn (New York). XIXe siècle. Américain.
Peintre de genre et de portraits.
On mentionne de lui : *Lincoln sur son lit de mort*, gravé par Gugler.
MUSÉES : BROOKLYN : *Portrait d'Henry Ward Beecher*.

LITTLEFIELD William Horace
Né à Roxbury (Massachusetts). XIXe siècle. Actif à la fin du XIXe siècle. Américain.
Peintre.
Travaillant en France, il subit l'influence de Luc-Albert Moreau et de Dunoyer de Segonzac.

LITTLEJOHNS John
Né le 4 mai 1874. XXe siècle. Britannique.
Peintre de paysages, portraits, illustrateur.
Il travailla de 1896 à 1906 à Swansea puis à Londres. Il publia en 1918 avec L. Richmond *L'Art de la peinture au pastel*. Il fut également écrivain.

LITTREY Claude Antoine ou **Littrey de Montigny**
Né vers 1735 à Paris. Mort en 1775 à Rouen. XVIIIe siècle. Français.
Dessinateur et graveur au burin.
Possiblement identique au dessinateur, graveur de Montigny ou Demontigny. Littrey alla en Angleterre, mais n'y trouvant pas les succès espérés, il revint se fixer à Rouen. On lui doit de bons portraits de personnages de son époque et des sujets de genre d'après Saint-Quentin Schenau, Weirotter.

VENTES PUBLIQUES : PARIS, 8 mai 1924 : *L'amoureux indiscret*, lav. : **FRF 200** – PARIS, 22 fév. 1934 : *Tête d'apôtre*, cr. noir et sanguine : **FRF 130**.

LITTROW Leo von
Né en 1860 à Trieste. XIXe siècle. Autrichien.
Peintre de marines.
Travailla à Munich, Vienne, Venise, Fiume, Abbazia, et prit part aux expositions allemandes et autrichiennes à partir de 1880.

LITVINIENKO Vladimir
Né en 1930 à Odessa. XXe siècle. Russe.
Peintre de paysages animés, fleurs. Postimpressionniste.
Il fut élève de l'École des Beaux-Arts d'Odessa. Il est agréé Artiste du Peuple. Il appartient à une sorte de clan familial d'artistes typiquement d'Odessa : gendre d'Alexandre Chelouto et d'Irina Remiz, époux de Tamara Litvinienko et père de Anna Litvinienko. Ils vivent tous à Odessa et ont fait leurs études à l'École des Beaux-Arts Grekov.
On retouve dans leurs peintures la relation avec l'impressionnisme français, toutefois revu par le tempérament russe local.
MUSÉES : KIEV (Mus. des Beaux-Arts) – MOSCOU (min. de la Culture) – MOSCOU (Gal. Tratiakov) – ODESSA (Mus. de la ville).
VENTES PUBLIQUES : PARIS, 13 avr. 1992 : *Dimanche dans un parc* 1961, h/t (100x90) : **FRF 14 500** – PARIS, 20 mai 1992 : *Bouquet près de la fenêtre* 1960, h/t (100x56) : **FRF 15 000** – PARIS, 3 juin 1992 : *Journée de printemps à Odessa*, h/t (85x91,5) : **FRF 7 000** – PARIS, 12 oct. 1992 : *Odessa au printemps* 1962, h/cart. (71x59) : **FRF 6 200** – PARIS, 20 mars 1993 : *Soir doré*, h/t (50x100) : **FRF 4 300** – PARIS, 29 nov. 1993 : *Une visite officielle*, h/t (45x95) : **FRF 9 100** – PARIS, 4 mai 1994 : *Le fiacre*, h/t (53x71) : **FRF 9 000**.

LITVINOVSKY Pinhas ou **Pinchas**
Né en 1893 ou 1894. Mort en 1985. XXe siècle. Actif en Israël. Russe.
Peintre de figures, intérieurs, peintre à la gouache, aquarelliste.
Il vécut et travailla à Tel-Aviv.
Son art a subi, dans les années vingt, l'influence du cubisme.
Il a figuré à l'exposition intitulée *De Bonnard à Baselitz* à la Bibliothèque nationale à Paris en 1992.
Il peignit des figures dans un esprit de déformation moderniste.

P. Litvinovsky

BIBLIOGR. : *Art en Israël*, Massada Publishing Co, Tel-Aviv 1965 – *L'Histoire de l'art en Israël*, Massada Publishing Co, Tel-Aviv 1980 – *The Tower of David Days, First Cultural Strife in Israeli Art*, Tower of David Museum of the History of Jerusalem, Jerusalem, 1991.
VENTES PUBLIQUES : TEL-AVIV, 17 mai 1981 : *Portrait de jeune fille*, h/t (40x53) : **ILS 10 000** – TEL-AVIV, 1er juin 1987 : *Jeux d'enfants*, h/t (58x73,5) : **USD 3 710** – TEL-AVIV, 2 jan. 1989 : *Personnages*, h/cart. (52,5x45) : **USD 1 100** – TEL-AVIV, 3 jan. 1990 : *Personnages*, h. et gche/pap. (49,5x62,5) : **USD 2 310** – TEL-AVIV, 19 juin 1990 : *Jeune garçon juif*, h/t (41,5x33,5) : **USD 3 300** – TEL-AVIV, 20 juin 1990 : *Personnages avec une fleur*, h/pap. (30,5x40,5) : **USD 1 320** – TEL-AVIV, 1er jan. 1991 : *Personnage dans un intérieur*, h. et gche/pap. (66,5x54) : **USD 1 430** – PARIS, 14 avr. 1991 : *Les pionniers* 1945, h/t (98x73) : **FRF 18 500** – TEL-AVIV, 12 juin 1991 : *Maisons de Jérusalem*, h/t (35x50) : **USD 3 740** – TEL-AVIV, 6 jan. 1992 : *Deux Arabes assis*, h/t (130,5x97,5) : **USD 8 250** – TEL-AVIV, 30 juin 1994 : *Le vendeur de poulets*, h/t (67x48,5) : **USD 14 950** – TEL-AVIV, 22 avr. 1995 : *Marchande de fruits*, aquar. et gche (24,5x18,2) : **USD 19 550** – TEL-AVIV, 7 oct. 1996 : *Intérieur de la synagogue de Petach Tikva* 1922-1925, aquar./cr. (21x29) : **USD 25 300** – TEL-AVIV, 23 oct. 1997 : *Le Berger*, h/t (50x61,8) : **USD 17 250** – TEL-AVIV, 12 jan. 1997 : *Intérieur de la synagogue de Petach Tikva* 1920-1925, aquar. (26x38) : **USD 19 550**.

LITVINSKI Petr
Né en 1927 à Léningrad. XXe siècle. Russe.
Peintre de paysages urbains. Postimpressionniste.
Il fut élève de l'Académie des Beaux-Arts de Léningrad (Institut Répine) où il travailla sous la direction de R.R. Frents. Il participe à de nombreuses expositions à Léningrad.
Il se plaît à figurer des vues de ville et particulièrement les ponts des villes enjambant les fleuves.

Ventes Publiques : Paris, 18 fév. 1991 : *Léningrad en hiver* 1950, h/t (53x79) : **FRF 18 000** ; *Panorama sur la Neva* 1962, h/t (46x80) : **FRF 10 000** – Paris, 10 juin 1991 : *Avenue Nevski sous la pluie* 1954, h/cart. (21x33) : **FRF 4 800** – Paris, 24 sep. 1991 : *Devant l'aquarium* 1955, h/t (92x68) : **FRF 13 500** – Paris, 27 jan. 1992 : *Intérieur aux icônes*, h/cart. (65x50) : **FRF 5 500**.

LITWAK Israël
Né en 1868 à Odessa (Russie). xxe siècle. Actif depuis 1913 aux États-Unis. Russe.
Peintre.
Ébéniste, il ne commença à peindre qu'en 1936, ne pouvant plus fabriquer ses meubles. Il vécut et travailla à Brooklyn.
Le Brooklyn Museum lui organisa une exposition en 1940.
Il a peint les personnages et les paysages de sa réalité quotidienne. La technique est rudimentaire, le dessin des formes le fuit, la couleur est heurtée. Pourtant, cette accumulation de malhabiletés n'empêche pas la poésie d'apparaître, avec ou à travers la fraîcheur des souvenirs d'une âme enfantine.
Bibliogr. : Oto Bihalji-Merin : *Les Peintres naïfs*, Delpire, Paris, s.d.
Musées : New York (Mus. of Mod. Art) : *Dover, New-Jersey*.

LITWINEK Jakob
xvie siècle. Polonais.
Peintre et brodeur.
Il fut reçu maître de la Gilde en 1599.

LITZ Jacob. Voir **LIDTS**

LITZMANN Heinrich
Né en 1824 à Gadebusch. xixe siècle. Allemand.
Peintre de paysages.
Il travailla à Berlin et à Kiel.
Musées : Schwerin : *Chapelle sur la montagne*.

LIUBA Boyadjeva
Née le 24 octobre 1923 en Bulgarie. xxe siècle. Active puis naturalisée au Brésil. Bulgare.
Sculpteur. Tendance abstraite.
Elle étudie à l'École des Beaux-Arts de Genève en 1943, puis vient en France et travaille avec Germaine Richier jusqu'en 1949. Elle expose au début des années cinquante, à Paris, au Salon d'Automne, en est sociétaire en 1948. Elle participe, toujours à Paris, au Salon de la Jeune Sculpture. En 1963, elle est invitée à la Biennale de São Paulo, puis de nouveau en 1965 et 1967. Elle fait sa première exposition personnelle en 1950, puis en 1953 à Paris, et en 1959 à São Paulo où elle réside désormais en partie. Elle expose personnellement au Musée de Saint-Paul-de-Vence en 1968.
Sa sculpture abstraite entretient des relations avec une certaine réalité, un certain zoomorphisme synthétisé.

LIU BIN ou **Lieou Pin** ou **Liu Pin**
Originaire de Chujiang, province du Hunan. xviiie siècle. Actif vers 1750. Chinois.
Peintre.
Peintre de paysages dont l'un est conservé au Musée National de Stockholm : *Aigle au sommet d'une falaise*, signé et daté 1749.

LIU BUOSHU
Né en 1935 dans la province du Jiangxi. xxe siècle. Chinois.
Peintre animalier. Traditionnel.
Son travail fut remarqué par Xu Beihong. Il est professeur au département de peinture traditionnelle de l'Institut centrale des Beaux-Arts où il termina ses études en 1953.
Il a participé à l'exposition : *Peintres traditionnels de la République populaire de Chine*, à Paris, à la galerie Daniel Malingue, en 1980.
Il semble s'être spécialisé dans la représentation de chevaux.
Bibliogr. : In : *Peintres traditionnels de la République populaire de Chine*, catalogue de l'exposition, galerie Daniel Malingue, Paris, 1990.

LIU CAI ou **Lieou Ts'ai** ou **Liu Ts'ai**, surnom : **Daoyuan** ou **Hongdao**
xie siècle. Actif à Kaifeng (province du Henan). Chinois.
Peintre.
Ce peintre de poissons travailla sous le règne de l'empereur Song Shenzong (1068-1085).
Musées : Pékin (Mus. du Palais) : *Poissons et fleurs tombées sur l'eau*, rouleau en longueur, attribution – *Poissons jouant dans les plantes aquatiques*, éventail, attribution – *Poissons nageant*, feuille d'album inscrite avec le nom du peintre – Saint-Louis (City Art Mus.) : *Poissons nageant dans les plantes aquatiques et les feuilles tombées*, rouleau en longueur, attribution ancienne – Taipei (Nat. Palace Mus.) : *Poisson et homard*, colophon de Yao Shou de la dynastie Ming.

LIU CHANGCHAO
Né en 1915 dans le Guangdong. xxe siècle. Chinois.
Peintre de fleurs. Traditionnel.
Il peint surtout des bambous.
Bibliogr. : In : *Peintres traditionnels de la République populaire de Chine*, catalogue de l'exposition, galerie Daniel Malingue, Paris, 1990.
Musées : Shantou.

LIU CHANG-HUNG
Né en 1953 à Hong Kong. xxe siècle. Chinois.
Peintre.
Il étudia à l'École Nationale Supérieure des Beaux-Arts de Paris. Il participe à des expositions dans des galeries parisiennes et il eut une exposition personnelle en 1983 en Belgique.
Ventes Publiques : Taipei, 22 mars 1992 : *Les portes du temple* 1991, h/t (42,5x52,8) : **TWD 77 000**.

LIU CHIEH. Voir **LIU JIE**

LIU CHIEN-AN. Voir **LIU JIANAN**

LIU CHIH-KWEI. Voir **HUXIAN Peintres paysans du**

LIU CHIH-P'ING. Voir **LIU ZHIPING**

LIU CHING. Voir **LIU JING**

LIU CH'I-WEI ou **Qiwei**, dit **Liu Max C.**
Né en 1912 dans la province de Guangdong. xxe siècle. Chinois.
Peintre de scènes animées, paysages, aquarelliste.
Il fit ses études à Tokyo. En 1961 il remporta le premier prix d'une exposition d'aquarelles, et en 1969 il fut lauréat de la Fondation culturelle Sun Yat-sen. Il a beaucoup voyagé en Amérique du Sud et centrale, à Bornéo, aux Philippines, en Afrique. Il a tenté de comprendre ces différentes cultures et de les incorporer à son art. C'est ainsi qu'il a également écrit et traduit plus de vingt-cinq ouvrages traitant de l'art.
Ventes Publiques : Taipei, 22 mars 1992 : *L'appel du soir* 1980, techn. mixte/pap. (60x47) : **TWD 220 000** – Taipei, 18 oct. 1992 : *L'eau de pluie, Forte chaleur, Début d'hiver, Neige profonde*, *ensemble de quatre peintures de la série « Les 24 phases du soleil chinois »* 1986, techn. mixte/pap. (chaque 35x48) : **TWD 440 000** – Taipei, 16 oct. 1994 : *Dragon bleu* 1991, techn. mixte/pap. (36x50) : **TWD 207 000**.

LIU CHÜEH. Voir **LIU JUE**

LIU CHÜN. Voir **LIU JUN**

LIU CUN
Né en 1920 dans la province du Zhejiang. xxe siècle. Chinois.
Peintre. Traditionnel.
Il est vice-président de l'Association des peintres du Zhejiang, et peintre à l'Institut de Peinture et de Calligraphie de Xileng.
Il a participé à l'exposition : *Peintres traditionnels de la République populaire de Chine*, à Paris, à la galerie Daniel Malingue, en 1980.
Bibliogr. : In : *Peintres traditionnels de la République populaire de Chine*, catalogue de l'exposition, galerie Daniel Malingue, Paris, 1990.

LIU DANZHAI
Né en 1931. xxe siècle. Chinois.
Peintre de scènes animées, figures typiques. Traditionnel.
Ventes Publiques : Hong Kong, 28 sep. 1992 : *Trois sages au bord de la rivière du Tigre*, encre et pigments/pap., kakémono (138,5x68,5) : **HKD 71 500** – Hong Kong, 29 oct. 1992 : *Personnages légendaires* 1990, kakémono, encre et pigments/pap. (137,2x68,5) : **HKD 88 000** – Hong Kong, 22 mars 1993 : *Les dames du « Rêve dans le pavillon rouge »*, ensemble de 12 kakémonos encre et pigments/pap. (chaque 64,5x34,5) : **HKD 74 750** – Hong Kong, 28 avr. 1997 : *Luohan adossé contre un tigre*, encre et pigments/pap., kakemono (67,2x45,7) : **HKD 23 000**.

LIU DAXIA ou **Lieou Ta-Hia** ou **Liu Ta-Hsia**, surnom : **Shiyong**
Né en 1436, originaire de Huarong, province du Hunan. Mort en 1516. xve-xvie siècles. Chinois.
Peintre.

Président du Bureau de la Guerre, il est aussi peintre de bambous. Le Musée National de Stockholm conserve *Bambous sous la neige*, œuvre signée et portant une inscription de Chen Wuxi.

LIU DELIU ou **Lieou Tö-Lieou** ou **Liu Tê-Liu**, surnom : **Zihe**
Né en 1806, originaire de Wujiang, province du Jiangsu. Mort en 1875. XIXe siècle. Chinois.
Peintre d'oiseaux, fleurs, peintre sur soie.
Il fut élève de Xia Zhiding.
Ventes Publiques : New York, 21 mars 1995 : *Oiseaux et fleurs*, encre et pigments/soie, album de 8 feuilles (chaque 20x31,8) : **USD 2 530**.

LIU DU ou **Lieou Tou** ou **Liu Tu**, surnom : **Shuxian**
Mort en 1672. XVIIe siècle. Actif à Hangzhou (province du Zhejiang), vers 1650. Chinois.
Peintre de paysages.
Il fut élève de Lan Ying (1585-après 1600). On mentionne de lui : *Paysage rocheux*, fait d'un style archaïque avec des couleurs bleue, verte et brune et accompagné d'un poème du peintre daté 1636.
Musées : Taipei (Nat. Palace Mus.) : *Paysage rocheux* – *Paysage d'après Zhao Mengfu* daté 1652 et signé.
Ventes Publiques : New York, 4 déc. 1989 : *Pins et rochers*, encre et pigments/soie, kakemono (113,5x56,3) : **USD 17 600**.

LIU FANG ou **Lieou Fang**
XIIIe-XIVe siècles. Chinois.
Peintre.
Peintre de la dynastie Yuan (1279-1368), non mentionné dans les biographies officielles d'artistes. La Freer Gallery de Washington conserve *Zhong Kui faisant faire des acrobaties à des démons*, œuvre signée, en encre et couleurs sur soie.

LIU FENG-TSEU. Voir **LÜ FENGZI**

LIU GUANDAO ou **Lieou Kouan-Tao** ou **Liu Kuan-Tao**, surnom : **Zhongxian**
Originaire de Zhongshan, province du Hebei. XIIIe-XIVe siècles. Actif vers 1270-1300. Chinois.
Peintre.
Peintres de personnages bouddhiques et taoïstes aussi bien que de portraits et de paysages. En 1279, on lui commande le portrait de Koubilai Khan.
Musées : Kansas City (Nelson Gal. of Art) : *Homme allongé sur sa couche en plein air*, inscription de Wu Hufan qui attribue l'œuvre à Guandao – Pékin (Mus. du Palais) : *Immortels célébrant l'anniversaire de Xi Wangmu*, rouleau en longueur signé et daté – *Réunion devant le Bouddha Rulai*, rouleau en longueur signé – Taipei (Nat. Palace Mus.) : *L'empereur Koubilai Khan à la chasse* signé et daté 1280 – *Deux ahrats assis sous les palmiers* daté 1356, inscription portant le nom du peintre – *Montagnes et pavillons sous la neige près de la rivière*, poème de Qianlong, probablement de l'époque Ming – Washington D. C. (Freer Gal.) : *Trois poètes sous un pin*, probablement de la fin de l'époque Ming.

LIU GUANG ou **Lieou Kouang** ou **Liu Kuang**, surnom : **Yuanbo**
XIVe-XVIIe siècles. Actif à Suzhou (province du Jiangsu), à la fin de la dynastie Ming (1368-1644). Chinois.
Peintre.
Ce peintre n'est pas mentionné dans les biographies d'artistes, mais le National Palace Museum de Taipei conserve une de ses peintures de fleurs signée et datée.

LIU GUOSONG ou **Lieou Kou-Song** ou **Liu Kuo-Sung**
Né en 1932 dans la province du Shandong. XXe siècle. Chinois.
Peintre. Traditionnel.
Lorsque Liu naît en 1932 dans l'une des provinces septentrionales, la Chine est déjà la proie de la guerre contre les Japonais et a déjà perdu la Mandchourie. Son père est tué sur le front alors qu'il est encore très jeune et sa mère et lui connaissent une période d'errance dans un pays agité, avant de pouvoir se fixer à Wuchang en 1946. Trois ans plus tard, la Libération le conduira à Taïwan où il s'inscrit à l'Université des Beaux-Arts. En 1966, il est le premier artiste de Taiwan à bénéficier d'une bourse de la 3e Fondation JDR (John D. Rockeller), pour un séjour d'un an aux États-Unis. Avant de regagner son pays, il passe un an à visiter l'Europe et peut appréhender, de visu, non seulement le riche héritage culturel occidental, mais aussi les derniers développements de la peinture contemporaine.
Son œuvre a été et est toujours fréquemment exposé tant chez lui qu'aux États-Unis et figure dans d'importantes manifestations de groupe : 1959, 1961, 1963, 1969, Biennale de São Paulo ; 1959, 1961, Biennale de Paris ; 1965-1966, *Les Œuvres peintes des plus grands artistes d'Asie*, exposition itinérante dans les métropoles d'Asie ; 1966-1968, *Le Nouveau Paysage chinois*, exposition itinérante aux États-Unis. Son œuvre est le sujet de plusieurs expositions importantes en Amérique, dont une à la Nelson Gallery of Art de Kansas City.
Son intérêt pour la peinture occidentale succédera à sa période de formation classique et hautement académique. Ses premières œuvres sont le reflet fidèle du style de son maître Pu Xinyu, frère du dernier empereur Qing, déposé par la révolution de 1911. On sent déjà dans cette reproduction de jeunesse sa facilité technique, sa sensibilité et un grand sens du mouvement qui lui restera propre. Dans le domaine de la peinture occidentale, Cézanne est le premier artiste à exercer sur lui une véritable fascination, comme le prouve l'autoportrait de Liu, daté de 1954. Mais très vite, il va montrer son talent à synthétiser des éléments tout à fait divers, empruntés aux traditions occidentale et orientale. En 1956, il fonde, avec quelques autres, le *Groupe de la Cinquième Lune*, très orienté vers l'art occidental et très influencé par le fauvisme, l'impressionnisme, le cubisme et le surréalisme. D'autres mouvements suivront la même tendance et il faudra attendre plusieurs années pour que les artistes, Liu en particulier, ressentent cette inféodation inconditionnelle comme un esclavage. C'est à l'époque où il est assistant à l'Université Nationale de Tainan, au Sud de Taïwan, que Liu appréhende avec une particulière acuité, la richesse de la tradition orientale. Certaines de ses œuvres, antérieures à cette prise de conscience, reflètent le style de Picasso puis de Paul Klee. L'art de ce dernier aidera Liu, à partir de 1958, à entrer en contact avec l'expressionnisme abstrait. Ses œuvres des années 1959-1960 reflètent bien ces expériences multiples et l'une des tentatives les plus intéressantes est sans doute la combinaison des techniques de Jackson Pollock avec celles de la peinture à l'encre de Chine. Liu remplace la surface de peinture à l'huile de Pollock par une couche de plâtre qui absorbe l'encre et permet d'obtenir une gamme variée de textures et de rythmes. Passé 1960, Liu accuse un retour marqué vers la peinture chinoise, en ce qui concerne le support : il travaille désormais sur un papier de coton épais (*Mian*) dont la surface, très accidentée, lui offre de multiples possibilités d'accidents picturaux. Il se fait bientôt faire un papier spécial (connu maintenant sous le nom de papier *Liu Guosong*), composé de fibres de coton encore plus grossières et sur lequel il travaille avec de grosses brosses à encre, en arrachant çà et là quelques fibres une fois la couleur appliquée. Il obtient ainsi des reflets proches de l'expressionnisme abstrait, mais qui se rattachent aussi, dans leur esprit et leur spontanéité, à une certaine tendance de la peinture chinoise : l'art *Chan* (*zen* en japonais). Son séjour aux États-Unis est l'une des périodes les plus actives de sa carrière. Ultérieurement, sa production se ressentira de l'enthousiasme fiévreux avec lequel Liu aura assimilé les leçons des grands maîtres européens, de Rembrandt à Van Gogh, du Greco à Picasso, de Michel-Ange à Marini. Les formes sont plus solides, la composition et le travail du pinceau sont plus complexes et plus riches et l'épaisseur picturale plus humaine. Comme théoricien, Liu écrit de nombreux articles, parmi lesquels : *Où va la peinture chinoise* (Tapei, 1954) et *Copie, Dessin, Création* (Tapei, 1966).
Bibliogr. : Li Chu-Tsing : *The Growth of a Modern Chinese Artist*, Taipei, 1969 – M. Sullivan : *Trends in Twentieth Century Chinese Painting*, Stanford.
Musées : Brooklyn – Chicago (Inst. d'Art) – Cincinnati (Taft Mus.) – Cleveland (Art Mus.) – Dallas (The Contemporary Gal. of Fine Arts) – Denver (Denver Art Mus.) – Kansas City (Nelson Gal. of Art) – Lawrence (University of Kansas Mus. of Art) – Seattle (Seattle Art Mus.) – Taipei (Nat. Gal.) – Taipei (Mus. of History).
Ventes Publiques : Hong Kong, 17 nov. 1988 : *Paysage abstrait* 1966, kakémono, encre et pigments/pap. (92,6x60) : **HKD 29 700** – Hong Kong, 15 nov. 1990 : *Anneau central*, encre et pigments/pap., kakémono (179x91,5) : **HKD 110 000** – Hong Kong, 31 oct. 1991 : *Lumière du passé* 1991, kakémono, encre et pigments/pap. (144x44) : **HKD 115 500** – Hong Kong, 30 mars 1992 : *L'eau et les nuages au lac Wangmu*, encre et pigments/pap., kakémono (84x81) : **HKD 93 500** – Hong Kong, 30 avr. 1992 : *Depuis le sommet* 1968, encre et pigments/pap. (185x46) : **HKD 132 000** – Taipei, 18 oct. 1992 : *Nuit d'hiver*, encre et pigments/pap., kakémono (59,5x99,5) : **TWD 220 000** – New York, 29 nov. 1993 : *Onde rythmique* 1977, encre et pigments/pap. (57,8x92,7) : **USD 6 900**.

LIU GUOXING
Né en 1958 à Baotou (Mongolie intérieure). xxe siècle. Chinois.
Peintre de scènes animées. Réaliste-socialiste.
Originaire de Mongolie Intérieure, il obtint, en 1986, le diplôme de l'Académie d'Art de l'Armée de Libération du Peuple. Il est aussi éditeur d'art en Chine.
Ventes Publiques : Hong Kong, 30 avr. 1996 : *Écouter et comprendre* 1989, h/t (80,6x69,2) : **HKD 172 500**.

LIU HAI SOU. Voir **LIU HAISU**

LIU HAISU ou **Lieou Hai-Sou** ou **Liu Hai Sou** ou **Liu Hai-Su**
Né en 1896 à Wujin (province du Jiangsu). Mort le 7 août 1994 à Shanghai. xxe siècle. Chinois.
Peintre. Traditionnel et moderne.
Liu Haisu passe une large partie de sa vie à Shanghai. Il est d'abord l'élève de Zhou Xiang à Shanghai, vers 1911, puis il part au Japon en 1918-1919. De retour dans son pays en 1921, il enseigne l'art occidental à l'Université de Pékin. De 1919 à 1927, Liu et ses étudiants organisent, tous les ans, une exposition appelée *Tianma Hua Hui*, Festival d'Art du Cheval Céleste, où se côtoient, souvent dans la même composition, factures occidentales et factures orientales. En 1927-1928, il repart au Japon avant de faire son premier séjour à Paris, en 1929-1932, suivi d'une courte visite en Allemagne. Les années 1933-1935 le voient à nouveau à Paris et à Berlin, tandis que de 1939 à 1942 il s'installe en Asie du Sud-Est. À Paris, certaines de ses peintures ont figuré aux Salons d'Automne et des Tuileries. En 1948, il quittera le continent pour Taïwan. Puis, il vécut à Hong-Kong, continuant de donner des conférences à travers le monde. En février 1994, il retourna à Shanghai. En 1979, une rétrospective de son œuvre eut lieu au Palais des Arts de Pékin.
Ayant étudié la peinture classique chinoise avant puis après son séjour à Paris, il développe un style caractérisé par une vigoureuse maîtrise du pinceau combinée à des éléments européens. Grand admirateur de Van Gogh et de Cézanne, il est influencé par leur style respectif, ainsi qu'en témoignent ses coups de pinceau articulés avec une certaine rigidité et sa façon de modeler les formes, avec une liberté inhabituelle chez les peintres lettrés. Il en résulte d'ailleurs une certaine confusion dans l'agencement des différents éléments de ses compositions, voire une certaine incohérence dans le dessin. Néanmoins, il influencera de nombreux artistes chinois et deux de ses élèves deviendront célèbres : Zhang Shuqi et Pan Tianshou. Ces derniers et bien d'autres voient dans l'œuvre de Liu un défi au réalisme occidental, même si, à nos yeux d'occidentaux, il apparaît comme souvent bâtard n'étant doté ni de la puissance de synthétisation sereine propre à l'Orient, ni de la clarté d'une structure dynamique propre à l'Occident. L'influence qu'exerce Liu n'est pas étrangère à ses activités à Shanghai où, dès 1914, il ouvre un atelier pour des étudiants à qui il propose des modèles drapés « à l'européenne ». Cet atelier devient une institution officielle, *Shanghai tushu meishu yan*, et en 1920, *Shanghai meishu xuexiao*, l'École des Beaux-Arts de Shanghai, avec des disciplines occidentales et orientales, où Liu se fait le champion d'un art nouveau face à une opposition certaine. Quand il introduit le modèle nu, en 1926, c'est un tollé général. L'un des dirigeants de l'époque, le Général Sun Quanfang, interdit cette pratique, menace d'arrêter Liu et de fermer l'école. Liu réagit violemment et une terrible polémique s'engage dans la presse shanghaïenne à laquelle le départ de Sun Quanfang et l'arrivée de Tchang Kaishek mettront fin. La victoire morale de Liu fera que l'usage de modèles nus se répandra dans toutes les écoles d'art, mais une certaine hostilité publique n'en demeurera pas moins. Tout cela explique que Liu brigue le titre de doyen de l'école moderne, à Shanghai du moins, ville dont il réorganisera l'Académie en 1946, peu avant son départ à Taïwan.
Avec Xu Beihong (Jupéon), Liu Haisu apparaît comme un élément tout à fait nouveau dans l'art moderne chinois. En effet, ce sont tous deux des artistes compétents à la fois dans la technique occidentale et dans la technique traditionnelle chinoise, au point que leur œuvre de peintre « chinois » et de peintre « occidental » leur confère quasiment une double personnalité.
Bibliogr. : In : *Dictionnaire de l'art moderne et contemprain*, Hazan, Paris, 1992.
Ventes Publiques : Hong Kong, 12 jan. 1987 : *Marvelous views of Huanshan*, encre et coul., album comprenant huit feuilles (35x44,5) : **HKD 85 000** – Hong Kong, 19 mai 1988 : *Branche de pin*, encre et cinabre/pap. (95x82,5) : **HKD 46 200** – Hong Kong, 17 nov. 1988 : *Prunus*, encre et pigments/pap., kakémono (136,8x68,6) : **HKD 92 400** – Hong Kong, 16 jan. 1989 : *Fleurs de prunier*, encre et pigments/pap. (64,8x96,5) : **HKD 24 200** – Hong Kong, 18 mai 1989 : *Prunus* 1984, kakémono, encre et pigments/pap. (79,2x64,4) : **HKD 66 000** – New York, 31 mai 1990 : *Héron*, encre/pap., kakémono (53,3x65,4) : **USD 2 750** – New York, 1er juin 1993 : *Oies sauvages dans les roseaux*, encre/pap. (138,4x55,9) : **USD 4 255** – New York, 21 mars 1995 : *Paysage* 1989, encre et pigments/pap., kakémono (134,6x66) : **USD 9 775** – Taipei, 14 avr. 1996 : *Paysage de Guilin* 1979, h/t (58,5x75) : **TWD 552 000** – Taipei, 19 oct. 1997 : *Hortensia* 1937, h/t (72,5x54,5) : **TWD 1 092 500**.

LIU HOUAN-TCH'ENG. Voir **LÜ HUANCHENG**

LIU HSIUE. Voir **LÜ XUE**

LIU JIAN
Né en 1961 à Shanghai. xxe siècle. Actif au Canada. Chinois.
Peintre. Tendance abstraite.
Il est diplômé de l'Université d'Art de l'Armée de Libération populaire. Il fut quelque temps conférencier à l'Académie de Peinture chinoise de Shanghai puis partit pour le Canada en 1990.
Sa peinture dont ne se dégage pas encore un style très précis, paraît cependant évoluer vers un expressionnisme abstrait à la fois structuré et gestuel, influencé par les peintres américains récemment découverts par Liu Jian : de Kooning, Motherwell et Rothko.
Ventes Publiques : Taipei, 22 mars 1992 : *Structure architecturale abstraite*, techn. mixte/pap. (180x96) : **TWD 253 000** – Hong Kong, 30 oct. 1995 : *Mur rouge* 1995, encre et pigments/pap. (184x143,5) : **HKD 34 500**.

LIU JIANAN ou **Lieou Kien-Ngan** ou **Liu Chien-an**
xxe siècle. Chinois.
Graveur.
La désillusion qui suit, en Chine, la fin de la Seconde Guerre mondiale entraîne de la part des artistes les plus indépendants une réaction contre un art de propagande qui a tendance à se durcir. Et tandis que la plupart des peintres et graveurs politiquement motivés ne dévient pas d'un pouce du réalisme qu'engendre une idéologie rigide, d'autres s'orientent vers un style plus original et plus personnel, du moins le croient-ils. Liu Jianan se situe à la limite de ces deux groupes, doté, comme il l'est, d'un sens extrêmement plaisant de la décoration et d'une compréhension profonde des liens qui peuvent unir la xylographie, de tradition séculaire en Chine, et les techniques modernes d'imprimerie. Graveur bien connu, puisqu'il est en 1938 cofondateur de l'Association Nationale Anti-japonaise de Graveurs, il contribue, après la guerre à Shanghai, au développement de la mise en page des revues, notamment bien sûr des revues satiriques.
Bibliogr. : Michael Sullivan : *Chinese Art in the XXth Century*, Londres, 1959.

LIU JIE ou **Lieou Tsie** ou **Liu Chieh**
Originaire de Ancheng, province du Henan. xvie siècle. Chinois.
Peintre.
Fils du peintre Liu Jin, on sait qu'il travaille à la cour pendant l'ère Jiajing (1522-1566) et qu'il est spécialiste de représentations de poissons. Le Metropolitan Museum de New York conserve une œuvre signée : *Poissons dans une mare peu profonde*.

LIU JILU
Né en 1918 à Tian-jin. xxe siècle. Chinois.
Peintre. Traditionnel.
Il a été à l'École des Beaux-Arts de Tianjin. Il est membre du Conseil de l'Association des peintres de Chine.
Il a participé à l'exposition : *Peintres traditionnels de la République populaire de Chine*, à Paris, à la galerie Daniel Malingue, en 1980.
Outre les sujets traditionnels, il s'est spécialisé dans les croquis de personnages.
Bibliogr. : In : *Peintres traditionnels de la République populaire de Chine*, catalogue de l'exposition, galerie Daniel Malingue, Paris, 1990.

LIU JING ou **Lieou King** ou **Liu Ching**, surnom : **Juji**
Originaire de Jianzhou, province du Sichuan. xie siècle. Actif à la fin du xie siècle. Chinois.
Peintre.
Peintre de bambous, il est aussi connu comme ami de Wang Anshi (1021-1086) et de Mi Fu (1051-1107).

LIU JINGCHENG
Né en 1956 ou 1965. XXe siècle. Chinois.
Peintre de paysages. Style occidental.
Il obtint le diplôme des Beaux-Arts de l'Université Normale de Pékin en 1982. En 1989, il partit pour Londres terminer ses études à la Slade School of Art. Ses œuvres figurent dans des expositions internationales et dans des collections publiques, tant aux États-Unis qu'en Europe ou en Asie.
Ventes Publiques : Hong Kong, 30 avr. 1996 : *Soleil de montagne* 1990, h/t (91,4x95,2) : **HKD 86 250**.

LIU JUE ou **Lieou Kiue** ou **Liu Chüeh**, surnom : **Tingmei**, nom de pinceau : **Wanan**
Né en 1410, originaire de Suzhou, province du Jiangsu. Mort en 1472. XVe siècle. Chinois.
Peintre.
Poète, calligraphe et peintre, il est d'abord fonctionnaire, secrétaire du Bureau de la Justice. Retiré à l'âge de cinquante ans, il s'installe dans une maison de campagne, où il aménage un jardin resté fameux à Suzhou. Dans cette ville, il fréquente le milieu lettré autour du peintre Shen Zhou (1427-1509). Il connaît bien les maîtres Yuan et les copies avec bonheur, tout en travaillant aussi dans un style plus personnel, qui, par moments, annonce les individualistes du XVIIe siècle. L'amitié qui lie Liu Jue et Shen Zhou joue un rôle important dans le développement stylistique des deux peintres et explique que leurs modes d'expression se soient rapprochés d'année en année, au point qu'il existe un parallélisme certain entre l'œuvre des dernières années de Liu Jue et de la maturité de Shen Zhou, dans leurs recherches de lumière, de texture, de spontanéité. La peinture que conserve le National Palace Museum de Taipei, *Le pavillon Qingbai* ou *Le studio du peintre*, est une preuve de cette amitié. Ce pavillon est le lieu de réunion des poètes et des artistes de Suzhou et le rouleau est peint par Liu Jue en souvenir, en 1458, d'une rencontre entre amis, dont le grand-père et le père de Shen Zhou, chacun d'entre eux contribuant à l'inscription qui accompagne l'œuvre. Quatorze ans plus tard, en 1474, Shen Zhou voit cette peinture et y écrit un poème à la mémoire de l'ami disparu. Chaque détail de l'œuvre est rendu avec infiniment de délicatesse, depuis les arbres jusqu'au treillis du grillage, dans un cadre d'une impressionnante grandeur.
Musées : Paris (Mus. Guimet) : *Paysage de montagne*, encre sur pap., rouleau en hauteur, signé Wanan, poème du peintre et inscription de Shen Zhou – Pékin (Mus. du Palais) : *Sommets de montagnes*, dans le style de Juran – Taipei (Nat. Palace Mus.) : *Le pavillon Qingbai ou Le Studio du peintre* colophon daté 1458, poème de Shen Zhou daté 1474, signé.

LIU JUN ou **Lieou Tsiun** ou **Liu Chün**, surnom : **Tingwei**
XVIe siècle. Actif vers 1500. Chinois.
Peintre de portraits, paysages.
Peintre de Cour, il est officier de la garde impériale et connu autant comme peintre de personnages taoïstes que comme paysagiste, dans le style de Wu Wei (1459-1508).
Musées : Boston : *Trois immortels taoïstes effectuant une danse du crapaud.*

LIU K'AI-CH'U. Voir **LIU KAIQU**

LIU KAIQU ou **Lieou K'ai-Ts'iu** ou **Liu K'ai-Ch'ü**
Originaire de la province du Jiangsu. XXe siècle. Chinois.
Sculpteur.
En 1927, il sort diplômé de l'Académie Nationale de Pékin et, dès l'année suivante, part pour Paris où il est, pendant six ans, jusqu'en 1934, assistant de Jean Boucher. De 1934 à 1940, il est professeur à l'Académie Nationale de Hangzhou, de 1940 à 1945 il ouvre un atelier à Chengdu dans la province du Sichuan, enfin en 1946 il s'installe à Shanghai. Ayant subi l'influence française, il est plus heureux dans les thèmes qui impliquent le mouvement, comme le prouve son *Soldat inconnu*, monument aux morts de la ville de Chengdu. Depuis 1950, son réalisme vigoureux lui assure une place importante dans la Chine nouvelle et lui vaut son poste de directeur de l'Académie de Hangzhou.
Bibliogr. : Michael Sullivan : *Chinese Art in the XXth Century*, Londres, 1959.

LIU KANG ou **Lieou K'ang** ou **Liu K'ang**
Né en 1911 dans la province du Fujian. XXe siècle. Actif à Singapour. Chinois.
Peintre.
Après avoir été élevé en Malaisie, Liu Kang reçoit sa formation artistique à l'Académie de Shanghai de 1926 à 1929. Peintre de l'école moderne, de 1929 à 1934, il poursuit ses études à Paris, puis, jusqu'en 1937, il enseigne à l'Académie de Shanghai. Il retourne alors en Malaisie et s'installe à Singapour. Il y occupe des fonctions honorifiques dans le monde artistique, fonde la Société d'Art de Singapour. Le Musée National d'Histoire de Taipei lui organise une exposition itinérante en 1983.
Ventes Publiques : Taipei, 15 oct. 1995 : *Escalade du Huangshan* 1936, h/t (63x49) : **TWD 299 000**.

LIU KANG
Né en 1920. XXe siècle. Chinois.
Graveur.
Il a figuré à l'exposition intitulée *De Bonnard à Baselitz* à la Bibliothèque nationale à Paris en 1992.
Bibliogr. : In : *De Bonnard à Baselitz*, catalogue de l'exposition, Bibliothèque nationale, Paris, 1992.
Musées : Paris (BN).

LIU KI. Voir **LU JI**

LIU KING-FOU. Voir **LÜ JINGFU**

LIU KUANG. Voir **LIU GUANG**

LIU KUAN-TAO. Voir **LIU GUANDAO**

LIU KUILING
Né en 1885. Mort en 1968. XXe siècle. Chinois.
Peintre de paysages animés, animalier. Traditionnel.
Ventes Publiques : Hong Kong, 15 nov. 1990 : *Chat et papillon* 1943, kakémono encre et pigments/pap. (101,5x51,7) : **HKD 132 000** – Hong Kong, 2 mai 1991 : *Animaux dans des paysages* 1945, ensemble de 6 kakémonos, encre et pigments/pap. (chaque 134x33) : **HKD 440 000** – Hong Kong, 31 oct. 1991 : *Animaux dans un paysage*, encre et pigments/pap., ensemble de quatre éventails : **HKD 66 000** – Hong Kong, 30 avr. 1992 : *Paysages des quatre saisons*, encre et pigments/pap., ensemble de quatre kakémonos (chaque 132,5x32,5) : **HKD 220 000** – Hong Kong, 29 oct. 1992 : *Lapin et serpent* 1930, éventail, encre et pigments/pap. (18x50,2) : **HKD 39 600** – Hong Kong, 22 mars 1993 : *Pivoines, coq et poule et sa couvée*, encre et pigment/pap., éventail (18x51) : **HKD 101 200** – Hong Kong, 3 nov. 1994 : *Daims dans un paysage d'automne* 1927, kakémono, encre et pigments sur soie (133,5x63,6) : **HKD 184 000** – New York, 28 nov. 1994 : *Chats*, encre et pigments/pap., kakémono (101,3x33,3) : **USD 5 175** – Hong Kong, 4 mai 1995 : *Animaux dans des paysages*, encre et pigments/pap., série de 6 kakémonos (chaque 134x33) : **HKD 570 000** – Hong Kong, 29 avr. 1996 : *Animaux dans un paysage*, encre et pigments/pap., série de 4 kakémonos (chaque 138x34) : **HKD 988 000**.

LIU KUO-SUNG. Voir **LIU GUOSONG**

LIU LUN ou **Lieou Louen**
XXe siècle. Chinois.
Peintre, graveur.
Après des études à l'école municipale des Beaux-Arts de Canton, il part poursuivre sa formation au Japon. Peintre de l'école moderne, il fait partie, de 1936 à 1943, du groupe de propagande dans l'Armée Nationale et, à partir de 1943, il devient professeur à l'Université Nationale Sun Yatsen à Canton.
Son style est énergique avec un sens solide de la forme.

LIU MINSHU ou **Lieou Min-Chou** ou **Liu Min-Shu**
XIIIe-XIVe siècles. Actif sous la dynastie Yuan (1279-1368). Chinois.
Peintre.
C'est un peintre de portraits et la Freer Gallery de Washington conserve le *Portrait de Trois Lettrés*.

LIU PIN. Voir **LIU BIN**

LIU P'ING-CHIH. Voir **LIU PINGZHI**

LIU PINGZHI ou **Liu P'Ing-Tche** ou **Liu P'Ing-Chih**
Originaire de la province du Sichuan. XXe siècle. Chinois.
Graveur.
Diplômé de l'Académie Xia Hua des Beaux-Arts, à Shanghai, il occupe une place importante dans le mouvement de gravure sur bois du sud de la Chine. Il séjourne avec les tribus Miao et en tire de nombreuses gravures en couleurs où il sait traduire la vie et les mœurs de ces peuplades du Sud.

LIU QIXIANG ou **Ch'i-Hsiang**
Né en 1901 ou 1910 à Tainan. XXe siècle. Chinois.
Peintre de paysages.
Il se forma au Japon. Il poursuivit sa formation en France. Il

exposa pour la première fois à Taipei en 1932. *Jeune fille en robe rouge* fut, en 1933, sélectionnée pour le Salon d'Automne de Paris.
VENTES PUBLIQUES : TAIPEI, 18 oct. 1992 : *Sur la route de Manzhou* 1980, h/t (60,5x73) : **TWD 2 200 000**.

LIU SHANG ou **Lieou Chang**, surnom : **Zixia**
Originaire de Pengcheng, province du Jiangsu. VIIIe siècle. Actif dans la seconde moitié du VIIIe siècle. Chinois.
Peintre.
Elève du peintre Zhang Zao, on le connaît pour ses représentations de pins, de rochers et de figures. Pendant l'ère Dali (766-779), il passe les examens triennaux à la capitale et reçoit le rang de *jinshi*, lettré accompli.

LIU SHÊN-SHAN. Voir **LIU SHENSHAN**

LIU SHENSHAN ou **Lieou Chen-Chan** ou **Liou Chen-Chan** ou **Liu Shên-Shan**
XXe siècle. Chinois.
Peintre.
Arrivé en France en 1920, il est élève à l'École des Arts Décoratifs de Paris de 1925 à 1931.
Il fait partie de l'Association des Artistes Chinois en France.

LIU SHIH-JU. Voir **LIU SHIRU**

LIU SHIRU ou **Lieou Che-Jou,** ou **Liu Shih-Ju**, surnom : **Jixiang,** nom de pinceau : **Xuehu**
Originaire de Shanyin, province du Zhejian. XVIe siècle. Actif dans la première moitié du XVIe siècle. Chinois.
Peintre.
Peintre de fleurs de prunier dans le style de Wang Mian (1335-1407), il est l'auteur d'un recueil de fleurs de prunier en quatre volumes, le *Meipu*. Le Fogg Art Museum de Cambridge conserve une de ses œuvres : *Branches d'un vieux prunier en fleurs*.

LIU SIYI ou **Lieou Sseu-I** ou **Liu Ssù-I**, surnom : **Qingyan**
XIIe siècle. Chinois.
Peintre.
Spécialiste de paysages en bleu et vert, il est assistant à l'Académie de Peinture de la cour de Hangzhou, vers 1130-1160. La Nelson Gallery de Kansas City conserve : *Un homme et deux garçons assis sous un pin et contemplant le clair de lune*, qui est sans doute une copie de la fin de la dynastie Ming (1368-1644).

LIU SONGNIAN ou **Lieou Song-Nien** ou **Liu Sung-Nien**
Originaire de Qiantang, province du Zhejiang. XIIe-XIIIe siècles. Actif dans la seconde moitié du XIIe et au début du XIIIe siècle. Chinois.
Peintre.
Élève de Zhang Dunli, il est étudiant à l'Académie de Peinture de Hangzhou pendant l'ère Shunxi (1174-1189), il devient membre assistant de cette même Académie pendant l'ère Shaoxi (1195-1224) et il reçoit la « ceinture d'or ». Il est aussi connu pour ses peintures de figures que de paysages.
MUSÉES : BOSTON (Mus. of Art) : *Deux cigognes sous un pin*, encre et coul. légères sur soie, éventail oval – *Pavillon près de la rivière à l'automne*, encre et coul. légères sur soie, éventail – LONDRES (British Mus.) : *Les trois incarnations de Yuanzi*, petit rouleau en longueur – NEW YORK (Metropolitan Mus.) : *Réunion sur une terrasse pour invoquer la pluie*, éventail, attribution ancienne – PÉKIN (Mus. du Palais) : *Les vingt-quatre fils pieux*, album de vingt-quatre feuilles dont la dernière est signée, colophon de Zhao Mengfu – *Les dix-huit lettrés rassemblés dans le pavillon de jade*, rouleau en longueur, signé – *Les chefs barbares présentant leur tribut*, album de huit feuilles montées en rouleau en longueur, colophon du peintre après chaque feuille – *Les mille ravins et les pins battus par le vent*, rouleau en longueur, signé – *L'étable près d'un ruisseau*, feuille d'album attribuée – *Deux hommes discutant sur le « Dao » sous les pins*, éventail attribué – *La joie de la vie aux champs*, éventail attribué – *Homme saluant la lune sur une haute terrasse*, éventail attribué – PRINCETON (University) : *Deux hommes jouant aux échecs sous les pins*, inscrit avec le nom du peintre – TAIPEI (Nat. Palace Mus.) : *Lohan* signé et daté 1207, encre et coul. sur soie, rouleau en hauteur, ce musée conserve en tout quatre peintures de Lohan datées 1207 – *Le tissage de la soie*, encre et coul. sur soie, rouleau en hauteur signé – *Pavillon sous la neige au bord d'un ruisseau* éventail signé et daté 1210 – *Paysage de montagne avec des soldats à cheval*, signé, probablement une copie – *Être céleste offrant des fleurs à un bodhisattva*, petit rouleau en longueur, cachet du peintre – *Deux hommes et un serviteur dans un pavillon construit au-dessus d'un ruisseau de montagne sous les pins*, signé – *Deux bergers gardant quatre moutons* – *Cinq lettrés sur la terrasse d'un jardin examinant des livres et des calligraphies* – *Visite impériale à l'étang de jade de Xiwang Mu* – *Dix-huit lettrés de l'époque Tang examinant des livres anciens et des calligraphies*, coul. sur soie, rouleau en longueur, cachet du peintre, colophons de Chen Dexin (daté 1225) et de Dong Qichang – WASHINGTON D. C. (Freer Gal.) : *Visiteur dans une retraite de montagne reçu par un homme tenant un « qin »* – *Scènes de la vie des hommes célèbres*, coul. sur soie, textes explicatifs entre les scènes, deux rouleaux en longueur, l'un des deux rouleaux est signé.

LIU SSEU-PAI. Voir **LU SIBAI**

LIU SSŬ-I. Voir **LIU SIYI**

LIU SUNG-NIEN. Voir **LIU SONGNIAN**

LIUTA. Voir **HUXIAN Peintres paysans du**

LIU TA-HSIA. Voir **LIU DAXIA**

LIU TÊ-LIU. Voir **LIU DELIU**

LIUTHARDUS
IXe siècle.
Calligraphe et peintre de miniatures.
Il était prêtre et vécut peut-être au monastère de Senones. La Bibliothèque Nationale possède, écrit de sa main pour Charles le Chauve, un psautier agrémenté de lettres ornées d'or, sur fond pourpre.

LIU T'IEH-HUA. Voir **LIU TIEHUA**

LIU TIEHUA ou **Lieou T'ie-Houa,** ou **Liu T'ieh-Hua**
Originaire de la province du Hebei. XXe siècle. Chinois.
Graveur.
Après avoir fini ses études à l'Académie Nationale de Pékin, il est emprisonné par le Guomindang de 1932 à 1937. C'est un membre important du mouvement des graveurs et pendant la Seconde Guerre mondiale il est professeur de dessin dans une école près de Chong-quing (école Yu Cai), dans la province du Sichuan, pour les enfants de réfugiés.

LIUTOLDUS ou **Liutholdus** ou **Luitoldus**
XIIe siècle. Autrichien.
Calligraphe, peintre de miniatures et écrivain.
Il était moine et devint prieur de l'abbaye des Bénédictins de Mondsee. La Bibliothèque Nationale de Vienne possède de sa main un Évangéliaire dont les miniatures sont exécutées sur fond d'or, encadrées d'ornements byzantins. De la même main sont les miniatures d'un Bréviaire écrit entre 1161 et 1171 que conserve la Bibliothèque Nationale de Munich.

LIU TOUAN-TSIUN. Voir **LU DUANJUN**

LIU TS'AI. Voir **LIU CAI**

LIU TS'IEN. Voir **LU QIAN**

LIU TS'ONG-MIN. Voir **LU CONGMIN**

LIU TU. Voir **LIU DU**

LIU TZŬ-YU. Voir **LIU ZIYU**

LIU WEI
Né en 1965 à Pékin. XXe siècle. Chinois.
Peintre de compositions à personnages. Tendance réaliste, expressionniste.
Il a suivi les cours de l'Institut Central des Beaux-Arts en peinture murale et en lithographie.
Jusqu'au milieu des années quatre-vingt-dix, il a peu exposé, sa peinture ne se prêtant pas à une promotion par les institutions culturelles étatiques. Certains collectionneurs de Hong Kong et d'Europe se sont néanmoins intéressés à son travail.
Liu Wei pratique une peinture qui est une critique ironique, parfois dure, de l'image de la société chinoise que les autorités politiques ont voulu fixer au moyen du réalisme socialiste. Une image qu'il associe à celles, superficielles, de la société de consommation dont Hong Kong, tout proche, fournit un bel exemple. Mais un expressionnisme de la souffrance n'est pas étranger à sa figuration, deux peintres occidentaux retiennent son attention : Francis Bacon et Lucian Freud. La surface picturale de ses toiles est lisse, sans effet de matière, il travaille lentement.
BIBLIOGR. : Philippe Dagen : *Liu Wei, peintre, chinois et blasphémateur*, in : *Le Monde*, Paris, jeudi 3 fév. 1994.

LIU WEN-YING. Voir **LU WENYING**

LIU XIAN
Né en 1915. XXe siècle. Chinois.
Graveur.
Il vit à Pékin. Il a figuré à l'exposition intitulée *De Bonnard à Baselitz* à la Bibliothèque nationale à Paris en 1992.
Bibliogr. : In : *De Bonnard à Baselitz*, catalogue de l'exposition, Bibliothèque nationale, Paris, 1992.
Musées : Paris (BN).

LIU XIAODONG
Né en 1963 dans la province de Liaoning. XXe siècle. Chinois.
Peintre de figures. Réaliste.
Il a été élève à l'Académie Centrale des Beaux-Arts de 1985 à 1989. Depuis l'obtention de son diplôme, il participe annuellement à l'exposition de l'Académie, y ayant obtenu la récompense d'argent en 1986 et celle d'or en 1987.
Il serait représentatif des artistes qui se réclament du *New Age*. Accordant donc la priorité à une certaine spiritualité – en l'occurrence, chez lui, tirée du peuple – peinte dans une manière très réaliste.

LIU YAFANG ou **Lieou Ya-Fang** ou **Liu Ya-Fang**
Né en 1902 dans la province du Hunan. XXe siècle. Chinois.
Peintre, sculpteur.
Après des études à l'Académie de Shanghai, il vient poursuivre sa formation à Paris et à Genève de 1925 à 1934. Les années 1935, 1939 et 1943 le voient à nouveau en Europe et, en 1946, il revient à l'Académie Nationale de Hangzhou. Il est un peintre de l'école moderne.

LIU YE
Né en 1964. XXe siècle. Chinois.
Peintre, peintre de compositions murales.
Il étudia à l'Académie Centrale des Beaux Arts et obtint son diplôme en 1989 avec une mention pour la peinture murale. La même année il reçut également une distinction de l'Université d'Art de Berlin.
Ventes Publiques : Hong Kong, 4 mai 1995 : *L'âge d'or* 1993, h/t (101,6x91,4) : **HKD 89 700** – Hong Kong, 30 oct. 1995 : *Madones de Pékin*, h/t (80,3x99,4) : **HKD 63 250** – Hong Kong, 30 avr. 1996 : *Silence de la mer* 1995, h/t (90,5x99,7) : **HKD 161 000**.

LIU YI
Né en 1958 à Shanghai. XXe siècle. Chinois.
Peintre de paysages, aquarelliste.
Il fait ses études au « Shangai Light Industry College », section Art, obtenant son diplôme en 1986. Il est enseignant dans ce même collège. En 1990 et 1992, il reçut la médaille de bronze à l'Exposition nationale d'Aquarelle de Pékin. En 1991, il exposa à titre personnel dans cinq manifestations internationales.
Ventes Publiques : Hong Kong, 30 oct. 1995 : *Arc en ciel* 1995, aquar./pap. (78,7x54) : **HKD 17 250**.

LIU YIN ou **Lieou Yin**, surnom : **Mengji**
Né en 1249. Mort en 1293. XIIIe siècle. Actif à Yongchang (province du Hebei). Chinois.
Peintre.
Il est beaucoup plus connu comme écrivain et philosophe que comme peintre. Le Musée Guimet de Paris conserve une de ses œuvres, *Paysage de rivière*, à l'encre sur papier.

LIU YIN ou **Lieou Yin**, surnom : **Rushi**
Originaire de Wujiang, province du Jiangsu. Morte en 1664. XVIIe siècle. Chinoise.
Peintre.
Femme du poète Jian Jianyi, elle fait des fleurs et des oiseaux ainsi que des paysages dans le style des maîtres Yuan.

LIU YIZHI
Né en 1934 dans le district Cangwu (région autonome du Guangxi). XXe siècle. Chinois.
Peintre. Traditionnel.
En 1959, il termine ses études à l'Institut artistique du Hubei, et enseigne actuellement à l'Institut artistique du Guangxi.
Il a participé à l'exposition : *Peintres traditionnels de la République populaire de Chine*, à Paris, à la galerie Daniel Malingue, en 1980.
Bibliogr. : In : *Peintres traditionnels de la République populaire de Chine*, catalogue de l'exposition, galerie Daniel Malingue, Paris, 1990.

LIU YONGNIAN ou **Lieou Yong-Nien** ou **Liu Yung-Nien**, surnom : **Junxi** ou **Gongxi**
Né vers 1020, originaire de Kaifeng, province du Henan. XIe siècle. Chinois.
Peintre.
Membre de la famille impériale Song, il devient haut fonctionnaire militaire. Comme peintre, il est connu pour ses figures et ses peintures de fleurs et d'oiseaux. Le National Palace Museum de Taipei conserve deux de ses œuvres, *Les sommets des Monts Shang s'élevant au-dessus des nuages*, signé et *Petits oiseaux dans les buissons, lapins blancs, bambous et roses*, en couleurs vives sur papier.

LIU YU ou **Lieou Yu** ou **Liu Yü**, surnom : **Gonghan,** nom de pinceau : **Yugu**
Originaire de Nankin. XVIIe siècle. Actif dans la seconde moitié du XVIIe siècle. Chinois.
Peintre.
Poète et calligraphe, il fait aussi des paysages dans les styles de Dong Yuan (mort en 962) et de Juran (actif vers 960-980). Il laisse plusieurs œuvres signées et un paysage daté 1679.

LIU YU ou **Lieou Yu** ou **Liu Yü**, surnom : **Xianqi**
Né à Suzhou (province du Jiangsu). XVIIIe siècle. Actif vers 1700. Chinois.
Peintre.
Il est peintre de figures dans le style de Qiu Ying (actif dans la première moitié du XVIe siècle), avec un grand sens de la vitalité. Par ailleurs, il est habile dans les compositions d'arbres, de rochers, d'herbes et de fleurs et manie les couleurs avec élégance. Le National Palace Museum de Taipei conserve *Pavots*, rouleau en hauteur, encre et couleurs sur soie.

LIU YUAN ou **Lieou Yuan** ou **Liu Yüan**
XIVe siècle. Actif dans la première moitié du XIVe siècle. Chinois.
Peintre.
Ce peintre n'est pas mentionné dans les biographies officielles d'artistes, mais c'est sans doute l'un des peintres professionnels les plus connus de Chine du Nord sous les dynasties Jin et Yuan. Il est spécialiste de peintures murales dans les temples et il est aussi sculpteur, comme nous l'apprend l'inscription qui accompagne la seule œuvre de lui qui nous soit parvenue et qui est conservée au Musée d'Art de Cincinnati, *Le rêve de Sima Yu*, petit rouleau en longueur signé : Ping Shui Liu Yuan, en encre et couleurs sur soie.

LIU YUAN ou **Lieou Yuan** ou **Liu Yüan**, surnom : **Banyuan**
Originaire de Kaifeng, province du Henan. XVIIe siècle. Actif vers 1660. Chinois.
Peintre.
Peintre de figures, de fleurs, de paysages et de dragons.

LIU YUANQI ou **Lieou Yuan-K'i** ou **Liu Yüan-Ch'i**, de son vrai nom : **Liu Zuo,** surnom : **Zizheng,** nom de pinceau : **Zhenzhi**
Né en 1555, originaire de Suzhou, province du Jiangsu. Mort après 1633. XVIe-XVIIe siècles. Actif vers 1620-1633. Chinois.
Peintre de paysages, fleurs.
Il fut élève de Qian Gu (1508-après 1574). Il eut aussi une activité de poète.
Musées : Cologne (Mus. für Ostasiatische Kunst) : *Paysage de rivière sous la pluie*, encre et coul. sur pap. tacheté d'or, éventail signé et daté 1621 – Pékin (Mus. du Palais) : *Épidendron et bambou près d'un rocher*, peint en collaboration avec Chen Yuansu qui signe et date 1620, huit inscriptions de personnages de l'époque – Taipei (Nat. Palace Mus.) : *Le jour de l'an, paysage avec personnages* signé et daté 1632 – *Un homme assis sous les grands pins*, signé – *Paysage avec un personnage*, éventail signé.
Ventes Publiques : New York, 31 mai 1994 : *Paysage* 1623, encre et pigments/pap. doré, éventail (18,4x57,8) : **USD 4 887**.

LIU YUNG-NIEN. Voir **LIU YONGNIAN**

LIU ZHIDI ou **Lieou Tche-Teh**
XXe siècle. Chinois.
Peintre amateur.
Secrétaire de cellule du Parti pendant la « Révolution culturelle », il était bien placé pour connaître les difficultés des paysans, dont il faisait partie, et qu'il a dépeint avec chaleur (Voir HUXIAN, peintres paysans du).

LIU ZHIGUI ou **Lieou Tche-Kouei** ou **Liu Chih-Kwei**
XXe siècle. Chinois.
Peintre amateur, dessinateur.
Dirigeant d'une brigade de production de Huxian, pendant la « Révolution culturelle », il enseignait aux jeunes le dessin sur le

motif, dans les pauses du travail aux champs (Voir HUXIAN, peintres paysans du).

LIU ZHIPING ou **Lieou Tche-Ping** ou **Liu Chih-P'ing**
XXe siècle. Chinois.
Peintre. Traditionnel.
Ce peintre de l'école traditionnelle fut un des co-fondateurs de l'Académie de Shanghai en 1920.

LIU ZIYU ou **Lieou Tseu-Yu** ou **Liu Tzù-Yü**
XIVe siècle. Actif à la fin de la dynastie Yuan et au début de la dynastie Ming, vers le milieu du XIVe siècle. Chinois.
Peintre.
Le Musée du Palais de Pékin conserve une *Étude de paysage*, à l'encre sur papier, montée sur le même rouleau que des études similaires des peintres Zhang Guan, Zhao Zhong et Shen Xuan.

LIUZZI Giacomo
Né en 1785 à Reggio d'Emilie. Mort en 1867 à Reggio d'Emilie. XIXe siècle. Italien.
Peintre.
La Pinacothèque de Parme conserve trois paysages de la main de cet artiste.

LIVACHE Victor
Né en 1831 à Angers (Maine-et-Loire). XIXe siècle. Français.
Portraitiste.
Exposa au Salon entre 1865 et 1869.

LIVEMONT Privat. Voir **PRIVAT-LIVEMOND**

LIVENS. Voir aussi **LIEVENS**

LIVENS Horace Mann
Né en 1862 à Croydon. Mort en 1936. XIXe-XXe siècles. Actif à Londres. Britannique.
Peintre de genre, portraits, paysages, natures mortes, fleurs, aquarelliste.
Il étudia à Croydon, à l'Académie d'Anvers, et fit un séjour à Paris où il subit l'influence de Manet. Il figura à partir de 1890 à la Royal Academy de Londres.

Musées : Brighton – Cardiff – Leicester – Londres (Tate Gal.) – Ottawa – Toronto.
Ventes Publiques : Londres, 4 oct. 1973 : *Nature morte aux fleurs* : **GNS 400** – Londres, 26 oct 1979 : *Nature morte aux fleurs et aux fruits*, deux h/t (49,5x59,1) : **GBP 1 600** – New York, 20 avr. 1983 : *Nature morte au nid d'oiseau* 1879, h/t (35,5x46) : **USD 1 800** – Copenhague, 29 août 1990 : *Paysage avec des vaches* 1899, h/t (23x32) : **DKK 5 000**.

LIVERANI Romolo
Né vers 1809 à Faenza. Mort le 19 octobre 1872 à Faenza. XIXe siècle. Italien.
Peintre de genre, de paysages, de portraits et peintre décorateur.
De nombreux palais et églises de Faenza lui doivent des peintures décoratives, notamment la cathédrale et le Palais Conti. Il travailla comme peintre de théâtre en Romagne, en Ombrie et dans les Marches. La Pinacothèque de Faenza possède de sa main des tableaux de genre et le Musée National de Ravenne un album avec des dessins et des aquarelles.

LIVERATI Carlo Ernesto
Né en 1805 à Vienne. Mort en 1844 à Florence. XIXe siècle. Italien.
Peintre de genre.
Le Musée de Prato conserve de lui *Une mère va se sanctifier au temple*.

LIVERSEEGE Henry
Né en 1803 à Manchester. Mort en 1832 à Manchester. XIXe siècle. Britannique.
Peintre de genre.
Cet artiste d'une santé délicate fut élevé par son oncle. Il se plaisait à reproduire des scènes tirées des œuvres de Shakespeare et de Walter Scott. Il exposa à la Royal Academy, à la British Institution et à Suffolk Street. On voit de lui au Musée de Manchester : *Little Red Riding Hood, Le conscrit, Scène de l'Antiquaire, Falstaff et Bardolph, Le visionnaire* et une aquarelle ; au Victoria and Albert Museum, à Londres, une aquarelle. Une grande partie des œuvres de Liverseege a été reproduite en gravure et publiée sous le titre : *Souvenirs de Liverseege*.

Ventes Publiques : Londres, 29 fév. 1984 : *Best of friends* 1825, h/pan. (23x30) : **GBP 1 100**.

LIVESAY Richard
Né en 1753. Mort vers 1823 à Southsea. XVIIIe-XIXe siècles. Britannique.
Peintre de portraits, graveur.
On le cite en 1780 pensionnaire de la veuve de Hogarth et élève de Benjamin West. Il fut le professeur de dessin des enfants du roi Georges III, à Windsor et plus tard au Royal Naval College, à Portsea. Il a gravé d'après Hogarth et d'après ses dessins.
Musées : Londres (Nat. Portrait Gal.) : *Portrait de James, comte de Charlemont*.
Ventes Publiques : Londres, 1899 : *Portraits des trois enfants d'Edouard Golding* : **FRF 4 575** ; *Portrait de Madame Anna Golding* : **FRF 7 350** – Londres, 20 juil. 1983 : *Portraits d'une mère et de ses cinq enfants*, h/t mar./cart., suite de cinq de forme ovale (22,5x17) : **GBP 3 000** – Londres, 18 oct. 1989 : *Portrait d'un officier de marine en uniforme*, h/pap./cart. (22,5x19,5) : **GBP 880** – Londres, 14 nov. 1990 : *Portrait d'un garçonnet avec son frère aîné dans un paysage*, h/t (89,5x69) : **GBP 4 400** – Londres, 3 avr. 1996 : *Portrait d'un gentilhomme, de sa femme et de leurs quatre enfants, en buste*, h/t (chaque ovale 30,5x25) : **GBP 4 600**.

LIVI Francesco di Domenico
Né à Gambassi (Val d'Este). XVe siècle. Italien.
Peintre verrier.
Il fit des peintures sur verre pour les fenêtres du Dôme de Florence. Il acquit le droit de bourgeoisie à Florence le 30 octobre 1436. A Lübeck où il travailla de 1434 à 1436, on lui attribue la plupart des vitraux anciens de l'église Notre-Dame.

LIVIEN ou **Livieno**. Voir **LIEVEN**

LIVIN Menus
Né en 1630 à Amsterdam. Mort en 1691 à Florence. XVIIe siècle. Hollandais.
Peintre et graveur.
Après avoir visité Milan et Rome il fit la rencontre d'un protecteur qui l'emmena à Vienne. Le prince Mathias de Toscane l'y prit sous sa protection et l'envoya à Florence travailler avec Pietro da Cortona. Livin avait un caractère probablement assez léger ; il s'enfuit de chez son maître et gagna Turin. Le prince l'y ayant retrouvé le confia à Stefano della Bella. Livin produisit d'intéressantes décorations d'églises, notamment celle de la coupole de l'église de la Pace, à Florence. On cite aussi quelques gravures de lui.

LIVINGSTON Charlotte
Née à New York. XXe siècle. Américaine.
Peintre.
Elle fut élève de George Maynard et Yvan Glinsky. Elle fut membre de la Ligue américaine des artistes professeurs et de la Fédération américaine des arts.

LIVINUS, pseudonyme de **Van de Bundt Livinus**
Né en 1909 à Ziest. XXe siècle. Actif en France. Hollandais.
Graveur, photographe.
Débutant obscurément dans des ateliers de gravure, il entre à l'Académie des Beaux-Arts de La Haye et devient professeur à l'Académie libre de cette ville. Il partage sa vie entre la Hollande et la France.
Il est membre de la Société néerlandaise pour la propagation de l'art graphique.
Depuis 1960, il pratique ce qu'il a nommé la « photopeinture » : il peint directement avec un faisceau lumineux qu'il promène sur la pellicule sensible ; les surfaces ainsi exécutées étant ensuite éclairées par derrière créent l'illusion d'un approfondissement de l'espace et suppriment l'obstacle des cloisons. Depuis 1963, il réalise des *Cinépeintures* ou *Chronopeintures*, dans lesquelles, au procédé précédent, il ajoute le mouvement par la mobilité de l'éclairage intérieur. Parallèlement, il a travaillé à une *Machine Lumodynamique*, dans laquelle les combinaisons de formes fondamentales, les réflexions lumineuses, les changements de couleurs, l'animation sonore, sont programmés par l'électronique.
Bibliogr. : Frank Popper : *Naissance de l'art cinétique*, Gauthier-Villars, Paris, 1967.
Musées : Amsterdam (Cab. des Estampes) – Amsterdam (Mus. Booymans) – Budapest (Mus. d'État) – La Haye (Bibl. roy.) – Paris (BN, Cab. des Estampes).

LIVIO Gianmaria di Coldrerio
Né vers 1693. Mort en 1766. XVIIIe siècle. Actif à Côme. Italien.
Peintre.

LIVIO da Forli. Voir **AGRESTI Livio**

LIVIUS. Voir aussi **CRUYL Liévin**

LIVIUS Jan. Voir **LIEVENS**

LIVIZZANI Giovanni Battista
XVIIe siècle. Actif en Italie au début du XVIIe siècle. Italien.
Peintre et poète.
On a peu de renseignements sur la vie de cet artiste, dont plusieurs tableaux furent gravés, mais que l'on connaît surtout par ses œuvres poétiques.

LIVOFF Nicolai Alexandrovitch ou **Lwoff** ou **Ljwoff**
Né en 1751. Mort le 21 décembre 1803 à Moscou. XVIIIe siècle. Russe.
Graveur et architecte.
Il grava, le plus souvent genre aquatinte, des portraits parmi lesquels son *Portrait par lui-même* et celui de la chanteuse *Anna Bernuzzi*, ainsi que des vues et des illustrations de livres.

LIVOFF Piotr Ivanovitch ou **Lwoff** ou **Ljwoff**
Né le 16 janvier 1882 à Tobolsk. XXe siècle. Russe.
Peintre, dessinateur.
Il étudia à Moscou et à l'Académie de Saint-Pétersbourg.
Musées : Moscou (Gal. Tretiakov) – Saint-Pétersbourg (Mus. Russe).

LIVOLSI Giambattista
XVIIe siècle. Actif à Nicosia (Sicile). Italien.
Sculpteur sur bois.
Il exécuta en 1622 avec son frère Stefano Livolsi les stalles du Dôme de Nicosia. On lui attribue d'autres œuvres aux églises Sainte-Marie-Majeure et Saint-François de la même ville.

LIVOLSI Stefano
XVIIe siècle. Actif à Nicosia (Sicile). Italien.
Sculpteur.
Frère de Giambattista. Le Dôme, l'église Saint-Michel-Archange, l'église Sainte-Marie-Majeure, à Nicosia, possèdent de ses œuvres, ainsi que les cathédrales de Caltanisetta et de Leonforte. Il exécuta avec son frère Giambattista Livolsi les stalles du Dôme de Nicosia.

LIVRE D'HEURES de..., et LIVRE DE RAISON de..., Maître du. Voir **MAÎTRES ANONYMES**

LI WEI, surnom : **Gongzhao**
Originaire de Qiantang, province du Zhejiang. XIe siècle. Chinois.
Peintre.
Beau-fils de l'empereur Song Renzong (1032-1063), c'est un haut fonctionnaire pour qui la calligraphie et la peinture sont des divertissements. Il peint surtout des bambous mais détruit la plupart de ses œuvres. Le Musée de Boston en conserve néanmoins une : *Retraite dans un bosquet de bambous*, signé.

LIX Frédéric Théodore
Né le 18 décembre 1830 à Strasbourg (Haut-Rhin). Mort en 1897 à Paris. XIXe siècle. Français.
Peintre d'histoire, scènes de genre, illustrateur, dessinateur.
Élève de Michel Drolling, Jean-Baptiste Guérin et Victor Biennourry, il débuta au Salon de Paris en 1859, obtenant une médaille de troisième classe en 1880 et une médaille de bronze à l'Exposition Universelle de 1889.
Il illustra des livres, dont *Sous l'Empire* en 1872 et collabora à des magazines illustrés, dont *Le Magazine pittoresque* et *L'Illustration*.
Bibliogr. : Gérald Schurr, in : *Les Petits Maîtres de la peinture 1820-1920, valeur de demain*, Les Éditions de l'Amateur, t. IV, Paris, 1979.
Musées : Brest : *Camille Desmoulins au Palais-Royal* – Châlons-sur-Marne : *Le trombone* – Helsinki : *Scène d'Alsace* – Mulhouse : Quinze dessins – Strasbourg : *Juifs brûlés à Strasbourg en 1349 – M. Lereboulet – La cueilette de houblon.*

LIXE Pierre. Voir **LISQUI**

LIXENBERG Cyril
Née en 1932 à Londres. XXe siècle. Active en Hollande. Britannique.
Peintre, sculpteur. Abstrait.
Elle fut élève, de 1950 à 1953, de la Central School of Arts and Crafts de Londres, en 1954 de l'École des Beaux-Arts de Paris.
Elle participe à de nombreuses expositions collectives internationales. Elle expose individuellement surtout en Hollande et souvent dans des lieux publics. En 1997, elle a exposé avec Charles Bézie à Bruxelles, galerie Amaryllis.
Ses œuvres sont souvent destinées à une intégration d'animation dans un cadre bâti ou naturel.

LI XIAO ou **Li Hiao** ou **Li Hsiao**
Originaire de Wuweizhou, province du Anhui. XVIIe siècle. Actif au début de la dynastie Qing (mi-XVIIe siècle). Chinois.
Peintre.
Peintre d'oiseaux.

LI XIONGCAI ou **Li Hiong-Ts'ai** ou **Li Hsiung-Ts'ai**
Né en 1910 ou 1912. XXe siècle. Chinois.
Peintre.
Peintre de la région de Canton. Il appartint à l'école *Lingnan pai*, mouvement à tendance traditionaliste fondé par Gao Jianfu à Canton. Li Xiongcai est un élève de ce dernier et, comme d'autres membres de cette école, il va compléter sa formation au Japon.
Ses paysages ont plus de vigueur que ceux que l'on trouve habituellement dans ce groupe et il semble moins empressé que les autres à rechercher une synthèse systématique entre les styles occidental et oriental.
Ventes Publiques : New York, 2 juin 1988 : *Cascade et Pins*, encre/pap. (37,5x53) : **USD 770** – Hong Kong, 16 jan. 1989 : *Singes jouant dans une cascade*, encres/pap., kakemono (132x68,5) : **HKD 30 800** – Hong Kong, 18 mai 1989 : *Paysage côtier*, encre et pigment/pap., kakemono (88,5x48) : **HKD 22 000** – Hong Kong, 15 nov. 1989 : *Pagode au crépuscule*, encre et pigments/pap., kakemono (81,6x38) : **HKD 19 800** – New York, 31 mai 1990 : *Paysage*, encre et pigments/pap., kakemono (69,2x34,3) : **USD 2 475** – New York, 1er juin 1992 : *Paysage avec un pont* 1980, encre et pigments/pap., kakemono (132,1x79,4) : **USD 3 300** – New York, 1er juin 1993 : *Pin avec une chute d'eau* 1979, encre et pigments/pap., kakemono (112,4x66,7) : **USD 2 588** – Hong Kong, 3 nov. 1994 : *Paysage d'automne* 1981, encre et pigments/pap. (136x66,5) : **HKD 74 750** – Hong Kong, 29 avr. 1996 : *Mont Lotus de Huang Shan* 1965, encre et pigments/pap., kakemono (167x95) : **HKD 115 000** – Hong Kong, 28 avr. 1997 : *Pins et cascade* 1980, encre et pigments/pap., kakemono (133x67) : **HKD 57 500** ; *Voyage orageux* 1936, encre et pigments/pap., kakemono (128,3x66) : **HKD 97 750**.

LI XITAI ou **Li Hi-T'ai** ou **Li Hsi-T'ai**
Actif pendant la dynastie Qing. Chinois.
Peintre.
Peintre non mentionné dans les biographies officielles d'artistes, il fait des paysages. On connaît deux de ses œuvres, *Paysage de montagne dans le style de Wang Meng*, signé et *Paysage de montagne abrupte*, signé.

LI XIUYI ou **Li Sieou-I** ou **Li Hsiu-I**, surnom : **Zijian,** nom de pinceau : **Qianzhai**
Originaire de Haiyan, province du Zhejiang. XVIIIe siècle. Chinois.
Peintre.
Peintre de paysages et de fleurs, il laisse quelques œuvres signées.

LI YAN
Né en 1942 à Pékin. XXe siècle. Chinois.
Peintre animalier. Traditionnel.
Il fut élève du département de peinture traditionnelle de l'Institut central des Beaux-Arts. Il est professeur à l'Institut central de l'art artisanal.
Il a participé à l'exposition : *Peintres traditionnels de la République populaire de Chine*, à Paris, à la galerie Daniel Malingue, en 1980.
Il peint dans le style traditionnel, avec des encres et des pigments de couleurs sur des supports de papier.

LI YANZHI ou **Li Yen-Chih** ou **Li Yen-Tche**
XIIe siècle. Actif dans la première moitié du XIIe siècle. Chinois.
Peintre.
Peintre de l'Académie de Peinture sous le règne de l'empereur Song Huizong (1101-1125), il est spécialiste de poissons, d'insectes, d'herbes et d'arbres. Les textes de l'époque louent sa grande habileté technique et son art de saisir la vie de ses modèles. Il ne reste que de très rares œuvres de cet artiste, dont une au Musée de Shanghai : *Fleurs de poirier et perche*, en couleurs sur soie.

LI YEN-CHIH. Voir **LI YANZHI**

LI YEN-TCHE. Voir **LI YANZHI**

LI YEOU-HSING. Voir **LI YOUXING**

LI YIBO ou **Li I-Po**
XVIe siècle. Actif vers le milieu du XVIe siècle. Chinois.
Peintre.
Peintre non mentionné dans les biographies officielles d'artistes. L'une de ses œuvres, *Ruisseau à l'automne et temple lointain*, est une peinture en forme d'éventail, signée et porte la date probable de 1558.

LI YIHE ou **Li I-Ho**
XVe siècle. Actif vers 1430. Chinois.
Peintre.
Peintre non mentionné dans les biographies officielles d'artistes et sans doute originaire de Shanghang, dans la province du Fujian. Il laisse quelques œuvres signées, notamment, *Cinq Phénix, Canards mandarins sous les pivoines en fleur* et *Deux faisans et deux pies*.

LI Yihong
Né en 1941 à Tainan. XXe siècle. Chinois.
Peintre. Traditionnel.
Il obtint le diplôme de l'Institut National des Beaux-Arts de Taiwan en 1966 puis se perfectionna sous la direction de Jiang Zhaoshen. Il est devenu professeur.
VENTES PUBLIQUES : HONG KONG, 15 nov. 1989 : *Regards sur la cascade* 1981, encre et pigments/pap. (69,2x135,5) : **HKD 63 800** – TAIPEI, 18 oct. 1992 : *Paysages*, encre et pigments/pap. or, ensemble de quatre panneaux (chaque 80x40) : **TWD 440 000.**

LI YIN, surnom : **Jinsheng,** noms de pinceau : **Shian** et **Kanshan Nüshi**
Née en 1610 ou 1616 à Guaiji (province du Zhejiang). Morte en 1685. XVIIe siècle. Chinoise.
Peintre d'animaux, paysages, fleurs.
Femme du peintre Ge Zhengqi (actif dans la première moitié du XVIIe siècle), elle fait des fleurs et des oiseaux dans le style de Chen Shun (1483-1544). L'une de ses œuvres signée, *Oies sauvages dans les roseaux*, est datée 1633.
VENTES PUBLIQUES : NEW YORK, 31 mai 1990 : *Canards mandarins et hibiscus* 1667, encre/pap., kakémono (125,7x45) : **USD 13 200** – NEW YORK, 25 nov. 1991 : *Palais dominant une côte rocheuse*, encre et pigments/soie (80,7x50,6) : **USD 7 150.**

LI YIN, surnom : **Boye**
Originaire de Yangzhou, province du Jiangsu. XVIIIe siècle. Actif vers 1700. Chinois.
Peintre de paysages.
Peintre dans les styles des maîtres Tang et Song, il est le rival de Xiao Chen (actif vers 1680-1710).
MUSÉES : BOSTON : *Montagnes à l'automne* 1698, encre et coul. sur soie, rouleau en hauteur avec un poème et une inscription du peintre.

LI YONGCHANG ou **Li Yong-Tch'ang** ou **Li Yung-Ch'ang**, surnom : **Zhousheng**
Originaire de Xiuning, province du Anhui. XIVe-XVIIe siècles. Actif à la fin de la dynastie Ming (1368-1644). Chinois.
Peintre.
Poète et peintre de paysages dans le style des grands maîtres Yuan. L'une de ses œuvres est signée et datée 1634.

LI YONGSEN
Né en 1898. XXe siècle. Chinois.
Peintre. Postimpressionniste.
Artiste à la biographie incertaine, Li Yongsen est surtout connu en Occident pour ses scènes de France, copiant librement de célèbres tableaux impressionnistes, du Renoir de *La Grenouillère* au Sisley des inondations.
VENTES PUBLIQUES : TAIPEI, 22 mars 1992 : *Scènes de France*, h/cart., une paire (chaque 26,5x34) : **TWD 231 000.**

LI YOUXING ou **Li Yeou-Sing** ou **Li Yu-Hsing**
XXe siècle. Chinois.
Peintre.
Après des études à l'Université Nationale Centrale de Pékin, il part poursuivre sa formation à Paris, où il retrouve Lu Sibai (Luspa) et Wu Zuoren (Ou Sogène). Pendant la Seconde Guerre mondiale, il devient directeur du Collège provincial des Beaux-Arts du Sichuan, à Chengdu.
Son style se caractérise par une tendance décorative marquée et une influence française considérable.

LI YU ou **Li Yü**
Probablement mort au champ d'honneur en 1635. XVIIe siècle. Actif dans la première moitié du XVIIe siècle. Chinois.
Peintre de paysages.
Officier militaire à Fengyang (province du Anhui), il n'est pas mentionné dans les biographies officielles d'artistes. On connaît l'une de ses œuvres, *Pluie automnale sur les montagnes*, peinture au doigt, signée et accompagnée d'un poème daté 1618.

LI YU ou **Li Yü**, surnom : **Meisheng,** nom de pinceau : **Zhuxi**
Originaire de Yangzhou, province du Jiangsu. XIXe siècle. Actif vers 1820. Chinois.
Peintre de paysages, fleurs.
Peintre de fleurs, de pierres et d'arbres, il laisse plusieurs œuvres signées et certaines datées.

LI YUAN HENG ou **Yuen-Heng**
Né en 1936 à Taichong (Taiwan). XXe siècle. Chinois.
Peintre de paysages. Style occidental.
Diplômé de L'Université Normale Nationale de Taiwan en 1959, il enseigna à l'Académie d'Art de Taiwan et à l'Institut Polytechnique Zhongyuan. En 1966, il étudia la sculpture à Paris, mais il revint à la peinture. Ses œuvres furent sélectionnées pour le Salon de Paris et récompensées. Dans son pays, il a participé à des expositions au Musée National d'Histoire de Taipei, au Musée des Beaux-Arts de Taipei et au Centre Culturel Provincial de Taichong.
Il peint dans une technique et un style qu'on peut dire modernistes.
VENTES PUBLIQUES : TAIPEI, 18 avr. 1993 : *Vallée au clair de lune* 1992, h/t (61x45) : **TWD 276 000** – TAIPEI, 10 avr. 1994 : *Lac suisse* 1993, h/t (38x54,8) : **TWD 184 000** – TAIPEI, 16 oct. 1994 : *Clair de lune* 1994, h/t (38x55) : **TWD 207 000.**

LI YU-HSING. Voir **LI YOUXING**

LI YUN
XXe siècle. Chinois.
Peintre de paysages. Traditionnel.
Il est professeur à l'Institut des Beaux-Arts de Guangdong.
Il a participé à l'exposition : *Peintres traditionnels de la République populaire de Chine*, à Paris, à la galerie Daniel Malingue, en 1980.
Il peint dans le style traditionnel, avec des encres et des pigments de couleurs sur des supports de papier.

LI YUNG-CH'ANG. Voir **LI YONGCHANG**

LI ZAI ou **Li Tsai**, surnom : **Yizheng**
Originaire de Putian, province du Fujian. XVe siècle. Actif dans la première moitié du XVe siècle. Chinois.
Peintre.
Sous le règne de l'empereur Ming Xuanzong (1426-1435), il occupe un important poste officiel et jouit de la même popularité que le peintre Dai Jin (actif début XVe siècle). C'est un bon peintre de figures et de paysages dans les styles de Guo Xi (vers 1020-1100), de Ma Yuan et de Xia Gui (actifs vers 1190-1230).
MUSÉES : BOSTON : *Paysage de rivière et arbres dénudés*, feuille d'album signée – SHANGHAI : *Jin Gao chevauchant une carpe*, coul. sur soie, rouleau en hauteur signé – TOKYO (Nat. Mus.) : *Paysage de brume*, encre et coul. sur soie, rouleau en hauteur signé.

LIZAL Alex
Né en 1878 à Dax (Landes). Mort en 1913. XXe siècle. Français.
Peintre de paysages.
Il exposait régulièrement, à Paris, au Salon des Indépendants, où ses paysages et ses études diverses étaient remarqués pour leurs qualités de probité.
VENTES PUBLIQUES : PARIS, 16 avr. 1945 : *Danseuse* : **FRF 1 500.**

LIZANDER. Voir **LISANDER**

LI ZANHUA ou **Li Tsan-Houa** ou **Li Tsan-Hua**, de son vrai nom : **Yelü Tuyu,** connu sous le nom de **Prince de Dongdan**
Xe siècle. Actif dans la première moitié du Xe siècle. Chinois.
Peintre.
Fils aîné du premier empereur Liao, Taizu (907-926) et frère du second empereur, Taizong (926-947), il quitte le royaume Liao en 931 et s'installe en Chine où l'empereur Mingzong, de la dynastie des Tang Postérieurs (926-933), lui donne le nom de famille de Li et le nom personnel de Zanhua. Il est spécialiste de portraits des chefs Khitan à cheval. Le National Palace Museum de Taipei

conserve deux rouleaux, *Un soldat Khitan devant son cheval*, inscription de Ke Jusi, grande feuille d'album, et *Le roi Liao à cheval précédé d'un soldat à cheval*, grande feuille d'album d'une exécution très minutieuse, en couleurs.

LIZARA Francesco. Voir **LIZONA**

LIZARS William Home

Né en 1788 à Edimbourg. Mort le 30 mars 1859 à Jedburgh. XIXe siècle. Britannique.

Peintre de genre et graveur.

Élève de son père Daniel Lizars, mort en 1812, et de l'Academy. Ses tableaux *Lecture du testament* et *Mariage en Écosse*, aujourd'hui au Musée d'Edimbourg, furent exposés à la Royal Academy en 1812. Cette même année la mort de son père obligea William Lizars à devenir imprimeur pour subvenir aux besoins de ses frères et sœurs. Le jeune artiste abandonna la peinture.

LIZASOAIN Juan

XIXe siècle. Actif à Séville. Espagnol.

Peintre.

Il fut longtemps directeur de l'École des Beaux-Arts de Séville. Il exécuta en 1833 les peintures décoratives du Théâtre Principal et les décorations de scènes pour ce même théâtre et pour le théâtre de San Fernando.

LIZCANO MONEDERO Angel ou **Lizcano y Esteban**

Né le 24 novembre 1846 à Alcazar de San Juan (près de Ciuadad Real). Mort le 31 juillet 1929 à Leganès (Madrid). XIXe-XXe siècles. Espagnol.

Peintre de compositions à personnages, sujets typiques, sujets religieux, paysages, dessinateur, illustrateur. Traditionnel.

Son père le destinait à la théologie, mais, préférant la peinture, il entre à l'Académie des Beaux-Arts San Fernando de Madrid. Il poursuit sa formation artistique à l'École Spéciale de Peinture, Sculpture et Dessin. En 1877, lui et sa famille – il est père de quatre enfants – s'établissent à Salamanque. Vers la fin du siècle et jusqu'à sa mort, afin de simplement survivre, il dut vendre à perte ses œuvres déjà réalisées et travailler sous contrainte. Son œuvre en devient inégal.

Il a figuré à des expositions collectives, dont : 1871, Exposition nationale des Beaux-Arts, Madrid ; 1876, Exposition nationale des Beaux-Arts, Madrid, obtenant la troisième médaille ; 1878, Exposition universelle, Paris ; 1881, Exposition nationale de Madrid avec des peintures qui se rapprochent de la peinture d'histoire, à nouveau en 1884, puis en 1887 avec *Cervantes et ses modèles*. Ses œuvres figurent généralement aux expositions retraçant l'influence de Goya sur la peinture espagnole. Une exposition de ses œuvres fut organisée par un certain nombre de ses amis peintres au Salon de Nancy en 1928.

C'est un peintre prolixe et divers dans sa production. Son style de peinture et ses coloris évoluent dans les limites d'un académisme, somme toute, assez libre, car bien maîtrisé. On peut, en effet, distinguer entre des compositions sobres à tendance symboliste, des peintures d'un naturalisme timide et enfin des scènes de genre où l'agréable semble être le parti dominant. C'est avant tout une Espagne pittoresque et nationale que peint Lizcano : les vieilles villes espagnoles, les paysages, les palais et les cathédrales, les habits typiques castillans... Certains critiques ont qualifié cette peinture de « romanesque » représentative des XVIIe et XVIIIe siècles espagnoles : vie, agitation, mouvement y sont dessinés avec précision déclinés en thèmes faciles. Si certaines de ses peintures se rapprochent de la peinture d'histoire, bien souvent, le thème est chez lui surtout prétexte à une composition à personnages principalement imaginaire. Il est connu pour avoir exploité le genre de petites scènes prestement enlevées, créées par Eugenio Lucas, genre emprunté à la partie mineure de l'œuvre de Goya, et également pratiqué, à la suite d'Eugenio Lucas, par son propre fils homonyme et par Francisco Domingo Marquès. Certaines des œuvres de ces peintres ont pu être attribuées à Goya. Les aventures de Don Quichotte ou le thème des taureaux inspirent nombre de ses toiles. Dans le même registe, il a illustré plusieurs ouvrages de ses dessins : les écrits de D. Ramon de la Cruz, Luceno, Ricado de la Vega, Vital Aza y Ramos Carrion et surtout les *Épisodes Nationaux* de Galdos. Il a également collaborer à l'illustration de revues, notamment taurines, comme *La Lidia*. ■ C. D.

BIBLIOGR. : In : *Cien anos de pintura en Espana y Portugal, 1830-1930*, t. IV, Antiqvaria, Madrid, 1990.

MUSÉES : MADRID (Gal. Mod.) : *Vue de Ségovie* – *La Mort du torero* – SÉVILLE (Mus. des Beaux-Arts).

VENTES PUBLIQUES : MADRID, 17 mai 1974 : *Personnages masqués dansant* : **ESP 160 000** – BARCELONE, 20 oct. 1981 : *Scène champêtre*, h/t (80x65) : **ESP 270 000** – NEW YORK, 18 jan. 1983 : *Portrait d'un officier*, h/t (79,3x65,4) : **USD 9 000** – MADRID, 27 fév. 1985 : *Paysage montagneux animé de personnages*, h/t (103x65) : **ESP 483 000** – MADRID, 18 déc. 1986 : *Conversation dans un parc*, h/pan. (23,5x16,5) : **ESP 450 000** – LONDRES, 22 juin 1988 : *Marché de village* 1884, h/t (73x128) : **GBP 39 600** – NEW YORK, 29 oct. 1992 : *À la fontaine* 1889, h/t (70,5x130,2) : **USD 8 525** – NEW YORK, 16 fév. 1995 : *Après la corrida* 1878, h/t (43,8x76,2) : **USD 7 475**.

LIZE Charles

Né au XIXe siècle à Elbeuf (Seine-Maritime). XIXe siècle. Français.

Paysagiste.

Élève de M. Langlois, Flameng et G. Ferrier. Débuta au Salon de 1876. On voit, de lui, au Musée de Strasbourg, *Dans la forêt*, et à la galerie Roussel, à Louviers, *Ferme normande*.

LIZET Charles

XVIe siècle. Actif à Lyon. Français.

Sculpteur.

Il prit part aux apprêts des fêtes données par Lyon, en 1548, à l'occasion de l'entrée solennelle d'Henri II et de Catherine de Médicis.

LI ZHAODAO ou **Li Chao-Tao** ou **Li Tchao-Tao**

VIIe-VIIIe siècles. Actif vers 670-730. Chinois.

Peintre.

Fils du peintre Li Sixun (651-716), il est connu sous le nom de Petit Général Li, son père ayant été général. Les jugements des critiques anciens ne sont pas unanimes dans l'évaluation des mérites respectifs du père et du fils. On attribue généralement à ce dernier une puissance moindre mais un charme plus subtil. Il a sans doute tendance à renchérir sur la tendance décorative de son père, développant un style encore plus délicat et une conception encore plus fragmentée, avec le même usage des couleurs bleue, verte et or. C'est ce que prouvent les deux œuvres conservées au National Palace Museum de Taipei, qui ne sont vraisemblablement pas de lui, mais que l'on peut rattacher à son style : *La fuite de l'empereur Xuanzong au Sichuan* et la *Promenade dans les montagnes au printemps*.

MUSÉES : BOSTON : *Le palais Jucheng*, fragment d'une imitation tardive – PÉKIN (Mus. du Palais) : *Course de bateaux-dragons*, éventail attribué – *Vue lointaine du Palais Han*, éventail attribué – TAIPEI (Nat. Palace Mus.) : *La fuite de l'empereur Xuanzong au Sichuan*, encre et coul. sur soie, rouleau en hauteur attribué – *Promenade dans les montagnes au printemps*, encre et coul. sur soie, rouleau en hauteur attribué – *La tour de Loyang*, feuille d'album, colophon de Dong Qichang – *La rivière Qu*, poème de Qianlong.

LI ZHEFAN

Né en 1907 à Hsin-chu. Mort en 1989. XXe siècle. Chinois.

Peintre de natures mortes.

Il fut élève de Ishikawa Kinichiro à l'École Normale de Taipei. Il poursuivit sa formation de peintre au Japon en 1930. De retour à Taiwan, il enseigna à l'Université Nationale de 1956 à 1973. Il reçut en 1929 le prix de la Société d'aquarelle de Taiwan.

VENTES PUBLIQUES : TAIPEI, 18 oct. 1992 : *Roses* 1980, aquar./pap. (54x39) : **TWD 253 000**.

LI ZHEN ou **Li Chên** ou **Li Tchen**, appelé aussi **Li Shen**

VIIIe-IXe siècles. Actif vers 780-804. Chinois.

Peintre.

Li Zhen aurait suivi Kôbô Daishi au Japon et aurait fait des peintures murales dans certains temples de Kyoto. Toutefois, il ne figure pas dans les biographies officielles d'artistes. Le temple Tôji de Kyoto conserve néanmoins, *Portraits de cinq patriarches de la secte du bouddhisme shingon, Bukong jingang, Huigho, Shanwuwei, Jingangzhi et Yixing*, rapportés au Japon par Kôbô Daishi en 804.

LI ZHENHUA. Voir **HUXIAN Peintres Paysans du**

LI ZHENHUA ou **Li Chen-Hua**

XXe siècle. Chinois.

Peintre amateur.

Dans le contexte de la « Révolution culturelle », il a été amené à peindre son univers quotidien de paysan affronté aux travaux des champs, labour, semailles, moisson (Voir HUXIAN, peintres paysans du).

LI ZHENJIAN
Né en 1922 dans le district de Jinyun (Zhejiang). XXe siècle. Chinois.
Peintre de paysages, animaux.
Il fit ses études à l'Institut National des Arts de Xihu, où il devint professeur. Il enseigna par la suite au département de peinture traditionnelle de l'Institut des Beaux-Arts du Zhejiang.
Il a participé à l'exposition : *Peintres traditionnels de la République populaire de Chine*, à Paris, à la galerie Daniel Malingue, en 1980.
Il peint dans le style traditionnel, avec des encres et des pigments de couleurs sur des supports de papier.

LI ZHI ou **Li Chih** ou **Li Tche**, surnom : **Huaguang**
Originaire de Kaifeng, province du Henan. XIe siècle. Actif dans la première moitié du IXe siècle. Chinois.
Peintre de paysages, fleurs.

LI ZHI ou **Li Tche** ou **Li Chih**
XVIIIe siècle. Actif sous le règne de l'empereur Qing Qianlong (1736-1796). Chinois.
Peintre d'animaux, fleurs.
Peintre non mentionné dans les biographies officielles de peintres, mais dont on connaît deux œuvres signées, *Fleurs d'hiver* et *Fleurs et oiseaux*.

LI ZHIGENG ou **Li Chih-Keng** ou **Li Tche-Keng**
Né au XXe siècle à Dinghai (province du Zhijiang). XXe siècle. Chinois.
Graveur.
Graveur de l'école moderne, il fait ses études à Shanghai et au commencement de la Seconde Guerre mondiale, se joint à la Troupe de Théâtre de Salut National.
Le style de ses gravures sur bois est d'une grande intensité quant au message de commisération sur la misère du peuple.

LI ZHONGLIANG
Né en 1944 à Shanghai. XXe siècle. Chinois.
Peintre de paysages urbains, architectures.
Il entra à l'école préparatoire de l'Académie des Beaux-Arts de Zhejiang en 1961 et fut désigné en 1965 pour suivre les cours de peinture à l'huile. Diplômé, il partit pour Pékin où il est membre de l'Académie de Peinture.
Il participe à de nombreuses expositions nationales et internationales. Il remporta la médaille d'argent de la VIe exposition nationale des Beaux-Arts.
Il décrit à travers ses œuvres, au réalisme parfois presque photographique, une atmosphère silencieuse, parfois figée, de la ville et ses faubourgs.
Ventes Publiques : Hong Kong, 30 mars 1992 : *Pêchers roses près des eaux vertes* 1991, h/t (82x86,4) : **HKD 286 000** ; *Maison ancienne de Suzhou* 1988, h/t (61x76) : **HKD 88 000** – Hong Kong, 28 sep. 1992 : *Le chant du matin* 1991, h/t (76,2x101,7) : **HKD 220 000** – Hong Kong, 22 mars 1993 : *Le jardin de Yu* 1992, h/t (52,5x95) : **HKD 172 500** – Taipei, 16 oct. 1994 : *Jardin chinois* 1989, h/t (127x127) : **TWD 621 000** – Hong Kong, 4 mai 1995 : *Début de printemps dans le sud* 1988, h/t (66x50,8) : **HKD 92 000** – Hong Kong, 30 avr. 1996 : *Le jardin de Suzhou* 1995, h/t (177,8x116,8) : **HKD 115 000**.

LI Zhong-Sheng ou **Li Chun-Shan**
Né en 1912 à Guangdong (Chine). Mort en 1984. XXe siècle. Chinois.
Peintre, aquarelliste. Style occidental.
Son père l'initia à la peinture dès son plus jeune âge. Après une année au Collège d'Art de Guangzhou, il entra en 1931 au Collège d'Art de Shanghai. En 1933 il partit pour le Japon et entra à l'Université des Beaux-Arts, dont il sortit « major » dans la section de peinture occidentale. En 1935, il rejoignit un groupe de peintres d'avant-garde : *The Tokyo Black Western Painting Association*. Il publia également un ouvrage sur la peinture du XXe siècle. De retour en Chine il fut professeur à l'Institut National des Beaux-Arts de Hangzhou de 1934 à 1946. Parmi ses collègues figuraient d'autres artistes et, ensemble, ils exposèrent en 1945 à Chongqing à l'Exposition de Peinture Moderne. En 1949 il partit pour Taiwan et reprit l'enseignement. En 1951 il fonda L'Atelier d'Art d'Avant-garde et ses élèves créèrent en 1957 l'Association des Peintres d'Extrême-Orient. Il eut une exposition personnelle en Italie en 1979.
Bibliogr. : Li Chao *Histoire de la peinture à l'huile à Shanghai*, Ed. de la Maison des Beaux-Arts du Peuple de Shanghai, 1995.
Ventes Publiques : Taipei, 15 oct. 1995 : *Abstraction*, aquar./pap. (27x39) : **TWD 264 500** – Taipei, 14 avr. 1996 : *Abstraction* 1978, h/t (91x60) : **TWD 4 230 000** – Taipei, 13 avr. 1997 : *Abstraction*, acryl./pap. (27x39,5) : **TWD 172 500**.

LI ZHONGXUAN ou **Li Chung-Hsüan** ou **Li Tchong-Siuan**, surnom : **Xiangxian**
Originaire de Kaifeng, province du Henan. XIe siècle. Actif à la fin du IXe siècle. Chinois.
Peintre.
Eunuque attaché au service du Palais, c'est un peintre de fleurs et d'oiseaux. Le National Palace Museum de Taipei conserve *Plantes en fleurs et papillons*, éventail signé.

LI ZHU ou **Li Chu** ou **Li Tchou**, surnom : **Qianfu,** nom de pinceau : **Mohu**
Originaire de Nankin. XVIe siècle. Actif vers 1500. Chinois.
Peintre.
Il étudie d'abord la peinture de paysage avec Shen Zhou (1427-1509) et devient par la suite un disciple de Wu Wei (1459-1508).

LIZONA Francesco ou **Lizara**
XVIIe siècle. Espagnol.
Dessinateur.
Il est probablement d'origine espagnole. Le Musée des Offices de Florence conserve de sa main un dessin *(Saint François de Paule)*, daté de 1683.

LI ZONGCHENG ou **Li Tsong-Tch'eng** ou **Li Tsung-Ch'êng**
X^e^-XIIe siècles. Actif pendant la dynastie des Song du Nord (960-1127). Chinois.
Peintre.
Peintre de paysages dans le style de Li Cheng (actif vers 960-990).

LI ZONGMO ou **Li Tsong-Mo** ou **Li Tsung-Mo**, surnom : **Xiaoqiao**
Originaire de Yongan, province du Fujian. XVIe-XVIIe siècles. Actif à la fin du XVIe et au début du XVIIe siècle. Chinois.
Peintre.
Peintre contemporain de Dong Qichang (1555-1636), il est connu pour ses figures et quelques paysages. Le National Palace Museum de Taipei conserve un grand rouleau en longueur signé, *Réunion au Pavillon Lanting*.

LJUBA, pseudonyme de **Popovitch Alekse Ljubomir**
Né en 1934 à Tuzla. XXe siècle. Depuis 1963 actif en France. Yougoslave.
Peintre de compositions à personnages. Tendance figuration-fantastique, surréaliste.
En Yougoslavie, il suit les cours de l'Académie des Arts Décoratifs de Belgrade puis ceux de l'Académie des Beaux-Arts à partir de 1958. Il découvre le surréalisme lors de l'exposition de la collection Urvater à Belgrade et fait la rencontre du peintre Dado. En 1963, il s'installe à Paris.
À Belgrade, il expose avec le groupe *Mediada* en 1960. À Paris, il expose dans différents groupements, et régulièrement au Salon de Mai.
Patrick Waldberg, conscient de ce qu'apporte de nouveau le monde hallucinatoire de Ljuba, l'a fait figurer dans l'exposition qu'il organisa à Bruxelles, en 1969, sur le thème des « signes d'un renouveau surréaliste ».
Il montre ses œuvres dans des expositions personnelles, dont : 1995, galerie Pierre Brullé, Paris ; 1996, galerie de Seine, Paris ; 1996, 1998, galerie Thessa Herold, Paris.
En effet, peintre résolument surréaliste, évoquant ses « délires », ses « errements », il compose des scènes fantastiques, dans des architectures mystérieuses, aux protagonistes inquiétants, dans une technique très méticuleuse, un certain maniérisme que l'on rencontre très souvent chez les surréalistes qui ont pour obligation de rendre lisible une réalité irréelle. Son univers d'origine onirique, où règne l'angoisse, n'est pas sans parenté avec les créations d'autres surréalistes de sa génération, un autre Yougoslave Dado ou bien l'Américain Petlin.

Ljuba

Bibliogr. : In : *Dictionnaire universel de la peinture*, Le Robert, Paris, 1975 – W. Borowczyk : *L'Amour monstre*, moyen métrage, 1978 – Anne Tronche : *Ljuba*, Albin Michel, Paris, 1988 – in : *Dictionnaire de l'art moderne et contemporain*, Hazan, Paris, 1992.

Ventes Publiques : Paris, 25 mars 1974 : *Anabella ou la Soif du mal* : **FRF 72 000** – Paris, 22 juin 1976 : *Ukus Pustinje* 1973, aquar. (24x15) : **FRF 1 000** – Paris, 2 déc. 1976 : *Les Fruits de l'été*, h/t (161x130) : **FRF 36 000** – Paris, 13 juin 1978 : *Le chevalier, la femme et la bête* 1967, h/t (150x80) : **FRF 25 000** – Versailles, 20 juin 1979 : *Le danger du Scorpion* 1970-1972, h/t (73x60) : **FRF 17 000** – Versailles, 3 juin 1981 : *L'Excrétion* 1976, h/t (130x81) : **FRF 24 000** – Versailles, 16 oct. 1983 : *Le Lac avec le point rouge* 1979, h/t (54x73) : **FRF 25 100** – Paris, 14 avr. 1986 : *Naissance de l'homme cosmique* 1971, h/t (210x280) : **FRF 72 000** – Paris, 27 nov. 1987 : *Le Lac avec le point rouge* 1979, h/t (54x73) : **FRF 21 000** – Paris, 27 juin 1988 : *Une soif d'amour* 1983-1986, h/t (54x65) : **FRF 8 000** – Paris, 12 déc. 1988 : *Femme rêvant*, lav. d'encre de Chine et d'aquar. (56x76) : **FRF 10 500** – Paris, 27 avr. 1989 : *Composition surréaliste*, lav. d'encre et aquar. (55x75) : **FRF 15 000** – Paris, 5 juin 1989 : *Le feu..., l'eau... (Le pont d'or)* 1987 (130x195) : **FRF 1 200 000** – Paris, 29 sep. 1989 : *Mekote trbuha* 1972, gche et lav. d'encre brune (70x51) : **FRF 8 000** – Paris, 7 oct. 1989 : *Isabelle quelques années plus tard* 1967, h/t (130x96) : **FRF 51 000** – Paris, 22 oct. 1989 : *Nostalgie*, aquar. (55x74) : **FRF 20 000** – Paris, 31 mars 1990 : *La Destinée* 1966, h/t (50x61) : **FRF 23 000** – Paris, 12 juil. 1990 : *Personnage* 1975, h. et collage/pap. (30x30) : **FRF 17 000** – Neuilly, 15 nov. 1990 : *Lui de l'ombre* 1968, h/t (81x60) : **FRF 33 000** – Paris, 20 nov. 1991 : *Le mythe de Prométhé* 1980, h/t (41x33) : **FRF 12 000** – Paris, 23 juin 1993 : *Les Transformations d'Hélène* 1970, lav. d'encre avec reh. de gche/pap./t. (81x100) : **FRF 9 000** – Paris, 8 juin 1994 : *Composition* 1990, aquar. (63x47,5) : **FRF 4 000** – Paris, 1er avr. 1996 : *L'Extase ou Hommage à Arnold Böcklin* 1982, h/t (160x196) : **FRF 65 000** – Paris, 5-7 oct. 1996 : *Extase* 1981-1982, h/t (195x160) : **FRF 37 000** ; *La Baie de Somme* 1953, aquar., lav. d'encre et fus./pap. (18,5x28) : **FRF 18 000** ; *L'Aberration* 1978, h/cart. (33x24) : **FRF 4 500**.

LJUNG Per
Né en 1743. Mort le 11 octobre 1819 à Stockholm. xviiie-xixe siècles. Suédois.
Sculpteur ornemaniste.
Il travailla pour le Château royal ainsi qu'à la décoration de la grande salle de la Bibliothèque à Stockholm.

LJUNGH Ernst Adolf
Né le 2 juin 1854 à Ostra Broby (Suède). Mort le 6 juin 1892 à Lund, fou. xixe siècle. Suédois.
Sculpteur et silhouettiste.
Le Musée de Malmö conserve une collection de ses silhouettes et une statuette, *Kraka*.

LJUNGMAN Margareta
xxe siècle. Suédoise.
Peintre.
Elle vit à Asbro. Elle a figuré à plusieurs reprises, à Paris, au Salon des Réalités Nouvelles, avec des compositions abstraites, d'inspiration constructiviste.

LJUNGMANN Ragnar
Né en 1884. Mort en 1905. xixe siècle. Suédois.
Peintre de paysages.
Le Musée de Göteborg possède cinq de ses paysages.

LJWOFF. Voir **LIVOFF**

LLABRÉS Antonio
Né à Sansellas (Majorque). Mort le 13 septembre 1826 à Palma. xixe siècle. Espagnol.
Sculpteur.
Il exécuta de nombreuses sculptures religieuses pour les églises de Majorque.

LLÁCER José
xviie siècle. Actif à Valence. Espagnol.
Sculpteur.
Il exécuta en 1712 un autel pour la cathédrale de Valence.

LLÁCER Y ALEGRE Vicente
Né en 1772 à Valence. xviiie-xixe siècles. Espagnol.
Sculpteur.
Il fit des sculptures religieuses pour les églises de Valence et de la province.

LLACER Y VALDERMONT Francisco
Né en 1781 à Valence. Mort le 8 juillet 1857 à Valence. xixe siècle. Espagnol.
Peintre.
Il fut membre, professeur et directeur de l'Académie de Valence. Plusieurs églises de Valence lui doivent des fresques et des tableaux.
Musées : Valence : *Charles IV confère au prince de la Paz la dignité d'amiral.*

LLÁCER Y VIANA Bernardo
xixe siècle. Espagnol.
Sculpteur.
Son œuvre principale est un groupe de cinq figures *Le Christ au Jardin des Oliviers* pour une église de Valence. Il était fils du sculpteur Vicente Llacer y Alegre.

LLÁCER Y VIANA Juan
Mort le 18 juin 1855. xixe siècle. Espagnol.
Peintre.
Il était fils de Vicente Llacer y Alegre.

LLADÓ José
Né vers 1810 à Palma de Majorque. xixe siècle. Espagnol.
Sculpteur.
Il travailla en 1839 à Palma. L'Académie de cette ville possède quelques-unes de ses œuvres.

LLADO Pierre Jean
Né le 8 août 1948 à Lyon (Rhône). xxe siècle. Français.
Peintre de paysages, compositions à personnages, aquarelliste.
Sa mère est lyonnaise, son père catalan espagnol. Il a fréquenté l'École des Beaux-Arts de Lyon dans les années soixante-dix sous la direction de Paul Clair.
Il expose à Lyon et dans sa région. Il est membre de la Société des aquarellistes lyonnais.
Sa peinture oscille entre une figuration à caractère onirique, mystérieuse et, en tant qu'aquarelliste, des paysages et des jardins plus traditionnels.

LLAMAS Francisco
xviiie siècle. Actif à Madrid vers 1700. Espagnol.
Peintre d'histoire.
Élève de Luca Giordano. Il décora la cathédrale d'Avila, l'ermitage de Notre-Dame du Prado, près de Tulavera et peignit plusieurs plafonds à l'Escurial.

LLAMOSA Luis de
xviie siècle. Actif à Valladolid. Espagnol.
Sculpteur.

LLANECES José
Né en 1863 à Madrid. Mort le 11 décembre 1919 à Madrid. xixe-xxe siècles. Espagnol.
Peintre de genre, compositions murales, portraits, figures, fleurs, sculpteur.
Il suivit d'abord les cours du soir de l'École des Arts et Métiers, puis fut élève de l'Académie San Fernando. Il vécut longtemps à Paris, fréquentant la colonie des peintres espagnols. Il se rendit aussi en Argentine autour de 1912. Après son suicide en 1919, le Salon des Artistes Français de Paris organisa, en 1925, une exposition rétrospective de son œuvre. Il avait été fait chevalier de l'Ordre de Charles III, et en France de l'Ordre de la Légion d'Honneur.
Dan sa période parisienne, il peignit surtout des scènes de genre et des sujets taurins, qui avaient la faveur des marchands et collectionneurs. À Madrid, ensuite, il peignit des portraits de la reine Maria Cristina et de nombreuses personnalités. À Buenos Aires, il peignit des décorations murales pour la salle de jeu du Jockey-Club. Tout son œuvre, par les thèmes et la facture, est empreint de réminiscences des xviie et xviiie siècles. En 1904, exploitant un autre aspect de ses capacités, il sculpta une statue assise de Goya, pour l'escalier du Musée du Prado, qui, en 1986, fut transférée à San-Antonio de la Florida. Il sculpta aussi des statues et des monuments à Buenos Aires.
Bibliogr. : In : *Cent ans de peinture en Espagne et au Portugal, 1830-1930*, Antiqvaria, Madrid, 1990.
Ventes Publiques : Madrid, 17 mai 1976 : *Cavaliers attablés dans la cour de l'auberge* 1890, h/pan. (24x30,5) : **ESP 120 000** – Madrid, 20 mai 1981 : *Les Dernières Nouvelles*, h/t (56x78) : **ESP 300 000** – Madrid, 20 juin 1985 : *Cavaliers dans un patio ; Vue d'un village*, h/t (85x45) : **ESP 833 750**.

LLANO. Voir aussi **LLANOS**

LLANO Diego de ou **Llanos**
xvie siècle. Espagnol.
Sculpteur sur bois.

Il travailla au tabernacle du maître-autel de la cathédrale de Tolède.

LLANO Felipe. Voir **LIANO F.**

LLANOS. Voir aussi **LLANO**

LLANOS Ferrando ou **Fernando,** ou **Hernando de**
XVIe siècle. Espagnol.
Peintre.
Il participa avec F. Yanez aux peintures de l'autel Saint Cosme et Saint Damien de la cathédrale de Valence ; avec cet artiste il exécuta également des peintures pour le maître-autel de la même cathédrale. Le mérite de Llanos et de Yanez est d'avoir réussi à composer un ensemble cohérent des deux portes monumentales de ce grand autel, étant donné qu'elles comportent douze scènes étagées en trois rangées et que les personnages sont grandeur nature. Ces panneaux sont tous consacrés à *la Vie de la Vierge* et il est bien difficile de vouloir définir la part de Llanos et celle de Yanez, comme il est tout aussi périlleux de dire lequel était le plus influencé par Leonardo da Vinci. En effet, l'un des deux a probablement collaboré avec Vinci à la Seigneurie de Florence pour la *Bataille d'Anghieri*, en 1505, date à laquelle un « Ferrando spagnolo » est mentionné comme aide de Vinci. Nous savons seulement que Llanos revenait en Espagne en 1506 après un long séjour en Italie. Après avoir terminé leur œuvre commune, Llanos et Yanez se séparent en 1511 ; et Llanos va travailler à Jativa, puis au maître-autel de la cathédrale de Murcie. On lui attribue dans cette cathédrale un *Mariage de la Vierge*. D'autres œuvres lui sont attribuées parmi celles que conservent les églises de l'ancien royaume de Valence et le Musée de Valence.
Bibliogr. : J. Lassaigne : *La peinture espagnole, des fresques romanes au Gréco*, Paris, 1952.

LLANOS Francesco. Voir **LIANO**

LLANOS Y VALDÉS Sebastian de
Né vers 1605 à Séville. Mort en 1677 à Séville. XVIIe siècle. Espagnol.
Peintre de compositions religieuses.
On dit qu'il fut élève de Francisco Herrera l'Ancien. Il semble avoir été actif entre 1648 et 1675. Il s'associa à Murillo pour la fondation de l'Académie de peinture de Séville, dont il fut président à trois reprises.
On cite de lui, un *Christ en croix* 1666, à la cathédrale de Séville ; un *Saint Jean-Baptiste* et un *Saint Paul* peints en 1670 pour l'église du Salvador à Séville. Il semble davantage influencé par l'art de Zurbaran, dans ses compositions et sa façon de casser les plis, que par celui de Murillo.
Bibliogr. : In : *Dictionnaire de la peinture espagnole et portugaise du Moyen-Âge à nos jours*, coll. Essentiels, Larousse, Paris, 1989.
Musées : Dublin (Nat. Gal.) : *Vierge du rosaire avec de jeunes clercs* 1667 – Madrid (Mus. du Prado) : *Moïse frappant le rocher*, attr. – Le Mans : *Saint François d'Assise en prières* – New York (hist. Society Gal.) : *Mise au tombeau* – Tolède (Mus. du Greco) : *San Laureano*.
Ventes Publiques : Paris, 1843 : *Jésus au jardin des Oliviers* : **FRF 60** – Paris, 1852 : *L'Ensevelissement du Christ* : **FRF 510** – New York, 19 mai 1995 : *Saint André*, h/t (167x106,7) : **USD 19 550** – Londres, 13 déc. 1996 : *Têtes de saint Paul, saint Jean-Baptiste et saint Jacques de Compostelle sur des plats posés sur un entablement drapé*, h/t (108,2x132,7) : **GBP 11 500**.

LLANTA Jacques
Né au XIXe siècle à Paris. XIXe siècle. Français.
Lithographe de portraits.
Il était probablement le fils du lithographe Jacques François Gaudérique Llanta. Il fut élève de l'École des Beaux-Arts à Paris. Il travailla de 1866 à 1868 à Madrid.

LLANTA Jacques François Gaudérique
Né le 18 novembre 1807 à Perpignan (Pyrénées-Orientales). Mort en 1864 à Paris. XIXe siècle. Français.
Lithographe.
Élève de Gros. Il débuta au Salon en 1834, et obtint une médaille de troisième classe en 1839. Il a gravé d'après les maîtres modernes.
Musées : Paris (Comédie-Française) : *Joanny (Brisebarre)*.

LLASERA Y DIAZ José
Né en 1882 à Madrid. Mort en 1943. XXe siècle. Espagnol.
Peintre de portraits, figures.
Il fut élève de l'École des Beaux-Arts de Madrid. Il exposa de 1908 à 1930 des portraits et des figures en pied aux Expositions Nationales de Madrid, obtenant une mention honorable en 1910, une troisième médaille en 1915. Le Colegio de Abogados à Madrid possède de sa main les portraits de *Canalejas ; Carvajal* et *Diaz Perez*.
Bibliogr. : In : *Cent ans de peinture en Espagne et au Portugal, 1830-1930*, Antiqvaria, Madrid, 1990.
Ventes Publiques : New York, 20 jan. 1993 : *Carmen* 1926, h/t (69,9x59,1) : **USD 2 415**.

LLAVANERA MIRALLES Mariano
Né en 1890 à Ledo (Gerona). Mort en 1927. XXe siècle. Espagnol.
Peintre de compositions à personnages, paysages.
Il fut élève de l'École des Beaux-Arts de Olot. Il compléta sa formation à Paris, en Belgique et Italie. Il exposa à Gérone, Figueras et Barcelone, jusqu'à sa dernière exposition, en 1927, à Condal. Après sa mort, des expositions rétrospectives eurent lieu à Figueras et Gérone.
Bibliogr. : In : *Cent ans de peinture en Espagne et au Portugal, 1830-1930*, AntiqVaria, Madrid, 1990.
Musées : Barcelone (Mus. d'Art Mod.) : quatre peintures.

LLAVERIAS LABRO Joan
Né en 1865 à Villanueva y Geltru. Mort en 1938 à Barcelone. XIXe-XXe siècles. Espagnol.
Peintre, aquarelliste, dessinateur, illustrateur, affichiste.
Il fut élève de l'École des Beaux-Arts de Barcelone. Il fonda le Centre des Aquarellistes de Condal, où il était professeur de dessin. Il figura à l'Exposition Officielle de Barcelone, notamment en 1894 et 1896.
Il collabora comme illustrateur à des quotidiens et hebdomadaires, créa des affiches publicitaires.
Bibliogr. : In : *Cent ans de peinture en Espagne et au Portugal, 1830-1930*, Antiqvaria, Madrid, 1990.

LLEA Alonso de ou **Lleja**. Voir **LLERA Zambrano**

LLEONART Georges
XVIIe siècle. Travaillant en Roussillon. Français.
Sculpteur.

LLEONART Vicente ou **Leonart**
XVIIe siècle. Espagnol.
Sculpteur.
Il exécuta en 1603 les statues de *Saint Vincent martyr* et de *Saint Vincent Ferrer* sur le Puente del Real à Valence en 1603.

LLEONART SENENT Benito
Né vers 1860 à Valence. XIXe siècle. Espagnol.
Peintre de marines.

LLERA-ZAMBRANO Alonso de ou **Llea Zambrano** ou **Lleja Zambrano**
Né vers 1639 à Cadix. XVIIe siècle. Espagnol.
Peintre.
Il était peintre de bannières pour la marine royale. En 1639 il peignit aussi les tableaux d'autels pour les chapelles de quatre navires partant pour la nouvelle Espagne. Il travailla à Séville de 1623 à 1634.

LLEWELLYN Marion. Voir **MEATES**

LLEWELLYN Samuel Henry William, Sir
Né en 1858 ou 1860 dans le Gloucestershire. Mort en 1941. XIXe siècle. Britannique.
Peintre de portraits, paysages.
Il fut élève des Écoles de South Kensington, à Londres et à Paris, de Cormon, Lefebvre et Ferrier. Il débuta à la Royal Academy de Londres et fut membre du Institute of Painters in Oil Colours.
Musées : Le Cap : *Soleil couchant* – Leeds : *Le vieux Whitby*.
Ventes Publiques : Londres, 13 juin 1980 : *jeune fille lisant*, h/t (46x35,5) : **GBP 450** – Londres, 15 mars 1985 : *La gardeuse d'oies* 1887, h/t (50,8x76,2) : **GBP 24 000** – Londres, 2 mars 1989 : *Portrait de Mrs Frederick Ashton Johnson* 1903, h/t (135x88,7) : **GBP 3 520**.

LLIGADAS Miquel
Né en 1957 à Sitges (Catalogne). XXe siècle. Espagnol.
Sculpteur d'assemblages.
Il fit ses études artistiques au Scottish Arts Council d'Édimbourg et au Cercle des Beaux-Arts de Madrid. Il a été présenté à au Salon Découvertes à Paris en 1991. Il expose à la galerie Tom Maddock de Barcelone et à la galerie Denise Lévy de Paris.
Dans un esprit baroque, il assemble des éléments et matériaux d'origines très diverses.

LLIMONA BENET Rafaël ou **Benet Rafaël**
Né en 1896 à Barcelone. Mort en 1957 à Barcelone. xxe siècle. Espagnol.
Peintre de figures, paysages, paysages urbains, marines, natures mortes, fleurs.
D'une famille d'artistes où il s'initia à la peinture, il compléta sa formation en voyageant en Italie, France, Belgique, Espagne. Il participait à des expositions collectives à Barcelone ; aux Expositions Nationales de Madrid, obtenant une troisième médaille en 1943 ; à la première Biennale Hispano-Américaine ; en 1956, à Paris, à l'exposition *11 Peintres catalans d'aujourd'hui*. À Barcelone, à partir de 1926, il collabora régulièrement avec la galerie de la Sala Parés par des expositions personnelles. En 1954, la Direction générale des Beaux-Arts de Madrid organisa une exposition de trente-cinq de ses œuvres, de 1940 à 1954. Après sa mort, des expositions en hommage furent organisées à Barcelone et Madrid ; ainsi qu'en 1966 au Cercle Artistique Royal de Barcelone.
Ses qualités de coloriste l'ont fait opposer aux postimpressionnistes français. Il était apprécié pour ses paysages catalans, notamment pour ses vues de Barcelone.
Bibliogr. : In : *Cent ans de peinture en Espagne et au Portugal, 1830-1930*, Antiqvaria, Madrid, 1990.
Musées : Barcelone (Mus. d'Art Mod.) : six peintures.
Ventes Publiques : Barcelone, 7 oct. 1980 : *Paysage*, h/t (66x82) : **ESP 185 000**.

LLIMONA BRUGUERA Juan
Né le 20 juin 1860 à Barcelone. Mort le 23 février 1926 à Barcelone. xixe-xxe siècles. Espagnol.
Peintre de compositions à personnages, compositions religieuses, figures, paysages. Symboliste.
Il fut élève en peinture et architecture de l'École des Beaux-Arts de San Jorge, à Barcelone (?), et accompagna son frère à Rome, lorsque celui-ci reçut la bourse Fortuny, y restant ensemble trois années. Il envoya régulièrement des œuvres à l'Exposition Nationale de Madrid, à partir de 1894. Il obtint une deuxième médaille, en 1886, à Villanueva y Geltru ; et, à Barcelone, une deuxième médaille à l'Exposition internationale de 1888, ainsi qu'une autre en 1891 ; en 1915, une médaille de bronze à l'Exposition internationale de San Francisco. En 1915, il présenta un ensemble important d'œuvres à Madrid, suivie d'autres en 1916, 1919, etc. Il a peint des décorations murales au Palais de Justice de Barcelone.
Ses compositions religieuses, ses figures féminines songeuses et mélancoliques dénotent une influence de Puvis de Chavannes. Ses paysages, d'une belle qualité luministe, sont empreints de délicatesse.
Bibliogr. : In : *Cent ans de peinture en Espagne et au Portugal, 1830-1930*, Antiqvaria, Madrid, 1990.
Musées : Madrid (Gal. d'Art Mod.) : *Il reviendra !*
Ventes Publiques : Barcelone, 27 mars 1985 : *L'homme à la pipe*, cr (58x46) : **ESP 105 000** – Barcelone, 28 mai 1986 : *La Cour de l'asile*, h/t (110x134) : **ESP 625 000**.

LLIMOS Robert
Né en 1943 à Barcelone. xxe siècle. Actif depuis 1975 aussi aux États-Unis. Espagnol.
Peintre d'intérieurs, paysages, figures, compositions à personnages. Expressionniste.
De 1953 à 1960, il est élève des écoles d'art Prats, Massana et San Jordi.
Il montre une première exposition personnelle de ses œuvres en 1967.
Il a subi l'influence de l'art conceptuel au début des années soixante-dix avant de retourner à une figuration colorée à caractère expressionniste. Il a consacré une série de peinture à la Méditerranée à laquelle font écho des références à Matisse, Dufy, et au modelé de la figure antique.
Bibliogr. : In : *L'Art du xxe s.*, Larousse, Paris, 1991.
Ventes Publiques : Madrid, 5 nov. 1987 : *Nocturne* 1984, acryl./t. (150x150) : **ESP 360 000**.

LLIMOVA José ou **Josep**
Né en 1864 à Barcelone (Catalogne). Mort en 1934 à Barcelone (Catalogne). xixe-xxe siècles. Espagnol.
Peintre, sculpteur.
Il remporte, à l'âge de seize ans, le prix Fortuny, qui lui permit de travailler à Rome. En 1888, il obtient une médaille d'or à l'Exposition internationale de Barcelone. En 1931, il figure à l'Exposition universelle. Parmi ses œuvres : *Bérenguer le vieux* ; *Puberté* ; *Calvaire* ; *Forgeron*.
Ce peintre et sculpteur est un bon représentant de l'école catalane qui a précédé immédiatement, à compter de 1900, les divers mouvements de la jeune peinture espagnole.
Ventes Publiques : Barcelone, 25 oct. 1984 : *Sainte Thérèse*, marbre blanc (H. 100) : **ESP 250 000**.

LLINAS Guido
Né en 1923 à Pinar des Rio. xxe siècle. Actif depuis 1963 en France. Cubain.
Peintre, graveur. Abstrait.
Autodidacte. Il ne commença à peindre qu'à l'âge de trente ans. Il a figuré à l'exposition intitulée *De Bonnard à Baselitz* à la Bibliothèque nationale à Paris en 1992.
Sa peinture, abstraite, est essentiellement composée de traits et de couleurs.
Bibliogr. : In : *De Bonnard à Baselitz*, catalogue de l'exposition, Bibliothèque nationale, Paris, 1992.
Musées : Paris (BN, cab. des Estampes).

LLOBET Joan et **Marti**. Voir **LOBET**

LLOBET Mireille
Née en 1939 à Carcassonne (Aude). xxe siècle. Française.
Peintre, peintre de collages, lithographe.
Elle fait partie du groupe audois *Regard*. Son œuvre exprime le terroir occitan.
Musées : Narbonne (Mus. d'Art et d'Hist.) : *Porte de l'Occitanie* 1979.

LLOBET BUSQUETS Carlos
Né en 1857 à Lerida (Catalogne). Mort en 1927 à Barcelone (Catalogne). xixe-xxe siècles. Espagnol.
Peintre de portraits, figures, dessinateur, décorateur, décorateur de théâtre.
Il fut élève, à Lerida, de Frederic Tias, puis poursuivit ses études à Barcelone, en 1873, à l'École des Beaux-Arts et sous la direction de Simon Gomez. En 1876 il étudia les arts décoratifs et la mise en scène. En 1883, il ouvrit une académie libre. Il a obtenu de nombreux prix.
Il obtint une médaille d'argent à l'Exposition universelle de Paris en 1900.
Il a décoré des théâtres dont celui de la ville de Barbastro.

LLOBET RAURICH Carlos
Né en 1897 à Barcelone (Catalogne). Mort en 1984 à Barcelone (Catalogne). xxe siècle. Espagnol.
Peintre de portraits, natures mortes, paysages, compositions religieuses, compositions murales, fresquiste. Néo-classique, traditionnel.
Fils du peintre Carlos Llobet Busquets, il a été élève à l'École des Arts et Métiers de Barcelone. Grâce à une bourse il poursuivit sa formation en Italie et en France. Il fut d'abord professeur de dessin à Valence puis exerça à Barcelone de 1925 à 1936. De 1940 à 1946, il résida au Chili, où il enseigna à l'Université catholique de Santiago. Il fut de retour à Barcelone en 1946.
Il participa à des expositions collectives, figurant notamment dans la section des Indépendants, à Barcelone en 1919 et 1921. Llobet Raurich se spécialisa dans les compositions religieuses. Il en a réalisées plusieurs pour des églises au Chili et en Espagne (abside de l'église paroissiale de Las Planas à Barcelone, 1949 ; abside de l'église Notre-Dame de Los Desemparados en la Torrassa, Barcelone). Il également peint de nombreuses décorations pour des particuliers et quantité de portraits. Son style est demeuré traditionnel.

LLONA Ramiro
Né en 1947 au Pérou. xxe siècle. Actif depuis 1977 aux États-Unis. Péruvien.
Peintre. Tendance abstraite.
D'abord abstrait lyrique, il s'est tourné vers une représentation figurative plus ordonnée du monde au sujet de laquelle l'influence de Matisse n'est certainement pas étrangère.
Bibliogr. : Damian Bayon et Roberto Pontual : *La Peinture de l'Amérique latine au xxe s.*, Mengès, Paris, 1987.
Ventes Publiques : New York, 29 mai 1985 : *Sans titre* 1982, techn. mixte/pap. (121,5x106,5) : **USD 1 200** – New York, 18 nov. 1987 : *La Casa junto al Mar* 1984, h/t (173,4x183) : **USD 4 500** – New York, 19-20 nov. 1990 : *Où les chemins se séparent* 1984, h/t en trois pan. (en tout 173x276) : **USD 25 300** – New York, 15-16 mai 1991 : *Le fils prodigue repart* 1985, h/t (172x182) : **USD 19 800** – New York, 18-19 mai 1992 : *Le temps de transformation de la chrysalide* 1984, h/t (172,8x203) : **USD 19 800** – New York, 25 nov. 1992 : *Architecture de désert* 1987, h/t

(173x183) : **USD 19 800** – New York, 23-24 nov. 1993 : *Gros plan de créativité* 1982, h/t (172x180) : **USD 18 400**.

LLONGARRÍU Salvador

Né vers 1860. xixe siècle. Actif à Madrid. Espagnol.

Sculpteur.

Il figura à des expositions de 1884 à 1917.

LLONYE. Voir **LLOUYE**

LLOP Joaquin

xixe siècle. Actif à Madrid. Espagnol.

Peintre de théâtres.

LLOP José

Mort le 24 décembre 1883 à Madrid. xixe siècle. Espagnol.

Peintre.

Il fut élève de son père Joaquin Llop et de l'Académie de Madrid. Il peignit des portraits, des paysages et fit des peintures décoratives, notamment pour le Château royal de Madrid.

LLOPART Berenguer ou **Laupart**

xive siècle. Espagnol.

Peintre.

Il exécuta en 1372 des peintures de plafond à l'Hôtel de Ville de Barcelone.

LLOPIS Francesca

Née en 1956 à Barcelone (Catalogne). xxe siècle. Espagnole.

Peintre. Figuration-onirique.

Elle participe à des expositions collectives principalement à Barcelone, notamment en 1983 à la Fondation Miro et en 1990 à la galerie Maeght. Elle montre ses peintures dans des expositions personnelles, dont : 1983 Barcelone ; 1985 Madrid ; 1986 Barcelone, galerie Maeght.

Llopis se plaît à peindre des figures à tendance géométrique, insolites, voire inquiétantes. Sans référent immédiat, elles plongent dans des abîmes visuellement inconfortables ou évoquent des paysages déstructurés.

LLOPIS Y SANCHEZ Isaias

Né le 30 septembre 1812 à Dolorès. Mort vers 1880 à Madrid. xixe siècle. Espagnol.

Peintre et dessinateur.

Il fut élève des écoles des Beaux-Arts de Murcie et de Barcelone. Il fit des portraits et des compositions de figures (dessins à la plume).

LLORENAS Y DIAZ Francisco

Né en 1874 à La Corogne. Mort en 1948 à Madrid. xxe siècle. Espagnol.

Peintre de genre, compositions à personnages, portraits, paysages, marines, fleurs, aquarelliste. Post-impressionniste.

Bien qu'inscrit à l'École de Commerce de La Corogne, il put suivre les cours de l'École des Arts et Métiers, puis, en 1892, devint élève de l'École Supérieure des Beaux-Arts de Madrid, copiant Murillo et Vélasquez au Prado. Il fut ensuite familier de l'atelier de Joaquin Sorolla, duquel il adopta la touche large et la vision luministe, caractéristiques de la manière des « macchiaioli ». À partir de 1899, il a participé à certaines des Expositions nationales de Madrid, obtenant parfois des mentions honorables. Ses études terminées à Madrid, il retourna à La Corogne. Autour de 1902-1903, il fut nommé pensionnaire de l'Académie espagnole de Rome et entreprit un voyage à travers l'Italie. De Venise, il fit un voyage à Paris, où il s'intéressa aux impressionnistes et postimpressionnistes, notamment à Cézanne, qui influença ses œuvres suivantes. De Paris, il voyagea en Belgique, notamment à Bruges. Il regagna l'Espagne en 1906. Il participa de nouveau à l'Exposition nationale, obtenant une troisième médaille, de même qu'à l'Exposition Internationale de Barcelone de 1907. En 1916, il fut élu président du Cercle des Beaux-Arts de Madrid. Il participa ensuite à des expositions de plus en plus nombreuses, nationales et internationales, en Amérique-latine, en Belgique et Hollande, recevant des distinctions croissantes, notamment une médaille d'or à la Société Nationale des Beaux-Arts de 1922. En 1925, il fut décoré de la Grande Croix de l'Ordre de Charles III. Après la guerre civile, qu'il vécut à Madrid, en 1942 il fut élu membre de l'Académie Royale de San Fernando ; en 1943 membre d'honneur du Cercle des Beaux-Arts ; en 1944 académicien d'honneur de l'Académie Royale Galicienne. Après sa mort, plusieurs expositions lui furent consacrées en hommage, dont, surtout, en 1972 la grande rétrospective du Musée Espagnol d'Art Contemporain à Madrid.

En 1897, il réalisa des peintures murales de paysages au Casino de La Corogne. Dans la même période, lors de son retour à La Corogne, il peignit nombre de portraits de ses proches, avec une prédilection pour les portraits d'enfants. Sa période italienne fut surtout consacrée aux paysages des régions visitées. À la suite de son séjour parisien, ses œuvres témoignent d'une influence des impressionnistes français. Revenu à la Corogne, dans sa chère Galicie, il entreprit une série de portraits destinés au gouvernement de la ville. Toutefois, la part prépondérante de l'ensemble de son œuvre reste celle qu'il a consacrée au paysage, où il s'est montré particulièrement sensible aux effets lumineux, aux atmosphères poétiques caractéristiques de chaque sujet traité. Au long de cet œuvre, il a su évoluer d'une première manière d'un réalisme synthétique prometteur mais encore retenu, progressivement à une poésie, marquée sensuellement par l'impressionnisme certes, mais le débordant par l'expression de sentiments de nature symbolique, l'apparentant à Puvis de Chavannes ou Böcklin. ■ J. B.

Bibliogr. : In : *Cent ans de peinture en Espagne et au Portugal, 1830-1930*, Antiqvaria, Madrid, 1990.

Musées : Barcelone (Cercle Artistique Saint-Luc) : *El Fume e Carretera Adelante* – Buenos Aires (Mus. Nat.) : *Santa Maria del Azogue* – Cordoue : *Bourrasque* – Madrid (Mus. d'Art Mod.) : *Rias Bajas* – Santa Fe : *Marée basse*.

LLORENÇ de Zaragoza. Voir **LORENZO de Zaragoza**

LLORÉNS Cristóbal, l'Ancien

Né vers 1550. Mort vers 1620. xvie-xviie siècles. Actif à Valence. Espagnol.

Peintre d'histoire.

Il peignit à cette date pour l'église conventuelle de San Miguel de las Royes la décoration de l'autel représentant les *Histoires de Marie-Madeleine* et *de Saint Sébastien*.

Musées : Valence : *Scène de la vie de Saint Dominique*, deux oeuvres – *La Vierge au rosaire* – *Saint Dominique* – *Saint Pierre et saint Paul* – *Fondation de l'ordre des Dominicains*.

LLORÉNS Cristóbal, le Jeune

Mort le 27 mai 1645 à Bocairente. xviie siècle. Espagnol.

Peintre.

Ce notaire fut aussi connu comme peintre.

LLORÉNS Cristóbal

Né en 1831 à Denia. Mort en 1910 à Valence. xixe-xxe siècles. Espagnol.

Peintre.

Musées : Valence : *Portrait de l'artiste par lui-même*.

LLORÉNS Eduardo

Né au xixe siècle à Barcelone. xixe siècle. Espagnol.

Peintre.

Le Musée provincial de Barcelone possède de sa main un tableau de genre.

LLORÉNS Onofre

Mort avant le 17 juillet 1594. xvie siècle. Espagnol.

Peintre.

Élève de V. J. Masip. Il travailla avec son jeune frère Cristóbal Lloréns. Il fut également chirurgien.

LLORÉNS Tomas

Né au xviiie siècle à Valence. xviiie siècle. Espagnol.

Sculpteur.

On mentionne de ses œuvres dans des églises de Valence, Alcoy, Cheste, Villena, etc.

LLORENS ARTIGAS Joseph. Voir **ARTIGAS Josep**

LLORENS Y DIAZ Francisco. Voir **LLORENAS Y DIAZ**

Musées : Madrid (Mus. d'Art Mod.).

LLORENTE. Voir **GERMAN LLORENTE, l'Ancien** et **Bernardo**

LLORENTE Susana

Née le 8 août 1937 à Buenos Aires. xxe siècle. Argentine.

Peintre. Naïf.

Elle a exposé dans de nombreux salons et galeries, surtout pour des expositions collectives d'art naïf, en Argentine, au Portugal, au Honduras, en Côte-d'Ivoire, au Canada, en France (à Paris : IVe Salon International d'Art Naïf, 1989 ; Salon Comparaison, 1995). Elle a illustré des cartes de vœux pour Caritas (1992) et l'Unicef (1993).

Musées : Laval (Mus. d'Art Naïf International « Douanier Rousseau ») – Paris (Mus. d'Art Naïf d'Ile-de-France).

LLORO Manuel S.
XXe siècle. Français.
Sculpteur de statuettes de figures, bustes, animalier.
VENTES PUBLIQUES : PARIS, 7 oct. 1991 : *Chèvre* 1991, fer soudé (35x24x52) : **FRF 3 500** – PARIS, 3 fév. 1992 : *Portrait de soldat* 1990, fer soudé et coloré (37x11x14) : **FRF 6 500** – PARIS, 18 mai 1992 : *Tête de femme* 1992, fer polychrome (26x25x16) : **FRF 6 000**.

LLOUYE Antonio de ou **Llonye**
XVe siècle. Actif à Barcelone. Espagnol.
Peintre.
On lui attribue un autel que conserve le Musée de Barcelone.

LLOVERA BUFILL José
Né en 1846 à Reus. Mort en 1896 à Barcelone. XIXe siècle. Espagnol.
Peintre de genre, aquarelliste, graveur.
Il fut illustrateur et caricaturiste sous le pseudonyme de Petrequin. Dans ses tableaux de genre il imita Goya.
VENTES PUBLIQUES : PARIS, 4 juil. 1899 : *Propositions galantes* : **FRF 215** ; *Jeune femme jouant avec un petit chat,* aquar. : **FRF 225** – LONDRES, 25 juin 1987 : *Élégants personnages dans un intérieur admirant un tableau* 1879, aquar. reh. de blanc (64,8x94,5) : **GBP 5 500**.

LLOVET Ramon
Né le 7 août 1917 à Barcelone. XXe siècle. Espagnol.
Peintre de paysages, figures. Surréaliste.
Il participe à des expositions collectives à Barcelone et à Madrid. Il expose souvent ses œuvres à la galerie Argos à Barcelone, et fut plusieurs fois récompensé à des salons et aux concours des Beaux-Arts.
Par ses figures stylisées, Llovet exprime sur un mode surréaliste adouci, une poésie assez épurée.
MUSÉES : BARCELONE (Mus. d'Art Contemp.).
VENTES PUBLIQUES : MADRID, 17 mai 1976 : *Le village* 1970, h/t (60x81) : **ESP 46 000**.

LLOYD Ginny
Née en 1945 dans le Maryland. XXe siècle. Américaine.
Peintre, photographe.
Elle pratique le Mail Art. Elle a figuré à l'exposition intitulée *De Bonnard à Baselitz* à la Bibliothèque nationale à Paris en 1992.
BIBLIOGR. : In : *De Bonnard à Baselitz,* catalogue de l'exposition, Bibliothèque nationale, Paris, 1992.
MUSÉES : PARIS (BN, Cab. des Estampes).

LLOYD John H.
XIXe siècle. Actif à Londres. Britannique.
Peintre de paysages.
Il exposa à Londres de 1830 à 1864.

LLOYD Llewelyn
Né le 30 août 1879 à Livourne (Toscane). Mort en 1949 ou 1950 à l'île d'Elbe. XXe siècle. Italien.
Peintre de paysages, graveur, lithographe.
Il vécut à Florence.
MUSÉES : FLORENCE (Gal. d'Art Mod.) : *Le Jardin en fleurs* – LIMA (Gal. italienne) : *L'Angélus du soir* – LIVOURNE : *Soir d'hiver* – ROME (Mus. d'Art Mod.) : *Le Châtaignier mort* – *Soleil levant* – ROME (Mus. du Capitole) : *La Fin d'une belle journée.*
VENTES PUBLIQUES : MILAN, 19 mars 1981 : *Vase de fleurs* 1943, h/cart. (48,5x38,5) : **ITL 3 000 000** – MILAN, 12 déc. 1985 : *Barque et cheval sur la plage,* h/t (68x76) : **ITL 11 500 000** – ROME, 29 mai 1990 : *Le soir à Maremma* 1931, h/bois (35x54,5) : **ITL 12 650 000** – MILAN, 12 mars 1991 : *La nièce Lorenza* 1921, h/cart. (45x31,5) : **ITL 8 500 000** – MILAN, 25 oct. 1995 : *Marciana marina à l'île d'Elbe* 1921, h/pan. (26,5x36) : **ITL 28 750 000** – MILAN, 19 déc. 1995 : *Vache près d'un muret* 1925, h/pan. (26x39,5) : **ITL 21 850 000**.

LLOYD Mary. Voir **MOSER**

LLOYD Norman
Né en 1895 ou 1897. Mort en 1985. XXe siècle. Australien.
Peintre de paysages.
VENTES PUBLIQUES : LONDRES, 19 nov. 1985 : *Bantry Bay,* h/t (63,5x76,2) : **GBP 1 600** – LONDRES, 1er déc. 1988 : *La barque rouge,* h/t (76,2x91,4) : **GBP 3 520** – SYDNEY, 20 mars 1989 : *La tour,* past. (32x40) : **AUD 2 200** – LONDRES, 30 nov. 1989 : *Ferme italienne près de San Gimignano en Toscane,* h/t (45,6x55,8) : **GBP 2 310** – SYDNEY, 2 juil. 1990 : *Paysage rustique,* h/t (45x55) : **AUD 1 500** – NEW YORK, 10 oct. 1990 : *Vues de la Seine,* h/cart., une paire (chaque 31,1x40,7) : **USD 2 750**.

LLOYD Stuart. Voir **LLOYD Walter Stuart**

LLOYD Thomas James
Né en 1849. Mort en 1910. XIXe-XXe siècles. Actif à Londres. Britannique.
Peintre de genre, paysages, peintre à la gouache, aquarelliste.
Associé de la Society of Painters in Water-Colours, il prit part en 1878 aux expositions de cette Société et à celles de la Royal Academy.

MUSÉES : LE CAPET – CARDIFF – GLASGOW.
VENTES PUBLIQUES : LONDRES, 3 avr. 1909 : *Côte déserte* : **GBP 5** – LONDRES, 23 mai 1910 : *Ramenant au logis la vache et le veau* 1880 : **GBP 17** – LONDRES, 23 avr. 1923 : *La rentrée des foins* : **GBP 45** – LONDRES, 20 avr. 1925 : *Nénuphars* : **GBP 17** – LONDRES, 1er avr. 1927 : *Fenaison* : **GBP 54** – LONDRES, 5 déc. 1930 : *Temps de pluie* : **GBP 22** – LONDRES, 24 juin 1980 : *La fraîcheur du soir* 1889, aquar. et reh. de blanc (35,5x53,5) : **GBP 600** – LONDRES, 26 oct. 1982 : *Réflections* 1888, aquar. (50,8x91,5) : **GBP 2 000** – LONDRES, 27 oct. 1983 : *On the river* 1888, aquar. reh. de blanc (51x91) : **GBP 3 200** – LONDRES, 27 fév. 1985 : *Jeune femme dans un barque cueillant des fleurs* 1895, aquar. reh. de blanc/pap. mar./cart. (28x69) : **GBP 1 500** – LONDRES, 28 oct. 1986 : *Un après-midi d'été* 1899, aquar. et cr. reh. de blanc (30,5x71,2) : **GBP 2 500** – LONDRES, 29 avr. 1987 : *Le Pique-nique* 1902, aquar. reh. de blanc (28x68) : **GBP 1 400** – LONDRES, 30 sep. 1987 : *Le Retour du troupeau,* h/t (35,5x46) : **GBP 3 200** – LONDRES, 25 jan. 1988 : *Au lever du jour* 1895, aquar. (29x70) : **GBP 1 980** – LONDRES, 25 mars 1988 : *Retour de pêche du père* (83x125) : **GBP 4 950** – CHESTER, 20 juil. 1989 : *Près du puits* 1904, aquar. et gche (18x34,3) : **GBP 1 650** – LONDRES, 31 jan. 1990 : *Laitière et ses vaches dans une prairie au bord de la mer* 1904, aquar. (18x34) : **GBP 2 640** – LONDRES, 26 sep. 1990 : *Promenade sous la pluie,* aquar. (33x69) : **GBP 770** – LONDRES, 5 juin 1991 : *Beesands dans le South Devon* ; *Heures ensoleillées à Start Bay dans le Devon* 1884-85, aquar. (25x34 et 25x35) : **GBP 2 200** – LONDRES, 3 juin 1992 : *Le jeune maître,* h/cart. (29x53) : **GBP 1 210** ; *La cueillette des roses* 1903, aquar. (29x69,5) : **GBP 2 750** – LONDRES, 30 mars 1994 : *L'heure de la traite* 1903, aquar. et gche (29,5x69,5) : **GBP 4 025** – PENRITH (Cumbria), 13 sep. 1994 : *Matin brumeux* 1876, h/t (90x180) : **GBP 6 325** – LONDRES, 2 nov. 1994 : *Un matin d'automne* 1905, aquar. et gche (44x80) : **GBP 3 450** – LONDRES, 10 mars 1995 : *Un conte de fées* 1895, cr. et aquar. avec reh. de blanc (19,8x31,8) : **GBP 2 760** – LONDRES, 7 juin 1996 : *Retour à la maison* 1896, cr. et aquar. avec reh. de blanc (39,3x91,4) : **GBP 4 830** – LONDRES, 5 nov. 1997 : *La Fin de la journée* 1882, h/t (106x202) : **GBP 14 950**.

LLOYD Walter Stuart
Mort en 1929. XIXe-XXe siècles. Britannique.
Peintre de paysages, paysages animés, marines, paysages d'eau, paysages urbains, architectures, intérieurs, peintre à la gouache, aquarelliste, dessinateur.
Il vécut et travailla à Brighton. Il fut membre de la Royal Society of British Artists. Il exposa de 1875 à 1913 dans diverses expositions britanniques.

MUSÉES : SALFORD.
VENTES PUBLIQUES : LONDRES, 6 mars 1909 : *Conwaistle* : **GBP 17** – LONDRES, 13 mars 1925 : *Été,* dess. : **GBP 8** – LONDRES, 29 juin 1976 : *L'atelier de l'artiste,* h/t (76x120) : **GBP 600** – LIVERPOOL, 22 mars 1978 : *Paysage,* h/t (90x181) : **GBP 1 050** – LONDRES, 2 fév. 1984 : *Péniches sur la Tamise* 1906, h/t (76x127) : **GBP 1 300** – LONDRES, 24 sep. 1987 : *Christchurch,* aquar. (49,5x90) : **GBP 1 400** – LONDRES, 25 jan. 1988 : *Aux armes de Forwick : une auberge au bord de la rivière,* aquar. (28x65) : **GBP 1 045** – ROME, 25 mai 1988 : *La Cathédrale de Salisbury,* aquar. (50x74) : **ITL 1 100 000** – LONDRES, 25 jan. 1989 : *Le prieuré de Muddiford dans le Hampshire,* aquar. et gche (29x65) : **GBP 2 200** – CHESTER, 20 juil. 1989 : *Village de pêcheurs dans le Devonshire,* aquar. (25,5x35,5) : **GBP 528** – ROME, 12 déc. 1989 : *Vue de la Cathédrale de Salisbury,* aquar. et h/pap. (50x74) : **ITL 1 200 000** – LONDRES, 31 jan. 1990 : *L'auberge du cygne,* aquar. (50x90) : **GBP 2 090** – COLOGNE, 23 mars 1990 : *Pulborough dans le Sussex* 1900, aquar.

(20x60) : **DEM 2 200** – LONDRES, 25-26 avr. 1990 : *Sur une rivière du Devonshire*, aquar. et gche (39x89) : **GBP 1 870** – LONDRES, 22 nov. 1990 : *Barques de pêche ancrées à Dartmouth ; Péniches sur l'Avon avec la cathédrale de Salisbury au fond* 1904, cr. et aquar., une paire (chaque 29,3x22,9) : **GBP 1 540** – LONDRES, 22 nov. 1990 : *Dans le sud du Devon*, h/t (54,7x100,5) : **GBP 1 430** – ÉDIMBOURG, 2 mai 1991 : *Chasse au gibier d'eau*, h/t (81,3x121,9) : **GBP 2 420** – LONDRES, 19 déc. 1991 : *En attendant le passeur* 1902, aquar. avec reh. de blanc (29,3x65,3) : **GBP 880** – LONDRES, 7 oct. 1992 : *Chichester et Gloucester*, h/t, une paire (chaque 61x51) : **GBP 1 760** – LONDRES, 12 mai 1993 : *Au bord de la rivière* 1901, aquar. avec reh. de blanc (30x65,5) : **USD 1 058** – LONDRES, 9 mai 1996 : *Cygnes sur une rivière*, aquar. avec reh. de blanc (49,5x74,5) : **GBP 747** – LONDRES, 6 nov. 1996 : *Iford, Hampshire* 1907, aquar. et gche (39x100) : **GBP 2 300**.

LLUCH. Voir aussi **BORRASSA Lucas**

LLUCH Vicente
Né en 1771. Mort en 1812 à Valence. XVIIIe-XIXe siècles. Espagnol.
Peintre.
MUSÉES : VALENCE : *Mariage de Philippe III*.

LLUCH Y PRAT Joaquin
Né au XIXe siècle à Barcelone. XIXe siècle. Espagnol.
Sculpteur.
Il exposa de 1866 à 1870 à Barcelone.

LLUCIA OLIVET Joaquin
Né en 1929 à Vidreras (Gérone). XXe siècle. Espagnol.
Peintre. Tendance abstraite.
Après une période influencée par Picasso, il fit des voyages d'étude dans les pays scandinaves et la Hollande. Il évolua à l'abstraction, réalisant des sortes de collages à partir de matériaux très divers, jusqu'à des lames métalliques, mais dans une optique plus informelle que géométrique.
BIBLIOGR. : In : *Peintres contemporains*, Mazenod, Paris, 1964.

LLUENT Armand
Né en 1943 à Barcelone. XXe siècle. Espagnol.
Peintre de figures, compositions à personnages, peintre à la gouache, dessinateur, graveur, peintre de compositions murales. Symboliste, puis tendance abstraite.
En 1961, il entre à l'École des Arts et des Offices de Barcelone, puis à l'École des Beaux-Arts « La Llotja » sous la direction du professeur Garcia Morales jusqu'en 1964. En 1970 il effectue un séjour d'étude à Paris. Il voyage ensuite à Copenhague et, en 1981, en Inde et au Népal.
Il participe à des expositions collectives, dont *Horizon Jeunesse* au galeries nationales du Grand Palais à Paris. Il participe à des expositions personnelles depuis 1973, à Madrid, Barcelone, Séville, à Francfort en 1979, Düsseldorf en 1984, à Paris en 1991 galerie Anne Lettrée, etc., année où se constitue le Cabinet de gestion et de communication A. Luent chargé de la promotion de l'artiste !
C'est par un style que l'on peut facilement qualifié de traditionnel que l'artiste débute sa « carrière ». Des intérieurs, des natures mortes aux couleurs vives révèlent également une certaine attitude nostalgique ou plus justement symboliste face à la représentation de la vie. Après une période, dans les années soixante, marquée par le procédé de l'empâtement, c'est par la mise en évidence de la touche, toujours aussi colorée mais éclaircie, que Lluent va structurer les images de ses personnages, dont il garde le souvenir dans ses voyages lointains. Au début des années quatre-vingt une nette tendance à l'abstraction se fait jour, seuls les têtes et les corps enveloppés de ses figures quasiment fantomatiques vont dorénavant émerger de plages de couleurs travaillées sourdement.
BIBLIOGR. : *Armand Lluent. Historia d'un procés. Inici d'una évolucio*, Ancora, Barcelone, 1987.
MUSÉES : AMSTERDAM (Stedelijk Mus.) – CÉRET (Mus. d'Art Mod.) – MANAGUA (Mus. Nac. de Arte Contemporaneo).

LLYOD Hilary
Née en 1964 à Halifax. XXe siècle. Britannique.
Artiste, créateur d'installations.
Elle participe à des expositions collectives, dont celle en 1996 *Life/Live. La scène artistique au Royaume-Uni en 1996*, Musée d'Art Moderne de la Ville de Paris où elle y présentait une vidéo.

LOAN Gerard Van der
Né en 1844 à Heerenveen. XIXe siècle. Hollandais.
Peintre.
Il travailla à La Haye.

LO-A-NJOE Clyde ou **Guillaume**
Né en 1937. XXe siècle. Hollandais.
Peintre de genre.
On peut supposer un pseudonyme pour, par exemple, Joe Clyde Loan.
VENTES PUBLIQUES : AMSTERDAM, 11 déc. 1991 : *Alice au Pays des Merveilles* 1990, acryl./t. (120x99) : **NLG 3 450** – AMSTERDAM, 9 déc. 1993 : *Wandeling door de nacht* 1963, h/t (60x70) : **NLG 2 300** – AMSTERDAM, 8 déc. 1994 : *Sans titre* 1992, h/t (90x100) : **NLG 1 495**.

LOARTE Alejandro de, ou **Alexandro**
XVIIe siècle. Actif entre 1619 et 1626. Espagnol.
Peintre de compositions religieuses, natures mortes.
On cite, parmi ses ouvrages, *Le miracle des pains et des poissons* peint en 1622 pour les Frères de la Mission de Tolède, *Poules et poussins* daté de 1626, ainsi qu'un tableau de chasse.
Il est l'auteur de tableaux religieux, mais surtout de natures mortes, dans la lignée de Juan Sanchez Cotan. Influencé par Le Greco, il puisa dans l'enseignement de ce maître un dessin assuré et la richesse du coloris vénitien.

A Loarte.

BIBLIOGR. : In : *Dictionnaire de la peinture espagnole et portugaise du Moyen-Âge à nos jours*, coll. Essentiels, Larousse, Paris, 1989.
VENTES PUBLIQUES : LONDRES, 29 juin 1973 : *Nature morte au gibier* : **GNS 7 500**.

LOAYSA Y GIRON Juan de
XVIIe siècle. Actif à Séville vers 1669. Espagnol.
Peintre et archéologue.
Il fut un des fondateurs de l'Académie de Séville. Il était chanoine de la cathédrale de Séville et peignit avec goût.

LOBACH Martha
Née le 13 juillet 1855 à Klein-Waldeck. XIXe siècle. Active à Munich. Allemande.
Peintre de fleurs et de paysages.
Elle était la sœur de Walter Lobach.

LOBACH Walter
Né le 7 mai 1863 à Klein-Waldeck. XIXe siècle. Allemand.
Sculpteur.
Élève de J. Jouvray à Paris. Le Musée de Berlin et le Musée d'Art Moderne à Paris conservent de lui *Théodore Mommsen* (statuette).

LOBANOFF Sergueï Ivanovitch
Né le 5 septembre 1887 à Moscou. XXe siècle. Russe.
Peintre.
MUSÉES : MOSCOU (Gal. Tretiakov).

LOBATO Nicolas de
XVIe siècle. Actif à Saragosse. Espagnol.
Sculpteur sur bois.
Il sculpta avec Juan Moreto et E. de Obray les stalles de la cathédrale del Pilar de Saragosse.

LÖBBECKE Bruno
Né le 23 novembre 1852 à Brunswick. Mort le 4 juin 1916 à Dresde. XIXe-XXe siècles. Allemand.
Peintre de paysages.
MUSÉES : BRUNSWICK (Mus. mun.) : *Vue sur le parc municipal* 1895.

LÖBBECKE Eva von, née **Schneider**
Née le 22 mars 1856 à Brieg. Morte le 26 août 1910 à Brieg. XIXe-XXe siècles. Allemande.
Peintre et sculpteur.
Elle a peint surtout des études de chevaux.
MUSÉES : BRESLAU, nom all. de Wroclaw (Mus. de Silésie) : *Buste en marbre du père de l'artiste*.

LOBBEDEZ Charles Auguste Romain
Né le 10 juin 1825 à Lille (Nord). Mort en 1882 à Paris. XIXe siècle. Français.
Peintre de sujets allégoriques, scènes de genre, aquarelliste, dessinateur.
Il fut élève de Souchon. Il débuta au Salon de Paris en 1857.
MUSÉES : LILLE : *Ugolin et ses enfants – Allégorie sur la défense de*

Lille en 1792 – *Ronde d'enfants* – plusieurs études – LILLE (Mus. Wicar) : une dizaine de dessins.
VENTES PUBLIQUES : PARIS, 18 déc. 1922 : *Les Petits Maraudeurs* ; *Les Petits Maraudeurs surpris* : **FRF 1 600** – PARIS, 26 fév. 1926 : *L'amour maternel aux champs* : **FRF 1 000** – PARIS, 15 mai 1931 : *Les confitures de cerises* ; *La récolte des pommes*, les deux : **FRF 780** – NEW YORK, 23 mai 1991 : *Les chapardeurs de pommes surpris*, h/t (71,7x49,5) : **USD 8 800** – LE TOUQUET, 8 nov. 1992 : *Les enfants jouant dans la ruelle*, h/t (73x50) : **FRF 50 000** – PARIS, 25 avr. 1996 : *La sortie de l'école*, h/t (109x81) : **FRF 13 000**.

LOBDELL Frank
Né en 1921 à Kansas City (Missouri). XXe siècle. Américain.
Peintre, dessinateur, illustrateur. Expressionniste-abstrait.
En 1938-1939, il étudia la peinture, avec Cameron Booth, à la Saint Paul School of Art, dans le Minnesota. De 1942 à 1946, il fut soldat dans l'armée. De 1947 à 1950, il fut élève de la California School of Fine Arts à San Francisco, où il fut plus tard professeur.
Il a participé à des expositions collectives dont la IIIe Biennale de São Paulo en 1955, l'exposition itinérante *Fifty California Artists*, organisée par le Whitney Museum of American Art en 1962. En 1958, il a montré ses œuvres dans une exposition personnelle, puis, en 1960 et 1963 à New York, en 1960 à San Francisco au M. H. De Young Memorial Museum, en 1962 à Los Angeles, en 1964 à Genève, en 1965 à Paris. Il a obtenu, en 1948, le prix du Artists' Council, à l'exposition annuelle de gravure de l'Association Artistique de San Francisco, au musée de cette ville ; en 1950, deux autres prix de l'Association Artistique de San Francisco ; en 1960, le prix annuel Nealie Sullivan.
Son œuvre est représentative de la peinture californienne, influencée au lendemain de la Seconde Guerre mondiale, par l'enseignement de Clyford Still. Son évolution s'effectuant en toute liberté et indifférente aux impératifs éphémères, le porte de la gestualité graphique aux matières tumultueuses de l'informel et jusqu'à la précision descriptive d'un expressionnisme abstrait dérivé de *Cobra*. Il a illustré de dessins un recueil de poèmes de Kenneth Sawyer. ■ J. B.
BIBLIOGR. : Michel Tapié : *Catalogue de l'exposition Frank Lobdell*, Gal. David Anderson, Paris, 1965.

LOBECK Tobias ou **Lobek**
XVIIIe siècle. Autrichien.
Graveur.
Il travailla à Vienne et à Cologne. On cite de sa main dix-neuf planches de *Saints* d'après J. W. Baumgartner (Vienne, 1763), quarante planches de décors de théâtre d'après L. O. Burnacini, ainsi que des œuvres d'après des esquisses françaises et italiennes.

LOBEDAN Clara
Née le 7 août 1840 à Naumbourg. Morte en 1918 à Berlin. XIXe-XXe siècles. Allemande.
Peintre de natures mortes, fleurs, aquarelliste, pastelliste.
Elle fut élève de Th. Grönland. Elle se fixa à Berlin, où elle exposa à partir de 1868.
VENTES PUBLIQUES : MUNICH, 27 juin 1984 : *Nature morte aux fruits et aux fleurs* 1861, h/t (132x94,5) : **DEM 6 500** – MUNICH, 17 sep. 1986 : *Bouquet de fleurs* 1903, h/t (109x80) : **DEM 5 000** – LONDRES, 23 mars 1988 : *Nature morte aux fleurs et astrolabe*, h/t (136x85) : **GBP 2 420**.

LOBEDAN Emma
Née le 2 novembre 1845 à Naumbourg. Morte en 1917 à Berlin. XIXe-XXe siècles. Allemande.
Peintre de paysages, d'architectures et surtout aquarelliste.
Sœur de Clara Lobedan. Elle se fixa à Berlin et exposa dans cette ville et à Dresde à partir de 1877.

LOBEL Ferdinand de
Né au XIXe siècle à L'Isle-Adam. XIXe siècle. Français.
Paysagiste et peintre de genre.
Élève de J. Dupré. Il débuta au Salon en 1880.

LOBEL-RICHE Almery, pseudonyme de **Riche Alméric**
Né le 3 mai 1880 à Genève, de parents français. Mort en 1950 à Paris. XXe siècle. Français.
Peintre, graveur, illustrateur.
Bien que son œuvre soit suffisamment variée puisqu'elle comporte des scènes de la guerre de 1914-1918 et des aspects du Maroc, Lobel-Riche est surtout connu du grand public pour ses études du monde de la galanterie ; les bibliophiles ont aussi fait cas de ses nombreuses illustrations. Officier de la Légion d'honneur.
Il a figuré à l'exposition intitulée *De Bonnard à Baselitz* à la Bibliothèque nationale à Paris en 1992.
Parmi son œuvre d'illustrateur, ses eaux-fortes pour : *Études de filles*, de C. Mauclair ; *Poupées de Paris*, de G. Coquiot ; *La Danse* ; *Les Bars* ; *La Luxure*, de M. Rollinat ; *Le Spleen de Paris* ; *Les Fleurs du Mal*, de C. Baudelaire ; *La Maison Tellier*, de G. de Maupassant ; *Salomé*, d'Oscar Wilde ; *Le Journal d'une femme de chambre*, de O. Mirbeau ; d'autres illustrations d'œuvres de Balzac, Colette, Musset.
BIBLIOGR. : G. Boissy : *Lobel-Riche*, Badou, Paris, 1930 – Robert Margerit : *Lobel-Riche*, Le Livre de Plantin, Paris, 1946 – in : *De Bonnard à Baselitz*, catalogue de l'exposition, Bibliothèque nationale, Paris, 1992.
MUSÉES : MULHOUSE : *Beethoven* – PARIS (BN, Cab. des Estampes).
VENTES PUBLIQUES : PARIS, 8 fév. 1919 : *La Soupe aux Halles* : **FRF 85** – PARIS, 4 mai 1931 : *Les Bohémiens*, vendu avec un dess. de Poulbot : **FRF 250** – LONDRES, 25 juin 1985 : *Danseuse et abonné*, h/cart. (53,5x80) : **GBP 3 600** – LA VARENNE-SAINT-HILAIRE, 23 oct. 1988 : *Le couple dans la campagne*, h/pan. (27x35) : **FRF 3 700** – PARIS, 10 juin 1990 : *Bab Mansour à Meknes*, h/t (54x78) : **FRF 32 000** – NEUILLY, 26 juin 1990 : *Scène orientaliste*, h/t (41x32) : **FRF 3 800** – CALAIS, 8 juil. 1990 : *Jeune artiste dans son atelier* 1905, past. (47x28) : **FRF 7 500** – PARIS, 21 nov. 1990 : *L'âge d'or*, techn. mixte/t./pan. (124x84) : **FRF 10 500** – PARIS, 21 juin 1993 : *Bab Mansour à Meknés*, eau-forte en coul. (48x63) : **FRF 6 500** – LOKEREN, 10 déc. 1994 : *La mosquée de Bab Mansour à Meknés*, h/t (54x78) : **BEF 180 000** – PARIS, 13 mars 1995 : *Dourga, danseuse hindoue* 1920, past./pap. (61x46) : **FRF 15 500** – PARIS, 22 avr. 1996 : *Bab Mansour à Meknès*, h/t (54x78) : **FRF 23 000**.

LÖBELT Caspar Friedrich
Né en 1687 à Leipzig. Mort le 9 octobre 1763 à Leipzig. XVIIIe siècle. Allemand.
Sculpteur et sculpteur sur bois.
Le Musée des Arts plastiques de Leipzig conserve de cet artiste quatre statuettes d'*Évangélistes*, seules œuvres restant de celles qu'il exécuta dans l'ancienne église Saint-Pierre à Leipzig. Il était le fils de Johann Jakob Löbelt.

LÖBELT Johann Jakob
Né vers 1652. Mort le 23 décembre 1709 à Leipzig. XVIIe siècle. Allemand.
Sculpteur.

LÖBER Christfried
Mort en 1743 à Neustadt-sur-l'Orla. XVIIIe siècle. Allemand.
Peintre.
Il était peintre de la cour de Saxe-Eisenach. On cite de lui un tableau au maître-autel de l'église de Neustadt, et un tableau d'autel dans l'église de l'Hôpital de la même ville.

LOBER George John
Né le 7 novembre 1892 à Chicago (Illinois). XXe siècle. Américain.
Sculpteur.
Il fut élève de Calder. Il fut membre du Salmagundi Club. On lui doit les sculptures de nombreux monuments commémoratifs et des bustes de personnalités.

LÖBER Johann Friedrich ou **Loeber**
Né le 14 août 1709 à Neustadt-sur-l'Orla. Mort le 3 mars 1772 à Weimar. XVIIIe siècle. Allemand.
Peintre.
Il était fils de Christfried Löber, et peintre de la cour de Saxe-Weimar. Il peignit des portraits, des tableaux de fleurs et d'animaux. On cite parmi ses œuvres : au Musée ducal de Gotha, deux tableaux à l'huile ; à l'église de Neustadt, l'épitaphe pour le père de l'artiste ; au Musée du Château de Weimar, deux grands tableaux d'animaux et plusieurs petits tableaux à l'huile. La Bibliothèque nationale de Weimar conserve de sa main deux livres avec des fleurs à l'aquarelle, peints pour le duc Ernest-Auguste vers 1740.
VENTES PUBLIQUES : LONDRES, 15 déc. 1989 : *Chat sauvage se jetant sur une poule* 1746, h/t (67x86) : **GBP 6 600**.

LOBESKI Felicjan
Né en 1815. Mort en 1859 à Lemberg. XIXe siècle. Polonais.

Peintre.
Il étudia à Cracovie. La Bibliothèque de Lemberg possède deux dessins de sa main, et le Musée Lubomirski de la même ville son œuvre principale *Jérémie*.

LOBET Joan ou **Llobet**
xve siècle. Actif à Valence. Espagnol.
Sculpteur.
Il fut à partir de 1404 au service du chapître de la cathédrale de Valence et sculpta en 1432 des statues de saints pour la Porte des Apôtres de cette cathédrale.

LOBET Marti ou **Llobet**
Mort avant 1447. xve siècle. Actif à Valence. Espagnol.
Sculpteur et architecte.
Il travailla à la cathédrale de Valence à la Porte des Apôtres et à la coupole.

LOBETTI
D'origine piémontaise. xviiie siècle. Travaillant à Grenoble (Isère). Français.
Sculpteur.
Il restaura les bustes des Dauphins de Viennois, placés sous la voûte du palais de Justice avant 1792.

LOBIN Julien Léopold
Né le 8 février 1814 à Loches (Indre-et-Loire). Mort le 11 mai 1865 à Tours (Indre-et-Loire). xixe siècle. Français.
Peintre d'histoire.
Élève de Stachen et de H. Flandrin. Il obtint deux médailles de troisième classe en 1846 et en 1863. Il exposa au Salon de 1851 à 1864. Il fut nommé directeur de la Manufacture de vitraux de Tours. Il a surtout fait des cartons pour des vitraux d'églises. Le Musée de Tours conserve de lui : *Portrait du général Meusnier.*

LOBIN Louise Anne, née **Florence**
Née au xixe siècle à Paris. xixe siècle. Française.
Miniaturiste.
Élève de son mari Lucien Léopold Lobin. Elle débuta au Salon en 1874.

LOBIN Lucien Léopold
Né le 26 mars 1847 à Tours. xixe siècle. Français.
Portraitiste et peintre d'histoire.
Fils et élève de Julien Léopold Lobin ; il travailla également avec H. Flandrin. Il débuta au Salon de 1859. Il a surtout fait des cartons pour des vitraux d'églises.

LOBISSER Switbert
Né le 23 mars 1878 en Carinthie. Mort en 1943. xxe siècle. Autrichien.
Peintre, graveur, sculpteur de sujets religieux.
Il appartint à l'ordre des Bénédictins. Il étudia de 1904 à 1908 à l'Académie de Vienne. Parmi ses œuvres, Lobisser a réalisé des fresques et des tableaux d'autel pour des églises et établissements religieux de Klagenfurt et des environs. Il gravait et sculptait sur bois.
Ventes Publiques : Vienne, 14 sep. 1982 : *Pèlerins dans un paysage montagneux* 1922, h/pan. (80x80) : **ATS 100 000** – Vienne, 19 mai 1987 : *Portrait de jeune fille* 1929, cr. et craie (33,7x29,3) : **ATS 22 000**.

LOBJOY Prisca
xxe siècle.
Peintre. Figuration libre.
De 1983 à 1986, il participe au groupe *Gabor-Kao* qui se produit à la Manufacture d'images à Paris. En 1986, il figure, à Paris, au Salon de l'érotisme et présente ses œuvres au Théâtre du Zèbre en 1987.
Ses peintures à tendance zoomorphique font penser à celles de Jean Charles Blais.
Ventes Publiques : Paris, 13 avr. 1988 : *Esmeralda* 1988, acryl./polyester (140x100) : **FRF 5 000**.

LOBLEY John Hodgson
Né le 28 novembre 1878 à Huddersfield (Yorkshire). xxe siècle. Britannique.
Peintre de paysages, portraits, figures.
Il travaillait à Londres. L'Hôtel de Ville d'Huddersfield possède son tableau *Le Régiment de cavalerie anglais « Duc de Wellington » dans les tranchées d'Ypres en 1915.*
Musées : Londres (Mus. Impérial de la Guerre) : *Arrivée de blessés à Charing Cross – Arrivée de blessés à Boulogne.*

LOBO Balthazar
Né en 1910 à Zamora (Castille-Leon). Mort en 1993. xxe siècle. Actif depuis 1939 en France. Espagnol.
Sculpteur. Tendance abstraite.
Après avoir travaillé dans un atelier d'art populaire – il sculptait des Vierges et des Christs pour les processions – il s'inscrivit à l'École des Beaux-Arts de Madrid, en 1927, où il ne resta que trois mois, préférant ensuite travailler seul. Après la guerre civile, il vint se réfugier à Paris, aussitôt aidé par Picasso, puis devenant bientôt le collaborateur d'Henri Laurens.
Il participe à des expositions de groupe, dès 1945, aux *Maîtres de l'art contemporain* aux côtés de Picasso, Utrillo, Léger, Matisse, Bonnard et Laurens à la galerie Vendôme à Paris. Il figure également aux expositions de la sculpture contemporaine organisées par le Musée Rodin, au Salon de la Jeune Sculpture et au Salon de Mai, dont il est membre du comité. Il attendit 1957 pour montrer la première exposition personnelle de ses œuvres. En 1960, une rétrospective de son œuvre fut organisée au Musée d'Art Moderne de Madrid. Plusieurs expositions personnelles ont été montrées en France, au Musée de Metz en 1973, au Musée Toulouse-Lautrec à Albi en 1978, au Musée de Pontoise en 1979, à la la galerie Daniel Malingue à Paris en 1988. Il a obtenu le prix Susse de la sculpture en 1966 au Musée Galliera à Paris.
Il fut au milieu des années soixante influencé dans ses propres œuvres par celles de son maître et en conservera durablement l'empreinte, non pas sans adapter la leçon reçue à sa propre sensibilité, qui le conduisit à plus d'abstraction, sans perdre cependant contact avec l'apparence humaine. Son œuvre s'édifie loin de l'agitation des modes éphémères, retrouvant à travers la sereine beauté des créations d'Henri Laurens, l'harmonie énigmatique des idoles cycladiques. Dans cette recherche de la ligne tendue et pure, par l'élimination du détail et la concision de l'ensemble, au bronze ou au granit qu'il travaille aussi, Lobo a été amené à préférer l'implacable lumière du marbre. L'abstraction relative qu'il impose au corps féminin l'a conduit de la série des *Maternités*, de 1945 à 1954, à la schématisation des *Torses* (ventres ou hanches), de la période suivante, dont les reliefs ne sont plus indiqués que par la caresse de la lumière sur d'infimes frémissements de la forme. Il a pu sculpté aussi quelques monolithes totémiques, inspirés d'animaux et d'oiseaux ; des têtes aussi d'une concision brancusienne. L'occasion lui fut proposée de passer à l'échelle monumentale avec le *Monument aux Résistants Espagnols*, Annecy, 1952 ; avec la *Grande Maternité*, bronze, pour la Cité Universitaire de Caracas, 1953 ; le *Monolithe polychromé*, pierre, pour le Lycée Technique de Dijon, 1968.
Il est juste de conclure cette notice par une citation de l'article de Frank Elgar, auquel nous avons ici beaucoup emprunté : « À quelque travail qu'il s'applique, ce sont toujours la clarté de conception, une sensualité contenue, une audace tranquille, l'amour du volume sobre et expressif, qui se dégagent de la matière fermement et doucement maîtrisée ». ■ J. B.
Bibliogr. : Frank Elgar, in : *Nouveau Dictionnaire de la sculpture moderne*, Hazan, Paris, 1970 – Joseph-Émile Muller et Verena Bollmann-Müller : *Catalogue raisonné de l'œuvre sculpté*, La Bibliothèque des Arts, Lausanne-Paris, 1985.
Ventes Publiques : Madrid, 9 oct. 1974 : *Maternité* : **ESP 75 000** – Paris, 8 nov. 1976 : *Maternité*, bronze à patine dorée (H. 21) : **FRF 3 000** – Paris, 14 juin 1977 : *Taureau*, bronze (H. 78) : **FRF 8 000** – Paris, 7 nov 1979 : *Joie maternelle*, bronze (23x18) : **FRF 12 000** – Chartres, 28 mars 1982 : *Le modèle catalan*, bronze : **FRF 14 500** – Paris, 29 nov. 1984 : *Torse penché*, bronze patiné, cire perdue (H. 54) : **FRF 30 000** – Paris, 18 mars 1985 : *Nu*, marbre (H. 28) : **FRF 30 000** – Paris, 23 juin 1986 : *Nu agenouillé*, marbre (H. 22) : **FRF 41 000** – Paris, 25 mai 1988 : *Mère et enfant*, bronze (H. 19) : **FRF 24 000** – Paris, 14 déc. 1988 : *La centauresse*, sculpt. en ivoire (H. 19) : **FRF 9 500** – Paris, 26 mars 1990 : *Femme se coiffant*, bronze (44x33x22) : **FRF 160 000** – Paris, 7 nov. 1990 : *Femme se coiffant* 1944, bronze (H. 23) : **FRF 55 000** – Paris, 25 mars 1991 : *Femme*, bronze (H. 31) : **FRF 45 000** – Paris, 18 mai 1992 : *Taureau d'Espagne*, bronze (13x18x5) : **FRF 36 000** – Paris, 4 déc. 1992 : *Centaure et femme* 1968, pierre rose de Bourgogne (19x37x17) : **FRF 60 000** – Paris, 27 jan. 1993 : *Séléné*, bronze (27x18) : **FRF 11 500** – Paris, 4 avr. 1993 : *Mère et enfant* 1946, bronze (11,5x16,5x7) : **FRF 13 000** – Paris, 25 mars 1994 : *Maternité*, bronze (H. 61) : **FRF 140 000** – Paris, 15 déc. 1994 : *Maternité*, lav. d'encre (87x72) : **FRF 6 500**.

LOBO Francisco Xavier
Né à Lisbonne. xviiie siècle. Portugais.
Peintre.
Il peignit des tableaux de figures, des paysages, des natures mortes.

LOBO Joaquim José
Mort le 1er novembre 1755. xviiie siècle. Portugais.

Peintre.
Il peignit des tableaux de figures. Il était le frère de Francisco Xavier Lobo.

LOBO José Joaquim
Mort en 1793. XVIIIe siècle. Portugais.
Peintre.
Il peignit des tableaux de figures. Il était le neveu de Francisco Xavier Lobo.

LOBO Loctus Amanda
Née le 1er avril 1943 à Belo Horizonte. XXe siècle. Brésilienne.
Graveur, peintre.
Elle exposait au Brésil depuis 1963 et avait étudié à l'École des Beaux-Arts de Belo Horizonte jusqu'en 1962. Elle a participé à la Biennale de São Paulo en 1969.
Ses lithographies sont proches du pop art : accumulation d'étiquettes brésiliennes, de papiers officiels et d'imprimés de récupération.

LOBO de Moura. Voir **MOIRA**

LOBOS Pedro
XXe siècle. Chilien.
Peintre de compositions murales.
Il enseigne à Santiago.

LOBRE Maurice
Né le 15 novembre 1862 à Bordeaux (Gironde). Mort en mars 1951 à Paris. XIXe-XXe siècles. Français.
Peintre de genre.
Il fut élève de Carolus Duran. Il exposa à la galerie Petit, à sa fondation en 1882. Il figura, à Paris, au Salon des Artistes Français où il obtint une mention honorable en 1888, une bourse de voyage la même année et, en 1900, une médaille d'or dans le cadre de l'Exposition universelle à Paris. Chevalier de la Légion d'honneur, puis officier.
Il est toujours resté fidèle à un intimisme traditionnel, mais sa touche rapide fait penser à celle de Forain.

MUSÉES : BORDEAUX : *Le Salon de Marie-Antoinette à Versailles* – LYON : *La Chambre blanche* – PARIS (Mus. d'Art Mod. de la Ville) : *La Bibliothèque du roi à Versailles.*
VENTES PUBLIQUES : PARIS, 20-22 mai 1920 : *Faïence de Marseille* : **FRF 4 000** – PARIS, 16 fév. 1928 : *Le Buste* : **FRF 2 800** – PARIS, 23 jan. 1945 : *Jardinière de roses* : **FRF 6 100** – NEW YORK, 5 mai 1984 : *Buste de Louis XIV dans le Salon de Diane au château de Versailles*, h/t (104x81) : **USD 27 000** – PARIS, 26 oct. 1990 : *La galerie d'Hercule à Versailles* 1922, h/t : **FRF 13 200** – LONDRES, 17 nov. 1994 : *Cabinet de toilette de Jacques Émile Blanche* 1889, h/t (76,6x81,6) : **GBP 12 650.**

LOBRICHON Timoléon Marie
Né le 26 avril 1831 à Cornod. Mort en janvier 1914 à Paris. XIXe-XXe siècles. Français.
Peintre de genre, portraits.
Il fut élève de Picot. Il figura au Salon de Paris à partir de 1859, obtenant une médaille en 1868 ; ainsi qu'en Allemagne et à Melbourne. Il fut promu chevalier de la Légion d'honneur depuis 1882.
Il est surtout célèbre par ses portraits d'enfants ayant un caractère légèrement humoristique. Il a également illustré, en 1884, *La chanson de l'enfant* de Jean Aicard.

MUSÉES : AMSTERDAM (Mus. mun.) : *Le premier secret* – BESANÇON : *Petit enfant* – CHÂLONS-SUR-MARNE : *La leçon de lecture gratuite* – LIMOGES : *En pénitence* – MULHOUSE : *La becquée, souvenir des enfants assistés.*
VENTES PUBLIQUES : PARIS, 1879 : *Le Volontaire d'un an* : **FRF 1 300** – PARIS, 11 mai 1886 : *Le Printemps* : **FRF 2 000** – LA HAYE, 1889 : *Un coin du Luxembourg* : **FRF 2 420** – PARIS, 1889 : *Un philosophe* : **FRF 4 300** – PARIS, 14 avr. 1891 : *Gargouillage* : **FRF 1 386** – PARIS, 8 juin 1896 : *La boîte aux lettres* : **FRF 1 300** – PARIS, 4 avr. 1899 : *Le diable rouge* : **FRF 410** – LONDRES, 30 avr. 1909 : *Le supplice de Tantale* : **GBP 9** – PARIS, 28 mars 1919 : *Portrait de femme* : **FRF 45** – PARIS, 22 avr. 1925 : *La hotte de Croquemitaine* : **FRF 800** – ELBEUF, 25 sep. 1948 : *Le soir* : **FRF 12 000** – NEW YORK, 13 oct. 1978 : *Le masque*, h/t, vue ovale (27x22) : **USD 2 600** – PARIS, 31 oct. 1984 : *Les enfants dans les bois*, h/t (93x74) : **FRF 16 000** – NEW YORK, 13 fév. 1985 : *L'ombre chinoise*, h/t (56x38) : **USD 8 500** – NEW YORK, 27 fév. 1986 : *La Chanson de l'enfant* 1884, h/t (228,6x228,6) : **USD 38 000** – COLOGNE, 20 oct. 1989 : *Scène de genre avec une petite fille offrant de la nourriture à son buste posé sur une sellette*, h/t (60x41) : **DEM 15 000** – LE TOUQUET, 19 mai 1991 : *La lecture*, h/t (112x78) : **FRF 152 000** – NEW YORK, 16 fév. 1994 : *La Leçon de lecture*, h/pan. (45,7x35,6) : **USD 5 175** – NEW YORK, 20 juil. 1995 : *L'Heure du jeu*, h/pan. (30,5x22,9) : **USD 4 887** – NEW YORK, 23-24 mai 1996 : *Allégorie de l'Aurore* 1875, h/t (110,5x170,2) : **USD 34 500.**

LOBRY-VISBACH Adrien René
Né en 1840 à Baarn (Hollande). Mort le 1er octobre 1888 à Chêne Bougeries (Suisse). XIXe siècle. Suisse.
Peintre de paysages.
Les motifs de ses tableaux sont inspirés du lac de Genève, de Zermatt, de Mayringen, etc.
VENTES PUBLIQUES : STOCKHOLM, 15 nov. 1989 : *Paysage de montagne animé*, h/t (19x23) : **SEK 10 000.**

LOCA Giovanni Battista
Né à Naples. XVIe siècle. Actif vers 1540. Italien.
Peintre d'histoire.
Étudia d'abord avec Giovanni Antonio Domato, puis copia les œuvres d'Andrea da Solerno. En 1543, il peignit, à l'église de Il Spiroto Santo une *Conversion de saint Paul.*

LOCA Michelangelo de. Voir **DEL'OCA**

LOCARDI Gérard
Né en 1915 à Paris. XXe siècle. Français.
Peintre de portraits, paysages, sujets divers.
Il fut élève d'Othon Friesz et de Mac Avoy. Il participe aux expositions des peintres marseillais contemporains (1962) et aux Artistes de Provence au Musée Cantini à Marseille (1970). Il montre des expositions particulières depuis 1958, notamment, à Marseille et Tokyo.
Résolument figuratif, mais d'expressions diverses, il peint des portraits, paysages, scènes variées.
VENTES PUBLIQUES : PARIS, 15 avr. 1992 : *Paravent à trois feuilles avec des couples* 1953, gche/cart. gratté (chaque 185,5x62,5) : **FRF 17 500.**

LO CASCIO Marco
XVIe siècle. Italien.
Sculpteur sur bois.
MUSÉES : CASTRONOVO (Chiesa del Carmine).

LO CASCIO Silvio, l'Ancien
XVIe siècle. Actif à Palerme. Italien.
Sculpteur sur bois.

LO CASCIO Silvio, le Jeune
XVIe siècle. Italien.
Sculpteur sur bois.
Fils de Marco lo Cascio, il travailla à Castronovo.

LOCATELLI Achille
Né au XIXe siècle à Almenno-San-Bartolomeo (province de Bergame). XIXe siècle. Italien.
Peintre de paysages.

LOCATELLI Andrea ou **Lucatelli**
Né en 1693 à Rome. Mort vers 1741 à Rome. XVIIIe siècle. Italien.
Peintre d'histoire, compositions religieuses, scènes de genre, paysages animés, architectures.
Cet artiste, au talent facile, peignit dans tous les genres, s'inspirant de Claude Gellée dans ses paysages et de Zuccarelli dans ses sujets de genre. Il jouissait à Rome d'une réputation assez grande, et lorsque Lanzi en parle, il mentionne ses deux manières : « la première bonne, la deuxième meilleure et très savoureuse autant dans la couleur que dans l'imagination », faisant allusion à ses paysages traditionnels classiques opposés

aux paysages pittoresques typiques du XVIIIe siècle. Il eut de nombreux élèves, parmi lesquels Joseph Vernet.

ANDREA
LVCATE
LLI.
F.A
1753

Musées : Aix : *Plage avec navires et figures,* deux oeuvres – Bamberg (mun.) : *Paysage* – Bamberg (Château) : *Paysage,* trois oeuvres – Bayeux : *Paysage romain* – Berlin (Kaiser Fried.) : *Le fonte Rotto à Rome* – Besançon : *Paysage* – Bordeaux : *Paysage avec figures* – Boston (Beaux-Arts) : *Paysages* – Budapest : *Marine – Paysage avec fleurs* – Carcassonne : *Paysage,* deux oeuvres – Chartres : *Paysage,* trois oeuvres – Chaumont : *Paysage* – Cherbourg : *Paysage,* deux oeuvres – Compiègne (Palais) : *Paysage,* deux oeuvres – Dijon : *Paysage* – La Fère : *Paysage italien* – Glasgow : *Paysage avec figures* – Grenoble : *Paysage* – Hanovre : *Paysage italien* – Kassel : *Paysage avec Mercure et le bûcheron* – Lisbonne (Beaux-Arts) : *Paysage* – Marseille : *Paysage* – Milan (Ambrosiana) : *Paysage avec figures,* attr. – Montpellier : *Paysage,* deux oeuvres – Nancy : *Ruines – Le pont rustique* – Nantes : *Paysage animé* – Narbonne : *Paysage avec figures* – Oslo : *Bacchantes et faunes dans un paysage* – Porto : *Ruines au bord de la mer – Ruines d'un arc de triomphe – Architecture – Paysage avec architecture* – Posen (Mielz.) : *Paysage* – Prague (Rudolp.) : *Nymphe de la vie* – Québec (Univer. Laval) : *Paysage,* trois oeuvres – Rennes : *Paysage avec berger et troupeau* – Rome (Acad. Saint-Luc) : *Le comte G. B. Savini – Paysage,* quatre oeuvres de forme ovale – *Laveuses dans un paysage de ruines* – Rome (Barberini) : *Diane et Callysto – Diane et Actéon* – Rouen : *Pâtre près d'une fontaine – Deux tours jointes* – Saintes : *Cascade de Tivoli* – Sète : *Paysage à Tivoli* – Spire : *Vue architecturale de Rome* – Stockholm : *Paysage avec soldats et paysans – Paysage avec ruines* – Toulon : *Paysage avec moulin – Paysage avec cascade* – Toulouse : *Tobie et l'ange sur les bords du Tigre – Les pèlerins d'Emmaüs* – Vienne (Gal. Harrach) : *Paysage d'architecture,* deux oeuvres – Vienne (Acad.) : *La place Navone à Rome.*

Ventes Publiques : Paris, 14 fév. 1908 : *Marines avec bateau, figures et construction* : **FRF 340** – Paris, 4-6 avr. 1910 : *La Danse* : **FRF 155** – Paris, 16 juin 1910 : *Le Repos des vendangeurs et la Cueillette de la vigne* : **FRF 310** – Paris, 19 nov. 1919 : *Paysages avec figures,* quatre panneaux : **FRF 2 050** – Londres, 15 juin 1925 : *Paysage de sous-bois et une scène de rivière* : **GBP 73** – Paris, 23 nov. 1928 : *Vue du Ponte Rotto à Rome* : **FRF 6 200** – Paris, 17 nov. 1941 : *Chasseurs auprès d'une cascade,* attr. : **FRF 2 500** – Paris, oct. 1945-juil. 1946 : *Hommes d'armes se baignant au bord d'une rivière* : **FRF 10 000** – Paris, 20 déc. 1946 : *Pont fortifié,* attr. : **FRF 33 000** – Londres, 27 nov. 1957 : *Paysages italiens* : **GBP 280** – Londres, 16 mars 1966 : *Paysage avec bergers ; Paysage fluvial avec une ville au loin* : **GBP 1 600** – Londres, 12 juin 1968 : *Paysage fluvial animé de personnages* : **GBP 3 000** – Londres, 27 juin 1969 : *Paysages avec bergers et troupeaux,* deux pendants : **GBP 6 400** – Paris, 29 nov. 1973 : *Repos au bord de l'eau ; Les Pêcheurs,* deux pendants : **FRF 25 000** – Londres, 24 mars 1976 : *Paysage animé de personnages,* h/t (52x40) : **GBP 4 000** – Londres, 27 mai 1977 : *Paysage d'Italie animé de personnages,* h/t (61x120,6) : **GBP 4 000** – Londres, 29 juin 1979 : *Muletiers jouant aux cartes aux abords d'une ville,* h/t (62x75,5) : **GBP 8 000** – Milan, 24 nov. 1983 : *Scène champêtre,* h/t (59x98) : **ITL 18 000 000** – Londres, 8 avr. 1987 : *Réjouissances villageoises,* h/t mar./pan. (62x98) : **GBP 17 000** – New York, 15 jan. 1988 : *Jardins d'Arcadie avec des bergers et des voyageurs,* h/t, deux pendants (chaque 49,5x64) : **USD 46 200** – Londres, 20 avr. 1988 : *Panorama sur la campagne romaine,* h/t (48,5x61) : **GBP 7 040** – Paris, 20 déc. 1988 : *Vue d'une villa romaine dans un paysage animé de figures en costume classique,* h/t (91x164) : **FRF 570 000** – Rome, 13 avr. 1989 : *Paysage avec Narcisse se mirant dans la fontaine ; Paysage avec Céphale et Procris,* h/t, une paire (chaque 70x96) : **ITL 70 000 000** – Londres, 19 mai 1989 : *Vaste paysage fluvial italien avec une nymphe cueillant un rameau sur un arbre en train de saigner,* h/t (73,3x98,5) : **GBP 14 300** – Monaco, 17 juin 1989 : *Paysage fluvial avec berger,* h/t (44x64) : **FRF 61 050** – Milan, 24 oct. 1989 : *Pêcheurs sur les rives d'un torrent,* h/t (59,5x99) : **ITL 38 000 000** – Rome, 8 mars 1990 : *Paysage avec des pêcheurs,* temp./pap. (31x43) : **ITL 15 000 000** – Rome, 8 mai 1990 : *Pastorale,* h/t (74x100) : **ITL 48 000 000** – Amsterdam, 22 mai 1990 : *Voyageurs faisant la pause dans un paysage arcadien,* h/t (97x74) : **NLG 103 500** – New York, 1er juin 1990 : *Vaste paysage classique avec des bergers et leurs troupeaux réunis près d'un ruisseau,* h/t (68,5x130,5) : **USD 88 000** – Monaco, 7 déc. 1990 : *Fête villageoise ; Départ pour le marché,* h/t, une paire (62x90) : **FRF 499 500** – Londres, 12 déc. 1990 : *Diane et les nymphes se baignant dans un ruisseau dans un paysage boisé,* h/t (33x54) : **GBP 17 050** – Londres, 17 avr. 1991 : *Paysage italien animé ; Pastorale au bord d'une rivière,* h/t, une paire (chaque 37,5x58) : **GBP 33 000** – Paris, 22 mai 1991 : *Paysage aux pêcheurs,* dess. à la pl. (33x47) : **FRF 16 000** – Londres, 3 juil. 1991 : *Paysage avec des personnages flânant près d'un lac ; Bergers et leur bétail dans un paysage montagneux,* h/t, une paire, de forme ovale (chaque 47x40) : **GBP 39 600** – Rome, 4 déc. 1991 : *Capriccio de ruines antiques avec une urne et des soldats,* h/t (99x75) : **ITL 42 550** – Londres, 13 déc. 1991 : *Vaste paysage montagneux avec un berger et une paysanne conversant au premier plan,* h/t (74,7x98,5) : **GBP 29 700** – Rome, 25 mars 1992 : *Paysage lacustre avec des pêcheurs,* h/t (40,5x55) : **ITL 20 700 000** – Londres, 21 avr. 1993 : *Bateaux pris dans une tempête au large de côtes rocheuses,* h/pan. (355x88) : **GBP 6 900** – Rome, 29-30 nov. 1993 : *Vue d'un lac (Bolsena ?) avec une pêcherie et des paysans avec du bétail au premier plan,* h/t (92x138,5) : **ITL 82 495 000** – Londres, 9 déc. 1994 : *Paysage boisé avec des bergers effrayés par l'orage,* h/t (175,6x125,7) : **GBP 21 850** – Paris, 28 mars 1995 : *Paysage montagneux avec personnages près d'une cascade,* h/pap./t. (22x36) : **FRF 28 000** – New York, 5 oct. 1995 : *Soldats et voyageurs conversant en haut d'une colline,* h/t (45,5x35,5) : **USD 11 500** – Londres, 3 juil. 1996 : *Paysans festoyant dans une cour de ferme avec un portail ouvert au fond ; Paysans festoyant dans une cour de ferme avec une mule au premier plan 1723,* h/t, une paire (chaque 57,7x73) : **GBP 111 500** – Londres, 13 déc. 1996 : *Moïse frappant le rocher,* h/t (97,2x136) : **GBP 21 850** – Londres, 16 avr. 1997 : *Des pêcheurs et une femme se reposant sur des rochers dans un paysage fluvial classique,* h/t (52,6x39,8) : **GBP 31 050** – Venise, 9 mars 1997 : *Paysage aux restes architecturaux,* h/t (99,5x133,5) : **ITL 70 000 000.**

LOCATELLI Antonio

Né vers 1800 à Alvisopoli (près de Venise). XIXe siècle. Italien.

Graveur.

Élève de Raffaello Morghem et Longhi, à l'Académie de Milan. On cite notamment de lui le *Portrait de Giuseppe Parini,* d'après Rubens, publié en 1833.

Ventes Publiques : Londres, 2 juil. 1928 : *Scènes sur une rivière italienne* : **GBP 54** – Londres, 26 juil. 1946 : *Sur le Tibre à Rome* : **GBP 136.**

LOCATELLI Giacomo. Voir **LOCATELLI Jacopo**

LOCATELLI Giovan Francesco ou **Lucatelli**

Né en 1810 à Venise. Mort en 1882. XIXe siècle. Italien.

Peintre de genre, portraits.

Il exposa à Rome, Naples, Milan et Turin.

Ventes Publiques : Rotterdam, 1891 : *Une accusation secrète* : **FRF 350** – Milan, 28 mai 1992 : *Jeune fille au miroir,* h/t (74x64) : **ITL 4 500 000.**

LOCATELLI Giovanni Battista

Né en 1735 à Vérone. Mort le 18 mai 1805 à Milan. XVIIIe siècle. Italien.

Sculpteur.

Il vécut de 1778 à 1790 à Londres. Parmi ses œuvres on cite les statues de la *Foi* et de l'*Espérance* dans le Dôme de Vérone, et sur la place Victor Emmanuel à Padoue, la statue de *Pietro d'Albano.*

LOCATELLI Giuseppe ou **Lucatelli**

Né le 16 mars 1751 à Mogliano. Mort le 4 septembre 1828 à Tolentino. XVIIIe-XIXe siècles. Italien.

Peintre et architecte.

Musées : Parme : *Portrait du savant M. Colombo.*

LOCATELLI Jacopo ou **Giacomo** ou **Lucatelli**

Né en 1611 à Vérone. Mort en 1659. XVIIe siècle. Italien.

Peintre d'histoire.

Disciple du Guide et de l'Albane. On cite de lui deux peintures dans l'église de San Permo Maggiore à Vérone. Le Musée de Poitiers conserve un *Paysage* de lui.

LOCATELLI Maria Caterina ou **Lucatelli**
Morte en 1723. XVIIIe siècle. Italienne.
Peintre.
Élève de L. Pasinelli. Elle travailla à Bologne.

LOCATELLI Pietro ou **Lucatelli** ou **Lucattelli**
Né vers 1634 à Rome. Mort le 19 août 1710 à Rome. XVIIe-XVIIIe siècles. Italien.
Peintre d'histoire.
Élève de Ciro Ferre ou peut-être de Pietro da Cortona. Il exécuta des peintures dans l'église de Sant Agostino et dans le Palais Colonna à Rome ainsi qu'à l'église de San Francisco, et à l'Hôpital de Santa Maria della Scala à Sienne. Il mourut dans une extrême pauvreté.

LOCATELLI Rizzardo ou **Lucatelli**
Né au XVIe siècle à Bergame. XVIe siècle. Actif à Venise. Italien.
Peintre.
L'Académie Carrara à Bergame et l'Oratorio della Valle à Serina possèdent de ses œuvres.

LOCATELLI Romualdo
Né en 1905 à Bergame (Lombardie). Mort en 1943, disparu dans des circonstances mystérieuses le 24 février à Manille. XXe siècle. Actif aux Philippines. Italien.
Peintre.
Il s'établit, à la fin de sa vie, à Manille où il disparut.
Il peignit surtout des portraits de la haute société italienne dont le portrait du prince Umberto di Savoia.
Musées : Vatican : *Portrait du cardinal Federico Todeschin – Portrait du cardinal Tisserant.*
Ventes Publiques : Milan, 16 déc. 1982 : *Vue d'un village*, h/t (80,6x60,6) : **ITL 4 000 000** – Milan, 13 déc. 1984 : *Adolescente nue*, h/t (137,5x74) : **ITL 3 600 000**.

LOCCA Jimmy
Né en 1940. XXe siècle. Suisse.
Peintre de figures, portraits, paysages. Nouvelles Figurations.
Son père, d'origine italienne, est lui-même peintre. Il se dirige d'abord vers des études scientifiques : les Ponts et Chaussées. Ayant toujours peint, il se tourne davantage vers la peinture, qu'il approfondit à La Chaux-de-Fonds et à Lausanne.
Il expose à la galerie Matignon à Paris.
Habile techniquement, Locca se plaît à faire jouer aux figures qu'il peint, le prétexte d'une peinture qui mixe, dans un élan haut en couleurs, l'expressionniste et l'informel.
Ventes Publiques : Paris, 11 oct. 1989 : *Personnage*, h/t (92x65) : **FRF 150 000** – Paris, 18 fév. 1990 : *La femme araignée*, acryl./t (100x70) : **FRF 165 000** – Paris, 28 mars 1990 : *Femme au miroir* 1988, h. et collage/t (91x65) : **FRF 95 000**.

LOCEFF Nicolai Dmitriévitch. Voir **LOSSEFF**

LOCH Bartholomaus ou **Bertholomäus von**. Voir **LACK**

LOCHBIHLER Franz Sales
Né le 29 janvier 1777. Mort le 30 mars 1854 à Kempten. XIXe siècle. Allemand.
Peintre de portraits et d'histoire.
Il étudia à Augsbourg la peinture de miniatures. Il séjourna à Vienne et Budapest où il fit des portraits et des tableaux d'autel, et se fixa à Munich. Il devint peintre de la cour de Maximilien Ier de Bavière et fit les portraits du roi, de la reine et des princesses Marie et Sophie. Après la mort du roi il se fixa à Kempten. L'église catholique de Kempten lui doit plusieurs œuvres et des portraits et paysages de sa main appartiennent à des collections privées de la même ville. La Bibliothèque Municipale de Saint-Gall possède deux portraits datés de 1816.

LOCHE Étienne
Né en 1786 à Nîmes. XIXe siècle. Français.
Peintre et lithographe.
Élève de Gros et de David. Il exposa au Salon entre 1817 et 1837. Il a reproduit en lithographie plusieurs œuvres de Girodet.

LOCHÈE John Charles
XVIIIe siècle. Actif à Londres. Britannique.
Sculpteur.
Il figura de 1776 à 1790 aux Expositions de la Royal Academy. Il modela pour Wedgwood et Tassie des portraits-médaillons.

LOCHELONGUE Victor
Né le 24 janvier 1870 à Saint-Maurice (Val-de-Marne). XXe siècle. Français.
Graveur.
Il exposait, à Paris, au Salon des Artistes Français.

LOCHEM Bartolomeus Van. Voir **LOCHOM**

LÖCHEN Kalle
Né le 9 mai 1865 à Lillehamer. Mort en 1893. XIXe siècle. Norvégien.
Peintre de portraits et de genre.
Il fut peintre impressionniste. La Galerie Nationale d'Oslo possède de ses œuvres.

LOCHER Bonifaz
Né le 7 novembre 1858 à Winterreute près de Biberach. Mort le 27 octobre 1916 à Munich. XIXe-XXe siècles. Actif à Munich. Allemand.
Peintre d'histoire et de portraits.
De nombreuses églises de Bavière et Wurtemberg possèdent des fresques et des tableaux d'autel de sa main ; le Palais de Justice de Bamberg est orné également de ses œuvres.

LOCHER Carl
Né en 1851 à Flensbourg. Mort en 1915 à Skagen. XIXe-XXe siècles. Danois.
Peintre de paysages, paysages d'eau, marines, graveur.
Il exposa à Berlin, Hambourg, Munich, à partir de 1878.

Musées : Copenhague : *La plage de Hornbaek en hiver* – Copenhague (Hirschsprung) : *Le Sund à Hornbaek* – Copenhague (Odense) : *La plage de Skagen.*
Ventes Publiques : Copenhague, 25 avr. 1951 : *Pêcheurs en bordure de mer* : **DKK 4 800** – Copenhague, 8 sep. 1966 : *Bord de mer en automne* : **DKK 16 500** – Copenhague, 21 nov. 1973 : *Les ramasseurs de goémon* : **DKK 11 500** – Copenhague, 28 sep. 1976 : *Marine* 1883, h/t (58x91) : **DKK 12 500** – Copenhague, 27 sep. 1977 : *Marine* 1902, h/t (60x97) : **DKK 12 500** – Copenhague, 24 nov 1979 : *Le départ des pêcheurs* 1884, h/t (119x190) : **DKK 21 500** – Copenhague, 10 juin 1981 : *Barques sur la plage* 1903, h/t (55x82) : **DKK 32 000** – Copenhague, 27 sep. 1983 : *Bateau de pêche à l'ancre, Kandestederne* 1872, h/t (88x125) : **DKK 41 000** – Copenhague, 2 oct. 1985 : *Scène de bord de mer*, h/t (130x207) : **DKK 80 000** – Copenhague, 11 juin 1986 : *Pêcheurs dans leur barque*, h/t (90x132) : **DKK 40 000** – Copenhague, 19 nov. 1987 : *Voiliers au large de la côte*, h/t (62x98) : **DKK 42 000** – Londres, 22 sep. 1988 : *Voilier dans la houle* 1883, h/t (158,7x254) : **GBP 4 620** – Copenhague, 5 avr. 1989 : *Marine avec des voiliers au large de Kronborg* 1893, h/t (58x95) : **DKK 25 000** – Londres, 5 oct. 1989 : *La frégate danoise Jutland navigant contre le vent* 1883, h/t (158,7x254) : **GBP 4 400** – Londres, 29 mars 1990 : *La frégate Fyen dans une brise légère* 1875, h/t (96,5x150,5) : **GBP 7 150** – Copenhague, 29 août 1990 : *Pêcheurs posant leurs nasses près de Kronborg*, h/t (66x100) : **DKK 28 000** – Stockholm, 14 nov. 1990 : *Marine avec des navires à voiles*, h/pan. en grisaille (30x43) : **SEK 6 500** – Copenhague, 1er mai 1991 : *Rayons de soleil sur la mer* 1910, h/t (40x55) : **DKK 20 000** – Copenhague, 28 août 1991 : *Canot de sauvetage dans la tempête*, h/t (76x130) : **DKK 35 000** – Copenhague, 6 mai 1992 : *Navigation en mer*, h/t (41x58) : **DKK 10 000** – Copenhague, 18 nov. 1992 : *Retour des pêcheurs*, h/t (41x64) : **DKK 16 500** – Copenhague, 7 sep. 1994 : *Marine avec des barques de pêche abordant à la grève de Skagen*, h/t (60x97) : **DKK 26 000**.

LOCHER Ellen. Voir **THALBITZER**

LOCHER François
Né en 1952 à Genève. XXe siècle. Suisse.
Dessinateur, peintre, lithographe.
Il a figuré à l'exposition intitulée *De Bonnard à Baselitz* à la Bibliothèque nationale à Paris en 1992.
Bibliogr. : In : *De Bonnard à Baselitz*, catalogue de l'exposition, Bibliothèque nationale, Paris, 1992.
Musées : Paris (BN, Cab. des Estampes).

LOCHER Franz Ignaz
Né le 26 mars 1765 à Fribourg. Mort le 7 septembre 1799 à Fribourg (Suisse). XVIIIe siècle. Suisse.

Peintre de genre.
Il était fils de Gottfried Locher.

LOCHER Gottfried
Né en 1730 à Mengen (Wurtemberg). Mort le 28 juillet 1795 à Fribourg (Suisse). XVIIIe siècle. Suisse.
Peintre et aquafortiste.
Il peignit des portraits, des tableaux d'autel ainsi que des compositions de genre et de mythologie dans le style de Watteau. Le Musée de Fribourg possède trois tableaux de sa main et le Cabinet des Estampes de Berlin un dessin à la plume gravé par B. Hubner. Parmi ses eaux-fortes on cite : *Les Trois Grâces de Guggisberg, Les Trois Bacchus de Morat, La Vendeuse d'oignons de Soleure*, ainsi que des ex-libris.
Ventes Publiques : Londres, 27 févr 1979 : *La belle fruitière vaudoise*, aquar. et cr./aquat. (27,6x19,6) : **GBP 600** – Londres, 12 fév. 1980 : *Vue du château de Chillon sur le lac de Genève, canton de Vaud*, eau-forte coloriée (25x32,6) : **GBP 450**.

LOCHER Johann Emanuel
Né le 4 décembre 1769 à Fribourg. Mort vers 1815 à Bâle. XVIIIe-XIXe siècles. Suisse.
Peintre.
Il était fils de Gottfried Locher. Il se fixa à Bâle en 1813. Il peignit des paysages, des miniatures et des tableaux d'autel, notamment un *Saint Charles* dans l'église des Franciscains de Fribourg.
Musées : Berne : *le Christ en Croix*.

LOCHER Thomas
Né en 1956 à Munderkingen. XXe siècle. Allemand.
Artiste. Tendance conceptuelle.
Il vit et travaille à Cologne.
Il figure à de nombreuses expositions collectives, en Allemagne, aux États-Unis, en Angleterre, en Espagne..., et notamment, en France au Salon de Montrouge en 1991 et à *Qui, quoi, où ? – Un regard sur l'Allemagne en 1992*, au Musée d'Art Moderne de la Ville de Paris en 1992. Il montre ses œuvres dans des expositions personnelles : 1987, 1988, 1989, 1990, galerie Tanja Grunert, Cologne ; 1992, Kunstverein, Cologne ; 1996, galerie Anne de Villepoix, Paris.
Il utilise dans ses œuvres la représentation d'objets du quotidien ainsi que l'écrit, élaborant son œuvre à partir de notions de classement, de textes.
Bibliogr. : Catalogue de l'exposition : *Parcours européen III Allemagne – Qui, quoi ? où ? – Un regard sur l'Allemagne en 1992*, Musée d'Art moderne de la Ville, Paris, 1993 – Paul Ardenne : *Thomas Locher*, Art Press, n° 219, déc. 1996.
Ventes Publiques : New York, 8 oct. 1992 : *1-11* 1987, vinyl./rés. synth./pan. (68,6x139,1) : **USD 6 600** – New York, 22 fév. 1993 : *1-5*, acryl./verre (120x100,3) : **USD 4 950** – New York, 23-25 fév. 1993 : *1-5* 1987, h/verre dans un cadre de l'artiste (120x100,3) : **USD 5 175**.

LOCHHEAD John
Né le 12 juillet 1866 à Glasgow. Mort en 1921. XIXe-XXe siècles. Britannique.
Peintre de paysages.
Il fut élève de l'Académie d'Édimbourg.

J. Lochhead

Musées : Berlin : *Un village écossais*.
Ventes Publiques : Londres, 18 mars 1980 : *Le potager*, h/t (52x99) : **GBP 520** – Londres, 23 avr. 1986 : *Printemps*, h/t (51x76) : **GBP 1 700** – Auchterarder, 1er sep. 1987 : *Promenade tranquille*, h/t (61x91,5) : **GBP 1 900** – Perth, 27 août 1990 : *Par d'agréables sentiers*, h/t (31x61) : **GBP 990** – Glasgow, 22 nov. 1990 : *Un village dans la province des Fens*, h/t (86,3x111,7) : **GBP 1 980**.

LO CHIH-CH'UAN. Voir **LUO ZHICHUAN**

LOCHMANN Johann
Né le 26 mars 1700 à Zurich. Mort vers 1762. XVIIIe siècle. Suisse.
Graveur.
Il vécut et travailla à Zurich. On cite parmi ses œuvres, cinq portraits gravés, dont trois d'après J. Simmler, et deux *Vues du parc de Nymphenbourg*, d'après J. C. Sarron.

LOCHNER Andreas. Voir aussi **LACKNER**

LOCHNER Andreas
Né le 5 février 1824 à Mainbourg. Mort le 13 février 1855 à Munich. XIXe siècle. Allemand.
Peintre.
Élève de J. Schraudolf. Il vécut et travailla à Munich. On cite parmi ses œuvres le tableau du maître-autel de l'église Saint-Nicolas à Landshut. D'après lui A. Fleischmann grava un *Saint Joseph*, A. Rordorf, une *Vierge avec l'Enfant*, et J. Lindner le même sujet.

LOCHNER Axel Thilson
Né le 11 septembre 1879 à Copenhague. XXe siècle. Danois.
Sculpteur de statues, ornemaniste.
Il est le fils de Carl Ludwig Thilson Locher (est-ce le peintre de marines Carl Locher ?). Il épousa la femme-peintre Jo Hahn-Jensen en 1901.
Il exécuta pour Christianborg huit statues monumentales, des vases pour la tour et des décorations de grilles. Il fit des bustes, des statues et des statuettes, notamment d'acteurs dans des rôles connus.

LOCHNER Carl Friedrich
Né en 1761 ou 1772. XVIIIe siècle. Allemand.
Graveur.
Il vécut et travailla à Nuremberg. Il grava des cartes géographiques, des compositions d'histoire et des portraits.

LOCHNER Stephan ou **Lothener**
Né entre 1405 et 1415 probablement à Meersbourg (sur le lac de Constance). Mort en 1451 à Cologne. XVe siècle. Allemand.
Peintre.
L'Allemagne à cette époque ensanglantée par des guerres continuelles, ne devait pas prendre dans le domaine artistique un essor aussi rapide que les Pays-Bas. Cependant vers la fin du XIVe siècle se développa à Cologne une École où l'on rencontre des maîtres de tout premier ordre ; Stephan Lochner en est un des plus parfaits représentants. Ce peintre dont l'âme a toujours rayonné d'une paix intérieure véritablement angélique, a donc vécu dans le tumulte de la guerre. Une grande idée faisait alors partie du magnifique héritage légué par le XIIe siècle, il consistait dans l'harmonieuse fusion de l'idéal ascétique avec l'idéal chevalerersque. L'idéal chevaleresque, qui depuis le IXe siècle jusqu'au XIIIe, avait puissamment aidé la religion dont il était issu, à fortifier, à exalter, à épurer les âmes. Tout était mûr pour la floraison de l'idéal esthétique. L'impulsion extraordinaire que reçurent alors les imaginations venait bien aussi, quoique non exclusivement, des événements publics. Il ne faut pas oublier que le grand problème à résoudre dans le domaine de la peinture chrétienne, était la conciliation de l'autorité avec la liberté, c'est-à-dire la conciliation du respect pour les types traditionnels avec le libre développement des facultés de l'artiste. La peinture de Stephan Lochner provoque une sorte d'enchantement un peu du même ordre que celui que fait éprouver Fra Angelico. Le maître de Cologne, comme celui de Fiesole, est avant tout le peintre d'une forme de la grâce mystique, d'une exquise tendresse, traduisant la quiétude des âmes religieuses et la sereine extase des bienheureux. D'autres se sont montrés plus hardis, mais Stephan Lochner, sans atténuer en rien son mysticisme, se rencontre cependant avec le réalisme de son siècle. C'est un génie sincère, un sage, un esprit plein de noblesse et d'élévation, il est digne de marcher de pair avec les plus grands de son époque. On est tenté de voir en lui le « dernier des gothiques ». Quelle délicatesse de touche est la sienne, la figure qu'il donne de la *Vierge*, est un mélange parfait de grâce et de majesté ; ce type remplissait alors toutes les conditions voulues par le sentiment populaire. Nous ne connaissons aucun détail sur sa famille ou sa jeunesse. Si le père de Stephan Lochner à été peintre également, ce que l'on ignore, il aurait appartenu à l'École basse-saxonne. Les villes de Halberstadt, de Guedlimbourg, d'Elslben, de Mersbourg, faisaient partie du district qui a joué un grand rôle dans le développement de l'art allemand. Quelques documents nous renseignent. Stephan Lochner, ou Lothener (selon certains auteurs), né à Constance et mort à Cologne en 1451, ville, où selon toute apparence il s'était fixé fort jeune. Le 27 octobre 1442 il y achète en son nom et celui de sa femme Lisbeth, une moitié de maison : sa position sociale à ce moment était donc bien différente de la misère où il devait terminer ses jours puisqu'il acquitte intégralement le montant de son achat. On a cru pouvoir rapprocher la date de revente de cet immeuble et l'acquisition d'une maison plus importante en 1444, de celle de l'achèvement du célèbre triptyque, *l'Adoration des Mages* ; mais ceci semble une erreur : ce tableau date sinon de 1410, mais plus problablement de 1426, année de l'inauguration de la chapelle

de l'Hôtel de Ville pour laquelle il avait été commandé. En 1448, dès ce moment, commence le déclin de sa fortune puisqu'il emprunte le 12 septembre sur ses propriétés. Cette même année de 1448, il fut élu sénateur par la Corporation des peintres qui lui certifièrent à cette occasion « une honorabilité et une sagesse aussi grandes que l'était son habileté artistique », en 1451 il figure encore parmi les sénateurs, mais il est indiqué qu'il est décédé dans cette même année. Malgré son immense réputation, il mourut à l'hôpital. Ses œuvres sont peu nombreuses. La principale de ce maître est le fameux triptyque : *L'Adoration des Mages* que possède la cathédrale de Cologne. La Vierge, au centre de la composition, offre un contraste parfait par sa divine candeur, avec les figures des personnages groupés à ses côtés et qui sont, eux, d'un réalisme aigu. Le charme de la couleur de l'œuvre est indéfinissable. Les Musées du monde entier se disputent ses œuvres. Celui de Cologne ne compte pas moins de vingt-huit tableaux de Stephan Lochner et de son École. *La Madone à la haie de fleurs* est le plus remarquable et le plus ancien qui soit connu de ce maître. Son influence sur l'École de Cologne s'est prolongée un siècle encore après sa mort. On a pu penser qu'il fit peut-être le voyage des Pays-Bas, avant son installation à Cologne, les Pays-Bas étant alors en échanges constants avec la vallée rhénane, et qu'il y aurait subli l'influence des frères Limbourg et du Maître de Flémalle. Il y ajouta cependant une grâce toute personnelle, qui le fit apprécier par-dessus tous les Allemands du XVe siècle par les Romantiques, tandis qu'on la lui reprocha dans la suite pour sa trop grande suavité. On rapporte pourtant qu'Alberecht Dürer, sur le chemin des Pays-Bas, tint à faire halte à Cologne pour y admirer *L'Adoration des Mages* de la cathédrale ce qui constitue un témoignage non négligeable.

Bibliogr. : Marcel Brion : *La peinture allemande*, Tisné, Paris, 1959 – Pierre du Colombier, in : *Diction. Univers. de l'Art et des Artistes*, Hazan, Paris, 1967.

Musées : Berlin : *Vierge au gazon* – Bonn : *Le Christ mort, veillé par des anges* – Cologne (Mus. Dioc.) : *Vierge à la violette* – *La naissance du Christ* – Cologne (Wallraf Richartz) : *Vierge au buisson de roses* – *Saint Marc, sainte Barbe et saint Luc* – *Le jugement dernier* – *Vierge aux roses* – *Vierge à l'Enfant* – Cologne (Schnutgen) : *Ursule et Catherine* – Darmstadt : *La présentation au temple* – Francfort-sur-le-Main (Stadel) : *Le jugement dernier*, un des volets – Londres : *Trois saints* – Munich (Pina.) : *Vierge au gazon* – *Le jugement dernier*, un des volets – Rotterdam (Mus. Boymans-van Beuningen) : *Saint Jean-Baptiste* – *Sainte Madeleine*.

LOCHOM Bartolomeus Van ou **Lochem**
Baptisé à Amsterdam le 21 octobre 1607. XVIIe siècle. Hollandais.
Graveur.
Fils d'un Gilliam Van Lochem (?). Il a imité tour à tour Wierix et Virgile Solis. On cite de lui des ornements pour les orfèvres et une suite de sujets de chasse paraissant destinés à faire des éventails.

LOCHOM Hans Van ou **Lochon**
Né vers 1550 peut-être à Anvers. XVIe siècle. Éc. flamande.
Graveur.
Il fut peut-être père de Michel Van Lochom ; son existence tout entière est parfois mise en doute. On cite parmi son œuvre gravé présumé *La Cène*, d'après C. R. de Broeck *Saint Jean-Baptiste dans le désert*, d'après A. Carracci *Résurrection*, d'après M. de Vos *Pierre renégat*, d'après M. de Vos.

LOCHOM Michel Van ou **Lochon** ou **Nochom**
Né en 1601 à Anvers. Mort le 23 janvier 1647 à Paris. XVIIe siècle. Éc. flamande.
Graveur.
Élève d'Abraham Van Merlen à Anvers, il fut maître à Anvers en 1622. En 1625, il était à Paris ; il épousa, le 12 novembre, Marguerite Lenoir, après avoir abjuré le protestantisme ; il eut le titre de graveur du Roy, et après son mariage, il revint au calvinisme. Il fournit des planches pour l'ouvrage de Girard : *Peintures sacrées de la Bible*, publié en 1656.

LOCHON Hans et **Michel Van**. Voir **LOCHOM**

LOCHON Pierre
XVIIe siècle. Actif à Paris. Français.
Graveur.
Probablement fils de René Lochon. On cite de sa main des portraits, des gravures ornementales et des planches représentant les mois et les saisons.

LOCHON René
Né en 1636 à Poissy ou Orléans. Mort avant 1675. XVIIe siècle. Français.
Graveur.
Élève de J.-B. Corneille. On cite de lui des estampes de sujets religieux et quelques portraits, dans lesquels il chercha à se rapprocher de la forme de Nanteuil.

LO-CH'UANG. Voir **LUOCHUANG**

LOCK Bart. Voir **LACK Bartholomaus von**

LOCK François
Né au XIXe siècle à Paris. XIXe siècle. Français.
Graveur sur bois.
Élève de Chapon. Il débuta au Salon de 1865.

LOCK Frederik
XVIIIe siècle. Actif à Londres. Britannique.
Peintre de miniatures.
Il exposa en 1843, 1844 et 1846 des portraits.

LOCK Mathias
XVIIIe siècle. Actif à Londres. Britannique.
Dessinateur et graveur.
Il publia de 1740 à 1769 quatre séries de gravures d'ornement. Le Victoria and Albert Musuem à Londres possède de ses dessins.

LOCK Michel
Né le 27 avril 1848 à Cologne. Mort le 20 février 1898 à Berlin. XIXe siècle. Allemand.
Sculpteur.
Il exécuta des groupes monumentaux. On cite parmi ses œuvres le relief du pignon de la façade ouest du bâtiment du Reichstag à Berlin.

LOCK Samuel Robert
XIXe siècle. Actif à Brighton. Britannique.
Peintre de miniatures.
Il exposa de 1849 à 1854 à la Royal Academy, à Londres.

LOCKE Charles
Né en 1899. XXe siècle. Américain.
Peintre.
Il fut sélectionné pour l'Exposition internationale de la Fondation Carnegie en 1946.

Ventes Publiques : New York, 20 mars 1996 : *Le kiosque à journaux* 1945, h/rés. synth. (40,6x30,5) : **USD 1 380**.

LOCKE William ou **Lock**
Né en 1767. Mort en 1847. XVIIIe-XIXe siècles. Britannique.
Peintre de genre et aquafortiste.
Élève et ami d'Henry Fussli. Il travailla parfois à Paris et à Rome. Le Victoria and Albert Museum, à Londres, conserve une aquarelle de lui et le British Museum dans la même ville un dessin *(Lady Hamilton dansant la Tarentelle)*. Son tableau : *Mort de Volney* a été gravé.

Ventes Publiques : Londres, 30 juin 1986 : *A fairy Astride a bat on a monstrous toadstool* 1784, pl. et lav. (18,7x13,8) : **GBP 4 800**.

LOCKER Edward Hawke
Né en 1777. Mort en 1849. XIXe siècle. Britannique.
Peintre amateur.
Fils d'un officier de marine, il occupa divers postes de secrétaire dans la marine militaire. Le Victoria and Albert Museum, à Londres, conserve deux aquarelles de lui.

Ventes Publiques : Londres, 13 mars 1980 : *La maison du gouverneur général de Barrackpore* ; *Le jardin de l'Amirauté à Madras* 1808, deux aquar. et pl. (29x42) : **GBP 1 800**.

LOCKEY Nicolas
XVIe-XVIIe siècles. Actif en Angleterre. Britannique.
Peintre de portraits.
On cite notamment de lui le portrait de *John King, évêque de Londres*. Peut-être le même artiste que Rowland Lockey.

LOCKEY Rowland
XVIe siècle. Actif dans la dernière moitié du XVIe siècle. Britannique.

Peintre de portraits.
Élève de Hilliard. On dit qu'il peignit un portrait de *Sir Thomas More, de sa femme et de leurs enfants.*

LOCKHART William Ewart
Né en 1846 dans le Dumfrieshire. Mort en 1900 à Londres. XIXe siècle. Britannique.
Peintre d'histoire, genre, portraits, paysages, aquarelliste.
Il fut élève de R. S. Lauder à la Trustees Academy, en 1860. Il partit pour Sydney, en 1863 ; puis, de là, en 1867, pour l'Espagne, où il retourna fréquemment. Membre de la Royal Scottish Academy en 1878, il fut associé de la Society of Painters in Water-Colours, en 1879. Il exposa en Allemagne.
Se trouvant dans l'île Majorque en 1875, il peignit : *La récolte des oranges* à Majorque.
Musées : Aberdeen : *Portrait de l'artiste* – Édimbourg : *Le Cid et les cinq rois maures – Gil Blas et l'archevêque de Grenade* – Glasgow : *La jetée de Saint-Andrew – Coucher de soleil à Saint-Andrew – Palais du duc de Montpensier – Près de La Haye – Arthur James Balfour* – Melbourne (Nat. Gal. of Victoria) : *Hure – À Grenade* – Windsor : *Le jubilé.*
Ventes Publiques : Londres, 25 mai 1979 : *Auld Robin Gray* 1865, h/t (69,8x90,2) : **GBP 1 300** – Glasgow, 18 sep. 1986 : *Leith docks* 1877, aquar. reh. de blanc (35,5x50,8) : **GBP 1 300** – Londres, 3 juin 1988 : *La danseuse de flamenco* 1868, h/t (63,5x85,1) : **GBP 715** – Londres, 25-26 avr. 1990 : *Une scène de Don Quichote* 1883, aquar. (21x42) : **GBP 1 265** – Perth, 26 août 1991 : *La récolte des oranges à Majorque* 1875, h/t (62x86) : **GBP 8 800** – Amsterdam, 11 avr. 1995 : *Dordrecht : Venise du nord*, aquar. (46,5x31) : **NLG 1 770.**

LOCKHORST Bob. Voir **BOB-LOCKHORST**

LOCKHORST Johan Nicolaus ou **Jan Van** ou **Lokhorst**
Né le 2 novembre 1837 à Utrecht. XIXe siècle. Hollandais.
Aquafortiste et peintre.
Les Musées d'Utrecht et de Glasgow possèdent de ses œuvres gravées.
Ventes Publiques : Rotterdam, 1891 : *Paysage* : **FRF 85** – Bruxelles, 15 mars 1978 : *Canal en Hollande avec vue de ville* 1877, h/t (83x149) : **BEF 75 000** – Amsterdam, 28 oct. 1980 : *Troupeau dans un paysage*, h/t (78x148) : **NLG 9 500.**

LOCKLEY David
XVIIIe siècle. Actif à Londres vers 1719. Britannique.
Graveur.
On cite de lui une planche représentant une *Vue de New Church*, dans le Strand, et un *Portrait de Michel Malard.*

LOCKMAN de WITT M.
XXe siècle. Américain.
Peintre.
Actif en 1921. Il fut membre du Salmagundi Club et de la Fédération américaine des arts.
Ventes Publiques : New York, 2 déc. 1992 : *La veste dorée (Mrs Mary Steel)*, h/t (127,6x102,2) : **USD 4 400.**

LOCKURST Dirk et **Dirk Peter Van.** Voir **LOKHORST**

LOCKWOOD Wilton
Né le 12 septembre 1862 à Wilton (Connecticut). Mort le 20 mars 1914 à Brooklyn (Massachusetts). XIXe-XXe siècles. Américain.
Peintre de genre.
Élève de John La Farge ; il fit aussi des études à Paris, où il exposa, en 1900 : *Le violoniste.* Mention honorable à Pittsburgh en 1897 ; médaille d'or à Temple en 1898 ; médailles d'argent à Paris en 1900 (Exposition Universelle), à Buffalo en 1901, à Saint Louis en 1909. Associé de la National Academy depuis 1906.
Ventes Publiques : Londres, 24 nov. 1982 : *Le violoniste*, h/t (99x79) : **GBP 2 100** – New York, 23 avr. 1997 : *Dame en blanc*, h/t (98,8x78,8) : **USD 4 025.**

LOCOGE Auguste Joseph
Né en 1803 à Marly-lez-Valenciennes (Nord). Mort en 1826 à Raismes près de Valenciennes (Nord). XIXe siècle. Français.
Paysagiste.
Élève de Boisselier. Le Musée de Valenciennes conserve de lui deux paysages historiques.

LOCQUIN Maurice
Né à Nevers (Nièvre). Mort le 23 juin 1915, pour la France. XXe siècle. Français.
Peintre de paysages et de fleurs.
Il exposait au Salon des Indépendants, où l'on vit en 1924 une Exposition posthume de ses œuvres.

LODE Odoard Helmont von
Mort en 1757 à Charlottenborg (Copenhague). XVIIIe siècle. Actif à Copenhague. Danois.
Graveur.
Fils de Gustav von Lode. Il a gravé des portraits, notamment ceux de *Christian IV* et de *Frederik III.*

LODÉHO Étienne
Né en 1953 à Lisieux (Calvados). XXe siècle. Français.
Graveur, dessinateur, peintre.
Il grave au burin. Il a figuré à l'exposition intitulée *De Bonnard à Baselitz* à la Bibliothèque Nationale à Paris en 1992. Il a présenté dans une exposition personnelle à la galerie Michèle Broutta ses dessins et lavis composés par des tracés fluides.
Bibliogr. : In : *De Bonnard à Baselitz*, catalogue de l'exposition, Bibliothèque nationale, Paris, 1992.
Musées : Paris (BN, Cab. des Estampes).

LÖDEL Carl Johann
Né le 6 novembre 1825 à Göttingen. Mort le 19 février 1868 à Colditz. XIXe siècle. Allemand.
Dessinateur, graveur et lithographe.
Il travailla à Leipzig à partir de 1846, spécialement pour des ouvrages scientifiques. Il dessina également des paysages (aquarelle et lavis).

LÖDEL Heinrich Burkhart
Né en 1798 à Hameln. Mort en 1861 à Göttingen. XIXe siècle. Allemand.
Graveur au burin et sur bois.
D'abord relieur, il s'adonna dans la suite à la gravure sur bois et sur cuivre et y montra un très réel talent. Il a reproduit, notamment, les alphabets gravés par Lutzelburger, d'après les dessins d'Holbein.

HL

LODER Astolf
Né en 1721 à Francfort. XVIIIe siècle. Vivait encore vers 1760. Allemand.
Peintre et graveur.
Il a gravé d'après ses propres compositions.

LODER James, dit **of Bath**
XIXe siècle. Britannique.
Peintre de groupes animés, animaux.
Il était actif de 1820 à 1860.
Il s'est spécialisé dans les sports hippiques et les chiens de chasse.
Ventes Publiques : Londres, 26 mars 1976 : *Pur-sang dans un parc*, h/t (46x59,5) : **GBP 650** – New York, 21 jan. 1978 : *Colonel Bouverie montant Challenger* 1838, h/t (69x91,5) : **USD 3 000** – Londres, 21 nov 1979 : *Chevaux dans un paysage*, h/t (79x102) : **GBP 2 600** – New York, 4 juin 1982 : *Gentilhomme nourrissant des biches dans un parc*, h/t (49x59) : **USD 4 200** – New York, 20 avr. 1983 : *Étalon à l'écurie* 1837, h/t (56x75) : **USD 4 750** – Londres, 20 nov. 1985 : *Merry Lass, a bay racehorse with Rees up* 1837, h/t (74,5x94,5) : **GBP 8 500** – Londres, 18 oct. 1989 : *Un pur-sang bai avec son entraîneur et le jockey John Day*, h/t (57x75) : **GBP 2 640** – Londres, 17 nov. 1989 : *Le cheval Longwaist, alezan doré, monté par S. Day avec son propriétaire et son entraîneur sur le champ de courses de Bath* 1830, h/t (56x71,8) : **GBP 13 200** – New York, 22 mai 1990 : *Un épagneul et deux terriers du Norfolk dans un paysage* 1845, h/t (63,5x78,2) : **USD 14 300** – Londres, 20 juil. 1990 : *Cheval de chasse à courre bai dans une étable avec un terrier* 1836, h/t (58x76,3) : **GBP 1 980** – Londres, 10 nov. 1993 : *Trois lévriers dans un paysage*, h/t (23x29) : **GBP 897** – New York, 3 juin 1994 : *Combat, vainqueur de la coupe d'argent des Ladies de Bath, 1837, monté par W. Sadler* 1838, h/t (66,7x89,5) : **USD 18 400** – Londres, 17 oct. 1996 : *Enfant sur son poney*, h/t (49,5x59,7) : **GBP 3 220.**

LODER Konrad
Né en 1957 à Munich. XXe siècle. Actif en France. Allemand.
Sculpteur.
Il figure à des expositions collectives, parmi lesquelles : 1990, Art Frankfurt 90, présenté par la galerie Bernard Jordan (Paris), Francfort ; 1991, *50 artistes pour le 25e anniversaire*, Cité Internationale des Arts, Paris ; 1992, *Livres/Objets & Papiers d'artistes*, galerie Isabelle Bongard, Paris ; 1998, Salon de Mon-

trouge, Paris. Il montre ses œuvres dans des expositions personnelles, dont : 1987, 1989, 1992, 1994, galerie Bernard Jordan, Paris ; 1988, Credac, Ivry-sur-Seine ; 1991, Städtische Galerie im Museum Folkwang, Essen ; 1993, Galerie Municipale Édouard Manet, Genevilliers ; 1996, galerie B. Jordan et M. Devarieux à Paris.
Konrad Loder use du procédé du découpage d'un objet, armoire, chaise..., puis le recompose en un autre objet qui n'existe, dès lors, que par allusion au premier. Il réalise également des sculptures modifiables, « évolutives », que l'on peut concentrer ou au contraire déployer dans l'espace, et moule en plâtre des éléments de la vie quotidienne : bouteilles, œufs, baignoire, ballons gonflables, qu'il soumet, là encore, à des transformations.
Bibliogr. : Paul Ardenne : *Konrad Loder*, Art Press n° 186, déc. 1993 - Hervé Legros : *Konrad Loder*, préface catalogue d'exposition, Galerie Municipale Édouard Manet, Genevilliers - Eric Suchère : *Konrad Loder*, Art Press n° 211, Paris, mars 1996.

LODER Matthäus
Né en 1781 à Vienne. Mort en 1828 à Brandhof (Styrie). XIXe siècle. Autrichien.
Peintre d'histoire, portraits, paysages, dessinateur.
Il fut élève de Maurer, Braun, Lampi et Füger à l'Académie de Vienne, puis membre de l'Académie de Parme, où il fut professeur de l'archiduchesse Marie-Louise. Le grand-duc Jean de Parme le nomma peintre de la cour et le mit à même de faire chaque année un voyage d'études dans les Alpes autrichiennes.
Ventes Publiques : Paris, 23 et 24 avr. 1909 : *Spadassins* : **FRF 40** - Vienne, 1923 : *Jupiter ; Sémélé*, dess. à l'encre de Chine : **FRF 53** - Paris, 10 mars 1980 : *Les bohémiens*, h/t (103,5x80) : **FRF 32 000** - New York, 13 jan. 1993 : *Portrait de l'Empereur Napoléon et de sa femme Marie-Louise debout devant un trône décoré*, craie noire et lav. avec reh. de craie blanche (50,2x43) : **USD 3 450**.

LODESANIS Giovanni Antonio. Voir **PORDENONE II**

LODEWIJK
Né en 1920 à Amsterdam. XXe siècle. Actif depuis 1958 en Suisse. Hollandais.
Peintre, décorateur. Art-optique.
Il vit dans le Tessin en Suisse.
Il participe à des expositions de groupe depuis le début des années soixante en Suisse et en Allemagne. Il montre ses œuvres dans des expositions personnelles principalement à Zurich à la galerie Suzanne Bollag.
Sa peinture se rattache à l'art optique, forme abstraite de peinture qui connut une attention soutenue au milieu des années soixante en Europe et aux États-Unis.

LODGE George Edward
Né en 1649. Mort en 1689. XVIIe siècle. Britannique.
Peintre.
À rapprocher de William Lodge, pour cause d'exacte similitude des dates.
Ventes Publiques : Auchterarder (Écosse), 1er sep. 1981 : *Canards sauvages*, aquar. et reh. de gche (35x52) : **GBP 1 400**.

LODGE George Edward
Né en 1860. Mort en 1954. XIXe-XXe siècles. Britannique.
Peintre animalier, peintre à la gouache, aquarelliste.
Il exposa à Londres.
Il se fit connaître très jeune comme peintre animalier. Ses tableaux, huiles et gouaches, témoignent d'une sensibilité profonde et d'une grande tendresse pour le monde animal.

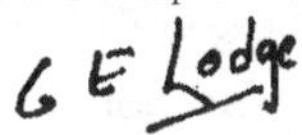

Ventes Publiques : Londres, 14 mai 1976 : *Deux tigres dans un paysage*, h/t (49,5x75) : **GBP 750** - Écosse, 24 août 1976 : *Pochard*, gche (19,5x43) : **GBP 520** - Perth, 19 avr. 1977 : *Cerf en alerte*, h/t (60x90) : **GBP 800** - Auchterarder (Écosse), 28 août 1979 : *Coqs de bruyère en vol ; Perdrix au bord d'un étang*, deux aquar. reh. de gche (28x43) : **GBP 2 200** - Perth, 24 avr 1979 : *Coqs de bruyère dans un paysage* 1903, h/t (75x121) : **GBP 2 600** - Papplewick (Nottinghamshire), 29 sep. 1982 : *Will they stamped ?* 1933, h/cart. (58,5x89) : **GBP 5 500** - Auchterarder (Écosse), 30 août 1983 : *Prince of Wales' pheasant*, gche (53x71) : **GBP 3 800** - Londres, 6 mai 1983 : *Le Mont Fujiyama avec des faisans en premier plan*, h/t (107,3x152,5) : **GBP 3 800** - Londres, 23 juil. 1985 : *Coqs de bruyère dans un paysage*, gche (28,1x43,6) : **GBP 2 500** - Perth, 26 août 1986 : *Perdrix dans un paysage*, aquar. reh. de gche (29x44,5) : **GBP 3 200** - Auchtrearder, 1er sep. 1987 : *Un faucon*, aquar. reh. de gche (29x43) : **GBP 5 000** - Édimbourg, 30 août 1988 : *Ptarmigan au repos*, aquar. et gche (28x43) : **GBP 4 400** - Glasgow, 7 fév. 1989 : *Ruby II, un faucon pélerin*, aquar. et gche (21,5x13) : **GBP 3 740** - Glasgow, 6 fév. 1990 : *Aigle doré*, aquar. et gche (51x72) : **GBP 9 350** - Édimbourg, 26 avr. 1990 : *Une couvée de perdrix anglaises*, gche (28,6x45,1) : **GBP 3 080** - South Queensferry (Écosse), 1er mai 1990 : *Crécerelle au nid*, h/t cartonnée (40,5x61) : **GBP 6 600** - Perth, 27 août 1990 : *Faucon blanc*, gche (38,5x51) : **GBP 12 100** - Glasgow, 5 fév. 1991 : *Colonie de perdrix grises dans un chaume en hiver*, gche (27x42,5) : **GBP 3 080** - Édimbourg, 2 mai 1991 : *Faisan colchicus*, aquar. avec reh. de gche (22,2x27,9) : **GBP 2 860** - Londres, 14 juin 1991 : *Cygnes blancs avec la femelle en train de couver*, gche (23,5x29,8) : **GBP 1 320** - Perth, 26 août 1991 : *Perdrix dans un chaume*, gche (28,5x44) : **GBP 2 750** - Londres, 25 fév. 1992 : *Perdrix rouges dans une bruyère*, gche (28,6x50,2) : **GBP 6 380** - Édimbourg, 28 avr. 1992 : *Faucon des glaces* 1916, h/t (81x122) : **GBP 9 900** - Londres, 16 mars 1993 : *Bergeronnettes grises*, aquar. et gche/pap. gris, une paire (28,9x22,6) : **GBP 1 150** - Perth, 31 août 1993 : *Repaire de faucons en Norvège* 1927, h/t (112x142) : **GBP 8 625** - Londres, 15 mars 1994 : *Un faucon maintenant une grouse dans ses serres*, cr. et aquar. (41,2x54) : **GBP 7 130** - Glasgow, 14 fév. 1995 : *Alouette à queue courte*, aquar. (27,5x21,5) : **GBP 1 380** - New York, 9 juin 1995 : *Léopard près d'un point d'eau*, h/t (40,6x71,1) : **USD 13 800** - Perth, 29 août 1995 : *Vol de perdrix*, h/cart. (14x23,5) : **GBP 920** - Londres, 22 nov. 1995 : *Oiseau plongeur à gorge rouge*, aquar. et gche (45,5x65,5) : **GBP 1 610** - Perth, 26 août 1996 : *Faucons des neiges*, aquar. et gche (31x44) : **GBP 2 990**.

LODGE Jean
Née le 10 janvier 1941 à Dayton (Ohio). XXe siècle. Active depuis 1968 en France et en Angleterre. Américaine.
Graveur, peintre de collages.
En 1963, elle est diplômée de l'Université de l'Ohio, et part pour l'Europe. En 1964, elle fréquente l'école Kokoschka à Salzbourg en Autriche. En 1965, elle est diplômée de la Ruskin School of Fine Art de l'Université d'Oxford. Entre 1965 et 1969, elle travaille dans l'atelier 17 de Stanley Hayter à Paris. En 1969, elle ouvre, avec A. Caporaso, un atelier d'estampe à Paris. Depuis 1978, elle dirige l'atelier d'estampe de la Ruskin School of Fine Art de l'Université d'Oxford. Elle est membre de l'association Le Trait à Paris, de Xylon en France, du Printmakers' Council à Londres, et de la Royal Society of Printmaker à Londres.
Elle montre ses œuvres dans de très nombreuses expositions collectives. Pour ce qui est des biennales consacrées à la gravures : Biennale internationale, Bradford et Londres, 1968, 1970, 1986, 1989 ; Biennale internationale, Ljubljana, 1969 et 1975 ; Biennale de Séoul, 1970 et 1972 ; Triennale de l'estampe en couleur, Grenchen, 1976 ; Biennale della Xilografia, Venise, 1984 ; Biennale internationale de gravure, Musée de Digne, 1986 et 1988 ; Biennale internationale, Taipei, 1987 et 1992 ; Kochi International au Japon, 1993. Elle a également figuré à plusieurs salons parisiens comme le Salon des Réalités Nouvelles, le Salon des Grands et Jeunes d'Aujourd'hui, et à plusieurs expositions sur l'estampe contemporaine à la Bibliothèque nationale à Paris, notamment *De Bonnard à Baselitz* à la Bibliothèque nationale à Paris en 1992. Elle montre également ses œuvres dans des expositions personnelles. Depuis 1981 : Centre culturel de l'Ouest, Abbaye royale de Fontevrault en 1981 ; galerie Le Soleil bleu, Paris, en 1983 ; galerie Soudan, Buenos Aires, en 1984, 1989 ; Sewel Art Centre, Radley College, Abingdon, en 1984 ; galerie Cherubin, Ginza, Tokyo, en 1985 ; Central Library, Wesgate, Oxford, en 1986 ; galerie Biren, Paris, en 1989 ; Casa Eloy Blanco, Cumana (Venezuela) en 1991 ; galerie Praxis, Buenos Aires, en 1991 ; Musée de Dessin et de l'Estampe originale, Arsenal de Gravelines, en 1993.
Jean Lodge grave le métal, le bois, et réalise des collages. Ses estampes jouent avec les effets optiques et matiéristes de la superposition de plusieurs images, et de l'accord forme-fond. Figures, animaux (paons et papillons), paysages, se fondent dans un univers plein et saturé tout en maintenant un aspect aérien de perspective. D'autres œuvres mêlent des textes et de l'écriture scripturale à des figures ou des portraits selon le même procédé.
Bibliogr. : Fermin Fèvre : *Enigma and Signifiance*, préface de

l'exposition, galerie Soudan, Buenos Aires, 1989 – in : *De Bonnard à Baselitz*, catalogue de l'exposition, Bibliothèque nationale, Paris, 1992 – Divers : *Jean Lodge*, The Praxis collection, Buenos Aires, 1994.
Musées : Abington (Radley College) – Boston (Public Library) – Brest (Mus. des Beaux-Arts) – Bruxelles (Bibl. roy.) – Buenos Aires (Mus. Nat. de la Gravure) – Buenos Aires (Mus. de la Fundacion Romulo Raggio) – Caen (Mus. des Beaux-Arts) – Grenchen – Madrid (Bibl. Nac.) – Oxford (Ashmolean Mus.) – Oxford (St. John's College) – Oxford (Pembroke College) – Paris (BN, Cab. des Estampes) – Paris (Mus. d'Art Mod. de la Ville) – Pecia – Philadelphie (Free Library) – Springfield (Art Center) – Venise (Mus. della Xilografia) – Washington D. C. (Lessing Rosenwald coll.).

LODGE William
Né en 1649 à Leeds. Mort en 1689 à Leeds. XVIIe siècle. Britannique.
Dessinateur et graveur.
Destiné au barreau par son père, un riche marchand, William Lodge préféra une autre profession et partit avec lord Fauconberg, ambassadeur à Venise. Il traduisit en anglais le *Viaggio Pittoresco* de Giacomo Baré et le publia, en 1679, avec les portraits des principaux peintres d'Italie, et une carte, gravés par lui-même. De retour en Angleterre, il aida le docteur Lister dans la gravure de ses travaux d'histoire naturelle.

LODI. Voir aussi **PIAZZA**

LODI Carlo
Né le 11 février 1701 à Bologne. Mort le 22 avril 1765 à Bologne. XVIIIe siècle. Italien.
Peintre de paysages et de perspectives.
Le Musée des Offices de Florance possède des dessins de lui.

LODI Ermenegildo
Né à Crémone. XVIIe siècle. Italien.
Peintre.
Cité vers 1616. Élève de Giovanni-Baptista Trotti, dont il imita le style.

LODI Gaetano
XIXe siècle. Actif à Bologne vers 1850. Italien.
Peintre de sujets de genre, décorateur.
Ventes Publiques : New York, 26 mai 1992 : *Fumant une cigarette en cachette* ; *La bagarre*, h/t, une paire (chaque 41,9x52,7) : **USD 6 050**.

LODI Giacomo
Né à Bologne. XVIIe siècle. Actif au début du XVIIe siècle. Italien.
Peintre et graveur à l'eau-forte.
Disciple et imitateur de Lodovico Valesio. Il a gravé des ornements.

LODI Giovanni Battista
XVIIe siècle. Actif à Crémone vers 1600. Italien.
Peintre.
L'église S. Omobono lui doit un tableau d'autel : *La Vierge avec saint Antoine et saint Charles Borromée.*

LODI Leone
Né en 1900 à Soresina. Mort en 1974 à Soresina. XXe siècle. Italien.
Sculpteur de figures, groupes, animaux, monuments, bas-reliefs, peintre.
Il fut élève, à Milan, des cours du soir de l'Académie de Bréra, puis de l'École des Arts Appliqués à l'Industrie, où il enseigna ensuite. Il participa à des expositions collectives, dont : 1933 nombreuses œuvres à la Ve Triennale de Milan ; 1936 VIe Triennale de Milan ; ; 1937 avec un bas-relief pour le Pavillon de l'Italie à l'Exposition universelle de Paris ; 1940 VIIe Triennale de Milan ; etc. Des expositions personnelles posthumes lui ont été consacrées : 1975 Centre Culturel Municipal de Soresina ; 1983 galleria Carini de Milan.
Dans les années trente, il collabora parfois avec Mario Sironi. À cette époque, il avait adopté la stylisation caractéristique du moment. Il évolua ensuite à un retour au classicisme. Il a réalisé des bas-reliefs et statues ornementaux pour des bâtiments publics et privés de Milan et Rome, ainsi que des monuments aux morts, à Pizzighettone, Soresina, San Bassano (Crémone).
Bibliogr. : Divers : Catalogue de l'exposition *Leone Lodi*, Centre Culturel Municipal, Soresina, 1975 – divers : Catalogue de l'exposition *Leone Lodi*, galleria Carini, Milan, 1983.

LODI Manfredo
XVIIe siècle. Actif à Crémone. Italien.
Peintre.
Frère d'Ermenegildo Lodi. Il travailla pour l'église Saint-Augustin à Crémone.

LODIC Johannes
XVe siècle. Éc. de Bohême.
Peintre de miniatures et calligraphe.
En 1424 il orna de miniatures un manuscrit que conserve la Bibliothèque municipale de Munich.

LODOVICO Romolo
Né à Florence. XIVe siècle. Italien.
Peintre de miniatures et calligraphe.
Il écrivit le texte et exécuta les enluminures d'un manuscrit que conserve l'Académie Étrusque de Cortona.

LODOVICO di Angelo
XIVe siècle. Actif à Citta di Castello. Italien.
Peintre.
Il peignit en 1382 avec Bartolomeo di Bindo la grande salle du Palazzo pubblico de Citta di Castello.

LODOVICO da Ferrara. Voir **LOMBARDO Lodovico**

LODOVICO da Forli
XVe siècle. Actif à Venise. Italien.
Sculpteur sur bois.
Il exécuta le cadre du tableau d'autel de la chapelle de Saint-Tarasio à l'église S. Zaccaria.

LODOVICO di Magno da Siena
XIVe siècle. Italien.
Sculpteur.
Il travailla à Recanati.

LODOVICO da Modena
XVe siècle. Italien.
Peintre.
Il peignit à Ferrare en 1499 une *Danse des morts* dans la sacristie de l'Ospedale della Morte.

LODOVICO da Parma
XVe-XVIe siècles. Italien.
Peintre d'histoire.
Peut-être élève de Francia ; Affô le cite comme auteur d'une *Annonciation* dans l'église des Ermites, à Parme.
Musées : Londres (Nat. Gal.) : *Saint-Hugues* – Parme (Gal. Naz.) : *L'annonciation*, attr. à A. Araldi.

LODOVICO da Siena. Voir **LODOVICO di Magno da Siena**

LODOVISI. Voir **LUDOVISI**

LOË Guy. Voir **GUY-LOË**

LOEB Louis
Né en 1866 à Cleveland (Ohio). Mort en 1909 à Canterbury (New-Hampshire). XIXe siècle. Américain.
Peintre de sujets de genre.
Il fut associé de la National Academy en 1901, académicien en 1906. Plusieurs Musées d'Amérique possèdent de ses œuvres.
Ventes Publiques : Zurich, 30 oct. 1982 : *Sitting grandmother*, h/cart. (60x42,5) : **CHF 4 600** – New York, 10 juin 1992 : *Jeune femme dans la brise*, h/pan. (35,8x25,4) : **USD 4 400**.

LOEB Michel
Né le 21 août 1930 à Neuilly-sur-Seine (Hauts-de-Seine). XXe siècle. Français.
Peintre technique mixte. Naïf.
Il expose, à Paris, au Salon des Indépendants dont il est sociétaire depuis 1967. En 1995, en compagnie de Jean Clerté et Gilles Ghez, il a exposé à l'Hôtel Donadeï de Campredon de L'Îsle sur la Sorgue. Il montre également des expositions particulières à Paris.
Souvent par collage de matériaux divers, il crée un monde de pure imagination aux couleurs les plus fantaisistes dans un genre qui évoque parfois la peinture naïve.
Ventes Publiques : Paris, 25 fév. 1978 : *L'arbre de vie* 1978, isor. (46x38) : **FRF 5 000** – Paris, 30 juin 1986 : *Les Grandes Fleurs*, h/cart. (80x102) : **FRF 20 000** – Paris, 29 avr. 1988 : *Paysage naïf*, h/pan. (61x49,5) : **FRF 2 100** – Paris, 26 avr. 1990 : *Le chêne bleu*, h/t (89x116) : **FRF 30 000**.

LOEB Pierre
Né en 1934 à Nancy (Meurthe-et-Moselle). XXe siècle. Français.
Peintre, lithographe.
Il a figuré à l'exposition intitulée *De Bonnard à Baselitz* à la Bibliothèque nationale à Paris en 1992.
Bibliogr. : In : *De Bonnard à Baselitz*, catalogue de l'exposition, Bibliothèque nationale, Paris, 1992.
Musées : Paris (BN, Cab. des Estampes).
Ventes Publiques : Paris, 17 juin 1991 : *Portrait d'homme*, aquar. : **FRF 6 000** – Paris, 6 juil. 1992 : *Nature morte à la figue*, h/t (61x46) : **FRF 8 000**.

LOEBER Louise Maria, dite **Lou**
Née en 1894 à Amsterdam. Morte en 1983 à Blaricum. XXe siècle. Hollandaise.
Peintre.
De 1915 à 1918, elle a été élève de l'Académie des Beaux-Arts d'Amsterdam. En 1927, elle séjourne au Bauhaus de Dessau et à Berlin. Avant de rallier l'esthétique néo-plasticiste, vers 1925, elle a subi les influences symboliste, expressionniste, puis cubiste.
Abstraite et composant par lignes et aplats de couleur, elle n'en a pas moins gardé un contact étroit avec la réalité et les sujets du quotidien.
Bibliogr. : In : *L'Art du XXe s.*, Larousse, Paris, 1991.
Ventes Publiques : Hambourg, 9 juin 1979 : *Gootsteen II* 1933, h/cart. (84,5x71,5) : **DEM 3 000** – Cologne, 31 mai 1986 : *Composition géométrique*, fus. et craies de coul. (33,2x50,7) : **DEM 2 400** – Amsterdam, 24 mars 1986 : *Man near stove* 1947, h/pan. (43,5x32,2) : **NLG 9 000** – Amsterdam, 10 avr. 1989 : *Nature morte* 1929, h/t (55,5x48) : **NLG 13 800** – Amsterdam, 24 mai 1989 : *Chemin de fer en transit* 1932, h/cart. (81,5x81,5) : **NLG 25 300** – Amsterdam, 19 sep. 1989 : *Paysage aux gerbes de blé* 1920, h/cart. (26x60,5) : **NLG 2 300** – Amsterdam, 10 avr. 1990 : *Ville*, h/pap./cart. (57x40,5) : **NLG 9 200** – Amsterdam, 12 déc. 1990 : *Paysage avec un navire* 1929, h/cart. (49x60,5) : **NLG 11 500** – Amsterdam, 19 mai 1992 : *Paysage tourbillonnant* 1961, h/cart. (55x55) : **NLG 5 175** – Amsterdam, 9 déc. 1992 : *Ville*, h/pan. (49,5x49,5) : **NLG 7 475** – Amsterdam, 26 mai 1993 : *Dessau I* 1929, h/cart. (61x59) : **NLG 11 500** – Lokeren, 15 mai 1993 : *Jeux d'enfants* (16x20) : **BEF 60 000** – Amsterdam, 7 déc. 1994 : *Intérieur* 1925, h/cart. (63x44) : **NLG 13 800** – Amsterdam, 18 juin 1996 : *Wervelend landscape* 1961, acryl./t. (55,5x55,5) : **NLG 2 530** – Amsterdam, 10 déc. 1996 : *Rots* 1923, h/cart. (56,5x75,5) : **NLG 5 766**.

LOEDEWICH Van Kalkar
XVe-XVIe siècles. Allemand.
Sculpteur.
Il exécuta pour le maître-autel de l'église Saint-Nicolas à Kalkar le grand relief du milieu qui représente les *Scènes de la Passion*. On lui attribue d'autre part les douze statuettes d'apôtres du maître-autel de l'église paroissiale de Grieth.

LOEDING Harmen ou **Loddingh** ou **Lodting** ou **Luydingh**
Né en 1637. Mort en 1673. XVIIe siècle. Actif à Leyde. Français.
Peintre de natures mortes.
Il entra dans la gilde de Leyde en 1664. Le Musée de Kassel conserve deux tableaux de fruits de cet artiste, et celui de Schleissheim, une *Nature morte*.
Ventes Publiques : Londres, 7 mars 1980 : *Nature morte*, h/pan. (47,6x36,2) : **GBP 24 000** – Paris, 1er déc. 1986 : *Nature morte aux fruits et à l'aiguière sur un entablement*, h/t (58x46,5) : **FRF 91 000** – Amsterdam, 29 nov. 1988 : *Guirlande de raisin, prunes, pêches cerises et oranges suspendue dans une niche*, h/pan. (39x52,2) : **NLG 36 800** – New York, 12 jan. 1989 : *Nature morte avec des prunes, citrons, fraises, grappes de groseilles, une crevette et un nautile monté en or sur un entablement drapé*, h/pan. (47,5x37) : **USD 154 000** – Londres, 21 avr. 1989 : *Nature morte avec du raisin, des citrons et oranges pelés, une grenade éclatée et un couteau, une assiette d'étain et un verre sur un entablement*, h/pan. (41x53,2) : **GBP 52 800** – Londres, 17 avr. 1996 : *Nature morte avec une langouste sur un plat d'étain, une aiguière bleue et blanche, un verre de vin et des fruits sur une table drapée*, h/pan. (53,8x42,5) : **GBP 9 200**.

LOEDTS Léo
Né en 1941 à Etterbeck (Bruxelles). XXe siècle. Belge.
Dessinateur.
Il fut l'assistant de Berck.

LOEFF Hillebrand Dirk
Né le 6 février 1774 à La Haye. Mort le 17 mars 1845 à La Haye. XVIIIe-XIXe siècles. Hollandais.
Peintre de portraits.
Élève de Cornelis Van Cuylenburgh. Il fut aussi paysagiste et restaurateur de tableaux.
Musées : Amsterdam : *H. M. Eckhart*.

LŒFFLER. Voir **LÖFFLER**

LŒFFTZ Ludwig von. Voir **LÖFFTZ**

LŒHER Alois
Né en 1850 à Paderborn. Mort en juin 1904 à Silver Springs (U.S.A.). XIXe siècle. Américain.
Sculpteur.
Il se fixa à New York en 1883 et à Milwaukee en 1889. On cite parmi ses œuvres le *Monument Siegfried* et le groupe *Arion* à New York, le *Monument Fritz Reuter* à Chicago, des bustes, des médailles.
Musées : Chicago (Art Inst.) : *Buste de David Swing*.

LŒHLE Adolf von
Né le 4 avril 1838 à Munich. XIXe siècle. Allemand.
Peintre de portraits.

LŒHNIG Johann Georg
Né le 5 août 1743. Mort le 17 mai 1806 à Meissen. XVIIIe siècle. Allemand.
Peintre sur porcelaine.
Il fut peintre de figures à la Manufacture de Meissen. Le Conservatoire National des Arts et Métiers de Stuttgart possède une tasse portant sa signature complète et le Conservatoire des Arts et Métiers de Dresde une théière avec les lettres de son nom peintes sur de petites cartes avec lesquelles joue une jeune fille.

LŒHR. Voir aussi **LÖHR**

LŒHR Charles Louis
Né le 1er janvier 1746 à Genève. Mort le 7 juin 1778 à Vevey. XVIIIe siècle. Suisse.
Peintre de miniatures et peintre de portraits sur émail.
Il étudia à Paris.

LŒILLOT W.
XIXe siècle. Actif à Berlin de 1850 à 1876. Allemand.
Lithographe et éditeur.
On cite parmi ses œuvres : *Vue intérieure du mausolée de Charlottenbourg*, d'après C. Graeb (en couleur) ; *le Pater noster*, huit planches, d'après A. Müller ; *Paysage exotique*, d'après Ed. Hildebrandt.

LŒILLOT DE MARS K. ou **l'Oeillot**
XIXe siècle. Actif à Berlin. Allemand.
Peintre et lithographe.
Il figura aux Expositions de l'Académie de Berlin de 1832 à 1862. Il peignit des tableaux d'histoire et des portraits. L'église paroissiale de Mollwitz lui doit des fresques. Il fit des lithographies originales et de reproduction. On cite parmi ses lithographies originales les illustrations de *Wallenstein* et de *La Pucelle d'Orléans* de Schiller.

LŒILLOT-HARTWIG Charles Henri ou **Karl**
Né en 1798 à Stettin. XIXe siècle. Actif à Paris. Français.
Peintre de genre et portraitiste.
Il exposa au Salon, de 1830 à 1833.
Ventes Publiques : Paris, 25 mai 1934 : *Les omnibus à Paris en 1829*, suite de treize aquarelles sur quatorze : **FRF 5 000**.

LOEMANS Arnold ou **Arnout** ou **Arthur** ou **Artus**
Né au début du XVIe siècle à Anvers. XVIe siècle. Éc. flamande.
Graveur et marchand.
Artus Loemans était, en 1618, dans la gilde d'Anvers ; *Arthur Loemans*, graveur, était, en 1622, élève de Jan Collaert ; *Arnoult Loemans* était, en 1632, maître à Anvers. On cite aussi un Arnold Loemans, né à Anvers en 1660.

LŒN Gert Van. Voir **LON**

LOENBERG Lorens ou **Lönberg**
Né en 1733 en Suède. Mort en 1811 à Hambourg. XIXe siècle. Suédois.
Peintre d'histoire et décorateur.
Il travailla à Hambourg durant de longues années.
Ventes Publiques : Vienne, 11 sep. 1985 : *Bouquet de fleurs dans un vase sculpté* 1771, h/pan. (58x42,5) : **ATS 120 000**.

LŒNBORG. Voir **LÖNBORG**

LOENEN Johan Cornelisz Van, ou **Jean de**
Né à Utrecht. XVIIe siècle. Actif à Grenoble de 1620 à 1627. Hollandais.
Peintre d'histoire.
Il fit un tableau religieux pour l'église Sainte-Claire. Certainement le même que Jan Cornelis Loenen, qui fit son testament à Utrecht en 1634.

LOENINGA Allart Van
Mort en 1649 ou 1650. XVIIe siècle. Hollandais.
Portraitiste.
En 1639, dans la gilde de Middelbourg.

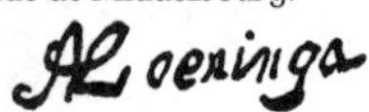

LOERT
XIVe siècle. Actif à Palma de Majorque. Espagnol.
Peintre.
Il fit les peintures de plusieurs autels de la cathédrale de Palma de Majorque.

LŒRUP Henry Jacob. Voir **LÖRUP**

LOESCH Ernst
Né en 1860 à Abtswind. XIXe siècle. Autrichien.
Peintre de paysages, dessinateur.
Il travailla à Klausen. Il exposa à Nuremberg en 1891. Il était fils de Ferdinand Loesch.
MUSÉES : NUREMBERG : *Paysage.*
VENTES PUBLIQUES : NEW YORK, 15 oct. 1993 : *Vue des quartiers anciens de Nuremberg,* h/t (69,8x48n3) : **USD 4 600**.

LOESCH Ferdinand August
Né le 25 juin 1820 à Nuremberg. Mort le 13 mars 1881 à Nuremberg. XIXe siècle. Allemand.
Peintre et graveur amateur.
Il était pasteur. Il peignit au pastel et dessina des vues de divers endroits et des vues d'architectures. Il fit quelques planches d'eaux-fortes d'après celles de J. A. Klein, G. Geissler, Rembrandt, et d'après ses propres esquisses. Le Musée germanique et la Bibliothèque municipale de Nuremberg possèdent de sa main plusieurs gravures et dessins.

LOESCHCKE Reinhard
Né le 26 février 1887 à Dorpat. Mort le 26 janvier 1920 à Berlin-Tegel. XXe siècle. Allemand.
Peintre de paysages.
Il fut élève de E. R. Butler, dont il imita le style.

LOESCHENKOHL Johann Hieronymus
Mort en 1807 à Vienne. XVIIIe siècle. Autrichien.
Graveur sur bois et sur cuivre, peintre et éditeur.
Ses œuvres représentent des événements ou des personnages de son temps. On cite parmi ses principales planches : *La mort de l'impératrice Marie-Thérèse ; La fête du Nouvel-An à la cour ;* une série de gravures sur la révolution française. On cite également pour le *Calendrier national autrichien* de 1789, cinquante sept portraits de comédiens et quarante-deux portraits de savants.

LOESCHER Andreas ou **Löscher**
Né en 1693 à Scharfenstein. Mort en 1762 à Augsbourg. XVIIIe siècle. Allemand.
Peintre de portraits.
Il travailla pendant un certain temps à Rome et à Venise, puis vint se fixer à Augsbourg où il acheva sa carrière.

LOESCHER Paul
XIXe siècle. Actif à Berlin. Allemand.
Peintre de natures mortes et paysagiste.
Il exposa à Berlin en 1887, 1888, 1893.

LOESCHIN Hermann
Mort le 23 janvier 1872 à Konigsberg. XIXe siècle. Actif à Konigsberg. Allemand.
Peintre d'histoire, genre.
Il était fils de Jacob Wilhelm Loeschin. Il figura à l'Exposition de l'Académie de Berlin en 1856 avec son tableau *Fête de la moisson en Lituanie* et en 1860 avec *Bataille de Torgau.*
MUSÉES : VARSOVIE (Mus. Nat.) : *Scène de la Révolution polonaise de 1863.*
VENTES PUBLIQUES : PARIS, 4 mai 1988 : *La course folle en sous-bois* 1863, h/t (87,5x124) : **FRF 40 000**.

LOESCHIN Jakob Wilhelm
Né en 1787 à Dantzig. XIXe siècle. Allemand.
Peintre de genre et peintre d'animaux.

LŒSCHINGER. Voir **LÖSCHINGER**

LOESCHMANN Emil
Né le 4 mai 1866 à Reisenbourg. XIXe siècle. Actif à Breslau. Allemand.
Peintre et graveur.
On cite parmi ses œuvres des tableaux muraux à l'Université, des paysages à l'Institut géologique, des dessins en couleur au Musée de Breslau.

LOESEN Rudolph. Voir **RUDOLF Van Antwerpen**

LOESER Franz Ferdinand. Voir **LÖSER**

LOETHEM J. Alex
XIXe siècle. Actif à Bruxelles dans la première moitié du XIXe siècle. Belge.
Peintre de genre.

LOETMAY Adam. Voir **LOTTMANN**

LOETS Jacob. Voir **LOOTS**

LOEVENDAL Emil Adolf ou **Loeventhal**. Voir **LÖVENDAL**

LOEVENSTEIN Fedor
Né le 13 avril 1901. Mort le 4 août 1947 à Nice (Alpes-Maritimes). XXe siècle. Actif en France. Tchécoslovaque.
Peintre.
Il fut élève de l'École des Arts Décoratifs de Berlin et de l'Académie des Beaux-Arts de Dresde. Il est en 1923 à Paris, et effectue des voyages en Hollande, Tunisie et Italie. En 1935, il a son atelier à Marmande (Lot-et-Garonne). En 1940, nombre de ses œuvres furent détruites par les Allemands.
Il figure, à Paris, entre 1925 et 1930, au Salon d'Automne, puis ensuite au Salon des Surindépendants. Il expose en 1944 au Salon de Mai.
Il peint des compositions dramatiques dans un esprit constructif qui fait de cet artiste un disciple posthume de La Fresnaye. Il a exécuté des panneaux décoratifs pour la Maison de la Presse à Berlin. Parmi ses œuvres principales : *Tête de Juif ; À l'Humanité ; Port de Dantzig ; rue à Saint-Tropez ; La Femme à la fenêtre.* Les musées d'Allemagne conservaient autrefois de ses œuvres.

LOEVMAND. Voir **LÖVMAND**

LOEVY Edward
Né le 18 décembre 1857 à Varsovie. Mort le 21 décembre 1911 à Paris. XIXe-XXe siècles. Polonais.
Peintre et illustrateur.
Il étudia à l'Académie de Saint-Pétersbourg et à Munich, puis se fixa à Paris. Il peignit des tableaux de genre et des portraits et illustra de 5 000 dessins, pour la plupart des portraits, l'Encyclopédie Larousse. Il exposait à la Société Nationale des Beaux-Arts. Citons encore ses illustrations pour les *Contes juifs* de Sacher Masoch et *Dix contes* de Jules Lemaitre, de nombreux portraits et des scènes paysannes.
VENTES PUBLIQUES : PARIS, 14 mai 1945 : *Deux moines sur un banc* : **FRF 3 000**.

LOEW. Voir aussi **LÖW**

LOEW Michael
Né en 1907 à New York. XXe siècle. Américain.
Peintre. Abstrait-géométrique.
Il fut successivement élève de l'Art Student's League de New York, d'Othon Friesz à l'Académie de la Grande Chaumière à Paris, de Hans Hofmann à New York, et de Fernand Léger de nouveau à Paris. Il continua de faire de fréquents voyages en Europe après 1930, puis de nouveau après 1950. En 1940-41, il voyagea en Amérique centrale. Pendant la Seconde Guerre mondiale, il fut peintre aux armées. Il a participé à de nombreuses expositions collectives, aux États-Unis et dans les pays étrangers, notamment à Paris en 1950 où il participa au Salon des Réalités Nouvelles. Il s'est manifesté aussi par des expositions personnelles dans les principales villes américaines, et à New York en 1953, 1955, 1959, 1961, etc.
Son évolution l'a amené à une abstraction géométrique, inspirée du néo-plasticisme de Mondrian.
BIBLIOGR. : In : *Peintres contemporains,* Mazenod, Paris, 1964.
MUSÉES : ATLANTA (Université de Géorgie) – BALTIMORE – PHILADELPHIE.

LOEWE. Voir aussi **LÖWE**

LOEWE Jules Frédéric Adolphe ou **Loewe-Marchand**
Né au XIXe siècle à Paris. XIXe siècle. Français.
Peintre de genre.
Élève de Pils. Débuta au Salon en 1879.
Musées : Auxerre : *Le supplicié.*
Ventes Publiques : Paris, 1884 : *Pythonisse* : **FRF 900**.

LOEWE Margarete, plus tard Mme **Bethe**
Née le 30 mai 1859 à Schollendorf. XIXe siècle. Allemande.
Peintre de genre, d'histoire, de portraits.
Élève de Wilh. Sohn, à Düsseldorf. Se fixa dans cette ville. Médaille d'argent à Londres. Exposa à partir de 1878. On cite d'elle : *Mignon ; Printemps à Capri ; Scène des Joyeuses commères de Windsor.*
Musées : Düsseldorf : *Cérémonies funèbres pour l'empereur Guillaume Ier* – Krefeld : *A l'hôpital Saint-Jean à Bruges.*
Ventes Publiques : Londres, 26 nov. 1927 : *Scène des « Joyeuses commères de Windsor »* : **GBP 246**.

LOEWEN Axel de, comte
Né le 1er novembre 1686. Mort le 25 juillet 1772 à Stralsund. XVIIIe siècle. Suédois.
Peintre de miniatures.
Le Musée d'histoire de Stockholm possède de sa main trois portraits de *Charles XII.*

LOEWENFINCK. Voir **LÖWENFICK**

LOEWENFOSS ou **Loewensohn**. Voir **LÖWENFOSS, LÖWENSOHN**

LOEWENGUTH Frederick M.
Né en 1887. XXe siècle. Américain.
Peintre de genre, intérieurs.
Il vivait et travaillait à Rochester (New York) et était membre du Club d'Art de la ville.
Ventes Publiques : New York, 21 mai 1996 : *Intérieur* 1918, h/t (55,5x76,2) : **USD 1 610**.

LOEWENS Richard
Né en 1856 à Dantzig. Mort en 1885 à Dantzig. XIXe siècle. Allemand.
Peintre.
Il peignit surtout des vues des rues de Dantzig et des intérieurs d'églises. Le Musée municipal de Dantzig possède deux portraits de sa main.

LOEWENSBERG Verena
Née en 1912 à Zurich. Morte en 1986 à Zurich. XXe siècle. Suisse.
Peintre, peintre à la gouache, lithographe. Abstrait, néo-constructiviste.
Elle fut élève de l'École des Arts et Métiers de Bâle, de 1927 à 1929. En 1935-1936, à Paris, elle suivit les cours de l'Académie Moderne, et rencontra Auguste Herbin et les participants du groupe *Abstraction-Création.* En 1937, elle adhéra au groupe *Allianz.* Elle a participé à toutes les expositions regroupant l'avant-garde suisse, ainsi qu'à *Aspects historiques du Constructivisme et de l'Art Concret* au Musée d'Art Moderne de la Ville de Paris en 1977. En 1981, le Kunsthaus de Zurich organisa une exposition rétrospective de son œuvre.
Pendant ses études à Bâle, elle s'était initiée au tissage, technique qui avait été réactivée au Bauhaus. À partir de 1934, elle se consacra à la peinture. Ce fut à la fin des années trente, à l'époque du groupe *Allianz,* qu'elle peignit ses premières œuvres construites, alors influencée par le néo-plasticisme de Mondrian, dont elle appliquait les principes de base, les développant selon des progressions calculées mathématiquement. Dans la suite, elle évolua librement, tout en restant dans le champ de l'abstraction géométrique, dans plusieurs directions, quant à des compositions géométriques plus souples et surtout plus variées, et quant à l'emploi étendu de la couleur. Elle fut, avec Max Bill, Richard Paul Lohse, Camille Graeser, toutefois peut-être moins systématique, un des principaux représentants du groupe *Art Concret* de Zurich.
Bibliogr. : S. Kappeler : *Verena Loewensberg,* Zurich, 1980 – in : *L'Art du XXe siècle,* Larousse, Paris, 1991.
Musées : Cholet (Mus. des Arts) : *Composition N°113* 1979 – Winterthur (Kunstmus.) : *Peinture N°50* 1942 – Zurich (Kunsthaus).
Ventes Publiques : Lucerne, 11 nov. 1987 : *Composition* 1972, h/t (60x60) : **CHF 25 000** – Zurich, 4 juin 1992 : *Composition* 1964, h/t (96x63) : **CHF 12 995** – Zurich, 21 avr. 1993 : *Serviette – quatre variations dans un carré* 1980, litho. coul. (51x36) : **CHF 3 800** – Lucerne, 4 juin 1994 : *N° 80* 1947, h/t (48x48) : **CHF 32 000** – Zurich, 25 mars 1996 : *Esquisse,* cr. de coul./pap. (10x10) : **CHF 3 565** – Zurich, 8 avr. 1997 : *Quatre variations autour d'un cercle,* cr. coul., quatre études (chaque 50x36) : **CHF 5 500** – Zurich, 14 avr. 1997 : *Sans titre* 1972, acryl./t. (162x15) : **CHF 27 600**.

LOEWENSTEIN Anny
Née en 1871 à Berlin. XIXe-XXe siècles. Allemande.
Peintre de compositions à personnages, figures, portraits, paysages, graveur, lithographe.
Elle étudia à Berlin et à Paris.

LOEWENSTEIN Olga
XXe siècle. Française.
Peintre. Expressionniste-abstrait.
Elle travaille à Paris, où elle a exposé, de 1949 à 1953, au Salon des Réalités Nouvelles, avec des peintures abstraites d'une facture tumultueuse.

LOEWENTAL Arthur Emanuel
Né le 28 août 1879 à Vienne. XXe siècle. Autrichien.
Sculpteur de bustes, médailleur de portraits.
Il grava des plaquettes de portraits, des médailles de décorations, et sculpta, en 1912, le buste en bronze de *Beethoven* pour la philarmonie de Moscou.

LOEWER Claude
Né en 1917. XXe siècle. Suisse.
Peintre, peintre à la gouache, peintre de cartons de tapisseries. Abstrait-lyrique.
En 1939, il participa à l'exposition *Trois jeunes,* avec Vincent Guignebert et Raymond Moisset.
Il s'est ensuite surtout fait connaître pour ses tapisseries, apparentées à l'abstraction-lyrique, dans l'esprit de celles de Huguette Arthur-Bertrand.
Musées : Aarau (Aargauer Kunsthaus) : *Ophir* 1977, gche – *Le pour et le contre* 1977, gche – *Réfraction* 1977, gche – *Écarlate* 1980.
Ventes Publiques : Lucerne, 21 nov. 1992 : *Composition* 1961, gche/pap. (29x53) : **CHF 1 600**.

LOEWER Conrad
XIXe siècle. Actif à Kassel. Allemand.
Peintre de portraits et lithographe.
On cite parmi ses grandes planches de lithographie : des *Vues de Wilhelmshöhe ; La Synagogue de Kassel ; le Portrait de K. Schomburg.*

LOEWI Pol
XIXe-XXe siècles. Polonais.
Peintre.
Ventes Publiques : Paris, 29 déc. 1944 : *Attelage dans la neige en Pologne* : **FRF 6 000**.

LOEWITZ Ivan. Voir **BLANCHOT Léon Alexandre**

LOEXHALLER ou **Loexthaler**. Voir **LÖXHALLER**

LOF J. de
XVIIe siècle. Actif vers 1668.
Graveur.
On cite de lui : *Martyre du Jésuite Gonzalve Sylveria.*

LÖFDAHL Eva
Née en 1953. XXe siècle. Suédoise.
Peintre.
En 1995, elle fut invitée à la Biennale de Venise.
Ventes Publiques : Stockholm, 5-6 déc. 1990 : *Composition* 1986, acryl./t. (60x60) : **SEK 15 000**.

LÖFFLER August
Né en 1822 à Munich. Mort en 1866 à Munich. XIXe siècle. Allemand.
Peintre de paysages, aquarelliste, graveur, dessinateur.
Il fut élève de Heinrich Adam, mais imita surtout la manière de Rottmann. Il voyagea beaucoup, visitant Trieste et l'Italie en 1846 ; la Terre Sainte, l'Égypte en 1849 ; la Grèce en 1853 et, en 1856, Milan et Venise. Il rapporta de ces différents voyages des études peintes avec beaucoup de conscience.
Musées : Leipzig : *Paysage grec* – Munich : vingt-deux esquisses d'Orient – Rome (Latran) : *Jérusalem* – Stuttgart : *Jérusalem.*
Ventes Publiques : Cologne, 17 mars 1978 : *Baigneuses dans un paysage boisé,* h/t (40x82) : **DEM 3 500** – Heidelberg, 3 avr. 1993 :

Cerf dans un vallon boisé, aquar. (25,3x37,4) : **DEM 2 500** – MUNICH, 27 juin 1995 : *Scène de village en Italie* 1846, h/t (56,5x47) : **DEM 9 775**.

LÖFFLER Bertold ou **Berthold**
Né le 28 septembre 1874 à Nieder-Rosenthal (près de Reichenberg, Bohême). Mort le 23 mars 1960 à Vienne. XIXe-XXe siècles. Autrichien.
Peintre de compositions à personnages, compositions murales, paysages, dessinateur, graveur, illustrateur, céramiste.
Il fut élève de Koloman Moser et de Franz von Matsch à l'École d'Arts et Métiers du Musée Autrichien de Vienne. En 1902, il fut l'un des fondateurs des ateliers de céramique *Wiener Keramik*. En tant que décorateur, il collabora aux *Wiener Werkstätte*. À partir de 1909, il enseigna à l'École des Beaux-Arts.
En 1903, à Vienne, il réalisa des compositions religieuses à la coupole de la chapelle Sainte-Brigitte ; en 1912 des compositions allégoriques au Musée Autrichien. Il a peint des paysages du Danube et du Tyrol. Vers 1914, il fut l'auteur et illustrateur de *Les sept nains de Blanche-Neige*. Il a illustré les *Contes* d'Andersen, et le recueil de poèmes *Le Cor enchanté du garçon*.

BERTOLD LÖFFLER

BIBLIOGR. : Marcus Osterwalder, in : *Diction. des illustrateurs 1800-1914*, Ides et Calendes, Neuchâtel, 1989.
MUSÉES : CHEMNITZ (coll. mun.) – STUTTGART (Mus. Nat.) – VIENNE (Mus. de l'Armée).
VENTES PUBLIQUES : VIENNE, 14 sep. 1982 : *Nature morte* 1914, h/t (69x56) : **ATS 30 000** – NEW YORK, 26 oct. 1983 : *Printemps* 1912, h/t (183x183) : **USD 34 000** – LONDRES, 5 nov. 1987 : *Osterreichische Kunst Ausstellung, Liljevalchs Kunsthall*, pl., encre noire, aquar. et cr. (88x55) : **GBP 1 300** – LONDRES, 28 nov. 1990 : *Etude d'un putti portant un bouquet de fleurs*, gche (35x26) : **GBP 2 200** – LONDRES, 23 sep. 1993 : *Projets décoratifs : Neudorf, Krondorf*, peint. or/pap. chamois, une paire (chaque 19x12,5) : **GBP 1 955** ; *Design de papier peint*, aquar./pap. chamois (88x63) : **GBP 4 600**.

LÖFFLER Carl Johann Albrecht
Né le 23 juillet 1810 à Copenhague. Mort le 28 juillet 1853 à Copenhague. XIXe siècle. Danois.
Peintre verrier et peintre décorateur.
Il se rendit en 1840 à Pompéi, grâce à une bourse et en rapporta de nombreuses études. Le Musée Thorwaldsen lui doit les peintures décoratives de quelques plafonds et la cathédrale de Roskilde deux vitraux.

LÖFFLER Charlotte Amalie
Née le 17 juin 1794 à Gotha. Morte le 27 mars 1878 à Munich. XIXe siècle. Allemande.
Peintre de portraits.
Elle fut élève de l'École des Beaux-Arts de Weimar et reçut un prix de la main de Goethe. Les portraits qu'elle peignit (à l'huile et au pastel), celui de son père, celui de sa sœur Juliane Löffler, son propre portrait, appartiennent à des collections privées.

LÖFFLER Conrad Frederik
Né le 1er mai 1768 à Copenhague. Mort le 9 juin 1819. XVIIIe-XIXe siècles. Danois.
Peintre.
Il était fils d'Ernst Heinrich Löffler. Le Musée de Frederiksborg possède de lui une aquarelle, datée de 1794.

LÖFFLER D.
XVIIe siècle. Actif à Cologne. Allemand.
Graveur.

LÖFFLER Emma Auguste
Née le 19 avril 1843 à Copenhague. Morte en 1929. XIXe-XXe siècles. Danoise.
Peintre de fleurs.
Elle était la fille de Carl Johann Albrecht Löffler. Elle exposa de 1873 à 1910.
VENTES PUBLIQUES : LONDRES, 26 nov. 1980 : *Nature morte aux fleurs et aux livres*, h/t (45x37) : **GBP 800** – LONDRES, 28 nov. 1984 : *Fleurs d'été* 1878, h/t (44x63) : **GBP 3 500** – LONDRES, 16 mars 1989 : *Muguet et fleurs de pommier*, h/t (39x30,3) : **GBP 1 870**.

LÖFFLER Erhard
XVIIIe siècle. Allemand.
Sculpteur.
Il exécuta de 1709 à 1711 l'autel de l'église Saint-Jacques à Stettin, et en 1735 les trophées d'un portail du château de cette même ville.

LÖFFLER Ernst Heinrich ou **Hendrick** ou **Loffler**
Né le 4 mai 1723 à Stettin. Mort le 27 mars 1796 à Copenhague. XVIIIe siècle. Danois.
Peintre.
Le château de Frederiksborg et le Musée des Beaux-Arts de Copenhague possèdent chacun deux tableaux de fleurs de sa main.
VENTES PUBLIQUES : PARIS, 22 juin 1990 : *Nature morte au verre rœhmer et à la rose ; Nature morte à l'orange et à la miche de pain sur un plat d'étain*, paire de cartons (20x16,5) : **FRF 280 000**.

LÖFFLER Franz
Né le 27 mars 1875 à Pettenreuth. XXe siècle. Allemand.
Peintre de paysages et de portraits.
Il fut élève de l'Académie de Munich.

LÖFFLER Hugo
Né en 1859 à Hambourg. XIXe siècle. Allemand.
Peintre de genre.
Il se fixa à Karlsruhe et exposa à Hambourg, Vienne, etc., à partir de 1889. On cite de lui : *Le carrier*.
VENTES PUBLIQUES : LONDRES, 16 mars 1983 : *La Partie de cartes*, h/t (84x125) : **GBP 1 100**.

LÖFFLER Johann Eckhard, l'Ancien
XVIIe siècle. Actif à Cologne vers 1630. Allemand.
Dessinateur et graveur.
Il grava des illustrations de livres, des frontispices, des portraits, des allégories.

LÖFFLER Johann Heinrich, le Jeune
Né vers 1604 ou 1605. XVIIe siècle. Actif à Cologne. Allemand.
Dessinateur et graveur.
Il était le frère de Johann Eckhard Löffler.

LÖFFLER Karl Friedrich
Né le 13 février 1823. Mort le 30 juin 1905 à Vienne. XIXe siècle. Autrichien.
Peintre.
Il travailla à Vienne et aussi durant quelques années à Linz. Il peignit des portraits, des compositions de genre et des tableaux religieux. On cite de sa main cinq tableaux d'autel pour une chapelle de Lundenbourg.

LÖFFLER Leopold. Voir **LÖFFLER-RADYMNO**

LÖFFLER Ludwig
Né en 1819 à Francfort-sur-Oder. Mort en 1876 à Berlin. XIXe siècle. Allemand.
Peintre d'histoire, lithographe et dessinateur.
Élève d'Hensel à l'Académie de Berlin ; il visita Paris et l'Italie, puis retourna à Berlin. Il exposa à Leipzig, en 1841, une *Scène de la vie de Mazarin*.

LÖFFLER-RADYMNO Léopold von, baron
Né le 30 octobre 1827 à Radymno. Mort le 6 février 1898 à Cracovie. XIXe siècle. Autrichien.
Peintre d'histoire, scènes de genre.
Il fut élève de l'Académie de Vienne et de Ferdinand Waldmüller. Il a travaillé à Paris, Vienne, Cracovie. Membre de l'Académie de Vienne en 1866, il fut professeur à l'École des Beaux-Arts de Cracovie en 1877.
MUSÉES : VIENNE : *Les fiançailles interrompues – Rodolphe de Habsbourg en danger de mort*.
VENTES PUBLIQUES : VIENNE, 22 sep. 1970 : *Le premier jour d'école* : **ATS 38 000** – LONDRES, 20 fév. 1976 : *L'école buissonnière*, h/pan. (71,5x58,5) : **GBP 2 400** – NEW YORK, 12 oct 1979 : *La visite du moine* 1856, h/t mar./isor. (79x104) : **USD 13 000** – LONDRES, 25 nov. 1981 : *Le Maître et le nouvel élève*, h/pan. (71x59,5) : **GBP 4 200** – MUNICH, 10 mai 1989 : *Les devoirs du soir* 1858, h/t (43x33) : **DEM 28 600** – MUNICH, 25 juin 1996 : *La Visite du pasteur*, h/t (61,5x76,5) : **DEM 8 000**.

LOFFREDO Michele
Né le 3 octobre 1870 à Torre-del-Greco (Naples). Mort le 1er septembre 1961 à Paris. XIXe-XXe siècles. Actif depuis 1901 en France. Italien.
Peintre de genre, figures typiques, portraits, nus, paysages, natures mortes, fleurs.
Élève de Francesco Mancini et Domenico Morelli à l'Académie

des Beaux-Arts de Naples, il en fut diplômé en 1892. Il alla ensuite travailler au Caire, où il séjourna jusqu'en 1900, avant de se fixer définitivement à Paris, commençant par recevoir les conseils de Jean-Paul Laurens, Jules Adler, Henri Royer à l'Académie Julian.
Il avait commencé à exposer dès l'époque de ses études à Naples, puis au Caire, recevant quelques distinctions. En France, il exposa avec une association de Versailles, et surtout au Salon des Artistes Français de Paris, à partir de 1904 ; 1910 mention honorable ; 1913 médaille d'argent, Grand Prix de l'Académie des Beaux-Arts, Grand Prix Eugène Piot ; 1920 chevalier de la Légion d'honneur ; 1928 médaille d'or, hors-concours ; 1937 médaille d'argent à l'Exposition Universelle ; 1956 officier de la Légion d'honneur. En 1924, il avait été fait chevalier de la Couronne d'Italie.
Pendant son séjour au Caire, il avait peint des personnages et des scènes typiques ; il resta attaché à cette peinture de types sociaux, scènes de la rue, vagabonds, mendiants. Outre son travail de portraitiste de personnalités, il privilégia dans son œuvre les scènes familiales, maternités, jeux d'enfants.
Musées : Los Angeles – Paris (Mus. d'Orsay) : *Maternité* 1917.
Ventes Publiques : Los Angeles, 21 juin 1982 : *Child's caress*, h/t (179x174) ; *Will he come back ?*, h/t (184x209,5) : **USD 6 500**.

LOFFREDO Sylvio
Né en 1920 à Paris, de parents italiens. xxe siècle. Italien.
Peintre, graveur. Expressionniste.
Fils de Michele Loffredo, qui était fixé à Paris, il en reçut les premiers conseils et s'initia à la peinture et à la gravure. Après la guerre, après un retour à Paris, il fut élève de l'Institut d'Art de Sienne, et des Académies des Beaux-Arts de Rome et de Florence, où il s'est fixé.
Il participe à de nombreuses expositions collectives, d'entre lesquelles : de 1949 à 1954 à Paris ; de 1950 à 1954 à Genève ; 1951, 1955, 1959, (...) Quadriennale de Rome ; 1956, 1962 Biennale de Venise ; etc. Il a obtenu en 1952 le Prix Prato ; 1956 le Prix du Musée de Philadelphie ; 1962 le Prix Arezzo. Outre ses expositions personnelles en Italie, en 1969 il a exposé à Paris avec Antonio Bueno ; en 1980 seul à la galerie Jacques Massol. En 1970-71, il fut invité à enseigner la peinture à l'Académie de Varkaus en Finlande ; depuis 1973, il est professeur à l'Académie des Beaux-Arts de Florence.
Peintre à tendance expressionniste-abstraite, la réalité intervient pourtant dans ses œuvres, par l'intermédiaire de la lumière, voire des climats poétiques. Jean-François Revel a écrit en 1969 : « Loffredo ne cherche pas à être un faux abstrait, il n'est pas de cette foule de peintres qui aujourd'hui trichent en masquant leur figuration... Il est donc un des rares survivants d'une espèce en voie de disparition : les artistes à expression multiple. » Il a réalisé des compositions murales. Il est l'un des principaux représentants de l'école florentine contemporaine.
Bibliogr. : In : *Peintres contemporains*, Mazenod, Paris, 1964.
Musées : Boston, U.S.A. – Florence – Genève – Milan – New York – Paris – Pise.

LÖFFTZ Ludwig von ou **Lœfftz**
Né en 1845 à Darmstadt. Mort en 1910 à Munich. xixe-xxe siècles. Allemand.
Peintre d'histoire, sujets religieux, allégoriques, genre, figures, intérieurs, paysages. Postromantique.
Il avait commencé à travailler seul, puis, en 1869, fut élève de August von Kreling et Karl Raupp à l'École des Beaux-Arts de Nuremberg. En 1870, il alla à Munich poursuivre sa formation. En 1874, il fut nommé professeur à l'Académie des Beaux-Arts de Munich, dont il devint directeur.
Il était remarquable par la diversité de ses thèmes d'inspiration.
Musées : Darmstadt : *Le retour de la chasse – Tête d'étude – Intérieur d'une maison* – Elberfeld : *Sur la glace* – Francfort-sur-le-Main (Städel Inst.) : *Paysanne endimanchée* – Karlsruhe : *Petit jardin au bord du lac* – Munich : *Le Christ mort – Inondation – Paysage rocheux – Orphée et Eurydice* – Prague (Rudol. Mus.) : *La forge* – Stuttgart : *Érasme de Rotterdam*.
Ventes Publiques : New York, 18 avr. 1945 : *Amour et Avarice* : **USD 600** – Los Angeles, 28 juin 1982 : *Portrait d'homme barbu*, h/t (51x42) : **USD 1 600** – Munich, 5 juin 1984 : *Paysage alpestre au ciel d'orage* 1892, h/t (48x52) : **DEM 8 700** – Munich, 11 mars 1987 : *Pêcheur à la ligne au bord d'une rivière*, h/cart. (21x15,5) : **DEM 7 000**.

LÖFGREN Erik Johan
Né le 15 octobre 1825 à Abo. Mort le 10 décembre 1884 à Abo. xixe siècle. Finlandais.
Peintre.
Il fut élève de l'Académie de Stockholm. Il étudia également à Düsseldorf, à Paris, à Munich. L'Atheneum d'Helsingfors possède le portrait de l'artiste par lui-même, ainsi que six tableaux de figures et l'Université de la même ville deux portraits de sa main.

LO FORTE Salvatore
Né le 20 mars 1809 à Palerme. Mort le 10 janvier 1885 à Palerme. xixe siècle. Italien.
Peintre d'histoire et de portraits.
On cite parmi ses œuvres des fresques dans l'église dell'Olivella à Palerme et des tableaux d'autel dans la même église, ainsi que dans l'église S. Chiara à Noto et dei Filippini à Messine.

LOFTHOUSE Mary. Voir **FORSTER Mary**

LOFTHUS Arne Wallem
Né le 23 septembre 1881 à Bergen. Mort en 1962. xxe siècle. Norvégien.
Peintre de portraits, natures mortes, décorations murales, lithographe.
Il exécuta des peintures décoratives à la Bibliothèque de Bergen et dans les théâtres de la ville.
Musées : Bergen (Gal. d'Art) – Copenhague (Conservat. des Arts et Métiers) – Frederiksborg : plusieurs portraits – Oslo (Gal. d'Art).
Ventes Publiques : Londres, 17 mai 1991 : *Nature morte avec une langouste, divers légumes et un cyclamen* 1917, h/t (100,5x92,5) : **GBP 1 980**.

LOFVERS Hendrick
Né en 1739 à Groningue. Mort en 1805 à Groningue. xviiie siècle. Hollandais.
Peintre de marines, de paysages et de fleurs.
Fils et élève de Pieter Lofvers.
Ventes Publiques : Londres, 13 fév. 1947 : *Deux Marines* : **GBP 130** – Londres, 24 mai 1963 : *Bateaux anglais et hollandais quittant la côte* : **GNS 750**.

LOFVERS J.
Né en 1768. Mort en 1814. xviiie-xixe siècles. Hollandais.
Peintre.
Fils d'Hendrik Lofvers.

LOFVERS Pieter
Né en 1710 à Groningue. Mort en 1788. xviiie siècle. Hollandais.
Peintre et dessinateur de marines.
Élève de Jan-Abel Wassenberg. Il peignit avec talent et jouit d'une notable réputation en France, en Angleterre et surtout à Hambourg.

LOFVING Hugo
Né en 1918 à Animskog. xxe siècle. Suédois.
Peintre.
De 1938 à 1945, il fut élève de l'École des Beaux-Arts de Valand, à Göteborg, où il vit et où il est membre du Cercle des Artistes et collabore à l'activité de ce centre artistique parallèle à celui de Stockholm. Il fit des voyages d'étude en Europe. En 1962, il a participé à l'exposition *Aspects de la jeune peinture suédoise* à Paris. En 1950, il montra un ensemble de ses œuvres dans une exposition personnelle à Göteborg.
Bibliogr. : In : Catalogue de l'exposition *Aspects de la jeune peinture suédoise*, galerie Jacques Massol, Paris, 1962.

LOGAN Robert Fulton
Né le 25 mars 1889 dans l'état du Manitoba. Mort en 1959. xxe siècle. Actif en France, depuis 1918 naturalisé aux États-Unis. Canadien.
Peintre, graveur de paysages, architectures.
Il était membre de l'Association Américaine des Arts de Paris et du Salmagundi Club.
Il a peint des paysages de France, notamment de la région parisienne, où il séjournait. Il a gravé à l'eau-forte des vues des cathédrales françaises, des architectures de Bourgogne, spécialement de Dijon.
Musées : Brooklyn – Chicago (Art Inst.) – Detroit – Londres (British Mus.) – New York (Metropolitan Mus.) – Paris (Mus. Nat. d'Art Mod.).
Ventes Publiques : New York, 9 sep. 1993 : *Le parc de Versailles* 1921, h/cart. (35,6x26,7) : **USD 633**.

LOGAN Robert Henry
Né le 24 juin 1874 à Waltham (Massachusetts). Mort le 9 janvier 1942. xixe-xxe siècles. Américain.

Peintre de compositions animées, figures, portraits, intérieurs, paysages. Postimpressionniste.

En 1890, il fut élève de Frank Benson et Edmund Tarbell à l'École des Beaux-Arts du Musée de Boston, obtenant le Prix de Dessin en 1892. En 1895, à Paris, il fut élève de Raphaël Collin, Jean-Paul Laurens, Benjamin-Constant, à l'Académie Julian, fut aussi en contact avec l'Américain Robert Henri, et resta en France les quinze années suivantes. En 1897, 1899, 1901, il participa au Salon des Artistes Français. Il fit des voyages en 1900 en Bretagne et Angleterre, en Italie et en 1910 au Maroc, d'où il rapportait des photographies qu'il utilisait ensuite à l'atelier. Revenu aux États-Unis en 1910, il y participa à des expositions, puis, autour de 1925, renonça à la peinture pour concentrer son activité à la décoration. Oublié pendant longtemps, son œuvre fut redécouvert en 1978.

L'essentiel de son œuvre a été réalisé pendant les quinze années de son séjour à Paris, ses voyages de la même époque, et les premières années de son retour aux États-Unis. Edmund Tarbell avait déjà initié Logan à l'esprit impressionniste, influence accentuée par ses contacts à Paris avec Robert Henri et avec les œuvres de Whistler. En fait, dans ses vues de plages anglaises, puis américaines, des canaux de Venise, des marchés marocains, des intérieurs parisiens, ce qui caractérise l'art et la manière de Logan, c'est, beaucoup plus que la touche impressionniste, celle, plus sensuellement fluide du pré-impressionnisme des premières années soixante-dix de Monet, voire même celle d'Eugène Boudin, particulièrement dans ses vues de plages animées. ■ J. B.

Bibliogr. : Melinda Kahn Tally : *Robert Henry Logan, 1874-1942,* Davis & Long Company, New York, 1980.

Ventes Publiques : Bolton, 20 nov. 1980 : *Jeunes Bretonnes dans un intérieur* 1895,1900, h/cart. (24,3x30,5) : **USD 4 000**.

LOGANOVSKI Alexander Vassiliévitch

Né le 11 mars 1810. Mort le 18 novembre 1855 à Saint-Pétersbourg. XIXe siècle. Russe.

Sculpteur.

Il fut élève de l'Académie de Moscou et boursier de l'Académie de Rome. On cite parmi ses œuvres des statues monumentales de saints et des reliefs dans l'église du Sauveur à Moscou, des reliefs dans la cathédrale Isaac à Leningrad, deux groupes d'anges et une statue de Saint Georges dans la salle Alexandre au Kremlin.

LOGEAIS Ellen

Née le 8 août 1905 à Paris. XXe siècle. Française.

Peintre de paysages, marines.

Depuis 1954, elle expose à Paris, aux Salons de la Société Nationale des Beaux-Arts, d'Automne, des Indépendants, de la Marine.

Grande voyageuse, elle rapporte des séries de paysages des pays qu'elle a traversés.

Musées : Narbonne (Mus. d'Art et d'Hist.) : *Le Tahitien.*

LOGELAIN Alphonse

Né en 1881 à Ixelles (Bruxelles). Mort en 1965. XXe siècle. Belge.

Peintre de portraits, intérieurs, paysages, fleurs.

Il fut élève de Jean Mayné à l'Académie des Beaux-Arts d'Ixelles. Il a voyagé longuement en Italie et en Bavière.

Bibliogr. : In : *Diction. biograph. illustré des artistes en Belgique depuis 1830,* Arto, Bruxelles, 1987.

LOGELAIN Henri

Né en 1889 à Ixelles (Bruxelles). Mort en 1968 à Bruxelles. XXe siècle. Belge.

Peintre de portraits, figures, nus, paysages, paysages urbains, marines, natures mortes, aquarelliste, graveur, lithographe.

Il fut élève d'Auguste Oleffe à l'Académie Royale des Beaux-Arts de Bruxelles. Il a exposé entre 1911 et 1945 en Belgique. Professeur à l'École des Beaux-Arts de Louvain et à l'École des Arts Décoratifs de Vilvorde.

Peintre de la nuance, il privilégiait les grisailles.

Henri Logelain

Bibliogr. : In : *Diction. biograph. illustré des artistes en Belgique depuis 1830,* Arto, Bruxelles, 1987.

Musées : Bruxelles – Charleroi – Courtrai – Gand – Ixelles – Namur – Ostende.

Ventes Publiques : Bruxelles, 24 mars 1976 : *Paysage d'automne avec étang* 1940, h/t (45x54) : **BEF 20 000** – Bruxelles, 25 mars 1978 : *Vue de Bruxelles* 1958, h/t (65x54) : **BEF 64 000** – Bruxelles, 27 févr 1979 : *La rade d'Anvers,* h/t (59x72) : **BEF 36 000** – Bruxelles, 29 sep. 1982 : *Maisons au bord du quai,* h/t (53x64) : **BEF 75 000** – Bruxelles, 27 mars 1990 : *Jeune fille assise,* aquar. (62x41) : **BEF 80 000**.

LOGEROT Antoine Dominique

Né en 1776 à Andélancourt. Mort en 1844 à Rennes (Ille-et-Vilaine). XIXe siècle. Français.

Portraitiste.

LOGEROT Louise, née **Lenot**

XIXe siècle. Active à Paris. Française.

Peintre de fleurs et de fruits et aquarelliste.

Exposa au Salon, de 1842 à 1849.

LOGEROT Pauline ou **Logereau**

XIXe siècle. Française.

Peintre de genre et de portraits.

Exposa à Paris au Salon, de 1842 à 1848.

LOGES Alfred

Né en 1871 à Halberstadt. XIXe-XXe siècles. Allemand.

Peintre à la gouache, aquarelliste, pastelliste de paysages.

Il peignit d'abord à la gouache et à l'aquarelle, ensuite au pastel, des vues de la Marche du Holstein et de la Baltique.

Musées : Posen : *Vue de Malente,* gche.

LOGGAN David

Né vers 1630 à Dantzig. Mort en 1692 à Londres. XVIIe siècle. Britannique.

Dessinateur de portraits, architectures, graveur.

Élève, selon certaines sources, de Simon de Passe au Danemark, et selon d'autres sources, de Crispin de Passe, le Jeune, puis de Willem Hondius en Hollande. Il travailla aux Pays-Bas, puis en Angleterre, à Oxford et à Cambridge, où il fut surtout graveur et illustrateur, entre autres de l'*Histoire des plantes* de Morrison. Ses portraits dessinés sont très recherchés, et ses gravures d'architecture sont également très appréciées.

D.L

Bibliogr. : In : *Diction. de la peinture anglaise et américaine,* coll. Essentiels, Larousse, Paris, 1991.

Ventes Publiques : Londres, 17 nov. 1981 : *Portrait d'un jeune homme,* cr., craie noire et lav./parchemin, de forme ovale (11,5x8,8) : **GBP 800**.

LOGGIA Piero

Né le 2 mai 1936 à La Salle (Val-d'Aoste). XXe siècle. Actif en France. Italien.

Peintre de compositions à personnages, intérieurs, sujets divers.

En 1950, il fut élève de l'École d'Art d'Aoste. De 1956 à 1974, il dut s'occuper de l'entreprise familiale de scierie. À la suite d'un accident, il dut cesser son activité, et reprit la peinture. Jusqu'en 1979, il a vécu dans le Val-d'Aoste, puis en France. Il participe à d'innombrables expositions collectives régionales, en France et en Italie, y collectionnant des distinctions diverses, mais aussi à Paris : de 1981 à 1985 au Salon des Indépendants, dont il est sociétaire ; en 1984 au Salon des Artistes Français. Dans les régions, il montre aussi des ensembles de ses peintures dans des expositions personnelles. Il pratique aussi une technique de peinture sur pierre.

LOGHADES Léonie de, née **Tchoumakoff**

Née le 29 novembre 1859 à Paris, de parents russes. XIXe siècle. Française.

Pastelliste.

Élève de Gigoux, Bouguereau, Fleury et Ferrier. Exposait au Salon des Artistes Français depuis 1898, où elle obtint une médaille en 1900.

LOGHI Kimon

Né en 1871 à Serres (Macédoine). XIXe-XXe siècles. Grec.

Peintre de genre, portraits, figures typiques, natures mortes.

Musées : Bucarest (Mus. Simu) : *Nature morte – Le Voyou – Paysanne de Macédoine – Un Bédouin – Portrait de femme – Juive de Salonique.*

Ventes Publiques : Londres, 13 oct. 1994 : *Deux Femmes dans* *un paysage arcadien,* h/t (43,6x51,2) : **GBP 4 140** – PARIS, 25 juin 1996 : *Jeune Grecque au voile,* h/t (79x38) : **FRF 116 500.**

LOGO Oto

Né en 1931 à Belgrade. XXe siècle. Yougoslave.

Sculpteur. Abstrait.

Il fut élève de l'École des Arts Appliqués de Belgrade, d'où il sortit diplômé en 1954. Depuis, il participe à de très nombreuses expositions collectives d'art contemporain yougoslave, surtout à Belgrade et dans diverses villes des pays de l'Est européen, et encore : 1965 Paris, Londres, Milan pour la *Ire Exposition Internationale de Sculpture* au Musée d'Art Moderne ; 1966 New York, Paris *XVIIIe Salon de la Jeune Sculpture,* de nouveau Paris *IIIe Exposition Internationale de Sculpture Contemporaine* au Musée Rodin ; etc. Il a obtenu divers Prix, notamment le Prix de Sculpture du VIe Salon d'Octobre de Belgrade. Il montre aussi des ensembles de ses œuvres dans des expositions personnelles à Belgrade : 1957, 1959, 1962, 1967 au Musée d'Art Moderne de Belgrade, etc.

Ses sculptures, issues de la réflexion ascétique brancusienne, se sont progressivement détachées de cette influence, pour se réactualiser à travers l'expression symbolisée du monde contemporain de la machine. Cette évolution est indiquée dans quelques titres d'œuvres, pris dans les différentes périodes de son travail : *Oiseaux de bronze, Cuirassiers, Portraits de machines.* Un extrême polissage de ses sculptures leur confère l'aspect de précision qui les assimile au monde mécanique.

BIBLIOGR. : Jesa Denegri : Catalogue de l'exposition *Oto Logo,* Mus. d'Art Mod., Belgrade, 1967.

VENTES PUBLIQUES : LOKEREN, 11 mars 1995 : *Le pion,* sculpt. d'alu. (H. 80, l. 35) : **BEF 36 000.**

LOGRONO Francisco

XVIe siècle. Vivant au bourg d'Osma. Espagnol.

Sculpteur.

Cet artiste travailla beaucoup avec Berruguete et prit une part importante à l'exécution du célèbre retable de la cathédrale de Médina de Rioseco. Quelques critiques même prétendent qu'une quatrième partie du retable lui fut confiée, celle qui représente la *Purification de la sainte Vierge.*

LOGSDAIL Marian, plus tard Mrs **Bell**

XIXe-XXe siècles. Britannique.

Peintre.

Fille de William Logsdail. Elle figura à la Royal Academy de 1886 à 1909 avec des *Vues.*

LOGSDAIL William

Né en 1859 à Lincoln. Mort en 1944. XIXe-XXe siècles. Britannique.

Peintre de portraits, paysages urbains, marines.

Il fut élève de Edward R. Taylor à l'Académie des Beaux-Arts de Lincoln, puis de l'Académie d'Anvers. À partir de 1878, il exposa régulièrement à la Royal Academy de Londres. Il travailla longtemps à Venise, et, entre 1887 et 1892, il visita l'Égypte et les côtes méditerranéennes en Italie. Sa peinture *Marché aux poissons à Anvers* fut acquise par la reine Victoria.

Son œuvre consiste en portraits, et surtout en vues de Londres et des pays et villes qu'il visita.

MUSÉES : BIRMINGHAM : *La Place Saint-Marc à Venise* – LIVERPOOL : *La Veille des régates – Portrait de T. Hampson Jones* – LONDRES (Tate Gal.) : *St-Martin-in-the-Fields.*

VENTES PUBLIQUES : LONDRES, 24 juin 1909 : *Vue de Venise* : **GBP 33** – LONDRES, 15 déc. 1972 : *Mad Maria* : **GNS 350** – LONDRES, 3 nov. 1977 : *La porte d'une ville arabe animée de nombreux personnages* 1887, h/t (110,4x80) : **GBP 8 500** – LONDRES, 2 févr 1979 : *Le Palais des Doges, Venise,* h/t (44,3x19) : **GBP 480** – LONDRES, 4 juin 1982 : *La Piazzetta au XVIIIe siècle,* h/t (160,6x120,6) : **GBP 6 500** – LONDRES, 23 mars 1984 : *La Piazzetta au XVIIIe siècle,* h/t (491,6x120,6) : **GBP 9 500** – LONDRES, 13 fév. 1987 : *Un canal à Venise,* h/t (101,6x55,8) : **GBP 4 500** – LONDRES, 2 juin 1989 : *St-Martin-in-the-Fields* 1888, h/t (41x31) : **GBP 28 600** – LONDRES, 2 nov. 1989 : *Through London by omnibus* 1888, h/t monochrome (33,1x40,6) : **GBP 2 860** – LONDRES, 13 fév. 1991 : *Présentation,* h/t (94,5x46) : **GBP 4 950** – LONDRES, 5 juin 1991 : *L'ancien fiacre anglais* 1891, h/cart. (43x30,5) : **GBP 1 595** – LONDRES, 5 mars 1993 : *Une fresque vénitienne* 1885, h/t (103,8x167,7) : **GBP 45 500** – LONDRES, 7 juin 1995 : *La Loggia du Palais des Doges à Venise au XVIIe siècle,* h/t (161x121) : **GBP 52 100** – LONDRES, 14 mars 1997 : *Saint Paul et Ludgate Hill,* h/t (73,3x55) : **GBP 115 900.**

LOGTEREN Ignatius Van. Voir **LUCHTEREN**

LO GUERCIO Gaspare

XVIIe siècle. Actif à Palerme. Italien.

Sculpteur.

Il exécuta avec Gaspare Serpotta six statues de saintes sur la balustrade de la place de la Cathédrale. Dans la chapelle du Crucifix de la cathédrale une statue de *Saint Jean,* faisant partie d'une crucifixion, est de sa main.

LO GUERCIO Vincenzo

XVIe siècle. Actif à Palerme. Italien.

Sculpteur.

Une fenêtre du Palais communal à Palerme est de sa main, comme également une *Vierge* de marbre dans une chapelle de l'église de Ciminna, une autre dans l'église de la Conception à Palerme.

LOGUINOFF Tatiana ou **Loguine**

Née le 17 décembre 1904 à Sébastopol. XXe siècle. Active en France. Russe.

Peintre de paysages, décorateur.

À Paris, elle exposait au Salon des Indépendants.

Outre ses paysages, elle créait des étoffes peintes.

LOGUINOV Wieceslav

Né en 1946. XXe siècle. Russe.

Peintre de genre, portraits.

Il fut élève de l'Académie des Beaux-Arts de Léningrad, Institut Répine. Il est membre de l'Association des Peintres de Léningrad.

Il peint, plutôt savamment quant au dessin, aux effets de perspective selon des angles difficiles, à la technique picturale, des scènes de la vie quotidienne, souvent dans la campagne.

LOHAUS Bernd

Né en 1940 à Düsseldorf. XXe siècle. Actif en Belgique. Allemand.

Sculpteur, technique mixte. Arte-povera, conceptuel.

Il travailla d'abord dans un atelier de menuiserie, puis, en 1960, fit l'apprentissage de la taille de la pierre. À la suite d'un spectacle *Fluxus,* groupant, entre autres, John Cage, Ben, Kaprow, Nam June Paik, Beuys, de 1963 à 1967, il fut élève de Joseph Beuys à l'École des Beaux-Arts de Düsseldorf. Il s'est ensuite fixé à Anvers.

Il participe à des expositions collectives, dont *Prospect 68* à Düsseldorf ; 1969 *Quand les attitudes deviennent formes* à Berne ; 1970 *Jetz* (Maintenant) à la Kunsthalle de Cologne ; 1975 IXe Biennale de Paris ; etc. Il expose individuellement depuis 1963, entre autres : 1965 Madrid ; 1966 Anvers ; 1967 Bruxelles ; 1969 Berlin ; 1973 Paris ; 1989 Musée d'Art Moderne de Villeneuve d'Ascq ; etc.

Sous l'influence de Beuys, les premières sculptures de Lohaus étaient apparentées à l'art-pauvre. En 1970, il écrivait à la craie le mot « ich » (je, moi) sur des planches de récupération, repêchées du port d'Anvers, posées au sol ou contre un mur. Faites de bois, de poutres, de cordes, elles tentaient de renouer avec l'élémentaire, s'inscrivant dans un mouvement qui, au début des années soixante-dix, se référait à une pratique artisanale de l'art. Son travail s'est dans la suite orienté vers une production plus analytique de l'œuvre d'art elle-même et de ses relations avec l'extérieur. Désormais il incise ce « ich », accompagné de « du » (tu, toi), « wir » (nous), « zwischen » (entre), comme un commencement de langage, de communication, sur ces mêmes bois usagés qui portent, à valeur égale, les traces de leurs utilisations antérieures, et qu'il réunit, plus qu'il ne les assemble, sans organisation préconçue, pouvant être déplacés dans une interaction « ouverte », dans un esprit minimaliste, associant toutefois une amorce de structure spatiale et un balbutiement de sens. ■ J. B.

BIBLIOGR. : Catalogue de l'exposition *Bernd Lohaus,* Mus. d'Art Mod., Villeneuve-d'Ascq, 1988-89 – in : *Diction. de l'Art Mod. et Contemp.,* Hazan, Paris, 1992.

MUSÉES : AMIENS (FRAC Picardie) : *Sans titre* 1975, 1986, 1990-1991, 3 past.

LOHBAUER Philipp Gottfried

Né en 1745 à Spire. Mort en 1816 à Stuttgart. XVIIIe-XIXe siècles. Allemand.

Dessinateur et écrivain.

D'après lui furent gravés des portraits, notamment celui de *Schubert* (1791).

LOHBAUER Rudolf

XIXe siècle. Actif à Stuttgart. Allemand.

Peintre, lithographe et écrivain.

On cite parmi ses œuvres des dessins lithographiés pour le *Don Juan* de Mozart.

LOHDE Max
Né le 3 février 1845 à Berlin. Mort le 18 décembre 1868 à Naples. XIXe siècle. Allemand.
Peintre d'histoire et de genre.
Après avoir étudié avec Julius Schnorr à Dresde, Cornelius et enfin à l'Académie de Berlin, il se consacra à la peinture décorative. Il inventa un enduit donnant à ses couleurs plus de puissances colorées. Il décora notamment l'escalier du Sophia Gymnasium à Berlin, y représentant : *l'Enlèvement d'Hélène ; Le Retour d'Hélène ; Le Retour d'Agamemnon ; Le Retour d'Ulysse.* Éprouvé par le climat de l'Allemagne, il alla chercher, mais en vain, la santé en Italie.

LOHDON Jean Abel. Voir aussi **LORDON Jean Abel**

LOHE, famille d'artistes
XVIIe-XVIIIe siècles. Allemands.
Peintres.
Cette famille était établie à Hof en Bavière.

LOHMANN
XVIIIe siècle. Danois.
Peintre sur porcelaine.
Il travailla pour la Manufacture de porcelaine de Schleswig. Le Musée folklorique danois de Copenhague possède une pièce portant son nom.

LOHMANN Erika
Née le 21 juillet 1900 à Hambourg (Allemagne). XXe siècle. Américaine.
Peintre.
Élève de Winold Reiss. Elle peignit douze panneaux décoratifs pour l'Hôtel Saint-George de Brooklyn.

LOHMAR Heinz
Né en 1900 à Troisdorf. Mort en 1976. XXe siècle. Actif en France. Allemand.
Peintre. Tendance surréaliste.
Il fut élève de l'école des arts appliqués de Cologne, puis séjourna en Suisse, en Italie et aux Pays-Bas. Membre du parti communiste, il dut quitter l'Allemagne en 1933. Il s'installa en Suisse, puis en France, où il côtoya les membres du surréalisme, notamment Max Ernst.
Bibliogr. : In : Catalogue de l'exposition *Les Années trente en Europe. Le temps menaçant,* musée d'Art moderne de la ville, Paris-Musées, Flammarion, Paris, 1997.
Musées : Dresde (Gemäldegal.) : *La Surbête.*

LOHNER Caspar
Né en 1587 à Thun. Mort en 1643 à Thun. XVIIe siècle. Suisse.
Peintre verrier.
Le Musée d'histoire de Berne possède cinq vitraux portant des figures et des armoiries (1623-1624).

LOHNER Reny
XXe siècle. Autrichien.
Peintre.
Sa peinture fantastique le fait se rapprocher de l'École de Vienne.

LÖHR. Voir aussi **LOEHR**

LÖHR Anna
Née le 10 février 1870 à Brunswick. XIXe-XXe siècles. Allemande.
Peintre, graveur de paysages, architectures, natures mortes.
Musées : Brunswick (Mus.) – Brunswick (Château).

LÖHR August
XIXe-XXe siècles. Actif à Munich. Allemand.
Peintre de paysages.
Il exposa entre 1874 et 1880.
Musées : Bamberg : *Au moulin.*
Ventes Publiques : New York, 23-24 mars 1996 : *Alpes tyroliennes* 1887, h/t (91,4x116,8) : **USD 5 750.**

LÖHR August
Né en 1843 en Allemagne. Mort en 1919. XIXe-XXe siècles. Actif au Mexique. Allemand.
Peintre de paysages, aquarelliste.
Voyageur inlassable, Lohr devait mettre à profit sa vie de *viajero* pour interpréter, principalement à l'aquarelle, les paysages mexicains typiques. Ses vues des *Ruines de Milta* ou ses scènes représentant *Le château de Chapultepec au clair de lune* lui ont valu d'être remarqué dans un genre alors fort prisé, car peu dérangeant pour la société de l'époque.

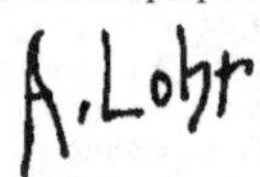

Ventes Publiques : New York, 9 mai 1980 : *Vallée de Mexico* 1896, h/t (85,7x145) : **USD 9 000** – New York, 7 mai 1981 : *Vue de la vallée de Mexico* 1892, h/t mar./pan. (56,2x79) : **USD 22 000** – New York, 29 nov. 1983 : *Vue de la vallée de Mexico et le château de Chapultepec* 1894, h/t (105x205) : **USD 18 000** – New York, 30 mai 1984 : *Troupeau dans un paysage avec vue du Popocatépetl* 1902, aquar./pap. mar./cart. (29,7x45) : **USD 1 100** – New York, 26 nov. 1985 : *La Vallée de Mexico* 1892, h/t mar./pan. (56,2x79) : **USD 32 000** – Londres, 28 mai 1987 : *Un village du Mexique* 1916, h/t (60,9x104,2) : **GBP 5 500** – New York, 17 jan. 1990 : *La vallée de Mexico* 1904, aquar. et gche/pap. (33,7x50,8) : **USD 3 080** – New York, 2 mai 1990 : *Vue de l'Ajuzco* 1900, h/t (57x74,5) : **USD 49 500** – New York, 19-20 nov. 1990 : *Les barques à Bahia* 1911, h/t (64,6x106,5) : **USD 28 600** – New York, 15 mai 1991 : *Vue du Popocatépelt et le fleuve Ixtazihualt* 1895, aquar./pap. (29x46,7) : **USD 9 350** – New York, 22-23 nov. 1993 : *Monterrey* 1902, aquar./pap./cart. (32,1x50,5) : **USD 11 500** – New York, 23-24 nov. 1993 : *Paysage avec la voie ferrée* 1892, h/t (47x69) : **USD 55 200** – New York, 18 mai 1994 : *La vallée de Mexico* 1893, aquar./pap. (26x39,7) : **USD 8 050** – New York, 25-26 nov. 1996 : *Vue de la vallée de Mexico avec le Château de Chapultepec* 1894, h/t (105,4x204,8) : **USD 19 550** – New York, 24-25 nov. 1997 : *Paysage à l'agave,* h/pan. (21,5x30,5) : **USD 24 150.**

LÖHR Emil Ludwig
Né en 1809 à Berlin. Mort le 21 avril 1876 à Munich. XIXe siècle. Allemand.
Peintre de portraits, paysages animés, paysages.
Il peignit des paysages, en grande partie avec figures.
Ventes Publiques : Lindau, 9 mai 1979 : *Paysage fluvial,* h/cart. (21x26) : **DEM 2 200** – Vienne, 15 sep. 1982 : *Badgastein,* h/t (16,5x28,5) : **ATS 25 000** – New York, 1er mars 1984 : *Voyageur et son chien dans un paysage montagneux,* h/t (65,7x93,3) : **USD 4 000** – Stockholm, 15 nov. 1989 : *Panorama de Salsbourg,* h/t (45x56) : **SEK 8 000.**

LÖHR Franz
Né en 1874 à Cologne. Mort le 30 janvier 1918 à Cologne. XIXe-XXe siècles. Allemand.
Sculpteur de nus, bustes, statuettes.
Il fut élève de l'Académie de Dessin de Hanau, puis étudia la sculpture à Paris par ses propres moyens. Il figura, de 1905 à 1911, dans divers Salons annuels parisiens. Il réalisa sans doute des plaques commémoratives.
Il subit d'abord l'influence de Rodin.
Musées : Cologne – Düsseldorf – Fribourg-en-Brisgau.

LÖHR Franz Conrad
Né vers 1735. Mort le 5 juillet 1812 à Hambourg. XVIIIe-XIXe siècles. Allemand.
Peintre.
Musées : Hambourg (Mus. d'Hist.) : deux portraits – Hambourg (Kunsthalle) : *Portrait d'une femme âgée* – Kassel (Spohrmuseum) : *Portrait d'homme.*

LÖHR Gustav
Né en 1852. Mort en 1926 à Dresde. XIXe-XXe siècles. Allemand.
Peintre de paysages et de figures.

Ventes Publiques : Vienne, 20 sep. 1977 : *Paysage,* h/pan. (15x31) : **ATS 20 000.**

LÖHR Mathilde ou **Tilla**. Voir **JÄHRIG-LÖHR**

LOHR Otto
Né le 18 septembre 1865 à Munich. XIXe-XXe siècles. Allemand.

Peintre de compositions murales, sujets religieux, peintre sur verre.
Il peignit des compositions murales à l'Hôtel de Ville de Freising, des tableaux d'autel à Gabolzhausen, des autels à Feucht et à Erlbach. Le Cercle des Artistes et l'église de l'Hôpital de Nuremberg, l'Hôtel de Ville de Berg-Gladbach près de Cologne, possèdent de lui des peintures sur verre.
Musées : Berlin (Markmus.) : peintures sur verre.

LÖHRER Johann Gottlieb
Né le 12 avril 1791 à Bischofszell. Mort le 12 septembre 1840 à Berne. XIXe siècle. Actif à Berne. Suisse.
Peintre d'histoire, paysages, dessinateur d'architectures.
Le Cercle des Beaux-Arts de Zurich possède des dessins de sa main, et l'Hôpital de Bischofszell trois tableaux d'histoire (à l'huile).
Ventes Publiques : Berne, 22 oct. 1983 : *Paysanne bernoise au puits*, h/métal (30x22) : **CHF 5 400**.

LOHRMANN Friedrich Anton. Voir **LORMANN**

LOHSE Adolf Heinrich
Né le 31 juillet 1829 à Hambourg. Mort le 23 avril 1907 à Kiel. XIXe siècle. Allemand.
Peintre de paysages, marines, aquarelliste.
Professeur de dessin à la Ober-Realschule de Kiel. Il exposa à partir de 1892.

LOHSE Richard Paul
Né en 1902 à Zurich. Mort en septembre 1988 à Zurich. XXe siècle. Suisse.
Peintre, graphiste, créateur d'affiches. Abstrait-géométrique.
Après ses études artistiques commencées en 1918 à l'École des Arts et Métiers de Zurich, avec le graphiste Keller, il travailla, de 1922 à 1927, pour Max Dalang, le plus moderne atelier de graphisme et publicité de Zurich. Il voyagea en Italie en 1923, en France en 1924. Depuis 1936, il a commencé à exposer en Suisse, où il fut membre de l'Association *Die Allianz* qu'il créa, en 1937, avec Leo Leuppi, pour la diffusion de l'art moderne suisse. En 1944-45, il a participé à la revue *Abstrakt + Konkret* ; de 1947 à 1955, il a dirigé la revue *Bauen + Wohnen* (Bâtir + Habiter) ; à partir de 1959, il a collaboré au journal *Neue Grafike*. En 1948-1950, à Paris, il a figuré au Salon des Réalités Nouvelles ; en 1951 à la 1e Biennale de São Paulo ; en 1958 à la XXIXe Biennale de Venise ; en 1977 à *Aspects historiques du Constructivisme et de l'Art Concret* au Musée d'Art Moderne de la Ville de Paris ; en 1988, une de ses peintures a figuré dans l'exposition rétrospective consacrée aux *Années cinquante* au Centre Beaubourg de Paris. Des expositions personnelles lui ont été consacrées, notamment, en 1961 au Stedelijk Museum d'Amsterdam ; en 1962 au Kunsthaus de Zurich ; en 1967 à la galerie Denise René de Paris ; puis à Stockholm, Munich, Hanovre, Berne, Zurich, Helsinki ; jusqu'en 1988, peu avant sa mort, rétrospective du Musée de Grenoble ; 1990 un ensemble de ses peintures sur papier à la galerie Lahumière à Paris.
Lorsqu'il travaillait comme graphiste après ses études, il s'informait des tendances artistiques modernes ; ses premiers paysages et natures mortes étant influencés par l'expressionnisme, puis par le cubisme de Robert Delaunay vu au cours de son voyage à Paris. Il entra en relation avec Paul Klee en 1933, Hans Richter, Jean Arp ; connut les œuvres de El Lissitsky, Anton Pevsner, qui amorcèrent sa lente évolution, à partir de 1935, vers l'abstraction. Il fut d'abord influencé par le constructivisme, puis par Mondrian et son entourage, Van der Leck, Van Doesburg, et les travaux de Josef Albers au Bauhaus. En 1942-43, son évolution se radicalisa et, à partir de l'influence d'Albers, il s'est consacré définitivement à une réflexion méthodique, consignée dans de nombreux écrits théoriques sur le design industriel, l'art graphique, l'architecture, et à la réalisation de peintures sérielles, fondées uniquement sur des verticales et horizontales, en bandes et surtout en damiers d'un strict tracé géométrique, peints en aplats de couleurs franches en principe plastiquement égalitaires, confirmant leur espace à deux dimensions, couvrant la totalité de leur support, évitant le motif et la dualité forme-fond, refusant toute intrusion de quelque élément émotionnel. Il a clairement défini le principe fondamental de son œuvre : « ... la méthode se représente elle-même, elle est le tableau », qui devient l'illustration du système qui le génère, et qui est indiqué dans le titre. Dans sa discipline personnelle, plus que le tracé répétitif, ce sont les rapports, mathématiquement programmés, des séries de couleurs entre elles, considérées comme des quantités mesurables, qui sont générateurs de rythmes diversifiés, l'anonymat de la technique n'étant finalement peut-être pas exclusif de l'émotion.
Lui-même pionnier d'un art « systématique », et avec Max Bill, Camille Graeser, Verena Loewensberg, au sein du groupe des « artistes concrets zurichois », il fut un des animateurs du très prépondérant courant suisse de l'abstraction-géométrique. Lohse et son œuvre sont indissociables du rigorisme austère qui les a motivés, et, qu'il y ait adhésion ou refus, ne peuvent donc être jugés d'un quelconque autre point de vue. ■ Jacques Busse
Bibliogr. : Michel Seuphor, in : *Diction. de la peint. abstraite*, Hazan, Paris, 1957 – Serge Lemoine : *Richard Paul Lohse*, Skira, Genève, 1988 – in : *L'Art du XXe siècle*, Larousse, Paris, 1991.
Musées : Amsterdam (Stedelijk Mus.) – Bâle (Kunstmus.) : *Transformation de quatre figures identiques* 1942 – Eindhoven (Stedel. Van Abbemus.) – Grenoble (Nouveau Mus.) : *Six rangées de couleurs verticales systématiques* 1950-1972 – La Haye (Gemeentemus.) – Paris (Mus. Nat. d'Art Mod.).
Ventes Publiques : Milan, 24 oct. 1972 : *Six rangs de jaune à jaune* : **ITL 1 900 000** – New York, 3 mai 1974 : *Mouvement autour d'un centre* : **USD 13 000** – Milan, 9 nov. 1976 : *Quatre surfaces en escalier* 1967, h/t (60x60) : **ITL 3 600 000** – Zurich, 26 mai 1978 : *Progression pour quatre couleurs* 1952/68, h/t (60x60) : **CHF 8 000** – Londres, 5 avr 1979 : *Six bandes de couleurs* 1950-68, acryl./t. (60x180) : **GBP 3 800** – Zurich, 26 mai 1981 : *Composition* 1949, h/t (30x30) : **CHF 4 000** – Milan, 27 oct. 1986 : *Trois groupes verticaux... Variation C* 1952-1973, acryl./t. (48x48) : **ITL 10 500 000** – Lucerne, 15 mai 1993 : *Quatre bandes de couleur dégradées en vert dans un carré blanc*, h/t (48x48) : **CHF 17 000** – Lucerne, 20 mai 1995 : *Groupe de couleurs contrastées* 1982, sérig. en coul. (60x60) : **CHF 850** – Milan, 19 mars 1996 : *Variation C*, acryl./t. (48x48) : **ITL 34 500 000** – Zurich, 17-18 juin 1996 : *Trois groupes horizontaux avec un centre rose*, acryl./t. (29,5x29,5) : **CHF 16 000** – Zurich, 12 nov. 1996 : *Groupe de couleurs et centre jaune oxyde* 1952-1973, acryl./t. (59x59) : **CHF 30 000** – Zurich, 8 avr. 1997 : *Composition*, sérig. coul. (70x70) : **CHF 1 000**.

LOILIER Hervé
Né le 18 mars 1948 à Paris. XXe siècle. Français.
Peintre de compositions à personnages, d'architectures. Symboliste, figuration onirique.
Diplômé en 1970 de l'École Polytechnique, il entre en troisième année à l'École Nationale Supérieure des Arts Décoratifs, puis fréquente l'académie de la Grande Chaumière, à Paris. En 1973 il est nommé maître de conférences en arts à l'École Polytechnique. En 1995, il a publié une *Histoire de l'art* (éditions Ellipses), fruit de vingt années d'enseignement de la peinture et de l'histoire de l'art à l'École Polytechnique.
Il participe à des expositions collectives exposant régulièrement dans des salons à Paris : d'Automne, des Artistes Français, de la Société Nationale des Beaux-Arts. Il présente des expositions personnelles en France (Paris : Galerie Chardin, 1982 ; Galerie Jean Tour, 1993) et à l'étranger (Alliance française, Caracas, Venezuela, 1987 ; Galerie Peter Bruegel, Vanlo, Pays-Bas, 1995).
Il a réalisé de nombreux portraits de personnalités, parmi lesquelles Félix Houphouët-Boigny, Louis Leprince-Ringuet. Le thème privilégié de la peinture de Loilier est Venise, qu'il traite de façon théâtrale et peuple de femmes énigmatiques et sensuelles, ou de silhouettes maniéristes. Une lumière nacrée et poudreuse baigne les tons pastels de ses compositions, à propos desquelles la critique s'accorde à citer Chateaubriand plutôt que Guardi ou Canaletto : « Venise est là, assise sur le rivage de la mer, comme une belle femme qui va s'éteindre avec le jour ; le vent du soir soulève ses cheveux embaumés ; elle meurt saluée par toutes les grâces et tous les sourires de la nature » (*Mémoires d'outre-tombe*, IV, 7). ■ A. G.
Ventes Publiques : Paris, 19 mars 1990 : *Venise*, h/t (86x54) : **FRF 6 000**.

LOING Arthur de. Voir **ARTHUR de Loing**

LOIR Alexis ou **Loyr**
Né en 1640 à Paris. Mort le 14 avril 1713 à Paris. XVIIe-XVIIIe siècles. Français.
Graveur et orfèvre.
Frère et élève de Nicolas Loir. Il exerça d'abord la profession paternelle à laquelle il ajouta la gravure et y acquit un remarquable talent. Il fut membre de l'Académie de Paris en 1678. La Chalcographie du Louvre possède de lui cinq planches.

LOIR Alexis

Né en 1712 à Paris. Mort le 18 août 1785 à Paris. XVIIIe siècle. Français.

Portraitiste, pastelliste, sculpteur.

Agréé à l'Académie en 1746, il ne fut reçu académicien qu'en 1779. Il exposa au Salon entre 1747 et 1779.

Ventes Publiques : Paris, 18 déc. 1920 : *Portrait de femme en Diane* : **FRF 1 250** – Paris, 17 mars 1923 : *Portrait de jeune femme, le corsage paré d'une guirlande de fleurs* : **FRF 5 800** – Paris, 27 mai 1949 : *Portrait présumé de M. de Julienne* : **FRF 45 000** – Vienne, 2 juin 1964 : *Portrait de l'impératrice Marie-Thérèse*, past. : **ATS 28 000**.

LOIR Luigi ou **Aloys François Joseph**

Né le 22 décembre 1845 à Göritz, de parents français. Mort le 9 février 1916 à Paris. XIXe-XXe siècles. Français.

Peintre de genre, paysages animés, paysages, paysages urbains, peintre à la gouache, aquarelliste, lithographe, dessinateur.

En 1853, il entra à l'École des Beaux-Arts de Parme. Dix ans après, il vint à Paris et travailla dans l'atelier du peintre décorateur Pastelot. En 1865, il débuta au Salon de Paris avec un *Paysage à Villiers-sur-Seine*, qui fut assez remarqué. Mais durant cette première partie de sa carrière, il continua à faire de la peinture décorative, notamment pour les décors des *Châteaux du Diable*, en 1866. Après la campagne de 1870, au cours de laquelle il se distingua au combat du Bourget, il se consacra à peu près exclusivement à la peinture des vues de Paris, à laquelle il doit le meilleur de sa réputation. Exposant fidèle des Artistes Français, il obtint une troisième médaille en 1879, une deuxième médaille et une médaille d'or en 1889 à l'Exposition universelle de Paris. Il fut décoré de la Légion d'honneur en 1898.

Luigi Loir fut par excellence le peintre de Paris dont il a saisi et interprété les aspects à toutes les heures du jour. On peut lui reprocher un excès de procédé, mais on ne saurait lui dénier des qualités précieuses d'observation. Indépendamment de ses toiles figurant dans les musées, il faut mentionner de lui : *Les Préparatifs de la fête foraine*, acquis pour la salle d'honneur du Conseil municipal de Paris, *Le Marché à la Ferraille*, acquis par la ville, *La Rue de la Pitié, vue du Val de Grâce*, dans le Salon des Sciences à l'Hôtel de Ville de Paris, *Un coin de la fête du Trône*, aquarelle acquise par l'impératrice de Russie. Luigi Loir fut aussi un lithographe de talent. ■ M. B. de G.

LOIR LUIGI.

LOIR Luigi

Musées : Auxerre : *Jeu de patience* – Avranches : *Dr Thébault – Abraham Dubois – M. Berryais* – Bar-le-Duc : *Avant l'embarquement* – Bordeaux : *Aux Lilas* – Boulogne-sur-Mer : *Souvenir de Boulogne* – Moscou (Gal. Tretiakov) : *La fumée du chemin de fer de ceinture* – Nancy : *Travaux de nuit sur la voie publique* – Nantes : *Le cercle des patineurs* – New York : *La fête des boulevards extérieurs au crépuscule* – Nice : *Le quai national à Puteaux* – Paris (Mus. du Petit Palais) : *Fête donnée aux souverains russes en 1886 à Paris – Marché à la ferraille – Bercy pendant l'inondation – Rue du Val-de-Grâce* – Prague (Rudolph) : *Le Chemin de fer de ceinture* – Le Puy-en-Velay : *La Seine en décembre 1879* – Rouen : *La crue de la Seine à Paris* – Saint Louis : *Le Pont d'Austerlitz* – Vienne (Gal. Mod.) : *Place de la République*.

Ventes Publiques : Paris, 1882 : *Un coin de Paris* : **FRF 505** – Paris, 17 fév. 1896 : *Effet de neige* : **FRF 2 000** – Paris, 15 nov. 1898 : *Laveuse* : **FRF 295** – Paris, 4-5 juin 1903 : *Les Bords de la Seine* : **FRF 160** – Paris, 14 mai 1919 : *Le Chemin de fer de ceinture* : **FRF 1 000** ; *Le Quai de la Rapée* : **FRF 4 920** ; *Le Marché aux Puces porte de Clignancourt* : **FRF 2 300** ; *Le quai Henri IV au crépuscule* : **FRF 1 350** ; *La Cavalcade de la Mi-Carême* : **FRF 560** – Paris, 21 jan. 1920 : *La Procession à Bonneuil* : **FRF 1 000** ; *Le Bassin au jardin du Luxembourg* : **FRF 1 200** ; *Fête foraine place de la Bastille* : **FRF 2 500** ; *Le Pont de la Tournelle et Notre-Dame* : **FRF 985** ; *Saint-Cast (Bretagne)* : **FRF 250** ; *Marée basse, environs de Boulogne* : **FRF 310** ; *Fête au Japon* : **FRF 280** ; *Quai de la Rapée. Inondations de 1910*, gche : **FRF 316** ; *La Place du Delta par la neige*, gche : **FRF 1 250** – Paris, 11 fév. 1921 : *Porte Champerret* : **FRF 1 520** – Paris, 20 nov. 1925 : *Le Sacré-Cœur vu du Boulevard des Batignolles* : **FRF 4 600** – Paris, 27 mars 1931 : *Le Quai d'Orsay*, aquar. : **FRF 720** – Paris, 1er juil. 1931 : *La Neige*, aquar. gchée : **FRF 110** ; *Avenue de la République à Paris*, gche : **FRF 1 010** – New York, 26 oct. 1933 : *Scène d'une rue de Paris* : **USD 190** – Paris, 9 no. 1939 : *Le Pont du Carrousel* ; *Fête foraine*, gche, une paire : **FRF 1 000** – Paris, 9 fév. 1942 : *Paris sous la neige* : **FRF 2 700** – Paris, 21 avr. 1943 : *Elle consulte l'affiche*, gche : **FRF 3 000** – Paris, 10 mai 1944 : *Les Vieilles Maisons* : **FRF 3 300** – Paris, 23 mai 1945 : *Paysage parisien* : **FRF 1 200** – Paris, oct. 1945-juil. 1946 : *La Place de la Concorde* : **FRF 1 800** ; *La Place du village*, gche : **FRF 900** – New York, 28 sep. 1946 : *Scène d'hiver* : **USD 325** – Paris, 18 oct. 1946 : *La station* : **FRF 4 100** – Paris, 22 avr. 1947 : *Les quais de la rive droite à Paris* : **FRF 2 950** – Marseille, 18 déc. 1948 : *Foire à la ferraille* : **FRF 41 000** – Paris, 11 mars 1949 : *Carrefour du Théâtre Français*, aquar. : **FRF 23 000** – Paris, 30 juin 1950 : *Boulevard des Batignolles* : **FRF 46 000** – Paris, 6 déc. 1954 : *Fête foraine* : **FRF 39 000** – Paris, 29 mars 1962 : *Les Champs-Élysées* : **FRF 10 000** – Londres, 6 déc. 1963 : *Vue du Pont-Neuf* : **GNS 550** – Paris, 10 juin 1964 : *La Basilique Montmartre* : **FRF 10 800** – Paris, 21 mars 1966 : *La Porte Maillot*, aquar. : **FRF 7 200** – Londres, 25 avr. 1968 : *Les Champs-Élysées* : **GBP 800** – New York, 30 oct. 1969 : *Le 14 Juillet 1903 à Paris* : **USD 5 250** – Londres, 1er déc. 1972 : *Sous le pont*, aquar. et gche : **GNS 580** – Londres, 5 juil. 1973 : *Les Champs-Élysées* : **GBP 3 000** – New York, 17 avr. 1974 : *Bords de Seine en hiver* : **USD 6 500** – Londres, 24 nov. 1976 : *Scène de rue en hiver*, h/t (37x54,5) : **GBP 1 300** – Paris, 13 déc. 1976 : *Péniches à quai*, aquar. gchée (27x53,5) : **FRF 1 300** – Paris, 17 mars 1977 : *Les Grands Boulevard*, h/cart. (38x38) : **FRF 6 000** – Londres, 10 mai 1979 : *Un marché parisien au crépuscule*, aquar. et fus. (15x23) : **GBP 780** – Paris, 10 déc 1979 : *Rue de Paris*, h/t (62x90) : **FRF 106 000** – New York, 26 mai 1983 : *La Colonne de Juillet, place de la Bastille, Paris*, gche, cr. et pl./cart. (50,8x36,5) : **USD 15 000** – New York, 19 oct. 1984 : *Paris le soir* 1906, h/t (60,3x93,4) : **USD 29 000** – Versailles, 24 fév. 1985 : *La marchande de fleurs sur les Grands Boulevards* 1911, gche (23x32) : **FRF 45 000** – Versailles, 19 oct. 1986 : *Paris, animation et marchande de fleurs sur les grands boulevards*, gche (23x31,5) : **FRF 31 000** – Paris, 7 avr. 1987 : *Les quais du Louvre sous la neige*, cr., lav. d'encre de Chine et gche (17,7x34,4) : **FRF 59 000** – New York, 25 fév. 1988 : *Souvenir du Havre*, h/t (127,4x46,4) : **USD 4 400** – Londres, 26 fév. 1988 : *Promeneurs dans un parc*, h/pan. (7x12,7) : **GBP 1 320** – Londres, 24 mars 1988 : *La Gare*, gche (27x44) : **GBP 7 150** – New York, 23 fév. 1989 : *La Seine aux environs de Suresnes* 1879, h/t (45,7x70,5) : **USD 55 000** – Paris, 11 avr. 1989 : *Vue des environs de Paris*, h/t (26,5x34,5) : **FRF 6 300** – Calais, 10 déc. 1989 : *Paysage sous un ciel d'orage*, h/t (27x35) : **FRF 32 000** – New York, 1er mars 1990 : *Paris sous la neige*, h/pan. (29x23) : **USD 16 500** – Paris, 4 avr. 1990 : *Place du Delta sous la neige*, gche (60x44) : **FRF 96 000** – New York, 22 mai 1990 : *Boulevard Henri IV au crépuscule*, aquar., gche et craie noire (37,5x52) : **USD 15 400** – New York, 23 mai 1990 : *Rue de la Santé et le Val-de-Grâce*, h/t (44,5x22,9) : **USD 18 700** – New York, 23 oct. 1990 : *Kiosque près de la place de la Bastille*, h/pan. (15,6x21,9) : **USD 22 000** – Paris, 9 nov. 1990 : *Boulevard derrière les Invalides au crépuscule*, h/t (27x35) : **FRF 23 000** – Chalon-sur-Saône, 21 avr. 1991 : *Promenade au bord de la rivière*, h/t, en forme d'éventail (32x66) : **FRF 21 000** – New York, 22 mai 1991 : *L'église Saint-Eustache depuis la rue Réaumur sous la neige*, cr., aquar. et gche/pap. (37,5x59,7) : **USD 20 900** – Londres, 21 juin 1991 : *Les Champs-Élysées à Paris* 1894, h/cart./pan. (15,5x30,8) : **GBP 11 550** – Liège, 11 déc. 1991 : *La fin du concert*, h/cart. (30x23,5) : **BEF 200 000** – New York, 26 mai 1992 : *Village au bord d'un ruisseau*, h/t/pan. (13,3x22,8) : **USD 2 420** – Paris, 1er juil. 1992 : *Le Parc*, h/pan. (18x23) : **FRF 14 000** – New York, 30 oct. 1992 : *Fête foraine à Paris*, h/pan. (16x21,9) : **USD 14 300** – Paris, 27 mars 1993 : *La cueillette des cerises*, aquar. et gche (11,5x7,5) : **FRF 6 300** ; *Les quais*, aquar. et gche (8x12) : **FRF 10 500** ; *Marché de banlieue*, aquar. et gche (8x12) : **FRF 8 500** – Paris, 28 mai 1993 : *Place de l'Opéra*, aquar. et gche (8x12) : **FRF 12 000** – Paris, 14 oct. 1993 : *Chocolats Guérin-Boutron*, aquar. et gche (7,5x12) : **FRF 10 000** – New York, 16 fév. 1994 : *Les Canotiers sur l'île de la Grande-Jatte*, gche/pap. (30,5x47) : **USD 85 000** – Londres, 15 juin 1994 : *Le Repos militaire*, h/t (28x45) : **GBP 7 475** – Lokeren, 11 mars 1995 : *Tout doucement, bébé dort*, gche (10,5x7) : **BEF 36 000** – New York, 24 mai 1995 : *Porte Maillot, effet de neige au crépuscule* 1899, h/t (99,1x198,1) : **USD 123 500** – Paris, 27 mars 1996 : *La Baie de Naples*, h/cart. (17,5x34) : **FRF 33 000** – New York, 23 mai 1996 : *Paris en bord de Seine, crépuscule*, h/t (66x81,3) : **USD 18 400** –

CALAIS, 7 juil. 1996 : *Plage animée à Étretat*, gche (11x16) : **FRF 11 000** – LONDRES, 20 nov. 1996 : *Scène de neige à Suresnes*, h/t (44x69) : **GBP 8 050** – PARIS, 8 déc. 1996 : *Paris, les Grands Boulevards*, h/t (41x33) : **FRF 30 000** – NEW YORK, 26 fév. 1997 : *Personnages dans un parc parisien*, h/pan. (9,5x15,8) : **USD 3 450** – NEW YORK, 23 mai 1997 : *Paris, les quais de Seine*, h/t (69,8x95,3) : **USD 39 100** – LONDRES, 12 juin 1997 : *Boulevard au crépuscule* 1906, h/pan. (21,5x34,5) : **GBP 4 025** – LONDRES, 21 nov. 1997 : *Dans la neige*, h/t (19x27) : **GBP 16 675** – LOKEREN, 11 oct. 1997 : *Vue de Paris*, h/pan. (18,7x23,8) : **BEF 150 000**.

LOIR Marianne

Née au XVIIIe siècle à Paris. XVIIIe siècle. Française.

Peintre de portraits.

Elle est peut-être la même artiste que la signora Loire ou Loir, peintre de portraits vers 1739 citée dans le catalogue du Musée de Saint-Lô qui conserve d'elle un intéressant *Portrait du comte de Matignon, frère du prince de Monaco, en berger de comédie*. L'auteur du catalogue suppose que cette artiste est la femme ou la belle-fille d'Alexis Loir, plutôt que la femme de Nicolas.

MUSÉES : BORDEAUX : *Portrait de Mme du Chatelet*.

VENTES PUBLIQUES : PARIS, 22 mai 1919 : *Portrait de jeune femme* : **FRF 4 700** – PARIS, 22 mai 1925 : *Portrait de jeune femme* : **FRF 3 200** – LONDRES, 17 juil. 1925 : *Jeune femme en robe bleue* : **GBP 152** – PARIS, 15 déc. 1941 : *Portrait d'un jeune officier* : **FRF 6 500** – PARIS, 15 avr. 1944 : *Portrait d'une jeune fille* : **FRF 7 900** – PARIS, 30 juin 1947 : *Portrait d'une jeune femme en Diane* : **FRF 11 500** – PARIS, 17 jan. 1951 : *Portrait de chasseur* : **FRF 12 500** – PARIS, 14 juin 1954 : *Portrait d'une dame de qualité en déesse des eaux* : **FRF 220 000** – PARIS, 12 juin 1970 : *Portrait présumé de Madame de Bauclas* : **FRF 11 100** – VERSAILLES, 29 oct. 1978 : *Portrait de jeune fille accoudée et tenant une guirlande de fleurs*, h/t (90x70) : **FRF 18 000** – LUCERNE, 20 mai 1980 : *Portrait de jeune femme*, h/t (95x75) : **CHF 7 000** – MONTE-CARLO, 26 juin 1983 : *Portrait de jeune femme à sa fenêtre*, h/t (88,5x71) : **FRF 30 000** – MONTE-CARLO, 22 juin 1985 : *Portrait de jeune femme*, h/t (116x88) : **FRF 60 000** – PARIS, 23 avr. 1990 : *Portrait à mi-corps du comte de Cossé en berger*, h/t (79x62) : **FRF 90 000** – PARIS, 10 avr. 1991 : *Portrait de gentilhomme en cuirasse*, h/t (100x80,5) : **FRF 14 000** ; *Portrait d'un joueur de viole de gambe*, h/t (130x97) : **FRF 32 000**.

LOIR Marie

Née au XIXe siècle à Lucques (Italie). XIXe siècle. Française.

Portraitiste et miniaturiste.

Élève de Mme de Caol. Elle exposa au Salon de 1874 à 1878, des miniatures, des émaux et des peintures sur porcelaine.

LOIR Nicolas Pierre ou **Loyr**

Né en 1624 à Paris. Mort le 6 mai 1679 à Paris. XVIIe siècle. Français.

Peintre d'histoire, compositions religieuses, sujets allégoriques, paysages animés, graveur.

Il eut pour maîtres Simon Vouet et Sébastien Bourdon. Séjournant en Italie de 1647 à 1649, il rencontra Nicolas Poussin à Rome, rencontre qui ne fut pas sans influence sur sa peinture. Il fut reçu académicien en 1663 sur la recommandation de Louis XIV et de Charles Lebrun (ou en 1666 selon certains biographes). Il figura au Salon de Paris en 1673.

Il a peint *Saint Paul et le prophète Elymas*, pour la basilique Notre-Dame de Paris, ainsi que de nombreux panneaux décoratifs pour Versailles (appartement de Marie-Thérèse) et les Tuileries.

Dézallier d'Argenville lui reconnaît « un grand talent (...) de peindre les femmes et les enfants ».

NL   N. Loir Pinxit

BIBLIOGR. : In : *Diction. de la peinture française*, coll. Essentiels, Larousse, Paris, 1989 – A. N. Dézallier d'Argenville : *Abrégé de la vie des plus fameux peintres, avec leurs portraits gravés*, Paris, ?

MUSÉES : ANGERS : *Moïse sauvé des eaux* – *Rébecca* – BESANÇON : *Sommeil de l'enfant Jésus* – BOURG-EN-BRESSE : *Phithopolis* – BUDAPEST : *Cléobis et Biton* – CHERBOURG : *Bérénice et Ptolémée* – *Policrite* – COMPIÈGNE (Mus. Vivenel) : *Allégorie de la Peinture et de la Sculpture* – DIJON (Mus. des Beaux-Arts) : *Pan et Syrinx* – *Enlèvement de Proserpine* – FLORENCE (Gal. du Mus. des Offices) : *La Vierge, Jésus et saint Jean-Baptiste* – GRENOBLE : *Sainte Famille* – *Le Temps* – LYON (Mus. des Beaux-Arts) : *Diane et Endymion* – MARSEILLE : *Sainte Marie l'Égyptienne* – MONTPELLIER (Mus. Fabre) : *Annonciation* – NANCY : *Triomphe de Flore* – NARBONNE : *Portrait présumé de Bayle* – PARIS : *Reine qui s'adresse à des soldats* – *Prise d'habit de saint Guillaume d'Aquitaine* – PERPIGNAN : *Allégorie* – RENNES (Mus. des Beaux-Arts) : *Le Repos pendant la fuite en Égypte* – ROUEN (Mus. des Beaux-Arts) : *La Vierge et l'enfant Jésus* – SAINT-PÉTERSBOURG (Mus. de l'Ermitage) : *L'ange aperçoit Sarah* – SAINT-PÉTERSBOURG (Pal. d'Hiver) : *L'ange aperçoit Agar et Ismaël* – VIENNE (Mus. Czernin) : *La prêtresse Cydippe portée en triomphe par ses fils*.

VENTES PUBLIQUES : PARIS, 1787 : *Paysage avec figures et chute d'eau* : **FRF 131** – PARIS, 1845 : *Repos de la Sainte Famille* : **FRF 495** – PARIS, 1867 : *Le mariage mystique de sainte Catherine* : **FRF 142** – VERSAILLES, 9 déc. 1973 : *Sujets bibliques*, deux pendants : **FRF 28 500** – MONTE-CARLO, 26 juin 1983 : *Rébecca au puits*, h/t (88x98) : **FRF 33 000** – TOULOUSE, 15 fév. 1988 : *Moïse sauvé des eaux*, h/t (55,5x74) : **FRF 44 000** – PARIS, 30 juin 1989 : *Rébecca au puits*, h/t (84,5x70,5) : **FRF 55 000** – NEW YORK, 11 jan. 1990 : *La Vierge et l'Enfant avec sainte Elisabeth et saint Jean-Baptiste dans un paysage avec saint Joseph et un ange au fond* 1657, h/t (93x77) : **USD 17 600** – PARIS, 23 avr. 1990 : *Saint Paul rend aveugle le faux prophète Barjésu*, h/t (45,5x36,5) : **FRF 55 000** – PARIS, 18 avr. 1991 : *La Vierge à l'Enfant avec sainte Élisabeth et saint Jean Baptiste* 1647, h/t (94x78) : **FRF 112 000** – PARIS, 10 avr. 1992 : *Alexandre devant la tente de Darius*, h/t, d'après Ch. Le Brun (71x95,5) : **FRF 110 000** – MONACO, 14 juin 1996 : *Vierge à l'Enfant avec le jeune saint Jean-Baptiste dans un paysage*, h/t (24,5x31) : **FRF 54 990** – LONDRES, 1er nov. 1996 : *La Sainte Famille avec saint Jean enfant, sainte Elizabeth et des anges*, h/t (51,4x65,7) : **GBP 6 900**.

LOIRAND Maurice

Né le 24 juillet 1922 à La Montagne (Loire-Atlantique). XXe siècle. Français.

Peintre de paysages animés. Naïf.

En 1937, il entra comme apprenti à l'arsenal de la marine d'Indret, sur l'estuaire de la Loire, où il devint chaudronnier-formeur. Ce n'est qu'en 1949 qu'il commença à peindre. Il vint se fixer à Paris, gagnant sa vie en usine, et ayant une activité croissante de peintre semi-professionnel. Il a exposé dans divers groupements et Salons ; il a figuré au Salon de Mai de Paris.

Alors qu'il commençait à peindre, il lui arrivait de ne faire figurer sur une toile qu'un seul arbre, dont il déployait alors les branches et le feuillage comme une broderie orientale, en silhouette sombre à contre-jour sur le fond clair du ciel. Il peint ensuite surtout les paysages de l'estuaire de la Loire, les villages de la région. Il y raconte avec vivacité l'agitation des habitants ; dresse des vues panoramiques de tout ce qui se passe au long des rives animées qu'il connaît et aime bien pour y avoir déployé ses jeux d'enfant. Naïf authentique, le bonheur de vivre qu'il chante l'est aussi.

BIBLIOGR. : In : *Diction. Univers. de la Peinture*, Le Robert, Paris, 1975.

MUSÉES : BUENOS AIRES – FLAYOSC – LAVAL (Mus. Henri Rousseau) – NANTES (Mus. des Beaux-Arts) : *Paysage de l'estuaire de la Loire*.

LOIRE Léon Henri Antoine

Né le 5 décembre 1821 à Paris. Mort le 27 octobre 1898 dans le quartier de Vaugirard à Paris. XIXe siècle. Français.

Peintre de genre, aquarelliste et lithographe.

Élève de David d'Angers et E. Lassale. Il débuta au Salon en 1849. Le Musée de Château-Thierry conserve de lui : *Au catéchisme, Femme nue assise sur un tertre* et une étude.

LOIRE.

VENTES PUBLIQUES : PARIS, 12 mai 1928 : *La chanteuse des rues* : **FRF 310** – PARIS, 23 juin 1943 : *A la fenêtre* : **FRF 3 200** – BERNE, 1er mai 1980 : *L'après-midi au jardin des Tuileries*, h/t (37x54) : **CHF 7 000**.

LOIRET Jean

Né en 1909 à Paris. XXe siècle. Français.

Peintre.

Cet artiste est avant tout un coloriste subtil et audacieux. Son style très personnel, d'essence musicale, à partir d'un graphisme et d'une harmonie rigoureusement rythmés, reste de haute tradition sans rien ignorer pourtant des principaux courants picturaux de la fin du XIXe siècle à nos jours. Son œuvre constitue un jalon entre l'art figuratif et l'abstraction. Il expose régulièrement à Paris, à Bordeaux, Angoulême, Biarritz, New York, Londres,

Bruxelles, Saõ Paulo, etc. Il est aussi l'auteur de décorations murales pour des collectionneurs privés.
Musées : Paris (Mus. d'Art mod. de la Ville de Paris).

LOIS Jacob
Né vers 1620 à Rotterdam. Mort le 31 août 1676 à Rotterdam. XVIIe siècle. Hollandais.
Peintre, architecte et collectionneur de tableaux.
Il épousa, le 31 août 1649, Eva Van Mismebeck, fut capitaine de la garde civile de 1652 à 1653 et échevin en 1664.

Jac Lois fecit 164

Musées : Rotterdam : *Portrait d'homme – Portrait de femme.*
Ventes Publiques : New York, 4 oct. 1996 : *Le Baptême du Christ* 1647, h/pan. (95,2x80) : **USD 18 400.**

LOIS-PENNROSE, Mlle. Voir **LETOURNEAU**

LOISE Enrico de
Né en 1840 à Naples. XIXe siècle. Italien.
Peintre décorateur.
Après avoir fait de brillantes études à l'Institut des Beaux-Arts de sa ville natale, il exposa *La Récompense* et s'adonna à la peinture décorative. Ses fresques au Palais Royal de Naples sont très appréciées.

LOISEAU Émile
XIXe siècle. Français.
Peintre de genre, de portraits.
À Paris, il exposa au Salon en 1843 et 1850.

LOISEAU Gustave
Né le 3 octobre 1865 à Paris. Mort en 1935 à Paris. XIXe-XXe siècles. Français.
Peintre de paysages, marines, paysages urbains, natures mortes, fleurs. Postimpressionniste.
Après un passage à l'École des Arts Décoratifs de Paris, en 1890 il travailla à Pont-Aven auprès de Gauguin. Il y connut aussi Maufra et Émile Bernard. Depuis 1893, il exposa à Paris au Salon des Indépendants, et depuis 1895 au Salon de la Société Nationale des Beaux-Arts. De 1890 à 1896, il figura aussi à des expositions de peintres postimpressionnistes.
Après avoir été influencé par le cloisonnisme de Gauguin, il s'orienta vers le postimpressionnisme en 1895, influencé par Pissarro, puis par le divisionnisme de Seurat. S'il conserva du cloisonnisme une construction presque géométrique de ses peintures, il a apporté dans le postimpressionnisme une touche plus souple, croisée en treillis, qui fait sa singularité. Dans certains de ses paysages ou marines, il ose la juxtaposition de touches de couleurs peu usitées et très contrastées, très proche alors de Henri E. Cross. Grand voyageur, ses peintures en tirent une marque de diversité. Pourtant, il reste surtout comme l'interprète des vues de Paris, des bords de Seine, des falaises de Dieppe et de la vallée de la Dordogne.

G Loiseau
G Loiseau

Bibliogr. : In : *Diction. Univers. de la Peinture*, Le Robert, Paris, 1975.
Musées : Pont-Aven : *Marine.*
Ventes Publiques : Paris, 24 avr. 1929 : *Printemps* : **FRF 3 100** – Paris, 9 juil. 1942 : *Fécamp* : **FRF 10 000** – Paris, 25 jan. 1943 : *Route de Paris à Ennery* : **FRF 21 000** ; *Paysage d'hiver à Chaponval* : **FRF 25 000** – Paris, 2 juin 1943 : *Entrée du village de Saint-Cyr-du-Vaudreuil* : **FRF 16 500** – New York, 2 mars 1944 : *Fécamp* : **USD 475** – Paris, 9 avr. 1945 : *Sortie de la messe à Pont-Aven ?* 1927 : **FRF 20 000** – Paris, 26 mai 1950 : *Temps de neige à l'Ermitage, près de Pontoise* : **FRF 70 000** – Londres, 26 mars 1958 : *Le pont d'Elbeuf* : **GBP 520** – Paris, 18 mars 1959 : *Le pont suspendu à Elbeuf* : **FRF 1 000 000** – Paris, 23 juin 1960 : *Notre-Dame de Paris, vue du pont de la Tournelle* : **FRF 10 000** – Lausanne, 17-20 oct. 1961 : *La Maison au toit rouge* : **CHF 30 000** – Paris, 7 juin 1967 : *Moret-sur-Loing* : **FRF 40 000** – Genève, 6 nov. 1969 : *L'Avant-port de Dieppe* : **CHF 55 000** – Versailles, 2 déc. 1973 : *Rouen, le pont de pierre* : **FRF 92 000** – Zurich, 16 mai 1974 : *Falaise d'Yport* : **CHF 67 000** – Londres, 30 nov. 1976 : *Paysage d'été* 1901, h/t (65x90) : **GBP 4 000** – Paris, 9 déc. 1977 : *Tournant de rivière (l'Eure à Saint-Cyr-du-Vaudreuil)* 1904, h/t (66x92,5) : **FRF 45 000** – New York, 18 mai 1979 : *Le quatorze Juillet à Paris, rue de Clignancourt*, h/t (61,5x50,5) : **USD 30 000** – Quiberon, 19 juil. 1980 : *Le pêcheur*, dess. (29x36) : **FRF 5 000** – Londres, 30 nov. 1982 : *Le pont Henri IV, Paris* 1918, h/t (54x65) : **GBP 8 200** – New York, 16 nov. 1983 : *La Rue de Clignancourt, Paris* 1924, h/t (73,5x60,5) : **USD 38 000** – New York, 7 juin 1984 : *Nature morte aux fleurs et pommes* 1924, techn. mixte/cart. mar./pan. parqueté (50,7x54) : **USD 7 000** – New York, 22 fév. 1985 : *Verger en fleurs, printemps* 1902, h/t (65,2x81) : **USD 44 000** – Versailles, 14 déc. 1986 : *Saint-Cyr-du-Vaudreuil* 1900, h/t (38x55) : **FRF 400 000** – Versailles, 14 déc. 1986 : *Saint-Cyr-du-Vaudreuil* 1900, h/t (38x55) : **FRF 400 000** – Paris, 10 déc. 1987 : *Bord de rivière*, h/t (65x81) : **FRF 580 000** – Paris, 22 nov. 1987 : *Autoportrait à la pipe* 1915, past. (44,5x36) : **FRF 70 000** – Paris, 18 jan. 1988 : *Vue du village de Pontoise* 1920, h/t (59x71) : **FRF 600 000** – New York, 18 fév. 1988 : *L'Église Saint Médard et la rue Mouffetard à Paris*, h/t (45,7x54,5) : **USD 121 000** ; *Route de village*, h/t (50x61) : **USD 41 800** – Londres, 24 fév. 1988 : *Paysage d'hiver*, h/t (31x39) : **GBP 15 400** – Paris, 18 mars 1988 : *La Rivière (le Vaudreuil)* 1923, h/t (72,5x72,5) : **FRF 500 000** ; *Le Port Henri-IV* 1918, h/t (54x65) : **FRF 480 000** – Paris, 22 mars 1988 : *Port de Dieppe*, h/t (54x73) : **FRF 410 000** – Paris, 9 mai 1988 : *Peupliers au bord de l'Eure* vers 1900, h/t (33x46) : **FRF 245 000** – New York, 12 mai 1988 : *Harengs et soupière*, h/cart. (37x45) : **USD 18 700** ; *Moret-sur-Loing*, h/t (54x73) : **USD 77 000** – Paris, 12 juin 1988 : *Le Pont suspendu*, h/t (60x73) : **FRF 360 000** – Paris, 22 juin 1988 : *Falaises en Normandie* 1901, h/t (60x73) : **FRF 880 000** – Londres, 28 juin 1988 : *Les Peupliers sur l'Eure* 1900, h/t (93x74) : **GBP 99 000** – Londres, 29 juin 1988 : *L'Arc de Triomphe de Paris sous la neige*, h/t (54x65,5) : **GBP 37 400** – Londres, 19 oct. 1988 : *Usine au bord de l'Oise dans les environs de Pontoise*, h/t (33x46) : **GBP 19 250** – Paris, 21 nov. 1988 : *Petites maisons à Clisson près de Nantes* vers 1894-96, h/t (39x53) : **FRF 80 000** – Paris, 24 nov. 1988 : *Quatorze Juillet à Paris (rue de Clignancourt)* vers 1925, h/t (65x54) : **FRF 1 500 000** – Paris, 14 déc. 1988 : *Femme assise*, dess. au cr. (25x17) : **FRF 8 000** – Paris, 16 déc. 1988 : *Nesle la vallée*, peint./t. (81,5x65) : **FRF 740 000** – Poitiers, 29 jan. 1989 : *La maison du Père Quatorze à Nesles la Vallée* 1906, h/t (65x54) : **FRF 730 000** – Calais, 26 fév. 1989 : *Fermette à Clisson* (39x53) : **FRF 180 000** – New York, 10 mai 1989 : *La Maison rouge à Port-Marly*, h/t (54,6x64,8) : **USD 154 000** – Paris, 14 juin 1989 : *Brume sur l'Eure*, h/t (65x92) : **FRF 610 000** – Londres, 27 juin 1989 : *Place de l'Etoile* 1929, h/t (54x65) : **GBP 104 500** – Calais, 2 juil. 1989 : *Le port de Dieppe*, h/t (60x73) : **FRF 550 000** – Saint-Dié, 11 fév. 1990 : *Place de village*, h/t (46x55) : **FRF 220 000** – New York, 26 fév. 1990 : *La rivière en automne* 1912, h/t (73,6x92) : **USD 220 000** – Paris, 20 mars 1990 : *Dieppe, le port* 1926, h/t (60x73) : **FRF 660 000** – Paris, 30 mars 1990 : *Le Pont de Saint-Ouen, Pontoise sous la neige*, h/t (54x65,5) : **FRF 400 000** – Londres, 4 avr. 1990 : *L'Orne aux environs de Caen* 1928, h/t (66x81) : **GBP 77 000** – Paris, 24 avr. 1990 : *L'Avant-port de Dieppe* 1926, h/t (50x61) : **FRF 500 000** – Paris, 13 juin 1990 : *La Seine à Rouen*, h/t (54x81) : **FRF 580 000** – Paris, 2 juil. 1990 : *Plat de maquereaux*, h/cart. (38x46) : **FRF 85 000** – New York, 2 oct. 1990 : *Peupliers au Vaudreuil dans l'Eure* 1905, h/t (65,4x81,2) : **USD 110 000** – Paris, 25 nov. 1990 : *Le quartorze Juillet à Paris (rue de Caulaincourt)*, h/t (65x54) : **FRF 800 000** – Amsterdam, 12 déc. 1990 : *Nature morte*, h/pap./pan. (46x37,5) : **NLG 7 475** – New York, 15 fév. 1991 : *Bords de l'Eure*, h/t (60,4x81,4) : **USD 35 750** – Paris, 17 avr. 1991 : *Bord de l'Oise* 1904, h/t (60x81) : **FRF 270 000** – New York, 8 mai 1991 : *Inondations aux environs de Nantes* 1909, h/t (50,7x61,3) : **USD 71 500** – New York, 7 nov. 1991 : *Tournant de rivière : l'Eure à Saint-Cyr-du-Vaudreuil* 1904, h/t (68x91,7) : **USD 74 250** – Londres, 3 déc. 1991 : *Falaises en Normandie* 1901, h/t (60,3x73) : **GBP 66 000** – New York, 14 mai 1992 : *Gelée blanche aux environs de Pontoise* 1906, h/t (60,3x92,1) : **USD 77 000** – Paris, 3 juin 1992 : *Paris, rue de Clignancourt*, h/t (65x54) : **FRF 391 000** – New York, 11 nov. 1992 : *Maison sur la côte normande* 1909, h/t (58,4x71,4) : **USD 93 500** – New York, 12 nov. 1992 : *Bord de rivière à l'automne* 1908, h/t (73x92,1) : **USD 71 500** – Londres, 1er déc. 1992 : *La Seine à Pontoise* 1910, h/t (61x73) : **GBP 70 400** – Paris, 10 fév. 1993 : *Les Deux Bouquets*, h/t (61x50) : **FRF 90 000** – Amsterdam, 26 mai 1993 : *Couple se reposant à l'ombre des meules*, h/t (33x46,5) : **NLG 32 200** – Paris, 23 juin 1993 : *La rivière (Le Vaudreuil)* 1923, h/t (72x72) : **FRF 460 000** – New York, 3 nov. 1993 : *Coude d'une rivière de Normandie* 1913, h/t (65,7x81,3) :

USD 81 700 – LONDRES, 1er déc. 1993 : *La Rivière en automne* 1917, h/t (73,6x92) : **GBP 58 700** – BOULOGNE-SUR-SEINE, 20 mars 1994 : *Nature morte au faisan*, h/t (55x46) : **FRF 17 000** – PARIS, 8 avr. 1994 : *La Cathédrale d'Auxerre*, h/t (60x50) : **FRF 260 000** – NEW YORK, 10 mai 1995 : *Le Quai à Pontoise* 1906, h/t (54,6x72,4) : **USD 85 000** – LONDRES, 28 nov. 1995 : *Village en bord de rivière*, h/t (50x61) : **GBP 28 750** – PARIS, 12 déc. 1995 : *Peupliers à Saint Cyr-du-Vaudreuil*, h/t (65x81) : **FRF 280 000** – NEW YORK, 1er mai 1996 : *Le quatorze Juillet rue de Clignancourt*, h/t (64x53) : **USD 112 500** – PARIS, 10 juin 1996 : *Le Port de Fécamp* 1924, h/t (46x55) : **FRF 220 000** – NEW YORK, 13 nov. 1996 : *Gelée blanche au bord de l'Eure* 1915, h/t (60,3x73) : **USD 48 875** – PARIS, 26-27 nov. 1996 : *La Meule* vers 1899-1900, h/t (60x73) : **FRF 96 000** – LONDRES, 3 déc. 1996 : *Nature morte aux lilas*, h/t (64,8x54) : **GBP 17 250** – NEW YORK, 10 oct. 1996 : *Nature morte avec fruits, couteau, pâtisseries et une vierge à l'enfant*, h/pan. (50,2x61) : **USD 11 500** – NEW YORK, 9 oct. 1996 : *Le champ de blé*, h/t (60,3x81,3) : **USD 46 000** – LONDRES, 25 juin 1996 : *Peupliers à Saint-Cyr-du-Vandreuil* vers 1905, h/t (65x81) : **GBP 87 300** – NEW YORK, 14 nov. 1996 : *Les Peupliers sur l'Eure* 1900, h/t (93x74) : **USD 85 000** – NEW YORK, 14 mai 1997 : *Peupliers* 1898, h/t (81,3x65,4) : **USD 76 750** – PARIS, 5 juin 1997 : *La Côte bretonne*, h/t (27x35,5) : **FRF 27 000** – PARIS, 23 juin 1997 : *L'Église de Bennecourt* 1901, h/t (73,5x60,5) : **FRF 160 000** – LONDRES, 25 juin 1997 : *Le Verger au printemps* vers 1899-1900, h/t (38,4x46) : **GBP 40 000**.

LOISEAU Paul
Né le 13 juin 1893 à Paris. XXe siècle. Français.
Peintre de portraits, fleurs, copiste.
Il fut élève de Paul Louis Lavalley. Depuis 1921, il exposait à Paris, au Salon des Indépendants, avec des portraits de femmes et d'enfants.

LOISEAU-BAILLY Georges Philippe Eugène
Né le 16 février 1858 à Faix-Sauvigny-les-Bois (Yonne). Mort le 6 février 1913 à Paris. XIXe-XXe siècles. Français.
Sculpteur.
Élève de A. Dumont à l'École Nationale des Beaux-Arts. Il débuta au Salon de 1879, continuant d'exposer des groupes, statues, bustes, médaillons, plaquettes et objets d'art, jusqu'en 1913. Mention honorable, en 1884 ; deuxième médaille en 1886 ; médailles d'argent aux Expositions universelles de Paris, de 1889 et 1900. En 1890 une bourse de voyage lui permit de visiter l'Italie et la Tunisie.
Cet artiste est l'auteur du *Président Carnot* érigé à Beaune, du *Beaumarchais* placé à l'Opéra, du buste de *Gambetta* à Saint-Maixent et de la *République pensante*, au Ministère de l'Éducation Nationale. Le Musée de Bourges conserve de lui : *La veuve*, celui de Gray : *Flore* et celui d'Auxerre : *Portrait de la mère de l'artiste ; M. Péron ; Orphelines ; Abel mourant ; Adieu.*

LOISEAU-ROUSSEAU Paul Louis Émile
Né le 20 avril 1861 à Paris. Mort en 1927 à Paris. XIXe-XXe siècles. Français.
Sculpteur.
Il fut élève de Barrau. Il exposa au Salon des Artistes Français de Paris, obtenant diverses récompenses : 1892 troisième médaille, 1895 deuxième médaille, 1898 médaille, 1900 première médaille pour l'Exposition universelle. Il reçut une bourse de voyage en 1892, et fut promu chevalier de la Légion d'honneur en 1901.
MUSÉES : AMIENS : *Salem, nègre* – BEAUFORT : *Bébé s'amuse* – BOURGES : *Cujas – Une victime de Cléopâtre* – BREST : *Crispin* – CHAMBÉRY : *Toréador* – LANGRES : *Nègre du Soudan – Andromède* – LE MANS : *Le supplicié* – NICE : *Picador et taureau – Chasse à la panthère* – TOURCOING : *Musiciens nègres.*
VENTES PUBLIQUES : AVIGNON, 24 juil. 1986 : *Poulinière et son poulain*, bronze (H. 30 et L. 37) : **FRF 5 800** – PARIS, 30 avr. 1993 : *L'éveil*, sculpt. en ivoire (H. 19,5) : **FRF 6 300**.

LOISEL Alexandre François
Né en 1783 à Neuilly-sur-Seine. XIXe siècle. Français.
Paysagiste.
Élève de Wattelet et Remond. Il exposa au Salon, de 1827 à 1845. Le Musée de Saint-Omer conserve de lui une *Vue de Catafafimi.*

LOISEL Gaston
Né au XIXe siècle à Corbeil (Seine-et-Oise). XIXe siècle. Français.
Paysagiste.
Élève de Bonnegrace, Cabanel et Carolus Duran. Il débuta au Salon en 1879.

VENTES PUBLIQUES : PARIS, 11 mars 1925 : *Ruisseau sous bois* : **FRF 300**.

LOISEL L.
XVIIe siècle. Actif à Paris vers 1645. Français.
Graveur au burin.
Il collabora au recueil de vues et plans, publié par Beaulieu en 1645.

LOISEL Louis François ou **Loysel**
Mort le 8 mars 1780 à Nantes. XVIIIe siècle. Français.
Peintre d'histoire.
On cite de lui une *Résurrection du Christ* (à l'église de Mauves).

LOISEL Robert ou **Robin** ou **Loizel**
XIVe-XVe siècles. Vivait aux XIVe et XVe siècles. Français.
Sculpteur.
Élève de Jean de Liège, il termina, en 1382, dans l'abbaye de Saint-Denis, après la mort de son maître, le tombeau de Blanche de France ; l'année suivante, il éleva, dans l'église des Cordeliers, à Paris, le tombeau d'Isabelle de France, fille de Philippe VI et femme de Pierre Ier de Bourbon. En 1392, il travailla à Dijon pour Philippe le Hardi ; enfin, de 1389 à 1397, il fit à Saint-Denis, avec Thomas Privé et sur les plans de Raymond du Temple, architecte de Charles V et de Charles VI, le tombeau de Bertrand Duguesclin. En 1408, il s'engagea à faire un lutrin en laiton, pour l'église Saint-Martin-des-Champs. Son art demeure sec et reprend les formules gothiques sans rien y ajouter de nouveau.

LOISEROLLE. Voir **AVED Anne Charlotte**

LOISIER M. S., née **Contouly**
XVIIIe-XIXe siècles. Française.
Peintre miniaturiste.
Élève de Regnault. Elle exposa au Salon entre 1799 et 1801.

LOISON Pierre ou **Loyson**
Né le 5 juillet 1816 à Mer (Loir-et-Cher), selon certains biographes en 1821. Mort en février 1886 à Cannes (Alpes-Maritimes). XIXe siècle. Français.
Sculpteur.
Élève de David d'Angers, il entra à l'École des Beaux-Arts en 1842. Il débuta au Salon en 1845 et obtint cette année même une troisième médaille confirmée par deux premières médailles en 1853 et 1859. Cette dernière année, il fut décoré de la Légion d'honneur. Il a travaillé pour de nombreuses églises à Paris, pour le palais des Tuileries et le palais du Louvre.
MUSÉES : AMIENS : *Daphnis et Naïs – L'Ame* – BLOIS : *Sapho – Fould – La justice* – ORLÉANS : *Portrait de Duchalais* – PÉRIGUEUX : *Pierre Magne* – VERSAILLES : *Corbineau.*

LOISONNIER Pierre
Originaire d'Orléans. XVIe siècle. Français.
Sculpteur sur bois.
Pour le compte de François de Pontbriant, il travailla à l'église de Cléry. Il alla ensuite à Fontainebleau et y sculpta, de 1540 à 1550, avec Firmin Deschauffour, des figures en bois : *Apollon ; La Lune ; Mars ; Jupiter ; Vénus* et *Saturne* pour l'horloge de la chapelle du château.

LOISY Claude Joseph ou **Loysi**
Né le 28 avril 1644. Mort vers 1709. XVIIe siècle. Actif à Besançon. Français.
Graveur et orfèvre.
Il grava des portraits, des armoiries et des compositions religieuses. Fils de Pierre Loisy II.

LOISY Gilles de ou **Loysi**
Né le 9 février 1595 à Besançon. Mort entre 1657 et 1665. XVIIe siècle. Français.
Peintre d'histoire.
Il peignit des tableaux dans l'église de Beaume et à l'archevêché de Besançon.

LOISY Jean de ou **Loysi**
Né le 28 novembre 1603 à Besançon. Mort vers 1670 à Besançon. XVIIe siècle. Français.
Graveur.
Fils de l'orfèvre Simeon de Loisy et non de Pierre de Loisy l'Ancien, orfèvre, comme le dit le *Bryan Dictionary*. Il a gravé des estampes religieuses, des portraits et des armoiries.

LOISY Pierre I, l'Ancien ou **Loysi**
Mort en 1659 ou 1660. XVIIe siècle. Actif à Besançon. Français.

Graveur et orfèvre.
Il grava des plans, des armoiries, des ex-libris, des portraits.

LOISY Pierre II, le Jeune ou **Loysi**
Né le 21 septembre 1619. Mort vers 1670. XVIIe siècle. Actif à Besançon. Français.
Graveur et orfèvre.
Fils de Pierre Loisi I. Il grava des ex-libris, des portraits, des séries d'allégories et de motifs religieux. On cite sa gravure du *Portrait de Rubens par lui-même*.

LOISY Sille ou **Loysi**
Né le 9 février 1595. Mort entre 1657 et 1664. XVIIe siècle. Français.
Peintre.
On cite parmi ses œuvres une *Vierge entourée de saints*, copie d'après fra Bartolomeo dans l'église de Beaume-les-Dames, et des peintures d'autel à l'archevêché de Besançon.

LOIZEAU François Émile
Né au XIXe siècle à Paris. XIXe siècle. Français.
Peintre de portraits et d'histoire.
Élève de David d'Angers et de P. Delaroche. Il exposa au Salon, entre 1848 et 1868, des aquarelles et un pastel.

LOIZEL Robert ou **Robin**. Voir **LOISEL**

LOIZELET Eugène
Né en 1842 à Paris. Mort en 1882 à Paris. XIXe siècle. Français.
Aquafortiste et dessinateur.
Il grava des ex-libris, des portraits, des paysages.
VENTES PUBLIQUES : PARIS, 1887 : *Le petit conseil*, dess. : **FRF 139**.

LOJACONO Francesco
Né en mai 1841 à Palerme. Mort en 1915 à Palerme. XIXe-XXe siècles. Italien.
Peintre de paysages.
Élève de Nicolas Palizzi. Il fit la campagne de 1862, sous les ordres de Garibaldi. Commandeur de la Couronne d'Italie. Il travailla à Palerme, Rome, Naples et exposa en Allemagne et en Autriche entre 1871 et 1888.

MUSÉES : CAPODIMONTE (Pina.) : *Jour de chaleur* – CHANTILLY (Condé) : *Troupeaux à Mandello* – PALERME (Mus. d'Art Mod.) : *Automne* – *Le mont S. Giuliano* – ROME (Mus. d'Art Mod.) : *Solitude* – *Au Vésuve* – *Vue d'Ospizio marino*.
VENTES PUBLIQUES : MILAN, 21 oct. 1969 : *Piccioni* : **ITL 950 000** – MILAN, 29 mars 1973 : *Paysage marin* : **ITL 2 200 000** – VIENNE, 12 mars 1974 : *Troupeau dans un paysage fluvial* : **ATS 60 000** – NEW YORK, 25 jan. 1980 : *Enfant sur la plage*, h/t (23,5x45) : **USD 4 500** – ROME, 6 mars 1984 : *Bord de mer escarpé*, h/t (51x63) : **ITL 6 500 000** – LONDRES, 27 nov. 1985 : *Barques de pêche à l'aube*, h/t (62,5x75,5) : **GBP 6 500** – MILAN, 29 mai 1986 : *Marine avec barques et pêcheurs*, h/t (61x118) : **ITL 26 500 000** – LONDRES, 6 fév. 1987 : *La Baie de Palerme* 1854, h/t (58,5x112) : **GBP 36 000** – MILAN, 19 oct. 1989 : *Ruelle de village*, h/t (65x40) : **ITL 26 000 000** – MILAN, 6 déc. 1989 : *Vue de Palerme*, h/t (50,5x91,5) : **ITL 57 000 000** – NEW YORK, 17 jan. 1990 : *Les marais*, h/t (40,7x65) : **USD 2 640** – MILAN, 8 mars 1990 : *Route boueuse*, h/t (47x80) : **ITL 38 000 000** – LONDRES, 22 nov. 1990 : *La Côte napolitaine*, h/t (45,7x88,8) : **GBP 9 350** – MILAN, 12 mars 1991 : *Route sous la pluie*, h/t (46x88,5) : **ITL 26 000 000** – NEW YORK, 28 mai 1992 : *La Recherche du petit bois sec*, h/t (47x96,5) : **USD 55 000** – MILAN, 29 oct. 1992 : *Sur le fleuve au coucher du soleil*, h/t (62x122) : **ITL 18 000 000** – MILAN, 16 mars 1993 : *Campagne sicilienne*, h/cart. (30x50) : **ITL 32 000 000** – MILAN, 21 déc. 1993 : *Paysage champêtre avec des oliviers et un berger et son troupeau*, h/t (48x98) : **ITL 46 000 000** – NEW YORK, 15 fév. 1994 : *Le Palais Ziza, les jardins royaux à Palerme*, h/t (54,6x110,5) : **USD 11 500** – MILAN, 22 mars 1994 : *Marée basse*, h/t (42,5x75) : **ITL 109 250 000** – LONDRES, 16 nov. 1994 : *Personnages sur un chemin de campagne*, h/t (59x99) : **GBP 31 050** – ROME, 13 déc. 1994 : *Paysage sicilien*, h/t (49x85) : **ITL 55 200 000** – LONDRES, 14 juin 1995 : *Le chemin longeant la mer à Mondello en Sicile*, h/t (52,5x100,5) : **GBP 21 850** – MILAN, 23 oct. 1996 : *Rochers à Palerme*, h/t (29,5x53,5) : **ITL 21 552 000** – ROME, 28 nov. 1996 : *Pêcheurs à Palerme* 1874, h/pan. (13x38) : **ITL 16 000 000** – ROME, 11 déc. 1996 : *La Plage de Palerme avec le Mont Pellegrino*, h/t (56x104) : **ITL 89 705** – LONDRES, 11 juin 1997 : *Vue de Taormina avec l'Etna dans le lointain*, h/t (78,5x159) : **GBP 41 100** – ROME, 27 mai 1997 : *La Valle dei Templi ad Agrigento*, h/t (81x103) : **ITL 11 500 000** – ROME, 2 déc. 1997 : *Marine avec vue sur Palerme et le Mont Pellegrino* 1870-1875, h/t (30x67) : **ITL 28 750 000**.

LOKHINE Adolphe
Né à Pretchistoé (région de Yaroslavl). XXe siècle. Russe.
Peintre de figures, paysages, natures mortes.
Il fréquente en 1965 l'Institut des Beaux-Arts Sourikov à Moscou. Il devint membre de l'Union des Peintres de la Russie. Il adhéra aux principes progressistes des artistes russes du début du siècle, membres des associations du Valet de Carreau et de la Rose bleue. Il habite Khimki près de Moscou et participe à des expositions nationales et internationales.
VENTES PUBLIQUES : PARIS, 28 nov. 1993 : *La vieille Kandalachka* 1967, temp./cart. (80x100) : **FRF 5 000**.

LOKHORST Dirk Van ou **Lockurst**
Né le 11 novembre 1818 à Utrecht. Mort en 1893 à Utrecht. XIXe siècle. Hollandais.
Peintre d'animaux, paysages.
Il fut élève de A. Verhoesen et de J. W. Bilders.
MUSÉES : AMSTERDAM : *Bergère* – BUCAREST (Mus. Simu) : *Paysage* – GLASGOW : *Paysage avec bétail* – LA HAYE (Mus. comm.) : *Repos sur la plage* – UTRECHT : *La Richesse de la Hollande* – *Bergère*.
VENTES PUBLIQUES : PARIS, 14 nov. 1946 : *Pêcheuse au bord de la rivière*, sans indication de prénom : **FRF 19 200** – AMSTERDAM, 16 mars 1976 : *Paysage*, h/t (54,5x75,5) : **NLG 4 200** – LONDRES, 5 oct. 1983 : *Moutons dans une étable* 1871, h/t (107,5x137) : **GBP 2 900** – AMSTERDAM, 16 nov. 1988 : *Berger et son troupeau au pré*, h/t (96x80) : **NLG 3 680** – AMSTERDAM, 28 fév. 1989 : *Paysan menant du bétail au crépuscule* 1857, h/pan. (45x56) : **NLG 1 265** – AMSTERDAM, 24 avr. 1991 : *Moutons dans une grange* 1889, h/pan. (19x23,5) : **NLG 1 840** – AMSTERDAM, 17 sep. 1991 : *Aubergiste apportant un rafraichissement à un cavalier au bord du chemin*, h/t (38,5x50) : **NLG 2 760** – AMSTERDAM, 24 sep. 1992 : *Paysan suivant un troupeau de vaches sur le chemin*, h/t (87x68) : **NLG 2 760** – AMSTERDAM, 21 avr. 1993 : *Bergère avec des moutons et une vache dans un paysage boisé*, h/pan. (29,5x39,5) : **NLG 3 680** – LONDRES, 27 oct. 1993 : *Attelage de bœufs tirant une charrette de bois* 1873, h/t (43x74) : **GBP 1 610** – AMSTERDAM, 8 fév. 1994 : *Été, vaches au bord d'un ruisseau dans une prairie*, h/pan. (45x76,5) : **NLG 4 370** – AMSTERDAM, 5 nov. 1996 : *Château dans un parc*, h/t (37x65) : **NLG 4 484**.

LOKHORST Dirk Peter Van ou **Lockurst**
Né le 1er mai 1848 à Utrecht. XIXe siècle. Hollandais.
Peintre de paysages.
Élève de son père Dirk Van Lokhorst, il travailla à Berlin à partir de 1894.
MUSÉES : LA HAYE (Mus. comm.) : *Repos dans la prairie* – UTRECHT : *Sur le Zuyderzée*.
VENTES PUBLIQUES : ROTTERDAM, 1891 : *Bruyère avec bétail* : **FRF 220**.

LOKHORST Johan Nicolaus. Voir **LOCKHORST**

LO KOUANG. Voir **LUO GUANG**

LOKROS
Ve siècle avant J.-C. Antiquité grecque.
Sculpteur.
Actif à Paros, il travailla à Athènes au Ve siècle avant Jésus-Christ. Il fit une *Athéna* pour le sanctuaire d'Arès à Athènes.

LO KUANG. Voir **LUO GUANG**

LOLA Francesco
XIVe-XVe siècles. Actif à Bologne. Italien.
Peintre.

LOLEK Stanislav
Né en 1873 à Palonin. XIXe-XXe siècles. Tchécoslovaque.
Peintre de paysages, animaux.
Il fut élève de Julius Marak à l'Académie des Beaux-Arts de Prague.
MUSÉES : BRNO – PRAGUE (Gal. Nat.).

LOLI. Voir aussi **DALOLI Gaspardo**

LOLI Lorenzo. Voir **LOLLI**

LOLI-PICCOLOMINI Marcello di Girolamo
Né en 1679. Mort en 1743. XVIIIe siècle. Actif à Sienne. Italien.
Peintre.

Le tableau d'autel *Saint Antoine de Padoue* de l'église de Radicondoli est signé de sa main et daté de 1731.

LOLLI Antonius. Voir **LOLLUS**

LOLLI Giacomo
Né en 1857 à Bologne. XIXe siècle. Italien.
Peintre.
Il étudia à l'Académie de Bologne. En 1892, il en fut nommé professeur honoraire, tandis qu'il était professeur effectif à l'école professionnelle des Arts Décoratifs, à Florence. Il prit part, en 1900, au concours Alinari avec son tableau *Mater purissima*.

LOLLI Lorenzo ou **Loli**
Né vers 1612 à Bologne. Mort le 5 avril 1691 à Bologne. XVIIe siècle. Italien.
Peintre et graveur à l'eau-forte.
Il a gravé des sujets d'histoire.

LLF LLF LLOLF

LOLLINI Gaetano
Mort en 1769 à Bologne. XVIIIe siècle. Actif à Bologne. Italien.
Sculpteur.
On mentionne des œuvres de sa main dans les églises S. Caterina di Saragozza et S. Domenico, des statues dans les églises S. Stefano et S. Luca à Bologne.

LOLLUS Antonius ou **Lolli**
XVIe-XVIIe siècles. Italien.
Peintre sur faïence.
Il était peintre de la Manufacture de Castelli. Le musée de San Martino à Naples possède un plat représentant le *Jugement de Pâris*, signé de lui. D'autres œuvres conservées dans ce musée lui sont attribuées.

LOLMO. Voir aussi **OLMO**

LOLMO Giovanni Paolo ou **L'Olmo** ou **Ulmus**
Né en 1550 à Bergame. Mort en 1593. XVIe siècle. Italien.
Peintre d'histoire.
L'Académie Carrara, à Bergame, conserve de lui : *Couronnement de la Vierge* ; *Isotta Brembati* ; *Résurrection du Christ* ; *Le Rédempteur* ; *Une veuve*. Le Musée provincial de Bonn possède de cet artiste : *Vierge à l'Enfant avec saints*. On voit aussi de lui, à Bergame, à l'église Santa Maria Maggiore : *Saint Sébastien* et *Saint Roch*, peints en 1517.
VENTES PUBLIQUES : ENGHIEN-LES-BAINS, 25 juin 1987 : *Portrait du comte Stansilao Medolago Albani en armure*, h/t (138x116,5) : **ITL 20 000 000**.

LOLMO da Brescia. Voir **BARTOLOMMEO**

LOLO, pseudonyme de **Soldevilla Dolores**
Née en 1911 à Pinar-del-Rio. XXe siècle. Cubaine.
Peintre, peintre de collages, sculpteur. Abstrait-géométrique.
Une intense activité syndicale l'a amenée à devenir déléguée culturelle de la République Cubaine en Europe. À ce titre, elle organisa, en 1951, une exposition d'art cubain contemporain au Musée National d'Art Moderne de Paris, et, en 1956, une exposition de peinture abstraite de l'École de Paris à La Havane. Dans le même temps, elle commença à peindre et à sculpter. Elle entreprit des voyages d'étude en Italie, Espagne, Belgique, Angleterre, Suisse, Tchécoslovaquie. Elle a surtout séjourné à Paris, y exposant aux Salons d'Automne et des Indépendants. Elle a montré des expositions personnelles de peintures, d'objets et de collages, à Paris en 1954 et 1955.
Adepte d'une abstraction à tendance géométrique, issue de Sophie Taüber-Arp et du suprématisme de Malévitch.
BIBLIOGR. : Michel Seuphor, in : *Diction. de la peint. abstraite*, Hazan, Paris, 1957.

LOLOCHKA, pseudonyme de **Caiazzo Laurence**
Née en 1957 à Paris. XXe siècle. Française.
Peintre. Figuration libre. Groupe Art-Cloche.
De 1977 à 1981, elle étudia la peinture à l'École des Beaux-Arts de Venise. De 1981 à 1985, elle participa à la création et aux activités de l'atelier de masques : Galerie Le Diable vert.
Sur des supports divers, en général de récupération, avec des matériaux et des techniques mixtes, elle produit les images sauvages caractéristiques de la liberté contestatrice du groupe et de la figuration libre.
BIBLIOGR. : In : *Art Cloche. Élément pour une rétrospective. Squatt artistique*, catalogue de ventes, Me Pierre Cornette de Saint-Cyr, lundi 30 janvier 1989, Paris.
VENTES PUBLIQUES : PARIS, 30 jan. 1989 : *Le baiser*, h/t (52x67) : **FRF 4 300** – PARIS, 9 avr. 1989 : *Hommage à SP 38*, acryl. /pap. (147x86) : **FRF 9 100** – PARIS, 18 juin 1989 : *La danse des regards*, acryl./cart. (130x75) : **FRF 8 500** – PARIS, 21 sep. 1989 : *Le saut de l'ange* 1989, h/t (115x90) : **FRF 5 000** – PARIS, 26 avr. 1990 : *Pas de danse*, h/t (116x89) : **FRF 10 000** – PARIS, 28 oct. 1990 : *La parole*, techn. mixte/t. (130x97) : **FRF 8 000** – PARIS, 7 fév. 1991 : *De la boite de pandore*, h/t (97x130,5) : **FRF 8 500**.

LOMAKIN Oleg ou **Lomakine**
Né en 1924 à Krasny. XXe siècle. Russe.
Peintre de figures, nus, intérieurs, natures mortes.
Il fréquenta l'Académie des Beaux-Arts de Léningrad (Institut Répine) et étudia sous la direction de Boris Ioganson. Membre de l'Association des Peintres de Léningrad. À partir de 1952, ses œuvres sont exposées régulièrement à Moscou et à Léningrad. En 1949 à Léningrad, il obtint le Premier Prix du Ministère de la Culture d'URSS à l'exposition *La Jeunesse de Léningrad*. Dès 1960, il participe à Tokyo à l'exposition *L'Art de Léningrad* et y sera présent trois autres fois. Depuis 1978, il multiplie ses participations aux manifestations à l'étranger : Helsinki (1978), Osaka (1980), Bruxelles (1982), Montréal (1986), Tokyo (1988).
Si ses thèmes magnifient traditionnellement le travail et les travailleurs, ainsi qu'avec de nombreux nus très offerts au repos du même travailleur, sa facture large et contrastée le fait échapper partiellement à l'académisme plat et lissé.

BIBLIOGR. : In : Catalogue de la vente *L'École de Léningrad*, Drouot, Paris, 19 nov. 1990.
MUSÉES : DRESDE (Gal. Nat.) – HELSINKI (Gal. d'Art Soviétique) – MOSCOU (min. de la Culture) – OSAKA (Gal. d'Art Contemp.) – SAINT-PÉTERSBOURG (Mus. de l'Acad. des Beaux-Arts) – SAINT-PÉTERSBOURG (Mus. Russe) – VLADIMIR (Gal. d'Art Contemp.).
VENTES PUBLIQUES : PARIS, 11 juin 1990 : *Le matin* 1968, h/t (101x86) : **FRF 42 000** – PARIS, 19 nov. 1990 : *Rêves matinaux*, h/t (75x98) : **FRF 25 000** – PARIS, 29 nov. 1990 : *Le matin au village* 1959, h/t (75x100) : **FRF 4 000** – PARIS, 18 fév. 1991 : *Nu allongé*, h/t (69x98) : **FRF 8 000** – PARIS, 4 mars 1991 : *Nu*, h/t (90x69) : **FRF 4 000** – PARIS, 25 mars 1991 : *La fille en rouge*, h/t (90x61) : **FRF 16 500** ; *La brune*, h/t (90x61) : **FRF 24 000** – PARIS, 15 mai 1991 : *Le lecture*, h/t (60x100) : **FRF 13 000** – PARIS, 25 nov. 1991 : *Fillette au bouquet*, h/t (70x50) : **FRF 30 500** – PARIS, 23 mars 1992 : *Nature morte d'automne*, h/t (81x60) : **FRF 10 000** – PARIS, 20 mai 1992 : *Le matin*, h/t (79x59) : **FRF 14 000** – PARIS, 12 déc. 1992 : *Nu assis*, h/t (70x60) : **FRF 18 500** – PARIS, 7 avr. 1993 : *Songe*, h/t (35x53) : **FRF 12 500** – PARIS, 29 nov. 1993 : *Tatiana*, h/t (46x38) : **FRF 25 000** – PARIS, 4 mai 1994 : *Dans la véranda*, h/t (65x50) : **FRF 8 800**.

LOMAN Anders
Né en 1879. Mort en 1953. XXe siècle. Suédois.
Peintre de genre, intérieurs.
VENTES PUBLIQUES : LONDRES, 24 mars 1988 : *Au piano* 1910, h/t (47x39,8) : **GBP 990**.

LO MASTRO Giovan Luca de
Originaire d'Eboli. XVIe siècle. Italien.
Peintre.
Il était actif au milieu du XVIe siècle. A peut-être participé à l'exécution des fresques du Palais Sanseverino à Naples.

LOMAX John Arthur
Né en 1857 à Manchester. Mort en 1923. XIXe siècle. Britannique.
Peintre d'histoire, genre.
Natif de Manchester, il s'en éloigna pour étudier à l'Académie de Munich, et y revint jusque vers 1880. Puis il s'installa avec les artistes académiques à St John's Wood.
Son travail consiste essentiellement en scènes historiques des XVIIe et XVIIIe siècles et plus spécialement de la période de guerre civile.

J.A.LOMAX

MUSÉES : LIVERPOOL (Walker Art Gal.) : six tableaux.

Ventes Publiques : Londres, 18 nov. 1921 : *Challenged* : **GBP 96** – Londres, 8 déc. 1922 : *La seule évidence* : **GBP 162** – Londres, 27 avr. 1923 : *La fortune d'une favorite* : **GBP 115** – Londres, 30 nov. 1925 : *À votre service* : **GBP 178** – Londres, 13 avr. 1928 : *Les compagnons* : **GBP 126** – Londres, 5 déc. 1928 : *Doubled Stakes* : **GBP 262** – Londres, 11 fév. 1944 : *Conte du renard* : **GBP 147** – Londres, 18 avr. 1946 : *La lettre* : **GBP 136** – Londres, 27 sep. 1946 : *Critiques* : **GBP 105** – Londres, 8 nov. 1946 : *Leçon privée* : **GBP 136** – Londres, 20 déc. 1946 : *Les murs ont des oreilles* : **GBP 105** ; *Tour étrange* : **GBP 220** – Londres, 4 oct. 1973 : *Les amateurs d'art* : **GNS 2 000** – Londres, 29 juin 1976 : *Le galant entretien*, h/t (50x75) : **GBP 900** – Londres, 21 oct. 1977 : *Le perdant*, h/pan. (30,4x44,4) : **GBP 1 700** – Londres, 2 oct 1979 : *The best authority*, h/pan. (41x31) : **GBP 2 200** – Londres, 7 mai 1982 : *The elopement discovered*, h/t (62,2x92) : **GBP 4 000** – Londres, 15 fév. 1983 : *Home brewed*, h/cart. (30,5x24) : **GBP 850** – Londres, 17 oct. 1984 : *Teaching a dog new tricks*, aquar. (19,7x24,8) : **GBP 1 500** – Londres, 2 oct. 1985 : *Le politicien*, h/pan. (24x29) : **GBP 3 200** – Londres, 16 avr. 1986 : *After dinner games*, h/t (30,5x46) : **GBP 2 600** – Toronto, 30 nov. 1988 : *La lecture près d'une fenêtre*, h/t (38x27) : **CAD 1 600** – Londres, 2 nov. 1989 : *Pénible lecture*, h/pan. (30,5x40,7) : **GBP 3 520** – Londres, 14 fév. 1990 : *Un ami méfiant*, h/pan. (25,5x30,5) : **GBP 4 180** – Londres, 13 juin 1990 : *L'antiquaire*, h/pan. (30,5x46) : **GBP 2 750** – Londres, 1er nov. 1990 : *Un moulin sur l'Avon* 1886, h/t (55,8x76,2) : **GBP 8 580** – Londres, 3 juin 1992 : *La partie de dés*, h/pan. (40x30) : **GBP 6 380** – New York, 29 oct. 1992 : *Une bonne pipe*, h/t (53,2x34,3) : **USD 1 650** – Londres, 11 juin 1993 : *La victime* 1902, h/pan. (29,8x45,7) : **GBP 4 025** – Londres, 6 nov. 1995 : *Le philtre d'amour*, h/t (30,5x46) : **GBP 4 600** – Londres, 5 nov. 1997 : *Soldat toujours, traître jamais*, h/pan. (31,5x48) : **GBP 3 680**.

LOMAZZO Giovanni Paolo
Né en 1538 à Milan. Mort en 1600 à Milan. XVIe siècle. Italien.
Peintre et écrivain d'art.

Élève de Gaudenzio Ferrari et de Giovanni-Battista della Cerva. Il voyagea en Italie pour mieux connaître la peinture de son temps. Il fit une copie quelque peu fantaisiste de *La Cène* de Vinci, pour le réfectoire de Santa Maria della Pace à Milan. Son portrait peint par lui-même, se trouve au Musée de Vienne et à la Pinacothèque di Brera à Milan ; à Milan également, la Galerie Ambrosienne conserve de lui une *Transfiguration*. Les œuvres de cet artiste sont rares. Devenu aveugle à peine âgé de trentre-trois ans, il se consacra à la littérature. Il publia, en 1584, son *Trattato dell'Arte della Pittura, Scultura et Architettura*, qui, trois années plus tard, fut suivi par ses *Rimes* et enfin, en 1590, paraissait son *Idea del Tempio della Pittura*. Il mêla à ses études esthétiques, des données astrologiques plutôt curieuses.

Ventes Publiques : Londres, 28 juin 1979 : *Un prophète entouré de putti*, craie noire et lav. reh. de blanc/pap. brun (32,1x24,6) : **GBP 1 600**.

LOMBAERTS René
Né le 7 avril 1885 à Anvers. Mort le 29 octobre 1918 à Anvers. XXe siècle. Belge.
Peintre de portraits, paysages, peintre de compositions décoratives, graveur.

LOMBARD Alfred
Né le 24 avril 1884 à Marseille (Bouches-du-Rhône). Mort le 7 septembre 1973 à Toulon (Var). XXe siècle. Français.
Peintre de figures, nus, paysages animés, fleurs, peintre de compositions murales, illustrateur. Tendance post-fauviste.

Il passa sa jeunesse à Marseille, où il s'inscrivit en 1904 à l'École des Beaux-Arts, qu'il quitta tôt. En 1906, il y rencontrait Camoin, Chabaud, Seyssaud, Mathieu Verdilhan. En 1907, il organisa le Salon de Provence, et en 1912 et 1913 le Salon de Mai. Puis, il vécut à Paris de 1919 à 1939. Il retourna alors en Provence, à Aix-en-Provence jusqu'en 1955, puis à Toulon. Un peintre provençal, Joseph Cabasson, l'avait initié à la peinture. De 1905 au Salon d'Automne à 1938, il participa à des expositions collectives. La galerie Paul Rosenberg de Paris montra des ensembles de ses peintures en 1914 et 1925. En 1987, le Musée de la Vieille Charité de Marseille lui consacra une exposition rétrospective.
De 1905 à 1928, il traita des sujets divers, dans une technique inspirée des couleurs pures du fauvisme, et ne fut pas touché par le cubisme. À partir de 1920, il eut une activité d'illustrateur. De 1928 à 1938, il eut des commandes de compositions murales : pour la chapelle du Paquebot Atlantique en 1931 ; pour la chapelle du Paquebot Normandie en 1935 ; pour le Palais du Travail et le Palais des Décorateurs à l'Exposition internationale de Paris de 1937. Après 1939, avec une écriture plus éclatée, des effets de matière, il se rapprocha de Braque, puis d'une certaine abstraction avec sa grande composition *Le Conquérant*.
Avec Chabaud, Seyssaud, Verdilhan, il contribua à l'activité de l'École provençale du début du siècle.

Bibliogr. : Divers : Catalogue de l'exposition *Alfred Lombard*, Mus. de Marseille, 1987 – in : Catalogue de l'exposition *L'Art Moderne à Marseille. La Collection du Musée Cantini*, Mus. Cantini, Marseille, 1988.

Musées : Beauvais : *Portrait de Pauline Cohen* 1910 – Marseille (Mus. Cantini) : *Le Vallon des Auffes* vers 1909 – autres peintures – Paris (Mus. Nat. d'Art Mod.) : *La Fenêtre ouverte*.

Ventes Publiques : Paris, 18 mars 1996 : *Sur le balcon*, h/t (73x92) : **FRF 80 000**.

LOMBARD Amable
Né au XIXe siècle à Draguignan (Var). XIXe siècle. Français.
Peintre d'histoire, de genre et de paysages.

Élève de Signol et de Pils.

Musées : Draguignan : *Les arènes de Fréjus – Dolmen de Draguignan – Portrait de jeune fille – Le sonneur de trompe – Le serment d'Annibal*.

LOMBARD Caroline Marie
Née au XIXe siècle à Montbrison (Loire). XIXe siècle. Française.
Peintre.

Elle débuta au Salon de 1866.

LOMBARD Césarine
Née en 1792 en Dauphiné. XIXe siècle. Française.
Peintre de portraits.

Élève de Regnault. Elle exposa au Salon de 1824.

LOMBARD Charles Albert Gaston. Voir **CHALGALO**

LOMBARD Émile Félicien
Né le 11 mars 1883 à Aubignosc (Alpes-de-Haute-Provence). XXe siècle. Français.
Peintre de genre, portraits, paysages, compositions murales.

Il exposait dans les principales villes du Sud, ainsi qu'à Paris aux Salons des Artistes Français et des Indépendants.
Épris de tons délicats, il a utilisé l'ancienne technique de la peinture à la cire. Il a décoré l'Hôtel des Postes d'Aix-en-Provence.

LOMBARD Henri Édouard
Né le 21 janvier 1855 à Marseille (Bouches-du-Rhône). Mort le 23 juillet 1929 à Paris. XIXe-XXe siècles. Français.
Sculpteur.

Élève de Cavelier. Débuta au Salon en 1878. Grand Prix de Rome en 1883, professeur à l'École des Beaux-Arts, médaille d'or en 1900 à l'Exposition Universelle de Paris ; chevalier de la Légion d'honneur en 1894. Le Musée de Nice conserve de lui un projet de monument et une esquisse.

Musées : Marseille : *Saint Sébastien*, plâtre – *Judith*, plâtre – *Sainte Cécile*, plâtre, groupe – Paris (Mus. du Louvre) : *L'été*, marbre – *Monument à Watteau*, marbre.

LOMBARD Jean
Né le 8 mars 1895 à Dijon (Côte-d'Or). Mort le 26 octobre 1983 à Paris. XXe siècle. Français.
Peintre de paysages, natures mortes, figures.

Il fit ses études secondaires à Lyon, puis y fréquenta l'Ecole des Beaux-Arts. Il vint poursuivre sa formation à Paris, d'abord à l'Ecole des Beaux-Arts, puis seul. Il a commencé à exposer à partir de 1925, participant aux Salons d'Automne, auquel il resta fidèle, et des Tuileries. Il faisait alors partie d'un groupe dans lequel figuraient entre autres Friesz, Asselin, Lehmann. Il devint professeur de dessin et peinture de la Ville de Paris et dirigea, entre 1938 et 1957, *L'Atelier du Vert-Bois*, où il eut de nombreux élèves, qui gardèrent le souvenir de sa bienveillante écoute et de sa droiture, et avec lesquels il participa à des expositions collectives. Après la guerre de 1939-45, il prit part aux Salons de Mai et des Réalités Nouvelles, ainsi qu'à des groupes à Tokyo, Varsovie, Cracovie, en Belgique, etc. En 1948, il participa, au Musée du

Cateau, à une exposition en hommage à Matisse, et en 1950 à un groupe de peintres dans le sillage de Cézanne et Villon, avec Moisset et Marzelle. Parallèlement il montrait ses peintures des époques successives, dans des expositions personnelles, à Paris en 1931, 1934, 1938, en 1943 dans le contexte du Salon d'Automne, puis en 1957, 1958, 1961, 1963, 1965, 1970, ainsi qu'une exposition itinérante dans de nombreuses villes d'Allemagne en 1962-1963, à Aix-en-Provence en 1962, Lyon en 1962 et 1964, Antibes en 1968, Toulouse en 1968 et 1971. Après sa mort, la Galerie É. de Causans à Paris a organisé une très importante exposition rétrospective d'ensemble de son œuvre en 1990, puis une exposition de ses œuvres *Les années 1960 à 1970* en 1992.
Jean Lombard au cours d'une longue vie de peinture, traversa plusieurs périodes. Passés les probables tâtonnements initiaux, après 1920, la découverte de la peinture de Cézanne lui donna une première impulsion, dont il ne se départira pas, même quand d'autres apports viendront s'y ajouter. Autour de 1930, il peignait des paysages urbains et quelques portraits, solidement construits par oppositions de gris sobrement teintés. Puis, encore dans les années trente, il fut sensible aux influences conjuguées de Matisse et de Bonnard, qui, tous deux, s'attachaient, par des voies différentes, à traduire la lumière sur la forme par la couleur, recherche qui conduira tout l'œuvre de Jean Lombard. En 1943, il connut, à l'occasion de quelques paysages au dessin synthétique et aux couleurs pures, une soudaine et brève flambée fauve. Cet épisode mis à part, ce fut, ensuite et jusqu'en 1950 environ, l'époque des grandes natures mortes, dans lesquelles, en symbiose avec Pignon, Bazaine, Manessier et les peintres français de cette génération, il tendait à concilier un dessin structuré issu du cubisme et la couleur du fauvisme, Picasso et Matisse. Dans le cas de Jean Lombard, si l'ordonnance de ses natures mortes les apparentait à Braque, la couleur, éclatante, diverse et heureuse, les en différenciait radicalement.
Après la guerre, séjournant tous les étés dans la campagne d'Aix, les pins, les paysages de pinèdes, devinrent une des constantes définitives de son œuvre. A la faveur du voisinage, le souvenir de Cézanne s'y manifestait de nouveau. Après 1950 et pendant quelques années, sur ces mêmes thèmes dont il entremêlait les éléments constitutifs, jardin, demeure, chaise-longue, intérieur, campagne, fenêtre, platanes, il abandonna le travail sur nature ou d'après modèle, il se détacha ainsi du motif et évolua à une abstraction relative, assez caractéristique de la peinture française d'alors. Ce fut une période très colorée et très construite, les éléments originels de sa sensation, de son émotion visuelle, étant tout d'abord dissociés, puis recomposés en puzzle, hors narration, selon une logique purement picturale. A peu près de 1960 à 1970, il revint à une figuration plus ouvertement avouée, encore sur le thème des arbres, plus ou moins fragmentés, souvent tenté par la problématique cézanienne des corps nus mêlés à la végétation, à la nature, arbres, corps traités dans une écriture souple, référencée au gestuel et à l'informel, écriture en courbes d'une période qu'il qualifia lui-même de « baroque ». Enfin, dans la dernière époque de sa vie, dans une encore longue période de peintures aux rythmes apaisés, il adopta une technique pigmentairement très légère, de couleurs à peine posées, « lavées », « essuyées », qui convenait à des effets de transparences aériennes, lui permettant une fois encore, comme tout au long de sa vie et de sa réflexion de peintre, d'interroger et de transcrire par la couleur l'action et le jeu multiple de la lumière sur les choses, sur le paysage diaphane, évanescent, ou, plus justement quant à l'ultime période, d'interroger la lumière elle-même et pour elle seule. D'un intérieur, d'un atelier, il peignait alors la lumière de l'autre côté de la verrière, piégée dans son encadrement brisé de quelques rares objets posés sur son rebord à contre-jour ou captée dans les plis souples d'un voilage, tel celui de Mallarmé « enfui contre la vitre blême ». Devant ses dernière peintures, ses dernières fenêtres qui ne sont plus qu'éblouissement, on pense au dernier souhait de Goethe : « Plus de lumière ». ■ Jacques Busse

Bibliogr. : Michel Seuphor : *Diction. de la peint. abstraite*, Hazan, Paris, 1957 – Catalogues des expositions *Jean Lombard*, Gal. Synthèse, Paris, 1963 et 1965 – in : *Peintres contemporains*, Mazenod, Paris, 1964 – Bernard Dorival, Lydia Harambourg, divers : *Jean Lombard*, M. Adam-Tessier, J.-B. Lombard, Paris, 1990.
Musées : Amsterdam – Le Cateau – Dijon – Lyon (Mus. St-Pierre) – Paris (Mus. Nat. d'Art Mod.) : *La pendule* – Saint-Étienne (Mus. d'Art et d'Industrie).
Ventes Publiques : Paris, 29 juin 1944 : *Nature morte aux deux cafetières* : **FRF 5 000** – Paris, oct. 1945-juil. 1946 : *Les lunettes* : **FRF 3 000** – Versailles, 15 mai 1988 : *Nature morte à la coupe de fruits*, h/t (60x73) : **FRF 16 000** – Paris, 2 avr. 1990 : *La lecture* 1963, h/t (27x35) : **FRF 9 500**.

LOMBARD Jeanne
Née le 22 août 1865 au Grand-Saconnex. XIXe siècle. Suisse.
Portraitiste et peintre de genre.
Élève de Krug, à Paris. De retour dans son pays, elle exposa au Salon fédéral et à Genève à plusieurs reprises, à Lyon en 1894 et à Neuchâtel. Le Musée de cette dernière ville possède d'elle un fusain : *A l'école du dimanche*, 1893.

LOMBARD Lambert, appelé par erreur **Lambert Susterman**
Né en 1506 à Liège. Mort en août (ou avril) 1566 à Liège. XVIe siècle. Éc. flamande.
Peintre d'histoire, sujets religieux, portraits, architectures, compositions murales.
Il eut pour premier maître Jean Demouse, et fut peut-être aussi élève de Arnold de Beer à Anvers ; il fut maître en 1529, se maria et vers la même époque entra au service du cardinal Erard de la Marck, prince évêque de Liège. Il alla vraisemblablement en Allemagne vers 1533, séjourna à Igel, près de Trèves ; il alla aussi à Middelbourg, connut Jean Mabuse, et fut son élève ou son aide. Il revint à Liège en 1535 ; en 1537, il accompagna le cardinal Réginald Polus à Rome, près du pape Paul III. Il resta deux ans à Rome, connut Vasari. Il revint à Liège après la mort d'Erard de la Marck, en 1539, et reçut une charge de greffier. Marié trois fois, il eut cinq filles, dont deux épousèrent des peintres : Louis de Hasque, Pieter Bâlen, et dont une épousa le sculpteur Thomas Follet. Par sa seconde femme, il avait pour beau-frère Lambert Suavius ou Ledoux, appelé aussi Susterman ou Zutman, avec qui on le confond parfois. Il eut pour élèves Frans Floris, Hubert Goltzius, Willem Key, Lambert Zutman dit Suavius, Jean Ramey, Pierre Dufour dit Jalhea, Dominicus Lampsonius, N. Pesser, etc. Voir aussi la notice du Pseudo-Lombard.
Il peignit les peintures murales des églises Saint-Pierre et Saint-Paul. Il compléta le retable de *Saint Denis l'Aréopagite* pour l'église Saint-Denis de Liège (aujourd'hui dispersé).
Musées : Anvers : *Portrait d'homme* – Berlin : *Marie et l'enfant* – Bruxelles (Arenberg) : *Festin de noces* – *La pêche miraculeuse* – Glasgow : *Adieux du Christ à sa mère* – Kassel : *Portrait du peintre* – Liège : *Le philaguet* – *Le joueur de flûte* – *Portrait de l'artiste* – *La Cène* – *Sacrifice de l'agneau pascal* – Londres (Nat. Gal.) : *Descente de croix* – Londres (Duc de Rutland) : *La dernière communion* – Saint-Pétersbourg (Mus. de l'Ermitage) : *Adoration des Mages* – *Vierge à l'Enfant* – Vienne : *Adoration des bergers* – *Sainte Famille avec un perroquet* – nombreux tableaux détruits dans l'incendie de Bonn, en 1703, qui appartenaient au prince Maximilien-Henri de Cologne.
Ventes Publiques : Paris, 1850 : *Passage de la Mer Rouge* : **FRF 3 000** ; *Les fléaux de Dieu* : **FRF 3 845** – Londres, 1872 : *Portrait de la marquise Guadaghi* : **FRF 4 000** – Paris, 7 avr. 1876 : *Une vision, sujet allégorique* ; *Passage de la Mer Rouge*, ensemble : **FRF 25 000** – Paris, 1890 : *Dame vénitienne* : **FRF 1 750** – Paris, 1898 : *Portrait de femme* : **FRF 705** – Paris, 25-28 mars 1901 : *Le Jugement de Pâris* : **FRF 400** – Londres, 7 mai 1909 : *La Charité* : **GBP 67** – Londres, 20 déc. 1921 : *Jésus nourrissant les cinq cents dans le désert* : **GBP 220** – Londres, 4 fév. 1924 : *La Cène* : **GBP 54** – Londres, 22 juil. 1927 : *La Vierge et l'Enfant* : **GBP 57** – Londres, 16 avr. 1937 : *Descente de la croix* : **GBP 99** – Bruxelles, 6 déc. 1937 : *Adoration des mages* : **FRF 15 000** – Paris, 9 fév. 1942 : *Salvator Mundi*, attr. : **FRF 9 500** – Londres, 2 fév. 1944 : *Études pour des ornements*, pl. : **GBP 120** – Londres, 28 mai 1965 : *Le miracle de la multiplication des pains* : **GNS 11 000** – Londres, 7 juil. 1972 : *Le miracle de la multiplication des pains* : **GNS 34 000** – Amsterdam, 25 avr. 1983 : *Deux hommes debout* 1552, pl. et lav./trois feuilles pap. (26,2x19,8) : **NLG 10 000** – Paris, 16 juin 1987 : *Le Mariage de la Vierge*, h/pan. (52,5x25,5) : **FRF 70 000** – Milan, 12 déc. 1988 : *La résurrection de Lazare*, h/pan. (87x120) : **ITL 9 000 000** – Londres, 19 avr. 1991 : *Marcus Curtius*, h/pan. (54x76,5) : **GBP 19 800** – Bologne, 8-9 juin 1992 : *Psyché enlevée par des*

Amours, h/pan. (99x77) : **ITL 18 400 000** – Paris, 1er juin 1994 : *La Présentation au temple*, h/pan. (126x117) : **FRF 62 000**.

LOMBARD Louis
Né le 28 janvier 1831 à Paris. Mort après 1907. XIXe siècle. Français.
Peintre de paysages, graveur.
Élève de Charles Gleyre, il débuta au Salon de Paris en 1868. Il fut l'un des derniers peintres de Barbizon.
À la suite d'un voyage en Espagne, il réalisa une série d'eaux-fortes, éditées en 1832-1833 par la Société des aquafortistes, qui marquent son goût pour le drame. Également écrivain-philosophe, il publia *La Religion du Vrai* en 1903.
Bibliogr. : Gérald Schurr, in : *Les Petits Maîtres de la peinture 1820-1920, valeur de demain*, Les Éditions de l'Amateur, t. III, Paris, 1976.

LOMBARD Louis Auguste
Né au XIXe siècle à Lyon (Rhône). XIXe siècle. Français.
Peintre de paysages.
Élève de Bonnefond, il débuta au Salon de Paris en 1869.

LOMBARD Pierre ou **Lombart**
Né en 1612 à Paris. Mort le 30 octobre 1682 à Paris. XVIIe siècle. Français.
Graveur.
Élève de Simon Vouet. Reçu académicien le 9 septembre 1673. Il a gravé des portraits et des sujets religieux.

LOMBARD Warren Plimpton
Né le 29 mai 1855 à West Newton (Massachusetts). XIXe siècle. Américain.
Peintre, graveur.
Membre de la Fédération américaine des artistes.

LOMBARDELLI. Voir **MARCA Giovanni Battista della**

LOMBARDI. Voir aussi **LOMBARDO, LOMBARDINO** et aux prénoms qui précèdent

LOMBARDI Alfonso, appelé **Lombardi da Lucca** ou **da Ferrara,** dit **Cittadella**
Né en 1487 ou 1497 à Ferrare. Mort le 2 décembre 1537 à Bologne. XVIe siècle. Italien.
Sculpteur.
On cite parmi ses œuvres à Bologne : *la Mort de la Vierge*, groupe en terre cuite à l'église S. Maria della Vital, *Hercule et l'Hydre* au Palazzo del Comune, de l'*Adoration des Mages*, relief en marbre dans l'église S. Domenico ; à Faenza : *Madone avec des saints*, grand groupe de terre cuite à la Pinacothèque ; à Ferrare : une *Pietà*, conservée en partie à l'église Saint-Jean-Baptiste, *Le poète Cinthio Giraldi*, buste de marbre au Palais de l'Université ; à Florence : *Clément VII* et *Giuliano Medici*, bustes au Palazzo Vecchio.

LOMBARDI Cristoforo ou **Lombardo, Lombardino**
XVIe siècle. Italien.
Sculpteur et architecte.
Il travailla surtout à Milan.

LOMBARDI Eugenio
Né en 1853 à Milan. XIXe siècle. Italien.
Sculpteur.
Il débuta vers 1875 et exposa à Turin, Milan, Venise.

LOMBARDI Giovanni Battista
Né en 1823 à Brescia. Mort en 1880 ou 1890. XIXe siècle. Italien.
Sculpteur de monuments, figures.
Le Camposanto de Brescia possède des monuments funéraires de sa main, et le Campo Verano à Rome un groupe représentant la famille de l'artiste.
Musées : Melbourne, Australie (Nat. Gal.) : *Figure de femme avec l'Amour*, groupe de marbre – *Sulamite*, statue.
Ventes Publiques : Londres, 21 mars 1985 : *Buste de jeune femme* vers 1870, marbre blanc (H. 66) : **GBP 950** – Londres, 21 nov. 1989 : *La fuite lors de la destruction de Pompéi* 1878, marbre sur un socle (H. totale 145, H. de la sculpt. 79) : **GBP 23 100** – Stockholm, 29 mai 1991 : *Une jeune femme assise* 1875, marbre blanc (H. 132) : **SEK 270 000** – New York, 1er nov. 1995 : *Dame aux colombes*, marbre (H. 182,9) : **USD 26 450**.

LOMBARDI Giovanni Domenico, dit **Omino**
Né en 1682 à Lucques. Mort en 1752 à Lucques. XVIIIe siècle. Italien.
Peintre de compositions religieuses.
Élève de Pietro Paolini, il étudia consciencieusement les œuvres des maîtres vénitiens et ajouta leurs couleurs au style des Carraci. Il exécuta des peintures dans le chœur des Olivetains et notamment à San Romano, où il montra des qualités de premier ordre. Malheureusement pour la gloire de l'artiste, il n'apporta pas la même vigueur dans toutes ses productions et peut-être par des préoccupations commerciales, exécuta des œuvres trop lâchées.
Musées : Chambéry (Mus. des Beaux-Arts) : *Saint François-Xavier guérissant les malades* – Lucques (Pina.) : *L'Adoration des Mages*.
Ventes Publiques : Milan, 20 mai 1982 : *L'Adoration des bergers*, h/t (57x76) : **ITL 5 500 000**.

LOMBARDI Giovita
Né en 1837 à Rezzato près de Brescia. Mort en 1876 à Rome. XIXe siècle. Italien.
Sculpteur d'animaux.
La National Gallery de Melbourne (Australie), possède de cet artiste trois groupes de marbre.

LOMBARDI Inès
Née en 1958 à São Paulo. XXe siècle. Active aussi en Autriche. Brésilienne.
Sculpteur, technique mixte, multimédia. Conceptuel.
En 1978, elle fut élève de l'Académie des Beaux-Arts de São Paulo ; de 1980 à 1985 de l'École Supérieure d'art mural de Vienne. Depuis 1988, elle participe à des expositions collectives, surtout à Vienne, et aussi à Graz, Budapest, Francfort, Varsovie, etc.
Utilisant la photographie, elle pose des interrogations sur la présentation de l'œuvre et sa représentation.

LOMBARDI Tommaso ou **Lombardo**. Voir **TOMMASO da Lugano**

LOMBARDI da Ferrara ou **da Lucca**. Voir **LOMBARDI Alfonso**

LOMBARDINI Gaetano
Né en 1801 à Saint-Arcangelo. Mort en 1869. XIXe siècle. Italien.
Sculpteur.
Élève de Canova. On cite de lui : *Un vieillard paralytique* et un *Christ* dans le cimetière de Cesena.

LOMBARDINO Cristoforo. Voir **LOMBARDI**

LOMBARDO. Voir aussi **LOMBARDI, LOMBARDINO** et au prénom

LOMBARDO Antonio
Né vers 1600 à Parme. Mort le 11 mars 1673 à Parme. XVIIe siècle. Italien.
Peintre de fresques.
On le croit élève de Giovanni-Maria Conti dont il fut l'aide. Il travailla à fresque dans l'Oratoire de Santa Croce à Parme. On cite aussi de ses peintures à l'église de San Illario.

LOMBARDO Antonio I ou **Lombardi**, dit aussi **Solari**
Né vers 1458. Mort en 1516 à Ferrare. XVe-XVIe siècles. Italien.
Sculpteur.
Fils de Pietro. On cite de ses œuvres à Venise, notamment l'autel de *Saint Zénon* à l'église Saint-Marc, au Palais des Doges, au Santo à Padoue, et la chapelle du *Saint Sacrement* au Dôme de Trévise.
Musées : Faenza (mun.) : Frises – Munich (Nat.) : *Hellé et le Bélier* – Paris (Mus. du Louvre) : *Le Jugement de Salomon* – Saint-Pétersbourg (Conservatoire des Arts et Métiers Stieglitz) : Reliefs.

LOMBARDO Antonio II ou **Lombardi**
Mort entre 1608 et 1610. XVIe siècle. Italien.
Sculpteur.
Fils de Girolamo. Il travailla avec ses frères à la porte de bronze du Dôme de Loreto.

LOMBARDO Aurelio ou **Lombardi**, dit **Solari**
Né en 1501 à Venise. Mort le 9 septembre 1563 à Recanati. XVIe siècle. Italien.
Sculpteur.
Fils d'Antonio I. Il entra en 1528 dans l'ordre des Franciscains. À partir de 1539 il travailla à Loreto où il exécuta pour la Santa Casa de la cathédrale des statues de marbre de prophètes (*Daniel* et *Jérémie*) ; de lui également un tabernacle de bronze que le pape Pie IV offrit au Dôme de Milan.

LOMBARDO Bigio ou **Biagio**
Né vers 1610 à Venise. XVIIe siècle. Italien.
Peintre.
Le Musée de Bordeaux conserve de lui un *Paysage*.

LOMBARDO Girolamo ou **Lombardi**, appelé **Solari** ou **Girolamo da Ferrara**
Né vers 1504. Mort vers 1590. XVIe siècle. Italien.
Sculpteur.
Fils d'Antonio I. Il sculpta à Venise, à la Loggetta, des reliefs de marbre, et à Loreto, à la casa Santa du Dôme, des statues de prophètes.

LOMBARDO Lambert. Voir **LOMBARD Lambert**

LOMBARDO Lodovico ou **Lombardi**, appelé **Solari** ou **Lodovico da Ferrara**
Né vers 1507. Mort en 1575. XVIe siècle. Italien.
Sculpteur.
Fils d'Antonio I. Il fondit en 1568 les quatre portes de bronze de la Cansa Casa à Loreto et en 1573 avec son frère Girolamo Lombardo, la statue de bronze du pape *Grégoire XIII*. La Galerie Liechtenstein de Vienne possède un buste de bronze antique portant la signature *Ludovicus de Lombardis*.

LOMBARDO Pietro et **Tullio** ou **Lombardi**, dit aussi **Solari**
XVe-XVIe siècles. Italiens.
Sculpteurs.
Cette famille des Lombardi présente des similitudes avec celle des Aprile, sculpteurs originaires de Carona. Pietro Lombardo est le fils de Martino de Carona. Les plus célèbres d'entre eux : Pietro, né vers 1435, mort vers 1515 et ses fils Antonio I (voir article), et Tullio, né vers 1455, mort vers 1532, collaborèrent souvent. Ils édifièrent de nombreux monuments à Venise. On cite parmi ceux-ci : les *Statues d'Adam et d'Ève*, au palais Vendramini ; *Les Apôtres dans le cénacle* (bas-relief) à Saint-Jean-Chrysostome ; *La chapelle Giustiniani*, dans l'église Saint-Francesco della Vigna ; *Le grand monument du cardinal Zénon*, à Saint-Marc ; dans la même église, *La Vierge, saint Pierre, saint Jean Baptiste, Dieu le Père* ; ces dernières œuvres furent exécutées en collaboration avec Leopardi qui travailla aussi avec les Lombardo au *mausolée du doge Andrea Pondramini*. On attribue généralement à Pietro : le monument *Malipiero*, le tombeau du *Doge Mocenigo* à San Zanipolo ; le tombeau du *Doge J. Marcello* à l'église des Frari ; et le mausolée de *Dante* à Ravenne. À Tullio, on donne le tombeau des *Doges Vendramin et G. Mocenigo* à San Zanipolo.
Musées : Paris (Jacquemart-André) : *Buste de jeune guerrier*, école – *Saint Jérôme et saint Augustin*, atelier de Pietro – *Buste de jeune guerrier cuirassé*, atelier de Tullio.
Ventes Publiques : Londres, 9 mars 1929 : *Étude de frise classique*, pl., de Tullio Lombardo : **GBP 240** – Londres, 5 déc. 1972 : *Buste de femme*, marbre, de Tullio Lombardo : **GNS 19 000**.

LOMBARDO Tullio. Voir l'article **LOMBARDO Pietro** et **Tullio**

LOMBARDO CALAMIA Giovanni
Né au XIXe siècle à Palerme. XIXe siècle. Italien.
Peintre d'architectures, paysages.
Il débuta vers 1880 et exposa à Naples, Rome et Turin. Il a reproduit beaucoup des ruines des Catacombes.

LOMBART. Voir aussi **LOMBARD**

LOMBART Jean
XVe siècle. Actif à Bruges de 1453 à 1473. Éc. flamande.
Peintre verrier.
Il travailla pour la nouvelle salle du duc de Bourgogne en 1467.

LOMBECK ou **Lompeck**
XIXe siècle. Allemand.
Peintre de paysages.
Il peignit au Palais de Marbre de Potsdam des paysages du Rhin et du Danube se rapportant aux Niebelungen, et à l'atrium des bains romains de Charlottenhof un *Paysage grec*, d'après l'esquisse de Frederic-Guillaume IV.

LOMBOS Laszlo de. Voir **LASZLO de Lombos**

LOME Johann. Voir **LOMME Janin**

LOMET Antoine François
Né le 6 décembre 1759 à Château-Thierry. XVIIIe siècle. Français.
Dessinateur, graveur et lithographe amateur.

LOMI Aurelio
Né le 29 février 1556 à Pise. Mort en 1622. XVIe-XVIIe siècles. Italien.
Peintre de compositions religieuses.
Fils de Giovanni Battista Lomi, il était le demi-frère aîné d'Orazio Gentileschi. Cet artiste, que l'on considère comme le chef de l'École de Pise, étudia d'abord avec son père ; certains biographes disent avec Bronzino. Mais son véritable maître fut Ludovico Cardi dit le Cigoli. Parmi ses œuvres on cite (par ordre alphabétique des villes) : à Bologne : à l'église S. Paolo : *Présentation au Temple* ; à Florence : aux Franciscains : un *Saint Antoine de Padoue*, à l'église de Santa Maria di Corgnano : un *Jugement dernier*, à la Galerie antique et moderne : une *Pietà*, à l'église S. Maria del Carmine : *Visitation*, à l'église S. Spirito : une *Adoration des Mages*, au Palais Pucci : un *Saint Sébastien* ; à Gênes : au Palais Bianco un *Martyre de saint Étienne*, à l'église S. Maria in Carignano : une *Résurrection du Christ* et un *Jugement dernier*, à l'église S. Maria in Passione (au maître-autel) : une *Descente de Croix* ; à Pise : au Musée municipal : *Couronnement de saint Silvestre*, *Les saints Dominique, Paul et un autre saint*, *les Apôtres Matthieu et Jean*, il décora de plusieurs fresques la cathédrale : *Adoration des Mages et Présentation au Temple*, *Adoration des bergers*, dans l'église du Campo Santo : son *Saint Jérôme*, œuvre datée de 1595, ainsi que des tableaux religieux dans les églises S. Francesco, S. Frediano, S. Martino, S. Michele, S. Niccolo, SS. Ranieri e Leonardo ; à Pistoia : à l'église S. Francesco : *La Fuite en Égypte* ; à Rome : à l'église nouvelle S. Maria in Vallicella : un tableau d'autel *L'Assomption* ; à Turin : à la Pinacothèque : une *Adoration des Mages*.

Ventes Publiques : Londres, 12 déc. 1985 : *Étude de jeunes hommes tirant des cordes*, craie noire et blanche/pap. bleu (20,4x28,5) : **GBP 1 700** – New York, 31 mai 1989 : *L'Adoration des bergers*, h/t (175x133,5) : **USD 28 600**.

LOMI Baccio
Né à Pise. XVIe siècle. Actif vers 1585. Italien.
Peintre.
Élève de Taddeo Zucchero, dont il fut probablement l'aide et dont il adopta la manière. On voit de lui, à la cathédrale de Pise, une *Assomption*.

LOMI Giovanni
Né en 1889 ou 1899 à Livourne. Mort en 1969 à Livourne. XXe siècle. Italien.
Peintre de paysages animés, paysages urbains, marines.

Ventes Publiques : Milan, 28 oct. 1976 : *Berger dans un paysage*, h/isor. (30x40) : **ITL 500 000** – Milan, 21 avr. 1983 : *L'Église du village*, h/pan. (40x49,5) : **ITL 2 600 000** – Milan, 28 oct. 1986 : *Coucher de soleil*, h/t (67x93) : **ITL 4 000 000** – Rome, 24 mai 1988 : *Chevaux près d'une meule de paille*, h/pan. (31x41) : **ITL 2 800 000** – Milan, 14 juin 1989 : *Navires dans le port de Livourne*, h/t/cart. (53,5x66) : **ITL 3 800 000** – Monaco, 21 avr. 1990 : *Un berger et son troupeau sur une falaise*, h/t (66x95,5) : **FRF 46 620** – Rome, 29 mai 1990 : *La Route des empereurs romains*, h/rés. synth. (30x40) : **ITL 2 530 000** – Milan, 30 mai 1990 : *Plage près de Livourne avec des pêcheurs et leurs filets*, h/rés. synth. (50x70) : **ITL 4 400 000** – Milan, 18 oct. 1990 : *Baigneurs sur des écueils* 1929, h/t (71x95) : **ITL 13 500 000** – Rome, 11 déc. 1990 : *Ruelle*, h/pan. (28x18) : **ITL 1 725 000** – Rome, 16 avr. 1991 : *Une rue de Vico Pisano*, h./contre-plaqué (50x23) : **ITL 3 680 000** – Rome, 28 mai 1991 : *Vendeurs de poissons sur la grève*, h/pan. (29,5x40) : **ITL 1 400 000** – Milan, 6 juin 1991 : *La Moisson*, h/t (79x129) : **ITL 22 000 000** – Milan, 7 nov. 1991 : *Marine avec des barques au soleil couchant*, h/t (50x70,5) : **ITL 6 500 000** – Milan, 19 mars 1992 : *Marine avec des pêcheurs*, h/t (50x70) : **ITL 6 000 000** – Bologne, 8-9 juin 1992 : *Rome antique*, h/rés. synth. (16x22,5) : **ITL 2 185 000** – Milan, 20 déc. 1994 : *Le Quartier des pêcheurs*, h/rés. synth. (55x70) : **ITL 6 900 000** – Milan, 25 oct. 1995 : *Baigneurs sur les écueils* 1929, h/t (71x95) : **ITL 13 800 000** – Milan, 23 oct. 1996 : *Scorcio di paese*, h./masonite (54,5x25) : **ITL 2 912 000**.

LOMI Orazio. Voir **GENTILESCHI**

LOMMATZSCH Johann Friedrich ou **Lommatsch**
Né en 1782. Mort en 1837. XIXe siècle. Actif à Dresde. Allemand.
Peintre.
Il peignit des natures mortes à l'huile et à l'aquarelle, tableaux de fleurs et de fruits souvent animés par des oiseaux. Il peignit aussi à la gouache.

LOMME Janin ou **Jehan le Home**
XVe siècle. Actif à Tournai. Éc. flamande.
Sculpteur.
Il exécuta en 1416 un mausolée destiné à Charles III, roi d'Aragon et de Navarre, et à la reine Eléonore de Castille. Cette œuvre, placée dans la cathédrale de Pampelune, s'inspire du tombeau de Philippe le Hardi, duc de Bourgogne.

LOMMEL Friedrich P. Eugen
Né le 26 mai 1883 à Erlangen. XXe siècle. Allemand.
Sculpteur de monuments, statues, décorations.
Il était arrière-petit-fils de Hegel. Il vivait et travaillait à Munich. À Brême, il a réalisé le *Monument des Héros* à l'église Notre-Dame ; à Prien la statue de *Sainte Catherine* au monument des Combattants ; au Nouveau Musée Allemand de Munich des décorations en relief.

LOMMELIN Adriaen
Né en 1636 ou 1637 à Amiens. Mort après 1673. XVIIe siècle. Éc. flamande.
Dessinateur et graveur.
Il vint fort jeune à Anvers pour faire ses études artistiques et s'établit dans cette ville. En 1654 il était le maître de Joseph Cossie à Anvers. En 1662, un *Marc Lommelin* plaet drukker était comme fils de maître dans la gilde d'Anvers. Il a surtout gravé d'après Rubens et Ant. Van Dyck. Les portraits d'après ce dernier maître sont intéressants.

LOMMEN Wilhelm
Né en 1838 ou 1839 à Clève. Mort en 1895 à Düsseldorf. XIXe siècle. Actif à Düsseldorf. Allemand.
Peintre de paysages.
Musées : Hambourg : *Récolte des pommes.*
Ventes Publiques : Amsterdam, 19 oct. 1993 : *Sur un quai du Rhin à Düsseldorf* 1879, h/t (96,5x153,5) : **NLG 46 000**.

LOMONT Eugène
Né en 1864 à Lure (Haute-Saône). XIXe-XXe siècles. Français.
Peintre de figures, nus, portraits.
Sociétaire de la Société Nationale des Beaux-Arts.
Il est surtout l'auteur de scènes intimistes, parmi lesquelles, on cite : *Jeune femme à sa toilette* 1900, dont la subtilité de la composition, la lumière feutrée, l'apparentent à l'art de Balthus.
Bibliogr. : Gérald Schurr, in : *Les Petits Maîtres de la peinture 1820-1920, valeur de demain,* Les Éditions de l'Amateur, t. V, Paris, 1981.
Musées : Beauvais : *Jeune femme à sa toilette* 1900.
Ventes Publiques : Paris, 16 nov. 1946 : *Jeune femme à sa toilette* 1900, h/t (64x65) : **FRF 2 812** – Paris, 20 nov. 1946 : *Femme au piano* : **FRF 3 700** ; *Femme nue* : **FRF 15 000**.

LO MOU. Voir **LUO MU**

LOMP Mattia. Voir **LAMPI**

LOMTIEV Nicolaï Petrovitch Alexeievitch ou **Lomtieff**
Né en 1816 à Saint-Pétersbourg. Mort en 1858 ou 1859. XIXe siècle. Russe.
Peintre d'histoire, compositions religieuses, compositions mythologiques. Romantique.
Fils d'un marchand, il entra à l'Académie des Beaux-Arts de Saint-Pétersbourg en 1837, en tant qu'auditeur libre. À la fin de 1838, il se rendit à Rome, aux frais de son père, étudia les maîtres italiens et travailla d'après nature. En 1845, il devint « artiste hors cadre », mais de retour en Russie après 1845, il connut la pauvreté.
Musées : Moscou – Saint-Pétersbourg.

LO MU. Voir **LUO MU**

LON Gert Van ou **Loen**
Né au XVe siècle en Westphalie. XVe siècle. Allemand.
Peintre.
Il travailla pour de nombreuses églises de Westphalie.
Musées : Munster : *La Résurrection, l'Ascension, la descente du Saint-Esprit, le Jugement dernier – Christ en Croix – Saint Pierre et saint Paul* – Paderborn (Mus. Dioc.) : *Christ en Croix.*

LONARDI Giuseppe
Mort vers 1718. XVIIIe siècle. Actif à Vérone. Italien.
Peintre.
Fils d'un peintre verrier nommé Giambattista Lonardi. Élève de S. Brentana et A. Nobili. Il se fit moine et orna de ses œuvres plusieurs églises de Vérone et des environs.

LÖNBERG Lorens. Voir **LOENBERG**

LÖNBORG Christian Adolf Barfold
Né le 5 septembre 1835 à Nyköbing. Mort en 1916. XIXe-XXe siècles. Danois.
Lithographe.
Élève de Marstrand.

LÖNBORG Harald
Né en 1868 à Nakskov. XIXe siècle. Danois.
Peintre, aquarelliste, photographe.
Il est fils de Christian Adolf Barfold Lönborg. Le Musée d'Odense possède un paysage de sa main.

LONCIN Louis
Né en 1875 à Durbuy. XXe siècle. Belge.
Peintre de figures, paysages animés, animalier.
Il fut élève de l'Académie des Beaux-Arts de Liège.
Il a surtout peint les paysages de l'Ardenne belge, souvent animés de troupeaux ou de chevaux de labour.
Bibliogr. : In : *Diction. biograph. illustré des artistes en Belgique depuis 1830,* Arto, Bruxelles, 1987.
Ventes Publiques : Bruxelles, 19 déc. 1989 : *La gardienne de chèvres,* h/t (97x60) : **BEF 95 000**.

LONCKE Jacob. Voir **LAMBRECHTZ LONCKE**

LONCKEWITZ ou **Lonckwitz**. Voir **LONKEWITZ**

LONCLE Émile
Né le 24 juin 1818 à Paris. Mort à Vernon (Eure). XIXe siècle. Français.
Peintre de paysages.
Élève de Nicolas Louis Cabat, il participa au Salon de Paris entre 1844 et 1870. Il voyagea beaucoup à travers la France et la Belgique et fut professeur de dessin au Lycée de Troyes.
Ses paysages, qui vont à l'essentiel, sont dans la lignée de ceux de Corot.
Bibliogr. : Gérald Schurr, in : *Les Petits Maîtres de la peinture 1820-1920, valeur de demain,* Les Éditions de l'Amateur, t. II, Paris, 1982.
Musées : Troyes : *Ferme à Bercenay-en-Othe.*

LONDERSEEL Assuerus Jansz Van ou parfois **Landerseel**
Né vers 1572 à Anvers. Mort en 1635 à Rotterdam, selon d'autres sources : en 1599 à Amsterdam. XVIe-XVIIe siècles. Hollandais.
Peintre et graveur sur bois.
Probablement élève de Peter Van der Borcht. On lui doit notamment des bois dans le goût de Virgile Solis pour des figures de la Bible. On lui doit également des gravures d'ornements pour les joailliers.

LONDERSEEL Jan Van
Né en 1582 probablement à Bruges. XVIIe siècle. Hollandais.
Dessinateur et graveur.
Peut-être frère d'Assuérus Jansz Van Londerseel. On le croit élève de N. de Bruyn. Un Johannes Van Londerseel était à Delft en 1614. Il a surtout gravé des paysages et des sujets religieux.

LONDICER Ernst Wilhelm
Né vers 1655 à Reval. Mort avant le 9 novembre 1697 à Reval. XVIIe siècle. Éc. balte.
Peintre.
Il était d'origine écossaise. Il exécuta surtout des portraits et des tableaux d'histoire.
Musées : Riga (Cathédrale) : *J. Fischer.*

LONDON Frank Marsden
Né le 9 mai 1876 à Pittsburgh (Caroline-du-Nord). XXe siècle. Américain.

Peintre.
Il fut élève d'Arthur Dow et de William Chase. Il a exposé en France, obtenant notamment une mention honorable à l'Exposition Internationale de Bordeaux de 1927.

LONDON-OWENS Georgette, dite **Georgie**. Voir **OWENS**

LONDONIO Francesco
Né en 1723 à Milan. Mort en 1783 à Milan. XVIIIe siècle. Italien.
Peintre d'histoire, animaux, paysages, graveur, dessinateur.
Il fut élève de Ferdinando Porta. Il peignit d'abord des tableaux d'histoire, mais dans la suite s'adonna surtout au paysage avec animaux. Il montra dans ce genre une grande supériorité et obtint un grand succès à Gênes et à Naples. Il a aussi gravé, à l'eau-forte, des paysages du même genre d'après ses dessins.

Cachet de vente

Musées : Brescia (Pina.) : *Tosio et Martinengo* – Milan (Ambrosiana) : *Sujet pastoral* – Milan (Brera) : *Berger et brebis* – *Amours rustiques* – *Maison en ruines et troupeau* – *Animaux et étude d'animaux* – Vienne (Gal. Schonborn-Buchheim) : *Animaux.*
Ventes Publiques : Paris, 1er juil. 1929 : *Chèvres et moutons à l'étable*, dess. : **FRF 105** – Milan, 28 fév. 1951 : *Scènes pastorales*, deux pendants : **ITL 100 000** – Milan, 28 nov. 1974 : *Paysan et cheval* : **ITL 400 000** – Milan, 4 déc. 1980 : *Deux études d'enfant*, pierre noire (25x15,4) : **ITL 850 000** – New York, 30 avr. 1982 : *Études de chèvres*, pierre noire et reh. de blanc (31,5x46) : **USD 2 000** – Rome, 1er déc. 1982 : *Bergers et troupeau*, h/t, une paire (115x145) : **ITL 15 000 000** – Milan, 8 mai 1984 : *Bergers et troupeaux de moutons*, h/t, une paire (131x59) : **ITL 9 000 000** – Milan, 12 déc. 1985 : *Pastorale*, cr. (20,5x27,5) : **ITL 3 600 000** – Rome, 16 mai 1986 : *Paysans et troupeau dans un paysage*, h/t (190x280) : **ITL 90 000 000** – Londres, 7 juil. 1987 : *Étude de moutons*, cr. noire reh. de blanc/pap. gris (23,7x23,5) : **GBP 3 500** – Rome, 23 fév. 1988 : *Vaches, chèvres et ânon près d'une grange*, h/t (32x42) : **ITL 3 500 000** – Paris, 30 juin 1988 : *Étude de moutons*, h/t (50x61) : **FRF 30 000** – Milan, 4 avr. 1989 : *Paysage avec de jeunes bergers et leurs chèvres*, h/pan. (55x73) : **ITL 19 000 000** – Milan, 21 mai 1991 : *Vaches et chèvres ; Âne et agneaux*, h/t, une paire (chaque 87x116) : **ITL 40 680 000** – New York, 10 jan. 1995 : *Étude de deux moutons*, craie noire et reh. de blanc (19,1x40) : **USD 2 875** – Milan, 18 oct. 1995 : *Pâtres et animaux*, h/pap./t. (59x44) : **ITL 9 200 000.**

LONDOT Charles
Né en 1887 à Uccle. Mort en 1968 à Uccle. XXe siècle. Belge.
Peintre.

LONDOT Léon
Né en 1878 à Mons. Mort en 1953 à Mons. XXe siècle. Belge.
Peintre de paysages, marines, natures mortes.
Bibliogr. : In : *Diction. biograph. illustré des artistes en Belgique depuis 1830*, Arto, Bruxelles, 1987.
Ventes Publiques : Bruxelles, 27 mars 1990 : *Bord de mer*, h/t (78x80) : **BEF 65 000** – Amsterdam, 3 nov. 1992 : *Nature morte de fleurs sur une table*, h./carton-pâte (55,5x46) : **NLG 2 070** – Lokeren, 8 oct. 1994 : *Nature morte*, h/t (61x65,5) : **BEF 36 000** – Lokeren, 11 mars 1995 : *Nature morte*, h/t (61x65,5) : **BEF 24 000.**

LONDOT Louis-Marie
Né en 1924 à Namur. XXe siècle. Belge.
Peintre de compositions animées, compositions murales, peintre d'assemblages, cartons de vitraux. Nouvelles figurations, tendance pop'art.
Il a participé à des intégrations architecturales, dans des églises, des bâtiments publics.
Il traite souvent l'image en gros-plan.
Bibliogr. : In : *Diction. biograph. illustré des artistes en Belgique depuis 1830*, Arto, Bruxelles, 1987.
Musées : Bruxelles (Mus. Nat.) – Liège – Namur (Mus. Provinc.).
Ventes Publiques : Lokeren, 21 mars 1992 : *Composition n° 20* 1966, h/pan. (87x45) : **BEF 26 000.**

LONEN Theodor. Voir **LOON Th.**

LONEZ Ernestine du C.
Née à Paris. XIXe siècle. Française.
Peintre de portraits, pastelliste.
Élève de Steuben et de Cœdes. Elle débuta au Salon en 1839.

LONG. Voir aussi **LELONG**

LONG, lieutenant
XIXe siècle. Français.
Peintre de sujets typiques, figures, paysages animés. Orientaliste.
Ventes Publiques : Paris, 12 juin 1995 : *Au bord du Nil* 1880, h/t (33x45,5) : **FRF 10 000** – Paris, 6 nov. 1995 : *La Traversée* 1897, h/t (30x46) : **FRF 11 000** – Paris, 11 déc. 1995 : *Chameliers au bord de l'eau*, h/t (21x40) : **FRF 10 000** – Paris, 25 juin 1996 : *Campement près des ruines* 1885, h/t (40x65) : **FRF 10 000.**

LONG Adélaïde Husted
Née à New York. XXe siècle. Américaine.
Peintre.
Elle fut élève de l'Art Student's League de New York, et de Gaston Anglade à Paris. Elle fut membre de la Fédération Américaine des Arts.

LONG Amalia. Voir **FARNBOROUGH**

LONG Augustin
Né au XIXe siècle à Toulouse (Haute-Garonne). XIXe siècle. Français.
Peintre de portraits et d'histoire.
Élève de Suan père et fils et d'Eugène Delacroix. Il exposa au Salon entre 1839 et 1848. Le Musée de Toulouse conserve de lui *Ugolin, comte de la Gherardesca*, et le Ministère de l'Intérieur, *Saint Jérôme dans le désert.*

LONG Charles
Né en 1958. XXe siècle. Américain.
Sculpteur.
Il a montré une exposition personnelle de ses œuvres en 1997 à la galerie Obadia à Paris.
Sa sculpture prend souvent une tournure d'installation sollicitant l'intervention du spectateur, comme dans *Good seperation in soft blue* (1995), où il est invité à s'asseoir sur des coussins et à écouter muni d'un casque de la musique (composée avec le groupe anglais Stereolab). Plus généralement, il conçoit et réalise des formes non déterminées en résine, caoutchouc ou verre, à tendance néanmoins organique, sans ligne dure par exemple, et sans référence à aucune catégorie particulière.
Bibliogr. : Paul Ardenne : *Charles Long*, in : *Art Press*, n° 227, Paris, septembre 1997.

LONG Edwin
Né en 1829 à Bath. Mort le 15 mai 1891 à Hampstead. XIXe siècle. Britannique.
Peintre d'histoire, genre, portraits.
Comme Turner, il était fils d'un perruquier, mais là s'arrête la similitude ; Long s'instruisit seul, sauf quelques conseils de John Phillip. Très épris de l'Espagne, il s'y rendit vers 1857 et copia assidûment Murillo et Velasquez, et à partir de ce moment, il produisit de nombreux sujets espagnols. Il chercha aussi à rivaliser avec G. Doré, dont il admirait beaucoup le talent. Le succès de Long fut considérable ; il sut gagner beaucoup d'argent ; un de ses tableaux *Le Mariage Markel* fut acheté par M. Holloway moyennant 175 000 francs. Associé de la Royal Academy en 1876 et académicien en 1881, il y exposa régulièrement à partir de 1855. Il exposa également en Allemagne.
Musées : Aberdeen : *Jeune espagnole en prières* – Bristol : *La fille de Pharaon découvrant Moïse* – *Le muletier galant* – Londres (Nat. Portrait Gal.) : *Stafford Henry Northcote, comte d'Iddesleigh* – Melbourne : *Danse sévillane jugée par l'Inquisition sous Philippe II* – *Esther* – Sydney : *Assemblée de Dorcas au VIe siècle.*
Ventes Publiques : Londres, 1877 : *Vue de Madrid* : **FRF 15 740** – Londres, 1883 : *Danseuses* : **FRF 31 500** ; *Les Dieux et leurs créateurs* : **FRF 65 625** – Londres, 1886 : *Thisbé* : **FRF 22 040** – Londres, 1888 : *Bethléem* : **FRF 24 905** ; *Australia* : **FRF 21 000** – Londres, 1892 : *Un martyr chrétien à Éphèse* : **FRF 65 625** – Londres, 1896 : *Une scène de rue à Madrid* : **FRF 13 650** – Londres, 3 avr. 1909 : *Primero Secondo y basso Profondo* : **GBP 11** – Londres, 23 avr. 1910 : *L'armistice espagnol* : **GBP 78** – Londres, 4 mai 1922 : *Jeune orientale* : **GBP 48** – Londres, 9 avr. 1926 : *Le jour de la saint Antoine, à Rome* : **GBP 96** – New York, 25 nov. 1969 : *La favorite* : **USD 1 400** – Londres, 9 mars 1976 : *La danseuse* 1868, h/t (85x145) : **GBP 480** – Londres, 21 juil. 1978 :

Ancient Cyprus 1887, h/t (125,7x85,1) : **GBP 1 000** – Londres, 20 mars 1979 : *Portrait of Mrs. Patrick Campbell, in Balkan dress* 1880, h/t (65x47) : **GBP 1 200** – Londres, 26 nov. 1982 : *An Eastern offering* 1880, h/t (112,4x71,7) : **GBP 6 00** – Londres, 27 nov. 1984 : *La fillette du chef* 1879, h/t (40,5x65,5) : **FRF 17 000** – Londres, 26 nov. 1986 : *La Fille de Bethléem* 1886, h/t (137x91) : **GBP 9 000** – Londres, 4 nov. 1987 : *Enfants espagnols* 1869, h/t (80x109) : **GBP 4 000** – Londres, 24 juin 1988 : *En quête de beauté*, h/t (152x551) : **GBP 44 000** – New York, 24 oct. 1989 : *Sur le chemin du marché* 1867, h/t (90,8x73,6) : **USD 5 225** – Londres, 3 nov. 1989 : *Les adieux du partisan à sa femme et à son bambin* 1863, h/t (104x132) : **GBP 5 500** – Londres, 21 mars 1990 : *Michal* 1883, h/t (122,5x76,5) : **GBP 22 000** – Londres, 15 juin 1990 : *Une question de justice* 1875, h/t (132x215) : **GBP 8 800** – Londres, 28 nov. 1990 : *La marchande de dattes*, h/t (107x84) : **GBP 7 700** – Londres, 14 juin 1991 : *Pendant un hymne religieux* 1879, h/pan. (76x53) : **GBP 2 200** – Londres, 19 déc. 1991 : *La nouvelle robe* 1872, h/t (61x45,7) : **GBP 3 850** – Londres, 12 juin 1992 : *Tête d'une jeune fille arabe*, h/t (62,2x47) : **GBP 1 650** – New York, 26 mai 1994 : *« Vashti »* 1878, h/t (213,4x166,4) : **USD 371 000** – Londres, 3 juin 1994 : *« Quand, telle un bourgeon, éclôt la fleur de la jeunesse... » : St Clair* 1885, h/t (127x191,2) : **GBP 133 500** – New York, 16 fév. 1995 : *La marchande de dates*, h/t (107,3x83,8) : **USD 140 000** – Londres, 6 nov. 1995 : *Dans l'église* 1882, h/t (119x89) : **GBP 13 800**.

LONG John St Jean

Né en 1798 à Newcastle (Irlande). Mort en 1834 à Londres. xixe siècle. Irlandais.

Graveur et peintre de sujets religieux.

Il fut aide d'Ottley. On cite de lui, comme peintre : *La Tentation*.

LONG Keith

Né en 1940 à Chicago (Illinois). xxe siècle. Américain.

Sculpteur d'assemblages.

Il vit et travaille à New York. Il participe à des expositions collectives depuis 1977, surtout à New York, et encore : 1982 *Dangerous Works* à la Parsons Gallery de New York ; 1987 *Manière, Manières* au Centre Culturel Coréen de Paris ; 1988 Salon de Montrouge ; 1991, 1992, 1993 galerie Lélia Mordoch, Paris ; etc. Il montre des ensembles de sculptures dans des expositions individuelles, dont : 1977, 1978, 1981 à New York ; 1983 Université du Missouri, Saint-Louis ; 1992 galerie Parsons-Paris ; 1993, et 1996 avec des *Sculptures murales*, galerie Lélia Mordoch, Paris...

À partir d'objets de rebut récupérés, souvent en bois qu'il privilégie dans ses quêtes, il crée des assemblages, parfois sculptures murales, à accrocher, dans lesquelles il les réinvestit en sortes de masques, de coiffes, d'animaux, de temples, de « choses » hybrides, dont la dimension humoristique est évidente.

Bibliogr. : Catalogue de l'exposition *Keith Long*, gal. Lélia Mordoch, Paris, 1993.

LONG Marc, Frère

Né en 1966. xxe siècle.

Créateur d'installations, technique mixte.

Il est moine. Il montre ses œuvres dans une exposition personnelle en 1994, à Paris, à la galerie Froment-Putman.

Il met en scène des objets de récupération, ventilateurs, bidons, magnétophones, leur donne vie dans des dispositifs qui évoquent Tinguely.

Bibliogr. : Pierre Giquel : *Frère Marc Long*, Art Press, n° 193, Paris, juil.-août 1994.

LONG Mary, née **Carnegie**

Née le 3 octobre 1789 à Londres. Morte le 7 mars 1875 à Preshaw-House. xixe siècle. Active à Preshaw-House (Hampshire). Britannique.

Peintre amateur.

Élève de J. Hewlett et B. Parker à Bath.

LONG Olivier

xxe siècle. Français.

Sculpteur.

Il a montré ses œuvres dans une exposition personnelle en 1996 à la galerie Froment-Putman.

« Le corps, le texte et l'espace sont les trois notions, les trois pôles de mon travail » (O. Long). Le spectateur doit en effet se plier (dans le sens littéral du terme) à l'œuvre réalisée par l'artiste, qui emprunte sa structure au mobilier, pour parvenir à décrypter le texte mis en scène. On cite *Né par le siège – Tour de rien – Cendrier*.

Bibliogr. : Paul Ardenne : *Olivier Long*, Art Press, n° 212, Paris, avr. 1996.

LONG Richard

Né en 1945 à Bristol. xxe siècle. Britannique.

Sculpteur technique mixte, multimédia. Land-art.

Il fut élève, de 1962 à 1966, du College of Art de Bristol, puis, entre autres, d'Anthony Caro à la St-Martin's School of Art de Londres, de 1966 à 1968. Il vit et travaille à Bristol, mais ne cesse de parcourir le monde, de l'Angleterre au Népal, au Sahara, au Pérou, en Laponie. Tout jeune encore, il pataugeait dans les boues du fleuve Avon, découvertes à chaque marée descendante, dont, plus tard, il transportera les quantités suffisantes pour des interventions ponctuelles et lointaines, comme par volonté intime de garder le contact avec son lieu et son temps d'origine. Après ses premières interventions à ciel ouvert : en 1964 *Trace de boule de neige* ; en 1965 *Sculpture à Bristol*, qui était un trou creusé dans le sol ; en 1967, il réalisa l'action emblématique qui déterminera la continuité de son activité artistique : *Une ligne faite en marchant*, dont il photographia la trace éphémère des allers et retours de ses pas sur l'herbe. Il s'est très tôt manifesté dans les expositions collectives, notamment : dès 1969 à l'exposition désormais historique *Quand les attitudes deviennent formes* à la Kunsthalle de Berne ; 1972 Documenta V de Kassel ; 1976 Biennale de Venise où il représente l'Angleterre ; 1982 *Choix pour Aujourd'hui* au Centre Beaubourg de Paris ; 1996 *Un Siècle de sculpture anglaise* à la Galerie nationale du Jeu de Paume à Paris. Il se manifeste surtout dans des expositions personnelles, d'entre lesquelles : en 1977, une série d'expositions au cours d'un séjour en Suisse, dont la plus importante à la Kunsthalle de Berne ; 1985 au C.A.P.C. Musée d'art contemporain de Bordeaux ; 1986 au Solomon R. Guggenheim Museum de New York ; 1987 *Out of the wind* à la Donald Young gallery de Chicago ; 1989 à la Tate Gallery de Londres, où lui fut attribué le Turner Prize ; 1990 au Musée-château de Rochechouart ; 1992 à la Fondation Espai Poblenou de Barcelone ; 1993 au Musée d'Art Moderne de la Ville de Paris ; etc.

Richard Long, dès le début de sa réflexion sur l'art, est parti du constat que le paysage lui semblait avoir été négligé par les artistes, non dans sa représentation, au contraire abondante dans l'histoire de la peinture, mais dans sa perception existentielle en relation immédiate avec son espace à parcourir et le temps de la marche. À partir de ce postulat, il n'a plus cessé de voyager à travers le monde, de marcher à travers les espaces et sites à la recherche de ses « motifs », pour reprendre le terme des paysagistes de jadis et naguère. Ses interventions sont, en simplifiant les choses, de deux sortes : ou bien il veut s'approprier et faire connaître son appréhension d'un site de vastes dimensions, il y établit alors un marquage personnel d'importance en proportion de l'étendue du lieu, et en effectue les relevés, en général photographiques, qui deviennent l'œuvre communicable ; ou bien, pour un lieu limité, en général en relation avec une exposition programmée dans la région, il en prélève des éléments, dont le déplacement et la disposition dans des lieux d'exposition, deviennent la figuration symbolique de la sensation qu'il en a reçue. Ces deux processus étant d'ailleurs interchangeables, le premier pouvant s'appliquer à des lieux restreints, le second à de vastes étendues. Extérieurement, il semble s'agir d'un travail exécuté sur la nature : faucher deux carrés dans une prairie, tracer un cercle avec des cailloux, jalonner de pierres plates un parcours, inscrire une croix sur le gazon, tracer deux parallèles dans un champ de pâquerettes, etc., activités qui, reprenant les gestes du travailleur manuel, paraissent provocatrices sous le label Art. Ses réalisations sont essentiellement et matériellement circonstancielles, donc non sérielles, uniques bien que procédant d'une intuition qu'on pourrait qualifier de « monolithique », en outre souvent immobilisées dans des contrées lointaines, généralement éphémères, et ne peuvent être inventoriées que par leur description, pour exemples : il peut rendre compte d'une de ses marches par son tracé sur une carte d'état-major en indiquant les distances et les temps écoulés, par la photographie des traces de ses pas sur le sol, par la photographie des assemblages de pierres ou de bois ou des dérivations d'un cours d'eau, qu'il a laissés derrière lui au cours d'une halte sur son passage, par la notation des mots et sons qui lui sont venus à l'esprit lors d'une déambulation ; lors de son séjour de 1977 en Suisse, il a extrait du paysage des pierres rouges, 59 retenues des 65 ramassées, qu'il a disposées, pour *Red Stone Line*, sur douze mètres en un zig-zag reconstituant sa propre déambulation ; en 1984, le titre même de l'*Anneau d'ardoises de Cornouailles* désigne intégralement l'œuvre, forme et matériau, ce qui est presque toujours le cas ; de même en 1986 pour *Stones in the Pyrénées*, dont le lieu est nommé en tant que constituant de l'œuvre ; en 1988, pour *Hoggar Circle*, il a aplani la surface d'un cercle de bonne dimension au cœur du désert de pierrailles ; moins minimale, moins arte povera, moins process art, moins land'art même, apparaît le *White Water Cicle* de 1991 à New York, fait de boue blanche sur un mur peint en noir, et dont l'aplat blanc du cercle central régulier est prolongé d'un premier anneau, traité digitalement comme étaient tracées les peintures rupestres, en vibrations multiples et serrées, puis de l'amorce d'un deuxième en giclures, l'ensemble ne pouvant pas ne pas évoquer les photographies astronomiques des projections nucléaires du soleil. Ce dernier exemple amène à distinguer ses actions et réalisations de quelque performance ; bien que procédant aussi de l'attitude, elles ressortissent plus à un « landscape art » qu'au land'art. Le recours à des signes chargés de symboles, à des matériaux bruts, aux gestes artisanaux, enracine ses actions dans un romantisme de retour à la nature. Continuant à faire dans la vie ce qu'il a aimé faire enfant : « marcher dans le paysage » pour maintenant « faire de l'art en marchant », de caractère plus britannique et d'ancienne culture, qu'américain et d'esprit de conquête, ses actions ont une évidente dimension esthétique, soit en ponctuant par contraste la majesté d'un site grandiose que magnifie d'ailleurs aussi son talent de photographe, soit en s'adaptant ou s'opposant au style d'architecture d'un lieu d'exposition par la figure réalisée et la couleur des cailloux.

Il est à remarquer que, aussi bien pour ses marquages « in situ », au creux de son île natale ou aux confins de la planète, que pour la disposition de prélèvements déplacés de leur lieu d'origine en milieu urbain, il se limite à quelques signes archétypaux d'origine immémoriale : ligne, croix, cercle, spirale, et de matériaux archaïques, cailloux, ardoises plates, bouts de bois, varech, boue. L'activité artistique n'étant jamais totalement étrangère au travail du rêve, par rapport à leur auteur, le sculpteur Richard Long, ces configurations laissées sur place ou signes déplacés, relient ses œuvres à la pérennité de l'homme sur la terre, en tant que leur « contenu latent » ; tandis que les éléments, minéraux ou végétaux, qui les constituent, les relient à la fugacité de leur récolte sur le terrain, en tant que leur « contenu manifeste ». Signes, configurations, notations de mots, tous, « traces en trois dimensions » de marches, d'actions sur les choses, de monologues intérieurs, qui ont été réels, n'en véhiculent plus que l'idée qui les a provoqués, dans l'espace et le temps retrouvés, ce qui pourrait bien être le propre de la création artistique. Ainsi, par des interventions sur le paysage naturel similaires aux premières manifestations gratuites, même si d'origine magique, relevées à l'aube de l'humanité, comme chez ses lointains ancêtres de Stonehenge, Richard Long a contribué à révolutionner les conceptions les plus osées de la sculpture moderne.

■ Jacques Busse

Bibliogr. : R. H. Fuchs : *Richard Long*, Thames and Hudson, Londres, 1986 – Ann Hindry : *La Légèreté de l'être selon Richard Long*, in : Artstudio, n° 10, Paris, automne 1988 – Ann Hindry : *Richard Long – Le paysage recommencé*, in : Beaux-Arts, Paris, sep. 1992.

Musées : Bordeaux (FRAC) – Épinal (Mus. dép. des Vosges) : *Cercle de bois flottés de la rivière Avon* 1984, 187 pièces – *Cercle d'été* 1984, 81 pièces d'ardoises de Cornouailles – Minneapolis (Walker Art Center) – New York (Whitney Mus.) – Paris (Mus. Nat. d'Art Mod.) : *Photographie et texte* 1968 – *Cercle d'ardoises de Cornouailles* 1981 – Rochechouart (Château-Musée départemental d'Art Contemp.) : *A Line in Lappland* 1983, photo. – *Petits pics blancs* 1984, 49 pierres de marbre blanc – *Cercles du coucou* 1987, boue de la rivière Avon – *Ligne de Rochechouart* 1990, calcaire – Wellington, Nlle Zélande (Nat. Art Gal.).

Ventes Publiques : New York, 5 mai 1987 : *Untitled* 1970-1971, 2 photos en noir et blanc avec texte tapé à la machine dans un encadrement (31,1x19,7) : **USD 8 200** – New York, 3 mai 1989 : *Le cercle d'ardoise de Whitechapel* 1981, environ 408 pierres (diam. 457) : **USD 209 000** – New York, 9 nov. 1989 : *Cercle de pierre* 1979, 100 pierres du Japon (diam. 200) : **USD 88 000** – Londres, 28 juin 1990 : *Petite spirale napolitaine* 1984, 33 pierres (diam. approx. 137,2) : **GBP 46 200** – Paris, 5 fév. 1991 : *Sans titre* 1989, vase de la rivière Avon/pap. (29x44) : **FRF 32 000** – New York, 1er mai 1991 : *Cercle de pierres rouges dressées* 1985, 42 pierres (diam. 198,3) : **USD 148 500** – Londres, 27 juin 1991 : *Boue de la rivière Avon* 1983, boue/pap. (84x105) : **GBP 17 600** – Londres, 26 mars 1992 : *Carte d'Afrique*, dessinée par application de mains enduites de boue de l'Avon/pap. (112x82) : **GBP 15 400** – New York, 8 oct. 1992 : *Sans titre* 1988, boue de l'Avon/pap. (48,6x37,1) : **USD 6 050** – Paris, 18 oct. 1992 : *Coulée de graviers de marbre rouge* 1987 (15x280) : **FRF 51 000** – New York, 18 nov. 1992 : *Dessin avec de la boue sombre de l'Avon (Californie)* 1987, sur pap. en six pan. encadrés séparément (chaque 39,4x35,6) : **USD 27 500** – New York, 19 nov. 1992 : *La spirale de Whitechapel* 1987, boue de la rivière Avon/cart./pan. (112,7x120) : **USD 17 600** – New York, 3 mai 1993 : *Summer slate ring* 1985, anneau formé de 44 morceaux d'ardoise (diam. 210) : **USD 46 000** – Londres, 2 déc. 1993 : *Petit cercle de granite blanc* 1984, 126 pierres de granite blanc disposées en cercle (diam. 86,4) : **GBP 16 100** – New York, 5 mai 1994 : *Vents légers* 1984, texte imprimé/pap. (102,9x156,2) : **USD 16 100** – Londres, 1er déc. 1994 : *Cercle de granite*, pierres de granite groupées en forme de cercle (diam. 400) : **GBP 23 000** – New York, 16 nov. 1995 : *Vase de rivière* 1991, vase du Mississippi sur pap. artisanal (181,6x92,7) : **USD 21 850**.

LONG Sydney

Né en 1871 ou 1878. Mort en 1955. xixe-xxe siècles. Australien.

Peintre de compositions animées, compositions mythologiques, paysages, aquarelliste, graveur, lithographe. Symboliste.

Après ses années d'enfance dans la Nouvelle-Galles-du-Sud, il vint travailler à Sydney, où il exposa à la National Gallery of South Australia. Il fut président de l'ancienne Society of Artists. Il connut très tôt le succès, qui en fit un des artistes majeurs de l'Australie du début de siècle.

Après avoir subi quelque influence de l'impressionnisme, il se tourna vers le Nouveau Style, les symbolistes, et tout particulièrement vers les grandes compositions mythologiques de Puvis de Chavannes, qu'il transposa dans le contexte australien, dont il magnifia les paysages, la flore et la faune, les peuplant des divinités agrestes de l'Antiquité, dans des atmosphères légères et de subtiles harmonies brumeuses.

SID LONG

Bibliogr. : Joanna Mendelssohn, in : *Creating Australia – 200 years of art 1788-1988*, Catalogue de l'exposition, Art Gallery of South Australia, Adelaïde, 1988.

Musées : Brisbane (Queensland Art Gal.) : *L'Esprit des plaines* 1897 – Sydney : *Flamants roses* – *Près de l'eau tranquille*.

Ventes Publiques : Melbourne, 14 mars 1974 : *Narrabeen Lake* : **AUD 1 500** – Londres, 30 avr. 1976 : *Les flamants roses* 1929, aquar. (35,5x75) : **GBP 420** – Sydney, 6 oct. 1976 : *La gare de Sydney*, h/t mar./cart. (49,5x68,8) : **AUD 1 250** – Sydney, 5 oct. 1977 : *Pan* 1916, aquat. (27,7x41,3) : **AUD 1 700** – Sydney, 4 oct. 1977 : *Queen's Square, St James's Church, Sydney*, h/t mar./cart. (61,5x91,5) : **AUD 1 700** – Sydney, 10 mars 1980 : *Spirit of the Plains*, aquat. (18x35) : **AUD 2 000** – Sydney, 2 mars 1981 : *Narrabeen*, h/cart. (50x45) : **AUD 6 500** – Sydney, 29 mars 1982 : *Les pies* 1912, aquar. (30x47) : **AUD 4 600** – Melbourne, 7 nov. 1984 : *The Blue Mountains across the Jamison Valley* 1910, aquar. (19x52) : **AUD 6 000** – Armadale (Australie), 11 avr. 1984 : *Pastorale*, h/t (60x39,5) : **AUD 25 000** – Melbourne, 21 avr. 1986 : *Le Port de Sydney*, aquar. (29,5x63) : **AUD 20 000** – Melbourne, 21 avr. 1986 : *Paysage d'Australie*, h/t (75,5x101) : **AUD 42 000** – Melbourne, 26 juil. 1987 : *Barque échouée* 1910, aquar. (37x24,5) : **AUD 6 500** – Sydney, 4 juil. 1988 : *Le Lagon*, eau-forte (31x38) : **AUD 1 100** – Londres, 1er déc. 1988 : *Les flamants roses* 1942, h/t/cart. (45,7x91,1) : **GBP 37 400** – Sydney, 21 nov. 1988 : *Pastorale* 1909, aquar. (18x24) : **AUD 2 200** – Sydney, 16 oct. 1989 : *Pan*, eau-forte (28x42) : **AUD 2 400** – Sydney, 26 mars 1990 : *Le lac à Avoca*, litho. (14x11) : **AUD 800** – Sydney, 2 juil. 1990 : *Le Hawkesbury à Colovale*, h/cart. (30x39) : **AUD 3 750** – Sydney, 15 oct. 1990 : *Gommiers au printemps*, h/cart. (39x49) : **AUD 2 000** – Hobart, 26 août 1996 : *Marché sous les arbres, Bruges* 1917, aquar. (35,2x43) : **AUD 4 830**.

LONG Thien Shih

Né en 1944 à Malaya. xxe siècle. Malais.

Graveur. Surréaliste.

Il vit à Kuala Lumpur, capitale de la Malaisie. En 1974-75, ses œuvres ont figuré à la IXe Biennale Internationale de l'Estampe à Tokyo.

LONG Tony

Né en 1942 dans le Massachusetts. xxe siècle. Actif depuis 1969 en France. Américain.

Sculpteur. Minimal art.

Il fut élève des Universités de Boston, New York, Paris et Francfort. Installé à Paris, il participe à des expositions collectives : 1977 à l'ARC (Art, Recherche, Confrontation) du Musée d'Art

Moderne de la Ville de Paris ; 1979 *Tendances de l'Art en France I* à l'ARC ; 1979 *Ateliers d'Aujourd'hui* au Musée d'Art Moderne du Centre Beaubourg ; etc. Il montre des ensembles de réalisations dans des expositions personnelles, depuis la première, en 1977 galerie Farideh-Cadot de Paris. En 1979, il reçut une bourse du National Endowment for the Arts.

Il utilise des matériaux industriels aux découpes nettes qu'il assemble ou dispose sur le sol, instaurant un dialogue entre ses sculptures et l'espace environnant. Dans le courant minimaliste, ses réalisations semblent pourtant souvent apparentées à des projections constructivistes.

Bibliogr. : In : Catalogue de l'exposition *L'Art Moderne à Marseille. La Collection du Musée Cantini*, Mus. Cantini, Marseille, 1988.

Musées : Marseille (Mus. Cantini) : *Free-Standing Piece, Variable* 1977-78 – Paris (Fonds région. d'Art Contemprain d'Île-de-France) : *Eybesfeld 4* 1981, sculpt. corten démontables – six dessins.

LONG William
xixe siècle. Actif à Londres. Britannique.
Peintre d'histoire, genre, portraits.

Ventes Publiques : Londres, 13 fév. 1976 : *Scène de Kenilworth de Walter Scott* 1837, h/t (75x62,2) : **GBP 320**.

LONG JAN. Voir **JORDAENS Hans III**

LONGA Louis Anselme
Né en 1809. Mort en décembre 1869 à Mont-de-Marsan (Landes). xixe siècle. Français.
Peintre de genre, portraits.

Professeur de dessin au lycée de Mont-de-Marsan, il exposa au Salon de Paris entre 1835 et 1848, envoyant principalement des portraits, sauf en 1843 où il fit parvenir une *Scène algérienne*.

Ventes Publiques : Paris, 7 nov. 1994 : *Le Repos au caravansérail*, h/t (60x73) : **FRF 19 000** – Paris, 9 déc. 1996 : *Musiciens arabes sur la place de la Brèche à Constantine* 1845, h/t (123x178,4) : **FRF 400 000**.

LONGA René Charles Eugène
Né le 11 avril 1878 à Paris. xxe siècle. Français.
Peintre de portraits, paysages, fleurs.

Il fut élève de Raphaël Collin et Octave Guillonnet. Il exposait à Paris, régulièrement au Salon des Artistes Français, 1922 médaille d'argent, 1924 médaille d'or, hors-concours.

LONGACRE James Barton
Né le 11 août 1794 à Delaware. Mort le 1er janvier 1869 à Philadelphie. xixe siècle. Actif à Philadelphie. Américain.
Dessinateur et graveur.

Il se fit connaître par un portrait gravé d'*A. Jackson*, d'après Th. Sully, en 1820. Il publia de 1834 à 1839, avec James Herring et avec la collaboration d'autres graveurs *La Galerie Nationale de portraits d'américains distingués*.

LONGAERE J. B.
xixe siècle. Français.
Graveur au pointillé.

Il a gravé le *Portrait de Napoléon Ier*, d'après Rousseau.

LONGANESI Léo
Né en 1905 à Bagnacavallo (Ravenne). Mort en 1957 à Milan. xxe siècle. Italien.
Peintre de figures.

Ventes Publiques : Rome, 25 nov. 1986 : *Party*, encre (28x44) : **ITL 1 500 000** – Rome, 30 nov. 1993 : *La veuve* 1956, h/cart. entoilé (35x45) : **ITL 7 475 000**.

LONGASTRE L. de
xviiie siècle. Actif à Londres. Britannique.
Peintre de portraits.

Il exposa de 1790 à 1798 à la Royal Academy, à Londres.

LONGBOTTOM Robert J.
xixe siècle. Actif à Londres. Britannique.
Peintre.

Il exposa de 1830 à 1848 des tableaux d'animaux, des intérieurs d'écuries, des paysages.

LONGCHAMP Catherine Julie, née **Guy**
Née le 21 novembre 1806 à Genève. Morte le 18 avril 1879. xixe siècle. Suisse.
Dessinatrice de portraits et pastelliste.

Élève d'Hornung. Elle a laissé quelques sujets de genre.

LONGCHAMP Charles
Né le 13 juin 1841 à Genève. Mort le 12 mai 1898 à Genève. xixe siècle. Suisse.
Peintre de paysages.

Élève de Charles Humbert à Genève et à Rome. Il a peint surtout des vues d'Algérie et des environs de Genève.

LONGCHAMP de
xviiie siècle. Actif à Lille (Nord) dans la seconde moitié du xviiie siècle. Français.
Peintre de portraits, miniatures.

Il peignit des miniatures pour boîtes, bagues, bracelets, etc.

LONGCHAMP Henriette de
Née au xixe siècle à Saint-Dizier (Haute-Marne). xixe siècle. Française.
Peintre de sujets religieux, natures mortes, fleurs et fruits.

Elle débuta au Salon de Paris en 1841, obtenant une médaille de troisième classe en 1847 et une médaille de deuxième classe en 1848.

Musées : Alençon : *Fleurs et fruits* – Limoges : *Offrande à la Vierge*.

Ventes Publiques : Paris, 8 nov. 1918 : *Reines-Marguerites* : **FRF 65** – Londres, 14 fév. 1990 : *Nature morte de fleurs* 1849, h/t (97,5x80) : **GBP 18 700** – Londres, 6 juin 1990 : *Nature morte de légumes sur un entablement*, h/t (71x90) : **GBP 4 400** – Le Touquet, 30 mai 1993 : *Fleurs devant une arcade de pierres*, h/t (75x53) : **FRF 4 500** – New York, 12 oct. 1993 : *Nature morte de légumes d'hiver*, h/t (73,7x92,7) : **USD 12 075**.

LONGE Robert de ou **la Longe** ou **le Longeou** ou **le Louge** ou **le Long**, dit **Fiammingo**
Né vers 1645 à Bruxelles. Mort en 1707 ou 1709 à Plaisance. xviie siècle. Éc. flamande.
Peintre de scènes mythologiques, compositions religieuses, portraits.

Il alla en Italie, y prit le surnom de Fiammingo. Élève d'Agostino de Bonisoli, à Crémone. Il s'inspira des œuvres de son camarade d'école Massaroti et de celles de Guido Reni. On cite notamment de lui à Saint-Sigismondo, près de Crémone, *Scènes de la vie de sainte Thérèse*, et à la cathédrale de Plaisance, *Saint Antoine martyr* et *Mort de saint Xavier*.

Ventes Publiques : Rome, 23 mai 1996 : *Les Dieux de l'Olympe*, h/t (165x274) : **ITL 11 500 000**.

LONGEPIED Léon Eugène
Né le 10 août 1849 à Paris. Mort le 13 octobre 1888 à Paris. xixe siècle. Français.
Sculpteur.

Élève de Cavelier Moreau et Coutan. Débuta au Salon de 1870. Troisième médaille en 1880 ; première médaille en 1882. Cette même année il obtenait le Prix du Salon pour sa statue : *Pêcheur ramenant dans ses filets la tête d'Orphée*, érigée sur une pelouse du Ranelagh. Chevalier de la Légion d'honneur en 1887. Il travailla pour l'Hôtel de Ville de Paris et pour la Sorbonne.

Musées : Bordeaux : *Harponneur napolitain* – Épinal : *L'Immortalité* – Paris (Art Mod.) : *L'Immortalité* – Provins : *Le Printemps* – *L'Été* – *Victor Garnier*.

LONGFELLOW Ernest Wadsworth
Né en 1845 à Cambridge. Mort en 1921 à Boston. xixe-xxe siècles. Américain.
Peintre de portraits, paysages.

Il est le fils du poète Longfellow. Il vint faire ses études en France, à Paris en 1865, 1866 et à Villiers-le-Bel, où il fut élève de Couture. Il exposa à Boston, où il travaillait, et à Philadelphie.
On cite de lui : *Scènes de côtes, à Nohant, John et Priscilla*.

Ventes Publiques : New York, 19 jan. 1995 : *Le sphinx de profil*, h/t (66,4x91,8) : **USD 2 300** – New York, 28 nov. 1995 : *Portrait de Miss Carrie Borglum*, h/t (46x39) : **USD 978**.

LONGHI. Voir aussi **LONGO** et **LUNGHI**

LONGHI Alessandro
Né en 1733 à Venise. Mort en 1813 à Venise. xviiie-xixe siècles. Italien.
Peintre de portraits, graveur.

Fils de Pietro Longhi, il fut élève de Nogari. Il a gravé à l'eau-forte des sujets d'histoire et des sujets de genre. Il a publié un volume intitulé : *Vie des artistes vénitiens modernes*, orné de portraits gravés par lui.

Musées : Narbonne : *Tête d'un jeune gentilhomme* – Padoue

(Mus. comm.) : *Un amiral* – ROVIGO (Acad.) : *Giulio Contarini* – TRÉVISE (Pina.) : *Portrait d'un Vénitien* – TURIN (Pina.) : *F. Fontebasso* – VENISE (Acad.) : *Portraits des doges Aloise Mocenigo, Paul Renier, François Loredan et du mathématicien Thomas Temanza* – *Un philosophe ancien* – *Femme écrivant* – *Le Dessin* – VENISE (Pina.) : *D. Dolfin* – VENISE (Correr) : *Carlo Goldoni* – *Marco Toscarini.*

VENTES PUBLIQUES : PARIS, 23 mars 1923 : *Jeune femme tenant un masque* : **FRF 600** – LONDRES, 10 avr. 1929 : *L'avocat* : **GBP 1 000** – LONDRES, 7 déc. 1933 : *Jeune femme en robe bleue* : **GBP 84** – LONDRES, 23 nov. 1962 : *Portrait d'Antonio Cornaro de Venise, en robe rouge* : **GNS 1 100** – MILAN, 12-13 mars 1963 : *Portrait d'un gentilhomme* : **ITL 800 000** – FLORENCE, 13 oct. 1972 : *Portrait du comte Giovanni* : **ITL 2 200 000** – NEW YORK, 18 jan. 1984 : *Portrait du comte Aurelio Widman* h/t (229,2x136,6) : **USD 13 000** – MILAN, 25 fév. 1986 : *Portrait d'un sénateur de Venise*, h/t (74x54) : **ITL 17 500 000** – ROME, 8 mars 1990 : *Portrait d'une dame*, h/t (58x48) : **ITL 4 500 000** – NEW YORK, 11 oct. 1990 : *Portrait d'un gentilhomme*, h/t (65x53,5) : **USD 46 750** – NEW YORK, 15 oct. 1992 : *Sainte Catherine d'Alexandrie*, h/t/pan. (65,4x50,2) : **USD 11 000** – PARIS, 27 fév. 1996 : *Portrait d'une dame de qualité, membre de la famille Mocenigo*, h/pap./t. (30x23,5) : **FRF 6 600** – LONDRES, 17 avr. 1996 : *Beata*, h/t (41x32) : **GBP 4 025** – NEW YORK, 16 mai 1996 : *Portrait d'un enfant, présumée être Marie Louise de Parme, tenant un petit oiseau*, h/t (96,5x72,4) : **USD 107 000**.

LONGHI Angelo
Actif à Bologne. Éc. bolonaise.
Peintre.
On cite de ses œuvres dans les églises S. Francesco et S. Giovanni Battista dei Celestini à Bologne.

LONGHI Barbara
Née en 1552 à Ravenne. Morte vers 1638. XVIe-XVIIe siècles. Italienne.
Peintre d'histoire.
Fille et élève de Luca Longhi. La collection Castellani renferme une œuvre d'elle, datée de 1589. On voit aussi, à l'Académie de Ravenne, six tableaux religieux de cette artiste.

MUSÉES : BASSANO : *Le mariage de sainte Catherine* – DRESDE : *La Vierge, l'Enfant Jésus et saint Jean* – GÊNES (Palais Bianco) : *Portrait de femme* – MILAN (Brera) : *La Vierge allaitant l'Enfant* – PARIS (Mus. du Louvre) : *La Vierge et l'Enfant Jésus couronnant une religieuse* – VICENTE (Pina.) : *Vierge à l'Enfant.*

LONGHI Francesco ou **Lunghi**
Né le 10 février 1544 à Ravenne. Mort vers 1620. XVIe-XVIIe siècles. Italien.
Peintre, miniaturiste et poète.
Il était fils, élève et imitateur de Luca Longhi. Parmi ses œuvres on cite à Parme une *Sainte Catherine et deux autres saintes*, à la Pinacothèque ; à Ravenne une *Crucifixion*, à l'Académie des Beaux-Arts ; et de nombreux tableaux dans les églises S. Francesco, S. Giovanni Battista, S. Giustina ; à Rimini, à l'église S. Sigismondo, un tableau daté de 1581 ; à Vicence un *Mariage de sainte Catherine*, à la Pinacothèque.

VENTES PUBLIQUES : LONDRES, 4 juil. 1986 : *La Présentation au Temple*, h/t, fronton arrondi (252x165) : **GBP 12 000**.

LONGHI Giuseppe
Né en 1766 à Monzo. Mort en 1831 à Milan. XVIIIe-XIXe siècles. Italien.
Peintre de miniatures, dessinateur et graveur.
Un des maîtres de la gravure italienne. Il fut tour à tour élève de Vincenzo Vangelisti, le graveur, et du peintre Giulio Travellisi. Il étudia encore à Rome avec Raffaello Morghen. Longhi réussit rapidement comme graveur. De retour à Milan, il fit surtout des miniatures. Napoléon l'ayant chargé de graver son portrait d'après Gros, le remit en lumière. Il fut nommé professeur de gravure à l'Académie de la Brera et Longhi, à partir de 1789, fut le professeur des meilleurs graveurs italiens du début du XIXe siècle. Son œuvre est considérable et il convient d'en mentionner les planches qu'il exécuta d'après les dessins d'Appiani, les *Fastes de Napoléon le Grand*, gravures d'un incontestable mérite. Il fut en Italie le graveur officiel de Napoléon et la chute de celui-ci arrêta momentanément sa production. En 1827, il commença un *Jugement Dernier* d'après Michel-Ange que Minardi acheva après la mort de notre artiste. On lui doit aussi un grand nombre de portraits.

MUSÉES : OXFORD (Bodleian Lib.) : *Napoléon Ier* – VENISE (Correr) : *Tête de vieillard.*

VENTES PUBLIQUES : PARIS, 22 mars 1945 : *Jeune femme brune assise et tenant un bouquet*, miniat. : **FRF 25 600**.

LONGHI Jacobino. Voir **LONGO Jacobino**

LONGHI Luca ou **Lunghi**, dit **le Raphaël de Ravenne**
Né le 14 janvier 1507 à Ravenne. Mort le 12 août 1580 à Ravenne. XVIe siècle. Éc. bolonaise.
Peintre de compositions religieuses, portraits.
Il s'inspira de Giov. Bellini et des Francia, et s'appliqua à transmettre à ses huit enfants les traditions du XVe siècle auxquelles il était très attaché. La plupart de ses œuvres représentent *La Vierge et l'Enfant Jésus*, le plus souvent avec des portraits de donateurs réputés, très ressemblants. On voit des tableaux de lui dans les églises S. Vitali, S. Agatha et S. Domenico, à Ravenne.

MUSÉES : BERGAME (Acad. Carrara) : *Nativité* – BERLIN : *La Vierge, l'Enfant Jésus et deux saints* – BUDAPEST : *La Vierge et l'Enfant Jésus* – CHANTILLY : *Vierge glorieuse* – KALININGRAD, ancien. Königsberg : *Vierge à l'Enfant* – MILAN (Brera) : *La Vierge, Jésus et des saints* – RAVENNE (Acad.) : *Le mariage de sainte Catherine* – *Descente de Croix* – *Adoration des bergers* – *Vierge avec des saints* – *G. Arrigoni* – *R. Rasponi* – *G. Rossi* – RAVENNE (Mus. Nat.) : *Les noces de Cana* – RAVENNE (Casacavalli) : *Vierge avec des saints* – ROME (Colonna) : *Sainte Famille avec saint François* – SAINT-PÉTERSBOURG (Mus. de l'Ermitage) : *Sainte Catherine* – VICENCE (Pina.) : *Vierge à l'Enfant* – *Vierge à l'Enfant avec des saints* – *Vierge à l'Enfant et une religieuse.*

VENTES PUBLIQUES : LONDRES, 13 fév. 1985 : *Sainte Catherine*, h/t (39,5x31,7) : **GBP 3 500** – PARIS, 1er déc. 1987 : *Le Festin d'Hérode*, h/t (85x128) : **FRF 305 000** – NEW YORK, 16 jan. 1992 : *Portrait de trois quarts d'un gentilhomme portant une armure avec une main posée sur son casque*, h/t (132x94) : **USD 13 200** – NEW YORK, 12 jan. 1994 : *Vierge à l'Enfant*, h/t (35,8x28) : **USD 12 650** – LONDRES, 20 avr. 1994 : *Le mariage mystique de sainte Catherine en présence de saint Nicholas de Tolentino*, h/t (87,5x71,5) : **GBP 41 100** – NEW YORK, 15 mai 1996 : *La Sainte Famille avec sainte Anne et saint Jean Baptiste* 1573, h/t (111x88,9) : **USD 40 250**.

LONGHI Pietro, de son vrai nom : **Falca**
Né en 1702 à Venise. Mort le 8 mai 1785 à Venise. XVIIIe siècle. Italien.
Peintre de genre, portraits, graveur, dessinateur.
Le XVIIIe siècle devait être pour la République de Venise le dernier acte de l'opéra somptueux dont elle venait d'offrir le spectacle à l'Europe ; par la volonté et le talent de ses artistes, la Sérénissime sut du moins donner à ce dernier acte la grandeur d'une apothéose. Ayant brillé dans tous les domaines et rayonné en tous sens dans ce siècle qui fut le dernier de son existence, elle ouvrit à la musique avec Vivaldi et au théâtre avec Goldoni, des voies nouvelles ; enfin dans le domaine de la peinture, alors que le reste de l'Italie languissait dans l'imitation des anciens, elle réussit grâce à des maîtres comme Tiepolo, Piranèse, Francesco Guardi, et à d'excellents peintres comme les Canaletti et Longhi à fonder une école originale. Gianbattista Tiepolo fut le maître peintre de ce XVIIIe siècle, l'éblouissant soleil couchant de l'École Vénitienne, il fut le décorateur sans rival des palais du Grand Canal et des Villas de la Brenta. Guardi fut l'historiographe inégalable de tous les fastes de la République de Venise et entre toutes ces fêtes, de celle où l'on voyait sur la Lagune couverte de gondoles pavoisées le *Bucentaure* s'avancer majestueusement vers le Phare du Lido, où il s'arrêtait ; là, le Doge lançait son anneau à la Mer, en prononçant la formule qui consacrait son union avec elle. Mais tandis que Guardi fixait pour toujours sur ses toiles la féerie des grandes fêtes vénitiennes, Pietro Longhi s'assignait une tâche plus modeste, mais d'un intérêt profond : il allait devenir le reporter habile et patient de la vie privée et publique de la bourgeoise aisée ; tandis que l'art de Tiepolo évoque invinciblement les majestueux palais alignés sur les rives du Grand Canal, avec Pietro Longhi il nous sera permis de pénétrer dans des demeures plus simples, dont les façades se reflètent modestement dans de calmes rios. Cette vie vénitienne à laquelle Longhi va nous initier, était une fête perpétuelle où le Carnaval durait six mois ; il débutait, en effet, au début d'octobre et reprenait à l'Épiphanie après le court entracte de Noël et se prolongeait jusqu'au Carême ; pendant cette période, le port de la bauta et du tabarro (du masque et du domino) était quasi obligatoire, il permettait toutes les libertés et ouvrait toutes les portes. « En entrant dans cette ville, écrit Goudar dans son *Espion Chinois*, on respire un air de volupté dangereux pour les mœurs. Tout y est plaisirs et divertissements frivoles ; dans les autres États de l'Europe, la folie du Carnaval ne dure que quelques jours ; ici on a le privilège d'extravaguer six mois de

l'année ». Dans cette foule en liesse le chevalier de Seingalt, Jacques Casanova, somptueusement vêtu, courait les maisons de jeu, les Ridotti et les femmes, il les abordait avec assurance, leur débitant des tirades morales ou érotiques. À Venise Pietro Longhi est partout ; il assiste à la toilette des bourgeoises dans leurs intérieurs confortables et douillets. Autour des jeunes femmes les servantes s'empressent et il y a toujours dans un coin de la pièce un chien minuscule. Ici c'est le baisemain maternel, les enfants partant pour la promenade, viennent baiser la main de la maman qui déjeune. Là, c'est le goûter du grand-père servi par trois fraîches jeunes filles ; c'est la toilette avant le bal, l'habilleuse donne le dernier coup d'œil à la jeune femme en robe à paniers, qu'admirent deux servantes. Mais nous voici dans la rue, la vendeuse d'essence offre ses parfums à deux femmes masquées, le masque blanc sous le tricorne noir est effrayant, c'est presque une scène des Caprichos de Goya. Entrons avec Longhi dans la salle de jeu du Ridotto, là non plus le spectacle est loin d'être réjouissant : deux masques aux robes immenses au premier plan, des masques noirs et des perruques blanches se pressent autour de la table de jeu, sur laquelle se penche un jeune abbé. *La Diseuse de bonne aventure* : dans un bouge une jeune femme éblouissante tend sa main à la sorcière, derrière elle un masque blanc à l'aspect terrifiant surveille l'opération. Encore le Ridotto : une véritable scène de cauchemar, dans une vaste pièce d'un luxe de mauvais aloi, faiblement éclairée par des chandelles, des hommes et des femmes masqués errent comme des fantômes autour des tables de jeux où alternent des noirs et des blancs. À Venise, le Carnaval ne s'arrêtait pas aux portes des couvents, et les masques étaient autorisés en certaines occasions à visiter les recluses ; Longhi nous les montre derrière les grilles conversant avec leurs amies masquées, des enfants jouent, des moines se promènent dans le parloir. Après le couvent, les masques vont voir la Ménagerie du Rhinocéros, c'est l'occasion d'une œuvre charmante, l'une des meilleures de Longhi, qui y égale Tiepolo : séparé par une barrière des assistants, l'énorme masse noire du monstrueux animal met en valeur le groupe des spectateurs, où parmi trois fantômes noirs, masqués de blanc, se détache une gracieuse figure de femme coiffée, elle aussi, d'un tricorne noir. Ainsi Longhi promène sur toutes ces scènes si diverses et si étranges parfois, son œil impassible ; son objectivité est absolue, son dessin minutieux et précis donne à ses personnages une grâce un peu guindée, s'il ressent une émotion, il ne nous la rend pas sensible ; jamais non plus il ne semble percevoir ni extérioriser le côté caricatural de certaines scènes comme le ferait Hogarth, enfin lorsque Longhi tente de s'évader des milieux qui sont les siens, son originalité disparaît et ses portraits sont secs et sans expression. La vie de Pietro Longhi fut sans histoire ; jamais il ne consentit à s'éloigner de Venise, ni à perdre de vue le Campanile de la Place Saint-Marc et le lion ailé de la Piazzetta, l'existence lui fut douce dans l'aisance et les honneurs. Il mourut le 8 mai 1785, âgé de quatre-vingt trois ans d'une congestion pulmonaire, ce qui est la mort classique des vieillards. Comme l'écrit Octave Uzanne « À 10 heures du matin, dans les premiers effluves printaniers, alors que se répercutaient des chants de gondoliers dans la sonorité des petits canaux, l'âme du fervent peintre des charmes de Venise abandonna la terre des lagunes, qui ne lui fut jamais hostile et à laquelle il demeura fidèlement attaché ». ■ Jean Dupuy

Bibliogr. : O. Uzanne : *Pietro Longhi*, Paris, 1924 – E. Arslan : *Inediti di Pietro e Alessandro Longhi*, Emporium II, 1946 – Lionello Venturi : *La peinture italienne, du Caravage à Modigliani*, Skira, Genève, 1952 – Rodolfo Pallucchini, in : *Venise*, Skira, Genève, 1956 – Terisio Pignatti : *L'Opera Completa di Pietro Longhi*, Rizzoli Edit., Milan, 1974 – Terisio Pignatti : *Disegni di Pietro Longhi*, Berenice, Milan, 1990.

Musées : Amiens : *Sébastien Foscari, procurateur de Saint-Marc* – Bergame (Acad. Carrara) : *Masques vénitiens – Noble famille vénitienne – Réception – Jeune fille* – Budapest : *Carlo Goldoni* – Dresde : *Portrait de femme* – Dublin : *Le général Christoph Nugent* – Londres (Nat. Gal.) : *Groupe de domestiques – Une dame vénitienne – Exposition d'un rhinocéros dans une arène – Le chevalier Andra Tron – Le diseur de bonne aventure* – Rouen : *Partie de cartes* – Venise : *Le lever d'une dame – Le maître de danse – Le maître de musique – Le tailleur – Le pharmacien – Le charlatan* – Venise (Palais Grassi) : Fresques – Venise (Correr) : Tableaux de mœurs – *Portrait de Goldoni*.

Ventes Publiques : Paris, 1865 : *Un bal* : **FRF 670** – Paris, 1873 : *Bal masqué à Venise* : **FRF 1 200** – Venise, 1894 : *Portrait d'un gentilhomme vénitien du* XVIIIe *siècle* : **FRF 1 050** – Paris, 28 nov. 1898 : *Portrait de jeune femme*, miniat. : **FRF 440** – Paris, 27 mars 1900 : *La Comédie italienne* : **FRF 160** – Paris, 21 et 22 mars 1905 : *Les préparatifs d'une représentation* : **FRF 310** – Paris, 27-28-29 avr. 1909 : *La leçon de danse* : **FRF 2 050** ; *Scène d'intérieur dans un palais, à Venise* : **FRF 3 600** – Paris, 26 mai 1919 : *Un pêcheur vénitien*, dess. à la pierre d'Italie : **FRF 630** – Paris, 26 mars 1920 : *Portrait d'un gentilhomme vénitien* : **FRF 1 500** – Londres, 7 avr. 1922 : *Deux femmes assises à une table* : **GBP 84** – Londres, 8 juin 1923 : *Arlequin* : **GBP 84** – Londres, 17 déc. 1926 : *Le Charlatan* : **GBP 136** ; *La diseuse de bonne aventure* : **GBP 147** – Paris, 2 mars 1929 : *Guignol dans une rue en Italie*, pl. : **FRF 8 000** – Londres, 26 avr. 1929 : *Portrait de femme en robe blanche* : **GBP 204** – Londres, 8 mai 1929 : *Femme à sa table de travail*, pierre noire : **GBP 430** – Londres, 15 mai 1929 : *Le Parlaterio della Monache* : **GBP 650** – Londres, 9 déc. 1936 : *Scène vénitienne* : **GBP 310** – Paris, 26 mai 1937 : *Portrait d'homme debout, drapé dans un ample manteau*, pl. et lav. de sépia : **FRF 2 650** – Paris, 20 nov. 1941 : *La Présentation* : **FRF 600 000** – Londres, 19 déc. 1941 : *Ridotto à Venise* : **GBP 525** – Paris, 18 mai 1942 : *Figure d'homme*, pl. aquarellée de bleu : **FRF 1 180** – Paris, 16 déc. 1942 : *Le Mariage* ; *La Circoncision*, deux pendants attr. : **FRF 185 000** – New York, 24 mai 1944 : *Leçon de musique* : **USD 3 000** – New York, 4 jan. 1945 : *La diseuse de bonne aventure* : **USD 1 250** – Londres, 25 oct. 1957 : *Le Saltimbanque* : **GBP 3 150** – Paris, 6 déc. 1957 : *La lecture* : **FRF 1 400 000** – Londres, 21 nov. 1958 : *Le café*, pl. et lav. brun : **GBP 787** – Lucerne, 26-30 juin 1962 : *Intérieur paysan avec quatre personnages* : **CHF 7 000** – Londres, 3 juil. 1963 : *L'atelier d'un peintre* : **GBP 41 000** – Londres, 24 juin 1964 : *La visite* : **GBP 24 000** – Milan, 24 nov. 1965 : *Le charlatan* : **ITL 8 500 000** – Milan, 1er déc. 1970 : *Portrait d'un gentilhomme et d'une dame de qualité*, deux pendants : **ITL 11 500 000** – Londres, 7 juil. 1972 : *La répétition* : **GNS 26 000** – Rome, 2 déc. 1974 : *Portrait d'une Vénitienne* : **ITL 28 000 000** – Londres, 4 juil. 1977 : *Homme debout jouant de la viole*, craie noire (23,9x15,7) : **GBP 3 000** – Milan, 27 avr. 1978 : *Les deux sœurs dans la bibliothèque*, h/t (47,5x35) : **ITL 14 000 000** – New York, 30 mai 1979 : *Un café vénitien*, encre et lav./pap. crème (19,5x28,5) : **USD 5 000** – Londres, 8 juil. 1981 : *Moine prêchant*, h/t (60x49) : **GBP 10 000** – Rome, 2 juin 1983 : *Le Petit Berger*, h/t (53x43) : **ITL 8 500 000** – Milan, 21 avr. 1988 : *La Lecture*, h/t (60,5x50) : **ITL 130 000 000** – Milan, 10 juin 1988 : *Le moine prêcheur*, h/t (61x50) : **ITL 58 000 000** – Londres, 7 juil. 1989 : *Jeune femme chantant accompagnée à l'épinette par un gentilhomme en compagnie d'un clerc*, h/t (61,8x50) : **GBP 198 000** – New York, 11 jan. 1991 : *Le charlatan*, h/t (56,5x45) : **USD 330 000** ; *La diseuse de bonne aventure*, h/t (61,8x50,8) : **USD 242 000** – New York, 12 jan. 1994 : *Jeune femme endormie sur une méridienne et un petit garçon jouant avec un chien tandis qu'un homme lui fait signe d'être silencieux*, h/t (57,2x43,8) : **USD 112 500** – Milan, 28 nov. 1995 : *Portrait de dame de qualité avec une rose*, h/t (73x61) : **ITL 32 200 000** – New York, 9 jan. 1996 : *La toilette (recto)* ; *Jeune femme en buste (verso)*, craie noire avec reh. de blanc/pap. gris-bleu (27,5x22,5) : **USD 11 500**.

LONGHI Silla ou **Scilla Giacomo** ou **Lunghi**

Né à Viggiù près de Milan. Mort en 1619 à Rome. XVIIe siècle. Italien.

Sculpteur.

On cite de ses œuvres aux églises Saint-Jean de Latran, Sainte-Marie-Majeure et Sta Maria sopra Minerva à Rome, ainsi qu'aux églises S. Caterina a Formello à Naples et S. Petronio à Bologne.

LONGHURST Joseph

Mort en 1922 à Cranleigh (Surrey). XXe siècle. Britannique.

Peintre de paysages.

Il travaillait à Londres, où il figura, à partir de 1902, aux expositions de la Royal Academy.

LONGI Robert. Voir **LONGE**

LONG Liyou

Né en 1958 à Xiangtan (province du Hunan). XXe siècle. Chinois.

Peintre de compositions à personnages.

Il fréquenta la section de peinture à l'huile de l'Académie Centrale des Beaux-Arts de Pékin de 1980 à 1984 et obtint le diplôme d'études supérieures en 1987. Il est actuellement professeur à l'Académie Centrale.

Musées : Pékin (Gal. Nat.).

Ventes Publiques : Hong Kong, 22 mars 1993 : *Jeune fille et cheval à contre-jour* 1992, h/t (65x80,4) : **HKD 48 300** – Hong Kong, 4

mai 1995 : *Surveillance avec des jumelles des alentours de Fort Haoli* 1993, h/t (112,1x145,4) : **HKD 241 500** – HONG KONG, 30 oct. 1995 : *Chariot rentrant à Fort Haoli* 1995, h/t (112,1x145,4) : **HKD 356 500** – HONG KONG, 30 avr. 1996 : *Le matin à Fort Haoli*, h/t (112,1x145,4) : **HKD 230 000**.

LONGMAN Evelyn Béatrice, épouse de **Nathaniel Horton Batchelder**
Née le 21 novembre 1874 à Winchester (Ohio). Morte en 1954. XIXe-XXe siècles. Américaine.
Sculpteur de monuments, figures.
Elle fut élève de Daniel French à l'Institut d'Art de Chicago. Membre de la Fédération Américaine des Arts. Elle obtint des médailles d'argent et d'or dans les grandes expositions américaines, notamment en 1904 à Saint-Louis. En 1909, elle devint membre associé de la National Academy.
Elle a sculpté des monuments commémoratifs et des sujets symboliques.
MUSÉES : CHICAGO (Art Inst.) : *La Victoire*, étude – *Monument aux morts* – NEW YORK (Metropolitan Mus.) : *L'Avenir* – *La Victoire* – *Torse*.
VENTES PUBLIQUES : NEW YORK, 23 mars 1984 : *Peggy* 1911, bronze (H. 37) : **USD 4 200** – NEW YORK, 3 déc. 1996 : *Tête de bacchante* 1911, bronze (H. 68) : **USD 2 530** – NEW YORK, 23 avr. 1997 : *Buste de Thomas Edison* 1931, bronze (H. 66) : **USD 2 300**.

LONGMAN Louise, née **Lambert**
XXe siècle. Britannique.
Peintre de portraits.
Le Collège Magdalen d'Oxford conserve un *Portrait d'Henry E. F. Garnsey*, signé L. Lambert.

LONGMATE Barak, l'Ancien
Né vers 1737 à Londres. Mort le 23 juillet 1793 à Londres. XVIIIe siècle. Britannique.
Graveur.
Il grava des planches de topographie et d'armoiries.

LONGMATE Barak, le Jeune
Né vers 1768 à Londres. Mort en 1836 à Londres. XVIIIe-XIXe siècles. Britannique.
Graveur.
Fils de Barak Longmate l'ancien. Il grava des portraits et des ex-libris.

LONGO. Voir aussi **LONGHI** et **LUNGHI**

LONGO Jacobino ou **Longhi**
Né à Pinerolo (Piémont). Mort vers 1542. XVIe siècle. Italien.
Peintre.
On cite parmi ses œuvres : à Saluzzo, au Musée di Casa Cavassa, un triptyque, ainsi qu'à l'église paroissiale S. Vincenzo à S. Damiano d'Asti ; à Turin, dans la sacristie du Dôme, une *Sainte Famille*, et, à la Pinacothèque, une *Adoration de l'Enfant* ; à Florence, une *Mise au tombeau* ; à Pralormo (Province de Turin), à l'église paroissiale, une *Madone sur un trône avec l'Enfant et des saints*.

LONGO Robert. Voir aussi **LONGE**

LONGO Robert
Né en 1953 à Brooklyn (New York). XXe siècle. Américain.
Peintre de compositions animées, sculpteur, dessinateur, artiste de performances, technique mixte, multimédia. Bad-Painting.
En Italie, il fit l'apprentissage de la restauration de peintures, et fut élève en histoire de l'art à l'Académie de Florence. Il visita ensuite les musées d'Europe, en particulier le Musée Rodin de Paris. Il participa à la fondation d'un espace alternatif *Hallwalls* à Buffalo, où il était étudiant au State University College. En 1977, il se fixa à New York. En 1982, il participa à la Documenta de Kassel. En 1989, le County Museum de Los Angeles a montré un ensemble de ses œuvres. À Paris, il expose à la galerie Daniel Templon.
Influencé par John Baldessari, dès ses premiers travaux il prélevait ses images de magazines et du cinéma. Images figuratives, bien finies, académiques, de la « Vie réelle », avec vedettes de films ou de concerts rock, en réaction contre les abstractions géométriques et minimalistes, traitées impersonnellement en réaction contre les expressionnismes venus d'Europe, ces deux critères caractérisaient alors la « Bad Painting ». *The American Soldier* de 1977, relief hyperréaliste réalisé en trois exemplaires, reprenait une image du film de Fassbinder du même titre, un homme en costume de ville, frappé par balle, et qui tombe. À partir de 1978, il fit poser des modèles dans des attitudes contorsionnées, qu'il photographiait puis reproduisait minutieusement dans les dessins de la série des *Men in the Cities*. À partir de 1982, avec l'œuvre charnière *Pressure*, Longo fait intervenir les matériaux les plus divers et toutes les techniques, dessin, peinture, relief, dans des œuvres énormes, en général des polyptyques, précises et glacées comme des documents photographiques, juxtaposant des images, toujours prélevées des médias mais sans lien évident ni concordance d'échelle entre elles, images de violence, d'oppression, on peut supposer d'affrontement entre deux entités, par exemple entre le réel et le figuré, entre la nostalgie du passé ou de la stabilité, et la rigueur du présent ou du chaos, provoquant finalement des images de solitude. Au-delà de cette incertitude d'interprétation du contenu, restent les images froides composant des objets bien faits, au demeurant rassurants quant à leur statut d'œuvres d'art. ■ J. B.

BIBLIOGR. : Carter Ratcliff : *Robert Longo*, Schirmer Mosel, Munich, 1986 – Hal Foster : *Robert Longo – L'Art contemporain et le spectacle*, in Arstudio, n° 11, Paris, hiver 1988 – in : *Diction. de l'Art mod. et contemp.*, Hazan, Paris, 1992.
MUSÉES : AMSTERDAM (Stedelijk Mus.) – NEW YORK (Mus. of Mod. Art) : *Pressure* 1982-83.
VENTES PUBLIQUES : NEW YORK, 16 fév. 1984 : *White Riot* 1982, mine de pb et gche (38,5x54,5) : **USD 1 900** – NEW YORK, 9 mai 1984 : *The silence* 1979-1980, plâtre et émail/pan. en relief (63,5x88,9x10,2) : **USD 5 800** – NEW YORK, 3 mai 1988 : *Voix (les enfants doués)*, cr., fus., encre, aquar./pap. (244x122) : **USD 44 000** – NEW YORK, 8 oct. 1988 : *Sans titre* 1982, cr. et détrempe/pap. (76,8x111,2) : **USD 34 100** – NEW YORK, 3 mai 1989 : *Vision solide* 1984, acryl./pap., Plexiglas et plâtre peint (304,8x223,5x20,3) : **USD 41 250** – NEW YORK, 21 fév. 1990 : *Étude de jeune fille* 1981, cr./pap. (66,7x41,3) : **USD 6 600** – NEW YORK, 23 fév. 1990 : *Guitares de verre* 1985, h./alu. avec du bois, du laiton, de l'acier peint et des guitares de verre (255,3x198,2x44,5) : **USD 66 000** – NEW YORK, 9 mai 1990 : *Hommes pris dans la glace* 1979, fus. et graphite/pap., triptyque (chaque panneau 152,5x101,5) : **USD 154 000** – NEW YORK, 3 oct. 1991 : *Soldat américain* 1977, vernis sur alu. moulé (66x33,5x5) : **USD 25 300** – NEW YORK, 13 nov. 1991 : *Le baiser* 1987, relief mural de bronze (58,5x183x17,9) : **USD 38 500** – NEW YORK, 27 fév. 1992 : *Sans titre, New York Athletic Club* 1980, laque sur alu. moulé (96x121,6x35,5) : **USD 11 000** – NEW YORK, 6 mai 1992 : *Têtes rondes et têtes carrées* 1985, acier, acryl., cr. et fus./pap. (195,6x213,3x43,8) : **USD 14 300** ; *Les hommes dans la ville*, graphite/pap. en trois pan. (en tout : 152,4x315) : **USD 49 500** – NEW YORK, 4 mai 1993 : *Force de l'amour*, h/t en deux parties avec un relief de bronze (183x213x18) : **USD 42 550** – NEW YORK, 3 mai 1994 : *Sans titre* 1981, cr., fus. et encre/pap. (243,8x152,4) : **USD 34 500** – LONDRES, 23 mai 1996 : *Les hommes dans les villes (Eric)*, cr. fus. et encre/pap. (243,9x152,4) : **GBP 11 500** – NEW YORK, 21 nov. 1996 : *Ann* 1981, fus./pap. (247,6x152,4) : **USD 21 850**.

LONGO Vincent
Né en 1923 à New York. XXe siècle. Américain.
Peintre.
Il fut élève de la Cooper Union et diplômé en 1946 ; puis fut élève de Max Beckmann et de Ben Shahn à la Brooklyn Museum Art School. Grâce à une bourse de la Fondation Fulbright, il fit un voyage en Italie en 1951. En 1954, il obtint encore une bourse Yaddo. Il participe à des expositions collectives, à New York au Museum of Modern Art, au Whitney Museum, au Brooklyn Museum, ainsi qu'à la Pennsylvania Academy. Ses expositions personnelles se tiennent à New York.
BIBLIOGR. : In : *Peintres contemp.*, Mazenod, Paris, 1964.

LONGOBARDI Nino
Né en 1953 à Naples. XXe siècle. Italien.
Peintre, dessinateur de figures, créateur d'installations, technique mixte. Citationniste, Trans-avant-garde.
Il participe à des expositions collectives, dont, en 1979 *Europa 79* à Stuttgart, en 1985 la Nouvelle Biennale de Paris. Il montre surtout ses réalisations au cours d'expositions personnelles très nombreuses, d'entre lesquelles : 1980 Naples, Rotterdam, Genève ; 1981 lors du Kunstmarkt de Cologne ; 1982 Madrid, Naples, Syracuse ; 1983 Rome, New York, Kunstmuseum de Lucerne ; 1984 galerie Montenay de Paris, Rome, Philadelphie ; jusqu'à 1989-90 galerie Véga de Paris ; etc.
Nino Longobardi a d'abord créé des installations, posant d'em-

blée la problématique de l'espace de la représentation. En 1979, pour l'exposition *Europa 79* à Stuttgart, il présenta une peau de tigre clouée sur le sol et sur le mur. Ensuite, passant en techniques mixtes au dessin au crayon, au fusain, et à la peinture acrylique, à l'huile sur papier, carton ou toile, il conférait aux esquisses de personnages qu'il dessinait et peignait et plaçait sur le mur d'exposition, des attitudes en relation avec des objets disposés dans l'espace réel ; par exemple, avec *Terrae motus* de 1984, l'attitude de l'homme dessiné au mur fait supposer qu'il tente de saisir un drap posé sur un canapé. Dans la période suivante, il développe la même problématique de la relation entre représentation et réalité, mais alors dans les seules limites de la peinture et sans plus recourir à l'installation dans l'espace environnant, sauf à intégrer des objets réels collés à la surface de la toile, dont d'autres constituants, figures ou natures mortes, sont dessinés au crayon et cernés de couches de peinture blanchâtre.
À partir de 1985, ses peintures dessinées semblent développer, avec ses moyens techniques bien personnels, le thème traditionnel des *Vanités*, les personnages dessinés côtoyant des squelettes et des ossements. Cette option citationniste, le situant dans la Trans-avant-garde italienne, se généralisa après 1989, avec des nus masculins et féminins, dessinés sur des fonds gris, dont les poses sont inspirées de la statuaire antique, avec des rappels de peintures célèbres du Quattrocento ou encore du Titien et du Tintoret, et jusqu'à Goya et Turner, Cézanne et Van Gogh, Francis Bacon. ■ J. B.

Bibliogr. : Achille Bonito Oliva : Catalogue de l'exposition *Nino Longobardi*, gal. Giuliana De Crescenzo, Rome, 1980 – in : Catalogue de la Nouvelle Biennale de Paris, 1985 – Anne Dagbert : *Nino Longobardi*, in : Art Press, Paris, déc. 1989 – in : *L'Art du xxe siècle*, Larousse, Paris, 1991.

Ventes Publiques : Londres, 5 déc. 1986 : *Sans titre* 1982, temp. et cr./t. (140,3x200) : **GBP 8 000** – New York, 4 nov. 1987 : *Sans titre*, fus., craie rouge et temp./4 feuilles de pap. (113,8x151,6) : **USD 2 400** – Paris, 15 juin 1988 : *Sans titre* 1981, h/t triptyque (chaque élément 52x42) : **FRF 12 000** – New York, 8 oct. 1988 : *Sans titre*, fus., h. et gche/pap. (47,6x36,2) : **USD 1 320** – Paris, 19 mars 1989 : *h/t* 1961 (24x20) : **FRF 6 500** – New York, 4 mai 1989 : *Sans titre* 1983, acryl., plâtre, fus. et graphite/pap. (116,2x75,6) : **USD 2 640** – New York, 31 oct. 1989 : *Sans titre* 1984, graphite et encre/cart. (73x50,8) : **USD 3 300** – Londres, 22 fév. 1990 : *Le Rivage des fêtes*, h/t (38x55) : **GBP 1 375** – Stockholm, 5-6 déc. 1990 : *Composition animée avec une cafetière*, h. et assemblage (50x30) : **SEK 20 000** – Stockholm, 30 mai 1991 : *Composition à deux personnages*, acryl./pap. (76x56) : **SEK 12 500** – Copenhague, 2-3 déc. 1992 : *Composition* 1990, acryl./pap. (75x57) : **DKK 10 000** – Londres, 3 déc. 1993 : *Sans titre*, fus. et acryl./21 pan. de pap. (en tout 231x392) : **GBP 5 750** – Amsterdam, 1er juin 1994 : *Sans titre* 1983, techn. mixte/deux feuilles de pap. (77x110) : **NLG 1 150** – Zurich, 14 nov. 1995 : *Couple allongé* 1982, fus., craie rouge et h/pap. (76x116) : **CHF 1 700** – Londres, 6 déc. 1996 : *Autoportrait* 1981, h/t (140x200) : **GBP 3 450** – Paris, 28 avr. 1997 : *Deux personnages et deux crânes* 1984, acryl., fus. et sanguine/pap. (76x114) : **FRF 6 500**.

LONGOBARDI Xavier

Né le 8 janvier 1923 à Alger. xxe siècle. Français.

Peintre, peintre de collages, peintre à la gouache, peintre de compositions murales, de cartons de tapisseries, sculpteur, graveur, lithographe, illustrateur. Abstrait.

Après avoir obtenu une licence de lettres, il s'engagea volontaire en 1942 et participa aux campagnes d'Afrique du général De Lattre de Tassigny et fut décoré de la Croix de guerre. Ayant repris ses études à Paris, il interrompit une thèse de doctorat en cours, en 1948, pour se vouer entièrement à la peinture, à laquelle il se formait depuis 1946. Depuis 1952, il vit et travaille à Paris et à Aix-en-Provence. Il participe à de nombreuses expositions collectives, d'entre lesquelles, à Paris, les Salons : des Indépendants 1952 ; Comparaisons 1955-1964 ; de Mai 1959, 1960 ; des Tuileries 1959 ; d'Automne 1962-1966 ; des Artistes Décorateurs depuis 1967 ; ainsi que Grands et Jeunes d'Aujourd'hui, Réalités Nouvelles ; et des groupes divers : 1953, 1954 galerie Saint-Jacques, Paris ; 1955 *Divergences* et *Collages* galerie Arnaud, Paris ; 1956 Rose Fried Gallery, New York ; 1957 *Cinquante ans de peinture abstraite* galerie Creuze, Paris ; 1958 *Tapisserie 58* Musée des Arts Décoratifs, Paris ; 1960 sélection du Salon de Mai, Zurich ; 1966 *Cinq peintres-cartonniers*, Musée de Marseille ; 1967 *L'Âge du jazz*, Antibes ; 1968 Triennale de Milan ; 1971 *Air France et l'Art d'aujourd'hui* Musée Galliera, Paris ; 1975 *Première Biennale française de la tapisserie*, Menton ; etc. Il montre ses travaux dans des expositions personnelles depuis 1952 : à Paris galeries Saint-Jacques en 1952 ; de Beaune 1953 ; Arnaud 1954, 1955 ; Lucien Durand 1956, 1957, 1959 ; 1964 galerie Maurice Garnier ; 1968 *Structurations puissance n* au Musée d'Art Moderne de la Ville ; 1988 galerie Callu-Mérite ; etc. ; ainsi que : 1961 Copenhague ; 1965 Esch-sur-Alzette ; 1966 Musée Picasso, Antibes, et Musée de l'Athénée, Genève ; 1968, avec Gastaud, Musée d'Art Moderne de la Ville de Paris, section de l'ARC (Art-Recherche-Confrontation) ; 1972 Cannes, et *Structuration n* au Musée de Tessé, Le Mans ; 1981 Musée R. Brindisi, Ferrare ; 1984 Sochaux ; 1987 Privas ; etc. Il a été chargé de nombreuses fonctions honorifiques.
Parallèlement à sa production picturale, il a créé plusieurs dizaines de cartons de tapisseries ; de nombreuses lithographies, linogravures, sérigraphies ; a illustré plusieurs ouvrages, dont *Certitudes et incertitudes de la science* de Louis de Broglie ; et réalisé des œuvres monumentales, dont : des décorations murales, notamment pour School House Lane à Philadelphie ; le Gotham Hôtel de New York ; la Présidence de la République d'Abidjan ; le Rectorat de l'Académie de Poitiers ; le paquebot France ; et, en 1971 deux haut-reliefs ; 1976 sculpture en polyester, sculpture en aluminium, inclusions ; 1977 deux sculptures en acier ; 1981 sculpture en acier.
Sans avoir rien exposé auparavant, en 1951 il évolua définitivement à l'abstraction. Ses nombreux travaux de décoration lui ont imposé un style à la fois très chargé et d'une exécution poussée, la surface murale devant être occupée avec densité de l'intensité plastique et chromatique, et rigueur constructive de l'intégration au mur des demeures ou aux espaces architecturaux, critères qui caractérisent en permanence l'ensemble de son œuvre dans ses divers aspects techniques. Parfois cependant, dans certaines périodes ou séries, son abstraction particulière affecte un caractère ludique, légèrement surréalisant, quand les nombreux petits volumes colorés occupant l'espace de la composition prennent l'aspect de rochers isolés les uns des autres sur une étendue désertique et lunaire. ■ J. B.

Bibliogr. : Michel Seuphor, in : *Diction. de la peint. abstraite*, Hazan, Paris, 1957 – V. Fougère, in : *Tapisseries de notre temps*, L'Œil du temps, 1969 – Michel Seuphor, Michel Ragon, in : *L'Art abstrait,...*, Maeght, Paris, 1945-1975 – Jean-Pierre Jouffroy : *L'Espace et la Lumière de Xavier Longobardi*, Édit. Clair-Obscur, 1982 – G. Xuriguera, in : *Les Années 50*, Arted, Paris, 1984 – divers : Catalogue de l'exposition *X. Longobardi*, gal. Callu-Mérite, Paris, 1988, abondante documentation – François de Villandry : *Xavier Longobardi*, Édit. Fragments, 1990.

Musées : Alger (Mus. d'Art Mod.) – Antibes (Mus. Picasso) – Châteauroux (Mus. Fabre) – Constantine – Dunkerque (Mus. d'Art Contemp.) – Ferrare (Mus. Remo Brindisi) – Genève (Mus. de l'Athénée) – Harnheim – Londres (Victoria et Albert Mus.) – Paris (BN, Cab. des Estampes) – Zurich.

Ventes Publiques : Paris, 2 mars 1987 : *Composition abstraite : Le recueillement*, h/t (50x65) : **FRF 9 000** – Paris, 2 mars 1988 : *Composition abstraite : Le recueillement*, h/t (50x65) : **FRF 9 000** – Neuilly, 22 nov. 1988 : *Iotac n° 1* 1955, collage et gche/pap. (17x19,3) : **FRF 6 500** – Neuilly-sur-Seine, 16 mars 1989 : *Composition* 1952, gche et collage (21,5x17,5) : **FRF 8 500** – Neuilly, 6 juin 1989 : *Composition D* 1952, h/bois (27x38) : **FRF 17 000** – Paris, 21 juin 1990 : *Ferveur XX* 1977, acryl./t. (60,5x50) : **FRF 40 000** – Neuilly, 4 déc. 1990 : *Composition*, h. et collage/cart. (29x22,5) : **FRF 15 100** – Paris, 1er juil. 1992 : *Composition*, gche (28x49) : **FRF 5 000** – Paris, 28 mai 1993 : *Composition*, h/pap./t. (57x76) : **FRF 10 000** – Paris, 28 juin 1994 : *Composition*, peint./cart. (28,5x32,5) : **FRF 4 500**.

LONGONI Alberto

Né le 24 août 1921 à Milan. xxe siècle. Italien.

Peintre, graveur, illustrateur.

Il participe à des expositions collectives, dont la Biennale de Gravure de Cracovie, où il a reçu un Prix en 1968. Il expose personnellement depuis 1954 à Zurich, Paris, Milan, et, plus occasionnellement, à Copenhague, Saint-Gall, Varsovie.

LONGONI Baldassarre

Né en 1876 à Dizzasco d'Intelvi. Mort en 1956 à Camerlata. xxe siècle. Italien.

Peintre de paysages, paysages d'eau.

Ventes Publiques : Milan, 30 oct. 1984 : *La nouvelle maison* 1912, h/t (89x89) : **ITL 1 900 000** – Milan, 19 oct. 1989 : *Village au bord du lac*, h/t (75x85) : **ITL 12 500 000** – Milan, 6 déc. 1989 :

Régate sur le lac, h/t (90x100) : **ITL 8 000 000** – Paris, 19 juin 1990 : *L'alba sull'Isola San Giulio, lago d'Orta*, h/t (75x135) : **FRF 450 000** – Rome, 13 mai 1991 : *Paysage*, h/t (70x100) : **ITL 27 600 000** – Milan, 14 juin 1995 : *Paysage lacustre avec une chapelle et son clocheton, Toits d'un village avec l'église, et Paysage lacustre avec des pêchers en fleurs*, h/pan., trois peintures (chaque 33,5x49,5) : **ITL 8 625 000** – Milan, 25 mars 1997 : *Vue de Arosio, Brianza*, h/t (130x170) : **ITL 32 620 000**.

LONGONI Emilio

Né le 9 juillet 1859 à Barlassina (Milan). Mort en 1932 ou 1933 à Milan. XIXe-XXe siècles. Italien.

Peintre de portraits, figures, intérieurs, paysages, peintre à la gouache, pastelliste.

Il fut élève de l'Académie de Brera à Milan.

Surtout peintre de paysages, et souvent de paysages de montagne, il a néanmoins traité des sujets intimistes.

Ventes Publiques : Milan, 16 nov. 1972 : *Lac alpestre* : **ITL 1 700 000** – Milan, 12 déc. 1974 : *Paysage montagneux* : **ITL 1 500 000** – Milan, 28 oct. 1976 : *La voix du ruisseau*, past. et temp. (51x87) : **ITL 1 800 000** – Milan, 5 avr 1979 : *Paysage*, h/cart. (33x40,5) : **ITL 1 000 000** – Milan, 5 nov. 1981 : *Maria*, past. (120x75) : **ITL 4 000 000** – Milan, 22 avr. 1982 : *Paysage montagneux*, h/cart. (40x31,5) : **ITL 5 000 000** – Milan, 23 mars 1983 : *Rhododendrons*, past. (43,5x62,5) : **ITL 3 300 000** – Milan, 21 avr. 1983 : *Lac alpestre*, h/t (60x80) : **ITL 12 000 000** – Milan, 7 nov. 1985 : *Le glacier de Bernina* vers 1905, h/t (86x67) : **ITL 13 000 000** – Milan, 28 oct. 1986 : *Vieux Milan*, h/t (57x85) : **ITL 8 000 000** – Milan, 23 mars 1988 : *Paysage rupestre* 1910, h/t (65x88) : **ITL 42 000 000** – Milan, 1er juin 1988 : *Intérieur avec une fillette lisant* 1898, h/t (81x65) : **ITL 48 000 000** – Milan, 6 déc. 1989 : *Portrait féminin* 1913, h/t (64,5x51,5) : **ITL 4 000 000** – Milan, 8 mars 1990 : *Gamin avec des jouets*, h/t/cart. (41x18) : **ITL 35 000 000** – Milan, 21 nov. 1990 : *Étude de Crucifixion*, h/cart. (35x45,5) : **ITL 1 500 000** – Milan, 5 déc. 1990 : *Paysage* 1910, h/t/cart. (33,5x41) : **ITL 33 000 000** – Rome, 14 nov. 1991 : *Paysage de montagne*, past. (26x42) : **ITL 3 450 000** – Milan, 12 déc. 1991 : *Pizzo Bernina* 1905, h/t/pan. (67x97) : **ITL 50 000 000** – Milan, 16 juin 1992 : *Coucher de soleil sur un lac*, h/t/cart. (30x39,5) : **ITL 16 000 000** – Milan, 8 juin 1993 : *L'aube* 1905, h/t (93x167) : **ITL 135 000 000** – Milan, 29 mars 1995 : *Pâturage dans un paysage fluvial*, past./pap./t. (70,5x94) : **ITL 13 800 000** – Milan, 18 déc. 1996 : *Pastèques* 1890, h/t (38x71) : **ITL 27 960 000**.

LONGPRÉ Paul de

Né le 18 avril 1855 à Lyon (Rhône). Mort le 29 juin 1911 à Hollywood. XIXe-XXe siècles. Français.

Peintre de natures mortes, fleurs, aquarelliste, dessinateur.

Il fut sans doute parent du peintre de fleurs Raoul Maucherat de Longpré. Il travailla à Paris, puis à New York et à Los Angeles.

Paul de Longpre

Ventes Publiques : La Nouvelle-Orléans, 13 mars 1979 : *Nature morte aux fleurs*, aquar., forme ovale (56x46,5) : **USD 1 900** – San Francisco, 18 mars 1981 : *Pivoines* 1891, h/t (89x112) : **USD 11 000** – Los Angeles, 29 juin 1982 : *Nature morte aux roses*, h/t (58,5x48,5) : **USD 2 500** – New York, 25 mai 1984 : *Fleurs, abeilles et papillons*, aquar. reh. de blanc (56x39,3) : **USD 1 300** – New York, 23 jan. 1985 : *Hollyhocks* 1901, aquar./pap. mar./cart. (75x36,2) : **USD 2 600** – New York, 25 juin 1986 : *Nature morte aux fleurs* 1892, h/t (66x53,5) : **USD 4 500** – New York, 21 mai 1987 : *Nature morte aux roses*, aquar., craie noire et gche (69,2x49,5) : **USD 3 000** – New York, 28 sep. 1989 : *Poinsettia*, aquar. et cr./pap. (55,5x45,5) : **USD 4 950** – New York, 24 jan. 1990 : *Bouquet de pensées*, aquar./cart. (29,2x38,7) : **USD 2 530** – Los Angeles-San Francisco, 10 oct. 1990 : *Fleurs sauvages dans une corbeille indienne*, aquar./pap. (42x55) : **USD 4 400** – Calais, 7 juil. 1991 : *Jeté de roses*, h/t (88x117) : **FRF 35 500** – New York, 25 sep. 1992 : *Abeilles voletant autour d'une branche de pommier en fleurs*, aquar./pap. (30,5x22,2) : **USD 1 980** – New York, 26 mai 1993 : *Rhododendrons* 1895, aquar. et cr./cart. (46x34) : **USD 8 050** – New York, 9 sep. 1993 : *Nature morte avec des violettes et des branches d'aubépine* 1897, aquar./cart. (43,2x64,1) : **USD 2 588** – New York, 14 sep. 1995 : *Fleurs dans un panier indien* 1906, aquar./pap. (43,2x61) : **USD 5 750** – New York, 14 mars 1996 : *Nature morte avec du seringa et des violettes* 1897, aquar./cart. (38,1x55,9) : **USD 6 325** – New York, 30 oct. 1996 : *Branche de cerisier en fleurs* 1895, cr. et aquar./pap. (59,7x25,7) : **USD 4 025**.

LONGPRÉ Raoul Victor Maurice MAUCHERAT de

Né à Paris. XIXe-XXe siècles. Français.

Peintre de fleurs, peintre à la gouache, aquarelliste.

Il débuta au Salon de Paris, en 1876.

Ventes Publiques : New York, 21 sep. 1984 : *Lilas et roses jaunes*, aquar., gche, pinceau et encre (50,9x72,4) : **USD 2 200** – New York, 1er oct. 1987 : *Roses et lilas*, aquar. et gche (71,5x53) : **USD 4 000** – New York, 17 mars 1988 : *Bouquet de roses jaunes et lilas*, aquar. et gche/pap. (72,5x92,5) : **USD 6 050** – New York, 24 juin 1988 : *Roses jaunes et roses*, aquar. et gche/pap. (68,3x49) : **USD 2 090** – New York, 30 sep. 1988 : *Bouquet de roses et lilas avec un sécateur*, gche/pap. (73,3x94) : **USD 8 800** – Los Angeles-San Francisco, 7 fév. 1990 : *Brassée de pivoines, lilas et fleurs d'acacia*, gche/pap. (76x94) : **USD 35 750** – New York, 27 sep. 1990 : *Nature morte florale*, h/cart. brun (61x51) : **USD 3 080** – New York, 17 déc. 1990 : *Bouquet de roses roses et de lilas blanc*, gche/pap. (71,8x51,4) : **USD 1 980** – New York, 18 déc. 1991 : *Bouquet de lavande et de lilas blanc*, gche/cart./cart. (71,1x49,5) : **USD 1 540** – New York, 15 avr. 1992 : *Roses blanches et rouges*, gche/pap. (68,6x40,6) : **USD 3 300** – New York, 27 sep. 1996 : *Nature morte de fleurs*, gche/pap./pap. (62,9x46) : **USD 4 600** – New York, 23 avr. 1997 : *Roses et lilas blancs*, aquar. et gche/pan. (52,7x71,7) : **USD 4 370**.

LONGREE Joseph

Né en 1789 à Spa. Mort en 1858 à Spa. XIXe siècle. Belge.

Peintre de paysages.

Bibliogr. : In : *Diction. biograph. illustré des artistes en Belgique depuis 1830*, Arto, Bruxelles, 1987.

LONGSTAFF John

Né en 1862 à Clunes. Mort en 1941. XIXe-XXe siècles. Australien.

Peintre d'histoire, scènes de genre, portraits.

Élève de Folinsby, à la National Gallery de Victoria, et de Cormon, à Paris. Il exposa au Salon en 1893 et à la Royal Academy en 1894.

Musées : Melbourne : *Gippsland, nuit du dimanche 20 février 1898 – Arrivée de Burke Wills et King au camp de Coopers Creck* 1861 – *Les Sirènes – Georges Frederick Folinsby* – Sydney : *Édouard VII – La reine Alesandra – Sir Edward Knox – Henry Lanwon – Étude*.

Ventes Publiques : Sydney, 30 juin 1986 : *Portrait de Frank Longstraff*, h/t (155x100) : **AUD 4 200** – Melbourne, 6 avr. 1987 : *A budding remenyi* 1884, h/t mar./cart. (28x19) : **AUD 4 600**.

LONGUEIL Joseph de

Né en 1730 à Givet. Mort le 17 juillet 1792 à Paris. XVIIIe siècle. Français.

Graveur.

Élève de Lebas et d'Aliamet. Il grava d'après Vernet, Van Ostade, Leprince. On cite de lui des vignettes pour la *Henriade* et pour les *Contes de La Fontaine*.

Bibliogr. : F. Panhard : *Joseph de Longueil, sa vie, son œuvre*, Morgand. Paris, 1880.

Ventes Publiques : Paris, 7 et 8 juin 1928 : *La Sultane*, dess. : **FRF 1 250** – Paris, 8 mars 1934 : *Stratonice et Antiochus*, mine de pb, légers reh. de Chine : **FRF 360**.

LONGUER Miguel ou **Loquer** ou **Luch**

XVe siècle. Actif à Barcelone. Allemand.

Sculpteur.

De nationalité allemande ; il exécuta avec son compatriote J. Frederich des sculptures à la rangée supérieure des stalles de la cathédrale de Barcelone.

LONGUET Alexandre Marie

Mort en 1850 ou 1851. XIXe siècle. Français.

Peintre d'histoire, scènes de genre, paysages, marines.

Il participa au Salon de Paris de 1831 à 1850.

Il s'inspira de Diaz, mais en conservant sa personnalité ; son dessin est souple et sa couleur d'un éclat délicat.

Longuet

Bibliogr. : Gérald Schurr, in : *Les Petits Maîtres de la peinture 1820-1920, valeur de demain*, Les Éditions de l'Amateur, t. IV, Paris, 1979.

Musées : Aix-la-Chapelle : *Vierge à l'Enfant dans une forêt* – Aurillac : *Le déjeuner des cygnes* – Dijon (Mus. Magnin) : *Baigneuse dans un sous-bois – Baigneuse vue de dos* – Montpellier : *La sortie du bain* – Narbonne : *Pastorale* – Rennes (Mus. des Beaux-Arts) : *Paysage : repos des moissonneurs* – Toulon : *Charge de cavalerie en Afrique*.

Ventes Publiques : Paris, 1861 : *Daphnis et Chloé* : **FRF 205** – Paris, 16 mars 1874 : *Le repos des Bohémiens* : **FRF 2 010** – Paris, 20-21 juin 1904 : *Deux nymphes* : **FRF 1 330** – Paris, 31 jan. 1929 : *Réveil d'une nymphe après un songe d'amour* : **FRF 1 150** – Paris, 18 nov. 1942 : *Femme en jupe rose vue de dos* : **FRF 5 500** – Paris, 2 juin 1943 : *Femme et enfant* : **FRF 9 200** – Paris, 29 juin 1945 : *Chemin en forêt* 1850 : **FRF 350** – Angers, 14 déc. 1977 : *Nymphes au bord de l'eau*, h/pan. (150x40) : **FRF 2 000** – Paris, 10 fév. 1988 : *Repos sous les arbres*, h/pan. (29,5x20) : **FRF 3 000** – Paris, 7 nov. 1990 : *Baigneuse*, h/pan. (32x23) : **FRF 41 000** – Paris, 29 juin 1994 : *Les muses dans une clairière*, h/pan. (23x33) : **FRF 5 500**.

LONGUET Frédéric

Né le 9 septembre 1904 à Paris. Mort en mars 1987. XXe siècle. Français.

Peintre de figures, paysages, aquarelliste.

Il était un descendant du communard Longuet. À Paris, il exposait au Salon des Indépendants, dont il était sociétaire. Il exposait aussi dans le Midi de la France, à Amsterdam, Rotterdam. Il a travaillé particulièrement sur les quais de la Seine, dans la banlieue parisienne et en Île-de-France, continuant à affectionner les rivages de la Seine ; toutefois, il a rapporté de nombreuses notations recueillies au cours de ses voyages en Hollande, Allemagne, Russie, Afrique-du-Nord. Grand ami d'Albert Marquet, il a subi son influence, tout en conférant à ses paysages une fluidité personnelle.

Frédéric Longuet

Ventes Publiques : Paris, 26 avr. 1990 : *La Seine à Juvisy* 1957, h/pan. (50x61) : **FRF 11 000** – Neuilly, 11 juin 1991 : *La Seine au pont Mirabeau à Paris* 1937, h/cart. (50x61) : **FRF 10 500** – Neuilly, 12 déc. 1993 : *Vers Fayence* 1956, h/pan. (50x61) : **FRF 9 000** – Paris, 18 nov. 1996 : *Le Palais du Kremlin et le pont Bolchoï, Moscou*, h/pan. (54x64,5) : **FRF 3 800**.

LONGUET Jean

XVIe siècle. Français.

Sculpteur.

Frère de Pierre Longuet. Il travailla, à la même époque que lui, à la cathédrale de Bourges.

LONGUET Karl Jean

Né le 9 ou 10 novembre 1904 à Paris. Mort le 20 juillet 1981 à Auray (Morbihan). XXe siècle. Français.

Sculpteur de monuments, bas-reliefs. Abstrait.

Il était arrière-petit-fils de Karl Marx et petit-fils du « communard » Charles Longuet, qui avait épousé Jenny Marx, fille de Karl Marx, en 1872, pendant leur exil à Londres. Il fut élève de Paul Niclausse à l'École des Arts Décoratifs, et de Jean Boucher à l'École des Beaux-Arts, à Paris. Il reçut ensuite les conseils de Charles Despiau et de Mattéo Hernandez. Il a participé à des expositions collectives, notamment à Paris : aux Salons des Artistes Français ; d'Automne de 1932 à 1956 et dont il était sociétaire ; de la Jeune Sculpture depuis la fondation ; des Indépendants ; des Tuileries ; de Mai ; des Réalités Nouvelles, depuis 1962, qui lui consacra un Hommage posthume en 1982 ; ainsi qu'à : 1949 *De Rodin à nos jours* à la Maison de la Pensée française, Paris ; 1953 Biennales de Turin et Middelheim-Anvers ; 1955 Biennale de Middelheim-Anvers ; 1957 Biennale de Carrare, dont il reçut le Prix Marmoro Portoro Carrara ; 1958 *Sculpture Française contemporaine et de l'École de Paris* au Musée Rodin ; 1960 *100 sculpteurs de Daumier à nos jours* au Musée de Saint-Étienne ; 1965 Biennale de São Paulo ; 1969 Biennale de Carrare ; et à la suite de son décès : 1982 exposition de petits formats en hommage à K. J. Longuet, galerie Darial, Paris. Il a aussi montré des ensembles d'œuvres dans des expositions personnelles : 1953 à Lyon ; 1960 et 1961 galerie Simone Heller, Paris ; puis des hommages posthumes : 1983 Musée de Metz ; 1984 Musée d'Art et d'Histoire de Meudon ; 1987 Centre d'Art Contemporain de Rouen.

Depuis sa sortie des Beaux-Arts en 1932, jusqu'à la guerre de 1939-1940, Karl Jean Longuet était resté attaché à la figuration, bien que la menant jusqu'à un extrême dépouillement. À la suite d'une visite à Brancusi, en 1948, il porta ce dépouillement de la forme jusqu'aux limites de l'abstraction. Ayant jusque là travaillé le bois, la pierre, le marbre, il entreprit le travail du métal, et préférentiellement du plomb.

Il a réalisé un très grand nombre de sculptures monumentales, d'entre lesquelles : 1946 *Monument aux Résistants de l'Yonne* à Sens ; 1960 *Monument aux Résistants de la Préfecture de Police de Paris* ; 1956, 1959, 1964, bas-reliefs, mur sculpté de 24 mètres de long, grande sculpture de pierre pour le Lycée Honoré de Balzac, Paris ; 1959 fontaine de plomb à Châtenay-Malabry ; 1960-62 deux sculptures de pierre de 6 mètres de haut à Créteil ; 1966-68 500 mètres carrés de murs animés en briques pour le complexe universitaire agricole de Toulouse ; 1971 *La Tour* en pierre de 6 mètres de haut au Lycée de Massy-Villegenis ; 1973 sculpture en polyester de 5 mètres de haut pour le Groupe Paul Éluard à Vigneux ; 1976 sculpture en cuivre de 5 mètres de haut pour le Lycée Henri Wallon d'Aubervilliers ; 1981 monument à Salvador Allende à Châtenay-Malabry. La Monnaie de Paris, qui lui a commandé et édité de nombreuses médailles commémoratives (voir en muséographie), a également édité quelques-unes de ses sculptures.

Dans le catalogue du Salon des Réalités Nouvelles de 1982, à l'occasion de l'Hommage qui était organisé à sa mémoire, Jean Guichard-Meili lui consacra un beau texte, dont une partie faisait revivre l'homme tel qu'on l'avait connu : « Les volutes tourmentées des cheveux, de la barbe, font une aérienne enveloppe aux traits fermement modelés en rides étagées jusqu'au regard, feu lucide, brillant d'interrogations au fond de plis bienveillants. » Dans les œuvres de sa dernière période, Longuet s'est départi de l'austérité tendue des volumes précédents, pour les animer ensuite de creux et de saillies, où la lumière trouve à jouer plus librement. ■ J. B.

Bibliogr. : Michel Seuphor, in : *La Sculpt. de ce siècle*, Édit. du Griffon, Paris, 1959 – in : *Diction. de l'Art contemp.*, Larousse, Paris, 1965 – in : *Lexikon der mod. Plastik*, Khaur, 1967 – Denys Chevalier, in : *Nouveau diction. de la sculpt. mod.*, Hazan, Paris, 1970 – in : *La Sculpt. mod. en France depuis 1950*, Arted, Paris, 1982.

Musées : Alger – Berlin (Fond.) – Bordeaux – Dresde – Grenoble – Lille – Manosque – Metz – Meudon (Mus. d'Art et d'Hist.) – Moscou – New York (Fond.) – Paris (Mus. Nat. d'Art Mod.) – Paris (Mus. de plein-air de Sculpture Contemp.) – Paris (Mus. de la Monnaie) : *médailles : Karl Marx – Friedrich Engels – Victor Schoelcher – Paul Éluard – Bernard Shaw – Fernand Léger – Jean-Sébastien Bach – Jean-Chrétien Bach – Karl-Philippe-Emmanuel Bach – Anna de Noailles* – Paris (Mus. des Territoires d'Outre-Mer) – Paris (Mus. d'Art Mod. de la Ville) – Skopje – Vienne (Fond.).

LONGUET Pierre

XVIe siècle. Français.

Sculpteur.

Il sculpta en 1512, un dais en pierre, au-dessus d'une statue de la cathédrale de Bourges.

LONGUEVILLE Charles

Né le 21 septembre 1829 à Lamballe (Côtes-d'Armor). Mort après 1882. XIXe siècle. Français.

Peintre de paysages et de marines.

Peintre-graveur amateur, il fut officier de marine. Reçu à l'École Navale en 1845, il fait un voyage en Orient. En 1863 il s'embarque de nouveau sur « l'Armorique », puis prend le commandement de l'aviso le « La Bourdonnais ». En 1865 il expose pour la première fois au Salon, puis repart en 1866 sur le « Borda ». Il expose de nouveau en 1870. En 1875 il est attaché au département de la Marine en qualité de peintre. Peintre et aquafortiste il a, bien sûr, pris pour sujets ce qu'il avait vu au cours de ses nombreux voyages, souvenirs de quelques monuments étranges et pittoresques ou sujets maritimes, de vaisseaux d'après nature.

LONGUEVILLE Marcel

Né au XIXe siècle à Paris. XIXe siècle. Français.

Peintre de paysages.

Il débuta au Salon en 1864.

LONGUIN Jacques

Né à Rouen. XVe-XVIe siècles. Français.

Sculpteur.

Il partit en Portugal, où il collabora, en 1510, aux travaux de l'église Sainte-Croix de Coïmbre, avec Nicolas, Jean de Rouen, et Edouard Philippe, ses compatriotes. Il était aussi architecte.

LONI Alessandro ou **Louis**
Né en 1655 à Florence. Mort en 1702. XVIIe siècle. Italien.
Peintre.
Élève et imitateur de Carlo Dolci, dont il copia les œuvres au point qu'il est très difficile de distinguer les originaux. Le Musée d'Ajaccio conserve de lui un *Portrait du bienheureux Andrea Vellino.*

LONI Pietro Maria
Mort avant 1732 à Foligno. XVIIIe siècle. Actif à Lugano. Italien.
Sculpteur et architecte.
Il travailla à Bologne où l'on cite de sa main les statues de *l'Archange saint Michel* et de *Saint Jean Baptiste* au maître-autel de l'église S. Andrea delle scuole.

LONIS. Voir **LOUIS**

LONKEWITZ Johann Christian Friedrich ou **Lonckewitz**
Né le 17 octobre 1782 à Grimma. Mort le 16 mai 1836 à Grimma. XIXe siècle. Allemand.
Peintre.
Fils de Johann Christian Gottfried Lonkewitz.
Musées : Grimma : *Vue d'Osten – Vue de Grimma.*

LONKEWITZ Johann Christian Gottfried ou **Lonckewitz**
Né en 1748 à Belgershain. Mort en 1820 à Grimma. XVIIIe-XIXe siècles. Allemand.
Peintre.
Fils de Johann Gottfried Lonkewitz.
Musées : Grimma : *Vue de Grimma.*

LONKEWITZ Johann Gottfried ou **Lonckewitz**
XVIIIe siècle. Actif à Belgershain. Allemand.
Peintre.

LONLAY Dick de, pseudonyme de **George Hardouin**
Né en 1846 à Saint-Malo. Mort le 25 septembre 1893 à Moscou. XIXe siècle. Français.
Dessinateur amateur.
Il publia quelques œuvres : *En Tunisie, En Bulgarie, Au Tonkin, De Paris à Moscou, Français et Allemands, Notre armée,* qu'il illustra lui-même.

LONNÉ Raphaël, dit **le Facteur**
Né en 1910 dans les Landes. XXe siècle. Français.
Dessinateur. Art-Brut.
Après avoir exercé divers métiers, il devint facteur dans la campagne landaise. N'ayant jamais dessiné, il ne commença cette activité qu'à partir de 1950, à l'occasion d'expériences de spiritisme.
Ses créations, surchargées de signes et de symboles, relèvent de l'art visionnaire, tout en présentant des caractéristiques évidentes de l'art naïf.
Bibliogr. : In : *Publications de l'Art Brut,* n° 1, Jean Dubuffet, Paris, 1964.

LÖNNING Terkel Eriksen
Né le 28 janvier 1762 à Copenhague. Mort le 9 septembre 1823 à Copenhague. XVIIIe-XIXe siècles. Danois.
Dessinateur et peintre.
Il peignit des marines à l'aquarelle et exposa en 1812 une *Bataille navale.* Le Musée de Frederiksborg possède de sa main trois aquarelles.
Ventes Publiques : Copenhague, 27 mars 1979 : *Bateaux dans le port de Copenhague* vers 1800, h/t (46x66) : **DKK 25 500.**

LÖNNROTH Arvid Fredrik
Né en 1823 à Göteborg. Mort en 1880 à Söderkulla. XIXe siècle. Suédois.
Peintre de genre, animaux.
Il travailla à l'Académie des Beaux-Arts de Düsseldorf.
Musées : Stockholm : *Palefrenier avec deux chevaux de chasse.*
Ventes Publiques : Copenhague, 1er mai 1991 : *Cheval au galop,* h/t (51x61) : **DKK 5 500.**

LONS Dirk Eversen
Né vers 1600. XVIIe siècle. Actif à Amsterdam. Hollandais.
Graveur.
Bourgeois d'Amsterdam en 1615, il s'y maria le 9 juin 1621. On lui doit notamment une série de dix estampes de *Navires hollandais,* huit estampes de *Costumes,* des *Paysages avec moulins* et une *Vue de Nuremberg avec le portrait de Dürer.*

LONS Jean Baptiste
Né en 1755 à Nivelles. Mort en 1810 à Anvers. XVIIIe-XIXe siècles. Belge.
Peintre d'histoire.
Il fut élève de l'Académie d'Anvers. Les églises de Nivelles et Longueville possèdent de ses œuvres.

LONSDALE James
Né en 1777 dans le Lancashire. Mort en 1839 à Londres. XIXe siècle. Britannique.
Peintre de portraits.
Élève de Romney et de l'École de la Royal Academy. Il montra dès ses débuts des qualités qui le classèrent parmi les meilleurs peintres de son temps. Mais son esprit indépendant, son dédain des prétendues belles manières le firent tenir à l'écart par les élégantes anglaises ; il peignit surtout des portraits d'hommes. Ce fut un des fondateurs de la Society of British Artists et il prit part à ses expositions, de 1824 à 1837. Ses œuvres méritent d'être recherchées.
Musées : Cambridge (Fitzw) : *Portrait du Dr Parr* – Liverpool : *Le général Gascoyne* – Londres (Victoria and Albert) : *Lady Anne Hamilton* – Londres (Nat. Portrait Gal.) : *Henry Peter, baron Brougham et Vaux – L'artiste par lui-même – La reine Caroline – Congreve – Philip Francis – Charles Morris – James Smith – J. Heath – Rees – Bolland – W. Sharp* – Nottingham : *Wildman – Portraits de la famille Lonsdale – Le colonel Wiltman et mrs Wiltman* – Salford : *Dr William Henry.*
Ventes Publiques : New York, 12 avr. 1935 : *Portrait de gentilhomme* : **USD 1 500.**

LONSING François Louis
Né en 1739 à Bruxelles. Mort en 1799 à Leognan (près de Bordeaux). XVIIIe siècle. Éc. flamande.
Peintre d'histoire, de genre et de portraits et graveur.
Il fut d'abord militaire. Étant en garnison à Anvers, il montra des dispositions artistiques telles que le prince Charles de Lorraine gouverneur des Pays-Bas favorisa son goût pour la peinture. Il fut élève de l'Académie d'Anvers, puis de Martin Georearts. Il fut ensuite envoyé en Italie et fut à Rome l'élève de Raphaël Mengs. En 1772, Sir William Hamilton lui commanda diverses gravures. Lonsing alla ensuite travailler à Lyon, à Paris, puis se fixa à Bordeaux sur les conseils de son ami Goethals. Il y occupa une place considérable et y produisit de bons portraits, notamment le sien et celui du *Duc de Duras,* conservés l'un et l'autre au Musée de cette ville. Le Musée de Bruxelles conserve un *Portrait de J. S. de Larose.*
Ventes Publiques : Paris, 26 avr. 1898 : *Portrait de l'artiste* : **FRF 375** – Paris, 26 nov. 1941 : *Portrait de Philippe de Noailles* : **FRF 6 200** – Paris, 27 fév. 1961 : *Portrait d'une jeune femme* : **FRF 1 400.**

LONZA Antonio
Né en 1846 à Trieste. Mort en 1918. XIXe-XXe siècles. Italien.
Peintre d'histoire, genre.
Il exposa fréquemment en Allemagne et en Autriche à partir de 1873.
Musées : Trieste (Mus. Revoltella) : *Confession de Laurent de Médicis – Parini, Nino Bixio arrêtant le général français Picart.*
Ventes Publiques : Paris, 21 mars 1898 : *Le rendez-vous* : **FRF 520** – Paris, 29 nov. 1937 : *Réunion sous le Directoire* : **FRF 1 420** – Vienne, 17 jan. 1950 : *Sculpteur et son modèle* : **ATS 2 500** – Vienne, 12 sep. 1984 : *Couple d'amoureux dans un parc,* h/t (105x75) : **ATS 40 000** – Londres, 12 fév. 1986 : *Le baiser volé,* h/t (85,5x59) : **GBP 1 500** – Milan, 6 juin 1991 : *La marchande de fruits,* h/t (91x66) : **ITL 10 000 000** – Milan, 8 juin 1994 : *Confidences,* h/t (99x69) : **ITL 6 325 000.**

LOO Abraham Louis. Voir **LOO Louis Abraham**

LOO Amédée Van. Voir **LOO Charles Amédée Philippe Van**

LOO Arnould Van
XVIe-XVIIe siècles. Actif à Gand. Éc. flamande.
Sculpteur.

LOO Carle Van. Voir **LOO Charles André**

LOO César Van. Voir **LOO Jules César Denis Van**

LOO Charles Amédée Philippe Van
Né en 1719 à Turin. Mort en 1795 à Paris. XVIIIe siècle. Français.
Peintre d'histoire, scènes mythologiques, genre, portraits.

Fils et élève de Jean-Baptiste Van Loo, Académicien le 30 décembre 1747, il fut adjoint à professeur le 5 juillet 1770 et adjoint à recteur le 30 janvier 1790. Il fut premier peintre du roi de Prusse. Il a exposé au Salon de Paris, de 1747 à 1785. Nous croyons que le peintre Louis-Amédée Van Loo, fils, cité dans les archives du Louvre comme ayant exécuté des copies du portrait du roi, de Duplessis, pourrait être un fils de Charles-Amédée Van Loo.

Musées : Bamberg : *La naissance d'Adonis – Junon* – Berlin (Château) : *La princesse Auguste Wilhelmine de Prusse* – Berlin (Hohenzollern) : *Le prince Henri de Prusse* – Dijon : *Le vœu de Jephté* – Draguignan : *Jeune fille dans un salon – Jeune fille travaillant* – Drottningholm : *Le prince Henri de Prusse* – Fontainebleau : *Zéphire et Flore* – Moscou (Beaux-Arts) : *Expérience* – Nice (Chéret) : *Deux compositions décoratives* – Paris (Mus. du Louvre) : *La toilette d'une sultane – La sultane commande des ouvrages aux odalisques – Scène de harem* – Posen (Mielz.) : *Les dieux et les arts* – Potsdam (Château) : *Fête à la campagne – L'embarquement pour Cythère – Énée et Didon – L'apothéose du grand-électeur* – Potsdam (Palais Neuf) : *Le prince Henri de Prusse – Hébé conduit Ganymède dans l'Olympe – Le sacrifice d'Iphigénie* – Potsdam (Sans Souci) : *La mort de Porcia* – Troyes : *L'Aurore et Céphale.*

Ventes Publiques : Paris, 1882 : *Portrait d'une dame et de sa fille* : **FRF 900** – Paris, 11 juin 1920 : *La machine pneumatique* : **FRF 9 000** ; *Portrait de Mme Amédée Van Loo* : **FRF 2 300** ; *Portrait de l'artiste* : **FRF 9 600** ; *Portrait d'un fils d'Amédée Van Loo* : **FRF 10 900** – Londres, 16 déc. 1927 : *Femme en robe blanche ; Femme en robe noire* : **GBP 210** – Londres, 24 fév. 1928 : *Le bal masqué* : **GBP 157** – Paris, 20 déc. 1944 : *L'expérience de physique* : **FRF 105 000** – Londres, 29 nov. 1968 : *Portrait de Benjamin Franklin* : **GNS 1 000** – Paris, 7 avr. 1976 : *La déclaration d'amour ; La fuite de l'amour* 1780, deux h/t, formant pendants (120x89) : **FRF 105 000** – Monte-Carlo, 13 juin 1982 : *Portrait équestre dans un paysage* 1775, h/t (115x89) : **FRF 30 000** – New York, 11 jan. 1996 : *La sultane commandant des ouvrages aux odalisques*, h/t (45,7x55,2) : **USD 40 250.**

LOO Charles André, dit **Carle Van**

Né le 15 février 1705 à Nice. Mort le 15 juillet 1765 à Paris. XVIIIe siècle. Français.

Peintre d'histoire, scènes mythologiques, sujets religieux, genre, portraits, pastelliste, graveur, dessinateur.

À la mort de son père Louis Van Loo, Carle avait à peine sept ans ; son frère Jean-Baptiste le recueillit, l'éleva et l'instruisit. Carle l'accompagna dans ses voyages. Il avait neuf ans en arrivant à Rome ; il fut placé chez Benedetto Luti. Carle travailla ensuite chez le sculpteur Gros où il apprit à sculpter le bois et la pierre. En 1719, il suivit à Paris les cours de l'Académie Royale et, en 1723, obtint la première médaille de dessin. Dès cette date, il aidait son frère, ébauchait ses tableaux, peignant les draperies et les accessoires. Il travailla aussi à la restauration des peintures de Fontainebleau. Carle fut également employé à la peinture des décors de l'Opéra. En 1724, il remporta le Premier Prix de peinture. Avant de partir pour Rome, il peignit un grand nombre de petits portraits, souvent en pied, et qui étaient fort prisés pour leur ressemblance. Il quitta la France accompagné de ses deux neveux, Louis-Michel et François, et de François Boucher. En 1731, le pape, en récompense de ses travaux, le créa chevalier. Revenant en France avec son neveu François qui annonçait un talent remarquable, il dut s'arrêter à Turin, François y étant mort des suites d'une chute de cheval. Le prince de Savoie le chargea de travaux qui le retinrent à Turin jusqu'en 1734 ; il peignit entre autres le *Repos de Diane*, pour le pavillon de chasse de Stupinigi, près de Turin. De retour à Paris, Carle Van Loo fut agréé par l'Académie et reçu académicien le 30 juillet 1735. Il fut pendant quelque temps l'un des artistes les plus importants de son époque. Il occupa tous les postes à l'Académie, y compris celui de directeur (25 juin 1763). En 1762, le roi le nomma son premier peintre aux appointements de 6000 livres. Il fut directeur de l'École des élèves protégés en 1749, et reçut le cordon de l'Ordre de Saint-Michel en 1751. Carle Van Loo peignit dans tous les genres, à fresque, en détrempe, à l'huile, à l'encaustique. Il était extrêmement difficile pour ses œuvres et détruisit souvent des ouvrages dont on lui offrait un prix élevé, mais qu'il trouvait indignes de son talent. Il produisit un certain nombre de tableaux religieux, des œuvres d'un grand caractère, et il préparait pour la Coupole des Invalides, une suite des principaux traits de la vie de saint Grégoire, commandée par le roi en 1764 lorsque la mort vint le surprendre en pleine force. Il eut un grand nombre d'élèves, parmi lesquels on cite Lagrenée l'aîné, Doyen, Julien et Olivier et son fils Jules-César-Denis Van Loo. Montrant de médiocres dispositions dans les scènes galantes et autres turqueries, où il s'essaya sous la pression de la demande des nostalgiques de François Boucher, il réussit mieux dans les grands sujets, historiques ou religieux, parmi lesquels on cite surtout les six panneaux de la *Vie de saint Augustin*, exécutés de 1748 à 1753, pour Notre-Dame-des-Victoires ; les esquisses, déjà mentionnées, pour la *Vie de saint Grégoire*, aujourd'hui à l'Ermitage ; et une suite pour Saint-Sulpice : *L'Annonciation, La Visitation, L'Adoration des bergers, La Présentation au Temple.*

Carle Van Loo.

Carle Vanloo.

Carle Vanloo

Musées : Aix : *L'éducation de l'Amour* – Ajaccio : *Mariage de la Vierge* – Alais : *Portrait de femme* – Alençon : *Renaud et Armide* – Amiens : *Les puissances de la terre rendent hommage à la Justice – Artémise – Chasse à l'autruche – Auguste fait fermer les portes du temple de Janus – Sainte Famille – Hercule et Omphale – Vénus et l'Amour – Nativité – Chasse à l'ours* – Angers : *Renaud et Armide – Saint Augustin en extase – Sainte Clotilde au tombeau de saint Martin – Énée et Anchise – Saint André embrassant sa croix* – Bâle : *Vénus et les amours* – Bayeux : *Louis XV*, d'après Carle Van Loo – Besançon : *Thésée vainqueur du Minotaure* – Bordeaux : *Auguste se faisant prêter serment de fidélité par des princes barbares dans le temple de Mars le Vengeur* – Châlons-sur-Marne : *Enlèvement de Déjanire*, d'après le Guide – Chambéry : *Portrait de jeune fille* – Chantilly : *Jeune femme jouant avec des enfants* – Dijon : *Condamnation de saint Denis – Saint Georges terrassant le dragon – Louis XV – Portrait d'homme* – Dole : *Louis XV* – Drottningholm : *Jeune fille* – Dunkerque : *L'artiste – Mme Van Loo* – Épinal : *Tête de jeune Bacchante* – Florence : *La Vierge et l'Enfant Jésus* – Fontainebleau : *L'Amour menaçant Psyché – Psyché et l'Amour dans un char* – Genève (Rath) : *La Charité romaine* – Glasgow : *Les quatre saisons* – Gripsholm : *Marie Leczinska* – Londres (coll. Wallace) : *Le grand Turc donnant un concert à sa maîtresse* – Lyon : *Le miracle de l'hostie* – Madrid : *Louise-Isabelle de Bourbon* – Le Mans : *Jésus lavant les pieds des apôtres – Femme à la toque de velours bleu* – Marseille : *L'Amour – Un cavalier, attr. – Le maréchal Rehbender* – Montpellier : *Le bon Samaritain – Le sacrifice du Taurobole* – Nancy : *Ivresse de Silène* – Nantes : *Un acteur* – New York (Metropolitan) : *Portrait de femme* – Nice : *Thésée et le Minotaure* – Niort : *Comtesse de Lusignan – Louis XV* – Orléans : *Louis XV – Le Régent – Marie Leczinska* – Paris (Mus. du Louvre) : *Le mariage de la Vierge – Énée et Anchise – Halte de chasse – Marie Leczinska – Soufflot* – Paris (Arts Décoratifs) : *Turgot* – Paris (Comédie-Française) : *Préville en Mascarille* – Paris (Jacquemart-André) : *La Peinture* – Philadelphie (Wilstach) : *Un abbé* – Potsdam (Palais Neuf) : *Mlle Clairon en Médée – Minerve supplie Jupiter de ramener Ulysse – Le sacrifice d'Iphigénie* – Québec (Université Laval) : *Sainte Famille* – Rennes : *La comtesse de Rosnyvinen de Piré* – Rome (Doria Pamphili) : *Portrait de femme* – Rouen : *La Vierge et l'Enfant Jésus – Adoration des Mages* – Saint-Pétersbourg (Mus. de l'Ermitage) : *Apothéose de saint Grégoire – Junon – Diane – Persée et Andromède – L'artiste – Le concert – La lecture – Vénus au bain – Jupiter et Antiope – La Tragédie – La Comédie* – Stockholm : *Dieu marin – Naïade – Pastel* – Tours : *Marie Leczinska* – Turin (Pina.) : *Tête d'ange* – Varsovie : *Pygmalion* – Versailles : *Louis XV – Personnage inconnu – Soufflot* – Vienne (Acad.) : *Allégorie de la guerre – Allégorie de la paix* – Worms (Heylshof) : *Vénus et l'Amour.*

Ventes Publiques : Paris, 1767 : *Un Pacha faisant peindre sa maîtresse* : **FRF 5 002** ; *Jeune femme tenant une guirlande de fleurs devant des amours* : **FRF 8 403** – Paris, 1774 : *Le Mariage de la Vierge* : **FRF 6 000** ; *L'Adoration des Bergers* : **FRF 3 200** –

PARIS, 1777 : *Énée et Anchise* : **FRF 7 225** – PARIS, 1827 : *Portrait de Madame Adélaïde représentée en Diane* : **FRF 10 000** – PARIS, 1885 : *Portrait présumé de la maréchale de Maillebois* : **FRF 19 000** – PARIS, 1888 : *Arrivée de la reine Marie Leczinska à Versailles* : **FRF 11 000** – PARIS, 1890 : *Portrait de Marie Leczinska* : **FRF 9 500** – PARIS, 15-17 fév. 1897 : *Femme assise*, dess. à la pierre d'Italie, reh. de blanc : **FRF 3 300** – LONDRES, 1898 : *Portrait d'Henriette Rennetain, actrice* : **FRF 7 350** – PARIS, 1899 : *Portrait d'une des filles de Louis XV, jouant de la mandoline* : **FRF 5 000** – PARIS, 3 mai 1900 : *Mars et Vénus* : **FRF 3 150** – LONDRES, 29 mai 1903 : *Portrait de Madame Favart* : **FRF 24 925** – PARIS, 17-21 mai 1904 : *Jeune fille en buste* : **FRF 8 050** – PARIS, 13-15 mai 1907 : *Portrait de jeune femme* : **FRF 31 300** – LONDRES, 7 mai 1909 : *La Musique* : **GBP 157** – PARIS, 24 et 25 oct. 1918 : *Portrait de femme* : **FRF 4 500** – PARIS, 6 et 7 mai 1920 : *Portrait présumé de sa fille Marie-Catherine* : **FRF 7 500** – PARIS, 6-8 déc. 1920 : *Grande pastorale*, pl. : **FRF 5 000** – PARIS, 4 déc. 1922 : *La Dame au masque* : **FRF 3 900** – PARIS, 15 fév. 1923 : *Portrait présumé d'un prince de la maison de Grimaldi* : **FRF 4 200** – PARIS, 22 et 23 mai 1924 : *Vestales* : **FRF 3 100** – PARIS, 17 et 18 juin 1925 : *Buste de jeune femme*, pierre noire, sanguine et reh. de blanc : **FRF 10 000** ; *Portrait présumé de la maréchale de Levis* : **FRF 76 000** – LONDRES, 17 déc. 1926 : *Chasseurs partant à une partie de chasse* : **GBP 199** – LONDRES, 6 mai 1927 : *Madame du Chatelet* : **GBP 131** – PARIS, 22-24 juin 1927 : *Portrait de jeune femme* : **FRF 68 000** – PARIS, 10 et 11 déc. 1928 : *Adoration des Mages* : **FRF 15 000** – PARIS, 1er déc. 1930 : *Un homme assis*, dess. à la pierre d'Italie, reh. de blanc : **FRF 900** – PARIS, 10 déc. 1930 : *L'arrivée du courrier*, sanguine : **FRF 2 000** – NEW YORK, 12 avr. 1935 : *Madame de Pompadour* : **USD 600** ; *Marie Leczinska* : **USD 1 025** – PARIS, 22 nov. 1935 : *Portrait présumé de la marquise de Pompadour*, attr. : **FRF 9 500** – PARIS, 29 oct. 1936 : *Une femme assise*, dess. à la pierre d'Italie, reh. de blanc, léger frottis de sanguine sur le visage et les mains : **FRF 12 800** – PARIS, 18 mars 1937 : *Portrait présumé de Charles-Nicolas Cochin* : **FRF 4 500** – BERLIN, 6 oct. 1937 : *La Partie de Chasse* : **FRF 216 000** – NEW YORK, 7 jan. 1943 : *Madame Favart* : **USD 350** – NEW YORK, 13 avr. 1945 : *Anne Coypel* : **USD 7 500** – PARIS, 18 déc. 1946 : *Suzanne et les vieillards* : **FRF 160 000** – PARIS, 7 mai 1947 : *Jeune femme assise*, sanguine, reh. de blanc : **FRF 5 200** – PARIS, 4 déc. 1954 : *La Sultane* : **FRF 550 000** – PARIS, 21 mars 1958 : *Portrait d'une dame de qualité* : **FRF 380 000** – PARIS, 6 avr. 1960 : *Bacchanale* : **FRF 5 000** – PARIS, 8 juin 1964 : *Le départ pour la chasse* : **FRF 21 000** – LONDRES, 15 mars 1966 : *La poupe du « Triomphal »*, gche : **GBP 1 700** – VERSAILLES, 27 nov. 1966 : *Chinoiserie* : **FRF 9 000** – MILAN, 6 mars 1967 : *Portrait de Louis XV* : **ITL 2 600 000** – LONDRES, 29 juin 1973 : *Portrait présumé de Madame Coypel* : **GNS 5 000** – LONDRES, 27 nov. 1974 : *La Sultane* : **GNS 13 000** – LONDRES, 2 avr. 1976 : *La Sultane*, h/t (123,2x96,5) : **GBP 22 000** – MENTMORE, 25 mai 1977 : *La toilette de Vénus*, h/t (167x192) : **GBP 8 000** – LONDRES, 28 mars 1979 : *Portrait du peintre Giovanni Paolo Panini*, h/t (96,5x76) : **GBP 48 000** – NEW YORK, 22 oct. 1980 : *Portrait de femme assise* 1743, craies noire et blanche/pap. bleu (46,5x32,5) : **USD 11 000** – LONDRES, 9 déc. 1981 : *Saint Grégoire au moment de son installation reçoit l'adoration des cardinaux* 1764, h/t (100x70,5) : **GBP 20 000** – NEW YORK, 30 avr. 1982 : *Marsyas*, sanguine reh. de blanc/pap. gris-brun (54,5x44,2) : **USD 2 600** – PARIS, 4 mai 1984 : *Portrait d'enfant*, sanguine et craie blanche (20,5x16) : **FRF 25 000** – PARIS, 4 juin 1984 : *La fuite en Égypte* 1736, h/t (223x136) : **FRF 250 000** – LONDRES, 3 juil. 1985 : *Mademoiselle Clairon en Médée*, h/t, en grisailles (45,7x37,5) : **GBP 12 000** – PARIS, 23 mai 1986 : *Portrait d'enfant*, sanguine (20,5x16,2) : **FRF 64 000** – NEW YORK, 3 juin 1988 : *Portrait d'une dame* 1760, h/t (89x71) : **USD 13 200** – ROME, 13 avr. 1989 : *Ange dans les nuages avec les symboles de la Passion*, h/t (127x92) : **ITL 12 000 000** – NEW YORK, 31 mai 1989 : *Suzanne et les vieillards*, h/t (65,5x82,5) : **USD 46 200** – NEW YORK, 12 jan. 1990 : *L'écorchement de Marsyas*, sanguine et blanc (54,5x44,2) : **USD 8 250** – MONACO, 15 juin 1990 : *Soldats prêts à embarquer*, craie rouge, encre et lav. (42,5x31,5) : **FRF 49 950** – STOCKHOLM, 14 nov. 1990 : *Bacchanale*, h/t (57x195) : **SEK 80 000** – LONDRES, 2 juil. 1991 : *Homme de dos vêtu d'une toge et regardant vers la droite*, craies rouge et blanche/pap. brun clair (41x22) : **GBP 8 250** – MONACO, 7 déc. 1991 : *Diane désarmant l'Amour* ; *Vénus et l'Amour*, h/t (90x136) : **FRF 532 800** – PARIS, 26 mars 1992 : *Tête d'homme de profil vers la gauche*, sanguine (24,7x21) : **FRF 45 000** – NEW YORK, 21 mai 1992 : *Portrait d'une Lady en buste vêtue d'une robe de satin bleu pâle avec un manteau blanc*, h/t (80,6x64,2) : **USD 5 500** – MONACO, 4 déc. 1992 : *Le corps de garde*, h/t (44,5x52) : **FRF 66 600** – LONDRES, 21 avr. 1993 : *Erminie et les bergers* 1742, h/t (207,6x144,5) : **GBP 10 350** – NEW YORK, 19 mai 1993 : *La Résurrection* 1734, h/t/cart. (74,9x45,1) : **USD 40 250** – MONACO, 2 juil. 1993 : *Sainte Marie Madeleine dans le désert*, craie rouge (35,1x27) : **FRF 55 500** – NEW YORK, 19 mai 1995 : *La halte de chasse*, h/t (59,1x49,5) : **USD 244 500** – LONDRES, 3 juil. 1995 : *Étude d'une servante tenant une cafetière*, craie noire et sanguine (35,4x28,6) : **GBP 8 050** – PARIS, 15 avr. 1996 : *La dispute de saint Augustin contre les donatistes*, encre brune (47x62) : **FRF 100 000** – NEW YORK, 30 jan. 1997 : *Le Contrat de mariage* 1736, h/pan. (45,7x38,1) : **USD 79 500** – LONDRES, 16 avr. 1997 : *Courage* 1734, h/t (158,5x106) : **GBP 12 650**.

LOO Ernest Van

Né en 1824. Mort en 1860 à Gand. XIXe siècle. Hollandais.

Peintre décorateur, paysages, portraits.

LOO Florimond Van

Né en 1823 à Gand. XIXe siècle. Belge.

Lithographe.

Élève de Van der Haert.

LOO François ou **Van Loo**

Né le 8 novembre 1708 à Aix. Mort le 8 juillet 1732 à Turin. XVIIIe siècle. Éc. flamande.

Peintre.

Il fut pendant cinq ans pensionnaire de l'Académie de France à Rome. Une *Galathée* de sa main fut achetée en 1777 pour le cabinet du roi.

VENTES PUBLIQUES : PARIS, 1773 : *Le Triomphe de Galathée* : **FRF 1 500** – PARIS, 1777 : *Le même tableau* : **FRF 1 700**.

LOO François Van ou **Loy** ou **Verloy**

Mort après 1654. XVIIe siècle. Actif à Malines. Éc. flamande.

Sculpteur.

Maître en 1607. Le Musée National de Berlin conserve de lui trois statuettes de bois *Le Christ* et deux *Apôtres*.

LOO Fritz Van

Né en 1871 à Gand. Mort en 1957. XIXe-XXe siècles. Belge.

Peintre de portraits, intérieurs, paysages. Postimpressionniste.

Il fut élève de Louis Tytgadt, Jean Joseph Delvin, à l'Académie des Beaux-Arts de Gand. De 1921 à 1936, il fut conservateur du Musée des Beaux-Arts de Gand.

BIBLIOGR. : In : *Diction. biograph. illustré des Artistes en Belgique depuis 1830*, Arto, Bruxelles, 1987.

LOO Henry Van. Voir l'article **LOO Jan** ou **Johannes Van**

LOO Jacob Van

Né vers 1614 à Sluys (Flandre-Orientale). Mort le 27 novembre 1670 à Paris. XVIIe siècle. Hollandais.

Peintre de compositions mythologiques, sujets allégoriques, scènes de genre, portraits.

Élève de son père Jean Van Loo ; en 1635, il travailla pour le collectionneur Maerten Cretzer, et, en 1642, il s'installa à Amsterdam ; il y reçut le droit de cité en janvier 1652, et y épousa la sœur du peintre Martinus Lengele. Il eut pour élève Eglon Van der Neer ; en 1658 et 1659, il peignit les *Régents de Haarlem*. En 1662, il vint à Paris et entra à l'Académie l'année suivante.

Jacob Van Loo est surtout connu pour ses portraits ; il avait adopté le style de Rembrandt et de Van der Helst.

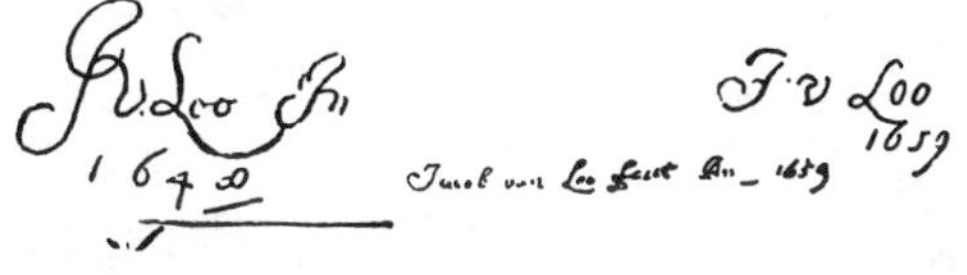

MUSÉES : AMSTERDAM : *Distribution de vivres aux indigents* – BERLIN : *Diane et ses nymphes* – *Mère et enfants* – BRUNSWICK : *Diane et ses nymphes* – CHANTILLY : *Thomas Corneille* – CHERBOURG : *La mélancolie* – COPENHAGUE : *Manufacture de verroterie et de corail* – DRESDE : *Pâris et Œnone* – GDANSK, ancien. Dantzig : *Portrait de femme* – GLASGOW : *Suzanne et les vieillards* – HAARLEM : *Régents du dépôt de mendicité et maison de correction* 1658 – *Régentes de la même maison* 1659 – HAMBOURG : *Femmes au bain* – *Entretien frivole* – LA HAYE : *Portrait de dame* – PARIS (Mus. du Louvre) : *Michel Corneille, recteur de l'Académie royale* – *Étude* – RIGA : *Portrait d'homme* – SAINT-PÉTERSBOURG (Mus. de l'Ermitage) : *Le*

concert – *Filles mal gardées* – SCHLEISSHEIM : *Allégorie de la Fortune*.
VENTES PUBLIQUES : AMSTERDAM, 1702 : *Danaë et la pluie d'or* : **FRF 1 030** – PARIS, 2 avr. 1910 : *Portrait d'une Flamande* : **FRF 3 700** – PARIS, 26 fév. 1923 : *Portrait de femme* : **FRF 3 100** – LONDRES, 22 mars 1929 : *Joueurs de tric-trac* : **GBP 131** – NEW YORK, 11 déc. 1931 : *Femme de Rank* : **USD 1 000** – LONDRES, 2 juil. 1937 : *Divided attentions* : **GBP 504** – NEW YORK, 24 oct. 1946 : *Gentilhomme* : **USD 425** – LONDRES, 9 fév. 1973 : *Diane et Calliste* : **GNS 5 500** – LONDRES, 12 avr. 1978 : *Les dentellières*, h/t (46x41) : **GBP 6 000** – PARIS, 10 déc 1979 : *Bacchanale*, h/t (76x115) : **FRF 130 000** – NEW YORK, 9 oct. 1991 : *Portrait d'une dame, debout de trois quarts sur un balcon, vêtue d'une robe noire à manches et fichu blancs avec une parure de perles dans les cheveux*, h/t (105,4x93,4) : **USD 22 000** – LONDRES, 10 déc. 1993 : *Portrait d'une dame de buste, en robe noire à plastron brodé et fraise blanche*, h/pan. (71,5x60) : **GBP 16 100** – NEW YORK, 19 mai 1994 : *Danaë*, h/t (48,9x62,2) : **USD 27 600** – LONDRES, 6 déc. 1995 : *Portrait d'un enfant en robe rose et chapeau à plumes caressant sont petit chien*, h/t (153x115,5) : **GBP 29 900** – PARIS, 20 déc. 1996 : *Portrait d'une jeune femme en sainte Marguerite*, h/t., à vue ovale (75x94,5) : **FRF 18 000**.

LOO Jan ou **Johannes Van**
Né vers 1585 à Sluys. XVIIe siècle. Hollandais.
Peintre de genre.
Fils de Charles Van Loo et fondateur de la dynastie des célèbres peintres. Il vécut à Sluys, puis à Bruges. On connaît de lui une *Réunion de joueurs et de buveurs*, gravée par Houbraken. Un *Johannes Van Loo*, peintre et bourgeois de Delft, était dans la gilde de Delft en 1657. Un *Victor Van Loo*, fut, en 1479, élève de Pietre Van Nispen à Anvers. Un *Henry Van Loo* fut, en 1554, élève de Gerard de Clève.

LOO Jan Van der
Né le 9 novembre 1908 à Bouchout (Anvers). Mort le 26 juillet 1978 à Saint-Marsal (Pyrénées-Orientales). XXe siècle. Belge.
Peintre. Polymorphe.
Fils de Marten Van der Loo, il fut élève de l'Académie Royale des Beaux-Arts et de l'Institut Supérieur des Beaux-Arts d'Anvers, et en particulier de Isidore Opsomer. Il a participé à des expositions collectives en Belgique, en France au Salon des Artistes Français dont il remporta une médaille d'or en 1953, et en Espagne, Portugal, Suisse. De 1935 à 1977, il exposa de nombreuses fois individuellement en Belgique, Hollande, au Luxembourg, en France, Allemagne, Espagne, etc. De 1938 à 1945, il fut professeur à l'Académie d'Anvers.
Jusqu'en 1940, il pratiquait une technique impressionniste, se rattacha à l'intimisme jusqu'en 1945, puis évolua définitivement au surréalisme. *Voir aussi LOO Jean-Marie Floris Van der.*

LOO Jean Baptiste Van
Né le 11 janvier 1684 à Aix-la-Chapelle. Mort le 19 septembre 1745 à Aix-la-Chapelle. XVIIIe siècle. Français.
Peintre d'histoire, sujets allégoriques, scènes de genre, portraits, pastelliste.
Fils aîné et élève de Louis Van Loo. En 1706, s'étant rendu à Toulon pour y voir les sculptures de Puget, il peignit deux tableaux qui le mirent en renom et il épousa la fille d'un avocat de la ville : Mlle Lebrun. Il peignit des portraits. Le duc de Savoie étant venu assiéger Toulon en 1707, Jean-Baptiste alla à Aix, peignit pour plusieurs églises, et, en 1712, alla retrouver son père à Nice. Tour à tour employé par le prince de Savoie et le duc de Carignan, il travailla à Monaco, à Gênes, à Turin, à Rome, où il reçut des conseils de Benedetto Luti, revint à Turin, et, enfin vint à Paris, en 1719, rejoindre le prince de Carignan qui le logea dans son hôtel de Soissons. Van Loo, fort bien accueilli par le Régent, peignit des plafonds, des portraits au pastel, et fut agréé par l'Académie en 1722. Son *Portrait équestre de Louis XV*, de 1723, fut encore très remarqué. Ses deux autres œuvres les plus admirées sont *L'Institution de l'Ordre du Saint-Esprit par Henri III* (au Louvre), et *Le Triomphe de Galatée* (à Saint-Pétersbourg). La banqueroute de Law le ruina. Il reprit la peinture de portraits. Académicien en 1731, il fut adjoint à professeur en 1733. Il fut chargé de la restauration de la galerie de François Ier à Fontainebleau et peignit plusieurs tableaux pour les églises de Paris. De retour à Aix en 1735, il revint à Paris à l'occasion de la nomination de son fils Louis-Michel au poste de premier peintre du roi d'Espagne. Il alla à Londres en 1738 et y demeura jusqu'en 1742. Sa santé l'obligea à revenir à Paris, d'abord, puis à Aix et, malgré l'affaiblissement de ses forces, il peignit jusqu'à sa mort beaucoup de portraits. On cite parmi ses élèves : André Bardoin, ses trois fils et son frère Carle.
MUSÉES : AIX : *Joseph Perriny, avocat* – *Mme d'Albert en jardinière* – *Éducation de l'Amour*, attr. – ALAIS : *Diane et Calisto* – AMIENS : *Louis XV, costume de l'ordre du Saint-Esprit* – ANGERS : *Renaud et Armide* – ARRAS : *Portrait de Louis XV*, attr. – BRUXELLES : *Diane et Endymion* – BUDAPEST : *La métamorphose de Daphné* – DARMSTADT : *Sujet de l'Ancien Testament* – *Louis XV* – DRESDE : *Louis XV* – GLASGOW : *George, duc de Mareschal* – LONDRES (Nat. Portrait Gal.) : *Robert Walpole, comte d'Oxford* – *John baron Hervey* – *Richard Temple, vicomte Cobham* – MAYENCE : *Antoine, ermite* – MILAN : *Portrait de femme* – MONTPELLIER : *Victor-Amédée II, roi de Sardaigne* – NANCY : *Louis XV adolescent* – *Louis XV à quarante ans* – NEW YORK (hist. Soc.) : *L'archevêque Tressan agenouillé devant la Vierge* – NICE : *Louis XV dauphin* – *Marie Leczinska* – *Allégorie* – PARIS (Mus. du Louvre) : *Diane et Endymion* – *Marie Leczinska* – PARIS (Légion d'Honneur) : *Institution de l'Ordre du Saint-Esprit par Henri III* – PÉRIGUEUX : *Le maréchal de Belle-Isle* – ROME (Doria Pamphily) : *Jeune femme* – SAINT-LÔ : *Céline, Marie-Thérèse Grimaldi à quatre ans* – *Madame de Hervé* – *Louis de Lorraine, prince de Pons, à quatre ans* – *La famille Grimaldi* – SAINT-PÉTERSBOURG (Mus. de l'Ermitage) : *Triomphe de Galathée* – SALFORD : *Miss C. Kenworthy* – STOCKHOLM : *Louis XV* – TRIANON : *Louis XV* – *Marie Leczinska* – TURIN (Pina.) : *Louis XV* – VERSAILLES : *Stanislas Leczinski* – *Catherine Bnin Apalinska* – *Marie Leczinska* – *H. N. Tardieu* – *Louis XV*, deux peintures par Van Loo et Parrocel.
VENTES PUBLIQUES : PARIS, 1772 : *Diane au repos avec ses nymphes* : **FRF 1 650** – PARIS, 1776 : *Renaud entre les bras d'Armide* : **FRF 1 401** – PARIS, 7 nov. 1882 : *Portraits*, past., une paire : **FRF 400** – PARIS, 16-18 mai 1907 : *Portrait de la comtesse Della Rena* : **FRF 10 000** – LONDRES, 7 mai 1909 : *Portrait de femme* : **GBP 135** – PARIS, 17-18 mai 1920 : *Portrait de femme* : **FRF 1 280** – LONDRES, 4 fév. 1924 : *Portrait de Mme Favart* : **GBP 44** – LONDRES, 26 juin 1925 : *Chanson d'amour* : **GBP 99** – PARIS, 21 mai 1927 : *Portrait présumé de Mme de Palerme* : **FRF 5 500** – LONDRES, 7 mars 1930 : *Alexander Pope* : **GBP 105** – PARIS, 13 fév. 1939 : *Portrait du Président de Boulbon*, pierre noire, reh. de blanc : **FRF 920** – PARIS, 11 mars 1942 : *Portrait d'une famille* : **FRF 30 000** – NEW YORK, 24 mai 1945 : *Le prince et la princesse de Monaco* : **USD 500** – MILAN, 15 fév. 1947 : *Pastorale* : **ITL 140 000** – NEW YORK, 16 jan. 1957 : *Richard Wall, ambassadeur d'Espagne en Grande-Bretagne* : **USD 1 000** – PARIS, 7 déc. 1970 : *La Belle Jardinière* : **FRF 15 500** – PARIS, 7 fév. 1977 : *Portrait d'un artiste* 1736, h/t (147x119) : **FRF 85 000** – PARIS, 1er juin 1981 : *Christ à la colonne*, pl. et lav. de bistre avec reh. de blanc (45x25,5) : **FRF 4 300** – NEW YORK, 18 jan. 1984 : *Portrait présumé de Peg Woffington*, h/t (91,5x71) : **USD 5 500** – MONTE-CARLO, 22 juin 1985 : *Portrait du marquis de Brüe* 1736, h/t (148x120) : **FRF 250 000** – NEW YORK, 15 jan. 1986 : *Portrait de Louis XV*, h/t (198x139,8) : **USD 28 000** – MONACO, 19 juin 1988 : *Portrait en buste de P. J. L. de Gaillard de Longjumeau*, h/t (81,5x64,3) : **FRF 333 000** – LONDRES, 14 juil. 1989 : *Portrait de John Manners duc de Rutland portant l'Ordre de la Jarretière*, h/t (238,2x148) : **GBP 24 200** – NEW YORK, 12 oct. 1989 : *Portrait d'une dame costumée tenant un masque et entourée de putti la couronnant de lauriers*, h/t (128,4x102,7) : **USD 7 150** – LONDRES, 11 juil. 1990 : *Portraits de Sir Samuel Fludyer et de son épouse Caroline Brudenell*, h/t, une paire (chaque 126x100,5) : **GBP 14 300** – LONDRES, 20 juil. 1990 : *La flagellation*, h/t sommet arrondi (126,7x67,5) : **GBP 8 250** – LONDRES, 12 avr. 1991 : *Portrait de William Murray, futur comte de Mansfield vêtu d'un habit de velours vert et assis près d'une table*, h/t (127,2x101,3) : **GBP 18 150** – LONDRES, 10 juil. 1991 : *Portrait de l'Honorable John Bateman représenté en Cupidon*, h/t (136,5x104) : **GBP 66 000** – LONDRES, 11 déc. 1992 : *Portrait de Pierre Joseph Laurent de Gaillard de Longjumeau portant une veste bleue sur une chemise blanche à col ouvert avec une palette et des pinceaux au premier plan*, h/t (81,4x64,5) : **GBP 16 500** – LONDRES, 12 juil. 1995 : *Portrait de James Vernon en habit de velours vert et gilet brodé d'or et tenant un livre debout sur une table*, h/t (125x129,5) : **GBP 5 520** – ICKWORTH, 12 juin 1996 : *Portrait de lord John Hervey*, h/t (122x99) : **GBP 100 500** – LONDRES, 13 nov. 1996 : *Portrait de Charles II duc de Richmond*, h/t (232,5x140,5) : **GBP 73 000** – BAYEUX, 31 mars 1997 : *Sylvie-Gabrielle de Bruc avec sa mère*, h/t 130x101 : **FRF 230 000** – PARIS, 16 mai 1997 : *Portrait équestre de Louis XV sur fond de paysage* 1724, h/t, en collaboration avec Charles Parrocel (160x128) : **FRF 370 000**.

LOO Jean-Marie Floris Van der
Né en 1908 à Boechout. Mort en 1978 à Saint-Marsal (Pyrénées-Orientales). XXe siècle. Belge.
Peintre de compositions animées, portraits, paysages. Tendance surréaliste.
Fils de Marten Van der Loo. Il fut élève de l'Académie et de l'Institut Supérieur des Beaux-Arts d'Anvers, où il devint ensuite professeur. Il a obtenu le Prix Godecharle en 1933. Il a visité la France et l'Italie. En 1955, il a séjourné au Zaïre.
Il a subi l'influence de Salvador Dali.
Bibliogr. : In : *Diction. biograph. illustré des Artistes en Belgique depuis 1830*, Arto, Bruxelles, 1987.
Musées : Anvers.

LOO Joseph Van ou **Vanloo**
Né probablement à Nice. XVIIIe siècle. Travaillant à Paris. Français.
Graveur.
Cet artiste, que l'on cite à Paris de 1703 à 1740, dut y venir fort jeune, son aîné, Jean-Baptiste, étant né en 1684. Il était fils de Louis Van Loo. Il a gravé des sujets de genre, notamment d'après Vleughels, J. Miel et B. Castiglione.

LOO Jules César Denis Van
Né en 1743 à Paris. Mort le 1er juillet 1821 à Paris. XVIIIe-XIXe siècles. Français.
Peintre de paysages.
Fils et élève de Carle Van Loo, il fut reçu académicien le 30 octobre 1784. Il exposa au Salon de Paris, entre 1784 et 1817.
Musées : Cherbourg : *Paysage avec effet de neige* – Compiègne (Palais) : *Deux paysages avec figures* – *Paysage* – Paris (Mus. du Louvre) : *Effet de neige* – Toulouse : *Route de Tivoli à Subiaco* – *Site d'Italie* – *Vue de Ponte-Molle* – *Campagne romaine* – *Paysage* – *La fontaine d'Acqua Acetosa* – *Buffle surpris par un tigre* – Turin (Pina. Sabauda).
Ventes Publiques : Paris, 10 juin 1921 : *Le Pont de pierre* : **FRF 3 150** – Paris, Ier mars 1924 : *Le Pont rustique ; Aux bords du fleuve*, les deux : **FRF 6 300** – Paris, 12 déc. 1941 : *Le Donjon au bord de la rivière* 1791 : **FRF 8 000** – Paris, 13 juil. 1945 : *Effet de neige dans un paysage alpestre, animé de personnages* 1812 : **FRF 5 000** – Paris, 20 mars 1950 : *Personnages dans un paysage panoramique* : **FRF 11 100** – Paris, 23 juin 1978 : *Paysage d'hiver, les patineurs*, h/t (100x105) : **FRF 20 000** – Monte-Carlo, 26 oct. 1981 : *Paysage méditerranéen* 1810, h/t (110x139) : **FRF 40 000** – Londres, 13 déc. 1984 : *Paysage avec château et église* 1783, aquar. et craie noire reh. de blanc, une paire (23,7x39,3) : **GBP 1 400** – Paris, 10 mars 1986 : *Paysage d'Italie*, pierre noire et lav. (35x50,1) : **FRF 22 000** – Paris, 21 déc. 1987 : *Paysage d'hiver avec chasseur et paysanne rentrant le bois à la ferme* 1796, h/t (67x98) : **FRF 80 000** – Paris, 21 déc. 1987 : *Paysage d'hiver avec chasseur et paysanne rentrant le bois à la ferme* 1796, h/t (67x98) : **FRF 80 000** – Monaco, 2 déc. 1989 : *Paysages d'hiver*, h/t, une paire (54x72 et 60x73) : **FRF 144 300** – Rome, 19 nov. 1990 : *Paysage de collines avec effets de lumière*, h/t (128x165) : **ITL 26 450 000** – Londres, 14 déc. 1990 : *Paysage italien avec un mausolée et des personnages*, h/t (45,7x68,8) : **GBP 2 860** – Paris, 9 avr. 1991 : *Le donjon au bord de la rivière*, h/t (84x120) : **FRF 120 000** – New York, 21 mai 1992 : *Paysage d'hiver avec des bûcherons et des personnages autour d'un feu de bois sous des ruines gothiques*, h/t (63,5x76,8) : **USD 8 250** – New York, 19 mai 1994 : *Paysage de neige animé avec un cheval portant une charge au premier plan* 1803, h/t (36,8x54) : **USD 25 875** – Londres, 7 déc. 1994 : *Paysage italien avec des moines et une jeune fille près d'un pont* 1791, h/t (79x104,2) : **GBP 7 475** – Paris, 12 déc. 1995 : *Paysage de montagne enneigé animé de personnages*, h/t (48,5x62) : **FRF 75 000** – Londres, 3-4 déc. 1997 : *Paysage hivernal de montagne enneigé avec des voyageurs sur un chemin à côté d'une cascade*, h/t (48,5x62) : **GBP 11 500.**

LOO Louis Abraham
Né vers 1656 à Amsterdam. Mort en 1712 à Nice (Alpes-Maritimes). XVIIe-XVIIIe siècles. Hollandais.
Peintre de fresques.
Fils et probablement élève de Jacob Van Loo. Il vint à Paris avant son père, entra à l'École de l'Académie royale et y réussit à merveille et y remporta un premier prix. Ayant eu un duel, il dut fuir Paris et se retira à Nice. Ayant fait un voyage à Aix, il s'y maria. Il eut trois fils artistes : Jean-Baptiste, Joseph et Carle.

LOO Louis Amédée Van. Voir l'article **LOO Charles Amédée Philippe Van**

LOO Louis-Michel Van
Né en 1707 à Toulon (Var). Mort le 20 mars 1771 ou 1775 à Paris. XVIIIe siècle. Français.
Peintre d'histoire, portraits.
Fils et élève de Jean-Baptiste Van Loo, il obtint le premier prix de Rome en 1725. Après avoir travaillé à Rome, il revint à Paris et fut reçu académicien en 1733. À la mort de Jean Ranc, portraitiste à la Cour d'Espagne, le roi Philippe V nomma Louis Michel Van Loo, premier peintre et lui fit obtenir de Louis XV le cordon de Saint-Michel. Il resta en Espagne de 1736 à 1753. À la mort du roi d'Espagne, il revint à Paris, peignit le portrait de Louis XV vêtu des habits de l'Ordre du Saint-Esprit et succéda à son oncle Carle comme directeur de l'École des élèves protégés.
Il a exposé au Salon de Paris de 1753 à 1769.
Le succès que lui valurent ses portraits du *Comte de Maurepas* et du *Duc de Gevres* lui procura tant de commandes qu'il se consacra presque exclusivement à ce genre. À ses portraits officiels, on tend à préférer ses portraits de famille, comme : *La famille de Carle Van Loo* 1757, au musée des Arts Décoratifs de Paris.
Bibliogr. : In : *Diction. Univers. de la Peint.*, Le Robert, Paris, 1975 – in : *Diction. de la peinture française*, coll. Essentiels, Larousse, Paris, 1989.
Musées : Besançon : *Le marquis de Marigny* – Copenhague : *Louis XV* – Coutances : *Louis XV* – *Choiseul* – La Fère : *Saint Joseph* – Langres : *Diderot* – Londres (Wallace coll.) : *Louis XV* – Madrid (Mus. du Prado) : *Don Philippe, duc de Parme* – *La famille de Philippe V* – *Une infante en Vénus* – *Philippe V* – Madrid (Acad. S. Fernando) : *Vénus et Mercure* – *Portrait de femme* – *La famille de Philippe V* – Moscou (Gal. Roumiantzeff) : *Scène grecque* – *Troupeau* – *Paysage avec troupeau* – Moscou (Mus. Pouchkine) : *Princesse Galitzine* – Paris (Mus. du Louvre) : *Soufflot* – *Autoportrait* – *Benoît Loys* – *Diderot* – Paris (Mus. de la Comédie Française) : *Marivaux* – *Un musicien* – Paris (Mus. des Arts Déco.) : *Carle Van Loo et sa famille* – Rennes : *Louis XV* – Saint-Pétersbourg (Mus. de l'Ermitage) : *Le sextuor* – Troyes : *Choiseul-Praslin* – Versailles : *Louis XV* – *Philippe V d'Espagne* – *Élisabeth Farnèse* – *Philippe V et sa famille en 1745* – *La Vrillière* – *Carles Van Loo et sa famille* – *Louis XVI, dauphin* – *Le comte de Provence* – *Le comte d'Artois* – *Louis-Philippe d'Orléans* – *Choiseul-Stainville* – *Choiseul-Praslin* – *Carle Van Loo*.
Ventes Publiques : Paris, 1777 : *Espagnol écoutant une harpiste ; Femme jouant de la guitare devant quatre amateurs*, ensemble : **FRF 3 005** – Paris, 1884 : *Portrait de Madame de Boulainvilliers* : **FRF 10 300** – Paris, 14 juin 1921 : *Portrait de jeune femme* : **FRF 15 600** – Londres, 15 déc. 1922 : *Scènes de chasse*, gche : **GBP 197** – Paris, 8 juin 1925 : *Portrait de jeune femme* : **FRF 86 000** – New York, 21 fév. 1945 : *Portrait de femme* : **USD 1 400** – Paris, 27 avr. 1950 : *La jeune musicienne* : **FRF 800 000** – Paris, 2 juin 1970 : *Portrait d'une jeune femme* : **FRF 20 000** – Versailles, 20 juin 1974 : *Portrait du duc de Penthièvre en uniforme de grand amiral de France* : **FRF 18 000** – Nice, 23 nov. 1977 : *Portrait de Louis XV* 1763, h/t (140x110) : **FRF 92 000** – Paris, 28 mars 1979 : *Le joueur de flûte*, h/t (65x55) : **FRF 60 000** – New York, 24 nov. 1981 : *Portrait présumé de Madame Favart en costume oriental* 1765, h/t, de forme ovale (72,5x58,5) : **USD 22 000** – Versailles, 27 nov. 1983 : *Portrait du marquis de la Laurencie de Charnas* 1754, h/t (72x58) : **FRF 46 000** – New York, 17 jan. 1985 : *Jeune Espagnole jouant de la harpe* vers 1769, h/t (116x88) : **USD 67 500** – Monte-Carlo, 20 juin 1987 : *Portrait du comte Devin et sa famille* 1767, h/t (110x150) : **FRF 950 500** – Paris, 20 déc. 1988 : *Un amour guerrier*, h/t (73x56) : **FRF 45 000** – Paris, 11 avr. 1992 : *Portrait de jeune femme à la robe bleue*, h/t (61x49,5) : **FRF 28 000** – Monaco, 4 déc. 1992 : *Portrait présumé de Michel de Dreux, Marquis de Brézé*, h/t (70x56) : **FRF 111 000** – Paris, 9 juin 1993 : *Portrait présumé de Turgot* 1759, h/t (64x52) : **FRF 82 000** – New York, 18 mai 1994 : *Portrait de la Reine Marie Leczinska debout, vêtue d'une robe bleue brodée de fleurs-de-lys bordée d'hermine sa main gauche posée sur une couronne*, h/t (205,7x149,8) : **USD 8 625** – Londres, 10 juin 1994 : *Double portrait du Marquis de Marigny vêtu d'un habit rouge et d'un gilet brodé portant l'Ordre de Saint Louis ; de la Marquise de Marigny assise vêtue d'une robe blanche* 1769, h/t (130,2x97,6) : **GBP 331 500** – Paris, 9 déc. 1994 : *Portrait du Fermier-Général Étienne-Michel Bouret*, h/t (136x104) : **FRF 240 000** – New York, 19 mai 1995 : *Portrait de Louis XV* 1763, h/t (158,1x112,4) : **USD 79 500** – Mayenne, 4 fév. 1996 : *Portrait de l'infante Marie-Isabelle de Bourbon*, h/t (96x70) : **FRF 165 000** – New York, 22 mai 1997 : *Portrait d'une dame avec un masque*, h/t (100,3x80) : **USD 101 500** – New York, 23 mai

1997 : *Jeune sultane lisant une lettre*, h/t (112x137) : **USD 90 500** – Venise, 24 mai 1997 : *Portrait d'une dame en voile blanc*, h/t (73x56,5) : **ITL 5 000 000**.

LOO Marten Van der ou **Martien**

Né le 21 décembre 1880 à Mortsel. Mort le 19 mai 1920 à Anvers. xxe siècle. Belge.

Peintre de paysages, architectures, graveur.

Il fut élève de Frans Lauwers, Frans Van Leemputten à l'Académie des Beaux-Arts d'Anvers. Père de Jean-Marie Floris.

Bibliogr. : In : *Diction. biograph. illustré des Artistes en Belgique depuis 1830*, Arto, Bruxelles, 1987.

LOO Peter Van. Voir **LOON**

LOO Pierre Van

xvie siècle. Actif à Gand. Éc. flamande.

Sculpteur.

On cite de sa main un crucifix pour le portail du cimetière de Saint-Jacques à Gand.

LOO Pieter Van. Voir **LOON**

LOO Sophie Adèle Van

Née le 20 mars 1827 à Paris. Morte le 1er septembre 1869 à Paris. xixe siècle. Française.

Dessinatrice.

LOO Victor Van. Voir l'article **LOO Jan** ou **Johannes Van**

LOOCK Frans Van

Né en 1910 à Schoten. xxe siècle. Belge.

Peintre, affichiste, illustrateur.

Il fut élève de Julien Creytens, Mark Séverin, Gustave Van de Woestijne, à l'Académie et à l'Institut Supérieur des Beaux-Arts d'Anvers. Il est devenu professeur à l'Académie.

Bibliogr. : In : *Diction. biograph. illustré des Artistes en Belgique depuis 1830*, Arto, Bruxelles, 1987.

LOOF Pierre René

xxe siècle. Français.

Peintre. Abstrait-géométrique.

Il vit et travaille à Boulogne-sur-Mer (Pas-de-Calais). En 1950, il a figuré au Salon des Réalités Nouvelles de Paris.

Il peint des compositions abstraites, à tendance géométrique, surtout fondées sur des formes elliptiques.

LOOFF Jan

xviie siècle. Actif à Middelbourg vers 1630. Hollandais.

Graveur.

Il fut graveur de la Monnaie de Seeland. On lui doit aussi des portraits. On le cite de 1630 à 1640.

JL

LOOFS Pieter

xviiie siècle. Actif à La Haye. Hollandais.

Dessinateur et graveur.

On cite de sa main une série de gravures d'ornement réunies sous le titre : *Ordonnance nouvelle de cheminées et dessus de portes... Inventé et gravé par Pierre Loofs* (quatre planches), et une *Vue de la nouvelle orangerie du château de Honselaarsdyck*, d'après son propre dessin.

LOOMIS Chester

Né le 18 octobre 1852 à Syracuse (New York). Mort en 1924 à Englewood (New Jersey). xixe-xxe siècles. Américain.

Peintre de genre, portraits.

Élève de Harry Thompson aux États-Unis, il vint suivre les cours de Bonnat à Paris. Associé de la National Academy en 1906.

Ses scènes de genre se déroulent dans un décor médiéval souvent surabondant.

Bibliogr. : Gérald Schurr, in : *Les Petits Maîtres de la peinture 1820-1920, valeur de demain*, Les Éditions de l'Amateur, t. IV, Paris, 1979.

LOON Van

Né en 1717 à Amsterdam. Mort en 1787. xviiie siècle. Hollandais.

Peintre d'oiseaux, de fleurs, de fruits.

Il travailla pour la fabrique de tapis Troost Van Groenendoelen. On lui attribue un *Vase de fleurs*, conservé au Musée de Bordeaux.

LOON Dirk Van. Voir **LOON Theodor** ou **Dirk Van**

LOON Gustaaf Van

Né le 1er septembre 1912 à Gand. Mort le 7 mars 1980 à Gand. xxe siècle. Belge.

Peintre de portraits, nus, paysages animés, natures mortes. Postimpressionniste.

Il fut élève de Gustave Den Duyts et Clément de Porre.

Ses paysages sont animés de bétail et des paysans à leur labeur à la ferme, à la foire ou dans leur intérieur. Il a peint aussi des vues de villes et villages. Sa technique postimpressionniste privilégie les éclairages ensoleillés.

Bibliogr. : Antoon Van Wilderode : *Gustaav Van Loon*, Édit. gal. De Vuyst, Lokeren, s. d. – in : *Diction. biograph. illustré des Artistes en Belgique depuis 1830*, Arto, Bruxelles, 1987.

Ventes Publiques : Lokeren, 12 déc. 1987 : *Le Marché aux cochons*, h/t mar./pan. (60x80) : **BEF 330 000** – Lokeren, 5 mars 1988 : *Avenue Clémentine à Gand*, h/t mar./pan. (21,5x32,5) : **BEF 90 000** – Lokeren, 28 mai 1988 : *Merelbeke*, h/pan. (60x80) : **BEF 300 000** – Lokeren, 8 oct. 1988 : *Intérieur*, h/t/cart. (24x32) : **BEF 85 000** – Lokeren, 21 mars 1992 : *Paysage*, h/t/pan. (24x24) : **BEF 50 000** – Lokeren, 23 mai 1992 : *Vache au bord d'une rivière*, h/t/pan. (24x25,5) : **BEF 44 000** – Lokeren, 9 oct. 1993 : *Het pompje*, h/pan. (40x50) : **BEF 90 000** – Lokeren, 9 déc. 1995 : *Porte avec une corbeille*, h/pan. (60x80) : **BEF 33 000**.

LOON Harmanus Van

Né probablement vers 1649. xviie siècle. Hollandais.

Graveur.

Il était à Amsterdam en 1667. On croit qu'il était parent de Theodorus Van Loon. Il résida principalement à Paris et y publia en 1695 un fort intéressant ouvrage : *Les forces de l'Europe*, contenant des plans de villes, de fortifications. Le Musée de Dieppe conserve la feuille détachée de cet ouvrage représentant le plan de la ville.

LOON Peter Van ou **Loo** ou **Peter Vanloo**

Né probablement le 19 mai 1600. Mort le 7 août 1660 à Anvers, certaines sources donnent 1652. xviie siècle. Éc. flamande.

Peintre de compositions religieuses, paysages, dessinateur.

Il fit le modèle d'une porte pour la chapelle du Saint-Sacrement dans l'église Notre-Dame de la Noël.

RL

Ventes Publiques : Amsterdam, 16 nov. 1981 : *Vue de Haarlem*, pl. et lav. de coul. (11,5x17,7) : **NLG 3 200**.

LOON Pieter Van ou **Loo**

Né en 1731 à Haarlem. Mort en 1784 à Haarlem. xviiie siècle. Hollandais.

Peintre de natures mortes, fleurs et fruits, peintre à la gouache, aquarelliste.

Il était en 1763 dans la gilde.

PV.oo

Musées : Bruxelles – Chantilly (Condé) – Haarlem – Kiel – Lisbonne – Vienne (Albertina).

Ventes Publiques : Paris, 25 juin 1931 : *Fleurs et fruits*, aquar. : **FRF 3 000** – Paris, 5 mai 1938 : *Vase de fleurs et nid d'oiseaux sur un entablement*, aquar. : **FRF 1 230** – Londres, 24 mai 1944 : *Deux études de fleurs*, aquar. : **GBP 72** – Londres, 8 déc. 1976 : *Vase de fleurs*, aquar. gche et encre (37,7x26,3) : **GBP 800** – Paris, 19 nov. 1981 : *Bouquet de fleurs sur un entablement*, aquar./trait de cr. (58,5x39) : **FRF 40 000** – Amsterdam, 25 avr. 1983 : *Vue de Beverwijk*, aquar./traits de pierre noire (13,2x19,9) : **NLG 3 200** – New York, 21 nov. 1986 : *Catharine la Victorieur (double hyacinthe)*, aquar. (47,6x29,4) : **USD 3 200** – New York, 12 jan. 1988 : *Une pensée sauvage ; Un souci ; Un montbretia ; Une marguerite*, craie et aquar., quatre pendants (38,1x26 chaque) : **USD 1 870** – Stockholm, 15 nov. 1988 : *Paysage classique avec un voyageur*, h/métal (21x28) : **SEK 18 000** – New York, 8 jan. 1991 : *Jacinthe exotique : Vicomtesse de la Herreria*, aquar. et gche sur craie noire (48,6x30,4) : **USD 1 980** – New York, 14 jan. 1992 : *Nature morte de fleurs et de fruits*, aquar. et gche (53,3x38,8) : **USD 16 500** – New York, 13 jan. 1993 : *Jacinthe exotique : l'Admiration*, aquar./craie noire (48x28,9) : **USD 2 415** – Amsterdam, 15 nov. 1994 : *Nature morte d'un vase de fleurs et de raisin et de pêches dans une niche de pierre* 1774, aquar. et craie noire (47x32) : **NLG 8 625** – Amsterdam, 15 nov. 1995 : *Nature morte avec un vase de fleurs, du raisin et une pêche dans une niche de pierre*, encre et aquar. (61,4x47,8) : **NLG 24 780**.

LOON Pieter Van

Né à Amsterdam. Mort le 13 décembre 1873 à Utrecht. xixe siècle. Hollandais.

Peintre de genre, paysages.
Musées : Utrecht : *L'histoire du meurtre de cinq personnes,* en douze tableaux.
Ventes Publiques : Londres, 12 fév. 1993 : *Le Ponte della Paglia et le Palais Ducal à Venise* 1845, h/t (61x90,2) : **GBP 6 380.**

LOON Theodor ou **Dirk Van**
Né en 1629 à Louvain ou à Bruxelles. Mort en 1678. XVIIe siècle. Éc. flamande.
Peintre de compositions religieuses, paysages.
Il alla à Florence où il fut élève de Maratti. De retour à Louvain il peignit des tableaux d'église dans le style de son maître. On cite aussi des paysages de lui. Son œuvre peint comporte de nombreux tableaux dans les églises flamandes (signalés par Mensaert et par Descamps).

Ventes Publiques : Paris, 1785 : *La Nativité de la Vierge* : **FRF 231** – Paris, 1803 : *Adam pleurant* : **FRF 315.**

LOON Theodore Van
Né entre 1582 et 1590 à Bruxelles. Mort avant 1660 à Louvain. XVIIe siècle. Hollandais.
Peintre de compositions religieuses.
Élève de Jacob de Haase à Rome, il fit partie de l'Académie de Saint-Luc à partir de 1603. Il séjourna dans cette ville jusqu'en 1612, puis de 1628 à 1632. Il se lia d'amitié avec Erycius Puteanus. Il travailla aussi à Louvain, où il mourut.
On cite de lui le *Martyre de saint Lambert* 1617, pour l'église de Woluwe-Saint-Lambert, et plusieurs scènes de la *Vie de la Vierge* 1623, pour l'église de Montaigu, où l'on décèle l'influence des peintres caravagesques.
Bibliogr. : In : *Diction. de la peinture flamande et hollandaise,* coll. Essentiels, Larousse, Paris, 1989.
Musées : Anvers : *Assomption* – Bruxelles (Mus. des Beaux-Arts) : *Assomption de la Vierge – Conversion de saint Hubert – Saint Hubert, apôtre – Marie et l'Enfant Jésus entre les deux saint Jean* – Louviers : *Le Christ pleuré par les saintes Femmes* – Toulouse (Mus. des Augustins) : *Vocation de saint Matthieu.*
Ventes Publiques : Londres, 3 juil. 1991 : *L'Adoration des bergers,* h/t (189x121,5) : **GBP 37 400** – Londres, 22 avr. 1994 : *Le Christ guérissant un enfant épileptique,* h/t (135,5x175,8) : **GBP 54 300.**

LOON Willem F. W. Van
Né vers 1591 à Leeuwarden. XVIIe siècle. Hollandais.
Peintre de paysages.
Il fut bourgeois d'Amsterdam en 1621. On lui attribue une *Vue d'un canal,* conservée dans une collection privée de Stockholm.

LOOP Henry Augustus
Né en 1831 à Hillsdale (New York). Mort en 1895 à Lake George (New York). XIXe siècle. Américain.
Peintre de genre.
Il fut élève de Henry Peters Gray à New York et de Couture à Paris, et continua ses études à Rome, Venise, Florence. Il visita les principales villes de l'ancien continent, mais travailla surtout à New York. Il fut membre de l'Académie Nationale en 1861. Il exposa à Paris en 1868.
On cite de lui l'*Improvisatrice* et *Aphrodite.*
Ventes Publiques : New York, 14 fév. 1990 : *Joueuse de mandoline* 1880, h/t (48x35,7) : **USD 1 980.**

LOOP Jeannette A., née **Shepperd Harrison**
Née en 1840 à New Haven (Connecticut). Morte en 1909 à Saratoga. XIXe siècle. Américaine.
Peintre de genre.
Élève de Louis Bail à New Haven et de son mari H. Loop à New York. Élue associée de la National Academy en 1873, elle prit part aux expositions de cette société.

LOOP Leota Williams
Née le 26 octobre 1893 à Fountain City (Indiania). XXe siècle. Américaine.
Peintre.
Élève de William Forsythe. Membre de la Fédération américaine des arts.

LOOPUYT Ména
XXe siècle. Hollandaise.
Peintre.
Elle a exposé à Paris, au Salon des Surindépendants.

LOOR Jean Baptiste
Né le 11 janvier 1824 à Mons. Mort le 18 octobre 1888 à Nivelles. XIXe siècle. Belge.
Sculpteur sur bois.

LOORE Michel Jan Petrus
Né en 1907 à Balegem. XXe siècle. Belge.
Peintre de sujets religieux, de cartons de vitraux.
Il fut élève de l'Académie de Saint-Luc de Gand, où il devint professeur.
Bibliogr. : In : *Diction. biograph. illustré des artistes en Belgique depuis 1830,* Arto, Bruxelles, 1987.

LOOS
Mort vers 1750 à Hambourg. XVIIIe siècle. Actif à Hambourg. Allemand.
Peintre de fleurs.

LOOS Adolf
Né en 1830 à Iglau. Mort en 1879 à Brünn. XIXe siècle. Autrichien.
Sculpteur.
Il exécuta de nombreuses sculptures aux bâtiments publics de Brünn.

LOOS Friedrich
Né le 29 octobre 1797 à Graz. Mort en 1890 à Kiel. XIXe siècle. Autrichien.
Peintre de paysages, graveur, lithographe.
Il eut pour maîtres : J. Rebell, puis Messmer à l'Académie des Beaux-Arts de Vienne. Il fut professeur de dessin à l'Université de Kiel. Il visita Vienne, Salzbourg, Rome, Berlin, la Norvège, le Sud de l'Italie, les Alpes.
Musées : Vienne : *Une vue du Ramsau.*
Ventes Publiques : Vienne, 15 mars 1951 : *Paysage dans les Alpes* : **ATS 3 800** – Munich, 23-24-25 juin 1965 : *Vue de Wolfgangsee* : **DEM 6 000** – Vienne, 14 mars 1967 : *Paysage fluvial* : **ATS 50 000** – Lucerne, 19 nov. 1977 : *Paysage d'Autriche* 1832, h/cart. (25x39) : **CHF 3 500** – Munich, 28 nov 1979 : *Vue de Salzbourg* 1830, cr. (23x35) : **DEM 5 600** – Vienne, 13 mars 1979 : *Le Mattsee à Salzbourg* 1832, h/pap. mar./pan. (25,5x40,5) : **ATS 320 000** – Vienne, 15 sep. 1981 : *Le Pêcheur au bord de la rivière* 1831, h/t (40x58) : **ATS 280 000** – Vienne, 22 juin 1983 : *Paysage boisé,* h/t (32x44) : **ATS 50 000** – Vienne, 20 mars 1986 : *Vue de Bruck-an-der-Mur* 1841, aquar. (12x17) : **ATS 55 000** – Vienne, 11 nov. 1987 : *Bords du Danube* vers 1830, h/t (30,5x40) : **ATS 40 000** – Rome, 14 déc. 1988 : *Vue d'un acqueduc dans la campagne romaine* 1857, aquar. et cérusé/pap. (23,5x38,5) : **ITL 1 600 000** – Londres, 20 mai 1993 : *Pont sur la Mur dans un paysage montagneux* 1841, aquar./pap. (12,8x18,2) : **GBP 5 520.**

LOOS Ludwig Joh.
Mort le 31 janvier 1833 à Darmstadt. XVIIIe-XIXe siècles. Actif à Würzburg vers 1774. Allemand.
Sculpteur.
Il fut sculpteur de la cour à Darmstadt.

LOOSCHEN Hans
Né le 23 juin 1859 à Berlin. Mort le 12 février 1923 à Berlin. XIXe-XXe siècles. Allemand.
Peintre de genre, figures, portraits, natures mortes, aquarelliste, graphiste, dessinateur, illustrateur.
Il était l'un des fils de Hermann Looschen l'aîné. Il fut élève de l'Académie des Beaux-Arts de Berlin. Il exposa à Berlin à partir de 1888.
Outre ses peintures figurant dans les musées, on cite encore de lui *L'Oracle d'amour.* Il eut une activité importante d'illustrateur : 1893 *Contes* de C. Bernhard, 1906 une contribution au *Petit insatiable,* 1921 *Contes* de Grimm, 1922 *La Scène des enfants dans la maison allemande* de K. Busse, et encore *Peter Schlemihl* d'Adalbert de Chamisso, *La Vie d'un bon-à-rien* de Eichendorff. Il dessina des affiches, prospectus, calendriers.
Bibliogr. : Marcus Osterwalder, in : *Diction. des illustrateurs 1800-1914,* Ides et Calendes, Neuchâtel, 1989.
Musées : Berlin (Gal. Nat.) : *La Mère et l'enfant* – Hanovre : *La Couturière endormie* – Santiago : *À l'ombre de la forêt.*
Ventes Publiques : Munich, 19 sept 1979 : *Homme offrant une fleur,* h/t (78x63) : **DEM 3 300** – Heidelberg, 23 avr. 1983 : *Nu de dos avec deux femmes mongoles,* h/t (108x77) : **DEM 7 000.**

LOOSCHEN Hermann, l'Ancien
Né le 3 septembre 1807 à Aurich. Mort le 23 octobre 1873 à Berlin. XIXe siècle. Allemand.
Peintre sur porcelaine.
Il travailla à la Manufacture de porcelaines de Berlin.
Ventes Publiques : Londres, 19 mai 1976 : *Fleurs d'été* 1842, h/t (29x26) : **GBP 1 500.**

LOOSCHEN Hermann, le Jeune
Né le 6 juin 1838 à Berlin. Mort le 16 juin 1891 à Berlin. XIXe siècle. Allemand.
Peintre animaux, peintre sur porcelaine.
Fils d'Hermann Looschen l'ancien, il fut élève de l'Académie de Berlin. Il s'adonna à la peinture sur porcelaine et travailla à Paris et à Sèvres en 1864.

LOOSE Basile et **Jean-Joseph**. Voir **DELOOSE**

LOOSE Diéna de
Née en 1953 à Bondo (Zaïre). XXe siècle. Belge.
Peintre de compositions à personnages, dessinatrice, graphiste.
Elle fut élève de l'Académie des Beaux-Arts de Bruges.
Elle peint délicatement les scènes et les personnages de la vie quotidienne, avec un regard caustique et souvent caricatural, plus moqueur que méchant.
Bibliogr. : In : *Diction. biograph. illustré des artistes en Belgique depuis 1830*, Arto, Bruxelles, 1987.

LOOSE Joz de
Né en 1925 à Bruges. XXe siècle. Belge.
Sculpteur de figures, groupes, créateur de bijoux. Expressionniste.
Il a aussi une formation d'ethnologue. Il fut élève de l'Académie des Beaux-Arts de Bruges et travailla aussi à Paris.
Il travaille le bois, la pierre, le polyester, puis exclusivement le cuivre et le bronze. Ses personnages, souvent en groupes, décharnés, squelettiques, semblent être inspirés par les rescapés des camps de concentration.
Bibliogr. : In : *Diction. biograph. illustré des artistes en Belgique depuis 1830*, Arto, Bruxelles, 1987.
Ventes Publiques : Lokeren, 18 mai 1996 : *Femme assise*, bronze (16,5x6,5) : **BEF 25 000**.

LOOTEN Jan ou **Loten**
Né vers 1618 à Amsterdam. Mort vers 1680 ou 1681 en Angleterre. XVIIe siècle. Hollandais.
Peintre de paysages animés, paysages.
Appelé à tort Jacob Van Looten, il se maria le 19 septembre 1643, alla plus tard en Angleterre où il eut pour élève Jan Griffier. Nicolas Berchen a souvent peint les figures dans ses tableaux. Ses œuvres sont parfois attribuées à Hobbema.

Musées : Amsterdam : *Paysage avec chasseurs et mendiants* – Bordeaux : *Paysage* – Copenhague : deux paysages – Dresde : *Paysage avec une bergère – Paysage avec un gibet – Paysage avec un couple d'amoureux* – Hambourg : *Paysage* – Hampton Court : *Paysage boisé* – Kassel : *Les chasseurs au faucon devant la forêt* – Leipzig : *Paysage boisé* – Leipzig (Lutschena) : *Vue sur un paysage fluvial en Hollande* – Londres : *Paysage de rivière* – Munster : *Paysage montagneux avec attaque de brigands* – Nancy : *Les grands chênes* – Rotterdam : *Paysage boisé* – Saint-Pétersbourg (Mus. de l'Ermitage) : *Paysage boisé avec chasseurs* – Stuttgart : *Paysage* – Vienne (Liechtenstein) : *Forêt de hêtres*.
Ventes Publiques : New York, 5 mai 1932 : *Paysage avec des cavaliers* : **USD 375** – Paris, oct. 1945-Juillet 1946 : *Les Patineurs* : **FRF 51 000** – Amsterdam, 15 oct. 1946 : *Paysage* : **NLG 2 400** – Londres, 24 nov. 1961 : *Great trees overhanging a ford* : **GNS 850** – Copenhague, 13 fév. 1969 : *Paysage montagneux* : **DKK 12 100** – Londres, 29 juin 1973 : *Paysage boisé* : **GNS 4 200** – Londres, 29 mars 1974 : *Scène de chasse dans un paysage montagneux* : **GNS 4 000** – New York, 22 jan. 1976 : *Paysage boisé*, h/t (84x68,5) : **USD 6 000** – Amsterdam, 24 avr. 1978 : *Paysages animés de personnages*, h/pan., la paire (34,5x51) : **NLG 10 500** – Londres, 11 juil. 1980 : *Chasseurs et voyageurs dans un paysage fluvial boisé avec un pont*, h/t (145,4x236,3) : **GBP 5 000** – Amsterdam, 14 nov. 1983 : *Paysage d'hiver avec trois personnages*, gche/parchemin (16,8x26,6) : **NLG 13 000** – Paris, 8 déc. 1983 : *Paysage boisé animé de chasseurs* 1659, h/t (133x155) : **FRF 102 000** – Londres, 26 oct. 1990 : *Paysage montagneux avec un sentier longeant un torrent et une tour en arrière d'une passerelle*, h/t (178,5x163,5) : **GBP 7 150** – New York, 12 jan. 1996 : *Vaste paysage boisé avec une partie de chasse au faucon*, h/t (141,7x175,8) : **USD 26 450** – Londres, 5 juil. 1996 : *Vaste paysage rocheux avec des voyageurs sur un sentier*, h/t (47,2x58,7) : **GBP 5 000** – New York, 30 jan. 1997 : *Paysage boisé avec une femme sur un chemin, ville dans le lointain*, h/t (80,7x93,3) : **USD 17 250** – Londres, 30 oct. 1997 : *Paysage montagneux avec des bouviers et leurs bêtes à côté d'une cascade*, h/cuivre (39,8x49) : **GBP 4 370**.

LOOTS Jacob ou **Loets**
XVIIe siècle. Actif dans la seconde moitié du XVIIe siècle. Éc. bavaroise.
Peintre de portraits et dessinateur.
Plusieurs de ses portraits, parmi lesquels ceux de l'*Empereur Rudolphe II*, de l'*Électeur Maximilien Ier de Bavière*, etc. furent gravés par J. A. Böner.

LOOY Jacobus ou **Jac Van**
Né le 12 septembre 1855 à Haarlem. Mort en 1930. XIXe-XXe siècles. Hollandais.
Peintre de genre, nus, paysages, graveur.
Il fut élève de D.-J.-H. Joosten.
Musées : Amsterdam (Mus. mun.) : *Juillet* – Rotterdam : *Scènes à Florence*.
Ventes Publiques : Amsterdam, 3 nov. 1992 : *Nu allongé*, h/pan. (21x25) : **NLG 2 415** – Amsterdam, 9 nov. 1993 : *Bateaux sur un canal*, h/cart. (20x29) : **NLG 2 300**.

LOOY Jean Pierre Victor Van ou **Jan**
Né le 18 juin 1882 à Tournai. Mort le 31 décembre 1971 à Schaerbeek. XXe siècle. Belge.
Peintre de portraits, figures, intérieurs, paysages, natures mortes, aquarelliste, graveur.
Il fut élève de l'Académie des Beaux-Arts de Bruxelles. Il participait, depuis 1908, à des expositions collectives ou Salons à Bruxelles, Anvers, Gand, Liège, Tournai ; depuis 1927, au Salon des Artistes Français de Paris, médaille d'or et hors-concours en 1933 ; depuis 1928, à la Société Royale Belge des Aquarellistes ; ainsi qu'à Rome, Milan, Buenos Aires, Rouen, Le Havre, Lyon, Genève, au Japon, etc.
Ses peintures sont exécutées avec franchise, dans des registres colorés étendus.
Bibliogr. : R. De Bendère : *Jan Van Looy*, Bruxelles, 1948 – in : *Diction. biograph. illustré des Artistes en Belgique depuis 1830*, Arto, Bruxelles, 1987.
Musées : Brighton – Gand – Kaunas – Malines – Paris (Mus. de la Ville) – Reims – Tallinn – Tournai.
Ventes Publiques : Lokeren, 5 déc. 1992 : *Nature morte aux asters*, h/t (54x65) : **BEF 20 000** – Lokeren, 11 mars 1995 : *Nature morte*, h/t (60x80) : **BEF 36 000** – Lokeren, 7 oct. 1995 : *Maison de pêcheur dans les dunes*, h/pan. (90x125) : **BEF 26 000**.

LOOYMANS Romain
Né le 3 février 1864 à Anvers. Mort le 14 juin 1914 à Anvers. XIXe-XXe siècles. Belge.
Peintre.
Il peignit des tableaux de genre, des intérieurs, des portraits, des paysages, des vues de villes et des compositions religieuses. On mentionne ses peintures murales de la chapelle du séminaire de Bois-le-Duc. Le Musée d'Anvers et la cathédrale de Nimègue possèdent de ses œuvres.

LOOZ Jean de. Voir **PEECKS Jan**

LOOZ-CORSWAREM Walter de, comte
Né le 10 juillet 1874 à Weide (Holstein). XIXe-XXe siècles. Actif à Berlin. Allemand.
Peintre.
Il fut élève des Académies d'Anvers et de Berlin. Il peignit des portraits et des tableaux militaires.

LOPACHER Emil
Né le 28 février 1868. XIXe siècle. Suisse.
Peintre sur verre.
Le Musée national de Zurich possède quatre vitraux de sa main.

LOPACINSKI Johann Nikodem
Né en 1743. Mort en 1779. XVIIIe siècle. Polonais.
Dessinateur et graveur amateur.
Il était sous-chancelier de Lituanie. Il peignit des portraits, et de petits tableaux de saints.

LOPES de
XIXe siècle. Français.
Peintre de paysages.
Il exposa au Salon en 1833 et 1835.

LOPES. Voir aussi **LOPEZ**

LOPES Baruch Leao. Voir **LAGUNA Baruch LEAO LOPES de**

LOPES Cristóvao. Voir **LÓPEZ Cristobal**

LOPES Fernando
Né en 1936 à Sao-Miguel-dos-Campos. XXe siècle. Brésilien.
Peintre de scènes typiques. Naïf.
Autodidacte, il a fait sa première exposition en 1960 à Récife ; puis a exposé en 1965, 1967 à Rio de Janeiro ; en 1969 à Pernambouc.
Sa peinture peut être qualifiée de naïve, mais d'une naïveté enfouie dans les traditions populaires, et qui véhicule tous les mythes des civilisations sud-américaines : violence, fantastique, religion et magie.
Bibliogr. : Damian Bayon, Roberto Pontual, in : *La peint. de l'Amérique-latine au XXe siècle*, Mengès, Paris, 1990.

LOPES Gregorio ou **Lopez**
Né vers 1490. Mort avant fin 1550. XVIe siècle. Portugais.
Peintre de compositions religieuses, portraits. Maniériste.
Élève et gendre de Jorge Afonso, il fut peintre de la cour d'Emmanuel le Grand et de Jean III.
Il travailla au Palais de justice de Lisbonne en 1518. Il peignit entre 1536 et 1538 : *Saint Antoine – Saint Sébastien – Saint Bernard* pour l'église du Christ à Tomar. Les retables du *Paradis* et de *Santos-O-Novo* lui ont été attribués étant donnée la parenté de leur style avec celui du *Martyre de saint Sébastien* et de la *Vierge à l'Enfant avec les anges*, du musée de Lisbonne.
Peintre à la cour, il ne néglige ni les décors architecturaux de la Renaissance, ni les costumes d'apparat. Ses compositions, à l'écriture nerveuse, sont parfois éclairées de manière brutale, ce qui leur donne une allure expressionniste.
Bibliogr. : In : *Dictionnaire de la peinture espagnole et portugaise du Moyen-Âge à nos jours*, coll. Essentiels, Larousse, Paris, 1989.
Musées : Chantilly (Mus. Condé) : *Portrait de l'Infante Marie* – Lisbonne (Mus. Nat.) : *Martyre de saint Sébastien – Vierge avec l'Enfant et des anges – Portrait de Vasco di Gama – Retable du Paradis* vers 1520-1530 – *Retable de Santos-O-Novo* vers 1540.
Ventes Publiques : Amsterdam, 13 nov. 1995 : *L'ascension de la Vierge*, h/pan. (116,5x104,8) : **NLG 46 000**.

LOPES CURVAL Catherine
Née en 1954 à Bayeux (Calvados). XXe siècle. Française.
Peintre de compositions animées, figures, paysages urbains. Tendance symboliste.
Elle vit et travaille à Paris, depuis 1972. Elle a participé au Salon de Montrouge, et au Salon de la Jeune Peinture de Pékin.
Bibliogr. : *Claude Viallat : Catherine Lopes Curval*, Eighty, Flohic, Charenton, 1986 – Gérard-Georges Lemaire : *À propos de Catherine Lopes-Curval – La Collection introuvable, extraits*, in : *Opus international*, n° 134, Paris, automne 1994.
Ventes Publiques : Versailles, 25 mars 1990 : *L'hôtel* 1988, h/t (61,5x50) : **FRF 21 000** – Paris, 23 avr. 1990 : *Le café de Paris* 1987, h/t (100x80) : **FRF 26 000** – Paris, 21 mai 1990 : *Passage protégé* 1987, h/t (200x200) : **FRF 30 000**.

LOPES SILVA Lucien. Voir **LOPEZ Silva**

LÓPEZ. Voir aussi **LOPES**

LÓPEZ Alonso
XVe siècle. Actif à Séville. Espagnol.
Peintre.
Il fit un portrait du *Roi Ferdinand* en 1435. L'Hôtel de Ville de Séville lui doit des peintures décoratives.

LÓPEZ Alonso
XVIe siècle. Actif à Orense (Galicie). Espagnol.
Sculpteur.
Il peignit des autels dans de nombreuses églises de la province d'Orense.

LOPEZ Alphonse
Né le 20 juillet 1935. XXe siècle. Français.
Peintre de paysages, marines.
Il vit et travaille à Béziers, et fut élève de l'École des Beaux-Arts. Il expose à Paris, au Salon des Indépendants.

LÓPEZ Andrés
XVIe siècle. Actif à Ségovie. Espagnol.
Peintre.

LÓPEZ Andrés
XVIIIe siècle. Actif à Mexico. Mexicain.
Peintre de compositions religieuses.
Il peignit des tableaux d'église dont une *Vie de saint Jean Népomucène* qui est conservée à l'église paroissiale d'Aguas Calientes.
Ventes Publiques : New York, 22-23 nov. 1993 : *L'Immaculée* 1796, h/cuivre (83,5x63) : **USD 20 700**.

LÓPEZ Charles Albert
Né en 1869 à Matamoras. Mort en 1906 à New York. XIXe siècle. Mexicain.
Sculpteur.
Associé de la National Academy en 1906.

LÓPEZ Cristóbal ou **Lópes Cristovao**
XVIe siècle. Actif à Séville. Espagnol.
Peintre.
Peut-être le même artiste que Cristobal Lopez, élève de Sanchez Coello, qui travailla pour le roi Jean II de Portugal, peignant des portraits et des sujets religieux pour la Chapelle de Belem et qui mourut à Lisbonne en 1594.

LÓPEZ Cristobal
Mort en 1730. XVIIe-XVIIIe siècles. Actif à Séville vers 1691. Espagnol.
Peintre.
Fils de José Lopez. On cite de lui des fresques dans l'église de la Toussaint (un *Saint Christophe* et une *Cène*). Il produisit un grand nombre de peintures religieuses destinées aux colonies espagnoles.

C Lopez.

Ventes Publiques : Paris, 4 juil. 1929 : *Sujet allégorique*, dess. : **FRF 140**.

LÓPEZ Diego
XVe siècle. Actif à Séville entre 1427 et 1438. Espagnol.
Peintre.
Travailla à l'Alcazar en 1431.

LÓPEZ Diego
Né vers 1465 à Tolède. Mort vers 1530. XVe-XVIe siècles. Espagnol.
Peintre d'histoire et de fresques.
Élève d'Antonin del Rincon. De 1495 à 1508, il travailla à la cathédrale de Tolède ; en 1519, il fit, avec Allonzo Sanchez, la décoration du théâtre de l'Université d'Alcala de Henares.

LÓPEZ Diego
XVIIe siècle. Actif à Séville. Espagnol.
Peintre.
Le Musée provincial de Séville, possède un portrait du *Prince J. E. Garcia*, signé de cet artiste et daté de 1686.

LÓPEZ Francisco
XVe-XVIe siècles. Espagnol.
Peintre.
Il travailla à Séville.

LÓPEZ Francisco
XVIe siècle. Actif à Madrid. Espagnol.
Peintre.
Élève de Hererra. Il travailla sous le règne de Philippe II.

LÓPEZ Francisco
Né vers 1552. Mort le 30 mai 1659 à Madrid. XVIe-XVIIe siècles. Actif à Madrid. Espagnol.
Peintre et graveur.
Élève de B. Carducci, avec qui il exécuta des peintures pour l'église San Félipe el Real, à Madrid, en 1595. Nommé peintre ordinaire de Philippe III en 1603, il peignit, pour une salle du Prado, une série de victoires de Charles Quint. Il grava, d'après Vincinzo Carducci quelques planches pour les *Dialogues sur la peinture*.

LÓPEZ Francisco
Né vers 1654. XVIIe-XVIIIe siècles. Actif à Valladolid dans la première partie du XVIIIe siècle. Espagnol.
Peintre.
Peintre du roi, très estimé de ses contemporains, fut expert dans la taxation d'une œuvre de Juan de Juni en 1706. Dans la cathédrale de Tordsillas se trouve un très beau tableau représentant la *Vierge Marie chez sa cousine Elisabeth* et portant la signature de Francisco Lopez.

F Lopez

LÓPEZ Gasparo, dit **Gasparo di Fiori**
Né en 1650 à Naples. Mort en 1732 à Florence, assassiné. XVIIe-XVIIIe siècles. Italien.
Peintre de portraits, natures mortes, fleurs et fruits.
Élève d'Andrea Belvedere ; il fit des études à Rome, Venise, Dresde. Il fut peintre à la cour du grand-duc de Florence.
Musées : Chambéry (Mus. des Beaux-Arts) : *Vases de fleurs*, deux peint. – Naples : *Fleurs et fruits – Femmes parmi les fleurs – Femme et enfant parmi des fleurs* – Vienne : Quatre tableaux de fleurs.
Ventes Publiques : Londres, 28 nov. 1928 : *Fleurs*, deux pendants : **GBP 96** – Londres, 29 juin 1979 : *Nature morte aux fleurs et aux fruits*, h/cuivre (72,3x50,7) : **GBP 4 800** – New York, 11 juin 1981 : *Nature morte aux fleurs et aux fruits*, h/t (98x72,5) : **USD 10 000** – Londres, 24 oct. 1984 : *Nature morte aux fruits et aux fleurs* 1719, h/t (75x101,5) : **GBP 17 000** – Cologne, 28 juin 1985 : *Bouquets de fleurs*, h/t, une paire (56,6x72,8) : **DEM 90 000** – Monte-Carlo, 15 juin 1986 : *Natures mortes aux fleurs et guirlandes près de fontaines dans un paysage boisé*, h/t, une paire (56,5x72,5) : **FRF 350 000** – New York, 15 oct. 1987 : *Natures mortes aux fleurs et aux fruits*, h/cuivre, une paire (28x36) : **USD 20 000** – New York, 7 avr. 1988 : *Nature morte de fruits, fleurs, faïences*, h/t (98x74) : **USD 7 700** – Milan, 12 juin 1989 : *Nature morte, composition florale ; Composition florale avec une fontaine*, h/t, deux pendants (chaque 98x136) : **ITL 52 000 000** – Monaco, 2 déc. 1989 : *Nature morte aux fleurs dans un paysage*, h/t (25x64,5) : **FRF 38 850** – New York, 11 jan. 1990 : *Nature morte de fleurs diverses dans une urne dorée sur un entablement de pierre*, h/t, une paire (33,5x22,5 et 34,5x23) : **USD 22 000** – Rome, 8 mars 1990 : *Vase de fleurs avec un plat de fruits renversé ; Vase de fleurs avec des fruits étalés sur un entablement*, h/t, une paire (chaque 72x97) : **ITL 35 000 000** – Rome, 23 avr. 1991 : *Nature morte avec un vase d'anémones ; Nature morte avec une pastèque et des boules-de-neige*, h/t, une paire (chaque 60x47) : **ITL 43 000 000** – Monaco, 5-6 déc. 1991 : *Bouquets de fleurs dans un paysage*, h/t, une paire (46,5x32,5) : **FRF 138 750** – Monaco, 7 déc. 1991 : *Nature morte de vases et de guirlandes de fleurs près de fontaines dans un paysage boisé*, h/t, une paire (55x70 et 55,5x70,5) : **FRF 266 400** – New York, 22 mai 1992 : *Nature morte avec des urnes et des corbeilles de fleurs et feuillages dans un paysage*, h/t (74,3x48,9) : **USD 13 200** – Londres, 9 déc. 1992 : *Nature morte d'une vasque de fleurs, grenades, figues dans un paysage avec des ruines classiques et une fontaine*, h/t (99,7x109,2) : **GBP 30 800** – Milan, 3 déc. 1992 : *Nature morte avec un vase de fleurs*, h/t, une paire (125x95) : **ITL 49 720 000** – Londres, 21 avr. 1993 : *Nature morte de fleurs dans une urne avec des fruits sur le sol d'un jardin*, h/t (200x150) : **GBP 25 300** – Londres, 23 avr. 1993 : *Importante composition florale dans une urne dans un parc ornemental*, h/t (60,9x74) : **GBP 21 275** – New York, 19 mai 1994 : *Nature morte de fleurs dans un jardin avec une fontaine au fond*, h/t (86,4x59,7) : **USD 28 750** – Rome, 22 nov. 1994 : *Nature morte de fleurs avec un parc au fond*, h/t (77x55,5) : **ITL 23 000 000** – Londres, 18 oct. 1995 : *Fleurs dans des urnes sculptées dans un parc*, h/t, une paire (47x35,3) : **GBP 8 050**.

LÓPEZ Germàn
XVIIIe siècle. Actif à Tolède. Espagnol.
Sculpteur.
Il sculpta en 1757 le buffet de l'ancien orgue de la cathédrale.

LOPEZ Hilda
Née en 1922 à Montevideo. XXe siècle. Uruguayenne.
Peintre de paysages urbains. Post-cubiste.
Elle vit et travaille à Montevideo. Elle fut élève de Vicente Martin, et d'un certain Samuel Rosa. Elle a fait une première exposition personnelle en 1960 à Montevideo, suivie d'une autre en 1961 à Washington.
Partant de paysages urbains, elle en dégage les lignes de force, entre figuration et abstraction.
Bibliogr. : In : *Les peintres contemporains*, Mazenod, Paris, 1964.

LÓPEZ Jacinto
XVIIIe-XIXe siècles. Actif à Saint-Jacques-de-Compostelle. Espagnol.
Graveur et graveur sur bois.
On mentionne de sa main des planches de compositions religieuses.

LÓPEZ Jaime, dit **el Mudo**
Né au XVe siècle à Madrid. XVe siècle. Espagnol.
Peintre d'histoire.
Il décora l'ermitage de Notre-Dame du Prado.

LÓPEZ José
XVIIe siècle. Actif à Séville en 1650. Espagnol.
Peintre.
Élève de Murillo dont il imita le style. Il peignit surtout des *Vierges*. On cite cependant de lui au couvent de la Merced Calzado un *Saint Philippe*.

LOPEZ José Dolorès
Né vers 1880 près de Santa-Cruz (Nouveau-Mexique). Mort vers 1939. XXe siècle. Américain.
Sculpteur de sujets religieux. Naïf.
Issu d'une famille de sculpteurs sur bois, lui-même utilisait ce matériau, et travaillait aussi la terre.
Il a exécuté de nombreux « Santos », effigies de saints dans le style populaire de la tradition espagnole coloniale, en y ajoutant une sensibilité fruste très personnelle.
Bibliogr. : Oto Bihalji-Merin, in : *Les peintres naïfs*, Delpire, Paris, s. d.

LÓPEZ Juan
Né à Séville. Mort le 26 octobre 1686 à Séville. XVIIe siècle. Espagnol.
Peintre.

LOPEZ Juan Luis
Né à Saint-Jacques-de-Compostelle. XXe siècle. Espagnol.
Peintre de compositions à personnages, figures, portraits, illustrateur.

LOPEZ Juan Pedro
Né le 23 juin 1724 à Caracas. Mort en 1787. XVIIIe siècle. Vénézuélien.
Peintre, sculpteur et doreur.
Lopez incarne certainement le mieux la prospérité et le nationalisme créoles qui caractérisent le Venezuela dans la deuxième moitié du XVIIIe siècle. C'est en effet à cette époque que la peinture vénézuélienne passe d'une expression quasi-médiévale à un art post-renaissant dont Lopez et les Landaeta sont les principaux représentants. Mais si Alfredo Boulton qualifie Lopez de *« peintre le plus important de la seconde moitié du XVIIIe siècle à Caracas »*, c'est aussi pour l'importante production de ce peintre qui, actif pendant près de quarante ans, a laissé plus de 150 peintures à l'huile. Production abondante qui répond au grand développement économique que connaît le Venezuela à cette époque. La plupart des commandes le sont pour des églises de Caracas, en particulier la cathédrale pour laquelle a été faite une *Immaculée Conception*, une *Santa Rosa de Lima* et un *Saint Michel Archange*. Si on a senti dans la peinture de Lopez l'influence de l'école mexicaine, en particulier de Miguel Cabrera, sa peinture a néanmoins évolué, et se trouve, par la suite, pénétrée d'un sentiment presque païen, très éloigné de la conception en vigueur au début du XVIIIe siècle. Chez Lopez la figure humaine acquiert une sereine théâtralité, les archanges et quelques mystères du Rosaire semblent issus des esquisses de peintres italiens du XVIIe siècle. Si on croit les documents de l'époque, Lopez fut sûrement reconnu et honoré en son temps puisque on le nomme Don et, ensuite, Capitaine. Essentiellement peintre de tableaux religieux, ce point caractérise l'ensemble de la peinture vénézuélienne de cette époque, c'est parmi ces tableaux que l'on trouve ses chefs-d'œuvre, en particulier une *Vierge du Rosaire*, la *Virgen de Guia* et le *Christo de la Cana*. Également portraitiste, on connaît de lui le portrait qu'il fit de *Dona Luisa Bolivar*, parente de Simon Bolivar.
Bibliogr. : Alfredo Boulton : *Historia de la Pintura en Venezuela*, Mateo Manaure, Caracas, 1968.

LÓPEZ Luis, don
XIXe siècle. Espagnol.
Peintre et dessinateur.
La Galerie Moderne de Madrid conserve un dessin de lui : *Mort d'Agamemnon*.

LÓPEZ Pablo
Né au XIXe siècle à Madrid. XIXe siècle. Espagnol.
Peintre de portraits.

LÓPEZ Pedro
XVIIe siècle. Actif à Tolède vers 1608. Espagnol.
Peintre.
Élève d'El Greco. On cite de cet artiste de grand talent une *Adoration des Mages*, conservée au couvent des Trinitariens de Tolède, et datée de 1608.

LOPEZ Roque
Né vers 1740 à Mula (Murcie). Mort en 1811 à Murcie. XVIIIe-XIXe siècles. Espagnol.
Sculpteur.
Il exécuta de nombreuses sculptures, la plupart pour des églises, dans les provinces de Murcie et d'Alicante. L'église Sainte-Marie à Lorca possède son œuvre principale : *Le Ressuscité*.

LÓPEZ DE ABELLAR Marco
Mort en 1605. XVIe siècle. Actif à Pontevedra (Galice). Espagnol.
Sculpteur et architecte.

LOPEZ DE AYALA Manuel
Né en 1869 à Tolède. Mort en 1920 à Madrid. XIXe-XXe siècles. Espagnol.
Peintre de genre, portraits.
De famille aristocratique, il fut élève de l'École des Arts et Métiers, puis à l'École Spéciale de Peinture, Sculpture, Dessin de Madrid. Il participa régulièrement aux Expositions Nationales, obtenant mentions et médailles en 1899, 1904, 1908, 1910, 1912, 1920. En 1919, il montra une exposition personnelle de ses portraits de personnalités.
Une partie de son œuvre fut consacrée à la peinture sociale, très pratiquée à cette époque par les artistes espagnols.
Bibliogr. : In : *Cent ans de peinture en Espagne et au Portugal*, Antiquaria, Madrid, 1990.
Ventes Publiques : Madrid, 16 déc. 1987 : *Maya*, h/t (98x48) : **ESP 350 000** – Rome, 16 déc. 1993 : *Portrait de jeune femme en costume espagnol*, h/t (145x96) : **ITL 5 175 000**.

LÓPEZ del Castillo Andrés
XVIe siècle. Actif à Séville. Espagnol.
Sculpteur sur bois.
Il travailla au maître-autel de la cathédrale de Séville.

LÓPEZ de Gamiz Pedro
XVIe siècle. Espagnol.
Peintre et peut-être sculpteur.
Il est cité par Beneditto Rabuyette, dans un document daté de 1563.

LÓPEZ DE PALMA Manuel
Mort en 1777. XVIIIe siècle. Actif à Séville. Espagnol.
Graveur et aquafortiste.
Il grava des planches religieuses et des portraits.

LÓPEZ DE PLANO Eduardo
XIXe siècle. Espagnol.
Peintre de figures.
Il figura de 1862 à 1884 aux expositions de Madrid et autres.

LÓPEZ DE SAN ROMÁN Agapito
Né à Valladolid. Mort en 1873 à Valladolid. XIXe siècle. Espagnol.
Peintre de genre.
La Galerie Moderne de Madrid conserve de cet artiste : *Le voyageur, L'Escarpolette, Le dé.*

LÓPEZ de Velasco Juan
XVIe siècle. Actif à Grenade. Espagnol.
Sculpteur.

LÓPEZ CABELLERO Andrés
Né en 1647 à Naples. XVIIe siècle. Espagnol.
Peintre.
Il étudia à Madrid avec Antolinez. Il se consacra surtout au portrait ; on cite cependant de lui à Madrid : *Un Christ et les Saintes Femmes.*

LOPEZ CABRERA Ricardo
Né le 28 septembre 1864 à Séville. Mort le 7 janvier 1950 à Séville. XIXe-XXe siècles. Espagnol.
Peintre de genre, portraits, paysages.
Il fut élève de l'École des Beaux-Arts de Séville. En 1887, une pension du gouvernement provincial lui permit un séjour d'étude de deux années à Rome. À son retour en Espagne, il commença à montrer ses œuvres à l'Exposition Nationale des Beaux-Arts, obtenant une troisième médaille en 1892 et en 1895. Après 1909, il s'établit en Argentine pendant une douzaine d'années, enseignant à l'École des Beaux-Arts de Cordoba. Il revint en Espagne en 1923, exposant dans les principales villes.
Il a peint les scènes de la vie quotidienne : *Vendanges à Jerez, Rencontre de femmes au puit, Le Marché de la Encarnacion à Séville, Poissonnière basque*, à l'occasion desquelles il a réalisé une étude réaliste et sociale des types populaires.

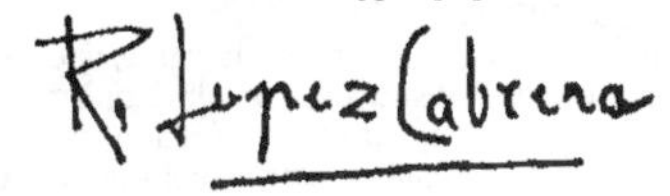

Bibliogr. : In : *Cent ans de peinture en Espagne et au Portugal*, Antiquaria, Madrid, 1990.
Musées : Séville : *Un gladiateur victorieux.*
Ventes Publiques : Londres, 22 juin 1988 : *Fabrication du vin à Jerez*, h/t (149x200) : **GBP 28 600** – Londres, 23 nov. 1988 : *Jeux dans un arbre*, h/t (57x80) : **GBP 11 000** – Londres, 17 fév. 1989 : *Un bœuf activant une noria*, h/pan. (26,7x36,9) : **GBP 2 200** – New York, 23 mai 1989 : *Intérieur avec une jeune femme observant derrière son rideau*, h/t (79,4x56,5) : **USD 9 900** – Londres, 14 fév. 1990 : *Un village sur la colline*, h/t (46x66) : **GBP 4 400** – Londres, 5 oct. 1990 : *Rambla à Mar del plata*, h/pap./cart. (18,4x23,5) : **GBP 2 750** – Paris, 6 avr. 1993 : *La place du village*, h/cart. (34x42) : **FRF 12 000** – Amsterdam, 19 oct. 1993 : *Cavaliers et leurs chevaux faisant halte sur une colline au crépuscule*, h/pan. (19,5x37,5) : **NLG 3 450** – New York, 26 mai 1994 : *Le toast*, h/t (58,4x78,7) : **USD 41 400**.

LÓPEZ CARO Francisco
Né en 1598 à Séville. Mort en 1661 ou 1662 à Madrid. XVIIe siècle. Espagnol.
Peintre de portraits.
Élève de Juan de Las Roelas.
Ventes Publiques : Londres, 28 mai 1982 : *Jeune garçon aux ustensiles de cuisine*, h./ (60,3x99) : **GBP 3 500**.

LÓPEZ ECHEVARRÍA Felipe
Né en 1765 à Madrid. Mort vers 1828. XVIIIe-XIXe siècles. Espagnol.
Peintre.
Il peignit les plafonds des appartements royaux et de la salle de la cour à la Casa del Principe à l'Escurial.

LÓPEZ ENGUÍDANOS José
Né en 1760 à Valence. Mort le 7 août 1812 à Madrid. XVIIIe-XIXe siècles. Espagnol.
Peintre et graveur.
Parmi ses œuvres, on cite les gravures pour l'édition de *Don Quichotte*, de Pellicer (1797) et pour quelques livres d'enseignement du dessin qu'il publia. Il dessina quelques portraits de la série *Espagnols illustres*. L'Académie de Madrid possède de sa main une *Sainte Famille* et quatre natures mortes, et l'Escurial deux natures mortes.

LÓPEZ ENGUÍDANOS Tomàs
Né le 21 décembre 1773 à Valence. Mort le 5 octobre 1814 à Madrid. XVIIIe-XIXe siècles. Espagnol.
Graveur.
On cite parmi ses œuvres, les portraits de *Ferdinand VII à cheval* ; de *Wellington* ; *William Pitt* ; des *Vues de villes*, des compositions des combats de la guerre d'Indépendance, les illustrations de l'édition de *Don Quichotte*, de l'Académie (1819), celles de l'édition du *Gil Blas de Santillane*, d'Ortega, de l'*Histoire universelle*, etc.

LÓPEZ FREIRE Juan, dit **el Menor**
Né en 1774 à Saint-Jacques-de-Compostelle. XVIIIe-XIXe siècles. Espagnol.
Dessinateur.
On cite parmi ses œuvres un plan de Saint-Jacques-de-Compostelle, gravé en couleur par M. Salvador Carmona et une vue de cette même ville, gravée par M. Navarro.

LOPEZ-GARCIA Antonio
Né en 1936 à Tomelloso (Ciudad Real). XXe siècle. Espagnol.
Peintre d'intérieurs, intérieurs animés, natures mortes. Réaliste-photographique.
Il est le neveu du peintre chroniqueur du village de Tomelloso, Antonio Lopez Torres. Il fut élève de l'Académie des Beaux-Arts de Madrid, où il remporta de nombreuses récompenses dues à une maîtrise technique inspirée du réalisme objectif de Zurbaran. Il participe aux expositions nationales et internationales de la jeune école espagnole, dont : 1964, 1967 Exposition Internationale Carnegie de Pittsburgh ; 1967 *Art Espagnol Contemporain* à Bochum, Nuremberg ; 1968 *Art Espagnol Contemporain* au Kunstverein de Berlin ; ainsi qu'à Copenhague,

Rotterdam, etc., et en 1970 au Musée Cantonal de Lausanne. Ses œuvres font l'objet d'expositions personnelles : 1957 Madrid ; 1965 New York ; 1972 Paris ; etc.
Si l'Espagne connut, dans les années cinquante, une floraison de peintres proches de l'abstraction ou de l'informel, derrière Tapiès ou Saura, on y vit apparaître en réaction, dans les années soixante, un retour à la réalité, mouvement dont Lopez-Garcia semble le représentant le plus évident. Dans son compte-rendu de la réalité, il fait montre d'une technique traditionnelle, quasi-académique, nourrie d'une précieuse matière granuleuse, acquise et conquise à l'Académie des Beaux-Arts. Dans une première période, de 1960 à 1965, il peignait des vues urbaines d'une parfaite précision, des natures mortes influencées de la peinture métaphysique italienne, et situées dans les couloirs et passages d'appartements anonymement quelconques, parfois hantés de personnages voilés, qui pouvaient prendre des postures d'accouplement. Puis, après 1962, il se retourna vers les sujets de son village natal de Tomelloso, les traitant avec la nostalgie du temps retrouvé, décrivant avec la minutie de la tendresse poussiéreuse, et d'après de nombreuses études dessinées, des portraits et scènes de famille, des armoires, lustres, garde-manger, ainsi qu'une série consacrée aux lavabos, salles-de-bain, lavoirs ; etc., dans des intérieurs à l'abandon, dont l'espace est délimité par de rares ouvertures et le renvoi de reflets, et selon des angles de vue de constat policier.
Une telle technique photographique ne va évidemment pas sans beaucoup de soins patients et de temps passé. Ce sont aussi ces facteurs rassurants du travail bien fait qui ont valu alors un certain succès à l'hyperréalisme, à l'impassibilité duquel on ne peut assimiler la dimension symboliste de l'œuvre de Lopez-Garcia ; on ne peut négliger non plus que ces mêmes facteurs purent aussi s'avérer rétrogrades, comme on l'a vu en Allemagne avec l'art conforme de la décennie nazie ou avec le réalisme-socialiste en Union Soviétique. Pourtant, ici, avec Lopez-Garcia, le réalisme d'un apparent quotidien se mue insidieusement en un réalisme de l'inquiétude. Cette énorme quantité de temps passé à l'exécution minutieuse des moindres détails de ce qui est représenté, est tellement évidente qu'elle s'impose au spectateur ; elle suinte des murs et des objets. Le temps qui y fut passé est directement perçu et devient la cause même de la lente dégradation des objets représentés, comme si les choses avaient vieilli pendant qu'on les peignait. La gangrène qui gagne lentement mais inexorablement les murs, les installations et les meubles est le reflet sur les choses du vieillissement de l'homme qui les habite.

■ Jacques Busse

Bibliogr. : In : Catalogue du 3e *Salon International des Galeries Pilotes*, Musée cantonal, Lausanne, 1970 – Juan-Manuel Bonet, in : *Réalisme magique ? Réalisme quotidien ?*, in : Chroniques de l'Art Vivant, n° 17, Paris, fév. 1971 – in : *Diction. Universel de la Peinture*, Le Robert, Paris, 1975 – M. Fernandez Brasso : *La realidad en Antonio Lopez-Garcia*, Madrid, 1978 – in : *Diction. de l'Art mod. et contemp.*, Hazan, Paris, 1992.
Musées : Baltimore (Mus. of Art) – Cincinatti (Mus. of Art) – Ciudad Real (Mus. prov.) – Cleveland (Mus. of Art) – Detroit (Inst. of Art) – Hambourg (Kunsthalle) : *Intérieur d'atelier* 1967-1971 – Jaen (Mus. prov.) – Madrid (Mus. d'Art Contemp.) – New York (Mus. of Mod. Art) – Paris (CNAC) – Tolède (Mus. prov.).
Ventes Publiques : Londres, 5 déc. 1996 : *Carmencita en la cuna* 1966, h/bois (63x83) : **GBP 78 500**.

LOPEZ GARCIA Juan Luis
Né le 20 juin 1894 à Saint-Jacques-de-Compostelle. Mort en 1978 à Madrid. xxe siècle. Espagnol.
Peintre de compositions animées, figures, portraits, paysages, illustrateur.
Avec une pension du gouvernement de Saint-Jacques, il poursuivit sa formation à Madrid. Il a exposé collectivement ou individuellement à Madrid, Barcelone, etc. Participant aux Expositions Nationales des Beaux-Arts depuis 1917, il obtint une troisième médaille en 1922, une deuxième en 1943. En 1942, il fut professeur à l'École des Beaux-Arts de Barcelone.
Outre les portraits, il traita des thèmes populaires de Galicie.
Bibliogr. : In : *Cent ans de peinture en Espagne et au Portugal*, Antiquaria, Madrid, 1990.

LOPEZ GARCIA del Corral Diego
Né le 22 janvier 1875 à Séville. xixe-xxe siècles. Espagnol.
Peintre de portraits, paysages urbains, natures mortes.
Il fut élève de l'Académie des Beaux-Arts de Séville. Participant régulièrement aux Expositions Nationales des Beaux-Arts, il obtint une mention honorable en 1906, une médaille de troisième classe en 1908. En 1910, en plus de trois portraits, il présentait une vue intitulée *Séville, Le Patio*.
Outre les portraits, il traita des thèmes sociaux.
Bibliogr. : In : *Cent ans de peinture en Espagne et au Portugal*, Antiquaria, Madrid, 1990.

LOPEZ-HERNANDEZ Julio
Né en 1930 à Madrid. xxe siècle. Espagnol.
Sculpteur de scènes de genre, figures, groupes. Réaliste.
Il vit et travaille à Madrid. Il reçut une formation académique, contre laquelle il commença par réagir sous l'influence des œuvres de Henry Moore et de Marino Marini. En 1955, il exposa avec le groupe réuni autour d'Antonio Lopez-Garcia. En 1973, la Galerie Juana Mordo montra à Madrid l'exposition individuelle *Julio Lopez Hernandez – Sculpture*, puis : en 1982, le Musée National de la Sculpture de Valladolid organisa *Julio Lopez Hernandez – Exposition anthologique* ; en 1983, exposition rétrospective à Caceres ; en 1985, exposition à Grenade ; 1986, exposition à Saragosse ; 1989, rétrospective au Musée d'Albacete.
Il revint à la description de la réalité, avec les portraits de personnages bien quotidiens, ses propres parents, enfants, voyageurs dans le métro. Caractéristique de cette recherche de la réalité la plus courante est sa *Vendeuse de marrons* de 1970, bronze assemblant, à une extrémité d'un socle figurant le trottoir, une vieille marchande de marrons, appuyée contre un poteau d'arrêt d'autobus, et, à l'autre extrémité, une petite fille. De sa sculpture, il dit : « L'atmosphère surréelle peut naître de la description des moments déterminants d'une réalité qui m'émeut. »
Bibliogr. : Juan-Manuel Bonet, in : *Réalisme magique ? Réalisme quotidien ?*, in : Chroniques de l'Art Vivant, n° 17, Paris, fév. 1971.
Musées : Caceres (Mus. d'Art Contemp.) – Cuenca – Figueira de Foz – Helsinki (Mus. Atheneum) – Londres (British Mus.) – Madrid (Mus. d'Art Contemp.) – Madrid (Mus. du Prado) – Madrid (Fond. Juan March) – Middelheim (Mus. de sculpture en Plein Air) – Seville (Mus. d'Art Contemp.) – Valladolid (Mus. Nat. de Sculpture) – Varsovie (Mus. Sztuki Medalierskiej) – Vitoria (Mus. prov.).
Ventes Publiques : Madrid, 13 déc. 1990 : *Le manuscrit* 1971, bronze (32x43x39) : **ESP 2 016 000**.

LOPEZ JIMENEZ José. Voir **PANTORBA Bernardino de**

LÓPEZ MALDONADO Alonso
xvie-xviie siècles. Actif à Madrid. Espagnol.
Sculpteur.

LOPEZ MEZQUITA José Maria. Voir **MEZQUITA**

LÓPEZ Y PELLICER Francisco
Né en 1759 à Valence. xviiie siècle. Espagnol.
Sculpteur.
Le Musée de Saragosse possède deux reliefs de sa main.

LÓPEZ Y PIQUER D. Bernardo
Né en 1800 à Valence. Mort en 1874 à Madrid. xixe siècle. Espagnol.
Peintre de sujets religieux, portraits, pastelliste, dessinateur.
Il fut élève de son père Vicente Lopez.
Musées : Madrid (Mus. du Prado) : *Portrait de la reine Marie-Isabelle de Bragance* – Madrid (Acad.) : *López y Portana* – Valence : *Hallebardiers – López y Portana*.
Ventes Publiques : Madrid, 18 mai 1993 : *Saint Roch*, fus. (17,5x13,5) : **ESP 170 000**.

LÓPEZ Y PIQUER Luis
Né en 1802 à Valence. Mort le 5 juin 1865 à Madrid. xixe siècle. Espagnol.
Peintre et lithographe.
Il était fils et élève de Vicente López y Portana. Il peignit un portrait de *Ferdinand VII* pour l'Académie Royale des Beaux-Arts de Madrid, une *Présentation de Marie au temple* pour l'église Saint-Antoine d'Aranjuez et d'autres tableaux religieux. Il séjourna à Paris de 1836 à 1850.
Musées : Valence : *F. I. de Monserrat et son épouse*.
Ventes Publiques : Madrid, 27 fév. 1985 : *Junon au pays des rêves*, h/t (49x49) : **ESP 862 500**.

LÓPEZ POLANCO Andrés
xviie siècle. Actif à Madrid. Espagnol.

Peintre.
On cite de sa main les portraits de *Philippe III et de sa femme*, de *Philippe IV et de sa première femme*. Peut-être est-il identique à Andrés Polanco qui signa en 1624 la copie d'un portrait de *Maria, femme de Maximilien II* dans la salle du chapitre de l'église San Isidro à Madrid.

LÓPEZ Y POLOMINO Francisco
XVIIIe siècle. Espagnol.
Peintre de portraits, et de genre.
Étudia à Madrid. Membre de l'Académie de San Fernando en 1759.

LÓPEZ Y PORTAÑA Vicente, don
Né en 1772 à Valence. Mort en 1850 à Madrid. XVIIIe-XIXe siècles. Espagnol.
Peintre d'histoire, compositions religieuses, sujets allégoriques, portraits, fresques.
Il étudia à Valence, puis à Madrid, auprès de Maella. Il s'était fixé dans sa ville natale, Valence, quand il fut remarqué à l'occasion du voyage de Charles IV au Levant. Ferdinand VII et Isabelle II firent de lui le peintre en vue de la cour. Il fut nommé premier peintre de la cour, en 1814, puis directeur général de l'Académie, en 1817, et directeur du Prado. Il a décoré le « Salon de Charles III », au Palais Royal de Madrid, d'une vaste composition évoquant la création d'un Ordre par ce souverain. Avec l'aide de ses fils et de ses élèves, il eut une considérable activité de décorateur ; il peignit des fresques allégoriques au Palais d'Orient, à Madrid toujours ; de nombreux tableaux religieux ; et surtout un nombre incalculable de portraits. À travers ses portraits, on a conservé non seulement le visage de la plupart des personnages importants de la société madrilène de l'époque, mais aussi tout le détail vestimentaire du temps, d'autant qu'il se montrait dans l'exercice de son art plus minutieux qu'inspiré. Lors du dernier séjour à Madrid de Goya, en 1826, le roi lui donna ordre d'en peindre un portrait. Il excellait dans le rendu des étoffes et de leur chatoiement. Goya, entre autres aspects de son talent, avait su aussi se faire le portraitiste chroniqueur de la société de son époque ; son successeur dans la fonction à la cour, s'il y connut peut-être un succès plus prononcé, sa peinture étant plus directement abordable, représente, au regard de la postérité, une régression à l'académisme. Avec de grandes qualités de dessinateur, du brillant dans l'exécution, son souci du détail aux dépens de l'essentiel, fit de lui, en plein XIXe siècle, le continuateur de l'académisme du siècle précédent, tel qu'il avait été enseigné par Mengs, à Madrid. Sous son pinceau, pourtant minutieux, la société madrilène a soudain perdu l'éclat et l'esprit que lui conférait Goya. ■ J. B.

BIBLIOGR. : Jacques Lassaigne : *La peinture espagnole de Velasquez à Picasso*, Skira, Genève, 1952 – J. L. Morales y Marin : *Vicente Lopez*, Saragosse, 1980.

MUSÉES : MADRID (Prado) : *Le peintre Francis Goya – La reine Marie-Christine de Bourbon – L'infant Antoine – La reine Marie-Josephe-Amélie – Marie-Antoinette, première femme de Ferdinand VII – La reine Isabelle de Bragance* – MADRID (Art Mod.) : *Marie-Antoinette – Marie-Isabelle de Bragance – Marie-Josephe-Amélie – Marie-Christine – L'infant Antoine – Le duc de l'Infantado – Ignacio Gutierrez Solar – Luis Wrelldrof – Le père de l'artiste* – MADRID (Mus. Romant.) : *Le marquis de Remisa* – MADRID (Cerralbo) : *Le rêve de Jacob – Ferdinand VII* – MADRID (Acad. de San Fernando) : *Charles et les envoyés du sultan du Maroc – Ferdinand VII – Marie-Isabelle – François Ier de Sicile et son épouse – L'infant François – L'infant Charles-Marie et son épouse – Le marquis de Castelldorrius – L'archidiacre M. Fernandez Varela – I. G. Velazquez – J. Piquer y Duart – M. González Salmón – J. N. Gallego* – MADRID (Palais roy.) : *Ramon M. Narvaez* – MADRID (BN) : *Ferdinand VII* – ROUEN : *Vierge sur une colonne – Pèlerins mendiants* – VALENCE : *La Vierge – Le jeune Tobie – Le bon berger – Charles IV à l'Université de Valence.*

VENTES PUBLIQUES : LONDRES, 31 juil. 1925 : *Femme en robe blanche* : **GBP 84** – MADRID, 27 fév. 1985 : *Portrait de Dona Maria Francisca de la Gandara* 1846, h/t (129x98) : **ESP 2 300 000** – NEW YORK, 12 jan. 1989 : *Portrait de la Reine Isabelle II d'Espagne*, h/t (97x79,5) : **USD 22 000** – MADRID, 21 mai 1991 : *Portrait d'une dame*, h/t (96x76) : **ESP 8 960 000** – MADRID, 20 fév. 1992 : *Portrait de Dona Concepcion de Elvira de Escofet ; Portrait de Don Vicente Escofet y Ferrer de la Torre* 1845, h/t (80x58 et 81x65) : **ESP 3 920 000** – NEW YORK, 19 mai 1995 : *Portrait de Don José de Yturrigary, vice Roi du Mexique*, h/cart. (22,9x14,9) : **USD 18 400** – LONDRES, 4 juil. 1997 : *L'Adoration des Mages*, h/pan. (62,9x47,2) : **GBP 20 700**.

LÓPEZ REDONDO Carlos
Né au XIXe siècle à Madrid. XIXe-XXe siècles. Actif à Almeria. Espagnol.
Peintre.
De 1884 à 1924 il exposa des portraits, des tableaux de figures et des paysages.

LOPEZ-REY
XXe siècle. Actif au Mexique. Espagnol.
Peintre de scènes typiques.
Après avoir vécu la bohême de Montparnasse, et pris part à la guerre civile d'Espagne, il alla au Danemark, puis aux États-Unis et au Mexique.
Il est devenu le peintre de la vie des Indiens.

VENTES PUBLIQUES : NEW YORK, 24 fév. 1994 : *Vent du sud* 1947, h/rés. synth. (62,2x87,6) : **USD 1 840**.

LÓPEZ Y RODRÍGUEZ Antonio
Né le 8 janvier 1840. Mort le 26 septembre 1867 à Madrid. XIXe siècle. Espagnol.
Peintre de paysages et lithographe.
Élève de Téofilo Rufflé.

LOPEZ ROMERAL José Luis
Né en 1952 à San-Martin de Montalban (Tolède). XXe siècle. Espagnol.
Peintre. Tendance abstraite.
Il participe à de très nombreuses expositions collectives à travers l'Espagne, obtenant des distinctions régionales.

LOPEZ SILVA Lucien
Né le 17 avril 1862 à Paris. XIXe-XXe siècles. Français.
Peintre de figures, scènes typiques, paysages.
Il fut élève de Jules Lefebvre et Albert Maignan. Il exposa régulièrement à Paris, au Salon des Artistes Français.
Il fut surtout peintre de la femme, de scènes de théâtre et de danse. Il exécuta aussi quelques paysages bretons.

VENTES PUBLIQUES : PARIS, 19 déc. 1988 : *Femme à la cigarette, Femme à la lecture*, deux aquar. (34x24 et 17x24) : **FRF 12 500**.

LÓPEZ Y TERREN Vicente
Mort le 22 décembre 1881 à Madrid. XIXe siècle. Espagnol.
Peintre.
Il était fils et élève de Bernardo López y Piquer. Il peignit des tableaux de figures, des portraits, des tableaux de fleurs.

LOPEZ TORRES Antonio
Né en 1902 à Tomelloso (près de Ciudad Real). Mort en 1987. XXe siècle. Espagnol.
Peintre de scènes typiques, figures, portraits, nus, paysages.
Oncle de Antonio Lopez Garcia. D'une famille d'ouvriers, il se forma au dessin et à la peinture en autodidacte. À l'âge de vingt-trois ans, il fut élève de l'École des Arts et Métiers de Ciudad Real, et poursuivit l'étude de la peinture à l'École de San-Fernando de Madrid. En 1940, il obtint une bourse pour un voyage d'étude en Italie, mais la guerre le décida à aller séjourner aux Îles Baléares. Il fit une première exposition personnelle au Cercle des Beaux-Arts en 1935, puis exposa rarement dans la suite.
Ses peintures antérieures à sa formation académique ressortissent à l'art naïf. Avec son *Autoportrait* de 1921, commence sa production aboutie, proche parfois de l'hyper-réalisme. À partir de son exposition de 1935, il traita souvent le thème des *Enfants et ânes*, qui contribua à le désigner comme « peintre de la réalité quotidienne ». Pendant son séjour à l'Île de Majorque, il peignit des paysages des Baléares. L'ensemble de son œuvre constitue la chronique véridique du village de Tomelloso, avec sa lumière, ses paysages, ses coutumes. ■ J. B.

BIBLIOGR. : In : *Cent ans de peinture en Espagne et au Portugal*, Antiquaria, Madrid, 1990.

MUSÉES : TOMELLOSO : nombreuses œuvres.

LOPICINO Giovanni Battista ou **Lupicini**
XVIIe siècle. Actif à Florence vers 1625. Italien.
Peintre d'histoire.
Élève de Ludovico Cardi dit Cigoli. Il peignit pour l'église de San Dominichino, à Pistoia.

MUSÉES : VIENNE (Histoire de l'Art) : *Marthe fait des reproches à sa sœur.*

LOPIENSKI Ignatz
Né en 1865 à Varsovie. XIXe siècle. Actif à Varsovie. Polonais.
Graveur et médailleur.
Élève de Wagner, Raab et W. Gerson.

LO PIN. Voir **LUO BIN**

LO P'ING. Voir **LUO PING**

LOPIS Charles
Né le 14 avril 1872 à Carpentras (Vaucluse). XIXe-XXe siècles. Français.
Graveur.
Il fut élève de Emmanuel Fougerat. Il exposa régulièrement à Paris, au Salon des Artistes Français.

LOPISGICH Antonio Georges
Né le 29 mars 1854 à Vichy. Mort en 1913 à Paris. XIXe-XXe siècles. Français.
Peintre de paysages, graveur.
Fils d'un architecte, il fut élève de Bonnat et de Le Roux. Il débuta aux Salons en 1879. Il obtint une mention honorable en 1883, et une médaille de troisième classe en 1891. Il s'est fait connaître comme paysagiste et peintre de fleurs et surtout comme graveur. Ses eaux-fortes sont très personnelles comme facture. En dehors de ses gravures originales il a reproduit des tableaux de Corot, Maris, Krug. Il fut chargé de plusieurs pointes-sèches pour le Cabinet des Estampes au Louvre.
Musées : Paris (Art Mod.) : *Tulipes.*
Ventes Publiques : Paris, 4 déc. 1922 : *Maisons de pêcheurs dans les dunes* : **FRF 95** – Paris, 3 fév. 1928 : *Bords de rivière, le matin* : **FRF 300** – Paris, 30 mai 1931 : *Chrysanthèmes* : **FRF 75**.

LOPOUKHINE
XXe siècle. Russe.
Peintre. Abstrait-constructiviste.
Il a participé à l'exposition *Cinq Artistes russes contemporains* au Mabee-Gerrer Museum of Art de Shawnee (Oklahoma) avec *Travailleur, lis ton journal* (1924).
Bibliogr. : James Scarborough : *Art post-soviétique*, Art Press, n° 194, Paris, sept. 1994.

LOPOUTSKI Stanislas ou **Lopuzkij**
Né à Smolensk. Mort en octobre 1669 à Moscou. XVIIe siècle. Russe.
Peintre.
Il fut à partir du 1er janvier 1656 peintre de la cour des tsars à Moscou. On mentionne de sa main des portraits du tsar *Alexeï Michaïlovitch.*

LOPPÉ Gabriel
Né le 2 juillet 1825 à Montpellier (Hérault). Mort en 1913 à Paris. XIXe siècle. Français.
Peintre de paysages.
Il se fixa en Dauphiné puis à Genève, où il fut l'élève de François Diday. Établi à Chamonix, il construisit, en 1870, son atelier qui devint le musée Loppé. À partir de 1881, il habitait Paris en hiver. Très connu en Angleterre, il exposa régulièrement à Londres et devint membre de la Royal Academy.
Lui-même alpiniste, il fut peintre de la montagne, des cimes, des lacs, sous une lumière modulée.
Bibliogr. : Gérald Schurr, in : *Les Petits Maîtres de la peinture 1820-1920, valeur de demain*, Les Éditions de l'Amateur, t. VI, Paris, 1985.
Musées : Chamonix (Mus. Loppé) : *Crevasses sur la mer de Glace* 1885 – Genève (Mus. Ariana) : *Le glacier du Jardin au Mont-Blanc* – Londres (roy. Acad.) : *Soleil levant depuis le sommet du Mont-Blanc.*
Ventes Publiques : Paris, 8 fév. 1904 : *Effet de neige dans la montagne* : **FRF 205** – Paris, 15 juin 1923 : *Retour de la chasse en montagne – Temps de neige* : **FRF 100** – Paris, 9 déc. 1988 : *Paysage*, h/t (40x60) : **FRF 3 800** – York (Angleterre), 12 nov. 1991 : *Cordée dans les Alpes*, h/t (59x44) : **GBP 1 650**.

LOPUSZNIAK Wladyslaw ou **Wladislas**
Né en 1904 à Tarnopol. XXe siècle. Actif depuis 1938 en France. Polonais.
Peintre. Abstrait.
Il fut élève de l'École des Beaux-Arts de Cracovie en 1926. Il commença à exposer en 1930, à Cracovie et Varsovie. Après son arrivée en France, grâce à l'obtention d'une bourse, où il partage son temps entre Paris et le Midi, où il s'est construit entièrement de ses mains une maison à La Turbie. Il subit tour à tour les influences de Bonnard, puis des surréalistes. Il exposa au Salon des Indépendants en 1939, avant de s'engager volontaire dans l'armée française. Il évolua à l'abstraction en 1946. Ensuite, il a participé à des expositions collectives, dont, à Paris, le Salon des Indépendants, de 1949 à 1954 ; le Salon des Réalités Nouvelles, de 1949 à 1955. Dans les mêmes années, il montra des ensembles de peintures dans des expositions personnelles à Paris : 1952 galerie Arnaud, 1955 galerie Colette Allendy ; 1961 galerie Étienne Pépin ; 1965, 1967, 1969 galerie « 9 » ; jusqu'à celle de 1989, à la galerie Arnoux.
Rattachée généralement à l'abstraction géométrique, sa peinture montre parfois des impulsions plus lyriques. Sur des fonds évanescents, surgissent des formes géométriques libres, vivement colorées, proches de Miro.
Bibliogr. : Michel Seuphor, in : *Diction. de la peint. abstraite*, Hazan, Paris, 1957.
Ventes Publiques : Paris, 8 oct. 1989 : *Composition* 1947, h/t (81x130) : **FRF 32 000**.

LOQUER Miguel. Voir **LONGUER**

LOQUET Victor
XIXe siècle. Français.
Peintre de portraits.
Exposa au Salon en 1839 et en 1842.

LOQUEYSSIE Émilie ou **Lachaud de**
Née en 1793 à Dresde. Morte en 1863 à Paris. XIXe siècle. Allemande.
Peintre de portraits et miniaturiste.
Elle jouit de son vivant d'une notable réputation. Elle fut l'élève de J. A. Riedel.
Musées : Dresde : *A. Ciccarelli.*

LOQUI Claudio ou **Loquino**
XVIe siècle. Actif à Saint-Jacques-de-Compostelle. Éc. flamande.
Sculpteur.
La cathédrale de Saint-Jacques-de-Compostelle lui doit plusieurs statues.

LORAGI ou **Lorago** ou **Loragho**. Voir **LURAGO**

LORAIN Gustave
Né le 8 septembre 1882 à Paris. XXe siècle. Français.
Peintre.
Il vécut à Paris. Il fut élève de J. L. Gérôme, puis exposa au Salon des Artistes Français depuis 1902 ; 1921 médaille de bronze, 1925 médaille d'argent.

LORAIN Pierre
XXe siècle. Français.
Peintre.
Expose au Salon des Peintres de Montagnes.

LORAND Jean-Pierre
Né en 1939 à Valenciennes (Nord). XXe siècle. Belge.
Peintre de compositions animées. Naïf.
Il vit à Bruxelles. Il se forma à la peinture en autodidacte. À Paris, il participe au Salon International d'Art Naïf. Il expose depuis 1981, notamment à Bruxelles, Knokke-le-Zoute, Munich.
Il pratique une peinture simple et saine, totalement narrative, dont les détails accumulés, peints en aplats minutieux, font la saveur, d'autant que souvent humoristiques, sinon caricaturaux. Ses scènes animées, inspirées du quotidien, évoquent des décors de comédies de mœurs.

LORANFI Antal
Né le 5 septembre 1856 à Kecskemet. Mort le 16 avril 1927 à Budapest. XIXe-XXe siècles. Hongrois.
Sculpteur et médailleur.
Il sculpta des statuettes de genre. Le Musée de Budapest possède une de ses œuvres.

LORANGE Auguste Johan Frederik Carl, dit **Carl**
Né le 9 mai 1833. Mort le 11 octobre 1875 au Caire. XIXe siècle. Danois.
Peintre de genre, figures, paysages animés.
La Collection J. Hansen de Copenhague possède huit tableaux de sa main.
Ventes Publiques : Copenhague, 5 mai 1993 : *Figures sur une place romaine*, h/t (39x29) : **DKK 6 000**.

LORAUX Louis
Né à Paris. XIXe siècle. Français.
Peintre de paysages.
Élève de Ed. Delvaux. Il exposa au Salon en 1836 et en 1865.

LORAY Cat
XXe siècle.
Peintre.

En 1986 elle a exposé chez Caroline Andrieux, en 1987 et 1988 à *Art Jonction* à Nice, en 1988 au Salon de Montrouge.
Ventes Publiques : Paris, 12 fév. 1989 : *Les balançoires* 1986, h/t (146x110) : **FRF 7 500**.

LORBICH Georg
Mort le 13 janvier 1715 à Graz. xviiie siècle. Autrichien.
Peintre et dessinateur pour la gravure sur cuivre.
Il travailla à Graz. On mentionne de sa main les esquisses de dix-huit gravures de l'ouvrage de J. G. Krassnigg : *Philosophia Polemica*.

LORCET Jean
Né au début du xviiie siècle à Conlie. xviiie siècle. Français.
Peintre et dessinateur.
En 1759 il devint professeur de l'École de dessin et de peinture du Mans. Il travailla pour l'église de Mézières-sous-Lavardin. On cite de lui un *Portrait de sœur Louise de la Miséricorde (Mme de la Vallière)*, conservé au Musée du Mans.

LORCET Pierre
xviiie siècle. Actif au Mans entre 1745 et 1769. Français.
Sculpteur.
Il semble être le même qu'un Lorcet sculpteur signalé en 1722 au Mans. Il travailla pour la cathédrale du Mans.

LORCH Melchior ou **Lorick** ou **Lorichs**
Né en 1527 à Flensbourg. Mort après 1594, d'après Bryan. xvie siècle. Danois.
Peintre et graveur au burin et sur bois.
Il a gravé des sujets d'histoire et des portraits. Il visita l'Allemagne, les Pays-Bas, l'Italie. Il alla jusqu'en Turquie, où il grava le portrait du sultan. Certains biographes le font mourir en 1586.

Musées : Frederiksborg : *Les époux Krognos* – Hanovre : *La comtesse Ranzau*.
Ventes Publiques : Paris, 21 fév. 1919 : *Jésus au Jardin des Oliviers*, pl. et sépia : **FRF 75** – Paris, 21 jan. 1924 : *Femme nue étendue*, sanguine : **FRF 240** – Londres, 26 avr 1979 : *Ismaël* 1569, eau-forte (37,2x26,3) : **GBP 780** – New York, 3 mai 1984 : *Suleiman II* 1574, grav./cuivre (43x31,3) : **USD 4 100** – Berlin, 22 mai 1987 : *Portrait d'Albrecht Dürer*, grav./cuivre (16,7x16,1) : **DEM 5 000**.

LORCH Otto
Né le 24 juillet 1864 à Bâle. Mort le 4 octobre 1894 à Zurich. xixe siècle. Suisse.
Peintre de genre et de portraits.
Élève de Defregger, Freytag Marr et Nauen.

LÖRCHER Alfred
Né le 30 juillet 1875 à Stuttgart. Mort en 1962. xxe siècle. Allemand.
Sculpteur de figures, groupes, nus, sculpteur de bas-reliefs, céramiste.
Il se forma d'abord en apprentissage, successivement à Stuttgart, Karlsruhe, et dans les ateliers d'art industriel de Kaiserslautern. Puis, de 1898 à 1902, il fut élève de l'Académie des Beaux-Arts de Munich. Après un séjour d'étude en Italie, il revint se fixer à Stuttgart, puis à Berlin de 1908 à 1915. Après la première guerre mondiale, il devint chef de l'atelier de céramique à l'Académie de Stuttgart, poste qu'il conserva jusqu'en 1945. En 1950, une grande exposition rétrospective de son œuvre eut lieu à la Galerie de l'État de Wurtemberg ; et en 1959 une exposition de ses œuvres récentes au Kunstverein de Cologne.
Il se montra influencé par la plénitude de la statuaire de Maillol, et sculpta également bon nombre de nus féminins, gracieux et paisibles. Il montra plus de personnalité dans des sculptures groupant plusieurs personnages dans des attitudes familières, à la façon de Médardo Rosso : personnages discutant autour d'une table ou bien deux personnages assis face à face, etc. ; œuvres dont l'insolite est facilité par leurs dimensions relativement réduites. Toutefois, il a exécuté aussi, dans cet esprit, des bas-reliefs ornementaux groupant un grand nombre de figures, les individualités se fondant dans l'ensemble : *Révolution, Spectateurs à la piscine*, etc.
Bibliogr. : Juliana Roh, in : *Nouveau Diction. de la Sculpt. moderne*, Hazan, Paris, 1970.
Musées : Francfort-sur-le-Main (Inst. Städel) : *Jeune fille endormie*, plâtre – Stuttgart (coll. municipales) : *Jeune fille couchée*.
Ventes Publiques : Munich, 30 nov. 1976 : *Homme assis* 1954, bronze patiné (H. 9,3) : **DEM 2 050** – Hambourg, 3 juin 1978 : *Femme au miroir* vers 1913/14, bronze patiné (H. 12,4, larg. 9.8) : **DEM 5 200** – Hambourg, 6 juin 1980 : *Deux joueurs de flûte* 1950-1953, bronze (H. 11) : **DEM 5 000** – Munich, 2 juin 1981 : *Trois hommes assis* 1942-1953, bronze patine verte (10,3x15,5x8) : **DEM 4 000** – Hambourg, 4 déc. 1986 : *Nu assis au miroir* 1953-1955, bronze (6,5x3,5x5) : **DEM 2 700**.

LORCIGNES Guérin de. Voir **GUÉRIN de Lorcignes**

LORCINI Gino
Né en 1923 à Plymouth. xxe siècle. Depuis 1947 actif, puis naturalisé au Canada. Britannique.
Sculpteur. Abstrait-géométrique.
Il participe aux expositions collectives de la Royal Canadian Academy. Il a montré un ensemble d'œuvres à Montréal en 1963.
Il utilise souvent l'aluminium poli.

LORCK Carl Julius
Né en 1829 à Trondhjem. Mort le 28 août 1882 à Oslo. xixe siècle. Norvégien.
Peintre de genre.
Il fit ses études à l'Académie de Düsseldorf, avec Carl Solm et à l'école privée de Tidemand. Il travailla à Düsseldorf et en Norvège. Il exposa en Allemagne entre 1867 et 1880.

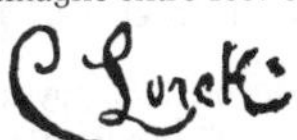

Musées : Oslo : *Le Juif* – Stockholm : *Intérieur norvégien*.
Ventes Publiques : Copenhague, 12 avr. 1983 : *Marin au bouquet de fleurs sur le quai* 1863, h/t (51x40) : **DKK 15 000** – Londres, 29 mai 1987 : *Un bon livre* 1866, h/t (76,3x70) : **GBP 11 000**.

LORCK Melchior. Voir **LORCH**

LORD Caroline A.
Née le 10 mars 1860 à Cincinnati. xixe siècle. Américaine.
Peintre.
Elle fut élève de l'Académie de Cincinnati et de l'Académie Julian à Paris.
Musées : Cincinnati : *Première Communion* – *Femme âgée*.

LORD Elyse Ashe
Née vers 1900. Morte en 1971. xxe siècle. Britannique.
Peintre, aquarelliste, graveur, dessinatrice. Orientaliste.
Elle est plus connue pour ses aquatintes et ses eaux-fortes représentant des personnages orientaux très délicats. Cependant elle a également réalisé des aquarelles sur soie qu'elle exposait à la Royal Academy.
Ventes Publiques : Londres, 24 juil. 1985 : *The sweeps*, aquar. pl. et or (48x38) : **GBP 800** – Londres, 27 mars 1996 : *Un monde sous-marin*, aquar. et cr./pan. (54x109) : **GBP 7 015**.

LORD Harriet
Née le 7 mars 1879 à Orange (New Jersey). xxe siècle. Américaine.
Peintre.
Elle fut élève de Frank Weston Benson et Joseph de Camp.

LORD John
xixe siècle. Actif à Londres. Britannique.
Peintre de miniatures.
Il figura aux expositions de la Royal Academy de 1834 à 1855 avec des portraits-miniatures.

LORD John
Né vers 1835 à Dublin. Mort le 11 mars 1872 à Dublin. xixe siècle. Irlandais.
Peintre.

L'ORDEL Robert de. Voir **L'ORTEIL**

LORDET Pierre
xvie siècle. Actif à Dijon. Français.
Sculpteur.
Il sculpta les statues de bois de *Marie* et *Saint Jean* pour l'Hospice de Dijon.

LORDON Jean Abel
Né le 24 juin 1801 à Paris. xixe siècle. Français.
Peintre de paysages, d'histoire et de genre.
Élève de son père P.-J. Lordon, de Gros et de Lethière. Il exposa au Salon entre 1827 et 1852 et à l'Exposition du Luxembourg en 1830.

Musées : Versailles : *Attaque de la caserne de la rue de Babylone à Paris le 29 juillet 1830.*

LORDON Pierre Jérôme
Né le 9 février 1780 à La Guadeloupe. Mort le 27 juillet 1838 à Paris. xixe siècle. Français.
Peintre d'histoire.
Élève de l'École Polytechnique, il servit dans l'artillerie et quitta l'armée pour faire de la peinture. Il fut l'ami et l'un des meilleurs élèves de Prud'hon. Il exposa au Salon de Paris entre 1806 et 1838, obtenant une médaille de première classe en 1808.
Quelques-unes de ses œuvres se trouvent dans des églises et dans des ministères.
Bibliogr. : In : Catalogue de l'exposition : *Les années romantiques, la peinture française de 1815 à 1850*, Mus. des Beaux-Arts de Nantes, Gal. nat. du Grand Palais, Paris, 1996.
Musées : Angers : *Hylas attiré par les nymphes* – Avignon : *Sépulture de saint Sébastien* – Besançon : *L'Amour et Psyché* – Dijon (Mus. des Beaux-Arts) : *Mort de Sémiramis* – Dunkerque : *L'atelier de l'Albane* – Pau (Mus. Nat. du Château) : *Henri IV à Libourne après la bataille de Coutras.*
Ventes Publiques : Paris, 18 déc. 1991 : *Léonidas aux Thermopyles*, h/t (46,5x65) : **FRF 15 000.**

LOREIN Victor
Né en 1894 à Gand. Mort en 1954 à Bodegem. xxe siècle. Belge.
Peintre de figures, portraits, paysages, natures mortes.
Il fut élève de l'Académie des Beaux-Arts de Gand.
Bibliogr. : In : *Diction. biograph. illustré des artistes en Belgique depuis 1830*, Arto, Bruxelles, 1987.
Musées : Gand.

LOREK Christian Gottlieb
Né en 1788 à Conitz. xixe siècle. Actif à Königsberg. Allemand.
Peintre et graveur.
Il publia et illustra lui-même les ouvrages *Flora Borussica* et *Fauna Borussica.*

LOREN
Né en 1965 à Paris. xxe siècle. Français.
Peintre de figures.
Il vit et travaille à Paris. Il a exposé en 1986 à Los Angeles, en 1987 à Montréal, en 1988-89 à Paris.
Ventes Publiques : Paris, 31 oct. 1990 : *Personnage aux bras levés* 1990, acryl./t. (73x60) : **FRF 5 500.**

LORENESE Francesco Nicolaï. Voir **LORRAIN Nicolas François**

LORENS
xve siècle. Actif à Aix-en-Provence. Français.
Peintre de miniatures.
Il travailla pour Jeanne de Laval, épouse du roi René Ier.

LORENSEN Carl
Né vers 1864 au Danemark. Mort le 17 janvier 1916 à Chicago. xixe-xxe siècles. Américain.
Sculpteur.
Le Musée Field à Chicago possède quelques œuvres de sa main et le château royal de Bucarest lui doit des frises en relief.

LORENT Guillaume ou **Willem** ou **Laurent**
xixe siècle. Actif à Bruxelles. Belge.
Peintre.
Il était fils du peintre Jean-François Laurent.

LORENT Jean François. Voir **LAURENT**

LORENTE Félix
Né en 1712 à Valence. Mort en 1787 à Valence. xviiie siècle. Espagnol.
Peintre d'histoire.
Il décora plusieurs églises de la ville.
Ventes Publiques : Paris, 1843 : *La Sainte Vierge* : **FRF 800.**

LORENTINO Andrea ou **Laurentino**
Né vers 1430. Mort le 23 octobre 1506 à Arezzo. xve siècle. Actif à Arezzo. Italien.
Peintre.
On cite parmi ses œuvres à Arezzo : au Palazzo comunale, *Vierge avec saint Donatien et saint Étienne* (fresque datée de 1484) ; à l'église S. Maria d. Grazie *Le pape Sixte IV avec des cardinaux et des bourgeois, d'Arezzo*, et *Scènes de la légende de saint Donatien* (fresque) ; à l'église Saint-François également une fresque.
Musées : Arezzo (Pina.) : *Vierge avec des saints* – Dublin (Nat. Gal.) : *Vierge à l'Enfant.*
Ventes Publiques : Londres, 17 juil. 1931 : *La Vierge et l'Enfant* : **GBP 89.**

LORENTZ. Voir aussi **LORENZ** et **LORENTZEN**

LORENTZ Alcide Joseph
Né le 25 février 1813 à Paris. xixe siècle. Français.
Peintre d'histoire.
Exposa au Salon entre 1841 et 1850. Le Musée de Saint-Étienne conserve de lui *Napoléon Ier passant une revue des troupes sur la place du Carrousel*, et celui de Saintes *Chasseur de la garde impériale*. On voit encore de lui, au Ministère de l'Intérieur, *Revue du Carrousel.*
Ventes Publiques : Londres, 17 juil 1979 : *Un escalier de cavalerie*, aquar. et reh. de blanc (44,2x66,9) : **GBP 450.**

LORENTZ Anders
Mort en 1692. xviie siècle. Suédois.
Peintre.
L'église de Kungsholm à Stockholm conserve de lui : *Madone avec l'Enfant, Le Christ en croix avec Marie, saint Jean et sainte Madeleine.*

LORENTZ Andreas
Mort en 1583 ou 1584 probablement. xvie siècle. Actif à Freiberg. Allemand.
Sculpteur.

LORENTZ Friedrich Gottlob
Né en 1722 à Dresde. Mort en 1790 à Dresde. xviiie siècle. Allemand.
Peintre de paysages.
Élève de Louis de Silvestre et Johann C. Turner.

LORENTZ Samuel
Né entre 1550 et 1555. Mort entre 1593 et 1595. xvie siècle. Actif à Freiberg. Allemand.
Sculpteur.
Il était le fils aîné d'Andreas Lorentz.

LORENTZ Uriel I
Né vers 1560. Mort le 11 septembre 1585. xvie siècle. Actif à Freiberg. Allemand.
Sculpteur.
Il était le plus jeune fils d'Andreas Lorentz.

LORENTZ Uriel II
xviie siècle. Actif à Freiberg. Allemand.
Sculpteur.
Il était fils de Samuel Lorentz.

LORENTZ d'Anvers. Voir **LAURENTIUS Van Antwerpen**

LORENTZEN. Voir aussi **LORENTZ** et **LORENZ**

LORENTZEN Carl Friedrich Adolf
Né le 2 janvier 1801 à Hambourg. xixe siècle. Allemand.
Peintre de paysages.

LORENTZEN Christian August
Né le 10 août 1749 à Sinderborg. Mort le 8 mai 1828 à Copenhague. xviiie-xixe siècles. Danois.
Peintre d'histoire, genre, portraits, paysages.
Il fut élève de l'Académie des Beaux-Arts de Copenhague. Il voyagea de 1779 à 1782, en Hollande, en Belgique et en France où il copiait des artistes célèbres, surtout Rubens. Élu membre de l'Académie, il fut particulièrement peintre de portraits. Quelque temps après son retour il peignit une série de vues norvégiennes remarquables qui furent gravées par Georg Has et publiées en impressions en partie noires et en partie coloriées. Il peignit également des scènes des comédies de Holberg (trente tableaux qui ont été gravés par Clemens).
Musées : Copenhague : *Le comte Recivuski, ministre polonais – Portrait d'homme – Le bombardement de Copenhague – Franklin* – Copenhague (coll. roy.) : *Dans le Holberg – Bataille navale* – Copenhague (Rosenborg) : *Le roi et la reine se rendent au théâtre* – Frederiksborg : *La reddition de Tönningen – Frédéric-Christian d'Augustenbourg – Frédéric VI – Le professeur J. Badon – P. Anker – F. Winkel-Horn et sa femme – J. O. Schack-Rathlou et sa femme – L. Zingelmann enfant – Les frères Classen – Jacob Lynge – Bataille navale* – Oslo : *La cascade de Sarpe.*
Ventes Publiques : Londres, 14 mai 1965 : *Paysage avec le Bogstad Museum, animé de personnages* : **GNS 550** – Copenhague, 10 fév. 1976 : *Scène de rue* 1806, h/t (70x85) : **DKK 17 000** –

COPENHAGUE, 27 mars 1979 : *Portrait de Thomasine Buntzen*, h/t (82x64) : **DKK 41 000** – COPENHAGUE, 2 mai 1984 : *Personnages dans un paysage* 1797, h/t (60x73) : **DKK 135 000** – MONTE-CARLO, 22 juin 1985 : *Vue de l'île de la Cité et du Pont-Neuf depuis le quai des Grands-Augustins* 1782, h/t (65x81) : **FRF 130 000** – COPENHAGUE, 26 fév. 1986 : *Pêcheur et pêcheuse du Groenland*, h/t (73x57) : **DKK 40 000** – COPENHAGUE, 25 fév. 1987 : *Paysage avec une église au bord de l'eau*, h/t (58x73) : **DKK 18 000** – COPENHAGUE, 25 oct. 1989 : *Portrait d'homme* 1818, h/t, ovale (36x29) : **DKK 5 500** – COPENHAGUE, 1er mai 1991 : *Vue de Tistedal depuis Weidengaard*, h/t (59x74) : **DKK 125 000**.

LORENTZON Waldemar

Né en 1899. Mort en 1982. XXe siècle. Suédois.

Peintre de compositions à personnages. Post-cubiste.

Du cubisme originel, il a retenu quelques composantes stylistiques : une composition orthogonale très serrée, qui occupe totalement la surface du tableau, et un dessin géométrisé en angles durs des personnages et du décor. En marge de l'influence cubiste, il pratique une large étendue chromatique, qui le rapprocherait de Jacques Villon.

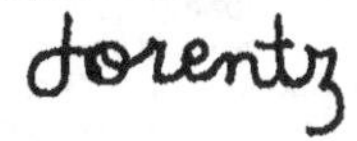

VENTES PUBLIQUES : GÖTEBORG, 9 nov. 1977 : *Composition au globe* 1937, h/t (61x65) : **SKK 38 500** – STOCKHOLM, 22 avr. 1981 : *La Casa amarilla*, h/pan. (72,5x52) : **SEK 16 200** – STOCKHOLM, 26 avr. 1983 : *Pêcheur sur la plage à l'aube*, h/t (29x89) : **SEK 26 000** – STOCKHOLM, 20 avr. 1985 : *Baigneuse et barque, Sondrum*, h/t (28x40) : **SEK 24 000** – GÖTEBORG, 9 avr. 1986 : *Stockholm* 1920, h/pan. (22x29) : **SEK 11 000** – PARIS, 27 oct. 1988 : *Découvertes dans la forêt* 1936, h/t (35x39) : **FRF 24 000** – STOCKHOLM, 22 mai 1989 : *Rose bleue*, h/t (46x55) : **SEK 19 000** – STOCKHOLM, 6 déc. 1989 : *Lavandières espagnoles*, h/pan. (100x80) : **SEK 115 000** – STOCKHOLM, 5-6 déc. 1990 : *Musique de chambre*, h/t (38x55) : **SEK 32 000**.

LORENZ. Voir aussi **LAURENT, LAURENTIUS, LORENTZ, LORENTZEN**

LORENZ Carl

Né le 5 décembre 1871 à Vienne. XIXe-XXe siècles. Autrichien.

Peintre de paysages, décors de théâtre.

Après avoir été peintre de décors de théâtre, à partir de 1900 il se consacra au paysage.

VENTES PUBLIQUES : NEW YORK, 12 mai 1978 : *L'orée du bois*, h/t (73,5x100,5) : **USD 1 700** – LINDAU (B.), 9 mai 1984 : *Paysage de montagne ensoleillé*, h/t (80x120) : **DEM 5 300**.

LORENZ Émil August Georg

Né le 30 avril 1878 à Rickenbach. XXe siècle. Suisse.

Peintre de paysages.

Il était fils de Georg Alexander Lorenz. Il fut élève de Ludwig von Löfftz, et de l'Académie Colarossi de Paris. Il fut actif à Zurich.

LORENZ Ernst

Né le 27 octobre 1872. XIXe-XXe siècles. Allemand.

Peintre d'intérieurs, paysages, natures mortes.

Il vécut et travailla à Berlin. Il peignit des paysages de la Marche.

LORENZ Franz Anton

Né le 25 novembre 1853. Mort le 2 octobre 1891 à Munich. XIXe siècle. Allemand.

Sculpteur.

Parmi ses œuvres, on cite des statues d'*Apôtres* à l'église paroissiale d'Elbingenalp, ainsi que les statues de *Saint Michel*, *Saint Sébastien* et *Saint Roch* dans l'église d'Holzgau.

LORENZ Georg Alexander

Né le 14 octobre 1837 à Rickenbach. XIXe siècle. Suisse.

Peintre, aquarelliste.

Il fut actif à Zurich.

LORENZ Richard

Né le 9 février 1858 à Weimar. Mort le 3 août 1915 à Milwaukee. XIXe-XXe siècles. Allemand.

Peintre de paysages, de genre et graveur.

Il exposa à Berlin en 1880 et à Munich en 1891.

VENTES PUBLIQUES : NEW YORK, 17 oct. 1980 : *Prairie au crépuscule*, h/t (81,3x122) : **USD 18 000** – PORTLAND, 17 juil. 1982 : *Burials in the Plains*, h/t (107x152,5) : **USD 26 000** – NEW YORK, 26 oct. 1984 : *Profile of Indian Chief with headdress* 1900-1910, h/t (55,9x50,8) : **USD 2 500** – NEW YORK, 4 déc. 1986 : *La Promenade en traîneau*, h/t (76,2x101,6) : **USD 8 000**.

LORENZALE ROGENT Ramiro

Né en 1859 à Barcelone. Mort en 1912 ou 1917 à Barcelone. XIXe-XXe siècles. Espagnol.

Peintre de genre, figures, portraits, peintre de décorations murales.

Fils de Claudio Lorenzale Sugranes, il reçut sa première formation dans l'atelier paternel, qu'il poursuivit à l'École des Beaux-Arts de la Lonja de Barcelone, puis à Paris. Il a participé à des expositions collectives, d'entre lesquelles : les expositions des Beaux-Arts de Barcelone, en 1888 obtenant une troisième médaille, 1994 et 1996 ; au Cercle Artistique de Barcelone de 1904 ; aux Expositions Nationales des Beaux-Arts à partir de 1890, où il obtint une troisième médaille.

BIBLIOGR. : In : *Cent ans de peinture en Espagne et au Portugal*, Antiquaria, Madrid, 1990.

MUSÉES : BARCELONE : plusieurs œuvres.

VENTES PUBLIQUES : MADRID, 22 jan. 1985 : *Un patio*, h/t (75x120) : **ESP 275 000**.

LORENZALE Y SUGRANES Claudio

Né le 8 décembre 1814 à Barcelone. Mort en 1889 à Barcelone. XIXe siècle. Espagnol.

Peintre.

Il fut directeur de l'École des Beaux-Arts de Barcelone. Il peignit des tableaux d'histoire, des compositions religieuses (histoire et saints), des portraits, parmi lesquels celui du roi *Alphonse XII* pour l'Université de Barcelone, et celui de la comédienne *Josefa Palma*. Il fit des esquisses pour vitraux, pour orfèvreries et pour gravures. Il professait, à Barcelone, avec Mila, des idées similaires à celles des Allemands de Rome dits « Nazaréens », ou à celles des « Préraphaélites » anglais. Il influença les débuts de Mariano Fortuny. Le Musée des Beaux-Arts de Barcelone possède de ses œuvres.

LORENZEN. Voir aussi **LORENTZEN, LORENTZ, LORENZ**

LORENZEN Johannes

Né en 1874 à Schleswig. XIXe-XXe siècles. Allemand.

Peintre de portraits.

MUSÉES : SCHLESWIG : *Portrait*.

LORENZETTI Ambrogio

Né à Sienne. Mort en 1348 à Sienne. XIVe siècle. Italien.

Peintre d'histoire.

Ambrogio Lorenzetti est, comme son frère Pietro, l'une des grandes figures de l'école siennoise. Nous ne possédons malheureusement que fort peu de renseignements utiles pour la connaissance de sa vie et de son caractère. Ainsi que pour Pietro, nous en sommes à peu près réduits à une série de dates permettant de cataloguer ses principales œuvres ; d'autre part, il ne nous est donné d'en apprécier la valeur qu'à travers le nombre relativement minime de celles qui nous sont parvenues. On peut admettre qu'Ambrogio, d'une quinzaine d'années plus jeune que son frère, naquit au commencement du XIVe siècle. Un document de 1324 est relatif à une vente de terrain le concernant. Une *Madone* de Vico l'Abate, qui lui est attribuée, est datée de 1319. La *Madone del Latte* serait d'avant 1330. Trois autres *Madones*, dont celles de *Roccalbegna* de Massa-Maritima, dateraient des environs de 1330. En 1331, il exécuta des fresques dans le cloître de San Francesco à Sienne : deux de celles-ci ont été retrouvées sous une couche de chaux, en 1857, et transportées dans l'église. Ce sont le *Martyre des moines franciscains à Ceuta* et l'*Obédience de saint Louis d'Anjou entre les mains du Pape*. En 1332, nous trouvons Ambrogio à Florence où il est inscrit à la corporation des apothicaires et médecins de laquelle relevaient les peintres. Il exécuta des fresques à Sant Agostino et à San Procolo, avec un tableau pour cette dernière église. Il ne subsiste de ces travaux que quelques panneaux de la légende de saint Nicolas de Bari, conservés aux Offices de Florence. Ambrogio était de retour à Sienne en 1335 : il s'occupa d'une restauration au Dôme et travailla, en collaboration avec son frère, aux fresques de la façade de l'Hôpital. Il peignit en 1337 des *Histoires romaines* sur un mur extérieur de la Signoria et dans le même palais, dans la salle des Neuf, commença l'exécution de la suite de ses fresques célèbres du Bon et du Mauvais gouvernement, travail considérable qui le retint jusqu'en 1339. La Signoria lui alloua 103 florins, en sept versements échelonnés. En 1339 et 1340, il peignit un tableau d'autel pour l'église de San Crescenzo, la *Purification de la Vierge*, aujourd'hui disparu. En 1340, se placent plusieurs peintures pour la Signoria, dont *La Vierge de la loggia*, ainsi que pour une chapelle au Campo-Santo, en paiement de six boisseaux de blé que lui avait prêtés l'Hôpital. *La Présentation au temple*, aujourd'hui aux Offices à Florence, est signée et datée de 1342 ; elle provient du couvent de Monna Agnese à Sienne. *L'Annonciation*, de la Galerie communale de Sienne, est la dernière œuvre de date certaine : 1344. Dans la même année, il aurait exécuté, selon la chronique de Tizio, une autre *Annonciation* sur la façade de San Pietro in Castelvecchio à Sienne, ainsi qu'un tableau d'autel pour la même Église, et en outre, pour la Signoria, une mappemonde mobile demeurée célèbre dans les annales. Ces trois œuvres ont disparu. Un document de 1345 mentionne un paiement de trois livres pour quelques figures peintes dans la salle des Neuf ; un autre de 1347 cite Ambrogio parmi les membres du Conseil des Paciari. On suppose qu'il mourut, ainsi que son frère Pietro, lors de la grande peste de 1348. Il convient d'ajouter que les biographes, notamment Ghiberti et Vasari, mentionnent d'autres œuvres, disparues aujourd'hui, notamment des fresques représentant le *Credo* et des scènes de la vie de sainte Catherine à Sant'Agostino à Florence, d'autres à Sant'Spirito, d'autres encore à Santa Margherita de Cortone, et dans une chapelle de Massa-Maritima ; des tableaux à Volterra, à Monte Oliveto Maggiore, une *Vierge et des saints* à San Vigiolo à Sienne. Ambrogio Lorenzetti d'après le peu qui nous reste de son œuvre, témoigne d'un caractère et d'une personnalité très marqués, ce qui conduit à le distinguer nettement de Pietro. Les deux frères, par l'ampleur de leur génie, se placent pareillement au nombre des grands maîtres de Sienne, sur le rang des Duccio, des Simone Martini : leur mérite commun est d'avoir l'un et l'autre réussi à traiter avec une même richesse d'invention et pareille ampleur dans l'exécution, la fresque en peinture monumentale. L'un et l'autre excellent par la vigueur et la précision du dessin ; leur art se sépare cependant par l'effet de la divergence des tendances qui les animent. Alors que Pietro demeure grave, concentré dans sa pensée, rude et pessimiste dans sa manière, a-t-on dit avec quelques excès peut-être, Ambrogio s'abandonne à la joie de vivre, exprimant en cela l'essentiel de la nature siennoise, non point qu'il s'agisse d'un abandon inerte ou de pure volupté, mais c'est au contraire l'élan d'une nature ardente, curieuse de sentir et de comprendre, avide de s'assimiler la beauté des êtres et de la nature, de participer en l'interprétant à l'harmonie universelle. Ghiberti, qui connaissait à fond les fresques dont Ambrogio avait embelli Florence et qui, à Sienne, avait pu contempler l'œuvre encore intacte, lui accordait toute son admiration et le mettait même au-dessus de Martini. Vasari n'est pas moins élogieux et il le dépeint en outre comme un esprit cultivé, dont les mœurs étaient plutôt celles d'un gentilhomme et d'un philosophe que d'un artiste. Il dut commencer sa carrière à l'école de son frère ; nous savons qu'il l'aida dans l'exécution des fresques de l'Hôpital. On considère que, par la suite, ses conceptions le rapprochent, plutôt que de Duccio, de Pisano et surtout de Giotto, dont il avait pu étudier à Florence les œuvres tardives. En tout cas, on a pu dire qu'après avoir étudié les maîtres florentins en 1319, lorsque Ambrogio retourna à Florence en 1332 pour y peindre la légende de saint Nicolas ce fut pour y affirmer pleinement la manière siennoise et aussi, importe-t-il d'ajouter, sa propre et déjà très nette personnalité. Même dans un cadre traditionnel très accusé, comme par exemple pour la Vierge trônante de Massa-Maritima, l'originalité du détail, partout où l'invention s'arroge quelque liberté, vient donner à la peinture un caractère qui la distingue de toute autre. On remarquera que les Vierges d'Ambrogio ne sont guère plus souriantes que celles de Pietro ; d'autre part, pénétrant avec beaucoup plus d'audace dans la voie indiquée par son frère, il donne à l'Enfant Jésus des attitudes qui l'humanisent toujours davantage, dans la peinture considérée de Massa-Maritima la main de l'Enfant se pose hardiment sur l'encolure du vêtement maternel. L'œuvre est, par ailleurs, remarquable tant par sa composition, les expressions très diverses des visages, des trouvailles comme celles des anges musiciens, que par la richesse du coloris. La Vierge de la Galerie de Sienne, de proportions moindres, est encore une merveille de grâce et d'harmonie, avec tout l'enchantement de la manière siennoise. *La Madone del Latte*, du séminaire de Sienne, est un chef-d'œuvre incomparable, qui marque une étape nouvelle et, peut-on dire, décisive, dans la voie du réalisme et la conquête du naturel. L'Enfant, pour la première fois à moitié nu, puise avec l'avidité d'un nourrisson robuste au sein qu'il presse hardiment de la main ; il accentue encore son effort en consolidant sa position par son petit pied qui s'appuie contre le bras de la Vierge. Les enfants de Raphaël ne seront ni plus vivants ni plus émouvants dans leur grâce. Le regard profond de l'Enfant pénètre dans celui du spectateur, tandis que les longs yeux fendus de la Vierge expriment la passion de la mère, sans préjudicier à la gravité des caractères. Le respect du divin reconquiert dans la sublimité des regards ce que la familiarité de l'attitude risquerait d'en atténuer au premier aspect. La richesse des tons complète l'effet puissant et enchanteur de l'œuvre. – Dans la *Présentation au Temple*, des Offices de Florence, on peut relever un désaccord très suggestif entre la science déployée dans le décor et l'attitude encore traditionnelle des personnages, qui font songer à des statues sorties de leur niche. On comprend que le peintre, encore dépendant à cet égard et retenu dans la sujétion de la statuaire, cherche, en l'intensifiant, sa liberté dans la composition du cadre : perspective aux effets multipliés, combinaisons ornementales, depuis le faîte historié jusqu'au dallage en étoiles. L'artiste fait preuve à ce point de vue d'une science très avancée, en progrès sensible sur Duccio. – Dans l'*Annonciation* de Sienne, postérieure de deux ans, on peut noter les très belles figures de l'Ange et de la Vierge, ainsi que la dignité pleine de charme des attitudes. Mais c'est surtout dans les fresques qu'Ambrogio Lorenzetti acquit sa célébrité et déploya toute la vigueur et la souplesse de son génie. Ghiberti avait pu contempler toute la suite des fameuses fresques de San Francesco et il les a décrites avec une admiration enthousiaste. Nous n'en possédons plus que deux scènes et encore à demi effacées, dépouillées en grande partie de l'incomparable richesse de leurs coloris. Dans le martyre des moines franciscains à Ceuta, le maître a pu laisser entièrement cours à son invention, affranchie de tous cadres traditionnels ; le dessin teinté qui subsiste laisse apprécier l'art des jeux d'ombre et de lumière, que l'on ne traduirait pas autrement aujourd'hui. La science de la composition se révèle dans maint détail ; les personnages ont d'ailleurs tous leur individualité propre et chacun apporte l'expression qui lui convient, depuis le sultan jusqu'aux bourreaux. L'attitude grave et résignée des victimes est dans une note exacte de réalisme, tout imbu de piété. Certains personnages présentent un type exotique un peu plus accentué, traduisant un souci de couleur locale qui sait demeurer discret. Le décor paraît exactement adapté au caractère de la scène, aussi bien qu'à la mise en valeur des effets de lumière. *L'Obédience de saint Louis d'Anjou* réalise une sorte d'instantané, dans lequel l'artiste donne encore toute la mesure des ressources de son invention, affranchie des attitudes et des nécessités de groupement ou de symétrie qu'imposait la tradition en matière de peinture religieuse proprement dite. L'expression des visages est attentive ou grave, recueillie ou réfléchie tour à tour et appellerait un examen détaillé : les visages du saint, du Pape, en particulier celui du roi de Naples, le frère de Saint Louis d'Anjou, des cardinaux et de certains des assistants sont d'une vérité parfaite. – *L'Allégorie du Bon Gouvernement* est peinte sur la paroi du fond de la Salle des Neuf de la Signoria ; les effets du Bon Gouvernement occupent sur toute sa longueur, la paroi de droite. L'Allégorie et les effets du Mauvais Gouvernement sont réunis sur la paroi de gauche : de cette seconde série, il ne subsiste que des fragments ; le reste est effacé à peu près complètement. Le Bon Gouvernement est symbolisé dans la partie droite de la fresque par un roi tenant son sceptre et couronné : la *Foi*, la *Charité* et l'*Espoir* planent au-dessus de lui ; Pax, Fortitudo, Prudentia, Magnanimitas, Temperatia, Justitia sont assises à ses côtés. À gauche on retrouve la *Justice*, avec la *Sagesse*, maintenant en équilibre les plateaux d'une balance. En dessous d'elles, Concordia, tend une corde, partant de la balance et que portent vingt-quatre citoyens alignés en cortège et allant vers le Roi. Des soldats et autres personnages se groupent au pied du trône. – Le Mauvais Gouvernement est représenté par un démon, entouré de figures symbolisant les vices. – Les scènes diverses et pittoresques qui constituent les Effets du Bon Gouvernement, développent les conséquences de celui-ci, tant dans la cité que dans la campagne. Tout en rendant hommage à la beauté des figures, à la composition parfois merveilleuse des détails, on a fait en général bon marché du sens de l'œuvre en elle-même, la considérant comme une allégorie plus ou moins froide et pesante, voire même une charade, échappant par son caractère même à l'appréciation de la critique d'art. Les fresques n'en constituent pas moins une tentative extrêmement originale, peut-être unique en son genre, en vue d'annexer à la peinture un domaine non encore exploité, précisément par la représentation concrète des entités que nous considérons aujourd'hui comme purement conceptuelles, ce que nous appelons proprement des figures allégoriques. Dans la mentalité nourrie d'anthologie qui est encore celle du XIVe siècle, l'allégorie représente tout autre chose et c'est précisément parce que cette mentalité n'est plus la nôtre que nous jugeons l'allégorie pesante et froide en elle-même. Le réalisme de saint Anselme avait été réaffirmé par Guillaume de Champeaux au début du XIIIe siècle : sa doctrine ne s'autorisait pas seulement de Platon, elle répondait à une façon de comprendre très normale, à un stade déterminé de l'évolution intellectuelle. Les nominalistes avaient rempli de leur fameuse querelle toute la première période de la Scholastique, mais leur succès n'était pas tel que Guillaume d'Okahm ne l'eût amené à renouveler le système au cours du XIVe siècle. L'idée abstraite, plus ou moins avancée dans l'effort concomitant de généralisation qui en est solidaire possède une existence en dehors de l'esprit qui l'évoque, une réalité qui lui est propre. Ce n'est pas l'existence que l'homme vit sur le plan concret, ce n'est pas non plus l'abstraction pure ; c'est un stade intermédiaire. Ambrogio Lorenzetti a précisément cherché à interpréter la manifestation de ces existences qui nous dominent, de ces « universaux a parte rei ». À ce qu'il pouvait savoir par lui-même, aux dissertations passionnées qui s'échangeaient dans son entourage, il a réagi à sa manière, en dessinateur, en peintre, avec son imagination, sa sensibilité. Ses créatures anthologiques, qu'il ne faut pas situer sur le plan des figures religieuses, qui sont la représentation d'êtres réels, vivant ou du moins ayant vécu, demeureront sa gloire et son grand chef-d'œuvre. Il a fait plus que leur donner la beauté, il en a réellement fait des êtres et plus que des êtres de raison. La plastique, diraient les philosophes, transcende ici l'intellectualité. Toutes ces figures, la *Paix*, la *Justice*, la *Tempérance*, la *Concorde*, dont les traits ont suscité les plus ardents éloges, la *Sécurité* qui survole gracieusement les collines en portant une potence munie de son pendu, expriment à leur manière tout le contenu spirituel de l'idée qu'elles personnifient ou pour mieux dire qu'elles font vivre. L'art du maître s'est appliqué précisément, pour mieux caractériser cette existence supérieure, sereine, concentrée dans sa signification éternelle, à l'opposer aux figures purement humaines qu'il fait se grouper au-dessous d'elles et vivre, parfois intensément, leur existence éphémère. Tout concourt à appuyer le contraste : le mouvement, le geste, le pittoresque des attitudes. Une dame, montée sur un cheval blanc, passe suivie de deux cavaliers et de valets à pied ; une ronde de jeunes filles se déploie au son des tambourins ; des paysannes entrent en ville, tandis que dans une chambre des écoliers écoutent un magister. Des seigneurs à cheval quittent la ville, se croisent avec des paysans : chacune de ces scènes développe le thème d'un sujet particulier qui se suffirait à lui-même. À travers les imperfections inhérentes à la technique de l'époque, Ambrogio sait encore noter avec un réalisme inusité le mouvement ou l'attitude familière de l'animal cheval ou chien, de même qu'il parvient à animer singulièrement la variété de ses paysages. Si la campagne offre plus de pittoresque que de rectitude dans le dessin, on peut admirer sans réserve la place de Sienne, qui laisse contempler les superbes à édifices étagés au flanc de la colline, avec tout le luxe des crénaux, des colonnettes, des arcades, des tours, concentrant tout le charme gothique de cette cité de la lumière et de la couleur, sans omettre la coupole de son Dôme, ni la silhouette grêle du Campanile.

Bibliogr. : G. Sinibaldi : *I Lorenzetti*, Sienne, 1933 – L. Venturi : *La peinture italienne, les Créateurs de la Renaissance*, Skira, Genève, 1950 – C. Volpe, in : *Paragone II*, janvier 1951 : *A. Lorenzetti e le congiunture fiorentine senesi* – J. Dupont et C. Gnudi : *La peinture gothique*, Skira, Genève, 1954.

Musées : Badia à Rofeno, province de Sienne, Italie : *Saint Michel, saint Barthélémy, saint Benoît*, polyptyque – Berlin : *Nativité* – Budapest : *Vierge à l'Enfant* – Cambridge (Mus. Fogg) : *Sainte Agnès* – Englewood, New Jersey, U.S.A. (coll. D. F. Platt) : *La Vierge et l'Enfant*, panneau – Fiesole (Bardini) : *Saint Nicolas – Saint Procule* – Florence (Gal. des Mus. des Offices) : Quatre scènes de la vie de saint Nicolas de Bari 1332, panneau, fragments de predelle – *La Présentation au Temple* signé et daté de 1342, panneau – Londres (Nat. Gal.) : *Quatre religieuses – L'Annonciation – Pietà – Une reine religieuse* – Massa Marittima (Italie, Mus.) : *Madone Trônante*, panneau – Monte-Siepi (province de Sienne) : *La Vierge Trônante et des saints*, fresque – Pompane (province de Sienne) : *La Vierge et l'Enfant*, panneau – Rapolano (province de Sienne. Pieve) : *La Vierge et l'Enfant*, panneau – Roccalbenga (province de Grosseto) : *La Vierge et l'Enfant*, panneau – Rome (coll. Helbig) : *La Vierge et l'Enfant*, panneau – Sienne (Gal. comm.) : *Saint Paul*, panneau – *Saint Jean Baptiste*, panneau – *La Vierge et l'Enfant avec des saints et des anges*, panneau – *La Vierge, quatre saints, la Déposition*, panneau, polyptyque – *L'Annonciation* signé et daté de 1344, panneau – *Saint Antoine, abbé*, panneau – *Saint Maximin*, panneau – Sienne (Mus. de l'Opéra Del Duomo) : *Quatre saints*, panneau – Sienne (Archives) : *Le Bon Gouvernement* 1344, couverture d'un livre de Biccherna – Sienne (Palais Public) : *Le Bon et le Mauvais Gouvernement* 1337-1339, fresques signées – *Madone*, fresque – Sienne (San Francesco) : *Martyre de moines franciscains à Ceuta*, fresque – *L'Obédience de saint Louis d'Anjou entre les mains du Pape*, fresque – Sienne (Séminaire) : *La Vierge allaitant Jésus – Tête de Saint*, fresque.

Ventes Publiques : Londres, 22 fév. 1924 : *L'Annonciation* : **GBP 420** – Londres, 5 juil. 1929 (sans indication de prénom) : *Sainte Catherine d'Alexandrie* : **GBP 1 890** – Londres, 8 juil. 1929 (sans indication de prénom) : *La Crucifixion* : **GBP 409** – Londres, 8 mars 1944 : *Vénus, Mars et Vulcain* : **GBP 210** – Londres, 4 oct. 1946 (sans indication de prénom) : *Vierge et Enfant* : **GBP 472**.

LORENZETTI Giovanni Battista

Né à Vérone. Mort vers 1640 à Venise. XVIIe siècle. Italien.

Peintre de fresques.

Il exécuta des fresques dans les églises de Vérone.

LORENZETTI Pietro ou **Laurati**

Né à la fin du XIIIe siècle à Sienne. Mort en 1348 à Sienne. XIIIe-XIVe siècles. Italien.

Peintre de compositions religieuses, fresques.

Si Pietro Lorenzetti occupe par son œuvre une place considérable dans l'histoire de l'art siennois, sa biographie demeure fort obscure et se réduit pratiquement à l'énumération chronologique de ses œuvres, dont plusieurs ont d'ailleurs disparu et dont l'attribution ou la date exacte soulèvent encore beaucoup de discussions dans la critique. Il convient de remarquer qu'aucun élément d'information ne peut être tiré des anciens biographes : Ghiberti et l'Anonyme Magliabechiano sont muets à son sujet et Vasari ne le connaît pas davantage, car non seulement il ignorait qu'Ambrogio fut le frère de Pietro, mais il appelle ce dernier Pietro Laurati (de même qu'il appelle Simone Martini, Simone Memmi). Vasari attribue d'ailleurs les fresques d'Assise, l'une des œuvres les plus essentielles de Pietro Lorenzetti, à Giotto, dont Pietro était selon lui un imitateur. La première œuvre datée avec certitude est le Polyptyque exécuté en 1320 pour l'évêque d'Arezzo, la *Vierge avec plusieurs saints*, qui se trouve encore aujourd'hui à la Pieve d'Arezzo. Le prix stipulé était de 160 livres de Pise. À cette époque, on peut considérer que l'artiste avait trente-cinq ans au moins, si l'on admet que sa naissance doive se placer entre 1280 et 1285 (il serait à peu près contemporain de Simone Martini). Dans la même église, Pietro aurait encore exécuté à fresque des scènes de la Vie de la Vierge, aujourd'hui disparues. Mais avant la date de 1320 et depuis celle de 1306, à laquelle il est mentionné pour la première fois (il aurait eu alors une vingtaine d'années), comme ayant reçu 1 livre 10 sous pour une peinture sur un tableau de la Signoria, une simple restauration sans doute, on place un certain nombre d'œuvres : ainsi une *Madone et des Anges*, dans la Collégiale de Casole, la *Madone de Cortone* (que l'on date parfois de 1335), la *Madone de Castiglione d'Orcia*. On ne s'accorde d'ailleurs ni sur l'ordre, ni sur les dates. On cite encore en 1316 (il s'agit d'une date repeinte), un polyptyque, *La bienheureuse Umilta de Forenza*, conservé à la galerie des Offices à Florence et au Musée de Berlin. Autour de la date de 1320 et sur un espace de temps de quatre à cinq années, on situe : la *Madone de Montichiello*, un triptyque à fresque dans la chapelle Orsini de l'Église inférieure d'Assise, *La Madone entre saint François et l'Évangéliste*, dans la même église. C'est à cette même période qu'une opinion qui paraît assez fondée rattache une partie des célèbres fresques exécutées par Pietro Lorenzetti dans l'église inférieure d'Assise. De même que nous ne possédons aucun renseignement certain sur la vie même du maître, qui fut l'un des plus grands du XIVe siècle, nous nous trouvons dans la même indigence documentaire au sujet des fresques d'Assise, que l'on considère comme l'œuvre la plus puissante, non seulement de l'artiste, mais de l'école Siennoise. Il importe en tout cas de bien marquer le fait de ce premier séjour à Assise, au cours duquel il entra en contact avec un art différent et des conceptions sinon plus profondes, du moins de pensée plus concentrée et soutenue que celles où son inspiration avait pu puiser jusqu'alors dans sa propre école. À ce premier groupe des fresques d'Assise appartiendraient : *La Crucifixion, La Déposition, La Mise au Tombeau* et la *Résurrection.* Après 1326, Pietro Lorenzetti était de retour à Sienne, où il travailla pour le Dôme ; en 1328 il peignait la *Madone de Dofana,* en 1329 un tableau pour l'église del Carmine, un polyptyque et deux panneaux, qui lui sont peut-être antérieurs, *Sainte Agnès et sainte Catherine.* On assigne habituellement la date de 1331 à la *Crucifixion* de San-Francesco de Sienne. Des fragments d'un polyptyque, à la galerie de Sienne, sont signés et datés de 1332 *(Saint Jean Baptiste, sainte Cécile, saint Barthélémy).* En 1333, l'artiste travaillait au Dôme, pour lequel il peignit en 1335 le tableau de San-Savino. Il peignait à fresque, la même année, en collaboration avec son frère Ambrogio, son cadet d'une quinzaine d'années, la *Naissance de la Vierge et la Présentation au Temple,* sur la façade de l'Hôpital de Sienne, où deux autres fresques, le *Mariage de la Vierge* et la *Visitation* furent exécutées par Simone Martini. Puis se succèdent quelques œuvres, dont on discute la date ou même l'attribution : *L'Assomption, deux Madones trônantes, quatre Madones,* dont celle de San Pietro Ovile, celle de Grosseto, celle du Musée Poldi, Pezzoli de Milan. On peut y joindre quelques fresques, celles de l'église des Servi : le *Massacre des Innocents,* le *Banquet d'Hérode.* Voici les dates des dernières œuvres certaines : 1340, la *Madone avec l'Enfant et huit anges en adoration,* pour l'église San Francesco de Pistoia, aujourd'hui aux Offices de Florence, 1341 : Polyptyque de la *Bienheureuse Humilité,* également aux Offices, 1342 : *Nativité de la Vierge,* au Musée de l'Opéra del Duomo à Sienne ; enfin une *Sainte Lucie,* postérieure à l'année 1342. C'est après cette date que furent exécutées les fresques de la voûte de l'Église inférieure d'Assise, ou du moins dans l'opinion indiquée plus haut, la seconde partie de celles-ci ; on suppose que le maître eut recours plus ou moins complètement à la collaboration de ses élèves ; peut-être n'en a-t-il assumé que la direction. Nous n'avons plus d'autre indication bibliographique que celle de l'achat et de la revente d'une terre à Bibbiano, en 1342 et 1343. On conjecture que l'artiste mourut de la peste en 1348, âgé de 60 à 65 ans.

L'œuvre de Pietro Lorenzetti est l'une de celles qui ont exigé le plus grand effort de la critique scientifique : ses œuvres les plus importantes ont subi des dommages assez considérables, parfois des retouches qui les ont défigurées. Il est à remarquer que les fresques d'Assise, qui sont de première importance pour la connaissance et l'appréciation du génie de ce maître, ont été pendant longtemps attribuées à Pietro Cavallini ou à Puccio Capanna et que leur identification définitive n'est pas bien ancienne. On peut admettre que la formation et l'évolution de l'artiste ont eu leur point de départ dans l'influence de Duccio, se composant ensuite avec celles de Martini, lequel a certainement subi de son côté celle de Pietro, de Giovanni Pisano et enfin de Giotto, surtout après le premier séjour d'Assise. Mais la personnalité du maître se dégage suffisamment des influences de son temps pour qu'il n'y ait pas lieu de la considérer surtout dans ses caractères propres, dans ce qui constitue son originalité même. Dans le cadre de l'école siennoise, le génie de Pietro apparaît grave, austère, rude parfois, comme concentré sur l'inspiration qui l'absorbe, en contraste avec la manière de son frère Ambrogio, plus abandonné à la curiosité des êtres et des choses et plus ouvert à la joie de vivre. De fait, les figures de Pietro expriment généralement la tristesse, on ne rencontre pas le sourire sur les lèvres de ses Madones, ni de l'Enfant Jésus, ni même de ses anges. Mais il convient de se mettre en garde contre les formules trop générales, car la richesse de l'invention, mise en valeur par l'habileté technique, est là pour déjouer les affirmations systématiques et varient parfois singulièrement les aspects. Chez Pietro, par exemple, l'Enfant Jésus, tout en conservant le caractère qui convient à sa personne sacrée, s'humanise de façon touchante, rien que par la réalité du geste, la souplesse du mouvement, affirmant malgré tout la tendre note siennoise. Dans la *Vierge et les saints* de la Prève d'Arezzo, sa main saisit le voile maternel et la façon dont il regarde la Vierge, suffit, avec le geste, à donner à l'ensemble une expression de tendresse retenue mais intense. Les quatre figures de saints, graves ou réfléchies sans excès et les figures de l'Annonciation, qui surmontent l'image de la Vierge sont très belles, tant de visage que par l'attitude. Dans la Vierge trônante des Offices, le geste de l'Enfant est encore plus expressif et prépare, pour ainsi dire les attitudes aimables des Bambini qui seront l'une des grandes séductions de Raphaël. Ici, si la Vierge ne sourit pas à proprement parler, la tendresse maternelle illumine son regard et la façon dont ses deux mains tiennent l'Enfant accentue encore l'impression de familiarité affectueuse, tout en conservant la dignité que la tradition impose au peintre et que complète le mouvement sobre du manteau. La petite main sur le menton de la mère n'en constitue pas moins une innovation infiniment gracieuse. Les Anges, sans sourire eux non plus, s'harmonisent par leur expression attentive, au caractère d'ensemble du tableau. Dans la Vierge de Cortone, une troisième attitude de l'Enfant, appuyant son bras sur l'épaule maternelle, est encore pleine de tendresse et rappelle, sans l'imiter, une peinture de Duccio, à la Pinacothèque de Pérouse. Il convient donc de considérer que si la manière de Pietro peut apparaître en contraste avec la souplesse de lignes de Simone Martini ou de Duccio, si son génie accuse plus de vigueur, de recherche synthétique, du moins ce que l'on appelle sa sévérité n'exclut ni la grâce ni la douceur : on peut invoquer encore à l'appui de cette remarque les figures de sainte Agnès et de sainte Catherine, de l'Académie de Sienne, remarquablement belles dans la simplicité et la dignité de leur attitude, ou encore les scènes de la nativité de l'Opéra del Duomo. Mais c'est dans les fresques d'Assise, et sur ce point l'accord est unanime, du moins dans celles qui ne soulèvent aucun doute sur leur attribution au maître et à lui seul, que l'on peut saisir ce qui existe de plus puissant et de plus personnel dans le caractère de son génie. Il en est ainsi en particulier pour le *Crucifiement,* fresque de proportions considérables, dans laquelle on reconnaît que Pietro a touché au sublime. Jamais d'ailleurs, autant que dans cette peinture, l'artiste ne s'est montré plus essentiellement siennois. Sans amoindrir nullement l'intensité dramatique de la scène, on peut encore parler ici de féérie de couleurs : l'œil s'y enchante de toutes les gammes du bleu, du rouge, du vert, coupées de l'or qui incruste les cuirasses, le harnais des chevaux. L'éclat des tons n'exclut pas l'harmonie ; peut-être les trouvera-t-on moins nuancés, mais par contre plus vifs que dans les peintures comparables des autres maîtres. Dans le ciel d'azur paisible, pour la première fois, le Christ mort est entouré d'un essaim d'anges aux ailes déployées. Contraste saisissant avec l'ensemble infiniment gracieux de cette partie de la composition, ces anges expriment un intense désespoir : les uns sanglotent ou se voilent la face, d'autres se tordent les mains ou écartent les bras ; chacun traduit à sa manière la douleur profonde qui se lit sur les visages. Et tout autour du Crucifié, dont le visage, émouvant dans le calme de la mort, conserve encore quelques reflets de ses souffrances, c'est une foule qui se presse, anxieuse, exprimant toutes les attitudes et tous les degrés de la douleur humaine, qui, chez certains personnages, s'élève jusqu'à s'identifier avec celle des anges. La tête de la Vierge se renverse en arrière, dans un abandon qui rappelle Duccio, bien qu'avec une expression très différente. La douleur des Saintes Femmes, traduite elle aussi avec une grande variété de moyens, se partage entre la mère éplorée et son divin fils. Toute l'œuvre est un acte de foi ; elle n'en manifeste pas moins l'acuité de l'esprit d'observation dans le groupement de cette foule, concentrée dans un même élan de douleur ou de curiosité apitoyée, mais dont chaque élément est traité selon sa condition et son rôle dans le drame. Le bourreau est peut-être le seul à porter attention à sa besogne en rompant les jambes du larron. Il n'est pas une seule des figures des soldats à cheval qui soit semblable à une autre, qui ne traduise pas une émotion personnelle, une réflexion, une mentalité. Chacune des autres fresques, de celles du moins qui sont entièrement l'œuvre du maître, forme un tout complet, avec sa composition et son coloris propres ; dans chacune se révèle un aspect, parfois assez différent, du génie de l'artiste, mais toujours dans la même inspiration grave et puissante. Dans la *Descente de Croix,* la tonalité s'assombrit, le vert et le rouge disparaissent pour ainsi dire dans la prédominance de l'outremer : seul le corps divin se détache en clair, avec le vieil ivoire du manteau sur lequel il est pieusement reçu. Les mouvements semblent assouplis par rapport à la composition de Duccio : les deux figures, serrées l'une contre l'autre, de la Vierge et du Christ (la bouche de la mère est ici à l'opposé de celle du Christ et ce sont les yeux qui se trouvent sur la même ligne) sont admirables de grandeur sereine chez l'un et de douleur poignante chez l'autre. La majesté de la scène est accrue par la sévérité et la rigidité des plis, en général par l'austérité et la rudesse des lignes, cette rudesse précisément que l'on reproche parfois à Pietro, comme une ombre à son merveilleux talent. Les personnages sont en petit nombre, chacun exprime à sa manière l'élan de son âme bouleversée. La *Mise au tombeau* n'est pas d'une moindre beauté, vigoureuse et sobre. Ici, dans l'embrassement de la Vierge, les bouches ont la position rapprochée si expressive de la *Descente de Croix* de Duccio. Au-dessous du Crucifiement, Pietro a peint la *Vierge et l'Enfant entre saint François et saint Jean l'Évangéliste*. Cette fresque est une rare merveille de coloris, en bleu, or et ivoire, sur fond d'or passé, avec des roses et des verts. L'expression grave de la Vierge, qui désigne saint François de la main, est étrange et comme inquiète ; le mouvement de la main de l'Enfant, sérieux lui aussi et attentif, met une note de grâce délicate dans cet ensemble sévère, mais dont le charme transfigure entièrement l'austérité de la composition.

Bibliogr. : E. Cecchi : *Pietro Lorenzetti*, Milan, 1930 - G. Sinibaldi : *I Lorenzetti*, Sienne, 1933 - L. Venturi : *La peinture italienne, les Créateurs de la Renaissance*, Skira, Genève, 1950 - C. Volpe, in : *Paragone II*, novembre 1951 : *Prospete per il problema di P. Lorenzetti* - J. Dupont et C. Gnudi : *La peinture gothique*, Skira, Genève, 1954.

Musées : Altenburg (Lindenau Mus.) : *La Vierge et l'Enfant - Ecce Homo*, panneaux, fragments de triptyque, signé - Arezzo (Pieve) : *La Vierge et l'Enfant avec plusieurs saints* daté 1320, panneau, polyptyque signé - Assise (San Francesco. Église inférieure) : *Crucifiement*, fresque - *Descente de Croix*, fresque - *Jésus aux Limbes*, fresque - *Résurrection*, fresque - *Mise au tombeau*, fresque - *Stigmates de saint François*, fresque - *Saint François*, fresque - *Saint Côme*, fresque - *La Vierge et l'Enfant entre saint François et saint Jean Évangéliste* - *Le Crucifix entre deux armoiries et le donateur*, fresque du bas - Quatre bustes de saints, fresque - *La Vierge et l'Enfant entre saint Jean Baptiste et saint François*, fresque - Berlin : *Scènes de la vie de la bienheureuse Umilita* 1316, panneaux, fragments - Boston (coll. Perkins) : *Madone et saints*, panneau - Budapest : *La Vierge et l'Enfant Jésus* - Castiglione d'orcia (Santo Stefano) : *Madone*, panneau - Cortone (San Marco) : *Crucifix*, panneau - Dijon : *Vierge à l'Enfant*, tabernacle - Dome : *Madone trônante*, panneau - Florence (Gal. des Mus. des Offices) : *La bienheureuse Umilita* 1316, panneau - *Madone trônante* daté de 1340, panneau signé - Florence (Santa Lucia Frole Rovinate) : *Sainte Lucie*, panneau - Florence (coll. Horne) : *Trois saints*, panneau - Florence (coll. Loeser) : *La Vierge et l'Enfant*, panneau - Florence (coll. Serristori) : *La Vierge et l'Enfant*, panneau - Gênes (coll. Joeger) : *Madone et donateur*, panneau - Londres (coll. Faireax-Murray) : *Crucifiement*, panneau - Le Mans : *Sainte Marguerite*, panneau - Milan (Mus. Poldi-Pezzoli) : *Madone et Anges*, panneau - Monticchiello (Pieve) : *Madone*, panneau - Munster (Kunstverein) : *Madone*, panneau - New York (Metropolitan) : *Sainte Catherine* - Palerme (coll. Chiaramonte Bordanaro) : *Madone et saints*, panneau - Philadelphie (coll. I. C. Johnson) : *La Vierge et l'Enfant avec donateur* - *Huit saints* - *L'Annonciation* - Rome (Mus. Chrétien) : *Le Christ devant Pilate*, panneau - Rome (coll. Stroganoff) : *Deux bustes de prophètes*, panneau - Sant'ansano A Dofana (près de Sienne) : *La Vierge trônante avec saint Nicolas, saint Elie et quatre anges* daté de 1329, panneau, signé - Sienne : *Saint Jean Baptiste* - *Saint Barthélémy* - *Sainte Catherine* - *Scènes de la légende des Carmélites* - *Sainte Agnès* - *Saints*, attr. - *Paysage*, attr. - *Une ville*, attr. - *Apôtre*, attr. - *Crucifixion*, attr. - Sienne (Gal. comm.) : *La Vierge et l'Enfant*, panneau - *La Vierge et l'Enfant, avec des anges*, panneau - *Saint Jean Baptiste, sainte Cécile, saint Barthélémy* signé et daté de 1332, trois pan., fragments de polyptyque - Quatre scènes de l'histoire des Carmélites 1329, panneaux, fragments de prédelle - *Sainte Agnès*, panneau - *Reine martyre*, panneau - Sienne (Mus. de l'Opéra del Duomo) : *Naissance de la Vierge* signé et daté de 1342, panneau - Sienne (San Francesco) : *Le Crucifiement*, fresque - Sienne (San Pietro Ovile) : *La Vierge et l'Enfant*, panneau - Sienne (Séminaire, réfectoire) : *Le Christ ressuscité*, fresque - Signa (Italie. coll. Perkins) : *La Vierge et l'Enfant*, panneau.

Ventes Publiques : Londres, 16 jan. 1925 : *La Vierge et l'Enfant entourés de saints* : **GBP 131** - Londres, 7 déc. 1960 : *La Présentation au Temple* : **GBP 5 800** - Londres, 24 mars 1961 : *La Vierge et l'Enfant* : **GBP 1 680** - Londres, 9 déc. 1994 : *Sainte Élisabeth de Hongrie ressuscitant un enfant tombé dans un puits*, temp./pan. (19x16,8) : **GBP 47 700** - New York, 30 jan. 1997 : *Le Christ intronisé devant un franciscain*, fond or, temp./pan. (33x14) : **USD 717 500.**

LORENZETTI Ugolino. Voir **UGOLINO-LORENZETTI**

LORENZETTO di Ludovico. Voir **LOTTI Lorenzo di Ludovico di Guglielmo**

LORENZI. Voir aussi **LORENZO**

LORENZI Alberto Fabio ou **Fabius**

Né à Florence. xxe siècle. Italien.

Peintre et dessinateur humoriste.

Il travaille aussi en France et expose au Salon des Indépendants.

Ventes Publiques : Paris, 8 mars 1919 : *Les deux papillons*, aquar. : **FRF 16.**

LORENZI Antonio di Gino

Né à Settignano. Mort le 19 septembre 1583 à Florence. xvie siècle. Italien.

Sculpteur.

Parmi ses œuvres on mentionne le tombeau de *Matteo Corte* au Camposanto de Pise. Il collabora aux décorations de la villa di Castello près de Florence (groupe de fontaine : *Esculape* et *Amours*).

LORENZI Battista di Domenico, appelé **Battista Giovanni del Cavaliere**

Né en 1527 ou 1528 à Settignano. Mort le 7 janvier 1594 à Pise. xvie siècle. Italien.

Sculpteur.

On cite de ses œuvres à Florence, à l'église S. Croce où il travailla au tombeau de Michel-Ange, ainsi qu'au Dôme de Pise.

LORENZI Francesco

Né en 1723 à Vérone. Mort en 1787 à Vérone. xviiie siècle. Italien.

Peintre de compositions religieuses, fresquiste.

Il fut élève de Tiepolo. On cite de lui une *Sainte Famille* à Brescia et des fresques à Vérone.

Ventes Publiques : Milan, 20 mai 1982 : *Paysage à la fontaine animé de personnages* ; *Diane et nymphes dans un paysage*, h/t, une paire (57x45) : **ITL 11 500 000** - New York, 14 jan. 1993 : *Apparition de la Vierge à saint Philippe Neri*, h/t (57,8x31,5) : **USD 22 000.**

LORENZI Giovanni Battista

Né en 1741 à Vérone. Mort le 27 janvier 1773 à Vérone. xviiie siècle. Italien.

Peintre.

La Pinacothèque du Palazzo comunale de Vérone conserve de sa main un tableau *La Fille de Jephté*, et l'Oratorio dei Colombini, une *Annonciation avec saint François d'Assise et saint Antoine de Padoue*.

LORENZI Lorenzo

Né à Volterra. xviiie siècle. Actif vers 1760. Italien.

Graveur.

Élève de Cigna. Il grava une partie de la collection du marquis Gerini.

LORENZI Lorenzo

xviiie siècle. Italien.

Graveur et dessinateur.

Il était abbé. Il grava d'après A. Caracci, G. Manozzi et autres artistes. Peut-être identique au précédent.

LORENZI Paolo de

Né en 1733. xviiie siècle. Italien.

Peintre.

Il privilégia les tableaux d'église.

LORENZI Stoldo di Gino

Né en 1534 à Settignano. Mort en septembre 1583 à Pise. xvie siècle. Italien.

Sculpteur.

Il travailla à Florence, Milan et Pise.

LORENZINI Gioan Antonio ou **Gianantonio**, appelé en religion **Fra Antonio**

Né en 1665 à Bologne. Mort en 1740 à Bologne. xviie-xviiie siècles. Italien.

Peintre de compositions religieuses, graveur, dessinateur.

Il fut élève de Pasinelli. Il collabora avec Th. Verkuys et Mogalli, à Florence, à la gravure des peintures de la galerie du grand duc de Toscane.

Ventes Publiques : New York, 12 jan. 1990 : *L'histoire de Joseph*, sanguine (38,5x53,3) : **USD 4 125.**

LORENZINO. Voir **SABBATINI Lorenzo**

LORENZL Josef

Né en 1892. Mort en 1950. xxe siècle. Allemand (?).

Sculpteur de figures, nus.

Ventes Publiques : Londres, 20 juil. 1976 : *Danseuse*, bronze (H. 66) : **GBP 240** – New York, 26 mai 1983 : *La Charmeuse de serpents*, bronze patine noire (H. totale 64,8) : **USD 1 800** – Londres, 2 mai 1985 : *Danseuse nue* vers 1930, bronze émaillé (H. 70) : **GBP 1 900** – Londres, 16 mai 1986 : *Jeune femme nue avec trois chiens*, bronze (H. 33,5) : **GBP 3 000** – Paris, 21 mars 1996 : *Danseuse nue*, bronze (H. 67,5) : **FRF 8 000**.

LORENZO. Voir aussi **LORENZI**

LORENZO, di. Voir aux prénoms qui précèdent

LORENZO Antonio
Né en 1922. xxe siècle. Espagnol.
Peintre de compositions animées.
Il fut élève de l'École des Beaux-Arts de Madrid. Il participe à des expositions collectives depuis 1957, en Espagne et dans de nombreux pays du monde, notamment : 1964 XXXIIe Biennale de Venise ; 1965, 1967, 1969 Biennale Internationale d'Arts Graphiques de Lubljana ; 1966 XXXIIIe Biennale de Venise, et Biennale de Tokyo ; etc. Il montre des ensembles de ses œuvres dans des expositions personnelles : 1956, 1957, 1958, 1960, et presqu'annellement à Madrid ; 1960 Los Angeles ; 1968 Melbourne ; 1969 New York ; 1971 Rome ; ainsi que dans de nombreuses villes d'Espagne.
Dans des gammes de tons pastel et une technique minutieuse, il figure des petits personnages de science-fiction, parfois par ribambelles, et leurs équipements.
Bibliogr. : Catalogue de l'exposition *Antonio Lorenzo*, gal. Kreisler-Dos, Madrid, 1981.
Musées : Madrid (Mus. d'Art Contemp.) – Madrid (BN) – New York (Mus. d'Art Mod.) – New York (Brooklyn Mus.) – Séville (Mus. d'Art Contemp.) – Skopje (Mus. d'Art Contemp.) – Villafames (Mus. d'Art Contemp.).
Ventes Publiques : Madrid, 10 juin 1993 : *Tableau 270* 1961, h/pan. (60x90) : **ESP 460 000**.

LORENZO Fiorenzo di. Voir **FIORENZO di Lorenzo**

LORENZO Francesco, appelé aussi **Lorenzo da Verona**
Né en 1719 à Vérone. xviiie siècle. Italien.
Peintre d'histoire, de sujets allégoriques et de paysages.
Peut-être identique à Lorenzi (Francesco).

LORENZO Tommaso di
Né le 15 octobre 1841. Mort en janvier 1922 à Rome. xixe-xxe siècles. Italien.
Graveur.

LORENZO de Aera. Voir **AERA Lorenzo de**

LORENZO d'Alessandro da Severino. Voir **SAN SEVERINO**

LORENZO de Bao. Voir **BAO**

LORENZO di Barducci. Voir **CREDI Lorenzo di**

LORENZO di Bartoluccio. Voir **GHIBERTI Lorenzo**

LORENZO di Bicci. Voir **BICCI**

LORENZO da Bologna ou **Lorenzino**. Voir **SABBATINI Lorenzo**

LORENZO di Cione. Voir **GHIBERTI Lorenzo**

LORENZO di Credi. Voir **CREDI Lorenzo di**

LORENZO de' Fasoli. Voir **FASOLO Lorenzo da Pavia**

LORENZO di Giacomo
xve siècle. Français.
Peintre d'histoire.
Élève de Masaccio. L'église de Santa Maria della Verita, à Viterbe, conserve de lui : *Mariage de la Vierge*.

LORENZO di Giovanni d'Ambrogio
xive-xve siècles. Italien.
Sculpteur.
Il travailla au Dôme de Florence. Probablement identique à Giovanni d'Ambrogio da Firenze.

LORENZO di Jacopo di Pietro Paolo. Voir **LORENZO da Viterbo**

LORENZO di Lando. Voir l'article **PIETRO di Lando**

LORENZO di Mariano Fucci. Voir **MARRINA Lorenzo**

LORENZO de Matelica. Voir **CAROLIS Lorenzo di Matelica Giovanni de**

LORENZO Monaco, dom ou **Monaco Lorenzo**, pseudonyme de **Piero di Giovanni**
xive-xve siècles. Italien.
Enlumineur.
Moine du monastère des Anges à Florence, il fut célèbre dès le début du xve siècle et enlumina un grand nombre de livres pour un monastère. Il exécuta aussi plusieurs tableaux du style de Taddeo Gaddi et de son école. Parmi les livres du chœur du monastère se trouve un « Diurno Domenicale » marqué *H.* et embelli de quarante-quatre fort belles miniatures qui sont sans doute de la main de Lorenzo. On a répété fort souvent que ce dernier eut Taddeo Gaddi pour maître. Or Taddeo Gaddi mourut en 1350 à l'âge de cinquante-quatre ans. Les premières œuvres de don Lorenzo sont datées de 1413 et l'on sait qu'il mourut à l'âge de cinquante-cinq ans. Il n'est pas question de pouvoir confondre les travaux de dom Lorenzo avec deux des enlumineurs qui le précédèrent. Dom Silvestro et dom Jacopo qui travaillèrent avec habileté aux livres de chœur du monastère des Anges ne sont que de simples enlumineurs qu'il est impossible de comparer à dom Lorenzo.
Sur ces vingt livres de chœurs, véritables bijoux de l'art, deux seulement nous sont parvenus. Les autres ont subi l'œuvre du temps. On y trouve la trace de plusieurs genres de peinture et certainement un grand nombre d'enlumineurs y travaillèrent. Si entre 1409 et 1413 il se consacra essentiellement à l'enluminure, il était aussi capable de composer des fresques (couvent des Oblates à Florence), des retables et des tableaux d'autel. Ces œuvres reprennent le coloris lumineux des enluminures et montrent son sens du volume et sa connaissance des effets lumineux. Tandis qu'à ses débuts, il fut influencé par l'art d'Orcagna, il fut lui-même le maître de Fra Angelico.
Musées : Altenburg : *Crucifixion – La fuite en Égypte* – Bergame (Carrara) : *Christ au tombeau* – Berlin (Kaiser Friedrich Mus.) : *Vierge avec saints* – Bonn : *Sainte Marie-Madeleine* – Budapest : *Crucifixion – Ermites dans la Thébaïde* – Cambridge (Fitzwilliam) : *Vierge et deux anges* – Copenhague (Thorwaldsen) : *Vierge* – Fiesole (Bandini) : *Crucifixion* – Florence (Mus. des Offices) : *Vierge avec saints – Le couronnement de la Vierge – L'adoration des mages* – Florence (Acad.) : *L'Annonciation – Saint Onofrius – Nativité – Miracle de saint Nicolas – Crucifixion* – deux œuvres – *Christ au tombeau* – Florence (Ferroni) : *Crucifixion* – Francfort-sur-le-Main (Städel Inst.) : *Christ bénissant* – Kassel : *Le roi David jouant de la harpe* – Londres (Nat. Gal.) : *Groupe de saints* – deux œuvres – *La légende de saint Benoît – Mort de saint Benoît – Couronnement de la Vierge* – Moscou (Roumiantzeff) : *Vierge* – New York (Metropolitan Mus.) : *Vierge et deux anges* – Paris (Mus. du Louvre) : *Le Christ au jardin des Oliviers – Les Saintes femmes préparant le tombeau – La Vierge au lait* – Prato : *Vierge avec anges et saints* – Rome (Vatican) : *Crucifixion – La légende de saint Benoît* – Sienne (Acad.) : *Vierge avec saints* – Turin (Mus. mun.) : *Vierge et deux saints* – Vienne (gal. Liechtenstein) : *Annonciation – Vierge et deux anges*.
Ventes Publiques : Londres, 13 juil. 1923 : *La Vierge et l'Enfant assis sur ses genoux* : **GBP 388** – Paris, 1er juin 1951 : *Vierge et Enfant adorés par de saints personnages* : **FRF 650 000** – Londres, 27 juin 1962 : *Le roi David jouant des psaumes* : **GBP 24 000** – Londres, 24 mars 1965 : *La Vierge et l'Enfant* : **GBP 32 000** – Londres, 8 juil. 1987 : *Le Prophète Isaï*, temp./pan., de forme ronde (diam. 19,5) : **GBP 250 000**.

LORENZO da Mugiano
xvie siècle. Actif à Milan. Italien.
Sculpteur.
Une statue de Louis XII exécutée pour le château de Gaillon, et maintenant au Louvre est signée de cet artiste et datée de 1508. On mentionne également de lui une série de médaillons pour Grenoble.

LORENZO di Niccolo. Voir **GERINI Lorenzo**

LORENZO d'Oderigo. Voir **CREDI Lorenzo di**

LORENZO da Pavia
xvie siècle. Italien.
Peintre.
Probablement l'auteur d'une peinture signée *Laurentius Papiensis*, datant vraisemblablement de 1550 et se trouvant dans une église de Savone.

LORENZO da Pavia. Voir aussi **FASOLO Lorenzo**

LORENZO di Pietro. Voir **VECCHIETTA il**

LORENZO di San Severino. Voir **SAN SEVERINO**

LORENZO della Sciorina. Voir **SCIORINI**

LORENZO Tedesco
D'origine allemande. XVIe siècle. Travaillant probablement à Rome. Italien.
Sculpteur sur bois.
Il a sculpté deux anges dans l'église S. Spirito in Sassia de Rome.

LORENZO Veneziano
XIVe siècle. Actif entre 1357 et 1379. Italien.
Peintre de compositions religieuses, fresques. Gothique international.
On suppose qu'il fut élève de Paolo Veneziano, et qu'il séjourna à Vérone vers 1350.
L'un de ses premiers ouvrages est un tableau d'autel, une *Annonciation* terminée en 1358, qui fut peinte dans l'église San Antonio di Castello. Il est l'auteur d'un polyptyque qui illustre la *Dormition de la Vierge* et des *Saints* au dôme de Vicence. On mentionne encore de lui : *Saint Pierre, Saint Marc, Le mariage mystique de sainte Catherine* 1359. Ses tableaux peints sur bois montrent des fonds or empruntés à l'art byzantin.
Bibliogr. : In : *Diction. de la peinture italienne*, coll. Essentiels, Larousse, Paris, 1989.
Musées : Berlin : *Saints – Scènes de la vie de saint Pierre et de saint Paul* – Bologne (Pina.) – Milan (Gal. Brera) : *Le Couronnement de la Vierge* – Paris (Mus. du Louvre) : *La Vierge sur son trône* 1373 – Venise (Mus. Correr) : *Le Seigneur sur un trône, entouré de saints et d'anges* 1369 – Venise (Acad. des Beaux-Arts) : *Annonciation* 1361 – *Mariage mystique de sainte Catherine – Polyptyque de l'Annonciation* 1358.
Ventes Publiques : New York, 27-28 mars 1930 : *Saint Jean Baptiste et sainte Catherine d'Alexandrie* : **USD 3 200** ; *Saint Auguste et saint Pierre* : **USD 3 200** – Londres, 2 juil. 1976 : *Crucifixion (panneau central), L'Annonciation, La Sainte Trinité, La Vierge à l'enfant, La Conversion de St Paul (panneaux latéraux)*, pan. fond or à frontons cintrés, Triptyque, cadre gothique (h. 83,5, l. totale 59,8) : **GBP 38 000** – Milan, 3 déc. 1992 : *Crucifixion avec la Vierge et Saint Jean Évangeliste*, temp./pan. à fond or (30x14,5) : **ITL 56 500 000**.

LORENZO da Verona. Voir **LORENZO Francesco**

LORENZO da Viterbo ou **Lorenzo di Jacopo di Pietro Paolo da Viterbo**
XVe siècle. Italien.
Peintre de compositions religieuses, fresques.
Il travailla à Viterbe, dans le Latium entre 1437 et 1470.
En 1469, il termine des fresques pour la chapelle Mazzatosta à l'église Santa Maria della Verita de Viterbe, dont le thème est la *Vie de la Vierge* ; en 1472, il peint la *Vierge entre saint Michel et saint Pierre*, pour le maître-autel de l'église San Michele à Cerveteri. L'*Annonciation* s'inspire du style relativement libre de Melozzo da Forli. On lui attribue des fresques à Sainte-Marie-Majeure à Rome, où il aurait pu rencontrer Melozzo. Mais parmi ses fresques, le sujet le plus remarquable est le *Mariage de la Vierge*, œuvre vivante, naturaliste, à la composition bien définie, aux volumes sculpturaux, selon un art qui rappelle celui de Piero della Francesca.
Bibliogr. : A. Chastel, in : *Dictionnaire de l'Art et des Artistes*, Hazan, Paris, 1967.
Musées : Budapest : *Crucifixion avec la Vierge et saint Jean.*

LORENZO de Zaragoza, appelé aussi **Llorenc de Zaragoza**
Né vers 1340 à Carinena (Saragosse). Mort après 1405. XIVe-XVe siècles. Espagnol.
Peintre de compositions religieuses.
Il eut une importante activité en Catalogne, en Aragon, et dans la région de Valence, entre 1363 et 1405 : il est mentionné de 1366 à 1374 à Barcelone ; il devint en 1367 peintre de la cour des rois d'Aragon et en 1373 peintre de Petro III.
Il manifesta une dévotion particulière pour l'iconographie mariale. Le seul ouvrage que l'on puisse peut-être lui attribuer est le *Retable de la Vierge* 1395-1396, dans l'église de Jérica, à Teruel (Aragon).
Bibliogr. : In : *Dictionnaire de la peinture espagnole et portugaise du Moyen-Âge à nos jours*, coll. Essentiels, Larousse, Paris, 1989.

LORENZONI Peter Anton
Né vers 1721 à Trente. Mort le 18 janvier 1782 à Salzbourg. XVIIIe siècle. Actif à Salzbourg. Autrichien.
Peintre.
On cite parmi ses œuvres des tableaux d'autel à Mariaberg, près de Burghausen, ainsi qu'à Saint-Gilden, Strobl, etc.
Musées : Salzbourg (Gal. de la Résidence) : *Saint Sébastien*, sépia.

LORETI David
Né à Fabriano. Mort après 1760 à Rome. XVIIIe siècle. Italien.
Peintre de portraits.
On cite parmi ses œuvres le portrait du *Père général des Jésuites Ignazo Visconsti*, gravé par A. Faldoni.

LORETTE
Né au XIXe siècle à Saint-Servan (Ille-et-Vilaine). XIXe siècle. Français.
Paysagiste.
Il exposa au Salon en 1839.

LORGE Bernard
Né en 1953 à Anthée (Dinant). XXe siècle. Belge.
Peintre.
Il fut élève de Jo Delahaut à l'Académie de La Cambre à Bruxelles. Il a obtenu le Prix de la Vocation en 1976, le Prix de la Jeune Peinture Belge la même année, le Prix Louise Dehem de l'Académie Royale de Belgique en 1978. En 1991, l'Atelier 56 de Tournai a montré une exposition individuelle de ses œuvres.
Dans ses peintures, il est surtout attentif au travail de la matière pigmentaire.
Bibliogr. : In : *Diction. biograph. illustré des artistes en Belgique depuis 1830*, Arto, Bruxelles, 1987.

LORI. Voir aussi **LORY**

LORI Guglielmo Amedeo
Né en 1866 à Pise. Mort le 13 janvier 1913 à Viareggo. XIXe-XXe siècles. Italien.
Peintre de paysages.
La Galerie d'Art Moderne à Florence conserve de sa main : *Padule d'Arnino.*

LORIA Vincenzo
Né le 4 septembre 1850 à Salerne. XIXe siècle. Italien.
Peintre de genre, paysages, paysages d'eau, marines, aquarelliste.
Il fut élève de Morelli à Naples. Il a exposé à Milan, Turin, Naples et Venise.
Ventes Publiques : New York, 25 oct. 1984 : *Scène de harem*, h/t mar./cart. (60,6x100) : **USD 8 000** – Rome, 14 déc. 1988 : *Paysage*, aquar./pap. (56x28,5) : **ITL 2 000 000** – Londres, 6 oct. 1989 : *La baie de Naples avec Castel dell'Ovo*, h/t (38x58) : **GBP 3 300** – Rome, 12 déc. 1989 : *La baie de Naples avec un couple bavardant un premier plan et le Vésuve au fond*, h/t (37,5x68,5) : **ITL 6 800 000** – Milan, 30 mai 1990 : *Barques de pêche avec Capri au fond*, h/t (40x60) : **ITL 3 200 000** – Rome, 24 mars 1992 : *Marine avec des pêcheurs*, h/t/cart. (29x42) : **ITL 3 220 000** – New York, 28 mai 1992 : *La pêche*, h/t (55,2x74,9) : **USD 5 500** – Rome, 19 nov. 1992 : *La remontée des filets*, h/pan. (51x24,5) : **ITL 2 875 000** – Rome, 5 déc. 1995 : *La leçon d'arithmétique*, aquar./pap. (33x46) : **ITL 6 482 000** – New York, 18-19 juil. 1996 : *Débarquement de la pêche du jour*, h/t (81,3x54) : **USD 2 300** – Rome, 11 déc. 1996 : *Retour de pêche*, h/t (90x51) : **ITL 4 077**.

LORIAC Virginie
Née au XIXe siècle à Sancerre (Cher). XIXe siècle. Française.
Peintre de genre et aquarelliste.
Elle débuta au Salon en 1879. Le musée de Perpignan conserve d'elle : *Un pansement.*

LORICH Melchior ou **Lorichs**. Voir **LORCH**

LORICHON Constant Louis Antoine
Né le 20 octobre 1800 à Paris. XIXe siècle. Français.
Graveur.
Élève de Forster. Il obtint le premier prix de Rome en 1820. Il exposa au Salon de 1824 à 1855 et obtint une médaille de deuxième classe en 1827 et une médaille de première classe en 1836.

Cachet de vente

LORICK Melchior. Voir **LORCH**

LORIE Victor Salomon Libertus
Né le 28 février 1835 à Francfort-sur-le-Main. Mort en 1913 à Montreux. XIXe-XXe siècles. Allemand.

Peintre, aquafortiste et écrivain.
Il peignit des portraits de dignitaires turcs et égyptiens et des scènes d'Orient. On mentionne ses eaux-fortes, des *Récits de Noël* de J. de Liefde. Il fut professeur et directeur de l'École des Beaux-Arts de Munich, puis devint l'un des chefs de l'École de Düsseldorf.

LORIERE Janine de
Née le 21 mai 1929 à Paris. XXe siècle. Active aussi à Rome. Française.
Peintre de sujets fantastiques.
Elle se forme à l'académie de la Grande Chaumière, puis pratique la peinture sur acier à grand feu et réalise des œuvres à sujets imaginaires qu'elle expose depuis les années 1970 dans diverses galeries d'Europe, et surtout en Italie.

LORIERS André
Né en 1926 à Laar (Landen). XXe siècle. Belge.
Peintre de figures, nus, paysages, paysages oniriques. Tendance fantastique.
Il reçut une formation technique auprès de Jos Knaepen. Il expose au Salon du Brabant et obtint des Prix régionaux. Il est chevalier de l'Ordre de Léopold II.
Bibliogr. : In : *Diction. biograph. illustré des artistes en Belgique depuis 1830*, Arto, Bruxelles, 1987.

LORIEUX Albert
Né le 13 septembre 1862 à Paris. XIXe-XXe siècles. Français.
Peintre de compositions animées.
Il fut élève de Gaston La Touche. Il exposait à Paris, au Salon des Artistes Français, dont il fut médaillé en 1909.
Ventes Publiques : Londres, 6 juin 1990 : *Rêverie auprès des cygnes*, h/t (77x76,5) : **GBP 4 400** – Paris, 20 déc. 1993 : *Femme près d'une fenêtre*, h/t (73x61) : **FRF 4 500**.

LORIEUX F. B.
XVIIIe-XIXe siècles. Français.
Graveur.
Il fit des illustrations de livres parmi lesquels on cite pour Choiseul-Gouffier : *Voyage pittoresque de la Grèce*, et pour Louvet de Couvray, *Vie du C. de Faublas*. Il grava d'après Claude Lorrain et autres artistes.

LORIEUX Julien Auguste Philibert
Né le 31 décembre 1876 à Paris. Mort le 30 avril 1915 à Toul (Meurthe-et-Moselle). XXe siècle. Français.
Sculpteur de figures, bustes.
Il fut élève de Alexandre Falguière, René X. Prinet, Antonin Mercié. Il exposait à Paris, au Salon des Artistes Français, mention honorable 1897, sociétaire 1899, mention honorable 1900 pour l'Exposition Universelle, médailles 1901 et 1902, bourse de voyage 1902, médaille de première classe 1907.
Musées : Digne : *Portrait de Marius Soustre – Jeune des Basses-Alpes.*
Ventes Publiques : Lokeren, 10 oct. 1992 : *Le sculpteur*, bronze à patine brune (H. 59, l. 25) : **BEF 60 000** – Lokeren, 20 mars 1993 : *Le sculpteur*, bronze (H. 59, l. 25) : **BEF 30 000**.

LORIGNES. Voir **GUÉRIN de LORCIGNES**

LORIMER John Henry
Né en 1856 ou 1857 à Édimbourg (Écosse). Mort en 1936. XIXe-XXe siècles. Britannique.
Peintre de genre, portraits.
Venu en France, à Paris il fut élève de Carolus Duran et exposa au Salon, obtenant des médailles en 1893, 1896, 1900 pour l'Exposition Universelle.
Musées : Édimbourg : *Instinct maternel* – Glasgow : *Rév. P.H. Waddel* – Melbourne : *Berceuse* – Paris (Mus. d'Orsay) : *Bénédicité – Portrait de A. Thomson* – Philadelphie : *La Onzième heure* – Rochdale : *Chut !*
Ventes Publiques : New York, 19 oct. 1984 : *Vue d'un intérieur au crépuscule*, h/t (115x88,9) : **USD 5 750** – Glasgow, 12 déc. 1985 : *The garden, Kellie Castle* 1892, h/t (127x101,5) : **GBP 22 000** – Édimbourg, 22 nov. 1988 : *Nature morte avec des tulipes dans un verre*, h/t (43,2x36,2) : **GBP 4 200** – Glasgow, 6 fév. 1990 : *Septembre*, h/t (13 2x91,5) : **GBP 48 400** – Londres, 13 fév. 1991 : *Les chercheurs de champignons* 1886, h/t (100x125) : **GBP 19 800** – Londres, 16 juil. 1991 : *Un chien et un miroir* 1896, h/t (127x96,5) : **GBP 15 400** – Montréal, 19 nov. 1991 : *Portrait d'une petite fille tenant un rameau* 1881, h/t (116,8x76,2) : **CAD 2 750** – Perth, 30 août 1994 : *Dans le parc* 1903, h/t (55x46) : **GBP 2 300**.

LORIMIER Étienne de, chevalier
Né en 1759 à Paris. Mort le 12 mai 1813 à Paris. XVIIIe-XIXe siècles. Français.
Peintre de paysages et d'architectures.
Il commença à exposer au Salon de la Jeunesse de 1784, puis au Salon de 1791 à 1812 et obtint une médaille de deuxième classe en 1806. Dans les catalogues, il dit être élève de Jean Baptiste Hué. Dans beaucoup d'œuvres de cet artiste les figures sont de Taunay.
Ventes Publiques : Paris, 2 juil. 1947 : *La Vivandière*, figures de Taunay : **FRF 4 100** – New York, 20 mai 1993 : *Paysage avec la Villa Borghèse ; Le temple de Diane dans le parc de la Villa Borghèse*, h/t, une paire (118,1x90,8) : **USD 68 500**.

LORIMIER Henriette
Née en 1775 à Paris. Morte en 1854. XVIIIe-XIXe siècles. Française.
Peintre de portraits.
Élève de Regnault, elle fut peintre de la cour impériale de Napoléon Ier. Elle exposa au Salon de Paris, entre 1800 et 1814, obtenant une médaille en 1809.
Musées : Malmaison (coll. de l'impératrice) – Versailles : *Portrait de Ponqueville.*
Ventes Publiques : Avignon, 6 déc. 1986 : *Portrait d'une dame de qualité sur sa terrasse* 1817, h/t (111x90) : **FRF 22 000** – Étampes, 12 déc. 1993 : *Portrait de Nicolas Lupot* 1805, h/t (80x65) : **FRF 78 000** – Paris, 1er déc. 1997 : *Portrait de la marquise de Reinepont* 1817, h/t (112x92) : **FRF 42 000**.

LORIN Georges
Né vers 1870. XIXe siècle. Français.
Peintre de sujets allégoriques, compositions à personnages. Préraphaélite, symboliste.
En 1892 et 1893, il participa aux deux premiers salons de la Rose-Croix chez Durand-Ruel.
Ses sujets semblent appartenir au domaine du rêve, que ce soit *La maison qui vole* ou *Le cauchemar* ou *La Veuve*, dont le mari ramène la femme infidèle vers sa tombe.
Bibliogr. : Gérald Schurr, in : *Les Petits Maîtres de la peinture 1820-1920, valeur de demain*, Les Éditions de l'Amateur, t. IV, Paris, 1979.

LORIN Marie-Louise
Née en 1913 en Savoie. XXe siècle. Française.
Peintre, aquarelliste de paysages.
Elle fut élève de l'École des Beaux-Arts de Saint-Étienne et de l'affichiste Paul Colin à Paris. Elle vit et travaille à Paris et à Mougins. Elle effectue de très nombreux voyages dans le monde entier, d'où elle rapporte esquisses et peintures. Elle participe à des expositions collectives, dont, à Paris depuis 1960, le Salon d'Automne et celui des Indépendants dont elle devint sociétaire, ainsi qu'à des groupes dans des villes de la Côte d'Azur et de Provence.

LORIN Nicolas
Né vers 1815. Mort en octobre 1882 à Chartres (Eure-et-Loir). XIXe siècle. Français.
Peintre verrier.

LORIN Philippe
Né en 1933. XXe siècle. Français.
Peintre, illustrateur.
Il travaille et expose à Paris et Marseille.
Il a illustré de nombreux ouvrages littéraires, dont : *Les Chansons du Cœur Épris* de Bernard de Ventadour.
Ventes Publiques : Paris, 25 mai 1976 : *Le petit port*, deux toiles, formant pendants (38x55) : **FRF 3 400**.

LORIN Roger
Né en 1931 à Neuville-les-Dames (Ain). Mort en 1991 à Chirens (Isère). XXe siècle. Français.
Peintre, sculpteur.
Il fut élève de l'École des Beaux-Arts de Lyon, puis de celle de Paris.
Son œuvre s'oriente sur des finalités d'intégration architecturale. Il a créé les *Luminographes.*

LÕRINCG von BARANYA Gusztav
Né le 14 juillet 1886. XXe siècle. Hongrois.
Peintre de figures, sculpteur.
Il étudia à Budapest et à Munich.

LORING Francis William
Né en 1838 à Boston. Mort en 1905 à Meran (Tyrol). XIXe siècle. Américain.

Peintre de paysages.
Il vécut à Florence. Le Musée de Boston possède deux tableaux de sa main.

LORING John
Né le 23 novembre 1939 à Chicago. xxe siècle. Américain.
Peintre, graveur. Tendance pop art.
Il fut élève de la Yale University en 1960. De 1961 à 1964, il fut élève de Roger Chastel à l'École des Beaux-Arts de Paris, et de l'atelier de gravure de Johnny Friedlaender. Il a exposé à Paris en 1964, 1968 ; à Vienne et Venise en 1967.

LORING William Cushing
Né le 10 août 1879 à Newton-Center (Massachusetts). xxe siècle. Américain.
Peintre.
Il étudia à New York, Boston, Londres et Paris. Il était membre de la Fédération Américaine des Arts. Certaines universités, dont celle de Harvard, conservent de ses œuvres.

LORIO Camillo
xviiie siècle. Actif à Udine (Frioul) à la fin du xviiie siècle. Italien.
Peintre.
L'église della Vigna à Udine lui doit des fresques.

LORIOL Albert Francisque Michel
Né le 21 octobre 1882 à Clermont-Ferrand (Puy-de-Dôme). xxe siècle. Français.
Peintre.
Il fut élève de Fernand Cormon à l'École des Beaux-Arts de Paris, où il remporta le deuxième second Grand Prix de Rome en 1912. Exposant à Paris, au Salon des Artistes Français, il y obtint une médaille d'argent en 1914.
Ventes Publiques : Paris, 6 juil. 1993 : *Bords de rivière*, h/pan. (23,5x32) : **FRF 14 800**.

LORIOT François
xxe siècle. Français.
Artiste, créateur d'installations.
Il vit et travaille à Nantes.
Il a participé en 1998 au Centre d'Art de Tanlay, à l'exposition collective *Le Champ des Illusions*, avec Chantal Mélia, Markus Raetz. Seul, il a exposé à plusieurs reprises et présente, depuis le début des années quatre-vingt-dix, des œuvres conçues avec Chantal Mélia en 1992 à l'Artothèque de Nantes ; en 1993 à l'Institut français de Cologne ; en 1993 au musée municipal de La Roche-sur-Yon ; en 1994 au musée du Triangle à Rennes et à la galerie Jacqueline Moussion à Paris ; en 1996 à l'Espace des arts de Colomiers, au Réverbère de Lyon, au Centre d'art contemporain de Le Crestet et à la galerie Jacqueline Moussion à Paris.
Il a abandonné depuis quelques années son travail personnel pour réaliser avec Chantal Mélia des installations. Ensemble, ils mettent en scène les jeux d'ombre et de lumière, s'intéressent à mêler réel et virtuel. Ils réunissent au sol ou sur un socle des objets de toutes sortes collectées aux puces, de façon désordonnée, y intègrent quelques miroirs cassés, des lumières, et au mur projettent la reproduction d'un des éléments de l'assemblage.
Bibliogr. : Jean Marc Huitorel : *François Loriot/Chantal Mélia*, Artpress, n° 196, Paris, nov. 1994 – Manuel Jover : *Mélia et Loriot : lumineux*, Beaux-Arts, Paris, n° 128, nov. 1994.

LORIOUX Félix
Né en 1872 à Angers (Maine-et-Loire). Mort en 1964. xxe siècle. Français.
Dessinateur, illustrateur.
Il fut élève à l'École des Beaux-Arts d'Angers. En 1984, une exposition au Centre Pompidou, à la Galerie Lebrun-Jouve à Paris et au musée des Beaux-Arts d'Angers, a permis de redécouvrir cet artiste.
Sa rencontre avec Draeger à Paris, l'orienta vers la publicité à partir de 1907, tandis qu'il commençait à faire des illustrations pour des journaux et des livres pour enfants. En 1913, il illustre son premier livre : *Jean l'Ours*, puis en 1920, ses premiers contes en couleurs. À partir de 1928, il illustre pour Hachette, les grands classiques, comme *Don Quichotte* ou *Robinson Crusoë*. Vers 1930, il collabore à la *Semaine de Suzette*. Son œuvre laisse une place importante aux animaux et sa *Poule sur un mur* de 1919 a très certainement inspiré Walt Disney, qui avait rencontré Lorioux à Paris pendant la Première Guerre mondiale. Il en est de même pour le *Donald Duck* de Disney qui doit beaucoup au canard de Lorioux.
Bibliogr. : Gérald Schurr, in : *Les Petits Maîtres de la peinture 1820-1920, valeur de demain*, Les Éditions de l'Amateur, t. VI, Paris, 1985.

LORJOU Bernard
Né le 9 septembre 1908 à Blois (Loir-et-Cher). Mort en 1986. xxe siècle. Français.
Peintre de compositions à personnages, sujets divers, graveur, sculpteur. Expressionniste.
D'une famille d'ouvriers agricoles de condition modeste, venu tôt à Paris, il commença à gagner sa vie comme bagagiste à la gare du Nord, puis passa par quantité de « petits métiers ». Fréquentant les Académies privées de Montparnasse et les cours du soir de l'École de Dessin de la Ville de Paris, il se forma en autodidacte. De 1927 à 1932, il créa des motifs pour tissus, dans l'atelier du soyeux Ducharne à Montmartre. Ce ne fut qu'en 1931 qu'il prit contact avec les maîtres du passé, Goya en particulier, à l'occasion d'un voyage en Espagne. À partir de 1933, il put se consacrer totalement à la peinture. En 1936, il participait, à Paris, aux Salons des Indépendants et d'Automne, et reçut les encouragements de Charles Despiau. Dès 1939, partant de sa position réaliste-expressionniste, il commença à prendre violemment à partie les tendances avant-gardistes et les instances officielles qui les soutenaient. Pourtant, en 1945, il figura au premier Salon de Mai, qui regroupait justement ces tendances progressistes. En 1948, le Prix de la Critique fut partagé entre lui-même et Bernard Buffet, qu'il considérait alors comme un disciple. Dans cette même année 1948, il fut un des initiateurs du groupe de *L'Homme Témoin*, patronné par le critique Jean Bouret, et où exposaient avec lui, entre autres, sa femme Yvonne Mottet, Bernard Buffet, Paul Rebeyrolle. Le manifeste du groupe attaquait « les distillateurs de quintessence, abstracteurs, coupeurs de cheveux en quatre », et défendait le parti d'un réalisme humaniste, appliqué à témoigner, par une peinture populaire, accessible à tous, des événements de l'époque, à dénoncer la souffrance et l'injustice. En 1947-48, il participa de nouveau au Salon des Indépendants et à celui d'Automne avec *Le Miracle de Lourdes*, et en 1949 au Salon des Tuileries. Il continua à participer ponctuellement au Salon d'Automne, pour y exposer certaines de ses peintures-manifestes : 1951 *La Conférence*, 1960 *La Crécelle*, 1967 *À Kamarov*. Il produisait surtout ses peintures dans des expositions personnelles : en 1950 à Paris, suivie d'autres à New York, au Japon, etc. En 1957, il organisa une exposition sur le thème des *Chasses de Rambouillet*, dans une baraque foraine placée sur l'Esplanade des Invalides, l'assortissant d'un violent manifeste, plutôt dirigé contre tout, contre les critiques, les instances officielles, l'intellectualisme, que pour quelque chose de précis, et d'un tapage publicitaire ; opération qu'il répéta à plusieurs reprises, notamment, en 1958 à l'Exposition Internationale de Bruxelles, avec *Le Roman de Renart*, en 1963 une exposition itinérante à bord d'une péniche sur la Seine, avec des peintures mettant en cause Charles de Gaulle, ce qui lui valut des démêlés avec André Malraux. Soutenu par la galerie de Georges Wildenstein et la veuve du collectionneur Paul Guillaume, sa peinture fut introduite aux États-Unis, et, en 1970, il traita en soixante peintures un fait-divers criminel américain du monde du spectacle *L'Assassinat de Sharon Tate*, qui furent exposées à Paris, au Musée Galliéra. En 1972, après les sculptures polychromes de l'exposition sur le thème du Christ, il travailla aussi le bois brûlé, le bronze, l'argent et autres matériaux, dans l'objectif d'une « synthèse pour une sculpture nouvelle ». Il a surtout vécu et travaillé à Saint-Denis-sur-Loire, près de Blois, et passant l'été à La Garde-Freinet (Var). En 1989, le Salon d'Automne lui consacra une exposition en hommage posthume.
Il n'eut de maîtres que ceux qu'il s'est choisis : Goya, James Ensor, George Grosz, Soutine, avec des réminiscences de Delacroix, Courbet, Van Gogh. Il s'est ainsi créé sa propre manière : un dessin efficace et violent, une matière pigmentaire lourdement gestuelle, une couleur expressivement exacerbée. Comme celle de Bernard Buffet qu'il influença, sa production se distribue en deux groupes : les œuvres de dimensions modestes sur les sujets divers traditionnels, clowns, natures mortes, bouquets de fleurs, à destination « grand public » ; les séries d'œuvres de grands formats, souvent de dimensions mégalomaniaques, destinées aux expositions d'où il attendait un retentissement, sur des thèmes précis, liés à l'actualité, à la politique : 1934 *La Conquête de l'Abyssinie* ; 1935 *Le Cirque* ; 1945 *Le Miracle de Lourdes* ; 1949 *L'Âge atomique* ; 1953 *La Peste en Beauce* ; 1956 *L'Arlequin et le bouc* ; 1959 *Le Bal des fols* ; 1962 *Les Rois, de Charlemagne à Charles de Gaulle* ; 1963 *La Force de frappe* ; 1964

Dallas Murder Show ; 1965 *Centaures et Motocyclettes* ; 1968 *Les Événements* ; 1971 les sculptures polychromes de *Bonjour Monsieur Jésus-Christ ou Jésus-Christ vous dit merde* ; 1985 *Bâches pour la lutte contre le Sida* ; etc. En négligeant l'irritation qu'il provoquait sciemment, on constate que Lorjou a peint franchement un monde où la robustesse des personnages ne le cède en rien à celle des ustensiles et mobiliers de leur décor. Les femmes y sont aussi épaisses que la couche d'empâtements qui les figure. Yves Sjöberg écrit : « Il ne craint pas de mettre sur le même pied une table, un poêle ou une femme. » C'est un monde rustique représenté avec des moyens rustiques.
En une période d'intellectualisme et d'abstraction dominants, suivant en cela, malgré sa réprobation déclarée envers le personnage qui lui portait tellement ombrage, l'exemple du Picasso de *Guernica* et des *Massacres de Corée*, il eut le courage de revendiquer le droit à la figuration, et à proclamer sa légitime nécessité quant à prendre parti dans la réalité quotidienne et mondiale, attitude qui lui valut un succès d'époque et un impact certain sur de jeunes artistes partageant son attachement au monde réel. Son regard sans indulgence sur le monde et le marché de l'art, bien que plutôt complaisant envers lui-même, sa verdeur populaire, s'accommodent d'un humour polémique généreux, mais souvent sans nuances dans la grandiloquence de son expression plastique, pour fustiger l'oppression, le racisme, dénoncer les sévices envers les animaux, la torture, les armes chimiques et nucléaires, s'indigner de la faim dans le monde, et, jusqu'à ses derniers jours, combattre le fléau du sida.

■ Jacques Busse

Lorjou

Bibliogr. : René Huyghe, in : *Les Contemporains*, Tisné, Paris, 1949 – Bernard Dorival, in : *Les Peintres du xxe siècle*, Tisné, Paris, 1957 – in : *Peintres contemporains*, Mazenod, Paris, 1964 – Georges Charensol, in : *Les Grands maîtres de la peint. mod.*, Rencontre, Lausanne, 1967 – in : *Diction. Univers. de l'art et des artistes*, Hazan, Paris, 1967 – in : *Les Muses*, Grange-Batellière, Paris, 1972 – in : *Diction. universel de la peinture*, Le Robert, Paris, 1975.

Musées : Paris (Mus. Nat. d'Art Mod.) : *Le Canard de Barbarie au crochet.*

Ventes Publiques : Paris, 20 déc. 1954 : *Rue sous les fenêtres de l'artiste* : **FRF 52 500** – Paris, 14 juin 1957 : *Vase de fleurs sur fond rouge* : **FRF 940 000** – Paris, 29 mars 1960 : *Nature morte aux oignons* : **FRF 24 000** – New York, 26 oct. 1960 : *Homard sur table rouge* : **USD 5 250** – Paris, 13 mars 1961 : *Nature morte à la bouteille* : **FRF 15 000** – New York, 6 fév. 1967 : *Le Clown* : **USD 7 250** – Londres, 3 juin 1970 : *Vase de roses blanches* : **GBP 700** – Versailles, 18 mars 1973 : *Taureau*, aquar. : **FRF 7 100** – Genève, 8 déc. 1973 : *Les Tournesols* : **CHF 23 000** – Versailles, 8 déc. 1974 : *Le Jeune Arlequin à la fleur* : **FRF 40 000** – Paris, 7 mai 1976 : *La table*, h/t (90x71) : **FRF 7 900** – Bruxelles, 27 oct. 1976 : *Pot de fleurs*, aquar. (50x64) : **BEF 75 000** – Paris, 13 déc. 1977 : *Nature morte au faisan*, h/t (90x130) : **FRF 24 000** – Paris, 12 déc 1979 : *Nu*, dess. au fus. reh. de peint. à l'essence (127x108) : **FRF 8 000** – Versailles, 18 mars 1979 : *Vase aux fleurs multicolores*, h/t (100x81) : **FRF 16 500** – Paris, 25 juin 1980 : *Après le bain*, past. (84x87) : **FRF 5 500** – Versailles, 4 juin 1980 : *L'homme de bronze*, bronze patine médaille (H. 182) : **FRF 28 000** – Saint-Brieuc, 13 déc. 1981 : *L'Arlequin* 1956, gche et past. (63,5x48,5) : **FRF 8 300** – Lokeren, 26 fév. 1983 : *Tête de jeune fille* 1972, cr. (75x55) : **BEF 65 000** – New York, 19 avr. 1984 : *Vase de fleurs* 1970, techn. mixte/cart. (64,6x49,5) : **USD 1 400** – Versailles, 13 juin 1984 : *La cathédrale ou Paris, Notre-Dame et la Seine*, h/t (81x100) : **FRF 68 000** – Versailles, 13 juin 1984 : *L'Homme de bronze* vers 1972, bronze, patine médaille (H. 182) : **FRF 25 000** – Versailles, 17 mars 1985 : *Fleurs dans un pichet*, h/t (73x55) : **FRF 43 000** – Versailles, 11 juin 1986 : *Poêle, enfant, chaise, femme et table*, h/t (100x122,5) : **FRF 100 000** – Paris, 27 nov. 1987 : *Tauromachie* 1972, h/pap. mar./t. : **FRF 15 000** – Versailles, 13 déc. 1987 : *Coq sur fond orange*, h/t (116x89) : **FRF 14 000** – Paris, 23 mars 1987 : *Mon village*, h/t (149x183) : **FRF 66 000** – Paris, 19 mars 1988 : *Fleurs au pichet jaune*, acryl./cart. toilé (69x48) : **FRF 31 000** – Versailles, 20 mars 1988 : *Bouquet de fleurs*, acryl. et gche/pap. mar./cart. toilé (69x48) : **FRF 30 000** ; *Fleurs dans un pot*, acryl. et gche/pap. mar./cart. toilé (63x48,5) : **FRF 36 000** – Paris, 21 avr. 1988 : *Fleurs dans un vase*, gche (70x45) : **FRF 15 500** – Londres, 18 mai 1988 : *Fleurs dans une cruche rouge*, h/t (65x50) : **GBP 3 520** – Versailles, 15 juin 1988 : *Grand bouquet de fleurs*, acryl. vernie et gche/pap. (68x48) : **FRF 33 000** – Paris, 23 juin 1988 : *Hippocampus* 1970, acryl. et cr. feutre/t., étude pour l'Assassinat de Sharon Tate (146x114) : **FRF 30 000** – Calais, 3 juil. 1988 : *Bouquet de fleurs*, h/t (55x33) : **FRF 32 000** – Berne, 26 oct. 1988 : *Buste d'enfant*, h/pap./pan. (51x33) : **CHF 1 500** – Paris, 16 nov. 1988 : *Le Bateau Ivre*, tapisserie (155x184) : **FRF 38 000** ; *Les mésanges et le cerisier*, tapisserie (150x140) : **FRF 25 000** – Versailles, 18 déc. 1988 : *Nature morte aux sabots* vers 1944, h/t (81x65) : **FRF 29 000** – Paris, 12 fév. 1989 : *Étude pour l'Assassinat de Sharon Tate*, h/pap. (178x150) : **FRF 5 500** – Londres, 21 fév. 1989 : *Le taureau*, past. et h/t (81,3x99,7) : **GBP 1 100** – Paris, 3 mars 1989 : *Cavalier*, h/t (92,5x74) : **FRF 26 500** – Paris, 11 avr. 1989 : *Saint Pierre*, h/t (93x65) : **FRF 35 000** – Paris, 27 avr. 1989 : *Bouquet*, acryl./cart. (65x51) : **FRF 50 000** – New York, 9 mai 1989 : *Vase de fleurs*, acryl./cart./t. (64,8x50,3) : **USD 5 500** – La Varenne-Saint-Hilaire, 21 mai 1989 : *Double portrait d'Arlequin*, h/t (48x55) : **FRF 35 000** – Paris, 18 juin 1989 : *Paysage ensoleillé*, h/t (54x65) : **FRF 49 000** – Neuilly, 5 déc. 1989 : *Le cheval interloqué*, h/t (74x108) : **FRF 72 000** – Calais, 10 déc. 1989 : *Nature morte à l'ananas*, h/t (60x73) : **FRF 80 000** – Paris, 26 jan. 1990 : *Tête*, h/pap. (63x48) : **FRF 28 000** – Paris, 26 avr. 1990 : *Don Quichotte*, h/t (195x129) : **FRF 130 000** – Paris, 21 juin 1990 : *Nu rose* 1974, gche/pap. (56x89) : **FRF 65 000** – Paris, 28 oct. 1990 : *Hippocampus* 1970, h/t (146x114) : **FRF 100 000** – New York, 13 fév. 1991 : *Le singe mécanique*, h/t (64,7x81,3) : **USD 7 700** – Londres, 19 mars 1991 : *Femme à la colombe*, h., acryl. et encre/t. (145,4x113,7) : **GBP 8 800** – Le Touquet, 19 mai 1991 : *Nature morte à l'ananas* 1955, h/t (73x60) : **FRF 40 000** – Paris, 23 mars 1992 : *Écuyer et chevaux de cirque*, h/t (81x100) : **FRF 40 000** – New York, 10 nov. 1992 : *Roméo et Juliette* 1953, h/t (104x104) : **USD 5 500** – Paris, 14 déc. 1992 : *Les Musiciens*, tapisserie (147x245) : **FRF 40 000** – Saint-Jean-Cap-Ferrat, 16 mars 1993 : *Le Hameau*, h/t (73x54) : **FRF 42 000** – Paris, 26 mai 1993 : *Oiseau fantastique* 1962, gche et encre : **FRF 4 200** – Paris, 23 juin 1993 : *Bouquet varié sur fond bleu et rouge*, h/t (92x61) : **FRF 44 000** – New York, 9 mai 1994 : *Pichet de fleurs*, h/t (119,5x50) : **USD 5 750** – Paris, 18 nov. 1994 : *Le Fumeur allongé*, h/t (213x252) : **FRF 150 000** – Paris, 7 déc. 1994 : *Vase de fleurs*, gche (56x78) : **FRF 8 200** – Lokeren, 11 mars 1995 : *Arlequin*, acryl./pap. (75x55) : **BEF 130 000** – New York, 14 juin 1995 : *Tête*, h/pap./t. (121x73,7) : **USD 1 840** – Paris, 17 mai 1995 : *Composition au poisson et à la cruche*, h/t (81x65) : **FRF 35 000** – Calais, 24 mars 1996 : *Vase de fleurs*, acryl./pap./t. (65x50) : **FRF 20 000** – Calais, 15 déc. 1996 : *La Carriole*, h/t (27x35) : **FRF 12 000** – Paris, 23 juin 1997 : *Le Taureau*, h/t (65x100) : **FRF 7 000** – Paris, 19 oct. 1997 : *Jeune femme au violon*, h/t (116x81) : **FRF 28 000** – Paris, 27 oct. 1997 : *Nu debout*, h/pap. mar./t. (125x52) : **FRF 9 000** – Paris, 4 nov. 1997 : *Trois personnages*, h/t (151x185) : **FRF 52 000**.

LORMANN Friedrich Anton ou **Lohrmann**
xviiie siècle. Français.
Dessinateur et peintre.
Il fit ses études comme boursier du roi Stanislas-Auguste avec Bacciarelli. Il fut peintre à la cour du prince Joseph Poniatowski. La galerie du roi Stanislas-Auguste conserva de lui un *Portrait du roi de Prusse Frédéric II* et, plusieurs miniatures.

LORME. Voir aussi **DELORME**

LORME Anthonie de. Voir **DELORME**

LORME Pierre de ou **Delorme**
Né le 3 octobre 1716. xviiie siècle. Actif à Paris. Français.
Peintre de portraits.
Il fut peintre de la cour du duc d'Orléans. On cite parmi ses portraits celui du *Duc Philippe d'Orléans*, gravé par P. A. Le Beau, du *Comte de la Marche*, gravé par G. F. Schmidt, du comédien *Chanville*, gravé par J. B. de Lorraine.

LORME Simon de ou **Delorme**
xvie siècle. Français.
Sculpteur.
Il était frère lai. Il travailla pour l'église Saint-Jean à Laon (statues de pierre, crucifixion, Pietà, etc.).

LORMIER Édouard
Né en 1847 à Saint-Omer (Pas-de-Calais). Mort le 7 juin 1919 à Paris. xixe-xxe siècles. Français.
Sculpteur.
Élève de Jouffroy. Débuta au Salon en 1886.

Musées : Arras : *Figure académique* – *Saphô* – Lyon : *Mme Récamier* – Paris (Mus. de l'Armée) : *Le général Petiet* – Périgueux : *Fulbert Dumonteil* – Saint-Omer : *Histrion.*

LORMIÈRE Jan ou **Lormier**
xve siècle. Actif à Bruges. Éc. flamande.
Peintre verrier.
Il exécuta en 1418 des peintures sur verre pour l'Hôtel de Ville de Bruges.

L'ORPHELIN. Voir **HORFELIN Antonio de**

LORRAIN. Voir aussi **LE LORRAIN**

LORRAIN Claude, de son vrai nom : **Claude Gellée**
Né en 1600 à Chamagne (près de Mirecourt). Mort le 23 novembre 1682 à Rome. xviie siècle. Français.
Peintre et graveur.
Si la personnalité de Claude Gellée n'a rien d'exceptionnel et si sa vie n'est marquée par aucun fait saillant, son œuvre en fait l'un des peintres les plus importants et les plus originaux du xviie siècle. Sa vie reste mal connue, surtout avant 1625. Aucune des versions données par ses biographes Sandrart et Baldinucci ne semble satisfaisante. Sa naissance dans une famille modeste d'un village de Lorraine rend les recherches difficiles. Il semble qu'il ait eu cinq ou six frères, et qu'il ait perdu ses parents, très jeune, alors qu'il était âgé d'une douzaine d'années. Peut-être est-il allé rejoindre, en 1612, son frère aîné, graveur sur bois à Fribourg-en-Brisgau. On ne sait trop qui l'emmène à Rome, où il arrive en 1613. Il n'est pas sûr qu'il entre tout de suite dans l'atelier d'Agostino Tassi, en tant que domestique et apprenti ; il n'est pas plus sûr qu'il fasse un voyage, dès ce moment, à Naples, où il aurait travaillé chez le peintre Gottfried Wols. D'autres versions disent que Claude serait parti à Naples après 1618 et y serait resté deux ans. Par contre, il semble certain qu'en 1625, il entreprend un voyage qui le mène de Lorette à Venise, puis en Bavière et en Lorraine. Dans son pays natal, il travaille chez Déruet, durant un an et demi. Avec lui il collabore aux fresques (aujourd'hui détruites) du plafond de l'église des Carmélites de Nancy. Il n'est pas impossible, qu'il ait, lors de ce séjour, rencontré J. Callot. Mais, soit qu'il ne soit pas payé par Deruet, soit que le travail ne le satisfasse pas pleinement, soit pour les deux raisons, il repart à Rome, passant par Lyon et Marseille, en compagnie de Charles Errard et de ses deux fils. Il arrive à Rome le 18 octobre 1627. Alors commence un travail acharné, laborieux, sur des bases peu précises puisque Claude Gellée avait essentiellement reçu l'influence du paysagiste A. Tassi qui lui a indirectement fait connaître le caravagisme et lui a donné le goût des paysages dans le style de Bril, défini par Elsheimer. Il se souviendra de Bril en copiant, à ses débuts, ses représentations de bateaux. Il est revenu à Rome avec le goût du lavis laissant de grands blancs, ce qui peut faire pencher en faveur d'une rencontre avec Callot.
Mais Claude Gellée se construit peu à peu une personnalité qui laisse loin derrière toutes ces influences plus ou moins réelles. Son véritable maître est la nature qu'il regarde sans cesse. Elle lui inspire ses plus beaux dessins à la plume et au lavis, qui témoignent de son extrême sensibilité à la lumière et montrent un esprit synthétique, sachant aller à l'essentiel et traduisant surtout l'atmosphère. Selon la formule bien connue de Sandrart : « Jaloux d'atteindre les secrets de l'art et les mystères de la nature, Claude Gellée était dehors avant le jour, il y restait jusqu'à la nuit pour saisir toutes les nuances des heures crépusculaires et les rendre ensuite exactement. » S'il prenait des notes d'après nature, il recomposait ensuite dans son atelier des paysages sans que rien ne paraisse factice. Il est parfois malaisé de discerner les croquis d'après nature des esquisses faites en atelier.
Dans une première phase, qui va sensiblement jusque vers 1637-39, Claude travaille aux fresques de quelques maisons nobles, dont le Palais Crescenzi à Rome (1630) ; mais il est surtout attiré par le paysage. Dès 1633, il crée des compositions qui le définissent déjà pleinement, que ce soient ses ports ou ses paysages à figures et à petites architectures, comme le *Paysage avec le jugement de Pâris*. Dès ces premières œuvres, le soleil y est figuré, et surtout ses rayons vont créer l'espace de plan en plan, tout en donnant le climat poétique caractéristique des premières et des dernières heures du jour. Autour des années trente, les tableaux sont généralement de petits formats, d'une composition compacte. Les bosquets d'arbres déterminent les différents plans, s'estompant progressivement vers l'horizon. L'attention se porte bientôt sur Claude Gellée le Lorrain et, en 1637, Monsieur de Béthune, ambassadeur du roi de France au Vatican, lui achète une *Vue d'un port de mer* et un *Effet de soleil levant.* Il est déjà copié, ce qui peut expliquer l'établissement du *Liber Veritatis*, à partir de 1636, sur lequel il reproduit au dessin les peintures vendues à des acquéreurs dont il indique le nom. À la même époque, le cardinal Bentivoglio lui achète deux toiles faisant pendants. Le Lorrain exécute souvent des commandes de « paires », et lorsqu'il travaille pour le pape Urbain VIII, grâce au cardinal Bentivoglio, on lui commande deux pendants exécutés entre 1637 et 1639. Ce sont un *Port* et une *Danse villageoise*, puis *le Port de Marinella* et un *Paysage pastoral avec le Castel Gondolfo.* Ces deux dernières toiles évoquent la part du réel dans l'œuvre de Claude Lorrain, donnant l'illusion d'une certaine réalité qui, au fond, est fictive, mais paraît d'une grande vérité.
On éprouve une impression semblable devant les tableaux d'*Embarquements* qui marquent la maturité du peintre à partir des années 1640. C'est à propos de ces tableaux que Goethe s'exprime ainsi : « Ils ont la grande vérité sans ombre de réalité ». Entre 1640 et 1656-60, Claude traite des sujets bibliques (*l'Adoration du veau d'or*), religieux (*Embarquements de sainte Ursule*), des pastorales, des sujets tirés d'Ovide et des marines dans un esprit plus classique. Les compositions deviennent plus complexes, s'élargissent, laissent voir au loin de grandes villes, tandis que les plans qui conduisent le regard vers l'horizon se multiplient. La lumière inonde plus que jamais ses tableaux, gravures et dessins. Il fait vibrer l'air et nous mène habilement vers des arrière-plans aux tons subtils, opposés au premier plan solide et plus sombre. Selon Sandrart, « il s'appliquait aux objets du deuxième plan qui diminuent vers l'horizon et se perdent dans le ciel ». Cette gradation aérienne est sans doute encore plus saisissante à travers les lavis qui donnent, avec une économie de moyens, de beaux effets lumineux. La plupart des lavis et plumes présentent un premier plan vigoureux, aux détails très stylisés, simplifiés, et les fonds traités en larges lavis et blancs réservés, donnent l'impression d'une atmosphère brumeuse. Ce style de paysage n'est pas sans évoquer la peinture chinoise. Il lui arrive aussi pour des dessins de type définitif d'utiliser des feuilles de couleur adaptée au sujet traité, ce qui ajoute une qualité subtile aux surfaces réservées. On devine là tout un art fait de finesse, sans rechercher jamais l'effet trop facile. Guidé par un sentiment poétique, Claude Gellée réussit même à exécuter des dessins définitifs à la suite d'études d'après nature dans un style sobre et vif qui fait croire à un premier jet. Les gravures montrent un même souci de rendre des jeux d'ombre et de lumière.
Le caractère dit « classique » de certaines de ses peintures qui appartiennent à sa maturité, ne doit pas nous orienter vers une fausse route. Il est certain que Claude Gellée ne peut ignorer son époque ni celle qui le précède, et il a très certainement été influencé par le Dominiquin, dont l'œuvre reflète l'art des Carrache. C'est par cette filière qu'il rejoint les classiques, et en particulier Poussin qui fut nettement influencé par les Carrache. Là se pose le problème des relations, aussi bien humaines qu'artistiques, entre les deux hommes. Nous savons que Poussin et le Lorrain se sont connus à Rome sans devenir de vrais amis, d'ailleurs Poussin ne parle pas de Claude Gellée dans sa correspondance. Poussin était de six ans son aîné, et avant de se consacrer plus particulièrement au paysage, il était passé par une phase très classique, traitant des sujets mythologiques en excluant presque intégralement toute allusion à la réalité. Claude Gellée lui n'est jamais passé par une telle phase. Par contre, vers les années cinquante, une même méthode de travail les rapproche. Tous deux font des études d'après nature, qui peuvent parfois se confondre ; tous deux recomposent leur paysage dans leur atelier. Mais si Poussin cherche à « réglementer » le paysage qui, dans sa réalité brute, ne peut répondre aux critères du beau, Claude se laisse davantage diriger par sa sensibilité propre et par cette sorte de passion qu'il a pour la lumière. Et surtout, il rend la nature avec un sentiment poétique particulier qui le rapproche des poètes antiques, dont il s'inspire avec bonheur. Si un type de composition se retrouve fréquemment à travers ses œuvres, ce n'est pas en raison de l'adoption d'une formule préétablie par lui-même, mais à la suite du respect d'une « convenance » qui engendre un type de composition qui se définit fatalement petit à petit. Cette façon de se laisser conduire par son instinct n'est pas dans l'esprit du xviie siècle, qui voit en Claude Lorrain un « idiot inspiré » ; et même Roger Fry, dans son essai sur le peintre, dans *Vision and Design*, a vu en lui « un simple d'esprit qui réalise accidentellement des chefs-d'œuvre ». Cette

attitude vient aussi de ce qu'il s'exprimait peu sur son art, ni sur beaucoup d'autres sujets, ce qui confirme sa position d'isolé, de cas exceptionnel, de peintre qui n'a aucun élève, sinon, peut-être, quelques aides, comme Gian Domenico Desiderii, qui reste chez lui de 1634 à 1659. Il est tout aussi évident qu'il n'influence pas dans l'immédiat les peintres de sa génération, ni même ceux de la génération suivante, tandis qu'il est l'objet de copies, de pastiches. Cette particularité peut le faire rapprocher d'un Vermeer, par exemple. Certainement avisé, il savait se faire connaître, susciter les commandes, protéger son travail contre les faussaires par la tenue du *Liber Veritatis*. Toutes ses peintures correspondaient à des commandes, qu'il se faisait payer un prix assez élevé, conscient qu'il était de sa valeur. Jusqu'à la fin de sa vie, malgré les souffrances de la goutte à partir de 1663, date à laquelle il est gravement malade et fait son testament, il continue, sans une marque de déclin, à rendre la lumière et l'atmosphère. Entre 1660 et 1682, ses paysages ont tendance à devenir plus concis et atteignent à une nouvelle pureté. Il illustre des scènes bibliques, mythologiques et surtout des scènes tirées de l'Énéide. C'est à la fin de sa vie qu'il montre un esprit très virgilien, et ses scènes bucoliques, où il donne peut-être le meilleur de lui-même, sont des exemples d'union entre l'homme et la nature. C'est entre 1667 et 1672, qu'il peint l'un de ses plus beaux poèmes sur la lumière : *Les Quatre Heures du jour*, qui peut évoquer les recherches futures des Impressionnistes. Le soleil devient moins violent, les ciels orangés disparaissent pour des effets atmosphériques plus doux, aux teintes plus pâles. À côté de ces paysages proches de la nature, Claude Gellée compose, au fil de son imagination, des villes antiques comme Delphes et Carthage. Durant toute sa vie, il semble osciller entre deux tendances, l'une simple, proche de la nature, l'autre d'esprit plus classique. D'un côté il crée des paysages où les sujets mythologiques ou bibliques tiennent une place peu importante et ne semblent être là que pour sacrifier au rite de l'époque classique, à laquelle il appartient par ce biais. Le peu d'importance accordé au sujet lui-même est particulièrement flagrant à travers des œuvres presque identiques auxquelles il donne des titres différents. Ainsi le *Paysage avec figures dansantes* (Rome, Galerie Doria), datant de 1648-49, devient à quelques détails près, le *Mariage d'Isaac et Rebecca* (Londres, National Gallery), peint à la même époque, et redevient, en 1669, un *Paysage à figures* (Leningrad, Musée de l'Ermitage). D'un autre côté, il crée des architectures, le plus souvent imaginaires, qui occupent presque la totalité de la composition, ou des horizons chargés de villes, ou, enfin, laisse une grande place aux personnages. Cette dernière tendance se retrouve dans une minorité de tableaux, Le Lorrain n'aimait pas, selon la tradition, peindre les figures. De là à dire qu'il les fait peindre par des aides, il n'y a qu'un pas, franchi par bien des critiques. Des noms sont avancés : Filippo Lauri, Jean Meil, mais il est bien difficile de retrouver leurs traces auprès de Claude Gellée. Disons qu'il a vraisemblablement demandé à d'autres peintres de faire les personnages, surtout pour les tableaux élaborés, mais sûrement pas pour les paysages bucoliques. Enfin les deux tendances générales de l'artiste apparaissent simultanément dans son œuvre, et bien que nous ayons distingué trois phases dans son évolution, chacune de ces trois périodes n'est pas spécifique à l'une des tendances. Et finalement, l'ensemble de l'œuvre de Claude Gellée conserve une unité, par sa recherche constante du rendu de l'atmosphère par la lumière. Mariette, en fin connaisseur, pouvait écrire : « De tous les paysagistes, Claude Le Lorrain était celui qui a mis le plus d'air et de fraîcheur dans tous les paysages. » Le public français du XVIIe siècle ne l'a généralement pas compris, et son œuvre est essentiellement apprécié en Angleterre où son influence se fera ressentir, non pas immédiatement, mais au XVIIIe, et surtout au XIXe siècle, avec Turner qui sera sans doute l'un des peintres les plus sensibles à l'art de Claude Lorrain sans tomber dans l'imitation restreinte et servile comme le feront d'autres paysagistes anglais. ■ Annie Jolain

CLA.G CLA

CLADE GELEE
ROMA 1668
CLADI
ROME 1676

Bibliogr. : M. Pattison, Lady Dilke : *Claude Lorrain, sa vie et ses œuvres*, Paris, 1884 – Friedlander : *Claude Lorrain*, Berlin, 1921 – A. Blum : *Les eaux-fortes de Claude Gellée, dit le Lorrain*, Morancé, Paris, 1923 – K. Clark : *Landscape into Art*, Londres, 1949 – Catalogue de l'exposition *Autour de Claude Gellée : de Paul Bril à Joseph Vernet*, Nancy, Musée des Beaux-Arts, 1957 – M. Roethlisberger : *Claude Gellée, dit le Lorrain*, Les Beaux-Arts G. Wildenstein, Paris, 1962 ; *Claude Lorrain the paintings*, 1962 ; *Claude Lorrain, the drawings*, Berkeley and Los Angeles, 1968 – Georges Duplessis : *Eaux-fortes de Claude Lorrain*, Paris, 1875 – André Blum : *Les Eaux-fortes de Claude Gellée Le Lorrain*, Paris, 1923 – Arthur Ind : *The Drawings of Claude Lorrain*, New York, Londres, 1925 – Marcel Roethlisberger : *Catalogue raisonné of the Paintings*, Berkeley, New York, 1961-1979 – Marcel Roethlisberger : *Catalogue raisonné of the Drawings*, Berkeley, Los Angeles, 1968 – Doretta Cecchi, Marcel Roethlisberger : *L'Opera completa di Claude Lorrain*, Rizzoli Edit., Milan, 1973, Paris, 1977.

Musées : Amiens : *La Fuite en Égypte* – Berlin : *Deux paysages héroïques* – Bordeaux : *Paysage* – Boston (Mus. of Fine Arts) : *Parnasse* – Bruxelles : *Énée chassant le cerf* – Budapest : *Villa italienne* – Chicago (Art Inst.) : *Vue de Delphes* – Cologne : *Paysage avec Amour et Psyché* – Dresde : *Paysages avec la fuite en Égypte, avec Acis et Galatée* – Édimbourg : *Paysage* – Épinal : *Environs de Rome* – La Fère : *Bords du Tibre* – Florence : *Marine – Paysage* – Francfort-sur-le-Main : *Paysage avec Christ apparaissant à Marie-Madeleine* – Genève (Mus. d'Ariana) : *Voiliers – Un bac avec personnages* – Grenoble : *Marine – Campagne romaine* – Langres : *Coucher de soleil* – Londres (Nat. Gal.) : *Paysage pastoral – Port de mer, coucher de soleil – Six paysages animés – La reine de Saba s'embarquant pour se rendre chez Salomon – Embarquement de sainte Ursule – Vue de Rome – Mariage d'Isaac et Rebecca – Vue de Délos avec Énée* – Londres (coll. Wallace) : *Paysage italien – Bords de la mer* – Lyon : *Embarquement de sainte Pauline* – Madrid : *Ruines de Rome – Paysage avec cascade – Le port d'Ostie – Paysage symbolique – Paysage montueux et désert – Cinq paysages* – Marseille : *Paysage* – Munich : *Paysage du matin – Paysage d'après-midi – Paysage idyllique – Port de mer* – Nancy : *Le grand marronnier* – Naples : *Marine – Paysage avec nymphes* – Nice : *Coucher de soleil* – Paris (Mus. du Louvre) : *Un port, soleil levant – Le Campo Vecchio à Rome – Fête villageoise – Port de mer, soleil couchant – Débarquement de Cléopâtre – David sacré roi par Samuel – Ulysse rendant Chryséis à son père – Port de mer, soleil voilé par la brume – Deux marines – Deux paysages – Le Gué – Entrée d'un port – Siège de La Rochelle* 1628 – *Louis XIII au Pas de Suse* 1629 – Rennes : *Paysage avec figures* – Rome (Colonna) : *Ruines du palais des Césars* – Rome (Gal. Doria-Pamphili) : *Trois paysages historiques – Sacrifice à Apollon – Paysage avec moulin* – Saint-Pétersbourg (Mus. de l'Ermitage) : *Le matin – Le midi – Le soir – Le golfe de Baïes – Site d'Italie – Une île de l'Archipel – Ulysse chez Licomède – Le matin – Le soir – Apollon et Marsyas – Le Christ à Emmaüs – Paysage à figures – Paysage avec Jacob et l'Ange* – Stockholm : *Grand paysage – Le Forum romain – Ville avec port* – Strasbourg : *Paysage italien avec la fuite en Égypte* – Venise : *Paysage* – Vienne (coll. Czernin) : *Paysage – Saint Jean prêchant* – Vienne (Gal. Harrach) : *Port de mer coucher de soleil – Coin de bois.*

Ventes Publiques : Paris, 1737 : *Arrivée d'Énée à Délos* : **FRF 2 000** – Paris, 1762 : *Junon confiant Io à Argus ; Mercure endormant Argus*, les deux : **FRF 8 000** – Londres, 1773 : *Le départ de Joseph* : **FRF 10 500** – Paris, 1787 : *L'enlèvement d'Europe* : **FRF 10 000** – Paris, 1793 : *Vue d'un port de mer* : **FRF 15 000** – Paris, 1802 : *Vaste vue de mer au coucher du soleil* : **FRF 37 000** – Paris, 1805 : *Paysages*, deux pendants : **FRF 210 400** – Londres, 1810 : *Linon devant Priam et sa suite* : **FRF 72 160** ; *Énée chassant le daim sur la côte de Lybie* : **FRF 15 740** ; *Le château enchanté* : **FRF 23 600** – Londres, 1840 : *Port de mer, lever de soleil* : **FRF 18 370** ; *Vue de mer, soleil couchant* : **FRF 43 375** – Londres, 12 mai 1848 : *Pastorale*, h/t (42,5x54) : **GNS 300** – Paris, 1849 : *Vue de la baie de Naples* : **FRF 28 080** ; *Vue de Rome* : **FRF 47 250** – Paris, 1858 : *Paysage* : **FRF 22 000** – Anvers, 1862 : *Énée et la Sybille de Cumes descendant aux Enfers* : **FRF 2 200** ; *Énée et la flotte troyenne sur les côtes de la Libye* : **FRF 18 000** – Paris, 1872 : *Paysage italien, effet de soleil* : **FRF 5 600** – Londres, 1877 : *Philippe, baptisant les eunuques* : **FRF 21 000** ; *Vue d'un lac* : **FRF 7 870** ; *Port de mer* : **FRF 78 750** – Paris, 1877 : *Paysage* : **FRF 6 000** ; *Port de mer, effet de soleil couchant* : **FRF 10 300** – Paris, 1877 : *Monument romain*, aquar. : **FRF 1 200** – Paris, 1882 : *Paysage avec des ani-*

maux sous la garde, d'un berger, dess. à la pl. : **FRF 1 060** – PARIS, 1884 : *Sacrifice à Apollon* : **FRF 152 250** ; *Débarquement d'Énée* : **FRF 99 750** ; *Passage d'une rivière par des bœufs* : **FRF 51 190** ; *Port de mer, effet de crépuscule* : **FRF 10 500** ; *Port de mer* : **FRF 10 500** – LONDRES, 1891 : *Sainte Pauline* : **FRF 22 830** – PARIS, 1895 : *Vue du Pont-Molle*, dess. à la pl. lavé de sépia : **FRF 1 120** – PARIS, 1898 : *Site d'Italie, soleil couchant* : **FRF 6 600** – PARIS, 1898 : *Paysage* : **FRF 8 100** – NEW YORK, 7 et 8 avr. 1904 : *Paysage classique* : **USD 775** – LONDRES, 1er fév. 1908 : *Scène de vallée* : **GBP 37** – LONDRES, 27 mai 1908 : *Paysage classique*, dess. : **GBP 8** – LONDRES, 29 mai 1908 : *La pêche* : **GBP 630** – PARIS, 26 nov. 1919 : *Le troupeau de vaches*, sépia : **FRF 2 800** – PARIS, 8-10 juin 1920 : *Le bouvier*, pl. : **FRF 2 850** ; *Paysage*, pl. : **FRF 2 250** – PARIS, 18 déc. 1920 : *Vue d'un port* : **FRF 3 500** – LONDRES, 2 mars 1923 : *Paysage romantique*, sépia : **GBP 99** – LONDRES, 1er mai 1925 : *Baie, avec la fuite en Égypte* : **GBP 378** – LONDRES, 26 juin 1925 : *Baie* : **GBP 50** – LONDRES, 31 juil. 1925 : *Paysage* : **GBP 39** – LONDRES, 16 avr. 1926 : *Paysage* : **GBP 23** – PARIS, 10 et 11 mai 1926 : *Temple antique au bord de la mer*, pl. : **FRF 6 100** ; *Le château-fort* : **FRF 8 050** ; *Berger et bœufs dans un parc* : **FRF 4 500** ; *Paysage montueux avec pont de pierre sur un torrent* : **FRF 10 100** – PARIS, 27 mai 1926 : *Vallon boisé avec une ville dans le lointain*, pl. et lav. : **FRF 6 000** – LONDRES, 14 juil. 1926 : *Port*, dess. : **GBP 120** – LONDRES, 24 fév. 1928 : *Château au bord d'une rivière*, dess. : **GBP 16** – LONDRES, 17 et 18 mai 1928 : *Les bergers musiciens* : **GBP 1 470** ; *Temple de Bacchus* : **GBP 997** – LONDRES, 9 mai 1930 : *Jupiter et Europe* : **GBP 1 312** – LONDRES, 18 juil. 1930 : *Tour sur le Tibre* : **GBP 1 207** – LONDRES, 12 déc. 1930 : *Le repos de la Sainte Famille* : **GBP 294** – NEW YORK, 2 avr. 1931 : *Paysage romantique* : **USD 500** – LONDRES, 14 déc. 1934 : *Rivière* : **GBP 577** – LONDRES, 27-29 mai 1935 : *Port* : **GBP 37** ; *Paysage classique*, dess. : **GBP 240** ; *Moutons dans un pâturage* : **GBP 210** – LONDRES, 13 déc. 1935 : *Paysage avec Agar et un ange* : **GBP 220** – PARIS, 12 juin 1936 : *Paysage avec saint Philippe baptisant l'eunuque de Candace, reine d'Éthiopie* : **FRF 38 500** – LONDRES, 10-14 juil. 1936 : *Étude de deux bateaux* : **GBP 735** ; *Paysage* : **GBP 849** – PARIS, 4 juin 1937 : *Paysage d'Italie* : **FRF 41 000** – PARIS, 3 déc. 1957 : *Paysage montagneux avec un cours d'eau coupé*, lav. : **FRF 780 000** – LONDRES, 24 juin 1959 : *Le sermon sur la montagne* : **GBP 35 000** – PARIS, 9 juin 1960 : *Bateaux au rivage*, pl. et lav. : **FRF 3 900** – LONDRES, 23 nov. 1962 : *Vue de Carthage, avec Didon et Énée partant à la chasse* : **GNS 52 000** – LONDRES, 8 déc. 1965 : *Paysage animé de bergers et d'un chien*, peint./métal de forme ovale : **GBP 20 000** – LONDRES, 6 juil. 1966 : *Le jugement de Pâris* : **GBP 175 000** – LONDRES, 29 nov. 1968 : *Paysage pastoral*, cuivre de forme octogonale : **GNS 36 000** – LONDRES, 25 juin 1971 : *Vue de Tivoli* : **GNS 40 000** – LONDRES, 27 mars 1974 : *Mercure et Argus dans un paysage* : **GBP 105 000** – LONDRES, 28 avr. 1976 : *Paysage montagneux avec un château*, pl. et lav. (15,2x17,8) : **GBP 1 200** – BERNE, 8 juin 1977 : *L'enlèvement d'Europe* 1634, eau-forte : **CHF 2 900** – VERSAILLES, 11 déc. 1977 : *La fuite en Égypte* 1647, h/t (35x41) : **FRF 640 000** – BERNE, 21 juin 1979 : *Le Pont de Bois* vers 1651, eau-forte : **CHF 3 800** – NEW YORK, 9 juin 1981 : *Iris et Turnus dans un paysage boisé*, pierre noire, pl. et lav. reh. de blanc (17x22,9) : **USD 4 000** – LONDRES, 10 juil. 1981 : *Pastorale*, h/t (42,5x54) : **GBP 60 000** – BERNE, 22 juin 1984 : *Étude d'arbres*, dess. bistre avec reh. cr. et pl. (31,2x22,4) : **CHF 210 000** – BERNE, 22 juin 1984 : *Etude d'arbres* vers 1635-1637, pinceau et encre bistre et cr. (31,6x22,4) : **CHF 210 000** – NEW YORK, 17 nov. 1986 : *Paysage boisé* vers 1640-1642, pl. et encre brune et lav. reh. de blanc/pap. bleu (22,5x30,3) : **USD 240 000** – LONDRES, 6 juil. 1987 : *Paysage fluvial avec deux personnages à l'avant-plan*, pl., encre brune et lav. (21x30,2) : **GBP 200 000** – LONDRES, 8 déc. 1989 : *Gardien de bétail faisant traverser une mare à leur troupeau avec un artiste esquissant la scène au premier plan et un capriccio de l'arc de Constantin et du Colisée au fond*, h/t (98,5x148,5) : **GBP 495 000** – NEW YORK, 11 jan. 1990 : *Paysage fluvial avec des personnages près d'un moulin*, h/t (75x99,5) : **USD 550 000** – NEW YORK, 22-23 mars 1991 : *Paysage classique avec des montagnes au fond (recto)* ; *Étude de perspective (verso)*, encre et lav. (14,3x20,3) : **USD 26 400** – STOCKHOLM, 29 mai 1991 : *Paysage classique animé*, h/t (57x76) : **SEK 27 000** – PARIS, 6 nov. 1991 : *L'enlèvement d'Europe* 1634, eau-forte (20x26) : **FRF 8 500** – NEW YORK, 14 jan. 1992 : *Étude d'arbres*, craie noire et lav. brun (21,2x30,7) : **USD 203 500** – HEIDELBERG, 11 avr. 1992 : *Le monastère de Dominicains de Caluizano*, encre et craie (17,5x24,8) : **DEM 2 150** – LONDRES, 15 avr. 1992 : *Un artiste faisant le croquis d'une barque dans une anse méditerranéenne avec un gallion au large* 1653, h/t (34x48,7) : **GBP 220 000** – MONACO, 20 juin 1992 : *Paysage pastoral* 1646, h/cuivre (19x25,5) : **FRF 499 500** – LONDRES, 7 juil. 1992 : *Vue de Delphes*, craie noire (13,4x19,5) : **GBP 12 100** – HEIDELBERG, 15-16 oct. 1993 : *La Fuite en Égypte*, eau-forte (10,6x17,3) : **DEM 7 600** – NEW YORK, 12 jan. 1994 : *Apollon en berger jouant de la flûte avec Mercure au fond (recto)* ; *Trois chèvres (verso)*, encre et lav./pap. bleu (19,4x27,1) : **USD 101 500** – NEW YORK, 13 jan. 1994 : *Paysage avec un couple de bergers*, h/t (49,5x38,7) : **USD 310 500** – PARIS, 17 juin 1994 : *Le Troupeau en marche par un temps orageux*, eau-forte (15,5x21,5) : **FRF 5 800** – LONDRES, 3 juil. 1995 : *La Côte à Santa Marinella*, encre et lav. (21,8x32,3) : **GBP 52 100** – PARIS, 27 sep. 1995 : *Berger et bergère conversant* 1651, eau-forte : **FRF 18 500** – PARIS, 26 mars 1996 : *Le Bouvier* 1787, eau-forte : **FRF 31 000** – PARIS, 24 juin 1996 : *Paysage pastoral*, h/t (49,5x67,5) : **FRF 480 000** – LONDRES, 2 juil. 1996 : *Pastorale*, craie noire, encre et lav. avec reh. de blanc/pap. beige (26,4x40,5) : **GBP 43 300** – LONDRES, 4 juil. 1997 : *Le Repos au cours de la fuite en Égypte dans un paysage boisé*, h/t (72,7x98,1) : **GBP 111 500**.

LORRAIN Fernand

Né au XIXe siècle à Nancy (Meurthe-et-Moselle). XIXe siècle. Français.

Sculpteur.

Élève de M. Ch. Lebourg. Il débuta au Salon de 1876.

LORRAIN Jenny

Née le 30 décembre 1876 à Virton. Morte en 1943 à Ixelles. XXe siècle. Belge.

Sculpteur, médailleur de bustes, portraits.

Elle fut élève, à Paris, d'Antonin Mercié, Antoine Injalbert, Jean Auguste Dampt. Elle travaillait à Bruxelles.

Elle a sculpté le buste en bronze de Henri Van Laert à Gand, et celui d'Émile Verhaeren.

BIBLIOGR. : In : *Diction. biograph. illustré des artistes en Belgique depuis 1830*, Arto, Bruxelles, 1987.

MUSÉES : BRUXELLES (Mus. Schaerbeek) : *Buste d'Émile Verhaeren*, bronze.

LORRAIN Nicolas François, appelé aussi **Nicolas de Bar,** ou en italien **Francesco Nicolaï Lorenese, Signor Nicoletto**

Né au XVIIe siècle en Lorraine (Comté de Bar). XVIIe siècle. Français.

Peintre.

Il se fixa très jeune à Rome où il fut renommé comme peintre de madones. On cite de ses œuvres à la cathédrale de Nancy (saint Sigisbert), et dans de nombreuses églises de Rome.

VENTES PUBLIQUES : PARIS, 9 juil. 1968 : *L'Enlèvement d'Europe* : **FRF 6 600**.

LORRAIN René

Né le 8 juillet 1873 à Nancy (Meurthe-et-Moselle). XIXe-XXe siècles. Français.

Graveur.

Il fut élève de Gustave Moreau à l'École des Beaux-Arts de Paris. Il exposait à Paris, au Salon des Artistes Français depuis 1910, médailles de bronze 1920, d'argent 1924.

Il fit surtout des eaux-fortes en couleur.

LORRAIN Robert Le. Voir **LE LORRAIN**

LORRAINE Alma Royer

Née à Randolph (Oklahoma). XXe siècle. Américaine.

Peintre de portraits, animalier.

Elle fut élève de l'Institute of Art de Chicago ; de William Bouguereau à Paris ; de Guido Molinari à Rome.

LORRAINE Auguste de

XVIIIe siècle. Français.

Graveur.

Parmi ses œuvres on cite une *Allégorie du mariage du Dauphin* (1770), d'après Simon Beauvais.

LORRAINE Jean Baptiste de

Né en 1737 à Paris. XVIIIe siècle. Français.

Graveur.

Il était fils d'Auguste de Lorraine. On cite parmi ses œuvres des vignettes d'après Gravelot pour la *Henriade* de Voltaire et des portraits, notamment ceux de *Jean Louis Aubert*, d'après un portrait de l'artiste par lui-même, et de *Louis César, comte d'Estrées*, d'après M. Van Loo.

LORSA, pseudonyme de **Verzaux Laure**

Née le 7 octobre 1951 à Paris. XXe siècle. Française.

Peintre de compositions et architectures oniriques. Tendance symboliste.
À Paris, elle a suivi les cours de concepteur graphique à l'École Estienne de 1971 à 1973; puis a obtenu maîtrise et certificat d'aptitude pédagogique à l'enseignement supérieur à la Faculté d'Arts Plastiques de 1973 à 1977. Elle vit et travaille à Rouen. Elle participe à des expositions collectives : 1982 Institut audio-visuel de Paris; Salon Comparaisons à partir de 1982; 1986 Centre Culturel Coréen, *Réalité Seconde* à Chamalières. Elle montre ses travaux dans des expositions personnelles : 1980 au château de Sainte-Victoire-sur-Loire; 1985 Galerie 96 à Paris; 1987 au Moulin d'Ande.
Ses peintures sont d'abord des dessins, avec des effets de perspective maîtrisés, rehaussés de couleurs acryliques délicatement chaleureuses. Yan Vagh Weinmann, commentant ses peintures, énumère ses leitmotivs : escaliers, colonnes du temple, oiseau foudroyé, cercles, spirales, « espace des pulsations intérieures ».
Bibliogr. : In : Catalogue de l'exposition *Réalité Seconde*, Chamalières, 1986 – Gérard Xuriguéra, in : *Le Dessin*, Paris, 1987.

LORSA Louis Alexandre Eustache ou **Lorsay**
Né le 23 juin 1822 à Paris. XIXe siècle. Français.
Peintre de portraits et dessinateur.
Élève de MM. Paris et Monvoisin. Il exposa au Salon entre 1844 et 1859, avec des portraits et quelques tableaux de genre.
Ventes Publiques : Paris, 1883 : *Pierrot malade* : **FRF 700.**

LORSCH Dominique
Née à Berlin. Morte en 1990. XXe siècle. Française.
Peintre. Expressionniste, tendance abstraite.
Elle fut élève de l'École des Beaux-Arts de Paris. Elle expose régulièrement à Paris, aux Salons d'Automne, des Indépendants, de la Société Nationale des Beaux-Arts, Comparaisons, et a figuré à celui des Peintres Témoins de leur Temps. Elle montre des ensembles de peintures dans des expositions personnelles : 1966 à Paris, ensuite à Monte-Carlo, Deauville, Los Angeles, 1973 de nouveau Paris.
Utilisant les effets de style de l'expressionnisme et parfois de l'expressionnisme-abstrait, sa peinture reste néanmoins plus élégante que véritablement violente.

Dominique Lorsch

LORTA Jean Pierre ou **Jean François**
Né le 17 septembre 1752 à Paris. Mort le 20 février 1837 à Versailles (Yvelines). XVIIIe-XIXe siècles. Français.
Sculpteur.
Élève de Bridan. Il exposa au Salon entre 1791 et 1819; deuxième Grand Prix de Rome en 1779. Il exposa aussi au Salon de la Correspondance en 1781 et en 1782. On voit de lui au Musée de Nancy *Diane surprise* et *Louis XIV*, au Louvre, *Statuette*, à Trianon, *Statue de l'Amour*. On cite encore une *Vierge* pour la cathédrale de Sens, au Musée d'Art Moderne, *Gui le Chapelier*, au Musée des Monuments Français, *La République française*.
Ventes Publiques : Paris, 22 mars 1933 : *Statuette : Jeune femme nue caressant un chien*, terre cuite : **FRF 1 700** – Paris, 30 mars 1979 : *Jeune femme nue, assise sur un rocher* 1783, terre cuite (H. 28) : **FRF 8 000.**

L'ORTAGLIO Robert de. Voir **L'ORTEIL**

LORTEIL Robert de ou **l'Ordel** ou **l'Ortaglio**
Originaire de Cambrai. XVIIe siècle. Français.
Peintre.
Il alla en 1620 travailler à Rome, dans cette ville.

LORTEL Leberecht ou **Lortet**
Né en 1818 ou 1827 à Oullins (Rhône) ou à Heidelberg, de parents français. Mort le 7 novembre 1901 à Oullins ou à Lyon (Rhône). XIXe siècle. Français.
Peintre de paysages.
Les diverses sources donnent différents renseignements sur les dates et lieux de naissance et de mort. Élève d'Alexandre Calame à Genève, il commença à exposer au Salon de Lyon en 1858, puis participa au Salon de Paris de 1859 à 1870.
Comme Gabriel Loppé, il se spécialise dans le paysage de montagne et trouve une clientèle auprès des Anglais qui, à cette époque, découvrent ce sport nouveau qu'est l'alpinisme. À propos de sa *Grande Meije*, Jean Hardouin remarque ses « effets de lumière sur l'eau, sur la neige et les rochers, effets de brume sur la paroi de la montagne enneigée, étonnant effet de trompe-l'œil qui restitue jusqu'à la texture de l'herbe qui alterne avec les rochers ». Il a également peint des paysages provençaux.
Bibliogr. : Gérald Schurr, in : *Les Petits Maîtres de la peinture 1820-1920, valeur de demain*, Les Éditions de l'Amateur, t. VI, Paris, 1985.
Musées : Berne : *Paysage avec glacier* – Laon – Lyon (Mus. des Beaux-Arts) : *La Grande Meije* – *Le Mont-Blanc vu des environs de Sallanches* – Montpellier : *Le Mont Cervin* – Strasbourg : *Sainte-Victoire et la vallée de l'Arc*.
Ventes Publiques : New York, 18 sep. 1980 : *Paysage alpestre au pont*, h/t (48x67) : **USD 1 200** – Berne, 7 mai 1981 : *Paysage alpestre*, h/t (46x38) : **CHF 5 600** – Berne, 6 mai 1983 : *Paysage fluvial alpestre*, h/t (100x80) : **CHF 3 000** – Lucerne, 7 nov. 1985 : *Urnersee mit Urirotstock*, h/t (46,5x38) : **CHF 7 000** – Berne, 26 oct. 1988 : *Paysage montagneux avec un sapin au premier plan*, h/t (100x81) : **CHF 7 000** – Lucerne, 3 déc. 1988 : *Les Pas Känzli et le lac Seelisberg*, h/t (27x22) : **CHF 1 000** – Paris, 7-12 déc. 1988 : *Paysage de montagne*, h/t (91,5x122) : **FRF 11 500** – Paris, 14 fév. 1990 : *Paysage des Alpes au torrent*, h/t (91x121,5) : **FRF 26 000** – Paris, 14 juin 1991 : *Paysage alpestre*, h/t (60,5x101) : **FRF 15 000.**

LORTHIOIT A. J. ou **Lortioit**
XVIIIe siècle. Actif à Lille. Français.
Sculpteur.
Il devint en 1775 membre de l'Académie de Lille et figura au Salon de cette ville de 1773 à 1882.

LORTHIOIT Henri ou **Lortioit**
XVIIIe siècle. Actif à Lille. Français.
Sculpteur.
Il était fils du sculpteur A. J. Lorthioit. Il figura au Salon de Lille de 1787 à 1798. Il fut chargé en 1798 de la décoration avec des bas-reliefs en terre cuite, du vestibule de l'École Centrale de Lille. L'Hôtel de Ville de Lille possède de sa main le buste du maire *Gentil-Muiron*.

L'ORTOLANO, de son vrai nom : **Giovanni Battista Benvenuti**
Né vers 1487 ou 1488 à Ferrare. Mort vers 1525 ou 1527. XVIe siècle. Italien.
Peintre de compositions religieuses.
Son père était jardinier, ce qui lui vaut le surnom de l'Ortolano. Il fut élève de Boccacino et de Lorenzo Costa, et subit l'influence de Garofalo, d'Ercole de Roberti, de Raphaël et de Francia. On cite de lui plusieurs ouvrages dans les églises de Ferrare, ville où il aurait résidé de 1512 à 1524.
Il reste plutôt classique dans ses compositions qu'il anime par des effets de lumière rasante.
Bibliogr. : In : *Diction. de la peinture italienne*, coll. Essentiels, Larousse, Paris, 1989.
Musées : Bologne : *La Vierge et l'Enfant* – Copenhague : *Sainte Marguerite* – Detroit (Inst. of Arts) : *Noli me tangere* – Ferrare (Pina. Naz.) : *Pieta* – Londres (Nat. Gal.) : *Saint Sébastien, saint Roch et saint Demetrios* – Milan (Pinc. di Brera) : *Crucifiement* – Modène : *Pieta* – Nantes : *Saint Jean à Pathmos* – Naples (Mus. Naz.) : *Pieta* – Paris (Mus. du Louvre) : *Nativité* – Potsdam (Sans-Souci) : *Madone avec saints* – Rome (Gal. Borghese) : *Pieta* – *Saint Antoine de Padoue* – Rome (Gal. Capitol.) : *Saint Nicolas de Bari* – *Saint Sébastien* – Rome (Gal. Doria Pamphili) : *Naissance du Christ avec le petit saint Jean, saint François et sainte Madeleine* – Rome (Gal. Pallanvicini) : *Sainte Famille* – Rome (Mus. di S. Paolo) : *Sainte Cécile* – *Antoine, abbé de Padoue*.
Ventes Publiques : Amsterdam, 13 mars 1951 : *L'Adoration de l'Enfant Jésus* : **NLG 1 500** – Londres, 25 nov. 1966 : *L'Adoration des mages* : **GNS 1 800** – New York, 6 juin 1984 : *Saint Dominique* – *Christ bénissant*, deux h/pan. (22,8x25,3) : **USD 12 000** – Milan, 16 avr. 1985 : *La Vierge et l'Enfant avec saint Jean et sainte Agnès*, h/pan. transposé/isor. (38x32) : **ITL 16 000 000** – Milan, 25 oct. 1988 : *Nativité*, h/pan. (34,5x51) : **ITL 58 000 000** – Londres, 8 juil. 1992 : *Vierge à l'Enfant avec une sainte*, h/pan. (44,5x37,6) : **GBP 61 600** – Milan, 31 mai 1994 : *Sainte Catherine d'Alexandrie*, h/pan. (34,5x32) : **ITL 29 900 000** – Londres, 6 juil. 1994 : *Vierge à l'Enfant avec saint Jean Baptiste*, h/pan. (35x27,5) : **GBP 43 300** – New York, 11 jan. 1995 : *Vierge à l'Enfant avec un paysage au fond*, h/pan. (38,5x33) : **USD 63 000.**

LORTON Frédéric
Né le 3 octobre 1940 à Charlieu (Loire). XXe siècle. Français.
Peintre. Abstrait-paysagiste.
Il participe au Salon d'Automne de Lyon. Depuis 1962, il expose aussi à Paris.

De paysages construits et synthétiques, il a évolué à un paysagisme plus abstrait, souvent traité en camaïeux.

LORTZING Friedrich
Né le 6 mai 1782. XIXe siècle. Allemand.
Peintre et dessinateur.
Il fut élève de l'Académie de Berlin et figura aux Expositions de celle-ci de 1800 à 1802.

LÖRUP Henry Jacob
Né le 30 décembre 1867. Mort le 11 septembre 1898. XIXe siècle. Danois.
Peintre.
Élève de Zahrtmann.

LORUSSO Francesco
Né vers 1825. Mort en 1890. XIXe siècle. Italien.
Peintre.
La cathédrale d'Altamura (province de Bari) et l'église Saint-Dominique de cette ville possèdent des tableaux d'autel de sa main.

LORY Gabriel Ludwig ou **Lori**
Né en juin 1763 à Berne. Mort le 12 novembre 1840 à Altenberg. XVIIIe-XIXe siècles. Suisse.
Peintre de paysages animés, paysages, aquarelliste, graveur.
Il fit ses premières études dans sa ville natale, voyagea à travers la Suisse pour se perfectionner et, vers sa vingtième année, commença à se faire une petite renommée. Il fit plusieurs voyages en Russie, et, de retour dans son pays, participa à de nombreuses expositions. En 1787, 1788, 1794 et 1797 il donna successivement quatre séries de vues de Suisse et de France gravées et en couleur.
Bibliogr. : Conrad von Mandach : *Deux peintres suisses, Gabriel Lory le père, 1763-1840 et Gabriel Lory le fils, 1784-1846*, Haeschel-Dufey, Lausanne, 1920 – Marie-Louise Schaller : *Voyage pittoresque de Genève à Milan*, Bulletin du PTT-Museums, Berne, 1994.
Ventes Publiques : Paris, 12 et 13 déc. 1940 : *Le cavalier à la fontaine et les porteuses d'eau*, aquar. : **FRF 800** – Berne, 9 juin 1978 : *Vue de la Tour de la Grande Horloge à Berne* vers 1800, grav. coloriée : **CHF 8 000** – Londres, 22 mai 1979 : *Lausanne*, eau-forte coloriée (43,6x67,7) : **GBP 3 000** – Berne, 25 juin 1982 : *Vue de Berne depuis le Sandrain* 1816, eau-forte coloriée (26,4x37) : **CHF 14 400** – Berne, 24 juin 1983 : *Vue de Moutru (Montreux) et du Château de Chillon* 1790, eau-forte coloriée : **CHF 17 500** – Zurich, 8 déc. 1994 : *Vue des bords du lac de Genève près de Gingough*, aquar./pap. (18,9x27,4) : **CHF 11 500**.

LORY Mathias Gabriel, fils
Né en juin 1784. Mort le 25 août 1846 à Berne. XIXe siècle. Actif à Berne. Suisse.
Peintre de paysages, aquarelliste.
Fils de Gabriel Lory. Il fit ses premières études dans son pays, puis visita successivement la France et l'Italie. De retour dans son pays, se maria en 1812. En 1815 on le trouve installé à l'île de Guernesey et en 1832 revenu en Suisse où il effectue tous les ans de petits voyages dans les Alpes, à Berlin, à Nice, etc. Il exposa presque chaque année à Berne, de 1804 à 1846, des paysages de Suisse, de France, et parmi ses œuvres on peut citer *Le voyage pittoresque dans l'Oberland bernois*. De lui au Musée de Berne *Vue prise près d'Albano, Vue prise à Naples, Le Pont du Diable* (1827), *Vue du Château d'Eza* (1846), *Souvenirs de Suisse* (1829) ; au Musée de Neuenbourg *Le pont du Diable, La Vierge du Mont* ; au Musée de Zurich *Chemin des Alpes* ; au Musée de Neuchâtel *Trois paysages*.

G. Lory

Bibliogr. : Conrad von Mandach : *Deux peintres suisses, Gabriel Lory le père, 1763-1840 et Gabriel Lory le fils, 1784-1846*, Haeschel-Dufey, Lausanne, 1920 – Marie-Louise Schaller : *Voyage pittoresque de Genève à Milan*, Bulletin du PTT-Museums, Berne, 1994.
Ventes Publiques : Paris, 20 fév. 1920 : *Route du Simplon, près saint-Gingolf*, aquar. : **FRF 710** ; *Paysannes bernoises*, deux aquarelles : **FRF 820** – Paris, 18 et 19 mai 1942 : *La Fermière suisse*, aquar. : **FRF 1 450** – Lucerne, 12 juin 1970 : *Paysage de Savoie* : **CHF 7 800** – Berne, 18 mai 1973 : *Vue du Fond de Rosenlaui*, aquar. : **CHF 7 000** – Londres, 21 juil. 1976 : *La mer de glace*, aquar. (43x33,5) : **GBP 1 150** – Berne, 6 mai 1977 : *Le glacier inférieur de Grindelwald*, aquar. (43,5x34) : **CHF 6 000** – Berne, 28 nov 1979 : *Vue d'une partie des environs de Thoune*, aquat. coloriée (19x28) : **CHF 3 000** – Berne, 28 nov 1979 : *Vue de Neuenstadt sur le lac de Bienne* 1827, aquar. (25,8x38,4) : **CHF 19 000** – Paris, 18 mars 1980 : *Le Serment du Grütli* 1820 ; *La Lutte paysanne* 1818, pierre noire et gche, deux dessins (103x75,5 et 104x75,5) : **FRF 123 000** – Londres, 26 mars 1981 : *Vue du lac de Côme* 1811, aquar., cr. et pl. (41,5x67) : **GBP 3 000** – Berne, 22 juin 1984 : *Vue d'une partie des environs de Thoune* 1822, eau-forte coloriée (19,5x28,2) : **CHF 2 000** – Carcassonne, 27 oct. 1984 : *Commémoration annuelle des événements de 1307 à la Chapelle de Guillaume Tell*, aquar. sur traits de cr. (25,5x33) : **FRF 8 500** – Londres, 2 mai 1985 : *Voyage pittoresque de l'Oberland Bernois* 1822, aquatintes coloriées (57,5x41) : **GBP 18 000** – Londres, 28 nov. 1985 : *Vue du lac Majeur* 1817, aquar. et cr. (45x68) : **GBP 2 700** – Londres, 28 nov. 1990 : *Personnages conversant sur un chemin de campagne*, aquar. et gche (20x26,5) : **GBP 1 320** – Paris, 16 nov. 1992 : *Château Saint-Michel* 1804, grav. et aquar. (52x74,5) : **FRF 9 000** – Munich, 10 déc. 1992 : *Vue du lac de Genève*, encre et aquar./pap. (45,2x68,5) : **DEM 22 600** – Zurich, 8 déc. 1994 : *Vue de Sion prise du côté du couchant*, cr. et aquar./pap. (199,4x28,1) : **CHF 10 925** – Londres, 17 avr. 1996 : *Isola Bella* 1811, aquar. (44x68) : **GBP 3 220**.

LOS H. de
XVIIIe siècle. Espagnol (?).
Peintre de genre.
Ventes Publiques : New York, 4 avr. 1990 : *La lettre volée* 1762, h/cuivre (43,8x54) : **USD 2 090**.

LOS Richart
XIVe siècle. Allemand.
Sculpteur.
Son nom est gravé sur le tombeau de Siegfried von Hombourg dans l'ancienne église du couvent de Kemnade (Brunswick).

LOS Waldemar
Né en 1849 en Volynie. Mort le 3 octobre 1888 à Munich. XIXe siècle. Polonais.
Peintre de genre, paysages animés, animalier.
Il était élève de l'Académie de Cracovie. La société des Beaux-Arts de Cracovie possède de ses œuvres.
Il se spécialisa dans les paysages de neige et la peinture de chevaux.
Ventes Publiques : Paris, oct. 1945-Juillet 1946 : *Traîneau à quatre chevaux dans un paysage de neige entouré de militaires* : **FRF 5 000** – Paris, 16 déc. 1946 : *Traîneau traversant une forêt en hiver* : **FRF 10 200** – Londres, 11 fév. 1976 : *Cavaliers au bord d'une rivière* 1877, h/t (51,5x105) : **GBP 1 950** – Vienne, 5 déc. 1984 : *En attendant le bac* 1881, h/t (22x61) : **ATS 350 000** – Londres, 23 mars 1988 : *Le Soir* 1881, h/t (74x123) : **GBP 5 500** – New York, 25 oct. 1989 : *Prêts pour le départ*, h/t (61x120) : **USD 9 350**.

LOSADA Y PEREZ de NENIN Galo Manuel José
Né le 16 octobre 1865 à Bilbao (Pays Basque). Mort le 9 octobre 1949 à Bilbao. XIXe-XXe siècles. Espagnol.
Peintre de compositions animées, portraits, paysages oniriques, pastelliste, peintre de compositions murales, graveur, illustrateur, décorateur de théâtre. Postimpressionniste.
Après avoir commencé à participer à l'Exposition Nationale des Beaux-Arts, à Madrid, en 1887, une bourse lui permit un séjour d'étude de deux années à Paris, où il fut élève de William Bouguereau et Eugène Carrière. Depuis Paris, il visita la Belgique. Il fut de retour à Bilbao en 1894. En 1908, il devient membre correspondant de l'Académie des Beaux-Arts de San Fernando à Madrid, en 1913 directeur du Musée des Beaux-Arts de Bilbao, nouvellement créé, puis président d'honneur de l'Association des artistes basques en 1945.
Il participa à une exposition de groupe à Paris en 1902 ; l'année suivante, il montrait deux œuvres au Salon des Indépendants, recevant l'encouragement de Degas ; en 1923 il participa au Salon d'Automne ; en 1924 à l'exposition du Prix Carnegie de Pittsburgh. En 1944, il fit une exposition personnelle de peintures et pastels à Bilbao, et le Musée de la ville lui organisa un hommage en 1945.

Peut-être plus à l'aise dans le pastel qu'en peinture, à partir de sites existants ou imaginés, il crée des visions de rêve, brumeuses ou nocturnes, où les personnages semblent toujours se rendre à des fêtes mystérieuses.
Bibliogr. : In : *Cent ans de peinture en Espagne et au Portugal*, Antiquaria, Madrid, 1990 – in : *Catalogo national de arte contemporaneo*, Iberico 2 mil, Barcelone, 1990-1991.
Musées : Paris (Mus. du Luxembourg).
Ventes Publiques : Madrid, 17 oct 1979 : *La rue du village*, past. (68x49) : **ESP 130 000**.

LOS ARCOS Luis Antonio de
xvie siècle. Espagnol.
Sculpteur.
Il travaillait à Séville en 1548.

LOS ARCOS Tomas de, fray
xviie siècle. Espagnol.
Graveur et moine.
Cet artiste exécuta à Cortone divers travaux de gravure pour un livre du Dr Francisco de Leyva y Aguilar. On lui doit aussi quelques estampes religieuses.

LO SAVIO Francesco
Né en 1935 à Rome. Mort en 1963 à Marseille (Bouches-du-Rhône). xxe siècle. Italien.
Peintre, sculpteur. Abstrait, lumino-cinétique, puis néo-constructiviste.
En 1958, il travailla chez un designer industriel. Il a participé à des expositions collectives : 1960 Stadtisches Museum de Leverkusen ; 1961 galerie La Salita de Rome, 1967 musée national d'Art moderne de Tokyo et Kyoto, et à titre posthume : 1968 Institut d'Art contemporain de Boston, musée juif de New York et Biennale de Venise, 1969 Turin. Il a montré ses œuvres dans des expositions personnelles : 1960 galerie Selecta à Rome ; 1961, 1962, 1967, 1969 galerie La Salita à Rome ; 1965 Quadriennale d'art de Rome ; 1974 galerie Denise René Hans Mayer de Düsseldorf ; 1986 Rijkmuseum Kröller-Müller d'Otterlo.
Il fut d'abord peintre. Dans les dernières années cinquante, il fit subir à la lumière des parcours chromatiques à travers des voiles de couleurs, puis, avec les *Filtri* de 1959, il expérimenta dans la même intention des matériaux transparents et translucides, captant et colorant la lumière dans le va-et-vient de ses rayons entre les couches filtrantes. À partir de 1960, il travailla en tridimensionnalité avec des formes métalliques noires intégrées à l'espace de l'environnement par la projection de reflets diffus. En 1962, ses *Articulations totales*, précédant le minimalisme américain, sont des cubes ouverts aux deux extrémités, construits en ciment blanc, et dont le volume intérieur est coupé d'une plaque inclinée de métal noir. En 1962, il projetait de changer l'échelle de ses *Articulations totales* et de les transformer en espaces habitables.
Bibliogr. : *Espace et lumière de Lo Savio*, Art Press, n° 152, Paris, nov. 1990 – in : *L'Art du xxe siècle*, Larousse, Paris, 1991 – in : *Diction. de l'Art mod. et contemp.*, Hazan, Paris, 1992.

LÖSCH. Voir **LOESCH**

LÖSCHCKE. Voir **LOESCHKE**

LÖSCHENKOHL. Voir **LOESCHENKOHL**

LÖSCHER Andreas. Voir **LOESCHER**

LOSCHER Sebastian
Mort en 1548 à Augsbourg. xvie siècle. Actif à Augsbourg. Allemand.
Sculpteur et peut-être architecte.
La plupart de ses œuvres ont disparu. On lui attribue une *Justice* et un *Homme assis* (au Kaiser Friedrich Museum, à Berlin).
Ventes Publiques : Cologne, 25 avr. 1968 : *Crucifixion* : **DEM 10 000**.

LOSCHI Bernardino
Né en 1489 à Parme. Mort en 1540 à Capri. xvie siècle. Italien.
Peintre d'histoire, compositions religieuses.
Fils de Jacopo d'Ilario Loschi. Il a fait de nombreuses peintures pour les églises et le château de Capri. Il était au service d'Alberto Pio.
Musées : Capri (Mus. mun.) : *Saint Roch – Nativité* – Modène (Gal.) : *La Vierge et l'enfant Jésus entre saint Antoine, saint Nicolas et quatre anges* signé et daté de 1515, tableau.

LOSCHI Jacopo d'Ilario
Né en 1425 à Parme. Mort en 1504 à Capri. xve siècle. Italien.
Peintre d'histoire.
Il travailla pour les églises avec son beau-frère Bartolommeo Grossi. On cite de lui *La Vierge et l'enfant Jésus* dans la Galerie de Parme, et une *Madeleine* dans la Galerie de Modène.

LÖSCHIN. Voir **LOESCHIN**

LÖSCHINGER Hedvig ou **Lœschinger**
xixe-xxe siècles. Hongroise.
Peintre de portraits.
Elle est fille de Zsigmond Löschinger. Vivant à Budapest, elle peignit surtout des portraits.

LÖSCHINGER Hugo ou **Lœschinger**
Né en 1875 à Budapest. Mort le 14 août 1912 à Grafrath près de Munich. xxe siècle. Hongrois.
Peintre.
Il était fils de Zsigmond Loschinger et élève de l'Académie de Budapest. Il peignit des tableaux d'histoire, et des tableaux d'animaux. Le Musée Municipal de Budapest possède une œuvre de sa main *(Chevaux)*.

LOSCHINGER Zsigmond ou **Lœschinger**
Né en 1843 à Bude. Mort en 1887 à Budapest. xixe siècle. Hongrois.
Peintre.
Il étudia à Vienne, Munich et Paris. Il peignit des portraits et des tableaux d'autel.

LO SCHIVENOGLIA. Voir **RAINERI Francesco Maria**

LÖSCHMANN. Voir **LOESCHMANN Emil**

LO SCIMMIA. Voir **STEFANO Fiorentino**

LOS CORRALES Francisco de
xvie siècle. Espagnol.
Peintre.
Il participa vers 1500 à l'exécution du grand retable de la cathédrale de Tolède.

LOSE Caroline. Voir **SCHLIEBEN Caroline von**

LOSE Friedrich
Né au xviiie siècle à Görlitz. xviiie siècle. Allemand.
Peintre, graveur et dessinateur.
Élève de Œser à Leipzig. Il travailla avec sa femme Caroline von Schlieben.

LOSE Johann Jacob de
Né vers 1755. Mort en 1813 à Francfort. xviiie-xixe siècles. Allemand.
Peintre de portraits.
Certains de ses portraits sont conservés au château de Mannheim.
Ventes Publiques : Cologne, 11 juin 1979 : *Nature morte*, h/t (57,5x85) : **DEM 8 000** – New York, 29 fév. 1984 : *Jeune fille à la guitare* 1807, h/t (92x73,5) : **USD 3 100** – Munich, 13 juin 1985 : *Portrait de jeune fille à la guitare* 1807, h/t (92x74) : **DEM 5 000** – Londres, 22 avr. 1994 : *Portrait d'un gentilhomme en veste bleue et portant l'étoile de l'ordre du Lion du Palatinat* 1786, h/t (66,8x54,6) : **GBP 1 725**.

LOSENKO Anton Pavlovitch ou **Lossenko**
Né en 1737 à Gluchov. Mort en 1773 à Pétersbourg. xviiie siècle. Russe.
Peintre d'histoire.
Il voyagea en Italie et en France. Il faisait partie de la première promotion d'élèves de l'Académie de Pétersbourg à être envoyés à Paris, en 1760, où il fut l'élève de Restout et de Vien. Spécialisé dans la peinture d'histoire, il traita des sujets religieux et fut le premier à traiter un sujet de l'histoire russe : *Vladimir devant Ragnilda*. De retour en Russie il acquit une réputation considérable et fut dans la suite directeur de l'Académie.
Musées : Moscou (Gal. Tretiakov) : *Les adieux d'Hector et d'Andromaque – Étude de nu* – Nancy : *Le monument de Pierre-le-Grand à Saint-Pétersbourg, par Falconet*, dess. – Saint-Pétersbourg (Mus. Russe) : *Tobie et l'ange – Mlle Maïkoff – Khlioustine – Caïn – Le sacrifice d'Abraham – Vladimir et Rogniéda – L'apôtre André – Volkoff – Soumarokoff – La pêche miraculeuse – Abel – L'acteur Choumski.*

LÖSER Franz Ferdinand
Né le 30 mai 1790 à Dresde. Mort le 28 septembre 1851 à Dresde. xixe siècle. Allemand.
Peintre, dessinateur et lithographe.
Il peignit des paysages et quelquefois aussi des portraits. On trouve de ses œuvres dans les collections de Dresde.

LOSIK Thomas
Né en 1849. Mort en 1896 à Cracovie. xixe siècle. Polonais.
Peintre et sculpteur.
Il exécuta des portraits et des tableaux de genre.

LO SPADINO. Voir **CASTELLI Giovanni Paolo**

LO SPAGNA Pantaleo. Voir **PIUMA Pantaleo**

LO SPAGNOLETTO. Voir **RIBERA Josef** ou **Jusepe de**

LO SPAGNUOLO. Voir **CRESPI Giuseppe Maria** et **SACCHI Filippo** ou **Pietro**

LOSQUES Daniel de, pseudonyme de **Thouroude**
Né le 10 mars 1880 à Saint-Lô (Manche). Mort le 8 août 1915, durant un combat aérien. xxe siècle. Français.
Dessinateur humoriste, caricaturiste, dessinateur d'affiches.
Fils d'un juriste, il étudia le droit à Caen, puis à Paris, où il devint élève de l'Académie Julian. En 1910, il fonda une imprimerie d'affiches.
Il débuta au journal *Le Figaro*, puis collabora à *L'Aurore*, *Fantasio*, *Je sais tout*, *Le Matin*, *Le Monde illustré*, *Paris illustré*, illustrant les articles de critique théâtrale, entre 1904 et 1914. En 1906, il publia l'album *Couloirs et Coulisses*.

Bibliogr. : Marcus Osterwalder, in : *Diction. des illustrateurs 1800-1914*, Ides et Calendes, Neuchâtel, 1989.

LOS REOS Joseph de
Né vers la fin du xviie siècle à Séville. xviie-xviiie siècles. Espagnol.
Peintre.

LOS REYES Gaspar de
xvie siècle. Actif à Séville. Espagnol.
Peintre et doreur.
Il travailla de 1561 à 1564, au grand autel de la cathédrale.

LOS REYES Jeronimo de
xviiie siècle. Actif à Cordoue. Espagnol.
Graveur sur cuivre.

LOS REYES Melchior de
xvie siècle. Travaillant à Séville dans la seconde moitié du xvie siècle. Espagnol.
Peintre.
En 1561, il fait des peintures à la cathédrale. Il vivait encore en 1579 puisqu'à cette date on trouve trace d'une acquisition qu'il fit à la cathédrale.

LOS REYES MERINO Julio. Voir **DELOS**

LOS RIOS Alonso de. Voir **ALONSO de Los Rios Pedro**

LOS RIOS Ricardo de
Né en 1846 à Valladolid (Castille-Léon). Mort en 1929 à Madrid. xixe-xxe siècles. Actif aussi en France. Espagnol.
Peintre de scènes de genre, figures typiques, portraits, intérieurs, natures mortes, graveur, illustrateur, copiste.
Il fut élève d'Isidore Pils à l'École des Beaux-Arts de Paris. Il exposa régulièrement à Paris, à partir de 1867, au Salon, puis Salon des Artistes Français. Il obtint une médaille de seconde classe en 1867, une autre en 1868 ; une médaille de première classe en 1877, une autre en 1879 ; une médaille de troisième classe en 1888 ; une médaille d'argent en 1889, une autre en 1900, pour les Expositions Universelles. Il fut fait chevalier de la Légion d'Honneur en 1894.
Il a illustré le *Don Quichotte* de Cervantes. Il peignit diverses scènes de genre, d'entre lesquelles : *Scène d'un intérieur hollandais* et eut une importante activité de copiste, réalisant notamment : *Les patates* de Lerrolle.
Bibliogr. : In : *Cien Anos de pintura en Espana y Portugal, 1830-1930*, Antiqvaria, t. IX, Madrid, 1992.
Musées : Le Havre : *Nature morte.*
Ventes Publiques : Paris, 16 déc. 1925 : *Jeune Bretonne dans un intérieur* : **FRF 260** – Paris, 28 fév. 1945 : *Tête de vieille femme coiffée d'un bonnet de dentelle* : **FRF 1 000** – Paris, 31 oct. 1973 : *Le Joueur de mandoline* : **FRF 8 500** – New York, 17 avr. 1974 : *Le Joueur de mandoline* : **USD 3 700** – Paris, 13 déc. 1976 : *Conversation galante* 1876, h/t (65x74) : **FRF 6 200**.

LOSSEAU Myriam
Née en 1939 à Gozée. xxe siècle. Belge.
Peintre de paysages, natures mortes, fleurs, aquarelliste.
Elle fut élève de Marcel Gibon et Jean Ransy, à l'Académie des Beaux-Arts de Charleroi. En 1995, la galerie Racines de Bruxelles a présenté une exposition personelle de ses aquarelles. Elle peint surtout les paysages de Sambre et Meuse, en leur conférant un caractère féérique.
Bibliogr. : In : *Diction. biograph. illustré des artistes en Belgique depuis 1830*, Arto, Bruxelles, 1987.

LOSSEFF Nicolaï Dmitriévitch ou **Loceff**
xixe siècle. Actif en 1855. Russe.
Peintre d'histoire.
Élève de l'Académie de Saint-Pétersbourg. Il travaillait à Rome en 1886.

LOSSENKO Anton Pavlovitch. Voir **LOSENKO**

LOSSIER Frank Edouard
Né le 12 décembre 1852 à Genève. xixe siècle. Suisse.
Peintre de genre, d'histoire, peintre d'émaux.
Élève de Charles Glardon il se perfectionna à Paris. Parmi ses œuvres à l'huile mentionnons la *Première distribution de Prix à Saint-Pierre en 1559* (prix au concours Diday, propriété de la ville de Genève). Le Musée Rath, à Genève possède de lui : *Guillaume Tell repoussant la barque de Gessler* (émail), *Guillaume Tell bravant Gessler* (émail), *Exécution de Berthelier en 1519* (émail), *Arrivée des députés de Fribourg et de Berne en 1526 à Genève* (émail). Le Musée des Arts décoratifs, à Genève, possède d'autre part : *La reine Berthe* et *La Bataille de Margarten* (deux émaux).

LOSSIGNOL Jean-Marie
Né le 11 juillet 1950 à Valenciennes (Nord). xxe siècle. Français.
Peintre. Tendance surréaliste.
Il fut élève de l'École des Beaux-Arts de Valenciennes, puis de Yankel à celle de Paris. Il participe à des expositions collectives, à Paris au Salon de la Jeune Peinture, ainsi qu'en province et en Belgique.
Il a réalisé une décoration murale *Vache-machine à coudre* au collège de Douchy.

LOSSOW Arnold Hermann
Né en 1805 à Brême. Mort en 1874 à Munich. xixe siècle. Allemand.
Sculpteur.
Ce fut l'un des meilleurs élèves de Schwanthaler. Il travailla beaucoup pour Louis Ier de Bavière. On cite de lui plusieurs frises et statues, conservées à la Bibliothèque de Munich.

LOSSOW Friedrich
Né le 13 juin 1837 à Munich. Mort le 19 janvier 1872 à Munich. xixe siècle. Allemand.
Peintre animalier, dessinateur et illustrateur.
Fils du sculpteur Arnold Hermann Lossow. Étudia à l'Académie de Munich avec Piloty et s'adonna plus tard seulement aux figures d'animaux.
Ventes Publiques : Paris, 29 mars 1943 : *La baigneuse* : **FRF 3 000** – New York, 28 avr. 1977 : *La basse-cour* 1865, h/t (49x61) : **USD 5 500** – Londres, 5 fév. 1982 : *Chien poursuivant des canards* 1867, h/t (89,2x78,7) : **GBP 1 700**.

LOSSOW Heinrich
Né le 10 mars 1843 à Munich. Mort le 19 mai 1897 à Schleissheim. xixe siècle. Allemand.
Peintre de genre.
Frère du peintre Friedrich Lossow, il fut comme lui élève de l'Académie de Munich, dans l'atelier de Piloty.

Musées : Linz : *Mozart* – Minneapolis (Walker Art coll.) : *L'Amour éveillé* – *L'Amour endormi* – Munich (Pina.) : *Souvenir* – *Le Boudoir*.
Ventes Publiques : Paris, 18 juin 1930 : *Les deux amies* : **FRF 1 400** – Cologne, 24 mars 1972 : *Jeune femme dans un parc* : **DEM 2 600** – Vienne, 22 juin 1983 : *Jeune fille en robe du dimanche*, h/pan. (26,5x15,5) : **ATS 25 000** – Munich, 8 mai 1985 : *Je fais ce que je veux*, h/t (67x51) : **DEM 5 500** – Londres, 7 oct. 1987 : *Fillette et son chien dans un parc*, h/t (73x54) : **GBP 3 800** – New York, 21 mai 1991 : *La bouquetière*, h/pan. (47x31) : **USD 3 850** – Calais, 13 déc. 1992 : *Élégante à sa toilette*, h/pan.

(53x41) : **FRF 29 000** – Londres, 16 mars 1994 : *Bavardages près du rouet*, h/t (68x48) : **GBP 4 600** – Londres, 26 mars 1997 : *L'Enchanteresse* 1868, h/t (115x85) : **GBP 5 520**.

LOSSOW Karl
Né le 6 août 1835 à Munich. Mort le 12 mars 1861 à Rome. XIXe siècle. Allemand.
Peintre d'histoire.
Fils d'Arnold H. Lossow. Élève de l'Académie de Munich. Il voyagea en Italie et vécut surtout sur les bords du lac de Côme, où il travailla pour le prince Georges de Saxe-Meiningen.

LOSTE Patrick
XXe siècle. Français.
Peintre de paysages, animalier, technique mixte. Tendance abstrait-informel.
Depuis 1993, la galerie Le Troisième Œil de Paris montre des expositions personnelles de ses peintures.
Il peint sur des supports rudimentaires, papier, bâches. Des taches et signes, semblant s'inspirer de l'art pariétal, évoquent des paysages, des chevaux.

LOSTING Johan Ludvig
Né le 11 septembre 1810 à Bergen. Mort le 13 mars 1876 à Bergen. XIXe siècle. Norvégien.
Peintre et lithographe.
Il fut le professeur d'Henrik Ibsen. Il exécuta des portraits et des tableaux d'autel.
Musées : Bergen : *Fleurs*.

LOT Henri
Né le 22 mai 1822 à Gendringen (près d'Arnheim). Mort le 12 mai 1878 à Düsseldorf. XIXe siècle. Hollandais.
Peintre de paysages animés.
Il fut élève de Blaas et de B.-C. Kœkkœk à Clève. Il exposa en Allemagne.
Ventes Publiques : Munich, 30 nov. 1978 : *Paysage*, h/t (38,5x62,5) : **DEM 4 300** – Amsterdam, 19 oct. 1993 : *Berger et ses bêtes près d'une hutte dans un vaste paysage fluvial*, h/pan. (38x50,5) : **NLG 6 325** – Londres, 13 mars 1996 : *Scène champêtre avec du bétail se désaltérant*, h/t (57x81) : **GBP 2 530**.

LOTAVE Carl G.
Né le 29 février 1872 à Jönköping. XIXe-XXe siècles. Suédois.
Peintre.
Élève d'A. Zorn. Il travailla à Paris et en Amérique.

LO TCHE-TCH'OUAN. Voir **LUO ZHICHUAN**

LO-TCH'OUANG. Voir **LUOCHUANG**

LOTEN Jan. Voir **LOOTEN**

LOTH Franz
Né en 1641 à Munich. Mort en 1701 à Munich. XVIIe siècle. Allemand.
Peintre.
Il accompagna son frère Johann-Karl à Venise et y resta plusieurs années.

LOTH Johann Karl, appelé en Italie **Carlotto**
Né en 1632 à Munich. Mort en 1698 à Venise. XVIIe siècle. Actif en Italie. Allemand.
Peintre d'histoire, compositions religieuses, sujets mythologiques, portraits. Baroque.
Fils et élève de Johann Ulrich Loth, il s'en alla en Italie pour continuer ses études. Après un passage à Rome, il arriva à Venise vers 1657 et y séjourna une bonne partie de sa vie, travaillant tout d'abord dans l'atelier de Pietro Liberi.
Il fit, à Vienne, de nombreux portraits, entre autres celui de l'empereur. Mais il fut surtout le peintre vers qui les commandes affluaient de la part des princes européens, des églises du Sud de l'Allemagne et d'Italie. On voit de lui, à Venise, un *Christ mort*, à l'hôpital Lesser ; une *Mort de saint Joseph*, à Saint-Jean Chrysostome ; une *Sainte Famille*, à S. Silvestro. Sa manière le rapproche de celle des « Tenebrosi », dans la suite du caravagisme. Il fut le maître de plusieurs artistes baroques du Sud de l'Allemagne.

Bibliogr. : G. Ewald : *Johann Karl Loth 1632-1698*, Amsterdam, 1965 – in : *Diction. de la peint. allemande et d'Europe centrale*, coll. Essentiels, Larousse, Paris, 1990.
Musées : Aix-la-Chapelle : *Abel et Caïn* – *Le satyre à la cruche* – Amsterdam : *La mort d'Orion* – Berlin (Kaiser Friedrich Mus.) : *Pan et Apollon* – Bordeaux : *L'Amour se mordant les doigts* – Dresde : *Job et ses amis* – *Job, sa femme et ses enfants* – *Loth et ses filles* – *Le Christ exposé* – Épinal : *Le temps arrachant les ailes de l'Amour* – Florence (Mus. des Offices) : *Autoportrait* – *Adam pleurant la mort d'Abel* – Florence (Mus. Pitti) : *Autoportrait* – Ingolstatd : *L'ange Raphaël* – Londres (Nat. Gal.) : *Mercure et Argus* – Mayence : *Loth et ses filles* – Munich (Alte Pina.) : *Mort de Sénèque* – *Saint Dominique recevant le chapelet de Marie* – *L'ange gardien Raphaël et un enfant* – *Agrippine portée vivante au rivage* – Nancy : *Isaac envoie Esaü à la chasse* – Rennes : *La femme adultère* – Saint-Pétersbourg (Mus. de l'Ermitage) : *L'amour filiale d'une Roumaine* – Venise (Mus de l'Acad.) : *Saint Romuald* – Vienne (Kunst. Mus.) : *Jupiter et Mercure chez Philémon et Baucis* – *Jacob bénit les enfants de Joseph*.
Ventes Publiques : Vienne, 28 nov. 1967 : *Saint Jérôme dans le désert* : **ATS 35 000** – Londres, 27 juin 1969 : *Loth et ses filles* : **GNS 750** – Copenhague, 6 nov 1979 : *Le Bon Samaritain*, h/t (115x180) : **DKK 30 000** – Londres, 24 mai 1985 : *Paysan assis allumant sa pipe*, h/t (95x85) : **GBP 8 000** – Londres, 1er juil. 1986 : *Neptune sur son char tiré par des hippocampes*, pl. et encre brune reh. de blanc (29,1x40,9) : **GBP 1 600** – Rome, 2 juin 1987 : *Apollon et Marsyas ; Supplice de Marsyas*, h/t (150x198) : **ITL 45 000 000** – New York, 15 jan. 1988 : *Apollon et Marsyas*, h/t (120,7x128,5) : **USD 14 300** – New York, 7 avr. 1988 : *Silène ivre*, h/t (101x78,5) : **USD 3 025** – Rome, 10 mai 1988 : *Silène ivre*, h/t (122x95) : **ITL 13 000 000** – Rome, 13 déc. 1988 : *Saint Sébastien*, h/t (123x100) : **ITL 8 000 000** – New York, 7 avr. 1989 : *L'ivresse de Silène*, h/t (113x96) : **USD 20 900** – Rome, 8 mars 1990 : *Le martyre de S. Gherado Sagredo*, h/t (75x42) : **ITL 10 000 000** – Milan, 27 mars 1990 : *Allégorie de la Paix*, h/t (117x94) : **ITL 8 000 000** – New York, 4 avr. 1990 : *Saint Jean Baptiste*, h/t (127x95,2) : **USD 8 800** – New York, 8 jan. 1991 : *La régénérescence d'Éson*, encre avec reh. de blanc/pap. gris bleu (19,3x25,8) : **USD 12 100** – Paris, 18 avr. 1991 : *Elie et l'Ange*, h/t (91x156) : **FRF 50 000** – Londres, 30 oct. 1991 : *Salomé avec la tête de saint Jean Baptiste*, h/t (110x90) : **GBP 3 300** – Milan, 28 mai 1992 : *Abraham et l'ange*, h/t (95x158) : **ITL 18 000 000** – Lugano, 1er déc. 1992 : *Caïn et Abel*, h/t (165x157) : **CHF 58 000** – Milan, 3 déc. 1992 : *Le martyr de saint Bartolomée*, h/t (149x132) : **ITL 19 210 000** – Londres, 5 juil. 1993 : *Scène biblique, peut-être Jacob bénissant les fils de Joseph*, h/t (137x185,5) : **GBP 4 600** – Rome, 18 mars 1997 : *Élie nourri par l'Ange*, h/t (150x200) : **ITL 65 240 000** – Londres, 4 juil. 1997 : *Ecce Homo*, h/t (96,8x82,3) : **GBP 13 800**.

LOTH Johann Ulrich
Né vers 1590 à Munich. Mort en 1662 à Munich. XVIIe siècle. Allemand.
Peintre d'histoire, compositions religieuses, miniaturiste, aquarelliste.
Élève de son père Paulus, peintre verrier, et de Witte, dit Pietro Candido ; peut-être aussi élève de Saraceno à Venise, où il travailla entre 1610 et 1613. Il fut peintre de l'électeur Maximilien de Bavière, de 1615 à 1626. Il est le père de Johann Karl Loth.
On voit des œuvres de lui dans les églises de Munich. Il a été influencé par le caravagisme.

Bibliogr. : In : *Diction. de la peint. allemande et d'Europe centrale*, coll. Essentiels, Larousse, Paris, 1990.
Musées : Augsbourg – Mayence : *Isaac bénissant Jacob* – Munich (Alte Pina.) – Nuremberg (Mus. Germanique) : *Une vestale*.

LOTH Michel
Né en 1953 à Saint-Avold (Moselle). XXe siècle. Français.
Peintre. Abstrait-informel.
Il vit et travaille à Freyming-Merlebach. En 1988, il a figuré à Paris au Salon d'Automne, à la Biennale de Forbach.

LOTH Onofrio
Né vers 1650. Mort en 1717. XVIIe-XVIIIe siècles. Italien.
Peintre de natures mortes.
Il travailla à Rome et Naples, où il s'installa.

LOTHAR Paul Lothar Müller, dit **Paul**
Né le 9 avril 1869 à Berlin. XIXe siècle. Allemand.
Paysagiste et aquarelliste.
Il exposa à Berlin en 1892 et 1893. On cite de lui : *Vieille ville*.

LOTHIN Livia ou **Loth**, née **Krumpper**
Morte en 1661. XVIIe siècle. Allemande.

Peintre de miniatures.
Elle épousa Johann Ulrich Loth en 1624.

LOTHON Élisabeth
Née en 1806 à Paris. XIXe siècle. Française.
Pastelliste, miniaturiste et peintre sur porcelaine.
Élève de Mme Jaquetot. Elle exposa au Salon, de 1827 à 1848.

LOTI Cosimo ou **Lotti**
Né à Florence. Mort vers 1650 à Madrid. XVIIe siècle. Italien.
Peintre de décors de théâtre, dessinateur.
Il fut au service de Philippe IV d'Espagne. Il fournit les décors pour le drame de Lope de Vega *Forêt d'amour*. Architecte et dessinateur, il travailla également pour les jardins Boboli à Florence.

LOTIN Jean. Voir **LOTYN Johannes**

LO T'ING-HI ou **lo T'ing-Hsi**. Voir **LUO TINGXI**

LOTIQUET Eugène Léonard
Né le 14 juillet 1844 à Amiens (Somme). Mort en 1876. XIXe siècle. Français.
Peintre d'histoire, de genre et de portraits.
Élève de Pils et de Cabanel. Il débuta au Salon en 1870. Le Musée d'Amiens conserve de cet artiste : *Moïse brisant les tables de la loi*.
Ventes Publiques : Paris, 12 mars 1941 : *Le repos* 1875 : **FRF 510**.

LOTIRON Robert
Né le 29 octobre 1886 à Paris. Mort en avril 1966 à Rueil-Malmaison (Hauts-de-Seine). XXe siècle. Français.
Peintre de paysages, compositions murales, cartons de tapisseries, graveur, lithographe.
À Paris, il fut élève de Jules Lefebvre à l'Académie Julian, de Tony Robert-Fleury à l'École des beaux-arts, puis de l'Académie Ranson. Il exposait à Paris, au Salon des Indépendants, régulièrement au Salon d'Automne dont il était sociétaire. En 1937, dans le contexte de l'Exposition Internationale, il figurait avec huit peintures à l'*Exposition des Maîtres de l'Art Indépendant*. Il montrait des ensembles de ses œuvres dans des expositions personnelles, notamment à Paris en 1962. Une exposition posthume lui fut consacrée à Dieppe en 1978, une autre au musée des Beaux-Arts de Menton en 1994. Il fit de nombreux voyages à la recherche de sujets nouveaux : en 1924 à Majorque, de 1933 à 1935 en Italie et Espagne, en 1938 à Istamboul, outre ses séjours en Bretagne et Normandie. En 1936, il réalisa les décorations murales d'un jardin d'enfants à Sceaux ; en 1937 des décorations pour le Pavillon du Mobilier de l'Exposition Internationale ; en 1942 des projets pour la Manufacture de Porcelaines de Sèvres ; en 1943 des cartons de tapisseries pour les Gobelins.
Ami de Roger de La Fresnaye, il participa discrètement aux expérimentations cubistes, qui ne le marquèrent pas profondément, sauf à en garder le sens d'une composition élaborée des plans et d'une construction ferme des volumes. Comme Gernez, Hayden, Le Fauconnier, entre autres, il retourna tôt à une vision plus directe de la réalité. Dans la période de l'entre-deux-guerres, il fit partie d'un groupe de peintres représentatifs de l'École de Paris extérieure aux courants fauve, cubiste, abstrait ou surréaliste, avec Dunoyer de Segonzac, Luc-Albert Moreau, Boussingault et autres. Il fut essentiellement connu pour ses paysages de Paris et des environs, de Bretagne et des fermes normandes. ■ J. B.

Lotiron
Lotiron

Bibliogr. : Alfred Basler : *Robert Lotiron*, Crès, Paris, 1930 – Jean Alazard : *Robert Lotiron*, Rombaldi, Paris, 1946 – René Huyghe, in : *Les Contemporains*, Tisné, Paris, 1949 – Claude Roger-Marx : *Portrait de Robert Lotiron*, Manuel Brucker, Paris, 1955.
Musées : Chicago – Épinal (Mus. dép. des Vosges) : *Vendanges* 1950 – Le Havre – Los Angeles – Marseille (Mus. Cantini) – Paris (Mus. Nat. d'Art Mod.) – Philadelphie.
Ventes Publiques : Paris, 21 fév. 1920 : *Paysage* : **FRF 450** – Paris, 18 nov. 1925 : *Vaches au pâturage* : **FRF 2 100** – Paris, 20 déc. 1926 : *Les Canotiers* : **FRF 4 100** – Paris, 29 mai 1929 : *La Partie de Jacquet* : **FRF 5 100** – Paris, 2 mars 1939 : *Les Quais* : **FRF 1 650** – Paris, 9 mars 1942 : *Les Quais* 1921 : **FRF 4 350** – Paris, 20 juin 1944 : *Village de l'Yonne* : **FRF 10 000** – Paris, 18 nov. 1946 : *Paris, les chalands* : **FRF 8 600** – Paris, 15 fév. 1950 : *Le Port pavoisé* : **FRF 31 000** – Paris, 14 fév. 1951 : *L'Île Saint-Louis* : **FRF 19 000** – Paris, 29 avr. 1955 : *Le Pont* : **FRF 25 000** – Paris, 20 juin 1973 : *Sur le Port* : **FRF 2 300** – Versailles, 12 mai 1974 : *Port du Midi* : **FRF 4 200** – Versailles, 4 avr. 1976 : *Marseille, le port*, h/t (38x48,5) : **FRF 3 500** – Los Angeles, 9 nov. 1977 : *La partie de jaquet* 1920/21, h/t (144,7x115) : **USD 4 000** – Paris, 17 juin 1985 : *Quai de Javel et la Tour Eiffel*, h/t (41x32) : **FRF 16 000** – Paris, 7 déc. 1987 : *Paris, la Seine au pont Alexandre III*, h/t (27x41) : **FRF 17 000** – Paris, 7 déc. 1987 : *Paris, la Seine au pont Alexandre III*, h/t (27x41) : **FRF 17 000** – Paris, 17 fév. 1988 : *Nature morte aux poissons*, h/t (38x46) : **FRF 6 000** – La Varenne-Saint-Hilaire, 29 mai 1988 : *Travaux des champs*, h/t (38x46) : **FRF 10 100** – Versailles, 16 oct. 1988 : *Le village*, h/t (27x35) : **FRF 14 500** ; *Au jardin public*, h/t : **FRF 14 000** – Paris, 12 déc. 1988 : *Les plaisirs du dimanche*, h/t (33x46) : **FRF 55 000** – Paris, 18 juin 1989 : *Scènes de labours*, h/t (27x41) : **FRF 9 000** – Paris, 4 avr. 1989 : *Le chemin creux parmi les oliviers*, h/t (19x27) : **FRF 4 500** – Paris, 4 mai 1990 : *Les Ouvriers sur les bords de la Seine*, h/t (33x41) : **FRF 38 000** – Paris, 3 avr. 1990 : *Les Joueurs de cartes*, h/t (59x73) : **FRF 45 000** – Berne, 12 mai 1990 : *La « clémenterie » près de Villemes*, h/t (27x46) : **CHF 3 400** – Neuilly, 26 juin 1990 : *Le Parc*, h/t (22x33) : **FRF 20 000** – Le Touquet, 11 nov. 1990 : *Vase de fleurs*, h/t (53x46) : **FRF 29 000** – Paris, 7 déc. 1990 : *Un pont de Paris*, h/t (28x46) : **FRF 24 000** – Lyon, 13 déc. 1990 : *Vue de Paris – l'Hôtel Lambert*, h/t (33x50) : **FRF 25 000** – Paris, 28 mars 1991 : *Gennevilliers*, h/t (27x35) : **FRF 4 100** – Paris, 9 déc. 1991 : *Le Port*, h/t (52x61) : **FRF 32 000** – Paris, 11 mars 1992 : *Un port*, h/t (38x46) : **FRF 13 000** – New York, 12 juin 1992 : *Batteuse*, h/t (27,9x34,9) : **USD 2 530** – Paris, 13 nov. 1993 : *Marins au port*, gche (21x27) : **FRF 7 200** – Paris, 25 mars 1994 : *Le Port de Dieppe* 1921, h/t (27x46) : **FRF 15 000** – Deauville, 19 août 1994 : *La Remise des prix*, h/t (27x35) : **FRF 16 000** – Paris, 16 nov. 1995 : *Les Quais de la Seine et la Tour Eiffel*, h/t (33x46) : **FRF 10 000** – New York, 9 oct. 1996 : *La partie de tennis*, h/t (81,3x99,7) : **USD 13 800** – Paris, 7 mars 1997 : *L'Île Saint-Louis*, h/t (33x46) : **FRF 7 100** – Paris, 25 mai 1997 : *La Guinguette* 1923, h/t (73x100) : **FRF 67 000** – Paris, 23 juin 1997 : *La Partie de jacquet*, h/t (59x73) : **FRF 42 000** – Paris, 19 oct. 1997 : *Paysage de bords de Seine* 1944, h/t (27x46) : **FRF 12 000**.

LOTSCH Christian Johann
Né en 1790 à Karlsruhe. Mort en 1873 à Rome. XIXe siècle. Allemand.
Sculpteur et dessinateur.
Il travailla à Rome sous la direction de Thorwaldsen.
Musées : Copenhague (Thorwaldsen) : *Dessins pour Don Quichotte* – Hanovre (Kestner) : *Caricature – Scènes populaires italiennes* – Karlsruhe : *Allégorie de la Peinture* – Mannheim (Château) : *Le grand-duc Louis de Bade*, médaillon albâtre.

LOTT Hilde
Née en 1880 à Vienne. XXe siècle. Autrichienne.
Peintre.
À Munich, elle fut élève de Erwin Knirr dans son école privée, et à Vienne de Karl Karger à l'École des Beaux-Arts et de l'Industrie.

LOTTE. Voir **MATHEY Claude**

LOTTER Hieronymus
Né vers 1540 à Leipzig. Mort en 1584 à Leipzig. XVIe siècle. Allemand.
Peintre.
Il fit surtout des portraits et des copies.

LOTTI Dilvo
Né en 1914 à San Miniaio (Pira). XXe siècle. Italien.
Peintre.

LOTTI Lorenzo, dit **Lorenzetto**, de son vrai nom : **Lorenzo di Ludovico di Guglielmo**
Né en 1490 à Florence. Mort en 1541 à Rome. XVIe siècle. Italien.
Sculpteur et architecte.
Il travailla pour le Dôme de Pistoia, pour la chapelle Chigi de Sainte-Marie-du-Peuple à Rome avec Raphaël et pour le tombeau de ce dernier au Panthéon.

LOTTI Vincenzo
Né au XIXe siècle à Taggia. XIXe siècle. Italien.

Peintre de marines et de paysages.
Il débuta vers 1880 et exposa à Turin et Milan.

LOTTIER Louis
Né le 9 novembre 1815 à La Haye-du-Puits (Manche). Mort en 1892 à Mont-Saint-Père (Aisne). XIXe siècle. Français.
Peintre de paysages, marines. Orientaliste.
Élève de Jean Gudin, il participa au Salon de Paris de 1839 à 1888, obtenant une médaille de troisième classe en 1852.
S'il est surtout connu pour ses vues d'Alger, du Caire, de Constantinople, Beyrouth, Jaffa, il est aussi l'auteur de paysages maritimes représentant des ports français, comme Cherbourg ou Toulon. On voit de lui au Ministère de l'Intérieur, une *Vue du Caire* et une *Vue de Constantinople.* La plupart de ses toiles laissent paraître une lumière vibrante.
Bibliogr. : Gérald Schurr, in : *Les Petits Maîtres de la peinture 1820-1920, valeur de demain,* Les Éditions de l'Amateur, t. V, Paris, 1981.
Musées : Avignon : *Paysage maritime de la Basse Égypte* – Avranches : *Paysage* – Caen : *Ville et port de Caen* – *Abside de l'église Saint-Pierre* – Châteauroux : *Coucher de soleil* – Chaumont : *Le Caire* – Le Havre : *Vue du Bosphore* – Le Mans : *Bateau à vapeur turc sortant de Constantinople* – Perpignan : *Vue de Smyrne* – Rouen : *Naufrage* – *Soleil couchant* – *Marine, clair de lune* – *Les Pyramides* – *Mosquée à Constantinople* – *Vaisseau à l'ancre* – *Côtes du Calvados* – *Alger, effet de nuit* – *Saint-Pierre de Caen* – *Maison blanche à Alger* – *Environs d'Alger au crépuscule* – *Gorges d'Ollioules* – *Les forçats* – *L'ancien Cherbourg* – *Bateau à vapeur en mer* – *Bateaux pêcheurs en rade de Toulon* – *Rocher au bord de la mer* – Vitré : *Vue de Vitré.*
Ventes Publiques : Paris, 7 mars 1932 : *Bazar arabe* : **FRF 140** – Paris, 21-22 avr. 1941 : *Paysages d'Italie,* deux h/t, formant pendants : **FRF 680** – Paris, 9 mars 1987 : *L'Église de la Nativité à Bethléem* vers 1850, h/t (59x73) : **FRF 42 000**.

LOTTIN Frédéric Anselme
Né vers 1865 à Paris. Mort en 1907 à Ault (Somme). XIXe siècle. Français.
Peintre.
Élève de Gustave Moreau.
Musées : Montpellier (Fabre) : *Réminiscence.*

LOTTIN de LAVAL Pierre Victor
Né en 1810 à Orbec (Calvados). Mort en 1903 à Menneval (près de Bernay, Eure). XIXe siècle. Français.
Peintre de sujets typiques, paysages. Orientaliste.
Il exposa au Salon de Paris en 1848 et 1849.
Ses représentations de mosquées, caravanes, ports orientaux sont traitées avec une certaine liberté, dans des tonalités chaudes.
Bibliogr. : Gérald Schurr, in : *Les Petits Maîtres de la peinture 1820-1920, valeur de demain,* Les Éditions de l'Amateur, t. III, Paris, 1976.
Musées : Alençon : *Produits de la lottinoplastie* – Bagnères-de-Bigorre : *Figure colossale du roi de Ninive* – *Vue d'Orient* – *Vue du port de Nicomédie* – *La mosquée* – Bernay : *Caravane surprise par l'orage* – *Montage d'un médaillon de Luca della Robbia* – *Deux Paysages* – Lisieux : *Autoportrait.*
Ventes Publiques : Paris, 10 nov. 1975 : *Le Moulin-Joli sur la Sioule,* h/t (81x65) : **FRF 2 000** – Paris, 1er fév. 1996 : *Couple de pêcheurs napolitains* 1843, h/bois (33x40,5) : **FRF 5 000**.

LOTTINI Lionetto, appelé en religion **Fra Giovanni Angelo**
Né vers 1549. Mort en 1629. XVIe-XVIIe siècles. Italien.
Sculpteur.
Élève de G. A. Montorsoli. Il travailla pour des églises de Pistoia.

LOTTIS Marguerite de
Née à Naples. XXe siècle. Italienne.
Peintre.
Elle fut élève du Lycée Artistique et de l'Académie des Beaux-Arts de Rome. Elle poursuivit sa formation à Paris, où elle exposa régulièrement au Salon des Indépendants, et au Salon des Artistes Français en 1933, 1934, 1939. À Rome, elle a figuré au Palais des Expositions en 1928, 1929, 1936.

LOTTMAN Adam ou **Loetmay**
Né en 1583 à Coulogne (près de Calais). Mort en 1660 à Saint-Omer. XVIIe siècle. Français.
Sculpteur.
De 1614 à 1617, il fit le jubé de Notre-Dame-de-la-Chaussée, à Valenciennes. Avec Guillaume Tabaget, il exécuta, en 1619, le jubé de l'église Saint-Bertin, à Saint-Omer. En 1625, il sculpta, dans le chœur de l'église Notre-Dame, à Calais, le rétable qui y est encore aujourd'hui et qui est la seule œuvre de cet artiste qui nous soit parvenue. Il commença, en 1627, à Notre-Dame-la-Grande de Valenciennes, le jubé d'albâtre, orné de statues et de bas-reliefs. Enfin, de 1639 à 1647, il fit le jubé de l'église Saint-Amé, de Douai.

LOTTO Lorenzo
Né vers 1480 à Venise. Mort en 1556 ou 1557 à Lorette. XVIe siècle. Italien.
Peintre de compositions religieuses, portraits, dessinateur, illustrateur.
Lorenzo Lotto évita très tôt Venise, peut-être parce que les rivalités y étaient trop nombreuses aux côtés des Giorgione, Palma il Vecchio, Titien. Selon Vasari, il se serait pourtant lié d'amitié avec Palma il Vecchio, amitié qu'expliqueraient des affinités : tous deux sensibles dans leur art à la grâce et à l'expression. Sinon, Lotto chercha toute sa vie les commandes éventuelles dans le nord de l'Italie, à Trévise (1503-1506), dans les Marches (1506-1508), à Rome (1508-1510), à Bergame (à partir de 1513). Il revint à Venise en 1525, âgé de quarante-cinq ans, y fondant un atelier. En 1549, il s'établit à Ancône. En 1554 et jusqu'à sa mort, il fut oblat franciscain à Lorette.
Une exposition a été consacrée à Lorenzo Lotto à la National Gallery de Washington en 1997, puis à l'Accademia Carrara de Bergame et aux Galeries Nationales du Grand Palais de Paris en 1998.
À ses débuts, sans renseignements sur sa formation, on pense que, dans le contexte vénitien, il subit l'influence de Giovanni Bellini, sans avoir sans doute jamais été son élève : *Vierge à l'enfant avec saint Jérôme, saint Pierre et autres* d'Édimbourg. Ce qui ne l'empêcha pas d'être probablement impressionné par le naturalisme de Giorgione : *Allégorie de la Vertu et du Vice* de Washington, ce dont témoignent aussi plusieurs portraits. À cette époque, certains auteurs supposent une influence inattendue de Dürer. L'un de ses premiers tableaux, daté de 1506, est un *Saint Jérôme au désert* (actuellement au Louvre). Il décèle quelque inexpérience ; dessin délicat mais un peu maigre ; trop peu de relief, dans le personnage principal ; mais paysage rocheux assez inquiétant et mis en valeur par la note rouge violacé du vêtement de saint Jérôme. Lotto y révèle un talent de miniaturiste qu'il exploitera plus tard en illustrant des manuscrits pour les communautés religieuses. À Trévise et dans les localités environnantes, l'église paroissiale de Sainte-Christine et le baptistère d'Asolo furent dotés d'œuvres pieuses, d'une grâce naïve. En 1508, il commença le polyptyque de Recanati, avec une *Annonciation,* qui montre encore un certain hiératisme. Invité à Rome en 1509 pour travailler aux Stanze, celle qu'il réalisa dans les appartements pontificaux fut détruite peu d'années plus tard, peut-être parce qu'il y imitait le style de Raphaël, ce qui se remarque aussi dans la *Transfiguration* de Recanati.
En 1513, commence pour Lorenzo une brillante étape à Bergame et sa province. Il s'avère aussi riche coloriste que savant dessinateur et notamment en tant que peintre de portraits, où il se montra d'une rare pénétration psychologique : *Portrait de jeune homme au livre* à l'Accademia de Venise. L'œuvre considérée comme la plus importante de cette époque est sans doute la *Vierge aux quatre saints* exécutée pour San Bartolommeo de Bergame, entre 1513 et 1516. Au cours de sa carrière artistique, Lotto se ressentira d'autres influences ; celle de Léonard de Vinci sera plus visible. Travailla-t-il, pendant quelque temps, avec Vinci ? Des historiens l'affirment et indiquent l'année 1517, quoique cette année-là Lotto était sans doute à Bergame et Léonard de Vinci partait pour Amboise. Certains signalent aussi des traces de l'influence du Corrège. Au retour d'un voyage dans les Marches, Lotto traversa Parme. Il semblerait que les peintures du Corrège le frappèrent. Plusieurs de ses compositions s'en ressentirent, tel le *Mariage de sainte Catherine* (1523), actuellement à Bergame. Vasari nous parle d'une *Nativité* où le corps lumineux de l'Enfant-Jésus éclaire toutes les scènes comme dans la fameuse *Nuit* du Musée de Dresde. À la différence de celle du Corrège, la grâce de Lotto reste pure de tout alliage mondain et voluptueux. À partir de 1521, encore à Bergame, des documents signalent les contrats passés par Lotto, pour la décoration du maître-autel dans l'église Saint-Étienne, pour des fresques et des peintures à la détrempe dans les églises San Bernardino et San Alessandro in Colonna. À partir de 1524, il peignit les vingt-six cartons destinés à être traités en panneaux de marqueterie pour décorer les stalles du chœur de Santa Maria Maggiore de Ber-

game. Villes et villages du Bergamasque se le disputaient : Santo Spirito, San Martino, Celana, etc. Il crée surtout des œuvres de piété, des Madones, quelquefois une déposition de croix. Dans ces compositions, on décèle encore les diverses influences artistiques anciennes. Mais Lotto sait y mettre une note toute personnelle, il sait innover dans ce thème classique des Madones italiennes, essayant de rompre la symétrie consacrée des Vierges entourées d'anges et de saints. Il y réussit par le contraste des attitudes et l'opposition des mouvements : par exemple, la Vierge parlera, sur la droite, à un saint, et, sur la gauche, l'Enfant-Jésus se tournera vers un autre. Les effets de perspective lui permettent de varier les ordonnances traditionnelles et d'en corriger la monotonie. Toute trace d'imitation disparaît dans ses figures d'anges. Leur type appartient à lui seul, type suave et gracieux, sans maniérisme. Formes sveltes et sans affectation. Chairs aux formes pleines, vivantes, respirant une santé radieuse. Les raccourcis naturellement trouvés ne sentent ni la recherche, ni l'effort. De façon générale, ces tableaux de dévotion, inspirés par une ferveur naïve et tendre, montrent comment Lotto se libère de ses réminiscences et atteint à une authentique originalité.

Lors de son retour à Venise, en 1525, Titien et Lotto seraient devenus amis et l'œuvre de ce dernier s'en ressentit, notamment dans ses portraits, où il mit des coups de lumière par touches rapides. À Venise, furent peints : le *Retable de saint Antonin* (en 1526) pour un autel de l'église des Santi Giovanni e Paolo, le *Portrait d'Andrea Odoni* (en 1527), la *Glorification de saint Nicolas de Tolentino* de Santa Maria dei Carmini (en 1529), œuvre pas très bien accueillie dans la cité alors dominée par Titien, et jugée trop froide.

Le Louvre conserve l'un des principaux chefs-d'œuvre de la maturité de Lotto : *La femme adultère*. Sans doute les personnages sont un peu trop tassés, encombrent la toile, et surtout, ce qui caractérise singulièrement le style de Lotto, paraissent être traités en portraits, ce qui d'ailleurs peut aussi bien être tourné en éloge. Des oppositions inattendues de couleurs, comme celle des épaules blanches de la femme avec le pourpoint noir du mari trompé, comme celle du vert émeraude de la robe exalté par le voisinage de la manche rouge du Christ, ces oppositions, le morcellement du coloris, les rapprochements des tons les plus contraires donnent au tableau un mouvement, une vibration, un équilibre et créent une ordonnance d'une autre sorte que celle, graphique, des masses et des lignes. Ainsi est placée en lumière la figure principale, celle de la femme coupable, pâle, blonde, aimable et distinguée, dont les charmes autant que le repentir implorent le pardon.

Sa piété l'avait déjà conduit et fait travailler à Lorette et dans les Marches. Il devait y terminer sa carrière. En 1550, il peignit une *Assomption* à Ancône. Puis se retira à Lorette où il peignit une *Ascension*. Lanzi a su définir en quoi Lorenzo Lotto procède de son origine nénitienne et en quoi il s'en est différencié : « Lorenzo Lotto est avant tout vénitien. Il l'est par l'intensité du coloris, par la richesse des costumes, par ses fonds de paysage, par le sang qu'il met dans les chairs, à l'exemple du Giorgione. Son exécution un peu timide, adoucie encore par les demi-teintes, n'a pas, sans doute, la liberté, la fierté giorgionesque ; mais elle n'en est que plus d'accord avec la douceur de ses pensées, la béatitude de ses personnages, l'idéalité de ses anges. »

■ J. B.

L. Lotto

Bibliogr. : L. Venturi : *La peinture italienne, la Renaissance*, Skira, Genève, 1951 – E. C. Flamand : *La Renaissance II*, Rencontre, Lausanne, 1965 – A. Chastel, in : *Dictionnaire de l'Art et des Artistes*, Hazan, Paris, 1967 – Giordana Mariani Canova, Rudolfo Pallucchini : *L'Opera completa del Lotto*, Rizzoli Edit., Milan, 1974 – Jacques Bonnet : *Lorenzo Lotto*, Adam Biro, Paris, 1997 – Peter Humphrey : *Lorenzo Lotto*, Gallimard, Paris, 1997.

Musées : Bergame (Acad. Carrara) : *Mariage mystique de sainte Catherine – La Vierge et divers saints – Saint Étienne prêchant dans la synagogue – Saint Étienne chassé de la synagogue – Supplice de saint Étienne* – Berlin : *Trois portraits d'hommes – Saint Sébastien – Saint Christophe – Adieux du Christ à sa mère* – Budapest : *Portrait d'homme – La Vierge, l'enfant Jésus et saint François d'Assise – Un ange* – Chambéry (Mus. des Beaux-Arts) : *Les Docteurs de l'Église* – Dijon : *Portrait de femme* – Dresde : *La Vierge, l'enfant Jésus et saint Jean* – Édimbourg (Nat. Gal. of Scotland) : *Vierge à l'enfant avec saint Jérôme, saint Pierre, sainte Claire (?) et saint François* – Florence (Mus. des Offices) : *Sainte Famille, sainte Anne, saint Jacques et saint Jérôme* – Florence (Pitti) : *Les trois âges de l'homme* – Kassel : *Portrait d'homme* – Londres (Nat. Gal.) : *Agostino et Niccolo della Torre – Groupe de famille – Le protonotaire apostolique Juliano – Portrait de dame avec une image de Lucrèce* – Lorette (Palais Apostolique) : *La chute de Lucifer – Sacrifice de Melchisédech – La Présentation au Temple* – Madrid : *Un mariage* – Milan (Mus. Brera) : *Deux portraits d'hommes – Pietà – Assomption – Portraits présumés de Messer Febo da Brescia et de sa femme* – Munich : *Mariage de sainte Catherine* – Nancy : *Portrait d'homme* – Nantes : *La femme adultère* – Naples : *L'évêque de Trévise, Bernardo Rossi – La Vierge, Jésus et saints* – Nice : *Mariage de la Vierge* – Paris (Mus. du Louvre) : *Sainte Famille – La femme adultère – Saint Jérôme dans le désert – Le Christ portant la croix* – Recanati (Pina. Civica) : *Annonciation* – Rome (Borghèse) : *Portrait – La Vierge, l'enfant Jésus, saint Bernardin et saint Onuphre* – Rome (Colonna) : *Le cardinal Pompée Colonna, vice-roi de Naples* – Rome (Doria Pamphili) : *Saint Jérôme* – Saint-Pétersbourg (Mus. de l'Ermitage) : *Vierge à l'Enfant – Portrait d'homme – Le sommeil de l'Enfant Jésus* – Trévise (Pina.) : *Un moine* – Venise (Gal. dell'Accademia) : *Portrait de jeune homme au livre* – Venise (Correr) : *Vierge et saints* – Vienne (Kunsthistorisches Mus.) : *Vierge à l'enfant avec sainte Catherine d'Alexandrie et saint Thomas – Homme tenant une gaffe – Portrait d'un homme sous trois aspects* – Washington D. C. (Nat. Gal. of Art) : *Allégorie de la Vertu et du Vice*.

Ventes Publiques : Paris, 1843 : *La Vierge, l'Enfant Jésus et un religieux* : **FRF 1 070** – Londres, 1847 : *Portrait de l'artiste, de sa femme et de ses deux enfants* : **FRF 5 640** – Londres, 1854 : *Le mariage de sainte Catherine* : **FRF 9 840** – Paris, 1881 : *Portrait de jeune femme* : **FRF 2 520** – Paris, 24 nov. 1924 : *La Visitation*, pl., lavé de bistre : **FRF 230** – Londres, 27 nov. 1929 : *Portrait de jeune homme* : **GBP 560** – Londres, 4-7 mai 1930 : *Un gentilhomme en robe noire* : **GBP 693** – Berlin, 20 sep. 1930 : *Saint Malu* : **DEM 22 000** – Londres, 9 mai 1934 : *Paysage allégorique* : **GBP 1 800** – New York, 4 mars 1938 : *Homme à la barbe rousse* : **USD 850** – Paris, 16 fév. 1944 : *Femme assise*, attr. : **FRF 7 600** – New York, 5 avr. 1944 : *Portrait d'un sculpteur* : **USD 1 600** – Londres, 1er nov. 1946 : *Femme en robe rouge* : **GBP 336** ; *Portrait de gentilhomme* : **GBP 115** – Londres, 26 avr. 1950 : *Portrait d'homme en habit noir* : **GBP 600** – Londres, 21 nov. 1958 : *Étude de draperie*, pierre noire : **GBP 8 925** – Londres, 26 juin 1959 : *Portrait d'un homme* : **GBP 3 570** – Lucerne, 25 juin 1960 : *Portrait en buste d'un homme barbu* : **CHF 20 500** – Londres, 24 mars 1961 : *Portrait d'un garçon* : **GBP 1 995** – Versailles, 14 mars 1962 : *Le mariage mystique de sainte Catherine* : **FRF 14 000** – Milan, 12-13 mars 1963 : *Deux scènes de martyre* : **ITL 7 000 000** – Londres, 28 juin 1965 : *Portrait d'un vieux gentilhomme barbu* : **GNS 2 400** – Londres, 2 déc. 1977 : *La Vierge et l'Enfant avec un donateur et sa femme, un paysage à l'arrière-plan*, h/t (85,7x115,5) : **GBP 220 000** – Londres, 6 avr. 1984 : *Portrait d'homme barbu*, h/t (94x69,5) : **GBP 35 000** – Paris, 22 mai 1985 : *La Sainte Famille* 1513, h/pan. (32,8x46,3) : **FRF 1 650 000** – New York, 4 juin 1987 : *La Vierge et l'Enfant avec saint Zacharie et saint Jean Baptiste enfant*, h/t (47x56) : **USD 140 000** – New York, 12 jan. 1989 : *Saint Onuphrius d'Égypte*, h/t (85,5x42,5) : **USD 110 000** – New York, 14 jan. 1992 : *Étude d'une tête d'homme barbu*, craie noire (16,8x13,5) : **USD 44 000**.

LOTTO de Bancosis. Voir **BANCOSIS**

LOTUS. Voir **PAÏNI Lotus de, baronne,** née **Gazzotti Elvezia**

LOTYN Johannes ou **Lotin** ou **Lotten**

Né à Bruxelles. Mort après 1695 à Bruxelles. XVIIe siècle. Éc. flamande.

Peintre de fleurs.

En 1686, il était dans la gilde de La Haye. Il travailla longtemps au service de la reine Mary d'Angleterre et à la mort de cette souveraine revint aux Pays-Bas.

LOTZ Edouard Hermann

Né en 1818 à Düsseldorf. XIXe siècle. Allemand.

Peintre de genre.

Élève de Th. Hildebrand à l'Académie de Düsseldorf. Il exposa à Leipzig en 1841 et à Anvers en 1849. On cite de lui : *Les baigneuses surprises*.

Ventes Publiques : Cologne, 11 juin 1979 : *Église au bord du lac Majeur* 1872, h/t (66x95) : **DEM 4 000**.

LOTZ Karl
Né le 16 décembre 1833 à Hessen-Hombourg. Mort en 1904 à Budapest. XIXe siècle. Hongrois.
Peintre de fresques, d'histoire et de genre.
Il travailla à Vienne, orna de fresques de nombreux monuments et palais particuliers. Il devint membre de l'Académie de Vienne.

Musées : Budapest (Beaux-Arts) : *Portrait de l'artiste par lui-même.*

LOTZ Matilda B.
Née en 1858 ou 1861 à Franklin. Morte le 23 février 1923 à Tata (Hongrie). XIXe-XXe siècles. Américaine.
Peintre de paysages, animalier.
À Paris, elle fut élève de Félix Joseph Barrias.
Musées : Washington D. C. (Corcoran Gal.).
Ventes Publiques : San Francisco, 18 juin 1980 : *Pur-sang arabe* 1893, h/t (51x66) : **USD 1 100** – Los Angeles, 9 juin 1988 : *L'étalon blanc dans sa stalle*, h/t (48x63,5) : **USD 6 050**.

LOTZE Moritz Eduard
Né en 1809 à Freiberg en Saxe. Mort le 16 avril 1890 à Munich. XIXe siècle. Allemand.
Peintre de paysages.
Il fut élève de l'Académie de Dresde. Il se fixa à Munich en 1830 et y vécut jusqu'à l'âge de cinquante ans. Après un séjour de quelques années à Vérone, l'artiste revint à Munich.

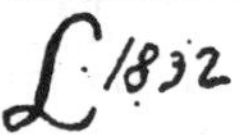

Ventes Publiques : New York, 25 jan. 1980 : *Berger et troupeau dans un paysage au crépuscule* 1851, h/t (104x147,5) : **USD 8 000** – Londres, 20 juin 1984 : *Berger et troupeau de moutons* 1849, h/t (64,5x112) : **GBP 4 400** – Londres, 5 oct. 1990 : *Vaste paysage avec du bétail passant un pont* 1838, h/t (38,4x57,2) : **GBP 1 980**.

LOUARDIGHI Ahmed ou **Louardiri**
Né en mai 1928 à Salé. XXe siècle. Marocain.
Peintre de compositions à personnages. Naïf.
Après avoir fréquenté l'école coranique, dès l'âge de dix ans, il apprit le métier de jardinier, cette activité n'étant pas sans conséquences dans la peinture qu'il pratique ensuite. Il ne semble pas qu'il ait reçu une formation, par contre il a été de toute évidence influencé par les formes d'art décoratif traditionnelles. En 1961, il entra comme maquettiste au Service de l'Urbanisme. En 1960, il exposa pour la première fois au Salon d'Automne de Casablanca, puis en 1962 ; 1963 au Salon de la Jeune Peinture Marocaine de Casablanca, Exposition d'Art Marocain à Paris ; 1964 Rencontre Internationale des Arts Plastiques à Rabat, Rétrospective des Peintres Marocains à El Jadida. Il présente des ensembles de peintures dans des expositions personnelles : 1961 Bab Rouah ; 1963 à El Jadida ; 1964 à Paris.
Comme très souvent les peintres naïfs actuels du Maghreb, et en accord avec les peintures des époques primitives, Louardighi ne recherche pas à créer l'illusion de la troisième dimension, restant dans la bidimensionnalité de la toile ou du panneau, il dispose frontalement les personnages et les décors de ses compositions, dans un foisonnement de détails et une débauche de couleurs franches et gaies qui créent un univers féerique « de fleurs, d'animaux chimériques, de personnages qui évolent dans une végétation luxuriante. » Louardighi appartient indubitablement à l'art naïf, mais ce qui est nouveau en ce domaine, est qu'il y arrive avec toute la poésie du Proche-Orient. Bien que s'étant formé seul, il ne craint pas de s'attaquer à des décorations de grandes dimensions. Anatole Jakovsky, le comparant à Shéhérazade, évoque son talent si particulier : « Une sorte de mélopée qui embrasse pêle-mêle le jasmin et les jets d'eau, la lune et le rossignol, le bleu et la rose qui font l'amour, les dalles fraîches des allées qui caressent les pieds nus après une journée torride nord-africaine, si ce n'est les massifs de fleurs, où, à la place de rosiers de Saadi, surgissent des jouvencelles aux yeux de gazelle, tandis que par les arcs lancéolés, trilobés ou outrepassés des fenêtres, de même que par les moucharabiéhs des tours, les mille ans de légendes et de féerie musulmanes l'écoutent émerveillés. »
Louardighi représente une des facettes d'un art d'Afrique du Nord naissant, naissant puisqu'il ne faut pas oublier que la tradition musulmane, interdisant le principe de la représentation, s'y était opposée jusqu'aux temps modernes. ■ J. B.
Bibliogr. : Ben Embarek M. et Brodskis J. : *Ahmed Louardighi*, Inframar, Rabat, M.U.C.F., 1963 – Anatole Jakovsky et divers : Catalogue de l'exposition *Louardiri*, Paris, 1964 – Khalil M'rabet : *Peinture et identité – L'expérience marocaine*, L'Harmattan, Rabat, après 1986.

LOUBAT Henri Jean Pierre
Né à Gaillac (Tarn). Mort en 1926. XXe siècle. Français.
Peintre.
Élève de l'École des Beaux-Arts de Toulouse. Il débuta au Salon de 1878.
Musées : Toulouse : *Méditation.*

LOUBCHANSKY Marcelle
Née en 1917 à Paris. Morte en 1988. XXe siècle. Française.
Peintre. Abstrait-lyrique.
Elle ne commença à peindre qu'en 1944. Depuis, elle a participé à de nombreuses expositions collectives, notamment : 1954 *Younger european painters* à New York ; et régulièrement à Paris aux Salons de Mai et des Réalités Nouvelles. Elle a montré aussi ses peintures dans des expositions personnelles : à Paris en 1950, et en 1956 avec une préface d'André Breton.
Vers 1955, sous l'égide de la galerie L'Étoile scellée, où exposaient Marcelle Loubchansky, avec, entre autres, Duvillier, Messagier, Degottex, Breton et ses amis, qui y tenaient régulièrement leurs réunions, amorcèrent un rapprochement avec l'abstraction lyrique promue par le critique Charles Estienne. La peinture de Marcelle Loubchansky s'apparente à ce qu'on a pu appeler l'« abstraction-nuagiste », et fut souvent rapprochée de celle de Malespine, Messagier ou Duvillier. De tachages et de coulures, où prédominent souvent les rouges, elle fait surgir ou plus exactement laisse surgir des visions sur les espaces interplanétaires ou tout au moins sur des sortes de jardins sidéraux.
Bibliogr. : Michel Seuphor, in : *Diction. de la peint. abstraite*, Hazan, Paris, 1957.
Ventes Publiques : Paris, 24 avr. 1988 : *Sans titre* 1957, h/t (195x114) : **FRF 14 500** – Paris, 12 fév. 1989 : *Composition*, h/t (92x73) : **FRF 6 500** – Paris, 23 juin 1989 : *Composition* 1958, h/t (100x81) : **FRF 9 000** – Paris, 8 avr. 1990 : *Le Vol du pavot* 1956, h. et essence /t. (130x81) : **FRF 80 000** – Paris, 11 mars 1991 : *Sans titre* 1956, h/t (92x65) : **FRF 8 500** – Paris, 4 oct. 1993 : *Composition* 1971, h/t (100x81) : **FRF 6 700** – Paris, 4 mai 1994 : *Fusion A4* 1967, h/t (82x100) : **FRF 11 500** – Paris, 31 mai 1995 : *Fusion* 1967, h/t (81x100) : **FRF 9 800** – Paris, 24 nov. 1996 : *Peinture (vert d'eau)*, h/t (130x97) : **FRF 14 000**.

LOUBENNIKOV
XXe siècle.
Peintre de figures, nus, paysages, natures mortes.
En 1995, il a participé à la FIAC (Foire internationale d'Art contemporain), à Paris, présentée par la galerie Alain Blondel.
Il entoure ses compositions d'un fond uni, souvent sombre, qui vise à faire ressortir le sujet.

LOUBER Jacob
XVIIe siècle. Actif à Berne. Suisse.
Peintre verrier.
Auteur d'une fenêtre de l'Hôtel de Ville de Berne (1616). Quelques dessins de lui sont signés *Jacobus Louberus, 1601.*

LOUBET Jean-Louis
Né à Saint-Symphorien-d'Ozon (Isère). XIXe siècle. Français.
Peintre.
Il fut élève de Marc G. C. Gleyre. Il débuta à Paris, au Salon de 1864.

LOUBIÈRES Jean-Claude
Né en 1947 à Saint-Martin (Meurthe-et-Moselle). XXe siècle. Français.
Sculpteur, technique mixte, dessinateur. Abstrait-informel.
Depuis 1982, il est installé dans la région parisienne, mais il travaille également dans le Lot.
Il participe à des expositions collectives, dont : 1975, 1976, 1977 *Mostra del Larzac* ; 1979 *Fête de la sculpture* à la Fondation des Arts graphiques, Paris, et *Empreintes d'un territoire* à l'Abbaye de Beaulieu ; 1982 *Articulations* à Bordeaux ; 1983 *Peintures/Sculptures* à l'Abbaye d'Ouville, et *Sculptures et couleurs* au Centre d'Art Contemporain de Jouy-sur-Eure ; 1984 IIe Biennale européenne de Sculpture de Normandie à Jouy-sur-Eure.
Il montre des ensembles de ses sculptures dans des expositions

personnelles : 1978 Centre Culturel de Toulouse ; 1980 Centre Culturel Le Parvis à Tarbes ; 1984 Galerie municipale de Gennevilliers ; 1988, *Vert de gris, gris de plomb, blanc de zinc*, Espace d'art contemporain, Nancy ; 1990, galerie Alain Oudin, Paris ; 1996, galerie Area, Paris ; 1996 *T'as mis des couleurs depuis la dernière fois* à l'École des Beaux-Arts de Metz ; 1997 Crédac, centre d'art contemporain d'Ivry-sur-Seine ; 1997, galerie Corinne Caminade, Paris.
Ses sculptures polychromes sont constituées par le tressage de fibres végétales sur des supports de bois ou de métal diversifiés, qui sont ensuite enduites d'une gangue de papier mâché, puis peintes de coulures de couches de couleurs superposées.
Bibliogr. : In : Catalogue de la *IIe Biennale Européenne de Sculpture de Normandie*, Centre d'Art Contemp., Jouy-sur-Eure, 1984 – Claude Minière, Oscarine Bosquet, Hervé Bize : *Jean-Claude Loubières*, catalogue d'exposition, Centre d'art contemporain d'Ivry, 1997.

LOUBIMOV Alexandre
Né en 1879. Mort en 1955. XXe siècle. Russe.
Peintre de compositions à personnages.
Il fut élève à l'Académie des Beaux-Arts de Saint-Pétersbourg et travailla sous la direction d'Ilia Répine. Nommé artiste du Peuple, il devint Membre de l'Union des Artistes d'URSS. Il a participé, depuis 1909, à des expositions nationales et internationales.
Il pratique une peinture claire et franche, pour représenter des scènes heureuses de la vie quotidienne en Russie soviétique.
Musées : Moscou (Gal. Trétiakov) – Moscou (Mus. des Beaux-Arts) – Moscou (min. de la Culture) – Saint-Pétersbourg (Mus. Russe) – Saint-Pétersbourg (Mus. de l'Acad. des Beaux-Arts).
Ventes Publiques : Paris, 25 mars 1991 : *Match de volley* 1927, h/t (40x80) : **FRF 25 000**.

LOUBIMOV Valentin
Né en 1930. XXe siècle. Russe.
Peintre de paysages.
Il fit ses études à l'École des Beaux-Arts de V. I. Moukhina à Leningrad, et fut l'élève de Piotr Boutchkine. Il est Artiste du Peuple.
Ventes Publiques : Paris, 23 mars 1992 : *Avant l'orage*, h/t (57x119) : **FRF 4 200**.

LOUBIMOVA Vera
Née en 1918. XXe siècle. Russe.
Peintre de compositions à personnages, figures, portraits, paysages, natures mortes, fleurs.
Sa mère, A. M. Lubimova, était peintre aussi. Elle fut élevée dans un milieu artistique. Elle fit ses études sous la direction de Alexandre Osmerkine à l'Institut Répine de l'Académie des Beaux-Arts de Léningrad. Elle était membre de l'Association des Peintres de Léningrad. Depuis 1945, elle participe à de nombreuses expositions nationales à Moscou, puis régulièrement dans les grandes villes d'URSS, Léningrad, Viborg. Elle obtint le premier Prix du Ministère de la Culture d'URSS, en 1949 à Moscou à l'exposition *Les Jeunes Peintres Soviétiques*. De 1975 à 1982 à Tokyo, elle participe à six expositions *L'Art Soviétique*. À l'étranger elle participera à nouveau en 1988 à Osaka et à Prague à l'exposition : *L'Art de Leningrad*.
Dans une technique traditionnelle, elle peint des sujets anodins, intemporels, enfants, fleurs, jouets, et des paysages de belles perspectives des villes russes de l'époque tsariste, souvent perturbées par le gigantisme des statues des fondateurs de la Russie soviétique.
Bibliogr. : In : Catalogue de la vente *L'École de Leningrad*, Drouot, Paris, 19 nov. 1990.
Musées : Moscou (Min. de la Culture) – Osaka (Gal. Art Contemp.) – Prague (Mus. des Beaux-Arts) – Saint-Pétersbourg (Mus. Russe) – Saint-Pétersbourg (Mus. de l'Acad. des Beaux-Arts) – Viborg (Mus. d'Art Sovietique Contemp.).
Ventes Publiques : Paris, 11 juin 1990 : *Les jouets* 1949, h/t (40x50) : **FRF 19 500** – Paris, 19 nov. 1990 : *Rêve de jeune fille* 1951, h/t (46x38) : **FRF 5 000** – Paris, 18 fév. 1991 : *Bouquet de fleurs sur le balcon*, h/t (55x65) : **FRF 5 000** – Paris, 5 oct. 1992 : *Lilas*, h/t (89x73) : **FRF 3 300** – Paris, 25 mars 1991 : *Sieste au jardin* 1946, h/t (44x60) : **FRF 7 500**.

LOU BO'AN ou **Lao Pakon**
Né en 1947. XXe siècle. Chinois.
Peintre de paysages animés. Traditionnel.
Ventes Publiques : Hong Kong, 30 mars 1992 : *Paysage après la pluie*, encre et pigments/pap., makémono encadré (68,4x96) : **HKD 71 500**.

LOUBON Émile Charles Joseph
Né le 12 janvier 1809 à Aix-en-Provence (Bouches-du-Rhône). Mort le 1er mai 1863 à Marseille (Bouches-du-Rhône). XIXe siècle. Français.
Peintre de compositions religieuses, genre, paysages, aquarelliste, graveur, dessinateur.
Il fut élève de Constantin et de Granet qui l'emmena à Rome en 1829. Deux ans plus tard, il monta à Paris et fréquenta des peintres de Barbizon, tels Diaz, Rousseau, et s'orienta définitivement vers le paysage. Il fit des voyages en Italie, Algérie et Égypte, qui lui fournirent de nombreux thèmes de paysages. Il fut directeur de l'École des Beaux-Arts de Marseille de 1845 à 1863. Il exposa au Salon de Paris entre 1833 et 1863. Il obtint une médaille de troisième classe en 1842 ; chevalier de la Légion d'honneur le 14 novembre 1855.
Installé dans le Sud de la France, il s'attacha à rendre les paysages provençaux ; d'ailleurs sa pâte épaisse, son dessin un peu raide, et son économie de couleurs, s'accordent avec le paysage crayeux de Provence. Il donne toutefois le meilleur de lui-même à travers ses esquisses. Il grava à l'eau-forte. On voit de lui une *Vue de Nantes, prise de l'île Gloriette*, au ministère de l'Intérieur.

Musées : Aix-en-Provence : *Le camp du Midi* – *Les Menons en tête d'un troupeau de la Camargue* – *Le camp du Midi-Razzia* – *Souvenir de la Camargue* – *Le col de la Gineste* – *L'abreuvoir* – *Le bac* – *Troupeau en marche* – *Le départ* – *Paysage* – Quatre études – Chalons-sur-Saône : *Effet d'orage* – Chambéry (Mus. des Beaux-Arts) : *Paysage à Saint-Chamas* – Marseille : *Vue de Marseille un jour de marché* – Montpellier : *Émigration pendant le choléra à Marseille* – Perpignan : *Vaches à l'abreuvoir* – Le Puy-en-Velay : *Jésus et la Samaritaine* – Rouen : *Une razzia par les chasseurs d'Afrique*.
Ventes Publiques : Paris, 17 mai 1853 : *Allemands émigrants : souvenirs d'Étretat* : **FRF 156** ; *Le pont du Canet, Var* : **FRF 200** – Marseille, 1894 : *Paysage au crépuscule* : **FRF 146** ; *Le Bac* : **FRF 155** – Marseille, 2-4 juin 1920 : *Vue de Marseille un jour de marché*, aquar. : **FRF 500** – Marseille, 23 fév. 1928 : *Paysan conduisant un troupeau au bord de la mer* : **FRF 600** – Marseille, 27 fév. 1929 : *La fontaine de Nazareth* : **FRF 1 700** – Marseille, 18 déc. 1948 : *Les enfants au chariot traîné par des chiens* : **FRF 12 000** – Londres, 20 fév. 1976 : *Personnages dans le parc d'une villa* – *Lac dans un parc* 1838, deux h/t (32x51) : **GBP 2 600** – Marseille, 17 mai 1977 : *Le retour de la mine*, h/t (39x68) : **FRF 17 500** – Londres, 9 mai 1979 : *Le retour des mineurs* 1847, h/t (38,5x66,5) : **GBP 1 700** – Paris, 5 juil. 1988 : *Traversée d'un troupeau au pied de la Montagne Sainte-Victoire*, h/t (92x60) : **FRF 50 000** ; *Retour des moutons près d'un pont, au pied de la Montagne Sainte-Victoire* 1861, h/t (92x60) : **FRF 46 000** – New York, 23 fév. 1989 : *Le retour des champs*, h/t (38,1x46,4) : **USD 3 850** – Versailles, 19 nov. 1989 : *Paysage méditerranéen*, h/t (96x161,5) : **FRF 37 000** – Paris, 17 nov. 1991 : *Le retour de transhumance*, h/t (73x133) : **FRF 80 000** – Paris, 22 juin 1992 : *Bergers donnant l'aubade auprès d'un oratoire*, h/t (62x50,5) : **FRF 23 000** – Paris, 22 nov. 1994 : *La transhumance avec, en fond, le mont de la Sainte-Victoire*, h/t (73x133) : **FRF 160 000** – Paris, 4 juil. 1995 : *Vacher et paysannes en conversation*, h/t (24x32,5) : **FRF 24 500** – Paris, 10 déc. 1996 : *Le Dandy*, h/pan. (30,5x19) : **FRF 12 000**.

LOUCASIÉVITCH ou **Loucachévitch**. Voir **LOUKASIÉVITCH** et **LOUKACHÉVITCH**

LOUCHE Constant
XIXe-XXe siècles. Français.
Peintre de paysages. Orientaliste.
Ventes Publiques : Paris, 30 mai 1978 : *Campement le soir, Figuig*, h/t (77,5x135) : **FRF 6 500** – Paris, 13 juin 1980 : *L'oued d'El-Outaya*, h/t (53,5x164) : **FRF 4 300** – Enghien-les-Bains, 21 oct. 1984 : *El Kantara*, h/t (75x135) : **FRF 28 500** – Paris, 22 juin 1987 : *Danseuse orientale sur une terrasse*, h/t (200x154) : **FRF 20 000** – Paris, 8 déc. 1989 : *Vue de Ghardaï*, h/t (32x92) :

FRF 18 000 – PARIS, 6 avr. 1990 : *Paysage algérien*, h/t (42x122) : FRF 25 000 – PARIS, 19 nov. 1991 : *Vue de Boghari* 1929, h/t (42x123) : FRF 18 000 – PARIS, 13 avr. 1992 : *La grande Kasbah à Iril Ali Akbou*, h/t (65x165) : FRF 37 000 – PARIS, 8 nov. 1993 : *Campement au bord de l'Oued Fleuri*, h/t (32,5x97) : FRF 17 500 – PARIS, 22 mars 1994 : *Mausolée et campement au bord de l'oued*, h/t (34x100) : FRF 15 000 – PARIS, 7 nov. 1994 : *Paysage du sud algérien*, h/t (61x159) : FRF 38 000 – PARIS, 13 mars 1995 : *La Baie d'Alger* 1952, h/t (70x260) : FRF 69 000 – PARIS, 18-19 mars 1996 : *Abords d'une ville d'Algérie*, h/pan. (22x58) : FRF 4 500.

LOU CHE-JEN. Voir **LU SHIREN**

LOUCHET Paul

Né le 12 avril 1854 à Paris. Mort en 1936. XIXe-XXe siècles. Français.

Peintre de paysages, sculpteur, aquafortiste.

Élève de Jules Lefebvre et Harpignies, il exposa au Salon de Paris. Tout d'abord intéressé par la technique de la ciselure, il fut président de la chambre syndicale des fabricants de bronze, puis se consacra à la peinture.

Il détaille les différentes variétés des arbres, les contours des rochers, sous une lumière changeante, irisée.

BIBLIOGR. : Gérald Schurr, in : *Les Petits Maîtres de la peinture 1820-1920, valeur de demain*, Les Éditions de l'Amateur, t. V, Paris, 1981.

VENTES PUBLIQUES : ROUEN, 2 avr. 1981 : *Pont de Fontainebleau*, h/t (54x37) : FRF 5 200 – GRENOBLE, 14 mai 1984 : *La maison en montagne* 1913, h/t mar./cart. (26x34) : FRF 6 400 – BRUXELLES, 16 oct. 1984 : *Les naufragés*, vide-poche en bronze doré et céramique : BEF 100 000 – PARIS, 10 fév. 1993 : *Paysage d'automne* 1897, h/t (74x100) : FRF 5 700 – CALAIS, 14 mars 1993 : *La Forêt de Fontainebleau*, h/t (46x55) : FRF 6 000 – PARIS, 3 juil. 1996 : *Jeune Bacchus*, bronze doré (H. 13) : FRF 4 000.

LOU CHE-TAO. Voir **LU SHIDAO**

LOUD May Hallowell

Née le 22 avril 1860 à West Medford (Massachusetts). Morte le 16 février 1916 à Boston. XIXe-XXe siècles. Active à Boston. Américaine.

Peintre.

Élève de E. O. Grundmann.

LOUDAN William Mouat. Voir **MOUAT-LOUDAN**

LOUDERBACK Walt S.

Né en 1887 à Valparaiso (Indiana). Mort en 1941. XXe siècle. Américain.

Peintre de scènes animées, illustrateur.

Il fut élève de l'Institut d'Art de Chicago et membre du Salmagundi Club.

VENTES PUBLIQUES : NEW YORK, 2 févr 1979 : *King's conscience* 1925, h/t (65,5x101) : USD 1 400 – NEW YORK, 23 jan. 1984 : *The defendant*, h/t (65x99,5) : USD 1 600 – NEW YORK, 24 juin 1988 : *Conversation autour du feu de camp*, h/t (70x100) : USD 1 980.

LOUDET Alfred

Né le 21 février 1836 à Montélimar (Drôme). XIXe siècle. Français.

Peintre d'histoire, portraits.

Élève de Claude Bonnefond, Léon Cogniet, Tony Robert-Fleury et Isidore Pils, il obtint le deuxième grand prix de Rome en 1862. Il exposa au Salon de Paris de 1864 à 1896.

Ses toiles restent classiques malgré un effet théâtral rendu parfois avec brio.

BIBLIOGR. : Gérald Schurr, in : *Les Petits Maîtres de la peinture 1820-1920, valeur de demain*, Les Éditions de l'Amateur, t. II, Paris, 1982.

MUSÉES : MARSEILLE – ROCHEFORT : *Portrait de Duguay-Trouin* – VALENCE : *Céphale et Procris*.

VENTES PUBLIQUES : PARIS, 6 nov. 1995 : *Portrait de son Altesse Royale le Bey Sidi Ali Pacha*, h/t (65x54) : FRF 30 000.

LOUDON Elise de, baronne

Née en 1852 en Courlande. XIXe siècle. Éc. balte.

Peintre.

Élève de Lefebvre et Boulanger à Paris.

LOUEDIN Bernard

Né en 1938. XXe siècle. Français.

Peintre de figures, paysages, marines, fleurs. Tendance fantastique.

Il est originaire de Bretagne. S'inspirant de Jérôme Bosch, Pieter Brueghel, il recompose les paysages, des marines hantées de navires fantomatiques, des fleurs étranges, dans un climat proche du surréalisme. Il peint surtout des figures féminines.

BIBLIOGR. : Patrick Grainville : *Louedin*, Biblioth. des Arts, Paris, 1990.

VENTES PUBLIQUES : VERSAILLES, 6 déc. 1976 : *Le voyageur* 1975, h/t (60x73) : FRF 4 200.

LOUELL. Voir **LOVELL**

LOU FEI. Voir **LU FEI**

LOU FOU. Voir **LU FU**

LOUGE Robert le. Voir **LONGE Robert de**

LOUGH John Graham

Né en 1789 à Greenhead (près d'Hexham). Mort en 1876 à Londres. XIXe siècle. Britannique.

Sculpteur.

Il se forma lui-même et débuta à la Royal Academy en 1826. Plusieurs monuments publics anglais possèdent de ses œuvres.

LOUGHBOROUGH Margaret Mellerand

Née à Montgomery (Connecticut). XXe siècle. Américaine.

Peintre de portraits.

Elle fut élève de William Chase. Elle était membre de la Fédération Américaine des Arts.

Son œuvre maîtresse fut le *Portrait de G. Morelle Bruce*.

LOUGHEED Robert

Né en 1916. Mort en 1986. XXe siècle. Américain.

Peintre.

Il évoque dans ses peintures l'Ouest américain. Il a participé à ce titre à l'exposition *À la découverte de l'Ouest américain* organisée par le Salon d'Automne, à Paris, en 1987, et le National Cowboy Hall of Fame and Western Heritage Center.

MUSÉES : OKLAHOMA CITY (Nat. Cowboy Hall of Fame and Western Heritage Center) : *Convoi de cheveaux* 1969 – *Au bord du Sangre de Cristos* 1973 – *Le corral Ramada* 1974.

LOU GUAN ou **Leou Kouan** ou **Lou Kuan**

Originaire de Qiantang, province du Zhejiang. XIIIe siècle. Actif dans la seconde moitié du XIIIe siècle. Chinois.

Peintre.

Lou Guan est membre de l'Académie de Peinture de la cour de Hangzhou vers 1265-1274. C'est un peintre de paysages dans le style de Ma Yuan (actif vers 1190-1230), et il fait aussi des fleurs et des oiseaux.

LOUGUININE-WOLKONSKY Marie

Née le 9 mai 1875 à Paris. XXe siècle. Française.

Peintre de portraits, paysages, fleurs et fruits.

Elle fut élève de l'Académie des Beaux-Arts de Moscou. Elle travaillait à Paris, où elle exposa aux Salons de la Société Nationale des Beaux-Arts et des Tuileries.

VENTES PUBLIQUES : PARIS, 22 juil. 1942 : *Coupe de pêches* : FRF 1 400 – PARIS, 7 mai 1943 : *Fleurs dans un vase* : FRF 2 800 – PARIS, 12 mai 1944 : *Maisons au bord de l'eau* : FRF 1 750.

LOU HAN. Voir **LU HAN**

LOU HONG. Voir **LU HONG**

LOU HONG-I. Voir **LU HONG**

LOU HOUANG. Voir **LU HUANG**

LOU HOUEI. Voir **LU HUI**

LOUINEAU Katerine

Née en 1958 à Paris. XXe siècle. Française.

Peintre, technique mixte, animalier.

Depuis 1984, elle participe à de nombreuses expositions collectives, dans des galeries de Paris, de la périphérie, de nombreuses villes de province, dont Strasbourg, Roanne, Bordeaux, Metz, et encore à Séoul et Linköping en 1991, Budapest, Florence, Hong-Kong en 1992, Valencia en 1994, etc. Depuis 1984, elle participe au Salon de la Jeune Peinture de Paris, dont elle est devenue présidente. Toujours à Paris, elle était représentée au Salon Découvertes, en 1991 et 1994.

Elle montre des ensembles de ses peintures dans des expositions personnelles, dont : 1990 à Ivry-sur-Seine ; 1991 en Corse et à Malmö ; 1992 Bordeaux ; 1993-1994 dans la manifestation du *Génie de la Bastille* à Paris ; 1994 Valencia ; 1995 Paris, galerie J. Mercuri ; 1996 Clichy-la-Garenne, galerie du Théâtre Rutebeuf ; 1997 Genève, galerie Nota Bene ;...

Elle développe les séries de ses peintures selon deux catégories : les *Urbanités*, concernant les « alentours » de l'espèce humaine, en 1990 détails de stations de métro, 1991 distributeurs de billets de banque ; et, plus nombreuses, plus assumées : les *Bestialités*, vouées aux animaux, d'entre lesquels elle a déjà traité : en 1989-90 les lézards ; 1990-91 chauves-souris ; 1992-93 l'abondante série des grenouilles peintes sur toiles à matelas, à rayures où s'agripper, à décor floral où se fondre ; puis 1993-94, la série techniquement encore plus maîtrisée des singes, ses « figures », peintes sur du linge de maison décoré, du tissu provençal, dont elle laisse apparaître les motifs dans la mesure qui lui convient, en général sur les marges comme un encadrement dérisoire. Elle prétend en peignant, au lieu de « laver son linge sale en famille », « salir le linge propre de la famille en public » ou encore, concernant les singes, « peindre des singes sur des linges ». Avec ses bestiaires, Katerine Louineau, sur des données tout autres, s'inscrit dans la tradition très ancienne des peintures d'animaux dans les attitudes des hommes, telles que les a surtout illustrées Grandville avec toutes sortes d'animaux, mais qui furent le plus souvent traitées avec des singes, sans doute considérés comme les plus aptes à caricaturer l'homme, au point de constituer, dans la peinture dite de genre, le genre des « singeries » qu'elle fait rimer avec « lingeries ». Katerine Louineau joue bien ce même jeu quand elle intitule une série de peintures de singes *Portraits de famille*. On a vu que, jouant ce jeu, elle joue aussi allègrement sur les mots, évitant ainsi de fournir quelque explication de texte restrictive sur les personnages de la comédie dont elle déroule les péripéties dans la succession de ses peintures ; il appartient à chacun d'y reconnaître son double animalier. ■ J. B.

Bibliogr. : Gilbert Lascault : *Singes*, in : Catalogue du salon de la Jeune Peinture, Paris, 1994.

LOUIS
XVIIIe siècle. Français.
Miniaturiste.
Il fut miniaturiste de la cour à Paris.

LOUIS, dauphin de France
Né le 1er novembre 1661 à Fontainebleau. Mort le 14 avril 1711 à Meudon. XVIIe-XVIIIe siècles. Français.
Dessinateur amateur.
Le dauphin de France, Louis, était fils de Louis XIV. Il dessina des paysages et fit des eaux-fortes : *Vue de la terrasse de Saint-Germain* (1677).

LOUIS XIII, roi de France
Né le 27 septembre 1601 à Fontainebleau. Mort le 14 mai 1643 à Saint-Germain-en-Laye. XVIIe siècle. Français.
Dessinateur, aquarelliste amateur.
Le roi de France dessina et fit des aquarelles sous la direction de Cl. Deruets et S. Vouets, ainsi que des portraits de ses amis et favoris.
Musées : Nancy (Mus. Lorrain) : *Portrait de Cl. Deruets* 1634.

LOUIS XVI, roi de France
Né le 23 août 1754 à Versailles. Mort le 21 janvier 1793 à Paris. XVIIIe siècle. Français.
Graveur amateur.
Musées : Paris (BN) : Cartouche sur une carte de la forêt de Fontainebleau.

LOUIS XVIII, roi de France
Né en 1755 à Versailles (Yvelines). Mort en 1824 à Paris. XVIIIe-XIXe siècles. Français.
Dessinateur de paysages.
Ses lavis montrent des compositions habiles, où les zones d'ombre et de lumière sont distribuées de manière équilibrée, tandis que de petits personnages les animent.
Bibliogr. : Gérald Schurr, in : *Les Petits Maîtres de la peinture 1820-1920, valeur de demain*, Les Éditions de l'Amateur, t. IV, Paris, 1979.
Ventes Publiques : Paris, 8 mars 1978 : *Recueils de 26 dessins* : **FRF 10 500**.

LOUIS Aristide. Voir **ARISTIDE Louis**

LOUIS Aristide
Né en 1600 à Anvers. XVIIe siècle. Éc. flamande.
Dessinateur et graveur au burin.
Élève de Soutman. Il a gravé des sujets d'histoire et des sujets de genre.

LOUIS Auguste Joseph Marie William
XIXe siècle. Français.
Peintre d'histoire et de portraits.
Il exposa au Salon en 1844 et 1848.

LOUIS Aurelio. Voir **LOMI**

LOUIS Daniel ou **Leuis** ou **Loys,** ou **Luevis**
XVIe siècle. Éc. flamande.
Peintre verrier.
Il travailla pour de nombreuses églises de Gand.

LOUIS Hubert Noël ou **Louis Noël**
Né le 1er avril 1839 à Saint-Omer (Pas-de-Calais). XIXe siècle. Français.
Sculpteur.
Élève de Jouffroy. Il débuta au Salon en 1863 et obtint une médaille de deuxième classe en 1873. Chevalier de la Légion d'honneur en 1880, médaille d'argent en 1889 (Exposition Universelle). Il a exécuté *La loi* et *La justice*, pour le Palais de Justice de Saint-Omer, *Saint Jean l'Évangéliste*, pour la façade de l'hôpital de Hesdin, une statue de *Jésus* et une *Mater Dolorosa* pour la cathédrale d'Arras, le *Tombeau de Barthélemy*, au cimetière du Père-Lachaise.
Musées : Angers : *David d'Angers* – Arras : *Decamps – Baigneuse – Ed. Plouvier – La muse d'André Chénier – Faidherbe – Dupas – Rébecca – La Fontaine – De Mallortie – Legrelle Émile – Rd Père Halluin – Mgr Lequette* – Beaufort : *La ville de Beaufort – Beaumarchais* – Versailles : *A. Decamps*.

LOUIS Hugo
Né le 17 février 1847 à Berlin. XIXe siècle. Allemand.
Peintre de portraits de genre, d'histoire, aquarelliste et pastelliste.
Élève de Jul. Schrader à l'Académie de Berlin ; il obtint, en 1875, le prix Michael Beer et alla faire des études en Italie pendant trois ans. Professeur à l'École des Beaux-Arts de Charlottenbourg. Exposa fréquemment, notamment à Berlin, à partir de 1872. On cite de lui : *Psyché* et *Cueilleuses de roses bulgares*.
Ventes Publiques : Paris, 26 mars 1904 : *Porte de Rives à Genève* : **FRF 400** ; *Le pont d'Avignon* : **FRF 560**.

LOUIS Jan ou **Jacob**. Voir **LOUYS**

LOUIS Jean Baptiste
XIXe siècle. Français.
Peintre d'histoire et de portraits.
Il exposa au Salon entre 1839 et 1848.

LOUIS Jean François, pseudonyme **Maître Louis**
Né vers 1690 à Liège. Mort en 1750 à Liège. XVIIIe siècle. Actif à Liège. Éc. flamande.
Sculpteur.

LOUIS Léonard François
Né en 1698 à La Haye. Mort en 1786 à La Haye. XVIIIe siècle. Hollandais.
Peintre de portraits.
Il était d'origine française et fut élève de Pieter Van Cuyck et Jan Vollevens. En 1722, il fut maître dans la gilde. Il vint à Paris en 1725 et travailla avec de Troy.

LOUIS Léonie
Née au XIXe siècle à Paris. XIXe siècle. Française.
Peintre de portraits, graveur et miniaturiste.
Elle débuta au Salon de 1874.

LOUIS Louis Nicolas, dit **Victor**
Né en 1731 à Paris. Mort en 1802 à Paris. XVIIIe siècle. Français.
Architecte et dessinateur de décorations.
A cet architecte on doit surtout le Grand Théâtre de Bordeaux. Des travaux récents le concernant, viennent de nous apprendre qu'il exécuta des projets de décorations et d'architectures à Varsovie, de 1764 à 1772, pour le roi de Pologne, Stanislas-Auguste.
Ventes Publiques : Paris, 10 et 11 avr. 1929 : *Le Grand Théâtre de Bordeaux*, dess. : **FRF 5 700** – Londres, 30 nov. 1983 : *Designs for a Theatre*, pl. et lav., deux dess. (38x55,2 et 34,6x65) : **GBP 1 800** – Londres, 16 déc. 1986 : *Dessin pour des maisons en hémicycle sur les bords de la Garonne à Bordeaux*, pl. et lav. (39,4x83,1) : **GBP 5 500**.

LOUIS Morris, pseudonyme de **Bernstein Morris Louis**
Né en 1912 à Baltimore (Maryland). Mort en 1962 à Washington (District de Colombia). XXe siècle. Américain.
Peintre. Abstrait.
De 1929 à 1933, il fut élève du Maryland Institute of Arts de Baltimore. De 1937 à 1940, il travailla dans l'institution du W.P.A. Federal Art Project, qui, pendant la récession américaine, pro-

curait des commandes publiques aux artistes. En 1947, il se fixa à Washington, comme enseignant d'arts plastiques dans divers organismes. En 1952, il se lia avec Kenneth Noland, qui lui fit connaître le critique Clement Greenberg, qui devait jouer un rôle capital auprès d'eux.
Il a participé à de très nombreuses expositions collectives, d'entre lesquelles : 1954 *Emerging Talent* à la Kootz Gallery de New York ; 1961 *Abstract Expressionnists and Imagists* Solomon R. Guggenheim Museum de New York ; 1962 *Toward a New Abstraction* au Jewish Museum, New York ; et, à titre posthume : 1964 XXXIIe Biennale de Venise, Documenta III de Kassel ; 1965 *The Responsive Eye* au Museum of Modern Art, New York ; 1966 *Art of the United States, 1870-1966* au Whitney Museum, New York ; 1967 *Formen der Farben* (Formes des Couleurs) au Würtembergischer Kunstverein de Stuttgart, et à Amsterdam ; 1968 Documenta IV de Kassel, *The Art of the Real* au Museum of Modern Art, New York, et *L'Art du Réel, U.S.A., 1948-1968* aux Galeries Nationales du Grand-Palais, Paris ; 1968 *Une Tendance de la peinture contemporaine* au Kunstverein de Cologne ; etc.
De nombreuses expositions personnelles ont fait connaître son œuvre, dont : à Washington : à la Workshop Center Art Gallery en 1953, 1955 ; à New York : 1957 à la galerie de Martha Jackson, 1959 et 1960 chez French and Co, 1961 chez André Emmerich, en 1962, en 1963 au Solomon R. Guggenheim Museum, puis en 1964, 1965, 1966, 1967, 1968, 1969 ; à Paris : 1962, 1964 ; Düsseldorf et Stuttgart : 1962 ; Londres : 1963, 1965 ; Zurich : 1964 ; Stedelijk Museum d'Amsterdam, et Staatliche Kunsthalle de Baden-Baden en 1965 ; 1966 : Gallery of Modern Art de Washington ; 1967 : County Museum of Art de Los Angeles, Museum of Fine Arts de Boston, City Art Museum de Saint-Louis, Art Museum de Seattle ; 1987 : Museum of Modern Art de New York, Art Museum de Forth Worth, Smithsonian Institution de Washington ; 1996 : Münster Westfälisches Landesmuseum, puis Musée de Grenoble ; 1996-97 Paris, galerie Piltzer ; etc. Dans les années quarante, il produisit des peintures à infrastructure cubisante fondée sur le jeu des valeurs plus que des couleurs, puis, au tout début des années cinquante, s'intéressant à l'œuvre de Jackson Pollock, passant du jeu volumétrique des valeurs à l'expression par la couleur, il participa brièvement à l'expressionnisme abstrait. Très tôt après, Morris Louis fut l'un des précurseurs, que la mort a isolé, de ce courant de la peinture américaine qui se manifesta, dans les années soixante, en réaction contre la prolifération et les facilités tactiles de l'abstraction lyrique, et qui, revenant aux données immédiates de la perception visuelle, aux « formes primaires », fut à l'origine du minimal art. Au moment où l'intérêt se détournait de l'action-painting et où apparaissaient les signes précurseurs du pop art, le critique Clement Greenberg, qui avait pourtant auparavant soutenu Jackson Pollock, regroupa certains peintres du spatio-luminisme, dont Morris Louis, Kenneth Noland, Jules Olitski. Il s'agissait pour ces artistes, en quête d'un art abstrait typiquement américain, de traiter la perception, non plus comme un moyen destiné à éveiller des associations d'idées, mais comme une fin en soi. Cet « Art du Réel » ne vise évidemment pas d'être réaliste, au sens historique du terme, mais d'être aussi réel que n'importe quel phénomène du quotidien. Pour eux l'effet chromatique maximal devait être obtenu par le seul heurt des couleurs, réparties, sans aucun effet de technique ou de matière, selon des surfaces simples : bandes ou coulures verticales, horizontales, obliques, circulaires concentriques ou autres. Clement Greenberg, en tant que théoricien du groupe, voit, en 1960, dans leurs pratiques un art qui « utilise les méthodes caractéristiques d'une discipline pour critiquer cette discipline elle-même, non pas afin de la subvertir, mais dans le but de la retrancher plus fermement dans son domaine de compétence ». Quant à la peinture de Morris Louis en particulier, il en fait une lecture purement formaliste, insistant sur « l'inéluctable caractère bi-dimensionnel du support, qui reste le point fondamental du procédé par lequel la peinture se critique et se définit elle-même sous le règne du Modernisme ».
Au début de 1953, Clément Greenberg amena Morris Louis et Kenneth Noland à l'atelier de Helen Frankenthaler, où il virent sa peinture *Mountains and Sea*. Morris Louis adopta alors une part de sa technique, notamment le fait de peindre sans pinceau avec des couleurs acryliques liquides et transparentes, directement versées sur la toile non préparée et donc absorbante et non tendue, considérée comme un simple support et non plus comme un réceptacle d'images, qu'il incline pour provoquer et guider les coulures, les couleurs faisant corps avec la trame de la toile qui reste apparente ou parfois, dans les *Peintures déployées*, qu'il plie et immerge ponctuellement dans des bains de couleurs. Ce retranchement sur les seuls éléments matériels constitutifs de la peinture a, à peu près simultanément, son équivalent en France avec le groupe de « Support-Surface ». À la différence des peintures de Helen Frankenthaler, qui comportent des réminiscences de paysages, l'option minimaliste de Morris Louis lui faisait éliminer tout élément évocateur, pour la seule évidence physique et optique des lignes de couleurs et du choc de leurs oppositions. Pour sa part, dans le courant de cet « Art du Réel » plutôt ascétique, Morris Louis s'est singularisé, dans la série des *Veils* (Voiles) de 1954 à 1958, par la limitation de ses peintures à la seule mise en place de traînées de couleurs se chevauchant, créant des effets de brouillard et d'arc-en-ciel, suivis de peintures constituées de coulures à peu près parallèles dans leurs sinuosités, de façon que leur perception se limite à elles-mêmes, puis, avec les séries des *Florals* de 1960, des *Unferleds* (Peintures déferlantes ou déployées), et *Stripes* (Bandes) de 1961, chacune de ces traînées colorées étant mise en valeur par son isolation des autres, cette isolation réciproque pouvant atteindre les dimensions d'un vaste champ de la toile laissé vierge sur tout le centre, les coulures de couleurs parcourant de part et d'autre les deux angles inférieurs du format. Dans la dernière période des *Piliers*, les traînées de couleurs sont au contraire disposées au centre en bandes serrées, se recouvrant souvent pour créer des effets de transparence.
Historiquement, et quel que soit l'intérêt de ce point de vue, Morris Louis est considéré comme étant à l'origine des « Washington Color Painters ». Il paraît plus intéressant de le comprendre comme l'un des représentants du sous-ensemble de l'« Abstraction-chromatique », ce qui apparenterait sa pratique à la « peinture de champs ». Son attribution à l'ensemble plus large du minimal' art serait aussi justifiée, toutefois, la relative liberté de son écriture laisse encore la possibilité aux tendances naturelles vers les associations et l'imagination, d'y vagabonder mentalement, quand d'autres artistes ont atteint, dans cette volonté de retour aux structures primaires de la perception, à l'efficacité d'une investigation psycho-sensorielle. Les tenants du minimal art refusaient, comme trop riches, les mirages, souvent surprenants, des effets optiques qui fondent en partie les œuvres de Malévitch, Johannes Itten, Josef Albers, pour préserver la pureté de la perception de la seule réalité de la couleur même. ■ Jacques Busse

Bibliogr. : Clement Greenberg : *Louis and Noland*, in : Art International, Zurich, mai 1960 – Lawrence Alloway, Maurice Tuchman : Catalogue de l'exposition *Morris Louis, 1912-1962*, Soloman R. Guggenheim Mus., New York, 1963 – Daniel Robbins : *Morris Louis : Triumph of Color*, in : Art News, New York, oct. 1963 – Daniel Robbins : *Morris Louis at the Juncture of Two Traditions*, in : Quadrum, n° 18, Bruxelles, 1965 – Michael Fried, Clement Greenberg : Catalogue de l'exposition *Morris Louis, 1912-1962*, Mus. of Fine Arts, Boston, 1967 – E. C. Goossen, in : Catalogue de l'exposition *L'Art du Réel, U.S.A., 1948-1968*, Gal. Nat. du Grand-Palais, Paris, 1968 – Pierre Cabanne, Pierre Restany, in : *L'avant-garde au xxe siècle*, Balland, Paris, 1969 – J. D. Prown, Barbara Rose, in *La Peinture Américaine*, Skira, Genève, 1969 – in : *Diction. Univers. de la Peinture*, Le Robert, Paris, 1975 – Diane Upright : *Morris Louis. The complete Paintings : a Catalogue Raisonné*, Harry N. Abrams, New York, 1985 – J. Elderfield : *Morris Louis*, Édit. du Mus. of Mod. Art, New York, 1986 – in : *L'Art du xxe siècle*, Larousse, Paris, 1991 – divers : Catalogue de l'exposition *Morris Louis*, Musée de Grenoble, 1996.

Musées : Buffalo (Albright Knox Art Gal.) : *Alpha* 1960 – Cologne (Wallraf-Richartz Mus.) : *Les Piliers de l'aube* 1961 – Humlebeak (Louisiana Mus.) : *Dalet Nun* 1958 – New York (Metropolitan Mus.) : *Alpha-Pi* 1960 – New York (Mus. of Mod. Art) : *Third Element* 1962 – New York (Solomon R. Guggenheim Mus.) : *Saraband* 1959 – Washington D. C. (Philipps coll.) : *Number 182* 1961.

Ventes Publiques : New York, 18 nov. 1970 : *Faces* : **USD 47 500** – New York, 17 nov. 1971 : *Floral* 1959 : **USD 50 000** – New York, 4 mai 1973 : *Number 160* : **USD 28 000** – Londres, 3 avr. 1974 : *Beta-Sigma* : **GBP 29 000** – New York, 21 oct. 1976 : *Beta Phi* 1960-1961, acryl./t. (260x423) : **USD 90 000** – New York, 20 oct. 1977 : *Lamed* 1958, acryl./t. (261,6x350) : **USD 75 000** – New York, 18 mai 1979 : *Aleph series I* 1960, acryl./t. (267x361) : **USD 170 000** – New York, 19 nov. 1981 : *Airborn* vers 1958, h/t (235x235) : **USD 220 000** – New York, 5 mai 1982 : *Aleph series II*

1960, acryl./t. (198x269,5) : **USD 200 000** – New York, 20 mai 1983 : *Pillar of celebration* 1961, magna/t. (225,5x139,7) : **USD 220 000** – New York, 1er oct. 1985 : *D-41* 1949, pl. (46,7x60,3) : **USD 4 000** – New York, 6 nov. 1985 : *Overlapping* 1959-1960, acryl./t. (232,4x355,6) : **USD 200 000** – New York, 6 mai 1986 : *Number 2-65* 1962, acryl./t. (212,1x92,7) : **USD 250 000** – New York, 4 nov. 1987 : *Castor et Pollux* 1962, acryl./t. (214,6x105) : **USD 450 000** – New York, 3 mai 1988 : *Antarès*, acryl./t. (210,7x104,2) : **USD 176 000** – New York, 3 mai 1989 : *Gamma* 1960, acryl./t. (205,7x135,9) : **USD 440 000** – New York, 7 nov. 1989 : *Horizon vertical*, acryl./t. (207x83,8) : **USD 396 000** ; *Saf Gimel*, acryl./t. (254x350) : **USD 572 000** – New York, 9 nov. 1989 : *Sans titre* 1955, h/t (200,7x131) : **USD 165 000** – New York, 7 mai 1990 : *Bêta zêta* 1961, acryl./t. (255,3x439,4) : **USD 462 000** – New York, 8 mai 1990 : *Nun* 1959, mélange/t. (249x350,5) : **USD 1 045 000** – New York, 15 fév. 1991 : *Grotte* 1958, acryl./t. (236,8x364) : **USD 198 000** – New York, 13 nov. 1991 : *Number 1-70* 1962, mélange/t. (207x124,7) : **USD 220 000** – New York, 8 oct. 1992 : *Kuf* 1958, acryl./t. (228,6x350,5) : **USD 110 000** – New York, 18 nov. 1992 : *Beth Zayin* 1959, acryl./t. (252,8x361,4) : **USD 385 000** – New York, 9 nov. 1993 : *Bêta tau* 1961, acryl./t. (259x487,5) : **USD 354 500** – New York, 2 nov. 1994 : *Sans titre B* 1954, magna/t. (259,1x198,7) : **USD 354 500** – New York, 14 nov. 1995 : *Numéro 36* 1962, acryl./t. (213,2x97) : **USD 178 500** – New York, 19 nov. 1996 : *Nu* 1961, acryl./t. (262,9x431,8) : **USD 332 500** – New York, 20 nov. 1996 : *Horizontal IV* 1962, acryl./t. (40x255,3) : **USD 82 250** – New York, 18-19 nov. 1997 : *Floral* 1959, acryl./t. (256,6x360,7) : **USD 772 500** – New York, 8 mai 1997 : *Pas lent* 1961-1962, acryl./t. (205,7x39,3) : **USD 85 000** – New York, 7 mai 1997 : *Beth Nun* 1958, acryl./t. (219,4x337) : **USD 178 500**.

LOUIS Séraphine. Voir **SÉRAPHINE, dite de Senlis**

LOUIS Yvonne
Née le 11 novembre 1904 à Paris. xxe siècle. Française.
Lithographe.
Elle fut élève d'Alexandre Leleu et de Lucien Jonas. Elle exposait à Paris, au Salon des Artistes Français depuis 1924, médaille en 1927.

LOUIS de Bourbon, comte d'Aquila. Voir **AQUILA Louis de Bourbon**

LOUIS de Bourgogne, duc
Né le 6 août 1682 à Versailles. Mort le 18 février 1712 à Versailles. xviiie siècle. Français.
Dessinateur et graveur amateur.
Petit-fils de Louis XIV, il fut le père de Louis XV. Il grava d'après I. Silvestre et Coypel. Il dessina des *Scènes de chasse* et des *Batailles*. On cite de lui : *Le Parnasse*, d'après Ant. Coypel.
Ventes Publiques : Paris, 1861 : *Une bataille*, dess. à la pl. et au bistre : **FRF 9**.

LOUIS de Bourgogne. Voir aussi **LUIS de Borgoña**

LOUIS de Namur. Voir **NAMEUR Louis de**

LOUIS des Prieurs. Voir **LUDOVICUS de Prioribus**

LOUIS-ERNEST de Brunswick. Voir **LUDWIG-ERNST de Brunswick Lunebourg**

LOUIS-GUNTHER. Voir **LUDWIG Günther**

LOUIS-JENSEN Peter
Né en 1941 à Copenhague. xxe siècle. Danois.
Peintre de compositions animées, peintre de collages, technique mixte, multimédia, happenings. Tendance Pop'art.
Il vit et travaille à Copenhague. Depuis 1961, il est membre de l'École d'Art Expérimental, à Copenhague. À partir de 1962, il a réalisé des happenings au Danemark, en Suède et aux États-Unis. Depuis 1960, il participe à des expositions collectives, dont : 1960 Salon d'Automne, Copenhague ; 1965 Bibliothèque Centrale, Copenhague ; 1968 Charlottenborg ; 1970 Louisiana, Copenhague ; 1968 Biennale Nordique de la Jeunesse, Helsinki ; 1973 *Art Danois* aux Galeries Nationales du Grand-Palais, Paris ; etc. En 1967-68, il fut rédacteur à la revue *Ta*. En 1969, il devint membre du groupe *Fraendelös*, pour un cinéma collectif.
La peinture est un de ses moyens de communication, avec la parole, le mot écrit, le film, par lesquels il veut instaurer un dialogue généralisé. Les « Images » qu'il produit sont le reflet des événements de son quotidien et de ses réflexions.
Bibliogr. : In : Catalogue de l'exposition *Art Danois*, Gal. Nat. du Grand-Palais, Paris, 1973.

LOUIS-NOEL. Voir **LOUIS Hubert Noël**

LOUIS-PAUL Auguste Albert. Voir **PAUL Louis Auguste Albert**

LOUIS-PICARD. Voir **PICARD Louis**

LOUISA Domenico ou **Lovisa**
xviiie siècle. Actif à Venise. Italien.
Graveur et éditeur.

LOUISE, reine de Danemark
Née en 1817. Morte en 1898. xixe siècle.
Peintre de fleurs.
Ventes Publiques : Londres, 16 mars 1989 : *Roses blanches et roses*, h/pan. (25,5x37) : **GBP 8 800** – Londres, 29 mars 1990 : *Roses et lis* 1845, h/pan. (59x44) : **GBP 13 200**.

LOUISE Marc
Né le 24 novembre 1949 à Caen (Calvados). xxe siècle. Français.
Peintre, peintre de collages, de cartons de tapisseries, lithographe, sculpteur. Abstrait, tendance géométrique.
En 1966, il entra à l'École des Beaux-Arts de Tourcoing, tout en s'initiant à la lithographie à Paris. En 1970, il obtint le certificat d'aptitude à une formation artistique supérieure ; en 1971 le diplôme national de sculpture. En 1972-73, il fut élève de l'École des Arts Décoratifs de Paris. Il participe à des expositions collectives depuis 1971, notamment à Tourcoing, Lens, Saint-Brieuc, Nantes, Saint-Malo, Rennes, etc. Il a aussi une activité d'enseignant dans plusieurs villes de Bretagne.
Il crée de nombreuses œuvres monumentales, dont : 1970 une crèche à l'église de Tourcoing, une croix à l'église de Roncq ; 1973 un mur sculptural à Ivry-sur-Seine ; 1974 une fresque pour Air-Inter, Paris ; 1988 une sculpture FIAT à Dinan ; etc.

LOU I-T'ONG. Voir **LU YITONG**

LOUJOT Edmond. Voir **LOUYOT**

LOUKACHEVITCH Joseph Ignace ou **Lukaszewicz**
Né en 1789 en Lithuanie. Mort le 3 janvier 1850 à Varsovie. xixe siècle. Lituanien.
Peintre.
Il étudia à l'Université de Vilna avec Rustein. En 1812, il se rendit à Varsovie et il y travailla jusqu'en 1818 dans l'atelier de Joseph Kosinski. Prit part à l'Exposition de 1819 à Varsovie et y obtint une médaille d'or. Après l'Exposition, il fut nommé peintre à la cour du grand duc Constantin et il travailla pour lui jusqu'en 1830. Le Musée de Varsovie possède une centaine de ses œuvres.

LOUKACHEWSKI Casimir ou **Lukaszewski**
Né au xixe siècle à Mussidan. xixe siècle. Français.
Peintre de genre et de fruits.
Élève de Pils et de P. Le Mariée. Il débuta au Salon de 1876.

LOUKASIEVITCH Thaddäus ou **Lukasiewicz**
Né à Minsk. Mort en 1842 à Munich. xixe siècle. Polonais.
Portraitiste.
Il étudia à l'Académie des Beaux-Arts de Munich, puis avec Bernard. Il fit également des tableaux de genre et des paysages.

LOUKCHINE Youri
Né en 1949 à Leningrad. xxe siècle. Russe.
Peintre, aquarelliste, lithographe, illustrateur.
Il fut élève de l'Institut Sérov. Il participe à des expositions en Russie et à l'étranger.
Il s'est spécialisé dans la technique de l'aquarelle sur fond lithographique. Il a illustré l'épopée finnoise *Kalévala*.
Musées : Helsinki (Fond. Culturelle Finlandaise) : *Illustrations pour Kalévala* – Saint-Pétersbourg (Mus. Russe) : *Illustrations pour Kalévala*.

LOU KIA-PIN. Voir **LU JIABIN**

LOUKINE Rostislas
Né en juillet 1904 à Belgorod. xxe siècle. Naturalisé en Belgique. Russe.
Peintre de paysages animés, peintre à la gouache.
À la suite de la Révolution, il parcourut le monde : Turquie, Tchécoslovaquie, Autriche, Bulgarie, Roumanie. Il passa les onze années suivantes à Paris, où il fut élève de l'École des Beaux-Arts, et connut Nicolas de Staël. Il se fixa alors à Bruxelles, où il fut élève de Alfred Bastien à l'Académie des Beaux-Arts.
Il peignait souvent à la gouache, dans une technique spontanée et des colorations riches, des paysages d'atmosphère, des évo-

cations des légendes et du folklore russes. De nombreuses églises conservent de ses œuvres.
Bibliogr. : Marcel Degois : *Rostislas Loukine, peintre-gouachiste et son univers*, Troyes, s.d – in : *Diction. biograph. illustré des Artistes en Belgique depuis 1830*, Arto, Bruxelles, 1987.
Musées : Boulogne-sur-Mer – Ixelles – Namur – Tervuren – Troyes.

LOUKOMSKI Georgi Greskentiévitch
Né en 1884 à Kalouga. Mort en 1954. xxe siècle. Russe.
Peintre de paysages, compositions murales, décors de théâtre, pastelliste, aquarelliste, dessinateur.
Il se forma à Saint-Pétersbourg, Rome et Paris. Il fut conservateur de plusieurs musées russes, dont il publia la description.
Ses œuvres se répartissent en trois cycles : russe, italien et français. Il réalisa des décorations dans plusieurs mairies de Paris.
Musées : Milan – Paris (Mus. d'Orsay) – Rome (Palais Corsini) – Saint-Pétersbourg (Mus. Russe) – Vivence.
Ventes Publiques : Londres, 13 fév. 1986 : *Une rue la nuit* 1918, fus. et aquar. (32x48) : **GBP 2 200** – Londres, 17 avr. 1996 : *La cathédrale de Hagin Sophia à Kiev*, past. et aquar. (48x58) : **GBP 862**.

LOUKOMSKI Stanislaus ou **Stanislas** ou **Lukomski**
Né en 1835. Mort le 19 août 1867 à Posen. xixe siècle. Polonais.
Peintre et graveur.
Il grava des portraits et des illustrations de livres. Le Musée Mielzynski à Posen possède de ses dessins.

LOU K'O-TCHENG. Voir **LU KEZHENG**

LOU KOUANG. Voir **LU GUANG**

LOU KUAN. Voir **LOU GUAN**

LOU LENG-KIA. Voir **LU LENGJIA**

LOUMÉ Josy
Née le 22 novembre 1941 à Bayonne (Pyrénées-Atlantiques). xxe siècle. Française.
Peintre.
À Paris, elle fut élève d'Yves Brayer à l'Académie de la Grande Chaumière ; de Del Debbio à l'Académie Julian. Elle expose à Paris, dans plusieurs Salons, dont le Salon des Indépendants dont elle est sociétaire depuis 1972, et celui des Artistes Français dont elle est sociétaire depuis 1973.

LOUND Thomas
Né en 1802. Mort le 18 février 1861 à Norwich. xixe siècle. Britannique.
Peintre de paysages, aquarelliste, dessinateur.
Il fut élève de J. S. Cotman.
Musées : Londres (Victoria and Albert Mus.) – Norwich.
Ventes Publiques : Londres, 13 oct. 1978 : *Pêcheurs dans une barque*, h/pan. (24,2x34,3) : **GBP 650** – Londres, 18 mars 1980 : *Tintern Abbey* 1850 ?, aquar. et craie noire reh. de blanc (37x53) : **GBP 650** – Londres, 24 sep. 1987 : *Moissonneurs au travail près de Bacton Abbey, Norfolk*, aquar./traits de cr. (28,5x52) : **GBP 1 200** – Londres, 25-26 avr. 1990 : *Beccles vue depuis la rivière Waveney*, aquar. (26,5x41) : **GBP 1 320** – Londres, 8 avr. 1992 : *Sur la Yare dans le Norfolk*, h/t (27x47,5) : **GBP 3 300**.

LOUP
Né en 1936. xxe siècle. Français.
Dessinateur humoriste.
Il a quitté l'architecture en 1968 pour le dessin de presse. Il publie son premier dessin dans *L'Enragé*. Il a obtenu le grand prix de la Biennale de Tolentino en 1969, la grand prix de l'Humour vache à Saint-Just et le grand prix d'Épinal en 1991.
Il travaille pour divers magazines et journaux, dont : *Jeune Afrique, Gault et Millau, Le Nouvel Observateur, L'Express, Politique hebdo, Playboy, Oui Magazine, Marie-Claire, L'Événement du Jeudi, VSD, Le Monde* et *Libération*.
Ventes Publiques : Paris, 27 nov. 1993 : *I am the boss (Heye cartoon)* 1972, encre noire et coul./pap. (32x24) : **FRF 20 000**.

LOUP Arnold
Né le 1er mars 1882 à Zurich. xxe siècle. Suisse.
Peintre de portraits, paysages.
Il fut élève de l'Académie des Beaux-Arts de Karlsruhe.

LOUP Eugène
Né le 1er février 1867 à Rodez (Aveyron). Mort en septembre 1948 à Paris. xixe-xxe siècles. Français.
Peintre de figures. Tendance symboliste.
Il fut élève de Jules Lefebvre, Maurice Bompard. Il exposait à Paris, au Salon des Artistes Français à partir de 1889, puis au Salon de la Société Nationale des Beaux-Arts. Il obtint une médaille en 1900, pour l'Exposition Universelle.
Il s'est spécialisé dans la peinture de figures en grisaille.
Musées : Paris (Mus. d'Orsay) : *Rêverie* – Pau : *Rêverie*.

LOUPOT Charles
Né en 1892 à Nice (Alpes-Maritimes). Mort en 1962 aux Arcs (Var). xxe siècle. Français.
Affichiste, pastelliste, lithographe, illustrateur, graphiste.
Il fut élève de l'École des Beaux-Arts de Lyon, puis apprit la lithographie en Suisse. Il se fixa à Paris en 1923, où il consacra son activité à l'affiche, engagé par la firme publicitaire Devambez. Entre 1925 et 1930, il travailla pour *Les belles affiches*. En 1930, il a participé aux créations graphiques de Cassandre. En 1935, il se forma à la pratique de l'aérographe, qui lui permit des dégradés pour ses fonds généralement unis. En 1979, il était représenté à l'exposition Paris-Moscou, au Centre Beaubourg, et une exposition lui était consacrée au Musée de l'Affiche.
À Paris, il a collaboré comme illustrateur à la *Gazette du Bon Ton*. Sa première affiche publiée concernait les *Automobiles Voisin*. Sa carrière est ensuite jalonnée de succès demeurés historiques : 1927 le *Bonhomme en bois* des Galeries Barbès ; en 1929 le *Bonhomme Valentine* des peintures ; en 1935 pour le champoing *Dop* ; en 1938 pour les parfums *Coty* ; à partir de 1937 jusqu'en 1960, pour l'apéritif *Saint-Raphaël* ; en 1954 la modernisation du personnage de *Nectar* et de la publicité graphique générale des Vins Nicolas ; en 1963 pour *Air liquide* ; etc.
Il a aussi travaillé pour : *Café Martin, Thé Twinning, Monsavon, Ambre solaire, Bic, Lion noir, Vichy Célestins*, etc. Ce qui caractérise surtout son art est d'avoir intégré l'image publicitaire dans de l'animé, du vivant, associant le plus souvent un produit à un personnage. Son style a évolué de l'arabesque au géométrique, associant le style du dessin et celui de la lettre. ■ J. B.
Bibliogr. : In : *L'Art du xxe siècle*, Larousse, Paris, 1991.
Ventes Publiques : Orléans, 1er juin 1980 : *Col Van Heusen, le col semi-dur* 1928, affiche litho. en coul. (160x120) : **FRF 18 000** – Paris, 14 déc. 1984 : *Le Café Martin ; Les Belles Affiches Paris* 1929, affiches (120x160) : **FRF 21 000** – Parc Saint-Cloud, 9 juin 1985 : *Peugeot la Grande Marque Nationale, Les Belles affiches, Paris* 1926, affiches en coul. (119x158) : **FRF 19 000**.

LOUPPE Léo
Né le 18 septembre 1869 à Reims (Marne). xixe siècle. Français.
Peintre de fleurs.
Ventes Publiques : Paris, 13 et 14 jan. 1926 : *Fleurs et brûle-parfums* : **FRF 820** ; *Fleurs dans une marmite en cuivre* : **FRF 500** – Paris, 3 mai 1945 : *Bleuets et marguerites* : **FRF 390**.

LOUPPE Marguerite
Née en 1902. xxe siècle. Française.
Peintre de compositions animées, figures, intérieurs, natures mortes, fleurs. Figuration poétique.
En 1925, elle participa au mouvement de retour au goût du public, avec Legueult, Roland Oudot, Brianchon qu'elle épousa.
Musées : Paris (Mus. Nat. d'Art Mod.) : *Le Bal*.
Ventes Publiques : Paris, 5 juin 1944 : *Intérieur* : **FRF 350** – Paris, 30 avr. 1945 : *La Pianiste* : **FRF 4 000** – Paris, 28 fév. 1949 : *La Galerie bleue* : **FRF 20 000** – Paris, 19 fév. 1954 : *Nature morte au mimosa* : **FRF 30 000**.

LOURADOUR Daniel
xxe siècle. Français.
Peintre de compositions animées, décors et costumes de théâtre, peintre à la gouache, aquarelliste, lithographe, illustrateur.
Il est essentiellement peintre à la gouache et aquarelliste.
Depuis 1953, il a conçu, avec science et habileté, les décors et costumes pour un grand nombre d'opéras, de spectacles de ballets, de pièces de théâtre, de films, et illustré des ouvrages littéraires.
Musées : Mulhouse (Mus. des Beaux-Arts) : *Parades*, gche.
Ventes Publiques : Paris, 23 mars 1991 : *Promenade dans Chicago – la ville basse* 1987, gche/pap. (63x48,5) : **FRF 4 500**.

LOURDEL Henriette, née **Rouvenat**
Née au xixe siècle à Paris. xixe siècle. Française.
Peintre de paysages et de natures mortes.
Élève de J. David et de Bergeret. Elle débuta au Salon de 1879.

LOURDEL Michel ou **Lourdet**
Originaire de Rouen. XVIe-XVIIe siècles. Français.
Peintre et sculpteur.
En 1539, il sculpta, pour l'église paroissiale de Notre-Dame-de-la-Ronde, un retable représentant la *Nativité*, l'*Annonciation*, le *Trépassement* et l'*Assomption de la Vierge*. En 1609, il décora le grand autel de Saint-Maclou ; en 1612 il sculpta, pour la cathédrale des châsses destinées à recevoir les reliques de saint Sever. Les Cordeliers de Valognes lui commandèrent un retable en 1616 ; la même année, il fit le tabernacle de l'église Saint-Jean de Rouen et la suivante, un tabernacle pour l'église Saint-Laurent. Appelé à Bernay, en 1621, il y restaura, le grand autel de l'église de la Couture et sculpta dans le même monument, un saint Michel en bois. Il passe pour auteur d'un Christ du jubé de Saint-Maclou et fit, enfin, en 1636, le tabernacle et le retable de l'autel de la Vierge, à l'église de Caudebec.

LOURDEL Pierre ou **Lourdet**
Né en 1586 à Rouen. Mort en 1676 à Rouen. XVIIe siècle. Français.
Peintre et sculpteur.
Fils de Michel Lourdel. Il fit, en 1645, pour l'église de l'abbaye du Mont Saint-Michel : le grand crucifix au-dessus de l'autel de Saint-Michel, les statues de saint Benoît et de sainte Scholastique et deux anges en bois doré.

LOURDÈS-CASTRO. Voir **CASTRO Lourdès**

LOURDET. Voir **LOURDEL**

LOURDEY Maurice, pseudonyme de **Lefèbvre-Lourdet**
Né le 8 avril 1860 à Paris. Mort en 1934 à Paris. XIXe-XXe siècles. Français.
Peintre, dessinateur, illustrateur, affichiste.
À Paris, de 1885 à 1892, il exposa au Salon des Artistes Français, dont il était sociétaire depuis 1885 ; de 1907 à 1915 au Salon des Humoristes. En 1888, il signait de son nom des illustrations pour *Le Courrier français*. Après 1890, il utilisa son pseudonyme pour ses illustrations humoristiques dans : *Gil Blas illustré*, *Le Journal*, *Le Sourire*, *Le Rire*, et pour des affiches de théâtre ou de lancement de livres.
En 1891, il a collaboré à l'illustration de *Chansons à rire* ; en 1893, il a illustré *Paris qui m'amuse* ; et en 1902, *De l'Autel à l'hôtel* de Xanrof.
Bibliogr. : Marcus Osterwalder, in : *Diction. des Illustrateurs 1800-1914*, Ides et Calendes, Neuchâtel, 1989.

LOUREIRO Artur
Né en 1853 à Porto. Mort en 1932 à Gerez. XIXe-XXe siècles. Actif aussi en Australie. Portugais.
Peintre de figures, paysages. Naturaliste.
Il fut tout d'abord élève à l'École des Beaux-Arts de sa ville natale, puis partit pour Rome. Revenu en 1879 dans son pays, il obtint une bourse pour aller étudier à Paris, sous la direction d'Alexandre Cabanel. À Londres en 1882, il y exposa, puis, ayant épousé une Australienne, il partit pour l'Australie, où il se fixa pendant vingt ans. À Melbourne, il fut professeur au Presbyterian Ladies College, membre de l'Académie de Victoria et inpecteur du Musée national. Il revint au Portugal en 1901 et créa sa propre académie.
Son œuvre est tout d'abord influencé par le naturalisme de Courbet, puis durant son séjour en Angleterre, par l'art préraphaélite.
Bibliogr. : In : *Cent ans de peinture en Espagne et au Portugal, 1830-1930*, Antiquaria, Madrid, 1990 – Gérald Schurr, in : *Les Petits Maîtres de la peinture 1820-1920, valeur de demain*, Les Éditions de l'Amateur, t. VII, Paris, 1989.
Musées : Lisbonne (Mus. Nat. d'Art Contemp.) : *Plage de Povos, impression* 1884.

LOURMAND Hippolyte
Né au XIXe siècle à Nantes (Loire-Atlantique). XIXe siècle. Français.
Sculpteur.
Élève de Pradier. Il débuta au Salon de 1868.

LOUSIER M. S., Mme, née **Coutouly**
XVIIIe-XIXe siècles. Française.
Peintre de miniatures.
Elle exposa au Salon en 1799, 1800 et 1801.

LOU SIN-TCHONG. Voir **LU XINZHONG**

LOU SSEU-LANG. Voir **LU SILANG**

LOUSTAL Jacques
Né en 1956. XXe siècle. Français.
Dessinateur, illustrateur, peintre.
Il publie ses premières bandes dessinées dans la revue musicale *Rock and Folk* en 1977. À partir de 1980 il collabore à *Métal Hurlant*. Ses illustrations paraissent dans *Libération* ; *Télérama* ; *Cosmopolitan* ; *Le Monde Voyages*. Il réalise également des affiches de cinéma, couvertures de livres et des sérigraphies. En 1989 la Galerie Escale à Paris a exposé ses peintures.
Ventes Publiques : Paris, 6 avr. 1991 : *Mona et Rosette* 1988, encres de coul. et aquar./pap. (24,6x33,6) : **FRF 5 000** ; *Venise* 1989, encres de coul. et aquar./pap. (26,2x38,2) : **FRF 8 500** – Paris, 6 fév. 1993 : *Le goûter* 1991, aquar. (50x24) : **FRF 8 900**.

LOUSTAU Jacques Joseph Léopold
Né le 26 mai 1815 à Sarrelouis, de parents français. Mort en 1894 à Chevreuse (Yvelines). XIXe siècle. Français.
Peintre d'histoire, de genre et portraitiste.
Élève de Cogniet. Il débuta au Salon de 1839 et obtint une médaille de troisième classe en 1842. On voit de lui, au Ministère de l'Intérieur, *Jésus parmi les docteurs* et *Saint Nicolas*, et à la Préfecture de la Seine, *La Visitation*.

LOUSTAU Marie Euphrosine ou **Lousteau**, née **Jacque**
Née le 9 novembre 1831 à Paris. XIXe siècle. Française.
Peintre de fleurs et de fruits.
Elle exposa au Salon entre 1857 et 1866.
Ventes Publiques : Paris, 29 jan. 1943 : *Lilas et glycines* : **FRF 1 600**.

LOUSTAUNAU Louis Auguste Georges
Né le 12 septembre 1846 à Paris. Mort en 1898 à Versailles. XIXe siècle. Français.
Peintre de genre, paysages.
Il fut élève de Gérome et de Barrias. Il débuta au Salon de Paris en 1869.

Musées : Versailles : *Présentation du drapeau aux recrues*.
Ventes Publiques : Paris, 10 avr. 1894 : *Le Camp : trompette de hussards* : **FRF 250** – Paris, 3 mai 1901 : *Au camp de Châlons* : **FRF 600** – New York, 18 avr. 1945 : *Après le mariage* : **USD 650** – Paris, 29 juin 1945 : *Le repos de l'officier* : **FRF 300** – New York, 24 mai 1973 : *Eau bénite* : **USD 3 000** – Londres, 14 juin 1974 : *Eau bénite* : **GNS 900** – New York, 2 avr. 1976 : *Le repos de l'officier*, h/pan. parqueté (37,5x45) : **USD 1 200** – Londres, 20 juin 1985 : *L'Embarquement pour New York*, aquar. (115x93) : **GBP 14 000** – New York, 24 fév. 1987 : *Moine pêchant à la ligne* 1874, h/t (92x71,5) : **USD 4 000** – Paris, 24 fév. 1992 : *Le repos de l'officier*, h/t (28x35) : **FRF 21 000** – New York, 26 mai 1993 : *La rencontre*, h/pan. (34,9x26,7) : **USD 8 338** – New York, 16 fév. 1995 : *Le mari distrait*, h/t (55,2x78,7) : **USD 32 200** – New York, 23 oct. 1997 : *Un mariage de raison*, h/t (66,7x96,5) : **USD 31 050**.

LOUSTEAU Marie Euphrosine. Voir **LOUSTAU**

LOUSZCZKIEVITCH Ladislas ou **Wladislaus** ou **Luszczkiewicz**
Né le 3 septembre 1828 à Cracovie. Mort en 1900 à Cracovie. XIXe siècle. Polonais.
Peintre.
De 1838 à 1878 élève de l'École des Beaux-Arts de Cracovie, sous la direction de Glovacki et Stattler. De 1849 à 1850, élève de l'École des Beaux-Arts de Paris. En 1850, il revint à Cracovie où il fut nommé professeur de l'École des Beaux-Arts et, en 1877, il devint directeur de cette école et directeur du Musée. Il fut également historien de l'art. On voit de lui, au Musée de Cracovie, *Une danse de montagnards* et *Le tireur*.

LOU TCHAN. Voir **LU ZHAN**

LOUTCHANINOFF Ivan Vassiliévitch
XIXe siècle. Actif en Russie. Russe.
Peintre.
Élève de l'Académie de Saint-Pétersbourg.
Musées : Saint-Pétersbourg (Mus. Russe) : *Bénédiction des combattants de la Liberté en 1812*.

LOUTCHANSKY Jacob ou **Loutchanski Iakob** ou **Jacques**
Né le 8 décembre 1876 ou 1882 à Vinnitza. Mort en 1978. XXe siècle. Actif et naturalisé en France. Russe.
Sculpteur de figures allégoriques, bustes.
À Paris, il fut élève de Antonin Mercié, puis exposa aux Salons des Indépendants et d'Automne.

Musées : Brême : *La Maturité* – Paris (Mus. d'Orsay) : *Tête de jeune femme* – Philadelphie : *Tête de jeune-fille.*
Ventes Publiques : Tel-Aviv, 3 jan. 1990 : *Nu,* bronze (H. 20) : **USD 1 430** – Tel-Aviv, 19 juin 1990 : *Tête d'enfant* 1933, bronze (H. 20) : **USD 1 430** – Tel-Aviv, 30 juin 1994 : *Cheval et cavalier,* bronze (H. 47) : **USD 3 680** – Tel-Aviv, 14 jan. 1996 : *Attente* 1937, bronze (H. 70) : **USD 11 040** – Tel-Aviv, 12 jan. 1997 : *Attente* 1937, bronze (H. 70) : **USD 6 900.**

LOU TCH'AO. Voir **LU CHAO**

LOU TCH'AO-YANG. Voir **LU CHAOYANG**

LOUTCHCHEFF Sergeï Iakovlévitch
Né en 1850. xixe siècle. Russe.
Peintre.
Élève de l'Académie de Saint-Pétersbourg.
Musées : Moscou (Gal. Tretiakov) : *Intérieur d'église bulgare.*

LOU TCHE. Voir **LU ZHI**

LOUTCHIANOV Dimo
Né au xxe siècle en Bulgarie. xxe siècle. Bulgare.
Sculpteur.

LOUTCHICHKINE Serguei Alekseevitch
Né en 1902 à Moscou. xxe siècle. Russe.
Peintre, aquarelliste, dessinateur. Abstrait.
En 1919, il fut élève des Ateliers Nationaux d'Arts Libres de Moscou ; de 1919 à 1924, il travailla aux Vhutamas. Il eut une activité importante de metteur en scène de théâtre. Il a participé à des expositions collectives : 1927 à Tokyo ; 1929 Amsterdam, New York ; 1930 Vienne, Berlin, Stockholm ; en 1979, il était représenté à l'Exposition Paris-Berlin du Centre Beaubourg à Paris. Il a présenté ses réalisations dans des expositions personnelles, notamment en 1974 à Moscou.
Dans ses œuvres personnelles, après une période abstraite à tendance constructiviste, il semble être revenu ensuite à la figuration.
Musées : Moscou (Gal. Tretiakov) : *La Cueillette des pommes* 1930, aquar.

LOU TCHONG-YUAN. Voir **LU ZHONGYUAN**

LOUTHERBOURG Philipp Jakob I ou **Jacques Philippe** ou **Lutherbourg** ou **Lauterbourg**
Né en 1698 probablement à Bâle. Mort en 1768 à Paris. xviiie siècle. Suisse.
Miniaturiste et graveur.
Étudia à Strasbourg. Travailla à la cour du roi Stanislas, à Wissembourg et de là se rendit à Paris, où il vécut dès lors. Au Musée de Bâle, on voit de lui : le *Portrait du peintre J. K. Seekatz,* daté de 1752.
Ventes Publiques : Paris, 23 mai 1986 : *Navire au large d'une côte rocheuse animée de bergers,* h/t (77x113) : **FRF 60 500** – New York, 15 jan. 1987 : *Berger et bergère avec leur troupeau dans un paysage escarpé,* h/t (101,5x86,5) : **USD 14 000.**

LOUTHERBOURG Philipp Jakob II ou **Jacques Philippe** ou **Lutherbourg** ou **Lauterbourg**
Né le 31 octobre 1740 à Strasbourg (Bas-Rhin). Mort en 1812 à Chiswick (près de Londres). xviiie-xixe siècles. Français.
Peintre d'histoire, batailles, animaux, paysages.
Fils et élève du miniaturiste J.-P. Loutherbourg I, il accompagna celui-ci à Paris. Il fut aussi élève de Tischbein et de Casanova. Il se fit une réputation rapide comme peintre d'animaux et peintre de paysages. Tout en s'inspirant de Berghem, il sut garder une forme très personnelle. Son succès fut considérable et lorsque Fessard voulut graver sa magnifique édition des *Fables de La Fontaine* destinée aux enfants du dauphin ce fut Loutherbourg, qui fut chargé de dessiner les animaux, tandis que Monnet fournissait les dessins des figures. En 1768, il fut nommé membre de l'Académie royale et plus tard peintre du roi. En 1771, cependant, il quittait la France pour aller s'établir à Londres ; il n'y fut pas moins bien accueilli et fut chargé notamment, de fournir les dessins pour les décorations de Drury Lane. En 1780, il fut nommé associé de la Royal Academy et l'année suivante académicien. Il travailla avec Cagliostro et l'accompagna en Suisse en 1787. En Angleterre, Loutherbourg s'affirma peintre militaire et peignit plusieurs victoires des armées anglaises notamment sur mer.
Il a laissé quelques eaux-fortes de paysans, de soldats, traitées avec beaucoup d'esprit. Ses œuvres sont très recherchées par les amateurs de dessins et d'estampes.

P. J. de Loutherbourg P. 1767.

Musées : Amiens : *Animaux surpris par l'orage* – Angers : *Agar regardant boire son fils après la découverte de la source* – Bordeaux : *Deux paysages avec figures* – Bourges : *Sainte famille* – Bristol : *Prise de la corvette française « La Chevrette » par des marins anglais* – Budapest : *Naufrage* – Compiègne (Palais) : *Choc de cavalerie* – Darmstadt : *Rendez-vous* – Derby : *Paysage fluvial* – Dublin : *Tempête sur la Méditerranée* – Dulwich : *Paysage avec animaux* – deux œuvres – Épinal : *Cabane de pêcheurs au bord de la mer* – Glasgow : *Paysage avec bétail* – Karlsruhe : *Paysage* – Leicester : *Scène de rivière* – Liechtenstein : *Paysage* – Londres (Nat. Gal.) : *Scène sur le lac du Cumberland, le soir* – Londres (Victoria and Albert Mus.) : *Marine* – *Le dernier homme* – *Deux paysages animés* – *Chute du Rhin à Schaffhouse* – *David Garrick dans le rôle de Don Juan* – Manchester : Aquarelle – Marseille : *Animaux de trait* – Minneapolis (Walker) : *Anciennes fortifications à Cassel* – Montauban : *Paysage* – Nancy : *Deux paysages* – Nantes : *Berger, âne et moutons* – Nottingham : *Vue de Snowdon, avec le château de Dolbadarn* – Oldenbourg : *Une tempête sur la côte* – Orléans : *Berger, âne et moutons* – Paris (Mus. du Louvre) : *Le passage du gué* – Rouen : *Paysage* – Schleissheim : *Une tour sur la côte* – *Un col* – Stockholm : *Naufrage* – *Combat sur mer entre soldats et pirates orientaux* – *Paysage par un temps lourd* – *Paysage avec château et chute d'eau* – Strasbourg : *Paysage avec animaux* – *L'hiver* – *Un col en montagne* – *En mer* – Valenciennes : *Berger, moutons et vaches* – Vicence (Pina.) : *Paysage* – deux œuvres – Vienne : *Marine,* Loutherbourg et de Machy – Vienne (coll. Czernin) : *Marine* – Vienne (Acad.) : *Naufrage* – York, Angleterre : *Pilleurs d'épaves.*
Ventes Publiques : Paris, 1770 : *Une bataille* : **FRF 200** – Paris, 1775 : *Vue d'un palais près de la mer* : **FRF 2 400** – Paris, 1784 : *Vue de mer par gros temps* : **FRF 3 400** – Manchester, 1843 : *Paysage avec figures* : **FRF 2 800** – Paris, 1859 : *L'avalanche* : **FRF 6 006** – Paris, 1885 : *L'agneau chéri* : **FRF 1 800** ; *Marine* : **FRF 2 500** – Paris, 8 mai 1891 : *Les Bergers* : **FRF 1 450** – Paris, 1897 : *Réjouissances publiques,* dess. au bistre sur trait de pl. : **FRF 250** – Paris, 1898 : *L'embarquement* : **FRF 8 200** – Paris, 1899 : *Le berger entreprenant* : **FRF 2 250** – Paris, 15 juin 1904 : *Le Matin* ; *Le Soir* : **FRF 520** – Paris, 13-14-15 mars 1905 : *Le Passage du gué* : **FRF 610** – Paris, le 14 fév. 1908 : *L'agneau chéri* : **FRF 450** – Londres, 23 juil. 1909 : *Paysage boisé* : **GBP 12** – Paris, 4-6 déc. 1919 : *Villageois arrêtés sur une route* ; *Bergers et animaux,* deux sépias : **FRF 2 000** – Paris, 11 déc. 1919 : *Troupeau fuyant l'orage* : **FRF 3 000** – Paris, 3 et 4 mai 1923 : *L'Embarcadère* : **FRF 12 100** – Londres, 30 nov. 1923 : *Arrivée du paquebot,* dess. : **GBP 78** – Paris, 17 et 18 juin 1925 : *Le passage du gué* ; *Le Paysan galant,* lav. encre de Chine, les deux : **FRF 36 000** – Paris, 10 et 11 mai 1926 : *Le bac,* pierre noire et lav. : **FRF 3 800** – Paris, 19 avr. 1928 : *Bergers et animaux à l'ombre de ruines près d'un torrent* : **FRF 25 500** – Paris, 5 déc. 1928 : *La halte de chasse* : **FRF 46 000** – Londres, 14 déc. 1928 : *Temps calme et tempête* : **GBP 262** – Londres, 11 déc. 1930 : *Après-midi d'été* : **GBP 640** – Paris, 10 juin 1932 : *L'Enlèvement d'Europe* : **FRF 3 000** – Paris, 3 déc. 1934 : *L'amour curieux* : **FRF 10 000** – Londres, 28 juin 1935 : *Paysage montagneux* : **GBP 56** – Londres, 5 juin 1936 : *Patinage sur la Serpentine* : **GBP 14** – Paris, 18 mars 1937 : *La métairie,* attr. : **FRF 10 000** – Londres, 10 déc. 1937 : *Paysans* : **GBP 16** – Londres, 20 mai 1938 : *Le Haut-Rhin* 1791 : **GBP 31** ; *Premier juin 1794* : **GBP 48** – Londres, 14 juil. 1939 : *Paysage montagneux* : **GBP 25** – Paris, 15 déc. 1941 : *Paysage,* pierre noire et lav. : **FRF 3 200** – Paris, 17 mars 1943 : *Le Moulin à eau* : **FRF 120 000** – Londres, 17 nov. 1944 : *La bergère endormie* : **GBP 89** – Paris, 21 et 22 fév. 1945 : *La jeune laitière,* attr. : **FRF 160 000** – Londres, 13 juil. 1945 : *Paysage de forêt* : **GBP 126** – Paris, 18 oct. 1946 : *L'abreuvoir au bas du château* : **FRF 66 100** – Paris, 7 juin 1955 : *Personnages dans un paysage vallonné* : **FRF 166 000** – Londres, 1er mai 1959 : *Paysage du Pays de Galles* : **GBP 609** – Londres, le 25 juin 1965 : *Avalanches dans les Alpes, Lauterbrunnen* : **GNS 1 700** – Londres, 24 mai 1968 : *La bataille navale de Lamperdown* : **GNS 15 000** – Londres, 19 nov. 1969 : *Paysage orageux* : **GBP 1 600** – Londres, 30 juin 1970 : *Bataille navale* : **GNS 850** – Londres, 17 mars 1971 : *Paysage animé de personnages* : **GBP 900** – Londres, 22 mars 1972 : *Les amoureux surpris* :

GBP 2 300 – Londres, 29 nov. 1973 : *La pêche au homard*, aquar. : **GBP 400** – Paris, 23 juin 1976 : *Les jeunes bergers* 1770, h/t (24x32,5) : **FRF 18 000** – Londres, 24 juin 1977 : *Cavaliers prenant des rafraîchissements devant une chaumière*, h/t (79x103) : **GBP 6 000** – Londres, 23 mars 1979 : *La création du Monde* 1800, h/t (125,1x100,2) : **GBP 5 500** – Paris, 29 oct. 1980 : *Scène champêtre*, lav. de bistre (24,2x34,3) : **FRF 7 500** – Londres, 19 mars 1981 : *Jeune Femme dans son boudoir*, aquar./trait de cr. (26x21) : **GBP 700** – Paris, 18 juin 1982 : *Berger et son troupeau sur un chemin creux* ; *Bergère et son troupeau à l'abreuvoir*, h/t, formant pendants (101,5x127 chaque) : **FRF 45 000** – Londres, 15 mars 1984 : *Voyageurs et laitière dans un paysage* 1785, pl. et lav. sur trait de cr. (37x51) : **GBP 900** – Londres, 13 juil. 1984 : *Paysage montagneux à la rivière animé de personnages*, h/t (136,5x198,7) : **GBP 45 000** – Londres, 19 mars 1985 : *La femme de l'artiste assise, tenant un chat sur ses genoux*, aquar. et cr. (25,5x20,2) : **GBP 950** – Versailles, 27 juil. 1986 : *Berger et son troupeau au pied de la cascade* 1769, h/pan. (23,8x33,8) : **FRF 25 000** – Londres, 19 nov. 1987 : *The battle of Camperdown*, pl. et lav. (48,5x73) : **GBP 2 600** – Paris, 14 avr. 1988 : *Pêcheurs dans un paysage de cascade* avant 1771, h/t (48x78) : **FRF 80 000** – Stockholm, 19 avr. 1989 : *Tempête sur une côte rocheuse*, h/pan. (21x28) : **SEK 6 700** – New York, 31 mai 1989 : *La destruction de l'armée du Pharaon* 1792, h/t (127x102,3) : **USD 121 000** – Paris, 12 déc. 1989 : *Halte de paysans*, pan. de chêne parqueté (32,5x25) : **FRF 100 000** – New York, 5 avr. 1990 : *Paysage avec un couple de gardiens de troupeau près d'une rivière* 1803, h/t (47x65) : **USD 11 000** – Londres, 20 avr. 1990 : *Alexandrinus ressuscitant* 1803, h/t (33,9x46) : **GBP 4 950** – Stockholm, 14 nov. 1990 : *Naufrage sur un côte rocheuse*, h/t (51x62) : **SEK 15 500** – Paris, 5 déc. 1990 : *Paysan chargeant son âne* ; *Scène de port méditerranéen* 1787, h/t, une paire (chaque 32,5x40,5) : **FRF 120 000** – Londres, 10 avr. 1991 : *Couple de paysans amoureux surpris par des gamins au bord d'un lac*, h/t (69x89) : **GBP 7 150** – Paris, 3 avr. 1992 : *Scène de naufrage*, h/t (86,5x122) : **FRF 90 000** – New York, 22 mai 1992 : *Berger et bergère avec leurs animaux dans un paysage fluvial boisé*, h/t (67,3x104,1) : **USD 25 300** – Londres, 7 avr. 1993 : *Couple d'amoureux surpris par des gamins dans un paysage rocheux avec du bétail se désaltérant au torrent*, h/t (69x89) : **GBP 9 200** – Paris, 26 avr. 1993 : *Paysage à la charrette et aux grands arbres*, h/t (69,5x106,5) : **FRF 158 000** – Paris, 25 nov. 1993 : *Pêcheurs et bergers au bord de l'eau* 1768, pl. et lav. gris (41x54) : **FRF 24 000** – Paris, 21 déc. 1994 : *L'embarcadère*, h/t (54x65) : **FRF 145 000** – Londres, 3 juil. 1995 : *Paysan avec son bétail dans un paysage fluvial*, encre et lav. (22x32,5) : **GBP 920** – New York, 2 avr. 1996 : *Paysan endormi dans une grange avec un taureau et un âne*, h/pan. (34,3x45,7) : **USD 1 495** – Paris, 14 juin 1996 : *L'Embarcadère*, h/t (32x40,5) : **FRF 65 000** – Londres, 10 juil. 1996 : *Scène de Tom Jones*, h/pap./t. (14x21,5) : **GBP 1 150** – Paris, 22 nov. 1996 : *Couple de bergers et troupeau sur la lagune* ; *Couple de bergers et troupeau au pâturage*, grav./bois, deux pendants (chaque 24x39,5) : **FRF 30 500** – Londres, 13 mars 1997 : *Paysage nocturne*, h/t (31,7x45,7) : **GBP 3 300** – Paris, 2 avr. 1997 : *Bergers et troupeau dans un paysage*, h/t (50,5x61,2) : **FRF 29 000**.

LOUTHERBURG Johann Rudolf ou **Lutherburg** ou **Lauterburg**

Né en 1652 à Bâle. Mort en 1727 à Bâle. xviie-xviiie siècles. Suisse.

Peintre d'histoire, genre, portraits, natures mortes.

Musées : Soleure : *Intérieur.*

Ventes Publiques : Londres, 6 juil. 1990 : *Vanité avec un crâne, un miroir, un chandelier, un calendrier, des livres, etc.*, h/pan. (39,7x54,6) : **GBP 8 800**.

LOU TÖ-TCHE. Voir **LU DEZHI**

LOUTREL Jean Baptiste Victor

Né en 1821 à Rouen. Mort le 12 mars 1908 à Paris. xixe siècle. Français.

Peintre et lithographe.

Élève de Mouilleron. Il débuta au Salon en 1852 et exposa régulièrement des toiles de genre et des lithographies.

Musées : Rouen : *Souvenir – Forêt de Fontainebleau près de Barbizon – Femme tenant des colliers – M. Aze Valère.*

LOUTREUIL Maurice Albert

Né le 16 mars 1885 à Montmirail (Sarthe). Mort le 21 janvier 1925 à Paris. xxe siècle. Français.

Peintre de scènes animées, figures, nus, portraits, paysages, natures mortes, fleurs, aquarelliste, dessinateur. Expressionniste.

En 1911, il fut élève de Gabriel Ferrier à l'École des Beaux-Arts de Paris, et renvoyé pour cause d'indiscipline. Indépendant, presque vagabond, on dirait « marginal » aujourd'hui, il fournit des dessins aux petits journaux amusants de Paris, puis, à Tunis, exécutait pour quelques sous des portraits rapides aux terrasses des cafés. Revenu à Paris, il y fut consacré « chef » de *L'École du Pré-Saint-Gervais* par un groupe bohème sympathique, qui comprenait, entre autres, le peintre Christian Caillard et l'écrivain Eugène Dabit, l'auteur d'*Hôtel du Nord*. Loutreuil fut aussi l'ami de Krémègne et d'André Masson. Antoine Bourdelle sut aussi apprécier sa peinture. En 1920, il fonda, par autodérision partagée, le Salon des Anonymes. Après des voyages en Europe et en Afrique, il revint mourir à l'hôpital Broussais, âgé de quarante ans. À l'occasion de l'Exposition Internationale de Paris, en 1937, l'exposition des *Maîtres de l'Art Indépendant*, au Musée du Petit Palais, présentait un choix important de ses œuvres. En 1994, à Paris, le Musée Bourdelle présenta une exposition rétrospective d'un ensemble d'une quarantaine de peintures, tandis que la Mairie du IXe arrondissement montrait un ensemble de dessins et d'aquarelles.

Peintre de sujets divers, c'est surtout dans les figures qu'il donna toute sa mesure. Tout y est vigoureux ; le dessin, la couleur, la manière et la matière conjuguent leurs forces pour traduire une vision virile de la réalité indifférente. Indépendant de caractère, Loutreuil a laissé après lui un œuvre indépendant à force de négliger les artifices de l'originalité à tout prix, quand une certaine originalité lui était naturelle. L'art de Loutreuil, avec le recul, manifeste qu'il est allé au-delà du « populisme » où son époque le cantonna, alors que bien des aspects de sa peinture le rattachent au fauvisme, sans qu'il y ait adhéré. ■ J. B.

Loutreuil

Loutreuil

Bibliogr. : Champigny : *Correspondance de Maurice Loutreuil*, Firmin-Didot, Paris, 1929 – Michel Ragon : *L'Expressionnisme*, Rencontre, Lausanne, 1966 – J. F. Levantal : *Loutreuil : Catalogue raisonné des peintures à l'huile*, Paris, 1985.

Musées : Le Mans (Mus. de Tessé) : *Le Marché à Mamers* – Paris (Mus. Nat. d'Art Mod.) : *Le Bouquet devant la fenêtre.*

Ventes Publiques : Paris, 26 avr. 1926 : *Nature morte* : **FRF 6 560** ; *Femme nue* : **FRF 6 000** – Paris, 12 mars 1928 : *Nature morte* : **FRF 4 055** – Paris, 4 déc. 1941 : *Le Pot de pivoines* : **FRF 10 000** ; *Le Nu de l'été* : **FRF 9 500** – Paris, 30 avr. 1947 : *La Dame râblée* 1925 : **FRF 9 000** ; *La Séance de croquis*, pl. et reh. d'aquar. : **FRF 9 000** ; *Le Groupe de peintresses*, encre de Chine, aquar. : **FRF 14 200** – Paris, 30 mai 1947 : *Nu assis de face* : **FRF 48 000** ; *Nu couché de dos* : **FRF 30 000** – Paris, 5 juil. 1950 : *L'Atelier* : **FRF 72 000** – Paris, 22 mars 1955 : *Vase de fleurs* : **FRF 150 000** – Paris, 10 déc. 1959 : *Paysage* 1922 : **FRF 600 000** – Paris, 9 mars 1961 : *Nature morte à la jatte* : **FRF 5 400** – Paris, 27 mars 1974 : *Autoportrait* : **FRF 6 500** – Versailles, 12 mai 1976 : *Fille au sein nu*, h/t (65x54) : **FRF 2 500** – Versailles, 27 mars 1977 : *Femme brune en buste*, h/t (65x54) : **FRF 6 000** – Paris, 12 mars 1979 : *Femme couchée*, aquar. et gche (33x48) : **FRF 3 800** – Paris, 14 déc 1979 : *Le modèle accoudé*, h/t (74x63) : **FRF 10 000** – Paris, 12 déc. 1985 : *Nu assis*, fus. (60x49) : **FRF 5 000** – Paris, 18 juin 1986 : *Portrait de jeune homme*, h/t (80x50) : **FRF 15 000** – Versailles, 10 juin 1987 : *Femme assise dans un intérieur* 1923, h/t (60x73,5) : **FRF 41 000** – Paris, 18 avr. 1988 : *Jeune Femme au corsage vert* vers 1920-22, h/t (80,5x50) : **FRF 59 000** – Paris, 6 mai 1988 : *Petite nature morte au bock*, h/t (33x41) : **FRF 26 000** – Neuilly, 11 juin 1991 : *La Lecture*, aquar. (39x30) : **FRF 15 000** – Paris, 16 juin 1993 : *Géo Charles Guyot en tenue de sport* 1923, h/t (78,5x53,5) : **FRF 125 000** – Londres, 20 mars 1996 : *Nature morte*, h/t (46,5x56) : **GBP 3 680** – Paris, 24 nov. 1996 : *Nu assis de dos années 20*, h/t (82x65) : **FRF 20 000** – Paris, 24 mars 1997 : *Peupliers au-dessus de la vallée*, h/t (65x49) : **FRF 11 200**.

LOU TSONG-KOUEI. Voir **LU ZONGGUI**

LOUTTERBURG. Voir **LOUTHERBURG**

LOUTTRE B., pseudonyme de **Bissière Marc-Antoine**

Né en 1926 à Paris. xxe siècle. Français.

Peintre de figures, paysages, natures mortes, graveur,

illustrateur, sculpteur, céramiste, peintre de compositions murales, cartons de tapisseries, vitraux, mosaïques. Tendance abstraite.

Portant la lourde charge d'être le fils de Bissière, il prit la chose à la légère en adoptant à son usage d'artiste l'appellation familière : Louttre, que dès sa naissance lui avaient attribuée ses parents. Sa jeunesse se passa dans la compagnie de leurs amis, dont Braque, Henri Laurens, Latapie, dont ensuite il épousa la fille Laure, et du groupe plus jeune de l'Académie Ranson où enseignait Bissière. Il apprit à peindre comme il apprenait à vivre. Depuis l'enfance, il vit et travaille à Paris et Boissièrettes.

Il expose depuis 1961. L'intense activité, l'abondance et la diversité de la production de Louttre se manifestent de façons et dans des domaines divers. Il participe à de très nombreuses expositions collectives, dont à Paris régulièrement le Salon de Mai et celui des Réalités Nouvelles, dont il fut membre du comité ; et d'entre nombreux autres groupements : 1961 IIe Biennale de Paris, dont il obtint l'un des Prix ; 1962 Prix Marzotto, Milan ; 1965 de nouveau Prix Marzotto, Prix des Onze à Paris dont il fut lauréat, Biennale de Gravure de Ljubljana ; 1966 Biennale de Tokyo, Prix O'Hara à Tokyo dont il fut lauréat ; 1967 Biennale de Ljubljana, Triennale de Grenchen dont il fut lauréat ; 1970 Biennale Internationale de l'Estampe à Paris ; 1971 Biennale Internationale de l'Estampe à Épinal dont il fut lauréat, *Tapisseries Contemporaines* au Musée de l'Abbaye de Granville au Havre ; 1972 Biennale de Venise, *100 Gravures Contemporaines Françaises* au Musée des Beaux-Arts de Dijon ; 1973 Biennale de São Paulo, Biennale Internationale de l'Estampe à Épinal ; 1977 *Artiste, Artisan* au Musée des Arts Décoratifs de Paris, *Les Avatars de Miss Liberty* au Centre Beaubourg de Paris ; 1978 *L'Estampe Aujourd'hui* à la Bibliothèque Nationale de Paris ; 1981 *European Contemporary Painting* à Tokyo ; 1989 pour le 150e anniversaire de Claude Monet à Argenteuil ; etc. Il montre aussi des ensembles de peintures et gravures dans de nombreuses expositions personnelles, d'entre lesquelles : 1961 Brunswick ; 1962 Paris galerie Jeanne Bucher ; Bâle ; 1965 New York Gallery of Graphic Art ; Paris ; Bruxelles ; 1966 Neuchâtel galerie Numaga ; Bruxelles ; Bordeaux ; Paris ; 1968 Musée de Cahors ; Bruxelles ; 1970 Paris galerie Jeanne Bucher ; 1971 Bruxelles ; 1972 Limoges Musée Municipal ; 1973 Évreux Musée de l'Évêché ; Toulouse galerie Protée ; São Paulo ; 1975 Mont-de-Marsan Musée Despiau-Wlérick ; 1976 Agen Musée des Beaux-Arts ; Essen ; Lausanne ; 1977 Villeneuve-sur-Lot Musée Rapin ; Amsterdam ; Paris ; 1978 New York ; 1981 Paris galerie Fabien Boulakia ; Bordeaux galerie Le Troisième Œil ; 1983 Paris galerie Fabien Boulakia ; 1984 Bordeaux galerie Le Troisième Œil ; 1985 Paris galerie Fabien Boulakia ; Toulouse galerie Protée ; Amsterdam ; 1986 Clermont-Ferrand École des Beaux-Arts ; Berlin ; Miami ; 1987 Paris galerie Fabien Boulakia ; Bordeaux galerie Le Troisième Œil ; 1989 Bordeaux galerie Le Troisième Œil ; Amsterdam ; Luxembourg ; 1990 Lausanne ; 1991 Mont-de-Marsan Centre d'Art Contemporain ; 1993 Bordeaux *Œuvres sur papier* à la galerie Le Troisième Œil ; 1994 Paris *Le paysage en question* galerie Le Troisième Œil ; 1996, triple exposition : *Peintures 1985-1995* à la Maison des Arts de Cajarc, *Sculptures 1995-1996* au Musée Zadkine des Arques, *Gravures 1970-1994*au Grenier du Chapitre de Cahors ; 1997 galerie Numaga, Auvernier (Suisse) ; etc.

Il a réalisé de nombreuses œuvres monumentales, dont : 1961 vitraux à Marignier et Annemasse ; 1965 *Renaissance d'une église* : mosaïque, autel, vitraux, plafond peint, broderie murale, à Boissièrettes ; 1966 12 sculptures à Boissièrettes ; une sculpture au Lycée de Carjac ; 1968 sculpture et bas-relief au Lycée de Gourdon ; 1972 huit sculptures et jardin de pierres au Lycée de Cahors ; sculptures et jardin au Lycée Jean-Lurçat à Ris-Orangis ; 1976 mur et forum à Carhaix ; 1985 mosaïque de soixante mètre carrés à Monaco ; etc. Graveur-illustrateur, il a publié l'album *Le Néon de la Vie* en 1967 ; *Le Tarot des Familles* en 1976 ; *Les Douze Émois* en 1980 ; *Les Très Riches Heures* en 1985 ; *Pauvre Gaspard* sur le poème de Paul Verlaine, et *Le Bogjo's 'Bohmp* une adaptation de Walter Lewino en 1996...

Louttre ne rencontre jamais de difficultés techniques, en matière de création picturale ou de gravure, ni ailleurs dit-on il semble qu'il n'ait pas à les résoudre, il sait tout faire, comme né avec. Le problème qu'il eut à résoudre, et auquel il reste attentif, fut de ne pas emprunter les chemins du père. Il en trouve la solution dans un va-et-vient permanent entre une construction strictement plastique de la peinture et une intégration sensible de la réalité, de la chose vue, comme si l'évocation, discrète et plutôt tendre qu'humoristique, d'un personnage, d'une femme, d'un paysage, d'une nature morte, de fleurs, d'un oiseau ou de quoi que ce soit, était un cadeau de surcroît. De l'exemple et de l'œuvre paternels, il tient sans doute le sens de la peinture avant toute chose, certes, mais avec de la vie et de la nature en plus, parce que la vie et la nature, ce n'est pas mal non plus et qu'il n'a pas envie de s'en priver. Il se situe aussi dans la ligne de l'abstraction française, juste dosage d'audace et de raison, juste équilibre d'abstraction et de sensibilité. Comme le note Gérard-Georges Lemaire, pour cette intégration de la réalité sensible dans la peinture construite, Louttre procède par métonymies : à partir d'un répertoire d'images concis, qui convient à sa confidence, la fleur dit le printemps, la feuille dit l'arbre, l'arbre la forêt, le fragment d'une silhouette dit la femme. Ces quelques images, qu'il a, une fois pour toutes, sélectionnées, collectionnées, synthétisées, lui suffisent pour dire le monde. Il en dispose comme des quelques pions d'un jeu aux combinatoire infinies. Pour lui, ce ne sont pas tant les figures individualisées qui importent, pas plus qu'aux échecs roi, reine, fou ou cavalier, tant que leur discrète identité atteint à signifiance, mais ce qu'il obtient de leurs combinaisons au gré de la partie en cours, de son humeur du moment et du temps qu'il fait, c'est-à-dire d'abord de la peinture, puis, sans cesse renouvelée, des peintures. Leurs rythmes plastiques, dont les horizontales calment le jeu des verticales et obliques, et leurs accords colorés, dont la dominante chaleureuse exalte quelque bleu ou violet, portent les « correspondances » baudelairiennes, qui de lignes et de couleurs visuelles transmettent toucher, saveur et senteur de l'émotion ressentie d'un moment privilégié, qui, chez Louttre à ce qu'il semble et qu'on veut croire, est toujours un moment de sensuelle jubilation. ■ Jacques Busse

Bibliogr. : Jacques Lassaigne : Catalogue de l'exposition *Louttre*, galerie Jeanne Bucher, Paris, 1962 – in : *Peintres Contemp.*, Mazenod, Paris, 1964 – Serge Gauthier : Catalogue de l'exposition *Louttre*, Musée Municipal de Limoges, 1972 – Jean-Luc Chalumeau : Catalogue de l'exposition *Louttre*, galerie Alain Digard, Paris, 1977 – Dora Vallier : Catalogue de l'exposition *Louttre B.*, galerie Fabien Boulakia, Paris, 1983 – Bruno Foucart : *20 ans de Gravure*, présentation du Catalogue de l'Œuvre Gravé de Louttre B., Paris, 1985 – Michel G. Bernard : Catalogue de l'exposition *Louttre B.*, galerie Fabien Boulakia, Paris, 1987 – Gérard-Georges Lemaire : *Louttre B. entre la proie et l'ombre*, in : Catalogue de l'exposition *Louttre B.*, Centre d'Art Contemporain, Mont-de-Marsan, galerie Fabien Boulakia, Paris, 1991, abondante documentation – Baptiste-Marrey : *Louttre B.*, Castor astral, 1994.

Musées : Bordeaux (Mus. des Beaux-Arts) – Dunkerque (Mus. d'Art Contemp.) – Évreux (Mus. de l'Évêché) – Grenoble (Mus. de Peinture et Sculpture) – Limoges (Mus. mun.) – Luxembourg (Mus. d'Hist. et d'Art) – Mont-de-Marsan (Mus. Despiau-Wlérick et Centre d'Art Contemp.) – Oxford (Inst. Taylor et Ashmoleon Mus.) – Paris (Mus. Nat. d'Art Mod.) – Paris (BN) – Paris (Parc Floral de Vincennes) : *Fontaine* 1968, grès de Sèvres – Saintes – Villeneuve-sur-Lot (Mus. Rapin) : dépôt de l'œuvre gravé.

Ventes Publiques : Paris, 19 mars 1989 : *Fruitier rêvant d'être un chêne*, h/t (196x115) : **FRF 6 500** – Paris, 26 sep. 1989 : *Drôle de bonoui*, h/bois (27x35) : **FRF 6 500** – Paris, 23 avr. 1990 : *L'agenaise*, h/t (118x118) : **FRF 28 000** – Paris, 16 déc. 1990 : *Composition* 1957, h/t (131x163) : **FRF 33 000** – Paris, 12 fév. 1992 : *Composition* 1958, h/t (60x73) : **FRF 5 500** – Amsterdam, 10 déc. 1992 : *Oiseau au bain* 1968, h/cart. (50x50) : **NLG 1 725** – Paris, 12 déc. 1992 : *Corvée d'arbres* 1980, h/t (80x80) : **FRF 2 900** – Amsterdam, 26 mai 1993 : *Bouquet pour ma maison*, h/t (60x60) : **NLG 1 495** – Paris, 28 mai 1993 : *Composition* 1957, h/t (96x129) : **FRF 5 500** – Paris, 8 juin 1994 : *Vendanges* 1968, h/pan. (55x46) : **FRF 4 000** – Paris, 12 oct. 1994 : *Composition 57* 1957, h/t (140x70) : **FRF 6 000** – Amsterdam, 6 déc. 1995 : *Pour Jean de La Fontaine* 1978, h/t (60x60) : **NLG 1 495**.

LOUVEAU-ROUVEYRE Marcel Eugène

Né le 21 février 1881 à Paris. XXe siècle. Français.

Peintre, graveur.

Il vivait et travaillait à Paris, où il fut élève de Benjamin-Constant, Léon Bonnat et Jean-Paul Laurens.

Musées : Paris (Mus. Carnavalet) – Paris (Mus. de l'Armée).

Ventes Publiques : Paris, 22 mars 1994 : *Marchand de fruits au campement*, h/t (128x194) : **FRF 60 000**.

LOUVEAU-ROUVEYRE Marie

XIXe siècle. Active à Paris. Française.

Aquafortiste.

Élève de Flameng. Elle figura au Salon, de 1873 à 1877 avec des reproductions et des eaux-fortes originales.
Ventes Publiques : Paris, 9 fév. 1929 : *L'appel des prisonnières à Saint-Lazare*, aquar. : **FRF 105**.

LOUVET Camille
Né en 1847 à Lille (Nord). Mort à Angers (Maine-et-Loire). XIXe siècle. Français.
Peintre de paysages.

LOUVET Émile, pseudonyme : **Daniel Bac**
Né vers 1831. Mort en 1904 à Angers (Maine-et-Loire). XIXe siècle. Français.
Caricaturiste.
Il dessina pour de nombreuses feuilles humoristiques sous son pseudonyme de Daniel Bac.

LOUVET Eugène Henri
Né le 9 juillet 1866 à Versailles (Yvelines). XIXe-XXe siècles. Français.
Peintre d'histoire, scènes de genre, paysages.
Il entra, en 1891, à l'École des Beaux-Arts de Paris, où il fut élève de Jules Lefebvre et de Tony Robert-Fleury. Il débuta au Salon des Artistes Français en 1892, obtenant une mention honorable en 1898, une troisième médaille en 1902, une médaille d'or en 1913.
Ses petits paysages, inondés de soleil, sont arides, secs, dépouillés.
Bibliogr. : Gérald Schurr, in : *Les Petits Maîtres de la peinture 1820-1920, valeur de demain*, Les Éditions de l'Amateur, t. II, Paris, 1982.
Ventes Publiques : Paris, 26 nov. 1971 : *Le retour du marché*, h/cart. (11x20) : **FRF 280**.

LOUVIER Guillaume ou **Louvrier**
Mort le 21 septembre 1764. XVIIIe siècle. Français.
Peintre.
Membre de l'Académie Saint-Luc. Il travaillait à Paris. Il fit surtout des portraits.

LOUVION Jean Baptiste Marie
Né en 1740 à Versailles. Mort en 1804. XVIIIe siècle. Français.
Graveur.
Élève de Fessard. Il travailla surtout pour les libraires.

LOUVRIER Maurice
Né en 1878. Mort en 1954 ou 1969 à Rouen (Seine-Maritime). XXe siècle. Français.
Peintre de paysages urbains et d'eau, natures mortes.
Ami de peintres impressionistes, il était également écrivain et comédien.
Il a peint des paysages de Paris, mais fut surtout, dans l'École normande, un des peintres de Rouen et du port, des rives de la Seine et des évolutions des voiliers.

Louvrier

Bibliogr. : *L'École de Rouen. À la découverte d'autres impressionnistes*, Promo-Éditions, Poitiers – *Maurice Louvrier, un peintre à Rouen*, Èd. Altamira, 1992.
Ventes Publiques : Barentin, 17 juin 1971 : *Le Pont Boieldieu à Rouen*, h/pan. (60x73) : **FRF 8 500** – Rouen, 5 déc. 1976 : *Notre-Dame sous la neige*, h/t (45x53) : **FRF 3 800** – Honfleur, 16 juil. 1978 : *Pont Boieldieu à Rouen*, h/t (39x54,5) : **FRF 5 000** – Versailles, 20 juin 1979 : *Le pont aux piles blanches*, h/t (54x65) : **FRF 4 900** – Rouen, 24 mars 1984 : *Le pont Boieldieu à Rouen*, h/t (60x73) : **FRF 23 500** – Paris, 11 déc. 1985 : *Pont sur la Seine*, h/t (60x73) : **FRF 40 000** – New York, 7 oct. 1986 : *Les Voiliers*, h/t (45,7x54,5) : **USD 2 800** – Londres, 24 fév. 1988 : *Le pont sur la Seine*, h/t (73x92) : **GBP 8 140** – Paris, 22 juin 1988 : *Voiliers sur la Seine*, h/t (73x92) : **FRF 54 000** – Paris, 12 fév. 1989 : *Bord de mer*, h/pap. (24x46) : **FRF 65 000** – Paris, 18 juin 1989 : *Rouen vu de la colline Sainte-Catherine*, h/cart. (50x60) : **FRF 30 000** – Paris, 8 nov. 1989 : *Nature morte aux fruits*, h/t (46x38) : **FRF 13 000** – Paris, 11 mars 1990 : *La Seine au Pré aux Loups*, h/t (73x92) : **FRF 120 000** – Évreux, 3 fév. 1991 : *Vieille place*, h/t (60x73) : **FRF 70 000** – New York, 9 mai 1992 : *Voiliers sur la Seine*, h/t (46x55) : **USD 3 850** – Paris, 2 juin 1993 : *La cathédrale dans la brume*, h/t/cart. (27x35) : **FRF 4 000** ; *Le pont de pierre à Rouen*, h/pan. (54x72) : **FRF 60 000**.

LOUVRIER DE LAJOLAIS Jacques Auguste Gaston
Né au XIXe siècle à Paris. XIXe siècle. Français.
Paysagiste.
Élève de Jules Noël et de Gleyre. Il exposa au Salon, de 1859 à 1870. Chevalier de la Légion d'honneur. La part vraiment intéressante de la carrière de Louvrier de Lajolais fut sa participation au développement des études pour l'application de l'Art à l'Industrie. Il fut directeur de l'École des Arts Décoratifs dont la création a eu une influence si considérable sur le goût moderne.

LOUW Pieter ou **Lauw**
Né vers 1720. Mort vers 1800. XVIIIe siècle. Actif à Amsterdam. Hollandais.
Peintre, dessinateur et graveur.
Il fut professeur de dessin à Amsterdam, directeur de l'Académie en 1768. Il eut pour élève Jacob Cats.
Musées : Bruxelles : *Promenade publique*.

LOU WEI. Voir **LU WEI Lu**

LOUX Henri
Né en 1873 à Auenheim. Mort en 1907 à Strasbourg. XIXe siècle. Éc. alsacienne.
Peintre et dessinateur.
Il a peint surtout des paysages. Le Musée de Strasbourg conserve des aquarelles de sa main.

LOUYOT Edmond ou **Loujot**
Né en 1861 à La Lobe près de Metz. XIXe siècle. Allemand.
Peintre de genre, paysages.
Il se fixa à Munich. Il exposa très fréquemment à Berlin, Munich, Dresde, Vienne, à partir de 1880.
Il a peint de préférence les soldats en costumes du XVIIe siècle. On cite de lui : *Le savant* et *Le fumeur*.
Ventes Publiques : New York, 28 mai 1981 : *La Déclaration de Pierrot*, h/t (81x61) : **USD 6 000** – New York, 29 oct. 1992 : *Berges de rivière enneigées*, h/t (80x59,6) : **USD 3 080**.

LOUYS Jan ou **Jacob** ou **Louis**
Né en 1595 ou 1600 à Anvers, probablement. XVIIe siècle. Hollandais.
Graveur.
Élève de Soutman. Un Jacob Louys, graveur à Haarlem, en 1635, dans la gilde, paraît être le même. Dans les archives, on trouve un Hans Lowics ou Louis, peintre, élève de Peter Van den Bosch à Anvers en 1632. Il a surtout gravé d'après Rubens et les maîtres hollandais et flamands de son époque.

LOU YUAN. Voir **LU YUAN**

LOUZIER Paul A.
Né le 17 août 1882 à Sens (Yonne). XXe siècle. Français.
Peintre.
Élève de Luc-Olivier Merson.

LÖVAAS Hans Marius Wilhelm
Né le 25 février 1848 à Bergen. Mort le 5 septembre 1890 à Jelse. XIXe siècle. Norvégien.
Peintre de paysages.
Le Musée de Bergen possède de ses œuvres.

LOVAGHY Denes
Né le 25 juillet 1887 à Zirc. Mort le 25 août 1918 à Magy-Muzsaly. XXe siècle. Hongrois.
Peintre de paysages et de portraits.

LOVAS Tibor
Né en 1955 à Debrecen. XXe siècle. Hongrois.
Peintre, technique mixte. Abstrait.
Il est membre du Studio des Jeunes Artistes. Il expose en Hongrie, notamment au Ernst Museum en 1989. Il est professeur d'arts graphiques.

LOVATO
Né le 27 novembre 1943 à Lyon (Rhône), de mère française et de père d'origine italienne. XXe siècle. Français.
Sculpteur, créateur d'environnements. Abstrait.
Il est d'une famille où l'on est ferronniers de génération en génération. Il apprit le métier familial, pour le détourner en autodidacte à son usage de sculpteur. Pendant plusieurs années, il s'est occupé d'ateliers de modelage à la Maison de la Culture de Saint-Étienne. Outre de fréquents voyages en Italie, à partir de 1963 il parcourt régulièrement l'Afrique du Nord, le Sahara, l'Afrique noire.
Depuis 1962, il participe à des expositions collectives, en Allemagne, Danemark, Espagne, États-Unis, France, Italie, Suède, Suisse, etc., et notamment : 1970 Musée National d'Art Moderne de Paris ; 1970 et ensuite Musée des Beaux-Arts, Lyon ; 1972

Musée de Toulon ; 1974, 1975 Fondation Pagani, Milan ; 1975, 1986 galerie Numaga, Auvernier-Neuchâtel ; 1980 et ensuite Musée de l'Ain, Bourg-en-Bresse ; 1982 Musée de Cagnes-sur-Mer ; 1983, 1985 Fondation Hébert, Grenoble ; etc. ; ainsi que régulièrement au Salon d'Automne de Lyon ; à Paris : régulièrement au Salon de la Jeune Sculpture depuis 1971 ; depuis 1978 au Salon des Réalités Nouvelles ; depuis 1979 Salon Grands et Jeunes d'Aujourd'hui.
Il montre ses œuvres dans des expositions personnelles, d'entre lesquelles : 1971, 1973, 1978 et ensuite galerie L'Œil écoute, Lyon ; 1975, 1977, 1978 galerie Meyer, Lausanne ; 1980 galerie Ravagnan, Venise ; 1984, 1985, 1986, 1990 *Autres Espaces*, galerie Annelise Petersen, Thonon-les-Bains ; 1994 Thonon-Évian *Lovato – L'Invastructure*, à la Maison des Arts ; etc.
Au fil des rencontres, il a su faire la synthèse des influences reçues de Giacometti, Henry Moore, Calder. Il travaille le métal en permanence depuis ses débuts, mais aussi la pierre, le béton, la résine de polyester, et surtout la terre. Au cours de son évolution, il créa d'abord des sculptures figuratives : corps torturés, en métal ; corps aux courbes plus sensuelles, en terre, pierre ; structures caverneuses où joue la lumière, en terre, pierre ; sculptures abstraites-lyriques, gestuelles, en métal ; assemblages de rebuts industriels mécaniques, réservoirs de motos, cylindres de moteurs, métal ; boules et sphères cabossées, métal ; puis, avec l'apparition de la couleur, pointes aiguës, flèches ; murs ouverts, passages, métal couleur ; sculptures-espaces, métal et pierre.
À partir de 1981, il a réalisé des interventions, soit en extérieur, sur des lieux naturels ou construits, les *Invastructures* (de investigation, invasion), consistant à en relier les différents points par une sorte de fil conducteur, généralement constitué par du tube, de section ronde ou carrée, peint de couleurs fluorescentes, soit en intérieur, les *Autres Espaces*, s'agissant alors, selon un processus similaire, d'en occuper les volumes de façon à en souligner les dimensions, et éventuellement de créer une circulation de salle en salle. Conjointement à ces installations-environnements, il poursuit la réalisation de sculptures-assemblages, associant en général métal et pierre. Depuis 1972, il réalise un grand nombre de sculptures monumentales, d'entre lesquelles : 1973 sculpture acier laqué monochrome, jardin de la Maison de la Culture, Grenoble ; 1977 sculpture acier inox polychrome, hauteur 8 mètres, Charbonnières-les-Bains ; 1978 sculpture acier monochrome, Métro de Lyon ; 1980 ensemble de sculptures polychromes, Lycée Charlie Chaplin, Décines ; 1983 *Correspondance I* sculpture acier laqué polychrome et tubes fluo, Grenoble ; 1983 *Signe-Mémoire* sculpture acier laqué polychrome et tubes fluo, La Ricamarie ; 1984 *Espace-Mémoire* sculpture acier laqué polychrome et tubes fluo, longueur 28 mètres, largeur 4, hauteur 10, Villeurbanne ; 1984 *Sculpture au vent* installation éphémère, bandes fluorescentes, 250 mètres sur 100 mètres, Villeurbanne ; 1985 *Correspondance II* sculpture acier laqué polychrome, longueur 18 mètres, largeur 4, hauteur 6, jardin du Musée d'Ancône ; 1986 *Autres Espaces* sculpture polychrome métal et pierre, Oullins ; 1987 *Signe-Écoute* sculpture polychrome métal et pierre, Lons-le-Saulnier ; 1987 *La Grande Visite* sculpture polychrome métal et pierre, Bitche ; 1988 *Invastructure* installation éphémère de tubes fluorescents, longueur 72 mètres, mise en espace d'un concert, Villeurbanne ; etc. ■ J. B.
Bibliogr. : René Deroudille, Ph. Artias S. V., Mic Bernard-Gilles : *Lovato*, Saint-Étienne, 1978 – divers : Catalogue de l'exposition *Lovato*, Hôtel-de-Ville de Villeurbanne, 1982 – divers : *Lovato. Espace in-Espace off*, Édit. Catherine Bernard, Lyon, 1989, abondante documentation.
Musées : Brou – Lyon (Mus. des Beaux-Arts).

LOVATTI E. Augusto ou **Lovati**
Né en 1816 à Rome. XIXe-XXe siècles. Italien.
Peintre de genre, paysages, marines.
Actif à Naples, il a surtout peint les divers aspects de Capri et de sa région.
Musées : Bâle : *Une rue à Capri.*
Ventes Publiques : Londres, 16 mars 1983 : *Capri* 1902, h/t (86,5x127) : **GBP 2 000** – Londres, 6 oct. 1989 : *Vue de Capri* 1888, h/pan. (28x18) : **GBP 4 840** – Londres, 11 mai 1990 : *Le Chemin de la maison*, h/t (35x50) : **GBP 11 550** – Londres, 15 fév. 1991 : *Porteuse d'eau à Capri*, h/pan. (34,3x24,2) : **GBP 4 950** – Rome, 9 juin 1992 : *Les Récifs de Capri*, h/t (35x51) : **ITL 6 200 000** – New York, 29 oct. 1992 : *Conversation secrète*, h/t (45,7x74,3) : **USD 13 200** – Londres, 18 juin 1993 : *Les Faraglioni de Capri* 1892, h/t (35x51,1) : **GBP 2 875** – Rome, 13 déc. 1994 : *Vue d'Amalfi*, h/t (53,8x33,7) : **ITL 5 750 000** – Lokeren, 11 mars 1995 : *Maisons éclairées par la lune à Capri*, h/pan. (33x19) : **BEF 70 000** – Rome, 13 déc. 1995 : *Pêcheurs de Capri ; Terrasse fleurie*, h/t, une paire (30,5x49,5) : **ITL 20 125 000** – Rome, 23 mai 1996 : *Capri*, h/pan. (35x26,5) : **ITL 4 025 000** – Rome, 4 juin 1996 : *Capri*, h/t (35x50) : **ITL 9 200 000** – New York, 18-19 juil. 1996 : *Sur la côte de Capri*, h/t (34,9x55,2) : **USD 7 187** – Milan, 18 déc. 1996 : *Les Faraglioni de Capri*, h/pan. (17,5x28) : **ITL 4 194 000.**

LOVATTI Matteo
Né le 1er août 1861 à Rome. XIXe-XXe siècles. Italien.
Peintre d'histoire, de genre.
Il semble avoir étudié en Espagne. Il a débuté à Turin en 1880, exposant ensuite aussi à Milan, Rome, Munich, Vienne. Il se fixa à Rome.
Ventes Publiques : Londres, 27 avr. 1923 : *L'Église militante* : **GBP 94** – Milan, 12 juin 1979 : *I Garibaldini a Trinita dei Monti*, h/pan. (39x27) : **ITL 950 000** – Amsterdam, 23 avr. 1991 : *Vue de Sainte-Sophie*, h/t (70x62) : **NLG 10 120** – Londres, 15 juin 1995 : *L'armée russe en mouvement*, h/t (56x79,5) : **GBP 4 600.**

LOVE George Paterson
Né le 28 mars 1887 à Providence (Rhode Island). XXe siècle. Américain.
Peintre.
Il fut élève de Frank Weston Benson. Il était membre de la Fédération Américaine des Arts.

LOVE Horace Beevor
Né en 1800 à Norwich. Mort en 1838. XIXe siècle. Britannique.
Portraitiste.
Le Musée de Norwich conserve de lui : *Portrait de J.B. Crome.*
Ventes Publiques : Londres, 22 juin 1979 : *Un soldat du 12e lancier à cheval* 1827, h/t (64x54,6) : **GBP 1 900.**

LOVELL ou **Louell**
XVIIe siècle. Actif vers le milieu du XVIIe siècle. Britannique.
Graveur.
On cite de lui de petites gravures représentant des soldats flamands. Il travaillait dans la manière de Hollar.

LOVELL Katherine Adams
Née à New York. XXe siècle. Américaine.
Peintre de paysages.
Elle fut élève du Pratt Institute, de William Chase. Elle était membre du Pen and Brush Club.
Ventes Publiques : New York, 28 sep. 1989 : *Après-midi d'été*, h/t (46x55,9) : **USD 3 850** – New York, 31 mars 1993 : *La vallée de Carmel en Californie*, h/pap. d'emballage/cart. (71,8x76,8) : **USD 690** – New York, 9 sep. 1993 : *Maisons dans le Westchester* 1934, h/t. cartonnée (30,5x40,6) : **USD 690.**

LOVEN Frank W.
Né en 1868 à Jersey (New Jersey). Mort en 1941. XIXe-XXe siècles. Américain.
Peintre de paysages, illustrateur.
Il fut élève de Lowel Birge Harrison, Frederick Du Mond, Charles Carlson. Il fut membre du Salmagundi Club.
Ventes Publiques : Los Angeles, 17 mars 1980 : *Paysage d'hiver*, h/t mar./cart. (30,5x40,5) : **USD 1 600** – Los Angeles, 23 juin 1981 : *Village sous la neige* 1914, h/t (72,5x99) : **USD 2 800** – New York, 23 mars 1984 : *Paysage d'hiver* 1921, h/cart. (30,5x40,6) : **USD 1 500** – New York, 1er oct. 1987 : *Un village en hiver* 1928, h/t (63,8x76,5) : **USD 2 600** – New York, 28 sep. 1989 : *Paysage d'hiver avec un ruisseau* 1915, h/t (76,5x102) : **USD 5 720** – New York, 31 mars 1993 : *Paysage d'hiver avec un ruisseau* 1914, h/t (74,9x100,3) : **USD 3 220.**

LÖVENDAL Emil Adolf ou **Löventhal**
Né le 14 juillet 1839 à Randers. Mort le 6 juillet 1901 à Copenhague. XIXe siècle. Danois.
Graveur.
Il travailla pour des ouvrages de zoologie.

LOVER Samuel
Né le 24 février 1797 à Dublin. Mort le 6 juillet 1868 à Jersey. XIXe siècle. Irlandais.
Portraitiste, miniaturiste, écrivain et musicien.
Les miniatures qu'il exposa à la Hibernian Academy furent très appréciées ; le Musée de Dublin en conserve une. Il obtint aussi un grand succès dans le domaine littéraire.
Ventes Publiques : Londres, 20 mars 1973 : *New Orleans* : **GBP 620.**

LOVERA Juan
Né en 1778 à Caracas. Mort en 1841. XIXe siècle. Vénézuélien.
Peintre.
Vivant à l'époque de l'indépendance, on a qualifié Lovera de premier peintre républicain. Il se trouve historiquement présent au moment où les destinées du pays prenaient un nouveau tour, et il est le portraitiste des autorités. Il est également le témoin des événements politiques et en perpétue la mémoire. Après la bataille de Carabobo, il peint les portraits de Jose Joaquin Hernandez, de Coto Paul et Nicolas Rodriguez del Toro, Lino Gallardo, etc. En 1835 et 1838, il peint les deux commémorations des événements : *19 avril 1810* et *5 juillet 1811* qui lui valent une grande renommée. Premier peintre républicain du Venezuela, il a néanmoins, en tant que peintre, subi les influences étrangères, et son style doit à la fois au néoclassicisme français et aux portraitistes anglo-saxons. Une bonne connaissance technique, une grande sensibilité lui permettent d'introduire nuances et vérité. Ayant vécu les derniers temps du colonialisme baroque, influencé par le néoclassicisme, il fut peut-être, comme l'estime Alfredo Boulton, l'initiateur d'un romantisme au Venezuela en tant qu'imagier des scènes populaires.

LO VERDE Giacomo
XVIIe siècle. Actif à Palerme. Italien.
Peintre.
La plupart de ses œuvres se trouvent dans les églises de Palerme.

LOVERIDGE Clinton
Né en 1824. Mort en 1902. XIXe siècle. Britannique.
Peintre de paysages animés.
VENTES PUBLIQUES : NEW YORK, 28 mai 1987 : *Sherburne, comté de Chenago* 1882, h/t (45,7x68,6) : **USD 17 000** – NEW YORK, 15 mai 1991 : *Jeune garçon pêchant à la ligne dans un ruisseau de forêt* 1873, h/t (81,3x61) : **USD 3 575** – NEW YORK, 17 fév. 1994 : *Vaches dans une prairie* 1891, h/t (41,3x33) : **USD 690** – NEW YORK, 29 nov. 1995 : *Scène hivernale – chevaux tirant un tombereau dans la neige* 1886, h/t (55,9x91,4) : **USD 19 550** – NEW YORK, 14 mars 1996 : *Sherburne, comté de Chenango* 1882, h/t (45,7x68,6) : **USD 17 250**.

LOVERINI Ponziano
Né en 1845 ou 1858 à Gandino (près de Bergame). Mort en 1929. XIXe siècle. Italien.
Peintre d'histoire et de genre.
Élève de Scuri. Il débuta en 1881 et exposa à Milan Turin et Venise.
VENTES PUBLIQUES : NEW YORK, 13 mai 1978 : *La balançoire* 1884, h/t (185,5x105,4) : **USD 3 000**.

LOVETT William
Né en 1773 à Boston. Mort en 1801 à Boston. XVIIIe siècle. Américain.
Peintre et miniaturiste.

LOVETT-LORSKI Boris ou **Lovet-Lorski, Loyet-Lorski**
Né le 25 octobre 1894. Mort en 1973. XXe siècle. Actif aux États-Unis. Russe.
Sculpteur de figures mythologiques, scènes allégoriques, nus, bustes, portraits, animaux.
Il fut élève de l'Académie des Beaux-Arts de Saint-Pétersbourg, avant de se fixer à New York. Il a exposé aussi à Paris, aux Salons d'Automne et des Tuileries.
Il travailla le marbre d'origines diverses, l'ardoise, le bronze avec des patines différentes, le cuivre poli. Ses statues sont souvent titrées d'après la mythologie : *Vénus, Melpomène* ; fondées sur une allégorie : *Folie de printemps, La Fuite de la Nuit* ; réalisées d'après des modèles typiques : *Torse de femme polynésienne*. Il exécuta aussi des portraits en bustes. Animalier, il ne traita que le cheval.
MUSÉES : BOSTON (Université) : *Grayson Stetson* – MILLWAUKEE (Art Inst.) : *Folie de Printemps* – ROCKFORD (Art Club) : *Effort* – SPRINGFIELD (Art Soc.) : *Dudley Crafts Watson*.
VENTES PUBLIQUES : NEW YORK, 27 avr. 1966 : *Tête d'homme*, marbre : **USD 4 000** – NEW YORK, 20 mars 1969 : *Chevaux*, deux bronzes dorés : **USD 2 500** – LOS ANGELES, 8 mai 1972 : *Vénus*, bronze patiné : **USD 3 750** – NEW YORK, 29 sep. 1977 : *Masque de femme*, bronze, patine rouge (H. 20,3) : **USD 1 400** – NEW YORK, 13 juin 1980 : *Dieu crétois*, bronze patine noire (H. 19) : **USD 3 000** – NEW YORK, 2 avr. 1981 : *Scènes allégoriques* 1928, bronze argenté, deux plaques (chaque 22,2x34,3) : **USD 4 750** – NEW YORK, 18 mars 1983 : *Melpomène* 1929, marbre de Carrare (H. totale 63,8) : **USD 26 000** – NEWPORT (Rhode Island), 23 juil. 1985 : *Salomé*, marbre noir (H. 43,2) : **USD 60 000** – NEW YORK, 4 déc. 1986 : *Rythme* 1924, bronze poli (H. 20,3 et L. 43,2) : **USD 30 000** – NEW YORK, 4 déc. 1987 : *Rythme*, marbre suèdois (L. 74) : **USD 55 000** – NEW YORK, 30 sep. 1988 : *Une Rose de Milan, torse de femme*, marbre (H. 57,5) : **USD 19 800** – NEW YORK, 1er déc. 1988 : *Chevaux debout*, bronze, une paire (H. 69,2) : **USD 25 300** – NEW YORK, 24 mai 1989 : *Danseuse crétoise* 1930, cuivre poli (L. 85,7) : **USD 29 700** – NEW YORK, 23 mai 1990 : *La Fuite de la nuit*, bronze à patine noire (L. 49,2) : **USD 22 000** – NEW YORK, 29 nov. 1990 : *Polynésie* 1936, ardoise (H. 44,5) : **USD 88 000** – NEW YORK, 30 nov. 1990 : *Torse de femme polynésienne*, bronze (H. 33) : **USD 24 200** – NEW YORK, 12 avr. 1991 : *Étalons*, bronze à patine brune (H. 48,3) : **USD 22 000** – NEW YORK, 5 déc. 1991 : *Polynésie*, ardoise (H. 44,5) : **USD 82 500** – NEW YORK, 28 mai 1992 : *Melpomène, torse féminin*, marbre de Belgique (H. 100) : **USD 71 500** – NEW YORK, 26 mai 1993 : *Polymnia, torse*, marbre noir de Belgique (H. 60) : **USD 88 300** – NEW YORK, 25 mai 1994 : *Homme et Femme*, marbre noir de Belgique (H. 43,2, L. 53) : **USD 151 000** – NEW YORK, 30 nov. 1995 : *Homme et Femme*, marbre noir de Belgique (H. 36, L. 65) : **USD 90 500** – NEW YORK, 4 déc. 1996 : *Melpomène*, marbre noir (H. 63,8) : **USD 57 500**.

LOVI Bongiovanni Filippo da Lodi ou **Lupi**
Mort en 1525. XVIe siècle. Italien.
Peintre et sculpteur sur bois.
Il travailla à Milan et à Lodi. On cite de sa main un autel avec figures sculptées, la *Naissance du Christ*, daté de 1480, à Rivolta d'Adda, près de Treviglio. Cet artiste est identique à Giovanni da Lodi qui collabora à la décoration du Castello Sforzesco à Milan en 1490.

LOVI Tilda
Né en 1952. XXe siècle. Française (?).
Sculpteur de figures, statuettes.
VENTES PUBLIQUES : PARIS, 3 oct. 1988 : *Figure* 1988, marbre gris veiné (46x17x14) : **FRF 10 000** – PARIS, 30 jan. 1989 : *Figure assise*, pierre blanche (35x22x16) : **FRF 12 500** – PARIS, 5 fév. 1990 : *Figure debout*, bronze à patine brun-vert (48x19x9) : **FRF 10 000** – NEUILLY, 3 fév. 1991 : *Figure assise* 1990, bronze (39x24x13) : **FRF 9 000** – PARIS, 13 mai 1996 : *Lieu*, chamotte noire patinée (29x36x29) : **FRF 5 000**.

LOVINFOSSE Pierre Michel, ou **Pierre Joseph de,** pseudonyme : **Noblet**
Né en 1745 à Liège. Mort en 1821 à Liège. XVIIIe-XIXe siècles. Éc. flamande.
Peintre de portraits, animaux.
VENTES PUBLIQUES : PARIS, 15 mars 1976 : *Perroquet et épagneul* 1795, h/pan. (30x26) : **FRF 3 700**.

LOVINI ou **Lovino**. Voir **LUINI**

LOVISA Domenico. Voir **LOUISA**

LÖVMAND Christine Marie
Née le 19 mars 1803. Morte le 10 avril 1872 à Copenhague. XIXe siècle. Danoise.
Peintre de natures mortes, fleurs et fruits.
Elle fut élève d'Eckersberg et Camradt.
VENTES PUBLIQUES : COPENHAGUE, 7 nov. 1984 : *Nature morte aux fleurs et coquillages* 1846, h/t (62x48) : **DKK 360 000** – LONDRES, 20 mars 1985 : *Nature morte au cactus, lilas et fleurs de la Passion*, h/t (78x63) : **GBP 16 000** – LONDRES, 25 mars 1987 : *Fleurs d'été, oiseaux et papillons*, h/t (81,5x65,5) : **GBP 15 000** – LONDRES, 24 mars 1988 : *Raisins, noisettes et poires sur une table*, h/t (17x21) : **GBP 1 650** – LONDRES, 16 mars 1989 : *Nature morte avec une pêche, des oranges et du raisin à côté d'un verre de vin sur un entablement*, h/pan. (16,5x14) : **GBP 1 430** – NEW YORK, 23 mai 1989 : *Nature morte de tulipes, crocus, primevères, roses de Noël et jacinthes*, h/t (37,5x31,7) : **USD 22 000** – NEW YORK, 24 oct. 1989 : *Nature morte d'une coupe de fleurs de printemps* 1870, h/t (42,3x38,7) : **USD 29 700** – LONDRES, 28 nov. 1990 : *Nature morte de raisin et de poires sur un entablement de marbre*, h/t (20,5x32) : **GBP 2 750** – NEW YORK, 16 fév. 1994 : *Nature morte de fleurs*, h/pan. (17,1x14) : **USD 2 300**.

LÖVMAND Frederikke Elisabeth
Née le 29 juillet 1801. Morte le 27 février 1885. XIXe siècle. Danoise.
Peintre.
Elle exposa des tableaux de fleurs en 1827 et 1832. Elle était la sœur de Christine Lövmand.

LOW. Voir aussi **LEU**

LÖW Amy Rose. Voir **LAING**

LÖW Fritzi, puis épouse **Lazar**

Née le 23 octobre 1892 à Vienne. XXe siècle. Autrichienne.

Graveur, lithographe, illustrateur.

D'entre ses illustrations de livres, sont citées les lithographies qu'elle exécuta pour des éditions d'amateurs de la Maison d'Édition A. Schroll, de Vienne.

LÖW György Lipöt

Né le 5 août 1877 à Budapest. Mort en 1916 à Budapest. XXe siècle. Actif en Suisse. Hongrois.

Peintre, graveur de paysages.

Il étudia à Munich et vécut la plupart du temps en Suisse.
Il fit surtout des eaux-fortes de paysages.

LÖW Hans, l'Ancien. Voir **LEU**

LÖW Jakob

Né le 4 mai 1887 à Stanislau (Galicie). XXe siècle. Autrichien.

Sculpteur.

Il vécut et travailla à Vienne, où il avait été élève de Franz Barwig.

LOW Mary Louise. Voir **FAIRCHILD**

LOW Rudolf

Né le 2 juin 1878 à Bâle. XXe siècle. Suisse.

Peintre de figures, portraits, paysages, graveur.

Il commença ses études à Munich, alla se perfectionner à Rome, d'où il rapporta *L'Enfant malade*, qu'il exposa en 1906 à Bâle.

LÖW Thomas

XVIIIe siècle. Suisse.

Peintre de portraits.

Le Musée National de Zurich possède une de ses œuvres.

LOW William Hicox

Né le 31 mai 1853 à Albany (New York). Mort le 28 juin 1932 à New York. XIXe-XXe siècles. Américain.

Peintre de genre, aquarelliste, dessinateur, illustrateur.

Il fut d'abord élève du sculpteur E. D. Palmer. Arrivé à New York à l'âge de dix-sept ans, il plaça des illustrations dans les journaux Independent et Harper's. Il alla poursuivre sa formation à Paris, comme élève de J. L. Gérôme et Carolus Duran. Revenu aux États-Unis en 1877, il collabora régulièrement au Harper's Magazine.

Il a exposé à Paris, aux Salons de 1876-1877 et à l'Exposition Universelle de 1878. Il exposa à la National Academy en 1877. Membre de la Society of American Artists, il fut académicien en 1890. Plusieurs Musées d'Amérique possèdent de ses œuvres.

À partir de 1885, il a illustré des ouvrages littéraires, dont : *Lamia*, de Keats *Odes et sonnets*, *A Painter's Progress*, en 1900 *As You Like It* de Shakespeare.

BIBLIOGR. : Marcus Osterwalder, in : *Diction. des Illustrateurs 1800-1914*, Ides et Calendes, Neuchâtel, 1989.

VENTES PUBLIQUES : NEW YORK, 22 mai 1980 : *Idylle* 1891, h/cart. (49,5x77,5) : **USD 10 000** – NEW YORK, 28 jan. 1982 : *Nu à la fontaine* 1887, h/t (16,5x38,1) : **USD 2 700** – NEW YORK, 22 juin 1984 : *Diana* 1901, h/t (87,7x40,6) : **USD 4 500** – MONTRÉAL, 23-24 nov. 1993 : *Éducation et travail* 1879, h/t (52,8x26,6) : **CAD 900**.

LOWCOCK Charles Frederick

Mort après 1922. XIXe-XXe siècles. Britannique.

Peintre d'histoire, de genre.

Il fut actif de 1878 à 1922. Il était membre de la Royal Society of British Artists.

Il traita des sujets littéraires.

VENTES PUBLIQUES : LONDRES, 9 mars 1976 : *Didon regardant la reconstruction de Carthage – Une prêtresse d'Isis* 1881, deux h/pan. (45x19,5) : **GBP 450** – LONDRES, 1er avr. 1980 : *Hungerford church meadows, Berkshire* 1881, h/t (43x59,5) : **GBP 450** – LONDRES, 18 mars 1980 : *Jeune fille pensive*, h/pan. (44,5x30) : **GBP 800** – LONDRES, 16 mai 1986 : *La Lettre*, h/pan. (34,2x23,4) : **GBP 2 000** – NEW YORK, 19 juil. 1990 : *Scène d'Othello* 1878, h/t (63,5x76,3) : **USD 2 475** – LONDRES, 1er nov. 1990 : *Dans le temple* 1881, h/pan. (46x21,5) : **GBP 1 650** – MONTRÉAL, 4 juin 1991 : *Doux souvenirs* 1885, h/pan. (40,6x25,4) : **CAD 2 500** – LONDRES, 6 juin 1997 : *La Baigneuse*, h/pan. (47x21,3) : **GBP 3 220**.

LÖWE. Voir aussi **LOEWE**

LOWE Jeffrey

Né en 1952 à Leigh (Lancashire). XXe siècle. Britannique.

Sculpteur d'assemblages, d'installations.

Il fut élève de St.-Martin's School of Art de Londres, où il vit et travaille depuis 1971. Il participe à des expositions collectives depuis *New Contemporaries* à Londres en 1974, notamment : 1975 *The condition of sculpture* à la Hayward Gallery de Londres, *Sculpture at Greenwich*, Londres, IXe Biennale de Paris... Il a présenté une exposition personnelle en 1974 aux Leicester Galleries, Londres...

Il travaille l'acier soudé, assemblant des plaques et des poutres dans des dimensions importantes, qui se présentent comme des installations de sortes de portails praticables.

BIBLIOGR. : In : Catalogue de la *IXe Biennale de Paris*, 1975.

LÖWE Johann Michael Siegfried ou **Loewe**

Né en 1756 à Königsberg. Mort en 1831 à Berlin. XVIIIe-XIXe siècles. Allemand.

Portraitiste, miniaturiste et graveur.

Né Moses Samuel. Étudia à Berlin, puis à Düsseldorf. Visita Venise, séjourna à Vienne et en Russie. Revint à Berlin en 1795 et y exposa en 1814 et 1822. A peint aussi quelques sujets d'histoire.

LOWE Mauritius

Né en 1746. Mort en 1793 à Westminster. XVIIIe siècle. Britannique.

Peintre d'histoire.

Élève de Cipriani et des Écoles de la Royal Academy, où il obtint une médaille d'or en 1769. Envoyé à Rome comme boursier, il n'observa pas les règlements académiques et eut de sérieux démêlés avec la docte compagnie. Son caractère très insouciant et un mariage malheureux lui firent un tort considérable et il cessa bientôt de s'occuper d'art, au moins dans des manifestations publiques.

LOWE Meta

Née le 8 septembre 1864 à Zurich. XIXe siècle. Suisse.

Portraitiste.

Élève de Hertel à Düsseldorf et de Freytag à Zurich ; elle alla se perfectionner avec de Borgmann à Karlsruhe. Elle exposa à Zurich en 1891 et 1894.

VENTES PUBLIQUES : LONDRES, 24 juin 1987 : *Le Salon de thé*, h/t (100x74) : **GBP 8 000**.

LOWE Peter

Né en 1938 à Londres. XXe siècle. Britannique.

Peintre, sculpteur. Abstrait-néo-constructiviste.

Il fut élève de Kenneth et Mary Martin au Goldsmith College de Londres. Il participe à de nombreuses expositions collectives, depuis la première en 1957, et notamment : 1972 *Systems* à la Whitechapel Art Gallery, Londres ; 1980 *Pier and Ocean* Hayward Gallery, Londres ; etc. Il montre des ensembles de peintures dans des expositions personnelles, depuis la première en 1974 au Gardner Centre de l'Université du Sussex.

À partir de 1960, il réalisa ses premiers reliefs abstraits. Sa première exposition personnelle de 1974 a marqué l'aboutissement de ses recherches et l'adoption de sa manière définitive. Il utilise des modules carrés d'un gris monochrome, dont il calcule le nombre en fonction des dimensions de l'œuvre en cours. Il les assemble selon des combinatoires préétablies d'occupation du plan, ensuite de quoi, et toujours selon une logique sérielle, il crée sur certains des empilements d'épaisseurs variables. L'œuvre achevée se présente comme un bas-relief aux contours découpés et dont l'intérieur est constitué et animé de vides et de pleins d'épaisseurs différentes, dont le développement calculé des alternances et progressions est immédiatement sensible. Serge Lemoine constate que, par la conception programmée, la facture anonyme, la monochromie, l'œuvre de Peter Lowe s'inscrit, en deçà des préceptes de Théo Van Doesburg, comme « une radicalisation de celui de Victor Pasmore et de Mary Martin ».

BIBLIOGR. : In : *L'Art du XXe siècle*, Larousse, Paris, 1991.

MUSÉES : GRENOBLE (Nouveau Mus.).

LOWELL Milton H.

Né en 1848. Mort en 1927. XIXe-XXe siècles. Américain.

Peintre de paysages.

VENTES PUBLIQUES : NEW YORK, 12 sep. 1994 : *Paysage de Nouvelle-Angleterre*, h/t (40,6x61) : **USD 1 725** – NEW YORK, 20 mars 1996 : *Route de campagne* 1908, h/t (50,8x76,2) : **USD 3 105**.

LOWELL Orson Byron

Né le 22 décembre 1871 à Wyoming (Iowa). Mort en février 1956 à New York. XIXe-XXe siècles. Américain.

Peintre, dessinateur, illustrateur.

Il fut élève de l'Art Institute de Chicago. Il travailla dans une

agence de publicité. Il fut président de la Member Guild Free-lance Artist ; membre de la Société des Illustrateurs. Il a collaboré aux journaux : American Girl, Judge, Life, Le Rire.
Il a illustré : en 1896 *Love in OldClothes* de H. C. Brunner, 1899 *The Court of Boyville* de A. W. White, 1900 *A Bicycle of Cathay* de F. R. Stockton.
Bibliogr. : Marcus Osterwalder, in : *Diction. des Illustrateurs 1800-1914*, Ides et Calendes, Neuchâtel, 1989.
Ventes Publiques : New York, 13 juin 1980 : *Séraphins et Chérubins* 1925, h/t (68,3x56) : **USD 1 000** – New York, 14 nov. 1991 : *« Toute autre chose, cependant... »*, encre et gche/cart. (60,9x50,8) : **USD 715** – New York, 31 mars 1993 : *Dick racontant sa vie à Roman mangeant sur l'ancienne table du docteur*, gche/cart. (52,1x64,8) : **USD 1 035**.

LOWELL Tom ou **Lovell**
Né en 1909. xxe siècle. Américain.
Peintre de scènes typiques.
Au Salon d'Automne de Paris, en 1987, il était représenté dans l'exposition des peintres de l'Ouest américain.
Musées : Oklahoma City (Nat. Cowboy Hall of Fame and Western Heritage Center) : *Chaud aux mains* 1973.

LÖWEN. Voir aussi **LOEWEN**

LÖWENBRÜCK-PARMENTIER Caroline
Née le 25 juillet 1846 à Vienne. xixe siècle. Active à Berlin. Allemande.
Peintre d'architectures et de paysages.
Élève de J. Nowapacky et de Karl Lafite.

LÖWENFINCK Adam Friedrich von
Né en 1714. Mort le 13 novembre 1754 à Haguenau. xviiie siècle. Éc. alsacienne.
Peintre sur porcelaine et sur faïence.
Il travailla à la Manufacture de porcelaine de Meissen à partir de 1727, ainsi qu'à Bayreuth, Ansbach, Fulda, Weisenau, Höchst et Haguenau. Il peignit des fleurs multicolores dans un style est-asiatique, avec des figures chinoises, des chevaux, des animaux fabuleux, des oiseaux. On trouve de ses œuvres dans un grand nombre de Musées et collections : Bâle (Musée d'histoire), Berlin (Musée du Château), Cassel, Hambourg, Leipzig, Munich, Stuttgart (Conservatoire des Arts et Métiers).

LÖWENFINCK Christian Wilhelm von
Né le 19 février 1753 à Strasbourg. xviiie siècle. Éc. alsacienne.
Peintre sur porcelaine et sur faïence.
Il fut peintre à la Manufacture de faïence de Höchst. Il peignit surtout des fleurs japonaises dans le style de Meissen.

LÖWENFINCK Karl Heinrich von
Né en 1718. xviiie siècle. Allemand.
Peintre sur porcelaine et sur faïence.
Frère d'Adam. Il fut, à partir de 1730, peintre à la Manufacture de Meissen. Il travailla également à Bayreuth, Ansbach, et Fulda.

LÖWENFINCK Seraphia Maria Susanna Magdalena von
Née le 11 avril 1728 à Fulda. Morte le 26 juillet 1805. xviiie siècle. Allemande.
Peintre sur faïence.
Elle était fille du peintre J. P. Schick. Elle épousa A. F. von Löwenfinck et dirigea après sa mort la Manufacture de faïence de Haguenau. Elle dirigea en même temps la Manufacture de Strasbourg et la fabrique de faïence de Ludwisbourg.

LÖWENFOSS Franz Servatius
xviiie siècle. Actif à Cologne. Allemand.
Peintre.
Il peignit des portraits au pastel.

LÖWENGARD Kurt
Né le 2 avril 1895 à Hambourg. xxe siècle. Allemand.
Peintre, aquarelliste, dessinateur.
Musées : Hambourg (Kunsthalle, Cab. des Estampes) : *Autoportrait*, aquar., dess.

LÖWENSOHN Julius
Né le 29 décembre 1820 à Schwerin. Mort vers 1890 à Berlin. xixe siècle. Actif à Berlin. Allemand.
Peintre de portraits miniatures.
Il figura aux Expositions de l'Académie de Berlin en 1848, 1876, 1878, 1886.

LOWENSTAM Léopold ou **Loewenstam**
Né en 1842 à Amsterdam. Mort le 28 mai 1898 à Three Bridges. xixe siècle. Hollandais.
Graveur.
Très jeune, cet artiste fut fort apprécié ; le gouvernement suédois le chargea de fonder une école de gravure et le décora de l'ordre de Gustave Vasa. En 1873, il se rendit à Londres et exposa régulièrement à Burlington House. Il grava d'après Marko, Alma-Tadema, Rosa Bonheur. J. Linton. On cite de lui : *Rose entre les roses*, d'après Alma-Tadema.

LÖWENSTAMM Emma
Née en 1879. xxe siècle. Autrichienne.
Peintre de portraits, intérieurs, paysages, graveur.
Elle fit ses études à Vienne. Elle a travaillé à Vienne et Prague. Elle fit des portraits à l'eau-forte et des ex-libris.

LOWENSTEIN Heinrich
Né en 1806 à Dantzig. Mort le 4 février 1841 à Berlin. xixe siècle. Allemand.
Peintre d'histoire et de genre.
Élève de l'Académie de Berlin et de W. Hensel. Il se fixa à Berlin et y exposa entre 1833 et 1838. On cite de lui : *La leçon du grand-père*, et *L'enfant abandonné*.

LOWENSTEIN Katharina
Morte le 20 août 1886 à Berlin. xixe siècle. Allemande.
Peintre de genre.
Elle exposa à Berlin, en 1883 : *Homme du peuple*.

LÖWENSTERN Christian Ludwig von
Né en 1701 à Darmstadt. Mort en 1754 à Darmstadt. xviiie siècle. Allemand.
Peintre de batailles.
Musées : Bamberg : *Combat de cavaliers* – Darmstadt : *Bataille*.
Ventes Publiques : Cologne, 29 juin 1990 : *Escarmouche de cavalerie*, h/t (23x31) : **DEM 2 100**.

LÖWENTHAL Anka de, baronne, née **von Maroicic**
Née le 13 Janvier 1853. xixe siècle. Active à Vienne. Autrichienne.
Peintre de portraits et peintre d'églises.
On cite parmi ses œuvres des tableaux d'églises.

LOWENTHAL Bertha
xixe-xxe siècles. Britannique.
Peintre de fleurs.
Elle figura aux Expositions de Londres, de 1888 à 1919.

LÖWENTHAL Emil
Né en 1835 à Jarotschin. Mort en 1896 à Ems. xixe siècle. Allemand.
Peintre.
Élève de Steffeck et de Führich. Il a peint des tableaux de genre et d'histoire, et des portraits.
Musées : Florence (Pitti) : *Portrait de l'artiste* – Posen : *Marie Stuart près du corps de Riccio* – Rome (Acad. Saint-Luc) : *John Gibson*.

LÖWER. Voir **LOEWER**

LOWICS Hans. Voir l'article **LOUYS Jan** ou **Jacob**

LO Wing-kei. Voir **LU Yongqi**

LÖWIS of MENAR Andreas
Né le 27 décembre 1777. Mort le 16 septembre 1839 à Kaipen en Livonie. xixe siècle. Éc. balte.
Graveur, aquafortiste amateur et écrivain.

LÖWITH Wilhelm
Né le 21 mai 1861 à Vienne. Mort en 1932. xixe-xxe siècles. Autrichien.
Peintre de genre, d'intérieurs.
Il fut élève de l'Académie des Beaux-Arts de Vienne et de Wilhelm von Lindenschmit à celle de Munich. En 1890, il obtint le Grand Prix d'Honneur à l'Exposition des Beaux-Arts de Brême.

W. Löwith

Musées : Amsterdam : *Intérieur* – Bautzen : *Conférence chez le cardinal* – Cincinnati : *Combat* – Francfort-sur-le-Main : *Les Géographes* – Munich : *Dans l'antichambre du Ministre* – Nuremberg : *La Page rare* – Prague (Rudolf Mus.) : *Toast*.
Ventes Publiques : Londres, 30 jan. 1946 : *Intérieur* : **GBP 98** – Londres, 31 juil. 1968 : *L'Heure de musique* : **GBP 1 300** – New York, 28 avr. 1977 : *Les amateurs de peinture* 1890, h/pan.

(24x33) : **USD 9 000** – Zurich, 25 mai 1979 : *Trois vieux compagnons*, h/pan. (14x17,2) : **CHF 15 000** – Londres, 27 nov. 1981 : *L'Atelier de l'artiste*, h/pan. (29,2x24,2) : **GBP 3 000** – Cologne, 26 oct. 1984 : *La partie d'échecs*, h/pan. (33x46) : **DEM 4 500** – Munich, 17 sep. 1986 : *Réunion d'hommes dans une bibliothèque*, h/pan. (22,5x28) : **DEM 10 000** – Amsterdam, 25 avr. 1990 : *Les connaisseurs*, h/pan. (23x15) : **NLG 7 130** – Londres, 18 mars 1992 : *Fumer entre amis ; Goûter le vin* 1884, h/pan., une paire (chaque 16,5x21,5) : **GBP 3 850** – New York, 28 mai 1993 : *Gentilhomme dans sa salle d'études* 1893, h/pan. (10,2x10,2) : **USD 2 185** – Amsterdam, 19 oct. 1993 : *Tête-à-tête* 1886, h/pan. (13,5x11) : **NLG 5 750.**

LOWNDES Alan

Né en 1921. Mort en 1978. xxe siècle. Britannique.

Peintre de genre, scènes animées, paysages, marines.

Ventes Publiques : Londres, 3-4 mars 1988 : *Colline enneigée* 1977, h/cart. (60c65) : **GBP 1 760** – Londres, 9 juin 1988 : *Jeune fille en face d'un miroir*, h/cart. (72,5x58,7) : **GBP 1 980** – Londres, 9 juin 1989 : *Bateaux de pêche amarrés à St Ives* 1956, h/cart. (55,9x80,1) : **GBP 3 080** – Londres, 10 nov. 1989 : *Ring et challengers* 1969, h/t (91,6x122) : **GBP 5 500** – Londres, 9 mars 1990 : *Le joueur d'orgue de Barbarie* 1956, h/t (61x152,6) : **GBP 9 020** – Londres, 8 juin 1990 : *Les « Martinys »* 1969, h/t (104,5x76) : **GBP 8 250** – Londres, 20 sep. 1990 : *La dispute* 1963, h/cart. (51x36) : **GBP 1 870** – Londres, 25 jan. 1991 : *Les champions de patins à roulettes* 1968, h/cart. (30,5x40,5) : **GBP 990** – Londres, 6 nov. 1992 : *La place du marché* 1953, h/cart. (120x181,5) : **GBP 4 400** – New York, 10 nov. 1992 : *Borra* 1959, h/pap. (54x36) : **USD 880.**

LOWRY J. Wilson

Né en 1803. Mort en 1879. xixe siècle. Britannique.

Peintre et graveur.

Fils et élève de Wilson Lowry. Il peignit des marines.

LOWRY Laurence Stephen

Né le 1er novembre 1887 à Manchester (Lancashire). Mort en février 1976 à Glossof près de Manchester. xxe siècle. Britannique.

Peintre de scènes de genre, paysages urbains animés, aquarelliste, pastelliste, dessinateur. Populiste.

Il fut élève du Municipal Art College de Manchester, mais a su garder à sa peinture un caractère quasi-naïf. En 1936, il devint membre de la Royal Society of British Artists. Malgré l'apparente naïveté de son style, sensible aux recherches nouvelles, il fit partie, en 1946, du Manchester Group. Il ne connut le succès qu'après la deuxième guerre mondiale. Il participa à des expositions collectives. En 1946 également, il était représenté à l'Exposition d'Art Moderne, organisée à Paris par l'UNESCO. À Paris encore, il exposa aux Salons des Artistes Français et d'Automne. Il montra sa peinture dans de nombreuses expositions personnelles, à Londres à partir de 1939, à Manchester à partir de 1948. En 1951 eut lieu à Salford une importante exposition rétrospective. En 1955, il fut élu membre associé de l'Académie Royale de Peinture.

Ses débuts furent marqués par le postimpressionnisme. Puis, il se constitua une manière particulière, qui en fait un cas très isolé dans la peinture anglaise de son époque. Le caractère volontairement naïf de sa peinture réside surtout dans le fait qu'il en réduit les décors et les personnages qui les animent à des dimensions de villages de poupées, les personnages eux-mêmes réduits à des silhouettes filiformes. Il se fit une réputation de peintre de scènes de rues ouvrières, des paysages industriels du Lancashire, recouverts des grisailles des fumées d'usines rabattues par le brouillard. Portant un grand intérêt au football, il en fit le sujet d'une série de peintures, reproduisant plusieurs fois le siège du Football Club de Bolton. Il peignait aussi de vieilles maisons isolées ou délabrées symbolisant sa propre solitude et son isolement. Il disait : « Je suis un homme très seul, mais j'aime être seul. », et « Ai-je été seul ?, je ne l'ai pas remarqué. » ■ J. B.

L.S.LOWRY

Musées : Londres (Tate Gal.) : *Le Bassin* 1950 – Salford (Gal. d'Art de la Ville).

Ventes Publiques : Londres, 13 nov. 1964 : *La Rue de village* : **GNS 1 600** – Londres, 20 juil. 1966 : *Bords de mer*, deux past. en pendants : **GBP 420** ; *Le Meeting* : **GBP 3 200** – Londres, 10 mars 1967 : *Dimanche après-midi* : **GNS 7 500** – Londres, 21 nov. 1969 : *Place animée de nombreux personnages* : **GNS 7 500** – Londres, 8 juil. 1970 : *La Foire de Daisy Nook* : **GBP 16 000** – Londres, 5 juil. 1972 : *Les Escaliers dans la ville* 1944 : **GNS 10 500** – Londres, 11 mai 1973 : *Usines au bord d'un canal* : **GNS 14 000** – Londres, 12 juil. 1974 : *Le Parc* : **GNS 11 500** – Londres, 10 nov. 1976 : *Scène de quai* 1947, h/cart. (45x60) : **GBP 6 500** – Londres, 4 mars 1977 : *Scène de rue* 1941, h/t (30,5x41) : **GBP 7 000** – Londres, 14 mars 1979 : *Étude de personnages et animaux* 1971, cr. et encre (21,5x28,5) : **GBP 1 000** – Londres, 14 nov 1979 : *Paysage industriel* 1955, h/t (113x152) : **GBP 16 500** – Londres, 13 juin 1980 : *Personnages et chats* 1955, past. (26x37) : **GBP 800** – Londres, 11 juin 1982 : *Old Chapel, Newcastle upon Tyne* 1964, cr. (33,5x25) : **GBP 1 600** – Londres, 10 mars 1982 : *Going to work* 1952, h/t (60x75) : **GBP 32 500** – Londres, 10 juin 1983 : *Sur la plage* 1962, cr. (25,3x35) : **GBP 1 100** – Londres, 4 nov. 1983 : *Paysage industriel* 1944, h/pan. (54,5x61) : **GBP 27 000** – Chester, 13 jan. 1984 : *Une maison en briques rouges* 1959, reh. de gche (24x33) : **GBP 1 400** – Londres, 8 nov. 1985 : *VJ Day* 1945, h/pan. (50,8x69) : **GBP 42 000** – Londres, 14 nov. 1986 : *Jackson's Auction Salerooms, West King Street, Manchester* 1936, cr. (27,5x37,7) : **GBP 2 500** – Londres, 21 mai 1986 : *The Mill Gates* 1946, h/t (40,5x51) : **GBP 30 000** – Londres, 13 nov. 1987 : *Industrial scene* 1936, cr. (25,3x38,6) : **GBP 4 800** – Londres, 3-4 mars 1988 : *Porte d'usine* 1931, h/pan. (18,2x16,2) : **GBP 11 220** – Londres, 9 juin 1988 : *Rue de la ferme* 1940, encre et cr. (10,7x15,7) : **GBP 660** ; *Homme et femme et deux enfants*, h/t (15x10) : **GBP 7 700** – Londres, 8 sep. 1988 : *La plage de Penarth* 1960, h/t (61x76,2) : **GBP 46 200** – Londres, 9 juin 1989 : *Yachts à Lytham St.-Annes* 1920, cr. et past. (28x37,5) : **GBP 7 700** – Londres, 10 nov. 1989 : *À la grille de la minoterie* 1945, h/t (40,7x45,5) : **GBP 92 400** – Londres, 9 mars 1990 : *Bourton sur les Eaux* 1957, h/t (45,5x61) : **GBP 104 500** – Londres, 3 mai 1990 : *Personnages dans une rue* 1965, stylo-bille noir (20x18,5) : **GBP 2 420** – Londres, 20 sep. 1990 : *Moston cottage* 1950, h/cart. (17,1x19) : **GBP 4 950** – Londres, 8 nov. 1990 : *Une rue étroite* 1962, h/cart. (51x40,5) : **GBP 52 800** – Londres, 25 jan. 1991 : *Oiseau noir sur une branche* 1964, h/cart. (17x26) : **GBP 9 020** – Londres, 2 mai 1991 : *« Je peux voir votre culotte »* 1966, h/t. cartonnée (22,5x15) : **GBP 7 700** – Londres, 6 juin 1991 : *Après le match* 1944, h/t (35,5x60) : **GBP 63 800** – Londres, 6 mars 1992 : *Vieille maison* 1953, h/t (25,4x45,7) : **GBP 14 300** – Londres, 5 juin 1992 : *La vente aux enchères* 1936, cr. (26,5x37,5) : **GBP 6 050** – Londres, 6 nov. 1992 : *Navigation au large de Lytham* 1918, h/t (25,5x35,5) : **GBP 7 700** – Londres, 12 mars 1992 : *Les yachts de Lytham* 1957, h/t (45,7x61) : **GBP 34 500** – Londres, 26 oct. 1994 : *La vieille lampe*, cr. (35x25) : **GBP 3 220.**

LOWRY Matilda. Voir **HEMING,** Mrs

LOWRY Robert. Voir **LAWRIE**

LOWRY Strickland

Né au xviiie siècle à Whitehaven. xviiie siècle. Britannique.

Peintre portraitiste et illustrateur.

Il travailla à Whitehaven, Dublin, dans le Shropshire, le Staffordshire, le Worcestershire, obtenant partout un égal succès. Il a illustré *Histoire et Antiquités de Schrewsbury*, de Philips (1779).

LOWRY Wilson

Né le 24 janvier 1762 à Whitehaven. Mort le 22 juin 1824 à Londres. xviiie-xixe siècles. Britannique.

Graveur.

Fils de Strickland Lowry. Élève de John Browne. Il grava de nombreuses *Vues* et *Portraits*.

LÖWSTÄDT Karl Teodor

Né en 1789 à Stralsund. Mort le 16 juin 1829 à Stockholm. xixe siècle. Suédois.

Peintre de miniatures et lithographe.

Le Musée National de Stockholm possède de ses dessins.

LÖWSTÄDT-CHADWICK Emma. Voir **CHADWICK**

LOWTZOW Anton Ernst Christian von

xixe siècle. Actif à Brême de 1842 à 1854. Allemand.

Peintre.

Il fit des portraits, des dessins de *Vues* pour la lithographie et des décorations de théâtre.

LOWY Monique

Née le 18 septembre 1951 à Paris. xxe siècle. Française.

Peintre de compositions à personnages.

Elle expose à Paris, notamment avec le Salon Figuration Critique.

Dans ses compositions, d'une technique traditionnelle éprouvée, elle mêle le grotesque au sensuel et au sacré.

Ventes Publiques : Paris, 14 oct. 1989 : *Salomé*, h/t (190x110) : **FRF 18 000**.

LÖXHALLER Franz ou **Lexhaller**
XIXe siècle. Autrichien.
Peintre et peut-être sculpteur.
Il était fils de Johann Löxhaller. Il peignit en 1825 la fresque du plafond du Calvaire d'Hallein et en 1828 un *Portrait de l'empereur François Ier*.

LÖXHALLER Johann ou **Lexhaller**
Né le 18 juillet 1745 à Oberteisendorf. Mort le 20 octobre 1817 à Hallein. XVIIIe-XIXe siècles. Autrichien.
Peintre.
Il travailla à Golling et Hallein où l'on trouve de ses œuvres (tableaux d'autel). On cite de sa main plusieurs portraits du *Grand électeur Ferdinand* et un portrait de l'*Empereur François Ier*. Le Musée de Salzbourg possède de sa main un dessin au lavis.

LOXTON John Samuel
Né en 1903. Mort en 1971. XXe siècle. Australien.
Peintre de paysages animés, paysages, aquarelliste.
Ventes Publiques : Londres, 1er déc. 1988 : *Gardien de moutons à Wangaratta* 1944, aquar. (35,5x43,8) : **GBP 2 420** – Sydney, 20 mars 1989 : *Jeunes arbres à gomme fantomatiques*, h/cart. (40x50) : **AUD 1 000** – Sydney, 16 oct. 1989 : *Pics enneigés*, aquar. (33x40) : **AUD 900** – Sydney, 26 mars 1990 : *Transhumance*, aquar. (37x45) : **AUD 1 600** – Sydney, 2 déc. 1991 : *En emmenant le troupeau vers l'ouest*, aquar. (37x45) : **AUD 1 000**.

LOY François Van. Voir **LOO**

LOY Johann Georg
XVIIIe siècle. Actif à Scheibbs. Autrichien.
Sculpteur.

LOYAU Marcel François
Né le 11 septembre 1895 à Onzain (Loir-et-Cher). XXe siècle. Français.
Sculpteur de bustes.
Il s'établit à Boulogne-sur-Seine (Hauts-de-Seine). Il exposait régulièrement au Salon des Artistes Français, obtenant en 1923 une médaille de bronze, en 1927 une médaille d'argent et le Prix National.
Musées : Paris (Mus. Nat. d'Art Mod.) : divers bustes d'enfants.
Ventes Publiques : Londres, 17 avr. 1984 : *Bête marine* 1927, bronze, patine noire (l. 53,5) : **GBP 900**.

LOYAU-MORANCÉ Jeanne Marie Eugénie
Née le 18 avril 1898 à Paris. XXe siècle. Française.
Peintre, sculpteur.

LOYBOS Jan Sebastiaen
Mort avant 1703. XVIIe siècle. Actif à Anvers. Éc. flamande.
Peintre et dessinateur.
Causé et G. Bouttats gravèrent d'après ses œuvres.

LOYDL. Voir **LUIDL**

LOYE Charles Auguste, pseudonyme : **Montbard**
Né le 2 août 1841 à Montbard (Côte-d'Or). Mort le 5 août 1905 à Londres. XIXe siècle. Français.
Peintre de genre, natures mortes, graveur, dessinateur.
Il fit surtout des caricatures et des eaux-fortes.
Ventes Publiques : Paris, 6 mars 1929 : *Vase de fleurs* : **FRF 470** – Londres, 4 mai 1977 : *Cavaliers arabes*, h/pan. (41x30) : **GBP 1 500** – Londres, 16 mars 1983 : *Le Fauconnier arabe*, aquar./traits de cr. (35x23) : **GBP 1 000** – Londres, 11 fév. 1994 : *Musiciens arabes* 1885, h/t (32,4x41) : **GBP 10 350**.

LOYEN du PUIGAUDEAU Ferdinand. Voir **PUIGAUDEAU**

LOYER
XIXe siècle. Actif à Rennes vers 1800. Français.
Peintre de portraits, paysages.
Peut-être s'agit-il de Stanislas Auguste LOYER.
Musées : Rennes (Mus. Archéologique) : *Vue de Rennes – Portrait de Jean Thurel*.

LOYER Ernestine
Née le 8 avril 1846 à Paris. XIXe siècle. Française.
Peintre et pastelliste.
Fille et élève de Stanislas Auguste Loyer. Elle exposa au Salon, de 1867 à 1870, des portraits au pastel.

LOYER Stanislas Auguste
Né le 23 décembre 1797 à Rennes. Mort après 1870. XIXe siècle. Français.
Peintre de compositions religieuses, genre, portraits, pastelliste.
Il fut élève de P. Guérin. Il entra, en 1814, à l'École des Beaux-Arts de Paris. Il exposa au Salon de 1841 à 1870.
On cite de lui : *Les Pèlerins d'Emmaüs*, pour l'église Saint-Jean et Saint-François.
Musées : Chambéry (Mus. des Beaux-Arts) : *Saint François de Sales convertissant deux hérétiques*.
Ventes Publiques : Paris, 15 avr. 1983 : *Saint Vincent de Paul prenant les fers d'un galérien* 1859, h/t (124x156) : **FRF 10 000**.

LOYER Yves
Né vers 1940. XXe siècle. Français.
Peintre de paysages, dessinateur, sculpteur de bustes.
Il fut d'abord ingénieur, et ne vint à la peinture et à la sculpture que vers la quarantaine. Il a fait plusieurs voyages au Japon, attiré par la philosophie zen. En 1984, il fit sa première exposition personnelle de lavis et sculptures à Paris.
Ses paysages peints ou au lavis sont dépouillés dans l'esprit des paysagistes japonais des XVIIe et XVIIIe siècles. Ses sculptures, presque toujours en fonte de bronze selon le procédé de la cire perdue, sont en général des torses et des dos tronqués, dont les courbes exacerbées se prolongent dans des drapés sinueux.
Bibliogr. : Pierre Brisset : *Yves Loyer*, in : L'Œil, Paris, déc. 1984.

LOYEUX Charles Antoine Joseph
Né le 25 janvier 1823 à Paris. Mort en 1898. XIXe siècle. Français.
Peintre de genre, portraits, natures mortes.
Élève de P. Delaroche. Il débuta au Salon en 1842. Loyeux a exécuté des travaux pour l'église Notre-Dame-de-Bon-Port, à Nantes.
Musées : Pontoise : *Jeune Espagnole dite Margarita de Sevilla – Breton en sentinelle*.
Ventes Publiques : Paris, 1898 : *Madame Sans-Gêne* : **FRF 220** ; *Breton en sentinelle* : **FRF 220** – Paris, 18 nov. 1910 : *La partie d'échecs* : **FRF 920** – Paris, 17 mars 1989 : *Garde maure et blanche Princesse*, h/pan. (45,5x55) : **FRF 55 000** – New York, 24 oct. 1990 : *Nature morte aux instruments de musique*, h/t (98,4x129,5) : **USD 26 400**.

LOYGORRI PIMENTEL José ou **Loygorry**
Né à Madrid. XIXe-XXe siècles. Espagnol.
Peintre de figures, paysages, architectures, dessinateur, illustrateur.
Il se forma en autodidacte. Il séjourna à Paris, et résida quelques années à Valladolid. Il participa à diverses expositions collectives, au Salon Vilches de Madrid, à l'Exposition Nationale des Beaux-Arts de San-Fernando. Depuis les années trente, il se consacra à la création publicitaire, notamment à l'illustration de couvertures de livres ; puis, après 1950, à la photographie professionnelle.
À son retour de Paris, il réalisa des illustrations pour diverses parutions, dont *Blanco y Negro, La Esfera*. Il a surtout peint les paysages et figures typiques de la Castille.
Bibliogr. : In : *Cent ans de peinture en Espagne et au Portugal, 1830-1930*, Antiquaria, Madrid, 1990.

LOYR Alexis. Voir **LOIR**

LOYR Nicolas Pierre. Voir **LOIR**

LOYS. Voir **MORIN Louis**

LOYS. Voir aussi **LOUIS**

LOYS Daniel. Voir **LOUIS**

LOYS Étienne
Né en 1724 à Montpellier (Hérault). Mort en 1788. XVIIIe siècle. Français.
Peintre de genre, portraits, aquafortiste.
Musées : Béziers : *Portraits de Catherine de Barrès et de M. de Lablanque enfants* – Montpellier : *Portrait de Mgr de Villeneuve*.
Ventes Publiques : Paris, 1er mars 1924 : *Soldat au pied de ruines* : **FRF 1 080** – Londres, 7 juil. 1993 : *Portrait de Guillaume Bercellon avec une raquette de tennis* 1753, h/t (79x63,5) : **GBP 78 500**.

LOYSEL. Voir aussi **LOISEL**

LOYSEL Jacques
Né le 29 mai 1867 à Courcelles (Indre-et-Loire). Mort le 4 novembre 1925 à Paris. XIXe-XXe siècles. Français.
Sculpteur de figures, nus, statuettes.

Il était fils du peintre Léon Félix Loysel. Il fut élève de Henri Chapu et Antonin Mercié à l'École des Beaux-Arts de Paris. Il a figuré régulièrement à Paris, au Salon des Artistes Français, de 1892 à 1920, obtenant en 1894 une troisième médaille, en 1897 une bourse de voyage, en 1900 à l'occasion de l'Exposition Universelle une médaille de bronze. En 1911, à Paris, il a montré dans une exposition personnelle *Les Poupées de la Danse* une série de danseuses classiques, en plâtre peint et habillées de tissus.

Ses œuvres principales ont été : 1894 *Une Semaine*, série de sept femmes nues, bronzes ; 1896 *La grande Névrose*, marbre ; 1905 *Femme nue se lavant dans son tub*, bronze et marbre ; 1906 *La Source*, pierre ; 1907 *Le Bain*, marbre ; 1908 *Sirènes et Tritons*, trois surtouts de table en argent massif, constitués d'une grande pièce centrale et de deux petites pièces latérales ; 1909 *Golf*, une golfeuse nue, bronze ; 1911 *Études des mouvements de la danse classique*, série de neuf danseuses nues ; 1912 *Études sur les mouvements des danses grecques*, série de cinq danseuses nues ; 1912 *Chasseresse*, plâtre ; 1913 les mêmes danseuses grecques habillées ; 1914 *Femme écartant son voile*, pierre rouge ; vers 1920 *La Danseuse Karsavina, des Ballets Russes*, deux statuettes, bronze.

L'œuvre de Jacques Loysel est presque entièrement consacré à la femme, notamment aux danseuses, dont de toute évidence il était connaisseur. Ce qui, aujourd'hui, retient particulièrement l'attention, même si Degas créa un précédent, ce sont celles de ses danseuses qu'il peignit de leurs couleurs naturelles et délicates et qu'il habilla de tissus. ■ J. B.

Bibliogr. : Toulet : *Les Poupées de la Danse*, in : Catalogue de l'exposition Jacques Loysel, gal. Brame, Paris, 1911.

Ventes Publiques : Versailles, 20 mars 1983 : *Femme nue se cachant le visage*, bronze (H. 35 cm) : **FRF 4 500** – Avignon, 6 déc. 1986 : *Femme habillée à la poitrine découverte*, bronze (H. 38 cm) : **FRF 13 500**.

LOYSEL Léon Félix
Né au XIXe siècle à Paris. XIXe siècle. Français.
Peintre de paysages.

Élève de Th. Rousseau et Troyon. Il exposa au Salon de 1857 et 1859.

LOYSI. Voir **LOISY**

LOYSON Pierre. Voir **LOISON**

LOZAC'H Guy
Né en 1932 à Plongonver (Côtes d'Armor). XXe siècle. Français.
Peintre.

Il vit et travaille à Paris.

Musées : Épinal (Mus. dép. des Vosges) : *Peinture* 1973 – *Peinture* 1976.

LOZANO Agueda
Née en 1944. XXe siècle. Mexicaine.
Sculpteur, technique mixte.

En 1977, elle figura à l'exposition *Meubles-Tableaux* du Centre Beaubourg à Paris. En 1995, la Galerie Point Rouge à Paris lui a consacré une exposition personnelle.

Elle utilise des matériaux divers, notamment l'acier inox.

Ventes Publiques : Paris, 3 oct. 1988 : *La lance de Saint-Jérôme* 1986, acier inoxydable (180x46,5x31) : **FRF 14 000** – Paris, 22 mai 1989 : *Figera*, inox, base ardoise (18,3x51x28) : **FRF 14 000** – Paris, 14 juin 1990 : *Série « Fugue »*, techn. mixte (44x52) : **FRF 3 000**.

LOZANO Francisco
Né en 1912 à Antella (Valence). XXe siècle. Espagnol.
Peintre de paysages.

Il a participé à de nombreuses expositions collectives en Espagne et a montré ses œuvres dans des expositions particulières principalement à Valence et Madrid.

Francisco Lozano pratique une figuration, en général des paysages, aux couleurs chaudes, celles de la terre catalane : rouge, ocre, ocre-brun.

Bibliogr. : In : *Catalogo nacional de arte contemporaneo*, Iberico 2 mil, Barcelone, 1990-1991.

Musées : Alicante (Mus. prov.) – Bilbao (Mus. prov.) – Caracas (Mus. de la Fond. Mendoza) – Madrid (Mus. de l'Acad. roy. San Fernando) – Madrid (Mus. d'Art Contemp.) – Montevideo (Mus. des Beaux-Arts) – Saragosse (Mus. Camon Aznar) – Valence (Mus. prov. des Beaux-Arts) – Vitoria (Mus. prov.).

Ventes Publiques : Madrid, 25 fév. 1977 : *Paysage maritime* 1973, h. et aquar. (50x67) : **ESP 80 000** – Madrid, 13 déc. 1983 : *Paysage de Valencia* 1973, h/t (65x81) : **ESP 325 000**.

LOZANO Isidoro
XIXe-XXe siècles. Espagnol.
Peintre d'histoire, de figures.

Il fut élève de l'Académie des Beaux-Arts de Madrid, et étudia aussi à Rome.

Musées : Madrid : *Néron*.

LOZANO Lee
Né en 1936 à New Jersey. XXe siècle. Américain.
Peintre. Abstrait, minimal Art.

Il vit et travaille à New York. Il participe à de nombreuses expositions collectives, dont : 1964 New York ; 1968 Contemporary Arts Center, Cincinnati ; Kunstmarkt, Cologne ; 1969 *Biennale 69* Corcoran Gallery, Washington ; Suermondt Museum, Aix-la-Chapelle ; *Une Tendance de la Peinture contemporaine* Kölnischer Kunstverein, Cologne ; etc. Il montre aussi ses œuvres dans des expositions personnelles, dont les premières : 1966 New York, Bennington College dans le Vermont ; 1969 Cologne...

L'exposition de Cologne, en 1969 *Une Tendance de la Peinture contemporaine* regroupa, historiquement, les peintres du Minimal Art. En réaction contre les effusions de l'expressionnisme-abstrait, le Minimal Art consiste en un retour aux « structures primaires », aux formes et couleurs élémentaires, aux données immédiates de la perception, en principe dégagées de toute possibilité d'associations d'images et d'idées. Dans ses œuvres de la période autour de 1970, Lee Mozano indique le plus sobrement possible le jeu que produirait la lumière sur une forme cylindrique ou conique.

Bibliogr. : In : Catalogue de l'exposition *Eine Tendenz zeitgenössiger Malerei*, Kunstverein, Cologne, 1969.

LOZANO Manuel Rodriguez
XXe siècle. Mexicain.
Peintre de compositions animées typiques.

Il est l'un des artisans de la renaissance d'une École de peintres proprement mexicaine. *Voir aussi RODRIGUEZ LOZANO Manuel.*

Ventes Publiques : New York, 15-16 mai 1991 : *Les adieux* 1946, h/t (70x95) : **USD 35 200**.

LOZANO-SIDRO Adolfo
Né le 21 janvier 1872 à Priego de Cordoba. Mort le 8 novembre 1935. XIXe-XXe siècles. Espagnol.
Peintre de compositions religieuses, scènes de genre, portraits, figures, intérieurs, illustrateur. Postimpressionniste.

Son père le destinait à l'étude du droit. Il fréquenta des Académies privées à Malaga et Grenade. À la mort de son père, il fut élève de l'Académie privée de J. Moreno Carbonero à Madrid. Il reçut aussi les conseils de J. Sorolla y Bastida. Il participa aux Expositions Nationales de Madrid, obtenant une mention honorable en 1897 pour une *Sainte Thérèse aux pieds de Jésus*, une troisième médaille en 1910 pour *Le chevalier Andante*.

De 1902 à 1904, il collabora à la revue *Blanco y Negro*, dont il était considéré comme le meilleur illustrateur. Il a peint de nombreux portraits, souvent de groupes, et s'est surtout distingué comme peintre de scènes de la vie contemporaine.

Bibliogr. : In : *Cent ans de peinture en Espagne et au Portugal, 1830-1930*, Antiquaria, Madrid, 1990.

Musées : Cordoue : *Fête intime*.

Ventes Publiques : Londres, 27 oct. 1993 : *Sortie de bal*, h/t (31x41) : **GBP 6 440**.

LO ZARATO. Voir **MORTO da Feltre Pietro**

LO ZINGARO. Voir **SOLARI Antonio di Giovanni di Pietro,** ou **SOLARIO**

LO ZOPPO. Voir **FORASTIERI Giovanni Battista**

L'POER G. Voir **LE POER**

LUARD John Daliac
Né en 1830. Mort en 1860 à Winterstlow. XIXe siècle. Britannique.
Peintre de genre.

Élève de John Philip. Il avait abandonné l'armée pour se consacrer à la peinture. Il exposa à la Royal Academy, à partir de 1855, des scènes de la vie militaire qui furent très goûtées et popularisées par la gravure.

Ventes Publiques : Londres, 1862 : *L'approche de la maison* : **FRF 11 600**.

LUBARDA Petar
Né en 1907 à Ljubotin (Monténégro). Mort en 1976 à Belgrade. XXe siècle. Yougoslave.

Peintre, aquarelliste. Abstrait-paysagiste, puis expressionniste-abstrait.

Après ses études secondaires, il vint, en 1925, étudier la peinture à Belgrade ; puis, en 1926, à l'École des Beaux-Arts de Paris. Ayant délaissé l'enseignement de l'École, il resta à Paris pendant six ans jusqu'en 1932, commençant à exposer en 1927 au Salon des Indépendants, et, en 1929, à Rome. Il revint à Paris de 1938 à 1940. Pendant la guerre, il fut fait prisonnier. Ensuite, il résida pendant cinq ans à Cetinje, où il créa la première École des Beaux-Arts du Monténégro. Il se fixa à Belgrade en 1950. Il a figuré dans de très nombreuses expositions collectives de peinture contemporaine, et notamment dans celles consacrées à l'art yougoslave contemporain : 1971 *L'Art Yougoslave de la Préhistoire à nos jours* aux Galeries Nationales du Grand-Palais de Paris. Dans ces expositions collectives internationales, il obtint de nombreux Prix : 1937 à l'Exposition Internationale de Paris ; 1939 Premier Prix à l'Exposition de La Haye ; 1948 Prix Fédéral de la République Populaire Fédérale de Yougoslavie ; 1948 et 1949 Prix de la République Populaire du Monténégro ; 1953 Prix de la Biennale de São Paulo ; 1955 Prix de la Biennale de Tokyo ; 1955 Prix National Guggenheim ; etc. À son retour de Paris en Yougoslavie, il présenta à Belgrade, en 1933, une exposition personnelle de ses œuvres, qui attira l'attention sur lui. Mais, ce fut surtout son exposition de 1951 qui devait marquer fortement l'évolution de l'art moderne yougoslave.

Dans une première période, Petar Lubarda peignait les paysages rochers caractéristiques de sa région d'origine. Après la seconde guerre mondiale, la Yougoslavie présentait cette particularité, d'entre les pays de l'Est européen, de n'avoir pas suivi les directives du réalisme-socialiste. Petar Lubarda fut, alors, le premier Yougoslave à s'engager dans la voie d'un paysagisme abstrait, découlant d'ailleurs de ses paysages antérieurs, suivant en cela l'évolution mondiale générale de la peinture. Ses œuvres d'après 1948 sont encore le reflet de la nature, sans que celle-ci y soit directement décrite. En cette même période, il éprouva le besoin de replonger aux sources de l'art de son pays, en parcourant les couvents de la Serbie et de la Macédoine, rapportant des aquarelles abstraites, constituées de taches de couleurs délicates, inspirées par les fresques post-byzantines. Ensuite, il évolua vers une abstraction totale, en accord avec la gestualité et le « dripping » de l'expressionnisme-abstrait, Lubarda employant alors plutôt le couteau à peindre que les brosses, sans perdre pour autant le climat affectif de son inspiration d'origine. Agnès Humbert faisait un rapprochement entre les traînées sinueuses claires sur des fonds sombres, caractéristiques de sa manière, et les chemins crayeux sillonnant les flancs des montagnes du Monténégro. ■ J. B.

Bibliogr. : Agnès Humbert, in : *Peintres Contemporains*, Mazenod, Paris, 1964 – in : Catalogue de l'exposition *L'Art en Yougoslavie, de la Préhistoire à nos jours*, Gal. Nat. du Grand-Palais, Paris, 1971 – in : *L'Art du xxe siècle*, Larousse, Paris, 1991.

Ventes Publiques : Paris, 22 déc. 1989 : *Composition abstraite : Korali* 1965, h/cart. (45x55) : **FRF 6 000** – Paris, 27 jan. 1993 : *Composition* 1956, h/t (81x100) : **FRF 7 500**.

LUBAROW Renée

Née en 1923 à Seyssins (Isère). xxe siècle. Française.

Peintre, graveur.

Elle fut d'abord élève de l'École des Arts Décoratifs de Grenoble. Elle commença à enseigner le dessin. S'étant fixée à Paris en 1951, elle entra à l'Académie de Peinture de Henri Goetz en 1957, et à l'Atelier de Gravure de Johnny Friedlaender en 1960. Elle redevint alors professeur de dessin. En fait, sans abandonner la peinture, elle privilégie désormais la gravure, dont elle a assimilé les techniques. Comme c'est le cas général des auteurs de multiples, si elle participe aussi à des expositions collectives, notamment à la Biennale de Cracovie, elle multiplie, depuis 1965, ses expositions personnelles, essentiellement de gravures, parfois en diptyques et triptyques, à travers l'Europe, ainsi que : à Tunis 1966 ; à Ann Arbor (Michigan) à partir de 1972 jusqu'en 1985 ; Washington 1973, 1975 ; Denver (Colorado) 1975, 1980 ; etc.

À l'exemple de son maître Friedlaender, elle a une pratique technique parfaite de la gravure en couleur. Henri Goetz a écrit de Renée Lubarow : « Elle poursuit son rêve à travers maints obstacles la conduisant vers cet espace particulier où elle aime évoluer... » Elle mêle dans son œuvre les formes prélevées de la réalité à des visions abstraites, créant un monde personnel d'éléments comme construits et d'autres organiques comme végétaux.

Bibliogr. : Invitation de l'exposition des œuvres gravées de *R. Lubarow*, Fondation René Carcan, Bruxelles, 1991.

LUBBERS Adriaan

Né le 22 janvier 1892 à Amsterdam. Mort en 1954. xxe siècle. Hollandais.

Peintre de figures, portraits, paysages urbains, dessinateur, illustrateur.

Il tenta, en vain, fortune en Amérique, puis poursuivit son existence picaresque à travers l'Europe. À Paris, il a participé au Salon d'Automne.

Il a peint de nombreuses vues de New York, et illustré le *New York* de Paul Morand.

ADRIAAN LUBBERS 1919

Ventes Publiques : Amsterdam, 24 avr 1979 : *Paysage de Positano*, h/t (43x59) : **NLG 4 400** – Amsterdam, 15 mars 1983 : *Vue de Manhattan, depuis une fenêtre* 1936, h/t (111x87) : **NLG 3 800** – Amsterdam, 10 avr. 1990 : *Sans titre*, h/t (76,5x61,2) : **NLG 11 500** – Amsterdam, 13 déc. 1990 : *New York*, h/t (61,5x82) : **NLG 7 130** ; *Portrait d'une dame à Manhattan* 1945, h/t (200x130) : **NLG 36 800** – Amsterdam, 9 déc. 1992 : *Vue de Lam*, h/t (90,7x65,5) : **NLG 23 000** – Amsterdam, 10 déc. 1992 : *« Exange Alley » à New York* 1927, fus. et craie noire/pap. (56x17) : **NLG 2 875** – Amsterdam, 26 mai 1993 : *Washington square* 1926, h/t (80,5x65) : **NLG 12 650** – Amsterdam, 9 déc. 1993 : *Le Centre universitaire médical de Cornell*, h/t (61x82) : **NLG 6 325** – Amsterdam, 31 mai 1995 : *New York se découpant sur le ciel depuis les hauteurs de Jersey* 1919, h/t (89,5x130) : **NLG 37 760**.

LÜBBERS Holger Peter Svane

Né le 13 avril 1850 ou 1855 à Copenhague. Mort en 1928. xixe-xxe siècles. Danois.

Peintre de marines.

Ventes Publiques : Copenhague, 24 mai 1973 : *Le port de Copenhague* : **DKK 13 100** – Copenhague, 2 oct. 1976 : *Le port de Copenhague* 1903, h/t (81x113) : **DKK 15 500** – Copenhague, 3 mai 1977 : *Barque sur la plage* 1909, h/t (84x110) : **DKK 10 000** – Copenhague, 25 avr 1979 : *Voiliers au large du port de Copenhague* 1901, h/t (84x110) : **DKK 12 000** – Copenhague, 10 juin 1981 : *Voiliers et barques en mer* 1885, h/t (89x81) : **DKK 16 000** – Copenhague, 16 août 1983 : *Bateaux au large de la côte* 1886, h/t (87x124) : **DKK 14 500** – Copenhague, 13 nov. 1985 : *Marine*, h/t (92x129) : **DKK 19 000** – Copenhague, 28 avr. 1987 : *Barques près de la jetée* 1907, h/t (73x105) : **DKK 22 000** – Londres, 22 sep. 1988 : *Voiliers sur la mer agitée* 1885, h/t (80x117) : **GBP 605** – Copenhague, 5 avr. 1989 : *Voiliers sur une mer houleuse*, h/t (26x37) : **DKK 4 600** – Göteborg, 18 mai 1989 : *Marine avec des bateaux au soleil couchant*, h/t (71x115) : **SEK 26 000** – Copenhague, 25 oct. 1989 : *Marine avec des voiliers* 1897, h/t (23x41) : **DKK 4 200** – Copenhague, 21 fév. 1990 : *Marine avec un canot de sauvetage*, h/t (26x39) : **DKK 7 000** – New York, 1er mars 1990 : *Pêcheurs rapportant leur prise à Skagen*, h/t (95,2x142,3) : **USD 8 800** – Copenhague, 25-26 avr. 1990 : *Ratisseurs sur la plage de Skagen*, h/t (61x95) : **DKK 16 000** – Copenhague, 6 déc. 1990 : *Fils de pêcheur sur le rivage* 1911, h/t (39x38) : **DKK 4 500** – Londres, 20 mai 1992 : *Le détroit de Messine*, h/t (52,5x78,5) : **GBP 2 200** – Calais, 5 juil. 1992 : *Port animé*, h/t (37x58) : **FRF 9 000** – Copenhague, 15 nov. 1993 : *Marine avec la frégate Jylland*, h/t (105x95) : **DKK 25 000** – New York, 3 juin 1994 : *La frégate Jylland ancrée au large de Copenhague*, h/t (108x95,3) : **USD 10 925** – Copenhague, 16 mai 1994 : *Navire dans la brise*, h/t (43x63) : **DKK 6 700** – Copenhague, 10-12 sep. 1997 : *Frégates dans le port de Copenhague*, h/t (66x97) : **DKK 31 000**.

LÜBBERS Thomas Christian

Né le 18 juin 1797. Mort le 22 novembre 1873. xixe siècle. Danois.

Peintre de portraits.

Musées : Frederiksborg : *Portrait du professeur Zeise*, aquar.

LUBBERS W.

Né en 1755 à Gränin Gischen. Mort en 1834 à Gränin Gischen. xviiie-xixe siècles. Hollandais.

Peintre et dessinateur.

Il fut peintre de portraits, puis pastelliste.

LÜBBERT Ernst

Né le 27 juillet 1879. Mort en 1915. xxe siècle. Allemand.

Peintre de genre, portraits, illustrateur.

Il fut illustrateur de la *Berliner illustrierte Zeitung*. Ses peintures de genre sont marquées d'une tendance humoristique.

Musées : Neubrandenburg – Rostock – Schwerin.

LÜBBES Maria
Née en 1847 à Altona. XIXe siècle. Allemande.
Peintre de genre et de portraits.
Elle se fixa à Munich.
Ventes Publiques : Lucerne, 20 mai 1980 : *Jeune fille lisant*, h/bois (88x66) : **CHF 28 000.**

LÜBECK Hermann Ludwig Friedrich August
Né le 13 février 1815 à Helmstedt. Mort le 12 août 1864 à Helmstedt. XIXe siècle. Allemand.
Peintre de portraits.
Le Musée de Brunswick possède un portrait de sa main, daté de 1837.

LÜBEN Adolf
Né le 20 août 1837 à Saint-Pétersbourg, de parents allemands. Mort le 15 décembre 1905 à Munich. XIXe siècle. Allemand.
Peintre de compositions religieuses, scènes de genre.
Fit ses études à Berlin et à Anvers et travailla à Berlin et à Munich. Il exposa fréquemment en Allemagne à partir de 1864.
Musées : Cologne : *Le saint viatique – La procession.*
Ventes Publiques : Lucerne, 28 nov. 1970 : *Scène de cabaret* : **CHF 14 000** – Cologne, 26 mars 1976 : *Fillettes à l'orée d'un bois*, h/t (102x77) : **DEM 4 000** – Munich, 27 juin 1984 : *La marchande de légumes*, h/t (69,5x51,5) : **DEM 10 500** – New York, 28 oct. 1986 : *Le Repas des moissonneurs*, h/t (106x88,3) : **USD 7 500** – Munich, 25 juin 1992 : *Jeune paysanne décorant son chapeau de paille avec des fleurs des champs*, h/t (63x49) : **DEM 15 820.**

LUBERSAC de, comtesse
XVIIIe siècle. Active à Paris. Française.
Aquafortiste amateur.
On mentionne de sa main des gravures d'après Madeleine Basseporte (oiseaux).

LUBERSAC F. T. de
XVIIIe siècle. Français.
Peintre de miniatures.
Il exposa de 1795 à 1798 quatorze portraits miniatures à la Royal Academy à Londres. Il séjourna vers 1800 à Hambourg.

LUBERTI Augustin Jacobus
Né le 30 avril 1748 à Haarlem. Mort le 4 août 1822 à Haarlem. XVIIIe-XIXe siècles. Hollandais.
Peintre et graveur.
Il fut l'élève de Dubord et peignit surtout des sujets allégoriques et des portraits. En 1799, il ajouta à son métier d'artiste celui de libraire-éditeur. C'est à cette époque qu'il épousa Aletta Cath. Baart. On cite quelques eaux-fortes de lui. Le Musée d'Amsterdam conserve de lui un tableau (*Quatre régents de l'hospice des lépreux*).

LUBIENIECKI Bogdan Theodor ou **Lubienietzki**
Né en 1653 à Cracovie. XVIIe siècle. Polonais.
Peintre d'histoire, scènes mythologiques, paysages.
Il fit ses études à Hambourg avec Jurian Stur, puis à Amsterdam avec Gérard de Lairesse. Il se rendit en Italie où il travailla plusieurs années. Le grand-duc de Toscane le nomma peintre de la cour ; ensuite il fut invité par l'électeur de Brandebourg, qui le nomma chambellan et directeur de sa galerie de Berlin. En 1706, il retourna en Pologne.
Il peignit surtout les tableaux d'histoire et les paysages ; son dernier tableau est signé en 1729. Ses œuvres se trouvent dans les galeries du roi de Prusse et dans les collections particulières en Allemagne.
Musées : Budapest : *Portrait de Pierre Schenk.*
Ventes Publiques : Paris, 25 juin 1929 : *Pieus et Circé* : **FRF 500.**

LUBIENIECKI Christoph ou **Lubienietzki** ou **Lubienietzky**
Né en 1659 à Stettin, d'origine polonaise. Mort en 1729 à Amsterdam. XVIIe-XVIIIe siècles. Polonais.
Peintre de portraits.
Élève de Jurian Stur à Hambourg, de Adriaen Backer et de G. de Lairesse à Amsterdam en 1675 ; il se maria à Amsterdam le 21 février 1693. Il était le frère de Théodor Lubieniecki et probablement fils d'un noble polonais, Stanislas Lubieniecki qui mourut empoisonné à Amsterdam en 1675. Il eut de son vivant une certaine notoriété. Il exécuta des portraits et des tableaux de genre, dans la manière des petits maîtres hollandais.
Musées : Amsterdam : *Portrait présumé de l'artiste – Job. Siewerts – Gozewin Centen avec sa femme et deux fils – Arent Van Buren, amiral – Sabina Agneta d'Aquet, femme du précédent* – Cracovie : *Portrait d'homme dans un paysage – Portrait de femme dans un paysage*, pendant du précédent.
Ventes Publiques : Londres, 27 nov. 1963 : *Les musiciens ambulants* : **GBP 400** – Londres, 19 oct. 1966 : *Le repas familial* ; *Le colporteur* : **GBP 1 000** – New York, 4 avr. 1973 : *Le scribe dans un intérieur* : **USD 5 000** – New York, 9 jan. 1980 : *Scribe dans un intérieur*, h/t (65x53,5) : **USD 8 000** – Zurich, 30 mai 1981 : *L'École*, h/t (57x48,5) : **CHF 12 000** – Londres, 4 avr. 1984 : *Homme dans un intérieur, écrivant* 1728, h/pan. (42,5x36) : **GBP 5 000.**

LUBIENSKI Franz
Né en 1873 à Lodz. Mort le 5 janvier 1925 à Varsovie. XIXe-XXe siècles. Polonais.
Peintre de figures, portraits, paysages, fleurs.
Il peignit des figures typiques du peuple polonais.

LUBIMOVA Véra. Voir **LOUBIMOVA**

LUBIN Aryeh ou **Arieh**
Né en 1897. Mort en 1980. XXe siècle. Israélien.
Peintre de scènes typiques, nus, paysages, natures mortes, fleurs, peintre à la gouache, aquarelliste, pastelliste.
Il s'est consacré aux paysages typiques d'Israël.
Ventes Publiques : Tel-Aviv, 3 mai 1980 : *Couple attablé*, h/t (50x42) : **ILS 100 000** – Tel-Aviv, 15 mai 1982 : *Paysage* vers 1933, h/t (46x39) : **ILS 40 100** – Tel-Aviv, 16 mai 1983 : *Composition avec femmes* 1932, h/t, d'après Il Perugino (55x55) : **ILS 189 420** – Tel-Aviv, 2 juin 1986 : *Paysage* 1939, h/t (54,5x65) : **USD 2 400** – Tel-Aviv, 25 mai 1988 : *Paysage aux cyprès*, h/t (46,5x38) : **USD 2 860** – Tel-Aviv, 26 mai 1988 : *Paysage d'après Cézanne* 1936, h/t (73x60) : **USD 6 600** – Tel-Aviv, 2 jan. 1989 : *Nature morte* 1931, h/t (38x46) : **USD 3 300** – Paris, 16 avr. 1989 : *Emek Hayarden (La Vallée du Jourdain)* 1947, h/t (54x73) : **FRF 38 000** – Tel-Aviv, 30 mai 1989 : *Scène de village, Jaffa* 1977, h/t (60x73) : **USD 8 250** – Londres, 25 oct. 1989 : *Paysage aux alentours de Tel-Aviv*, h/t (55x73) : **GBP 4 070** – Paris, 8 avr. 1990 : *Cabane dans la vallée du Jourdain*, h/t (54,5x73) : **FRF 60 000** – Tel-Aviv, 31 mai 1990 : *Étude de nus féminins*, gche et aquar. sur fus. (64x98,5) : **USD 12 650** – Tel-Aviv, 1er jan. 1991 : *Les fumeurs de narguilé*, past. (38x58) : **USD 1 760** ; *Zikhron Yaacov* 1947, h/t (65,5x55) : **USD 6 600** – Tel-Aviv, 12 juin 1991 : *Fleurs* 1928, h/t (33,5x41,5) : **USD 2 860** – Tel-Aviv, 26 sep. 1991 : *La Vallée du Jourdain* 1947, h/t (54x73) : **USD 9 020** – Tel-Aviv, 4 avr. 1994 : *Paysage*, h/t (54x65) : **USD 10 925** – Tel-Aviv, 24 avr. 1997 : *Portrait de femme* 1929, h/t (50,2x40,3) : **USD 8 000** – Tel-Aviv, 25 oct. 1997 : *Mère et enfant sur une berge de rivière* vers 1925, gche, aquar., encre et brosse/pap. (27,4x22) : **USD 20 700.**

LUBIN Jacques
Né en 1637 à Paris. Mort vers 1695 à Paris. XVIIe siècle. Français.
Graveur.
On cite de lui de nombreux portraits, notamment ceux de Callot et de Seguier et diverses planches d'après Lesueur (*Jésus mis au Tombeau*), Largillère (*Le Comte de Brienne*) et Ph. de Champaigne (*Turenne*). La similitude de style permet de supposer qu'il fut élève de Gérard Edelinck.

LUBIN Jules Désiré
Né le 19 février 1854 à Bonny-sur-Loire (Loiret). XIXe siècle. Français.
Portraitiste et dessinateur.
Élève de Loyer et Bonnat. Débuta au Salon de 1874.
Ventes Publiques : Berne, 1er mai 1980 : *La première dent*, h/pan. (27x22) : **CHF 3 700** – San Francisco, 8 nov. 1984 : *La rixe dans la taverne*, h/t (119x180) : **USD 3 500.**

LUBITCH Ossip
Né le 6 décembre 1896 à Grodno (Russie). Mort en 1990 à Paris. XXe siècle. Actif depuis 1923 en France. Russe.

Peintre de compositions animées, paysages urbains, natures mortes, fleurs, peintre de décors de théâtre, graveur, illustrateur.

Il fut élève de l'École des Beaux-Arts d'Odessa. En 1919, il partit pour Berlin, où, avec son ami Tchelitcheff, il peignit des décors pour le théâtre *L'Oiseau bleu*, pour l'Opéra et d'autres théâtres berlinois. Fixé à Paris, en 1923, il a exposé aux Salons des Tuileries et d'Automne. Il a montré des ensembles de peintures dans des expositions individuelles à Paris, Zurich, Londres, Milan, Jérusalem, New York.

Il a peint des scènes de forains, de très nombreux paysages de Paris. En 1934, il a illustré un album d'eaux-fortes *Cirque*, accompagnées d'un poème de Georges Rouault.

Musées : Paris (Mus. Nat. d'Art Mod.) – Tel-Aviv.

Ventes Publiques : Tel-Aviv, 17 déc. 1984 : *Fleurs* 1936, h/t (41x32) : **USD 1 650** – Paris, 6 avr. 1987 : *Péniches, quai Montebello*, h/t (65x100) : **FRF 28 000** – Paris, 3 fév. 1988 : *Les Toits enneigés*, h/t (41x33) : **FRF 6 100** ; *La Seine à Paris*, aquar. (31x25) : **FRF 3 000** – Paris, 20 mars 1988 : *Le canal Saint-Martin sous la neige*, h/pap. (54x65) : **FRF 15 000** ; *Nature morte*, h/t (27x35) : **FRF 8 000** – Tel-Aviv, 26 mai 1988 : *Fleurs*, h/t (65x54) : **USD 3 300** – Paris, 16 avr. 1989 : *Bateau-lavoir au quai Saint-Michel*, h/t (53x66) : **FRF 40 000** – Tel-Aviv, 30 mai 1989 : *Nature morte* 1930, h/t (33,5x46,2) : **USD 2 200** – Paris, 8 avr. 1990 : *Quai de Montebello*, h/t (65x100) : **FRF 35 000** – Tel-Aviv, 1er jan. 1991 : *Roulottes et personnages*, h/t (46x65) : **USD 2 640** – Paris, 14 avr. 1991 : *Les chevaux de cirque*, h/t (73x50,5) : **FRF 22 000** – Paris, 17 mai 1992 : *Danseuse au miroir*, h/t (90x60) : **FRF 18 000** – New York, 8 nov. 1994 : *Paysage*, h/t (38,1x45,7) : **USD 920** – Paris, 27 mars 1994 : *Les toits de Paris sous la neige*, h/t (55x38,5) : **FRF 8 000**.

LUBLIN Léa

Née en 1929 à Buenos Aires. xxe siècle. Active en France. Argentine.

Peintre, artiste d'installations, multimédia. Conceptuel.

Elle participe à des expositions collectives très nombreuses, dont : en 1965 *La Fête de la Joconde*, galerie Mathias Fels, avec une Mona Lisa dotée d'essuie-glaces ; au Salon de Mai de Paris, où notamment en 1969, dans le décor complexe intitulé *Mon Fils*, elle avait elle-même sa place, tenant et s'occupant de son enfant nouveau-né ; et plus récemment : 1984 *L'Écriture dans la peinture*, Villa Arson, Nice ; 1986 *Nouvelle Génération d'Images*, Centre National d'Art Contemporain, Paris ; 1988 2e Biennale des Arts Électroniques, Rennes ; 1989 *L'Art saisi par l'Ordinateur*, Rennes. Elle expose surtout individuellement depuis 1953, notamment : 1970, Buenos Aires, *Procès à l'image. Éléments pour une réflexion active* ; 1974 *Dedans/Dehors le Musée*, 1977, 1983 Paris, galerie Yvon Lambert ; 1975 Anvers, Centre culturel international ; 1977 *L'Organe sexuel est-il un œil ? ou le regard de Brunelleschi* Paris, galerie Yvon Lambert, et *La Main de Dante ou l'Écran traversé*, Naples, galerie Lucio Amelio ; 1979 *Discours sur l'Art*, Paris, Centre Beaubourg ; 1980 *Le Destin du Désir*, Buenos Aires, galeria del Retiro ; 1983 *Le Strip-tease de l'Enfant-Dieu*, Paris, galerie Yvon Lambert ; 1989 *L'Objet perdu de Marcel Duchamp*, Prieuré de Graville, Le Havre ; 1991 Paris, Fondation Nationale des Arts ; etc.

Dans ses débuts, elle pratiquait une peinture figurative expressionniste. Ce fut en 1964, avec *Lecture des Héros*, qu'elle commença à associer actions et expositions avec pour objectifs, après une phase d'investigations poussées pour chaque cas abordé, de développer des interrogations, d'où n'est pas exclue la psychanalyse, portant sur la perception de l'image, de l'art et de l'histoire des images de notre culture, de situations sociopolitiques, du statut de l'homme et de la femme. Elle vise à mettre en évidence des mécanismes du fonctionnement mental refoulés par la culture collective locale. Le déroulement de tout son travail ultérieur la fait, à juste titre, qualifier d'artiste conceptuelle, qualification qu'elle précise en se disant « artiste conceptuelle visuelle », parce que son « parcours s'articule toujours sur et autour des images ». Chacune de ses réalisations, qui fondent presque toujours ce qu'on peut appeler ses expositions, associe mise en scène et action dans l'espace. Les objets ou objectifs de ses campagnes d'investigations sont divers et assujettis aux opportunités et rencontres. D'entre quelques exemples, elle remarqua, au cours de ses enquêtes dans l'histoire de l'art, que les Madones de la peinture italienne manifestaient une tendance à poser la main sur le sexe de l'enfant Jésus, constat qu'elle développa par des dessins et reproductions ; que le personnage de la fille de Gentileschi, Artémisia, qui peignit une *Judith décapitant Holopherne*, substitut énergique de la castration, avait été violée par son professeur, d'où Léa Lublin écrivit en 1979 *Espace perspectif et désirs interdits d'Artémisia G.* ; que le *Porte-bouteilles* de Duchamp, à qui elle a consacré beaucoup d'attention à partir de 1989, avait son origine dans le porte-cierges d'un prieuré proche du Havre.

Les œuvres de Léa Lublin, c'est à dire ses expositions-spectacles, sont, pour la plus grande part, vouées à l'éphémère. Chaque intervention étant ponctuelle et circonstancielle, leur globalité peut paraître dispersée, discontinue, par rapport à l'œuvre d'un peintre ou d'un sculpteur dont les phases et les réalisations s'enchaînent formellement et découlent les unes des autres. Pourtant, une double cohérence relie ses manifestations : plastiquement, dans ses mises en scène, si disparates qu'en soient les thèmes, une unité de style les personnalise, le style Léa Lublin ; conceptuellement, le lien est encore plus manifeste, Léa Lublin s'est imposée comme le détective subtil de ces « jeux de caches et de déplacements, du visible et de l'invisible, du fond et du fragment » qui rendent les apparences trompeuses, et dont elle extirpe les secrets, révélateurs même si inavouables ou douloureux. ■ Jacques Busse

Bibliogr. : Bernard Tesseydre : Catalogue de l'exposition *Le parcours de Léa Lublin*, Centre culturel intern., Anvers, 1975 – Marc Gimenez : *L'utilisation de l'écran vidéo dans l'œuvre de Léa Lublin*, Centre Beaubourg, Paris, 1977 – Jean-Pierre Bordas : *Léa Lublin*, in : Flash Art, oct. 1983 – Kate Linker : *Léa Lublin*, in : Artforum, oct. 1983 – C. Francblin : *Histoires du passé racontées avec les moyens du futur*, in : Art Press, n° 138, Paris, jul.-août 1989 – Damian Bayon, Roberto Pontual, in : *La peint. de l'Amérique-latine au xxe siècle*, Mengès, Paris, 1990 – Ramon Tio Bellido, J.-H. Martin, C. Francblin, Pierre Restany : Catalogue de l'exposition *Léa Lublin – Temps suspendu*, Fondation Nationale des Arts, Paris 1991, abondante documentation – Maïten Bouiset : *Léa Lublin*, in : Beaux-Arts, Paris, oct. 1991 – Anne Dagbert : *Léa Lublin*, in : Art Press, n° 165, Paris, jan. 1992 – in : *Diction. de l'Art Mod. et Contemp.*, Hazan, Paris, 1992.

Musées : Châteaugiron (FRAC Bretagne) : *La lentille. Les biffures de Marcel* 1990, cibachrome contrecollé sur bois – Paris (FNAC) : *La Mémoire de l'Histoire rencontre la Mémoire de l'Ordinateur* 1985 – Sélestat (FRAC Alsace) : *Le Désir de Dürer* 1983 – *De la nature de la copie : nymphes veillant les corps morts du prix de Rome d'après J.-J. Henner* 1992.

LUBLINSKY Martin Anton

Né en 1643 à Leschnitz. Mort en 1690. xviie siècle. Éc. de Silésie.

Peintre de sujets religieux.

Élève de Screta. On voit des œuvres de lui à Olmutz, notamment des fresques dans l'église collégiale.

LUBOMIRSKA Helene, princesse, plus tard comtesse **Stanislas Mniszech**

Née le 6 janvier 1783. Morte le 14 août 1876. xixe siècle. Polonaise.

Peintre de miniatures amateur.

Elle figura en 1912 à l'Exposition de miniatures de Lemberg avec cinq portraits.

LUBOSKI Richard Wayne

Né en 1934 à St-Joseph (Missouri). Mort le 21 mai 1983 à Paris. xxe siècle. Actif depuis 1959 en France. Américain.

Sculpteur de figures, nus. Tendance surréaliste.

Il fit ses études artistiques à Kansas-City et à New York, avant de venir se fixer à Paris en 1959. Il avait commencé par peindre, et se détermina pour la sculpture à partir de 1954. Il a participé à des expositions collectives, dont, à Paris : 1961 Salon d'Automne ; 1964, 1968 à 1972 Salon de Mai ; 1968 Grands et Jeunes d'Aujourd'hui ; 1968 à 1970 de la Jeune Sculpture ; 1969 Comparaisons. Il a montré des ensembles de ses sculptures dans des expositions personnelles : 1959, 1969, 1972 à Paris ; 1962, 1963, 1964 à St.-Joseph (Missouri) ; 1964 Kansas-City et Washington ; 1966 Genève.

Il élabore ses sculptures à partir de matières plastiques associées à de la fibre de verre, légèrement teintées et translucides, qui autorisent une grande liberté formelle. Traitant son matériau selon une technique inspirée de l'écriture automatique des surréalistes, il laisse les formes s'épanouir au gré des hasards de son travail, les dirigeant toutefois toujours à la ressemblance de formes organiques, jusqu'à ce qui apparaît comme des enchevêtrements de corps. Plusieurs figures, dissociées-recomposées, s'activent à des postures érotiques dans des attitudes et posi-

tions quasi-aériennes, rendues encore plus immatérielles par des effets d'éclairage par translucidité.
Bibliogr. : Denys Chevalier, in : *Nouveau diction. de la sculpt. mod.*, Hazan, Paris, 1970.

LÜBSCHITZ John Leopold
Né le 23 avril 1858 à Copenhague. XIXe siècle. Danois.
Peintre et aquafortiste.
Il étudia l'art de l'eau-forte à Paris de 1893 à 1898. On cite parmi ses œuvres les portraits de *G. Brandes*, de *Fridtjof Nansen*, d'*Émile Zola* (eaux-fortes).

LUC, Frère ou **Lucas**. Voir **FRANÇOIS Claude**

LUC-LE-GAULOIS, pseudonyme de **Jabveneau**
Né le 15 septembre 1901 à Paris. XXe siècle. Français.
Peintre de paysages et scènes animées.
Autodidacte en peinture, il s'apparente aux peintres naïfs.
Élevé à la campagne, il en a gardé un goût profond pour la nature. Il aime aussi retrouver dans sa peinture l'atmosphère de la forêt tropicale, où il a travaillé. Il a aussi peint des fêtes à Bruges.

LUCA, da, de. Voir aussi au prénom

LUCA Ferdinando de
XIXe-XXe siècles. Italien.
Sculpteur de bustes, portraits.
Il était actif à Naples à la fin du XIXe siècle.
Ventes Publiques : Milan, 14 juin 1995 : *Portrait de Giuseppe Verdi* ; *Portrait de Beethoven*, deux sculptures de bronze (H. 23 et 15) : ITL 1 725 000.

LUCA Gasparo de ou **Lucca**. Voir **GASPARO de Luca**

LUCA Gherasim
Né en 1913 à Bucarest. Mort après 1991 à Paris, par suicide. XXe siècle. Actif depuis 1952 en France. Roumain.
Peintre technique mixte, peintre de collages, dessinateur. Surréaliste.
Gilles Deleuze l'a qualifié de « plus grand poète français, mais justement il est d'origine roumaine. » Il était en relation avec Paris, par ses amis roumains Victor Brauner et Jacques Hérold. En 1944, il a adhéré au mouvement surréaliste. En 1945, il a publié un manifeste *Dialectique de la dialectique*, et, arrivé à Paris en 1952, rencontré André Breton. Il a publié ses ouvrages littéraires depuis 1963. Les lectures publiques qu'il fait de sa poésie, depuis 1967, s'apparentent aux performances. Artiste plasticien, il participe à des expositions collectives, notamment : 1989 *La Planète affolée* au Musée de la Vieille Charité, Marseille. Il expose individuellement depuis 1963 à Paris ; en 1979 à Genève ; 1982 Saint-Paul-de-Vence ; 1986 au Musée d'Art Moderne de Villeneuve d'Ascq, et Saint-Paul-de-Vence ; etc.
Sa poésie, fondée sur des jeux phonétiques, des détournements et glissements de sens, l'a conduit à construire par l'image des associations d'idées similaires : les *Cubomanies*, par découpage d'images préexistantes et collages. Il produit aussi des dessins, les *Graphies colorées*, constitués de points et de lignes fragiles qui investissent l'espace du support.
Bibliogr. : In : *Diction. de l'Art Mod. et Contemp.*, Hazan, Paris, 1992 – Giovanni Joppolo, Alain Jouffroy : *Guérasim Luca ou la reconstruction systématique du sens*, in : Opus International, n° 134, automne 1994.
Musées : Paris (FNAC) : *Annunciata* 1983.

LUCA Giuseppe de
XVIIIe siècle. Italien.
Sculpteur amateur.
Il modela en cire, pour des crèches, des aliments (légumes, fromages, saucisses, etc.) et des ustensiles, ainsi que des animaux, surtout des poulets, et quelques têtes de bergers. Le Musée San Martino et le Musée Filangerie à Naples, ainsi que le Musée National bavarois à Munich possèdent de ses œuvres.
Musées : Munich (Mus. Nat. Bavarois) – Naples (Mus. San Martino) – Naples (Mus. Filangerie).

LUCA Luigi de
Né en 1857 à Naples. XIXe-XXe siècles. Italien.
Sculpteur.
En 1883, à l'Exposition de Rome, il présenta *Lalla* tiré de *L'Assommoir* de Zola. À Turin, en 1884, il envoya le *Buste du général della Rocca*, et à Milan, en 1886, *À l'École* et *Filet d'eau*.

LUCA Santo. Voir **SANTO LUCA**

LUCA di Bianca. Voir **BIANCA**

LUCA della Corna
XVIe siècle. Actif à Crémone, en 1505. Italien.
Peintre.

LUCA da Cortona. Voir **SIGNORELLI Luca**

LUCA di Costantini ou **Costantino**
Né au XVIe siècle à Ancône. XVIe siècle. Italien.
Peintre.
On cite parmi ses œuvres deux tableaux : *Sainte Marthe* et *Sainte Madeleine* dans l'église Saint-Roch à Ripatransone (Marche) et à l'église S. Maria del Glorioso à S. Severino deux fresques datées de 1551 et une *Vierge du Rosaire* datée de 1552.

LUCA Fiammingo, appelé aussi **Luca Cornelio** ou **Luca d'Olanda**
XVIe siècle. Italien.
Dessinateur.
Il est mentionné de 1545 à 1554 à différentes reprises comme dessinateur de modèles à la manufacture de tapis de Ferrare. Il est probablement identique à Lucas Cornelisz.

LUCA fiorentino
XVIe siècle. Italien.
Sculpteur sur bois.
Il sculpta en 1539 les stalles du réfectoire du monastère de S. Michele in Bosco près de Bologne.

LUCA fiorentino. Voir aussi **FIORENTINO Luca**

LUCA di Giovanni da Siena
XIVe siècle. Actif à Sienne. Italien.
Sculpteur, architecte.
Il travailla à la façade du Dôme de Florence. On lui attribue deux statuettes d'anges : *Joueur de violon* et *Joueur de cornemuse*, dans le jardin de la Villa Castello près de Florence.

LUCA di Giovanni da Siena
XIVe siècle. Italien.
Sculpteur sur bois.
Il travailla en 1388 avec Barna di Turino aux stalles du Dôme de Sienne. Paraît identique au précédent.

LUCA d'Olanda. Voir l'article **CORNELISZ Lucas C. de Kok**

LUCA di Paolo da Matelica
Né au XVe siècle à Matelica (Province de Macerata). XVe siècle. Italien.
Peintre.
Il peignit en 1474 pour la Confrérie de S. Maria Maggiore à Arcevia un tableau : *Le Christ en gloire*. Une *Annonciation* lui est attribuée à l'Annunziata de Cerreto.

LUCA da Perugia
XVe siècle. Actif à Bologne. Italien.
Peintre.
On cite de sa main une fresque dans l'église S. Petronio à Bologne, datée de 1417.

LUCA da Reggio. Voir **FERRARI Luca**

LUCA della Robbia. Voir **ROBBIA**

LUCA di Tommè
Né en 1330 à Sienne. Mort après 1389. XIVe siècle. Italien.
Peintre de compositions religieuses.
Peintre à Sienne à partir de 1355, il collabora avec Niccolo Tegliacci en 1362. Peu de ses œuvres sont datées et signées, à l'exception de la *Crucifixion* de Pise, datée de 1366 ; le *Polyptyque de la Vierge et l'Enfant entourés de saints* de Sienne, peint en 1367 ; et un autre polyptyque conservé au musée de Rieti et daté de 1370. On lui attribue également une *Madone et anges* à S. Niccolo de Foligno ; un polyptyque peint pour Spolète et aujourd'hui au musée de Pérouse. On lui a attribué bien des œuvres qui lui sont maintenant retirées, comme les fresques de l'autel Dragondelli, à San Domenico d'Arezzo ou le *Couronnement de la Vierge* de Trévise.
Bibliogr. : P. H. Michel, in : *Diction. des Arts et des artistes*, Hazan, Paris, 1967 – in : *Diction. de la peinture italienne*, coll. Essentiels, Larousse, Paris, 1989.
Musées : Cambridge (Fitzwilliam Mus.) : *Madone avec l'Enfant et des anges* – Dérouse (Gal. Nat.) : Polyptyque – Pise (Mus. mun.) : *Crucifixion* 1366 – Princeton, U.S.A. (Mus. de l'Université) : *Vierge à l'Enfant* – Rieti (Mus. civico) : *Vierge à l'Enfant avec des saints* 1370 – Sienne (Gal. des Beaux-Arts) : *Madone avec l'Enfant et des saints* – *Sainte Anne et des saints* – *Mariage de sainte Catherine et des saints.*

Ventes Publiques : Londres, 21 juin 1978 : *L'Adoration des Rois Mages*, h/pan. (41,2x42) : **GBP 75 000** – Paris, 12 déc. 1988 : *Madone et l'Enfant tenant un oiseau*, h/pan. (95x47) : **FRF 2 800 000** – Milan, 4 avr. 1989 : *Crucifixion avec la Vierge et saint Jean*, détrempe/pan. à fond d'or (29,7x19,5) : **ITL 97 000 000** – New York, 31 mai 1991 : *Christ bénissant, un pinacle*, temp./pan. à fond or (40x27,5) : **USD 35 200** – New York, 11 jan. 1996 : *Vierge à l'Enfant avec un oiseau*, temp./pan. à fond or (94,9x47) : **USD 442 500**.

LUCA SCHIAVONE
XVe siècle. Actif à Milan vers 1450. Italien.
Peintre décorateur.
Il dessinait très habilement les broderies pour vêtements d'ecclésiastiques.

LUCADELLO Bernardino
Né vers 1697. Mort en 1745. XVIIIe siècle. Actif à Venise. Italien.
Peintre.
On cite de sa main une *Marie au temple* dans l'église S. Geremia à Venise.

LUCAE Lucas ou **Luce**
Né en 1576. Mort en 1661 à Amsterdam. XVIIe siècle. Hollandais.
Peintre portraitiste.
On conserve de lui, dans la collection Van Toulon Van der Koog, les portraits de Van Eyck et de sa femme.

LUCARDI Vincenzo. Voir **LUCCARDI**

LUCARIELLO Saverio
Né en 1958 à Naples (Campanie). XXe siècle. Italien.
Peintre, dessinateur, sculpteur, créateur d'installations, technique mixte, multimédia. Conceptuel.
Il participe à des expositions collectives : 1997 Fonds régional d'art contemporain Provence Alpes Côte d'Azur à Marseille. Il montre ses œuvres dans des expositions personnelles : 1988 Centre d'art contemporain de Castres ; 1991 École des beaux-arts de Dunkerque, Espace d'Art Contemporain de Paris et cour de l'Hôtel Le Peletier où il présentait une sculpture monumentale de lui ; 1993 galerie Janos à Paris ; 1995 galerie Philippe Rizzo à Paris ; 1996 Centre d'Art de Meymac.
Utilisant divers modes d'expression (peinture, sculpture, photographie), il réalise une œuvre hétéroclite, qui se complaît dans l'évocation du trivial et fonctionne par associations d'idées, notamment dans les séries où il associe paysages et l'artiste photographié en train de rire, se gratter les fesses...
Bibliogr. : Philippe Verge : *Saverio Lucariello – De qui se moque-t-on ?*, Art Press, n° 203, Paris, juin 1995.

LUCAS, maître. Voir **GRÜNEBERGER Lukas**

LUCAS ou **Lujan** ou **Luxan**
XVIe siècle. Espagnol.
Sculpteur sur bois.
Il travailla en 1503 au maître-autel et au tabernacle d'une chapelle de la cathédrale de Tolède et en 1521 aux stalles de Santo Domingo de la Calzada à Valladolid.

LUCAS
XVIe siècle. Actif à Haarlem. Hollandais.
Peintre de compositions religieuses.
Peut-être est-il identique à « Maître Lucas le peintre » mentionné par Bredius, et habitant en 1585 à Amsterdam, ville où il fut enterré en 1591.
Musées : Haarlem : *La Cène*.

LUCAS
XVIe siècle. Hollandais.
Peintre.
Cité par Van Mander. Mentionné à Utrecht en 1567 ; doyen de la gilde en 1596.

LUCAS
XVIIIe siècle. Actif dans la première moitié du XVIIIe siècle. Tchécoslovaque.
Dessinateur.
Frère lai de l'ordre des Carmes déchaussés à Prague. Il fit des dessins pour gravures sur cuivre. A. Birckhart et J. F. Fischer gravèrent d'après lui.

LUCAS Abel François
Né le 8 juillet 1813 à Versigny. XIXe siècle. Français.
Portraitiste et pastelliste.
Élève de Malard. Il exposa au Salon entre 1844 et 1869. Frère de Hippolyte Lucas.

LUCAS Adolphe
XIXe siècle. Actif à Paris. Français.
Portraitiste et paysagiste.
Exposa au Salon de 1848.

LUCAS Albert Dürer
Né en 1828 à Salisbury. Mort en 1918 ou 1919. XIXe-XXe siècles. Britannique.
Peintre de genre, natures mortes, fleurs.
Il figura de 1859 à 1878 aux expositions de Londres. Il était fils de Richard Cockle Lucas.

A.D. Lucas

Ventes Publiques : Londres, 18 mai 1976 : *Fleurs des champs* 1878 et 1884, h/t (40,5x30,5) : **GBP 330** – Londres, 3 juin 1988 : *Les environs de Chilworth* 1865, h/t (25,4x20,5) : **GBP 825** ; *Nature morte aux fleurs sauvages de printemps* 1902, h/verre (20x25,5) : **GBP 550** – Londres, 22 mars 1977 : *Bouquet de fleurs* 1878, h/t (39x29) : **GBP 580** – Londres, 20 mars 1979 : *A reminiscence of Charles Kemble, as Shylock, about 1833* 1885, h/t (29x39,5) : **GBP 950** – Londres, 14 mars 1980 : *Fleurs* 1869,1884, h/t, une paire (24,7x18,5) : **GBP 1 000** – Londres, 3 oct. 1984 : *Fleurs et papillon* 1879, h/t (24x20) : **GBP 3 200** – Londres, 17 juin 1987 : *Fleurs des champs et papillons* 1877, h/t (25x20) : **GBP 3 600** – Londres, 27 sep. 1989 : *Mon déjeuner* 1865, h/t (25,5x20) : **GBP 1 045** – Londres, 11 oct. 1991 : *Bruyère en fleurs* 1901, h/t (25,4x20,3) : **GBP 2 200** – Londres, 13 nov. 1992 : *Papillons bleus et sauterelles parmi des fleurs sauvages* ; *Papillon parmi des jacinthes, des fougères et de la bruyère* 1878, h/t (24x19) : **GBP 3 520** – Londres, 8-9 juin 1993 : *Campanules et papillon* ; *Branche de ronces* 1877, h./ivoire, une paire (chaque 14x11,5) : **GBP 5 980** – Londres, 29 mars 1996 : *Le billet doux* 1873, h/t (38,7x27,9) : **GBP 2 300** – Londres, 8 nov. 1996 : *Les Fiançailles* ; *Le Mariage* 1873, h/pan. et h/t, une paire (41x35) : **GBP 8 000** – Londres, 4 juin 1997 : *Asphodèle, campanules, bruyère, lotier, cuscute* 1862, h/t (27x22) : **GBP 4 830** – Londres, 5 nov. 1997 : *Nature morte à la bruyère et au paon de jour* 1874, h/t (25,5x20) : **GBP 4 600**.

LUCAS Albert Pike
Né au XIXe siècle à Jersey City. XIXe siècle. Actif à New York. Américain.
Peintre de paysages et sculpteur.
Il séjourna de 1882 à 1902 en France et en Italie. Il fut à Paris élève de Boulanger. Dagnan-Bouveret, Courtois et Hébert. Membre du Salmagundi Club. Mention à Paris, 1900.
Musées : New York (Metropolitan) : *Buste de marbre* – Washington D. C. (Nat. Gal.) : *Paysage*.
Ventes Publiques : Portland, 22 sep. 1984 : *« Suzette »* 1894, h/t (40,6x33) : **USD 8 000**.

LUCAS Auger
Né en 1685. Mort le 10 juillet 1765 à Paris. XVIIIe siècle. Français.
Peintre d'histoire.
Petit-fils de Tournière. Il obtint, en 1705, le premier prix de peinture et fut reçu académicien en 1722. Exposa au Salon en 1751.
Musées : Angers : *Zéphire et Flore – Bacchus et Érigone* – Madrid (Ceralbo) : *La Science – La Musique – La Poésie* – Nantes : *Le Printemps, l'Été, l'Automne et l'Hiver* – Versailles (Trianon) : *Acis et Galathée surpris par Polyphème*.
Ventes Publiques : Paris, 17 mars 1987 : *Le Repos de Diane*, h/t mar./pan. (66x81) : **FRF 46 000**.

LUCAS August Georg Friedrich
Né en 1803 à Darmstadt. Mort en 1863 à Darmstadt. XIXe siècle. Allemand.
Peintre de paysages, aquarelliste, dessinateur.
Visita la Suisse et l'Italie ; il était à Rome en 1831. Il prit part à diverses expositions allemandes entre 1837 et 1855.
Musées : Berlin : *Paysage montagneux en Italie* – Darmstadt : *Paysage italien – Même sujet – Paysage d'Allemagne – Même sujet* – Karlsruhe : *Étude de paysage* – Leipzig : *Paysage avec tuilerie à Olevano* – Stuttgart : *Paysage idéal avec bacchantes*.
Ventes Publiques : Munich, 28 nov 1979 : *Vue de Grangiemo avec le Vésuve à l'arrière-plan* 1832, cr. (39x56) : **DEM 5 400** – Londres, 28 nov. 1985 : *Jeune femme nue tenant un pichet* vers

1829-1834, cr. et pl. (20x12,9) : **GBP 3 800** – HEIDELBERG, 14 oct. 1988 : *Paysage italien accidenté avec un château* 1831, cr. (19x27) : **DEM 1 850** – NEW YORK, 13 oct. 1993 : *Ramasseurs de fagots avec le château de Heidelberg au loin* 1860, h/t (102,9x149,9) : **USD 134 500**.

LUCAS David
Né le 18 août 1802. Mort en 1881. XIXe siècle. Britannique.
Graveur.
Il fut élève de S. W. Reynolds. Il grava surtout d'après Constable, et également d'après Gainsborough, Hoppner, E. Isabey, H. Vernet, etc.
BIBLIOGR. : Andrew Shirley : *The Published Mezzotints of David Lucas after John Constable*, Londres, 1930.

LUCAS Désiré. Voir **DÉSIRÉ-LUCAS Louis Marie**

LUCAS Edward George Handel
Né en 1861 ou 1863. Mort en 1936. XIXe-XXe siècles. Actif à Croydon près de Londres. Britannique.
Peintre de genre, intérieurs, paysages urbains, natures mortes.
Il figura de 1875 à 1899 aux expositions de Londres avec des tableaux de genre, des intérieurs, des vues (Rome, Capri, etc.).
VENTES PUBLIQUES : LONDRES, 20 juin 1972 : *Nature morte* 1913 : **GBP 2 000** – LONDRES, 4 oct. 1973 : *Nature morte* : **GNS 3 800** – LONDRES, 29 juin 1976 : *Nature morte* 1897, h/pan. (30,5x35,5) : **GBP 3 200** – LONDRES, 25 oct. 1977 : *Chanson sans paroles* 1909, h/pan. ronde (diam. 27) : **GBP 1 400** – LONDRES, 12 déc. 1978 : *The Spirit of Purity* 1926, h/cart. (37x29) : **GBP 800** – LONDRES, 6 nov. 1980 : *Silent Advocates of Temperance* 1891, h/pan. (27,5x35,5) : **GBP 2 500** – NEW YORK, 13 fév. 1985 : *Of the olden times, and maybe thought too slow* 1882, h/t (21x31) : **USD 3 500** – LONDRES, 11 juin 1993 : *Quand le chat n'est pas là, les souris dansent...* 1881, h/cart. (21x15,9) : **GBP 2 530** – NEW YORK, 28 mai 1993 : *Primevères*, h/t (45,8x35,5) : **USD 1 725** – LONDRES, 30 mars 1994 : *Les Quatre Saisons* 1879, h/cart., ensemble de quatre peintures (chaque 15x20) : **GBP 10 810** – LONDRES, 6 nov. 1996 : *Les Quatre Saisons* 1879, h/cart., ensemble de quatre peintures (chaque 15x20) : **GBP 9 660** – LONDRES, 4 juin 1997 : *La Route de la ruine ou La Raison de nombre de tristesses* 1902-1903, h/pan. (43,5x37) : **GBP 21 275**.

LUCAS Evelyn
XIXe-XXe siècles. Britannique.
Peintre.
Elle travailla à Londres, où elle figura de 1886 à 1904 aux expositions de la Royal Academy.

LUCAS François
XVIIe siècle. Français.
Peintre de genre, portraits, vues, graveur.
Élève de Van Dyck. Il a gravé des vues et des sujets de genre.
MUSÉES : DOUAI : *Portrait d'homme*.

LUCAS François
Né vers 1715. XVIIIe siècle. Actif à Paris. Français.
Graveur.
Il grava d'après Callot, E. Jeaurat, Jordaens, etc.

LUCAS François
Né en 1736 à Toulouse (Haute-Garonne). Mort le 17 septembre 1813 à Toulouse. XVIIIe-XIXe siècles. Français.
Sculpteur de monuments, tombeaux.
Il était fils de Pierre Lucas et son élève, ainsi qu'élève de l'École des Beaux-Arts de Toulouse où il obtint un grand prix en 1761. En 1774, il séjourna en Italie où il entreprit à Carrare l'exécution de son grand relief en marbre *La jonction des deux mers*, placé au confluent du canal du Languedoc et de la Garonne. On cite parmi ses œuvres le tombeau de *Mégret d'Étigny* dans la cathédrale Sainte-Marie à Auch.
MUSÉES : NARBONNE : *Marie et l'Enfant*, terre cuite – *Flagellation d'une martyre*, bas-relief en terre cuite – *Le Christ, Sybille, les apôtres*, médaillon en terre cuite.

LUCAS Friedrich Wilhelm
Né le 28 mars 1815 à Hambourg. Mort le 25 avril 1898 à Hambourg. XIXe siècle. Allemand.
Peintre.
Il fut peintre de théâtre et de paysages.

LUCAS Georg
Né le 8 janvier 1893 à Paderborn. XXe siècle. Actif à Paderborn. Allemand.
Peintre et sculpteur.
MUSÉES : MUNSTER (Mus. Nat.) : *Paysage de Westphalie* – *Coq*, bronze, grandeur nature.

LUCAS George
XIXe siècle. Actif de 1863 à 1899. Britannique.
Peintre de paysages.
Il exposa à la Royal Academy, en 1877 : *Champ de blé dans le Surrey*.
MUSÉES : BRISTOL : *Champ de blé dans le Surrey*.
VENTES PUBLIQUES : COLOGNE, 26 mars 1976 : *Paysage*, h/t (60x80) : **DEM 1 000** – COLOGNE, 23 mars 1990 : *Paysage*, h/t (50x70) : **DEM 1 400** – LONDRES, 8 nov. 1996 : *Champs parés d'or*, aquar. et gche (67,3x101,6) : **GBP 4 500**.

LUCAS Gottfried
XVIIe siècle. Actif à Dresde. Allemand.
Peintre.

LUCAS Hippolyte
Né au XIXe siècle à Versigny. XIXe siècle. Français.
Peintre de genre et portraitiste.
Élève de Malard. Il exposa au Salon, de 1841 à 1864.
VENTES PUBLIQUES : PARIS, les 4-5 juin 1903 : *Une passante* : **FRF 112** – PARIS, 29 oct. 1919 : *Jeune fille au chien* : **FRF 300** – PARIS, 15 nov. 1919 : *Chanteurs de rues, Espagne* : **FRF 405**.

LUCAS Hippolyte Marie-Félix. Voir **HIPPOLYTE-LUCAS**

LUCAS Horatio Joseph
Né le 27 mai 1839. Mort le 18 décembre 1873 à Londres. XIXe siècle. Britannique.
Aquafortiste amateur.
Il figura aux expositions de la Royal Academy de Londres de 1870 à 1873.

LUCAS James G. S.
XIXe siècle. Actif dans la première moitié du XIXe siècle. Britannique.
Graveur à la manière noire.
On mentionne de sa main des planches d'après John Martin et d'après Horace Vernet.

LUCAS Jan
XVIe siècle. Actif à Delft. Hollandais.
Peintre.

LUCAS Jean
Né en 1823 à Paris. XIXe siècle. Français.
Peintre de paysages, architectures, aquarelliste.
Élève de Justin-Ouvrier. Il exposa au Salon, de 1861 à 1870 des vues de Venise et de la Côte d'Azur.
MUSÉES : BRUXELLES : *Un port*.
VENTES PUBLIQUES : BERNE, 26 oct. 1988 : *Panorama côtier en Orient* 1850, h/t (45x31) : **CHF 1 800**.

LUCAS Jean
Né en 1874 dans les Côtes-d'Armor. Mort en 1941 à Paris. XIXe-XXe siècles. Français.
Peintre de scènes typiques, marines. Naïf.
Marin dans sa première jeunesse, puis aide-comptable, il meubla la monotonie d'une vie quelconque de ses souvenirs et de ses rêves, matérialisés par la magie de la peinture.
Peignant surtout pour faire des cadeaux à ses amis, si l'on rencontre souvent sous son pinceau des scènes de la vie des marins, des marines aux bateaux méticuleusement reproduits, des vues des ports qu'il a connus, nombreuses sont aussi les scènes du cirque, qu'il destinait à un ami, ancien du chapiteau, qui l'avait introduit dans cet univers où le rêve est encore licite.
BIBLIOGR. : Anatole Jakovsky, in : *La peinture naïve*, Damase, Paris, s. d., 1949.

LUCAS Jean Antoine
XIXe siècle. Actif à Paris. Français.
Peintre de paysages et d'architectures.
Exposa au Salon de 1840.

LUCAS Jean Paul
Mort en 1808 à Toulouse. XVIIIe siècle. Français.
Peintre.
Il fut l'organisateur du Musée de Toulouse et en publia le catalogue.

LUCAS Jean Robert Nicolas. Voir **LUCAS DE MONTIGNY**

LUCAS Johann Simon
XVIIe siècle. Actif à Dresde. Allemand.
Peintre.

LUCAS John
Né le 4 juillet 1807. Mort le 30 avril 1874. XIXe siècle. Britannique.
Peintre de portraits.
Artiste très apprécié à Londres. On cite de lui notamment : les portraits de *Wellington* (Musée de Dublin) et de *Mary Russel Milfort* (National Portrait Gallery, à Londres).
Musées : Dublin : *Portrait de Wellington* – Londres (Nat. Portrait Gal.) : *Mary Russel Milfort.*
Ventes Publiques : Londres, 6 jan. 1976 : *La petite mère*, h/t haut arrondi (74x61) : **GBP 260** – Londres, 17 fév. 1984 : *Portrait of the Countess of Munster*, h/t (91,5x71,1) : **GBP 900** – Londres, 18 nov. 1992 : *Son Altesse Royale le Prince Albert avec la Princesse Royale Victoria et son chien Eos* 1843, h/t (43x36) : **GBP 11 000** – Ludlow (Shropshire), 29 sep. 1994 : *Portrait de Sir William Russell ; Portrait de Sophia, lady Russell sa femme*, h/t, une paire (76x63,5) : **GBP 1 092.**

LUCAS John Seymour
Né en 1849 à Londres. Mort le 8 mai 1923 à Londres. XIXe-XXe siècles. Britannique.
Peintre d'histoire, de portraits, scènes de genre, aquarelliste.
Après avoir suivi une formation de sculpteur, il se voua à la peinture et fut élève de son père, le portraitiste John Lucas. Il fit un voyage en Espagne, afin d'étudier la technique des peintres espagnols. À Londres, il exposa régulièrement, à partir de 1871, à la Royal Academy, et y fut élu académicien en 1898.
Il a touché à des genres très différents, scènes familières, comme aussi bien scènes militaires.
Musées : Birmingham : *Lancelot Kennedy lisant l'Évangile à sir Thomas Kennedy* – Leicester : *Le Fouet pour Van Tromp* – Sydney : *The Gordon Riott – L'Invincible Armada.*
Ventes Publiques : Londres, 11 nov. 1921 : *Portrait du duc de Wellington* : **GBP 42** – Londres, 21 mars 1924 : *Cantonnement* : **GBP 147** – Londres, 9 avr. 1924 : *Stratégie* : **GBP 409** – Londres, 16 juil. 1926 : *L'Entr'acte* : **GBP 126** – New York, 25 mars 1931 : *Gentilhomme puritain* : **USD 200** – Londres, 19 mai 1971 : *Le Violoncelliste* 1904 : **GBP 240** – Londres, 28 jan. 1977 : *La nouvelle épinette* 1916, h/t (69x90) : **GBP 1 100** – Londres, 21 juil. 1978 : *You don't say so* 1883, h/t (34,2x43,7) : **GBP 800** – Londres, 11 nov. 1986 : *The days bag* 1885, h/t (53x69) : **GBP 1 800** – Londres, 11 oct. 1991 : *L'appel des conscrits* 1894, h/t (65,1x99) : **GBP 9 900** – Milan, 7 nov. 1991 : *Corsia dei Servi à Milan*, aquar./pap. (41,5x30) : **ITL 3 600 000** – New York, 28 mai 1993 : *Le duo interrompu*, h/t (33x43,4) : **USD 5 175** – Londres, 11 juin 1993 : *L'appel aux armes* 1894, h/t (65,1x99) : **GBP 8 625** – Londres, 25 mars 1994 : *Une question inattendue* 1922, h/t (48,5x66,3) : **GBP 3 910** – Londres, 10 mars 1995 : *Les belles plumes font les jolis oiseaux* 1884, h/t (51x67) : **GBP 2 070.**

LUCAS John Templeton
Né en 1836. Mort en 1880 à Whitby. XIXe siècle. Britannique.
Peintre de portraits.
Fils de John Lucas. Il exposa à la Royal Academy et à la Society of British Artists. Auteur dramatique et fabuliste, il est aussi connu comme peintre.

Ventes Publiques : Londres, 14 juin 1977 : *Christmas spirit* 1878, h/t (44x60) : **GBP 750** – Londres, 14 juil. 1983 : *L'Arrestation du braconnier* 1874, h/t (71x91,5) : **GBP 3 000.**

LUCAS Louis
Né au XIXe siècle à Paris. XIXe siècle. Français.
Graveur.
Élève de Flameng, Delaunay et Puvis de Chavannes. Il débuta au Salon en 1878. Il a gravé d'après Fragonard, Tiepolo et les maîtres espagnols.

LUCAS Marie, née **Cornelissen**
Morte en novembre 1921. XIXe-XXe siècles. Britannique.
Peintre de portraits, scènes de genre.
Elle était la femme de John Seymour Lucas.
Ventes Publiques : Londres, 1er juil. 1980 : *Types of English beauty*, h/t (30,5x45,5) : **GBP 1 550.**

LUCAS Mary, épouse **Scott**
XXe siècle. Britannique.
Peintre, sculpteur.
Elle fut élève de la Royal Academy School de Londres, où elle rencontra le peintre William Scott, qu'elle épousa en 1937. Avec lui, elle séjourna à Pont-Aven.
Ventes Publiques : Paris, 13 déc. 1996 : *Poule faisanne*, bronze (H. 40, l. 65) : **FRF 5 400.**

LUCAS May Lancaster
XIXe-XXe siècles. Britannique.
Peintre.
Elle figura au Salon des Artistes Français à Paris, de 1888 à 1910. Elle vécut et travailla à Londres, où elle figura, de 1891 à 1910, aux expositions de la Royal Academy.

LUCAS Pierre
Né en 1691 à Toulouse (Haute-Garonne). Mort en 1752 à Toulouse. XVIIIe siècle. Français.
Sculpteur.
Il fut un des fondateurs de l'Académie des Beaux-Arts de Toulouse.
Musées : Toulouse : *Buste du peintre Crozat – Borée et Zephyr.*

LUCAS Pierre Robert
Né en 1913 à Condat-le-Lardin (Dordogne). Mort le 24 mars 1978 à Paris. XXe siècle. Français.
Peintre de compositions à personnages, compositions décoratives, paysages, marines, paysages d'eau, natures mortes, fleurs, peintre à la gouache, aquarelliste, illustrateur, céramiste.
Après ses études secondaires à Périgueux, il entra, en 1932, à l'atelier de André Devambez à l'École des Beaux-Arts de Paris. Il obtint le Premier Grand Prix de Rome en 1937, son séjour en Italie, où il a beaucoup circulé, étant interrompu par la guerre et sa propre mobilisation. Il se fixa ensuite à Paris, séjournant souvent, depuis l'enfance, dans le Morbihan. Il exposa régulièrement à Paris, au Salon des Artistes Français, dont il était sociétaire depuis 1935 avec la médaille d'argent ; médaille d'or et Prix Marie Bashkirtseff en 1936, hors-concours en 1937, à l'occasion de l'Exposition Internationale. Il a montré des ensembles de ses œuvres dans des expositions personnelles, à Lyon, Nantes, La Baule, et à Paris dans les galeries Allard et Carmine.
L'État lui a commandé un panneau décoratif de soixante mètres de large pour la Salle des Fêtes de l'Hôtel de Ville de Saint-Maur-les-Fossés. L'Administration des Postes lui a commandé des maquettes de timbres : Andorre, Amiens, Beauvais, Clément Marot, Charles Gounod. Il a aussi produit des compositions à personnages, notamment de la comédie italienne, des projets de vitraux et de tapisseries sur des sujets mythologiques, des combats de coqs et de fleurs. À l'huile, à la gouache et aquarelle, il a peint des paysages de son séjour en Italie, Florence, Assise, Sienne, Pise, Naples, Venise, d'Albanie et de Grèce, puis de très nombreuses marines, prises sur le motif, du Finistère jusqu'en Vendée, et des paysages de bords de Marne et de Seine en Île-de-France. Certaines de ses peintures de jeunesse, de Venise notamment, manifestent une influence postimpressionniste. Ses peintures de la maturité sont plus construites, comme s'il avait été sensible à certains aspects du postcubisme.
Musées : Brantome – Périgueux.

LUCAS Ralph W.
XIXe siècle. Britannique.
Peintre de paysages animés.
Il travailla à Blackheath (Londres) et à Greenwich, et exposa de 1821 à 1852.
Ventes Publiques : Londres, 23 mai 1985 : *Fleurs*, aquar./trait de cr., suite de soixante quatorze : **GBP 1 600** – Londres, 19 déc. 1991 : *Bûcherons dans une clairière avec le château de Windsor au fond*, h/t (111,8x87,6) : **GBP 4 070.**

LUCAS Richard
Né en 1925 à Bruxelles. Mort en 1977 à Laeken. XXe siècle. Belge.
Peintre, technique mixte, peintre de cartons de tapisseries, mosaïques, lithographe. Abstrait-paysagiste.
Il fut élève de l'Académie des Beaux-Arts de Bruxelles. Il ouvrit une galerie d'art, où il exposait les artistes qu'il affectionnait, et dont il éditait des lithographies : Broodthaers, Bury, Guiette, Reinhoud, Wallace Ting, etc. Au double titre d'artiste et de directeur de galerie, un hommage lui a été rendu en 1992.
Il travaille parfois sur Plexiglas. Dans une manière apparentée à

l'expressionnisme aussi bien qu'à l'abstraction-lyrique, il évoque des paysages oniriques et mystérieux.

Bibliogr. : In : *Diction. biograph. illustré des Artistes en Belgique depuis 1830*, Arto, Bruxelles, 1987.
Ventes Publiques : Lokeren, 28 mai 1988 : *Composition rouge* 1962, h/t (100x81) : **BEF 40 000**.

LUCAS Richard Cockle
Né le 4 octobre 1800 à Salisbury. Mort le 18 janvier 1883 à Chilworth près de Winchester. xixe siècle. Britannique.
Sculpteur, aquafortiste et graveur.
Il exposa à partir de 1829 à la Royal Academy des bustes, des médaillons, des groupes mythologiques. On cite de ses œuvres à la cathédrale de Salisbury, à Southampton, à Lichfield. Il s'occupa des sculptures du Parthénon et publia un ouvrage : *Remarques sur le Parthénon*, avec eaux-fortes de sa main. Il fit également des eaux-fortes d'après presque toutes ses sculptures et grava de nombreuses planches originales. Il fit les portraits de nombreuses personnalités. Le Musée Bethnal Green à Londres possède un grand nombre de ses œuvres et la National Gallery le buste en plâtre de l'artiste par lui-même. Le British Museum conserve des albums avec eaux-fortes de sa main et photographies.

LUCAS Samuel
Né en 1805 à Hitchin. Mort en 1870 à Hitchin. xixe siècle. Britannique.
Peintre d'oiseaux, paysages, fleurs.
Le British Museum conserve 31 dessins de sa main.
Musées : Londres (British Mus.).

LUCAS Sarah
Née en 1962. xxe siècle. Britannique.
Artiste, auteur d'installations, technique mixte.
Elle est issue du milieu ouvrier. Elle vit et travaille à Londres, où elle a ouvert un magasin proposant des multiples réalisés par leurs soins et destinés au plus grand nombre.
Elle participe à des expositions collectives, dont : 1994, *Brilliant ! New art from London*, Walker Art Center de Minneapolis ; 1996, *Life/Live. La scène artistique au Royaume-Uni en 1996*, Musée d'Art Moderne de la Ville de Paris. Elle montre ses œuvres dans des expositions personnelles notamment en 1995 à la galerie Barbara Gladstone à New York, en 1996 au Museum Boymans-van Beunigen à Rotterdam.
Elle travaille fréquemment à partir d'images crues, agressives (photocopies couleur, photographies), d'objets bruts assemblés (lames de rasoirs enfoncées dans des Doc Martens à la place des orteils) qu'elle présente sans artifice : « Je montre ce que je sais faire. J'aime l'aspect artisanal de ce que je sais faire. Je ne cherche pas à peaufiner, j'aime le côté miteux de l'envers de l'objet. Il suffit qu'une chose soit acceptable pour être parfaite ».
Bibliogr. : Mark Sladen : *Cinq Champions du vice*, Art Press, n° 214, Paris, juin 1996.

LUCAS Seymour. Voir **LUCAS John Seymour**

LUCAS Wilhelm, dit **Willy**
Né le 20 février 1884 à Driburg. Mort le 6 avril 1918 à Partenkirchen. xxe siècle. Allemand.
Peintre de paysages, paysages urbains.
Il vivait et travaillait à Düsseldorf.
Ventes Publiques : Munich, 30 nov 1979 : *Café en plein air* vers 1910, h/t (45,5x65,5) : **DEM 6 400** – Cologne, 20 mars 1981 : *Personnages sur une place à Düsseldorf*, h/t (67x76) : **DEM 9 500** – Cologne, 24 juin 1983 : *Le Port de Dordrecht*, h/t (130x170) : **DEM 11 000** – Cologne, 21 nov. 1985 : *Vue de Mecheln* 1913, h/t (60x79) : **DEM 9 000** – Cologne, 3 juil. 1987 : *Vue d'un village*, h/t (60x80) : **DEM 5 000** – Cologne, 20 oct. 1989 : *Été à Porto Fino*, h/t (80x60) : **DEM 3 800** – Cologne, 29 juin 1990 : *Cologne en avril*, h/t (101x81) : **DEM 13 000**.

LUCAS William
Né vers 1840. Mort le 27 avril 1895 à Londres. xixe siècle. Actif à Londres. Britannique.
Peintre, aquarelliste.

LUCAS de Aques. Voir **AQUES**

LUCAS Van LEYDEN ou **Van Leyde**, appelé aussi **Lukas Huygenz**
Né en mai ou juin 1494 à Leyde, ou en 1489 selon d'autres sources. Mort en 1533 à Leyde. xvie siècle. Hollandais.
Peintre et graveur.
D'après le Dr Von Wurtzbach, il fut élève de son père le peintre Huygh Jacobsz, puis de Cornelis Engelbrechtsz ; avec le fils aîné de celui-ci le peintre verrier Pieter Cornelisz il apprit la peinture sur verre ; à neuf ans, dit Van Mander, il faisait déjà des gravures, mais peut-être les gravures de cette date sont-elles de son père ou de son maître ; à douze ans il peignit à l'œuf l'histoire de saint Hubert pour Van Lochhorst ; en 1515 il épousa Elisabeth Van Boschuyzen, d'une des plus nobles familles de Leyde, dont il avait eu une fille l'année précédente ; on le trouve dans les listes d'arquebusiers de Leyde en 1514, 1515 et 1519 ; en juin 1521 il alla à Anvers où il connut Albert Dürer, et est mentionné dans les Liggeren sous le nom de Lukas de Holandere. En 1527, selon Van Mander, il alla à Middelbourg voir Jan Mabuse et voyagea avec lui à Gand, Malines et Anvers ; il fut malade pendant presque tout le reste de sa vie. Peu avant sa mort, sa fille mariée au peintre Hoey donna le jour à un enfant qui fut le peintre Lukas Dammerts ou Dammesz Van Hoey (mort à Utrecht en 1604) et dont le frère puîné Jan Dammesz Van Hoey vivait encore en 1604 comme peintre à la cour de France. Parmi les peintures de Van Leyden un très petit nombre peut lui être attribué avec certitude ; il est d'ailleurs plus graveur que peintre. À travers ses peintures se dégagent quelques-unes des sollicitudes qui l'ont attiré : le maniérisme italien, l'art de J. Bosch, de Quentin Metsys et la peinture germanique. L'une de ses peintures les plus connues est *Loth et ses filles* (Louvre), œuvre qui à elle seule nous fait découvrir diverses tendances. Le type de paysage reprend des compositions de Patinir, les couleurs sont maniéristes et éclatent dans la nuit, certains détails rappellent Bosch. Ses scènes de genre, tels *Les joueurs de cartes* et *Joueurs d'échecs* évoquent l'art de Quentin Metsys. En gravure, son art, jusque vers 1510, est moins appuyé que celui de Dürer, dont il s'inspire davantage ensuite. Dürer lui-même l'estimait beaucoup, il devait apprécier la subtilité avec laquelle il procédait par dégradés successifs pour suggérer la perspective aérienne. En gravure, comme en peinture, Lucas Van Leyden est attiré par l'art de l'Italie, et alors, soit vers 1530, son trait devient plus lourd. Mais certaines de ses gravures exécutées entre 1510 et 1517, tels *l'Enfant prodigue* ou *l'Ecce Homo*, auront un écho jusque dans l'art de Brueghel l'Ancien. Ses scènes populaires, tels le *Gueux*, *l'Espiègle* ou *la Laitière*, ne seront pas sans influencer les peintres hollandais et flamands postérieurs. Finalement, il semble que c'est surtout dans son œuvre gravé que les peintres ont, par la suite, puisé une force nouvelle.

Bibliogr. : Beets : *Lucas de Leyde*, Bruxelles, 1913 – R. Genaille, in : *Dictionnaire de l'Art et des Artistes*, Hazan, Paris, 1967 – T. Volbehr : *Lucas van Leyden. Verzeichnis seiner Kupferstiche, Radierungen und Holzschnitte*, Hambourg, 1988.
Musées : Aix-en-Provence : *Le chirurgien*, d'après Lucas Van Leyden – Aix-la-Chapelle : *La Cène*, triptyque – Amsterdam : *Le sermon* – Bergame (Acad. Carrara) : *Saint Sébastien* – Berlin : *La partie d'échecs* – *Saint Jérôme* – *La Vierge, l'Enfant Jésus, anges* – *Suzanne devant les juges* – *La femme de Putiphar* – *Joueurs de cartes* – Bonn : *L'Adoration des Mages*, d'après Lucas Van Leyden – Boston : *Moïse faisant jaillir l'eau du rocher* – Brême : *Daniel rendant la justice* – Brunswick : *Autoportrait* – Bruxelles : *Tentation de saint Antoine* – La Fère : *La Crucifixion* – Florence : *L'auteur* – *Un jeune homme* – *Jésus couronné d'épines* – Gênes : *Portrait d'homme* – *Saint Jérôme* – Genève (Ariana) : *La Vierge au raisin* – Glasgow : *Les musiciens* – Karlsruhe : *Saint André* – Leyde : *Le jugement dernier* – *Portrait d'homme* – *Danse autour du Veau d'Or* – Londres : *Portrait d'homme* – Munich : *La Vierge* – *Annonciation* – Nancy : *La Passion du Christ* – Nuremberg (Mus. Germ.) : *Moïse frappant le rocher* – Oslo : *Madone* – Paris (Mus. du Louvre) : *Loth et ses filles* – Rome (Colonna) : *Portrait* – Rome

(Doria-Pamphil) : *Le repos en Égypte* – SAINT-PÉTERSBOURG (Mus. de l'Ermitage) : *Guérison des aveugles de Jéricho*, triptyque – VIENNE : *Tentation de saint Antoine* – *Maximilien Ier*.

VENTES PUBLIQUES : PARIS, 1850 : *L'Adoration des Mages* : **FRF 9 345** ; *Descente de croix* : **FRF 14 700** – PARIS, 1870 : *Triptyque* : **FRF 6 200** – LONDRES, déc. 1873 : *Loth et ses filles* : **FRF 4 005** – PARIS, 1881 : *La Nativité* : **FRF 13 000** – PARIS, 14-17 mai 1898 : *L'Adoration des Mages* : **FRF 5 100** – PARIS, 29 novembre-2 déc. 1899 : *Portrait d'homme à béret rouge* : **FRF 14 000** – PARIS, 1900 : *La Vie et la Passion de Jésus-Christ* : **FRF 8 200** – PARIS, 14 avr. 1907 : *Le duo* : **FRF 3 500** – LONDRES, 7 mai 1909 : *Portrait de l'artiste* : **GBP 136** – NEW YORK, 20 jan. 1911 : *L'Adoration des Rois*, triptyque : **USD 950** – LONDRES, 7 juil. 1922 : *Descente de Croix* : **GBP 304** – LONDRES, 12 fév. 1938 : *Crucifixion* : **GBP 152** – PARIS, 16 fév. 1939 : *Le Christ* ; *La Vierge*, deux peint. Attr. : **FRF 40 000** – LONDRES, 12 sep. 1941 : *Adoration des Mages* : **GBP 388** – PARIS, 13 déc. 1943 : *La Vierge* ; *l'Enfant et deux anges*, attr. : **FRF 62 500** – PARIS, 7 fév. 1944 : *Les Joueurs de tric-trac*, École de Lucas v. L. : **FRF 220 000** – LONDRES, 1er déc. 1944 : *Résurrection de Lazare* : **GBP 609** – PARIS, 27 déc. 1944 : *Scène de la vie du Christ*, École de Lucas v. L. : **FRF 54 500** – LONDRES, 11 oct. 1946 : *Esther et Assuérus* : **GBP 735** – LONDRES, 9 mai 1947 : *Procession* : **GBP 294** – PARIS, 4 juin 1947 : *Défilé de guerriers*, pl. et lavis. attr. : **FRF 5 100** – PARIS, 25 mai 1949 : *Vierge à l'Enfant* : **FRF 1 300 000** – PARIS, 29 jan. 1957 : *Portrait d'un jeune homme* : **FRF 1 200 000** – LONDRES, 26 juin 1957 : *La Nativité* : **GBP 1 500** – COLOGNE, 2 et 6 nov. 1961 : *Le Christ et les Samaritains à la fontaine* : **DEM 10 000** – PARIS, 6 oct. 1976 : *Le grand Ecce Homo* 1510, burin du 1er état/3 : **FRF 40 000** – MUNICH, 27 mai 1977 : *L'Adoration des Rois Mages* 1513, grav./cuivre : **DEM 4 000** – BERNE, 21 juin 1979 : *Herodias recevant la tête de saint Jean* 1514, grav./bois : **CHF 18 000** – LONDRES, 1er déc. 1981 : *Le Triomphe de Mardochée*, grav./cuivre (21,1x28,8) : **GBP 7 000** – LONDRES, 6 déc. 1983 : *Samson et Dalila*, grav./cuivre (28,2x20,2) : **GBP 3 200** – NEW YORK, 8 nov. 1984 : *Idolâtre de Salomon*, grav./cuivre (17,1x13,1) : **USD 2 300** – LONDRES, 5 déc. 1985 : *L'Empereur Maximilien I* 1520, eau-forte et burin/pap. filigrané (26,1x19,6) : **GBP 65 000** – PARIS, 6 nov. 1991 : *La danse de Ste Marie Madeleine* 1519, burin (28,7x39,1) : **FRF 5 500** – HEIDELBERG, 11 avr. 1992 : *Saint Jérôme dans le désert*, cuivre gravé (15,2x13,5) : **DEM 1 000** – HEIDELBERG, 15-16 oct. 1993 : *La septième vertu*, cuivre (16,5x11) : **DEM 5 800** – PARIS, 18 juin 1994 : *Les deux vieillards apercevant Suzanne au bain* 1508, burin (14,6x19,5) : **FRF 13 800**.

LUCAS von Lowicz ou **Lukasz Lowicza**

XVIIe siècle. Polonais.

Peintre.

Il peignit des fresques dans une chapelle de la cathédrale de Gnesen (Prusse). On cite également de sa main des peintures au monastère de Czerwinsk.

LUCAS de MONTIGNY

Né en 1747 à Rouen. Mort en 1810 à Paris. XVIIIe-XIXe siècles. Français.

Sculpteur de figures, bustes, portraits.

MUSÉES : PARIS (Louvre) : *Buste de Mirabeau* – *L'actrice Antoinette Clavel dans le rôle de Didon*, statuette.

LUCAS-LUCAS Henry Frederick

Né en 1848. Mort en 1943. XIXe-XXe siècles. Britannique.

Peintre animalier.

Il s'est spécialisé dans le portrait de chevaux, de selle, de sport et de course, et un peu aussi des chiens de chasse.

VENTES PUBLIQUES : NEW YORK, 7 juin 1985 : *A game of polo at Rugby* 1900, h/t (84,4x152,4) : **USD 35 000** – LONDRES, 27 jan. 1986 : *La Partie de polo* 1893, h/t (25,5x56) : **BEF 3 400** – NEW YORK, 9 juin 1988 : *Poneys de polo à Rugby Warwickshire* 1898, h/t (45,7x76,2) : **USD 12 100** – LONDRES, 13 déc. 1989 : *Le cheval « Make Haste »* 1887, h/t (51x66) : **GBP 1 210** – LONDRES, 13 juin 1990 : *« Kilcock » monté par son jockey*, h/t (51x66,5) : **GBP 1 760** – NEW YORK, 21 mai 1991 : *Portrait du cheval Whetstone dans son écurie* 1915, h/t (30,1x51) : **USD 2 750** – LONDRES, 3 juin 1992 : *Les chevaux « Barsac » et « Roughside »*, h/t, une paire (chaque 71x91,5) : **GBP 3 960** – NEW YORK, 5 juin 1992 : *« Rugby » : cheval noir avec son palefrenier près d'une étable* 1879, h/t (59,7x76,2) : **USD 1 760** – PARIS, 17 nov. 1992 : *Portrait de « Minting »* 1888, h/t (49,5x65,5) : **FRF 14 000** – LONDRES, 25 mars 1994 : *Mickey – un pékinois* 1916, h/t (22,9x30,5) : **GBP 1 495** – NEW YORK, 3 juin 1994 : *La meute traquant une proie au pied d'un chêne*, h/t (76,2x152,4) : **USD 19 550** – NEW YORK, 9 juin 1995 : *Vers la ligne de départ pour le derby de Persimmon* 1896, h/t (25,4x55,9) : **USD 20 700**.

LUCAS Y PADILLA Eugenio. Voir aussi **LUCAS-VELAZQUEZ**

LUCAS Y PADILLA Eugenio

Né en 1824 à Alcala de Henares. Mort le 11 septembre 1870 à Madrid. XIXe siècle. Espagnol.

Peintre de scènes de guerre, sujets de genre, figures, fresquiste.

Il fut élève de l'Académie de Madrid. Il voyagea, à Paris, en 1852, où il connut Manet, avec qui il resta en correspondance (malheureusement perdue), en Italie, en Suisse, et même, en 1859, au Maroc.

Il imita les maîtres espagnols, spécialement Velasquez et Goya. Il peignit les fresques de l'Opéra Royal de Madrid et celles du Palais « Marques de Salamanque » également à Madrid, dans le style rococo français. Ayant épousé la sœur de Perez Villamil, il peignit quelques paysages romantiques à la manière de celui-ci. Mais l'essentiel de sa production consiste en des petits tableaux directement inspirés de Goya, de qui il reste le meilleur imitateur : scènes d'inquisition, de tauromachie, « majas », fêtes populaires, scènes de guerre. De peu d'imagination, il disposait par contre d'une grande facilité, et sa technique reste intéressante par sa fougue. S'il imita Goya, il fut à son tour imité, à commencer par son fils Eugenio Lucas y Villamil, par Angel Lizcano et Francisco Domingo Marquès. La critique moderne a voulu voir en lui quelque chose de plus qu'un ordinaire imitateur de Goya, dont la touche hachurée entre lumière et ombre annonce l'impressionnisme. Ses peintures sont encore souvent confondues avec celles de ses suiveurs, et les unes et les autres furent souvent attribuées, en toute bonne foi ou non, à Goya. Devant l'intérêt nouveau rencontré par ses œuvres, il connaît à son tour l'honneur de fausses attributions.

BIBLIOGR. : Jacques Lassaigne : *La peinture espagnole, de Vélasquez à Picasso*, Skira, Genève, 1954.

MUSÉES : BRUXELLES : *Scènes de tauromachie* – BUDAPEST – CASTRES : *L'Extrême-Onction* – *La diligence sous la pluie* – *La fusillade du 3 mai 1808* – COLOGNE – LILLE – MADRID (Mus. Romantico) – MADRID (Mus. des Arts Mod.) – MADRID (BN) : études et dessins – NEW YORK (Gal. de la Société Espagn. d'American).

VENTES PUBLIQUES : PARIS, 18-20 mars 1920 : *L'Offre séduisante* : **FRF 955** – PARIS, 21 et 22 juin 1920 : *La Messe* ; *La Communion*, les deux : **FRF 1 800** – PARIS, 12 déc. 1925 : *Réjouissances monacales* : **FRF 2 200** – LONDRES, 5 juil. 1929 : *Jour de fête dans une ville espagnole* : **GBP 110** – NEW YORK, 10 avr. 1930 : *Scène de la guerre d'indépendance* : **USD 500** – NEW YORK, 11 déc. 1930 : *La Corrida improvisée* : **USD 225** – PARIS, 18 déc. 1940 : *L'attente du spectacle* : **FRF 3 000** – PARIS, 29 jan. 1945 : *Course de taureaux* : **FRF 6 000** – PARIS, oct. 1945-Juillet 1946 : *L'auberge espagnole* 1853 : **FRF 27 000** ; *L'atelier des tisserands* 1853 : **FRF 25 500** – LONDRES, 3 mai 1946 : *Extérieur de l'arène* : **GBP 78** – LONDRES, 8 mai 1946 : *Combat de taureaux* : **GBP 125** – PARIS, 6 avr. 1954 : *Course de taureaux* : **FRF 305 000** – PARIS, 8 nov. 1972 : *Scènes de tauromachie*, deux aq. formant pendants : **GBP 1 100** – BUENOS AIRES, 14-15 nov. 1973 : *Scène de carnaval* : **ARS 400 000** – MADRID, 17 mai 1974 : *Personnages à l'entrée de l'arène* : **ESP 500 000** – MADRID, 22 nov. 1977 : *Scène de port* 1855, gche (44x58) : **ESP 400 000** – EL QUEXIGAL (Prov. de Madrid), 25 mai 1979 : *Scène de tauromachie*, h/t (56x79) : **ESP 1 750 000** – LONDRES, 24 juin 1981 : *Procession à l'intérieur d'une cathédrale*, h/pan. (28x37) : **GBP 1 000** – MADRID, 22 oct. 1984 : *Scène de bord de mer, Maroc* vers 1855, h/t (26x42) : **ESP 1 500 000** – LONDRES, 7 fév. 1986 : *Les Prisonniers*, h/t (184,6x134,5) : **GBP 11 000** – NEW YORK, 29 oct. 1987 : *Sancho se despide de su asno*, h/t (84,1x68,6) : **USD 20 000** – LONDRES, 22 juin 1988 : *Personnages dans un paysage montagneux* 1856, h/t (63,5x93,5) : **GBP 44 000** – BERNE, 26 oct. 1988 : *Le Sabbat*, h/t (52x61) : **CHF 8 000** – NEW YORK, 25 oct. 1989 : *La corrida*, h/t (39,4x33,7) : **USD 20 900** – NEW YORK, 28 fév. 1990 : *Corrida sur la place d'un village* 1866, h/t (56,5x73,7) : **USD 63 250** – LONDRES, 29 mai 1992 : *Course de taureaux*, h/pap. (24x34,5) : **GBP 8 250** – LONDRES, 28 oct. 1992 : *Torero* 1852, h/pan. (38x30,5) : **GBP 1 980** – NEW YORK, 29 oct. 1992 : *Danse autour du feu*, h/pan. (14x24,3) : **USD 4 620** – NEW YORK, 30 oct. 1992 : *L'encornement*, h/t (38,4x47,6) : **USD 14 300**

– MADRID, 18 mai 1993 : *Le spectre*, gche (10,8x14) : **ESP 240 000** ; *Marine*, sépia et gche (33x46,8) : **ESP 350 000** – NEW YORK, 17 fév. 1994 : *Procession*, aquar./pap. (23x18) : **USD 1 265**.

LUCAS-ROBIQUET Marie Aimée Éliane, née **Robiquet**
Née le 17 octobre 1858 à Avranches (Manche). Morte en 1960. XIXe-XXe siècles. Française.
Peintre de genre, scènes typiques, portraits. Orientaliste.
Elle fut élève de Félix Joseph Barrias. Elle exposa régulièrement à Paris, au Salon des Artistes Français, 1894 médaille de troisième classe, 1905 médaille de deuxième classe, chevalier de la Légion d'Honneur.
Elle s'est presque totalement spécialisée dans les scènes et sujets d'Afrique du Nord. Elle a cependant aussi traité des scènes familières et familiales, et fit également carrière comme portraitiste tant en Europe qu'aux États-Unis et en Amérique du Sud.

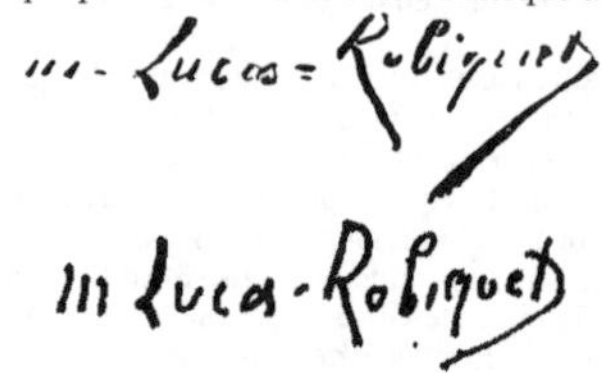

BIBLIOGR. : Gérald Schurr, in : *Les Petits Maîtres de la peinture 1820-1920, valeur de demain*, Les Éditions de l'Amateur, t. V, Paris, 1981.
MUSÉES : ALGER : *Rue des Teinturiers* – AMIENS : *Intérieur arabe à Ourellal* – AVRANCHES – MONTPELLIER : *Fabrication du couscous à Touggourt* – ROUEN : *Intérieur arabe à Constantine*.
VENTES PUBLIQUES : PARIS, 4 mai 1929 : *Jeune Arabe* : **FRF 900** – PARIS, 20 nov. 1946 : *Le Marchand de volailles* : **FRF 12 000** – PARIS, 26 avr. 1950 : *Femme berbère* : **FRF 2 600** – PARIS, 18 fév. 1980 : *Récolte de dattes en Algérie*, h/t (31x45,5) : **FRF 14 200** – PARIS, 1er déc. 1983 : *Scène d'oasis*, h/t (93x125) : **FRF 140 000** – NEW YORK, 24 oct. 1989 : *Jeune femme se tirant les cartes* 1890, h/t (170x219) : **USD 44 000** – NEW YORK, 28 fév. 1990 : *Fillette préparant le repas*, h/t/cart. (66x54,6) : **USD 13 200** – NEW YORK, 22 mai 1990 : *Le Premier-né*, h/t (55,3x38,7) : **USD 8 800** – NEW YORK, 23 mai 1990 : *Mère et fille hollandaises tricotant*, h/t (45,7x55,2) : **USD 8 800** – LONDRES, 19 juin 1992 : *Un arabe fumant assis devant une porte*, h/t (77x100,4) : **GBP 6 600** – LONDRES, 18 juin 1993 : *Près du feu*, h/t (33,5x39,3) : **GBP 3 450** – LONDRES, 22 fév. 1995 : *La Fileuse*, h/t (33x40,5) : **GBP 2 760** – PARIS, 6 nov. 1995 : *Récolte des dattes à Touggourt*, h/t (31x45,5) : **FRF 42 000** – PARIS, 9 déc. 1996 : *Marché aux fleurs*, h/t (33x55,2) : **FRF 40 000** – PARIS, 17 nov. 1997 : *Au bord de l'oued, Biskra*, h/t (45x63) : **FRF 10 000** – PARIS, 10-11 juin 1997 : *Intérieur à Beni-Ounif, Sud Oranais*, h/t (122x166) : **FRF 350 000**.

LUCAS VELAZQUEZ Eugenio, appelé par erreur **Lucas Padilla**
Né le 9 février 1817 à Madrid. Mort le 11 septembre 1870 à Madrid. XIXe siècle. Espagnol.
Peintre.
Par suite de quelque confusion, des biographes anciens l'avaient assimilé à LUCAS Y PADILLA, qui est né en 1824 à Alcala de Henares et serait mort, comme celui-ci, le 11 septembre 1870 à Madrid.
BIBLIOGR. : In : *Cent ans de peinture en Espagne et au Portugal, 1830-1930*, Antiquaria, Madrid, 1990.
VENTES PUBLIQUES : BARCELONE, 31 jan. 1980 : *Le galant entretien*, h/t, forme ovale (99x78) : **ESP 390 000** – BARCELONE, 21 oct. 1981 : *Traida del aqua de Lozoya vers 1858*, h/cart. (49x65) : **ESP 650 000** – MADRID, 9 fév. 1984 : *La diligence sous l'orage* 1856, h/t (62,5x86,5) : **ESP 1 700 000** – MADRID, 27 fév. 1985 : *Scène de tauromachie*, h/t (56x79) : **ESP 4 370 000** – MADRID, 20 mai 1986 : *Campement militaire*, h/pan. (40x65) : **ESP 1 200 000** – MADRID, 24 fév. 1987 : *Asalto y licenciado*, h/t (84x62) : **ESP 4 000 000**.

LUCAS Y VILLAMIL Eugenio, dit **Lucas le Fils**
Né le 14 janvier 1858 ou 1840 à Madrid. Mort en 1918 ou 1907 à Madrid. XIXe-XXe siècles. Espagnol.
Peintre de genre, compositions à personnages, paysages animés, figures, portraits. Post-romantique.
Il était fils de Eugenio Lucas Vélazquez et de Francisca Perez Villamil, la sœur de Genaro Perez Villamil. Il avait douze ans à la mort de son père. Comme son père, imitateur assez génial de Goya, avait aussi imité les paysages romantiques de son beau-frère Perez Villamil, lui-même, disciple et continuateur de son père, imitait de ce fait Goya et son oncle maternel ; il signa souvent ses propres peintures E. Perez Villamil.
À peine moins habile que son père, il perpétua ce qu'on peut appeler le fonds familial, dont le succès était dû aux thèmes et à la manière de Goya, que père et fils s'étaient appropriés. Sa production fut considérable. Plusieurs de ses peintures furent attribuées à Goya, telles un *Combat de taureaux* parvenu à la Galerie Nationale de Berlin, et une *Scène d'église* au Musée de Lyon.

BIBLIOGR. : Jacques Lassaigne, in : *La Peinture espagnole, de Vélasquez à Picasso*, Skira, Genève, 1954 – in : *Cent ans de peinture en Espagne et au Portugal, 1830-1930*, Antiquaria, Madrid, 1990.
MUSÉES : CASTRES : *Sabbat* – PARIS (Mus. du Louvre) : *Scène de l'Inquisition*.
VENTES PUBLIQUES : MADRID, 13 déc. 1973 : *Scène de Carnaval*, h/t : **ESP 120 000** – LONDRES, 10 fév. 1978 : *Intérieur de cathédrale* 1843, h/pan. (27,2x37,3) : **GBP 1 100** – LONDRES, 14 févr 1979 : *Le jeune toréador*, h/pan. (16,5x25,5) : **GBP 1 000** – BARCELONE, 16 mars 1981 : *La Procession*, h/t (65x94,7) : **ESP 675 000** – BARCELONE, 25 oct. 1984 : *La Procession*, h/t (53,5x55) : **ESP 230 000** – MADRID, 10 oct. 1985 : *Fillette avec un chien*, h/t (81,5x69) : **ESP 1 300 000** – MADRID, 8 mai 1986 : *Les Bouffons au mariage* 1867, h/t (60x85) : **ESP 1 000 000** – MADRID, 24 mars 1987 : *La Bénédiction*, h/t (58x41) : **ESP 1 500 000** – LONDRES, 26 fév. 1988 : *Sur la terrasse*, h/t (60x80) : **GBP 6 820** – LONDRES, 22 juin 1988 : *Femme assise*, h/t (34,5x40,5) : **GBP 1 870** – LONDRES, 17 fév. 1989 : *Confidences*, h/t (35,6x28,8) : **GBP 4 180** – LONDRES, 21 juin 1989 : *La Kermesse*, h/t (83x55) : **GBP 12 100** – NEW YORK, 25 oct. 1989 : *La famille aux champs*, h/t (35,5x53,3) : **USD 17 600** – LONDRES, 22 nov. 1989 : *La présentation* 1907, h/t (67x96) : **GBP 11 000** – LONDRES, 15 fév. 1990 : *Un petit tour dans le parc*, h/t (65,7x98,5) : **GBP 9 350** – NEW YORK, 17 oct. 1991 : *Le repas de noce* 1890, h/t/cart. (38,1x56,5) : **USD 17 600** – NEW YORK, 30 oct. 1992 : *Procession des Rois Mages à la porte d'Alcala à Madrid*, h/t (51,4x66,4) : **USD 38 500** – NEW YORK, 17 fév. 1993 : *Jeunes filles et leurs duègnes à la fête de San Isidro*, h/t (64,8x93,3) : **USD 19 550** – LONDRES, 5 juil. 1996 : *Un prêtre bénissant une armée en marche* ; *Un prêtre disant la messe dans une église*, h/t, une paire (chaque 33x54,6) : **GBP 24 150** – LONDRES, 31 oct. 1996 : *À l'extérieur d'une boutique*, h/t (64x35) : **GBP 3 680**.

LUCAS VILLAMIL Julian
Né le 9 septembre 1965 à Madrid (Castille). XIXe-XXe siècles. Espagnol.
Peintre de figures de genre.
Quatrième et dernier fils de Eugenio Lucas Velazquez et Francesca Perez Villamil, et frère de Eugenio Lucas Villamil. Sa vie et son œuvre sont mal connus.
BIBLIOGR. : In : *Cent ans de peinture en Espagne et au Portugal, 1830-1930*, Antiquaria, Madrid, 1990.

LUCASIEWICZ. Voir **LOUKASIEVITCH**

LUCASSEN Reinier
Né en 1939 à Amsterdam. XXe siècle. Hollandais.
Peintre de compositions à personnages. Citationniste.
Ses œuvres ont été exposées en 1965 à la IVe Biennale de Paris, en 1987 au Musée d'Art Contemporain de Montréal.
Il commença à peindre dans une conception purement abstraite. Dans les années soixante, l'apparition du Pop'Art lui fit adopter résolument la figuration. Si l'influence américaine est manifeste dans ses propres œuvres, d'autant que lui aussi représente la réalité par l'intermédiaire de photographies ou de bandes dessinées, elles ne s'en distinguent pas moins par son utilisation de la citation. Ses peintures sont souvent composées, à la façon de collages, d'emprunts, traités librement, à plusieurs peintures d'auteurs plus ou moins connus. Ces rencontres insolites sur un même tableau et dans une même composition génèrent une saine dimension humoristique. Dans son évolution, il a réintroduit des éléments non-objectifs, et surtout des signes et des lettres qui en prolongent le sens.
BIBLIOGR. : In : *Diction. Univers. de la Peint.*, Le Robert, Paris, 1975 – in : *L'Art du XXe siècle*, Larousse, Paris, 1991.
MUSÉES : AMSTERDAM (Stedelijk Mus.) : *Nature morte au hamburger d'après Klinger et Rosenquist* 1969-70.

Ventes Publiques : Anvers, 8 mai 1979 : *Composition*, h/t (120x100) : **BEF 65 000** – Amsterdam, 5 juin 1984 : *Beeldverhaal* 1965, h/t (100x140) : **NLG 6 600** – Amsterdam, 18 mars 1985 : *Nature morte* 1966, h/t (100x100) : **NLG 6 600** – Anvers, 27 oct. 1987 : *Lucassen 2e version*, h/t (160x130) : **BEF 180 000** – Amsterdam, 7 déc. 1995 : *Juste au cœur de l'endroit* 1965, acryl./t. (140x200) : **NLG 9 440** – Amsterdam, 2-3 juin 1997 : *Jardin belge* 1969-1970, h./deux t. (200x160) : **NLG 25 960**.

LUCASZ Peter Frans. Voir **FRANCHOYS Peter**

LUCASZEWICZ J. I. Voir **LOUKACHEVITCH**

LUCATELLI. Voir aussi **LOCATELLI**

LUCATTELLI Pietro. Voir **LOCATELLI**

LUCAVECHE Tito

Né en 1942 à Santiago. XXe siècle. Actif en Espagne. Chilien.

Peintre de paysages animés. Naïf.

Il ne commença à peindre qu'en 1976 en Espagne. Depuis 1979, il expose régulièrement en Espagne, notamment au Musée d'Art Naïf de Jaen, à Paris au Salon International d'Art Naïf et au Musée d'Art Naïf Max Fourny.

LUCCA Flaminio

XIXe siècle. Actif à Milan. Italien.

Sculpteur.

Débuta en 1877. Il a exposé à Naples et Turin.

LUCCARDI Vincenzo

Né en 1811 à Gemona. Mort en 1876. XIXe siècle. Italien.

Sculpteur et peintre d'histoire.

Fit ses études à Venise et travailla à Rome. Professeur à l'Académie de Saint-Luc ; chevalier de la Légion d'honneur et de l'ordre de Saint Grégoire le Grand. On cite de lui : *Raphaël et la Fornarina* ; au Musée Correr à Venise : *Correr – Génie* ; au Musée du Vatican : *Loges*.

LUCCARINI Giovanni Giuseppe ou **Lucarini**

XVIIe-XVIIIe siècles. Actif à Bologne. Italien.

Peintre.

LUCCHESE, il. Voir **FRANCHI Antonio** et **Domenico** et aussi aux prénoms qui précèdent

LUCCHESI Andréa Carlo

Né le 19 octobre 1860 à Londres. Mort en 1924. XIXe-XXe siècles. Britannique.

Sculpteur de bustes.

Il fut élève de la Royal Academy de Londres, où il vécut et travailla.

Musées : Londres (Nat. Portraits Gal.) : *Buste en bronze de l'amiral Sir John Franklin.*

Ventes Publiques : Londres, 20 mars 1984 : *The Myrtle's Altar*, bronze (H. 37) : **GBP 7 000**.

LUCCHESI Giorgio

Né le 26 décembre 1855 à Lucca. Mort le 8 février 1941 à Lucca. XIXe-XXe siècles. Italien.

Peintre de genre, natures mortes.

Il exposa à partir de 1876.

Ventes Publiques : Milan, 18 mars 1986 : *Nature morte*, h/t mar./cart. (20x32) : **ITL 4 500 000** – New York, 24 fév. 1987 : *Nature morte aux raisins et aux pommes*, h/t (105x62,2) : **USD 6 000** – Milan, 1er juin 1988 : *Le raisin mûr* 1892, h/t (139,5x69) : **ITL 11 000 000** – Monaco, 21 avr. 1990 : *Raisin mûr sur la treille* 1892, h/t (140x69) : **FRF 122 100** – Londres, 28 nov. 1990 : *Treille le long d'un mur* 1907, h/t (138x68) : **GBP 10 450** – New York, 30 oct. 1992 : *Nature morte d'automne* 1899, h/t (63,3x45,7) : **USD 13 200** – New York, 12 oct. 1994 : *Nature morte aux chardons* 1889, h/t (116,2x55,9) : **USD 10 350** – Milan, 18 déc. 1996 : *Nature morte au lièvre*, h/t (71x115,5) : **ITL 13 397 000**.

LUCCHESI Michele ou **Lucensis**

Né en 1539 à Rome. XVIe siècle. Italien.

Graveur et marchand d'estampes.

Il grava d'après Raphaël, Jules Romain, Polydore, Michel-Ange, etc.

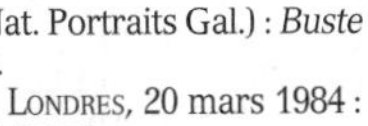

Ventes Publiques : Londres, 9 déc. 1982 : *Bataille navale*, grav./cuivre, d'après Polidoro da Caravaggio (22,1x41,6) : **GBP 1 900**.

LUCCHESI Urbano

Né en 1844 à Lucques. Mort en janvier 1906 à Florence. XIXe siècle. Italien.

Sculpteur.

On cite parmi ses œuvres le *Monument Garibaldi* à Lucques, le *Monument Shelley* à Viareggio, le *Monument Donatello* à Florence. La Pinacothèque communale de Lucques possède de nombreuses œuvres de sa main.

LUCCHESINO Pietro, il. Voir **TESTA Pietro**

LUCCHETI Giuseppe

Né en 1823 à Urbania. XIXe siècle. Italien.

Sculpteur.

Parmi ses œuvres on cite : le tombeau d'*Innocent III* à Saint-Jean de Latran à Rome, le monument de *Léon XIII* dans le Dôme de Pérouse, la statue de *Raphael* pour le palais des expositions des Beaux-Arts à Rome, et celle de *Léon XIII* pour l'Université de Washington.

LUCCHI Antonio. Voir **LUCCHI Giuseppe A.**

LUCCHI Francesco

Né en 1585. Mort en 1632. XVIIe siècle. Actif à Fidenza. Italien.

Peintre.

La cathédrale de Fidenza possède de sa main une *Cène*, et l'église S. Bartolomeo à Busseto une *Vierge avec saint Joseph et saint Christophe*.

LUCCHI Giuseppe Antonio, dit **il Diecimino**

Né en 1709 à Diecimo. Mort en 1774 à Diecimo. XVIIIe siècle. Italien.

Peintre.

Il fut élève de l'Académie de Lucques. On cite parmi ses œuvres une *Naissance du Christ* dans l'église S. Anna à Pise, une *Annonciation* à l'église S. Cristoforo à Lucques. La Pinacothèque de Lucques possède de sa main un *Saint Vincent*.

LUCCHINI Benedetto

XVIIe siècle. Actif à Bologne dans la première moitié du XVIIe siècle. Italien.

Peintre.

Il fut élève de Caracci.

LUCE, pseudonyme de **Cleeren Luce**

Née en 1953 à Hasselt. XXe siècle. Belge.

Graveur.

Elle fut élève de l'Académie Saint-Luc d'Anvers. À Paris depuis 1975, elle fut élève de l'Atelier La Courière, et de S. William Hayter à l'Atelier 17.

Bibliogr. : In : *Diction. biograph. illustré des Artistes en Belgique depuis 1830*, Arto, Bruxelles, 1987.

Musées : Monterrey, U.S.A. – Saltilla, Mexique – Tbilissi.

LUCE de

XXe siècle. Française.

Peintre de paysages animés. Naïf.

Elle expose à Paris, dans plusieurs salons annuels traditionnels, et au Salon International d'Art Naïf.

Elle peint les scènes de la vie quotidienne dans les petites villes, où les gens ont le temps de se délasser.

LUCE Frédéric

Né le 19 juillet 1896 à Paris. Mort en 1974 ou 1975. XXe siècle. Français.

Peintre de paysages, paysages urbains, aquarelliste.

Fils de Maximilien Luce, il en reçut d'abord les conseils, dont il se dégagea dans la suite. Il connut longuement Bonnard et les autres amis de son père, auprès desquels il trouvait à se perfectionner. À partir de 1920, il exposa régulièrement à Paris, au Salon des Indépendants.

Il peignit de nombreuses vues de Paris.

Ventes Publiques : Anvers, 25 oct. 1983 : *Fillettes dans un pré*, h/pan. (26x34) : **BEF 75 000** – Paris, 6 juin 1990 : *Remorqueur dans une écluse*, h/pan. (33x46) : **FRF 8 500** – Londres, 19 mars 1997 : *Portrait de Maximilien Luce* 1929, h/t (92x73) : **GBP 1 840**.

LUCE Jean H.

Né en 1918. XXe siècle. Français.

Peintre de paysages. Tendance abstraite.

Il fut élève de l'École Centrale d'Ingénieurs. De 1939 à 1945, il fut militaire. À son retour de la guerre, il entreprit des études d'histoire de l'art. Attaché de recherches au C.N.R.S., il travailla sur les rapports entre les mathématiques et les arts pendant l'Antiquité et la Renaissance, d'où la publication, en 1953, d'un mémoire sur la perspective à l'époque de Vitruve. Dans ces mêmes années, il fut chargé de diverses missions. Pour des raisons matérielles, il reprit son métier d'ingénieur pendant vingt-

cinq ans. En 1983, ayant pris sa retraite d'ingénieur, il se consacre à la peinture.
En 1938 et 1939, il participa à l'exposition annuelle de *L'Essor* à Dijon. À Paris, en 1988, 1989, il a participé au Salon des Réalités Nouvelles ; en 1996 à des groupes, galerie Marion Meyer Bugel et musée-atelier Adzak.
Le critique Pierre Brisset situent ses paysages dans la continuité des Bazaine, Manessier, Le Moal, Jean Bertholle.

LUCE Louis René
Né vers 1695. Mort le 14 juin 1774 à Paris. XVIIIe siècle. Français.
Sculpteur sur bois et sculpteur.
Il publia : *Essai d'une nouvelle typographie, ornée de vignettes, fleurons*, etc. Un bas-relief, *l'Imprimerie et les Arts*, daté de 1744, fut vendu aux enchères chez Drouot en 1906.

LUCE Lucas. Voir **LUCAE L.**

LUCE Maximilien
Né le 13 mars 1858 à Paris. Mort le 6 février 1941 à Rolleboise (Yvelines). XIXe-XXe siècles. Français.
Peintre de figures, portraits, scènes animées, paysages, paysages urbains, aquarelliste, pastelliste, graveur, lithographe, dessinateur, illustrateur. Néo-impressionniste.
En 1872, il fut mis en apprentissage chez le graveur sur bois Henri Théophile Hildibrand, suivant en même temps les cours du soir de dessin. En 1876, il entra comme ouvrier qualifié chez un certain Froment, où étaient gravés de nombreux illustrés français et quelques périodiques étrangers. En 1877, il partit, avec ce même Froment, pour Londres, où il plaça des dessins au journal Graphic. Revenu à Paris, il fut appelé, en 1879, au service national, d'abord en Bretagne, puis à Paris, où il put poursuivre son métier de graveur. Pendant son temps militaire, il fut élève de Carolus Duran, sans doute à l'Académie Suisse, et travailla à l'École de Dessin des Gobelins. En fait, il se forma surtout lui-même par l'étude de la nature. Camille Pissarro, qui avait pour lui une amitié sincère, l'aida aussi de ses conseils. En 1887, il entra à la Société des Artistes Indépendants, et prit ensuite une part constante aux expositions du groupe, alors d'avant-garde. Il exposa aussi à Bruxelles au groupe des Vingt, en 1889 et 1892. Dans sa jeunesse, il avait été frappé par les événements de la Commune. Il collabora aux journaux anarchistes : *Le Père Peinard* fondé en 1889 et dont il avait dessiné la couverture, *La Feuille* de Zo d'Axa, et *Le Chambard* de Gérault-Richard. Il collabora également à *L'Assiette au beurre, Les Hommes d'aujourd'hui, L'Illustration, La Révolte, Les Temps nouveaux*. En 1894, il fut impliqué dans le « Procès des Trente », ce qui lui valut une peine de prison, dont il a relaté l'aventure dans le recueil de lithographies *Mazas*. Il se réfugia ensuite en Belgique, à Charleroi. À partir de 1920, il a surtout vécu et travaillé dans les environs de Rolleboise. Peu soucieux d'honneurs, il accepta cependant, à la mort de son ami Signac en 1935, de lui succéder à la présidence de la Société des Artistes Indépendants, présidence dont il démissionna, au début de l'Occupation allemande, pour protester contre l'interdiction d'exposer faite aux artistes juifs. Il a entretenu une correspondance importante avec les peintres de son temps : Charles Angrand, Georges Seurat, Théo Van Rysselberghe, et son ami Louis Valtat.
Il fut, avec Seurat et Signac, un des créateurs de l'école néo-impressionniste, fondée sur l'étude scientifique de la lumière et de l'analyse de la décomposition des couleurs. À ce titre, il appliqua la technique de la touche divisée, dite aussi divisionnisme ou pointillisme, pour traduire, en préservant leur éclat, la complexité de la composition des couleurs définissant la lumière et l'ombre des volumes dans l'espace. Lors de son séjour en Belgique, il contribua à faire connaître le néo-impresionnisme hors de France. Pendant de nombreuses années, strict pointilliste, il adopta ensuite une facture plus libre, donc plus aisée, à l'époque des paysages de Rolleboise, ayant quitté la rigueur néo-impressionnisme pour retourner à une facture impressionniste tardive. Les paysages occupent la part dominante de son œuvre, peints dans la plupart des régions de France, et peu à l'étranger. Une place à part est occupée par les paysages urbains, souvent des quartiers ouvriers, et souvent peints dans les heures nocturnes, constituant une documentation sur le monde du travail de l'époque. De la même veine, les figures sont l'élément qui le différencie profondément des autres peintres néo-impressionnistes. Sincèrement attaché à partager les soucis et les peines du peuple, il a décrit dans les attitudes du labeur quotidien terrassiers, débardeurs ou maçons. ■ J. B.

Bibliogr. : Tabarant : *Maximilien Luce*, Crès, Paris, 1928 – René Huyghe, in : *Les Contemporains*, Tisné, Paris, 1949 – John Rewald, in : *Diction. de la Peint. mod.*, Hazan, Paris, 1954 – Michel-Claude Jalard, in : *Le Post-impressionnisme*, Rencontre, Lausanne, 1966 – in : *Diction. Univers. de la Peint.*, Le Robert, Paris, 1975 – Jean Bouin-Luce, Denise Bazetoux : *Maximilien Luce. Catalogue raisonné de l'Œuvre Peint*, Sous le Vent et Vilo, Paris, 1986 – Marcus Osterwalder, in : *Diction. des Illustrateurs 1800-1914*, Ides et Calendes, Neuchâtel, 1989.
Musées : Genève (Petit Palais, Fond. Oscar Ghez) : *Paris, vu de Montmartre* 1887 – *Camaret-sur-Mer* 1894 – Otterlo (Mus. Kröller-Müller) : *Vue de Montmartre* 1887 – Paris (Mus. Nat. d'Art Mod.) : *Portrait du peintre H.-E. Cross* – *La Seine à Rolleboise* – Paris (Mus. d'Orsay) : *Études pour Usines près de Charleroi* – Saint-Tropez (Mus. de l'Annonciade) : *Côte de la Citadelle, Saint-Tropez.*
Ventes Publiques : Paris, 9-10 mai 1900 : *Le Coucher de soleil sur l'eau* : **FRF 250** – Paris, 4 déc. 1918 : *Canal*, aquar. : **FRF 680** – Paris, 6 nov. 1924 : *Le Trimardeur* : **FRF 2 000** – Paris, 20 déc. 1926 : *Les Indiens* : **FRF 4 000** – Paris, 26 nov. 1927 : *La Meuse à Dordrecht* : **FRF 7 100** – Paris, 3 déc. 1928 : *Vue prise à Montmartre* : **FRF 36 000** – Paris, 3-4 juin 1929 : *Le petit bras de la Seine et quai des Grands-Augustins* : **FRF 10 500** – Paris, 24 fév. 1936 : *Crépuscule d'automne sur Paris* : **FRF 4 900** – Paris, 8 mai 1939 : *La Seine à Paris* : **FRF 1 350** – Paris, 4 déc. 1941 : *La Sambre, Marchienne-au-Pont* 1899 : **FRF 30 000** – Paris, 2 nov. 1942 : *Les Quais de la Seine au pont Mirabeau* : **FRF 34 000** ; *Le Quai de l'École* : **FRF 60 000** – Paris, 30 mai 1947 : *Portrait de Lucie Cousturier* 1904 : **FRF 21 000** ; *Couillet, la vallée industrielle de la Sambre* 1898 : **FRF 33 000** ; *La Liseuse en chemise*, past. : **FRF 42 000** – Paris, 18 nov. 1949 : *Le Chemin du lavoir* 1888 : **FRF 71 000** – Paris, 16 juin 1955 : *Les Pêcheurs dans la vallée de la Cure* : **FRF 220 000** – Paris, 14 juin 1957 : *La Maison de Suzanne Valadon* : **FRF 360 000** – Paris, 19 mars 1959 : *Paysage aux saules* : **FRF 1 250 000** – Londres, 9 déc. 1960 : *Les Baigneurs* : **GBP 315** – Paris, 23 juin 1961 : *Le Petit Déjeuner* 1902 : **FRF 13 000** – New York, 21 mars 1962 : *Chemin creux près de Nantua* : **USD 11 000** – Paris, 14 juin 1967 : *Bessy-sur-Cure* : **FRF 94 000** – Londres, 6 juil. 1971 : *La Côte* 1994 : **GNS 9 000** – Zurich, mai 1974 : *La Fenaison* : **CHF 81 000** – Amsterdam, 24 mai 1976 : *La Rue Réaumur*, litho. (31x40,5) : **NLG 2 200** – Versailles, 24 oct. 1976 : *Paysage de neige* 1896, h/t (89x117) : **FRF 20 500** – New York, 11 mai 1977 : *La Samaritaine la nuit* 1905, h/t (45,8x65,4) : **USD 11 000** – Berne, 21 juin 1979 : *Percement de la rue Réaumur* 1897, litho. coul./Chine collé (31,5x40,8) : **CHF 3 000** – New York, 9 juin 1979 : *Portrait de Paul Signac*, cr. noir et bleu (21,9x17,2) : **USD 1 700** – Londres, 1er avr. 1981 : *Cour de ferme, environs de Paris* 1887, h/t (59x72) : **GBP 18 000** – Paris, 13 déc. 1982 : *Femme mettant ses bas* 1889, past. : **FRF 112 000** – Paris, 20 sep. 1983 : *Georges Seurat*, fus. (29x21) : **FRF 22 000** – Londres, 7 déc. 1983 : *La Couture au jardin* vers 1904-1906, h/t (50,2x60,2) : **GBP 22 000** – Grandville, 4 nov. 1984 : *Monsieur Hamon, homme de lettres*, past. (47x30) : **FRF 17 500** – New York, 13 nov. 1985 : *La rue des Abbesses* 1893, h/t (65,5x81) : **USD 135 000** – Honfleur, 30 mars 1986 : *Baignade dans la Cure* 1908, h/t (60x81) : **FRF 400 000** – New York, 20 nov. 1986 : *Saint-Tropez, les Canoubiers* 1895-1897, h/t (54x65,1) : **USD 135 000** – Argenteuil, 20 nov. 1987 : *Vue d'Auxerre*, h/pan. (25x35) : **FRF 70 000** – Paris, 8 déc. 1987 : *Saint-Tropez*, h/t (60x81) : **FRF 725 000** – New York, 18 fév. 1988 : *Baignades de la famille*, h/pan. (19,3x42) : **USD 22 000** ; *La Rue des Abbesses*, h/pan. (49,5x36,5) : **USD 165 000** – Londres, 24 fév. 1988 : *Portrait de Félix Fénéon*, cr. bleu (31,5x15) : **GBP 1 045** ; *Buffalo Bill* 1906, h/t (37x52) : **GBP 22 000** – Neuilly, 9 mars 1988 : *Le Tréport, le large*, h/t (21x31) : **FRF 20 000** – Paris, 18 mars 1988 : *La Gare du Nord*, h/cart. (68x52) : **FRF 135 000** – Versailles, 20 mars 1988 : *Attroupement dans le parc* vers 1915, h/t (33x41) :

FRF 142 000 ; *Arcy-sur-Cure* 1906, h/t mar./cart. (30x45) : FRF 60 000 – LONDRES, 29 mars 1988 : *Nature morte aux fleurs dans un vase*, h/t (46,5x61) : GBP 15 400 – LONDRES, 30 mars 1988 : *Notre-Dame*, h/t (52x66) : GBP 28 600 – PARIS, 11 avr. 1988 : *Auxerre, paysage*, h/t (25,5x35) : FRF 80 000 – NEW YORK, 12 mai 1988 : *Scène de rue à Paris*, h/pap. mar./t. (33,4x52,7) : USD 38 500 ; *Le Quai aux marchandises*, h/pap. mar./t. (41,1x54,6) : USD 22 000 ; *Paris, le percement de la rue Réaumur, du côté de la Bourse* 1895, h/cart. (44x35) : USD 60 500 – PARIS, 12 juin 1988 : *Paysage au bord de l'eau*, h/pap. (23x32) : FRF 40 000 – PARIS, 14 juin 1988 : *Le Cirque Buffalo*, peint./cart. (36,5x48,5) : FRF 68 000 – VERSAILLES, 15 juin 1988 : *La Route de Rolleboise*, h/t (33x41) : FRF 76 000 – PARIS, 22 juin 1988 : *Lavacourt*, h/pap./t. (40x54) : FRF 80 000 – PARIS, 23 juin 1988 : *Voilier à Kermouster* 1913, h/pan. (26,5x35) : FRF 75 000 – PARIS, 24 juin 1988 : *Jeune femme à la toilette*, fus. et craie blanche (34x25) : FRF 15 000 – LONDRES, 28 juin 1988 : *La rue des Abbesses*, h/pan. (49,5x36,5) : GBP 93 500 ; *Femme cousant* 1889, h/t (35,5x27) : GBP 47 300 – CALAIS, 3 juil. 1988 : *Paysage*, h/cart. mar./t. (30x38) : FRF 53 000 – GRANDVILLE, 16-17 juil. 1988 : *Paysage*, h/pap. mar./t. (26x38) : FRF 43 100 – NEW YORK, 6 oct. 1988 : *Pêcheurs sur le quai au Tréport*, h/pap./t. (26,5x41) : USD 15 400 – PARIS, 12 oct. 1988 : *Bords de Seine*, h/cart. (33x50) : FRF 60 000 – LONDRES, 19 oct. 1988 : *Vase de fleurs*, h/pap./t. (55x46) : GBP 11 550 – LONDRES, 21 oct. 1988 : *Enfant et sa nourrice au jardin public*, h/pan. (26,4x24,8) : GBP 9 900 – LA VARENNE-SAINT-HILAIRE, 23 oct. 1988 : *Rolleboise, péniche sur la Seine*, h/cart. (60x93) : FRF 210 000 – BERNE, 26 oct. 1988 : *Paysage avec des arbres masquant en partie le village*, h/pan. (19x27) : CHF 3 100 – PARIS, 27 oct. 1988 : *Le Tréport : le large*, h/t (21x31) : FRF 33 000 – VERSAILLES, 6 nov. 1988 : *Les terrassiers près du cheval attelé*, h/pan. (14,5x19,5) : FRF 15 700 – CALAIS, 13 nov. 1988 : *Les abords du village*, h/t (46x38) : FRF 10 500 – PARIS, 21 nov. 1988 : *Scène de rue* 1932, h/pap. (42x54,5) : FRF 129 000 – PARIS, 24 nov. 1988 : *Arcy-sur-Cure, paysage*, h/t (58x79) : FRF 820 000 – CALAIS, 26 fév. 1989 : *La maison du passeur à Geurnes en 1920*, h/t (50x65) : FRF 200 000 – PARIS, 13 avr. 1989 : *Étude pour la place de l'Alma*, h/pap. (38x49) : FRF 160 000 – MONACO, 3 mai 1989 : *Les Foins à Kermouster*, h/pap./t. (56x44) : FRF 199 800 – NEW YORK, 10 mai 1989 : *Le Port de Rotterdam* 1907, h/t (54x65,4) : USD 49 500 – LONDRES, 26 juin 1989 : *Un jardin au Grésillon près de Poissy* 1894, h/t (50x64) : GBP 275 000 – LONDRES, 28 juin 1989 : *Eragny, les bords de l'Epte* 1899, h/t (81x116) : GBP 330 000 – CALAIS, 2 juil. 1989 : *La Seine à Méricourt*, h/t (54x73) : FRF 310 000 – NEW YORK, 5 oct. 1989 : *La Carrière près de Clamart* 1927, h/pap./t. (30x50,2) : USD 19 800 – ZURICH, 25 oct. 1989 : *Pêcheurs au bord de la Seine*, craie noire et lav. (50x65) : CHF 5 000 – NEW YORK, 16 nov. 1989 : *Madame Luce au balcon* 1893, h/t (81x65) : USD 550 000 – PARIS, 21 nov. 1989 : *Les Travailleurs sous le pont*, h/t (81x100) : FRF 201 000 – AMSTERDAM, 13 déc. 1989 : *Repos au bord de la rivière*, fus. et encre/pap. (35,5x55) : NLG 4 600 – PARIS, 24 avr. 1990 : *Baigneurs à l'étang*, h/t (92x73) : FRF 320 000 – GENÈVE, 19 jan. 1990 : *Nu de dos*, cr./pap. (22x13) : CHF 1 000 – NEW YORK, 21 fév. 1990 : *Régate à Meulan* 1933, h/pan. (27x41) : USD 34 100 – PARIS, 16 mars 1990 : *Coup de vent d'est à Saint-Clair* 1904, h/t (60x73) : FRF 600 000 – PARIS, 23 mars 1990 : *Modèle à la chemise*, cr. noir (20x11) : FRF 10 000 – PARIS, 1er avr. 1990 : *Chantier rue Royale* 1911, h/t (100x73) : FRF 300 000 – LONDRES, 4 avr. 1990 : *Le Port de Rotterdam le soir* 1908, h/t (65x81) : GBP 110 000 – NEW YORK, 16 mai 1990 : *Au-dessus des toits*, h/t (38,1x46,4) : USD 66 000 – PARIS, 6 oct. 1990 : *Homme torse nu et étude de main*, fus. (37x24) : FRF 5 000 – PARIS, 25 nov. 1990 : *La Rue Réaumur* 1897, h/t (59x73) : FRF 1 600 000 – PARIS, 27 nov. 1990 : *Constructions : échafaudage en bord de Seine*, h/t (81x54) : FRF 125 000 – AMSTERDAM, 12 déc. 1990 : *Les Bords de la Seine à Rolleboise*, h/t (18,5x24) : NLG 23 000 – NEW YORK, 9 mai 1991 : *Le Port de Rotterdam* 1908, h/t (114x162) : USD 85 800 – PARIS, 15 juin 1991 : *Usines près d'un canal* 1896, h/t (62x83) : FRF 360 000 – LONDRES, 26 juin 1991 : *Le Bon Samaritain*, h/t (76,5x101,5) : GBP 27 500 – BOURGES, 26 oct. 1991 : *Saint-Tropez*, h/t (100x65) : FRF 255 000 – NEW YORK, 6 nov. 1991 : *Eragny, le verger de Pissarro* 1895, h/t (81x100,2) : USD 462 000 – LONDRES, 3 déc. 1991 : *Les Tanneries de la Bièvre* 1887, h/t (59x72) : GBP 46 200 – PARIS, 16 déc. 1991 : *L'Entrée du village*, h/cart. (37x50) : FRF 67 000 – LOKEREN, 21 mars 1992 : *La Seine aux environs de Paris*, h/pan. (20x33) : BEF 330 000 – PARIS, 24 mai 1992 : *Rue Réaumur, le percement* 1896, h/cart. (33x27) : FRF 90 000 – NEW YORK, 14 mai 1992 : *Saint-Tropez, les pins*, h/t (99,1x64,8) : USD 71 500 – AMSTERDAM, 19 mai 1992 : *Rue Denfert, les toits sous la neige*, h/pan. (31,5x41,5) : NLG 29 900 – NEW YORK, 11 nov. 1992 : *Baigneuses à Saint-Tropez* 1892, h/t (129,5x160) : USD 495 000 – PARIS, 22 mars 1993 : *Fleurs* 1932, h/pap./pan. (46x36) : FRF 42 000 – LONDRES, 24-25 mars 1993 : *Les Baigneurs*, h/t (89x130) : GBP 41 100 – PARIS, 1er oct. 1993 : *Moulineux en été*, h/t (65x81) : FRF 168 000 – PARIS, 23 mars 1994 : *L'Échaffaudage*, h/t (73x60) : FRF 72 000 – NEW YORK, 9 mai 1994 : *Portrait de Camille Pissarro* 1890, craie noire/pap. (13,7x11,5) : USD 5 520 – COPENHAGUE, 16 mai 1994 : *Figures près d'un bateau échoué sur la berge*, h/t (14x54) : DKK 15 000 – PARIS, 1er juin 1994 : *Les Acieries de Charleroi* 1893, h/t (60x73) : FRF 570 000 – LONDRES, 29 juin 1994 : *Les Tanneries de la Bièvre* 1887, h/t (59x72) : GBP 51 000 – NEW YORK, 10 nov. 1994 : *L'Église Saint-Médard* 1888, h/t (33x43,2) : USD 79 500 – FONTAINEBLEAU, 16 avr. 1995 : *Vue de Londres, Charring Cross* 1893, h/t (65x81) : FRF 900 000 – PARIS, 17 avr. 1996 : *La Seine au crépuscule à la passerelle des Arts*, h/cart./bois (14x43) : FRF 45 000 – NEW YORK, 1er mai 1996 : *Jardin au Grésillon à Poissy* 1894, h/t (50x64) : USD 233 500 – PARIS, 13 juin 1996 : *Le Mée* 1897, litho. (28x36,5) : FRF 9 000 – NEW YORK, 12 nov. 1996 : *Ouvriers au bord de la rivière*, h/cart. (31,8x43) : USD 9 200 – CALAIS, 24 nov. 1996 : *La Seine à Sèvres*, h/pan. (31,5x42) : FRF 21 500 – PARIS, 8 déc. 1996 : *Les Travailleurs*, h/cart. (31x42) : FRF 22 000 – LONDRES, 23 oct. 1996 : *Fleurs dans un vase* 1930, h/pan. (38x29) : GBP 5 175 – NEW YORK, 9 oct. 1996 : *Bords de la cure à Arcy-sur-Yonne*, h/t (46,4x61) : USD 35 650 – LONDRES, 25 juin 1996 : *Arbres en fleurs* 1890, h/t (55x46) : GBP 24 150 – PARIS, 16 mars 1997 : *Les Travailleurs*, h/cart. (31x42) : FRF 61 000 – PARIS, 12 mars 1997 : *Portrait de Madame Luce au thé* 1902, h/t (90x71) : FFR 435 000 – PARIS, 16 mai 1997 : *Bouquet de fleurs* 1912, h/cart. (43,5x37,5) : FRF 86 000 – PARIS, 10 juin 1997 : *Environs de Vernon* 1897, litho. (22x34,5) : FRF 8 500 – PARIS, 11 juin 1997 : *Vue du Pont-Neuf* 1898, past. (20x30) : FRF 30 000 – LONDRES, 25 juin 1997 : *L'Étang de Moulineux* vers 1904, h/t (46x55) : GBP 17 250 – CALAIS, 6 juil. 1997 : *Scène d'intérieur* 1888, h/t (54x68) : FRF 63 000.

LUCE Olive Susanna de

Née le 27 juillet 1894 à Owego (New York). xxe siècle. Américaine.

Peintre.

LUCEBERT Jean, pseudonyme de **Van Swaanswijk Lucebert,** ou **Lubertus Jacobus**

Né en 1924 à Amsterdam. Mort en 1994. xxe siècle. Hollandais.

Peintre, peintre à la gouache, pastelliste, dessinateur. Expressionniste. Groupe COBRA.

Il est fils d'un peintre en bâtiment. En 1938, grâce à une bourse, il fut élève, pendant six mois, de l'École des Arts Décoratifs d'Amsterdam. Dessinant, peignant, écrivant depuis l'enfance, il se fit d'abord connaître comme écrivain, pratiquant une poésie « expérimentale ». En 1947, il eut l'occasion de couvrir de décorations plusieurs salles du couvent des Franciscaines, à Heemskerk. Dans le même temps, fin 1948, avec des poésies influencées par Hölderlin, Rilke, le pré-dadaïste Morgenstern et Arp, il se joignit aux poètes du groupe expérimental néerlandais. En 1949, essentiellement en tant que poète et avec aussi des dessins et des gouaches, il prit une part importante à la création et à l'animation, avec Constant, Corneille, Appel, du groupe hollandais *Reflex*, qui s'intégra bientôt au mouvement COBRA. Depuis 1953, il s'est fixé à Bergen. Sa poésie étant traduite en allemand, il fut, en 1955, invité à Berlin-Est par Bertold Brecht. À partir de 1963, il fait de fréquents séjours en Espagne, où il acquiert une maison près d'Alicante en 1972. En 1983, il réalisa une grande peinture murale pour le musée de Littérature Néerlandaise à La Haye. En 1949, il participait, avec des poèmes-peintures, à la première exposition internationale du groupe COBRA au Stedelijk Museum d'Amsterdam. Il participe ensuite à de très nombreuses expositions collectives, dont : 1959 Documenta II à Kassel, Biennale de Paris dont il obtint un Prix, Vitalita nell' Arte à Venise ; 1961 International Exhibition de Pittsburgh ; ainsi qu'à Tokyo, en Italie, notamment à l'exposition du Prix Marzotto, en Allemagne, etc. Il montre des ensembles d'œuvres dans des expositions personnelles : 1948 Amsterdam, avec des dessins ; 1958 galerie Espace à Haarlem ; 1959 Stedelijk Museum d'Amsterdam ; 1961 rétrospective au Stedelijk Van Abbe Museum d'Eindhoven ; 1969 Stedelijk d'Amsterdam ; 1974 galerie Espace d'Amsterdam ; 1982 galerie Fossati à Bâle ; 1986 galerie Sfeir-Semler à Kiel, et Foire Internationale d'Art Contemporain

(FIAC) à Paris ; 1987 rétrospective au Stedelijk Museum d'Amsterdam ; 1988 Kunstmuseum de Winterthur ; 1990 FIAC Paris, galerie des Carmes Rouen, galerie La Poule Rouge Metz ; 1990-91 galerie Contrast Lille ; et après sa mort : 1995 galerie Krief à Paris ; 1996 Stedelijk Museum d'Amsterdam.

S'il dessinait et peignait à la gouache depuis l'enfance, instinctivement plutôt réaliste, et d'une façon plus élaborée depuis 1948 dans un esprit expérimental où s'entremêlaient dessin et écriture poétique, ce fut à partir de 1956-1959 qu'il eut une activité picturale dominante. Depuis lors, il est resté attaché à l'esprit expérimental de COBRA, par le rejet de l'esthétique au profit de l'instinct, le retour au dessin de l'enfance, à l'art populaire, et aussi, d'origine plus culturelle, aux déformations picassiennes, aux joyeusetés graphiques de Klee et Miro, peignant spontanément, d'une manière quasi-automatique, par lourdes pâtes, alternativement de couleurs vives ou de tonalités sombres, triturées au couteau et redessinées rageusement, ne dédaignant pas les apports du hasard par taches, éclaboussures.

Il crée un bestiaire peuplé de bonshommes, de petits monstres gesticulants, d'animaux improbables, de gnomes comiques, de masques grimaçants. Dans son regard sur l'homme, sous tous ses aspects, dans toutes les circonstances, dont les créatures de son bestiaire sont encore les substituts de leur angoisse existentielle, et alors qu'il sait aussi bien qu'il en fait partie, l'humour grinçant le dispute à la pitié. ■ Jacques Busse

Bibliogr. : In : Catalogue du *1er Salon International des Galeries Pilotes*, Mus. Cantonal, Lausanne, 1963 – in : *Peintres contemp.*, Mazenod, Paris, 1964 – Catalogue de l'exposition *Lucebert, dessins, gouaches, peintures*, Stedelijk Mus., Amsterdam, 1969 – in : *Diction. Univers. de la Peint.*, Le Robert, Paris, 1975 – Catalogue de la collection d'œuvres de *Lucebert* conservées par le Stedelijk Mus., Amsterdam, 1987 – in *L'Art du xxe siècle*, Larousse, Paris, 1991.

Musées : Amsterdam (Stedelijk Mus.) : *En Égypte* 1962 – *Le Rêve d'Apollinaire* 1972 – *et importante collection d'œuvres* – Amsterdam (coll. Groenendijk) – La Haye (Mus. de Littérature néerlandaise) : *grande peinture monumentale* – Rotterdam (Boymans Van Beuningen Mus.).

Ventes Publiques : Cologne, 30 nov. 1973 : *Sunplay* : **DEM 4 000** – Hambourg, 7 juin 1974 : *Pas de poitrine* 1963 : **DEM 4 600** – Anvers, 6 avr. 1976 : *Figures* 1959, h/t (150x105) : **BEF 85 000** – Amsterdam, 26 mai 1976 : *Composition aux oiseaux* 1961, gche (77x52) : **NLG 1 600** – Amsterdam, 25 avr. 1978 : *Mère et enfant*, h/t (150x100) : **NLG 6 000** – Amsterdam, 29 oct. 1980 : *Oiseau* vers 1949, gche (33,5x44,5) : **NLG 3 600** – Londres, 1er juil. 1980 : *Trois rois* 1961, h/t (115x150) : **GBP 1 900** – New York, 13 mai 1981 : *Het Parisoordeel* 1968, h/t (89,5x120) : **USD 8 000** – Cologne, 8 déc. 1984 : *Les Highlanders* 1961, techn. mixte/t. (80x100) : **DEM 9 000** – New York, 9 mai 1984 : *Big lost boy* 1959, h/t (200x80) : **USD 4 800** – Amsterdam, 18 mars 1985 : *Sans titre* 1967, gche (70x100) : **NLG 4 200** – Amsterdam, 24 mars 1986 : *Oiseau et bêtes* 1959, gche (49,5x64,5) : **NLG 3 800** – Copenhague, 26 nov. 1987 : *Composition* 1973, gche (62x87) : **DKK 16 000** – Copenhague, 24 fév. 1988 : *Composition* 1951, encre de Chine (22x34) : **DKK 5 500** ; *Vieille nonne* 1959, h/t (68x45) : **DKK 65 000** – Lokeren, 28 mai 1988 : *Port Royal* 1967, gche, past. et aquar. (66,5x95) : **BEF 150 000** – Copenhague, 8 nov. 1988 : *Couple dans les nuages* 1960, h/t (80x100) : **DKK 95 000** – Stockholm, 21 nov. 1988 : *Composition à personnages* 1969, techn. mixte (35x46,5) : **SEK 4 500** – Amsterdam, 24 mai 1989 : *Hommes et animaux* 1950, cr., encre et aquar. (21,5x27,5) : **NLG 17 250** – Londres, 25 mai 1989 : *Sans titre* 1976, h., gche et past./pap. (43x60) : **GBP 2 200** – Paris, 29 sep. 1989 : *Personnages* 1952, aquar. et lav. d'encre brune (32x24) : **FRF 16 000** – Amsterdam, 13 déc. 1989 : *Personnage* 1964, h/t (101x80) : **NLG 34 500** – Londres, 22 fév. 1990 : *Sans titre* 1973, acryl. et cr. coul./pap. (72,5x101) : **GBP 4 400** – Copenhague, 21-22 mars 1990 : *Gertrude avec Pablo* 1979, h/t (70x90) : **DKK 50 000** – Amsterdam, 22 mai 1990 : *Le Voleur géant* 1962, h/t (150x100) : **NLG 143 750** – Londres, 18 oct. 1990 : *Sans titre* 1968, h/t (89,5x120) : **GBP 14 300** – Amsterdam, 12 déc. 1990 : *Engin de guerre* 1955, encre noire et gche/pap. (49x48) : **NLG 23 000** – Amsterdam, 13 déc. 1990 : *Drama Thuis* 1961, h/t (100x150) : **NLG 105 800** – Amsterdam, 22 mai 1991 : *Fleurs et abeilles*, encre et aquar./pap. (28x46) : **NLG 13 800** – Amsterdam, 12 déc. 1991 : *Macbeth et les Sorcières* 1964, h/t (130x200) : **NLG 97 750** – New York, 25-26 fév. 1992 : *Thessaurier Baby* 1960, h/t (100x80) : **USD 27 500** – Lokeren, 21 mars 1992 : *Composition* 1974, acryl. et past. (73x98) : **BEF 180 000** – Lokeren, 23 mai 1992 : *Dans un jardin persan, les filles de l'Orient* 1988, h/t (200x150) : **BEF 650 000** – Lucerne, 23 mai 1992 : *Sans titre* 1988, h/t (92x65) : **CHF 10 500** – Munich, 1er-2 déc. 1992 : *Hors d'ici* 1965, h/t (130,5x100) : **DEM 63 250** – Amsterdam, 27-28 mai 1993 : *Couple dans les nuages* 1960, h/t (80x100) : **NLG 69 000** – Paris, 8 juil. 1993 : *Tête* 1984, h. et past./pap. (67,5x48) : **FRF 34 000** – Zurich, 13 oct. 1993 : *Là dehors* 12965, h/t (130x100) : **CHF 25 000** – Copenhague, 6 sep. 1993 : *De rode rover* 1961, h/t (120x90) : **DKK 175 000** – Lokeren, 28 mai 1994 : *Les Chasseurs* 1983, h/t (114x146) : **BEF 370 000** – Amsterdam, 31 mai 1995 : *Sans titre* 1960, h/t (80x100) : **NLG 73 160** – Zurich, 23 juin 1995 : *Sans titre* 1970, acryl./pap. (68x108) : **CHF 6 000** – Lokeren, 9 mars 1996 : *Composition* 1973, acryl. et past. (68x98) : **BEF 150 000** – Londres, 26 juin 1996 : *Sans titre* 1954, aquar./pap. (21,2x31) : **NLG 11 800** – Amsterdam, 3 sep. 1996 : *Déesse animale* 1952, gche, cr. et encre/pap. (33,5x21,5) : **NLG 4 843** – Paris, 24 nov. 1996 : *Composition figure* 1969, gche et acryl./pap. (76x51) : **FRF 15 000** – Amsterdam, 10 déc. 1996 : *Les Chevaucheurs de boucs* 1961, h/t (200x150) : **NLG 103 788** – Amsterdam, 17-18 déc. 1996 : *Hecate* 1987, h/t (97x130) : **NLG 11 800** ; *Sans titre* 1978, aquar. et cr./pap. (44,5x61) : **NLG 5 310** – Amsterdam, 2-3 juin 1997 : *Sans titre* 1963, gche et past.gras/pap. (49x63) : **NLG 21 240** – Amsterdam, 1er déc. 1997 : *Verzadigde puzzlelaars* 1969, gche et past. gras/pap. (73x99) : **NLG 14 160**.

LUCENA Clemencia

Née en 1945. xxe siècle. Colombienne.

Sculpteur, dessinateur.

Elle fut élève de Edgard Negret, en sculpture à l'Université de Los Andes. Elle expose surtout à Bogota.

Vers 1965, elle s'est tournée vers le dessin.

LUCENA Diego de

Mort en 1650. xviie siècle. Espagnol.

Portraitiste.

Issu d'une noble famille andalouse. Élève de Velasquez, dont il imita la manière. On cite de lui un *Portrait du poète Atanasio Pantaléon*. Il mourut jeune.

LUCENTI Girolamo I ou **Luzente**

Né à Correggio. xviie siècle. Italien.

Peintre d'histoire, compositions religieuses, paysages.

Il travailla à Séville en 1608 et à Grenade en 1642. Il exécuta, en 1608, deux paysages avec la Vocation de saint André et saint Pierre pour la chapelle du collège de S. Thomas à Séville. À rapprocher de Geronimo LUZENTE.

LUCENTI Girolamo II ou **Lucini**

Né vers 1627 à Rome. Mort le 4 avril 1698 à Rome. xviie siècle. Italien.

Sculpteur de bustes, statues, monuments, fondeur.

Il fut, de 1668 à 1679, graveur de la monnaie papale. Parmi ses œuvres, on cite à Rome : le monument funéraire du *Cardinal Gastaldi* à Sainte-Marie-des-Miracles, quatre bustes de *Papes* au maître-autel de l'église Sainte-Marie-de-Montesanto, la statue du roi *Philippe IV* à l'église Sainte-Marie-Majeure et un *Ange* sur le pont des Anges.

LUCH Miguel. Voir **LONGUER**

LU CHAN. Voir **LU ZHAN**

LU CHAO ou **Lou Tch'ao** ou **Lu Ch'ao**, surnom : **Fangbo**, nom de pinceau : **Haimen**

xviiie siècle. Actif à Changshu (province du Jiangsu) vers 1760. Chinois.

Peintre.

Peintre de fleurs et particulièrement de pivoines.

LU CHAOYANG ou **Lou Tch'ao-Yang** ou **Lu Ch'ao-Yang**

Originaire de Shaxian, province du Fujian. xvie siècle. Chinois.

Peintre.

Peintre d'oiseaux dans le style de Bian Wenjin (actif au xv^e

siècle). Le Musée d'Art John Herron d'Indianapolis conserve une œuvre signée et datée 1552, *Deux paons dans les fleurs Mudan et les arbres fruitiers en fleurs*.

LU CHEN
Né en 1935 à Suzhou (province du Jiangsu). XXe siècle. Chinois.
Peintre de compositions animées. Traditionnel.
Il fut élève de l'Institut central des Beaux-Arts, dont il est devenu professeur. En 1980, il figurait à l'exposition *Peintres traditionnels de la République populaire de Chine*, à la galerie Daniel Malingue de Paris.
Il travaille avec encre et couleurs chinoises sur papier. Il peint des scènes intimistes : *Le calligraphe, Charme automnal*, dont les titres sont calligraphiés dans la composition.
Bibliogr. : In : Catalogue de l'exposition *Peintres traditionnels de la République populaire de Chine*, galerie Daniel Malingue, Paris, 1980.

LUCHETTI Giuseppe
Né au XIXe siècle à Pérouse. XIXe siècle. Italien.
Sculpteur.
Élève de l'Académie des Beaux-Arts de Pérouse. Il vint se perfectionner à Rome et débuta vers 1880. Il exposa à Rome et Turin.

LÜ CHI. Voir **LÜ JI**

LUCHIAN Stefan ou **Lüchian**
Né en 1868 à Stefanesti. Mort en 1916 à Bucarest. XIXe-XXe siècles. Roumain.
Peintre de compositions animées, figures, portraits, paysages, fleurs, aquarelliste, pastelliste. Expressionniste.
Il fut élève de l'École des Beaux-Arts de Bucarest, de 1883 à 1888 ; poursuivit ses études à Munich et à l'Académie Julian de Paris, de 1891 à 1993. En 1896, il fut l'un des fondateurs du Salon des Artistes Indépendants de Bucarest ; puis, en 1902, de l'Association de la Jeunesse Artistique, y exposant de 1902 à 1914. En 1901, il contracta une maladie grave, contre laquelle il lutta pendant quinze ans, gagné par la paralysie, se faisant attacher les pinceaux aux mains.
Le critique roumain, K.-H. Zambaccian, précise les influences diverses subies par Luchian en sa jeunesse : après Manet et Degas, Gauguin et Van Gogh. Son œuvre a conservé de ses sources d'influences, la peinture claire issue de l'impressionnisme, qu'il travaille par larges empâtements dans des paysages d'une qualité lumineuse colorée. Il a réussi, malgré ses souffrances, a traduire une vision poétique de l'univers, même si son *Autoportrait* de 1907 (au Musée Simu de Bucarest) fait comprendre quel fut son calvaire. Influencé lui-même par les tendances françaises du début de siècle, son œuvre a marqué ensuite toute la peinture roumaine.
Bibliogr. : Ionel Jianou, in : *Diction. de l'Art et des Artistes*, Hazan, Paris, 1967 – in : *Diction. Univers. de la Peint.*, Le Robert, Paris, 1975 – in : *Diction. de la Peint. allemande et d'Europe centrale*, Larousse, Paris, 1990.
Musées : Bucarest (Mus. d'Art Simu) : *Autoportrait* 1907 – *La Mer Noire à Tuzla* 1904 – *La Distribution du maïs* 1905 – *Scieur de bois* 1906 – autres peintures, aquarelles, pastels – Bucarest (Mus. Zambaccian).

LU CHIA-PIN. Voir **LU JIABIN**

LÜ CH'IEN. Voir **LÜ QIAN**

LU CHIH. Voir **LU ZHI**

LÜ CHING-FU. Voir **LÜ JINGFU**

LUCHINO da Cernusco ou **Cernuscolo**
XVe siècle. Italien.
Sculpteur.
Il travailla au Dôme de Milan à partir de 1444. En 1450 à Gênes, il fut chargé de sculpter une *Annonciation* (groupe de marbre) pour l'église S. Francesco. Il travailla à la décoration plastique du Dôme de Côme.

LU CHONG MIN. Voir **LÜ CONGMIN**

LUCHS. Voir **LUX**

LUCHSPERGER Lorenz. Voir **LUXBERGER**

LUCHT Hans
Mort en 1653 à Stralsund. XVIIe siècle. Actif à Stralsund. Allemand.
Sculpteur.
Il sculpta, en 1635, la chaire de l'église Saint-Jacques de Stralsund.

LUCHTEREN Ignatius Van ou **Lochteren** ou **Logteren**
XVIIIe siècle. Actif dans le Brabant. Éc. flamande.
Sculpteur.
Élève de son père. Il travailla à Amsterdam, il fit les sculptures de l'orgue de la cathédrale de Haarlem et celles de l'Asile à Amsterdam (1735).
Ventes Publiques : Amsterdam, 12 nov. 1996 : *Hercule, Mercure, Bacchus, Diane, Actéon, Zéphir*, cr. et encre brune, série de six études (15,1x10,2) : **NLG 1 652**.

LU CHUNG-YÜAN. Voir **LU ZHONGYUAN**

LUCIANI Antonio
Né vers 1700 à Venise. XVIIIe siècle. Italien.
Peintre de paysages et graveur.
Élève de Piccini pour la peinture et de Faldoni pour la gravure. Il a gravé des portraits et des sujets religieux.

LUCIANI Ascanio
Mort en 1706 à Naples. XVIIe siècle. Italien.
Peintre de paysages animés, paysages.
Musées : Naples : *Ruines*.
Ventes Publiques : Paris, 8 juin 1988 : *Paysage avec soldats se reposant près d'une grotte*, h/t (42x53,5) : **FRF 17 000**.

LUCIANI Sebastiano ou **de Lucianis**. Voir **SEBASTIANO del Piombo**

LUCIANO Gennaro
Mort le 15 octobre 1883 à Naples. XIXe siècle. Actif à Naples. Italien.
Peintre et dessinateur.

LUCIANO da Velletri
XVe siècle. Éc. siennoise.
Peintre.
On le mentionne à Sienne à partir de 1441. Une *Visitation de Marie* de 1435, au Musée Capitolare à Velletri lui est attribuée.

LUCIBEL-DELANDRE Alfred
Né en 1842 à Bordeaux. XIXe siècle. Français.
Sculpteur.
Élève de A. Dumont. Exposa au Salon en 1867 et 1869.

LUCIDEL Nicol. Voir **NEUFCHATEL Nicolas**

LUCIEN Jean Baptiste
Né vers 1748 à Paris. Mort en 1806 à Paris. XVIIIe siècle. Français.
Graveur au burin.
Il a gravé d'après le Guerchin, Ang. Kauffmann, Bouchardon, Greuze, etc., des sujets religieux, des portraits et des bas-reliefs. On cite de lui des vignettes d'après Cochin pour une édition de *Télémaque*. Il grava également à la manière de crayon.

LUCIEN-ROBERT Henri
Né le 13 décembre 1868 à Paris. XIXe siècle. Actif à Paris. Français.
Peintre et lithographe.
Il fut élève de T. Robert-Fleury et de J. Lefebvre.

LUCIJ Luzio. Voir **LUZZI Luzio**

LUCILLUS
IVe siècle. Actif à Rome à la fin du IVe siècle. Antiquité romaine.
Peintre.

LUCINI Antonio
XVIIIe siècle. Actif à Milan. Italien.
Peintre.
Parmi ses œuvres on cite à Milan une *Fuite en Égypte* et une *Adoration de l'Hostie* à l'église S. Babila ; à l'église S. Eustorgio un *Saint Vincent Ferrer*, un *Christ* et des *Saints dominicains* et également trois portraits à l'Ospedal Maggiore.

LUCINI Antonio Francesco
Né vers 1605 à Florence. XVIIe siècle. Italien.
Dessinateur et graveur au burin.
Élève de Stefano della Bella ; il imita la manière de son maître et celle de Callot. Il a gravé des sujets d'histoire.

Æ.LF Æ L.F

LUCINI Francesco
Né le 29 août 1789 à Reggio d'Emilie. Mort le 12 février 1846 à Tolède. XIXe siècle. Espagnol.
Peintre.
Il peignit des vues et fut peintre de théâtres à Barcelone, Valence et Madrid.

LUCINI Giuseppe
Né en 1770 à Reggio d'Emilie. Mort en 1845 à Barcelone. XVIIIe-XIXe siècles. Italien.
Peintre.
Il fit des décors de théâtre.

LUCINI Teodoro
XVIIe siècle. Actif à Milan. Italien.
Sculpteur.
Il collabora aux sculptures des piliers entourant le chœur du Dôme de Milan.

LUCINI Y BIDERMAN Eusebio
Né en mars 1814 à Barcelone. Mort le 29 novembre 1881 à Madrid. XIXe siècle. Espagnol.
Peintre.
Il était fils de Francesco Lucini. Il fut peintre de théâtres, principalement à l'Opéra italien de Madrid.

LUCINO Antonio. Voir **LUCINI Antonio**

LUCIONI Luigi
Né en 1900. Mort en 1988. XXe siècle. Actif aux États-Unis. Italien.
Peintre de paysages, natures mortes.
Il se fixa très tôt aux États-Unis, où il fit ses études artistiques à New York. En 1929, il obtint une médaille d'honneur de l'Association des Artistes Américains. Il figurait régulièrement aux expositions de la Fondation Carnegie de Pittsburgh.
Il était essentiellement peintre de paysages, dont on vantait le solide métier.
Musées : New York (Metropolitan Mus.) – New York (Whitney Mus.).
Ventes Publiques : New York, 28 oct. 1976 : *Nature morte* 1934, h/t (51x40,5) : **USD 700** – New York, 25 oct 1979 : *Nature morte* 1940, h/t (50,8x40,6) : **USD 3 800** – Los Angeles, 6 oct. 1981 : *Nature morte aux pêches* 1927, h/t (61x76) : **USD 6 500** – New York, 22 juin 1984 : *La bouteille de vin*, h/t (40,6x50,8) : **USD 7 250** – New York, 6 déc. 1985 : *Nature morte aux courges* 1937, h/t (43,6x51,2) : **USD 5 000** – New York, 24 mai 1990 : *Variations avec du blanc* 1961, h/t (46,2x56,5) : **USD 35 200** – New York, 31 mai 1990 : *Variations en bleu* 1940, h/t (35,6x45,5) : **USD 15 400** – New York, 31 mars 1993 : *Le Vermont* 1940, h/rés. synth. (15,2x20,3) : **USD 3 565** – New York, 2 déc. 1993 : *Sous les bouleaux* 1953, h/t (76,2x96,5) : **USD 37 375** – New York, 25 mai 1994 : *Nature morte de fruits et de fleurs* 1942, h/t (25,4x33) : **USD 17 250** – New York, 29 nov. 1995 : *Esquisse pour Rythme* 1946, h/t (81,3x66) : **USD 19 550** – New York, 20 mars 1996 : *Barre dans le Vermont* 1950, h/pan. (35,6x40,3) : **USD 1 725** – New York, 30 oct. 1996 : *Nature morte au citron et à la bouteille*, h/t/cart. (30,2x25,4) : **USD 4 887** – New York, 4 déc. 1996 : *Composition en gris et vert* 1977, h/t (76,8x61,6) : **USD 23 000**.

LUCIUS
Ier siècle. Actif vers le milieu du premier siècle apr. J.-C. Antiquité romaine.
Peintre.
Cet artiste est uniquement connu, à Pompéi, par une médiocre peinture signée *Lucius Pinxit*, dans la maison de Loreius Tiburtinus, et qui représente Pyrame et Thisbé.

LUCIUS. Voir aussi **COXINHO José Lucio da Costa**

LUCIUS Mallius. Voir **MALLIUS Lucius**

LUCK. Voir aussi **LÜCKE**

LUCK Hans ou **Jan Van**. Voir **LUYCK Hans** ou **Jan Van**

LÜCKE Carl August, l'Ancien
XVIIe siècle. Allemand.
Sculpteur sur ivoire.
Le Musée du château de Schwerin conserve de sa main un médaillon du *Duc Christian Louis de Mecklembourg-Schwerin*, daté de 1688.

LÜCKE Carl August, le Jeune
Né vers 1710 à Dresde. XVIIIe siècle. Allemand.
Sculpteur sur ivoire.
Il travailla non seulement l'ivoire, mais aussi la nacre, l'albâtre, le buis (portraits en relief, sculptures de genre et sculptures religieuses). On mentionne de ses œuvres au Musée Kestner à Hanovre (portraits en relief sur ivoire), ainsi qu'au Musée de l'Ermitage à Saint-Pétersbourg, et au Musée du château de Schwerin (hauts-reliefs sur ivoire).

LÜCKE Chr. Ludwig von
Né vers 1703 probablement à Dresde. Mort en 1780 à Dantzig. XVIIIe siècle. Allemand.
Sculpteur, et sculpteur sur ivoire.
Il était fils d'Ernst Friedrich Lücke. De nombreux musées conservent de ses œuvres, notamment le Musée Kaiser Friedrich à Berlin, le Musée National de Brunswick, les Musées de Cassel, de Schwerin, ainsi que le château de Rosenborg à Copenhague. On cite de sa main, au Musée Kestner à Hanovre, un petit relief, au Grünes Gewölbe à Dresde un groupe et un crucifix d'ivoire, au Musée National de Munich une *Bergère au repos*.

LUCKE Édouard
Né en 1901 à Jette. Mort en 1972 à Bruxelles. XXe siècle. Belge.
Peintre de paysages, fleurs.
Il fut élève de Hector Thys.
Il a surtout peint les paysages du Brabant.

Bibliogr. : In : *Diction. biograph. illustré des Artistes en Belgique depuis 1830*, Arto, Bruxelles, 1987.

LÜCKE Ernst Friedrich
XVIIIe siècle. Allemand.
Sculpteur.
On lui attribue un médaillon sur ivoire (portrait d'un prince), au Musée National de Brunswick.

LÜCKE Johann Friedrich, l'Ancien
XVIIIe siècle. Actif à Freiberg. Allemand.
Sculpteur.

LÜCKER Johann Josef
Né en 1821 à Crefeld-Linn. Mort le 18 décembre 1900. XIXe siècle. Allemand.
Peintre de portraits, de genre et de paysages.

LUCKMEYER Heinrich
Né le 4 avril 1870 à Nuremberg. XIXe-XXe siècles. Allemand.
Peintre de portraits, paysages.

LUCKNER Heinz, comte
Né le 12 mars 1891. XXe siècle. Allemand.
Peintre, graveur, lithographe, illustrateur.
Il a illustré de lithographies *L'Abbesse de Castro* de Stendhal.

LUCKNER Lazare
Né en 1929. XXe siècle. Haïtien.
Peintre de paysages.
En 1946, il figurait à l'exposition de la jeune école antillaise, au Musée d'Art Moderne de Paris.

LUCKX. Voir aussi **LUYCKX**

LUCKX Frans ou **Frans Josef**
Né en 1802 à Malines. Mort en 1849 à Bruxelles. XIXe siècle. Belge.
Peintre de genre.
Professeur à Malines en 1823. La Pinacothèque de Munich conserve de lui : *La tricoteuse*.
Ventes Publiques : Paris, 1873 : *La marchande de fruits et de fleurs* : **FRF 3 000** – Rotterdam, 1891 : *La marchande de crevettes* : **FRF 778** ; *La Réprimande* : **FRF 885** – Londres, 20 oct. 1950 : *Famille de paysans* : **GBP 126** – Londres, 13 oct. 1967 : *La bonne flamande* : **GNS 750**.

LÜ CONG-MIN ou **Liu Ts'ong-Min, Lu Chong-Min, Lü Ts'ung-Min**
Né en Malaisie. XXe siècle. Chinois.
Peintre.
Il fut élève de l'Académie des Beaux-Arts Nanyang à Singapour. En 1957, il vint en Europe.

LUCOT Jules
Né au XIXe siècle à Paris. XIXe siècle. Français.
Peintre de genre.
Élève de Gudin et de Ciceri. Le Musée de Bagnères conserve de lui : *Les laveuses, Paysage de montagnes, Paysage, Les sapins.*

LUCOTTE J. R.
XVIIIe siècle. Actif à Paris. Français.
Dessinateur ornemaniste.
Il fit les esquisses de onze planches d'ornements, gravées par Bénard, pour l'*Encyclopédie* de Diderot et d'Alembert.

LUCOTTE DE CHAMPMONT Anne Alexandrine, Mlle
Née au XIXe siècle à Paris. XIXe siècle. Française.
Peintre de portraits et d'histoire.
Élève de M. Delorme. On cite d'elle une *Assomption*, conservée dans l'église de Saint-Spire, à Corbeil.

LUCQUIN, Mme. Voir **GIROUARD Henriquetta**

LUCY A.
Né au XIXe siècle à Metz. XIXe siècle. Français.
Peintre de genre et paysagiste.
Exposa aux Salons de 1836 et 1837.

LUCY Adrien
Né au XIXe siècle à Meaux (Seine-et-Marne). Mort en 1875 à Paris. XIXe siècle. Français.
Peintre de genre, paysages, aquarelliste, dessinateur.
Exposa au Salon, de 1843 à 1870, des peintures, des aquarelles, des dessins et des faïences.
MUSÉES : MARSEILLE : *Forêt de la Grande-Chartreuse.*
VENTES PUBLIQUES : PARIS, 10 avr. 1924 : *Le Repas des bergers*, aquar. : **FRF 170** – PARIS, 4 déc. 1944 : *La Grange*, aquar. : **FRF 280** – MONTE-CARLO, 15 fév. 1983 : *Vue d'El-Kantara*, h/t (143x86,5) : **FRF 16 000** – LONDRES, 28 mars 1990 : *Les gorges de El-Kantara*, h/t (143x88,5) : **GBP 4 950**.

LUCY Charles
Né en 1692 à Londres. XVIIIe siècle. Britannique.
Peintre de portraits.
Il étudia à Florence et à Forli et se fixa à Bologne.

LUCY Charles
Né en 1814 à Hereford. Mort le 19 mai 1873 à Notting-Hill. XIXe siècle. Britannique.
Peintre d'histoire, portraits.
Apprenti droguiste, il abandonna ce métier, vint à Paris et fut élève de Delaroche à l'École des Beaux-Arts ; il fit ensuite des études à la Royal Academy où bientôt il exposait, établissant sa renommée sur des sujets de l'histoire d'Angleterre. Dans les années 1840, il remporta trois prix dans les concours de Westminster Hall. À cette époque il vivait à Tudor Lodge à Camden Town, travaillant avec Ford Madox Brown. En 1857 il revint en France et se fixa définitivement à Barbizon. Nombre de ses œuvres ont été popularisées par la gravure.
MUSÉES : CARDIFF : *Charlotte Corday* – GLASGOW : *Cromwell et sa famille à Hampton Court* – LONDRES (Victoria and Albert Mus.) : *John Bright – Gladstone – Joseph Hume – Richard Cobden – Benjamin Disraeli – Nelson – Olivier Cromwell – Garibaldi* – NEW YORK (Metrop.) : *Nelson dans sa cabine* – NOTTINGHAM : *Gladstone* – SHEFFIELD : *Réconciliation de Joshua Reynolds et de Gainsborough.*
VENTES PUBLIQUES : NEW YORK, 22 mai 1986 : *Moontide repose* 1869, h/t (84,7x123) : **USD 4 500** – LONDRES, 5 nov. 1993 : *L'abdication sous la contrainte de la Reine Mary d'Écosse à Lochleven Castle le 25 juillet 1567* 1868, h/t (213x159,4) : **GBP 29 900**.

LUCY Edward Falkland
Né vers 1852. Mort le 5 octobre 1908. XIXe siècle. Actif à Londres. Britannique.
Peintre de paysages.

LUCY-FOSSARIEN Louis Godefroy
Né en 1820 à la Martinique. XIXe siècle. Français.
Peintre d'histoire et de genre.
Il exposa au Salon, de 1846 à 1848.

LUCZOT DE LA THÉBAUDAIS Charles
Né à Rennes. Mort en 1840 à Paris. XIXe siècle. Français.
Ingénieur et dessinateur amateur.
Il fut ingénieur des ponts et chaussées à Besançon et y fit de l'aquarelle en amateur. Le Musée de Besançon conserve de cet artiste deux trompe-l'œil à l'aquarelle.

LUCZYNSKI Joh. Peter
Né en 1816 à Czernowitz. Mort le 25 décembre 1855 à Lemberg. XIXe siècle. Polonais.
Peintre.
Il peignit des portraits, des paysages, des tableaux d'histoire et des tableaux religieux.

LU DAOHUAI ou **Lou Tao-Houai** ou **Lu Tao-Huai**, surnom : **Shangyu**
Originaire de Jiading, province du Jiangsu. XVIIIe siècle. Actif vers 1700. Chinois.
Peintre.
Peintre de paysages dans le style de Wu Li (1632-1718).

LUDBY Max
Né le 4 novembre 1858 à Londres. Mort en 1943. XIXe-XXe siècles. Britannique.
Peintre-aquarelliste de paysages, dessinateur.
Il vécut et travailla à Cookham. De 1886 à 1911, il exposa à la Royal Academy de Londres.
MUSÉES : MELBOURNE (Nat. Gal.) : *Paysage*, aquar.
VENTES PUBLIQUES : CHESTER, 30 mars 1984 : *La forge du village* 1895, aquar. reh. de gche (92,5x75) : **GBP 3 400** – LONDRES, 10 oct. 1985 : *La table du déjeuner* 1889, aquar. reh. de gche (60,6x33) : **GBP 950** – LONDRES, 25 jan. 1989 : *Mouton*, aquar. (35x51) : **GBP 440** – LONDRES, 31 jan. 1990 : *« Sonning »* 1903, aquar. (49,5x75) : **GBP 1 430**.

LÜDDEN Johann Paul
Mort le 3 octobre 1739 à Saint-Pétersbourg. XVIIIe siècle. Actif à Brunswick. Allemand.
Peintre de portraits.
Il s'établit à Saint-Pétersbourg à partir de 1728. Le Palais d'hiver et le château Gatschina possèdent de ses œuvres.

LÜDECKE Albert Bogislaw
XIXe siècle. Actif à Düsseldorf. Allemand.
Peintre.
VENTES PUBLIQUES : COLOGNE, 21 mars 1980 : *La gardeuse d'oies* 1861, h/t (45x65) : **DEM 3 300**.

LÜDECKE Karl
Né le 10 février 1897 à Erfurt. XXe siècle. Allemand.
Sculpteur de bustes, statuettes.
Il vécut et travailla à Dresde-Loschwitz.
MUSÉES : DRESDE (Mus. mun.) : *Statuette*, bois – ERFURT (Mus. mun.) : *Tête*, bronze.

LÜDECKE-CLEVE August ou **Lüdeke-Cleve**
Né le 25 octobre 1868. Mort en 1957. XIXe-XXe siècles. Allemand.
Peintre d'animaux et de paysages.
Il s'établit à Munich en 1901. On cite de ses œuvres dans les Musées de Wiesbaden, Salzbourg, Rosenheim et dans les Galeries Municipales de Graz et Nuremberg.
VENTES PUBLIQUES : COLOGNE, 20 mars 1981 : *Troupeau dans un paysage boisé*, h/t (60x80) : **DEM 10 000** – COLOGNE, 14 mars 1986 : *Jour d'été*, h/t (80x120) : **DEM 6 000**.

LÜDEKE Hugo
Né en 1857. XIXe siècle. Actif à Berlin. Allemand.
Peintre de genre et de portraits.
Obtint en 1889 le prix Ernst Reichenheim. Exposa deux aquarelles à Dresde en 1892.

LÜDEKE Peter Ludwig
Né vers 1760. XVIIIe siècle. Allemand.
Peintre de paysages.
Il visita l'Italie. Il était à Rome en 1786 et revint à Berlin en 1787. Il est certainement identique à P. L. Lütke. Voir ce nom.

LUDER Martin
XVIe siècle. Actif à Nordhausen. Allemand.
Peintre.

LÜDERITZ Gustav Karl Friedrich
Né le 15 décembre 1803 à Berlin. Mort le 13 février 1884 à Berlin. XIXe siècle. Allemand.
Dessinateur, graveur et lithographe.
Il grava d'après C. F. Lessing, Th. Hildebrandt, K. Sohn, A. Riedel, etc. Il fit le portrait du poète polonais *Adam Mickiewicz*, d'après Tepa et celui du *Maréchal Blücher*, d'après sa propre esquisse. Il fit de nombreux dessins pour la gravure.

LÜDERITZ Johann Renatus
Né vers 1770 ou 1790. XVIIIe siècle. Allemand.
Peintre de miniatures.
Il travailla à Lübeck, Altona et Hambourg. Il peignit également des portraits à l'huile et à l'aquarelle. Le Musée pour l'art et la civilisation, à Lübeck, possède des miniatures de sa main, ainsi que le Musée d'histoire de Hambourg.

LÜDERS David
Né vers 1710 à Hambourg. Mort en 1759 à Moscou. XVIIIe siècle. Allemand.

Portraitiste.
Commença ses études à Hambourg et les continua à Paris, sous la direction de Lemoine. Il travailla en Italie, en Angleterre, en Russie.
Musées : Saint-Pétersbourg (Mus. de l'Ermitage) : *La famille Tchernuchoff* – Saint-Pétersbourg (Mus. Russe) : *Le prince D. I. Lobanoff – Rotovsky – La femme de Rotovsky.*

LÜDERS Hermann
Né le 25 novembre 1836. Mort le 17 novembre 1908. XIXe siècle. Allemand.
Peintre d'histoire et de genre, illustrateur et écrivain.

LÜDERT Christian Wilhelm
Né le 30 septembre 1790 à Hambourg. Mort le 1er février 1857 à Hambourg. XIXe siècle. Allemand.
Peintre de paysages amateur, et lithographe.
Ventes Publiques : Amsterdam, 22 avr. 1980 : *Paysage au pont* 1830, h/t (114x113,5) : **NLG 9 000.**

LUDEWIG. Voir aussi **LUDWIG**

LUDEWIG Johann Carl Andreas
Mort en 1810. XIXe siècle. Actif à Berlin. Allemand.
Peintre.

LU DEZHI ou **Lou Tö-Tche** ou **Lu Tê-Chih**, de son vrai nom : **Lu Shen,** surnoms : **Lushan** et **Kongsun,** nom de pinceau : **Qianyan**
Originaire de Qiantang, province du Zhejiang. XVIIe siècle. Chinois.
Peintre.
Disciple de Li Rihua (1565-1635), il travaille de la main gauche à la fin de sa vie. Il laisse des peintures de bambous et d'épidendrons à l'encre, dont certaines sont signées et datées, *Branches de bambous,* rouleau en longueur daté 1637, *Album d'études de bambous* daté 1640, *Pousses de bambous et grand bambou* daté 1654. Il est connu comme calligraphe.

LÜDGER Carl
Né le 6 octobre 1748. XVIIIe-XIXe siècles. Allemand.
Peintre de portraits, d'histoire et de paysages.
Il séjourna vers 1800 à Hambourg et à partir de 1819 à Dresde.

LUDI Johannes ou **Ludin**
XVIIe siècle. Suisse.
Peintre.
L'Hôtel de Ville de Mulhouse conserve de sa main un tableau des armoiries de tous les bourgmestres d'autrefois de cette ville, et le Musée de Bâle les copies des portraits du fils et de la fille du bourgmestre Meyer.

LUDICK Lodewyck Van
Né en 1629 à Amsterdam. Mort avant 1697 à Amsterdam. XVIIe siècle. Hollandais.
Peintre de paysages.
Dès 1656, il est mentionné à Amsterdam ; l'année même il fut commissaire expert avec Abram Franssen dans le concours de Rembrandt ; en 1657, il épousa Cornelia Bosmans.

Musées : Bamberg (coll. mun.) : *Paysage* – Munich : *Paysage italien au coucher du soleil.*
Ventes Publiques : Londres, 15 avr. 1981 : *Paysage d'Italie animé,* h/t (52x63) : **GBP 1 500** – Londres, 12 juil. 1985 : *Paysage d'Italie animé de personnages,* h/t (53,3x66,5) : **GBP 5 500.**

LÜDICKE Alfred Veit
Né le 9 août 1867. XIXe siècle. Allemand.
Peintre de portraits, de genre et de scènes de chasse.

LUDIN Charles
Né le 17 décembre 1867 à Pierre-Scize. Mort le 22 octobre 1949. XIXe-XXe siècles. Français.
Peintre de paysages, dessinateur.
Il fut élève de l'École des Beaux-Arts de Lyon. Il exposait à Paris, au Salon des Artistes Français, dont il était sociétaire.
Essentiellement peintre de paysages, dont il s'attache à traduire la lumière et l'atmosphère, de même que dans ses dessins aux contours vaporeux.
Musées : Annecy – Chambéry (Mus. des Beaux-Arts) : *La Rue-Basse du château à Chambéry – Le Musée Savoisien* – Lyon (Mus. des Beaux-Arts) – Saumur – Vienne – Villeurbanne.

LUDINS Eugène
XXe siècle. Américain.
Peintre.
Expose en 1946 et 1947 à la Fondation Carnegie de Pittsburg.

LUDIUS
Ier siècle. Actif à Rome apr. Jésus-Christ. Antiquité romaine.
Peintre.
Contemporain de l'empereur Auguste. Selon Pline, c'est le premier artiste qui peignit à fresque ; il décora les murs intérieurs des palais et des villes de paysages avec vues de jardins, bois, chutes d'eau, et animés de figures gracieuses. Il est particulièrement célèbre pour la peinture de la maison de Livie à Prima Porta, représentant un luxueux jardin d'orangers, de palmiers et de parterres de fleurs. L'ensemble est ordonné selon une symétrie qui laisse assez de liberté à la composition. Tous les détails botaniques sont rendus avec une précision qui fait penser à Léonard de Vinci. Ludius s'est aussi attaché à rendre tous les effets lumineux de ce jardin qui donne l'impression d'une trouée dans la pièce. C'est un véritable prolongement vers un jardin imaginaire. Ce type de peinture sera très souvent repris dans la décoration des villas romaines, donnant à la peinture romaine un caractère qui la distingue de la peinture hellénistique.

LÜDKE Alfred
Né le 9 janvier 1974 à Magdebourg. XIXe-XXe siècles. Allemand.
Peintre de paysages, fleurs.
Il était actif à Tutzing, près de Munich.
Musées : Bonn (Mus. mun.) : *La Forêt morte – L'Œil de Dieu sur toutes choses* – Cologne (Wallraf-Richartz Mus.) : *Printemps sur le lac de Starnberg* – Nuremberg (Mus. mun.) : *Près de Kochel.*

LÜDKE Joachim
Né en 1925. XXe siècle. Allemand.
Peintre. Surréaliste.
Après la guerre mondiale et les interdits esthétiques du régime national-socialiste, il a été considéré comme l'un des représentants de la nouvelle génération surréaliste en Allemagne.
Bibliogr. : Marcel Brion, in : *La Peinture allemande,* Tisné, Paris, 1959.

LUDLOW Henry Stephen, dit **Hal**
Né en 1861. XIXe-XXe siècles. Britannique.
Peintre, aquarelliste, dessinateur, illustrateur.
Il fut élève du Highgate College. Il se fixa à Londres en 1880, et, de 1902 à 1925, travailla à Hanwell. Il exposa à Londres, à la Royal Academy et au Royal Institute of Painters in Watercolours.
Il fit des dessins pour de nombreuses publications, dont : Illustrated London News, Strand Magazine, etc., et, en 1889, 1890, fut dessinateur en chef du journal satirique Judy.
Bibliogr. : Marcus Osterwalder, in : *Diction. des Illustrateurs 1800-1914,* Ides et Calendes, Neuchâtel, 1989.
Ventes Publiques : Perth, 1er sep. 1992 : *Chasseur en train de tirer* 1892, h/cart. (17,5x25,5) : **GBP 968** – Ludlow (Shropshire), 29 sep. 1994 : *Pensées vagabondes* 1897, aquar. (27x41) : **GBP 2 185.**

LUDMANN Paula, plus tard **Ballo**
Née en 1869 en Hongrie. XIXe siècle. Hongroise.
Peintre de natures mortes.
Elle étudia à Munich.

LUDOVIC-RODO, pseudonyme de **Pissarro Ludovic Rodolphe**
Né le 21 novembre 1878 à Paris. Mort en 1952. XXe siècle. Français.
Peintre de figures, paysages, paysages animés, fleurs, aquarelliste, pastelliste, graveur, dessinateur. Post-impressionniste.
Il était l'un des fils de Camille Pissarro. Il reçut les premiers conseils de son père et de son entourage. Dès 1898, il se fixa à Montmartre, avec son frère Georges. De 1914 à 1919, il se fixa en Angleterre, où il était déjà allé en 1906, travaillant comme graveur sur bois. De retour à Paris, il fonda, avec ses frères Lucien et Manzana, le groupe *Monarro,* contraction de Monet et Pissarro, dont Monet fut président d'honneur. Il est l'auteur du catalogue raisonné de l'œuvre de son père, auquel il consacra vingt années, sans interrompre son œuvre propre.
Il figura régulièrement au Salon des Indépendants à Paris. Des galeries de Paris et de Londres ont organisé régulièrement des expositions personnelles de ses œuvres.
Il montra très tôt son goût du dessin et de la caricature. Installé à

Montmartre, il peindra souvent les scènes de cafés et de théâtre, des portraits de femmes au pastel, chers à Toulouse-Lautrec, mais aussi les paysages typiques de Paris et des environs, les quais de Seine et les bords de Marne. Pendant son séjour à Londres, il peignit à l'aquarelle des scènes animées de Londres et des banlieues. Paysagiste, travaillant souvent dans les paysages de Normandie, et aussi dans le sud de la France, il introduit volontiers des personnages dans ses compositions. On retrouve dans ses œuvres un reflet de la sensibilité paternelle, qui, chez Ludovic-Rodo, s'est particulièrement accommodée des techniques de l'aquarelle, apte à saisir l'impalpable de l'atmosphère et la fluidité des reflets dans l'eau. ■ J. B.

Ludovic Rodo

Ventes Publiques : Paris, 22 fév. 1943 : *Le Bois de pins*, aquar. : **FRF 400** ; *Les Andelys*, aquar. : **FRF 900** – Paris, 5 déc. 1946 : *Promenoir, Moulin-Rouge* 1909, gche : **FRF 560** – Versailles, 24 oct. 1976 : *Le manège*, h/t (46x55) : **FRF 5 000** – New York, 18 oct 1979 : *Bord de mer*, h/t mar./cart. (42,8x52) : **USD 2 000** – Rambouillet, 20 oct. 1985 : *Dans le pré* 1930, aquar. (28x39) : **FRF 8 000** – Londres, 1er déc. 1986 : *Paysanne de Pont-Aven* 1903, h/t (41x33) : **GBP 5 000** – Calais, 3 juil. 1988 : *Bouquet de roses*, h/t (55x46) : **FRF 8 000** – Londres, 21 oct. 1988 : *Bouquet de fleurs*, h/t (55x46) : **GBP 1 540** – Tel-Aviv, 3 jan. 1990 : *Maisons et personnages dans un paysage* 1920, h/t (50,5x61,5) : **USD 6 160** – Tel-Aviv, 19 juin 1990 : *Banlieue de Londres*, h/t (61x49) : **USD 8 800** – Reims, 15 mars 1992 : *L'église de Belleville sur Mer*, aquar. (25x35) : **FRF 4 000** – Paris, 25 mars 1994 : *Paysage de neige à Cernay*, h/pan. (25x34) : **FRF 6 000** – Paris, 4 déc. 1996 : *Cheswick High Road*, aquar. (24,7x34,7) : **FRF 8 500** ; *Le marché aux fleurs, Menton* 1947, aquar. (26,5x33) : **FRF 15 000** ; *Femmes au café*, gche (61x47) : **FRF 38 000** – Paris, 23 juin 1997 : *Bretonne sous les arbres*, h/t (53x64) : **FRF 12 500**.

LUDOVICI Albert, Jr.
Né en 1852. Mort en 1932. XIXe-XXe siècles. Britannique.
Peintre de genre, animaux, intérieurs, peintre à la gouache, aquarelliste.
Il vécut et travailla à Londres comme son père, Albert Ludovici senior. Il y exposa de 1884 à 1923. Ses œuvres sont souvent signées sans indication de prénom.
Il fut surtout peintre de scènes de genre, dans le goût des estampes anglaises traditionnelles.

Ludovici 1911

Musées : Sheffield (Art Gal.) : *Leçon de chant.*
Ventes Publiques : Londres, 29 jan. 1947 : *Galants dans un salon, Le Bal* : **GBP 400** – Londres, 23 mai 1947 : *Leçon de danse* : **USD 68** 5 s – Londres, 26 mai 1983 : *Hyde Park corner, London*, aquar. reh. de gche, une paire (26x36) : **GBP 1 600** – Londres, 5 oct. 1983 : *Au restaurant*, h/t (76x50) : **GBP 6 800** – Londres, 6 mars 1986 : *Sur la plage*, h/pan. (20x10) : **GBP 3 500** – Londres, 25 jan. 1988 : *Deux souris*, aquar. (29x19) : **GBP 825** – Londres, 31 jan. 1990 : *Avant le rendez-vous de chasse*, aquar. avec reh. de blanc (42x29) : **GBP 880** – Londres, 26 sep. 1990 : *Un coin du boudoir*, h/cart. (16x11) : **GBP 770** – Londres, 19 déc. 1991 : *La déclaration ; Le prétendant indésirable*, h/t, une paire (chaque 31,1x41,3) : **GBP 2 200** – Londres, 30 mars 1994 : *Sous l'averse* 1885, aquar. et gche (32x17,5) : **GBP 7 130** – Londres, 10 mars 1995 : *Un coin de Hyde Park*, h/pan. (25,4x35,5) : **GBP 9 430**.

LUDOVICI Albert, Sr.
Né en 1820. Mort en 1894. XIXe siècle. Actif à Londres. Britannique.
Peintre de genre, portraits.
Musées : Londres (Nat. Portrait Gal.) : *Portrait de W. Crookes* – Reading : *Enfant et Fée.*
Ventes Publiques : Londres, 30 oct. 1970 : *Au café* : **GNS 700** – Londres, 22 nov. 1973 : *Enfants des rues* 1864 : **GBP 600** – Londres, 7 sep. 1976 : *Clair de lune* 1872, h/t (91,5x145) : **GBP 240** – Londres, 13 mars 1979 : *Le départ pour la ville*, h/t (21x11,5) : **GBP 1 100** – Chester, 10 juil. 1986 : *Les Commères* 1887, h/t (30x25,5) : **GBP 1 550** – Londres, 24 sep. 1987 : *Taking a cab*, aquar./traits de cr. (40,5x30,5) : **GBP 7 600** – Londres, 23 sep. 1988 : *La Chasse au tigre*, h/pan. (14x24) : **GBP 880** – Londres, 13 déc. 1989 : *Attelages dans Hyde Park*, h/t (40x37) : **GBP 3 080** – Londres, 13 juin 1990 : *Nos voisins à la plage de Granville en France* 1879, h/pan. (20x33) : **GBP 2 200** – Londres, 13 fév. 1991 : *Enfants essayant d'attraper des bulles de savon* 1886, h/t (61x51) : **GBP 3 300** – Londres, 12 juin 1992 : *Le Nouveau Chapeau* 1884, h/t (59,2x44,5) : **GBP 2 420** – Londres, 3 mars 1993 : *Prête pour le bal*, h/t (30,5x25,5) : **GBP 1 495** – New York, 15 oct. 1993 : *Aimez-moi, aimez mon chien*, h/t (76,2x64,2) : **USD 9 775** – Londres, 3 nov. 1993 : *Le Sentier de la plage*, h/t (64x76) : **GBP 2 530** – New York, 23 mai 1996 : *Attelages dans Hyde Park*, h/t (101,6x144,8) : **USD 82 250**.

LUDOVICI Alice E.
Née le 7 novembre 1872 à Dresde. XIXe-XXe siècles. Active et naturalisée aux États-Unis. Allemande.
Peintre de portraits, pastelliste, miniaturiste.
Elle fut élève d'un Julius Ludovici, père, mari ?, à New York ; elle travailla aussi en Europe. Elle fut membre de la Fédération Américaine des Arts.
Elle se spécialisa dans les portraits au pastel et les miniatures sur ivoire.

LUDOVICI Marguerite, plus tard Mrs **E. Catheline-Ludovici**
XIXe-XXe siècles. Britannique.
Peintre de fleurs.
Elle vivait et travaillait à Londres, où elle exposa de 1876 à 1920 ; à partir de 1889 sous le nom de E. Catheline-Ludovici.

LUDOVICO. Voir **LODOVICO** et **LUDOVICI**

LUDOVICO di Bartolomeo dei Nozzi. Voir **NOZZI**

LUDOVICUS de Prioribus ou **Louis des Prieurs**
Originaire de Nice. XVe siècle. Travaillant pendant la première moitié du XVe siècle. Italien.
Enlumineur.
Il termina un *Josephus* commencé par Giov.-Battista Pallavicini pour son oncle le marquis de Saluzzo.

LUDOVISI Bernardino
Né vers 1713. Mort le 11 décembre 1749 à Rome. XVIIIe siècle. Actif à Rome. Italien.
Sculpteur.
Parmi ses œuvres à Rome on cite les statues des *Quatre Évangélistes* à la façade de l'église S. Trinita dei Pelligrini, des sculptures au maître-autel de l'église Sainte-Marie des Anges ; un ange au-dessus du maître-autel de l'église Saint-Appolinaire ; la statue de l'*Été* à la fontaine de Trévi. À Lisbonne, un relief *(Saint Jean Baptiste)* à l'église Saint-Roch.
Ventes Publiques : Paris, 29 mars 1974 : *Le pape Benoît XIV* 1746, marbre tendre : **FRF 110 000**.

LÜ DUANJUN ou **Liu Touan-Tsiun** ou **Lü Tuanchün**
Originaire de Yaojiang. Actif sous la dynastie Ming (1368-1644). Chinois.
Peintre.
Peintre de bambous. Le National Palace Museum de Taipei conserve une œuvre signée, *Bambous dans le vent près d'un jardin de rocailles.*

LUDWIG ou **Ludweig** ou **Ludweyg**
XVe siècle. Allemand.
Peintre et sculpteur sur bois.
Il acquit en 1477 le droit de bourgeoisie à Leipzig.

LUDWIG Adam
Né au XVIIIe siècle à Höchst. XVIIIe siècle. Allemand.
Peintre sur faïence et porcelaine.

LUDWIG Augusta
Née le 26 février 1834 à Gräfenthal (Saxe). XIXe siècle. Allemande.
Peintre de genre.
Probablement parente de Karl Ludwig. Élève de Martersteig à Weimar, de Jul. Scholtz à Dresde, et de Rud. Jordan et Stever à Düsseldorf. Elle travailla à Düsseldorf et à Berlin et exposa très fréquemment à Dresde, Berlin, etc., à partir de 1868. On cite d'elle : *Mariage d'enfants, Réjouissance familiale.*
Musées : Dresde : *La femme d'Otto Ludwig, le poète.*
Ventes Publiques : New York, 27 mai 1982 : *La fête enfantine*, h/t (39x44,5) : **USD 8 500**.

LUDWIG Gustav Adolf
Né en 1812 à Stuttgart. XIXe siècle. Allemand.
Peintre.

LUDWIG Heinrich
Né en 1829 à Hanau (Hesse). Mort en 1897 à Rome. XIXe siècle. Allemand.
Paysagiste.
Élève de l'Académie de Düsseldorf. Le Musée de Berlin conserve

de lui un *Paysage romain*, celui de Karlsruhe *Le parc de la Villa Chigi à Ariccia*, l'Académie de Düsseldorf des dessins.

LUDWIG Henri Louis ou **Henricus Ludovicus** ou **Ludurg**
Né le 1er avril 1856 à Lith (Hollande). Mort le 25 septembre 1925 à Bruges. XIXe-XXe siècles. Actif en Belgique. Hollandais.
Peintre de paysages, sculpteur de bustes.
Il fut élève de l'Aadémie des Beaux-Arts de Gand.

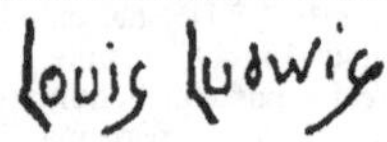

Bibliogr. : In : *Diction. biograph. illustré des Artistes en Belgique depuis 1830*, Arto, Bruxelles, 1987.
Ventes Publiques : Bruxelles, 20 fév. 1980 : *Paysage avec ferme et mare*, h/t (100x140) : **BEF 38 000** – Lokeren, 5 mars 1988 : *Paysage d'été*, h/t (80x100) : **BEF 55 000** – Bruxelles, 9 oct. 1990 : *Bergère et moutons*, h/pan. (45x35) : **BEF 45 000** ; *Vue de Knokke le Zoute*, h/pan. (50x60) : **BEF 54 000** ; *Canal en Flandre*, h/t (45x55) : **BEF 34 000** ; *La terrasse*, aquar. (21x27) : **BEF 42 000** – Amsterdam, 19 oct. 1993 : *Ferme et peupliers le long d'un canal*, h/t (39x46,5) : **NLG 1 725** – Lokeren, 9 déc. 1995 : *Rue de village*, h/pan. (54,5x64,5) : **BEF 33 000**.

LUDWIG Johann N.
Né en 1813 à Dresde. XIXe siècle. Allemand.
Lithographe.
Il grava des portraits.

LUDWIG John Friedr.
Né au XIXe siècle à Augsbourg. XIXe siècle. Allemand.
Peintre de paysages.
Il fut élève de l'Académie de Munich.

LUDWIG Karl Julius Emil
Né le 18 janvier 1839 à Römhild (Saxe). Mort en 1901 ou 1911 à Berlin. XIXe siècle. Allemand.
Peintre de paysages animés, paysages, paysages de montagne, graveur, dessinateur.
Il reçut sa formation à Nuremberg, et à Munich où il fut élève de Karl Theodor von Piloty. Il voyagea en Italie, en Bavière, dans le Tyrol, puis se fixa pendant dix ans à Munich. Il partit en 1868 à Düsseldorf. En 1877, il fut nommé professeur de paysage à l'École des Beaux-Arts de Stuttgart. En 1880, il s'installa à Berlin, où il devint membre de l'Académie des Beaux-Arts en 1884. Aux expositions de Berlin, il obtint une médaille d'or en 1883, une deuxième médaille en 1891.
Peintre de paysages, il se spécialisa dans les paysages de montagne et de neige.
Musées : Berlin : *Col du Saint-Gothard* – Kaliningrad, ancien. Königsberg : *Le Défilé d'Albula avec de la neige* – *Printemps dans la forêt* – Leipzig : *Désert dans les hautes montagnes* – Leipzig (Mus. mun.) : *Vue du Flessenbourg à Leipzig avec l'observatoire* – Melbourne : *La Vallée du Tessin* – Stuttgart : *Paysage*.
Ventes Publiques : Cologne, 26 mars 1976 : *Paysage alpestre*, h/t (49x34) : **DEM 1 100** – Berne, 24 oct 1979 : *Repos des voyageurs au bord d'un lac de montagne*, h/t (103x152) : **CHF 28 000** – New York, 19 mai 1987 : *Troupeau de moutons dans un paysage boisé* 1869, h/t (52,7x83,8) : **USD 3 000** – Amsterdam, 28 fév. 1989 : *Paysage vallonné du sud de l'Allemagne avec un village à l'arrière-plan* 1896, h/cart. (40x57) : **NLG 3 910** – Cologne, 20 oct. 1989 : *Le château de Mondschein*, h/t (90x69) : **DEM 7 000** – Amsterdam, 28 oct. 1992 : *Paysage au clair-de-lune*, h/t (44,5x71,5) : **NLG 2 185** – Munich, 10 déc. 1992 : *À travers champs vers la vallée*, h/t/pan. (98,5x151,5) : **DEM 15 820** – Vienne, 29-30 oct. 1996 : *Personnages devant une villa italienne* 1870, h/t (115,5x88) : **ATS 115 000**.

LUDWIG Maler, dit **Ludwig von Ulm**
XVe siècle. Allemand.
Dessinateur pour la gravure sur bois.
On cite plusieurs gravures sur bois de cet artiste, parmi lesquelles : *Saint Christophe* et *Saint Antoine*.

LUDWIG Marcus
Mort en 1800 à Wolfratshausen. XVIIIe siècle. Actif à Wolfratshausen. Allemand.
Peintre.

LUDWIG Paul Max
Né le 8 octobre 1873 à Dresde. XIXe-XXe siècles. Allemand.
Peintre, graveur, lithographe, illustrateur.
Il vécut et travailla à Oberalting (Haute-Bavière).
D'entre ses œuvres, sont citées : en 1922 une série de lithographies *Roméo et Juliette* ; ainsi qu'une lithographie *Macbeth* ; des eaux-fortes *Antoine et Cléopâtre* et *Beethoven*.

LUDWIG ERNST de Brunswick Lunebourg, duc
Né en 1718. Mort en 1788. XVIIIe siècle. Allemand.
Graveur de paysages amateur.
Il pratiqua l'eau-forte. On mentionne de sa main un paysage d'après A. Bloemaerts.

LUDWIG GÜNTHER de Schwarzbourg-Rudolstadt, prince
Né le 22 octobre 1708. Mort le 29 août 1790. XVIIIe siècle. Allemand.
Peintre amateur.
Il peignit des chevaux. Le château de Schwarzbourg possède de sa main des combats de cavalerie, groupes de cavaliers et cavalières. On mentionne de sa main deux cent quarante-six portraits de chevaux, du haras de Cumbach, près de Rudolstadt.

LUDWIG-KUNZ Katie
Née le 9 juin 1853 à Érié (États-Unis). XIXe siècle. Américaine.
Portraitiste.
Mariée à un ingénieur de Berne, Emmanuel Ludwig, elle habita la Suisse de 1875 à 1894. De retour en Amérique, elle se fixa à Atlanta. Elle envoya à Berne, en 1888, un *Portrait* à l'aquarelle.

LUDWIG Maler. Voir **CONREUTTER Ludwig**

LUDY Friedrich August
Né en 1823 à Cologne. XIXe siècle. Allemand.
Graveur et aquafortiste.
Fils de Wilhelm Ludy.

LUDY Wilhelm
Mort avant 1850 à Elberfeld. XIXe siècle. Allemand.
Graveur.
Il est mentionné à Cologne vers 1822.

LUEGER Michael
Né en 1804 à Munich. Mort en 1883 à Munich. XIXe siècle. Allemand.
Peintre de paysages.
Musées : Munich (Mus. mun. d'Hist.) : trois dessins – *Vues d'Aschaffenbourg et de Bad-Ischl*.
Ventes Publiques : Vienne, 20 mars 1973 : *Paysage de Garmisch-Partenkirchen* : **ATS 40 000** – Londres, 10 fév. 1978 : *Paysage alpestre*, h/t (59,7x99) : **GBP 900** – Munich, 14 mai 1986 : *La Forge dans un paysage montagneux*, h/t (54x73) : **DEM 9 500** – Vienne, 29-30 oct. 1996 : *Château de Hohenschwangau* 1837, h/t/pan. (90x75) : **ATS 218 500**.

LUETHI Rolf
Né en 1933 à Bâle. XXe siècle. Suisse.
Sculpteur. Abstrait.
Il fut élève de Johannes Burla, à l'École des Arts et Métiers de Bâle. Il fit des voyages et stages d'étude en France, Allemagne, Italie, Grèce, Yougoslavie et Espagne. Il s'est fixé à Lucerne. Il participe à des expositions collectives en Suisse et à l'étranger. Il montre de ensembles d'œuvres dans des expositions personnelles : 1962, 1968, 1969 à Zurich ; 1963 à Hergiswil, Berlin ; etc.
Il utilise souvent le marbre, dont la rigueur convient à sa manière. Ses œuvres se situent, par leur simplicité monumentale, dans la tradition brancusienne.
Bibliogr. : In : Catalogue du *3e Salon International des Galeries Pilotes*, Mus. canton., Lausanne, 1970.
Musées : Aarau (Aargauer Kunsthaus) : *Vision* 1962-63, marbre.

LUETHI Urs. Voir **LÜTHI**

LUETHY Oscar Wilhelm. Voir **LÜTHY**

LUEVIS Daniel. Voir **LOUIS**

LUEZ Pierre de
XIVe siècle. Actif vers 1320. Éc. flamande.
Sculpteur.
On mentionne de sa main la statue de *Jeanne de Flandre*, abbesse du Couvent des Bénédictines de Sauvoir-sous-Laon, conservée dans l'église Saint-Martin de Laon.

LU FEI ou **Lou Fei**, surnom : **Qiqian,** nom de pinceau : **Xiaoyin**
Originaire de Hangzhou, province du Zhejiang. XVIIIe siècle. Actif dans la seconde moitié du XVIIIe siècle. Chinois.

Peintre.
En 1765, il obtient le titre de *juren* (licencié) aux examens triennaux de la capitale provinciale. Il est connu comme poète, calligraphe, peintre de paysages, de figures et de fleurs ; il fait aussi des bambous à l'encre dans le style de Wu Zhen (1280-1334).

LÜ FENG-TZU. Voir **LÜ FENGZI**

LÜ FENGZI ou **Lu Font-Tse, Lü Feng-Tsu, Liu Feng-Tseu**
Né en 1885 ou 1886 dans la province du Jiangsu. Mort en 1959. XXe siècle. Chinois.
Peintre de figures. Traditionnel.
Il fit ses études artistiques, vers 1900, à l'École Normale Liangjiang de Nankin, la première École des Beaux-Arts fondée en Chine, au sens où on l'entend en Occident. Il fut directeur de l'Académie Nationale de Hangzhou, puis, ensuite, transféra l'École des Beaux-Arts Danyang de Nankin à Bishan, à l'ouest de Chongqing, dans la province du Sichuan. Il fut appelé ensuite à diriger l'École des Beaux-Arts Zhengzi, près de Nankin.
Peintre traditionnaliste, individualiste, il est connu pour ses peintures de bouddhas et de lohans, dans un style très académique.
Ventes Publiques : Hong Kong, 30 avr. 1992 : *Lettré jouant du « qin »* 1923, encre/pap., kakémono (115,5x38,2) : **HKD 41 800**.

LUFFOLI Giovanni Maria. Voir **LAFFOLI**

LUFFT Abraham
XVIIe siècle. Actif à Würzburg. Allemand.
Peintre.

LU FONT-TSE. Voir **LÜ FENGZI**

LU FU ou **Lou Fou**, surnom : **Mingben,** nom de pinceau : **Meihua Zhuren**
Originaire de Wujiang, province du Jiangsu. XVe siècle. Chinois.
Peintre.
Peintre de fleurs de prunier dont le National Palace Museum de Taipei conserve une œuvre signée, *Fleurs de prunier*, rouleau en hauteur en encre et couleurs sur soie.

LUGAN Franz
Né le 21 septembre 1864 à Nimkau (Silésie). XIXe siècle. Actif à Berlin. Allemand.
Peintre de portraits et de genre.

LUGANI di Fursinicus de Iacu Lugani. Voir **FURSINICUS**

LUGANO, da. Voir au prénom

LUGARD, Mrs. Voir **HOWARD Charlotte E., Miss**

LUGARDON Albert
Né le 4 octobre 1827 à Rome. Mort le 26 septembre 1909 à Genève. XIXe siècle. Français.
Peintre animalier, peintre de paysages, intérieurs.
Son père Léonard Lugardon fut son premier maître. Il passa un an à Lyon, en 1849, et un an à Paris où il devint l'élève d'Ary Scheffer. Il obtint à Genève en 1855, un prix avec un *Intérieur d'écurie*, et dès lors exposa presque tous les ans à Genève et en Suisse. Parmi ses œuvres, on cite *Le Mont Gelé* (Exposition de Genève, 1896).

ALBERT LUGARDON

Musées : Berne : *Crête du Ryffel à Zermatt* – Genève (Ariana) : *Les glaciers de la Jungfrau au-dessus de Grindelwald* – *Le mont Cervin* – Aquarelle – Genève (Rath) : *L'Eiger* – *La Wengernalp* – *Berger de la Gruyère*.
Ventes Publiques : Paris, 21 juin 1900 : *Vue du lac de Genève* : **FRF 110** – Lucerne, 25 juin 1976 : *Le Repos des moissonneurs*, h/t (43,5x66,5) : **CHF 4 700** – Berne, 27 oct. 1978 : *Le lac de Genève à Bouveret*, h/t (59x85) : **CHF 2 000** – Berne, 3 mai 1979 : *Vue du lac de Genève à Montreux*, h/pan. (30x38) : **CHF 2 400** – Lucerne, 6 nov. 1981 : *Troupeau dans un paysage alpestre* 1884, h/t (50x70) : **CHF 6 500** – Berne, 19 nov. 1984 : *Jument et son poulain au pâturage*, h/cart. (35,5x43,5) : **CHF 3 400** – Lucerne, 15 mai 1986 : *Troupeau au pâturage*, h/t (62x86) : **CHF 11 000** – Londres, 14 fév. 1990 : *Bovins dans des prés au bord d'un lac*, h/t (63x98) : **GBP 3 300** – Zurich, 24 nov. 1993 : *Paysage alpestre avec une jeune paysanne et des bovins et l'Eiger au fond* 1879, h/t (63x94) : **CHF 6 900** – Zurich, 5 juin 1996 : *Âne chargé*, h/t (20x22,5) : **CHF 2 070**.

LUGARDON Jean Léonard
Né le 30 septembre ou 1er octobre 1801 à Genève, de parents français. Mort le 16 août 1884 à Genève. XIXe siècle. Français.
Peintre d'histoire, scènes de genre, portraits.
Fils d'un horloger, il fit ses études à Genève, puis à Paris, où il fut élève du baron Gros et d'Ingres. Il se perfectionna à Florence, séjournant en Italie de 1825 à 1834, revint à Paris en 1835. Nommé directeur de l'école de la figure à Genève, il occupa ce poste jusqu'en 1845, époque à laquelle il partit un an en Algérie. À son retour en France, il travailla encore quelques années, puis la maladie l'obligea à se reposer presque totalement pendant ses vingt-sept dernières années.
Il participa au Salon de Paris de 1827 à 1857, obtenant une deuxième médaille en 1831, et à l'Exposition Universelle de 1867. Dans un premier temps, il s'adonna presque complètement à la représentation des principaux épisodes de l'histoire suisse. Sa toile : *La délivrance de Bonivard par les Bernois victorieux*, lui valut le premier prix du concours de la Société des Arts de Genève en 1824. Entre 1835 et 1845, il peignit des œuvres telles que : *Guillaume Tell sauvant Baumgarten* – *Le serment de Grütli*. De 1845, date *Ruth et Booz*, toile peinte en Algérie. À son retour d'Algérie, il s'adonna au portrait, quelque temps, avant de cesser toute activité.
Bibliogr. : Gérald Schurr, in : *Les Petits Maîtres de la peinture 1820-1920, valeur de demain*, Les Éditions de l'Amateur, t. V, Paris, 1981.
Musées : Genève (Mus. Ariana) : *Le serment du Grütli* – *Paysans napolitains en prière* – *Louis XIII* – *Paysanne bernoise appuyée contre un rocher* – Une aquarelle – Cinq études – Genève (Mus. Rath) : *Délivrance de Bonivard à Chillon* – *Arnold de Melchtal* – *Le graveur Schenker* – *Le dernier jour du condamné* – Neuchâtel : Étude – Versailles : *Le colonel Froelich* – *Louis XI*.
Ventes Publiques : Paris, 11 avr. 1951 : *Portrait à mi-corps de Pierre Odier, jurisconsulte* : **FRF 50 000** – Berne, 11 mai 1971 : *Paysans napolitains priant dans une chapelle* : **CHF 2 700** – Berne, 18 oct. 1974 : *Troupeau dans un paysage alpestre* 1884 : **CHF 2 700** – Zurich, 20 mai 1977 : *Tell sauve Baumgarten* 1836, h/pan. (88,5x111,5) : **CHF 5 000** – Lucerne, 13 nov. 1982 : *Moine lisant* 1850, h/t (24x34) : **CHF 6 000** – Berne, 2 mai 1986 : *L'Annonciation* 1836, h/t (67x51) : **CHF 4 000** – Berne, 26 oct. 1988 : *Arnold von Melchtal*, h/t (54x65) : **CHF 2 800**.

LUGARO Cesare
Né au XIXe siècle à Gênes. XIXe siècle. Italien.
Peintre de genre.

LUGARO Vincenzo
Mort le 26 septembre 1620. XVIIe siècle. Actif à Udine. Italien.
Peintre.
Le Collegio de Notari à Udine possède de sa main une *Madone avec des saints* et une église de cette même ville un *Saint Antoine de Padoue*.

LUGEON David
Né en 1818 à Lausanne. Mort en 1895 à Lausanne. XIXe siècle. Suisse.
Sculpteur ornemaniste.
Étudia à Genève, à Lyon et à Paris. S'adonna à l'art gothique et fut chargé de la restauration de plusieurs cathédrales de France. Il est l'auteur de nombreuses chimères qui ornent les tours de Notre-Dame de Paris et qui furent exécutées avec un sens si précis de l'art gothique, qu'elles passent pour anciennes. L'artiste travailla aussi au donjon de Vincennes, à la Sainte-Chapelle. De retour à Lausanne en 1876, il restaura la cathédrale de cette ville.

LUGEON Raphaël
Né en 1862 à Poissy (Yvelines), de parents suisses. XIXe-XXe siècles. Actif aussi en France. Suisse.
Sculpteur ornemaniste, restaurateur.
Fils du sculpteur David Lugeon, il travailla sous la direction de son père à la restauration de la cathédrale de Lausanne, puis se perfectionna à l'École des Arts Décoratifs de Paris. À Paris, il participa au Salon des Artistes Français de 1898.
Il a travaillé à Paris, à la décoration de l'Hôtel de Ville et de la basilique du Sacré-Cœur. Réclamé à Lausanne, il interrompit ses activités parisiennes pour continuer la restauration de la cathédrale.
Musées : Lausanne (Mus. canton.) : *Le Sculpteur, dans l'atelier* 1895, bas-relief en bronze – *Buste du général Jomini* vers 1908, bronze – *Chloé* 1916, bois – *Buste de Charles Gleyre* 1916, bas-relief en bronze.

LUGINBÜHL Bernhard
Né le 16 février 1929 à Berne. XXe siècle. Suisse.

Sculpteur, graveur, lithographe. Tendance Nouveaux-Réalistes.
De 1945 à 1948, il fut élève de l'École des Arts et Métiers de Berne. Il participe à des expositions collectives : régulièrement à la Quadriennale de la Sculpture Suisse, à Bienne ; 1956, 1954 Biennale de Venise ; 1964 Biennale d'Anvers-Middelheim, Documenta de Kassel ; 1965 Biennale de Tokyo ; etc. Il montre des ensembles de ses sculptures dans des expositions personnelles : 1961, 1964 Zurich ; 1963 New York ; etc. Il a également exposé à plusieurs reprises avec Tinguely, et, pour l'Exposition Internationale d'Osaka en 1970, ils travaillèrent ensemble sur un projet de sculpture.
Ses premières sculptures, dès 1947, étaient figuratives, travaillées en pierre ou en bois. En 1949, avec le *Taureau primitif*, il créa sa première sculpture en fer. Lorsqu'il aborda l'abstraction, dans un esprit néo-constructiviste, à partir de 1951, il travailla la pierre et le béton. Depuis 1953, il travaille exclusivement le fer forgé. Dans cette technique, une première série d'œuvres répondait au titre générique d'*Agressions*, formes métalliques soudées aux accents agressifs. En 1958, il créa une série de volumes en forme de C, ce furent les *Machines spatiales*, épaisses plaques métalliques coudées, s'enchevêtrant avec précision dans l'espace, sculptures immobiles mais suggérant des directions dynamiques. En 1963, il adopta comme matériau le fer profilé, pour, par exemple, *Mâchoires spatiales*. Bien que résolument abstrait, il titre figurativement ses séries d'œuvres : *Taureau, Éléphant, Tigre, Cyclope*. Tendant progressivement à l'utilisation d'éléments pré-existants, dans l'esprit du groupe des Nouveaux-Réalistes, à partir de 1964, sa sculpture s'orienta plus franchement vers le monde de la machine, notamment avec *North West*, de 1964. Ces nouvelles œuvres sont constituées délibérément d'éléments mécaniques pré-existants, soudés ou plus souvent puissamment boulonnés, qu'il fait désormais exécuter par une entreprise industrielle, et dont l'impression de puissance authentique est accentuée par une soigneuse mise en couleur, à la façon des machines présentées dans les expositions industrielles. ■ J. B.

Bibliogr. : Jean-Luc Daval, in : *Nouveau diction. de la sculpt. mod.*, Hazan, Paris, 1970 – Werner Haftmann, Felix Baumann, Maurice Ziegler, Ursi Luginbühl : Catalogue de l'exposition *Luginbühl*, Kunsthaus, Zurich, 1972 – P. Baum : Catalogue de l'exposition *Bernhard Luginbühl : Figuren und Wandfiguren in der Galerie Medici*, galerie Medici, Nikator Verlag, Solothurn, 1988 – in : *L'Art du XXe siècle*, Larousse, Paris, 1991.

Musées : Lausanne (Mus. canton.) : *Hörnligödu* 1987, fer oxydé-soudé.

Ventes Publiques : Berne, 18 juin 1970 : *Figure C*, fer forgé : **CHF 14 000** – Berne, 20 juin 1973 : *Petite Agression III*, fer forgé : **CHF 30 000** – Berne, 14 juin 1974 : *Grande Agression* 1959-62, fer forgé peint. en rouge : **CHF 26 000** – Berne, 21 juin 1979 : *C-Figur* 1958, fer forgé (H. 45,5, larg. 34) : **CHF 8 500** – Berne, 19 juin 1980 : *Strahler* 1961, pl. (40x39,4) : **CHF 4 000** – Berne, 25 juin 1981 : *Personnage à la feuille de chêne* 1975, pl. et lav. (62,2x89,5) : **CHF 6 000** – Zurich, 19 juil. 1984 : *Zeichnung zu Maschinenobjekt*, stylo feutre noir (37x56) : **CHF 1 800** – Berne, 19 juin 1985 : *Grosser Kupferstich* 1961-1964, grav./cuivre : **CHF 2 200** – Berne, 19 juin 1985 : *Kleine schlanke Agression III* 1960, fer forgé (H. 248) : **CHF 57 000** – Zurich, 21 avr. 1993 : *Mickey Mouse* 1972, litho. en coul. (49x64) : **CHF 900** – Zurich, 14 avr. 1997 : *C Figur II* 1960, fer (H. 55) : **CHF 108 750**.

LUGINBÜHL Christian
Né en 1788 à Berne. Mort le 7 avril 1837. XIXe siècle. Suisse.
Sculpteur.
Exposa à Berne, en 1830, des têtes d'animaux sculptés en bois et en marbre.

LUGLI Adolfo
XXe siècle. Italien.
Peintre de compositions animées. Post-moderne, citationniste.
Ses peintures se réfèrent à celles des siècles passés, depuis Pompéi, et Ambrogio Lorenzetti, Simone Martini, Paolo Uccello, dont elles transposent des fragments.

Bibliogr. : Gérard-Georges Lemaire : *Adolfo Lugli*, in : Opus International, n° 120, Paris, jul.-août 1990.

LUGLI Albano
Né le 13 novembre 1835 à Carpi. XIXe siècle. Italien.
Peintre d'histoire.
Élève de l'Académie des Beaux-Arts de Modène.

LUGNIER Jean
Né en 1901 à Paris. Mort en 1969. XXe siècle. Français.
Peintre de paysages urbains.
Fils du poète et chansonnier Antonin Lugnier (1869-1945). De 1921 à 1953, il exposait au Salon des Artistes Indépendants, à Paris. Il fut ami de Paul Signac, Louis Guillaume.
Il s'est presque exclusivement consacré à peindre les multiples aspects du vieux Montmartre et de ce qui, à la périphérie de Paris, était appelé « la Zone ».

Musées : Saint-Étienne (Mus. d'Art et d'Hist.) : *Vue de Charlieu*.

LUGO Emil
Né le 26 juin 1840 à Stokach. Mort en 1902 à Munich. XIXe siècle. Allemand.
Peintre d'histoire, paysages animés, paysages, paysages d'eau, aquarelliste.
Élève de J.-W. Schirmer, à l'École des Beaux-Arts de Karlsruhe ; il s'inspira beaucoup des vieux maîtres dont les œuvres figurent dans les galeries de Dresde et de Munich. Il se fixa à Fribourg-en-Brisgau et exposa notamment à Dresde et à Vienne entre 1868 et 1889. On cite de lui : *Idylle dans la montagne*.

Musées : Berlin : *Matin dans la Forêt-Noire* – Darmstadt : *Paysage* – Karlsruhe : *Automne – Sur le Titisee – Forêt – Idylle – Enfant au bain* – Mannheim : *Paysage* – Munich : *Étude* – Ulm : *Forêt* – Wiesbaden : *Le Bois sacré* – Zurich : *Le Conte de la jeune fille aux cygnes*.

Ventes Publiques : Munich, 21 sep. 1978 : *Paysage de printemps* 1881, h/t (26,5x40) : **DEM 11 500** – Munich, 26 nov. 1981 : *Chemin boisé* 1867, pl./trait de cr. (16x23,5) : **DEM 1 000** – Londres, 21 mai 1982 : *Vue d'une ville au bord de la Méditerranée* 1896, h/t (120x96,5) : **GBP 4 800** – Londres, 21 juin 1984 : *Paysage d'Italie avec pont et personnages*, h/t (85x125) : **GBP 5 000** – Munich, 23 sep. 1987 : *Paysage d'été*, h/cart. (56x72) : **DEM 11 000** – Heidelberg, 5-13 avr. 1994 : *Cabane de bûcheron sur la Murg*, h/pan. (53x36) : **DEM 6 200** – Vienne, 29-30 oct. 1996 : *Paysage d'été pastoral* 1885, h/t (116x170,5) : **ATS 218 000** – Heidelberg, 11-12 avr. 1997 : *Paysage, lac de Chiemsee* 1891, h/cart. (64x92) : **DEM 5 700**.

LUGON
XXe siècle. Actif à Lyon (Rhône). Français.
Peintre de paysages.

LU GUANG ou **Lou Kouang** ou **Lu Kuang**, surnom : **Jihong,** nom de pinceau : **Tianyu**
Originaire de Suzhou, province du Jiangsu. XIVe siècle. Actif pendant le deuxième quart du XIVe siècle. Chinois.
Peintre.
Peintre de paysages dont il ne reste que quelques œuvres.

Musées : Shanghai : *Paysage d'hiver avec de l'eau et un pavillon*, encre sur pap., rouleau en hauteur – Taipei (Nat. Palace Mus.) : *Tours et pavillons sur les Monts des Immortels* signé et daté de l'ère Tianli (1328-1330), colophons de Li Kai, Dong Qichang, Li Rihua, poème de Qianlong – *Les cinq plantes de bon augure* 1410-1472, signé, poème de Liu Jue.

LU HAN ou **Lou Han**, surnom : **Shaozheng**
Originaire de Hangzhou, province du Zhejiang. XVIIe siècle. Chinois.
Peintre.
Peintre de figures.

LUHN Joachim ou **Luhne**
Né vers 1640 à Hambourg. Mort le 4 juillet 1717 à Hambourg. XVIIe-XVIIIe siècles. Allemand.
Peintre de compositions religieuses, sujets allégoriques, portraits, dessinateur.
En 1673 il fut reçu Maître et acquit aussi le droit de bourgeoisie à Hambourg. On cite parmi les œuvres conservées à Hambourg : à l'église Saint-Jacques un *Ecce Homo, Le Christ au Jardin de Gethsémani, Le Christ chez Simon, Retour de l'Enfant Prodigue*.

Musées : Brunswick (Nat.) : *Portrait d'Hans Georg Hertel* 1672 – *La famille de l'artiste* – Hambourg (Mus. pour l'Histoire de Hambourg) : *Allégorie de l'architecture* – Saint-Pétersbourg (Mus. de l'Ermitage) : *Agar dans le désert*, dess.

Ventes Publiques : Londres, 5 juil. 1996 : *Portrait d'une dame, identifiée comme Anne, Marquise de Basville, debout de trois quarts, vêtue d'une robe noire, orange et or avec un médaillon de Louis XIII sur une grosse chaîne d'or, et tenant une rose* 1674, h/t (109,8x92,7) : **GBP 18 400**.

LU HONG ou **Lou Hong** ou **Lu Hung** ou **Lu Hongyi**, surnom : **Haoran**
Originaire de Yuzhou, province du Hebei. VIIIe siècle. Actif pendant l'ère Kaiyuan (713-741). Chinois.

Peintre.
Préférant la retraite aux obligations de la cour impériale, Lu Hong se retire dans un ermitage sur l'une des cinq montagnes sacrées, le Songshan, près de la ville de Luoyang, dans la province du Henan. Il décrit cette retraite champêtre dans des poèmes et dans une série de dix peintures, montées en rouleau en longueur et conservées au National Palace Museum de Taipei. Ces œuvres, à l'encre sur papier, sont chacune précédées d'un texte de l'artiste. Une inscription de Yang Ningshi, datée 947, attribue ce rouleau à Lu Hong ainsi que le colophon de Zhou Bida daté 1199. Mais il est probable qu'il s'agit d'une œuvre peinte par un grand artiste de la dynastie Song, voire encore plus tard. Dans un colophon, l'empereur Qing Qianlong (1736-1796) écrit qu'il s'agit d'une peinture de Li Gonglin (1040-1106) et dit que Lu Hong est un élève de ce dernier. Quoi qu'il en soit, le style est assez archaïque avec de la brume en bandes horizontales, des groupes d'arbres très compacts et une disproportion marquée dans la taille des personnages, autant de caractéristiques qui confèrent à ce rouleau une valeur unique puisqu'il nous transmet un aspect important du paysage à l'époque Tang et une première étape de la peinture à l'encre monochrome.

LU HONGYI. Voir **LU HONG**

LÜHRIG Georg
Né le 26 janvier 1868 à Göttingen. XIXe-XXe siècles. Allemand.
Peintre de figures, portraits, paysages, fleurs, peintre de décorations murales, lithographe.
Il vécut et travailla à Dresde.
De 1908 à 1912, il peignit des compositions murales dans la cage de l'escalier du Ministère des Cultes à Dresde.

LU HSIN-CHUNG. Voir **LU XINZHONG**

LÜ HSÜEH. Voir **LÜ XUE**

LÜ HUANCHENG ou **Liu Houan-Tch'eng** ou **Lü Huan-Ch'êng**, surnom : **Jiwen**
Originaire de Yuyao, province du Zhejiang. XVIIIe siècle. Chinois.
Peintre.
Peintre de figures, de fleurs mais aussi de paysages dans le style de Luo Mu (1622-après 1706). Plusieurs œuvres signées et datées nous sont parvenues, parmi lesquelles, *Personnage assis* (l'empereur ?) *écoutant la discussion de lettrés*, datée 1732 ; *Pavillon isolé près d'une rivière*, datée 1751 ; *Paysage de rivière à l'aube avec des voyageurs*, datée 1758.

LU HUANG ou **Lou Houang** ou **Lu Huang**
Originaire de Jiahe. Xe siècle. Actif pendant la dynastie des Tang du Sud (937-975). Chinois.
Peintre.
Peintre de paysages et illustrateur de contes anciens et de légendes.

LU HUI ou **Lou Houei**, nom de pinceau : **Changhe**
Né en 1851. Mort en 1920. XIXe-XXe siècles. Chinois.
Peintre de paysages, fleurs, animalier. Traditionnel.
Il vécut et travailla à Wujiang (province du Jiangsu).
VENTES PUBLIQUES : HONG KONG, 18 mai 1989 : *Paysage d'automne d'après Huang Gongwang*, encre et pigments/pap., kakémono (140,5x39) : **HKD 13 200** – HONG KONG, 15 nov. 1989 : *Fleurs, oiseaux et rochers*, encre et pigments/pap., kakémono (147x79,5) : **HKD 44 000** – NEW YORK, 4 déc. 1989 : *Fleurs*, or et pigments/pap. bleu sombre, série de huit kakémono (139x23,5) : **USD 13 200** – NEW YORK, 11 avr. 1990 : *Singe*, encre et pigments/pap., kakémono (135,3x32,4) : **GBP 880** – NEW YORK, 31 mai 1990 : *Fleurs*, encre et pigments/soie, makémono (29,5x649,6) : **USD 4 675** – NEW YORK, 29 mai 1991 : *Canards mandarins et lotus*, encre et pigments/pap., kakémono (119,4x48,9) : **USD 3 300** – NEW YORK, 25 nov. 1991 : *Paysage d'après Zhao Mengfu*, encre et pigments/pap., kakémono (130,5x31,8) : **USD 2 475** – HONG KONG, 29 oct. 1992 : *Paysage*, encre et pigments/pap., makémono (27,5x131,6) : **HKD 24 200** – HONG KONG, 22 mars 1993 : *Pivoines*, encre et pigments/soie, ensemble de quatre kakémonos (chaque 98,5x27) : **HKD 55 200** – HONG KONG, 3 nov. 1994 : *Pêches et calligraphie* 1910, encre et pigments/pap., éventail (22,2x56,5) : **HKD 23 000** – HONG KONG, 29 avr. 1996 : *Promenade à âne un jour d'hiver* 1911, encre et pigments/pap., kakémono (133x66) : **HKD 57 500**.

LU HUNG. Voir **LU HONG**

LU HUNG-I. Voir **LU HONG**

LUIDL Gabriel
Mort le 28 septembre 1741 à Munich. XVIIIe siècle. Actif à Mering, près d'Augsbourg. Allemand.
Sculpteur.
Il était sculpteur de la cour du grand électeur à Munich.

LUIDL Johann ou **Loidel** ou **Loydl**
Né en 1685. XVIIIe siècle. Allemand.
Sculpteur.
Il était fils de Lorenz Luidl.

LUIDL Lorenz ou **Loidl** ou **Loydl**
Né à Mering (près d'Augsbourg). Mort le 14 janvier 1719. XVIIIe siècle. Actif à Landsberg. Allemand.
Sculpteur sur bois.
On cite de nombreuses œuvres de sa main (statues et sculptures sur bois) dans les églises de Landsberg.

LUIDL Sebastian
Né en 1690. Mort le 3 juillet 1722 à Landsberg. XVIIIe siècle. Allemand.
Sculpteur.
Il était fils de Lorenz Luidl.

LUIDL Stephan
Né à Landsberg. Mort en 1736. XVIIIe siècle. Actif à Dillingen. Allemand.
Sculpteur.
Il était fils de Lorenz Luidl. On mentionne de ses œuvres à Dillingen, Lutzingen et les sculptures de l'autel du chœur à Gottmannshofen.

LUIGI Mario de
Né en 1908 à Trévise. XXe siècle. Italien.
Peintre. Néo-cubiste, puis abstrait. Groupe Spatialiste.
Il commença à participer à la Biennale de Venise en 1930, puis en 1948, 1950, 1952, 1954, 1962, à la Quadriennale de Rome en 1959. Il a exécuté une fresque à l'Université de Ca Foscari à Venise en 1936 et, en collaboration avec A. G. Ambrosini, une autre fresque à la gare de Venise en 1956. Il obtint le Prix Albano en 1947.
Il était entré en contact avec les mouvements d'avant-garde à Paris en 1926 et avait été influencé, comme toute la peinture de l'Europe de l'Ouest, par le néo-cubisme triomphant. Il évolua ensuite vers l'abstraction, tendant à créer un espace-lumière résultant de la vibration d'une infinité de signes grattés, plus tard désignés fautivement graffitis, dans le fond coloré de la toile. À la suite de ses nouvelles recherches, il adhéra en 1955 au « Mouvement Spatialiste », dans le sillage de Lucio Fontana, et devint professeur de « Visual Design » à l'Institut d'Architecture de Venise.
BIBLIOGR. : In : *Peintres Contemporains*, Mazenod, Paris, 1964 – Pierre Cabanne, Pierre Restany, in : *L'avant-garde au XXe siècle*, Balland, Paris, 1969.
MUSÉES : ROME – VENISE.
VENTES PUBLIQUES : MILAN, 23 juin 1992 : *G. V.* 1974, techn. mixte et graffiti/pap. entoilé (38x45,5) : **ITL 2 300 000** – MILAN, 9 nov. 1992 : *Sans titre*, h. et graffiti/t. (63,5x89) : **ITL 4 200 000** – MILAN, 15 mars 1994 : *Sans titre*, h. et grattage/t. (80x80) : **ITL 6 900 000**.

LUIGI de Crema. Voir **CREMA**

LUIGI di Giovanni. Voir **GIOVANNI Luigi di**

LUIGI Montorfano
XVe siècle. Italien.
Peintre.
On cite de lui une peinture d'autel, qui se trouvait jadis dans l'église S. Giovanni Pe' de Monte, à Côme.

LUIGI di Rugieri ou **Luigi di Ruggeri**. Voir **L'ARMELLINO**

LUIGI-LOIR. Voir **LOIR Luigi**

LUIGINI Ferdinand Jean
Né le 5 mai 1870 à Orliénas (Rhône). Mort en 1943. XIXe-XXe siècles. Français.
Peintre de figures, portraits, paysages, paysages d'eau, fleurs, peintre à la gouache, aquarelliste, pastelliste, graveur, illustrateur.
Il exposait à Paris, depuis 1892 au Salon des Artistes Français, ainsi qu'au Salon de la Société Nationale des Beaux-Arts, et à Londres. Il a peint en Belgique et Hollande.
Il a illustré d'eaux-fortes en couleurs *Paysages disparus* d'Émile

Verhaeren. Peintre, il a beaucoup utilisé l'aquarelle pour des notations vivement enlevées. Il a peint des vues de villes, nombreuses de Paris et des quais de la Seine, privilégiant les temps de pluie, qui lui permettaient des effets de reflets sur les flaques.
Bibliogr. : Gérald Schurr, in : *Les Petits Maîtres de la peinture 1820-1920, valeur de demain*, Les Éditions de l'Amateur, t. V, Paris, 1981.
Musées : Bruxelles : *Le Relais*, aquar. – Genève – Paris (Mus. d'Orsay) : *Place du Marché à Malines*.
Ventes Publiques : Paris, 26 mai 1920 : *Une rue en Hollande (neige)*, aquar. : **FRF 590** – Paris, 5-6 juin 1925 : *La Dentellière*, aquar. : **FRF 340** – Paris, 14-15 déc. 1927 : *Canal flamand* : **FRF 2 050** – Paris, 28 oct. 1942 : *Paysanne hollandaise*, aquar. gchée : **FRF 800** – Paris, 16 mars 1945 : *Jeune fille épluchant des pommes de terre*, aquar. : **FRF 3 500** – Paris, 27 mars 1947 : *Le Pont*, gche : **FRF 6 200** – Los Angeles, 29 nov. 1973 : *Pont de Moret sous la neige* : **USD 1 250** – Versailles, 21 mars 1976 : *Les chalands*, past. (51,5x79) : **FRF 1 800** – Anvers, 17 oct. 1978 : *Vue de bassin*, h/t (95x124) : **BEF 40 000** – Paris, 24 juin 1980 : *Berger et moutons dans la campagne*, aquar. : **FRF 650** – Versailles, 7 mai 1980 : *Ville d'Afrique du Nord* 1888, h/t (32x41) : **FRF 2 500** – Londres, 4 juil. 1980 : *Moret sous la neige*, h/t (38x45,8) : **GBP 650** – Versailles, 26 nov. 1989 : *Paris, la Seine et les quais*, h/pan. (32,5x41) : **FRF 5 000** – Paris, 8 déc. 1989 : *Le port d'Alger*, h/t (26,5x65) : **FRF 1 300** – New York, 17 jan. 1990 : *Remorqueur au Vert-Galant*, h/pan. (14x23,5) : **USD 1 100** – Paris, 19 juin 1990 : *Péniche sur la Seine*, h/pan. (14x23) : **FRF 10 000** – Amsterdam, 24 avr. 1991 : *Bouquet de chrysanthèmes dans un vase vert*, h/pan. (20x28) : **NLG 3 680** – Paris, 13 avr. 1992 : *L'Ânier à la fontaine* 1892, h/t (49x65) : **FRF 8 000** – Paris, 7 déc. 1992 : *L'Ânier à la fontaine* 1892, h/t (49x65) : **FRF 11 000** – Paris, 5 avr. 1993 : *Le port de Tanger*, h/pan. (26,5x65) : **FRF 15 000** – Paris, 13 mars 1995 : *Scènes de rue animées*, h/pan. et h/cart., une paire (chaque 18x14) : **FRF 5 200**.

LUIJKEN Caspar et **Jan**. Voir **LUYKEN**

LUILLIER Pierre. Voir **L'HUILLIER**

LUINI Ambrogio

XVIe siècle. Actif au début du XVIe siècle. Italien.

Peintre d'histoire.

Frère et élève de Bernardino Luini, travailla probablement à Milan. On cite de lui de remarquables fresques sur la *Vie de la Vierge*, à Sarrono.

LUINI Aurelio

Né vers 1530 à Luino. Mort en 1593 à Milan. XVIe siècle. Italien.

Peintre d'histoire, compositions religieuses, sujets allégoriques, portraits.

Fils de Bernardino Luini. Nous n'avons pas de détails sur cet artiste.
Musées : Florence (Mus. des Offices) : *La Vierge, l'Enfant Jésus et trois saints* – Florence (Pitti) : *La Madeleine* – *Sainte Catherine* – *Portrait de femme*.
Ventes Publiques : Londres, 9 déc. 1982 : *Saint Mathieu*, craie noire, pl. et lav./pap. bleu (14x20,4) : **GBP 1 000** – Londres, 30 juin 1986 : *Têtes, mains et figures*, pl. et encre brune, feuille d'études (23,5x16,6) : **GBP 4 400** – Paris, 1er avr. 1993 : *Allégorie de la Gloire et enfants musiciens*, encre/pap. préparé vert (23,5x34) : **FRF 21 000** – New York, 12 jan. 1994 : *Mise au tombeau*, encre et craie noire (16,5x22,6) : **USD 690** – Londres, 2 juil. 1997 : *Tête d'un homme barbu sous différents angles et personnages en lamentation*, pl. et encre brune et lav. gris reh. de blanc/pap. bleu, étude (33,9x21,2) : **GBP 10 120**.

LUINI Bernardino, appelé aussi **Lovino** ou **del Lupino**

Né vers 1475 peut-être à Luino. Mort en 1532. XVIe siècle. Italien.

Peintre d'histoire, sujets mythologiques, compositions religieuses, portraits, fresquiste.

On ne possède presque aucun renseignement sur la vie de Luini, et Vasari lui-même, si fertile en anecdotes, ne parle pour ainsi dire pas de lui, à peine le nomme-t-il parmi les élèves de Léonard de Vinci, mais suppléant à l'histoire, la légende assure que la vie de Luini fut très agitée, riche en aventures amoureuses et dramatiques qui l'obligèrent à des disparitions subites et à des retraites plus ou moins forcées dans divers monastères, notamment à Sarrono, où il peignit les belles fresques de Santa Maria dei Miracoli.
L'emprise de Léonard de Vinci est indéniable sur Luini, qui fut certainement son élève et probablement son ami ; les Madones de Luini ont avec celles du Maître une parenté évidente et l'on ne peut voir la *Nativité* de la Galerie Lochis à Bergame sans penser à la *Vierge aux rochers* mais l'on mesure aussi la distance qui les sépare. De même en comparant l'esquisse de la *Vierge et Sainte Anne* de Léonard de Burlington House et la réalisation définitive du Louvre avec la *Sainte Famille* de Luini à l'Ambrosienne de Milan, cette dernière œuvre apparaît bien froide et bien sèche à côté de la divine composition de Léonard, tout imprégnée de la suave poésie du clair-obscur. Mais l'influence de Léonard de Vinci ne fut pas la seule à s'exercer sur cet artiste si perméable et dans certaines œuvres de Luini, en particulier dans les fresques qu'il exécuta à Santa Maria dei Miracoli à Sarrono : *Le Mariage de la Vierge* ou *Le Christ parmi les Docteurs*, on perçoit la noblesse des grandes compositions de Raphaël et leur solide équilibre qui n'en diminue pas le charme souverain. *Le Mariage de la Vierge* est une œuvre remarquable par sa composition et par son exécution. Le groupe central est formé de trois personnages : le *Grand Prêtre*, qui unit *La Vierge à Joseph*, un Joseph de haute stature à l'allure décidée et juvénile, la Vierge, une grande dame qui tend à son futur époux des mains de patricienne. Un groupe de jeunes femmes et de jeunes hommes entoure harmonieusement le groupe central ; ni le jeune homme ni la jeune femme du premier plan ne sont indignes des chambres du Vatican. Enfin la *Présentation au Temple* de Sarrono, par la richesse des détails, la perfection de l'Architecture et l'ampleur de la composition évoque heureusement la *Circoncision* du *Triptyque de Mantegna* à Florence. Mais Luini a associé assez paradoxalement un don exceptionnel d'imitation à une originalité réelle qui éclate dans ses *Salomé* ; il traite trois fois le même sujet ; le tableau des Offices nous montre un adorable visage de femme légèrement détourné de l'horrible spectacle qu'offre la tête coupée tenue au-dessus d'une sorte de calice par un bourreau terrifiant de réalisme, tel un personnage de Grünewald. Le tableau du Louvre est réduit à une Salomé, dont on ne voit que le buste et a une main coupée par le cadre au niveau du poignet tenant la tête de saint Jean. Enfin, le plus étrange est celui de la *Galerie Impériale de Vienne*, où l'on peut voir une Salomé très moderne d'allure aux yeux en coulisse, tenant sur un plateau la tête d'un saint Jean trop beau, à la chevelure soigneusement peignée, tandis que le bourreau effroyable et grotesque (le visage coupé par le cadre) de profil contemple la scène d'un œil à demi fermé. Pourtant le plus grand mérite de Luini est certainement d'avoir su maintes fois exprimer, en abandonnant les formules traditionnelles de la peinture de son époque, des scènes de la vie réelle comme dans ce *Bain des Nymphes* du Musée Bréra, où l'on voit au bord d'une rivière de son pays de gracieuses jeunes femmes aux corps souples accomplir les gestes familiers des baigneuses de tous les temps, l'une quittant ses bas dans une pose à la Degas, tandis qu'une autre complètement dévêtue tâte machinalement de son pied la température de l'eau, et cependant de cette scène si simple, traitée d'une manière si vraie, un charme mystérieux se dégage, comme si l'Esprit de Vinci venait la vivifier et l'ennoblir. Si l'immense faveur dont jouit Luini de son vivant et longtemps après sa mort a sensiblement diminué, il reste encore à ce bel artiste des raisons infiniment valables de retenir notre admiration. ■ Jean Dupuy
Musées : Bergame (Acad. Carrara) : *Crèche* – *La Vierge, l'Enfant Jésus et saint Jean* – Berlin : *La Vierge et l'Enfant Jésus* – *Nativité* – *Enlèvement d'Europe*, en neuf tableaux – Bootle : *Jésus et les docteurs* – Budapest : *La Vierge, l'Enfant Jésus, sainte Élisabeth et le petit saint Jean* – *Vierge et saints* – Cambrai : *Sainte Famille* – Chantilly : *Salvator Mundi, enfant* – *Enfant à mi-corps* – *Buste de jeune fille* – Constance : *Sainte Cécile et deux anges musiciens* – Copenhague : *Sainte Catherine d'Alexandrie* – Dijon : *L'Enfant Jésus sur les genoux de sa mère* – Florence : *Décollation de saint Jean Baptiste* – *La Vierge, saint Jean et Jésus enfant* – Genève (Ariana) : *Trois dames* – Londres (Nat. Gal.) : *Jésus discutant avec les docteurs* – Londres (coll. Wallace) : *La Vierge et l'Enfant Jésus*, deux tableaux – *Génie tenant des raisins* – *Tête de jeune fille* – Lugano (Égl. Sainte-Marie-des-Anges) : *La Passion* – *La Vierge entre l'Enfant Jésus et le petit saint Jean-Baptiste* – Madrid : *Sainte Famille* – *La fille d'Hérodiade présentant un plat à un soldat pour recevoir la tête du précurseur* – Le Mans : *Sainte Catherine* – *Ex-voto à Sainte Catherine*, attr. – Marseille (Grobet) : *Tête de Christ* – Milan (Ambrosiana) : *La Vierge et l'Enfant Jésus* – *Sainte Famille et sainte Élisabeth* – *Le Sauveur, enfant* – *Saint Jean Baptiste* – Milan (Brera) : *Anges en adoration* – *Ange dal Taribolo* – *Ange à l'encensoir* – *Ange à l'encens* – *Élie éveillé par l'ange* –

Jésus – *Saint Sébastien* – *La Vierge et Jésus* – *Sainte Ursule* – *Deux têtes d'hommes* – *Marie-Madeleine* – *Saint Lazare* – *Sainte Marcelle* – *Sainte Marthe* – *La Vierge* – *Saint Antoine et sainte Barbe* – *Le Père Éternel* – *La Vierge, Jésus et sainte Anne* – *La Vierge, Jésus et saint Jean* – *Le Rédempteur* – *Les Israélites abandonnant l'Égypte* – *Il giuco del guancialmo d'oro* – *Jeune cavalier* – *Sacrifice du dieu Pan* – *Jeune femme* – *Daphné transformée en laurier* – *Naissance d'Adonis* – *Sainte Marthe* – *Sainte Marie-Madeleine* – *Anges chantant* – *La moquerie de Cham* – *Sainte Catherine mise au tombeau* – *Trois madones* – *La Vierge, son fils et plusieurs saints* – *Sainte Anne et saint Joachim* – *Une ange prédit à sainte Anne la naissance de la Vierge* – *Saint Joseph consolé par un ange* – *Ange* – *Nativité de la Vierge* – *Présentation de la Vierge au temple* – *Éducation de la Vierge* – *Dédicace de Marie* – *Saint Joseph, époux de Marie* – *Marie et Joseph* – *La Visitation* – *Trois compagnons de saint Joseph* – *Baptême de Jésus* – *La Vierge et plusieurs saints* – *Le Père Éternel* – *Ange en adoration* – *Moïse priant sur le Sinaï* – *Moïse frappant le rocher* – *Festin des Hébreux au sortir d'Égypte* – *Les Pharaons traversant la mer Rouge*, deux tableaux – *Les Hébreux chantant* – *L'offrande des Hébreux* – *La récolte de la manne* – *La mort des premiers-nés des Hébreux* – *La forge de Vulcain* – *Enfants au bain* – *Deux têtes d'enfants* – MILAN (Mus. Poldi-Pezzoli) : *Mariage mystique de sainte Catherine* – MONTAUBAN : *Tête de sainte Catherine* – MUNICH : *Sainte Catherine avec la palme* – *La Vierge et l'Enfant Jésus* – NAPLES : *La Vierge et l'enfant Jésus* – NARBONNE : *Le chef de saint Jean Baptiste* – PARIS (Mus. du Louvre) : *Nativité* – *Fresque* – *Salomé* – *Vulcain* – *L'Enfant Jésus endormi* – *Sainte Famille* – *Le Christ* – *Le Silence* – *Annonciation* – *Vierge à l'Enfant* – *Le Christ mort* – *Curius Dentatus* – *Enfant* – ROME (Gal. Colonna) : *Sainte Famille* – SAINT-PÉTERSBOURG (Mus. de l'Ermitage) : *Vierge à l'Enfant* – *Sainte Catherine* – *Saint Sébastien* – VIENNE : *La fille d'Hérodiade* – *Saint Jérôme* – VIENNE (Gal. Czernin) : *Vierge et Enfant Jésus* – VIENNE (Gal. Harrach) : *Saint Jérôme* – YPRES : *Jésus et les docteurs*.
VENTES PUBLIQUES : LONDRES, 1805 : *Portrait de Calvin* : **FRF 3 540** – PARIS, 1854 : *La Vierge, l'Enfant et saint Jean* : **FRF 22 100** – PARIS, 1870 : *Hérodiade recevant la tête de saint Jean* : **FRF 11 000** – LONDRES, 1882 : *Duchesse de Ferrare* : **FRF 8 395** – LONDRES, 1894 : *Portrait de femme* : **FRF 17 070** – PARIS, 1895 : *Tête de Vierge*, dess. à la pierre noire : **FRF 3 100** – LONDRES, 1898 : *Saint Étienne* : **FRF 9 300** ; *Sainte Catherine d'Alexandre* : **FRF 10 500** – PARIS, 1900 : *Le Mariage de sainte Catherine* : **FRF 6 000** – PARIS, 12 juin 1900 : *La Vierge et l'Enfant Jésus* : **FRF 4 200** – NEW YORK, 17 et 18 avr. 1907 : *Vierge et Enfant* : **FRF 7 500** – PARIS, avr. 1910 : *Le Mariage mystique de sainte Catherine* : **FRF 2 875** – PARIS, 26 fév. 1921 : *Personnage vu de dos*, étude à la pierre noire rehaussée : **FRF 620** – LONDRES, 4-7 mai 1923 : *La Sainte Famille* : **GBP 420** – LONDRES, 15 juin 1923 : *La Madone* : **GBP 357** – LONDRES, 26 nov. 1926 : *La Vierge et l'Enfant et le petit saint Jean* : **GBP 99** – LONDRES, 27 mai 1927 : *Sainte Catherine d'Alexandrie* : **GNS 700** – NEW YORK, 10 avr. 1929 : *La Vierge et l'Enfant* : **USD 2 100** – LONDRES, 3 mai 1929 : *Saint Jean Baptiste* : **GBP 1 732** – NEW YORK, 22 avr. 1932 : *La Vierge et l'Enfant* : **USD 950** – LONDRES, 14 juil. 1936 : *Portrait de femme*, pierre noire et blanche : **GBP 1 102** – NEW YORK, 15 jan. 1944 : *Vierge* : **USD 6 000** – LONDRES, 9 juin 1944 : *Tête de Vierge*, fusain : **GBP 126** – NEW YORK, 9 jan. 1947 : *La Vierge et l'Enfant* : **USD 1 050** – MILAN, 10 fév. 1947 : *Deux Anges* : **ITL 220 000** – NEW YORK, 11 nov. 1960 : *Sainte Catherine d'Alexandrie* : **USD 4 500** – MILAN, 12-13 mars 1963 : *La présentation au Temple*, temp. sur bois : **ITL 6 400 000** – MILAN, 19 nov. 1963 : *Salomé recevant la tête de saint Jean Baptiste* : **ITL 6 750 000** – LONDRES, 25 nov. 1966 : *Vierge à l'Enfant* : **GNS 1 900** – AMSTERDAM, 20 mai 1969 : *Dieu le Père* : **NLG 10 000** – MILAN, 21 mai 1970 : *Vierge à l'Enfant* : **ITL 3 700 000** – LONDRES, 30 mars 1979 : *Une sainte*, h/pan., faisant partie d'un polyptyque (90,2x59,8) : **GBP 7 500** – LONDRES, 10 déc. 1982 : *Portrait de jeune femme en buste*, pan. transposé/t. (35x27,3) : **GBP 70 000** – LONDRES, 8 juil. 1987 : *Une sainte martyre*, h/pan. (59,5x90) : **GBP 160 000** – NEW YORK, 11 jan. 1989 : *La Madone et l'Enfant*, h/t (46,4x44,8) : **USD 44 000** – MONACO, 16 juin 1989 : *Sainte Véronique*, h/pan. (64x53,5) : **FRF 277 500** – NEW YORK, 15 jan. 1993 : *Tête de femme*, fresque sur pan. (29,2x28,6) : **USD 10 925**.

LUINI Costanzo
Né le 31 août 1886 à Milan. XXe siècle. Actif aux États-Unis. Italien.
Sculpteur de bustes, médailles.
Il fut élève de Robert Ingersolt Aitken, sans doute à San Francisco, et de Edward McCartan. Il était membre de la Fédération Américaine des Arts.
Il sculpta des projets de médailles et le *Buste du général Pershing*.

LUINI Evangelista
XVIe siècle. Italien.
Peintre d'ornements.
Fils de Bernardino et frère cadet d'Ambrogio. Il se consacra à la peinture d'ornements.

LUINI Giulio Cesare
Né au XVIe siècle à Varallo. XVIe siècle. Italien.
Peintre.
Élève de Gaudenzio Ferrari. Il peignit des fresques à Varallo, près de Côme.

LUINI Pietro. Voir l'article **GNOCCHI Giovanni Pietro**

LUINI Tommaso, dit **Caravaggino**
Né vers 1597 à Rome. Mort vers 1632. XVIIe siècle. Éc. romaine.
Peintre.
Élève d'Andrea Sacchi et imitateur du Caravage. On voit des fresques de lui à San Carlo al Corso.

LUINING Andreas ou **Lüning**
XVIe siècle. Actif à Vienne à la fin du XVIe siècle. Autrichien.
Dessinateur, graveur ornemaniste.
On mentionne de sa main cinq séries de chacune douze planches : 1° Oiseaux, insectes, fleurs ; 2° Frises pour orfèvres ; 3° Arabesques avec médaillons ; 4° Arabesques avec animaux, figures et cavaliers ; 5° Arabesques, feuillage et grotesques.

LUIQUIR Adam. Voir **LIQUIER**

LUIS de Borgoña
XVIe siècle. Actif à Tolède en 1536-1537. Espagnol.
Sculpteur.

LUIS de Oviedo
Né vers 1489. XVIe siècle. Travaillant à Valladolid. Espagnol.
Sculpteur.

LUISE Enrico de
Né en 1840 à Naples. Mort en 1915. XIXe-XXe siècles. Italien.
Peintre de genre et d'histoire.
Il fit de nombreuses peintures décoratives.

LUISE de Hollandine, princesse Palatine
Née le 11 avril 1622 en Hollande. Morte le 11 février 1709 au couvent à Maubuisson (près de Pontoise). XVIIe siècle. Allemande.
Peintre de portraits, graveur.
Elle était fille du prince Électeur du Palatinat, Frédéric V. Elle devint Abbesse du couvent de Maubuisson en 1664. Elle peignit deux portraits d'abbesses de l'ordre des Visitandines et un de Marie de Médicis.
MUSÉES : HANOVRE (Kestner) : *Portrait de l'artiste par elle-même, à genoux, grandeur nature* – HANOVRE (prov.) : *Reine Marie d'Angleterre, épouse de Guillaume III* – *Elisabeth, comtesse de Nassau*.
VENTES PUBLIQUES : NEW YORK, 12 jan. 1994 : *Portrait de Sophie, Princesse Palatine, fille cadette du Roi Frederick V de Bohême, debout dans un costume exotique avec des plumes dans les cheveux et tenant une lance dans un paysage tropical*, h/t (116x84,2) : **USD 167 500**.

LUITHOLDUS ou **Luitoldus**. Voir **LIUTOLDUS**

LUITTEFORT Michel
XVe siècle. Actif à Amiens. Français.
Sculpteur.

LU I-T'UNG. Voir **LU YITONG**

LUIZ Eduardo
Né en 1932. XXe siècle. Actif depuis 1958 en France. Portugais.
Peintre de compositions à personnages. Tendance surréaliste.
De 1942 à 1952, il fréquenta successivement l'École des Arts Décoratifs et l'École des Beaux-Arts de Porto. Boursier de la Fondation Gulbenkian, il arriva à Paris en 1958 et s'y fixa. Il participe à des expositions collectives, dont : 1953, 1959 Biennale de São Paulo ; etc. Il montre des ensembles de ses peintures dans des expositions personnelles, depuis la première en 1950 à Porto ; et depuis 1962 régulièrement à Paris. En 1964, il exécuta les dessins pour le film d'animation de Pierre Kast et Chris Marker *La Brûlure de Mille Soleils*.

On a souvent argué d'érotisme à propos de son œuvre – le Museum of Erotic Art de San Francisco possède de ses peintures – et aussi de surréalisme. Si la précision de sa facture évoque celle des natures mortes du XVIIe siècle, son propos, par la symbolique sexuelle qu'il véhicule, a des accents freudiens. Lors d'une exposition personnelle de Luiz à Paris, en 1975, José Pierre a pu écrire : « Et je ne peux m'empêcher de lire dans ce superbe et mystérieux tableau qui s'intitule *La Femme du boucher végétarien* quelque chose comme la destruction emblématique – le meurtre rituel – de la femme. »

LUJA Jean

Né en 1846 à Luxembourg. Mort en 1893. XIXe siècle. Luxembourgeois.

Sculpteur de portraits.

Bibliogr. : In : Catalogue de l'exposition *150 Ans d'Art Luxembourgeois*, Mus. Nat. d'Histoire et d'Art, Luxembourg, 1989.

LUJA Katharina Karolina

Née le 1er janvier 1800 à Hanau (Hesse). Morte le 4 août 1874 à Marbourg. XIXe siècle. Allemande.

Peintre, dessinatrice et lithographe.

Elle peignit des tableaux religieux et des tableaux de fleurs, dessina et lithographia des portraits et des reproductions des anciens Maîtres. Le Musée de Cassel conserve de sa main le portrait de l'artiste par elle-même, une *Vierge* et plusieurs études de fleurs et le Musée de la Société d'histoire de Hanau plusieurs œuvres.

LUJAN. Voir **LUCAS**

LÜ JI ou **Liu Chi** ou **Lü Chi** ou **Lü-Ki**, surnom : **Tingzhen,** nom de pinceau : **Leyu**

Né en 1477, originaire de Jinxian, province du Zhejiang. XVIe siècle. Actif vers 1500. Chinois.

Peintre de figures, oiseaux, paysages, fleurs.

Célèbre peintre de fleurs et d'oiseaux, il apprend les techniques de la peinture avec un peintre de l'Académie Impériale, Bian Wnejin (actif dans la première moitié du XVe siècle). Pendant l'ère Hongzhi (1488-1505), il est appelé à la cour par l'empereur Xiaozong qui le fait officier de la Garde Impériale. Il dirige, pense-t-on, un atelier produisant des images de fleurs et d'oiseaux, mais il peint aussi des figures et des paysages. Ses œuvres sont représentatives de la peinture académique décorative de la dynastie Ming.

Musées : Boston : *Neuf hérons blancs sous un saule* – Honolulu (Acad. of Art) : *Deux cygnes blancs dans les fleurs d'hibiscus,* signé – Pékin (Mus. du Palais) : *Grands oiseaux dont un mynah, rochers et chrysanthèmes,* riches coul. sur soie, signé – *Aigle sur une falaise, avec une pie,* encre sur pap., signé – Philadelphie (University Mus.) : *Aigle sur le tronc d'un arbre surplombant un ruisseau,* signé – Shanghai : *Grenades et loriots,* coul. sur soie, rouleau en hauteur – Taipei (Nat. Palace Mus.) : *Oies sauvages et pivoines au clair de lune,* coul. et encre sur soie, rouleau en hauteur signé – *Paon dans les fleurs d'abricotier,* encre et coul. sur soie, rouleau en hauteur – *Oiseaux dans la neige,* signé – *Hirondelles et canards,* signé – *Deux canards mandarins,* signé – *Faisan dans la neige,* signé – *Hérons dans les lotus à l'automne,* signé – *Deux faisans dans l'herbe et de grands roseaux,* signé et accompagné de poèmes de Shen Zhou et de Qianlong – *Oiseaux, fleurs et poissons,* signé – *Grues dans les pins près d'une cascade,* signé – *Deux faisans dans les roseaux sur la rive,* signé – *Trois aigrettes, dont une debout, dans les lotus et les hibiscus,* coul. sur soie, signé – Tokyo (Nat. Mus.) : *Fleurs et oiseaux des quatre saisons,* coul. sur soie, quatre rouleaux en hauteur, au registre des Biens Culturels Importants – Washington D. C. (Freer Gal.) : *Neuf hérons blancs sous un saule,* attribution, une version plus ancienne de la même œuvre est conservée au Musée de Boston.

Ventes Publiques : New York, 6 déc. 1989 : *Pies et oiseaux de proie dans un paysage d'hiver,* encre et pigments dilués/soie, kakémono (184,8x102,9) : **USD 154 000.**

LU JIABIN ou **Lou Kia-Pin** ou **Lu Chia-Pin**

XVIIe-XXe siècles. Chinois.

Peintre.

Ce peintre de la dynastie Qing (1644-1911), n'est pas mentionné dans les annales, mais le British Museum de Londres conserve une de ses œuvres, *Aigles et ours,* signée.

LÜ JINGFU ou **Liu King-Fou** ou **Lü Ching-Fu**

Originaire de Wujin, province du Jiangsu. XIVe siècle. Chinois.

Peintre.

Peintre d'herbes et d'insectes dans le style du moine Jüning de la dynastie Song (960-1279).

LU JIREN

Né en 1944 à Shanghai. XXe siècle. Chinois.

Peintre de paysages animés, paysages, aquarelliste. Tendance traditionnelle.

En 1968 il obtint le diplôme de l'Académie des Arts de Shangai. En 1981, il partit étudier à l'Art Students' League de New York. Depuis 1983 il a participé à de nombreuses expositions et reçu de nombreuses récompenses.

Son style est encore imprégné de la tradition.

Ventes Publiques : Hong Kong, 28 sep. 1992 : *Cascade dans les Monts Huang,* encre et pigments/pap. (73x86) : **HKD 41 800** – Hong Kong, 22 mars 1993 : *Première neige,* encre et pigments/pap. (73,5x92) : **HKD 23 000** – Hong Kong, 30 oct. 1995 : *En place pour la parade* 1991, aquar./pap. (46x38,4) : **HKD 17 250** – Hong Kong, 30 avr. 1996 : *Prendre la tête* 1996, h/t (101,6x76,2) : **HKD 41 400.**

LU JIZHENG ou **Chi-Cheng**

Né en 1914 dans la province du Fujian. Mort en 1990. XXe siècle. Chinois.

Peintre de paysages.

Il commença ses études artistiques au Collège d'Art Amoy, puis fréquenta, au Japon, plusieurs écoles dont l'Institut de peinture occidentale Kansai à Kobe. Il fonda une école de peinture à l'huile qu'il dirigea, collaborant également au Musée d'Histoire de Taiwan et étant professeur associé à l'Académie Nationale d'Art.

Ventes Publiques : Taipei, 18 oct. 1992 : *Paysage de Sansha,* h/t (31,7x40,7) : **TWD 330 000.**

LUKA Madeleine

Née en 1894 à Maffliers (Val-d'Oise). Morte le 18 mai 1989 à Paris. XXe siècle. Française.

Peintre de figures, groupes, portraits, paysages, fleurs, peintre à la gouache, de fixés-sous-verre, illustrateur.

Elle commença à peindre à l'âge de dix-huit ans, ne recevant de conseils que de son père, peintre amateur. Elle expose pour la première fois en 1923 au Salon d'Automne de Paris ; en 1925, elle figura au Salon de l'Araignée. Elle participe ensuite à des expositions collectives, dont le même Salon d'Automne, ceux des Indépendants, des Tuileries, des Peintres Témoins de leur Temps, et à des groupements à Marseille, Roubaix, Bruxelles, Londres, San Francisco, Tokyo, etc. Elle montre surtout ses peintures dans de très nombreuses expositions personnelles, à Paris galerie Drouant puis galerie Maurice Garnier ; à New York galerie Fenwick, à Nice, Tokyo, Bruxelles, Berlin, Prague, etc. En 1989, le Salon d'Automne a organisé une exposition d'hommage posthume.

De 1920 à 1930, ses peintures, dites de la période « néo-primitive », sont vouées aux scènes de l'adolescence : *La Communiante, Triomphe de la virginité, La Jeunesse passe.* La période 1930 à 1940, dite « romantique », avec femmes épanouies, baigneuses, mariées, maternités, femmes chapeautées, personnages champêtres. De 1940 à 1950, l'époque de « la famille » : *La Famille du planteur, Ma trisaïeule et l'évêque de Ponce, Mon ancêtre Kervenot.* Ensuite, jusqu'à cinq ans avant d'être centenaire, elle reprit et développa les anciens thèmes. Le poète Francis Jammes, dont elle a illustré *Le Poète rustique* aimait l'art tour à tour scrupuleux et primesautier de ce peintre moins ingénu que féru de l'ingénuité. Quand elle peint une figure féminine, elle semble substituer au visage humain la face d'une poupée ou d'une « Sidonie » des modistes d'autrefois.

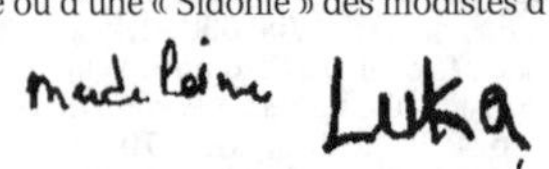

Ventes Publiques : New York, 25 nov. 1929 : *Amis* : **USD 70** – Paris, 13 fév. 1932 : *Rose mystique* : **FRF 400** – Paris, 10 mars 1943 : *La Baigneuse au chapeau de paille* : **FRF 5 800** – Paris, 29 juin 1945 : *Vase de fleurs,* fixé-sous-verre : **FRF 2 000** – Paris, 29 oct. 1948 : *Maternité* : **FRF 15 000** – Paris, 18 nov. 1949 : *Enfants aux chats* : **FRF 21 000** – Paris, 19 fév. 1951 : *Jeune fille au missel* : **FRF 22 500** – Paris, 30 oct. 1972 : *La Gardeuse d'oies* : **FRF 3 500** – Paris, 4 déc. 1974 : *Nature morte aux fleurs* : **FRF 3 800** – Versailles, 12 mai 1976 : *L'offrande à la jeune fille blonde dans le hamac* 1931, h/t (81x100) : **FRF 3 500** – Paris, 19 nov. 1976 : *Jeune fille à la fleur,* gche (29x24) : **FRF 800** – Paris, 19 mai 1978 : *Jeune*

femme à la rose, h/t : **FRF 5 700** – AMSTERDAM, 29 oct. 1980 : *Couple couché*, h/t (103,5x95,3) : **NLG 3 000** – VERSAILLES, 15 mai 1988 : *La joie d'être mère*, h/t (74,5x59,5) : **FRF 27 500** ; *Le plaisir d'être mère ou le désespoir de l'être* 1922, h/t (74,5x59,5) : **FRF 25 500** – PARIS, 7 juin 1988 : *L'enfant de cœur* 1960, h/t (65x54) : **FRF 5 100** – VERSAILLES, 6 nov. 1988 : *Mon village*, h/t (46x61) : **FRF 5 000** – PARIS, 14 fév. 1989 : *Le jardin*, h/t (50x61) : **FRF 13 000** – PARIS, 16 fév. 1989 : *Fillettes chantant*, h/isor. (27x22) : **FRF 13 000** – VERSAILLES, 24 sep. 1989 : *Maternité*, h/t (61x50) : **FRF 6 000** – PARIS, 21 nov. 1989 : *Mère et enfant dans la campagne*, h/cart. (25x21) : **FRF 18 000** – LA VARENNE-SAINT-HILAIRE, 3 déc. 1989 : *La fillette au ruban rouge*, h/pap. (38x27) : **FRF 16 200** – PARIS, 24 jan. 1990 : *L'Enfant au chat*, h/t (61x50) : **FRF 20 000** – PARIS, 13 juin 1990 : *Le Triomphe de la rose blanche*, h/pan. (61x50) : **FRF 21 000** – PARIS, 4 mars 1992 : *Je préfère les roseaux aux lys*, h/t (55x46) : **FRF 5 800** – LE TOUQUET, 8 juin 1992 : *La mère et l'enfant près de la vigne vierge*, h/t (100x81) : **FRF 32 500** – PARIS, 20 déc. 1993 : *Printemps à Montbrun*, h/t (59x80) : **FRF 15 000**.

LUKAS Dennis
XXe siècle. Canadien.
Peintre, sculpteur.
Dans les années soixante, exploitant à la lettre l'injonction, alors impérative, de « sortir du cadre », il a proposé d'étranges drapés sortant d'un tableau et parcourant l'espace environnant.

LUKASCHEWSKI Rolf
Né le 1er décembre 1947 à Schleswig. XXe siècle. Allemand.
Peintre de figures. Tendance symboliste.
Il fut élève de l'École des Beaux-Arts de Cologne, de 1966 à 1975. Depuis 1972, il expose à Cologne, Bruges, Alsdorf près d'Aix-la-Chapelle, Paris en 1975 et galerie Lavignes-Bastille en 1995.
Usant d'une technique dont l'académisme tend à l'hyperréalisme, il éride des personnages composites, sortes de blasons, qu'on peut supposer psychologiques de ses modèles, rappelant les personnages des *Femmes 100 têtes* et des autres collages de Max Ernst. Ultérieurement, il a évolué à un expressionnisme au dessin et au chromatisme violents.
BIBLIOGR. : Catalogue de l'expos. *Lukaschewski*, gal. de la Passerelle Saint-Louis, Paris, 1975.
VENTES PUBLIQUES : PARIS, 23 avr. 1990 : *R.* 1983, h/t (60x60) : **FRF 13 000** – PARIS, 23 oct. 1990 : *Le visiteur* 1978, h/t (140x100) : **FRF 20 000** – PARIS, 23 mars 1992 : *La belle vue* 1983, h/t (124x129) : **FRF 15 000**.

LUKASIEWICZ. Voir **LOUKASIEVITCH**

LUKASIEWICZ J. I. Voir **LOUKACHEVITCH**

LUKASZEWSKI Casimir. Voir **LOUKACHEWSKI**

LUKAVSKY Antonin
Né le 9 janvier 1947. XXe siècle. Tchécoslovaque.
Peintre de compositions à personnages, figures.
Il est diplômé de l'École Supérieure de l'Enseignement Technique. Il expose à Prague, Ostrava, ainsi qu'à Hambourg et Hanovre en 1992.
Dans des compositions rigoureuses, il introduit des figures allégoriques, peintes en volumes simplifiés rappelant le groupe français de Force Nouvelle des années trente.
VENTES PUBLIQUES : PARIS, 31 jan. 1993 : *Les Demoiselles de l'Attique* 1992, h/t (76x76) : **FRF 10 000**.

LUKE John
Né en 1906. Mort en 1975. XXe siècle. Irlandais.
Peintre de compositions à personnages, paysages animés, peintre à la gouache, aquarelliste.
Entre 1939 et 1943 il arrêta de peindre, les bombardements l'obligèrent à se réfugier à la campagne. Il y retrouva le calme, et se consacra à la culture de ses légumes en cette période de restrictions. Après cette période, sa première peinture s'intitulait *Pax*.
Sa peinture, bien que très complexe dans sa composition maîtrisée de personnages et d'animaux évoluant dans des paysages riches et divers, présente un certain caractère de naïveté, qui participe à son charme.
BIBLIOGR. : J. Hawitt : *John Luke, 1906-1975*, Belfast, 1978.
VENTES PUBLIQUES : LONDRES, 12 mars 1982 : *Paysage* 1947, temp./cart. plâtre : **GBP 6 000** – LONDRES, 8 juin 1984 : *Les baigneuses* 1929, h/t (50,8x61,5) : **GBP 7 500** – BELFAST, 28 oct. 1988 : *Le pont* 1936, détrempe/gesso (64,8x78,2) : **GBP 176 000** ; *Une usine et un arbre*, aquar. (47,7x35,6) : **GBP 2 200** – LONDRES, 9 mai 1996 : *L'écluse de Edenderry* 1944, temp./cart. (26,6x36,8) : **GBP 95 000** – LONDRES, 21 mai 1997 : *Paysage avec des personnages* 1948, temp./pan. (42,5x59) : **GBP 194 000**.

LUKEMAN Henry Augustus
Né le 28 janvier 1872 à Richmond (Virginie). XIXe-XXe siècles. Américain.
Sculpteur de monuments, bustes.
Il fit ses études artistiques à New York et à l'École des Beaux-Arts de Paris. En 1904, il obtint une médaille de bronze à l'Exposition de Saint-Louis.
Il a sculpté les bustes de nombreuses personnalités et les figures de monuments commémoratifs.

LUKER William
Né en 1828. Mort en 1905. XIXe siècle. Actif à Londres et Faringdon. Britannique.
Peintre de genre, portraits, animalier, paysages.
Il exposa de 1852 à 1889.
VENTES PUBLIQUES : LONDRES, 15 mai 1979 : *La plage de Saint-Malo* 1858, h/t (38x75) : **GBP 1 100** – LONDRES, 2 mars 1984 : *Berger et troupeau de moutons dans un paysage boisé* 1871, h/t (92x153,7) : **GBP 1 900** – NEW YORK, 6 juin 1986 : *Deux chevaux dans un paysage* 1855, h/t (76,2x114,3) : **USD 15 000** – LONDRES, 14 juin 1991 : *Lapins dans la garenne* 1868, h/t (30,4x45,7) : **GBP 1 045** – LONDRES, 3 fév. 1993 : *Le cottage de Donald McLean à Balquhidder* 1888, h/cart. (23,5x20,5) : **GBP 506** – NEW YORK, 14 oct. 1993 : *Les éclaireurs du désert*, h/t (60,4x91,4) : **USD 13 800** – PARIS, 8 juin 1994 : *Cheval hunter dans un paysage*, h/t (51,5x61) : **FRF 17 500** – LONDRES, 20 juil. 1994 : *Daims et cerfs dans une clairière* 1872, h/t (51x76) : **GBP 2 415** – PERTH, 20 août 1996 : *Bovins des Highland changeant de pâturage* 1896, h/cart., une paire (chaque 26x45) : **GBP 1 725**.

LUKER William, Jr.
Né en 1867 à Londres. XIXe siècle. Britannique.
Peintre.
Membre de la Royal Society of British Artists, où il exposa cinq œuvres en 1909.
VENTES PUBLIQUES : LONDRES, 1er oct. 1986 : *Moonrise on the marshes* ; *Changing pastures* l'un de 1894, h/cart., une paire (25x43) : **GBP 1 700**.

LUKESCH Hans
Né le 19 octobre 1867 à Vienne. XIXe siècle. Actif à Neuhofen, près de Melk. Autrichien.
Peintre de figures et restaurateur de tableaux.
On cite de nombreuses œuvres de sa main à Vienne. Le Musée Berg-Isel à Innsbruck possède de sa main un tableau de bataille.

LU KEZHENG ou **Lou K'o-Tcheng** ou **Lu K'o-Chêng**
Actif probablement pendant la dynastie Ming (1368-1644). Chinois.
Peintre.
Peintre non mentionné dans les biographies officielles d'artistes, dont le British Museum de Londres conserve une œuvre, *Montagnes et arbres dans la brume*, éventail d'après Dong Yuan.

LÜ-KI. Voir **LÜ JI**

LUKIANOV Vladimir
Né en 1946 à Leningrad (aujourd'hui Saint-Pétersbourg). XXe siècle. Russe.
Peintre de paysages.
Il fit ses études à l'Institut cinématographique de l'URSS. Il est Membre de l'Association des Peintres de Leningrad. Il a participé à des expositions à Leningrad et à Moscou et également à l'étranger : en 1986 à Varsovie, en 1987 à Helsinki.
Il peint des paysages dans la technique des réalistes du XIXe siècle, avec une facture plus spontanée.
MUSÉES : HELSINKI (Gal. d'Art Contemp.) – MOSCOU (min. de la Culture).
VENTES PUBLIQUES : PARIS, 18 mars 1991 : *Bord d'étang*, h/isor. (34x24) : **FRF 4 100**.

LUKIC Zivojin
Né le 29 janvier 1883 à Belgrade. XXe siècle. Actif aussi en Italie. Yougoslave.
Sculpteur de statues allégoriques, groupes, ornementations.
À Belgrade, il a sculpté le groupe pour *Le Commerce* et la statue de *L'Histoire*, au nouveau bâtiment du Parlement. Il a créé des sculptures décoratives, à Moscou pour l'École supérieure de jeunes filles, à Rome pour le cinéma Volturno et le restaurant Rinascente.

LUKIN Boris
Né en 1958 à Odessa. XXe siècle. Russe.
Peintre de figures, portraits, paysages, natures mortes. Tendance onirique.
Il échappe à l'uniformité de la peinture russe de son époque, par une facture libérée, des harmonies colorées douces, une poésie de l'étrange qui lui fait, par exemple, intituler *Voyage* un paysage de village escarpé juché sur un chariot à roulettes.

LUKITS Theodore Nikolaï
XXe siècle. Américain.
Peintre, sculpteur.
Membre de la Ligue américaine des artistes professeurs.

LUKKA Valéri
Né en 1945 dans la province de Laroslav. XXe siècle. Russe.
Peintre de compositions à personnages, de paysages.
Il travaille et expose régilièrement avec Mikhailov et Volosenkov. En 1989 il a participé à Leningrad à l'exposition : De l'art non officiel à la Perestroika.
Ventes Publiques : Paris, 8 déc. 1990 : *Jeune femme agenouillée*, techn. mixte/pan. (87x56) : **FRF 8 000**.

LU K'O-CHÊNG. Voir **LU KEZHENG**

LUKOMSKI. Voir **LOUKOMSKI**

LUKOVICZKI Endre
Né à Bekescsaba. XXe siècle. Hongrois.
Peintre. Abstrait-géométrique.
Il est diplômé de l'Académie des Arts de Budapest. Il a participé à de nombreuses expositions tant en Hongrie que dans les pays de l'Est. À l'étranger il a exposé en 1981 à Vienne, en 1982, 1983 en Suède, en 1986 en Italie, ainsi qu'à la Foire d'Art contemporain de Stockholm.
Sa peinture, d'une technique maîtrisée et d'un sentiment poétique efficace, est très influencée de la période géométrique de Kandinsky.
Ventes Publiques : Paris, 14 oct. 1991 : *La danse du shaman* 1990, h/t (127x97) : **FRF 8 000**.

LUKS George Benjamin
Né le 13 août 1867 à Williamsport (Pennsylvanie). Mort en 1933 à New York. XIXe-XXe siècles. Américain.
Peintre de compositions à personnages, figures, portraits, nus, paysages urbains animés, paysages, aquarelliste, dessinateur. Réaliste. Groupe des Huit, ou groupe de l'Ashcan School (école de la poubelle).
Il reçut sa formation artistique comme élève de la Pennsylvania Academy of the Fine Arts de Philadelphie, puis la compléta à Düsseldorf, Paris et Londres. Revenu à Philadelphie en 1895, dans les années de ses débuts, George Benjamin Luks gagnait sa vie en illustrant les articles des journaux, activité qui fut bientôt supplantée par la photographie de reportage. En 1896, envoyé comme reporter à Cuba par l'Evening Bulletin, pour suivre l'opération militaire espagnole contre l'insurrection nationaliste indigène, Luks fut pris par les insurgés et condamné à mort. Ayant réussi à s'évader, il regagna les États-Unis et, s'étant fixé à New York, il travailla alors pour le New York Herald Tribune. Se consacrant presque entièrement à la peinture, ses convictions sociales, son intérêt pour les conditions de la vie ouvrière contemporaine, l'acquirent aux principes réalistes de Thomas Eakins, répercutés au XXe siècle par Robert Henri dans son ouvrage théorique *The Art Spirit*. En 1907, un ensemble de peintures de Luks, John Sloan et William Glackens ayant été refusé par la National Academy of Design, Robert Henri, qui était membre de l'Académie, retira les siennes en signe de protestation. En 1908, les mêmes, auxquels se joignirent Everett Shinn, Maurice Brazil Prendergast, Ernest Lawson, Arthur B. Davies, formèrent un groupe, résolument déclaré contre le post-romantisme de l'Académie, et exposèrent à la galerie Macbeth de New York, avant de devenir le Groupe des Huit (The Eight). La volonté commune des peintres du groupe de donner, à des degrés différents, des images réalistes de la vie moderne, évocatrices des bruits, des odeurs, de la saleté de la vie urbaine et ouvrière, leur valut l'appellation de « Ashcan School » (École de la Poubelle), à laquelle se rallièrent d'autres jeunes peintres, dont George Bellows. Ce goupe d'artistes, motivés par leur opposition à la National Academy of Design et au conservatisme ambiant, fut à l'origine de l'exposition historique de l'*Armory Show* de 1913, où les œuvres des artistes européens invités, jusque là totalement inconnus, allaient provoquer le démarrage international de l'art américain. En 1918, Luks reçut une médaille d'or de l'Académie des Beaux-Arts de Philadelphie.
En plein accord avec les principes réalistes de l'École de la Poubelle, Luks donna le plus souvent un contenu social à ses œuvres ; en est un exemple caractéristique *Le Mineur*, aujourd'hui à la National Gallery de Washington, dont le visage harassé reflète la dureté de son labeur et la misère de sa condition. Dans cette période d'enthousiasme généreux, la facture de Luks s'inspirait de la franchise de touche de Frans Hals et restait attachée à la gamme sourde pratiquée par les artistes du groupe à la suite de Robert Henri. Comme souvent les autres artistes du groupe, il privilégiait les scènes nocturnes et les scènes d'intérieur à la lumière artificielle, propices aux effets d'éclairage théâtraux, mais savait particulièrement faire sourdre de la nuit ou de l'ombre les notations colorées des visages, des mains et des détails signifiants, tel un Frans Hals du Bronx. En 1918, il peignit la vaste scène de foule de *La Nuit de l'Armistice de 1918*, aujourd'hui au Whitney Museum de New York, dans laquelle il a su déployer toutes les ressources de sa fougue et un sens épique de la composition, sa gamme sourde habituelle ici éclaircie et colorée du déploiement des drapeaux alliés dans les lumières de la rue en liesse. Après la première guerre mondiale, ses œuvres ont accusé un certain relâchement. Il n'en demeure pas mois que George Luks aura joué un rôle décisif dans la libération de la peinture américaine des conventions stériles de l'Académie.
■ Jacques Busse

George Luks

Bibliogr. : J. D. Prown, Barbara Rose, in : *La Peinture Américaine*, Skira, Genève, 1969 – in : *Diction. Univers. de la Peint.*, Le Robert, Paris, 1975.
Musées : Cleveland – Detroit – Milwaukee – New York (Metropolitan Mus.) – New York (Whitney Mus.) : *La Nuit de l'Armistice de 1918* – La Nouvelle Orléans (Mus. Delgado) – Washington D. C. (Nat. Gal. of Art) : *Le Mineur*.
Ventes Publiques : New York, 14 jan. 1938 : *Pierrot* : **USD 1 100** – New York, 20 avr. 1944 : *Vendeuse de fleurs* : **USD 750** – New York, 4 mai 1945 : *La Nuit de l'Armistice* : **USD 2 250** – New York, 7 nov. 1946 : *Petite fille en vert* : **USD 2 350** – New York, 14 mars 1968 : *Le Poète du village (portrait de John Sloan)* : **USD 2 900** – New York, 4 mars 1970 : *High Bridge, number one* vers 1913, aquar. : **USD 4 250** – New York, 14 déc. 1973 : *La Tasse de thé* : **USD 4 000** ; *Le Clarinettiste* : **USD 7 000** – New York, 10 mai 1974 : *Hudson River* : **USD 2 700** – New York, 21 avr. 1977 : *Jeune femme au théâtre*, h/t (92x66) : **USD 7 500** – New York, 20 avr 1979 : *Gilberton cow*, aquar. (35,5x50,8) : **USD 1 800** – New York, 20 avr 1979 : *Upper Manhattan*, h/t (41,3x50,8) : **USD 5 000** – Washington D. C., 26 sep. 1982 : *Nu endormi*, h/t (61x76,2) : **USD 26 000** – New York, 21 sep. 1984 : *La charrette de ciment*, cr. noir (25,8x19,7) : **USD 2 200** – New York, 30 sep. 1985 : *The mine mule*, aquar. (25,1x35,2) : **USD 2 000** – New York, 30 mai 1986 : *Madison Square*, h/pan. (81,6x112,8) : **USD 46 000** – New York, 4 déc. 1987 : *Nuit de brouillard, New York*, h/t (76,8x63,5) : **USD 26 000** – New York, 26 mai 1988 : *La Poupée malade*, h/t mar./cart. (26,8x21,1) : **USD 13 200** – New York, 24 juin 1988 : *Nu allongé*, h/cart. (40x50) : **USD 10 450** – New York, 24 jan. 1989 : *Mineurs*, aquar./pap. (40x56) : **USD 16 500** – New York, 25 mai 1989 : *Portrait de Miss Ruth Breslin* 1925, h/t (75x63,5) : **USD 52 800** – New York, 18 oct. 1989 : *Pêcheurs de truites à Berk Hills*, aquar./pap. (35,5x50,8) : **USD 9 900** – New York, 30 nov. 1989 : *La vieille marchande de fleurs* 1918, h/t (91,4x66) : **USD 44 000** – New York, 24 jan. 1990 : *Le restaurant de Joe* 1926, cr./pap. (24x30) : **USD 1 650** – New York, 23 mai 1990 : *Les tricoteuses de High Bridge Park*, h/t (76,1x91,5) : **USD 660 000** – New York, 29 nov. 1990 : *Les oies sauvages*, h/t (63,5x76,2) : **USD 17 600** – New York, 26 sep. 1991 : *La Bourse de la laine*, cr./pap. (45,7x30,5) : **USD 1 980** – New York, 6 déc. 1991 : *Le chapeau noir*, h/t (69,2x51,2) : **USD 63 800** – New York, 12 mars 1992 : *Route de campagne*, aquar. et fus./pap. (35x49,8) : **USD 8 250** – New York, 3 déc. 1992 : *Paysage d'automne*, aquar./pap. (35,6x50,8) : **USD 7 700** – New York, 26 mai 1993 : *Marché à l'aube* 1900, past./pap. gris (44,8x73) : **USD 19 550** – New York, 21 sep. 1994 : *Petite fille au ruban rose*, h/t (45,7x35,6) : **USD 40 250** – New York, 29 nov. 1995 : *Portrait d'une petite fille en noir*, h/t (76,2x63,5) : **USD 85 000** – New York, 21 mai 1996 : *La partie inférieure du lac Ausable dans les Monts Adirondack*, aquar./pap. (35,5x50,8) : **USD 7 475** – New York, 5 déc. 1996 : *Le Spectacle, café de Versailles, Paris* ; *Entrée principale, jardin du*

Luxembourg, h/t, une paire (chaque 15,9x22,2) : **USD 27 600** – New York, 27 sep. 1996 : *La Ferme à Chatham*, h/pan. (40x50) : **USD 8 050**.

LUKSCH Richard
Né le 23 janvier 1872 à Vienne. xixe-xxe siècles. Actif aussi en Allemagne. Autrichien.
Sculpteur de statues, bustes, médailleur, céramiste.
À Vienne, il a sculpté un *Buste de l'empereur François-Joseph*, un *Buste du Professeur G. Renhann*, des céramiques décoratives pour la nouvelle École de Commerce. À Augsbourg, il a créé les céramiques décoratives de la Bourse, à Leipzig le *Buste de D. de Liliencron* en marbre, à Hambourg la décoration en relief de l'Institut des Sciences Politiques, des statues et un relief en marbre à l'École des Arts et Métiers.

LUKSCH-MAKOWSKY Éléna
Née le 13 novembre 1878 à Saint-Pétersbourg. xxe siècle. Active et naturalisée en Autriche. Russe.
Sculpteur de figures, groupes, peintre de figures, portraits, graveur.
Elle était l'épouse de Richard Luksch.
Elle est l'auteur de trois reliefs de la façade principale du théâtre national de Vienne, et d'un groupe *Femme et enfants cherchant protection* dans le parc municipal de Hambourg.

LU KUANG. Voir **LU GUANG**

LU LENGJIA ou **Lou Leng-Kia** ou **Lu Lêng-Chia**
Né à Changan (province du Shenxi). viiie siècle. Actif vers 730-760. Chinois.
Peintre.
On mentionne souvent Lu Lengjia comme l'élève le plus important de Wu Daozi (actif vers 720-760). Il est connu pour ses peintures murales dans des temples bouddhistes et, plus généralement, pour des œuvres à thèmes religieux. Le Musée Municipal d'Osaka conserve une peinture de l'époque Ming qui serait une copie d'un rouleau de Lengjia, *Saint homme en vêtements de moine et portant une tiare taoïste, marchant sur l'eau.*

LULLIN Adolphe
Né le 1er février 1780 à Genève. Mort en 1806 à Montmorency (Val-d'Oise). xviiie siècle. Suisse.
Peintre d'histoire, scènes de genre.
Il fut élève de David à Paris.
Musées : Genève : *Cornelia, mère des Gracques.*
Ventes Publiques : Paris, 25 juin 1990 : *Les Trois sœurs ou la lecture* 1798, cr. noir, estompe et reh. de blanc (44x34) : **FRF 4 000**.

LULMUS. Voir **LOLMO**

LULVÈS Jean
Né en 1833 à Mulhouse. Mort le 8 janvier 1889 à Berlin. xixe siècle. Français.
Peintre de genre, d'histoire, décorateur et aquarelliste.
Fut d'abord ingénieur à Hanovre, puis étudia la peinture dans l'atelier de Steffeck à Berlin. Il visita l'Italie. Il décora la salle de la couronne au palais du Kremlin, à Moscou, et une salle de bal pour le banquier Krause à Berlin. Il a peint de nombreuses figures drapées dans des costumes du xvie au xviiie siècle. Il exposa fréquemment à partir de 1864 jusqu'à sa mort. On cite de lui : *Gentilhomme du xvie siècle, Catherine de Médicis et Ruggieri, Meurtre de Riccio*. Le Musée de Mulhouse conserve de lui : *Les marionnettes* et *Le Duel*, celui de Königsberg : *Petit lever*.
Ventes Publiques : Paris, 17 et 18 juin 1927 : *Henri III et un mignon* : **FRF 2 600** – Vienne, 19 sep. 1972 : *La première leçon d'équitation* : **ATS 50 000**.

LUMERMAN Juana
Née en 1905 à Buenos Aires. Morte en 1982. xxe siècle. Argentine.
Peintre de compositions animées.
Elle fit ses études à L'Académie Nationale des Beaux-Arts de Buenos Aires, sous la direction, entre autres, de Ripamonte, et obtint son diplôme en 1935. Elle remporta l'année suivante le premier Prix au 60e Salon Féminin National des Beaux-Arts. En 1941, elle fut invitée par le Musée d'Art de Los Angeles à représenter son pays à une exposition consacrée aux peintres latino-américains contemporains. Elle passa l'année 1945 à Rio de Janeiro et à São Paulo et, l'année suivante, elle voyagea à travers les États-Unis et l'Argentine. Jusqu'à sa mort elle participa à des expositions nationales et internationales.
Aux États-Unis et en Argentine, elle étudia des thèmes populaires : le football qu'elle considérait à la manière d'une danse, le tango, les terrasses, et réalisa des compositions non-figuratives.
Ventes Publiques : New York, 16 nov. 1994 : *« Candombe »* 1948, h/cart. (47,9x66) : **USD 8 050** – New York, 18 mai 1995 : *Figures*, h/cart. (47,9x67,6) : **USD 6 900** – New York, 21 nov. 1995 : *Ville portuaire* 1950, h/rés. synth. (60x80) : **USD 6 440**.

LUMIÈRE Antoine
Né en 1842. Mort le 15 avril 1911 à Paris. xixe-xxe siècles. Français.
Peintre.
Il était industriel. Il fut élève de V. Jeanneney. Il peignit des portraits et des paysages.

LUMINAIS Evariste Vital
Né le 14 décembre 1822 à Nantes (Loire-Atlantique). Mort en 1896 à Paris. xixe siècle. Français.
Peintre d'histoire, scènes de chasse, sujets de genre.
Élève de L. Cogniet et de Troyon, il débuta au Salon en 1843 et continua d'exposer très régulièrement chaque année des scènes de chasse, des tableaux d'animaux et parfois des toiles de genre. Médaillé du Salon en 1852, 1855, 1857 et 1861, il fut décoré de la Légion d'honneur en 1869.
Sa technique est assez vigoureuse, sa pâte nourrie et sa composition ne manquent ni de charme, ni d'humour.

V. Luminais

Musées : Aix : *Tendresse* – Amiens : *Préparatifs de chasse* – *Ramasseuses de moules* – Angers : *Les deux gardiens* – Béziers : *Repos d'un chasseur gaulois* – Blois : *La famille du pêcheur naufragé* – Bordeaux : *Éclaireurs gaulois* – Bucarest (Mus. Simu) : *Cheval effrayé par l'orage* – Caen : *Pâtre de Kerlat* – Carcassonne : *Combat de Gaulois et de Romains* – *Le dernier des Mérovingiens* – Dijon : Esquisse – Le Havre : *Famille vendéenne en prière* – Langres : *Pêcheurs de homards sur la côte de Bretagne* – *Pillards gaulois* – Laval : *Le grand carillon* – Le Mans : *Un maraudeur* – Moulins : *Les deux désœuvrés* – Mulhouse : *Fuite d'un prisonnier gaulois* – Nancy : *Gaulois en vue de Rome* – Nantes : *Déroute des Germains après la bataille de Tolbiac* – *Rendez-vous de chasse* – *Vedette gauloise* – Nice : *Pendant la guerre* – *Exorcisme* – Poitiers : *Les braconniers* – La Rochelle : *Une consultation* – Rouen : *Retour de chasse* – *Guerriers* – *Étude* – Saint-Étienne : *Gaulois blessé* – Sydney : *Les énervés de Jumièges* – Une aquarelle – Toulouse : *L'abreuvoir*.
Ventes Publiques : Paris, 22 mai 1894 : *Une invasion des Barbares* : **FRF 1 200** – Paris, 13 déc. 1899 : *Le passage du gué* : **FRF 610** – Paris, 23 juin 1900 : *La chasse au loup* : **FRF 2 450** – Paris, 7 mars 1903 : *L'abreuvoir* : **FRF 250** – Paris, 14 fév. 1908 : *Cavaliers gaulois* : **FRF 1 100** – Paris, 10 et 11 mai 1912 : *Le passage du gué* : **FRF 1 320** – Paris, 4 et 5 déc. 1918 : *La Baignade des chevaux* : **FRF 1 400** – Paris, 6 déc. 1919 : *Les Gaulois devant Rome* : **FRF 505** – Paris, 20-22 mai 1920 : *La chasse au loup* : **FRF 2 800** – Paris, 3 et 4 mai 1923 : *Les Pirates* : **FRF 3 000** – Paris, 10 mai 1926 : *Maquignon vendéen conduisant des chevaux* : **FRF 500** – Paris, 15 mai 1931 : *Les Rois fainéants* : **FRF 240** – Paris, 25 mai 1945 : *Combat de guerriers francs*, aquar. : **FRF 1 500** – Paris, oct. 1945-Juillet 1946 : *Les sonneurs de cloche* : **FRF 7 000** ; *Bretons à l'affût* : **FRF 3 800** – Paris, 7 oct. 1946 : *Combat corps à corps* : **FRF 3 200** – Paris, 17 mars 1947 : *Cavalier traversant un gué* : **FRF 5 200** – Paris, 26 mars 1947 : *Chasse à courre* : **FRF 1 700** ; *L'affût* : **FRF 1 950** – Paris, 23 juin 1954 : *Jeune fille aux chèvres* : **FRF 18 000** – Paris, 31 oct. 1973 : *Les sonneurs de cloche* : **FRF 11 000** – Paris, 22 juin 1976 : *Le coffre à bijoux*, h/t (93x65) : **FRF 5 500** – Paris, 9 mai 1977 : *Le Passage du gué*, h/t (32x40) : **FRF 6 650** – Versailles, 18 févr 1979 : *L'Enfant au sansonnet* 1867, h/t (32,5x25) : **FRF 8 500** – Versailles, 4 oct. 1981 : *Le Départ des guerriers gaulois*, h/t (53,5x65) : **FRF 20 000** – Berne, 30 avr. 1988 : *Chevaux en liberté*, h/t (89x46) : **CHF 4 000** – Monaco, 16 juin 1990 : *La couseuse sous bois*, h/t (24,5x19,5) : **FRF 17 760** – Montréal, 19 nov. 1991 : *La lecture du testament*, h/pan. (22,8x29,2) : **CAD 1 000** – Le Touquet, 8 juin 1992 : *La triste punition*, h/pan. (46x37) : **FRF 13 000** – Paris, 10 fév. 1993 : *Rentrée du troupeau, les gardiens*, h/t (156x176) : **FRF 38 000** – New York, 20 juil. 1994 : *Première mise en selle*, h/pan. (37,5x46,4) : **USD 1 380** – Paris, 12 mars 1997 : *La Conquête de Rome par les Gaulois*, h/t (102x83) : **FFR 50 000**.

LUMINAIS Hélène Vital, Mme
Née au xixe siècle à Paris. xixe siècle. Française.

Portraitiste et peintre de genre.
Élève de M. Luminais. Débuta au Salon en 1877. Le Musée de Nantes conserve d'elle : *Psyché*.
Ventes Publiques : Londres, 21 mars 1997 : *Allégorie de la sagesse* 1879, h/t (64x50) : **GBP 13 800**.

LUMLEY Arthur
Né vers 1837 à Dublin. Mort le 27 septembre 1912 à Mont-Vernon. XIXe-XXe siècles. Actif à Brooklyn (New York). Américain.
Peintre de genre et illustrateur.
Ventes Publiques : Londres, 4 mars 1922 : *Tête de W. Shakespeare* : **GBP 315**.

LUMLEY George
Né vers 1708. Mort en 1768 à York. XVIIIe siècle. Britannique.
Graveur.
Il habitait York. Il était avocat. Il grava des portraits.

LUMMEL Guus Van
Né en 1919. XXe siècle. Hollandais.
Sculpteur. Abstrait, lumino-cinétique.
Ingénieur de formation, pour son compte ou pour le compte d'autres artistes, notamment Nicolas Schoeffer, il programme des mécanismes mobiles et des éclairages, dont les faisceaux lumineux et les ombres sont recueillis sur des écrans.

LUMMEN Marc de. Voir **MARCKE DE LUMMEN**

LUMNITZER Paul
Né le 5 avril 1861 à Teplitz. XIXe-XXe siècles. Actif à Graz. Polonais.
Peintre de portraits, paysages.
Le Rudolfinum à Prague conserve de sa main un tableau : *Soir*.
Ventes Publiques : Londres, 25 fév. 1987 : *Soleil de mars, Bozen* 1908, h/t (66x80,6) : **GBP 10 000**.

LU MONG. Voir **HUXIAN Peintres Paysans du**

LU MONG
XXe siècle. Chinois.
Peintre.
Après la « Révolution culturelle », il fut chargé des expositions à Shanghai des peintures et dessins produits par les communautés de peintres paysans ou ouvriers des provinces (Voir HUXIAN, peintres paysans du).

LUMSDEN Ernest Stephen
Né en décembre 1883 à Londres. XXe siècle. Britannique.
Peintre, graveur de paysages urbains, architectures, figures typiques.
Il était également écrivain. Il a voyagé à travers le monde.
Surtout aquafortiste, il a publié des séries sur Paris, Édimbourg, Victoria, l'Espagne, Pékin, Tokyo, la Corée, et la Birmanie, s'inspirant de sujets et de types du peuple des Indes.
Ventes Publiques : Glasgow, 20 fév. 1997 : *Pélerins allant voir Gautama* 1945, h/t (71,2x101,6) : **GBP 4 830**.

LUMSDON Christine Marie
Née à Brooklyn (New York). XXe siècle. Américaine.
Peintre de sujets religieux, figures.
Elle travailla à Paris, où elle fut élève de Carolus-Duran, et exposa au Salon des Artistes Français, mention honorable en 1904. Elle fut membre de la Fédération Américaine des Arts.
Outre des œuvres religieuses, elle peignit une variante de *La Belle Ferronnière*.

LUNA Charles de
Né vers 1812 à Chalon-sur-Saône (Saône-et-Loire). XIXe siècle. Français.
Peintre de sujets militaires, scènes de genre.
Élève de Léon Cogniet, il exposa assez rarement au Salon de Paris entre 1833 et 1866.
Ses toiles présentent des sujets militaires d'Afrique du Nord, notamment la conquête de l'Algérie.
Bibliogr. : Gérald Schurr, in : *Les Petits Maîtres de la peinture 1820-1920, valeur de demain*, Les Éditions de l'Amateur, t. V, Paris, 1981.
Musées : Bagnères-de-Bigorre : *Grandes manœuvres de cavalerie – Le défilé devant l'empereur à Satory – Lord Raglan – Mussa-Pacha – Magnan – Bataille* – Douai : *Départ pour la revue* – L'Isle-Adam (Mus. Senlecq) : *Sorties de carrières à l'Isle-Adam*.
Ventes Publiques : Paris, 1897 : *L'heureuse famille* : **FRF 1 000** – Paris, 12 mai 1928 : *Officier de grenadiers à cheval* : **FRF 110** – Paris, 12 mars 1941 : *Scène de la conquête d'Algérie* : **FRF 200** – Paris, 15 avr. 1944 : *Combat de cavalerie en Algérie* : **FRF 700** – Paris, oct. 1945-juil. 1946 : *Revue passée par Napoléon III à Satory* : **FRF 5 800** – Versailles, 18 mars 1979 : *Cavaliers de l'Empire*, deux h/t, formant pendants (56x46) : **FRF 6 000** – Le Touquet, 19 mai 1991 : *La Conquête de l'Algérie*, h/t (46x56) : **FRF 7 000** – Calais, 15 déc. 1996 : *La Charge de la cavalerie*, h/t (46x56) : **FRF 7 000**.

LUNA Domenico
Né en 1598 à Città di Castello. Mort le 11 septembre 1668 à Città di Castello. XVIIe siècle. Italien.
Peintre.
On mentionne de sa main un *Saint Antoine de Padoue* dans l'église inférieure du Dôme de Città di Castello et des fresques dans l'église di Buon Riposo (Compagnie de Jésus), près de Città di Castello.

LUNA Francis P. de
Né le 6 octobre 1891. XXe siècle. Américain.
Sculpteur, architecte.
Il fut élève de Hermon Atkins McNeil et John Gregory. Il était membre de la National Sculpture Society de New York et de la New York Architect League. Il fut professeur à l'Université de New York.

LUNA Miguel de
XVIIIe siècle. Espagnol.
Peintre.

LUNA Victor de
Né au XIXe siècle à Paris. XIXe siècle. Français.
Peintre de scènes militaires.
Élève de son père Ch. de Luna. Il exposa au Salon en 1864 et 1866.

LUNA Y NOVICIO Juan, comte
Né en 1857 à Badoc (aux Philippines). Mort en 1900 à Hong-Kong. XIXe siècle. Actif à Madrid. Espagnol.
Peintre d'histoire.
Exposa à Munich en 1883, à Berlin en 1891 ; médaille de troisième classe en 1886, de bronze en 1889 (Exposition Universelle).
Le Musée de Madrid conserve de lui : *Mort de Cléopâtre*.
Ventes Publiques : Madrid, 24 oct. 1983 : *La Burla* 1882, h/t (48x30) : **ESP 1 500 000** – Madrid, 27 oct. 1987 : *Scène de harem*, aquar. (64x92) : **ESP 1 800 000**.

LUNATI Daniello ou **Lonati**
XVIIe siècle. Italien.
Peintre.
Frère lai de l'ordre des Bernardins, on cite un petit tableau de sa main au monastère de Monte Oliveto Maggiore, près d'Asciano, un tableau d'autel dans la chapelle Saint-François de la même ville et une *Mater Dolorosa* dans l'église Saint-Michel Archange à Chiusure.

LUNAUD Paul
Né le 22 décembre 1900 à Brantôme (Dordogne). Mort en 1949. XXe siècle. Français.
Peintre de figures, nus, paysages, natures mortes, peintre à la gouache, aquarelliste.
Autodidacte, il reçut cependant les conseils de son ami Dessalles-Quentin. Il exposa peu, obtint une mention honorable à Paris, au Salon des Artistes Français en 1939. Il figura aussi au Salon des Artistes Indépendants. En 1992, le Musée de Brantôme a organisé une exposition rétrospective de l'ensemble de l'œuvre.
Sa vision intimiste des choses rapproche sa peinture de celle de Marquet.

LUND Anker Niels
Né le 24 février 1840 à Copenhague. Mort le 27 septembre 1922 à Copenhague. XIXe-XXe siècles. Danois.
Peintre.
Il peignit d'abord des scènes historiques et choisit plus tard comme sujets des forges et des moulins. Il peignit ensuite des tableaux d'autel comme *Le chemin d'Emmaüs* (église d'Hjortlunde).
Musées : Varde : *Chambre de paysans*.

LUND Carl Christian
Né le 21 avril 1855 à Odense. XIXe siècle. Danois.
Peintre de théâtre.
Il travailla pour le Théâtre Royal de Copenhague. L'Hôtel de Ville d'Odense lui doit six grandes décorations (vues de châteaux danois).

LUND Carl Ove Julian
Né le 13 avril 1857 à Copenhague. Mort en 1936. XIXe-XXe siècles. Danois.
Peintre de portraits, paysages animés, paysages, céramiste.
Il travailla quinze ans à la Manufacture royale de porcelaine de Copenhague.
VENTES PUBLIQUES : LONDRES, 16 mars 1989 : *Paysage boisé avec une laitière et une vache se désaltérant* 1886, h/t (185,5x280,5) : **GBP 7 700** – NEW YORK, 23 mai 1989 : *Le potager* 1884, h/t (157,5x104) : **USD 8 250**.

LUND Eilert Balle
Né le 19 juin 1815 à Trondhjem. Mort en 1891. XIXe siècle. Actif à Trondhjem. Norvégien.
Peintre.
Il fit des tableaux d'autel, des portraits au pastel. Le Musée National norvégien d'Oslo possède des tableaux de sa main.

LUND Emil Carl
Né le 13 janvier 1855 à Copenhague. Mort le 23 novembre 1928 à Copenhague. XIXe-XXe siècles. Danois.
Peintre de figures, paysages animés.
En 1879, à Vienne, il peignit des décorations murales au Palais de Justice.
VENTES PUBLIQUES : STOCKHOLM, 19 avr. 1989 : *Gardeuse de chèvres sur la lande*, h/t (26x37) : **SEK 5 200**.

LUND Frederik Cay Carl
Né en 1778. Mort le 1er juin 1823 à Copenhague. XIXe siècle. Danois.
Peintre de portraits.
Il fut élève de l'Académie de Copenhague. Il exposa en 1802 quatre miniatures, et en 1822 des portraits au pastel. Le Musée de Frederiksborg possède de sa main un portrait miniature de *J. C. C. Brun*.

LUND Frederik Christian
Né le 14 février 1826 à Copenhague. Mort le 31 octobre 1901. XIXe siècle. Danois.
Peintre d'histoire, scènes de genre, paysages, compositions décoratives, aquarelliste.
On cite parmi ses œuvres sa peinture de plafond à la cathédrale de Viborg.
MUSÉES : AALBORG : *Griffenfeld est conduit en prison* – FREDERIKSBORG : *Épisode de la bataille de Frederica – Tempête à Copenhague* – STOCKHOLM (Nat.) : *Costumes danois*.
VENTES PUBLIQUES : COPENHAGUE, 16 mars 1982 : *Portrait de famille dans un jardin* 1883, h/t (48x63) : **DKK 15 500** – LONDRES, 28 nov. 1984 : *Raising the flag* 1883, h/t (45,5x61) : **GBP 7 000** – LONDRES, 9 oct. 1985 : *La procession* 1863, h/t (49x63) : **GBP 1 500** – LONDRES, 24 mars 1988 : *Famille devant une ferme* 1869, h/t (37,4x46,6) : **GBP 4 180** – LONDRES, 7 juin 1989 : *La marchande de légumes romaine* 1863, h/t (45x36) : **GBP 2 420** – LONDRES, 11 fév. 1994 : *Le château Saint-Ange à Rome* 1864, aquar./pap. (50,2x80) : **GBP 2 070** – COPENHAGUE, 2 fév. 1994 : *La pause de midi dans le potager en été* 1882, h/t (49x56) : **DKK 14 000** – COPENHAGUE, 16 nov. 1994 : *Conversation près d'un puits en Italie* 1878, h/t (64x50) : **DKK 4 500**.

LUND Georg
Né le 14 juin 1861 près de Flensburg. XIXe siècle. Allemand.
Sculpteur.
Élève de Schaper. Fit quelques études à Paris et à Rome, puis se fixa à Berlin. Le Musée de cette ville conserve de lui *Psyché se lamentant*, celui de Stuttgart *Enfants chantant* (bronze).

LUND Henrik Louis
Né le 8 septembre 1879 à Bergen. Mort en 1935. XXe siècle. Norvégien.
Peintre de portraits, paysages, graveur, lithographe.
MUSÉES : BERGEN – COPENHAGUE – OSLO.
VENTES PUBLIQUES : COPENHAGUE, 12 nov. 1986 : *Personnages sur le pont d'un bateau*, h/t (62x75) : **DKK 38 000** – LONDRES, 27-28 mars 1990 : *Une blanchisseuse*, h/t (61x73) : **GBP 14 850** – LONDRES, 19 juin 1991 : *Portrait de Mrs Bogen*, h/t (68x56) : **GBP 3 300**.

LUND Ivar
Né le 17 janvier 1871. Mort le 22 février 1904. XIXe-XXe siècles. Norvégien.
Peintre de figures, paysages.
MUSÉES : OSLO (Gal. Nat.).

LUND Jens
Né le 6 février 1873 près de Rinköping. XIXe-XXe siècles. Danois.
Sculpteur de figures, monuments, bustes.
À Copenhague, il a réalisé la décoration de la gare principale et l'Institut Technologique.
MUSÉES : COPENHAGUE (Mus. des Beaux-Arts) : *Job* – trois bustes – FREDERIKSBORG : *Buste de L. Tuxen – Buste de P. Christiansen*.
VENTES PUBLIQUES : COPENHAGUE, 24 avr. 1978 : *Le spadassin* 1906, bronze patiné (H. 175) : **DKK 16 000**.

LUND Jens Martin Victor
Né le 18 novembre 1871 à Copenhague. Mort le 10 juin 1924 à Copenhague. XIXe-XXe siècles. Danois.
Peintre de compositions murales, dessinateur, illustrateur.
À Paris, il fut élève de l'Académie Julian.
Il a réalisé des décorations murales dans le Palais Simonsen à Copenhague. Il a illustré de dessins : l'édition de Shakespeare de Brandes, *La Petite Sirène* de H. C. Andersen, la *Bible*.

LUND Jens Peter
Né dans le Sœnder Jutland. Mort en 1790. XVIIIe siècle. Danois.
Peintre de paysages, d'architectures et graveur à l'eau-forte.
Voir le suivant. Élève de l'Académie de Copenhague ; il obtint une médaille d'or, visita la France, l'Italie, séjourna à Rome, puis retourna à Copenhague. Il a gravé des *Ruines* et des *Marines*.

LUND Jens Petersen
Né vers 1725 ou 1730. Mort après 1793. XVIIIe siècle. Danois.
Peintre de paysages, aquarelliste, graveur.
Il présente des similitudes troublantes avec Jens Peter Lund. Il fut élève de l'Académie de Copenhague et reçut en 1756 la médaille d'or pour une *Scène du Déluge*. Il fit en 1764 une série de sept planches d'eaux-fortes de paysages romains. La Collection d'estampes de Copenhague possède de sa main quatre aquarelles.

LUND Johann Ludwig Gebhard
Né en 1777 à Kiel. Mort le 3 mars 1867 à Copenhague. XIXe siècle. Allemand.
Peintre d'histoire.
Élève de l'Académie de Copenhague pendant trois ans ; il alla ensuite faire des études à la Galerie de Dresde, entra dans l'atelier de David à Paris, et enfin alla à Rome. Il séjourna en Italie de 1815 à 1819. Membre de l'Académie de Copenhague, où il fut professeur. On cite de lui : *Andromaque au tombeau d'Hector*. Le Musée de Copenhague conserve de lui : *Les trois nonnes*.
VENTES PUBLIQUES : MUNICH, 17 mai 1984 : *Andromaque sur la tombe d'Hector* 1808, h/t (35,5x48) : **DEM 6 500**.

LUND Niels Gundersen
Né vers 1760 ou 1765. XVIIIe siècle. Danois.
Peintre.
Il fut élève de l'Académie de Copenhague et obtint en 1785 la petite médaille d'or pour son tableau *Le Christ chasse les vendeurs du Temple*. Il s'adonna à la peinture de théâtre.

LUND Niels Möller ou **Moeller**
Né le 30 novembre 1863 à Faaborg. Mort le 28 février 1916 à Londres. XIXe-XXe siècles. Actif en Angleterre. Danois.
Peintre de figures, portraits, paysages, paysages urbains.
Il fut élève de la Royal Academy de Londres et de l'Académie Julian à Paris.
MUSÉES : NEWCASTLE, Angleterre : *Nuit d'hiver* – PARIS (Mus. d'Orsay) : *Paysage d'Écosse*.
VENTES PUBLIQUES : PERTH, 31 août 1993 : *Les chutes de Rannock dans le Perthshire* 1908, h/t (117,5x159) : **GBP 2 300**.

LUND Sören Jörgensen
Né le 12 décembre 1852 à Faaborg. Mort en 1933. XIXe-XXe siècles. Danois.
Peintre, graveur animalier.
On cite ses eaux-fortes, dont : *Le Vieux cheval et la mort*.
MUSÉES : FAABORG.
VENTES PUBLIQUES : COPENHAGUE, 7 juin 1978 : *Scène de rue en hiver* 1884, h/t (86x126) : **DKK 11 000** – LONDRES, 5 mai 1989 : *Juments avec un poulain dans un paysage* 1907, h/t (78x101) : **GBP 1 100** – COPENHAGUE, 6 mai 1992 : *Intérieur de maison paysanne avec deux hommes en conversation*, h/t (60x73) : **DKK 4 200**.

LUND Troels
Né le 5 avril 1802 à Copenhague. Mort le 5 mai 1867 à Copenhague. XIXe siècle. Danois.
Peintre de compositions à personnages, sujets religieux, portraits, paysages.
Il travailla à Munich, Rome et Paris et à partir de 1833 à Copenhague. Il exposa de 1819 à 1836 à Charlottenborg des compositions bibliques et des portraits.
Musées : Copenhague (Beaux-Arts) : *Portrait de C. A. Jensen* – Copenhague (coll. roy. de tableaux) : *Héro attendant Léandre.*
Ventes Publiques : Copenhague, 25 oct. 1989 : *Vue du lac de Lyngby* 1867, h/t (29x52) : **DKK 4 200.**

LUNDA Florian
Né en 1824 à Lamberg. Mort en 1888 à Lamberg. XIXe siècle. Polonais.
Peintre.
Élève de Maszkovsky, à Lemberg, puis de l'Académie de Vienne et de Cogniet à Paris. Le Musée de Cracovie conserve de lui : *Portrait de l'auteur.*

LUNDAHL Amélie Helga
Née le 26 mai 1850. Morte le 20 août 1914 à Helsingfors. XIXe-XXe siècles. Active aussi en France. Finlandaise.
Peintre de genre, portraits, paysages.
Elle fut élève de Magnus Hjalmar Munsterjelm, puis, à partir de 1877 de Gustave Courtois à l'Académie Julian de Paris, où elle rencontra Maria Katarina Wiik. Elle séjourna neuf années en France, passant chaque été en Bretagne.
Elle peignit des tableaux de genre et de petits paysages des côtes de Bretagne. le Foyer du Théâtre National d'Helsingfors conserve d'elle un *Portrait de l'actrice Ida Aalberg.*

Musées : Helsinki (Atheneum) : études de paysages de Bretagne.
Ventes Publiques : Londres, 24 mars 1988 : *Dans les bois,* h/t mar./cart. (32x26) : **GBP 71 500** – New York, 17 fév. 1994 : *Sentier au crépuscule,* h/t. cartonnée (40,6x33) : **USD 1 380.**

LUNDAHL David
Né en 1880. Mort en 1916. XXe siècle. Suédois.
Peintre de paysages.
Musées : Göteborg : *Paysage.*

LUNDAHL Fanny, plus tard **Sundblad**
Née le 16 mai 1853 à Helsingfors (Helsinki). Morte le 1er avril 1918 à Abo. XIXe-XXe siècles. Finlandaise.
Peintre.
Elle étudia à Sèvres. Elle peignit des fleurs, spécialement sur porcelaine. Elle introduisit en Finlande la peinture sur porcelaine et l'enseigna à Helsingfors.

LUNDBÄCK Arvid
Né en 1752. Mort en 1827. XVIIIe-XIXe siècles. Actif à Stockholm. Suédois.
Peintre de portraits.
Il peignit surtout des portraits-miniatures. Le Musée National de Stockholm possède de sa main deux portraits.

LUNDBERG Carl Gustaf
XIXe siècle. Suédois.
Peintre de miniatures.
Dans la Collection du roi Christian X de Danemark se trouve de sa main le portrait du roi *Charles XIV.*

LUNDBERG Gustaf
Né en 1695. Mort en 1786. XVIIIe siècle. Suédois.
Peintre d'histoire, portraits, pastelliste.
Il fut élève de David von Krafft, puis de Rigaud et Largillière à Paris, où il résida entre 1717 et 1745. Membre de l'Académie.
Ses portraits devinrent de moins en moins conventionnels, plus spirituels, et réussirent parfois à atteindre une vérité psychologique aiguë, comme le prouvent les portraits de *Gustav III* et *Gustav IV Adolf.* Il fit aussi des portraits au pastel, très légers, aux coloris transparents et des portraits élégants de femmes le plus souvent travesties sous des atours mythologiques. Il fut considéré en Suède comme le meilleur portraitiste de son temps.

Musées : Nancy – Stockholm.
Ventes Publiques : Londres, 30 juin 1939 : *Autoportrait :* **GBP 131** – Stockholm, 30 oct 1979 : *Portrait d'un aristocrate,* past. (64x49,5) : **SEK 4 200** – Stockholm, 21 avr. 1982 : *Portrait de Beate Falker,* past. (65x50) : **SEK 31 500** – Stockholm, 27 avr. 1983 : *Portrait de Karl Fredrik von Liewen,* past. (65x49) : **SEK 18 000** – Stockholm, 22 avr. 1986 : *Portrait de Mademoiselle Caso, fille d'un brigadier des armées du Roi d'Espagne* 1736, past. (56x43) : **SEK 18 000** – Stockholm, 19 mai 1992 : *Portrait de Christina Holmcreutz en buste,* past. (65x50) : **SEK 70 000** – Stockholm, 10-12 mai 1993 : *Portrait d'un gentilhomme en buste (présumé de la famille Fleming) vêtu de bleu,* past. (65x50) : **SEK 32 000.**

LUNDBERG Jakob
Né en 1792. Mort en 1893 à Rome. XIXe siècle. Suédois.
Sculpteur.
Musées : Stockholm (Mus. Nat.) : *Statuette de jeune fille – Rébecca,* relief en plâtre.

LUNDBERG Robert Karl
Né le 15 février 1861 à Stockholm. Mort le 19 décembre 1903. XIXe siècle. Suédois.
Peintre de genre, de portraits et d'architectures.
Musées : Norrkoping : *Travaux au port du Caire* – Stockholm (Nat.) : *Vues de Stockholm.*
Ventes Publiques : Stockholm, 26 avr. 1983 : *Deux jeunes filles* 1900, h/pan. (32x43) : **SEK 11 800.**

LUNDBERG Theodor Johan
Né en 1852 à Stockholm. Mort en 1925 à Rome. XIXe-XXe siècles. Suédois.
Sculpteur.
Musées : Copenhague : *Les frères d'armes* – Stockholm : *Les frères de lait – Art et métier – L'archevêque Sundberg – Affliction – Le rivage et la vague – Plat d'ornement – Le pasteur F. Fehr.*
Ventes Publiques : Stockholm, 26 avr. 1982 : *Le baiser* 1897, bronze patiné (H. 56) : **SEK 11 500.**

LUNDBY Alf. Voir **LUNDEBYE**

LUNDBYE Johan Thomas
Né en 1818 à Kallundborg. Mort en 1848 à Flensburg. XIXe siècle. Danois.
Peintre animalier, scènes de genre, paysages, aquarelliste, dessinateur.

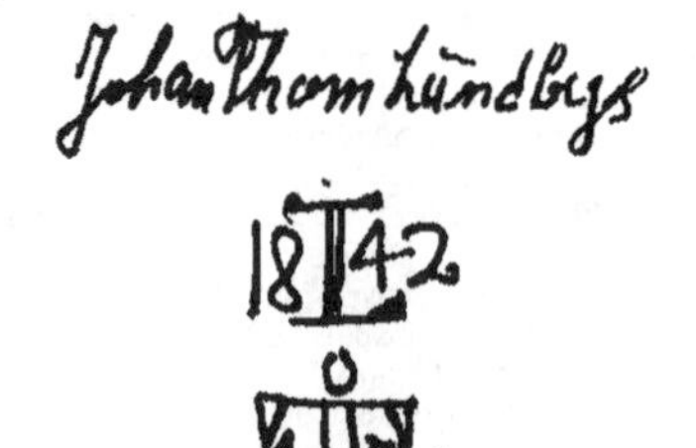

Musées : Copenhague : *Vaches traites à Vognserup,* treize toiles – *Paysage d'hiver – On étrille un cheval – Jument et poulains – Deux vues de la côte de Hellebœk – Cheval brossé – Femme avec son enfant – Âne harnaché – Moine avec son âne – Paysage en septembre – Côte danoise – Intérieur d'une étable – Paysage avec moutons le soir – Bœufs dans la campagne de Rome – Petit manoir – Paysage avec deux vaches – Paysage, temps couvert* – Trois études et une esquisse – Stockholm : Une aquarelle.
Ventes Publiques : Copenhague, 25 avr. 1951 : *Paysage d'automne :* **DKK 16 000** – Copenhague, 28-29 mai 1963 : *L'église de Kalundborg :* **DKK 23 000** – Copenhague, 8 et 19 oct. 1964 : *Paysage :* **DKK 16 000** – Copenhague, 5 nov. 1969 : *Troupeau dans un paysage :* **DKK 14 000** – Copenhague, 17 fév. 1970 : *Paysage :* **DKK 31 000** – Copenhague, 11 avr. 1972 : *Cheval dans un paysage,* gche : **DKK 14 500** ; *Paysage :* **DKK 25 000** – Copenhague, 26 fév. 1976 : *Paysage aux grands arbres* 1841, h/t (30x42) : **DKK 43 000** – Copenhague, 4 mai 1976 : *Paysage boisé* 1840, pl. (24,2x21,2) : **DKK 8 000** – Copenhague, 7 déc. 1977 : *Paysage* 1837, h/t (23x31) : **DKK 40 000** – Copenhague, 13 juin 1979 : *Chaumières au bord d'un étang* 1844, pl. et lav. (19,5x24,5) : **DKK 21 000** – Copenhague, 26 mai 1982 : *Cerf et biches dans un paysage* 1838, h/t (79x94) : **DKK 34 000** – Copenhague, 14 avr.

1983 : *Paysage au lac* 1844, pl. et lav. (19,5x24,5) : **DKK 22 000** – COPENHAGUE, 7 nov. 1984 : *Étude de paysage* 1840, h/t (24x32) : **DKK 180 000** – COPENHAGUE, 14 juin 1985 : *Italiennes dansant* 1845, gche (28x44) : **DKK 18 000** – COPENHAGUE, 23 jan. 1987 : *Illustration pour Oehlenschläger*, pl. et encre sépia (17x24) : **DKK 17 000** – COPENHAGUE, 5 avr. 1989 : *Forêt près de Vejrhoj* 1843, aquar. (18,5x31) : **DKK 30 000** – COPENHAGUE, 21 fév. 1990 : *Vue depuis la chambre d'amis de Valhoj sur les prairies jusqu'à la côte* 1842, h/t (14x30) : **DKK 108 000** – COPENHAGUE, 18 nov. 1992 : *Autoportrait* 1937, cr. (16x10) : **DKK 64 000** – LONDRES, 17 juin 1994 : *Paysage côtier avec des moutons* 1842, h/pap./t. (20,5x30,5) : **GBP 6 900** – COPENHAGUE, 16 nov. 1994 : *Fillette distribuant la provende aux poules, canard et dindon*, encre (19x16,5) : **DKK 6 000** – COPENHAGUE, 8 fév. 1995 : *Portrait d'une petite fille allongée de trois quarts vers la gauche* 1841, encre et lav. (23x17) : **DKK 10 500** – COPENHAGUE, 14 fév. 1996 : *Saule avec une digue de rochers* 1846, h/t (28,5x31) : **DKK 100 000** – COPENHAGUE, 23 mai 1996 : *Le Soir près de Arreso, chasseur et son chien au premier plan* 1837, h/t (23x10) : **DKK 210 000**.

LUNDE Alfhild
XXe siècle. Norvégien.
Peintre.
Il travaille vers 1937.

LUNDE Anders Christian
Né le 24 octobre 1809 à Copenhague. Mort le 26 octobre 1886 à Copenhague. XIXe siècle. Danois.
Peintre de portraits, paysages.
MUSÉES : COPENHAGUE (Beaux-Arts) : *Portrait du père de l'artiste* – COPENHAGUE (coll. roy. de Tableaux) : *Vue de plage* – COPENHAGUE (Thorwaldsen) : *Vue du château de Frederiksborg.*
VENTES PUBLIQUES : VIENNE, 23 mars 1983 : *Paysage d'été*, h/t (32,5x52,5) : **ATS 32 000** – COPENHAGUE, 12 août 1985 : *Paysage à la rivière* 1846, h/t (64x87) : **DKK 24 000** – STOCKHOLM, 15 nov. 1988 : *Perspective de la via Flaminia*, h. (95x135) : **SEK 60 000** – COPENHAGUE, 7 sep. 1994 : *Marina Piccola près de Capri*, h/t (36x53) : **DKK 19 000** – COPENHAGUE, 16 nov. 1994 : *Esquisse d'une ballustrade en Italie* 1847, h/t (16x31) : **DKK 4 500**.

LUNDE Rolf
Né en 1891 à Stavanger. Mort le 3 novembre 1928. XXe siècle. Norvégien.
Paysagiste et peintre.
Il fut élève de Bourdelle à Paris. Il se fixa en 1913 à Lillehammer. La Galerie Nationale d'Oslo possède une œuvre de sa main.

LUNDE Th.
XIXe siècle. Norvégien.
Peintre.
Dessina des modèles de meubles et de vases, des motifs de broderies, des cartons de tapisseries et de vitraux.

LUNDEBYE Alf ou **Lundeby**
Né en 1870. XIXe-XXe siècles. Norvégien.
Peintre de paysages.
Il vécut et travaillait à Lillehammer. Il a voyagé en Italie.
MUSÉES : OSLO (Gal. Nat.).
VENTES PUBLIQUES : COPENHAGUE, 1er mai 1991 : *Paysage italien avec un mur d'enceinte* 1899, h/t (64x100) : **DKK 24 000**.

LUNDEGARD Justus Evald
Né le 5 avril 1860. Mort le 10 août 1924 à Lund. XIXe-XXe siècles. Suédois.
Peintre de scènes animées, paysages, intérieurs, graveur.
MUSÉES : GÖTEBORG : *Crépuscule* – STOCKHOLM (Gal. Nat.) : *Déjeuner d'été* – *Intérieur.*
VENTES PUBLIQUES : STOCKHOLM, 23 avr. 1980 : *Paysage* 1899, h/t (70x101) : **SEK 8 000** – STOCKHOLM, 22 avr. 1981 : *Bord de mer* 1885, h/t (101x179) : **SEK 16 000** – STOCKHOLM, 8 déc. 1987 : *Paysage d'hiver*, h/t (46x68) : **SEK 48 000** – STOCKHOLM, 15 nov. 1988 : *Côte rocheuse et voiliers* 1899, h. (28x40) : **SEK 8 000** – STOCKHOLM, 14 nov. 1990 : *Côte rocheuse*, h/t (28x40) : **SEK 3 600** – STOCKHOLM, 10-12 mai 1993 : *Vue d'un port de pêche avec les barques amarrées et les maisons de l'autre côté du chemin au coucher du soleil*, h/t (104x148) : **SEK 17 500** – STOCKHOLM, 30 nov. 1993 : *Port de pêche au coucher du soleil* 1884, h/t (104x148) : **SEK 26 000**.

LUNDENS Gerrit
Baptisé à Amsterdam le 27 septembre 1622. Mort après 1677. XVIIe siècle. Hollandais.
Peintre de genre, miniaturiste.
Fils de Barent Lundens, il épousa, le 11 avril 1643, Agniet Mathys d'Anvers.
Il peignit dans les manières de Metsu, Ostade, etc.

MUSÉES : ABBEVILLE : *Opération chirurgicale* – AMSTERDAM : *Portrait de jeune homme* – *Portrait de vieille femme* – *Jeune homme embrassant une jeune fille* – DRESDE : *Un charlatan opérant le dos d'un jeune garçon* – DÜSSELDORF : *Portrait de famille* – HANOVRE : *Un couple d'amoureux* – *Aux bains* – *Un charlatan* – HELSINGBORG : *Scène de maison close* – KASSEL (Habisch) : *Le jeu de la pantoufle* – *Intérieur d'une grange* – LEIPZIG : *Joyeuse compagnie* – *Opération chirurgicale* – LONDRES : *Garde de nuit* – ROME (Borghèse) : *Opération chirurgicale* – VIENNE (Liechtenstein) : *Scène paysanne avec un couple dansant.*
VENTES PUBLIQUES : PARIS, 1876 : *Le concert après le repas* : **FRF 1 700** – PARIS, 16 et 17 mai 1897 : *La noce de village* : **FRF 700** – AMSTERDAM, 17 oct. 1905 : *Le chirurgien* : **FRF 900** – AMSTERDAM, 2 déc. 1925 : *L'opération douloureuse* : **FRF 3 700** – AMSTERDAM, 25 mai 1949 : *Le chirurgien* : **FRF 210 000** – AMSTERDAM, 2 et 3 déc. 1952 : *Le duo* : **FRF 230 000** – AMSTERDAM, 29 mars 1960 : *Chez le chirurgien* : **FRF 6 000** – LONDRES, 14 juil. 1961 : *Un portrait de famille* : **GBP 504** – LONDRES, 24 nov. 1961 : *Still life of a glass with flowers* : **GNS 480** – PARIS, 9 juil. 1968 : *Le chirurgien* : **FRF 10 000** – LONDRES, 27 nov. 1970 : *La kermesse villageoise* : **GNS 3 200** – VIENNE, 21 mars 1972 : *La forge* : **ATS 45 000** – LONDRES, 9 mai 1973 : *Scène de taverne* : **GBP 700** – VERSAILLES, 6 mars 1977 : *La noce villageoise*, h/bois (36x81) : **FRF 27 500** – LONDRES, 11 juil 1979 : *La noce champêtre*, h/pan. (70x102) : **GBP 8 500** – PARIS, 26 fév. 1982 : *Le jeu de la pantoufle* 1673, h/t (31x39) : **FRF 20 000** – LONDRES (Lincolnshire), 1er mai 1984 : *Cavalier fumant auprés d'une dentellière* 1653, h/pan. (41x33,6) : **GBP 45 000** – PARIS, 30 juin 1989 : *Le temps des cerises*, h/t (25x20) : **FRF 35 000** – LONDRES, 14 déc. 1990 : *Fête de mariage avec le couple de jeunes épousés au premier plan*, h/t (50,2x66,4) : **GBP 8 250** – AMSTERDAM, 12 mai 1992 : *Paysans dans une grange jouant à « la main chaude »*, h/pan. (27x29,5) : **NLG 9 200** ; *Les mariés ouvrant le bal de la fête*, h/t (62x53) : **NLG 28 750** – LONDRES, 21 avr. 1993 : *Paysans jouant à « la main chaude »*, h/t (37,5x44,5) : **GBP 3 450** – NEW YORK, 6 oct. 1994 : *Paysans se distrayant et jouant aux boules dans la cour de l'auberge du cygne*, h/pan. (25,4x33,3) : **USD 5 750** – PARIS, 8 déc. 1995 : *Le chirurgien*, h/pan. (30x21,5) : **FRF 87 500** – AMSTERDAM, 7 mai 1996 : *Paysans jouant à « la main chaude » et autres jeux dans une taverne* 1671, h/t, une paire (40x31,5) : **NLG 23 000** – AMSTERDAM, 6 mai 1997 : *Paysans buvant dans une grange à côté d'un cochon dépecé*, h/pan. (39,5x76) : **NLG 21 240**.

LUNDGREN Egron Sillif
Né en 1815 à Stockholm. Mort en 1875 à Stockholm. XIXe siècle. Suédois.
Peintre de genre, sujets typiques, portraits, intérieurs d'églises, paysages, aquarelliste, dessinateur.
Élève de Cogniet à Paris. Il visita l'Italie, l'Espagne, l'Égypte et l'Inde. Il se fixa en Angleterre en 1853 ; il y devint, en 1864, associé, et en 1867, membre de la Water-Colours Society. Il a publié des *Lettres d'Espagne*, et des *Lettres de l'Inde*.
Il jouissait d'une grande facilité et fut un remarquable improvisateur, surtout à l'aquarelle. Il était resté huit ans en Italie, où il peignit des pêcheurs napolitains et des intérieurs d'églises. À Londres il peignait des coins de parcs et des campagnes, des cérémonies de Cour et des scènes d'après Shakespeare. Il dessina de plus des études d'après les fresques du quattrocento.
MUSÉES : CARDIFF – LONDRES (Victoria and Albert Mus.) – STOCKHOLM.
VENTES PUBLIQUES : LONDRES, 1874 : *L'orgueil du harem*, dess. : **FRF 3 525** – LONDRES, 18 nov. 1921 : *Jeune fille arabe*, dess. : **GBP 23** – LONDRES, 12 mars 1923 : *Intérieur d'une église de Tolède*, dess. : **GBP 14** – LONDRES, 8 avr. 1927 : *Confidences*, dess. : **GBP 25** – LONDRES, 8 mars 1946 : *La favorite du Sultan* : **GBP 189** ; *Jeune fille* : **GBP 157** – LONDRES, 9 mars 1951 : *Tête de jeune fille* : **GBP 136** – LONDRES, 11 mars 1960 : *Paysans italiens au puits* : **GBP 367** – GÖTEBORG, 24 mars 1976 : *Le guitariste espagnol*, h/t (112x87) : **SEK 60 000** – LONDRES, 27 avr. 1976 : *Jeune suédoise en costume national*, aquar. et reh. de blanc (37x24) : **GBP 130** – GÖTEBORG, 31 mars 1977 : *Beauté espagnole*, aquar. (68x53) : **SEK 29 500** – STOCKHOLM, 30 oct 1979 : *Bayadère assise*,

aquar. (41x49) : **SEK 14 700** – Stockholm, 27 avr. 1983 : *Putti*, gche et aquar. (50x44) : **SEK 13 800** – Stockholm, 29 oct. 1985 : *Portrait d'une jeune orientale*, aquar. (42x34) : **SEK 16 000** – Londres, 13 mars 1986 : *Une esquisse à Balmoral* 1859, cr. et reh. de blanc/pap. bleu (24,5x29,5) : **GBP 1 300** – Londres, 24 mars 1988 : *L'Invitée*, cr., aquar. et reh. de blanc (35x53) : **GBP 990** ; *Saint George*, aquar. (34x27) : **GBP 1 650** – Copenhague, 25 oct. 1989 : *Mère avec ses deux enfants*, aquar. (24x18) : **DKK 5 200** – Stockholm, 29 mai 1991 : *La sérénade*, cr. et aquar. (31x23) : **SEK 6 200** – Stockholm, 19 mai 1992 : *Jeune fille espagnole*, aquar. (27,5x23) : **SEK 7 700**.

LUNDGREN Léa. Voir **AHLBORN**

LUNDGREN Tyra

Née en 1897. Morte en 1979. xxe siècle. Suédoise.

Peintre, sculpteur, céramiste de bas-reliefs, animalier.

D'abord peintre et sculpteur, elle s'est consacrée à la céramique. En France, elle eut son atelier à la Manufacture Nationale de Sèvres, puis revint se fixer en Suède aux environs de Stockholm. Elle a réalisé des formes originales d'oiseaux, émaillées de blanc, gris, beige et rose. Atteignant à la céramique décorative, elle a exécuté, à partir de 1945, des bas-reliefs de grès grand feu.

Ventes Publiques : Stockholm, 6 juin 1988 : *Poissons*, relief de terre cuite partiellement vernissée (25x35) : **SEK 5 500** – Stockholm, 6 déc. 1989 : *Oiseau posé* 1964, pierre partiellement vernissée (H. 14) : **SEK 9 200** – Stockholm, 19 mai 1992 : *Oiseau posé*, pierre partiellement vernissée (H. avec le socle de bois 20) : **SEK 3 200**.

LUNDH Henrik Teodor

Né le 3 octobre 1812 à Stockholm. Mort le 25 mars 1896 à Stockholm. xixe siècle. Suédois.

Peintre d'histoire, sujets mythologiques, animalier, natures mortes, fleurs, lithographe.

Musées : Göteborg : *Déjeuner* – Norrkoping : *Lièvre en pelage d'hiver* – Stockholm (Nat.) : *Nature morte avec grives*.

Ventes Publiques : Stockholm, 30 oct 1979 : *Nature morte* 1872, h/t, de forme ovale (27x34) : **SEK 6 000** – Londres, 22 mai 1981 : *Natures mortes aux volatiles* 1884, h/t, une paire de forme ovale (chaque 49x38) : **GBP 1 300** – Stockholm, 20 oct. 1987 : *Nature morte* 1847, h/t (52x42) : **SEK 24 000** – Stockholm, 14 nov. 1990 : *Nature morte avec des oiseaux morts suspendus par les pattes*, h/t (57x44) : **SEK 13 500** – Stockholm, 10-12 mai 1993 : *Nature morte d'un canard suspendu à un clou sur un mur*, h/t (70x50) : **SEK 12 000** – Perth, 29 août 1995 : *Coq de bruyère* 1878, h/t (77x89,5) : **GBP 3 795**.

LUNDHAL Amélie Helga. Voir **LUNDAHL**

LUNDING Carl Axel ou **Calle**

Né en 1930. xxe siècle. Suédois.

Sculpteur. Abstrait.

En 1953, il a participé au Salon des Réalités Nouvelles à Paris.
Il assemble des tiges de métal et quelques plaques découpées, formant des constructions spatiales, sortes d'échafaudages aériens ou portants de décors à imaginer.

Bibliogr. : Pierre Volboudt, in : *Nouveau diction. de la sculpt. mod.*, Hazan, Paris, 1970.

LUNDQUIST Anders

Né en 1803 à Orebro. Mort en 1853 à Stockholm. xixe siècle. Suédois.

Peintre et graveur.

Musées : Norrkoping : *Portrait de l'artiste par lui-même* – *Incendie de l'église de Riddarholm*.

LUNDQUIST Evert ou **Lundqvist**

Né en 1904 à Stockholm. xxe siècle. Suédois.

Peintre de figures, intérieurs, paysages urbains, natures mortes, graveur, mosaïste. Expressionniste.

En 1924-1925, il fut élève de l'Académie Julian à Paris, puis de l'Académie des Beaux-Arts de Stockholm de 1925 à 1931. Il a séjourné à plusieurs reprises en France, et a effectué de nombreux voyages à travers l'Europe, ouest et sud, notamment en Allemagne. De l'enseignement de l'Académie des Beaux-Arts, il a retenu les références à Rembrandt et Chardin, modérément intéressé à l'art contemporain. De 1939 à 1947, il fut un membre actif, avec d'anciens camarades de l'Académie, du groupe de *Saltsjö-Duvnäs*, du nom d'un village de la banlieue de Stockholm, où il se fixa en 1943 et pour une dizaine d'années. Il participe à de nombreuses expositions collectives, depuis 1934 en Suède, et internationales, dont : 1961 Biennale de São Paulo, où il obtint un Prix ; 1964 Biennale de Venise ; 1985 Nouvelle Biennale de Paris. Il montre des ensembles d'œuvres dans des expositions personnelles : 1962 Stockholm, Venise, Bruxelles, Londres ; 1963 New Brunswick (Canada), Tate Gallery de Londres ; 1970 Konstakademien de Stockholm ; 1971 Konsthallen de Lund ; 1974 Moderna Museet de Stockholm ; 1977 Akademy of Art de Stockholm ; etc. En 1956, il a réalisé des mosaïques murales, notamment sur le thème de l'arbre à l'Hôtel de Ville de Skelleftea. À partir de 1960, il fut professeur à l'Académie des Beaux-Arts de Stockholm.

Après les peintures réalistes, postimpressionnistes de ses débuts, dès 1934 il évolua à un expressionnisme dépouillé, aux lignes de force dynamiques. Dans les années trente, la simplification du motif au bénéfice de la seule expression le rapprocha d'une abstraction informelle. À la fin des années trente, il réalisa une série de peintures sur le thème du théâtre. Ensuite, ce qui caractérise le plus sa manière définitive, et ceci dès 1940, c'est l'emploi de couleurs, appliquées en pâtes épaisses laissant subsister les traces de la brosse, de teintes (colorations) discrètement diversifiées à l'intérieur d'une dominante monochrome, d'intensités faibles (saturations), souvent des ocres et des bruns terreux, mais dont les valeurs (luminosités) sont égalisées, c'est-à-dire que si elles étaient photographiées en noir et blanc, elles seraient toutes du même gris et que le dessin des formes n'apparaîtrait guère que par les empreintes de la brosse. Ces coordonnées de son processus créateur produisent une lumière paisible et quelque peu mystérieuse, lumière dont l'étude et la transcription sont l'objectif premier de sa peinture, le thème ou prétexte, pomme, arbre, pelle plantée en terre, chevalet d'atelier ou figure sans visage, passant au second plan, n'étant que le support du développement de cette lumière. Et toujours, ce thème, presque indifférent, dénué de tout détail anecdotique, reste unique : une seule pomme ou un seul arbre, etc., chacun d'eux, pigmentairement réel et pourtant individuellement insaisissable, pouvant, en cours de réalisation, se transformer en un autre, tant ils sont subordonnés à la seule recherche d'une certaine lumière, autre et appropriée à l'émotion du moment à communiquer. Son art robuste, avec ses masses simplifiées, l'expression de sentiments frustes et puissants, s'apparente à la tradition de l'expressionnisme nordique, issu de Munch et de Strindberg.

■ Jacques Busse

Bibliogr. : In : *Peintres contemp.*, Mazenod, Paris, 1964 – in : *Diction. Univers. de la Peint.*, Le Robert, Paris, 1975 – Ulf Linde, in : Catalogue de la *Nouvelle Biennale de Paris*, 1985 – in : *L'Art du xxe siècle*, Larousse, Paris, 1991.

Musées : Göteborg – Londres (Tate Gal.) – Lund (Kunsthallen) – New York (Mus. of Mod. Art) – Paris (Mus. Nat. d'Art Mod.) – Stockholm (Mod. Mus.).

Ventes Publiques : Stockholm, 30 mars 1966 : *Nature morte* : **SEK 11 800** – Göteborg, 24 mars 1976 : *Composition*, h/t (21x28) : **SEK 3 000** – Copenhague, 11 oct 1979 : *Vue de Stockholm en hiver*, h/t (113x86) : **DKK 19 000** – Stockholm, 26 avr. 1983 : *Le Peintre à son chevalet* 1959, h/t (114x89) : **SEK 46 000** – Stockholm, 9 déc. 1986 : *Le Fumeur de pipe*, h/t (29x23) : **SEK 15 500** – Stockholm, 6 juin 1988 : *Vue d'une ville* 1950, h. (70x34) : **SEK 20 000** – Stockholm, 6 déc. 1989 : *Autoportrait* 1944, h/t (34x31) : **SEK 22 000** – Stockholm, 5-6 déc. 1990 : *Nu féminin assis*, h/t (102x73) : **SEK 80 000** – Stockholm, 30 mai 1991 : *Odalisque*, h/t (83x72) : **SEK 46 000** – Stockholm, 13 avr. 1992 : *Rochers sous un ciel gris*, h/pan. (40x36) : **SEK 11 500** – Stockholm, 30 nov. 1993 : *Jeune fille au bord de la mer*, h/t (100x90) : **SEK 77 000** – Londres, 14 mars 1995 : *Les galets de la plage*, h/t (54x65) : **GBP 5 060**.

LUNDQVIST Gustaf Leonard

Né en 1827 à Norrköping. Mort en 1905. xixe siècle. Suédois.

Peintre de genre, paysages animés, aquarelliste, pastelliste.

Musées : Norrköping : 16 aquarelles et pastels.

Ventes Publiques : Stockholm, 14 nov. 1990 : *Peintre devant son chevalet dans un jardin* 1898, h/t (23,5x17,5) : **SEK 4 600**.

LUNDQVIST John

Né en 1882. Mort en 1972. xxe siècle. Suédois.

Sculpteur de statues.

Il vint étudier au Danemark. Il exposa à Paris, à partir de 1920 au Salon des Indépendants.

Ventes Publiques : Stockholm, 6 juin 1988 : *Vénus*, bronze (H. 48) : **SEK 17 000**.

LUNDQVIST Ralph

Né en 1931 à Göteborg. xxe siècle. Suédois.

Peintre.
De 1951 à 1955, il fut élève de l'École des Beaux-Arts de Valand, à Göteborg, notamment sous la direction de Endre Nemes. Il fit aussi des voyages d'étude en Europe. Il participe à des expositions collectives : 1955 à Lübeck ; 1956 Amsterdam ; à partir de 1958 à Stockholm ; 1959 Oslo ; 1962 Paris ; etc. À Göteborg, il fait partie du *Groupe 54*, qui contribue à faire de ce port de la côte Ouest un pôle d'équilibre artistique à Stockholm.
Bibliogr. : Folke Edwards, in : Catalogue de l'exposition *Aspects de la Jeune Peinture Suédoise*, gal. J. Massol, Paris, 1962.

LUNDSTEEN Lilli Elisabeth Charlotte, née **Ramsing**
Née le 4 août 1871. XIXe-XXe siècles. Danoise.
Peintre de portraits, fleurs.

LUNDSTRÖM Ernest Andreas Johannes
Né le 14 septembre 1853 à Stockholm. XIXe siècle. Suédois.
Peintre de paysages.

LUNDSTRÖM Knut
Né en 1892 à Ostersund. Mort en 1945. XXe siècle. Suédois.
Peintre de nus, paysages.
Il a travaillé en France et a exposé à Paris, au Salon des Indépendants.
Ventes Publiques : Stockholm, 21 mai 1992 : *Falaises de calcaire au bord de la Seine*, h/pan. (48x64) : **SEK 12 000** – Stockholm, 10-12 mai 1993 : *Paysage avec un village de montagne et un pont*, h/pan. (63x51) : **SEK 11 500**.

LUNDSTROM Vilhelm Henry
Né le 26 mai 1893 à Copenhague. Mort en 1950 à Copenhague. XXe siècle. Actif aussi en France. Danois.
Peintre de figures, nus, portraits, intérieurs, natures mortes. Cubo-expressionniste.
Il fut élève de l'École Technique et, de 1912 à 1915, de l'Académie des Beaux-Arts de Copenhague. Il fit des voyages d'étude, en 1914 à Berlin, en 1920 à Paris, en 1921 en Italie. Il vécut très longtemps en France, notamment dans le Midi, à Cagnes-sur-Mer de 1923 à 1932, mais sans avoir eu, semble-t-il, de grands contacts avec les peintres français, autrement que par l'intermédiaire de leurs œuvres. Il fut peu de temps membre du groupe *De Fire* (Les Quatre), et, de 1933 à 1940, de l'Association *Grönningen*. En 1944, il fut nommé professeur à l'Académie des Beaux-Arts de Copenhague. En 1978, une exposition rétrospective posthume lui fut consacrée à Stockholm.
La peinture de ses débuts était figurative, d'un naturalisme de bon aloi, lorsque, en 1918, il fit scandale en exposant, d'inspiration plus dadaïste que picassienne, des *sculpto-peintures*, collages de bois peint abstraits, et des *Tableaux-tiroirs*. À partir de 1920, revenant à la peinture, il évolua dans un sens expressionniste, avec des compositions de nus et des natures mortes cézanniennes. La critique scandinave a alors qualifié sa manière robuste et monumentale de cubo-expressionniste. En 1935-38, il réalisa des mosaïques pour la piscine couverte de Frederiksberg. Il continua de traiter des figures dans une monumentalité classique et des tonalités austères, et surtout des natures mortes aux formes et volumes synthétisés. Dans ses dernières années, il opéra un renouvellement et revint à la spatialité par écrans de couleurs vives. Bien qu'ayant été considéré comme un de leurs précurseurs par les plus jeunes peintres abstraits danois, qui se sont fait remarquer à l'étranger, il ne connut pas pour son propre compte un semblable succès. ■ J. B.
Bibliogr. : In : *Diction. Univers. de la Peint.*, Le Robert, Paris, 1975 – in : *L'Art du XXe siècle*, Larousse, Paris, 1991.
Musées : Aalborg : *Portrait de l'artiste par lui-même* – Copenhague (Statens Mus. for Kunst) : *Nature morte* 1920 – *Après le bain.*
Ventes Publiques : Copenhague, 23 nov. 1950 : *Nature morte* : **DKK 4 500** – Copenhague, 12 oct. 1956 : *Nu* : **DKK 5 700** – Copenhague, 29 sep. 1959 : *Femme assise dans un fauteuil tenant son bébé sur les genoux* : **DKK 6 900** – Copenhague, 27 fév. 1968 : *Autoportrait* : **DKK 12 700** – Copenhague, 6 mars 1969 : *Nature morte* : **DKK 20 000** – Copenhague, 2 nov. 1972 : *Nature morte* 1935 : **DKK 52 000** – Copenhague, 11 oct. 1973 : *Nature morte* 1939 : **DKK 41 100** – Copenhague, 14 mars 1974 : *Nature morte* 1940 : **DKK 35 000** – Copenhague, 20 oct. 1976 : *Modèle assis* 1943, h/t (122x89) : **DKK 32 500** – Copenhague, 18 oct. 1977 : *Nature morte* 1940, h/t (92x72) : **DKK 57 000** – Copenhague, 11 oct 1979 : *Nature morte* 1929, h/t (90x115) : **DKK 56 000** – Copenhague, 26 nov. 1981 : *Nature morte* 1927, h/t (80x100) : **DKK 54 500** – Copenhague, 9 mai 1984 : *Nature morte à la cruche* 1946, h/t (75x63) : **DKK 89 000** – Copenhague, 27 nov. 1985 : *Nature morte* 1937, h/t (140x105) : **DKK 440 000** – Copenhague, 26 fév. 1986 : *Nature morte* 1927, h/t (100x81) : **DKK 290 000** – Copenhague, 25 fév. 1987 : *Nature morte* 1926-1927, h/t (100x72) : **DKK 250 000** – Copenhague, 9 mai 1990 : *Nature morte* 1927, h/t (100x81) : **DKK 430 000** – Copenhague, 4 déc. 1991 : *Nature morte au pichet jaune et autres bouteilles*, h/t (102x80) : **DKK 200 000** – Copenhague, 1er avr. 1992 : *Nature morte avec un pichet jaune et une pyramide de boîtes* 1946, h/t (80x62) : **DKK 100 000** – Copenhague, 21 oct. 1992 : *Nature morte avec un pichet et un compotier blancs et trois oranges*, h/t (46x55) : **DKK 95 000** – Copenhague, 13 avr. 1994 : *Nature morte avec un pot à lait drapé d'une serviette blanche, deux brocs blancs et un vase renversé* 1930, h/t (101x126) : **DKK 370 000** – Copenhague, 27 avr. 1995 : *Carnaval de Nice* 1922, h/t (74x92) : **DKK 22 000** – Copenhague, 17 avr. 1996 : *Modèle assis* 1943, h/t (120x89) : **DKK 120 000** – Copenhague, 16 avr. 1997 : *Nature morte de fruits sur un plat ovale* 1923, h/t (50x61) : **DKK 44 000** ; *Nature morte de fruits, cruche et oranges sur une assiette* 1932-1933, h/t (65x82) : **DKK 525 000**.

LUNEL Ferdinand
Né en 1857 à Paris. XIXe siècle. Français.
Dessinateur, illustrateur, affichiste.
Il fut élève de J. L. Gérôme.
Il a collaboré à de nombreuses publications, dont : 1885 à 1890 Le Chat noir, 1886-1887 Le Courrier français, 1887 La Vie parisienne, ainsi que Le Figaro, Le Rire, etc. Il a illustré : en 1886 *Histoires joyeuses et funèbres* de M. Talmeyr, 1896 *Sempervirens* de L. de Beaumont, 1897 *Chanson du moulin à vent* de F. Champsaur.
Bibliogr. : Marcus Osterwalder, in : *Diction. des Illustrateurs 1800-1914*, Ides et Calendes, Neuchâtel, 1989.

LÜNENSCHLOSS Anton Clemens ou **Leunenschloss**
Né vers 1680 ou 1690 à Düsseldorf. Mort en 1762. XVIIIe siècle. Allemand.
Peintre.
On cite parmi ses œuvres : à Würzburg, un tableau d'autel à la cathédrale, deux tableaux d'autel (*Assomption* et *Saint Laurent*), à l'église Saint-Pierre, deux tableaux de plafond à la Résidence et un tableau d'autel à l'église Sainte-Gertrude ; à Steinbach, un tableau d'autel et, au monastère d'Ebrach, des fresques.

LUNG Rowena Clement
Née le 27 mars 1905 à Tacoma (Washington). XXe siècle. Américaine.
Peintre, sculpteur.
Élève de Parshall, Herter et Cooper. Membre de la Société des artistes Indépendants de New York.

LUNGHI. Voir aussi **LONGHI**

LUNGHI Antonio
Né vers 1685 à Bologne, selon Zani en 1677. Mort en 1757. XVIIIe siècle. Italien.
Peintre d'histoire.
Élève de G. G. dal Sole. Il travailla surtout pour les églises de Bologne ; on cite, notamment une *Apparition du Christ à Madeleine*, dans l'église Sainte-Marie-Madeleine, et une *Sainte Rita*, dans l'église Saint-Barthélemy.

LUNGHI Francesco et **Luca**. Voir **LONGHI**

LUNGKWITZ Hermann
Né le 14 mars 1813 à Halle. Mort en 1890 à Austin (Texas). XIXe siècle. Allemand.
Peintre de paysages.

LUNG Liyou
Né en 1958 à Xiangtan (province du Hunan). XXe siècle. Chinois.
Peintre de paysages animés.
Il fit ses études à l'Académie Centrale des Beaux-Arts de Pékin dont il sortit diplômé en 1984. Il y est professeur. Il participe à des expositions nationales et ses œuvres sont dans la collection de la galerie Nationale de Pékin.
Ventes Publiques : Hong Kong, 28 sep. 1992 : *Cheval à l'abreuvoir* 1992, h/t (65,2x80,4) : **HKD 44 000**.

LUNGREN Fernand Harvey
Né le 13 novembre 1859 à Hagerstown (Maryland). Mort en 1932. XIXe-XXe siècles. Américain.
Peintre de paysages, paysages urbains, aquarelliste, illustrateur.
Peu avant 1880, il vint à New York, où il travailla comme illustra-

teur du Scribner's Magazine. De 1882 à 1884, il séjourna à Paris, fréquentant un peu l'Académie Julian. En 1899, il fit un séjour à Londres, devenant ami de Whistler. Autour de 1900, il voyagea en Égypte jusqu'au Soudan. À partir de 1906, il s'établit à Santa-Barbara (Californie).
Il était membre de la Fédération Américaine des Arts. En 1901, il exposa à Londres ses peintures rapportées d'Égypte.
Dans ses périodes new yorkaise, parisienne et londonnienne, il peignit surtout des vues typiques de ces villes, l'agitation des foules dans les rues, souvent à l'aquarelle. En Californie, il peignit à l'huile des paysages de l'Ouest américain ; il affectionnait de peindre des paysages désertiques.
Bibliogr. : William H. Gerdts, D. Scott Atkinson, Carole L. Shelby, Jochen Wierich : *Impressions de toujours – Les peintres américains en France 1865-1915*, Mus. Américain de Giverny, Terra Foundation for the Arts, Evanston, 1992.
Musées : Giverny (Mus. Américain Terra Foundation for the Arts) : *Scène de rue à Paris* 1882, aquar.
Ventes Publiques : Los Angeles, 24 juin 1980 : *Charriot traversant une rivière*, h/t, en grisaille (41x66) : **USD 950** – New York, 26 oct. 1984 : *Bastions of the painted desert*, h/t (50,8x101) : **USD 3 600** – New York, 26 juin 1986 : *Navahos*, aquar. (40,5x27,3) : **USD 1 600** – Londres, 25 mars 1987 : *La Place de l'Arc de Triomphe animée de nombreux personnages et fiacres par temps de neige*, h/t (73x111,5) : **GBP 120 000**.

LUNIGIANA Del. Voir **GUALTIERI di Giovanni da Pisa**

LÜNING Andreas. Voir **LUINING Andreas**

LUNIOT Edmond louis
Né le 31 août 1851 à Barbizon (Seine-et-Marne). XIXe siècle. Français.
Peintre de paysages.
Il fut tout naturellement élève de Théodore Rousseau à Barbizon. Il exposa au Salon de Paris de 1870 à 1880.

LUNN Agnès
Née en 1850 à Ronnebaeksholm. Morte en 1941 à Copenhague. XIXe-XXe siècles. Danoise.
Peintre.

LUNOIS Alexandre
Né le 2 février 1863 à Paris. Mort le 2 septembre 1916 au Pecq (Yvelines). XIXe-XXe siècles. Français.
Peintre de figures, figures typiques, paysages, aquarelliste, pastelliste, graveur, lithographe, illustrateur, affichiste.
Il travailla d'abord, à partir de 1882, comme lithographe de reproduction, se faisant rapidement connaître dans cette technique. Il mit au point la technique de la lithographie au pinceau. Il produisit ses propres œuvres à partir de 1885. Il voyagea à travers l'Europe. En 1888, grâce à l'octroi d'une bourse, il partit pour la Belgique, la Hollande, l'Espagne, où il fit un séjour prolongé à Séville et Grenade, vendant, en cours de route, une partie des dessins produits sur place. D'Espagne, il gagna le Maroc, à Tanger et Fez. Il voyagea encore en Italie, Suède, Norvège, et plus tardivement en Turquie, voyage à la suite duquel il montra les peintures qu'il en avait rapportées dans une exposition personnelle à Paris. Il exposait à Paris, au Salon des Artistes Français, obtenant successivement : en 1882 une mention honorable ; 1883 troisième médaille ; 1887 deuxième médaille ; 1888 la bourse de voyage déjà citée ; 1889 médaille d'argent ; 1896 Légion d'Honneur ; 1900, lors de l'Exposition Universelle, membre du jury et hors-concours.
En tant que lithographe de reproduction, il produisit : en 1882 *La Pêche aux anguilles* d'après Butin ; 1883 *Le Pot de vin, La Paye des moissonneurs* d'après Lhermitte ; 1885 *Nocturne* d'après Cazin, *Réunion publique à la salle Graffard* d'après Jean Béraud ; 1888 *Le Vin* d'après Lhermitte, *Les Lavandières descendant l'escalier d'un quai* d'après Daumier. Il a créé des couvertures de livres, de magazines, des affiches. Il a illustré de lithographies : en 1896 *La Légende dorée* de Jacques de Voragine, en 1898 *Fortunio* de Théophile Gautier, en 1905 *Austerlitz* du baron de Marbot, en 1906 *Matéo Falcone* de Prosper Mérimée, etc. En tant que peintre, pasteliste et lithographe en noir et en couleurs pour son propre compte, il a surtout été peintre de figures, mais a aussi produit des paysages. De son voyage au Maroc, en 1888, qui eut sur son talent une influence considérable, il rapporta un nombre important de peintures et d'études, parmi lesquelles des figures de Gitanes, de danseuses espagnoles, d'une réalité et d'un caractère saisissants. Plus tard, de son voyage en Turquie, il rapporta aussi une ample moisson de figures et sujets typiques.

Bibliogr. : Marcus Osterwalder, in : *Diction. des Illustrateurs 1800-1914*, Ides et Calendes, Neuchâtel, 1989.
Ventes Publiques : Paris, 2-4 juin 1920 : *Danseuses espagnoles sur une scène*, aquar. : **FRF 300** – Paris, 8 mars 1943 : *Trois Espagnoles*, past. : **FRF 1 000** – Paris, 19 jan. 1949 : *Danseuses gitanes* : **FRF 11 000** – Paris, 27 avr. 1990 : *Le Blé mûr* 1900, past. (56x80) : **FRF 40 000** – Paris, 7 déc. 1992 : *La Toilette des Juives de Tanger*, past. (46x55) : **FRF 12 000** – Paris, 26 mars 1996 : *La Corrida* 1897, litho. : **FRF 8 000** – Paris, 5 juin 1996 : *Scène de tauromachie*, h/t (71x100) : **FRF 11 000**.

LUNS Hubert Marie ou **Huib**
Né le 6 juin 1881 à Paris. Mort en 1942. XXe siècle. Actif en Hollande. Français.
Peintre de figures, portraits, compositions religieuses, graveur, lithographe.
Il travailla à Bruxelles, Rotterdam, Bois-le-Duc.
Graveur, il fit des eaux-fortes, des gravures sur bois et des lithographies. L'église catholique du Paradis, à Rotterdam, conserve de lui un tableau d'autel.
Ventes Publiques : Amsterdam, 17 sep. 1991 : *Les quatre saisons* 1912, h/t (120x20) : **NLG 2 185** – Amsterdam, 19 avr. 1994 : *Portrait de Cornelis Jan Mension dans son atelier* 1936, h/pan. (134,5x118) : **NLG 1 380**.

LÜNSTROTH Franz Martin
Né le 4 mars 1880 à Berlin. XXe siècle. Allemand.
Peintre de genre, portraits, paysages animés.
Il travaillait à Berlin. La ville de Berlin conserve de lui : *En campagne* et *Au bivouac*. L'État prussien avait acquis *Vêpres*.

LUNTESCHÜTZ Jules
Né en 1822 à Besançon. Mort le 10 mars 1893 à Francfort. XIXe siècle. Français.
Peintre de genre et de portraits.
Élève de Veit à Francfort et d'Alaux à Paris. Copia Murillo et Zurbaran. Exposa au Salon de Paris, de 1851 à 1867. Chevalier de la Légion d'honneur en 1866. Finit sa carrière à Francfort-sur-le-Main. Le Musée de Francfort conserve de lui un *Portrait de Schopenhauer*.

LUNTLEY James
XIXe siècle. Britannique.
Portraitiste.
Exposait à la Royal Academy vers 1852. Le Victoria and Albert Museum, à Londres, conserve de lui un *Portrait de Garibaldi* (pastel).

LUNTZ Adolf
Né le 27 janvier 1875 à Vienne. Mort en 1924 à Karlsruhe. XIXe-XXe siècles. Actif en Allemagne. Autrichien.
Peintre de figures, portraits, paysages urbains, paysages, graveur, lithographe.
Aquafortiste, il a gravé *Place du marché à Breisach* et *Portrait du Professeur Bunsen, Portrait du Professeur Haber*.
Musées : Karlsruhe : *Bleu jour de mars*.
Ventes Publiques : Cologne, 23 mars 1990 : *Village au printemps* 1913, h/t (74x105) : **DEM 2 200**.

LUNVEN François
Né en 1942 à Paris. Mort le 19 octobre 1971, par suicide. XXe siècle. Français.
Peintre, graveur, dessinateur, illustrateur.
En 1971, la section de l'ARC (Art Recherche Confrontation) du Musée d'Art Moderne de la Ville de Paris a montré un ensemble de ses pointes sèches, eaux-fortes, gravures à la manière noire, correspondant à sa production de 1963 à 1970, et présenté par Alain Jouffroy. En 1994, la galerie Anne Robin de Paris a montré un ensemble de ses dessins et gravures. Outre sa production de peintures, dessins et gravures, il a illustré *Le Château de Cène* de Bernard Noël.

Dans une première période, de 1962 à 1966, il articule entre eux, dans ses peintures comme dans ses gravures, des fragments d'insectes et de crustacés dont l'assemblage insolite produit un bestiaire inquiétant. Dans la période suivante, ce sont des éléments anthropomorphiques, os et viscères, dont il oppose le dur et le mou. Dans ses dernières années, il assemble des pièces mécaniques à des membres organiques. Entre une réalité indécise de nature organique et un imaginaire onirique et inquiétant, matérialisations d'images obsessionnelles surgies de l'inconscient et du rêve, et qui les apparentent à une production surréaliste, ses œuvres sont caractérisées par une minutie de l'exécution du détail qui paraît d'origine hypnotique chez ce jeune artiste qui décida de se défenestrer.
Bibliogr. : Alain Jouffroy : Catalogue de l'exposition *François Lunven*, Mus. d'Art Mod. de la Ville de Paris, 1971 – in : *Diction. Univers. de la Peint.*, Le Robert, Paris, 1975.

LUNY Thomas
Né en 1759 à Londres. Mort en 1837 à Teignmouth. XVIIIe-XIXe siècles. Britannique.
Peintre de batailles, marines.
Il exposa à la Royal Academy de 1780 à 1802. On voit de lui un *Combat naval* au Foundling Hospital.
Musées : Bristol : *Flotte anglaise au large de la côte indienne – Navires par mauvais temps – Navires mettant à la voile – Napoléon à bord du Bellérophon – Régates à Ermouth – Vaisseaux de guerre.*
Ventes Publiques : Londres, 28 avr. 1922 : *Le Pont de Blackfriars ; Le Pont de Londres*, les deux : **GBP 189** – Londres, 4 mars 1927 : *Bataille navale* : **GBP 102** – Londres, 10 fév. 1928 : *Régates sur la côte* : **GBP 110** – Londres, 15 mars 1929 : *Nelson attaquant la flotte fançaise* : **GBP 315** ; *La Frégate Zealous* : **GBP 399** – Londres, 12 déc. 1945 : *Quatre scènes de l'expédition Bligh* : **GBP 110** – Londres, 14 déc. 1945 : *Les Docks de Portsmouth* : **GBP 84** – Londres, 17 nov. 1967 : *Voilier portugais s'éloignant de la côte* : **GNS 1 500** – Londres, 24 mai 1968 : *Frégate anglaise devant le port de Brest* : **GNS 1 600** – Londres, 9 mai 1969 : *La Bataille de Trafalgar*, deux pendants : **GNS 2 400** – Londres, 10 déc. 1971 : *Marine* 1784 : **GNS 6 500** – Londres, 23 juin 1972 : *Bataille navale* 1782 : **GNS 3 000** – Londres, 6 avr. 1973 : *Bord de mer animé de pêcheurs* 1818 : **GNS 1 200** – Londres, 20 mars 1974 : *Bateaux en mer* : **GBP 2 600** – Londres, 19 nov. 1976 : *Bataille navale* 1834, h/t (59x84) : **GBP 3 000** – Londres, 24 juin 1977 : *La bataille navale de la baie de Navarino* 1832, h/t (67,3x100,4) : **GBP 2 600** – Londres, 21 mars 1979 : *Le bateau de guerre Antigua au large de Douvres* 1802, h/t (76,5x122) : **GBP 7 200** – Londres, 18 mars 1981 : *Bateaux de guerre anglais et autres navires à l'entrée du détroit de Plymouth*, h/t (41x70,5) : **GBP 5 000** – Thelford (Norfolk), 21 mai 1984 : *Battle of Cape St. Vincent*, h/t : **GBP 36 000** – Londres, 22 nov. 1985 : *Navires par forte mer* 1807, h/t (83,8x125,7) : **GBP 14 000** – Londres, 12 mars 1986 : *La Bataille de Trafalgar* 1833 ?, h/t (91,5x137) : **GBP 21 000** – Londres, 17 juil. 1987 : *La Bataille navale d'Alger, le 27 août 1816* 1825, h/t (86,3x130,2) : **GBP 24 000** – Londres, 29 jan. 1988 : *Un voilier à l'ancre et un vaisseau de guerre tirant une salve d'honneur avec d'autres embarcations par mer calme* 1821, h/t (30,5x40,7) : **GBP 1 430** – Londres, 15 avr. 1988 : *Vue de Teignmouth, pêcheurs et bateau de pêche* 1827, h/t (50,2x68,5) : **GBP 16 500** – Londres, 15 juil. 1988 : *La côte près de Teignmouth au crépuscule avec des pêcheurs déchargeant leurs filets* 1835, h/t (87x130,2) : **GBP 15 400** – Londres, 22 sep. 1988 : *Grosse mer au large de Portland, le Bec de Portland à l'arrière-plan* 1830, h/pan. (29,7x40,5) : **GBP 6 050** – Londres, 18 nov. 1988 : *Frégate et autres embarcations au large de Crookhaven par gros temps et Un trois-mâts et une frégate entrant dans les eaux de Plymouth par mer houleuse*, h/t, une paire (chaque 50,8x68,7) : **GBP 18 700** – Londres, 31 mai 1989 : *Pêcheurs relevant leurs filets au large de Dunginess*, h/cart. (20x25,5) : **GBP 1 760** – Londres, 14 juil. 1989 : *Les Frégates anglaises Arethusa, Flora, Melampus, La Nymphe et La Concorde au large de Guernesey engagées contre la flotte française et capturant la corvette La Babette et la frégate L'Engageant, le 23 avril 1794* 1820, h/t (61,4x86,3) : **GBP 9 900** – New York, 12 oct. 1989 : *Le naufrage du Warren au large des côtes rocheuses* 1829, h/pan. (30,5x40,7) : **USD 3 300** – Londres, 15 nov. 1989 : *Vaisseau de guerre anglais et autres embarcations au large de Portsmouth* 1829, h/t (88x111,5) : **GBP 22 000** – Londres, 9 fév. 1990 : *Poste de timonerie de Porthmouth avec un trois-mâts toutes voiles grées sortant du port avec d'autres embarcations*, h/t (61x91) : **GBP 26 400** – New York, 31 mai 1990 : *Loch Swilly en Irlande ; Les Needles* 1835, h/pan., une paire (chaque 22,8x30,5) : **USD 24 200** – Londres, 12 juil. 1990 : *Pêcheurs débarquant leur prise sur la grève et les bateaux à l'arrière-plan* 1821, h/t (70,5x122) : **GBP 14 300** – Stockholm, 14 nov. 1990 : *Barques sur un lac agité*, h/pan. (30x40) : **SEK 11 500** – Londres, 10 avr. 1991 : *Navigation au large de Douvres par mer agitée* 1817, h/t (61x86,5) : **GBP 8 800** – Londres, 15 nov. 1991 : *Personnages sur le quai de Ramsgate observant les manœuvres des voiliers par fort coup de vent* 1830, h/pan. (37,5x50,8) : **GBP 7 700** – New York, 29 oct. 1992 : *L'Entrée dans le port* 1805, h/t (50,8x68,6) : **USD 3 300** – Londres, 20 jan. 1993 : *Le Granville au large de Deptford* 1799, h/t (71x119) : **GBP 20 700** – Stockholm, 30 nov. 1993 : *Paysage côtier avec des personnages venant au secours de naufragés* 1807, h/t (51x69) : **SEK 33 000** – Londres, 9 nov. 1994 : *La Bataille du Nil le 1er août 1798* 1830, h/t (84,5x128) : **GBP 19 550** – Londres, 17 avr. 1996 : *La Bataille de Trafalgar* 1831, h/t (85,5x129) : **GBP 57 600** – Londres, 30 mai 1996 : *Vue sur Ness Point, Devon* 1826, h/cart. (30x40) : **GBP 5 980** – Londres, 29 mai 1997 : *Familles de pêcheurs et navires à Teignmouth* 1830, h/pan. (50x68) : **GBP 16 100**.

LUO BIN ou **lo Pin**, surnom : **Wenyi**
Originaire de Ninghu, province du Fujian. XVIIIe siècle. Chinois.
Peintre.
Peintre non mentionné dans les biographies officielles d'artistes, dont on connaît au moins un paysage signé et daté 1767.

LUOCHUANG ou **Lo-Ch'uang** ou **Lo-Tch'ouang**
XIIe-XIIIe siècles. Actif dans la région de Hangzhou (province du Zhejiang) à la fin de la dynastie des Song du Sud (1127-1279). Chinois.
Peintre.
Moine peintre qui vit au monastère Liutong si, au bord du Lac de l'Ouest, à Hangzhou et dont on connaît quelques peintures d'oiseaux.

LUO ERCHUN
Né en 1929. XXe siècle. Actif aussi en France. Chinois.
Peintre de paysages animés. Style occidental.
Il est diplomé de l'Institut des Beaux-Arts de Suzhou (1951), et fut conférencier à l'École d'Art de Pékin de 1959 à 1964. Il enseigna également à l'École Centrale des Beaux-Arts – section peinture à l'huile – de 1964 à 1992. Il est maintenant Membre de l'Association des Artistes Chinois et vit à Paris. Il a participé à des expositions collectives : Japon, Singapour, Hong Kong, Russie, Koweit et Taiwan, et a des expositions particulières en Chine en 1982, 1987, 1990, et dans le monde : New York (1988), Paris (1991), Singapour (1992).
Musées : Pékin (Mus. chinois des Beaux-Arts).
Ventes Publiques : Taipei, 15 oct. 1995 : *Averse sur la rivière Lijiang* 1992, h/t (65x79) : **TWD 184 000**.

LUO GUANG ou **lo Kouang** ou **lo Kuang**, surnom : **Mingyuan**
Originaire de Yuhang, province du Zhejiang. XIXe siècle. Actif au début du XIXe siècle. Chinois.
Peintre.
Peintre de paysages dont le Musée de Boston conserve une œuvre signée et datée 1829, *La déesse de la Rivière Luo*, d'après Ding Yunpeng.

LUO MING
Né en 1912 à Puning (province de Guangdong). XXe siècle. Chinois.
Peintre. Traditionnel.
Il a été professeur à l'Institut des Beaux-Arts de Xian. En 1980, il figurait à l'exposition *Peintres traditionnels de la République populaire de Chine*, à la galerie Daniel Malingue de Paris.
Il peint des sujets traditionnels : oiseaux, bambous, dans la technique traditionnelle d'encre et couleurs chinoises.
Bibliogr. : In : Catalogue de l'exposition *Peintres traditionnels de la République populaire de Chine*, galerie Daniel Malingue, Paris, 1980.

LUO MU ou **lo Mou** ou **lo Mu**, surnom : **Fanniu,** nom de pinceau : **Yunan**
Né en 1622, originaire de Ningdu, province du Jiangxi. Mort en 1706. XVIIe siècle. Chinois.
Peintre de paysages, calligraphe.
Luo Mu vit et travaille à Nanchang, au Jiangxi. Poète et calligraphe, dans le domaine pictural, il est élève de Wei Shichuang et peint dans les styles de Dong Yuan (mort en 962) et de Huang Gongwang (1269-1354). Il est à l'origine de l'école de Jiangxi.

Musées : New York (Metropolitan) : *Paysage d'automne*, rouleau en longueur signé et daté 1661 – Stockholm (Nat. Mus.) : *Hautes falaises surplombant une rivière* – Taipei (Nat. Palace Mus.) : *Forêt désolée et montagnes* signé par deux cachets datés 1704, encre sur pap., poème.
Ventes Publiques : New York, 31 mai 1989 : *Paysage*, encre/satin, kakémono (166,4x47) : **USD 9 350** – New York, 4 déc. 1989 : *Collines éloignées et montagnes au sommet plat*, encre et pigments/pap., makémono (31x309) : **USD 22 000** – New York, 31 mai 1990 : *Lettré et son serviteur traversant un pont*, encre et pigments dilués/pap., kakémono (211,4x111) : **USD 3 025** – New York, 31 mai 1994 : *Paysage* 1690, encre/pap., kakémono (171,5x85,7) : **USD 4 312** – New York, 18 sep. 1995 : *Calligraphie en écriture courante*, encre/pap., kakémono (194,3x71,1) : **USD 7 762**.

LUONI Cristoforo
XVe siècle. Actif à Seregno. Italien.
Sculpteur.
On mentionne, parmi ses œuvres, le sarcophage d'*Andrea Birago* à l'église Saint-Marc à Milan, daté de 1455, et un relief de portail *Annonciation*, à l'Ospedale maggiore de la même ville, daté de 1465.

LUO PIN ou **lo P'in**. Voir **LUO PING** ou **Lo P'ing**

LUO PING ou **lo P'ing**, surnom : **Danfu,** noms de pinceau : **Liangfeng** et **Huazhisi Seng**
Né en 1733, originaire de Xixian, province du Anhui. Mort en 1799. XVIIIe siècle. Chinois.
Peintre de figures, fleurs.
Peintre excentrique qui se réclame des grands maîtres Song, c'est le plus connu des Huit Excentriques de Yangzhou (*Yangzhou baguai*), et c'est aussi le disciple favori de l'un des plus grands peintres de ce groupe, Jin Nong (1687-1764). Plus versatile mais plus habile que son maître, son renom semble plus justifié que celui de Jin Nong. On sait que ces excentriques sont des artistes vivant à Yangzhou, dans la province du Jiangsu, qui se réunissent dans les salons de riches négociants protecteurs des arts qui, par le mécénat, rendent tribut au génie, à ses extravagances et à la liberté de créer. Les rapports de Luo Ping et de Jin Nong ne durent que sept ans, jusqu'à la mort de Jin, et il devient, à son tour, le peintre le plus en vue de Yangzhou, à la fois parce qu'on voit en lui l'héritier de Jin et parce qu'il se crée une spécialité très particulière, la peinture des fantômes d'après nature.
Hommage est donc rendu à l'excentricité à l'état pur et, stylistiquement, à la gaucherie intentionnelle, sublimée jusqu'à devenir une marque de génie, à l'individualité qui se cache sous l'archaïsme, au sérieux qui revêt le masque de la plaisanterie allusive. Outre des représentations de personnages bouddhistes et taoïstes, Luo Ping laisse des peintures de fleurs de prunier, d'orchidées et de bambous d'une grande sensibilité et chargées d'une force créatrice certaine.
Bibliogr. : James Cahill : *La peinture chinoise*, Genève, 1960.
Musées : Berlin : *Orchidées*, deux rouleaux signés – New York (Metropolitan Mus.) : *Ferme dans un jardin le jour de la fête des lanternes* signé et daté 1773 – *Célébration du printemps à la ferme avec la venue des premières pousses de bambous* signé et daté 1775 – Pékin (Mus. du Palais) : *La route du Pays de Shu, gorge de montagne, cascade et pont*, dix longues inscriptions disposées autour de la peinture – *Bambous, pins, fleurs de prunier, etc.*, feuilles d'album – *Gorge de montagne enjambée par un pont*, inscriptions – Shanghai : *Bambous et orchidées*, coul. sur pap., rouleau en hauteur – Stockholm (Nat. Mus.) : *Sarments de vigne tortueux* colophon daté 1771, d'après Wen Rikuan, signé – *Bambous* signé et daté 1775.
Ventes Publiques : New York, 2 juin 1988 : *Orchidées et roches*, encre/pap. (42,5x45,5) : **USD 18 700** – New York, 4 déc. 1989 : *Deux crapauds pendus à une tige de bambou*, encre et pigments/pap., kakémono (53,3x40) : **USD 6 600** – New York, 25 nov. 1991 : *Élégant panorama hivernal*, encre/pap., kakémono (84,4x42) : **USD 39 600** – New York, 1er juin 1993 : *Zhong Kui*, encre et pigments/pap., kakémono (114,9x43,5) : **USD 7 475** – New York, 31 mai 1994 : *Bambous et rochers*, encre/pap., kakémono (141,6x73,3) : **USD 57 500**.

LUO TINGXI ou **Lo T'ing-Hi** ou **Lo T'ing-Hsi**
Probablement originaire de Nankin. XVIIe-XVIIIe siècles. Chinois.
Peintre.
Il n'est pas mentionné dans les biographies officielles d'artistes mais le National Palace Museum de Taipei conserve une œuvre signée, *Cèdre près d'un rocher*.

LUO ZHICHUAN ou **Lo Chih-Ch'uan** ou **Lo Tchet-ch'ouan**
Né à Lingjiang (province du Jiangxi). XIIIe-XIVe siècles. Actif pendant la dynastie Yuan (1279-1368). Chinois.
Peintre.
Il n'est pas mentionné dans les textes chinois sur la peinture, par contre les annales coréennes et japonaises en parlent comme d'un lettré associé aux lettrés les plus notoires de son temps.

LUO ZHONGLI
Né en 1948 dans le Sichuan. XXe siècle. Chinois.
Peintre de compositions animées. Réaliste-socialiste.
Diplômé de l'Académie des Beaux-Arts du Sichuan en 1981, il y enseigna la peinture à l'huile avant de partir pour l'Europe. De 1984 à 1986, il fréquenta l'Académie Royale des Beaux-Arts d'Anvers. Il participe à des expositions nationales et internationales et remporte de nombreuses distinctions.
Il est considéré comme « le » peintre réaliste chinois, dont les thèmes et le style correspondent aux directives de la propagande officielle.
Musées : Pékin (Mus. Nat.) : *Père*.
Ventes Publiques : Londres, 29 mai 1992 : *Les enfants du village* 1989, h/t (89x129) : **HKD 418 000** – Taipei, 22 mars 1992 : *Jeune fille aux deux chevaux blancs*, h/t (63,3x79,3) : **TWD 572 000** – Taipei, 18 oct. 1992 : *Fillette ramassant du bois* 1986, h/t (104x86) : **TWD 1 155 000** – Hong Kong, 22 mars 1993 : *Sur le chemin du village* 1988, h/t (93x127) : **HKD 368 000** – Taipei, 16 oct. 1994 : *Étalement du foin pour sécher* 1984, h/rés. synth. (50x67,5) : **TWD 345 000** – Hong Kong, 30 oct. 1995 : *Les enfants des fermiers* 1991, h/t (80,6x99,7) : **HKD 230 000**.

LUP Franz
XVIIe siècle. Actif à Munich. Allemand.
Peintre.

LUPACCI Girolamo
Né au XVIe siècle à Montepulciano. XVIe siècle. Italien.
Peintre.
On mentionne de sa main un tableau d'autel dans l'église della Croce à Chianciano.

LUPARELLI Filippo
XVIIe siècle. Italien.
Peintre.
On mentionne de sa main une fresque au maître-autel de l'église du Monastère Spirito Sancto à Palerme (1658).

LUPAS Ana
Née en 1940 à Cluj. XXe siècle. Roumaine.
Créateur de cartons de tapisseries, installations, environnements.
Elle vit à Cluj, où elle fut élève de l'Institut des Beaux-Arts Ioan Andreesco, dont elle est devenue professeur. Elle participe à des expositions collectives, dont : plusieurs en Roumanie ; 1972 7e Congrès International d'Esthétique, Bucarest ; 1973 8e Biennale de Paris ; etc. Elle montre ses réalisations dans des expositions personnelles : 1972 galerie Apollo de Bucarest et Théâtre National de Cluj ; 1973 galerie Wspolcesna de Varsovie. Elle se manifeste dans des symposiums et colloques sur la tapisserie.
Elle a réalisé des tapisseries monumentales, pour le Foyer des Étudiants de Cluj, pour le Musée d'Histoire de Iassy (Roumanie). Sa pratique de tissage se rattache à ce qu'on peut appeler la tapisserie libre, et se prête à des installations environnementielles.
Bibliogr. : In : Catalogue de la *8e Biennale de Paris*, 1973.

LUPENIUS Johannes. Voir **LEUPENNIUS**

LÜPERTZ Markus
Né en 1941 à Liberec (Bohême). XXe siècle. Actif et naturalisé en Allemagne. Tchécoslovaque.
Peintre, sculpteur, graveur, dessinateur. Expressionniste, nouveau-fauve.
Sa famille quitta la Tchécoslovaquie pour la Rhénanie, alors qu'il était enfant. Il fut élève de Laurens Goossens à l'École des Arts Appliqués de Krefeld à partir de 1956. Ayant travaillé pendant un an dans une mine et à la construction de routes, il poursuivit sa formation à l'Académie Nationale des Beaux-Arts de Düsseldorf jusqu'en 1961. À partir de 1962, année où il se fixa à Berlin, peut-être en réaction contre l'expansionnisme artistique américain il s'intéressa au contraire à l'histoire de l'art européen,

depuis la culture antique gréco-latine, et particulièrement à Picasso, dans l'œuvre duquel il retrouvait un art de la célébration dionysiaque. En 1964, il fonda à Berlin, avec K. H. Hödicke, Bernd Kökerling, Lampertz Maria Wintersberger, la galerie autogérée *Grossgörschen 35*. En 1966, il publia son *Manifeste dithyrambique*. Il obtint le Prix Villa Romana, qui lui permit, en 1970, un séjour de douze mois à Florence. En 1984, il fit un séjour à New York. Il participe à de nombreuses expositions collectives, nationales et internationales, dont : 1966 au Künstlerbund d'Essen ; 1967 *Jeunes peintres et sculpteurs berlinois* Athènes ; 1969 *14 x 14* Baden-Baden ; 1970 Kunstmarkt Berlin ; 1971 galerie René Block Berlin, *Aktiva 1971* Munich, *20 Deutsche* Cologne et Berlin ; 1973 8e Biennale de Paris ; 1977 Biennale de Berlin dont il fut l'organisateur ; 1982 Documenta 7 de Kassel ; 1985 Nouvelle Biennale de Paris ; etc. Il montre aussi son travail dans de très nombreuses expositions personnelles depuis 1964, d'entre lesquelles : fréquemment à Berlin, Cologne, 1973 au Goethe Institut d'Amsterdam et rétrospective à la Staatliche Kunsthalle de Baden-Baden ; 1982 Van Abbemuseum d'Eindhoven, et Munich, Paris ; 1983 Musée d'Art Moderne de Strasbourg, Londres, Vienne, Zurich, Salzbourg, Hanovre, New York ; 1984 Wiener Secession de Vienne, et Londres, Paris, Munich, Zurich ; 1986, 1989 galerie Lelong Paris ; 1991 Centre d'Art Reine Sofia Madrid ; 1995, galerie Montenay, Paris ; etc. En 1974, il fut nommé professeur à l'Académie Nationale des Beaux-Arts de Karlsruhe ; en 1983, il fut professeur à l'Académie d'été de Salzbourg ; depuis 1986 il est professeur à l'Académie Nationale d'Art de Düsseldorf.

Après son passage à l'École d'Art Décoratif de Krefeld, au cours d'un séjour universitaire au Monastère de Maria Laach, il peignit des *Crucifixions*. Ce fut en 1962-63-64 qu'il commença à pratiquer ce qu'il nomme une « peinture dithyrambique », en référence au dithyrambe, célébration exaltée, en l'honneur de Dionysos, de la fusion, par le chant, la danse et l'ivresse, de l'homme dans la nature, répercutée dans l'œuvre de Nietzsche. De 1965 à 1970, ses peintures ont pour motifs les objets les plus neutres, gros-plans sur : en 1965 une *Tente*, un *Barrage* ; en 1966 un *Champ d'asperges* ; en 1967 une *Tuile flamande* ; en 1969 des *Fleurs de tunnel, jaune*, des *Cheminées* ; sur n'importe quel fragment ; tous uniquement supports d'une étude formelle agrandie comme au microscope. Son séjour à Florence, en 1970, l'influença dans le sens d'une plus forte structuration plastique de la composition, sans en diminuer la tension interne, conforme à sa volonté de « susciter des inquiétudes », comme par exemple, en 1972 avec le triptyque *Apocalypse*, en 1974 avec les *Dithyrambes noir-rouge-or*, en prenant pour thème le casque et la panoplie du soldat de la Wehrmacht. En 1975, avec la série des *Paysages urbains*, il recherche un compromis entre une structure formelle issue de l'abstraction et son interprétation figurative. En 1977, il peignit une composition murale pour le Crématorium Ruhleben de Berlin. À partir de 1977, s'est confirmée la fusion entre son œuvre poétique et son œuvre de plasticien, qui tend alors à une certaine abstraction, dans ce qu'il appelle sa « peinture de style », et même à une abstraction certaine, et plutôt bien venue dans un esprit européen plutôt qu'américain. Dans les années quatre-vingt, où il aborda la sculpture, une nouvelle rupture dans son parcours imprévisible lui fit réintroduire la figure humaine et les groupes de personnages dans des peintures aux influences les plus diverses, puisées dans l'Antiquité grecque, l'art nègre, le classicisme du XVIIe siècle, le cubisme, le surréalisme, et même chez Pollock. La peinture de Lüpertz témoigne d'emprunts très divers, non niés puisque allant jusqu'à des citations. Il revendique ouvertement son refus de la « modernité » et son attachement à un vaste héritage culturel : « Je peins des tableaux sur la peinture », et les justifie : « Mon origine, c'est tous les peintres ». Simultanément en France, s'est présenté le cas à peu près similaire de Gérard Garouste, et la notion de « post-modernisme ». On trouve dans la peinture de Lüpertz des réminiscences de surréalistes plus que de plasticiens formalistes, encore que, sous ses aspects parfois littéraires et désinvoltes, s'imposent souvent un sens rigoureux de la composition générale, une invention formelle sans cesse renouvelée, voire incohérente, et, dans ses meilleurs moments, une sensualité de la maîtrise picturale. Elle situe son identité dans un humour grinçant, mû principalement par l'expression des « pulsions de mort », par exemple dans le *Cimetière d'oiseaux* de 1988 ou avec le *Cheval rouge* de la même année, que chevauche la mort, rouge cavalière. Dans cette peinture, particulièrement inégale, tantôt vraiment, tantôt faussement sommaire de dessin et de technique picturale, mais truculente dans son toucher et sa matière, on a presque envie de dire dans sa vulgarité assumée, on peut voir un refus des valeurs américaines portées par le marché international dominant, qui caractérise une tentative de reprise d'autonomie de la peinture européenne, quitte à ce que cette autonomie se manifeste à travers un retour à un certain primitivisme sauvage.

La peinture de Lüpertz, avec celles de plusieurs de ses contemporains, surtout en Allemagne, les « nouveaux fauves » Georg Baselitz, Jorg Immendorff, Anselm Kiefer, A. R. Penck, entre autres, s'est inscrite dans les années soixante, non sans audace, contre tous les mouvements « porteurs » du moment, l'art conceptuel, l'art pauvre, représentés alors essentiellement par Joseph Beuys. Elle s'inscrivait également contre les répétitions abstraites, la stérilisation du minimalisme américain, et refusait aussi les infantilismes du pop'art européen. Avec un retour aux sources de l'expressionnisme allemand de la tradition et de l'immédiat avant-nazisme, Lüpertz et les autres néo-expressionnistes témoignent d'une identité nationale retrouvée, qui se défend d'être nationaliste. ■ Jacques Busse

Bibliogr. : N. Lehni : Catalogue de l'exposition *Markus Lüpertz*, Mus. d'Art Mod., Strasbourg, 1983 – Johannes Gachnang : Catalogue de l'exposition *Markus Lüpertz*, gal. Maeght-Lelong, Paris, 1984, et in : Catalogue de la *Nouvelle Biennale de Paris*, 1985 – Bernard Blistène : *Markus Lüpertz Sculptures*, Repères, no 28, gal. Lelong, Paris, 1986 – Heinz Peter Schwerfel : *Pas d'issue*, in : Artstudio, no 2, Paris, automne 1986 – J. C. Jensen : Catalogue de l'exposition *Markus Lüpertz : Bilder 1985-1988*, Kunsthalle, Kiel, 1988 – in : Catalogue de l'exposition *L'Art Moderne à Marseille. La Collection du Musée Cantini*, Mus. Cantini, Marseille, 1988 – Bernard Noël : *Markus Lüpertz Peintures*, Repères, no 56, gal. Lelong, Paris, 1989 – Siegfried Gohr, James Hofmaier, Johann-Karl Schmidt : *Markus Lüpertz Druckgraphik. Werkverzeichnis 1960-1990*, Hatje-Cantz, Stuttgart, 1991 – in : *L'Art du XXe siècle*, Larousse, Paris, 1991 – Catalogue de l'exposition *Lüpertz – Retrospectiva 1963-1990*, Centro de Arte Reina Sofia, Madrid, 1991 – in : *Diction. de l'Art Mod. et Contemp.*, Hazan, Paris, 1992.

Musées : Marseille (Mus. Cantini) : *Nymphe* 1981, sculpt. plâtre peint – *New York Fenster* 1984, peint.

Ventes Publiques : Londres, 6 déc. 1983 : *Geweihe* 1972, h/t, triptyque (chaque 160x132) : **GBP 11 000** – Londres, 26 juin 1984 : *Deutsches Motiv-dithyrambisch* 1972, gche/trois cart. joints (centre 113x90 et côtés 120x90) : **GBP 6 000** – Munich, 27 nov. 1984 : *Composition*, craie de coul. (38,5x63,5) : **DEM 2 700** – Londres, 6 déc. 1985 : *Schiff I Stil* 1977, h. et gche/t. (241x167) : **GBP 18 000** – New York, 22 fév. 1986 : *Sans titre* vers 1964-1966, temp./t. (146x215,4) : **USD 15 000** – L'Isle-Adam, 1er fév. 1987 : *Uber Orpheus* vers 1982, craie noire, cr. de coul. et gche/pap. (68,5x49,5) : **GBP 1 800** – Milan, 8 juin 1988 : *Babylone Dithyrambique* 1975, techn. mixte (70x51) : **ITL 8 500 000** – New York, 10 Nov. 1988 : *M. A. Dithyrambique*, h/t (245,8x174,7) : **USD 44 000** – Londres, 6 avr. 1989 : *Emblèmes allemands*, gche et craies/pap. (59,5x79,5) : **GBP 9 900** – Rome, 17 avr. 1989 : *La fiancée d'Argus* 1988, h/t (100x80) : **ITL 20 000 000** – Rome, 10 avr. 1990 : *Sans titre*, temp. et past. gras/pap. (76x57) : **ITL 16 000 000** – Paris, 18 juin 1990 : *Kongo Korreck* 1981, h/t (162x130) : **FRF 240 000** – Rome, 3 déc. 1990 : *Porteur de lunettes en train d'appeler*, h/t (36x28) : **ITL 20 700 000** – Stockholm, 5-6 déc. 1990 : *Composition en vert*, h/pap. (40,5x29) : **SEK 18 000** – Paris, 9 déc. 1990 : *N. Y. Tagebuch 13.02.84* 1984, techn. mixte/cart. (128x183) : **FRF 330 000** – Londres, 21 mars 1991 : *Explication avec Corot*, h/cart. (113x83) : **GBP 19 800** – Rome, 13 mai 1991 : *Argus*, h/t (100x80) : **ITL 36 800 000** – New York, 6 mai 1992 : *Lupolis* 1975, craies noire et blanche avec aquar./pap. (41,6x55,9) : **USD 4 620** – New York, 19 nov. 1992 : *Les Hommes devant la mort* 1983, h/cart. (80,3x110,2) : **USD 14 300** – Paris, 29 mars 1993 : *Le plaidoyer du paradis ou l'Archange au-dessus de la table IV* 1982, h/t (130x162) : **FRF 175 000** – Londres, 20 mai 1993 : *Central Park* 1984, h/t (182,9x152,4) : **GBP 13 800** – New York, 10 nov. 1993 : *Tête* 1985, h./bronze (91,4x58,4x48,2) : **USD 32 200** ; *Jambes debout*, bronze (320x100x100) : **USD 200 500** – Londres, 2 déc. 1993 : *La Mort d'Orphée* 1984, h/t

(180x270) : **GBP 37 800** – MILAN, 22 juin 1995 : *Une chose quelconque* 1990, gche/pap. (23x16) : **ITL 3 450 000** – LONDRES, 26 oct. 1995 : *Escargot* 1972, détrempe/t. (129,5x159,5) : **GBP 63 100** – LONDRES, 21 mars 1996 : *Rêve futur du défeuillé* 1982, h/t (70x99,5) : **GBP 9 775** – PARIS, 10 juin 1996 : *Sans titre* 1988, gche, cire, cr. et past./pap. (49,5x69) : **FRF 20 000** – PARIS, 1er juil. 1996 : *Faust + Ami = Mephisto* 1989, h/t dans cadre en pb (200x162) : **FRF 215 000** – MILAN, 25 nov. 1996 : *Apollon* 1989, temp./pap. (66x41,5) : **ITL 4 830 000** – PARIS, 29 nov. 1996 : *N. Y. Journal* 1984, acryl. et rés./cart. (128x183) : **FRF 150 000** – NEW YORK, 19 nov. 1996 : *Sans titre* 1983, gche, pl. et encre noire/pap. (69,8x49,9) : **USD 3 680** – LONDRES, 29 mai 1997 : *Sans titre* vers 1977, h/t (162x130) : **GBP 14 950** – LONDRES, 26 juin 1997 : *Sans titre*, h/t (210x150) : **GBP 12 650** – LONDRES, 23 oct. 1997 : *Mélancolie après un accident* 1981, h/t (200x162) : **GBP 36 700**.

LUPETTI Carlo Gaudenzio
Né en 1827 à Vocogno (Piémont). Mort en 1861. XIXe siècle. Italien.
Peintre de genre, de portraits et d'animaux.

LUPI Bongiovanni Filippo da Lodi. Voir **LOVI**

LUPI Domenico
Né vers 1568. Mort le 6 mars 1634 à Rome. XVIe-XVIIe siècles. Actif à Rome. Italien.
Sculpteur.

LUPI Francesco
XVe siècle. Actif à Lodi. Éc. lombarde.
Sculpteur sur bois.

LUPI Miguel Angelo
Né en 1826 à Lisbonne. Mort en février 1883 à Lisbonne. XIXe siècle. Portugais.
Peintre d'histoire, scènes de genre, portraits, paysages.
Il étudia à l'École des Beaux-Arts de Lisbonne ; il y enseigna plus tard, de 1864 à 1883. Il séjourna à Rome et à Paris.
Il a peint *Le Marquis de Pombal dirige la reconstruction de Lisbonne*, au Palais municipal de Lisbonne.
MUSÉES : LISBONNE : portraits de femmes – PORTO : études de têtes.
VENTES PUBLIQUES : PARIS, 19 nov. 1984 : *Scène du XVIIIe siècle : les amateurs d'académies* 1882, aquar. (67x50) : **FRF 9 000**.

LUPI Troilo
XVIe siècle. Italien.
Peintre.
Il est mentionné de 1569 à 1586 à Bergame. De 1582 à 1586 il peignit des fresques décoratives dans deux chapelles de l'église du monastère S. Agostino.

LUPI Valerio
XVIe siècle. Italien.
Peintre.

LUPI Vincenzo, appelé aussi **Giovanni da Tagliacozzo**
XVIe siècle. Actif à Rome dans la deuxième moitié du XVIe siècle. Italien.
Peintre.
Il peignit un tableau d'autel pour la chapelle Cesarini à l'église S. Maria in Araceli à Rome.

LUPIAC André-Pierre
Né le 13 septembre 1873 à Toulouse (Haute-Garonne). Mort le 30 mars 1956 à Castanet (Haute-Garonne). XIXe-XXe siècles. Français.
Peintre de compositions à personnages, allégoriques. Symboliste, Nouveau style.
Il entra à dix-sept ans à l'école des Beaux-Arts de Toulouse, où il eut comme professeurs Henri Loubat pour l'antique et Laborde (?) pour le modèle vivant. En 1893, il obtint un second grand prix avec *Télémaque vainqueur de Périandre*. En 1897, il monta à Paris, où il fréquenta les ateliers de Jean-Paul Laurens et de Benjamin Constant. En 1900, il fut admis au Salon des Artistes Français et exposa *Termutis*. Peu de temps après il dut rentrer à Toulouse pour raison de santé, mais continua à travailler, et fut co-fondateur en 1905 de la Société des Artistes Méridionaux, au Salon de laquelle il exposa dès lors régulièrement ses meilleures œuvres. Mobilisé en 1915, il servit dans la même unité que son fils, qui mourut des suites de la guerre en 1923. Il se retira alors définitivement à Castanet, où il continua à peindre jusqu'à sa mort.
Lupiac, à qui l'on reconnaît dans les années 1900 un « tempérament de visuel et de coloriste », fait partie de ces peintres que l'on a volontiers rejetés dans les oubliettes de l'histoire, parce qu'ils ne se plient pas à la division chronologique des « grands mouvements ». Ses œuvres témoignent en effet d'une sorte de symbolisme très tardif, ainsi que d'un attachement fort à la culture classique qui peut faire songer à David ou, dans une certaine mesure, à Puvis de Chavannes. Les scènes bibliques ou mythologiques, les mystérieuses allégories féminines sont mêlées dans les tableaux de Lupiac à des réminiscences du pays natal : paysages de *L'Enfance de Bacchus* ou des *Vendanges*. Ses compositions sont servies par une parfaite maîtrise du dessin et une grande modération dans l'usage de la couleur ; elles peuvent ainsi apparaître, à l'époque de l'Art Décoratif et des autres mouvements qui lui succèdent, comme l'affirmation obstinée, presque désespérée, d'une peinture « littéraire » et académique.
■ Antoine Gründ
BIBLIOGR. : Catalogue de l'exposition *Lupiac*, Galerie Vincent Tillier, Paris, 1995.
MUSÉES : CASTANET (Mairie) : *La Courtisane à Byzance* – CASTANET (Atelier de Lupiac) : *Le Centaure et la Sirène* – *Tentation* – *Grèce* – *Hérodiade et Salomé* – *Chansons d'Automne* – TOULOUSE (Grande salle du Conseil mun.) : plafond – *Le Vent d'Autan*, panneau mural – TOULOUSE (Église St-François d'Assise) : *L'Apothéose de saint François*, cinq grands panneaux.
VENTES PUBLIQUES : PARIS, 16 jan. 1989 : *Allégorie : la guerre et la paix*, h/t (92x73) : **FRF 4 200**.

LUPIANEZ Y CARRASCO José
Né en 1864 à Malaga. Mort en 1933. XIXe-XXe siècles. Espagnol.
Peintre de paysages, paysages urbains.
Il exposa dès 1884. En 1914, une exposition d'ensemble lui fut consacrée à Madrid.
VENTES PUBLIQUES : MADRID, 13 déc. 1973 : *Le Pont de Tolède, Madrid* : **ESP 65 000** – MADRID, 18 mai 1976 : *Le Pont de Tolède, Madrid*, h/pan. (46x67) : **ESP 85 000** – LONDRES, 9 mai 1979 : *Vues d'un village* 1885, deux h/pan. (25x14,5) : **GBP 1 000**.

LUPICINI Giovanni Battista. Voir **LOPICINO**

LUPICINO
XVIe siècle. Italien.
Peintre.
Il travailla en 1586 à Saragosse. On lui attribue des tableaux de la chapelle S. Elena de la cathédrale. Peut-être est-il identique à G. B. Lupicini.

LUPIN. Voir **LESSEN Jobst Henrich, le Jeune**

LUPLAU Marie Antoinette Henriette
Née le 7 septembre 1848 à Hilleröd. Morte le 26 août 1925 à Copenhague. XIXe-XXe siècles. Danoise.
Peintre.
Elle peignit des paysages et des portraits.
MUSÉES : AALBORG : *Contrée désertique du Danemark* – VARDE : *Vieille cure*.

LUPLAU Vilhelm Emil
Né le 12 mai 1823 à Copenhague. Mort le 22 avril 1864. XIXe siècle. Danois.
Peintre de paysages.

LUPO Alessandro
Né le 1er juillet 1876 à Turin. Mort en 1953. XXe siècle. Italien.
Peintre de figures, scènes animées, paysages, fleurs.
Il fut élève de Vittorio Cavalleri. Il exposa dans toute l'Italie. Il figura aussi au Salon des Artistes Français à Paris. En 1969, à Turin, fut organisée une exposition posthume d'une centaine de ses peintures.
Il fut qualifié de peintre « vériste ».

a. Lupo.

MUSÉES : LIMA – MADRID (Mus. d'Art Mod.) – MONTEVIDEO.
VENTES PUBLIQUES : MILAN, 15 mars 1977 : *Jeux d'enfants* 1920, h/t (68x89) : **ITL 2 400 000** – MILAN, 5 avr 1979 : *Orage en haute montagne*, h/pan. (40x50) : **ITL 1 100 000** – MILAN, 10 juin 1981 : *Le Clocher de Lignod* 1936, h/cart. (50x40) : **ITL 5 000 000** – MILAN, 12 déc. 1983 : *Enfants et veaux*, h/t (95x130) : **ITL 19 000 000** – MILAN, 2 avr. 1985 : *Scène de marché*, h/t (85x100) : **ITL 13 000 000** – MILAN, 18 déc. 1986 : *Chevaux de trait*, h/cart. (50x72) : **ITL 3 600 000** – MILAN, 31 mars 1987 : *Venise, palais ducal*, h/t (54x65) : **ITL 7 500 000** – MILAN, 23 mars

1988 : *La Tricoteuse* 1920, h/t (68x39) : **ITL 13 000 000** – MILAN, 14 mars 1989 : *Nuages bas à Gressonney, la chapelle de la Trinité*, h/t (65x113) : **ITL 19 000 000** – MILAN, 14 juin 1989 : *Jeune veau*, h/pan. (27,5x20,5) : **ITL 2 200 000** – MILAN, 8 mars 1990 : *Le Sanctuaire de Oropa*, h/cart. (28x29,5) : **ITL 8 000 000** – MILAN, 18 oct. 1990 : *Village sous la neige*, h/pan. (40x26) : **ITL 6 000 000** – MILAN, 6 juin 1991 : *Jour de marché*, h/t (70x85) : **ITL 26 000 000** – LONDRES, 19 juin 1991 : *Le Charretier et son cheval*, h/pan. (69x49) : **GBP 5 720** – MILAN, 7 nov. 1991 : *Le Soir à Rhême-Notre-Dame* 1947, h/cart. (40x50) : **ITL 6 000 000** – MILAN, 12 déc. 1991 : *Zinnias*, h/cart. (50x39,5) : **ITL 5 200 000** – MILAN, 19 mars 1992 : *Chalets*, h/cart. (50x40) : **ITL 3 800 000** – ROME, 9 juin 1992 : *Roses*, h/cart. (35x42) : **ITL 4 000 000** – ROME, 19 nov. 1992 : *Pâtre de montagne*, h./contre-plaqué (23x33) : **ITL 3 450 000** – MILAN, 9 nov. 1993 : *Le Marché de Chivasso*, h/t (85x150) : **ITL 55 200 000** – MILAN, 19 déc. 1995 : *Jour de marché*, h/cart. (38,5x67,5) : **ITL 27 600 000** – PARIS, 23 avr. 1996 : *La Place Saint-Marc*, h/cart. (38x46,5) : **FRF 16 000** – MILAN, 23 oct. 1996 : *Ruelle vénitienne*, h/cart. (35x29,5) : **ITL 3 495 000** – MILAN, 18 déc. 1996 : *Le Clocher à Grosseney La Trinité*, h/cart. (48x29) : **ITL 2 912 000**.

LUPO di Francesco
XIVe siècle. Actif à Pise. Italien.
Sculpteur.

LUPO di Giraldo
XIIIe siècle. Italien.
Sculpteur.
On cite de ses œuvres dans la cathédrale de Carrare et parmi elles l'autel de l'*Annonciation*.

LUPOT Jean François
Né le 25 juillet 1684 à Mirecourt. Mort le 1er mars 1749 à Mirecourt. XVIIIe siècle. Français.
Sculpteur.
Ce fut un sculpteur de talent dont les œuvres furent fort recherchées de son vivant. On cite de lui une très belle *Vierge à la Chaire* qui fait partie de la collection A. Jacquot, de Nancy.

LUPPEN Frans Van
Né le 11 décembre 1838 à Anvers. Mort le 18 novembre 1899 à Saint-Josseten-Noode. XIXe siècle. Belge.
Paysagiste.

LUPPEN Gérard Jozef Adrian Van
Né le 18 novembre 1834 à Anvers. Mort le 10 octobre 1891 à Anvers. XIXe siècle. Belge.
Peintre de paysages animés, paysages.
Élève de l'Académie d'Anvers, il fut médaillé à Bruxelles en 1872, à Vienne en 1873, à Philadelphie en 1876.

MUSÉES : ANVERS : *L'Automne* – BRUXELLES : *Le Printemps* – CARDIFF : *Souvenir des Ardennes* – LIÈGE : *Le Bois de Modane*.
VENTES PUBLIQUES : NEW YORK, 14 mai 1976 : *Environs de Modane* 1887, h/t (205x152) : **USD 2 200** – LONDRES, 24 mai 1978 : *Troupeau dans un sous-bois*, h/t (109x84) : **GBP 1 500** – AMSTERDAM, 31 oct 1979 : *Paysage boisé à la rivière* 1870, h/t (126,5x181) : **NLG 9 000** – PARIS, 8 fév. 1980 : *Le torrent de montagne*, h/t (37x50) : **FRF 6 600** – BRUXELLES, 24 mars 1982 : *Chemin sous-bois*, h/t (98x147) : **BEF 275 000** – LOKEREN, 23 avr. 1983 : *Paysage boisé au ruisseau* 1873, h/t (118x96) : **BEF 280 000** – BRUXELLES, 17 juin 1985 : *Cerfs et biches dans un sous-bois*, h/t (150x206) : **BEF 280 000** – BRUXELLES, 27 mars 1990 : *Vue de Waulsort près de Dinant* 1880, h/t (44x80) : **BEF 155 000** – AMSTERDAM, 25 avr. 1990 : *Paysage boisé avec du bétail près d'une mare* 1877, h/t (43x68) : **NLG 4 025** – LOKEREN, 21 mars 1992 : *L'approche de l'orage*, h/t (60x82) : **BEF 90 000** – NEW YORK, 13 oct. 1993 : *Vue du Mont Aigle* 1872, h/t (111,1x85,7) : **USD 10 350** – NEW YORK, 19 jan. 1995 : *Paysage* 1871, h/t (83,2x61) : **USD 1 725** – LOKEREN, 7 oct. 1995 : *L'hiver dans les environs d'Anvers* 1880, h/t (45,5x80) : **BEF 90 000** – AMSTERDAM, 5 nov. 1996 : *Bûcherons près d'une cascade dans un paysage de montagne* 1858, h/t (99x149) : **NLG 15 340** – LOKEREN, 18 mai 1996 : *Le Soir* 1974, h/pan. (30x50,5) : **BEF 50 000**.

LUPPI Ermenegildo
Né en 1877. XXe siècle. Italien.
Sculpteur.
MUSÉES : FLORENCE (Gal. d'Art Mod.).

LUPRESTI Giacinto
XVIIe siècle. Actif à Palerme dans la seconde moitié du XVIIe siècle. Italien.
Peintre et aquafortiste.
Il travailla à Rome. On cite une série de quatre marines à l'eau-forte, de sa main.

LUPSIN Stéphane
Né en 1895 à Bruxelles. XXe siècle. Belge.
Peintre de portraits, paysages, natures mortes, fleurs.
Il fut élève de Constant Montald, Herman Richir à l'Académie des Beaux-Arts de Bruxelles.
Il est surtout connu pour ses portraits d'enfants.
BIBLIOGR. : In : *Diction. biograph. illustré des Artistes en Belgique depuis 1830*, Arto, Bruxelles, 1987.

LUPTON Oliver Nevil
Né en 1828. Mort vers 1877. XIXe siècle. Actif à Londres. Britannique.
Peintre de paysages et de genre.
Il était le plus jeune fils de Thomas Goff Lupton. Il exposa de 1851 à 1877.
MUSÉES : LONDRES (British Mus.) : *Portrait du père de l'artiste*, dess. d'après le buste de Scipio Clint – YORK, Angleterre (Art Gal.) : *Motif des Galles du sud*.
VENTES PUBLIQUES : LONDRES, 13 oct. 1978 : *Enfants dans un paysage montagneux* 1861, h/t (47x60) : **GBP 1 200** – COPENHAGUE, 22 avr. 1982 : *Scène de moisson* 1857, h/t (101x126) : **DKK 20 000**.

LUPTON Thomas Goff
Né en 1791 à Londres. Mort en 1873 à Londres. XIXe siècle. Britannique.
Graveur au burin et à l'aquatinte.
Élève de George Clint. Inventeur de la gravure sur acier ; il reçut de la Society of Arts la médaille d'or d'Isis. Il a gravé des sujets d'histoire et des portraits.
VENTES PUBLIQUES : LONDRES, 2 mars 1922 : *Paysage de Solway*, dess. : **GBP 11**.

LU QI ou **Xu Yuanshao**
Né en 1944 à Suzhou. XXe siècle. Chinois.
Peintre de fleurs et oiseaux. Traditionnel.
Il exerce son art au Musée de peinture traditionnelle de Suzhou. En 1980, il figurait à l'exposition *Peintres traditionnels de la République populaire de Chine*, à la galerie Daniel Malingue de Paris.
BIBLIOGR. : In : Catalogue de l'exposition *Peintres traditionnels de la République populaire de Chine*, galerie Daniel Malingue, Paris, 1980.

LÜ QIAN ou **Liu Ts'ien** ou **Lü Ch'ien**, surnom : **Kongzhao,** noms de pinceau : **Banyin** et **Shishannong**
Originaire de Suining, province du Sichuan. XVIIe siècle. Actif dans la seconde moitié du XVIIe siècle. Chinois.
Peintre.
Peintre de paysages et de fleurs, il vit à Daizhou, dans la province du Jiangsu. En 1643, il reçoit le rang de *jinshi*, lettré accompli, aux examens triennaux de la capitale, et devient haut fonctionnaire.

LUQUE Angel
Né en 1927 à Cordoue. XXe siècle. Actif aussi au Venezuela. Espagnol.
Peintre, graveur, sculpteur, technique mixte.
Il est de formation autodidacte. De 1955 à 1967, il a vécu au Venezuela, y contribuant au développement de la gravure. Il vécut ensuite à Paris. Il a exposé en 1955 à Madrid, en 1961 au Musée des Beaux-Arts de Caracas et à Bogota.
Depuis le Venezuela, il utilise une technique de matériaux mélangés, dans lesquels il incise des figures primitives, qui ne sont pas sans faire appel à des réminiscences de formes d'art typiques. Lors de son séjour à Paris, il a découvert les possibilités du polyméthacrylate de méthyle, et réalise avec cette matière synthétique des volumes simples, à l'intérieur desquels il joue des propriétés de réflexion du matériau, et oppose des plans polis aux plans bruts de sciage, proposant ainsi une structuration de l'espace interne.

LUQUE Manuel
Né en 1854 à Almeria. XIXe siècle. Espagnol.
Peintre et caricaturiste.
Il travailla à Madrid. Il peignit des fresques humoristiques dans

les cafés et des caricatures pour des revues. À Paris en 1874 et 1881 il fit des caricatures pour le *Charivari* et le *Monde parisien*. Il publia l'*Année comique*.

LUQUET Baudoin

Né en 1939. XXe siècle. Français.

Peintre de collages, sculpteur d'assemblages, technique mixte. Abstrait-géométrique.

Il participe à des expositions collectives, dont *Rencontres. 50 ans de collages*, en 1991 à la galerie Claudine Lustman de Paris. Il montre régulièrement des ensembles d'œuvres dans des expositions personnelles, depuis 1977, à Paris et Liège.

En deux ou trois dimensions, il assemble des éléments et matériaux différents, éclatants de couleurs pures, dans des agencements rigoureux.

Musées : Lille (FRAC Nord-Pas-de-Calais) : *Suspens n° LI* 1989.

LUQUET Ève

Née en 1954 à Boulogne-Billancourt (Hauts-de-Seine). XXe siècle. Française.

Dessinateur, graveur.

Elle vit et travaille à Sainte-Geneviève-des-Bois.

Elle a participé en 1992 à l'exposition : *De Bonnard à Baselitz – Dix ans d'enrichissements du cabinet des estampes 1978-1988*, à la Bibliothèque nationale de Paris.

Musées : Paris (BN) : *Pommes et citrons* 1984.

LURAGO Giovanni ou **Loragho** ou **Luraghi**

XVIe siècle. Actif à Gênes. Éc. génoise.

Sculpteur et architecte.

Il collabora à la décoration du Palais municipal, en 1566.

LURAGO Tommaso ou **Loragho** ou **Luraghi**

Né à Côme. Mort en 1670 à Modène. XVIIe siècle. Italien.

Sculpteur.

On cite à Modène les statues du *Bienheureux Amédée de Savoie*, de *Saint François de Paule*, de *Saint Vincent* et de *Saint Barnabé*, de la main de cet artiste. Il collabora à la décoration de marbre de la façade de la cathédrale de Carpi.

LURAT Abel

Né en 1829 à Orléans. Mort en 1890 à Paris. XIXe siècle. Français.

Graveur.

Élève de Jouanin et Belloc. Il exposa au Salon à partir de 1865. Il a surtout gravé d'après les maîtres modernes.

LURÇAT Jean

Né le 1er juillet 1892 à Bruyères (Vosges). Mort le 6 janvier 1966 à Saint-Paul-de-Vence (Alpes-Maritimes). XXe siècle. Francais.

Peintre, peintre à la gouache, peintre de cartons de tapisseries, graveur, lithographe, illustrateur, céramiste. Tendance surréaliste.

Après avoir commencé des études de médecine, il fut élève de Victor Prouvé à Nancy et du graveur et illustrateur Bernard Naudin. S'étant fixé à Paris en 1912, il ne fit qu'un bref passage à l'École des Beaux-Arts, fréquentant l'Académie libre Colarossi. Il fonda la revue *Les Feuilles de Mai*, où collaborèrent Bourdelle, Élie Faure, Rilke, Ilya Ehrenburg. À la déclaration de la guerre de 1914-1918, il fut mobilisé pour cinq ans, mais, ayant écrit des poèmes et des articles antimilitaristes, qu'il publiait dans des journaux étrangers, il fit un peu de prison, avant d'être blessé et réformé en 1917. Après la guerre, il effectua de nombreux voyages : 1919 Allemagne, Sicile, Autriche, Espagne ; 1924 Espagne, Sahara ; 1926 Grèce, Asie-mineure, Italie ; 1927 Espagne ; 1928 Sahara, Grèce, États-Unis. À partir de 1920, à Paris, il exposa ses peintures aux Salons des Indépendants et des Tuileries. Après 1920, il fréquenta intimement les cercles surréalistes. Parallèlement à son œuvre peint, il poursuivait sa réflexion et expérimentation sur la rénovation de la tapisserie, au début avec des moyens artisanaux. Vers 1937, l'industriel François Tabard lui proposa de faire réaliser ses cartons dans son usine d'Aubusson. Ce ne fut qu'en 1938 qu'il eut contact avec *L'Apocalypse d'Angers*, y trouvant l'entière confirmation de tout ce qu'il pensait sur l'histoire et la technique de cet art. Il remarqua qu'elle n'était tissée que d'une vingtaine de couleurs. À partir de cette découverte, il élabora la technique simplifiée du « gros point » et d'aplats des quelques « grands tons », relativement rapide et donc moins coûteuse, antérieure à la décadence de cette technique qui, avec le petit point et les tons fragiles apparus au XVIIe siècle dans les manufactures des Gobelins ou de Beauvais, ambitionnait l'imitation de la peinture. Lurçat visait à habiller le mur de béton moderne de tapisseries décoratives, alliant la franchise archaïque de ce moyen d'expression médiéval à des conceptions plastiques et poétiques actuelles. La technique spécifique ainsi redéfinie conditionnant l'image à ses impératifs, ce n'était plus l'image préétablie par une peinture qui subordonnait la technique, il s'agissait donc d'un art à part entière et non plus d'un art appliqué. L'extrême limitation des moyens, conception et tissage par aplats, peu de colorations des laines, permettait en outre de livrer au lissier des cartons dessinés au trait, les couleurs des aplats indiquées par des numéros, donc une programmation facile à exécuter. En 1940, avec Gromaire et Dubreuil, il se fixa à Aubusson, entreprenant de réorganiser à la base l'industrie de la tapisserie de haute-lisse. En 1945, fut fondée l'Association des Peintres-cartonniers de Tapisseries. Ses expositions personnelles se multiplièrent à Paris à partir de 1952 jusqu'à sa mort. Des expositions posthumes lui furent consacrées : en 1976 Paris, 1981 Aubusson, 1982 Clermont-Ferrand, 1983 Marcq-en-Barœul.

Peignant des petits tableaux influencés par le cubisme, qu'il appelait ses « poèmes de poche », dès 1913 il s'intéressa au problème de l'art mural, qu'il aborda alors par la fresque, en tant que collaborateur de J.-P. Laffite. Ce fut à partir de 1915 qu'il commença à songer à une renaissance de la tapisserie, effectuant alors quelques canevas grossiers, réalisés à l'aiguille par sa mère. Toutefois, de 1919 à 1936, il fut surtout peintre. De ses amitiés surréalistes, il conserva toujours une source d'inspiration, plus de ce qu'on peut appeler l'imagerie surréaliste que des processus de création automatiques. À ce titre, il a illustré *À la dérive* et *Corps perdu* de Philippe Soupault, *Les Limbes* de Charles Albert Cingria, et écrivit lui-même le texte qu'il illustra de *Toupies et Baroques*. À cette source s'ajoutaient les influences du cubisme et de Matisse. Le souvenir des impressions reçues devant les étendues désertiques vues au cours de ses voyages en Espagne, Afrique du Nord, Grèce et Asie-mineure, vint ajouter une autre dimension à l'influence antérieure du surréalisme ; désormais apparurent très souvent dans ses œuvres peintes des paysages arides et pierreux, rythmés de quelques ruines, où errent de rares êtres écrasés de solitude. En 1927, il réalisa le carton de la tapisserie de 20 mètres carrés, cette fois tissée en basse-lisse, *L'Orage*. À partir de 1930, à la suite d'un séjour à Arcachon, furent introduits dans sa peinture des sujets maritimes, inspirés par un chantier naval, puis par le paysage côtier du Cap Ferrat. En 1936, il réalisa la tapisserie des *Illusions d'Icare* (au Palais Royal de La Haye) ; créant ensuite, au fil des étapes de sa recherche, ce style si particulier qui fait reconnaître ses tapisseries à coup sûr. D'entre le millier de cartons de tapisseries qu'il fit tisser, on peut essayer d'en citer quelques jalons : 1939 *Les Quatre saisons* ; 1943 *Liberté* sur le poème de Paul Éluard ; 1948 *L'Apocalypse* de l'église d'Assy, mesurant 56 mètres carrés ; 1954 *L'Hommage aux morts de la Résistance et de la Déportation* ; 1957-1964 *Le Chant du monde*, immense ensemble de 500 mètres carrés, dont le tissage ne fut achevé qu'après sa mort, et qui fut exposé, inachevé dès 1964, dans de très nombreux musées et lieux publics avant son acquisition par le Musée de la Tapisserie d'Angers, inauguré en 1986 avec une exposition de l'ensemble de son œuvre ; et encore une tapisserie de 50 mètres carrés pour le Musée du Vin à Beaune ; une autre de 70 mètres carrés pour le Palais de l'Europe à Strasbourg ; etc. Dans ces années d'intense production de tapisseries, il continuait de peindre des gouaches, illustrait : en 1948 *La Création du monde* d'André de Richaud, la *Géographie animale* sur des poèmes dont il était l'auteur ; en 1950 *Le Monde merveilleux des insectes* d'après J. H. Fabre, *Le Bestiaire fabuleux* sur des poèmes de Patrice de La Tour du Pin, et, artiste complet, s'il avait auparavant aussi conçu des décors de théâtre, il continuait de créer de nombreuses décorations murales et des poteries en céramique, des prototypes de mobilier.

Outre sa production picturale, dont les décors, le climat psychologique, sont indépendants de ceux de ses œuvres tissées, et ses activités diversifiées, le style de Lurçat est fait, bien sûr en ce qui concerne les tapisseries, de cette technique directe et franche qu'il avait rénovée, mais aussi naturellement de son propre univers poétique, où coqs flamboyants et soleils multicolores et incandescents règnent sur des fonds de forêts d'automne ou de voûtes célestes aux éclats d'arbres de Noël. Grande figure incontestée de ce renouveau de la tapisserie, l'influence de Lurçat fut vive dans le monde entier, spécialement sur le groupe de Tournai en Belgique, et en France sur le groupe de « La Demeure », les Saint-Saens, Wogenscki, Tourlière, Prassinos et autres, même s'ils s'en dégagèrent dans la suite de leur propre évolution. Quant à ce renouveau de la tapisserie sous son impulsion, on peut éventuellement regretter deux choses : d'abord que l'influence du style prégnant de Lurçat ait sans doute conditionné celui de la plupart des artistes qui le suivirent tôt dans cette technique, influence à laquelle échappèrent d'autres venus plus tard comme Huguette Arthur-Bertrand, et surtout, dans le contexte social de notre temps où le client de l'artiste est de moins en moins l'Église ou l'État, mais des particuliers qui attendent avant tout des œuvres qu'ils achètent cher, qu'elles leur apportent repos, contemplation, harmonie, agrément, luxe, que ces peintres-cartonniers soient liés dans leurs possibilités d'expression et condamnés à œuvrer dans le beau et le luxueux, ce qui n'est nullement répréhensible en soi, mais tout de même restrictif, ce qui risque d'accentuer le risque de caractère bourgeois qui a souvent menacé, au cours des âges, l'art français séduit par les conforts. ■ Jacques Busse

Bibliogr. : P. Hirsch : *Jean Lurçat et la tapisserie*, Victor Michon, Paris, Lille, 1946 - René Huyghe, in : *Les Contemporains*, Tisné, Paris, 1949 - Maurice Gieure, in : *Diction. de la peint. mod.*, Hazan, Paris, 1954 - Claude Roy : *Jean Lurçat*, Pierre Cailler, Genève, 1956 - Vercors : *Tapisseries de Jean Lurçat 1939-1957*, Belvès, 1957 - Bernard Dorival, in : *Les Peintres du xxe siècle*, Tisné, Paris, 1957 - Cl. Faux : *Lurçat à haute voix*, Julliard, Paris, 1962 - in : *Les Muses*, Grange Batelière, Paris, 1972 - in : *Diction. Univers. de la Peint.*, Le Robert, Paris, 1975 - Catalogue de l'exposition *Lurçat 10 ans après*, Mus. d'Art Mod. de la Ville, Paris, 1976.

Musées : Amsterdam (Stedelijk Mus.) : *Paysage grec* 1919 - *Mâts et voiles* 1930 - *12 autres compositions à personnages* - Angers (Mus. de la Tapisserie) : *Le Chant du Monde* 1957-1964, (500 mètres carrés) - Chicago - Colmar (Mus. d'Unterlinden) : *Flamme et océan* 1963, tapisserie - Detroit - Düsseldorf - Grenoble - Moscou - New York - Paris (Mus. Nat. d'Art Mod.) : *La Liberté* 1943, tapisserie - *Hommage aux morts de la Résistance et de la Déportation* 1954, tapisserie - Philadelphie - Strasbourg - Vienne - Washington D. C. (Nat. Gal.) : *Le Gros nuage* 1929.

Ventes Publiques : Paris, 7 fév. 1927 : *Danseuse orientale* : **FRF 1 220** - Paris, 14 juin 1928 : *Fruits ouverts* : **FRF 3 100** - Paris, 12 avr. 1933 : *Marine* : **FRF 2 750** - Paris, 16 fév. 1945 : *Personnages* : **FRF 4 100** - Paris, 24 jan. 1947 : *Le Pêcheur* : **FRF 12 400** - Paris, 30 mai 1947 : *Les Pommes coupées* : **FRF 23 000** - Paris, 15 fév. 1950 : *Turque allongée* : **FRF 26 000** - Paris, 22 nov. 1954 : *Fruits*, gche : **FRF 61 000** - Londres, 25 nov. 1959 : *Le Nuage rouge* : **GBP 200** - Paris, 8 jan. 1960 : *Le Coq*, tapisserie : **FRF 11 500** - Londres, 9 déc. 1960 : *Un événement à Viroflay*, tapisserie : **GBP 630** - Paris, 29 mars 1966 : *Crique fleurie* : **FRF 10 000** - Londres, 14 avr. 1970 : *Femme kurde* : **GNS 800** - Versailles, 2 déc. 1973 : *Le Balcon* : **FRF 21 000** - Paris, 14 mars 1974 : *Paysage fantastique*, gche : **FRF 12 000** - Versailles, 8 déc. 1974 : *Le Balcon* : **FRF 22 100** - Los Angeles, 10 mars 1976 : *Nature morte*, h/t (81,5x53,5) : **USD 1 200** - Versailles, 21 nov. 1976 : *La plage aux nuages* 1939, gche (33x53) : **FRF 5 900** - Berne, 21 oct. 1977 : *Le pirate* vers 1950, temp./t. de cr. gras (32,7x49,8) : **CHF 3 200** - Berne, 24 oct 1979 : *Pernambouc* 1921, aquar./trait de cr. (25,5x33,5) : **CHF 3 200** - Amsterdam, 31 oct 1979 : *Paysage au mur de pierre* 1929, h/t (63,5x98) : **NLG 6 600** - Zurich, 28 oct. 1981 : *Femme turque* 1929, h. (61x50) : **CHF 20 000** - Lokeren, 26 fév. 1983 : *Paysage méditerranéen* 1911, aquar. (46x63) : **BEF 180 000** - Zurich, 9 nov. 1984 : *Femme de cirque* 1921, h/t (146x70) : **CHF 17 000** - Enghien-les-Bains, 24 mars 1985 : *Paysages surréalistes*, suite de quatres toiles (143,5x80) : **FRF 26 000** - Paris, 22 oct. 1986 : *Arlequin jésuite*, aquar. et encre de Chine (32x22) : **FRF 11 000** - Paris, 24 nov. 1987 : *Paysage surréaliste* 1934, h/t (66x100) : **FRF 40 000** - Paris, 10 déc. 1987 : *Femme et marins* 1935, gche (27,5x38) : **FRF 12 500** - Londres, 24 fév. 1988 : *Le Mur blanc* 1930, h/pan. (22,5x42) : **GBP 1 540** - Paris, 26 fév. 1988 : *Casbah dans le désert* 1940, gche (12,5x17,5) : **FRF 5 300** - Paris, 19 mars 1988 : *Femmes jouant au tennis*, gche (29x38,5) : **FRF 8 500** - Versailles, 20 mars 1988 : *Opus I*, tapisserie (149x105) : **FRF 35 000** - Paris, 21 mars 1988 : *Les Saisons*, tapisserie (240x325) : **FRF 70 000** - Paris, 22 mars 1988 : *Femmes de cirque* 1921, h/t (146x70) : **FRF 120 000** - Paris, 12 juin 1988 : *Le mur blanc* 1930, h/pan. (27x53) : **FRF 30 000** ; *Paysage*, h/t (27x35) : **FRF 32 000** - Lucerne, 30 sep. 1988 : *Paysage fantastique*, h/t (25x55) : **CHF 3 600** - Paris, 27 oct. 1988 : *Paysage italien*, h/t (105x71,5) : **FRF 23 500** - Versailles, 6 nov. 1988 : *Soleil de minuit*, tapisserie (163x290) : **FRF 56 000** - Paris, 12 déc. 1988 : *Nature morte*, h/t (73x116) : **FRF 337 000** - Londres, 4 avr. 1989 : *Les grenades* 1927, h/t (37,5x61) : **GBP 8 800** - Paris, 13 avr. 1989 : *Le ciel vert* 1930, h/pan. (27x46) : **FRF 34 000** - Le Touquet, 12 nov. 1989 : *Grisette*, tapisserie (131x197) : **FRF 40 000** - Paris, 12 fév. 1990 : *Le Targui* 1927 (145x112) : **FRF 96 000** - New York, 26 fév. 1990 : *Nature morte* 1924, h/pan. (49,2x60,6) : **USD 7 150** - Paris, 14 mars 1990 : *Femme au chapeau* 1961, gche (75x54,5) : **FRF 27 000** - Paris, 26 avr. 1990 : *Paysage italien*, h/t (105x71) : **FRF 21 000** - Zurich, 22 juin 1990 : *Coqs sur fond noir* 1956, gche, entre et cr. (50x25) : **CHF 3 400** - Paris, 6 oct. 1990 : *Femme au turban* 1927, h/t (116x81) : **FRF 90 000** - Paris, 14 déc. 1990 : *Le mouton, la laine et la lumière*, tapisserie (212x298) : **FRF 130 000** - Londres, 16 oct. 1991 : *Acapulco* 1961, tapisserie de laine (256x437) : **GBP 7 700** - New York, 5 nov. 1991 : *Au bord de la mer*, h/t (27x52,7) : **USD 1 980** - Paris, 14 avr. 1992 : *L'Attente* 1920, h/t/isor. (99x82) : **FRF 145 000** - New York, 10 nov. 1992 : *Le coiffeur*, h/pan. (53,3x36,7) : **USD 1 980** - Paris, 4 déc. 1992 : *Grand paysage d'Asie Mineure* 1929, h/t (83x115) : **FRF 240 000** - Amsterdam, 26 mai 1993 : *Figures dans un paysage* 1935, cr. et gche avec reh. de blanc/pap. (55x74) : **NLG 11 500** - Calais, 4 juil. 1993 : *Le Sphinx gris*, tapisserie d'Aubusson (217x153) : **FRF 40 000** - Paris, 13 mars 1995 : *Bouc*, tapisserie (152x200) : **FRF 75 000** - Zurich, 23 juin 1995 : *Voilier* 1931, h/t (33x46) : **CHF 5 000** - Londres, 25 oct. 1995 : *Le Poisson rocaille*, tapisserie (104x195) : **GBP 4 025** - Paris, 4 déc. 1995 : *L'Attente* 1920, h/pan. d'isor. (99x82) : **FRF 85 000** - Amsterdam, 4 juin 1996 : *Femme assise* 1929, h/t (41x25) : **NLG 7 080** - Paris, 19 juin 1996 : *Nature morte au poisson* vers 1920, h/t (34,5x47) : **FRF 28 000** ; *Coquastre*, tapisserie (112x82) : **FRF 30 000** - Calais, 7 juil. 1996 : *Fleurs jaunes*, tapisserie (135x200) : **FRF 56 000** - Paris, 24 nov. 1996 : *Composition au guéridon, au journal et aux fleurs* 1921, aquar., gche et cr./pap. (37x28) : **FRF 5 300** - Amsterdam, 10 déc. 1996 : *Les Cinq Sens*, tapisserie de laine (135x238) : **NLG 11 532** - Calais, 15 déc. 1996 : *La Mandoline*, tapisserie d'Aubusson (122x192) : **FRF 30 000** ; *Bord de plage animé*, h/t (49x100) : **FRF 25 000** - Londres, 23 oct. 1996 : *Nature morte à la mandoline*, tapisserie (126x191,5) : **GBP 3 450** - New York, 10 oct. 1996 : *Baigneuses à la plage* vers 1932, h/t (49,5x99,1) : **USD 4 600** - Paris, 19 juin 1997 : *L'Aurore* 1928, h/t (92x73) : **FRF 40 000**.

LURCZYNSKI Mieczyslaw

Né en 1908. xxe siècle. Actif depuis 1949 en France. Russe.

Peintre de paysages. Postimpressionniste.

Compagnon de jeunesse de Eleszkiewicz, il a vécu en Russie, mais a fait de nombreux voyages tant en Europe qu'en Afrique. En 1949, il s'installe à Paris.

Marqué par les impressionnistes, dont il adopte la touche divisée, et peut-être par les fauves, il est surtout paysagiste.

LURER. Voir **LAURER**

LURGHINI Giovanni Battista

xive siècle. Actif à Pistoia. Italien.

Peintre.

Il peignit en 1399 à l'église S. Maria a Ripalta à Pistoia une fresque, ainsi qu'à l'église de S. Rocco, près de Pistoia.

LURIE Boris

Né en 1924 à Leningrad (Saint-Pétersbourg). xxe siècle. Actif depuis 1945 aux États-Unis. Russe.

Créateur d'environnements, auteur de performances.

Il vit et travaille à New York.

Il a participé en 1992 à l'exposition : *De Bonnard à Baselitz - Dix ans d'enrichissements du cabinet des estampes 1978-1988*, à la Bibliothèque nationale de Paris.

Musées : Paris (BN).

LURJE Victor
Né le 28 juillet 1883 à Vienne. XXe siècle. Autrichien.
Peintre, sculpteur.
Il fut aussi architecte. On mentionne ses œuvres.
Musées : Kassel (Mus. Nat.) : œuvres en stuc.

LÜRSSEN Eduard August
Né le 11 novembre 1840 à Kiel. Mort le 18 février 1891 à Berlin. XIXe siècle. Allemand.
Sculpteur et médailleur.
Il était élève de l'Académie de Berlin. Parmi ses œuvres on cite à Berlin un groupe sur le pont de la Belle-Alliance, une décoration plastique sur le pont Kaiser-Wilhelm, et, à Kiel la fontaine Prinz-Heinrich.

LÜRSSEN Otto
Né en 1806 à Struckhausen (Oldenbourg). Mort après 1840. XIXe siècle. Allemand.
Peintre de miniatures.

LÜRTZING Karl
Né le 4 juin 1872. Mort le 27 septembre 1911 à Erfurt. XIXe-XXe siècles. Allemand.
Peintre, graveur.
Il peignit la salle de conférence du conservatoire des arts et métiers de Nuremberg. Il réalisa des eaux-fortes.

LÜSCHER Bartholomaus
XVIe siècle. Actif à Berne. Suisse.
Peintre verrier.
Il était petit-fils et élève d'Hans Funk. On mentionne des tableaux sur verre de sa main à Mittelzell (île de Reichenau).

LÜSCHER Gottfried
Né en 1881 à Berne. XXe siècle. Suisse.
Peintre de paysages, genre.
Il vécut et travailla à Wattenwill (canton de Berne).
Il réalisa aussi des lithographies.
Musées : Berne (Mus. des Beaux-Arts).

LUSCHER Ingeborg
Née le 22 juin 1936 à Fribourg-en-Brisgau (Bade-Wurtemberg). XXe siècle. Active et depuis 1959 naturalisée en Suisse. Allemande.
Peintre, graveur.
Elle commença par s'intéresser au théâtre avant de se consacrer à la peinture en 1968. Elle a beaucoup voyagé, notamment en Inde, Perse, Amérique du Nord, Amérique du Sud, Tchécoslovaquie, Grèce et Turquie.
Elle participe à des expositions collectives : 1970 Milan ; 1971 IIIe Biennale de la Jeune Gravure Suisse au musée d'Art et d'Histoire de Genève ; 1972 Documenta V de Cassel, musée de Bochum et Graz ; 1973 Bern ; 1974 musée Athenea de Genève.
Elle montre ses œuvres dans des expositions personnelles : 1968 Aix-la-Chapelle ; 1969 Düsseldorf et Locarno ; 1970 Cologne ; 1971 Dortmund, Cologne ; 1973 Zurich ; 1974 Paris, Lausanne, Hanovre.
Elle a également travaillé à partir de photographies qu'elle prenait elle-même.

LÜSCHER Johann Jakob
Né le 4 septembre 1884 à Bâle. Mort en 1955. XXe siècle. Suisse.
Peintre de portraits, figures, paysages.
Il subit les influences de Cézanne, Van Gogh et Gauguin. Il réalisa aussi des lithographies.

Lüscher

Musées : Aarau : *Paysage du Jura* – Bâle (Mus. des Beaux-Arts) : *Groupe de tambours* – *Gorge du Jura* – *Jeune fille en blanc*.
Ventes Publiques : Berne, 18 nov. 1972 : *Scarlbach* : **CHF 4 500**.

LUSCHIER Johann Peter
XVIIe siècle. Actif à Graz. Autrichien.
Peintre.

LUSCOMBE Henry A.
Né en mai 1820 à Plymouth. XIXe siècle. Actif à Plymouth. Britannique.
Peintre de marines, aquarelliste.
Il peignit à l'huile et à l'aquarelle.
Ventes Publiques : Londres, 27 mars 1973 : *Bateaux de guerre* : **GBP 2 700** – Londres, 16 juil. 1976 : *Voilier en mer* 1848, h/t (51x71,5) : **GBP 400** – Londres, 12 déc. 1978 : *The excursion of the British Association to Plymouth*, h/t (28,5x44,5) : **GBP 1 600** – Londres, 17 fév. 1984 : *« Man overboard »*, h/t (29,8x44,4) : **USD 600**.

LU SHI
Né en 1919. Mort en 1982. XXe siècle. Chinois.
Peintre de compositions animées. Traditionnel.
Ventes Publiques : Hong Kong, 19 mai 1988 : *Vieil homme à l'âne*, encres noire et coul., kakémono (94x80) : **HKD 352 000**.

LU SHIDAO ou **Lou Che-Tao** ou **Lu Shih-Tao**, surnom : **Zichuan,** noms de pinceau : **Yuanzhou** et **Wuhu**
Né vers 1510, originaire de Suzhou, province du Jiangsu. Mort vers 1570. XVIe siècle. Chinois.
Peintre.
Poète calligraphe et peintre, c'est un élève de Wen Zhengming (1470-1559). Il fait des paysages dans le style de Ni Zan (1301-1374). Le National Palace Museum de Taipei conserve une de ses œuvres signée et datée 1544, *Brume sur un ruisseau de montagne*, accompagnée d'un poème.

LU SHIH-JÊN. Voir **LU SHIREN**

LU SHIH-TAO. Voir **LU SHIDAO**

LU SHIREN ou **Lou Che-Jen** ou **Lu Shih-Jên**, surnom : **Wenjin,** nom de pinceau : **Chenghu**
XVIIe siècle. Actif au début du XVIIe siècle. Chinois.
Peintre.
Fils de Lu Shidao (vers 1510-vers 1570), il fait des paysages dans le style de son père. Une feuille d'album signée et datée 1605 représente un *Pêcheur dans un paysage automnal*.

LÜ SHOU KUN
Né en 1919. Mort en 1975. XXe siècle. Chinois.
Peintre de paysages animés, calligraphe. Traditionnel.
Ventes Publiques : Hong Kong, 16 janv. 1989 : *Peinture Zen : immaculée* 1970, makémono, encre et pigments/pap. (179,5x96,5) : **HKD 264 000** – Hong Kong, 19 mai 1989 : *Voyageurs sur un chemin de montagne* 1963, encres noire et coul./pap., kakémono (94,5x30,5) : **HKD 55 000** – Hong Kong, 15 nov. 1989 : *Peinture zen « Chan »*, encre et pigments/pap. (89x61) : **HKD 143 000** – New York, 26 nov. 1990 : *Paysage avec barques* 1961, encre et pigments (22,8x94,5) : **USD 3 575** – Hong Kong, 2 mai 1991 : *Peinture Zen* 1970, encre et pigments/pap. (137x69,2) : **HKD 440 000** – Hong Kong, 30 avr. 1992 : *Peinture Zen*, encre et pigments/pap. (151,7x83,1) : **HKD 462 000** – Hong Kong, 29 oct. 1992 : *Paysage* 1963, encre et pigments/pap. (180,5x96,1) : **HKD 99 000** – Hong Kong, 22 mars 1993 : *Amarrées près du rivage de la rivière Qiantang*, encre et pigments/pap. (65x21,6) : **HKD 48 300** – Hong Kong, 29 avr. 1993 : *Peinture zen* 1969, encre et pigments/pap. (120x60,5) : **HKD 103 500** – Hong Kong, 5 mai 1994 : *Peinture zen* 1970, encre et pigments/pap. (147x48,5) : **HKD 299 000** – Hong Kong, 4 mai 1995 : *Bateau*, encre et pigments/pap., kakémono (46x37,5) : **HKD 32 200** – Hong Kong, 29 avr. 1996 : *Zen* 1969, encre et pigments/pap., kakémono (136,5x68) : **HKD 166 750** – Hong Kong, 28 avr. 1997 : *Peinture zen* 1964, encre et pigments/pap. (134,3x68,8) : **HKD 132 250** – Hong Kong, 2 nov. 1997 : *Coton de soie* 1963, encre et pigments/pap. (120x59,5) : **HKD 103 500**.

LÜ SIBAI ou **Liu Sseu-Pai** ou **Lü Szü-Pai** ou **Lü Ssü-Pai** ou **Luspa**
Né en 1905 dans la province du Jiangsu. XXe siècle. Chinois.
Peintre.
Après des études à l'université nationale centrale, il passe plusieurs années en France, à Lyon et à Paris, de 1929 à 1934, où il se perfectionne dans les techniques de la peinture à l'huile. En 1934, il retourne à Nankin comme professeur à l'université nationale centrale et en 1942, il succède à Xu Beihong à la tête du département des beaux-arts de cette université, qui, avec la venue de la guerre, quitte Nankin pour Chongqing, dans la province du Sichuan.
Bien que techniquement compétent, son style restera marqué par un académisme certain, trop fidèle à la tradition occidentale.

LUSIERI Titta, dit **Don Tito,** ou parfois **Titta**
Né vers 1755. Mort en 1821. XVIIIe-XIXe siècles. Italien.
Peintre de paysages.
Il était actif à Naples.
Musées : Vienne (Gal. de l'Acad.) : *Vue de Rome*, aquar.

Ventes Publiques : Londres, 21 juin 1979 : *Une vallée suisse* 1781, aquar. (25,5x44) : **GBP 420** – Londres, 5 juil. 1983 : *L'Éruption du Vésuve en 1787, la nuit* 1797, gche (64,2x94,3) : **GBP 4 000** – Londres, 30 juin 1986 : *Vue de Naples avec la Via Caracciolo et le Castel dell'Ovo*, aquar. et pl./traits de cr. (62,3x93) : **GBP 230 000**.

LUSIGNAN Georges de
Né le 12 janvier 1909 à Soumy (Russie), de parents français. XXe siècle. Français.
Décorateur.
Exposant surtout dans la région parisienne, il participe aussi à divers Salons parisiens : des Artistes Français, dont il est membre sociétaire, dans la section décoration, d'Automne, des Surindépendants, etc.
Il travaille sur étain, cuivre et toutes autres sortes de métaux repoussés à la main. Il y représente des sites remarquables (*La Tour de Saint-Malo*) ou des animaux (*Le Tigre – Le Lion – La Chouette*).

LU SILANG ou **Lou Sseu-Lang** ou **Lu Ssu-Lang**
XIIe-XIIIe siècles. Actif probablement pendant la dynastie des Song du Sud (1127-1279). Chinois.
Peintre.
Il n'est pas mentionné dans les textes et il n'est pas impossible qu'il ne fasse qu'une et même personne avec le peintre Lu Xinzhong actif pendant la même période. Le Musée Fujita d'Osaka conserve une œuvre signée de Lu Silang, en couleurs sur soie, *Ahrat avec un brûle-encens*.

LUSIME Christof ou **Lusine** ou **Losome**
Mort après 1692. XVIIe siècle. Actif à Salzbourg. Autrichien.
Sculpteur.
On cite parmi ses œuvres des fontaines : à Michaelbeuern (fontaine de marbre), à Hallein (statue d'*Élisabeth*), à Saint-Pierre (dauphins), et des monuments funéraires à Prien et Saint-Pierre.

LUSINI Giovanni
Né le 20 juin 1809 à Sienne. Mort en février 1889. XIXe siècle. Italien.
Sculpteur, sculpteur-modeleur de cire.
Le Musée des Offices à Florence conserve de sa main une statue d'*Alberti*.

LUSKINA Wladimir
Né en 1849. Mort le 3 avril 1894 à Cracovie. XIXe siècle. Polonais.
Peintre d'histoire et de genre.

LUSPA. Voir **LÜ SIBAI**

LUSSE Jean Jacques Théréza de. Voir **DELUSSE**

LUSSENBURG Jos
Né en 1889. XXe siècle. Hollandais.
Peintre de marines.
Ventes Publiques : Amsterdam, 30 oct. 1990 : *Un « tjalk » toutes voiles dehors au large*, h/t (61x80,5) : **NLG 1 495** – Amsterdam, 8 fév. 1994 : *Le port de Elburg*, h/t (40x60) : **NLG 3 450**.

LUSSER F. A.
XIXe siècle. Allemand.
Lithographe.
On mentionne de sa main deux *Vues d'Ulm* (lithographies en couleur), de 1836 à 1837.

LUSSER Karl Franz
Né en 1790. Mort en 1859. XIXe siècle. Actif à Altdorf (Suisse). Suisse.
Dessinateur amateur.
Les archives d'Uri conservent de sa main un album d'esquisses.

LÜSSI Otto
Né en 1883. Mort en 1942. XXe siècle. Suisse.
Peintre de genre, paysages, natures mortes.

Lüssi

Ventes Publiques : Zurich, 30 oct. 1980 : *Venise* 1937, aquar. (25x29) : **CHF 2 200** – Zurich, 20 mai 1981 : *Nature morte* 1939, h/bois (41x33) : **CHF 4 600** – Zurich, 1er juin 1983 : *Femme à l'éventail* 1931, h/t (61x50) : **CHF 3 800** – Zurich, 22 juin 1990 : *Place à Ascona III* 1935, h/pan. (24x34) : **CHF 800** – Zurich, 21 avr. 1993 : *Nature morte de fruits*, h/t (60x81) : **CHF 6 000** – Zurich, 24 juin 1993 : *Bouquet d'automne* 1934, h/cart. (35x26) : **CHF 1 100**.

LUSSIE Jacques
Né le 14 juillet 1924 à Saint-Josse-ten-Noode. XXe siècle. Belge.
Peintre de figures, portraits, paysages, natures mortes.
De 1942 à 1945, il fit des études d'ingénieur-textile, carrière qu'il exerça. Autodidacte en peinture, en 1949 il reçut pourtant l'important Prix Godecharle de Peinture, et fut classé deuxième au Prix de Rome belge. En 1953, il reçut le Prix des Métiers d'Art de la Province de Brabant. Il participe régulièrement aux expositions collectives de la Province de Brabant, à celles des *Artistes du Hainaut*, au Salon du *Cercle Artistique de Tournai*, ville où il réside, ainsi qu'en d'autres lieux en Belgique, à Rome, Lisbonne, etc. Il eut deux expositions personnelles, Bruxelles en 1953, Musée des Beaux-Arts de Tournai en 1989-90.
Au sujet de ses peintures a été noté « un rare goût de simplicité dépouillée ». En effet, ses personnages sont comme découpés en silhouettes, figures, bras, vêtements peints presque en aplats, sur lesquels sont dessinés sourcils, yeux, bouches. Les attitudes sont hiératiques, sans doute inspirées du Quattrocento, mais participent ici du charme des peintures naïves. De même ses paysages de collines *Creta Senese* ou de villes *Sienne – Venise*, et ses *Natures mortes archéologiques*, rappellent la pureté du dessin des Primitifs. ■ J. B.
Bibliogr. : In : *Dict. biogr. illustré des artistes en Belgique depuis 1830*, Arto, Bruxelles, 1987 – S. Le Bailly de Tilleghem : Catalogue de l'exposition *Rétrospective Jacques Lussie*, Musée des Beaux-Arts, Tournai, 1989.
Musées : Tournai (Mus. des Beaux-Arts).

LUSSIGNY Guy de
Né le 30 août 1929 à Cambrai (Nord). XXe siècle. Français.
Peintre, peintre de cartons de tapisseries. Abstrait-géométrique.
Il commence à peindre en 1950-1951. Il fréquente alors le peintre Herbin et rencontre le futuriste italien Severini qui l'encourage à peindre. De 1969 à 1974, il fut directeur de la galerie Denise René, à Paris. Il vit et travaille à Paris.
Il participe à différents salons parisiens, notamment : depuis 1972 Grands et Jeunes d'Aujourd'hui, depuis 1974 Comparaisons, dont il est membre du comité depuis 1983, depuis 1989 Réalités Nouvelles, ainsi qu'aux foires internationales d'art de Bâle, Chicago, Cologne, Utrecht, Amsterdam, Düsseldorf, au Centre culturel de Besançon en 1979, au musée du Luxembourg en 1985, au musée national d'Art moderne à Paris en 1987. Il montre ses œuvres dans des expositions personnelles depuis 1959 à Paris, en 1977 à Rome, en 1980 à l'Institut français de Florence, en 1981 et 1983 à Tôkyô, en 1983 à Amsterdam, en 1986 au musée de Pontoise, en 1995 à la galerie Treffpunkt Kunst de Saarlouis, en 1998 galerie Victor Sfez à Paris.
Il fut influencé par Gleizes, Klee et Delaunay. Il pratique une abstraction rigoureuse, laissant « flotter » sur des fonds monochromes des formes géométriques élémentaires, principalement le carré et la ligne. À la recherche de l'équilibre et d'une harmonie colorée tout en nuances, ses œuvres invitent à la méditation. Il a réalisé également des tapisseries murales.
Bibliogr. : *Lussigny – Traversée des apparences*, ACD Productions, Paris, 1981.
Musées : Montbéliard – Paris (Fonds Nat. d'Art Contemp) – Paris (FRAC, Île-de-France) : *Éolia, 454 C. I.* – Pontoise – Valenciennes.
Ventes Publiques : Paris, 28 jan. 1991 : *Composition 371 G*, gche acryl. (27x24,5) : **FRF 28 000**.

LUSSIGNY L.
XVIIIe siècle. Actif dans la seconde moitié du XVIIIe siècle. Français.
Peintre de portraits, paysages, dessinateur, graveur amateur.
On cite de sa main plusieurs paysages.
Ventes Publiques : New York, 26 oct. 1990 : *Portrait d'un gentilhomme avec son chien*, cr. et lav./pap. (26x22,9) : **USD 3 300**.

LUSSMANN Anton
Né le 12 avril 1864 à Francfort-sur-le-Main. XIXe siècle. Actif à Francfort-sur-le-Main. Allemand.
Sculpteur.
Parmi ses œuvres on cite des statues de pierre au Musée d'histoire municipal et à l'Hôtel de Ville de Francfort-sur-le-Main.

LUSSO Andrea
XVIe-XVIIe siècles. Italien.
Peintre.

Il travailla à Ollasta (Sardaigne) surtout pour des églises du Nord de la Sardaigne. On cite, parmi ses œuvres, une *Naissance du Christ* dans l'église des Capucins à Sassari, une *Madone* et une *Crucifixion* dans l'église paroissiale de Posada, une *Transfiguration*, d'après Raphaël à l'église S. Andrea a Sedini.

LUSSON, pseudonyme de **Guertick Wladimir**
Né en 1899 à Saint-Pétersbourg. Mort en janvier 1986 à Ville d'Avray (Hauts-de-Seine). XXe siècle. Actif depuis 1924 en France. Russe.
Peintre, dessinateur, graveur, illustrateur. Abstrait.
Avant de pratiquer la peinture, il exerça divers métiers : ouvrier, métallurgiste, traducteur. En 1920, il quitte définitivement la Russie. En 1924, il s'installe à Paris et fréquente les académies de Montparnasse, se consacrant à ses débuts à l'illustration, la publicité et le dessin de mode.
Il participe à de nombreuses expositions collectives, à Paris notamment : Salons d'Automne, des Tuileries, de Mai, des Réalités Nouvelles en 1977, ainsi que : Maison de la culture de Caen en 1967, Salon de Montrouge en 1970. Il montre ses œuvres dans des expositions personnelles depuis 1935 à Paris, au château de Ratilly à Treigny (Yonne) en 1956 et 1987, à Stockholm en 1983.
Après des débuts figuratifs, réalistes puis expressionnistes, il vient à l'abstraction tout en continuant de réaliser des dessins et gouaches de paysages. Il a mis au point différentes techniques originales : mélange de cire et de résines, pastels à l'huile, explorant et exploitant les propriétés des divers matériaux. Son abstraction n'est pas figée. Travaillant sur la lumière et en particulier la couleur rouge, au milieu des années cinquante, selon la technique traditionnelle du glacis, dans des œuvres non figuratives lumineuses, il a évolué dans une peinture plus silencieuse, plus fluide, s'attachant à estomper les formes, mettant en valeur les effets de transparence, qui évoque le travail de l'expressionniste abstrait Rothko.
Bibliogr. : Catalogue de l'exposition : *Hommage à Lusson*, Château de Ratilly, Treigny, 1987.
Ventes Publiques : Paris, 10 fév. 1991 : *Gardienne* 1953, h/t (65x50) : **FRF 11 500** ; *Sceaux* 1972, h/t (160x80) : **FRF 10 000** ; *Le grand dragon* 1950, h/t (81x116) : **FRF 12 000**.

LUSSON Antoine
XIXe siècle. Français.
Peintre verrier.
Il eut un atelier très actif au Mans, de 1850 à 1872, puis à Paris, avec filiale à Rouen.

LU SSÛ-LANG. Voir **LU SILANG**

LÜ SSŬ-PAI. Voir **LÜ SIBAI**

LUST Adriaan de, ou **Antoni de**
XVIIe siècle. Actif à Leeuwarden en Hollande. Hollandais.
Peintre de fleurs.
Peut-être le même que le peintre de fleurs Lusse, cité par Nagler, travaillant à Paris en 1650.

Musées : Brunswick : deux tableaux de fleurs.
Ventes Publiques : Paris, 22 juin 1923 : *Vase de fleurs sur une table* : **FRF 305** – Londres, 20 nov. 1936 : *Fleurs dans un vase* : **GBP 28** – New York, 24 oct. 1942 : *Vase de fleurs* : **USD 1 000** – Paris, 7 juin 1955 : *Fleurs dans un vase* : **FRF 220 000** – Londres, 27 avr. 1960 : *Fleurs d'été avec des tulipes* : **GBP 700** – Londres, 24 mai 1967 : *Nature morte aux fleurs* : **GBP 3 000** – Versailles, 24 nov. 1968 : *Nature morte aux fruits* : **FRF 13 000** – Londres, 12 déc. 1973 : *Vases de fleurs*, deux pendants : **GBP 4 000** – Londres, 28 juin 1974 : *Nature morte aux fruits* : **GNS 3 500** – Londres, 8 juil. 1977 : *Nature morte aux fleurs*, h/t (58,4x47) : **GBP 3 000** – Londres, 9 mars 1983 : *Vase de fleurs*, h/t (57,5x46) : **GBP 6 000** – Monaco, 5-6 déc. 1991 : *Composition aux cerises et groseilles*, h/t (62,5x52) : **FRF 160 950** – Paris, 10 avr. 1992 : *Bouquet de fleurs dans un vase sur un entablement*, h/t (50,5x44) : **FRF 300 000**.

LUST Georg
XVe siècle. Actif à Worms. Allemand.
Peintre et peut-être sculpteur sur bois.
Des fresques de sa main sont conservées dans une chapelle du Monastère de Schwanau.

LUSTIG M.
XIXe siècle. Hongrois.
Moine, peintre.
On cite de sa main une vue de l'église des Frères de la Charité d'Erlau, au monastère d'Erlau.

LUSURIER Catherine ou **Luzuriez**
Née en 1753. Morte le 11 janvier 1781 à Paris. XVIIIe siècle. Française.
Portraitiste.
Élève de Hubert Drouais, de qui elle adopta la manière. Le Musée du Louvre conserve d'elle *Jean-Germain Drouais dessinant* ; le Musée Carnavalet un *Portrait de D'Alembert* et *Les Théâtres du Boulevard du Temple*.

Ventes Publiques : Paris, 1er juin 1931 : *Portrait d'enfant* : **FRF 7 000** – Paris, 26 nov. 1967 : *Portrait d'une jeune fille*, past. : **FRF 6 400** – Paris, 17 nov. 1986 : *Portrait de d'Alembert à sa table de travail* 1777, h/t (96x76) : **FRF 190 000**.

LUSY Marino M.
Né en 1880 à Trieste. XXe siècle. Italien.
Peintre de paysages, architectures, graveur.
Il étudia à Paris et Munich. Les motifs de ses œuvres sont pris à Bruges, Trieste, Constantinople, etc. Il pratiqua aussi l'eau-forte.

LUSZCZKIEWICZ. Voir **LOUSZCZKIEVITCH**

LUSZPINSKI Jean Marc
XXe siècle.
Peintre de paysages.
Il peint des paysages de la banlieue parisienne.
Ventes Publiques : Paris, 22 déc. 1989 : *Port de Gennevilliers*, h/t (130x162) : **FRF 22 500** – Paris, 26 juin 1995 : *Composition au camion* 1987, h/t (81x100) : **FRF 5 000**.

LÜ SZU-PAI. Voir **LÜ SIBAI**

LU TAO-HUAI. Voir **LU DAOHUAI**

LU TÊ-CHIH. Voir **LU DEZHI**

LUTENSZ Bartholomeus Huybrechtsz ou **Luyter**
XVIIe siècle. Hollandais.
Peintre d'intérieurs d'églises.
Il n'est connu que par très peu d'attributions de peintures et par les notes du Dr. Bredius concernant la découverte d'un document, daté du 19 avril 1647, mentionnant la vente de sa maison de Berg-op-Zoom par un peintre nommé Bartholomeus Huybrechtsz LUTENSZ, qui part s'établir en France. D'autres documents le désignent en tant que LUYTER.
Ces attributions concernent des intérieurs d'églises, tels qu'il s'en peignit beaucoup au XVIIe siècle en Hollande. Dans le cas de ceux attribués à Lutensz, la perspective, quasiment cavalière, repérée d'après l'échelle des personnages, place la ligne d'horizon et le point de fuite bien au-dessus d'eux, ce qui en fait des sortes de nains, tandis qu'augmentent les proportions du bâtiment. Ce procédé est inverse de celui exploité par Saenredam, qui plaçait le point de fuite très bas, augmentant la proportion des personnages par rapport à l'église. Il est vrai que Saenredam était nain. ■ M. M., J. B.
Ventes Publiques : Amsterdam, 20 juin 1989 : *Intérieur d'une église gothique avec un couple élégant dans la nef*, h/t (111,5x126,5) : **NLG 25 300**.

LUTERI Giovanni de ou **Lutero**. Voir **DOSSI**

LUTERI Battista de ou **Lutero**. Voir **DOSSI Battista**

LUTERO Giovanni de ou **Luteri**. Voir **DOSSI G.**

LÜTGENDORFF Ferdinand Karl Theodor Christoph Peter de, baron
Né le 24 janvier 1785 à Würzburg. Mort le 28 avril 1858 à Würzburg. XIXe siècle. Allemand.
Peintre de genre, portraitiste, miniaturiste et graveur.
Étudia à Munich et à Vienne. Marié, il s'installa en Suisse et s'adonna d'abord à la miniature. Veuf en 1812, il se remaria et vécut dès lors à Prague (1822), à Vienne (1824), à Presbourg (1840), Würtzburg (1858). Il peignit de nombreux tableaux d'autel.

LÜTGENDORFF-LEINBURG Carl Friedrich August de, baron
Né le 27 novembre 1746 à Munich. Mort le 15 juillet 1809 à Nuremberg. XVIIIe siècle. Allemand.
Aquafortiste.
On mentionne de sa main vingt-sept portraits de comédiens de Munich.

LÜTGENDORFF-LEINBURG Leo Willibad de, baron
Né le 8 juillet 1856 à Augsbourg. XIXe siècle. Actif à Lübeck. Allemand.
Peintre d'histoire, de genre, de paysages et aquafortiste.
Il était petit-fils de Carl Friedrich August, baron de Lutgendorff-Leinburg. On mentionne parmi ses œuvres quatre peintures de plafond au théâtre municipal de Presbourg, vingt-deux portraits de bourgmestres de Lübeck à la façade nord de l'Hôtel de Ville de cette ville. Les Musées de Lübeck, Schwerin, et Presbourg possèdent des tableaux de sa main.

LUTGERS P. J.
XIXe siècle. Actif à Loenen vers 1836. Hollandais.
Paysagiste et graveur.

LUTHANDER Carl
Né en 1879. Mort en 1967. XXe siècle. Suédois.
Peintre de paysages.
VENTES PUBLIQUES : STOCKHOLM, 6 juin 1988 : *Vue de Stockholm en hiver*, h. (32x35) : **SEK 7 700** – STOCKHOLM, 14 juin 1990 : *Paysage nordique avec des chalets et un cours d'eau*, h/t (67x73) : **SEK 8 000**.

LUTHER Adolf
Né en 1912 à Krefeld. XXe siècle. Allemand.
Artiste, créateur d'environnements. Lumino-cinétique.
Après ses études de droit, il eut une activité de juriste, qu'il abandonna en 1958, pour se consacrer à la peinture, qu'il avait abordée depuis 1942.
En 1970, il a montré ses œuvres dans une exposition personnelle au Folkwang Museum d'Essen et au palais des Beaux-Arts de Bruxelles.
Après une période figurative, puis une évolution à l'abstraction, sa réflexion l'amena à cette déduction que la lumière est la condition première de tout phénomène visuel. Dès lors toute sa recherche a consisté à matérialiser des rayons lumineux dans l'espace, en la recevant sur des matériaux lui opposant une résistance relative, et en en renvoyant les faisceaux de miroir en miroir. Il a également expérimenté le rayon laser. Les phénomènes ainsi produits et animés se sont avérés particulièrement aptes à créer ce que la mode est actuellement convenue d'appeler « environnements ».
BIBLIOGR. : Catalogue de l'exposition : *Adolf Luther*, Folkwang Museum, Essen, 1970 – in : *L'Art du XXe s*, Larousse, Paris, 1991.
VENTES PUBLIQUES : COLOGNE, 24 nov. 1972 : *Objet-miroir*, verres optiques : **DEM 4 600** – ZURICH, 24 oct 1979 : *Lumière et matière* 1974, objet composé de miroirs (100x100) : **CHF 5 000** – COLOGNE, 8 déc. 1984 : *Objet sphérique* 1968, dans une boîte de bois (107x107x13) : **DEM 4 900** – COLOGNE, 4 déc. 1985 : *Objet sphérique 9* ; *Objet comprenant vingt-cinq miroirs convexes* 1969 (H. 91, l. 91) : **DEM 3 600** – COLOGNE, 10 déc. 1986 : *Virtuelles Bild* 1967, seize miroirs dans une boîte, objet (62,5x62,5) : **DEM 2 500** – AMSTERDAM, 13 déc. 1989 : *Objet cinétique* 1968, montage de 25 miroirs mobiles dans une boîte noire (107x107) : **NLG 16 100** – AMSTERDAM, 10 déc. 1992 : *Objets sphériques* 1974, objets cinétiques avec 16 miroirs dans une boîte de plastique (79x79) : **NLG 7 475**.

LUTHERBOURG ou **Lutherburg**. Voir **LOUTHERBOURG** et **LOUTHERBURG**

LUTHEREAU Jean Guillaume Antoine
Né le 14 septembre 1810 à Bayeux. Mort le 20 mai 1890 à Paris. XIXe siècle. Français.
Peintre, écrivain et imprimeur.
Le Musée de Bayeux conserve de lui le *Portrait de sa mère* et l'on voit de lui le portrait de *Jacques Bazin Bezons* au Musée de Versailles.

LÜTHI Johann Albert
Né le 24 février 1858 à Zurich. Mort en 1903. XIXe siècle. Suisse.
Peintre verrier et décorateur.
S'adonna tout d'abord à l'architecture, ensuite à la peinture décorative et sur verre. En octobre 1901, il fut nommé directeur de l'École des Arts de Zurich où il resta jusqu'en 1903, quelques mois avant sa mort. Parmi ses œuvres, on cite la fenêtre de l'escalier de la galerie Henneberg à Zurich, plusieurs vitraux de l'église Saint-Michel, à Zug, la décoration du Palais du Parlement, à Berne. À l'exposition de la peinture sur verre à Karlsruhe, en 1901, l'artiste obtint la médaille d'or et la médaille du grand-duc de Bade.

LÜTHI Johann Georg ou **Lüthy**
Né en 1813 à Olten. Mort en 1868 à Soleure. XIXe siècle. Suisse.
Sculpteur.
MUSÉES : OLTEN : *Serpent*, marbre – *Crucifix*, plâtre – SOLEURE : *Adam et Ève chassés du paradis terrestre*.

LÜTHI Johannes ou **Lüthy**
Né en 1803 à Flawil. Mort en 1873 à Zurich. XIXe siècle. Suisse.
Peintre de portraits.

LÜTHI Karl, père
Né le 27 décembre 1840 à Berne. Mort en 1910 à Berne. XIXe-XXe siècles. Suisse.
Peintre de genre, portraits, paysages, cartons de vitraux, aquarelliste.
Il fit ses études à Fribourg et à Rome où il fut garde suisse au Vatican. En 1870, l'artiste, de retour en Suisse, commença à produire quelques aquarelles, paysages, portraits, cartons pour des vitraux d'église. Il exposa, en 1886, à Berne : *Sur le Mont Mario*.

LÜTHI Karl, fils
Né le 5 avril 1874. XIXe-XXe siècles. Suisse.
Peintre de genre, décorateur.
Il est le fils du précédent. Il exposa *Dans les catacombes*, au premier Salon suisse en 1890.
MUSÉES : BERNE : *Dans les catacombes*.

LÜTHI Rolf. Voir **LUETHI**

LÜTHI Urs
Né le 10 septembre 1947 à Lucerne. XXe siècle. Actif depuis 1986 aussi en Allemagne. Suisse.
Peintre, auteur d'assemblages, dessinateur, sculpteur, technique mixte.
Il vit à Zürich et Munich. Il participe à de nombreuses expositions collectives : 1968 Salon de Mai à Paris et Stedelijk Museum d'Amsterdam ; 1971 et 1975 Biennale de Paris ; 1975 *Transformer* au musée de Lucerne et Biennale de São Paulo ; 1976 Centre d'arts plastiques contemporains de Bordeaux ; 1977 Documenta de Cassel ; 1979 Biennale de Sydney ; 1980 musée des Beaux-Arts de Tours ; 1982 musée cantonal des Beaux-Arts de Lausanne ; 1984 Stadtmuseum de Munich ; 1986 Kunstmuseum de Bern ; 1987 Salon de Montrouge ; 1991 musée d'Art contemporain de Lyon ; 1992 Maison des expositions de Genas, musée des Beaux-Arts de Nantes ; 1993 Museum für Moderne Kunst de Berlin ; 1996 *L'Art au corps – Le Corps exposé de Man Ray à nos jours* au musée d'Art contemporain de Marseille. Il montre ses œuvres dans des expositions personnelles depuis 1966 : 1975 musée d'Art et d'Histoire de Genève, 1976 Kunsthalle de Bâle, 1978 Museum Folkwang d'Essen, 1981 Kunstverein de Saint-Gall, 1984 Maison des expositions de Genas, 1986 Kunstmuseum de Winterhur, 1987 Kunstverein de Munich, 1989 Städische Galerie im Lenbachhaus à Munich, 1991 Cabinet des estampes à Genève, 1994 Centre d'arts plastiques de Saint-Fons.
Il a d'abord classiquement pratiqué une peinture abstraite expressionniste. Il a ensuite fabriqué des objets qui ont peu à peu tendu à s'approcher de lui-même, à s'identifier à son propre personnage. Avec les *Autoportraits*, il abandonne la peinture et utilise la photographie. Si son travail a coïncidé avec l'apparition du body-art, si effectivement il a utilisé son corps comme moyen d'expression, l'assimilation de son travail au body art semble un peu cursive et risque de ne pas refléter l'esprit de son travail. À travers ses *Autoportraits*, Lüthi tente d'approcher les zones inconnues de son corps, souvent exprimées par le travestissement, de révéler les limites de notions de masculinité et de féminité, de jeunesse et de vieillesse. À la fois gênant et sophistiqué, le langage de Lüthi se double d'une véritable recherche esthétique, souvent sous-entendue dans l'adjonction et la mise en parallèle de photos de paysages et d'objets. Dans les années quatre-vingt, il s'est remis à peindre, privilégiant le thème du couple.
BIBLIOGR. : In : Catalogue de la *IXe Biennale de Paris*, 1975 – Rainer Michael Mason : *Urs Lüthi. L'Œuvre multiplié 1970-1991*, musée d'Art et d'Histoire, Genève, 1991 – *Urs Lüthi. The*

complete life and work, seen through the pink glasses of desire, Galerie Blancpain-Stepczynski, Genève – in : *L'Art du xxe siècle*, Larousse, Paris, 1991 – in : *Dict. de l'art mod. et contemp.*, Hazan, Paris, 1992 – *Kunstraum im politischen Club Colonia*, Cologne, Centre d'Arts plastiques, Saint-Fons, 1993-1994.
Musées : Aarau (Aargauer Kunsthaus) : *Cut – Nude – The Picture on his ice-box* 1972 – Clisson (FRAC) : *Tell me who stole your smile* – Paris (BN) : Trois livres.
Ventes Publiques : Zurich, 14-16 oct. 1992 : *Composition* 1966, gche (55,5x37,3) : **CHF 1 400** – Lucerne, 21 nov. 1992 : *Sans titre* 1981, encre/pap. en deux parties (chaque 50x64) : **CHF 2 000** – Lucerne, 15 mai 1993 : *Sans titre* 1967, dispersion de coul./cart. (75x60) : **CHF 1 500** – Amsterdam, 10 déc. 1996 : *Autoportrait de Naples* 1975, photo. noir et blanc/t., triptyque (chaque 140x95) : **NLG 4 612**.

LUTHMER Else
Née le 23 mai 1880 à Francfort-sur-le-Main. xxe siècle. Allemande.
Peintre de portraits, paysages, natures mortes.
Elle fut élève de W. Trübner, L. Lefebvre, Robert-Fleury et Eugène Carrière.
Musées : Francfort-sur-le-Main – Mayence – Worms.

LÜTHY Oskar Wilhelm
Né le 26 juin 1882 à Zollikon (Zurich). Mort en 1945. xxe siècle. Suisse.
Peintre. Dadaïste.
Il participa à la fondation du Moderner Bund avec Arp et Helbig, et exposa avec ce groupe à Lucerne en 1911, Zurich en 1912. En 1913, il exposa dans le groupe Sturm de Berlin, puis en 1917 à la première exposition Dada à Zurich. Il collabora au premier numéro de la revue *Dada*. En 1918, il devint membre de l'association artistique Das Neue Leben. En 1919, il collabora à la revue *Der Zeitweg*. En 1920, il fut l'un des cosignataires du manifeste *Dada* de Berlin. D'entre ses œuvres cubo-dadaïstes, on cite le plus souvent *La Pietà d'Avignon*.
Bibliogr. : Catalogue de l'exposition : *Dada*, Musée national d'Art moderne, Paris, 1966.
Musées : Aarau (Aargauer Kunsthaus) : *Selbstbildnis* 1914 – *Roter Mohn* 1922.
Ventes Publiques : Paris, 29 déc. 1944 : *Nature morte*, composition cubiste : **FRF 300** – Zurich, 16 mai 1974 : *Opus XVIII* : **CHF 9 000** – Zurich, 12 nov. 1976 : *Paysage du Tessin* 1934, h/cart. (60x75) : **CHF 3 500** – Zurich, 25 nov. 1977 : *Hiver dans le Valais* 1910, h/t (126x201) : **CHF 10 000** – Zurich, 3 nov 1979 : *Nature morte aux fruits et à la bouteille de vin* 1940, h/t (74x84) : **CHF 4 000** – Zurich, 29 oct. 1983 : *Le Mont Cervin par temps de brouillard* 1944, h/t (75x86) : **CHF 4 000** – Zurich, 22 juin 1985 : *Le massif du Mont-Blanc* 1904, aquar. (39,3x53,4) : **CHF 3 000** – Lucerne, 15 mai 1986 : *Un lac de montagne* 1909, h/t (126x201) : **CHF 11 000** – Berne, 9 mai 1987 : *Abstraction*, past. (32x22) : **CHF 2 600** – Paris, 30 mai 1988 : *Poissons* 1929, h/pan. (52x68,5) : **FRF 9 000** – Zurich, 22 juin 1990 : *Village des environs de Langensee* 1934, h/cart. (50x65) : **CHF 1 400** – Lucerne, 24 nov. 1990 : *Tête cubiste* 1927, h/cart. (64x49) : **CHF 4 000** – Zurich, 25 mars 1996 : *Maisons et arbres* 1911, h/t (46,5x54) : **CHF 6 900** – Zurich, 8 avr. 1997 : *Paysage près de Kilchberg* 1936, h/pan. (29,5x35,5) : **CHF 1 200** – Zurich, 14 avr. 1997 : *Heure* 1913, h/cart. (28,5x27) : **CHF 7 475**.

LUTI Benedetto
Né le 17 novembre 1666 à Florence. Mort le 17 juin 1724 à Rome. xviie-xviiie siècles. Italien.
Peintre de sujets mythologiques, compositions religieuses, figures, graveur à l'eau-forte, dessinateur.
Il fut d'abord élève d'Antonio Domenico Galbiani à Florence, puis, grâce à la protection du grand-duc, alla travailler à Rome, en 1691, sous la direction de Ciro Ferri et copier les grands maîtres. Il fut décoré de l'Ordre de la Croix, fait chevalier par l'Empereur et anobli par l'Électeur de Mayence.
Son début : *La mort d'Abel*, fut un grand succès. Le pape Clément IX lui commanda des travaux et il exécuta, à Saint-Jean de Latran, un remarquable *Prophète Isaïe*.
Musées : Amiens : Esquisse – Bourg : *Sainte Madeleine* – Budapest : *Tête d'ange* – Compiègne : *Sainte Madeleine* – Dresde : *Le Christ bénissant* – *Mater dolorosa* – Florence : *Moïse sauvé des eaux* – *L'artiste* – Kassel : *Madone lisant* – Montpellier : *L'Enfant Jésus endormi* – Nantes : Étude – Orléans : *Tobie et l'ange* – Paris (Mus. du Louvre) : *La Madeleine* – Pise : *L'habit de saint Rameri* – Prague (Rud.) : *Vénus* – Rome (Borghèse) : *L'Annonciation* – Rome (Colonna) : *Apothéose de Martin V Colonna*, plafond – Rouen : *Madeleine pénitente* – Saint-Pétersbourg (Mus. de l'Ermitage) : *Sommeil de l'Enfant* – *Jeune musicien* – Stockholm : *Saint Jean de Dieu* – *Sainte Catherine cherche à persuader le pape de quitter Avignon pour Rome* – Vienne (Gal. Schonborn-Buchheim) : *Sainte Famille*.
Ventes Publiques : Paris, 1861 : *La Madeleine en prière* : **FRF 1 200** – Londres, 15 juil. 1927 : *La Vierge et l'Enfant* : **GBP 78** – Paris, 14 nov. 1927 : *Tête de jeune homme de profil à gauche*, cr. et sanguine : **FRF 420** – Milan, 16 mai 1974 : *Jésus et la Samaritaine* : **ITL 1 700 000** – Milan, 20 déc. 1976 : *Satyre prisonnier*, sanguine (27,5x37,2) : **ITL 1 900 000** – Londres, 28 juin 1979 : *Mercure et deux autres personnages*, pl. et lav. reh. de blanc/craie rouge (22,6x33,4) : **GBP 680** – Milan, 20 mai 1982 : *Vierge en prière*, h/t (86x68) : **ITL 6 000 000** – Paris, 5 déc. 1984 : *Portrait de jeune fille de profil vers la gauche*, past. (31x24,5) : **FRF 35 000** – Paris, 5 déc. 1984 : *Étude de têtes*, pierre noire et reh. de blanc/pap. bleu, double face (21x26) : **FRF 16 200** – Londres, 4 juil. 1985 : *Tête de jeune fille regardant vers le bas*, craie de coul./pap. bleu (29,6x23,9) : **GBP 4 200** – Milan, 30 oct. 1986 : *Scena sacra*, h/t (161x223) : **ITL 30 000 000** – New York, 14 jan. 1987 : *Tête d'apôtre barbu* 1712, past. (41x33) : **USD 23 000** – Paris, 4 mars 1988 : *Jupiter et Callisto*, pl. et lav. reh. de blanc (42x29) : **FRF 13 000** – Rome, 13 avr. 1989 : *Buste de garçonnet avec une flûte*, h/t (43x32,2) : **ITL 7 500 000** – New York, 2 juin 1989 : *Rebecca près du puits*, h/t (96,5x133,5) : **USD 88 000** – Londres, 15 déc. 1989 : *Vierge à l'Enfant*, h/t (94,3x75,5) : **GBP 2 420** – New York, 12 jan. 1990 : *Nu masculin couché sur un rocher de dos*, sanguine (28,4x42,9) : **USD 17 600** – Milan, 21 mai 1991 : *Un miracle de la Bienheureuse Lodovica Albertoni*, h/t (251x157) : **ITL 18 080 000** – Londres, 2 juil. 1991 : *Tête d'un homme barbu regardant en bas vers la droite* 1712, past. (41x33) : **GBP 18 700** – Paris, 8 avr. 1992 : *Le repas chez Simon*, h/t (174x184) : **FRF 140 000** – Londres, 7 juil. 1992 : *Un apôtre barbu lisant* 1712, past. (41x33) : **GBP 11 000** – Copenhague, 15 nov. 1993 : *Jeune berger jouant de la flûte*, h/t (47x35) : **DKK 68 000** – New York, 11 jan. 1994 : *Tête de vieillard barbu le regard dirigé vers le bas à droite*, past. (41x33) : **USD 19 550**.

LUTI Filippo. Voir **LUZI**

LÜTKE Ludwig Eduard, le Jeune
Né en 1801 à Berlin. Mort en 1850 à Berlin. xixe siècle. Allemand.
Paysagiste et lithographe.
Fils et élève de P.-L. Lütke ; exposa à Berlin en 1822, 1830, 1834. On cite de lui : *Contrée boisée et moulin*.

LÜTKE Peter Ludwig
Né le 4 mai 1759 à Berlin. Mort le 19 mai 1831 à Berlin. xviiie-xixe siècles. Allemand.
Paysagiste.
Élève de Philippe Hackert en Italie. Fut nommé, en 1787, membre de l'Académie de Berlin, et en 1789, professeur dans la même Académie. On cite de lui : *Le château de Bajae, Tivoli*.

LÜTKEN Mathias Jakob Frederik
Né le 9 juillet 1841 à Mehrn. Mort en 1905. xixe siècle. Danois.
Peintre de marines.
Il se fixa en 1886 à Odense.
Ventes Publiques : Londres, 26 nov. 1980 : *Voiliers en mer* 1879, h/t (77x125) : **GBP 2 200**.

LUTKENHUYS. Voir **LUTTICHUYS**

LÜTKENS Doris Elisabeth, née **von Cossel**
Née le 25 décembre 1793. Morte le 10 mai 1858 à Hambourg. xixe siècle. Allemande.
Peintre et lithographe.
Elle peignit à l'aquarelle des papillons d'après nature. Parmi ses lithographies on en cite douze d'après différents tableaux, six dessins à la plume (*Reinbeck et environs*), et des dessins à la plume d'après Waterloo. La Kunsthalle de Hambourg conserve de ses œuvres.

LUTKENSCWAGER Joachim ou **Lutken Schwager** ou **Lytkesvager**
xviiie siècle. Suédois.
Sculpteur et sculpteur sur bois.
On cite de sa main une épitaphe dans l'église d'Häverö et une chaire dans l'église de Vassunda.

LUTKMEYER Fritz
Né vers 1841. Mort le 28 mai 1912 à Cobourg. xixe-xxe siècles. Allemand.
Peintre de théâtres.

LUTMA Abraham
XVIIe siècle. Hollandais.
Graveur.
D'après Bryan, le portrait de Rubens, d'après Van Dyck, n'est pas de Lutma. Son œuvre gravé comprend : *Portrait de Rubens, Paulus Van Vianen, Pieter Florisz, vice-amiral de Hollande.*

LUTMA Jacobus ou **Jacob**
XVIIe siècle. Hollandais.
Graveur.
Peut-être fils de Jean Lutma de Oude et frère de Janus Lutma le jeune. Il grava des portraits et des ornements d'après James Lutma l'aîné.

LUTMA Jan ou **Janus I**
Né en 1584. Enterré à Amsterdam le 9 janvier 1669. XVIIe siècle. Actif à Emden. Hollandais.
Graveur et orfèvre.
Il épousa, le 31 mars 1623, à Amsterdam, Mayken Rollandts, et le 18 mai 1638, étant veuf, Sara de Bie. Il travailla à Paris vers 1641.

LUTMA Janus ou **Joannes II**, le Jeune
Né le 1er septembre 1624. Mort en 1685 ou 1686 à Amsterdam. XVIIe siècle. Hollandais.
Graveur et orfèvre.
Fils et élève de Janus Ier, maître de la gilde des orfèvres d'Amsterdam en 1643. On le considère, avec Jacques Morin, comme l'inventeur de la gravure au pointillé. Il produisit des estampes de paysages dans la manière de Rembrandt et surtout des portraits.

JL

LUTRELLES, pseudonyme de **Duval-Schwartz Florence**
Née en 1922. XXe siècle. Française.
Peintre de portraits, animaux, paysages, fleurs. Naïf.
Étant également avocat et traductrice, elle n'a pas exposé régulièrement. Sa première exposition eut lieu à Châteauroux en 1942. Elle participe ensuite à partir des années cinquante à plusieurs manifestations collectives, notamment à Paris, telles que 1950, 1951, 1952, 1975, 1976 et 1977 Salon des Surindépendants ; 1978 et 1979 Salon des Femmes-Peintres ; 1988 Salon des Artistes Indépendants. Elle fait des expositions personnelles à Paris, à la galerie Marcel Bernheim en 1962, à la galerie des Ambassadeurs en 1973, 1974 et 1975. Elle a reçu une médaille de Bronze en 1967, à la suite d'une exposition à la Société Arts-Sciences-Lettres.
Musées : Dimona (Mus. Franco-Israélien) : *L'Oiseau de paix.*
Ventes Publiques : Paris, 19 avr. 1983 : *Promenade en barque* : **FRF 6 000.**

LUTRINGER Andreas ou **Luttringer**
XVIe siècle. Actif dans la Magyarovar. Hongrois.
Sculpteur.
On mentionne de sa main une fontaine sur la place principale à Presbourg (1572).

LUTSCHER Fernand
Né vers 1850 à Angers (Maine-et-Loire). XIXe-XXe siècles. Français.
Peintre de genre, paysages.
Élève de Jules Joseph Dauban, il participa au Salon de Paris de 1874 à 1890. Il exposa à Angers en 1886.
Ses paysages, comme *Les saules*, sont peints d'une touche scintillante, évoquant parfois l'art de Corot.
Bibliogr. : Gérald Schurr, in : *Les Petits Maîtres de la peinture 1820-1920, valeur de demain*, Les Éditions de l'Amateur, t. IV, Paris, 1979.
Musées : Angers – Beaufort-en-Vallée – Louviers (Gal. Roussel) : *Vaches.*
Ventes Publiques : Reims, 22 oct. 1989 : *Cavalier conduisant des vaches au bord de la mare*, h/t (35x65) : **FRF 7 500** ; *Chasseur et chiens en forêt de Fontainebleau*, h/t mar./cart. (54x37,5) : **FRF 10 500** – Reims, 29 oct. 1995 : *Chasseur et paysanne en sous-bois ; Chasseurs et leurs chiens allumant du feu en sous-bois*, h/t, une paire (chaque 65x40) : **FRF 12 000.**

LU TSUNG-KUEI. Voir **LU ZONGGUI**

LÜ TS'UNG-MIN. Voir **LÜ CONGMIN**

LUTT Peter
Né le 18 mai 1828 à Schluderns (Tyrol). Mort le 5 mai 1907 à Munich. XIXe siècle. Éc. tyrolienne.
Sculpteur.
On cite parmi ses œuvres deux statues de marbre pour l'arsenal de Vienne.

LUTTER Rodolphe
XXe siècle. Belge.
Peintre de natures mortes.
Ventes Publiques : Amsterdam, 20 avr. 1993 : *Nature morte de fleurs et d'oranges*, h/t (77x97,5) : **NLG 3 450.**

LÜTTERBRANDT Wilhelm
Né le 24 août 1831 à Cassel. Mort le 28 août 1907. XIXe siècle. Allemand.
Peintre.
On mentionne de sa main une grande *Vue à vol d'oiseau de Cassel*, des paysages et des tableaux d'animaux.

LUTTEREL Edward ou **Luttrel**
Né vers 1650 à Dublin. Mort vers 1710 à Londres. XVIIe-XVIIIe siècles. Irlandais.
Dessinateur et graveur à la manière noire.
Il vint à Londres fort jeune, se destinant au barreau, mais son goût pour l'art, ses dispositions comme dessinateur le décidèrent à embrasser la carrière artistique. Il fit d'abord des portraits au crayon. La gravure à la manière noire obtenait alors un grand succès, surtout celles de Blootering qui avait inventé le procédé de grainer ses gravures au moyen du berceau, procédé encore en usage, mais dont il garda le secret. Lutterel fit soudoyer l'ouvrier qui préparait les planches de Blootering et eut ainsi la connaissance du procédé. Il le mit en pratique, de concert avec son ami le graveur Becket, et ils vulgarisèrent en Angleterre cette forme de gravure qui devait atteindre plus tard un si haut degré de perfection. On cite de Lutterel plusieurs crayons à la National Portrait Gallery de Londres et de Dublin.
Ventes Publiques : Londres, 22 nov 1979 : *Portrait d'un gentilhomme* 1703, mine de pb et cr. de coul. (31x26) : **GBP 600.**

LUTTEROTH Ascan
Né le 5 octobre 1842 à Hambourg. Mort en 1923 à Munich. XIXe-XXe siècles. Allemand.
Peintre de paysages animés, paysages, aquarelliste.
Élève d'Alexandre Calame, d'Owald Achenbach et de l'Académie de Düsseldorf. Il fit un voyage d'études en Italie. Il a peint principalement des paysages d'Italie. Diplôme d'honneur à Dresde en 1887.
Musées : Hambourg : *Isola bella* – Leipzig : *Le Mawensi.*
Ventes Publiques : Berlin, 5 mars 1970 : *La promenade du Dimanche* : **DEM 3 500** – Cologne, 22 oct. 1971 : *Vue de l'Etna* : **DEM 6 000** – Hambourg, 14 et 15 juin 1973 : *Paysage fluvial*, aquar. : **DEM 2 500** ; *Sous-bois* : **DEM 5 000** – Cologne, 14 juin 1976 : *Vue de Capri*, h/t (81x140) : **DEM 11 000** – Vienne, 20 sep. 1977 : *Dimanche matin dans un village du Tessin*, h/t (38x54) : **ATS 55 000** – Cologne, 19 oct 1979 : *Capri*, h/t (66x55) : **DEM 9 000** – Londres, 25 mars 1987 : *Vue de Castel Gondolfo* 1887, h/t (97x149) : **GBP 5 200** – Amsterdam, 19 sep. 1989 : *Un chalet dans les Alpes*, h/pap./cart. (35x55,5) : **NLG 1 725** – Munich, 29 nov. 1989 : *Séminaristes dans un parc*, h/t (73x98,5) : **DEM 17 600** – Cologne, 29 juin 1990 : *Promenade le long du canal en été*, h/t/pap. (59x52) : **DEM 5 500** – Londres, 19 juin 1991 : *Sèchage des filets sur une côte rocheuse*, aquar. (65x99) : **GBP 1 650** – Rome, 9 juin 1992 : *Vue de Capri*, h/t (54x88) : **ITL 4 800 000** – New York, 26 mai 1994 : *Vue de Capri* 1869, h/t (90,5x129,9) : **USD 13 800.**

LUTTEROTH Emma
Née en 1854 à Hambourg. Morte en 1894 à Munich. XIXe siècle. Allemande.
Paysagiste.
Travailla à Hambourg, Karlsruhe et Munich ; exposa de 1880 à 1894. On cite d'elle : *Soir à Venise, Matin à Chioggia.*

LÜTTGENDORF Ferdinand de. Voir **LÜTGENDORFF**

LÜTTGENS Julius Gottfried Heinrich
Né le 9 août 1832. Mort le 7 décembre 1889 à Lübeck. XIXe siècle. Allemand.
Peintre de portraits et de natures mortes.
Il fut élève de l'Académie d'Anvers et de Cogniet et Couture à Paris. Il travailla à Hambourg et à Lübeck. Le Musée de Lübeck possède deux études de têtes de sa main.

LUTTICH von Luttichheim Eduard
Né le 25 novembre 1845 à Prague. XIXe siècle. Actif à Vienne. Autrichien.

Peintre d'histoire et dessinateur.
Il fit ses études à Prague, puis à Vienne sous la direction de Jos. Ritter Van Führich. Il exposa à Vienne et à Dresde.
Musées : Prague (Rudolf) : *Saint Hubert.*

LUTTICHUYS Iyaak ou **Isaac** ou **Lutkenhuys**
Né le 25 février 1616 à Austin Friars (Londres). Mort en 1673 probablement à Amsterdam. XVIIe siècle. Éc. flamande.
Peintre de portraits.
Frère de Simon Luttichuys, il se maria à Amsterdam le 3 avril 1643.

S. Luttichuys F: Ano 1654

Musées : Bâle : *Jeune homme* – Bruxelles : *Portrait d'homme* – *Portrait de femme* – Mayence : *Portrait de femme* – Stockholm : *Portrait d'homme.*
Ventes Publiques : Paris, 26 mars 1900 : *En chaire* : **FRF 2 400** – Londres, 24 fév. 1922 : *Jeune femme en robe noire* : **GBP 42** – Londres, 1er juin 1928 : *A. Deonyszoon Winius et sa femme* : **GBP 325** – New York, 11 déc. 1930 : *Portrait du seigneur Van Diemen de Arkel* : **USD 19 500** – Londres, 11 oct. 1946 : *Jeune homme* : **GBP 262** – Amsterdam, 21 oct. 1949 : *Tête de garçon riant* : **NLG 4 100** – Dordrecht, 28 mai 1968 : *Portrait d'une dame de qualité* : **NLG 4 500** – Paris, 7 déc. 1973 : *Portrait d'une jeune femme* : **FRF 30 000** – Amsterdam, 22 avr. 1980 : *Portrait d'homme ; Portrait de femme,* h/pan., une paire (90x68,5) : **NLG 7 500** – Londres, 5 juil. 1985 : *Portrait d'un gentilhomme,* h/t (99,7x80) : **GBP 5 500** – Londres, 6 juil. 1990 : *Portrait de Johann Jakob Birr portant un vêtement sombre et un col de dentelle* 1669, h/t (69,2x54,3) : **GBP 2 860** – New York, 9 oct. 1991 : *Portrait d'une dame debout de trois quarts sur un perron, vêtue d'une robe noire à modestie de dentelle blanche et tenant une rose,* h/t (124x100,3) : **USD 8 250** – Londres, 11 déc. 1996 : *Portrait d'un homme de trois quarts debout en armure la main posée sur son casque ; Portrait de sa femme debout de trois quarts devant un mur et une colonne* 1653, h/t, une paire (132x102) : **GBP 25 300.**

LUTTICHUYS Simon ou **Lutkenhuysen**
Né le 6 mars 1610 à Londres. Mort après 1685 à Amsterdam. XVIIe siècle. Hollandais.
Peintre de portraits, natures mortes.
Il travailla en Angleterre et épousa, le 4 août 1655, à Amsterdam, étant veuf, Johanna Coks, une Anglaise. Un *Maarten Ludikhuyzen* était, en 1631, dans la gilde d'Alkmaar. Kramm signale un portrait du baron Tuyl Van Scroonskerken Van Zuylen par *Louw Lutighuys.*
Musées : Berlin : deux natures mortes – Hambourg : *Nature morte* – Londres : *Nature morte.*
Ventes Publiques : Gand, 1856 : *Petit portrait d'homme* : **FRF 4 500** – Paris, 1869 : *Portrait d'homme* : **FRF 4 500** – Paris, 1900 : *En chaire* : **FRF 2 400** – Paris, 29 déc. 1920 : *Portrait d'homme* : **FRF 500** – Paris, 28 juin 1926 : *Portrait d'homme* : **FRF 800** – Paris, 8 mai 1940 : *Portrait de femme* : **FRF 1 500** – Paris, 22 nov. 1946 : *Double portrait d'homme et femme assis* : **FRF 35 500** – Paris, 11 juil. 1962 : *Nature morte aux huîtres* : **GBP 480** – Paris, 16 nov. 1966 : *Nature morte* : **GBP 820** – Paris, 25 juin 1969 : *Nature morte au nautile* : **GBP 3 600** – Amsterdam, 7 mai 1974 : *Nature morte* : **NLG 42 000** – Londres, 1er déc. 1978 : *Nature morte,* h/t (68x55,2) : **GBP 6 500** – Londres, 10 déc. 1980 : *Nature morte aux fruits et aux huîtres,* h/t (65x54,5) : **GBP 6 000** – New York, 17 juin 1982 : *Nature morte,* h/pan. (66x51) : **USD 13 500** – Amsterdam, 3 déc. 1985 : *nature morte* 1685, h/t (50x39,5) : **NLG 44 000** – Amsterdam, 29 mai 1986 : *Nature morte aux huîtres, citrons et plats d'étain,* h/t (93,5x74,5) : **NLG 140 000** – Londres, 18 déc. 1987 : *Nature morte aux raisins, noix et verre de vin sur une table drapée,* h/t (38x30,5) : **GBP 9 000** – New York, 11 jan. 1996 : *Nature morte avec une orange et des châtaignes dans une assiette de métal avec une chope et une coupe couverte et autres verres sur un entablement drapé,* h/t (69,2x57,2) : **USD 29 900.**

LÜTTMANN August
Né vers 1830 à Hambourg. Mort le 27 janvier 1882 à Düsseldorf. XIXe siècle. Allemand.
Peintre de paysages et lithographe.
Il lithographia d'après W. Camphausen et autres artistes.

LUTTREL Edward. Voir **LUTTEREL**

LUTTRINGSHAUSEN Johann Heinrich
Né en 1783 à Mulhouse. Mort en 1857 à Bâle. XIXe siècle. Allemand.
Peintre d'architectures et paysagiste.
Établi à Paris, il exposa au Salon entre 1822 et 1827. Puis il s'établit à Bâle où il devint professeur à l'École de dessin. Beaucoup de dessins de l'artiste ont été gravés par Salathe, Filding et publiés dans le *Voyage Pittoresque* de Asterwald, ou dans l'ouvrage *Excursion sur les côtes et dans les ports de Normandie* de Bonington.
Ventes Publiques : Paris, 20 fév. 1920 : *Vallée de Sarnen ; Chute du Rhin à Loffenbourg,* aquar., une paire : **FRF 250** – Paris, 12-13 nov. 1928 : *Paysage suisse,* aquar. : **FRF 300** – Paris, 20 nov. 1996 : *Manoir donnant sur un jardin,* aquar. gchée (20x27,2) : **FRF 73 000.**

LÜ TUAN-CHÜN. Voir **LÜ DUANJUN**

LÜTY Max
Né le 21 février 1859 à Könisberg. XIXe siècle. Actif à Munich. Allemand.
Peintre de portraits et de paysages, aquafortiste et lithographe.
La Galerie de Dachau possède de sa main un paysage.

LUTYENS Charles Augustus Henry
Né en 1829. Mort en 1915. XIXe-XXe siècles. Britannique.
Peintre de scènes équestres, paysages.
Après une brillante carrière militaire, il se consacra à la peinture à partir de 1857. Sa passion de la chasse l'amena à traiter de scènes équestres et aussi de portraits. Dans les années 1860 il fut l'assistant de Sir Edwin Landseer pour la réalisation des lions de Trafalgar Square et rencontra le sculpteur Carlo Marochetti ; ces rencontres développèrent son intérêt pour la sculpture. Après 1880, délaissant les commandes de portraits, il travailla à des paysages. Il exposa de 1860 à 1903.
Ventes Publiques : Los Angeles, 9 juin 1988 : *Le Rendez-vous des chasseurs,* h/t (61x91,5) : **USD 7 150** – Londres, 27 sep. 1989 : *Le cheval Gang Forward,* h/t (102x127) : **GBP 6 050** – Londres, 29 mars 1996 : *Sur la piste,* h/t (127,6x222,2) : **GBP 8 050** – Perth, 26 août 1996 : *Jorrocks, le joyeux chasseur* 1890, bronze (36,5x38) : **GBP 7 130** – Londres, 5 sep. 1996 : *Chérubins au-dessus des nuages,* h/t (45,7x91,4) : **GBP 1 840.**

LUTZ August
XIXe siècle. Actif à Heilbronn, vers 1800. Allemand.
Peintre de miniatures.
Le Musée national bavarois à Munich possède un portrait du *Prince Frederic-Guillaume de Hohenlohe,* daté de 1792, attribué à cet artiste, et le Musée germanique de Nuremberg, une peinture (silhouette) signée de sa main.

LUTZ Dan
Né en 1906. Mort en 1978. XXe siècle. Américain.
Peintre.
Il exposait en 1946 et 1947 à la fondation Carnegie de Pittsburgh.
Ventes Publiques : Los Angeles, 12 mars 1979 : *The Red Cantina* 1952, gche (73,5x53,3) : **USD 1 300.**

LUTZ Fritz Johann Andreas
Né en 1804. Mort le 26 janvier 1832 à Berne. XIXe siècle. Suisse.
Peintre d'armoiries et graveur.

LUTZ J. A. ou **A.** ou **Loutz**
XIXe siècle. Hollandais.
Graveur.
Il travailla de 1809 à 1822 en Hollande. Parmi ses œuvres on cite des vues d'Allemagne et de Hollande. Ces dernières furent réunies avec des planches d'autres graveurs dans un ouvrage : *Tableau des principales vues des palais et édifices.* Il grava également plusieurs compositions empruntées à l'histoire de la Hollande. Le Cabinet des estampes d'Amsterdam possède de sa main un paysage à l'aquarelle (*Automne*).

LUTZ J. G.
XIXe siècle. Suisse.
Peintre de portraits.

LUTZ Jörg
Mort en 1546 à Augsbourg. XVIe siècle. Actif à Augsbourg. Allemand.
Peintre.
Il fut reçu maître en 1510.

LUTZ L. C.
Né dans l'Indiana. Mort en 1894. XIXe siècle. Américain.
Peintre.

Il fut élève de Bouguereau à Paris. Le Musée de Cincinnati (Ohio) possède de sa main deux études et une nature morte.

LUTZ Louis
Né le 11 septembre 1940 à Sartène (Corse). XXe siècle. Français.
Sculpteur de figures.
Il fut élève de l'école des arts appliqués de Metz de 1958 à 1961, puis de l'école des beaux-arts de Paris de 1961 à 1964.
Depuis 1963, il figure dans de nombreuses expositions de groupe : Salon de la Jeune Sculpture ; 1967 exposition du prix André Susse au musée Galliera à Paris ; 1968 *Premio del Fiorino* à Florence ; 1972 *Le Mouvement et la vie* à la fondation Mercedes-Benz à Paris ; 1973 *Art 4* à Bâle ; 1974 FIAC (Foire Internationale d'Art Contemporain) à Paris, *Art 5* à Bâle et Ire Biennale internationale de Téhéran ; 1975 *Art 6* à Bâle, etc. Depuis 1964, il a montré plusieurs expositions personnelles à Paris, Rome, Modène... Il obtint le prix de la jeune sculpture en 1963, le premier grand prix de Rome en 1964.
Bien que très affirmée et d'une technique aboutie, sa sculpture semble se souvenir encore du réalisme surréaliste qui caractérise celle de Ipoustéguy. Fasciné par le corps humain, il réalise en bronze des athlètes musclés en mouvement, des couples déchirés, dans des compositions dynamiques, toutes en tensions.
Ventes Publiques : New York, 11 mai 1979 : *La main du diable* 1972, bronze (H. 86) : **USD 2 600** – Zurich, 19 juil. 1984 : *Le réveil* 1969, bronze (160x130) : **CHF 5 000** – Paris, 4 fév. 1991 : *Victoire ailée* 1987, bronze (54x24x24) : **FRF 35 000**.

LUTZ Peter
Né en 1797 ou 1799 à Munich. Mort en 1867. XIXe siècle. Allemand.
Peintre et graveur au burin.
Élève de J.-P. von Langer à l'Académie de Munich, pour la peinture, et de Karl Hess pour la gravure. Il a gravé des portraits et des sujets religieux d'après les grands maîtres italiens.

LUTZ Philipp ou **Luz**
XVIIIe siècle. Actif à Amberg. Allemand.
Sculpteur.
On cite parmi ses œuvres des autels à Neumarkt (Palatinat), à Amberg (église du pèlerinage de Maria-Hilf), à Rottendorf, etc.

LUTZE Hildegarde
Née en 1937 à Wuppertal (Rhénanie-Westphalie). XXe siècle. Active depuis 1972 aux États-Unis. Allemande.
Peintre.
Elle étudia à la Werkkunstschule de Wuppertal de 1957 à 1959 puis à la Hochschule für bildende Kunste de Berlin de 1959 à 1965. Elle vit et travaille à New York depuis 1972.
Elle participe à des expositions collectives : 1963 Berlin ; 1966 Kunsthalle de Bâle ; 1968 musée de Wiesbaden et Wilhelm Lehmbruck Museum de Duisburg ; 1969 Kunsthalle de Baden-Baden et Kunstverein de Karlsruhe.
Musées : Duisburg (Wilhelm Lehmbruck Mus.).

LÜTZELBURGER Hans ou **Leuczellburger**, dit aussi **Hans Franck**
Né probablement à Augsbourg. Mort en 1526 à Bâle. XVIe siècle. Allemand.
Graveur sur bois.
C'est à tort que certains biographes fixent sa date de naissance vers 1495, car il est reçu bourgeois de Bâle en 1505, membre de la corporation des peintres en 1508. Il grava notamment d'après les dessins de Holbein des figures de l'*Ancien Testament* et de *Simulacres de la Mort*. On cite aussi d'après l'illustre maître : *Bataille entre paysans et voleurs dans une forêt, Les Frontispices pour le Nouveau Testament publiés à Bâle par Adam Petri en 1522 et Thomas Wolff en 1523, Le portrait d'Érasme, La vente des indulgences, Jésus-Christ et le pape, Quatre alphabets* : *La petite danse des Morts, Danse de paysans, Enfants jouant, Initiales ornementées, Mort de la femme* (1525). On croit qu'il collabora à la gravure du *Triomphe de l'empereur Maximilien* d'après Hans Burgmair. Certains biographes proposent à juste titre d'identifier son surnom de Hans Franck avec celui de Jan Franck qui travailla à Nuremberg avec Albrecht Dürer.

LÜTZELMANN Heinrich
XVe siècle. Actif à Strasbourg. Français.
Peintre.
L'église paroissiale d'Haguenau lui doit un *Saint Georges*.

LUTZENKIRCHEN
XIXe siècle. Français.
Peintre.
Il exposa en 1804 son *Portrait* à la gouache et en 1806 un *Portrait d'homme*. Peut-être identique à Peter Joseph Lutzenkirchen.

LÜTZENKIRCHEN Peter Joseph
Né en 1775 à Cologne. Mort en 1820 à Francfort. XIXe siècle. Allemand.
Peintre et graveur à la manière noire.
Élève de l'Académie de Düsseldorf ; il retourna à Cologne, puis se fixa probablement à Francfort vers 1810. Il signait parfois *P. L.* Il grava d'après Luca Giordano, Vinci, etc.
Musées : Cologne (Wallraf-Richartz) : *Portrait d'homme*.

LÜTZHÖFT Nikolaus Lauritz Holten
Né le 19 août 1864. Mort le 8 juin 1928 à Copenhague. XIXe-XXe siècles. Danois.
Peintre de paysages.
Il fut aussi écrivain d'art.
Musées : Faaborg : *Rayon de soleil sur le mur de l'église*.

LUTZOV Karl Wilhelm von
Né le 16 octobre 1872. Mort le 2 décembre 1923 à Darmstadt. XIXe-XXe siècles. Allemand.
Peintre de genre.
Il exposa à Berlin en 1900 et 1914 ainsi qu'à Milan et dans d'autres villes.

LUVONI Cristoforo. Voir **LUONI C.**

LUVONI Luigi
Né au XIXe siècle en Lombardie. XIXe siècle. Italien.
Peintre de genre.
Exposa à Milan, Rome, Turin à partir de 1883.

LU WEI Lu, l'idiot ou **Lou Wei**, surnom : **Riwei,** nom de pinceau : **Suishan Qiao,** connu aussi sous le nom de **Lu Chi**
Originaire de Songjiang, province du Jiangsu. XVIIIe siècle. Actif vers 1700. Chinois.
Peintre.
Peintre de paysages dans les styles de Mi Fu (1051-1107), de son fils Mi Youren (1086-1165) et de Gao Kegong (1248-1310). Le National Palace Museum de Taipei conserve une œuvre signée, *Grand pin*.

LÜ WENYING ou **Liu Wen-Ying** ou **Lü Wên-Ying**, appelé aussi **le Petit Lü**
Originaire de Guocang, province du Zhejiang. XVe-XVIe siècles. Actif à la fin du XVe et au début du XVIe siècle. Chinois.
Peintre.
Peintre de figures qui, pendant l'ère Hongzhi (1488-1505), est appelé à travailler au Palais avec Lü Ji (actif vers 1500). Le Musée Nezu de Tokyo conserve deux rouleaux en hauteur, en couleurs sur soie, représentant tous deux un *Marchand ambulant de jouets*.

LUX Benedikt ou **Luchs**
XVIIIe siècle. Actif à Neustadt-sur-la-Saale. Allemand.
Sculpteur.
On mentionne parmi ses œuvres des autels à l'église du cimetière de Kissingen.

LUX Christian ou **Luchs**
XVIIe siècle. Actif à Neustadt-sur-la-Saale. Allemand.
Sculpteur.
On mentionne de ses œuvres à Kissingen et à Römhild.

LUX Christian. Voir aussi **LUYCKX**

LUX Christian, le Jeune ou **Luchs**
XVIIIe siècle. Actif à Neustadt-sur-la-Saale. Allemand.
Sculpteur.
Il sculpta en 1750 le maître-autel de l'église paroissiale d'Oberelsbach.

LUX Elek
Né le 18 décembre 1884. XXe siècle. Hongrois.
Sculpteur.
Il fit ses études à Budapest, Munich, Bruxelles et se fixa à Budapest.
Il fit des bustes et de petites sculptures (série de danseuses, bronzes et terres cuites).
Musées : Budapest (Mus des Arts plast.) – Budapest (Mus. de la capitale) : *Boxeur*.

LUX Franz. Voir **LEUX**

LUX Ignatius
Né en 1649 ou 1650. XVIIe siècle. Actif à Amsterdam. Hollandais.
Graveur.

LUX Johann A.
XVIIe siècle. Actif à Neustadt-sur-la-Saale. Allemand.
Sculpteur.
Il fut sculpteur de la Cour ducale de Saxe-Meiningen. Il sculpta en 1680 la chaire de l'église de Milz et les décorations du château de plaisance de Merzelbach.

LUX Josef Martin
XVIIIe siècle. Actif à Troppau (Moravie). Autrichien.
Sculpteur.
Il fit des tableaux d'autel dans les églises d'Odrau, Röwersdorf, Alt-Plesna, Pittarn.

LUX Julius Franz
Né en 1702. Mort en 1764. XVIIIe siècle. Actif à Pilsen. Éc. de Bohême.
Peintre.
On cite de sa main les fresques de plafond dans l'église du doyenné de Mils et un tableau d'autel dans l'église paroissiale de Poritsch sur la Sazawa.

LUX Konrad ou **Lutz** ou **Luxen**
Né au XVe siècle à Bâle. XVe siècle. Suisse.
Sculpteur.
Il travailla à Lucerne à partir de 1481 et y acquit le droit de bourgeoisie en 1505. Il exécuta de 1481 à 1494 la fontaine du Marché au vin de cette ville.

LUXAN. Voir **LUCAS**

LUXAN Y MARTINEZ José ou **Luzan y Martinez**
Né en 1710 à Saragosse (Aragon). Mort en 1785 à Saragosse. XVIIIe siècle. Espagnol.
Peintre de compositions religieuses.
Il fut élevé par la famille de Pignatelli, qui l'envoya à Naples travailler avec Giuseppe Mastroleo. Au bout de cinq ans, il retourna à Saragosse, y épousa, en 1740, la fille du peintre Zabalo. Il y fut professeur et eut pour élèves Francisco Bayeu, puis Goya. Il reçut diverses distinctions, étant nommé peintre du roi, à Madrid, inspecteur des tableaux de l'Inquisition de Saragosse et membre de l'Académie des Beaux-Arts.
Il décora plusieurs églises en Aragon, notamment Santa Eugracia, cathédrale de Saragosse, où il peignit : les *Saints* de la sacristie et *Apparition de la Vierge à Saragosse, Prise de Saragosse par Alphonse le Batailleur*, dans la chapelle San Miguel.
BIBLIOGR. : In : *Dictionnaire de la peinture espagnole et portugaise du Moyen-Âge à nos jours*, coll. Essentiels, Larousse, Paris, 1989.

LUXBERGER Lorenz ou **Luchsperger**
Mort en 1501. XVe siècle. Actif à Vienne. Autrichien.
Sculpteur d'autels.

LUXBURG Anita von
Née en 1882 à Zuger See. Morte en 1940 à Pasadena. XXe siècle. Active depuis 1923 aux États-Unis. Suisse.
Peintre de fleurs, intérieurs, natures mortes, portraits, aquarelliste.
Elle étudia à Munich la peinture en 1905 et séjourna à Paris, travaillant dans l'atelier de Bonnat. En 1906, elle épousa le comte de Luxburg, qui mourut quelques années plus tard. Elle voyagea en Europe, à Munich, Londres, Berlin, Dresde, en Hollande, et à la fin de sa vie s'installa en Californie, faisant de longs séjours à New York et Chicago.
Elle exposa en 1919 à Tanger, en 1922 à Zurich, ainsi qu'aux États-Unis.
Elle s'intéressa très tôt à la force expressive de la couleur, pratiquant un style souvent elliptique, aux éclairages changeants. Au cours de ses voyages, elle fit connaissance des divers mouvements artistiques d'avant-garde, notamment des groupes Der Blaue Reiter et Die Brücke, et subit différentes influences.

LUXEMBOURG Claude
XVIe siècle. Français.
Peintre et sculpteur.
Il prit part à la décoration du château de Fontainebleau, de 1540 à 1550, et restaura de petites figures de corail placées dans le cabinet du roi.

LUXEMBOURG Jean de. Voir **JEAN de Luxembourg**

LUXENSTEIN Franz von. Voir **LEUX**

LU XINZHONG ou **Lou Sin-Tchong** ou **Lu Hsin-Chung**
XIIe-XIIIe siècles. Actif à la fin de la dynastie des Song du Sud (1127-1279), à Ningbo (province du Zhejiang). Chinois.
Peintre.
Peintre de personnages bouddhiques, qui n'est pas mentionné dans les textes chinois mais dans un ouvrage japonais, le *Kundaikan Sayûchoki*.
MUSÉES : BOSTON : *Les seize ahrats*, or et coul. sur soie, seize peintures dont une est signée et dont une autre est remplacée par une copie japonaise, rouleaux en hauteur – HIROSHIMA (Temple Jôdo-Ji) : *Les dix rois des Enfers*, coul. sur soie, dix rouleaux en hauteur – KAGAWA (Temple Hônen-Ji) : *Les dix Rois des Enfers*, dix rouleaux signés – KYOTO (Temple Shôkoku-Ji) : *Les seize ahrats*, seize rouleaux dont un est signé – KYOTO (Temple Daitoku-Ji) : *Les dix Rois des Enfers*, dix rouleaux attribués – NARA (Nat. Mus.) : *Nirvana*, coul. sur soie, rouleau en hauteur.

LUXMOORE Myra E.
Morte vers 1920. XIXe-XXe siècles. Britannique.
Peintre de portraits, histoire.
Elle vécut et travailla à Londres. Elle exposa de 1893 à 1918.
MUSÉES : MANCHESTER : *Portrait du Dr Maclure*.

LUXORO Alfredo
Né en 1859 à Gênes. Mort en 1918 à Gênes. XIXe-XXe siècles. Italien.
Peintre de genre.
Il débuta vers 1880 et exposa à Turin, Milan, Rome. Il est le fils du peintre de paysages Tammar Luxoro.

LUXORO Tammar
Né en 1824 à Gênes. Mort en 1899 à Gênes. XIXe siècle. Italien.
Peintre de paysages.
Professeur à l'Académie des Beaux-Arts de Gênes.

LÜ XUE ou **Liu Hsiue** ou **Lü Hsüeh**, surnom : **Shimin,** nom de pinceau : **Haishan**
Originaire de Wucheng, province du Zhejiang. XVIIe siècle. Actif vers 1670. Chinois.
Peintre.
Peintre de figures, d'animaux et de paysages dont le British Museum de Londres conserve une œuvre signée, *Zhong Kui*, ainsi que l'Université de Princeton, *Voyageurs dans les montagnes*.

LU YANSHAO ou **Yan-Shao**
Né en 1909. Mort en 1993. XXe siècle. Chinois.
Peintre de paysages. Traditionnel.
VENTES PUBLIQUES : HONG KONG, 17 nov. 1988 : *Le Lac des Mille Îles* 1985, encre et pigments/pap., kakémono (96x59) : **HKD 46 200** – HONG KONG, 16 jan. 1989 : *Le Mont Yan Dang* 1981, encre et pigments/pap. (144,2x616,6) : **HKD 198 000** – HONG KONG, 15 nov. 1989 : *Commentaire du Dao dans une grotte* 1985, encre et pigments/pap., makémono (26x229) : **HKD 110 000** – HONG KONG, 15 nov. 1990 : *Paysage*, encre et pigments/pap., kakémono (139x69) : **HKD 121 000** – HONG KONG, 2 mai 1991 : *Visite au chalet d'un lettré* 1986, encre et pigments/pap., makémono (25,7x229,8) : **HKD 93 500** – NEW YORK, 29 mai 1991 : *Paysage* 1979, encre et pigments/pap., kakémono (97x54,6) : **USD 8 800** – HONG KONG, 31 oct. 1991 : *Paysages* 1976, encre et pigments/pap., quatre kakémono (chaque 46,3x34,5) : **HKD 220 000** – NEW YORK, 25 nov. 1991 : *Paysage* 1978, encre et pigments/pap., kakémono (77,4x58,4) : **USD 8 250** – HONG KONG, 30 mars 1992 : *Paysages*, encre/pap., album de douze feuilles (chaque 45x33,5) : **HKD 99 000** – HONG KONG, 30 avr. 1992 : *Paysages* 1963, encre et pigments/pap., album de vingt feuilles (chaque 13,3x16,8) : **HKD 143 000** – NEW YORK, 1er juin 1992 : *Paysage* 1979, encre et pigments/pap., kakémono (89,5x47,3) : **USD 7 150** – HONG KONG, 28 sep. 1992 : *Lettrés discutant sur une montagne nuageuse*, encre et pigments/pap., makémono (22,8x393,5) : **HKD 154 000** – HONG KONG, 22 mars 1993 : *La Caverne des vieux bambous*, encre et pigments/pap., kakémono (69x31,6) : **HKD 57 500** – HONG KONG, 29 avr. 1993 : *Chalet d'un lettré dans un paysage*, encre et pigments/pap., poème de Du Fu (19,2x69,5) : **HKD 115 000** – NEW YORK, 16 juin 1993 : *Paysage d'après Wang Meng*, encre et pigment/pap., kakémono (67,3x31,8) : **USD 14 950** – HONG KONG, 3 nov. 1994 : *Paysage aux voiliers* 1981, encre et pigments/pap. (100x51) : **HKD 138 000** – HONG KONG, 4 mai 1995 : *Gorges en automne avec des érables rouges*, encre et pigments/pap., kakémono (133,3x67,8) : **HKD 120 750** – HONG KONG, 4 nov. 1996 : *Voyage en descendant la rivière Yangzi* 1981, encre et pigments/pap., kakémono (32,5x277) : **HKD 218 500** – HONG KONG, 28 avr. 1997 : *Paysages* 1965, encre et pigments/pap., album de huit feuilles (25,1x31,4) : **HKD 97 750** – HONG KONG, 2 nov. 1997 : *Paysage*, encre et pigments/pap., kakémono (25,4x252,1) : **HKD 460 000**.

LUYCK Hans ou **Jan Van** ou **Luck**
XVIe siècle. Actif à Amsterdam vers 1580. Hollandais.
Graveur et marchand.
On cite de lui : *Naissance du Christ, Adoration des Mages, Marie et l'Enfant tenant une fleur.*

HL HVL HVL HL

LUYCKX Benoit
Né en 1955. XXe siècle. Belge.
Sculpteur.
Il travaille des blocs de marbre noir, jouant des effets de contrastes, entre doux et rugueux, formes rondes et géométriques.
Ventes Publiques : Londres, 25 mars 1993 : *Double trilogie bleue* 1989, marbre noir de Belgique (H. 200) : **GBP 977**.

LUYCKX Christiaan ou **Kerstraen** ou **Luycks** ou **Luykx** ou **Lucks** ou **Lux**
Né le 17 août 1623 à Anvers. Mort après 1653. XVIIe siècle. Éc. flamande.
Peintre de fleurs et d'histoire.
Élève de Philip de Marlier de 1639 à 1642, puis de Frans Franken III. Il alla à Lille le 27 mai 1645 ; il se maria le 17 juillet 1645 il fut maître à Anvers ; il entra probablement au service du roi d'Espagne en 1646 et se remaria le 24 septembre 1648.

K. LVX.
crvsian . Luckx. carstian Luckx.

Musées : Brunswick : *Déjeuner du matin* – Budapest : *Nature morte* – *Même sujet* – Dresde : *Une cuisine*, en collaboration avec N. Van Verendael et D. Teniers – Dublin : *Nature morte* – Varsovie (Palais Lazjenski) : *Le temps entouré d'une couronne de fleurs* – Vienne (Liechtenstein) : *L'Instabilité* – Vire : *Papillons*.
Ventes Publiques : Paris, 19 nov. 1928 : *Fleurs* : **FRF 21 000** – Londres, 6 juil. 1934 : *Fruits et nature morte* : **GBP 52** – Amsterdam, 24 mai 1966 : *Nature morte* : **NLG 15 200** – Bruxelles, 16 mars 1972 : *Natures mortes aux fruits et oiseaux*, deux pendants : **BEF 380 000** – Londres, 26 nov. 1976 : *Nature morte à la botte d'asperges*, h/t (64x82,5) : **GBP 11 000** – Paris, 29 avr. 1982 : *Vase de fleurs et fruits sur un entablement ; Vase de fleurs sur un entablement*, 2 peint./métal, formant pendants (42x32,5 chaque) : **FRF 47 000** – Londres, 2 juil. 1986 : *Nature morte aux fruits, gâteau et autres objets*, h/pan. (45,5x71) : **GBP 80 000** – Londres, 7 juil. 1989 : *Nature morte avec une botte d'asperges et du raisin, un crabe dans une coupe, un citron pelé dans un verre de Venise, du gibier et un bouvreuil mort guetté par un chat au bout d'une table drapée*, h/t (64x84) : **GBP 33 000** – Amsterdam, 28 nov. 1989 : *Nature morte à l'aiguière d'argent renversée avec des huîtres dans un plat d'étain, une pie entamée, des fraises dans un bol, diverses pièces d'argenterie sur un entablement drapé*, h/cuivre (80,5x200) : **NLG 1 610 000** – Londres, 9 avr. 1990 : *Nature morte avec un nautile, des oranges et citrons dans un plat d'étain près de verres sur un entablement*, h/t (43x53,8) : **GBP 46 200** – Monaco, 21 juin 1991 : *Guirlande de fleurs*, h/pan. (39x55,5) : **FRF 555 000** – Londres, 5 juil. 1991 : *Nature morte avec une botte d'asperges, un crabe dans un plat, un lièvre et des oiseaux tués et des fruits guettés par un chat*, h/t (64x84) : **GBP 19 800** – Londres, 28 oct. 1992 : *Nature morte d'une guirlande de fleurs suspendue par des rubans bleus devant une niche de marbre*, h/pan. (64,5x49,3) : **GBP 27 500** – Londres, 11 déc. 1996 : *Nature morte à l'écrevisse dans un plat, huîtres sur un plat d'argent, une aiguière et des citrons*, h/t (78x94,9) : **GBP 166 500**.

LUYCKX Franz ou **Luycx, Franz von Leuxenstem**. Voir **LEUX**

LU YIFEY
Né en 1908. XXe siècle. Chinois.
Peintre d'animaux, paysages, fleurs. Traditionnel.
Ventes Publiques : Hong Kong, 31 oct. 1991 : *Paysage* 1941, kakémono, encre et pigments/pap. (102,6x49,5) : **HKD 18 700** – Hong Kong, 22 mars 1993 : *Fleurs et oiseaux*, encre et pigments/pap., une paire de kakémonos (chaque 44,5x26,5) : **HKD 34 500** – New York, 16 juin 1993 : *Narcisses*, encre et pigments/pap., kakémono (85,4x34,4) : **USD 1 495** – Hong Kong, 29 avr. 1996 : *Oiseau et lapin* 1941, kakémono, encre et pigments/pap. (137x67) : **HKD 29 900** – Hong Kong, 28 avr. 1997 : *Naviguer à Shihu* 1941, encre et pigments/pap., kakémono (116,8x59) : **HKD 96 000**.

LU YITONG ou **Lou I-T'ong** ou **Lu I-T'ung**, surnom : **Tongfu,** nom de pinceau : **Lanchen**
Originaire de Shanyang, province du Jiangsu. XIXe siècle. Chinois.
Peintre.
Poète et peintre de fleurs de prunier, il reçoit, en 1847, le rang de *juren*, licencié, aux examens triennaux de la capitale provinciale.

LUYKEN Caspar ou **Luiken** ou **Luijken**
Né en décembre 1672 à Amsterdam. Mort le 4 octobre 1708. XVIIe siècle. Hollandais.
Graveur, dessinateur.
Fils de Jan Luyken. Il travailla d'abord à Amsterdam, puis, en 1698, à Nuremberg chez Christoph Weigel ; en 1703, il était à Vienne ; en 1705, revenu à Amsterdam, il épousa le 17 novembre Elisabeth Van Aken. On connaît 1187 feuilles gravées par lui et 36 gravées avec son père.

C.L.L. CL

Ventes Publiques : Amsterdam, 14 nov. 1988 : *La traversée de la mer rouge*, encre et craie (16x26,8) : **NLG 6 440**.

LUYKEN Jan ou **Luiken** ou **Luijken**
Né le 16 avril 1649 à Amsterdam. Mort le 5 avril 1712 à Amsterdam. XVIIe-XVIIIe siècles. Hollandais.
Peintre d'histoire, compositions religieuses, graveur, dessinateur.
Élève du peintre Martinus Saeghmolen. Le 5 mars 1672, il épousa Marie de Oude et eut cinq enfants, tous morts jeunes, sauf l'aîné Caspar ; peu après 1673, il suivit les leçons de Jacob Böhme et devint un piétiste fanatique ; en 1699, il était dans la gilde de Haarlem ; en 1705, il était revenu à Amsterdam ; il fit un nombre considérable de gravures (3275) et fut aussi un écrivain.

I.L. . JL fe.

Ventes Publiques : Paris, 1756 : *L'adoration du veau d'or*, dess. : **FRF 70** – Paris, 1773 : *Deux dessins*, ensemble : **FRF 257** – Paris, 3 fév. 1912 : *Les funérailles d'un guerrier* : **FRF 75** – Paris, 26 fév. 1923 : *La Révolution à Lyon en 1621*, pl. et encre de Chine : **FRF 330** – Paris, 30 mars 1925 : *La fin de Sodome*, pl. et lav. : **FRF 720** – Paris, 26 mai 1937 : *Scène révolutionnaire à Lyon*, pl. et lav. de Chine : **FRF 450** – Amsterdam, 18 nov. 1980 : *Ecce Homo*, pl. (34,5x43) : **NLG 4 400** – Paris, 4 mars 1981 : *Le Boucher*, pierre noire, pl. et lav. (8x14) : **FRF 3 800** – New York, 12 jan. 1990 : *L'Adoration des bergers*, encre et lav. (12,2x7,1) : **USD 1 100** – New York, 15 nov. 1990 : *Le Christ guérissant des malades*, encre et lav. (10x15) : **USD 2 860** – Amsterdam, 25 nov. 1991 : *Charpentiers construisant une maison dans une ville*, encre et lav. (10,5x13,1) : **NLG 2 875** – Monaco, 20 juin 1992 : *L'exode*, craie noire, encre brune et lav. brun et gris avec reh. de blanc/pap. (28x53,5) : **FRF 24 420** – Amsterdam, 25 nov. 1992 : *Louis XIV dans son carrosse pris par les eaux de l'inondation de Senlis le 2 mai 1670*, mine de pb, encre brune et lav. gris (14,2x19,5) : **NLG 5 980** – Londres, 16-17 avr. 1997 : *Scène de la vie d'une jeune femme non identifiée*, pl. et encre brune et lav., une paire (chaque 85x70) : **GBP 402**.

LUYNES de, duchesse
XVIIIe siècle. Française.
Aquafortiste amateur.
On mentionne de sa main deux eaux-fortes de 1769 : *Paysage avec bateau, Presbytère.*

LUYNES Marie Charles Louis d'Albert de, duc de Chevreuse et Montfort, pair de France. Voir **CHEVREUSE**

LU YONGQI ou **lo Wing-Kei**
Né en 1938. XXe siècle. Chinois.
Peintre de scènes typiques, animaux, paysages. Traditionnel.
Ventes Publiques : New York, 2 juin 1988 : *Paysage*, encre/pap., kakémono (138x33) : **USD 2 200** – Hong Kong, 16 jan. 1989 : *Cérémonie du thé dans l'atelier près des bananiers* 1988, encre et pigments/pap. (96x172) : **HKD 41 800** – New York, 4 déc. 1989 : *Oiseau sur une branche de saule*, encre et pigments/pap. (46,5x69,5) : **USD 2 420** – Hong Kong, 30 mars 1992 : *Lettré admirant une cascade*, encre et pigments/pap., kakémono (119,5x59,5) : **HKD 24 200** – Hong Kong, 22 mars 1993 : *Oiseau s'envolant d'une branche*, encre et pigments/pap. (57x92) : **HKD 20 700**.

LU YOU
XXe siècle. Chinois.

Peintre de paysages. Traditionnel.
Ventes Publiques : New York, 31 mai 1990 : *Paysages*, encre et pigments/pap. or, éventail peint (17,2x50,2) : **USD 1 210**.

LUYPAERT Jean
Né le 6 juin 1893 à Vilvoorde (Brabant). Mort le 4 novembre 1954 à Ostende (Flandre-Occidentale). xxe siècle. Belge.
Peintre de paysages, marines, intérieurs, natures mortes, dessinateur, aquarelliste.
Il suivit les cours de l'académie des beaux-arts de Bruxelles, fondant en 1918 le Cercle Portaels visant à promouvoir les artistes. Il enseigna le dessin à Schaerbeek et Vilvorde, jusqu'en 1946, date à laquelle il cessa de travailler et put se consacrer entièrement à la peinture, à Coxyde, où il s'établit. Il fut membre de nombreux cercles artistiques belges.
Il montra ses œuvres très régulièrement en Belgique à partir de 1919, participant aux salons annuels. Il exposa à Paris, au Salon des Artistes Français en 1949, où il obtint une mention honorable, et en 1950 où il reçut une médaille d'or. En 1951, il se vit décerner le prix de l'Yser. En 1955, la Maison des arts de Schaerbeek présenta une exposition rétrospective de son œuvre.
Il aima peindre les brumes du Nord, mais surtout les intérieurs à la tombée de la nuit, où règne la mélancolie, s'attachant à rendre une atmosphère, une lumière particulière. De son séjour sur la Côte d'Azur à la fin de sa vie, il rapporta de nombreuses aquarelles.

LUYPEN Pieter
Né le 29 mai 1763. xviiie-xixe siècles. Actif à Amsterdam. Hollandais.
Sculpteur.
Il figura à l'exposition d'Amsterdam en 1810 avec deux sculptures sur bois et cinq groupes bibliques et symboliques en glaise. Les archives municipales d'Amsterdam possèdent de sa main *Atelier d'un sculpteur*, dessin, daté de 1812.

LUYT A. M.
Né le 24 avril 1879. xxe siècle. Hollandais.
Peintre de figures.
Il étudia, de 1905 à 1908, à Paris.
Ventes Publiques : Amsterdam, 14 sep. 1977 : *Scène de rue* 1905, aquar. (47x37) : **NLG 4 200**.

LUYTEN Jean Henri
Né le 21 mai 1859 à Roermonde. Mort en 1945 à Brasschaat. xixe-xxe siècles. Belge.
Peintre de compositions animées, paysages, marines.
Il travailla à Anvers, où il fut professeur à l'académie des beaux-arts. Il reçut une médaille à Munich en 1888, la mention honorable à Berlin en 1891, une médaille d'argent aux Expositions universelles de Paris, en 1889 et 1900.
Chef de file du groupe *Aze ick kan*, il eut une influence importante et répandit le goût des larges marines d'un beau mouvement. Beau coloriste, il a bien rendu la véhémence de la mer et la vie rude des marins.

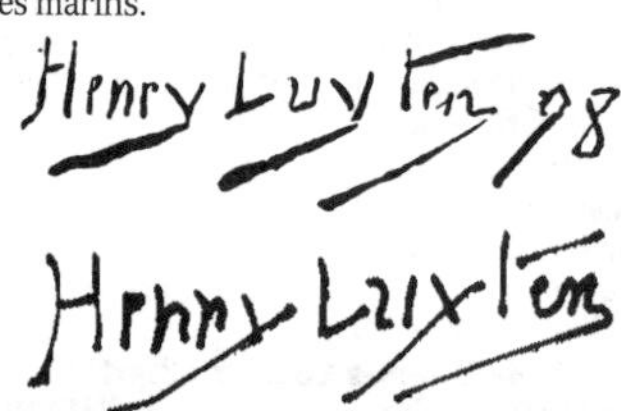

Bibliogr. : In : *Dict. biogr. illustré des artistes en Belgique depuis 1830*, Arto, Bruxelles, 1987.
Musées : Anvers : *Une scéance du cercle Aze ick kan* vers 1885 – *Enfants de la mer* – Düsseldorf : *Jeunes filles dans la tourbière* – Liège : *Soleil d'automne* – *Rêverie* – Munich : *Raccommodage de filet*.
Ventes Publiques : Cologne, 24 mars 1972 : *Fillette et chèvre dans un paysage* : **DEM 3 000** – Bruxelles, 29 sep. 1982 : *Orphelines*, h/t (70x57) : **BEF 75 000** – Anvers, 4 déc. 1984 : *Vache au pré*, h/t (126x101) : **BEF 70 000** – Amsterdam, 24 mai 1989 : *Paysanne et son enfant à côté du bétail dans un pré au lever du jour*, h/t (50x91) : **NLG 27 600** – Amsterdam, 13 déc. 1989 : *Vaches près de la mare en été*, h/t (80x100) : **NLG 10 925** – Amsterdam, 30 oct. 1990 : *Paysage enneigé avec des personnages sur un chemin au crépuscule*, h/t (79x59) : **NLG 9 200** – Londres, 18 mars 1992 : *Portrait d'une mère avec son fils*, h/t (150x100) : **GBP 3 080** – Amsterdam, 28 oct. 1992 : *Enfants jouant avec un sabot en guise de bateau*, h/t (61,5x86) : **NLG 20 700** – Londres, 25 nov. 1992 : *Retour du troupeau vers la ferme*, h/t (101x149) : **GBP 3 850** – New York, 16 fév. 1993 : *Marine avec des bateaux à l'horizon*, h/t (40x55,8) : **USD 1 100** – Lokeren, 12 mars 1994 : *Près de Kachel*, h/pan. (26x15,5) : **BEF 48 000** – Amsterdam, 8 nov. 1994 : *Lavandières étendant le linge dans l'herbe* 1886, h/t (112x96) : **NLG 10 350** – Londres, 21 nov. 1997 : *Le Bac*, h/t (70,5x100,5) : **GBP 12 075**.

LUYTEN Mark
Né en 1955 à Anvers. xxe siècle. Belge.
Créateur d'installations, graveur.
Il a participé, en 1994, à l'exposition *Comme rien d'autre que des rencontres* au Mukha d'Anvers, en 1996-1997 à *En Filigrane – un regard sur l'estampe contemporaine* à la Bibliothèque nationale à Paris.
Il montre ses œuvres dans des expositions personnelles : 1983 Anvers ; 1984 et 1986 Cologne ; 1985 et 1987 New York ; 1985 Amsterdam ; 1987 Bruxelles ; 1988 foire de Bâle ; 1991, 1996 galerie Laage-Salomon à Paris ; 1997 Walker Art Center de Minneapolis.
Il travaille, par séries, jouant des contrastes, mêlant surfaces brutes et épaisses aux fines couches délicatement travaillées, photographies et papiers imprimés aux dessins, mais aussi à des objets réels. Il inscrit son œuvre dans l'histoire de l'art et de la littérature, notamment lorsqu'il utilise des reproductions de peintures du xviiie siècle dans des séries récentes ou des extraits de textes de Maeterlinck, Pascal ou Montaigne, dans *Serres – Promenades* ou *Quatre saisons*, cherchant à communiquer son goût et son plaisir d'« amateur éclairé ».
Bibliogr. : In : *L'Art du xxe s*, Larousse, Paris, 1991.
Ventes Publiques : New York, 8 oct. 1992 : *Serre* 1985, acryl., sable, craies de coul. et collage de pap./t./six pan. reliés (200x240) : **USD 4 620**.

LUYTEN-BEHNISCH Caroline Auguste Hedwig
Née en 1873. Morte en 1963. xixe-xxe siècles. Hollandaise.
Peintre de compositions animées, paysages, fleurs.
Ventes Publiques : Amsterdam, 24 mai 1989 : *Roses dans un vase de verre et un bouton de rose sur l'entablement*, h/t (50x98) : **NLG 2 990** – Amsterdam, 9 nov. 1993 : *Petite fille sur un chemin de campagne*, h/t (58x78,5) : **NLG 2 300**.

LU YUAN ou **Lou Yuan** ou **Lu Yüan**, surnom : **Qingzhi**
Originaire de Suzhou, province du Jiangsu. xviiie siècle. Chinois.
Peintre.
Peintre de paysages dans le style de Mi Fu (1051-1107).

LÜYUN Zhou
Né en 1924. xxe siècle. Chinois.
Peintre. Traditionnel.
Ventes Publiques : Hong Kong, 19 mai 1988 : *Paysage d'éternité*, encres noire et coul./pap. (96x58,5) : **HKD 19 800**.

LUZ. Voir aussi **LUTZ**

LUZ Arturo Iz
Né en 1926 à Manille. xxe siècle. Philippin.
Graveur. Abstrait.
En 1974-1975, il participe à la IXe Biennale internationale de l'estampe à Tôkyô.

LUZ Balthazar Friedrich ou **Loutz** ou **Lutz**
Né en 1690. Mort en 1726. xviiie siècle. Actif à Augsbourg. Allemand.
Graveur.
Il peignit des petits tableaux religieux, des scènes de chasse (série de quatre planches, datées de 1711).

LUZ Julius
Né le 7 avril 1860 à Burgdorf. Mort le 14 juillet 1892 à Berne. xixe siècle. Suisse.
Portraitiste, peintre de genre et paysagiste.
Élève, à Paris, de Boulanger et de Lefebvre. Il visita l'Italie, l'Angleterre, la France, retourna en Suisse à plusieurs reprises. De ses œuvres, beaucoup sont en Angleterre et en Amérique. Le Musée des Beaux-Arts de Berne possède de sa main cinq tableaux à l'huile et soixante-six aquarelles.

LUZ Sébastian
Né en 1836. Mort en 1898 à Fribourg-en-Brisgau. xixe siècle. Allemand.
Peintre de genre et d'histoire.

Il peignit des tableaux d'autel pour des églises de Bade, du Wurtemberg, du Hohenzollern.

LUZA Reynaldo
Né le 24 septembre 1893 à Lima. XXe siècle. Péruvien.
Peintre, dessinateur.
Il étudia à New York et se fit également connaître à Paris.

LUZAN Y MARTINEZ José. Voir **LUXAN Y MARTINEZ José**

LUZANOWSKY Lydia
Née le 30 août 1899 à Kiev. XXe siècle. Russe.
Sculpteur de portraits, groupes, médailleur.
Elle étudia à l'école des beaux-arts de Bucarest, elle obtint un prix en 1924, au salon officiel de Roumanie. Elle fut ensuite élève de Bourdelle et de Zadkine à Paris, où elle exposa aux Salons des Indépendants, d'Automne et des Tuileries. Elle montre ses œuvres dans des expositions personnelles à Paris.
Outre des portraits et des groupes aux formes amples, elle a créé, pour l'Hôtel de la Monnaie, des médailles : *Jean Perrin – Yvan Chmelov – Léopold Survage – Cholokhov – Sainte Claire Deville*, etc.
Musées : Paris (Mus. de la Ville).

LUZEAU-BROCHARD Fernand Adolphe
Né au XIXe siècle à Cholet (Maine-et-Loire). XIXe siècle. Français.
Peintre de marines.
Élève de Gérôme. Débuta au Salon de 1879. Mention honorable 1884.

LUZENTE Geromino ou **Lucenti**
Né à Correggio. XVIIe siècle. Actif à Séville en 1611. Italien.
Sculpteur et peintre.
Cet artiste fit onze statues pour la fontaine du Penasco qui se trouve dans le jardin de Las damas. À rapprocher de Girolamo LUCENTI I.

LU ZHAN ou **Lou Tchan** ou **Lu Chan**
XVIIIe siècle. Actif pendant le règne de l'empereur Qing Qianlong (1736-1796). Chinois.
Peintre.
Il n'est pas mentionné dans les biographies officielles d'artistes, mais c'est sans doute un peintre de la cour impériale.

LU ZHI ou **Lou Tche** ou **Lu Chih**, surnom : **Shuping,** nom de pinceau : **Baoshanzi**
Né en 1496, originaire de Wuxian, province du Jiangsu. Mort en 1576. XVIe siècle. Chinois.
Peintre d'oiseaux, paysages, fleurs.
Peintre lettré de l'école de Wu, à Suzhou, il est élève de Wen Zhengming (1470-1559). Poète et calligraphe aussi bien que peintre, il se retire, jeune encore, pour écrire et peindre, au bord du Grand Lac, à Zhixing shan, dans un site entouré de sources vives et de nuages et y aménage une maison et un jardin où poussent quelques centaines de variétés de fleurs. Il écrit : *« je peins pour exprimer mon amitié »*. Les lettrés contemporains de Lu Zhi, et tout comme lui, entendent par peinture une sensibilité poétique, une culture historique, au service d'une facilité technique acquise à force de travail. En outre leurs activités empiètent les unes sur les autres et si la calligraphie leur procure la maîtrise du pinceau et de la composition, la poésie imprègne leurs thèmes picturaux.
L'élément poétique est tout particulièrement vif chez Lu Zhi qui est d'ailleurs capable de peindre dans différents styles, soit en répondant aux idéaux classiques de la peinture lettrée, soit d'une manière plus libre, plus expressionniste, d'un style qualifié de *xieyi*, idée-écriture, terme qui se réfère autant à une approche philosophique et esthétique profondément spontanée qu'à un procédé technique. À ces peintures *xieyi*, traditionnellement exécutées à l'encre monochrome, il ajoute souvent de légers lavis de couleurs pour suggérer certaines atmosphères. Pour les paysages, c'est sans doute dans le petit format que ce peintre intimiste donne le meilleur de lui-même, comme le prouve la *Vue du Lac Shi*, conservée au Musée de Boston et datée 1558. Le lac est évoqué avec une aisance d'esquisse, à l'encre claire avec de délicats lavis de vert, de bleu et de brun, cependant que le travail du pinceau a un rythme doucement saccadé qui reflète le tempérament sensitif et impulsif de l'auteur. L'ensemble est disposé en trois plans horizontaux d'importance inégale, arrangés en progression diagonale de droite à gauche ; au centre, l'étendue d'eau s'élargit comme un lac avec des îles. L'attention est portée sur de petites zones de nature intime, juxtaposées et faisant écho aux pensées et aux émotions d'un moment. Le petit rouleau horizontal daté 1554 et conservé à la Freer Gallery de Washington, *Couleurs d'automne à Xunyang*, est une illustration du poème de Bai Juyi, le *Pipa ji*, le Chant du luth. On trouve dans cette œuvre des allusions à Ni Zan (1301-1374) et un net hommage à WlontZhengming. Le paysage de Lu Zhi exprime visuellement le sentiment de tristesse qui imprègne le poème : la grande étendue du fleuve que brouillent de légères vagues et les îles vertes qui traînent le long de son cours enrobent la scène d'un climat de solitude et de nostalgie. La peinture de la dynastie Ming a rarement fait preuve d'autant de délicatesse et de raffinement dans le dessin. Tout comme son contemporain et ami Chen Shun (1483-1544), Lu Zhi est aussi un merveilleux peintre de fleurs, d'oiseaux et de plantes. Dans ce domaine, ses œuvres peuvent se diviser en deux groupes, les unes assez académiques, en couleurs, très décoratives et bien finies, dans le style de l'Académie des Song, tandis que les autres sont des évocations spontanées, dans le style *xieyi*, transpositions picturales concentrées en quelques traits de pinceau vibrants de vie où les caractéristiques de chaque fleur sont individualisées avec infiniment de sensibilité.
Bibliogr. : James Cahill : *La peinture chinoise*, Genève, 1960.
Musées : Boston (Mus. of Fine Arts) : *Vue du Lac Shi* signé et daté 1558, encre et coul. légères sur pap., plusieurs inscriptions, rouleau en longueur – *Fleurs d'automne dans une corbeille*, encre et coul. sur pap., rouleau en hauteur, deux cachets de l'artiste – Chicago (Art Inst.) : *Paysage de rivière et clairs lointains*, encre et coul. sur pap., rouleau en hauteur signé, poème et trois cachets de l'artiste – Cologne (Mus. für Ostasiatische Kunst) : *Roses et rochers*, encre sur pap. tacheté d'or, éventail signé – Honolulu (Acad. of Art) : *Branches de prunier en fleurs* inscription de Qianlong datée 1758, encre et coul. légères sur pap., rouleau en hauteur, deux cachets de l'artiste – Kansas City (Nelson Gal. of Art) : *Paysage aux rochers* signé et daté 1549, encre et coul. sur pap., rouleau en longueur, poème et inscription de l'artiste – New York (Metropolitan Mus.) : *Bosquet d'automne, arbres épars et pavillon près d'une rivière* – Paris (Mus. Guimet) : *Oiseau perché sur une branche de prunier en fleurs* daté 1570, lav. sur fond doré, éventail signé, inscription – *Fleur de lis*, coul. sur pap., inscription, signé Baoshan Lu Zhi – Pékin (Mus. du Palais) : *L'Île des Immortels* poème daté 1554 – *Lettré assis dans un bosquet de bambous au pied d'une montagne abrupte – Études de paysages avec figures*, quatre feuilles d'album doubles – Shangai : *Coucou et fleurs d'abricotier*, coul. sur pap., rouleau en hauteur – *La retraite de Bang Gu*, coul. sur soie, rouleau en hauteur – Singapour (University of Malaya Art Mus.) : *Chrysanthèmes et hibiscus* inscription datée 1553, encre et coul. sur soie, rouleau en hauteur signé, deux poèmes et deux cachets de l'artiste – Stockholm (National Museum) : *Paysage de rivière*, éventail – Taipei (Nat. Palace Mus.) : *Paysage avec rivière* signé et daté 1535, encre et coul. légères sur soie, rouleau en longueur – *Fleurs de prunier après la neige*, encre sur pap., feuille d'album – *Fleurs de grenade, lis et joncs* daté 1570, encre et coul. sur pap., rouleau en hauteur – *Pêcheur solitaire sur le Ruisseau des Fleurs* daté 1568, encre et coul. sur pap., rouleau en hauteur – *Grotte dans les montagnes*, encre et coul. sur soie, rouleau en hauteur – *Paysage d'hiver, lettré lisant le Yijing dans une hutte* daté 1524, à la manière de Huang Gongwang – *Temple sur un pic* signé et daté 1539, feuille d'album – *Perroquet et hirondelles dans un pêcher* poème daté 1544, signé – *Rochers abrupts au-dessus d'une rivière* poème daté 1550, signé – *La source du dragon* signé et daté 1563, coul. légères, petit rouleau en longueur – *À la recherche des fleurs de prunier après la neige* signé et daté 1564, grande feuille d'album – *Vues de la campagne autour du Lac Taihu* signé et daté 1571, rouleau en longueur – *La grotte de jade dans la montagne des Immortels*, signé, poème – *Magnolia et bambou*, poème de l'artiste – *Le mont Zhixin (résidence de Lu Zhi à la fin de sa vie)*, signé, poème – *Pins, champignons et bambous près d'un rocher*, signé – *Deux paons dans un jardin*, signé – *Feuilles rougies par l'automne*, coul. légères sur pap., petit rouleau en longueur, poème du peintre – *Fleurs*, album de dix feuilles signées – *Fleur Haitang et magnolia*, peint avec Wang Guxiang, signé, inscriptions par trois amis de l'artiste – Washington D. C. (Freer Gal.) : *Couleurs d'automne à Xunyang* signé et daté 1554, encre et coul. légères sur pap., rouleau en longueur.
Ventes Publiques : New York, 31 mai 1989 : *Fleurs*, encre et pigments/pap., makémono (43,8x770,9) : **USD 9 900** – New York, 1er juin 1992 : *Fleurs*, encre et pigments/pap., makémono (43,8x770,9) : **USD 29 700**.

LU ZHONGYUAN ou **Lou Tchong-Yuan** ou **Lu Chung-Yüan**
XIIe-XIIIe siècles. Actif probablement à la fin de la dynastie des Song du Sud (1127-1279). Chinois.
Peintre.
Il n'est pas mentionné dans les biographies officielles d'artistes et il se peut que ce soit le même peintre que Lu Xinzhong, peintre actif pendant la même période. Le temple Jôshôkô-ji de Kyoto conserve une peinture d'*Ahrat* qui est traditionnellement attribuée à Lu Zhongyuan.

LUZI Alessandro
Né au XIXe siècle à Rome. XIXe siècle. Italien.
Peintre de paysages.
Élève de l'Académie de Saint-Luc. Exposa à Rome et Turin.

LUZI Alfredo
Né au XIXe siècle à Rome. XIXe siècle. Italien.
Sculpteur.
Élève de l'Académie de Saint-Luc. Il débuta vers 1880. Il a exposé à Milan, Rome et Turin.

LUZI Filippo ou **Luti** ou **Luzzi**
Né le 19 juillet 1665 à Monte Compatri. Mort en 1720 à Rome. XVIIe-XVIIIe siècles. Actif à Rome. Italien.
Peintre et graveur.
Il peignit des tableaux d'autel aux églises S. Passede et S. Francesco di Paolo à Rome. On mentionne de sa main trois gravures originales : *Marie apparaît à saint Nicolas*, et, d'après L. Baldi, *Saint Lazare peint des images saintes, malgré la défense de l'empereur Théophile*, et *Martyre de sainte Ursule*.

LUZIO Romano. Voir **LUZZI Luzio**

LU ZONGGUI ou **Lou Tsong-Kouei** ou **Lu Tsung-Kuei**
Originaire de Qiantang, province du Zhejiang. XIIIe siècle. Actif dans la première moitié du XIIIe siècle. Chinois.
Peintre.
Peintre de fleurs, de bambous, d'oiseaux et d'animaux, il est membre de l'Académie de Peinture à Hangzhou vers 1228-1233. Le National Palace Museum de Taipei conserve une œuvre signée mais qui est probablement plus tardive, de l'époque Ming : *Faisan et caille sur un rocher au printemps sous les arbres en fleurs*.

LUZURIEZ Catherine. Voir **LUSURIER**

LUZYARTE Fernando R.
Né le 1er février 1893 à Valencia. XXe siècle. Espagnol.
Peintre.
Il fut secrétaire de la section espagnole de la Ligue internationale des artistes. Il exposa à Paris, aux Salons des Indépendants et d'Automne.

LUZZAGO Ercole
XVIIIe siècle. Actif à Brescia vers 1779. Italien.
Peintre de fleurs et d'insectes et graveur.

LUZZI. Voir aussi **LUZI**

LUZZI Lorenzo di Bartolomeo ou **Luzzo**
Né à Feltre. Mort entre le 12 décembre 1526 et le 8 janvier 1527 à Venise. XVIe siècle. Italien.
Peintre.
Le Kaiser Friedrich Museum à Berlin possède de la main de cet artiste un tableau d'autel provenant de l'église S. Stefano à Feltre : *Madone avec l'Enfant et les saints Étienne et Victor*.

LUZZI Luzio ou **de Lucij** ou **de Lutiis da Todi**, dit **Luzio Romano**
XVIe siècle. Actif à Rome. Italien.
Peintre et stucateur.
On mentionne de ses peintures à l'église S. Maria in Via, au Vatican et à l'église Saint-Jean de Latran à Rome.

LUZZI Pietro ou **Luzzo**. Voir **MORTO da Feltre**

LVOFF ou **Lwoff**. Voir **LIVOFF**

LYBAERT Clément
Né en 1935 à Termonde. XXe siècle. Belge.
Peintre de scènes typiques, portraits, paysages, natures mortes, fleurs.
Il fut élève de l'académie des beaux-arts de Termonde et de l'Institut supérieur d'Anvers.
BIBLIOGR. : In : *Dict. biogr. illustré des artistes en Belgique depuis 1830*, Arto, Bruxelles, 1987.

LYBAERT Théophile Marie François
Né le 14 juin 1848 à Gand. Mort en 1927 à Gand. XIXe-XXe siècles. Belge.
Peintre d'histoire, compositions religieuses, scènes de genre, sujets orientaux.
Il est le fils du peintre d'armoiries Jan Baptiste Lybaert. Il fut élève de l'académie de Gand, puis de Paul et Félix Devigne. Il étudia les vieux maîtres, particulièrement Dürer.
Il obtint une mention honorable en 1891 à Berlin.
Sa peinture se rattache au courant post-romantique.
BIBLIOGR. : In : *Dict. biogr. illustré des artistes en Belgique depuis 1830*, Arto, Bruxelles, 1987.
MUSÉES : BRUXELLES : *Vierge en prière* – COURTRAI : *Épisode de la guerre des paysans*.
VENTES PUBLIQUES : NEW YORK, 11 oct 1979 : *Un port à l'aube*, h/t (101,5x152,5) : **USD 1 600** – AMSTERDAM, 19 mai 1981 : *Portrait d'un Marocain*, h/pan. (41x22) : **NLG 5 400** – PARIS, 11 déc. 1995 : *Les favoris de la veille sur les remparts* 1882, h/pan. (42,5x22) : **FRF 10 000** – PARIS, 10-11 juin 1997 : *À l'entrée de la mosquée* 1886, h/t (74x59) : **FRF 50 000**.

LYBECK Mikael Karl
Né le 18 mars 1864. Mort le 11 octobre 1925. XIXe-XXe siècles. Finlandais.
Peintre.

LYBERGEN Gysbert Van
Né à La Haye. Mort le 26 janvier 1661. XVIIe siècle. Hollandais.
Peintre.

LYBINKA Y. M.
Née en 1922 à Belgrade. XXe siècle. Active en France. Serbe-Yougoslave.
Peintre. Tendance abstraite.
Elle vit et travaille à Paris, où elle figure dans de nombreux groupes, notamment au Salon de Mai.
Elle peint des compositions à tendance abstraite, aux couleurs vives, jusqu'à l'introduction de feuilles d'or, qui ne sont pas sans rappeler l'art des icônes.

LYCETT Joseph
XIXe siècle. Britannique.
Dessinateur.
Il publia à Londres en 1824 : *Vues d'Australie*.
VENTES PUBLIQUES : MELBOURNE, 14 mars 1974 : *Vue de Sydney*, aquar. : **AUD 4 800** – LONDRES, 25 nov. 1981 : *Vues d'Australie* 1824, litho. en coul., suite de quarante-huit : **GBP 19 000** – HOBART, 26 août 1996 : *Le Mont Direction près de la ville de Hobart*, aquar. (17x27,5) : **AUD 43 700**.

LYCKE Oscar
Né en 1877. Mort en 1927. XXe siècle. Suédois.
Peintre de paysages.
VENTES PUBLIQUES : STOCKHOLM, 12 nov. 1986 : *Paysage d'hiver*, h/t (97x122) : **SEK 15 500** – STOCKHOLM, 15 nov. 1988 : *Paysage avec un lac*, h. (71x99) : **SEK 11 000** – STOCKHOLM, 19 avr. 1989 : *Ferme près d'un lac vue depuis la forêt près de Shottsund*, h/t (72x91) : **SEK 12 500** – GÖTEBORG, 18 mai 1989 : *Jardin en hiver*, h/t (75x102) : **SEK 12 500** – STOCKHOLM, 15 nov. 1989 : *Construction rouge dans une forêt en hiver*, h. (74x101) : **SEK 14 500** – STOCKHOLM, 16 mai 1990 : *Lac de montagne au soleil couchant*, h/t (71x99) : **SEK 11 000** – STOCKHOLM, 29 mai 1991 : *Les bords d'un lac au coucher du soleil*, h/t (71x99) : **SEK 8 000** – STOCKHOLM, 28 oct. 1991 : *Soleil couchant à Vallsjön*, h/t (80x118) : **SEK 10 500**.

LYDIS Mariette
Née en 1890 à Vienne. Morte en 1970. XXe siècle. Active depuis 1927 en France. Autrichienne.
Peintre, graveur, illustrateur.
C'est en 1927 que vint se fixer à Paris cette artiste qui visita la Russie, l'Angleterre, l'Italie, la Grèce, l'Égypte, la Turquie et les États-Unis. Tout de suite, elle y fut remarquée. Ses premières présentations au public furent faites par André Salmon et Joseph Delteil.
Il y eut dès le premier jour un lien direct entre l'art de Mariette Lydis et la littérature. Elle dut sa notoriété surtout à ses estampes en couleurs, et à ses illustrations. Graveur à la pointe délicate, curieusement proche de celle du japonais Foujita, avec, en outre, un rien de morbidesse, elle a réussi de délicats accords de tons ou plutôt de nuances. Elle a illustré de nombreux ouvrages, entre autres : *Les Fleurs du mal* de Charles Baudelaire, *Le Coran*, *Lettres sur le serviteur châtié* de Henri de Montherlant, *Autres Rhumbs* de Paul Valéry, *Le Zodiaque* de Jane Régny, les *Claudine* de Colette, *Romans et Nouvelles* de Pierre Louys, *Les Jeunes*

Filles de Montherlant, etc. Elle a réuni en albums des suites d'eaux-fortes : *Criminelles – Lesbiennes*, etc.

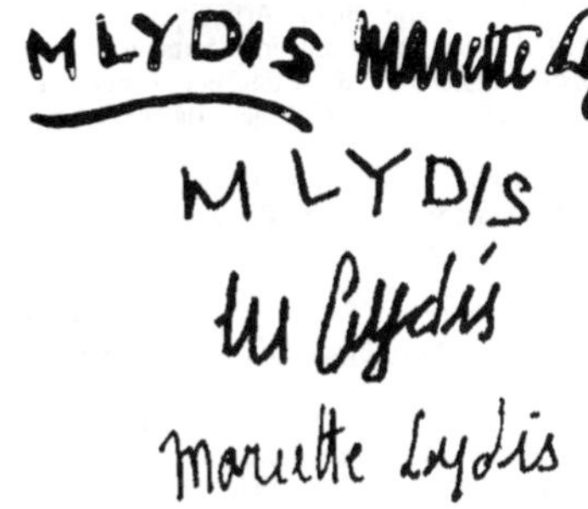

Bibliogr. : Henri de Montherlant : *Mariette Lydis*, Ed. des artistes d'aujourd'hui, Paris, 1938.
Ventes Publiques : Paris, 2 mars 1929 : *Courtisanes*, aquar. : **FRF 400** – Paris, 2 juil. 1936 : *La femme à la fourrure*, aquar. avec reh. de vernis : **FRF 410** – Paris, 20 juin 1941 : *Sainte portant deux cruches* 1937 : **FRF 1 800** – Paris, 3 fév. 1944 : *Rêverie* 1929, dess. reh. : **FRF 6 300** – Paris, oct. 1945-juil.1946 : *Jeunes filles* 1927 : **FRF 8 500** – Paris, 12 jan. 1949 : *Portrait de femme* : **FRF 13 200** – Paris, 6 mai 1974 : *Le vase d'argent* : **FRF 1 700** – Versailles, 4 avr. 1976 : *Les jeunes filles* 1923, aquar., gche et encre de Chine (41x36) : **FRF 1 700** – Zurich, 7 juin 1980 : *Jeune fille aux poissons* 1933, h/bois (46x37,5) : **CHF 1 600** – Paris, 13 mars 1981 : *Dos à dos* 1925, h/t (130x87) : **FRF 18 000** – Paris, 19 oct. 1983 : *Acrobate au repos*, past. (63x50) : **FRF 28 500** – Montevideo, 14 août 1986 : *Portrait de jeune fille*, h/t (56x47) : **UYU 254 000** – Paris, 10 déc. 1987 : *Les trois collégiennes* 1923, aquar. gchée (40x35) : **FRF 13 000** – Paris, 24 avr. 1988 : *Portrait de femme* 1947, h/t (73x60) : **FRF 9 000** – Londres, 21 oct. 1988 : *L'homme caché* 1943, cr. (33x24,5) : **GBP 1 100** – Amsterdam, 10 avr. 1989 : *Feu d'artifice* 1947, h/t (70x57,5) : **NLG 2 300** – Paris, 22 déc. 1989 : *Femme à l'éventail*, aquar. (51x60) : **FRF 8 000** – Rome, 19 avr. 1994 : *Les petites Bretonnes* 1931, h/pan. (55x45) : **ITL 8 050 000** – Paris, 24 mai 1995 : *La danse sacrée*, graphite, encre, aquar. et gche/pap. japon (35x27) : **FRF 5 600** ; *Portrait de James Joyce* 1926, cr. noir (19,8x11,5) : **FRF 16 000** – Paris, 21 fév. 1996 : *La petite palefrenière* 1954, h/t (55x46) : **FRF 5 800** – Milan, 2 avr. 1996 : *Jeune fille* 1929, techn. mixte/pap. (65x43,5) : **ITL 1 437 000** – Paris, 28 mai 1997 : *La Table d'astrologie* 1963, h/t (55x46) : **FRF 12 000** – Cannes, 8 août 1997 : *Jeune femme au caniche* 1936, h/t (65x53,5) : **FRF 36 000**.

LYDON A. F.
Né en 1836. Mort en 1917. XIXe-XXe siècles. Actif à Driffield (Yorkshire). Britannique.
Peintre et dessinateur.

LYDOS
VIe siècle avant J.-C. Antiquité grecque.
Peintre de vases.
Il était probablement un esclave de Lydie. Parmi les œuvres signées de lui on mentionne au Musée National d'Athènes des fragments d'un vase de l'Acropole, et au Musée du Louvre, un fragment d'amphore.

LYE Len
Né en 1901 à Christchurch. Mort en 1980. XXe siècle. Actif depuis 1944 aux États-Unis. Néo-Zélandais.
Sculpteur. Cinétique.
Fasciné par l'utilisation esthétique du mouvement dans les différentes activités artistiques des îles océaniques, il fit un voyage d'étude à Samoa, en 1923. Il s'établit à Londres, en 1926, où il produisit ses premiers films, en 1928, dessins animés, incisions directes sur pellicule, cinéma direct, puis s'installa aux États-Unis.
Il participe à de nombreuses expositions de groupe, notamment en 1961 à l'exposition *Mouvement tangible* au musée d'Art moderne de New York, en 1970 au IIIe Salon international des Galeries Pilotes du Monde au musée cantonal de Lausanne, et au musée d'Art moderne de la Ville de Paris. Il montre ses œuvres dans des expositions personnelles : en 1965 à New York et Buffalo.
Ses expériences cinématographiques l'amenèrent à la sculpture cinétique. Utilisant des moteurs dissimulés, il met souvent en mouvement des faisceaux de tiges ou de rubans d'acier, y mêlant fréquemment la particularité fluide du mouvement de l'eau. Ses dernières réalisations sont programmées électroniquement.
Bibliogr. : Frank Popper : *Naissance de l'art cinétique*, Gauthier-Villars, Paris, 1967 – *Catalogue du IIIe Salon International des Galeries Pilotes du Monde*, Musée cantonnal, Lausanne, 1970 – Daniel Wheeler : *L'Art du XXe s.*, Flammarion, Paris, 1991.

LYÉDET Loiset. Voir **LIÉDET**

LYÉE DE BELLEAU Manette de
Née le 4 novembre 1873 à Courrières (Pas-de-Calais). XIXe-XXe siècles. Française.
Sculpteur, céramiste.
Elle exposa à Paris, aux Salons des Artistes Français et des Indépendants.
Musées : Caen : *Salomée*, marbre.
Ventes Publiques : Paris, 30 jan. 1995 : *Pavlova Stowitz dans « La Péri »*, bronze (48x48) : **FRF 39 000**.

LYEN Jacques, ou **Jean François de**. Voir **DELYEN**

LY FON-PEI. Voir **LI FENGBAI**

LYGRISSE Georges
Né en 1914 à Baden (Morbihan). XXe siècle. Français.
Peintre de paysages, marines, scènes typiques.
Il fut élève de Lachaud, à l'école des beaux-arts de Brest, il se dit disciple de Mathurin Méheut.
Il a peint de nombreux Pardons de Bretagne.

LYKIOS I
Ve siècle avant J.-C. Actif vers 450 avant Jésus-Christ. Antiquité grecque.
Sculpteur.
Il travailla à Athènes et Olympe.

LYKIOS II
Antiquité grecque.
Sculpteur.
Une inscription de cet artiste, qui travaillait au temps des empereurs romains, se trouve sur une base de marbre découverte au Champ de Mars à Rome.

LYLE Linda M., née **Mason**
Née le 13 décembre 1915 à Mayfield (Kentucky). XXe siècle. Américaine.
Peintre de portraits, paysages, natures mortes, fleurs.
Elle a fait ses études à la Columbia University. Elle expose à New York, Newark, New Jersey, à Tampa en Floride, etc.
Sa technique est traditionnelle.

LYMAN John, appelé parfois **Goodwin-Lyman**
Né en 1886 à Biddeford (Maine). Mort le 26 mai 1967 à Barbade. XXe siècle. Canadien.
Peintre de paysages.
Descendant d'une famille bourgeoise de la Nouvelle-Angleterre, son père est devenu citoyen canadien l'année même de la naissance de John. En 1906, alors qu'il est étudiant à l'université MacGill, il découvre l'envie de peindre en voyant une exposition impressionniste à Montréal. L'été suivant, en 1907, en vacances à Paris, il suit les cours de Marcel Béronneau, ami et imitateur de Gustave Moreau. À l'automne, il va en Angleterre y apprendre l'architecture. De retour à Paris, il entre dans l'atelier de J.-P. Laurens à l'académie Julian, il y reste deux ans, mais après un voyage sur la Côte d'Azur, il décide d'aller travailler avec Henri Matisse. En 1913, les peintures de Lyman font scandale au Canada. Reparti en Europe, il rentre définitivement au Canada en 1931. Avec André Belier, il fonde un atelier libre, puis en 1939 il met sur pied CAS (Contemporary Art Society), pour s'opposer à l'académisme et secouer l'inertie québécoise. Près de dix ans plus tard, Pellan, mais aussi Borduas, s'opposeront à leur tour à Lyman. Le CAS a en particulier organisé une exposition de peintre de l'école française : Dufy, Derain, Vlaminck, Kandinsky, et, à ce titre, Lyman a certainement contribué à l'explosion de l'art canadien tel que Pellan et Borduas ont pu le voir naître peu après la guerre.
Il subit l'influence d'Henri Matisse, il en adopte le coloris et l'esprit de sa composition. Peintre, Lyman fuit les trouvailles et les excès, il s'exprime avec une retenue extrême et ne s'abandonne jamais au lyrisme. Il ordonne, immobilise, pacifie ce qu'il voit et certains ont vu dans cette fixité une sorte d'insolite. Pourtant Lyman est avant tout un contemplatif : il n'a jamais pu peindre sous un ciel gris et encore moins sous éclairage artificiel. À Paris, aussi bien qu'à Montréal, sur la Côte d'Azur ou au Pays

Basque, aux Bermudes, aux Antilles, il n'a, non plus, jamais cédé à la tentation du pittoresque.

Lyman

Bibliogr. : In : *Dict. de l'art mod. et contemp.*, Hazan, Paris, 1992.
Musées : Montréal (Gal. Nat. du Canada) : *Bermude*.
Ventes Publiques : Montréal, 18 oct. 1974 : *Lac de montagne* : **CAD 1 800** – Toronto, 14 mai 1979 : *Paysage, St. Jovite*, h/pan. (38x46) : **CAD 1 800** – Toronto, 4 mai 1983 : *La Moisson*, h/cart. (36,3x59,4) : **CAD 2 200** – Toronto, 28 mai 1985 : *Cedarville landing* 1959, cart. entoilé (51,3x45) : **CAD 4 000** – Montréal, 25 nov. 1986 : *Portrait de Gilles Corbeil*, h/t (61x76) : **CAD 4 200** – Montréal, 30 oct. 1989 : *Nature morte aux fruits*, h/pan. (25x36) : **CAD 3 080**.

LYMAN Joseph
Né le 17 juillet 1843 à Ravenna (Ohio). Mort en 1913 à Wallingford (Connecticut). XIXe-XXe siècles. Américain.
Peintre.
Élève de Samuel Colman à New York ; médaille de bronze à Saint-Louis en 1904 ; associé de la National Academy depuis 1886.

LYMANN Johann Samuel
Né en 1742 à Copenhague. Mort en 1769 à Copenhague. XVIIIe siècle. Hollandais.
Graveur au burin.
Élève de l'Académie de Copenhague. La planche *David combattant Goliath*, d'après son propre dessin, lui valut une médaille d'or. Il grava surtout des portraits.

LYMBURNER Francis
Né en 1916 dans le Queensland. Mort en 1972. XXe siècle. Australien.
Peintre de figures.
En 1946, il présentait à Paris : *Danseuse* à l'exposition ouverte au musée d'Art moderne par l'UNESCO.
Ventes Publiques : Melbourne, 15 mars 1974 : *Bord de mer, Sussex* : **AUD 1 800** – Sydney, 6 oct. 1976 : *Chien* 1976, aquar. et cr. (34x47,5) : **AUD 600** – Sydney, 21 mars 1979 : *The chair*, h/cart. (122x71) : **AUD 1 400** – Londres, 28 mai 1987 : *La Lettre* vers 1956, h/t (50,8x34,9) : **GBP 4 000** – Londres, 1er déc. 1988 : *Un teckel* 1961, encre (24,2x33,7) : **GBP 550** – Sydney, 20 mars 1989 : *Nu allongé*, h/cart. (48x74) : **AUD 1 800** – Sydney, 16 oct. 1989 : *Au cirque*, encre et lav. (21x29) : **AUD 800** – Londres, 30 nov. 1989 : *Les bas noirs*, encre et lav. (32,4x38,1) : **GBP 880**.

LYMERS Huybrecht. Voir **LEYMERS**

LYN, groupe constitué de : BERGSTROM Arild, BREIVIK Bard, KRZYWINSKI Bjorn, LARSEN Birger, RONNING Svein, STOLTZ Gerhard
XXe siècle. Norvégiens.
Bibliogr. : In : *Catalogue de la IXe Biennale de Paris*, Paris, 1975.
Ventes Publiques : Milan, 8 nov. 1989 : *Rose*, collage/t. (64x64) : **ITL 950 000**.

LYN Giovanni ou **Lin** ou **Lintz** ou **Lynzo**, dit **il Moccione**
Né vers 1499 à Pergine près de Trente. Mort le 8 mai 1559 à Lucerne. XVIe siècle. Italien.
Sculpteur et architecte.
Il vint en 1558 à Zurich où il exécuta pour une fontaine de cette ville le groupe *Samson et le Lion*, qui orne depuis 1698 la fontaine du marché au poisson.

LYN John et **Pieter Van der**. Voir **VANDERLYN**

LYNANOUE, pseudonyme de **Renaudin Jocelyne**
Née le 15 juin 1939 à Nancy (Meurthe-et-Moselle). XXe siècle. Française.
Peintre de portraits, paysages, marines, natures mortes, nus, aquarelliste, pastelliste. Postimpressionniste.
Elle grandit dans une famille d'artistes, d'origine russe, apprenant très tôt à dessiner. Elle participe aux Salons des Indépendants, des Artistes Français, d'Automne, à Paris. Elle montre ses œuvres dans des expositions personnelles en France, Angleterre, Italie, Allemagne, Hollande, à la Guadeloupe et Tahiti.
Elle peint en touches légères, aux couleurs chaudes, le monde qui l'entoure. Ses portraits, et plus encore ses paysages, sont marqués par l'impressionnisme.

LYNCH Albert
Né en 1851 à Lima. XIXe siècle. Actif en France. Péruvien.
Peintre de genre, portraits.
Il vint à Paris pour suivre les cours de Jules Noël, Henri Lehmann et Gabriel Ferrier à l'École des Beaux-Arts. Il participa au Salon de Paris à partir de 1890, obtenant une médaille de troisième classe en 1890, de première classe en 1892 et une médaille d'or à l'Exposition Universelle de 1900. Chevalier de la Légion d'honneur en 1901.
Ses scènes de genre sont traitées avec une élégance fin de siècle. Un Albert Lynch a illustré, à la fin du siècle, plusieurs ouvrages d'O. Uzanne, sur la femme et la mode, et *La dame aux camélias* de Dumas fils.
Bibliogr. : Gérald Schurr, in : *Les Petits Maîtres de la peinture 1820-1920, valeur de demain*, Les Éditions de l'Amateur, t. IV, Paris, 1979.
Musées : Guéret : *Portrait de femme – Mme Porthault – La jeune fille* – Sydney : *La séance du portrait*.
Ventes Publiques : Paris, 9 fév. 1927 : *La tasse de thé* : **FRF 3 200** – New York, 31 oct. 1929 : *Printemps* : **USD 625** – Paris, 12 juil. 1942 : *Route au bord de la mer en Bretagne*, aquar. : **FRF 680** – Paris, 2 juin 1950 : *Portrait de jeune fille* : **FRF 10 000** – New York, 14 mai 1976 : *Ange jouant du violon*, h/t (137x80) : **USD 1 200** – Londres, 15 mai 1979 : *Mélodies célestes*, h/t (135x77,5) : **GBP 1 200** – Los Angeles, 22 juin 1981 : *Jeune fille dans les branches*, h/t (81x42) : **USD 6 250** – New York, 30 mai 1984 : *Jeune femme cueillant des fleurs*, h/t (101x49,7) : **USD 4 500** – New York, 28 oct. 1986 : *La Tasse de thé*, h/t mar./pan. (80x56,6) : **USD 6 750** – New York, 28 oct. 1987 : *Après-midi à la mer*, h/pan. (47x36,8) : **USD 26 000** – New York, 25 fév. 1988 : *La cueillette de fleurs*, h/t (101,6x65) : **USD 9 900** – Paris, 21 nov. 1988 : *Falaises* 1897, h/pan. (23x31,5) : **FRF 5 100** – New York, 23 fév. 1989 : *La tasse de thé*, h/t/pan. (80x56,5) : **USD 14 300** – Londres, 5 mai 1989 : *Jolie jeune fille*, h/t (66x51) : **GBP 6 600** – New York, 1er mars 1990 : *Promenade estivale*, h/pan. (43,8x37,5) : **USD 28 600** – Paris, 15 juin 1990 : *Femme au café*, cr. noir (26,5x18,2) : **FRF 3 500** – New York, 24 oct. 1990 : *Portrait d'une élégante jeune femme*, h/t (46,4x66) : **USD 24 200** – Le Touquet, 11 nov. 1990 : *L'instant du thé*, h/t (92x73) : **FRF 51 000** – New York, 19 fév. 1992 : *La fête de l'hiver*, h/t (65,4x45,1) : **USD 6 820** – New York, 27 mai 1992 : *La lettre*, h/pan. (73x55,3) : **USD 33 000** – Paris, 1er juil. 1992 : *La servante*, aquar. (47,5x31,5) : **FRF 6 000** – New York, 17 fév. 1993 : *Dame tenant un éventail*, past./t. (106,7x86,4) : **USD 8 050** – New York, 26 mai 1993 : *Jeune femme préparant un vase de fleurs*, h/t (61x45,7) : **USD 10 350** – Paris, 30 juin 1993 : *Paysage*, h/pan. (15x24,3) : **FRF 10 000** – New York, 16 fév. 1994 : *Pensées vagabondes*, h/t (66x54) : **USD 17 250** – Paris, 4 juil. 1995 : *Élégante en rose sur un canapé*, aquar. (27,5x17) : **FRF 6 000** – New York, 23 oct. 1997 : *Fleurs du jardin*, h/t (91,4x112,4) : **USD 167 500**.

LYNCH James Henry
Mort en 1868 à Londres. XIXe siècle. Britannique.
Lithographe.
Exposa des portraits à la Royal Academy de 1856 à 1865. Sans doute identique à BACON (Henry Lynch).

LYNDEN
XVIIIe siècle. Actif à Londres. Britannique.
Peintre.
Il exposa en 1783 des aquarelles (fleurs et oiseaux).

LYNDEN A. Van
XVIIe siècle. Hollandais.
Peintre de natures mortes.
Le Musée de Riga possède une nature morte signée de sa main et datée de 1653.

LYNDON Herbert
XIXe siècle. Actif à Londres. Britannique.
Peintre de paysages.
Il exposa de 1879 à 1898 à la Royal Academy.

LYNE Michael
Né en 1912. Mort en 1989. XXe siècle. Britannique.
Peintre de scènes de chasse, animaux, dessinateur, aquarelliste, peintre à la gouache.

Michael Lyne

Ventes Publiques : Londres, 1 fév. 1978 : *Scène de chasse*, h/t (70x105) : **GBP 1 500** – Londres, 27 juin 1979 : *Waiting for the*

Pony man, h/t (49,5x75) : **GBP 540** – New York, 8 juin 1984 : *L'arrivée de la course*, h/t (50,8x76,2) : **USD 1 600** – Londres, 20 juin 1985 : *The Ledbury Hunt* 1942, gche : **GBP 1 500** – New York, 6 juin 1986 : *La meute du duc de Beaufort traversant une route*, h/t (50,8x76,8) : **USD 2 800** – Londres, 12 juin 1987 : *Le Chien du duc de Beaufort près de Tetbury* 1946, aquar. et gche (35,5x50,8) : **GBP 2 000** – New York, 9 juin 1988 : *Lévriers*, cr./pap. (22,9x62,1) : **USD 1 100** – Londres, 9 juin 1988 : *La Meute de Cotswold*, aquar. et gche (25x30) : **GBP 825** – Londres, 8 juin 1989 : *La course d'obstacles*, h/t (91,5x71,2) : **GBP 8 800** – Londres, 25 jan. 1991 : *Avant le départ pour la chasse* 1954, aquar. et gche (23x33) : **GBP 902** – New York, 7 juin 1991 : *Le Maître d'équipage James Pigg*, h/t (127x101,6) : **USD 10 450** – New York, 5 juin 1992 : *L'Équipage de Mme de Rothschild à La Michelette*, h/t (71,1x106,7) : **USD 12 100** – Perth, 31 août 1993 : *Étude d'une loutre* 1942, aquar. avec reh. de blanc (33x50) : **GBP 1 265** – Édimbourg, 9 juin 1994 : *Voilà la meute*, h/t (61x91,5) : **GBP 2 070** – New York, 12 avr. 1996 : *Ascot* 1961, h/t (70,5x91,4) : **USD 16 100** – Londres, 13 nov. 1996 : *The Beaufort Hunt Point-to-point* 1946, aquar. et gche (33x47) : **GBP 2 530**.

LYNE Richard

xvie siècle. Actif dans la seconde moitié du xvie siècle. Britannique.

Portraitiste et graveur.

On voit de lui, au Lambeth Palace, un *Portrait de son protecteur, l'archevêque Parker*, daté de 1572.

LYNEN Amédée Ernest

Né le 30 juin 1852 à St Josse-ten-Noode (Brabant). Mort en 1938 à Bruxelles (Brabant). xixe-xxe siècles. Belge.

Peintre, dessinateur, graveur, aquarelliste, illustrateur, décorateur.

Il fut élève de l'académie des beaux-arts de Bruxelles, où il eut pour professeur Lauters. Il travailla comme typographe, lithographe et décorateur. Il publia de nombreux ouvrages illustrés, dont les textes sont également de lui. Il dessina des affiches, des programmes, collabora à diverses revues d'art, et conçut des pièces de théâtre d'ombres. Il fut l'un des fondateurs du groupe l'Essor.

Am - Lynen

Bibliogr. : In : *Dict. biogr. illustré des artistes en Belgique depuis 1830*, Arto, Bruxelles, 1987 – in : *Dict. des illustrateurs 1800-1914*, Ides et Calendes, Neuchâtel, 1989.

Musées : Bruxelles.

Ventes Publiques : Bruxelles, 15 mars 1978 : *La procession passe* 1895, h/bois (33x59) : **BEF 40 000** – Lokeren, 8 oct. 1988 : *Projet d'affiche*, aquar. (76x62) : **BEF 19 000**.

LYNEN André Victor Jules

Né en 1888 à Anvers. Mort en 1984. xxe siècle. Belge.

Peintre de marines, paysages, natures mortes, portraits, aquarelliste, pastelliste.

Il peignit des scènes de la vie des tranchées durant la Première Guerre mondiale.

Bibliogr. : In : *Dict. biogr. illustré des artistes en Belgique depuis 1830*, Arto, Bruxelles, 1987.

Musées : Anvers – Liège.

Ventes Publiques : Lokeren, 21 mars 1992 : *Vue de Nieuport* 1912, h/t (85x100) : **BEF 55 000**.

LYNG Johan Jörgen

Né en 1756 à Trondhjem. Mort en 1792. xviiie siècle. Norvégien.

Peintre.

Il vint en 1779 à Copenhague où il devint décorateur à la Manufacture royale de porcelaine. Il se fixa ensuite à Trondhjem. Il peignit des tableaux d'autel, des portraits, des tapisseries.

LYNGBOE Christian

Né le 19 juin 1871. xixe-xxe siècles. Danois.

Peintre de paysages, compositions animées, scènes typiques.

Il étudia à Copenhague et se fixa dans le Jutland ouest. Il peignit les paysages et les paysans de cette région.

Musées : Varde.

LYNGBYE Lauritz B.

Né en 1805. Mort le 18 mai 1869 près d'Elseneur. xixe siècle. Danois.

Peintre de paysages, marines, aquarelliste, peintre sur porcelaine.

Le Musée de la Manufacture royale de porcelaine possède des assiettes de porcelaine peintes par lui.

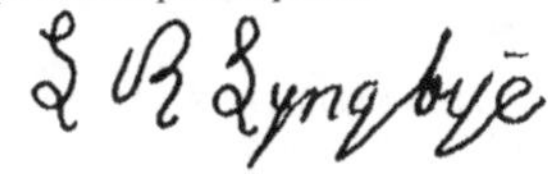

Ventes Publiques : New York, 25 mai 1988 : *Frégate américaine toutes voiles dehors, d'autres bateaux au fond* 1832, aquar. et encre noire/pap. (21,2x28) : **USD 2 420**.

LYNGE-AHLBERG Einar

Né en 1913. Mort en 1980. xxe siècle. Suédois.

Peintre. Abstrait-géométrique.

Bien que partant de sujets réels, le traitement qu'il leur applique, les décomposant en petits triangles ou losanges colorés, les rend parfaitement abstraits.

Ventes Publiques : Stockholm, 5-6 déc. 1990 : *L'ombre du phare*, temp. (81x50) : **SEK 12 500** – Stockholm, 30 mai 1991 : *Dominante verte*, h/pan. (51x81) : **SEK 9 000** – Stockholm, 28 oct. 1991 : *Vue de Katarinavägen avec Gamla Stan à Stockholm*, h/t (52x98) : **SEK 4 000**.

LYNHOVEN Nicolaes Van

Mort avant 1702. xviie siècle. Actif à Haarlem. Hollandais.

Dessinateur de sujets de sport, paysages, animaux, graveur.

Il fut l'ami du peintre Gillis Schagen. Il a réalisé de nombreuses scènes de cavaliers.

LYNKER Anna

Née en 1834 à Vienne. xixe siècle. Autrichienne.

Paysagiste et aquarelliste.

Élève de J. W. Schirmer à Karlsruhe. Elle visita Constantinople, Smyrne, l'Égypte et se fixa à Graz. On cite d'elle : *Temple de Kebasch en Nubie*.

LYNN Elwynn A.

Né en 1917 à Carowindra. xxe siècle. Australien.

Peintre.

Important critique d'art, il a joué un rôle important en Australie, faisant connaître les divers mouvements artistiques américains et européens contemporains.

Il a montré ses œuvres en 1977 à Sydney, dans la galerie Ivan Dougherty.

Expressionniste dans ses débuts, il abandonne la représentation introduisant des éléments du réel tels que cordes, ficelles, bois, collage, et adopte une gamme de tons plus sombres. Son travail n'est pas sans évoquer celui du peintre catalan Tapies.

Bibliogr. : In : *Dict. de l'art mod. et contemp.*, Hazan, Paris, 1992.

LYNN John

xixe siècle. Actif à Londres. Britannique.

Peintre de paysages, marines.

Il exposa de 1828 à 1838 des paysages des côtes et des marines.

Ventes Publiques : Londres, 29 juin 1934 : *Vaches sous le tir des canons ; Norris Castle*, les deux : **GBP 152** – Londres, 19 nov. 1969 : *Vue de Greenwich* : **GBP 3 500** – Londres, 26 avr. 1974 : *Le Mont St-Michel* 1837 : **GNS 600** – Londres, 15 oct. 1976 : *Le yacht du prince d'Orange au large de l'île de Wight* 1845, h/t (47x70) : **GBP 700** – Londres, 22 juin 1979 : *Bateaux au large du port de Valetta, Malte* 1840, h/t (57x80) : **GBP 1 800** – Londres, 16 déc. 1986 : *Battle of the glorious 1st Juna, 1794*, h/t, d'après Philip James de Loutherbourg (75x109) : **GBP 2 800** – New York, 4 juin 1987 : *Scène de chasse en Irlande* 1852, h/t (61x91,5) : **USD 14 000** – Londres, 13 déc. 1989 : *Navire de la marine marchande et autres embarcations au large*, h/t (58x87,5) : **GBP 990** – Londres, 17 juil. 1992 : *Vue de Gibraltar depuis le nord* 1837, h/pan. (22,8x30,4) : **GBP 1 650** – Londres, 18 nov. 1992 : *Schooner de l'escadre royale au large du phare de Eddystone avec d'autres bâtiments à l'arrière-plan* 1831, h/t (65x99) : **GBP 7 260** – Londres, 20 jan. 1993 : *Le spartan attaquant l'escadre française dans la baie de Naples*, h/t (59x90) : **GBP 12 650** – Londres, 3 avr. 1996 : *Vue du château de Connell dans le Comté de Limerick et Vue du lac de Doon près de Broadford* 1855, h/t, une paire (chaque 59x90) : **GBP 4 600**.

LYNN Samuel Ferris

Né en Irlande. Mort en 1876. xixe siècle. Britannique.

Sculpteur.

Élève de son frère, architecte à Belfast, et de la Royal Academy.

LYNTON Henry Herbert S.
XIXe-XXe siècles. Britannique.
Peintre de sujets orientaux, peintre à la gouache, aquarelliste, technique mixte.
VENTES PUBLIQUES : LONDRES, 20 juin 1985 : *La mosquée d'Omar, Jérusalem* 1890, aquar. et cr. (28x44) : **GBP 1 000** – NEW YORK, 21 mai 1991 : *Ville d'Algérie* 1890, h/t (50,8x76,2) : **USD 1 320** – NEW YORK, 14 oct. 1993 : *Caravane dans le désert ; Campement nomade*, aquar. et gche/pap. (19x26,7 et 19,8x23,2) : **USD 5 175.**

LYNZO Giovanni. Voir **LYN**

LYON. Voir aussi **LION**

LYON Corneille de. Voir **CORNEILLE de Lyon**

LYON David
XVIIIe siècle. Actif à Londres. Britannique.
Peintre d'animaux.
VENTES PUBLIQUES : LONDRES, 10 nov. 1982 : *Chien à l'arrêt*, h/t (62,5x74) : **GBP 1 500** – NEW YORK, 10 juin 1983 : *On the point*, h/t (64,8x76,8) : **USD 5 000.**

LYON Edwin
Né en 1836 à Dublin. XIXe siècle. Irlandais.
Sculpteur, sculpteur-modeleur de cire.

LYON J.
XIXe siècle. Actif à Londres. Britannique.
Peintre de miniatures.
Il exposa en 1803 et en 1806 à la Royal Academy (un portrait à chacune de ces expositions).

LYON Jacob ou **Lion** ou **Leo**, dit **Allion**
Né en 1587 probablement à Amsterdam. Mort en 1651. XVIIe siècle. Hollandais.
Peintre de portraits.
Il semble qu'il s'appelait aussi *Stellard* et était le fils du peintre paysagiste François Stellard de Lion. Il se maria à Amsterdam en 1641.

LYON John Howard
Mort en 1921. XIXe-XXe siècles. Britannique.
Peintre de paysages.
VENTES PUBLIQUES : AUCHTERARDER (Écosse), 29 août 1978 : *Personnage dans un paysage ; La fin du jour*, h/t, la paire (33x48) : **GBP 1 600** – GLASGOW, 7 fév. 1989 : *Ruisseau près du village de Strathyre dans le Perthshire*, h/t (87,5x112) : **GBP 2 640** – GLASGOW, 6 fév. 1990 : *Lac des Highlands le matin ; L'après-midi*, h/t (77x128) : **GBP 4 840** – PERTH, 27 août 1990 : *Dans la lande*, h/t (51x76) : **GBP 880** – ÉDIMBOURG, 28 avr. 1992 : *Glen Ogle*, h/t (76x127) : **GBP 1 980** – MONTRÉAL, 5 déc. 1995 : *Strathyre en Écosse*, h/t (76,2x127) : **CAD 1 100.**

LYON Léon
XIXe siècle. Français.
Portraitiste.
Exposa au Salon de Paris, de 1842 à 1848.

LYON Lucie
Morte le 2 juillet 1893 à Berlin. XIXe siècle. Allemande.
Portraitiste.
Exposa à Berlin entre 1889 et 1893.

LYONET Pieter ou **Lyonnet**
Né en 1708 à Maestricht. Mort en 1789 à La Haye. XVIIIe siècle. Hollandais.
Dessinateur, peintre, tailleur d'images et graveur sur cuivre.
Il étudia d'abord la théologie et fut avocat au service des États Généraux ; en 1733, il fut élève de Carel de Moor et de H. Van Limborch. On cite de lui 8 f. pour *« Histoire d'un genre de polypes d'eau douce »*, par Trembley et 18 f. pour *« Traité anatomique de la chenille qui ronge le bois de saule »*.

LYONGRÜN Arnold Ernest
Né le 2 octobre 1871 à Donnau. XIXe-XXe siècles. Allemand.
Peintre de paysages, portraits, genre.
Il fut élève de J. Lefebvre et Robert-Fleury. Il vécut et travailla à Hambourg.

LYONS Edward
Né en 1726. Mort en 1801 à Dublin. XVIIIe siècle. Actif à Dublin. Irlandais.
Peintre d'armoiries et graveur.

LYOT Jean, dit **Jean de Tassy**
XVIIe siècle. Français.
Sculpteur et architecte.

LYR Claude, pseudonyme de **Vanderhaeghe**
Né le 31 août 1916 à Pessac (Gironde). XXe siècle. Actif en Belgique. Français.
Peintre, graveur, décorateur. Fantastique.
Il rentre en contact, dès sa jeunesse, avec les peintres fauves du Brabant, par l'intermédiaire de son père. Il fut élève de l'académie royale des beaux-arts de Bruxelles, où il devint professeur, puis directeur. Il dirigea aussi l'école des arts d'Ixelles, de 1965 à 1981. Il voyagea en Italie, Grèce, Espagne, Angleterre, États-Unis, Allemagne, Autriche et séjourna huit mois au Congo, en 1955-1956.
Il participe à de nombreuses expositions collectives et Salons belges. Il montre ses œuvres dans des expositions personnelles à Bruxelles, en Belgique et à l'étranger. Il a reçu divers prix, notamment celui de l'œuvre nationale des beaux-arts. Il a été nommé chevalier de l'ordre de la couronne.
Après des débuts réalistes impressionnistes, il tend vers une peinture métaphysique, entre symbolisme et surréalisme. Il propose une vision personnelle. Au sein d'une nature primitive, des personnages, nus le plus souvent, aux silhouettes impersonnelles, évoluent, évoquant quelque scène de la nuit des temps.
BIBLIOGR. : André Gascht : *Claude Lyr*, Dereume, Bruxelles, 1976 – in : *Dict. biogr. illustré des artistes en Belgique depuis 1830*, Arto, Bruxelles, 1987.
MUSÉES : BRUXELLES (Cab. des Estampes) – CHARLEROI : *Une Cuisine provençale* – DENVER : *Le Désert bleu* – IXELLES : *Le Monde de pierre* – LA LOUVIÈRE : *Mas dans la campagne* – MONS – OSTENDE.

LYRHOLM Ake
Né en 1925 à Berne. XXe siècle. Actif et naturalisé en Suède. Suisse.
Graveur.
Il a participé en 1992 à l'exposition : *De Bonnard à Baselitz – Dix ans d'enrichissements du cabinet des estampes 1978-1988*, à la Bibliothèque nationale de Paris.
MUSÉES : PARIS (BN) : *La Forêt donne, la forêt prend* 1983.

LYS Bernard. Voir **LEIJS**

LYS Dirck Van der. Voir **LISSE**

LYS Jan, ou Johann, von. Voir **LIS Jan**

LYSARD Nicholas ou **Lyzarde** ou **Lisard**
D'origine néerlandaise. Mort en 1570 à Londres. XVIe siècle. Hollandais.
Peintre.
Fut attaché au service d'Henri VIII, Édouard VI et Élisabeth d'Angleterre. Il fut enterré dans la paroisse de Saint-Martin, le 5 avril 1570.

LYSEBETTEN Peeter Van. Voir **LISEBETTEN**

LYSER Johann Peter, pseudonyme de **Burmeister Ludwig Peter August**
Né le 4 octobre 1803 à Flensbourg. Mort le 29 janvier 1870 à Altona. XIXe siècle. Allemand.
Illustrateur, poète et écrivain.
On cite parmi ses œuvres les dessins de l'ouvrage *Cecilia*, et *Les Douze mois* (caricatures).
MUSÉES : AMSTERDAM : *Portrait de l'artiste par lui-même avec son fils* – SALZBOURG (Mus. Mozart) : *La chambre mortuaire de Mozart* – VIENNE (Mus. d'Hist.) : *Portrait de Beethoven*.

LYSIPPE I
IVe siècle avant J.-C. Actif à Sicyone entre 368 et 320 avant Jésus-Christ. Antiquité grecque.
Sculpteur de statues, groupes.
Chef de l'école de cette ville, il avait seul le privilège de représenter les traits d'Alexandre le Grand ; Pline dit qu'il en fit plus de 1 500 statues ; plusieurs, emportées par Métellus, étaient à Rome, dans les portiques d'Octavie. Son activité fut sans doute très étendue dans le temps, puisque ses premières statues datent probablement de 368 av. J.-C., tandis qu'il recevait une commande des Thessaliens en 365 av. J.-C., et devait faire le portrait de *Pélopidas* après 320 av. J.-C.
Ses principales œuvres sont : le *Jupiter de Tarente*, statue de 20 mètres de haut, qui tournait à la main, la *Junon de Samos*, le

Neptune de Corinthe, l'*Amour de Thespies*, l'*Apoxyoménos*, athlète, plusieurs statues de Jupiter et d'Hercule. Son nom figure sur une statue de Séleucus et sur un Hercule du palais Pitti, à Florence, mais ces deux œuvres ne paraissent être aussi que des copies. Un *Quadrige* aujourd'hui à Venise, lui est attribué. En 1995, une importante exposition sur Lysippe eut lieu au Palais des expositions de Rome.
Il donnait à ces portraits un caractère résolu, assez dur, nettement défini, opposé à une chevelure aux mèches désordonnées. Il s'oppose à l'art assez indolent de Praxitèle et reprend avec beaucoup de liberté la leçon de Polyclète, qu'il considère comme son maître. Il aime sculpter des personnages athlétiques auxquels il donne un mouvement intérieur, faisant travailler tous les muscles, toutes les articulations. Un simple geste comme celui de l'athlète frottant son bras à l'aide du strigile, entraîne une série de petits mouvements en chaîne, non seulement perceptibles de face, mais aussi tout autour du corps. Si bien que le rythme polyclétéen qui était linéaire, se transforme chez Lysippe, et devient hélicoïdal. Il ouvre ainsi la voie aux équilibres instables de la statuaire hellénistique.

LYSIPPE II
IIIe siècle av. J.-C. Antiquité grecque.
Sculpteur de statues.
Il sculpta pour la ville de Thermos une statue, dont la base, portant l'inscription de l'artiste, est conservée.

LYSIPPE III
Ier siècle av. J.-C. Actif au début du premier siècle avant Jésus-Christ. Antiquité grecque.
Sculpteur.
Il était fils de Lysippe d'Heraclée. À Delos sont conservées deux bases, avec l'inscription de l'artiste.

LYSISTRATE
IVe siècle av. J.-C. Actif à Sicyone en 324 avant Jésus-Christ. Antiquité grecque.
Sculpteur.
Frère et élève de Lysippe, il serait, d'après Pline, l'inventeur des portraits de cire moulés sur nature.

LYSONS Daniel
Né le 28 avril 1762. Mort le 3 janvier 1834 à Hampstead Court. XVIIIe-XIXe siècles. Britannique.
Dessinateur, illustrateur amateur.
Typographe et écrivain, il dessina et fit les illustrations à l'eau-forte de ses propres œuvres *Environs de Londres* et *Magna Britannica*.

LYSONS Samuel
Né en 1763. Mort le 26 juin 1819. XVIIIe-XIXe siècles. Britannique.
Dessinateur amateur et archéologue.
Il exposa de 1785 à 1801 à la Royal Academy des vues d'anciens bâtiments anglais. Il dessina et grava à l'eau-forte les planches de ses ouvrages *Énumération des ruines romaines découvertes à Woodchester en 1797* et *Reliquiae Britann. Romanae*.

LYSSAK Nikolai
Né en 1951 à Tcherkassy (Ukraine). XXe siècle. Russe.
Peintre de compositions animées, scènes typiques. Post-impressionniste.
Il commença ses études à l'école des beaux-arts d'Odessa, puis les termina à l'Institut Répine de Leningrad (aujourd'hui Saint-Pétersbourg).
Il peint des scènes pleines de fraîcheur, d'une manière fluide, plongeant les personnages dans la lumière environnante.
Musées : Moscou (min. de la Culture) – Odessa (Mus. de la ville) – Saint-Pétersbourg (Mus. de l'Acad. des Beaux-Arts) – Saint-Pétersbourg (Mus. du Théâtre).
Ventes Publiques : Paris, 24 sep. 1991 : *Sous la tonnelle*, h/t (79x79) : **FRF 11 500** – Paris, 27 jan. 1992 : *Avant le spectacle*, h/t (80x69) : **FRF 7 500** – Paris, 13 mars 1992 : *Le restaurant en plein air*, h/t (80x90) : **FRF 14 000** – Paris, 3 juin 1992 : *Jeunes femmes aux éventails*, h/t, une paire (160,5x56 et 159,5x56) : **FRF 19 000** – Paris, 7 oct. 1992 : *Petit déjeuner dans le jardin*, h/t (80x99,5) : **FRF 9 500** – Paris, 13 déc. 1993 : *Le repos*, h/t (74,5x79,5) : **FRF 4 500** – Paris, 30 jan. 1995 : *La vague légère*, h/t (64x99,5) : **FRF 6 200**.

LYSSENS Jacob. Voir **LEYSSENS**

LYSTER Richard
Né à Cork (Irlande). Mort le 1er août 1863 à Cork (Irlande). XIXe siècle. Irlandais.
Peintre de paysages et de figures.

LYTEMONT Jacob de. Voir **LITTEMONT**

LYTENS Gysbrecht ou **Gisbert**, dit aussi **Maître des Paysages d'Hiver** ou **de Neige**. Voir **LEYTENS Gisbert**

LYTH Harold
XXe siècle. Suédois.
Peintre. Abstrait.
Il montre ses œuvres pour la première fois à Paris en 1991, à la galerie Di Méo.
Des lignes souples et fluides occupent des fonds monochromes, bleu-vert, ocres, bleu-gris.

LYTKESVAGER Joachim. Voir **LUTKENSCWAGER**

LYTRAS Nicéphore ou **Nikiforos**
Né en 1832 à Athènes. Mort en 1904 à Athènes. XIXe siècle. Grec.
Peintre d'histoire et de genre.
Élève de l'École des Beaux-Arts d'Athènes et de l'Académie de Munich. Il peignit de préférence des scènes de la vie populaire grecque. Directeur de l'École des Beaux-Arts d'Athènes. Une œuvre de lui *Le jour de l'an*, fut exposée à Vienne en 1873, puis à Paris en 1878.
Ventes Publiques : Londres, 26 nov. 1986 : *Portrait d'homme à la canne* 1882, h/t (74x51,5) : **GBP 8 000**.

LYTRAS Nicolas
Né en 1883 à Athènes. Mort en 1927 à Athènes. XXe siècle. Grec.
Peintre de compositions à personnages, figures. Expressionniste.
Il était le fils du peintre d'histoire et de genre Nicéphore Lytras. Il fut élève de Georges Jacobidès à l'école des beaux-arts d'Athènes, de 1904 à 1906. À l'académie de Munich, de 1906 à 1911, il fut élève de Ludwig von Löfftz. Il devint ensuite professeur à l'école des beaux-arts d'Athènes, de 1923 à 1927.
Nicolas Lytras est l'un des principaux peintres expressionnistes grecs du XXe siècle. Sa peinture est caractérisée par l'audace de la composition et la modulation de la couleur.

Musées : Athènes (Pina. Nat.) – Athènes (Pina. mun.) – Rhodes (Gal. d'Art).
Ventes Publiques : Londres, 19 mars 1993 : *Paysage côtier*, h/t (53,7x45,1) : **GBP 25 300** – Londres, 16 nov. 1994 : *Un pont se reflétant dans l'eau*, h/cart. (35,5x25,5) : **GBP 6 670** – Londres, 19 nov. 1997 : *L'Employé du magasin* 1895, h/t (53x34,5) : **GBP 38 900**.

LYTTELTON Elizabeth
Morte en 1795. XVIIIe siècle. Britannique.
Peintre amateur.
Elle exposa des portraits à l'huile et au pastel.

LYTZEN Niels Aagaard
Né le 10 avril 1826. Mort le 20 septembre 1890. XIXe siècle. Danois.
Peintre.
Il exposa de 1850 à 1854 des portraits et des miniatures, plus tard des tableaux de genre et d'animaux, des paysages, des tableaux d'autel, notamment *Jésus et la Samaritaine* dans l'église de Nordlunde.

LYVINS ou **Lyvyns**. Voir **LIEVENS**

LYZARDE. Voir **LYSARD**

Maîtres anonymes connus par un monogramme ou des initiales commençant par L

L. A.
Monogramme d'un graveur.
Ce monogramme a été trouvé sur une estampe représentant des Sorcières faisant des préparatifs pour aller au Sabbat (composition de Jean Baudoin Grein).

L. B.
Allemand.
Monogramme d'un graveur.
Ce monogramme a été trouvé sur une vignette encadrant le portrait d'un roi.

L. Cz., Maître
XVe siècle. Allemand.
Graveur et peintre.
Il travailla à la fin du XVe siècle à Bamberg. On a présumé pendant un certain temps qu'il s'agissait de Lucas Cranach. Cependant cette hypothèse est contestée. Il est de toute façon certain que l'artiste a subi l'influence des peintres de Franconie.
Musées : Berlin (Mus. allemand) : un panneau de l'autel dit de Strache – Nuremberg (Mus. germanique) : *Jésus portant sa croix*, panneau de l'autel dit de Strache – Paris (Mus. du Louvre) : *Flagellation*, panneau de l'autel dit de Strache.

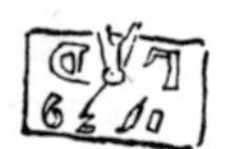

L. D.
XVIe siècle. Allemand.
Monogramme d'un graveur.
Ce monogramme a été trouvé sur une estampe représentant *Saint Antoine* (Copie de Dürer).

L. D., Maître aux initiales
XVIe siècle. Français.
Graveur.
Il était actif à Fontainebleau dans le second tiers du XVIe siècle. Il ne doit pas être identifié avec le peintre flamand Leonard Thiry qui se trouvait entre 1536 et 1542 à Fontainebleau. On connaît de cet artiste anonyme une série de soixante-neuf planches, dont douze représentant les *Neuf Muses* et les *Trois déesses : Vénus, Junon* et *Athénée* d'après le Primatice.
Ventes Publiques : Londres, 18 juin 1982 : *Les forges de Vulcain*, eau-forte, probablement d'après Luca Penni (32,7x45) : **GBP 3 000** – Londres, 27 juin 1985 : *Jason tuant le Dragon, d'après Primaticcio*, eau-forte (25,4x30,7) : **GBP 800**.

L. G.
Allemand.
Monogramme d'un graveur.
Ce monogramme a été trouvé sur deux estampes représentant : *Jésus-Christ tenté par le démon* et *Entrée de Jésus-Christ à Jérusalem*.

L. H. B.
Allemand.
Monogramme d'un graveur.
Cité par Ris-Paquot.

L. M. F.
Monogramme d'un peintre.
De nationalité inconnue. Cité par Ris-Paquot.

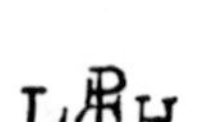

L. P. H.
Allemand.
Monogramme d'un graveur.
Ce monogramme a été relevé sur une estampe représentant : *Judith coupant la tête d'Holopherne*. Cité par Ris-Paquot.

L. S., Maître aux initiales
XVIe siècle. Éc. bavaroise.
Peintre de portraits, sujets religieux.
Peintre actif à Augsbourg. Ces initiales se retrouvent sur le *Portrait d'un jeune chevalier*, daté de 1540 et conservé au Musée allemand de Berlin. Il semble qu'on puisse identifier l'auteur de ce portrait avec le Maître de l'autel de l'Université, qui se trouve à l'Ancienne Pinacothèque de Munich et remonterait à 1512.
MUSÉES : BERLIN : *Portrait d'un jeune chevalier* 1540 – KASSEL : *Transfiguration du Christ* – MUNICH (Ancienne Pina.) : *Jésus pleuré par les siens* – MUNICH (Schleissheim) : *Lucrèce* – VIENNE (Gal. Harrach) : *Buste d'un jeune homme.*

L. V. S.
XVIe siècle. Allemand.
Monogramme d'un sculpteur.
Cité par Ris-Paquot. Il travaillait vers 1580.

MÄ... Voir aussi **MAE...**

MAACK Heinrich
Né le 11 mars 1882. XXe siècle. Allemand.
Peintre de paysages, portraits.
Il étudia à Munich. Il est mentionné à Hambourg à partir de 1903.

MAAG Johann Nepomuk
Né vers 1724 à Munich. Mort en 1800 à Munich. XVIIIe siècle. Allemand.
Graveur.
On cite de lui le *Portrait de William of Ockham*.

MA ANG
Né en 1655. XVIIe siècle. Chinois.
Peintre.
VENTES PUBLIQUES : NEW YORK, 31 mai 1994 : *Lettré dans sa résidence de campagne*, encre et pigments/pap., makémono (29,8x186,7) : **USD 3 450**.

MA ANG ou **Ma Ngang**, surnom : **Yunshang,** nom de pinceau : **Tuishan**
Originaire de Suzhou, province du Jiangsu. XVIIIe siècle. Actif au début du XVIIIe siècle. Chinois.
Peintre de paysages.
MUSÉES : BOSTON (Mus. des Beaux-Arts) : *Buffle d'eau sur la rive d'un ruisseau* signée et datée 1730 (?).

MAAR Dora, pseudonyme de **Markovitch Henriette** ou **Markovic Théodora**
Née le 22 novembre 1907 à Tours (Indre-et-Loire). Morte le 16 juillet 1997 à Paris. XXe siècle. Française.
Peintre de figures, paysages, photographe. Surréaliste, puis tendance abstraite.
La photographie délaissée pour la peinture, elle exposa individuellement à Paris : en 1944, galerie Jeanne Bucher ; en 1945, galerie Vendôme ; en 1957, galerie Berggruen ; à Londres en 1958, Leicester Galleries ; en 1990 de nouveau à Paris, galerie 1900-2000.
Dora Maar passa sa jeunesse en Argentine, avec son père, architecte d'origine yougoslave. Revenue en France, en 1925 elle fut élève d'André Lhote. Toutefois, peut-être parce que souvent prise pour modèle par les grands photographes du moment, Man Ray, Laure Albin-Guillot, ce fut la photographie qu'elle pratiqua d'abord comme moyen d'expression. Elle réalisait des publicités, des photos de nus ; en 1931, elle illustra un livre de Germain Bazin sur le Mont Saint-Michel ; en 1932, elle fit un reportage à Barcelone ; en 1934 à Londres. Ses reportages manifestaient des prises de position sociale. Elle entra alors en contact avec les surréalistes ; en 1934, avec Georges Bataille et André Breton, elle participa à l'Union des intellectuels contre le fascisme. Vers 1935, Paul Éluard la présenta à Picasso. Elle lui trouva, à côté de chez elle, l'atelier du 7 rue des Grands Augustins. Elle eut certainement une influence sur son comportement politique et sur son engagement, en 1944, au Parti communiste. Jusqu'environ 1945, elle fut sa compagne et son modèle, sans doute le plus bouleversant de tous, pour des portraits tendres, dont les déformations ne parviennent pas à ternir la beauté rayonnante, mais aussi pour la série terrible des *Femmes qui pleurent* en rouge et vert, pour la figure centrale de *Guernica* qui tend une lampe afin d'éclairer l'horreur, pour la sculpture devenue le monument à Apollinaire, dans le square de Saint-Germain-des-Prés. Elle subit difficilement la rupture et se fit de plus en plus secrète. ■ J. B.
BIBLIOGR. : In : *Dict. de l'art mod. et contemp.*, Hazan, Paris, 1992.
VENTES PUBLIQUES : NEW YORK, 7 nov. 1991 : *Études de trois figures* 1940, trois dess., cr./pap. (31x24) : **USD 11 000** – NEW YORK, 11 mai 1992 : *Paysage*, aquar. (24x31,7) ; *Pêche*, aquar. (11,5x11) ; *Composition abstraite*, aquar. (12x8) : **USD 5 500** – PARIS, 6 fév. 1994 : *Composition* 1943, h/t (73x60) : **FRF 8 000** – PARIS, 29 nov. 1996 : *Portrait de Picasso* 1952, photo. (26,5x22,5) : **FRF 6 500** – PARIS, 18 juin 1997 : *Tête de jeune femme au bandeau jaune*, h/t (162x130) : **FRF 40 000**.

MAAR Johann
Né en 1815. XIXe siècle. Allemand.
Peintre de genre et peintre d'histoire.
Il travailla à Nuremberg jusqu'à 1870 environ. La Galerie Municipale de Nuremberg possède une œuvre de sa main.

MAAREL Marinus Van der
Né le 1er septembre 1847 à La Haye. Mort en 1921 à La Haye. XIXe-XXe siècles. Hollandais.
Peintre de genre, aquarelliste.
Élève de Willem Maris. Il fut médaillé à plusieurs reprises.
MUSÉES : AMSTERDAM : *Étude de tête* – GRONINGEN : *Le porte-faix* – LA HAYE (Mus. Mesdag) : *Chien mort* – *Fantaisie* – LA HAYE (Mus. comm.) : *Marché aux fleurs*.
VENTES PUBLIQUES : AMSTERDAM, 30 août 1988 : *Femme de pêcheur nettoyant le poisson*, h/t (65x48) : **NLG 1 150** – COLOGNE, 15 oct. 1988 : *Sur le chemin du village* 1893, h/t (56x46) : **DEM 3 000** – AMSTERDAM, 24 avr. 1991 : *Enfants jouant sur une plage*, h/pan. (65x93) : **NLG 2 300** – AMSTERDAM, 17 sep. 1991 : *Enfants jouant sur une plage*, h/pan. (26,5x19) : **NLG 3 450** – AMSTERDAM, 28 oct. 1992 : *Rêverie*, aquar. avec reh. de blanc/pap. (43x19) : **NLG 8 625** – AMSTERDAM, 19 avr. 1994 : *Enfants sur une plage*, h/pan. (36,5x19) : **NLG 2 990**.

MAARTMAN Elsa. Voir **BESKOW**

MAAS. Voir aussi **MAES**

MAAS Adriaan Gerrit ou **Maes**
XVIIe siècle. Hollandais.
Peintre de genre, intérieurs, paysages.
Il est cité par Van Spaen à Rotterdam, et est probablement parent de Gérard et de Pierre.
MUSÉES : AIX-LA-CHAPELLE (Mus. Suermondt) : *Scène de cuisine* 1649.
VENTES PUBLIQUES : LONDRES, 14 mai 1986 : *Fête villageoise avec musiciens ambulants* 1679, h/pan. (64x91) : **GBP 9 000**.

MAAS Arnold ou **Aert Van** ou **Maes**
Né vers 1620 à Gouda. Mort en 1664. XVIIe siècle. Hollandais.
Peintre de genre, graveur à l'eau-forte.
Élève de David Teniers. Voyagea en Italie et en France. Il a gravé des sujets allégoriques. On voit de lui, à Paris, au Musée du Louvre *Intérieur de corps de garde* et à celui de Lyon, *Le retour au pays*.
VENTES PUBLIQUES : PARIS, 1776 : *Ville de Hollande* ; *Paysage*, deux dess. : **FRF 100** – WÜRZBURG, 1861 : *Le départ pour la chasse* : **FRF 150** – LONDRES, 1er fév. 1924 : *Kermesse de village* : **GBP 52** – NEW YORK, 20 jan. 1983 : *Kermesse villageoise*, h/t (73x91,5) : **USD 8 000**.

MAAS Dirk ou **Theodorus** ou **Maes**
Né le 12 septembre 1659 à Haarlem. Mort le 25 décembre 1717 à La Haye. XVIIe-XVIIIe siècles. Hollandais.

Peintre d'histoire, batailles, scènes de chasse, sujets de genre, animaux, paysages animés, graveur, dessinateur.
Élève de Mommers, de Berchem et de Huchtenburg ; il fit partie, en 1678, de la gilde de Haarlem et, en 1697, de celle de La Haye. Pendant le règne de Guillaume III, il alla en Angleterre et peignit la *Bataille de la Boyne* pour le comte de Portland. Il est aussi l'auteur des figures dans les paysages de Joh. Glauber. On mentionne dans son œuvre gravé : *Le manège ; Cavaliers ; Cavalier faisant la courbette ; Cavalier au pas ; Guillaume III et cinq cavaliers sur un champ de bataille ; Victoire remportée par le roy Guillaume III sur les Irlandais le 1er juillet 1690 ; Soldats et chevaux ; Cavalier montant un cheval ardent ; La volte renversée.*

DM DM D maas

Musées : Amsterdam : *Guillaume III d'Angleterre à la chasse* – Arras : *Paysage* – même sujet – Breslau, nom all. de Wroclaw : *Visite à la Résidence* – Budapest : *Marché aux chevaux* – même sujet – Cambridge (Fitzw) : *Chasse au cerf* – *Paysage* – même sujet – Dublin : *Guillaume III à la chasse* – Lyon : *Chasse au cerf* – Nancy : *Cavaliers combattant* – Riga : *Compagnie de chasseurs* – *Camp de cavaliers* – Rotterdam : *Un camp* – Saint-Pétersbourg (Mus. de l'Ermitage) : *Un camp* – *Une escarmouche de cavalerie* – Stockholm : *Transport de prisonniers dans une forêt.*
Ventes Publiques : Paris, 1840 : *Enfant jouant au cerf-volant* : **FRF 630** – Paris, 1843 : *Portrait de femme* : **FRF 1 055** – New York, 1868 : *Le Départ pour la chasse* : **FRF 1 005** – Amsterdam, 1897 : *La foire aux chevaux* : **FRF 1 764** – Paris, 10 et 11 juin 1925 : *Scène de patinage, sur les fossés de Haarlem,* pl. et lav. : **FRF 980** – Londres, 18 fév. 1929 : *Retour de la chasse* : **GBP 65** – Paris, 27 avr. 1934 : *Fête au village* : **FRF 2 600** – Londres, 6 avr. 1977 : *Scène devant une étable* 1682, h/pan. (39x45) : **GBP 2 000** – Londres, 11 juil 1979 : *Nombreux personnages aux abords d'une ville, en hiver,* h/t (63x89) : **GBP 8 500** – Londres, 17 nov. 1982 : *La foire aux chevaux,* h/t (63,5x90) : **GBP 6 800** – Londres, 2 juil. 1985 : *Cavaliers près d'un puits : paysage d'Arcadie,* aquar. et pierre noire (13,9x21,2) : **GBP 1 200** – Rome, 16 mai 1985 : *Le Départ des chasseurs,* h/pan. (30x41) : **ITL 9 000 000** – Amsterdam, 2 déc. 1987 : *Chasse au sanglier,* h/t (102x126,5) : **NLG 14 000** – Paris, 30 juin 1988 : *Retour de chasse,* h/t (55x71,5) : **FRF 65 000** – Paris, 22 nov. 1988 : *Paysage animé de personnages et d'animaux* 1687, cr. noir et lav. d'encre de Chine (13,5x19) : **FRF 4 100** – Amsterdam, 14 nov. 1988 : *Paysage rocheux avec deux cerfs près d'une cascade,* aquar. et craie (14x20) : **NLG 1 840** – Amsterdam, 20 juin 1989 : *Servante offrant à boire à un cavalier dans la cour d'une ferme italienne,* h/t (64,2x79) : **NLG 19 550** – New York, 2 juin 1989 : *Vastes paysages boisés avec des voyageurs,* h/t, une paire (chaque 57x69,5) : **USD 44 000** – Londres, 5 juil. 1989 : *Chasse au cerf dans un paysage fluvial boisé,* h/t (100,5x124,5) : **GBP 8 250** – Paris, 14 déc. 1989 : *Portrait de Lady Ann Hamilton,* h/t (125x92) : **FRF 48 000** – Amsterdam, 25 nov. 1991 : *Paysage vallonné avec une caravane de mules escortée de cavaliers,* craie noire et aquar. (15,6x20,2) : **NLG 1 955** – New York, 15 jan. 1993 : *Guillaume III d'Angleterre et ses compagnons de chasse dans un vaste paysage avec une forteresse à distance,* h/t (78,7x89,5) : **USD 18 400** – New York, 20 mai 1993 : *Caravane de cavaliers turcs dans un paysage montagneux,* h/t (72,4x102,9) : **USD 9 200** – Amsterdam, 17 nov. 1993 : *Engagement de cavalerie,* sanguine (30x40,2) : **NLG 5 750** – Londres, 9 déc. 1994 : *Cavaliers sollicités par un mendiant au bord du chemin,* h/t (51x64,2) : **GBP 12 650** – Londres, 3 avr. 1995 : *Paysage boisé avec des cerfs sous un arbre,* craie noire et lav. sur vélin (26x31) : **GBP 1 725** – Amsterdam, 9 mai 1995 : *Chasse au cerf,* h/pan. (diam. 9) : **NLG 4 720** – New York, 12 jan. 1996 : *Paysage fluvial montagneux avec des voyageurs sur un sentier,* h/pan. (25,1x32,7) : **USD 17 250** – Amsterdam, 11 nov. 1997 : *Chasseurs au sanglier dans un paysage de rivière boisé,* h/t (57,8x70) : **NLG 19 604.**

MAAS Jan ou **Johan** ou **Maes**, dit **l'Ancien**
Né en 1631 à Alkmaar. Mort en 1699. XVIIe siècle. Hollandais.
Peintre de genre amateur.
D'après Kramm, il y a des tableaux et des dessins de Jan Maas qui sont dans la manière de Nicolas, de Dordrecht, mais avec moins de talent. Il est cité par Van der Willigen. Il entra dans la gilde de Saint-Luc en 1658 et peut-être était-il plutôt amateur, car par état il était sacristain et chantre d'une église de Haarlem.

MAAS Johannes, dit **le Jeune**
Mort avant 1677. XVIIe siècle. Éc. flamande.
Peintre d'histoire.
Il était actif à Bruges.

MAAS Johannes, ou **Jan** dit **le Jeune**
Né le 10 novembre 1655 à Haarlem. Mort en 1690 à Haarlem. XVIIe siècle. Hollandais.
Peintre de sujets militaires, animalier, paysages.
Fils de Pieter Maas et peut-être élève de Dirk Maas. Il excellait dans la peinture des chevaux, des batailles, des campements.
Ventes Publiques : New York, 8 jan. 1981 : *Chasse à courre,* h/t (89,5x113) : **USD 11 000.**

MAAS Lorenz Johann
Né le 14 août 1845 à Francfort-sur-le-Main. Mort le 22 janvier 1882. XIXe siècle. Actif à Francfort-sur-le-Main. Allemand.
Peintre de genre.
Le Musée National de Darmstadt possède un tableau de sa main.

MAAS Paul
Né en 1890 à Laeken (Brabant). Mort en 1962 à Bruxelles. XXe siècle. Belge.
Peintre de compositions animées, portraits, nus, paysages, natures mortes, dessinateur.
Il a fait des études d'ingénieur à Bruxelles. Il a effectué de nombreux voyages en France, Angleterre, Hollande, où il rencontre Wouters qui l'encourage à peindre. Il a aussi travaillé avec son ami Ramah.
Il a très peu exposé. Une importante rétrospective de son œuvre a été organisée en 1966 au musée d'Art moderne de Bruxelles. Il a reçu le prix national Guggenheim pour son œuvre *Les Cinq Frères* en 1960.
Il a presque toujours peint les mêmes sujets : plages, promeneurs, scènes de rue, dans un style d'abord proche du cubisme puis a évolué vers l'expressionnisme. Sa touche fougueuse donne à ses œuvres, figuratives ou abstraites, un aspect vivant, lyrique.

Paul Maas

Bibliogr. : J. Stevo : *Paul Maas,* Elsevier, Bruxelles, 1961 – Albert Dasnoy : *Paul Maas – catalogue raisonné,* Laconti, Bruxelles, 1969 – in : *Les Muses,* Grange Batelière, t. IX, Paris, 1972 – in : *Dict. biogr. illustré des artistes en Belgique depuis 1830,* Arto, Bruxelles, 1987.
Musées : Bruxelles (Mus. roy. des Beaux-Arts) : *Bogliaco* 1922 – *Dieppe* 1961.
Ventes Publiques : Anvers, 2 oct. 1974 : *Barque blanche* : **BEF 55 000** – Bruxelles, 27 oct. 1976 : *Toits rouges,* h/t (47x62) : **BEF 55 000** – Bruxelles, 23 mars 1977 : *Personnages,* h/t (50x65) : **BEF 65 000** – Anvers, 23 oct 1979 : *Nu couché* 1925, h/t (80x120) : **BEF 120 000** – Bruxelles, 28 oct. 1981 : *La Plage,* h/t (50x65) : **BEF 115 000** – Bruxelles, 13 déc. 1984 : *Personnage sur la plage,* h/t (50x64) : **BEF 100 000** – Bruxelles, 30 oct. 1985 : *Les platanes,* h/t (49x64) : **BEF 170 000** – Anvers, 21 oct. 1986 : *Bikini,* h/t (50x65) : **BEF 125 000** – Lokeren, 28 mai 1988 : *Nu en rose,* h/cart. (69x95) : **BEF 80 000** – Bruxelles, 19 déc. 1989 : *Scène de plage,* aquar., une paire : **BEF 22 000** – Lokeren, 21 mars 1992 : *Fête juive,* h/t (81x116) : **BEF 300 000** – Lokeren, 23 mai 1992 : *Nu assis* 1948, h/pap. (67x34) : **BEF 65 000** ; *La foule,* h/t (65x92) : **BEF 140 000** – Lokeren, 10 oct. 1992 : *Carnaval,* h/t (50x65) : **BEF 85 000** ; *La grande plage* 1957, h/t (125x176) : **BEF 550 000** – Lokeren, 9 oct. 1993 : *Le vêtement à rayures rouges,* encre et gche/pap. (28x40) : **BEF 28 000** – Amsterdam, 9 déc. 1993 : *Personnages sur une plage,* h/t (50x65) : **NLG 3 680** – Lokeren, 11 mars 1995 : *À Ostende,* h/pan. (25x36) : **BEF 26 000.**

MAAS Pieter, l'Ancien ou **Maes**
XVIe siècle. Hollandais.
Peintre de genre, portraits, graveur.
Il était actif vers 1578. Probablement allié à Thierry Maas (?). Il peut être rapproché de Pieter Maes. Il aurait gravé d'après Liret.

MAAS Pieter, le Jeune ou **Maes**
XVIIe siècle. Éc. flamande.
Peintre, graveur à l'eau-forte.
Élève de Rubens. Il florissait en Hollande. On le croit parent de Gerard et d'Adrien Maas. Il a gravé des sujets religieux et des sujets d'histoire. On a confondu de ses estampes avec celles de Pieter l'Ancien, d'après Liret.

MAAS Stephen
Né en 1953. XXe siècle.
Sculpteur, aquarelliste, dessinateur.
Il montre ses œuvres dans des expositions personnelles : 1996 Le Quai – École des Beaux-Arts de Mulhouse et galerie B. Jordan et M. Devarieux à Paris.
Il réalise d'abord des sculptures en plâtre enduites de parafine qui camoufle la forme tout en la soulignant, puis évolue vers des formes minimalistes. Il travaille ensuite à partir de matériaux du quotidien, boîtes de sardine, tables à tréteaux, feuilles d'aluminium, plastique, qu'il dresse en compositions instables. Parallèlement, il travaille à des aquarelles qui disent aussi l'instabilité, la fugacité notamment à partir de l'observation du déplacement des oiseaux.
Bibliogr. : Eric Suchère : *Stephen Maas*, Art Press, n° 211, Paris, mars 1996 – Eric Suchère : *Stephen Maas*, Beaux-Arts, n° 148, Paris, sept. 1996.

MAASDIJK Alexander Henri Robert Van
Né en 1856 à Bruxelles. Mort en 1931 à Rotterdam. XIXe-XXe siècles. Actif aussi en Hollande. Belge.
Peintre d'histoire.
Il fut élève de l'Académie des Beaux-Arts de Bruxelles. Il devint professeur à l'Académie de Rotterdam.
Bibliogr. : In : *Diction. biograph. illustré des Artistes en Belgique depuis 1830*, Arto, Bruxelles, 1987.
Ventes Publiques : Amsterdam, 10 avr. 1990 : *La jeune artiste*, cr. et aquar./pap. (41x28,5) : **NLG 2 530** – Amsterdam, 11 sep. 1990 : *Cavalier sur sa monture saluant une élégante*, h/t (90,5x60) : **NLG 1 092**.

MAASKAMP E.
XIXe siècle. Actif à Amsterdam au début du XIXe siècle. Hollandais.
Peintre, dessinateur.
Il fut aussi libraire et marchand de gravures.

MAASS Ernst
Né en 1904. Mort en 1971. XXe siècle. Suisse.
Peintre de collages, technique mixte. Tendance surréaliste.
Musées : Aarau (Aargauer Kunsthaus) : *Stilleben – Abstraktion* 1935.
Ventes Publiques : Lucerne, 24 nov. 1990 : *Composition surréaliste* 1967, h. et collage/rés. synth. (63x7) : **CHF 4 500** – Lucerne, 15 mai 1993 : *Figure surréaliste* 1951, collage, aquar. et encre/pap. (26x19) : **CHF 2 500** – Lucerne, 26 nov. 1994 : *Sans titre*, collage de pap./cart. (38,5x152,5) : **CHF 3 000** – Lucerne, 20 mai 1995 : *Composition surréaliste avec panorama de montagnes* 1946, h., gche et collage/craton léger (51,5x64) : **CHF 2 000**.

MAASS Ferdinand
Né en 1837. Mort le 30 juillet 1902. XIXe siècle. Autrichien.
Peintre.
Il travailla à Vienne et Innsbruck. De nombreuses églises d'Autriche lui doivent des tableaux d'autel.

MAASS Heinrich
Né le 24 décembre 1860. XIXe-XXe siècles. Autrichien.
Peintre de portraits, graveur.
Il fut élève de J. Lefebvre et Robert-Fleury à Paris. La chapelle du château de Detmold lui doit un tableau *Les Saintes Femmes au tombeau*.

MAASS Johann Gottfried
XIXe siècle. Actif à Berlin. Allemand.
Peintre de genre, d'histoire et de portraits.
Il exposa de 1824 à 1848 à l'Académie de Berlin.

MAASSEN Heinrich Wilhelm
Mort vers 1790. XVIIIe siècle. Actif à Cologne. Allemand.
Graveur.

MAASSEN Peter
XVIIIe siècle. Actif à Cologne vers 1784. Allemand.
Graveur.

MAASSEN Théodor Johann Wilhelm
Né en 1817 à Aix-la-Chapelle. Mort en 1886 à Düsseldorf. XIXe siècle. Allemand.
Peintre d'histoire.
Élève de l'Académie de Düsseldorf. On cite de lui : *Le jeune Tobie* (1845) et *L'organiste*. Il a exposé à Berlin, Dresde, etc., entre 1842 et 1875.

MAATEN Jacob Jan Van der
Né en 1820 à Elburg. Mort le 16 avril 1879 à Apeldorn. XIXe siècle. Hollandais.
Peintre d'animaux, paysages animés, paysages, graveur.
Élève de H. Van den Sande Bakhuyzen.
Musées : La Haye (Mus. comm.) : *Champ de blé – Vue d'un bois – Le péage – Le long du canal*.
Ventes Publiques : La Haye, 1889 : *Paysage et animaux* : **FRF 320** – Rotterdam, 1891 : *Paysage* : **FRF 445** – Amsterdam, 22 oct. 1974 : *Paysage* : **NLG 6 500** – Amsterdam, 16 mars 1976 : *Paysage d'été*, h/pan. (20x28,5) : **NLG 6 200** – Amsterdam, 6 déc 1979 : *La route boisée*, h/pan. (29x39,7) : **NLG 7 600** – Amsterdam, 3 mai 1988 : *Paysanne et enfant dans une charrette, le long d'un ruisseau, près de la ferme en été*, h/pan. (31,5x50) : **NLG 14 950** – Amsterdam, 21 avr. 1994 : *Bétail dans une prairie avec des saules*, h/pan. (27,5x37) : **NLG 10 350** – Amsterdam, 27 oct. 1997 : *Paysage fluvial au moulin*, h/t (80x118) : **NLG 42 480**.

MABASSA Noria
XXe siècle. Sud-Africaine.
Sculpteur de figures.

MABBET Richard
XVIIIe siècle. Actif à Londres. Britannique.
Peintre de portraits, miniatures.
Il exposa en 1780 et 1781 à la Royal Academy de Londres.

MABBOUX Edgar
Né le 1er septembre 1932 à Lausanne. XXe siècle. Suisse.
Peintre de paysages.
Il fut élève de l'école des beaux-arts de Vevey de 1958 à 1960, étudia la gravure en 1960 à Paris. Il vit et travaille à Blonay, petit village suisse.
Il expose pour la première fois en 1964 à Fribourg. Il a participé à Paris, au Salon des Indépendants en 1986 et 1990, d'Automne en 1987 et 1990. Il montre ses œuvres dans des expositions personnelles régulièrement en Suisse, ainsi qu'en 1989 aux États-Unis.
Il peint dans un style naïf la nature qui l'entoure.
Musées : Ballenberg : *Scène viticole* 1989.

MABBOUX Henri Léon
Né au XIXe siècle à Paris. XIXe siècle. Français.
Peintre de genre.
Il eut pour maître Bin et Gérôme. Il figura au Salon à partir de 1869. On cite de lui : *Les mangeurs de moules bruxellois*.
Ventes Publiques : Enghien-les-Bains, 24 mars 1984 : *Les mangeurs de moules à Bruxelles*, h/t (165x122) : **FRF 58 000**.

MABEE Jasper
XVIe siècle. Actif à Bois-le-Duc. Hollandais.
Sculpteur sur bois.
Il sculpta en 1531 quatre figures de chevaliers pour l'horloge de l'Hôtel de Ville.

MABE Manabu
Né le 14 septembre 1924, d'autres sources donnent en 1910. XXe siècle. Depuis 1934 actif, puis naturalisé au Brésil. Japonais.
Peintre. Abstrait informel.
Émigré au Brésil, il s'installe à São Paulo où il entreprend des études artistiques à l'âge de vingt-trois ans. Il participe au Salao de Arte moderna, au Salao de Arte nacional moderna à partir de 1950, à la Biennale de São Paulo à partir de 1952. Il participa en 1957 à l'exposition de peintures abstraites de São Paulo. En 1958, il eut une exposition rétrospective à Lima et fut titulaire du prix Leirner, et en 1960 du prix Fiat à Turin.
Il évolua vers l'abstraction. Sur des fonds colorés aux effets de flou, il trace d'épais graphismes noirs, avec la sûreté de la calligraphie extrême-orientale.

MABE

Bibliogr. : *Peintres contemp.*, Mazenod, Paris, 1964 – Damian Bayon, Roberto Pontual : *La Peinture de l'Amérique latine au XXe s*, Mengès, Paris, 1990.
Ventes Publiques : New York, 17 oct 1979 : *Festival d'été* 1967, h/t (200x229,2) : **USD 9 500** – New York, 1er déc. 1981 : *Sans titre* 1978, h/t (102x152) : **USD 5 000** – São Paulo, 6 nov. 1983 : *Abstraction* 1983, h/t (53x58) : **BRL 4 200 000** – New York, 30 mai 1985 : *Magicos* 1953, acryl./t. (180,3x200) : **USD 10 000** – New York, 25 nov. 1986 : *Ilusao do Meio-Dia* 1959, h/t (128,5x129,6) : **USD 17 000** – New York, 21 nov. 1988 : *La marche* 1968, h/t (122x153) : **USD 18 700** – New York, 21 nov. 1989 : *Vent d'hiver* 1966, h/t (75x75) : **USD 5 500** – New York, 20-21 nov. 1990 : *Crevette* 1982, acryl./t. (101x127) : **USD 18 700** – New York, 18 mai

1993 : *Je suis la couleur de l'or* 1961, acryl./t. (130,2x130,2) : **USD 14 950** – New York, 21 nov. 1995 : *Sans titre* 1962, h/t (122x106,7) : **USD 16 100** – New York, 25-26 nov. 1996 : *Abstraction* 1982, acryl./t. (50,8x50,8) : **USD 5 750** – New York, 29-30 mai 1997 : *Énergie* 1960, h/t (129,9x162,6) : **USD 46 000**.

MABER Jan de ou **Johannes de**
Mort en 1702 ou 1710. XVIIe siècle. Actif à Amsterdam. Hollandais.
Peintre.
Ventes Publiques : Munich, 4 juin 1987 : *Allégorie de l'Automne*, h/pan. (57,5x50,5) : **DEM 6 500** – Amsterdam, 17 nov. 1994 : *Allégories de la Vertu et de la Diligence avec des putti versant des pièces d'une corne d'abondance*, h/t (100x155) : **NLG 12 650**.

MABERLY Diana
Née le 20 août 1903 à Londres. XXe siècle. Britannique.
Sculpteur.
Elle étudia à Vienne.

MABILLE Frans
Né en 1941 à Bruxelles. XXe siècle. Belge.
Peintre, dessinateur, peintre de cartons de tapisseries.
Il fut élève de l'académie des beaux-arts de Bruxelles où il enseigna par la suite, ainsi qu'à l'académie d'Etterbeek.
Bibliogr. : In : *Dict. biogr. illustré des artistes en Belgique depuis 1830*, Arto, Bruxelles, 1987.

MABILLE Jules Louis
Né le 14 août 1843 à Valenciennes. Mort en 1897. XIXe siècle. Français.
Sculpteur.
Élève de Jouffroy. Exposa au Salon de Paris, à partir de 1868, des bustes et quelques statues de genre. Médaille de troisième classe en 1877 et médaille de bronze en 1889 à l'Exposition Universelle à Paris. On doit à cet artiste : *Méléagre*, statue achetée par l'État ; *La ville de Lille*, statue en pierre à l'Hôtel de Ville de Paris ; *Victor Leclerc*, médaillon en marbre pour la Sorbonne ; *Deux cariatides* à l'Hôtel de Ville de Valenciennes ; *La musique mauresque*, statue en pierre au Théâtre de Constantine.
Musées : Tourcoing : *En avant* – Valenciennes : *Icare essayant ses ailes – Tête de femme morte*.

MABILLE Pierre
Né en 1958 à Amiens (Somme). XXe siècle. Français.
Peintre.
Il vit et travaille à Fontenay-sous-Bois.
Il a participé en 1992 à l'exposition : *De Bonnard à Baselitz – Dix ans d'enrichissements du cabinet des estampes 1978-1988*, à la Bibliothèque nationale de Paris. En 1994, il a montré ses œuvres dans une exposition personnelle à Paris, à la galerie Alain Veinstein.
Il peint par annotations sur de grands formats carrés.
Musées : Paris (BN, Cab. des Estampes) : *Africa rose* 1987.

MABON
XVIIIe siècle. Actif à Caen en 1790. Français.
Sculpteur.

MABRU Raoul
Né le 22 octobre 1888 à Clermont-Ferrand (Puy-de-Dôme). XXe siècle. Français.
Sculpteur de monuments, figures.
Il fut professeur de sculpture à l'école des beaux-arts de Clermont-Ferrand.
On lui doit plusieurs monuments aux morts. On cite aussi ses statuettes de paysans.

MABU Manabu. Voir **MABE Manabu**

MABUSE Jan. Voir **GOSSAERT**

MABUSE Nicolas Ramieri
XVIIe siècle. Italien.
Peintre d'histoire.
Cet artiste, sur lequel on possède peu de renseignements, exécuta des peintures religieuses à Rome. Il eut quatre filles peintres, qui travaillèrent à Venise.

MABUSE Pierre
XVIe siècle. Hollandais.
Peintre.
Fils de Jan Mabuse. Il fut doyen de la gilde de Middelbourg en 1554 et travailla pour cette ville.

McADAM Gérald
Né en 1941 à Oshawa (Ontario). XXe siècle. Canadien.
Peintre.
Musées : Montréal (Mus. d'Art Contemp.) : *Sans Titre*.

McADAM Walter
Né en 1866 à Glasgow. XIXe siècle. Britannique.
Peintre de paysages animés, paysages.
Musées : Stuttgart : *Paysage d'automne*.
Ventes Publiques : Glasgow, 7 fév. 1989 : *Paysage avec les fortifications de Montreuil au loin*, h/t (63,5x94) : **GBP 1 320** – Perth, 1er sep. 1992 : *Paysans bavardant sur le chemin*, h/t (61x92) : **GBP 1 045** – Glasgow, 14 fév. 1995 : *Au cœur de l'hiver*, h/pan. (31x46) : **GBP 690**.

MacADAMS
Né en 1943 à Brynmawr. XXe siècle. Actif aux États-Unis. Britannique.
Créateur d'installations, sculpteur, multimédia.
Il fit ses études au College of Art de Cardiff, puis s'installa à New York.
Il montre ses œuvres dans des expositions personnelles : 1988 Museum of Contemporary Art à La Jolla (Californie) ; 1990 Toronto ; 1990, 1992, 1993 New York ; 1992 Osaka ; 1994 Paris. En 1997, il a créé une commande publique pour la ville de Strasbourg dans les jardins de l'université Pasteur.
Il abandonne très vite la peinture pour réaliser des installations et s'intéresser plus particulièrement aux mises en scène que lui permet la photographie. Au début des années quatre-vingt, il délaisse cette expression artistique pour réaliser des œuvres sculptées, en terre, qu'il intitule « sculptures-journalisme » dont le sujet est tiré des faits divers du *New York Times*. Quelques années plus tard, il entreprend la série des « Sculptures-ombres », soulignant le pouvoir de l'ombre qui révèle.
Bibliogr. : Jacques Soulillou : *Mac Adams relation des faits*, Art Press, n° 190, Paris, mai 1994.
Musées : Limoges (FRAC) : *Port Authority* 1975, de la série Mysteries.

MACADRÉ Antoine ou **Machadre**
Né en juin 1541. Mort en 1577. XVIe siècle. Actif à Troyes. Français.
Peintre verrier.
Il était fils de Jean Macadré II.

MACADRÉ Étienne ou **Machadre**
XVIIe siècle. Actif à Aix-en-Provence. Français.
Peintre.
Il était fils de Jacques Macadré.

MACADRÉ Jacques ou **Machadre**
XVIIe siècle. Actif à Aix-en-Provence. Français.
Peintre.

MACADRÉ Jean I ou **Machadre**
XVIe siècle. Actif à Troyes. Français.
Peintre verrier.
Il travailla pour la cathédrale de Sens et pour l'église Saint-Jean à Troyes.

MACADRÉ Jean II
XVIe siècle. Actif à Troyes. Français.
Peintre verrier.
Il travailla de 1534 à 1560. Il était fils de Jean I Macadré.

MACADRÉ Jean III ou **Machadre**
XVIe siècle. Français.
Peintre verrier.
Il travailla à Troyes pour les églises Saint-Nicolas, Sainte-Madeleine et Saint-Nizier et, en collaboration avec Jean Lutereau, d'après le projet de Domenico Fiorentino, il exécuta une fenêtre de l'église Saint-Pantaléon.

MACADRÉ Nicolas ou **Machadre**
XVIe siècle. Actif à Troyes. Français.
Peintre verrier.
Il travailla avec Jean Macadré III pour l'église Saint-Julien à Troyes.

MACADRÉ Pierre I ou **Machadre**
XVIe siècle. Actif à Troyes. Français.
Peintre verrier.
Il est mentionné vers 1521.

MACADRÉ Pierre II ou **Machadre**
XVIe siècle. Actif à Troyes. Français.

Peintre verrier.
Il travailla, à Troyes pour les églises Sainte-Madeleine et Saint-Pantaléon.

MACAGNINI Angelo, dit **Angelo da Siena** et **Parrasio**
XVe siècle. Actif à Sienne. Italien.
Peintre.
Il fut à partir de 1447 peintre de la cour de Lionello d'Este.

MACAIRE Henri Arsène
Né en 1814 à Paris. XIXe siècle. Français.
Peintre de paysages, marines, lithographe.
Élève de Léopold de Laprinée. Exposa au Salon entre 1831 et 1836.

MACAIRE de Scrivere. Voir **SCRIVERE**

MACALACAN Jean Baptiste
Né le 19 septembre 1875 à Béziers (Hérault). XXe siècle. Français.
Sculpteur, graveur en médailles.
Il figura, à Paris, au Salon des Artistes Français. Il obtint une mention honorable en 1903. Il fut, en outre, le conservateur du musée de Béziers.
Musées : Béziers : *Le Baiser de la Sirène.*

McALISTER George
Né en 1786 à Dublin. Mort le 14 juin 1812. XIXe siècle. Irlandais.
Peintre verrier.
Il exécuta des fenêtres pour la cathédrale de Lismore.

MACALLUM John Thomas Hamilton
Né en 1841 à Kames. Mort en 1896. XIXe siècle. Britannique.
Peintre de genre, paysages, marines, aquarelliste, dessinateur.
Son père le destina au commerce, ce ne fut qu'à 23 ans qu'il put s'adonner complètement à la peinture. Il vint à Londres en 1864, entra comme élève à la Royal Academy et commença à exposer en 1866.
Il peignit surtout des marines et des scènes de la vie des pêcheurs, traitant tour à tour les Côtes du Devonshire, de l'Écosse, du sud de l'Italie et de la Hollande. On lui doit aussi nombre de sujets rustiques. Macallum peignit presque constamment en plein air et ses œuvres s'en ressentent. Il a rendu avec beaucoup de charme les effets de soleil et ses ouvrages possèdent un caractère de vérité qui les rend fort attrayants. Il se fit une place distinguée parmi les peintres de l'École écossaise.
Musées : Glasgow : *Faneurs dans les Highlands* – Hambourg : *Bord de la mer* – Londres (Tate Gal.) : *L'attelage* – Salford : *Le retour des pêcheurs* – Sydney : *Pêcheurs.*
Ventes Publiques : Londres, 6 mars 1911 : *Glencoe* 1867 : **GBP 12** – Londres, 30 juin 1922 : *Le bateau postier de Priano*, dess. : **GBP 13** – Londres, 3 fév. 1978 : *La baignade sur la plage de Heligoland* 1889, h/t (84x166) : **GBP 1 400** – Londres, 15 mai 1979 : *Le port de Plymouth*, h/t (37x74) : **GBP 1 400** – Glasgow, 9 avr. 1981 : *Scène de bord de mer*, h/t (85x105) : **GBP 1 000** – Londres, 14 fév. 1986 : *Les Pêcheurs de crevettes* 1881, h/t (72,4x124,3) : **GBP 2 600** – Édimbourg, 22 nov. 1989 : *Jan Van der Plass, pêcheur de crevettes* 1895, h/t (68,5x121,3) : **GBP 5 280** – Londres, 21 mars 1990 : *La pêche aux crevettes* 1895, h/t (69x124) : **GBP 11 000** – Édimbourg, 26 avr. 1990 : *Les pêcheurs de crevettes* 1885, h/t (57,2x106,7) : **GBP 3 520** – Londres, 22 mai 1991 : *Hooe* 1889, h/t (40,5x73,5) : **GBP 2 420** – Glasgow, 1er fév. 1994 : *Le calme précédant la tempête* 1873, h/t (61x115) : **GBP 1 150.**

MacALPIN Helen Emmeline, Mrs. Voir **BACON**

McALPINE William
XIXe siècle. Actif de 1840 à 1880. Britannique.
Ventes Publiques : Londres, 22 sep. 1988 : *Bateaux à l'ancre par calme plat* 1890, h/t (29x32,5) : **GBP 605** – Londres, 18 oct. 1990 : *La mer déchaînée frappant les remparts d'une ville méditerranéenne fortifiée*, h/t (47x81,3) : **GBP 1 210** – Londres, 3 fév. 1993 : *Bateaux à l'ancrage*, h/t (76x127) : **GBP 1 955** – Amsterdam, 21 avr. 1994 : *Bateaux amarrés dans un estuaire à marée basse avec un château au fond* 1868, h/t (30x61) : **NLG 3 220** – Londres, 3 juin 1994 : *Navigation dans un port* 1869, h/t (41x87) : **GBP 3 680.**

MACARA Andrew
Né en 1944. XXe siècle. Britannique.
Peintre.
Ventes Publiques : Londres, 21 sep. 1989 : *La piscine* 1987, h/t (74,3x89,6) : **GBP 1 650.**

MacARDELL James
Né vers 1710 ou 1728 à Dublin (Irlande). Mort en 1765 à Londres. XVIIIe siècle. Britannique.
Dessinateur, graveur.
La plupart des œuvres de cet artiste ont été exécutées entre 1740 et 1762. Il est regardé, ainsi que Richard Earlom, comme un des meilleurs graveurs à la manière noire. L'ouvrage intitulé : *Gallery Hougton* (dont les tableaux se trouvent au Musée de l'Ermitage, à Saint-Pétersbourg) contient quelques-unes des plus belles estampes de MacArdell. Le portrait de l'artiste lui-même a été gravé en 1771 par R. Earlom. Il vint à Londres à dix-sept ans et devint l'élève de James Brooks. Il devint dans la suite un des reproducteurs les plus autorisés de Reynolds, et il sut rendre à merveille la touche puissante du grand portraitiste anglais et sa délicatesse d'expression. Il grava des portraits d'après ses propres esquisses ou d'après d'autres artistes : Th. Hudson, J. Reynolds, A. Ramsay, etc.

M M

MACARÉ Pierre Joseph
Né en 1758 à Valenciennes. Mort le 30 octobre 1806 à Valenciennes. XVIIIe siècle. Français.
Peintre.
Cet artiste fut élève de Louis Watteau, et souvent il imita heureusement la manière de peindre et de composer de son maître. À Valenciennes on trouve encore de ses tableaux. Les tableaux de Macaré sont souvent vendus comme des œuvres de Watteau ou de Pater.

MACARI Emmanuel da Pigna
XVIe siècle. Actif à Gênes. Italien.
Peintre.
Le Musée de Gênes conserve de cet artiste : *Saint Bénédic, Saint Paul ; Saint Jean l'évangéliste ; La Vierge et l'enfant Jésus et saint Apollinaire*, œuvre datée de 1519.

MacARTHUR C.
XIXe siècle. Travaillant vers 1860. Britannique.
Aquarelliste.
Le Musée de Notthingham conserve de lui une *Vue du château de Nottingham.*

MACARTNEY Carlile Henry Hayes
Né vers 1842 à Naples. Mort en 1924 à Londres. XIXe-XXe siècles. Britannique.
Peintre de paysages.

MACARTNEY Catherine Naomi
Née à Des Moines (Iowa). XXe siècle. Américaine.
Peintre de paysages, genre.
Elle fut élève de Richard Miller et de l'académie Colarossi à Paris. Elle obtint plusieurs récompenses de l'état de l'Iowa, dont deux médailles d'or en 1914 et 1916.

McAULAY Charles
Né en 1910. XXe siècle. Britannique.
Peintre de scènes typiques, marines.
Ventes Publiques : Belfast, 28 oct. 1988 : *Mer houleuse à Red Bay*, h/pan. (45,5x66) : **GBP 1 760** – Belfast, 30 mai 1990 : *Une belle prise*, h/t (35,6x45,7) : **GBP 4 400** – Dublin, 26 mai 1993 : *Les coupeuses de lin*, h/pan. (40,7x53,3) : **IEP 3 850.**

McAULIFFE James J.
Né en 1848 à Saint-John's (Terre-Neuve). Mort le 22 août 1921 à Medford (Massachusetts). XIXe-XXe siècles. Actif aux États-Unis. Canadien.
Peintre de sujets religieux, marines.
On trouve de nombreuses œuvres de lui dans la cathédrale de Saint-John's.
Ventes Publiques : New York, 24 sep. 1970 : *Mr John William MacKay in his two-horses* : **USD 2 000** – New York, 3 fév. 1978 : *Pur-sang et chien dans un paysage* 1872, h/t (63,5x76,2) : **USD 1 200** – Portland, 5 juil. 1980 : *Bolly Lewis*, h/t (46x61) : **USD 2 300** – New York, 1er avr. 1981 : *Buffy ride along the Hudson*, h/cart. (34,3x49,8) : **USD 2 700** – New York, 8 juin 1984 : *Peter Duryea driving, Johnnie Green near Mc Coome's Dam bridge, New York City in the 1880s*, h/t : **USD 9 000** – New York, 17 mars 1988 : *Trot attelé* 1866, h/t (60x80) : **USD 12 100** – New York, 30 mai 1990 : *Bateaux au coucher de soleil* 1916, h/t (45,5x71,5) : **USD 1 210** – Paris, 15 avr. 1991 : *Bouquet de roses au vase bleu* 1911, h/t (80x59) : **FRF 10 000** – New York, 4 juin 1993 : *Pur-sang bai dans un paysage*, h/t (55,9x68,6) : **USD 2 300**

– New York, 22 sep. 1993 : *Course de trotteurs* 1871, h/t (76x101,5) : **USD 12 650** – New York, 28 sep. 1995 : *Traîneau attelé en hiver*, h/t (63, 5x88,9) : **USD 7 187**.

MACAULT de LA COSNE

xviiie siècle. Français.

Peintre de genre.

Ventes Publiques : Paris, 8 et 9 mai 1941 : *Les Montreurs de singes* 1780, aquar. : **FRF 1 200**.

MAC-AVOY Georges Édouard, dit **Édouard**

Né le 25 janvier 1905 à Bordeaux (Gironde). Mort le 27 septembre 1991 à Saint-Tropez (Var). xxe siècle. Français.

Peintre de nus, portraits, paysages animés, paysages, paysages urbains.

Descendant par son père d'une famille irlandaise venue en France au xviie siècle, et par sa mère de noblesse languedocienne, il fut élevé en Suisse, jusqu'à son entrée, âgé de dix-huit ans, après peu de mois à l'École des Beaux-Arts, dans l'atelier de Paul-Albert Laurens à l'Académie Julian, où il travailla pendant cinq ans. Plus tard, il rencontra Félix Vallotton, et surtout Bonnard et Vuillard, qui s'intéressèrent à ses premiers travaux, d'entre lesquels une *Nature morte de fruits*, qui fut acquise pour ce qui était alors le musée du Luxembourg. Pendant une dizaine d'années, il peignit des paysages et quelques grandes vues de villes : Rouen, Avignon, Chartres, Toulon, Paris. En 1936, fouetté par une phrase de Fernand Léger : « Pour moi, un être humain, c'est comme une bicyclette. », il prit la décision de « consacrer (sa) carrière à tenter de relever le portrait français, en acceptant ses impératifs et en y apportant les acquis de la peinture de (son) temps », et, de cette même année 1936, le *Portrait du père de l'artiste ; Portrait de la Mère Générale des Franciscaines ; Portrait du Prince-évêque Ghika*, exposés au Salon des Tuileries, marquèrent avec l'éclat d'un éditorial d'Édouard Herriot le début de sa considérable activité de portraitiste. De cette première période datent encore le *Portrait de Louise Hervieu* 1937, le *Portrait de Tristan Bernard* 1940. Mobilisé en 1939-40, il fut décoré de la Croix de Guerre avec palmes. Revenu à Paris, il commença à enseigner à l'Académie de la Grande-Chaumière. Il continua de participer aux différents Salons annuels de Paris. On doit relever son exceptionnelle fidélité au Salon d'Automne, dont il devint président, charge qu'il occupa jusqu'à sa mort. Il a montré des ensembles de peintures dans de nombreuses expositions personnelles en France et à l'étranger, notamment au Japon. En 1991, une galerie parisienne montra sous le titre *Instantanés* un ensemble de ses notations rapides de 1945 à 1990. Une première exposition d'hommage lui a été consacrée par la Galerie d'Art d'Épernay en 1992. En 1993 la mairie du VIe Arrondissement de Paris a montré un ensemble important de ses portraits et d'esquisses préparatoires. En 1997 à Toulouse, la Fondation Bemberg a organisé l'exposition *Mac-Avoy – Portraits*. En 1967, il avait été le président-fondateur du *Comité des 12*, qui devint la *Fédération des Associations d'Artistes en liaison avec les Pouvoirs publics*. Il a été fait Commandeur des Arts et Lettres et en 1991 Commandeur de la Légion d'Honneur.

L'époque d'épreuves générales liées à la guerre et l'occupation allemande entraîna pour lui une évolution morale, déchiffrable dans sa peinture désormais moins librement lyrique que dans la période 1936-1940, en même temps que plus dépouillée : portraits de personnes et ce qu'on peut appeler portraits de villes, en conclusion de nombreuses études préliminaires, se situent dans leur version définitive selon une infrastructure plastique rigoureuse, et qui, étrangement quand il s'agit de portraits de personnes, ne compromet en rien la ressemblance aux modèles. D'entre les innombrables portraits de personnalités qui jalonnent sa longue carrière, on peut citer les portraits de *Somerset Maugham* 1947, *Arthur Honegger* 1948, *André Gide* 1949, *Henri de Montherlant* 1949, *Picasso* 1955. Dans la suite, les portraits se complètent souvent d'attributs symboliques des activités du modèle, portraits qu'on peut dire emblématiques de *Jean Cocteau* 1955, *Jean XXIII* 1955, *Eugène Ionesco* 1971, *Arthur Rubinstein* 1975, *Michel Tournier* 1977. On peut citer encore les portraits de *François Mauriac* 1957, *Charles De Gaulle* 1961, le sculpteur *César* 1987, ainsi que quelques portraits collectifs : *Marcel et Élise Jouhandeau* 1957, celui des propriétaires des vins de Bordeaux 1965, à la manière des portraits de collectivités dans les Flandres du xviie siècle. D'entre ses nombreux « portraits de villes », fermement architecturés à l'opposé des très expressionnistes portraits de villes de Kokoschka, citons : *Auxerre* 1961, *Rouen* 1962, plusieurs vue de *Paris* 1963, 1964, 1969. En conclusion, il convient de citer Michel Tournier : « Les portraits de Mac-Avoy sont en vérité des blasons au double sens du mot, d'une part armoiries, d'autre part description détaillée et élogieuse, et il ne faut pas s'étonner que seuls les hommes et les femmes possédant un univers imaginaire entrent dans son musée personnel... L'œuvre de Mac-Avoy en appelle à la complicité d'une certaine société. En dehors de ce milieu, elle gardera il est vrai le charme d'une vaste et énigmatique tapisserie dont les motifs s'entrelacent et s'équilibrent pour le plaisir de l'œil. »

■ Jacques Busse

Bibliogr. : Michel Tournier, Rodolphe Pailliez : *Mac-Avoy*, Édit. de Nesles, Paris, 1979.

Musées : Albi – Le Caire : *Tristan Bernard* – Chicago (Inst. of Fine Arts) – Detroit : *Paris – Grenoble* – Menton (Mus. Jean Cocteau) : *Jean Cocteau* – Montpellier – Muskegon U.s.a. – Nice : *Somerset Maugham – Romaine Brooks* – Paris (Mus. Nat. d'Art Mod.) : *Louise Hervieu – André Noël* – Paris (Mus. d'Art Mod. de la ville) : *Picasso – Marie Noël* – São Paulo – Téhéran : *Maurice Béjard* – Vatican : *Jean XXIII en majesté*.

Ventes Publiques : Paris, 20 juin 1944 : *Toulon* : **FRF 10 500** – Paris, oct. 1945-juil. 1946 : *Nature morte aux fruits* : **FRF 5 300** – Paris, 30 mars 1949 : *Nature morte aux fruits* : **FRF 7 100** – Paris, 6 déc. 1954 : *La servante* : **FRF 17 000** – Paris, 6 juin 1974 : *Étude pour le portrait de Picasso* : **FRF 9 000** – Versailles, 26 fév. 1978 : *Gondoles à Venise* 1939, h/t (60x72,5) : **FRF 5 600** – Paris, 31 janv 1979 : *Marseille : fenêtre sur le port* 1941, h/t (116x90) : **FRF 6 100** – Paris, 10 juil. 1983 : *Aunis* 1961, h/pan. (89x129) : **FRF 22 000** – Paris, 3 juin 1988 : *Capucines au prince persan*, h/t (27x22) : **FRF 3 000** – Berne, 26 oct. 1988 : *Nature morte avec des roses, des fougères et des pensées* 1958, h/t (100x50) : **CHF 1 500** – Paris, 21 nov. 1989 : *Vue de Campo S.S. Zanipolo*, h/t (73x92) : **FRF 30 000** – Paris, 6 oct. 1990 : *Le Port de Marseille* 1941, h/t (38x47) : **FRF 15 000** – Fontainebleau, 18 nov. 1990 : *Le déjeuner sur la terrasse*, h/t (50x50) : **FRF 39 000** – Calais, 26 mai 1991 : *Nu agenouillé*, h/t (100x50) : **FRF 40 000** – Paris, 12 juin 1992 : *Saint-Tropez* 1936, h/t (92x73) : **FRF 48 000** – New York, 10 nov. 1992 : *Capucines et soleils* 1961, h/t (99,7x49,8) : **USD 2 200** – Marseille, 21 nov. 1992 : *Couple enlacé* 1978, cr./pap. (48x64) : **FRF 45 000** – Saint-Jean-Cap-Ferrat, 16 mars 1993 : *Vue de Paris* 1980, h/t (97x130) : **FRF 70 000** – Paris, 25 nov. 1993 : *Cocteau*, mine de pb (44x30) : **FRF 5 000** – Paris, 26 oct. 1993 : *La Piscine aux orchidées* 1990, h/t (54x65) : **FRF 23 000** – Paris, 15 déc. 1994 : *Le Port de Sète* 1942, peint./t (37x54) : **FRF 12 000** – Calais, 15 déc. 1996 : *Venise, la Miséricorde* 1938, h/t (55x46) : **FRF 10 200** – Calais, 23 mars 1997 : *Nu endormi*, mine de pb (99x69) : **FRF 8 000**.

MACBETH James

Né en 1847 à Glasgow. Mort en 1891. xixe siècle. Actif à Londres. Américain.

Peintre de genre, aquarelliste, dessinateur.

Cet artiste prit une part active aux Expositions londoniennes à partir de 1872, notamment à la Royal Academy, à Suffolk Street, à Grosvenor Gallery et à la New Water-Colours Society.

Musées : Norwich : deux aquarelles.

Ventes Publiques : Londres, 5 oct. 1945 : *Les Sœurs*, dess. : **GBP 21** – Londres, 5 juin 1991 : *Embarcations à rames engagées dans la compétition Oxford-Cambridge* 1880, h/t (46x155) : **GBP 11 550** – Londres, 14 mars 1997 : *Course d'avirons entre Oxford et Cambridge* 1879, h/t (45,8x154) : **GBP 13 800**.

MACBETH Norman

Né en 1821, à Greenock selon le catalogue d'Edimbourg, à Aberdeen, selon le Bryan's Dictionary. Mort le 27 février 1888 à Londres. xixe siècle. Britannique.

Peintre de portraits.

Il fut d'abord employé chez un peintre d'enseignes sur calicot, et étudia la peinture aux écoles de la Royal Academy. Il se consacra au portrait. Membre de la Royal Scottish Academy en 1880. Il travailla avec succès à Greenock, Glasgow et Edimbourg.

Musées : Édimbourg : *Sir John Steel* – Glasgow : *Andrew Galbraith ; John Moossman ; Rer, Robert Buchanan ; Alexandre Whitelaw*.

Ventes Publiques : Londres, 28 jan. 1972 : *The dinner hour* : **GNS 320**.

MACBETH Robert Walker

Né en 1848. Mort en 1910. xixe-xxe siècles. Actif à Londres. Britannique.

Peintre de sujets de chasse, scènes de genre, animaux, aquarelliste, graveur.

Associé de la Royal Academy en 1883. Académicien en 1903 ; membre de la Society of Painters-Etchers. Exposa assidûment à Londres à partir de 1870. Prit part aux Expositions de Paris, où il obtint des médailles de bronze en 1889 et 1890 à l'Exposition Universelle) et une médaille d'or 1889 (Exposition Universelle). Membre de l'Académie de Munich depuis 1890. Ses eaux-fortes sont recherchées et figurent dans plusieurs Musées d'Angleterre.

Musées : Bristol : *La pêche des sardines* – Liverpool : *Dans l'abondance – Le rossignol* – Londres (Tate Gal.) : *Le soulier jeté* – Melbourne (Nat. Gal. of Victoria) : *Campement de bohémiens* – Norwich : *aquarelle*.

Ventes Publiques : Paris, 1886 : *La femme du « Feu »* : **FRF 8 000** – Londres, 28 nov. 1908 : *Ambroisie* 1887 : **GBP 44** ; *When Jove make hay'with the whether* 1901 : **GBP 56** ; *Chasse dans le brouillard* 1892 : **GBP 35** – Londres, 27 mai 1910 : *L'auberge du Bac* : **GBP 92** – Londres, 18 nov. 1921 : *Les chanteurs des rues*, dess. : **GBP 58** – Londres, 25 jan. 1924 : *Foster-Mother*, dess. : **GBP 31** – Londres, 16 mai 1924 : *Un ferry dans le Norfolk*, dess. : **GBP 31** – Londres, 3 mai 1935 : *La veille de Noël* : **GBP 37** – Londres, 23 mars 1981 : *Le Bac* 1881, h/t (122x213) : **GBP 4 500** – Londres, 21 juin 1983 : *Une journée d'été* 1899, aquar. reh. de gche (32x48) : **GBP 8 500** – Londres, 15 mars 1983 : *La Récolte de pommes de terre* 1877, h/t (48x134,5) : **GBP 3 800** – New York, 13 déc. 1985 : *Lunch at coursing meet*, h/t (90x137) : **USD 5 500** – Londres, 25 juil. 1986 : *Faucheurs dans un paysage du Cambridgeshire* 1878, h/t (99,7x199,4) : **GBP 6 000** – Londres, 25 jan. 1988 : *Marchande de poissons à Dieppe* 1902, aquar. (33x28) : **GBP 1 320** – Londres, 27 sep. 1989 : *Filles de pêcheurs sur un quai à Douarnenez* 1878, h/t (52x96,6) : **GBP 5 280** – Londres, 30 mars 1990 : *Le verger de pommiers à cidre* 1890, h/t (91,4x111,7) : **GBP 30 800** – Londres, 8 fév. 1991 : *De retour du marché de St Ives* 1878, h/t (94,5x175) : **GBP 4 400** – Édimbourg, 28 avr. 1992 : *La marchande de fleurs* 1907, aquar. (34x25) : **GBP 880** – Londres, 3 juin 1992 : *La récolte des roseaux* 1900, h/t (58,5x79) : **GBP 5 500** – Édimbourg, 13 mai 1993 : *Pique-nique sur la plage* 1878, h/pan. (17,8x28) : **GBP 3 300** – Amsterdam, 19 oct. 1993 : *Sur le chemin de la maison* 1890, h/t (110x86) : **NLG 6 325** – Londres, 5 nov. 1993 : *La récolte de pommes de terre dans les Fens* 1877, h/t (50,8x136,5) : **GBP 9 200** – Perth, 26 août 1996 : *Verger de pommes à cidre* 1890, h/t (91,5x101,5) : **GBP 29 900** – Londres, 6 nov. 1996 : *Histoire de fantôme* 1877, aquar. avec reh. de gche (19x27) : **GBP 1 150**.

MACBETH-REABURN Henry

XIXe siècle. Britannique.

Peintre de genre, scènes typiques, aquarelliste et graveur.

Ne pas confondre avec Sir Henry Raeburn. Il était actif à la fin du XIXe siècle à Édimbourg. Associé de la Royal Society of Painters-Etchers, il exposa à Londres à partir de 1881, des sujets de genre, notamment à la Royal Academy, à Suffolk Street et à la New Water-Colours Society. Il visita l'Espagne en 1889 et en rapporta des études peintes et des eaux-fortes. Le Victoria and Albert Museum de Londres conserve deux de ses estampes (sujets espagnols).

Musées : Londres (Victoria and Albert Mus., Cab. des estampes).

Ventes Publiques : Amsterdam, 24 avr. 1991 : *Le thé à deux* 1888, h/c (36x52,5) : **NLG 4 830**.

McBEY James

Né le 2 décembre 1883. Mort en 1959. XXe siècle. Britannique.

Peintre de portraits, paysages, marines, graveur, dessinateur.

Il vécut et travailla à Londres. Il fut, en 1917-1918, dessinateur de guerre à l'armée anglaise de Palestine. Il avait auparavant peint surtout des marines et des canaux en Hollande et principalement à Venise.

Musées : Londres (Victoria and Albert Mus.) : *Vues de Venise*, aquar.

Ventes Publiques : Londres, 11 juil. 1924 : *Un canal près de Haarlem* : **GBP 44** – Londres, 19 mai 1926 : *Campement de bohémiens*, dess. : **GBP 22** – Londres, 7 fév. 1929 : *Venise* : **GBP 92** – Londres, 1er avr. 1935 : *Littlehampton*, dess. : **GBP 11** – Glasgow, 19 juin 1946 : *Bateaux pêcheurs d'huîtres*, aquar. : **GBP 18** – Glasgow, 4 juin 1979 : *Le champ de tulipes* 1922, h/t (49x60,5) : **GBP 1 700** – New York, 10 oct. 1984 : *Dawn-camel patrol setting out* 1919, eau-forte brun-vert (22,8x38,9) : **USD 900** – Perth, 28 août 1989 : *Portrait d'une femme assise* 1927, aquar. (20x17) : **GBP 1 540** – South Queensferry, 1er mai 1990 : *Benson* 1930, encre et aquar. (23x42) : **GBP 440** – Londres, 25 jan. 1991 : *Venise* 1925, h/t (54,6x47) : **GBP 1 430** – Glasgow, 5 fév. 1991 : *Le pont de la Tour et la Cathédrale St Paul à Londres* 1954, aquar. et encre (33x51) : **GBP 1 430** – South Queensferry, 23 avr. 1991 : *Matador faisant une passe de muleta* 1932, aquar. et encre (22x32) : **GBP 1 870** – Perth, 26 août 1991 : *À l'ouest de Mercea* 1957, aquar. (27x45) : **GBP 660** – Glasgow, 4 déc. 1991 : *Champs dans le Sussex* 1938, h/t (32x67) : **GBP 2 310** – Perth, 1er sep. 1992 : *Le Grand Canal de Venise à l'aube* 1925, h/t (46,5x55) : **GBP 3 740** – Édimbourg, 19 nov. 1992 : *Palais jaune à Venise* 1925, h/t (68,8x38,2) : **GBP 2 860** – New York, 4 mai 1993 : *Nombreux personnages sur une plage au pied des falaises* 1921, h/t (61x45,7) : **USD 4 370** – Glasgow, 16 avr. 1996 : *Vent du sud-ouest à Ayrshire* 1929, aquar. (24,5x40,5) : **GBP 690**.

McBRIDE Alexander

Né le 8 mars 1859. XIXe siècle. Actif à Glasgow. Britannique.

Peintre de paysages.

Ventes Publiques : Londres, 2 nov. 1933 : *Paysage du Berkshire*, aquar. : **GBP 12**.

McBRIDE John Alexander Paterson

Né en 1819. Mort en 1890. XIXe siècle. Actif à Liverpool. Britannique.

Sculpteur.

Exposa à la Royal Academy, à Londres, de 1848 à 1853. Le Musée de Liverpool conserve de lui le *Portrait du colonel Peter Thomson*.

McBRIDE William

Mort en 1915. XIXe siècle. Britannique.

Peintre de genre, animaux, paysages, aquarelliste.

Membre de la Royal Scottish Water-Colours Society, exposa à la Royal Academy à partir de 1890.

Musées : Glasgow : *La Toilette des moutons*.

Ventes Publiques : Perth, 28 août 1989 : *L'extrémité*, h/t (36x61) : **GBP 1 320** – Glasgow, 16 avr. 1996 : *L'automne à Loch Ard*, h/t (61x51) : **GBP 920** – Glasgow, 21 août 1996 : *Les Chutes de Lochay près de Killin* 1880, h/t (86,3x61) : **GBP 747**.

MacBRYDE Jan Robert

Né en 1913 à Ayrshire. Mort en 1966. XXe siècle. Britannique.

Peintre, peintre de décors de théâtre. Expressionniste.

Il fut élève de la Glasgow Art School pendant cinq ans. Il travailla aussi en France et en Italie, de 1937 à 1939, grâce à l'obtention de bourses. Il travaille à Londres mais son œuvre a été connu à Paris, par l'exposition internationale d'Art moderne en 1946, par une exposition d'Art anglais contemporain en 1947 et une autre en 1948.

Il pratique un expressionnisme post-picassien. Il a également réalisé les décors et costumes du ballet *Donald of the Burthens* représenté à Covent Garden en 1951.

Musées : Londres (Tate Gal.) : *Femme aux fleurs en papier* 1944.

Ventes Publiques : Londres, 13 juil. 1973 : *Nature morte* : **GNS 880** – Londres, 14 nov 1979 : *Nature morte*, h/t (48x59) : **GBP 480** – Londres, 6 fév. 1985 : *Le joueur de dames*, h/t (39x30,5) : **GBP 2 800** – Londres, 12 nov. 1986 : *Kitchen preparations*, h/t (71x91,5) : **GBP 3 500** – Londres, 14 oct. 1987 : *Nature morte aux concombres*, h/t (40,5x53) : **GBP 3 800** – Londres, 9 nov. 1990 : *Oiseau de paradis*, h/pan. (43x43) : **GBP 3 300** – Édimbourg, 13 mai 1993 : *Un petit copain de Glasgow*, h/t (76,2x101,7) : **GBP 15 200**.

MACCAFERRI Serge

Né en 1945 à Troyes (Aube). XXe siècle. Français.

Peintre. Abstrait.

Avec Charvolen, Chacallis, Isnard et Miguel, il a fait partie du groupe 70, groupe vite dissous mais qui a été néanmoins invité à la Biennale de Paris en 1973.

Son travail est avant tout un travail d'analyse et d'interrogation. À partir d'une manipulation de la toile (matériau), il met en évidence les rapports existant entre châssis et cadre, envers et endroit, format et hors cadre. Il s'inscrit dans un courant né vers 1968 en France et qui renouant avec la peinture et l'abstraction en a surtout exploité la matérialité.

MACCAGNANI Eugenio

Né en 1852 à Lecce. XIXe siècle. Italien.

Sculpteur.

Débuta vers 1880. Exposa à Milan, Rome et Turin. Il obtint à

Paris aux Exposition Universelle une médaille d'or en 1889, une médaille d'or en 1900.

MACCAGNANI Raffaele

Né le 24 mars 1841 à Lecce. XIXe siècle. Italien.

Peintre de genre.

Frère de Eugenio Maccagnani. Élève de Vincenzo Petroncelli. Il exposa à Naples à partir de 1868.

McCAIG Norman J.

XXe siècle. Britannique.

Peintre de paysages, marines.

Ventes Publiques : Dublin, 12 déc. 1990 : *Marée basse à Strangford*, h/cart. (40,6x50,8) : **IEP 700**.

McCALL Ann

Née en 1941 à Toronto (Ontario). XXe siècle. Canadienne.

Dessinateur.

Elle réalise des œuvres à l'encre.

Musées : Montréal (Mus. d'Art Contemp.) : *Sans Titre* 1979.

McCALL Anthony

Né le 14 avril 1946 à Londres. XXe siècle. Actif depuis 1973 aux États-Unis. Britannique.

Artiste, créateur d'installations, auteur de performances, multimédia, vidéaste. Conceptuel.

Il fut élève du College of Art and Design de Ravensbourne de 1964 à 1968. Il vit et travaille à New York.

Il participe à des expositions collectives depuis 1972 à Londres et New York ; en 1973, 1975 Biennale de Paris ; 1974 New York ; 1975 Konsthall de Malmö ; 1976 Palazzo Reale de Milan et Biennale de Venise. Il montre ses œuvres dans des expositions personnelles : 1972 université d'Oxford ; 1973 Stockholm et Londres ; 1974 Museum of Modern Art d'Oxford ; 1975 Carnegie Institute à Pittsburgh et Londres ; 1976 Museum of Modern Art de New York, Kunstverein à Cologne et Musée d'art moderne de la Ville de Paris.

Il réalise des films.

Bibliogr. : In : *Catalogue de la IXe Biennale de Paris*, Paris, 1975.

Musées : New York (Mus. of Mod. Art).

McCALL Charles James

Né en 1907. Mort en 1989. XXe siècle. Britannique.

Peintre de paysages, intérieurs.

Il étudia au collège d'art d'Edimbourg et à l'académie Colarossi de Paris.

Ventes Publiques : Édimbourg, 26 avr. 1990 : *Loch Ericht dans le Perthshire* 1962, h/cart. (19,7x33) : **GBP 495** – Londres, 27 sep. 1991 : *Intérieur de cuisine* 1957, h/cart. (40,5x25,5) : **GBP 935**.

McCALLUM Andrew

Né en 1821 à Nottingham. Mort le 22 janvier 1902 à Londres. XIXe siècle. Britannique.

Peintre de paysages, aquarelliste.

Il commença son éducation à l'école de dessin de Nottingham. En 1850, il alla comme maître assistant à l'école de dessin de Manchester : deux ans plus tard, il allait à Londres et après avoir travaillé à l'école de dessin de Sommerset House, il obtenait une bourse de voyage, qui lui permit de visiter l'Italie. Il y recueillit une documentation considérable sur l'art ornemental dont le manuscrit est conservé à la bibliothèque du Victoria and Albert Museum de Londres. Ce fut un exposant assidu à Londres et il n'exposa pas moins de cinquante-trois peintures à la Royal Academy. Il fut protégé par la reine Victoria.

Il se consacra au paysage. Il visita l'Égypte en compagnie de lord Paget et exécuta un nombre important de vues du Nil et de ses abords. Mais sa réputation lui fut acquise par ses paysages de forêts.

Musées : Cardiff : *Aquarelles* – Londres (Victoria and Albert Mus.) : *Aquarelles – Forêt, l'hiver, après la pluie – Santa Maria della Grazie, à Milan – Route de la Porta, San Pancrazio – Rome incendiée par Néron* – Montréal : *Été à Burnham* – Nottingham : *Le chêne majeur, forêt de Sherwood – Scène d'ouverture de « Festus de Bailey »*.

Ventes Publiques : Londres, 14 mai 1976 : *Vue de Harrow* 1880, h/t (57x131) : **GBP 700** – Londres, 21 juil. 1978 : *Ashdown forest*, h/t (73x101,6) : **GBP 1 000** – Londres, 15 mars 1983 : *Philae from Biggeh, first cataract Nile* 1871, h/t (91,5x132) : **GBP 6 500** – Belfast, 28 oct. 1988 : *Dans ma maison près des bois à Burnham Beeches* 1890, h/t (69,2x176,6) : **GBP 1 100** – Londres, 30 mars 1990 : *Holland Park près de Charing Cross sous la neige* 1874, h/t (177,8x92,7) : **GBP 13 200** – Londres, 12 nov. 1992 : *Les saisons dans la forêt : le printemps dans les environs de Burnham* 1860, h/t (93x132) : **GBP 17 600** – Édimbourg, 19 nov. 1992 : *Les bouleaux de Burnham* 1862, h/t (69,8x92,6) : **GBP 3 850** – Londres, 3 nov. 1993 : *Vue de Philae*, h/t (92x132,5) : **GBP 5 980** – Londres, 6 nov. 1995 : *Soir* 1878, h/t (122x212,5) : **GBP 8 625** – Londres, 5 sep. 1996 : *Coucher de soleil sur un vaste paysage* 1864, h/t (94x132) : **GBP 1 955** – Londres, 14 mars 1997 : *From the Telegraph Hill* 1864, h/t (93,2x133) : **GBP 11 500**.

MacCAMERON Robert Léa

Né en 1866 à Chicago (Illinois). Mort en 1912 à New York. XIXe-XXe siècles. Américain.

Peintre de genre.

Il fut élève de Raphaël Collin. Il figura dans divers Salons parisiens, où il obtint une mention honorable en 1904, une médaille de troisième classe en 1906, de deuxième classe en 1908. Il fut associé de la National Academy à New York à partir de 1910.

Ventes Publiques : New York, 15 mars 1985 : *Les buveurs d'absinthe* 1909, h/t (114x102,5) : **USD 10 000**.

McCANCE William

Né en 1894. Mort en 1970. XXe siècle. Britannique.

Peintre de portraits, nus, dessinateur.

Ventes Publiques : Glasgow, 7 fév. 1989 : *Portrait de Joseph Brewer* 1925, h/t (76x61) : **GBP 26 400** – Perth, 28 août 1989 : *Homme lisant* 1927, encre (20x16,5) : **GBP 3 300** – Glasgow, 6 fév. 1990 : *Nu féminin debout* 1930, craie noire et lav. (50x30,5) : **GBP 880** – Glasgow, 5 fév. 1991 : *Portrait de Sasha Sehardi* 1926, craie noire/pap. (49x36,5) : **GBP 1 540** – Perth, 31 août 1993 : *Nu debout*, cr. (36x26) : **GBP 747** – Perth, 26 août 1996 : *Le village de Tarbet Loch Fyne*, h/t (25,5x31) : **GBP 2 070** – Auchterarder (Écosse), 26 août 1997 : *Étude de kimono – Portrait d'Agnès Miller Parker, la femme de l'artiste* 1919, h/t (112x76) : **GBP 17 250**.

MACCARI. Voir aussi **MACARI**

MACCARI Cesare

Né le 9 mai 1840 à Sienne. Mort en 1919 à Rome. XIXe-XXe siècles. Italien.

Peintre d'histoire et de genre.

Élève de l'Académie des Beaux-Arts de Sienne. Il débuta vers 1865. Il a exécuté de nombreux monuments en Italie et a exposé à Turin et Rome. Il a reçut une médaille d'or en 1889 à l'Exposition Universelle de Paris.

Ventes Publiques : New York, 1898 : *Femmes sur la tombe de Raphaël*, aquar. : **FRF 3 500**.

MACCARI Filippo

Né vers 1725 à Bologne. Mort le 22 octobre 1800 à Vérone. XVIIIe siècle. Italien.

Peintre de théâtres et d'architectures.

MACCARI Mino

Né en 1898 à Sienne (Toscane). Mort en 1989 à Rome. XXe siècle. Italien.

Peintre, aquarelliste, peintre de technique mixte, illustrateur.

Maccari

Bibliogr. : Francesco Meloni : *Catalogo delle incisioni*, Electa Editrice, Milan, 1982.

Ventes Publiques : Milan, 27 oct. 1972 : *Mirage* : **ITL 900 000** – Rome, 14 oct. 1973 : *Marlène* : **ITL 2 400 000** – Rome, 26 nov. 1974 : *Les Sabines enlevant les Romains* : **ITL 3 200 000** – Rome, 29 mars 1976 : *Famille attendant à l'aérodrome*, h/t (40x50) : **ITL 1 880 000** – Rome, 17 nov. 1977 : *Les Parques*, h/cart. entoilé (30x25) : **ITL 1 000 000** – Rome, 24 mai 1979 : *Exécution*, techn. mixte/cart. entoilé (32x42) : **ITL 850 000** – Milan, 26 juin 1979 : *La visite*, h/t (50x70) : **ITL 3 000 000** – Milan, 14 avr. 1981 : *Marijuana*, temp. et past. (40x53) : **ITL 1 600 000** – Milan, 15 mars 1983 : *Aigle et personnages* 1964, techn. mixte (49x60) : **ITL 2 200 000** – Milan, 15 mars 1983 : *Personnages*, h/pan. (39x55) : **ITL 7 000 000** – Milan, 4 avr. 1984 : *Le dessin et la peinture* 1946, pl. (24,5x21) : **ITL 1 300 000** – Milan, 26 mars 1985 : *Deux femmes*, temp./isor. (40x27) : **ITL 2 200 000** – Milan, 16 oct. 1986 : *La Mélancolique* 1952, h/t (80x54,5) : **ITL 20 000 000** – Milan, 8 juin 1988 : *Deux profils*, h/t (29x24) : **ITL 2 500 000** – Rome, 15 nov. 1988 : *Qu'est-ce qui bout dans la marmite ?*, h/t (30x20) : **ITL 3 000 000** – Milan, 14 déc. 1988 : *Le couple*, gche/pap. (47x33) : **ITL 1 700 000** – Rome, 21 mars 1989 : *Les pistoleros* 1955, h./contre-plaqué (50x70) : **ITL 19 000 000** – Rome, 6 déc. 1989 : *Personnages* 1981, h/t (40x50) : **ITL 8 050 000** – Milan, 12 juin 1990 : *Quatre figures*, h/cart. entoilé (35x50) : **ITL 6 800 000** – Milan, 24 oct. 1990 : *Trois personnages* 1965, h/cart. entoilé (39,5x49,5) : **ITL 10 000 000** – Rome, 3 déc. 1990 : *Les noctambules*, h/t (40x60) : **ITL 13 225 000** – Milan, 26 mars 1991 : *Deux têtes*, h/t (35x25) : **ITL 3 600 000** – Rome, 9 avr. 1991 : *Le Chant des sirènes*, techn. mixte et h/pan. (41x56) : **ITL 8 000 000** – Rome, 13 mai 1991 : *Le Prédicateur*, fus. et aquar./pap. (27,5x26) : **ITL 2 760 000** – Milan, 14 nov. 1991 : *Sans titre* 1968, h/pan. (60x40) : **ITL 6 500 000** – Rome, 9 déc. 1991 : *Le Dompteur* 1981, h/t (40x50) : **ITL 10 350 000** – Rome, 12 mai 1992 : *Promenade* 1950, h/cart./t. (40x50) : **ITL 12 500 000** – Milan, 9 nov. 1992 : *Nu*, techn. mixte (49,5x35) : **ITL 2 500 000** – Milan, 6 avr. 1993 : *Quatre Figures*, h/pan. (74x60) : **ITL 21 000 000** – Rome, 30 nov. 1993 : *Drame de la jalousie*, h/pan. (55x60) : **ITL 23 000 000** – Milan, 15 mars 1994 : *Danseuses de variétés* 1962, h/pap. entoilé (46x55) : **ITL 8 050 000** – Rome, 28 mars 1995 : *Trois Personnages* 1963, h/cart. entoilé (65x40) : **ITL 16 100 000** – Milan, 28 mai 1996 : *Existentialiste à la plage* 1948, aquar. et h/pap./cart. (48x34,6) : **ITL 5 750 000** – Milan, 27 mai 1996 : *Personnages*, h/t (45x50) : **ITL 11 500 000**.

McCARTAN Edward ou **McCarten**

Né en août 1879 à Albany (New York). Mort en 1953 ou, 1947 d'aprés d'autres sources. xixe-xxe siècles. Américain.

Sculpteur de figures.

Il fut élève de l'Art Student's League de New York et de l'école des beaux-arts de Paris. Il fut membre de la Fédération américaine des arts. Il obtint de nombreuses récompenses aux États-Unis, pour ses sculptures.

Bibliogr. : L. Taft : *L'Histoire de la sculpture américaine*, New York, 1969.

Ventes Publiques : New York, 2 févr 1979 : *Esprit des bois*, bronze patine brun vert (H. 60,3) : **USD 3 250** – New York, 23 sep. 1981 : *Figures supportant une urne*, bronze patine or, deux chandeliers (chaque H. 43,8) : **USD 2 200** – New York, 3 juin 1982 : *Pan*, bronze patine brun verdâtre (H. 77,2) : **USD 8 000** – New York, 3 juin 1983 : *Diana* 1923, bronze patine brun foncé (H. 59) : **USD 26 000** – New York, 15 mars 1985 : *Torso*, bronze (H. 20,7) : **USD 1 800** – New York, 31 mai 1990 : *Une paire de presse-livres garçon et fille jouant à cache-cache*, bronze (chaque H. 21,5) : **USD 2 200** – New York, 6 déc. 1991 : *Pan*, bronze (H. 38,5) : **USD 7 480** – New York, 4 déc. 1996 : *Jeune fille buvant dans un coquillage*, bronze (H. 71,7) : **USD 9 775** – New York, 23 avr. 1997 : *Jeune fille buvant dans un coquillage*, bronze patine brun vert (H. 71,1) : **USD 10 350**.

McCARTER Henry

Né le 5 juillet 1866 à Norristown (Pennsylvanie). Mort en 1942. xixe-xxe siècles. Américain.

Peintre, illustrateur.

Il étudia à Philadelphie et à Paris sous la direction de Puvis de Chavannes, Bonnat et de Toulouse-Lautrec. Il obtint une médaille d'argent à l'exposition de Saint Louis en 1904, et d'autres importantes distinctions par la suite.

Ventes Publiques : New York, 30 nov. 1989 : *Cloches*, h/t (64,8x44,5) : **USD 8 250** – New York, 31 mai 1990 : *Jardin japonais*, h/t (142,5x101,9) : **USD 4 950** – New York, 15 nov. 1993 : *Pommes*, h/t (71,2x81,2) : **USD 3 450**.

McCARTHY Carlton W., Dr

xixe siècle. Britannique.

Sculpteur.

Le Musée de Sydney conserve de lui un moulage de *Sarah Bernhardt*.

McCARTHY Elizabeth White

Née le 3 juin 1891 à Landsdowne (Pennsylvanie). xxe siècle. Américaine.

Peintre.

Elle fut élève d'Archambault et de E. D. Taylor. Elle fut membre de la Fédération américaine des arts.

McCARTHY Frank C.

Né en 1924. xxe siècle. Américain.

Peintre de compositions animées.

Ventes Publiques : New York, 1er mai 1979 : *Commanche Captives* vers 1960, h/cart. (66,6x38,2) : **USD 1 600** – New York, 24 juin 1988 : *La patrouille*, h/cart. (66,4x49) : **USD 6 600** – New York, 1er déc. 1988 : *Poursuite dans la prairie* 1981, h/cart. (61x122) : **USD 33 000**.

McCARTHY Hamilton

xixe siècle. Britannique.

Peintre.

Il exposa de 1838 à 1867 à la Royal Academy à Londres. La Corporation de Londres possède deux bustes de marbre de sa main.

McCARTHY Paul

Né en 1945 à Salt Lake City (Utah). xxe siècle. Américain.

Sculpteur, dessinateur, auteur de performances, créateur d'installations, multimédia.

Il fit ses études à l'université de l'Utah. Il vit et travaille à Los Angeles.

Il participe à des expositions collectives : 1994-1995 *Hors Limites. L'Art et la vie* au centre Georges Pompidou à Paris ; 1996 *L'Art au corps – Le Corps exposé de Man Ray à nos jours* au musée d'Art contemporain de Marseille, *Les Contes de fées se terminent bien* au FRAC Haute-Normandie au château de Val Freneuse ; 1997 *Connexions implicites* à l'école des beaux-arts de Paris. Il montre ses œuvres dans des expositions personnelles : 1979, 1982 Institute of Contemporary Exhibitions (LAICA) à Los Angeles ; 1983 Liège ; 1993 New York, Cologne, Vienne, Milan.

Après un saut dans le vide, des œuvres peintes avec du feu, des empreintes de corps, de son pénis, à la suite d'Yves Klein, McCarthy semble s'être spécialisé dans les performances, qu'il filme pour les présenter au public. Le travestissement, le sang, le sexe, la viande hachée, le ketchup sont des éléments récurrents de son travail.

Bibliogr. : Éric Troncy : *Paul McCarthy – Le Cannibale de Los Angeles*, Art Press, n° 187, Paris, janv. 1994.

Musées : Angoulême (FRAC Poitou-Charente) : *Colonial tea cup* 1983-1994, sculpt. – *Colonial tea cup*, dess. – Montpellier (FRAC Languedoc-Roussillon) : *Spaghetti man* 1993.

MACCASLIN Matthew

Né en 1937 à Bayshore (New York). xxe siècle. Américain.

Créateur d'installations.

Il vit et travaille à New York.

Il participe à des expositions collectives : depuis 1984 régulièrement à New York ; 1989 Le Consortium de Dijon ; 1987 Genève et Lyon ; 1987, 1991 Amsterdam ; 1988 Düsseldorf ; 1990 Pittsburgh ; 1992 galerie Jennifer Flay à Paris. Il montre ses œuvres dans des expositions personnelles : depuis 1982 régulièrement à New York ; 1991 galerie Jennifer Flay à Paris et Le Consortium de Dijon.

À Dijon, en 1991, il mettait en scène l'expression « The sky is falling », dans un chaos composé d'objets détournés.

Musées : Dole (FRAC, Franche-Comté) : *Bedded bed* 1989 – Lille (FRAC, Nord-Pas-de-Calais).

MacCATHMHAOIL Seaghan. Voir **CAMPBELL John P.**

MACCAUSLAND Katherine

Morte en 1930 à Grez-sur-Loing (Seine-et-Marne). xixe-xxe siècles. Active en France. Irlandaise.

Peintre de figures, portraits, paysages. Postimpressionniste.

On ne connaît que très peu de choses de cette artiste. Dans les année 1890 elle vécut à Grez-sur-Loing, où elle était appelée « Miss Mac ». Elle est enterrée à Saint-Germain-en-Laye. La mairie de Grez conserve une de ses toiles.

Le Dr. Julian Campbell a reproduit une de ses œuvres dans le catalogue de l'Expositon *Impressionistes irlandais, Artistes irlandais en France et en Belgique 1850-1914* de la National Gallery d'Irlande, en 1984.

Ventes Publiques : Londres, 16 mai 1996 : *Portrait d'un jeune garçon avec une casquette*, h/t (35x27) : **GBP 4 370**.

McCAY Winsor

Né le 26 septembre 1871 à Spring Lake (Michigan). xixe-xxe siècles. Américain.

Peintre, dessinateur, peintre de décors.

D'abord peintre d'enseignes et dessinateur, il se dirigea ensuite vers le journalisme en qualité de reporter dessinateur. Il produisit de nombreuses bandes dessinées pour les journaux américains du début du siècle. De la fin de 1904 à 1911, il publia dans le *New York Herald*, la plus belle peut-être de toutes les « histoires en images », la bande dessinée onirique, fantastique et humoristique à la fois : *Little Nemo in Slumberland*. Il s'intéressa en même temps au cinéma et put justement déclarer : « ... je créai le dessin animé moderne en 1909 ». Il réalisa notamment le film *Gertie le dinosaure* (1909). ■ P.-A. T.

Bibliogr. : Catalogue de l'exposition : *Bande dessinée et figuration narrative*, Musée des Arts décoratifs, Paris, 1967 – Gérard Blanchard : *La Bande dessinée*, Marabout université, Verviers,

1969 – *Little Nemo in Slumberland,* édition française, préface de Claude Moliterni, Pierre Horay, Paris, 1969.

MACCHERONI Henri

Né en 1932 à Nice (Alpes-Maritimes). xxe siècle. Français.

Peintre, technique mixte, peintre à la gouache, peintre de collages, aquarelliste, graveur, photographe.

Il fonde en 1983 le Centre national d'Art contemporain (Villa Arson) de Nice, avec son ami l'écrivain Michel Butor et le peintre James Guittet. Il fréquente également les écrivains, poètes et philosophes : Alain Borer, Pierre Bourgeade, Jean Pierre Faye, Luc Ferry, Jean François Lyotard, Pierre Restany, Denis Roche, Jean-Claude Renard, Raphaël Monticelli, qui lui ont consacré de nombreux textes, préfaces, essais, poèmes. Il a collaboré à différentes revues : *ARTitudes Internationales – Opus International – Silex – Obliques,* etc. Il travaille à Paris depuis 1985.

Il a participé aux expositions *Papier de l'artiste* en 1994 et *Autoportraits et crânes ou l'émotion de la tête* en 1995, à la galerie Mantoux-Gignac à Paris. Il montre ses œuvres dans des expositions personnelles nombreuses, dont : 1963 Rome ; 1963 galerie Matarasso à Nice ; 1969, 1973, 1977, 1983, 1990, 1991 Paris ; 1969 Maison de la Culture de Firminy ; 1973, *Action Pro-Verbale,* galerie Les Mains Libres à Paris ; 1974, 1976 bibliothèque de Nice ; *Archéologies,* 1975 musée d'Art moderne de Céret, ; 1977, *Archéologie du Signe,* galerie galerie Candela à Cannes ; 1978 galerie d'art contemporain des musées de Nice ; 1986 Institut français de Florence et Centre culturel franco-italien de Turin ; 1987 musée égyptien de Turin ; 1988 Centre culturel français du Caire ; 1991, galerie Alessandro Vivas à Paris et Fondation Saint-John-Perse à Aix-en-Provence ; 1992, galerie Engel à Tel-Aviv ; 1993, galerie Mirage à Tokyo ; 1994 communauté dominicaine de Sainte-Marie-de-la-Tourette à L'Arbresle, à l'occasion de la parution du livre de bibliophilie *Christs,* aux Éditions Mantoux-Gignac ; 1995, *Tribades et Symétries,* galerie Mantoux-Gignac à Paris.

Il débute avec de grandes toiles d'inspiration surréaliste *Nocturnes – Mondes inachevés,* qui le rendent proches du groupe Phases d'Édouard Jaguer, puis il s'investit dans l'art « socio-critique », dont il est l'instigateur et le théoricien, avec des œuvres à la fois dénonciatrices et conceptuelles contre la torture ou la peine de mort. Dès ses débuts, il travaille par séries, explorant les divers éléments qui constituent la peinture et réalise des variations réflexives sur les grands mythes de la peinture occidentale, « L'antiquité, l'alchimie, les hautes résonances occultes structurent ainsi le dispositif essentiel de la vision globalisante d'Henri Maccheroni », ainsi Pierre Restany définit-il cette œuvre difficile, aux multiples facettes. Une de ces facettes s'inspire à la fois de l'antiquité : *Égypte-Bleu – Pompéï – Puniques* et des métropoles modernes : *First-Time – New York – Manhattan-gris.* Également poète et photographe, médium par lequel il réalise une exploitation méthodique d'un unique objet, pris inlassablement sous tous les cadrages possibles. Il travaille aussi régulièrement avec des écrivains : Michel Butor, qui lui consacre plusieurs textes *Rêves d'Archéologies blanches – Fouilles – Pique-nique au pied des pyramides,* et avec lequel il réalise des livres à estampes de petit tirage *Tarot – Métro – Vallée des dépossédés – Almageste,* ainsi qu'avec Michel Sicard, Raymond Jean, Bernard Noël. ■ J. B.

Bibliogr. : Michel Butor, Michel Sicard : *Problèmes de l'art contemp. à partir des travaux d'Henri Maccheroni,* Christian Bourgois, Paris, 1983 – in : *Écritures dans la peinture,* t. II, Centre national des Arts plastiques, Villa Arson, Nice, 1984 – Michel Butor, Luc Ferry, Pierre Restany : *Le Génie du lieu 6,* Alessandro Vivas, Paris, 1991 – Manuel Jover : *Henri Maccheroni,* Art Press, no 165, Paris, janv. 1992 – Bernard Noël : Présentation de l'exposition *Henri Maccheroni : Tribades et Symétries,* gal. Mantoux-Gignac, Paris, 1995 – Bernard Teyssèdre, in : *Le Roman de l'Origine,* Gallimard, Paris, 1996.

Ventes Publiques : Paris, 11 mai 1990 : *Sans titre,* gche/pap. (64x48) : **FRF 3 800** – Paris, 19 jan. 1992 : *Sans titre* 1987, peint./t (60x60) : **FRF 8 000** – Paris, 3 juin 1992 : *Archéologies bleues* 1974, aquar., encre de Chine et déchirure/cart. industriel, de la pré-série des Égypte-bleu (54x59,8) : **FRF 15 000**.

MACCHI Florio. Voir **MACCHIO Florio**

MACCHI Jorge

xxe siècle. Argentin.

Artiste.

Il a participé en 1995 à l'exposition *Regard d'Amérique latine* à la galerie Regard à Genève.

MACCHI Lorenzo

Né en 1804. xixe siècle. Actif à Milan. Italien.

Peintre de paysages et d'architectures.

MACCHIAIOLI, littéralement Tachistes. Voir par ex. **Fattori Giovanni, Lega Silvestro, Signorini Telemaco**

MACCHIATI Serafino

Né en 1861 à Camerino. Mort en décembre 1916 à Paris. xxe siècle. Italien.

Peintre de genre, portraits, paysages, aquarelliste, dessinateur, illustrateur.

Il travailla de nombreuses années à Paris.

Musées : Lugano : *Autoportrait* – Rome (Gal. d'Art mod.) : dessins – Venise (Gal. Mod.) : une aquarelle.

Ventes Publiques : Milan, 16 mars 1993 : *Champ avec des gerbes de blé,* h/cart. (24,5x33,5) : **ITL 5 500 000** – Milan, 8 juin 1993 : *Paysage de Senlis,* h/pan. (21,5x24) : **ITL 7 500 000** – Milan, 9 nov. 1993 : *Camille dans le jardin,* h/t (74x55) : **ITL 11 500 000** – Rome, 2 juin 1994 : *À Paris,* aquar./pap. (22x24) : **ITL 2 990 000** – Milan, 29 mars 1995 : *Conversation dans le salon,* past./pap. (29,5x34,5) : **ITL 4 255 000**.

MACCHIAVELLI Carlo

xve siècle. Actif à Bologne en 1460. Éc. bolonaise.

Peintre.

On mentionne parmi ses œuvres des tableaux d'autel pour la chapelle dei Notai à Bologne.

MACCHIAVELLI Elisabetta

xviie siècle. Active à Bologne vers 1630-1670. Bolivienne.

Graveur.

Elle était la fille du peintre dilettante Giovanni Antonio Macchiavelli.

MACCHIAVELLI Giacomo ou **Machiavelli**

Né à Bologne. Mort le 8 février 1811 à Rome. xixe siècle. Actif à Rome. Italien.

Graveur.

MACCHIAVELLI Zenobio di Jacopo, dit **Zanobi** ou **Machiavelli**

Né en 1418 à Florence. Mort le 7 mars 1479. xve siècle. Italien.

Peintre d'histoire.

Vasari regarde cet artiste comme le plus brillant élève de Benezzo Gozzoli, qui l'employa dans la peinture des fresques du Campo Santo de Pise.

Musées : Berlin : *Saint Jacques* – Dijon : *Couronnement de la Vierge* – Dublin : *Madone sur le trône, l'enfant Jésus et saints* – Londres (Gal. Nat.) : *La Vierge et l'enfant Jésus – Saints* – Paris (Mus. du Louvre) : *Vierge et saints* – Pise : *Vierge sur un trône.*

Ventes Publiques : Paris, 10 déc. 1962 : *Saint Jean-Baptiste ; Saint Jacques,* ensemble : **FRF 19 500** – Londres, 3 déc. 1969 : *La Vierge et l'Enfant entourés de Saints* : **GBP 5 000** – New York, 11 jan. 1991 : *Vierge à l'Enfant devant une niche,* h/pan. (52x32,3) : **USD 242 000** – Londres, 24 mai 1991 : *Vierge à l'Enfant,* temp./pan. (68,2x47,2) : **GBP 46 200**.

MACCHIETTI Girolamo ou **Maglietti**, dit **del Crocefissajo**

Né vers 1535 à Florence. Mort après 1564 à Florence. xvie siècle. Italien.

Peintre d'histoire, sujets mythologiques, compositions religieuses, sujets allégoriques, figures, dessinateur.

Il fut élève de Michele-Ridolfo Ghirlandajo et de Vasari, et plus tard l'aide de son dernier maître. Il travailla à ses côtés durant six ans au palais ducal de Florence. Il visita Rome, puis alla travailler en Espagne et revint en Italie par Naples, rentra à Florence avec la réputation d'un bon peintre. D'importants travaux lui furent commandés, notamment une *Adoration des mages,* à San Lorenzo ; *Médée et les filles de Pélée,* dans le palais du Grand-Duc ; *Le martyre de saint Laurent,* à Santa Maria Novella. Son surnom de Crocefissajo lui vint de la façon remarquable dont il peignait les christs et du grand nombre qu'il en exécuta.

Ventes Publiques : Londres, 8 avr. 1981 : *La Vierge et l'Enfant* *dans un paysage*, h/pan. (58x42) : **GBP 14 000** – Paris, 30 juin 1995 : *La Charité*, encre brune avec reh. de blanc/pap. vert (27,5x21) : **FRF 45 000** – New York, 10 jan. 1996 : *Tête de jeune homme tournée à gauche vers le haut*, craie noire (21,6x17,5) : **USD 18 400**.

MACCHIO Florio ou **Macchi**
Né à Bologne. XVIIe siècle. Actif à Bologne vers 1620. Italien.
Peintre d'histoire et peut-être graveur.
Élève de Ludovico Carracci dont il imita le style au point que certains de ses ouvrages ont été attribués à ce maître. On voit de lui, à Sant'Andrea del Mercato, une *Crucifixion*, et à la Morte, une *Résurrection de Lazare*, et dans l'église de Il Spirito Santo, une remarquable fresque représentant l'*Annonciation*. Orlandi le cite comme graveur, mais jusqu'à présent on ne désigne aucune de ses planches. Deux de ses frères : Giovanni-Battista et Giulo-Cesare, furent aussi élèves de Ludovico Carraci.

MACCHIO Giovanni
Mort le 24 novembre 1628 à Bologne. XVIIe siècle. Éc. bolonaise.
Peintre.

MACCHIO Giulio Cesare
Mort le 8 juin 1622 à Bologne. XVIIe siècle. Éc. bolonaise.
Peintre.

MACCIO Démostène
Né en 1824 à Pistoia. Mort en 1910 à Fiesole. XIXe-XXe siècles. Italien.
Peintre d'histoire.
Musées : Madrid (Mus. du Prato) : *Fra Benedetto condamné par Clément VII à mourir de faim dans un cachot du château Saint-Ange à Rome*.
Ventes Publiques : Milan, 3 déc. 1992 : *David calmant la colère de Saul*, h/t (66,5x175) : **ITL 22 600 000** – Paris, 6 mai 1993 : *Galilée refusant le collier d'or offert par les États Généraux de Hollande pour sa découverte des longitudes* 1861, h/t (126x191) : **FRF 92 000** – Paris, 24 juin 1996 : *Galilée et les envoyés du pape*, h/t (126x191) : **FRF 90 000**.

MACCIO Gérard di
XXe siècle. Actif en France. Italien.
Peintre. Surréaliste.
Il fit ses études à l'Académie Julian et à l'École des Beaux-Arts de Paris. Il expose personnellement à Paris depuis 1979. Un musée doit lui être consacré à Osaka en 1993.
C'est à travers une technique à l'ancienne, très peaufinée, qu'il peint de grands sujets d'un monde visionnaire où les personnages irréels sont en apesanteur, évoluent devant des décors somptueux qui évoquent des architectures fantastiques de civilisations inconnues.
Ventes Publiques : Paris, 29 mai 1991 : *Personnage fantastique*, h/t (24x33) : **FRF 24 000** – Paris, 24 juin 1991 : *Sans titre* 1978, acryl./t. (73x60) : **FRF 40 000** – Paris, 15 juin 1994 : *Buste de femme fantastique*, cray.noir et past. (33,5x22,5) : **FRF 6 000**.

MACCIO Romulo
Né en 1931 ou 1932 à Buenos Aires. XXe siècle. Actif en France. Argentin.
Peintre, peintre de décors de théâtre. Nouvelles figurations.
Autodidacte, il avait d'abord travaillé pour la publicité.
Il participe à de nombreuses expositions et Biennales en Europe, aux États-Unis, et en Amérique latine : 1960, 1961 et 1963 Institut Torcuato di Tella à Buenos Aires ; 1961 Biennale de Paris, *Peinture et Sculpture moderne d'Argentine* à l'Institut d'Art contemporain de Londres, *Art contemporain* au musée d'Art moderne de Rio de Janeiro, VIe Biennale de São Paulo ; 1962 XXXIe Biennale de Venise ; 1963 Biennale de Paris, *L'Art argentin actuel* au musée d'Art moderne de Paris ; 1964 Guggenheim International Arward au musée Guggenheim de New York, XXXIVe Biennale de Venise, etc. À Paris, il participe aux différents Salons : de la Jeune Peinture, Grands et Jeunes d'Aujourd'hui, Salon de Mai, etc. Depuis 1956, il montre ses œuvres dans de nombreuses expositions personnelles à Buenos Aires, ainsi que : 1964, 1966 Paris ; 1965 Munich, Madrid ; 1967 Montevideo, etc. Il a obtenu le prix de Ridder en 1959, le deuxième prix de l'Institut Torcuato di Tella à Buenos Aires en 1961, le quatrième prix de la Ire Biennale américaine d'art à Cordoba (Argentine) en 1962, le premier prix de l'Institut Torcuato di Tella à Buenos Aires en 1963 et le grand prix d'honneur du LVIe Salon national en 1967.
Sa peinture est consacrée à la présence humaine, dont il traduit l'inquiétude dans des visages comme effacés ou à peine ébauchés, quand il ne les inverse pas, front à la place du menton, yeux à la place de la bouche, sans que l'on songe trop à s'étonner, tant, au fond, on prête peu attention à autrui ; les mains surgissent de l'ombre confuse du corps à peine indiqué. Il aime à constituer ainsi des sortes d'énigmes, aggravées plus qu'éclairées par les titres. Son langage plastique est une synthèse du fonds commun surréaliste et de l'imagerie pop. De ses premiers emplois dans la publicité, il a sans doute gardé le goût du logo, et de l'image simpliste et envahissante, qu'il associe cependant par des qualités graphiques indéniables à une *Autre Figuration*, selon l'intitulé du groupe qu'il a fondé, de meilleure tenue. Il a également recours à des matériaux inhabituels. Plus récemment, il se livre à la déformation, dans des œuvres plus en pâte, plus émotives.
Bibliogr. : Jean Jacques Lévêque : Catalogue de l'exposition *Romulo Maccio*, Galerie Mathias Fels, Paris, 1966 – Damian Bayon, Roberto Pontual : *La Peinture de l'Amérique latine au XXe s*, Mengès, Paris, 1990 – in : *Dict. de l'art mod. et contemp.*, Hazan, Paris, 1992.
Musées : Bruxelles (Mus. des Beaux-Arts) – Buenos Aires (Mus. Nat. des Beaux-Arts) – Buenos Aires (Inst. di Tella) – Buenos Aires (Mus. de tres Arroyos) – Caracas (Mus. des Beaux-Arts) – Cordoba (coll. de la Biennale Panamerica) – Larry Aldrich – Minneapolis (Art Center) – New York (Solomon R. Guggenheim Mus.) – Paris (BN) : *Silhouettes noires* 1978 – Vienne (Mus. du XXe s.).
Ventes Publiques : New York, 17 oct 1979 : *Canapé nu* 1976, techn. mixte (68x145,7) : **USD 3 000** – New York, 27 nov. 1985 : *Sans titre* 1967, h/t (69,3x59) : **USD 1 800** – New York, 18 nov. 1987 : *Danseuses* 1960, h/t (198,1x248,9) : **USD 23 000** – New York, 17 mai 1988 : *Modèle de peintre* 1973, acryl./t. (130x135) : **USD 16 500** – New York, 21 nov. 1988 : *Toutes voiles dehors* 1960, h/t (80x80) : **USD 1 320** – New York, 1er mai 1990 : *Peinture* 1960, h/t (150x250,5) : **USD 26 400** – New York, 19-20 nov. 1990 : *Pour vivre sans garantie* 1963, h/cart. enduit (181x181) : **USD 20 900** – New York, 18-19 mai 1992 : *Sans titre*, h/t (99,5x90) : **USD 7 150** – New York, 18-19 mai 1993 : *Au pied de la lettre* 1965, h/t (161,4x129,5) : **USD 6 900** – Boulogne, 8 mai 1994 : *Memoria* 1980, h/t (41x33) : **FRF 4 800** – New York, 24-25 nov. 1997 : *Sans titre*, h/t (199x151) : **USD 26 450**.

McCLAIN Helen Charlton
Née en 1887. XXe siècle. Américaine.
Peintre de paysages urbains.
Ventes Publiques : New York, 22 sep. 1993 : *Une rue de New York*, h/t (41x31) : **USD 3 220**.

McCLARD Michael
XXe siècle. Américain.
Peintre, technique mixte.
Ventes Publiques : New York, 27 fév. 1990 : *Zoro* 1981, pigment sec et acryl./pap./plâtre (71x58,4) : **USD 660**.

McCLEARY Nelson
Né le 11 juin 1888 dans le Missouri. XXe siècle. Américain.
Peintre, graveur.
Il fut élève de l'académie Julian à Paris, et de la Slade School de Londres. Il expose à Paris aux Salons des Artistes Français, de la Société Nationale des Beaux-Arts et des Indépendants, ainsi qu'à la Royal Society of British Artists de Londres et à New York.

McCLEAY MacNeil. Voir **MACLEAY Kenneth**

McCLELLAND BARCLAY
Né en 1891 à Saint Louis (Missouri). Mort en 1943. XXe siècle. Américain.
Peintre de compositions animées, scènes typiques, figures, illustrateur.
Ventes Publiques : New York, 25 oct. 1985 : *A ballroom encounter*, h/t (76,7x101,5) : **USD 2 700** – New York, 1er oct. 1986 : *The crossing*, h/t (73,5x58,5) : **USD 3 500** – New York, 31 mai 1990 : *Un corsage*, h. en grisaille/t (86,3x50,8) : **USD 1 430** – New York, 17 déc. 1990 : *Enfants jouant avec un chien : « Rapporte ! »*, h/t (76,3x66,1) : **USD 1 650** – New York, 26 sep. 1991 : *Dîner sous les étoiles*, h/t (71x127) : **USD 3 300** – New York, 4 mai 1993 : *Cheval et cavalière* 1933, h/t (88,9x76,2) : **USD 1 150**.

MACCLELLAND Betty
XXe siècle. Britannique.

Peintre de natures mortes.
Elle a exposé au Salon des Indépendants de Paris, en 1940.

McCLEOD John
Mort le 17 février 1872 à Edimbourg. XIXe siècle. Britannique.
Peintre d'animaux.

MACCLOY Samuel
Né en 1831. Mort en 1904 à Londres. XIXe siècle. Britannique.
Peintre de genre, paysages, fruits, aquarelliste.
Professeur à l'École d'Art de Waterford : exposa à la Royal Academy et à Suffolk Street entre 1859 et 1891.
Musées : Cardiff – Londres (Victoria and Albert Mus.) : aquarelles.
Ventes Publiques : Londres, 16 fév. 1984 : *Jeune femme et enfants sur la plage attendant le retour du pêcheur*, aquar. (26x37) : **GBP 950** – Londres, 27 fév. 1985 : *Mère et enfant au bord de la mer*, aquar. (25x36) : **GBP 1 100** – Londres, 25 jan. 1988 : *Perdus dans les bois*, aquar. (39x26,5) : **GBP 4 950** – Londres, 25 jan. 1989 : *La cueillette des pommes*, aquar. (24x32,5) : **GBP 4 400** – Londres, 31 jan. 1990 : *Un vieux jardin dans le Kent*, aquar. (18x37) : **GBP 770** – Londres, 7 oct. 1992 : *Sommeil*, aquar. (22,5x28) : **GBP 715** – Londres, 25 mars 1994 : *Mère et enfant sur la grève*, cr. et aquar. (24,8x34,3) : **GBP 1 495** – Londres, 2 juin 1995 : *Romance du soir*, h/t (47x37) : **GBP 1 150** – Londres, 9 mai 1996 : *La nourriture des lapins*, aquar. (34x46) : **GBP 1 840**.

McCLURE David
Né en 1926 à Lochwinnoch (Renfrewshire). XXe siècle. Britannique.
Peintre de fleurs, nus.
De 1947 à 1953, il fit ses études au collège artistique d'Édimbourg où il obtint une bourse qui lui permit de voyager en Espagne et en Italie.
Il travailla souvent à Fife en compagnie de Anne Redpath.
Il participe à de nombreuses expositions d'artistes contemporains écossais. Il montre ses œuvres dans des expositions personnelles : 1957 Palerme ; 1957, 1961, 1962 Édimbourg.
Il peint dans une manière légère.
Bibliogr. : T. Elder Dickson : *David McClure*, Studio, Londres, fév. 1963.
Musées : Aberdeen (Art Gal. and Industr. Mus.) – Dundee (City Mus.) – Édimbourg (Scottish Nat. Gal. of Mod. Art) – Glasgow (Art Gal. and Mus.).
Ventes Publiques : Perth, 28 août 1989 : *Maison*, gche (32,5x38) : **GBP 825** – Perth, 27 août 1990 : *Paul et une poupée*, h/cart. (54,5x72,5) : **GBP 4 180** – Perth, 31 août 1993 : *Coquelicots et coloquintes*, h/cart. (38x42) : **USD 1 207** – Glasgow, 16 avr. 1996 : *La route du port* 1986, h/cart. (71x83) : **GBP 1 495**.

MACCO Alexander
Né en 1767 à Creglingen. Mort en 1849 à Bamberg. XVIIIe-XIXe siècles. Allemand.
Peintre et graveur.
Fit ses études à Munich et à Rome. Il travailla à Paris, Berlin, Prague, Hambourg, Vienne. Il peignait dans le style de David.

MACCO Georg
Né le 23 mars 1863 à Aix-la-Chapelle. Mort en 1933 à Düsseldorf. XIXe-XXe siècles. Allemand.
Peintre de paysages.
Il fut élève de Ducker à l'académie des beaux-arts de Düsseldorf. Il continua ses études à Munich en 1887. Il exposa à Munich, à partir de 1888.

Georg Macco

Musées : Aix-la-Chapelle : *Sur le Saint-Gothard* – Düsseldorf.
Ventes Publiques : Cologne, 16 juin 1978 : *L'oasis*, h/t (37x50,5) : **DEM 2 500** – New York, 24 janv 1979 : *Scène de marché arabe* 1907, h/t (48,2x72,3) : **USD 2 750** – Paris, 2 déc. 1985 : *Porte de Damas à Jérusalem* 1929, gche (40x56) : **FRF 15 000** – Amsterdam, 30 aoû. 1988 : *Lac de montagne (le Karersee au Tyrol) avec des pêcheurs sur la berge* 1905, h/t (34x47,5) : **NLG 1 150** – Amsterdam, 16 nov. 1988 : *Paysage alpin* 1894, h/t (48,5x36,5) : **NLG 1 150** – Cologne, 20 oct. 1989 : *Promenade estivale dans les Dolomites* 1909, h/t (62x80,5) : **DEM 1 300** – Cologne, 28 juin 1991 : *Chalet de haute montagne*, h/t (60x80) : **DEM 1 500** – Londres, 17 mars 1995 : *L'Acropole à Athènes*, h/t (41x74) : **GBP 5 750** – Paris, 2 avr. 1997 : *Devant la Mosquée au Caire* 1908, h/t (53,5x38,5) : **FRF 9 000** – Paris, 10-11 avr. 1997 : *Scène de marché à Jérusalem* 1907, h/t (54,5x76,5) : **FRF 28 000**.

MACCO-POOL Maria
Née en 1887 à La Haye. XXe siècle. Hollandaise.
Peintre d'intérieurs, paysages, scènes typiques. Naïf.
Ménagère, elle peint l'intérieur de la maison à la ville, avec les enfants qui jouent dans la grande pièce, la petite fille avec son chien à la promenade dans le parc municipal ; ou bien à la campagne, pendant les vacances, la femme de la ferme s'activant dans la grange. Tout cela est dit simplement, maladroitement avec le charme de la vision enfantine.
Bibliogr. : Dr L. Gans : *Catalogue de la collection de peinture naïve Albert Dorne*, Pays-Bas, s.d.

MacCOLL Dugald Sutherland
Né le 10 mars 1859 à Glasgow. Mort le 2 décembre 1948 à Londres. XIXe-XXe siècles. Britannique.
Peintre de paysages, natures mortes, graveur, dessinateur.
En 1950, il eut une rétrospective de son œuvre à la Tate Gallery de Londres.
Il fut aussi critique d'art.
Musées : Londres (Tate Gal.) : *Dieppe 1899* – *Le Quai Ste Catherine à Honfleur* 1906.
Ventes Publiques : Londres, 15 fév. 1924 : *Alfriston Cross*, dess. : **GBP 16** – Londres, 12 juin 1987 : *Sur la terrasse* 1922, h/cart. (35x19,2) : **GBP 1 800**.

MACCOLLUM Allan
Né en 1944 à Los Angeles. XXe siècle. Américain.
Sculpteur, peintre. Art de l'appropriation.
En 1975, il s'installe à New York.
Il participe à des expositions collectives, notamment : 1971 *Off the Stretcher* au musée de Oakland (Californie), 1984 musée d'Art moderne de la ville de Paris, 1985 *America* au Whitney Museum de New York, 1988 *La Couleur seule, l'expérience du monochrome* au musée Saint-Pierre de Lyon. Il montre ses œuvres dans des expositions personnelles : 1971, 1972 Corona del Mar ; 1973, 1974, 1977, 1985, 1986 Los Angeles ; 1988 musée d'Art contemporain de Nîmes, galerie John Weber de New York, galerie Yvon Lambert à Paris ; 1989 *Plaster Surrogates* à la galerie 57 de Madrid, *Project Rooms* à la John Weber Gallery de New York, Lisson Gallery de Londres et Stedelijk Museum d'Eindhoven ; 1998 musée d'Art moderne de Villeneuve-d'Ascq.
Il débuta avec des grandes toiles abstraites. À partir de 1975, il se met à travailler sur des objets apparemment identiques mais en réalité tous différents, déclinés en séries ; ainsi les *Perfect Vehicles*, ces alignements de vases kitsch en plâtre peint à l'acrylique véhiculent-ils le talent de chaque vase pris en particulier. Les *Plaster Surrogates*, que l'on peut traduire par « substituts », sont de petits tableaux monochromes, d'abord noirs au début des années quatre-vingt puis progressivement développés dans des gammes d'ocre ou de tons pastels. Ils apparaissent comme des « substituts » positifs de tableaux absents. Toutes les séries de ses œuvres sont synchrones et reproductibles à l'infini. Cet art de la simulation est hors du temps, trouvant sa pleine expression dans la parodie et l'ironie.
Bibliogr. : Pierre Sterckx, *Christian Eckart et Allan Mac Collum : avatars actuels du monochrome*, Artstudio, n° 16, Paris, printemps 1990, pp 128 à 139 – in : *Dict. de l'art mod. et contemp.*, Hazan, Paris, 1992.
Musées : Grenoble – Paris (FNAC) : *160 Colored Plaster surrogates* 1988 – Paris (Mus. Nat. d'Art Mod.).
Ventes Publiques : New York, 3 oct. 1991 : *25 Perfect Vehicles* 1987, objets de plâtre moulé, Hydrocal et vernis sur une base de bois (en tout 45x121,9x121,9) : **USD 26 400** – Paris, 19 jan. 1992 : *Perfect Vehicles* 1988, acryl. et peint. émaillée/Hydrocal, cinq vases (chaque 52x20x20) : **FRF 70 000** – New York, 7 mai 1992 : *Perfect Vehicles* 1987, plâtre moulé, Hydrocal et vernis, cinq objets (chaque H. 49,5) : **USD 19 800** – New York, 18 nov. 1992 : *Perfect Vehicles* 1987, plâtre moulé, Hydrocal et vernis, cinq objets (chaque H. 49,5) : **USD 16 500** – New York, 19 nov. 1992 : *Cadres de plâtre*, calcaire vernis noir, blanc et or, vingt panneaux (en tout 141x195,9) : **USD 22 000** – New York, 4 mai 1993 : *Montage de 30 cadres de plâtre*, Hydrocal vernis (chacun de dimensions différentes) : **USD 18 400** – New York, 10 nov. 1993 : *Perfect Vehicles* 1988, plâtre moulé et vernis, cinq pièces (en tout 157x125x27,3) : **USD 13 800** – Paris, 17 oct. 1994 : *Sans titre (Surrogate series)* 1979, acryl./bois (25,6x22,9x3,6) : **FRF 10 500** – Londres, 27 oct. 1994 : *Huit Cadres de plâtre*, vernis sur plâtre (dimensions variées) : **GBP 4 025** – New York, 16 nov. 1995 : *Cinq surrogates en couleur* 1986, vernis et acryl./plâtre

(50,8x162,6x5,1) : **USD 9 775** – Londres, 15 mars 1996 : *Installation de cent surrogates de plâtre selon les indications de l'auteur* (en tout 957x218) : **GBP 8 625** – Londres, 5 déc. 1996 : *Perfect Vehicles* 1987, émail/Hydrostone (H. 50,2) : **GBP 5 290** – New York, 20 nov. 1996 : *Quarante surrogates en plâtre* 1982-1990, Hydrostone (dimensions variées) : **USD 20 700** – New York, 6 mai 1997 : *Collection* 1989-1990, graphite/pan., quinze panneaux (30,5x25,4) : **USD 6 900**.

McCOMAS Eugène Francis

Né le 1er octobre 1874. Mort en 1938. XIXe-XXe siècles. Américain.

Peintre de figures, paysages, aquarelliste, pastelliste.

Il vécut et travailla à Monterey (Californie).

Musées : New York (Metrop. Mus.) – San Francisco.

Ventes Publiques : San Francisco, 3 oct. 1981 : *Monterey, Californie*, h/t (106x155) : **USD 18 000** – New York, 30 mai 1986 : *Shadows of Walpi*, aquar. (60,2x69,7) : **USD 4 500** – Los Angeles-San Francisco, 10 oct. 1990 : *Le pêcheur*, past./pap. (53x69) : **USD 1 100** ; *Le nuage blanc* 1905, aquar. et cr./pap. (25,5x29) : **USD 2 750** – New York, 28 nov. 1995 : *Dunes* 1910, aquar. et cr./pap. (32,5x37,5) : **USD 2 530**.

McCONAHA Lawrence

Né le 8 août 1894 à Centerville (Indiana). XXe siècle. Américain.

Peintre.

Élève de George H. Baker. Membre du Salmagundi Club. Obtint de nombreuses récompenses.

MACCONI Agostino di Paolo de' ou **de'Macconi**

XVe siècle. Actif à Pistoia. Italien.

Peintre.

Il fit partie de l'ordre des Dominicains. Il travailla à partir de 1499 au monastère Saint-Dominique à Fiesole.

MACCONNEL Kim

Né en 1946 à Oklahoma City. XXe siècle. Américain.

Peintre, technique mixte.

Il fut élève de l'université de San Diego.

Il montre ses œuvres dans de nombreuses expositions aux États-Unis. Il a notamment exposé à la galerie Holly Solomon de New York, avec le groupe Pattern Painting.

Il débuta avec des œuvres minimalistes. Il appartient au mouvement Pattern Painting (peinture de motifs), qui désire réhabiliter le décoratif dans l'art contemporain, s'inspirant de motifs traditionnels indiens ou non-occidentaux. Son œuvre hautement coloré est composé des citations les plus diverses, qui se juxtaposent librement. Il utilise pour support du mobilier.

Bibliogr. : Robert Atkins : *Petit Lexique de l'art contemporain*, Abbeville Press, Paris, 1992.

Ventes Publiques : New York, 20 mai 1983 : *Bandit* 1978, acryl./coton (232,4x266,7) : **USD 12 000** – New York, 3 mai 1985 : *Seashore* 1979, acryl. et peint. métalique/tissu (236,8x238,7) : **USD 9 500** – New York, 6 mai 1986 : *New Luck* 1978, tissus divers (200,7x91,5) : **USD 3 750** – New York, 4 nov. 1987 : *Radio Tokyo* 1980, gche/pap. (47x51) : **USD 2 200** – New York, 17 nov. 1992 : *Oiseau de nuit* 1984, gche et encre/pap. (57,1x76,2) : **USD 1 760** – New York, 1er nov. 1994 : *Gymnase* 1979, acryl./tissu de coton (249-322) : **USD 5 750**.

MacCONNEL W.

Mort en 1867. XIXe siècle. Britannique.

Illustrateur.

McCORD George Herbert

Né le 1er août 1848 à New York. Mort le 6 avril 1909 à New York. XIXe siècle. Américain.

Peintre de genre, paysages, marines.

Musées : Albany (Mus. du Brooklyn Inst.) – Albany (Albany Inst.).

Ventes Publiques : New York, 9 avr. 1929 : *Scène vénitienne* : **USD 140** – New York, 26 oct. 1933 : *Marine* : **USD 190** – New York, 19 juin 1981 : *La Cathédrale Saint-Nicolas, Amsterdam*, h/t (122x182) : **USD 4 000** – Portland, 20 nov. 1982 : *Lake Placid* 1876 : **USD 3 100** – New York, 27 jan. 1984 : *Under crows nest*, h/t (55,8x92,1) : **USD 2 750** – Washington D. C., 9 juin 1985 : *Cabanes de berger près de la côte, Bretagne*, h/t (71,2x104,6) : **USD 2 300** – New York, 17 mars 1988 : *Lac de montagnes* 1876, h/t (45x75) : **USD 5 225** – New York, 14 fév. 1990 : *Le Grand Canal d'Amsterdam*, h/t (122x184) : **USD 2 420** – New York, 6 déc. 1991 : *Vue de Morristown dans le New Jersey*, h/t/rés. synth. (128x103) : **USD 11 000** – New York, 12 mars 1992 : *Le retour du pêcheur*, h/t (45,8x76,3) : **USD 6 050** – New York, 10 juin 1992 : *Le travail des pêcheurs sur la côte*, h/t (50,8x91,5) : **USD 3 080** – New York, 11 mars 1993 : *Personnage regardant les régates près de Newburgh (New York)*, h/cart. (30,5x23) : **USD 3 450** – New York, 23 sep. 1993 : *Voiliers à Gloucester dans le Massachusetts*, h/t (81,3x109,2) : **USD 8 625** – New York, 21 sep. 1994 : *Manchester dans le Vermont*, h/t (81,9x105,4) : **USD 16 100** – New York, 14 mars 1996 : *Voiliers dans le port de Gloucester dans le Massachussetts*, h/t (81,3x109,2) : **USD 10 350** – New York, 3 déc. 1996 : *Le Château de Windsor*, h/t (103x152,5) : **USD 9 200** – New York, 27 sep. 1996 : *Le Lac Luzerne, New York* 1879, h/t (50,7x76,2) : **USD 21 850**.

MACCORD Mary Nicholena

Née en 1864 à Bridgeport (Connecticut). Morte en 1955. XXe siècle. Américaine.

Peintre de paysages.

Elle fut membre de la Fédération américaine des arts.

Musées : New York (Nat. Arts Club) : *Le Quartier portugais*.

Ventes Publiques : New York, 2 déc. 1982 : *Sentier de village, clocher d'église et pont*, trois gches (47x62,2 et 59,7x49,5) : **USD 1 900** – New York, 21 oct. 1983 : *La Bretagne au clair de lune*, h/t (66,7x50,8) : **USD 5 500** – New York, 12 sep. 1994 : *Chemin de campagne*, h/t (66x50,8) : **USD 4 600**.

McCORMICK Arthur David

Né en 1860. Mort en 1943. XIXe-XXe siècles. Britannique.

Peintre de compositions animées.

À partir de 1889, il exposa à Londres, à la Royal Academy, à Suffolk Street et au Royal Institute of Painters in Water Colours, dont il fut membre.

Musées : Bristol : *Le Dimanche des pirates*.

Ventes Publiques : Londres, 12 mai 1922 : *En vue de Trafalgar*, dess. : **GBP 44** – Londres, 16 nov. 1928 : *Conspirateurs*, dess. : **GBP 16** – Londres, 19 mars 1937 : *Le conte du galion doré*, dess. : **GBP 58** – Écosse, 24 août 1976 : *L'amateur d'art*, h/t (60x44,5) : **GBP 600** – Londres, 13 mai 1977 : *Les rafraichissements sur les quais*, h/t (40,5x56) : **GBP 680** – Londres, 2 févr 1979 : *La promenade*, h/t (99,6x125,1) : **GBP 1 500** – New York, 1er mars 1984 : *À la recherche des traîtres*, h/t (71,7x92) : **USD 2 500** – Londres, 1er nov. 1985 : *Virginia Wharf*, h/t (70,5x92) : **GBP 3 500** – Londres, 16 avr. 1986 : *Nelson à la bataille de Copenhague envoyant sa lettre au prince héritier du Danemark* 1915, h/t (106,5x91,5) : **GBP 7 200** – Londres, 24 sep. 1987 : *Après la chasse*, aquar. (55x76) : **GBP 1 350** – Londres, 11 oct. 1991 : *Une bonne bière ; Une bonne pipe*, h/t, une paire (chaque 61x46) : **GBP 2 860** – Londres, 7 oct. 1992 : *Préparatifs de voyage*, h/t (46x61) : **GBP 880** – Londres, 20 jan. 1993 : *Lord Nelson à la bataille de Copenhague*, h/t (61x51) : **GBP 3 450** – Londres, 11 mai 1994 : *Aucun bateau en vue...*, h/t (56x76) : **GBP 9 200** – Londres, 6 nov. 1995 : *Un sujet de discussion*, h/t (66x96,5) : **GBP 6 900** – Londres, 29 mars 1996 : *L'Espion*, h/t (92,1x102,9) : **GBP 5 750** – Londres, 8 nov. 1996 : *Nelson à la bataille de Copenhague cachetant sa lettre adressée au Prince héritier du Danemark* 1915, h/t (107,5x92) : **GBP 9 500** – Londres, 29 mai 1997 : *Changeant les voiles*, h/t (22,5x28) : **GBP 19 580**.

McCORMICK Howard

Né le 19 août 1875 dans l'Indiana. XXe siècle. Américain.

Peintre, graveur.

Il fut élève de Forsyth, Chase et de Laurens à Paris. Il fut membre du Salmagundi Club.

Il peignit beaucoup en Amérique du Sud.

McCORMICK M. Evelyn

Née en 1869 à Placerville (Californie). XIXe-XXe siècles. Américaine.

Peintre de paysages.

Elle fut élève de l'académie Julian à Paris.

McCOUCH Gordon Mallet

Né le 24 septembre 1885 à Philadelphie (Pennsylvanie). XXe siècle. Américain.

Peintre, graveur.

Il étudia à Munich et à New York sous la direction d'Heinrich von Zügel. Il fait partie des associations artistiques allemandes et expose en France au Salon des Surindépendants.

McCOY Ann

Née le 8 juillet 1946 à Boulder (Colorado). XXe siècle. Américaine.

Peintre, dessinateur.

Elle étudia la sculpture et le dessin à l'université de Californie à

Los Angeles. Elle voyagea en Écosse, France et dans le Sud-Pacifique. En 1965, elle rencontre Sam Francis dont elle subit l'influence, en 1974 Sol Lewitt et Vija Celmins. Elle vit et travaille à Venice, en Californie.
Elle participe à des expositions de groupe : 1972 Art Museum de Pasadena ; 1973 Whitney Museum of American Art de New York ; 1974 Museum of Art d'Indianapolis ; 1976 Kunstmuseum d'Aarhus et Corcoran Gallery of Art de Washington. Elle montre ses œuvres dans des expositions personnelles : 1970 Santa Barbara ; 1975 New York Institute of contemporary Art de Boston et 1976 Los Angeles.
Musées : Chicago (Art Inst.) – Los Angeles (County Mus.) – Melbourne (Nat. Gal. of Australia) – New York (Whitney Mus.).

McCOY John W.
xxe siècle. Américain.
Peintre.
Il a figuré en 1946 et 1947 aux expositions de la fondation Carnegie, à Pittsburgh.

McCRACKEN John
Né le 9 décembre 1934 à Berkeley (Californie). xxe siècle. Américain.
Peintre, sculpteur. Abstrait-minimaliste.
Il fut élève de l'école des Arts et Métiers d'Oakland. Il enseigne à l'université de Californie, à Los Angeles, ainsi qu'à l'école des arts visuels de New York.
Il participe à de nombreuses expositions collectives : 1964, 1965 musée de San Francisco ; 1967 *American Sculpture of the Sixties* au County Museum of Art de Los Angeles et Museum of Art de Philadelphie ; 1968 musée d'Art moderne de New York ; 1968 *L'Art du réel U.S.A. – 1948-1968* à la galerie nationale du Grand Palais (Centre national d'Art contemporain) à Paris ; 1970 Museum of Contemporary Art de Chicago ; 1988 *La Couleur seule, l'expérience du monochrome* au musée St Pierre de Lyon ; 1989 *Geometric Abstraction and minimalism in America* au Guggenheim Museum de New York ; 1991 Biennale de Pittsburgh ; 1993 FIAC (Foire Internationale d'Art Contemporain) à Paris. Il montre ses œuvres dans des expositions personnelles : 1965, 1967 Los Angeles ; 1966, 1967, 1968, 1970, 1972, 1973 New York ; 1969 Toronto et Paris ; 1970 Vancouver ; 1991, 1996 galerie Froment&Putman à Paris ; 1992 Sonnabend Gallery à New York...
Il fait partie du courant du Minimal Art, qui s'est donné pour but de créer un art abstrait spécifiquement américain, en revenant aux structures primaires de la forme et de la couleur, dont la perception doit se suffire à elle-même, but en soi de la perception et non plus moyen propre à éveiller des associations d'idées ou de sensation. Pour sa part, McCracken réalise des pièces unitaires, bloc, poutre, planche, de couleur unie en bois recouvert de fibre de verre puis de résine teintée dans la masse, brillantes, appuyées contre le mur. Il réalise aussi des mandalas, variations de cercles de couleurs subtilement associées, qui invitent à la méditation.
Bibliogr. : John Coplans : *John McCracken*, Art News, New York, déc. 1965 – John Coplans : *Five Los Angeles Sculptors at Irvine*, Artforum, New York, fév. 1966 – E. C. Goossen : Catalogue de l'exposition : *L'Art du réel U.S.A – 1948-1968*, Galeries nationales du Grand Palais, Paris, 1968 – Peter Schjeldahl : *L'Art de notre temps*, Londres, 1984 – Kenneth Baker : *Minimalisme : art de circonstance*, New York, 1988 – in : *L'Art du xxe s*, Larousse, Paris, 1991 – Paul Ardenne : *John McCracken*, Art Press, n° 203, Paris, mai 1996.
Musées : Bruxelles (Palais des Beaux-Arts) – Chicago (Art Inst.) – Los Angeles (County Mus. of Art) – Los Angeles (Mus. of Contemp. Art) – Mexico (Arte Contemp. Mus.) – Montréal (Mus. d'Art Contemp.) : *Black Plank* 1965-1968 – New York (Whitney Mus. of Art) – New York (The Solomon R. Guggenheim Mus.) – New York (Mus. of Mod. Art) – Otterlo (Rijksmus. Kroller-Muller) – Pasadena (Mus. of Mod. Art) – San Francisco (Mus. of Art) – Toronto (Art Gal. of Ontario).
Ventes Publiques : New York, 18 nov. 1970 : *Chimu*, bois, fibre de verre et laque : **USD 2 000** – Los Angeles, 10 mars 1976 : *Lavender box* 1969, bois, fibre, verre et laque (25,3x27x20) : **USD 600** – New York, 10 nov. 1983 : *Mandala VI* 1972, acryl./t. (182,8x182,8) : **USD 1 300** – New York, 1er nov. 1984 : *Yellow wall piece* 1972, contreplaqué recouvert (243,8x31) : **USD 2 300** – New York, 9 nov. 1989 : *Sans titre* 1986, rés. de polyester sur une planche de bois (294,6x63,5x9) : **USD 18 700** – Paris, 16 déc. 1990 : *Sans titre*, encre/pap. (45x60) : **FRF 6 500** – New York, 1er mai 1991 : *Sans titre* 1967, laque et fibre de verre (239,2x36x3) : **USD 17 600** – New York, 7 mai 1991 : *Persée* 1988, acier inox. poli (71,1x31,7x21) : **USD 6 050** – New York, 17 nov. 1992 : *Sans titre* 1968, fibre de verre (17,7x17,7x19) : **USD 2 750** – New York, 4 mai 1993 : *Sans titre*, fibre de verre/bois (229,9x39,1x4,8) : **USD 13 800** – New York, 3 mai 1994 : *Minnesota* 1989, fibre de verre (243,8x68,6x43,2) : **USD 11 500** – New York, 15 nov. 1995 : *Sans titre* 1980, fibre de verre et bois (236x43,8x6) : **USD 7 475** – New York, 20 nov. 1996 : *Argument pour le maquillage en matière de beauté* 1967, rés. polyester et fibre de verre/contreplaqué (304,8x45,7x80) : **USD 24 150**.

McCREA Samuel Harkness
Né le 15 mars 1867 à Palatine (Illinois). xixe-xxe siècles. Américain.
Peintre de paysages.
Il étudia à San Francisco, Chicago, New York, Paris et Munich. Il fut membre du Salmagundi Club.
Ventes Publiques : Chicago, 4 juin 1981 : *Bords de rivière* 1901, h/t (51x61) : **USD 2 000**.

McCROSSAN Mary, Miss
Née vers 1864 à Liverpool (Angleterre). Morte en 1934. xixe-xxe siècles. Britannique.
Peintre de marines.
Elle vécut et travailla à Liverpool. Elle débuta en 1898 à l'exposition de la Royal Academy de Londres. Elle a exposé des vues de Venise au Salon de la Nationale de Paris de 1914.
Ventes Publiques : Londres, 22 juil. 1987 : *Le Port, St. Ives* 1930, h/cart. (33x46) : **GBP 2 000** – Londres, 27 sep. 1991 : *Padstow en Cornouailles*, h/pan. (39,5x32) : **GBP 770** ; *Les quais de la Tamise* 1928, h/cart. (33x41) : **GBP 1 980** – Perth, 31 août 1993 : *Barques de pêche dans le port de Kirkaldy*, h/t (38x47,5) : **GBP 1 380**.

MACCUBIN Frederick ou **McCubbin**
Né en 1855 à Melbourne. Mort en 1917. xixe-xxe siècles. Australien.
Peintre de paysages, genre, compositions animées. Post-impressionniste.
Il fut élève de la toute nouvelle école de dessin de la National Gallery de Melbourne en 1871. En 1907, il fit un bref séjour en Europe.
Ses œuvres évoquent celles des impressionnistes français de la même génération. Il pratiqua la peinture en plein air, peignant dans une gamme de tons restreints et neutres des scènes de tous les jours. Dans ses compositions sobres, il sut rendre son attachement à son pays.

Bibliogr. : In : *Creating Australia – 200 years of art 1788-1988*, Art Gallery of South Australia, Adelaide, 1988.
Musées : Melbourne (Nat. Gal. of Victoria) : *Lost* 1886 – *Sortie d'hiver* – *Les Pionniers* – Sydney : *Scène champêtre*.
Ventes Publiques : Melbourne, 11 mars 1977 : *Collins street*, t. mar./cart. (35,5x25) : **AUD 4 500** – Sydney, 10 mars 1980 : *La cathédrale Saint-Paul*, h/cart. (25x35,5) : **AUD 6 000** – Armadale (Australie), 12 avr. 1984 : *Le séchage des voiles, Williamstown*, h/cart. entoilé (24,5x34,5) : **AUD 6 500** – Melbourne, 21 avr. 1986 : *Feeding time* 1893, h/t (74x125) : **AUD 630 000** – Melbourne, 26 juil. 1987 : *The divided Fence* 1901, h/t (40x61) : **AUD 48 000** – Melbourne, 20-21 août 1996 : *Le jardin de la maison de campagne des McCubbin, Mont Macedon*, h/t (24x39) : **AUD 54 050**.

McCULLOCH Georges
xixe siècle. Actif à Londres. Britannique.
Peintre de genre et de figures.
Exposa à Londres, à partir de 1859, à la Royal Academy et à Suffolk Street. Le Musée de Cardiff conserve de lui : *Un glaisier du pays de Galles*.

McCULLOCH Horatio
Né le 9 novembre 1805 à Glasgow. Mort le 24 juin 1867 à Edimbourg. xixe siècle. Britannique.
Peintre de paysages.
Tout en étant apprenti d'un peintre en bâtiments, il fit des études artistiques avec John Knox, ayant pour condisciple Daniel Macnee, qui fut plus tard président de la Royal Scottish Academy. McCulloch exposa pour la première fois en 1828 à la Dilettante Society et l'année suivante parut à la Scottish Academy. Associé en 1834, il fut élu académicien en 1838. Il exposa une seule fois à la Royal Academy, à Londres, en 1843. McCulloch est par

excellence un peintre écossais ; il s'est attaché à représenter des sites ou des scènes de son pays. Ses œuvres furent popularisées par la gravure, notamment par Forrest.
Musées : Édimbourg : *Château d'Inverloch – Rivière en plaine – Paysage du soir* – Glasgow : *Paysage à Rosshire – Paysage avec château et rivière – Paysage avec montagne – Château de Dunstaffnage – Loch Achray, matin – Loch Achray, soir – Loch, marée – Glencœ, paysage dans les montagnes d'Écosse – Loch Slapin Schye – Loch Lomond – La Clyde à Ershine – Scène au bord de la mer.*
Ventes Publiques : Londres, 2 juil. 1909 : *Lac de Highlands* : **GBP 98** – Londres, 12 fév. 1910 : *Entrée de la passe* : **GBP 63** – Londres, 30 mai 1924 : *Marches en pierre sur la Teith* : **GBP 39** – Écosse, 24 août 1976 : *Bord d'un lac* 1863, h/t (37x45) : **GBP 480** – Londres, 2 févr 1979 : *Voyageurs traversant une rivière*, h/t (68,6x104,2) : **GBP 1 200** – Auchterarder (Écosse), 1er sep. 1981 : *Castle Kyleakin, île de Skye*, h/t (61x124) : **GBP 3 400** – Londres, 22 nov. 1985 : *On the Tweed* 1835, h/t (54,6x74,9) : **GBP 9 000** – Glasgow, 11 déc. 1986 : *A panoramic view of Edinburgh from the South with George Heruit's Hospital*, h/t (91x137,5) : **GBP 14 500** – Glasgow, 4 fév. 1987 : *The crofter's family*, h/t (89x112) : **GBP 4 200** – Édimbourg, 30 août 1988 : *Vue de Loch Fad dans l'île de Bute avec Arran au lointain*, h/t (56x76,5) : **GBP 7 700** – Perth, 28 août 1989 : *Le ramassage du bois*, h/t (40,5x61) : **GBP 4 180** – Édimbourg, 22 nov. 1989 : *Le château de Duntroon près de Loch Crinan*, h/t (44,4x69,8) : **GBP 3 300** – New York, 17 jan. 1990 : *Cerf dans un paysage boisé* 1855, h/t (71,2x116,8) : **USD 6 050** – Glasgow, 6 fév. 1990 : *Loch Long*, h/t (60x91) : **GBP 2 860** – Perth, 27 août 1990 : *Enfants jouant près d'une mare*, h/t (51x77,5) : **GBP 1 430** – Glasgow, 5 fév. 1991 : *Les environs d'Aberfeldy dans le Perthshire*, h/pan. (26x30,5) : **GBP 1 760** – Londres, 1er mars 1991 : *Paysage lacustre, peut-être Derwentwater avec un château*, h/t (106,5x152,5) : **GBP 6 050** – Édimbourg, 2 mai 1991 : *Paysage avec une cascade*, h/t (284x152,4) : **GBP 7 150** – Perth, 26 août 1991 : *Cerf dans un paysage*, h/t (36x45) : **GBP 1 980** – Glasgow, 4 déc. 1991 : *Route longeant un loch* 1851, h/t (55x97) : **GBP 880** – Édimbourg, 28 avr. 1992 : *Paysage avec le château de Bothwell et le prieuré de Blantyre*, h/t (37x55) : **GBP 1 760** – Édimbourg, 23 mars 1993 : *Loch Achray* 1866, h/t (48x79) : **GBP 4 370** – Perth, 29 août 1995 : *Un plan d'eau calme*, h/t (45,5x61) : **GBP 2 300** – Perth, 20 août 1996 : *Rivière dans le vallon*, h/t (56x95) : **GBP 5 750** – Glasgow, 11 déc. 1996 : *Bétail s'abreuvant dans les Highlands*, h/t (41x61) : **GBP 3 335**.

McCULLOCH James
Mort en 1915. xixe-xxe siècles. Actif à Londres. Britannique.
Peintre de paysages, aquarelliste.
Il exposa à Londres, à partir de 1872, quelquefois à la Royal Academy, mais très fréquemment à Suffolk Street et au Royal Institute of Painters in Water-Colours.
Cet artiste traduisit la nature avec beaucoup de charme et continua la tradition des beaux aquarellistes anglais.
Musées : Sydney : deux aquarelles.
Ventes Publiques : Londres, 1er nov. 1990 : *Bien venue en Écosse* 1894, aquar. (35,6x62,9) : **GBP 495**.

McCULLOUGH Max, Mrs
Née à Elmwood Plantation (Arkansas). xxe siècle. Américaine.
Peintre.
Elle fut élève d'Émile Renard, Lefarge, Debillemont-Chardon, à Paris. Elle fut membre de la Fédération américaine des arts.

McDERMOTT et McGOUGH David et **Peter**
David né en 1952 et Peter né en 1958. xxe siècle. Américains.
Créateurs d'installations, peintres.
Ils vivent et travaillent à New York. Ils ont participé à une exposition collective à Paris, en 1995, à la galerie Vidal-Saint Phalle. Ils ont montré leurs œuvres dans une exposition personnelle à Paris, en 1992.
Décidés de vivre dans une autre époque que la leur, ils ont choisi les années vingt et trente comme cadre de leurs activités plastiques, utilisant les documents de l'époque, pour créer des installations.
Bibliogr. : Ami Barak : *Mc Dermott – McGough*, Art Press, n° 172, Paris, sept. 92.
Ventes Publiques : New York, 23 fév. 1990 : *19C time-map* 1972, h/t (272,4x183,2) : **USD 24 200** – New York, 27 fév. 1990 : *Scène de théâtre*, h/t (193x152,5) : **USD 17 600** – New York, 6 nov. 1990 : *La visite originelle de Jean aux eaux du Delaware 1858*, h/t (101x101,6) : **USD 6 600** – New York, 13 fév. 1991 : *Hudson river valley Hudson, New York 1846*, acryl. et cr. de coul./t. (45,7x91,4) : **USD 4 400** – New York, 7 mai 1991 : *La première visite de Jésus après la création du monde 1854*, h/t (76,2x152,4) : **USD 5 500** – New York, 12 nov. 1991 : *Sans titre* 1984, h/t, signé Haaren Vander Mott Van Gough 1763 (66x30,5) : **USD 1 650** – New York, 22 fév. 1993 : *Fear or Faith 1921*, h/t (179,6x180) : **USD 5 500** – New York, 24 fév. 1993 : *Les journaux 1912* 1987, h/t (152,4x152,4) : **USD 8 250** – New York, 22 fév. 1995 : *La chaîne de la marguerite* 1989, h/tissu (151,6x152) : **USD 5 520** – New York, 10 oct. 1996 : *Flying time 1928*, acryl./contreplaqué avec h/t (205,1x152,4) : **USD 2 875**.

MacDIAMAND
Né à Hagurele. xxe siècle. Actif aussi en Belgique. Roumain.
Peintre de paysages et de natures mortes.
Il exposa à Paris, au Salon d'Automne entre 1920 et 1923.
Bibliogr. : In : *Diction. Biogr. Ill. des Artistes en Belgique depuis 1830*, Arto, Bruxelles, 1987.

MacDONALD Alessandro ou **Alexander**
Né le 17 août 1847 à Rome. xixe siècle. Italien.
Sculpteur.
Fils et élève du sculpteur Lorenzo Mac Donald. Il a beaucoup travaillé en Angleterre.
Ventes Publiques : Londres, 19 déc. 1972 : *Le pêcheur*, marbre : **GBP 620**.

McDONALD Alexander
Né vers 1839. Mort le 15 octobre 1921. xixe-xxe siècles. Britannique.
Peintre de portraits, de natures mortes et de paysages.
Il fut de 1882 à 1908 conservateur de l'University Gallery à Oxford. La Lincoln Collection et la Collection Corpus Christi à Oxford possèdent chacune deux portraits de sa main.

McDONALD Chris, pour **Christopher**
Né en 1957. xxe siècle. Américain.
Sculpteur, auteur d'assemblages.
Ventes Publiques : New York, 5 oct. 1989 : *Sans titre* 1982, chêne (84x104,2x91,5) : **USD 9 900** – New York, 27 fév. 1992 : *Sans titre – pasing n° 2* 1991, construction de contre plaqué peint à l'acryl. (45,1x55,9x28,6) : **USD 1 540** – New York, 17 nov. 1992 : *Sans titre*, bois et écrous d'acier (38x66x34,3) : **USD 1 100** – New York, 3 mai 1994 : *Variante d'engin de travaux publics* 1989, bois et chevilles (309x92,9x183) : **USD 1 150**.

MACDONALD Frances
Née en 1874 à Tipton (près de Wolverhampton). Morte en 1933. xixe-xxe siècles. Britannique.
Dessinateur, illustrateur, décorateur. Art-nouveau.
Elle est la sœur de Margaret, avec qui elle travailla. Comme elle, elle fut élève de la School of Art de Glasgow. Elle épousa Charles Rennie Mackintosh. Avec lui, sa sœur et le mari de celle-ci, ils fondèrent le Groupe des Quatre. En 1907, elle fut nommée professeur à l'école des beaux-arts de Glasgow.
Elle travailla en 1893-1894, à une importante décoration murale. Avec son mari, ils créèrent des meubles, des objets d'art et vitraux.
Bibliogr. : In : *Dict. de la peinture anglaise et américaine*, Larousse, Paris, 1991.
Musées : Glasgow (School of Art).

MACDONALD Frances
Né le 12 avril 1914 à Wallasey (Cheshire). xxe siècle. Britannique.
Peintre d'histoire, paysages, marines.
Musées : Londres (Tate Gal.) : *Port de Mulberry à Londres (préparatif au débarquement de juin 1944).*

MacDONALD James Edward Hervey
Né en 1873 à Durham. Mort en 1932 à Toronto. xixe-xxe siècles. Actif au Canada. Britannique.
Peintre de paysages. Postimpressionniste. Groupe des Sept.
Sa famille s'établit au Canada alors qu'il était âgé de quatorze ans. Il suivit les cours du soir de dessin et peinture, travaillant comme dessinateur pour une entreprise. Il est un des membres fondateurs du Groupe des Sept.
Il exposa pour la première fois en 1908, à Toronto.
Il pratique une peinture régionaliste. Ses paysages sont vigoureux et colorés, aux rythmes puissants.
Bibliogr. : In : *Dict. de la peinture anglaise et américaine*, Larousse, Paris, 1991.

Musées : Toronto (Art Gal.) : *Digue des castors* 1919.
Ventes Publiques : Toronto, 17 mai 1976 : *Paysage boisé au soir couchant* 1909, h/t (70x50) : **CAD 9 000** – Toronto, 27 oct. 1977 : *Paysage montagneux*, h/cart. (22x27) : **CAD 7 000** – Toronto, 14 mai 1979 : *Little river*, h/cart. (22x27) : **CAD 8 000** – Toronto, 26 mai 1981 : *Bridle Falls, Canyon* 1919, h/cart. (21,3x26,3) : **CAD 36 000** – New York, 23 mars 1984 : *Maganatawan River, Ontario* 1910, h/t (71,1x51,1) : **USD 55 000** – Toronto, 28 mai 1985 : *Near Montreal River, Algoma* 1919, h/cart. (21,3x26,3) : **CAD 28 000** – Toronto, 3 juin 1986 : *Lake McArthur from the West* 1929, h/cart. (21,6x26,7) : **CAD 12 000** – Montréal, 1er mai 1989 : *Wheatfield à Thornhill* 1931, h/pan. (21x26) : **CAD 9 500.**

MACDONALD James W. Galloway
Né en 1897 à Thurso (Écosse). Mort en 1960 à Toronto. XXe siècle. Actif au Canada. Britannique.
Peintre. Abstrait.
Il a été nommé directeur de la Vancouver School of Decorative and Applied Arts en 1926, puis a enseigné, en 1946-1947 au Provincial Institute of Technology à Calgary et à partir de 1947 à l'Ontario College of Art.
Réaliste à ses débuts, il a ensuite privilégié la spontanéité, l'inconscient dans des œuvres abstraites.
Bibliogr. : In : *Dict. de l'art mod. et contemp.*, Hazan, Paris, 1992.

McDONALD James Wilson Alexander
Né le 25 août 1824 à Steubenville (Ohio). Mort le 14 août 1908 à Yonkers (New York). XIXe siècle. Américain.
Sculpteur, peintre.
Il étudia à Saint Louis et New York. On cite des bustes et statues de sa main à New York (New York Law Library, Central Park) à Saint Louis, à Westpoint (*Statue du général Custer*).
Ventes Publiques : New York, 25 mars 1997 : *Buste de George Washington d'après Jean-Antoine Houdon* 1895, bronze patine brune (H. 47) : **USD 3 737.**

McDONALD John Blake
Né le 24 mai 1829 à Boharm. Mort le 20 décembre 1901 à Édimbourg. XIXe siècle. Britannique.
Peintre d'histoire, genre, portraits, paysages.
Il fut élève de Scott Lander et des Écoles de la Royal Scottish Academy. Il commença à participer aux expositions de cet Institut, en 1857, avec un portrait de *Hugh Miller*. Associé à la Royal Scottish Academy en 1862, il fut académicien en 1877.
Il fit surtout des portraits et des tableaux de genre ; à la fin de sa carrière, ayant visité Venise et les principales villes du continent, il peignit beaucoup de paysages.
Ventes Publiques : Auchterarder (Écosse), 30 août 1977 : *St.-Monance*, h/t (120x194) : **GBP 1 500** – Londres, 13 nov. 1992 : *St Monance dans le Fife*, h/t (121,9x198,2) : **GBP 4 840** – Paris, 13 oct. 1995 : *Étude de main*, h/t (30x26,5) : **FRF 7 500.**

MacDONALD Lawrence
Né le 15 février 1799. Mort le 4 mars 1878 à Rome. XIXe siècle. Britannique.
Sculpteur de bustes, statues, médailleur.
Il fut à Rome le fondateur de l'Académie britannique.
Musées : Édimbourg (Nat. Portrait Gal.) – Londres (Nat. Portrait Gal.) : *Bustes*.
Ventes Publiques : Londres, 12 fév. 1976 : *Andromède* 1842, marbre blanc (H. 193) : **GBP 2 300** – Londres, 20 mars 1984 : *Maria Hamilton Gray as Psyche* 1839, marbre (H. 115) : **GBP 1 500.**

MACDONALD Manly Edward
Né en 1889. Mort en 1971. XXe siècle. Canadien.
Peintre de paysages, compositions animées.

MANLY MacDONALD

Ventes Publiques : Toronto, 19 oct. 1976 : *Le traîneau du facteur*, h/t (50x65) : **CAD 2 700** – Toronto, 27 oct. 1977 : *Front Street, Belleville, on the Moira*, h/t (40x50) : **CAD 2 400** – Toronto, 15 mai 1978 : *Paysage d'automne*, h/t (51x66) : **CAD 1 800** – Toronto, 14 mai 1979 : *Village en hiver*, h/cart. (30,6x40) : **CAD 3 800** – Toronto, 26 mai 1981 : *Ferme en hiver*, h/t (35x42,5) : **CAD 4 200** – Toronto, 3 mai 1983 : *Paysage de neige*, h/t (50x65) : **CAD 4 000** – Toronto, 3 juin 1986 : *Une forêt en hiver avec chevaux et traîneau*, h/t (53,3x66) : **CAD 4 000** – Toronto, 12 juin 1989 : *Ruisseau en hiver*, h/t cartonnée (30,5x40,6) : **CAD 2 800.**

MACDONALD Marcus
Né en 1962. XXe siècle. Actif en France. Canadien.
Peintre, créateur d'installations.
Il fit des études universitaires d'art aux États-Unis. Il vit et travaille à Paris.
Il a exposé plusieurs fois à Montréal. En France, il se distingue plus particulièrement par ses « installations ». En 1990, il a exposé à l'Usine Éphémère de Méru *Installez-vous où vous voulez*, ainsi qu'à la mairie de Dijon *Art fête l'eau*. Il montre également ses œuvres dans des expositions personnelles.
Ses peintures sont d'inspiration primitive.
Ventes Publiques : Paris, 14 avr. 1991 : *Sans titre*, acryl./coton d'Égypte (85x85) : **FRF 5 800.**

MACDONALD Margaret
Née en 1865 à Tipton (près de Wolverhampton). Morte en 1933 à Chelsea. XIXe-XXe siècles. Britannique.
Dessinateur, illustrateur, décorateur, aquarelliste. Art-nouveau.
Elle est la sœur de Frances Macdonald, avec qui elle travailla. Elle fut élève de la School of Art de Glasgow. Elle épousa Charles Mackintosh, avec qui elle travailla et exposa, notamment à la Sécession de Vienne en 1900 et à Turin en 1902. Avec son mari, sa sœur et le mari de celle-ci, ils fondèrent le groupe des Quatre. De 1923 à 1927, elle séjourna en Provence et dans les Pyrénées avec son mari, et retourna en Angleterre après la mort de celui-ci.
Elle réalisa des œuvres symbolistes, puis évolua dans des compositions très graphiques, proches de l'abstraction.
Bibliogr. : In : *Dict. de la peinture anglaise et américaine*, Larousse, Paris, 1991.
Musées : Glasgow (School of Art).
Ventes Publiques : Glasgow, 30 jan. 1985 : *Ophelia* 1908, aquar./trait de cr. (17x46) : **GBP 7 000.**

MACDONALD Murray
XIXe-XXe siècles. Britannique.
Peintre de paysages, animalier.
Il était actif de 1889 à 1910.
Ventes Publiques : South Queensferry, 1er mai 1990 : *La route de Windygates près de Fife en automne* 1897, h/t (18x25,5) : **GBP 1 760** – Glasgow, 5 fév. 1991 : *Le pont de Barskimming sur la rivière Ayr Mauchline dans l'Ayrshire* 1911, h/t (51x76) : **GBP 1 430** – Montréal, 23-24 nov. 1993 : *Le jeune veau préféré* 1895, h/pan. (17,6x16,5) : **CAD 900.**

MACDONALD Murray
Né en 1947 à Vancouver (Colombie britannique). XXe siècle. Canadien.
Sculpteur, créateur d'environnements.
Il fit des études d'histoire de l'art et d'architecture à Vancouver, puis reçut le diplôme en sculpture à la Vancouver School of Art.
Dans des formes privilégiées, arches, tunnels, à échelle réduite, qu'il répète, dans une progression de taille, en acier ou aluminium, il interroge l'espace, mettant en avant la notion d'infini.
Musées : Montréal (Mus. d'Art Contemp.) : *Sans titre* 1981.

MacDONALD Somerled
Né en 1869 à Orbost (Île de Skye). XIXe-XXe siècles. Britannique.
Peintre de genre.
Musées : Wurzbourg (Mus. de l'Histoire de l'art) : *Fifre montagnard*.

MACDONALD-WRIGHT Stanton, pseudonyme de **Van Vranken**
Né le 8 juillet 1890 à Charlottesville (Virginie). Mort le 22 août 1973 ou 1974 à Pacific Palisades. XXe siècle. Américain.
Peintre.
Ses parents étaient hollandais. Il fut élève de l'Art Student's League de Los Angeles (?) puis vient à Paris en 1907, étudiant à la fois à la Sorbonne, aux académies Julian et Colarossi. Il découvre alors l'œuvre de Van Gogh, Cézanne, Matisse et les fauves, puis Delaunay. En 1916, il rentre aux États-Unis, où il se trouve complètement isolé. Il dirige de 1922 à 1930 l'Art Student's League de Los Angeles (?). De 1937 à 1938 et en 1953, il vit au Japon, en 1952 à Hawaï. Il se fixe en Californie. Il signe aussi quelquefois de son nom réel S. van Vranken.
Il figura à Paris, au Salon d'Automne en 1910 et 1911, des Indépendants, en 1913 et 1914. En 1913, on vit deux expositions synchromistes à Munich et à Paris. Le mouvement était bien représenté à l'exposition historique de l'Armory Show de New York,

en 1913. Lors de l'exposition synchromiste de Paris, il est juste de rappeler que Morgan Russell et Macdonald-Wright avaient invité Delaunay à y participer, reconnaissant aussi implicitement leur parenté avec lui, sinon leur dette envers sa recherche. Il fit encore une exposition synchromiste à New York en 1917. Le second cataclysme ramena dans ses séquelles, un peu de ce que le premier avait remporté ; la conjoncture complètement modifiée, une exposition rétrospective des synchromistes Morgan Russell et Macdonald-Wright, avec des œuvres de Patrick Henry Bruce, à New York, en 1950, remportait un succès considérable. Il participa encore à une manifestation en 1956 à la Tate Gallery de Londres, en 1958 au Whitney Museum de New York, en 1973 au Guggenheim Museum de New York. Il montra ses œuvres dans des expositions personnelles : 1917 Paris, 1955 New York. En 1956, une exposition de ses œuvres plus tardives passait inaperçue à Paris, dans un terrain non préparé, tandis que, la même année, une exposition de l'ensemble de son œuvre, au County Museum de Los Angeles, soulevait l'enthousiasme. Il exposa ensuite en 1965 à New York, en 1967 au Smithsonian Institution de Washington, en 1970 à l'université de Californie à Los Angeles, en 1972 à New York.

À Paris, il rencontra Morgan Russell, avec lequel il fonda, en 1912, le mouvement auquel ils donnèrent le nom de « Synchromisme ». Les deux protagonistes du mouvement tentèrent d'affirmer leur originalité en rejetant au maximum toute parenté avec d'autres artistes ou d'autres mouvements artistiques existants, ce qui est le propre de tous les fondateurs de groupes. Il est cependant indéniable qu'ils partaient de la découverte cézannienne du rapport couleur-distance (les tons chauds paraissent plus proches de l'œil que les tons froids). Il est également indéniable que l'on retrouve dans leurs propres œuvres plus que des réminiscences formelles et colorées venant des œuvres cubisto-abstraites de la première époque de Picabia, et surtout des œuvres qu'Apollinaire disait « orphiques » de Delaunay et de Kupka. En outre, et ceci était relativement nouveau, les liant aux expressionnistes allemands et plus lointainement à Gauguin, ils se proposaient d'explorer et de mettre en œuvre les possibilités expressives spécifiques des différentes couleurs, conjointement à leur fonction-espace. Le mouvement synchromiste rencontra un intérêt immédiat et généralisé. La Guerre Mondiale, qui épuisa bien d'autres énergies, comme elle mit un terme au fauvisme et comme elle porta un coup sévère au développement du cubisme et à celui de l'expressionnisme, épargnant jusqu'en 1933, la prime genèse de l'abstraction, mit un terme précoce au mouvement synchromiste. À partir de 1919, Macdonald-Wright revint à la peinture figurative. Il s'intéressa à la pensée et aux arts d'Extrême-Orient, présageant l'intérêt pour le bouddhisme zen qui caractérisera plus tard les peintres de l'école du Pacifique. Tobey, en particulier, faisant un séjour au Japon en 1937, un autre en 1952-1953, acquérant une solide réputation d'orientaliste, tant aux États-Unis qu'au Japon, où il retourne presque annuellement. Dans toutes ces années, il pratiquait donc une peinture figurative, sans grande unité de pensée, souvent influencée, non sans mièvrerie, par un japonisme foujitesque, reconnaissant lui-même n'y trouver « la moindre satisfaction ». Après avoir largement partagé l'aveuglement de l'école de Paris, pendant la période de l'entre-deux-guerres (il suffit de consulter la liste des prix Carnegie), les Américains n'étaient pas fâchés de trouver pour se dédouaner trois Américains parmi les créateurs de l'art moderne et de l'abstraction. Reconnu, fêté, Macdonald-Wright, à partir de 1953, opéra une reconversion, moralement et spirituellement surprenante, sinon dans le contexte du caractère américain, abandonna d'un coup sa manière figurative, et se remit à peindre de nouvelles œuvres synchromistes, aussi éthérées et fraîches que celles de sa jeunesse.

Avec Morgan Russell et Patrick Henry Bruce, Macdonald-Wright est l'un des créateurs de l'art moderne américain. Comme eux deux et malgré un départ très brillant, il ne fut pas reconnu par le public américain, pas plus d'ailleurs par le public international ; tandis que Bruce s'enfonçait dans la solitude, l'amertume, cessait de peindre, détruisait la plupart de ses œuvres, et se reconvertissait dans une activité rentable, tandis que Morgan Russell reniait les convictions de sa jeunesse et, retiré jusqu'en 1946 dans un village de Bourgogne, se livrait à des compositions figuratives très « école de Paris », Macdonald-Wright, également déçu de l'ignorance du public, revint à une peinture traditionnelle, avant de retrouver l'opportunité à l'âge de soixante-trois ans de pratiquer de nouveau l'abstraction de ses débuts.

Bibliogr. : W. H. Wright : *Modern painting, its tendancy and meaning*, New York, 1915 – Michel Seuphor : *L'Art abstrait, ses origines, ses premiers maîtres*, Maeght, Paris, 1949 – Ritchie : *Abstract Painting and sculpture in America*, New York, 1951 – Catalogue de l'exposition : *Macdonald-Wright*, County Museum, Los Angeles, 1956 – Michel Seuphor : *Le Style et le Cri*, Le Seuil, Paris, 1965 – John Ashbery, in : *Dict. univer. de la peinture de l'art et des artistes*, Hazan, Paris, 1967 – in : *Modern American Painting*, Time Life Books, New York, 1970 – in : *Dict. univer. de la peinture*, Le Robert, t. IV, Paris, 1975 – in : *L'Art du xx*[e] *s.*, Larousse, Paris, 1991.

Musées : Baltimore (Mus. of the Arts) : *Abstraction sur le spectre* – Boston (Mus. of Fine Arts) – Des Moines (Art Center) : *Abstraction à partir du spectre (Disposition 5)* 1914 – Detroit (Inst. of art) – Los Angeles (County Mus. of Art) – New York (Mus. of Mod. Art) : *Synchromie* 1917 – New York (Whitney Mus.) : *Oriental Synchromie en bleu-vert* 1918 – New York (Metrop. Mus. of Art) – Pasadena (Art Mus.) – Philadelphie (Mus. of Art) – Santa Barbara (Mus. of Art) : *Synchromie Yin* 1930.

Ventes Publiques : New York, 13 mai 1964 : *Return sunlight* : **USD 1 500** – New York, 16 mars 1967 : *Nature morte* : **USD 3 250** – New York, 3 juin 1970 : *Nu assis* : **USD 5 500** – New York, 29 avr. 1976 : *Nature morte aux fleurs et aux fruits* 1917, aquar./pap. mar./cart. (40,5x30,5) : **USD 1 000** – New York, 27 oct. 1977 : *Nature morte sur une nappe blanche*, h/t (41x51,5) : **USD 5 500** – Los Angeles, 18 juin 1979 : *Découverte* 1957, h/t (94x68) : **USD 6 500** – Los Angeles, 6 oct. 1981 : *L'Âge d'or*, h/pan., trois parties réunies (chaque 244x122) : **USD 20 000** – New York, 8 déc. 1983 : *Poissons* 1961, h/t (40,6x91,5) : **USD 12 500** – New York, 30 mai 1985 : *Nature morte sur une nappe blanche*, h/t (41,2x51,4) : **USD 10 000** – San Francisco, 27 fév. 1986 : *Lutist* 1957, h/t, d'après Caravaggio (122,5x91,5) : **USD 32 500** – New York, 20 mars 1987 : *Fudo* 1963, h/pan. (61x50,9) : **USD 7 000** – New York, 28 sep. 1989 : *Florence* 1970, aquar. et cr./pap. (31,6x24,7) : **USD 4 950** – New York, 16 mai 1990 : *Conception synchromist*, h/t/cart. (76,2x30,5) : **USD 484 000** – New York, 12 avr. 1991 : *Jazz fragment* 1962, h/pan. (61x50,8) : **USD 17 600** – New York, 11 mars 1993 : *Nature morte cubiste* 1954, h/t (76,2x60,8) : **USD 21 850** – New York, 23 sep. 1993 : *Étude pour synchromie en rouge* 1914, aquar. et encre/pap. (48,9x31,1) : **USD 41 400** – New York, 31 mars 1994 : *Nature morte aux fruits* 1944, aquar. et cr./pap. (54,6x40,6) : **USD 7 475** – New York, 20 mars 1996 : *Abstraction synchromiste* 1956, aquar. et cr./pap. (34,3x22,9) : **USD 4 887** – New York, 26 sep. 1996 : *L'Effort n° 2*, h/pan. (60,3x50,8) : **USD 20 700**.

McDONNELL Hector

Né en 1947 à Belfast. xxe siècle. Actif aussi en Angleterre. Irlandais.

Peintre d'intérieurs, scènes typiques, paysages.

Il étudia à Munich et Vienne en 1965-1966. Il vit à Londres et dans le nord de l'Irlande. Il montre ses œuvres dans des expositions à Londres depuis 1973, à Darmstadt (1975, 1978, 1980), Vienne (1976), Paris (1976, 1988, 1990, 1994), Dublin (1978, 1982, 1984), Hong Kong (1986). En 1996 à Paris, la galerie Vieille-du-Temple a montré une exposition d'ensemble de ses peintures. Il peint des scènes du quotidien, emplies d'étrangeté, des intérieurs encombrés de quantité de choses peu définies, dans des tonalités sombres, où dominent les bleu-gris et les noirs que peut exciter un rouge. Il choisit des éclairages surprenants aux forts contrastes, d'origine non identifiée.

McDOUGAL John

xixe siècle. Actif à Liverpool. Britannique.

Peintre de marines.

Exposa fréquemment à Londres, à la Royal Academy, à Suffolk Street, au Royal Institute of Painters in Water-Colours, à partir de 1877.

Musées : Blackburn : aquarelle – Liverpool : *Lorsque l'été règne sur terre et sur mer* – *Paysage*.

McDOUGAL John

xixe-xxe siècles. Britannique.

Peintre de paysages, marines, aquarelliste.

Ventes Publiques : Londres, 17 oct. 1984 : *La rue du village* 1885, aquar. sur trait de cr. (59x95) : **GBP 750** – Londres, 25 jan. 1988 : *La moisson* 1890, aquar. (45x76) : **GBP 1 210** – Londres, 3 juin 1992 : *S'éloignant du port* 1932, aquar. avec reh. de blanc (49x59,5) : **GBP 990**.

MACDOUGALL Don

Né en 1949 à New Westminster. xxe siècle. Canadien.

Peintre, technique mixte.
Musées : Montréal (Mus. d'Art Contemp.) : *White Veil (Square grid)* 1973.

McDOUGALL John A.
Né en 1843 à New York. xixe siècle. Américain.
Peintre.
Il fut élève de Cormon à Paris.
Ventes Publiques : Londres, 2 avr. 1969 : *Loch Lomond* : **GNS 750** – Londres, 27 fév. 1985 : *Enfant devant une chaumière*, aquar. (24,5x17) : **GBP 950**.

McDOUGALL John Alexander
Né en 1810 ou 1811 à Livingston (New Jersey). Mort en 1894. xixe siècle. Américain.
Peintre de miniatures.

MACDOUGALL Norman M.
xixe-xxe siècles. Britannique.
Peintre de paysages, marines, compositions animées.
Ventes Publiques : Glasgow, 12 déc. 1985 : *La partie de pêche*, h/t (50,8x76,2) : **GBP 1 300** – Londres, 30 sep. 1987 : *Un pique-nique au bord de l'eau*, h/t (51x76) : **GBP 2 600** – Perth, 28 août 1989 : *Près de la rivière*, h/t (36x54) : **GBP 715** – South Queensferry Écosse, 1er mai 1990 : *Partie de pêche des enfants*, h/t (46x61) : **GBP 1 650** – Perth, 31 août 1993 : *L'orée du bois*, h/t (40,5x51) : **GBP 437**.

MACDOUGALL William Brown
Né à Glasgow. Mort le 20 avril 1936 à Loughton (Essex). xixe-xxe siècles. Britannique.
Peintre, graveur, illustrateur.
Il fut élève de l'académie des beaux-arts de Glasgow, de l'académie Julian à Paris, et travailla dans les ateliers de Bouguereau, J. P. Laurens et Robert Fleury. Il fut membre du New English Art Club en 1890. Il exposa à Paris, au Salon des Artistes Français. Il illustra plusieurs ouvrages et travailla pour la presse. Il a subi l'influence de Beardsley, pratiquant un style raffiné, décoratif.
Bibliogr. : Marcus Osterwalder, in : *Dict. des illustrateurs 1800-1914*, Ides et Calendes, Neuchâtel, 1989.

McDOWELL Patrick
Né en 1799 à Belfast. Mort en 1870 à Londres. xixe siècle. Britannique.
Sculpteur.
Exposait à la Royal Academy. On cite de lui deux statues d'*Ève*, l'une se trouve au Musée de Melbourne, l'autre au Musée de Salford.

McDOWELL William
Né en 1905. Mort en 1986. xxe siècle. Britannique.
Peintre de paysages, marines, sujets militaires, aquarelliste, peintre à la gouache.
Ventes Publiques : Londres, 5 juin 1985 : *Le Queen Mary arrivant à New York*, h/t (65x121) : **GBP 10 500** – Londres, 13 déc. 1989 : *Le vaisseau de guerre H.M.S. Woolwich* 1935, h/t (100,5x131) : **GBP 2 420** – Londres, 3 mai 1990 : *Paris, rue d'Odessa*, h/cart. (61x51) : **GBP 660** – Londres, 25 jan. 1991 : *Le port de Crail*, h/t (56x39,5) : **GBP 1 760** – Londres, 25 sep. 1992 : *Une rue en Italie*, h/cart. (58,5x43) : **GBP 770** – New York, 20 jan. 1993 : *La bataille de Midway entre les forces navales japonaises et alliées, le 3 juin 1942, et engagement naval à Wake Island en juin 1942*, gche/cart., une paire (chaque 25,4x38,1) : **USD 2 070** – Londres, 16 juil. 1993 : *Le cuirassé Dreadnaught*, aquar. et gche (48,5x66) : **GBP 1 840**.

MacDUFF Archibald
Né vers 1750. xviiie siècle. Britannique.
Dessinateur et graveur à l'eau-forte et à l'aquatinte.
Il a gravé des sujets d'histoire.

MacDURMAN Maielbrigte. Voir **MAEIEL Brigid**

MACÉ Arthur
Né le 1er août 1921. xxe siècle. Français.
Peintre de paysages.
Il vit et travaille à Paris. Il exposa à Paris, aux Salons d'Automne et de la Société Nationale des Beaux-Arts.
Il a peint de nombreuses vues de Paris.
Musées : Paris (Mus. Nat. d'Art Mod.).

MACÉ Charles ou **Macée, Massé**
Né en 1631 à Paris. Mort après 1665. xviie siècle. Français.
Sculpteur, dessinateur et graveur à l'eau-forte.
Devint, en 1663, membre de l'Académie Royale et exécuta le groupe *Hercule et Omphale*. Il a gravé cent onze planches pour un recueil de deux cent quatre-vingt-trois estampes et des paysages. Collaborateur de Pesne, Rousseau et des frères Corneille.

Macé.

MACÉ Émile Louis
xixe siècle. Actif à Angers. Français.
Sculpteur.
Il fut élève de Cavelier à Paris. Il figura de 1883 à 1896 au Salon des Artistes Français avec des bustes et des médaillons. Le Musée d'Angers possède quelques œuvres de sa main.

MACÉ Jacquet. Voir **MACI**

MACÉ Jean
Né vers 1600 à Blois. Mort le 14 mai 1672 à Paris. xviie siècle. Français.
Sculpteur et peintre.
Reçu académicien le 21 avril 1663, il était peintre et sculpteur en mosaïque ordinaire du roy et mourut au Louvre.

MACÉ de Merey ou **Mercy**
xvie siècle. Français.
Peintre de miniatures.
Il travaillait à Paris. Les *Archives de l'art français* ont publié un fort long paragraphe attestant par documents que cet artiste reçut des payements pour ses travaux d'enlumineur, travaux qui consistèrent en enluminures des antiphonaires de l'églises de Chartres, etc.

MACEDO Urbano de
Né en 1912 à São Paulo. xxe siècle. Brésilien.
Peintre.
En 1946, il envoyait de ses œuvres à l'exposition ouverte par l'UNESCO, au musée d'Art moderne à Paris.
Il peint des compositions de genres très divers.

MACEDONSKI Alexis
Né en 1884 à Bucarest. Mort en 1971 à Tarragone. xxe siècle. Actif depuis 1936 en Espagne. Roumain.
Peintre de paysages.
Il étudia deux années à Paris puis en Italie. En 1934, il séjourna à Majorque, où il décida de vivre jusqu'en 1936. En 1959, il s'installa à Barcelone et quelques temps plus tard à Tarragone.
Il participa à Paris, au Salon d'Automne en 1908, et à celui des Indépendants en 1911. Il exposa à plusieurs reprises à Palma, Barcelone, Madrid.
Il aborda de nombreux sujets. Il réalisa l'*Ascension de la Vierge* au sanctuaire de San Salvador, à Felanitx.
Bibliogr. : In : *Cien anos de pintura en Espana y Portugal, 1830-1930*, Antiqvaria, t. V, Madrid, 1991.

MACÉE Charles. Voir **MACÉ**

MACEK Pavel
Né en 1947 à Prague. xxe siècle. Actif depuis 1978 en France. Tchécoslovaque.
Graveur.
Il vit et travaille à Limoges.
Il a participé en 1992 à l'exposition : *De Bonnard à Baselitz – Dix ans d'enrichissements du cabinet des estampes 1978-1988*, à la Bibliothèque nationale de Paris.

MACELART ou **Machart**
xive siècle. Actif à Dijon vers 1390. Français.
Sculpteur.
Il travailla avec Claus Sluter au tombeau de *Philippe le Hardi* et aux niches du portail de la chapelle à la Chartreuse de Champmol.

McENTEE Jervis
Né en 1828. Mort en 1891. xixe siècle. Américain.
Peintre de figures, paysages, fleurs.
Actif aux États-Unis, il figura au Salon de Paris où il obtint une médaille or en 1889 à l'Exposition universelle.
Ventes Publiques : Londres, 14 mai 1970 : *Paysage montagneux, Amérique du Nord* : **GBP 900** – Écosse, 24 août 1976 : *Bord de mer*, h/t mar./cart. (24x42) : **USD 750** – New York, 23 mai 1979 : *Paysage d'automne* 1864, h/t (29x59,5) : **USD 24 000** – New York, 23 avr. 1981 : *Round-up* 1882, h/t mar./cart. (43,1x86,4) : **USD 12 500** – New York, 6 déc. 1984 : *Paysage d'automne* 1868, h/t (61x106,7) : **USD 52 500** – New York, 31 mai 1985 : *Shawanagunk Mountains, autumn* 1863, h/t (46,3x77) : **USD 22 000** – New York, 29 mai 1986 : *Gathering Christmas finery at Roundabout*,

New Jersey 1877, h/pan. (33,7x53,9) : **USD 16 000** – New York, 20 mars 1987 : *Clearing Skies* 1883, h/t (62,2x92,7) : **USD 18 000** – New York, 24 juin 1988 : *Paysage de l'Ouest* 1882, h/t (45x86,5) : **USD 7 700** – New York, 30 sep. 1988 : *Fin d'été,* h/t (27,2x40) : **USD 15 400** ; *Le signal de danger* 1871, h/cart. (40,7x69,4) : **USD 35 200** – New York, 24 jan. 1989 : *Paysage de l'ouest* 1882, h/t (45x86,2) : **USD 9 350** – New York, 18 déc. 1991 : *Cascade en forêt* 1883, h/t (40,6x27,9) : **USD 3 410** – New York, 12 mars 1992 : *Volubilis,* h/cart. (23,2x17,8) : **USD 5 500** – New York, 23 sep. 1992 : *Un homme et un enfant rapportant les branchages de Noël à Roundout dans le New Jersey* 1877, h/cart. (30,3x50,5) : **USD 18 700** – New York, 26 mai 1993 : *Paysage de fin d'automne* 1880, h/t (91,5x76,5) : **USD 11 500** – New York, 23 avr. 1997 : *Feuilles mortes* 1879, h/pan. toilé (46,3x30,5) : **USD 3 450** ; *Saw Mill River, Hunter, New York* vers 1870, h/t (28,6x39,3) : **USD 11 500**.

MacENTYRE Eduardo
Né en 1929 à Buenos Aires. xxe siècle. Argentin.
Peintre. Art-optique.
Peintre autodidacte, Mac Entyre fait partie, comme son contemporain Ary Brizzi, du groupe G. 13.
Il expose depuis 1958 dans de nombreuses expositions collectives et individuelles.
Il est en quelque sorte le magicien du compas qu'il manie avec une suprême habileté pour jeter dans l'espace des filets de courbes pleines d'imagination. Le cercle, en effet, forme géométrique parfaite et concrète, engendrant la vibration et le mouvement, est le principal élément de son œuvre.
Bibliogr. : Damian Bayon : Catalogue de l'exposition : *Projection et dynamisme, six peintres argentins,* Musée d'Art moderne de la Ville, Paris, 1973 – in : *Dict. univer. de la peinture,* Le Robert, t. IV, Paris, 1975 – in : *L'Art du xxe s.,* Larousse, Paris, 1991.
Ventes Publiques : New York, 17 oct 1979 : *Tension sur la terre* 1976, acryl./t. (100x100) : **USD 3 500** – New York, 21 nov. 1988 : *Sur fond vert* 1973, h/t (96,8x99,5) : **USD 5 500**.

MACEON Pieter ou **Mason**
xive siècle. Actif à Nottingham. Britannique.
Sculpteur.
A sculpté, en 1367, à Nottingham, une grande table d'albâtre pour la chapelle du roi, à Windsor.

MACERATA Giuseppe da. Voir **GIUSEPPINO da Macerata**

MACERELLA Ercole
xxe siècle. Italien.
Peintre de portraits, bustes, natures mortes, paysages.
Dans des compositions simples et classiques, souvent constituées par aplats de couleurs, il met en scène des personnages, suggérant les formes et faisant ressortir les tons par des coups de pinceau efficaces.
Ventes Publiques : Paris, 17 mars 1989 : *Grand nu au paravent* 1957, h/t (147x98) : **FRF 5 800**.

McEVOY Ambrose
Né le 12 août 1878 à Crudwell (Wiltshire). Mort le 4 janvier 1927 à Londres. xxe siècle. Britannique.
Peintre de portraits, intérieurs, paysages.
Il fut élève de la Slade School de Londres, où il reçut les conseils d'Augustus John et Sickert. Il fut membre du New English Art Club, à partir de 1902 et associé de la Royal Academy à partir de 1924.
Ses portraits de femmes furent particulièrement appréciées.
Musées : Londres (Tate Gal.) : *Dans un miroir* 1911 – *Le Comte Jowitt* 1912 – *La Femme de l'artiste* 1913 – Londres (Nat. Gal. of British Art) – Paris (Mus. d'Art Mod.).
Ventes Publiques : Londres, 2 mai 1924 : *Après le bal* : **GBP 89** – New York, 25 nov. 1929 : *Fillette rêvant,* dess. : **USD 150** – Londres, 22 mai 1946 : *Salon,* dess. : **GBP 100** – Londres, 21 nov. 1969 : *Portrait de jeune fille* : **GNS 380** – Londres, 12 nov. 1976 : *Boy in blue,* h/t (76,5x63,5) : **GBP 280** – Londres, 18 nov. 1977 : *Portrait of Joan Myers* 1922, h/t (76,2x63,5) : **GBP 700** – Londres, 27 juin 1979 : *Étude pour un portrait de femme,* aquar. (48x33) : **GBP 880** – Londres, 17 oct. 1980 : *Portrait of Mrs. Ralli,* h/t (112x88) : **GBP 1 100** – Londres, 25 mai 1983 : *Blue and gold – Mrs Claude Johnson* 1916, h/t (124,5x101) : **GBP 7 200** – Londres, 9 mars 1984 : *Portrait of the Hon. Mrs. Aubrey Smith* 1917, aquar. pl. et cr. (53,5x35,5) : **GBP 2 800** – Londres, 13 nov. 1985 : *The yellow cushion, portrait of Mrs. Claude Johnson,* aquar. pl. et cr. (56x35,5) : **GBP 5 800** – Londres, 19 fév. 1987 : *Portrait près d'une fenêtre,* aquar./traits de cr., étude (53x35,5) : **GBP 2 200** – Londres, 3-4 mars 1988 : *Portrait de Mrs Gamble,* h/t (125x100) : **GBP 4 400** – Londres, 29 juil. 1988 : *Etude d'automne,* aquar. et gche (28,8x25) : **GBP 1 540** – Londres, 8 juin 1989 : *Portrait de Miss Winifred Barnes,* h/t (102,5x75) : **GBP 3 080** – Londres, 8 mars 1990 : *« Tink » – Miss Joan Claudia Johnson* 1918, h/t (76,3x61) : **GBP 15 400** – Londres, 3 mai 1990 : *Etude pour « Mary »,* as. et craie avec reh. de blanc (38x25,5) : **GBP 990** – Londres, 20 sep. 1990 : *Mrs Stevenson Scott,* aquar., gche et encre (65x35,5) : **GBP 3 850** – Londres, 5 juin 1992 : *Portrait d'une Lady,* h/t (173x102) : **GBP 6 050** – Londres, 6 nov. 1992 : *Sir Johnston Forbes Robertson* 1917, h/t (77x63,5) : **GBP 3 520**.

MacEVOY Mary, née **Edwards**
Née le 22 octobre 1870 à Freshford (Somerset). Morte le 4 novembre 1941 à Londres. xixe-xxe siècles. Britannique.
Peintre d'intérieurs, de fleurs et de portraits.
La Tate Gallery conserve d'elle : *Intérieur, la liseuse.*

McEWAN Tom ou **Thomas**
Né en 1846. Mort en 1914. xixe-xxe siècles.
Peintre de genre, paysages, aquarelliste.
Membre de la Royal Scottish Society of Painters in Water-Colours.
Musées : Glasgow : *Un intérieur.*
Ventes Publiques : Perth, 13 avr. 1976 : *La cour de ferme,* h/t (48,5x59,5) : **GBP 220** – Perth, 24 avr 1979 : *Vieille femme reprisant,* h/t (33x44) : **GBP 550** – Londres, 21 mars 1983 : *A Highland Clachan (Hamlet),* h/t (40x60) : **GBP 1 200** – New York, 24 mai 1985 : *La favorite de grand-mère,* h/t (80,3x65,4) : **USD 4 500** – Queensferry (West Édimbourg), 29 avr. 1986 : *The welcome* 1879, h/t (51x76) : **GBP 2 000** – South Queensferry (Écosse), 26 avr. 1988 : *Le métier à tisser* 1907, h/cart. (27x19) : **GBP 1 430** – Perth, 29 août 1989 : *Étude pour La Cuisine de grand'mère* 1901, h/t (25,5x30,5) : **GBP 1 760** – Glasgow, 6 fév. 1990 : *Campagnes éloignées,* h/t (76,5x58,5) : **GBP 4 620** – South Queensferry (Écosse), 1er mai 1990 : *Le pipeau* 1881, h/t (31x26) : **GBP 2 200** – Perth, 26 août 1991 : *Sous la garde de grand'mère,* h/t (63x76) : **GBP 5 500** – Perth, 1er sep. 1992 : *La petite voisine* 1897, h/t (61x45,5) : **GBP 2 420** – Édimbourg, 19 nov. 1992 : *L'anniversaire de l'enfant,* h/t (20x25,6) : **GBP 1 045** – Perth, 31 août 1993 : *Un livre de poèmes,* h/t (31x25,5) : **GBP 2 990** – Glasgow, 14 fév. 1995 : *L'aide à grand'mère* 1882, h/t (46x35,5) : **GBP 1 725** – Perth, 29 août 1995 : *Une maison confortable et une douce épouse veillant sur un être cher...* 1882, h/t (46x35,5) : **GBP 6 325** – Glasgow, 16 avr. 1996 : *Dans la cuisine de grand'mère* 1883, h/t (45,5x36) : **GBP 4 140** – Glasgow, 11 déc. 1996 : *Dans la cuisine,* h/t (64x77) : **GBP 5 635** – Londres, 15 avr. 1997 : *La Grand-mère attentive,* h/t (63,5x76) : **GBP 5 520**.

McEWEN John ou **Jean Albert**
Né en 1923 à Montréal (Québec). xxe siècle. Canadien.
Peintre. Abstrait.
D'abord peintre du dimanche, la découverte de l'œuvre de Borduas et l'amitié de Riopelle l'engagent plus à fond dans la peinture. De 1947 à 1950, il travaille dans l'atelier de Borduas. De 1951 à 1953, il se rend à Paris, où il fréquente certains peintres américains, notamment Sam Francis et visite l'Italie, la Hollande et l'Espagne. Il fut nommé président de l'Association des artistes non figuratifs de Montréal.
En 1987, une grande exposition de son œuvre fut présentée au musée des Beaux-Arts de Montréal.
Dans une gamme monochrome, étalée sur toute la surface, sa peinture, qui procède par cycle, se limite à une matière modulée, faite de vibrations sensuelles et lyriques. À l'exception d'une courte parenthèse entre 1965 et 1968, où il utilisait l'acrylique et a été amené à une schématisation, à une géométrisation et à des effets floconneux, toute son œuvre est fondée sur cette aisance des textures somptueuses. Ainsi les *Miroirs* de 1970-1972 renouent avec les *Drapeaux* du début des années soixante.
Bibliogr. : In : *Dict. univer. de la peinture,* Le Robert, t. IV, Paris, 1975 – in : *L'Art du xxe s.,* Larousse, Paris, 1991 – in : *Dict. de l'art mod. et contemp.,* Hazan, Paris, 1992.
Musées : Montréal (Mus. des Beaux-Arts) : *Meurtrière traversant le bleu* 1962 – Montréal (Mus. d'Art Contemp.) : *Jardin de givre* 1955 – *Sans titre* 1959 – *Fenêtre dans le rouge* 1962 – *Nuit à ma jolie* 1967, émulsion polymère/t. – *Les Îles réunies* 1975 – *Les Champs colorés n° 11* 1981.
Ventes Publiques : Paris, 13 avr. 1988 : *Sans titre* 1985, h/pap. (220x107) : **FRF 16 000** – Montréal, 17 oct. 1988 : *Blason du chevalier rouge* 1962, h/t (100x100) : **CAD 14 000** – Montréal, 30 oct.

1989 : *Blason du chevalier jaune* 1962, h/t (183x127) : **CAD 29 700**.

MCEWEN Rory

Né le 12 mars 1932 à Polwarth (Écosse). xxe siècle. Britannique.

Peintre, illustrateur.

Il fut musicien professionnel avant de se consacrer à la peinture en 1962. Il vit et travaille à Londres.

Il a participé à l'exposition *Botanical Paintings from 1800-1975* à la Scottish Arts Council Gallery à Édimbourg. Il montre ses œuvres dans des expositions personnelles : 1962, 1964, 1972 New York ; 1963 Paris ; 1966 Édimbourg ; 1972, 1974 Londres ; 1975 Oxford.

Musées : Édimbourg (Mus. of Mod. Art) – Londres (Alb. and Vict. Mus.).

Ventes Publiques : Londres, 16 mai 1979 : *Tulipe* 1976, aquar. (58,5x51) : **GBP 450**.

MACEWEN Samantha

xxe siècle.

Peintre de figures, peintre à la gouache.

Elle a exposé à l'exposition *Peinture et modes* au Louvre à Paris en 1983, au Salon de Montrouge en 1984 et 1985, ainsi qu'à New York en 1986.

Elle s'attache à rendre une atmosphère particulière dans ses œuvres aux couleurs diluées, manifestant la volonté d'évoquer plus que de décrire.

Ventes Publiques : Paris, 13 avr. 1988 : *Sans titre* 1985, h/pap. (220x107) : **FRF 16 000** – Paris, 24 avr. 1988 : *Japonaise* 1985, h/t (121x188) : **FRF 12 000**.

McEWEN Walter

Né le 13 février 1860 à Chicago (Illinois). Mort en 1943. xixe-xxe siècles. Américain.

Peintre de genre, portraits, histoire.

Il fut élève de Cormon et Robert-Fleury. Il figura aux Salons de Paris, où il obtint une mention honorable en 1866, une médaille d'argent en 1889 à l'Exposition universelle, et à celle de 1900. Il fut fait chevalier de la Légion d'honneur en 1896. Il obtint également une grande médaille d'or à Berlin en 1891. À partir de 1903, il fut associé de la National Academy de New York.

Musées : Liège : *L'Absente*.

Ventes Publiques : Los Angeles, 8 nov. 1977 : *An interlude* 1912, h/t (167,8x190,6) : **USD 2 000** – New York, 27 jan. 1984 : *Femme à l'éventail*, past. (58,5x43,1) : **USD 6 500** – New York, 4 avr. 1984 : *Autoportrait*, h/t (101,6x82) : **USD 2 400** – New York, 15 mars 1985 : *Rejetée*, h/t (48,5x36,3) : **USD 2 800** – Neuilly, 22 nov. 1988 : *La leçon d'écriture*, h/t (34,5x27) : **FRF 8 000** – Calais, 5 juil. 1992 : *La lettre*, h/t (35x27) : **FRF 7 000** – New York, 25 sep. 1992 : *Deux petites filles installant des filets de pêche dans une crique*, h/t/cart. (21x35,6) : **USD 1 320** – New York, 20 mars 1996 : *Une lettre difficile à écrire*, h/t (17,8x24,1) : **USD 3 737**.

McFALL David

Né en 1919. Mort en 1988. xxe siècle. Britannique.

Sculpteur de figures.

Ventes Publiques : Londres, 12 mai 1989 : *Femme assise*, bronze (H. 20) : **GBP 880** – Londres, 7 juin 1991 : *Le dernier portrait de Sir Winston Churchill*, bronze (H. 30,5) : **GBP 6 050**.

MacFARLANE May

xxe siècle. Britannique.

Peintre de compositions religieuses, peintre de cartons de tapisseries, décorateur.

Elle a exposé des tapisseries à l'exposition d'Art sacré anglais à Paris, en 1946.

McFEE Henry Lee

Né en 1886 à Saint Louis. Mort en 1953. xxe siècle. Américain.

Peintre de natures mortes, paysages, portraits.

Il étudia à l'Art Student's League de New York et à Paris. Il passa la plus grande partie de sa vie à Woodstock, et, à partir de 1942, il enseigna au Scripps College de Claremont en Californie.

Le Worcester Art Museum montrait de lui en 1933 : *Les Pommes rouges*. Il figure régulièrement aux expositions de la fondation Carnegie, à la Phillips Memorial Gallery, à la Corcoran Gallery, au Brooklyn Museum. Il avait reçu le prix Kohnstamm de l'Art Institute de Chicago en 1929.

Dès le début de sa carrière, il se consacra surtout à la nature morte, qu'il construisit toujours avec solidité. Il essaya d'adapter le cubisme à l'Amérique, sans que ce soit tout à fait possible et finit par peindre des paysages et des portraits dans un style moins abstrait.

Musées : New York (Metrop. Mus.) : *Nature morte au rideau rayé* 1931.

Ventes Publiques : New York, 28 oct. 1976 : *Nature morte*, h/t (51x61) : **USD 1 200** – New York, 23 mai 1979 : *Fruits sur une table noire*, h/t (76,5x102) : **USD 2 600** – New York, 19 juin 1981 : *Immeubles, Bellevue*, cr. (36,2x26) : **USD 1 200** – New York, 1er juin 1984 : *The branch*, h/t (101,8x76,2) : **USD 5 500** – New York, 24 juin 1988 : *Nature morte de roses dans un vase*, h/t (58,8x48,8) : **USD 3 575** – New York, 24 mai 1990 : *Fruits sur une table noire*, h/t (76,8x101,6) : **USD 22 000** – New York, 26 sep. 1991 : *Nature morte d'oignons et de citrons dans une coupe de verre*, h/t (54x41,1) : **NLG 6 050** – New York, 12 sep. 1994 : *Le crâne* 1946, h/t (77,5x101,6) : **USD 10 925** – New York, 28 nov. 1995 : *Ferme sous les arbres*, cr./pap. (31,8x28,7) : **USD 1 093**.

McGARRELL James

Né en 1930 à Indianapolis (Indiana). xxe siècle. Américain.

Peintre de compositions animées, graveur. Expressionniste.

Il étudia à l'université de l'Indiana, à celle de Californie et à l'école des beaux-arts de Stuttgart. Il enseigna au Reed College d'Oregon et depuis 1959 à l'université de l'Indiana.

Il a participé en 1959 à l'exposition *New Image of man* Museum of Moderne Art de New York. De nombreuses expositions l'ont fait connaître, tant aux États-Unis qu'en Europe.

Pionnier d'un expressionnisme réaliste, il peint, dans des couleurs gaies, ses personnages dans l'environnement qui leur est vraiment propre, troublant la représentation par l'introduction d'éléments incohérents, fantaisistes. Également graveur, il fait usage des mêmes sujets et des mêmes techniques expressives pour ses eaux-fortes et ses lithographies que pour ses toiles.

Bibliogr. : In : *Dict. univer. de la peinture*, Le Robert, t. IV, Paris, 1975 – in : *L'Art du xxe s.*, Larousse, Paris, 1991.

Musées : Baltimore (Mus. of Fine Art) – Chicago (Art Inst.) – Hambourg (Mus. d'Art) – New York (Mus. of Mod. Art) – New York (Whitney Mus.) – Paris (Mus. d'Art Mod.) – Portland (Art Mus.) – San Francisco (Art Inst.) – Washington D. C. (Hirshhorn Mus.) – Washington D. C. (Nat. Gal. of Art).

Ventes Publiques : Rome, 13 juin 1995 : *Nature morte avec une tête de canard* 1965, h/t (33,5x40,5) : **ITL 1 725 000**.

MACGAVIN J. ou **W.**

xviiie-xixe siècles. Britannique.

Peintre de portraits.

Il travailla à Londres, où il exposa de 1797 à 1820, peignant avant tout des portraits-miniatures.

McGEEHAN Jessie M.

Né en 1872. Mort vers 1962. xxe siècle. Britannique.

Peintre de genre, scènes animées, paysages, pastelliste.

De 1895 à 1916, il exposa à la Royal Scottish Academy.

Ventes Publiques : Édimbourg, 2 juil. 1981 : *Jour de lessive en Hollande*, h/t (82x107) : **GBP 1 700** – Auchterarder (Écosse), 30 août 1983 : *La Petite Marchande de fleurs*, h/t (49x84) : **GBP 1 600** – Perth, 27 août 1985 : *Le marché aux fleurs* 1900, h/t (50x40) : **GBP 1 700** – Chester, 18 avr. 1986 : *The toy boat*, craies coul. (49x63) : **GBP 1 900** – Glasgow, 5 fév. 1986 : *Dressing*, h/t (48x56) : **GBP 1 500** – Édimbourg, 30 août 1988 : *Petites marchandes de fleurs en Hollande*, h/t (51x86,5) : **GBP 4 620** – Perth, 27 août 1990 : *Jeux avec les filets de pêche*, past. (60x86) : **GBP 1 760** – Glasgow, 5 fév. 1991 : *Jour de marché*, h/t (46x56) : **GBP 1 100** – Édimbourg, 23 mars 1993 : *Trous d'eau dans les rochers*, h/t (25,5x30,5) : **GBP 1 035** – Perth, 31 août 1993 : *Les premiers pas*, h/t (31x46) : **GBP 2 070** – Perth, 29 août 1995 : *Bonjour !*, h/t (92,5x83) : **USD 4 600**.

MacGEORGE Normon

xxe siècle. Australien.

Peintre de genre.

Cet artiste, qui habita l'État de Victoria en Australie, prit part notamment aux expositions australiennes.

Musées : Melbourne : *Mother of Pearl*.

MacGEORGE William Stewart

Né en 1861 à Castle Douglas. Mort en 1931. xixe-xxe siècles. Britannique.

Peintre.

Il grandit à Galloway en Écosse et fut ainsi imprégné des légendes locales. Il commença ses études artistiques à l'Institut royal des beaux-arts d'Édimbourg puis rejoignit l'académie

d'Anvers pour travailler sous la direction de Verlat (1884-1885). De retour en Écosse, il subit l'influence de E.A. Hornel qui lui conseilla d'éclaircir sa palette. Il s'installa d'ailleurs à Kirkcudbright près de chez Hornel et fit partie du groupe appelé l'école de Kirkcudbright.
Il figura aux expositions de Paris, où il obtint une médaille de bronze en 1900, à l'Exposition universelle. Il devint membre associé de l'académie royale d'Écosse en 1898.
Musées : Édimbourg : *Halloween*.
Ventes Publiques : Londres, 13 juil. 1929 : *Le Water Gate* : **GBP 31** – Perth, 13 avr. 1976 : *Enfants cueillant des noix*, h/t (50x60) : **GBP 600** – Auchterarder (Écosse), 29 août 1978 : *Les nénuphars*, h/t (100x84) : **GBP 6 500** – Perth, 24 avr 1979 : *Jour d'été*, h/t (49x60) : **GBP 1 800** – Glasgow, 9 avr. 1981 : *Paysage de printemps*, h/t (37x50) : **GBP 1 800** – Perth, 6 avr. 1982 : *Les nénuphars*, h/t (102x85) : **GBP 3 000** – New York, 19 oct. 1984 : *Watching the ducks*, h/t (61x73,6) : **USD 5 000** – Glasgow, 28 août 1985 : *The Bonfire*, h/t (81,3x73,7) : **GBP 4 200** – Glasgow, 5 fév. 1986 : *The discovery*, h/t (63x76) : **GBP 4 800** – New York, 25 mai 1988 : *Enfants dans un verger*, h/t (64,2x54,6) : **USD 42 900** – Édimbourg, 22 nov. 1988 : *La cueillette des mûres*, h/t (40,6x50,8) : **GBP 25 000** – Londres, 2 mars 1989 : *La cueillette des primevères sauvages*, h/pan. (37,5x30) : **GBP 8 800** – Perth, 29 août 1989 : *Fillettes sous les arbres fleuris*, h/t (61x46) : **GBP 12 100** – Édimbourg, 22 nov. 1989 : *Cache-cache dans les bois*, h/t (92x127) : **GBP 25 300** – Glasgow, 6 fév. 1990 : *Feu de bois dans un chemin forestier*, h/t (81x73,5) : **GBP 30 800** – Perth, 27 août 1990 : *Du haut de la falaise*, h/t (51x68,5) : **GBP 7 700** – Édimbourg, 2 mai 1991 : *Enfants se reposant dans un bois*, h/t (40,7x50,8) : **GBP 3 080** – Glasgow, 4 déc. 1991 : *Au bord de la Solway*, h/cart. (30,5x40,5) : **GBP 4 620** – Édimbourg, 19 nov. 1992 : *L'Étang aux nénuphars*, h/t (95,2x85,1) : **GBP 4 620** – Édimbourg, 13 mai 1993 : *La Passerelle sur le ruisseau*, h/t (61x91,5) : **GBP 12 100** – Londres, 25 mars 1994 : *Ophélie*, h/t (99x101,8) : **GBP 5 520** – Glasgow, 16 avr. 1996 : *Automne*, h/t (40x50,5) : **GBP 3 910** – Glasgow, 21 août 1996 : *Place du marché à Lucerne*, h/t (30,5x40,6) : **GBP 1 840**.

McGHIE John
Né en 1867. Mort en 1941. XIXe-XXe siècles. Britannique.
Peintre de paysages, marines, compositions animées.
Ventes Publiques : Londres, 19 mai 1978 : *La marchande de poissons*, h/t (75x62,3) : **GBP 1 000** – Perth, 15 avr. 1980 : *Deux fillettes au bord de la mer*, h/t (101x127) : **GBP 2 000** – Auchterarder (Écosse), 1er sep. 1981 : *Bord de mer*, h/t (72x94) : **GBP 2 400** – Chester, 7 oct. 1983 : *A pound of apples*, h/t (126x101,5) : **GBP 1 000** – Auchterarder (Écosse), 28 août 1984 : *A fishing girl's dreams*, aquar. (34,3x24,1) : **GBP 1 400** – Édimbourg, 30 avr. 1985 : *Pêcheuses au bord de la mer*, h/t (101x127) : **GBP 6 000** – South Queensferry, 29 avr. 1986 : *A vantage point at Pittenweem*, h/t (71x91) : **GBP 4 800** – South Queensferry (Écosse), 29 avr. 1987 : *L'Attente du bateau*, h/t (91,5x71) : **GBP 8 000** – South Queensferry (Écosse), 26 avr. 1988 : *Calva bay, Iona*, h/t (71x91) : **GBP 1 760** – Édimbourg, 30 août 1988 : *Brisants sur la plage*, h/t (71,5x91,5) : **GBP 3 080** – Perth, 29 août 1989 : *Marine sur la côte écossaise*, h/t (71x91,5) : **GBP 3 080** – South Queensferry, 1er mai 1990 : *La plage*, h/t (71x91,5) : **GBP 1 210** – Perth, 27 août 1990 : *Le transport de la pêche jusqu'à la maison*, h/t (98x125) : **GBP 3 300** – Glasgow, 22 nov. 1990 : *L'attente du retour des pêcheurs*, h/t (71,1x91,4) : **GBP 4 400** – Glasgow, 5 fév. 1991 : *Fille de pêcheur dans les dunes*, h/t (35,5x46) : **GBP 3 850** – South Queensferry, 23 avr. 1991 : *Fillettes sur la grève*, h/t (68x90) : **GBP 6 050** – Perth, 26 août 1991 : *Champs de blé au bord de la mer*, h/t (76x63,5) : **GBP 9 350** – Perth, 1er sep. 1992 : *Fillette rapportant le dîner*, h/t (51x61) : **GBP 5 280** – Glasgow, 1er fév. 1994 : *Un port ensoleillé*, h/t (35,5x46) : **USD 1 840** – Perth, 30 août 1994 : *Fille de pêcheur*, h/t (35,5x46) : **GBP 2 070** – Perth, 29 août 1995 : *Baignade au large des rochers*, h/t (46x61) : **GBP 4 140** – Perth, 26 août 1996 : *Femmes de pêcheurs transportant un panier de poissons*, h/t (99x127) : **GBP 7 130** – Glasgow, 11 déc. 1996 : *La côte écossaise*, h/t (72x92) : **GBP 1 150** – Glasgow, 20 fév. 1997 : *Pittenweem, Fife*, h/t (40,6x50,8) : **GBP 2 760**.

MacGILL David
XIXe siècle. Britannique.
Sculpteur.
Il vécut et travailla à Londres. Il exposa à la Royal Academy à Londres, à partir de 1889. Il figura aux expositions de Paris, où il obtint une médaille de bronze à l'Exposition universelle de 1900.
Ventes Publiques : Londres, 17 juil. 1984 : *The Victor*, bronze (H. 30,5) : **GBP 3 800**.

McGILLIVRAY Florence Helena
Née en 1864 à Whitby (Ontario). XIXe-XXe siècles. Canadienne.
Peintre.
Elle fut élève de Simon et Menard à Paris. Elle fut membre du groupe international artistique de Paris. Deux de ses œuvres *Afterglow* et *Stack in winter* appartiennent au gouvernement canadien.

McGILLIVRAY Pittendrigh
Né en 1856. Mort en 1938. XIXe siècle. Actif à Edimbourg. Britannique.
Sculpteur.
Associé de l'Académie Royale d'Écosse. Exposa à la Royal Academy, à Londres, à partir de 1891. Prit part aussi aux Salons de Paris et obtint une mention honorable en 1900 à l'Exposition Universelle.
Ventes Publiques : Londres, 6 sep. 1978 : *La Flandre* 1915, bronze patiné (H. 28,5) : **GBP 300**.

MACGILVARY Norwood Hodge
Né le 24 novembre 1864 ou 1874 à Bangkok, de parents américains. Mort en 1950. XIXe-XXe siècles. Américain.
Peintre de paysages, paysages animés.
Il étudia à San Francisco, puis vint à Paris, où il fut l'élève de Jean-Paul Laurens. Il fut membre du Salmagundi Club.
Musées : Washington D. C. (Nat. Gal. of Art) : *Soleil après la pluie*.
Ventes Publiques : Bolton, 17 nov. 1983 : *Summer's afterglow*, h/t (40,5x33) : **USD 2 500** – New York, 25 sep. 1992 : *Nu assis dans un paysage*, h/t (41,3x33) : **USD 1 320** – New York, 28 sep. 1995 : *Le bain d'une jeune beauté dans une oasis*, h/t (51,1x40,3) : **USD 3 450**.

MACGINNIS Henry R.
Né le 25 septembre 1875 à Martinsville (Indiana). Mort en 1962. XXe siècle. Américain.
Peintre de portraits, compositions murales.
Il fut élève de Collin et Courtois à Paris et à l'académie royale de Munich. Il fut membre de la Société des Artistes Indépendants et du Salmagundi Club.
Ventes Publiques : New York, 8 déc. 1983 : *Femme assise dans un jardin*, h/t (76,2x63,5) : **USD 2 200**.

MCGIVERNE Barbara
Née en 1950. XXe siècle. Canadienne.
Peintre. Abstrait.
Diplômée de l'Ontario College of Art en 1988, elle avait déjà participé à des expositions collectives depuis 1983 et expose personnellement, surtout à Toronto.
Ventes Publiques : Paris, 24 mai 1992 : *Study in red* 1991, acryl./t. : **FRF 8 000**.

McGLYNN Terry
XXe siècle. Britannique.
Peintre de paysages.
Il fut membre du Manchester Group fondé en 1946, composé de vingt peintres du Lancashire et dont on vit une exposition en 1948.

McGONIGAL Maurice Joseph
Né en 1900. Mort en 1979. XXe siècle. Britannique.
Peintre de paysages, compositions animées.
Il travailla en Irlande.
Ventes Publiques : Celbridge (Irlande), 29 mai 1980 : *Carraroe, Co, Galway*, h/pan. (30x39,2) : **GBP 700** – Dublin, 24 oct. 1988 : *Port Oriel à Claugherhead, Co Louth* 1942, h/pan. (29,2x39,5) : **IEP 3 520** ; *La famille de l'artiste avec son chien à Errisbeg* 1952, h/t (101,6x128,2) : **IEP 17 600** – Dublin, 12 déc. 1990 : *Foreglass sur le Ballyconneely à Connemara*, h/cart. (45,9x66) : **IEP 10 000** – Dublin, 26 mai 1993 : *Streamstown Bay à Connemara*, h/cart. (61x71,1) : **IEP 4 180**.

McGORAN Kieran
XXe siècle. Britannique.
Peintre de paysages, pastelliste.
Ventes Publiques : Belfast, 30 mai 1990 : *Rue de Belfast*, past./cart. (48,2x39,4) : **GBP 1 430**.

McGOUGH. Voir **McDERMOTT** et **McGOUGH**

MacGOUN Hannah Clarke Preston
XIXe siècle. Britannique.

Aquarelliste.

Ventes Publiques : Londres, 23 mars 1929 : *Mère dorlotant son enfant*, aquar. : **GBP 27** – Londres, 21 oct. 1980 : *Enfants de Hollande* 1909, aquar. (41x20) : **GBP 500** – South Queensferry, 23 avr. 1991 : *Jeunes ramasseurs de fagots en octobre*, aquar. (34x26,5) : **GBP 1 870** – Édimbourg, 28 avr. 1992 : *Rêverie* 1901, aquar. (30x22) : **GBP 715** – Perth, 29 août 1995 : *Le porridge brûlant* 1910, aquar. (29,5x23,5) : **GBP 4 140** – Perth, 26 août 1996 : *À la pompe*, aquar. (38,5x30,5) : **GBP 2 070**.

McGOVERN-COVENTRY Robert ou **McGowan**

Né en 1855. Mort en 1942, ou 1941 selon d'autres sources. XIXe-XXe siècles. Britannique.

Peintre de scènes typiques, paysages d'eau, marines, aquarelliste.

Il exposa dans les principales villes d'Angleterre et d'Europe et en particulier à Paris en 1894.

Musées : Glasgow : *Le Port*.

Ventes Publiques : Glasgow, 10 déc. 1929 : *Bateaux de pêche hollandais*, aquar. : **GBP 10** – Glasgow, 28 mars 1930 : *Bouleaux près de la rivière* : **GBP 7** ; *Une côte hollandaise* : **GBP 6** – Écosse, 24 août 1976 : *Le remandage des filets*, h/t (85x126) : **GBP 360** – Écosse, 1er sep. 1981 : *A breezy day, Katwijk*, aquar. reh. de gche (28x38) : **GBP 450** – Édimbourg, 27 mars 1984 : *Le marché aux poissons à Bruges*, aquar. reh. de blanc (37x53) : **GBP 600** – Perth, 28 août 1985 : *Un cap tranquille*, h/t (60x90) : **GBP 1 350** – South Queensferry (Écosse), 26 avr. 1988 : *Sur le rivage*, aquar. (27,5x37) : **GBP 935** – Édimbourg, 30 août 1988 : *Quai de port*, aquar. (18x27) : **GBP 715** – Perth, 28 août 1989 : *Marée basse*, aquar. (20x25,5) : **GBP 1 430** – Édimbourg, 13 mai 1993 : *L'attente de la flotte*, aquar. avec reh. de blanc (25,5x30,5) : **GBP 990** – Perth, 31 août 1993 : *Fin d'après midi sur une côte rocheuse*, h/t (84x125) : **GBP 1 840** – Perth, 29 août 1995 : *Ramassage de fagots*, h/pan. (46x31) : **GBP 1 150**.

McGOWIN Edward, dit **Ed**

Né le 2 juin 1938 à Hattiesburg (Mississipi). XXe siècle. Américain.

Peintre, sculpteur, artiste, multimédia.

Il a enseigné à la Corcoran School of art de Washington de 1967 à 1969. Il vit et travaille à Washington.

Il participe à des expositions collectives : 1966 Whitney Museum de New York, 1968 Brooklyn Museum de New York, 1969 Institute of contemporary Art de Philadelphie, 1970 Museum of Art de Baltimore, 1971 Museum of Art de Columbia, 1974 Museum of Art d'Indianapolis, 1975 Contemporary Arts Museum de Houston. Il montre ses œuvres dans des expositions personnelles : 1962, 1972, 1975 Corcoran Gallery of Art de Washington ; 1968 New York ; 1971 université de Wisconsin ; 1972 Museum of Art de Baltimore ; 1974 American Center de Paris.

Musées : Andover (Addison Gal. of American Art) – New York (Whitney Mus.) – Ponce (Mus. des Beaux-Arts) – Washington D. C. (Corcoran Gal. of Art).

MACGREGOR Archie

XIXe siècle. Britannique.

Sculpteur, dessinateur, illustrateur.

Il fut productif de 1884 à 1907. Il travailla et exposa à Londres, à la New Watercolours Society, à la Royal Academy et au Royal Institute of Oil Painters.

Bibliogr. : In : *Dict. des illustrateurs 1800-1914*, Ides et Calendes, Neuchâtel, 1989.

MacGREGOR Jessie, Miss

Morte en avril 1919. XIXe-XXe siècles. Britannique.

Peintre d'histoire, genre, portraits, fleurs.

Elle fut membre de la Society of Ladies Artists. Elle exposa fréquemment à la Royal Academy de Londres, à partir de 1872, à la Royal Scottish Academy en 1874 et 1888. Elle vécut et travailla à Liverpool.

Musées : Liverpool : *Sous la terreur* – *Jephté*.

Ventes Publiques : New York, 26 fév. 1986 : *Arrested* 1894, h/t (124,5x76,8) : **USD 4 000**.

MACGREGOR John D.

Né en 1944 en Angleterre. XXe siècle. Actif au Canada. Britannique.

Peintre. Abstrait.

Il vit et travaille à Toronto.

Depuis 1966, il a participé à plusieurs expositions collectives, notamment à l'Art Gallery d'Ontario en 1967, au Musée des beaux arts de Montréal en 1970, à l'institute of contemporary Art à Boston, au Musée d'art moderne de Belgrade.

Musées : Ottawa (Nat. Gal. of Canada).

Ventes Publiques : Paris, 24 mai 1992 : *Train* 1991, acryl. et collage/pap. (56x76) : **FRF 5 000**.

McGREGOR Robert

Né en 1847 ou 1848 dans le Yorkshire. Mort en 1922 à Portobello. XIXe-XXe siècles. Britannique.

Peintre de genre, figures.

Membre de la Royal Scottish Academy. Exposa à la Royal Academy à Londres, à partir de 1876. Figura aussi au Salon de Paris où il obtint une médaille de bronze en 1900 à l'Exposition Universelle.

Musées : Édimbourg : *L'homme est voué à son sort jusqu'à sa fin* – Glasgow : *Guignol en province* – *Un fumeur* – *Pêcheurs au bord de la mer*.

Ventes Publiques : Glasgow, 5 sep. 1945 : *Crossing the Sands* : **GBP 70** – Glasgow, 30 nov. 1976 : *La charette de foin*, h/cart. (20x34) : **GBP 360** – Auchterarder (Écosse), 30 août 1977 : *Le repos dans les champs*, h/t (50x75) : **GBP 1 500** – Londres, 25 mai 1979 : *Le marché aux poissons*, h/t (86,3x111,7) : **GBP 4 200** – Édimbourg, 2 juil. 1981 : *A crofter's yawl*, h/t (60x90) : **GBP 2 000** – Édimbourg, 27 mars 1984 : *Les ramasseurs de goémon*, h/t (66x103) : **GBP 4 800** – Glasgow, 30 jan. 1985 : *Pêcheurs avec leurs paniers au bord de la mer*, h/t (47x67) : **GBP 3 200** – San Francisco, 6 nov. 1985 : *Femme et enfant*, h/t (79x56) : **USD 5 000** – Glasgow, 11 déc. 1986 : *Les Pêcheurs de moules, France*, h/t (86,4x111,8) : **GBP 12 500** – Édimbourg, 30 août 1988 : *Repas de midi*, h/t (25,5x35,5) : **GBP 2 750** ; *Le colporteur aveugle*, h/t (152x122) : **GBP 13 200** – Édimbourg, 22 nov. 1988 : *Les petis ramasseurs de fagots* 1881, h/t (20,3x14) : **GBP 2 800** – Perth, 29 août 1989 : *Le duo* 1879, h/t (46x61) : **GBP 5 500** – Glasgow, 6 fév. 1990 : *Sur le chemin de la maison*, h/t (67x48) : **GBP 9 350** – Londres, 7 juin 1990 : *La réparation de la clôture*, h/t (33,5x24) : **GBP 9 350** – Rome, 4 déc. 1990 : *Fillette*, h/t (76,5x53) : **ITL 1 200 000** – Perth, 26 août 1991 : *Campement dans une clairière* 1910, h/t (59x79) : **GBP 1 540** – Édimbourg, 28 avr. 1992 : *Le repas de midi*, h/t (25,5x35,5) : **GBP 1 760** – Édimbourg, 19 nov. 1992 : *Ramasseurs de crevettes en Hollande*, h/cart. (25,4x34,3) : **GBP 1 430** – Perth, 31 août 1993 : *Retour à l'étable en fin de journée*, h/t (61x46) : **GBP 2 875** – Édimbourg, 23 mai 1996 : *Fenaison*, h/t (25,4x40,6) : **GBP 1 840** – Perth, 26 août 1996 : *Le rémouleur* 1880, h/t (31x23) : **GBP 1 265** – Édimbourg, 15 mai 1997 : *Le Colporteur aveugle* 1883, h/t (152,3x121,8) : **GBP 13 800**.

MACGREGOR Sara, Mme **Holroyd Charles W.**

XIXe-XXe siècles. Britannique.

Peintre.

Elle est l'épouse du peintre et graveur C. Holroyd. Elle a participé en 1914 à une exposition organisée par la Royal Académie à Edimbourg, ainsi que régulièrement à la Royal Scottish Academy à partir de 1898.

Ventes Publiques : Écosse, 24 août 1976 : *Fillette enfilant des perles* 1912, h/t (100x57) : **GBP 900** – Londres, 27 juin 1978 : *La toilette de l'ours en peluche* 1918, h/t (75x62) : **GBP 1 000** – Glasgow, 18 déc. 1980 : *Writing to daddy*, h/t (45x31) : **GBP 900** – Auchterarder (Écosse), 26 août 1980 : *La toilette de l'ourson* 1918, h/t (74x62) : **GBP 2 500**.

MACGREGOR William Yorke

Né le 14 octobre 1855 à Finnart. Mort le 28 septembre 1923 à Oban. XIXe-XXe siècles. Britannique.

Peintre de paysages, fruits.

Associé de la Royal Scottish Academy, il travailla à Albir Lodge. Il visita l'Afrique du Sud, la France, l'Espagne, l'Écosse.

Musées : Glasgow : *Durham, le soir* – Londres (Tate Gal.) : *The Carse of stirling* – Munich (Pina.) : *La Carrière*.

Ventes Publiques : Édimbourg, 17 nov. 1981 : *Près de St. Andrews*, h/t (48x61) : **GBP 1 100** – Perth, 27 août 1990 : *Un port tranquille*, aquar. et gche (26,5x23) : **GBP 1 540** – Glasgow, 1er fév. 1994 : *Village au bord de la mer*, h/pan. (25,5x35,5) : **GBP 805**.

McGREW R. Brownell

Né en 1916. XXe siècle. Américain.

Peintre de scènes typiques.

Il a participé en 1987 à l'exposition *À la découverte de l'Ouest américain*, au Salon d'Automne de Paris.

Il peint les vastes plaines de l'Ouest américain, hantées de cow boys et d'Indiens. Ses images semblent sorties tout droit de westerns.

Bibliogr. : In : *Catalogue du Salon d'Automne*, Paris, 1987.

Musées : Oklahoma City (Nat. Hall of Fame) : *Variation sur le thème III* 1973.

McGUINNESS Norah Allison
Née en 1903. Morte en 1980. XXe siècle. Irlandaise.
Peintre.
Elle a exposé dans différentes expositions de Londres.
Ses œuvres sont d'inspiration romantique.
Ventes Publiques : Belfast, 28 oct. 1988 : *Enniskerry*, aquar. et gche (37,5x50,8) : **GBP 660** – Belfast, 30 mai 1990 : *Allée de parc animée* 1940, gche (34,2x48,2) : **GBP 1 045** – Dublin, 12 déc. 1990 : *Fleurs de printemps* 1943, aquar. et gche (43,2x56,5) : **IEP 1 400** ; *Le pont sur la Liffey*, h/t (33x43,3) : **IEP 5 500** – Londres, 18 déc. 1991 : *Ocre et cendre*, h/t (51x61) : **GBP 1 925**.

McGUINNESS William Bingham
Né vers 1874. Mort en 1929. XIXe-XXe siècles. Irlandais.
Peintre-aquarelliste de paysages, marines.
Il a voyagé et travaillé sur le continent, en rapportant des vues pittoresques.
Ventes Publiques : Dublin, 24 oct. 1988 : *Vieilles maisons de Gand en Belgique*, aquar. (36,8x26,8) : **IEP 1 100** – Belfast, 30 mai 1990 : *Marée basse à Filey dans le Yorkshire*, aquar. avec reh. de blanc (37,5x53) : **GBP 770** – New York, 16 juil. 1992 : *Canal vénitien* 1890, aquar./cart. (88,9x53,3) : **USD 2 475** – Dublin, 26 mai 1993 : *Un coin du vieux Venise* 1890, aquar. avec reh. de blanc (88,8x53,3) : **IEP 2 200** – Londres, 9 mai 1996 : *Une charrette à Croagh Patrick*, aquar. (54x74,3) : **GBP 575**.

MACH David
Né le 18 mars 1954 à Methil (Écosse). XXe siècle. Britannique.
Sculpteur, dessinateur.
Il fut élève du Duncan Jordanstone College de Dundee de 1974 à 1979, puis du Royal College of Art de Londres, de 1979 à 1982. Il est apparu sur la scène artistique au début des années quatre-vingt.
Il montre ses œuvres dans des expositions personnelles, dont : 1983, Hayward Gallery, Londres ; 1988, Tate Gallery, Londres ; 1988, Provinciaal Museum, Hasselt ; 1989, Scottish national Gallery of Modern Art, Édimbourg ; 1997, galerie Jérôme de Noirmont, Paris.
Il utilise souvent des matériaux récupérés tels que des annuaires, des livres, des magazines ou des pneus, pour reproduire grandeur nature un objet de la société de consommation, comme un sous-marin en pneus, ou une réplique d'une urne de Piranèse à base de cintres en fer blanc. Toujours dans le même esprit de déplacement ironique du sens et de parodie, il met en scène le monde moderne dans des sculptures que la figure du dalmatien vient parfois hanter. Il réalise souvent des œuvres monumentales, la plus impressionnante aujourd'hui est certainement *Train*, un train soufflant sa vapeur de 40 mètre de long, composé de 185 000 briques, inauguré le 23 juin 1997 sur l'ancienne ligne ferroviaire Darlington-Stockton.
Bibliogr. : Catalogue de l'exposition : *David Mach : 101 dalmatiens*, Tate Gallery, Londres, 1988 – Ann Hindry : *David Mach*, : Art Press, n° 227, Paris, septembre 1997.
Ventes Publiques : Londres, 9 nov. 1990 : *Machine à laver en équilibre sur le nez d'un dalmatien*, métal et plâtre peint. (H. 183) : **GBP 8 250**.

MACHADO Antonio
Mort le 1er avril 1810 à Lisbonne. XIXe siècle. Portugais.
Sculpteur.
On cite parmi ses œuvres à Lisbonne : la statue de *Vénus* de la fontaine Janelles-Verdes, un *Saint Pierre* à la façade de l'église S. Paulo, des statues pour Sao Juliao, (etc.), en partie d'après les modèles de N. Villela.

MACHADO Cyrillo. Voir **VOLKMAR-MACHADO**

MACHADO Gaspar Frois
Né vers 1759. Mort en 1796. XVIIIe siècle. Actif à Lisbonne et en Angleterre. Portugais.
Graveur au burin.
Il a gravé, des sujets religieux, des vues, des sujets allégoriques.

MACHADO Ivens
Né en 1942 à Florianopolis. XXe siècle. Brésilien.
Sculpteur, dessinateur.
Il participe à des expositions collectives, notamment en 1985 à la Biennale de Paris. Il montre ses œuvres dans des expositions personnelles régulièrement au Brésil et en Italie.
Dans ses dessins, il commente la réalité, sur un mode caustique. Il réalise aussi des formes primitives, déconstruites, en fer, ciment, verre, peintes, qui évoquent un monde organique.
Bibliogr. : Damian Bayon, Roberto Pontual : *La Peinture de l'Amérique Latine au XXe s.*, Mengès, Paris, 1990.

MACHADO Juarez
XXe siècle. Brésilien.
Peintre de compositions à personnages. Art-déco, post-1930.
En 1998 à Paris, la galerie Akka a montré une exposition d'un ensemble de ses compositions.
Dans une facture approximativement inspirée de l'époque de Tamara de Lempicka, il célèbre à sa façon les nuits chaudes des bars où se côtoient noceurs et demi-mondaines.

MACHADO Mauro
Né en 1954 à Rosario (province de Santa Fe). XXe siècle. Argentin.
Peintre, graveur.
Il séjourna en France, de 1985 à 1987. Il vit et travaille à La Paz.
Il a participé en 1992 à l'exposition : *De Bonnard à Baselitz – Dix ans d'enrichissements du cabinet des estampes 1978-1988*, à la Bibliothèque nationale de Paris.
Musées : Paris (BN, Cab. des Estampes) : *Quelqu'un pleure dans les couloirs*.

MACHADO Milton
Né en 1947. XXe siècle. Brésilien.
Dessinateur.
Il propose un monde fragmenté, traquant le réel et ses multiples facettes.
Bibliogr. : Damian Bayon, Roberto Pontual : *La Peinture de l'Amérique Latine au XXe s*, Mengès, Paris, 1990.

MACHADO Monica
Née en 1966 à Lisbonne. XXe siècle. Active depuis 1981 en France. Portugaise.
Sculpteur d'assemblages, mosaïste.
En 1981, elle vint à Paris pour y faire ses études. De 1986 à 1992, elle fut élève de l'École des Beaux-Arts de Paris, travaillant notamment dans l'atelier Licata pour la sculpture et la mosaïque. En 1993, elle obtint un Prix d'École pour la mosaïque.
Depuis 1990, elle participe à des expositions collectives, dont : 1991, 1992 Paris, Salon des Artistes Français ; 1993 Salon de Montrouge, obtenant le troisième Prix ; 1994 Salon d'Art Contemporain de Bayeux, et Salon de Mars présentée par la galerie Callu Mérite ; etc. En 1994 à Paris, elle a montré un ensemble de ses créations dans une exposition personnelle, galerie Callu Mérite.
Si la technique du collage existait en sculpture, ce serait la sienne, disons que Monica Machado est un sculpteur d'assemblages. Ayant ramassé tout ce qu'on peut trouver et encore plus, sans compter le n'importe quoi, elle doit ensuite trier et extraire du fatras tous les débris, reliquats, rebuts, qui vont lui servir à constituer, par collage avec des résines synthétiques, l'un ou l'autre de ces assemblages, souvent de dimension importante et non réductibles à quelque « bibelot », totalement baroques mais pourtant cohérents en eux-mêmes, avec leurs faux airs de porcelaines de Saxe très dévergondées. De ces « choses », Yves Michaud écrit : « ... ce sont des trésors de l'intimité et de l'émerveillement. À elles toutes elles composent une sorte de grenier fantastique qui contiendrait des boîtes à la Joseph Cornell, des objets à la Meret Oppenheim, des talismans surréalistes, composés comme des cadavres exquis ou des collages », rapprochements qui signifient bien à ces sculptures du fortuit une dimension poétique, toutes inspirations possibles confondues ou plutôt développées à la faveur d'une imagination fertile, qui parcourt allègrement les contrées de l'humour, du comique au cosmique, du souvenir au soupir, du futile au funèbre. ■ J. B.
Bibliogr. : Yves Michaud : *Sculpture Mosaïque*, in : Catalogue de l'exposition *Monica Machado*, galerie Callu Mérite, Paris, 1994.

MACHADO DE CASTRO Joaquim
Né en 1732 à Coimbra. Mort le 3 décembre 1822 à Lisbonne. XVIIIe-XIXe siècles. Portugais.
Sculpteur.
Après avoir été élève de José d'Almeida, puis collaborateur de Giusti, à Mafra, il devint le plus grand sculpteur portugais de son temps. Il fut sculpteur de la Maison royale et directeur de l'École de nu de l'Académie S. José. Parmi ses très nombreuses œuvres on cite : la statue de *S. Pedro d'Alcantara* au-dessus de l'entrée du monastère d'Alcantara, le monument équestre en bronze de *Joseph Ier* sur la Plaça do Commercio, avec des groupes en marbre allégoriques et le portrait-médaillon du *Marquis de Pombal* au socle, la décoration de la Basilique do Coracao de Jésus, le baldaquin de bois du maître-autel de l'église Sao

Vicente de Fora, plusieurs crucifix d'ivoire. La Bibliothèque nationale de Lisbonne possède la statue de la *Reine Marie*, qui fut exécutée pour la maison de campagne du marquis de Ponte Lima à Mafra, la cathédrale de Lisbonne une crèche avec une centaine de petites figures, et le Musée Kestner à Hanovre un autel en terre cuite avec crucifix de bois sculpté, *Naissance du Christ* et *Adoration des bergers* en terre cuite.

MACHADO-RICO Huguette
Née en 1942 à Oran (Algérie). XXe siècle. Française.
Peintre de collages, dessinateur, peintre de cartons de tapisseries, technique mixte. Abstrait.
Elle vit et travaille à Aix-en-Provence.
Elle montre ses œuvres dans des expositions collectives : 1980 Montréal, 1983 Centre culturel coréen à Paris, 1984 Centre culturel français à Séoul, 1987 Aix-en-Provence, 1988 Biennale des Femmes à Paris, dans les années quatre-vingt-dix avec le groupe 109 à Paris. Elle a montré ses œuvres dans des expositions personnelles, notamment à Montréal.

MACHADO SAPEIRO Antonio
Mort le 24 juin 1714 à Lisbonne. XVIIIe siècle. Portugais.
Peintre.
Il peignit des tableaux religieux et des fresques d'églises, ainsi que des portraits.

MACHADRE. Voir **MACADRÉ**

McHALE John
Né en 1922. Mort en 1978. XXe siècle. Britannique.
Peintre de collages. Independant Group.
Il a été membre, dans les années cinquante, de l'Independant Group avec Richard Hamilton et Eduardo Paolozzi.
Une exposition de ses œuvres a été organisée en 1984, à l'Abright-Knox Art Gallery de Buffalo.
À partir de coupures de journaux populaires ou scientifiques, il reconstitue notre environnement, établissant des liens inattendus entre les objets. Il met en scène le monde moderne industrialisé, de manière parfois visionnaire, dans des compositions dynamiques, qui, par leurs sujets et leur traitement, influenceront le pop'art anglais. Il est aussi l'auteur de divers ouvrages.
BIBLIOGR. : Catalogue de l'exposition : *John McHale*, Albright-Knox Art Gallery, Buffalo, 1984.

MACHALTI Anton Joseph
XVIIIe siècle. Actif à Stadtamhof (Basse-Bavière). Allemand.
Sculpteur.
Il sculpta en 1713, quatre anges pour le maître-autel de l'église de l'Hôpital de Kelheim.

MA CHAO. Voir **MA ZHAO**

MACHARD Jules Louis
Né le 22 septembre 1839 à Sampans (Jura). Mort en septembre 1900 à Bellevue (Rhône). XIXe siècle. Français.
Peintre d'histoire, portraits.
Élève d'Édouard Baille et d'Émile Signol à l'École des Beaux-Arts de Paris, il reçut le premier prix de Rome en 1865. Il participa au Salon de Paris, obtint une médaille de première classe en 1872 et une de deuxième classe à l'Exposition universelle de 1878. En 1889 la Galerie Georges Petit exposa ses pastels. L'École des Beaux-Arts lui consacra une rétrospective en 1901. Chevalier de la Légion d'honneur en 1878.
Ami d'Hébert, il acquit très vite une renommée de portraitiste et le « tout Paris » de l'époque fréquenta son atelier, toutefois son modèle préféré demeura sa femme.

J. Machard

MUSÉES : BAYONNE (Mus. Bonnat) : *Portrait d'homme* – BESANÇON : *Mort de Méduse* – CHARTRES : *Narcisse et la Source* – DOLE : *Angélique attachée au rocher* – PARIS (Mus. d'Art Mod.) : *Portrait de Mme Machard* – ROUEN : *Jeune fille*, past. – STRASBOURG : *Alsatia*.
VENTES PUBLIQUES : PARIS, 5 juin 1920 : *Nu*, past. : **FRF 1 050** – PARIS, 13 déc. 1944 : *Femme dans un intérieur* : **FRF 700** – PARIS, 12 nov. 1948 : *Nu couché*, past. : **FRF 1 000** – PARIS, 22 avr. 1982 : *Femme à l'arc* 1874, h/t : **FRF 16 000** – NEW YORK, 23 mai 1985 : *Avant le bal*, past. (150x90) : **USD 5 000** – NEW YORK, 28 oct. 1987 : *La Coquette*, h/pan. (24,1x18,7) : **USD 4 500** – NEW YORK, 26 mai 1993 : *Le rêve d'Éros*, h/t (120x190,5) : **USD 23 000** – PARIS, 22 mars 1995 : *Élégante assise au collier de perles et éventail*, past. (112x85) : **FRF 42 000** – PARIS, 19 mai 1995 : *Portrait de dame de qualité assise* 1896, h/t (126x92) : **FRF 14 000** – NEW YORK, 1er nov. 1995 : *Sélène* 1874, h/t (266,7x160,7) : **USD 63 000** – PARIS, 4 déc. 1995 : *Joueuse de mandoline*, h/t (116x89) : **FRF 20 500**.

MACHART. Voir **MACELART**

MACHATSCHECK Félix
Né en 1863. XIXe-XXe siècles. Allemand.
Peintre de paysages urbains.
VENTES PUBLIQUES : LONDRES, 22 nov. 1989 : *Potsdamerplatz à Berlin en fin d'après-midi* 1899, h/t (118x156) : **GBP 19 800** – VERSAILLES, 14 juin 1992 : *Berlin* 1899, h/t (121x160) : **FRF 280 000**.

MACHAULT Paul Émile
Né le 1er septembre 1800 à Paris. Mort en 1866 à Paris. XIXe siècle. Français.
Sculpteur.
Élève de Francin. Exposa au Salon, de 1833 à 1879.

MACHAULT Paul François, fils
Né en 1835 à Paris. XIXe siècle. Français.
Sculpteur.
Fils de Paul Émile Machault. Élève de Simart. Débuta au Salon en 1864.

MACHAVARIANI Teimuraz
Né en 1944 à Tbilissi. XXe siècle. Russe-Géorgien.
Peintre de paysages urbains, natures mortes, fleurs.
Il fut lauréat de l'académie des beaux-arts de Tbilissi, puis membre de l'Union des Artistes Soviétiques. Il participe à des expositions collectives à Moscou et Tbilissi et aussi à l'étranger : Angleterre, Autriche, USA et montre ses œuvres dans des expositions personnelles à Tbilissi.
Il pratique une peinture traditionnelle de bonne facture.
MUSÉES : MOSCOU (Gal. Tretiakov) – TBILISSI (Mus. d'Art Mod.).
VENTES PUBLIQUES : PARIS, 23 mai 1990 : *Ma cour*, h/t (74x60) : **FRF 3 200**.

MA CHE. Voir **MA SHI**

MACHE Pierre
XXe siècle. Français.
Créateur d'installations, sculpteur. Tendance conceptuelle.
Il a exposé à Saint-Étienne en 1989.
Il s'est attaché à reproduire des jeux d'ombre et de lumière dans la nuit à l'aide de projecteurs puis à les photographier, faisant naître de l'obscurité des formes abstraites. Il réalise aussi des sculptures aux formes minimales, qu'il soumet à l'éclairage, produisant des effets lumineux inattendus.

MA CHE-JONG. Voir **MA SHIRONG**

MACHEK Anton
Né en 1775 à Podlaczicz. Mort en 1824 à Prague. XIXe siècle. Tchécoslovaque.
Peintre de portraits.
Fils d'un musicien ; il fut envoyé à Prague, où il devint l'élève de Wenzel, de Bluma et de Ludwig Kohl ; il resta un an à l'Académie de Vienne, en 1798. Il peignit, à Kœniggraz, deux tableaux d'autel pour la chapelle de Graz, et travailla aussi pour la résidence épiscopale. Il parcourut la Bohème, vivant de son talent de portraitiste, et se fixa à Prague en 1806.

MA CHENGKUAN ou **Ma Singfoon**
Né en 1940. XXe siècle. Chinois.
Peintre de paysages. Traditionnel.
VENTES PUBLIQUES : HONG KONG, 28 sep. 1992 : *Pluie d'été sur la colline*, encre et pigments/pap. (104,5x34,5) : **HKD 88 000** – HONG KONG, 22 mars 1993 : *Cascade* 1990, encre et pigments/pap. (135x68) : **HKD 115 000**.

MAC HENRI James
Né au XIXe siècle à Chinsurah (Inde). XIXe siècle. Français.
Peintre de fleurs et portraitiste.
Élève de L. Cogniet. Exposa au Salon, de 1840 à 1866.

MA CHEOU-TCHEN. Voir **MA SHOUZHEN**

MACHÉRA Ferdinand
Né en 1776 à Dôle. Mort en 1843 à Lyon. XIXe siècle. Français.
Portraitiste et miniaturiste.
Élève de A. Devosges.
MUSÉES : DOLE : *Portrait de l'auteur*.

MACHEREN Philip Van
Mort à Amsterdam selon Balkema ou à Rotterdam selon Immerzeel. XVIIe siècle. Actif à Middelbourg. Hollandais.

Peintre de marines.
Une certaine indécision règne au sujet de la mort de cet artiste ; les biographes sont d'accord pour dire qu'il entra, en 1672, dans la marine hollandaise, pour étudier de visu les combats navals ; il s'embarqua, plus tard, sur des vaisseaux danois et suédois, dans le même but. Il signait rarement ses œuvres.

McHERSNANND Karl
Né à Lofoten. XIXe siècle. Norvégien.
Peintre.
Vint, à l'âge de 16 ans, à Christiania (Oslo), où il travailla pendant deux ans sous la direction de Knut Bergslien. Plus tard, il fut élève d'Askevold, à Bergen. Après avoir étudié un an à l'Académie de Munich et y avoir gagné la médaille d'argent, il alla à Paris où il fut l'élève de Van Marcke pendant trois ans. A Paris, il obtint, au Salon de 1881, une mention honorable, pour l'un de ses tableaux.

MACHET Charles
Mort le 28 juin 1980 à Limonest (Rhône). XXe siècle. Français.
Sculpteur de monuments, nus, animaux, sujets de sport, compositions religieuses.

MA CHE-TA. Voir **MA SHIDA**

MACHHEIM Joseph Konrad
XVIIIe siècle. Suisse.
Sculpteur.

MACHIAVELLI. Voir **MACCHIAVELLI**

MACHIELS Willem
XVIe siècle. Actif à Bruxelles en 1554. Éc. flamande.
Sculpteur.

MACHIK Maria, plus tard **Krenner**
Née en 1843 à Agram. Morte le 16 décembre 1895 à Budapest. XIXe siècle. Hongroise.
Peintre.
Elle exposa à partir de 1864 à Budapest des portraits à l'huile et au pastel et des tableaux de figures. Le Palais Gresham à Budapest possède de sa main : *Le repas des pigeons*.

MACHILOS ou **Machilon**
XIIIe siècle. Actif à Spolète. Italien.
Peintre.
Il travailla pour le Dôme d'Ancône.

MACHINO Andrea ou **Mangino**
XVe-XVIe siècles. Actif à Palerme. Italien.
Sculpteur.
On cite de ses œuvres à Palerme, à Nicosia *(Dôme)*, à l'église de l'Annunziata à Termini, à l'église de Saint-Augustin à Sciacca *(Madonna del Soccorso)*, et dans la chapelle du château de Carini *(Madone)*.

MACHKOV Ilia Ivanovitch
Né le 17 juillet 1881 à Mikhaïlovski-sur-le-Don. Mort en 1943 à Moscou. XIXe-XXe siècles. Russe.
Peintre de paysages, natures mortes. Post-cézannien.
Il fut élève de l'école des beaux-arts de Moscou, de 1900 à 1909, époque où il voyagea aussi en Allemagne, France, Angleterre, Italie, Espagne, Turquie et Égypte. Il fonda l'association Karo-Bubé, se rattachant aux peintres français qui succédèrent aux impressionnistes. Il prit une part prépondérante aux activités du groupe Le Valet de carreau, d'où devait découler en grande partie l'art russe moderne, et participa à leurs expositions. En 1924, il devint membre de l'Association des artistes de la Russie révolutionnaire et en 1927-1928 de l'Association des artistes de Moscou.
Comme de nombreux membres du groupe du Valet de carreau, à ses débuts, il peignait sous l'influence directe de Cézanne, à laquelle cependant, pour sa part, il devait rester fidèle. Paysages et natures mortes ajoutent à cette influence cézannienne celle des fauves français, et plus particulièrement celle de Friesz.
Bibliogr. : Catalogue de l'exposition : *L'Art russe des Scythes à nos jours*, Galeries nationale du Grand Palais, Paris, 1967 – Catalogue de l'exposition : *Paris-Moscou*, Centre Georges Pompidou, Paris, 1979 – in : *Dict. de l'art mod. et contemp.*, Hazan, Paris, 1992.
Musées : Moscou (Gal. Tretiakov) : *Nature morte – Fruits dans un plat* 1910 – *Lac de Genève, Glion* 1914 – Saint-Pétersbourg (Mus. russe) : *Le Modèle* 1918 – *Nature morte au samovar* vers 1920.
Ventes Publiques : Londres, 1er juil. 1970 : *Baigneuses* 1911 : **GBP 1 050** – Londres, 20 fév. 1985 : *Nu assis avec une urne* 1909, h/t (65,5x54,6) : **GBP 6 000** – Londres, 18 mai 1988 : *Nature morte aux fruits et Portrait de l'artiste*, h/t (83x105) : **GBP 5 500**.

MACHKOVA Lydia
Née en 1932 à Rostov. XXe siècle. Russe.
Peintre de compositions à personnages.
Elle fréquenta l'académie « 1905 » à Moscou, puis l'Institut V.G.I.K. Elle est membre de l'Union des Peintres d'URSS. Elle participe depuis 1950 à des expositions dans son pays et à l'étranger.
Musées : Moscou (Gal. Trétiakov) – Saint-Pétersbourg (Mus. Russe).
Ventes Publiques : Paris, 16 juin 1991 : *Les pêcheurs* 1952, h/t/cart. (50x35) : **FRF 9 500**.

MACHO Victorio
Né en 1887 à Palencia. Mort le 13 juillet 1966 à Tolède. XXe siècle. Espagnol.
Sculpteur.
Il vécut de nombreuses années à Paris, où il a travaillé dans l'atelier de Rodin. Parmi ses œuvres, on cite : à Madrid au parc El-Retiro le monument du novelliste *B. Pérez Galdos* et celui de *Ramon y Cajal* (fontaine), à Santander le monument du peintre *Casimiro Sainz*, à Guetarie le monument de *Juan S. Elcano*. À l'exposition collective de ses œuvres à Madrid, en 1921, au musée des Arts modernes, figurèrent la statue de la mère de l'artiste, les bustes de sa femme et de son fils, les bustes du poète *T. Morales*, des peintres *Iturrino ; Arteta ; Anselmo Nieto*.
Ventes Publiques : Madrid, 25 nov. 1980 : *Galdos*, bronze (37,5x19x40,5) : **ESP 375 000**.

MACHOLD Ernest
Né en 1814 à Cobourg. XIXe siècle. Allemand.
Sculpteur.
Il étudia à Bamberg et à Gotha et travailla de 1835 à 1837 à la restauration de la cathédrale de Bamberg. Parmi ses œuvres, on cite des travaux de restauration de l'église Saint-Paul à Esslingen et de la chapelle du château de Stuttgart, une statue pour une fontaine à Besigheim, un grand crucifix pour l'église d'Altenbourg près de Tubingen.

MACHOLD Joseph
Né le 24 décembre 1824 à Benisch (Silésie). XIXe siècle. Allemand.
Peintre.
Il fut professeur au Corps des Cadets à Hainbourg où, pour la salle des examens il exécuta neuf tableaux, compositions dont les sujets sont empruntés à l'histoire d'Autriche. On cite également parmi ses œuvres des séries d'aquarelles, dont : *Chanter et Chansons*, le *Cycle de Sapho*, trois scènes de l'épopée de Malczewski *Marya*, des scènes du *Songe d'une nuit d'été* de Shakespeare.

MACHOLINO Giovanni Battista ou **Macolin**
XVIIe siècle. Travaillant vers 1656. Suisse.
Peintre.

MÄCHSELKIRCHER Gabriel. Voir **MÄLESSKIRCHER**

MACHT Hans
Né le 27 juillet 1844 à Vienne. Mort le 26 août 1914 à Vienne. XIXe-XXe siècles. Autrichien.
Peintre.
Il fut élève puis professeur à l'École des Arts et Métiers de Vienne. Il peignit des portraits à l'aquarelle et des miniatures, fit des esquisses pour métaux précieux et pour le bois, le cuir, le verre, le bronze ainsi que des illustrations pour l'ouvrage *La Monarchie austro-hongroise par la parole et l'image*. On cite également de sa main des tableaux sur émail. Le Musée autrichien pour l'Art et l'Industrie possède des œuvres de cet artiste.

MACHTALÉROUK Vladimir
Né en 1926 à Koursk. XXe siècle. Russe.
Peintre de paysages.
Il fut élève de l'Institut Répine à Moscou. Il est membre de l'Union des Artistes d'URSS. Il expose régulièrement.
Sa touche est impressionniste.

MÄCHTIG Carl Andreas
Né en 1797. Mort en 1857 à Breslau. XIXe siècle. Allemand.
Sculpteur.
Il étudia à Dresde et exposa de 1823 à 1855 dans cette ville. Il sculpta des bustes, des reliefs, des statuettes (thèmes de la Bible et de la mythologie), des allégories dans le style de Thorwaldsen *(L'Ange de la mort, Mercure, David, Saint Hubert, Esculape, Pro-*

méthée), et des statues d'animaux. De 1825, à 1847 il exécuta principalement des sculptures d'ornement et de figures pour le bâtiment : Bourse de Breslau, théâtre de Warmbrunn, théâtres à Liegnitz et Breslau, château royal de Breslau, église évangélique de Rosenhain.

MA CH'ÜAN. Voir **MA QUAN**

MACHUCA Pedro

Né vers 1495 à Tolède (Castille-La Manche). Mort vers 1550 à Grenade (Andalousie). XVIe siècle. Espagnol.

Peintre de compositions religieuses.

Cet artiste, s'il faut en croire Holanda dans son manuscrit intitulé : *Le livre de la peinture*, fut un des plus importants et des plus répandus de cette époque ; comme peintre, il place Machuca à côté de Michel-Ange, dont il fut l'élève lors de son séjour en Italie, de Léonard de Vinci et de Raphaël !... Il est regrettable que la plupart des œuvres de ce maître ayant disparu, on ne puisse le juger en connaissance de cause. Grand ami de Berruguete, il fut appelé à Tolède afin d'expertiser la *Transfiguration* de ce puissant artiste. En 1520, il retourna en Espagne, y ayant une importante activité de peintre et d'architecte.
En 1521, il fit des peintures et des retables, dont le retable de la *Sainte Croix*, pour la chapelle royale de Grenade, en collaboration avec Jacopo Torni. Il devint l'Écuyer du gouverneur de l'Alhambra de Grenade, et à partir de ce moment, il ne fut autorisé à exercer ses talents d'architecte qu'à l'intérieur de l'enceinte de l'Alhambra. C'est là qu'il commença le palais de Charles Quint, en 1527, terminé par son fils Luis. On lui attribue, toujours à l'Alhambra, la fontaine de Charles Quint et la Puerta de las Grenadas. En tant qu'architecte, il montre une bonne connaissance de Vitruve et de la Renaissance italienne ; il respecte scrupuleusement la grammaire stylistique antique.

Bibliogr. : In : *Dictionnaire de la peinture espagnole et portugaise du Moyen-Âge à nos jours*, coll. Essentiels, Larousse, Paris, 1989.

Musées : Madrid (Mus. du Prado) : *Vierge allaitant les âmes du purgatoire – Déposition de croix.*

Ventes Publiques : Londres, 18 nov. 1959 : *La descente de Croix* : **GBP 2 600** – Acqui Terme, 12 oct. 1985 : *Sainte Agnès*, h/pan. (66x52) : **ITL 13 000 000** – Milan, 10 juin 1988 : *Déposition de Croix*, h/pan. (37x29,5) : **ITL 15 000 000** – Milan, 12 déc. 1988 : *Le sommeil de la Vierge*, h/t (109x136) : **ITL 42 000 000** – Londres, 28 fév. 1990 : *Vierge à l'Enfant*, h/pan. (41,5x55) : **GBP 1 210**.

MA CHÜN. Voir **MA JUN**

MACHY Pierre Antoine de. Voir **DEMACHY**

MACI Jacquet ou **Macé** ou **Maciot**

XIVe siècle. Français.

Enlumineur.

Il travailla, en 1327, en collaboration avec Ancian de Cens et Jean Pucelle, à une *Bible* écrite par Robert de Billyng. Cette bible, spécimen excellent de l'art de l'époque, se trouve actuellement à la Bibliothèque nationale.

MACIA Maria del Carmen

XIXe siècle. Active à Madrid. Espagnole.

Peintre de miniatures.

Elle était la femme du peintre de la cour Luis Eusebi. Elle fit don au roi Ferdinand VII en 1809, d'une miniature de sa main : *La vertu met en garde les jeunes gens contre les dangers de l'amour.*

McIAN Fanny

Née en 1814. Morte en 1897. XIXe siècle. Britannique.

Peintre de compositions à personnages.

Elle était la femme du peintre Robert Ronald McIan. Elle fut professeur de dessin et directrice de la première École d'Art féminine à Somerset House. Elle produisit peu de peintures et demeure assez méconnue.

Ventes Publiques : Glasgow, 1er oct. 1981 : *Après la bataille de Prestonpans* 1860, h/t (49x91) : **GBP 1 700** – Londres, 24 juin 1988 : *Après la bataille de Prestonpans* 1849, h/t (50,8x94) : **GBP 4 620**.

McIAN Robert Roland

Né en 1803. Mort en 1856 à Hampstead. XIXe siècle. Britannique.

Peintre de genre.

McIan était acteur et peignait en amateur. Il exposa à la Royal Academy en 1836, abandonna peu à peu le théâtre, et, en 1840, il fit de la peinture son unique profession. Il fut membre de la Royal Scottish Academy et se plut à représenter des scènes de la vie des Highlands.

Ventes Publiques : Auchterarder (Écosse), 30 août 1977 : *Le Présage* 1852, h/t (99x125) : **GBP 700** – Londres, 20 juil 1979 : *Les Augures* 1852, h/t (99x125,7) : **GBP 600** – Londres, 28 mai 1981 : *Le révérend Charles Wesley prêchant aux Indiens d'Amérique*, h/t (112x142) : **GBP 3 600**.

MACIEL Antonio

XVIe siècle. Actif à Viana. Portugais.

Peintre.

L'église S. Domingo à Lisbonne possède de sa main le portrait du *Frère Bartholomeo dos Martyres* (1590).

MacILVAINE William, le Jeune

XIXe siècle. Britannique (?).

Peintre de paysages, aquarelliste.

Ventes Publiques : New York, 10 juin 1976 : *Paysage* 1852, cinq aquar. (quatre 24,2x34,3 et une 34,3x24,2) : **USD 800**.

McINNES Robert

Né en 1801. Mort en 1886 à Stirling. XIXe siècle. Britannique.

Peintre de genre, portraits.

Il abandonna l'ébénisterie pour la peinture ; il exposa à la Royal Academy dès 1841. Il passa plusieurs années en Italie et y puisa la plupart de ses sujets.

Musées : Glasgow : *Auberge italienne* – Liverpool : *Vendanges à Séville.*

Ventes Publiques : Londres, 21 oct. 1970 : *Après-midi d'été au Lido, près de Venise* : **GBP 580** – Londres, 12 déc. 1978 : *Les vendangeuses* 1848, h/t, coins sup. arrondis (78x99) : **GBP 2 600** – Londres, 13 févr 1979 : *La fête*, aquar. et reh. de gche (69x89) : **GBP 850** – Londres, 10 mars 1995 : *La fête sur le Lido de Venise* 1848, h/t (53,3x93,4) : **GBP 10 350** – Londres, 5 nov. 1997 : *Luther écoutant la ballade sacrée* 1844, h/t (145x115) : **GBP 23 000**.

McINNES William Beckwith

Né en 1889. Mort en 1939. XXe siècle. Australien.

Peintre de portraits, paysages.

Ventes Publiques : Melbourne, 20 mars 1978 : *Scène de moisson, aux environs de Heidelberg*, h/t (63,5x79) : **AUD 3 000** – Sydney, 30 juin 1980 : *Les meules de foin*, h/cart. (30x35) : **AUD 1 400** – Armadale (Australie), 11 avr. 1984 : *Bord de mer*, h/cart. (22x30) : **AUD 3 500** – Londres, 10 juin 1986 : *Vieille femme cousant au coin du feu dans un intérieur rustique*, h/t mar./cart. (41,9x57,2) : **GBP 5 000** – Sydney, 29 juin 1987 : *Troupeau au pâturage*, h/cart. (45x60) : **AUD 19 000** – Sydney, 3 juil. 1989 : *Portrait de Mrs McInnes*, h/t (74x61) : **AUD 1 900** – Londres, 30 nov. 1989 : *Sur la berge du fleuve*, h/pan. (31,4x45,4) : **GBP 3 300** – Sydney, 2 juil. 1990 : *La fenaison*, h/cart. (14x20) : **AUD 2 400** – Sydney, 15 oct. 1990 : *Cour de ferme*, h/t (27x34) : **AUD 3 400**.

McINTIRE Samuel

Né en 1757 à Salem (Massachusetts). Mort en 1811 à Salem (Massachusetts). XVIIIe-XIXe siècles. Américain.

Sculpteur sur bois et architecte.

Le Métropolitan Museum à New York possède de sa main deux sculptures sur bois et l'Essex Institute à Salem deux portraits en relief (médaillons sur bois) de *Washington.*

MACINTOSH

XVIIIe siècle. Britannique.

Peintre de miniatures.

MACINTOSH John M.

Né en 1847 à Inverness. Mort le 5 mars 1913. XIXe-XXe siècles. Britannique.

Peintre de paysages.

Le Musée Victoria and Albert Museum à Londres possède deux aquarelles de sa main. Voir aussi Mackintosh.

MacINTOSH Marian T.

Née à Belfast. XXe siècle. Active aux États-Unis. Irlandaise.

Peintre.

Elle fut élève de Henri B. Snell. Elle est membre de la Fédération américaine des arts. Elle reçut une médaille d'or à Philadelphie, en 1922.

MacINTOSH Pleasant Ray

Né en 1897. XXe siècle. Actif aussi en France. Américain.

Peintre de paysages, peintre de décorations murales.

Il a exposé à Paris quelques paysages. Dans une interview, il a déclaré difficile la vie des très nombreux artistes des États-Unis. Il a été le directeur de l'école des beaux-arts de l'université américaine de Biarritz (Basses-Pyrénées) en 1946.

Ventes Publiques : New York, 24 jan. 1989 : *Étude pour une décoration murale* 1944, h. et détrempe/t. (62,5x90) : **USD 2 200**.

McINTYRE Donald

Né en 1923. xxe siècle. Britannique.

Peintre de paysages.

D McINTyre –

Ventes Publiques : Londres, 29 juil. 1988 : *Le soir à Dolan*, h/cart. (63,8x102,5) : **GBP 660** – Londres, 12 mai 1989 : *Le port*, h/cart. (60x120) : **GBP 880**.

McINTYRE Keith

Né en 1959 à Édimbourg (Écosse). xxe siècle. Britannique.

Peintre de compositions à personnages, figures, animaux, pastelliste, dessinateur, peintre de décors de théâtre, sculpteur d'installations, artiste de performances. Expressionniste.

Il fut élève du College of Art de Dundee de 1978 à 1983, a enseigné de 1984 à 1989 à l'École d'Art de Glasgow, où il s'est fixé. Il participe à des expositions collectives depuis 1982 à Édimbourg et Londres et dans les principales villes d'Écosse et de Grande-Bretagne, au Canada, en Allemagne, Hollande, Italie, etc. Il montre ses travaux dans des expositions personnelles depuis 1982, notamment à Édimbourg et en Écosse, Berlin 1987, Londres 1988 et 1990, etc.

Il se livre aux activités les plus diverses. En peinture, il utilise souvent fusain et pastels, mais maîtrise une excellente technique à l'huile. Surtout peintre de figures, il a créé une espèce de femmes, belles, sensuelles, d'une élégance quelque peu vulgaire trahie dans les visages aux yeux lourds de khôl et à la bouche sanguinolente, mais dont la peau, apparente puisque nues, est tachetée comme la robe des chiens dalmatiens. Dans la globalité de ses imaginations et créations, se retrouve toujours une tonalité expressionniste, parfois caricaturale, pouvant frôler le tragique, mais que tempèrent humour et érotisme. ■ J. B.

Bibliogr. : In : Catalogue de l'exposition *New Scottish Painting*, Gal. Bureaux et Magasins, Ostende, 1991.

Musées : Aberdeen (Art Gal.) – Dundee (Art Gal.) – Édimbourg (Scottish Nat. Gal. of Mod. Art).

Ventes Publiques : Perth, 27 août 1990 : *L'aveugle et le bœuf* 1986, past. (57x77) : **GBP 770** – Londres, 25 nov. 1993 : *Congrégation* 1989, h/pap. (108x144) : **GBP 1 725**.

MACIOT Jacquet. Voir **MACI**

MACIOT Jean ou **Maissiot**

xive siècle. Français.

Enlumineur.

Habitait en 1313 à Paris.

MACIP. Voir **MASIP**

MACIUNAS George

Né en 1931 à Kaunas. Mort en 1978 à New York. xxe siècle. Actif et naturalisé aux États-Unis. Russe-Lituanien.

Artiste. Fluxus.

Il a participé en 1992 à l'exposition : *De Bonnard à Baselitz – Dix ans d'enrichissements du cabinet des estampes 1978-1988*, à la Bibliothèque nationale de Paris.

Musées : Paris (BN, Cab. des Estampes).

Ventes Publiques : Paris, 27 jan. 1996 : *New flux year*, boite en cart. serpent de farces et attrapes, petits papiers carrés imprimés New flux (11,9x6,9x6,9) : **FRF 11 000**.

MACK Aloysius

xviiie siècle. Actif à Augsbourg. Allemand.

Peintre.

Il fut élève de J. G. Bergmüller, d'après les esquisses duquel il peignit le tableau de plafond de l'église des Dominicains à Augsbourg *(Mystère du Rosaire)*.

MACK Georg, l'Ancien ou **McMackh**

Mort en 1601. xvie siècle. Actif à Nuremberg. Allemand.

Peintre, enlumineur et imprimeur.

Le British Museum à Londres, le Cabinet des Estampes à Cobourg, et le Musée germanique de Nuremberg possède des œuvres de sa main.

MACK Georg, le Jeune

xvie siècle. Actif à Nuremberg. Allemand.

Enlumineur.

Il est mentionné à Nuremberg jusqu'en 1623.

MACK Hans

xvie siècle. Allemand.

Enlumineur.

MACK Heinz

Né le 8 mars 1931 à Lollar (près de Düsseldorf). xxe siècle. Allemand.

Peintre, sculpteur d'intégrations architecturales. Lumino-cinétique. Groupe Zéro.

Il fut élève de l'académie des beaux-arts de Düsseldorf de 1950 à 1953, puis étudia la philosophie, à l'université de Cologne, jusqu'en 1956. En 1965-1966, il vécut à New York. Il partage son temps entre l'Allemagne et Ibiza.

Il exposa pour la première fois en 1957, à Düsseldorf, et reçut le prix d'art de la ville de Krefeld en 1958. Mack participe aux expositions du groupe Zéro et à toutes les manifestations importantes de l'art lumino-cinétique, notamment : *Vibration* avec Piene à Düsseldorf en 1958 ; *Mouvement et objets mobiles* à Anvers en 1959 ; *Une Nouvelle Direction picturale* à Mannheim en 1959 ; *Peinture monochrome* à Leverkusen en 1960 ; *Festival d'avant-garde* à Paris en 1960 ; *Bewogen Beweging* au Stedelijk Museum d'Amsterdam en 1962 ; *Zero Demonstrationen* à Düsseldorf, Arnhem, Anvers, Berne, Genève en 1962 ; Documenta de Kassel en 1964, où les trois membres du groupe Zéro présentèrent un travail collectif ; *Salon de lumière* à la Biennale de Paris en 1965, où le groupe présenta un de ses *Moulins de lumière* ; au Stedelijk d'Amsterdam en 1965 où Mack, seul, présenta un *Carrousel de lumière* ; etc. Il montre ses œuvres dans des expositions personnelles seul ou avec les deux autres membres du groupe, nombreuses en Allemagne, Italie, à Anvers, Londres, Bâle, New York, etc. Il a reçu le premier prix de la Biennale de Paris, en 1965.

À ses débuts, il réalisa de nombreux monochromes noirs et blancs. En 1958, il fonda avec Otto Piene, la revue *Zéro*, qui, malgré une brève existence (la revue ne connut que trois numéros), eut une grande influence prolongée dans le groupe également nommé Zéro, qu'ils fondèrent en 1962, avec Ucker. Ce mouvement se proposait tout d'abord de rompre avec les dernières manifestations des courants abstraits, pour repartir des techniques modernes et principalement des possibilités offertes par le jeu des faisceaux de lumière sur des trames diverses, par exemple en aluminium ou en matériaux plastiques. Les membres du groupe se réclamaient des idées de Manzoni, d'Yves Klein et de Fontana. L'un de ses projets, exposé dans le troisième numéro de la revue *Zéro*, consistait à animer le désert et la mer par des projecteurs géants, l'étendue matérielle du désert ou celle de la mer constituant dans son esprit un équivalent de ce qu'il appelle « l'autre étendue illimitée », c'est-à-dire celle de la création artistique. Dans la perspective de ce projet Sahara, il put réaliser, en 1961, *Sahara Relief* à Leverkusen. Les titres de ses œuvres indiquant assez clairement leur nature, nous en citerons quelques-uns : *Cube de lumière* 1959 ; *Reliefs de lumière* 1959-1960 ; *Petite Forêt de lumière* 1959 ; *Dynamo de lumière blanche* 1965 ; *Pyramide de lumière* 1965 ; etc. Dans les années soixante-dix, il fut l'un des meilleurs représentants du courant artistique qui, dans la suite de l'abstraction géométrique, choisit de s'exprimer par les effets optiques et lumino-cinétiques obtenus à partir de techniques rudimentaires ou plus complexes, refusant à la fois la figuration et l'expressionnisme abstrait, c'est-à-dire développant la création artistique dans le sens de sa « fonction-objet » et refusant sa « fonction-expression ». Depuis il travaille régulièrement avec des architectes, notamment pour le pavillon allemand de l'Allemagne aux expositions internationales de Montréal (1967) et d'Osaka (1970) et réalise à partir de différents matériaux, bronze, marbre, Plexiglas, cristal, aluminium, des sculptures pour le casino d'Aix-la-Chapelle (1980), la Domplatz de Cologne, le siège de Phillips à Eindhoven (1985), l'hôpital universitaire de Tuebingen (1988), la Berliner Allee de Düsseldorf (1989), proposant une perception poétique de l'environnement. Depuis 1991, il travaille de nouveau à des peintures sur toile. ■ Jacques Busse

Bibliogr. : *Peintres contemp.*, Mazenod, Paris, 1964 – Frank Popper : *Naissance de l'art cinétique*, Gauthier-Villars, Paris, 1967 – Herta Wescher, in : *Nouv. Diction. de la sculpture mod.*, Hazan, Paris, 1970 – in : *L'Art du xxe s*, Larousse, Paris, 1991 – *Mack – Skulpturen im Raum der Natur*, Dumont, Cologne, 1991 – in : *Dict. de l'art mod. et contemp.*, Hazan, Paris, 1992.

Musées : Essen (Folkwang Mus.) : *Silber-roter* 1963.

Ventes Publiques : New York, 11 mai 1966 : *Dynamo*, verre et rotor : **USD 1 600** – Munich, 28 mai 1974 : *La forêt*, acier chromé : **DEM 5 500** – Zurich, 18 nov. 1976 : *Sans titre*, h/t (80x70) : **CHF 12 000** – New York, 18 mars 1976 : *Sans titre* 1965, gche blanche/pap. noir (85x76) : **USD 800** – Munich, 23 mai 1977 : *Fleur* 1967, métal/alu. (H. 123, larg. 103) : **DEM 9 400** – Londres, 6 déc. 1978 : *Sans titre* 1968, alu./cart. (65x70) : **GBP 650** – Munich, 3 juin 1980 : *Aile d'ange* 1967, argent (63x83,5) : **DEM 2 200** – Munich, 2 juin 1981 : *Metallrelief* 1960, métal (48x100) : **DEM 8 200** – Cologne, 5 juin 1985 : *Kawee-Relief mit Wellenglas* 1973, objet dans boite alu. (H. 48) : **DEM 3 400** – Cologne, 31 mai 1986 : *Structure dynamique* 1959, métal-relief/pan. peint. en noir et blanc (204,5x129) : **DEM 32 000** – Cologne, 31 mai 1986 : *Vibration blanche sur noir* 1961, craie blanche/pap. noir (62x48,4) : **DEM 1 900** – Londres, 22 fév. 1990 : *Silver light dinamo* 1963, métal, bois, verre et moteur électrique (142x142x15) : **GBP 18 700** – Londres, 17 oct. 1991 : *Relief de vague* 1967, alu./cart. (60x53) : **USD 3 080** – Londres, 3 déc. 1993 : *Paravent reflétant la lumière* 1971, perspex et alu. (200x263x2) : **GBP 8 050** – Londres, 23 mai 1996 : *Sans titre* 1970, relief d'alu., alu./cart. (102x122x9) : **GBP 9 200**.

MACK Jörg
XVIe siècle. Actif à Kaufbeuren. Allemand.
Peintre.

MACK Lajos
Né le 13 mai 1876 à Presbourg. XXe siècle. Hongrois.
Sculpteur de statues, monuments, sujets militaires, aquarelliste, céramiste.
Il sculpta des statues pour la poste de Pecs, où il vécut et travailla, et pour l'hôtel de ville de Debreczin, ainsi que des monuments funéraires, des bustes, parmi lesquels celui de *Gutenberg* pour l'imprimerie de Pecs.
Musées : Presbourg (Mus. mun.) : *L'Orpheline* – aquarelles de la guerre 14-18 – un vase en terre cuite avec sept figures.

MACK Ludwig
Né le 22 octobre 1799 à Stuttgart. Mort le 8 août 1831 à Stuttgart. XIXe siècle. Allemand.
Sculpteur.
Le Musée de Stuttgart possède de sa main un relief en marbre *Amour et Psyché.*

MACK Paul
XXe siècle. Britannique.
Peintre de portraits, technique mixte.
Ventes Publiques : Londres, 14 avr. 1976 : *Sylvia von Harden* 1931, gche et feuille d'or (14,5x8) : **GBP 300**.

MACKAIN-LANGLOIS Marguerite
Née à Paris. XXe siècle. Française.
Sculpteur.
Elle a exposé au Salon de la Société Nationale des Beaux-Arts de Paris et à la Royal Academy de Londres.

MACKALL R. Megill
Né le 15 avril 1889 à Baltimore. XXe siècle. Américain.
Peintre de compositions murales, sujets religieux.
Il fut élève de Laurens à Paris et de l'académie royale de Munich. Il fit de nombreuses peintures murales, ornant surtout des églises.

MACKAY Edwin Murray
Né en 1869. Mort en 1926. XIXe-XXe siècles. Américain.
Peintre.
Ventes Publiques : New York, 23 sep. 1992 : *Femme lisant dans les feuilles de thé,* h/t (89x69,5) : **USD 11 000** – New York, 23 sep. 1993 : *Une estampe japonaise,* h/t (81,3x65,4) : **USD 6 325**.

MACKAY Florence
Peintre.
Ventes Publiques : Londres, 25 jan. 1989 : *La nourriture des canards,* aquar. et gche (18x24) : **GBP 935**.

McKAY Thomas Hill
Né en 1875. Mort en 1941. XIXe-XXe siècles. Américain.
Peintre de paysages.
Ventes Publiques : Chester, 8 oct. 1987 : *Le Jardin d'été* 1911, aquar. (25x16,5) : **GBP 1 950** – Los Angeles-San Francisco, 10 oct. 1990 : *Paysage aux belles couleurs d'automne* 1927, h/t (71x91,5) : **USD 1 430**.

McKAY Thomas, ou Tom
Né en 1851. Mort vers 1909. XIXe-XXe siècles. Britannique.
Peintre de paysages animés, paysages d'eau, aquarelliste.
On vit ses peintures exposées de 1893 à 1912.
Ventes Publiques : Chester, 12 juil. 1985 : *Les jeunes pêcheurs à la ligne,* aquar. reh. de gche (19x28,5) : **GBP 2 400** – Londres, 25 jan. 1988 : *Reflets du soir* 1895, aquar. (20x34) : **GBP 2 200** ; *L'allée du jardin ; Le lilas* 1913, aquar., deux pendants (21,5x15) : **GBP 8 250** – Londres, 25 jan. 1989 : *La traversée du pont* 1905, aquar. et gche (26,5x17,5) : **GBP 935** – Chester, 20 juil. 1989 : *Près de la mare du village,* aquar. (18,5x27,3) : **GBP 1 012** – Londres, 31 jan. 1990 : *Enfants pêchant au bord de la rivière* 1889, aquar. (10x15) : **GBP 1 100** – Londres, 26 sep. 1990 : *Fillettes regardant un cygne,* aquar. avec reh. de blanc (20x30,5) : **GBP 2 640** – Londres, 22 nov. 1990 : *Distribution de pain aux canards,* aquar. avec reh. de blanc (16,5x24,8) : **GBP 1 980** – Londres, 31 jan. 1990 : *Enfants pêchant au bord de la rivière* 1889, aquar. (10x15) : **GBP 1 100** – Londres, 5 juin 1991 : *A la porte du jardin* 1884, aquar. avec reh. de blanc (23x15) : **GBP 1 980** – Londres, 19 déc. 1991 : *Jeune fille et canards au bord d'un ruisseau,* aquar. (19,7x32,4) : **GBP 1 540** – Londres, 8-9 juin 1993 : *La passerelle,* aquar. et gche (29x44,5) : **GBP 1 840** – Londres, 11 juin 1993 : *Labourage à la tombée de la nuit* 1903, aquar. (20,3x34) : **GBP 862** – Londres, 3 juin 1994 : *Enfants pêchant depuis une barque au bord d'un étang* 1898, aquar. (26,6x41,9) : **GBP 2 070** – Londres, 9 juin 1994 : *Près de la mare aux canards* 1899, aquar. avec reh. de blanc (21x31) : **GBP 1 150**.

MACKAY William Andrew
Né le 10 juillet 1878 à Philadelphie. XXe siècle. Américain.
Peintre, décorateur.
Il fut élève de Constant et de Laurens à Paris et de R. Reid à New York, où il vécut et travailla.
De nombreux bâtiments publics de New York et de Washington lui doivent des peintures décoratives.

MacKAY William Darling ou McKay
Né en 1844 à Gifford. Mort en 1924. XIXe siècle. Britannique.
Peintre de genre.
Membre de la Royal Scottich Academy.

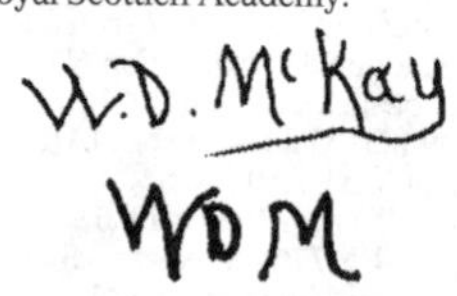

Musées : Édimbourg : *La récolte des navets* – Glasgow : *La vieille porte cochère.*
Ventes Publiques : Londres, 3 juin 1910 : *La récolte des pommes de terre* : **GBP 9** – Londres, 12 juil. 1929 : *Luffness Links* : **GBP 31** – Londres, 16 juil. 1976 : *La récolte de pommes de terre* 1870, h/t (53,5x89) : **GBP 800** – Perth, 24 avr 1979 : *Tattie hawkers,* h/t (26x36) : **GBP 1 600** – Auchterarder (Écosse), 28 août 1984 : *Gossiping,* h/t (53x81) : **GBP 2 200** – Perth, 27 août 1985 : *Un après-midi d'été,* h/t (51x76) : **GBP 1 800** – Perth, 26 août 1986 : *A drink from the stream* 1895, h/t (94x61) : **GBP 2 000** – Auchterarder, 1er sep. 1987 : *Chevaux dans une cour de ferme,* h/t (38x46) : **GBP 2 000** – South Queensferry (Écosse), 26 avr. 1988 : *Pêche à la truite dans la Gifford* 1869, h/cart. (20x32) : **GBP 1 100** – Glasgow, 7 fév. 1989 : *Les faucheurs,* h/t (53x71) : **GBP 7 700** – South Queensferry, 1er mai 1990 : *Retour des éclaireurs dans les sables,* h/t (44x64) : **GBP 1 540** – Perth, 27 août 1990 : *La fenaison,* h/t (41x56,5) : **GBP 4 620** – South Queensferry, 23 avr. 1991 : *Les ramasseurs de pommes de terre,* h/cart. (18,5x28,5) : **GBP 825** – Perth, 26 août 1991 : *La charrette de pommes de terre,* h/t (35,5x54,5) : **GBP 2 090** – Perth, 1er sep. 1992 : *Le meunier,* h/t (92x76) : **GBP 2 420** – Édimbourg, 19 nov. 1992 : *Les casseurs de pierre, East Lothian* 1876, h/t (48,3x68,5) : **GBP 6 050** – Perth, 31 août 1993 : *Début d'été à Loch Array,* h/t (40,5x39,5) : **GBP 1 725** – Glasgow, 14 fév. 1995 : *L'arrachage des pommes de terre,* h/t (54x90) : **GBP 6 670** – Perth, 26 août 1996 : *La chasse du jour* 1865, h/t (62x81,5) : **GBP 1 725** – Glasgow, 11 déc. 1996 : *Travaux des champs,* h/pan. (25x33,5) : **GBP 805**.

MACKE August
Né le 3 janvier 1887 à Meschede (Ruhr). Mort le 26 septembre 1914 à Perthes (Seine-et-Marne). XXe siècle. Allemand.
Peintre de portraits, paysages, dessinateur, aquarelliste, peintre de décors de théâtre. Groupe Der Blaue Reiter.
Il passa son enfance en Rhénanie, entre Cologne, Düsseldorf et Bonn ; étant élève de l'académie des beaux-arts de Düsseldorf de 1904 à 1906, commençant de faire des voyages qui allaient le mener en Italie, Suisse, Hollande, Belgique, France, etc. En 1907,

il fit un premier voyage à Paris, où il fut surtout impressionné par les œuvres de Renoir. Au retour, il alla à Berlin, où il suivit les cours de Lovis Corinth, en 1907-1908, qui faisait alors figure de représentant allemand de l'impressionnisme mais que l'on considère aujourd'hui plutôt comme l'un des précurseurs de l'expressionnisme. En 1908, il fit un nouveau séjour à Paris, où il dut contribuer à la constitution d'une collection de peinture moderne française pour le compte de l'industriel Bernhard Koehler, auquel il fait acheter de nombreux impressionnistes et deux Seurat. Entre 1908 et 1909, se situent son service militaire et un troisième voyage à Paris ; puis à la fin de 1909 il se fixa au Tegernsee, en Bavière. À Munich, où il séjourna entre 1909 à 1911, il devint l'ami intime de Franz Marc dont il allait peu après partager le destin tragique. Il y connut aussi Kandinsky, Klee et les autres membres du Blaue Reiter, participant à la rédaction de *L'Almanach*. Il fit un quatrième voyage à Paris, en 1912, avec Franz Marc, au cours duquel il rencontra Le Fauconnier et surtout Delaunay, qui vint ensuite le voir à Bonn, en compagnie d'Apollinaire. En 1913-1914, il séjourna à Hilterfingen, sur le lac de Thoune, en Suisse. Il interrompit son séjour pour entreprendre au printemps 1914, avec le Suisse Louis Moilliet et Paul Klee, ce voyage en Tunisie qui fut d'une importance capitale pour Klee. À peine de retour à Bonn, il fut mobilisé et fut tué sur le front de Champagne, à l'âge de vingt-sept ans.

Il exposa avec les membres du Blaue Reiter en 1911 et 1912 à Munich, avec le groupe de la Nouvelle Sécession en 1912 à Berlin. Par la suite, il participa à de nombreuses expositions collectives : 1912 Sonderbund de Cologne, 1913 premier Salon d'Automne allemand à Berlin. Il a montré ses œuvres dans des expositions personnelles à partir de 1912 : 1912 Munich, 1913 Dresde, 1914 Hambourg et Berlin. Après sa mort, de nombreuses expositions rétrospectives ont été présentées dans le monde entier.

Quand les faiseurs de systèmes se satisfont, pour des raisons qui ne sont pas toujours avouables, de séparer radicalement fauvisme et cubisme français, expressionnisme allemand, abstraction russo-germanique et hollandaise, la réalité des faits et des hommes revient heureusement introduire la diversité de la vie dans l'ordonnance de leurs classements. Ainsi August Macke, considéré à juste titre tant il s'agit de raisons de commodité, comme l'un des représentants les plus attachants de l'expressionnisme allemand, s'avère rapidement constituer le parfait exemple d'un chaînon entre les fauves, les cubistes et futuristes, l'orphisme de Delaunay et ce courant de l'expressionnisme munichois qui allait s'épanouir dans l'irréalisme plastico-poétique d'un Paul Klee.

Il fut d'abord influencé par les peintures de Böcklin et celles de Hodler qu'il put voir au cours d'un voyage en Suisse. Dans ses peintures de 1908, tel le *Jardin ensoleillé*, on retrouve l'influence de Seurat, qu'il vient personnellement de découvrir. À la fin de l'année suivante, il peint des paysages, des figures et des natures mortes, d'une facture plus affirmée, aux formes simplifiées dans leurs contours, aux couleurs plus saturées, voie dans laquelle le confirma l'exposition Matisse qu'il vit en 1910, à Munich. Il fut très influencé par la série des *Fenêtres* de Delaunay, à qui il emprunta le principe de « contrastes simultanés », ce qui devait lui faire écrire : « Notre but est de trouver des énergies spatiales de la couleur plutôt que de se contenter d'un clair-obscur sans vie ». Jusqu'ici donc, sa peinture avait évolué d'un réalisme symboliste, marqué par Hodler à un néo-impressionnisme inspiré de Seurat, mais sans pointillisme, que lui avait surtout dicté la forme allongée de ses personnages en promenade, ensuite à un fauvisme-expressionnisme qui lui faisait écrire dès 1907 : « J'ai mis maintenant tout mon salut dans la recherche de la couleur pure », enfin à une synthèse de ses expérimentations antérieures avec le simultanéisme chromatique de Delaunay. Toujours sous l'influence directe de Delaunay, il réalisa en 1913 quelques petites peintures abstraites, et l'année suivante en Tunisie quelques aquarelles d'une rare luminosité et quelques petites peintures où l'on retrouve l'écho de l'humour poétique de Klee, comme par exemple dans *Paysage avec vaches et chameau* (1914). Il fut celui qui, au cœur de la grande révolution plastique du début du siècle, avait pu rester le peintre des promeneurs dans un parc, des jeunes femmes regardant les vitrines, du bonheur calme. Il est interdit d'imaginer ce que serait devenue son œuvre, si la mort ne l'avait interrompue. Telle qu'elle est, elle a une existence. Il aurait pu, comme il arriva à beaucoup de Français revenus épuisés du carnage, revenir à une réalité traditionnelle. Il aurait pu continuer dans la voie de l'abstraction tracée par Delaunay. Il aurait pu prolonger l'influence reçue de Paul Klee au cours du voyage en Tunisie, dans la direction d'une non-figuration poétique, il aurait pu... ■ Jacques Busse

Bibliogr. : Michel Seuphor : *L'Art abstrait, ses origines, ses premiers maîtres*, Maeght, Paris, 1949 – Franz Meyer, in : *Dict. de la peinture mod.*, Hazan, Paris, 1954 – Michel Ragon : *L'Expressionnisme*, in : *Hre gén. de la peinture*, Rencontres, t. XII, Lausanne, 1966 – Joseph Émile Muller, in : *Dict. univer. de l'art et des artistes*, Hazan, Paris, 1967 – in : *Les Muses*, Grange Batelière, t. IX, Paris, 1972 – in : *Dict. univer. de la peinture*, Le Robert, t. IV, Paris, 1975 – Catalogue de l'exposition *August Macke, peintures, aquarelles, dessins*, Westfälisches Landesmusuem für Kunst und Kulturgeschichte, Münster, Bruckmann, Munich, 1986 – Magdale Moeller : *August Macke*, Hazan, Paris, 1990 – Anna Mesewre : *August Macke*, Taschen, Cologne, 1991 – in : *L'Art du xxe s*, Larousse, Paris, 1991 – in : *Dict. de l'art mod. et contemp.*, Hazan, Paris, 1992.

Musées : Aix-la-Chapelle : *Restaurant dans un jardin* – Berlin (Nat. Gal.) : *Portrait de Franz Marc* 1910 – *Promenade* – Bonn (Stadt. Kunstsamm.) : *Église à Bonn* 1911 – *Enfants dans le jardin* 1912 – *Jardin au bord du lac de Thoune* 1913 – Cologne (Wallraf-Richartz Mus.) : *Dame à la jaquette verte* 1914 – *Le Départ* 1914 – Darmstadt : *Sur le pont* 1912 – Dortmund : *Grand Jardin zoologique* 1912 – Düsseldorf (Gal. mun.) : *Quatre Jeunes Filles* – Essen (Folkwang Mus.) : *La Vitrine* 1914 – Francfort-sur-le-Main : *Deux Jeunes Filles* 1913 – Hambourg (Kunsthalle) : *Marienkirche im Schnee* 1911 – Hanovre (Landesmus.) : *Femme devant une vitrine* 1912 – La Haye (Mus. mun.) : *Trois Jeunes Filles aux chapeaux jaunes* 1913 – Karlsruhe (Staat. Kunsthalle) : *Promeneurs dans un parc* 1913 – Munich (Städt. Gal. im Lenbachhaus) : *Jeune Paysan de Tegernsee* 1910 – *Fleurs dans le jardin : clivia et géraniums* 1911 – *Indiens à cheval* 1911 – *Jardin zoologique I* 1912 – *La Boutique de chapeau* 1913 – Münster : *Le Marchand de cruches* – New York (Mus. of Mod. Art) – Paris (Mus. Nat. d'Art Mod.) : *Portrait de la femme de l'artiste* 1911 – Sarrebruck : *L'Orage* – Wuppertal (Mus. mun.) : *Jeune Fille avec un bocal de poissons rouges* 1914 – Zurich (Kunsthaus) : *Paysage avec vache et chameau* 1914.

Ventes Publiques : Stuttgart, 26 avr. 1951 : *Promenade dans le parc* : **DEM 1 420** – Cologne, 5 déc. 1959 : *Dans le jardin* : **DEM 54 000** – Stuttgart, 21 mai 1960 : *Vue d'une rue avec personnages flânant* : **DEM 70 000** – Berne, 18 juin 1965 : *Tulipes rouges dans un vase blanc* : **CHF 54 000** – Munich, 21 mai 1968 : *Femme couchée*, aquar. : **DEM 11 500** – Londres, 30 avr. 1969 : *Femme lisant* : **GBP 6 500** – Munich, 2 juin 1972 : *Paysage à la fabrique* : **DEM 140 000** – Cologne, 4 déc. 1974 : *Baigneurs* : **DEM 120 000** – Hambourg, 4 juin 1976 : *La chute* 1912, fus. (26,8x32) : **DEM 8 200** – Munich, 26 nov. 1976 : *La promenade en forêt* 1911-1913, gche et craies de coul. (48x63,5) : **DEM 36 000** – Hambourg, 4 juin 1977 : *Scène orientale* 1912, h/t (50x60,3) : **DEM 140 000** – Munich, 26 mai 1978 : *Baigneuses* 1913, cr. (12x16) : **DEM 5 500** – Hambourg, 3 juin 1978 : *Femme et cerf* 1912, bronze (H. 33,3, larg. 8,3) : **DEM 2 100** – Munich, 28 mai 1979 : *Le Jardin zoologique* 1913, fus. (23x34,3) : **DEM 33 500** – Munich, 27 nov 1979 : *Le joueur de flûte et la bergère* 1912, aquar. (21,5x32) : **DEM 21 000** – Munich, 31 mai 1979 : *Jeune fille sur un balcon (Tegernsee)* 1910, h/t (79x47,5) : **DEM 100 000** – Hambourg, 13 juin 1981 : *Promeneurs au bord de la mer* 1912, h/t (71,4x71,2) : **DEM 580 000** – Munich, 30 juin 1982 : *Jeune baigneuse* 1911, aquar. (26,5x21) : **DEM 12 000** – Cologne, 2 juin 1984 : *Mère et enfant lisant (Elisabeth et Walterchen)* 1912, craie noire (32x27) : **DEM 46 000** – Cologne, 2 juin 1984 : *Elisabeth et Walterchen* 1912, h/t (89x71) : **DEM 750 000** – Londres, 3 déc. 1985 : *Deux nus à la cruche ; Exposition des artistes berlinois* 1912, aquar./fond jaune-vert, recti-verso (34x24,5) : **GBP 35 000** – Hambourg, 10 juin 1986 : *Femme écrivant* 1910, h/t mar./cart. (64,5x48,5) : **DEM 300 000** – Londres, 30 juin 1987 : *Devant la boutique de mode* vers 1913, fus. (21,5x14) : **GBP 38 000** – Londres, 1er déc. 1987 : *Winklige Formen* 1913, past. et aquar. (9,5x15,9) : **GBP 6 500** – Munich, 8 juin 1988 : *Nu au vêtement blanc* 1909, past. (44,5x30) : **DEM 88 000** – Munich, 7 juin 1989 : *Formes colorées* 1913, aquar. (30x26) : **DEM 99 000** – New York, 6 oct. 1989 : *Petite composition géométrique en couleurs n° II*, cr. et aquar./pap. (7,7x14) : **USD 3 300** – Londres, 28 nov. 1989 : *Charrette à cheval dans notre rue à Bonn* 1913, h/cart. (47,5x63) : **GBP 55 000** – Londres, 3 avr. 1990 : *Forêt de sapins et champ de blé* 1908, h/t (50,7x44,8) : **GBP 24 200** – Zurich, 18 oct. 1990 : *Personnages dans un parc* 1912, encre (28,2x38,2) : **CHF 42 000** – Tel-Aviv, 26 sep. 1991 : *Personnages sur la plage* 1911, encre et cr. (16,5x23,6) : **USD 5 720** – Munich, 26 mai 1992 : *Pommes dans une assiette* 1910, h/t (22x34) : **DEM 184 000** – Londres, 20 mai 1993 : *Deux jeunes femmes dans un bois*, cr./pap. (27x20) : **GBP 6 900** – New York, 29 sep. 1993 : *Il était une fois...* 1912, cr. noir et coul./pap. (14x21) : **USD 2 070** – Heidelberg, 5-13 avr. 1994 : *Nu féminin assis* 1912, cr. (16,6x10,3) : **DEM 10 000** – Londres, 11 oct. 1995 : *Jeune fille ramassant du petit bois* 1914, past./pap. chamois (39,3x31,5) : **GBP 36 700** – Zurich, 14 nov. 1995 : *Le chemin de Kandern* 1911, cr. (27x31,5) : **CHF 22 000** – Londres, 4 déc. 1996 : *Danseuse espagnole* 1912, aquar. et cr./pap. (16x9,8) : **GBP 32 200** – Londres, 25 juin 1996 : *Personnages devant une vieille maison* 1913, cr. (10x16) : **GBP 25 300** – New York, 14 nov. 1996 : *Cercle de couleur* 1913-1914, past. gras/pap. (9,4x11,5) : **USD 24 150** – Londres, 9 oct. 1996 : *Vitrine de magasin et arbres jaunes* 1914, h/cart. (48x34,5) : **GBP 1 079 500**.

MACKE Helmuth
Né le 28 juin 1891. Mort en 1936 à Krefeld. xxe siècle. Allemand.
Peintre.
Il vécut et travailla à Krefeld.
Ventes Publiques : Munich, 28 mai 1976 : *Paysage* 1924, aquar. (29x38) : **DEM 820** – Cologne, 8 déc. 1984 : *Chevaux* 1918, aquar. (24x34) : **DEM 3 000** ; *Portrait de Marguarete Hoff* 1920, h/t (76x64,5) : **DEM 10 000** – Hambourg, 5 déc. 1985 : *Doiran* 1918, aquar./trait de cr. (29,9x44,9) : **DEM 4 200** – Londres, 2 déc. 1986 : *Nature morte aux fleurs* 1920, h/t (67,3x53) : **GBP 6 500** – Hambourg, 12 juin 1987 : *Paysage* 1920, aquar./traits de cr. (45x58,8) : **DEM 6 000** – Munich, 7 juin 1989 : *Voiliers dans un port* 1930, h/t (51x60,5) : **DEM 16 500**.

McKEAN Lance
xxe siècle. Américain.
Sculpteur d'animaux.
Ventes Publiques : New York, 17 déc. 1990 : *Jockey sur son cheval* 1970, bronze à patine brune (H. 28) : **USD 935**.

McKEE S. Alice
Née le 6 mars 1890 à Stuart (Iowa). xxe siècle. Américaine.
Peintre.
Elle fut élève de Charles A. Cumming. Elle fut membre de la Ligue américaine des artistes professeurs.

McKEEVER Ian ou **Mc Keever**
Né en 1946. xxe siècle. Britannique.
Peintre, technique mixte.
Une rétrospective de son œuvre a été montrée à la Whitechapel de Londres en 1990.
Durant des promenades, il photographie des paysages qu'il repeint dans son atelier avec des couleurs vives, introduisant le trouble dans ce monde végétal, minéral et organique.
Bibliogr. : Denis Baudier : *Ian McKeever*, Art Press, n° 155, Paris, fév. 1991.
Ventes Publiques : New York, 9 mai 1992 : *Glacier III* 1986, collage de photo. et h/t (219,8x170,2) : **USD 6 600** – New York, 17 nov. 1992 : *croisement* 1986, h. et collage de photo./t. (250x434) : **USD 10 450**.

MACKELDEY Bernhard Karl
Né au xixe siècle à Fulda. xixe siècle. Allemand.
Paysagiste, portraitiste et aquarelliste.
Travailla à Düsseldorf. Exposa à Berlin, à Dresde à partir de 1866.

MACKELLAR Duncan
Né en 1849 à Inverary. Mort le 13 août 1908. xixe siècle. Britannique.
Peintre de genre, aquarelliste.
Il travailla à Glasgow. Il peignit des intérieurs avec figures en costumes du xviiie siècle.
Musées : Glasgow (Gal. des Beaux-Arts) : *Le Menuet*.
Ventes Publiques : Perth, 20 août 1996 : *Les joueurs d'échecs*, aquar. avec reh. de blanc (39x60) : **GBP 977**.

McKELVEY Frank
Né en 1895. Mort en 1974. xxe siècle. Britannique.
Peintre de compositions animées, animaux, paysages.
Bibliogr. : S. B. Kennedy : *Frank McKelvey*, Irish Academic Press, Dublin, 1993.
Ventes Publiques : Slane Castle (Irlande), 25 juin 1979 : *Paysanne nourrissant des poules*, h/t (41x51) : **GBP 1 650** – Londres, 4 mars 1983 : *Paysage de l'Ulster*, h/t (45,7x61) : **GBP 1 600** – Glasgow, 5 fév. 1986 : *Caravans on the Donegal coast*, h/cart. (39x50) : **GBP 1 800** – Londres, 22 juil. 1987 : *Nourrissant les poulets*, h/t (46x61) : **GBP 7 000** – Belfast, 28 oct. 1988 : *Bambins pataugeant au bord de la plage*, h/pan. (36x42,2) : **GBP 17 600** ; *La remontée des filets de pêche à Dunseverick sur la côte d'Antrim*, h/t (50,8x65,8) : **GBP 8 800** – Belfast, 30 mai 1990 : *Les coupeurs d'herbe*, aquar. (26x36,8) : **GBP 1 210** ; *Deux fillettes nourrissant les canards sur la mare près du moulin*, h/t (38,1x50,8) : **GBP 15 400** – Londres, 6 nov. 1992 : *Volailles dans la cour d'une ferme à Armagh*, h/t (48x66) : **GBP 8 250** – Dublin, 26 mai 1993 : *Les bords de la Bann dans le Comté de Antrim*, h/t (38,1x50,8) : **IEP 8 800** – Londres, 2 juin 1995 : *Paysage côtier*, h/t (52x68) : **GBP 9 200** – Londres, 16 mai 1996 : *Pique-nique à l'ombre*, h/t (41x51) : **GBP 19 550** – Londres, 21 mai 1997 : *L'École*, h/t/pan. (37x46,5) : **GBP 8 625**.

MACKEN Marc
Né en 1913 à Diest. Mort en 1977 à Anvers. xxe siècle. Belge.
Sculpteur.
Il fut élève de l'académie des beaux-arts d'Anvers, où il enseigna par la suite, et de l'Institut supérieur des beaux-arts de cette même ville, dont il devint directeur.
Bibliogr. : In : *Dict. biogr. illustré des artistes en Belgique depuis 1830*, Arto, Bruxelles, 1987.

MACKENDREE William
Né en 1948 à Augusta (Georgie). xxe siècle. Depuis 1983 actif en France. Américain.
Peintre d'architectures, dessinateur, graveur, technique mixte.
Il fit des études de philosophie puis d'arts visuels à la Georgia State University. Il quitta les États-Unis en 1975 pour s'installer en Grèce, puis en 1983 à Paris.
Il participe à des expositions collectives : 1984 Foire d'art de Stockholm ; 1985, 1986 Salon de Montrouge ; 1985, 1987 FIAC (Foire Internationale d'Art Contemporain) de Paris ; 1985 musée d'Art moderne de Bologne, musée national d'Art moderne de Paris ; 1986 Maison des Beaux-Arts et musée des Beaux-Arts de Calais ; 1988 et 1990 SAGA (Salon d'Arts Graphiques Actuels). Il montre ses œuvres dans des expositions personnelles : 1983, 1987, 1990, 1992, 1994 (galerie Vidal-Saint Phalle) à Paris ; 1985 Rome et Ravenne ; 1986 Liège ; 1986, 1988, 1990 Vienne ; 1986, 1992 Innsbruck ; 1987, 1991 Nice ; 1989, 1990 Centre régional d'art contemporain à Toulouse ; 1991 Bruxelles ; 1992 Copenhague ; 1993 Genève et Centre d'arts plastiques de Saint-Fons.
Sur des fonds monochromes maculés, il reproduit l'air du temps, un arbre, une route (...), des objets, le monde qui l'entoure en l'agrandissant. Hors contexte, ses sujets semblent flotter sur la toile, échappant à toute pesanteur. Peintre de la matière, il s'attache à souligner les textures, la substance picturale.
Bibliogr. : Giovanni Joppolo : *William Mackendrie*, Opus international, n° 120, Paris, juil.-août 1990 – Catalogue de l'exposition : *William Mackendrie*, Centre régional d'Art contemporain Midi-Pyrénées, Toulouse, 1990.
Musées : Paris (FNAC) : *Sans titre* 1989 – ensemble de quinze peintures – Paris (FNAC) : quatre lithographies en relief 1992 – Paris (BN) – Paris (Mus. Nat. d'Art Mod.) – Toulouse (Mus d'Art Contemp.).
Ventes Publiques : Paris, 16 juin 1988 : *Sans titre* 1987, pan. bois double face (194x64) : **FRF 13 000** – Paris, 24 mai 1989 : *New York, New York 85-85* 1985, techn. mixte/pap. (100x70) : **FRF 17 000**.

McKENNA Bob Kevin
Né à Québec. xxe siècle. Canadien.
Peintre.
Il pratique la sérigraphie.
Musées : Montréal (Mus. d'Art Contemp.) : *Ode to the structure of their achievements* 1982.

MACKENNAL Bertram, Sir
Né en 1863 à Fitzroy (Melbourne). Mort en 1931. xixe-xxe siècles. Australien.
Sculpteur.
Il fut l'élève de son père, lui-même sculpteur, puis de la National Gallery School de Melbourne. En 1882, il vint à Londres, où il étudia à la Royal Academy School, puis à Paris, où il fréquenta l'atelier de Rodin. En 1888, il retourna à Melbourne, ayant été choisi pour décorer la façade du parlement de Melbourne. En 1891, il quitta de nouveau son pays pour Paris.
Il exposa à Paris, en 1892, en 1893, où il obtint une mention honorable, à la National Gallery de Victoria en 1901, au Royal Institute of Fine Arts de Glasgow en 1905, à Londres en 1908, à l'exposition internationale des Beaux-Arts de Rome en 1910.

Il a souvent emprunté ses sujets à la mythologie grecque ou latine.
Bibliogr. : In : *Creating Australia – 200 years of art 1788-1988*, Art Gallery of South Australia, Adelaide, 1988.
Musées : Brisbane (Queensland Art Gal.) : *Daphne* 1897 – Melbourne (Nat. Gal. of Victoria) : *Circé* 1892 – *Mme Melba* – *Buvelot.*
Ventes Publiques : Londres, 8 mars 1976 : *Grace Lathrop Dunham* 1896, marbre (H. 80) : **GBP 650** – Londres, 2 août 1977 : *Truth* 1894, bronze, patine brune et noire (H. 66) : **GBP 2 600** – Londres, 14 mai 1980 : *Circé*, bronze (H. 61,5) : **GBP 7 000** – Londres, 24 juin 1981 : *Buste de jeune Marocain*, bronze patine brune (H. 26) : **GBP 1 350** – Londres, 13 déc. 1984 : *An Eton boy*, bronze (H. 74) : **GBP 47 000** – Londres, 12 juin 1985 : *Circé*, bronze, patine brun foncé (H. 60,5) : **GBP 15 000** – Londres, 1er oct. 1986 : *Diane blessée* 1905, bronze patiné (H. 37) : **GBP 6 200.**

MACKENSEN Fritz
Né le 8 avril 1866 à Greene. Mort en 1953. xixe-xxe siècles. Allemand.
Peintre de genre, animaux, paysages, sculpteur.
Il fut élève de l'académie de Düsseldorf, puis de Kaulbach à Munich et de Bokelmann à Karlsruhe. En 1884, ce fut lui qui eut l'idée de créer une communauté d'artistes à Worpswede, non loin de Brême. L'idée ne prit corps qu'en 1889, quand Otto Modersohn et ses amis de l'académie de Düsseldorf s'y établirent réellement. À l'instar des peintres de Pont-Aven, il s'agissait pour eux de fuir le monde moderne pour retrouver l'harmonie de la vie au contact de la nature et de ses paysans.

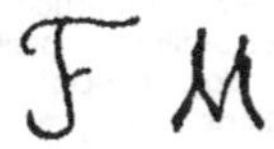

Musées : Brême : *Le Nourrisson* – *L'Enterrement* – *Vieille Femme gardant des chèvres* – Hanovre : *Messe en plein air* – Oldenburg : *Animaux* – Weimar : *Le Globe.*
Ventes Publiques : Hambourg, 7 juin 1974 : *Paysage fluvial* : **DEM 6 000** – Munich, 24 nov. 1978 : *Paysage* 1903, craies de coul. (18,5x30,5) : **DEM 1 350** – Munich, 26 mai 1978 : *Paysage*, h/cart. (41,5x57,5) : **DEM 5 400** – Hanovre, 17 mars 1979 : *Portrait de la fille de l'artiste, Alexe* vers 1920, h/cart. (82x50,5) : **DEM 14 500** – Brême, 28 mars 1981 : *Nature morte*, h/cart. (37,2x49,5) : **DEM 26 000** – Brême, 31 mars 1984 : *Nature morte à la cruche et au pain*, h/cart. mar./pan. (22,5x28) : **DEM 10 500** – Brême, 18 oct. 1986 : *Nature morte aux poissons*, h/cart. (50,5x64,5) : **DEM 11 500** – Brême, 7 nov. 1987 : *Champs au coucher du soleil*, h/isor. (40x57) : **DEM 6 500.**

MACKENZIE Daniel
xixe siècle. Britannique.
Peintre de paysages.
Le Musée de Glasgow conserve de cet artiste : *Le Braid Burn, près d'Edimbourg*, et l'on voit à la National Gallery of Victoria de Melbourne : *Un paysage.*

MacKENZIE Emma, Mrs. Voir **LANDSEER Emma**

MACKENZIE Frederik
Né vers 1787 en Écosse. Mort le 25 avril 1854 à Londres. xixe siècle. Britannique.
Peintre d'architectures, paysages urbains, aquarelliste, dessinateur.
Il fut élève de l'architecte John Abey Repton et puisa près de ce maître les connaissances techniques et la sûreté de dessin qui lui permirent de représenter les églises anglaises avec un remarquable talent. Il fut employé par John Britton.
Il exposa à la Royal Academy en 1804 et en 1809. Il prit part également à partir de 1820, aux Expositions de la Water-Colours Society, dont il devint associé en 1822, membre en 1823 et en 1835, trésorier.
Son aquarelle : *Couronnement de George à Westminster Abbey* obtint beaucoup de succès. Ses œuvres sont fort estimées. On voit de lui plusieurs aquarelles et dessins dans les musées britanniques.
Musées : Dublin – Londres (Victoria and Albert Mus.) – Manchester – Nottingham.
Ventes Publiques : Londres, 13 mars 1925 : *Église de Stow*, dess. : **GBP 46** – Londres, 25 nov. 1927 : *Entrée de la cathédrale de Canterbury*, dess. : **GBP 36** – Londres, 31 juil. 1930 : *La chapelle du King's College ; Les nouveaux bâtiments du King's College à Cambridge*, deux dess. : **GBP 42** – Londres, 30 nov. 1945 : *La galerie de tableaux de Holkham Hall*, dess. : **GBP 39** – Londres, 25 jan. 1946 : *Ambassade britannique à Paris*, dess. : **GBP 33** – Londres, 20 mars 1979 : *The choir of King's College Chapel, Cambridge*, aquar. et cr. reh. de blanc (28x20,3) : **GBP 650** – Londres, 29 mars 1983 : *Fonthill Abbey : the central octagon*, cr., pl., et aquar. (44,5x30) : **GBP 900** – Londres, 10 juil. 1984 : *The central octagon of Fonthill Abbey*, aquar. pl. (44x29,2) : **GBP 900** – Londres, 17 nov. 1994 : *La bibliothèque de Stanmore Hall, la place de Robert Hollond Esq.*, cr. encre et aquar. (66x88,9) : **GBP 32 200.**

MACKENZIE Landon
Né en 1954 à Boston (Massachusetts). xxe siècle. Américain.
Peintre.
Musées : Montréal (Mus. d'Art Contemp.) : *Lost river n° 17* 1982.

MACKENZIE Marie Henrie
Née en 1878. Morte en 1961. xxe siècle. Hollandaise.
Peintre de compositions animées, paysages urbains, paysages.
Ventes Publiques : Amsterdam, 19 sep. 1989 : *Vue d'Amsterdam*, h/cart. (38x48) : **NLG 1 150** – Amsterdam, 25 avr. 1990 : *Blizzard sur New York* 1925, h/pan. (51x70) : **NLG 2 300** – Amsterdam, 5 juin 1990 : *Chantier de construction avec des chevaux de trait en avant-plan*, h/cart. (30x40) : **NLG 2 990** – Amsterdam, 6 nov. 1990 : *Course de chevaux*, h/cart. (20x34,5) : **NLG 5 175** – Amsterdam, 5-6 fév. 1991 : *Chantier de construction*, h/t (66,5x101) : **NLG 6 900** – Amsterdam, 5-6 nov. 1991 : *Chantier de construction à Amsterdam*, h/t (43x58,5) : **NLG 2 990** – Amsterdam, 2-3 nov. 1992 : *Calèche sur une place*, h/t/cart. (26,5x36,5) : **NLG 1 955** – Amsterdam, 11 fév. 1993 : *Cabane à Wilnis*, h/pan. (60x80) : **NLG 1 380** – Amsterdam, 14 sep. 1993 : *Enfants sur une plage*, h/pan. (17,5x23,5) : **NLG 7 475** – Amsterdam, 19 oct. 1993 : *Promeneurs dans Leidseplein à Amsterdam le soir*, h/t (101x141) : **NLG 55 200** – Amsterdam, 11 avr. 1995 : *Vue de Pprinsengracht à Amsterdam*, h/t (50x70) : **NLG 4 130** – Amsterdam, 16 avr. 1996 : *Cheval de trait sur un chantier de construction*, h/t/cart. (58,5x75,5) : **NLG 4 720** – Amsterdam, 5 nov. 1996 : *Chantier de construction à Amsterdam*, h/t (50x61) : **NLG 2 360.**

McKENZIE Robert Tait
Né le 26 mai 1867 à Almont (Ontario). Mort en 1938. xixe-xxe siècles. Canadien.
Sculpteur de figures, sujets de sport.
Tout d'abord médecin, il s'intéressa à l'aspect médical de l'éducation physique puis au dessin de l'anatomie. Il suivit les conseils des sculpteurs Louis Philippe Hébert et Georges Hill. Il fut membre de la Fédération américaine des arts.
Il obtint une médaille d'argent à l'exposition de Saint Louis en 1904, et la médaille royale en Suède, en 1912.
Il rechercha ses sujets parmi les athlètes du stade, sachant montrer la tension du corps humain à la suite de l'effort.
Musées : Montréal (Mus. des Beaux-Arts) : *Sphère volante* 1920.
Ventes Publiques : New York, 29 sep. 1977 : *Le Patineur* 1925, bronze patiné (H. 54) : **USD 1 600** – Londres, 24 juin 1981 : *L'Athlète* vers 1920, bronze patiné (H. 54,5) : **GBP 800** – New York, 1er juin 1984 : *Brothers of the Wind* 1925, bronze relief, patine brun rouge foncé (83,2x305,2) : **USD 60 000** – New York, 14 mars 1986 : *Relay n° 1*, bronze (H. 24,1) : **USD 2 400** – New York, 30 sep. 1988 : *Athlète prêt pour le lancer du poids*, bronze (H. 27,3) : **USD 1 650** – New York, 31 mai 1990 : *Athlète lançant le poids*, bronze (H. 27,4) : **USD 2 200** – New York, 26 sep. 1990 : *Le Plongeur* 1923, bronze patine brune (H. 127) : **USD 40 700** – New York, 25 sep. 1991 : *Le Plongeur* 1925, bronze patine brune (H. 67,3) : **USD 33 000** – New York, 11 mars 1993 : *Athlète*, bronze (H. 43,2) : **USD 9 200** – New York, 22 mai 1996 : *Le Plongeur* 1925, bronze patine brune (H. 198) : **USD 20 700.**

MACKENZIE Robin
Né en 1938 à Toronto (Ontario). xxe siècle. Canadien.
Sculpteur. Abstrait-minimaliste.
Il vit et travaille à Claremont (Ontario). Il figure dans des expositions collectives des jeunes tendances de l'art canadien. Il a obtenu le prix Council Materials Grant pour le Canada, ainsi que deux bourses du même Council canadien. Il montre ses œuvres dans des expositions personnelles : université du Manitoba, galerie d'art de Saskatoon, Dallas, etc. Il a figuré au IIIe Salon international des Galeries Pilotes du Monde, à Lausanne, et à Paris en 1970.
On ne connaît pas encore bien les œuvres de cet artiste canadien, visiblement à l'extrême avant-garde. Il semble se rattacher au courant américain du Minimal Art, qui revient aux structures primaires de la perception.

Bibliogr. : *Catalogue du IIIe Salon international des Galeries Pilotes du monde*, musée cantonal, Lausanne, 1970.

MACKENZIE Roderick D.
Né le 30 avril 1865 à Londres. XIXe-XXe siècles. Britannique.
Peintre de paysages, scènes typiques, sujets orientaux, sculpteur.
Il fut élève de Constant, Jules Lefebvre, Chapu, et de l'École des Beaux-Arts de Paris. Il fut membre de la Fédération américaine des arts.
Il peignit et sculpta surtout des sujets orientaux qu'il rapporta de ses voyages aux Indes.
Ventes Publiques : Londres, 30 mars 1990 : *Le Durbar de Delhi en 1903* 1907, h/t (475,2x609,6) : **GBP 30 800**.

MACKENZIE Samuel
Né en 1785 à Cromarty. Mort en 1847. XIXe siècle. Britannique.
Peintre et graveur sur bois.
La vue des œuvres de Raeburn, à Edimbourg, enthousiasma Mackenzie, qui abandonna son état de graveur pour se faire peintre de portraits. Il fut élu membre de la Royal Scottish Academy en 1810.

MACKEPRANG Adolf Heinrich ou **Henrik** ou **Adolf**
Né en 1833 à Langesö. Mort en 1911 à Copenhague. XIXe-XXe siècles. Danois.
Peintre de genre, animalier.
Il a exposé à Vienne en 1878.
Musées : Aalborg : *Chiens et chats* – Copenhague : *Chevreuils*.
Ventes Publiques : Copenhague, 31 août 1976 : *Troupeau au bord de l'eau*, h/t (80x118) : **DKK 6 200** – Copenhague, 7 déc. 1977 : *Le petit marchand de volailles* 1873, h/t (66x53) : **DKK 13 500** – Copenhague, 3 oct. 1978 : *Cerf et biche dans un sous-bois*, h/t (115x95) : **DKK 9 500** – Copenhague, 25 avr 1979 : *Biches dans un paysage boisé*, h/t (95x68) : **DKK 9 500** – Londres, 25 mars 1981 : *Troupeau de biches au pâturage*, h/t (52x75) : **GBP 1 100** – New York, 6 juin 1985 : *Chevaux dans un paysage au crépuscule* 1866, h/t (61,5x88,5) : **USD 3 500** – Londres, 26 fév. 1988 : *Pigeons autour de leur abreuvoir*, h/t (67x80) : **GBP 1 760** – Copenhague, 23 mars 1988 : *Chevaux dans une cour de ferme* (60x90) : **DKK 10 500** – Londres, 16 mars 1989 : *Sur la route du marché* 1864, h/t (52x75,5) : **GBP 3 080** – Copenhague, 25-26 avr. 1990 : *Cavalier escortant une carriole en Italie*, h/t (70x83) : **DKK 26 000** – Londres, 11 mai 1990 : *La chaise de leur maître* 1887, h/t (71x51) : **GBP 2 200** – Stockholm, 16 mai 1990 : *Famille de cerfs dans une clairière*, h/t (140x108) : **SEK 56 000** – Stockholm, 14 nov. 1990 : *Famille de paysans italiens se rendant au marché*, h/t (70x83) : **SEK 38 000** – Stockholm, 29 mai 1991 : *Famille de cerfs à l'orée d'une forêt* 1866, h/t (63x91) : **SEK 17 500** – New York, 15 oct. 1991 : *Paysage avec des canards sur une mare* 1857, h/t (52x70) : **USD 1 320** – Perth, 1er sep. 1992 : *Cerfs dans la réserve royale de Klampenborg à Copenhague*, h/t (121x91,5) : **GBP 7 700** – Londres, 12 fév. 1993 : *Veaux près d'une mare dans les bois* 1877, h/t (14,3x95,3) : **GBP 3 300** – Copenhague, 14 fév. 1996 : *Paysanne avec un enfant ramassant du petit bois le long de la côte* 1857, h/t (48x63) : **DKK 4 200** – New York, 2 avr. 1996 : *Cerf et daim*, h/t (139,7x109,2) : **USD 7 475** – Londres, 21 nov. 1997 : *Paysage de rivière boisé*, h/t (98x139) : **GBP 6 900**.

MACKER Henri
Né le 25 octobre 1896 à Belfort. Mort le 4 juillet 1982. XXe siècle. Français.
Peintre de paysages.
Autour de 1925, il a travaillé dans les académies libres de Paris. Surtout paysagiste, il peint et expose dans la région méditerranéenne, où il s'est fixé, à Cannes puis à Arles.

MacKESSON John Alexander
Né le 13 juin 1880 à Appleson (Wisconsin). XXe siècle. Américain.
Peintre de paysages, fleurs.
Il fut élève d'Alexandre Leleu. Il a exposé quelquefois à Paris.

McKEWAN David Hall
Né en 1816. Mort en 1873. XIXe siècle. Britannique.
Peintre de paysages, aquarelliste, dessinateur.
Il exposa des dessins à la Royal Academy de 1837 à 1849, et à Suffolk Street de 1820 à 1844. Membre de l'Institute of Painters in Water-Colours en 1848.
Musées : Cardiff.
Ventes Publiques : Londres, 6 avr. 1923 : *La moisson*, dess. : **GBP 18** – Londres, 9 nov. 1934 : *Château de Balmoral*, dess. : **GBP 11** – New York, 15 fév. 1946 : *Campagne anglaise*, aquar. : **USD 75** – Londres, 25 jan. 1989 : *Gradins*, aquar. et gche (36x53,5) : **GBP 550** – Londres, 31 jan. 1990 : *Moulin près de Matlock dans le Derbyshire*, aquar. et cr. (32x46) : **GBP 1 320**.

MACKH. Voir **MACK**

MACKIE Charles Hodge
Né en 1862 à Aldershot. Mort en 1920 à Édimbourg. XIXe-XXe siècles. Britannique.
Peintre de genre.
Il débuta à la Royal Academy de Londres en 1878. Il prit part aux principales expositions d'Écosse, de Londres, et d'Europe.
Musées : Leeds : *Moulin à vent* – Melbourne : *Réunion musicale*.
Ventes Publiques : Londres, 2 juil. 1926 : *Back to the fold* : **GBP 84** – Édimbourg, 30 nov. 1982 : *Vue de Venise*, h/t (84x114) : **GBP 2 400** – Glasgow, 19 avr. 1984 : *Venise, Santa Maria della Salute*, h/pan. (20,3x25,4) : **GBP 1 300** – Londres, 26 juil. 1985 : *Une échoppe à Venise* 1908, h/t (63,5x77,5) : **GBP 1 800** – Glasgow, 6 fév. 1990 : *Rahoep dans le comté de Down* 1889, h/t (36x31) : **GBP 1 320** – Édimbourg, 28 avr. 1992 : *Promenade nocturne* 1905, h/t (73,5x108) : **GBP 3 850** – Glasgow, 20 fév. 1997 : *Le Grand Canal, Venise* 1912, h/pan. (34,8x48,2) : **GBP 2 300** – Auchterarder (Écosse), 26 août 1997 : *L'Arrivée, Venise ou Scène nocturne, Saint-Marc, Venise*, h/t (119,5x104) : **GBP 10 925**.

MACKIE Christina
Née en 1956 à Oxford. XXe siècle. Britannique.
Artiste, créateur d'installations.
Elle vit et travaille à Londres. Elle participe à des expositions collectives, dont : 1995, Art Academy, Copenhague ; 1996, *Life/Live. La scène artistique au Royaume-Uni en 1996*, Musée d'Art Moderne de la Ville de Paris où elle présentait une vidéo.

McKIE Judy
XXe siècle. Américaine.
Peintre.
Elle réalise des meubles d'artistes.
Bibliogr. : Robert Atkins : *Petit Lexique de l'art contemporain*, Abbeville Press, Paris, 1992.

MACKILLOP William
Né à Philadelphie. XXe siècle. Américain.
Peintre.
Il fut élève de l'école des Beaux-Arts de Saint Louis, de Laurens et Ernest Laurent à Paris. Il fut membre du Salmagundi Club. Il obtint une médaille d'argent à l'Exposition de San Francisco en 1915.

MACKINNON Ella Cecelia
Née le 9 avril 1887 à St-Catharinos (Ontario). XXe siècle. Active aux États-Unis. Canadienne.
Peintre, aquarelliste.
Elle fut élève de l'Art Student's League de Buffalo. Elle fut membre de la Société des aquafortistes français. Elle obtint une mention honorable au Salon de Paris, en 1929.

MacKINNON Sine
Née le 11 février 1901 à Newcastle (Irlande du Nord). XXe siècle. Active en France. Britannique.
Peintre de paysages.
Elle fut l'élève de Tonks à la Slade School de Londres. Elle a épousé Rupert Granville-Fordham et a vécu principalement en France.
Elle fit deux expositions à Paris et eut sa première à Londres en 1928. Elle gagna de nombreux prix.
Musées : Londres (Tate Gal.) : *Bâtiments de ferme en Provence*.
Ventes Publiques : Belfast, 30 mai 1990 : *Paysage provençal*, h/pan. (30,5x46,3) : **GBP 528** – Londres, 16 mai 1996 : *L'île de la Cité*, h/t (38x55) : **GBP 1 035**.

MacKINNON W.
XVIIIe-XIXe siècles. Britannique.
Peintre et aquarelliste.
On sait fort peu de chose sur cet aquarelliste anglais qui voyageait en Suisse en 1798. Le Victoria and Albert Museum conserve de lui : *Lausanne* (1798).

McKINSTRY Grace E.
Née à Fredonia (New York). XXe siècle. Américaine.
Peintre de portraits, sculpteur.
Elle fut élève de l'Art Student's League de New York, puis étudia à Paris, aux académies Julian et Colarossi et dans l'atelier de Raphaël Collin. Elle fut membre de la Ligue américaine des artistes professeurs et de la Fédération américaine des arts.

MACKINTOSH Charles Rennie
Né le 7 juin 1868 à Glasgow. Mort le 10 décembre 1928 à Londres. XIXe-XXe siècles. Britannique.
Décorateur, aquarelliste.
Il se forma à l'école d'art de Glasgow et travailla chez un architecte, dès l'âge de seize ans. En 1890, il reçut une bourse qui lui permit de faire un voyage en France et en Italie. À partir de 1920, il se retira à Port-Vendres, où il se consacra à l'aquarelle.
Dès ses débuts, il marque sa volonté d'unir, dans un but fonctionnel, l'architecture à la décoration, et forme, avec J. Herbert MacNair et les deux sœurs Macdonald, le Groupe des Quatre, constitué de décorateurs et d'architectes. Il réalisa la Glasgow School of Art, entre 1898 et 1909, véritable expression personnelle du Modern Style. Les meubles qu'il présente à l'exposition de la Weimar Sezession, en 1900, montrent la similitude de recherches existant entre lui et ses collègues viennois. Son rôle peut-être comparé à celui de J. Hoffmann par rapport au Jugendstil ou à Guimard par rapport au style 1900. Mais Mackintosh s'orienta bientôt vers une purification des formes pour arriver à la ligne droite et au jeu asymétrique des pleins et des vides. Dans ce sens, il annonce le purisme de Loos.
Bibliogr. : Roger Billckiffe : *Les Aquarelles de Mackintosh*, John Murray Ltd, Londres, 1978 – C. et P. Fiell : *Charles Rennie Mackintosh*, Taschen, Cologne, 1997.
Musées : Londres (Tate Gal.) : *Fetges* 1973.
Ventes Publiques : Glasgow, 21 juin 1977 : *The Venetian Palace, Blackstone on the Bly, Suffolk* 1914, aquar. (39,5x55) : **GBP 1 600** – Londres, 4 juil. 1980 : *Blackthorn*, aquar. et cr. (26,7x20,4) : **GBP 2 600** – Londres, 14 nov. 1984 : *Le phare*, aquar. (26,7x37,5) : **GBP 12 000** – New York, 9 jan. 1991 : *Paysage avec un arbre stylisé*, aquar. et craies de coul. (42x31,3) : **USD 4 180** – Glasgow, 5 fév. 1991 : *Anémones*, aquar. et gche/pap. grossier (49,5x47) : **GBP 198 000** – Perth, 29 août 1995 : *Rose d'hiver* 1916, aquar. (26x25,5) : **GBP 36 700** – Glasgow, 16 avr. 1996 : *Chicorée*, aquar. et cr. (25,5x19,5) : **GBP 17 250** – Glasgow, 11 déc. 1996 : *Cintra* 1908, aquar. reh. de blanc (25x20) : **GBP 26 450**.

MacKINTOSH John
XIXe siècle. Britannique.
Peintre et aquarelliste.
Il fut membre de la Society of British Artists. On voit de lui, dans les musées : Victoria and Albert, à Londres, un paysage à l'aquarelle, et à Reading *Moulin de Dadworth*, aquarelle. Peut-être le même artiste que John M. Macintosh.

MACKLIN Thomas
XVIIIe siècle. Actif à Londres. Britannique.
Graveur au burin et éditeur.
Il a gravé des sujets d'histoire. On cite de lui : *Paix et guerre*, d'après le Guerchin.

McKNIGHT Dodge
Né le 1er octobre 1860 à Providence (Rhode Island). Mort en 1950. XIXe-XXe siècles. Américain.
Peintre de paysages.
Il fut élève de Cormon.
Musées : Boston (Mus. des Beaux-Arts) – Brooklyn (Gal. Fitzgerald) – Cambridge (Mus. Fogg) – Detroit (Inst. des Arts) – Providence (École de dess.) – Worcester (Mus. des Beaux-Arts).
Ventes Publiques : Bolton, 11 sep. 1987 : *Bryce Canyon, Utah*, aquar. (42x58,5) : **USD 4 900** – New York, 24 jan. 1989 : *Lac de montagne*, aquar./pap./cart. (42,5x59,4) : **USD 2 090** – New York, 10 juin 1992 : *Paysage de marécages* 1924, aquar./pap. (40x55,8) : **USD 1 430** – New York, 25 mars 1997 : *Falaises rouges ; Montagnes rouges ; Vue de la ville*, aquar./pap., trois aquar. (chaque 36,5x53,3) : **USD 12 650**.

MACKOWIAK Erwin
Né en 1926 à Gladbeck. XXe siècle. Actif depuis 1947 en Belgique. Allemand.
Peintre de figures, compositions animées.
Il fut élève de l'académie des Beaux-Arts de Düsseldorf. Il a évolué de l'abstraction lyrique à une nouvelle figuration influencée par le pop'art. La femme est au centre de son œuvre.
Bibliogr. : In : *Dict. biogr. illustré des artistes en Belgique depuis 1830*, Arto, Bruxelles, 1987.
Ventes Publiques : Lokeren, 21 mars 1992 : *À l'heure du crépuscule* 1988, h/t (100x90) : **BEF 140 000**.

MACKOWSKY Siegfried
Né le 25 novembre 1878 à Dresde. Mort en 1941. XXe siècle. Allemand.
Peintre de paysages, architectures, graveur.
Il pratiqua également l'eau-forte et la gravure sur bois.
Musées : Bautzen (Gal.) – Dresde (Mus. mun.) – Leipzig (Gal.).
Ventes Publiques : Cologne, 12 nov. 1976 : *Vue de Dresde en hiver*, h/t (112x111) : **DEM 2 000**.

MACKRETH Harriet F. S.
XIXe siècle. Active à Londres. Britannique.
Peintre de portraits.
Elle exposa de 1828 à 1842, réalisant avant tout des portraits-miniatures.

McLACHLAN Thomas Hope
Né en 1845 à Darlington. Mort en 1897 à Weybridge. XIXe siècle. Britannique.
Peintre de paysages et graveur.
Après avoir exercé avec distinction, jusqu'en 1878, des fonctions judiciaires, il s'adonna complètement à la peinture dont il s'était occupé en amateur. Il vint à Paris où il fut pendant quelque temps élève de Carolus Duran, mais il forma sa technique beaucoup plus par l'étude des véritables maîtres et ses premières œuvres décèlent l'influence de J.-F. Millet et des grands paysagistes anglais. Il prit part aux expositions de la Royal Academy à partir de 1875 et fut membre du Royal Institute of Painters in Oil Colours. McLachlan s'appliqua constamment à traduire dans ses œuvres la poésie de la nature. Ce fut un peintre du crépuscule, des grands ciels évocateurs de pensées. Ce fut surtout un artiste d'une exquise distinction et d'une rare sincérité. Ses eaux-fortes, ses pointes-sèches possèdent ces remarquables qualités. Le Musée de Leeds conserve de lui : *Jeune fille gardant des oies*.
Ventes Publiques : Londres, 15 mars 1909 : *La faiseuse de fagots* : **GBP 4**.

McLAN Ronald Robert
Né en 1835. Mort en 1857. XIXe siècle. Britannique.
Peintre.
Ventes Publiques : Londres, 21 fév. 1936 : *Gilli Challum* : **GBP 60**.

MACLANE Jean Myrtle. Voir **JOHANSEN Jean Myrtle**

MacLAREN Donald
Né le 23 janvier 1886 à Kensington. Mort le 29 juin 1917. XXe siècle. Britannique.
Peintre de paysages, portraits.
Il étudia à la Slade School de Londres et reçut plusieurs prix. Il exposa au New English Art Club dès 1907.
Musées : Londres (Tate Gal.) : *Portrait de Mac Coll* 1906.

McLAREN Norman
Né en 1914 à Stirling. XXe siècle. Actif au Canada. Britannique.
Peintre.
Il pratique la sérigraphie et travaille à l'encre de Chine.
Musées : Montréal (Mus. d'Art Contemp.) : *Flight* 1968 – *Having a hard look* 1944.

MacLAUGHLAN Donald Shaw
Né le 9 novembre 1876 à Charlottetown (île du Prince Édouard). XXe siècle. Canadien.
Peintre de paysages, architectures, aquarelliste, graveur.
Il fut élève d'Hamilton à Boston et de l'École des Beaux-Arts de Paris. Il exposa au Salon de la Société Nationale des Beaux-Arts à Paris, dont il fut associé à partir de 1903.
Il grava des paysages et des architectures à l'eau-forte.

McLAUGHLIN Charles J.
Né le 6 juin 1888 à Covington (Kentucky). XXe siècle. Américain.
Peintre.
Il étudia à l'école des beaux-arts de Paris, à Fontainebleau et fut élève de Duveneck. Il fit aussi des études d'architecture.

McLAUGHLIN John
Né en 1898 à Sharon (Massachusetts). Mort en 1976 à Dana Point (Californie). XXe siècle. Américain.
Peintre. Abstrait.
Il séjourne au Japon, dans les années trente, y découvrant la pensée zen, qui a influencé son travail. Autodidacte, il se consacre à la peinture à partir de 1946. Il vécut au sud de la Californie, entre Laguna Beach et Dana Point.
Il a participé à l'exposition : *Aspects historiques du constructivisme et de l'art concret* au musée d'Art moderne de la Ville de

Paris en 1977. Une exposition rétrospective de son œuvre a été organisée, en 1974, au Whitney Museum de New York et, en 1982, au Musée d'Ulm. Une exposition personnelle a eu lieu à New York, en 1994.
En 1946, il peignit les premiers tableaux *hard-edge*, aux formes découpées. Il recherchait dans son exploration du noir et du blanc ou des couleurs primaires, la précision, la pureté exacte.
Bibliogr. : Catalogue de l'exposition : *Aspects historiques du constructivisme et de l'art concret*, Musée d'Art moderne de la Ville, Paris, 1977 – in : *L'Art du xxe s.*, Larousse, Paris, 1991.
Musées : New York (Mus. of Mod. Art) : *Untitled* 1951.
Ventes Publiques : New York, 2 nov. 1978 : *N° 3* 1969, h/t (122x152,5) : **USD 4 000** – New York, 12 nov. 1980 : *N° 7* 1972, acryl. et h/t (152,5x122) : **USD 10 000** – New York, 13 mai 1981 : *N° 1* 1974, acryl./t. (152,5x122) : **USD 14 000** – New York, 1er nov. 1984 : *N° 20* 1958, h/t (152,5x97,2) : **USD 9 500** – New York, 6 nov. 1985 : *N° 17* 1963, h/t (183x112) : **USD 10 500** – New York, 6 mai 1986 : *N° 3-1963*, h/t (52,5x106,8) : **USD 11 000** – New York, 4 mai 1989 : *14* 1970, h/t (121,6x152,1) : **USD 18 700** – New York, 9 nov. 1989 : *19* 1960, h/t (91,5x122) : **USD 60 500** – New York, 27 fév. 1990 : *2-1973* 1973, h/t (122x152,5) : **USD 57 750** – New York, 8 mai 1990 : *6-1972* 1972, h. et acryl./t. (152,3x122) : **USD 39 600** – New York, 9 mai 1990 : *5* 1972, h. et acryl./t. (122x152,4) : **USD 55 000** – New York, 7 nov. 1990 : *25-1960* 1960, h/t (91,5x122) : **USD 33 000** – New York, 2 mai 1991 : *20-1958* 1958, h/t (152,4x97,2) : **USD 28 600** – New York, 13 nov. 1991 : *11-1959* 1959, h/t (152,4x111,4) : **USD 26 400** – New York, 27 fév. 1992 : *20-1958* 1958, h/t (152,4x97,2) : **USD 22 000** – New York, 3 mai 1994 : *21-1960* 1960, h/t (86,4x122) : **USD 25 300** – New York, 8 mai 1996 : *7-1962* 1962, h/t (121,9x152,4) : **USD 13 800** – New York, 8 mai 1997 : *Sans titre* 1953, h./masonite (96,7x80,6) : **USD 27 600**.

McLAUGHLIN Lawrence
Né à Lichtfield (Minnesota). xxe siècle. Américain.
Sculpteur de figures.
Il étudia à Londres et, en 1984, suivit les cours de l'École des Beaux-Arts dans l'atelier de Charpentier à Paris.
Il réalise ses premières œuvres en céramique et terre cuite, puis pratique le collage en trois dimensions. Après avoir travaillé la cire perdue et le bois, il découvre le ciment, matériau moderne, utilisant une armature et des fils de fer. Il travaille aussi le bronze, la résine et l'aluminium, jouant des contrastes de matières. Il s'attache à décrire la figure humaine en mouvement. Ses figures, dynamiques, sont souvent pleines d'humour.

McLAWS Virginia Randell
Née le 29 août 1872 à Augusta (Maine). xixe-xxe siècles. Américaine.
Peintre.
Elle fut élève de l'Art Student's League de New York et étudia à Paris. Elle fut membre de la Fédération américaine des arts.

MACLEAN Alexander
Né en 1840. Mort en 1877 à Saint-Leonard. xixe siècle. Britannique.
Peintre de genre.
Exposa à la Royal Academy de 1872 à 1877.
Ventes Publiques : New York, 12 fév. 1997 : *Fiancés, Pistoia* 1876, h/t (99,1x88,3) : **USD 20 700**.

McLEAN Bruce
Né en 1944 à Glasgow. xxe siècle. Britannique.
Auteur de performances, peintre, sculpteur.
Il fut élève de la Glasgow School of Art, de 1961 à 1963, puis de la St. Martin's School of Art de Londres, de 1963 à 1966, avec Gilbert & George, où il eut pour professeur Anthony Caro. Il fonde en 1971, avec trois étudiants, le groupe *Nice Style* qui revendique un art postural. En 1981-1982, il séjourne à Berlin. Il vit et travaille à Londres.
Il a participé en 1992 à l'exposition *De Bonnard à Baselitz* au cabinet des estampes de la Bibliothèque nationale de Paris. Il présente son œuvre dans de nombreuses performances, notamment : 1972 *King for a day* (Roi d'un jour) rétrospective de vingt-quatre heures à la Tate Gallery de Londres ; 1977 Documenta de Kassel. En 1982, le Musée de Bâle a organisé une exposition rétrospective de son œuvre.
Il réalise des œuvres au caractère éphémère, les intégrant dans la nature, sur l'eau (*Floating Sculpture, Splash Sculpture*), dans les rochers... Puis, il met en scène son propre corps, dans des performances où il parodie le milieu artistique, dénonce la société. Au début des années quatre-vingt, il peint de nouveau, présentant, dans des toiles gestuelles aux couleurs vives, des corps en mouvement sur des fonds géométriques.
Bibliogr. : Mel Gooding : *Bruce McLean*, Phaïdon, Londres, s.d – in : *L'Art du xxe s*, Larousse, Paris, 1991 – Daniel Wheeler : *L'Art du xxe s.*, Flammarion, Paris, 1991.
Musées : Paris (BN).
Ventes Publiques : New York, 9 nov. 1983 : *The Lapel* 1981, acryl. et cr./pap. photo. (137x183) : **USD 5 200** – New York, 8 oct. 1986 : *King Shoe* 1984, acryl./t. (199,4x137,7) : **USD 3 500** – Paris, 24 avr. 1988 : *Deux vues* 1982, acryl./t., diptyque (197x127x2) : **FRF 32 000** – Londres, 23 fév. 1989 : *Fromage central* 1981, acryl./pap. (75x54) : **GBP 3 740** – Londres, 9 juin 1989 : *Etude pour le ballet Fromage III*, acryl. et craies grasses/pap. photographique (137,2x217,2) : **GBP 3 520** – Londres, 10 nov. 1989 : *Sans titre – l'acrobate*, acryl. et craie grasse/pap. photographique (92,2x109,2) : **GBP 1 650** – Londres, 22 fév. 1990 : *Sans titre* 1981, acryl./deux feuilles de pap. (244x274) : **GBP 2 090** – Paris, 18 juin 1990 : *Sans titre*, acryl. et past./t. (199x149) : **FRF 45 000** – Londres, 21 mars 1991 : *Choix*, fus./pap. (101x70) : **GBP 770** – Paris, 20 nov. 1991 : *Personnage*, techn. mixte/t. (241x154) : **FRF 17 000** – New York, 27 fév. 1992 : *Sans titre*, acryl. et craies de coul./t. (200x149,5) : **USD 2 200** – New York, 9 mai 1992 : *Sans titre*, acryl. et fus./t. (189,8x148,6) : **USD 2 750** – Londres, 26 mars 1993 : *Sans titre d'après Les Demoiselles d'Avignon* 1980, h/t (243x289) : **GBP 4 255** – Londres, 22 mai 1996 : *Le pichet, les objets et le rideau vert* 1979, acryl. et craies grasses/pap. photographique (132x152,4) : **GBP 1 725** – Londres, 23 oct. 1996 : *Dessin* 1985, acryl./pap. (99x67,4) : **GBP 1 265**.

McLEAN Richard
Né en 1934 à Hoquiam (Washington). xxe siècle. Américain.
Peintre de figures, animaux. Hyperréaliste.
Il a étudié de 1955 à 1958 au California College of Arts and Crafts et exposé en 1957 à San Francisco. Il vit à Oakland (Californie). En 1966, il a participé à une exposition de groupe à San Francisco *East Bay realists*, qui indique déjà clairement l'option de sa peinture, mais c'est à partir de 1970 que le phénomène réaliste est perçu et systématiquement montré. McLean participe alors aux grandes rencontres exploitant ce thème : *22 Realists* au Whitney Museum de New York en 1970, *Radical Realism* au musée d'Art contemporain de Chicago en 1971, *Sharp Focus Realism* à New York en 1972, *Les Hyperréalistes américains* à Paris en 1973. Comme la plupart des peintres hyperréalistes, McLean n'acquiert une certaine notoriété que peu avant 1970, et la célébrité vers 1972, en grande partie grâce à la Documenta V, en 1972, à Kassel, à laquelle il est invité et qui fait une large place à l'hyperréalisme américain. En 1968, il fait une exposition personnelle à San Francisco.
Il fut d'abord influencé par le pop'art. Il marqua rapidement la volonté de s'en détacher et choisit de prendre pour modèle des photographies de magazines, plus impersonnelles. Depuis son succès, McLean semble n'être le peintre que d'un seul sujet, à savoir le cheval et les personnages l'accompagnant : cheval de course avec son jockey, cheval de rodéo, cheval militaire, cheval de ferme, le cheval prend la place principale presqu'au détriment des personnages l'accompagnant, et du paysage souvent neutre qui sert de « fond ». Curieusement, à propos du choix exclusif du sujet de sa peinture McLean déclare : « Bien que les sujets actuels de mes images soient les hommes et les animaux, je me considère essentiellement comme un peintre de natures mortes », sans préciser si cette référence aux natures mortes est une allusion à son travail antérieur ou si c'est au contraire une assimilation pure et simple du cheval à la nature morte.
Ventes Publiques : New York, 10 juin 1980 : *Albuquerque* 1972, h/t (127x152,5) : **USD 15 000** – New York, 4 mai 1982 : *Miss Paulo's 45* 1972, h/t (153,6x153,6) : **USD 15 000** – New York, 6 nov. 1985 : *The boilermaker* 1977, h/t (143,5x175,3) : **USD 24 000** – New York, 10 Nov. 1988 : *Mackey Marie* 1971, h/t (142,4x181,3) : **USD 38 500**.

MACLEAN Thomas Nelson
Né en 1845. Mort en 1894. xixe siècle. Actif à Londres. Britannique.
Sculpteur.
Exposa très fréquemment à la Royal Academy et à Suffolk Street à partir de 1870. Le Musée de Bradfordy conserve une statue de lui.

McLEARY Bonnie
Née à San Antonio (Texas). xxe siècle. Américaine.
Sculpteur.

Elle fut élève de l'académie Julian à Paris et de James E. Fraser. Elle est membre de la Ligue américaine des artistes professeurs.
Musées : New York (Metrop. Mus.).
Ventes Publiques : New York, 16 mars 1990 : *Nymphe de l'eau*, bronze, élément de fontaine (H. 48,6) : **USD 7 150** – New York, 9 sep. 1993 : *Ouch*, bronze (H. 22,9) : **USD 978** – New York, 3 déc. 1996 : *Ouch, jeune fille au crabe*, bronze (H. 20,3) : **USD 5 520**.

MACLEAY Kenneth ou **Macneil Kenneth**
Né en 1802 à Oban. Mort en 1878. XIXe siècle. Britannique.
Peintre de figures, portraits, paysages, paysages d'eau, miniaturiste.
Il fit ses études à Édimbourg. Il devint membre de la Royal Scottish Academy.
Surtout peintre de paysages, toutefois, en 1829, il peignit un *Portrait de Benjamin Disraeli, duc de Beaconsfield*.
Musées : Londres (Nat. Gal.) : *Portrait de Benjamin Disraeli, duc de Beaconsfield*.
Ventes Publiques : Londres, 14 mai 1976 : *Vue du North Inch, Perth* 1866, h/t (41x67,3) : **GBP 820** – Auchterarder (Écosse), 28 août 1979 : *A view on the forth* 1858, h/t (57x92,5) : **GBP 1 600** – Auchterarder (Écosse), 30 août 1983 : *Koblentz and Ehrenbreitstein* 1837, h/t (86,5x143) : **GBP 8 500** – Édimbourg, 30 avr. 1985 : *Pêcheur à la ligne ; Personnage et troupeau près d'un moulin à eau* 1885, aquar. reh. de gche, une paire (22,5x42,5) : **GBP 1 300** – Perth, 26 août 1986 : *Members of the Royal Perth Golfing Society playing on the North Inch in 1866*, h/t (43x68,5) : **GBP 7 500** – Édimbourg, 30 août 1988 : *Le château de Stirling* 1865, h/t (42x61) : **GBP 3 960** – Perth, 28 août 1989 : *Vue d'une ville allemande* 1838, h/t (61x91,5) : **GBP 3 080** ; *L'extrémité de Loch Etive* 1866, h/t (46x80) : **GBP 2 145** – Glasgow, 6 fév. 1990 : *Moulin à eau ; Maisons dans la vallée* 1879, h/t (chaque 52x74) : **USD 2 530** – South Queensferry, 1er mai 1990 : *Panorama du Stirlingshire* 1850, h/t (58x96,5) : **GBP 7 150** – Édimbourg, 19 nov. 1992 : *Les membres de la Royal Perth Golfing Society sur leur terrain du Centre d'Atholl Crescent* 1866, h/t (42,5x58) : **GBP 33 000** – Édimbourg, 23 mars 1993 : *Stirling* 1878, h/t (51x69) : **GBP 1 610** – Glasgow, 16 avr. 1996 : *Un moulin* 1869, h/t (40x61) : **GBP 575** – Édimbourg, 23 mai 1996 : *Loch Laggan dans l'Invernessshire* 1862, h/t (19x38,8) : **GBP 2 070**.

MACLENNON Eunice Cashion
Né le 28 avril 1888 à Marquand (Montana). XXe siècle. Américain.
Peintre.
Il fut élève de Sylvester, Laurens et Prinet à Paris. Il obtint un prix de décoration en 1930 à Sacramento en Californie.

MACLEOD John
Mort en 1872. XIXe siècle. Actif à Édimbourg. Britannique.
Peintre de genre, animalier.
Peignit surtout des chiens et des chevaux.
Ventes Publiques : Londres, 13 mai 1983 : *Chasseur, poney, chiens et gibier dans un paysage* 1848, h/t (87x122) : **GBP 3 600** – Montréal, 1er mai 1989 : *En allant au marché*, h/t (41x54) : **CAD 750** – Londres, 15 jan. 1991 : *Épagneuls King Charles avec une balle* 1851, h/cart. (33x43,2) : **GBP 990**.

MACLET Élisée
Né le 12 avril 1881 à Lyons-en-Santerre (Somme). Mort le 23 août 1962 à Paris. XXe siècle. Français.
Peintre de paysages, paysages urbains.
Ce fut un abbé, peintre du dimanche, qui lui apprit quelques rudiments de la peinture à l'huile. Il vint se fixer à Montmartre en 1906. Les écrivains Colette, Francis Carco, d'autres personnalités, un marchand américain s'intéressèrent à lui. Max Jacob écrivit alors sur lui. En 1933, il dut être interné et ne se remit jamais complètement de ses troubles mentaux.
Il exposa à Paris en 1960.
Il peignait déjà les paysages typiques de la Butte : *Lapin à Gill, Moulin de la Galette, Maison de Mimi Pinson* avant qu'Utrillo ne les prît aussi pour thèmes. Après la Première Guerre mondiale, ses vues de Paris lui valurent un succès rapide, que la sensibilité qu'il y montrait lui conserva. Vers 1920, un riche amateur lui donna les moyens d'un long séjour dans le Midi, d'où il rapporta des paysages dont l'émerveillement devant la nature méditerranéenne qu'ils traduisaient firent parfois évoquer le nom de Matisse.

maclet

Bibliogr. : M. Guicheteau et J. Cottel : *Élisée Maclet*, Paris, 1960 – in : *Vision sur les Arts*, numéro 102, mai-juin 1976 – Jean Cottel, Marcel Guicheteau : *Élisée Maclet. La Vie et l'œuvre*, éditions ABC, Paris, 1982.
Ventes Publiques : Paris, 4 mai 1923 : *Rue à Montmartre* : **FRF 90** – Paris, 14 juin 1926 : *L'Ancienne Maison de Gabrielle d'Estrées* : **FRF 700** – Paris, 6 juin. 1929 : *Vallée Sainte-Lucie, Bastia* : **FRF 2 720** – Paris, 15 fév. 1930 : *L'Église* : **FRF 280** – Paris, 15 jan. 1943 : *La Mosquée* : **FRF 2 000** – Paris, 21 mars 1945 : *Vue de Montmartre* : **FRF 9 000** – Paris, 18 nov. 1946 : *Le Moulin de la Galette* : **FRF 21 000** – Paris, 11 juin 1949 : *La Ciotat* : **FRF 400 000** – Paris, 26 mai 1950 : *Le Moulin de la Galette* : **FRF 11 800** – Paris, 10 nov. 1954 : *Montmartre* : **FRF 40 000** – Paris, 29 mars 1960 : *Bouquet de fleurs* : **FRF 15 500** – New York, 23 mars 1961 : *La Tour du Philosophe* : **USD 250** – Paris, 28 mai 1970 : *La Rue Saint-Vincent* : **FRF 21 000** – Londres, 20 nov. 1972 : *Rue de banlieue 1913-1915* : **GBP 900** – New York, 3 mai 1974 : *Les Halles* : **USD 3 700** – Versailles, 27 juin 1976 : *Paris, le Moulin de la Galette*, h/t (55x46) : **FRF 9 000** – Versailles, 29 fév. 1976 : *Le Port de Morlaix*, aquar. (36,5x54) : **FRF 2 300** – Versailles, 6 fév. 1977 : *Cassis : la maison au bord du chemin*, h/cart. (38x46) : **FRF 6 000** – Bourg-en-Bresse, 4 mars 1979 : *La campagne de Romainville*, h/cart. (65x52) : **FRF 26 000** – Zurich, 28 oct. 1981 : *Paysage du Midi* 1920, h/t (100x65) : **CHF 19 000** – Versailles, 20 nov. 1983 : *Voiliers à Morlaix*, aquar. (35,5x54) : **FRF 11 200** – Zurich, 1er juin 1983 : *Bateaux à Toulon* 1919, h/cart. (46x61) : **CHF 13 000** – Lyon, 4 déc. 1985 : *Marine à Dieppe*, h/cart. (46x55) : **FRF 45 000** – La Varenne-Saint-Hilaire, 26 oct. 1986 : *La Maison de Mimi Pinson et la rue du Mont-Cenis à Montmartre sous la neige*, h/cart. (46x61) : **FRF 67 600** – Rambouillet, 30 nov. 1986 : *Le Lapin Agile* 1916, h/t (48x56) : **FRF 110 000** – Calais, 8 nov. 1987 : *La Place du Tertre*, h/t (39x46) : **FRF 50 000** – Versailles, 13 déc. 1987 : *Le Lapin Agile*, aquar. (27x33,5) : **FRF 12 500** – Paris, 6 mai 1988 : *Vase de fleurs*, h/t (55x46) : **FRF 33 000** – Versailles, 15 mai 1988 : *Montmartre, le Sacré-Cœur et la maison de la belle Gabrielle rue Saint-Vincent*, h/cart. (55x38) : **FRF 25 000** – L'Isle-Adam, 11 juin 1988 : *Château au bord de la rivière*, h/t (50x61) : **FRF 36 000** – Paris, 23 juin 1988 : *Montmartre, le Lapin Agile sous la neige*, h/t (27x35) : **FRF 46 000** – Paris, 24 juin 1988 : *Le bal de la montagne Sainte-Geneviève*, h/t (55x33) : **FRF 28 000** – New York, 6 oct. 1988 : *Maison de Mimi Pinson à Montmartre*, h/t (46,2x55,2) : **USD 13 200** – Paris, 7 oct. 1988 : *Le Pont*, h/cart. (49x64) : **FRF 55 000** – Paris, 12 oct. 1988 : *Trois Figurines* 1906, sculpt. bois polychrome/cart. entoilé (25x33) : **FRF 5 100** – Paris, 16 oct. 1988 : *Montmartre, le moulin dans le maquis*, aquar. (21x26,5) : **FRF 4 100** – Troyes, 16 oct. 1988 : *L'Église Saint-Germain-des-Prés sous la neige* vers 1920-1925, h/t (55x46) : **FRF 55 000** – Londres, 19 oct. 1988 : *L'Église Saint-Sulpice*, h/t (79,3x66) : **GBP 3 520** – Versailles, 23 oct. 1988 : *Montmartre, la maison de Mimi Pinson sous la neige* vers 1943, h/t (27x35) : **FRF 40 000** – Berne, 26 oct. 1988 : *Littoral avec voiliers et barques à contre-jour*, aquar. et feutre (21x30) : **CHF 1 100** – Grandville, 30 oct. 1988 : *Les Quais de Paris animés*, h/t (46x55) : **FRF 41 000** – Versailles, 6 nov. 1988 : *Le Pêcheur*, h/cart. (62,5x47) : **FRF 20 500** – Calais, 13 nov. 1988 : *Place du Tertre sous la neige*, h/t (27x35) : **FRF 55 000** – Rome, 15 nov. 1988 : *Montmartre* 1920, h/cart. (61x46) : **ITL 15 500 000** – Paris, 12 déc. 1988 : *Vue de village*, aquar. (20x27,5) : **FRF 7 500** – Paris, 16 déc. 1988 : *Rue Girardon sous la neige*, peint./cart. (45x55) : **FRF 66 500** – L'Isle-Adam, 29 jan. 1989 : *Régates à Joinville*, h/t (38x55) : **FRF 57 000** – Paris, 12 fév. 1989 : *La Buvette en banlieue* 1923, h/cart. (47x70) : **FRF 100 000** – Londres, 22 fév. 1989 : *Théâtre de l'Atelier*, h/cart. (49,5x65) : **GBP 7 920** – Paris, 22 mars 1989 : *Montmartre, le Sacré-Cœur*, h/cart. (65x46) : **FRF 100 000** – New York, 9 mai 1989 : *La Rue Ravignan*, h/t (45,6x55,2) : **USD 37 400** – La Varenne-Saint-Hilaire, 21 mai 1989 : *La Maison bourgeoise*, h/cart. (45x60) : **FRF 77 000** – Londres, 27 juin 1989 : *Le Moulin de la Galette*, h/t (73x90,8) : **GBP 24 200** – Paris, 11 juil. 1989 : *La Maison de Berlioz*, h/t (46x55) : **FRF 120 000** – Paris, 11 oct. 1989 : *Boigny-les-Étangs*, h/t (45,5x61) : **FRF 150 000** – Paris, 22 oct. 1989 : *Le Lapin Agile à Montmartre*, h/t (33x41) : **FRF 93 000** – Rambouillet, 12 nov. 1989 : *Sacré-Cœur sous la neige*, h/cart. (63x49) : **FRF 502 000** – Le Touquet, 12 nov. 1989 : *Vue du café Senéquier à Saint-Tropez*, h/t (36x46) : **FRF 100 000** – Paris, 22 nov. 1989 : *Montmartre, le Lapin Agile*, h/t (46x55,5) : **FRF 130 000** – Versailles, 10 déc. 1989 : *Le Maquis, la tour du Philosophe*, h/t (34x41,5) : **FRF 80 000** – Amsterdam, 13 déc. 1989 : *Vue d'un village*, h/cart. (38x50) : **NLG 48 300** – Paris, 26 jan. 1990 : *L'Île Saint-Louis, Notre-Dame*, aquar. (29x35,5) :

FRF 21 000 – New York, 21 fév. 1990 : *La Maison de Berlioz*, h/t (53,9x65,4) : **USD 22 000** – Calais, 4 mars 1990 : *Hôtel de Rohan, Paris* vers 1918-1920, h/t (61x45) : **FRF 146 000** – Reims, 18 mars 1990 : *Bouquet de fleurs dans un vase* 1920, h/t (54x46) : **FRF 65 000** – Paris, 10 avr. 1990 : *French Cancan*, aquar. (24x33) : **FRF 49 000** – Paris, 28 mai 1990 : *Le Lapin Agile* 1920, h/t (46,5x54,5) : **FRF 240 000** – Paris, 9 oct. 1990 : *Rue à Paris*, h/cart. (56x41) : **FRF 140 000** – Le Touquet, 11 nov. 1990 : *Le Lapin Agile, Montmartre*, h/t (46x56) : **FRF 90 000** – Paris, 25 nov. 1990 : *Montmartre sous la neige*, h/cart. (44,5x35) : **FRF 300 000** – New York, 13 fév. 1991 : *Moulin de la Galette*, h/t (45,7x56) : **USD 18 700** – New York, 10 nov. 1992 : *Le Moulin et la Tour du Philosophe*, h/t (46,3x55,2) : **USD 8 250** – Paris, 21 oct. 1993 : *Montmartre sous la neige*, h/cart. (44,5x33) : **FRF 80 000** – Calais, 7 juil. 1996 : *Bord de canal*, h/t (35x27) : **FRF 10 200** – Reims, 27 oct. 1996 : *Rue à Montmartre*, h/cart. (46x55) : **FRF 25 100** – New York, 12 nov. 1996 : *L'Eglise Saint-Pierre et le Sacré-Cœur*, h/t (38x46) : **USD 11 500** – Paris, 24 nov. 1996 : *Rue Montmartre*, h/pan. (45x55) : **FRF 22 500** – Calais, 15 déc. 1996 : *Rue à Montmartre*, aquar. (21x27) : **FRF 3 200** – Paris, 24 mars 1997 : *Le Port de Dieppe*, h/t (56x47) : **FRF 13 000** – Paris, 5 juin 1997 : *Le Passage de la Poste, Gobelins*, h/t (62x39) : **FRF 20 000** – Paris, 27 juin 1997 : *Le Lapin Agile*, h/t (27x35) : **FRF 21 000**.

MACLISE Daniel

Né le 25 janvier 1806 à Cork. Mort le 25 avril 1870 à Londres. xixe siècle. Britannique.

Peintre d'histoire, genre, portraits, compositions décoratives, aquarelliste, dessinateur, illustrateur.

D'origine écossaise et irlandaise, cet intéressant artiste réunit dans sa peinture les qualités de ces deux origines : la distinction de la première, la bonhomie quelque peu narquoise de la seconde. D'abord destiné à la banque, il ne tarda pas à se consacrer à l'étude de la peinture. Élève de la Cork of Art, il fit aussi de sérieuses études anatomiques et quand il vint à Londres, en juillet 1827, il possédait déjà un réel talent de portraitiste. Ses études aux Écoles de la Royal Academy furent brillantes ; en 1829, il y obtenait une médaille d'or lui donnant droit à une bourse de voyage dont il ne voulut pas bénéficier.

La même année, il débutait avec succès à l'Exposition de la Royal Academy avec un tableau de genre et continuait les années suivantes à exposer des portraits fort appréciés ce qui lui valut de 1830 à 1838, une collaboration suivie au *Fraser's magazine*. Il y donna quatre-vingt-un croquis de personnages importants. Ses envois à la Royal Academy et à la British Institution, en 1833, deux toiles de genre, établirent définitivement sa réputation. Associé à la Royal Academy en 1836, il fut académicien en 1840. Il fut aussi membre de l'Académie de Stockholm.

La même année, il fit un séjour à Paris. En 1846, il reçut la commande de plusieurs décorations pour le nouveau palais du Parlement. Il y exécuta : *L'Esprit chevaleresque, L'Esprit de Justice, La Rencontre de Wellington et de Blucher à Waterloo* et *La Mort de Nelson*, œuvre qu'il termina en 1864. En 1866, la présidence de la Royal Academy lui fut offerte ; il refusa comme il refusa les titres de noblesse qui lui furent offerts. Cette simplicité de caractère mérite d'être notée. L'effort nécessité par ses peintures, au palais de Westminster, avait considérablement altéré sa santé et la mort d'une sœur qui vivait près de lui lui causa un chagrin dont il ne se consola jamais. Maclise a illustré avec beaucoup de talent un certain nombre d'ouvrages, notamment les *Irish mélodies*, de Th. Moore. Il a aussi exécuté une série de quarante-deux dessins sur l'*Histoire de la conquête d'Angleterre par les Normands*.

Musées : Dublin : *Joyeux Noël dans le hall du baron – Mariage de Richard de Clare et de la fille de Dermont Mc Morrogh, roi de Leinster* – Hambourg : *Les enfants dans les bois* – Leeds : *Le sacrifice de Noé* – Liverpool : *La mort de Nelson – Harrisson Ainsworth* – Londres (Nat. Portrait Gal.) : *Charles Dickens* – Londres (Victoria and Albert) : *Scène de Every man in his humour – William Charles Mac Reddy, dans le rôle de Werner – Jeune fille près de la cascade de Saint-Necton – Mrs Graham* – Londres (Tate Gal.) : *Ch. Dickens – Scène de la comédie dans Hamlet – Malvolio et la comtesse* – Preston : *Rosalinde et Celia regardant les lutteurs* – Sheffield : *L'esprit de la chevalerie*.

Ventes Publiques : Paris, 1859 : *Scène d'Ivanhoé* : **FRF 33 930** ; *Le mariage du comte de Pembroke* : **FRF 44 460** – Londres, 1870 : *Portrait de Dickens* : **FRF 17 335** – Londres, 1872 : *Bohémiennes* : **FRF 23 360** – Londres, 1880 : *La scène du banquet de Macbeth* : **FRF 14 700** – Londres, 1888 : *The Eve of Saint Agnès* : **FRF 10 100** – Londres, 4 déc. 1909 : *Scène de la comédie dans Hamlet* : **GBP 157** – Londres, 6 mai 1910 : *Othello, Desdémone et Émile* : **GBP 94** – Londres, 21 nov. 1924 : *Gross of green spectacles* : **GBP 159** ; *Olivia et Sophie arrangeant Moïse pour la fête* : **GBP 78** – Londres, 2 mai 1928 : *Portrait de Charles Dickens* : **GBP 40** – Londres, 26 avr. 1946 : *Jeu de furet*, illustration du « Vicar of Wakefield » : **GBP 210** ; *Poète et sa femme* : **GBP 73** – Londres, 24 nov. 1965 : *Les patineurs* : **GBP 1 150** – Londres, 6 mars 1970 : *Jeune fille et perroquet sur une terrasse* : **GNS 420** – Londres, 20 juin 1972 : *Portrait of Mrs Anna Maria Hall*, aquar. : **GBP 480** – Londres, 15 déc. 1972 : *The chivalric vow of the Ladies of the Peacock* : **GNS 10 000** – Londres, 8 mars 1977 : *La rencontre de Henry VIII et Ann Boleyn à Hampton Court*, h/t (130x155) : **GBP 1 100** – Londres, 10 nov. 1981 : *King Cophetua and the beggar maid*, h/t (182x122) : **GBP 26 000** – Londres, 8 juil. 1982 : *John Gibson Lockhart* 1830, cr., pl. et aquar. (23,5x19,5) : **GBP 2 300** – Londres, 8 juil. 1982 : *Autoportrait*, aquar. (18,5x14) : **GBP 11 000** – Londres, 17 nov. 1983 : *Portrait de Daniel Corbett, assis*, cr. (23,5x16,5) : **GBP 750** – Londres, 30 mars 1983 : *Study for The Spirit of Justice* 1849, aquar./traits cr. reh. de blanc et or, haut arrondi (51,5x32) : **GBP 1 000** – Londres, 17 oct. 1984 : *A servant girl*, aquar./traits cr. (66x39,4) : **GBP 700** – Londres, 27 nov. 1984 : *Harriet Louisa and Maria, daughters of Frederick Millett*, h/t (61x51) : **GBP 40 000** – Londres, 19 nov. 1985 : *Portrait of Washington Irving, standing* ; *Portrait of Charles Mollo Westmacott, seated*, cr, deux dessins (18,8x10,5) : **GBP 1 500** – Londres, 29 nov. 1985 : *Hunt the slipper at neighbour Flamborough's unexpected visit of fine ladies* 1840, h/t (91,5x137) : **GBP 29 000** – Londres, 17 juin 1986 : *Le Page*, h/t (213x99) : **GBP 5 000** – Londres, 3 juin 1988 : *Mai*, h/pan. (40,7x31,8) : **GBP 4 950** – Londres, 15 juin 1988 : *Tonnelle de fleurs de la passion* 1865, h/pan. (39x30,5) : **GBP 5 280** – Londres, 25 jan. 1989 : *Servante portant un plateau chargé d'un pichet et de verres sous un porche*, aquar. et cr. (65,5x39) : **GBP 1 045** – Londres, 2 juin 1989 : *Mai*, h/pan. (40,5x31,5) : **GBP 5 500** – Londres, 10 avr. 1991 : *Page avec un couple de faisans*, h/t (213x99) : **GBP 5 500** – New York, 17 oct. 1991 : *Visite chez l'imprimeur*, h/t (101,6x142,2) : **USD 19 800** – Londres, 29 oct. 1991 : *La duègne ridiculisée* 1853, aquar. et gche (31,7x49,5) : **GBP 1 980** – Londres, 12 juin 1992 : *Et dans le premier assaut, le chevalier abattit l'homme et le cheval (Marmion)*, h/t (63,5x49,5) : **GBP 6 050** – Londres, 5 nov. 1993 : *Le choix d'Hercule*, h/t (103,5x128,9) : **GBP 47 700** – Londres, 2 juin 1995 : *Portrait de trois femmes* 1829, cr. (27,5x21,5) : **GBP 805** ; *La colporteuse* 1858, h/t (60x45,5) : **GBP 16 100** – Londres, 6 nov. 1995 : *Othello et Desdemone* 1859, h/pan. (64,8x77,5) : **GBP 19 550** – Londres, 16 mai 1996 : *Portrait d'un gentilhomme vêtu d'un habit gris-bleu debout de trois quarts* (35x25) : **GBP 1 725**.

MACLOT Armand Frans Karel

Né le 14 juillet 1877 à Anvers. Mort en 1960 à Genk (Limbourg). xxe siècle. Belge.

Peintre de paysages, graveur. Postimpressionniste.

Il fut élève de Coosemans. Il vécut et travailla à Genk (Limbourg). Son art dérivé de l'impressionnisme se rattache à celui des paysagistes de Fontainebleau.

MACLOT

Bibliogr. : In : *Dict. biogr. illustré des artistes en Belgique depuis 1830*, Arto, Bruxelles, 1987.

Musées : Anvers – Limbourg.

Ventes Publiques : Amsterdam, 2 mai 1990 : *La lande de bruyère*, h/t (50,5x80) : **NLG 1 610**.

MACLOW Jackson

xxe siècle. Américain.

Artiste. Fluxus.

Bibliogr. : Robert Atkins : *Petit Lexique de l'art contemporain*, Abbeville Press, Paris, 1992.

MACMANUS Henry

Né vers 1810. Mort le 22 mars 1878 à Dalkey (près de Dublin). xixe siècle. Irlandais.

Peintre.

L'un des plus habiles professeurs de la Royal Dublin Society of Fine Arts ; élu associé de la Hibernian Academy en 1857. Le Victoria and Albert Museum, à Londres, conserve de lui une *Étude de paysages*, et le Musée de Dublin, un *Portrait de John B. Dillon*.

McMANUS James Goodwin

Né le 5 février 1882 à Hartford (Connecticut). xxe siècle. Américain.

Peintre de portraits.
Il fut élève de C. N. Flagg et W. G. Bunce. Il fut membre du Salmagundi Club.

MACMASTER William E.
Né le 22 mai 1823. XIXe siècle. Américain.
Peintre de portraits et de paysages.

McMILLAN Jerry
XXe siècle. Américain.
Artiste.
Il utilise des photographies comme support artistique, les manipulant, niant leur fonction documentaire.
BIBLIOGR. : Robert Atkins : *Petit Lexique de l'art contemporain*, Abbeville Press, Paris, 1992.

McMILLAN Mary
Née le 29 mars 1895 à Ilion (New York). XXe siècle. Américaine.
Peintre.
Elle fut élève de Mabel Welch. Elle fut membre de la Fédération américaine des Arts.

MacMILLAN William
Né le 31 août 1887 à Aberdeen. XXe siècle. Britannique.
Sculpteur de figures, monuments.
Il étudia au Royal College of Art et exposa à la Royal Academy à partir de 1917. Il fit le dessin des monuments aux morts d'Aberdeen et de Manchester en 1918. Parmi ses réalisations, on peut compter la statue de *George V* à Calcutta, celle du groupe de *George VI et Raleigh* à Londres, *La Naissance de Vénus* de 1931 à Londres.
MUSÉES : LONDRES (Tate Gal.) : *La Naissance de Vénus* 1931.
VENTES PUBLIQUES : LONDRES, 24 mai 1990 : *Joseph Mallord William Turner*, bronze (H. 55) : **GBP 3 520**.

McMILLEN Michael
XXe siècle. Américain.
Créateur d'installations.
BIBLIOGR. : Robert Atkins : *Petit Lexique de l'art contemporain*, Abbeville Press, Paris, 1992.

MacMONNIES Frederick William
Né le 28 septembre 1863 à Brooklyn (New York). Mort en 1936 ou 1937. XIXe-XXe siècles. Actif aussi en France. Américain.
Sculpteur de compositions mythologiques, sujets militaires, nus.
Il fut élève de l'Art Students' League de New York et de Falguière à l'École des Beaux-Arts de Paris, en 1884. En 1888, il se maria avec le peintre impressionniste, Mary Louise Fairchild. En 1905, il ouvrit une école d'art à Giverny, près de Paris, et en 1915 repartit aux États-Unis.
Il obtint une mention honorable au Salon de Paris en 1889 et le grand prix d'honneur à l'Exposition universelle de Paris en 1900, ainsi qu'une mention honorable en 1901 et 1902 et d'autres récompenses.
Il affectionnait les sujets militaires. Sa réputation de sculpteur au riche modelé s'établit aux États-Unis après l'exposition de Chicago de 1893, où il présentait *Columbian Fountain*, et dès lors, de nombreuses commandes lui parvinrent à Paris, où il les exécuta dans un style très français, presque impossible à distinguer de celui des sculpteurs parisiens. Notons parmi les sculptures les plus importantes : *Shakespeare* et des portes de bronze à la bibliothèque du Congrès, la sculpture du Memorial Arch de Brooklyn et *Les Dompteurs de chevaux* du Prospect Park dans la même ville. À la fin de sa vie, ses œuvres se firent plus tourmentées, et ses nus furent jugés indécents.
BIBLIOGR. : In : *Dict. de la sculpture*, Larousse, Paris, 1992.
MUSÉES : NEW YORK (Metropolitan Mus.) : *Bacchante et jeune faune*.
VENTES PUBLIQUES : NEW YORK, 16 oct. 1970 : *Faune et héron*, bronze patiné : **USD 1 450** – NEW YORK, 21 oct. 1972 : *Statue de Nathan Hale*, bronze : **USD 4 000** – LOS ANGELES, 28 oct. 1976 : *Pan of Rohallion*, bronze patiné (H. 37) : **USD 1 100** – NEW YORK, 29 sep. 1977 : *Bacchante with an infant faun*, bronze, patine brune (H. 87) : **USD 3 100** – NEW YORK, 21 juin 1979 : *Bacchante et faune enfant* 1894, bronze, patine brun-vert (H. 84) : **USD 2 400** – NEW YORK, 3 juin 1982 : *Pan of Rohallion* 1890, bronze patine brun-rouge (H. 76,2) : **USD 5 000** – WASHINGTON D. C., 2 oct. 1983 : *Jeune femme en buste*, marbre blanc (H. 91,5) : **USD 4 100** – NEW YORK, 7 déc. 1984 : *Femme en blanc, portrait de Mabel Conkling*, h/t (220,2x115,7) : **USD 8 500** – NEW YORK, 31 mai 1985 : *The horse tamers*, bronze patine vert-de-gris, une paire (H. 96,5x101,6) : **USD 320 000** – NEW YORK, 15 mars 1986 : *Cupidon avec son arc* 1895, bronze patine noire (H. 69) : **USD 7 000** – NEW YORK, 26 mai 1988 : *Diane chasseresse* 1890, bronze (H. 118) : **USD 16 500** – NEW YORK, 24 mai 1989 : *Diane* 1894, bronze (H. 76,8) : **USD 27 500** – NEW YORK, 28 sep. 1989 : *Diane chasseresse* 1890, bronze (H. 78,5) : **USD 22 000** – NEW YORK, 24 mai 1990 : *Diane chasseresse debout* 1890, bronze à patine brune (H. 77,5) : **USD 15 400** – NEW YORK, 17 déc. 1990 : *Pan*, bronze à patine brun-vert (H. 38,2) : **USD 3 850** – NEW YORK, 15 mai 1991 : *Pan of Rohallion* 1890, bronze à patine sombre (H. 74,9) : **USD 4 125** – NEW YORK, 22 mai 1991 : *Diane chasseresse*, bronze (H. 78,8) : **USD 11 000** – NEW YORK, 6 déc. 1991 : *Jeune garçon et le héron*, groupe de bronze (H. 68,6) : **USD 13 200** – NEW YORK, 28 mai 1992 : *Diane* 1890, bronze (H. 78,8) : **USD 14 300** – NEW YORK, 26 mai 1993 : *Vénus et Adonis* 1895, bronze (H. 71,5) : **USD 46 000** – NEW YORK, 27 mai 1993 : *La Petite Berthe avec sa nurse française*, h/t (45,7x33) : **USD 19 550** – NEW YORK, 3 déc. 1993 : *Femme de pionnier et son enfant*, plâtre, étude pour un monument aux pionniers (H. 28,6, L. 39,4) : **USD 3 450** – NEW YORK, 21 sep. 1994 : *Nathan Hale* 1890, bronze (H. 71,1) : **USD 18 400** – NEW YORK, 25 mai 1995 : *Nathan Hale* 1890, bronze (H. 73,7) : **USD 25 300** – NEW YORK, 4 déc. 1996 : *Bacchante et Faune enfant* 1894 (H. 89) : **USD 9 775** – NEW YORK, 26 sep. 1996 : *Nathan Hale* 1890, bronze patine verte (H. 72,4) : **USD 20 700** – NEW YORK, 23 avr. 1997 : *Pan of Rohallion* 1890, bronze patine brune (H. 76,2) : **USD 13 800**.

MACMONNIES Mary Louise, Mme. Voir **FAIRCHILD Mary Louise**

MACMORRIS Leroy Daniel
Né le 1er avril 1893 à Sedalia (Montana). XXe siècle. Américain.
Peintre, graveur.
Il fut élève de Pennell, Léon Gaspard, et Gorguet. Il fut membre du Salmagundi Club et de la Fédération américaine des arts.

McMURTRIE Edith
Née à Philadelphie. XXe siècle. Américaine.
Peintre de sujets typiques.
Elle fut élève de l'académie des Beaux-Arts de Philadelphie. Elle fut membre de la Société des Artistes Indépendants.
MUSÉES : PHILADELPHIE (Acad. des Beaux-Arts) : *Le Cirque*.

McNAB Iain
Né en 1890. Mort en 1967. XXe siècle. Britannique.
Peintre de natures mortes, nus, graveur.
Il dirigea dans les années trente la Grosvenor School of Modern Art de Londres. Il a séjourné en France. Il participa de 1923 à 1960 aux expositions organisées par la Royal Academy de Londres avec des gravures.
Il est surtout connu pour ses bois gravés et ses eaux-fortes, de nombreux paysages notamment.
VENTES PUBLIQUES : LONDRES, 29 juil. 1988 : *Nature morte aux coquillages, gants et amphore* 1926, h/t (60x50) : **GBP 660** – LONDRES, 12 mai 1989 : *Nu allongé*, h/t (60x50) : **GBP 880**.

MacNAB Marie, Mme, née **d'Anglars**
Née à Bonny-sur-Loire. Morte en 1911 à Paris. XXe siècle. Française.
Peintre.
Élève de Rudder. Elle débuta au Salon de 1866 ; elle y exposa des sujets de genre, des portraits, des fleurs, presque exclusivement des pastels et des dessins.

MacNAB Peter
Mort en 1900. XIXe siècle. Actif à Londres. Britannique.
Peintre de genre.
Il exposa à Londres de 1884 à 1892.
VENTES PUBLIQUES : TOKYO, 27 mai 1969 : *Barques de pêche* : **GBP 526** – LONDRES, 1er avr. 1980 : *La séparation*, h/t (66,5x103,5) : **GBP 1 100** – LONDRES, 25 juil. 1983 : *The fond farewell*, h/t (98x78) : **GBP 1 000** – LONDRES, 9 juin 1994 : *Le lieu du rendez-vous*, h/t (61x50,5) : **GBP 4 025**.

MACNAIR Frances Macdonald
Née en 1873. Morte en 1921. XIXe-XXe siècles. Britannique.
Peintre, illustrateur, aquarelliste.
Elle formait avec sa sœur Margaret Macdonald, J. Herbert MacNair et Charles Rennie Mackintosh (qui devinrent leurs époux), le groupe d'artistes aquarellistes de Glasgow dit « Les quatre ». Illustrateurs de contes et légendes, ils créaient des personnages

évanescents, supprimant toute expression de sensualité, entourés d'oiseaux noirs dans une nature fantastique. Ils eurent une grande influence sur de jeunes artistes tels que Beardsley et Toorop.
Ventes Publiques : Édimbourg, 2 juil. 1981 : *Paradoxe*, aquar. (35x44) : **GBP 5 200** – Édimbourg, 13 mai 1993 : *Le Prince des Grenouilles* 1898, aquar. et peint. or/vélin (48,7x36,9) : **GBP 42 900.**

McNAMARA Leila Constance
Née en 1894. Morte en 1972. xxe siècle. Australienne.
Peintre de paysages.
Ventes Publiques : Londres, 30 nov. 1989 : *Gommiers au soleil*, h/cart. (29,5x22,5) : **GBP 605.**

MACNEE Daniel, Sir
Né en 1806 à Fintray. Mort le 17 janvier 1882 à Édimbourg. xixe siècle. Britannique.
Peintre de portraits et de genre.
Il vint très jeune à Glasgow et y fit ses études avec le peintre de paysages John Knox dans l'atelier duquel il eut pour condisciple Horatio McCulloch et W. L. Leitch. A 17 ans, il fut employé par le Dr James Brown à l'exécution d'importants dessins anatomiques, puis il fit de la peinture industrielle et peignit à Cumnoch des couvercles de tabatières. Ayant trouvé du travail à Édimbourg, il y fut élève de l'École de l'Académie et dessina de nombreux portraits. En 1830, il revint à Glasgow et s'y établit comme peintre de portraits et y acquit une réputation considérable. En 1855, ayant exposé à Paris, il obtint une médaille d'or. Macnée avait été admis à la Scottish Academy en 1829. En 1876 ses confrères l'appelèrent à la présidence de cet Institut, ce qui valut à l'artiste des lettres de noblesse. A partir de cette date, il se fixa à Édimbourg et y vécut jusqu'à sa mort. Il a peint aussi quelques sujets de genre.
Musées : Édimbourg : *Le bracelet – Horatio McCulloch* – Glasgow : *Portraits de Robert Dalglish, de Bailé-James Mair, de Sir James Bain, de Lord Prowst, de John Attchison, de David Hutcheson, de Sam Bough – Portraits d'une dame, de James Fillans, sculpteur, d'Horatio McCulloch et de John Elder* – Londres (Victoria and Albert) : *Portrait d'Andrew Ure* – Londres (Nat. Portrait Gal.) : *Portraits de John Ramsay, McCulloch et de Dauglas – William Jerrold* – Melbourne (Nat. Gal. of Victoria) : *Portrait de Boyd Baxter.*

McNEE Robert Russel
Né en 1880. Mort en 1952. xxe siècle. Britannique.
Peintre de paysages, compositions animées.

R Russell Macnee

Ventes Publiques : Perth, 24 avr 1979 : *Chevaux à l'abreuvoir* 1923, h/t (60,5x91) : **GBP 600** – Glasgow, 10 avr. 1980 : *The shadowed ford*, h/t (56x66) : **GBP 1 100** – Auchterarder (Écosse), 1er sep. 1981 : *Cour de ferme, Perthshire* 1911, h/t (57x62) : **GBP 1 700** – Édimbourg, 30 août 1988 : *Le chargement de la carriole* 1923, h/t (71x108) : **GBP 3 080** – Perth, 29 août 1989 : *Charretier menant le tombereau* 1934, h/t (41x61) : **GBP 3 520** – Édimbourg, 26 avr. 1990 : *The crofter's biggins* 1923, h/t (50,8x61) : **GBP 4 620** – Perth, 27 août 1990 : *Cour de ferme*, h/t (33x46) : **GBP 1 540** – Édimbourg, 2 mai 1991 : *Deux poules et un coq dans un paysage de printemps*, h/t (35,6x45,7) : **GBP 3 300** – Perth, 26 août 1991 : *Distribution de grain aux poules* 1921, h/t (49,5x59,5) : **GBP 6 600** – Édimbourg, 28 avr. 1992 : *Le chargement d'un tombereau* 1923, h/t (71x108) : **GBP 2 420** – Édimbourg, 23 mars 1993 : *Poulets dans une cour de ferme*, h/t (35,5x45,5) : **GBP 2 645** – Perth, 29 août 1995 : *Poules picorant*, h/t/cart. (37,5x53) : **GBP 2 645** – Glasgow, 16 avr. 1996 : *La provende des poules*, h/pan. (25,5x35,5) : **GBP 1 265.**

MacNEIL. Voir aussi **MacNIEL**

MacNEIL George
Né en 1908 à New York. Mort le 10 janvier 1995 à Brooklyn. xxe siècle. Américain.
Peintre. Abstrait.
Il fut élève à New York du Pratt Institute de 1927 à 1929 ; de l'Art Student's League de 1930 à 1933 ; de l'atelier de Hans Hofmann de 1933 à 1936 ; ainsi que de l'université Colombia. Il a enseigné à l'université du Wyoming, au Pratt Institute (1948-1980), à la New York Studio School (1966-1981) et à l'université Columbia. Il participe à de nombreuses expositions importantes de la jeune école américaine, entre autres : 1936 *Horizons nouveaux de l'art américain* au musée d'Art moderne de New York ; 1948 *Art abstrait et surréaliste en Amérique* au musée d'Art moderne de New York ; 1951 *Art abstrait américain* au musée d'Art moderne de New York ; 1953, 1957, 1961 Whitney Annual au Whitney Museum de New York ; 1961 *Expressionnistes et imagistes abstraits américains* au Guggenheim Museum de New York ; 1961-1962 exposition panaméricaine en Amérique latine, etc. À Paris, on a pu voir de ses œuvres au Salon des Réalités Nouvelles, en 1950. Il montre ses œuvres dans de nombreuses expositions personnelles à New York depuis 1950, au musée de San Francisco en 1955, aux universités de New Mexico, de l'Alabama, et au Black Mountain College, en 1947-1948.
Sur des fonds unis, il développe de grands signes linéaires, blancs et noirs, qui créent une animation décorative de la surface.
Bibliogr. : Michel Seuphor : *Dict. de la peinture abstraite*, Hazan, Paris, 1957 – *Peintres contemp.*, Mazenod, Paris, 1964.
Musées : Cuba (Mus. Nat.) – New York (Mus. of Mod. Art) – New York (Walker Art Center) – New York (Whitney Mus.) – Paris (BN).
Ventes Publiques : New York, 4 nov. 1987 : *Danseur n° 31 : II* 1981, acryl., sable et h/t (132,2x122,3) : **USD 10 000** – New York, 12 nov. 1991 : *The British Navy* 1957, h/t (167,7x167,7) : **USD 17 600** – New York, 8 nov. 1993 : *Ils aiment danser* 1983, h., rés. synth., sable, ficelle et collage de t./t. (172,6x142,2) : **USD 4 830** – New York, 14 juin 1995 : *Nike* 1957, h/rés. synth. (121,9x121,9) : **USD 3 450** – New York, 7 mai 1996 : *Luxure* 1973, h/t (193x182,9) : **USD 4 370.**

MacNEIL Hermon Atkins ou **MacNiel**
Né le 27 février 1866 à Everett (Massachusetts). Mort en 1947. xixe-xxe siècles. Américain.
Sculpteur de statues, monuments, figures.
Il fut élève de Chapu à l'académie Julian et de Falguière à l'académie des Beaux-Arts de Paris. Il fut membre de la Fédération américaine des arts. Il obtint de très nombreuses récompenses, dont une médaille d'argent à l'Exposition universelle de Paris, en 1900.
Il sculpta des monuments commémoratifs. Il s'intéressa particulièrement aux Indiens d'Amérique et réalisa plusieurs statues monuments de caractère indien, tels que le *Vœu au soleil* (1898, New York), *Le Siècle despotique* (1901, Portland), *La Venue de l'homme blanc* (1905), *La Prière maqui pour la pluie* (Chicago).
Musées : New York (Metrop. Mus.) : *Vœu au soleil* 1898.
Ventes Publiques : New York, 29 sep. 1977 : *The Maqui Runner*, bronze, patine brune (H. 56,5) : **USD 15 000** – Los Angeles, 15 oct 1979 : *Chef de la tribu Multnomah*, bronze, patine noire et verte (H. 80) : **USD 13 000** – New York, 3 juin 1982 : *The Sun Vow*, bronze patine brun-rouge (H. 99) : **USD 45 000** – New York, 3 juin 1983 : *Chef de la tribu Multnomah* 1903, bronze patine brun-vert (H. 96,3) : **USD 48 000** – New York, 30 sep. 1985 : *Une Nymphe*, bronze, patine brun-vert (H. 71,7) : **USD 4 500** – New York, 10 mars 1993 : *Manuelito* 1901, bronze (H. 39,4) : **USD 4 888** – New York, 25 mai 1994 : *Le Retour des serpents, prière maqui pour la pluie*, bronze (H. 57,2) : **USD 31 050** – New York, 4 déc. 1996 : *Le Retour des serpents, prière maqui pour la pluie*, bronze (H. 57,2) : **USD 63 000.**

MACNEIL Kenneth. Voir **MACLEAY Kenneth**

MacNICOL Bessie
Née le 17 juillet 1869 à Glasgow. Morte le 4 juin 1904 à Glasgow. xixe-xxe siècles. Britannique.
Peintre de portraits, figures.
Musées : Glasgow (Gal. des Beaux-Arts) : *Deborah.*
Ventes Publiques : Glasgow, 9 avr. 1981 : *Dame de France*, h/t (40x49) : **GBP 1 600** – Glasgow, 19 avr. 1984 : *A tea party*, h/t (53,3x43,1) : **GBP 4 800** – Édimbourg, 30 avr. 1985 : *Portrait of Douglas Reid* 1903, h/t (120x70) : **GBP 1 900** – Perth, 29 août 1989 : *Le chapeau de soleil couleur lilas*, h/t (41x31) : **GBP 18 150** – Glasgow, 6 fév. 1990 : *Mère et fille* 1899, h/pan. (28x37) : **GBP 14 300** – Perth, 26 août 1991 : *Belle vue sur le port*, h/t. cartonnée (25,5x34) : **GBP 1 540** – Glasgow, 4 déc. 1991 : *Dame à l'éventail* 1904, h/pan. (36x27) : **GBP 2 750** – Perth, 26 août 1996 : *Vanité* 1902, h/t (114x127,5) : **GBP 54 300.**

MacNIEL Carol Brooks ou **MacNeil**
Née le 15 janvier 1871 à Chicago (Illinois). xixe-xxe siècles. Américaine.
Sculpteur.
Elle est l'épouse du sculpteur Hermon Atkins MacNiel. Elle fut

élève de Loredo, Taft, MacMonnies et Injalbert. Elle prit part au Salon des Artistes Français à Paris, où elle obtint une médaille d'argent à l'Exposition universelle de 1900.
Ventes Publiques : New York, 22 mai 1980 : *Deux enfants dansant*, bronze, patine brune (H. 34,6) : **USD 1 600**.

McNULTY William Charles
Né le 28 mars 1889 à Oyden (Utah). xxe siècle. Américain.
Peintre, graveur.
Il fut membre du Salmagundi Club. Il a figuré en 1947 à l'exposition de la Fondation Carnegie à Pittsburgh.

MACNUTT J. Scott
Né le 11 janvier 1885 à Fort D. A. Russell (Wyoming). xxe siècle. Américain.
Peintre.
Il fut élève de Woodbury et de l'école du Museum de Boston. Il fut membre de la Fédération américaine des arts.

MACOLIN Giovanni Battista. Voir **MACHOLINO**

MACOLINO Thomas ou **Maculinus**
xviie siècle. Allemand.
Peintre amateur et musicien.
Ses portraits de *Max Emanuel de Bavière* et de la *Princesse Marie-Anne-Christine* furent gravés en 1678 par G. G. Amling. Il travailla à la cour à Munich.

MACOMBER Mary Lizzie
Née le 21 août 1861 à Fall River (Massachusetts). Morte le 6 février 1916 à Boston. xixe-xxe siècles. Américaine.
Peintre de portraits, figures.
Musées : Boston – Worcester (Mus. des Beaux-Arts).
Ventes Publiques : New York, 2 juin 1983 : *Faith, Hope and Love* 1894, h/t (84x61) : **USD 8 500** – New York, 28 sep. 1989 : *Vue des Communes* 1912, h/t (30,5x50,8) : **USD 4 400** – New York, 16 mars 1990 : *Foi, Espérance et Charité* 1894, h/t (84x61) : **USD 11 000** – New York, 23 sep. 1992 : *Étude pour Le Pot de basilic*, h/cart. (32,4x25,7) : **USD 2 090**.

MAÇON Pierre
Mort entre 1559 et 1569. xvie siècle. Actif à Troyes. Français.
Peintre verrier.
La cathédrale de Troyes lui doit des vitraux avec des scènes de l'histoire de l'*Enfant Prodigue*.

MAC ORLAN, pseudonyme de **Dumarchey Pierre**
Né le 26 février 1883 à Péronne (Somme). Mort en 1971. xxe siècle. Français.
Peintre de sujets de sport, aquarelliste, dessinateur, illustrateur.
Très jeune, il exécuta, à Montmartre, des gouaches à sujets sportifs, ce qui l'incita au choix d'un pseudonyme britannique ; il porta, aux journaux comiques, des dessins dont les légendes furent si remarquées qu'on lui demanda des contes. Devenu écrivain, Pierre Mac Orlan s'illustra lui-même aussi longtemps qu'il se satisfit de figurer parmi les humoristes : *Les Pattes en l'Air* en 1911, *Sous la Lumière Froide* en 1926. Il illustra aussi *Montmartre* de Nino Frank. Romancier célèbre, il a négligé les crayons, les retrouvant pourtant au moins une fois pour éclairer d'images inspirées des vieux collaborateurs du *Punch* sa *Véritable Histoire de Fanny Hill*.
Bibliogr. : Luc Monod, in : *Manuel de l'amateur de Livres Illustrés Modernes 1875-1975*, Ides et Calendes, Neuchâtel, 1992.
Ventes Publiques : Paris, 21 jan. 1938 : *Joueurs de pelote basque*, aquar. gchée : **FRF 360** – Paris, 27 nov. 1942 : *Football colonial anglais*, gche : **FRF 110** – Paris, 23 mai 1986 : *Scène de rue* 1903, lav. aquarellé (24x31,5) : **FRF 7 500**.

MACOTELA Gabriel
xxe siècle. Mexicain.
Peintre, sculpteur, céramiste.
Il fut membre du groupe révolutionnaire *Suma* (Somme), fondé dans les années soixante-dix à l'École nationale des arts plastiques, qui pratiquait le graffiti sur les murs de la ville.
Il évolua de l'« art dans la rue », vers une abstraction informelle. Ses toiles, entre peinture et sculpture, sont composées de divers plans aux surfaces rugueuses et aux tons ocre, terre.
Bibliogr. : Damian Bayon, Roberto Pontual : *La Peinture de l'Amérique Latine au xxe s*, Mengès, Paris, 1990.

MACOURT C.
Né en Allemagne. Mort en juillet 1768. xviiie siècle. Allemand.
Portraitiste et miniaturiste.
Cet artiste vécut surtout en Angleterre ; il fut membre de la Chartered Society of Artists, où il exposa de 1761 à 1767. Il a laissé quelques gravures à la manière noire. La date de mort de cet artiste figure dans les « Addenda » et les « Anecdotes ».

McPHAIL Rodger
Né en 1953. xxe siècle. Britannique.
Peintre à la gouache, animalier d'oiseaux, aquarelliste.

Ventes Publiques : Londres, 25 fév. 1992 : *Vol de perdrix*, aquar. (50,8x66,8) : **GBP 4 400** – Londres, 16 mars 1993 : *Bécasse dans un fourré en hiver*, aquar. (43,5x53,4) : **GBP 3 910** – Édimbourg, 23 mars 1993 : *Canard sauvage reposant dans un estuaire*, aquar. et gche (53x66) : **GBP 1 265** – Londres, 15 mars 1994 : *Perdrix picorant en bas d'un talus*, cr. et aquar. avec reh. de gche (62,5x49,7) : **GBP 4 370** – Londres, 14 mai 1996 : *Perdrix grises en hiver*, aquar. avec reh. de blanc (47x58,4) : **GBP 16 100** – Londres, 30 sep. 1997 : *Un faisan et son harem*, h/pan. (84,5x120) : **GBP 9 200**.

MacPHERSON John, dit **Mâcson**
xixe siècle. Britannique.
Paysagiste.
Exposa à Suffolk Street, de 1865 à 1884. Le Victoria and Albert Museum conserve une aquarelle de lui.
Ventes Publiques : Londres, 21 nov. 1985 : *Saint Martin's and the Bull Ring, Birmingham*, aquar./trait de cr. avec touches de gche (19x29) : **GBP 950**.

MACPHERSON John Havard
Né en 1894. xxe siècle. Américain.
Peintre de paysages.
Ventes Publiques : New York, 2 déc. 1992 : *Gerbes de blé mises en tas*, h/t (40,7x51) : **USD 1 870**.

MacPHERSON Margaret Campbell
xixe-xxe siècles. Britannique.
Peintre de portraits, genre.
Elle fut à Paris élève de G. Courtois et figura au Salon des Artistes Français de 1898 à 1914.

MACQUEEN Kenneth
Né en 1897. Mort en 1960. xxe siècle. Australien.
Peintre de paysages, animaux, aquarelliste.
Il peint des paysages désolés, dénonçant le déboisement.
Bibliogr. : In : *Creating Australia – 200 years of art 1788-1988*, Art Gallery of South Australia, Adelaide, 1988.

McQUEEN Steve
Né en 1969 à Londres. xxe siècle. Britannique.
Artiste, créateur d'installations.
Il vit et travaille à Londres. Il participe à des expositions collectives, dont : 1996, *Life/Live. La scène artistique au Royaume-Uni en 1996* au Musée d'Art Moderne de la Ville de Paris. Il montre ses œuvres dans des expositions personnelles depuis 1996, parmi lesquelles : 1997, Van Abbemuseum, Eindhoven.
Lors de l'exposition *Life/Live* au Musée d'Art Moderne de la Ville de Paris en 1996, il présentait une installation vidéo en noir et blanc, sans son. On le voyait marcher, l'objectif de la caméra fixant le sommet de sa tête ou le haut de ses épaules.

MACQUETTE Noël
xviie siècle. Actif à Angers vers 1686. Français.
Sculpteur.

MACQUINER Christian. Voir **MAQUINET**

MACQUOID Percy
Mort le 20 mars 1925. xxe siècle. Actif à Londres. Britannique.
Peintre, dessinateur de costumes et décorateur de scènes.
Il était fils de Thomas Robert MacQuoid.

MACQUOID Thomas Robert
Né le 24 janvier 1820 à Londres. Mort le 6 avril 1912 à Londres. xixe-xxe siècles. Britannique.
Peintre, aquarelliste, dessinateur et illustrateur.
Il fut collaborateur du *Graphic* et des *London News*.

MACRAE Elmer Livingston
Né en 1875. Mort en 1934 ou 1953. XXe siècle. Américain.
Peintre d'animaux, paysages, technique mixte.
VENTES PUBLIQUES : NEW YORK, 10 oct 1979 : *Fillettes cueillant des coquelicots* 1912, h/t (76,2x63,5) : **USD 3 000** – NEW YORK, 30 mai 1985 : *Schooner in the ice* 1900, h/t (63,5x76,2) : **USD 25 000** – NEW YORK, 29 mai 1986 : *Vue de Bush-Holley House l'hiver* 1907-1909, h/t (68,5x55,9) : **USD 15 000** – NEW YORK, 24 jan. 1989 : *Poulets*, encre et gche (36x48,2) : **USD 880** – NEW YORK, 17 déc. 1990 : *Sous-bois*, h/t (66,1x81,4) : **USD 2 200** – NEW YORK, 31 mars 1993 : *Fillette en robe blanche*, h/t (68,6x55 ; 9) : **USD 6 038** – NEW YORK, 2 déc. 1993 : *Mill Bridge à Cos Cob* 1906, h/t (55,9x66) : **USD 13 800** – NEW YORK, 12 sep. 1994 : *Madeleine Hore Macrae lisant* 1905, past./cart. (50,8x45,7) : **USD 1 840**.

MACRAE Emma Fordyce
Née le 27 avril 1887 à Vienne. Morte en 1974. XXe siècle. Active aux États-Unis. Autrichienne.
Peintre.
Elle fut élève de Luis Mora et Robert Reid. Elle fut membre de la Fédération américaine des arts. Elle obtint une médaille d'or du club national des arts de New York, en 1930.
VENTES PUBLIQUES : BOLTON, 26 nov. 1985 : *Nature morte* 1924, h/t (75,5x63,5) : **USD 3 300** – NEW YORK, 17 déc. 1990 : *La baie aux pigeons*, h/t/cart. (63,5x76,3) : **USD 1 320** – NEW YORK, 14 mars 1991 : *Le livre ouvert* 1930, h. et cr./t. (101x81) : **USD 9 350** – NEW YORK, 26 sep. 1991 : *Jeune femme belge*, h. et cr./t./pan. (77,5x64) : **USD 4 180** – NEW YORK, 25 mars 1997 : *Nature morte aux freesia blancs et oiseaux tropicaux*, h./masonite (40,6x50,2) : **USD 2 875**.

MACRÉAU Michel
Né en 1935 à Paris. Mort en 1996. XXe siècle. Français.
Peintre de figures. Figuration narrative.
Il étudia la peinture de 1953 à 1959, à Paris, puis résida une année à Vallauris travaillant dans un atelier de céramique. Il vit et travaille aux Laignes.
Il participait à de nombreuses expositions de groupe, depuis 1959 notamment : le Salon de Mai à Paris ; 1965 *La Figuration narrative*, organisée à Paris par G. Gassiot-Talabot, 1988 *Singuliers, bruts ou naïfs ?* au musée d'Art moderne de la ville de Paris. Il montrait ses œuvres dans de nombreuses expositions personnelles depuis 1962 à Paris, Milan, Ibiza, Berlin ; 1995 Maison de la culture et musée des Arts décoratifs de Bourges ; 1996 Musée des Beaux-Arts d'Alençon ; 1996 galerie Margaron, Paris ; 1997 Centre d'art contemporain d'Istres...
Influencé par Picasso et Dubuffet, il trace des graffiti, recourant à une sorte d'écriture automatique, en tout cas primitive, pour retrouver la spontanéité naïve et la richesse d'expression des dessins d'enfants. Au milieu de fioritures foisonnantes, il situe des êtres et des personnages réduits à quelques traits rehaussés de couleurs vives, qui transmettent les symboles de ses propres obsessions existentielles, érotiques ou mystiques.

M. Macreau

BIBLIOGR. : Catalogue de l'exposition : *Michel Macréau*, galerie Georg Nothelfer, Berlin, 1987 – Catalogue de l'exposition : *Macréau*, galerie Caroline Beltz, Paris, 1988 – in : *Dict. de l'art mod. et contemp.*, Hazan, Paris, 1992.
VENTES PUBLIQUES : PARIS, 20 mars 1988 : *Sans titre*, h/t (130x97) : **FRF 35 000** – PARIS, 23 juin 1988 : *Trois visages de carnaval* 1960, h/t (60x73) : **FRF 17 000** – PARIS, 23 mars 1989 : *Sans titre* 1965, h/t (145x114) : **FRF 68 000** – PARIS, 18 juin 1989 : *Autoportrait aux carreaux blancs*, h/t (100x73) : **FRF 31 000** – PARIS, 9 oct. 1989 : *Femme, tenture de fête et ciel bleu* 1961, techn. mixte/t. (166x131) : **FRF 185 000** – LES ANDELYS, 19 nov. 1989 : *Le couple* 1983, acryl./t. (92x65) : **FRF 60 000** – PARIS, 15 fév. 1990 : *Le modèle* 1969, h/t (195x130) : **FRF 110 000** – VERSAILLES, 25 fév. 1990 : *Quelques vilains petits bonshommes dans des grandes et petites arabesques* 1961, h/t (116x81) : **FRF 165 000** – PARIS, 18 juin 1990 : *Sans titre* 1987, techn. mixte, h., bois et métal/t. (217x131) : **FRF 200 000** – DOUAI, 1er juil. 1990 : *Personnage*, gche (66,5x51,2) : **FRF 13 000** – PARIS, 29 oct. 1990 : *Vierge aux ornements* 1962-1964, techn. mixte/t. (96x70) : **FRF 70 000** – NEUILLY, 15 nov. 1990 : *Sans titre* 1966, h/t (112,5x97) : **FRF 95 000** – PARIS, 5 fév. 1991 : *Sans titre* 1989, acryl./cart. (158x96) : **FRF 28 500** – LONDRES, 21 mars 1991 : *Le griffu* 1962, h/t (156x82) : **GBP 6 820** – PARIS, 16 avr. 1992 : *Le couple* 1981, fus. et past./pap. (108x74) : **FRF 11 500** – AMSTERDAM, 9 déc. 1992 : *Sans titre*, h./coton/pan. (175x110,5) : **NLG 4 025** – PARIS, 28 juin 1994 : *Tatouage sur le sorcier* 1961, h. et encre/t. (155x125) : **FRF 58 000** – PARIS, 15 déc. 1994 : *Portrait de femme* 1986, techn. mixte/t. (46x38) : **FRF 11 000** – PARIS, 27 jan. 1996 : *Sans titre*, h/t (91,5x65) : **FRF 15 000** – PARIS, 29 avr. 1997 : *Personnage au chat*, gche et fus./pap. (109,5x75) : **FRF 4 500** ; *La Jeune Fille à la plage* 1974, encre et cr. coul. (65x50) : **FRF 5 500**.

MacREGOL ou **Regiul** ou **Riagoil**
Mort en 820. IXe siècle. Irlandais.
Peintre de miniatures.
Il écrivit et fit les miniatures d'un évangile que possède la Bodleian Library d'Oxford.

MACRET Charles François Adrien ou **André**
Né le 2 mai 1751 à Abbeville. Mort le 24 décembre 1789 à Paris. XVIIIe siècle. Français.
Graveur.
Élève d'Auguste de Saint-Aubin, Lebas, et N. G. Dupuis. Il a gravé des sujets de genre, d'histoire, des portraits. Macret fut aussi un charmant dessinateur ; ses paysages notamment sont pleins de charme et dénotent une consciencieuse étude de la nature.

MACRET Jean César
Né le 1er mars 1768 à Abbeville. XVIIIe siècle. Français.
Graveur.

McRICKARD James P.
Né le 7 novembre 1872. XIXe-XXe siècles. Américain.
Peintre de paysages.
Il fut élève de l'Art Student's League de New York, de Douglas Volk et George de Forest Brush. Il fut membre du Salmagundi Club.
VENTES PUBLIQUES : NEW YORK, 17 mars 1988 : *Maisons et étables dans un paysage montagneux*, h/t (55x70) : **USD 2 640**.

MACRINO d'Alba, appelé aussi **Giangiacomo Fava de Alladio, Alba Macrino**
Né vers 1470 à Alba, en Piémont. Mort avant 1528. XVe-XVIe siècles. Italien.
Peintre de compositions religieuses.
On sait peu de choses de la vie de cet artiste. On croit qu'il commença ses études à Vercelli, puis à Milan. Vincenzo Esppa y brillait alors de tout l'éclat de sa renommée. On sait que Macrino peignit de 1496 à 1506, mais on ne peut dire si les ouvrages portant ces dates sont du début ou de la fin de sa carrière. On cite de ses ouvrages à Alba, à Asti et à la Certosa de Pavie. On en conserve plusieurs au Musée de Turin. On cite comme un de ses chefs-d'œuvre le *Triptyque* conservé au Musée de Francfort.
MUSÉES : FRANCFORT-SUR-LE-MAIN : *Triptyque* – LONDRES (Nat. Gal.) : *Groupes de saints* – TURIN.
VENTES PUBLIQUES : LONDRES, 1899 : *Vierge à l'Enfant sur un trône*, triptyque : **FRF 8 650** – LONDRES, 24 juil. 1936 : *Saint Jean Baptiste et saint Augustin* : **GBP 21** – LONDRES, 4 mai 1951 : *Saint Pierre ; Saint Jean Baptiste ; Sainte Lucie ; Saint Nicolas ; Sainte Agathe ; Saint Jean de Dieu ; Saint Laurent ; Saint Paul*, huit panneaux : **GBP 472** – LUCERNE, 21 et 27 nov. 1961 : *La Vierge et l'Enfant* : **CHF 13 000** – NEW YORK, 20 mai 1971 : *La nativité* : **USD 17 500** – FLORENCE, 27 mai 1985 : *Saint Jean Baptiste*, h/pan. fond or (75x41) : **ITL 38 000 000** – NEW YORK, 14 jan. 1988 : *La Vierge et l'Enfant sur un trône, entourés de saints*, détrempe/t. (218,5x139,5) : **USD 253 000**.

MACRIS Constantin Georges
Né en 1919 au Caire, de parents grecs. Mort en 1984. XXe siècle. Actif en France. Égyptien.
Peintre.
Il fut élève d'un peintre académique de l'école munichoise. En 1948, il quitta la Grèce, vint à Paris, après avoir fait la guerre dans les forces aériennes grecques, et travailla dans l'atelier de Fernand Léger. De 1957 à 1960, il séjourna à Bergen (Hollande), puis revint se fixer dans la proximité de Paris, à Chevreuse.
Il exposa régulièrement au Salon du Caire. Il exposa au Salon des Réalités Nouvelles de 1956 à 1959, à Paris. Il figura dans les expositions Pierre Loeb au musée d'Art moderne de la ville de Paris du 7 juin au 16 septembre 1979 ainsi qu'au musée communal d'Ixelles (Belgique) du 4 octobre au 23 novembre 1979. Il participa à d'autres manifestations collectives à Paris, Londres, Pittsburgh, Lausanne, etc. Il montre ses œuvres dans des expositions personnelles : 1956, 1957 à Paris ; 1959 New York, etc.
Il travailla bien que par touches non uniformisées, dans l'esprit du néo-plasticisme de Mondrian.

Bibliogr. : Michel Seuphor : *Dict. de la peinture abstraite*, Hazan, Paris, 1957 – *Catalogue du premier Salon des Galeries Pilotes du Monde*, Musée cantonal, Lausanne, 1963.
Ventes Publiques : Bruxelles, 27 oct. 1976 : *Composition sur fond blanc*, h/t (195x130) : **BEF 36 000** – Paris, 23 juin 1988 : *Composition*, h/t (193x126) : **FRF 28 000** – Londres, 18 juin 1993 : *Le guerrier* 1932, h/t (60,5x52) : **GBP 7 130**.

MacRITCHIE Alexina
Née au xixe siècle à Bangor. xixe siècle. Britannique.
Peintre.
Figura au Salon de Paris où elle obtint une mention honorable en 1893.

MACRON ou **Makron**
ve siècle avant J.-C. Actif au début du ve siècle av. J.-C. Antiquité grecque.
Peintre.
Il a signé deux vases à figures rouges, sortis de l'atelier du potier Hieron, ce qui a permis ensuite de lui attribuer un bon nombre d'autres poteries et en particulier des coupes. A ses débuts, il décorait seulement l'intérieur des coupes, puis il utilisa l'extérieur avec autant de grâce. Son art date de la fin de l'époque dite « sévère », et Macron n'hésite pas à représenter des scènes de la vie de tous les jours, de la vie amoureuse, des scènes de palestres. Il a, d'autre part, une prédilection pour les cortèges dionysiaques. Les détails anatomiques l'intéressent moins que les jeux de draperies, qui peuvent, à l'occasion, mettre en valeur les nus. Son répertoire n'est pas aussi inventif ni aussi varié que celui de Brygos, son contemporain.

MACRUM George H.
xixe-xxe siècles. Américain.
Peintre.
Il fut élève de l'Art Student's League de New York. Il fut membre du Salmagundi Club, dont il obtint une récompense en 1914.
Ventes Publiques : New York, 17 déc. 1990 : *La tour Metropolitan un jour de brouillard* 1912, h/t (101,6x76,3) : **USD 8 800** – New York, 10 mars 1993 : *Les constructions lacustres*, h/t (63,5x76,2) : **USD 3 450** – New York, 28 sep. 1995 : *Le bas de Broadway un soir d'été*, h/cart. (25,4x10,2) : **USD 1 955**.

MACSAI Istvan
Né en 1922. xxe siècle. Hongrois.
Peintre de genre, natures mortes, portraits, graveur.
Il a fait des voyages d'études en France, Hollande, Italie, Canada. Il expose depuis 1950. Il a reçu le prix Munkacsy.
Bibliogr. : *Hongrie 68*, Pannonia, Budapest, 1968.

MACSOUD Nicolas S.
Né le 7 mars 1884 à Zahle. xxe siècle. Actif aux États-Unis. Syrien.
Peintre de sujets religieux.
Il fut élève de l'Académie nationale de dessin à New York. Il fut membre du Salmagundi Club.
Musées : New York : *Le Saint Sépulcre*.

MacTAGGART William, Sir
Né en 1835 à Campbeltown. Mort en 1910. xixe-xxe siècles. Britannique.
Peintre de genre, figures, portraits, paysages, marines, aquarelliste.
Exposa durant quelques années, à partir de 1866, des sujets de genre à la Royal Academy à Londres. Plus tard, il paraît s'être plus particulièrement attaché au paysage. Il fut membre de la Scottish Academy et de la Royal Scottish Society of Painters in Water-Colours.

WM Taggart
W McTaggart

Musées : Édimbourg : *Dora* – Glasgow : *Marine* – *Portrait de Robert Greenless* – Melbourne (Nat. Gal. of Victoria) : *Pêcheurs* – *Bailie Duncan Macdonald* – *Archibald Watson*, deux fois – *Un message de la mer* – *Sur le penchant* – *Sur la côte d'Argyllshire*.
Ventes Publiques : Londres, 2 mai 1924 : *Spate on the Esk* : **GBP 441** – Londres, 30 mai 1924 : *La baie de Cauldron* : **GBP 546** – Londres, 11 juil. 1924 : *Changement de marée*, dess. : **GBP 152** – Londres, 2 juil. 1926 : *La baie de Carmonstie* : **GBP 525** – Londres, 2 déc. 1927 : *Les petits compagnons* : **GBP 304** – Londres, 2 mars 1929 : *Le radeau* : **GBP 105** ; *Réparation du filet*, dess. : **GBP 131** – Londres, 18 juin 1931 : *Scène de la côte* : **GBP 180** – Londres, 6 mai 1932 : *Moisson* : **GBP 252** ; *Les pêcheurs de saumon* : **GBP 273** – Londres, 28 oct. 1933 : *Champ de petits pois*, aquar. : **GBP 49** – Glasgow, 25 oct. 1934 : *Gai mois d'octobre* : **GBP 450** – Édimbourg, 3 avr. 1937 : *Vue du port* : **GBP 147** – Glasgow, 5 sep. 1945 : *We twe hae poidl't i'the burn* : **GBP 135** – Londres, 30 nov. 1945 : *Enfants pique-niquant près d'un champ de blé* : **GBP 231** – Londres, 15 avr. 1964 : *Une journée de juin* : **GBP 800** – Londres, 13 déc. 1967 : *Bord de mer* : **GBP 1 100** – Londres, 11 déc. 1970 : *Les moissonneurs* : **GNS 1 100** – Écosse, 24 août 1976 : *La gardeuse de moutons*, h/t (45x34) : **GBP 950** – Auchterarder (Écosse), 29 août 1978 : *Enfants sur un radeau*, h/t (41x61) : **GBP 2 000** – Glasgow, 4 juin 1979 : *Scène de moisson* 1893, h/t (61x92,5) : **GBP 11 000** – Perth, 13 avr. 1981 : *Machrihanish Bay*, h/t (145x218,5) : **GBP 7 000** – Glasgow, 7 avr. 1983 : *Twixt the barley and the beans* 1877, aquar. reh. de blanc (33x51,5) : **GBP 1 300** – Glasgow, 7 juil. 1983 : *Bonne chance !* 1885, h/t (76,2x122) : **GBP 8 000** – Édimbourg, 30 avr. 1985 : *Les jeunes pêcheurs* 1876, aquar./trait du fus. (34x51,5) : **GBP 1 500** – Édimbourg, 30 avr. 1986 : *Jeune fille sur la plage jouant avec des coquillages* 1879, h/t (54,6x67,3) : **GBP 8 500** – Édimbourg, 30 août 1988 : *Un lac*, h/pap. (40x50) : **GBP 2 530** ; *Enfants dans les dunes* 1904, h/t (61x76) : **GBP 35 200** – Édimbourg, 22 nov. 1988 : *Feuilles d'automne à Lasswade* 1898, h/t (77,5x62,3) : **GBP 28 000** – Toronto, 30 nov. 1988 : *Jeune fille assise avec des fleurs* 1888, h/t (72,5x54,5) : **CAD 10 000** – Perth, 28 août 1989 : *Bons amis*, h/pan. (40,5x30,5) : **GBP 11 000** ; *Coquelicots* 1960, h/cart. (77x63,5) : **GBP 17 600** – Édimbourg, 22 nov. 1989 : *Journée de juin à Arran* 1869, h/cart. (30,5x35,6) : **GBP 23 100** – Glasgow, 6 fév. 1990 : *Le ramassage des coquillages* 1875, h/t (64x102) : **GBP 33 000** – Édimbourg, 26 avr. 1990 : *Le vent sur la lande*, h/t (144,8x216,5) : **GBP 24 200** – Montréal, 30 avr. 1990 : *Portrait d'une dame*, h/t (36x31) : **CAD 1 540** – South Queensferry, 1er mai 1990 : *La lune sur un champ moissonné au demi-jour* 1897, h/t (89x110,5) : **GBP 52 800** – Glasgow, 5 fév. 1991 : *Loch Tay*, h/cart. (51x61) : **GBP 4 400** – South Queensferry, 23 avr. 1991 : *Jeux dans les vagues* 1895, h/t (93x143) : **GBP 39 600** – Édimbourg, 2 mai 1991 : *Port naturel de Cockenzie* 1894, h/t (86,3x94) : **GBP 38 500** – Glasgow, 4 déc. 1991 : *La ferme* 1865, aquar. (24x36) : **GBP 1 760** – Édimbourg, 28 avr. 1992 : *Sur un sentier* 1899, aquar. (23,5x33,5) : **GBP 3 520** – Perth, 1er sep. 1992 : *Enfants jouant dans la neige* 1889, h/t (35,5x52) : **GBP 24 200** – Édimbourg, 13 mai 1993 : *Ils sont dans leur élément* 1882, h/pan. (29,8x45,7) : **GBP 13 200** – Perth, 31 août 1993 : *Les émigrants*, h/t (54x79) : **GBP 26 450** – Perth, 29 août 1995 : *Un ruisseau dans les Highlands* 1877, h/t (81x90) : **GBP 58 700** – Glasgow, 16 avr. 1996 : *Le Jeu dans les brisants* 1895, h/t (93x143) : **GBP 34 500** – Londres, 6 juin 1996 : *The Daisy Chain*, h/t (71,1x91,5) : **GBP 5 750** – Glasgow, 11 déc. 1996 : *Le moulin de Caernazrie* 1881, aquar./marques de cr. (34x52) : **GBP 2 185** ; *In the rock pools* 1887, aquar. reh. de gche (33x51) : **GBP 5 080** – Édimbourg, 27 nov. 1996 : *Le Coquillage* 1884, h/t (106,1x83,3) : **GBP 8 970** – Londres, 15 avr. 1997 : *Among the Heather* 1872, h/t (49,5x59,5) : **GBP 54 300** – Auchterarder (Écosse), 26 août 1997 : *Lever de brume au large des collines d'Arran* 1883, h/t (81x106,5) : **GBP 210 500**.

MacTAGGART William II, Sir
Né le 15 mai 1903 à Loanhead (Écosse). Mort en 1981. xxe siècle. Britannique.
Peintre de paysages, fleurs, natures mortes.
Il est le petit-fils du peintre de marines homonyme. De 1918 à 1921, il fut élève du collège d'art d'Édimbourg. A partir de 1922, il commença d'aller régulièrement peindre dans le Midi de la France.
En 1921, il exposa pour la première fois à l'académie royale d'Écosse, dont il fut élu membre en 1922. Il participa à l'exposition *Four Scottish Painters* à l'occasion du festival d'Édimbourg en 1963, puis à l'exposition *14 Peintres écossais* à l'Institut du Commonwealth, à Londres, en 1964. En 1938, il fit sa première exposition personnelle à Glasgow. Il fut élu président de la Société des Artistes d'Écosse en 1933, académicien de l'académie royale d'Écosse en 1948, dont il fut élu secrétaire en 1955, puis président en 1959. Il est aussi chevalier de la Légion d'honneur.
Il occupe une place très importante dans la vie artistique écossaise. Il peint dans une pâte épaisse, recherchant les effets de

clair-obscur sans y sacrifier la couleur, ici saturée à la façon du vitrail. On évoque souvent le nom de Rouault à son propos.
Bibliogr. : Catalogue de l'exposition rétrospective : *Sir William Taggart*, Scottish National Gallery of Modern Art, Glasgow, 1968.
Musées : Aberdeen (Art Gal.) – Bradford (City Art Gal.) – Dundee (City Mus.) – Édimbourg (Scot. Nat. Gal. of Mod. Art) – Glasgow (Art Gal.) – Greenock (Art Gal.) – Londres (Tate Gal.) – Middlesbrough (mun. Art Gal.).
Ventes Publiques : Édimbourg, 15 nov. 1977 : *Bord de mer*, h/t (95x144) : **GBP 1 500** – Glasgow, 10 avr. 1980 : *Crépuscule*, h/t (45x60) : **GBP 400** – Glasgow, 1er oct. 1981 : *La Pêche aux coquillages* 1972, h/t (35x50) : **GBP 3 200** – Auchterarder (Écosse), 30 août 1983 : *The Covent Garden*, h/t (101,5x127) : **GBP 1 300** – Glasgow, 12 déc. 1985 : *Dumfriesshire landscape*, h/t (71,2x91,4) : **GBP 1 900** – Glasgow, 11 déc. 1986 : *Le Golfeur, portrait de Master Stephen*, h/t (48,3x63,5) : **GBP 6 500** – Glasgow, 4 fév. 1987 : *Anémones* 1959, h/cart. (63,5x76) : **GBP 3 800** – York (Angleterre), 12 nov. 1991 : *Le littoral*, h/cart. (38,5x49) : **GBP 3 740** – Londres, 25 sep. 1992 : *Paysage côtier*, h/cart. (25,4x33) : **GBP 1 870** – Perth, 29 août 1995 : *Une rangée d'arbres au bord d'une route*, h/cart. (30,5x35,5) : **GBP 2 645** – Glasgow, 16 avr. 1996 : *Paysage de l'est de Lothian au crépuscule*, h/t (63,5x77) : **GBP 6 325** – Édimbourg, 23 mai 1996 : *Édimbourg – le château et les jardins de Princes street*, h/t (91,5x76,2) : **GBP 4 600** – Glasgow, 11 déc. 1996 : *Pittenweem*, aquar. et craie noire (23,5x29,5) : **GBP 437** – Glasgow, 20 fév. 1997 : *Bougies et fruits*, h/pan. (55,2x76) : **USD 14 950** – Édimbourg, 15 mai 1997 : *Fleurs d'été*, h/pan. (67,2x49) : **GBP 4 370**.

MACULINUS. Voir **MACOLINO**

McWHIRTER John ou **MacWhirter**
Né en 1839 à Slateford (près d'Édimbourg). Mort en 1911 à Londres. XIXe-XXe siècles. Britannique.
Peintre de paysages animés, paysages, aquarelliste, graveur.
Fit ses premières études à Peebles. En 1864, il vint à Londres et exposa l'année suivante à la Royal Academy. En 1879, il fut associé de cet Institut et académicien en 1893. Il fut nommé membre honoraire de la Royal Scottish Academy en 1882. Il a peint avec beaucoup de charme des paysages d'Écosse.

Mac W

Musées : Birmingham : *Automne dans l'île d'Arran* – Glasgow : *Fleurs de printemps – Sannose Bey Avan* – Liverpool : *Le silence règne dans les bois* – Manchester : *Fair Strathspey – Val d'Aoste* – Melbourne (Nat. Gal. of Victoria) : *Montagne et brume – Sermon près de la mer – Sur la Tweed – Capri – Chutes de la Tummel* – Salford : *Le tombeau d'Ossian*.
Ventes Publiques : Londres, 28 nov. 1908 : *Sentier peu fréquenté* : **GBP 63** – Londres, 13 mars 1909 : *Loch Katkrine et l'Ile Ellen* : **GBP 35** – Londres, 27 mars 1909 : *Moisson dans les Highlands* : **GBP 147** – Londres, 5 mars 1910 : *Bois de pins au bord de la mer, près North Berwick* : **GBP 78** – Londres, 11 nov. 1921 : *Le vieux port de Gênes* : **GBP 63** – Londres, 17 mars 1922 : *Le lac de Côme*, dess. : **GBP 25** – Londres, 11 mai 1923 : *Un papillon dans la forêt de Rothiemurchus* : **GBP 120** – Londres, 10 déc. 1923 : *Moutons et bouleaux argentés* : **GBP 106** – Londres, 5 déc. 1924 : *Pêcheur* : **GBP 110** – Londres, 31 mars 1926 : *Le miroir de la Nature* : **GBP 78** – Londres, 14 juil. 1926 : *Le loch Kathrine* : **GBP 107** – Londres, 2 mai 1935 : *Scène villageoise avec un troupeau* : **GBP 78** – Londres, 22 fév. 1946 : *Vallée de la Tummel* : **GBP 115** – Écosse, 24 août 1976 : *Paysage de Sicile*, h/t (60x90) : **GBP 340** – Auchterarder (Écosse), 29 août 1978 : *Iona*, h/t (87x140) : **GBP 600** – Londres, 25 avr. 1980 : *Vue du lac de Genève*, h/t (72,4x104,2) : **GBP 400** – Perth, 13 avr. 1981 : *Les Jeunes Pêcheurs*, h/t (46x68,5) : **GBP 1 900** – Chester, 6 juil. 1984 : *Fair Strathspey*, h/t (146x97) : **GBP 3 800** – Perth, 27 août 1985 : *A river in inverness-shire*, h/t (76x49) : **GBP 2 600** – Perth, 26 août 1986 : *Enfant sur un rocher*, h/t (48x76) : **GBP 5 500** – Édimbourg, 30 août 1988 : *Journée froide près de Loch Rodoya dans l'île d'Arran* 1867, h/t (86,5x147) : **GBP 7 700** – Édimbourg, 22 nov. 1988 : *Le Ruisseau Saint-Monan*, h/t (107,3x74,3) : **GBP 1 600** – Londres, 2 juin 1989 : *On Hampstead Heath* 1862, h/t (85,1x123,2) : **GBP 6 380** – Perth, 27 août 1990 : *Chênes liège près d'un lac*, h/t (64,5x94,5) : **GBP 1 980** – Perth, 26 août 1991 : *Les Eaux vives du Glen Cannich*, h/t/cart. (124,5x84) : **GBP 2 970** – Glasgow, 4 déc. 1991 : *La Tay à Dunkeld*, h/t (51x76,2) : **GBP 1 870** – New York, 17 fév. 1993 : *Cavaliers dans une allée de bouleaux dans la forêt de Sherwood*, aquar. et gche/pap. (53,3x36,8) : **USD 5 290** – Perth, 31 août 1993 : *Varallo et la montagne sacrée*, aquar. et gche (35x51,5) : **GBP 2 185** – Édimbourg, 9 juin 1994 : *Le Glen Affric*, h/t (76,2x50,8) : **GBP 6 325** – Londres, 6 nov. 1995 : *La Campagne romaine avec l'aqueduc de Claude* 1863, h/t (107x204) : **GBP 10 925** – Glasgow, 16 avr. 1996 : *Béliers sous les pins*, h/t (121x81) : **GBP 8 625** – Glasgow, 21 août 1996 : *Norham Castle*, h/cart. (35,5x50,8) : **GBP 690** – Glasgow, 11 déc. 1996 : *Un torrent des Highlands*, h/t (122x81) : **GBP 4 600** – Londres, 4 juin 1997 : *Une prairie alpestre, Suisse*, h/t (127x101,5) : **GBP 9 430**.

McWILLIAM Frederick Edward
Né le 30 avril 1909 à Branbridge (Irlande du Nord). Mort en 1992 à Londres. XXe siècle. Britannique.
Sculpteur de figures.
Il fut élève de la Slade School of Art de Londres, de 1928 à 1931, continua ses études à Paris, de 1931 à 1932. En 1938, il devint membre du groupe surréaliste anglais. De 1940 à 1945, il fut membre de la Royal Academy de Londres.
Il participe aux principales expositions internationales de sculpture : Londres, Anvers-Middelheim, Sonsbeek. Il a figuré à la Biennale de São Paulo en 1957. Sa première exposition personnelle eut lieu à Londres, en 1939, suivie de plusieurs autres à Londres (1949, 1952, 1953, 1956, 1961, 1976), Bristol (1958), Belfast (1973), Los Angeles (1963), Johannesburg (1975).
Son habileté manuelle lui permet d'utiliser indifféremment bois, pierre, bronze, matériaux plastiques, etc ; la malléabilité de son inspiration le fait évoluer librement entre réalisme et abstraction, avec des références stylistiques à Brancusi, Henry Moore, Giacometti, etc. Il a également modelé de nombreux portraits. L'apparence humaine est la constante de ses œuvres. On cite souvent *La Princesse Macha*, qu'il réalisa pour un hôpital de Londonderry (Irlande du Nord), figure hiératique aux formes étirées surmontées d'un visage de proportion réduite qui accentue le développement du corps, dont de nombreux éléments sont empruntés à l'art celte.
Bibliogr. : Michael Middleton, in : *Nouv. Dict. de la sculpt. mod.*, Hazan, Paris, 1970 – in : Catalogue de l'exposition *Les Années trente en Europe. Le temps menaçant*, musée d'Art moderne de la ville, Paris Musées, Flammarion, Paris, 1997.
Musées : Adelaïde (Nat. Gal. of South Australia) – Belfast (Mus. and Art Gal.) – Chicago (Art Inst.) – Londres (Tate Gal.) – Londres (Vict. and Albert Mus.) – New York (Mus. of Mod. Art) – Perth (Art Gal. of Western Australia).
Ventes Publiques : New York, 22 oct. 1976 : *Figure couchée n° 3*, bronze doré (L. 54,5) : **USD 375** – Londres, 26 juin 1984 : *Solo* 1936, bois (H. 58,5) : **GBP 2 000** – Londres, 8 nov. 1985 : *Figure* 1937, bois (H. 117) : **GBP 2 400** – Londres, 24 mai 1990 : *Relief bilatéral*, bronze (H. 195) : **GBP 10 450** – Londres, 9 nov. 1990 : *Maquette pour Homère* 1963, plâtre à patine brune (H. 32) : **GBP 2 420** – Londres, 8 mars 1991 : *La fille au bras levé*, bronze à patine brune et poli : **GBP 3 850** – Londres, 7 juin 1991 : *Tête et épaules* 1960, bronze à patine noire (H. 53) : **GBP 4 400** – Londres, 8 nov. 1991 : *Relief dressé VI* 1958, bronze à patine brune (H. 76) : **GBP 5 500** – Londres, 11 juin 1992 : *Jambes croisées*, bronze à patine or sombre (L. 42) : **GBP 2 200** – Londres, 26 mars 1993 : *Femme assise portant un chapeau*, composition métallique sur armature de fils de métal (H. 72,5) : **GBP 6 325** – Londres, 26 oct. 1994 : *Femme de Belfast n° 1* 1972, bronze (H. 64, L 87) : **GBP 6 670** – Londres, 22 mai 1996 : *Case double* 1969, bronze (H. 23,5) : **GBP 8 050**.

MACY William Starbuck
Né en 1853 à New Bedford (Massachusetts). Mort en 1916. XIXe-XXe siècles. Américain.
Peintre de paysages.
Il travailla à New York et New Bedford.
Ventes Publiques : New York, 19 juin 1981 : *Ramasseurs de fagots* 1880, h/t (81,9x62,9) : **USD 2 000** – Bolton, 15 mai 1985 : *Scène de cour de ferme* 1875, h/t (47x67,5) : **USD 1 700**.

MACZKOWSKI Joachim
Né en 1794. Mort le 20 octobre 1865. XIXe siècle. Actif à Lemberg. Polonais.
Peintre de genre.

MAD
XXe siècle. Français.
Peintre. Abstrait-géométrique.

Il participe à de nombreuses expositions collectives, notamment à celle du comité régional pour l'art contemporain dont il est membre, et du groupe Radical depuis son adhésion. Il montre ses œuvres dans des expositions personnelles : 1981, 1983, 1988 CRAC (Comité régional pour l'art contemporain) de Grenoble. Depuis 1990, il est membre du groupe Radical fondé en 1987. Il a réalisé une fontaine dans la zone des Ruires Eybens en Isère.
À partir de formes préétablies, telles le carré, il explore l'aléatoire de la composition, dans des teintes neutres.
Bibliogr. : Burlet-Parendel : *Mad,* in : *Radical,* Echirolles, mai 1991.

MAD. Voir **HERMET Madeleine**

MAD-JAROVA Antoinette
Née le 16 février 1937 à Sofia. xxe siècle. Active en France. Bulgare.
Peintre de figures, sculpteur.
Elle étudie d'abord à l'école des Beaux-Arts de Sofia, jusqu'en 1962. Elle enseigne à Sofia, puis vient à Paris, où elle expose depuis 1966 et participe aux Salons des Artistes Français et d'Automne.
Ses œuvres figuratives, au lyrisme étrange, sont empreintes de symbolisme.
Ventes Publiques : Paris, 11 avr. 1988 : *Pas triomphal* 1986, h/t (53x71) : **FRF 15 500** – Paris, 23 juin 1988 : *Un jour dans la nuit,* h/t (92x73) : **FRF 15 500** – Paris, 12 avr. 1991 : *Invitation à la vie,* h/t (65x54) : **FRF 26 000** – Paris, 29 nov. 1994 : *Printemps,* h/t (50,5x61) : **FRF 24 000** – Paris, 27 nov. 1995 : *Quand Ego s'endort,* h/t (61x50) : **FRF 27 000**.

MADA
xxe siècle. Français.
Graveur.
Il est professeur de gravure dans les ateliers de la Ville de Paris. Il vit et travaille à Ivry-sur-Seine.
Il participe aux salons parisiens : d'Automne dont il est membre sociétaire, des Artistes Français, de la Société Nationale des Beaux-Arts ; ainsi qu'à de nombreuses expositions collectives : à Paris depuis 1979, à la Biennale de gravure de Digne-les-Bains en 1984 et 1986, à Pékin et Canton en 1983, à Boston en 1986. Il montre ses œuvres dans des expositions personnelles depuis 1984.
Autodidacte, il a d'abord pratiqué la peinture puis, à partir de 1979, la gravure sur cuivre.
Musées : Fontainebleau (Mus. mun. d'Art figuratif Contemp.).

MADACH Imre von
Né le 21 janvier 1823. Mort le 4 octobre 1864. xixe siècle. Hongrois.
Peintre amateur.
Il peignit des portraits et des paysages.

MADACH Pal
Né en 1827. Mort en 1849. xixe siècle. Hongrois.
Peintre.
Il figura à l'Exposition de Pest en 1841 avec deux paysages.

MADALENA Hélène
Née en 1921 à Marseille (Bouches-du-Rhône). xxe siècle. Française.
Peintre, technique mixte.
Elle vit et travaille à Paris.
Elle a participé en 1992 à l'exposition : *De Bonnard à Baselitz – Dix ans d'enrichissements du cabinet des estampes 1978-1988,* à la Bibliothèque nationale de Paris.
Elle pratique aussi la photographie.
Musées : Paris (BN) : *Elmire* 1980.

MADALULFUS
ixe siècle. Actif à Cambrai. Français.
Peintre de compositions religieuses.
Peintre de tableaux d'église. Il fit les peintures du réfectoire de l'abbaye de Fontenelles Saint-Vaudrille.

MADARASSY Erzsebet von
Née en 1865 à Teglass. Morte en 1915 à Budapest. xixe-xxe siècles. Hongroise.
Peintre de portraits, paysages.
Elle fut élève de l'académie des Beaux-Arts de Budapest, et étudia ensuite à Munich et à Paris. Elle travailla à Budapest, où elle exposa à partir de 1898.
Musées : Budapest : *Le Calvaire de Budapest.*

MADARASZ Gyulia von
Né le 3 mai 1858 à Budapest. xixe siècle. Hongrois.
Peintre.
Il était ornithologue. Il peignit des oiseaux à l'aquarelle et des paysages.

MADARASZ Viktor de
Né en 1830 à Csetnek (Hongrie). Mort en 1917 à Budapest. xixe-xxe siècles. Hongrois.
Peintre d'histoire.
Étudia à l'École des Beaux-Arts, et travailla avec Léon Cogniet, il fit en somme toutes ses études artistiques en France et s'inspira de nos œuvres. Il figura au Salon de Paris depuis 1861, année où il obtint une médaille de troisième classe, jusqu'en 1869. Il exposa principalement des sujets tirés de l'histoire de son pays.

MADARIAGA Emilio de
Né le 24 novembre 1887 à La Corogne (Galice). Mort le 18 mars 1920 à Madrid (Castille). xxe siècle. Espagnol.
Sculpteur de sujets religieux.
Il étudia à Paris et s'établit en 1914 à Madrid. On mentionne de sa main une statue de *Sainte Thérèse.*

MADDALENA Bob
Né à Paris. xxe siècle. Français.
Peintre de paysages, aquarelliste, pastelliste, dessinateur.
En 1934, il fut élève de l'école des Beaux-Arts de Paris, en section architecture.
Il utilise des couleurs violentes, lorsque le sujet s'y prête, fortement délavées.

MADDALENA Francesco
Né le 6 février 1857 à Aidussina près de Trieste. xixe siècle. Italien.
Peintre, sculpteur et illustrateur.
Il fut élève de l'Académie de Vienne et de l'Académie Colarossi à Paris.

MADDAUS Johann Karl Ludwig
Né en 1820 à Hambourg. Mort en 1878 à Riga. xixe siècle. Allemand.
Peintre de portraits et lithographe.

MADDEN Anne
Née en 1932. xxe siècle. Active depuis 1958 en France. Chilienne.
Peintre, dessinateur.
D'origine anglo-chilienne et irlandaise, elle passe ses premières années au Chili, puis en Angleterre, où elle fut élève de la Chelsea School of Art de Londres, et en Irlande, avant de s'installer, avec son mari le peintre Louis le Brocquy en France, à Carros (Alpes-Maritimes).
Elle participe, depuis 1951, à de nombreuses expositions collectives : 1965, 1971, 1987 Municipal Gallery of Modern Art de Dublin ; 1965 Biennale de Paris ; 1965, 1966, 1971, 1974-1975 Ulster Museum de Belfast ; 1973 Corcoran Gallery of Art de Washington ; 1980, 1985 Fondation Maeght à Saint-Paul-de-Vence ; 1982 Salon de Montrouge ; 1987, 1989 National Gallery of Ireland de Dublin ; 1989 musée Jacquemart-André de Paris. Elle montre ses œuvres dans des expositions personnelles : 1959, 1961, 1967, 1970, 1972, 1974, 1978, 1990 à Londres ; 1960, 1964, 1968, 1970, 1974, 1979, 1982, 1984, 1987, 1990, 1992 Dublin ; 1964, 1974, Belfast ; 1970 New York ; 1976, 1978, 1979, 1980, 1989 Paris ; 1983 fondation Maeght à Saint-Paul-de-Vence.
Elle débute par des œuvres figuratives aux tons ternes, puis évolue vers l'abstraction. Les formes s'épurent et la ligne devient l'élément privilégié des toiles des années soixante-dix, composées de plusieurs panneaux. Vers 1990, le thème de la nature envahit ses compositions, une végétation luxuriante baignant dans une lumière bleue, « entre terre et mer, vision extérieure et intérieure » (Luc Vezin).
Bibliogr. : Catalogue de l'exposition rétrospective : *Anne Madden,* RHA Gallagher Gallery, Dublin, 1991 – Catalogue de l'exposition *Anne Madden – Peintures récentes,* Galerie Sapone, Nice, 1993.
Musées : Antibes (Mus. Picasso) : *Triptyque* 1982 – Belfast (The Ulster Mus.) : *Slievecarran, Co Clare* 1963 – *Le Jardin* 1988 – Dublin (Muni. Gal. of Art) – Lisbonne (Fond. Gulbenkian) – Marseille (FRAC) : *Porte dans la nuit* 1982 – Nice (Mus. d'Art Mod. et Contemp.) : *Élégie* 1984 – Paris (Centre. Nat. d'Art Contemp.) – Paris (Mus. Nat. d'Art Mod.) – Paris (Mus. d'Art Mod. de la ville) : *Alignment* – Washington D. C. (The JH Hirshhorn Foundation and sculpture Garden).
Ventes Publiques : Paris, 8 oct. 1989 : *Venitian Opening* 1985, graphite et h/pap. (65x50) : **FRF 9 000**.

MADDEN Thomas
XVIIe siècle. Britannique.
Sculpteur.
Il sculpta en 1636 le tombeau de pierre de *Sir Hugh Hammersley* dans l'église Saint-Andrew-Undershaft à Londres.

MADDEN Wyndham
XVIIIe siècle. Actif dans la seconde partie du XVIIIe siècle. Britannique.
Peintre de portraits.
Dickinson grava d'après lui.

MADDERSTEG Michiel ou **Madderstegh**
Né vers 1659. Mort en 1709. XVIIe-XVIIIe siècles. Actif à Amsterdam. Hollandais.
Peintre de marines.
Élève de Ludolf Bakhuysen dont il adopta la manière ; il fut, en 1698, peintre de la cour du prince électeur de Brandebourg à Berlin. À son retour à Amsterdam, il se fit commerçant, mais ne réussit pas. Il a été aussi armateur.
Musées : Aix-la-Chapelle : *Bateaux à voiles en plein air* – Hambourg : *La rade d'Amsterdam* – Würzburg : *Mer démontée.*
Ventes Publiques : New York, 11 mars 1978 : *Bateaux par grosse mer,* h/t (48x62,5) : **USD 3 400** – San Francisco, 24 juin 1981 : *Voiliers au large d'Amsterdam,* h/t (61x84) : **USD 6 000** – New York, 21 jan. 1982 : *Le Rhodes par forte mer,* h/t (61x84) : **USD 11 500** – New York, 31 mai 1989 : *Le port d'Amsterdam avec une galiote et autres embarcations au large,* h/t (61x83,8) : **USD 28 600.**

MADDOCK Béa
Né en 1934 à Hobart (Tasmanie). XXe siècle. Australien.
Graveur.
Il vit et travaille à Elwood, Victoria en Australie. En 1974-1975, il participa à La Biennale internationale de l'estampe de Tokyo.
Ses œuvres évoquent l'individu absorbé par la foule, le regard se perd dans cette multitude, évoquée par petites touches, qui envahit la toile.
Bibliogr. : In : *Creating Australia – 200 years of art 1788-1988,* Art Gallery of South Australia, Adelaïde, 1988.
Musées : Adelaïde (Art Gal. of South Australia) : *Cast a shadow* 1972 – *Shadow* 1973.

MADDOX Conroy
Né en 1912 à Ledbury. XXe siècle. Britannique.
Peintre, dessinateur, peintre de collages. Surréaliste.
Il participe aux activités du groupe surréaliste londonien dans les années quarante.
Il développe une technique, l'écrémage, qui consiste à passer sur une surface enduite d'huile une feuille préalablement peinte, faisant apparaître des images inattendues. Il est également l'auteur de plusieurs textes.
Bibliogr. : In : *Dict. de l'art mod. et contemp.,* Hazan, Paris, 1992.
Ventes Publiques : Londres, 26 juin 1984 : *The lesson* 1938, h/t (81,5x71) : **GBP 1 000** – Londres, 7 juin 1991 : *L'âge d'or* 1986, h/t (127x102) : **GBP 4 400.**

MADDOX T.
XIXe siècle. Britannique.
Graveur.
Il grava quatre planches du *Temple de Flore* de Thornton et, à l'aquatinte, la plupart des quatre-vingts planches en couleur de l'ouvrage de S. R. Meyrick *Une enquête critique sur les armures anciennes.*

MADDOX Willes
Né en 1813 à Bath. Mort en 1853 à Pera. XIXe siècle. Britannique.
Peintre de portraits et d'histoire.
Il exposa pour la première fois à la Royal Academy en 1844. Il travailla pour Beckford of Fonthill ; il fut appelé à Constantinople pour y faire le portrait du sultan.
Ventes Publiques : Zurich, 27 mai 1982 : *Girl with lilies,* h/t (92x72,5) : **CHF 8 000.**

MADE IN ERIC
Né en 1968. XXe siècle. Français.
Peintre, sculpteur, créateur d'installations, auteur de performances.
Il participe à des expositions collectives, dont : 1994, *Ateliers,* Musée d'Art moderne de la Ville de Paris ; 1996, *L'art au corps. Le corps exposé de Man Ray à nos jours,* Musée d'Art Moderne, Marseille. Il montre ses œuvres dans des expositions personnelles, dont : 1997, galerie du Jour Agnès B, Paris.
Son corps, en tant que « corps objet », d'où l'appellation de marque « Made in Eric » est le point de départ de son travail. Il est essentiellement des mises en scène photographiées, dans lesquelles le corps devient garage à vélo, pied de micro, oreiller, slip, chaise.
Bibliogr. : Véronique Pittolo : *Les Petits Endroits du corps,* Beaux-Arts, n° 129, déc. 1994 – Cyril Jarton : *Made in Eric,* in : *Art Press,* n° 225, Paris, juin 1997.

MADEC Jean
XXe siècle. Français.
Peintre. Abstrait.
Il participe à Paris aux Salons d'Automne, dont il est sociétaire et membre du comité, et Comparaisons. En 1998, il a exposé à Paris, avec Arlette Le More, galerie Maig Davaud. Il a exploré l'abstraction, le surréalisme et le tachisme avant de réaliser des espaces imaginaires. Dans des tons rouges et bleus, il compose des architectures abstraites, très structurées.

MADEC Jean Yves
Né le 9 mai 1960 à Paris. XXe siècle. Français.
Peintre de figures, compositions animées.
Il fut élève de l'École des Beaux-Arts de Paris.
Il participe à des expositions collectives depuis 1983, notamment en 1987, 1988 et 1989 au Salon de la Jeune Peinture à Paris. Il montre ses œuvres dans des expositions personnelles à Paris, notamment depuis 1993 galerie Samagra, ainsi qu'à Saint-Paul-de-Vence, Rochefort.
Ses personnages et animaux, pourtant traités bien en volume, sont comme découpés et collés sur des fonds monochromes, dans des attitudes et dispositions des uns par rapport aux autres très artificielles.

MADEIN Michael
XVIIIe siècle. Éc. tyrolienne.
Peintre.

MADELAIN Gustave
Né en 1867 à Charly (Aisne). Mort en 1944 à Charly (Aisne). XIXe-XXe siècles. Français.
Peintre de paysages.
Il exposait à Paris, au Salon des Indépendants depuis 1907 et s'était acquis une réputation de peintre des quais fluviaux. Aussi lui doit-on de nombreuses toiles brossées au Havre, à Rouen, et naturellement à Paris.

Ventes Publiques : Paris, 16 jan. 1928 : *Le Pont de la Tournelle* : **FRF 250** – Paris, 28 avr. 1937 : *Quai de Montebello en mars* 1930 : **FRF 105** – Paris, 14 mai 1943 : *Strasbourg, quai de la Bruche* 1931 : **FRF 7 500** – Paris, 28 mai 1945 : *Paysage* : **FRF 5 200** – Paris, 1er déc. 1948 : *Le marché dans la rue* : **FRF 8 000** – Paris, 4 juin 1951 : *Paysage de montagne* : **FRF 14 500** – Versailles, 16 déc. 1973 : *Péniches sur la Seine* : **FRF 18 000** – Los Angeles, 11 nov. 1974 : *Le 14 juillet place de la Bastille* : **USD 3 100** – Versailles, 28 mars 1976 : *Maison de Mimi Pinson à Montmartre* 1925, h/t (72,5x57,5) : **FRF 3 000** – Paris, 2 mars 1979 : *Le Sacré-Cœur,* h/t (93x73) : **FRF 5 800** – New York, 10 déc. 1982 : *14 juillet 1928, place de l'Hôtel de Ville,* h/t (91,7x73,7) : **USD 3 000** – Versailles, 27 mars 1983 : *Les Quais à Paris,* h/t (35x65) : **FRF 16 000** – Versailles, 11 juin 1986 : *Paris, la Seine et Notre-Dame,* h/pan. (50x64,5) : **FRF 35 000** – Paris, 21-22 déc. 1987 : *Strasbourg : la place du marché vert derrière l'église Saint-Jean* 1926, h/t (73x60) : **FRF 18 500** – La Varenne-Saint-Hilaire, 10 mai 1987 : *Animation sur la place de l'église Sainte-Eustache à Paris,* h/t (49x65) : **FRF 25 000** – Paris, 7 juin 1988 : *Vieille rue,* h/t (35x27) : **FRF 7 600** – La Varenne-Saint-Hilaire, 23 oct. 1988 : *Paris, la Seine et Notre-Dame vues des quais,* past. (22x29) : **FRF 6 000** – Calais, 13 nov. 1988 : *La Cité et Notre-Dame,* h/pan. (33x47) : **FRF 26 000** – Rome, 15 nov. 1988 : *Église Saint-Nicolas du Chardonneret,* h/t (73x92) : **ITL 7 000 000** – La Varenne-Saint-Hilaire, 12 mars 1989 : *Promeneur près de l'église Saint-Séverin* 1928, past. (100x73) : **FRF 19 500** – Paris, 12 avr. 1989 : *La Seine à Paris,* h/bois (31x45) : **FRF 46 000** – Le Touquet, 12 nov. 1989 : *Fête foraine,* h/t (38x46) : **FRF 48 000** – Paris, 21 nov. 1989 : *Vue d'une cathédrale,* h/t (73x60) : **FRF 48 000** – Versailles, 26 nov. 1989 : *Paris, la Seine au Pont-Neuf sous la neige,* h/t (38,5x61) :

FRF 120 000 – New York, 21 fév. 1990 : *Place de village animée*, h/t (73,1x91,6) : **USD 24 200** – Reims, 18 mars 1990 : *Remorqueurs et péniches sur la Seine près de Notre-dame de Paris*, h/t (36x46) : **FRF 55 000** – Amsterdam, 22 mai 1990 : *Vue d'un port*, h/t (33x41,5) : **NLG 14 950** – Paris, 23 mai 1990 : *Fête foraine*, h/t (38x46) : **FRF 66 000** – Versailles, 6 juin 1990 : *Saint-Germain-des-Prés*, h/t (73,5x91,5) : **FRF 205 000** – New York, 10 oct. 1990 : *Le long des quais*, h/t (31,1x49,4) : **USD 6 875** – Metz, 14 oct. 1990 : *Paris, animation sur les quais*, h/t (65,5x92) : **FRF 95 000** – Montréal, 19 nov. 1991 : *La Porte Saint-Denis* 1919, h/pan. (45,6x31) : **CAD 4 000** – New York, 10 nov. 1992 : *Mont Louis*, h/t (41x27) : **USD 2 200** – Le Touquet, 30 mai 1993 : *Maison à colombages à Moret-sur-Loing* 1929, h/pan. (52x36) : **FRF 9 500** – Paris, 5 juil. 1993 : *Paris – la Seine et le Pont-Neuf*, h/pan. (36x49,5) : **FRF 14 500** – Paris, 22 juin 1994 : *Quais de Paris avec vue de la Tour de l'Horloge*, h/pan. (26,5x35) : **FRF 10 500** – Paris, 20 nov. 1994 : *Notre-Dame*, h/t (33x41) : **FRF 19 000** – Londres, 29 juin 1994 : *Notre-Dame* 1929, h/t (96,5x129,5) : **GBP 10 925** – Paris, 3 avr. 1995 : *Notre-Dame de Paris* 1920, h/t (55x65,5) : **FRF 26 000** – Paris, 24 nov. 1996 : *Le Port du Havre*, h/t (53x65) : **FRF 13 000** – Paris, 17 juil. 1996 : *L'Hôtel de Sens à Paris*, h/pan. (26x43,5) : **FRF 15 500** – Paris, 7 mars 1997 : *La Seine à Paris*, h/t (33x55) : **FRF 12 000**.

MADELAINE Hippolyte

Né en 1871 à Saint-Ouen-de-Thouberville (Eure). Mort en 1966. XIXe-XXe siècles. Français.

Peintre de paysages, paysages urbains, aquarelliste. Postimpressionniste.

Il a essentiellement peint des vues typiques de Rouen, et, à ce titre, est considéré comme faisant partie de la prolifique École de Rouen. Après un voyage en Océanie, il donna également des aquarelles montrant des vues de ce pays, sans trop insister sur le pittoresque exotique.

Bibliogr. : Gérald Schurr, in : *Les Petits Maîtres de la peinture 1820-1920, valeur de demain*, Les Éditions de l'Amateur, t. II, Paris, 1982.

Musées : Rouen : *Rue d'Enfer*, aquar.

Ventes Publiques : Rouen, 6 nov. 1976 : *Rouen, rue du Gros-Horloge*, aquar. (59,5x75) : **FRF 2 100** – Paris, 2 juin 1993 : *La cathédrale de Rouen vue de la rue du Gros-Horloge*, aquar. (75x48) : **FRF 16 000**.

MADELEINE. Voir aussi **LA MADELEINE**

MADELEINE Jeanne

Née au XIXe siècle à Paris. XIXe siècle. Française.

Portraitiste.

Élève de Henner et de Carolus Duran. Elle débuta au Salon en 1878.

MADELIN Hélène

Née le 27 janvier 1917 à Rouen (Seine-Maritime). XXe siècle. Française.

Peintre.

Elle fut élève de l'École des Beaux-Arts de Rouen.

Elle participe à de nombreuses expositions collectives, notamment à Paris : depuis 1939 Salon des Indépendants, depuis 1947 Salon d'Automne, en 1957 Salon Comparaisons... Elle a été sélectionnée pour le prix de la Jeune Peinture en 1947 et 1948, pour le festival d'Avignon en 1956, pour le prix Grenshield en 1956. Elle a montré plusieurs expositions personnelles de ses peintures à Paris et Bruxelles en 1955, puis Paris de nouveau en 1958, 1960, 1963, 1966, 1969. Elle a obtenu une mention à la Biennale de Menton en 1957, et obtenu d'autres distinctions.

Musées : Rouen – Saint-Étienne.

MADELIN Jean

XXe siècle. Français.

Dessinateur d'intérieurs. Intimiste.

Il montre ses œuvres à Paris, à la galerie Petite.

Il joue sur les effets de contraste, introduisant sur le mur d'un intérieur ancien, à l'atmosphère classique du XVIIe siècle, une œuvre d'art contemporaine, souvent abstraite, et un animal, image d'intemporalité.

Bibliogr. : Marc Le Moigne : *Jean Madelin – Un surréalisme muséal*, Arts Actualités Magazine, n° 18, Paris, 1991.

MADELINE Paul

Né le 7 octobre 1863 à Paris. Mort le 12 février 1920 à Paris. XIXe-XXe siècles. Français.

Peintre de paysages. Postimpressionniste.

Il fut élève d'E. Chaly. Il expose à Paris, aux Salons de la Société des Artistes Français, dont il est membre sociétaire depuis 1897, et de la Société Nationale des Beaux-Arts, dont il est membre sociétaire depuis 1910. Il obtint une mention honorable en 1897, une mention honorable à l'Exposition universelle de Paris en 1900. Il est sans doute identique à un Paul Madeleine ayant peint les mêmes sujets.

P. Madeline

Musées : Châteauroux : *L'Automne sur les bords de la Creuse* – Nantes : *Le Vieux Moulin* – Paris : *La Châtaigneraie*.

Ventes Publiques : Paris, 21 fév. 1920 : *Chaumières bretonnes* : **FRF 550** – Paris, 29 nov. 1937 : *Coucher de soleil sur la mer* : **FRF 70** – Paris, 13 oct. 1942 : *Le moulin* : **FRF 2 300** – Paris, 29 juin 1945 : *La danse des nymphes* : **FRF 5 000** – Paris, 28 déc. 1949 : *Bord de Seine : la grue* : **FRF 4 500** – Versailles, 15 déc. 1968 : *Paysage méditerranéen* : **FRF 9 500** – Versailles, 19 juin 1971 : *Le chemin creux en automne* 1904 : **FRF 31 000** – Versailles, 11 juin 1974 : *Le moulin Genetin sur la Creuse* : **FRF 19 000** – Versailles, 10 oct. 1976 : *Sous-bois en automne*, h/t (81x100) : **FRF 7 100** – Versailles, 17 mars 1977 : *Les lavandières*, h/t (54x65) : **FRF 14 000** – Versailles, 25 nov 1979 : *Automne dans la Creuse*, h/t (65x81) : **FRF 14 500** – Versailles, 3 juin 1981 : *Sous-bois en automne près de la rivière*, h/t (81x100) : **FRF 33 800** – Versailles, 8 juin 1983 : *Fin d'après-midi en septembre à Crozant* vers 1916, h/t (60x73) : **FRF 40 000** – Enghien-les-Bains, 23 juin 1985 : *baigneuses sous les arbres*, gche (47x62) : **FRF 19 500** – Versailles, 7 déc. 1986 : *Feuilles mortes à Crozant* 1909, h/t (54x65) : **FRF 69 000** – Versailles, 13 déc. 1987 : *L'étang normand*, h/t (54x65) : **FRF 49 000** – Neuilly, 9 mars 1988 : *Le haut de Crozant*, h/t (23x32) : **FRF 5 800** – Paris, 9 mai 1988 : *Crozant, le Pont de la Folie*, h/t (54x65) : **FRF 4 500** – La Varenne-Saint-Hilaire, 29 mai 1988 : *Jeune femme aux longs cheveux*, h/t (40x26) : **FRF 7 000** – Versailles, 15 juin 1988 : *Effet de givre sur les collines en hiver* 1916, h/t (38x45,5) : **FRF 50 000** – Paris, 17 juin 1988 : *Estuaire en Bretagne*, h/t (54x65) : **FRF 34 000** – Versailles, 15 juin 1988 : *La crue de l'Erdre à Nantes*, h/t (65x81) : **FRF 45 000** – Paris, 23 juin 1988 : *Vallée de la Seine à Caudebec-quet* 1905-1906, h/pan. (23,5x33) : **FRF 29 000** – Londres, 19 oct. 1988 : *Petit hameau du Cantal*, h/t (37,5x61) : **GBP 3 740** – Londres, 21 oct. 1988 : *Pins au bord de la mer*, h/t (59,1x73) : **GBP 9 900** – Versailles, 6 nov. 1988 : *Jeune fille nue debout aux longs cheveux*, h/t (41x27) : **FRF 7 500** – Paris, 10 nov. 1988 : *Paysage d'automne, la rivière au pont de pierre*, h/t (46x55) : **FRF 41 000** – Paris, 12 déc. 1988 : *Châtaigneraie en novembre, Crozant* 1903 (81x100) : **FRF 72 000** – Troyes, 18 déc. 1988 : *Crozant, le pont de la folie, matin d'automne* 1916, h/t (54x65) : **FRF 55 000** – Paris, 12 fév. 1989 : *Port de Bretagne*, h/t (38x46) : **FRF 80 000** – Paris, 11 oct. 1989 : *Paysage méditerranéen*, h/t (46,5x55) : **FRF 60 000** – Paris, 24 nov. 1989 : *Port Breton*, h/t (46x55) : **FRF 90 000** – Versailles, 26 nov. 1989 : *La roche de l'écho à Crozant*, h/t (49x65) : **FRF 61 000** – Paris, 11 mars 1990 : *Au bord de l'eau* 1910, h/t (64,5x80,5) : **FRF 214 000** – Paris, 26 avr. 1990 : *Rencontre matinale*, h/t (54x65) : **FRF 85 000** – Versailles, 6 juin 1990 : *Personnages sur le pont près du moulin* 1903, h/t (54,5x65) : **FRF 130 000** – Paris, 27 nov. 1990 : *Pont sur la rivière* 1903, h/t (54x65) : **FRF 90 000** – Le Touquet, 10 nov. 1991 : *L'entrée du village*, h/t (54x54) : **FRF 38 000** – Le Touquet, 8 juin 1992 : *Bord de rivière*, past./t. (80x100) : **FRF 39 000** – New York, 26 fév. 1993 : *Le vieux pont à Axat*, h/t (45,7x55,2) : **USD 4 313** – Amsterdam, 26 mai 1993 : *La Dordogne à Argentat*, h/t (65x81) : **NLG 16 100** – Reims, 19 déc. 1993 : *Rue de village un jour de marché* 1918, h/t (38x46) : **FRF 26 000** – Paris, 1er juin 1994 : *L'après-midi au jardin*, h/t (60x73) : **FRF 70 000** – New York, 28 sep. 1994 : *Au jardin*, h/t (61x73,7) : **USD 27 600** – Lorient, 30 avr. 1995 : *Le repos sous les pins* 1913, h/t (54x65) : **FRF 45 000** – New York, 30 avr. 1996 : *Bateaux sur la rivière*, h/t (53,4x64,7) : **USD 5 175** – Paris, 5 juin 1996 : *Paysage méditerranéen* 1913, h/t (55x66) : **FRF 20 000** – Calais, 7 juil. 1996 : *Bord de rivière*, h/t (38x47) : **FRF 16 000** – Paris, 22 nov. 1996 : *Maison de pêcheur*, h/t (38x46) : **FRF 32 000** – Paris, 23 mai 1997 : *Le Barrage de Gunénégan* 1906, h/t (50x65) : **FRF 16 000** – Paris, 6 juin 1997 : *Ferme dans la Creuse*, h/t (46x55) : **FRF 28 000**.

MADELLA Gianni

Né en 1934 à Mantoue. XXe siècle. Italien.

Peintre. Abstrait.

Il a étudié à l'Institut d'art de Modène et à l'académie des Beaux-

Arts de Bologne. Il a exposé à Milan en 1968, 1969, 1971, et à Rome, en 1972.
Sa peinture tend à un dépouillement : quelques taches, quelques lignes, comme en suspension dans un espace neutre.

MADENAKER W. K.
XIXe siècle. Hollandais.
Dessinateur.

MADER
XVIIIe siècle. Actif à Steinach (Tyrol). Éc. tyrolienne.
Sculpteur.
Il sculpta en 1786 la chaire rococo de l'église collégiale de Saint-Gall.

MADER, père et fils
XIXe siècle. Français.
Dessinateurs, graveurs et graveurs sur bois.
Ils travaillèrent vers 1807 pour l'imprimerie sur tissus du Pont de Vertais à Nantes.

MADER Christoph Johann
Né en 1697. Mort le 14 août 1761 à Vienne. XVIIIe siècle. Autrichien.
Sculpteur.
Parmi les œuvres de sa main qui sont conservées on cite les sculptures du pignon de l'église Maria-Treu à Vienne et un relief en plomb, signé et daté de 1760 que possède le Musée Zichy à Budapest.

MADER Eduard
Né le 30 avril 1858 à Vienne. XIXe siècle. Actif à Vienne. Autrichien.
Peintre.

MADER Georg
Né le 9 septembre 1824 à Steinach (Tyrol). Mort le 31 mai 1881 à Bad-Gastein. XIXe siècle. Suisse.
Peintre d'histoire et d'architectures.
Élève de l'Académie de Munich, de Fr. Kaulbach et du peintre Danvis Storch. En 1850-1853, il travailla avec Johann Schraudolph et collabora avec lui pour les fresques de la cathédrale de Speyer. En 1866, il fonda, en collaboration avec Stald et Neuhauser, une maison pour peinture sur verre à Innsbruck. En 1868, il est élu membre de l'Académie de Vienne. On cite de lui : *Cycle de fresques pour l'église paroissiale à Brunecken*, travail qui l'occupa de 1867 à 1873.

MADER Hans Georg
XVIIe siècle. Autrichien.
Sculpteur.
Il sculpta en 1611 le maître-autel du monastère de Neuberg (Styrie).

MADER Johann
Né en 1796 à Hötting (près d'Innsbruck). Mort en 1848 à Hötting près d'Innsbruck. XIXe siècle. Autrichien.
Peintre.
Il fut élève de l'Académie de Munich.

MADER Karl
Né le 27 janvier 1884 à Furstenfeld (Styrie). XXe siècle. Autrichien.
Peintre de paysages, figures.

MADERNA. Voir aussi **MADERNI** et **MADERNO**

MADERNA Giuseppe
Mort peu après 1800 à Cracovie. XVIIIe siècle. Actif à Vérone. Italien.
Peintre.
Il travailla à Rome, Paris et Saint-Pétersbourg.

MADERNI. Voir aussi **MADERNA** et **MADERNO**

MADERNI Giambattista
Né en 1758 à Vérone. Mort en 1803 à Stockholm. XVIIIe siècle. Italien.
Peintre.
Il étudia à Florence et à Rome. Il travailla à Paris, à la cour, pendant huit années, puis à Berlin, à Londres et à Saint-Pétersbourg.

MADERNO. Voir aussi **MADERNA** et **MADERNI**

MADERNO, appelé **Fiori**
XVIIIe siècle. Actif à Côme. Italien.
Peintre.
Il peignit des fleurs et des natures mortes.

MADERNO Anton
XVIIe siècle. Autrichien.
Peintre.

MADERNO Giovanni Battista
Né à Côme. Mort le 30 janvier 1639 à Rome. XVIIe siècle. Éc. lombarde.
Dessinateur et architecte.

MADERNO Pietro Magno ou **Maderni**
Né au XVIIe siècle à Bissone. XVIIe siècle. Italien.
Sculpteur.
Il fut anobli par Ferdinand III pour des œuvres exécutées pour l'Autriche et la Hongrie.

MADERNO Stefano ou **Maderna**
Né vers 1576 à Bissone. Mort le 17 septembre 1636 à Rome. XVIIe siècle. Éc. lombarde.
Sculpteur.
Il appartient à partir de 1607 à l'Académie Saint-Luc à Rome. Il s'était spécialisé dans la reproduction de statues classiques, tel le groupe *Hercule et Antée*. Mais la plus célèbre de ses sculptures est sans doute la *Sainte Cécile*, exécutée en 1599, pour l'église Sainte-Cécile-in-Trastevere, où le corps de la sainte avait été découvert dans la pose que Maderno lui donna. Cette œuvre accuse l'allongement des formes fluides, fuyantes, particulièrement mises en valeur par la draperie assez collante. Très curieusement, Maderno cessa toute activité artistique à partir du moment où il trouva un emploi aux bureaux de la gabelle. On cite parmi ses œuvres à Rome : à l'église S. Cecilia in Trastevere, sous le maître-autel, la statue de *Sainte Cécile*, à l'église S. Lorenzo in Damaso, une statue de *Saint Charles Borromée*, à l'église S. Maria di Loreto, deux *Anges* au maître-autel, à l'église S. Maria Maggiore une statue à la façade et à l'intérieur, au tombeau de Paul V, deux reliefs, à l'église S. Maria sopra Minerva, deux anges au tombeau des parents de Clément VIII, à l'église S. Maria del Pace, la *Paix* et la *Justice*, au Palais du Quirinal, un *Saint Pierre* au portail principal.
Musées : Berlin (Kaiser Friedrich Mus.) : petit panneau de marbre – Dresde (Albertinum) : *Hercule et Cacus* – Rome (Palais Doria) : *Lutte de Jacob avec l'ange* – Venise (Marciano) : *Hercule étrangle le lion* – *Hercule et Cacus*.
Ventes Publiques : Berne, 21-30 mai 1964 : *Samson et le lion*, bronze patiné : **CHF 21 000**.

MADERSTECK
XIVe siècle. Français.
Sculpteur sur bois.
Il sculpta la chaire de Reinheim (Palatinat).

MADET-OSWALD Romulus
Mort en 1941. XXe siècle. Français.
Peintre.
Il exposa aux Salons d'Automne et des Indépendants, à Paris.

MADEWEISS Hedwig
Née le 10 octobre 1856 à Potsdam. XIXe siècle. Active à Berlin. Allemande.
Peintre de portraits et de genre.
Elle peignit les portraits de membres de l'aristocratie berlinoise.

MADEYSKI Anton
Né le 16 octobre 1862. XIXe-XXe siècles. Actif en Italie. Polonais.
Sculpteur de monuments.
Il fit ses études à l'École des Beaux-Arts de Cracovie avec les Szynalevski, Jablonski puis à l'académie des Beaux-Arts de Vienne avec Helmer. De 1893 à 1898, il travailla à Saint-Pétersbourg, et, en 1898, il s'installa à Rome.
Il sculpta pour la cathédrale de Wawel des monuments funéraires en l'honneur de la reine Hedwige et Ladislas de Warna, à la facture large et aisée. Il s'en tint le moins possible à la reproduction de la réalité, atténua les rudesses de la vision directe.
Musées : Cracovie : *Stephan Basory*, bronze – *Chien de chasse*, marbre – *Portrait d'Alexandre Gierymski*.

MADHI Guri
Né en 1922. XXe siècle. Albanais.
Peintre d'histoire.
Il a illustré les grandes étapes de la libération nationale. On cite son tableau *La Reddition des Turcs à Skanderberg* et *Bajram Curri dans la grotte de Dragobi* qui est une évocation de la résistance de ce héros au roi Zog.

Musées : Tirana (Gal. des arts) : *La Reddition des Turcs à Skanderberg.*

MADHUKAR Seth
xxe siècle. Indien.
Artiste.

MADI Hussein
Né le 4 février 1938 à Chaba'a. xxe siècle. Actif depuis 1964 aussi en Italie. Libanais.
Peintre de natures mortes, portraits, sculpteur, graveur.
Il fut élève de l'académie libanaise des Beaux-Arts à Beyrouth, puis s'installa à Rome, où il étudia à l'académie des Beaux-Arts et à l'académie de San Jacomo. De retour à Beyrouth, il enseigna à l'Institut des Beaux-Arts de l'université libanaise et, de 1958 à 1962, à l'académie libanaise des Beaux-Arts. Il est président de l'Association des peintres et sculpteurs.
Il participe à de nombreuses expositions collectives, notamment : 1965 et 1967 Biennale d'Alexandrie ; 1972 ministère italien du tourisme à Rome ; 1974 Biennale de Bagdad ; 1965, 1966 et 1988 Salon du musée Sursock à Beyrouth ; 1983 Association des artistes, peintres et sculpteurs libanais à Beyrouth ; 1984 Biennale de gravure de Bradford ; 1989 *Liban – Le Regard des peintres – 200 ans de peinture libanaise*, à l'Institut du monde arabe de Paris. Il montre ses œuvres dans des expositions personnelles : 1965, 1968, 1976 Beyrouth ; 1968, 1973 Rome ; 1972 Milan ; 1976 Lecce ; 1984 Ammam. Une importante rétrospective de son œuvre a eu lieu en 1979 à la Chambre de commerce et d'industrie de Beyrouth. Il a reçu plusieurs prix : 1965 prix de peinture au Ve Salon du Sursock à Beyrouth, celui de sculpture au VIIIe Salon du Centre culturel italien en 1968 et le prix de gravure de la ville de Lecce.
Sa peinture, parfois abstraite, fait appel, comme pour de nombreux Orientaux (d'Extrême-Orient ou du Moyen-Orient), à une pratique calligraphique née d'une tradition encore vivante.
Bibliogr. : In : Catalogue de l'exposition *Liban – Le Regard des peintres – 200 ans de peinture libanaise*, Institut du monde arabe, Paris, 1989.

MADICO Angel
Né en 1955 à Tarrasa (Barcelone). xxe siècle. Espagnol.
Sculpteur, créateur d'installations. Lumino-cinétique.
Il participe à de nombreuses expositions collectives en Espagne et montre ses œuvres dans des expositions personnelles depuis 1971.
Il réalise des sculptures en acier, aux formes élancées, reposant sur un socle polyèdre, en résine, évoquant quelques lampadaires ou émetteurs de signaux. Il intègre à l'installation des ampoules, mettant en valeur les pouvoirs réfléchissants des matériaux choisis.
Bibliogr. : *Catalogo nacional de arte contemporaneo*, Iberico 2mil, Barcelone, 1990.

MADIGAN Rosemary
Née en 1926. xxe siècle. Australienne.
Sculpteur.
Elle réalise des sortes de bas-reliefs en bois, étirant les figures et les formes. Son travail évoque l'Art nouveau.
Bibliogr. : In : *Creating Australia – 200 years of art 1788-1988*, Art Gallery of South Australia, Adelaide, 1988.
Musées : Canberra (Australian Nat. Gal.).

MADIGNÉ Pierre
Né en 1744. Mort le 1er janvier 1804 à Angers. xviiie siècle. Français.
Graveur sur bois.

MADIN Jan. Voir **MANDYN**

MADIOL Adrien Jean
Né vers 1845 à Groningue. Mort vers 1892. xixe siècle. Hollandais.
Peintre de genre, portraits.

A.J. MADIOL

Musées : Courtrai : *Les vieux jours.*
Ventes Publiques : Londres, 19 jan. 1973 : *La berceuse* : **GNS 450** – Londres, 18 jan. 1980 : *Scène d'intérieur* 1873, h/pan. (55,2x45) : **GBP 1 800** – Anvers, 18 mai 1983 : *Les Amoureux*, h/t (81x61) : **BEF 80 000** – New York, 13 fév. 1985 : *Les amoureux* 1872, h/pan. (55,9x45,6) : **USD 2 000** – Bruxelles, 19 déc. 1989 : *Couple dans un intérieur* 1917, dess. (72x48) : **BEF 26 000** – Amsterdam, 24 avr. 1991 : *Réparation immédiate* 1873, h/t (56,5x45) : **NLG 7 130** – Lokeren, 20 mai 1995 : *Jeune bergère avec des fleurs sauvages*, h/t (42x32) : **BEF 40 000** ; *L'incendie* 1878, h/t (211x142) : **BEF 125 000** – Lokeren, 9 mars 1996 : *Jeune bergère avec des fleurs sauvages*, h/t (42x32) : **BEF 33 000.**

MADIOL Jacques ou **Jakob** ou **Madyol**
Né en 1871 ou 1874 à Bruxelles. Mort en 1950. xixe-xxe siècles. Belge.
Peintre de genre, figures, portraits, paysages animés, aquarelliste.
Il fut élève de l'Académie royale des Beaux-Arts de Bruxelles. Il exposa en 1921 le portrait du *Docteur Jules Bordet*, et fut lauréat du Prix Nobel en 1920.

JACQUES MADYOL

Bibliogr. : In : *Dict. biogr. illustré des artistes en Belgique depuis 1830*, Arto, Bruxelles, 1987.
Musées : Bucarest (Mus. Simu) : Une aquarelle.
Ventes Publiques : Anvers, 22 avr. 1980 : *Le port de Marseille*, h/t (80x100) : **BEF 30 000** – Amsterdam, 15 mai 1984 : *Marché à Antibes* 1930, h/t (79,5x112,5) : **NLG 6 400** – Bruxelles, 12 juin 1990 : *Nice* 1910, h/cart. (32x47) : **BEF 30 000** – Paris, 5 nov. 1991 : *Orangeraie*, h/t (45x52) : **FRF 3 800** – Lokeren, 20 mars 1993 : *Paysan en train de labourer* 1891, h/t (46x61) : **BEF 60 000** – Lokeren, 9 oct. 1993 : *L'amarrage d'une péniche*, h/t (80x100) : **BEF 140 000** – Lokeren, 9 déc. 1995 : *La côte rouge de Branding*, h/t (81x116,5) : **BEF 100 000** – Amsterdam, 5 nov. 1996 : *Marchand de fleurs* 1905, h/pan. (36,5x46) : **NLG 11 800** – Lokeren, 7 déc. 1996 : *Le Hallage du bateau*, h/t (80x100) : **BEF 140 000.**

MADIONA Antonio
Né en 1650 à Syracuse. Mort en 1719. xviie-xviiie siècles. Italien.
Peintre d'histoire.
Élève de A. Scilla. Il alla à Rome rejoindre Preti, qu'il accompagna à Malte.

MADJERA Karl Gustav Jacob
Né le 30 août 1828 à Hambourg. Mort le 20 mai 1875 à Grinzing (près de Vienne). xixe siècle. Autrichien.
Peintre d'histoire, d'architectures et aquarelliste.
Élève de l'Académie de Vienne avec Führich. Il peignit les fresques du Salon Impérial de l'Opéra de Vienne. La Galerie Moderne de cette ville en conserve les cartons.

MADLENER Jörg
Né en 1939 à Düsseldorf. xxe siècle. Actif en Belgique. Allemand.
Peintre, dessinateur, graveur, peintre de décors de théâtre.
Il fit des études d'architecture à Darmstadt et Francfort.
Bibliogr. : In : *Dict. biogr. illustré des artistes en Belgique depuis 1830*, Arto, Bruxelles, 1987.
Musées : Bruxelles – Darmstadt – Olenbourg – Vienne (Albertina Mus.).

MADLENER Joseph
Né le 16 avril 1881 à Amendingen (près de Memmingen). xxe siècle. Allemand.
Peintre de paysages, figures.
Il fut élève de l'École des arts et métiers et de l'Académie de Munich. Il fut pendant dix ans environ collaborateur des *Fliegende Blatter.*
Musées : Kempten – Leipzig (Mus. du livre) – Memmingen.

MADLINER W. J.
xixe siècle. Travaillant vers 1843. Britannique.
Peintre de genre.
Le Musée de Sheffield conserve de lui : *Le moulin à vent.*

MADONE de... ou **Madones De..., Maître de la** ou **Maître des.** Voir **MAÎTRES ANONYMES**

MADONETTA Stefano ou **Madonetto**
Né le 7 juillet 1794 à Vicence. xixe siècle. Italien.
Peintre de paysages.

MADONETTO Pietro
Originaire de Venise. xviiie siècle. Italien.

Sculpteur sur bois.
Il travailla à la cour de Brunswick-Lunebourg à partir de 1703. Il participa aux décorations intérieures de l'église Saint-Clément à Hanovre (maître-autel, chaire, orgue, fonts baptismaux).

MADONIA Giuseppe
Né en 1958 à Palerme (Sicile). XXe siècle. Actif depuis 1984 en Allemagne. Italien.
Peintre de figures, peintre de collages, pastelliste, sculpteur. Nouvelles figurations.
Il s'intéressa d'abord aux nouvelles formes théâtrales, notamment à Venise où il participa au théâtre de la radicalité expérimentale. Il vit et travaille à Berlin.
Il montre ses œuvres dans des expositions personnelles en France.
La découverte de Chirico, alors qu'il réalise des décors, le pousse à se consacrer à la peinture. Ses œuvres, impulsives, primitives, colorées, lui permettent de « plonger au plus profond de soi ». Il réalise aussi des sculptures en plomb, figures reprises dans ses collages.

MADONNINA Francesco
XVIIe siècle. Actif à Modène vers 1660. Italien.
Peintre.

MADORE Michel
Né en 1949 à Montréal (Québec). XXe siècle. Actif depuis 1977 en France. Canadien.
Dessinateur de figures, portraits, technique mixte, pastelliste.
Il fit d'abord des études universitaires en mathématiques. Jusqu'en 1981, il mena une carrière de compositeur instrumentiste. Depuis 1983, il s'est consacré à la peinture et au dessin.
Il participe à des expositions collectives : 1992 Paris, premier Salon des Artistes Francophones ; 1993 Paris, Salon Découvertes ; 1993, 1994 Salon de Clichy ; Séoul, *Humanism and Technology – The human figure in Industrial Society*, Musée d'Art Contemporain ; 1994-1995 Baie-Saint-Paul, Symposium de la Jeune Peinture du Canada ; 1996 Paris, Salon Mac 2000 ; 1997 Paris, Salon Figuration Critique ;...Il expose aussi ses travaux individuellement : 1988 Paris, Centre Culturel Canadien ; 1992 Paris, galerie Caroline Corre ; 1994 Metz, galerie Le Cercle Bleu ; 1995 Paris, galerie Graphes ; 1996 Cahors ; 1997 Nancy...
Madore use d'une curieuse technique : il maroufle du papier Japon sur la toile de lin écrue et, au cours du travail, continue de coller des fragments de papier en superposition ; le papier translucide, à l'origine laissant percevoir le ton bistre de la toile, devenant de plus en plus blanc sur les parties où se sont accumulées les superpositions. Le travail du dessin proprement dit est mené avec du fusain et du pastel blanc. C'est lui-même qu'il dessine inlassablement, en général la tête, le visage, mais parfois une indication du corps prolongée jusqu'au sexe. Sa technique relativement rudimentaire, il l'explique par son admiration des peintures rupestres préhistoriques ; ce qui n'explique pas la limitation à sa seule apparence, quand justement les peintres des cavernes ne se représentaient pas, ne représentaient, sauf quelques exceptions schématiques, que ce qui n'était même pas de l'homme en général. Dans le cas de Madore, on peut supposer qu'il s'agit plutôt d'une interrogation anxieuse que d'une contemplation ravie.
BIBLIOGR. : Bernard Paquet : *Michel Madore – Le corps de l'autre*, in : Vie des Arts, N° 159, Montréal, été 1995.

MADÖRIN
Né en 1946 à Bâle. XXe siècle. Suisse.
Sculpteur.
Il expose à Bâle, Berne, Düsseldorf, Lugano, Milan, Munich et Zürich.
Il sculpte le fer.

MADOSCA Philipp de, abbé ou **Madotscha**. Voir **PHILIPP von Madosca**

MADOT Adolphus M.
Mort en 1861. XIXe siècle. Britannique.
Peintre de figures et illustrateur.
Élève des écoles de la Royal Academy, cet artiste mourut très jeune.
VENTES PUBLIQUES : LONDRES, 1er avr. 1980 : *La fontaine*, h/pan. (50,5x40) : **GBP 450**.

MADOU Jean Baptiste
Né le 3 février 1796 à Bruxelles. Mort le 3 avril 1877 à Saint-Josse-ten-Noode-les-Bruxelles. XIXe siècle. Belge.
Peintre de genre, aquarelliste, graveur, dessinateur, lithographe.
Élève de P. J. François, il fut dessinateur et calligraphe de la division topographique militaire à Courtrai, puis travailla pour les lithographes Jobur et Weissenbruck à Bruxelles, fut professeur de dessin à l'école militaire de dessin et professeur de dessin des enfants de la famille royale. Une exposition rétrospective de son œuvre eut lieu en 1964 à Saint-Josse-ten-Noode-les-Bruxelles. Par son métier et ses sujets, il se rattache à l'époque 1830 de l'art belge. Il se fit d'abord connaître par des aquarelles et des lithographies, mais il ne faut pas négliger ses compositions de genre, tout en finesse d'observation, comme : *La fête au château – Les politiques au village*, qui montrent son admiration pour David Téniers. Il travailla également à la décoration du château de Ciergnon.

MD Madou

BIBLIOGR. : Gérald Schurr, in : *Les Petits Maîtres de la peinture 1820-1920, valeur de demain*, Les Éditions de l'Amateur, t. II, Paris, 1982.
MUSÉES : AMSTERDAM (Mus. mun.) : *Le secret – Bourgeois lisant* – ANVERS : *Galanterie* – BRÊME : *Les politiques du villages* – BRUXELLES : *Les troubles-fête, XVIIIe siècle – La fête au château – Le sort interrogé – Les politiques au village* – deux aquarelles – STETTIN : *Le chasseur.*
VENTES PUBLIQUES : PARIS, 1849 : *Le ménétrier* : **FRF 4 200** – PARIS, 1880 : *Le mari au cabaret* : **FRF 14 100** – NEW YORK, 15-16 avr. 1909 : *La prise de tabac* : **USD 250** – PARIS, 22-23 mai 1924 : *La visite du seigneur* : **FRF 28 200** – LONDRES, 22 juil. 1927 : *Les patrons de l'artiste* : **GBP 126** – PARIS, 12 juin 1953 : *La fête au château* : **FRF 1 900 000** – BRUXELLES, 21-23 nov. 1967 : *Bonjour femme* : **BEF 280 000** – BRUXELLES, 24 oct. 1972 : *Buveurs se querellant* 1873 : **BEF 260 000** – LONDRES, 29 oct. 1976 : *Élégante compagnie dans un parc* 1853, h/pan. (43,5x35,5) : **GBP 4 000** – BRUXELLES, 10 déc. 1976 : *La mauvaise plaisanterie*, aquar. (12x14) : **BEF 55 000** – LONDRES, 19 avr. 1978 : *Deux hommes trinquant dans un intérieur* 1869, h/pan. (32x24) : **GBP 6 400** – BRUXELLES, 25 oct 1979 : *Le guet* 1835, aquar. (21x24) : **BEF 32 000** – LONDRES, 28 nov 1979 : *Le coq du village* 1847, h/pan. (73,5x59) : **GBP 18 500** – BRUXELLES, 19 nov. 1980 : *La réussite* 1865, dess. reh. (35x35) : **BEF 180 000** – LONDRES, 7 mai 1980 : *Soldat attablé et servante dans un intérieur* 1863, aquar., cr. et fus. (28,5x36) : **GBP 520** – BRUXELLES, 25 nov. 1981 : *La Prise* 1870, dess. reh. (36x29) : **BEF 65 000** – BRUXELLES, 16 déc. 1982 : *Deux personnages examinant des documents* 1874, h/bois (37x40) : **BEF 475 000** – BRUXELLES, 15 fév. 1983 : *Les Joueurs de dames* 1867, dess. reh. (29x36) : **BEF 60 000** – BRUXELLES, 15 juin 1983 : *Le verdict concernant le musicien ambulant* 1849, h/bois (67x96) : **BEF 600 000** – SAN FRANCISCO, 21 juin 1984 : *Femme en colère* 1844, aquar. (28x38) : **USD 800** – NEW YORK, 27 fév. 1986 : *L'Artiste en voyage* 1861, h/pan. parqueté (66x100,3) : **USD 32 000** – NEW YORK, 25 fév. 1988 : *L'amusement du bébé*, h/t (41,9x49,5) : **USD 18 700** – NEW YORK, 25 mai 1988 : *Charpentiers de marine faisant une pause*, aquar. (29,8x42,8) : **USD 4 620** – STOCKHOLM, 19 avr. 1989 : *Paysage italien animé avec des ruines et des animaux*, h/t (17x24) : **SEK 15 500** – LONDRES, 5 mai 1989 : *La réunion musicale*, h/pan. (67,3x77,4) : **GBP 6 600** – CALAIS, 10 mars 1991 : *Scène de genre*, h/pan. (24x21) : **FRF 22 000** – PARIS, 29 nov. 1991 : *Chevalier à la taverne*, aquar. et gche (7,8x11,5) : **FRF 13 000** – AMSTERDAM, 18 fév. 1992 : *Paysanne portant un panier d'œufs debout dans un paysage boisé* 1857, h/pan. (56x42,5) : **NLG 2 990** – LOKEREN, 21 mars 1992 : *La conversation*, aquar. (14x13) : **BEF 36 000** – NEW YORK, 28 mai 1993 : *Méditation sur une lecture* 1861, h/pan. (24,1x20,3) : **USD 3 220** – LONDRES, 17 nov. 1993 : *La cruche brisée* 1866, h/pan. (57x83) : **GBP 23 000** – NEW YORK, 17 fév. 1994 : *Le Conteur*, h/pan. (21,5x25) : **USD 6 900** – LOKEREN, 12 mars 1994 : *La lecture* 1856, h/pan. (35x42) : **BEF 260 000** – LOKEREN, 9 déc. 1995 : *Le ravitaillement des gardes du château* 1855, h/pan. (31x42,5) : **GBP 450 000** – PARIS, 4 déc. 1995 : *La Diseuse de bonne aventure* 1840, h/t (27x32) : **FRF 26 000** – NEW YORK, 23-24 mai 1996 : *La Bonne Aventure* 1849, h/t (27,9x33) : **USD 12 650** – MONACO, 14-15 déc. 1996 : *Costumes historiques*, aquar., lot de cinq (chaque 32x25) : **FRF 60 840** – LONDRES, 21 nov. 1997 : *Surpris en pleine sieste* 1842, h/pan. (68,5x96,5) : **GBP 49 900** – LOKEREN, 6 déc. 1997 : *Scène d'intérieur* 1868, h/pan. (46x37) : **BEF 500 000**.

MADOX BROWN. Voir **BROWN Catherine, Ford, Lucy, Oliver Madox**

MADRASSI Luca
Né au XIXe siècle à Tricesimo. XIXe siècle. Italien.
Sculpteur de bustes, statues, groupes.
Élève de Cavalier et de l'École des Beaux-Arts de Paris. Il exposa au Salon, à partir de 1896, des bustes, des statuettes et des sujets allégoriques. Sociétaire des Artistes Français depuis 1890, il y obtint des mentions honorables en 1881, 1882, 1883, 1885, une médaille de troisième classe en 1896.
Ventes Publiques : Londres, 5 oct. 1977 : *Le triomphe de la Jeunesse* vers 1890, bronze (H. 59,5) : **GBP 450** – Bruxelles, 25 sept 1979 : *Triomphe de la Jeunesse*, bronze (H. 72) : **BEF 60 000** – Londres, 25 nov. 1982 : *Jeune fille les yeux bandés* vers 1880, bronze patine brune (H. 80,5) : **GBP 1 000** – New York, 17 mai 1983 : *Nymphe*, bronze patine brun vert (H. 129,5) : **USD 3 600** – Londres, 6 nov. 1986 : *Lutin des Bois* vers 1890, bronze patiné (H. 104) : **GBP 1 800** – Neuilly, 1er mars 1988 : *Femme chevauchant un aigle*, bronze (H. 106) : **FRF 37 500** – Reims, 13 mars 1988 : *Couple d'amoureux*, bronze (H. 83) : **FRF 29 100** – Stockholm, 19 avr. 1989 : *Buste de femme*, marbre blanc (H. 15) : **SEK 10 000**.

MADRASSI Ludovic Lucien
Né en 1881 à Paris. Mort en 1956. XXe siècle. Français.
Peintre de genre, portraits, paysages, natures mortes, illustrateur.
Il fut élève de Raphaël Collin, P. Leroy, Gabriel Ferrier et Gervais. Il figura à Paris, au Salon des Artistes Français, dont il devint membre sociétaire en 1906, et où il obtint une mention honorable en 1907.
Il a illustré entre autres : *Un Royaume de Dieu* de J. et J. Tharaud.
Bibliogr. : Gérald Schurr, in : *Les Petits Maîtres de la peinture 1820-1920, valeur de demain*, Les Éditions de l'Amateur, t. II, Paris, 1982.
Musées : Paris (Mus. d'Art Mod.) : *Femme de Salonique* – *Fillette auvergnate*.
Ventes Publiques : Paris, 23 déc. 1949 : *La jeune modiste* : **FRF 1 000** – Versailles, 13 fév. 1972 : *Route dans la plaine*, h/t (50x61) : **FRF 700** – Paris, 26 oct. 1984 : *Portrait d'homme au carton à dessin*, h/t (177x137) : **FRF 17 000**.

MADRAZO de OCHOA Federico de
Né en 1875 à Paris. Mort en 1934 à Paris. XXe siècle. Français.
Peintre de compositions animées, scènes typiques, paysages.
Il était le seul fils du peintre Raimundo de Madrazo y Garreta. Il fut élève, à Paris, de Léon Bonnat, Benjamin Constant, Léon Gérôme et Giovanni Boldini. Il vécut quelque temps à Venise. Artiste mondain, il fréquenta Cocteau, Gide, Gervex, Tissot, Proust. Il fit un long voyage en Asie. On suppose qu'il se suicida à cause de problèmes financiers.
Il participa à plusieurs expositions collectives, notamment à Paris pour le Salon de la Société des Artistes espagnols. Il montra ses œuvres dans une exposition personnelle à la galerie Bernheim, à Paris, en 1910. Il adhéra au symbolisme de la Belle-Époque, peignant des scènes légères, dans une facture aérée, fluide.
Bibliogr. : Carlos Gonzalez et Montse Marti, in : *Peintres espagnols de Paris, 1850-1900*, Barcelone, 1989 – in :, t. V, Madrid, 1991.
Ventes Publiques : Londres, 18 mai 1988 : *Portrait de Jean Cocteau*, h/t (73x46,5) : **GBP 16 500** – Paris, 11 oct. 1988 : *Geishas*, h/t (100x54) : **FRF 153 000** – Londres, 15 fév. 1990 : *La cocotte*, h/t (78x136) : **GBP 33 000**.

MADRAZO Y OCHOA Raphaël de ou **Ochoa y Madrazo**
Né le 14 mars 1858 à Madrid. XIXe-XXe siècles. Espagnol.
Peintre de scènes de genre, portraits.
Le considérable ouvrage *Cien anos de pintura en Espana y Portugal (1830-1930)* des Éditions Antiqvaria, ne fait aucune mention de ce peintre. Il n'aurait pas pu être un fils de Raimundo de Madrazo y Garreta. Du fait de la complexité de cette famille des Madrazo, il aurait pu être confondu avec Ricardo Federico de Madrazo y Garreta. Il aurait été élève de Jean-Léon Gérome à Paris et y aurait figuré au Salon des Artistes Français, obtenant une médaille de bronze en 1889, pour l'Exposition Universelle.
Ventes Publiques : New York, 4 jan. 1945 : *La lettre* : **USD 350** – Los Angeles, 27 mai 1974 : *Le jeu de Colin-Maillard* : **USD 3 500** – New York, 31 oct. 1985 : *Le jeu de colin-maillard*, h/t (97,2x147,3) : **USD 5 750** – Londres, 31 oct. 1996 : *Portrait de lady parmi les fleurs*, h/t (46x35) : **GBP 2 645**.

MADRAZO Y AGUDO José
Né le 22 avril 1781 à Santander. Mort en 1859 à Madrid. XIXe siècle. Espagnol.
Peintre d'histoire et de portraits et graveur à l'eau-forte.
Il fut élève de Gregorio Ferro ; il accompagna Charles IV en France, y fut élève de David, puis alla à Rome. Directeur de l'Académie et du Musée de Madrid. Il a fondé une École Nationale de peinture. Il a gravé des portraits. Ayant été persécuté par la police napoléonnienne pour sa fidélité à la dynastie des Bourbons, au moment de la guerre d'Indépendance, alors qu'il séjournait à Rome, dans le même temps qu'Ingres, il revint à Madrid dans l'estime générale, bénéficiant de la protection de Charles IV, puis de celle de Ferdinand VII, ce qui lui permit d'exercer une grande influence sur la peinture espagnole de ce temps, y imposant ses principes d'études d'après l'Antique et de recherche d'un nouveau style classique, autorité qui se perpétuera par sa très nombreuse descendance.
Bibliogr. : Jacques Lassaigne : *La peinture espagnole, de Vélasquez à Picasso*, Skira, Genève, 1952.
Musées : Madrid : *La mort de Viriato* – *Amour divin et amour profane* – *Quatre allégories* – *Jésus dans la maison d'Anne* – *Portrait équestre de Ferdinand VII*.

MADRAZO Y GARRETA Raimundo de
Né le 24 juillet 1841 à Rome, de parents espagnols. Mort en 1920 à Versailles (Yvelines). XIXe-XXe siècles. Espagnol.
Peintre de genre, portraits, aquarelliste.
Premier fils de Federigo de Madrazo y Kuntz, il fut un portraitiste à la mode. Figura aux expositions de Paris où il obtint une médaille de première classe en 1878, une médaille d'or en 1889 (Exposition Universelle). Chevalier de la Légion d'honneur en 1878, officier de la Légion d'honneur en 1889 (Exposition Universelle).

Musées : Baltimore (Walters) : *Après la messe* – Madrid (Prado) : *La marquise de Monzanedo* – New York : *Bal costumé* – *S. P. Avery* – *Jeune fille à la fenêtre* – Paris : *Emma de Madrazo*.
Ventes Publiques : New York, 1876 : *Intérieur d'église à Rome* : **FRF 23 000** – Paris, 1898 : *La leçon de musique* : **FRF 8 925** – Londres, 1899 : *Le bouquet* : **FRF 3 800** – Paris, 10 déc. 1920 : *Coquelin aîné dans le rôle de Scapin* : **FRF 1 000** – Paris, 18 juin 1930 : *La mariée* : **FRF 1 550** – Paris, 14 déc. 1933 : *Le sourire* : **FRF 4 800** – New York, 14 déc. 1933 : *La toilette* : **USD 210** – Londres, 30 juil. 1936 : *Le Masque* : **GBP 75** – Paris, 28 avr. 1941 : *Portrait d'un vieillard* : **FRF 2 000** – Paris, 15 fév. 1945 : *Portrait de la duchesse de Morny* : **FRF 30 000** – Paris, 29 nov. 1948 : *Le patio* : **FRF 14 600** – Paris, 28 mars 1949 : *La soubrette* : **FRF 80 000** – Paris, 1er fév. 1950 : *Jeune Espagnole* : **FRF 30 000** ; *Portrait de femme* : **FRF 10 000** – Paris, 11 fév. 1954 : *Préparatifs pour le bal costumé* : **FRF 48 000** – Londres, 12 juil. 1968 : *Après le bal* : **GNS 900** – New York, 22 jan. 1969 : *Jeune femme regardant un album* : **USD 2 600** – New York, 12 nov. 1970 : *Les mauvaises nouvelles* : **USD 1 900** – New York, 24 fév. 1971 : *Jeune femme au miroir* : **USD 3 800** – Londres, 28 fév. 1973 : *Lola* : **GBP 3 700** – Paris, 20 juin 1973 : *Jeune femme à l'éventail* : **FRF 31 000** – Madrid, 17 mai 1974 : *Le modèle* : **ESP 500 000** – Copenhague, 2 juin 1976 : *Jeune femme en costume de bal*, h/pan. (77x57) : **DKK 59 000** – Madrid, 14 juin 1976 : *Aline assise*, aquar. (29,5x21) : **ESP 160 000** – New York, 12 oct 1979 : *La Pierrette*, h/t (93x74) : **USD 19 500** – Londres, 27 nov. 1981 : *Jeune Femme à son piano*, h/t (47x38) : **GBP 5 500** – Madrid, 21 mars 1983 : *Le Bouquet d'anniversaire*, h/t (79x63,5) : **ESP 2 200 000** – New York, 30 oct. 1985 : *Portrait de jeune fille en rose*, h/t (151x99,7) : **USD 65 000** – New York, 27 fév. 1986 : *Le Bouquet de fleurs*, h/t (73,7x59,7) : **USD 19 000** – Paris, 20 déc. 1987 : *Portrait de Coquelin*, h/t (86x60) : **FRF 67 000** – Madrid, 24 fév. 1987 : *Baile en el patio anduluz*, h/t (47x69) : **ESP 5 500 000** – Londres, 22 juin 1988 : *L'heure du thé*, h/t (100x73) : **GBP 77 000** – Paris, 9 nov. 1988 : *Fox, canne, gants blancs et haut-de-forme* 1885, h/pan. (80x65) : **FRF 240 000** – Londres, 17 fév. 1989 : *Dans l'atelier*, h/t (95,2x66) : **GBP 132 000** – New York, 22 fév. 1989 : *La leçon de musique*, h/t (50,8x76,8) : **USD 154 000** – Londres, 21 juin 1989 : *Le toast*, h/pan. (93x72) : **ITL 165 000** – New York, 25 oct. 1989 : *Portrait de Mrs James Leigh Coleman* 1886, h/t (146,5x96,5) : **USD 33 000** – Londres, 15 fév. 1990 : *Cupidon*, h/pap./t. (47,3x30,2) : **GBP 2 200** – New York, 22 mai 1991 : *Jeune femme tenant un masque*, h/t (33x27,2) : **USD 38 500** – Londres, 18 juin 1993 : *Après le bal* ; *Jeune campagnarde*, h/pan., une paire (chaque 30,5x17,8) : **GBP 21 275** – Paris, 22 juin 1994 : *Jeune*

femme en buste 1910, h/t, de forme ovale (90x72) : **FRF 80 000** – PARIS, 10 avr. 1995 : *Élégante en robe blanche* 1893, h/t (73x65) : **FRF 70 000** – NEW YORK, 23 oct. 1997 : *Le Chocolat chaud* vers 1884-1885, h/t (86,4x66) : **USD 156 500** – NEW YORK, 22 oct. 1997 : *Après la corrida*, h/t (41,3x27,3) : **USD 19 550**.

MADRAZO Y GARRETA Ricardo Federico de
Né le 7 février 1852 à Madrid. Mort en 1917 à Madrid. XIXe-XXe siècles. Espagnol.
Peintre de scènes de genre, nus, portraits.
Il est le second fils de Federico de Madrazo y Kuntz. Il fut élève de son père et de son oncle Mariano Fortuny. Il figura régulièrement au Salon de Paris, obtenant une médaille de bronze à l'Exposition Universelle de 1889.
MUSÉES : BALTIMORE (Walters Art Gal.) : *Sortie d'église* – MADRID (Gal. Mod.) : *Maure du Sud* – *Vue de Venise* – SÉVILLE : *Canal à Venise*.
VENTES PUBLIQUES : PARIS, 5-10 juin 1905 : *La femme au chapeau* : **FRF 810** – PARIS, 28 jan. 1907 : *Tête de femme espagnole* : **FRF 340** – NEW YORK, 22 jan. 1909 : *La coquette* : **USD 1 000** – PARIS, 30 oct. 1925 : *Jeune Espagnole à la mandoline* : **FRF 2 300** – PARIS, 26 oct. 1926 : *Jeune femme* : **FRF 300** – LONDRES, 21 juil. 1976 : *Portrait de Lady Ludlow et de Richard Wernher* 1895, h/t (188,5x139,5) : **GBP 6 200** – LONDRES, 23 nov. 1988 : *Réunion musicale dans un riche salon espagnol*, h/t (48,5x76) : **GBP 137 500** – LONDRES, 5 oct. 1990 : *Un musicien arabe*, h/pan. (27,9x17,8) : **GBP 3 850** – NEW YORK, 28 fév. 1991 : *Dans la cour d'une maison espagnole* 1876, h/t (86,3x55,5) : **USD 38 500** – NEW YORK, 23 mai 1991 : *Portrait d'une jeune femme en robe de soirée rose* 1889, h/t (113,7x80) : **USD 19 800**.

MADRAZO Y KUNTZ Federico de, don ou **Madrazo y Kuntz**
Né le 9 février 1815 à Rome, de parents espagnols. Mort le 10 juin 1894 à Madrid. XIXe siècle. Espagnol.
Peintre d'histoire, sujets de genre, portraits.
Fils de José de Madrazo y Agudo, le fondateur de la dynastie. Il fit ses études à Paris avec Winterhalter, puis fonda à Madrid un journal d'art. Il réussit brillamment comme peintre de portraits, en Espagne, mais il prit en même temps une part active aux expositions parisiennes. Il obtint une troisième médaille au Salon de 1838, une deuxième en 1839, une première en 1855. En 1846, il fut décoré de la Légion d'honneur et fut fait officier en 1878. Il fut correspondant de l'Institut en 1853 et membre étranger en 1873. Madrazo fut peintre de la cour d'Espagne, directeur du Musée National de Madrid et directeur de l'École de peinture. Il était le père de Raimundo et de Ricardo Federico de Madrazo y Garreta.
Madrazo fut par excellence un peintre officiel et il peignit les personnalités les plus marquantes de l'aristocratie espagnole. Il pratiqua un Ingrisme attardé, marqué aussi de références à Raphaël et au Pérugin.
MUSÉES : BAYONNE (Bonnat) : *Portrait* – *Portrait* – CASTRES : *Portrait de Mme Daguerre* – *Portrait de Mme Marfaing* – MADRID : *Le général duc de San Miguel* – *Isabelle II* – *Le roi consort François d'Assise* – *Alphonse XII* – *Perugino Cenci* – *Don Carlos de Hals* – *D. Pelegrin Clané* – *M. Charles Blaas* – *D. Carlos Müller* – *D. Marie-Christine* – *Ferdinand VII* – *Antonio Sola* – *D. Viente Masaruan* – *D. R. Sanjuan* – *D. Manuel Vilar* – *D. Joaquin Espalter* – *D. Claudio Lorenzale* – *M. Adolphe Soubert* – *Le peintre Robbe* – *D. E. D. Ochoc* – *Fr. Ittenbach de Kionigssainter* – *D. Ventura de la Vega* – *M. Gustave Deville* – *Le peintre Ernesto Deger* – *M. V. de Lara* – *D. Poncino Ponzano* – *Le violoniste Escudero* – *D. Manuel Arbos* – *M. Edmundo Wodich* – *D. Carlos Luis Rivera* – *D. Santiago Masaruan* – *D. Julian de Villalba* – *D. Andres Müller* – *D. Luisa Kuntz* – *La reine Mercédès* – *D. Manuel Breton de los Herreros* – *La princesse Maria* – *Le sculpteur José Zanetti* – *D. Juan Broca* – *Mme de Ponzano* – *Pietro Jenerassi* – *D. J. Siro Perez* – *Le graveur Calixto Ortega* – *Études* – VERSAILLES : *Les croisés offrent la couronne à Godefroy de Bouillon*.
VENTES PUBLIQUES : PARIS, 1873 : *Toréador* : **FRF 6 000** – LONDRES, 1874 : *Une heureuse idée* : **FRF 13 000** – NEW YORK, 1879 : *L'entrée à l'église* : **FRF 26 750** – NEW YORK, 1892 : *Arrivée à l'église* : **FRF 25 000** – NEW YORK, 1898 : *Femme et perroquet* : **FRF 16 750** ; *Le départ du bal masqué* : **FRF 82 500** ; *Pierrette* : **FRF 25 500** – LONDRES, 1898 : *La leçon de musique* : **FRF 8 925** – LONDRES, 9 oct. 1970 : *Le billet doux* : **GNS 1 100** – NEW YORK, 2 avr. 1976 : *Le rêve du roi*, gche et aquar. reh. d'or (38x27,5) : **USD 1 500** – MADRID, 24 mai 1977 : *Portrait de fillette*, h/t (35x27) : **ESP 105 000** – MADRID, 18 déc 1979 : *La Duchesse de Rivas* 1876, h/t (105x80) : **ESP 350 000** – LONDRES, 27 nov. 1981 : *Portrait de la duchesse d'Albe*, h/t (195x124,5) : **GBP 28 000** – NEW YORK, 25 fév. 1983 : *Une beauté espagnole* 1859, h/t, de forme ovale (53,3x43,2) : **USD 1 500** – PARIS, 13 avr. 1988 : *Portrait de femme*, h/t (46x38) : **FRF 18 500** – LONDRES, 23 nov. 1988 : *Portrait du fils de l'artiste* 1875, h/t (46x38) : **GBP 4 400** – LONDRES, 1er oct. 1993 : *Portrait de la Comtesse de Almaraz en buste* 1890, h/t (60x53,7) : **GBP 1 610**.

MADRAZO Y KUNTZ Luis de
Né le 27 février 1825 à Madrid. Mort en 1897 à Madrid. XIXe siècle. Espagnol.
Peintre d'histoire, compositions religieuses.
Il est le pénultième fils de José de Madrazo y Kuntz.
On mentionne de lui : *Tobie rendant la vue à son père* 1848.
MUSÉES : MADRID (Mus. du Prado) : *Enterrement de sainte Cécile* – *Premier miracle de sainte Thérèse et Jésus*.

MADRIGAL Pablo
Né le 27 janvier 1606 à Cocentaina (province de Valence). Mort le 16 septembre 1663 à Cocentaina (province de Valence). XVIIe siècle. Espagnol.
Peintre.

MADSEN Andreas Peter
Né le 22 décembre 1822 à Copenhague. Mort le 26 septembre 1911 à Copenhague. XIXe-XXe siècles. Danois.
Peintre d'animaux aquafortiste et archéologue.
Il participa à la décoration du Musée Thorwaldsen et exposa à partir de 1846 des tableaux d'animaux. Il peignit des fresques à l'École d'Agriculture et au Musée zoologique de Copenhague. Il fit des eaux-fortes (paysages, animaux, portraits). Il illustra lui-même ses œuvres d'archéologie.
MUSÉES : MARIBO : *Oies dans l'étang*.

MADSEN Juel Christian
Né le 24 décembre 1890 à Odense. Mort le 1er septembre 1923 à Yokohama. XXe siècle. Danois.
Peintre de paysages, figures, graveur, dessinateur, aquarelliste de scènes de chasse.
Il illustra ses descriptions de voyage en Orient et en Asie. Comme aquafortiste et dessinateur, il fit des portraits d'écrivains, d'artistes, de comédiens. Il peignit à l'aquarelle des scènes de chasse et illustra le livre de chasse de Justesen *La Vie au grand air*.
MUSÉES : ODENSE : *Portraits d'E. Thomasen et sa femme* – *Le Premier Jour du printemps* – *Chasseurs en automne*.
VENTES PUBLIQUES : COPENHAGUE, 16 mai 1994 : *Vue sur Christianstad à partir de Sct. Croix* 1917, h/t (254x110) : **DKK 11 000**.

MADSEN Karl Johann Vilhelm
Né le 22 mars 1855. Mort en 1938. XIXe-XXe siècles. Danois.
Peintre de paysages, intérieurs, natures mortes.
Il était le fils du peintre Andreas Peter Madsen. Il fut élève de son père et de l'académie de Copenhague, entre 1872 et 1876. À Paris, où il séjourna de 1876 à 1879, il fut élève de Gérôme. Il renonça à la peinture en 1880, devint critique et historien d'art, puis fut nommé conservateur du Musée des Beaux-Arts de Copenhague.
Malgré sa formation, il se montre sensible aux peintres de l'école de Barbizon et au pleinairisme.
BIBLIOGR. : Gérald Schurr, in : *Les Petits Maîtres de la peinture 1820-1920, valeur de demain*, Les Éditions de l'Amateur, t. V, Paris, 1981.

MADSEN Sofie, née **Thorsöe**
Née le 7 septembre 1829 à Copenhague. Morte le 31 mai 1856 à Copenhague. XIXe siècle. Danoise.
Peintre.
Elle était la femme d'Andreas Peter Madsen. On voyait d'elle à l'exposition féminine de Copenhague de 1895 quatre natures mortes.

MADSEN Sören
Né le 15 mai 1861. Mort le 22 juin 1890. XIXe siècle. Danois.
Sculpteur.
Parmi les œuvres qu'il exposa à Charlottenborg à partir de 1881 on cite : *Télémaque attache ses sandales* et *Portraits médaillons*. Il concourut en 1886 pour la petite médaille d'or avec *Joseph interprète les songes* et l'obtint en 1888 avec *Ulysse et Nausicaa*.

MADSEN Theodor Christian
Né le 9 novembre 1880. XXe siècle. Danois.
Peintre de cartons de céramiques.

Il fut élève de l'académie de Copenhague et exposa à Charlottenborg à partir de 1904. Il travailla à la manufacture royale de porcelaine.

MADSEN Viggo Svend

Né le 5 mars 1883 à Copenhague. xxe siècle. Danois.

Peintre de compositions religieuses, décorateur.

Il était le fils de Karl Johan Vilhelm. Il exposa à partir de 1909 à Charlottenborg, de 1906 à 1914 à l'exposition libre, de 1905 à 1921 à Groningue. Il collabora avec J. Skovgaards aux peintures décoratives de la cathédrale de Viborg. Il fit de nombreuses décorations d'églises.

Musées : Aalborg – Maribo – Randers.

MADUAN Paul

xxe siècle. Belge.

Peintre.

Ventes Publiques : Bruxelles, 27 mars 1990 : *Faune dans l'île du Levant* 1921, h/t (100x150) : **BEF 42 000**.

MADZO Michael

xxe siècle.

Peintre, technique mixte.

Il montre ses œuvres dans des expositions personnelles : 1996 galerie Gastaud et Caillard à Paris.

Il reproduit des tableaux de maîtres, Caravage, Rembrandt, Constable (...), les métamorphoses en d'étranges compositions mêlant les matériaux.

MAE... Voir aussi **MÄ...**

MAEA José

Mort le 11 février 1826 à Madrid. xviiie-xixe siècles. Espagnol.

Peintre.

Il fut reçu membre de l'Académie de Madrid en 1790 et en devint directeur en 1823.

MAECHSELKIRCHER. Voir **MÄLESSKIRCHER**

MAECHTIG Carl Andreas. Voir **MÄCHTIG**

MAECKER Franz Wilhelm

Né le 7 mars 1855 à Berlin. Mort en 1913 à Munich. xixe-xxe siècles. Allemand.

Paysagiste et peintre de marines, aquarelliste et graveur.

Élève de l'École d'art de Weimar, se fixa à Berlin. Exposa à Munich en 1889. On cite de lui : *Paysage hollandais, Barque sur le Havel.*

MAECKLER. Voir **MICHEL-MAECKLER**

MAEDA Josaku

Né en 1926 à Toyama. xxe siècle. Japonais.

Peintre. Abstrait.

Il obtint son diplôme de l'école des Beaux-Arts de Musashino, à Tokyo, en 1953. Il est membre de l'Association des artistes libres. Il arriva à Paris en 1958, grâce à une bourse pour la liberté de la culture.

Il participe à de nombreuses expositions collectives : 1957 *Jeune Peinture 1957* où son envoi fut primé ; 1958 *L'Art contemporain japonais* en Australie et Nouvelle-Guinée, ainsi que *Artistes japonais* à Paris, *Junge Maler der Gegenwart* à Vienne, exposition du prix Lissone à Rome, Ire Biennale de Paris, exposition *Antagonismes* et Salon des Réalités Nouvelles à Paris.

Il fit sa première exposition personnelle à Tokyo, en 1955. 1957 fut une année importante pour lui, il fit sa deuxième exposition personnelle et obtint le grand prix à l'exposition des jeunes peintres asiatiques, organisée par le Congrès pour la liberté de la culture. Il montre ses œuvres dans des expositions personnelles : 1959, 1961 Paris ; 1960 Turin.

Recherchant des effets de matières, souvent par adjonction de papiers froissés dans la pâte colorée, il retrouve le goût ancestral pour l'épiderme des choses et des objets, sur lequel on peut déchiffrer l'histoire du monde ou de l'homme. Son abstraction apparente n'est que le résultat du dépaysement que rencontre le regard, lorsqu'il délaisse l'apparence globale des objets pour s'attacher au détail de leur structure intérieure, y retrouvant dans une démarche familière aux Extrêmes-Orientaux, le microcosme inversé de l'univers infini, d'où les titres de ses œuvres-méditations : *Atlas humain – Constellation humaine*, etc. Sa démarche est comparable à celle d'un Key Sato, en ce qu'elle tient ses distances avec les styles internationaux, pour garder le contact avec la spécificité millénaire de l'âme japonaise.

Bibliogr. : K. A. Jelenski : Catalogue de l'exposition *Maeda*, Galerie Lambert, Paris, 1961.

Ventes Publiques : Londres, 21 mars 1991 : *Terre céleste n° 2* 1960, h/t (100x81) : **GBP 6 600** – Londres, 3 déc. 1993 : *Paysage humain n° 32* 1961, h/t (80x120,4) : **GBP 10 350** – New York, 27 avr. 1994 : *n° 294 – Ningen Kukan* 1964, h/t (52,7x40,6) : **USD 7 475** – Londres, 1er déc. 1994 : *Mystagogoe d'espace* 1964, h/t (116x89) : **GBP 13 000**.

MAEDA Kanji

Né en 1896 dans la préfecture de Tottori. Mort en 1930 à Tokyo. xxe siècle. Japonais.

Peintre.

Après des études dans le département de peinture occidentale de l'université des Beaux-Arts de Tokyo, de 1915 à 1921, il vient poursuivre sa formation à Paris, où il restera jusqu'en 1925. D'abord inscrit à l'académie de la Grande Chaumière, il travaille ensuite seul dans son atelier. Il retourne en 1925 à Tokyo, et ouvre un atelier dans le quartier de Hongo, où il reçoit des étudiants gratuitement. Il meurt en 1930, à l'âge de trente-quatre ans.

En 1925, il obtient le prix spécial de la sixième exposition impériale *Teiten* avec *Mademoiselle J. C.*, L'année suivante, il organise avec Takanori Kinoshita et Katsuzo Satomi une exposition : *1930 – Kyokai* où figurent quarante toiles rapportées de son séjour en Europe. Cette manifestation sera à l'origine d'un groupe appelé à devenir une des forces majeures des jeunes mouvements artistiques d'avant la guerre. Il continue d'exposer à *Teiten* et reçoit à nouveau le prix spécial en 1927 avec *Miss C.* et *Nu penché* et, en 1928, la mention honorable avec *Nu*. En 1929, il devient membre du comité d'accrochage de *Teiten*. Très malade, il n'en continue pas moins de travailler et remporte le prix de l'académie impériale des Beaux-Arts *Teikoku Bijutsu-in*.

Très sensible aux divers courants artistiques circulant en Europe depuis la fin du xixe siècle, avant même son départ pour la France, il est l'un des premiers pointillistes japonais. Pendant son séjour à Paris, il étudie tout particulièrement l'œuvre de Manet, Courbet, et surtout Ingres qui lui inspire une série de portraits de femmes et de nus très classiques. De retour au Japon, il devient l'un des tenants du réalisme pictural et donne à son atelier le nom de *Maeda Shajitsu Kenkyûjo* (Atelier réaliste de Maeda). Ses dernières œuvres laissent poindre une expression nouvelle à tendance fauve.

MAEDA Seison, pseudonyme de **Maeda Renzô**

Né en 1886 à Nakatsugawa-shi (préfecture de Gifu). Mort en 1977. xxe siècle. Japonais.

Peintre d'histoire, compositions murales.

Venu à Tokyo en 1898, peu après la mort de sa mère, il tombe malade, retourne chez lui pour ne revenir qu'en 1902. Il devient disciple de Kajita Henko. En 1907, il entre dans deux groupes importants, *Tatsumi gakai* et l'association Kôji fondée quelques années auparavant par le peintre Imamura Shikô. À partir des années 1911-1913, il devient un artiste à qui une position sociale stable et une réputation bien établie permettent de se consacrer entièrement à son art. À la mort du peintre Okakura Tenshin, en 1912, Maeda essaie de remettre sur pieds et de rouvrir l'académie impériale des beaux-Arts, avec la collaboration des peintres Daikan et Kanzan. En 1922, il effectue un voyage avec Kobayashi Kokei, grâce à une bourse de l'académie des Beaux-Arts. Il visite plusieurs pays jusqu'en Égypte, mais c'est à Londres qu'il s'attarde le plus. En 1935, il visite la Chine et la Mandchourie ; il retourne en Mandchourie en 1938 comme membre du jury de l'exposition officielle du royaume de Mandchourie. Depuis 1945, il est installé dans la ville de Kamakura, près de Tokyo.

Dès 1905, il participe aux expositions de l'Association japonaise de peinture qui lui décernera d'ailleurs des prix à plusieurs reprises. Il ne cessera dès 1907 de se manifester dans de multiples groupes et expositions officielles. En 1955, il reçoit la médaille de la culture. En 1970, pour ses quatre-vingt-quatre ans, une vaste exposition rétrospective est organisée à Tokyo, Osaka et Nagoya.

Dès 1902, il étudie le *yamato-e* et la peinture japonaise classique, tout en s'avérant très impressionné par l'œuvre de Okakura Tenshin. Autant d'éléments qui se refléteront dans ses peintures, notamment ses grandes compositions historiques. Les quelques peintures d'Italie prouvent à quel point de la maîtrise de la peinture à l'encre il est parvenu et toutes les ressources qu'il sait en tirer. En Mandchourie, il fait plusieurs peintures des grottes de Datong, qu'il vient de découvrir. Avec Yasuda Yukihiko, Maeda est sans doute l'un des grands peintres actuels de l'académie des Beaux-Arts, connu tant pour ses grandes compositions historiques (par exemple les illustrations de la fête d'Omizutori au temple Tôdai-ji de Nara, admirables peintures dans un style yamato-e classique revu par l'école Rimpa) que pour ses portraits tel celui de *Minamoto no Yoritomo dans la grotte*, daté 1929, qui représente ce guerrier dans sa tenue de combat haute en couleurs, entouré de quelques acolytes ; œuvre à la fois caractéristique de la peinture historique moderne et du genre particulier appelé Musha-e (peinture de guerrier), très pratiqué par Seison. ■ Marie Mathelin

Ventes Publiques : New York, 21 avr. 1989 : *Iris fleuris*, encre et coul. /pap. (42x63,5) : **USD 209 000** – New York, 27 avr. 1994 : *Masque de Bunraku* 1947, cr., encre et lav. rouge/pap. (29,2x21) : **USD 9 200**.

MAEDA Toshimasa
Né le 4 juin 1943 à Miyazaki-ken. xxe siècle. Japonais.
Peintre.

Il fut élève de l'université nationale des Beaux-Arts de Tokyo, de 1962 à 1966 ; y obtenant son diplôme de licencié. Ensuite, de 1966 à 1968, il fut élève de l'Institut supérieur des Beaux-Arts, y obtenant son diplôme supérieur. En 1968-1969, il fut l'assistant de son ancien professeur Ryohei Koisso, dans la section de peinture à l'huile de l'université. Boursier du gouvernement français, il étudia en 1969-1970, à l'école des Beaux-Arts de Marseille, dans l'atelier de Busse ; en 1970-1971, il vint à l'école des Beaux-Arts de Paris, dans l'atelier Singier.

En 1967, il participa à l'exposition annuelle du groupe *Shinseisaku*, au musée de Tokyo et de nouveau en 1968. Cette même année, 1968, il participa à Tokyo, à une exposition *Quatre Peintres*. Il montra ses œuvres dans une exposition personnelle, pour la première fois, en 1968. Il obtint, en 1971, le premier prix des boursiers du gouvernement français.

Si sa peinture s'apparente au grand courant international dérivé du pop'art américain, elle s'en différencie par un accent personnel, et notamment par la tentation d'une synthèse entre des apports divers : pop, Francis Bacon, quelques emprunts à l'Optical Art, etc.

MAEGD Jos de
Né en 1917 à Uden. xxe siècle. Actif en Belgique. Hollandais.
Peintre et dessinateur. Abstrait.

Il fit ses études à Bruxelles, à l'Académie de Louvain, à l'Institut supérieur d'Anvers. Prix de Rome en 1946, il fut professeur à l'Institut Saint-Luc de Schaerbeek, directeur de l'Académie des Beaux-Arts de Louvain.

Bibliogr. : In : *Diction. Biogr. illustré des Artistes en Belgique depuis 1830*, Arto, Bruxelles, 1987.

MAEGT J. de
xxe siècle. Belge.
Sculpteur de nus.

Ventes Publiques : Lokeren, 9 oct. 1993 : *Nu*, bronze (H. 45,5, l. 12) : **BEF 50 000**.

MAEHL. Voir **MÄHL**

MAEHLE Ole
Né en 1904. xxe siècle. Norvégien.
Peintre de paysages.

Ventes Publiques : Stockholm, 26 mai 1987 : *Vue de la fenêtre* 1937 : **SEK 23 000** – Stockholm, 6 déc. 1989 : *Journée de novembre près de Wesna* 1962, h/pan. (60x73) : **SEK 12 000**.

MAEIEL Brigid, appelé aussi **Maielbrigte Macdurman**
Mort en 927. ixe-xe siècles. Britannique.
Calligraphe et miniaturiste.

D'abord abbé de Derry, il devint en 885, archevêque d'Armagh. La Bibliothèque archiépiscopale de Lambeth possède de lui un volume d'évangiles qui fut offert au roi Athelstan. On croyait cette œuvre d'origine galloise, mais le Dr Tood et le professeur Westwood la considèrent comme ayant été produite en Irlande. Les miniatures des Évangélistes sont grossières comme toutes celles de la même époque, mais l'ornementation est absolument remarquable.

MAELE Martin Van
Originaire de Hollande ? xixe-xxe siècles. Français.
Dessinateur, illustrateur.

Il est considéré comme productif autour de 1900. Il a publié des albums de dessins et a illustré des textes d'Apulée (*L'Asne d'or*), Choderlos de Laclos (*Les Liaisons dangereuses*), John Cleland (*Mémoires de Fanny Hill*), Conan Doyle (*Sherlock Holmes*), Fowler (*Maisons de flagellation*), Théophile Gautier (*Obscenia*), Pierre Mac Orlan (*La Comtesse au fouet*), Pierre Louys (*Manuel de civilité*), Michelet (*La Sorcière*), Ovide (*Amours*), Hughes Rebell (*Femmes châtiées*), Paul Verlaine (*Trilogie érotique*)...

Bibliogr. : In : *Dictionnaire des illustrateurs 1800-1914*, Ides et Calendes, Neuchâtel, 1989.

MAELER Ernst ou **Maler**
xvie siècle. Actif à Kampen de 1545 à 1558. Hollandais.
Peintre.

Le Musée épiscopal de Haarlem possède de lui un *Christ au Purgatoire*.

MAELESSKIRCHER. Voir **MÄLESSKIRCHER**

MAELLA Mariano Salvador de
Né en 1739 à Valence. Mort en 1819 à Madrid. xviiie-xixe siècles. Espagnol.
Peintre de compositions religieuses, sujets allégoriques, scènes de genre, paysages, paysages d'eau, marines, fresquiste, dessinateur.

Il fut élève de Gonzales à l'École des Beaux-Arts de Madrid. Il poursuivit ses études à Rome, où il copia les grands maîtres du Baroque italien. Il obtint diverses distinctions, étant nommé directeur de l'Académie de San Fernando à Madrid et premier peintre du roi Charles IV, en 1795. Vicente Lopez fut son élève, à Madrid, auquel il transmit les principes académiques, prônés par Mengs.

Il peignit le portrait de Charles III, celui de Charles IV, ainsi que ceux des membres de la famille royale. Il collabora parfois, à Madrid, avec Anton Raphaël Mengs. Il peignit surtout des fresques dans les palais royaux, églises et cathédrales : on cite notamment : la *Vie de sainte Léocadie*, au cloître de la cathédrale de Tolède ; les portraits de *Saint Ferdinand* et de *Saint Charles*, dans l'église Saint-François de Cadix.

Bibliogr. : Jacques Lassaigne : *La peinture espagnole, de Vélasquez à Picasso*, Skira, Genève, 1952 – in : *Dictionnaire de la peinture espagnole et portugaise du Moyen Âge à nos jours*, coll. Essentiels, Larousse, Paris, 1989.

Musées : Madrid (Mus. du Prado) : *Assomption* – *La Cène* – *Pêcheurs tirant leurs filets* – deux marines – Madrid (BN) : dessins – Valence.

Ventes Publiques : Londres, 20 juil. 1973 : *Allégorie* : **GNS 3 800** – Barcelone, 19 juin 1980 : *Noli me tangere*, h/t (36,5x24,5) : **ESP 250 000** – Barcelone, 25 mai 1982 : *Sainte Thérèse*, h/t (215x156) : **ESP 850 000** – Madrid, 20 juin 1985 : *Portrait de Don Froilan de Berganza*, h/t (142x107) : **ESP 1 725 000** – Madrid, 20 mai 1986 : *L'Annonciation*, h/t (81,5x58,5) : **ESP 400 000** – New York, 15 jan. 1987 : *Un retour triomphal*, h/t, à vue ovale (48,5x130,5) : **USD 41 000** – Madrid, 21 mai 1991 : *L'Immaculée Conception*, h/t (142x70) : **ESP 5 040 000** – New York, 16 jan. 1992 : *Esaü vendant son droit d'aînesse*, h/t (239x156) : **USD 16 500** – Madrid, 28 jan. 1992 : *Anges*, h/t (32x54) : **ESP 840 000** – Paris, 18 déc. 1992 : *Saint Charles Borromée donnant la communion aux pestiférés*, h/t (35x18) : **FRF 58 000** – Madrid, 18 mai 1993 : *Apparition de la Vierge à saint Jacques*, cr./pap. gris (26,8x45,2) : **ESP 500 000**.

MAELWAEL. Voir **MALOUEL**

MAELZNER Ada
Née en 1922 à Barquisimeto. xxe siècle. Vénézuélienne.
Peintre.

Étudia en Allemagne et à Caracas.

MAENDEL Christoph ou **Mendel**
Né le 24 février 1777 à Johannisberg (près de Landeck). Mort en 1845. xixe siècle. Allemand.
Sculpteur et stucateur.

Son domaine fut surtout la sculpture de bâtiment : chapiteaux, croix de tombeaux. On cite de sa main, le *Buste du comte Reden*, d'après une tête de porcelaine de Riese.

MAENNCHEN. Voir **MÄNNCHEN**

MAERTELAER Jean-Pierre de
Né en 1925 à Schaerbeek. xxe siècle. Belge.
Peintre et dessinateur.

Il fut élève de Frans Smeers à l'Académie des Beaux-Arts de Bruxelles et de C. Permeke à l'Institut supérieur d'Anvers. Il crée un monde onirique où les personnages et les objets échappent à la loi de la pesanteur, dans des coloris frais où dominent les gris, roses, blancs et jaunes.

Bibliogr. : In : *Dict. Biogr. illustré des Artistes en Belgique depuis 1830*, Arto, Bruxelles, 1987.

MAERTELAERE Aimé de
Né en 1914 à Zottegem. XXe siècle. Belge.
Sculpteur.
Élève à l'Académie des Beaux-Arts de Gand, il est l'auteur de nombreux monuments, bas-reliefs et médaillons à Anvers.
Bibliogr. : In : *Diction. Biogr. illustré des Artistes en Belgique depuis 1830*, Arto, Bruxelles, 1987.

MAERTELAERE Lodewyck de. Voir **MARTELAERE**

MAERTENS Médard
Né en 1875 à Koolskamp. Mort en 1940 ou 1946 à Bruxelles. XXe siècle. Belge.
Peintre de genre, portraits, paysages. Postimpressionniste, fauve.
Il fut élève des académies des Beaux-Arts de Tielt, Roulers, Anvers et Bruxelles. Il séjourna à Paris en 1930, en Turquie de 1929 à 1930.
Il trouva son propre style, après avoir exploré les recherches impressionnistes puis fauves.
Bibliogr. : In : *Dict. biogr. illustré des artistes en Belgique depuis 1830*, Arto, Bruxelles, 1987.
Ventes Publiques : Bruxelles, 19 mars 1980 : *Boulevard*, h/t (72x60) : **BEF 38 000** – Lokeren, 8 oct. 1988 : *Portrait de Emile Verhaeren* 1917, fus. (74x54) : **BEF 18 000** – Lokeren, 10 oct. 1992 : *La femme de l'artiste*, h/t (73x60) : **BEF 38 000** – Amsterdam, 14 juin 1994 : *Vue d'une ville avec des promeneurs élégants* 1907, h/t (27x35) : **NLG 4 025** – Lokeren, 7 oct. 1995 : *Travaux des champs*, h/t (59x79) : **BEF 110 000** – Amsterdam, 4 juin 1996 : *Au soleil*, h/t (73x60) : **NLG 8 496**.

MAES. Voir aussi **MAAS**

MAES
XIXe siècle. Belge (?).
Peintre de genre.
Il exposa à Paris, au Salon en 1831.

MAES Canini. Voir **MAES Jan Baptist Lodewyck**

MAES Coenraed Van der, l'Ancien
XVIIe siècle. Actif à Leyde. Hollandais.
Peintre de portraits.
Eut comme élève Joris Van Schooten en 1604. Faisait partie de la gilde de La Haye en 1615.

MAES Coenraed Van der, le Jeune ou **Maas**
XVIIe siècle. Hollandais.
Sculpteur.
Il fut un des fondateurs de la *Pictura* en 1653.

MAES David
Né en 1956. XXe siècle. Actif en France. Canadien.
Graveur.
Il étudia l'histoire de l'art à l'université McGill de Montréal en 1980, puis fut élève de la faculté des Beaux-Arts de Montréal en 1984-1985. En 1988, il a travaillé dans l'atelier Lacourière-Frélaut à Paris.
Il participe à de nombreuses expositions collectives : très régulièrement à Montréal, ainsi que : 1989 museo municipal Belle Pineiro à Ferrol, 1990 Salon de mai à Paris... Il a reçu à Paris, le prix Lacourière et, en 1991, celui de la fondation Grav'x.
Musées : Antibes (Mus. Picasso) – Paris (BN).

MAES Eugène Remy, pseudonyme : **Théo Van Sluys**
Né en 1849. Mort en 1931, d'autres sources donnent 1912. XIXe-XXe siècles. Belge.
Peintre animalier, d'intérieurs.
Il fut élève de l'Académie des Beaux-Arts de Bruxelles.
Il traitait surtout les animaux de la ferme dans les étables et les granges.

ER. Maes

Bibliogr. : In : *Dict. biogr. illustré des artistes en Belgique depuis 1830*, Arto, Bruxelles, 1987.
Ventes Publiques : Los Angeles, 8 mars 1976 : *Brebis et agneau à l'étable*, h/t (28,5x35,5) : **USD 950** – New York, 14 jan. 1977 : *Moutons et poules à l'étable*, h/t (40x60,5) : **USD 2 000** – Los Angeles, 17 mars 1980 : *Moutons à l'étable*, h/t (40,6x60,7) : **USD 3 000** – San Francisco, 24 juin 1981 : *Moutons, chèvre et poules dans une étable*, h/t (41x60,5) : **USD 3 500** – New York, 16 déc. 1983 : *Moutons à l'étable*, h/t (54x48,5) : **USD 3 900** – Londres, 3 juin 1983 : *Volailles dans un paysage*, h/pan. (24x35,5) : **GBP 900** – New York, 13 fév. 1985 : *La basse-cour*, h/pan. (33x44,5) : **USD 5 100** – Londres, 26 nov. 1986 : *Le Poulailler*, h/t (42,5x57) : **GBP 7 000** – New York, 21 mai 1987 : *Poules et poussins*, h/t (42,8x59) : **USD 6 500** – Londres, 4 oct. 1989 : *Coq, poules et nichées dans une cour de ferme*, h/t (59,5x48) : **GBP 6 050** – New York, 25 oct. 1989 : *Animaux de basse-cour dans l'enclos de la ferme*, h/t (117,5x90,8) : **USD 20 900** – New York, 19 juil. 1990 : *Intérieur de grange avec des moutons et des poules*, h/t (44,6x66,1) : **USD 3 850** – Londres, 16 fév. 1990 : *Volailles dans une grange*, h/t (40,6x61) : **GBP 2 090** – Londres, 7 avr. 1993 : *Poulets sur une meule de foin*, h/pan. (25x35) : **GBP 2 415** – New York, 12 oct. 1993 : *Poules et coq dans une cour de ferme*, h/pan. (26,6x36,2) : **USD 5 750** – New York, 19 jan. 1994 : *Le Sommeil du chat*, h/pan. (30,5x38,7) : **USD 7 475** – New York, 23-24 mai 1996 : *Animaux dans la basse-cour*, h/t (52,7x97,8) : **USD 15 525** – Londres, 21 nov. 1997 : *Poule et poussins*, h/pan. (26,5x35,5) : **GBP 7 475**.

MAES Everard Van der ou **Quirini, Quirijnsz, Kryns, Krins**
Né à La Haye, en 1577 ou en 1568 selon d'autres sources. Mort en 1656 à La Haye, en 1656 ou 1627 selon d'autres sources. XVIIe siècle. Hollandais.
Peintre d'histoire, portraits, peintre verrier, aquafortiste.
Il aurait été élève de Van Mander et visité l'Italie, où il aurait été nommé Everardo Quirini. Il fut à partir de 1604 membre de la Confrérie de Saint-Luc à La Haye. Il exécuta pour la ville des peintures d'armoiries, des peintures sur verre. Il fit des projets pour les peintures sur verre de la chapelle du château de Frederiksborg, au Danemark, détruit par le feu, en 1859. Parmi ses gravures on cite un *Saint Jean-Baptiste avec l'agneau*, un *Buste d'un jeune héros*, *Saint Laurent dans un paysage* ; et gravés d'après lui les portraits du peintre *Giuseppe Cesari, appelé Cavaliere d'Arpino* peint en 1606, et de *Wilhelm de Nassau*, fils naturel de Maurice d'Orange.
Musées : La Haye (mun.) : *Porte-fanion de la Compagnie d'Orange des Arquebusiers de La Haye* – *Trois officiers de la Compagnie du Fanion blanc* – *Sœurs siamoises* – Rotterdam (Boymans) : *Saint Jérôme*.
Ventes Publiques : Paris, 23 juin 1976 : *Le lavement des pieds* 1609, peint./cuivre (49x42) : **FRF 6 200**.

MAES Godfried ou **Godefroy**
Né le 15 août 1649 à Anvers. Mort le 30 mai 1700. XVIIe siècle. Éc. flamande.
Peintre de compositions religieuses, sujets allégoriques, portraits.
Fils du peintre Godfried Maes, mort en 1679 ; élève de son père et de Peter Van Lint en 1665 ; il fut maître à Anvers en 1672 et épousa, en 1675, Josina Baeckelandt. Nommé directeur de l'Académie d'Anvers en 1682.

Godefridus Maes fecit. 1684

Musées : Anvers : *Martyre de saint Georges* – Douai : *Portrait de femme* – Graz : *L'Amour, allégorie* – *La Foi, allégorie* – Liège : *Portrait d'homme* – *Portrait de femme*.
Ventes Publiques : Paris, 1881 : *L'Enfant à la gaufre* : **FRF 10 500** – Paris, 1890 : *Prince d'Orange* : **FRF 6 000** – Paris, 21 fév. 1919 : *L'Olympe*, sépia : **FRF 50** – Hambourg, 4 juin 1980 : *Indigène agenouillé*, pl. et lav., forme ovale (9x10,7) : **DEM 2 000** – Amsterdam, 14 nov. 1988 : *Les enfants de Niobe*, lav. et craie (18x24) : **NLG 805** – Paris, 13 avr. 1992 : *La Nativité*, h/t (31x24,5) : **FRF 7 500** – Amsterdam, 17 nov. 1993 : *Cérès confiant les rênes de son char à Triptolomus*, encre et craie (17,7x23,6) : **NLG 2 990** – Amsterdam, 12 nov. 1996 : *Niobé prévenant les Thébaines de l'adoration de Léto*, encre grise et lav. brun/traits de craie noire (17,6x23,2) : **NLG 8 024** – Amsterdam, 11 nov. 1997 : *Pluton enlevant Proserpine*, brosse, encre grise et cire/traces de craie noire (17,7x23,6) : **NLG 14 160**.

MAES Herman
Né en 1959. XXe siècle. Belge.
Peintre. Abstrait.
Il est le petit-fils du peintre Karle Maes. Il fut élève de Vanoverbeke au Provinciaal Hoger Instituut voor Kunstonderwijs à Hasselt. Il a reçu le prix Godecharle en 1979.
Il a montré ses œuvres dans une exposition personnelle à Anvers, en 1992.

Il adopte des couleurs terreuses pour ses compositions sobres, rythmées de formes géométriques.

MAES J. François ou **Maas**
XVIIIe siècle. Actif à La Haye. Hollandais.
Sculpteur.
Il sculpta le tombeau de *Catharina Alida Van der Dussen* dans l'église Sainte-Barbe à Culemborg et celui de *Comte Willem Mauritzs de Nassau La Lecq* dans l'église d'Ouderkerk aan den Ijsel.

MAES Jacques
Né en 1905 à Ixelles (Brabant). Mort en 1968 à Benicarlo (Espagne). XXe siècle. Belge.
Peintre de figures, portraits, paysages, natures mortes, peintre de compositions murales, peintre de cartons de vitraux.
Il fut élève de l'Académie royale de Bruxelles. Il enseigna par la suite à l'académie de St Josse-ten-Noode, où il eut pour élèves Louis Van Lint, Anne Bonnet, Gaston Bertrand. Ensuite, il fut professeur à l'Académie royale de Bruxelles, dont il devint membre.
Il participe à des expositions collectives nationales et internationales, notamment aux Biennales de Venise et de São Paulo. En 1924, il obtint le grand prix triennal de peinture, en 1930 le second prix de Rome.
Il se rattache au courant post-expressionniste, teinté chez lui, comme de nombreux peintres belges de sa génération, d'influences surréalisantes. À la suite d'un séjour à Lima, de 1946 à 1948, il éclaircit sa gamme colorée en même temps qu'il s'attachait plus à la charpente de ses compositions, intérieurs, figures, paysages marins. Après la Seconde Guerre mondiale, il évolua dans le sens d'une abstractisation à partir de la réalité toujours très dense dans ses compositions chargées.
Bibliogr. : In : *Peintres contemp.*, Mazenod, Paris, 1964 – in : *Dict. biogr. illustré des artistes en Belgique depuis 1830*, Arto, Bruxelles, 1987.
Ventes Publiques : Lokeren, 13 mars 1976 : *Nature morte* 1939, h/t (32x46) : **BEF 26 000** – Bruxelles, 26 oct. 1977 : *L'écolière* 1940, h/t (80x65) : **BEF 38 000** – Bruxelles, 20 fév. 1980 : *Partie de campagne* 1939, h/t (160x160) : **BEF 60 000** – Amsterdam, 21 nov. 1983 : *Nature morte* 1950, h/t (65x80) : **NLG 6 200** – Lokeren, 28 mai 1988 : *Femme à table* 1936, h/t (60x50) : **BEF 120 000** – Bruxelles, 19 déc. 1989 : *Vue de village*, h/pan. (45x53) : **BEF 38 000** – Londres, 11 mai 1990 : *Le Colisée à Rome* 1850, h/t (29,5x47,6) : **GBP 4 180** – Lokeren, 21 mars 1992 : *La maraîchère* 1929, h/t (80x64) : **BEF 48 000** – Lokeren, 5 déc. 1992 : *La plage au soleil*, h/pan. (38x46) : **BEF 22 000** – Lokeren, 28 mai 1994 : *Petit garçon au tablier*, h/pan. (45,5x38) : **BEF 55 000** – Londres, 15 nov. 1995 : *Vue de Rome* 1853, h/t (70x107) : **GBP 20 700** – Lokeren, 9 déc. 1995 : *L'atelier*, h/t (65x80) : **BEF 75 000.**

MAES Jan
XVIIe siècle. Éc. flamande.
Graveur et éditeur.
Il était actif à Louvain.

MAES Jan
Né en 1876 à Termonde (Flandre-Orientale). Mort en 1974 à Zeveneken. XXe siècle. Belge.
Peintre de paysages.
Il fut élève de J. Rosseels.
Il a beaucoup peint les paysages des bords de l'Escaut.
Bibliogr. : In : *Dict. biogr. illustré des artistes en Belgique depuis 1830*, Arto, Bruxelles, 1987.
Ventes Publiques : Lokeren, 12 mars 1994 : *Paysage avec des meules de foin*, h/t (78x68) : **BEF 38 000** – Lokeren, 8 oct. 1994 : *Vieux quartier de Dendermonde*, h/t (56x78) : **BEF 36 000** – Lokeren, 10 déc. 1994 : *Paysage avec des meules de foin*, h/t (78x68) : **BEF 40 000** – Lokeren, 9 mars 1996 : *Paysage avec une ferme*, h/t (83x110) : **BEF 36 000.**

MAES Jan Baptist Lodewyck ou **Jean Baptiste** ou **Maes-Canini**
Né le 30 septembre 1794 à Gand. Mort en 1856 à Rome. XIXe siècle. Actif en Italie. Belge.
Peintre d'histoire, compositions religieuses, scènes de genre, portraits.
Élève à l'Académie de Gand, il reçut une bourse pour continuer ses études à Paris. Lauréat du prix de Rome à Anvers en 1821, il s'installa en Italie.

Maes. pinx.

Musées : Amsterdam : *Le bon Samaritain* – Amsterdam (Mus. mun.) : *Madone* – Hambourg : *Romaine – Scène de rues* – Kaliningrad, ancien. Königsberg : *Romaine priant avec son enfant* – Leyde : *Portraits du professeur Johannes Sehrant, de Stapper, de Rudolphe Schant* – Munich : *Romaine priant* – Weimar : *Scène d'atelier.*
Ventes Publiques : Paris, 1856 : *Jeune fille des environs de Rome allant à la fontaine* : **FRF 320** – Londres, 14 jan. 1981 : *Vierge à l'Enfant*, h/t (79x64,5) : **GBP 1 100** – Lindau, 8 mai 1985 : *La lettre d'amour*, h/t (92x73,5) : **DEM 12 800** – Paris, 11 avr. 1995 : *Les préparatifs du bal masqué*, h/t (100x220) : **FRF 186 000.**

MAES Jean Pierre, pseudonyme de **Guynelly**
Né en 1945 à Ostende (Flandre-Occidentale). XXe siècle. Belge.
Peintre, dessinateur, pastelliste.
Il est professeur à l'académie Saint-Luc à Gand.
Sa peinture est fougueuse, colorée, fortement influencée des œuvres de Rubens.
Bibliogr. : In : *Dict. biogr. illustré des artistes en Belgique depuis 1830*, Arto, Bruxelles, 1987.

MAES Joachim Van der
XVIe ou XVIIe siècle. Hollandais.
Peintre.
Vivait à Rome en 1650.

MAES Josef
XIXe siècle. Actif à Anvers au début du XIXe siècle. Belge.
Peintre de marines.
Ventes Publiques : Londres, 5 juin 1985 : *Un quai animé*, h/pan. (50,5x65) : **GBP 3 600.**

MAES Jules Albert
Né à Clichy-la-Garenne (Seine). Mort en 1916 à Paris. XXe siècle. Français.
Sculpteur.
Élève de M. Delorme. Il figura au Salon de Paris à partir de 1873.

MAES Jules Oscar
Né le 12 novembre 1881 à Lille (Nord). XXe siècle. Français.
Sculpteur, peintre.
Il fut élève de M. Coutan. Il participa à Paris, aux Salons des Artistes Français, où il obtint une mention honorable en 1910, de la Société Nationale des Beaux-Arts, d'Automne, et des Tuileries.
Musées : Paris (Mus. d'Art Mod. de la Ville) : *La Seine* – Tourcoing.
Ventes Publiques : Paris, 18 mai 1978 : *Nu allongé*, marbre (19x38,5) : **FRF 5 000.**

MAES Karel
Né en 1900 à Mol. Mort en 1974 à Koersel. XXe siècle. Belge.
Peintre. Abstrait-géométrique.
Il fut élève de l'académie des Beaux-Arts de Bruxelles, puis fréquenta l'atelier de Jacob Smits.
Il pratique depuis 1920, date à laquelle il fait la connaissance de Theo Van Doesburg, une abstraction géométrique, qui le rattache aux premiers abstraits belges, privilégiant le cercle et le triangle. À la fin des années trente, il cesse de peindre. Il a également réalisé des meubles, tapis et affiches.
Bibliogr. : In : *Dict. biogr. illustré des artistes en Belgique depuis 1830*, Arto, Bruxelles, 1987 – in : *L'Art du XXe s*, Larousse, Paris, 1991.

MAES Nicolaas ou **Nicolaes** ou **Maas**
Né en 1632 ou 1634 à Dordrecht. Mort le 24 novembre 1693 à Amsterdam. XVIIe siècle. Éc. flamande.
Peintre d'histoire, scènes de genre, portraits, intérieurs.
Il était fils de Gerrit Maes, commerçant et bourgeois de Dordrecht. Il vint, à 16 ans, travailler dans l'atelier de Rembrandt et y demeura jusqu'en 1652 ou 1654. A 22 ans, de retour à Dordrecht, il épousa Adriana Brouwers, veuve du prédicateur Arnoldus de Gelder. Entre 1660 et 1665, il alla à Anvers où Jordaens paraît avoir eu sur sa manière une influence moins heureuse. Il revint à Amsterdam vers 1678 et y vécut jusqu'à sa mort. Nicolaas Maes

a deux manières si bien tranchées que certains biographes se sont demandé s'il ne s'agissait pas de deux artistes et si le peintre qui vint mourir à Amsterdam n'était pas un fils de l'élève de Rembrandt. Les actes de l'état civil infirment cette supposition. Maes paraît avoir eu une nature très impressionnable. Dans la première période de sa carrière, il a produit, sous l'influence de Rembrandt, d'admirables portraits et dans ses sujets de genre, ses vieilles femmes, notamment, il est un de ceux qui se sont le plus rapprochés de la puissance d'expression du maître. Plus tard, l'influence flamande lui fit chercher un brio d'exécution dans lequel il réussit beaucoup moins bien. Ses tableaux de la première manière sont les plus rares et les plus recherchés.
On lui a attribué certaines œuvres de Louis Vallée, notamment le *Portrait d'un jeune garçon.*

Bibliogr. : W. Valentiner : *Nicolaas Maes*, Stuttgart, 1924.
Musées : Abbeville : *Portrait de femme, sur le devant deux jeunes filles jouant avec un chien – Un magistrat* – Aix-la-Chapelle : *Une femme – Jeune homme jouant de la harpe* – Amiens : *Un jeune seigneur – Dame âgée* – Amsterdam : *Six chefs de la corporation des chirurgiens à Amsterdam – Le Bénédicité – La rêveuse – La fileuse*, deux fois – *Marten Meulenaer – Cornelis Evertsen – Willem Pottey – Sara Pottey – Elbert Slicher – Catharina de Hochepied – Belichye Halft* – Arras : *Portrait de femme* – Bergame (Acad. Carrara) : *Portrait d'homme* – Berlin : *Vieille femme pelant des pommes – Agar chassée* – Béziers : *Chevaux à vendre à la porte d'une hôtellerie* – Bonn : *Portrait d'un inconnu* – Bordeaux : *Portrait d'homme – Portrait de femme* – Brunswick : *Un savant* – Bruxelles : *La lecture – Portrait de Laurent de Rasière et de sa femme Alitta Van Houtum – Deux portraits d'hommes – Un portrait de femme* – Budapest : *Portrait d'homme – Portrait de femme – Portrait de Justus Criex* – Cologne : *Portrait d'homme – Portrait de jeune homme* – Copenhague : *Portrait d'homme – Portrait de femme* – Dordrecht : *Jacob de Wit* – Dresde : *Portrait présumé de Godard Van Reede* – Dublin : *Portrait d'une dame – Vertumne et Pomone* – La Fère : *Portrait* – Gênes : *Portrait d'homme* – Genève (Rath) : *Portrait de femme* – Haarlem (mun.) : *Portraits d'Abraham Sadelaer, d'Anna Matthieus, d'Antony Sadelaer, de Léonard Versyl et d'Anna de Sadelaer* – Hambourg : *Portrait d'une dame* – Hanovre : *Portraits d'un seigneur, de Georges Ier et de Sophie-Charlotte, femme de Frédéric de Prusse* – Le Havre : *Portrait d'un amiral* – La Haye : *Portrait de Jacobus Trip* – Liège : *Portrait de femme* – Londres (Nat. Gal.) : *Le berceau – La ménagère hollandaise – La servante paresseuse – Les joueurs de cartes – Portrait d'homme* – Londres (coll. Wallace) : *Jeune garçon tenant un faucon – Même sujet – La ménagère écoutant – La ménagère au travail* – Montpellier : *Portrait de vieille femme* – Moscou (Roumiantzeff) : *Tableau de genre* – Munich : *Portrait de jeune homme – Portrait de jeune femme* – Nancy : *Portrait d'homme* – Orléans : *Vieille femme lisant* – Paris (Mus. du Louvre) : *Bénédicité* – Paris (Marmottan) : *Portrait de jeune femme*, attr. – Perpignan : *Portrait d'une dame* – Poitiers : *Portrait de femme* – Le Puy-en-Velay : *Portrait d'un ministre protestant* – Rennes : *Un magistrat – Jeune fille à qui une femme présente des fruits* – Rotterdam : *Portraits d'un homme, d'une femme et d'un enfant – Portraits de Maerten Nieuwpoort et de Maria Colve* – Saint-Pétersbourg (Mus. de l'Ermitage) : *Scène d'intérieur – La dévideuse.*
Ventes Publiques : Paris, 1838 : *L'Écouteur* : **FRF 15 000** – Paris, 1863 : *Portrait de la mère de Rembrandt* : **FRF 8 500** – Londres, 1864 : *Fermière sonnant une cloche* : **FRF 10 750** – Londres, 1875 : *Intérieur : Jeune Fille* : **FRF 44 620** ; *La dentellière* : **FRF 44 625** – Londres, 1893 : *Jeune Femme dans un intérieur de cuisine* : **FRF 75 500** – Paris, 1898 : *Intérieur* 1899 : **FRF 15 750** ; *Portrait d'homme* : **FRF 3500** – Paris, 1900 : *Le Calviniste* : **FRF 20 500** – Londres, 27 fév. 1909 : *Portrait de femme* 1689 : **GBP 2 152** – New York, 11-12 mars 1909 : *Le Satyre et la famille du paysan* : **USD 460** – Paris, 6 mai 1909 : *Portrait de jeune femme* : **FRF 1 320** – Londres, 7 mai 1909 : *Groupe de famille* : **GBP 175** – Londres, 11 déc. 1909 : *Portrait de gentilhomme* : **GBP 966** – Londres, 6 mai 1910 : *Portrait de la femme du peintre* : **GBP 556** – New York, 25-26 jan. 1911 : *Frère et Sœur* : **USD 650** ; *La Danse au printemps* : **USD 1 750** – Paris, 9-11 déc. 1912 : *Femme assise* : **FRF 1 050** – Paris, 28 fév. 1921 : *Le Repas* : **FRF 7 900** – Paris, 12 mai 1921 : *Les Crêpes* : **FRF 12 700** – Londres, 26 jan. 1923 : *Gentilhomme en noir* : **GBP 357** – Paris, 14-15 avr. 1924 : *Portrait d'homme* : **FRF 5 500** – Paris, 2 juin 1924 : *Ménagère plumant un canard* : **FRF 245 000** – Londres, 18 juil. 1924 : *Femme en robe noire* : **GBP 756** – Londres, 4 déc. 1925 : *Jeune Prince* : **GBP 199** – Londres, 18 déc. 1925 : *Femme en robe jaune* : **GBP 173** – Londres, 7 mai 1926 : *Jeune chasseur* : **GBP 241** – Paris, 23-24 mai 1927 : *Portrait de jeune femme* : **FRF 11 100** – Londres, 16 mai 1928 : *Gentilhomme en manteau mauve* : **GBP 520** – Londres, 29 juin 1928 : *Garçon et fille en robe* : **GBP 451** – Paris, 19 déc. 1928 : *Portrait de femme en robe blanche et manteau bleu* : **FRF 7 200** – Londres, 3 mai 1929 : *Retour de la chasse* : **GBP 1 627** – Londres, 27 juin 1930 : *Femme plumant un canard* : **GBP 1 890** – New York, 22 jan. 1931 : *Un prince d'Orange* : **USD 1 100** – Londres, 15 déc. 1933 : *Femme épluchant des pommes* : **GBP 336** – Paris, 22 juin 1934 : *La Femme à la Bible* : **FRF 9 000** – Paris, 6 déc. 1935 : *L'Oraison de l'aïeule* : **FRF 4 200** – Genève, 7 déc. 1935 : *Portrait d'homme* : **CHF 15 250** – Londres, 13 déc. 1935 : *Portrait d'homme en noir* : **GBP 882** – Londres, 19 avr. 1937 : *Servante revenant du marché* : **GBP 1 100** – Londres, 30 avr. 1937 : *Intérieur de la crèmerie* : **GBP 1 365** – Paris, 29 nov. 1937 : *La Toilette de la jeune mère* : **FRF 5 800** – Londres, 6 mai 1938 : *Eavesdropper* : **GBP 204** – Paris, 24 mars 1939 : *Portrait présumé d'Elizabeth Van Leeuven, femme du frère de Rembrandt* : **FRF 48 000** – Paris, 28 nov. 1941 : *Portrait d'un jeune homme* : **FRF 39 000** – New York, 28 mars 1946 : *Portrait d'homme* : **USD 700** – Paris, 30 mai 1949 : *Portrait de femme* : **FRF 31 000** – Paris, 12 juin 1950 : *L'Éducation de la Vierge* : **FRF 94 000** ; *La Femme à l'œillet* : **FRF 51 000** – Bruxelles, 16 fév. 1951 : *Jeune seigneur* : **BEF 11 000** – Paris, 5 déc. 1951 : *Portrait d'une femme âgée* : **FRF 2 200 000** – Londres, 9 fév. 1959 : *Portrait pastoral de quatre enfants* : **GBP 1 600** – Paris, 10 déc. 1959 : *Réunion de famille* : **FRF 3 700 000** – New York, 6 avr. 1960 : *Portrait du prince de Bavière* : **USD 1 000** – Paris, 16 juin 1960 : *Jeune Femme près d'un puits* : **FRF 35 000** – Londres, 7 déc. 1960 : *Portrait d'un groupe familial dans un jardin* : **GBP 3 200** – Londres, 24 mars 1961 : *Portrait de la fille du margrave d'Augsbourg* : **GBP 892** – Londres, 4 déc. 1964 : *Nature morte aux pêches* : **GNS 3 200** – Londres, 23 juin 1967 : *La servante indiscrète* : **GNS 37 000** – Londres, 28 mars 1969 : *Portrait d'enfant avec des pêches* : **GNS 13 000** – Londres, 10 avr. 1970 : *Portrait d'un gentilhomme* 1679 : **GNS 1 000** – Londres, 29 juin 1973 : *La dentellière* vers 1655 : **GNS 100 000** – Londres, 28 juin 1974 : *Quatre enfants dans un paysage* : **GNS 4 200** – Londres, 2 juil. 1976 : *Portrait d'un jeune garçon*, h/t (69x61) : **GBP 13 000** – Londres, 6 juil. 1976 : *Groupe de personnages écoutant un orateur*, pl. et lav. (9,5x11,4) : **GBP 1 100** – Amsterdam, 21 mars 1977 : *Isaac bénissant Jacob*, pl. et lav. (16x19) : **NLG 3 800** – Amsterdam, 29 oct 1979 : *Étude de tête de vieille femme*, sanguine et pierre noire (10,8x8,4) : **NLG 18 500** – Paris, 14 déc 1979 : *Portrait d'homme vu jusqu'à mi-corps, presque de face* 1678, h/t (96x78) : **FRF 75 000** – Hambourg, 11 juin 1981 : *Isaac bénissant Jacob*, encre bistre (15,7x29) : **DEM 13 500** – Bruxelles, 23 mars 1983 : *Marchandes de poissons*, h/t (110x94) : **BEF 130 000** – Amsterdam, 26 nov. 1984 : *Le Bon Samaritain*, craie rouge, pl. et lav. (8x6,9) : **NLG 5 000** – New York, 16 jan. 1985 : *Jacob recevant le manteau ensanglanté de Joseph (recto)*, pl. et lav./trait de sanguine ; *Etudes : homme barbu et le sacrifice d'Abraham (verso)*, pl. (22x30,2) : **USD 8 750** – Londres, 18 avr. 1985 : *Vieille dentellière assise dans sa cuisine* 1655, h/pan. (37,5x35) : **GBP 380 000** – Londres, 2 juil. 1986 : *Portrait d'homme* 1656, h/pan. (46x38,5) : **GBP 10 000** – Londres, 10 juil. 1987 : *Portrait de fillette avec son chien à une fontaine* 1662, h/t (90,5x72) : **GBP 8 500** – Amsterdam, 14 nov. 1988 : *Tobit et sa famille avec l'ange*, encre (12,9x11,5) : **NLG 16 100** – New York, 12 jan. 1989 : *Jeune garçon assis dans un paysage avec un rouge-gorge sur son poing qu'il protège des assauts d'un chien*, h/t (56,5x47) : **USD 27 500** – Amsterdam, 20 juin 1989 : *Portrait d'une jeune femme en buste à un balcon, vêtue d'une mante rouge avec un paysage à l'arrière-plan*, h/pan. (70x59,7) : **NLG 27 600** – Stockholm, 15 nov. 1989 : *Portrait de femme*, h/t (125x93) : **SEK 47 000** – Amsterdam, 22 nov. 1989 : *Petite fille remplissant un coquillage à une fontaine pour abreuver son King Charles*, h/t (65x52) : **NLG 63 250** – New York, 10 jan. 1990 : *Portrait de la Comtesse Manzi portant une robe surbrodée et tenant une montre en or* 1675, h/t (123,2x102,8) : **USD 165 000** – Paris, 22 juin 1990 : *Portrait d'une famille hollandaise dans un intérieur*, h/t (90x105) : **FRF 180 000** – New York, 11 jan. 1991 : *Portrait d'une jeune garçon avec un épagneul King Charles et un*

oiseau dans un paysage, h/t (57,7x49) : **USD 71 500** – Londres, 7 fév. 1991 : *Portrait d'un jeune homme en buste portant une longue perruque brune*, h/t/cart. (35,6x27,3) : **GBP 5 060** – New York, 11 avr. 1991 : *Portrait d'une petite fille vêtue de bleu tenant un rose d'une main et de l'autre un mouton en laisse* 1660, h/pan. (74x58,5) : **USD 6 050** ; *Portrait d'une femme âgée assise dans un fauteuil*, h/t (84x67) : **USD 35 750** – Londres, 17 avr. 1991 : *Portrait d'un commerçant* 1685, h/t (70x58) : **GBP 6 600** – Londres, 2 juil. 1991 : *Femme assise grattant une carotte (recto) ; Couple assis près d'un berceau (verso)*, encre et lav. brun (9,8x8,4) : **GBP 6 050** – Londres, 30 oct. 1991 : *Portrait d'un petit garçon avec son jeune épagneul et un oiseau sur son poing* 1671, h/t (90,5x72) : **GBP 17 600** – Paris, 31 oct. 1991 : *Portrait d'une jeune femme avec un collier de perles*, h/t (64,5x52) : **FRF 32 000** – Amsterdam, 14 nov. 1991 : *Portrait de Duyfje Van Loten assise de trois quarts dans un paysage et vêtue d'une robe blanche et d'une écharpe jaune et verte*, h/t (45,8x38) : **NLG 16 100** – Londres, 11 déc. 1991 : *Portrait d'une dame vêtue d'une robe rouge*, h/t (63,3x50,2) : **GBP 6 600** – New York, 16 jan. 1992 : *Portrait d'un jeune garçon en robe verte, blanche et noire avec un chapeau de plumes et tenant une blanche d'abricotier derrière une ballustrade couverte de pêches*, h/t (71x64,4) : **USD 55 000** – New York, 17 jan. 1992 : *Portrait d'un jeune gentilhomme* 1675, h/t, de forme ovale (43,8x31,1) : **USD 14 300** – Amsterdam, 7 mai 1992 : *Portrait de Anna Rees enfant, debout sur une terrasse vêtue d'une robe grise, portant une corbeille de fleurs et cueillant un œillet rouge avec au fond la cathédrale de Dordrecht* 1652, h/t (140x110) : **NLG 21 850** – New York, 21 mai 1992 : *Intérieur de cuisine avec une jeune servante plumant un canard en barvardant avec un garçon accoudé à la fenêtre* 1655, h/t (68x86) : **USD 110 000** – Londres, 10 juil. 1992 : *Portrait d'un gentilhomme en habit brun et cape bleue dans un paysage ; Portrait d'une dame en robe rouge et étole dorée dans un paysage*, h/t, une paire (chaque 57x46) : **GBP 24 200** – New York, 14 jan. 1993 : *Portrait d'un gentilhomme en habit noir, plastron et manchettes blancs tenant des gants*, h/t (107,9x90,2) : **USD 28 600** – Paris, 28 juin 1993 : *Portrait d'une jeune femme au collier de perles*, h/t (74x52) : **FRF 38 000** – Paris, 29 mars 1994 : *Portrait d'un enfant avec son chien*, h/t (57x49,5) : **FRF 140 000** – Londres, 6 juil. 1994 : *Vieille femme faisant de la dentelle dans une cuisine*, h/pan. (37,5x35) : **GBP 507 500** – New York, 11 jan. 1996 : *Portrait d'un jeune chasseur vêtu à l'antique ; Portrait d'une jeune femme dans un paysage*, h/t, une paire (chaque 56,5x44,5) : **USD 48 875** – Vienne, 29-30 oct. 1996 : *Enfants jouant à la balançoire avec des chiens devant un arc de triomphe en ruine*, h/t (81x71) : **ATS 437 000** – New York, 3 oct. 1996 : *Portrait de Madame Van Oldenbarneveld*, h/t/pan. (44,5x34,3) : **USD 8 625** – Amsterdam, 7 mai 1997 : *Portrait d'un gentilhomme de trois quarts accoudé*, h/t (68,3x57,9) : **NLG 69 192** – New York, 22 mai 1997 : *Portrait d'une dame dans un paysage près d'une cascade ; Portrait d'un gentilhomme dans un paysage près d'une cascade* vers 1680, h/t, une paire (68x56,5 et 66,7x55,6) : **USD 68 500** – Amsterdam, 11 nov. 1997 : *Portrait de trois quarts d'une dame se tenant debout près d'un rideau, vêtue d'une robe de soie rouge, d'une chemise blanche et d'un châle jaune, le bras droit accoudé sur un piédestal de pierre*, h/t (63x53,6) : **NLG 18 451** – Londres, 31 oct. 1997 : *Portrait d'un jeune garçon en costume classique tenant un arc et une flèche à la main, un chien à ses côtés* 1675, h/t (45,2x33) : **GBP 15 525** – Londres, 3-4 déc. 1997 : *Portrait de trois quarts d'une fillette tenant une pomme à la main* vers 1675-1680, h/t (81,5x65,3) : **GBP 84 000**.

MAES Paul Victor
Né en 1924 à Louvain (Brabant). xxe siècle. Belge.
Peintre de natures mortes, intérieurs. Postimpressionniste.
Il fut élève de V. Van Beylen et de Jacques Charlier à l'académie des Beaux-Arts de Louvain.
Bibliogr. : In : *Dict. biogr. illustré des artistes en Belgique depuis 1830*, Arto, Bruxelles, 1987.
Musées : Louvain.

MAES Pieter
xvie siècle.
Graveur et orfèvre.
D'origine néerlandaise ou allemande, il travailla de 1577 à 1591 et vécut, croit-on, à Cologne ; un peintre Peerken Maes fut élève d'Adam Brix à Anvers en 1572.
On cite dans son œuvre gravé : *Adoration des mages, Le même, La circoncision, Le baptême, Les travaux d'Hercule, Thisbé, Apollon et Diane, Léda, Arria et Paetus, Charité, Le paysan*, d'après Dürer, *Le joueur de cornemuse*, d'après Dürer, *Couple dansant*, d'après Dürer, *Deux couples de fiancés*, d'après H. S. Beham, *Le petit sauveur, Le perroquet, Trois paysans et deux femmes, Le cuisinier et la cuisinière*, d'après Dürer, *La parabole des deux aveugles, Le porte-drapeau, Combat entre cavaliers, Philippe II d'Espagne, Marie Stuart, Empereur Rodolphe II, Satire sur la papauté et les Ordres mendiants, And Langnerus-Magdebourg, Saint Georges*, d'après Dürer.

MAES Simon
Mort avant 1469. xve siècle. Actif à Bruges. Éc. flamande.
Peintre décorateur.
En 1464, il eut pour élève Philip Gosins.

MAES Thomas
Né à Anvers. Mort en 1732 à Anvers. xviiie siècle. Éc. flamande.
Sculpteur.
Musées : Caen : *Portrait de jeune fille*.

MAES Tydeman
xve siècle. Actif à Bruges. Éc. flamande.
Sculpteur.
Il travailla, en 1442, au tombeau de la duchesse Michel, femme de Philippe de Bourgogne.

MAESTRE Joseph
xixe siècle. Actif à Séville. Espagnol.
Sculpteur.
Cet artiste fit le retable de Notre-Dame des Eaux, à l'église du Sauveur.

MAESTRI Giovanni Battista, appelé aussi **Volpini**
xviie siècle. Italien.
Sculpteur et stucateur.
Il travailla au Dôme de Milan. On cite également de ses œuvres à l'église S. Maria del Carmine et à l'église S. Nazaro à Milan.

MAESTRI Michelangelo
Mort vers 1812. xviiie-xixe siècles. Actif à Rome. Italien.
Peintre à la gouache, graveur.
Il fut aussi éditeur.
Ventes Publiques : Londres, 28 nov. 1985 : *Mercure délivrant l'enfant Bacchus ; Nymphes dansant dans un intétieur*, gche/fond de grav., une paire (25x42) : **GBP 2 400** – Londres, 21 mars 1986 : *L'Enlèvement de Hippodamia*, gche/fond de grav. (53,3x84,4) : **GBP 2 600** – Londres, 25 mars 1988 : *Char de Cupidon tiré par des cerfs ; Char de Cupidon tiré par des lions*, gche, deux pendants (chaque 36x49) : **GBP 2 750** – New York, 9 jan. 1991 : *Le triomphe de Silène*, gche/grav. (31x46,6) : **USD 1 760** – New York, 15 oct. 1991 : *Allégories*, gche/pap., ensemble de quatre (38,1x27,9) : **USD 5 500** – Monaco, 5-6 déc. 1991 : *Vénus et Apollon sur leurs chars*, gche et encre, une paire (38,5x45,5) : **FRF 19 980** – Paris, 28 avr. 1993 : *Allégories de l'Air*, gche, une paire (32x26) : **FRF 14 000** – New York, 11 jan. 1994 : *Projet de décoration murale à la manière des fresques de Pompei*, craie noire, gche/vélin (31,2x51,8) : **USD 10 925** – Rome, 24 oct. 1995 : *Personnages mythologiques*, h/pap./t., une paire (21x33) : **ITL 13 800 000** – Londres, 21 nov. 1996 : *Amor Petico ; Amor Volubile ; Amor Furioso ; Amor Lente* 1798, gche et reh. de blanc/eau-forte (24,4x34,9) : **GBP 2 990**.

MAESTRI Renato
Né en 1947 à Arona. xxe siècle. Actif en Suisse. Italien.
Artiste, créateur d'installations. Conceptuel.
Il a figuré à la 9e Biennale de Paris en 1975.

MAESTU José Maria
Né en 1946 à Pangua. xxe siècle. Espagnol.
Peintre. Surréaliste.
Il a participé à plusieurs expositions collectives (notamment, à Art Jonction, Nice, 1987) et montre ses œuvres dans des expositions personnelles en Espagne.
Sa peinture semble être un décalque de la grande tradition surréaliste figurative inaugurée par Dali.

MAET Marc
Né le 21 mai 1955. xxe siècle. Belge.

Peintre, technique mixte.
De 1974 à 1978, il a été élève à l'Académie Royale des Beaux-Arts de Gand.
Il participe à des expositions collectives : 1983, Palais des Beaux-Arts ; 1987, 1990, Musée d'Art Contemporain, Gand ; 1992, Provinciaal Museum, Ostende. Il montre ses œuvres dans des expositions personnelles : 1984, 1988, Musée d'Art Contemporain, Gand ; 1988, 1990, 1993, Jack Shainman Gallery, New York ; 1990, Ric Urmel Gallery, Gand ; en exposition personnelle au Salon Découvertes à Paris, en 1993, galerie Michel Vidal.
Marc Maet, dans ses toiles, réunit sur le mode associatif des éléments représentatifs, *a priori* disparates, qui semblent devoir être traités comme autant de signes aléatoires. Sa démarche pourrait s'apparenter à celle du néo-dadaïsme.
Bibliogr. : *Marc Maet*, catalogue de l'exposition, Ric Urmel Gall., Gand, 1990.
Ventes Publiques : Lokeren, 15 mai 1993 : *L'alchimie, le temps, la nuit* 1988, h/t (100x100) : **BEF 70 000** – Lokeren, 12 mars 1994 : *l'alchimie, le temps, la nuit* 1988, h/t (100x100) : **BEF 65 000**.

MAETERLINCK Louis
Né en 1856 à Gand (Flandre-Orientale). Mort en 1926. XIXe-XXe siècles. Belge.
Peintre d'histoire, portraits.
Il fut le frère aîné de Maurice Maeterlinck. Il fut élève de l'Académie des Beaux-Arts de Gand et de celle d'Anvers. Il fut en outre historien de l'art et conservateur du Musée de Gand.
Bibliogr. : In : *Dictionnaire biographique illustré des artistes en Belgique depuis 1830*, Arto, Bruxelles, 1987.
Musées : Gand.

MAETERLINCK Marie
Née en 1864 à Gand (Flandre-Orientale). Morte en 1944 à Bruxelles. XIXe-XXe siècles. Belge.
Peintre de figures, portraits.
Elle fut la sœur de Louis et de Maurice Maeterlinck. Elle fut élève de J. de Bleye.
Bibliogr. : In : *Dictionnaire biographique illustré des artistes en Belgique depuis 1830*, Arto, Bruxelles, 1987.

MAETZEL-JOHANNSEN Dorothea
Née en 1886 à Lensahn dans le Holstein. Morte en 1930 à Hambourg. XXe siècle. Allemande.
Peintre de genre, figures, nus, aquarelliste, graveur, lithographe.
Ventes Publiques : Londres, 28 juin 1988 : *Annemarie* 1920, h/cart. (85,1x63,5) : **GBP 13 200** – Heidelberg, 14 oct. 1988 : *Deux jeunes filles nues avec une fleur* 1919, cr. et aquar. (26,4x20,9) : **DEM 1 700** – Heidelberg, 12 oct. 1991 : *Mère et enfant* 1920, eau-forte en coul. (18,9x12) : **DEM 1 200** – Heidelberg, 11 avr. 1992 : *Nu féminin agenouillé*, aquar. (30,5x22,5) : **DEM 1 400** – Heidelberg, 3 avr. 1993 : *Jeune femme à l'horloge* 1923, aquar. (21,5x23,5) : **DEM 1 400** – Londres, 20 mai 1993 : *Hambourg Secession, Exposition II*, litho. en noir et crème (56x43) : **GBP 1 782** – Heidelberg, 15-16 oct. 1993 : *Mères* 1914, linograv. aquarellée (18,8x28,8) : **DEM 1 400** – Heidelberg, 15 oct. 1994 : *Adoration* 1920, eau-forte (27,5x16,5) : **DEM 1 700**.

MAETZU WHITNEY Gustavo de ou parfois **Maeztu Gustavo de**
Né en 1887 à Vitoria (Pays Basque). Mort le 9 février 1947 à Estella (Navarre). XXe siècle. Espagnol.
Peintre de compositions à personnages, sujets mythologiques, histoire, figures, portraits, paysages, paysages urbains, peintre de compositions murales, aquarelliste, dessinateur, graveur, lithographe, illustrateur. Post-impressionniste.
D'abord élève à l'École des Arts et Métiers de Bilbao, il étudia la peinture à partir de 1891 avec Antonio Lecuona et, à partir de 1901, avec Manuel Losada à Bilbao, avec qui il se lie d'amitié. Il fréquente à cette époque un cercle d'amis républicains et syndicalistes. En compagnie de Tomas Meabe, il fait le voyage à Paris, et s'installe dans le quartier de Montparnasse, où il étudie à l'Académie Colarossi. Il y rencontre d'autres Espagnols de sa génération : Arrue, Tellaeche et Arteta. La vie parisienne lui permet également de côtoyer et de faire connaissance avec de nombreuses personnalités de l'art, qu'elles soient peintres ou critiques. De retour à Bilbao en 1907, tout encore marqué par son expérience de la vie artistique parisienne, il collabore à la revue *Nuevo Mundo*, en fonde une autre, *El Coitao*, de tendance arnarcho-syndicaliste et prononce des conférences sur l'art. En 1910, il publie un roman en deux volumes intitulé *Andanzas y episodios del Sr. Doro* qu'il illustre de ses œuvres. C'est un ouvrage, dont l'histoire d'amour, est prétexte à une virulente critique des institutions et des mœurs de la société espagnole et basque. En 1911, un autre roman *El imperio del gato azul* est politiquement « iconoclaste » : antimilitariste et anticlérical. En 1916, il voyage à travers l'Espagne. De 1917 à 1921, il séjourne à Londres. De retour en Espagne, il accroît petit à petit sa notoriété en particulier dans le Pays Basque. En 1936, il est un des fondateurs du groupe artistique *Alea*. Il s'est aussi beaucoup intéressé à la technique picturale et plus précisément à la conservation des couleurs dans le temps.
Il a figuré à des expositions collectives, parmi lesquelles : IVe, Ve et VIe Exposition d'Art Moderne, Bilbao ; à partir de 1907, Salon des Artistes Indépendants de Paris, où il commence à se faire remarquer ; 1910, exposition des artistes de Biscaye, Mexico ; 1910, VIe exposition d'Art Moderne de Bilbao ; à partir de 1912, Expositions Nationales des Beaux-Arts, Madrid, en 1912, 1915, 1917, 1924 et 1936, notamment en 1917 où il obtient une médaille de troisième classe ; 1920, Salon d'Automne, Madrid ; il exposa également à Londres en 1922 ;...
Il a montré ses œuvres dans des expositions personnelles : 1912, première exposition, Salle Dalmau, Barcelone ; à Madrid dans les galeries privées ; 1919, Grafton Galleries, Chelsea ; 1920, Manchester ; 1923, Musée d'Art Moderne, Madrid.
D'abord connu en tant qu'écrivain, ce n'est qu'après 1920 qu'il se consacre pleinement à la peinture et au dessin. Curieusement, on ne retrouve pas les thèmes sociaux et politiques qui déterminent son engagement d'écrivain. Ce qu'il nous montre dans sa peinture ce sont des portraits, des compositions à personnages, des sujets mythologiques, qui atteignent une certaine monumentalité. Son sujet principal, portrait, figure ou nu, est architecturé en discrets volumes, procédé renforçant souvent la clarté de la composition. Une manière traditionnelle de figurer – comparée aux avant-gardes françaises et espagnoles de l'époque – appuyée par l'utilisation de couleurs fortes et contrastées. Sa peinture tire ses sources de la grande tradition picturale espagnole, et notamment de Goya. Maeztu s'est plu à déambuler à travers la campagne espagnole, à chercher le motif parfois pittoresque. Sa peinture est qualifiée d'« épique ». ■ C. D.
Bibliogr. : In : *Catalogo nacional de arte contemporaneo*, Iberico 2 mil, Barcelone, 1990-1991 – in : *Cien anos de pintura en Espana y Portugal, 1830-1930*, Antiqvaria, Madrid, 1991.
Ventes Publiques : Madrid, 6 mars 1986 : *Portrait du torero Jose Sanchez del Campo (Carancha)*, h/cart. (88x68) : **ESP 300 000**.

MAEULLE Georges Michel
Né en avril 1785 à Genève. Mort le 10 mai 1858 à Genève. XIXe siècle. Suisse.
Émailleur.

MAEYAMA Tadashi
Né en 1944 dans la préfecture de Niigata. XXe siècle. Japonais.
Sculpteur.
En 1961, il obtient le diplôme du cours de peinture à l'huile de la Faculté de pédagogie de l'Université de Niigata. Il se tourne alors vers la sculpture et participe, dès 1969, à la neuvième *Exposition d'art japonais contemporain* à Tokyo.

MAEYER Jacky de
Né en 1938 à Ostende (Flandre-Occidentale). XXe siècle. Belge.
Peintre, sculpteur. Abstrait-lyrique.
Autodidacte, il a débuté, à Ostende, comme peintre abstrait lyrique en 1964, puis s'est orienté vers la sculpture sur bois à partir de 1968. Cette sculpture peut pareillement s'interpréter comme abstraite.
Musées : Anvers – Bruxelles – Luxembourg (Mus. Nat.) – Milan – New York (Rockefeller Art Center) – Ostende (Mus. voor Schone Kunsten) – Rio de Janeiro – Skopje.

MAEYER Louis de
Né en 1903 à Berchem (Anvers). Mort en 1981 à Terneuzen (Pays-Bas). XXe siècle. Belge.
Peintre de paysages, scènes de genre. Tendance post-expressionniste.
Élève de l'Académie des Beaux-Arts d'Anvers, il obtint le Second Prix de Rome en 1925. Il fut professeur à l'Académie des Beaux-Arts d'Anvers.
Bibliogr. : Hubert Lampo : *L. de Maeyer*, Bruxelles, 1965 – in :

Dictionnaire Biographique illustré des Artistes en Belgique depuis 1830, Arto, Bruxelles, 1987.
Musées : Anvers.
Ventes Publiques : Anvers, 8 mai 1979 : *Vieux veston* 1965, h/t (70x54) : **BEF 100 000**.

MAEYER Marcel ou **Maeyer Marcel de**
Né en 1920 à Saint-Nicolas-Waes. xxe siècle. Belge.
Peintre. Polymorphe.
Autodidacte en peinture, il est néanmoins docteur en histoire de l'art et archéologie de l'Université de Gand et de l'Académie d'Anvers. Il est ancien conservateur au Musée d'Anvers jusqu'en 1959, et professeur à l'Université de Gand. Il vit à Lanethem-Saint-Martin.
Il montre ses œuvres la première fois en 1941 avec Jean Cox.
Ses peintures de 1945 à 1948, exécutées à l'huile ou à la détrempe, consistaient en figures hiératiques. Après son emploi de conservarteur, il va revenir à la peinture avec des expériences abstraites. De 1962 à 1964, il exécute la série de la *Vie des douze empereurs*, exposée à Paris ; 1963-1964, la série de dessins des *Gladiateurs*, montrée à Milan ; 1964-1965, la série des *Dieux et les Hommes*, exposée à Bruxelles. Il représente un cas particulier dans la peinture belge, il tend, dans ses œuvres des années soixante-dix à une intéressante synthèse entre art positif et les voies des différents courants de l'« anti-peinture ». Passant à la sculpture ou tout au moins à l'espace, dans la série des *Portes*, exposée à Paris en 1970, il prend des éléments chez les artistes américains baroque de caractère flamand.
Bibliogr. : In : *Dictionnaire biographique illustré des artistes en Belgique depuis 1830*, Arto, Bruxelles, 1987.
Ventes Publiques : Bruxelles, 13 déc. 1990 : *Fleurs* 1968, plâtre peint (43,5x50) : **BEF 31 920**.

MAEZELE Jacques
Né en 1944 à Anderlecht (Brabant). xxe siècle. Belge.
Peintre. Néo-expressionniste.
Il fut élève de l'Académie de Watermael-Boitsfort.
Bibliogr. : In : *Dictionnaire biographique illustré des artistes en Belgique depuis 1830*, Arto, Bruxelles, 1987.

MAEZTU Gustavo de. Voir **MAETZU-WHITNEY Gustavo de**

MAFAI Antonietta Raphaël
Née en 1895 à Kowno ou Vilna. Morte en 1975 à Rome. xxe siècle. Depuis 1905 active en Angleterre, France, puis Italie. Lituanienne.
Peintre, sculpteur.
Fille d'un rabbin, elle fut élevée dans la tradition de la religion juive. Elle partit, en 1905, étudier à Londres la musique et la sculpture. Elle vint à Paris en 1924 où elle rencontra les peintres russes : Soutine, Chagall, Pascin, Kisling. À Rome, en 1925, elle étudia à l'Académie des Beaux-Arts, rencontra puis épousa le peintre Mafai. Antonietta Raphaël fut proche un temps du mouvement italien du *Novencento*. Ensuite, elle a fondé avec son mari et Scipione l'École romaine de la via Cavour.
La peinture d'Antonietta Raphaël est marquée par le judaïsme dans sa dimension existentielle plus que religieuse. Admiratrice de Modigliani, Chagall et Soutine, sa peinture s'en ressent, entre figuration d'icônes et création onirique.
Bibliogr. : G. Castelfranco, D. Durbé : *La Scuola Romana dal 1930 al 1945*, Rome, 1960 – in : *Dictionnaire de l'art moderne et contemporain*, Hazan, Paris, 1992.
Musées : Rome (Gal. d'Art Mod.).
Ventes Publiques : Rome, 19 juin 1980 : *Odalisque*, h/pan. (60x48) : **ITL 2 600 000** – Milan, 8 juin 1982 : *Nature morte au masque noir* 1962, h/pan. (33x22) : **ITL 2 800 000** – Rome, 15 mai 1984 : *La coiffeuse*, h/t (60x50) : **ITL 2 400 000** – Milan, 11 juin 1985 : *Femme assise*, gche (36,5x26,5) : **ITL 2 000 000** – Milan, 14 déc. 1988 : *Vue de Madrid*, h/pap./rés. synth. (48x32) : **ITL 4 200 000** – Rome, 21 mars 1989 : *Sans titre* 1966, h./contre plaqué (53,5x72,5) : **ITL 6 000 000** – Rome, 12 mai 1992 : *Les deux messieurs* 1958, encre et aquar./page d'album (45x34) : **ITL 1 200 000** – Milan, 16 nov. 1993 : *Les lamentations de Giobbe* 1966, h./contre plaqué (53,5x72,5) : **ITL 13 225 000**.

MAFAI Mario
Né le 12 février 1902 à Rome. Mort le 31 mars 1965 à Rome. xxe siècle. Italien.
Peintre de paysages, natures mortes. Tendance abstraite.
Il a été élève à l'École des Beaux-Arts de Rome. Il a effectué un séjour à Paris où il a découvert la peinture de Modigliani, Chagall, Soutine, Pascin et Kisling. Il a exposé à Rome en 1962 et 1964, et à Todi en 1979. Il obtint le Premier Prix de Bergame en 1940 et celui de Vérone en 1943.
Inspiré par l'exemple surréaliste de Scipione, il est, avec lui, le principal représentant de l'école dite « romaine » dont la constitution remonte à 1928 et qui s'opposa au mouvement du Novecento. De 1928 à 1940, il peint d'abord dans un esprit expressionniste d'inspiration fantastique, usant de coloris vifs puis épure ses formes : les séries des *Banlieues romaines*, des *Fleurs fanées*, et des *Nus*. Après un intermède expressionniste (série des *Cortèges* et des *Fantaisies*) durant la guerre, Mafai s'engage vers une peinture à caractère « métaphysique », dans une voie presque classique de tradition italienne, réalisant des paysages urbains et des natures mortes (*Restaurant ; Marchés ; Rues*) : une représentation intimiste de la réalité. Il aborde ensuite l'abstraction informelle.

Bibliogr. : V. Martinelli : *Mario Mafai*, Rome Editoralia, 1967 – in : *Les Muses*, t. IX, Grange Batelière, Paris, 1972 – in : *Dictionnaire universel de la peinture*, Le Robert, Paris, 1975 – in : *L'Art du xxe s.*, Larousse, Paris, 1991.
Musées : Rome (Gal. d'Art Mod.) : *Démolition du bourg*.
Ventes Publiques : Milan, 27 oct. 1964 : *Fleurs et ciel* : **ITL 1 300 000** – Milan, 4 déc. 1969 : *Nature morte aux poivrons* : **ITL 1 900 000** – Milan, 26 oct. 1974 : *Nature morte aux fleurs* : **ITL 7 500 000** – Rome, 18 mai 1976 : *Femmes étendant le linge* 1933, h/t (144x116) : **ITL 13 000 000** – Milan, 5 avr. 1977 : *Portrait de vieille femme* 1951, h/t (70x50) : **ITL 2 200 000** – Rome, 24 mai 1979 : *Modèle dans un intérieur* 1941, h/pan. (57x36) : **ITL 8 000 000** – Rome, 19 juin 1980 : *Rue de banlieue* 1933, pl. (21x27,5) : **ITL 900 000** – Milan, 12 mars 1980 : *Nu en mouvement* 1941, aquar. (21,7x32) : **ITL 1 300 000** – Rome, 23 nov. 1981 : *Nus* 1932, encre de Chine, études (29,5x23) : **ITL 2 700 000** – Milan, 6 avr. 1982 : *Ponte romano*, h/t (47x62) : **ITL 15 000 000** – Rome, 5 mai 1983 : *Roses sur une table* 1950, h/t (30x40) : **ITL 9 500 000** – Milan, 13 juin 1984 : *Nu assis* 1939-1940, encre de coul./pap. rose (35x25) : **ITL 3 200 000** – Rome, 8 mai 1986 : *Les Toits de Rome* vers 1950, h/t (45,3x60,4) : **ITL 32 000 000** – Milan, 20 oct. 1987 : *Nature morte au mannequin, masque et robe rouge* 1940, h/t (94x53,5) : **ITL 77 000 000** – Rome, 15 nov. 1988 : *Modèle*, h/cart. (68x48) : **ITL 26 000 000** ; *Nature morte avec des roses sur une table*, h/t (30x40) : **ITL 45 000 000** – Rome, 7 avr. 1988 : *Roses fanées*, h/t (60x80) : **ITL 3 000 000** – Rome, 21 mars 1989 : *Le joueur d'accordéon* 1956, h/t (107x84) : **ITL 82 000 000** – Rome, 17 avr. 1989 : *Nature morte avec des roses, une bouteille et des allumettes* 1940, h/t (36,5x48) : **ITL 35 000 000** – Rome, 8 juin 1989 : *La Rue* 1949, h/t (64x75) : **ITL 65 000 000** – Milan, 7 nov. 1989 : *Œillets au vase bleu* 1955, h/t (60x50) : **ITL 34 000 000** – Rome, 30 oct. 1990 : *Nature morte de roses sur un entablement* 1958, h/t (45x65) : **ITL 30 000 000** – Rome, 3 déc. 1990 : *Modèles dans l'atelier*, h/t (53x42) : **ITL 80 500 000** – Rome, 9 déc. 1991 : *Démolition*, h./contre plaqué (42x60) : **ITL 69 000 000** – Rome, 3 déc. 1991 : *Nu féminin à l'escarpin rouge* 1945, h/t (55x40) : **ITL 53 000 000** – Rome, 19 nov. 1992 : *Les Maisons de la via Marguitta* 1946, h/t (36x46) : **ITL 46 000 000** – Munich, 1er-2 déc. 1992 : *Piazza del Popolo* 1940, h/pan. (14,5x21) : **DEM 3 795** – Milan, 6 avr. 1993 : *Vase de fleurs* 1957, h/pan. (43x29) : **ITL 18 000 000** – Rome, 8 nov. 1994 : *Roses jaunes sur un entablement*, h/t (33x41) : **ITL 24 150 000** – Rome, 13 juin 1995 : *Toits de Rome* 1942, h/pan. (35,5x48) : **ITL 26 450 000** – Milan, 20 mai 1996 : *Postribolo* 1946 (60x55) : **ITL 25 300 000** – Milan, 24 nov. 1997 : *Nu* 1935, h/t (35,5x29) : **ITL 17 250 000**.

MAFE Daniël
Né le 30 avril 1957 à Londres. xxe siècle. Britannique.
Peintre. Abstrait.
Il fut élève du City and Guilds School of Art à Londres (1980-1983) et de la Royal Academy à Londres (1983-1986). Il fut lauréat du prix Europe de peinture de la Ville d'Ostende en 1986.
Musées : Ostende (M.B.A.) : *Encroaching*.

MA FEN
Originaire de Hezhong, province du Shanxi. xiie siècle. Actif dans la première moitié du xiie siècle. Chinois.

Peintre.
Peintre de figures bouddhiques et peintre animalier, il est membre *(Daizhao)* de l'Académie des Beaux-Arts à la cour de Kaifeng vers 1119-1125. C'est le premier peintre de la famille Ma, véritable dynastie d'artistes d'où sortira Ma Yuan (actif vers 1190-1230), arrière-petit-fils de Ma Fen. L'Académie des Beaux-Arts de Honolulu conserve un rouleau en longueur, *Les cent oies sauvages*, que l'on attribue à Ma Fen. Bien que cette œuvre soit certainement postérieure à l'artiste et ne soit pas antérieure à la dynastie des Song du Sud (1127-1279), elle a sans doute été exécutée d'après une composition de Ma Fen. Le Musée du Palais de Pékin conserve un autre rouleau en longueur, signé et daté 1095, *Troupeau de buffles*, que l'on attribue aussi à Ma Fen.

MAFFEI Alessandro
Né vers 1790 à Sienne. Mort en 1859. XIXe siècle. Italien.
Peintre.
Frère de Cesare. Il fut professeur à l'Académie de Florence. Les Offices conservent un dessin de lui.

MAFFEI Antonio
Né vers 1530 à Gubbio. XVIe siècle. Italien.
Graveur sur bois et ornemaniste.
Fils de Giacomo. Il sculpta les stalles de San Fortunato (1590) et deux chandeliers pour Santa Maria della Consolazione à Todi.

MAFFEI Cesare
XIXe siècle. Actif à Sienne vers 1810 à 1840. Italien.
Peintre.
Frère d'Alessandro. A Sienne, il fit les fresques dans la salle du Chapitre de la cathédrale ainsi que dans des églises aux environs de la ville.

MAFFEI Charles
Né à Rome. Italien.
Sculpteur.
Élève de l'Académie de Saint-Luc. Le Musée de Nice conserve de lui les bustes en plâtre de *Rossini* et de *Verdi*.

MAFFEI Francesco
Né vers 1600 et 1620 à Vicence. Mort le 2 juillet 1660 à Padoue. XVIIe siècle. Italien.
Peintre d'histoire, sujets mythologiques, compositions religieuses, sujets allégoriques, portraits, compositions murales, graveur. Baroque.
Entra d'abord dans l'atelier de Maganza, à Vicence, période pendant laquelle il peignit le *Saint Vincent* du Musée Municipal, le *Saint Nicolas et l'Ange*, en 1626, de l'Oratoire Saint-Nicolas. En 1638, à Venise, il collabora avec Sante Peranda. À Venise encore, il étudia les œuvres de Liss et de Fetti, et eut des contacts avec Strozzi ; à travers eux, il retrouva les riches coloris des Vénitiens du XVIe siècle, les mettant au service de sa propre imagination de visionnaire, faite de naturalisme, d'humour macabre, de fantastique. Son tempérament à part s'accommoda souvent assez mal de commandes, dans lesquelles son imagination devait évidemment se réfréner, aussi ses œuvres sont-elles de niveaux inégaux. Après Venise, Maffei repartit pour Vicence, où il réalisa l'essentiel de son œuvre : la *Visitation* d'Arzignano, les grandes compositions décoratives peintes, en 1644 et 1655, pour le Palais du Podesta, la *Glorification de l'Inquisiteur A. Foscarini*, en 1652, pour le Mont-de-Piété, des peintures pour la cathédrale, pour Sainte-Marie-Nouvelle, un *Caïn et Abel*, le *Sacrifice de Melchisédech* (toutes deux dans la collection Foscari, à Venise). Pour Rovigo encore, il peignit une *Pietà* et d'autres œuvres, conservées à l'église de la Rotonde ; pour Brescia, la *Translation des ossements des saints de Brescia*, œuvre caractéristique de l'art baroque, les personnages de la procession violemment éclairés en clair-obscur par les rais de lumière tombés d'un ciel tumultueux peuplé d'anges tourbillonnants. À Vicence, il peignit encore la série pour l'Oratoire des Zitelle et pour celui de Saint-Nicolas, dans une technique de plus en plus spontanée, qui annonce par certains côtés le XVIIIe siècle, comme dans plusieurs plafonds à sujets mythologiques, avec des effets de raccourci d'un baroquisme caractérisé, que l'on voit aujourd'hui à la Ca Rezzonico, à Venise. Autour de 1657, Maffei se rendit à Padoue, où il devait mourir peu après. Il y peignit encore *La Manne*, de l'église Sainte-Justine, *L'Adoration des Mages*, des Filippini, les peintures des églises de l'Incoronata et de Saint-Thomas.
L'attention de la critique moderne s'est portée de nouveau sur ce peintre étrange. À son sujet sont souvent évoquées les influences de Véronèse et de Tintoret. Évidente est aussi, notamment dans la série des représentations allégoriques des Podestats, celle de Bassano. Pour tous ces liens, il appartient à l'école vénitienne, avec une poésie au bord du fantastique qui lui fait une place très à part, et qui pourrait lui valoir des études ultérieures. ■ J. B.
BIBLIOGR. : Giovanni Paccagnini, in : Catalogue de l'exposition *Le Caravage et la peinture italienne du XVIIe siècle*, Musée du Louvre, Paris, 1965 – André Chastel, in : *Dictionnaire Univers. de l'Art et des Artistes*, Hazan, Paris, 1967 – Paola Rossi : *Francesco Maffei. Catalogue raisonné.*
MUSÉES : FAENZA : *Judith* – PESARO : *La conversion de saint Paul* – RIMINI : *Les cavaliers de l'Apocalypse* – *Anges et démons* – VÉRONE (Mus. mun.) : *Cène.*
VENTES PUBLIQUES : MILAN, 12-13 mars 1963 : *La Vierge et l'Enfant et San Felice* : **ITL 1 000 000** – LONDRES, 1er avr. 1966 : *Le miracle de Nicolas de Tolentino* : **GNS 650** – MILAN, 10 mai 1967 : *Portrait d'un musicien* : **ITL 2 400 000** – HAMBOURG, 7 juin 1979 : *Guerrier à cheval*, dess. en ocre, brun et gris-bleu reh. de blanc (36x25,4) : **DEM 4 000** – NEW YORK, 18 juin 1982 : *La parabole des vignerons*, h/t (115,5x134,5) : **USD 16 000** – MILAN, 25 fév. 1986 : *L'Adoration des bergers*, h/t (127x126) : **ITL 40 000 000** – MONTE-CARLO, 20 juin 1987 : *Le sacrifice d'Isaac*, pinceau et gche noire, blanche, rose et bleue (23,8x16) : **FRF 65 000** – LONDRES, 19 mai 1989 : *L'Annonciation*, h/t (67,3x55,2) : **GBP 2 640**.

MAFFEI Giacomo
XVIe siècle. Actif à Gubbio. Italien.
Graveur sur bois, ornemaniste.
Frère de Girolamo et père d'Antonio. Sculpta des buffets d'orgues et des figures décoratives à Gubbio et à Pérouse.

MAFFEI Giacomo
XVIIe siècle. Italien.
Peintre de paysages.
Vénitien, ses œuvres n'ont pas été conservées.

MAFFEI Gina
Née en 1921 à Trente. XXe siècle. Italienne.
Peintre de paysages. Tendance abstraite.
Elle participe à des expositions collectives, dont : en 1995 *Attraverso l'Immagine*, au Centre Culturel de Crémone. En 1977, elle a montré un ensemble de ses peintures dans une exposition personnelle à la galerie Le Arcate de Milan.
Elle traite le paysage par le choix de détails signifiants, peints très en matière et à la limite de l'abstraction.
BIBLIOGR. : In : Catalogue de l'exposition *Attraverso l'Immagine*, Centre Culturel Santa Maria della Pietà, Crémone, 1995.
VENTES PUBLIQUES : ROME, 14 déc. 1989 : *Paysage lacustre animé*, h/t (30x40) : **ITL 1 380 000**.

MAFFEI Giovanni
Né au XVIe siècle à Carrare. XVIe siècle. Italien.
Sculpteur et architecte.
Il sculpta deux figures allégoriques au portail de l'Ospedale Grande à Messine.

MAFFEI Girolamo, dit **Racanato**
XVIe siècle. Actif à Gubbio. Italien.
Sculpteur sur bois.
Frère de Giacomo. Il sculpta la chaire épiscopale de la cathédrale de Gubbio.

MAFFEI Guido von
Né le 1er juillet 1838 à Munich. XIXe siècle. Allemand.
Peintre paysagiste et animalier.
Élève d'Otto Gebler, de l'Académie de Munich. Il visita le Jura. Il peignit surtout des sangliers, des renards, des blaireaux et des scènes de chasse pleines de vie.
MUSÉES : BRUNSWICK (Mus. mun.) : *Soir d'octobre* – DRESDE (Gal.) : *Proie certaine* – MUNICH (Pina.) : *Des bassets ont pris un blaireau.*
VENTES PUBLIQUES : NEW YORK, 30 oct. 1985 : *Chiens de chasse se disputant une proie* 1869, h/t mar./cart (87x115,5) : **USD 3 500**.

MAFFEI Jacopo
XVIIe siècle. Actif à Venise vers 1660. Italien.
Peintre de marines.

MAFFEI Michele
Né vers 1650 à Messine. Mort vers 1680 à Naples. XVIIe siècle. Italien.
Peintre de paysages.
Fils et élève de Niccolo Francesco Maffei. Il fit ses études à Rome et à Naples.

MAFFEI Niccolo Francesco
Né en 1590 à Carrare. Mort en 1670 à Messine. XVIIe siècle. Italien.

Peintre de compositions religieuses, sculpteur de statues, architecte.
Fils et élève de Giovanni. Il sculpta pour la cathédrale de Messine les statues monumentales de *Saint Jacques* et de *Saint Thomas* et peignit des madones dans les églises de Messine.

MAFFEI Nicolo Francesco
XVIIe siècle. Actif à Rome. Italien.
Graveur au burin.
Il a gravé des sujets religieux : *La Sainte Famille, Saint François et l'ange, Judith avec la tête d'Holopherne* et *Martyre de Psyché*. Paraît différent du précédent.

MAFFEI-ROSAL Antonio
Né à Bordeaux, de parents espagnols. Mort le 17 décembre 1868 à Madrid. XIXe siècle. Espagnol.
Peintre.
Il fut professeur à l'Académie de Madrid et élève de J. Aparicio. Il peignit des tableaux religieux, des allégories, des natures mortes, des paysages, des miniatures et des portraits, notamment celui du roi *Ferdinand Ier*.

MAFFEI-ROSAL Francisco
Né en 1824 à Madrid. Mort en 1842 à Madrid. XIXe siècle. Espagnol.
Peintre.
Élève de G. Pérez Villaamil. Il a peint des paysages et des vues de l'Escurial.

MAFFEIS Pietro di Bonomo de
Originaire de Stabello. Actif à Bergame. Italien.
Sculpteur sur bois.
A exécuté des œuvres pour les églises de Sedrino et de Bergame.

MAFFEO da Verona
Né vers 1576 à Vérone. Mort le 8 novembre 1618. XVIIe siècle. Italien.
Peintre de paysages.
Élève de Luigi Benfatto. Il travailla à Venise, à Udine et à Vérone, s'inspirant de la manière de son parrain Paolo Veronese. On cite, notamment, à Venise dans l'église Saint-Marc, un *Christ portant sa croix*, une *Crucifixion* et deux tableaux d'autel *Descente de croix* et *Résurrection*. Il peignit surtout à fresque et, suivant la tradition, avec une extrême rapidité.
VENTES PUBLIQUES : MILAN, 28 nov. 1995 : *Scène de sacrifice*, h/t (755,3x135,7) : **ITL 6 900 000**.

MAFFEOTTI Giuseppe. Voir **FLORIANI**

MAFFEY
Français.
Peintre de vues.
Le Musée de Valence conserve de lui une *Vue d'Anvers* et une *Vue de Genève*.

MAFFIOLI Alberto, dit **Alberto da Carrara**
XVe siècle. Actif dans la seconde moitié du XVe siècle. Italien.
Sculpteur et architecte.
Il travailla à Parme, à la Chartreuse de Pavie et à la façade de la cathédrale de Crémone.

MAFFRÉ
XVIIIe siècle. Actif à Nantes vers 1780. Français.
Peintre.

MAFIOLO Antonio di
XVe siècle. Actif à Carrare. Italien.
Sculpteur.

MAFUGI Ceccollo
XIVe siècle. Actif à Gubbio. Italien.
Sculpteur.
Collabora avec G. Dontis à l'exécution d'un groupe monumental de la *Vierge avec l'enfant et deux anges* (disparu).

MAGAARD Valdemar Holger V. Rasmusen
Né le 20 janvier 1864. XIXe-XXe siècles. Danois.
Peintre, graveur.
Il fut élève de Tuxen. Il exposa, dès 1900, des intérieurs, des portraits et des aspects des rues de son pays. Il excelle surtout comme aquafortiste.

MAGADAN Y GAMARRA Juan Cirilo
Mort en 1752 à Madrid. XVIIIe siècle. Espagnol.
Miniaturiste.
Premier secrétaire de l'Académie de Saint-Ferdinand, il a laissé deux ouvrages sur la peinture (1743 et 1754).

MAGAFAN Ethel
Née en 1916 à Chicago. XXe siècle. Américaine.
Peintre de compositions murales, paysages. Groupe de Woodstock.
Née à Chigago et élevée dans le Colorado avec sa sœur Jennie, elle étudia au Centre des Beaux-Arts de Colorado Springs, de 1938 à 1940. Frank Mechau l'initia à la peinture murale et en fit bientôt son assistante. Elle resta en Californie avec sa sœur jusqu'en 1945. À cette époque, Doris Lee et Arnold Blanch attirèrent les deux sœurs à Woodstock, où elles s'installèrent de façon permanente. Elle eut sa première exposition personnelle en 1940 à la Galerie d'Art Contemporain de New York.
VENTES PUBLIQUES : NEW YORK, 28 nov. 1995 : *L'approche de l'orage*, temp./rés. synth. (58n5x83,5) : **USD 4 140**.

MAGAFAN Jennie
Née en 1916. Morte vers 1950. XXe siècle. Américaine.
Peintre de paysages. Groupe de Woodstock.
Sœur et peut-être jumelle d'Ethel. Élevée dans le Colorado avec sa sœur, elle étudia au Centre des Beaux-Arts de Colorado Springs, de 1938 à 1940. Elle resta en Californie avec sa sœur jusqu'en 1945. À cette époque, Doris Lee et Arnold Blanch attirèrent les deux sœurs à Woodstock, où elles s'installèrent de façon permanente.
VENTES PUBLIQUES : NEW YORK, 24 sep. 1992 : *Cochons* 1938, h/t (61x88,9) : **USD 3 300**.

MAGAGNI Girolamo di Francesco, dit **Giomo del Sodoma**
Né en octobre 1507 à Sienne. Mort en mai 1562. XVIe siècle. Italien.
Peintre.
Élève de Sodoma et de B. Peruzzi. Il peignit à Rome des tableaux dans les églises de Sienne et des fresques dans le couvent de Monteoliveto Maggiore.

MAGAGNINO Giovanni Battista ou **Magagnini**, dit **Farina**
Mort en 1612 ou 1613. XVIIe siècle. Actif à Ferrare. Italien.
Peintre.
Exécuta avec G. Faccini et I. Casoli les peintures décoratives de San Paolo à Ferrare. On cite de lui à Sant Margherita, des fresques et des peintures dans d'autres églises de Ferrare.

MAGAGNO, dit **l'Ancien**. Voir **MAGANZA Giovanni Battista**

MAGAGNOLO Francesco
XVe siècle. Actif à Modène. Italien.
Peintre.
Appelé à Ferrare pour collaborer aux travaux de décoration pour le mariage d'Alfonso d'Este en 1491.

MAGALACHVILI Keto
Née dans le Caucase. XXe siècle. Russe.
Peintre de portraits.
La personnalité de cette artiste se révèle dans ses portraits. Elle attache plus d'importance à la stylisation qu'à l'humanité directe. Parmi ses œuvres : *Portrait de la princesse Tamara*.

MAGALLON Ludovic de
Né en 1902 à Paris. Mort en 1942 à Paris. XXe siècle. Français.
Peintre de paysages, portraits, graveur.
Il fut élève de J.-P. Laurence. Il commença d'exposer au Salon des Artistes Français, à Paris, à l'âge de dix-sept ans.
On lui doit des paysages de la Beauce ou de la Brie et des portraits.

MAGALOTTI Alessandro ou **Magalotto**
XVIIe siècle. Actif à Rome. Italien.
Dessinateur.
Illustra avec son frère Lorenzo la première édition des *Documents d'amour* de Francesco da Barberino, parue à Rome en 1640.

MAGAND Adolphe Jacopes Gabriel
Né au XIXe siècle à Lyon (Rhône). XIXe siècle. Français.
Peintre de natures mortes.
Élève de Saint-Jean. Il exposa plusieurs fois au Salon entre 1845 et 1861.
MUSÉES : BAGNÈRES-DE-BIGORRE : *Citrons*.
VENTES PUBLIQUES : NEW YORK, 17 jan. 1996 : *Oiseaux exotiques avec une nature morte de roses, papillons et baies* 1865, h/t (83,8x115,6) : **USD 5 750**.